Búsqueda alfabética
Permite realizar búsquedas de voces o entradas del diccionario.

Búsqueda por materias
Agrupa las voces del diccionario relacionadas con la materia objeto de búsqueda.

Búsqueda aproximada
Permite realizar búsquedas introduciendo las primeras, las últimas o algunas de las letras de la voz.

Búsqueda por operadores
Permite realizar búsquedas complejas relacionando diferentes palabras de las definiciones de las voces.

Historial de consultas
Facilita un listado con las últimas consultas realizadas para reconstruir fácilmente la sesión de trabajo.

Índice de unidades visuales temáticas
Listado de secuencias audiovisuales que ilustran determinadas voces.

Índice de hiperimágenes
Listado de imágenes con textos activos y reseñas descriptivas que ilustran algunas voces.

Índice de países
Muestra las voces pertenecientes a países con la correspondiente definición, acompañada de imágenes y mapas.

Saltos hipertextuales
Las palabras de la definición de una voz están activas si existen como entradas en el diccionario.

Exportar e imprimir
Permite trasladar a otras aplicaciones o reproducir mediante la impresora la definición de una voz.

Ayuda
Explica la correcta utilización de todas las opciones.

OCEANO UNO COLOR

DICCIONARIO ENCICLOPÉDICO

con CD-ROM

OCEANO

Es una obra de

GRUPO
OCEANO

EDICIÓN 2002

EQUIPO EDITORIAL

Dirección: Carlos Gispert
Subdirección y Dirección de Producción: José Gay
Dirección de Edición: José A. Vidal

Edición: Ana Biosca, José Gárriz, Juan Pérez, María Villalba
Maquetación: Esther Amigó, Manuela Carrasco
Cartografía: Archivo Océano
Diseño de cubiertas: Eduardo Palos
Sistemas de cómputo: María Teresa Jané, Gonzalo Ruiz
Preimpresión: Didac Puigcerver
Producción: Antonio Aguirre, Antonio Corpas, Daniel Gómez, Alex Llimona, Ramón Reñé, Antonio Surís

"La presente publicación se ajusta a la cartografía oficial de la República Argentina establecida por el poder ejecutivo nacional a través del Instituto Geográfico Militar, Ley 22.963, y fue aprobada por expte. GG0 0831/5 de 24 de marzo de 2000".

Milanesat, 21-23
EDIFICIO OCEANO
08017 Barcelona (España)
Teléfono: 932 802 020*
Fax: 932 041 073
www.oceano.com

ISBN 84-494-1548-9

Impreso en España - Printed in Spain
Depósito legal: B-2135-XLIII

9000122120502

INTRODUCCIÓN

OCÉANO UNO COLOR, DICCIONARIO ENCICLOPÉDICO, la obra que tenemos el placer de presentar al público de habla española, constituye un instrumento ágil y riguroso que compendia en un solo volumen todos los conocimientos y la información precisa del conjunto de ramas del saber humano desde la Antigüedad hasta nuestros días, abarcando tanto las clásicas disciplinas de Humanidades como las ciencias naturales y exactas, las nuevas disciplinas científico-positivas y tecnológicas —incluyendo las más revolucionarias, como la computación—, sin olvidarnos de las modernas ciencias humanas y sociales, con especial énfasis en en las áreas de las artes, las letras, los deportes, etcétera.

El léxico ha sido cuidado al máximo, incluyendo las enmiendas y nuevas voces o acepciones que figuran en la última edición del Diccionario de la Lengua Española de la Real Academia Española, así como aquellas voces que el uso común o la evolución científico-técnica ha incorporado a nuestro rico idioma común.

OCÉANO UNO COLOR, DICCIONARIO ENCICLOPÉDICO, es un Diccionario de fácil manejo, tanto por su tamaño, como por la estructuración interna de la obra, lo que permite realizar las consultas de forma rápida y eficaz.

La maquetación y la ilustración de la obra se han cuidado al máximo, para poder ofrecer al lector el complemento gráfico ideal a las voces y conceptos que contiene. Una maqueta moderna, en línea con las últimas tendencias del diseño, se une a una rica iconografía —más de 7 500 ilustraciones a todo color (fotografías; mapas geográficos, históricos y económicos; cuadros y tablas estadísticas; dibujos; diagramas; gráficos, etcétera)—, para facilitar al lector la más amplia información posible en todos los campos del saber humano.

La planificación y elaboración del presente diccionario han sido realizadas por un equipo de excelentes profesionales, que han llevado a cabo la selección de las diversas voces que debían ser incluidas, siempre en el marco de la búsqueda del máximo rigor y objetividad, así como de la más exigente actualidad.

Sin menoscabo del carácter de obra de referencia general que posee el diccionario, se ha hecho especial hincapié en el léxico y los temas enciclopédicos que afectan más directamente a América Latina y a España, que configuran un área lingüística de especiales características, lo que convierte a OCÉANO UNO COLOR, DICCIONARIO ENCICLOPÉDICO, en el instrumento de consulta imprescindible para todos los pueblos de habla española a ambos lados del océano Atlántico.

LOS EDITORES

UNIDADES VISUALES TEMÁTICAS

Acero
Agua
Alfabeto
Anticuerpo
Árbol
Arquitectura
Astronáutica
Aviación
Bacteria
Barroco
Base de datos
Big-bang
Briofito
Cad-Cam
Cáncer
Carnívoro
Cereal
Clima
Clonación
Color
Computación
Contaminación
Coral
Crustáceo
Cueva
Defensa animal
Demografía
Desierto
División celular
Ecología
Energía
Equinodermo
Erosión
Esponja
Estrella
Evolución
Fases de la Luna
Fiordo
Fotografía
Gas
Glaciación
Gótico
Grasa
Gusano
Herbívoro
Hongo
Impresión
Ingeniería genética
Islam
Jardín
Judaísmo
Lago
Láser
Líquen
Luz
Magnetismo
Mar
Medusa
Microprocesador
Montaña
Música
Navegación aérea
Nova
Olimpiadas
Oxígeno
Papel
Partícula elemental
Perro
Petróleo
Pop-Art
Precolombino
Publicidad
Rapaz
Renacimiento
Reptil
Río
Románico
Safari fotográfico
Sangre
Seísmo
SIDA
Sistema solar
Sonda espacial
Superconductividad
Tapiz
Televisión
Tierra
Topografía
Turbina
Urbanismo
Vela
Vidriera
Volcán
Zapoteca

APÉNDICES

ATLAS MUNDIAL
América austral
Brasil
América andina y amazónica
Centroamérica y Antillas
México
Estados Unidos de América
América boreal
Península Ibérica
Francia
Benelux
Islas Británicas
Europa central
Escandinavia e Islandia
Italia y Europa alpina
Balcanes
Eurasia septentrional
Próximo Oriente
Asia indoiránica
India
Indochina y Filipinas
Indonesia y Malaysia
China y Mongolia
Japón y Corea
Australia
África del norte
África nordoriental
África guineana
África centroecuatorial
África austral y Madagascar
Banderas del mundo

ASTRONOMÍA

BIOLOGÍA

BOTÁNICA

GRAMÁTICA Y ORTOGRAFÍA

MATEMÁTICAS

ZOOLOGÍA

ABREVIATURAS UTILIZADAS EN ESTE DICCIONARIO

A	amperio
Å.	angström
a.	área (medida)
a. C.	antes de Cristo
a. l.	años luz
a. metr.	área metropolitana
A. T.	Antiguo Testamento
abrev.	abreviatura
Ac.	Acústica
acep.	acepción
acus.	acusativo
adj.	adjetivo
adm.	administrativo
Admon.	Administración
adv.	adverbio, adverbial
Aer.	Aeronáutica
afl.	afluente
afr.	africano, na
agl. urb.	aglomeración urbana
Agr.	Agricultura
al.	alemán, na
alb.	albanés, sa
Álg.	Álgebra
alt.	altura
amb.	ambiguo
Amér.	América
Amér. Centr.	América Central
Amér. Merid.	América Meridional
Anat.	Anatomía
Ant.	Antillas
ant.	antiguo
antill.	antillano, na
Antr.	Antropología
aprox.	aproximadamente
ar.	árabe
arc.	arcaico
arch.	archipiélago
arg.	argentino, na
Argent.	Argentina
Arit.	Aritmética
Arm.	Armamento
Arq.	Arquitectura
Arqueol.	Arqueología
art.	artículo
Art. Gráf.	Artes Gráficas
Astr.	Astronomía
Astron.	Astronáutica
aum.	aumentativo
austr.	austríaco, ca
Aut.	Automovilismo
barb.	barbarismo
Biofís.	Biofísica
Biol.	Biología
Bioq.	Bioquímica
Bol.	Bolivia
bol.	boliviano, na
Bot.	Botánica
bras.	brasileño, ña
brit.	británico, ca
búlg.	búlgaro, ra
c.	ciudad
C. Rica	Costa Rica
°C	grados centígrados
cal.	caloría
Can.	Canadá
can.	canadiense
cap.	capital
Carp.	Carpintería
cast.	castellano
cat.	catalán
catól.	católico, ca

Cet.	Cetrería
cg	centígramo
chec.	checoslovaco, ca
chil.	chileno, na
cía.	compañía
Cin.	Cinematografía
Cir.	Cirugía
Citol.	Citología
cl	centilitro
clás.	clásico
cm	centímetro
cm^2	centímetro cuadrado
cm^3	centímetro cúbico
Col.	Colombia
col.	colombiano, na
com.	comercio, comercial
com.	común de dos
com. autón.	comunidad autónoma
Comp.	Computación
comp.	comparativo
conj.	conjunción
Const.	Construcción
Cont.	Contabilidad
contr.	contracción
cord.	cordillera
cost.	costarricense, sa
Crist.	Cristalografía
cub.	cubano, na
CV	caballo de vapor
d. C.	después de Cristo
defect.	verbo defectivo
dem.	demostrativo
Dep.	Deporte
Der.	Derecho
der.	derivado
despect.	despectivo
desus.	desusado
deter.	determinado
díc.	dícese
dim.	diminutivo
distr.	distrito
distrib.	distributivo
dom.	dominicano, na
dpto./dptos.	departamento/os
E	Este
E. Ant.	Edad Antigua
E. Med.	Edad Media
E. Mod.	Edad Moderna
E. Cont.	Edad Contemporánea
Ecol.	Ecología
Econ.	Economía
Ecuad.	Ecuador
ecuat.	ecuatoriano, na
ed.	edición, editorial
Edaf.	Edafología
EE UU	Estados Unidos
ej.	ejemplo
El.	Electricidad
Electr.	Electrónica
elem.	elemento
Embriol.	Embriología
emp.	emperador
Enc.	Encuadernación
Eq.	Equitación
Esc.	Escultura
Esg.	Esgrima
esp.	español
est.	Estado (organización)
Est.	Estadística
Estr.	Estratigrafía
estr.	estrecho

etc.	etcétera
etim.	etimología
Etn.	Etnología
eusk.	euskera
eV	electrovoltio
excl.	exclamativo
exp.	expresión
export.	exportación
est.	exterior
f.	sustantivo femenino
F	Faradio
°F	grado Farenheit
fam.	familiar, familiarmente
Farm.	Farmacología
fem.	femenino
Ferr.	Ferrocarriles
fest.	festividad
fig.	figura, figurado
Fil.	Filosofía
finl.	finlandés, sa
Fís.	Física
Fisiol.	Fisiología
flam.	flamenco, ca
Fon.	Fonética
Fot.	Fotografía
fr.	francés, frase
fut.	futuro
g	gramo
gall.	gallego
gén.	género
Genét.	Genética
Geod.	Geodinámica
Geof.	Geofísica
Geog.	Geografía
Geol.	Geología
Geom.	Geometría
ger.	gerundio
germ.	germánico, ca
gr.	griego
gral.	general
gralte.	generalmente
Gram.	Gramática
Guat.	Guatemala
guat.	guatemalteco, ca
h	hora, hacia
ha	hectárea
hab.	habitantes
heb.	hebreo
Her.	Heráldica
Hist.	Historia
Histol.	Histología
hol.	holandés, sa
hom.	homónimo, ma
Hond.	Honduras
hond.	hondureño, ña
HP	caballo de potencia
húng.	húngaro, ra
Hz	hertz
id.	ídem
ilustr.	ilustración
imp.	importante
imper.	imperfecto
impers.	verbo impersonal
import.	importación
incoat.	verbo incoativo
Ind.	Industria
ind.	industria
indef.	verbo indefinido
indep.	independencia, independiente
indet.	indeterminado

indic.	indicativo
infinit.	infinitivo
Ing.	Ingeniería
ing.	inglés
int.	interior
interj.	interjección
interr.	interrogativo
intr.	verbo intransitivo
invar.	invariable
irl.	irlandés, sa
irreg.	irregular
isl.	islandés, sa
it.	italiano, na
J	julio (unidad de trabajo)
JJOO	Juegos Olímpicos
°K	grados Kelvin
kcal	kilocaloría
kg	kilogramo
km	kilómetro
km^2	kilómetro cuadrado
kp	kilopondio
kpm	kilopondímetro
kw	kilovatio
kwh	kilovatio hora
l	litro
L, Ln	logaritmo neperiano
lat.	latitud geográfica
Ling.	Lingüística
Lit.	Literatura
loc.	locución
loc. adv.	locución adversativa
loc. conj.	locución conjuntiva
loc. prep.	locución prepositiva
Lóg.	Lógica
log.	logaritmo
long.	longitud
m	metro
m^2	metro cuadrado
m^3	metro cúbico
µ	micra
m.	muerto, sustantivo masculino
m. adv.	modo adverbial
m. conj.	modo conjuntivo.
M. prima.	Materias primas
Mar.	Marina
Mat.	Matemáticas
máx.	máximo, ma
Mec.	Mecánica
Mec. apl.	Mecánica aplicada
Med.	Medicina
Metal.	Metalurgia
Meteor.	Meteorología
Métr.	Métrica
Metrol.	Metrología
MeV	megaelectronvoltio
mex.	mexicano, na
Méx.	México
mg	miligramo
Mil.	Militar
Min.	Minería
min.	minuto
Miner.	Mimeralogía
Mit.	Mitología
mm	milímetro
Mont.	Montería
mov.	movimiento
mun.	municipio
Mús.	Música
n.	nacido
n	neutro
N	norte, Newton (unidad de fuerza)
n. a.	número atómico
n. m.	número de masa
n. p.	nombre propio
N. T.	Nuevo Testamento
nac.	nacional
NE	nordeste
neer.	neerlandés, sa
neg.	negativo
neol.	neologismo
Nic.	Nicaragua
nic.	nicaragüense, sa
NO	noroeste
nominat.	nominativo
nor.	noruego, ga
norteam.	norteamericano, na
Núm.	Numismática
núm.	número
O	oeste
Ω	ohmio
Ocean.	Oceanografía
of.	oficial
Ópt.	óptica
Org. pol.	Organización política
p.	participio, partido
p. a.	por antonomasia
p. ej.	por ejemplo
p. ext.	por extensión
p. p.	participio pasivo
P. Rico	Puerto Rico
pág.	página
Pal.	Paleontología
Pan.	Panamá
pan.	panameño, ña
Par.	Paraguay
par.	paraguayo, ya
Pat.	Patología
pas.	pasivo
Pedag.	Pedagogía
pen.	península
per.	peruano, na
pers.	persona, personal
Petr.	Petrografía
Petroq.	Petroquímica
PIB	Producto Interior Bruto
Pint.	Pintura
pl.	plural
PNB	Producto Nacional Bruto
pob.	población
poét.	poético
Pol.	Política
pol.	polaco, ca
port.	portugués, sa
pos.	posesivo
post.	posteriormente
pral./prales.	principal/es
pralm.	principalmente
pref.	prefijo
Prehist.	Prehistoria
prep.	preposición
prep. insep.	preposición inseparable
pres.	presente
presid.	presidente
pret.	pretérito
priv.	privativo
prnl.	pronominal
prob.	probable
pron.	pronombre
prov.	provincia
Psic.	Psicología
Psiq.	Psiquiatría
puertorriq.	puertorriqueño, ña
q	quintal métrico
Quím.	Química
quím.	químico
r.	río
R. de la Plata	Río de la Plata
R. Dom.	República Dominicana
r.p.m.	revolución por minuto
r.p.s.	revolución por segundo
RDA	República Democrática Alemana
RFA	República Federal de Alemania
rec.	verbo recíproco
reg.	regular
Rel.	Religión
relat.	relativo
rep.	república
Ret.	Retórica
rev.	revolución
rom.	romano
rum.	rumano, na
s./ss.	siglo/siglos, sustantivo
S	sur
Salv.	El Salvador
salv.	salvadoreño, ña
SE	sudeste
seg.	segundo (tiempo)
sep.	separativa
seud.	seudónimo
símb.	símbolo
sing.	singular
sinón.	sinónimo
sist.	sistema
sit.	situado
SO	sudoeste
soc.	sociedad
Sociol.	Sociología
sov.	soviético, ca
sta.	santa
sto.	santo
subj.	subjuntivo
suf.	sufijo
sup.	superlativo
t	tonelada
Taur.	Tauromaquia
Tecnol.	Tecnología
Tect.	Tectónica
Teol.	Teología
Terap.	Terapéutica
terr.	territorio
Top.	Topografía
tr.	verbo transitivo
Trig.	Trigonometría
TV	televisión
U.M.	unidad monetaria
Ur.	Uruguay
ur.	uruguayo, ya
Urb.	Urbanismo
URSS	Unión de Repúblicas Socialistas Soviéticas
V	voltio
vol.	volumen
Ven.	Venezuela
ven.	venezolano, na
Vet.	Veterinaria
vicepresid.	vicepresidente
vocat.	vocativo
W	vatio
yug.	yugoslavo, va
Zool.	Zoología
’	minutos (arco de circunferencia)
”	segundos (arco de crcunferencia)
%	por ciento
‰	por mil

INSTRUCCIONES PARA EL USO DE ESTE DICCIONARIO

Léxico

La preocupación principal en esta obra ha sido la de ofrecer la mayor información posible en un sólo volumen. En efecto, la selección de las voces se ha realizado atendiendo a criterios de actualidad, economía de espacio, inteligibilidad, impacto social y respeto a las estructuras sintácticas del español. Este esfuerzo de concisión se ha realizado mediante la *supresión* en cuanto al **Léxico** de:

— Los adverbios terminados en *mente*.
— Los participios de los verbos cuando, por su carácter de adjetivo o sustantivo, no tienen un significado distinto del verbo.
— Los prefijos y sufijos.
— Las voces anticuadas u obsoletas y aquellos *cultismos* que no son, a juicio de los editores, imprescindibles para la comprensión de los clásicos de nuestra literatura.
— Las entradas de aquellas voces *derivadas* o pertenecientes a la *misma familia* que no tienen un significado distinto de la voz *raíz* o la palabra *ordenatriz*, y una grafía sustancialmente distinta. Cuando la voz derivada o la palabra afín no incurre en ninguno de los dos casos citados, se ha incorporado al final del artículo ordenatriz en VERSALITAS y precedida del signo ■.

Dentro de cada artículo, si se repite la voz de la entrada, se transcribe únicamente por su inicial seguida de punto, excepto en aquellas ocasiones que, en evitación de posibles confusiones, sea aconsejable la transcripción de la palabra íntegra.

Enciclopedia

Estructura y alfabetización de las biografías

Con el fin de dar entrada al mayor número posible de biografías de personajes sobresalientes en todas las esferas de la actividad humana, se ha diseñado una estructura singular para la parte correspondiente a la **Enciclopedia.** Así, aparecen bajo una misma entrada todos los *nombres propios de persona* cuyo primer apellido es homónimo. La alfabetización de cada uno de ellos dentro del artículo sigue los criterios siguientes:

— Individuos de los que sólo se conoce su nombre de pila. En caso de poseer el mismo, por orden de antigüedad.
— Personas conocidas por su segundo apellido. En caso de que posean el mismo, se ha seguido el criterio de alfabetizarlos por el nombre.
— *Emperadores* y *reyes* se agrupan bajo una misma entrada en función del nombre, pero separados por el reino o imperio que gobernaron. Para evitar confusiones, el reino o imperio se ha centrado en columna y en VERSALITAS. El orden alfabético sigue el de la numeración romana correspondiente a su reinado o imperio. Para mayor claridad, se ha incluido una entrada genérica, como artículo aparte, que hace referencia al contenido concreto de los artículos de reyes y emperadores que siguen (por ejemplo, **FEDERICO:** Nombre de varios reyes y emperadores).
— Los *papas* disponen así mismo de una sola entrada por el nombre propio y alfabetizados según la época en que ocuparon el solio pontificio. También en este caso un artículo genérico advierte sobre el contenido de los artículos siguientes.
— Los *príncipes, delfines* o *personas con título nobiliario* tienen también una entrada común, bien por la dinastía a la que pertenecen, bien por el título con el que son conocidos.

En la alfabetización de las biografías, se ha usado el primer apellido como base, pero sin tener en cuenta las partículas como *De* y *La*. Por ejemplo, De Gaulle y La Fontaine se alfabetizan en Gaulle y Fontaine. Así mismo el artículo árabe *al-* que es un prefijo en la composición de muchos nombres propios árabes, no se tiene en cuenta para la alfabetización de dichos nombres. Así: al-Gaddafi se localiza por Gaddafi.

Estructura, alfabetización y selección de los artículos geográficos

Para la redacción de los artículos geográficos se ha seguido también el criterio de agrupar bajo una misma entrada todos aquellos *nombres* homónimos que pertenecen a la misma área. La alfabetización en este caso sigue un riguroso orden jerárquico (país, división administrativa de primer rango, ciudad, municipio, etc.). En caso de ser entidades administrativas del mismo rango, se alfabetizan por el país a que pertenecen.

Sólo se agrupan bajo una misma entrada los nombres geográficos referidos a lugares que están directamente relacionados, bien por ser de un mismo país o Estado, bien por poseer en común un accidente geográfico (río, cordillera, etc.). No se agrupan los accidentes o fenómenos geográficos (golfos, cabos, bahías, etc.).

La selección de los artículos de geografía responde a los criterios siguientes:

— Todos los países.
— *Entidades administrativas* de primer rango de todos los países latinoamericanos, de España y de todos aquellos países con organización política de carácter federal o confederal (como la República Federal de Alemania, Estados Unidos de América o la Confederación Helvética).
— Regiones naturales, históricas, geográficas o culturales.
— Todas las capitales de los Estados del mundo, sean políticas o administrativas. Se especifican los habitantes del casco urbano y los de la aglomeración urbana de las grandes urbes metropolitanas.
— Para las poblaciones se han establecido unos mínimos según áreas geográficas.

América Central y Antillas	15 000 hab.
México y América del Sur	30 000 hab.
España	40 000 hab.
Europa	50 000 hab.
EEUU y Rusia	100 000 hab.
Japón, China e India	300/400 000 hab.
Resto del mundo	150 000 hab.

— Ciudades o poblaciones de especial interés histórico o artístico.

Toponimia y transcripciones

Los topónimos de ciudades o poblaciones que habitualmente se usan en su versión española aparecen en este idioma, seguidos de la grafía original entre paréntesis y en cursiva. Así: AMBERES (neerl., *Antwerpen*, fr., *Anvers*). LONDRES *(London)*.

Cuando se usan indistintamente tanto la versión en español como el nombre autóctono —siempre que pertenezcan a lenguas con alfabeto similar al español—, la entrada se ha realizado por la grafía española, seguida del nombre en el idioma original, pero con idéntico tratamiento tipográfico. Así: NUEVA YORK o NEW YORK. Este criterio se ha aplicado así mismo a la toponimia china, aunque en este caso la entrada en español se acompaña de la transcripción en la versión *pinyin*.

Para los topónimos de poblaciones españolas pertenecientes a las comunidades autónomas de cooficialidad lingüística, la entrada se ha realizado por la grafía española, seguida del nombre en el idioma de la comunidad autónoma y con idéntico tratamiento tipográfico. Por ejemplo: GERONA o GIRONA, SAN SEBASTIÁN o DONOSTIA.

Los títulos de las obras literarias o artísticas aparecen siempre en español, salvo las obras latinas o casos muy especiales en que la traducción violentaría el valor intrínseco de la obra. Por ejemplo, la *Monna Lisa*.

Para la transcripción de voces extranjeras, si corresponden a lenguas de alfabeto similar al español, se ha usado su grafía original. Cuando se trata de voces pertenecientes a lenguas de alfabeto distinto al español, se ha realizado una transliteración que respeta al máximo la fonética original y su difusión más corriente en los medios de comunicación de masas.

Tipos de letra

Con objeto de agilizar la consulta y localización de una palabra, se han utilizado distintos tipos de letras y signos.

VERSALES NEGRAS: — El primer término de las voces de entrada.

Negrita caja baja: — Los segundos apellidos de los nombres propios, salvo cuando van unidos por guión, en cuyo caso se consideran como formando parte del primero.
— Los segundos términos de los nombres geográficos compuestos, de las entidades, asociaciones u organizaciones.

Cursiva negrita: — Los nombres propios de persona, que aparecen como segundo término de la entrada después de coma.
— Los nombres comunes que forman el segundo término de un nombre propio después de coma.
— La cita en el interior de un artículo de una familia o de uno o varios hijos, de modo que sustituye una subentrada.

VERSALITAS: — Palabras derivadas de una voz considerada raíz u ordenatriz, siempre que aparece dentro del artículo correspondiente a éstas, tras la última acepción de léxico e inmediatamente antes de la parte enciclopédica.
— Títulos nobiliarios, apodos, seudónimos, etc.
— Los encabezamientos de reinos, imperios o papados en las biografías de reyes, emperadores o papas.

Cursiva: — Títulos de periódicos, revistas, obras literarias o artísticas, musicales, teatrales o pictóricas.
— Traducción en español de voces o siglas de la entrada en cuyo caso aparecen dentro de paréntesis.
— Las voces con la grafía original de topónimos que aparecen en español.
— Las abreviaturas de materias.
— El nombre real de un personaje cuya entrada se ha hecho por el seudónimo.

Signos utilizados

• separa las distintas acepciones de una voz y las biografías o los nombres geográficos en artículos de entrada múltiple. Cumple la función de la pleca.

■ precede a las palabras derivadas dentro de un artículo de léxico con entrada por la voz ordenatriz.

* introduce la parte enciclopédica precediendo a la abreviatura de la disciplina a la que pertenece la explicación, que posee su correspondiente acepción de léxico.

→ remite al lector a la palabra que le sigue inmediatamente, que puede ser consultada como voz que explica o amplía lo tratado.

A

Vista aérea de los **Andes** en el departamento de Cusco, Perú

A f. Prime[illegible] del abecedario español y primera también [illegible]ales. • *Lóg*. Signo de la proposición u[illegible]rsal afirmativa. • En la notación musical alfabética, la nota *la*. • prep. Denota el complemento de la acción del verbo. • Indica la dirección o el término de alguna persona o cosa. • Determina el lugar o tiempo en que sucede alguna cosa. • También la situación de personas o cosas. • Designa intervalo de lugar o tiempo. • Denota el modo de la acción. • Precede a la designación del precio de las cosas. • Indica distribución. • Expresa comparación o contraposición. • Precediendo al infinitivo, equivale, en ciertas expresiones, a la conj. *si*. • En otras frases equivale a las preposiciones *con, hacia, hasta, junto a, para, por, según*. • Da principio a muchos modos y frases adverbiales. • Se usa como prefijo. • Partícula inseparable que denota privación o negación. • Símbolo químico del argón. • **A por a y be por be**. m. adv. fig. Punto por punto.

A FORTIORI exp. adv. latina. Con mayor razón.

A LÁTERE exp. latina con que se designa la persona que acompaña a otra.

A. M. Abrev. de *ante meridiem*, antes del mediodía.

A POSTERIORI loc. latina. Juicio, conocimiento o conclusión posterior a la experiencia.

A PRIORI loc. latina. Juicio, conocimiento o conclusión anterior a la experiencia.

AALBORG o **ALBORG** C. y puerto de Dinamarca; 155 000 hab. Ind. diversas. Pesca.

AALL, ***Anathon*** (1867-1943) Filósofo nor. *Crítica de la existencia real*.

AALST o **ALOST** C. de Bélgica, en Flandes; 81 400 hab. Ind. textil. Tabaco.

AALTO, ***Alvar*** (1898-1976) Arquitecto modernista finl. Pabellones de Finlandia en las exposiciones de París (1937) y Nueva York (1939).

AARHUS o **ARHUS** C. y puerto de Dinamarca; 250 400 hab. Ind. mecánicas.

AARÓN (heb., *Aharón*; s. XIII a. C.) Hermano de Moisés y primer sumo sacerdote hebreo.

AASEN, ***Ivar Andreas*** (1813-1896) Filólogo nor., creador del → Landsmaal.

ABABA f. Ababol.

ABABILLARSE prnl. *Chile*. Enfermar de la babilla un animal.

ABABOL m. Amapola.

ABACÁ m. Planta musácea de cuyas hojas se saca un filamento textil. • Filamento de esta planta. • Tejido hecho con este filamento.

ABACERÍA f. Tienda de comestibles al por menor. ■ ABACERO, RA.

ÁBACO m. Cuadro usado para enseñar el cálculo. • *Arq*. Parte superior que corona el capitel. • Artesa para lavar minerales.

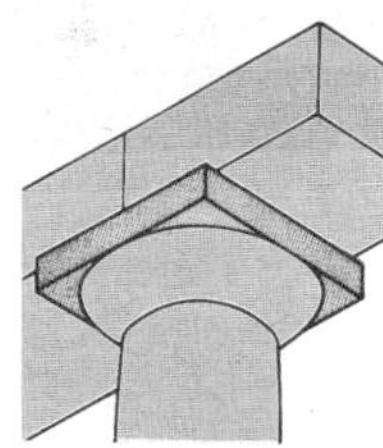

Ábaco

ABACORAR tr. *Cuba*. Avasallar, supeditar. • *Ven.* y *P. Rico*. Hostigar, acosar.

ABAD m. Título de los superiores de los monasterios en la mayor parte de órdenes monacales. • Cura o beneficiado que preside un cabildo. • Dignidad superior de algunas colegiatas. ■ ABACIAL.

ABAD, ***Alonso*** (m. 1788) Misionero esp., explorador del Perú. Descubridor del Paso del Boquerón del Padre Abad. • ***Diego José*** (1727-1779) Escritor mex. Jesuita, abandonó Nueva España a raíz de la expulsión de la Compañía. *Cantos épicos a la divinidad y humanidad de Dios*. • ***Y Queipo, Manuel*** (1751-1825) Eclesiástico esp. Obispo de Michoacán (1810).

ABADA f. Rinoceronte.

ABADÁN C. y puerto de Irán, a orillas del golfo Pérsico; 294 100 hab. Refinerías de petróleo.

ABADEJO m. Bacalao. • Reyezuelo, pájaro. • Carraleja, insecto. • Cantárida, insecto.

ABADENGO, GA adj. Relativo a la jurisdicción del abad. • m. Abadía, territorio o bienes del abad. • Poseedor de bienes abadengos.

ABADESA f. Superiora en ciertas comunidades religiosas.

ABADÍA f. Dignidad de abad o de abadesa. • Monasterio regido por un abad o una abadesa. • Territorio, jurisdicción y bienes pertenecientes al abad o a la abadesa. ■ ABADIATO.

Abadía cisterciense de Poblet (España)

ABADÍA, *Juanes de* (s. XVI) Conquistador esp., capitán del ejército rebelde de Gonzalo Pizarro. • ***Pedro*** (m. 1833) Comerciante esp. establecido en Lima. Introdujo la fuerza del vapor para la explotación de las minas de Pasco. • **Méndez, *Miguel*** (1867-1947) Escritor y político col. Presid. de la Rep. (1926-1930) por el Partido Conservador.

ABADIE, *Paul* (1812-1884) Arquitecto fr. Autor del proyecto del *Sacré-Coeur* (París).

ABAJADERO m. Cuesta, terreno en pendiente.

ABAJAR intr. y tr. Bajar.

ABAJEÑO, ÑA adj. y s. *Méx.* Díc. del que procede de las costas o tierras bajas.

ABAJERA f. *Argent.* Pieza de montar usada para absorber el sudor de la cabalgadura.

ABAJO adv. lugar. Hacia lugar o parte inferior. • En lugar o parte inferior. • En lugar posterior, o que está después de otro. • En dirección a lo que está más abajo. • **¡Abajo!** interj. de desaprobación.

ABALANZAR tr. Poner la balanza en el fiel. • Igualar. • Lanzar violentamente. • prnl. Arrojarse inconsideradamente a hacer alguna cosa. • *R. de la Plata.* Encabritarse el caballo.

Abanderado

ABALAUSTRADO, DA adj. Balaustrado.

ABALDONAR tr. Envilecer. • Ofender.

ABALEAR tr. Separar del trigo, cebada, etc., los granzones y la paja gruesa. • *Amér.* Tirotear. ▪ ABALEADOR, RA; ABALEADURA.

ABALEO m. Escoba con que se abalea. • Plantas con las que se hacen escobas para abalear.

ABALIZAR tr. Balizar. • prnl. *Mar.* Marcarse. ▪ ABALIZAMIENTO.

ABALLAR tr., intr. y prnl. Mover. • tr. y prnl. Bajar. • Conducir el ganado. • tr. *Pint.* Oscurecer el color.

ABALLESTAR tr. *Mar.* Forzar la tirantez de un cabo tensándolo.

ABALORIO m. Conjunto de cuentas de vidrio agujereadas, con las cuales se hacen adornos.

ABALOS, *José* (s. XVIII) Hacendista esp. Intendente de Caracas (1777-1783), luchó contra los privilegios de la Compañía Guipuzcoana de Caracas.

Dama japonesa con su **abanico**

ABALUARTAR tr. Fortificar con baluartes.

ABANCAÍNO, NA o ABANCAYNO, NA adj. y s. De Abancay.

ABANCALAR tr. Formar bancales.

ABANCAY C. del Perú, cap. del dpto. de Apurímac; 46 997 hab. Caña de azúcar, vid, café, cereales. Minas de plata y cobre. Destilerías.

ABANDERADO adj. y s. Portavoz o representante de una causa o movimiento. • m. Oficial que lleva la bandera.• m. y f. El que lleva la bandera en las procesiones o festejos públicos.

ABANDERAR tr. y prnl. Matricular bajo la bandera de un Estado a un buque extranjero. • Proveer a un buque de los documentos que acreditan su bandera. ▪ ABANDERAMIENTO.

ABANDERIZAR tr. y prnl. Dividir en banderías. • prnl. Adherirse a un partido o bando.

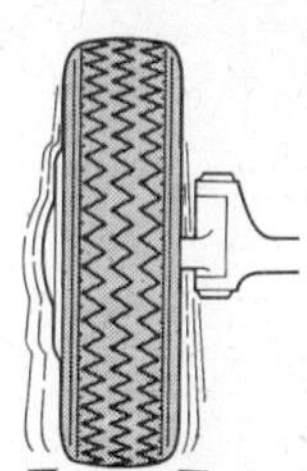

Abaniqueo

ABANDONAR tr. Desamparar a una persona o cosa. • Desistir de alguna cosa. • prnl. fig. Dejarse dominar por sentimientos. • Confiarse uno a una persona o cosa. • fig. Descuidar uno sus obligaciones o su aseo. • Dejarse caer en un estado de ánimo depresivo, rendirse. ▪ ABANDONADO, DA; ABANDONAMIENTO.

ABANDONISMO m. Tendencia a abandonar sin lucha algo que poseemos o nos corresponde. ▪ ABANDONISTA.

ABANICAR tr. y prnl. Hacer aire con el abanico. • *Taur.* Incitar al toro agitando el capote para que cambie de lugar.

ABANICO m. Instrumento para hacer o hacerse aire. • fig. Cosa en forma de abanico. • *Mar.* Cabria hecha con elementos de a bordo. • *Ecuad.* Utensilio para avivar el fuego. ▪ ABANICAZO; ABANIQUERO, RA.

ABANILLO m. ant. Adorno plisado de algunos cuellos alechugados. • Abanico.

ABANIQUEO m. fam. Acción y efecto de abanicar. • Movimiento exagerado de manos al hablar. • Defecto en las ruedas de los automóviles, consistente en una oscilación transversal.

Arte **abasí.** Detalle de los *Coloquios* de Hariri (Manuscrito de St. Vaast, s. XIII)

ABANO m. Abanico. • Aparato que, colgado del techo, sirve para hacer aire. ▪ ABANAR.

ABANTO m. Alimoche, ave. • adj. Díc. del hombre torpe. • Díc. del toro espantadizo.

Interior de la mezquita de Córdoba (España), construida por **Abd al-Rahman I**

ABANTO Morales, *Luis* (nacido 1923) Cantante y compositor per. *Me cuenta un amigo, el Trujillanito, Cielo serrano, Quiéreme.*

ABAÑAR tr. Seleccionar la simiente sometiéndola a un cribado especial.

ABARAJAR tr. *Amér. Merid.* Recoger o recibir en el aire una cosa; parar en el aire un golpe.

ABARATAR tr., intr. y prnl. Disminuir o bajar el precio de una cosa. ▪ ABARATAMIENTO.

ABARBANEL, *Isaac* (1437-1508) Rabino port. Ministro de Alfonso V de Portugal; al servicio de los Reyes Católicos (1481-1492). • ***Judas León*** (1465-1521) Humanista judío n. en Portugal; más conocido como LEÓN HEBREO. *Dialoghi d'amore.*

ABARCA f. Calzado rústico que se sujeta por medio de correas. • En algunas regiones, zueco.

ABARCA, *Agustín* (1882-1953) Pintor chil. paisajista e histórico. • **De Bolea, *Pedro Pablo*** → Aranda, *Pedro Pablo Abarca de Bolea,* CONDE DE.

ABARCAR tr. Ceñir con los brazos. • fig. Ceñir, rodear, comprender. • Contener; implicar o encerrar en sí. • Alcanzar con la vista. • fig. Tomar uno a su cargo muchas cosas a un tiempo. • *Amér.* Acaparar. • *Ecuad.* Empollar. • Rodear un trozo de monte en que se presume está la caza. ▪ ABARCADURA; ABARCAMIENTO.

ABARITONADO, DA adj. Díc. de la voz parecida a la del barítono, y de los instrumentos cuyo sonido tiene timbre semejante.

ABARLOAR tr. y prnl. *Mar.* Situar un buque de tal suerte que su costado esté casi en contacto con el de otro buque, o con un muelle, etc.

ABAROA Hidalgo, *Eduardo* (1838-1879) Héroe bol. de la guerra con Chile. Murió defendiendo el puente de Topater.

ABARQUILLAR tr. y prnl. Encorvar un cuerpo sin que llegue a formar un rollo. ▪ ABARQUILLADO, DA; ABARQUILLAMIENTO.

ABARRACAR intr. y prnl. *Mil.* Acampar construyendo chozas o barracas.

ABARRADO, DA adj. Paño o tejido barrado.

ABARRAGANARSE prnl. Amancebarse. ▪ ABARRAGANAMIENTO.

ABARRAJADO, DA adj. *Chile* y *Perú.* Audaz.

ABARRAJAR tr. Atropellar. • prnl. *Chile* y *Perú.* Encanallarse.

ABARRAJO m. *Perú.* Tropezón, caída.

ABARRANCADERO m. Sitio donde es fácil abarrancarse. • fig. Asunto o lance del que no se puede salir fácilmente.

ABARRANCAR tr. Hacer barrancos. • tr. y prnl. Meter en un barranco. • intr. y prnl. Varar. • prnl. fig. Meterse en asunto del que no se puede salir fácilmente. ▪ ABARRANCAMIENTO.

ABARRAR tr. Arrojar violentamente alguna cosa. • Varear o sacudir.

ABARRISCO adv. modo. Junto, sin distinción.

ABARROCADO, DA adj. De aspecto barroco.

ABARROTADO, DA adj. Completamente lleno. • *Chile.* Díc de la tienda en que se venden abarrotes.

ABARROTAR tr. Fortalecer con barrotes. • Llenar por completo, atestar. • *Mar.* Cargar un buque aprovechando todos los sitios. • *Amér.* Monopolizar un género de comercio. • prnl. *Amér.* Abaratarse un género de comercio por su abundancia.

ABARROTE m. *Mar.* Fardo pequeño que sirve para la estiba • pl. *Amér.* Artículos de comercio. • *Perú.* Artículos comestibles. ■ *Amér.* ABARROTADOR, RA; *Amér. Centr.* ABARROTERÍA; *Méx.* ABARROTERO, RA.

ABARSE prnl. defect. Quitarse del paso.

ABASCAL y Sousa, ***José Fernando*** (1743-1827). Militar esp., virrey del Perú [1806-1816]. El más firme bastión del realismo en América, frente a los movimientos independentistas.

ABASÍ adj. y m. Individuo de la dinastía fundada por Abu-l-Abbas.

ABASOLO Mun. de México, en el est. de Guanajuato; 44 200 hab. Cereales.

ABASOLO, ***Mariano de*** (1783-1816) Patriota mex. Participó en la conspiración de Querétaro y en la batalla de las Cruces.

ABASTAR tr. y prnl. Abastecer. • prnl. Satisfacerse o contentarse. ■ ABASTAMIENTO.

ABASTARDAR intr. Bastardear.

ABASTECER tr. y prnl. Proveer de bastimentos o de otras cosas necesarias. ■ ABASTECEDOR, RA; ABASTECIMIENTO.

ABASTERO m. *Chile.* El que compra reses vivas para vender la carne por mayor.

ABASTIONAR tr. Fortificar con bastiones.

ABASTO m. Provisión de bastimentos. • Abundancia. • Pieza o piezas menos importantes de un bordado. • **No dar a.** a una cosa. fr. fig. y fam. No poder satisfacer todas las necesidades.

ABATANAR tr. Batir el paño en el batán. • fig. Batir o golpear, maltratar.

ABATATAR tr. y prnl. *Amér.* Intimidar. • prnl. Avergonzarse.

ABATE m. Eclesiástico de órdenes menores. • Presbítero extranjero, especialmente fr. o it.

ABATÍ m. *Argent.* y *Pan.* Maíz. • Bebida alcohólica destilada del maíz.

ABATIMIENTO m. Acción y efecto de abatir. • Persona o cosa afrentosa. • *Geom.* Operación que consiste en hacer que un plano coincida con otro por medio de un giro alrededor de la recta de intersección de ambos. • *Mar.* Ángulo que forma la línea de la quilla con la dirección de la nave

ABATIR tr. y prnl. Derribar. • tr. Hacer que baje una cosa. • Inclinar lo que estaba vertical. • En ciertos juegos de naipes, conseguir la máxima jugada y descubrir el jugador sus cartas. • tr. y prnl. fig. Humillar. • fig. Hacer perder el ánimo, el vigor. • *Mar.* Desarmar alguna cosa para reducir su volumen. • intr. *Mar.* Desviarse un buque de su rumbo. • prnl. Descender el ave de rapiña. ■ ABATIDO, DA.

ABAYADO, DA adj. *Bot.* Parecido a la baya.

ABAZÓN m. Cada una de las dos bolsas de la boca de algunos monos y roedores.

ABBAGNANO, ***Nicola*** (1901-1990) Filósofo it. *Las fuentes irracionales del pensamiento.*

ABBAS, ***Ferhat*** (1899-1985) Político argelino, uno de los forjadores de la independencia de su país. Presid. de la Asamblea Nacional (1962-1963).

ABBAS I ***el Grande*** (1571-1629) Soberano persa [1587-1629] de la dinastía safawi. Contribuyó decisivamente a la unificación del país.

ABBAT, ***Per*** Autor de la copia del *Cantar de Mio Cid*, hecha en 1307.

ABBE, ***Ernst*** (1840-1905) Físico al. Fabricó el refractómetro que lleva su nombre.

ABBEVILLIENSE adj. y m. Cultura prehistórica del paleolítico inferior.

ABBT, ***Thomas*** (1738-1766) Filósofo, ensayista y literato al. *Morir por la patria.*

ABC Bloque formado por Argentina, Brasil y Chile, potencias que iniciaron en 1900 un período de cooperación, complementado por un pacto de no agresión en 1933.

ABD al Aziz ibn Musa ibn Nusayr (m. 716) Primer gobernador musulmán de al-Andalus. Tomó Málaga y Elvira y sometió Murcia. • **al-Aziz III ibn Saud** (1887-1953) Fundador del reino saudí. Jefe de la secta puritana wahhabi, en 1926 se proclamó rey de Nedjed y del Hedjaz. • **al-Malik ibn Marwan** (647-705) Quinto califa omeya. Pacificó sus dominios y se anexionó el N de África. • **al-Mumin** (m. 1163) Primer califa almohade. Sometió el N de África y envió sus tropas beréberes a conquistar al-Andalus. • **al-Qadir** o **el-Kader** (1808-1883) Caudillo argelino. Combatió la ocupación francesa. En 1832 se proclamó emir de la región occidental de Argelia. Fue derrotado en 1847. • **al-Rahman I** (731-788) Fundador del emirato de Córdoba. Inició la construcción, en 785, de la Mezquita. • **al-Rahman II** (792-852) Emir de Córdoba (821-852). Sucedió a su padre, al-Hakam I. Favoreció la orientalización de al-Andalus. • **al-Rahman III** (891-961) Fundador del califato de Córdoba. Sucedió a su abuelo Abd Allah. Se proclamó califa con el sobrenombre de AL-NASIR («el Defensor»). Sufrió una derrota frente a Ramiro II, en Simancas (939). • **al-Rahman IV** (m. 1018) Califa de Córdoba, bisnieto de **abd al-Rahman III**. Proclamado califa en 1018. • **al-Rahman al-Gafiquí** (m. 732) Emir de al-Andalus. Invadió la Galia. Fue derrotado por Carlos Martel. • **Allah** (844-912) Emir omeya de Córdoba (888-912). Reprimió las rebeliones que se extendieron por todo al-Andalus. • **el-Krim** (1882-1963) Caudillo marroquí. Se sublevó y derrotó, en Annual (1921), a los españoles. En 1922 constituyó una república rifeña organizada como un Estado moderno, pero en 1926 fue vencido y deportado a la isla de la Reunión.

ABDERRAMÁN → Abd al-Rahman.

ABDICAR tr. Ceder o renunciar a una dignidad. • Abandonar creencias, opiniones, etc. ■ ABDICACIÓN; ABDICATIVO, VA.

ABDOMEN m. Porción del tronco de los animales que contiene las vísceras del aparato digestivo, o parte de ellas. En el hombre y los vertebrados superiores está situado entre el tórax y la pelvis y limitado a los lados por las paredes intestinales. ■ ABDOMINAL.

ABDUCCIÓN f. *Lóg.* Silogismo en que la premisa mayor es evidente y la menor probable, pero más creíble que la conclusión. • *Zool.* Movimiento por el cual un miembro u otro órgano se aleja del plano medio del cuerpo.

ABDUCTOR adj. y s. Díc. del músculo capaz de efectuar una abducción.

ABDULHAMIT I (1725-1789) Sultán otomano. Sufrió derrotas frente a los rusos (pérdida de Crimea) • **II** (1842-1918) Sultán otomano (1876-1909). Promulgó una constitución liberal, pero en 1877 anuló todas las reformas. Derrotado por los rusos, aceptó el tratado de San Stéfano (1878) y las decisiones del congreso de Berlín (1878).

ABDULLAH de Jordania (1882-1951) Emir de Transjordania [1921-1946] y rey de Jordania [1946-1951], tras la unión de la primera con una parte de Palestina.

ABECÉ m. Abecedario. • Rudimentos o principios de una ciencia o facultad. • **No saber** uno **el a.** fr. fig. y fam. Ser muy ignorante.

ABECEDARIO m. Alfabeto • Cartel o librito que sirve para enseñar a leer. • Orden alfabético. • *Art. Gráf.* Orden de las signaturas de los pliegos de una impresión cuando van señalados con letras. • Abecé, rudimentos o principios.

ABEDUL m. *Bot.* Árbol betuláceo, de corteza plateada y ramas flexibles y colgantes. • Madera de este árbol.

ABEJA f. *Zool.* Nombre de muchas especies de insectos himenópteros que viven en colonias y producen miel y cera. Existen tres clases: *reinas* (cuyas única misión es reproducirse), *machos* o *zánganos* (encargados de fecundar a la reina) y *obreras* (hembras estériles que constituyen el grueso de la colonia y que llevan a cabo las labores necesarias para su mantenimiento). • **carpintera.** La de color oscu-

Abejas

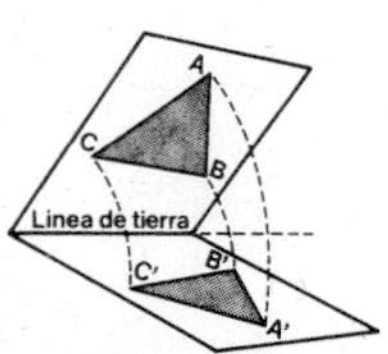

Abatimiento de un plano

Detalle del óleo *Rendición de* ***Abd al-Qadir*** (Museo Condé, Chantilly)

Hojas y amentos de **abedul**

ro, que anida excavando la madera. • **machiega, maesa o maestra.** La a. reina. • **minadora.** La a. que refuerza sus nidos con arcilla. ■ ABEJUNO, NA.
ABEJAR m. Colmenar.
ABEJARRÓN m. Abejorro • Abejón, juego.

Abejaruco

ABEJARUCO m. Ave coraciforme de la familia merópidos, de plumaje amarillo, verde y rojo. • fig. Persona chismosa.
ABEJERO, RA m. y f. Colmenero, ra. • m. Abejaruco. • f. Colmenar, toronjil.
ABEJÓN m. Zángano. • Abejorro. • *C. Rica.* Cualquier insecto coleóptero.
ABEJONEAR intr. *R. Dom.* Zumbar como el abejón.
ABEJORREO m. Zumbido de las abejas.
ABEJORRO m. Insecto himenóptero, velludo, que zumba mucho al volar. • fig. Persona de conversación pesada y molesta.

Abejorro

ABEL (heb., *Hébel*) En la Biblia, segundo hijo de Adán y Eva. Asesinado por su hermano Caín.
ABEL, *Frederick Augustus* (1827-1902) Químico brit. Inventó el tratamiento estabilizador de las nitrocelulosas. • ***Niels Henrik*** (1802-1829) Matemático nor. Se le debe la primera demostración correcta de la imposibilidad de resolver por radicales la ecuación general de quinto grado.
ABELA, *Eduardo* (1891-1965) Pintor cub., influido por Picasso y Paul Klee, derivó hacia el expresionismo. Premio Nacional en 1938.
ABELARDO, *Pedro* (*Pierre Abélard*; 1079-1142) Filósofo y teólogo fr. Desarrolló el aspecto dialéctico de la teología en *Sic et Non.*
ABELIANO, NA adj. *Mat.* Díc. de la estructura algebraica cuya operación u operaciones gozan de la propiedad conmutativa.
ABELLA, *Juan Carlos* (nacido 1893) Escritor ur. Uno de los fundadores de la revista *La Hoja. Vanidad, Tiempo* • **Caprile, *Margarita*** (1901-1960) Poetisa y escritora arg. *Nieve, Sonetos, El árbol derribado.*
ABELLACAR tr. y prnl. Hacer el bellaco, vil. ■ ABELLACADO, DA.
ABELLOTADO, DA adj. De forma parecida a la de la bellota.
ABELMOSCO m. Planta malvácea de tallo peludo y hojas acorazonadas. Usada en medicina.
ABEMOLAR tr. Suavizar, dulcificar la voz. • Poner bemoles.
ABEN Abóo, *Diego López* llamado ABDALLAH (m. 1571) Caudillo morisco. Dirigió la conjura que acabó con la vida de Aben Humeya. Rey de Granada, mantuvo en jaque a las tropas de don Juan de Austria. • **Humeya**, *Hernando de Córdoba y Válor*, llamado (1520-1569). Notable morisco granadino, caudillo de la insurrección de las Alpujarras, nombrado rey de Granada y Córdoba. Asesinado por Aben Abóo.
ABENCERRAJE m. Individuo de una familia del reino árabe granadino.
ABENDAÑO, *Martín de* (s. XVII) Maestro dorador y ensamblador per. Restauró el retablo de San Francisco, en la iglesia de San Pedro de Lima.

Detalle de una escultura de G. Vigeland en memoria de Niels Henrik **Abel**

ABENQUEFIT (997-1070) Médico ár. de Toledo. *Liber de medicamentis simplicibus.*
ABÉÑULA f. Cosmético para la higiene y embellecimiento de las pestañas.
ABERASTAIN, *Antonio* (1810-1861) Político arg. Desterrado por Rosas, posteriormente fue gobernador de San Juan. Derrotado en El Pocito por las fuerzas de Mitre, murió fusilado.
ABERCROMBY, SIR ***Ralph*** (1734-1801) General brit. Intervino en la guerra de los Siete Años. En las Indias Occidentales conquistó las islas de Granada, Santa Lucía, San Vicente y Trinidad (1796-1797).
ABERDEEN C. de Gran Bretaña, en Escocia. Puerto en el mar del Norte; 190 200 hab. Universidad. Construcciones navales; pesca.
ABERENJENADO, DA adj. De color o forma de berenjena.
ABERLE, *Juan* (1845-1926) Compositor salv., autor del *Himno Nacional.*
ABERNATHY, *Ralph* (1926-1990) Pastor protestante norteam., sucesor de Martin Luther King en las campañas no violentas en pro de los derechos civiles de los negros en los EE UU.
ABERRACIÓN f. Extravío. • *Astr.* Desviación aparente de la posición de un cuerpo celeste debido a la velocidad relativa del observador. • *Biol.* Desviación del tipo normal que en determinados casos experimenta un carácter fisiológico o morfológico. • *Fot.* Dispersión de la luz. • *Vet.* Anomalía en la conformación o función de los órganos. • **cromática**. Ópt. Imperfección de las lentes, que es causa de cromatismo. • **cromosómica**. *Biol.* Perturbación en el número o la forma de los cromosomas. • **de esfericidad**. *Ópt.* Falta de coincidencia de los rayos luminosos que deben encontrarse en el foco de una lente o de un espejo cóncavo. ■ ABERRANTE.
ABERRAR, intr. Errar, equivocarse.
ABERTAL adj. Díc. del terreno que con la sequía se agrieta. • Díc. del campo no vallado.
ABERTURA f. Hendidura. • Grieta formada en la tierra. • Terreno ancho y abierto entre dos montañas. • Ensenada. • fig. Franqueza en el trato y conversación. • *Der.* Apertura. • *Ópt.* Relación entre el diámetro y la distancia focal de una lente u objetivo.
ABERTZALE (voz eusk.) adj. y s. Patriota. • pl. Fuerzas políticas vascas que propugnan la autodeterminación de Euskadi.
ABESANA f. Besana.
ABESTIARSE prnl. Embrutecerse.
ABÉSTOLA f. Arrejada, aguijada.
ABETINOTE m. Resina del abeto.
ABETO m. Árbol conífero de la familia pináceas (o abietáceas, para otros autores) siempre verde, de tronco recto, ramas horizontales y copa cónica. • Madera de este árbol. • **blanco**. Abeto. • **del Norte, falso o rojo**. Picea. ■ ABETAL.
ABETUNADO, DA adj. Semejante al betún.
ABETUNAR tr. Embetunar.
ABEY m. *Ant.* Árbol leguminoso, usado para alimento del ganado y en carpintería. • **hembra**. Abey. • macho. Árbol tropical bignoniáceo, de grandes dimensiones, cuya madera se aprecia mucho en ebanistería.
ABIDJÁN C. de Costa de Marfil, puerto en el Atlántico; 2 534 000 hab. (con la agl. urb.) Ind. maderera, alimentaria. Petróleo. Cap. hasta 1983.
ABIERTO, TA adj. Desembarazado, llano. • Sin muro o tapa. • fig. Ingenuo. • Claro, patente. • Díc. de la embarcación sin cubierta. • adv. modo. Abiertamente. • **Conjunto a.** *Mat.* Subconjunto de un espacio topológico cuyos puntos son todos interiores. • **Intervalo a.** Conjunto de números reales x que cumplen la condición $a<x<b$, siendo a y b dos números reales, con $a<b$.
ABIETÁCEO, A o **ABIETÍNEO, A** adj. y f. Árboles de la familia abiétaceas o relativo a estos árboles.
ABIETINO m. Abetinote.
ABIGARRADO, DA adj. De varios colores mal combinados. • Díc. de lo heterogéneo. • Díc. de los minerales y vegetales que presentan rayas de diversos colores.
ABIGARRAR tr. Poner a una cosa varios colores mal combinados. ■ ABIGARRAMIENTO.

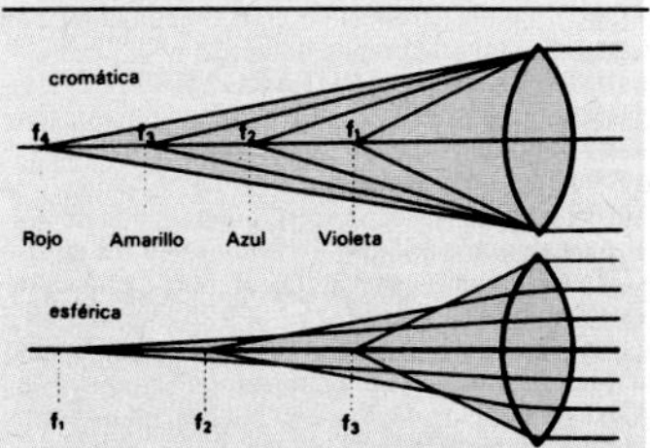

Esquema de dos tipos de **aberración**: cromática y de esfericidad

ABIGEATO m. Hurto de ganado. ■ ABIGEO.
ABIGOTADO, DA adj. Bigotudo.
ABIMELECH (ss. XII-XI a. C.) Monarca hebreo, hijo del juez Gedeón.
ABIOGÉNESIS f. *Biol.* Proceso según el cual los seres vivos se originan a partir de la materia inanimada. Llamado también *generación espontánea.*
ABIPÓN, NA adj. y s. Relativo a los abipones. • m. pl. Pueblo indígena de Argentina (Chaco), del grupo guaycurú, hoy extinguido.
ABISAGRAR tr. Clavar o fijar bisagras.
ABISAL adj. Abismal. • Díc. de la zona marina a partir de 2 000 a 3 000 m de profundidad. • Relativo a esta zona. • **Fosas abisales**. *Geog.* Depresiones submarinas, con perfil en forma de V, sin sedimentos.
ABISELAR tr. Biselar.
ABISINIA País de los abisinios. Ant. denominación de Etiopía.
ABISINIO, NIA adj. y s. Grupo de pueblos descendientes de un antiguo mestizaje de blancos y negros, que desempeña un papel preponderante en Etiopía. • adj. De este país de África. • adj. y s. Etíope. • adj. Díc. de un determinado rito católico. • m. Lengua abisinia.
ABISMAR tr. y prnl. Hundir en un abismo. • fig. Confundir. • prnl. fig. Entregarse por completo a la contemplación, etc. • *Chile, Hond.* y *Méx.* Asombrarse.
ABISMO m. Profundidad grande y peligrosa. • Infierno. • fig. Cosa inmensa o incomprensible. • fig. Diferencia enorme. • *Her.* Parte central del escudo. ■ ABISMAL; ABISMÁTICO, CA.
ABITAQUE m. Cuartón, pieza de madera.
ABITAR tr. *Mar.* Amarrar y asegurar a las bitas el cable del ancla fondeada.
ABITÓN m. *Mar.* Madero vertical al que se amarran algunos cabos en los buques.
ABIZCOCHADO, DA adj. Parecido al bizcocho.
ABJASIA Rep. autónoma de Georgia; 8 600 km^2, 534 000 hab. Cap., Sujumi. Accidentada por el Cáucaso, a orillas del mar Negro. Clima subtropical. Té, tabaco, agrios, vid. Carbón.
ABJASIO, A adj. De Abjasia. • m. Pueblo caucásico que vive en Abjasia (→ cherkés). • Lengua de este pueblo.
ABJURAR tr. Desdecirse con juramento; renunciar solemnemente. ■ ABJURACIÓN.
ABLACIÓN f. *Cir.* Extirpación quirúrgica de un órgano o una parte del cuerpo. • *Geol.* Acción erosiva del hielo.
ABLACTACIÓN f. Supresión de la lactancia.
ABLANDABREVAS com. fig. y fam. Persona inútil, sin iniciativa.
ABLANDAHÍGOS com. fig. y fam. Ablandabrevas
ABLANDAR tr. y prnl. Poner blanda una cosa. • tr. Laxar. • tr. y prnl. fig. Mitigar la fiereza de alguno. • intr. Calmar sus rigores el invierno. • intr. y prnl. Ceder en su fuerza el viento. ■ ABLANDADOR, RA; ABLANDAMIENTO; ABLANDATIVO, VA.
ABLANDE m. *Argent.* Rodaje de un automóvil.
ABLANDECER tr. Ablandar, poner blando.
ABLATIVO m. Caso de la declinación que, en ciertas lenguas como el latín, expresa relaciones de procedencia, situación, modo, tiempo, instrumento, etc. • **absoluto**. Por influencia de la gramática latina, expr. elíptica sin conexión o vínculo gramatical con el resto de la frase a que pertenece, pero de la cual depende por el sentido.
ABLEGADO m. Enviado apostólico encargado de entregar el birrete a los nuevos cardenales.
ABLUCIÓN f. Lavatorio. • Acción de purificarse por medio del agua, según ritos de algunas religiones. • Ceremonia de purificar el cáliz y de lavarse los dedos el sacerdote después de consumir. • pl. Vino y agua con que se hace esta purificación y lavatorio.
ABLUENTE adj. Diluyente, purificante.
ABLUSADO, DA adj. Holgado como una blusa.
ABM *Arm.* Siglas de *Antiballistic Missile*, misil destinado a destruir los misiles enemigos.
ABNEGACIÓN f. Altruismo que lleva a sacrificar los propios intereses en bien de otras personas, por un ideal determinado, etc. ■ ABNEGADO, DA.
ABNEGAR tr. y prnl. Renunciar uno voluntariamente a sus deseos, pasiones o intereses.
ABOBAR tr. y prnl. Hacer bobo a alguien. • Embobar. ■ ABOBADO, DA; ABOBAMIENTO.
ABOBRA f. Planta vivaz, cucurbitácea.
ABOCADO, DA adj. y m. Vino que contiene mezcla de seco y dulce.
ABOCAR tr. Asir con la boca. • Verter el contenido de un recipiente en otro, juntando sus bocas. • tr. y prnl. Acercar. • prnl. Juntarse varias personas para tratar un negocio. • intr. *Mar.* Comenzar a entrar en un canal, estrecho, etc. ■ ABOCAMIENTO.
ABOCARDADO, DA adj. De forma semejante a la de la bocina.
ABOCARDAR tr. Ensanchar la boca de un tubo o de un agujero.
ABOCARDO m. *Min.* Alegra.
ABOCELADO, DA adj. Semejante a un bocel.
ABOCELAR tr. e intr. Abocinar, caer de bruces. • *Arq.* Dar a los arcos una forma cónica, al acentuar su abertura por uno de sus paramentos
ABOCETAR tr. Ejecutar un boceto. ■ ABOCETADO, DA.
ABOCHORNAR tr. y prnl. Causar bochorno el excesivo calor. • fig. Sonrojar. • prnl. Marchitarse las plantas por excesivo calor o sequedad. ■ ABOCHORNADO, DA.
ABOCINADO, DA adj. De forma semejante a la de la bocina. • *Eq.* Díc. del caballo o yegua que va con la cabeza baja, caído el cuerpo sobre el cuarto delantero.
ABOCINAR tr. Dar forma de bocina. • intr. fam. Caer de bruces. • prnl. *Chile.* Ensancharse el agujero del cubo de las ruedas. ■ ABOCINAMIENTO.
ABOFETEAR tr. Dar de bofetadas. ■ ABOFETEADOR, RA.
ABOGACÍA f. Profesión y ejercicio del abogado.
ABOGADERAS f. pl. *Amér.* Argumentos capciosos.
ABOGADO, DA m. y f. Persona licenciada en Derecho e inscrita en un colegio profesional, que defiende en juicio los derechos de los litigantes, y da dictamen sobre las cuestiones que se le consultan. • fig. Intercesor o medianero. • **del diablo**. fig. y fam. Promotor de la fe. • **del Estado**. Funcionario público que protege y defiende los intereses del Estado. • **de pobres**. El que los defiende de oficio. • **de secano**. fig. y fam. El que sin haber estudiado Derecho entiende de leyes o presume de ello. • fig. y fam. El que se mete a hablar de materias en que es lego. ■ ABOGADIL.
ABOGADOR m. Muñidor de una cofradía.
ABOGAR intr. Defender en juicio • fig. Interceder, hablar en favor de alguno
ABOLENGO o **ABOLORIO** m. Ascendencia de antepasados • *Der.* Herencia que viene de los abuelos.
ABOLICIONISMO m. Doctrina y movimiento que propugnó la supresión de la esclavitud.
ABOLICIONISTA adj. y s. Díc. del que procura dejar sin vigor un precepto o costumbre. Se aplicó pralm. a los partidarios de la abolición de la esclavitud.
ABOLIR tr. Derogar un precepto o costumbre. Suprimir. ■ ABOLICIÓN.
ABOLLADO m. Adorno de bolos en los metales y vestidos.
ABOLLAR tr. y prnl. Producir hundimientos en una superficie con un golpe. • Adornar metales o telas con bollos semiesféricos. ■ ABOLLADURA.

Abeto. Árbol y piña

Pez **abisal**

Tipo **abisinio**

Abonadora

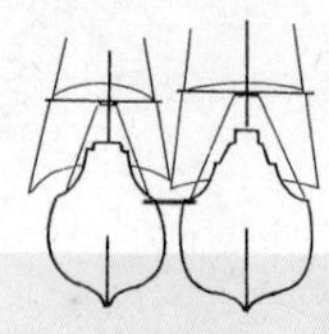
Abordaje

Aborigen australiano

Abrasión

ABOLLONAR tr. Repujar formando bollones. • intr. Arrojar las plantas el bollón.
ABOLSARSE prnl. Tomar forma de bolsa. • Ahuecarse las paredes.
ABOMASO m. Cuajar, parte del estómago.
ABOMBADO, DA adj. Desvanecido o debilitado de la cabeza; aturdido.
ABOMBAR tr. y prnl. Dar forma convexa. • tr. fig. y fam. Asordar. • intr. Dar a la bomba. • prnl. *Amér.* Empezar a corromperse una cosa. • Embriagarse. • *Cuba.* Ponerse fofa la fruta.
ABOMINAR tr. Condenar y maldecir. • Aborrecer. ■ ABOMINABLE; ABOMINACIÓN.
ABONADO, DA adj. Que es de fiar. • Dispuesto a decir o hacer una cosa. • m. y f. Persona inscrita para recibir algún servicio periódicamente o determinado número de veces.
ABONADOR, RA adj. Que abona. • m. y f. Persona que abona al fiador. • m. Barrena de mango largo que usan los toneleros. • f. *Agr.* Máquina para distribuir abonos.
ABONANZAR intr. Serenarse el tiempo.
ABONAR tr. Acreditar o calificar de bueno. • Salir fiador de alguien. • Hacer buena o útil alguna cosa. • Dar por cierta y segura una cosa. • Echar en tierra laborable materias que aumenten su fertilidad. • Pagar. • Asentar en las cuentas corrientes las partidas que corresponden al haber. • *Bol.* Reconciliarse sin formalidad judicial. • tr. y prnl. Inscribir a una persona, mediante pago, para que disfrute periódicamente de una diversión o servicio. ■ ABONABLE; ABONAMIENTO.
ABONARÉ m. Documento expedido en equivalencia de una partida de cargo o de un saldo.
ABONERO, RA m. y f. *Méx.* Comerciante callejero que vende por abonos, o pagos a plazos.
ABONO m. Fianza, seguridad • Derecho que adquiere el que se abona. • Lote de entradas o billetes que se compran conjuntamente. • Documento que acredita el derecho de quien se abona. • Anotación de una partida en el haber. • Cada uno de los pagos parciales de un préstamo o una compra a plazos. • *Agr.* Sustancia con que se abona la tierra.
ABOQUILLAR tr. Poner boquilla a alguna cosa. • *Arq.* Dar a una abertura forma abocardada. • *Arq.* Chaflanar.
ABORDAR tr. e intr. *Mar.* Rozar o chocar una embarcación con otra. • tr. *Mar.* Atracar una nave. • fig. Acercarse a alguno para tratar un asunto. • fig. Emprender un negocio que ofrezca dificultades. • intr. *Mar.* Aportar, tomar puerto, llegar a una costa, etc. ■ ABORDABLE; ABORDADOR, RA; ABORDAJE; ABORDO.
ABORIGEN adj. Originario del suelo en que vive. • adj. y s. El primitivo morador de un país. • pl. Nombre con el que se designa a los primitivos indígenas australianos.
ABORLONADO, DA adj. *Chile, Col.* y *Ecuad.* Acanillado.
ABORRACHADO, DA adj. De color rojo vivo.
ABORRAJARSE prnl. Secarse antes de tiempo las mieses y no granar por completo.
ABORRASCARSE prnl. Ponerse el tiempo borrascoso.
ABORRECER tr. Tener aversión a una persona o cosa. • Dejar o abandonar algunos animales el nido. • Aburrir, gastar. • tr. y prnl. Aburrir, molestar. ■ ABORRECEDOR, RA; ABORRECIBLE; ABORRECIDO, DA; ABORRECIMIENTO.
ABORREGARSE prnl. Cubrirse el cielo de nubes revueltas a modo de vellones de lana. • Apelotonarse la gente. • Volverse gregaria una persona. • *Perú.* Ponerse tonto.
ABORRICARSE prnl. *Amér.* Embrutecerse.
ABORTAR tr. e intr. Parir antes del tiempo en que el feto puede vivir. • tr. fig. Producir alguna cosa sumamente imperfecta o abominable. • fig. Fracasar alguna cosa. • prnl. *Biol.* Interrumpirse en el animal o en la planta el desarrollo de algún órgano. • tr. Desaparecer alguna enfermedad antes del término natural. ■ ABORTIVO, VA.
ABORTO m. Cosa abortada. • *Med.* Interrupción del embarazo antes de que el feto pueda vivir fuera del organismo materno. • fig. y fam. Engendro, persona muy fea o deforme. ■ ABORTAMIENTO.
ABORTÓN m. Cuadrúpedo abortado. • Piel del cordero abortado.
ABORUJAR tr. y prnl. Hacer que una cosa forme borujos. • prnl. Arrebujarse, cubrirse con la ropa de la cama o con una prenda de vestir.
ABOTAGARSE o **ABOTARGARSE** prnl. Hincharse o entumecerse el cuerpo. ■ ABOTAGAMIENTO.
ABOTIJARSE prnl. Ponerse gordo y redondo.
ABOTINADO, DA adj. En forma de botín.
ABOTONAR tr y prnl. Cerrar una prenda de vestir u otra cosa metiendo los botones en los ojales. • intr. *Bot.* Echar botones las plantas. ■ ABOTONADOR.
ABOUT, ***Edmond*** (1828-1885) Novelista y académico fr. *La nariz de un notario.*
ABOVEDAR tr. Cubrir con bóveda. • Dar forma de bóveda. ■ ABOVEDADO, DA.
ABOYADO, DA adj. Díc. de la finca que se arrienda con bueyes. • Díc. de la finca destinada al mantenimiento de ganado vacuno.
ABOYAR tr. *Mar.* Poner boyas. • intr. Boyar o flotar un objeto en el agua.
ABOZALAR tr. Poner bozal.
ABRA f. Bahía no muy extensa. • Abertura ancha entre dos montañas. • Grieta producida en el terreno por movimientos sísmicos. • *Amér.* Descampado, claro en un bosque. • *Col.* Hoja de una puerta o ventana.
ABRACADABRA m. Palabra cabalística, de supuestas virtudes mágicas.
ABRACAR tr. *Amér.* Abarcar.
ABRACIJO m. fam. Abrazo.
ABRAHAM (h. s. XX a. C.) Patriarca heb. Según la Biblia, por inspiración divina, abandonó su Ur natal y se estableció en Canaán. • ***Karl*** (1877-1925) Psiquiatra al., discípulo de Freud. Hizo grandes aportaciones al psicoanálisis.
ABRAMOVITZ, ***Max*** (nacido 1908) Arquitecto norteam. Con W. K. Harrison diseñó el conjunto de edificios de la ONU.
ABRASAR tr. y prnl. Reducir a brasa, quemar. • Secar el excesivo calor o frío una planta. • tr., intr. y prnl. Calentar demasiado. • Producir una sensación de dolor, sequedad, acritud o picor. • fig. Producir en una persona una pasión violenta. • intr. Quemar una cosa. • prnl. fig. Asarse. • fig. Estar muy agitado por alguna pasión. ■ ABRASADOR, RA; ABRASAMIENTO.
ABRASILADO, DA adj. Del color del palo brasil.
ABRASIÓN f. Acción y efecto de raer o desgastar por fricción. • Acción mecánica del oleaje sobre la costa. • *Med.* Ulceración de la piel o las mucosas.
ABRASIVO, VA Relativo a la abrasión. • m. Material duro que se usa para desgastar o pulir por fricción.
ABRAXAS m. Palabra simbólica entre los gnósticos, expresiva del curso del Sol.
ABRAZADERA f. Pieza que sirve para asegurar una cosa. • *Art. Gráf.* Corchete.
ABRAZADOR, RA adj. Que abraza. • m. Hierro que en la noria sujeta el peón al puente.
ABRAZAR tr. y prnl. Ceñir con los brazos. • Estrechar entre los brazos en señal de cariño. • fig. Rodear. • fig. Prender algunas plantas trepadoras. • tr. fig. Comprender, incluir. • fig. Admitir, seguir. • fig. Tomar uno a su cargo alguna cosa. ■ ABRAZAMIENTO; ABRAZO.
ABREACCIÓN f. Expresión, en el curso de un tratamiento psicológico, de deseos, afectos, pasiones y complejos, reprimidos o bloqueados por un mecanismo de defensa.
ABREBOCA m. *Ecuad.* y *Ven.* Aperitivo.
ABRECARTAS m. Plegadera para abrir sobres.
ÁBREGO o **ÁBRIGO** m. Viento sur.
ÁBREGO, ***Mercedes*** (?-1813) Patriota col. Partidaria de la indep., fue decapitada por orden del capitán Bartolomé Lizón.
ABRELATAS m. Instrumento para abrir latas.
ABRENUNCIO Voz usada para dar a entender que se rechaza alguna cosa.
ÁBREPUÑO m. Arzolla, planta compuesta. • pl. Planta ranunculácea, de flores amarillas.
ABREU, ***Gabriel*** (1834-1881) Guitarrista esp. Ciego de nacimiento, ideó un sistema de notación musical en → Braille. • ***João Capistrano*** de (1853-1927) Historiador bras., profundo conocedor de las lenguas amazónicas. • ***Mario*** (nacido 1918) Pintor ven. Premiado en numerosas ocasiones, es uno de los ar-

tistas más representativos de su país. • **de Figueroa, *Gonzalo*** (m. 1582) Conquistador esp. en Perú y gobernador de Tucumán. • **Gómez, *Ermilo*** (1894- 1974) Escritor mex. Publicó *Canek, y La letra del espíritu*, entre otros. Realizó estudios sobre el *Popol Vuh*.

ABREUS Mun. de Cuba, en la prov. de Cienfuegos; 24 000 hab. Ganado vacuno. Ingenio azucarero.

ABREVAR tr. Dar de beber al ganado. • Regar la tierra o una calle. • Remojar las pieles para adobarlas. • Hablando de personas, dar de beber un brebaje. • Saciar. ■ ABREVADERO; ABREVADOR, RA.

ABREVIAR tr. Acortar, reducir a menos tiempo o espacio. • Acelerar. ■ ABREVIACIÓN; ABREVIADO, DA; ABREVIADOR, RA; ABREVIAMIENTO.

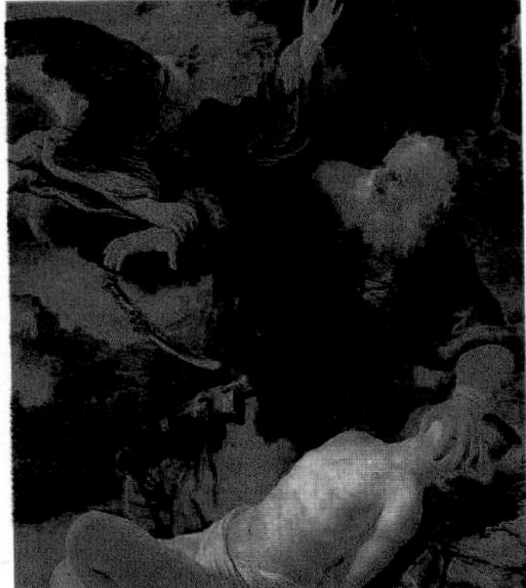

Abraham *sacrifica a su hijo*, óleo de Rembrandt

ABREVIATURA f. Representación de las palabras en la escritura con varias o una de sus letras. • Palabra representada en la escritura de este modo. • Compendio o resumen. • **En a.** m. adv. Usando abreviaturas.

ABRIBOCA adj. *Argent.* Distraído.

ABRIBONARSE prnl. Hacerse bribón.

ABRIDERO, RA adj. Que se abre fácilmente • m. Variedad de pérsico. • Fruto de este árbol.

ABRIDOR, RA adj. Que abre. • m. Abridero, el pérsico y su fruto. • Cuchilla para hacer injertos. • Cada uno de los dos aretes de oro que se ponen a las niñas en los lóbulos de ias orejas. • **de láminas**. Grabador.

ABRIGADERO m. Abrigo, lugar defendido de los vientos. • *Amér.* Guarida.

ABRIGADO m. Lugar defendido de los vientos.

ABRIGADOR, RA adj. Que abriga. • adj. y s. *Méx.* Encubridor de un delito o falta.

ABRIGAÑO m. Abrigo, paraje defendido de los vientos.

ABRIGAR tr. y prnl. Defender, resguardar del frío. • tr. fig. Auxiliar, amparar. • fig. Tratándose de ideas o afectos, tenerlos. • *Eq.* Aplicar las piernas al vientre del caballo para ayudarle. • *Mar.* Defender, resguardar la nave.

ABRIGO m. Defensa contra el frío. • Cosa que abriga. • Prenda del traje que se pone sobre las demás y sirve para abrigar. • Lugar defendido de los vientos. • fig. Auxilio. • Lugar en la costa resguardado. • Covacha natural.

ABRIL m. Cuarto mes del año. • fig. Primera juventud. • fig. Cosa grata por su gentileza o color. ■ ABRILEÑO, ÑA.

ABRIL, *Mariano* (nacido 1862) Periodista e historiador puertorriq. *El socialismo moderno, El general Valero, un héroe de la independencia de España y América.* • **De Vivero, *Pablo*** (1894-1987) Poeta per., entre el modernismo y lo satírico. *Las alas rotas, Ausencia.* • **De Vivero, *Xavier*** (1905-1989) Poeta per., introductor del surrealismo. *Difícil trabajo, Descubrimiento del alba.*

ABRILLANTAR tr. Labrar en facetas. • Iluminar o dar brillantez. • fig. Dar más valor o lucimiento. ■ ABRILLANTADOR.

ABRIR tr. y prnl. Descubrir lo que está oculto. • tr., intr. y prnl. Separar del marco la hoja o las hojas de la puerta, haciéndolas girar sobre sus goznes, o quitar o separar otra cosa con que esté cerrada una abertura. • tr. Descorrer el pestillo, quitar el cerrojo, levantar la aldaba, etc. • Tirar hacia fuera de los cajones de un mueble, sin sacarlos del todo. • Poner al descubierto una cosa, apartando las que la ocultan. • Tratándose de partes del cuerpo del animal o de cosas o instrumentos compuestos de piezas, separar unas de otras de forma que entre ellas se produzca un espacio o formen ángulo o línea recta. • tr. y prnl. Hacer que se separen los órganos articuladores al emitir un sonido, franqueando mayor paso al aire. • tr. Cortar por los dobleces los pliegos de un libro para separar las hojas. • Extender lo que estaba encogido, doblado o plegado. • Hender, dividir. • Con nombres como *agujero, ranura, canal*, etc., hacer. • Tratándose de cartas, paquetes, etc., romperlos o despegarlos. • Vencer, apartar o destruir cualquier obstáculo que impida el tránsito o cierre el acceso o la salida de algún lugar. • fig. Iniciar las actividades propias de su competencia los cuerpos o establecimientos políticos, administrativos, científicos, artísticos, comerciales, etc. • fig. Tratándose de certámenes, oposiciones, etc., anunciar las condiciones con que deben llevarse a cabo. • fig. En el caso de personas que caminan en hilera o columna, ir a la cabeza. • Tratándose de cuentas corrientes o de crédito, imponer en un banco la suma de dinero requerida o aprontar la garantía concertada. • intr. y prnl. Tratándose de flores, separarse los pétalos unos de otros. • intr. Tratándose del tiempo, empezar a clarear. • prnl. fig. Sincerarse, confiar una persona a otra su secreto. • Relajarse. • *Amér.* Huir, largarse. ■ ABRIMIENTO.

ABROCHAR tr. y prnl. Cerrar con broches, corchetes, etc. • *Chile* y *Ecuad.* Agarrar a uno para castigarlo. ■ ABROCHADOR, RA; ABROCHADURA; ABROCHAMIENTO.

ABROCÓMIDO, DA adj. y s. *Zool.* Relativo a los abrocómidos. • m. pl. Familia de mamíferos roedores de los Andes.

ABROGAR tr. *Der.* Abolir, revocar. ■ ABROGABLE; ABROGACIÓN; ABROGATORIO, RIA.

ABROJÍN m. Cañadilla.

ABROJO m. Planta cigofilácea, de hojas compuestas y fruto espinoso. • Cardo estrellado. • Pieza de hierro que los ejércitos utilizaban para dificultar el paso de los enemigos. • pl. Penas, dolores. ■ ABROJAL.

ABROMA m. Arbusto de la familia esterculiáceas, propio de los países tropicales.

ABROMARSE prnl. *Mar.* Llenarse de broma los fondos de un buque. ■ ABROMADO, DA.

ABRONCAR tr. y prnl. fam. Aburrir, enfadar. • tr. Avergonzar, abochornar. • Reprender ásperamente. • Abuchear.

ABROQUELADO, DA adj. *Bot.* De forma de broquel.

ABROQUELAR tr. *Mar.* Maniobrar con las velas para que reciban el viento por la proa. • Escudar, defender. • prnl. Cubrirse con el broquel. • fig. Valerse de cualquier medio de defensa.

ABRÓTANO m. Planta compuesta, herbácea, de flores en cabezuelas amarillas, empleada para hacer crecer el pelo. • **hembra.** Planta compuesta, herbácea, usada en medicina • **macho.** Abrótano.

ABRUMAR tr. Agobiar con algún peso. • fig. Causar gran molestia. • prnl. Llenarse de bruma la atmósfera. ■ ABRUMADOR, RA.

ABRUPTO, TA adj. Escarpado, de gran pendiente. • Áspero, violento, rudo, destemplado.

ABRUTADO, DA adj. Que parece bruto.

ABRUZO, ZA adj. y s. De los Abruzos.

ABRUZOS *(Abruzzo)* Región de Italia, a orillas del Adriático; 10 794 km², 1 249 100 hab. Cap., L'Aquila • ***Los*** *(Abruzzi)* Montes de Italia, en los Apeninos. Gran Sasso (2 914 m).

ABRUZOS, *Luis Amadeo de Saboya*, DUQUE DE LOS (1873-1933) Explorador y marino it., nacido en Madrid. Hijo de Amadeo I. Comandante en jefe de la Marina italiana (1915-1917).

ABSALÓN (heb., *Absbalom, Abisbalom*) Hijo de David. Se proclamó rey de Jerusalén.

ABSCESO m. Acumulación de pus en los tejidos.

ABSCISA f. Una de las coordenadas que determinan la posición de un punto en un plano.

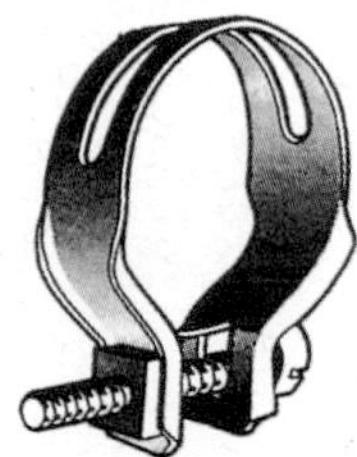

Abrazadera

Abrojín

Abrojo

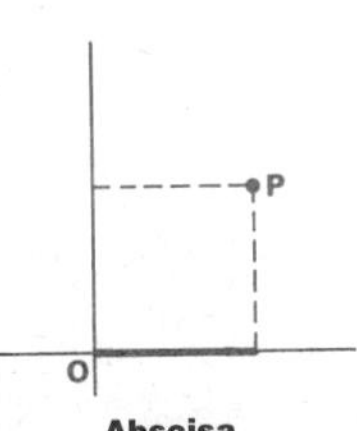

Abscisa

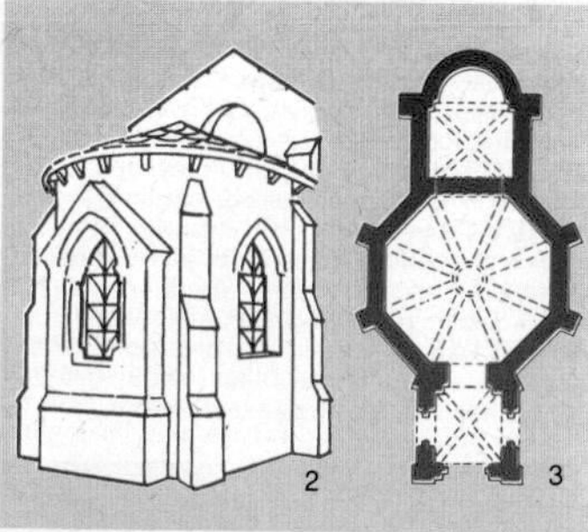

Ábside.
1. Vista exterior del ábside de la iglesia de Santa María en Villalpando (Zamora, España). 2. Ábside semicircular simple. 3. Planta de una iglesia de ábside simple

ABSCISIÓN f. Separación de una parte pequeña de un cuerpo con instrumento cortante. • fig. Interrupción o reiniciación.
ABSENTA f. Licor fabricado con ajenjo.
ABSENTISMO m. Costumbre de residir el propietario fuera de la localidad en que radican sus bienes. • Abandono de un cargo, trabajo, etc. ■ ABSENTISTA.
ÁBSIDA f. *Arq.* Ábside.
ÁBSIDE amb. Parte del templo abovedada y gralte. semicircular que sobresale en la fachada posterior. • m. *Astr.* Ápside ■ ABSIDAL.

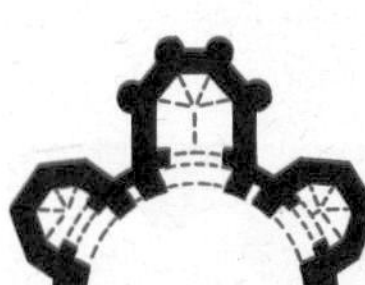

Absidiolas

ABSIDIOLA f. Capilla semicircular en el ábside.
ABSINTIO m. Ajenjo.
ABSOLUTISMO m. Sistema político monárquico, gralte. hereditario, en el que el rey poseía indivisos todos los atributos de la soberanía por derecho divino. Fue el sistema de gobierno común de las monarquías europeas de los ss. XVI y XVII.
ABSOLUTO, TA adj. Que excluye toda relación. • Independiente, sin restricción. • *Mat.* Díc. del valor de una cifra, etc., independientemente de su posición o de su signo. • fig. y fam. De genio imperioso. • f. Aserción hecha en tono magistral. • Licencia definitiva dada a un soldado. • **Lo a.** La idea suprema e incondicional. • **En a.** m. adv. De manera general y terminante.

Luis XIV, el Rey Sol, figura máxima del **absolutismo** en Francia

ABSOLUTORIO, RIA adj. *Der.* Díc. del fallo que absuelve.
ABSOLVEDERAS f. pl. fam. Facilidad de algunos confesores en absolver.
ABSOLVER tr. Dar por libre de algún cargo u obligación. • Remitir a un penitente sus pecados, o levantarle las censuras en que hubiere incurrido. • Resolver una duda. • *Der.* Dar por libre al reo. ■ ABSOLUCIÓN; ABSUELTO, TA.
ABSORBER tr. *Biol.* Aspirar los tejidos orgánicos materias externas que contribuyen a la nutrición o son causa de enfermedades. • *Fís.* Penetrar las moléculas de un fluido en un sólido o de un gas en un líquido. • *Fís.* Disminuir la intensidad de una onda sonora al atravesar un medio propagador. • *Fís.* Retener la energía de las radiaciones por una sustancia cuando es atravesada por ellas. • fig. Consumir enteramente. • fig. Atraer a sí, cautivar. ■ ABSORBENCIA; ABSORBENTE; ABSORBIBLE.
ABSORCIÓN f. *Biol.* Fenómenos que determinan la transferencia de una sustancia desde el medio ambiente al medio interno de la célula. • *Electr.* Fenómeno físico por el cual una onda sonora sólo es reflejada parcialmente sobre una superficie. • *Quím.* Difusión de gases en líquidos y sólidos o de líquidos en sólidos. ■ ABSORBIMIENTO.
ABSORTAR tr. y prnl. Suspender, arrebatar el ánimo con alguna cosa extraordinaria.
ABSORTO, TA adj. Enfrascado en una meditación, lectura, contemplación, etc. • Pasmado, estupefacto, abstraído.

Absorción del almidón por parte de las raíces de una semilla de trigo: 1. almidón; 2. disolución de agua yodada; 3. placa de Petri

ABSTEMIO, MIA adj. y s. Que no bebe vino ni otros licores alcohólicos.
ABSTENCIONISMO m. Tendencia de parte del electorado a no ejercer el derecho de voto. ■ ABSTENCIONISTA.
ABSTENERSE prnl. Privarse de alguna cosa. ■ ABSTENCIÓN.
ABSTERGER tr. *Med.* Limpiar las superficies orgánicas. ■ ABSTERGENTE; ABSTERSIÓN; ABSTERSIVO, VA.
ABSTINENCIA f. Privación de la satisfacción de goces materiales. • En algunas confesiones religiosas, prohibición de comer carne ciertos días.
ABSTRACTO, TA adj. Que significa alguna cualidad con exclusión del sujeto. • Díc. de las obras de arte que prescinden de todo tema o motivo anecdótico. • **En a.** m. adv. Con exclusión del sujeto en quien se halla cualquier cualidad.
ABSTRAER tr. Separar las cualidades de un objeto para considerarlas aisladamente o para considerar el mismo objeto en su pura esencia o noción. • intr. y prnl. Con la preposición *de*, prescindir, hacer caso omiso. • prnl. Enajenarse de los objetos sensibles, no atender a ellos por entregarse a la consideración de lo que se tiene en el pensamiento. ■ ABSTRACCIÓN; ABSTRACTIVO, VA.
ABSTRAÍDO, DA adj. Retirado o apartado del trato de las gentes. • Absorto, ensimismado.
ABSTRUSO, SA adj. De difícil comprensión.
ABSURDIDAD f. Calidad de absurdo. • Absurdo, que carece de sentido o está afectado de falsedad.
ABSURDO, DA adj. Contrario a la razón. • m. Dicho o hecho carente de significación • **Reducción al a.** *Lóg.* Razonamiento que prueba la falsedad de una proposición.
ABU Abdallah Muhammad, EL ZAGAL Rey moro de Granada (1485-1486). Compartió transitoriamente el poder con Boabdil. Los cristianos consiguieron enfrentarlos y el Zagal capituló en Almería (1489). Participó en el final de la campaña de Granada al servicio de los Reyes Católicos. El rey de Fez mandó quemarle los ojos por traidor, a causa de cuyas heridas murió. • **Bakr** (570-634) Padre de Aisa, esposa de Mahoma; a la muerte de éste fue elegido su «califa» (sucesor). Le sucedió Umar. • **Hanifa** (696-767) Teólogo musulmán, fundador de la escuela jurídica ortodoxa hanafi. • **Nuwas** (747-h. 815) Poeta ár., uno de los más grandes líricos en su lengua. *Diwan.* • **Salt Umayya** (1067-1134) Médico, filósofo y teólogo hispanoárabe, n. en Denia. *Rectificación de la mente.*
ABU DHABI Uno de los Emiratos Árabes Unidos; 73 548 km^2, 798 000 hab. Cap., la ciudad hom. Se extiende desde el golfo Pérsico hasta Buraimi. Refinerías de petróleo. • Cap. de los Emiratos Árabes Unidos y del Estado hom.; 363 000 hab.
ABU SIMBEL Localidad del Alto Egipto. Templos de Ramsés II.
ABUBILLA f. Ave coraciforme de color blanco, negro y ocre, con un penacho en la cabeza.
ABUCHEAR tr. Reprobar públicamente y de manera ruidosa. ■ ABUCHEO.
ABUELA f. Respecto de una persona, madre de su padre o de su madre. • fig. Mujer anciana.
ABUELASTRO, TRA m. y f. Respecto de una persona, padre o madre de su padrastro o madrastra. • Respecto de una persona, segundo marido de su abuela, o segunda mujer de su abuelo.
ABUELO m. Respecto de una persona, padre de su padre o de su madre. • Ascendiente, padre, madre o abuelo de una persona. Se usa más en pl. • fig. Hombre anciano. • pl. El abuelo y la abuela.
ABUHARDILLADO, DA adj. Que tiene forma de buhardilla.
ABUJA Cap. de Nigeria, en sustitución de Lagos; 524 000 hab. en el Territorio de la capital federal.
ABUJE m. *Cuba.* Ácaro de color rojo.
ABU-L-ABBAS (m. 754) Primer califa abasí, lla-

mado AL-SAFFAH, «el Sanguinario», o según otros, «el Generoso». Proclamado califa en el año 742, mandó ejecutar al último omeya Marwan II. • **-l-Hasan Alí** (m. 1485) Rey musulmán de Granada, conocido por MULEY HACÉN. Hizo frente a las discordias promovidas por su hijo Boabdil y al avance de los Reyes Católicos.
ABULENSE adj. y s. Avilés.
ABULIA f. Disminución o anulación de los impulsos volitivos. ■ ABÚLICO, CA.
ABULTAMIENTO m. Bulto, prominencia.
ABULTAR tr. Aumentar el bulto de alguna cosa. • Hacer bulto o relieve. • fig. Aumentar la cantidad, grado, etc. • fig. Ponderar, encarecer. • Iniciar la obra que se intenta modelar. • intr. Tener o hacer bulto. ■ ABULTADO, DA; ABULTAMIENTO.
ABUNDAMIENTO m. Abundancia. • **A mayor a.** Con mayor razón.
ABUNDANCIA f. Copia, gran cantidad. ■ ABUNDANCIAL.
ABUNDAR intr. Haber gran cantidad de una cosa. • Hablando de una idea u opinión, estar adherido a ella. ■ ABUNDANTE; ABUNDOSO, SA.
ABUÑOLAR o **ABUÑUELAR** tr. Freír un manjar de modo que quede redondo, esponjoso y dorado. ■ ABUÑOLADO, DA.
¡ABUR! interj. fam. ¡Adiós!
ABURAR tr. Quemar. • *R. Dom.* Producir escozor la picadura de hormigas, avispas o abejas .
ABURGUESARSE prnl. Adquirir cualidades de burgués. ■ ABURGUESAMIENTO.
ABURRADO, DA adj. Semejante a un burro. • Díc. de la persona de modales toscos. • *Méx.* Díc. de la yegua destinada a la cría de mulas.
ABURRARSE prnl. Embrutecerse.
ABURRIMIENTO m. Fastidio, tedio, cansancio.
ABURRIR tr. Hastiar, cansar, molestar, fastidiar. • fam. Gastar algún tiempo o dinero. • Aborrecer, dejar o abandonar. • prnl. Fastidiarse, hastiarse. ■ ABURRICIÓN; ABURRIDO, DA; *Amér.* ABURRIDOR, RA.
ABURTO, *Juan* (nacido 1918) Escritor nic. Perteneciente a la Generación del 60, de la que fue uno de sus teóricos. *Narraciones, Mi novia de las Naciones Unidas, Se alquilan cuartos.*
ABUSADA Salah, *Roberto* (nacido 1946) Economista per. Viceministro de Economía (1980-1983) y asesor del ministerio de Economía y Finanzas desde 1984.
ABUSAR intr. Usar mal, impropia, indebida y excesivamente de algo o alguien. • Violar, hacer objeto de trato deshonesto a una persona. • *Guat.* y *Méx.* Estar alerta, listo ■ ABUSADOR, RA.
ABUSIÓN f. Abuso. • Absurdo, engaño. • Superstición, agüero. • *Ret.* Catacresis.
ABUSO m. Acción y efecto de abusar. • **de autoridad.** *Der.* Circunstancia agravante que consiste en valerse del carácter público que tenga el presunto culpable. • **de confianza.** Infidelidad que consiste en perjudicar uno a otro que ha puesto su confianza en él. • **de superioridad.** *Der.* Circunstancia agravante determinada por aprovechar en la comisión del delito la notable desproporción de fuerza o número entre delincuentes y víctimas. ■ ABUSIVO, VA; ABUSÓN, NA.
ABYECCIÓN f. Bajeza, envilecimiento. • Abatimiento, acción de abatirse. ■ ABYECTO , TA.
ABYMES, *Les* Mun. de Guadalupe, en la isla Grande-Terre; 54 100 hab. Caña de azúcar.
Ac Símb. químico del actinio.
ACÁ adv. lugar. Indica lugar menos circunscrito o determinado que el que se denota con el adverbio *aquí.* • En este mundo o vida temporal. • fam. Designa a la persona que habla o a un grupo de personas en el cual se incluye. • fam. Señala a veces a la persona cercana al que habla, con valor semejante al del demostrativo *éste.* • Precedido de ciertas preposiciones y de otros adverbios significativos de tiempo anterior, denota el presente. • **De acá para allá.** m. adv. De aquí para allí.
ACABADO, DA adj. Perfecto, completo, consumado. • Malparado, destruido. • m. Perfeccionamiento de una obra o labor.
ACABALAR tr. Completar.
ACABALLADO, DA adj. Parecido al perfil de la cabeza del caballo.
ACABALLAR tr. Cubrir el caballo o el burro a la yegua. ■ ACABALLADERO.
ACABALLONAR tr. Hacer caballones en las tierras.
ACABAÑAR intr. Construir cabañas o chozas.
ACABAR tr. y prnl. Dar fin a una cosa. • tr. Apurar. • Poner esmero en la conclusión de una obra. • Matar. • Alcanzar. • intr. Rematar. • Morir. • intr. y prnl. Extinguirse. • Destruir, aniquilar. • Seguido de la prep. *de* y un verbo en infinitivo, haber ocurrido poco antes lo que este último verbo significa. ■ ACABABLE; ACABADOR, RA; ACABAMIENTO; ACABO.
ACABE m. *Col.* Acción y efecto de acabar; fin, extinción. • *P. Rico.* Fiesta que se celebra al acabar la recolección del café.
ACABESTRILLAR intr. Cazar con buey de cabestrillo.
ACABIJO m. fam. Término, remate, fin.
ACABILDAR tr. Juntar a muchos para tomar acuerdos.
ACABÓSE. Ser una cosa **el a.** fr. Haber llegado a su último extremo, ser el colmo.
ACABRONADO, DA adj. Semejante al cabrón.
ACACALOTE m. *Méx.* Cuervo de agua.
ACACHARSE prnl. fam. Agacharse. • *Chile.* Dejar de venderse un producto.
ACACHETAR tr. Rematar al toro.
ACACHETEAR tr. Dar cachetes.

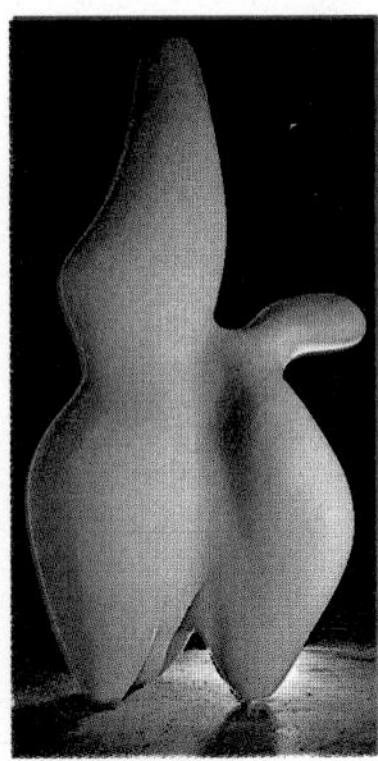
Abstracto. Obra de Hans Arp titulada *Fruta híbrida llamada Pagoda*

Acacia

Colosos de Ramsés II en uno de los templos de **Abu Simbel**

ACACIA f. *Bot.* Gén. de plantas dicotiledóneas, arbóreas o arbustivas, de la familia mimosáceas. • Madera de este árbol. • *Farm.* Sustancia astringente, extraída de la a. de Egipto o de la bastarda. • **bastarda.** Endrino.
ACACIANO, NA adj. Díc. de ciertos herejes seguidores de Acacio, obispo de Cesarea, o de Acacio de Constantinopla.
ACACIO de Cesarea, EL TUERTO (m. h. 365) Obispo de Cesarea que aceptó las doctrinas arrianas. • **De Constantinopla** Patriarca de Constantinopla [471-489]. Originó un cisma que duró desde 484 hasta 519.
ACAD País de los acadios.
ACADEMIA f. Casa con jardín, cerca de Atenas, donde enseñaron Platón y otros filósofos. • Escuela filosófica fundada por Platón. • Sociedad científica, literaria o artística con autoridad reconocida. • Junta o reunión de los académicos. • Establecimiento en que se instruye a quienes han de dedicarse a una profesión. • *Esc.* y *Pint.* Estudio de una figura entera y desnuda, tomada del natural.
ACADEMIA Argentina de Letras. Establecimiento fundado por iniciativa de Manuel Gálvez en 1931. Consta de 24 miembros numerarios. Cerrada en 1952, fue restituida en 1955. • **Boliviana.** Fundada en 1926. • **Chilena.** Fundada en 1887 por Ricardo Palma y reorganizada en 1917. • **Colombiana.** Fundada en Bogotá (1871- 1872), consta de 29 miembros numerarios y 50 correspondientes. • **Costarricense.** Fundada en 1923. • **Cubana.** Fundada en 1926. • **Dominicana.** Fundada en 1927. • **Filipina.** Fundada en 1924, en Manila. • **Francesa** *(Académie Française).* Creada por Richelieu (1637). • **Guatemalteca.** Fundada en 1888 y reorganizada en 1930. • **Hondureña.** Fundada en 1948. • **Mexicana.** Fundada en 1875, consta de 36 miembros numerarios y 36 correspondientes. • **Nicaragüense.** Fundada en 1928. • **Panameña.** Fundada en 1926 por el P. Pedro Fabo. • **Paraguaya.** Fundada en 1927, extinguida y reorganizada en 1952. • **Puertorriqueña.** Fun-

Abubilla

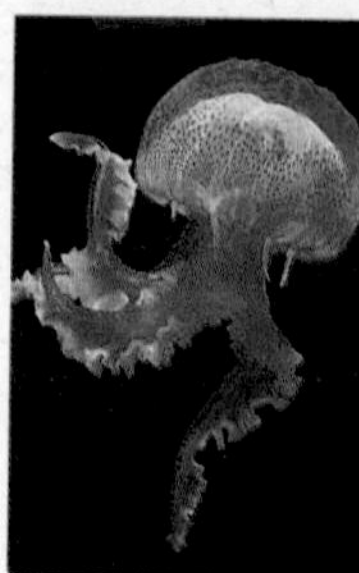
Acalefo

Columnas **acanaladas** del templo de los Dioscuros, en Agrigento

Acanto

dada en 1953. • **Real A. Española de la Lengua.** Creada a imitación de la *A. Francesa* por Felipe V (1714). Consta de 35 miembros numerarios. • **Salvadoreña.** Fundada en 1876, reorganizada por J. J. Cañas en 1915, consta de 24 miembros numerarios y 5 correspondientes. • **Uruguaya Nacional de Letras.** Fundada en 1923 por Zorrilla de San Martín. • **Venezolana.** Fundada por el presid. A. Guzmán Blanco en 1883, tiene 24 miembros numerarios.

ACADEMICISMO m. Tendencia artística y literaria que sigue con rigor las normas clásicas. ■ ACADEMICISTA.

ACADÉMICO, CA adj. y s. Filósofo que sigue la escuela de Platón. • adj. Relativo a la escuela filosófica de Platón, o a las academias. • Estudios y títulos que causan efectos legales. • Díc. de las obras de arte en que se observan con rigor las normas clásicas, y también del autor de estas obras. • *Esc.* y *Pint.* Relativo a la academia. • m. y f. Individuo de una academia.

ACADEMO *Mit.* Héroe ateniense que indicó a Cástor y Pólux el paradero de Helena.

ACADIO, A adj. y s. Díc. de individuos de un pueblo semita dominante en el imperio asirio establecido en la Mesopotamia central. • pl. Relativo a dicho pueblo.

ACAECER intr. Suceder, efectuarse un suceso. ■ ACAECIMIENTO.

ACAHUAL m. *Méx.* Especie de girasol. • *Méx.* Hierba alta y de tallo grueso.

ACAHUNA Inca (s. XV) Arquitecto incaico. Se le atribuye buena parte de los edificios de Tiahuanaco.

ACAIRELAR tr. Cairelar.

ACAJÚ m. *Amér.* Anacardo.

ACAJUTLA C. y puerto de El Salvador, en el dpto. de Sonsonate; 15 600 hab.

ACAL m. *Méx.* Canoa.

ACALAMBRARSE prnl. Contraerse los músculos a causa del calambre.

ACALCULIA f. Incapacidad para realizar operaciones aritméticas simples.

ACALEFO adj. y m. Animal marino y celentéreo, de vida pelágica, que en estado larvario presenta forma de pólipo fijo, y en estado adulto de medusa sin velo. • m. pl. Clase de estos animales.

ACALENTURARSE prnl. Empezar a tener calentura.

ACALIA f. Malvavisco.

ACALLANTAR tr. Acallar.

ACALLAR tr. Hacer callar. • fig. Aplacar.

ACALORAR tr. Dar calor. • tr. y prnl. Encender, fatigar con trabajo o ejercicio excesivos. • tr. fig. Fomentar. • fig. Avivar, excitar. • fig. Alentar. • fig. Enardecer. • prnl. fig. Enardecerse en la disputa. • fig. Hacerse viva y ardiente la disputa. ■ ACALORADO, DA; ACALORAMIENTO.

ACALOTE m. *Méx.* Parte de un río que se limpia de hierbas para abrir paso a las canoas.

ACAMAPICHTLI (m. 1420) Primer soberano de los aztecas (1376-1396) tras su establecimiento en Tenochtitlán.

ACAMAR tr. y prnl. Hacer la lluvia, el viento, etc., que se tiendan las mieses, etc.

ACÁMBARO Mun. de México, en el est. de Guanajuato; 98 100 hab. Centro agrícola.

ACAMBAY Mun. de México, en el est. de México; 33 000 hab. Explotación forestal, maguey.

ACAMELLADO, DA adj. Parecido al camello.

ACAMELLONAR tr. *Méx.* Acaballonar.

ACAMPADA f. Campamento, lugar al aire libre, dispuesto para alojar turistas, viajeros, excursionistas, etc.

ACAMPANAR tr. y prnl. Dar forma de campana. ■ ACAMPANADO, DA.

ACAMPAR intr., tr. y prnl. Instalarse en despoblado, gralte. en tiendas de campaña.

ACAMPO m. Dehesa.

ÁCANA f. *Amér.* Árbol sapotáceo cuya madera se usa en la construcción.

ACANALADO, DA adj. Díc. de lo que pasa por canal estrecho. • En forma abarquillada. • Estriado.

ACANALADOR m. Instrumento de carpintería para abrir canales.

ACANALADURA f. *Arq.* Canal o estría.

ACANALAR tr. Hacer canales en alguna cosa. • Dar a una cosa forma de canal o teja.

Academia. Platón y Aristóteles, detalle de la *Escuela de Atenas* de Rafael (Vaticano)

ACANALLADO, DA adj. Díc. de la persona que tiene los defectos de la canalla.

ACANALLAR tr. y prnl. Encanallar.

ACANELADO, DA adj. De color o sabor de canela.

ACANILLADO, DA adj. Aplícase al paño o tela que forma canillas ■ ACANILLADURA.

ACANTÁCEO, A adj. y s. Díc. de individuos de una familia de plantas caracterizadas por poseer tallo nudoso, hojas opuestas y fruto en cápsula. • f. pl. *Bot.* Familia de estas plantas.

ACANTARAR tr. Medir por cántaras.

ACANTEAR tr. Tirar piedras o cantos a uno.

ACANTILADO, DA adj. Díc. del fondo del mar cuando forma cantiles. • adj. y m. Costa cortada verticalmente. • m. Escarpa casi vertical en un terreno.

ACANTILAR tr. y prnl. Echar un buque en un cantil. • Dragar un fondo.

ACANTIO m. Cardo borriquero.

ACANTO m. Planta acantácea perenne, con hojas largas, rizadas y espinosas. • *Arq.* Adorno que imita las hojas de esta planta.

ACANTOCÉFALO adj. y s. Relativo a los acantocéfalos. • m. pl. Grupo de invertebrados parásitos, de aspecto vermiforme.

ACANTODIO, DIA adj y s. Relativo a los acantodios • m. pl. Grupo de peces fósiles de la clase placodermos.

ACANTONAR tr. y prnl. Distribuir y alojar tropas. ■ ACANTONAMIENTO.

ACANTOPTERIGIO, GIA adj. y m. *Zool.* Perciforme.

ACAÑAVEREAR tr. Herir con cañas.

ACAÑONEAR tr. Cañonear.

ACAPARAR tr. Acumular productos en más cantidad de la necesaria. • fig. Apropiarse de una cosa, en perjuicio de los demás. ■ ACAPARADOR, RA; ACAPARAMIENTO.

ACAPARRARSE prnl. Convenir un trato.

ACAPARROSADO, DA adj. De color de caparrosa.

ACÁPITE m. *Amér.* Párrafo.

ACAPNIA f. Deficiencia de anhídrido carbónico en la sangre, como consecuencia de respirar aire excesivamente cargado de oxígeno. Llamada «borrachera de oxígeno».

ACAPULCO, ***Bahía de*** La sit. en la costa mex. del Pacífico; el puerto de A. de Juárez se encuentra en su sector occidental. • **Fosa de A.** Depresión submarina, en el Pacífico, frente a la costa mex. (5 920 m de profundidad máx.).

ACAPULCO DE JUÁREZ C. de México, en el est. de Guerrero; 635 000 hab. Puerto comercial, centro turístico.

ACAPULLARSE prnl. Tomar forma de capullo.

ACARACOLADO, DA adj. Que tiene forma de caracol.

ACARAMELAR tr. Cubrir con caramelo. • prnl. fig. y fam. Mostrarse uno extraordinariamente galante, dulce y melifluo.

ACARDENALAR tr. Producir cardenales • prnl. Salir en el cutis manchas de color cárdeno.

ACARDENILLARSE prnl. Cubrirse de cardenillo los objetos de cobre.

ACAREAR tr. Carear. • Hacer cara, arrostar. ■ ACAREAMIENTO.

ACARÍ Río de Perú. Nace en la cordillera de la Costa (Lucanas) y desemboca en el Pacífico.
ACARICIAR tr. Hacer caricias. • fig. Tratar a alguien con ternura. • Tocar suavemente una cosa a otra • Complacerse en pensar en alguna cosa. ■ ACARICIADOR, RA.
ACARICIDA m. Insecticida especial para combatir los ácaros.
ACÁRIDO, DA adj. y s. Ácaro. • m. pl. Orden de estos animales.
ACARIGUA Mun. de Venezuela, en el est. Portuguesa; 59 400 hab. Agricultura. Ganadería.
ACARNANIA Región occidental de Grecia entre los golfos de Arta y de Patros.
ACARNERADO, DA adj. Díc. del caballo que tiene arqueada la parte delantera de la cabeza.
ÁCARO m. Arácnido traqueal, parásito, microscópico, con mandíbulas terminadas en pinzas. • **de la sarna**. Arador, arácnido que produce la sarna.• **del queso**, o **doméstico**. El que se cría en el queso.
ACARRALADURA f. *Chile*.Carrera o línea de puntos que se sueltan en la media.
ACARRALAR tr. y prnl. Encoger un hilo en los tejidos. • prnl. Estropearse los racimos de uvas a consecuencia de las heladas tardías.
ACARREAMIENTO m. Acarreo.
ACARREAR tr. Transportar • fig. Dicho de daños o desgracias, ocasionar, traer consigo. ■ ACARREADIZO, ZA.
ACARREO m. Lo que un arriero trae por cuenta ajena. • **De a.** loc. fig. Material que un escritor, investigador, etc., aporta tomándolo de distintas fuentes y sin elaboración personal. • De arrastre.
ACARROÑAR tr. y prnl. fam. *Col.* Acobardar, amilanar.
ACARTONARSE prnl. Ponerse como cartón. • Quedarse enjuta una persona al envejecer. • *Amér.* Adelgazar.
ACASERARSE prnl. *Chile* y *Perú.* Hacerse parroquiano de una tienda. • *Chile* y *Perú.* Aquerenciarse.
ACASO m. Casualidad, suceso imprevisto. • adv. modo. Por casualidad. • adv. de duda. Quizá, tal vez.
ACASTAÑADO, DA adj. Que tira a castaño.
ACASTORADO, DA adj. Semejante a la piel del castor.
ACATABLE adj. Digno de acatamiento.
ACATALÉCTICO adj. y m. Díc. del verso gr. o latino con todos los pies completos.
ACATALECTO adj. y s. Acataléctico.
ACATAR tr. Tributar homenaje de sumisión. • *Amér.* Catar, echar de ver. ■ ACATAMIENTO.
ACATARRAR tr. Resfriar. • prnl. Contraer catarro de las vías respiratorias.
ACATECHITLI m. *Méx.* Pájaro parecido al verderón.
ACATECO, CA adj. y s. Relativo a los acatecos. • m. pl. Pueblo indígena de Guatemala, de lengua maya.
ACATEMPAN Localidad de México, en el est. de Guerrero. • **Abrazo de A**. Entrevista celebrada en 1821 entre Vicente Guerrero y Agustín de Iturbide.
ACATENANGO Mun. de Guatemala, en el est. de Chimaltenango; 10 100 hab. Agricultura y ganadería. • Volcán de Guatemala; 3 976 m.
ACATO m. Acatamiento.
ACATÓLICO, CA adj. y s. Que no es católico.
ACAUDALAR tr. Hacer o reunir caudal. ■ ACAUDALADO, DA.
ACAUDILLAR tr. Mandar como caudillo. • Guiar. ■ ACAUDILLADOR, RA; ACAUDILLAMIENTO.
ACAULE adj. Díc. de la planta de tallo aéreo muy corto, en el cual las hojas parecen nacer a ras de suelo.
ACAXI m. pl. Pueblo indígena del NO de México (est. de Sinaloa y Durango), de lengua uto-azteca.
ACAY, ***Nevado de*** Cerro andino de la Argentina, en Salta; 5 950 m.
ACAYA Región ant. de Grecia, al N del Peloponeso. • Nombre de la prov. rom. que comprendía Grecia.
ACAYUCÁN Mun. de México, en el est. de Veracruz; 34 800 hab. Agricultura, ganadería.
ACCEDER intr. Consentir en lo que otro quiere. • Ceder uno en su parecer, condescender. • Tener acceso a un lugar. Tener acceso a una situación, condición o grado superiores.
ACCESIBLE adj. Que tiene acceso. • De fácil acceso o trato. ■ ACCESIBILIDAD.
ACCESIÓN f. Acción y efecto de acceder. • Cosa o cosas accesorias. • Ayuntamiento, cópula. • Acceso de fiebre intermitente. ■ ACCESIONAL.
ACCÉSIT m. Recompensa inferior inmediata al premio en certámenes científicos, literarios o artísticos.
ACCESO m. Ayuntamiento, cópula. • Entrada o paso. • Entrada al trato con alguno. • Arrebato. • *Comp.* Transferencia de información desde la memoria de una computadora a otros sectores de la misma • *Med.* Ataque de una enfermedad. • **al azar,** o **directo.** • *Comp.* Procedimiento por el cual los registros de un archivo se leen o escriben en forma no secuencial. • **Secuencial.** *Comp.* Método de a. por el cual los registros de un archivo se leen o escriben en forma consecutiva.
ACCESORIO, RIA adj. y s. Que depende de lo principal. • Secundario. • adj y f. Edificio contiguo a otro principal. Se usa más en pl. • f. pl. Habitaciones bajas que tienen entrada y uso separados del resto del edificio principal.
ACCIDENTADO, DA adj. Agitado. • Hablando de terreno, escabroso • m. y f. Persona que ha sufrido una lesión física traumática.
ACCIDENTAL adj. No esencial. • Casual, contingente. • Díc. del cargo que se desempeña con carácter provisional.• m. *Mús.* Accidente. ■ ACCIDENTALIDAD; ACCIDENTARIO.
ACCIDENTAR tr. Producir un accidente. • prnl. Sufrir un accidente.
ACCIDENTE m. Calidad o estado que aparece en alguna cosa, sin que sea de su esencia. • Suceso que altera el orden regular de las cosas. • Suceso o acción de que involuntariamente resulta daño para personas o cosas. • Indisposición que repentinamente priva de sentido o de movimiento. • Modificación que sufren el nombre, el adjetivo y ciertos pronombres para expresar su género y número, y también el verbo para denotar sus modos, tiempos, voces, números y personas. • Síntoma grave que se presenta inopinadamente durante una enfermedad. • *Mús.* Signo con que se altera el tono de un sonido. • pl. Figura, color, sabor y olor que en la Eucaristía quedan del pan y del vino después de la consagración. ■ ACCIDENTAR.
ACCIO Promontorio de Grecia, a la entrada del golfo de Arta, célebre por la batalla naval librada en sus aguas por la flota de Marco Antonio y Cleopatra frente a la de Octavio (31 a.C.).
ACCIÓN f. Ejercicio de una potencia. • Impresión de cualquier agente en el paciente. • Postura. • Movimientos para reforzar lo que se dice. fam. Posibilidad de hacer algo. • *Com.* Cada una de las partes en que está dividido el capital de una empresa. • *Der.* Derecho de pedir alguna cosa en juicio. • *Fís.* Fuerza con que los cuerpos y agentes físicos obran unos sobre otros. • *Lit.* Sucesos determinados por el objeto de la obra. • *Mil.* Batalla. • **de gracias**. Expresión de agradecimiento. • **sustitutiva.** • *Psic.* Acto que un animal efectúa al verse sometido a dos estímulos contrapuestos. • **Ley de la a.** y **reacción**. • *Fís.* Cuando un cuerpo *A* ejerce una fuerza sobre otro *B*, éste ejerce sobre el primero una fuerza igual y de sentido contrario. • **Ley de a. de masas.** La velocidad de una reacción es proporcional a las concentraciones de las sustancias reaccionantes.
ACCIÓN Católica Apostolado laico creado por Pío XI (1922). Su objetivo es la realización de los principios católicos en la vida pública.
ACCIONAR intr. Hacer movimientos y gestos al hablar. • Poner en funcionamiento un mecanismo o parte de él. ■ ACCIONAMIENTO.
ACCIONARIADO m. Conjunto de accionistas de una sociedad anónima. • **obrero.** Nombre con el que se conoce la serie de tentativas de participación obrera en la gestión de una empresa
ACCIONISTA com. Dueño de acciones en una compañía. ■ ACCIONARIO, RIA.
ACCÍPITRE m. Rapaz, ave de rapiña.
ACCIPÍTRIDO, DA adj. Díc. de individuos de la familia de aves falconiformes que incluye a la mayor parte de rapaces diurnas. • Relativo a estas aves.
ACCRA Cap. de Ghana; 1 420 100 hab. (agl. urb.). Centro com. Refinería de petróleo; ind. química y textil.
ACEBO m. Árbol aquifoliáceo de madera usada en ebanistería. ■ ACEBAL; ACEBEDA; ACEBEDO.

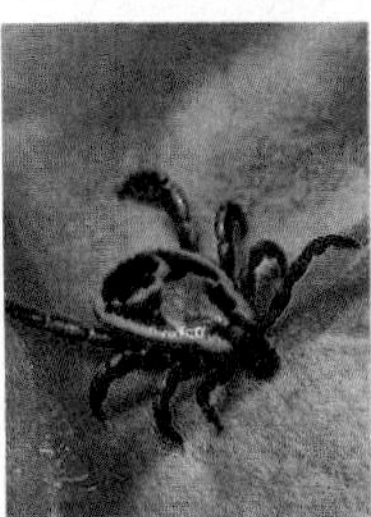

Ácaro. Garrapata de África oriental

Planta **acaule**

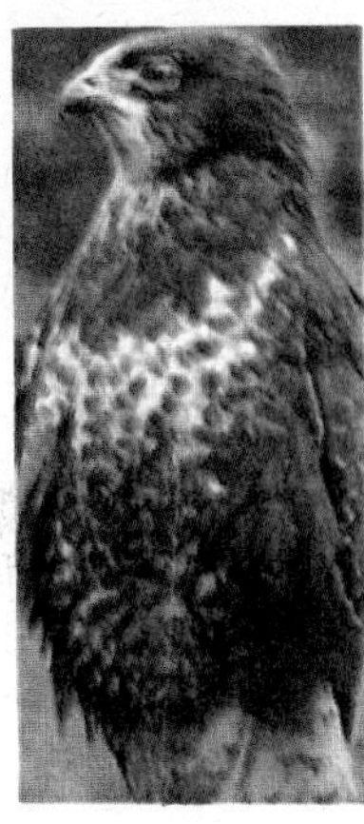

Ratonero común, ave de la familia **accipítridos**

Acebo

Acedera

ACEBOLLADURA f. Daño que tienen algunas maderas por haberse desunido dos capas contiguas. ■ ACEBOLLADO, DA.
ACEBRADO, DA adj. Cebrado.
ACEBUCHE m. Olivo silvestre. ■ ACEBUCHAL.
ACEBUCHINA f. Fruto del acebuche.
ACECHAMIENTO m. Acecho.
ACECHANZA f. Asechanza.
ACECHAR tr. Observar cautelosamente con algún propósito. ■ ACECHADOR, RA; ACECHÓN.
ACECHE m. Caparrosa.
ACECHO m. Lugar desde el cual se acecha. • **Al** o **en a.** m. adv. Observando a escondidas y con cuidado.
ACECINAR tr. y prnl. Salar las carnes y secarlas al humo para que se conserven. • prnl. Quedarse una persona muy enjuta o delgada.
ACEDAR tr. y prnl. Poner agria alguna cosa. • Alterar con acidez el estómago. • Desazonar • prnl. Tratándose de las plantas, ponerse amarillas.
ACEDERA f. Cualquiera de las especies de plantas del género *Rumex,* perteneciente a la familia poligonáceas. • *Ecuad.* Planta oxalidácea que se usa para ensaladas.
ACEITERO, RA adj. Relativo al aceite. • m. El que vende aceite. • Cuerno en el que guardan el aceite los pastores. • *Ant.* Árbol de madera muy dura, compacta y de color amarillo. • f. La que vende aceite. • Alcuza. • Aceitero. • Carraleja. • f. pl. Vinagreras.
ACEITILLO m. *Cuba.* Árbol de madera semejante a la del aceitero. Aceite de tocador.
ACEITÓN m. Aceite gordo y turbio. • Impurezas que en el fondo de las vasijas deja el aceite al trasegarlo. • Líquido que segregan ciertos insectos y en el cual vive la negrilla.
ACEITUNA f. Fruto del olivo. • **corval.** La más larga que la común. • **de la reina.** La de mayor tamaño y excelente calidad. • **manzanilla.** Aceituna pequeña. • **picudilla.** La de forma picuda. • **tetuda.** La que remata en un pequeño pezón. • **zapatera.** La que ha perdido su color y buen sabor. • **zorzaleña.** La muy pequeña y redonda. ■ ACEITUNERO, RA.
ACEITUNADO, DA adj. De color de aceituna verde. • f. Cosecha de aceituna.
ACEITUNÍ m. Tela rica de Oriente muy usada en la E. Med. • Labor usada en los edificios árabes.

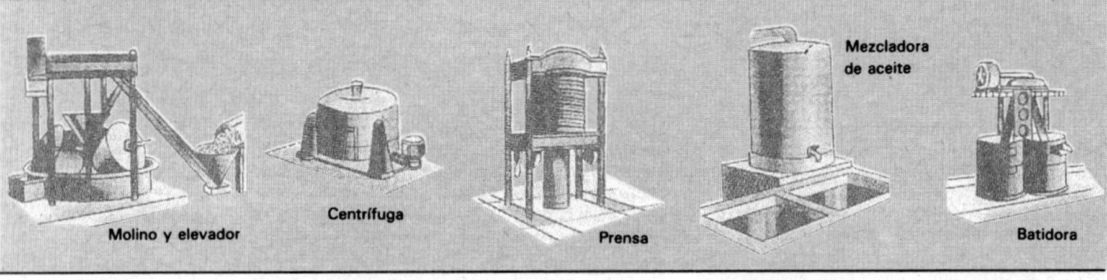

Esquema de elaboración del **aceite**

ACEDERAQUE m. Cinamomo, árbol.
ACEDERILLA f. Planta perenne, oxalidácea. • Aleluya, planta oxalidácea.
ACEDERÓN m. Planta perenne, poligonácea, de hojas anchas y flores hermafroditas.
ACEDIA f. *Chile.* Acidia.
ACEDÍA f. Indisposición del estómago, por haberse acedado la comida. • Platija. • Desabrimiento, aspereza de trato.
ACEDO, DA adj. Ácido. • Que se ha acedado. • • fig. Áspero • m. El agrio o zumo agrio.
ACÉFALO, LA adj. Falto de cabeza. • Díc. del feto sin cabeza • Díc. de los seguidores de una doctrina herética del s. V; no aceptaban jefe espiritual alguno y admitían el eutiquianismo. • adj. • Aplícase a la sociedad, secta, etc., sin jefe. • m. Lamelibranquio. ■ ACEFALÍA; ACEFALISMO.
ACEITADA f. Cantidad de aceite derramada. • Torta o bollo amasado con aceite.
ACEITAR tr. Untar, bañar con aceite.
ACEITAZO m. Aceitón.
ACEITE m. *Ind.* Líquido graso, no miscible con el agua, obtenido por presión de la aceituna. • P. ext., líquido graso que se extrae de otros frutos o semillas, de animales, y de sustancias minerales. • Cualquier cuerpo graso, no miscible con el agua y más ligero que ella, gralte. combustible, y que mancha el papel haciéndolo traslúcido. • **de abeto.** Abetinote. • **de anís.** Aguardiente anisado. • **de Aparicio.** Preparación medicinal, vulneraria, cuyo principal ingrediente es el hipérico. • **de cada.** Miera. • **de fusel.** Producto secundario de la fermentación alcohólica de los azúcares procedentes de las patatas. • **de ladrillo.** Líquido empirreumático resultante de la destilación del aceite de oliva mezclado con polvo de ladrillo. • **de linaza.** El obtenido de las semillas del lino. Se utiliza en pintura. • **de oliva.** Líquido graso que se saca de la aceituna, y que sirve para sazonar, cocer y conservar alimentos. • **de orujo.** El obtenido por tratamiento de orujo de aceituna con un disolvente. • **de palma.** Nombre con que se conocen los aceites procedentes de diversas palmas. • **de vitriolo.** Antiguo nombre del ácido sulfúrico concentrado. • **fijo.** El que no se evapora. • **virgen.** El que sale de la aceituna por primera presión en el molino. • **volátil.** El que procede de la destilación de partes aromáticas de las plantas. ■ ACEITERÍA; ACEITOSO, SA.

Olivos y **aceitunas**

Producción de aceite de oliva (en miles de t)

Prales. productores	
Italia	705
España	608
Grecia	355
Turquía	96
Tunicia	75
Marruecos	53
Siria	43
Portugal	26
Argentina	9
Total mundial	2 007

ACEITUNIL adj. Aceitunado.
ACEITUNILLO m. *Ant.* Árbol estiracáceo, de fruto venenoso y madera muy dura.
ACEITUNO, NA adj. *Cuba* y *P. Rico.* Aceitunado. • m. Olivo. • **silvestre.** Aceitunillo.
ACELAJADO, DA adj. Que tiene celajes.
ACELERACIÓN f. *Astr.* Adelanto diario del paso de una estrella por un mismo meridiano. • *Fís.* Magnitud vectorial que caracteriza la variación de velocidad de un móvil. • **Principio de a.** *Econ.* Ley de Tugan-Baranovsky que afirma que a un cambio en la producción final corresponde una variación proporcional en el stock de bienes de capital empleados.
ACELERADOR, RA adj. y s. Que acelera. • m. *Mec.* Aparato que altera la velocidad de un cuerpo en movimiento. • **de partículas.** *Fís. nuclear.* Máquina que imprime a las partículas atómicas o subatómicas una elevada energía cinética, provocando reacciones nucleares mediante bombardeo. Cuando la trayectoria que describe la partícula es recta, se trata de un a. *lineal,* mientras que si la trayectoria inducida es de curva cerrada o en espiral, el a. es *cíclico,* como el → betatrón, → ciclotrón, → ciclosincrotón y → sincrotón.
ACELERAMIENTO m. Aceleración.
ACELERAR tr. y prnl. Dar celeridad. • Aumentar la velocidad.
ACELERATRIZ adj. y f. Fuerza que aumenta la velocidad de un movimiento.

ACELERÓN m. Aceleración súbita e intensa a que se somete la actividad de un motor.
ACELGA f. Planta quenopodiácea comestible, de hojas grandes y tallo grueso.
ACELOMADO, DA adj. y s. *Zool.* Relativo a los acelomados • m. pl. Animales pluricelulares que no poseen celoma.
ACÉMILA f. Mula o macho de carga. • Persona ruda. ■ ACEMILERÍA; ACEMILERO.
ACEMITA f. Pan hecho de acemite.
ACEMITE m. Salvado con una porción de harina. • fig. Potaje de trigo tostado y medio molido.
ACENDRADO, DA adj. Puro y sin defecto.
ACENDRAR tr. Purificar los metales en la cendra. • Depurar, purificar, limpiar, dejar sin mancha ni defecto. ■ ACENDRAMIENTO.
ACENSUAR tr. Imponer censo.
ACENTO m. La mayor intensidad con que se pronuncia una sílaba de una palabra. • Tilde que se pone en ciertos casos sobre la vocal de la sílaba en que carga la pronunciación. Puede ser agudo (´), grave (`) y circunflejo (^). En castellano actual sólo tiene uso el primero. • Inflexiones de voz con que se distingue cada nación o provincia en el modo de hablar. • Elemento constitutivo del verso, que exige que éste lleve acentuadas determinadas sílabas. • Modulación de la voz. • Sonido, tono. • poét. Lenguaje, voz, canto. • **métrico.** Acento del verso. • **ortográfico.** Acento marcado sobre la sílaba en que carga la pronunciación. • **prosódico.** Acento de intensidad. • **rítmico.** Acento métrico. • **tónico.** Acento prosódico.
ACENTOR m. Ave paseriforme, de la familia prunélidos. Es del tamaño de un gorrión y de color gris.
ACENTUAR tr. Dar acento prosódico a las palabras. • Ponerles acento ortográfico. • fig. Recalcar las palabras para dar más expresión. • fig. Realzar. • prnl. • fig. Tomar cuerpo. ■ ACENTUACIÓN.
ACEÑA f. Molino harinero de agua en el cauce de un río. • Azud. ■ ACEÑERO.
ACEÑA Durán, ***Ramón*** (1898-1948) Periodista y escritor guat. Director del *Diario de Guatemala. Tierras floridas, Crónicas.*
ACEPAR intr. Encepar, echar raíces.
ACEPCIÓN f. Significado en que se toma una palabra o frase. • **de personas**. Preferencia arbitraria de unos sobre otros.
ACEPILLAR tr. Alisar con cepillo la madera o los metales. Quitar polvo con cepillo. • y fam. Pulir. ■ ACEPILLADORA; ACEPILLADURA.
ACEPTACIÓN f. Aprobación, aplauso. • **de personas**. Acepción de personas.
ACEPTAR tr. Recibir uno voluntariamente lo que se le da o encarga. Aprobar. Admitir un desafío. Tratándose de letras, obligarse por escrito en ellas mismas a su pago. ■ ACEPTABILIDAD; ACEPTABLE; ACEPTADOR, RA; ACEPTANTE.

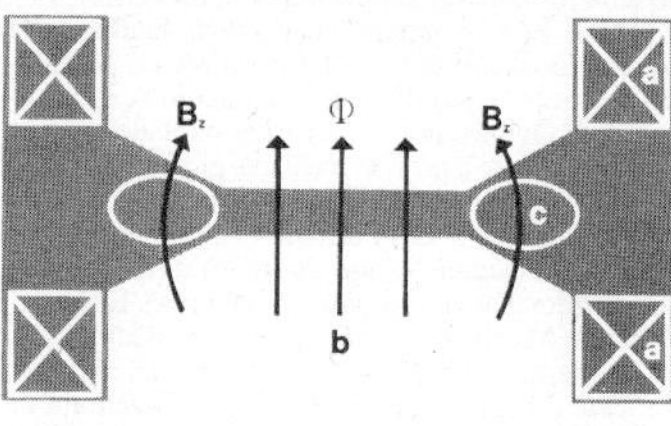

Acelerador de partículas. Arriba, vista aérea del anillo del sincrotrón del CERN; a la izquierda, esquema de un betatrón

ACEPTO, TA adj. Agradable.
ACEPTOR m. Aceptador. • *Fís.* Átomo de un semiconductor extrínseco, que produce en éste un centro de perturbación para predisponerlo a aceptar un electrón.
ACEQUIA f. Zanja por donde se conduce el agua para regar, etc. ■ ACEQUIERO.
ACEQUIAR intr. y tr. Hacer acequias.
ACERA f. Parte lateral de una calle destinada al paso de los peatones. Fila de casas a cada lado de la calle o plaza. • *Arq.* Piedra del paramento de un muro. • *Arq.* Paramento de un muro.
ACERÁCEO, A adj. Díc. de las plantas dicotiledóneas de hojas palmeadas y frutos en doble sámara, como el arce. • f. pl. Familia de estas plantas.
ACERADO, DA adj. De acero, o parecido a él. • Fuerte. • Incisivo, penetrante • Díc. de la tapia guarnecida en sus dos paramentos con mortero. • Díc. de las hojas cilíndricas, acuminadas y punzantes.
ACERAR tr. Dar a un hierro las propiedades del acero. • Dar al agua u otros líquidos propiedades medicinales mezclándolos con tintura de acero. • Dar un baño de acero a las planchas de cobre. • tr. y prnl. • Fortalecer. • tr. Poner aceras. • *Arq.* Reforzar un muro con aceras.
ACERBO, BA adj. Áspero al gusto. • fig. Cruel, riguroso. ■ ACERBIDAD.
ACERCA DE m. adv. Sobre la cosa de que se trata o en orden a ella.
ACERCAR tr. y prnl. Poner cerca o a menor distancia. • prnl. Estar próxima a suceder alguna cosa. ■ ACERCAMIENTO.
ACERERÍA o **ACERÍA** f. Fábrica de acero.
ACERICO m. Almohada pequeña. • Almohadilla para clavar alfileres o agujas.
ACERILLO m. Acerico.
ACERÍNEO, A adj. *Bot.* Aceráceo.
ACERINO, NA adj. poét. Acerado.
ACERISTA com. Persona técnica en la fabricación de aceros o dedicada a su producción.

Acelga

Aceña

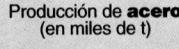

Producción de acero (en miles de t)

Prales. productores	
CEI	132 800
Japón	109 600
EE UU	79 200
China	70 600
Alemania	44 100
Corea, Rep. de	26 000
Italia	25 100
Brasil	20 500
Francia	18 400
India	15 000
España	12 800
Canada	12 800
Bélgica	9 400
Total mundial	735 300

Acerolo. Flor y frutos

ACERO m. *Metal.* Hierro combinado con carbono, de gran elasticidad y dureza. • pl. Temple y corte de las armas blancas. • Ánimo, resolución • fig. y fam. Ganas de comer. • fig. **fundido.** El a. obtenido quemando parte del carbono de hierro colado. • **inoxidable.** El a. aleado con cromo que tiene resistencia a la oxidación. • **templado.** El a. sometido a un proceso de temple para endurecerlo.

**Metal.* El a. se obtiene a partir de la fundición de hierro procedente de los altos hornos y de la chatarra recuperada, reduciendo su contenido en carbono (hasta un máx. del 1,7 %) al ser oxidado por una corriente de aire a presión mediante el procedimiento Bessemer. Éste admite dos variantes según el revestimiento refractario utilizado, ácido en el convertidor Bessemer (a base de sílice) o básico en el convertidor Thomas (a base de dolomía). El procedimiento Martin-Siemens consiste en añadir chatarra de hierro a la fundición procedente del alto horno. Este último procedimiento tiene la ventaja de que funciona de forma continua, gracias a su gran horno de reverbero, mientras el convertidor funciona por cargas sucesivas. La utilización de hornos eléctricos ha permitido en la actualidad aceros de gran calidad.

ACEROLA f. Fruto del acerolo.

ACEROLO m. Árbol rosáceo de flores blancas y fruto agridulce.

ACÉRRIMO, MA adj. sup. de acre. Muy fuerte.

ACERROJAR tr. Poner bajo cerrojo.

ACERTAMIENTO m. Acierto.

ACERTAR tr. Dar en el punto a que se dirige alguna cosa. • tr. e intr. Encontrar tr. Hallar el medio apropiado para lograr una cosa. • Dar con lo cierto en lo dudoso, ignorado u oculto. • tr. e intr. Hacer con acierto alguna cosa. • Entre sastres, recorrer e igualar la ropa cortada. • intr. Con la prep. a y otro verbo en infinitivo, suceder impensadamente lo que este último significa. • En agricultura, prevalecer, probar bien las plantas y semillas. ■ ACERTADO, DA.

ACERTIJO m. Adivinanza propuesta como pasatiempo. • Afirmación muy problemática.

ACERUELO m. Albardilla para cabalgar.• Acerico.

ACERVO m. Montón de cosas menudas. • Bienes que pertenecen en común a una colectividad de personas. • Conjunto de bienes acumulados por tradición o herencia.

ACESCENCIA f. Disposición a acedarse o agriarse. ■ ACESCENTE.

ACETÁBULO m. *Ant.* Medida para líquidos. • Cavidad de un hueso en que encaja otro.

ACETAL adj. y m. Cada uno de los productos resultantes de la reacción entre aldehídos y alcoholes.

ACETALDEHÍDO m. Aldehído acético.

ACETAMIDA f. Amida del ácido acético. Hierve a 222 °C y funde a 82 °C.

ACETANILIDA f. Llamada también *antifebrina,* es el producto de la acetilación de la anilina. Se usa como febrífugo.

ACETATO m. Sal del ácido acético con un metal, o éster, que resulta de la combinación del ácido acético con un alcohol. • **amónico.** Sustancia cristalina, blanca, delicuescente; soluble en agua y en alcohol. Se obtiene por reacción del ácido acético glacial con amoniaco gaseoso. • **celulosa.** Materia plástica transpar ente e incolora; se obtiene por la acción del ácido acético sobre la celulosa. Se usa en la preparación de barnices, seda artificial, etc.

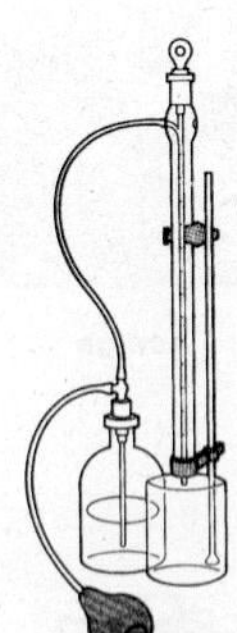

Acetímetro

ACÉTICO, CA adj. *Quím.* Relativo al vinagre. • **Ácido a.** Líquido de sabor agrio y olor picante, hidrosoluble. Se obtiene por fermentación, por destilación seca de la madera y por síntesis química. • **Anhídrido a.** Líquido incoloro que hierve a 139,6 °C y se disuelve en unas 10 veces su peso de agua.

ACETIFICAR tr. y prnl. *Quím.* Convertir en ácido acético. ■ ACETIFICACIÓN.

ACETIL m. Radical monovalente que resulta cuando el ácido acético pierde el grupo OH. • **Coenzima a.** Ácido acético activado por el coenzima A gracias a la formación de un enlace rico en energía. Se simboliza como acetil CoA.

ACETILACÉTICO adj. Díc. de un ácido que se encuentra en la orina de los diabéticos.

ACETILACETONA f. El representante más sencillo de las 1, 3-dicetonas, también llamada pentadiona-2, 4. Líquido incoloro de olor agradable que hierve a 137 °C.

ACETILCELULOSA f. Acetato de celulosa.

ACETILCOLINA f. Derivado de la colina. Agente transmisor del estímulo nervioso a las células musculares. Interviene en la transmisión del impulso nervioso a nivel de las sinapsis.

ACETILÉNICO, CA adj. Relativo al acetileno. • Díc. de determinados hidrocarburos.

ACETILENO m. Hidrocarburo gaseoso que arde con una llama muy brillante. Se obtiene mojando con agua el carburo de calcio.

ACETILO m. Radical orgánico derivado del ácido acético.

ACETÍMETRO m. Aparato para medir la fuerza del vinagre o su contenido de ácido acético.

ACETOBÁCTER m. *Gén.* de bacterias de la familia seudomonadáceas; son aerobias obligadas, capaces de oxidar sustratos orgánicos. Esta reacción de oxidación se utiliza industrialmente para la obtención del vinagre.

ACETONA f. Líquido incoloro, inflamable, volátil, de olor agradable. Tiene aplicaciones como disolvente orgánico.

ACETONEMIA f. Presencia de acetona en la sangre.

ACETONURIA f. Exceso de acetona en la orina.

ACETOSO, SA adj. Ácido. • Relativo al vinagre. • *Quím.* Que sabe a vinagre. • f. Acedera. ■ ACETOSIDAD.

ACETRE m. Caldero con que se saca agua de tinajas o pozos. • Caldero para el agua bendita.

ACETRINAR tr. Poner de color cetrino.

ACEVAL, *Emilio* (1854-1931) Político par., presid. de la rep. en 1898. Derrocado por un golpe militar (1902).

ACEVEDO, *Juan* (nacido 1949) Dibujante y caricaturista per. Para hacer historietas. • ***Miriam*** (nacida 1935) Actriz cub. Estudió en La Habana y Nueva York. Ha cosechado grandes éxitos por sus interpretaciones en *La noche de los asesinos* y *Las criadas.* Trabaja en Italia, con Luca Ronconi. • ***Ramón*** (1802-1871) Militar col. Intervino en la guerra de la independencia, en la que llegó a ser general. Con Bolívar, destacó en la batalla de Carabobo. • **Basurto, *Sara*** (nacida 1946) Historiadora del arte per. Profesora de arte precolombino en la Universidad de San Marcos. • **Bernal, *Ricardo*** (1867-1930) Pintor col., discípulo de Sorolla y Checa. *Retrato de Bolívar, El bautismo de Cristo.* • **Díaz, *Eduardo*** (1851-1921) Político y escritor ur., iniciador de la novela en su país. *Ismael, Nativa, Grito de gloria, Soledad.* • **Díaz Cuevas, *Eduardo*** (1882-1959) Escritor arg., hijo del anterior, cuyas obras reflejan la vida de la Pampa. *Ramón Hazaña.* • **Escobedo, *Antonio*** (1909-1985) Escritor mex. Autor de *Sirena en el aula, ¡Ya viene Gorgonio Esparza!,* etc. • **Gajardo, *Remigio*** (1863-1911) Compositor de óperas chil. *Caupolicán, La Araucana.* • **Gómez, *José*** (1773-1817) Político col. Redactor del acta de independencia de Nueva Granada. • **Hernández, *Antonio*** (1886-1962) Escritor chil. *Piedra azul* (novela), *Almas perdidas* (drama), *Cantos populares chilenos* (ensayo). • **Raposo, *Remigio*** (1896-1951) Compositor chil., hijo de Acevedo Gajardo. Autor de la

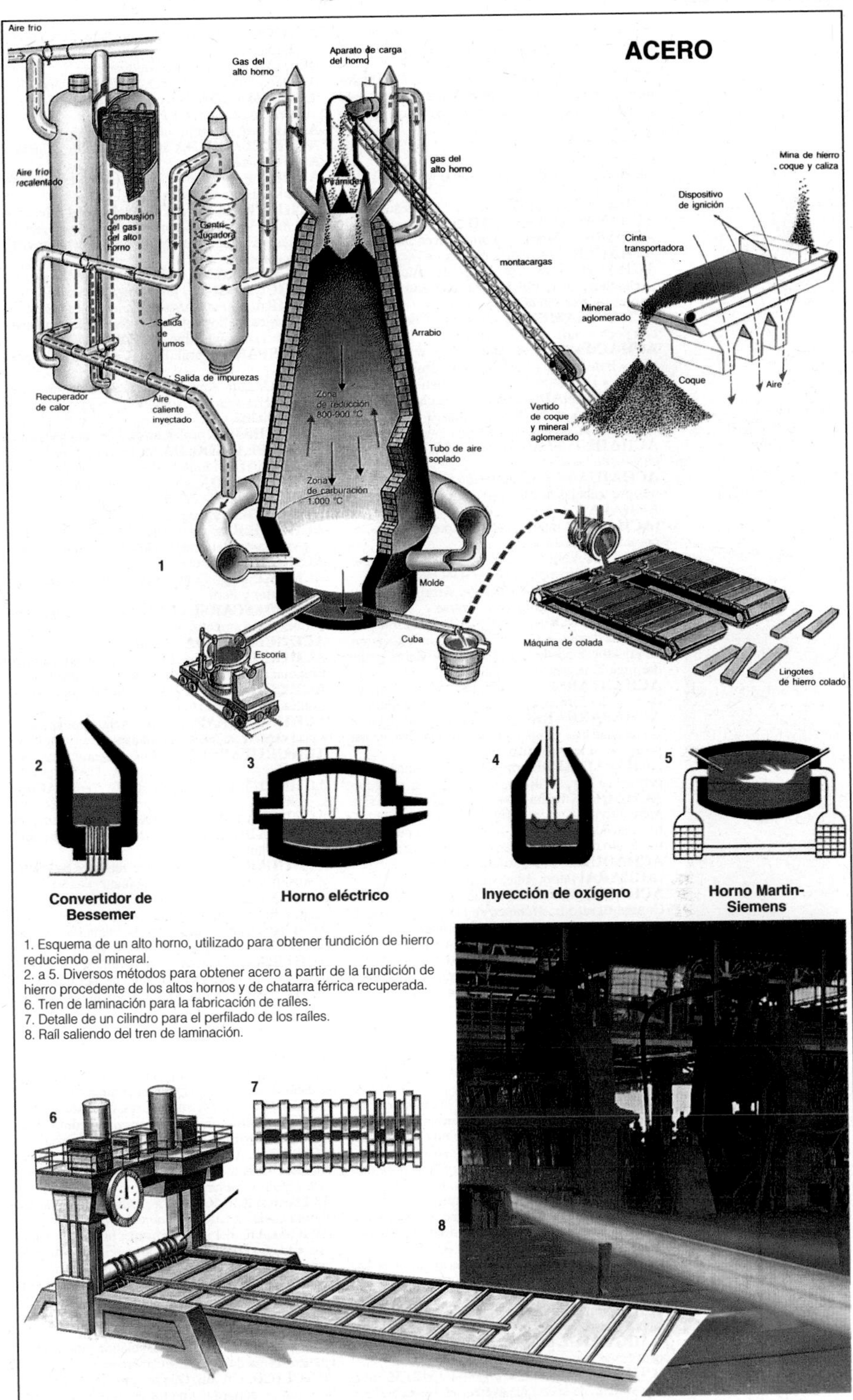

1. Esquema de un alto horno, utilizado para obtener fundición de hierro reduciendo el mineral.
2. a 5. Diversos métodos para obtener acero a partir de la fundición de hierro procedente de los altos hornos y de chatarra férrica recuperada.
6. Tren de laminación para la fabricación de raíles.
7. Detalle de un cilindro para el perfilado de los raíles.
8. Raíl saliendo del tren de laminación.

Achicoria. Planta y flor

Aciano

ópera *Epopeya lírica,* la tragedia lírica *El corvo,* el ballet *Rapa nui,* y música de cámara y poemas sinfónicos.
ACEVES Mejía, ***Miguel*** (nacido 1917) Cantante mex. Famoso por su interpretación de boleros, rancheras y corridos. Ha intervenido en numerosas películas.
ACEZAR intr. Jadear. • Sentir deseo vehemente o codicia de alguna cosa. ■ ACEZO.
ACHÁ, ***José María de*** (m. 1868) Militar y político bol. Presid. de la rep. (1862).
ACHABACANADO, DA adj. Chabacano.
ACHABACANAMIENTO m. Chabacanería.
ACHABACANAR tr. y prnl. Hacer chabacano.
ACHACAR tr. Atribuir, imputar. ■ ACHACABLE.
ACHACHAY m. *Col.* Juego de muchachos. • **¡Achachay!** interj. *Col.* Denota aprobación. • *Ecuad.* Expresa sensación de frío.
ACHACOSAMENTE adv. modo. Con achaques, con poca salud. ■ ACHACOSIDAD.
ACHACOSO, SA adj. Que padece achaque habitual. • Indispuesto levemente. • Riguroso en la acusación. • Hablando de cosas, que tiene defecto.
ACHAFLANADO, DA adj. Con chaflanes.
ACHAGUA m. pl. Pueblo indígena de Colombia y Venezuela, de lengua arahuaca.
ACHAHUISTLARSE prnl. *Méx.* Enfermar de chahuistle las plantas.
ACHAJUANARSE prnl. *Col.* Sofocarse las bestias por trabajar mucho, por calor excesivo, etc.
ACHALA f. *Argent.* Abalorio.
¡ACHALAY! interj. *Argent.* Expresa ternura, admiración o satisfacción.
ACHAMPAÑADO, DA adj. Díc. de la bebida que imita al champaña. ■ ACHAMPANADO, DA.
ACHAMPARSE prnl. *Chile.* Arraigar como la champa. • Con la prep. *con,* alzarse.
ACHANCHAR tr. y prnl. *Chile.* Encerrar en el juego de damas. • *Chile.* En el dominó, hacer que un jugador se quede con ficha de palo doble sin poder jugarla. • prnl. *Perú.* Turbarse.
ACHANTARSE prnl. fam. Esconderse de un peligro. • Conformarse. • Callarse resignadamente.
ACHAPARRARSE prnl. Tomar un árbol la forma de chaparro. • fam. Quedarse rechoncha una persona. ■ ACHAPARRADO, DA.
ACHAPLINARSE prnl. *Chile.* Tomar una actitud parecida a la que utilizaba Chaplin en sus películas.
ACHAQUE m. Indisposición habitual. • fam. Menstruo de la mujer. • fig. Embarazo. • Asunto. • fig. Ocasión, causa. • fig. Apariencia o reputación. • fig. Vicio común o frecuente. • Multa pecuniaria.
ACHAQUIENTO, TA adj. Achacoso.
¡ACHARA! interj. *Amér.* ¡Lástima!
ACHARD, ***Marcel Férreol*** llamado (1899-1974) Comediógrafo fr. *Mambrú se fue a la guerra, El molino de la Galette, Patata, La idiota.*
ACHARES m. pl. Celos; tormento, pena.
ACHAROLAR tr. Charolar. ■ ACHAROLADO, DA.
ACHATAMIENTO m. *Astr.* Desigualdad entre los diámetros ecuatorial y polar de los astros.
ACHATAR tr. y prnl. Poner chata alguna cosa.
ACHELENSE adj. y s. Cultura del paleolítico inferior.
ACHERNAR Estrella de primera magnitud en la constelación de Eridano.
ACHICADO, DA adj. Aniñado.
ACHICAR tr. y prnl. Disminuir el tamaño de alguna cosa. • fig. Humillar. • fig. Hacerse de menos. • tr. Extraer el agua de un dique, embarcación, etc. ■ ACHICADOR, RA; ACHICAMIENTO; ACHIQUE.
ACHICHARRADERO m. Sitio donde hace mucho calor.
ACHICHARRAR tr. y prnl. Freír, asar o tostar un manjar hasta que tome sabor a quemado. • fig. Calentar demasiado. • tr. fig. Molestar con exceso. • *Chile.* Aplastar. ■ *Amér.* ACHICHARRONAR.
ACHICHINQUE m. *Min.* Operario que se ocupa en achicar el agua. • *Méx.* El que acompaña a un superior y sigue sus órdenes.
ACHICORIA f. Planta comestible compuesta, de hojas ásperas. Se usa como tónico aperitivo.
ACHIGUARSE prnl. *Amér. Merid.* Combarse una cosa; echar panza una persona.
ACHILLINI, ***Alessandro*** (1463-1512) Médico y filósofo it., de la escuela averroísta. Descubrió los huesecillos del oído llamados yunque y martillo.
ACHILENADO, DA adj. Que parece chileno.
ACHIMERO m. *Amér. Centr.* Buhonero.
ACHIMES m. pl. *Guat.* Buhonerías.
ACHÍN, NA m. y f. *Amér. Centr.* Buhonero.
ACHINADO, DA Adj. Que parece chino en el color o en las facciones. • Aplebeyado.
ACHINAR tr. y prnl. fam. Acochinar.
ACHINELADO, DA adj. En forma de chinela.
ACHINERÍA f. *Hond.* Achimes.
ACHIOTE m. Bija. • Colorante rojo extraído de esta planta. ■ ACHIOTAL.
ACHIOTERO, RA adj. y s. Relativo al achiote. • f. *P. Rico.* Vasija para contener achiote. • m. Achiote, bija. • *Ecuad.* Pequeña sartén de barro provista de un cernidor.
ACHIQUILLADO, DA adj. Aniñado.
ACHIQUITAR tr. y prnl. *Amér.* Achicar.
ACHIRA f. *Amér. Merid.* Planta alismatácea, de tallo nudoso y flor colorada. • *Perú.* Planta cannácea y de raíz comestible. • *Chile.* Cañacoro.
ACHISPAR tr. y prnl. Poner casi ebria a una persona.
ACHOCAR tr. Arrojar a una persona contra la pared. • Herir a una persona. • fig. y fam. Guardar mucho dinero.
ACHOCHARSE prnl. fam. Comenzar a chochear.
ACHOCOLATADO, DA adj. De color de chocolate.
ACHOGCHA f. *Ecuad.* Planta comestible.
ACHOLADO, DA adj. *Amér.* Que tiene la tez del mismo color que la del cholo.
ACHOLAR tr. y prnl. *Amér.* Avergonzar.
ACHOLOLE m. *Méx.* Agua sobrante del riego y que se escurre del campo. ■ *Méx.* ACHOLOLERA.
ACHOTE m. Achiote.
ACHUAL m. pl. Fracción de los jíbaros que vive en Ecuador y Perú.
ACHUBASCARSE prnl. Cubrirse el cielo de nubarrones que amenazan lluvia.
ACHUCHADO, DA adj. fam. Difícil.
ACHUCHAR tr. fam. Estrujar con fuerza. • fam. Empujar una persona a otra. ■ ACHUCHÓN.
ACHUCHAR tr. Azuzar. • prnl. *Argent.* y *Ur.* Contraer fiebre intermitente.
ACHUCHARRAR tr. *Amér.* Achuchar, aplastar. • prnl. *Méx.* Encogerse, amilanarse.
ACHUCUTARSE prnl. *Col.* y *Ecuad.* Achucuyarse.
ACHUCUYAR tr. y prnl. *Amér. Centr.* Abatir, acoquinar.
ACHUELA f. *R. Dom.* Azuela.
ACHULADO, DA adj. fam. Que tiene aire o modales de chulo.
ACHULARSE prnl. Adquirir modales de chulo. ■ ACHULAPADO, DA; ACHULAPARSE.
ACHUNTAR tr. e intr. fam. *Chile.* Vulgarmente, acertar, dar en el blanco.
ACHUPALLA f. *Amér. Merid.* Planta bromeliácea, de flores en espiga y fruto en caja.
ACHURA f. *Amér.* Menudo de una res y, en general, la carne considerada como desperdicio.
ACHURAR tr. *Amér.* Quitar las achuras a la res. • fig. y fam. *Amér.* Herir o matar a cuchilladas. ■ *Argent.* ACHURADOR.
ACIAGO, GA adj. Infausto, de mal agüero.
ACIAL m. Instrumento con el que se oprime el labio, el hocico o la oreja de una bestia para que se esté quieta mientras la hierran, curan o esquilan.
ACIANO m. Planta compuesta, de vistosas flores azules. • **mayor.** Planta perenne medicinal de tallo lanudo y flores azules. • **menor.** Aciano.
ACÍBAR m. Áloe, planta liliácea. • fig. Amargura.
ACIBARAR tr. Echar acíbar • fig. Turbar el ánimo con algún pesar.
ACIBERAR tr. Reducir a partes muy menudas alguna cosa.
ACICALAR tr. Limpiar, bruñir las armas blancas. • tr. y prnl. Adornar a una persona. • tr. fig. Aguzar el espíritu. • Dar a una pared el último pulimento. ■ ACICALADO, DA; ACICALADOR, RA; ACICALADURA; ACICALAMIENTO.
ACICATE m. Espuela con una punta de hierro. • fig. Incentivo. ■ ACICATEAR.
ACICHE m. Herramienta de solador, con dos bocas, en forma de azuela. • Caparrosa.
ACÍCLICO, CA adj. Que se produce sin un ciclo definido. • *Quím.* Díc. de los compuestos orgánicos de cadena abierta.

ACICULAR adj. De figura de aguja. • Díc. de la textura de algunos minerales en fibras delgadas como agujas.
ACICULIFOLIO, A adj. y s. *Bot.* Especies arbóreas, tales como las coníferas, cuyas hojas tienen forma de aguja.
ACIDALIO, LIA adj. Relativo a Venus.
ACIDEZ f. Calidad de ácido. • Exceso de un ácido.
ACIDIA f. Pereza, flojedad. ■ ACIDIOSO, SA.
ACIDIFICAR tr. Dar propiedades ácidas a cuerpos que no las tienen. ■ ACIDIFICACIÓN.
ACIDIMETRÍA f. *Quím.* Técnica que determina el grado de acidez de una disolución.
ACIDÍMETRO m. Aparato para medir el grado de acidez de una disolución.
ÁCIDO, DA adj. Que tiene sabor agrio. • fig. Áspero. • *Geol.* Díc. de las rocas con alto contenido en sílice. • m. *Quím.* Cualquiera de las sustancias que pueden formar sales combinándose con un óxido metálico u otra base de distinta especie. • **inorgánico.** El formado al reaccionar un hidróxido con agua. • **orgánico.** El que se caracteriza por la presencia del grupo carboxilo (—COOH).
ACIDORRESISTENTE adj. En bacteriología, díc. del bacilo que, después de coloreado por la fucsina básica, no se decolora por la acción de un ácido mineral diluido.
ACIDOSIS f. Perturbación del equilibrio ácido-base del plasma sanguíneo.
ACIDULAR tr. y prnl. Poner acídula una sustancia.
ACÍDULO, LA adj. Ligeramente ácido.
ACIERTO m. • fig. Habilidad. • fig. Cordura. Coincidencia.
ÁCIGOS adj. y f. *Anat.* Vena que comunica la cava superior y la inferior.
ACIGUATADO, DA adj. Ciguato. • Pálido y amarillento como el que padece ciguatera.
ACIGUATAR tr. *Amér.* Atontarse. • fig. y fam. *P. Rico.* Entristecerse . • prnl. Contraer ciguatera.
ACIJE m. Caparrosa. ■ ACIJADO, DA.
ACILO m. Radical derivado de un ácido graso por separación del grupo —OH.
ACIMO adj. Ázimo.
ACIMUT m. *Astr.* Ángulo que con el meridiano forma el círculo vertical que pasa por un punto de la esfera celeste o del globo terráqueo. ■ ACIMUTAL.

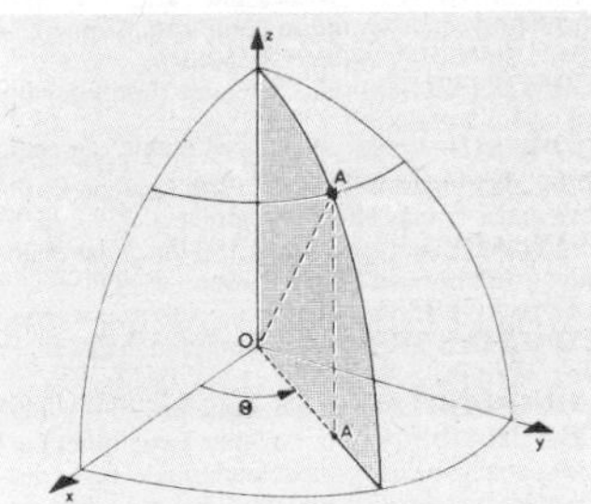

Acimut. Representación del ángulo acimutal de un astro A

ACINESIA f. Privación de movimiento. • Intervalo que separa en la pulsación la sístole de la diástole.
ACINO m. Dilatación ampuliforme de los conductos excretores. • Pequeña masa glandular de la que parte un túbulo cuyo conjunto forma la unidad de las glándulas excretoras.
ACIÓN f. Correa de la que pende el estribo en la silla de montar.
ACIONERA f. *Argent., Chile* y *Ur.* Pieza fija en la silla de montar, de la que cuelga la ación.
ACIPADO, DA adj. Díc. del paño que está bien tupido cuando se saca de la percha.
ACIPENSÉRIDO, DA adj. y m. Relativo a los acipenséridos. • m. pl. Familia del orden acipenseriformes.
ACIPENSERIFORME adj. y m. Peces del orden acipenseriformes. • m. pl. Orden de peces primitivos, llamados también condrosteos. Se caracterizan por su gran tamaño, escamas especiales (placoides) y esqueleto cartilaginoso.
ACIRATE m. Loma que sirve de lindero en las heredades. Caballón que divide las eras. • Senda que separ a dos hileras de árboles.
ACITARA f. Citara. Pretil de puente. • Cubierta de una silla de estrado o de montar.
ACITRÓN m. Cidra confitada. • *Méx.* Tallo de biznaga, descortezado y confitado.
ACLAMAR tr. Dar voces la multitud en honor de una persona. Otorgar, por aclamación, algún cargo. • Llamar a las aves. ■ ACLAMACIÓN; ACLAMADOR, RA.
ACLARACIÓN f. *Der.* Enmienda del texto de una sentencia por el mismo juzgador.
ACLARAMIENTO m. Prueba diagnóstica para verificar el estado de la función renal, que consiste en determinar la cantidad de plasma depurada por el riñón de una sustancia dada.
ACLARAR tr. y prnl. Quitar lo que ofusca la claridad de alguna cosa. • Aumentar la extensión o el número de los espacios o intervalos. • tr. Volver a lavar la ropa con agua sola, después de jabonarla. • Hacer más perceptible la voz. • Aguzar los sentidos y facultades. • tr. y prnl. Hacer ilustre, esclarecer. • tr. Poner en claro. • *Min.* Lavar por segunda vez los minerales. • intr. Disiparse las nubes o la niebla. • Amanecer. • Purificarse un líquido, posándose las partículas sólidas que lleva en suspensión. ■ ACLARADOR, RA; ACLARATORIO, RIA.
ACLARECER tr. Hacer más claro, alumbrar. • Poner más espaciado. Poner en claro.
ACLAVELADO, DA adj. Que se parece al clavel.
ACLE m. Árbol filipino, mimosáceo, de madera muy apreciada para la construcción.
ACLEIDO, DA adj. y s. *Zool.* Mamífero sin clavículas, como los paquidermos y los rumiantes.
ACLETO Osorio, *César* (nacido 1937). Biólogo per. *Introducción al estudio de las algas.*
ACLIMATAR tr. y prnl. Hacer que se acostumbre un ser orgánico a clima diferente del habitual. • tr. y prnl. Hacer que una cosa prospere en un lugar distinto de aquél en que tuvo su origen. ■ ACLIMATABLE; ACLIMATACIÓN.
ACLOCAR intr. y prnl. Enclocar. • prnl. fig. Arrellanarse.
ACLORHIDRIA f. Falta de ácido clorhídrico en el jugo gástrico. ■ ACLORHÍDRICO, CA.
ACMÉ f. *Med.* Periodo de mayor intensidad de una enfermedad.
ACNÉ f. *Pat.* Afección dermatológica debida a la obstrucción de los folículos sebáceos.
ACNIDOSPORIDIO, DIA adj. y s. Relativo a los acnidosporidios. • m. pl. Grupo de esporozoos que carecen de cápsulas polares.
ACOBARDAR tr., intr. y prnl. Amedrentar, causar miedo. ■ ACOBARDAMIENTO.
ACOBIJO m. Montón de tierra apisonado alrededor de las vides y de los plantones. ■ ACOBIJAR.
ACOBRADO, DA adj. De color de cobre.
ACOCARSE prnl. Agusanarse los frutos.
ACOCEAR tr. Dar coces. • fig. y fam. Abatir, ultrajar. ■ ACOCEADOR, RA; ACOCEAMIENTO.
ACOCHAMBRAR tr. *Amér.* Ensuciar.
ACOCHARSE prnl. Agacharse, agazaparse.
ACOCHINAR tr. fam. Matar a uno que no puede defenderse. • tr. y prnl., fig. y fam. Acoquinar. • prnl. Adquirir hábitos contrarios a la limpieza.
ACOCIL m. *Méx.* Camarón de agua dulce.
ACOCOTAR tr. Acogotar.
ACOCOTE m. *Méx.* Calabaza agujereada para extraer por succión el aguamiel del maguey.
ACODADO, DA adj. Doblado en forma de codo.
ACODALAR tr. *Arq.* Poner codales. ■ ACODALAMIENTO.
ACODAR tr. y prnl. Apoyar uno el codo. • tr. *Agr.* Meter debajo de tierra el vástago de una planta sin separarlo del tronco y dejando fuera su extremidad, para que forme otra nueva planta. • *Arq.* Acodalar. • *Const.* y *Carp.* Poner codales en la superficie de una piedra o de un madero, para ver si está plana. • *Vet.* Clavar mal los clavos al herrar, desviándolos sobre las partes sensibles. ■ ACODADURA.
ACODICIAR tr. y prnl. Encender en deseo o codicia de alguna cosa.
ACODILLAR tr. Doblar formando codo. • En ciertos juegos de naipes, dar codillo. • intr. Tocar el

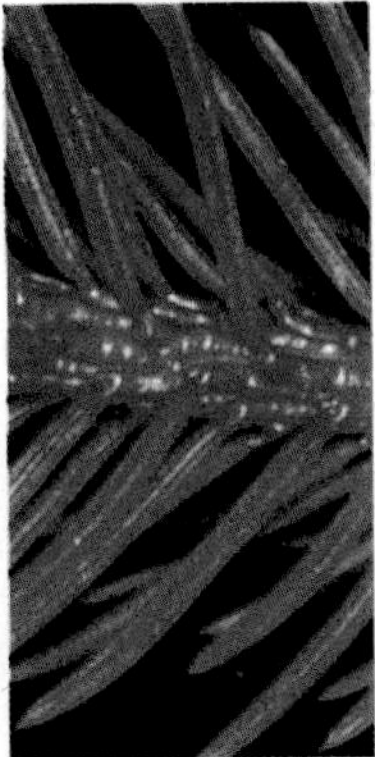
Hojas **aciculares** de pino

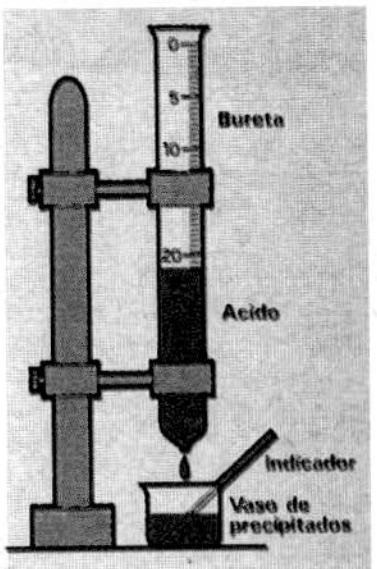

Bureta para neutralizar **ácidos** y bases. El cambio de color del indicador señala cuándo termina la reacción de neutralización

suelo con el codillo los cuadrúpedos. • prnl. *Chile.* Padecer cinchera una caballería.

ACODO m. Vástago acodado.• *Arq.* Resalto de una dovela prolongado por debajo de ella. • *Arq.* Moldura resaltada que forma el cerco de un vano.

ACOGER tr. Admitir uno en su casa a otra persona. • Dar refugio. • fig. Admitir noticias, ideas, etc., como ciertas. • fig. Proteger. • prnl. Refugiarse. • fig. Valerse de algún pretexto para disimular alguna cosa. • fig. Admitir para sí los beneficios que conceden una ley, costumbre, etc. ■ ACOGEDIZO, ZA; ACOGEDOR, RA; ACOGIDO, DA; ACOGIMIENTO.

ACOGIDA f. Afluencia de aguas. • Recibimiento que ofrece una persona. • Retirada. • Lugar donde pueden acogerse personas o cosas. • fig. Protección. • fig. Aceptación.

ACOGOLLAR tr. Cubrir las plantas para defenderlas de los hielos o lluvias. • intr. y prnl. Echar cogollos las plantas.

ACOGOMBRAR o **ACOHOMBRAR.** tr. *Agr.* Cubrir con tierra las plantas.

ACOGOTAR tr. Matar con golpe en el cogote. • Acoquinar, dominar, vencer.

ACOJINAMIENTO m. *Mec.* Bloqueo de una máquina o mecanismo por la interposición de vapor entre el émbolo y la tapa del cilindro.

ACOJINAR tr. Acolchar.

ACOJONANTE adj. fam. Asombroso.

ACOJONAR tr. y prnl. fam. Acobardar.

ACOLADA f. Abrazo, acompañado de un espaldarazo, que se daba al que era armado caballero.

ACOLCHADO m. Revestimiento de paja o caña trenzada para fortalecer los tendidos de algunos diques.

ACOLCHAR tr. Poner algodón, lana, estopa o cerda entre dos telas y después bastearlas. • *Mar.* Corchar. ■ *Amér.* ACOLCHONAR.

ACOLITADO m. Orden superior de las cuatro órdenes menores del sacerdocio.

ACOLITAR intr. y tr. *Amér.* Desempeñar las funciones de acólito.

ACÓLITO m. Eclesiástico que tiene el acolitado. • Monaguillo. • fig. Subordinado, que acompaña a otro.

ACOLLAR tr. *Agr.* Cobijar con tierra el pie de una planta. • *Mar.* Meter estopa en las costuras del buque.

ACOLLARADO, DA adj. Se aplica a los animales con el cuello de color distinto al del cuerpo.

ACOLLARAR tr. Poner collar a un animal. • Unir unos perros a otros por sus collares. • Poner collares a las caballerías. • *Argent., Chile* y *Ur.* Unir dos animales, cosas o personas. • prnl. *Argent.* Amancebarse. ■ ACOLLARAMIENTO.

ACOLLONAR tr. y prnl. Acobardar.

ACOMBAR tr. y prnl. Combar.

ACOMEDIRSE prnl. Prestarse espontáneamente a hacer un servicio. ■ *Amér.* ACOMEDIDO, DA.

ACOMETER tr. Embestir con ímpetu. • Emprender. • Con la prep. *a*, decidirse o empezara ejecutar una acción. • Dicho de enfermedad, etc., venir, entrar, dar repentinamente. • Tentar. • *Const.* y *Min.* Desembocar una cañería o una galería en otra. ■ ACOMETEDOR, RA.

ACOMETIDA f. Lugar por donde la línea de conducción de un fluido enlaza con la principal.

ACOMETIMIENTO m. Ramal de cañería que desemboca en la alcantarilla.

ACOMETIVIDAD f. Agresividad. • Propensión a acometer o emprender acciones.

ACOMODACIÓN f. Adaptación del ojo a las variaciones de la luz y de la distancia de los objetos.

ACOMODADO, DA adj. Conveniente. • Rico. • Amigo de la comodidad. • Moderado en el precio.

ACOMODADOR, RA adj. Que acomoda. • m. y f. En los teatros, cines, etc., persona encargada de indicar a los concurrentes los asientos que deben ocupar.

ACOMODAMIENTO m. Transacción, convenio sobre alguna cosa. • Comodidad o conveniencia.

ACOMODAR tr. Colocar una cosa de modo que se adapte a otra. • Disponer o arreglar de modo conveniente. • Colocar en un lugar conveniente o cómodo. • Proveer. • tr., intr. y prnl. fig. Armonizar una norma. • tr. fig. Concertar. • tr. y prnl. fig. Colocar en un estado o cargo. • tr. e intr. fig. Agradar, ser algo conveniente. • prnl. Avenirse. ■ ACOMODABLE; ACOMODADIZO, ZA; ACOMODATICIO, CIA.

ACOMODO m. Empleo, ocupación o conveniencia. • Arreglo, compostura, ornato.

ACOMPAÑADO, DA adj. fam. Concurrido. • adj. y s. Persona que acompaña a otra para realizar alguna cosa. • m. *Col.* Atarjea.

ACOMPAÑAMIENTO m. Gente que acompaña a alguno. • Conjunto de figurantes de una representación teatral. • *Mús.* Conjunto de elementos de una partitura musical que proporcionan una base armónica o un encuadre rítmico a la línea melódica principal. • *Mús.* Arte de la armonía aplicado a la ejecución del bajo continuo.

ACOMPAÑANTE, TA adj. y s. Que acompaña. • *Mar.* Reloj usado en las observaciones astronómicas.

ACOMPAÑAR tr. y prnl. Estar o ir en compañía de otro u otros. • tr. fig. Juntar una cosa a otra. • tr. y prnl. Existir una cosa junto a otra o simultáneamente con ella. • tr. Existir algo en una persona. • Participar en los sentimientos de otro. • *Her.* y *Pint.* Adornar la figura o escudo principal con otros. • tr. y prnl. *Mús.* Ejecutar el acompañamiento. • prnl. Juntarse un perito con otro u otros de la misma facultad para entender con ellos en alguna cosa. ■ ACOMPAÑADOR, RA.

ACOMPASADO, DA adj. Hecho a compás. • fig. Que por hábito habla pausadamente o anda con mucho reposo.

ACOMPASAR tr. Compasar.

ACOMPLEJAR tr. Causar a una persona un complejo • prnl. Padecer algún complejo psíquico. ■ ACOMPLEJADO, DA; ACOMPLEJAMIENTO.

ACOMUNARSE prnl. Coligarse, confederarse para un fin común.

ACONCAGUA Cima andina de la Argentina, en la prov. de Mendoza, junto a la frontera con Chile; 6 959 m. Es la más alta de América.

ACONCAGUA Río de Chile; 190 km. Nace en los Andes y desemboca en el Pacífico.

ACONCAGÜINO, NA adj. y s. De Aconcagua.

ACONCHABARSE prnl. fam. Conchabarse. ■ *Perú.* ACONCHABAMIENTO.

ACONCHADILLO m. Condimento.

ACONCHAR tr. y prnl. Arrimar a cualquier parte una persona o cosa para defenderla de algún riesgo. • *Mar.* Impeler el viento o la corriente a una embarcación. • *Taur.* Arrimarse el toro a la barrera.

ACONCHARSE prnl. *Chile* y *Méx.* Posarse, asentarse las heces de los líquidos.

ACONCIO, *Giacomo* (h. 1492-1578) Filósofo it., precursor de Bacon y Descartes.

ACONDICIONADO, DA adj. Con los advs. *bien* o *mal*, de buen genio o condición, o al contrario. • Díc. de las cosas que están en las condiciones debidas o al contrario.

ACONDICIONADOR m. Aparato para acondicionar o climatizar un espacio limitado.

ACONDICIONAMIENTO m. Acción y efecto de acondicionar. • **de aire**. Operación para mantener el aire de un local en un grado determinado de temperatura y humedad.

ACONDICIONAR tr. Dar cierta condición o calidad. • Disponer alguna cosa de manera adecuada a un fin. • Climatizar. • prnl. Adquirir cierta condición.

ACONDROPLASIA f. Enanismo caracterizado por la cortedad de piernas y brazos.

ACONFESIONAL adj. Que no es confesional.

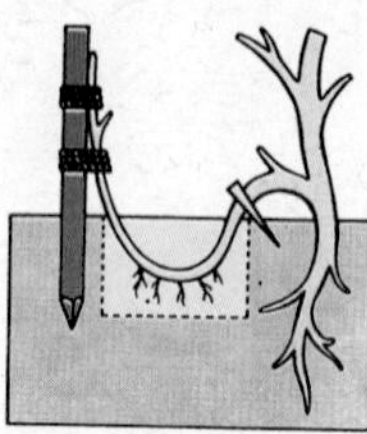

Acodo de una planta

Acometimiento

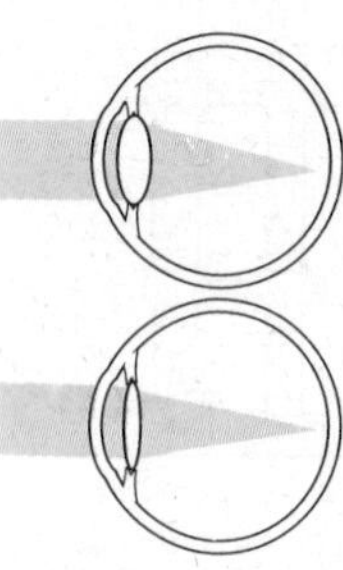

Acomodación

La cumbre del **Aconcagua** vista desde el Portillo de la Cuevas

ACONGOJAR tr. y prnl. Oprimir, fatigar, afligir. ■ ACONGOJADOR, RA.
ACONITINA f. Alcaloide antineurálgico extraído del acónito; muy tóxico.
ACÓNITO m. Planta medicinal ranunculácea de raíz fusiforme. Es tóxica.
ACONSEJAR tr. Dar consejo. • Inspirar una cosa algo a uno. • prnl. Tomar consejo. ■ ACONSEJABLE; ACONSEJADOR, RA.
ACONSONANTAR intr. Ser una palabra consonante de otra. • Incurrir uno en el vicio de la consonancia. • tr. Emplear en la rima una palabra como consonante de otra.
ACONTECER intr. Suceder. ■ ACONTECEDERO, RA.
ACONTECIMIENTO m. Suceso importante.
ACOPAR intr. Formar copa las plantas. • tr. Hacer que las plantas formen buena copa. ■ ACOPADO, DA.
ACOPETADO, DA adj. En forma de copete.
ACOPIAR tr. Reunir en cantidad alguna cosa. ■ ACOPIAMIENTO; ACOPIO.
ACOPLADO, DA m. *Chile*. Vehículo destinado a ir remolcado por otro.
ACOPLAMIENTO m. *Biol*. Asociación en un mismo cromosoma de dos o más genes. • *El*. Conexión de la señal de salida de un circuito al punto de entrada del siguiente. • *Mec. apl*. Unión entre ejes para transmitir una fuerza.
ACOPLAR tr. Unir entre sí dos piezas de modo que ajusten. • Ajustar una pieza al sitio donde deba colocarse. • Unir dos caballerías para formar una yunta. • tr. y prnl. Procurar la unión sexual de los animales. • tr. *Fís*. Agrupar dos aparatos para que funcionen combinados. • prnl. fig. y fam. Unirse dos personas, encariñarse. ■ ACOPLADURA.
ACOQUINAR tr. y prnl. fam. Amilanar. ■ ACOQUINAMIENTO.
ACORA Mun. de Perú, en el dpto. y prov. de Puno; 31 000 hab. Agricultura. Minería.
ACORAR tr. y prnl. Afligir. • prnl. Estropearse las plantas por algún accidente atmosférico.
ACORAZADO m. Buque de guerra blindado, de grandes dimensiones y dotado de artillería.
ACORAZAR tr. Revestir con planchas de hierro o acero. • tr. y prnl. fig. Proteger, defender.
ACORAZONADO, DA adj. De forma de corazón.
ACORCHARSE prnl. Ponerse una cosa fofa como el corcho. ■ ACORCHADO, DA; ACORCHAMIENTO.
ACORDADA f. Orden que un tribunal expide para que la ejecute uno inferior. • Documento de comprobación de certificaciones. • Especie de Santa Hermandad establecida en México el año 1710 • Plantilla para trazar curvas.
ACORDANZA f. Memoria. • Opinión acorde. • Armonía, compás o consonancia.
ACORDAR tr. Determinar o resolver de común acuerdo, o por mayoría. • Determinar o resolver una sola persona. • Determinar una cosa antes de mandarla. • Conciliar. • Traer a la memoria de otro alguna cosa. • tr. y prnl. Traer a la propia memoria. • tr. *Mús*. Templar instrumentos musicales y voces. • *Pint*. Disponer armónicamente los tonos de un dibujo. • intr. Concordar, convenir una cosa con otra. ■ ACORDADO, DA.
ACORDE adj. Conforme y de un dictamen. • Con armonía. • m. *Mús*. Conjunto de sonidos combinados armónicamente.
ACORDELAR tr. Medir un terreno con cordel.
ACORDEÓN m. Instrumento musical de viento con unas lengüetas que vibran mediante la extensión y compresión de un fuelle. ■ ACORDEONISTA.
ACORDONADO, DA adj. En forma de cordón. • *Méx*. Cenceño, díc. de los animales.
ACORDONAR tr. Ajustar con un cordón. • Formar el cordoncillo en el canto de las monedas. • tr. y prnl. fig. Rodear de gente algún sitio para incomunicarlo. ■ ACORDONAMIENTO.
ACORES m. pl. *Med*. Erupción que algunos niños padecen en la cabeza y la cara.
ACORNEAR tr. Dar cornadas. ■ ACORNAR; ACORNEADOR, RA.
ÁCORO m. Planta arácea de hojas puntiagudas, flores verdes y rizomas blanquecinos. • **bastardo** o **palustre**, o **falso á**. Planta iridácea de hojas ensiformes y flores amarillas.
ACORRALAR tr. y prnl. Encerrar el ganado en el corral. • tr. fig. Encerrar a uno dentro de estrechos límites. • fig. Dejar a alguno sin tener qué responder. • fig. Intimidar. ■ ACORRALAMIENTO.
ACORRER tr. Acudir corriendo. • Socorrer a uno. • Acudir a una necesidad. • prnl. Refugiarse.
ACORTAMIENTO m. Diferencia entre la distancia real de un planeta al Sol o a la Tierra y la misma distancia proyectada sobre el plano de la eclíptica.
ACORTAR tr., intr. y prnl. Disminuir la longitud, duración, etc. de alguna cosa. • Hacer más corto el camino. • prnl. fig. Quedarse corto. • *Eq*. Encogerse el caballo.
ACORTEJARSE prnl. *P. Rico*. Amancebarse.
ACORULLAR tr. *Mar*. Meter los remos sin desarmarlos.
ACORVAR tr. Encorvar.
ACOSAR tr. Perseguir sin dar tregua. • Hacer correr al caballo. • fig. Perseguir a alguno. ■ ACOSADOR, RA; ACOSAMIENTO; ACOSO.
ACOSIJAR tr. *Méx*. Agobiar.
ACOSMISMO m. Teoría filosófica que niega la realidad del mundo sensible.

Acónito

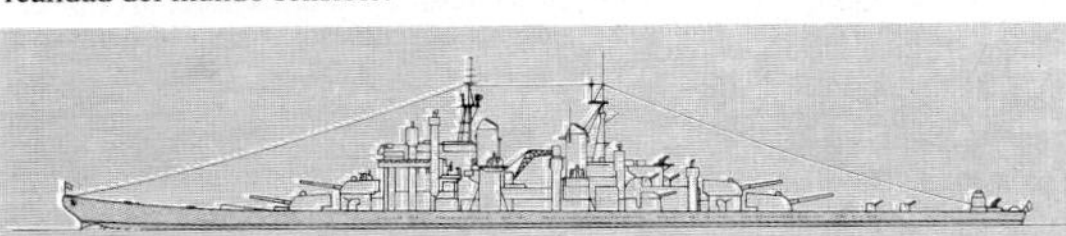
Acorazado

ACOSTA, *Agustín* (1887-1979) Poeta modernista cub. *La zafra, Epinicio*. • ***Cecilio*** (1818-1881) Escritor y jurista ven. Catedrático de la universidad de Caracas, fue miembro correspondiente de la Real Academia Española de la Lengua. *Cosas sabidas y cosas por saberse, Reseña histórica y prospecto del código de derecho penal*, etc. • ***Joaquín*** (1800-1852) Político y científico col. Intervino en la Convención Constituyente de 1831, que originó la rep. de Nueva Granada. Miembro de la Academia Nacional. • ***José de*** (1539-1600) Cosmógrafo, historiador y etnólogo esp. *Historia natural y moral de las Indias*. • ***Julio*** (1872-1952) Político cost. Ministro de Relaciones Exteriores. Jefe de la revolución del Sapoá, fue presidente de la rep. (1920-1924). • ***Óscar*** (nacido 1933) Diplomático y escritor hond. *El arca, Tiempo detenido, Antología del cuento hondureño*. • ***Santos*** (1828-1901) Político y militar col. Intervino en la rebelión liberal de 1859-1861 contra Ospina. Presid. en 1867, fundó la universidad Nacional. • **De Samper, *Soledad*** (1833-1913) Escritora col. *Un hidalgo conquistador, La holandesa en América, Novelas y cuentos de la vida sudamericana*. • **León, *Ángel*** (1932-1964) Pintor cub. Premio del Círculo de Bellas Artes y del Salón Nacional (1959). *La cara de la guerra, Cafetera*, etc. • **Ojeda, *Manuel*** (nacido 1931) Poeta, cantante y compositor per. *Tu vida siempre. Odios y sombras, Puedes irte*.
ACOSTADA f. Dormida, acción de dormir.
ACOSTAR tr. y prnl. Echar a alguno para que duerma o descanse. • Arrimar. • *Mar*. Arrimar una embarcación a alguna parte. • intr. y prnl. Ladearse. Díc. pralm. de los edificios. • intr. Hablando de la balanza, pararse en posición que el fiel no coincida con el punto de equilibrio. • Llegar a la costa. • intr. y prnl. Adherirse, inclinarse. • prnl. fig. y fam. Tener relaciones sexuales con una persona. ■ ACOSTAMIENTO.
ACOSTILLAR tr. y prnl. *Guat*. Hacer que la caballería se aproxime de costado a una pared.
ACOSTUMBRAMIENTO m. *Med*. Progresiva resistencia a los efectos de un fármaco.
ACOSTUMBRAR tr. Hacer adquirir costumbre de alguna cosa. • intr. Tener costumbre de alguna cosa. • prnl. Adquirir costumbre de una cosa.
ACOTADA f. Terreno comunal, cercado, que en algunos pueblos se destina a vivero para los vecinos.
ACOTADO, DA adj. *Mat*. Díc. del conjunto que tiene cota superior y cota inferior (→ cota). • **inferiormente**. Díc. del conjunto que tiene cota inferior. • **superiormente**. Díc. del conjunto que tiene cota superior.
ACOTANGO, *Cerro* Cumbre andina, en el límite entre Chile y Bolivia; 6 052 m.

Acordeón

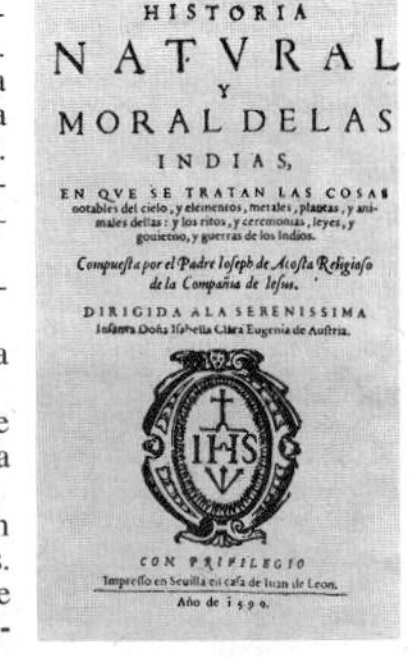
HISTORIA NATVRAL Y MORAL DELAS INDIAS, EN QVE SE TRATAN LAS COSAS notables del cielo, y elementos, metales, plantas, y animales dellas: y los ritos, y ceremonias, leyes, y govierno, y guerras de los Indios.
Compuesta por el Padre Ioseph de Acosta Religioso de la Compañia de Iesus.
DIRIGIDA ALA SERENISSIMA Infanta Doña Isabella Clara Eugenia de Austria.
CON PRIVILEGIO
Impresso en Sevilla en casa de Iuan de Leon.
Año de 1590.

Portada de la *Historia natural y moral de las Indias*, del padre José de **Acosta**

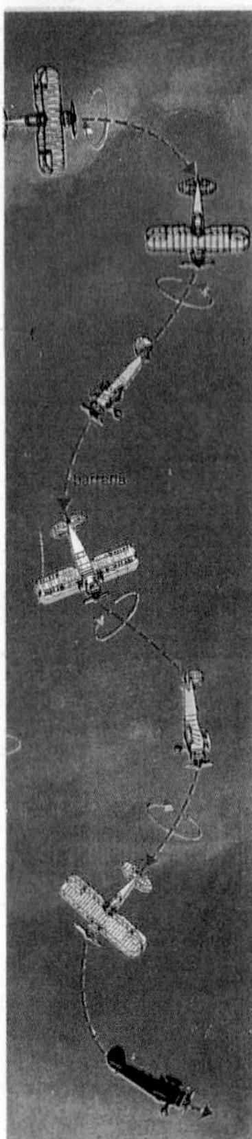

Acrobacia aérea

ACOTAR tr. Reservar con cotos el uso de un terreno. • Reservar de otro modo. • Poner cotas en planos, etc. • Poner notas o acotaciones a un texto. • Podar un árbol por la cruz. • Atestiguar algo en la fe de un escrito. • Citar textos o autoridades. • prnl. Ponerse a salvo dentro de los cotos de otra jurisdicción. • fig. Ampararse en una razón. • *Comp.* Cambiar de escala las magnitudes de un problema para acumularlas a la computadora. ▪ ACOTACIÓN, ACOTAMIENTO.
ACOTEJAR tr. y prnl. *Amér.* Acomodar.
ACOTILEDÓN adj. y m. Acotiledóneo.
ACOTILEDÓNEO, A adj. y f. Plantas que no tienen cotiledones como los helechos. • f. pl. Grupo de la ant. clasificación que comprendía las plantas criptógamas.
ACOTILLO m. Martillo grueso de herrero.
ACOYUNDAR tr. Poner la coyunda.
ACOYUNTAR tr. Reunir dos labradores caballerías desaparejadas, para formar yunta. ▪ ACOYUNTERO.
ACRACIA f. Doctrina que niega la necesidad de un poder y autoridad políticos. ▪ ÁCRATA.
ACRE adj. Áspero y picante • fig. Tratándose del genio de las palabras, áspero y desabrido. • *Med.* Calor febril acompañado de una sensación de picor. • m. Medida agraria inglesa, equivalente a 40,47 áreas.
ACRE Est. de Brasil, al SO de Amazonia; 153 698 km^2, 412 000 hab. Cap., Rio Branco. Caucho, madera. Ant. posesión de Bolivia. Rep. independiente en 1899-1900.
ACRECENTAR tr. y prnl. Aumentar. • Hacer que uno adelante en empleos, autoridad, etc. ▪ ACRECENCIA; ACRECENTADOR, RA; ACRECENTAMIENTO.
ACRECER tr., intr. y prnl. Hacer mayor. • intr. *Der.* Percibir un partícipe el aumento que le corresponde cuando otro pierde su cuota o renuncia a ella. ▪ ACRECIMIENTO.
ACRECIÓN m. *Ocean.* Crecimiento de la corteza oceánica en el eje de las dorsales oceánicas.
ACREDITAR tr. y prnl. Hacer digna de crédito alguna cosa. • Afamar. • tr. Dar seguridad de que alguna persona o cosa es lo que representa. • Dar testimonio en documento fehaciente de que una persona lleva facultades para desempeñar comisión o encargo. • *Cont.* Abonar, admitir en pago. • prnl. Lograr fama. ▪ ACREDITADO, DA; ACREDITATIVO, VA.
ACREEDOR, RA adj. y s. Persona a la que se debe dinero. • Con derecho a pedir el cumplimiento de una obligación. • Con mérito para obtener algo.
ACREENCIA f. *Amér.* Crédito.
ACRIANZAR tr. Criar o educar.
ACRIBAR tr. Cribar. • tr. y prnl. fig. Acribillar. ▪ ACRIBADOR; ACRIBADURA.
ACRIBILLAR tr. Abrir agujeros en alguna cosa. • tr. y prnl. Hacer heridas o picaduras. • fig. y fam. Molestar mucho.

Acrópolis de Atenas

ACRÍDIDO adj. *Zool.* Insectos ortópteros saltadores con antenas cortas y tres artejos en los tarsos. • m. pl. *Zool.* Familia de estos insectos.
ACRIDINA f. *Quím.* Compuesto derivado del alquitrán de hulla.
ACRÍLICO, CA adj. Díc. del ácido obtenido por oxidación de la acroleína. • Díc. de las fibras textiles obtenidas a partir del acrilonitrilo.
ACRILONITRILO m. Nitrilo del ácido acrílico. Se usa en la manufactura de fibras acrílicas y de plásticos y en la síntesis de antioxidantes.
ACRIMINAR tr. Acusar de algún crimen o delito. • Imputar culpa o falta grave. • Presentar como más grave. ▪ ACRIMINACIÓN; ACRIMINADOR, RA.
ACRIMONIA f. Aspereza de las cosas. • Condición de los humores acres. • Agudeza del dolor. • Aspereza en el carácter o en el trato. ▪ ACRIMONIOSO, SA.
ACRIOLLARSE prnl. *Amér.* Adquirir un extranjero los usos y costumbres de la gente del país. ▪ ACRIOLLADO, DA.
ACRISOLAR tr. Depurar los metales en el crisol. • fig. Purificar • tr. y prnl. fig. Aclarar una cosa por medio de pruebas.
ACRISTALAR tr. Poner cristales.
ACRISTIANAR tr. fam. Hacer cristiano.
ACRITUD f. Acrimonia.
ACROAMÁTICO, CA adj. Aplícase a la enseñanza que se imparte de viva voz.
ACROBACIA f. Acrobatismo. • Evolución espectacular que efectúa un aviador en el aire.
ACRÓBATA com. Persona que hace ejercicios de agilidad y de equilibrio con gran habilidad. ▪ ACROBÁTICO, CA.
ACROBATISMO m. Profesión y ejercicio del acróbata.
ACROCEFALIA f. Forma cónica de la bóveda craneal.
ACROFOBIA f. Horror a las alturas.
ACROÍTA f. Variedad de turmalina incolora o de tonalidades verdosas.
ACROLEÍNA f. Aldehído no saturado que se obtiene de la glicerina.
ACROMADO, DA adj. Díc. de lo que se asemeja a un cromo.
ACROMATISMO m. *Ópt.* Supresión de la aberración cromática en lentes ópticos. ▪ ACROMÁTICO, CA; ACROMATIZAR.
ACROMATOPSIA f. *Med.* Enfermedad visual que impide distinguir los colores.
ACROMEGALIA f. Enfermedad crónica debida a la lesión de la glándula pituitaria. Se caracteriza por un gran desarrollo de las extremidades.
ACROMIO o ACROMION m. *Anat.* Apófisis del omóplato, que se articula con la clavícula. ▪ ACROMIANO, NA.
ACRÓN (s. V a. C.) Médico de Agrigento. Partidario del empirismo.
ACRÓNICO, CA adj. *Astr.* Díc. del astro que nace al ponerse el Sol, o se pone cuando éste sale. • Díc. del orto u ocaso del mismo astro.
ACRÓNIMO m. Sigla constituida por las iniciales (y a veces otras letras que siguen a la inicial), con las cuales se forma un nombre.
ACRÓPOLIS f. En la Antigüedad, fortaleza de una ciudad que contenía los santuarios y palacios. Por antonomasia, la a. de Atenas.
ACROSOMA m. Cuerpo apical que rodea la parte anterior de la cabeza del espermatozoide.
ACRÓSTICO, CA adj. y m. Composición poética cuyas letras iniciales, medias o finales de los versos forman un vocablo o una frase.
ACROSTOLIO m. *Mar.* ant. Espolón de las naves. • Adorno en la proa de las naves.
ACROTERA f. *Arq.* Cualquiera de los pedestales que sirven de remate en los frontones.
ACROTERIO m. *Arq.* Pretil hecho sobre los cornisamentos para ocultar la alt. del tejado.
ACRUX *Astr.* Nombre de la estrella α (alfa) de la constelación de la Cruz del Sur.
ACTA f. Relación escrita de lo sucedido o acordado en una junta. • Certificación en que consta el resultado de la elección de una persona. • pl. Hechos más destacados de la vida de un santo. • **de navegación**. Ley ing. que obligaba al comercio a utilizar naves británicas o del país de donde procedía la mercancía. • **notarial**. Relación que extiende el notario de hechos que presencia. • **Levantar a.** fr. Extenderla.
ACTH Sigla con que se indica la hormona adrenocorticotropa segregada por la hipófisis.
ACTINA f. Proteína soluble y fibrosa que constituye, junto con la miosina y la tropomiosina, la fracción contráctil de las fibrillas musculares.
ACTINIA f. Celentéreo de tentáculos filamentosos, sin esqueleto, llamado también anémona de mar.

ACTÍNICO, CA adj. Díc. de las radiaciones químicamente activas.
ACTÍNIDO, DA adj. *Quím.* Díc. de cada uno de los elementos de la familia actínidos. • m. pl. *Quím.* Familia de elementos radiactivos, de n. a. entre el 89 y el 103.
ACTINIO m. *Quím.* Elemento quím. de símb. Ac, n. a. 89 y masa atómica 227. Es el primero de los actínidos.
ACTINISMO m. Acción química de las radiaciones luminosas.
ACTINÓGRAFO m. Actinómetro registrador.
ACTINOLITA f. Actinota.
ACTINOLOGÍA f. Estudio de la intensidad y actividad de las radiaciones luminosas.
ACTINOMETRÍA f. Actinología.
ACTINÓMETRO m. Instrumento óptico para medir la intensidad de las radiaciones. ■ ACTINOMÉTRICO, CA.
ACTINOMICES m. Hongo parásito que produce la actinomicosis.

Actores teatrales japoneses en una representación tradicional

ACTINOMICETAL adj. y s. *Biol.* Relativo a las bacterias actinomicetales. • f. pl. *Biol.* Orden de bacterias grampositivas parecidas a los hongos.
ACTINOMICOSIS f. Enfermedad producida por hongos actinomicetos.
ACTINOMORFO, FA adj. Díc. de un vegetal cuando presenta simetría radial.
ACTINÓPODO adj. y m. Rizópodo.
ACTINOPTERIGIO adj. y m. Díc. de los peces de la clase de los actinopterigios. • m. pl. *Zool.* Clase de peces que poseen esqueleto óseo, aleta dorsal única y aleta caudal de esqueleto simplificado.
ACTINOTA f. Silicato de calcio, hierro y magnesio, del grupo de los anfiboles y de color verde. También se denomina actinolita.
ACTINOTERAPIA f. Tratamiento de algunas enfermedades por medio de radiaciones.
ACTINOTROPISMO m. Influencia de una radiación en el crecimiento de los vegetales.
ACTION Française Movimiento político fr. fundado en 1899 por Charles Maurras. De acendrado nacionalismo y de base ultracatólica, participó en el gobierno de Vichy.
ACTION *Painting* *(Pintura de acción)* Tendencia pictórica no figurativa seguida, entre otros, por J. Pollock y W. de Kooning.
ACTITUD f. Postura del cuerpo humano. • Postura de un animal. • fig. Disposición de ánimo manifestada exteriormente.
ACTIVACIÓN f. *Fís.* Aporte de energía a un sistema atómico.
ACTIVADOR m. *Quím.* Sustancia que activa la acción de un catalizador.
ACTIVAR tr. Avivar, mover, acelerar. • *Fís.* Hacer radiactiva una sustancia, gralte. bombardeándola con partículas materiales o con fotones.
ACTIVIDAD f. Facultad de obrar. • Diligencia. • Prontitud en el obrar. • Conjunto de tareas propias de una persona o entidad. • *Fís.* Núm. de átomos que se desintegran en un segundo en una sustancia radiactiva. • *Quím.* Concentración efectiva aparente de una sustancia en una mezcla gaseosa. • **óptica.** *Quím.* Acción de algunas sustancias sobre la luz polarizada. • **solar.** *Astr.* Fenómenos que aparecen en la superficie solar.
ACTIVISMO m. Tendencia a actuar por la acción misma.
ACTIVISTA adj. y s. Díc. del agitador político que en un grupo o partido interviene activamente en la propaganda o practica la acción directa.
ACTIVO, VA adj. Que obra o tiene virtud de obrar. • Diligente y eficaz. • Que obra prontamente. • Díc. del funcionario mientras presta servicio. • Díc. de los métodos pedagógicos que se basan en la participación directa de los alumnos en el proceso de aprendizaje. • *Fís.* Díc. de los materiales de radiactividad media o baja y de los laboratorios y los dispositivos experimentales donde se guardan dichos materiales. • *Gram.* Se dice del verbo o de las formas verbales que expresan la realización, por el sujeto, de la acción que el verbo representa; opuesto a los verbos, o formas verbales, pasivos y de estado. • m. *Cont.* Importe total del haber de una empresa.
ACTO m. Hecho o acción. • Movimiento de un ser vivo. • Manifestación de la voluntad humana. • Hecho público. • Ejercicios literarios que se celebraban en las universidades. • Cada una de las partes principales en que se dividen las obras escénicas. • Disposición legal. • *Fil.* Estado del ser que posee realmente la plenitud de perfección que por su naturaleza le corresponde. • pl. Actas de un concilio. • **de conciliación.** Comparecencia de las partes desavenidas ante el juez. • **de contrición.** *Teol.* Dolor por haber ofendido a Dios. • Fórmula con que se expresa este dolor. • **de posesión.** Ejercicio o uso de ella. • **de presencia.** Asistencia breve y puramente formularia a una reunión. • **humano.** *Teol.* El que procede de la voluntad libre con advertencia del bien o mal que se hace. • **jurídico.** *Der.* Hecho voluntario que crea, modifica o extingue relaciones de derecho. • **seguido.** loc. adv. Inmediatamente después. • **En a.** m. adv. En actitud de hacer alguna cosa. • **En el a.** m. adv. En seguida.
ACTOMIOSINA f. *Histol.* Proteína contráctil muscular formada por la unión de la actina y la miosina.
ACTOR, RA adj. y s. Díc. de la parte que demanda en juicio.
ACTOR, TRIZ m. y f. Persona que, en las representaciones de obras dramáticas y en el cine, encarna un personaje, idea o símbolo.
ACTUADO, DA adj. Ejercitado.
ACTUAL adj. Presente. • Que existe en el tiempo de que se habla.
ACTUALIDAD f. Tiempo presente. • Cosa que atrae la atención en un momento dado.
ACTUALIZACIÓN f. *Comp.* Mantenimiento de una información registrada en un dispositivo de almacenamiento.
ACTUALIZAR tr. Poner en acto. • Hacer actual una cosa, darle actualidad.
ACTUAR tr. y prnl. Poner en acción. • tr. Digerir, absorber o asimilar, hablando de algo que se ingiere. • tr. y prnl. Entender o asimilarse la verdad. • intr. Ejercer actos propios de su naturaleza. • Ejercer funciones propias de su cargo u oficio. • En las universidades, defender conclusiones públicas. • Practicar los ejercicios de una oposición. • *Der.* Formar autos. ■ ACTUACIÓN; ACTUANTE.
ACTUARIO m. *Der.* Auxiliar judicial que da fe en los autos procesales. • **de seguros.** Persona versada en los conocimientos concernientes a los seguros. ■ ACTUARIAL.
ACTUOSO, SA adj. Diligente, solícito. ■ ACTUOSIDAD.
ACUACHE m. *Méx.* Compañero, compinche.
ACUADRILLAR tr. y prnl. Juntar en cuadrilla. • Mandar una cuadrilla. • *Chile.* Acometer muchos a uno.
ACUAFORTISTA com. Aguafuertista
ACUARELA f. Pintura con colores diluidos en agua y mezclados con goma, para facilitar su cohesión. ■ ACUARELISTA.
ACUAREYAPA (m. 1578) Cacique ven. Luchó contra los españoles. Vencido y muerto por las tropas del conquistador Sancho García.
ACUÁRIDAS *Astr.* Radiantes de estrellas fuga-

Acrotera

Actinia

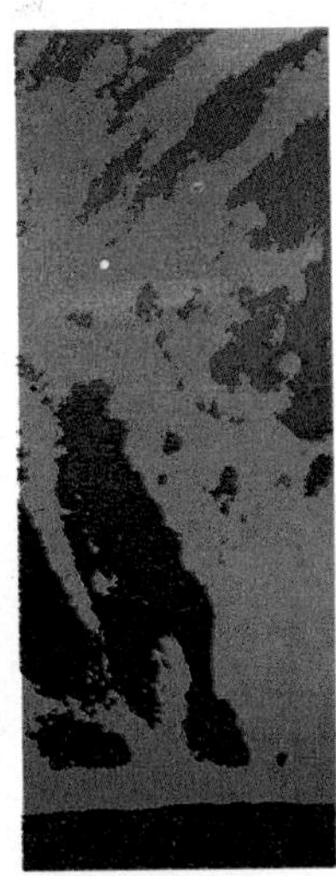

Actividad solar

ces. Hay dos, uno activo a fines de julio, y otro a principios de mayo.
ACUARIO m. Depósito de agua donde se tienen vivos animales o vegetales acuáticos. • Edificio destinado a la exhibición de animales acuáticos vivos. • *Astr.* Uno de los signos del Zodiaco. • Constelación que antiguamente había coincidido con el signo zodiacal de igual nombre y que actualmente coincide con Piscis.

Acuario

ACUARTELAR tr. y prnl. Poner la tropa en cuarteles. • Dividir un terreno en cuarteles. • *Mar.* Presentar más al viento la superficie de una vela de cuchillo. ■ ACUARTELADO, DA; ACUARTELAMIENTO.
ACUARTILLAR tr. Doblar con exceso las caballerías las cuartillas cuando andan.
ACUÁTICO, CA o **ACUÁTIL** adj. Que vive en el agua • Relativo al agua.
ACUATINTA f. Grabado que imita a la aguada.
ACUATIZAR intr. Amarar.
ACUBADO, DA adj. En forma de cubo.
ACUCHAMADO, DA adj. *Ven.* Triste.
ACUCHAR tr. *Col.* Arrinconar, cercar.
ACUCHARADO, DA adj. Parecido a la pala de la cuchara.
ACUCHILLADO, DA adj. fig. Habituado a conducirse con prudencia. • fig. Aplícase al vestido con aberturas semejantes a cuchilladas. • m. Operación consistente en raspar los suelos de madera.
ACUCHILLAR tr. Dar cuchilladas. • Matar a cuchillo. • Alisar la superficie de pisos o muebles de madera. • fig. Hacer aberturas semejantes a cuchilladas en los vestidos. • Aclarar las plantas en los semilleros. • prnl. Reñir con espadas o darse de cuchilladas. ■ ACUCHILLADOR, RA.

ACUÍCOLA adj. y s. Díc. de los organismos que viven en ambiente acuático.
ACUICULTURA f. Conjunto de actividades destinadas al desarrollo de animales y al cultivo de plantas en el medio acuático.
ACUIDAD f. Agudeza de los sentidos.
ACUÍFERO, RA adj. Díc. de la capa, zona o del terreno que contiene agua.
ACUILMARSE prnl. *Amér. Centr.* y *Méx.* Afligirse, acobardarse.
ACUITAR tr. y prnl. Poner en apuro, afligir.
ACULAR tr. y prnl. Hacer que un animal, un carro, etc., quede arrimado a alguna parte. • fam. Arrinconar.
ACULEBRINADO, DA adj. *Mil.* Aplícase al cañón parecido a la culebrina.
ACULEIFORME adj. De forma de aguijón.
ACULHÚA Rey acolhúa (s.XIII). Primer señor de Azcapotzalco; a su muerte le sucedió su hijo Tezozómoc.
ACULLÁ adv. lugar. A la parte opuesta del que habla.
ACULLICO m. *Argent.* y *Bol.* Bola de hojas de coca cuyo jugo se succiona.
ACULTURACIÓN f. Proceso que impone a un determinado grupo humano la asimilación de las normas de una cultura dominante con la que ha entrado en contacto.
ACUMINADO, DA adj. Acabado en punta.
ACUMULACIÓN f. Acción y efecto de acumular. • *Econ.* Proceso de concentración de capitales en créditos, etc. • **Punto de a.** *Mat.* Punto de un subespacio E de un espacio topológico X, tal que cualquier entorno del mismo contiene puntos de E distintos de él.
ACUMULADOR, RA adj. y s. Que acumula. • m. *Comp.* Zona de memoria que contiene la suma algebraica de los valores de un parámetro. • *Fís.* Sistema que almacena energía y la cede ulteriormente. Según el tipo de energía almacenada, se clasifican en: eléctricos, térmicos, hidráulicos, de vapor, neumáticos o de aire comprimido y de energía mecánica. Los más conocidos son los eléctricos y entre ellos cabe destacar: los *a. de plomo*, la *pila Daniell* y *la pila seca.*
ACUMULAR tr. Juntar. • Imputar algún delito. • *Der.* Unir unos autos a otros para que sobre todos se pronuncie una sola sentencia. ■ ACUMULABLE; ACUMULATIVO, VA.
ACUNAR tr. Cunear, mecer la cuna.
ACUÑA Mun. de México, en el est. de Coahuila; 32 500 hab. Agricultura. Ganadería.

1
Acueducto.
1. Detalle del acueducto de Segovia (España); 2., 3. y 4. tres tipos distintos de acueducto: el Aqua Claudia de Roma, el de Segovia (España), y el de Pont du Gard, en Nîmes (Francia)

ACUCHUCHAR tr. *Chile.* Aplastar, estrujar.
ACUCIAR tr. Estimular, dar prisa. • Desear con vehemencia. ■ ACUCIA; ACUCIADOR, RA; ACUCIAMIENTO.
ACUCIOSO, SA adj. Diligente, presuroso. • Movido por deseo vehemente. ■ ACUCIOSIDAD.
ACUCLILLARSE prnl. Ponerse en cuclillas.
ACUDIR intr. Ir uno al sitio adonde le conviene o es llamado. • Ir en socorro de alguno. • Ir con frecuencia a alguna parte. • Venir, presentarse algo. • Recurrir a alguno. • Valerse de una cosa para algún fin. • Contestar súbitamente. • Producir frutos la tierra. • Corresponder u obsequiar. • *Eq.* Obedecer el caballo. ■ ACUDIMIENTO.
ACUEDUCTO m. Construcción para la conducción de agua a fin de salvar un desnivel.
ÁCUEO, A adj. De agua. • De la naturaleza del agua.
ACUERDO m. Resolución tomada por una o varias personas. • Reflexión en la determinación de una cosa. • Conocimiento de alguna cosa. • Parecer, dictamen. • Recuerdo de las cosas. • *Pint.* Armonía de colores. • **marco.** Pacto de carácter global.

ACUÑA, *Antonio* de (m. 1526) Prelado esp., uno de los jefes de la insurrección de las comunidades de Castilla. • ***Carlos*** (1886-?) Poeta y escritor chil. *Baladas criollas, Capachito, Vaso de arcilla.* • ***Cristóbal de*** (1597-1675) Misionero y jesuita esp., explorador del Amazonas. • ***Hernando de*** (1520-1580) Poeta esp. *Al rey nuestro señor.* • ***Jesús María*** (1879-?) Compositor mex. Fundador de la Orquesta Sinfónica Nacional. *Rapsodia mexicana, Danzas mexicanas.* • ***Luis Alberto*** (nacido 1904) Pintor, escultor y escritor col. *Amor campestre, El bautismo* (pintura); *Simón Bolívar, Jiménez de Quesada* (escultura); *El arte de los indios colombianos, El refranero colombiano* (ensayo). • ***Manuel*** (1848-1873) Poeta romántico mex., de un filosofismo racionalista. *Ante un cadáver, Nocturno a Rosario, Hojas secas.* • **De Figueroa, *Francisco*** (1791-1862) Poeta ur. autor del *Himno nacional.* • **Y Bejarano, *Juan de*** (m. 1734) Militar per. Virrey de Nueva España.
ACUÑAR tr. Imprimir y sellar una pieza de metal por medio de cuño. • Tratándose de la moneda, fabricarla. • Meter cuñas. • fig. Dar forma a expresiones o conceptos. ■ ACUÑACIÓN.

ACUOSO, SA adj. Abundante en agua. • Parecido a ella. • De agua o relativo a ella. • De mucho jugo. Díc. de las frutas. ▪ ACUOSIDAD.
ACUPUNTURA f. Método terapéutico de origen chino, que consiste en introducir agujas metálicas en los tejidos del cuerpo humano al objeto de provocar reacciones beneficiosas.
ACURE m. *Amér. Merid.* Roedor del tamaño de un conejo, de carne comestible, que vive en domesticidad.
ACURRUCARSE prnl. Encogerse para resguardarse del frío o con otro objeto.
ACURRULLAR tr. *Mar.* Desenvergar las velas y recogerlas.
ACUSACIÓN f. *Der.* Escrito o discurso en que se acusa. ▪ ACUSATORIO, RIA.

Palau de la Música de Barcelona (España), sala de conciertos de excelente **acústica**

ACUSADOR, RA adj. y s. Que acusa. • *Der.* Sujeto que en un proceso penal propone la pena y la indemnización derivadas del delito.
ACUSAR tr. Imputar a uno algún delito • tr. y prnl. Denunciar. • Notar, tachar. • Reconvenir, reprender. • Tratándose del recibo de cartas, etc., avisarlo. • *Der.* Exponer en juicio los cargos contra el acusado y las pruebas de los mismos. • prnl. Confesar. ▪ ACUSABLE; ACUSADO, DA; *Amér.* ACUSETAS; ACUSETE; ACUSICA; ACUSÓN, NA.
ACUSATIVO m. *Gram.* Caso de la declinación que indica el complemento directo del verbo.
ACUSE m. Acción y efecto de acusar. • **de recibo.** Notificación por la que el expedidor se asegura de la recepción de un documento. • Cada una de las cartas que en el juego sirven para acusar.
ACÚSTICA f. Rama de la física que estudia el sonido, su naturaleza, transmisión, velocidad de propagación, etc. Se basa en el fenómeno, conocido desde la antigüedad, de que todo cuerpo que produce un sonido lo hace debido a su estado de vibración que se propaga en el aire por medio de ondas. • **de locales**. Estudio de las condiciones que deben reunir los locales para obtener una buena audición. ▪ ACÚSTICO, CA.
ACUTÁNGULO adj. *Geom.* Díc. del triángulo cuyos tres ángulos son agudos.
ACUTÍ m. *Argent.* y *Par.* Agutí.
AD HOC exp. adv. latina que se aplica a lo que se dice o hace sólo para un fin determinado.
AD LÍBITUM exp. adv. latina. A gusto.
ADA *Comp.* Lenguaje de programación de vocación universal que recoge características de lenguajes de los años 50 (FORTRAN, COBOL) y de lenguajes recientes (SIMULA, PASCAL).
ADACILLA f. Variedad de la adaza.
ADAFINA f. Olla que los hebreos cubren con brasas, para comerla el sábado.
ADAGIO m. Consejo útil para la conducta. • Uno de los aires lentos del ritmo musical. • Composición musical en este aire. • adv. mod. *Mús.* Lentamente.
ADALA f. *Mar.* Dala.
ADALID m. Caudillo de guerra. • fig. Guía, dirigente supremo.
ADAM, Adolphe *Charles* (1803-1856) Compositor fr. *Si yo fuera rey, Gisela.* • ***Henri-Georges*** (1904-1967) Escultor abstracto y pintor fr. Uno de los fundadores del *Salon de Mai* (1945). • ***Robert*** (1728-1792) Arquitecto y decorador neoclásico escocés, creador del estilo que lleva su nombre. • **De la Halle** (1240-1288) Poeta fr., más conocido por ADAM LE BOSSU, *El juego de la enramada, Juego de Robbin y Marion.*
ADAMADO, DA adj. Aplícase al hombre afeminado. • Fino, elegante. • Díc. de la mujer vulgar que tiene apariencias de dama.
ADAMANTINO, NA adj. poét. Diamantino.
ADAMAR tr. Cortejar. • prnl. Adelgazarse el hombre o hacerse delicado como la mujer.
ADAMASCAR tr. Fabricar telas con labores parecidas a las del damasco. ▪ ADAMASCADO, DA.
ADAMISMO o **ADANISMO** m. Doctrina y secta de los adamitas.
ADAMITA adj. y s. Díc. de ciertos herejes de los ss. II y III que practicaban el nudismo.
ADAMOV, *Arthur* (1908-1970) Dramaturgo fr. Influido primeramente por Kafka y Strindberg, formó luego parte del movimiento del teatro de vanguardia, bajo la influencia de Jarry y de Brecht. *La parodia, Todos contra todos, El ping-pong, Paolo Paoli.*
ADAMS, *Charles Francis* (1807-1886) Político norteam. Defensor de la causa de la Unión. • ***Gerry*** (nacido 1948) Político irl., líder del Sinn Féin. Diputado. A partir de 1995 participó en las negociaciones entre el gobierno brit. y el IRA para lograr la paz en Irlanda del Norte. • ***John*** (1735-1826) Político norteam., segundo presid. de los EE UU (1797-1800). • ***John Couch*** (1819-1892) Astrónomo ing. Inde- pendientemente de Le Verrier, determinó la masa y posición de un hipotético planeta que pudiera explicar los efectos que se observaban en Urano. • ***John Quincy*** (1767-1848) Sexto presid. de los EE UU. Uno de los inspiradores de la doctrina Monroe y partidario de la abolición de la esclavitud. • ***Samuel*** (1722-1803) Apóstol de la independencia de los EE UU. • ***Tom*** (1931-1985) Político de Barbados. Primer ministro desde 1976 hasta su muerte.
ADÁN m. fig. y fam. Hombre desaliñado, sucio o harapiento.
ADÁN (heb., *Adam*) Nombre que designa, en la Biblia, al progenitor del género humano y al hombre como colectivo singular en sentido genérico.
ADÁN, *Juan* (1741-1816) Escultor esp., representante del neoclasicismo.
ADANA C. de Turquía, en la prov. hom., en la región Costas del Mediterráneo; 776 000 hab. Ind. textil.
ADAPTACIÓN f. Ajuste de la conducta individual, necesario para la interacción con otros individuos. • *Biol.* Fenómeno por el que una especie modifica sus relaciones con el medio ambiente. • *Fisiol.* Acondicionamiento de un organismo a condiciones distintas a las habituales. • Acondicionamiento de un receptor sensorial a un estímulo. • **social.** *Sociol.* Proceso de ajuste al medio social y cultural del individuo en el que adquiere las normas y los hábitos del grupo con vistas a su → integración (actitud positiva) o → inadaptación (actitud crítica). ▪ ADAPTABILIDAD; ADAPTABLE.
ADAPTAR tr. y prnl. Acomodar una cosa a otra. • Modificar una obra científica, literaria, etc. • prnl. fig. Avenirse a circunstancias. ▪ ADAPTADOR, RA.
ADARA f. Estrella notable en la constelación del Can Mayor.
ADARAJA f. *Arq.* Parte saliente en una pared.
ADARCE m. Costra salina que las aguas de mar forman en los objetos que mojan.
ADARGA f. Escudo de cuero.
ADARGAR tr. y prnl. Cubrir con la adarga para defenderse. • fig. Defender, resguardar.
ADARME m. Peso antiguo que equivalía a 179 cg. • fig. Porción mínima de una cosa.
ADARVAR tr. y prnl. Pasmar, aturdir. • tr. Fortificar con adarves.
ADARVE m. Camino detrás del parapeto y en lo alto de una fortificación.
ADATAR tr. y prnl. Datar en una cuenta.
ADAZA f. Zahína.
ADDENDA m. Adiciones de una obra escrita.
ADDINSELL, *Richard* (1904-1977) Compositor ing. *Concierto de Varsovia.*

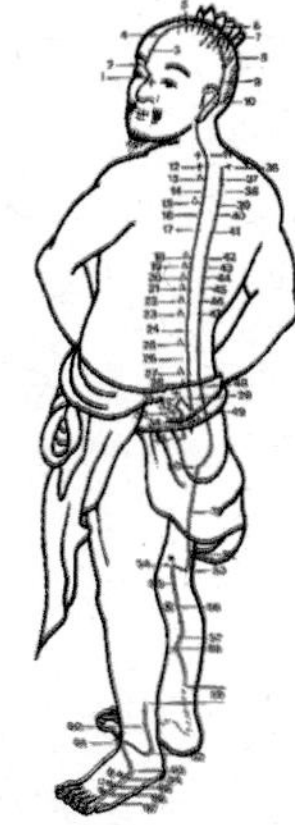
Localización de los puntos importantes en **acupuntura**

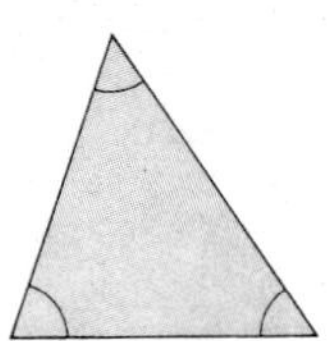
Triángulo **acutángulo**

Gerry **Adams**

Joseph **Addison**

Adelfa

ADDIS ABEBA *(Addis Ababa)* Cap. de Etiopía; 1 412 000 hab. Sit. en el macizo abisinio. *Ind.* textil y alimentaria. Tabaco, curtidos.
ADDISON, *Joseph* (1672-1719) Poeta, ensayista y crítico ing., fundador de la revista *The Spectator* (1711). • ***Thomas*** (1793-1860) Médico ing. Estudió la enfermedad causada por la degeneración de las glándulas suprarrenales (enfermedad de A.).
ADECENAR tr. Ordenar o dividir en decenas. ■ ADECENAMIENTO.
ADECENTAR tr. y prnl. Poner decente.
ADECUAR tr. Acomodar una cosa a otra. ■ ADECUACIÓN; ADECUADO, DA.
ADEFAGIA f. *Zool.* Voracidad. ■ ADÉFAGO, GA.
ADEFESIERO, RA adj. *Amér. Merid.* Ridículo.
ADEFESIO m. fam. Despropósito, extravagancia. Suele emplearse en pl. • fam. Prenda de vestir o adorno extravagante. • fam. Persona de exterior extravagante.
ADEFESIOSO, SA adj. *Ecuad.* Ridículo, extravagante.
ADEHALA f. Propina.
ADEHESAR tr. Hacer dehesa alguna tierra. ■ ADEHESAMIENTO.
ADELAIDA *(Adelaide)* C. de Australia, cap. del est. de A. Meridional; 970 000 hab. Petróleo. Automóviles.
ADELANTADO, DA adj. Precoz, dicho del fruto. • Aventajado, superior. • m. *Hist.* En España, antiguamente, gobernador de una prov. fronteriza. • Presid. o justicia mayor del reino en tiempo de paz, y capitán general en tiempo de guerra. • **de mar**. Persona a quien se confiaba el mando de una expedición, y el gobierno de las tierras que descubriese. El cargo de a. se trasladó a América, convirtiéndose en la máx. autoridad durante los primeros años de la conquista. • **Por a.** m. adv. Anticipadamente. ■ ADELANTADOR, RA; ADELANTAMIENTO.
ADELANTAR tr. y prnl. Mover o llevar hacia adelante. • tr. Acelerar. • Anticipar • tr. y prnl. Ganar la delantera a alguno. • tr. Correr hacia adelante las saetas del reloj. • fig. Aumentar, mejorar. • fig. Añadir o inventar. • tr. y prnl. fig. Exceder a alguno, aventajarlo. • intr. y prnl. Andar el reloj con más velocidad que la debida. • intr. Progresar en estudios, posición social, etc. ■ ADELANTO.
ADELANTE adv. lugar. Más allá. • Hacia la parte opuesta a otra. • adv. tiempo. Con preposición antepuesta o siguiendo inmediatamente a algunos adverbios, denota tiempo futuro. • **¡Adelante!** interj. usada para ordenar o permitir que alguien entre en alguna parte, o siga andando, hablando, etc.
ADELFA f. Arbusto apocináceo venenoso, de hojas semejantes a las del laurel, propio de las zonas mediterráneas. ■ ADELFAL.
ADELFILLA f. Mata timeleácea, de hojas persistentes, flores en racimillos axilares, y fruto aovado.
ADELGAZAR tr. y prnl. Poner delgado. • fig. Purificar. • fig. Discurrir con sutileza. • intr. Ponerse delgado. ■ ADELGAZADOR, RA; ADELGAZAMIENTO.

Vista de la costa de Tierra **Adelia**

ADELIA, *Tierra* Sector de la Antártida, sit. entre los 136° y los 142° de long. E, de unos 900 000 km² de ext. Pertenece a Francia.
ADEMÁN m. Movimiento con que se manifiesta un afecto del ánimo. • pl. Modales.
ADEMAR tr. *Min.* Poner ademes.
ADEMÁS adv. cantidad. A más de esto o aquello.
ADEME m. *Min.* Madero que sirve para entibar. • *Min.* Cubierta de madera con que se aseguran obras en los trabajos subterráneos.
ADÉN C. de la República del Yemen, junto al golfo hom.; 285 400 hab. Puerto estratégico.
ADENAUER, *Konrad* (1876-1967) Político al., demócrata-cristiano. Canciller de la República Federal Alemana (1949-1963). Propulsor de la incorporación de su país a la Comunidad Económica Europea.
ADENIA f. Hipertrofia simple de los ganglios linfáticos.
ADENINA f. *Bioq.* Base nitrogenada. Forma parte de los ácidos nucleicos y de coenzimas que intervienen en oxidaciones biológicas.
ADENITIS f. *Med.* Inflamación de las glándulas y de los ganglios linfáticos.
ADENOHIPÓFISIS f. *Anat.* Conjunto formado por los lóbulos anterior y medio de la hipófisis.
ADENOIDEO, A adj. Díc. de los tejidos ricos en formaciones linfáticas.
ADENOIDES f. pl. Hiperplasia de la amígdala faríngea, que causa trastornos respiratorios, fonatorios y auditivos.
ADENOLOGÍA f. Parte de la anatomía que trata de las glándulas.
ADENOMA m. *Pat.* Tumor epitelial benigno de un órgano glandular. • *Pat.* Hipertrofia glandular.
ADENOPATÍA f. Enfermedad de los ganglios, caracterizada por un aumento de su volumen.
ADENOSINA f. Nucleósido formado por la unión de la adenina y la ribosa. Forma parte del ácido ribonucleico.
ADENOSINDIFOSFATO *(ADP)* m. Enzima de tipo nucleótico formado por una molécula de adenina unida a la ribosa y al ácido pirofosfórico.
ADENOSINMONOFOSFATO *(AMP)* m. Enzima activante energético formado por la combinación de una molécula de adenina, ribosa y ácido ortofosfórico. Puede transformarse en ATP.
ADENOSINTRIFOSFATO *(ATP)* m. Enzima rico en energía, compuesto fundamental en los procesos bioquímicos de acoplamiento energético.
ADENOVIRUS m. *Pat.* Grupo de virus que atacan el tejido linfoadenoideo y producen síndromes en las vías respiratorias.
ADENTELLAR tr. Hincar los dientes. • *Arq.* Dejar en una pared dientes o adarajas.
ADENTRAR intr. Examinar a fondo un asunto. • intr. y prnl. Penetrar en lo interior de una cosa. • Pasar por dentro.
ADENTRO adv. lugar. A o en el interior • m. pl. Lo interior del ánimo. • **¡Adentro!** interj. que se usa para ordenar a una persona que entre.
ADEPTO, TA adj. y s. Iniciado en los secretos de la alquimia. • Afiliado en alguna secta o asociación. • Partidario de alguna persona o idea.
ADER, *Clément* (1841-1925) Ingeniero fr., pionero de la aviación.
ADEREZAR tr. y prnl. Componer, hermosear. • tr. Guisar, condimentar o sazonar los alimentos. • tr. y prnl. Disponer. • tr. Remendar alguna cosa. • Componer algunas bebidas. • Preparar con goma u otros ingredientes algunos tejidos. • tr. y prnl. Dirigir. • tr. fig. Acompañar una acción con algo que le añade adorno.
ADEREZO m. Aquello con que se adereza. • Prevención, disposición de lo necesario para una cosa. • Juego de joyas con que se adornan las mujeres. • Arreos del caballo.
ADERRA f. Maromilla de esparto o de junco con que se aprieta el orujo.
ADESTRADO, DA adj. *Her.* Díc. del escudo que a la diestra tiene alguna partición, y de la figura o blasón principal a cuya diestra hay otro.
ADESTRAR tr. Adiestrar.
ADEUDAR tr. y prnl. Meter en deudas o tener deudas. • tr. Satisfacer impuesto. • *Cont.* Cargar. • prnl. Endeudarse. • intr. Contraer deudo.
ADEUDO m. Obligación de pagar. • Cantidad que se paga en las aduanas por una mercancía.
ADHERENCIA f. Unión física, pegadura de las cosas. • Parte añadida. • fig. Enlace, parentesco. • *Fís.* Atracción entre las moléculas de dos cuerpos. • *Mat.* Conjunto de puntos adherentes. • *Med.* Superficie de tejido conjuntivo que une las vísceras entre sí o con las paredes del tronco.

ADHERENTE adj. Que adhiere o se adhiere. • Anexo o unido a una cosa. • m. Requisito necesario para alguna cosa. Suele usarse en pl. • **Punto a.** *Mat.* Punto de acumulación.
ADHERIR tr., intr. y prnl. Pegar una cosa a otra, o con otra. • intr. y prnl. fig. Abrazar un dictamen o partido. • prnl. *Der.* Utilizar, quien no lo había interpuesto, el recurso entablado por la parte contraria. ■ ADHESIÓN.
ADHESIVO, VA adj. Capaz de adherirse. • m. Sustancia que sirve para pegar dos cuerpos. • Objeto dotado de una materia pegajosa, destinado a ser adherido a una superficie. ■ ADHESIVIDAD.
ADIABÁTICO, CA adj. Díc. de los procesos o fenómenos realizados sin pérdida o ganancia de calor o del recinto en cuyo interior no es posible el intercambio térmico.
ADIAFORESIS f. *Med.* Supresión de la transpiración cutánea.
ADIAMANTADO, DA adj. Parecido al diamante en la dureza o en otra de sus cualidades.
ADIAR tr. Señalar o fijar día.
ADIB, ***Albir*** (nacido 1908) Poeta libanés; simbolista. *Li-man* reúne lo principal de su obra.
ADICCIÓN f. Dependencia física o psíquica por ingestión habitual de alguna sustancia psicotrópica. • Hábito de quienes usan alguna droga.
ADICIÓN f. Añadidura en alguna obra o escrito. • Nota que se pone a las cuentas. • *Mat.* Operación de sumar. ■ ADICIONADOR, RA; ADICIONAL.
ADICIONAR tr. Hacer o poner adiciones.
ADICTO, TA adj. y s. Delicado, apegado. • Unido a otro para entender en algún asunto.
ADIESTRADO, DA adj. *Her.* Díc. de la pieza a cuya derecha se pone otra.
ADIESTRAR tr. y prnl. Hacer diestro. • Enseñar • tr. Guiar, encaminar. ■ ADIESTRADOR, RA; ADIESTRAMIENTO.
ADIETAR tr. y prnl. Poner a dieta.
ADIFES adv. *Amér.* Adrede.
ADIGIO Río de Italia que desemboca en el Adriático; 410 km. • ***Alto*** Nombre it. del S del Tirol, unido a Italia tras la I Guerra Mundial. Forma una región autónoma con el Trentino.
ADIGUETIA República que forma parte del estado de Rusia, en el terr. de Kransnodar; 7 600 km², 432 000 hab. Cap. Maikop. Girasol, tabaco. Ganadería. Ind. alimentaria.
ADIMENSIONAL adj. *Fís.* Díc. de las magnitudes que carecen de dimensiones.
ADINAMIA f. *Med.* Debilidad muscular con fatiga fácil. ■ ADINÁMICO, CA.
ADINERARSE prnl. fam. Enriquecerse. ■ ADINERADO, DA.
ADINTELADO adj. *Arq.* Díc. del arco que viene a degenerar en línea recta.
¡ADIÓS! interj. que se emplea para despedirse. • m. Despedida.
ADIPÓCIRA f. Grasa saponificada de los cadáveres que se halla en ambientes muy húmedos.
ADIPOSIS f. *Med.* Obesidad.
ADIPOSO, SA adj. *Zool.* Grasiento. • Díc. del tejido animal que contiene gran cantidad de grasas. ■ ADIPOSIDAD.
ADIPSIA f. *Med.* Falta de sed por un plazo largo.
ADIR tr. *Der.* Aceptar la herencia.
ADIRONDACKS, ***montes*** Macizo montañoso de los EE UU, en el est. de Nueva York.
ADITAMENTO m. Añadidura
ADITIVO, VA adj. y s. Que puede añadirse. • *Fís.* Díc. de las propiedades de un sistema en el que la suma de sus elementos es igual a la del sistema. • *Mat.* Grupo cuya operación recibe el nombre de suma. • *Quím.* Sustancia que sirve para mejorar sus cualidades o proporcionarle otras que no tenía. • **alimentario.** En → bromatología, sustancia carente de poder nutritivo que, añadida en dosis mínimas, sirve para conservar los alimentos o conferirles un aspecto, sabor o consistencia particulares.
**Quím.* Hay dos grandes categorías de a. *conservadores y mejoradores.* Entre los primeros se encuentran los antimicrobianos y los antioxidantes. Los mejoradores más corrientes son los *gelificantes* y los *condensadores,* que dan forma y consistencia a los alimentos (helados, pasteles, etc.); los *tensioactivos,* que otorgan homogeneidad a los alimentos de baja densidad (margarina, mayonesa, etc.), los *aromatizantes,* empleados en la fabricación de licores y en pastelería, y los *colorantes.* El fraude, la adulteración y su nocividad han dado lugar a una legislación nacional e internacional profusa que regula estrictamente su empleo.
ADIURETINA f. *Bioq.* Hormona de la neurohipófisis, de origen neurosecretor. Su acción específica es la de aumentar la presión arterial, excitar la musculatura lisa del intestino y estimular la reabsorción del agua en los riñones.
ADIVAS f. pl. *Vet.* Cierta inflamación de garganta en las bestias.
ADIVE m. Mamífero carnívoro, parecido a la zorra, domesticable. Oriundo de Asia.
ADIVINAJA f. fam. Acertijo.
ADIVINAR tr. Predecir el futuro o descubrir las cosas ocultas, por medio de agüeros o sortilegios o por conjeturas. • Descubrir por conjeturas alguna cosa oculta o ignorada. • Acertar el significado de un enigma. ■ ADIVINABLE; ADIVINACIÓN; ADIVINADORA; ADIVINAMIENTO; ADIVINANZA; ADIVINATORIO, RIA; ADIVINO, NA.
ADJARISTÁN o **ADZHARIA** Rep. autónoma de Georgia; 3 000 km², 381 000 hab. Cap., Batumi. A orillas del mar Negro. Clima subtropical. Té, agrios y vid. Manganeso.
ADJARISTANO o **ADZHARIO** adj. De Adjaristán. • m. pl. Pob. musulmana, de origen georgiano, que habita en Adjaristán.
ADJETIVAR tr. Concordar una cosa con otra. • *Gram.* Aplicar adjetivos. • tr. y prnl. *Gram.* Dar al nombre valor de adjetivo. • Calificar, apodar. ■ ADJETIVACIÓN; ADJETIVADO, DA; ADJETIVAL.
ADJETIVO, VA adj. Que dice relación a una cualidad o accidente. • *Gram.* Relativo al adj., o que participa de su índole o naturaleza. • m. *Gram.* Nombre que califica al sustantivo o delimita su extensión. • **abundancial.** *Gram.* El que denota abundancia. • **calificativo.** *Gram.* El que denota alguna cualidad del sustantivo. • **comparativo.** *Gram.* El que denota comparación. • **determinativo.** *Gram.* El que determina la extensión en que se toma el sustantivo. • **gentilicio.** *Gram.* El que denota la nación o patria de las personas. • **numeral.** *Gram.* El que significa número. • **ordinal.** *Gram.* El numeral que expresa idea de orden o sucesión. • **positivo.** *Gram.* El de significación absoluta. • **superlativo.** *Gram.* El que indica el sumo grado del sustantivo.
ADJUDICAR tr. Declarar que una cosa corresponde a una persona. • prnl. Apropiarse uno de alguna cosa. • En ciertas competiciones, obtener, ganar, conquistar. ■ ADJUDICACIÓN; ADJUDICADOR, RA; ADJUDICATARIO, RIA.
ADJUNCIÓN f. *Der.* Accesión que se verifica cuando se juntan dos cosas muebles pertenecientes a diferentes dueños, de modo que puedan separarse. • Añadidura. • Zeugma.
ADJUNTAR tr. Acompañar o remitir adjunta alguna cosa.
ADJUNTAS Mun. de Puerto Rico, en el distr. de Ponce; 18 800 hab. Cafetales.
ADJUNTO, TA adj. Que va o está unido con otra cosa. • adj. y s. Persona que acompaña a otra para realizar con ella algún negocio. • Profesor de enseñanza superior que suple al catedrático numerario o se encarga de una parte de la asignatura. • *Gram.* Adjetivo. • m. Aditamento.
ADJUTOR, RA adj. y s. Que ayuda a otro.
ADLÁTERE (voz latina) m. Acompañante, colaborador. • Cómplice, compinche, secuaz.
ADLER, ***Alfred*** (1870-1937) Psicólogo austr., discípulo de Freud. Fundador de la llamada "Psicología individual". *El sentido de la vida.* • ***Friedrich*** (1879-1960) Político austr. Secretario de la Internacional Laborista y Socialista. • ***Max*** (1873-1937) Político y economista austr., fundador del austromarxismo. *Lo sociológico en la teoría del conocimiento de Kant.* • ***Viktor*** (1852-1918) Político austr. Unificador del socialismo de su país.
ADMINICULAR tr. Ayudar con algunas cosas a otras para darles mayor eficacia.
ADMINÍCULO m. Lo que sirve de ayuda para algo. • Objeto que se lleva a prevención para servirse de él en caso de necesidad.
ADMINISTRACIÓN f. Empleo de administrador. • Oficina donde el administrador ejerce su empleo. • Ciencia del gobierno de un Estado. • Con-

Konrad **Adenauer**

Diosa púnica adornada con **aderezos** cerámicos

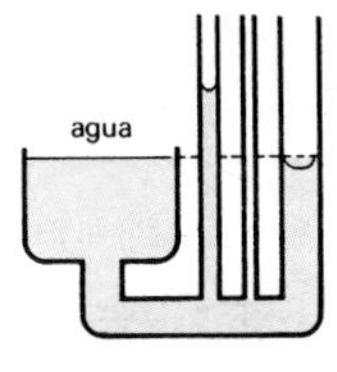

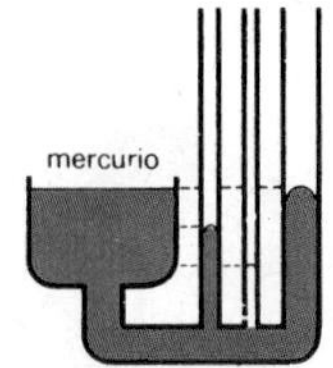

Adherencia. Por la forma del menisco, el agua moja la pared del recipiente y el mercurio no

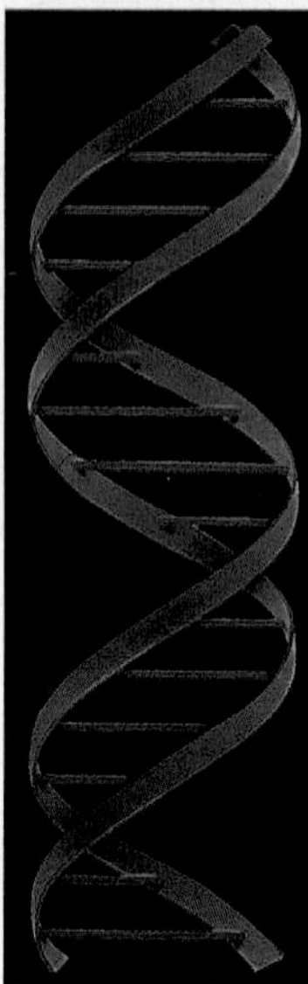
Estructura de la molécula de **ADN**, constituida por una doble hélice de nucleótidos en la que las dos cadenas están ligadas por puentes de hidrógeno

Detalle de *Venus y* ***Adonis,*** óleo de A. Carracci. Museo del Prado, Madrid

Adormidera

junto de empleados de un servicio público. • Equipo de gobierno de un país. • **pública**. Acción del poder público al aplicar las leyes y cuidar de los intereses públicos. • Conjunto de órganos de que se sirve. ■ ADMINISTRATIVO, VA.

ADMINISTRAR tr. Gobernar, cuidar. • Servir o ejercer algún empleo. • Suministrar. • Tratándose de los sacramentos, conferirlos. • tr. y prnl. Tratándose de medicamentos, aplicarlos. ■ ADMINISTRADO, DA; ADMINISTRADOR, RA.

ADMIRACIÓN f. Cosa admirable. • Signo ortográfico (¡!) usado para expresar admiración, queja o lástima, para llamar la atención o para denotar énfasis. ■ ADMIRABLE; ADMIRATIVO, VA.

ADMIRANTE adj. Que admira o causa admiración. • m. Signo ortográfico de admiración.

ADMIRAR tr. Causar sorpresa la vista o consideración de alguna cosa. • tr. y prnl. Contemplar o considerar con sorpresa o con placer alguna cosa. • tr. Tener en singular estimación a una persona o cosa. ■ ADMIRADOR, RA; ADMIRADO, DA.

ADMISIÓN f. Acción de admitir. • *Der.* Trámite previo en que se decide si hay lugar a la tramitación de la querella o recurso presentado.

ADMITANCIA f. *El.* Aptitud de un sistema físico para producir un efecto en virtud de una cierta solicitación. Su recíproco es la →impedancia.

ADMITIR tr. Recibir o dar entrada. • Aceptar, recibir. • Permitir o sufrir. ■ ADMISIBILIDAD; ADMISIBLE.

ADMONICIÓN f. Amonestación. • Reconvención.

ADMONITOR, RA m. y f. Religioso o religiosa que en algunas comunidades exhorta a la observancia de la regla. • m. El que amonesta.

ADN *Bioq.* Siglas del ácido desoxirribonucleico, grupo protético de las nucleoproteínas depositario de las características genéticas.

* *Bioq.* El ADN es un polímero de elevado peso molecular, constituido por dos largas cadenas de nucleótidos en la que las bases que se hallan presentes son las purinas adenina y guanina y las pirimidinas timina y citosina. Se autoduplica en toda división celular y contiene la clave de la estructura de las proteínas, que se cifra en el orden en que, en la estructura helicoidal de la molécula de ADN del gen correspondiente, aparecen sucesivamente las cuatro bases.

ADNATA f. *Zool.* Conjuntiva.

ADNATO, TA adj. *Biol.* Unido con otra cosa con la cual parece que forma cuerpo.

ADNOTACIÓN f. Estampación del sello pontificio, en la curia romana.

ADOBAR tr. Componer, aderezar. • Guisar. • Poner en adobo carnes u otras cosas para conservarlas. • Curtir las pieles. • Atarragar. ■ ADOBADO; ADOBADOR, RA; ADOBADURA; ADOBAMIENTO.

ADOBASILLAS m. El que compone sillas.

ADOBE m. Masa de barro moldeada en forma de ladrillo y secada al aire. • Grilletes.

ADOBERA f. Molde para hacer adobes. • Adobería. • *Chile* y *Méx.* Queso en forma de adobe y molde para hacerlo.

ADOBERÍA f. Fábrica de adobes. • Tenería.

ADOBÍO m. Parte del horno de manga.

ADOBO m. Salsa con que se sazona un manjar. • Caldo compuesto de vinagre, sal, orégano, ajos y pimentón, que sirve para sazonar y conservar carnes y otras viandas. • Mezcla de ingredientes que se hace para curtir las pieles o dar cuerpo y lustre a las telas. • Afeite.

ADOBÓN m. *Amér.* Emplenta, encajonado.

ADOCENADO, DA adj. Vulgar.

ADOCENAR tr. Ordenar por docenas. • tr. y prnl. Comprender o confundir a alguno entre gentes de calidad inferior.

ADOCTRINAR tr. Doctrinar. ■ ADOCTRINAMIENTO.

ADOLECER intr. Caer enfermo o padecer alguna enfermedad. • fig. Tratándose de pasiones, vicios o malas cualidades, tenerlos. • prnl. Condolerse.

ADOLESCENCIA f. Fase del desarrollo psicofisiológico de todo individuo, que comienza hacia los 12 años con la aparición de modificaciones morfológicas y fisiológicas, que caracterizan la pubertad. ■ ADOLESCENTE.

ADOMICILIAR tr. y prnl. Domiciliar.

ADONDE adv. lugar. A qué parte. • Donde.

ADONDEQUIERA adv. lugar. A cualquier parte. • Dondequiera.

ADÓNICO adj. y s. Verso gr. o latino que consta de un dáctilo y un coreo. ■ ADONIO.

ADONIS m. fig. Joven hermoso.

ADONIS *Mit.* gr. Joven de gran belleza amado por Afrodita que lo convirtió en anémona.

ADONIS *Astr.* Asteroide. Su perihelio está entre las órbitas de Venus y Mercurio.

ADONIZARSE prnl. Embellecerse como un adonis.

ADOPCIÓN f. Acción de adoptar. • *Der.* Acto jurídico que crea entre dos personas vínculos análogos, en el orden civil, a los que existen entre padres e hijos legítimos.

ADOPCIONISTA adj. y s. Herejes que suponían que Cristo, en cuanto hombre, era hijo de Dios, no por naturaleza, sino por adopción del Padre. ■ ADOPCIONISMO.

ADOPTAR tr. Prohijar. • Admitir alguna opinión o doctrina. • Tratándose de resoluciones o de acuerdos, tomarlos con deliberación. ■ ADOPTABLE; ADOPTADOR, RA; ADOPTANTE.

ADOPTIVO, VA adj. Díc. de la persona adoptada. • Díc. de la persona que adopta. • Díc. de la persona o cosa que uno elige, para tenerla por lo que realmente no es con respecto a él.

ADOQUÍN m. Piedra labrada en forma de prisma rectangular para empedrados, etc. • fig. y fam. Persona torpe e ignorante. ■ ADOQUINADO; ADOQUINAR.

ADORACIÓN f. Acción de adorar. • **de los Reyes.** La de los Reyes Magos al Niño Jesús. • Epifanía.

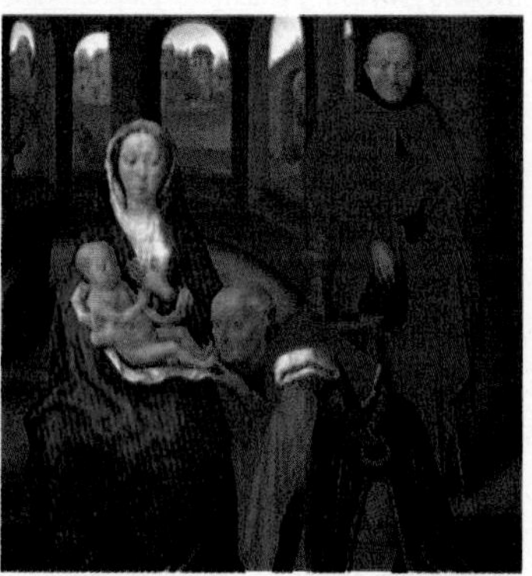
Detalle de *La* ***adoración*** *de los Reyes Magos,* obra de Hans Memling

ADORAR tr. Reverenciar a un ser. • Reverenciar y honrar a Dios. • Tratándose del papa, postrarse ante él los cardenales después de haberle elegido. • fig. Amar con extremo. • intr. Orar. • Con la prep. *en*, tener puesta la estima en una persona o cosa. ■ ADORABLE; ADORADOR, RA.

ADORATORIO m. *Amér.* Templo en que los indígenas daban culto a algún ídolo. • Retablillo portátil.

ADORATRIZ f. Religiosa perteneciente a la congregación de Esclavas del Santísimo Sacramento.

ADORMECER tr. y prnl. Causar sueño. • tr. fig. Acallar. • fig. Calmar. • prnl. Empezar a dormirse. • fig. Entorpecerse. • fig. Con la prep. *en*, y tratándose de vicios, etc., permanecer en ellos, no dejarlos. ■ ADORMECEDOR, RA; ADORMECIMIENTO.

ADORMIDERA f. Planta papaverácea, de flores grandes y terminales, y fruto capsular. De su fruto se extrae el opio. • Fruto de esta planta.

ADORMILARSE prnl. Dormirse a medias. ■ ADORMITARSE.

ADORNAR tr. y prnl. Engalanar. • tr. Servir de adorno una cosa a otra, engalanarla. • fig. Dotar a un ser de perfecciones o virtudes, honrarlo. • tr. y prnl. fig. Concurrir en una persona ciertas circuns-

tancias favorables. ■ ADORNAMIENTO; ADORNISTA; ADORNO.
ADORNO, ***Theodor W.*** (1903-1969) Filósofo, sociólogo y musicólogo al. Su pensamiento, fundamentado en Hegel y en Marx, defiende la crítica dialéctica de la sociedad. *Dialéctica de la Ilustración* (en colaboración con Horkheimer), *La jerga de la autenticidad, Dialéctica negativa.*
ADOROTE m. *Amér.* Angarillas. • *Col.* Aro con que se asegura un haz de leña.
ADOSAR tr. Poner una cosa contigua o arrimada a otra. • *Her.* Colocar espalda con espalda.
ADOUM, ***Jorge Enrique*** (nacido 1926) Escritor y crítico ecuat. Formó parte del grupo *Madrugada.* Secretario de Pablo Neruda. Premio de poesía Casa de las Américas (1960). *Ecuador amargo, Informe personal sobre la situación.*
ADOVELADO, DA adj. Construido con dovelas.
ADP Siglas que designan el adenosindifosfato.
ADQUIRIR tr. Conseguir una cosa por el trabajo, compra o cambio. • Coger u obtener. • *Der.* Hacer propio un derecho o cosa que a nadie pertenece, o que otro transmite a título lucrativo u oneroso, o por prescripción. ■ ADQUIRIBLE; ADQUIRIDOR, RA; ADQUISICIÓN; ADQUISIDOR, RA; ADQUISITIVO, VA.
ADRA f. Turno, vez.
ADRAGANTO m. Tragacanto.
ADRAL m. Tabla o armazón que se pone en los costados del carro o camión para sujetar la carga.
ADREDE adv. modo. De propósito.
ADRENALINA f. *Fisiol.* Hormona segregada por la médula de las cápsulas suprarrenales. Su función es transmitir las excitaciones desde las fibras nerviosas simpáticas a los órganos efertores.
ADRIÁN m. Juanete. • Nido de urracas.
ADRIAN, ***Edgar Douglas*** (1899-1977) Fisiólogo ing. Premio Nobel en 1932 por su trabajo sobre el funcionamiento de las neuronas.
ADRIANO, ***Publio Elio*** (76-138) Emp. rom., nacido en Itálica (Bética, Hispania), hijo adoptivo de Trajano. Poeta, filósofo y artista. • **Muro de A.** Fortificación alzada en Inglaterra, durante el mandato de Adriano.
ADRIANO I Papa rom. [772-795] Bajo su pontificado se celebró el segundo concilio de Nicea (787). • **IV** (h. 1100-1159) Papa [1154-1159] Expulsó de Roma y condenó a muerte a Arnaldo de Brescia. Luchó contra Federico I Barbarroja y contra Guillermo I el Malo, rey de Sicilia. • **VI,** *A. de Utrecht* (1459-1523) Papa [1522-1523]. Preceptor de Carlos V y regente de España en 1516 y en 1520. Inquisidor general de Aragón y Navarra. Reprimió el levantamiento de los comuneros.
ADRIÁTICO, CA adj. Del mar o golfo hom. • n. p. Mar del Mediterráneo, que constituye en realidad una porción del mar Jónico, sit. entre la pen. Itálica y las costas de la pen. Balcánica.
ADRIZAR tr. y prnl. *Mar.* Enderezar la nave.
ADROGUÉ, ***Carlos A.*** (1972-1974) Escritor y político arg. Ministro de Educación (1956-1957). *Opiniones de derecho público y privado, La propiedad enemiga y la constitución nacional.*
ADROLLA f. Trapaza, engaño, trampa.
ADSCRIBIR tr. Inscribir, asignar a una persona o cosa, atribuir. • tr. y prnl. Agregar a una persona al servicio de un cuerpo o destino. ■ ADSCRIPCIÓN; ADSCRITO, TA.
ADSORBER tr. *Fís.* Atraer un cuerpo y retener en su superficie moléculas o iones de otro cuerpo en estado líquido o gaseoso. ■ ADSORBENTE.
ADSORCIÓN f. *Fís.* Fijación de gases, y sustancias disueltas en la superficie de cuerpos sólidos.
ADSTRATO m. Lengua cuyo terr. es contiguo al de otra, sobre la cual influye. • P. ext., se llama así a la lengua que, compartiendo con otra una área geográfica, influye sobre ella.
ADUANA f. Oficina pública en costas, fronteras y aeropuertos, para registrar los géneros y mercancías que se importan o exportan, y cobrar los derechos que adeudan. ■ ADUANERO, RA.
ADUANAR tr. Registrar en la aduana los géneros y pagar en ella los derechos correspondientes.
ADUAR m. Población de beduinos formada de tiendas o cabañas. • Conjunto de tiendas de gitanos. • Ranchería de indígenas americanos.
ADÚCAR m. Seda que envuelve el capullo del gusano de seda. • Capullo ocal. • Seda ocal. • Tela de adúcar.
ADUCCIÓN f. *Anat.* Movimiento de aproximación al eje de un cuerpo o de un miembro. ■ ADUCTOR.
ADUCIR tr. Tratándose de pruebas, razones, etc. presentarlas o alegarlas. • Añadir, agregar.
ADUENDADO, DA adj. Que tiene las propiedades atribuidas a los duendes.
ADUEÑARSE prnl. Hacerse dueño de algo.
ADUFE m. Pandero morisco.
ADUJA f. *Mar.* Cada una de las vueltas o roscas de un cabo, cadena o vela, que se enrollan.
ADUJAR tr. *Mar.* Recoger algo en adujas. • prnl. fig. *Mar.* Encogerse para acomodarse en poco espacio.
ADULAR tr. Hacer o decir intencionadamente lo que se cree puede agradar a otro. ■ ADULACIÓN; ADULADOR, RA; ADULATORIO; ADULETE; ■ *Amér.* ADULO; ADULÓN, NA.
ADULTERACIÓN f. Alteración fraudulenta de la composición de las sustancias alimenticias, por la que pierden cualidades.
ADULTERAR intr. y prnl. Cometer adulterio. • tr. fig. Viciar, falsificar alguna cosa. ■ ADULTERADOR, RA; ADULTERANTE.
ADULTERIO m. Mantenimiento de relaciones sexuales extramatrimoniales, estando casado el hombre, o la mujer, o ambos. • Falsificación, mixtificación. ■ ADULTERINO, NA; ADÚLTERO, RA.
ADULTO, TA adj. y s. Llegado al término de la adolescencia. • Llegado a su mayor crecimiento.
ADULZAR tr. Hacer dulce un metal. • Endulzar.
ADULZORAR tr. y prnl. Dulcificar, suavizar.
ADUMBRACIÓN f. *Pint.* Parte menos iluminada de la figura u objeto.
ADUMBRAR tr. Sombrear un dibujo o pintura.
ADUNAR tr. y prnl. Unir, juntar. • Unificar.
ADUSTO, TA adj. Cálido. Díc. de países o regiones. • fig. Austero, melancólico. Díc. de personas y cosas. ■ ADUSTEZ.
ADVENEDIZO, ZA adj. y s. Extranjero. • adj. No natural. • adj. y s. despect. Persona que va sin empleo u oficio a establecerse en un país o en un pueblo. • Persona de humilde linaje que, habiendo reunido fortuna, pretende figurar entre gentes de más alta condición social.
ADVENIMIENTO m.Venida. • Ascenso de un sumo pontífice o de un soberano al trono.
ADVENIR intr. Venir o llegar.
ADVENTICIO, CIA adj. Extraño o que sobreviene. • *Biol.* Aplícase al órgano que se desarrolla ocasionalmente.
ADVENTISTA adj. y s. Confesión religiosa americana que espera un segundo advenimiento de Cristo. • m. y f. Partidario de esta secta. ■ ADVENTISMO.
ADVERADO, DA adj. Díc. del testamento que se otorga ante el párroco y dos testigos.
ADVERAR tr. Certificar, dar por cierta alguna cosa o por auténtico algún documento.
ADVERBIALIZAR tr. y prnl. Emplear adverbialmente una voz o locución.
ADVERBIO m. *Gram.* Parte invariable de la oración que sirve para modificar el significado del verbo o de cualquier otra palabra que tenga sentido calificativo o atributivo. Hay adv. de lugar, de tiempo, de modo, de cantidad, de orden, de afirmación, de negación, de duda, comparativos, superlativos y diminutivos. ■ ADVERBIAL.
ADVERSARIO, RIA m. y f. Persona contraria y enemiga. • Rival, contendiente.
ADVERSATIVO, VA adj. *Gram.* Que implica oposición o contrariedad de sentido.
ADVERSIDAD f. Calidad de adverso. • Suerte adversa, infortunio.
ADVERSO, SA adj. Contrario, enemigo, desfavorable. • Opuesto materialmente a otra cosa.
ADVERTENCIA f. o **ADVERTIMIENTO** m. Escrito breve con el que se advierte algo.
ADVERTIDO, DA adj. Capaz. • Prudente.
ADVERTIR tr. e intr. Fijar en algo la atención, observar. • tr. Llamar la atención sobre algo. • Aconsejar, prevenir. • intr. Atender. • Caer en la cuenta.
ADVIENTO m. En la liturgia cristiana, tiempo que antecede a la Navidad.
ADVOCACIÓN f. Título que se da a un templo,

Adrales

Adriano VI. Detalle de un óleo anónimo. Galería de los Uffizi, Florencia

Puerto de Venecia, en el **Adriático**

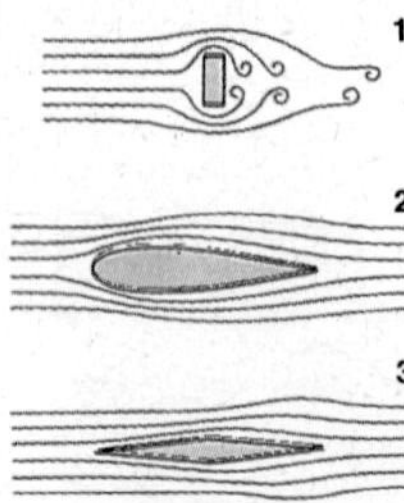

Aerodinámica. Líneas de flujo turbulento (1), laminar (2) y supersónico (3)

capilla o altar por estar dedicado a Jesucristo, a la Virgen, a un santo, etc.
ADYACENTE adj. Situado en la inmediación o proximidad de otra cosa. • **Ángulos a.** *Geom.* Los que tienen un lado común y son suplementarios.
AEDO m. Cantor épico de la antigua Grecia.
AERACIÓN f. *Med.* Acción del aire atmosférico en el tratamiento de las enfermedades. • *Med.* Introducción del aire en el agua.
AÉREO, A adj. De aire. • Relativo al aire. • Aerícola • Relativo a la aviación. • fig. Fantástico
AERÍCOLA adj. Díc. de las plantas y animales que viven en el aire.
AERÍFERO, RA adj. Que lleva o conduce aire.
AERIFORME adj. Parecido al aire.
AEROBIC m. Gimnasia basada en movimientos que combinan música y control de la respiración.
AEROBIO, BIA adj. *Aer.* Díc. de los motores que precisan aire. • adj. y m. *Biol.* Organismos que precisan oxígeno molecular libre en el medio ambiente.
AEROBÚS m. Avión de transporte para más de 250 pasajeros.

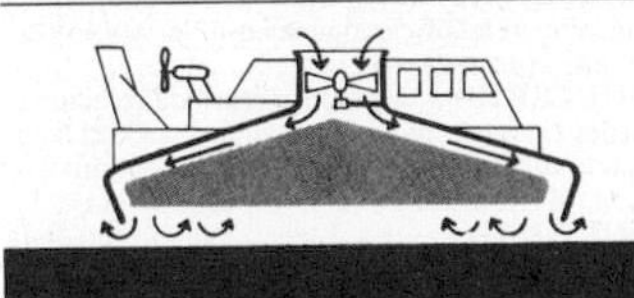

Aerodeslizador

AEROCLUB m. Asociación de aficionados a la aviación deportiva y el aeromodelismo.
AEROCONDENSADOR m. Condensador de superficie que se emplea para condensar el vapor después de actuar éste sobre los émbolos de las máquinas.

AERÓDROMO m. Sitio destinado para la salida y llegada de los aviones, aeronaves, etc.
AEROFAGIA f. *Med.* Deglución espasmódica del aire.
AEROFARO m. Luz potente para orientar a los aviones en vuelo y para facilitar su aterrizaje.
AEROFOBIA f. *Med.* Temor al aire. ■ AERÓFOBO, BA.
AERÓFORO, RA adj. Aerífero.
AEROFOTOGRAFÍA f. Fotografía del suelo tomada desde un vehículo aéreo.
AEROFOTOGRAMETRÍA f. *Top.* Topografía basada en fotografías aéreas del terreno.
AEROFOTOMETRÍA f. Técnica de la aplicación de la aerofotografía a las mediciones topográficas. Es una parte de la fotogrametría.
AEROFRENO m. *Aer.* Dispositivo de freno constituido por aletas y alerones, para reducir la velocidad de un avión.
AEROGENERADOR m. *El.* Aeromotor aplicado a la producción de energía eléctrica.
AERÓGRAFO m. Pulverizador para la aplicación de líquidos.
AEROLITO m. Fragmento de un bólido, que cae sobre la Tierra. ■ AEROLÍTICO, CA.
AEROLOGÍA f. Ciencia que estudia las propiedades de las capas altas de la atmósfera.
AEROMANCÍA f. Adivinación supersticiosa por las señales e impresiones del aire.
AERÓMETRO m. Instrumento para medir la densidad del aire.
AEROMODELISMO m. Técnica que trata de la construcción de modelos reducidos de vehículos aéreos. ■ AEROMODELISTA; AEROMODELO.
AEROMOTOR m. *Ing.* Motor que aprovecha la energía del viento para su funcionamiento, como el molino de viento.
AEROMOZA f. Azafata de avión.
AERONATO, TA adj. y s. Persona nacida en un avión.
AERONAUTA com. Piloto de una aeronave.

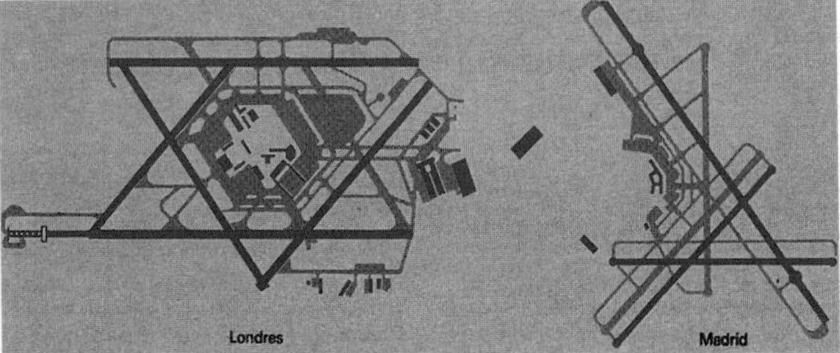

Distribución de las pistas en el **aeropuerto** de Heathrow, Londres, y de Barajas, Madrid

AERODESLIZADOR m. Vehículo que se desliza sobre un colchón de aire que expulsa mediante compresores. Los a. pueden moverse sobre el suelo o sobre el agua.
AERODINÁMICA f. *Fís.* Parte de la mecánica de fluidos, que estudia la dinámica de gases y las fuerzas a que están sometidos los cuerpos que se hallan en su seno. * *Fís.* La a. se desarrolló a partir de la clásica mecánica de fluidos bajo el estímulo de las necesidades de la aeronáutica. Actualmente es una ciencia con una sólida base teórica y una metodología de experimentación propia *(túneles aerodinámicos)*. Se habla de a. *subsónica* cuando se estudia el movimiento de cuerpos con respecto al aire con velocidad relativa menor que la del sonido, y de a. *supersónica* si la velocidad relativa es mayor que la del sonido.
AERODINÁMICO, CA adj. Díc. de los vehículos y otros cuerpos que tienen una forma adecuada para disminuir la resistencia del aire. • Díc. también de dichas formas especiales.
AERODINAMÓMETRO m. Instrumento para medir la presión que ejerce una corriente de aire sobre una superficie.
AERODINO m. *Aer.* Vehículo en que la traslación sobreviene por propulsión mecánica, y la permanencia por medio de un ala fija o rotatoria.

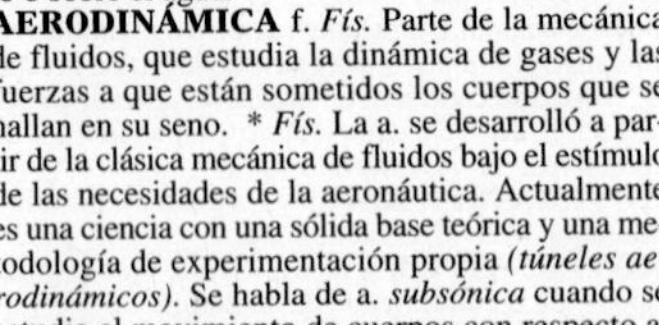

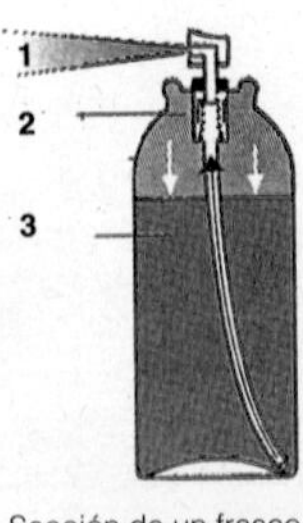

Sección de un frasco para **aerosol:** 1. válvula; 2. gas propulsor; 3. líquido

AERONÁUTICA f. Ciencia que trata de la navegación aérea, su posible realización y la legislación correspondiente.
**Ing.* La a. es en la actualidad una rama de la ingeniería, que se ocupa del diseño de las aeronaves. La industria a. presenta características especiales (elevado coste del producto, limitado núm. de clientes, rápida obsolescencia de los modelos, grandes inversiones de capital, etc.) que explican su dependencia del Estado y su concentración en un reducido núm. de países altamente desarrollados. ■ AERONÁUTICO, CA.
AERONAVAL adj. Relativo a la aviación y a la marina de guerra.
AERONAVE f. Vehículo que se emplea para la navegación aérea.
AEROPLANO m. Avión.
AEROPOSTAL adj. Relativo al correo aéreo.
AEROPUERTO m. Lugar destinado a la entrada y salida de aviones.
AEROSOL m. Suspensión de partículas ultramicroscópicas de sólidos o líquidos en el aire u otro gas. • Suspensión en un medio gaseoso de una sustancia medicamentosa pulverizada.
AEROSONDEO m. Sondeo de las partes altas de la atmósfera mediante aeróstatos o globos.
AEROSTACIÓN f. Navegación aérea.

AEROSTÁTICA f. Parte de la mecánica de fluidos, que estudia el equilibrio de los gases. ■ AEROSTÁTICO, CA.
AERÓSTATO m. Globo aerostático.
AEROSTERO m. Aeronauta. • Soldado de aeronáutica militar.
AEROTECNIA f. Ciencia que trata de las aplicaciones del aire a la industria. ■ AEROTÉCNICO, CA.
AEROTERAPIA f. Método de curar ciertas enfermedades por medio del aire.
AEROTERRESTRE adj. Díc. de las unidades u operaciones militares en las que se combinan fuerzas aéreas y terrestres.
AEROTRANSPORTAR tr. Transportar por vía aérea.
AEROTRÉN m. Vehículo que se desplaza sobre cojines de aire comprimido o bajo un triple raíl.
AEROVÍA f. Ruta establecida para el vuelo comercial de los aviones.
AETA adj. y s. Individuo de un pueblo australoide pigmeo de Filipinas.
AFABLE adj. Agradable, suave en la conversación y el trato. ■ AFABILIDAD.
AFABULACIÓN f. Explicación de una fábula.
ÁFACA f. Planta anual, arvense, de la familia papilionáceas, parecida a la lenteja.
AFACETADO, DA adj. Tallado en facetas.
AFAMAR tr. y prnl. Hacer famoso, dar fama. ■ AFAMADO, DA.
AFÁN m. Trabajo excesivo y duro. • Anhelo vehemente. • Trabajo corporal. ■ AFANADO, DA.
AFANADOR, RA adj. y s. Que afana o se afana. • m. y f. *Méx.* Persona que se dedica a las faenas más penosas.
AFANAR intr. y prnl. Entregarse al trabajo con ahínco. • Hacer diligencias con anhelo para conseguir alguna cosa. • intr. Trabajar corporalmente. • tr. Trabajar a uno. • fam. Hurtar.
AFANÍPTERO, RA adj. y s. *Zool.* Díc. de los insectos chupadores que carecen de alas y tienen metamorfosis completas. • m. pl. *Zool.* Orden de estos insectos.
AFÁNISIS f. Temor de perder la capacidad de placer sexual. • Extinción de la sexualidad.
AFANITA f. Anfibolita.
AFANÍTICO, CA adj. Díc. de toda roca eruptiva de grano fino, no observable a simple vista.
AFANOSO, SA adj. Muy penoso. • Que se afana.
AFANTASMADO, DA adj. fam. Vanidoso.
AFAR adj. y s. Díc de los individuos de un pueblo etiópico del extremo oriental de África, llamado también danakil. • m. Lengua del grupo cuscítico hablada por dicho pueblo.
AFAROLADO, DA adj. *Taur.* Díc. del lance en que el diestro se pasa el engaño por encima de la cabeza.
AFAROLARSE prnl. *Amér.* Amostazarse, sulfurarse. • *Amér.* Exaltarse.
AFARS E ISAS, *Territorio Francés de los* Última denominación colonial de Djibuti.
AFASIA f. *Med.* Alteración de la capacidad de formular simbólicamente el pensamiento con medios de expresión hablados o escritos. ■ AFÁSICO, CA.
AFEAR tr. y prnl. Hacer o poner fea a una persona o cosa. • tr. fig. Tachar. ■ AFEADOR, RA; AFEAMIENTO.
AFECCIÓN f. Impresión que hace una cosa en otra, causando en ella alteración. • Afición. • *Med.* Alteración morbosa.
AFECTACIÓN f. Falta de naturalidad; extravagancia en la manera de ser, de hablar, etc.
AFECTAR tr. Poner demasiado cuidado en las palabras, movimientos, adornos, etc. • Fingir. • Anexar. • tr. y prnl. Hacer impresión una cosa en una persona. • tr. Apetecer alguna cosa con ansia. • *Der.* Imponer gravamen u obligación sobre alguna cosa. • *Med.* Producir alteración en algún órgano. • *Amér.* Asignación. ■ AFECTADOR, RA.
AFECTIVIDAD f. Desarrollo de la propensión a querer. • *Psic.* Conjunto de fenómenos afectivos.
AFECTO, TA adj. Inclinado a alguna persona o cosa. • Díc. de las posesiones o rentas sujetas a alguna carga. • Díc. de la persona destinada a ejercer determinadas funciones. • m. Cualquiera de las pasiones del ánimo. • *Med.* Afección. • *Pint.* Expresión y viveza de la acción en que se pinta la figura. ■ AFECTIVO, VA.
AFECTUOSO, SA adj. Amoroso. ■ AFECTUOSIDAD.
AFEITADORA f. Maquinilla de afeitar.
AFEITAR tr. y prnl. Cortar la barba o el bigote. • Componer con afeites. • tr. Esquilar a una caballería las crines y la cola. • Recortar e igualar las ramas y hojas de una planta. • *Taur.* Cortar al toro las puntas de los cuernos.
AFEITE m. Aderezo. • Cosmético.
AFELIO m. *Astr.* Punto que en la órbita de un planeta o de un cometa dista más del Sol.
AFELPAR tr. Dar a la tela que se trabaja, el aspecto de felpa. ■ AFELPADO, DA.
AFEMINADO, DA adj. y s. Díc. del que se parece a una mujer.
AFEMINAR tr. y prnl. Hacer perder a uno la energía varonil, o inclinarle a que se parezca a una mujer. ■ AFEMINACIÓN; AFEMINAMIENTO.
AFERENTE adj. *Biol.* Que trae. • *Anat.* Díc. de los vasos que van hacia el corazón y de las fibras nerviosas que conducen los estímulos sensoriales a los centros nerviosos.
AFÉRESIS f. *Gram.* Metaplasmo que consiste en suprimir letras al principio de una palabra.
AFERRAR tr. e intr. Agarrar fuertemente. • *Mar.* Plegar las velas asegurándolas sobre sus vergas, etc. • *Mar.* Asegurar la embarcación en el puerto echando los ferros. • prnl. Asirse fuertemente una cosa con otra. • prnl. e intr. fig. Insistir en algún dictamen u opinión. ■ AFERRADO, DA.
AFERVORIZAR tr. y prnl. Enfervorizar.
AFESIS f. Gram. Pérdida gradual de una vocal átona al principio de una palabra.
AFESTONADO, DA adj. Labrado en forma de festón. • Adornado con festones.
AFFAIRE (voz fr.) m. Caso, asunto.
AFFICHE (voz fr.) m. Anuncio, cartel.
AFGANISTÁN *(Da Afghánistán Jomhúriyát)* Est. del Asia central. Limita con las rep. de Turkmenistán, Uzbekistán y Tadjikistán, el Sinkiang chino, Pakistán e Irán. Altas mesetas, como la del Pamir; una cordillera divide el terreno de O a E. Muy montañoso, salvo la llanura del NO y las zonas desérticas del S. Río pral.: Amu Darya. Clima continental. Cereales, frutos, algodón, remolacha azucarera. Ganado ovino, caprino y bovino. Ind. incipiente. Lenguas: pashtu y dari (of.), variantes turcas e iraníes. *Rel:* islamismo sunnita. U. M.: afganí. Cap. Kabul. C. prales.: Kandahar, Herat.
**Hist.* En la antigüedad formó parte del imperio persa y fue conquistado por Alejandro Magno. Se independizó de Persia en 1747. Protectorado ing. (1907-1921). Después de un periodo de monarquía, en 1973, un golpe militar proclamó la rep. En 1978 tomó el poder un consejo revolucionario que se acercó a la órbita soviética. Las convulsiones de 1979,

AFGANISTÁN

Superficie	652 225 km^2
Población	13 748 000 hab. (21 hab./km^2)
Recursos económicos	
Cebada	180 000 t
Patatas	228 000 t
Remolacha azucarera	1 000 t
Trigo	1 750 000 t
Uva	330 000 t
Ganadería y derivados	
Cabaña bovina	1 500 000 cabezas
Cabaña caprina	2 715 000 cabezas
Cabaña ovina	18 000 000 cabezas
Riqueza forestal	7 251 000 m^3
Producción mineral	
Carbón	7 000 t
Gas natural	300 000 000 m^3
Lapislázuli	33,2 t
Producción industrial	
Cemento	109 000 t
Tejidos de algodón	100 t
Indicadores sociológicos	
PNB	5 000 millones de dólares
Renta per cápita	300 dólares
Esperanza de vida	44 años
Alfabetismo	31 %

Aeróstato

Afaca

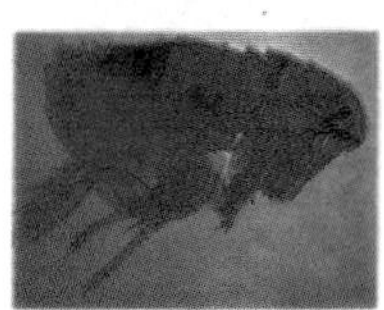

Microfotografía de una pulga, insecto del orden **afanípteros**

Mapa de situación y bandera de **Afganistán**

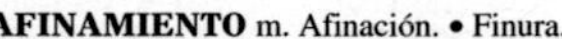

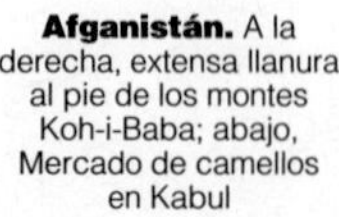

Afganistán. A la derecha, extensa llanura al pie de los montes Koh-i-Baba; abajo, Mercado de camellos en Kabul

provocaron la intervención de la URSS y la instalación de un gobierno prosoviético. En 1988-1989, las fuerzas soviéticas abandonaron el terr. afgano y las gubernamentales continuaron enfrentándose a la guerrilla islámica. Uno de los grupos más radicales, el de los talibanes, ejecutó en 1996 al ex presidente comunista Najibullá, en una ofensiva que culminó con la instauración de un Est. fundamentalista. Los talibanes fueron desalojados del poder en noviembre de 2001 por la ofensiva conjunta de Estados Unidos y la guerrilla opositora Alianza del Norte.

AFGANO, NA adj. y s. De Afganistán. • *Zool.* Raza de perro, del grupo de los lebreles.

AFIANZAR tr. Dar fianza por alguno. • tr. y prnl. Afirmar con puntales, cordeles, etc.; apoyar. • Asir.

AFICIÓN f. Inclinación permanente por una persona o cosa. • Ahínco. • Conjunto de aficionados a un deporte como espectáculo.

AFICIONADO, DA adj. y s. Que cultiva algún arte o deporte, sin tenerlo por oficio.

AFICIONAR tr. Inclinar, inducir a otro a que guste de alguna persona o cosa. • prnl. Prendarse de alguna persona, gustar de alguna cosa.

AFIDÁVIT m. Declaración de los tenedores de efectos públicos reembolsables de que residen en el extranjero.

AFIEBRARSE prnl. *Amér.* Acalenturarse.

AFIJO, JA adj. y m. *Gram.* Díc. del pronombre personal pospuesto y unido al verbo, y de las partículas usadas en la formación de palabras.

AFILADERA adj. y s. Piedra de amolar.

AFILADOR, RA adj. Que afila • m. El que tiene por oficio afilar instrumentos. • m. Afilón, correa. • f. *Mec. apl.* Máquina herramienta para aguzar el filo de las herramientas de corte.

AFILALÁPICES m. Instrumento para sacar punta a los lápices.

AFILAR tr. Sacar filo. • Aguzar, sacar punta. • *Argent.* ▪ *Par.* y *Ur.* fam. Enamorar. • prnl. fig. Adelgazarse de cara, nariz o manos. ▪ AFILAMIENTO.

AFILIAR tr. y prnl. Unir, asociar una persona a otras que forman corporación, partido. sociedad. ▪ AFILIACIÓN; AFILIADO, DA.

AFILIGRANADO, DA adj. De filigrana, o parecido a ella. • fig. Díc. de personas y cosas pequeñas, muy finas y delicadas.

AFILIGRANAR tr. Hacer filigrana. • fig. Pulir, hermosear primorosamente.

ÁFILO, LA o **AFILO, LA** adj. *Bot.* Que no tiene hojas.

AFILÓN m. Correa engrasada que sirve para afinar el filo. • Chaira de los carniceros.

AFILORAR tr. *Cuba* y *P. Rico.* Afirolar.

AFÍN adj. Próximo, contiguo. • Que tiene afinidad con otra cosa. • com. Pariente por afinidad.

AFINACIÓN f. Fijación del núm. de vibraciones de un sonido con respecto a un valor de referencia • *Metal.* Proceso en el que se eliminan determinadas sustancias del acero y de la fundición, o de los metales o de sus aleaciones. ▪ AFINADURA.

AFINADO, DA m. Operación de eliminar las impurezas contenidas en un metal.

AFINADOR, RA adj. Que afina. • m. y f. El que afina instrumentos musicales. • Templador de arpa, etc.

Perro **afgano**

AFINAMIENTO m. Afinación. • Finura.

AFINAR tr. y prnl. Perfeccionar una cosa. • Hacer cortés a una persona. • *Enc.* tr. Hacer que la cubierta del libro sobresalga igualmente por todas partes. • Purificar los metales. • Poner en tono justo los instrumentos musicales con arreglo a un diapasón. • Cantar o tocar entonando con perfección. • fig. Apurar o aquilatar hasta el extremo la calidad o el precio de una cosa. • *Chile.* Finalizar.

AFINCAR intr. y prnl. Fincar, adquirir fincas. • Arraigar, fijar, asegurar, apoyar. • prnl. Establecerse.

AFINIDAD f. Analogía de una cosa con otra. • Parentesco entre un cónyuge y los deudos del otro. • Impedimento dirimente derivado del parentesco. • *Mat.* Transformación geométrica que conserva la coalineación y la razón simple de tres puntos. El conjunto de las a. de un espacio tiene estructura de grupo. • *Quím.* Magnitud que expresa el trabajo de fuerzas que actúan en un sistema en unas determinadas condiciones de presión y temperatura y con una composición química dada.

AFINO m. Afinación de los metales.

AFIRMADO, DA m. Firme de una carretera.

AFIRMAR tr. y prnl. Poner firme. • tr. Asegurar o dar por cierta alguna cosa. • prnl. Estribar en algo para estar firme. • Ratificarse en un dicho o declaración. ▪ AFIRMACIÓN; AFIRMADOR, RA.

AFIRMATIVO, VA adj. Que denota la acción de afirmar. • f. Proposición, opinión o respuesta afirmativa.

AFIROLAR tr. y prnl. *Cuba* y *P. Rico.* Ataviar.

AFISTULAR tr. y prnl. Hacer que una llaga pase a ser fístula.

AFL Siglas de la *American Federation of Labor,* sindicato obrero de EE UU.

AFLATARSE prnl. *Amér. Centr.* Estar triste.

AFLATO m. Soplo, viento. • fig. Inspiración.

AFLAUTADO, DA adj. De sonido semejante al de la flauta.

AFLECHADO, DA adj. En forma de flecha.

AFLIGIR tr. y prnl. Causar molestia o sufrimiento físico. • Causar tristeza o angustia moral. ▪ AFLICCIÓN; AFLICTIVO, VA; AFLIGIMIENTO.

AFLOJAR tr. y prnl. Disminuir la presión o tirantez. • tr. fig. y fam. Entregar uno dinero u otra cosa, frecuentemente contra su voluntad. • fig. y fam. Propinar un golpe; lanzar un proyectil. • intr. fig. Perder fuerza una cosa. • fig. Dejar uno de emplear el mismo vigor o interés que antes en alguna cosa. • prnl. *R. Dom.* Acobardarse. ▪ AFLOJAMIENTO.

AFLORADO, DA adj. Floreado.

AFLORAR intr. Asomar a la superficie del terreno un filón, capa o masa mineral cualquiera. • tr. Cerner la harina o cribar los cereales. ▪ AFLORAMIENTO.

AFLUENTE adj. Fecundo, abundante en palabras. • m. Arroyo o río que desemboca en otro principal.

AFLUIR intr. Acudir en abundancia a un sitio. • Verter un río sus aguas. ▪ AFLUENCIA.

AFLUJO m. *Med.* Afluencia excesiva de líquidos a un tejido orgánico.

AFLUXIONARSE prnl. *Col* y *Cuba.* Acatarrarse, constiparse.

AFOCAL adj. Sin foco. • *Ópt.* Díc. de un sistema óptico cuyos focos se hallan en el infinito.

AFOFARSE prnl. Ponerse fofa una cosa.

AFOGARAR tr. y prnl. Asurar.

AFOLLADOR m. *Méx.* Follador.

AFOLLAR tr. Soplar con los fuelles. • fig. Plegar en forma de fuelles. • Hacer mal la obra de fábrica. • prnl. Ahuecarse las paredes.

AFONDAR tr. Echar a fondo. • intr. y prnl. Irse a fondo, hundirse.

AFONÍA f. Defecto o ausencia total de voz por irritación o lesión de las cuerdas vocales y órganos anejos. ▪ AFÓNICO, CA; ÁFONO, NA.

AFORAR tr. Dar o tomar a foro alguna heredad. • Dar fueros. • Valorar los géneros o mercancías para el pago de derechos. • Medir la cantidad de agua que lleva una corriente en una unidad de tiempo. • Calcular la capacidad de un recipiente. • intr. Dicho de las decoraciones teatrales, cubrir los lados o las partes del escenario que deben ocultarse al público. ▪ AFORADO, DA; AFORADOR; AFORAMIENTO.

AFORISMO m. Máxima de carácter doctrinal. ▪ AFORÍSTICO, CA.

AFORO m. Capacidad de las localidades de un recinto de espectáculos públicos.

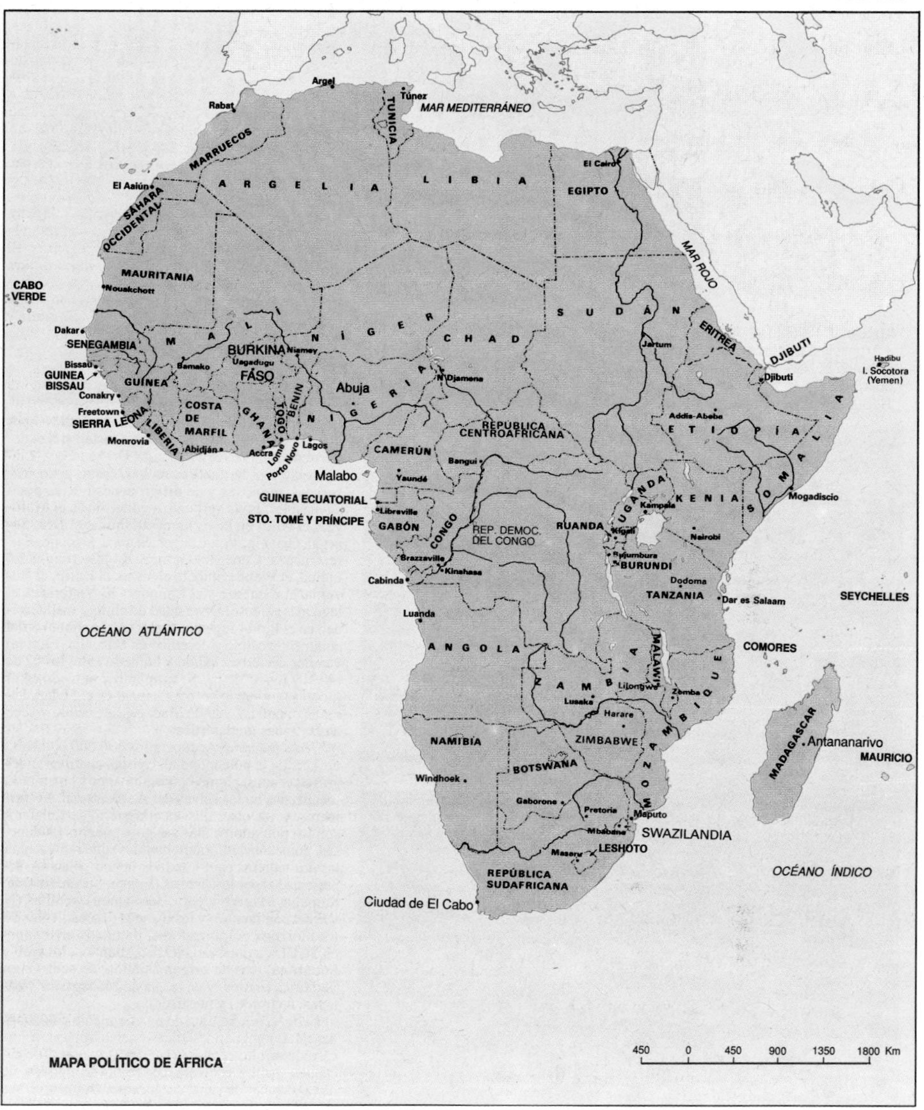

MAPA POLÍTICO DE ÁFRICA

AFORRAR tr. Forrar. • prnl. Ponerse mucha ropa interior. • fig. y fam. Comer y beber bien.
AFORRO m. Forro.
AFORTUNADAS Nombre dado a las islas Canarias durante la E. Med.
AFORTUNADO, DA adj. Que tiene fortuna. • Borrascoso, tempestuoso. • Feliz, que hace feliz.
AFOSARSE prnl. Defenderse haciendo fosos.
AFÓTICO, CA adj. Privado de luz. • Díc. de las zonas de mares y lagos, carentes de luz.
AFRAILAR tr. *Agr.* Cortar las ramas a un árbol junto a la cruz.
AFRANCESADO, DA adj. y s. Que gusta de imitar a los franceses. • Partidario de los franceses. • Díc. especialmente de los esp. e hispanoamericanos que apoyaron a José I Bonaparte durante la guerra de la Independencia (1808-1814).
AFRANELADO, DA adj. Parecido a la franela.
AFRANIO Nepote, *Lucio* (m. 46 a. C.) General rom., propretor de la Hispania Citerior.
AFRECHARSE prnl. *Chile.* Enfermar un animal por haber comido demasiado afrecho.
AFRECHERO m. *Argent.* Pájaro de América de la familia fringílidos.
AFRECHO m. Salvado, cáscara del grano.
AFRENILLAR tr. Amarrar con frenillos.
AFRENTA f. Deshonor que resulta de algún dicho o hecho. • Dicho o hecho afrentoso. • Deshonra que sigue de la imposición de penas por ciertos delitos. ■ AFRENTAR; AFRENTOSO, SA.
ÁFRICA El tercer continente por su extensión (más de 30 millones de km^2). Sit. al S del Viejo Mundo, separado de Europa por el Mediterráneo y de Asia por el canal de Suez. Lo bañan el Mediterráneo por el N, el Índico por el E y el Atlántico por el O.
* *Geog. fís.* Á. forma una gran plataforma, constituida por un zócalo precámbrico y bordeada en el NO por la cadena del Atlas. El relieve presenta rebordes montañosos y una serie de altiplanicies, depresiones, franjas montañosas y macizos volcánicos. De N a S destacan: al N, la cord. del Atlas y el desierto del Sáhara con los montes Tibesti y Ahaggar; al E, las mesetas etíope y oriental, con los montes Ras Dashan, Kenia, Kilimanjaro y Ruwenzori;

África. 1. La ciudad de Argel vista desde el puerto. 2. El Nilo. 3. Aldea nubia. 4. Danza zulú en la República Sudafricana

en el centro, la cuenca del Zaire bordeada al NO por los montes Adamaua, Camerún y Cristal; al S el desierto de Kalahari y los montes Drakensberg. Llanuras litorales bastante estrechas, costas poco articuladas, arenosas y de difícil acceso. Ríos poco navegables. En la vertiente mediterránea, el Muluya y el Nilo; en la vertiente atlántica, el Dra, Senegal, Gambia, Volta, Níger, Sanaga, Ogooué, Zaire, Cuanza, Cunene y Orange. En la vertiente del Índico, el Webbe Shibeli, el Yuba, el Rufiji, el Ruvuma, el Zambeze y el Limpopo. El Victoria es el lago más extenso. Diversidad de climas: mediterráneo en el litoral septentrional y en el extremo S del continente; cálido y desértico en Dancalia (Etiopía) y en los desiertos; cálido y húmedo entre los 6° de lat. N y los 3° de lat. S; templado y húmedo en el litoral sudoriental; seco estacional en el Sudán, llanuras orientales y O de Madagascar; cálido y seco en las zonas predesérticas.

**Geog. humana.* Á. supera los 630 000 000 hab., un 12% de la pob. mundial. Existen cuatro grandes grupos étnicos: pigmeos, bosquimanos y hotentotes, localizados en las selvas del Á. ecuatorial, los primeros, y, los otros dos, en el desierto de Kalahari, son los pobladores más antiguos; negros (sudaneses, guineanos, nilóticos, bantúes) que representan las dos terceras partes de toda la pob.; blancos, representados por los camitas (Egipto, Sudán, Etiopía, Somalia, Magreb y parte del Sahara), semitas (N y E del continente), y los blancos descendientes de los antiguos colonizadores, llamados afrikaners en Sudáfrica (islas del NO del Atlántico, Magreb y Sudáfrica); los de origen asiático, se centran en Sudáfrica (indios) y en la isla de Madagascar (malayos, negroides y mestizos).

**Geog. econ.* Se trata de un continente con abundancia de regiones desérticas y selva tropical, de escaso desarrollo económico. Exporta aceites (de cacahuete, palma, cocotero, de semilla de algodón, de oliva), azúcar de caña, cacao, café, frutos diversos (bananas, agrios), fibras textiles (algodón, sisal), tabaco. Produce la mayor parte del cacao y del aceite de palma que se consumen en el mundo. Explotaciones forestales. Ganadería (bovinos y ovinos). Es el continente más rico en recursos minerales; radio, titanio, germanio, litio y diamantes. Tiene la mitad de las reservas de oro y de fosfatos. Sudáfrica cuenta con importantes yacimientos diamantíferos y de uranio. Petróleo y gas natural en el Sahara.

ÁFRICA Central Británica Federación creada por Gran Bretaña (1961-1964) con Niasalandia y las dos Rhodesias. • **Ecuatorial Francesa** Nombre colonial que recibían los actuales Est. de Gabón, Congo, República Centroafricana y Chad. • **Occidental Francesa** Nombre de las colonias fr. correspondientes a los Est. de Mauritania, Senegal, Malí, Burkina, Guinea, Níger, Costa de Marfil y Benin. • **Occidental Portuguesa** Nombre colonial de Angola. • **Oriental Alemana** Colonia al. que abarcaba, entre 1891 y 1918, Ruanda, Burundi y parte de Tanzania. • **Oriental Inglesa** Nombre colonial de Kenia, Uganda y del terr. de Tanganica. • **Oriental Italiana** Colonia it. (1936-1942) que comprendía Abisinia, Eri-

África, estados y territorios

Estados y territorios	*Km²*	*Población*	*Densidad*	*Capital*
Angola	1 246 700	10 624 000	9	Luanda
Argelia	2 381 741	29 476 000	12	Argel
Benin	112 622	5 902 000	52	Porto-Novo
Botswana	581 730	1 501 000	3	Gaborone
Burkina Faso	274 200	10 891 000	40	Uagadugu
Burundi	27 834	6 053 000	218	Bujumbura
Cabo Verde	4 033	394 000	98	Praia
Camerún	475 442	14 678 000	31	Yaundé
Centroafricana, Rep.	622 436	3 342 000	5	Bangui
Chad	1 284 000	7 166 000	6	N'Djamena
Comores	1 862	514 000	276	Moroni
Congo, Rep. del	342 000	2 583 000	8	Brazzaville
Congo, Rep. Dem. del	2 344 885	46 674 000	20	Kinshasa
Costa de Marfil	320 803	14 986 000	47	Yamoussoukro
Djibuti	23 200	622 000	27	Djibuti
Egipto [1]	942 247	62 110 000	66	El Cairo
Eritrea	121 143	3 590 000	30	Asmara
Etiopía	1 130 139	58 733 000	52	Addis-Abeba
Gabón	267 667	1 190 000	4	Libreville
Gambia	11 295	1 248 000	111	Banjul
Ghana	238 538	18 101 000	76	Accra
Guinea	245 857	7 405 000	30	Conakry
Guinea-Bissau	36 125	1 179 000	33	Bissau
Guinea Ecuatorial	28 051	443 000	16	Malabo
Kenia	582 646	28 803 000	49	Nairobi
Lesotho	30 355	2 008 000	66	Maseru
Liberia	111 369	2 602 000	23	Monrovia
Libia	1 775 500	5 648 000	3	Trípoli
Madagascar	587 041	14 062 000	24	Antananarive
Malawi	118 484	9 609 000	81	Lilongwe
Malí	1 240 142	9 945 000	8	Bamako
Marruecos	458 730	27 225 000	59	Rabat
Mauricio	2 045	1 143 000	559	Port Louis
Mauritania	1 030 700	2 411 000	2	Nuakchott
Mozambique	799 380	18 165 000	23	Maputo
Namibia	824 292	1 727 000	2	Windhoek
Níger	1 186 408	9 389 000	8	Niamey
Nigeria	923 768	103 460 000	112	Abuja
Ruanda	26 338	7 738 000	294	Kigali
Santo Tomé y Príncipe	964	137 000	142	Santo Tomé
Senegal	196 722	9 404 000	48	Dakar
Seychelles	455	77 000	170	Victoria
Sierra Leona	71 740	4 240 000	59	Freetown
Somalia	637 657	6 870 000	11	Mogadiscio
Sudafricana, Rep.	1 219 090	42 446 000	35	Ciudad del Cabo y Pretoria [2]
Sudán	2 505 813	32 594 000	13	Jartum
Swazilandia	17 364	1 032 000	59	Mbabane
Tanzania	942 983	29 461 000	31	Dodoma
Togo	56 785	4 736 000	83	Lomé
Tunicia	162 155	9 245 000	56	Túnez
Uganda	241 038	20 605 000	85	Kampala
Zambia	752 614	9 350 000	12	Lusaka
Zimbabwe	390 759	11 423 000	29	Harare
África indep. [3]	29 981 775	684 960 000	23	
Santa Elena	122	6 000	47	Jamestown
Dependencias de Santa Elena	297	1 000	3	
África brit.	419	7 000	16	
Mayotte	374	128 000	342	Dzaoudzi
Reunión	2 510	681 000	271	Saint-Denis
África fr.	2 884	809 000	267	
Madeira	794	275 000	320	Funchal
África port.	794	275 000	320	
Canarias	7 447	1 538 000	206	Las Palmas y Sta. Cruz de T.
Ceuta, Melilla, etc.	32	128 000	-	
África esp.	7 479	1 666 000	223	
Socotora	3 626	3 000	0,8	Hadibu
África yemení	3 626	3 000	0,8	
ÁFRICA [4]	30 225 209	687 728 000	23	

[1] Excluidos 59 202 km² de la pen. del Sinaí, ubicados en Asia.
[2] Ciudad de El Cabo, cap. legislativa y Pretoria, cap. administrativa.
[3] Comprendidos los bantustanes sudafricanos de Bophuthatswana (44 000 km²), Ciskei (8 500 km²), Transkei (41 600 km²) y Venda (7 410 km²); 6 797 000 hab.
[4] Comprendidos unos 252 120 km² y 199 000 hab. del Sahara Occidental (antiguo Sahara Español), anexionados por Marruecos y no reconocidos por la comunidad internacional.

África. Sitial del "señor de Buli" (Congo sudoriental)

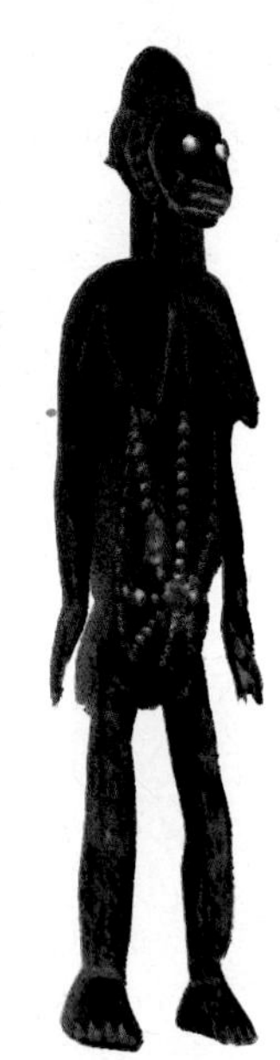

África. Talla en madera mossi que representa al espíritu de la tierra y de los bosques

Afrodita. Escultura del siglo V

Agachadiza.

Agalla de una planta

trea y la Somalia it. • **Oriental Portuguesa** Nombre colonial de Mozambique. • **Sudoccidental** o **del Sudoeste** → Namibia.

AFRICAANS m. Afrikaans.

AFRICADO, DA adj. y f. *Gram.* Sonido cuya articulación consiste en una oclusión y una fricación formadas entre los mismos órganos. • f. Letra que representa este sonido.

AFRICANISMO m. Influencia de las razas africanas y de sus costumbres, arte, etc., en otros pueblos. • Voz de origen africano en lengua no africana.

AFRICANISTA com. Persona que se dedica al estudio de los asuntos concernientes al África.

AFRICANIZAR tr. y prnl. Dar carácter africano.

AFRICANO, NA adj. y s. De África.

ÁFRICO adj. Africano. • m. Ábrego, viento.

AFRIKA Korps Cuerpo de tropas al. que participó en las campañas del N de África (1941-1943).

AFRIKAANS m. Dialecto neerlandés hablado por los bóers. Desde 1925 es, con el ing., idioma oficial de la Rep. Sudafricana.

AFRIKANER adj. y s. Individuo descendiente de los calvinistas neerlandeses y hugonotes fr. que colonizaron África del Sur.

AFROAMERICANO, NA adj. y s. Relativo a los negros americanos. • Aplícase pralm. a la música y literatura cuya base es el folclore de los habitantes de las Antillas y América Central cuyo origen es total o parcialmente africano.

AFROASIÁTICO, CA adj. Relativo a África y Asia.

AFROCUBANO, NA adj. y s. Relativo a los negros cub. originarios de África y a sus costumbres, danzas, música, etc.

AFRODISIACO, CA o **AFRODISÍACO, CA** adj. Que excita el apetito sexual. • adj. y s. Sustancia o medicamento que tiene esta propiedad.

AFRODITA adj. *Bot.* Que se reproduce de modo asexual (por bulbos, estacas, etc.).

AFRODITA Diosa gr. de la belleza y el amor. Llamada *Venus* por los rom.

AFRONITRO m. Espuma de nitro.

AFRONTADO, DA adj. *Her.* Díc. del escudo en que las figuras de animales se miran recíprocamente.

AFRONTAR tr. e intr. Poner una cosa enfrente de otra. • tr. Poner cara a cara. • Hacer frente al enemigo. • Arrostrar peligros, etc. ■ AFRONTAMIENTO.

AFRONTILAR tr. *Méx.* Atar una res vacuna por los cuernos al poste para domarla o matarla.

AFTA f. *Med.* Úlcera pequeña de la membrana mucosa de la boca o del tubo digestivo. ■ AFTOSO, SA.

AFUERA adv. lugar. Fuera del sitio en que uno está. • En lugar público o en la parte exterior. • f. pl. Alrededores de una población. • *Mil.* Terreno despejado alrededor de una plaza. • **¡Afuera!** Exp. elíptica que se emplea para que una o varias personas se retiren de algún lugar.

AFUEREÑO, ÑA adj. y s. *Amér.* Forastero.

AFUETEAR tr. *Amér.* Azotar.

AFUFAR intr. y prnl. fam. Huir.

AFUSIÓN f. *Med.* Acción de verter agua fría sobre el cuerpo, como medio terapéutico.

AFUSTE m. Armazón de las piezas de artillería.

AFUTRARSE prnl. *Chile.* Acicalarse.

Ag *Quím.* Símbolo de la plata.

AGÁ m. Oficial del ejército turco.

AGA Kan Título nobiliario de los imanes de la secta musulmana de los ismaelitas. • **III, Muhammad Sah** (1877-1957) El tercer imán que llevó este título. Apoyó los intereses de Gran Bretaña.

AGACÉ adj. y s. Indígena amer. que vivía en la desembocadura del río Paraguay.

AGACHADA f. fam. Ardid, treta, astucia.

AGACHADIZA f. Ave semejante a la chocha.

AGACHAR tr. e intr. fam. Tratándose de alguna parte del cuerpo, inclinarla. • prnl. fam. Encogerse, doblando mucho el cuerpo hacia la tierra. • fig. y fam. Dejar pasar algún contratiempo, persecución o acusación sin defenderse para sacar después mejor partido. • fig. y fam. Retirarse durante algún tiempo del trato y vista de la gente. • *Amér.* Ceder.

AGACHE *(De)* loc. adj. *Ecuad.* De segundo orden, de poco valor.

AGACHONA f. *Méx.* Ave acuática que abunda en las lagunas.

AGADIR C. y puerto de Marruecos; 110 500 hab. • **Incidente de A.** El provocado por Alemania (1911) al enviar a A. el cañonero *Panther* en señal de reclamación de una zona de influencia en Marruecos.

AGALACTIA f. *Med.* Reducción o falta de secreción de leche en la madre.

AGALBANADO, DA adj. Galbanoso.

AGALLA f. Branquia. • Amígdala. Se usa más en pl. • Excrecencia tumoral, llamada también cecidia, de hojas y tallos verdes de las plantas. • Cada uno de los costados de la cabeza del ave que corresponden a la sienes. • *Cuba.* Arbusto de la familia rubiáceas, de cuyo fruto se obtiene tinte. • *Ecuad.* Guizque. • *Vet.* Vejiga incipiente. • pl. Angina. • Roscas que tiene la tientaguja en su extremo inferior. • **Tener a.** fig. y fam. Ser valiente o de ánimo esforzado. • *Col.* y *Ecuad.* Codicia.

AGALLADO, DA adj. Díc. de lo que está metido en agua teñida con agallas molidas. • *Chile.* Aplícase a la persona garbosa.

AGALLEGADO, DA adj. Semejante a los gallegos en su habla o costumbres.

AGALLÓN m. Cuenta de plata con la que se hacían collares. • Cuenta de rosario de madera. • Gallón, adorno.

AGALLONADO, DA adj. *Arq.* Que tiene gallones.

AGALLUDO, DA adj. fam. *Amér.* Díc. de la persona animosa. • *Amér.* Ambicioso.

AGALMATOLITA f. Variedad de pirofilita en forma de agregados informes y compactos.

AGAMENÓN Rey legendario de Argos, jefe de los gr. que asediaron Troya y uno de los prales. personajes de la *Ilíada.*

AGAMÍ m. *Amér. Merid.* Ave doméstica del tamaño de la gallina. Sirve de guardián de las demás aves.

AGAMIA f. *Bot.* Falta de órganos sexuales. • *Bot.* Multiplicación vegetativa.

AGÁMIDO m. pl. Familia de pequeños saurios, provistos de apéndices y protuberancias espinosas.

AGAMITAR intr. Imitar la voz del gamo.

ÁGAMO, MA adj. *Bot.* Díc. de las plantas sin estambres ni pistilos.

AGAMUZAR tr. Tratar las pieles para que tomen aspecto de gamuza. ■ AGAMUZADO, DA.

AGANGRENARSE prnl. Gangrenarse.

AGAPANTO m. Planta liliácea originaria del S de África.

ÁGAPE m. Convite consumido en común por los primeros cristianos. • P. ext., banquete.

AGAR m. Medio de cultivo sólido, ideado por Koch, de gran aplicación en microbiología.

AGAR (heb., *Hagar*) Esclava de Abraham con quien tuvo a Ismael. Para los musulmanes, la madre de los ár.

AGAR, *Pedro* (1763-1822) Político y marino col. Miembro de la regencia. La reacción absolutista hizo que fuera confinado en Santiago de Compostela desde 1814 hasta 1820.

AGARABATADO, DA adj. En forma de garabato.

AGAR-AGAR m. Gelatina extraída de algas marinas asiáticas, utilizada para los cultivos bacterianos y el apresto de tejidos.

AGARBADO, DA adj. Garboso.

AGARBANZADO, DA adj. Díc. del papel de color parecido al del garbanzo. • fig. Adocenado, vulgar. • Díc. especialmente del estilo literario o de las costumbres.

AGARBARSE prnl. Agacharse.

AGARBILLAR tr. Hacer o formar garbas.

AGARENO, NA adj. y s. Descendiente de Agar. • Mahometano.

AGARICÁCEO, A adj. y f. Variedad de hongos basidiomicetes.

AGARICINA f. Principio activo del agárico.

AGÁRICO m. Hongo basidiomicete. • **mineral.** Silicato de alúmina y magnesio con que se fabrican ladrillos.

AGARRADA f. fam. Altercado o riña.

AGARRADERA f. *Chile* y *Cuba.* Asa. • pl. Favor con que uno cuenta para conseguir sus fines.

AGARRADERO m. Asa o mango. • fig. Parte de un cuerpo a propósito para asirlo. • fig y fam.

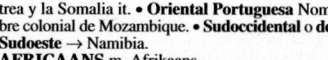

Amparo o recurso con que se cuenta para conseguir una cosa. • *Mar.* Tenedero.
AGARRADO, DA adj. fig. y fam. Apretado o miserable. • adj. y m. fam. Baile en que la pareja va enlazada.
AGARRADOR, RA adj. Que agarra. • m. Almohadilla con que se coge la plancha caliente. • fam. Corchete, ministro inferior de justicia.
AGARRAFADOR, RA adj. Que agarrafa. • m. Obrero que en los molinos de aceite maneja las seras en que se echa lo molido para prensarlo.
AGARRAFAR tr. y prnl. fam. Agarrar a uno con fuerza al reñir.
AGARRAR tr. Asir fuertemente. • Coger. • fam. Contraer una enfermedad. • fig. Sorprender a una persona un apuro, contratiempo o daño, o vencerle el sueño. • fig. y fam. Conseguir lo que se desea. • prnl. Asirse a alguna cosa. • Hablando de guisos, quemarse. • fig. y fam. Tratándose de enfermedades, apoderarse del paciente con tenacidad. • fig. y fam. Asirse, reñir. ■ AGARRO.
AGARROCHAR tr. Herir a los toros con garrocha. ■ AGARROCHADOR.
AGARROTAMIENTO m. Avería mecánica producida por aumento del rozamiento entre dos superficies poco engrasadas.
AGARROTAR tr. Apretar los fardos con cuerdas retorcidas por medio de un palo. • Estrangular con el garrote. • Oprimir una cosa a otra. • prnl. Ponerse rígidos los miembros del cuerpo. • Mec. Moverse con dificultad una pieza por agarrotamiento.
AGARTALA C. de la India, cap. del est. de Tripura; 157 600 hab.

Agámido

AGASAJAR tr. Tratar con consideración. • Favorecer a uno con regalos o con afecto. • Hospedar. ■ AGASAJADO, DA; AGASAJADOR, RA; AGASAJO.
AGASSIZ, *Louis* (1807-1873) Naturalista suizo. Es autor de *Investigación sobre los peces fósiles* y de *Historia natural de los peces de agua dulce en Europa Central.*
ÁGATA f. *Min.* Variedad de calcedonia, considerada como piedra semipreciosa.
AGATEADOR m. Ave paseriforme de la familia cértidos, de dorso pardo y pico curvado.
AGATOCLES (361-289 a. C.) Tirano de Siracusa. Dirigente del partido popular, se apoderó de la capital mediante una sublevación.
AGAUCHARSE prnl. *Amér. Merid.* Adquirir costumbres de gaucho. ■ *Argent.* y *Chile.* AGAUCHADO, DA.
AGAVANZO m. Escaramujo, rosal silvestre.
AGAVE amb. *Méx.* Planta crasa, de la familia amarilidáceas, de la cual se elaboran el pulque y el mezcal. • **americana.** Pita.
AGAVILLAR tr. Hacer gavillas. • tr. y prnl. fig. Acuadrillar. ■ AGAVILLADOR, RA.
AGAZAPAR tr. fig. y fam. Agarrar a alguno. • prnl. fam. Agacharse.
AGENA m. *Astron.* Cohete propulsor norteam. utilizado en el programa *Geminis*.
AGENCIA f. Oficio o cargo de agente. • Oficina del agente. • Empresa que gestiona asuntos ajenos. • Sucursal de una empresa. • *Chile.* Casa de empeños. • **fiscal.** Empleo u oficina de agente del fisco.
AGENCIAR tr. e intr. Hacer las diligencias conducentes al logro de una cosa. • tr. y prnl. Procurar o conseguir alguna cosa con diligencia o maña. ■ AGENCIOSO, SA.
AGENCIERO m. *Chile.* Dueño de una casa de empeños.
AGENDA f. Librito o cuaderno en el que se anota lo que interesa recordar. • Relación de temas que han de tratarse en una junta.
AGENESIA f. *Med.* Imposibilidad de engendrar. • Desarrollo defectuoso de un órgano.
AGENTE adj. y s. *Gram.* Persona que ejecuta la acción del verbo. • m. Persona que obra y tiene poder para producir un efecto. • Persona que obra con poder de otro. • Agente de policía. • **de bolsa, de cambio,** o **de cambio y bolsa.** Intermediario que realiza operaciones de bolsa. • **de negocios.** El que tiene por oficio gestionar negocios ajenos. • **de policía urbana.** El que vela por el cumplimiento de las ordenanzas municipales. • **ejecutivo.** Persona encargada de hacer efectivas por la vía de apremio las cuotas de impuestos, etc. • **fiscal.** Servidor de la Hacienda Pública.
AGEO (heb., *Haggay*; h. el 520 a.C.) El décimo de los profetas menores del Antiguo Testamento.
AGERASIA f. Vejez exenta de achaques.
AGÉRATO m. Planta, perenne, compuesta, de flores en corimbo, pequeñas y amarillas.
AGESTADO, DA adj. Con los advs. bien o mal, de buena o mala cara.
AGEUSIA o **AGEUSTIA** f. Pérdida del sentido del gusto.
AGGADAH f. Parte de la ley oral judía. También llamada *haggadah.*
AGGIORNAMENTO (voz it.) m. Puesta al día de un sistema de creencias, de una institución, etc.
AGIBÍLIBUS m. fam. Habilidad para procurar la propia conveniencia.
AGIBLE adj. Factible.
AGIGANTADO, DA adj. De estatura mucho mayor de lo regular. • fig. Díc. de las cosas o calidades muy sobresalientes. ■ AGIGANTAR.
ÁGIL adj. Ligero, pronto, expedito. ■ AGILIDAD.
AGILAR intr. *Cuba.* Andar de prisa, abreviar.
AGILITAR tr. y prnl. Agilizar. • *Argent.* y *Ecuad.* Activar.
AGILIZAR tr. y prnl. Hacer ágil.
AGIO m. Beneficio que se obtiene del cambio de la moneda o de descontar letras, pagarés, etc. • Especulación sobre el alza y la baja de los fondos públicos. • Agiotaje.
AGIOTAJE m. Agio. • Especulación abusiva sobre valores bursátiles o bienes de consumo. ■ AGIOTADOR; AGIOTISTA.
AGIS IV Rey de Esparta (244-241 a.C.) Intentó restaurar las leyes de Licurgo. Fue derrocado por Leónidas II.
AGITACIÓN f. Inquietud, desasosiego. • Turbación. • Forma activa de la propaganda política. • Insurrección o tumulto. • **térmica.** *Fís.* Estado de movimiento de las partículas materiales de los cuerpos.
AGITADOR, RA adj. y s. Que agita. • m. *Quím.* Varilla de vidrio para revolver líquidos. • Persona que intenta agravar situaciones sociales conflictivas con objeto de obtener cambios sociales o políticos.
AGITANADO, DA adj. Que se parece a los gitanos.
AGITAR tr. y prnl. Mover con frecuencia y violentamente. • fig. Inquietar, mover violentamente el ánimo. • tr. fig. Provocar la inquietud política o social. ■ AGITABLE; AGITACIÓN.
AGLAGUALPA General incaico. Apoyó el pronunciamiento de Atahualpa.
AGLAYA *Mit.* La más joven de las tres Gracias, hija de Zeus y esposa de Hefesto.
AGLIFO, FA adj. y s. Serpientes que carecen de dientes venenosos.
AGLOMERACIÓN f. Acción y efecto de aglomerar o aglomerarse. • Muchedumbre. • **urbana.** Complejo urbanístico constituido por el casco urbano de la ciudad y el conjunto de núcleos cercanos que forman el área suburbana. En ciertos casos se constituye como entidad administrativa, legalmente reconocida, con el nombre de *área metropolitana.*
AGLOMERADO m. Combustible hecho con carbón menudo, aglutinado con alquitrán. • *Const.* Masa compacta formada por arenas, gravas, piedras, etc., cohesionados por una sustancia.
AGLOMERANTE adj. Que aglomera. • adj. y m. *Const.* Sustancia usada para unir fragmentos heterogéneos.
AGLOMERAR tr. y prnl. Amontonar, juntar. • *Const.* Unir fragmentos de una o varias sustancias con un aglomerante.

Agaricáceo

Louis **Agassiz**

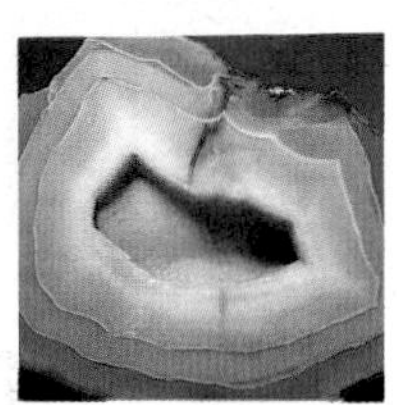
Ágata

Agave

Ágora de Atenas

AGLUTINACIÓN f. Procedimiento en virtud del cual se unen dos o más palabras para formar una sola. • *Biol.* Reacción antígeno-anticuerpo en la que los antígenos quedan unidos unos a otros formando masas.

AGLUTINANTE adj. Que aglutina. • Díc. de las lenguas que establecen sus relaciones gramaticales por medio de afijos que se yuxtaponen a la raíz. • adj. y s. *Cir.* Díc. del emplasto que se adhiere a la piel, y sirve para aglutinar. • *Med.* Díc. del remedio que se aplicaba con el objeto de reunir las partes divididas. • m. pl. Sustancias utilizadas para pegar partículas, etc.

AGLUTINAR tr. y prnl. Unir varias cosas para formar una masa compacta • *Med.* Mantener en contacto, mediante un apósito, los tejidos que tienen que unirse.

AGLUTININA f. *Biol.* Anticuerpo que se forma en el suero sanguíneo por reacción contra los aglutinógenos.

AGLUTINÓGENO m. *Biol.* Antígeno de las reacciones de aglutinación.

AGNADO, DA adj. y s. *Der.* Pariente por consanguinidad respecto de otro, cuando ambos descienden de un tronco común. ■ AGNACIÓN; AGNATICIO, CIA.

AGNATO, TA adj. y m. Individuos pertenecientes a una clase de vertebrados acuáticos desprovistos de mandíbula inferior.

AGNELLI, ***Giovanni*** (1886-1945) Industrial it., fundador de la FIAT.

AGNEW, ***Spiro Theodore*** (1918-1996) Político norteam. Vicepresid. con Nixon, dimitió acusado de corrupción.

Vista del Taj Majal en **Agra** (India)

AGNICIÓN f. En las obras épicas o dramáticas, reconocimiento de una persona.

AGNOCASTO m. Sauzgatillo, arbusto.

AGNOMENTO m. Cognomento, renombre.

AGNOMINACIÓN f. *Ret.* Paronomasia.

AGNON, ***Samuel-Yosef*** (1888-1970) Escritor de origen judío, nacido en Buczacz (Galitzia). *La dote de la novia, Las viudas presuntas.* Premio Nobel de Literatura en 1966.

AGNOSIA f. Med. Incapacidad para reconocer y para identificar las sensaciones recibidas.

AGNOSTICISMO m. Doctrina filosófica que declara inaccesible al entendimiento humano toda noción de lo absoluto. ■ AGNÓSTICO, CA.

AGNOSTOZOICO, CA adj. Díc. de la era geológica que abarca desde la solidificación de la corteza terrestre hasta la aparición de los fósiles.

AGNUS o **AGNUSDÉI** m. Lámina de cera con la imagen del Cordero o de algún santo, y que bendice y consagra el Sumo Pontífice. • Relicario. • Oración de la liturgia de la misa.

AGOBIAR tr. y prnl. Inclinar el cuerpo hacia la tierra. • tr. Hacer un peso que se doble o incline el cuerpo sobre que descansa. • fig. Rebajar, confundir. • fig. Rendir o abatir. • fig. Causar gran molestia o fatiga. ■ AGOBIADO, DA; AGOBIADOR, RA; AGOBIO.

Agracejo

AGOGÍA f. *Min.* Canal o reguero por donde sale el agua de las minas.

AGOLPAR tr. Juntar de golpe en un lugar. • prnl. Juntarse de golpe muchas personas o animales en un lugar. ■ AGOLPAMIENTO.

AGONÍA f. Angustia y congoja del moribundo. • fig. Pena extremada. • fig. Ansia o deseo vehemente. ■ AGÓNICO, CA.

AGONIOSO, SA adj. fam. Ansioso.

AGONÍSTICA f. Arte de los atletas. • Ciencia de los combates. ■ AGONISTA.

AGONIZANTE adj. Que agoniza. • adj. y s. Religioso de un instituto de votos simples cuya misión es asistir a los moribundos.

AGONIZAR tr. Ayudar a bien morir. • fig. y fam. Molestar a alguno con prisas. • intr. Estar el enfermo en la agonía. • Extinguirse una cosa. • fig. Sufrir angustiosamente.

ÁGORA f. Plaza pública en las ciudades gr. y asamblea que se celebraba en ella.

AGORAFOBIA f. Sensación morbosa de angustia ante los espacios descubiertos.

AGORAR tr. Predecir lo futuro. • fig. Anunciar desdichas con poco fundamento. ■ AGORADOR, RA; AGORERO, RA.

AGORGOJARSE prnl. Criar gorgojo.

AGORIO, ***Adolfo*** (1888-?) Escritor ur. *Bajo la mirada de Lenin, Introducción al humanismo, La Rishi- Abura, viaje al país de las sombras.*

AGOSTAR tr. y prnl. Secar el excesivo calor las plantas. • Arar la tierra en el mes de agosto. • intr. Pastar el ganado en rastrojeras. ■ AGOSTADERO; AGOSTAMIENTO.

AGOSTERO adj. Díc. del ganado que, levantadas las mieses, pace en los rastrojos. • m. Obrero que ayuda en la recolección de cereales.

AGOSTI, ***Orlando*** (nacido 1925) Militar arg. Jefe de la fuerza Aérea. Con el general Videla y el almirante Massera, asumió el poder tras el golpe militar del 24 de marzo de 1976.

AGOSTINI, ***Amelia*** (nacida 1896) Escritora puertorriq. Profesora en varias universidades de EE UU. Autora de la novela *Nuestra vida son los ríos*, así como de relatos, dramas y ensayos.

AGOSTIZO, ZA adj. Díc. de las cosas propias del mes de agosto. • Propenso a agostarse. • Díc. del animal que nace en verano.

AGOSTO m. Octavo mes del año. • Temporada en que se hace la recolección de granos. • Cosecha. ■ AGOSTEÑO, ÑA.

AGOTAR tr. y prnl. Extraer el líquido que hay en una capacidad. • fig. Gastar del todo. ■ AGOTABLE; AGOTADOR, RA; AGOTAMIENTO.

AGOTE, ***Luis*** (1869-1954) Médico arg. En 1914 inventó un método consistente en incorporar citrato de sodio a la sangre, para evitar su coagulación durante las transfusiones.

AGRA C. del N de la India, en el est. de Uttar Pradesh; 694 200 hab. (agl. urb.). Construcciones mongoles del s. XVII.

AGRACEJINA f. Fruto del agracejo.

AGRACEJO m. Uva muy pequeña que no llega a madurar. • Arbusto de la familia berberidáceas, de flores amarillas y bayas rojas y agrias. La madera se usa en ebanistería, y el fruto es comestible. • *Cuba.* Árbol anacardiáceo, cuyo fruto comen los animales.

AGRACIAR tr. Dar a una persona o cosa gracia. • Llenar el alma de la gracia divina. • Conceder alguna gracia o premio. ■ AGRACIADO, DA.

AGRACILLO o **AGRECILLO** m. Agracejo, arbusto.

AGRADAR intr. y prnl. Complacer, gustar. • prnl. Sentir agrado. ■ AGRADABLE.

AGRADECER tr. Sentir gratitud. • Dar gracias. • fig. Corresponder una cosa al trabajo empleado en conservarla. ■ AGRADECIDO, DA; AGRADECIMIENTO.

AGRADO m. Modo agradable de tratar a las personas. • Voluntad, complacencia o gusto.

AGRAFE o **ÁGRAFE** m. Grapa usada en cirugía para realizar suturas.

AGRAFIA f. *Pat.* Variedad de afasia, que consiste en una incapacidad para expresar las ideas por escrito.

AGRAMADURAS f. pl. Agramiza.

AGRAMAR tr. Majar el cáñamo o el lino para separar del tallo la fibra. • fig. Tundir, golpear. ■ AGRAMADERA; AGRAMADO, DA; AGRAMADOR, RA.

AGRAMILAR tr. Cortar y raspar los ladrillos para igualarlos. • *Arq.* Figurar con pintura ladrillos en una pared.

AGRAMIZA f. Caña que queda como desperdicio después de agramado el cáñamo o el lino.

AGRAMONTE, ***Emilio*** (1853-1918) Pianista cub. • **Y Loinaz,** ***Ignacio*** (1841-1873) Héroe de la indep.

cub. Participó en el mov. rebelde del Grito de Yara (1868). Intervino en la redacción de la constitución de Guáimaro (1869).

AGRANDAR tr. y prnl. Hacer más grande alguna cosa. ■ AGRANDAMIENTO.

AGRANUJADO, DA adj. Que tiene o forma granos. • Que tiene modales de granuja.

AGRARIO, RIA adj. Relativo al campo. • adj. y s. Que en política defiende los intereses de la agricultura.

AGRARISMO m. Conjunto de intereses referentes a la explotación agraria. • Mov. político que los defiende.

AGRAVAR tr. Aumentar el peso de alguna cosa. • Oprimir con gravámenes. • tr. prnl. Hacer alguna cosa más grave de lo que era. • Ponderar una cosa para que resulte o parezca más grave. ■ AGRAVACIÓN; AGRAVADOR, RA; AGRAVAMIENTO; AGRAVANTE.

AGRAVATORIO, RIA adj. Que agrava. • *Der.* Aplícase al despacho en que se reitera lo que está mandado y se compele a su ejecución.

AGRAVIAR tr. Hacer agravio. • Rendir, agravar. • Gravar con tributos. • Presentar como extremadamente grave una cosa. • Hacer más grave un delito. • prnl. Agravarse una enfermedad. • Mostrarse resentido por algún agravio. • *Der.* Apelar la sentencia que causa agravio. ■ AGRAVADOR, RA; AGRAVAMIENTO; *Chile.* AGRAVIÓN, NA.

AGRAVIO m. Ofensa que se hace a uno en su dignidad o fama. • Hecho o dicho con que se hace esta ofensa. • Ofensa o perjuicio que se hace a uno en sus derechos. • Humillación o aprecio insuficiente. • *Der.* Daño o perjuicio que el apelante expone ante el juez superior habérsele irrogado por la sentencia del inferior. ■ AGRAVIOSO, SA.

AGRAZ m. Uva sin madurar. • Zumo que se saca de la uva no madura. • Agrazada. • Calderilla, arbustillo. • Marojo, planta. • fig. y fam. Amargura, disgusto. ■ AGRACEÑO, ÑA; AGRACERO, RA.

AGRAZADA f. Bebida compuesta de agraz, agua y azúcar.

AGRAZAR intr. Tener sabor ácido como el agraz. • tr. fig. Disgustar, desazonar.

AGRAZÓN m. Uva silvestre, o racimillos que nunca maduran. • Grosellero silvestre. • fig. y fam. Enfado, disgusto.

AGREDIR tr. Cometer agresión.

AGREGACIÓN f. Empleo y ejercicio del profesor agregado. • **Estado de a.** *Fís.* Formas en que puede presentarse la materia según la mayor o menor cohesión entre sus moléculas.

AGREGADO, DA m. Conjunto de cosas homogéneas que se consideran formando un cuerpo. • Agregación o anejo. • Empleado encargado de un servicio del que no es titular. • Funcionario adscrito a una misión diplomática. • *Econ. Pol.* Magnitud resultante de la combinación de los asientos de la contabilidad nacional. • Caserío aislado que forma parte de un mun. • *Argent.* y *Ur.* Persona que vive en una finca rústica y recibe alojamiento y comida a cambio de pequeños trabajos. • *Col.* El que ocupa con su casa una propiedad rural ajena. • *P. Rico.* Arrimado, persona que mediante la concesión de un pedazo de tierra, siembra en parte para sí y en parte para el dueño de la propiedad. • adj. y s. Profesor numerario. • **diplomático.** El que sirve en la última categoría de la carrera diplomática. ■ AGREGADURÍA.

AGREGAR tr. y prnl. Unir unas personas o cosas a otras. • Decir o escribir algo sobre lo ya dicho o escrito. • Destinar a alguna persona a un cuerpo u oficina o asociarla a otro empleado, pero sin darle plaza efectiva. • Anexar.

AGRELO, ***Pedro José*** (1776-1846) Político arg. Luchó en el mov. independentista de 1810. Redactor de la Constitución de Entre Ríos.

AGREMÁN m. Labor de pasamanería usada para adornos y guarniciones.

AGREMIAR tr. y prnl. Reunir en gremio. ■ AGREMIACIÓN.

AGRESIÓN f. Acto contrario al derecho de otro. ■ AGRESOR, RA.

AGRESIVO, VA adj. Propenso a faltar al respeto o a provocar a los demás. • Que implica provocación. • m.pl. Medios bélicos para causar daños al enemigo. ■ AGRESIVIDAD.

AGRESTE adj. Campesino o perteneciente al campo. • Áspero. • fig. Rudo, sin educación.

AGRIAR tr. y prnl. Poner agria alguna cosa. • fig. Irritar, excitar los ánimos.

AGRIAZ m. Cinamomo, árbol.

AGRÍCOLA, ***Cneo Julio*** (40-93) General rom., conquistador de Bretaña. • ***Georg Bauer,*** llamado (1490-1555). Mineralogista y geólogo al. *De re metallica.*

AGRICULTURA f. Labranza o cultivo de la tierra. • Técnica de cultivar la tierra.

* La a. se desarrolló a partir de diversos focos en el Nuevo y en el Viejo Mundo, el más antiguo de los cuales es posiblemente el del Próximo Oriente, que se inició unos doce mil años a. J.C. La a. permitió la sedentarización y el nacimiento de la vida urbana y, aunque actualmente en términos económicos ha perdido peso frente a la industria y los servicios, sigue siendo uno de los soportes básicos de la sociedad. ■ AGRÍCOLA; AGRICULTOR, RA.

Agrazón

AGRIDULCE adj. y s. Que tiene mezcla de agrio y de dulce.

AGRIERA f. *Amér.* Acedía de estómago.

AGRIETAR tr. y prnl. Abrir grietas o hendiduras. ■ AGRIETAMIENTO.

AGRIFOLIO m. Acebo, árbol.

AGRILLA f. Acedera, planta.

AGRIMENSURA f. Arte de medir tierras. ■ AGRIMENSOR.

AGRIMONIA f. Planta rosácea, usada como astringente y como curtiente.

AGRINGARSE prnl. *Méx.* Adquirir costumbres de gringo.

AGRIO, GRIA adj. y s. De sabor ácido. • adj. fig. Difícilmente accesible; pendiente o abrupto. • fig. Acre, desabrido. • Hablando de castigos y sufrimientos, difícilmente tolerable. • Tratándose de metales, quebradizo, no dúctil • adj. y s. En pintura, dicho del colorido, falto de armonía o de entonación. • m. Zumo ácido. • m. pl. Cítricos.

AGRIÓN m. *Vet.* Tumefacción que suelen padecer las caballerías en la punta del corvejón.

AGRIOR m. *Argent.* Acidez.

AGRIPA, ***Marco Vipsanio*** (63-12 a. C.) General rom., favorito y yerno de Augusto.

AGRIPALMA f. Planta perenne, labiada, de flores de color purpúreo claro, en verticilos.

AGRIPINA la Mayor (h. 14 a. C. 33 d. C.) Dama rom., nieta de Augusto y esposa de Germánico, de quien tuvo a Calígula. • **la Menor** (16-59) Hija de Germánico y de Agripina la Mayor, casada con su tío, el emp. Claudio, a quien envenenó; puso en el trono a su hijo Nerón, el cual la hizo asesinar.

AGRIPPA Von Nettesheim, ***Heinrich Cornelius*** (1486-1535) Médico y alquimista al., influido por las doctrinas de Ramón Llull.

AGRISADO, DA adj. Grisáceo.

AGRIURA f. *Amér.* Agrura.

AGRO, GRA adj. De sabor ácido. • m. Campo.

AGROLOGÍA f. Parte de la agronomía que estudia el suelo en sus relaciones con la vegetación.

AGRONOMÍA f. Conjunto de conocimientos aplicables al cultivo de la tierra. ■ AGRONÓMICO, CA; AGRÓNOMO.

AGROPECUARIO, RIA adj. Que tiene relación con la agricultura y la ganadería.

AGRÓSTIDE f. Planta gramínea forrajera.

AGROTECNIA f. *Econ.* Ordenación y empleo de los medios de producción.

Arriba, técnicas modernas de **agricultura,** en Georgia (EE UU); abajo, labores agrícolas en un detalle de un papiro egipcio

Agripina la Mayor.
Museo del Louvre, París

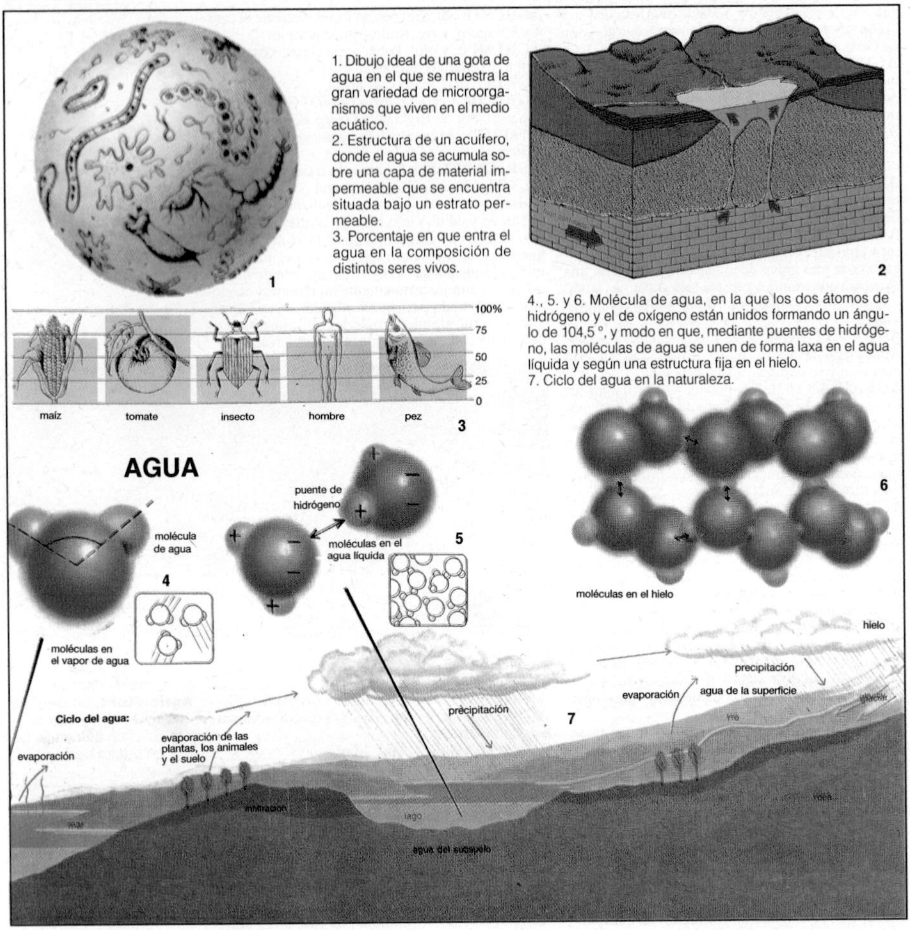

1. Dibujo ideal de una gota de agua en el que se muestra la gran variedad de microorganismos que viven en el medio acuático.
2. Estructura de un acuífero, donde el agua se acumula sobre una capa de material impermeable que se encuentra situada bajo un estrato permeable.
3. Porcentaje en que entra el agua en la composición de distintos seres vivos.

4., 5. y 6. Molécula de agua, en la que los dos átomos de hidrógeno y el de oxígeno están unidos formando un ángulo de 104,5 °, y modo en que, mediante puentes de hidrógeno, las moléculas de agua se unen de forma laxa en el agua líquida y según una estructura fija en el hielo.
7. Ciclo del agua en la naturaleza.

AGUA

AGRUMAR tr. y prnl. Hacer que se formen grumos.

AGRUPACIÓN f. Conjunto de personas agrupadas. • Unidad militar homogénea, semejante al regimiento.

AGRUPAR tr. y prnl. Reunir en grupo. ▪ AGRUPABLE; AGRUPAMIENTO.

AGRURA f. Sabor acre o ácido de algunas cosas. • Agrio, zumo ácido. • Calidad de agrio; difícilmente accesible. • Conjunto de árboles que producen frutas agrias. ▪ AGROR.

AGUA f. Líquido incoloro, inodoro e insípido, compuesto por dos volúmenes de hidrógeno y uno de oxígeno (H_2O). Se solidifica a 0 °C y hierve a 100 °C. • Cualquier licor obtenido por infusión, destilación o maceración de flores, plantas o frutos. • Lluvia. Se usa también en pl. • *Arq.* Vertiente de un tejado. • *Mar.* Rotura por donde entra en la embarcación el agua en que ésta flota. • *Mar.* Marea. • Lágrimas. • pl. Visos u ondulaciones de algunas telas, plumas, etc. • Visos de las piedras preciosas. • Orina. • Manantial de a. mineromedicinales. • Las del mar, más o menos inmediatas a determinada costa. • Corrientes del mar. • Estela que ha seguido un buque. • **acídula o agria.** La mineral que lleva en disolución ácido carbónico. • **bendita.** La que bendice el sacerdote. • **carbónica.** Solución acuosa saturada de anhídrido carbónico. • **cibera.** Aguacibera. • **compuesta.** Bebida que se hace de a., azúcar y el zumo de algunas frutas. • **cruda.** La que, por llevar en disolución mucho calcio, endurece las legumbres que se cuecen en ella. • **de azahar.** La que se prepara con la flor del naranjo y se emplea en medicina como sedante. • **de borrajas.** A. de cerrajas. • **de cal.** La que se prepara con cien partes de a. y una de cal. • **de cepas.** fam. Vino. • **de cerrajas.** La que se saca de la hierba cerraja. • fig. Cosa de poca sustancia. • **de colonia.** Perfume compuesto de a., alcohol y esencias aromáticas. • **de lavanda.** A. de espliego. • **delgada.** La que tiene en disolución una cantidad muy pequeña de sales. • **de olor.** La que está compuesta con sustancias aromáticas. • **de Seltz.** A. carbónica. • **dulce.** La potable de poco o ningún sabor. • **fuerte.** Ácido nítrico diluido en corta cantidad de agua. • Aguafuerte. • **herrada.** Aquella en que se ha apagado hierro candente. • **mansa.** La que corre tranquila y apaciblemente. • **mineral.** La que lleva en disolución sustancias minerales, como sales, óxido de hierro, etc. • **muerta.** La estancada y sin corriente. • **nieve.** La de lluvia mezclada con nieve. • **oxigenada.** Peróxido de hidrógeno que desprende oxígeno, transformándose en a. Úsase como desinfectante. • **pesada.** La que sus moléculas contienen dos átomos de deuterio. • **potable.** La que carece de elementos nocivos y es inodora, insípida y clara. • **regia.** *Quím.* Combinación del ácido nítrico con el muriático o clorhídrico: disuelve el oro. • **viva.** La que mana y corre naturalmente. • **Aguas de creciente.** *Mar.* Flujo del mar. • **de menguante.** *Mar.* Reflujo del mar. • **falsas.** Las que se encuentran cavando o perforando la tierra, y no son permanentes. • **firmes.** Las de pozo o manantial perenne. • **jurisdiccionales.** Las que bañan las costas de un Estado y están su-

Aguacate

jetas a su jurisdicción. • **llenas.** *Mar.* Pleamar. • **madres.** *Quím.* Las que restan de una disolución salina que se ha hecho cristalizar y no da ya más cristales. • **mayores.** Excremento humano. • *Mar.* Las más grandes mareas de los equinoccios. • **menores.** Orina del hombre. • *Mar.* Mareas diarias o comunes. • **muertas.** *Mar.* Mareas menores, en los cuartos de la Luna. • **subálveas.** Las que se buscan y alumbran en las márgenes o debajo de cauces empobrecidos o secos. • **termales.** Las que tienen una temperatura natural de 20 o más grados. • **vertientes.** Las que bajan de las montañas o sierras. • Las que vierten en los tejados. • Punto hacia donde descienden las a. desde las alturas o terrenos elevados. • **vivas.** *Mar.* Crecientes del mar hacia el tiempo de los equinoccios o en el novilunio y el plenilunio. • **A. abajo.** m. adv. Con la corriente o curso natural del agua. • **A. arriba.** m. adv. Contra la corriente o curso natural del agua. • fig. Con gran dificultad, oposición o repugnancia. • **Entre dos a.** m. adv. fig. y fam. Con duda y perplejidad, o equívocamente, por reserva o cautela. U. m. con el verbo *estar.*

*El agua ocupa las 3/4 partes de la superficie terrestre y constituye el 50-70 % de los organismos vivos, de ahí su enorme importancia tanto geológica como biológica. Químicamente, su molécula tiene un marcado carácter polar, lo que explica que, a diferencia de lo que ocurre en la mayoría de las sustancias, el agua en estado sólido (hielo) sea menos densa que en estado líquido y que su constante dieléctrica sea muy elevada; estas características químicas son esenciales para permitir la vida en la Tierra.

AGUA BLANCA Mun. de Guatemala, en el dpto. de Jutiapa; 10 800 hab. Agricultura. Ganadería.

AGUA PRIETA Mun. de México, en el est. de Sonora; 26 600 hab. Agricultura. Ganadería. Manganeso.

AGUACAL m. Lechada de cal con yeso que se emplea para enjalbegar.

AGUACATÁN Mun. de Guatemala, en el dpto. de Huehuetenango; 15 021 hab. Arroz. Maderas finas. Ind. textil.

AGUACATE m. Árbol lauráceo, de flores dioicas y fruto parecido a una pera. • Fruto de este árbol. • Esmeralda en forma de perilla. • fig. *Hond.* Testículo. • fig. *Guat.* Persona de poco espíritu. ■ AGUACATAL.

AGUACATE Mun. de Cuba, en la prov. de La Habana; 10 800 hab. Ganadería. Azúcar.

AGUACATECO, CA adj. y s. Relativo a los aguacatecos. • m. pl. Pueblo indígena del NO de Guatemala, de lengua maya.

AGUACATILLO m. *Amér.* Árbol lauráceo, de flores amarillentas y fruto negruzco.

AGUACERO m. Lluvia repentina, impetuosa y de poca duración. • fig. Sucesos y cosas molestas que en gran cantidad caen sobre una persona. • *Cuba.* Luciérnaga.

AGUACHA f. Agua encharcada y corrompida.

AGUACHAR tr. y prnl. Enaguachar. • *Chile.* Domesticar un animal. • prnl. *Chile.* Amansarse, aquerenciarse. • *Argent.* Engordar un caballo por haber estado pastando ocioso una larga temporada. • m. Charco.

AGUACHARNAR tr. Enaguazar.

AGUACHENTO, TA adj. *Amér.* Aplícase a lo que está muy impregnado de agua.

AGUACHICA Mun. de Colombia, en el dpto. de Cesar; 26 900 hab. Agricultura. Ganadería.

AGUACHIL m. *Méx.* Caldo aguado de Chile.

AGUACHINANGADO, DA adj. *Cuba.* Díc. de la persona que imita a los mex.

AGUACHIRLE f. Aguapié de ínfima calidad. • fig. Bebida sin fuerza ni sustancia. • fig. Cosa baladí.

AGUACIBERA f. Agua con que se riega una tierra sembrada en seco.

AGUACIL m. Vulgarmente, alguacil. • *Argent.* y *Ur.* Libélula, caballito del diablo.

AGUADA f. Tinta que se da a una pared para quitarle blancura del enlucido de yeso. • Sitio en que hay agua potable. • *Mar.* Provisión de agua potable. • *Min.* Avenida de aguas que inunda una mina. • *Pint.* Color diluido en agua sola. • Pint. • Diseño o pintura que se ejecuta con colores preparados de esta manera. • *Amér.* Abrevadero. • pl. Aguas potables que hay en un lugar.

AGUADA Mun. de Puerto Rico, en el distr. de Aguadilla; 34 300 hab. Azúcar, tabaco. Calzado.

AGUADA DE PASAJEROS Mun. de Cuba, en la prov. de Cienfuegos; 27 600 hab. Ganado vacuno. Ingenio azucarero.

AGUADAS Mun. de Colombia, en el dpto. de Caldas; 31 400 hab. Oro y plata.

AGUADERA adj. Díc. de la capa de tela impermeable para resguardarse de la lluvia. • f. *Cet.* Cada una de las cuatro plumas anchas que están después de las remeras del ala de las aves. • pl. Armazón de madera, etc., que se coloca sobre las caballerías para llevar cántaros de agua, etc.

AGUADERO, RA adj. Propio para el agua, hablando de prendas de vestir. • m. Abrevadero. • Sitio donde acostumbran a ir a beber los animales. • Sitio donde se lanzan las maderas a los ríos.

AGUADIJA f. Humor claro y suelto de los granos o llagas.

AGUADILLA C. portuaria de Puerto Rico, cap. del distr. hom.; 55 600 hab. Agricultura e ind. derivadas.

AGUADO, DA adj. Abstemio. • *Amér.* Débil, desfallecido. • Caballería resfriada por muy fatigada o por haber bebido mucho. • *Ecuad.* Bebida de jugo de frutas, agua y aguardiente. • *Ven.* Fruta desabrida.

AGUADO, FRAY ***Pedro de*** (1538-h. 1605) Religioso esp. Cronista de Indias. *Recopilación historial.*

AGUADOR, RA m y f. Persona que tiene por oficio llevar o vender agua. • m. Cada uno de los palos o travesaños horizontales que unen los dos aros de la rueda vertical de la noria. ■ *Amér.* AGUATERO.

AGUADUCHO m. Avenida impetuosa de agua. • Puesto donde se vende agua y otras bebidas.

AGUADULCE m. *C. Rica.* Aguamiel.

AGUADURA f. *Vet.* Infosura. • *Vet.* Absceso del interior del casco de las caballerías.

AGUAFIESTAS com. Persona que turba una diversión o regocijo.

AGUAFUERTE f. Lámina obtenida por el grabado al agua fuerte. • Estampa obtenida con esta lámina. ■ AGUAFUERTISTA.

AGUAGOMA f. Disolución de goma arábiga en agua, que usan los pintores.

AGUAÍ m. *R. de la Plata.* Nombre de varias especies de plantas, pertenecientes a la familia sapotáceas. Su madera se emplea con fines industriales.

AGUAITACAIMÁN. m. *Cuba.* Ave zancuda, de cabeza adornada de plumas largas de color verde, y garganta y pecho blancos.

AGUAITACAMINO m. *Amér. Centr.* Pájaro fisirrostro parecido al chotacabras.

AGUAITAR tr. Acechar.

AGUAJE m. Aguadero. • Abrevadero. • fig. *Guat.* y *Hond.* Reprimenda. • *Amér.* Aguacero. • *Mar.* Crecientes grandes del mar. • *Mar.* Agua que entra en los puertos durante las mareas. • *Mar.* Corrientes del mar periódicas. • *Mar.* Corriente impetuosa del mar. • *Mar.* Aguada. • *Mar.* Estela que deja en el agua una embarcación.

AGUAJERO, RA adj. *R. Dom.* Mentiroso. • *R. Dom.* Aspaventoso.

AGUAJÍ m. *Ant.* Pez acantopterigio.

AGUALOTAL m. *C. Rica, Hond.* y *Nic.* Aguazal, pantano.

AGUAMALA f. Medusa.

AGUAMANIL m. Jarro para dar aguamanos. • Palangana destinada para lavarse las manos.

AGUAMANOS m. Agua que sirve para lavar las manos. • Aguamanil, jarro.

AGUAMAR m. Aguamala.

AGUAMARINA f. Variedad de berilo.

AGUAMIEL f. Agua mezclada con miel. • *Amér.* La preparada con la caña de azúcar. • *Méx.* Jugo del maguey que, fermentado, produce el pulque. • Ven. Guarapo de caña. ■ AGUAMELADO, DA.

AGUANÉS, SA adj. *Chile* y *Col.* Yaguané.

AGUANIEVE f. Agua nieve.

AGUANIEVES f. Aguzanieves.

AGUANOSIDAD f. Humor acuoso en el cuerpo.

AGUANTADERAS f. pl. Aguante; se usa gralte. en sentido despectivo.

AGUANTAR tr. Detener. • Sufrir. • Resistir pesos, trabajos, etc. • *Mar.* Atesar uncabo. • *Taur.* Adelantar el diestro el pie izquierdo, en la suerte de

Típico **aguador** del norte de África

Aguafuerte de Goya

Aguamanil francés del s. XIII en forma de caballero (Museo Bargello, Florencia, Italia)

Aguijón de avispa

Águila real

Aguileña

matar al toro. • intr. y prnl. Reprimirse, callar. • prnl. Callarse. ■ AGUANTABLE.

AGUANTE m. Sufrimiento. • Fortaleza para resistir pesos, trabajos, etc.

AGUAPÉ m. *Argent.* Planta acuática usada para curar la insolación.

AGUAPEZÓ m. *Amér.* Jacaná, ave zancuda parecida al carrao.

AGUAPIÉ m. Vino de baja graduación.

AGUAR tr. y prnl. Mezclar agua con vino u otro licor. • fig. Turbar, frustrar, tratándose de cosas halagüeñas. • Atenuar lo grave con la mezcla de algo agradable. • Echar al agua. • prnl. Llenarse de agua algún sitio.

AGUARÁ m. *Argent.* Zorro de pelo ondulado de color amarillo rojizo y crin negra.

AGUARAIBÁ m. *Amér.* Turbinto, árbol.

AGUARAPARSE prnl. *Amér.* Tomar calidad o sabor de guarapo la caña de azúcar, etc.

AGUARDAR tr. y prnl. Estar esperando a que suceda algo. • tr. Creer que sucederá algo. • tr. e intr. Esperar alguna cosa. • tr. Esperar que llegue alguna persona. • Dar tiempo al deudor para que pague. • Haber de ocurrir a una persona, o estarle reservado algo para lo futuro. • prnl. Detenerse, retardarse. ■ AGUARDADA; AGUARDADOR, RA.

AGUARDIENTE m. Bebida alcohólica obtenida de líquidos fermentados procedentes de vino, manzanas, centeno, etc. • de caña. El que se saca de la melaza. ■ AGUARDENTERÍA; AGUARDENTERO, RA; AGUARDENTOSO, SA.

AGUARDILLADO, DA adj. En forma de guardilla.

AGUARDO m. Acecho. • Lugar donde el cazador aguarda la caza.

AGUARIBAY m. *Argent.* Turbinto. • *Argent.* Molle, árbol.

AGUARRÁS m. Aceite volátil de trementina.

AGUARUNA m. pl. Fracción de los jíbaros que vive en el alto Marañón (Perú).

AGUAS BLANCAS, Cerro Cumbre andina en el límite entre Chile (región de Atacama) y Argentina (prov. de Catamarca). Su alt. supera los 5 700 m.

AGUAS BUENAS Mun. de Puerto Rico, en el distr. de Guayama; 24 200 hab. Agricultura. Artesanía.

AGUASAL f. Salmuera.

AGUASARSE prnl. *Argent., Chile* y *Ur.* Volverse rústico, agreste.

AGUASCALENTENSE adj. y s. De Aguascalientes.

AGUASCALIENTES Est. federado de México; 5 589 km^2, 943 506 hab. Accidentado al O por la Sierra Madre Occidental; regado por el río hom. con sus afluentes y el Calvillo; ambos desembocan en el Pacífico. Cinco tipos de clima: frío, estepario, montañoso, subtropical, templado de altura y desértico. La oscilación térmica media es de 17,4 °C. Las precipitaciones son escasas y varían entre 400 y 55 mm anuales. Suelo pobre, excepto en las proximidades de los ríos. La agricultura es su base económica (maíz, chile, fríjol, trigo, alfalfa y vid). Ind. vitivinícola y mecánica. El PIB fue el 0,6% del PIB nacional (1980). Constituido estado en 1857. • C. de México, cap. del estado hom. Sit. en el valle de Aguascalientes y en la orilla izquierda del r. del mismo nombre; 643 360 hab. Fruticultura. Aguas termales. Ind. textil de tipo artesanal y ferroviaria. Centro com. Fundada en 1575, se llamó durante un tiempo *Asunción de Aguascalientes.* Catedral e iglesias (Guadalupe y del Encino) del s. XVIII. Universidad pública. • ***Convención de A.*** Conferencia celebrada en esta c. (10 octubre a 9 noviembre de 1914) para poner fin a los enfrentamientos entre las diversas facciones del constitucionalismo victorioso (carrancistas, villistas, zapatistas). Presidida por el general Antonio I. Villarreal, eligió un presid. provisional, el general Eulalio Gutiérrez, que no fue aceptado por los carrancistas, lo que prolongó la guerra civil.

AGUATERO m. *Amér.* Aguador, el que lleva o vende agua.

AGUATINTA f. Variante de la técnica del aguafuerte, en que el ácido se aplica con un pincel. • Grabado así obtenido.

AGUATOCHA f. Bomba para sacar agua.

AGUATURMA f. Planta compuesta, herbácea, de flores amarillas y rizoma comestible. • Rizoma de esta planta.

AGUAVIENTO m. Lluvia acompañada de viento fuerte.

AGUAVIENTOS m. Planta perenne, labiada, de flores terminales encarnadas.

AGUAVILLA f. Gayuba, planta.

AGUAYO (voz aymará) m. *Bol.* Pieza de lana usada por las mujeres para llevar a los niños y cargar cosas.

AGUAZA f. Humor acuoso de algunos tumores de los animales. • Humor que destilan algunas plantas y frutos.

AGUAZAL m. Charca que se forma con el agua de lluvia.

AGUAZAR tr. y prnl. Encharcar.

AGUAZO m. *Pint.* Pintura hecha con colores disueltos en agua y aclarados con blanco.

AGUDEZA f. Delgadez en el corte o punta de armas, instrumentos, etc. • Viveza del dolor. • fig. Perspicacia de la vista, oído u olfato. • fig. Viveza de ingenio. • fig. Dicho agudo. • fig. Ligereza.

AGUDIZAR tr. Hacer aguda una cosa. • prnl. Tomar carácter agudo una enfermedad. ■ AGUDIZACIÓN.

AGUDO, DA adj. Delgado, sutil. Se dice del corte o punta de armas, instrumentos, etc. • Sutil. • fig. Vivo y oportuno. • fig. Aplícase al dolor vivo y penetrante. • fig. Díc. de la enfermedad grave y de no larga duración. • fig. Hablando del oído, vista y olfato, perspicaz en sus sensaciones. • Díc. del olor subido y del sabor penetrante. • fig. Ligero. • adj. y s. *Mús.* Díc. del sonido alto. • adj. y f. Díc. de la palabra cuyo acento prosódico carga en la última sílaba.

AGUEDITA f. *Amér.* Árbol de la familia anacardiáceas, usado como febrífugo.

AGÜEITAR tr. *Col.* y *Cuba.* Aguaitar.

AGÜERA f. Zanja para encaminar el agua de lluvia a las heredades.

AGÜERO m. ant. Presagio sacado del canto y vuelo de las aves, de señales en animales, o de fenómenos meteorológicos. • Presagio de cosa futura. • Pronóstico formado supersticiosamente.

AGÜERO, *Diego de* (m. 1544) Conquistador esp. Acompañó a Pizarro en la conquista del Perú y se alineó con éste en la lucha contra Almagro. • ***Joaquín de*** (1816-1851) Patriota cub. Presid. de la Sociedad Libertadora del Camagüey, murió fusilado. • ***Juan Miguel de*** (s. XVI) Arquitecto esp. Diseñó la maqueta de la catedral nueva de México. Autor de las fortificaciones de La Habana. • ***Luis*** (nacido 1937) Escritor cub. *De aquí para allá, La vida en dos.* • ***Nicolás*** (1566-1617) Jesuita per. Vicario General de Lima.

AGÜEROS, *Victoriano* (1854-1911) Literato y periodista mex. Fundador de la Biblioteca de Autores Mexicanos.

AGUERRIR tr. y prnl. defect. Acostumbrar a los soldados bisoños a los peligros de la guerra.

AGUIAR, *Enrique* (1890-1947) Escritor dom. *Eusebio Sapote, Don Cristóbal.* • ***José Félix*** (1806-1845) Patriota y general ur. Participó en la campaña contra Brasil. Ministro de Guerra (1842).

AGUIJADA f. Vara con que los boyeros pican a la yunta. • Vara con la cual separan los labradores la tierra que se pega a la reja del arado.

AGUIJAR tr. Picar con la aguijada a los bueyes, etc. • fig. Avivarlos con la voz o de otro modo. • fig. Estimular. • intr. Acelerar el paso. ■ AGUIJADERA; AGUIJADOR, RA; AGUIJADURA.

AGUIJÓN m. Punta del palo con que se aguija. • Púa del abdomen de algunos insectos y arácnidos, y con la cual pican. • Púa que nace del tejido celular superficial de algunas plantas. • fig. Estímulo.

AGUIJONADA f. Aguijonazo.

AGUIJONAZO m. Punzada de aguijón. • Estímulo vivo. • Burla o reproche hiriente.

AGUIJONEAR tr. Aguijar. • fig. Inquietar.

ÁGUILA f. Ave rapaz diurna, falconiforme, de vista muy perspicaz, fuerte musculatura y vuelo rapidísimo. • Enseña principal de la legión rom.; lo es también de algunos ejércitos modernos. • fig. Persona muy viva y perspicaz. • m. Pez, especie de raya. • **bastarda.** Águila calzada. • **calzada.** La de pico grueso y encorvado y tarsos cubiertos de plumas. • **real.** La que tiene cola redondeada, es de color leonado y es más grande que las comunes.

ÁGUILA Nombre de una constelación situada en el cruce del ecuador celeste con la Vía Láctea, al O de Pegaso y al S del Cisne.

AGUILAR, ***Bartolomé de*** (s. XVI) Conquistador esp. Participó en la conquista del Perú con Pizarro. • ***Cristóbal de*** (1725-1793) Pintor per. Retratista cortesano de estilo afrancesado. Retrato del virrey Amat. • ***Eugenio*** (s. XIX) Político salv. Presid. de la rep. (1846), aplastó la insurrección del obispo Viteri y rechazó la invasión de Malespín. • ***Gaspar de*** (1561-1623) Autor dramático esp., seguidor de Lope de Vega. El mercader amante. • ***Jerónimo de*** (m. 1531) Conquistador esp. Hecho prisionero por los mayas, fue liberado por Hernán Cortés al que sirvió de intérprete. • ***José Gabriel*** (1759-1805) Patriota per. Con Ubalde dirigió la fracasada conspiración de Cuzco de 1805. Murió fusilado. • ***Juan Ignacio*** (1716-1799) Religioso jesuita per. Diccionario de la lengua quechua. • ***Manuel*** (m. 1846) Político cost. Jefe de Estado en 1837. Derrocado por el golpe militar de B. Carrillo en 1838. • ***Máximo*** (1852-1882) Patriota per., héroe de La Breña. Fusilado por los chilenos. • ***Rosario*** (nacida 1938) Novelista nic. *Primavera sonámbula, Quince barrotes de izquierda a derecha, Aquel mar sin fondo ni playa.* • **Barquero, *Francisco*** (1857-1924) Político cost. Presid. provisional (1919-1920), restableció la Constitución de 1871. • **Camín, *Héctor*** (nacido 1946) Escritor mex. Se ha centrado en la historia de México, sobre todo en el periodo de la Revolución. También destaca su producción en el campo del periodismo y la novela. *La frontera nómada. Sonora y la Revolución mexicana, Saldos de la revolución, La revolución que vino del Norte* (ensayos), *La decadencia del dragón* (cuentos), *Morir en el golfo* (novela). • **Cortés, *Jerónimo*** (nacido 1890) Escritor nic. *Apuntes para una antología, Cuentos del camino, Club de universitarios.* • **de Santillán, *Rafael*** (1863-1940) Geógrafo y naturalista mex. Uno de los fundadores de la sociedad científica Antonio Alzate. *Cartografía mexicana, Bibliografía meteorológica mexicana.* • **Del Río, *Juan Bautista*** (m. 1653) Religioso esp. Visitador y párroco en el Perú, denunció los abusos de los corregidores con la pob. indígena. *Restauración y reparo del Perú.* • **Páez, *Luis Felipe*** (1874-1950) Abogado y periodista per. Defendió a los indígenas. *Cuestiones indígenas.* • **Y Córdova, *Diego de*** (ss. XVI y XVII) Escritor esp. afincado en Perú. Corregidor, gobernador y justicia mayor. *La sociedad entretenida, El Marañón.*

AGUILEÑA f. Planta ranunculácea con flores de diversos colores.

AGUILEÑO, ÑA adj. Díc. del rostro largo y delgado, y de la persona que lo tiene así. • Díc. de la nariz delgada y algo corva.

AGUILERA, ***Demetrio*** (1909-1981) Escritor ecuat. *Don Goyo, La isla virgen.* Como autor dramático ha llevado a la escena *Lázaro, Dientes blancos.* • ***Francisco Vicente*** (1821-1877) Uno de los jefes del mov. de indep. de Cuba. La Asamblea Constituyente lo eligió vicepresid. de la nueva rep.

AGUILILLA adj. *Amér.* Díc. del caballo veloz en el paso. • com. *Chile* y *Ecuad.* Petardista.

AGUILÓN m. Brazo de una grúa. • Caño cuadrado de barro. • *Ecuad.* Caballo de paso duro. • Teja o pizarra cortada para que ajuste sobre la lima tesa de un tejado. • *Arq.* Madero que en las armaduras con faldón está puesto diagonalmente desde el ángulo del edificio hasta el cuadral. • *Her.* Águila sin pico ni garras.

AGUILUCHO m. Cría del águila. • Ave falconiforme, de la familia accipítridos.

AGUINALDO m. Regalo que se da en Navidad o en la Epifanía. • Regalo que se da en alguna otra fiesta u ocasión. • Villancico de Navidad. • *Cuba.* Bejuco convolvuláceo muy común, que florece por Navidad.

AGUINALDO, ***Emilio*** (1869-1964) Político filipino. Fundó el primer Estado indep., la rep. Filipina, entre 1899 y 1901, de la cual fue su primer y efímero presidente.

AGÜÍO m. *C. Rica.* Pájaro de canto muy variado y agradable.

AGUIRRE, ***Elías*** (1843-1879) Militar y patriota per. Héroe de la guerra con Chile. • ***Francisco*** (1500-1580) Conquistador esp. en Perú con Pizarro y en Chile con Valdivia. Gobernador de Tucumán, fundó la c. de Santiago del Estero. • ***Ignacio*** (nacido 1902) Grabador y muralista mex. • ***Juan Bautista*** (1725-1786) Escritor y religioso ecuat. Poeta gongorino, el más destacado de la época colonial. • ***Julián*** (1868-1924) Pianista y compositor arg. *Aires criollos, Tristes argentinos.* • ***Lope de*** (1518-1561) Conquistador esp. Participó en una expedición en busca de El Dorado (1554). Su biografía ha dado lugar a varias obras lit. y cin. • ***Manuel Agustín*** (nacido 1904) Escritor y político ecuat. Secretario gral. del Partido Socialista. *Poemas automáticos.* • ***Miguel de*** (s. XVI) Religioso per. *Población de Valdivia, motivos y medios de hacerla: defensa del reyno del Perú para resistir en la guerra del Pacífico.* • ***Nataniel*** (1843-1898) Político, militar y escritor per. Prefecto de Cochabamba y diputado por la misma circunscripción, tomó parte en la guerra contra Chile. *Juan de la Rosa* (novela) y *Represalia de héroe* (drama). • ***Pedro*** (nacido h. 1500) Conquistador esp. Estuvo en Nicaragua en 1529 y en la conquista del Perú con Soto, donde participó en el asalto a Cajamarca. • ***Raúl Gustavo*** (1927-1983) Poeta arg., próximo al surrealismo. *El tiempo de la rosa, Señales de vida.* • **Beltrán, *Gonzalo*** (nacido. 1908) Etnólogo mex. Director del Instituto Indigenista Interamericano y del Instituto Indigenista Nacional. *Cuijla, Formas de gobierno indígena, El proceso de aculturación.* • **Cerda, *Pedro*** (1879-1941) Político chil. radical. Candidato del Frente Popular (1938). Presid. de la Rep. (1938-1941). • **Morales, *Augusto*** (1888-1957) Escritor y periodista per. Premio Nacional de Periodismo en 1949. *El pueblo del sol.* • **Y Lecube, *José Antonio*** (1903-1960) Político esp. Presid. del gobierno autónomo de Euzkadi en 1936.

AGÜISTA com. Persona que frecuenta los manantiales de aguas mineromedicinales.

AGÜITA f. *Chile* y *Ecuad.* Infusión que se toma después de las comidas.

AGUIZGAR tr. fig. Aguijar, estimular.

AGUJA. f. Barrita puntiaguda de metal, hueso o madera, con un ojo por donde se pasa el hilo, cuerda, etc., con que se cose, borda o teje. • Tubito metálico de pequeño diámetro, que se enchufa en la jeringuilla para inyectar sustancias en el organismo. • Barrita de metal, hueso, etc., que sirve para hacer labores de punto. • Púa de metal, colocada en algún plano para varios usos; como la aguja del reloj de sol. • Varilla de metal, etc., usada en el tocado de las mujeres. • Pincho de los consumeros. • Varilla que usan los colmeneros para atravesar los panales, asegurándolos así unos con otros. • Manecilla del reloj. • Varilla de hierro o de cobre que sirve para formar el oído en el taco de un barreno. • Herramienta de acero, de punta encorvada, que usan los encuadernadores. • Alambre que forma horquilla por ambos extremos y sirve para hacer malla. • Alambre que servía para limpiar el oído del fusil. • Punzón de acero que, en ciertas armas de fuego, produce la detonación del fulminante. • Instrumento de acero con que se dibuja sobre una lámina de metal barnizada, para grabar al agua fuerte. • Estilete que, recorriendo los surcos de los discos de los gramófonos, reproduce las vibraciones inscritas en ellos. • Cada uno de los dos rieles movibles que en los ferrocarriles y tranvías sirven para que los carruajes vayan por una de dos o más vías que concurren en un punto. • Barra

Aguilucho

Aguja de una iglesia suiza

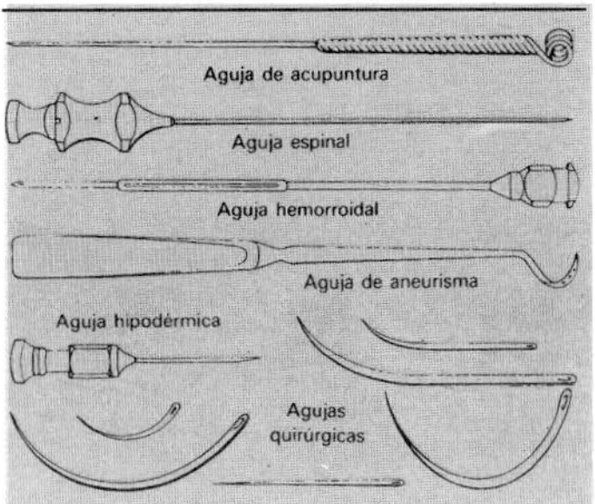

Distintos tipos de **agujas**

San **Agustín** de Pontifical (detalle), obra del maestro de San Nicolás. Museo del Prado, Madrid

Agutí

Aguzanieves

Relieves volcánicos en el **Ahaggar** central

con agujeros y pasadores, que sirve para mantener paralelos los tableros de un tapial. • Pieza de madera para apuntalar un puente. • Obelisco. • Chapitel estrecho y alto. • Pastel largo y estrecho, relleno de carne picada o de dulce. • Pez que tiene el hocico en forma de aguja. • Planta geraniácea de fruto largo y delgado en forma de aguja. • *Cuba, Méx.* y *P. Rico.* Cada uno de los maderos agujereados que se hincan en tierra, y que se apoyan en otros horizontales para formar una tranquera. • Púa o vástago de un árbol. • Brújula. • pl. Costillas que corresponden al cuarto delantero del animal. • Enfermedad que padece el caballo en las piernas, pescuezo y garganta. • **imantada, de marear o magnética.** Brújula. ■ AGUJAZO.

AGUJAL m. Agujero que queda en las paredes al sacar las agujas de los tapiales.

AGUJAS, *cabo de las* Punta más meridional de África, en la Rep. Sudafricana, al E del cabo de Buena Esperanza. Forma la corriente cálida homónima.

AGUJERAR tr. Agujerear.

AGUJEREAR tr. y prnl. Hacer agujeros a una cosa.

AGUJERO m. Abertura en alguna cosa. • El que vende o hace agujas. • Alfiletero. • **negro.** *Astr.* Singularidad del espacio-tiempo producida por el colapso del núcleo de una antigua estrella de neutrones.

AGUJETA f. Ave caradriforme, parecida a la aguja. • Correa o cinta que sirve para atar los calzones y otras prendas. • Vapor del vino y de otras bebidas. • *Ven.* Alfiler usado por las mujeres para sujetar el sombrero. • *Ecuad.* Aguja de hacer punto o tejer. • Arruga del papel, que afea la impresión. • pl. Dolores en los músculos después de algún ejercicio.

AGUJETERO, RA m. y f. Persona que hace o vende agujetas. • m. *Amér.* Alfiletero. ■ AGUJETERÍA.

AGUJÓN m. Pasador para el cabello.

AGUJUELA f. Clavo poco mayor que la tachuela.

AGUOSIDAD f. Humor acuoso del cuerpo.

AGUOSO, SA adj. Acuoso.

¡AGUR! interj. que se usa para despedirse.

AGURTO y Olaya, *Luis Felipe* (1898-1966) Escultor per., discípulo de Rodin. Monumentos a Prado, Grau y Garcilaso.

AGUSANARSE prnl. Llenarse de gusanos alguna cosa. ■ AGUSANAMIENTO.

AGUSTÍN (354-430) Santo. Precursor de la patrística latina y adaptador de las doctrinas platónicas al cristianismo. Según su obra *De la Trinidad,* el alma es un reflejo de la Trinidad que, en algunas de sus facultades, refleja a cada una de las divinas Personas. En su obra *Ciudad de Dios,* expone una teología de la historia contraponiendo la ciudad de Dios a la de los hombres. Festividad: 28 de agosto. • **José,** llamado *José Agustín Ramírez* (n. 1944) Escritor mex. Innova las formas narrativas y el lenguaje. *La tumba, De perfil, Abolición de la propiedad, Inventando que sueño, La mirada en el centro, Ciudades desiertas*; en teatro, *Círculo vicioso.*

AGUSTINI, *Delmira* (1886-1914) Poetisa ur. influida por D'Annunzio y Rubén Darío. *El libro blanco, Cálices vacíos, Cantos de la mañana.*

AGUSTINIANISMO m. Doctrina teológica de san Agustín.

AGUSTINO, NA adj. y s. Religiosos de la orden de san Agustín y de instituciones afines a ella. ■ AGUSTINIANO, NA.

AGUTÍ m. *Amér.* Mamífero roedor del tamaño de una liebre, apreciado por su carne y su piel.

AGUZADERO, RA adj. y s. Que sirve para aguzar. • m. Sitio donde el jabalí aguza los colmillos.

AGUZADO, DA adj. Que tiene forma aguda.

AGUZADURA f. Cantidad de hierro y acero que se emplea en calzar la reja del arado.

AGUZANIEVES f. Pájaro motacílido de plumaje gris, con zonas blancas, negras o amarillas.

AGUZAR tr. Sacar punta a un arma u otra cosa, o adelgazar la que ya tienen. • Afilar. • fig. Aguijar. • fig. Hablando de dientes, garras, etc., prepararlos para comer o despedazar. • fig. Despabilar el entendimiento o un sentido. ■ AGUZADOR, RA; AGUZAMIENTO.

¡AH! interj. que denota pena o sorpresa.

AH PUCH Divinidad maya asociada al número 10.

AHAGGAR Macizo montañoso del Sahara argelino, habitado por los tuareg.

AHEBRADO, DA adj. En forma de hebras.

AHECHAR tr. Limpiar con harnero o criba el grano trillado. ■ AHECHADERO; AHECHADOR, RA; AHECHADURA; AHECHO.

AHELEAR tr. Poner alguna cosa amarga como hiel. • fig. Turbar la felicidad con alguna pena. • intr. Tener una cosa sabor de hiel.

AHELGADO, DA adj. De dientes desiguales.

AHEMBRADO, DA adj. Afeminado.

AHERROJAR tr. Poner a uno prisiones de hierro. • fig. Oprimir.

AHERRUMBRAR tr. Dar a una cosa color o sabor de hierro. • prnl. Tomar una cosa color o sabor de hierro. • Cubrirse de herrumbre.

AHERVORARSE prnl. Calentarse el trigo y otras semillas en los graneros o depósitos.

AHÍ adv. lugar. En ese lugar, o a ese lugar. • En esto, en eso. • En lugar indeterminado. • **Por a.** m. adv. Por lugares próximos.

AHIGADADO, DA adj. Valiente, esforzado. • De color de hígado.

AHIJADO, DA m. y f. Cualquier persona, respecto de sus padrinos.

AHIJAR tr. Prohijar al hijo ajeno. • Acoger un animal al hijo ajeno para criarlo. • Poner a cada animal con su madre o con otra para que lo críe. • fig. Atribuir a alguno lo que no ha hecho. • intr. Procrear hijos. • *Agr.* Echar la planta retoños.

¡AHIJUNA! *Argent.* y *Chile.* interj. de admiración o de insulto.

AHILADO, DA adj. Díc. del viento suave y continuo. • Díc. de la voz tenue.

AHILAR intr. Ir uno tras otro formando hilera. • prnl. Experimentar desmayo por falta de alimento. • Hacer hebra la levadura, el vino, etc. por haberse maleado. • Adelgazarse por causa de enfermedad. • Criarse débiles las plantas por falta de luz. • Criarse altos y limpios de ramas los árboles por estar muy juntos. ■ AHÍLO.

AHINCAR tr. Instar con ahínco, estrechar. • prnl. Apresurarse, ■ AHINCADO, DA.

AHÍNCO m. Eficacia o empeño grande con que se hace o solicita alguna cosa.

AHITAR tr. y prnl. Señalar los lindes con hitos. • tr. e intr. Causar ahíto. • prnl. Comer hasta padecer indigestión. ■ AHITAMIENTO.

AHITERA f. fam. Ahíto grande o de mucha duración.

AHÍTO, TA adj. Aplícase al que padece indigestión o empacho. • fig. Cansado, harto de una persona o cosa. • m. Indigestión o empacho.

AHMAD I (1590-1617) Sultán otomano [1603-1617]. Firmó (1612) un desfavorable tratado de paz con los persas. • **II** (1643-1695) Sultán otomano [1691-1695]. Dejó el gobierno en manos de su gran visir Ahmed Köprülü. • **III** (1673-1736) Sultán otomano [1703-1736]. Luchó contra Pedro el Grande de Rusia y contra Austria. • ***Al-Mansur*** (1549-1603) Soberano marroquí. En Alcazarquivir (1578), derrotó al rey Sebastián de Portugal. • ***Sah Durraní*** (m. 1773) Fundador del imperio durraní. Proclamado rey de Afganistán en 1747.

AHMADABAD C. de la India en el est. de Gujarat; 2 515 200 hab. (agl. urb.). Centro fabril. Fundada en 1411 por Ahmad Sha I.

AHMADIYYAH adj. y m. Seguidores de la secta heterodoxa musulmana fundada en la India en 1899 por Mirza Culam Ahmad.

AHOBACHONADO, DA adj. fam. Apoltronado, entregado al ocio.

AHOCICAR tr. fam. Vencer a uno en la disputa. • intr. Rendirse en una disputa ante los argumentos del contrario.

AHOCINARSE prnl. Correr los ríos por angosturas o quebradas estrechas y profundas.

AHOGADERO, RA adj. Que ahoga o sofoca. • m. Cordel que se echaba a los que habían de ser ahorcados. • Sitio muy lleno de gente. • Cuerda de la cabezada, que ciñe el pescuezo de la caballería. • Ahogador. • Caldera con agua caliente para ahogar la ninfa del gusano de seda.

AHOGADIZO, ZA adj. Que se puede ahogar. • Díc. de las frutas que no se pueden tragar con facilidad. • fig. Díc de la madera que se hunde en el agua.

AHOGADO, DA adj. Díc. del sitio estrecho que no tiene ventilación. • m. y f. Persona que muere por falta de respiración.

AHOGADOR, RA adj. y s. Que ahoga • m. Collar que usaban las mujeres. • Ahogadero.

AHOGAR tr. y prnl. Quitar la vida a alguno impidiéndole la respiración. • Tratándose de plantas o simientes, dañar su lozanía por exceso de agua, apiñamiento o acción de otras plantas. • Apagar el fuego con materias que dificultan la combustión. • Inundar el carburador con exceso de combustible. • tr., intr. y prnl. fig. Oprimir, acongojar, fatigar. • tr. Sumergir una cosa en el agua. • En el juego de ajedrez, hacer que el rey contrario no pueda moverse sin quedar en jaque. • Sentir sofocación, ahogo. • Embarcar agua un buque por la proa, por exceso de escora. ■ AHOGAMIENTO.
AHOGAVIEJAS f. Quijones, planta.
AHOGO m. fig. Congoja, angustia. • Ahoguío. • fig. Penuria. • fig. Apremio. • *Col.* Salsa con que se rehoga la comida.
AHOME Mun. de México, en el est. de Sinaloa; 164 800 hab. Agricultura. Ganadería y pesca.
AHONDAR tr. Hacer más honda una cavidad. • P. ext., cavar profundizando. • tr., intr. y prnl. Introducir una cosa dentro de otra. • tr. e intr. fig. Escudriñar lo más profundo de un asunto. ■ AHONDAMIENTO; AHONDE.
AHORA adv. tiempo. A esta hora, en este momento, en el tiempo presente. • fig. Poco tiempo ha. • fig. Dentro de poco tiempo. • conj. adversativa. Pero, sin embargo. • **A. bien.** loc. conj. Esto supuesto o sentado. • **A. que.** loc. conj.que equivale a pero. • **Hasta a.** expr. que se usa para despedirse. • **Por a.** m. adv. Por de pronto.
AHORCA f. fam. *Ven.* Cuelga, regalo.
AHORCADORA f. *Guat.* y *Hond.* Avispa.
AHORCAJARSE prnl. Ponerse a horcajadas.
AHORCAR tr. y prnl. Quitar a uno la vida echándole un lazo al cuello y colgándole de él. • tr. P. ext., colgar. ■ AHORCABLE; AHORCADO, DA; AHORCADURA; AHORCAMIENT O.
AHORITA adv. tiempo fam. *Méx.* Ahora mismo.
AHORMAR tr. y prnl. Ajustar una cosa a su horma. • fig. Amoldar. • *Taur.* Hacer que el toro se coloque en disposición para darle la estocada.
AHORNAGAR tr. Quemar la escarcha los botones, flores y hojas de las plantas. • prnl. Secarse la tierra y sus frutos por el excesivo calor. ■ AHORNAGAMIENTO.
AHORNAR tr. Enhornar. • prnl. Quemarse el pan por fuera, y quedar crudo por dentro.
AHORQUILLAR tr. Afianzar con horquillas las ramas de los árboles. • tr. y prnl. Dar a una cosa la figura de horquilla. ■ AHORQUILLADO, DA.
AHORRAR • tr. y prnl. Cercenar y reservar una parte del gasto ordinario. • fig. Evitar algún trabajo, riesgo, etc. • tr. Entre ganaderos, conceder a los mayorales y pastores cabezas de ganado libres de todo gasto. • tr. Dar libertad al esclavo. ■ AHORRADO, DA; AHORRADOR, RA; AHORRAMIENTO; AHORRATIVO, VA; *Argent.* AHORRISTA.
AHORRO m. Lo que se ahorra. • *Econ.* Parte de la renta que no se dedica al consumo corriente.
AHOYAR intr. Hacer hoyos. ■ AHOYADURA.
AHUACHAPÁN Dpto. del O de El Salvador; 1 240 km^2, 313 327 hab. Cap., la ciudad hom. Montañoso, excepto el litoral. Café, tabaco, cereales. Plata y caliza. • C. de El Salvador, cap. del dpto. hom.; 83 900 hab. Café, azúcar, tabaco. Oro y plata. Aguas termales. Devastada por terremotos (1936 y 1937). En 1824 se segregó de Guatemala y se incorporó a El Salvador.
AHUANÉS, SA adj. *Chile.* Aguanés.
AHUATE m. *Hond.* y *Méx.* Espinilla de ciertas plantas.
AHUCHAR tr. Guardar en hucha. • fig. Guardar algo en parte segura. • Azuzar. ■ AHUCHADOR, RA.
AHUCHEAR tr. fam. Chiflar. ■ AHUCHEO.
AHUCIAR tr. Ant. Animar, alentar.
AHUECAR tr. Poner hueca alguna cosa. • tr. y prnl. Mullir o hacer menos compacta alguna cosa apretada. • fig. Dicho de la voz, hablar en tono más grave que el natural. • intr. fam. Ausentarse de una reunión. • prnl. fig. y fam. Hincharse. ■ AHUECADO, DA; AHUECADOR, RA; AHUECAMIENTO.
AHUEHUÉ m. Ahuehuete.
AHUEHUETE m. *Amér.* Árbol conífero parecido al ciprés.
AHUESARSE prnl. *Chile* y *Perú.* No poderse vender un artículo de comercio por haberse estropeado o haber pasado de moda.

Mezquita del sultán **Ahmad I** en Istanbul

AHUEVAR tr. Dar limpidez a los vinos con claras de huevo.
AHUIZOTE m. *Méx.* Anfibio que, según creencia vulgar, es animal maléfico. • *Méx.* Persona que molesta y fatiga. • *C. Rica.* Agüero.
AHUIZOTL Emperador azteca de México [1486-1502] bajo cuyo reinado alcanzó el Imperio su máxima extensión.
AHULADO m. *Amér.* Centr. Tela impermeable.
AHUMADA f. Señal que para dar algún aviso se hace en lugares altos, quemando paja u otra cosa; se usa más con el verbo hacer.
AHUMADA, *Francisco Javier Girón,* DUQUE DE (1803-1872) Militar esp. Instituyó la Guardia Civil. • **Y Villalón, *Agustín,*** MARQUÉS DE LAS AMARILLAS (m. 1760) Virrey de México [1755-1760], saneó la hacienda e impulsó grandes planes de Obras Públicas. Luchó contra la piratería ing. y evitó la anexión de Florida por los fr.
AHUMADO, DA adj. Aplícase a los cuerpos transparentes que tienen color sombrío.
AHUMADOR m. En apicultura, aparato para proyectar humo al interior de las colmenas, con el fin de facilitar la extracción de la cera y la miel.
AHUMAR tr. Poner al humo alguna cosa. • tr. y prnl. Llenar de humo. • intr. Echar humo lo que se quema. • intr. y prnl. fam. Emborrachar. • prnl. Tomar los guisos sabor a humo. • Ennegrecerse una cosa con el humo.
AHUNCHE m. *Col.* Desecho, residuo.
AHUSAR tr. Dar forma de huso. • prnl. Irse adelgazando una cosa en forma de huso. ■ AHUSADO, DA; AHUSAMIENTO.
AHUYENTAR tr. Hacer huir. • fig. Desechar cualquier cosa que molesta. • prnl. Alejarse huyendo. ■ AHUYENTADOR, RA.
AHVAZ o **AHWAZ** C. del Irán, cap. de la prov. de Khuzistán: 334 400 hab. Centro petrolífero.
AÍ m. Especie de perezoso del Brasil, llamado también perico ligero.
AIBONITO Mun. de Puerto Rico, en el distr. de Guayama; 23 100 hab. Agr. Ganadería. Turismo.
AICHI Prefectura de Japón, en la isla de Honshu; 5 139 km^2, 6 690 000 hab. Cap., Nagoya.
AIJAL C. de la India, cap. del est. de Mizoram; 154 300 hab.
AIJADA f. Aguijada.
¡AIJUNA! interj. *Argent., Bol.* y *Ur.* ¡Ahijuna!
AIKEN, *Conrad* (1889-1973) Escritor norteam. *Tierra triunfante, Poemas escogidos* (premio Pulitzer 1929), *El gran círculo.*
AILANTO m. Árbol simarubáceo de las Molucas, de madera dura y compacta.
AILLO m. Ayllu, casta, linaje. • *Perú.* Boleadoras con bolas de cobre.
AILLY, *Pierre d'* (1350-1420) Teólogo fr. Autor de *Imago mundi* (1410), en que basó sus cálculos Cristóbal Colón.
AIMARÁ adj. y s. Aymará.
AIMÉE, *Anouk* (nacida 1934) Seud. de *Françoise Sorya,* actriz cinematográfica fr. *Un hombre y una mujer.*

Ahmad III

Anciano **aino**

AÍNA adv. tiempo. Presto. • adv. modo. Fácilmente. • Por poco.
AÍNAS adv. tiempo y modo. Aína.
AINDAMÁIS adv. cantidad fam. A más.
AINDIADO, DA adj. *Amér.* Que tiene aspecto de indio.
AINE (voz aymará) m. *Bol.* Préstamo en dinero o en especies entre las comunidades, quechuas y aymarás.
AINO o **AINU** adj. y s. Díc. del individuo perteneciente a un pueblo de Asia oriental compuesto por unos 14 000 individuos que habitan en las islas Sajalín, Kuriles y Hokkaido. • adj. Perteneciente a este pueblo. • pl. Este mismo pueblo.
AIRADO, DA adj. Colérico, agitado.
AIRAR tr. y prnl. Mover a ira. • tr. Agitar. ■ AIRAMIENTO.
AIRBAG (voz ing.) m. Dispositivo de seguridad de los automóviles que se acciona tomando forma de saco inflado cuando el vehículo sufre un impacto.
AIRBUS *Aer.* Serie de aviones comerciales europeos, operativos desde 1972.
AIRE m. Mezcla de gases que constituyen la atmósfera. El a. es un fluido incoloro, inodoro, constituido por nitrógeno (78% del volumen total del aire), oxígeno (21%), argón (0,93%) y anhídrido carbónico (0,03%). Además de estos componentes tiene vapor de agua. • Atmósfera que rodea el globo terráqueo. • Viento. • fig. Apariencia de las personas o de las cosas. • fig. Vanidad. • fig. Cada una de las maneras de andar las caballerias a distintas velocidades. • fig. Futilidad de alguna cosa. • fig. Primor en el modo de hacer las cosas. • fig. Garbo

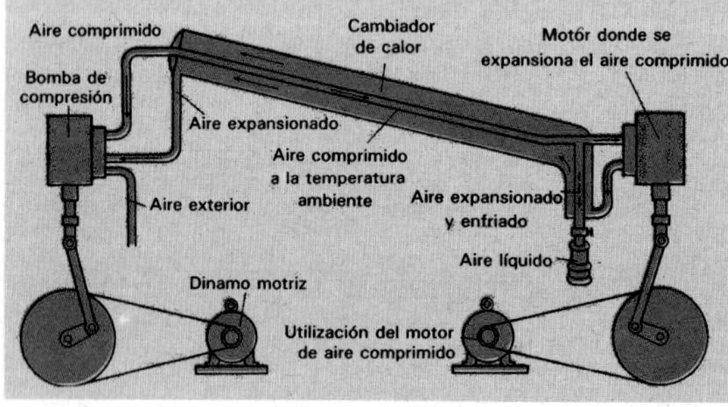

Obtención de **aire** líquido por el método de Claude

y gallardía en las acciones. • fam. Ataque de parálisis. • *Mús.* Movimiento con que se ejecuta una obra musical. • *Mús.* Música con que se canta una canción • *Cuba.* Almiquí, mamífero insectívoro • **acondicionado.** Denominación del aire de un local cerrado cuya temperatura y grado de humedad se regulan mediante un sistema de ventilación • **comprimido.** Aire a presión, obtenido con compresores, que sirve como dieléctrico, como agente de transporte a través de tubos, para hacer funcionar herramientas neumáticas, etc. • **de suficiencia.** fig. Afectación de magisterio. • **popular.** Canción o sonata bailable característica de un pueblo. • **Al a.** m. adv. Tratándose de piedras preciosas, montarlas de modo que queden visibles por encima y por debajo. • fig. Sin proyecto • **Al a. libre.** m. adv. Fuera de toda habitación y resguardo • **Dar a.** fr. fig y fam. Abreviar, acelerar.
AIREAR tr. Poner al aire alguna cosa. • prnl. Ponerse al aire. • Recibir la impresión del aire por descuido o necesidad. • Resfriarse con el aire fresco. ■ AIREACIÓN; AIREO.

Airón

AIRÓN m. Garza real. • Penacho de plumas de la cabeza de algunas aves. • Adorno de plumas.
AIROSIDAD f. Garbo o gallardía.
AIROSO, SA adj. Se aplica al tiempo o sitio en que hace mucho aire. • fig. Garboso o gallardo. • fig. Díc. del que lleva a cabo una empresa con éxito o lucimiento. Suele usarse con los verbos *quedar* y *salir.*
AISA (voz quechua) f. *Arg., Bol.* y *Perú.* Derrumbe en el interior de un a mina.
AISA o **AIXA** (m. 678) Segunda mujer y esposa predilecta de Mahoma.
AISÉN Prov. del S de Chile, en la Región XI Aisén del General Carlos Ibáñez del Campo; 51 045 km², 18 466 hab. Cap., Puerto Aisén.
AISÉN DEL GENERAL CARLOS IBÁÑEZ DEL CAMPO XI Región del S de Chile; 108 494,9 km², 82 071 hab. Cap. Coihaique. Avenada por numerosos ríos y lagos (como el General Carrera, 1 300 km²). Ganadería y madera.
AISLACIONISMO m. Tendencia de un Estado a no participar en los asuntos internacionales. ■ AISLACIONISTA.
AISLADOR, RA adj. y s. Que aísla. • *Fís.* Cuerpos construidos con material aislante que interceptan el paso a la electricidad, al sonido, etc.
AISLAMIENTO m. Situación de falta de relaciones con otros seres humanos. • *Biol.* Imposibilidad de cruzamiento entre individuos de una misma especie. Origina la diferenciación en subespecies y en especies distintas. • *El.* Conjunto de dispositivos capaces de separar partes de máquinas, aparatos o instalaciones con diferencia de potencial. • *Ing.* Conjunto de dispositivos para evitar el intercambio entre un recinto y el medio exterior de calor, sonido, etc.
AISLANTE adj. y s. *Ing.* Díc. de cualquier material usado para establecer un aislamiento.
AISLAR tr. Circundar de agua por todas partes algún sitio. • tr. y prnl. Dejar una cosa separada de otras. • fig. Retirar a una persona del trato de la gente. • tr. *Fís.* Apartar por medio de aisladores un cuerpo electrizado de los que no lo están. • *Fís.* Impedir que un cuerpo reciba electricidad, calor, etc. ■ AISLADO, DA.
AIT Siglas de la Asociación Internacional de Trabajadores.
AIX-EN-PROVENCE C. de Francia, ant. *Aquae Sextiae;* cap. histórica de Provenza en el dpto. de Bouches-du-Rhône; 121 300 hab. Catedral gótica. Universidad.
AIXA → Aisa.
AIZKOLARI (voz eusk.) m. Individuo que practica el deporte de cortar troncos.
AIZOÁCEO, A adj. y f. Individuos de una familia de vegetales herbáceos, cuyas flores recuerdan a las de las compuestas.
¡AJA! interj. fam. que se emplea para denotar complacencia o aprobación.
AJAB Rey de Israel (874-853 a. C.), hijo de Omri. Venció al rey de Damasco.
AJABEBA f. Flauta morisca.
AJACCIO C. de Francia, cap. de Córcega, en el dpto. de Corse-du-Sud; 58 300 hab. Catedral (s. XV).
AJADA f. Salsa de pan, agua, ajos y sal.
¡AJAJÁ! interj. fam. ¡Ajá!
AJAMONARSE prnl. fam. Hacerse jamona una mujer.
AJAR tr. y prnl. Maltratar, manosear, marchitar. • tr. fig. Tratar mal de palabra a alguno para humillarle. • m. Tierra sembrada de ajos. ■ AJAMIENTO.
AJARACA f. *Arq.* En la ornamentación árabe y mudéjar, lazo, adorno de líneas y florones.
AJARAFE m. Terreno alto y extenso. • Azotea.
AJARDINAR tr. Convertir en jardín un terreno.
AJASPAJAS f. pl. Cosa baladí, insignificante.
AJE m. Achaque. Se usa preferentemente en pl. • Planta intertropical, de la familia dioscoreáceas, vivaz, sarmentosa, rastrera, de hojas opuestas y acorazonadas, flores poco visibles y rizomas comestibles. • *Méx.* Sustancia parecida a la manteca. • *Hond.* Especie de cochinilla de la que se obtine colorante amarillo.
AJEA f. Artemisa pegajosa, planta.
AJEAR intr. Emitir la perdiz un sonido semejante a *aj, aj, aj,* cuando se ve acosada. ■ AJEO.
AJEBE m. Alumbre.
AJEDREA f. Planta labiada, muy olorosa.
AJEDREZ Juego entre dos personas, cada una de las cuales dispone de 16 piezas que se colocan sobre un tablero dividido en 64 escaques. Gana el juego quien da jaque mate. • Conjunto de piezas que sirven para este juego. • *Mar.* Jareta, cuando es de madera. ■ AJEDRECISTA; AJEDREZADO, DA.
* *Hist.* De origen incierto, es casi seguro que proceda de Persia. Los árabes lo introdujeron en España y, en el s. XII, Alfonso X lo recopiló en su *Libro de Axedreç, dados e tablas.* En el s. XVI pasó a Italia; hasta el s. XVIII no se trasladó a Francia y a Inglaterra. En Londres se celebró el primer torneo magistral (1851), ganado por Andersen. Las figuras más destacadas han sido Morphy, Steinitz,

Lasker, Capablanca, Euwhe y Alekhine. A partir de 1948, el panorama ha estado dominado por los soviéticos (Smyslov, Bronstein, Tahl, Petrosian, Spassky, Karpov y Kasparov), con la excepción del período 1972-1975 dominado por el americano Fischer. Kasparov es campeón mundial desde 1985.

AJENABE o **AJENABO** m. Jenabe, mostaza.

AJENATÓN → Amenhotep IV.

AJENJO m. Planta perenne, compuesta, medicinal. • Bebida aromatizada con su esencia. • fig. Amargura.

AJENO, NA adj. Perteneciente a otro. • Extraño, de nación o familia distinta. • Diverso, de distinta naturaleza, etc. • fig. Distante, libre de alguna cosa. • fig. Impropio o no correspondiente.

AJENUZ m. Arañuela, planta ranunculácea.

AJEREZADO, DA adj. Díc. del vino que se parece al jerez.

AJERO, RA m. y f. Persona que vende ajos. • m. Dueño de un ajar.

AJETATÓN Nombre que dio Amenhotep IV a la ciudad que hoy se llama Tell-el-Amarna.

AJETE m. Ajo que aún no ha echado cepa o cabeza. • Ajipuerro. • Salsa que tiene ajo.

AJETREAR tr. y prnl. Molestar, mover mucho, cansar con órdenes diversas o imponiendo mucho trabajo. ■ AJETREO.

AJÍ m. Pimiento picante. • Ajiaco, salsa.

AJIACEITE m. Composición de ajos machacados y aceite.

AJIACO m. *Amér.* Salsa de ají. • *Amér.* Guiso de carne y legumbres sazonadas con ají.

AJICERO, RA adj. *Chile.* Relativo al ají. • m. *Chile.* Recipiente en que se pone ají.

AJICOLA f. Cola que se hace de retazos de piel cocidos con ajos.

AJICOMINO m. Salsa de ajo y comino.

AJILIMOJE m. fam. Ajilimójili.

AJILIMÓJILI m. fam. Salsa. • pl. fig. y fam. Adherentes de una cosa.

AJILLO m. Condimento compuesto de ajo, pimiento, pan rallado, aceite, vinagre y sal.

AJIMEZ m. Ventana arqueada.

AJIPUERRO m. Puerro silvestre.

AJIRONAR tr. Hacer jirones.

AJISECO m. *Perú.* Ají usado como condimento.

AJMER C. de la India, en el Rajasthán; 375 600 hab. Ind. textiles y farmacéuticas.

AJO m. Planta liliácea de hojas ensiformes y flores pequeñas y blancas. El bulbo se usa como condimento. Tiene propiedades excitantes y carminativas. • Cada una de las partes o dientes en que está dividido el bulbo de ajos. • Salsa hecha con ajos. • fig. y fam. Asunto que se está tratando entre varias personas. • fig. y fam. Palabrota. • **blanco.** Condimento hecho con ajos crudos, miga de pan, sal, aceite, vinagre y agua. • **cañete, castañete** o **castañuelo.** Variedad del ajo común, que tiene las túnicas de sus bulbos de color rojo. • **cebollino.** Cebollana, o sementero de cebollas. • **chalote,** o **de ascalonia.** Chalote. • **porro,** o **puerro.** Puerro.

¡AJO! y **¡AJÓ!** interj. con que se estimula a los niños para que empiecen a hablar.

AJOARRIERO m. Guiso a base de bacalao.

AJOBACHADO, DA adj. *R. Dom.* Agotado.

AJOBAR tr. Llevar a cuestas. ■ AJOBO.

AJOBILLA f. Molusco lamelibranquio de valvas con dientecillos en los bordes.

AJOFAINA f. Aljofaina.

AJOLÍN m. Insecto hemíptero negro y rojo.

AJOLOTE m. *Méx.* Forma larvaria de una salamandra atigrada. Su carne es comestible.

AJOMATE m. Alga pluricelular de agua dulce.

AJONJE m. Sustancia viscosa extraída de la raíz de la ajonjera que sirve para cazar pájaros. • Ajonjera.

AJONJEAR tr. *Col.* Mimar, acariciar. ■ *Col.* AJONJEO.

AJONJERA f. Planta compuesta, de raíz fusiforme, hojas espinosas y flores amarillentas. • **juncal.** Condrila. ■ AJONJERO.

AJONJOLÍ m. Sésamo. • *Ven.* Tenia del cerdo, en estado de larva.

AJONUEZ m. Salsa de ajo y nuez moscada.

AJORAR tr. Llevar por fuerza gente o ganado de una parte a otra.

AJORCA f. Pulsera, brazalete.

AJORNALAR tr. y prnl. Ajustar a uno para que trabaje o sirva por un jornal.

AJOTAR tr. *Amér.* Estimular, azuzar.

AJOTE m. Escordio.

AJOTOLLO m. *Perú.* Guisado hecho con tollo.

AJUAGAS f. pl. *Vet.* Úlceras de los cascos de las caballerías.

AJUANETADO, DA adj. Juanetudo.

AJUAR m. Conjunto de muebles, enseres y ropas de la casa. • Conjunto de muebles, etc., que aporta la mujer al matrimonio. ■ AJUARAR.

AJUDIADO, DA adj. Parecido a los judíos.

AJUGLARAR tr. Hacer que uno proceda como juglar. • intr. Ser como un juglar. ■ AJUGLARADO, DA.

AJUICIADO, DA adj. Juicioso.

AJUICIAR tr. e intr. Hacer que otro tenga juicio. • Juzgar o enjuiciar.

AJUMARSE prnl. fam. Emborracharse.

AJUNO, NA adj. De ajos.

AJUSTADO, DA adj. Justo, recto.

AJUSTADOR, RA adj. y s. Que ajusta. • m. Jubón que se ajusta al cuerpo. • Anillo con que se impide que se salga una sortija que viene ancha al dedo. • Operario que amolda las piezas de metal ya concluidas al sitio en que han de quedar colocadas.

Aislador para cable de alta tensión

Libro de ***ajedrez****, dados y tablas* de Alfonso X. El Escorial, Madrid

AJUSTAMIENTO m. Ajuste. • Papel en que consta el ajuste de una cuenta.

AJUSTAR tr. y prnl. Poner alguna cosa de modo que venga justo con otra. • tr. Acomodar una cosa a otra. • tr. y prnl. Apretar una cosa de forma que sus partes vengan justo con otra cosa o entre sí. • Arreglar. • tr. Concertar alguna cosa. • Reconciliar a los enemistados. • Tratándose de cuentas, reconocer y liquidar su importe. • Concertar el precio de alguna cosa. • tr. y prnl. Obligar a una persona a prestar algún servicio. • tr. Asestar. • *Amér.* Contratar a destajo. • *Amér. Merid.* Sentirse atacado de un dolor. • *Art. Gráf.* Concertar las galeradas para formar planas. • intr. Venir justo, casar justamente. • prnl. Conformar uno su opinión con la de otro. • Ponerse de acuerdo unas personas con otras.

AJUSTE m. Medida proporcionada de las partes de una cosa para ajustarse. • **de cuentas.** fig. Venganza.

AJUSTERO, RA m. y f. *Col.* y *Nic.* Destajista.

AJUSTICIAR tr. Castigar con la pena de muerte. ■ AJUSTICIADO, DA; AJUSTICIAMIENTO.

AJUSTÓN m. *Ecuad.* Apretón.

AKABA o **AQABA** Golfo del mar Rojo, al E de la pen. del Sinaí.

AKBAR (1542-1605) Emp. mogol de la India. Creador del imperio del «Gran Mogol», que heredó de su padre Humayun (1556) en precarias condiciones.

Ajenjo

Ajo

AKHENATON → Amenhotep IV.
AKIHITO (nacido 1933) Emperador del Japón. Hijo de Hirohito, sucedió a su padre en el trono japonés en 1989.
AKITA Prefectura de Japón, en la isla de Honshu; 11 613 km², 1 227 000 hab. Cap. la c. hom. (302 400 hab.). Centro metal. Refinería de petróleo.
AKRON C. de EE UU (Ohio); 275 000 hab. Primer centro mundial de producción de caucho.
AKSAI CHIN Sector N del Ladkh (Cachemira india), habitado por tibetanos; 36 260 km². Anexionado por China en 1959.
AKSAKOV, ***Serguei Timofeievich*** (1791-1859) Escritor ruso. *La crónica de mi familia, Mañana de invierno, Recuerdos.*
Al Símb. quím. del aluminio.
AL Contracción de la prep. a y el artículo el. • Artículo ár. que forma como prefijo en la composición de muchos nombres propios árabes.
ALA f. Apéndice que sobresale del cuerpo de ciertos animales, y que les permite el vuelo. • Hilera. • Helenio. • Parte del sombrero que sobresale de la copa. • Alero de tejado. • Cada una de las partes membranosas que limitan por los lados las ventanas de la nariz. • Cada una de las partes que a ambos lados del avión sirven para sustentar el aparato en vuelo. • Cada uno de los dos bordes adelgazados del hígado. • fig. Cada una de las tendencias de un partido o asamblea. • *Arq.* Cada una de las partes que se extienden a los lados del cuerpo principal de un edificio. • *Bot.* Membrana que corre a lo largo de alguna parte de las plantas. • *Mec.* Cada una de las paletas alabeadas que parten de un eje para formar la hélice. • *Mil.* Tropa formada en cada uno de los extremos de un orden de batalla. • pl. fig. Ánimos. • fig. Osadía con que una persona hace su gusto. • **del corazón.** Aurícula. • **delta.** Aparato que sirve para el vuelo libre, compuesto por un trozo de tela especial y un armazón ligero, de forma triangular y con un arnés donde va suspendido el tripulante.

El emperador japonés **Akihito**

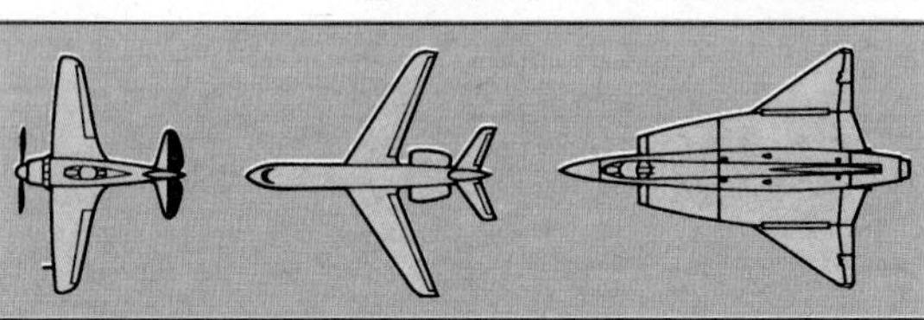
Diversos tipos de **alas** en aeronaves

¡ALA! interj. ¡Hala!
ALÁ (ár., *Allah,* de *al* e *ilah*) Dios en el Islam, creador del mundo y de cuanto encierra.
ALA TAU Nombre de varias cordilleras del Asia central (Kazakistán y Kirguisistán).
ALABADO m. Motete en alabanza del Santísimo Sacramento. • *Chile.* Canto que los antiguos serenos entonaban al venir el día.
ALABAMA Est. del S. de los EE UU, atravesado por el río hom. y el Tennessee; 133 915 km², 4 041 000 hab. (el 40 %, negros). Cap., Montgomery; c. prales.: Birmingham y Mobile. Algodón, tabaco. Ganadería. Carbón, bauxita. Ind. siderúrgica y mecánica. Petróleo. Est. de la Unión desde 1819. Luchó al lado de la Confederación sudista durante la guerra de Secesión.
ALABANDINA f. Sulfuro manganoso, de color negro y brillo metálico.
ALABAR tr. y prnl. Elogiar. • intr. *Méx.* Cantar el alabado. • prnl. Jactarse. ■ ALABADOR, RA; ALABANZA.
ALABARDA f. Lanza con cuchilla transversal, aguda por un lado y en forma de media luna por el otro. • Arma e insignia que usaban los sargentos de infantería. • El mismo empleo de sargento. ■ ALABARDADO, DA; ALABARDAZO.
ALABARDERO m. Soldado armado de alabarda. • Soldado que daba guardia de honor a los reyes de España. • fig. y fam. Cada uno de los que aplauden en los teatros, por alguna recompensa.
ALABARELO m. Bote de cerámica.
ALABASTRINA f. Lámina delgada de alabastro yesoso o espejuelo.
ALABASTRITA f. Alabastro yesoso. ■ ALABASTRITES.

Alabardas

Álabes de una rueda hidráulica

ALABASTRO m. Mármol traslúcido, gralte. con visos de colores. • fig. Vaso de alabastro en que se guardaban los perfumes. • **oriental.** El muy traslúcido y susceptible de hermoso pulimento. • **yesoso.** Yeso compacto y traslúcido. ■ ALABASTRADO, DA; ALABASTRINO, NA.
ÁLABE m. Rama de árbol combada hacia la tierra. • Estera que se pone a los lados del carro. • Teja del alero de un tejado. • *Mec.* Cada una de las paletas curvas de la rueda hidráulica. • *Mec.* Cualquiera de los dientes de la rueda de un batán u otro mecanismo análogo. • Alerón estabilizador de un avión.
ALABEADO, DA adj. Díc. de lo que tiene alabeo. • *Mat.* Díc. de las curvas del espacio ordinario o de un espacio euclídeo de dimensión superior que no están contenidas en ningún plano.
ALABEO m. Deformación que experimenta una tabla u otra pieza de madera al combarse. • P. ext., comba de la cara de una piedra, o de otra superficie. ■ ALABEAR.
ALABIADO, DA adj. Aplícase a la moneda o medalla que tiene rebabas.
ALACALUF adj. y s. Díc. del individuo de un pueblo amerindio del S de Chile, hoy casi extinguido (unos 200 individuos). Viven de la pesca, la caza y la recolección. La propiedad es comunitaria y están organizados en bandas autónomas patrilineales y patrilocales.
ALACENA f. Armario empotrado en el hueco de una pared, con puertas y anaqueles.
ALACHA f. o **ALACHE** m. Boquerón.
ALACIARSE prnl. Enlaciarse.
ALACLE m. *Méx.* Planta malvácea textil.
ALACO m. *Amér.* Centr. Trasto, harapo. • fig. *Amér.* Centr. Persona o animal flaco, escuálido.
ALACOQUE, ***Margarita*** → Margarita María Alacoque.
ALACRÁN m. Arácnido con tráqueas en forma de bolsas y abdomen prolongado en una cola terminada en un aguijón venenoso. • Cada una de las asillas con que se traban los botones, etc. • Pieza del freno de los caballos, que sujeta la barbada al bocado. • **cebollero.** Grillo real. • **marino.** Pejesapo, pez. ■ *C. Rica.* ALACRANERO.
ALACRANADO, DA adj. Díc. del individuo que ha sido víctima de la picada del alacrán. • fig. Inficionado de algún vicio o enfermedad.
ALACRANCILLO m. *Amér.* Planta silvestre borraginácea, de hojas lanceoladas y flores en una espiga encorvada a manera de cola de alacrán.
ALACRANEAR intr. *Argent.* Criticar al prójimo.
ALACRANERA f. Planta papilionácea cuyo fruto es semejante a la cola del alacrán.
ALACRIDAD f. Alegría para hacer las cosas.
ALADA f. Movimiento que hacen las aves subiendo y bajando las alas.
ALADAR m. Cabellos que hay a cada lado de la cabeza y caen sobre las sienes.
ALADIERNA f. o **ALADIERNO** m. Arbusto ramnáceo cuyo fruto es una drupa negra.
ALADO, DA adj. Que tiene alas. • fig. Ligero, veloz. • *Bot.* En forma de ala.
ALADRERO m. Carpintero que labra las maderas para la entibación de las minas.
ALADROQUE m. Boquerón.
ALAFIA f. fam. Gracia, perdón, misericordia.
ÁLAGA f. Especie de trigo con el que se hace un pan dulce y de poca corteza. • Grano de esta planta.
ALAGAR tr. y prnl. Llenar de lagos o charcos. ■ ALAGADIZO, ZA.
ALAGARTADO, DA adj. Semejante a la piel del lagarto. • *Guat.* y *Nic.* Usurero, tacaño. • *C. Rica.* Acaparador.
ALAGARTARSE prnl. *Méx.* Apartar la bestia los cuatro remos, de suerte que disminuya de altura. • *C. Rica, Guat.* y *Nic.* Hacerse avaro u obrar con avaricia, usurear.
ALAGOAS Est. del NE de Brasil; 29 107 km², 2 409 000 hab. Cap., Maceió. Montañoso, atravesado por sierras y ríos. Clima cálido y húmedo en la costa; seco en el interior. Algodón, azúcar, café. Ind. algodonera y azucarera. Petróleo y amianto.
ALAIN-FOURNIER, *Henri Fournier,* llamado (1886-1914) Escritor fr. *El gran Meaulnes* (única obra).
ALAJÚ m. Pasta de almendras, nueces, piñones, pan rallado, especias finas y miel cocida.

ALAJUELA Prov. del N de Costa Rica, limítrofe con Nicaragua; 9 753 km^2, 539 375 hab. Cap., la c. hom. Accidentada por la cordillera de Guanacaste y la Central; regada por los ríos Frío y San Carlos. Caña de azúcar, café, maíz, cacao, plátanos. Caucho y maderas preciosas. • C. de Costa Rica, cap. de la prov. hom.; 158 276 hab. Minas de oro. Ind. azucarera, jabón, bujías.

ALAJUELENSE adj. y s. De Alajuela.

ALALC Siglas de la Asociación Latinoamericana de Libre Comercio, actualmente ■ ALADI.

ALALIA f. *Med.* Afonía. • Med. Defecto del lenguaje debido a afección de los órganos vocales o a lesiones del sistema nervioso. ■ ÁLALO.

ALAMA f. Planta leguminosa, de flores amarillas. Sirve para pasto del ganado.

ALAMÁN, *Lucas* (1792-1853) Político e historiador mex. Representó a Guanajuato en las Cortes esp. de 1821 y defendió la idea de crear tres reinos amer. (México, Nueva Granada, Perú). Con Pedro Vélez y Luis Quintanar formó el efímero triunvirato de 1829. Creador del Partido Conservador, Santa Anna le dio el poder en 1853 para que aplicara su programa desde la Secretaría de Relaciones. *Historia de México desde los primeros movimientos que prepararon su independencia en 1808.*

ALAMANDA f. *Amér.* Arbusto de flores acampanadas, amarillas. Usado en medicina.

ALAMANES m. pl. Confederación de tribus germánicas, establecidas en el Rin. Derrotadas por Clodoveo en Tolbiac (496).

ALAMAR m. Presilla y botón, u ojal sobrepuesto, que se cose en el borde del vestido o capa. • Cairel, adorno parecido a un fleco.

ALAMBICADO, DA adj. fig. Dado con escasez y muy poco a poco. • fig. Sutil.

ALAMBICAR tr. Destilar. • fig. Examinar alguna cosa hasta apurar su verdadero sentido o utilidad. • fig.Tratándose de lenguaje, estilo, etc., sutilizar excesivamente. • fig. y fam. Afinar el precio de una mercancía. ■ ALAMBICAMIENTO.

ALAMBIQUE m. Aparato para destilar un líquido por medio del calor. • **Por a.** m. adv. fig . Con escasez o muy poco a poco.

ALAMBOR m. *Arq.* Alabeo. • *Mil.* Escarpa o declive áspero.

ALAMBRADA f. *Mil.* Red de alambre que se emplea para dificultar el avance de las tropas enemigas.

ALAMBRADO, DA m. Alambrera. • Cerco de alambres afianzado en postes.

ALAMBRAR tr. Cercar un sitio con alambre.

ALAMBRE m. Hilo tirado de cualquier metal. • Conjunto de cencerros, campanillas, etc., de una recua o hato de ganado.

ALAMBRERA f. Tela metálica. • Cobertera de red de alambre que se pone sobre los braseros. • Cobertera de red de alambre que cubre la comida.

ALÁMBRICO, CA adj. *Fís.* Díc. de los medios de transmisión que requieren estar conectados por cables, ya sean ordinarios, múltiples, coaxiales o de alta frecuencia, como el teléfono y el teletipo.

ALAMBRISTA com. Equilibrista sobre alambre.

ALAMEDA f. Lugar poblado de álamos. • Paseo con álamos.

ALAMEIN, *El* Localidad de Egipto, a 100 km al O de Alejandría. Punto de partida de la ofensiva brit. en África contra el Afrika Korps de Rommel, durante la II Guerra Mundial bajo la dirección del mariscal Montgomery. La batalla de ruptura del frente germanoitaliano (23 octubre 1942) recibió este nombre.

ÁLAMO m. Árbol salicáceo, indígena de España, cuya madera resiste mucho al agua. • **alpino.** Álamo temblón. • **blanco.** El de corteza gris y hojas verdes por una cara y blanquecinas por la otra. • **líbico.** Álamo temblón. • **negro.** El de corteza oscura y hojas verdes por las dos caras. • **temblón.** Árbol parecido al chopo.

ÁLAMO, *José Ángel* (1774-1831) Político ven. Uno de los redactores del Acta de Independencia. Apresado por los realistas, logró huir del país.

ÁLAMOS Mun. de México, en el est. de Sonora; 24 170 hab. Cultivos subtropicales. Ganadería. Curtidos.

ALAMPAR intr. y prnl. Tener ansia grande por alguna cosa, en especial por comer o beber.

ALANCEADO, DA adj. *Bot.* Lanceolado.

ALANCEAR tr. Dar lanzadas, herir con lanza. • fig. Zaherir. ■ ALANCEADOR, RA.

ALANDREARSE prnl. Ponerse los gusanos de seda secos, tiesos y blancos.

ALANGIÁCEO, A adj. y f. *Bot.* Árboles dicotiledóneos con hojas alternas y enteras, flores axilares y frutos en drupa aovada con semillas de albumen carnoso. • f. pl. *Bot.* Familia de estas plantas.

ALANGILÁN m. Árbol de Filipinas. • Árbol anonáceo del que se extrae esencia.

ALANINA f. *Biol.* Aminoácido fundamental que interviene en la secuencia de multitud de proteínas y se convierte en ácido pirúvico.

ALANO, NA adj. y s. Díc. del individuo de un pueblo de origen iranio que invadió la pen. Ibérica a principios del s. V. • Perteneciente a este pueblo. • m. Perro alano.

ALANTOIDES adj. y m. Membrana extraembrionaria de los vertebrados superiores.

ALANTOÍNA f. Sustancia de color blanco, sólida a la temperatura ambiente, que se encuentra en la orina, en el líquido amniótico de algunos animales y en muchos vegetales.

ALANZAR tr. Alancear. • Lanzar.

ALAQUECA f. Cornalina, ágata.

ALAR m. Alero de tejado. • *Cet.* Percha de cerdas para cazar perdices. Se usa más en pl.

ALÁRABE adj. y s. Árabe.

ALARBE adj. y s. Alárabe. • m. fig. Hombre inculto o brutal.

ALARCO, *José Lino* (1835-1903) Médico y político per., pionero de la cirugía en su país. Vicepresid. en 1903. • ***Luis Felipe*** (nacido 1913) Filósofo per. Influido por el idealismo alemán. *Lecciones de metafísica, Ensayos de filosofía prima, Pensadores peruanos, Sócrates y Jesús ante la muerte.*• **Larrabure, *Rosa*** (1911-1980) Musicóloga per. Premio de musicología de Casa de las Américas. Impulsó diversos mov. revolucionarios.

ALARCÓN, *Abel* (1881-1954) Escritor bol. Historia de la literatura boliviana, *Era una vez, Cuadros de dos mundos.* • ***Fabián*** (nacido1947) Político ecuat. líder del Frente Radical Alfarista (FRA) y presid. de Congreso. Presid. de la Rep. entre 1997 y 1998. • ***Hernando de*** (s. XVI) Explorador esp. Trazó la primera carta geográfica de la costa occidental de México, California y el r. Colorado. • ***Juan Ruiz de*** (h. 1581-1639) Autor dramático esp., de la escuela de Lope de Vega, nacido en México. *La verdad sospechosa, Los pechos privilegiados.* • ***Lope de*** (s. XVI) Conquistador esp. en Perú. Se opuso a la rebelión de Gonzalo Pizarro. • ***Pedro Antonio de*** (1833-1891) Escritor esp. *El escándalo, El sombrero de tres picos.*

ALARDE m. Muestra o revista que se hacía de los soldados y de sus armas. • Ostentación de alguna cosa. • Visita que a los presos hace el juez. • Examen periódico que hacen los tribunales del Estado de todos los asuntos pendientes. • *Der.* Relación de las causas de competencia del jurado que en cada audiencia se le han de someter. ■ ALARDEAR; ALARDEO.

ALARGADERA f. Pieza que sirve para alargar alguna cosa. • *Quím.* Tubo que se adapta al cuello de las retortas para algunas operaciones destilatorias.

ALÁRGAMA f. Alharma.

ALARGAMIENTO m. Acción y efecto de alargar o alargarse. • **mecánico.** *Mec.* En un cuerpo elástico sometido a tracción, relación entre el aumento de longitud y la longitud inicial. Según la ley de Hooke, dentro de determinados márgenes, el a. es proporcional a la fuerza de estiramiento por unidad de área; la inversa de esta constante de proporcionalidad recibe el nombre de *módulo de Young.*

ALARGAR tr. Hablando de límites, llevarlos más allá. • fig. Aplicar o alcanzar a nuevos objetos o límites una facultad o actividad. • Estirar, desencoger. • Aplicar con interés el sentido de la vista o del oído. • Alcanzar algo y darlo a otro que está apartado. • fig. Ceder a otro lo que uno tiene. • Dar cuerda o ir soltando poco a poco algún cabo o cosa semejante. • Hacer que adelante alguna gente. • fig. Aumentar la cantidad o número señalado. • tr. y prnl. Dar más longitud a una cosa. • Prolongar una cosa, hacer que dure más tiempo. • Retardar, dilatar. • tr., intr. y prnl. Alejar, apartar. • prnl. Excederse en elogios, dádivas, etc. • Ir a un sitio algo más lejano del que se pensó. ■ ALARGADOR, RA.

ALARGUEZ m. Nombre de varias plantas espinosas, especialmente el agracejo y el aspálato.

Alagoas. Convento de las Carmelitas, en Penedo

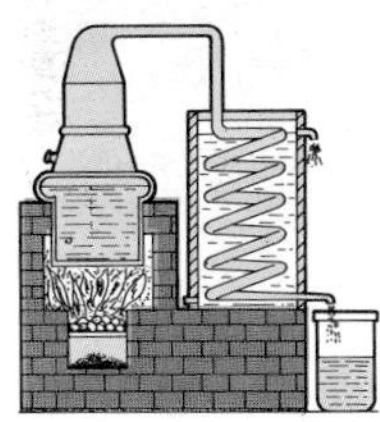

Alambique

Álamo. Árbol, hojas e inflorescencias

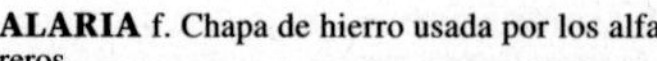

ALARIA f. Chapa de hierro usada por los alfareros.

ALARICO I (370-410) Rey visigodo [396-410]. Invadió Italia y ocupó Roma. • **II** (?-507) Rey visigodo [484-507]. Dominaba la mayor parte de España y media Galia. Promulgó el *Breviario de Alarico.*

ALARIDO m. Grito de guerra de los moros. • Grito de dolor o pena. ■ ALARIDA.

ALARIFE m. Arquitecto o maestro de obras. • *Min.* Albañil. • *Argent.* Persona lista. • adj. *Ur.* Jactancioso. ■ ALARIFAZGO.

ALARIJE adj. Variedad de uva de color rojo.

ALARMA f. Aviso para que la tropa se prepare para la defensa o el combate. • Rebato, convocación de vecinos. • fig. Inquietud causada repentinamente por la amenaza de un mal. • Dispositivo para advertir de un peligro.

ALARMAR tr. Dar alarma o incitar a tomar las armas. • tr. y prnl. fig. Asustar, sobresaltar, inquietar. ■ ALARMADOR, RA; ALARMISTA.

ALAROZ m. Larguero fijo que divide el hueco de una puerta o ventana.

ALAS, *Leopoldo* → Clarín.

ALASITA f. y pl. *Bol.* Feria popular en honor del día de la abundancia.

ALASKA Est. de EE UU en el extremo NO del subcontinente norteam. Comprende la pen. hom. y las islas Aleutianas, Alejandro, Pribilof, San Lorenzo y San Mateo; 1 530 700 km^2, 550 000 hab. Cap., Juneau; c. prales.: Anchorage, Fairbanks. Accidentado por las montañas Rocosas y los montes Brooks. R. Yukón. Clima riguroso en invierno y fresco en verano. Bosques, pesca. Oro, plata, cobre, carbón, petróleo. Pieles preciosas. Est. de la Unión en 1958.

Álava. Vista de Labastida, en la Rioja alavesa

ALASTE adj. *C. Rica* y *Nic.* Resbaladizo.

ALASTRAR tr. Echar atrás las orejas un animal. • prnl. Pegarse contra la tierra un animal para no ser descubierto.

ALATINADO, DA adj. Al modo latino.

ÁLAVA o **ARABA** Prov. esp., en el País Vasco; 3 047 km^2, 272 447 hab. Cap.,Vitoria. C. prales.: Llodio, Amurrio, Salvatierra. Economía agropecuaria e ind. metalúrgica.

ÁLAVA, *Juan de* (m. 1537) Arquitecto renacentista esp. Claustro de la catedral de Santiago de Compostela, catedrales de Plasencia y Salamanca. • ***Miguel Ricardo de*** (1771-1843) Militar esp. Luchó contra las tropas napoleónicas en la guerra de la Independencia. Presid. de las Cortes de Cádiz.

ALAVANCO m. Charco de agua llovediza.

ALAVÉS, SA adj. y s. De Álava. ■ ALAVENSE.

ALAWÍ adj. y m. Dinastía reinante en Marruecos, considerada descendiente de Mahoma.

ALAZÁN, NA adj. y s. Color rojizo o parecido al de la canela. • Caballo o yegua que tiene el pelo de este color.

ALAZANO, NA adj. y s. Alazán. • m. *Amér.* Arbusto de flores amarillas, moteadas de negro.

ALAZO m. Golpe que dan las aves con el ala.

ALAZOR m. Planta compuesta de la cual se obtiene un tinte. Usada como pienso para aves.

ALAZRAKI, *Benito* (nacido 1931) Director de cine mex. En colaboración con C. Velo dirigió *Raíces, Toro Negro.*

ALBA f. Amanecer. • Primera luz del día. • Vestidura blanca que los sacerdotes se ponen para celebrar los oficios divinos. • Alborada, composición poética o musical.

ALBA, *Fernando Álvarez de Toledo,* DUQUE DE (1508-1582) General de Carlos I y Felipe II. Gobernador de Países Bajos (1567-1573). En 1580 dirigió la campaña de Portugal, conquistando el país para Felipe II.

ALBACA f. Síncopa de albahaca.

ALBACARA f. Recinto murado en una fortaleza, en el cual se guardaba ganado. • Torreón saliente.

ALBACEA com. Ejecutor testamentario nombrado por el testador o por el juez para cumplir la última voluntad del finado. • **dativo.** *Der.* El nombrado por la autoridad judicial. ■ ALBACEAZGO.

ALBACETE Prov. esp., de la com. autón. de Castilla-La Mancha; 14 862 km^2, 342 667 hab. Cap., Albacete. C. prales.: Hellín, Villarrobledo, Almansa. Cereales, azafrán. Espartería. Ganadería. Azufre. • Cap. de la prov. hom.; 130 023 hab. Cuchillería.

Mapa de situación y bandera de **Albania**

ALBACORA f. Breva, fruto de la higuera. • Pez acantopterigio comestible.

ALBADA f. Alborada, o música al amanecer y composición poética o musical dedicada a cantar la mañana.

ALBAHACA f. Planta labiada aromática, de hojas oblongas y verdes, y flores blancas con tonalidades purpúreas. • **silvestre mayor.** Clinopodio. • **silvestre menor.** Alcino.

ALBAHAQUERO m. Tiesto para plantas.

ALBAHAQUILLA f. *Dim.* de albahaca. • **de Chile** o **del campo.** Arbusto leguminoso, originario de Chile, usado contra las enfermedades del estómago. • **de río.** Parietaria.

ALBAIDA f. Planta papilionácea, de ramas y hojas blanquecinas y flores amarillas.

ALBALÁ amb. Cédula real en que se concedía alguna merced. • Documento.

ALBAMONTE, *Luis María* (nacido 1912) Escritor arg. *La paloma de la puñalada, Puerto América, El viajero hechizado.* Premio Nacional de Literatura (1953).

ALBAN, *Francisco* (1722-1797) Pintor ecuat. Retratos de la sociedad criolla. • ***Laureano*** (nacido 1942) Poeta cost. Representante del movimiento trascendentalista. Premio «Adonais» 1980, en España, con *Herencia de Otoño.*

ALBANEGA f. Cofia para recoger el pelo. • Manga usada para cazar animales. • *Arq.* Enjuta o pechina de arco.

ALBANI, *Francesco* (1578-1660) Pintor barroco it. *El tocador de Venus, El rapto de Europa.*

ALBANIA *(Republika e Shqipërisë)* Est. europeo de la pen. Balcánica. Rep. socialista; a orillas de los mares Adriático y Jónico, entre Grecia, Macedonia, Servia y Montenegro. País montañoso. Pral. elevación: pico Korab (2 764 m). Ríos prales.: Drin y Shkumbini. Clima mediterráneo, más riguroso en el interior. Maíz, trigo, olivo, vid, remolacha, algodón, tabaco. Explotaciones forestales. Ganadería ovina y caprina. Pirita, cupríferas, cromo, lignito, petróleo. Ind. poco desarrollada. Lenguas: albanés tosco (of.) y albanés guego y griego. Rel.: ateísmo (of.), musulmanes (65%), ortodoxos griegos (25%), católicos (5%). U. M.: lek. Cap., Tirana. C. prales.: Shkodër, Durrës.

* *Hist.* Es la antigua *Iliria* de los rom. En época bizantina constituyó el despotado de Epiro. Permaneció bajo el dominio turco desde el s. XV hasta la primera guerra balcánica (1912). Escenario bélico durante la I Guerra Mundial. Los it. la invadieron desde 1939 hasta 1944. Este año constituyó una república popular. A partir de 1961, se distanció de

ALBANIA

Superficie 28 748 km^2	
Población 3 412 000 hab. (119 hab./km^2)	
Recursos económicos	
Maíz	210 000 t
Remolacha azucarera	70 000 t
Trigo	400 000 t
Uva	46 000 t
Ganaderia y derivados	
Cabaña bovina	670 000 cabezas
Cabaña ovina	2 500 000 cabezas
Riqueza forestal	409 000 m^3
Pesca	3 200 t
Producción mineral	
Lignito	179 000 t
Gas natural	136 mill. de m^3
Petróleo	535 000 t
Producción industrial	
Cemento	240 000 t
Fertilizantes	9 000 t
Papelera	44 000 t
Indicadores sociológicos	
PNB	2 199 millones de dólares
Renta per cápita	670 dólares
Esperanza de vida	73 años
Alfabetismo	75 %

la URSS y se acercó a China, de la que se separó en 1976. En 1990, influido por los cambios que se habían producido en los países vecinos, entabló relaciones diplomáticas con EE UU y la URSS. Desde entonces, la vida política de A. no ha estado exenta de enfrentamientos entre el Partido Democrático Albanés (PDA), que alcanzó el poder en 1992, y el Partido Socialista de Albania (PSA). En 1997, la quiebra de los planes de ahorro piramidales provocó el alzamiento contra el gobierno de Sali Berisha. Ese mismo año Rexhep Mejdani venció en las elecciones desplazando de la presid. a Berisha. La situación albanesa se complicó en 1999 por la afluencia masiva de refugiados que huían de la guerra en Kosovo.
ALBANIA Mun. de Colombia, en la intendencia de Caquetá; 32 200 hab. Maderas.
ALBANO, NA adj. y s. De Alba Longa. • adj. y s. Albanés.
ALBANY C. de EE UU, cap. del est. de Nueva York, a orillas del Hudson; 101 000 hab. Universidad. Ind. mecánicas y químicas.
ALBAÑAL m. Canal que da salida a aguas residuales. • Depósito de inmundicias. • fig. Lo repugnante.
ALBAÑILERÍA f. Arte de construir obras en que se empleen ladrillo, piedra, etc. • Obra de albañilería. ■ ALBAÑIL.
ALBAR adj. Blanco. • m. Terreno de secano.
ALBARÁN m. Relación de mercancías que acredita la entrega de las mismas. • Papel que se pone en las casas como señal de que se alquilan. •
ALBARAZADO, DA adj. y s. Enfermo de albarazo. • adj. De color mezclado de negro o cetrino y rojo, abigarrado. • adj. y s. *Méx.* Descendiente de china y jenízaro, o de chino y jenízara.
ALBARAZO m. Lepra. • Herpe del cutis.
ALBARCA f. Abarca.
ALBARCOQUERO m. Albaricoquero.
ALBARDA f. Pieza pral. del aparejo de las caballerías de carga, que se compone de dos almohadillas unidas por la parte que cae sobre el lomo del animal. • Albardilla, lonja de tocino. • *Amér. Centr.* Silla de montar de cuero. ■ ALBARDERÍA; ALBARDERO.
ALBARDADO, DA adj. fig. Díc. del animal que tiene el pelo del lomo de diferente color que el resto.
ALBARDAR tr. Enalbardar.
ALBARDEAR tr. *Amér. Centr.* y *Méx.* Domar caballos. • Molestar.
ALBARDELA o **ALBARDILLA** f. Silla para domar potros. • Forro que los esquiladores ponen en las tijeras. • Almohadilla que llevan los aguadores sobre el hombro. • Agarrador para la plancha. • Caballete que se pone en los muros. • Caballete que divide las eras de un huerto. • Lomo de barro de sendas y caminos. • Barro que se pega al dental del arado. • Lonja de tocino con que se recubren las aves para asarlas. • Mezcla de huevos batidos, harina, etc., con que se rebozan algunos manjares.
ALBARDÍN m. Planta gramínea muy parecida al esparto, pero de menor calidad.
ALBARDÓN m. Aparejo que se pone a las caballerías para montar en ellas. • *Amér. Merid.* Faja de tierra que sobresale en las costas extensas o entre lagunas, esteros o charcos. • *Hond.* Albardilla, o caballete de los muros.
ALBAREJO adj. y s. Candeal.
ALBARELLOS, *Nicanor* (1810-1891) Guitarrista y compositor arg. *Variaciones de cielito, Variaciones del fandango.*
ALBAREQUE m. Red parecida al sardinal.
ALBARICOQUE m. Fruto del albaricoquero.
ALBARICOQUERO m. Árbol rosáceo, de flores blancas, y cuyo fruto globoso en drupa de color amarillo anaranjado es el albaricoque.
ALBARILLO m. Tañido muy rápido, que se toca en la guitarra para acompañar romances y bailes. • Albaricoquero. • Fruto de este árbol.
ALBARINO m. Cosmético usado para blanquear el rostro.
ALBARIZO, ZA adj. y m. Terreno blanquecino. • f. Laguna salobre.
ALBARRADA f. Pared de piedra seca. • Parata sostenida por una pared de esta clase. • Cerca de tierra. • Alcarraza.
ALBARRANA f. Planta liliácea, conocida también por cebolla albarrana. • Albarranilla.
ALBARRANILLA f. Planta de flores azules en umbela.

Albania. Iglesia bizantina de la Santísima Trinidad

ALBARRAZ m. Albarazo. • Estafisagria.
ALBATROS m. Ave marina de gran tamaño, propia de la zona austral, que se alimenta de peces y moluscos.
ALBAY → Legazpi.
ALBAYALDE m. Carbonato básico de plomo. Es sólido, de color blanco y se emplea en la pintura. Es muy venenoso. ■ ALBAYALDADO, DA; ALBAYALDAR.
ALBAZANO, NA adj. De color castaño oscuro.
ALBAZO m. *Amér.* Alborada, música al amanecer.
ALBEAR intr. Blanquear, tirar a blanco.
ALBEAR, *Francisco* (1816-1887) Arquitecto cub., autor del Malecón y del Acueducto de La Habana.
ALBEDO m. *Fís.* Relación entre la radiación luminosa reflejada por una superficie y la total incidente. En la superficie terrestre el a. puede variar entre el 0,05 de las partes más oscuras y el 0,75 de la nieve.
ALBEDRÍO m. Potestad de obrar por reflexión y elección. Díc. más comúnmente *libre albedrío.* • Apetito, capricho. • Costumbre jurídica no escrita. • **Al a.** de alguno. m. adv. Según su gusto o voluntad, sin sujeción alguna.
ALBEE, *Edward* (nacido 1928) Dramaturgo norteam., introductor del teatro del absurdo en EE UU. *La historia del zoo, ¿Quién teme a Virginia Woolf?*
ALBEITERÍA f. Veterinaria. ■ ALBÉITAR.
ALBELLÓN m. Albollón.
ALBENDA f. ant. Colgadura de lienzo blanco con encajes de hilo. ■ ALBENDERA.
ALBENGALA f. Tejido muy fino con que los moros adornaban sus turbantes.
ALBÉNIZ, *Isaac* (1860-1909) Compositor esp. Escribió obras menores para piano, como zarzuelas y óperas *(Pepita Jiménez).* Destacó por sus obras de madurez. *Iberia* (suite).
ALBENTOLA f. Red de pescar de hilo muy delgado.
ALBERCA f. Depósito de agua hecho con muros de fábrica. • *Méx.* Piscina. • Poza para macerar cáñamo o lino. ■ ALBERQUERO, RA.
ALBÉRCHIGO m. Fruto del alberchiguero. • Alberchiguero. • Albaricoque. ■ ALBÉRCHIGA.
ALBERCHIGUERO m. Árbol cuyo fruto es el albérchigo. • Albaricoquero.
ALBERDI, *Juan Bautista* (1810-1884) Jurista y político arg. Luchó contra la dictadura de Rosas. Bases para la organización política de la Confederación Argentina.
ALBERGUE m. Lugar en que una persona halla resguardo. • Cubil en que se recogen las fieras. ■ ALBERGADOR, RA; ALBERGAR.
ALBERO, RA adj. Albar. • m. Terreno albarizo. • Paño para limpiar y secar los platos.

Albaricoquero. Árbol y fruto

Albatros

Giulio **Alberoni**

Rafael **Alberti**

ALBERONI, *Giulio* (1664-1752) Cardenal it., ministro de Felipe V de España y protegido de Isabel de Farnesio.

ALBERS, *Josef* (1888-1976) Pintor al. Miembro de la Bauhaus, uno de los precursores del op-art.

ALBERT, *Totila* (1892-1967) Escultor chil. *Monumento a Magallanes.*

ALBERTA Prov. del O del Canadá; 661 190 km^2; 2 545 000 hab. El sector NE forma parte del Escudo Canadiense, el S pertenece a la Alta Pradera. Cap., Edmonton. Agricultura. Ganadería. Ind. derivadas. Explotación forestal. Pizarras, gas natural, petróleo.

ALBERTI Familia de banqueros florentinos, de los ss. XIV y XV, rival de los Médicis.

ALBERTI, *Leo Battista* (1404-1472) Humanista, arquitecto y escritor it., autor de *Tratado de la pintura y De la arquitectura.* Se le deben el templo de San Francisco en Rimini, la fachada de Sta. María Novella, en Florencia, y la iglesia de San Andrés de Mantua. • ***Manuel*** (1763-1811) Sacerdote y patriota arg. Miembro de la Primera Junta en 1810. • ***Rafael*** (1902-1999) Poeta esp. Con *Marinero en tierra,* obtuvo el premio Nacional de Literatura (1924-1925). Generacionalmente adscrito a los poetas del 27, e incluido, por su estilo, en el neopopularismo. *Sobre los ángeles, Verte y no verte, A la pintura, Ora marítima, El adefesio.* Premio Cervantes en 1983.

ALBERTINUS, *Aegidius* (1560-1620) Poeta satírico al. Tradujo el *Guzmán de Alfarache.*

ALBERTO Lago del África ecuatorial, entre Uganda y la República Democrática del Congo; 4 500 km^2. Pertenece a la cuenca del Nilo y recibe las aguas del Victoria. Descubierto por S. Baker en 1864, también fue llamado Mobutu Sese Seko.

ALBERTO I (1875-1934) Rey de Bélgica, coronado en 1909. En 1914-1918 luchó contra los invasores alemanes.

ALBERTO, *Alberto Sánchez,* llamado (1895-1962) Escultor esp. Evolucionó del cubismo al surrealismo. *Ciego de la bandurria, Monumento al 1.° de mayo, La Internacional, Maternidad, Pájaro bebiendo agua.* • ***De Austria*** (1559-1621) Archiduque de Austria, hijo del emperador Maximiliano II. Felipe II le nombró gobernador general de Portugal (1583-1593) y gobernador (1595) y soberano (1598) de los Países Bajos. • ***Magno*** (1193-1280) Santo. Nacido en Suabia. Llegó a dominar todos los conocimientos de su época, por lo que fue llamado «Doctor universalis». Sus obras teológicas influyeron decisivamente en Tomás de Aquino.

ALBERTO ADRIANI Mun. de Venezuela, en el est. Mérida; 32 100 hab. Nudo de comunicaciones.

Detalle de *Santo Domingo de Guzmán quemando libros heréticos de los* **albigenses,** por Pedro Berruguete. Museo del Prado, Madrid

ALBERTON C. de la República de Sudáfrica, en la prov. de Transvaal; 149 800 hab. Minería.

ALBI C. de Francia, capital del dpto. del Tarn; 46 000 hab. Catedral gótica fortificada.

ALBICANTE adj. Que albea.

ALBIGENSE adj. y s. De Albi. • Perteneciente a esta c. de Francia. • Adepto de una secta religiosa de origen cátaro, de amplia difusión en el S de Francia en los ss. XII y XIII.

**Hist.* La doctrina igualitaria de los a., su concepción de la oposición del bien y del mal, la aceptación de un solo sacramento, y la crítica a la posesión de bienes por la Iglesia, llevaron a Inocencio III a decretar una cruzada (1208) contra ellos. El triunfo de los cruzados sustrajo la influencia de la Corona de Aragón en el S de Francia.

ALBIHAR m. Manzanilla loca.

ALBILLO, LLA adj. y m. Uva de hollejo tierno y muy gustosa; vino que se hace con ella.

ALBÍN m. Hematites. • *Pint.* Carmesí oscuro que se emplea para pintar al fresco.

ALBINA f. Estero o laguna de agua de mar. • Sal que queda en estas lagunas.

ALBINO, NA adj. y s. *Zool.* Que carece, por anomalía congénita, del pigmento que da los colores propios de cada especie, y, por tanto, con la piel, el plumaje, etc., blancos. • *Méx.* Decíase del descendiente de morisco y europea, o de europeo y morisca. • *Bot.* P. ext., aplícase a la planta blanquecina. ■ ALBINISMO.

ALBINO (s. II) Filósofo helenístico cristiano. Armonizó y desarrolló la lógica aristotélica dentro de la corriente neoplatónica. • ***Décimo Claudio Séptimo*** (m. 197) General rom. Se proclamó emperador a la muerte de Pertinax (193).

ALBINONI, *Tommaso* (1671-1750) Compositor it. Precursor de Vivaldi y de Bach, sus obras marcan una importante etapa en la evolución del *concerto grosso.*

ALBIÓN Nombre dado por Avieno a la Gran Bretaña.

ALBITA f. *Geol.* Silicato de aluminio y sodio, frecuente en granitos y rocas afines.

ALBITANA f. Cerca con que se resguardan las plantas.

ALBIZU Campos, *Pedro* (1893-1965) Dirigente nacionalista puertorriq. Considerado el apóstol de la patria libre.

ALBIZZI Poderosa familia florentina, rival de los Médicis y de los Alberti (ss. XIV y XV).

ALBO, BA adj. Blanco.

ALBOAIRE m. Labor de azulejos en las capillas o bóvedas semiesféricas.

ALBOGÓN m. Instrumento musical de madera, que servía de bajo en los conciertos de flautas. • Instrumento parecido a la gaita gallega.

ALBOGUE m. Especie de dulzaina. • Instrumento musical rústico de viento. • Cada uno de los dos platillos de latón que se usan para marcar el ritmo en las canciones y bailes populares. ■ ALBOGUEAR; ALBOGUERO, RA.

ALBOHOL m. Correhuela, mata convolvulácea. • Planta franqueniácea de flores azules muy pequeñas. Sirve para hacer barrilla.

ALBOÍNO Rey de los lombardos [561-572], fundador del reino lombardo del N de Italia.

ALBOLLÓN m. Desaguadero de estanques, corrales, etc. • Albañal.

ALBÓNDIGA o **ALBONDIGUILLA** f. Bolita de carne o pescado trabado con pan, huevos y especias.

ALBOQUERÓN m. Planta crucífera parecida al alhelí, de flores rojas y semillas en vainas.

ALBOR m. Albura. • Luz del alba. • fig. Principio de una cosa.

ALBORADA f. Amanecer. • Acción de guerra al amanecer. • Toque o música militar al romper el alba. • Música al amanecer y al aire libre, para festejar a una persona. • Composición poética o musical destinada a cantar la mañana.

ALBÓRBOLA f. Vocería o algazara, pralm. aquella con que se demuestra alegría. Se usa más en plural.

ALBOREAR intr. Amanecer o rayar el día.

ALBORGA f. Calzado rústico.

ALBORNÍA f. Vasija grande de barro vidriado.

ALBORNO m. *Bot.* Albura.

Gorila **albino**

ALBORNOZ m. Tela de estambre torcido y fuerte. • Capa con capucha usada por los moros. • Bata de tela absorbente que se utiliza para secarse después del baño.
ALBORNOZ, *Álvaro de* (1879-1954) Político esp. Pres. del gobierno republicano en el exilio. • ***Gil Álvarez Carrillo de*** (1310-1367) Arzobispo de Toledo y cardenal en Aviñón, donde fue consejero de varios papas. Gobernó los Estados pontificios, donde restableció la autoridad papal, lo que permitió el regreso de Urbano V a Roma (1367).
ALBORONÍA f. Guisado de berenjenas, tomate, calabaza y pimiento.
ALBOROQUE m. Agasajo a los que intervienen en una venta.
ALBOROTADO, DA adj. Que por demasiada viveza obra precipitadamente. • Inquieto. • Díc. del pelo revuelto.
ALBOROTAPUEBLOS com. Alborotador, tumultuario. • fam. Persona amiga de bullicio.
ALBOROTAR tr. y prnl. Inquietar, conmover. • Amotinar. • prnl. Tratándose del mar, encresparse. ■ ALBOROTADIZO, ZA; ALBOROTADOR, RA; *Cuba.* ALBOROTOSO, SA.
ALBOROTO m. Vocerío o estrépito causado por una o varias personas. • Desorden. • Asonada, motín. • Sobresalto. • *Méx.* Alborozo • pl. *Amér. Centr.* Rosetas de maíz con azúcar o miel.
ALBOROZO m. Muestras de gran regocijo. ■ ALBOROZADOR, RA; ALBOROZAR.
ALBOTÍN m. Terebinto.
ALBRET Familia gascona que reinó en Navarra a partir de 1484 (Juan III).
ALBRICIAR tr. Dar una noticia agradable.
ALBRICIAS f. pl. Regalo que se da por alguna buena noticia, etc. • *Méx.* Agujeros que los fundidores dejan en la parte superior del molde para que salga el aire • **¡Albricias!** expr. de júbilo.
ALBUFERA f. Laguna de agua salobre, separada del mar por un cordón litoral.
ALBUGÍNEO, A adj. Enteramente blanco. • adj. y f. *Anat.* Membrana fibrosa, blanca y brillante que rodea el tejido propio del testículo.
ALBUGO m. *Med.* Mancha blanca de la córnea. • Mancha blanca de las uñas.
ALBUHERA f. Albufera. • Estanque o alberca.
ÁLBUM m. Conjunto de hojas donde se coleccionan fotografías, sellos, etc. • Libro donde se coleccionan poesías, piezas de música, etc.
ALBUMEN m. *Bot.* Conjunto de las sustancias de reserva contenidas en la semilla, que hacen posible la germinación y alimentan a la planta.
ALBÚMINA f. *Biol.* y *Quím.* Sustancia compuesta de carbono, hidrógeno, nitrógeno, oxígeno y azufre, que forma pralm. la clara de huevo, y se halla en disolución en los líquidos de los organismos animales (sangre, leche), y vegetales. ■ ALBUMINOSO, SA.
ALBUMINAR tr. Preparar con albúmina los papeles o placas para la fotografía. ■ ALBUMINADO, DA.
ALBUMINOIDE m. *Bioq.* Nombre dado a las escleroproteínas que constituyen las proteínas de la seda, el algodón, la piel, el cabello, las pezuñas, las uñas, las plumas, los huesos y el tejido conjuntivo. ■ ALBUMINOIDEO, A.
ALBUMINÓMETRO m. Aparato para determinar la cantidad de albúmina que contiene un líquido orgánico.
ALBUMINOSA f. Materia en que se transforman las sustancias albuminosas al digerirlas.
ALBUMINURIA f. *Med.* Presencia de albúmina en la orina.
ALBUQUERQUE C. de EE UU, en Nuevo México, a orillas del r. Grande; 331 800 hab. Base experimental de cohetes de la US Navy. Fundada en 1706.
ALBUQUERQUE, *Alfonso de* (1453-1515) Navegante port. Conquistó Socotora y Ormuz (1507). Virrey de las Indias desde 1508, ocupó Goa (1510), las costas de Ceilán y Malaca (1511).
ALBUR m. Pez de río, osteíctio, de carne blanca y gustosa. • En el juego del monte, las dos primeras cartas que saca el banquero. • fig. Contingencia a que se fía el resultado de una empresa.
ALBURA f. Blancura perfecta. • Clara de huevo. • *Bot.* Capa blanda, blanquecina, que se halla bajo la corteza en los tallos leñosos.
ALBURNO m. *Bot.* Albura de los tallos leñosos.
ALCA f. Ave marina caradriforme, de la familia álcidos, de hábitos marinos y distribución circumpolar.

Alca

ALCABALA f. Impuesto indirecto castellano que pagaba el vendedor al fisco en la compraventa y ambos contratantes en la permuta. Se implantó en América en 1574. ■ ALCABALERO.
ALCACEL o **ALCACER** m. Cebada verde y en hierba. • Cebadal.
ALCACHOFA f. Planta hortense, compuesta, de raíz fusiforme, tallo estriado, hojas espinosas y cabezuelas comestibles. • Receptáculo con muchos orificios que, sumergido en un a cavidad que contiene agua, permite la entrada de ella en un aparato destinado a elevarla. • Pieza agujereada por donde sale el agua en las regaderas y duchas. ■ ALCACHOFADO, DA; ALCACHOFAL O ALCACHOFAR.

Alcachofa

ALCACHOFAR tr. Abrir como una alcachofa; hinchar. • tr. y prnl. fig. Engreír, hinchar.
ALCACHOFERO, RA adj. Se dice del vegetal que echa alcachofas. • m. El que vende alcachofas. • f. Alcachofa, planta. • Vendedora de alcachofas.
ALCACÍ o **ALCACIL** m. Alcaucil.
ALCAHAZ m. Jaula grande para encerrar aves.
ALCAHUETE, TA m. y f. Persona que actúa como encubridora de relaciones amorosas o sexuales irregulares. • fig. y fam. Correveidile, chismoso. • m. Telón que se emplea en lugar del de boca cuando el entreacto es muy corto. ■ ALCAHUETEAR; ALCAHUETERÍA.
ALCAICERÍA f. Sitio en que se vendía la seda cruda u otras mercancías.
ALCAICO adj. y s. Verso de la poesía gr. y latina que consta de tres yambos, un anapesto y un yambo.
ALCAIDE m. El que tenía a su cargo la guarda de algún castillo. • El que en las cárceles tenía a su cargo la custodia de los presos. • En las alhóndigas, persona encargada de su custodia. ■ ALCAIDESA; ALCAIDÍA.
ALCALÁ DE GUADAIRA Mun. esp., en la prov. de Sevilla, a orillas del río hom.; 56 313 hab. Castillo almohade.
ALCALÁ DE HENARES C. de España, en la prov. de Madrid; 163 386 hab., sit. en el valle del Henares. Remolacha, plantas forrajeras, yeso cristalizado; ind. textiles y farmacéuticas. Es la *Complutum romana*, sede de una famosa universidad, fundada en 1508 por el cardenal Cisneros. Cuna de Cervantes y, quizá, del arcipreste de Hita.

Detalle de la fachada de la universidad de **Alcalá de Henares**

ALCALÁ, *Jerónimo de* (1563-1632) Médico y escritor esp. *El donado hablador o Alonso, criado de muchos amos* (picaresca). • **Galiano, *Antonio*** (1789-1865) Político liberal y escritor esp. Prólogo a *El moro expósito* (1834) del duque de Rivas, texto considerado como el manifiesto romántico esp. por excelencia; *Recuerdos de un anciano, Memorias.* • **Zamora, *Niceto*** (1877-1949) Político esp., primer presid. de la II República (1931-1936).
ALCALDADA f. Acción en que un alcalde abusa de la autoridad que ejerce. • Sentencia necia.
ALCALDE m. Presid. del ayuntamiento de un pue-

Alcaparra

Colonia de **alcatraces**

Alcázar de Segovia (España)

blo o término municipal. ▪ ALCALDESA; ALCALDESCO, CA.

ALCALDÍA f. Oficio o cargo de alcalde. • Territorio de su jurisdicción. • Oficina donde tiene su despacho o ejerce sus funciones el alcalde.

ALCALESCENCIA f. *Quím.* Alteración que experimenta un líquido al volverse alcalino. • *Quím.* Estado de las sustancias orgánicas en que se forma espontáneamente amoniaco.

ÁLCALI m. *Quím.* Nombre dado ant. a los hidróxidos solubles en el agua.

ALCALIMETRÍA f. Técnica química usada para determinar la cantidad de álcali contenida en los carbonatos de sosa o potasa.

ALCALINO, NA adj. *Quím.* De álcali, o que tiene álcali. • Díc. del grupo de metales formado por el litio, sodio, potasio, rubidio, cesio y francio. • Díc. de las rocas cuyo contenido de sosa y potasa supera el 10 %. ▪ ALCALINIDAD.

ALCALINOTÉRREO, A adj. y m. Díc. del grupo de metales formado por el berilio, magnesio, calcio, estroncio, bario y radio.

ALCALIZAR tr. *Quím.* Dar a alguna cosa las propiedades de los álcalis. ▪ ALCALIZACIÓN.

ALCALOIDE m. *Quím.* Sustancia natural caracterizada por la presencia de uno o más átomos salificables de nitrógeno. Las papaveráceas, las solanáceas y otras familias de plantas contienen a., tales como la cafeína, estricnina, morfina, cocaína, etc., capaces de actuar a distintos niveles sobre el sistema nervioso.

ALCALOIDEO, A adj. *Quím.* Aplícase a los principios inmediatos orgánicos que pueden combinarse con los ácidos para formar sales.

ALCALOSIS f. *Med.* Alcalinidad excesiva de la sangre.

ALCAMENES (s. v a. C.) Escultor gr., discípulo de Fidias. Se le atribuye el frontón occidental del templo de Zeus, en Olimpia.

ALCAMONÍAS f. pl. Semillas usadas en condimentos. • fig. y fam. Alcahueterías.

ALCANCE m. Seguimiento. • Distancia a que llega el brazo de una persona. • En balística, distancia a que alcanza el tiro. • Correo extraordinario que se envía para alcanzar al ordinario. • fig. Saldo que según las cuentas se está debiendo. • fig. En los periódicos, noticias recibidas a última hora. • fig. Capacidad. Se usa más en plural. • fig. Trascendencia de las obras del espíritu • *Vet.* Alcanzadura.

ALCANCÍA f. Recipiente cerrado con una ranura por donde se echan monedas para guardarlas. • *Amér.* Cepillo para recoger donativos.

ALCÁNDARA f. Percha donde se ponían las aves de cetrería o donde se colgaba ropa.

ALCANFOR m. Sustancia blanca, volátil, de olor característico. Se extrae del alcanforero y de otras plantas y se obtiene por síntesis. Químicamente es una cetona. • Alcanforero.

ALCANFORADA f. Planta quenopodiácea que despide olor de alcanfor.

ALCANFORAR tr. Componer con alcanfor alguna cosa. • prnl. fig. *Amér.* Disiparse.

ALCANFORERO m. Árbol lauráceo del cual se extrae alcanfor por destilación.

ALCANO m. Hidrocarburo saturado de cadena abierta, como el propano y el butano.

ALCÁNTARA f. En los telares de terciopelo, caja para guardar la tela que se va labrando.

ALCÁNTARA Mun. de España, en Extremadura, prov. de Cáceres; 2 300 hab. • **Orden de A.** Orden religiosa y militar esp., fundada en 1156. Adoptó la regla del Císter y conquistó amplias zonas del reino de León.

ALCANTARILLA f. Paso bajo un camino o carretera para circular las aguas. • Acueducto subterráneo para recoger las aguas. • *Méx.* Depósito para la distribución de aguas potables. ▪ ALCANTARILLAR; ALCANTARILLERO.

ALCANTARILLADO, DA m. Conjunto de alcantarillas. • Obras de canalización y desagüe de desperdicios líquidos y agua de lluvia.

ALCANTARINO, NA adj. y s. De Alcántara. • adj. y s. Religiosos descalzos de San Francisco, reformados por san Pedro de Alcántara. • m. Caballero de la Orden de Alcántara.

ALCANZADO, DA adj. Empeñado, adeudado. • Falto, escaso, necesitado.

ALCANZADURA f. *Vet.* Contusión en las manos o pies de una caballería producida con sus cascos, con las manos de otra caballería que marcha detrás o con el arado.

ALCANZAR tr. Llegar a juntarse con una persona o cosa que va delante. • Llegar a tocar o coger. • Llegar a percibir con la vista, el oído o el olfato. • Coger alguna cosa alargando la mano. • fig. Hablando de una persona, coincidir en el tiempo en que ella ha vivido. • fig. Haber uno vivido en el tiempo de que se habla. • fig. Conseguir, lograr. • fig. Tener poder o fuerza para alguna cosa. • fig. Saber. • fig. Hallar a uno falto o deudor en el ajuste de cuentas. • fig. Llegar a igualarse con otro en alguna cosa. • intr. Llegar hasta cierto punto. • En determinadas armas, llegar el tiro a cierto término. • fig. Tocar a uno alguna cosa o parte de ella. • fig. Ser suficiente una cosa para algún fin. • prnl. Llegar a tocarse o juntarse. • *Vet.* Hacerse alcanzaduras las caballerías. ▪ ALCANZADIZO, ZA; ALCANZADOR, RA.

ALCAPARRA f. Planta caparidácea. Se usa como condimento y como entremés. ▪ ALCAPARRADO, DA; ALCAPARRAL; ALCAPARRERA; ALCAPARRO; ALCAPARRÓN.

ALCAPARRERA f. Alcaparra, planta.

ALCAPARRO m. Alcaparrera.

ALCAPARRÓN m. Fruto de la alcaparra.

ALCAPARROSA f. Caparrosa, sal.

ALCARAVÁN m. Ave ralliforme de cuello largo y cola pequeña, tarsos amarillos, vientre blanco, alas blancas y negras, cuerpo rojo y cabeza de color negro verdoso.

ALCARAVEA f. Planta umbelífera de flores blancas y semillas aromáticas, que sirven para condimento. • Semilla de esta planta.

ALCARRAZA f. Vasija de arcilla que deja rezumarse cierta porción de agua. ▪ ALCARRACERO, RA.

ALCARRIA f. Terreno alto y raso.

ALCARRIA, *La* Región natural de España, en Castilla-La Mancha (prov. de Guadalajara, Cuenca y Madrid). Miel, cereales, remolacha. C. nuclear.

ALCATIFA f. Tapete o alfombra fina. • *Const.* Broza o relleno que, para allanar, se echa en el suelo antes de enlosarlo o enladrillarlo.

ALCATRAZ m. *Amér.* Pelícano de plumaje blancoo blanco y marrón, con parte de las alas y la cola negras. • Cucurucho. • Aro, planta.

ALCATRAZ Isla de la bahía de San Francisco de California. Ant. fortaleza esp., fue famosa penitenciaría federal desde 1933 hasta 1963.

ALCAUCIL m. Alcachofa silvestre.

ALCAUDÓN m. Ave paseriforme, carnívora, de alas y cola negras, manchadas de blanco.

ALCAYATA f. Escarpia.

ALCAYOTA f. *Chile.* Cidra cayote, planta.

ALCAZABA f. Recinto fortificado.

ALCÁZAR m. Fortaleza. • Casa o palacio real. • *Mar.* Espacio que media, en la cubierta superior de los buques, desde el palo mayor hasta la popa o hasta la toldilla.

ALCÁZAR, *Baltasar del* (1530-1606) Poeta esp., cultivador del género festivo. *La cena jocosa.*

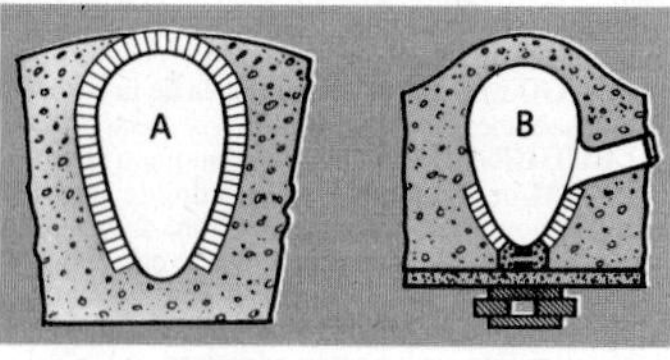

Alcantarillado. Sección de una cañería de hormigón, con revestimiento de ladrillo (A); con fondo de granito y gres (B)

ALCAZARQUIVIR *(al-Qsar-al-Kebir)* C. de Marruecos; 73 500 hab. Sit. junto al r. Lucus. • **Batalla de A.** En sus cercanías fue derrotado y muerto por los marroquíes el rey Sebastián de Portugal (1578).

ALCE m. Mamífero artiodáctilo de la familia cérvidos o bóvidos. • En el juego de naipes, porción de cartas que se corta después de haber barajado. • *Cuba.* Acción de alzar la caña de azúcar. • *Art. Gráf.* Acción de alzar los pliegos.

ALCEDÍNIDO, DA adj. y s. Ave de la familia de los alcedínidos. • m. pl. Familia de aves coraciformes, de vistoso plumaje.

ALCEDO, ***Antonio de*** (1735-1812) Geógrafo e historiador ecuat. *Diccionario geográfico-histórico de las Indias Occidentales o América.* • ***José Bernardo*** (1798-1878) Músico per. Autor del *Himno Nacional* en 1821.

ALCEO (s. VII a. C.) Poeta lírico gr., imitado por Teócrito y por Horacio.

ALCÍBAR, ***José de*** (1731-1810) Pintor mex., miembro fundador de la Academia de San Carlos (1781). *Adoración de los Reyes.*

ALCIBÍADES (450-404 a. C.) General ateniense, discípulo de Sócrates. Dirigió la expedición a Sicilia; derrotado, huyó a Esparta y luego a Persia. Volvió a Grecia y obtuvo brillantes victorias contra los lacedemonios, pero, tras participar en una conjura, tuvo que huir de nuevo y refugiarse en Persia, donde fue asesinado.

ÁLCIDO, DA adj. y s. Díc. del ave de la familia de los álcidos. • m. pl. Familia de aves caradriformes, marinas, distribuidas en torno al polo Norte.

ALCIÓN m. Martín pescador. • *Zool.* Pólipo que forma colonias blandas, digitadas, de color blanquecino, y que vive en los fondos litorales. ■ ALCIONIO.

ALCIÓN *Astr.* Estrella principal de las Pléyades.

ALCIRA o **ALZIRA** Mun. esp., en la prov. de Valencia; 40 556 hab. Sit. en la desembocadura del Júcar.

ALCISTA adj. y com. Persona que juega al alza de los valores en bolsa.

ALCMÁN(s. VII a. C.) Poeta dórico, creador de la lírica coral.

ALCMEÓN de Crotona (h. s. V a. C.) Médico y filósofo pitagórico gr. Descubridor de la diferenciación entre venas y arterias.

ALCMEÓNIDA adj. y s. Familia aristocrática de Atenas a la que pertenecieron Pericles y Alcibíades.

ALCOBA f. Aposento para dormir. • Mobiliario de este aposento. • Caja de la balanza. • Lugar donde estaba el peso público. • Jábega, red.

ALCOBENDAS Mun. esp. en la prov. de Madrid; 83 031 hab.

ALCOCARRA f. Gesto, mueca.

ALCOFA f. Espuerta o capacho grande.

ALCOFORADO, ***Mariana*** (1640-1723) Religiosa port, autora de *Cartas portuguesas.*

ALCOHÍLO m. *Quím.* Radical monovalente obtenido eliminando el hidroxilo de los alcoholes.

ALCOHOL m. Derivado hidroxilado de un hidrocarburo parafínico o cicloparafínico, en los que el grupo —OH está ligado a un átomo de carbono saturado. • **absoluto.** Etanol o alcohol etílico concentrado (menos del 1 % de agua). • **etílico.** Etanol, a. ordinario. Es un líquido incoloro, de olor fuerte, agradable y muy soluble en el agua e inflamable. • **metílico.** Metanol, a. obtenido de la destilación de la madera. ■ ALCOHOLERO, RA.

* *Quím.* Los a. se clasifican en primarios, secundarios y terciarios, según que el átomo de carbono ligado al radical —OH esté unido a dos, uno o ningún hidrógeno, y se nombran sustituyendo en el nombre del hidrocarburo del que derivan la terminación «ano» por la de «ol» (p. ej. etanol deriva de etano), o bien con el nombre del radical alquílico ligado al hidróxilo. Los a. se encuentran bastante difundidos en la naturaleza ; los primeros términos de la serie se forman en procesos fermentativos, los demás se encuentran en forma de ésteres.

ALCOHOLADO, DA adj. Aplícase al animal que tiene el pelo de alrededor de los ojos más oscuro que el resto. • m. *Med.* Compuesto alcohólico que contiene algún medicamento.

ALCOHOLAR tr. y prnl. Ennegrecer con alcohol los párpados, pestañas, cejas o el pelo. • tr. Lavar los ojos con alcohol. • *Mar.* Embrear lo calafateado. • *Quím.* Obtener alcohol de una sustancia.

ALCOHOLATO m. *Med.* Medicamento obtenido de la destilación del alcohol con sustancias aromáticas. • Sal derivada de la sustitución del hidrógeno de la función —OH de un alcohol por un alcalino.

ALCOHOLATURO m. *Med.* Medicamento que se obtiene macerando plantas frescas en alcohol.

ALCOHOLEMIA f. *Med.* Presencia de alcohol en la sangre.

ALCOHÓLICO, CA adj. Que contiene alcohol o relativo al alcohol. • adj. y s. Alcoholizado, que padece saturación alcohólica.

ALCOHOLIFICACIÓN f. Fermentación alcohólica.

ALCOHOLÍMETRO m. Areómetro que sirve para determinar la cantidad de alcohol contenida en un líquido.

ALCOHOLISMO m. *Pat.* Enfermedad caracterizada por manifestaciones morbosas debidas a una intoxicación por el alcohol etílico.

ALCOHOLIZAR tr. Echar alcohol en otro líquido. • *Quím.* Alcoholar, obtener alcohol. • prnl. Contraer alcoholismo. ■ ALCOHOLIZACIÓN; ALCOHOLIZADO, DA.

ALCOHOLURIA f. *Med.* Presencia de alcohol en la orina.

ALCOHOMETRÍA f. Técnica para determinar la graduación alcohólica de un líquido.

ALCOHÓMETRO m. Alcoholímetro.

ALCOJOLADO, DA adj. *R. Dom.* Díc. de la fruta o de la caña de azúcar raquítica.

ALCÓN, ***Alfredo*** (nacido 1929) Actor de teatro y cine arg. En cine se destacó con *Un guapo del 900* y *Martín Fierro.* En teatro sobresalen sus interpretaciones de Shakespeare y Lorca.

ALCOR m. Colina o collado.

ALCOR *Astr.* Estrella de la Osa Mayor.

ALCORÁN m. Corán. ■ ALCORÁNICO, CA.

ALCORANISTA m. Comentarista del Corán.

ALCORCÓN Mun. esp., en la prov. de Madrid; 141 465 hab.

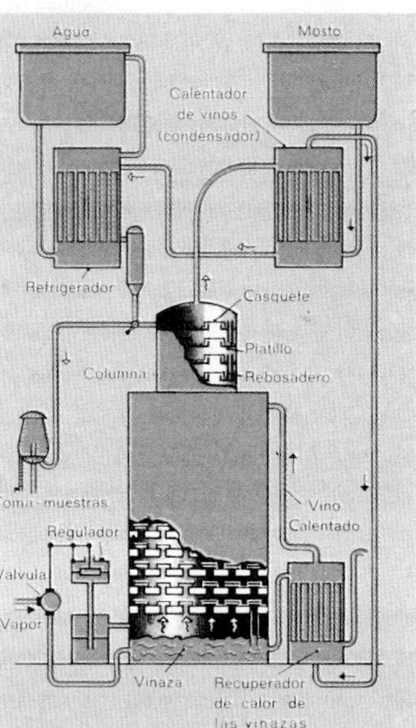

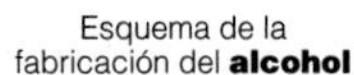
Esquema de la fabricación del **alcohol**

ALCORIZA, ***Luis*** (1920-1992) Director de cine y guionista esp. En 1939 se exilió en México, donde colaboró con Buñuel, como guionista. *Los jóvenes, Tlayucán, Tiburoneros, Presagio.*

ALCORNOQUE m. Árbol perennifolio de la familia fagáceas, de madera durísima, corteza revestida de corcho y fruto en bellotas. • Madera de este árbol. • adj. y m. fig. Díc. de la persona ignorante y zafia. ■ ALCORNOQUEÑO, ÑA.

ALCORQUE m. Chanclo con suela de corcho. • Hoyo excavado al pie de las plantas y de los árboles, para detener el agua del riego.

ALCORTA, ***Amancio*** (1805-1862) Economista y músico arg. *El adiós, Colección de composiciones para piano, Nocturno,* etc.

Alce

Martín pescador, ave de la familia **alcedínidos**

Alcornoque. Árbol, fruto y corteza (corcho)

Alcotán

Alcuino de York

Microfotografía de una **aleación** de latón

ALCORZA f. Pasta de azúcar y almidón, con la que se recubren algunos dulces. • Pieza o pedazo de esta pasta.
ALCORZAR tr. Cubrir de alcorza. • tr. y prnl. fig. Pulir, asear, adornar.
ALCOTÁN m. Ave falconiforme, diurna, semejante al halcón. • *Amér. Centr.* Planta rastrera de prpiedades astringentes.
ALCOTANA f. Herramienta de albañilería.
ALCOY o **ALCOI** Mun. esp., en la prov. de Alicante; 60 921 hab. Sit. junto al río Serpis. Ind. textil, papelera y alimentaria (turrones).
ALCOYANO, NA adj. y s. De Alcoy.
ALCREBITE o **ALCRIBITE** m. Azufre.
ALCUBILLA f. Depósito de agua.
ALCUCERO, RA adj. fig. y fam. Goloso. • m. y f. Persona que hace o vende alcuzas.
ALCUINO de York (735-804) Teólogo y humanista anglosajón, consejero de Carlomagno. *Opera didascalica.*
ALCURNIA f. Ascendencia, linaje.
ALCUZA f. Vasija cónica para guardar aceite. ■ ALCUZADA.
ALCUZCUZ m. Comida ár. a base de pasta de harina y miel, reducida a granitos que, cocida con el vapor del agua, se guisa de distintas maneras.
ALDABA f. Pieza metálica que se pone a las puertas para llamar golpeando con ella. • Pieza fija en la pared, para atar a ella una caballería. • Barreta con que se aseguran los postigos o puertas.
ALDABADA f. Golpe dado en la puerta con la aldaba. • fig. Aviso que causa sobresalto. ■ ALDABAZO; ALDABEAR; ALDABEO; ALDABONAZO.
ALDABÍA f. Cada uno de los dos maderos que sostienen la armazón de un tabique colgado.
ALDABILLA f. Pieza de hierro en forma de gancho, que sirve para cerrar puertas, cofrecillos, etc.
ALDABÓN m. Aldaba grande. • Asa grande de cofre, arca, etc.
ALDAMA, *Ignacio* (1765-1811) Patriota mex. Se unió a Hidalgo en 1810. Apresado por los realistas en su viaje a EE UU para comprar armas, fue ejecutado. • ***Juan*** (1769-1811) Patriota y militar mex., uno de los prales. colaboradores de Hidalgo, cuyas tropas intentó organizar. Murió fusilado en Chihuahua con otros jefes. • ***Miguel de*** (1821-1888) Patriota cub. Donó su fortuna a la causa independentista.
ALDANA, *Francisco de* (1537-1578) Militar y poeta esp. *Epístola a Arias Montano.* • ***José Manuel*** (1730-1810) Compositor mex. *Laudate Domino, Te Deum, Misa en re mayor.* • **Del Puerto, *Ramón*** (1832-1882) Poeta y dramaturgo mex. *Nobleza de corazón, Una prenda de venganza, La cabeza y el corazón.*
ALDAO, *Martín* (1876-1969) Escritor arg. *Torcuato Méndez, La vida falsa.*
ALDEA f. Pueblo de escaso vecindario. ■ ALDEORRIO; ALDEORRO.
ALDEANO, NA adj. y s. Natural de una aldea. • fig. Inculto, rústico.
ALDEBARÁN *Astr.* Estrella fija de la constelación de Tauro.
ALDECOA, *Ignacio* (1925-1969) Poeta y novelista esp. *Todavía la vida* (poesías), *Con el viento solano, Caballo de pica, Gran sol.*
ALDEHÍDO m. Compuesto químico orgánico, obtenido por oxidación de los alcoholes primarios, y que, por ulterior oxidación, da ácidos. • **acético.** El obtenido por oxidación del alcohol etílico y que da ácido acético. • **fórmico.** El obtenido a partir del alcohol metílico.
ALDERETE, *Jerónimo de* (s. XVI) Conquistador esp., colaborador de Valdivia en la conquista de Chile.
ALDERREDOR adv. lugar. Alrededor.
ALDINGTON, *Richard* (1892-1962) Poeta y novelista ing. Propulsor del imaginismo. *Imágenes nuevas y viejas, Todos los hombres son enemigos.*
ALDINO, NA adj. Relativo a Aldo Manucio y demás impresores de su familia.
ALDOL m. Combinación química. Formada por condensación de los aldehídos, al tratarlos con álcalis diluidos.
ALDORTA f. Ave zancuda que tiene en la cabeza un penacho formado de tres plumas blancas.
ALDOSA f. *Quím.* Monosacárido y oligosacárido que posee función aldehídica.
ALDOSTERONA f. *Biol.* Hormona segregada por la corteza suprarrenal, cuya acción es favorecer la reabsorción de sodio en el túbulo distal del riñón.
ALDREY m. Aleación del aluminio con magnesio, silicio y hierro.
ALDRICH, *Robert* (1918-1983) Director cinematográfico norteam. *Apache, ¿Qué fue de Baby Jane?, La banda de los Grissom.*
ALDRIN, *Edwin Eugene* (nacido 1930) Astronauta norteam., uno de los tres tripulantes del *Apolo XI,* en el primer viaje a la Luna.

Edwin Eugene **Aldrin**

ALDROVANDI, *Ulises* (1522-1605) Naturalista it. Fundó el primer jardín botánico (1568).
ALDÚCAR m. Adúcar.
ALDUNATE, *Manuel* (1815-1898) Arquitecto chil. Proyectó el Congreso, el parque Consiño y el ayuntamiento de Valparaíso, entre otras obras.
ALE f. Cerveza inglesa, ligera.
ALEA f. Aleya.
ALEACIÓN f. Mezcla de un metal con otro u otros y con elementos no metálicos. • **ligera.** *Metal.* A. de densidad inferior a 4 kg/dm^3, o a. a base de aluminio.
ALEAR intr. Mover las alas. • fig. Mover los brazos a modo de alas. • fig. Cobrar fuerzas el convaleciente. • fig. Aspirar a una cosa. • tr. Mezclar dos o más metales, fundiéndolos.
ALEATORIO, RIA adj. Relativo al juego de azar. • *Der.* Dependiente de un suceso fortuito. • *Mat.* Díc. de los fenómenos regidos por leyes de probabilidad. ■ ALEATORIEDAD.
ALEBRARSE prnl. Echarse en el suelo agazapándose como las liebres. • fig. Acobardarse. ■ ALEBRASTARSE; ALEBRESTARSE.
ALECCIONAR tr. y prnl. Instruir. • Reprender. ■ ALECCIONADOR, RA; ALECCIONAMIENTO.
ALECHINSKY, *Pierre* (nacido 1927) Pintor belga. Expresionismo abstracto.
ALECHUGAR tr. Planchar una prenda de vestir en forma de hoja de lechuga.
ALECITO, TA adj. y s. *Zool.* Huevos o cigotos con escaso vitelo.
ALECRÍN m. Ant. Pez de la familia escuálidos, de cabeza obtusa, con dobles filas de dientes, carnicero. • *Amér.* Árbol verbenáceo, cuya madera es semejante a la caoba.
ALECTOMANCIA o **ALECTOMANCÍA** f. Adivinación por el canto del gallo o por su alectoria.
ALECTORIA f. Piedra que suele hallarse en el hígado de los gallos viejos.
ALEDA f. Primera cera con que las abejas untan por dentro la colmena.
ALEDAÑO, ÑA adj. Confinante. • adj. y m. Tierra que linda con un pueblo o con otra tierra y que se considera como parte accesoria de ellos. Se usa más en pl. • m. Confín. Se usa más en plural.
ALEF f. Primera letra del alfabeto hebreo. Con subíndice, simboliza la potencia de un conjunto.
ALEFATO m. Nombre del alfabeto hebreo.
ALEGACIÓN f. *Der.* Alegato.
ALEGADOR, RA adj. *Amér.* Discutidor.

ALEGAMAR tr. Echar légamo en las tierras para beneficiarlas. • prnl. Llenarse de légamo.
ALEGAR tr. Citar uno a favor de su propósito algún hecho, dicho, etc. • Tratándose de méritos, etc., exponerlos para fundar en ellos alguna pretensión. • intr. *Amér.* Disputar, altercar. ■ ALEGATORIO, RIA.
ALEGATO m. *Der.* Escrito en el cual expone el abogado las razones que sirven de fundamento al derecho de su cliente. • P. ext., razonamiento o exposición de méritos o motivos aun fuera de lo judicial. • *Amér.* Disputa.
ALEGORÍA f. Representación simbólica, literaria o plástica, de un objeto, idea, hecho o persona. • Obra o composición literaria o artística de sentido alegórico. • *Pint.* y *Esc.* Representación simbólica de ideas abstractas por medio de figuras, atributos, etc. • *Ret.* Figura que consiste en expresar, por medio de varias metáforas, un sentido recto y otro figurado, a fin de dar a entender una cosa diciendo otra diferente. ■ ALEGÓRICO, CA; ALEGORISMO.
ALEGORIZAR tr. Interpretar alegóricamente alguna cosa. ■ ALEGORIZACIÓN.
ALEGRAR tr. Causar alegría. • fig. Embellecer las cosas inanimadas. • fig. Avivar la luz o el fuego. • *Mar.* Aflojar un cabo. • *Mar.* Aligerar el peso de una embarcación. • *Taur.* Excitar el diestro al toro. • prnl. Recibir alegría. • fig. y fam. Ponerse uno alegre por haber bebido vino, etc. • *Cir.* Legrar. • *Mar.* Agrandar un taladro o agujero. ■ ALEGRADOR, RA.
ALEGRE adj. Poseído de alegría. • Que siente alegría. • Que denota alegría. • Que ocasiona alegría. • Pasado con alegría. • Capaz de infundir alegría. • fig. Aplicado a colores, vivo, como el encarnado, etc. • fig. y fam. Excitado por haber bebido vino, etc. • fig. y fam. Algo libre o deshonesto. • fig. y fam. Ligero. • fig. y fam. Aplícase al modo de jugar que denota osadía en el jugador. • fig. y fam. Díc. del juego en que se atraviesa más dinero que de ordinario.
ALEGRE, *Francisco Javier* (1729-1788) Jesuita e historiador mex. *Historia de la Compañía de Jesús en Nueva España.*
ALEGRETO adv. modo y adj. *Mús.* Con movimiento menos vivo que el alegro. • m. *Mús.* Composición ejecutada con este movimiento.
ALEGRÍA f. Reacción emocional caracterizada por un tono vivencial agradable y relacionada con sucesos vividos en un presente inmediato. • Palabras, gestos o actos con que se manifiesta alegría. • Irresponsabilidad. • Sésamo. • Nuégado o alajú condimentado con sésamo. • pl. Fiestas públicas. • Cante y danza andaluces de movimiento vivo.
ALEGRÍA, *Ciro* (1909-1967) Novelista per., miembro destacado del partido APRA. Obras de acusada intención social. *Los perros hambrientos, La serpiente de oro, El mundo es ancho y ajeno.* • ***Claribel*** (nacida 1924) Escritora salv. de origen nic. *Anillo de silencio, Vigilias, Sobrevivo* (poesía, premio Casa de las Américas), *La encrucijada salvadoreña.* • ***Fernando*** (nacido 1918) Escritor chil. *Leyenda de la ciudad perdida, Las noches del cazador.*
ALEGRO adv. modo y adj. Movimiento musical moderadamente vivo, más lento que el presto y menos que el andante. • m. Parte de una composición musical, en este movimiento.
ALEGRÓN m. fam. Alegría intensa y repentina. • fig. y fam. Llamarada de fuego de poca duración. • *Méx.* Tercera cosecha de maíz o de cacao. • adj. y m. *Méx.* Aficionado a galanteos.
ALEIJADINHO, *Antonio Francisco Lisboa* llamado ***El*** (1738-1814) Arquitecto y escultor bras., el más importante del período colonial. En su natal Vila Rica (actual Ouro Preto) dirigió las obras de la iglesia de San Francisco de Asís. Trabajó en otras iglesias de Ouro Preto y de São Joao d'El Rei y Congonhas do Campo.
ALEIXANDRE, *Vicente* (1898-1984) Poeta esp. de la generación del 27. Su lírica evolucionó del neorromanticismo, pasando por el surrealismo, hasta su plena madurez. *La destrucción o el amor, Sombra del paraíso, Historia del corazón, En un vasto dominio.* Premio Nobel de Literatura en 1977.
ALEJANDRA Fiódorovna (1872-1918) Última zarina de Rusia, esposa de Nicolás II.
ALEJANDRÍA *(al-Iskandariya)* C. y puerto de Egipto, en el Mediterráneo, 2 415 000 hab. Centro comercial y primer puerto industrial del país. Fundada por Alejandro Magno (332 a.C.), fue cap. en tiempo de los Ptolomeos y de los rom., emporio del helenismo y centro filosófico y cultural de Oriente y Occidente. Famosa biblioteca (700 000 volúmenes) destruida en el 48 a.C. por las tropas de Julio César. • **Escuela de A.** Núcleo cultural de las doctrinas religiosas de Oriente, basadas en el neoplatonismo (ss. I-IV).
ALEJANDRINO, NA adj. y s. De Alejandría. • Relativo a Alejandro Magno, a su época y a un periodo cultural griego. • Verso de origen fr., de 14 sílabas.
ALEJANDRITA f. *Miner.* Alexandrita.
ALEJANDRO Nombre de varios emperadores, monarcas europeos y pontífices.

IMPERIO ROMANO

ALEJANDRO Severo (208-235) Emperador rom., sucesor de Heliogábalo. Murió asesinado.

MACEDONIA

ALEJANDRO Magno (356-323 a. C.) Rey de Macedonia, hijo de Filipo II. Sometió Grecia. Conquistó Egipto, donde fundó Alejandría. Venció a los persas en la batalla de Arbelas (331). Conquistó Babilonia, Susa y Persépolis y llegó hasta el Indo, donde derrotó al rey Poro (326).

RUSIA

ALEJANDRO I (1777-1825) Emperador de Rusia [1801-1825]. Promotor de la Santa Alianza, siguió una política autocrática, apoyándose en la Iglesia. • **II** (1818-1881) Emperador de Rusia que puso fin a la guerra de Crimea y dictó leyes reformistas. • **III** (1845-1894) Emperador de Rusia. Se propuso restaurar el poder absoluto y la expansión territorial. • **Nevski** (1220-1263) Príncipe que tuvo que aceptar la soberanía del kan de la Horda de Oro, tras rechazar la presión de Occidente.

PAPADO

ALEJANDRO III (m. 1181) Papa [1159-1181]. Luchó contra Federico Barbarroja. • **VI,** *Rodrigo Borja o Borgia* (1431-1503) Papa [1492-1503]. Intervino en la partición del Nuevo Mundo entre España y Portugal, y trató de organizar los Estados Pontificios como un reino más.
ALEJANDRO de Afrodisia (ss. II-primer tercio s. III) Filósofo gr., comentarista de Aristóteles. • **De Hales** (hacia 1185-1245) Teólogo franciscano, nacido en Hales Owen (Inglaterra). Precedente de los escolásticos. • **De Tralles** (525-605) Médico gr., establecido en Roma. *Biblion Therapeutikon.*
ALEJAR tr. y prnl. Poner lejos o más lejos. ■ ALEJADO, DA; ALEJAMIENTO.
ALEJO (1293-1378) Tercer metropolitano de Moscú. Uno de los patrones del país.
ALEJO I (1048-1118) Emperador bizantino [1081-1118]. Fundador de la dinastía de los Comnenos. • **III, *Ángelo*** (m. 1210) Emperador bizantino [1195-1203]. Durante su reinado, la cuarta cruzada se apoderó de Constantinopla (1203). • ***Mijailovich*** (1629-1676) Zar de Rusia [1645-1676], de la casa Romanov. Su reinado fue una sucesión de guerras e insurrecciones.
ALEKHINE, *Alexander* (1892-1946) Ajedrecista ruso, nacionalizado fr. Campeón mundial de 1927 a 1935 y de 1937 a 1946.
ALELADO, DA adj. Díc. de la persona lela o tonta.
ALELAR tr. y prnl. Poner lelo.
ALELÍ m. Alhelí.
ALELISMO m. *Biol.* Alelomorfismo múltiple.
ALELO adj. y m. *Biol.* Díc. de cada uno de los genes que, situados en el mismo locus de cromosomas homólogos, regulan la misma función.
ALELOMORFISMO m. *Biol.* Condición de los genes alelos. • **múltiple.** Existencia, a nivel de población, de diversos alelos para un determinado locus de un cromosoma o para un determinado gen.

Busto de **Alejandra Fiódorovna**

Alejandro Magno

Alejandro I de Rusia

Alejandro VI, detalle de un fresco de Pinturicchio. Palacio Vaticano

 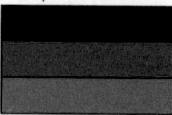

Mapa de situación y bandera de **Alemania**

Alemania. Fuente del ayuntamiento de Hannover

ALELOMORFO adj. *Biol.* Díc. de lo que se presenta bajo diversas formas. • adj. y m. *Biol.* Díc. de los genes de un mismo par de cromosomas, de igual función, pero de acciones distintas.

ALELUYA amb. Voz que usa la Iglesia en demostración de júbilo. • m. Tiempo de Pascua. • f. Cada una de las estampitas que contiene un pliego de papel, con la explicación del tema. • Planta oxalidácea, de la cual se saca la sal de acederas. • *Cuba.* Planta malvácea, usada para salsas, dulces y refrescos. • fig. y fam. Pintura despreciable. • Pareado de versos octosílabos, de carácter popular. • fig. y fam. Versos prosaicos. • fig. y fam. Persona o animal de extrema delgadez. • fig. y fam. Alegría.

ALEM, *Leandro* (1844-1896) Político arg. Jefe del partido radical, participó en el mov. revolucionario de 1893, y fue presid. provisional. Se suicidó.

ALEMA f. Porción de agua de regadío que se reparte por turno. • pl. *Bol.* Baños públicos en las márgenes de un río.

ALEMÁN, NA adj. y s. De Alemania. • **Alto a.** El hablado por los hab. del N de Alemania. • **Bajo a.** El de los hab. del S de Alemania.

**Lit.* La primitiva literatura a. está representada por las transcripciones del latín al gótico. La época medieval cuenta con epopeyas, como la *Canción de los Nibelungos,* y la lírica amorosa de los *Minnesinger.* En el Renacimiento surge el movimiento de los *Meistensinger* o maestros cantores y las canciones populares, que desaparecen con la Reforma. La traducción de la Biblia por Lutero contribuye a unificar la lengua. Surge una literatura influida por la Reforma (Melanchton, Zwinglio). La novela barroca se sintetiza en el *Simplicissimus* de Grimmelhausen; en la lírica destacan Optiz y Gryphius. En la Ilustración se dan diversas corrientes: racionalismo de Puffendorf; el amor patriótico del *Sturm und Drang* (Herder, Brigel); la prosa filosófica de I. Kant. El romanticismo representa la fase más floreciente con Goethe, Schiller, los hermanos Schlegel, etc. La filosofía idealista cuenta con Fitche, Schelling, Scheleiermacher y Hegel, de los que son herederos Feuerbach, Marx, Schopenhauer, Nietzsche. Dramas naturalistas escribieron Hauptmann y Sudermann, y narrativa infantil los hermanos Grimm. Desde finales del s. XIX se han cultivado todas las tendencias: poesía (Kaschnitz, Celan, Eich, S. George, H. von Hofmannsthal, H. M. Enzensberg); teatro (Brecht, Grass, Weiss, Hochhuth); novela (Schmidt, Andech, Handke, Freytag, T. y H. Mann, Wiechert, Wassermann, H. Hesse, E. M. Remarque, H. Böll).

ALEMÁN, *Arnoldo* (n. 1946) Abogado y político nicaragüense. Alcalde de Managua (1990-1995). Líder de la Alianza Liberal, ocupó la presid. entre 1997 y 2002. • ***José María*** (1830-1887) Escritor, poeta y político pan. Perteneciente al grupo de la Floresta. *Recuerdos de juventud, El canal, Crepúsculos de la tarde.* • ***Mateo*** (1547-1615) Novelista esp., descendiente de judíos conversos. *Vida de san Antonio de Padua, Guzmán de Alfarache, atalaya de la vida humana* (obra cumbre de la picaresca). • ***Miguel*** (1900-1983) Político mex., presid. de la rep. (1946-1952).

ALEMANDA f. Danza alegre, de compás binario. • Música de esta danza.

ALEMANIA *(Bundesrepublik Deutschland)* País centroeuropeo que el 3 de octubre de 1990 logró su reunificación tras haber permanecido dividido, desde 1949, en dos est.: la República Democrática Alemana (república socialista) y la República Federal de Alemania (república federal parlamentaria).

**Geog. fís.* Sit. en Europa central, Alemania limita al N con el mar del Norte, Dinamarca y el mar Báltico, al S con Suiza y Austria, al E con Polonia y la República Checa y al O con Países Bajos, Bélgica, Luxemburgo y Francia. El N del país es llano y el S, montañoso (Selva Negra, Alpes, Selva de Baviera); en la A. media destacan la Selva de Turingia y los Montes Metálicos. La mayor altura es el pico Zugspitze (2 963 m), en los Alpes bávaros. Los ríos principales son Rin, Danubio, Weser, Elba y Oder. Clima de transición entre el marítimo y el continental; inviernos fríos y veranos frescos. Lenguas: alemán. Rel.: protestantes (41%), católicos (40%). U.M.: euro. Cap. Berlín. C. imp.: Hamburgo, Munich, Colonia.

**Geog. econ.* Al fin de la II Guerra Mundial las dos A. se desarrollaron de forma diferente. En la RDA la economía se caracterizó por la nacionalización de los sectores clave y el control de la propiedad agraria. Los principales productos obtenidos son el trigo, la patata, las plantas industriales, la remolacha y el lúpulo. Por su parte la RFA, gracias a la racional explotación de sus recursos y a su potente industria, llegó a la reunificación siendo una de las primeras potencias mundiales. Ind. siderúrgica, del automóvil, química, farmacéutica, eléctrica, de aparatos de precisión, etc. Hulla, lignito, potasa, hierro, cobre, aluminio.

**Hist.* A. apareció como reino independiente con el tratado de Verdún (843). Otón I restauró el Imperio (962) con la denominación de *Sacro Imperio Romano Germánico.* La elección de los Habsburgo como monarcas marcó una época de reorganización política, frustrada por la Reforma luterana. Los electores de Hesse y Sajonia, partidarios de la Reforma, formaron con Carlos V la Liga de Esmalcalda y, aunque fueron derrotados en Mühlberg (1547), continuaron la lucha hasta la abdicación de Carlos V y la paz de Augsburgo (1555). La guerra de los Treinta Años

ALEMANIA

Recursos económicos	
Avena	1 604 000 t
Cebada	11 925 000 t
Cebollas	236 000 t
Centeno	4 533 000 t
Colza	3 022 000 t
Lúpulo	34 000 t
Maíz	2 133 000 t
Patatas	10 382 000 t
Remolacha azucarera	26 077 000 t
Tabaco	8 000 t
Tomates	55 000 t
Trigo	17 816 000 t
Uva	850 000 t
Ganadería y derivados	
Cabaña bovina	15 962 000 cabezas
Cabaña ovina	2 340 000 cabezas
Cabaña porcina	24 698 000 cabezas
Carne	5 748 000 t
Leche	28 000 000 t
Mantequilla	486 800 t
Queso	1 402 250 t
Riqueza forestal	37 012 000 m³
Pesca	270 837 t
Producción mineral	
Antracita	57 623 000 t
Caolín	2 930 000 t
Cobre	3 600 t
Gas natural	18 998 mill. de m³
Lignito	207 077 000 t
Oro	18 kg
Petróleo	2 938 000 t
Plata	1 800 kg
Plomo	2 100 t
Sal gema	4 725 000 t
Sales potásicas	2 793 000 t
Uranio	47 t
Zinc	14 300 t
Producción industrial	
Acero	42 051 000 t
Ácido sulfúrico	2 869 000 t
Amoníaco	2 170 000 t
Automóviles	4 093 000 unidades
Cemento	40 217 000 t
Cerveza	113 428 000 hl
Cigarrillos	222 791 000 000 unidades
Fertilizantes	1 199 000 t
Fundición de hierro	30 012 000 t
Materias plásticas	11 307 000 t
Neumáticos	46 415 000 unidades
Papel	14 450 000 t
Sosa caústica	3 367 000 t
Tejidos de algodón	131 000 t
Televisores	3 234 000 unidades
Indicadores sociológicos	
PNB	2 252 343 millones de dólares
Renta per cápita	27 510 dólares
Esperanza de vida	76 años
Alfabetismo	99 %

ALEMANIA
0 50 100 km
MAR DEL NORTE
JUTLANDIA
Vejle
COPENHAGUE
I. SEELAND
SUECIA
Malmö
Odense
DINAMARCA
I. Sylt
I. Föhr
Islas Frisias Septen.
I. Aero
I. Laaland
I. Falster
MAR BÁLTICO
SCHLESWIG-
Kiel
HOLSTEIN
I. Rügen
Rostock
I. Usedom
Islas Frisias Orient.
Islas Frisias Occ.
Lübeck
PLATAFORMA DE MECKLEMBURGO
MECKLEMBURGO
Groninga
Leeuwarden
Hamburgo
Assen
Brema
Szczecin
LLANURA GERMANA
Zwolle
HOLANDA
BAJA SAJONIA
BERLÍN
POLONIA
Enschede
Hannover
Arnhem
MONTES WESER
Braunschweig
BRANDEBURGO
Bielefeld
Münster
Francfort del Oder
RENANIA SEPTENTRIONAL-
Magdeburgo
SAJONIA ANHALT
HARZ
Dessau
Duisburg
Essen
Dortmund
Hagen
Düsseldorf
WESTFALIA
Kassel
ALEMANIA
Halle
LAUSITZ
Solingen
Leipzig
Colonia
MACIZO RENANO
Erfurt
Chemnitz
Bonn
Dresde
TURINGIA
SELVA DE TURINGIA
BEL.
SAJONIA
Plauen
HESSEN
MONTES METÁLICOS
Usti nad Labem
Francfort del Main
MONTES TAUNUS
Wiesbaden
Maguncia
LUX.
LUXEMBURGO
RENANIA-PALATINADO
Wurzburgo
PRAGA
REPÚBLICA CHECA
Plzen
SARRE
Mannheim
Nuremberg
Metz
Saarbrücken
SELVA DE BOHEMIA
FRANCIA
Karlsruhe
BADEN-
SELVA DE BAVIERA
Nancy
Estrasburgo
Stuttgart
České Budějovice
SELVA NEGRA
BAVIERA
ALSACIA
Augsburgo
Ulm
Friburgo
WURTTEMBERG
MESETA SUAVO-BÁVARA
Munich
Linz
AUSTRIA
Mulhouse
Belfort
ALPES BAVAROS
Salzburgo
Basilea
Zürich
Saint Gall
SUIZA
Innsbruck

División administrativa de **Alemania**

Estados	*Km²*	*Población*	*Densidad*
Baden-Württemberg	35 752	9 820 000	275
Baja Sajonia	47 351	7 390 000	156
Baviera	70 554	11 450 000	162
Brandeburgo	29 056	2 580 000	89
Bremen	404	680 000	1 686
Hamburgo	755	1 660 000	2 188
Hesse	21 114	5 770 000	273
Mecklemburgo-Pomerania Anterior	23 559	1 930 000	82
Renania Septentrional-Wesfalia	34 070	17 350 000	509
Renania-Palatinado	19 849	3 770 000	190
Sajonia	18 341	4 770 000	260
Sajonia-Anhalt	20 607	2 880 000	139
Sarre	2 570	1 075 000	417
Schleswing-Holstein	15 731	2 630 000	167
Turingia	16 252	2 610 000	161
Berlín	889	3 435 000	3 862
ALEMANIA	356 854	79 800 000	223

(1618-1648) dejó el país fragmentado en numerosos est. En el s. XVIII Prusia se convirtió en un Est. poderoso, que venció a Austria y Francia en la guerra de los Siete Años. Napoleón formó en 1806 la Confederación del Rin, con los est. alemanes de Baviera, Württemberg, Baden, Hesse-Darmstadt, Nasau, Berg y otros menores, que se separaron del Imperio Romano Germánico. Después de la ocupación francesa, estalló la guerra. Las derrotas prusianas en Jena y Auerstadt obligaron a firmar con Francia la paz de Tilsit (1807), que dejó mermado el territorio prusiano. A la caída de Napoleón (1815), se creó la Confederación Germánica, dirigida por Austria y Prusia. Después de la guerra franco-prusiana (1870), victoriosa para Prusia, se constituyó el *Segundo Imperio Alemán,* con Guillermo I de Prusia y Bismarck a la cabeza. La I Guerra Mundial supuso la caída del Imperio, estableciéndose en 1919 la República de Weimar. En 1933 Adolf Hitler accedió a la cancillería e implantó el Tercer Reich (Tercer Imperio). Su enfrentamiento con las potencias mundiales originó la II Guerra Mundial, que acabó con la derrota de Alemania. Su capital fue dividida en

1

2

3

Alemania. 1. Adolf Hitler, canciller alemán que desencadenó la II Guerra Mundial al invadir Polonia. 2. Colocación de los símbolos de la Alemania unificada en la ant. RDA. 3. Ciudad de Colonia, con su catedral, a orillas del Rín. 4. El Rín a su paso por Gutenfels, en Renania-Palatinado

4

1

2

Alemania. 1. La puerta de Brandeburgo. 2. Gerhard Schröder, elegido canciller en 1998. 3. Panorámica del Rin a su paso por Mannheim y Ludwigshaven. 4. Campanario de Dresde, en Sajonia

4

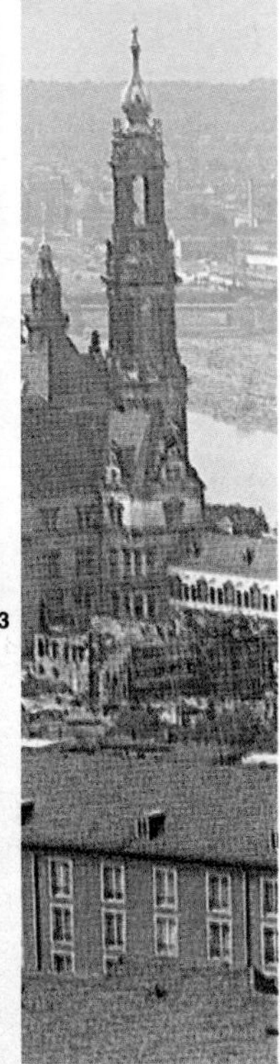

3

cuatro zonas de ocupación (francesa, británica, norteamericana y soviética). En 1949 las discrepancias entre las potencias ocupantes motivaron la creación de dos Repúblicas. El muro de Berlín, construido en 1961 por la RDA, materializó la división de las dos Alemanias. La RFA gobernada por los democristianos en la posguerra (Konrad Adenauer, 1949-1963; Ludwig Erhard, 1963-1966; Kurt Kiesinger, 1966-1969), experimentó una rápida recuperación económica. Este proceso tuvo continuidad con los gobiernos socialdemócratas de Willy Brandt (1969-1974) y Helmut Schmidt (1974-1982), consolidando a A. como la primera potencia europea. En 1982 se inició el largo mandato del canciller democristiano Helmut Kohl, bajo cuyo gobierno se produjo la unificación de ambas Alemanias en octubre de 1990. Como primer canciller de la A. unificada, Kohl, reelegido en 1994, afrontó en el interior los desequilibrios estructurales entre el E y el O, y lideró en el exterior el proceso de unificación europea. En 1998, tras 16 años de gobierno, H. Kohl cedió la cancillería al socialdemócrata Gerhard Schröder, vencedor en las elecciones celebradas en septiembre de ese mismo año.

ALEMBERT, ***Jean Le Rond d'*** (1717-1783) Matemático, físico y filósofo fr. Redactó el *Discurso preliminar* (1751) de la *Enciclopedia.* Autor de varios tratados de dinámica y de cálculo infinitesimal.

ALENCAR, ***José Martiniano de*** (1829-1877) Escritor bras., impulsor de una nueva conciencia indigenista en su país. *O Guarani.*

ALENTADO, DA adj. Resistente a la fatiga. • Animoso. • Díc. de la persona que ha mejorado o se ha restablecido de una enfermedad. • f. Reacción continuada o no interrumpida.

Alerce. Árbol y fruto

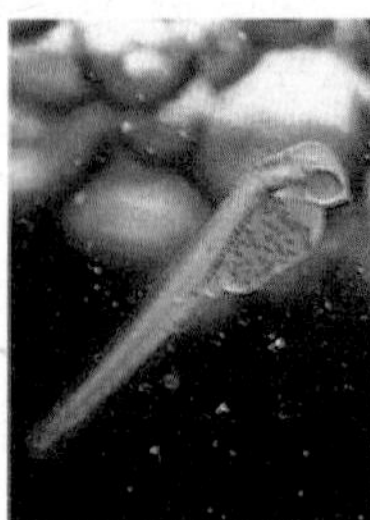
Alevín

ALENTAR intr. Respirar; cobrar aliento. • tr. y prnl. Animar, dar vigor. • prnl. Mejorar o restablecerse de una enfermedad. ■ ALENTADOR, RA.
ALENTEJO Región del N de Portugal, sit. al S del Tajo. Agricultura y ganadería. C. prales.: Évora, Beja y Portalegre.
ALENZA y Nieto, *José Leonardo* (1807-1845) Pintor esp., el más importante del costumbrismo romántico.
ALEONADO, DA adj. Leonado.
ALEPANTADO, DA adj. *Ecuad.* Absorto.
ALEPANTAMIENTO m. *Ecuad.* Embobamiento, suspensión, distracción.
ALEPO *(Halab)* C. del N de Siria; 1 145 100 hab. Centro com. y de comunicaciones.
ALERCE m. Árbol caducifolio de la familia pináceas, de alt. considerable, y cuyo fruto es una piña. • Madera de este árbol. • **de Chile.** Árbol cupresáceo. ■ ALERZAL.
ALÉRGENO m. Sustancia capaz de desencadenar reacciones peculiares, llamadas alérgicas.
ALERGIA f. *Pat.* Reactividad modificada de un organismo, debido a la exposición frente a alérgenos. • P. ext., sensibilidad contraria respecto a personas, cosas, etc. ■ ALERGÉNICO, CA; ALÉRGICO, CA.
ALERO m. Parte inferior del tejado, que sale fuera de la pared. • Jugador de baloncesto que actúa de enlace entre el base y los pivots, entrando al tablero por las alas. • **corrido.** *Arq.* El que rebasa la línea del muro cuanto éste no lleva cornisa.
ALERÓN m. Aleta orientable situada en las alas del avión. • Estabilizador de los bólidos de carreras automovilísticas. • Cada una de las extremidades laterales del puente de un buque.
ALERTA adv. modo. Con vigilancia. • m. Voz usada para excitar a la vigilancia. • f. Alarma. ■ ALERTAR; ALERTO, TA.
ALESIA Ant. c. fortificada de la Galia, en donde César derrotó a Vercingétorix (52 a. C.). Sit. en el dpto. de la Côte d'Or (Borgoña).
ALESNA f. Lesna. ■ ALESNADO, DA.
ALESSANDRI, *Arturo* (1868-1950) Político chil., presid. de la rep. en 1920 y en 1932. Sus mandatos fueron difíciles, debido al plan de reformas que le enfrentaba con los grupos conservadores, pero también a su autoritarismo. • ***Jorge*** (1896-1986) Político chil., hijo del anterior. Presid. (1958-1964). Afrontó, con escaso éxito, la grave situación económica de su país.
ALESSANDRIA C. del NO de Italia, en el Piamonte; 96 800 hab. Sit. a orillas del Tanaro. Ind. mec.,alimentarias, del calzado, del mueble.
ALESSI, *Galeazzo* (1512-1572) Arquitecto it., precursor del barroco.

Centro del mural de la Sala de la Revolución en Chapultepec (México), de **Alfaro Siqueiros**

ALESSIO, *Mateo da* (1547-1615) Retratista it. establecido en Lima. Alumno de Miguel Ángel.
ALETA f. Apéndice natatorio de ciertos animales. • Ala de la nariz. • Prolongación de la parte superior de la popa de algunas embarcaciones. • Guardabarros que sobresale de la caja de un coche. • *Arq.* Cada una de las dos partes del machón que quedan visibles a los lados de una columna. • *Mar.* Cada uno de los dos maderos curvos que forman la popa de un buque. • Pieza lateral y plana que sobresale en diferentes objetos. • Alerón.
ALETADA f. Movimiento de las alas o aletas.
ALETARGAR tr. Causar letargo. • prnl. Padecerlo. ■ ALETARGAMIENTO.
ALETAZO m. Golpe de ala o de aleta.
ALETEAR intr. Mover las aves las alas sin echar a volar. • Mover los peces las aletas cuando se los saca del agua. • fig. Alear.
ALETEO m. fig. Palpitación acelerada y violenta del corazón.
ALETSCH Glaciar de los Alpes suizos.
ALEURÓMETRO m. Instrumento medidor del grado de panificación de una masa de harina a través de su contenido de gluten.
ALEURONA f. *Bot.* Sustancia nitrogenada de reserva que se halla en las semillas.
ALEUTIANAS o **ALEUTINAS,** ***Islas*** Arch. que forma un arco de Alaska a Kamchatka, separando el Pacífico N del mar de Bering; 37 840 km², 6 500 hab. Islas prales.: Unimak, Unalaska, Umnak.
ALEUTIANO, NA adj. y s. Relativo a las islas Aleutianas. • Individuos de un pueblo paleomongoloide que habita dichas islas, la pen. de Alaska, las islas Pribilof y las Komandorski. • m. Grupo de lenguas habladas por los aleutianos.
ALEVE adj. y s. Alevoso.
ALEVILLA f. Mariposa parecida a la del gusano de seda, pero con las alas blancas.
ALEVÍN m. Pez pequeño, o cría de pez, con frecuencia destinado a la repoblación. • fig. Joven principiante que se inicia en una disciplina.
ALEVOSÍA f. Cautela para cometer un delito contra las personas, sin riesgo del delincuente. • Traición. • **Con a.** m. adv. A traición y sobre seguro. ■ ALEVOSO, SA.
ALEXANDER, *Francisco* (nacido 1912) Crítico musical y traductor ecuat. Traductor de Whitman. • ***Franz*** (1891-1964) Psiquiatra norteam. de origen húng., artífice de la orientación del psicoanálisis en EE UU. Uno de los creadores de la med. psicosomática. • ***Harold George*** (1891-1969) Mariscal brit. Adjunto de Eisenhower en la jefatura de las fuerzas aliadas en África del N. • ***Samuel*** (1859-1938) Pensador brit. Su doctrina es próxima al materialismo dialéctico. *Espacio, Tiempo y Deidad.*
ALEXANDRITA f. Variedad de crisoberilo verde esmeralda. Al ser expuesta a la luz artificial adquiere una tonalidad rojo frambuesa. Es muy apreciada en joyería.
ALEXANDROV, *Alexandr Vasilievich* (1883-1946) Compositor ruso. Fundador de los coros del ejército ruso.
ALEXIA f. Variedad de afasia, que consiste en una pérdida patológica de la capacidad de leer. Se llama también ceguera verbal.
ALEXIFÁRMACO, CA adj. y m. Sustancia o medicamento preservativo o correctivo de los efectos del veneno.
ALEXIS, *Willibald* (1798-1871) Escritor al., cuyo verdadero nombre era Willibald Häring. Cultivó la novela histórica al estilo de Walter Scott. *El falso Waldemar.*
ALEYA f. Versículo del Corán.
ALEZNADO, DA adj. Bot. En forma de lezna.
ALEZO m. Faja usada en vendajes médicos.
ALFA f. Primera letra del alfabeto gr. • *Astr.* La estrella más brillante de una constelación. • **y omega.** exp. fig. Principio y fin. • **Partícula a.** *Fís.* Núcleo de helio emitido por las sustancias radiactivas.
ALFABETIZAR tr. Ordenar alfabéticamente. • Enseñar a leer y escribir. ■ ALFABETIZACIÓN.
ALFABETO m. Abecedario. • Conjunto de letras o caracteres que representan los sonidos humanos: *a. fonético, telegráfico,* etc. • **Braille.** El usado por los ciegos. • **Morse.** El telegráfico.
**Hist.* Los primeros caracteres empleados fueron los ideográficos o jeroglíficos, considerablemente complicados. El sistema silábico supuso la simplificación del lenguaje escrito y, más aún, el fonético (una sola letra representa el primer sonido de la palabra representada), perfeccionado por los fenicios (con 22 consonantes o semiconsonantes). Éste dio lugar al griego, que derivó en el etrusco y la-

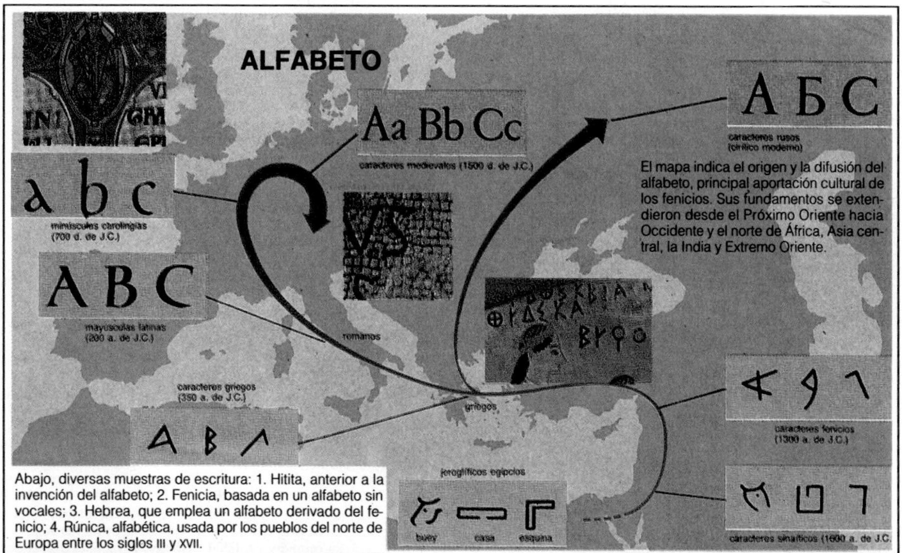

ALFABETO

El mapa indica el origen y la difusión del alfabeto, principal aportación cultural de los fenicios. Sus fundamentos se extendieron desde el Próximo Oriente hacia Occidente y el norte de África, Asia central, la India y Extremo Oriente.

Abajo, diversas muestras de escritura: 1. Hitita, anterior a la invención del alfabeto; 2. Fenicia, basada en un alfabeto sin vocales; 3. Hebrea, que emplea un alfabeto derivado del fenicio; 4. Rúnica, alfabética, usada por los pueblos del norte de Europa entre los siglos III y XVII.

tino, y fue base de la mayoría de los a. de las lenguas europeas. ■ ALFABÉTICO,CA.

ALFAGUARA f. Manantial copioso.

ALFAJOR m. Alajú. • Rosquillas de alajú. • *Amér.* Dulce compuesto de dos piezas de masa adheridas. • *Ven.* Pasta de harina de yuca, papelón, piña y jengibre.

ALFALFA f. Planta papilionácea, de porte herbáceo y flores rojas, violetas o blancas. Se cultiva para forraje. ■ ALFALFAL; ALFALFAR.

ALFANA f. Caballo corpulento, fuerte y brioso.

ALFANDOQUE m. *Amér.* Pasta hecha con melado, queso y anís o jengibre. • *Col.* Especie de alfeñique hecho de panela.

ALFANEQUE m. Variedad de halcón africano.

ALFANJE m. Sable curvo, con filo solamente por un lado, y por los dos en la punta. • Pez espada. ■ ALFANJADO, DA; ALFANJAZO.

ALFANO, ***Franco*** (1876-1954) Compositor it. Influido por Debussy. Sinfonías, óperas y ballets.

ALFANUMÉRICO, CA adj. *Comp.* Que contiene letras y números. • **Lenguaje a.** *Comp.* Sistema de codificación mixto de letras, números y símbolos de puntuación.

ALFAQUE m. Banco de arena. Se usa más en pl.

ALFAQUÍ m. Entre los musulmanes, doctor o sabio de la ley.

ALFARAZ m. Caballo que usaban los árabes para las tropas ligeras.

ALFARDÓN m. Azulejo hexagonal.

ALFARERÍA f. Arte de fabricar vasijas de barro. • Taller donde se fabrican. • Tienda o puesto donde se venden. ■ ALFAR; ALFARERO.

ALFARJE m. Piedra del molino de aceite, que sirve para moler la aceituna. • Lugar donde está el alfarje. Techo con maderas labradas artísticamente. • Suelo con piso de madera.

ALFARO, ***Eloy*** (1842-1912) General y político liberal ecuat., pres. de la rep. de 1897 a 1901 y de 1907 a 1911. Inició la construcción de la vía férrea Guayaquil-Quito. Instituyó la separación de Iglesia y Estado en la Constitución de 1906. • ***Óscar*** (1921-1963) Escritor bol. Autor de fábulas y poemas pedagógicos y políticos. *Alfabeto de estrellas, Cien poemas para niños.* • ***Ricardo Joaquín*** (1882-1971) Político pan. Presid. interino de la rep. (1931-1932). Ministro de Asuntos Exteriores. Magistrado del Tribunal de Justicia Internacional de La Haya. *Panorama internacional de América, Diccionario de anglicismos.* • **Calatrava, *Tomás*** (1922-1953) Poeta ven. Perteneciente a la generación del 40. *Afortunado náufrago, La vigilia y la melancolía, Décimas de amor y muerte.* • **Siqueiros, *David*** (1896-1974) Pintor y escultor mex. Con Rivera y Orozco creó el movimiento muralista mex. En *Declaración social, política y ética* postula la necesidad de un arte público y monumental inspirado en el indigenismo. Lo pral. de su producción está en el Sindicato de la Electricidad, en el Palacio de Bellas Artes y en la Ciudad Universitaria de México; en Cuba; en Chillán (Chile) y en Los Ángeles. Destaca el mural de la sala de la Revolución, en Chapultepec, México. Publicó *El arte y la revolución. Reflexiones a partir del muralismo mexicano.*

ALFAU, ***Felipe*** (1818-1878) Militar y político dom. Partidario de la anexión a España, apoyó el régimen colonial. Tras la indep., se trasladó a España.

ALFAZAQUE m. Insecto coleóptero.

ALFEIZA f. Alféizar.

ALFÉIZAR m. *Arq.* Vuelta de la pared en el corte de una puerta o ventana. • *Arq.* Rebaje en ángulo recto que forma el telar de una puerta o ventana con el derrame donde encajan las hojas de la puerta con que se cierra.

Ventana con **alféizar**

ALFEÑIQUE m. Pasta de azúcar cocida y estirada en barras retorcidas. • fig. y fam. Persona delicada. • fig. y fam. Remilgo, compostura. ■ ALFEÑICARSE.

ALFERAZGO m. Empleo o dignidad de alférez. • *Col.* Fiesta religiosa que costean uno o más alféreces.

ALFERECÍA f. Epilepsia. • Alferazgo.

ALFÉREZ m. Oficial que llevaba la bandera en la infantería, y el estandarte en la caballería. • Primer grado en la escala de oficiales del ejército. • *Amér.* Persona que costea los gastos de una fiesta. • **de fragata**. Primer grado en la escala de oficiales de la marina de guerra. • **de navío.** Segundo grado en la escala de oficiales de la marina de guerra.

ALFIERI, *Vittorio* (1749-1803) Escritor y autor teatral it. *Agamenón, Antígona, Orestes, Saúl, Virginia, Rosamunda, La conjuración de los Pazzi, María Estuardo, Historia de mi vida.*

ALFIL m. Pieza menor del juego de ajedrez, que se mueve diagonalmente.

ALFILER m. Clavillo de metal, con punta en un extremo y cabeza en el otro. • Joya usada para sujetar alguna prenda del traje, o por adorno. • *Cuba.* Árbol leguminoso, cuya madera se emplea en la construcción. • *Cuba.* Carne del lomo de las reses. • pl. Cantidad de dinero dada a una mujer para costear sus gastos. • Propina que se daba a las mozas de las posadas. • Juego de niños que se realiza con alfileres. • Planta geraniácea, de tallo grueso, con hojas grandes y flores purpúreas. ■ ALFILERAR; ALFILERAZO.

ALFILERILLO m. *Argent.* y *Chile.* Planta herbácea usada como forraje. • *Méx.* Nombre de diversas cactáceas de púas largas y agudas. • *Méx.* Insecto que ataca a la planta del tabaco.

ALFILETERO m. Estuche en el que se guardan alfileres y agujas. • Acerico.

ALFIZ m. *Arq.* Recuadro del arco ár. que arranca desde las impostas o desde el suelo.

ALFÖLD En Hungría, llanura cerealícola. *El Gran Alföld* ocupa la llanura húng. del E del Danubio.

ALFOLÍ m. Granero, almacén de sal. ■ ALFOLIERO.

ALFOMBRA f. Tejido de lana u otra materia que cubre el suelo. • fig. Conjunto de cosas que cubren el suelo. • Alfombrilla. ■ ALFOMBRADO, DA; ALFOMBRERO, RA; ALFOMBRISTA.

ALFOMBRAR tr. Cubrir el suelo con alfombras.

ALFOMBRILLA f. *Med.* Rubéola.

ALFÓNCIGO m. Árbol anacardiáceo cuyo fruto es el pistacho.

Raúl **Alfonsín**

ALFONSÍN Foulkes, *Raúl Ricardo* (nacido 1926) Político arg. Diputado nacional (1963-1966 y 1973-1976), fue elegido presid. en 1983 al frente de la Unión Cívica Radical (UCR). Ha aplicado una política de «inflación pautada» con el establecimiento de una nueva moneda, el → austral, y una renegociación de la deuda externa con el FMI sobre bases más equitativas. Mantuvo una postura de firmeza en el procesamiento de los principales jefes militares de las Juntas de la dictadura. Hizo frente con éxito a varios levantamientos obligando a los militares rebeldes a regresar a los cuarteles. Bajo su mandato se aprobaron las controvertidas leyes de Punto Final y Obediencia Debida. *La cuestión argentina, El radicalismo.* En mayo de 1989 su partido fue ampliamente derrotado por el peronista Menem.

ALFONSINO, NA adj. Relativo a alguno de los reyes esp. llamados Alfonso. • m. Moneda acuñada en tiempos del rey Alfonso el Sabio.

ALFONSISMO m. Adhesión a la monarquía de alguno de los reyes esp. llamados Alfonso.

ALFONSO Nombre de diversos reyes de la pen. Ibérica.

ARAGÓN Y CATALUÑA

Alfonso III el Liberal

ALFONSO I *el Batallador* (m. 1134) Rey de Aragón y Navarra [1104-1134]. Casó con la reina Urraca de Castilla. Conquistó a los musulmanes Ejea, Tudela, Zaragoza (1118), Tarazona, Borja y Calatayud. A la muerte de Urraca de Castilla (1125) trató de hacer valer sus derechos al trono castellano. Fue derrotado por los almorávides. • **II *el Casto*** (1157-1196) Rey de Aragón y conde de Barcelona [1162-1196]. Incorporó a sus dominios la Provenza (1166) y el Rosellón (1172). • **III *el Liberal*** (1265-1291) Rey de Aragón y conde de Barcelona desde 1285. Tomó Mallorca e Ibiza a su tío Jaime II, y Menorca (1287) a los musulmanes. • **IV *el Benigno*** (1299-1336) Rey de Aragón y conde de Barcelona desde 1327. Guerreó contra Génova por la posesión de Cerdeña. • **V *el Magnánimo*** (1394-1458) Rey de Aragón y de Sicilia y conde de Barcelona desde 1416, y rey de Nápoles desde 1442. Practicó una política mediterránea dirigida a conquistar la hegemonía marítima. Fue protector de artistas y humanistas.

ASTURIAS, CASTILLA Y LEÓN

Alfonso X el Sabio. Detalle de una miniatura del *Libro de ajedrez, dados y tablas*

ALFONSO I (m. 757) Rey de Asturias [739-757], yerno de Pelayo y sucesor, en el trono, de Fáfila. Su ataque a Astorga (745) inició la ofensiva de la España cristiana contra la invasión ár. • **II *el Casto*** (m. 842) Rey de Asturias [791-842], hijo de Fruela I. Instaló su corte en Oviedo, restaurando los usos godos. • **III *el Magno*** (m. 910) Rey de Asturias [866- 910]. Extendió las fronteras de su reino hasta el Duero y el Mondego. A su muerte, el reino quedó dividido entre García I (León), Ordoño II (Galicia) y Fruela II (Asturias). • **IV *el Monje*** Rey de León [926-931], sucesor de Fruela II. En 931 abdicó en Ramiro II. Al año siguiente trató de alzarse de nuevo con el poder, infructuosamente. • **V** (m. 1028) Rey de León [999-1028], hijo de Bermudo II, a quien sucedió en 999. Su madre, la reina Elvira, ejerció la tutoría en los primeros años de su reinado. En 1024 casó con Urraca, hermana de Sancho el Mayor de Navarra. • **VI** (1040-1109) Rey de Castilla [1072-1109] y León [1065-1109]. Elevado al trono de León en 1065, fue destronado por su hermano Sancho II de Castilla, pero le sucedió en ambos reinos tras su muerte. Ocupó la Rioja y conquistó Toledo (1085). • **VII *el Emperador*** (1105-1157) Rey de Castilla y León [1126-1157]. Durante su reinado Portugal se hizo independiente de León. • **VIII** (1152-1214) Rey de Castilla [1158-1214]. Derrotado por los musulmanes, buscó la cooperación militar con los catalanoaragoneses y los navarros, obteniendo un brillante resultado en las Navas de Tolosa (1212), decisiva derrota de los almohades. • **IX** (1171-1230) Rey de León [1188-1230]. Mantuvo guerras contra su suegro Alfonso VIII de Castilla. Conquistó Cáceres, Mérida, Badajoz, Trujillo y Medellín. • **X *el Sabio*** (1221-1284) Rey de Castilla y León [1252-1284]. Elegido emperador de Alemania por la Dieta de 1257, el Papado se opuso, logrando nuevas elecciones. Sufrió varias derrotas frente a los musulmanes, una guerra civil a causa de la sucesión al trono y murió en plena lucha contra su hijo Sancho. Es una figura clave de la cultura hispánica del s. XIII. Reunió a una serie de científicos e historiadores cristianos, musulmanes y judíos con los que trabajó en numerosas obras, creando la famosa Escuela de Traductores de Toledo que llevó a cabo, entre otras obras, *Crónica general, la General e Gran Estoria* y el código de las *Siete Partidas.* Hizo traducir del árabe al castellano *Calila y Dimna* y compuso las *Cantigas de Santa María,* en lengua gallega. Bajo su dirección se realizaron trabajos científicos como *El lapidario, Los libros del saber de Astronomía* y las *Tablas Alfonsíes.* • **XI *el Justiciero*** (1311-1350) Rey de Castilla y León [1312- 1350]. Hizo frente a los grandes nobles, venció a los benimerines en la batalla del Salado (1340) y tomó Algeciras y Gibraltar.

ESPAÑA

ALFONSO XII (1857-1885) Rey de España, hijo de Isabel II, proclamado en el pronunciamiento de Sagunto (1874). Puso término a la última guerra carlista y a la primera de Cuba. Durante su reinado comenzó la Restauración, se preparó una nueva constitución y se puso en práctica el sistema mediante el cual conservadores y liberales alternaban en el poder. • **XIII** (1886-1941) Rey de España; hijo póstumo y su cesor de Alfonso XII. Su reinado comenzó en 1902, bajo el signo de la continuidad monárquico- constitucional. El golpe de Estado del general Miguel Primo de Rivera (1923) instauró un Directorio militar, que se mantuvo hasta 1930. Los gobiernos del general Berenguer (enero 1930-febrero 1931) y del almirante Aznar (febrero-abril 1931) no pudieron superar los problemas internos. Tras el triunfo de los republicanos en las elecciones municipales del 12 abril 1931, Alfonso XIII abandonó el país y fue proclamada la II República española (14 abril 1931). Abdicó en su hijo Juan, conde de Barcelona.

PORTUGAL

ALFONSO I ***Henriques*** (1110-1185) Rey de Portugal [1139-1185], fundador de la monarquía en 1139. Conquistó Lisboa (1147) y Évora. • **IV** ***el Bravo*** (1290-1357) Rey de Portugal [1325-1357]; luchó contra los benimerines, aliado con Alfonso XI de Castilla. • **V** ***el Africano*** (1432-1481) Rey de Portugal [1438-1481, y, de modo efectivo, desde 1449]. Conquistó Tetuán, Ceuta, Arcila y Tánger.

ALFONSO María de Ligorio (1696-1787) Santo. Obispo, fundador de la orden del Santísimo Redentor. *Theologia moralis.*

ALFORFÓN m. Planta poligonácea, de fruto negruzco, con el que se hace pan. Es el denominado trigo sarraceno. • Semilla de esta planta.

ALFORJA f. Talega abierta por el centro y cerrada por sus extremos, los cuales forman dos bolsas en las que se transportan cosas. Se usa más en pl. • Provisión de los víveres para el camino.

ALFORJERO, RA m. y f. Persona que hace o vende alforjas. • Persona que lleva en la alforja la comida para otras. • m. En las órdenes mendicantes, lego que recoge las limosnas.

ALFORZA f. Pliegue horizontal que se hace en ciertas prendas. • fig. y fam. Cicatriz. ■ ALFORZAR.

ALFOZ amb. Arrabal, término o pago de algún distrito, o que depende de él.

ALFREDO ***el Grande*** (849?-899) Rey anglosajón desde 871. Se le considera el padre de la prosa inglesa: *Anales de Winchester.*

ALFVÉN, ***Hannes Olof*** (1908-1995) Físico sueco. Premio Nobel de Física en 1970 por sus estudios sobre el sistema atmosférico y solar.

ALGA f. *Biol.* Término que designa especies autótrofas que gralte. viven en aguas dulces o saladas, y que pertenecen a las formas menos evolucionadas del reino vegetal.

ALGACEL, ***Muhammad al-Gazzalí***, llamado (1058-1111) Teólogo musulmán, de origen persa. Estableció los prales. puntos del pensamiento religioso del Islam. *Destrucción de los filósofos, Vivificación de las ciencias de la religión.*

ALGAIDA f. Lugar lleno de matorrales espesos. • Médano.

ALGALIA f. Sustancia olorosa obtenida de algunos carnívoros africanos. • Abelmosco. • *Cir.* Tienta usada en operaciones de vejiga. ■ ALGALIAR; ALGALIERO, RA.

ALGARABÍA f. Lengua árabe. • fig. y fam. Lenguaje o escritura ininteligible. • fig. y fam. Manera de hablar atropelladamente. • fig. y fam. Griterío confuso de varias personas que hablan a un tiempo. • Planta escrofulariácea de tallo nudoso y flores amarillas.

ALGARADA f. Vocerío. • Algarrada.

ALGARDI, ***Alessandro*** (1595-1654) Escultor it. Autor de la tumba de León XI. Tiene algunas obras en el palacio de Aranjuez (España).

ALGARRADA f. Encierro de los toros en el toril. • Novillada.

ALGARROBA f. Hierba papilionácea usada como alimento del ganado. • Fruto del algarrobo, que se da como pienso al ganado.

ALGARROBILLA f. Arveja.

ALGARROBILLO m. *Argent.* Fruto del algarrobo.

1. **Alfonso XII**
2. **Alfonso XIII**

ALGARROBO m. Árbol cesalpiniáceo. Florece en otoño y en invierno. • *Amér.* Nombre de diversas plantas cesalpiniáceas, mimosáceas o bignoniáceas. • **loco.** Ciclamor. ■ ALGARROBAL; ALGARROBERA.

ALGAVARO m. Insecto coleóptero, negro y con las antenas más largas que el cuerpo.

ALGAZARA f. Vocerío de los moros y de otras tropas al sorprender al enemigo. • Ruido de voces.

ALGAZUL m. Planta anual de la familia aizoáceas, de tallos rastreros.

ÁLGEBRA f. Generalización de la arit. que estudia las estructuras con que queda provisto un conjunto al definir en ellos ciertas leyes de composición (operaciones). • Arte de restituir a su lugar los huesos dislocados.

* *Mat.* El álgebra clásica comprende esencialmente dos partes: la teoría (elemental) de los polinomios, y la teoría de las ecuaciones y de las formas algebraicas. Se completó con la demostración por K. F. Gauss en 1799 del llamado *teorema de d'Alambert,* según el cual toda ecuación algebraica tiene por lo menos una raíz o solución. Posteriormente, P. Ruffini y N. H. Abel demostraron que ninguna ecuación de grado superior al cuarto puede ser resuelta mediante radicales. E. Galois reinterpretó este resultado en el marco de su teoría de los grupos de sustituciones, que sentó las bases del álgebra moderna. Actualmente, el álgebra se formula en el lenguaje de la teoría de conjuntos. ■ ALGEBRISTA.

ALGEBRAICO, CA adj. Relativo al álgebra. • **Ecuación a.** *Mat.* La obtenida al igualar a cero una función a. • **Función a.** Función en la que las únicas operaciones que se expresan son a. • **Geometría a.** Parte de la geom. que estudia las hipersuperficies en un espacio proyectivo de dimensión finita. • **Operación a.** La que puede realizarse entre los elementos de un cuerpo: suma, producto, sustracción y división.

ALGECIRAS Mun. y puerto esp., en la prov. de Cádiz; 101 907 hab. Sit. en la bahía de su nombre, 12 km al O de Gibraltar. Ind. pesquera.

ALGECIREÑO, ÑA adj. y s. De Algeciras.

ALGENTE adj. poét. Frío.

ALGEZ m. Aljez.

ALGIA f. Sensación de dolor.

ALGIDEZ f. *Med.* Frialdad glacial.

ÁLGIDO, DA adj. Muy frío. • *Med.* Acompañado de frío glacial. • fig. Díc. del momento culminante de algunos procesos orgánicos, físicos, políticos, etc.

ALGO pron. indet. con que se designa una cosa sin nombrarla. • Denota cantidad indeterminada, grande o pequeña. • adv. cantidad. Un poco, no completamente o del todo, hasta cierto punto.

ALGODÓN m. Planta malvácea de flores amarillas con manchas encarnadas, cuyo fruto es una cápsula que contiene semillas, envueltas en una borra blanca. • Esta misma borra. Es la principal materia prima de la ind. textil. • Hilado o tejido hecho de

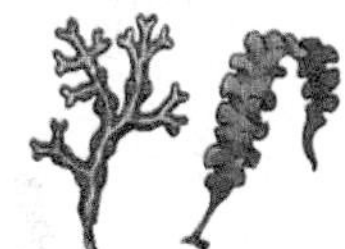

Diversos tipos de **algas**

Esquema de la elaboración del tejido de **algodón**

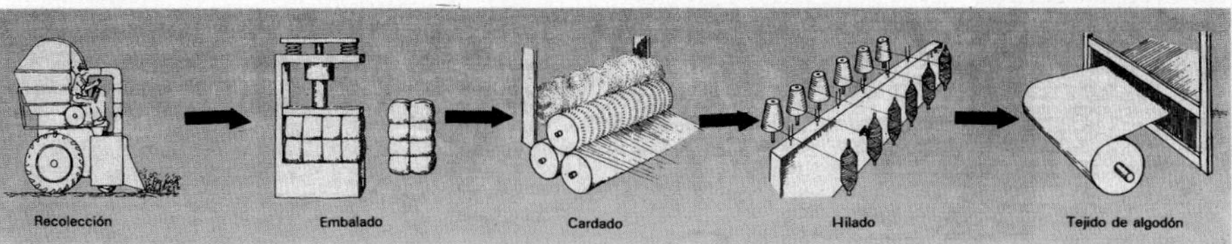

esta borra. • **pólvora.** Explosivo a base de ácido nítrico y sulfúrico, y algodón en rama. ■ ALGODONAL; ALGODONAR; ALGODONERO, RA; ALGODONOSO, SA.

ALGODONCILLO m. *Amér.* Planta asclepiadácea, de hojas vellosas, cuyas semillas dan una borra parecida a la del algodón.

ALGODONITA f. *Chile.* Arseniuro de cobre argentífero.

Indios arapaho, de la familia de los **algonquinos**

ALGODONOSA f. Planta compuesta de flores amarillas en corimbo, y cubierta de una borra semejante al algodón.

ALGOL m. *Comp.* Del ing. *Algorithmic Language.* Lenguaje de programación de alto nivel. Diseñado entre 1957 y 1960, fue usado ampliamente en aplicaciones científicas hasta ser desplazado por el → Fortran. Sus aportaciones en la definición y manipulación de las estructuras de datos han sido recogidas y ampliadas por lenguajes posteriores, en particular por el → Pascal.

Alhelí

ALGONQUINO, NA adj. y s. Díc. del individuo de un pueblo amerindio que habita en EE UU y Canadá (Grandes Lagos). • pl. Este mismo pueblo.

ALGORÍN m. Cada una de las divisiones construidas alrededor del patio del molino de aceite, para depositar la aceituna de cada cosechero. • Patio donde están estas divisiones.

ALGORITMIA f. ant. Ciencia del cálculo aritmético y algebraico.

ALGORITMO m. Algoritmia. • Procedimiento de cálculo con símbolos, según unas reglas determinadas y con un número finito de pasos. • *Comp.* Juego de reglas secuenciales preestablecidas para la resolución de un problema expresado en un lenguaje de programación de alto nivel. ■ ALGORÍTMICO, CA.

ALGOSO, SA adj. Lleno de algas.

ALGREN, *Nelson* (1909-1981) Novelista norteam. *El hombre del brazo de oro.*

ALGUACIL m. El que ejecuta las órdenes de los juzgados y tribunales, o de los alcaldes. • Alguacilillo. • Araña de patas cortas, color ceniciento y manchas negras sobre el lomo. ■ ALGUACILAZGO.

ALGUACILILLO m. Funcionario que en las plazas de toros precede a la cuadrilla durante el paseo.

ALGUÉ, *José María* (1856-1930) Meteorólogo esp. Inventó el nefoscopio, el barociclonómetro y un microsismógrafo. *Atlas de Filipinas.*

Playa de Benidorm, en **Alicante**

ALGUIEN pron. indet. con que se significa vagamente una persona que no se nombra. • m. fam. Persona de importancia.

ALGÚN adj. Apócope de alguno. Se emplea solamente antepuesto a nombres masculinos. • **tanto.** adv. Un poco, algo.

ALGUNO, NA adj. Que se aplica indeterminadamente a una persona o cosa con respecto a varias o muchas. • Ni poco ni mucho; bastante. • pron. indet. Alguien.

ALHAJA f. Joya. • Adorno o mueble precioso. • fig. Cosa de mucho valor y estima. • fig. y fam. Persona o animal de excelentes cualidades.

ALHAJAR tr. Adornar con alhajas. • Amueblar.

ALHAMBRA *(al-Hamra)* Recinto fortificado ár., de Granada (España). Alberga la Alcazaba, el Palacio Real y la Alhambra Alta. Construida entre los ss. XIII y XV por la dinastía nazarí.

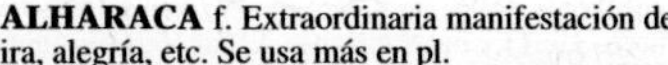

ALHARACA f. Extraordinaria manifestación de ira, alegría, etc. Se usa más en pl.

ALHARMA f. Planta cigofilácea, de hojas laciniadas y flores blancas, muy olorosa, de la cual se obtiene un colorante rojo. Usada en medicina.

ALHELÍ m. Planta crucífera de flores sencillas o dobles, rojas, amarillas o de otros colores.

ALHEÑA f. Aligustre que crece espontáneamente en España. • Polvo a que se reducen las hojas de este arbusto. Sirve para teñir. • Azúmbar, planta alismatácea. • Roya. • Tizón, honguillo parásito.

ALHEÑAR tr. y prnl. Teñir con alheña. • prnl. Arroyarse. • Quemarse las mieses.

ALHOLVA f. Planta papilionácea con hojas agrupadas de tres en tres, flores pequeñas y blancas, y por fruto una vaina larga y encorvada.

ALHÓNDIGA f. Mercado de granos. • Lonja. ■ *Méx.* ALHONDIGAJE; ALHONDIGUERO.

ALHORRE m. Excremento de los niños recién nacidos. • Erupción en la piel de los recién nacidos.

ALHUCEMA f. Planta labiada muy parecida al espliego. • *Cuba.* Arbusto borragináceo de hojas espatuladas y flores blancas.

ALHUCEMAS *(Al-Hoseima)* C. y puerto de Marruecos; 41 700 hab. • **Desembarco de A.** El efectuado en 1925 por tropas franco-españolas contra Abd el-Krim.

ALHUCEMILLA f. Planta labiada, de tallo leñoso, hojas opuestas, flores azules en espigas terminales y semilla menuda.

ALHUCEÑA f. Oruga, planta.

ALÍ *(Ali ibn Abu Talib)* (?-661) Califa ár., primo y yerno de Mahoma. Los chiítas (→ chiísmo) le consideran el primer imán legítimo.

ALÍ ABBAS (segunda mitad del s. X) Médico persa, autor del *Libro Real (Al Maliki).*

ALÍ BEY → Badía y Leblich, Domingo.

ALIA, *Ramiz* (nacido 1925) Político alb. Secretario general del Partido del Trabajo. A la muerte de E. Hoxha, fue jefe de Estado de 1985 a 1992.

ALIABIERTO, TA adj. Abierto de alas.

ALIÁCEO, A adj. Que tiene olor o sabor de ajo.

ALIADO, DA adj. y s. Persona con quien uno se ha unido. • m. Cada uno de los pueblos unidos en la antigüedad a Roma por un tratado *(foedus),* llamados *socii.* • pl. Conjunto de pueblos que lucharon unidos durante la I Guerra Mundial contra los imperios centrales (Alemania y Austria-Hungría) y contra las potencias del Eje en la II Guerra Mundial.

ALIADÓFILO, LA adj. Díc. del individuo que durante las dos guerras mundiales fue partidario de los países enemigos de Alemania.

ALIANZA f. Pacto o convención. • Parentesco contraído por matrimonio. • fig. Unión de cosas que concurren a un mismo fin. • Anillo de boda.

ALIANZA para el Progreso Programa aprobado en 1961, en la conferencia de Punta del Este (Uruguay), para el desarrollo económico y social de América Latina. • **Popular.** Partido político conservador esp. creado en 1976 bajo el liderazgo de Manuel Fraga Iribarne. • **Popular Revolucionaria Americana.** → APRA. • **Cuádruple A.** La constituida entre Inglaterra, Francia, Austria y Holanda (1718) para obligar a Felipe V de España a cumplir el tratado de Utrecht. • La formada por Inglaterra, Rusia, Austria y Prusia, tras la derrota napoleónica para impedir la extensión de las ideas revolucionarias. Sustituyó a la → Santa Alianza. • **Santa A.** Pacto, con carácter de cruzada cívico-militar contra el liberalismo, suscrito (1815) entre el zar de Rusia Alejandro I, el emperador de Austria Francisco I y el rey de Prusia Guillermo III. Intervino en España con la expedición de los Cien mil hijos de San Luis, que acabó con el Trienio Constitucional (1823). • **Triple A.** Pacto firmado por Inglaterra, Holanda y Suecia contra Luis XIV de Francia (1668), que obligó al rey Sol a aceptar la paz de Aquisgrán. • La firmada entre Brasil, Argentina y Uruguay (1865) contra Paraguay, que dio lugar a una guerra devastadora en la que pereció más del 30 % de la pob. par. • La suscrita por Alemania, Austria-Hungría e Italia (1882). Inspirada por Bismarck, perseguía el aislamiento de Francia y la hegemonía de Alemania.

ALIAR tr. Poner de acuerdo para un fin común. • prnl. Unirse, en virtud de tratado, los príncipes o

Estados unos con otros. • prnl. Unirse o coligarse con otro.
ALIARIA f. Planta crucífera, de flores blancas en espiga terminal; su fruto es una vainilla.
ALIAS adv. latino. De otro modo. • m. Apodo.
ALIBÍ m. Coartada.
ALIBLANCA f. *Col.* Pereza, desidia, modorra. • *Cuba.* Paloma salvaje.
ALIBLE adj. Capaz de alimentar o nutrir.
ALICAÍDO, DA adj. Caído de alas. • fig. y fam. Débil. • fig. y fam. Triste y desanimado. • fig. y fam. Díc. del que ha decaído del poder que antes tenía.
ALICANCRO m. *Hond.* Alicrejo.
ALICANTE o **ALACANT** Prov. esp. en la Comunidad Valenciana, a orillas del mar Mediterráneo; 5 863 km², 1 379 762 hab. Cap., Alicante. Poblaciones prales.: Elche, Orihuela, Alcoy. • Cap. de la prov. hom.; 274 577 hab. Puerto, centro turístico.
ALICANTINA f. fam. Treta o malicia.
ALICANTINO, NA adj. y s. De Alicante.
ALICANTO m. *Amér. Merid.* Arbusto de flor olorosa.
ALICATAR tr. Azulejar. • *Arq.* Cortar los azulejos para darles forma. ■ ALICATADO, DA.
ALICATES m. pl. Tenacillas de acero para coger objetos menudos, o para torcer alambres.
ALICE, ***Antonio*** (1886-1943) Pintor arg. *Los constituyentes de 1853, La muerte de Güemes.*
ALICIENTE m. Atractivo o incentivo.
ALICORTAR tr. Cortar las alas. • Herir a las aves en las alas.
ALICORTO, TA adj. Que tiene las alas cortas o cortadas. • Pusilánime.
ALICREJO m. *Amér. Centr.* Caballo viejo.
ALÍCUOTA adj. Proporcional.
ALICURCO, CA adj. *Chile.* Astuto, ladino.
ALIDADA f. En los aparatos ópticos de topografía, regla fija o móvil que se utiliza para dirigir visuales.
ALIENABLE adj. Enajenable.
ALIENACIÓN f. Sentimiento de la conciencia de estar separada de la realidad. • *Med.* Conjunto de trastornos intelectuales, tanto temporales como permanentes. ■ ALIENADO, DA; ALIENANTE.
ALIENAR tr. y prnl. Enajenar. • tr. Producir enajenación.
ALIENISTA adj. y s. Díc. del médico psiquiatra.
ALIENTO m. Respiración. • fig. Vigor del ánimo, valor. • fig. Soplo. • **De un a.** m. adv. Sin tomar una nueva respiración. • fig. Sin pararse, sin detenerse.
ALIFA f. *Méx.* Caña de azúcar de dos años.
ALIFAFE m. fam. Achaque leve. • *Vet.* Tumor sinovial que suele desarrollarse en los corvejones de las caballerías.
ALIFÁTICO, CA adj. Díc. de los compuestos químicos de cadena abierta.
ALÍFERO, RA adj. Alígero.
ALIGAR tr. y prnl. Ligar dos metales. ■ ALIGACIÓN.
ALIGARH C. de la India, en el est. de Uttar Pradesh; 320 900 hab. Ind. textil.
ALIGÁTOR m. Nombre común de dos especies de reptiles muy parecidos al caimán.

Aligátor

ALIGERAR tr. y prnl. Hacer ligero. • Abreviar. • fig. Aliviar, templar. ■ ALIGERAMIENTO.
ALÍGERO, RA adj. poét. Alado. • fig. y poét. Rápido, veloz.
ALIGONERO m. Almez.
ALIGOTE m. Pez osteíctio, parecido al besugo.
ALIGUSTRE m. Nombre común a varias plantas oleáceas. • **común.** Alheña.
ALIJADOR, RA m. y f. Persona que separa la borra de la simiente del algodón. • m. Barcaza.
ALIJAR m. Terreno inculto. • pl. Ejidos. • tr. Aligerar la carga de una embarcación, o desembarcarla toda. • Transbordar o echar en tierra géneros de contrabando. • Separar la borra de la simiente del algodón. • Pulir una cosa con lija.
ALIJARAR tr. Repartir las tierras incultas para su cultivo. ■ ALIJARERO.
ALIJO m. Conjunto de géneros de contrabando.
ALILAMINA f. Líquido incoloro de sabor ardiente y olor a amoniaco, que se utiliza en la preparación de diuréticos.
ALILAYA f. *Col.* y *Cuba.* Excusa frívola.
ALILENO m. *Quím.* Sustancia que se extrae de la esencia de ajo.
ALIM m. Arbolito euforbiáceo del archipiélago filipino, usado en medicina.
ALIMAÑA f. Animal perjudicial. ■ ALIMAÑERO.
ALIMENTACIÓN f. *Biol.* Asimilación, por parte de un organismo vivo, de las sustancias necesarias para su sostenimiento y desarrollo.
ALIMENTADOR, RA adj. y s. Que alimenta. • m. *El.* Aparato para el suministro de energía eléctrica.
ALIMENTAR tr. y prnl. Dar alimento. • Dar fomento y vigor a los cuerpos que necesitan de alguna sustancia. • Suministrar a una máquina en movimiento la materia que necesita. • fig. Hablando de virtudes, vicios, pasiones, sentimientos, etc., sostenerlos. • *Der.* Suministrar a alguna persona lo necesa rio para su subsistencia. ■ ALIMENTAL; ALIMENTANTE; ALIMENTARIO, RIA; ALIMENTICIO, CIA; ALIMENTISTA; ALIMENTOSO, SA.
ALIMENTO m. Cualquier sustancia que puede ser asimilada por el organismo y usada para mantener sus funciones vitales. • fig. Lo que sirve para mantener la existencia de algunas cosas que necesitan de pábulo. • fig. Tratándose de cosas incorpóreas, como virtudes, etc., sostén, pábulo. • pl. Asistencias que se dan para el sustento de alguna persona a quien se deben por ley. • **combustible, energético o respiratorio.** El que sirve de combustible en el organismo animal. • **plástico** o **reparador**. Aquel que produce las partes esenciales de la sangre, sirviendo, por tanto, para reparar las pérdidas que experimenta el organismo animal.
ALIMOCHE m. Ave falconiforme semejante al buitre, de plumaje blanco y alas negras.
ALIMÓN ***(Al)*** adv. Díc. de la suerte del toreo en que dos lidiadores, asiendo un solo capote, lo pasan al toro por encima de la cabeza. • Conjuntamente.
ALIMONARSE prnl. Enfermar ciertos árboles, tomando sus hojas color amarillento.
ALINDADO, DA adj. Presumido de lindo.
ALINDAR tr. Poner lindes a una heredad. • tr. y prnl. Poner lindo. ■ ALINDAMIENTO.
ALINDERAR tr. *Amér.* Deslindar o amojonar.
ALINEACIÓN f. Composición de un equipo deportivo.
ALINEAR tr. y prnl. Poner en línea recta. • Incluir a un jugador en las líneas de un equipo deportivo para un determinado partido.
ALIÑAR tr. Aderezar, preparar, componer. ■ ALIÑADO, DA; ALIÑADOR, RA.
ALIÑO m. Aquello con que se aliña. • Preparación y utensilios para hacer alguna cosa. • Condimento.
ALIÑOSO, SA adj. Adornado. • Cuidadoso.
ALIOLI m. Ajiaceite.
ALIONÍN m. Herrerillo común.
ALÍPEDE adj. poét. Que lleva alas en los pies. • adj. y s. *Zool.* Quiróptero.
ALIPEGO m. *Amér. Centr.* Adehala que se da al comprador.
ALIQUEBRADO, DA adj. fig. y fam. Alicaído.
ALIQUEBRAR tr. y prnl. Quebrar las alas.
ALIRROJO, JA adj. De alas rojas.

Detalle del **alicatado** del Salón de Embajadores del Alcázar de Pedro el Cruel (Sevilla, España)

Alimoche

Alionín

Aliso. Árbol y fruto

Arquero persa con **aljaba**

Woody **Allen**

ALISADOR, RA adj. y s. Que alisa. • m. Instrumento de que se sirven los cereros para alisar las velas. • *Hond.* y *Ven.* Lendrera.
ALISADURA f. pl. Partes menudas que quedan de la madera, piedra, etc., que se ha alisado.
ALISAR m. Sitio poblado de alisos. • tr. y prnl. Poner lisa alguna cosa. • tr. Arreglar el cabello pasando ligeramente el peine sobre él.
ALISEDA f. Alisar.
ALISIOS adj. y s. pl. Díc de los vientos regulares, constantes y secos que proceden de las altas esferas subtropicales. Su dirección es NE en el hemisferio Norte, y SE en el hemisferio Sur.
ALISMA f. Planta alismatácea.
ALISMATÁCEO, A adj. y f. *Bot.* Plantas monocotiledóneas acuáticas, perennes, con rizoma feculento, hojas radicales y frutos secos dehiscentes o indehiscentes. ■ ALISMÁCEO, A.
ALISO m. Árbol betuláceo cuya madera, durísima, tiene muy diversas aplicaciones. • **negro.** Arraclán.
ALISTADO, DA adj. Listado, que forma listas.
ALISTADOR m. El que alista. • *C. Rica* y *Nic.* Operario que prepara y cose las piezas del calzado.
ALISTAMIENTO m. Acción y efecto de alistar o alistarse. • Conjunto de mozos a quienes, cada año, obliga el servicio militar.
ALISTAR tr. y prnl. Sentar o escribir en lista a alguno. • Prevenir, disponer. • prnl. Sentar plaza en la milicia. • prnl. *Amér.* Acicalarse.
ALITACIÓN f. Recubrimiento mediante polvo de aluminio, usado como anticorrosivo.
ALITÁN m. Pez condroíctio semejante a la pintarroja, cuya carne recuerda a la de la raya.
ALITERACIÓN f. *Ret.* Figura de dicción que consiste en la repetición de letras o sílabas, iguales o parecidas, en una frase. ■ ALITERAR.
ALITIERNO m. Aladierna.
ALITRANCA f. *Chile* y *Perú.* Retranca.
ALIVIADERO m. Vertedero de aguas sobrantes.
ALIVIADOR, RA adj. y s. Que alivia. • m. Palanca que en los molinos harineros sirve para levantar o bajar la piedra, de modo que la harina pueda salir más o menos fina.
ALIVIANAR tr. Aliviar.
ALIVIAR tr. Aligerar. • tr. y prnl. Quitar a una persona o cosa parte del peso que sobre ella carga. • fig. Disminuir la enfermedad, las fatigas o las aflicciones. • tr. fig. Tratándose del paso, acelerarlo o alargarlo. • fig. Tratándose de alguna obra, aligerarla. ■ ALIVIO.
ALIZAR m. Cinta de azulejos en la parte inferior de las paredes de los aposentos.
ALIZARINA f. Materia colorante que se extrae de la raíz de rubia.
ALIZO, *David* (nacido 1941) Escritor ven. Uno de los introductores de las nuevas corrientes en la literatura venezolana. *Quórum, Griterío.*
ALJABA f. Caja portátil para llevar flechas.
ALJAMA f. Junta de moros o judíos. • Mezquita. • Sinagoga. • Morería o judería.
ALJAMÍA f. Escritos moriscos en lengua románica hispánica con caracteres ár. ■ ALJAMIADO, DA.
ALJEZ m. Mineral de yeso.
ALJIBE m. Cisterna. • Barco en cuya bodega se lleva el agua a las embarcaciones; p. ex., el destinado a transportar petróleo. • En los barcos, cada una de las cajas de chapa de hierro en que se tiene el agua a bordo. • *Col.* Pozo de agua.
ALJOFAINA f. Jofaina.
ALJÓFAR m. Perla pequeña de forma irregular. • Conjunto de perlas de esta clase. ■ ALJOFARAR.
ALJOFIFA f. Pedazo de paño basto de lana para fregar el suelo. ■ ALJOFIFAR.
ALJONJE m. Ajonje.
ALJONJERA f. Ajonjera.
ALJONJERO m. Ajonjero.
ALJONJOLÍ m. Ajonjolí.
ALJUBA f. Vestidura morisca, especie de gabán con mangas cortas y estrechas.
ALLÁ adv. lugar. Allí. Indica lugar menos circunscrito que el que se denota con esta última voz. Admite ciertos grados de comparación que rechaza allí: tan allá, más allá, muy allá. Precediendo a nombres significativos de lugar, denota lejanía. • adv. tiempo que denota tiempo remoto o pasado. • En el otro mundo.
ALLAHABAD *(Ilahabad)* C. santa del hinduismo, sit. al N de la India, en el est. de Uttar Pradesh; 616 100 hab.
ALLAL-AL-FASÍ (nacido 1910) Político y escritor marroquí. Dirigó la lucha en favor de la independencia de Marruecos. Jefe del gobierno (1956-1963). Fundó el Bloque Nacional (1970) y fracasó en su intento de negociar con Hassan II la instauración de un régimen democrático (1971-1973).
ALLAMAD, *Maite* (nacida 1911) Escritora chil. *Parvas viejas, Renovales, Alamito el Largo.*
ALLANAMIENTO m. Acto de conformarse con una demanda. • **de morada**. Delito de penetrar contra la voluntad del dueño, en casa ajena.
ALLANAR tr., intr. y prnl. Poner llana cualquier superficie. • tr. Reducir una construcción o un terreno al nivel del suelo. • fig. Superar alguna dificultad. • fig. Pacificar. • fig. Permitir a los ministros de justicia que entren en algún lugar. • fig. Entrar a la fuerza en casa ajena. • prnl. Aplanarse. • fig. Sujetarse. • Igualarse los nobles con el estado llano, renunciando a sus privilegios. ■ ALLANADOR, RA.
ALLEGADO, DA adj. Cercano. • adj. y s. Pariente. • Parcial. • *Chile.* Persona que vive en casa ajena.
ALLEGAR tr. Recoger. • tr. y prnl. Arrimar una cosa a otra. • tr. Entre labradores, recoger la parva en montones después de trillada. • Agregar. • intr. y prnl. Llegar a un lugar. • prnl. Convenir con un dictamen. ■ ALLEGADIZO, ZA; ALLEGADOR, RA; ALLEGAMIENTO.
ALLEGHANY Río de los EE UU, afluente del Ohio. • Sector O de los montes Apalaches (EE UU).
ALLÉGRET, *Marc* (1900-1973) Director cinematográfico fr., nacido en Suiza. *Fanny, Deshojando la margarita, Una rubia peligrosa.*
ALLEGRETTO (voz it.) m. Alegreto.
ALLEGRO (voz it.) m. Alegro.
ALLEN, *Woody* Seud. de *Allen Stewart Konigsberg* (nacido 1935) Director de cine norteam. *Toma el dinero y corre, Annie Hall, Manhattan, Días de radio, Balas sobre Broadway, Poderosa Afrodita.*
ALLENBY, *Edmund Henry Hynmann* (1861-1936) Mariscal brit. Comandante en jefe, desde 1917, de las fuerzas británicas e imperiales en el Próximo Oriente; ocupó Palestina y Siria y derrotó a los turco-germanos en Megiddo (1918).
ALLENDE adv. lugar. De la parte de allá. • adv. cantidad. Además. • prep. Más allá de, de la parte de allá de. • Además, fuera de; también se usa como adv., seguido de la prep. de.
ALLENDE Mun. de México, en el est. de Guanajuato; 64 800 hab. Estaño. Ind. textil.
ALLENDE, *Ignacio María de* (1779-1811) Patriota mex. Conspiró con el cura Hidalgo y dirigió brillantemente la insurrección (batalla de Las Cruces). • ***Isabel*** (nacida 1943) Novelista chil., sobrina de Salvador, exiliada en México. *La casa de los espíritus, De amor y de sombra, Paula.* • ***Juan Rafael*** (1850-1905) Escritor chil. Poemas satíricos y obras teatrales *(Qué dirán, Moro viejo)* y dramas *(José Romero).* • ***Pedro Humberto*** (1885-1959) Compositor y músico chil. *La voz en las calles.* • ***Salvador*** (1909-1973) Político socialista chil. Candidato a la presidencia en 1952, 1956, 1964 y 1970. Elegido en esta última fecha presid. por la coalición de los partidos de izquierda, Unidad Popular. Puso en marcha un ambicioso programa de reformas, truncado

por el golpe de Estado del general Pinochet, en el curso del cual murió.
ALLENDESALAZAR, ***Manuel*** (1856-1923) Político conservador esp. Jefe de gobierno en 1919 y 1921.
ALLÍ adv. lugar. En aquel lugar. • A aquel lugar. • adv. tiempo. Entonces, en tal ocasión.
ALLORI, ***Alessandro*** (1535-1607) Pintor manierista it., florentino. *Capilla Gaddi.*
ALLPORT, ***Floyd H.*** (nacido 1890) Psicólogo norteam. Fundador de la psicología social. • ***Gordon William*** (1897-1967) Sociólogo y psicólogo norteam. Inspirador de las teorías de la personalidad.
ALLSTON, ***Washington*** (1779-1843) Poeta y pintor romántico norteam. *Retrato de Coleridge, Paisaje a la luz de la luna.*
ALMA f. Principio vital de los seres vivientes. • fig. Persona. • fig. Parte principal de cualquier cosa. • fig. Viveza. • fig. Lo que da espíritu y fuerza a alguna cosa. • fig. Lo que se mete en el hueco de algunas piezas para darle solidez. • En las piezas de artillería y armas de fuego, el hueco del cañón. • fig. Pieza de hierro forjado que forma el recazo y espiga de la espada. • fig. En los instrumentos de cuerda que tienen puente, palo que se pone entre sus dos tapas para que se mantengan a igual distancia. • *Arq.* Madero vertical que sirve para sostener otros maderos o los tablones de los andamios.
ALMA-ATÁ C. y cap. de la rep. de Kazakistán; 1 100 000 hab. Sit. al pie del Zailiski Ala-Tau.
ALMACÉN m. Casa o edificio donde se guardan géneros. • Local donde los géneros en él existentes se venden al por mayor. • Establecimiento com. donde se venden géneros al por menor. • *Argent.* y *Ur.* Tienda de comestibles y objetos domésticos.
ALMACENADO, DA adj. y m. Díc. del vino que se guarda en la bodega.
ALMACENAJE m. Derecho que se paga por guardar las cosas en un almacén.
ALMACENAMIENTO m. *Comp.* Sistema de registro magnético de programas o datos.
ALMACENAR tr. Poner o guardar en almacén. • Reunir o guardar muchas cosas.
ALMACENERO, RA m. y f. Almacenista. • Guardalmacén.
ALMACENISTA com. Dueño de un almacén. • Persona que despacha los géneros que en él se venden. • Vinatero que tiene almacenado.
ALMACERÍA f. Habitación sit. encima de una tienda o taller.
ALMÁCIGA f. Resina que se extrae del lentisco. Se emplea para hacer masilla. • Semillero de plantas.
ALMACIGADO, DA adj. *Chile* y *Cuba.* Díc. del ganado de color cobrizo subido.
ALMÁCIGO m. Lentisco. • *Cuba.* Árbol cuyo fruto sirve de alimento a los cerdos, y sus hojas de pasto. • Almáciga, semillero.
ALMÁDENA f. Mazo de hierro con mango largo, para romper piedras.
ALMADÍA f. Especie de canoa usada en la India. • Armadía, balsa. ■ ALMADIERO.
ALMADRABA f. Pesca de atunes. • Lugar donde se hace esta pesca. • Red con que se pescan atunes. • pl.Tiempo en que se pesca. ■ ALMADRABERO, RA.
ALMADREÑA f. Zueco, zapato de madera.
ALMAFUERTE Seud. de *Pedro Bonifacio Palacios* (1854-1917) Escritor y poeta arg. De lírica realista y contenidos mesiánicos. *Milongas clásicas, Sonetos medicinales.*
ALMAGESTO Título de la traducción al árabe (827) del tratado de astr. de Claudio Tolomeo.
ALMAGRA f. Almagre.
ALMAGRAR tr. Teñir de almagre. • fig. Infamar. ■ ALMAGRADURA; ALMAGRAL; ALMAGRERO, RA.
ALMAGRE m. Óxido rojo de hierro, que suele emplearse en pintura. • fig. Marca, señal. ■ ALMAGRERA.
ALMAGRO, ***Diego de*** (1475-1538) Conquistador esp., compañero de Pizarro en el Perú. Enemistado con éste por la posesión del Cuzco, fue vencido en la batalla de Salinas (1538) y ejecutado por los pizarristas. Su hijo ***Diego***, llamado EL MOZO (1518-1542), participó en el asesinato de Francisco Pizarro (1541).
ALMAIZAL m. Almaizar.
ALMAIZAR m. Toca de gasa usada por los moros. • Humeral.
ALMAJAL m. Almarjal.
ALMAJANEQUE m. Maganel.
ALMAJARA f. Terreno abonado con estiércol.
ALMANAQUE m. Registro o catálogo que comprende todos los días del año, distribuidos por meses. • fam. Calendario.
ALMANSA Mun. de España en la com. de Castilla-La Mancha, prov. de Albacete; 22 600 hab. Cereales, aceite y vino. • **Batalla de A.** Enfrentamiento durante la guerra de Sucesión española, en el que las tropas de Felipe V derrrotaron a las del archiduque Carlos en abril de 1707. Los vencedores, al mando del duque de Berwick, obtuvieron los reinados de Valencia y Aragón.
ALMANTA f. Entreliño. • Porción de tierra que se señala con dos surcos para dirigir la siembra.
ALMANZA, ***Héctor Raúl*** (nacido 1912) Novelista mex. *Huelga blanca, Brecha en la roca, Pesca brava.*
ALMANZOR, sobrenombre de ***Muhammad Ibn Abu Amir al-Mafiri*** (940-1002) Canciller del califa Hisam II, actuó como dictador. Dirigió varias campañas victoriosas contra los cristianos. A su muerte, comenzó la descomposición del califato de Córdoba.
ALMARADA f. Puñal de tres aristas y sin corte. • Aguja para coser alpargatas. • Barreta de hierro, con mango, usada en hornos de fundición de azufre.
ALMARAZ Paz, ***Sergio*** (1928-1968) Escritor bol. Fundador de las revistas *Praxis* y *Clarín Internacional. El poder y la caída, El estaño en la historia de Bolivia, Réquiem para una república.*
ALMARBATAR tr. Ensamblar dos piezas de madera.
ALMARJO m. Cualquiera de las plantas que dan barrilla. • Barrilla, cenizas de esta planta.
ALMARRAJA o **ALMARRAZA** f. Vasija de vidrio que servía para rociar o regar.
ALMÁRTAGA o **ALMÁRTEGA** f. *Quím.* Litargirio.
ALMÁRTAGA o **ALMÁRTIGA** f. Cabezada para tener asidas las caballerías. ■ ALMARTIGÓN.
ALMASILIO m. Aleación ligera de aluminio, magnesio y silicio.
ALMÁSTIGA f. Almáciga, resina.
ALMATRICHE m. *Agr.* Reguera, canal.
ALMAZARA f. Molino de aceite. • Fábrica donde se realiza la extracción del aceite a partir de aceitunas. Depósito en el que se almacena el aceite de oliva clarificado. ■ ALMAZARERO.
ALMEIDA, ***Antonio José de*** (1866-1929) Político port. Presid. de la rep. (1919-1923). • ***Francisco de*** (1450-1510) Primer virrey de las Indias Orientales port. Arrebató a los ár. el control del comercio de las especias. • ***Garret, João Baptista da Silva Leitão***, VIZCONDE DE (1799- 1854) Escritor y político port., iniciador del romanticismo en su país. *Camões, Hojas caídas, Fray Luis de Sousa.* • ***Junior, José Ferraz de*** (1850-1899) Pintor bras. de escenas típicas populares.
ALMEJA f. Molusco lamelibranquio comestible, que vive en fondos arenosos litorales. ■ ALMEJAR.
ALMENA f. Cada uno de los prismas que coronan los muros de las antiguas fortalezas. ■ ALMENADO, DA; ALMENAJE.
ALMENAR m. Pie de hierro sobre el que se ponían teas encendidas para alumbrarse. • tr. Guarnecer de almenas un edificio.
ALMENARA f. Fuego que se hacía en las atalayas para dar aviso. • Candelero para candiles de varias mechas. • Almenar.
ALMENDARO, ***José Pablo*** (1880-1955) Escritor mex. *Jorge Leona* (drama), *Narchán, Juan Willis* (novelas).
ALMENDRA f. Fruto del almendro. Es una drupa oblonga compuesta de envoltura coriácea, parte leñosa o cáscara interior, y semilla carnosa. • Semilla carnosa de cualquier fruto drupáceo. • fig. Diamante en forma de almendra. • fig. Cada una de las piezas de cristal tallado que se cuelgan por adorno en las arañas, etc. • fig. Piedra o guijarro pequeños. • **amarga.** La del almendro amargo, usada en medicina y en perfumería. • **dulce.** La comestible. • **mollar.** La de cáscara fácil de quebrar.
ALMENDRADA f. Bebida compuesta de leche de almendras y azúcar.

Salvador **Allende**

Diego de **Almagro**

Almendra

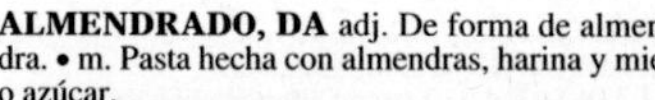

ALMENDRADO, DA adj. De forma de almendra. • m. Pasta hecha con almendras, harina y miel o azúcar.
ALMENDRAL m. Sitio plantado de almendros. • Almendro.
ALMENDRILLA f. Lima rematada en forma de almendra. • Piedra machacada en fragmentos menudos, usada en las reparaciones de las carreteras. • Carbón de piedra en trozos pequeños.
ALMENDRO m. Árbol rosáceo, de madera dura, flores blancas o rosadas, cuyo fruto es la almendra. Su corteza destila una goma parecida a la arábiga. • *Amér.* Árbol cuyos frutos, grandes como los del cocotero, encierran almendras que dan una leche muy sabrosa. • *Cuba.* Árbol cuya madera se utiliza en carpintería. • **amargo.** El de almendra amarga.
ALMENDRÓN m. Árbol mirtáceo, originario de Jamaica, de fruto pequeño y comestible.
ALMENDROS, *Néstor* (1930-1992) Operador de cine cub. de origen esp. Trabajó con los mejores directores. *La historia de Adéle H., La marquesa de O.* Óscar de Hollywood por la fotografía de *Días de cielo* (1978).

Pedro **Almodóvar**

ALMENDRUCO m. Fruto del almendro, con su primera cubierta verde y la almendra interior a medio cuajarse. • fig. Fruta no madura.
ALMENILLA f. Adorno en forma de almena.
ALMERÍA Prov. esp., en la com. autón. de Andalucía, a orillas del Mediterráneo; 8 774 km², 501 761 hab. Cap., Almería. Poblaciones prales.: Adra, Berja, Dalías. • Cap. de la prov. hom.; 170 503 hab. Puerto comercial. De fundación musulmana, fue cap. de un reino de taifas. Alcazaba y catedral.
ALMERIENSE adj. y s. De Almería.
ALMEZ m. Árbol caducifolio de la familia ulmáceas, de ramas flexibles y flores solitarias.
ALMEZA f. Fruto del almez.
ALMEZO m. Almez.
ALMIAR m. Pajar con un palo en el centro, alrededor del cual se va amontonando la paja. ■ ALMIARAR.
ALMÍBAR m. Azúcar disuelto en agua y cocido al fuego hasta que toma consistencia de jarabe.
ALMIBARADO, DA adj. fig. y fam. Meloso, excesivamente empalagoso. Aplícase al lenguaje de esta clase y a la persona que lo emplea.
ALMIBARAR tr. Bañar con almíbar. • fig. Suavizar con dulzura las palabras.
ALMICANTARAT f. Cada uno de los círculos que se suponen descritos en la esfera celeste, para determinar la alt. de los astros.
ALMIDÓN m. Polisacárido $(C_6H_{10}0_5)_n$ de los órganos verdes de las plantas. • P. ext., engrudo de almidón.
ALMIDONADO, DA adj. fig. y fam. Díc. de la persona compuesta con excesiva pulcritud.
ALMIDONAR tr. Mojar la ropa blanca en almidón desleído en agua.
ALMIJARRA f. *Amér. Merid.* Palo horizontal del que tira la caballería, en molinos, etc.
ALMILLA f. Jubón ajustado. • Tira de carne sacada del pecho de los puercos, después de muertos.
ALMIMBAR m. Púlpito de las mezquitas.
ALMINAR m. Torre de las mezquitas.
ALMIQUÍ m. *Cuba.* Aire, mamífero.

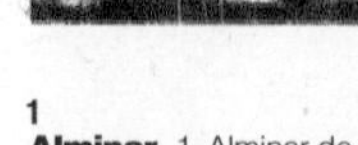

1 2

Alminar. 1. Alminar de la mezquita de la Kutubiyya (Marrakech, Marruecos). 2. Tipos de alminar

ALMIRANTAZGO, *Islas del* *(Admiralty Islands)* Grupo insular coralino del arch. de Bismarck, en el Pacífico; 2 072 km², 20 000 hab. Isla pral.: Manus. Exportación de copra.
ALMIRANTE m. El que en las cosas de mar tenía mando absoluto. • El que mandaba la armada después del capitán general. • Alto cargo de la armada de un país, al que, por lo gral., corresponde la jefatura de una escuadra. ■ ALMIRANTA; ALMIRANTAZGO.
ALMIRANTE BROWN Partido de Argentina, en la prov. de Buenos Aires; 390 000 hab. Forma parte del Gran Buenos Aires.
ALMIREZ m. Mortero de metal.
ALMIZCATE m. Patio entre dos fincas.
ALMIZCLE m. Sustancia aromática, untuosa, de sabor amargo y color pardo. Se saca del almizclero y se emplea en medicina y perfumería. ■ ALMIZCLAR; ALMIZCLEÑO, ÑA.
ALMIZCLEÑA f. Planta geraniácea, parecida al jacinto, cuyas flores despiden olor de almizcle.
ALMIZCLERA f. Desmán, mamífero.
ALMIZCLERO, RA adj. Almizcleño. • m. Rumiante provisto de una glándula que segrega almizcle.
ALMO, MA adj. poét. Criador, vivificador. • poét. Excelente, santo.
ALMOCAFRE m. Instrumento para limpiar la tierra de malas hierbas, y para trasplantar plantas.
ALMOCÁRABE o **ALMOCARBE** m. *Arq.* y *Carp.* Adorno en forma de lazos.
ALMOCELA f. ant. Especie de capucha.
ALMOCRÍ m. Lector del Corán.
ALMODÓVAR, *Pedro* (nacido 1949) Director de cine esp. *Matador*, *Mujeres al borde de un ataque de nervios*, *Átame*, *Tacones lejanos*, *Kika*. En 2000 recibió un Oscar por *Todo sobre mi madre*.
ALMODROTE m. Salsa de aceite, ajos, queso y otras cosas. • fig. y fam. Mezcla confusa.
ALMÓFAR m. Cofia de malla.
ALMOFREJ m. Funda en que se llevaba la cama de camino.
ALMOGÁVAR adj. y m. Soldado de una tropa escogida que hacía correrías en tierras enemigas. • Mercenario al servicio de la corona de Aragón.
ALMOHADA f. Cojín que se pone en la cama para reclinar sobre él la cabeza. • Cojín que sirve para sentarse o recostarse sobre él. • Funda en que se mete la almohada de la cama. • *Arq.* Almohadilla de un sillar. • **Consultar con la a.** fr. fig. y fam. Meditar algún asunto con el tiempo necesario. ■ ALMOHADAZO.
ALMOHADE adj. y s. Relativo a los almohades. • m. pl. Musulmanes seguidores de Ibn Tumart, que ocuparon los dominios almorávides. Derrotados en España en la batalla de Navas de Tolosa (1212), se fragmentaron en al-Andalus en los reinos de taifas.
ALMOHADILLA f. Cojín pequeño sobre el cual se cose. • Cojín pequeño de las guarniciones de las caballerías de tiro. • *Chile.* Acerico para clavar alfileres. • *Chile.* Agarrador para coger la plancha. • *Arq.* Parte del sillar que sobresale de la obra. • *Arq.* Parte lateral de la voluta del capitel jónico. • *Vet.* Carnosidad que se les hace a las caballerías en los lados donde asienta la silla. ■ ALMOHADADO, DA; ALMOHADILLADO, DA.
ALMOHADILLAR tr. *Arq.* Labrar los sillares de modo que tengan almohadilla.
ALMOHADÓN m. Cojín pequeño que sirve para sentarse, recostarse o apoyar los pies en él. • *Arq.* Salmer.
ALMOHAZA f. Instrumento formado por una chapa de hierro con cuatro peines de dientes romos, que sirve para limpiar las caballerías.
ALMOHAZAR tr. Estregar a las caballerías con la almohaza. • Estregar o fregar de otro modo. ■ ALMOHAZADOR.
ALMOJÁBANA f. Torta de queso y harina.
ALMOJARIFAZGO m. ant. Derecho esp. que gravaba el comercio int. y ext. • Oficio y jurisdicción del almojarife. ■ ALMOJARIFE.
ALMOJAYA f. Madero que se asegura en la pared para sostener andamios y para otros usos.
ALMOLOYA DE JUÁREZ Mun. de México, en el est. de México; 49 200 hab. Agricultura.
ALMONACID, *Sebastián de* (ss. XV-XVI) Escultor gótico esp. Sepulcros de los Luna, en Toledo, y del cardenal Carrillo en Alcalá de Henares.
ALMÓNDIGA f. Albóndiga.

ALMONEDA f. Subasta de bienes muebles. • Venta de géneros a bajo precio. ■ ALMONEDEAR.

ALMONTE, *Juan Nepomuceno* (1803-1869) General y político mex. Preparó la instauración de Maximiliano en México. Organizó la regencia (1862).

ALMORÁVIDE adj. y s. Relativo a los almorávides. • m. pl. Musulmanes del Sáhara que se apoderaron del Magreb y reunificaron al-Andalus. Sucumbieron por la presión almohade (1149).

ALMOREJO m. Planta gramínea, de hojas con un nervio blanco longitudinal y flores en espiga.

ALMORRANA f. Tumor sanguíneo de tipo varicoso que se forma en el ano o en el intestino recto. ■ ALMORRANIENTO, TA.

ALMORTAf. Planta leguminosa, de flores de color morado y blancas, y fruto en legumbre.

ALMORZADA f. Lo que cabe en el hueco de ambas manos juntas.

ALMORZAR intr. Tomar el almuerzo. • tr. Comer en el almuerzo una u otra cosa.

ALMOTACÉN m. Persona que se encargaba oficialmente de contrastar las pesas y medidas. • Oficina donde se efectuaba esta operación. ■ ALMOTACENAZGO; ALMOTACENÍA.

ALMQUIST, *Karl Jonas* (1793-1866) Escritor sueco. *Se puede, Colombina.*

ALMUD m. Medida de áridos que corresponde a un celemín o a media fanega. ■ ALMUDADA.

ALMUDÍ o **ALMUDÍN** m. Alhóndiga.

ALMUECÍN o **ALMUÉDANO** m. Musulmán que convoca al pueblo para que acuda a la oración.

ALMUERZO m. Comida que se toma por la mañana, antes de la principal. • Comida que se toma al mediodía o a primeras horas de la tarde.

ALNADO, DA m. y f. Hijastro, hijastra.

ALOBUNADO, DA adj. Parecido al lobo.

ALOCAR tr. y prnl. Volver loco. ■ ALOCADO, DA.

ALOCROÍSMO m. Propiedad que tienen ciertos cuerpos de cambiar de color.

ALOCROÍTA f. Granate calcicoférrico rico en manganeso, de color verde oscuro.

ALÓCTONO, NA adj. Que se encuentra en lugar distinto al de su origen.

ALOCUCIÓN f. Discurso breve.

ALODIAL adj. *Der.* Libre de toda carga y derecho señorial.

ALODIO m. Heredad o cosa alodial.

ÁLOE m. *Bot.* Gén. de plantas de la familia liliáceas, de hojas grandes y carnosas y flores en racimos terminales. Tienen aplicaciones medicinales. • Acíbar.

ALÓFANA f. Silicato de alúmina hidratado, que tiene el brillo y la transparencia de la cera.

ALÓFONO adj. y s. *Fon.* Díc. de cada una de las variantes de la pronunciación de un fonema.

ALOGAMIA f. *Biol.* Fecundación cruzada. • *Bot.* Polinización de una flor por medio de otra.

ALÓGENO, NA adj. Producido por la acción de un elemento extraño. • Díc. de la raza o grupo étnico que ocupa un lugar secundario en la población.

ALOÍNA f. Alcaloide que se extrae del áloe.

ALOISIA f. Hierba luisa.

ALOJA f. Bebida compuesta de agua, miel y especias. • *Argent.* Chicha, bebida. ■ ALOJERÍA.

ALOJADO m. Militar que recibe hospedaje gratuito por disposición de la autoridad. • *Chile.* Huésped en casa ajena.

ALOJAMIENTO m. Lugar donde uno está alojado.

ALOJAR tr., intr. y prnl. Hospedar. • tr. y prnl. Dar alojamiento a la tropa. • Colocar una cosa dentro de otra. • prnl. Situarse las tropas en algún punto.

ALOJERO, RA m. y f. Persona que hace o vende aloja. • m. En los teatros, lugar donde se vendía aloja.

ALOMADO, DA adj. Que tiene forma de lomo.

ALOMAR tr. *Agr.* Arar la tierra en forma de lomos. • *Eq.* Desarrollarla fuerza de los lomos de un caballo.

ALOMÍA *Robles, Daniel* (1871-1942) Compositor per. Recopiló melodías andinas, entre ellas *El cóndor pasa, El resurgimiento de los Andes.*

ALOMONAS f. pl. *Ecol.* Sustancias que proporcionan mejora adaptativa al organismo que las produce. Entre ellas cabe destacar los repelentes o sustancias de huida (tinta de los cefalópodos), los supresores (antibióticos e inhibidores de la germinación) y los venenos e inductores (modificadores del crecimiento de otra especie a la que están asociados).

ALÓN m. Ala entera de ave, sin las plumas.

ALÓN, NA adj. *Amér. Merid.* Aludo.

ALONDRA f. Ave paseriforme de color pardo y cola ahorquillada.

ALONGAR tr. Alargar una cosa. • tr. y prnl. Hacer que dure más una cosa. ■ ALONGAMIENTO.

ALONSO, *Alicia* (nacida 1920) Bailarina cub. Creadora del Ballet Nacional de Cuba. • ***Amado*** (1896-1952) Lingüista esp. nacionalizado arg. Realizó imp. trabajos de dialectología, gramática y crítica literaria, y divulgó la obra de Saussure. *Problemas de dialectología hispánica, Castellano, español, idioma nacional, Poesía y estilo de Pablo Neruda, De la pronunciación medieval a la moderna.* • ***Carlos*** (nacido 1929) Dibujante, pintor y grabador arg. Una de sus mejores obras es el cuadro dedicado a Martín Fierro. • ***Dámaso*** (1898-1990) Poeta y filólogo esp., autor de imp. trabajos sobre Góngora y san Juan de la Cruz. Presid. de la Real Academia de la Lengua (1968-1982). *Oscura noticia, Hijos de la ira, Hombre y Dios.* • ***Dora*** (nacida 1910) Escritora cub. *Tierra adentro* (premio Nacional de Novela, 1944), *Tierra inerme* (premio Casa de las Américas, 1961). • ***Manuel*** (1822-1889) Poeta puertorriq. que realizó excelentes descripciones de personajes populares. *El Gíbaro.* • ***Mateo R.*** (1878-1955) Escultor arg. *Cristo Redentor.* • ***Rodolfo*** (nacido 1934) Escritor arg. adscrito a la revista *Poesía Buenos Aires. Salud o nada, Señora vida.* • **Barba, *Álvaro*** (1569-1661) Sacerdote y mineralogista esp., que emigró a América, donde realizó imp. estudios de mineralogía y metalurgia. *Arte de los metales.* • **Rochi, *Alejandro*** (1898-1973) Pintor nic., conocido como «el pintor de las flores». • **Y Trelles, *José*** (1857-1924) Poeta ur., llamado EL VIEJO PANCHO, cultivador del gén. gauchesco. *Paja brava, Guacha.*

ALOPATÍA f. Terapéutica en la que se emplean medicamentos que aplicados a un individuo sano producirían fenómenos contrarios a los observados en el enfermo. ■ ALÓPATA; ALOPÁTICO, CA.

ALOPÁTRICAS f. pl. *Ecol.* Especies con áreas de distribución distintas, y que no pueden superponerse.

ALOPECIA f. Caída o pérdida del pelo.

ALOPECURO m. *Bot.* Cola de zorra.

ALOPOLIPLOIDE adj. y m. Poliploide originado a partir de un híbrido interespecífico. Se caracteriza por poseer una dotación tetraploide.

ALOQUE adj. De color rojo claro. • adj. y s. Clarete o mezcla de tinto y blanco.

ALOQUECERSE prnl. Enloquecerse.

ALOSA f. Sábalo.

ALOTAR tr. Mar. Arrizar.

ALOTRIOFAGIA f. Perversión patológica por la que se ingieren sustancias no comestibles.

ALOTROPÍA f. *Quím.* Polimorfismo de formas cristalinas o de estructuras moleculares de un elemento. El primer tipo de a. la presenta el carbono, en sus formas de grafito, diamante y carbono amorfo; el segundo, el oxígeno, que existe en molécula diatómica y triatómica (ozono). Las formas alotrópicas pueden, en general, transformarse una en otra. ■ ALOTRÓPICO, CA.

ALOXANA f. Producto de la oxidación del ácido úrico. Se usa en cosmética.

ALPACA f. *Amér. Merid.* Mamífero rumiante de la familia camélidos. Se aprovecha su lana y su carne. • fig. Pelo de este animal. • fig. Tejido hecho con este pelo. • fig. Tela gruesa de algodón abrillantado. • Aleación de cobre, níquel y cinc, de color blanco.

ALPAMATO m. *Argent.* Arbusto mirtáceo de hoja aromática y medicinal.

ALPAÑATA f. Pedazo de cordobán o badana con que los alfareros alisan las piezas de barro.

ALPARGATA f. Calzado de cáñamo, en forma de sandalia, que se asegura con cintas. ■ ALPARGATADO, DA; ALPARGATAR; ALPARGATE; ALPARGATERÍA; ALPARGATERO, RA.

ALPARGATILLA com. fig. y fam. Persona que con astucia se capta la voluntad de otra.

Inflorescencia de **áloe**

Alondra

Alpaca

Panorámica de los **alpes**

Alpinismo

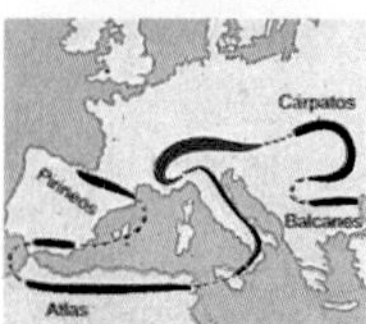

Algunas cordilleras levantadas por el plegamiento **alpino**

Alquequenje

ALPAX m. Aleación eutéctica de aluminio y silicio.
ALPECHÍN m. Líquido oscuro y fétido que sale de las aceitunas. ■ ALPECHINERA.
ALPENDE m. Cubierta voladiza de un edificio. • Casilla para guardar herramientas.
ALPENDRE m. Alpende. • Cobertizo, trastero.
ALPENSTOCK m. Bastón de los alpinistas.
ALPES Sist. montañoso, el más importante de Europa; de 250 000 a 300 000 km². Forma un arco desde el golfo de Génova hasta el Danubio medio por el NE y el Adriático por el SE. En él nacen los r. Po, Ródano y Rin. Los A. se dividen en: Occidentales, Centrales y Orientales. Cumbres prales.: el Mont-Blanc (4 807 m, la más alta de Europa), el Monte Rosa (4 638 m) y el Matterhorn o Cervino (4 482 m). Alta pluviosidad. • **Albaneses** *(Bjeshkete Nemuna)* Sist. montañoso del N de Albania. Alt. máx.: Maj'e Jerezca (2 693 m). • **Australianos** Parte merid. de la cord. del SE de Australia; pico más alto: Kosciusko (2 230 m). • **Dináricos** *(Dinarsko Gorje)* Sist. montañoso del O de la pen. Balcánica que se extiende, de NO a SE, entre Dalmacia y las llanuras panónicas. • **Escandinavos** Cord. que forma la espina dorsal de la pen. Escandinava. Se extiende desde el cabo Norte hasta el Lindesnes. • **Neozelandeses** Cord. que atraviesa Nueva Zelanda. Alt. máx.: el monte Cook (3 764 m).
ALPES Lunares Cord. de la Luna, sit. al N del Mar de las Lluvias.
ALPESTRE adj. Alpino. • fig. Montañoso. • *Bot.* Díc. de plantas que viven a gran altitud.
ALPINISMO m. Deporte que consiste en escalar montañas. ■ ALPINISTA.
ALPINO, NA adj. Relativo a los Alpes y, p. ext., a las montañas altas. • Relativo al alpinismo. • *Bot.* y *Zool.* Díc. de la región con una flora y una fauna semejantes a las de los Alpes. • **Plegamiento a.** *Tect.* Movimientos orogénicos que desde el jurásico superior han originado grandes sistemas montañosos, como las montañas Rocosas y los Andes, en la costa del Pacífico de América; el Atlas, en el norte de África; las cordilleras Béticas, los Pirineos, los Alpes, los Cárpatos, el Cáucaso y el Himalaya en Eurasia.
ALPISTE m. Planta gramínea con espiguilla de tres flores y semillas, usadas para forraje y alimento de los pájaros. • **Dejar sin a.** fig. y fam. Privar de los medios de vida.
ALPISTERA f. Torta pequeña de harina, huevos y sésamo.
ALPUJARRA, *La* o **ALPUJARRAS, *Las*** Comarca esp. sit. en las prov. de Granada y Almería. Muy montañosa, avenada por los r. Almería y Guadalfeo. • **Guerra de las A.** Sublevación de los moriscos (1568-1570), dirigida por Aben Humeya y Aben Abóo. Fueron derrotados y deportados a otras regiones españolas.
ALPUJARREÑO, ÑA adj. y s. De las Alpujarras.
ALQUENO m. *Quím.* Hidrocarburo no saturado de la serie olefínica (fórmula C_nH_{2n}). El más conocido es el etileno.
ALQUEQUENJE m. Planta solanácea, de pequeño fruto encarnado, envuelto por el cáliz.
ALQUERÍA f. Casa de campo para la labranza. • Conjunto de dichas casas.
ALQUERMES m. Licor en que entraban el quermes animal y otros excitantes.
ALQUERQUE m. Espacio que hay en los molinos de aceite, donde se vuelve a exprimir la pasta de orujo que resulta de la primera presión.
ALQUIBLA f. Punto hacia donde los musulmanes dirigen la vista cuando rezan.
ALQUICEL m. Especie de capa morisca.
ALQUIFOL m. Óxido de cobalto mezclado con cuarzo, usado para dar color y vidriar objetos de vidrio y cerámica.
ALQUILACIÓN f. *Quím.* Introducción de un radical alquílico en la molécula de un compuesto.
ALQUILAR tr. Dar a otro alguna cosa para que use de ella, mediante el pago de una cantidad. • prnl. Ponerse uno a servir a otro por cierto estipendio. ■ ALQUILABLE; ALQUILADIZO, ZA; ALQUILADOR, RA; ALQUILAMIENTO.
ALQUILER m. Precio en que se alquila alguna cosa. • **De a.** loc. Díc. de lo que se alquila.
ALQUILO m. *Quím.* Radical orgánico originado por la eliminación de un átomo de hidrógeno de los hidrocarburos saturados.
ALQUILÓN, NA adj. *Ecuad.* Inquilino.
ALQUIMIA f. Química primitiva, cultivada especialmente en la E. Med. Materialmente intentaba descubrir la piedra filosofal y el elixir de la larga vida. ■ ALQUÍMICO, CA.
ALQUIMILA f. Pie de león, planta.
ALQUIMISTA m. El que profesaba la alquimia.
ALQUINO m. *Quím.* Hidrocarburo no saturado con un enlace triple (fórmula C_nH_{2n-2}).
ALQUITARA f. Alambique.
ALQUITARAR tr. Destilar en alambiques.
ALQUITIRA f. Tragacanto.
ALQUITRÁN m. Líquido viscoso, de olor característico, obtenido por destilación seca de productos diversos (hulla, lignito, turba, madera, esquistos bituminosos). ■ ALQUITRANADO, DA.
ALQUITRANAR tr. Poner alquitrán.
ALQUIZAR Mun. de Cuba, en la prov. de La Habana; 13 300 hab. Caña de azúcar, tabaco.
ALREDEDOR adv. lugar. Denota la situación de personas o cosas que circundan a otras, o la dirección en que se mueven. • adv. cantidad fam. Cerca. • m. pl. Contorno de un lugar.
ALROTA f. Desecho que queda de la estopa después de la rastrillada.
ALSACIA (fr., *Alsace;* al., *Elsass*) Región del E de Francia, sit. entre los Vosgos y el Rin; 8 280 km², 1 624 400 hab. Cap., Estrasburgo. C. prales.: Colmar, Mulhouse. Se habla un dialecto al.
ALSACIA-LORENA *(al., Elsass-Lothringen)* Ant. territorio al. constituido por Alsacia y parte de Lorena; 14 507 km². Cedido por Francia a Alemania tras la guerra franco-prusiana (1871). Est. del Reich desde 1911. Después de la I Guerra Mundial volvió a dominio francés. Anexionado por Hitler, fue devuelto a Francia en 1944.
ALSACIANO, NA adj. y s. De Alsacia. • m. Dialecto de la lengua alemana hablado en esta región de Europa.
ALSINA, Carlos *Roque* (nacido 1941) Compositor y pianista arg. Alumno de Luciano Berio. Fundador del grupo *New Phonic Art.* • ***Valentín*** (1805-1869) Político y jurista arg. Gobernador de Buenos Aires (1866). Redactor del Código Penal.
ALSINE f. Planta cariofilácea de flores blancas. Se usa en medicina, y como alimento de pájaros.
ALTA f. Antigua danza cortesana. • Declaración del médico de que un enfermo ya está sano. • Documento que lo acredita. • Documento que certifica la entrada de un militar en servicio activo. • Ingreso de una persona en un cuerpo, profesión, partido, etc. • *Esg.* Asalto público.
ALTA NORMANDÍA → Normandía, Alta.
ALTACIMUT m. Instrumento óptico usado para medir la altura y acimut de los astros. ■ ALTACIMUTAL.
ALTAGRACIA, *La* Prov. del SE de la República Dominicana; 3 085 km², 100 400 hab. Montañosa al N. Cap., Salvaleón de Higüey. Azúcar, arroz, tabaco. Ganadería.
ALTAGRACIA DE ORITUCO Pob. de Venezuela, en el est. Guárico; 27 000 hab. Aeropuerto.
ALTAI Sist. montañoso herciniano del Asia central, entre Siberia y Mongolia. Alt. máx. 4 500 m. Oro, hierro.
ALTAICO, CA adj. De la región de los montes

Altái, en Asia central. • adj. y s. Raza turcomongola, que se supone oriunda de dicha región, y las lenguas mongolas y turcas.
ALTAÍR f. Estrella de primera magnitud en la constelación del Águila.
ALTAITSI m. pl. Pueblo turcomongol, de lengua turca, que vive en Gorno-Altái.
ALTAMIRA, *cueva de* Caverna sit. cerca de Santillana del Mar (Cantabria, España). Importantísimo conjunto de pinturas rupestres del magdaleniense.
ALTAMIRA Mun. de México, en el est. de Tamaulipas; 32 400 hab. Ganadería, salinas y petróleo. • Mun. de la República Domincana, en la prov. de Puerto Plata; 34 800 hab. Cereales, café y cacao. Lignito y antracita.
ALTAMIRA, *Rafael* (1866-1951) Historiador y jurista esp. *Historia de España y de la civilización española, Historia del Derecho español.*
ALTAMIRANO, *Carlos* (nacido 1925) Político chil., representante de la corriente radical del Partido Socialista durante el gobierno de Salvador Allende. • ***Ignacio Manuel*** (1834-1893) Novelista mex. Luchó al lado de Juárez. *El Zarco, Cuentos de Invierno.*
ALTAMISA f. Artemisa.
ALTANERÍA f. Altura. • Vuelo alto de algunas aves. • Caza que se hace con halcones. • fig. Altivez. ▪ ALTANERO, RA.
ALTANOS adj. y s. pl. *Mar.* Vientos que soplan del mar a la tierra y viceversa.
ALTAR m. Monumento dispuesto para inmolar la víctima y ofrecer el sacrificio. • En el culto católico, ara consagrada sobre la cual el sacerdote celebra la misa. • P. ext., lugar en forma de mesa donde se coloca el ara. • *Astr.* Ara, constelación. • *Min.* Piedra que separa la plaza del hogar en los hornos de reverbero. • **mayor.** El principal, donde gralte. se coloca la imagen del santo titular.
ALTAR Nombre de una constelación situada en el hemisferio austral del cielo.
ALTAR Volcán extinguido de los Andes del Ecuador; 5 319 m.
ALTAVERAPACENSE adj. y s. De Alta Verapaz.
ALTAVOZ m. Aparato que reproduce y amplifica la voz y los sonidos transformando las oscilaciones eléctricas enondas sonoras.
ALTDORFER, *Albrecht* (1480-1538) Pintor y grabador al. *La batalla de Alejandro.*
ALTEA f. Malvavisco.
ALTEAR intr. y prnl. *Chile.* Otear desde un lugar elevado. • prnl. Elevarse el terreno.
ALTER EGO exp. latina. Persona en quien otra tiene absoluta confianza.
ALTERABLE adj. Que puede alterarse o que se altera con facilidad. ▪ ALTERABILIDAD.
ALTERACIÓN f. Sobresalto. • Alboroto. • Altercado, disputa. • Accidente musical.
ALTERADO, DA adj. Que ha cambiado de forma o esencia. • fig. Inquieto, perturbado.
ALTERANTE adj. Que altera. • Díc. del medicamento que modifica la composición de la sangre.
ALTERAR tr. y prnl. Cambiar la esencia o forma de una cosa. • Perturbar, inquietar. • Estropear, descomponer. ▪ ALTERADOR, RA; ALTERATIVO, VA.

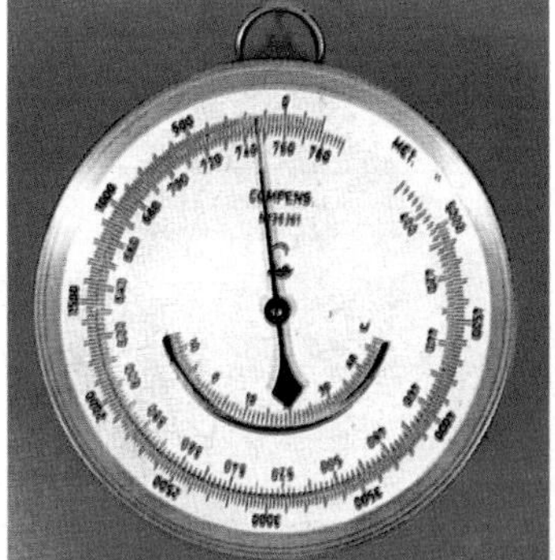
Altímetro

ALTERCACIÓN f. o **ALTERCADO** m. Disputa.
ALTERCAR intr. y prnl. Disputar, porfiar. ▪ ALTERCADOR, RA.
ALTERIDAD f. *Der.* Condición de ser otro.
ALTERNADO, DA adj. Alternativo. • **Grupo a.** *Mat.* Subgrupo del grupo de las permutaciones de *n* elementos formado por las permutaciones de clase par, es decir, que pueden descomponerse en un grupo par de transposiciones.
ALTERNADOR m. *El.* Generador de electricidad que transforma la energía mecánica de rotación en energía eléctrica de corriente alterna.
ALTERNANCIA f. Realización alternativa de una sucesión de fenómenos que se desarrollan con regularidad. • *Ling.* Correspondencia entre dos fonemas que se permutan entre dos series. • **de generaciones**. Tipo de ciclo biológico en el que los individuos se reproducen sexual y asexualmente.
ALTERNAR tr. Variar las acciones diciendo o haciendo ya unas cosas, ya otras, y repitiéndolas sucesivamente. Distribuir por turnos. • *Mat.* Cambiar los lugares que ocupan respectivamente los términos medios o los extremos de una proporción. • intr. Hacer o decir una cosa, desempeñar un cargo varias personas por turno. • intr. y prnl. Sucederse unas cosas a otras repetidamente. • intr. Tener trato amistoso unas personas con otras. • Entrar a competir con uno. • *Taur.* Recibir la alternativa un novillero. ▪ ALTERNABLE; ALTERNACIÓN; ALTERNATIVO, VA.

Detalle de *El* ***alquimista,*** óleo de D. Teniers. Museo del Prado, Madrid

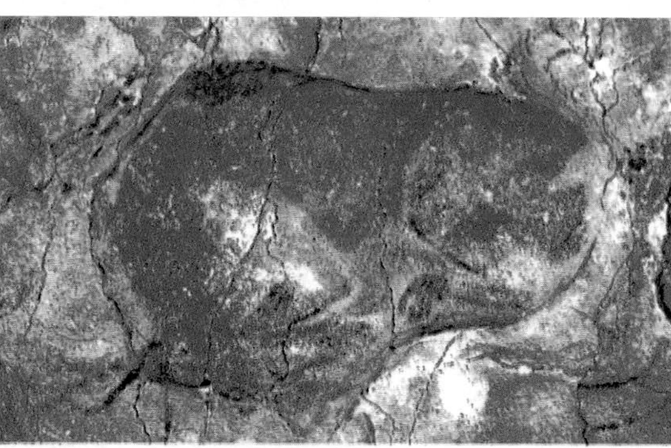
Pintura rupestre en la cueva de **Altamira** representando un bisonte

ALTERNATIVA f. Derecho que tiene cualquier persona para ejecutar alguna cosa o gozar de ella alternando con otra. • Servicio en que turnan dos o más personas. • Opción entre dos cosas. • *Taur.* Ceremonia por la cual un espada de cartel autoriza a un matador principiante para que pueda matar.
ALTERNO, NA adj. Alternativo. • *Bot.* Díc. de las hojas que corresponden al espacio que media entre una y otra del lado opuesto.
ALTEZA f. Altura. • fig. Elevación, excelencia. • Tratamiento dado a los príncipes.
ALTHAUS, *Clemente* (1835-1891) Poeta per. clasicista. Poesías patrióticas y religiosas.
ALTHUSSER, *Louis* (1918-1990) Filósofo fr. Se inscribe en una de las prales. corrientes marxistas del s. XX. *Leer «El Capital»*, en colaboración con E. Balibar; *A favor de Marx, Lenin y la filosofía.*
ALTIBAJO m. ant. Terciopelo labrado. • *Esg.* Golpe dado con la espada de alto a bajo. • pl. fam. Desigualdades de un terreno. • fig. y fam. Alternativa de bienes y males.
ALTICHIERO (nacido h. 1330) Pintor it. Influido por Giotto. Fresco de la Crucifixión, en la iglesia de San Antonio, en Padua.
ALTÍGRAFO m. Aparato para registrar alt. atmosféricas.
ALTILLANO m. o **ALTILLANURA** f. *Amér. Merid.* Altiplanicie.
ALTILLO m. Cerrillo algo elevado. • Construcción elevada en un local, para un mayor aprovechamiento del espacio. • *Amér. Merid.* Desván.
ALTILOCUENCIA f. Grandilocuencia.
ALTILOCUENTE adj. Grandilocuente.
ALTIMETRÍA f. Parte de la topografía que enseña a medir alturas.
ALTÍMETRO, TRA adj. Relativo a la altimetría.

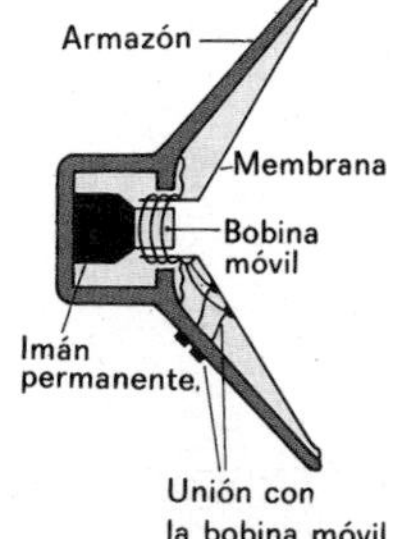

Esquema de un **altavoz** magnetostático

• m. Aparato para medir altitudes. • Aparato que, a bordo de un avión, señala la altitud de vuelo.
ALTIN TAGH (chino, *Aerjin shan*) Sist. montañoso del SE de Sinkiang (China), limítrofe con Tibet. Estribación del Kuen Lun.
ALTIPAMPA f. Argent. y *Bol.* Altiplanicie.
ALTIPLANICIE f. o **ALTIPLANO** m. Meseta de gran extensión y altitud.
ALTIPLANO, ***El*** Por antonomasia, el altiplano andino, extensa meseta, a más de 3 500 m de alt., en los Andes de Bolivia y Perú, en el N de Chile y en el NO de Argentina; 100 000 km^2. Lagos (Titicaca, Poopó), y salares (Uyuni).
ALTISONANTE adj. Altamente sonoro. • Díc. del lenguaje o estilo muy sonoro y de quien lo emplea. ■ ALTISONANCIA; ALTÍSONO, NA.
ALTITONANTE adj. poét. Que truena de lo alto.
ALTITUD f. Altura. • *Geog.* Altura de un punto con relación al nivel del mar.
ALTIVEZ f. Orgullo, soberbia. ■ ALTIVARSE; ALTIVEZA.
ALTIVO, VA adj. Orgulloso, soberbio. • Díc. de las cosas erguidas o elevadas.
ALTO, TA adj. Levantado sobre la tierra. • Más elevado con relación a otro término inferior. • De gran estatura. • Se aplica al río muy crecido, o al mar alborotado. • adj. y s. Díc. de las personas de gran dignidad. • adj. fig. Arduo. • fig. Superior. • fig. De superior categoría. • fig. Profundo. • fig. Dicho de delito u ofensa, gravísimo. • fig. Dicho del precio de las cosas, caro. • fig. Fuerte, que se oye a distancia. • fig. Avanzado. • fig. Dicho de períodos históricos, la fracción más lejana. • m. Altura. • Sitio elevado. • *Amér.* Montón. • adv. lugar. En lugar superior • adv. modo. En voz fuerte.
ALTO ADIGIO Nombre it. del S del Tirol, incorporado a Italia después de la I Guerra Mundial. Pob. de lengua al.

Altramuz

Pedro de **Alvarado** en un detalle del manuscrito de Diego Durán. Biblioteca Nacional, Madrid

ALTO PARAGUAY Dpto. del NO de Paraguay, en el Chaco, en la orilla izquierda del r. Paraguay y en la frontera con Brasil; 82 349 km^2, 11 816 hab. Cap., Fuerte Olimpo. Ganadería.
ALTO PARANÁ Dpto. del E de Paraguay, en la frontera con Brasil; 14 895 km^2, 403 858 hab. Cap., Ciudad del Este. Selva avenada por el río Paramá, que forma la frontera. Clima tropical. Yerba mate.
ALTO SONGO Mun. de Cuba, en la prov. de Granma; 101 200 hab. Agricultura y ganadería.
ALTO VOLTA→ Burkina Faso.
ALTOCÚMULO m. Nube blanca o gris que se encuentra entre los 3 000 y 4 000 m de alt.
ALTOLAGUIRRE, ***Manuel*** (1905-1959) Poeta esp. de la generación del 27. *Las islas invitadas, La lenta libertad.*
ALTOPARLANTE m. *Amér.* Altavoz.
ALTOTONGA Mun. de México, en el est. de Veracruz; 30 900 hab. Cultivos tropicales.
ALTOZANERO m. *Col.* Mozo de cuerda.
ALTOZANO m. Monte de poca alt. • Sitio más alto de una población. • *Amér.* Atrio de una iglesia.
ALTRAMUZ m. Planta leguminosa papilionácea, de flores blancas y fruto de grano menudo y achatado. ■ ALTRAMUCERO, RA.
ALTRUISMO m. Actitud basada en la consideración del bienestar de los demás. ■ ALTRUISTA.
ALTURA f. Elevación de un cuerpo sobre la superficie de la tierra. • Dimensión de los cuerpos perpendicular a su base. • Región del aire, considerada a cierta elevación sobre la tierra. • Cumbre de los montes. • fig. Alteza. • Altitud con relación al nivel del mar. • *Astr.* Coordenada astronómica definida por la distancia angular entre la visual de un astro y su proyección sobre el horizonte. • *Geom.* Dimensión de una figura plana o de un cuerpo, representada por una línea que baja perpendicularmente a su base. • *Top.* Cota. • pl. Cielo. • **meridiana.** *Astr.* La de los astros en el momento de pasar por el meridiano del observador. • **Teorema de la a.** Si en un triángulo rectángulo se considera la alt. sobre la hipotenusa, ésta es media proporcional entre las longitudes de los segmentos que su pie determina sobre la hipotenusa.
ALÚA f. *Argent.* Cocuyo, insecto.
ALUBIA f. Judía.
ALUCIAR tr. Dar lustre a una cosa. • prnl. Pulirse.
ALUCINACIÓN f. Trastorno psicosensorial que consiste en una percepción vivida con convicción de realidad. ■ ALUCINATORIO, RIA; ALUCINE.
ALUCINAR tr. y prnl. Padecer alucinaciones. • Sorprender, producir o experimentar asombro. • Ofuscar o engañar haciendo que se tome una cosa por otra. • intr. Equivocarse, desvariar. ■ ALUCINADOR, RA; ALUCINAMIENTO; ALUCINANTE.
ALUCINÓGENO, NA adj. y s. Sustancia capaz de provocar alucinaciones.
ALUCITA f. Insecto parecido a la polilla del trigo, y muy perjudicial a las cosechas de cereales.
ALUCÓN m. Cárabo, autillo.
ALUD m. Masa de nieve y hielo que se desprende y cae violentamente de las montañas.
ALUDA f. Hormiga con alas.
ALUDO, DA adj. De grandes alas.
ALUDIR intr. Referirse a una persona o cosa sin nombrarla. • tr. e intr. Referirse a una persona determinada.
ALUMBRADO, DA adj. y s. Relativo a los alumbrados. • m. pl. Herejes, cuya secta nació en España a fines del s. XVI. • adj. Que tiene mezcla de alumbre. • fig. Ebrio. • m. Conjunto de luces que alumbran.
ALUMBRAMIENTO m. fig. Parto. • Expulsión de la placenta y membranas en el parto.
ALUMBRANTE adj. Que alumbra. • m. El que cuida del alumbrado de los teatros.
ALUMBRAR tr. e intr. Llenar de luz y claridad. • Poner luz en algún lugar. • Acompañar con luz a otro. • Asistir con luz en algún acto religioso. • Dar vista al ciego. • Disipar la oscuridad y el error. • tr. y prnl. Aplicado a las facultades intelectuales, ponerlas en condición de ejercitarse. • tr. fig. Sacar a la superficie las aguas subterráneas. • fig. Ilustrar y dar a conocer a otro lo que ignoraba. • fig. y fam. Maltratar con golpes a una persona. • Desahogar, desembarazar la vid de la tierra. • intr. Parir la mujer. • prnl. Embriagarse. • tr. Meter los tejidos, etc., en una disolución de alumbre. ■ ALUMBRADOR, RA.
ALUMBRE m. Sulfato doble hidratado de un metal trivalente y un metal monovalente. ■ ALUMBROSO, SA.
ALUMBRERA f. Mina de alumbre.
ALUMEL m. *Metal.* Nombre com. de una aleación de níquel con aluminio y otros metales, usada en la fabricación de pares termoeléctricos.
ALÚMINA f. *Quím.* Óxido de aluminio anhidro que se halla en la naturaleza gralte. formando, en combinación con la sílice y otros cuerpos, los feldespatos y las arcillas. ■ ALUMINÍFERO, RA; ALUMINOSO, SA.
ALUMINATO m. *Quím.* Compuesto formado por la alúmina en combinación con ciertas bases.
ALUMINIO m. Elemento químico de símbolo Al, n. a. 13 y peso atómico 26,98.
* *Quím.* El a. es el metal más abundante en la corteza terrestre, especialmente en forma de silicatos. Es de color blanco argentino, ligero, blando, dúctil y de elevada conductividad. Se obtiene por electrólisis a partir de la bauxita (óxido hidratado de a.). Sus aplicaciones, solo o aleado, son cada día mayores; p. ej., por su ligereza y solidez, se emplea en la industria aeronáutica y en la construcción de ras-

cacielos; por su excelente conductividad en la fabricación de cables eléctricos de alta tensión, y por su resistencia a la oxidación y buen aspecto, en baterías de cocina y carpintería.

ALUMINITA f. Roca de la que se extrae el alumbre.

ALUMINOTERMIA f. *Metal.* Obtención de metales por reducción de sus óxidos con aluminio.

ALUMNO, NA m. y f. Persona educada por alguno, respecto de éste. • Cualquier discípulo, respecto de su maestro, de la materia que está aprendiendo o de la escuela, etc., donde estudia. ■ ALUMNADO.

ALUNADO, DA adj. Lunático. • Díc. del caballo que padece constipación de nervios.

ALUNARADO, DA adj. Díc. de lo que tiene dibujo de lunares.

ALUNARSE prnl. Pudrirse el tocino sin criar gusanos. • *Col.* Enconarse las mataduras.

ALUNITA f. Aluminita.

ALUNIZAR intr. Posarse en la superficie de la Luna un aparato astronáutico. ■ ALUNIZAJE.

ALUNÓGENO m. *Miner.* Sulfato hidratado de aluminio, cristalizado en el sist. monoclínico.

ALUSIÓN f. *Ret.* Figura que consiste en aludir a una persona o cosa. ■ ALUSIVO, VA.

ALUSTRAR tr. Lustrar, dar brillo.

ALUTACIÓN f. Pepita de oro en grano.

ALUTRADO, DA adj. De color parecido al de la lutria.

ALUVIAL adj. De aluvión.

ALUVIÓN m. Avenida fuerte de agua. • fig. Cantidad grande de personas o cosas. • *Der.* Accesión paulatina que, en beneficio de un predio ribereño, causa el arrastre de la corriente. • **De a.** loc. Díc. de los terrenos que quedan al descubierto después de las avenidas. ■ ALUVIONAMIENTO.

ALUZAR tr. *Méx.* Alumbrar. • *P. Rico.* Examinar al trasluz.

ALVA Ixtlilxóchitl, *Fernando* (1575-1648) Historiador mex. Reunió gran número de noticias de procedencia indígena (descendía de reyes chichimecas), para obras escritas en náhuatl. *Historia chichimeca.*

ALVAR, *Manuel* (nacido 1923) Filólogo y erudito esp. *Atlas lingüístico y etnográfico de Andalucía.*

ALVARADO, *laguna de* Albufera de México, en el est. de Veracruz, unida al mar por un corto canal. Existe en Honduras otra formación del mismo tipo, llamada laguna Alvarado.

ALVARADO C. y puerto de México, en el est. de Veracruz; 32 857 hab. Cultivos tropicales.

ALVARADO, *Alonso de* (m. 1553) Conquistador esp. Participó en la conquista de Perú y luchó contra los almagristas. Desempeñó el gobierno en Cuzco y tuvo que enfrentarse a revueltas de españoles contrarios a mejorar el trato a los indígenas. • ***Diego*** (m. 1540) Conquistador esp., partidario de Almagro, del que fue un destacado oficial. Defendió ante la corte española la causa almagrista. • ***Felipe Antonio*** (1793-1831) Jurisconsulto, militar y político arg. Incorporado a las filas de San Martín, se instaló en Lima, donde fue nombrado asesor del presid. La Mar en el primer congreso constituyente. • ***Francisco de*** (1756-1814) Dominico esp. *Cartas críticas de un filósofo rancio.* • ***Humberto*** (nacido 1925) Poeta guat. *Sombras de sal.* • ***Lisandro*** (1859-1929) Antropólogo e historiador ven. *Historia de la revolución federal en Venezuela, Glosario de voces indígenas.* • ***Pedro de*** (1485-1541) Conquistador esp., lugarteniente de Cortés en México. Responsable de la matanza de Tenochtitlán, que dio lugar a la → Noche triste. Conquistador de Guatemala y El Salvador, Carlos V le nombró gobernador de estos terr. • ***Rudecindo*** (1792-1872) Militar arg. Luchó junto a Bolívar y San Martín por la independencia del Perú. • ***Salvador*** (1880-1924) Político y militar mex. Participó activamente en la insurrección maderista contra P. Díaz y más tarde en el levantamiento constitucionalista contra Huerta. Gobernador del Yucatán (1915-1917), implantó medidas liberales. Luchó contra Carranza y más tarde se enfrentó a Obregón en la rebelión delahuertista. • **Garrido, *Luis*** (nacido 1907) Abogado y político per. Ministro de Trabajo y Asuntos Indígenas (1959-1960), embajador en la OEA y ministro de Relaciones Exteriores (1968- 1977). *Apuntes de Derecho Internacional.* • **Lang, *Carlos*** (1905-1961) Grabador mex. Fundador de la Escuela Mexicana de Grabadores. • **Tezozómoc, *Hernando de*** (1525-1600) Cronista mex., nieto del emperador Moctezuma. *Crónica mexicana* (cast.), *Crónica Mexicayotl* (náhuatl).

ALVARES Cabral, *Pedro* → Cabral, Pedro Alvares.

ÁLVAREZ, *Agustín* (1857-1914) Escritor, sociólogo y pedagogo arg. Rector de la universidad de la Plata. *Ensayo sobre la educación, La evolución del espíritu humano.* • ***Francisco*** (1838-1916) Compositor e historiador mex. Autor de numerosas composiciones, entre las que sobresalen 15 misas polifónicas. • ***Francisco*** (1847-1881) Escritor puertorriq. Autor del drama en verso *Dios en todas partes.* • ***Gregorio*** (nacido 1925) Militar y político ur. Presid. de la rep. (1981-1985); devolvió el poder a los civiles. • ***José O.*** (nacido 1947) Bioquímico per. Desarrolla sus investigaciones en EE UU y Perú. • ***José Sixto*** (1858-1903) Escritor arg. conocido por *Fray Mocho,* fundador del semanario *Caras y caretas. Un viaje al país de los matreros, Cuadros de la ciudad.* • ***Juan*** (1790-1867) General y político mex. Combatió la dictadura de Santa Anna. Presid. de la rep. en 1855, renunció en 1856. Apoyó a Juárez contra Maximiliano. • ***Luis*** (nacido 1913) Actor dramático per. Desempeña papeles en televisión y radio. • ***Luis Fernando*** (1902-1952) Poeta ven. *Integrante del grupo vanguardista Viernes. Portafolio del navío desmantelado, Vísperas de muerte.* • ***Luis W.*** (nacido 1911) Físico norteam. Premio Nobel de Física en 1968. • ***Manuel Bernardo*** (1743-1816) Político col. Intervino activamente en las luchas de independencia. • ***Rafael*** (1865-1948) Compositor guat. Autor del *Himno Nacional.* • ***Santiago*** (nacido 1919) Director de cine cub. *Hanoi martes 13, Mi hermano Fidel, El gran salto en el vacío.* • **Baragaño, *José*** (1932-1962) Poeta cub. *El amor original, Poesía y revolución de ser.* • **Bravo, *Armando*** (nacido 1938) Poeta cub. *Órbita de Lezama Lima, Para domar un animal, Juicio de residencia.* • **Bravo, *Manuel*** (nacido 1905) Fotógrafo mex. *La buena fama durmiendo.* • **De Arenales, *Juan Antonio*** (1770-1831) Militar criollo, de origen esp. Participó en los movimientos de independencia de América Latina. Se unió al ejército de San Martín en sus expediciones a Chile y Perú. • **De Cienfuegos, *Nicasio*** (1764-1809) Poeta esp. prerromántico. *La Zoraida, Las hermandades generosas.* • **De Sotomayor, *Fernando*** (1875-1960) Pintor academicista esp. Director del Museo del Prado. • **García, *Cruz*** (1870- 1950) Escultor ven. *Cristo yacente,* retrato de *Miguel de Cervantes.* • **Jonte, *Antonio*** (1784-1821) Político arg., de origen esp. Participó en la rev. de mayo de 1810. Miembro del Segundo Triunvirato. • **Lleras, *Antonio*** (1892-1956) Escritor y dramaturgo col. *Víboras sociales, El virrey Solís.* • **Perón, *José*** (1894-1980) Arquitecto per. Country Club de Lima, hotel Paracas, fachada de la municipalidad de Lima. • **Quintero, *Serafín*** (1871-1938) y ***Joaquín*** (1873-1944) Comediógrafos costumbristas esp. Académicos de la Lengua. *Las de Caín, Malvaloca, La boda de Quinita Flores.* • **Thomas, *Ignacio*** (1787-1857) Militar y político arg. Participó en la rev. de Mayo y en la toma de Montevideo.

Serafín y Joaquín **Álvarez Quintero,** por R. Casas

ALVARO, *Corrado* (1895-1956) Escritor it. *El hombre es fuerte, La edad breve.*

ÁLVARO OBREGÓN Delegación de México, en Ciudad de México; 456 700 hab.

ALVEAR, *Carlos de* (1789-1852) General y político arg., compañero de San Martín y miembro destacado de la Logia Lautaro. Desempeñó un importante papel en el movimiento de octubre de 1812. • ***Marcelo Torcuato de*** (1868-1942) Político arg., presid. de la rep. en 1922-1928. Uno de los fundadores de la Unión Cívica Radical.

ALVEARIO m. *Zool.* Conducto auditivo externo.

ÁLVEO m. Madre del río o arroyo.

ALVEOLADO, DA adj. Que tiene alveolos. • Díc. de un tipo de esmalte artístico.

ALVEOLAR adj. *Zool.* Relativo a los alveolos. • adj. y f. *Gram.* Consonante que se pronuncia acercando o aplicando la lengua a los alveolos de los incisivos superiores.

ALVEOLO o **ALVÉOLO** m. Celdilla. • *Biol.* Depresión en alguna oquedad de un órgano. • *Zool.* Cavidad en que están engastados los dientes. • Unidad elemental del tejido pulmonar.

Alveolo pulmonar

Dibujo en **alzado** de parte de una galería porticada

Amadeo I

Amanita

Amapola

ALVERJA f. Arveja.
ALVERJILLA f. *Ecuad.* Guisante de olor.
ALVINO, NA adj. *Zool.* Relativo al bajo vientre.
ALVIÑA, *Leandro* (1880-1919) Violinista y folclorista per. *La música incaica, Lo que es la música incaica y su evolución hasta nuestros días.*
ALZA f. Aumento de precio que toma alguna cosa. • Mecanismo de un arma, que sirve para precisar la puntería. • Cada uno de los maderos que sirven para formar una presa movible. • Elevación de las cotizaciones de los valores bursátiles.
ALZACOLA f. Ave paseriforme de la familia muscicápidos, de color castaño y vistosa cola en abanico.
ALZACUELLO m. Prenda suelta del traje eclesiástico, especie de corbatín.
ALZADA f. Estatura de los animales. • Recurso de apelación en lo administrativo.
ALZADERA f. Contrapeso que servía para saltar.
ALZADO, DA adj. Aplícase a la persona que quiebra, ocultando sus bienes para defraudar a sus acreedores. • Díc. del precio que se fija en determinada cantidad. • m. *Arq.* Diseño de la fachada de un edificio o de una máquina, etc., en su proyección geométrica y vertical. • *Art. Gráf.* Ordenación de los pliegos de una obra impresa, para formar los ejemplares. ■ ALZADOR.
ÁLZAGA, *Martín de* (?-1812) Político arg. Alcalde de Buenos Aires, resistió a la invasión ing. Fue ejecutado, acusado de planear una conspiración realista.
ALZAMIENTO m. Puja que se hace en una subasta. • Levantamiento. • Quiebra fraudulenta.
ALZAPAÑO m. Cada una de las piezas que, clavadas en la pared, sirven para recoger la cortina hacia los lados.
ALZAPRIMA f. Palanca. • Cuña de madera o metal para realzar algo. • Puente de instrumentos de arco.
ALZAPRIMAR tr. Levantar alguna cosa con la alzaprima. • Incitar, conmover, avivar.
ALZAPUERTAS m. El que sólo sirve de criado o comparsa en las comedias.
ALZAR tr. Levantar. • tr. e intr. En la misa, elevar la hostia y el cáliz después de la consagración. • tr. Quitar o llevarse alguna cosa. • Recoger y guardar u ocultar alguna cosa. • fig. Levantar la caza. • Retirar del campo la cosecha. • tr. y prnl. Rebelar. • tr. Dar la primera reja al rastrojo o haza de labor. • *Const.* Dar el peón al oficial la pellada o porción de yeso amasado u otra mezcla que ha de emplear. • *Art. Gráf.* Sacar los pliegos de una impresión uno a uno para ordenarlos y formar el libro. • prnl. Levantarse sobre una superficie. • Quebrar fraudulentamente. • En el juego, dejarlo alguno, yéndose con la ganancia. • *Amér.* Fugarse y hacerse montaraz el animal doméstico. • *Der.* Apelar, recurrir a juez o tribunal superior.
ALZATE y Ramírez, *José Antonio* (1737-1799) Sacerdote, geógrafo y naturalista mex. Fundó el *Diario Literario de México y La Gaceta de Literatura.*
ALZHEIMER, *Alos* (1864-1917) Neurólogo al. Estudioso de la parálisis general y las deficiencias cerebrales por arteriosclerosis y senilidad.
ALZO m. *Amér. Centr.* Robo.
Am Símb. quím. del americio.
AMA f. Cabeza o señora de la casa. • Dueña de alguna cosa. • La que tiene uno o más criados, respecto de ellos. • Criada de un clérigo o de un hombre que vive solo. • Criada principal de una casa. • Mujer que amamanta a una criatura ajena. • **de gobierno** o **de llaves**. Criada encargada de las llaves y economía de la casa. • **seca.** Niñera.
AMABLE adj. Digno de ser amado. • Afable, complaciente. ■ AMABILIDAD.
AMACAYO m. *Amér.* Flor de lis, planta amarilidácea.
AMACHAMBRAR tr. *Chile.* Machihembrar. • prnl. *Chile.* Amancebarse.
AMACHETEAR tr. Dar machetazos.
AMACHINARSE prnl. *Amér.* Amancebarse.
AMACHORRAR intr. y prnl. Volver machorra.
AMACIGADO, DA adj. De color amarillo.
AMACIÓN f. Enamoramiento o pasión amorosa de índole mística.
AMACOLLAR intr. y prnl. Formar macolla las plantas.
AMACUREÑO, ÑA adj. y s. De Delta Amacuro.
AMACURO Río de Venezuela, fronterizo entre Guyana y Venezuela; 250 km.
AMADAMARSE prnl. Adamarse.
AMADEO I (1845-1890) Hijo de Víctor Manuel II de Italia y duque de Aosta. Proclamado rey de España por las cortes constituyentes en 1870. Bien acogido por las clases medias progresistas, fue combatido por republicanos y por carlistas (tercera guerra carlista, 1872). Abdicó (11 febrero 1873) ante la proclamación de la República.
AMADÍS de Gaula El más célebre de los libros de caballerías, de autor anónimo esp. (s. XIV).
AMADO, *Jorge* (1912-2001) Escritor y político bras. *Tierras de sinfín, Mar Muerto, Gabriela, clavo y canela.*
AMADOR de los Ríos, *José* (1818-1878) Historiador esp., *Historia social, política y religiosa de los judíos en España y Portugal; Historia crítica de la literatura española.* • **Guerrero, *Manuel*** (1833-1909) Político pan. Tuvo parte importante en la independencia de su país. Primer presid. de la República de Panamá (1903-1909).
AMADRIGAR tr. fig. Acoger bien a alguno. • prnl. Meterse en la madriguera. • fig. Retraerse.
AMADRINAR tr. Unir dos caballerías con la correa llamada madrina. • tr. y prnl. Apadrinar. • tr. *Amér. Merid.* Acostumbrar al ganado caballar a que vaya en tropilla detrás de la madrina. ■ AMADRINAMIENTO.
AMAESTRAR tr. y prnl. Enseñar o adiestrar. ■ AMAESTRADO, DA; AMAESTRADOR, RA; AMAESTRAMIENTO.
AMAGAR tr. e intr. Dejar ver la intención de ejecutar alguna cosa. • Amenazar. • intr. Hacer ademán de favorecer o hacer daño. • Estar alguna cosa próxima a suceder. • fig. Amenazar con alguna acción que luego no se realiza. • prnl. fam. Ocultarse.
AMAGASAKI C. de Japón, en la prefectura de Hyogo; 523 700 hab. Construcciones mecánicas.
AMAGO m. Señal de algo.
AMAHUACA m. pl. Pueblo indígena de Perú (dpto. de Ucayali), de lengua pano.
AMAINAR tr. *Mar.* Recoger las velas de una embarcación para que no camine tanto. • *Min.* Retirar de los pozos las vasijas que se emplean en ellos. • intr. Aflojar su fuerza el viento. ■ AMAINE.
AMAITINAR tr. Acechar, espiar.
AMAJADAR tr. Hacer el redil al ganado menor en un terreno, para que lo abone. • tr. e intr. Poner el ganado en la majada o redil.
AMALARICO Rey de los visigodos de España (507-531), hijo de Alarico II.
AMALASUNTA Regente de la Italia ostrogoda (526-534), hija de Teodorico el Grande.
¡AMALAYA! interj. *Amér.* ¡Ojalá!
AMALECITA adj. y s. Individuo de un pueblo de la Arabia, descendiente de Amalec.
AMALEQUITA adj. y s. Amalecita.
AMALGAMA f. *Quím.* Aleación del mercurio con otro metal. • fig. Unión de cosas de naturaleza distinta.
AMALGAMAR tr. y prnl. *Quím.* Combinar el mercurio con otro u otros metales. • fig. Unir cosas de naturaleza contraria o distinta. ■ AMALGAMACIÓN; AMALGAMADOR, RA; AMALGAMAMIENTO.
AMALHAYAR intr. *Amér.* Desear satisfacer un deseo y no poder.
AMALLARSE prnl. *Chile.* Alzarse, retirarse del juego el que está ganando.
AMALTEA *Astr.* Quinto satélite de Júpiter.
AMAMANTAR tr. Dar de mamar. ■ AMAMANTADOR, RA; AMAMANTAMIENTO.
AMAMBAY Dpto. de Paraguay, sit. en las estribaciones de la meseta central del Brasil; 12 933 km^2, 97 700 hab. Cap., Pedro Juan Caballero. Ganadería. Café, arroz, mate, fruticultura.
AMAMBAYENSE adj. y s. De Amambay.
AMANAL m. *Méx.* Alberca, estanque.
AMANCAY m. *Amér.* Nombre de diversas especies de azucena o narciso de la familia amarilidáceas.
AMANCEBAMIENTO m. Situación de cohabitar hombre y mujer sin estar casados. • Adulterio del marido. ■ AMANCEBARSE.

Amalarico según la *Genealogía de los reyes de España.* Biblioteca Nacional, Madrid

AMANCILLAR tr. Manchar la fama o linaje. • Deslucir, afear, ajar.
AMANECER intr. Empezar a aparecer la luz del día. • Llegar a estar en un paraje o condición determinados al aparecer la luz del día. • Aparecer de nuevo alguna cosa al rayar el día. • m. Tiempo durante el cual amanece. ■ AMANECIDA.
AMANERAMIENTO m. Repetición mecánica de recursos artísticos formales, o de gestos estilísticos, en detrimento de la espontaneidad. ■ AMANERADO.
AMANERARSE tr. y prnl. Contraer un artista, escritor u orador el vicio de dar a sus obras o a su palabra o expresión uniformidad y monotonía.
AMANITA f. Género de hongos, algunas de cuyas especies son muy venenosas.
AMANITINA f. Sustancia que constituye el principio tóxico de la mayor parte de los hongos.
AMAN-JEAN, *Edmond* (1860-1936) Pintor fr. Fue discípulo de Puvis de Chavannes y colaboró con Seurat en la creación del puntillismo.
AMANOJAR tr. Juntar en manojo.
AMANSADOR, RA adj. y s. Que amansa. • m. *Amér.* Picador, domador de caballos.
AMANSAR tr. y prnl. Hacer manso a un animal. • fig. Sosegar. • fig. Domar el carácter de una persona. • intr. Apaciguarse. • Ablandarse una persona en su carácter. ■ AMANSADOR, RA.
AMANTE adj. y s. Que ama. • adj. Muy aficionado a una cosa. • com. Hombre o mujer que mantiene relaciones extraconyugales. • m. *Mar.* Cabo grueso. • m. pl. Hombre y mujer que se aman.
AMANTILLO m. *Mar.* Cabos que sirven para mantener horizontal una verga cruzada. ■ AMANTILLAR.
AMANUENSE com. Persona que escribe al dictado. • Escribiente.
AMANZANAR tr. *Argent.* Dividir un terreno en manzanas de tierra. ■ *Argent.* AMANZANAMIENTO.
AMAÑAR tr. Componer mañosamente alguna cosa. • prnl. Darse maña, acomodarse a hacer alguna cosa.
AMAÑO m. Disposición para hacer con maña alguna cosa. • fig. Traza para ejecutar algo. • pl. Herramientas adecuadas para alguna maniobra.
AMAPÁ Est. de Brasil, limítrofe con la Guayana Francesa; 142 358 km^2, 258 000 hab. Cap., Macapá. Accidentado por la sierra de Tumucumaque. Maderas finas, caucho, goma; hierro y manganeso.
AMAPOLA f. Planta papaverácea, con flores rojas y semilla negruzca, rica en aceite.
AMAR tr. Tener amor a personas o cosas. • Apreciar algo. ■ AMADO, DA; AMADOR, RA.
AMAR y Borbón, *Antonio* (1742-1826) Último virrey de Nueva Granada (1803-1810).
AMARAL, *Tarsila do* (1900-1973) Pintora bras. del movimiento renovador.
AMARANTÁCEO, A adj. y f. *Bot.* Plantas dicotiledóneas, herbáceas, de flores pequeñas, agrupadas en inflorescencias.
AMARANTINA f. Perpetua de flores encarnadas.
AMARANTITA f. Mineral de hierro de color anaranjado o rojo y brillo resinoso.
AMARANTO m. Planta amarantácea, de flores terminales en espiga densa, de distintos colores.
AMARAR intr. Posarse en el agua un hidroavión o aeronave. ■ AMARAJE.
AMARCHANTARSE prnl. *Cuba, Méx.* y *Ven.* Hacerse cliente de una tienda.
AMARGAR intr. y prnl. Tener alguna cosa sabor desagradable. • tr. Comunicar sabor desagradable a una cosa. • tr. y prnl. fig. Causar aflicción.
AMARGO, GA adj. Que amarga. • fig. Que causa aflicción o disgusto. • fig. Que está afligido o disgustado . • fig. Áspero y de genio desabrido. • Que implica o demuestra amargura o aflicción. • m. Amargor. • Dulce seco, licor, o composición de almendras amargas.
AMARGOR m. Sabor amargo. • fig. Amargura.
AMARGOSO, SA adj. Amargo.
AMARGUERA f. Planta umbelífera, de flores amarillas en umbela, y frutos ovales. Tiene sabor amargo.
AMARGUILLO m. Amargo, dulce de almendras amargas.
AMARGURA f. Amargor. • fig. Aflicción.
AMARICADO, DA o **AMARICONADO, DA** adj. fam. Afeminado.
AMARILIDÁCEO, A adj. y f. *Bot.* Plantas monocotiledóneas, vivaces, bulbosas, de hojas lineales, ovario de tres celdillas y semillas con albumen carnoso. • f. pl. *Bot.* Familia de estas plantas. ■ AMARILÍDEO.
AMARILIS f. Planta amarilidácea, bulbosa, de flores en umbela y de suave olor.
AMARILIS Nombre con que se conoce una poetisa per. del s. XVII. *Epístola a Belardo.*
AMARILLA f. fig. y fam. Moneda de oro. • *Vet.* Enfermedad del ganado lanar, que procede de una alteración del hígado.
AMARILLAR intr. y prnl. Amarillecer.
AMARILLEAR intr. Mostrar alguna cosa color amarillo. • Ser amarillento.
AMARILLECER intr. Ponerse amarillo.
AMARILLO, LLA adj. y s. De color semejante al del oro, etc. • Tercer color del espectro solar. • adj. fig. Pálido. • fig. Díc. de la prensa sensacionalista. • Díc. de las organizaciones obreras al servicio de la patronal. • m. Adormecimiento que los gusanos de seda padecen en tiempo de niebla. • *Argent.* Árbol del género de las mimosas. ■ AMARILLEJO, JA; AMARILLENTO, TA; AMARILLEO; AMARILLEZ.
AMARILLO, *mar (Huanghai)* Sector septentrional del mar de la China Oriental, entre las pen. de Corea y Shantung.
AMARILLO, *río* → Hoang-ho.
AMARILLOSO, SA adj. Amarillento.
AMARINAR tr. Marinar.
AMARIPOSADO, DA adj. De forma semejante a la de la mariposa.
AMARNA, *Tell el* Lugar del Alto Egipto. Ruinas de Ajetatón, la ciudad fundada por Ajenatón (Amenhotep IV) hacia 1366 a. C.
AMARO m. Planta labiada, de flores en verticilo, blancas y de olor nauseabundo.
AMAROMAR tr. Amarrar.
AMARRA f. Correa que se pone a los caballos para que no levanten la cabeza. • *Mar.* Cabo con que se asegura la embarcación. • pl. fig. y fam. Protección, apoyo.
AMARRADERA f. *Col.* y *P. Rico.* Amarra.
AMARRADERO m. Poste o argolla donde se amarra alguna cosa. • *Mar.* Sitio donde se amarran los barcos.
AMARRADIJO m. *Amér.* Nudo mal hecho. • *Col.* Amarradura.
AMARRADO, DA adj. *Chile.* Díc. del que es poco expedito en sus movimientos. • *Amér.* Agarrado.
AMARRADURA f. *Mar.* Vuelta.
AMARRAJE m. Impuesto que se paga por el amarre de un buque en un puerto.
AMARRAR tr. Atar por medio de cuerdas, etc. • P. ext., sujetar. • Inmovilizar el buque en el puerto o en cualquier fondeadero por medio de anclas y cadenas o cables. • fig. En varios juegos de naipes, barajar de tal suerte que ciertas cartas queden juntas y

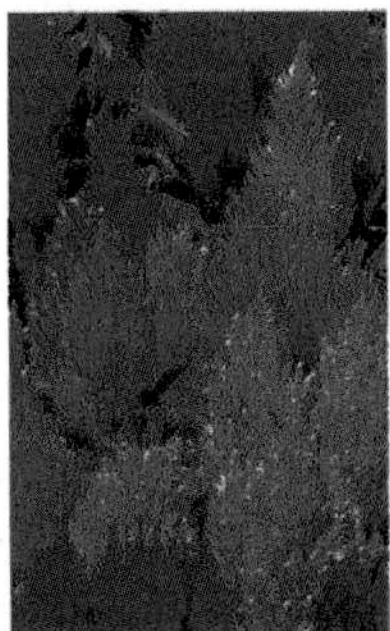

Amaranto

Amarilis

Princesa comiendo. Relieve de Tell el **Amarna**

salgan o no, según convenga. • *Amér.* Concertar, pactar. • intr. fig. y fam. Dedicarse con afán al estudio.

AMARRE m. Amarradura.

AMARRETE adj. *Argent.* y *Perú.* Tacaño, egoísta, mezquino.

AMARRIDO, DA adj. Afligido, triste.

AMARRO m. Amarra.

AMARTELAR tr. y prnl. Atormentar con celos. • tr. Enamorar. • prnl. Enamorarse. ■ AMARTELADO, DA; AMARTELAMIENTO.

AMARTILLAR tr. Martillar. • Poner en el disparador un arma de fuego.

AMARU (s. VII) Poeta lírico hindú, autor de una colección de poemas eróticos *(Sataka).*

AMARULENCIA f. Resentimiento, amargura.

AMASADOR, RA adj. y s. Que amasa. • f. Máquina con la que se elaboran las masas en diversas industrias y que reciben nombres como hormigoneras, malaxadoras, etc.

AMASADURA f. Amasijo.

AMASAMIENTO m. Amasadura. • Masaje terapéutico para estimular la circulación capilar.

AMASANDERÍA f. *Amér. Merid.* Tahona.

AMASANDERO, RA m. y f. *Amér. Merid.* Panadero, tahonero.

Amazona. Detalle de una vasija ibérica del Cerro de San Miguel de Liria (Valencia, España)

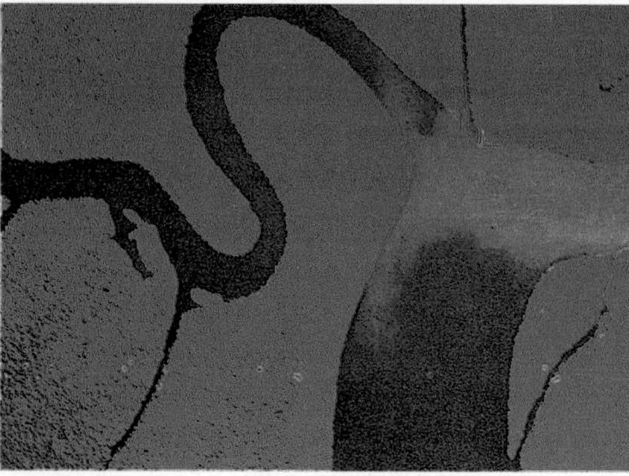

Fotografía aérea de los meandros que forma un afluente del **Amazonas**

AMASAR tr. Formar masa, mezclando harina u otra materia semejante con agua u otro líquido. • fig. Unir, amalgamar. • fig. y fam. Fraguar. • Friccionar fuertemente el cuerpo. ■ AMASADERA; AMASADERO.

AMASIA f. Querida, concubina.

AMASÍAS (heb. *Amasyahu*) Noveno rey de Judá (796-781 a. C.). Fue derrotado y apresado por el rey Joás de Israel.

AMASIATO m. *C. Rica, Méx.* y *Perú.* Concubinato.

AMASIJO m. Porción de harina amasada. • Porción de masa hecha con tierra, etc. y agua u otro líquido. • fig. y fam. Obra. • fig. y fam. Mezcla de ideas que causan confusión. • fig. y fam. Convenio entre varias personas, con malos fines.

AMAT y Junyent, *Manuel de* (1704-1782) Militar esp. Virrey de Perú (1761-1776). Desarrolló una brillante labor de gobierno: obras públicas, protección a las artes y excelente organización militar, que le permitió atacar a los brit. en Oceanía. Fue célebre su relación sentimental con la actriz criolla Micaela Villegas, La Perricholi.

AMATAR tr. *Ecuad.* Causar mataduras a una bestia por rozarle el aparejo.

AMATE m. *Méx.* Higuera usada como resolutivo. • Lámina obtenida de su corteza y pintada con llamativos colores.

AMATES, *Los* Mun. de Guatemala, en el dpto. de Izabal; 28 800 hab. Bananas.

AMATEUR adj. y s. Aficionado. Se aplica sobre todo al deporte o a los deportistas.

AMATI Familia cremonesa de fabricantes de violines (ss. XVI-XVII). El más afamado, ***Niccolo,*** fue maestro de Stradivarius y de Guarnerius.

AMATISTA f. Variedad de cuarzo de color violeta, usada en joyería. • **oriental.** Corindón violado.

Indígena de la **Amazonia** pescando

AMATITLÁN C. de Guatemala, en el dpto. de Guatemala, junto al lago hom.; 20 000 hab. Cultivos tropicales, destilerías.

AMATIVIDAD f. Instinto del amor sexual. ■ AMATIVO, VA.

AMATORIO, RIA adj. Relativo al amor.

AMAUROSIS f. Ceguera sin lesión aparente.

AMAUTA m. Sabio, entre los antiguos peruanos.

AMAYA, *Carmen* (1913-1963) Bailarina esp. de flamenco. Actuó en Europa, América Latina y EE UU. Interpretó algunas películas *(La hija de Juan Simón, Los Tarantos).*

AMAYORAZGAR tr. Reducir a vinculados algunos bienes, fundando con ellos un mayorazgo.

AMAZACOTADO, DA adj. Pesado, compuesto a manera de mazacote. • fig. Dicho de obras literarias o artísticas, pesado, confuso.

AMAZONA f. Mujer de alguna de las razas guerreras que los antiguos suponían que existieron. • fig. Mujer de ánimo varonil. • fig. Mujer que monta a caballo. • fig. Traje que usan las mujeres para montar a caballo.

AMAZONAS Río de América del Sur, el más importante del mundo por su caudal y uno de los de mayor long. (6 480 km). El A. propiamente dicho se forma en la confluencia del Marañón con el Ucayali, en territorio per. Atraviesa el Brasil (donde se denomina Solimões al tramo comprendido entre dicha confluencia hasta Manaus) y desemboca en el Atlántico, formando un estuario. Afl. prales.: Juruá, Purús, Madeira, Tapajoz y Xingú, por la orilla derecha, Napo, Japurá (Caquetá) y Negro, por la izquierda. **Hist.* Descubierto en 1499 por Vicente Yáñez Pinzón. En 1542 Francisco de Orellana lo recorrió desde el Perú hasta su desembocadura, bautizándolo con este nombre. Esta expedición fue completada por las de Lope de Aguirre (1560) y Pedro Teixeira (1637-1638).

AMAZONAS Est. del NO de Brasil, limítrofe con Colombia, Venezuela y Perú; 1 567 954 km^2, 2 141 000 hab. Cap., Manaus. Sit. en la cuenca media del Amazonas, y avenado además por los r. Negro, Japurá, Madeira, Purús y Juruá. Zona montañosa al N. Clima ecuatorial. Caucho, nuez de Pará. Ind. química, refinería de petróleo en Manaus. • Dpto. del SE de Colombia, fronterizo con Brasil y Perú; 109 665 km^2, 56 339 hab. Cap., Leticia. Forma parte, casi totalmente, de la cuenca amazónica. Terreno llano y selvático, irrigado por los r. Caquetá, Putumayo, Amazonas y Apaporis. Al N, junto al límite, se extienden las montañas de Araracuara. Clima tropical. Explotación forestal. • Dpto. del Perú, atravesado por el Marañón; 39 249,1 km^2, 376 300 hab. Cap., Chachapoyas. Ocupa la zona de transición entre los Andes y la llanura amazónica. Densas selvas. Clima frío en las tierras altas, templado en los valles de la cord. y cálido en las quebradas del centro y N. Café, cacao, caña de azúcar, madera, resina, caucho. Extracción de azufre y caliza, yacimientos de carbón. Habitado antiguamente por los chachapoyas, fue conquistado por los incas antes del descubrimiento de América. • Estado del S de Venezuela, limítrofe con Colombia y Brasil; 177 617 km^2, 98 152 hab. Cap., Puerto Ayacucho. Regado por los r. Orinoco, Casiquiare y Negro. Clima tropical. Densas selvas. Caucho y madera.

AMAZONENSE adj. y s. De Amazonas.

AMAZONIA Región del N de Brasil que comprende los est. de Pará, Amazonas y Acre y los terr. de Amapá, Roraima y Rondônia; en total unos 3 581 180 km^2 y 5 893 000 hab. También son típicamente amazónicos el N de Goiás y el O de Maranhão. Clima ecuatorial. La mayor parte del suelo está cubierto por selva virgen. Grandes riquezas naturales, explotadas por empresas con capital extranjero. Grandes contigentes de bras. nordestinos se desplazan hacia las zonas vírgenes. En 1974 terminó de construirse la carretera transamazónica, que atraviesa de E a O la parte meridional de la cuenca del Amazonas. Parte de los indígenas vive en reservas.

AMAZÓNICO, CA adj. Relativo a las amazonas. • Relativo al río Amazonas.

AMAZONIÉS, SA adj. y s. De Amazonas.

AMAZONIO, NIA adj. Amazónico.

AMAZONITA f. Variedad verde esmeralda de feldespato potásico u ortoclasa.

AMBAGES m. pl. fig. Rodeos de palabras por afectación, o porque no se quiera explicar claramente alguna cosa. ■ AMBAGIOSO, SA.
ÁMBAR m. Resina fósil, de color amarillo y transparente, que arde fácilmente y se emplea en cuentas de collares, etc. • Perfume delicado. • **gris.** Sustancia de origen animal, de color gris y olor nauseabundo, formada en el intestino de los cachalotes. Se emplea en perfumería y en medicina. • **negro.** Azabache. • **pardillo.** Ámbar gris. ■ AMBARINO, NA.
AMBARINA f. Algalia, planta malvácea. • *Amér.* Escabiosa, planta.
AMBATEÑO, ÑA adj. y s. De Ambato.
AMBATO C. de Ecuador, cap. de la prov. de Tungurahua; 124 166 hab. Agricultura. Ind. derivadas y textil. Comercio. Vía de penetración a la Amazonia. Sufrió un terremoto en 1949.
AMBERES (fr., *Anvers*, neerlandés, *Antwerpen*) C. de Bélgica, cap. de la prov. hom., sit. en el estuario del Escalda; 488 400 hab. (agl. urb.). Importante puerto com. En el s. XVI fue emporio comercial y la ciudad más próspera de Europa.
AMBERES, *Domingo de* (s. XVI) Escultor esp., renacentista, natural de Flandes. Retablos de Pampliega y de Isar.
AMBERINO, NA adj. y s. De Amberes.
AMBICIONAR tr. Desear ardientemente alguna cosa. ■ AMBICIÓN; AMBICIOSO, SA.
AMBIDEXTRIA f. Aptitud natural para servirse igualmente de ambas manos. ■ AMBIDEXTRO, TRA.
AMBIENTAR tr. Sugerir, mediante pormenores verosímiles, los rasgos históricos, locales o sociales del medio en que ocurre la acción de una obra literaria. • tr. y prnl. Adaptar o acostumbrar una persona a un medio desconocido. ■ AMBIENTACIÓN.
AMBIENTE adj. y s. Díc. de cualquier fluido que rodea un cuerpo. • m. Conjunto de factores externos capaces de influir en un organismo. • Grupo o sector social. • Disposición de un grupo social respecto de alguien o algo. • *Pint.* Efecto de la perspectiva aérea que presta corporeidad a lo pintado y finge las distancias. ■ AMBIENTAL.
AMBIGÚ m. Comida compuesta de manjares calientes y fríos. • Lugar en que se sirven.
AMBIGUO, GUA adj. Que puede entenderse de varios modos o admitir distintas interpretaciones. • Incierto, dudoso. • Díc. de los sustantivos del gén. m. y f. indistintamente. ■ AMBIGÜEDAD.
AMBIR m. *Col.* Jugo que exuda el tabaco.
ÁMBITO m. Contorno de un espacio. • Espacio comprendido dentro de límites determinados. • Círculo en que uno se desenvuelve.
AMBIVALENCIA f. Rasgos opuestos, pero desarrollados igualmente. • *Psiq.* Coexistencia de dos sentimientos opuestos. ■ AMBIVALENTE.
AMBLAR intr. Andar los cuadrúpedos moviendo a un tiempo el pie y la mano de un mismo lado. ■ AMBLADOR, RA; AMBLADURA.
AMBLEO m. Cirio de kilo y medio de peso. • Candelero para este cirio.
AMBLER, *Eric* (1909-1998) Escritor ing., guionista de cine y TV. *La máscara de Dimitrios*, *El hombre de Oriente Medio.*
AMBLIGONITA f. *Miner.* Fosfato de aluminio y litio, de color blanco y brillo vítreo, cristalizado en el sistema triclínico.
AMBLIOPÍA f. *Med.* Disminución de la visión, sin lesión orgánica del ojo.
AMBOINA → Ambon.
AMBOISE, *Georges d'* (1460-1510) Eclesiástico y estadista fr. Primer ministro de Luis XII. Conquistó Milán.
AMBON C. de Indonesia, cap. de las Molucas; 209 000 hab, sit. en la isla hom. Especias, copra.
AMBOS, BAS adj. pl. El uno y el otro; los dos.
AMBROGI, *Arturo A.* (1875-1936) Escritor salv. *Cuentos y fantasías, El libro del Trópico, El tiempo que pasa, El Jetón.*
AMBRÓN adj. y s. Relativo a los ambrones. • m. pl. Pueblo que habitó en la Galia transalpina; Mario lo aniquiló en Aix (102 a.C.).
AMBROSETTI, *Juan de* (1865-1917) Arqueólogo arg. *Viaje a la Pampa Central*, *La ciudad de los quechuas*, *Los monumentos megalíticos.*
AMBROSÍA o **AMBROSIA** f. *Mit.* Manjar de los dioses. • fig. Cosa deleitosa al espíritu. • fig. Manjar o bebida de gusto delicado. • Planta de la familia compuestas, de flores amarillas y frutos oblongos. ■ AMBROSIACO, CA O AMBROSÍACO, CA.
AMBROSIANO, NA adj. Relativo a san Ambrosio.
AMBROSIANA, *Biblioteca* En Milán, fundada en 1609 por el cardenal Federico Borromeo.
AMBROSIO (339?-397) Santo. Padre y doctor de la Iglesia, nacido en Tréveris. Obispo. Creó la himnología litúrgica latina.
AMBUESTA f. Almorzada.

Vista de **Amberes**

AMBULACRO m. Órgano de los equinodermos, que sirve para la locomoción. • Corredor, galería. ■ AMBULACRAL.
AMBULANCIA f. Hospital móvil de campaña. • Vehículo para transportar heridos o enfermos.
AMBULANTE adj. Que va de un lugar a otro sin tener asiento fijo. • Relativo a la ambulancia. • m. Empleado de correos encargado del servicio postal de trenes.
AMBULATORIO, RIA adj. Díc. de la enfermedad que no obliga a guardar cama. • m. Dispensario.
AMDUAT Escrito religioso del antiguo Egipto. Describe el viaje nocturno del dios Sol por el mundo subterráneo.
AMEBA f. *Zool.* Protozoo que carece de membrana rígida y se desplaza mediante seudópodos.
AMEBIASIS f. Disentería causada por amebas.
AMÉBIDO, DA adj. y s. Díc. de los animales protozoos del orden amébidos. • m. pl. Orden de protozoos rizópodos al que pertenecen las amebas.
AMEBOCITO m. Célula de carácter ameboideo, capaz de fagocitar y de avanzar por seudópodos.
AMEBOIDE adj. *Biol.* Relativo a las amebas. • *Biol.* **Movimiento a.** El efectuado por cambios continuos en la forma del citoplasma. Posible gracias a la elasticidad de la membrana, que emite unas prolongaciones digitiformes o lobuladas (seudópodos).
AMEBOIDEO, A adj. *Zool.* Semejante a las amebas. • Ameboide.
AMECA Río de México, en la región central del país; 260 km. Desemboca en el Pacífico. • Mun. de Méx., en el est. de Jalisco; 42 600 hab. Cereales. Madera; ind. papelera.
AMEDRANTAR o **AMEDRENTAR** tr. y prnl. Infundir miedo, atemorizar. ■ AMEDRENTADOR, RA.
AMEGHINO, *Florentino* (1854-1911) Paleontólogo y naturalista arg. *La antigüedad del hombre en el Plata.*
AMEJORAR tr. y prnl. *Amér.* Mejorar.
AMELCOCHAR tr. y prnl. *Amér.* Dar a un dulce el punto espeso de la melcocha. • prnl. fig . *Amér.* Reblandecerse. • prnl. fig. *Cuba* y *Méx.* Fingir agrado. • *Cuba.* Enamorarse.
AMELGA f. Faja de terreno que se señala para esparcir la simiente con igualdad.
AMELGADO, DA adj. Díc. del sembrado que ha nacido con cierta desigualdad.
AMELGAR tr. Hacer surcos a distancias proporcionales para sembrar con igualdad.

Ameba

Amenhotep I

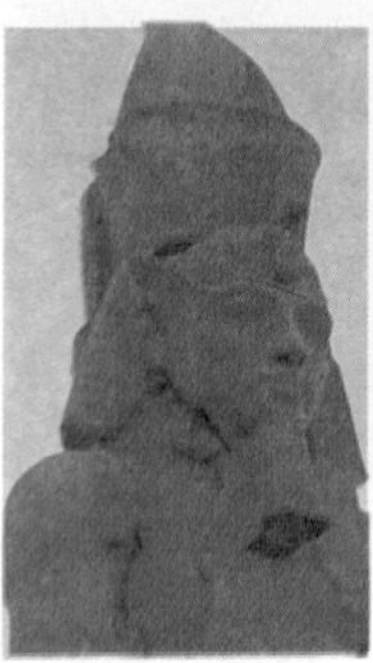
Amenhotep III

AMELO m. Planta compuesta, de flores grandes, azules y en su centro amarillas.
AMELOCOTONADO, DA adj. Que se parece al melocotón.
AMELONADO, DA adj. En forma de melón. • fig. y fam. Muy enamorado.
AMEMBRILLADO, DA adj. Que se parece al membrillo.
AMÉN m. Voz que se dice al final de las oraciones cristianas. • Úsase para manifestar vivo deseo de que tenga efecto lo que se dice. • adv. modo. Excepto. • adv. cantidad. A más, además.
AMENAZAR tr. Dar a entender que se quiere hacer algún mal a otro. • tr. e intr. fig. Dar indicios de estar inminente alguna cosa mala o desagradable. ■ AMENAZA; AMENAZADOR, RA; AMENAZANTE
AMENGUAL, *René* (1911-1954) Compositor chil., autor de *Preludios,* un concierto para piano, otro para arpa y dos *Cuartetos.*
AMENGUAR tr. e intr. Disminuir, menoscabar. • tr. fig. Deshonrar, infamar, baldonar. ■ AMENGUAMIENTO.
AMENHOTEP I Faraón de Egipto (1558-1530 a. C.), de la dinastía XVIII; reconquistó Etiopía. • **II** Faraón de Egipto (1450-1425 a. C.), hijo de Tutmés III. Su tumba fue descubierta en 1898, en el valle de los Reyes. • **III** Faraón de Egipto (1408-1372 a. C.) de la dinastía XVIII; mandó construir el templo de Luxor, al S de Karnak; en su época culminó el arte egipcio clásico. • **IV** Faraón de Egipto (1369-1353 a. C.) de la XVIII dinastía, hijo de Amenhotep III y de Tiy, y esposo de Nefertiti. Abandonó el culto de Amón por el de Atón, o disco solar. Cambió su nombre por el de Ajenatón. Trasladó la capital a Ajetatón (hoy Tell el-Ama rna).
AMENO, NA adj. Grato por su frondosidad y hermosura. • fig. Aplícase también a las personas y cosas que tienen el don de recrear apaciblemente. ■ AMENIDAD; AMENIZAR.
AMENOFIS Transcripción gr. del nombre egipcio Amenhotep.
AMENOKAL m. En el s. XVII, título del rey de los tuareg; hoy es meramente honorífico.
AMENORREA f. Ausencia de menstruación.
AMENTÁCEO, A adj. y f. *Bot.* Díc. de las plantas que tienen las flores en amento. • f. pl. Fagales.
AMENTAR tr. Atar o tirar con amiento.
AMENTO m. Amiento • *Bot.* Racimo compuesto de flores habitualmente unisexuales.
AMEOS m. Planta umbelífera, de flores blancas, fruto oval y semillas negruzcas y aromáticas. • Semilla de esta planta.
AMERAR tr. *Merar.* • prnl. Filtrarse la humedad en la tierra o en una obra de construcción.
AMERENGADO, DA adj. Semejante al merengue. • fig. Díc. de la persona empalagosa.
AMÉRICA El segundo continente del mundo por su extensión (algo más de 42 millones de km^2). El geógrafo al. Waldseemüller difundió este nombre porque afirmaba que el navegante it. Américo Vespucio había previsto su descubrimiento. También se le suele llamar Nuevo Mundo.
* *Geog. fís.* Está constituido por dos grandes masas de forma triangular unidas por el istmo de Panamá, cortado artificialmente por un canal interoceánico. A manera de puente discontinuo se extienden entre ambos subcontinentes las islas Antillas. A. se halla entre los océanos Atlántico, al E, y Pacífico, al O, y sus tierras abarcan desde el Ártico (72° de lat. N) hasta los 56° 30' de lat. S, con una long. de 16 000 km. Incluidas las islas árticas y Groenlandia, la máx. lat. N alcanzada es de 82°. Orográficamente hay que distinguir tres zonas: una occidental, con un cordón montañoso y volcánico que recorre el continente de N a S; otra central, de grandes llanuras, formada por la región de las praderas, tanto can. como estadounidenses (valle del Misisipí), en A. del N, y las grandes llanuras del Orinoco, Amazonas, Chaco y Pampa en A. del S; una tercera zona está constituida por las cadenas que se levantan junto al Atlántico, muy antiguas y erosionadas (Apalaches en el N y macizo de las Guayanas

1

2

América. 1.Vista parcial de São Paulo, la ciudad más populosa de Brasil. 2. Bahía de Umanak, en Groenlandia

América, estados y territorios

Estados y territorios	*Km²*	*Población*	*Densidad*	*Capital*
Canadá	9 970 610	29 606 000	2,7	Ottawa
EE UU [1]	9 355 855	250 928 000	27	Washington
México	1 967 183	97 362 000	50	Ciudad de México
Amér. del N indep.	21 293 648	377 896 000	18	
Bermudas	53	68 000	1 283	Hamilton
Amér. del N brit.	53	68 000	1 283	
Groenlandia	2 175 600	53 000	0,02	Godthåb (Nuuk)
Amér. del N danesa	2 175 600	53 000	0,02	
S. Pedro y Miquelón	242	6 000	25	San Pedro
Amér. del N fr.	242	6 000	25	
América del Norte	23 469 543	371 761 000	15,8	
Antigua y Barbuda	442	64 000	145	Saint John's
Bahamas	13 939	287 000	20	Nassau
Barbados	431	265 000	615	Bridgetown
Belice	22 965	189 000	8	Belmopan
Costa Rica	51 100	3 344 000	65,4	San José
Cuba	111 192	10 736 000	94	La Habana
Dominica	751	71 000	99	Roseau
Dominicana, Rep.	48 442	7 313 000	151	Sto. Domingo
El Salvador [3]	21 040,79	6 154 000	292,5	San Salvador
Granada	344	94 000	273	Saint George's
Guatemala	108 889	8 332 000	77	Guatemala
Haití	27 400	6 625 000	242	Puerto Príncipe
Honduras [4]	112 492	6 048 000	53,7	Tegucigalpa
Jamaica	10 991	2 344 000	213	Kingston
Nicaragua	130 682	3 870 000	28	Managua
Panamá	75 517	2. 809 000	37,2	Panamá
San Cristóbal y Nevis	269	42 000	156	Basseterre
San Vicente y las Gran.	388	123 000	317	Kingstown
Santa Lucía	616	151 000	245	Castries
Amér. Centr. indep.	737 890,79	58 861 000	79,7	
Puerto Rico	9 103	3 809 000	418,4	San Juan
Islas Vírgenes	344	103 000	299,4	Ch. Amalie
Otras dependencias	117			
América Centr. norteam.	9 564	3 912 000	409	
Anguila	96	7 000	72,9	The Valley
Cayman	259	17 000	65,6	Georgetown
Montserrat	98	12 000	122,4	Plymouth
Turks y Caicos	430	12 000	27,9	Cockburn Town
Islas Vírgenes	153	12 000	78,4	Road Town
América Centr. brit.	1 036	60 000	57,9	
Guadalupe y dep.	1 703	433 000	254,2	Basse-Terre
Martinica	1 100	341 000	310	Fort-de-France
América Centr. fr.	2 803	774 000	276,1	
Antillas Holandesas	800	191 000	238,7	Willemstad
Aruba	193	62 000	321,4	Oranjestad
Amér. Centr. hol.	993	253 000	254,7	
América Central	752 286,79	63 860 000	84,9	
Argentina [2]	2 791 810	32 609 000	11,7	Buenos Aires
Bolivia	1 098 581	6 421 000	5,8	La Paz
Brasil	8 511 996	155 822 000	18,3	Brasilia
Chile [2]	756 096,3	13 232 000	17,5	Santiago
Colombia	1 141 748	37 655 000	32,9	Bogotá
Ecuador	256 370	9 648 000	35,5	Quito
Guyana	214 970	800 000	4	Georgetown
Paraguay	406 752	4 956 000	11	Asunción
Perú	1 285 215,63	23 947 000	18,6	Lima
Surinam	163 820	370 000	2	Paramaribo
Trinidad y Tobago	5 123	1 345 000	262	Puerto España
Uruguay	175 016	3 164 000	18,1	Montevideo
Venezuela	916 445	23 243 000	25,4	Caracas
Amér. Merid. indep.	17 723 942,93	313 212 000	17	
Guayana francesa	91 000	73 000	0,8	Cayena
Amér. Merid. fr.	91 000	73 000	0,8	
América Meridional	17 814 942,93	313 285 000	17	
AMÉRICA	42 036 772,72	755 168 000	18	

[1] Excluidas las islas Hawai. [2] Parte continental americana. [3] No contempla la redistribución territorial derivada del fallo emitido por la Corte Internacional de Justicia de La Haya el 11 septiembre de 1992. [4] Contempla la redistribución territorial derivada del fallo emitido por la Corte Internacional de Justicia de La Haya.

América. Arriba, desierto de Arizona, en EE UU; abajo, cataratas de Iguazú, situadas en la frontera entre Argentina, Paraguay y Brasil

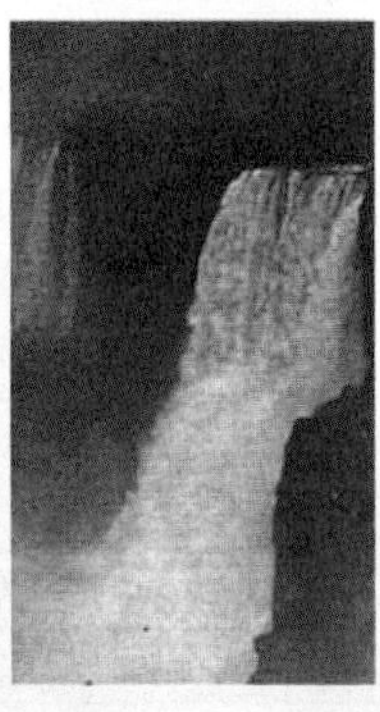

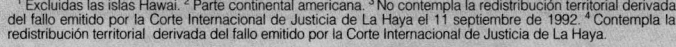

y meseta bras. en el S). La cadena montañosa occidental antes mencionada comprende la cadena Costera y las montañas Rocosas, al N, la Sierra Madre en México, las cord. centroamericanas y, en el S, la cadena de los Andes. Las costas están bañadas por el Ártico, el Atlántico y el Pacífico. El litoral del Ártico es muy recortado y presenta numerosos accidentes, entre ellos los golfos de Amundsen, de la Reina Maud y de Boothia y de Foxe, las pen. de Boothia, de Melville, de Brodeur y de Ungava y las bahías de Hudson, de Baffin y de Ungava. Sus aguas bañan muchas islas, entre ellas Groenlandia, Tierra de Baffin, Victoria, Ellesmere, Melville, Devon, Southampton y Príncipe de Gales. Las costas del Pacífico son poco accidentadas, salvo en los extremos N y S, donde son muy recortadas con fiordos y gran número de islas y arch. (Aleutianas, Kodiak, Alejandro, Reina Carlota y Vancouver, en el N, y Chiloé, Chonos, Wellington, Madre de Dios, Reina Adelaida, en el S, y las Galápagos sobre la línea ecuatorial). En este mismo litoral se hallan las pen. de Alaska y California en el N. En la costa del Atlántico se encuentran las pen. del Labrador, Gaspé, Nueva Escocia, Florida y Yucatán, los golfos de San Lorenzo y México, el cabo Hatteras, el delta del Misisipí, el mar Caribe y las islas Antillas. La costa atlántica del hemisferio S presenta los deltas del Orinoco y Amazonas y el estuario del Río de la Plata, la isla Trinidad, las bahías Blanca y Grande, los golfos de Venezuela, San

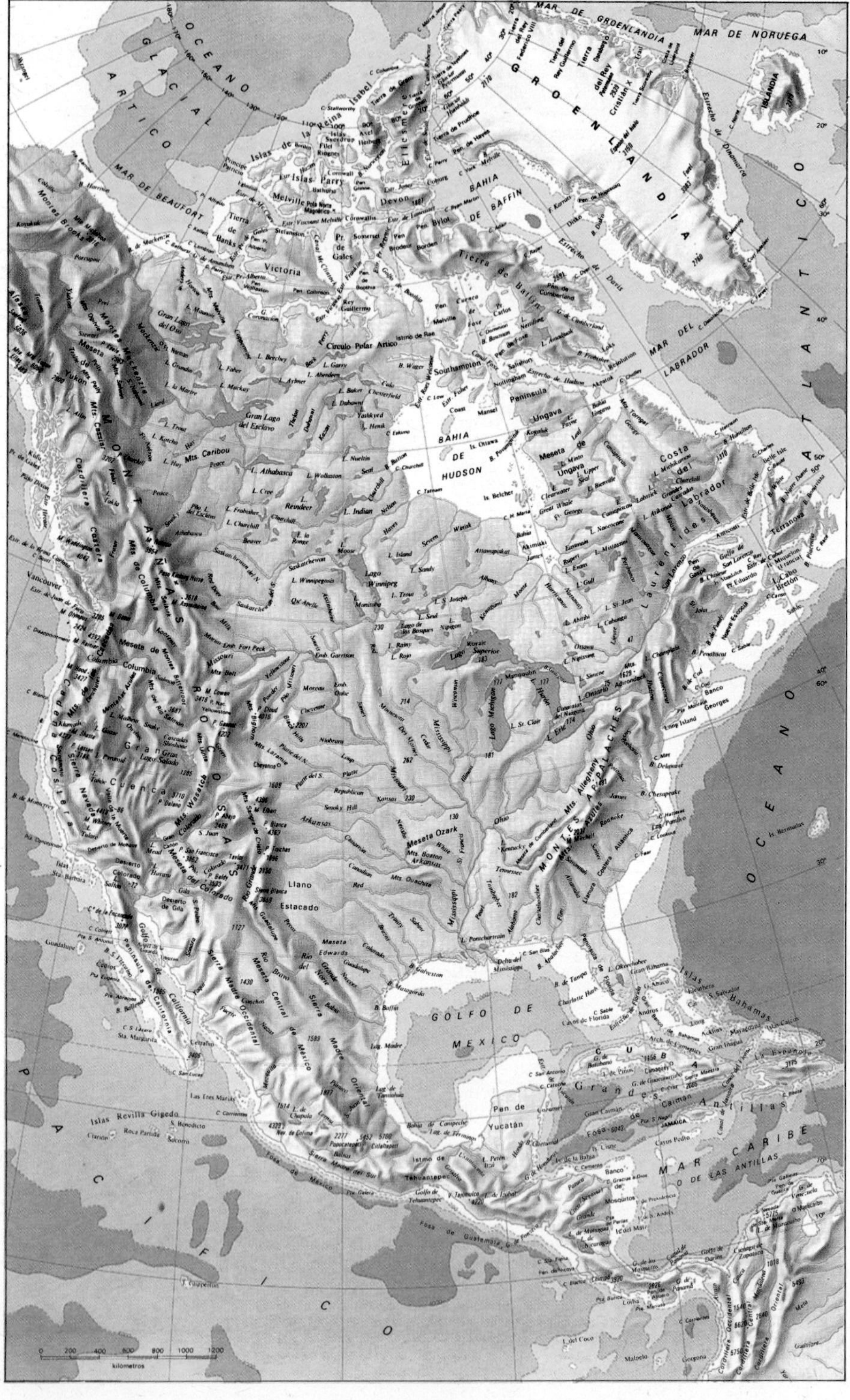
OCEANO GLACIAL ARTICO
MAR DE BEAUFORT
MAR DE GROENLANDIA
MAR DE NORUEGA
GROENLANDIA
ISLANDIA
Estrecho de Dinamarca
BAHIA DE BAFFIN
Estrecho de Davis
MAR DEL LABRADOR
OCEANO ATLANTICO
Islas de la Reina Isabel
Ellesmere
Devon
Islas Parry
Melville
Tierra de Banks
Victoria
Tierra de Baffin
Southampton
Circulo Polar Artico
BAHIA DE HUDSON
Peninsula Ungava
Costa del Labrador
Terranova
Gran Lago del Oso
Gran Lago del Esclavo
L. Athabasca
Lago Winnipeg
Lago Superior
Lago Michigan
L. Huron
L. Erie
L. Ontario
MONTAÑAS ROCOSAS
Cordillera Costera
Meseta Columbia
Gran Lago Salado
Gran Cuenca
Mts. Wasatch
Meseta del Colorado
Llano Estacado
Meseta Ozark
MONTES APALACHES
Sierra Nevada
Mississippi
Missouri
Ohio
Arkansas
Golfo de California
Sierra Madre Occidental
Sierra Madre Oriental
Meseta Central de México
GOLFO DE MEXICO
Pen de Yucatán
Islas Bahamas
CUBA
Grandes Antillas
MAR CARIBE O DE LAS ANTILLAS
JAMAICA
Istmo de Tehuantepec
Islas Revilla Gigedo
OCEANO PACIFICO
Vancouver
Long Island
kilometros

Matías y San Jorge y la pen. Valdés. Los prales. r. del Pacífico son el Yukón, Columbia y Colorado y los más imp. del Atlántico son: San Lorenzo, Hudson, Misisipí, Misuri, Grande, Orinoco, Amazonas, Uruguay, Paraguay, Paraná, Colorado, Negro, etc.

* *Geog. econ.* Para comprender el panorama económico de A. es necesario establecer una neta distinción entre los países del hemisferio N (EE UU y Canadá), muy industrializados y con una agricultura de alta tecnología, y el resto del continente, poco industrializado, salvo en los casos de México y Brasil, con una agricultura de monocultivo y extensas áreas subutilizadas y de difícil acceso. Los cultivos se hallan en consonancia con la zona climática en que se dan; así, en los países de clima templado y continental (EE UU, Canadá, Argentina, Chile, Uruguay), se obtienen grandes cantidades de cereales, vid y frutos mediterráneos, mientras que los productos típicamente tropicales (café, cacao, tabaco, caña de azúcar, bananas, etc.) se cultivan pralm. en los países sit. en la zona tropical y ecuatorial. La riqueza ganadera, especialmente ganado vacuno, se encuentra en los países con grandes llanuras, abundantes en pastos (Canadá, EE UU, México, Brasil, Argentina, Uruguay, etc.). La riqueza del subsuelo es extraordinaria. En todo el continente se extrae petróleo, siendo grandes productores EE UU, Venezuela, Ecuador y México. También se explotan numerosos yacimientos de minerales útiles (hierro, cobre, plomo, cinc, estaño, nitratos, etc.) y minerales preciosos (oro, plata, diamantes). La tercera parte de la producción mundial de plata se obtiene en los países situados en el hemisferio S. La ind. se halla concentrada en EE UU; de mucha menor importancia es la de Canadá, México, Brasil, Chile y Argentina.

1

2

América. 1. Vista de Machu Picchu (Perú). 2. Pirámide del Sol en Teotihuacán (México)

* *Geog. humana.* La pob. supera los 715 millones de hab., muy desigualmente repartidos y concentrados. El elemento racial predominante es el caucasoide (blanco), localizado especialmente en las zonas septentrional y austral. Los indígenas (amerindios), diezmados por la colonización e históricamente sometidos tienen gran importancia en México, Centroamérica y países andinos. La trata de esclavos, traídos de África, pobló de negros el S de EE UU, las Antillas, el litoral del Caribe y el NE brasileño. Del contacto entre estos tres grupos étnicos han surgido los mestizos.

* *Hist.* Es posible que los primeros pobladores de A. fueran emigrantes asiáticos llegados a este continente por el estr. de Bering. Está probada la existencia humana en A. hacia 10 000 a. C. (hombre de Tepexpan). Los centros más importantes de la ant. A. se situaron en México, Centroamérica y la zona andina. La zona de México, donde florecieron grandes culturas, fue finalmente dominada por los aztecas, pueblo de gran originalidad en sus instituciones sociales y religión. En Centroamérica, a partir de la pen. del Yucatán, floreció la civilización maya, tal vez la más alta de A. por sus conocimientos matemáticos y su calendario. Hacia el S se desarrolló el imperio teocrático de los incas, que llegó a dominar la mayor parte de la zona andina. La primera noticia que recibió Europa de la existencia de A. fue comunicada por Colón, que arribó a Guanahaní (Bahamas) el 12 de octubre de 1492. España fue pionera de la conquista —México (1521), Perú (1524-1531)— y fue seguida por Portugal (Brasil) y Francia e Inglaterra (América del Norte). Casi paralelamente a la conquista se inició la colonización, el sometimiento de la pobl. aborigen, el poblamiento del terr. por emigrantes de la metrópolis y la construcción de sólidos aparatos administrativos. El ejemplo de las Trece Colonias, embrión de EE UU, que con la ayuda de Francia se independizaron de Inglaterra en 1776, los efectos de la Revolución Francesa, la buena disposición ing. para crear un nuevo tipo de relación, y la decadencia esp., llevaron a los criollos a entablar las primeras luchas por la indep. La consolidación de esta lucha se produjo durante la invasión napoleónica de España: los cabildos se constituyeron en Juntas de gobierno y declararon no reconocer más rey que a Fernando VII. Esta postura era un primer paso hacia la indep., ya que Fernando VII estaba prisionero de Napoleón. Restaurado el absolutismo en España, la metrópoli no pudo mantener gran parte de sus posesiones americanas. Tras un período de luchas dirigidas por Bolívar y San Martín, pralm., gran parte de la A. esp. alcanzó la indep. Sin em-

América. Loro del Amazonas

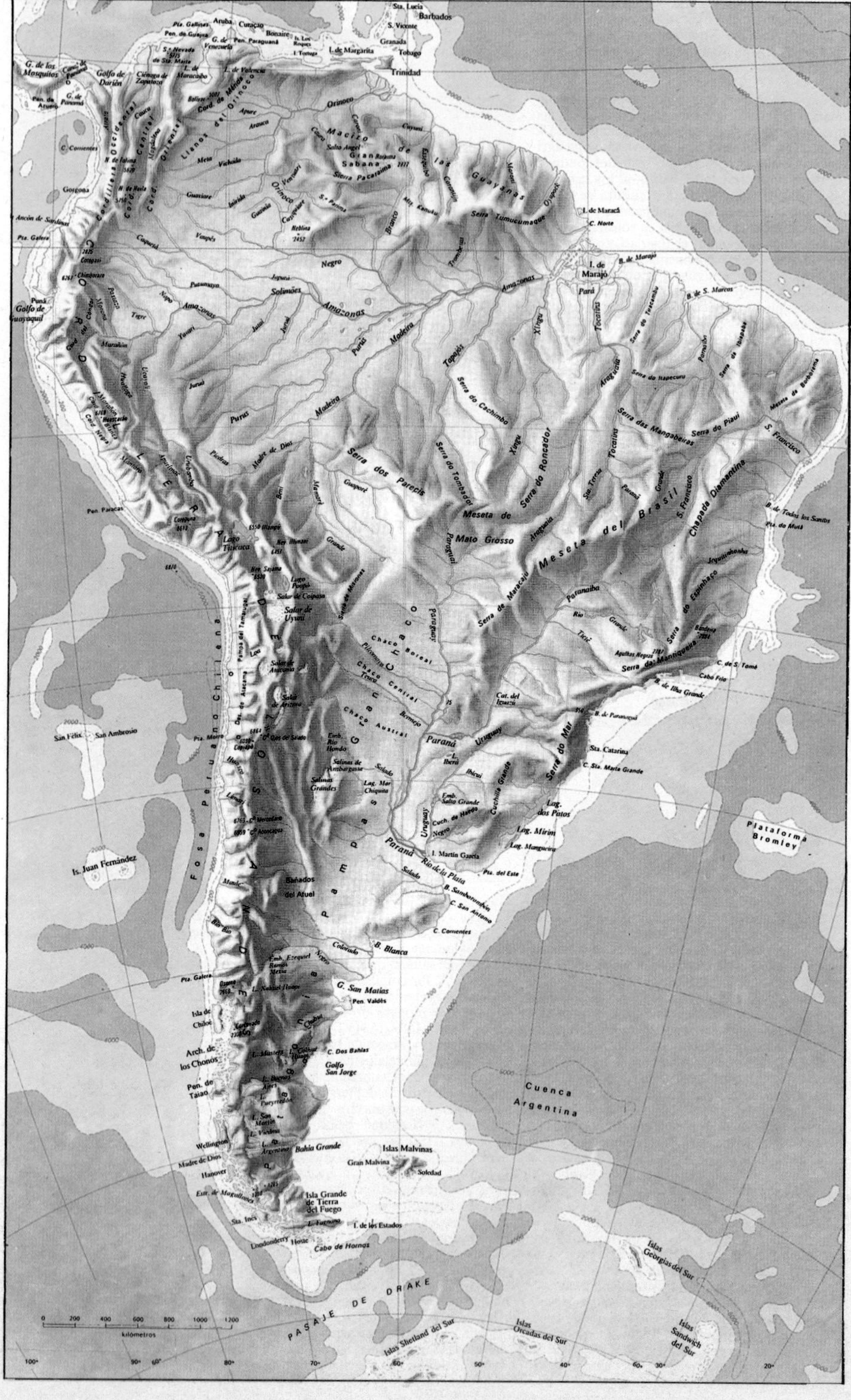
Sta. Lucía
Barbados
Aruba
Curaçao
Bonaire
S. Vicente
Granada
Tobago
Trinidad
I. de Margarita
G. de Venezuela
Pen. Paraguaná
G. de los Mosquitos
Golfo de Darién
Ciénaga de Zapatosa
L. de Maracaibo
L. de Valencia
Cord. de Mérida
Llanos del Orinoco
Orinoco
Apure
Arauca
Meta
Vichada
Guaviare
Caquetá
Cordillera Occidental
Cord. Central
Cord. Oriental
C. Corrientes
Gorgona
Pta. Galera
Macizo de las Guayanas
Gran Sabana
Salto Ángel
Serra Pacaraima
Serra Tumucumaque
I. de Maracá
C. Norte
I. de Marajó
B. de Marajó
Pará
B. de S. Marcos
Negro
Japurá
Solimões
Amazonas
Putumayo
Napo
Tigre
Pastaza
Golfo de Guayaquil
Chimborazo
Marañón
Huallaga
Ucayali
Yavarí
Juruá
Purus
Madeira
Tapajós
Xingu
Tocantins
Araguaia
Parnaíba
Serra do Cachimbo
Serra dos Parecis
Serra do Roncador
Serra do Tombador
Serra das Mangabeiras
Serra do Piauí
S. Francisco
Chapada Diamantina
Meseta del Brasil
Meseta de Mato Grosso
Serra de Maracaju
Serra do Espinhaço
Serra da Mantiqueira
Serra do Mar
Madre de Dios
Beni
Mamoré
Guaporé
Grande
Pen. Paracas
Lago Titicaca
Lago Poopó
Salar de Coipasa
Salar de Uyuni
Paraguay
Paraná
Pilcomayo
Bermejo
Chaco Boreal
Chaco Central
Chaco Austral
Gran Chaco
C. de S. Tomé
Cabo Frío
B. de Ilha Grande
Cat. del Iguazú
Uruguay
Ibicuí
Cuchilla Grande
Sta. Catarina
C. Sta. Marta Grande
Lag. dos Patos
Lag. Mirim
Lag. Mar Chiquita
Salado
Pampa
Río de la Plata
B. Samborombón
C. San Antonio
C. Corrientes
Plataforma Bromley
Fosa Peruano-Chilena
Cordillera de los Andes
Salar de Atacama
San Félix
San Ambrosio
Is. Juan Fernández
Aconcagua
Bañados del Atuel
Colorado
B. Blanca
Negro
G. San Matías
Pen. Valdés
Chubut
C. Dos Bahías
Golfo San Jorge
Isla de Chiloé
Arch. de los Chonos
Pen. de Taitao
Wellington
Madre de Dios
Hanover
L. Buenos Aires
L. San Martín
L. Viedma
L. Argentino
Bahía Grande
Estr. de Magallanes
Isla Grande de Tierra del Fuego
I. de los Estados
Sta. Inés
Londonderry
Hoste
Cabo de Hornos
Islas Malvinas
Gran Malvina
Soledad
Cuenca Argentina
Islas Georgias del Sur
Pasaje de Drake
Islas Shetland del Sur
Islas Orcadas del Sur
Islas Sandwich del Sur
0 200 400 600 800 1000 1200
kilómetros

1

2

América. 1. Vista aérea de la isla de Manhattan, Nueva York. 2. Puente entre San Francisco y Oakland (EE UU)

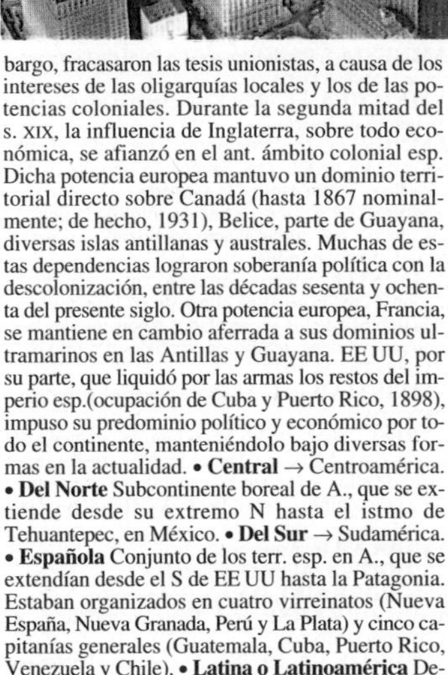

bargo, fracasaron las tesis unionistas, a causa de los intereses de las oligarquías locales y los de las potencias coloniales. Durante la segunda mitad del s. XIX, la influencia de Inglaterra, sobre todo económica, se afianzó en el ant. ámbito colonial esp. Dicha potencia europea mantuvo un dominio territorial directo sobre Canadá (hasta 1867 nominalmente; de hecho, 1931), Belice, parte de Guayana, diversas islas antillanas y australes. Muchas de estas dependencias lograron soberanía política con la descolonización, entre las décadas sesenta y ochenta del presente siglo. Otra potencia europea, Francia, se mantiene en cambio aferrada a sus dominios ultramarinos en las Antillas y Guayana. EE UU, por su parte, que liquidó por las armas los restos del imperio esp.(ocupación de Cuba y Puerto Rico, 1898), impuso su predominio político y económico por todo el continente, manteniéndolo bajo diversas formas en la actualidad. • **Central** → Centroamérica. • **Del Norte** Subcontinente boreal de A., que se extiende desde su extremo N hasta el istmo de Tehuantepec, en México. • **Del Sur** → Sudamérica. • **Española** Conjunto de los terr. esp. en A., que se extendían desde el S de EE UU hasta la Patagonia. Estaban organizados en cuatro virreinatos (Nueva España, Nueva Granada, Perú y La Plata) y cinco capitanías generales (Guatemala, Cuba, Puerto Rico, Venezuela y Chile). • **Latina o Latinoamérica** Denominación actual de los países americanos colonizados por naciones latinas. P. ext., se aplica a todos los terr. sit. al S de EE UU.

AMERICANA f. Prenda de vestir de caballero.

AMERICANISMO m. Carácter genuinamente americano. • Amor, apego o admiración por las cosas de América. • Dedicación al estudio de las cosas de América. • Vocablo, giro, rasgo fonético, gramatical o semántico que pertenece a alguna lengua indígena de América, o que es peculiar o procedente del español hablado en América.

AMERICANISTA adj. Relativo a las cosas de América. • com. Persona que cultiva y estudia las lenguas y antigüedades de América.

AMERICANIZAR tr. Dar carácter americano. • prnl. Tomar este carácter. ■ AMERICANIZACIÓN.

AMERICANO, NA adj. y s. De América.

AMERICIO m. Elemento quím. transuránido, de símb. Am, y n. a. 95.

AMÉRICO, *Pedro* (1843-1905) Pintor bras. de temas históricos. *La batalla de Avaí, Batalla de Campo Grande.*

AMERINDIO, DIA adj. y s. Relativo a los amerindios. • m. pl. Indígenas americanos.

AMERITAR intr. *Méx.* Merecer. ■ AMERITADO, DA.

AMERIZAR intr. Amarar. ■ AMERIZAJE.

AMESTIZADO, DA adj. Que tira a mestizo.

AMETÁBOLO, LA adj. y s. *Zool.* Apterigógeno.

AMETALADO, DA adj. Semejante al azófar. • Sonoro como metal; de buen timbre.

AMETRALLADOR, RA adj. Que ametralla. • f. *Mil.* Arma de fuego automática, de gran velocidad de tiro (hasta 1 200 disparos por minuto) y pequeño calibre. ■ AMETRALLAR.

AMETROPÍA f. Nombre de las alteraciones en el poder de refracción del ojo. Hay tres tipos: miopía, hipermetropía y astigmatismo. ■ AMÉTROPE.

AMEYAL m. *Méx.* Pozo abierto junto a una alberca o estanque, para filtrar el agua.

AMÉZAGA, Carlos *Germán* (1862-1906) Escritor per. Cultivó el teatro y la poesía. Obras completas(1948). • ***Juan José*** (1881-1956) Político ur., presid. de la república (1943-1947).

AMIA f. Lamia, tiburón.

AMIANO, *Marcelino* (330-400) Historiador latino de origen gr. Escribió una obra sobre los emperadores rom.

AMIANTO m. *Miner.* Mineral del grupo de los anfíboles, que se presenta en fibras blancas y flexibles, de aspecto sedoso.

AMIBA f. *Zool.* Ameba.

AMIBOIDE adj. Ameboide.

AMIBOIDEO, A adj. *Zool.* Ameboideo.

AMICIS, *Edmundo de* (1846-1908) Escritor it. *Corazón, Cuestión social.*

AMICONI, *Jacopo* (1682-1752) Pintor rococó it. Pintor de cámara de Fernando VI de España; trabajó en los Reales Sitios de Aranjuez y La Granja.

AMIDA f. *Quím.* Compuesto orgánico que se obtiene deshidratando sales amónicas, y por la acción del amoniaco sobre los cloruros y anhídridos de los ácidos o sobre los ésteres. • Compuesto inorgánico resultante de la sustitución de un átomo de hidrógeno del amoniaco por un metal.

AMIDOPIRINA f. Antipirético y analgésico, conocido con el nombre de piramidón.

AMIEL, *Henri-Frédéric* (1821-1881) Escritor, crítico y pedagogo suizo. *Diario íntimo.*

AMIENS C. de Francia, cap. de Picardía y del dpto. de Somme; 156 100 hab. • **Paz de A.** La firmada entre Francia y Gran Bretaña el 15 de marzo de 1802.

AMIENTO m. Correa.

AMIGA f. Amante, querida. • Maestra de escuela de niñas. • Escuela de niñas.

AMIGABILIDAD f. Disposición natural para contraer amistades.

AMIGABLE adj. Afable. • Dicho de cosas, amistoso. • fig. Que tiene unión o conformidad con otra cosa.

AMIGAR tr. y prnl. Amistar. • prnl. Amancebarse.

AMÍGDALA f. *Anat.* Nombre genérico de una serie de órganos en forma de almendra. En especial, cada uno de los dos que el hombre y algunos animales tienen en la entrada del esófago.

AMIGDALÁCEO, A adj. y f. *Bot.* Díc. de árboles o arbustos de la familia rosáceas, de hojas sencillas y alternas, flores precoces, y fruto drupáceo con hueso que encierra una almendra por semilla. • f. pl. Familia de estas plantas.

AMIGDALECTOMÍA f. *Cir.* Extirpación de las amígdalas palatinas.

AMIGDALINA f. *Quím.* Glucósido contenido en las almendras amargas.

AMIGDALITIS f. *Med.* Inflamación de las amígdalas, especialmente de las palatinas.

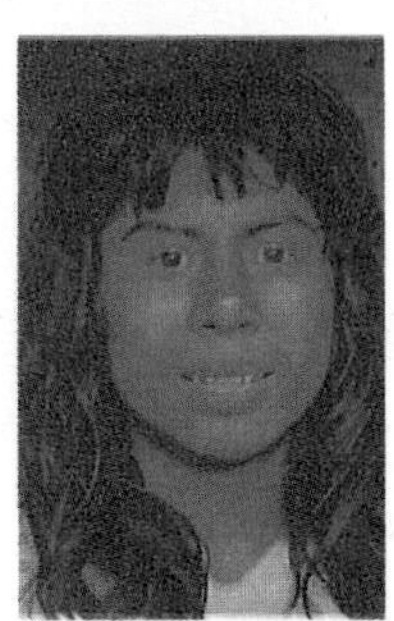

Joven **amerindio** de etnia maya

Catedral de **Amiens**

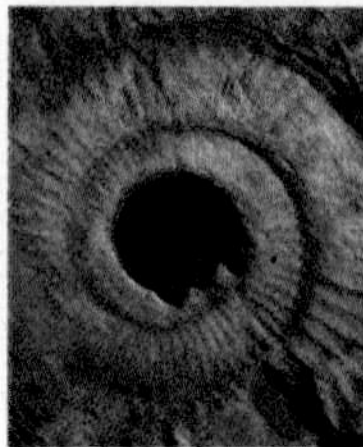
Ammonites

El dios **Amón** representado como una cabeza de carnero

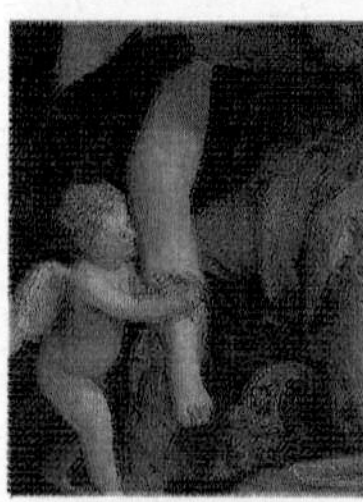
Detalle de *Marte y Venus unidos por el* **amor,** óleo de El Veronés. Museo Metropolitano, Nueva York

AMIGDALOIDE adj. Que tiene forma de almendra. • *Geol.* Díc. de las rocas volcánicas que presentan cavidades en forma de almendra, rellenas de ciertos minerales.

AMIGHETTI, *Francisco* (1908-1998) Poeta y pintor cost. *Poesías, Francisco en Harlem, Francisco en Costa Rica.*

AMIGO, GA adj. y s. Que tiene amistad. • adj. Amistoso. • fig. Aficionado a alguna cosa. • poét. Refiriéndose a objetos materiales, benéfico. • m. Amante. • Úsase como tratamiento afectuoso.

AMIGOTE m. Compañero habitual de francachelas y diversiones.

AMILÁCEO, A adj. Que contiene almidón. • Que tiene propiedades del almidón.

AMILANAR tr. fig. Causar tal miedo a uno, que quede aturdido y sin acción. • fig. Abatir. • prnl. Abatirse. ■ AMILANADO, DA.

AMILASA f. *Biol.* Enzima hidrolítico que se encuentra en las secreciones salivar y pancreática y en la malta, y que transforma el almidón en maltosa.

AMÍLCAR *Barca* (m. 228 a. C.) General cartaginés, padre de Aníbal; luchó contra los rom. en la primera guerra púnica. Dirigió la conquista de España. Murió en la batalla de Hélice.

AMÍLICO adj. y m. *Quím.* Alcohol de consistencia oleosa. • m. fam. Aguardiente malo.

AMILLARAR tr. Evaluar los caudales de los vecinos de un pueblo, para repartir entre ellos las contribuciones.

AMILLONADO, DA adj. Muy rico.

AMILO m. *Quím.* Radical del alcohol amílico.

AMILODEXTRINA f. Almidón soluble usado para encolar papel y en el apresto de tejidos.

AMILOIDE m. Variedad coloidal de la celulosa que se obtiene tratando el papel con ácido sulfúrico al 80 %.

AMILOIDEO, A adj. Semejante al almidón.

AMILÓLISIS f. *Biol.* Transformación hidrolítica del almidón en azúcar.

AMILOPECTINA f. *Biol.* Componente de la cadena del almidón natural, constituido predominantemente por maltosa.

AMILOSA f. *Biol.* Componente lineal de la cadena del almidón natural, formado por una cadena helicoidal de maltosa.

AMILOSIS f. *Pat.* Enfermedad caracterizada por la infiltración de sustancia amiloidea en los tejidos.

AMIN, *Samir* (nacido 1931) Economista egipcio. Estudió la temática imperialista del capitalismo. Uno de los prales. inspiradores de la *«teoría de la dependencia». El desarrollo desigual.* • **Dadá, *Idi*** (nacido 1925) Político y militar ugandés que impuso un régimen de terror tras derrocar a Obote. Exiliado después de ser derrotado por los guerrilleros.

AMINA f. Compuesto químico resultante de la sustitución de los átomos de hidrógeno del amoniaco por radicales gralte. alcohólicos. ■ AMÍNICO, CA.

AMINDIVAS, *islas* → Laquedivas.

AMINOÁCIDO m. *Biol.* Sustancia quím. orgánica en cuya molécula existen la función amina y la carboxílica, o sea, la de ácido orgánico. Sus moléculas se encadenan para formar los péptidos y polipéptidos, y las proteínas. Existen 8 a. indispensables en la alimentación; los demás 12-14 a. naturales pueden ser sintetizados por el organismo a partir de los 8 indispensables.

AMINOACIDURIA f. *Pat.* Presencia anormal de aminoácidos en la orina.

AMINOAZOBENCENO m. *Quím.* Colorante. Se denomina comercialmente amarillo de anilina.

AMINOFENOL m. Compuesto cíclico que contiene las funciones amino y fenol.

AMINOFILINA f. *Med.* Fármaco broncodilatador, usado en el tratamiento del asma bronquial.

AMINORAR tr. Minorar. ■ AMINORACIÓN.

AMIR Alí (1849-1928) Jurista y escritor indio. Sus obras históricas han contribuido a mejorar el juicio de Occidente respecto al hecho islámico.

AMIRÍ adj. y s. Díc. de cada uno de los descendientes y seguidores de Almanzor.

AMIS, *Kingsley William* (nacido 1922) Novelista y crítico brit. *Lucky Jim, Esa extraña sensación, El enemigo de mi enemigo, El universo de la ciencia-ficción.*

AMISTAD f. Afecto personal desinteresado. • Amancebamiento. • Merced. ■ AMISTOSO, SA.

AMISTAR tr. y prnl. Unir en amistad. • Reconciliar a los enemistados.

AMITABHA Bodhisattva del budismo mahayana. Su nombre significa «Luz ilimitada».

AMITO m. Lienzo que el sacerdote se pone para celebrar los oficios divinos.

AMITOSIS f. *Biol.* División celular directa por estrangulación sencilla del núcleo, sin cariocinesis. ■ AMITÓTICO, CA.

AMMÁN Cap. de Jordania, al E del Jordán; 1 333 000 hab. Comercio. Industria.

AMMANATI, *Bartolommeo* (1511-1592) Arquitecto y escultor it. Influido por Sansovino y Miguel Ángel. *Fuente de Neptuno*, en Florencia.

AMMONIO (s. III a. C.) Cirujano de Alejandría. Se le atribuye la invención de un instrumento para romper cálculos en la vejiga.

AMMONITES m. Nombre con el que se designaban los cefalópodos ammonoideos.

AMMONOIDEO, A adj. y m. Díc. de un grupo de moluscos cefalópodos fósiles cuya concha se hallaba dividida en cámaras de las que el animal ocupaba la más interna. • m. pl. Suborden de estos moluscos.

AMNESIA f. Pérdida parcial o total de la memoria. ■ AMNÉSICO, CA.

AMNÍCOLA adj. *Biol.* Que crece o vive en las márgenes de los ríos.

AMNIOS m. *Zool.* Membrana que rodea el embrión de los vertebrados amniotas y permite su desarrollo.■ AMNIÓTICO, CA; AMNIOTA.

AMNISTÍA f. *Der.* Extinción total de la pena y sus efectos por quitar al acto penalizado su carácter delictivo y punible.

AMNISTÍA Internacional Organización internacional creada en 1961 con sede en Londres, para la defensa de los encarcelados y perseguidos por motivos políticos, religiosos o raciales. Premio Nobel de la Paz en 1977.

AMNISTIAR tr. Conceder amnistía. ■ AMNISTIADO, DA.

AMO m. Cabeza de la casa o familia. • Dueño de alguna cosa. • El que tiene uno o más criados, respecto de ellos. • Mayoral o capataz. • Persona que tiene predominio o ascendiente decisivo sobre otra u otras.

AMOBLAR tr. Amueblar.

AMODITA f. Alicante, víbora.

AMODORRADO, DA adj. Soñoliento.

AMODORRARSE prnl. Caer en modorra. ■ AMODORRAMIENTO.

AMÓFILO, LA adj. *Biol.* Que nace y habita en sitios arenosos.

AMOHINAR tr. y prnl. Causar mohína.

AMOJAMADO, DA adj. Flaco, delgado, seco.

AMOJAMAR tr. Hacer mojama. • prnl. Acecinarse, adelgazar. ■ AMOJAMAMIENTO.

AMOJELAR tr. *Mar.* Sujetar con mojeles el cable al virador.

AMOJONAR tr. Señalar con mojones los linderos de una propiedad. ■ AMOJONADOR; AMOJONAMIENTO.

AMOK (voz malaya) m. *Psiq.* Impulso homicida.

AMOL m. *Guat.* y *Hond.* Planta sarmentosa, sapindácea.

AMOLADURA f. pl. Pedazos menudos que se desprenden de la piedra al tiempo de amolar.

AMOLAR tr. Sacar corte o punta a un arma o instrumento en la muela. • fig. y fam. Fastidiar, molestar con pertinacia. ■ AMOLADERA; AMOLADOR.

AMOLDAR tr. y prnl. Ajustar una cosa al molde. • fig. Arreglar la conducta de alguno a una pauta determinada. ■ AMOLDABLE; AMOLDADOR, RA; AMOLDAMIENTO.

AMOLE m. *Méx.* Nombre de varias plantas cuyos bulbos y rizomas se usan como jabón.

AMOLLAR intr. Ceder. • En ciertos juegos, jugar una carta inferior a la que va jugada, teniendo otra superior. • tr. e intr. *Mar.* Aflojar la escota.

AMOLLENTAR tr. Ablandar o hacer muelle una cosa.

AMOLLETADO, DA adj. En forma de mollete.

AMOMO m. *Bot.* Planta tropical de la familia cingiberáceas, cuyos frutos son usados en medicina.

AMÓN Dios de Egipto, venerado en Tebas. Llegó a ser objeto pral. del culto en la religión egipcia.
AMONARSE prnl. fam. Embriagarse.
AMONDONGADO, DA adj. fam. Gordo, tosco y desmadejado.
AMONEDAR tr. Reducir a moneda algún metal. ▪ AMONEDACIÓN.
AMONESTAR tr. Hacer presente alguna cosa para que se considere. • Advertir. • Publicar en la iglesia católica los nombres de los que quieren contraer matrimonio. ▪ AMONESTADOR, RA; AMONESTAMIENTO.
AMONIACO o **AMONÍACO** m. Compuesto formado por tres átomos de hidrógeno y uno de nitrógeno, de sabor cáustico y olor penetrante. ▪ AMONIACAL; AMÓNICO.
AMONIFICACIÓN f. *Biol.* Proceso formador de amoniaco por descomposición microbiana de la materia orgánica.
AMONIO adj. y m. Radical monovalente, compuesto de un átomo de nitrógeno y cuatro de hidrógeno, de carácter metálico, que se halla formando parte de sales.
AMONITA adj. y s. Relativo a las amonitas. • m. pl. Pueblo bíblico de Mesopotamia, descendiente de Amón. • m. Ammonites. • f. Pólvora compuesta esencialmente de nitrato amónico.
AMONTAR tr. Ahuyentar, hacer huir. • intr. y prnl. Huir o hacerse al monte.
AMONTILLADO adj. y m. Jerez fino que se asemeja al montilla.
AMONTONAR tr. y prnl. Poner unas cosas sobre otras sin orden ni concierto. • tr. Apiñar personas o animales . • Juntar. • fig. Juntar y mezclar varias especies sin orden ni elección. • prnl. Tratándose de sucesos, sobrevenir muchos en corto tiempo. • fig. y fam. Montar en cólera. • fig. y fam. Amancebarse. ▪ AMONTONADOR, RA; AMONTONAMIENTO.
AMOR m. Afecto por el cual busca el ánimo el bien verdadero o imaginado, y apetece gozarlo. • Pasión que atrae un sexo hacia el otro. • Blandura, suavidad. • Persona amada. • Esmero con que se trabaja una obra deleitándose en ella. • Voluntad, consentimiento. • pl. Relaciones amorosas. • Objeto de cariño especial para alguno. • Expresiones de amor, caricias. • Cadillo, planta umbelífera. • **al uso.** Arbolito malváceo, de ramos cubiertos de borra y flor de color variable según la hora del día. • **de hortelano**. Planta rubiácea, de tallo ramoso y velludo, hojas lanceoladas y fruto globoso. • **libre.** Relaciones sexuales no reguladas por el matrimonio. • **propio.** Inmoderada estimación de sí mismo. ▪ AMOROSO, SA.
AMOR Nombre del dios de la pasión amorosa, en la mitología grecorromana, llamado Eros por los helenos y Cupido por los latinos.
AMOR, *Guadalupe* (nacida 1920) Escritora mex. de temas religiosos y amorosos. *Todos los siglos del mundo, Yo soy mi casa.* • **Ruibal, *Ángel María*** (1869-1930) Filósofo y teólogo esp. Criticó el aristotelismo tomista. *Los problemas fundamentales de la filosofía y del dogma.*
AMORAL adj. y s. Que se halla fuera del campo de la moral. ▪ AMORALIDAD.
AMORALISMO m. Sistema filosófico que cifra la norma de la conducta humana en algo independiente del bien y del mal moral.
AMORATADO, DA adj. Que tira a morado.
AMORATAR tr. y prnl. Poner morado.
AMORCILLO m. Figura de niño con que se representa a Cupido, dios mitológico del amor.
AMORDAZAR tr. Poner mordaza. ▪ AMORDAZADOR, RA; AMORDAZAMIENTO.
AMORFÍA f. Calidad de amorfo. • Deformidad orgánica.
AMORFO, FA adj. Sin forma bien determinada. • Díc. de las sustancias que carecen de estructura cristalina. • adj. y s. *Psic.* Se aplica al individuo indefinido, cuya conducta es mero reflejo del medio ambiente.
AMORIM, *Enrique* (1900-1960) Novelista ur. *La carreta, El paisano Aguilar, El caballo y su sombra.*
AMORÍO m. fam. Enamoramiento. • Relación amorosa efímera y poco profunda.
AMORISCADO, DA adj. Semejante a los moriscos.
AMORMADO, DA adj. Aplícase a la bestia que padece muermo.
AMORMÍO m. Planta perenne de la familia amarilidáceas, de cebolla pequeña, hojas largas y lacias, y bohordo central con flores blancas.
AMORRAR intr. y prnl. fam. Bajar la cabeza obstinándose en no hablar. • intr. *Mar.* Hund ir la proa. • tr. *Mar.* Hacer que el buque cale mucho de proa. • Aplicar los labios o morros directamente a una masa de líquido.
AMORREO, A o **AMORRITA** adj, y s. Relativo a los amorritas. • m. pl. Pueblo o pueblos, de lengua semita, que diversas fuentes sitúan en el Próximo Oriente de la Antigüedad, desde Mesopotamia hasta Palestina.
AMORRONGARSE prnl. *Cuba.* Acoquinarse.
AMORTAJAR tr. Poner la mortaja al difunto. • P. ext., cubrir, esconder. ▪ AMORTAJADOR, RA; AMORTAJAMIENTO.
AMORTECER tr. Amortiguar. • prnl. Desmayarse, quedar como muerto. ▪ AMORTECIMIENTO.
AMORTIGUADOR, RA adj. Que amortigua. • Mecanismo destinado a disminuir el efecto de cualquier choque o sacudida.
AMORTIGUAMIENTO m. *Fís.* Término que indica la atenuación de cualquier señal en el tiempo, debida a la acción de elementos disipadores, como el rozamiento en los sistemas mecánicos o la resistencia en los eléctricos.
AMORTIGUAR tr. y prnl. Dejar como muerto. • fig. Hacer menos viva alguna cosa. • fig. Hablando de los colores, templarlos. ▪ AMORTIGUACIÓN.
AMORTIZACIÓN f. *Cont.* Operación mediante la cual se distribuye el costo del capital fijo entre cada uno de los períodos que componen su vida económica.
AMORTIZAR tr. Pasar los bienes a manos muertas. • Redimir el capital de un censo. • Recuperar o compensar los fondos invertidos en ciertos bienes. • Suprimir empleos o plazas de un cuerpo, oficina o empresa. ▪ AMORTIZABLE.
AMÓS El tercero de los profetas menores de la Biblia. Vivió durante el reinado de Ozías o Azarías (781- 740 a. C.).
AMOSCARSE prnl. fam. Enfadarse. ▪ AMOSCAMIENTO.

Estela **amorrea** o **amorrita** que representa al rey Hammurabi ante el dios Shamash

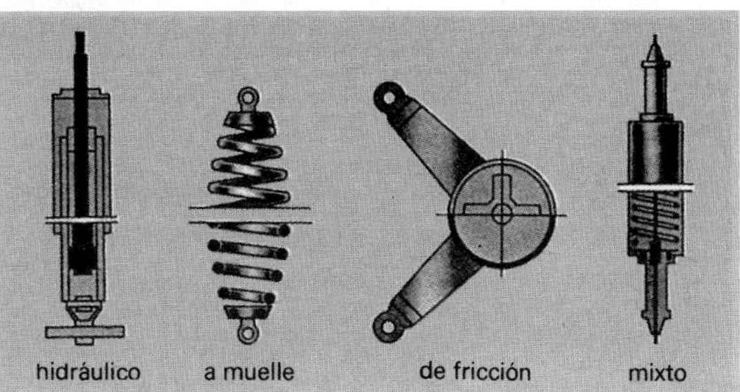

Distintos tipos de **amortiguador**

AMOSIS (1560-1542 a. C.) Faraón de Egipto, fundador de la XVIII dinastía. Otro rey del mismo nombre fue el penúltimo (570-526 a.C.) de la XXVI dinastía (saíta).
AMOSTAZAR tr. y prnl. fam. Irritar, enojar.
AMOTINAR tr. y prnl. Alzar en motín a la multitud. ▪ AMOTINADO, DA; AMOTINADOR, RA; AMOTINAMIENTO.
AMOVER tr. Remover a uno de su empleo.
AMOVIBLE adj. Que puede ser quitado del lugar que ocupa, o separado del cargo que tiene. ▪ AMOVILIDAD.
AMPALAGUA f. *Argent.* y *Ur.* Serpiente de gran tamaño que se alimenta de animales vivos.
AMPARAR tr. Favorecer, proteger. • *Amér.* Llenar las condiciones con que se adquiere el derecho de beneficiar una mina. • prnl. Valerse del favor de alguno. • Defenderse. ▪ AMPARABLE; AMPARADOR, RA.
AMPARO m. Abrigo o defensa.
AMPATO, *Nudo de* Grupo montañoso de la cordillera Occidental de los Andes de Perú, en el dpto. de Arequipa; 6 310 m.

Ampelis

AMPELÍDEO, A adj. *Bot.* Vitáceo. ■ AMPELIDÁCEO.
AMPELIS f. Ave paseriforme de la familia bombicílidos, que vive en el N de Europa.
AMPELITA f. Pizarra blanda, aluminosa que se usa para hacer lápices de carpintero.
AMPELOGRAFÍA f. Descripción de las variedades de la vid y arte de cultivarlas.
AMPERAJE m. Intensidad de una corriente eléctrica medida en amperios.
AMPERE m. *Fís.* Nombre del amperio en la nomenclatura internacional.
AMPÈRE, ***André-Marie*** (1775-1836) Físico y matemático fr., uno de los fundadores del electromagnetismo. • **Ley de A.** La fuerza entre dos conductores rectilíneos y paralelos, por los que circulan corrientes de intensidades I_1 y I_2, es directamente proporcional al producto de las intensidades e inversamente proporcional a la distancia que los separa.
AMPERÍMETRO m. *El.* Aparato que mide la intensidad de la corriente eléctrica que circula por un circuito. • **de cuadro móvil.** *El.* El constituido por una bobina sit. en un campo magnético, que gira al pasar corriente. • **electrodinamómetro.** *El.* A. semejante al anterior, pero con el campo magnético creado por una bobina fija por la que pasa la corriente. • **térmico.** *El.* El basado en la dilatación de un hilo.

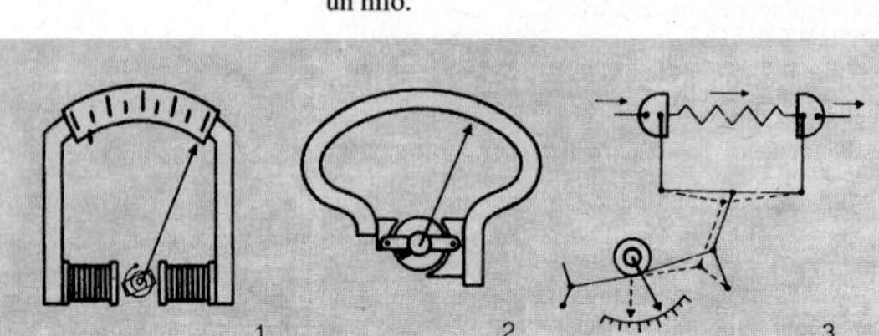

Tres tipos de **amperímetro:** de cuadro móvil (1); de hierro móvil (2); térmico (3)

AMPERIO m. *El.* Unidad con que se mide la intensidad de las corrientes eléctricas. Actualmente se define como la intensidad de una corriente eléctrica constante que, recorriendo dos conductores rectilíneos y paralelos de longitud infinita y de sección despreciable respecto a 1 m, y situados en el vacío a una distancia de 1 m entre sí, da lugar a una fuerza de 2×10^{-7} Newton por cada metro de longitud de los conductores. Se representa con la letra A.
AMPERVUELTA m. *El.* Unidad con que se mide la fuerza magnetomotriz producida por una corriente eléctrica.
AMPICILINA f. Penicilina semisintética.
AMPLEXICAULO, LA adj. *Bot.* Díc. de los órganos que abrazan el tallo de una planta.
AMPLEXUS m. Tipo especial de apareamiento de los anfibios, sin llegar a la cópula.
AMPLIAR tr. Extender, dilatar. • Reproducir una fotografía en tamaño mayor del que tenga. ■ AMPLIABLE; AMPLIACIÓN; AMPLIADOR, RA; AMPLIATIVO, VA.
AMPLIDINO m. *El.* Sistema amplificador de potencia usado para accionar servomotores, y que permite, mediante una baja potencia de excitación, producir una potencia elevada de salida.

Vista de un canal de **Amsterdam**

AMPLIFICACIÓN f. *Ret.* Desarrollo que por escrito o de palabra se da a una proposición o idea.
AMPLIFICADOR, RA adj. y s. Que amplifica. • m. *Fís.* Aparato que, utilizando energía externa, aumenta la amplitud o intensidad de un fenómeno físico. Según la naturaleza de la magnitud física tratada, los a. se clasifican en: mecánicos (de fuerza, de par, de movimiento), neumáticos, hidráulicos, ópticos y eléctricos (de tensión, de intensidad o de potencia).
* *El.* y *Electr.* En general, el término a. se refiere a los a. eléctricos, los más difundidos en la técnica moderna. En su mayoría son electrónicos, o sea, basados en el uso de tubos termoiónicos (→ válvula) o de transistores (→ transistor), y pueden ampliar tanto señales continuas como alternas. Cada tipo de a. puede amplificar tan sólo las señales de frecuencia comprendidas entre ciertos límites determinados; así se habla de a. de baja frecuencia, de frecuencia media, de banda ancha, de alta frecuencia, etc. Otros amplificadores eléctricos importantes son los magnéticos, utilizados en el campo de las regulaciones, y los giratorios, que son esencialmente a. de potencia (→ amplidino).
AMPLIFICAR tr. Ampliar, dilatar. • *Ret.* Emplear la amplificación. ■ AMPLIFICATIVO, VA.
AMPLIO, PLIA adj. Extenso, dilatado.
AMPLITUD f. Extensión. • *Astr.* Ángulo comprendido entre el plano vertical que pasa por la visual dirigida al centro de un astro y el vertical primario. • *Fís.* Valor máximo que alcanza una variable que varía periódicamente. • **de banda.** *Electr.* Para un amplificador, separación entre las dos frecuencias para las cuales la amplificación es inferior a la máxima en tres decibelios.
AMPO m. Blancura resplandeciente. • Copo de nieve.
AMPOLLA f. Vejiga formada por la elevación de la epidermis. • Vasija de vidrio o de cristal, de cuello largo y estrecho, y de cuerpo ancho y redondo. • Recipiente de vidrio, cerrado herméticamente, que contiene un medicamento inyectable. • Burbuja que se forma en el agua.
AMPOLLAR adj. En forma de ampolla. • tr. y prnl. Hacer ampollas. • Ahuecar.
AMPOLLETA f. Reloj de arena. • Tiempo que tarda en pasar la arena de una a otra ampolleta.
AMPUÉS, ***Juan de,*** conocido como EL CAPITÁN (s. XV) Militar esp. Fundó en Venezuela la c. de Coro.
AMPULOSO, SA adj. Hinchado y redundante. Díc. del lenguaje o del estilo y del escritor o del orador. ■ AMPULOSIDAD.
AMPURIAS *(Empúries)* Ant. ciudad sit. en el golfo de Rosas (España, prov. de Gerona). Fundada en el s. VI a.C. por los griegos.
AMPUTAR tr. *Cir.* Cortar y separar enteramente del cuerpo un miembro o porción de él. ■ AMPUTACIÓN; AMPUTADO, DA.
AMR Ben Al-As (m. 663) Compañero de Mahoma. Conquistó Egipto (640-642) y fundó al-Fustat, origen de la futura ciudad de El Cairo.
AMRITSAR C. de la India, en el Punjab; 594 800 hab. Ciudad santa de los sijs.
AMSDORF, ***Nikolaus von*** (1483-1565) Teólogo protestante al., colaborador de Lutero.
AMSTERDAM C. de Países Bajos, cap. del país, en la prov. de Holanda Septentrional; uno de los puertos más imp. de Europa, en la desembocadura del Amstel; 945 000 hab. (agl. urb.). Centro mundial del com. de diamantes.
AMU-DARIÁ Río de Asia central; 2 540 km. Nace en el Pamir y desemboca en el mar de Aral. Frontera entre Tadjikistán, Uzbekistán, Turkmenistán y Afganistán.
AMUCHACHADO, DA adj. Que parece un muchacho. • Propio de un muchacho.
AMUCHAR tr. fam. *Amér.* Multiplicar.
AMUCHÁSTEGUI, ***Axel*** (nacido 1921) Dibujante y pintor arg. *Pájaros del mundo, Pájaros sudamericanos, Pájaros y mamíferos de África.*
AMUEBLAR tr. Dotar de muebles un edificio.
AMUELAR tr. Recoger el trigo en la era.
AMUESHA m. pl. Pueblo indígena, pero de lengua arahuaca, que vive en la cuenca del Pachitea.
AMUGRONAR tr. Acodar la vid.
AMULAR intr. Ser estéril. • prnl. Inhabilitarse

la yegua para criar, por haberla cubierto el mulo. • *Méx.* Quedar inservible una cosa.
AMULATADO, DA adj. Semejante a los mulatos en el color y las facciones.
AMULETO m. Medalla u otro objeto portátil al que se atribuye virtud para alejar algún peligro.
AMUNÁTEGUI, *Domingo* (1860-1946) Historiador y político chil. Ministro de Justicia y rector de la Universidad Nacional. *La sociedad chilena del s. XVIII, Historia social de Chile, La emancipación de Hispanoamérica.* • ***Miguel Luis*** (1828-1888) Historiador y político chil. *Los precursores de la independencia, Descubrimiento y conquista de Chile.*
AMUNDSEN, *Roald* (1872-1928) Explorador noruego. Fue el primero en alcanzar el polo Sur (1911). Sobrevoló el polo Norte con el dirigible *Norge* (1926). Pereció en el Ártico.
AMUNICIONAR tr. Municionar.
AMUÑECADO, DA adj. Que se parece a un muñeco.
AMUR *(Heilung-kiang)* Río del NE de Asia; 4 500 km. Desemboca en el mar de Ojotsk.
AMURA f. *Mar.* Parte de los costados del buque donde éste empieza a estrecharse para formar la proa.
AMURADA f. *Mar.* Cada uno de los costados del buque por la parte interior.
AMURALLAR tr. Murar. ■ AMURALLADO, DA.
AMURRARSE prnl. *Amér.* Entristecerse.
AMURRIÑARSE prnl. *Hond.* Contraer un animal la morriña o comalia.
AMURRU País de los amorritas (→ amorreo, a).
AMUSGAR tr. e intr. Echar hacia atrás las orejas el caballo. • Recoger la vista para ver mejor. • prnl. *Hond.* Avergonzarse.
AMUSTIAR tr. y prnl. Poner mustio.
AMUZGO, GA adj. y s. Relativo a los amuzgos. • m. pl. Pueblo indígena de México (est. de Guerrero y Oaxaca), de lengua mixteca.
AMYOT, *Jacques* (1513-1593) Humanista fr., uno de los creadores de la prosa de la época.
ANA Signo que usan los médicos en sus recetas para denotar que ciertos ingredientes han de ser de peso o partes iguales. • Prep. insep. que significa contra, sobre o de nuevo. • f. Medida de longitud, aproximadamente de 1 m. • Moneda indostánica de níquel.
ANA Bolena (1507-1536) Reina de Inglaterra, segunda mujer de Enrique VIII tras su divorcio con Catalina de Aragón. Acusada de adulterio por el rey, fue decapitada. • **De Austria** (1549-1580) Reina de España; esposa de Felipe II, de quien era sobrina carnal, y madre de Felipe III. • **De Austria** (1601-1666) Reina de Francia; hija de Felipe III de España y esposa de Luis XIII de Francia. Regente durante la minoría de edad de Luis XIV. • **Estuardo** (1665-1714) Reina de Gran Bretaña e Irlanda [1702-1714], hija de Jacobo II. Contribuyó a la integración de los reinos de Inglaterra y Escocia en un único Estado: Gran Bretaña. • **Ivanovna** (1693-1740) Emperatriz de Rusia desde 1730, hija de Iván V y sobrina de Pedro el Grande. Persiguió al clero ortodoxo y oprimió a los campesinos.
ANABAPTISMO m. Movimiento sectario de la Reforma. Surgió en el s. XVI por influencia de Ulrico Zwinglio. ■ ANABAPTISTA.
ANABAS m. Pez teleósteo que puede vivir mucho tiempo fuera del agua, trasladándose por tierra, de un medio acuático a otro.
ANABASINA f. *Quím.* Alcaloide natural usado como insecticida.
ANABIOSIS f. *Bot.* Estado de vida latente de semillas, esporas, etc., provocado a menudo por la falta de agua.
ANABOLISMO m. *Biol.* Primera fase del metabolismo. Es un conjunto de reacciones bioquímicas que constituyen los fenómenos asimiladores del organismo. ■ ANABÓLICO, CA.
ANABOLIZANTE adj. y s. *Farm.* Sustancia cuya acción principal consiste en favorecer la síntesis de las proteínas corporales.
ANACANTO adj. y s. Peces teleósteos con aletas de radios blandos y flexibles, de las cuales las abdominales están situadas debajo de las pectorales o delante de ellas.
ANACARADO, DA adj. Nacarado.
ANACARDIÁCEO, A adj. y f. Individuos de una familia de plantas, extendidas en las zonas templadas.
ANACARDO m. Árbol de Asia, de la familia anacardiáceas, de tronco grueso, hojas ovaladas y flores pequeñas. Usado en medicina.
ANACARSIS (s. VI a. C.) Filósofo escita, discípulo de Solón y uno de los siete sabios de Grecia. Se le considera un precursor de los cínicos.
ANACLINAL adj. *Geol.* Que desciende en dirección contraria a la inclinación de los estratos.
ANACO m. *Ecuad.* y *Perú.* Tela rectangular que se ciñen las mujeres indígenas de los Andes a la cintura.
ANACOLUTO m. *Gram.* Solecismo consistente en faltar a la ilación en la construcción de una frase, oración o cláusula.
ANACONDA f. *Amér. Merid.* Serpiente de gran longitud, que mata a sus presas por constricción.
ANACORETA com. Persona que vive en lugar solitario, entregada a la contemplación. ■ ANACORÉTICO, CA; ANACORETISMO.
ANACREONTE (560-478 a. C.) Poeta lírico gr. Su estilo fue muy imitado a partir del Renacimiento.
ANACREÓNTICO, CA adj. Relativo al poeta gr. Anacreonte.
ANACRONISMO m. Error de cronología que consiste en situar un hecho en época distinta a aquella en que sucedió. • Antigualla, mueble o traje en desuso. ■ ANACRÓNICO, CA.
ANACRUSA f. Nota o notas situadas en un tiempo débil que preceden al primer tiempo fuerte de un motivo musical.
ANACUA f. *Amér.* Árbol de la familia borragináceas, de fruto comestible. La madera, muy dura, se emplea en la fabricación de ruedas y mangos de herramientas.
ÁNADE amb. Pato. • P. ext., cualquier ave con los mismos caracteres genéricos que el pato.
ANADEAR intr. Andar como un ánade.
ANADIÓMENE En la mitología gr., sobrenombre aplicado a Afrodita, que significa «nacida de las ondas y salida de la espuma».
ANADIR Río del NE de Siberia. Nace y desemboca en la meseta y el golfo hom.; 1 145 km. • Golfo del extremo NE de Rusia, en el mar de Bering, entre los cabos Chukotskii y Navarino.
ANADÓN m. Pollo del ánade.
ANÁDROMO, MA adj. Díc. de los peces que emigran del mar al río en la época del desove.
ANAEROBIO, BIA adj. y m. *Aer.* Motor que no necesita aire para su funcionamiento. • *Biol.* Organismo que no precisa un ambiente con oxígeno libre molecular para desarrollar su metabolismo.

Roald **Amundsen**

Ana de Austria, reina de Francia, por Rubens

Anaconda

ANAEROBIOSIS f. Capacidad que poseen algunos organismos de vivir de forma anaerobia.
ANAFASE *Citol.* Fase de la mitosis, durante la cual los cromosomas se separan de la placa ecuatorial por el huso, dirigiéndose hacia los polos de la célula.
ANAFE m. Hornillo portátil.
ANAFIA f. *Med.* Pérdida del sentido del tacto.
ANAFILAXIA f. Anafilaxis.
ANAFILAXIS f. Reacción alérgica del organismo tras la administración de una sustancia. ■ ANAFILÁCTICO, CA.
ANÁFORA f. En las liturgias cristianas gr. y orientales, parte de la misa que corresponde al prefacio y al canon en la liturgia romana. • *Ret.* Repetición de palabras al comienzo de las frases que forman un periodo. ■ ANAFÓRICO, CA.
ANAFORESIS f. Disminución de la actividad de las glándulas sudoríparas.
ANAFRE m. Anafe.
ANAFRODISIA f. Disminución o falta de apetito sexual. ■ ANAFRODITA.
ANAFRODISIACO, CA adj. y m. *Farm.* Sustan-

Ánade

cias de acción farmacológica que disminuyen o inhiben la necesidad sexual.
ANAGLIFO m. *Arq.* Obra cincelada en relieve.
ANAGLIPTOGRAFÍA f. Sistema de escritura en relieve empleado por los invidentes.
ANAGOGE m. Anagogía.
ANAGOGÍA f. Interpretación mística de la Sagrada Escritura. • Elevación del alma hacia las cosas celestiales. ■ ANAGÓGICO, CA.
ANAGRAMA m. Palabra que resulta de la inversión o transposición de las letras de otra. ■ ANAGRAMÁTICO, CA.

Ananás

ANAHITA Diosa iránica de origen occidental. Era la deidad de las aguas.
ANÁHUAC Nombre de la meseta donde los aztecas fundaron, en 1325, la c. de Tenochtitlán (México).
ANAIBOA m. *Cuba.* Jugo nocivo de la catibía.
ANAL adj. Relativo al ano. • De periodicidad anual. • m. pl. Relaciones de sucesos agrupadas por años.
ANALCIMA f. *Miner.* Mineral del grupo de las zeolitas. Se encuentra cristalizado en el sistema cúbico o en agregados granudos, compactos y terrosos.
ANALECTAS f. pl. Florilegio.
ANALECTAS de Confucio Obra china compuesta de 496 capítulos distribuidos en veinte libros. Es el texto sagrado del confucianismo.
ANALEPSIA f. Restablecimiento de las fuerzas después de una enfermedad. ■ ANALÉPTICO, CA.
ANALES m. pl. Relación de sucesos por años. ■ ANALÍSTICO, CA.
ANALFABETISMO Situación de la persona que no sabe leer ni escribir la lengua que habla. Actualmente, la UNESCO considera analfabetos funcionales a las personas que no comprenden lo que leen o escriben. ■ ANALFABETO, TA.
ANALGESIA f. *Med.* Falta o supresión de la sensibilidad al dolor.
ANALGÉSICO, CA adj. y m. Fármaco que actúa selectivamente disminuyendo o aboliendo el dolor.
ANÁLISIS m. Distinción de las partes de un todo hasta llegar a conocer sus principios o elementos. • fig. Examen de una obra o escrito. • *Gram.* Examen de las palabras de una frase para determinar la categoría, oficio, accidentes y propiedades de cada una de ellas. • *Med.* Examen químico o bacteriológico de líquidos o tejidos orgánicos para establecer un diagnóstico. • *Quím* Descomposición de un cuerpo en los elementos simples que los constituyen. Se habla de *a. cualitativo* si el objetivo es identificar esos elementos y de *a. cuantitativo* si se busca establecer sus proporciones. • **matemático.** *Mat.* Parte de las matemáticas que incluye la teoría de funciones. • **previo.** *Comp.* Estudio que define las líneas maestras de una aplicación con vistas a desarrollar una solución mecanizada.

Anatolia, esfinge de Alaça Hüyük

ANALISTA com. Persona que hace análisis. • Autor de anales. • *Comp.* El que define un problema y establece las líneas de su solución.
ANALÍTICO, CA adj. Relativo al análisis. • Que procede descomponiendo o que pasa del todo a las partes. • **Función a.** *Mat.* La definida en un intervalo abierto tal que puede desarrollarse en serie de potencias en un entorno de cualquier punto del intervalo. • **Geometría a.** *Geom.* Parte de la geom. que estudia los entes geométricos (puntos, rectas, planos, curvas, superficies, etc.), poniéndolos en relación con sistemas particulares de coordenadas, a partir de las ecuaciones que los representan.
ANALIZADOR, RA adj. y s. Que analiza. • m. Instrumento para hallar el valor de una magnitud. • **sintáctico.** *Comp.* → Compilador.
ANALIZAR tr. Hacer análisis de alguna cosa. ■ ANALIZABLE.
ANALOGÍA f. Relación de semejanza entre cosas distintas. • *Anat.* Relación entre dos órganos que realizan la misma función en dos grupos de animales distintos. • *Fís.* Relación entre dos fenómenos físicos de distinta naturaleza que son descritos por ecuaciones diferenciales de la misma forma. • *Ling.* Morfología. ■ ANALOGISMO; ANÁLOGO, GA.
ANALÓGICO, CA adj. Análogo. • *Comp.* Díc. de un sistema en el que la información tiene una variación continua, en oposición a digital. • *Gram.* Relativo a la analogía. • Díc. de un modelo físico o cibernético que representa las propiedades reales de un sistema por elementos relacionados entre sí de modo que reproduzcan la estructura de ese sistema.
ANAMESITA f. Roca metamórfica de estructura intermedia entre el basalto y la dolerita.
ANAMNESIA o **ANAMNESIS** f. Interrogatorio del enfermo, por parte del médico, sobre su enfermedad, antecedentes, etc., para fundamentar el diagnóstico.
ANAMNIOTA adj. y s. Animales vertebrados que carecen de membranas amnióticas en su desarrollo embrionario.
ANAMORFOSIS f. Pintura o dibujo que ofrece a la vista una imagen deforme y confusa, o regular y acabada, según desde donde se la mire.
ANAMORÓS Mun. de El Salvador, en el dpto. de La Unión; 11 600 hab.
ANAMÚ m. *Cuba.* Planta fitolacácea que huele a ajo.
ANANÁ m. Ananás.
ANANAIKYO Movimiento religioso nipón fundado en 1934 por Nakano Yonosuke. Acepta el mesianismo del culto de Maitreya y aspira a la unificación de todas las religiones en él.
ANANÁS m. Planta bromeliácea, de flores moradas y fruto en forma de piña, muy fragante, suculento y terminado por una corona de hojas.
¡ANANAY! (voz quechua) *Bol.* Interj. para manifestar que una cosa es grata a la vista.
ANANDRIA f. *Med.* Pérdida de los caracteres masculinos.
ANAPAÍTA f. *Miner.* Mineral que se presenta en cristalitos, tapizando cavidades. Es un fosfato ferroso-cálcico cristalizado en el sistema triclínico, de color blanco o verdoso.
ANAPELO m. Acónito.
ANAPESTO m. Pie de las métricas gr. y latina, compuesto de tres sílabas: las dos primeras, breves, y la otra, larga. ■ ANAPÉSTICO, CA.
ANAPTIXIS f. Aparición de una vocal entre dos consonantes seguidas: *corónica por crónica.*
ANAQUEL m. Cada una de las tablas puestas horizontalmente en muros, armarios, etc. ■ ANAQUELERÍA.
ANARANJADO, DA adj. y m. De color semejante al de la naranja.
ANARCO, CA adj. y s. fam. Anarquista.
ANARCOSINDICALISMO m. Variante del anarquismo que confiere a los sindicatos un papel fundamental tanto en la lucha reivindicativa como en la organización social. El a. nació a principios del s. XX con la llamada Carta de Amiens (1906), que propugnaba el apoliticismo, la acción directa, el rechazo de la mediación estatal en los conflitos laborales y la huelga general como forma de lucha revolucionaria.
ANARQUÍA f. Falta de todo gobierno en un Estado. • fig. Desorden por ausencia o flaqueza de la autoridad. • P. ext., desconcierto en cosas necesitadas de ordenación. ■ ANÁRQUICO, CA.
ANARQUISMO m. Doctrina social revolucionaria que propugna la total supresión del Estado, una sociedad en la que pueda manifestarse la libertad del individuo y de la colectividad mediante contratos libremente aceptados.
* *Hist.* La base teórica de las doctrinas arranca de P. J. Proudhon. Sus propuestas fueron desplazadas por Bakunin y sus seguidores, que propugnaban la acción directa, al margen de los partidos. Dichas ideas tomaron cuerpo en la Alianza Internacional de la Democracia Socialista, miembro por un tiempo de la I Internacional. El a. se propagó pralm. por el sur de Europa (Suiza, Francia, Italia y España). En América, tuvo una imp. expansión en Argentina (FORA) y México (magonismo), así como en Estados Unidos (IWW). ■ ANARQUISTA.
ANARQUIZAR tr. Propagar el anarquismo. ■ ANARQUIZANTE.
ANARTRIA f. *Pat.* Trastorno del lenguaje que consiste en la imposibilidad de articular sonidos.
ANASARCA f. *Pat.* Edema general del tejido celular subcutáneo, con hidropesía en las cavidades orgánicas.
ANASCOTE m. Sarga delgada de lana.
ANASTASIA f. Artemisa, planta compuesta.
ANASTIGMATISMO m. *Ópt.* Propiedad de los

sistemas ópticos que carecen de aberración esférica o astigmática. ■ ANASTIGMÁTICO, CA.
ANASTOMOSIS f. *Bot.* y *Zool.* Comunicación entre elementos anatómicos de una misma planta o animal. • *Cir.* Creación de una comunicación artificial entre dos órganos huecos. ■ ANASTOMIZARSE; ANASTOMOSARSE.
ANÁSTROFE f. *Gram.* Hipérbaton consistente en posponer la preposición al nombre que rige.
ANAT Diosa del amor y de la fecundidad entre los sirios, réplica exacta de Astarté.
ANATA f. Renta, frutos o emolumentos que produce en un año cualquier beneficio o empleo.
ANATASA f. *Miner.* Óxido de titanio, de brillo diamantino y color variable, cristalizado en el sistema tetragonal.
ANATEMA amb. Excomunión. • Maldición.
ANATEMATIZAR tr. Imponer el anatema. • Maldecir a alguno. • fig. Reprobar o condenar por mala a una persona o cosa.
ANÁTIDO, DA adj. y m. Individuos de una familia de aves anseriformes acuáticas.
ANATOLIA *(Anadolu)* Pen. occidental asiática, ant. Asia Menor, bañada por los mares Mediterráneo, Negro y Egeo. Políticamente, la Turquía asiática.
ANATOMÍA f. Disección o separación artificiosa de las partes de un cuerpo orgánico. • Ciencia que tiene por objeto el estudio morfológico descriptivo de los seres vivos. • **comparada.** Estudio de la estructura de los animales poniendo de relieve sus semejanzas y diferencias. • **patológica.** Estudio descriptivo de las alteraciones morfológicas determinadas por los procesos morbosos en el organismo. • **sistemática.** Estudio y descripción por separado de los aparatos del organismo humano. ■ ANATÓMICO, CA; ANATOMISTA; ANATOMIZAR.
ANATOXINA f. Toxina que ha perdido la toxicidad aunque conserva su aptitud inmunizante.
ANAXÁGORAS de Clazomene (m. 430 a.C.) Filósofo gr. Dio los primeros pasos hacia una técnica de investigación experimental.
ANAXIAL adj. *Geom.* Sin eje de simetría.
ANAXIMANDRO de Mileto (¿611-546 a. C.?) Filósofo gr. de la escuela de Mileto. Consideró que el universo estaba hecho, en su totalidad, de una sola sustancia fundamental, el *ápeiron.*
ANAXÍMENES de Mileto (s. VI a.C.) Filósofo gr. de la escuela de Mileto. Consideró que toda la realidad procede del aire.
ANAY m. Comején.
ANAYA, ***Carlos*** (m. 1862) Patriota y político ur., uno de los Treinta y tres Orientales. Fue presid. interino. • ***Pedro María*** (1795-1854) Político y militar mex. Luchó por la independencia y contra los norteam. Presid. interino de la rep. (1847-1848). • ***Ricardo*** (nacido 1907) Político bol., fundador de Izquierda Revolucionaria, de carácter marxista. Nacionalizó las minas de Bolivia.
ANCA f. Cada una de las dos mitades laterales de la parte posterior de las caballerías y otros animales. • Parte superior de la pierna de una persona, cadera. • *fest.* Nalga.
ANCADO, DA adj. *Vet.* Díc. de la caballería que tiene encorvado hacia adelante el menudillo de las patas traseras.
ANCASH Dpto. occidental del Perú, delimitado por el curso alto del Marañón al E y el océano Pacífico al O; 35 041,4 km^2, 1 024 600 hab. Cap., Huaraz. Terreno montañoso; de E a O comprende la cord. Blanca (alt. máx.: Nevado de Huascarán, 6 768 m), el valle del río Santa, donde se dan los mejores cultivos, con el Callejón de Huaylas, y la cord. Negra. Clima cálido en el litoral y a orillas del Marañón; templado y frío en las zonas más altas. Hortalizas, patatas, arroz, trigo, cacao y caña de azúcar. Ganadería vacuna y ovina. Minas de plata, oro, volframio, cobre y molibdeno. Ind. textil artesanal. Cuenca carbonífera. Export. de guano. Asolado por varios terremotos en la década del 70. Universidad pública y Museo Regional de Ancash.
ANCASHINO, NA adj. y s. De Ancash.
ANCESTRAL adj. Relativo a los antepasados. • Tradicional y de origen remoto.
ANCHAR tr. y prnl. fam. Ensanchar.
ANCHETA f. Pacotilla de venta que se llevaba a América en tiempo de la dominación española. • Cantidad pequeña de mercancías que una persona lleva a vender. • *Amér.* Simpleza, tontería. • *Ecuad.* y *Perú.* Ganga.
ANCHETA o **ANCHIETA,** ***Juan de*** (1540-1588) Escultor renacentista esp. Retablos del monasterio de Las Huelgas, de San Miguel de la Seo de Zaragoza, de la Trinidad de la catedral de Jaca y buena parte del retablo mayor de Santa María de Tafalla.
ANCHI m. *Argent.* Sémola cocida con agua, limón y azúcar. • *Chile.* Cebada tostada y molida. • *Chile.* Guiso con cebada, agua y azúcar.
ANCHICORTO, TA adj. Ancho y corto.
ANCHIETA, ***José de*** (1533-1597) Jesuita y naturalista esp., llamado EL APÓSTOL DEL BRASIL por su labor misionera en São Paulo (ciudad que surgió de la misión por él fundada). • ***Juan de*** (1462-1523) Compositor esp. Es uno de los fundadores de la escuela polifónica española.
ANCHO, CHA adj. Que tiene más o menos anchura. • Que tiene anchura excesiva. • Holgado, excesivamente amplio. • fig. Desembarazado, laxo, libre. • m. Anchura, latitud.
ANCHOA f. Pez clupeiforme conocido con el nombre de boquerón. Se consume fresco o en conserva. • Boquerón curado en salmuera y conservado en sal o aceite. ■ ANCHOAR.
ANCHOVA f. Anchoa.
ANCHURA f. Latitud. • Amplitud. • fig. Libertad. Suele usarse en mal sentido. ■ ANCHUROSO, SA.
ANCIANIDAD f. Último período de la vida del hombre.
ANCIANO, NA adj. y s. Díc. del hombre o la mujer que tiene muchos años.
ANCÍZAR, ***Manuel*** (1812-1882) Político y escritor col. Presid. del gobierno revolucionario a la caída de Ospina en 1861 y rector de la universidad. *Peregrinaciones de Alpha por las provincias del Norte de Nueva Granada.*
ANCLA f. Instrumento para sujetar la nave al fondo del mar.
ANCLADERO m. Fondeadero.
ANCLAJE m. *Mar.* Acción de anclar la nave. • *Mar.* Fondeadero. • *Mar.* Derecho que se paga por fondear en un puerto.
ANCLAR intr. *Mar.* Soltar el ancla una nave.
ANCO ***Marcio*** (640-616 a. C.) Cuarto rey legendario de Roma. Se le atribuyen diversas obras (acueducto de Acqua Martia, la primera cárcel de Roma, el puerto de Ostia).
ANCOHUMA, ***Nevado de*** Cumbre andina de Bolivia; 6 554 m.
ANCÓN m. Ensenada pequeña en que se puede fondear. • *Méx.* Rincón.
ANCÓN Mun. de Perú, en el dpto. de Lima; 8 600 hab. • **Tratado de A.** El firmado entre Chile y Perú, en 1883. Puso fin a la guerra del Pacífico y supuso la cesión definitiva a Chile de Tarapacá y la temporal de Arica y Tacna.
ANCONA C. de Italia, cap. de Las Marcas y de la prov. hom.; 101 300 hab. Astilleros.
ANCONADA f. Ancón, ensenada.
ÁNCORA f. Ancla. • Pieza oscilatoria parecida a un ancla, que regula el movimiento de los relojes llamados «de áncora».
ANCORAR intr. *Mar.* Anclar.
ANCORCA f. Ocre, el usado para pintar.
ANCUCO m. *Bol.* Turrón de cacahuete.
ANCUD C. de Chile, en la Región de Los Lagos, prov. de Chiloé, 30 500 hab. Puerto exportador de madera y productos agropecuarios.
ANCUSA f. Lengua de buey, planta.
ANCUVIÑA f. *Chile.* Sepultura indígena.
ANDA f. *Amér.* Andas.
¡ANDA! interj. de asombro o admiración.
ANDA, ***José Guadalupe*** (1880-1950) Novelista mex. *Los cristeros, Los bragados, Juan de Riel.*
ANDADA f. Pan que al cocerse queda duro y sin miga. • *Chile.* Acción y efecto de andar. • *Hond.* y *Méx.* Paseo algo largo, caminata. • pl. Entre cazadores, huellas de perdices, conejos u otros animales.
ANDADERAS f. pl. Aparato para que el niño aprenda a andar sin riesgo de caerse.
ANDADERO, RA adj. Aplícase al sitio por donde se puede andar fácilmente.

Ilustración de la ***Anatomía*** de Ambroise Paré

José de **Anchieta**

Diversos tipos de **ancla**

Andalucía. La Giralda de Sevilla

Hans Christian **Andersen**

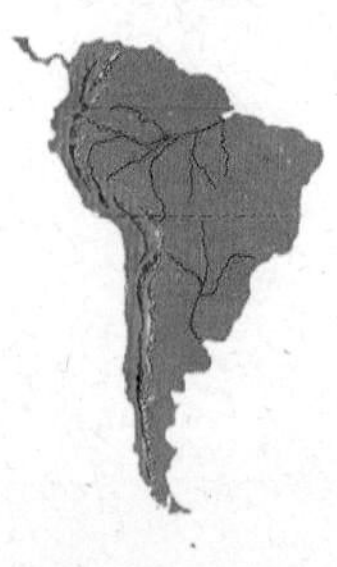
Mapa de situación de los **Andes**

ANDADO, DA adj. Transitado. • Común. • Usado. Díc de ropas o vestidos.
ANDADOR, RA adj. y s. Que anda mucho o con velocidad. • Que anda de una parte a otra sin parar en ninguna. • Andaderas. • pl. Tirantes que sirven para sostener al niño cuando aprende a andar.
ANDADURA f. Paso de los caballos.
ANDAGOYA, *Pascual de* (1495-1548) Conquistador esp. En 1521 fundó la c. de Panamá. Adelantado y gober nador de Río San Juan, de 1539 a 1542, año en que Benalcázar le destituyó y obligó a regresar a España. *Relación de los sucesos de Pedro Arias Dávila en las provincias de Tierra Firme y de Castilla de Oro.*
ANDAHUAYLAS Prov. de Perú, en el dpto. de Apurímac; 143 300 hab. Regada por el río hom. Agricultura. Ruinas precolombinas del templo de Kumbe Mayo. • C. de Perú, cap. de la prov. hom.; 7 700 habitantes.
ANDALUCÍA Com. autón. esp., a orillas del Atlántico y del Mediterráneo; 87 268 km^2, 6 940 522 hab. Cap., Sevilla. Sit. en el S de la pen. Ibérica. Cordilleras Béticas en la A. Alta; valle del Guadalquivir en la A. Baja. Ríos prales.: el Guadalquivir, con el Genil, y el Guadiana. Clima mediterráneo. Agricultura. Minería. Los tartesos formaron un fuerte Est. hacia el 2000 a. C. Se sucedieron distintas ocupaciones (fenicios, cartagineses, romanos, visigodos…). La invasión musulmana (s. VIII) abrió una época de gran esplendor. El avance de la reconquista cristiana fue reduciendo el dominio musulmán, que terminó con la toma de Granada (1492). Sevilla, y post. Cádiz, ejercieron monopolio sobre el comercio con América. En el s. XVIII se agravó el problema del latifundismo, que tuvo como respuestas el bandolerismo, el mov. cantonalista y el anarquismo. En 1981 fue aprobado y ratificado el estatuto autonómico.
ANDALUCISMO m. Locución, giro o modo de hablar, peculiar y propio de los andaluces. • Tendencia defensora de los valores históricos y culturales de Andalucía. • Movimiento político que propugna el autogobierno para Andalucía.
ANDALUCITA f. *Miner.* Silicato de aluminio, que cristaliza en el sistema rómbico, de peso específico 3,1, dureza 7,5 y de color rojizo.
ANDALUS, *al* *(Chazirat al-Andalus)* Nombre con el que se designó en el Islam, hasta el fin de la E. Med., la España musulmana.
ANDALUSÍ adj. y s. De al-Andalus.
ANDALUZ, ZA adj. y s. De Andalucía. • m. Variedad de la lengua esp. hablada en Andalucía.
ANDALUZADA f. fam. Exageración.
ANDAMÁN Arch. del golfo de Bengala (210 islas); 6 500 km^2, 188 700 hab. Copra. • **A. y Nicobar** Terr. de la India; 8 293 km^2, 279 100 hab. Cap., Port-Blair.
ANDAMANÉS, SA adj. y s. De las islas Andamán. • m. Lengua independiente hablada por los indígenas del arch. de Andamán. • m. pl. Pueblo pigmeo australoide que constituye el elemento humano aborigen en las islas Andamán.
ANDAMIO m. Armazón de tablones que sirve para trabajar en la construcción o reparación de edificios, pintar paredes o techos, etc. • Tablado que se pone en plazas o sitios públicos. ■ ANDAMIADA; ANDAMIAJE.
ANDANA f. Orden de cosas puestas en línea.
ANDANADA f. Descarga cerrada de la andana o batería de un buque. • Localidad cubierta en las plazas de toros. • fig. y fam. Reprensión. Se utiliza más en la frase **le soltó la,** o **una andanada.**
ANDANCIA f. Andanza. • Andancio.
ANDANCIO m. Enfermedad epidémica leve.
¡ANDANDO! interj. que se usa para reforzar un mandato o estimular una actividad.
ANDANTE adj. Que anda. • adv. modo. *Mús.* Con movimiento reposado. • m. *Mús.* Composición musical en este movimiento.
ANDANTINO adv. modo. *Mús.* Con movimiento algo más vivo que el andante, pero menos que el alegro. • m. *Mús.* Composición musical, o parte de ella, en este movimiento.
ANDANZA f. Caso o suceso.
ANDAR intr. y prnl. Ir de un lugar a otro dando pasos. • intr. Ir de un lugar a otro lo inanimado. • Moverse un artefacto para ejecutar sus funciones. • fig. Estar. • fig. Haber. • fig. Entender en algo. • Hablando del tiempo, pasar o correr. • Seguido de las preposiciones con o sin y algunos nombres, tener o padecer lo que el nombre significa, o al contrario. • Seguido de la prep. *a* y de nombres en plural, como *golpes, cuchillas, tiros,* darlos, o reñir de este modo. • fam. Seguido de la prep. *en,* poner o meter las manos o los dedos en alguna cosa. • Con la misma prep., seguida de un número que indique años, estar para cumplir éstos. • fam. Seguido de la prep. *con,* traer entre manos, manejar. • Con gerundios, denota la acción que expresan éstos. • fam. Ir de un lugar a otro. • tr. Recorrer uno un espacio. • prnl. Seguido de la prep. *a* y otro verbo, ocuparse en, o ponerse a, ejecutar la acción de dicho verbo. • Seguido de las preposiciones *con* o *en,* usar. • m. Acción o modo de andar. • Modo de proceder. • pl. Modo de andar las personas, especialmente cuando es airoso. ■ ANDARIEGO, GA; ANDARÍN.
ANDARIVEL m. Maroma tendida entre las orillas de un río, mediante la cual pueden trasladarse las embarcaciones ayudándose con las manos. • *Mar.* Cuerda a manera de pasamano. • *Cuba.* Batea usada para pasar los ríos.
ANDARRÍOS m. Ave caradriforme de los escolopácidos, de patas largas y delgadas y pico fino.
ANDAS f. pl. Tablero para conducir imágenes, personas o cosas. • Féretro con varas, en que se llevan a enterrar los muertos.
ANDEL m. Rodada que deja el paso de un carro u otro vehículo a campo traviesa.
ANDÉN m. Corredor o sitio destinado para andar. • Pretil, parapeto. • En las estaciones de los ferrocarriles, acera a lo largo de la vía. • En los puertos de mar, espacio de terreno sobre el muelle. • Acera de un puente. • Anaquel. • *Col., Guat.* y *Hond.* Acera de calle. • pl. *Argen., Bol.* y *Perú.* Bancales en las laderas de los Andes.
ANDERSEN, *Hans Christian* (1805-1875) Literato danés, universalmente conocido por sus Cuentos para niños. Escribió, también, poemas, libros de viajes *(Álbum sin dibujos, España)* y una *Autobiografía.*
ANDERSON, *Carl David* (1905-1991) Físico norteam. descubridor del positrón. Premio Nobel de Física en 1936. • ***Lindsay*** (1923-1994) Director cinematográfico ing., destacado exponente del Free Cinema. *El ingenuo salvaje, If, Un hombre de suerte.* • ***Maxwell*** (1888-1959) Dramaturgo norteam. *La reina Isabel, Cayo largo.* • ***Sherwood*** (1876-1941) Escritor norteam. *Winesburgo, Ohio, Pobre blanco, La risa negra.* • **Imbert, *Enrique*** (1910-1994) Escritor arg. *Vigilia, Las pruebas del caos.*
ANDERSSON, *Dan* (1888-1920) Poeta sueco. *Historias de carboneros.*
ANDES Gran sist. montañoso que atraviesa longitudinalmente la parte occidental de América del S. Se extiende a lo largo de unos 7 500 km, desde el mar Caribe hasta el cabo de Hornos, siguiendo la costa del Pacífico. Su configuración data del periodo eocénico, durante la era terciaria. Región eminentemente vólcanica y sísmica, sujeta a fuertes cataclismos. Alt. media muy elevada. La cord. es muy compacta, con pasos escasos y difíciles. Se suele dividir en tres amplios sectores: Septentrional, Central y Meridional. Los *A. Septentrionales* presentan la mayor densidad de pob. y están formados por las cord. Occidental, Central y Oriental. En alt. destacan las cumbres del Chimborazo y del Cotopaxi. Los *A. Centrales* son de gran anchura y altitud (más de 4 000 m de alt. media) y engloban vastas mesetas (los altiplanos y las «punas», entre ellas la de Atacama, al S). Entre las cumbres más altas figuran el Huascarán y el Illimani. Los *A. Meridionales* forman el sector más estrecho y compacto de la cord. Entre los picos más elevados figuran el Aconcagua (la mayor alt. de todo el sist., con 6 959 m), y el Ojos del Salado, entre otros.
ANDES, *Los* C. de Chile, en la región de Valparaíso; 43 400 hab. Agricultura. Ind. láctea y cerámica.
ANDESINA f. Feldespato de alúmina, sosa y cal que forma parte de algunas rocas eruptivas.
ANDESITA f. Roca volcánica constituida por plagioclasa y por minerales máficos.
ANDHRA Ant. reino de la India, cuyo territorio se sitúa entre el Godavari y el Krishna inferiores, en el país telugu.

ANDHRA PRADESH Est. del SE de la India, en el golfo de Bengala; 276 814 km², 66 354 600 hab. Cap., Hyderabad. Accidentado por la meseta del Deccan y avenado por los r. Krishna y Godavari. Arroz, tabaco. Ganadería. Carbón. Astilleros.
ANDINISMO m. *Amér.* Deporte que consiste en escalar los Andes. ■ ANDINISTA.
ANDINO, NA adj. y s. Relativo a la cordillera de los Andes. • De esta región. • **Pacto o Grupo A.** Organización creada en 1969 con el fin de conseguir la unión aduanera entre Bolivia, Colombia, Chile, Ecuador y Perú. Venezuela se sumó al Grupo en 1973, y Chile lo abandonó en 1976. En 1996 adptó el nombre de Comunidad A.
ANDITO m. Corredor o andén que exteriormente rodea un edificio. • Acera de una calle.
ANDO, *Tadao* (nacido 1941) Arquitecto japonés. Autor de una arquitectura concebida como escultura.
ANDÓN, NA adj. *Amér.* Díc. de las caballerías que andan mucho.
ANDONAEGUI, *José de* (h. 1685-1761) Militar esp., gobernador de Río de la Plata.
ANDORGA f. fam. Vientre, barriga.
ANDORINA f. Golondrina, pájaro.
ANDORRA *(Principat de les Valls d'Andorra)* Est. del SO de Europa; coprincipado parlamentario con dos jefes de est. constitucionales. Sit. en los Pirineos Orientales, entre Francia y España. Montañoso. Río Valira. Turismo y comercio. Lenguas: cat. (of.), cast. y fr. Rel.: católica. U. M.: euro. Cap., Andorra la Vella.
* *Hist.* En 843, Carlos el Calvo cedió los valles al conde Seniofredo I de Urgel-Cerdaña. Desde 1278 y 1288, soberanía conjunta de los condes de Foix y el obispado de Urgel. Los derechos de los condes pasaron a la corona de Francia y, posteriormente, a la presidencia de la Rep. francesa. En 1993 se aprobó por votación popular una Constitución por la que pasó a ser un Est. de derecho. Ese mismo año ingresó en las Naciones Unidas.
ANDORREAR intr. fam. Cazcalear.
ANDOSCO, CA adj. y s. Res de ganado menor que tiene dos años.
ANDRADA e Silva, *José Bonifácio de* (1763-1838) Estadista y científico bras. Influyó sobre el príncipe regente Don Pedro para que proclamara la independencia del país.
ANDRADE, *Ignacio* (1839-1925) Político ven. Presid. de la rep. (1898). Derrocado por el general Cipriano de Castro. • ***Mário de*** (1893-1945) Poeta y musicólogo modernista bras. *Paulicéia desvairada.* • ***Olegario Víctor*** (1839-1882) Poeta y periodista arg. *Prometeo, San Martín.* • **Y Cordero, *César*** (1904-1988) Poeta ecuat. de tendencia modernista. *Ventana al horizonte.*
ANDRAJO m. Pedazo de ropa muy usada. ■ ANDRAJOSO, SA.
ANDRASSY, *Gyula*, CONDE DE (1823-1890) Político húng. Presid. del consejo húng. (1867-1871). Ministro de Asuntos Exteriores del Imperio (1871-1879).
ANDREA de Bonaiuto, conocido por ANDREA DE FIRENZE (m. h. 1377) Pintor it. Frescos de Santa María Novella. • ***Del Sarto*** → Sarto, Andrea del.
ANDRÉIEV, *Leonid* (1871-1919) Novelista y autor dramático ruso. *La risa roja, Los siete ahorcados, Anfisa, Sacha Yegulev.*
ANDRÉS, *José* (1881-1944) Músico arg. Fundador de la Sociedad de Compositores Argentinos. *Impresiones porteñas.* • ***Juan*** (1740-1817) Jesuita esp., historiador y musicógrafo. *Origen, progreso y estado actual de la literatura.* • **Alvarado, *Armando*** (1872- 1925) Periodista y patriota cub. Participó en la guerra de Independencia. Se opuso al presid. Machado. Murió asesinado.
ANDREU Iglesias, *César* (nacido 1918) Escritor puertorriq. *Los derrotados, Una gota de tiempo.*
ANDREVE, *Guillermo* (1879-1940) Político y escritor pan. Adscrito al modernismo. *Sombra del arco, Una punta del velo, Cuatro cuentos.*
ANDREWS, *Thomas* (1813-1885) Físico irl. Descubridor de la temperatura crítica.
ANDRIC, *Ivo* (1892-1975) Poeta y novelista bosnio. *Ex Ponto, La crónica de Travnik, La Señorita, El puente sobre el Drina.* Premio Nobel de Literatura en 1961.
ANDRINO, *José E.* (1817-1862) Organista y compositor guat. Fundador de la escuela de música de El Salvador. *La mora generosa* (ópera).
ANDROCEO m. *Bot.* Órgano masculino de la flor, formado por los estambres.
ANDROFOBIA f. *Pat.* Temor patológico a lo masculino.
ANDROGÉNESIS f. *Biol.* Fenómeno que consiste en el desarrollo de un cigoto que posee únicamente la dotación cromosómica paterna.
ANDRÓGENO, NA adj. y m. Hormonas sexuales de los vertebrados, responsables del desarrollo de los caracteres sexuales masculinos.
ANDRÓGINO, NA adj. *Bot.* Monoico. • *Zool.* Se dice de los animales que reúnen los dos sexos y no pueden ser fecundos aisladamente.
ANDROIDE m. Autómata con forma humana.
ANDROLATRÍA f. Culto divino tributado a un hombre. ■ ANDRÓLATRA.

ANDORRA

Superficie 453 km²

Población 64 000 hab. (141 hab./km²)

Recursos económicos

Turismo	14 000 000 visitantes

Indicadores sociológicos

PNB	930 millones de dólares
Renta per cápita	15 000 dólares
Esperanza de vida	79 años
Alfabetismo	100 %

Mapa de situación y bandera de **Andorra**

ANDRÓMACA Esposa de Héctor, héroe troyano de la *Ilíada.*
ANDRÓMEDA Constelación del hemisferio septentrional, sit. al S de Casiopea, cuyas estrellas prales. forman la continuación de Pegaso.
ANDRÓMEDA *Mit.* Hija de Cefeo y Casiopea, esposa de Perseo.
ANDRÓMINA f. fam. Embuste. Se usa más en pl.
ANDROMORFO, FA adj. De forma humana.
ANDRÓNICO I *Comneno* (hacia 1100-1185) Emp. bizantino [1183-1185], nieto de Alejo I. • **II *Paleólogo*** (1258-1332) Emp. bizantino [1282-1328], hijo de Miguel VIII. Fue derrocado por su nieto Andrónico III. • **IV *Paleólogo*** (1348-1385) Emp. bizantino [1376-1379], hijo de Juan V. Destronó a su padre y a su hermano, el coemperador Manuel III (1376).
ANDRÓNICO, *Livio* (s. III a. C.) Autor dramático rom., de origen gr.
ANDROPAUSIA f. *Fisiol.* Climaterio masculino.
ANDROPOV, *Yuri* (1915-1984) Político sov. En 1967 abandonó el cargo de responsable de las relaciones del PCUS con los demás partidos comunistas y pasó a ocupar la presidencia de la KGB. Primer mandatario tras la muerte de Brezhnev, en 1982.
ANDROSTERONA f. Producto de eliminación de la testosterona, aislable de la orina.
ANDUEZA Palacio, *Raimundo* (1851-1900) Político ven. Presid. de la rep. (1890-1892).
ANDÚJAR, *Manuel* (1913-1994) Escritor esp., residente en México desde 1939. *Cristal herido, La franja luminosa.*
ANDULLO m. Tejido que se pone en las jaretas de los buques. • Hoja de tabaco arrollada. • *Cuba* y *Méx.* Pasta de tabaco para mascar.
ANDURRIAL m. Paraje extraviado o fuera de camino. Se usa más en pl.
ANEA f. Planta tifácea, con tallos cilíndricos y sin nudos, hojas envainadoras por la base, ensiformes, y flores en forma de espiga. Se emplea para hacer asientos de sillas, etc. • Espadaña.
ANEAR tr. Medir por anas. • m. Sitio poblado de aneas.
ANÉCDOTA f. Breve relato de algún suceso. • El mismo suceso. ■ ANECDOTARIO; ANECDÓTICO, CA; ANECDOTISTA.
ANECIARSE prnl. Hacerse necio.
ANEGAR tr. y prnl. Ahogar a uno sumergiéndole en el agua. • Inundar. • prnl. Naufragar. ■ ANEGABLE; ANEGACIÓN; ANEGADIZO; ANEGAMIENTO.
ANEGOCIADO, DA adj. Metido en negocios.
ANEJAR tr. Anexar.
ANEJIR m. Refrán popular, en verso y cantable.

Androceo de eléboro, formado por el conjunto de estambres que rodea al gineceo

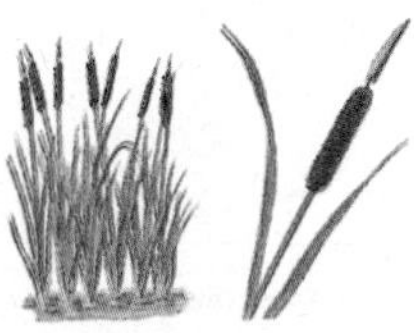

Anea

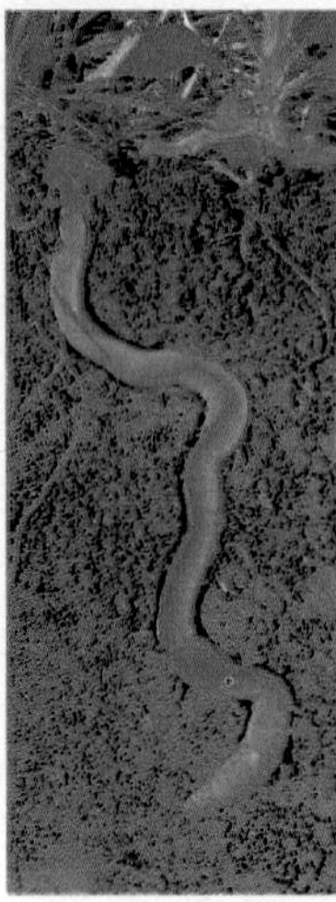
Anélido

Anémona

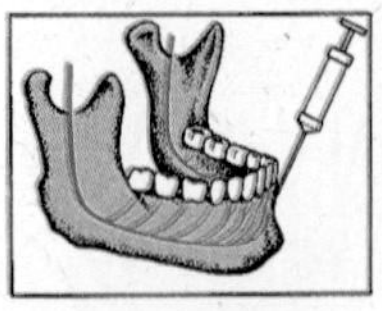
Anestesia local

ANEJO, JA adj. y m. Respecto a una cosa, díc. de lo que está agregado a ella. • m. Iglesia, población, etc., sujetas a otra principal.
ANELDO m. Eneldo, hierba umbelífera.
ANÉLIDO adj. y m. *Zool.* Díc. de los invertebrados de aspecto vermiforme y cuerpo segmentado en anillos, que viven en el mar, en las aguas dulces o en la tierra húmeda.
ANELLI, *Luigi* (1813-1890) Político e historiador it. *Historia de Italia de 1814 a 1850.*
ANEMASPERMO m. Espermatozoide desprovisto de cola.
ANEMIA f. *Pat.* Disminución del contenido de hemoglobina de la sangre, acompañado o no de un descenso del número de hematíes. ■ ANÉMICO, CA.
ANEMOFILIA f. Polinización por el polen que transporta el viento. ■ ANEMÓFILO, LA.
ANEMOGRAFÍA f. Parte de la meteorología que trata de la descripción de los vientos. ■ ANEMÓGRAFO, FA.
ANEMOMETRÍA f. Parte de la meteorología que enseña a medir la velocidad del viento. ■ ANEMÓMETRO.
ANÉMONA o **ANEMONA** f. Planta herbácea, vivaz, de la familia ranunculáceas, de pocas hojas y flores de seis pétalos, grandes y vistosas. • **de mar.** Actinia. ■ ANEMONE.
ANEMONINA f. Alcanfor de pulsatila, que se separa del aceite volátil de la pulsatila. Forma cristales blancoamarillentos que funden a 157-158 °C. Soluble en alcohol caliente y cloroformo.
ANEMOSCOPIO m. Instrumento para indicar los cambios de dirección del viento.
ANEPIGRÁFICO, CA adj. Díc. de la medalla, lápida, etc., que carece de inscripción.
ANEROIDE adj. y m. Díc. del barómetro que no lleva mercurio.
ANESTESIA f. *Pat.* Abolición de la sensibilidad, provocada por una lesión. • **quirúrgica.** *Cir.* A. provocada artificialmente.
ANESTESIAR tr. Privar total o parcialmente de la sensibilidad por medio de la anestesia. ■ ANESTESISTA.
ANESTÉSICO, CA adj. Relativo a la anestesia. • adj. y m. Sustancia empleada para provocar la anestesia quirúrgica.
ANESTESIOLOGÍA f. Especialidad médica que estudia la anestesia y los anestésicos.
ANETO, *pico de* El más alto de los Pirineos esp., 3 404 m. Sit. en el macizo de la Maladeta.
ANETOL m. *Quím.* Parapropenilanisol.
ANEUPLOIDE adj. Díc. de las células u organismos que poseen genomas atípicos, cuyo número total de cromosomas no es múltiplo de su dotación genética haploide. ■ ANEUPLOIDÍA.
ANEURISMA amb. *Pat.* Dilatación anormal de una arteria. • Dilatación y aumento anormal del volumen del corazón.
ANEURO, RA adj. *Zool.* Que carece de nervios.
ANEXAR tr. Anexionar. ■ ANEXIÓN.
ANEXIONAR tr. Unir o agregar una cosa a otra con dependencia de ella. Se usa pralm. hablando de un país, o de una parte de su territorio. ■ ANEXIONISMO; ANEXIONISTA.
ANEXITIS f. *Pat.* Inflamación de los anexos genitales de la mujer.
ANEXO, XA adj. y s. Díc. de lo que está unido a otra cosa con respecto de ella. • m. pl. Se llaman así en anatomía los órganos y tejidos que rodean el útero.
ANFETAMINA f. Fármaco estimulante que suprime la sensación de fatiga y sueño y produce euforia.
ANFIBIO, BIA adj. y s. Aplícase a los animales y plantas que pueden vivir en el agua y en la tierra. • adj. Díc. de los vehículos que pueden desplazarse por el agua y sobre cualquier terreno. • m. pl. *Zool.* Clase de vertebrados que viven la fase larvaria en el agua. También se les denomina batracios.
* *Zool.* Los a. evolucionaron a partir de los peces, y muchos de sus órganos pueden considerarse como transformaciones de las estructuras correspondientes de éstos: extremidades derivadas de las aletas, pulmones derivados de la vegija natatoria, etc. Otras estructuras son típicas de los peces: el sistema nervioso, los riñones, etc. Los a. son ovíparos en su mayoría, y depositan en el agua los huevos. De éstos salen las larvas que tienen branquias externas al comienzo de su desarrollo; después se hacen internas y la larva se transforma en renacuajo. El renacuajo, tras una etapa de vida acuática, se metamorfosea para transformarse en adulto, perdiendo la cola y las branquias, y adquiriendo pulmones y posiblemente patas. La clase incluye tres grandes grupos: los ápodos, carentes de patas; los urodelos, marchadores, provistos de cola; y los anuros, que carecen de cola y poseen extremidades saltadoras.
ANFÍBOL m. Mineral compuesto de sílice, magnesia, cal y óxido ferroso, de color verde o negro, y brillo anacarado. • pl. Familia de estos minerales, clase silicatos, que comprende dos grupos, los monoclínicos y los rómbicos.
ANFIBOLITA f. Roca metamórfica constituida por anfíboles y plagioclasas. Es de color verde más o menos oscuro, dura y tenaz.
ANFIBOLOGÍA f. Doble sentido de la palabra, frase, o manera de hablar. ■ ANFIBOLÓGICO, CA.
ANFÍBRACO m. Pie de la poesía gr. y latina que consta de una sílaba larga entre dos breves.
ANFICELO adj. y m. Díc. de animales anfibios anuros caracterizados por sus vértebras bicóncavas. Comprende la familia de los ascáfidos o sapos con cola. • m. pl. *Zool.* Orden de estos animales.
ANFICTIONÍA f. En la Grecia ant., asamblea a la que asistían delegados de diversas ciudades. ■ ANFICTIÓN; ANFICTIONADO; ANFICTIÓNICO, CA.
ANFIDIPLOIDE adj. Díc. del alopoliploide originado por duplicación genética anterior a la hibridación de dos especies muy afines. ■ ANFIDIPLOIDÍA.
ANFIGONIA f. Reproducción sexual en la que intervienen individuos de dos sexos, cada uno de los cuales forma células sexuales propias.

Ranas, **anfibios** anuros

ANFÍMACRO m. Pie de la poesía gr. y latina que consta de una sílaba breve entre dos largas.
ANFIMIXIA f. *Biol.* Reproducción sexual por unión de gametos procedentes de dos individuos diferentes.
ANFINEURO, RA adj. y m. Díc. del grupo de moluscos considerado el más primitivo entre los actuales. • m. pl. *Zool.* Clase de estos animales.
ANFIÓN *Mit.* Hijo de Antíope y de Zeus.
ANFIOXO m. Animal marino, cefalocordado y de aspecto pisciforme.
ANFÍPODO, DA adj. y m. Díc. de animales crustáceos de pequeño tamaño, gralte. marinos y sin caparazón.
ANFIPRÓSTILO m. *Arq.* Edificio con pórtico y columnas en dos de sus fachadas.
ANFISBENA f. Reptil del que los antiguos contaban prodigios. • Reptil saurio, ápodo y ciego.
ANFISBÉNIDO adj. y m. Díc. de los reptiles de la familia anfisbénidos. • m. pl. Familia de reptiles saurios localizados pralm. en América.
ANFISCIO, CIA adj. Díc. del habitante de la zona tórrida, cuya sombra, al mediodía, mira ya al N, ya al S, según las estaciones del año.
ANFISIBENA f. Anfisbena.
ANFITEATRO m. En la arquitectura rom., edificio con gradas, en el cual se celebraban espectáculos. • Conjunto de asientos de las aulas y los

teatros. • **anatómico.** Lugar destinado a la disección de cadáveres.

ANFITRIÓN, NA m. y f. fig. y fam. Persona que tiene convidados a su mesa.

ANFITRIÓN Hijo de Alceo y de Hipponoma, y rey mitológico de Tirinto.

ANFITRITE Hija de Nereo y de Doris, y esposa de Poseidón.

ANFOLITO m. *Quím.* Anfótero.

ÁNFORA f. Jarra alta de cuello largo y con asas, muy usada por los antiguos gr. y rom. • ant. Medida de capacidad, equivalente a dos urnas. • *Méx.* Urna para votaciones.

ANFÓTERO m. Todo compuesto químico capaz de disociarse como ácido y como base.

ANFRACTUOSIDAD f. *Anat.* Surco que separa las circunvoluciones cerebrales. Se usa más en pl . • pl. Desniveles del terreno.

ANFRACTUOSO, SA adj. Quebrado.

ANGAMOS Cabo próximo a Mejillones (Chile); en sus cercanías tuvo lugar el combate entre el acorazado per. *Huáscar* y la flota chilena, en 1879.

ANGANUZZI, *Mario* (1888-1975) Pintor arg. de escenas típicas.

ANGARÁ Río de Siberia, afl. del Yenisei; 1 826 km. Emisario del lago Baikal.

ANGARIA f. *Mar.* Retraso forzoso a la salida de un buque para emplearlo en un servicio público.

ANGARILLAS f. pl. Andas. • Dispositivo provisto de bolsas de esparto para transportar productos. • Vinagreras. ■ ANGARILLADA; ANGARILLAR.

ANGAZO m. Instrumento para pescar mariscos.

ÁNGEL m. En diversas religiones, ser espiritual al servicio de Dios, de naturaleza superior a la humana. • Con el art. *el,* por antonomasia, el arcángel san Gabriel. • fig. Gracia. Úsase casi siempre con el verbo *tener.* • fig. Persona muy dulce, candorosa. ■ ANGELICAL; ANGÉLICO,CA.

ÁNGEL, *Salto* Cascada de Venezuela, en el río Churún. La mayor cascada ininterrumpida del mundo: 980 m de alt.

ÁNGEL Montoya, *Alberto* (nacido 1903) Poeta col. *El alba inútil, Las vigilias del vino, Hay un ciprés al fondo.*

ÁNGEL DE LA GUARDA Isla de México, frente a la costa oriental de Baja California; 1 520 km^2.

ÁNGELA de Merici (1474-1540) Santa. Fundadora de las ursulinas.

ÁNGELES, Los C. de Chile, en la región de Biobío; 122 200 hab. Centro azucarero.

ÁNGELES, *Los* C. del SO de los EE UU, en California; 2 966 800 hab. (7 477 500 el área metropolitana). Sit. a orillas del Pacífico. Ind. cinematográfica (Hollywood). De origen hispánico (1781), fue cap. californiana bajo dominio mex. (1835-1846).

ÁNGELES, *Felipe* (1869-1919) Militar mex. Se unió al ejército de Villa. Capturado, fue fusilado. • FRAY ***Juan de los*** (1536-1609) Místico esp., franciscano. *Diálogos de la conquista del espiritual y secreto Reino de Dios.*

ANGÉLICA f. Planta umbelífera, usada en medicina. • *Farm.* Bebida purgante. • **carlina.** Ajonjera.

La Anunciación, obra de Fra **Angélico.** Museo del Prado, Madrid

ANGÉLICO, *Guido di Pietro*, en religión GIOVANNI DA FIÉSOLE, llamado ***Fra*** (1387-1455) Pintor florentino, máximo representante del «estilo bello» del *Quattrocento.* Frescos de San Marcos de Florencia y del Vaticano.

ANGELIS, *Pietro d'* (1798-1860) Publicista arg. de origen it. *Estanislao López, Rosas, Arenales.*

ANGELITO m. Ángel pequeño. • Niño de muy tierna edad. • fig. Criatura recién fallecida.

ANGELL, *Normann* (1874-1967) Escritor y publicista brit. *La gran ilusión.* Premio Nobel de la Paz en 1933.

ANGELÓN m. Ángel grande. • **de retablo**. fig. y fam. Persona muy gorda y carrilluda.

ANGELOTE m. Ángel grande. • fam. Figura de ángel, que se pone en los retablos. • fig. y fam. Niño muy gordo y tranquilo. • fig. y fam. Persona muy sencilla y apacible. • *Zool.* Pez marino, selacio. Es aplastado, de cabeza redonda y aletas grandes.

ÁNGELUS m. Oración en honor del misterio de la Encarnación.

ANGELUS Silesius (1624-1677) Seudónimo de *Johannes Sheffler.* Poeta y médico al. *Poesías espirituales, Querubín peregrino.*

ANGERS C. de Francia, cap. del dpto. de Maine-et-Loire; 143 000 hab. Industria.

ANGEVINO, NA adj. y s. De Angers o de Anjou.

ANGINA f. Inflamación de las amígdalas y de las zonas contiguas. • Dolor agudo, espasmódico y paroxístico. • **de pecho**. Afección caracterizada por accesos de corta duración con angustia y dolor violento que desde el esternón se extiende por el hombro, brazo, antebrazo y mano izquierdos. ■ ANGINOSO, SA.

ANGIOCARDIOPATÍA f. *Med.* Nombre que engloba las enfermedades cardiovasculares.

ANGIOCARDITIS f. *Med.* Inflamación de la víscera cardíaca y de los grandes vasos sanguíneos.

ANGIOCOLITIS f. *Med.* Inflamación de los conductos biliares.

ANGIOGRAFÍA f. *Anat.* Descripción del aparato circulatorio. • *Med.* Método de investigación diagnóstica, que consiste en la visualización radiológica de los vasos sanguíneos mediante la inyección en ellos de medios de contraste opacos a los Rayos X.

ANGIOLOGÍA f. *Anat.* Parte de la anatomía que trata del sistema vascular.

ANGIOMA m. *Med.* Lunar o mancha que algunas personas tienen desde su nacimiento.

ANGIOPATÍA f. *Med.* Enfermedad de los vasos.

ANGIOSPERMO, MA adj. y f. Díc. de las plantas fanerógamas angiospermas. • f. pl. *Bot.* Grupo de plantas caracterizadas por albergar los óvulos en una cavidad cerrada.

ANGKOR Ant. cap. (desde el año 900) del reino khmer. Templos de los ss. XI y XII.

ANGLADA, *Pere Ça* (s. XIV-XV) Escultor cat. Sepulcro de San Olegario, coro y púlpito de la Catedral de Barcelona. • **Camarasa, *Hermenegildo*** (1872-1959). Pintor postimpresionista esp.

ANGLERÍA, *Pedro Mártir de* (*Pietro Martire d'Anghiera*; 1459-1526) Humanista it., al servicio de Castilla. *De orbe novo decades octo. De rebus oceanicis.*

ANGLESEY Isla de Gran Bretaña (Gales), en el mar de Irlanda; 715 km^2 y 58 200 hab. Cap., Llangefni.

ANGLESITA f. Sulfato de plomo que se forma por oxidación de la galena y cristaliza en el sistema rómbico.

ANGLICANISMO m. Conjunto de las doctrinas de la iglesia nacional de Inglaterra. ■ ANGLICANO, NA.

ANGLICANIZADO, DA adj. Influido por las costumbres, ideas, etc., de los ingleses.

ANGLICISMO m. Giro o modo de hablar propio de la lengua inglesa. • Vocablo o giro de esta lengua empleado en otra.

ANGLO, GLA adj. y s. Relativo a los anglos. • m. pl. Pueblo germánico que en el s. VI se estableció en Inglaterra. • Inglés, de Inglaterra.

ANGLOAMERICANO, NA adj. Perteneciente a ingleses y norteamericanos, o compuesto de elementos propios de ambos países. • Individuo de origen inglés, nacido en América. • adj. y s. De Estados Unidos.

Ánfora griega

Miniatura de un **ángel** del códice de Valvado (Biblioteca Univ. de Valladolid, España)

Torres del templo de **Angkor** Vat

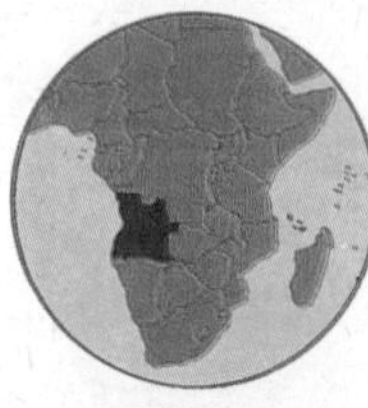

Mapa de situación y bandera de **Angola**

ANGLOFILIA f. Afición o simpatía por lo inglés o los ingleses. ■ ANGLÓFILO, LA.
ANGLOFOBIA f. Aversión a lo inglés o a los ingleses. ■ ANGLÓFOBO, BA.
ANGLOMANÍA f. Afición exagerada por las costumbres inglesas. • Afectación en imitar costumbres inglesas. ■ ANGLÓMANO, NA.
ANGLONORMANDAS, ***islas*** (ing. *Channel Islands,* o *Islas del Canal)* Arch. sit. frente a Normandía; 195 km^2, 129 400 hab. Cap., Saint Peter Port (Saint Pierre).
ANGLONORMANDO, DA adj. y s. Díc. de los normandos establecidos en Inglaterra (s. XI). • Díc. del caballo que procede del cruce entre el caballo ing. y el normando. • m. Dialecto normando.

ANGOLA

Superficie 1 246 700 km^2	
Población 11 539 000 hab. (9 hab./km^2)	
Recursos económicos	
Algodón	8 000 t
Bananas	275 000 t
Batatas	200 000 t
Café	3 000 t
Maíz	235 000 t
Mandioca	1 700 000 t
Tabaco	4 000 t
Trigo	5 000 t
Ganadería y derivados	
Cabaña bovina	3 280 000 cabezas
Cabaña caprina	1 570 000 cabezas
Cabaña porcina	800 000 cabezas
Riqueza forestal	6 794 000 m^3
Pesca	77 924 t
Producción mineral	
Diamantes	300 000 kilates
Gas natural	561 000 000 m^3
Petróleo	25 250 000 t
Producción industrial	
Azucarera	20 000 t
Cemento	370 000 t
Cigarrillos	2 400 000 000 unidades
Indicadores sociológicos	
PNB	4 422 millones de dólares
Renta per cápita	410 dólares
Esperanza de vida	47 años
Alfabetismo	58 %

ANGLOSAJÓN, NA adj. y s. Díc. del individuo procedente de los pueblos germánicos que invadieron Inglaterra. • m. Lengua germánica hablada por los a. de la que deriva el inglés.
ANGOL C. de Chile, en la región de la Araucanía; 39 800 hab. Agricultura, ganadería. Fundada en 1862.
ANGOLA Estado del centro-sur de África; Rep. Popular; limita con la República Democrática del Congo, Zambia, Botswana, Namibia y el Atlántico. Comprende una serie de altiplanicies, accidentadas en el S por las *serras.* Cuenta con numerosos r., entre ellos: Cuanza, Cunene, Cubango, etc. En el extremo S se extiende el desierto de Moçâmedes. Clima cálido en el litoral y suave en el interior. Café, caña de azúcar, sisal, algodón, mijo. Bovinos. Diamantes, petróleo, hierro, manganeso, sal. Lenguas: portugués (of.), bantúes y khoisán. *Rel.:* catolicismo, animismo, protestantismo. U. M.: kwanza. Cap.: Luanda. C. imp.: Huambo, Lobito, Benguela.
* *Hist.* Poblada por diversos pueblos bantúes; explorada y colonizada por Portugal. Desde 1961, grupos nacionalistas, agrupados pralm. en el MPLA (Mov. Popular de Liberación de Angola), sostuvieron una lucha de guerrillas por la indep. Estatuto de prov. desde 1951, y de «Estado» desde 1973. Caído el régimen salazarista, se formó un gobierno provisional (enero 1975) con miembros del MPLA, del FNLA (Frente Nacional de Liberación de Angola) y de UNITA (Unión Nacional para la Independencia Total de Angola), junto con representantes del gobierno port. La rivalidad política entre las organizaciones nacionalistas llevó a la guerra civil, que terminó en 1976 cuando el MPLA, con ayuda de tropas cubanas, pudo controlar todo el territorio. La guerrilla de la UNITA, que contaba con el apoyo de la Rep. Sudafricana, mantuvo el enfrentamiento con el gobierno hasta que en 1991 ambas partes firmaron la paz. La victoria de José Eduardo Dos Santos (MPLA) en las elecciones de 1992 no fue reconocida por el candidato de UNITA, Jonas Savimbi, iniciándose un nuevo período de inestabilidad. En 1997 se alcanzó un acuerdo que permitió la formación de un gobierno de unidad integrado por ministros del MPLA y UNITA y encabezado por Dos Santos.

Simón Bolívar, pral. artífice del Congreso de **Angostura,** celebrado en 1819

ANGOLANO, NA o **ANGOLEÑO, ÑA** adj. y s. De Angola.
ANGOR m. *Med.* Angina de pecho.
ANGORA adj. Díc. del gato, conejo o cabra originarios de Angora, y notables por su pelo largo y sedoso. • f. Lana de pelo sedoso y abundante.
ANGORRA f. Pieza de cuero o tela gruesa, destinada a defender las partes del cuerpo de roces o quemaduras.
ANGOSTO, TA adj. Estrecho o reducido. ■ ANGOSTAR.
ANGOSTURA f. Calidad de angosto. • Estrechura. • *Amér. Merid.* Árbol rutáceo de hojas siempre verdes, usado en medicina y en la elaboración de licores.
ANGOSTURA Nombre de Ciudad Bolívar hasta 1846. • Mun. de México en el est. de Sinaloa; 30 500 hab. Agricultura, salinas, curtidos. • **Congreso de A.** Celebrado en 1819 por iniciativa de Simón Bolívar; en él se estudiaron los proyectos de la Gran Colombia; Bolívar fue elegido presid. provisional y se redactó la Constitución.
ANGOSTURINA f. Alcaloide tóxico que se extrae de la angostura. Empleado en medicina.
ANGOUMOIS Comarca de Francia, en el N de la cuenca de Aquitania; cap., Angulema.
ANGRA f. Ensenada.
ANGRELADO, DA adj. Díc. de las piezas de heráldica, monedas y adornos de arquitectura que rematan en forma de picos.
ANGSTRÖM m. *Fís.* Unidad de longitud, submúltiplo del metro patrón y definida de la siguiente forma: 1 angström (Å) = 10^{-10} m.
ANGSTRÖM, ***Anders Jonas*** (1814-1874) Físico sueco. Realizó importantes investigaciones sobre el espectro solar.
ANGUARINA f. Gabán de paño burdo.
ANGUIANO, ***Ángel*** (1840-1921) Astrónomo mex. Director de Observatorio de Tacubaya. Intervino en la medición del arco del meridiano 98° 0 de Greenwich. • ***Raúl*** (nacido 1915) Pintor mex. Su temática se centra en temas sociales y de la vida de los indios.
ANGUIFORME adj. Que tiene forma de serpiente.
ANGUILA f. *Zool.* Pez osteíctio ápodo, de cuerpo cilíndrico cubierto de una sustancia viscosa. • *Mar.* Cada uno de los dos maderos que constituyen la base sobre la que se bota el buque al agua desde la grada. ■ ANGUILAZO.
ANGUILA *(Anguilla)* Isla del Caribe, al SE de Puerto Rico; 96 km^2, 7 000 hab. (negros y mulatos). Cap., The Valley. Pertenece al grupo de las Pequeñas Antillas y fue, hasta 1971, miembro de la Federación de San Cristóbal. Algodón, caña de azúcar. Dominio británico, tras un breve período de independencia (1967-1969), fue puesta de nuevo bajo control directo de Gran Bretaña.
ANGUILIFORME adj. Díc. de los peces osteíctios parecidos a la anguila. • m. pl. Orden de peces teleósteos, al que se aplica también el nombre de ápodos.
ANGUITA, ***Eduardo*** (nacido 1914) Escritor y poeta chil. Influido por Vicente Huidobro. *Antología de Vicente Huidobro, El poliedro y el mar, Venus en el pudridero.* • ***Julio*** (nacido 1941) Político esp. Miembro del Partido Comunista de España, en 1988 ocupó la secretaría general del partido, y fue coordinador general de Izquierda Unida entre 1988 y 1998.
ANGULA f. Última forma de la larva de la anguila.
ANGULEMA f. Lienzo de cáñamo o estopa.
ANGULEMA, ***Luis Antonio de Borbón***, DUQUE DE (1775-1844) Hijo de Carlos X de Francia. Dirigió la expedición de los Cien Mil Hijos de San Luis, contra España.
ÁNGULO m. *Geom.* Región del plano comprendida entre dos líneas que parten de un mismo punto.

• Figura formada por dos líneas que parten de un mismo punto. • Rincón entre dos paredes. • Esquina o arista. • fig. Aspecto, punto de vista. • **acimutal.** *Astr.* El comprendido entre el meridiano de un lugar y el plano vertical en que esté la visual dirigida a un astro. • **agudo.** *Geom.* El menor que el recto. • **alterno.** *Geom.* El formado por uno de los lados que definen el á. dado y una paralela al otro. • **complementario.** *Geom.* El que sumado con el á. dado da como resultado un á. recto. • **curvilíneo.** *Geom.* El formado por las tangentes a dos curvas en el punto en que se cortan. • **de ataque**. *Mil.* En un avión, el formado por la cuerda de un perfil del ala y la dirección de avance del aparato. • **de incidencia**. *Ópt.* El formado por un rayo de luz con la normal a la superficie en la que incide. • **de reflexión**. *Ópt.* El formado por un rayo de luz con la normal a la superficie sobre la que se ha reflejado. • **de refracción**. *Ópt.* El que forma un rayo refractado con la normal a la superficie de separación de los dos medios. • **de tiro**. *Mil.* El que forma la línea horizontal con el eje de la pieza. • **diedro.** *Geom.* El formado por dos planos que se cortan. • **esférico.** *Geom.* El formado sobre la superficie de una esfera por dos arcos de círculo máximo. • **exterior de un polígono**. *Geom.* El formado por un lado y la prolongación del adyacente. • **horario.** *Astr.* El á. diedro que forma el círculo meridiano del lugar con el círculo vertical del astro. • **llano.** *Geom.* El representado por un par de rectas alineadas. • **mixtilíneo o mixto**. *Geom.* El formado por una recta y una curva. • **muerto.** *Mil.* El que no tiene defensa ni está flanqueado. • **oblicuo.** *Geom.* El que no es recto. • **obtuso.** *Geom.* El que es mayor que un recto. • **poliedro.** *Geom.* El formado por tres o más planos que tienen un vértice común. • **rectilíneo.** *Geom.* El formado por dos rectas. • **recto.** *Geom.* El que forman dos líneas o dos planos que se cortan perpendicularmente. • **sólido.** *Geom.* El formado por la porción de superficie esférica limitada por un á. diedro sobre una esfera de radio unidad con centro en su vértice. • **suplementario.** *Geom.* El que sumado con el á. dado da como resultado un á. llano. • **triedro.** *Geom.* El formado por tres planos que concurren en un punto. ■ ANGULADO, DA; ANGULAR; ANGULOSO, SA.

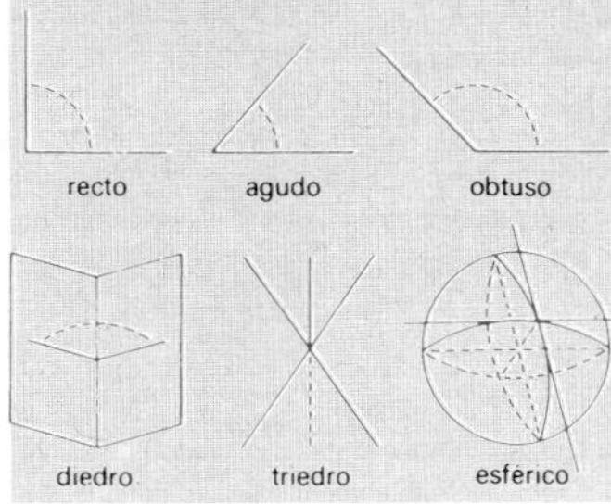

Diversos tipos de **ángulo**

ANGULO, Diego *Euclides* (1841-1917) Periodista y político conservador col. Ministro de Guerra y de Gobierno; presid. en 1908. • **Guridi, *Alejandro*** (1822-1906) Escritor, periodista y pedagogo dom. Ministro de Justicia e Instrucción Pública. *Temas políticos, Azotaina biográfica.* • **Y Heredia, *Antonio*** (1837-1873) Escritor y educador cub. *Estudio sobre Estados Unidos, Goethe y Schiller.*

ANGURRIA f. fam. Estangurria. • *Amér.* Gula. • *Amér.* Avaricia. ■ *Amér.* ANGURRIENTO, TA.

ANGUSTIA f. Sensación de congoja ante situaciones difíciles, arriesgadas o inseguras. • En la filosofía existencial, vivencia de la que arranca el conocimiento verdadero. ■ ANGUSTIADO, DA; ANGUSTIAR; ANGUSTIOSO, SA.

ANHELAR intr. Respirar con dificultad. • intr. y tr. Tener ansia de conseguir alguna cosa. ■ ANHELACIÓN; ANHELANTE; ANHELO; ANHELOSO, SA.

ANHÉLITO m. Respiración corta y fatigosa.

ANHÍDRIDO m. *Quím.* Nombre dado a los compuestos binarios de oxígeno con los no metales.

ANHIDRITA f. *Miner.* Sulfato de calcio que se presenta en forma de cristales prismáticos o pinacoidales.

ANHIDRO, DRA adj. *Quím.* Cuerpos en cuya estructura no hay moléculas de agua.

ANHIDROBIOSIS f. *Biol.* Anabiosis provocada por la deshidratación de los tejidos.

ANHIDROSIS f. *Med.* Disminución del sudor.

ANHÍMIDO, DA adj. y m. *Amér. Merid.* Díc. de aves anseriformes de plumaje apagado.

ANHWEI o **ANHUI** Prov. de la Rep. Popular China, en la región oriental; 130900 km^2, 56 180 813 hab. Cap., Hofei. Trigo, algodón, arroz, té, soja. Cría del gusano de seda. Hulla, hierro, cobre.

ANI m. *Amér. Merid.* Ave de la familia cucúlidos, con grueso pico y plumaje negro intenso.

ANÍBAL (247-183 a. C.) General cartaginés, hijo de Amílcar Barca. Inició la segunda guerra púnica. Venció en Tesino, Trebia, Trasimeno y Cannas a los cónsules rom. Escipión, Sempronio, Flaminio y Terencio. Fue derrotado en Zama (202) por Publio Cornelio Escipión. Firmada la paz, continuó gobernando Cartago. Denunciado por los magnates como enemigo de Roma, buscó refugio en Bitinia, donde se suicidó para no caer prisionero de los rom.

ANICETO (m. h. 165) Santo. Papa a fines del reinado de Antonino Pío.

ANIDAR intr. y prnl. Hacer nido las aves o vivir en él. • fig. Morar. • intr. Hallarse en una persona o cosa. • tr. fig. Abrigar.

ANIEGO m. Anegación.

ANILIDA f. *Quím.* Amida aromática originada al hervir un ácido carboxílico con anilina.

ANILINA f. *Quím.* Nombre común de la fenilamina. Se usa en la fabricación de colorantes, perfumes, resinas y medicamentos ($C_6H_5NH_2$). Es un veneno potentísimo.

ANILLA f. Anillo que sirve para colocar colgaduras o cortinas. • Anillo al cual se ata un cordón o correa para sujetar un objeto. • En los cigarros, vitola. • pl. Par de aros en los que se hacen ejercicios gimnásticos.

ANILLADO, DA adj. Díc. del cabello rizado. • Díc. de la pieza heráldica rematada por anillos. • adj. y m. *Zool.* Díc. de los animales cuyo cuerpo imita anillos.

ANILLAMIENTO m. Operación que con anillos se practica en los animales para imposibilitar la función de algunos órganos.

ANILLAR tr. Dar forma de anillo. • Sujetar con anillos. • Poner anillos en las patas de las aves, gralte. para estudiar sus migraciones.

ANILLO m. Aro pequeño. • Aro con que se adornan los dedos de la mano. • Camones que componen las ruedas hidraúlicas. • Sortija, rizo del cabello. • En los cigarros, vitola. • *Álg.* Estructura algebraica que se obtiene definiendo un conjunto de dos operaciones, tales que el conjunto sea un grupo abeliano respecto a la primera (*suma*) y un semigrupo respecto de la segunda (*producto*), y se cumple la propiedad distributiva de la segunda operación con respecto a la primera • *Arq.* Cornisa que sirve de base a la cúpula o media naranja. • Moldura que rodea un cuerpo cilíndrico. • *Quím.* Estructura molecular de una cadena cerrada de átomos. • *Zool* . Banda que divide el cuerpo de los insectos, gusanos u otros animales. • **conmutativo.** *Álg.* Aquél en el que la segunda operación es conmutativa. • **de acumulación**. *Fís.* Acelerador de partículas que hace colisionar frontalmente dos haces de protones, animados de velocidades opuestas. • **de interferencia**. *Ópt.* Franjas circulares y concéntricas, alternativamente claras y oscuras, que aparecen en los fenómenos de interferencia en láminas transparentes. • **de regulación**. *Ing.* Circuito que se cierra mediante retroacción. • **de Saturno**. *Astr.* Círculo que rodea este planeta, compuesto de tres coronas concéntricas opacas. • **del Pescador**. *Rel.* Sello del papa, que representa al apóstol san Pedro pescando. • **pastoral.** *Rel.* El que usan los prelados como insignia de dignidad. • **Venir** una cosa **como a. al dedo**. fr. fig. y fam. Ser dicha o hecha oportunamente.

ANILPIRINA f. *Quím.* Sustancia obtenida por fusión de la acetanilida y la antipirina. Se utiliza como antipirético y antineurálgico.

ÁNIMA f. Alma. • Alma del purgatorio. • *Arm.* Hueco o pared interior del cañón de un arma de fuego. • *Tecnol.* Cara plana normal a las alas de los perfiles laminados. • pl. Toque de campanas en las

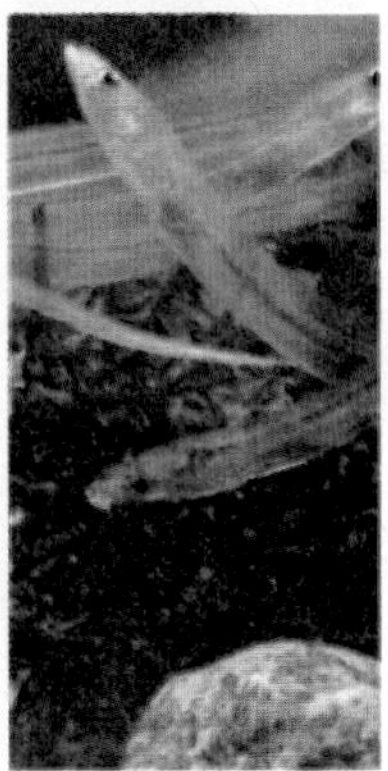
Angulas

Anhidrita

Aníbal

1

2

3

4

5

Distintos tipos de **animales.** 1. Protozoos. 2. Artrópodo. 3. Equinodermo. 4. Molusco. 5. Cordado

CLASIFICACIÓN DEL REINO ANIMAL HASTA LA DIVISIÓN CLASE

SUBREINO	GRADO	SERIE		TIPO	SUBTIPO	CLASE
Protozoos				Protozoos	Rizoflagelados	Flagelados, Rizópodos
Protozoos				Protozoos	Esporozoos	Esporozoos
Protozoos				Protozoos	Cilióforos	Ciliados
Metazoos	Parazoos			Poríferos		Calcosponjas, Hexactinélidas, Demosponjas
Metazoos	Eumetazoos	Radiados		Cnidarios		Hidrozoos, Escifozoos, Antozoos
Metazoos	Eumetazoos	Radiados		Ctenóforos		
Metazoos	Eumetazoos	Bilaterales	Protostomas			Mesozoos
Metazoos	Eumetazoos	Bilaterales	Protostomas	Platelmintos		Turbelarios, Trematodos, Cestodos
Metazoos	Eumetazoos	Bilaterales	Protostomas	Nemertinos		Anoploideos, Enoploideos
Metazoos	Eumetazoos	Bilaterales	Protostomas	Asquelmintos		Rotíferos, Gastrotricos, Quinorrincos, Priapuloideos, Nematodos, Nematomorfos
Metazoos	Eumetazoos	Bilaterales	Protostomas			Acantocéfalos, Entoproctos
Metazoos	Eumetazoos	Bilaterales	Protostomas	Tentaculados		Foronídeos, Briozoos, Braquiópodos
Metazoos	Eumetazoos	Bilaterales	Protostomas	Moluscos		Anfineuros, Gasterópodos, Escafópodos, Bivalvos, Cefalópodos
Metazoos	Eumetazoos	Bilaterales	Protostomas	Anélidos		Poliquetos, Oligoquetos, Hirudíneos
Metazoos	Eumetazoos	Bilaterales	Protostomas			Sipunculoideos, Equiuroideos
Metazoos	Eumetazoos	Bilaterales	Protostomas	Oncópodos		Onicóforos, Tardígrados, Linguatúlidos
Metazoos	Eumetazoos	Bilaterales	Protostomas	Artrópodos	Trilobites (†)	
Metazoos	Eumetazoos	Bilaterales	Protostomas	Artrópodos	Quelicerados	Merostomas, Pantópodos, Arácnidos
Metazoos	Eumetazoos	Bilaterales	Protostomas	Artrópodos	Mandibulados	Crustáceos, Quilópodos, Diplópodos, Paurópodos, Sínfilos, Insectos
Metazoos	Eumetazoos	Bilaterales	Deuterostomas			Quetognatos
Metazoos	Eumetazoos	Bilaterales	Deuterostomas	Equinodermos	Pelmatozoos	Cistoideos (†), Blastoideos (†), Crinoideos
Metazoos	Eumetazoos	Bilaterales	Deuterostomas	Equinodermos	Eleuterozoos	Holoturoideos, Asteroideos, Ofiuroideos, Equinoideos
Metazoos	Eumetazoos	Bilaterales	Deuterostomas	Hemicordados		Pterobranquios, Enteropneustos
Metazoos	Eumetazoos	Bilaterales	Deuterostomas	Graptolites (†)		
Metazoos	Eumetazoos	Bilaterales	Deuterostomas	Cordados	Tunicados	Ascidiáceos, Taliáceos, Larváceos
Metazoos	Eumetazoos	Bilaterales	Deuterostomas	Cordados	Cefalocordados	
Metazoos	Eumetazoos	Bilaterales	Deuterostomas	Cordados	Vertebrados	Ostracodermos, Ciclóstomos, Placodermos (†), Condrictios, Osteíctios, Anfibios, Reptiles, Aves, Mamíferos

iglesias para que los fieles recen por las almas del purgatorio.
ANIMACIÓN f. Expresión en las acciones, palabras o movimentos. • Concurrencia de gente. • Alegría.
ANIMADO, DA adj. Dotado de alma. • Alegre. • Concurrido.
ANIMADOR, RA adj. y s. Que anima. • m. y f. Cantante que actúa acompañado por una orquesta de baile. • *Amér.* Persona cuya profesión consiste en organizar fiestas o reuniones.
ANIMADVERSIÓN f. Enemistad. • Crítica.
ANIMAL adj. Relativo al animal. • Relativo a la parte sensitiva de un ser viviente, a diferencia de la parte racional o espiritual. • fig. y s. Persona incapaz o muy ignorante. • m. *Zool.* Ser orgánico que vive, siente y se mueve por propio impulso. • Animal irracional. • Bicho. • **doméstico.** El que por su condición vive en compañía del hombre.
* *Zool.* La delimitación del concepto de animal sólo es evidente para las formas evolucionadas. En los grupos de organización sencilla, es difícil precisar si un organismo concreto es un a. o una planta. La mayoría de los a. pueden caracterizarse por su organización celular compleja y su heterotrofismo, que implica la necesidad de un sistema completo de guía y control de sus movimientos: el sistema nervioso. Este sistema, que controla no sólo el movimiento, sino la totalidad de las funciones orgánicas, es ayudado por un sistema químico de regulación: el sistema hormonal o endocrino. ■ ANIMALIDAD.
ANIMALADA f. fam. Dicho o hecho necio.
ANIMALIZAR tr. y prnl. Convertir los alimentos en materia apta para la nutrición. • prnl. Embrutecerse. ■ ANIMALIZACIÓN.
ANIMAR tr. Vivificar el alma al cuerpo. • Infundir vigor. • Infundir energía moral. • Excitar a una acción. • En obras de arte, hacer que parezcan dotadas de vida. • Dotar de movimiento a cosas inanimadas. • tr. y prnl. Dar movimiento y vida a un concurso de gente o a un paraje. • intr. Vivir. • prnl. Atreverse. • prnl. Ponerse alegre.
ANIME m. Curbaril. • Resina de esta planta.
ANIMERO m. El que pide limosna para sufragio de las ánimas del purgatorio.
ANÍMICO, CA adj. Psíquico.
ANIMISMO m. Doctrina que considera al alma como principio de acción de los fenómenos vitales. • Atribución de espíritu a todas las cosas. • Culto a los espíritus entre los pueblos primitivos. ■ ANIMISTA.
ANIMITA f. *Cuba.* Luciérnaga, insecto.
ÁNIMO m. Alma. • Valor, energía. • Intención. • fig. Atención o pensamiento. • **¡Ánimo!** interj. para alentar a alguien. ■ ANIMOSIDAD.
ANIMOSIDAD f. Aversión, ojeriza.
ANIÑADO, DA adj. Díc. del que se parece a los niños.
ANIÑARSE prnl. Comportarse como un niño.
ANIÓN m. En los fenómenos de electrólisis, ion portador de carga negativa que se desplaza hacia el ánodo o electrodo positivo. ■ ANIÓNICO, CA.
ANIQUILACIÓN f. *Fís.* Proceso de interacción de una partícula elemental con su antipartícula.
ANIQUILAR tr. y prnl. Reducir a la nada. • fig. Destruir enteramente. • prnl. fig. Deteriorarse mucho alguna cosa. ■ ANIQUILADOR, RA; ANIQUILAMIENTO.
ANÍS m. Planta umbelífera, de flores pequeñas y blancas, con frutos pequeños y ovoidales, muy ricos en anetol, y semillas aovadas, verdosas, menudas, aromáticas y de sabor agradable. • Grano de anís con baño de azúcar. • fig. Aguardiente anisado. ■ ANISADO, DA; ANISAR.
ANISETE m. Licor compuesto de aguardiente, azúcar y anís.
ANISODONTE adj. *Zool.* De dientes desiguales.
ANISÓFILO, LA o **ANISOFILO, LA** adj. *Bot.* De hojas desiguales.
ANISOGAMIA f. *Biol.* Anfigonia en la que los gametos provenientes de uno de los sexos son distintos de los del sexo opuesto.
ANISOL m. *Quím.* Éter grasoaromático bencilmetílico. Se obtiene por tratamiento del fenol con sulfato de metilo y álcalis.
ANISÓMERO, RA adj. *Biol.* Díc. del órgano formado por partes desiguales.
ANISOTROPÍA f. *Crist.* Propiedad característica de la materia cristalina según la cual la intensidad de una o varias propiedades vectoriales varía según las diferentes direcciones. ■ ANISÓTROPO, PA.
ANIVERSARIO, RIA adj. Anual. • Día en que se cumplen años de algún suceso.
¡ANJÁ! *Ant. Col.* y *Ven.* interj. fam. usada para asentir.
ANJEO m. Especie de lienzo basto.
ANJOU Región histórica del O de Francia, en el bajo Loira. Cap. Angers. Vinos afamados.
ANJOU, *Casas de* Nombre de tres familias nobles. De la *primera casa de A.* procedieron los Plantagenet. Una de las ramas de la *segunda casa de A.* heredó el Imperio Latino de Constantinopla. La *tercera casa de A.* estaba emparentada con los Valois.
ANKARA Cap. de Turquía, en Anatolia; 2 251 500 hab. Centro com. Ind. textil, de cemento. Universidad, museos.
ANNABA C. de Argelia; 256 000 hab. Ind. siderúrgica.
ANNAM Región histórica del Vietnam, sit. en el centro del país, a orillas del mar de la China Meridional. En 1803 el término A. se cambió por el de Vietnam.
ANNAMITA adj. y s. De Annam.
ANNAMITA, *cordillera* Sist. montañoso en el límite entre el Vietnam central y Laos. Llega por el S hasta el mar.
ANNAN, *Kofi* (nacido 1938) Diplomático ghanés. En 1997 sustituyó a Butros Ghali como secretario general de la ONU. Premio Nobel de la Paz en 2001.
ANNAPOLIS C. de EE UU, cap. del est. de Maryland; 27 100 hab. Academia naval.
ANNAPURNA Pico del Himalaya, en el Nepal; 8 078 m. Primera cumbre de más de 8 000 m pisada por el hombre (fr. Herzog y Lachenal, en 1950).
ANNUNZIO, *Gabriele d'* (1863-1938) Escritor it. de estilo barroco. *El placer, El inocente, El triunfo de la muerte, El fuego, El martirio de san Sebastián.* Poeta oficial de la Italia mussoliniana.
ANO m. Abertura del aparato digestivo al ext. del organismo por la que se expulsan los excrementos.
AÑOA f. Especie de búfalo pigmeo de las islas Célebes.
ANOBIO, BIA adj. Díc. de los coleópteros xilófagos llamados vulgarmente carcoma.
ANOCHE adv. tiempo. En la noche de ayer.
ANOCHECEDOR, RA adj. y s. Que se recoge tarde.
ANOCHECER intr. Empezar a faltar la luz del día, venir la noche. • Llegar o estar en un paraje, situación o condición determinados, al empezar la noche. • m. Tiempo durante el cual anochece. • **Al anochecer.** m. adv. Al acercarse la noche.
ANOCHECIDA f. Anochecer.
ANOCHECIDO adv. tiempo. Al empezar la noche.
ANODINIA f. *Med.* Falta de dolor.
ANODINO, NA adj. y m. *Med.* Que sirve para templar o calmar el dolor. • adj. Insignificante, ineficaz, insustancial.
ANODIZACIÓN f. Tratamiento electroquímico del aluminio y otros metales por el que se les recubre de una capa anticorrosiva. ■ ANODIZAR.
ÁNODO m. *Fís.* Polo positivo de un generador electrolítico. • Electrodo positivo. ■ ANÓDICO, CA.
ANOEDO, *Rodolfo* (1857-1941) Pintor bras. de temas religiosos e históricos.
ANÓFELES adj. y s. Díc. de los mosquitos cuyas hembras transmiten el paludismo.
ANOLIS m. *Zool. Amér.* Género de iguánidos. Comprende unas 350 especies de saurios, capaces, como el camaleón, de cambiar su pigmentación.
ANOMALÍA f. Irregularidad. • Particularidad orgánica de un individuo con respecto a la mayoría de los de su especie. • *Astr.* Distancia angular de un planeta a su perigeo. • *Psic.* Desviación importante con respecto al comportamiento de un grupo de individuos en una determinada situación. ■ ANÓMALO, LA.
ANOMIA f. *Soc.* Falta de normas.
ANOMURO, RA adj. Relativo a un grupo de crustáceos. • m. pl. *Zool.* Suborden de crustáceos decápodos cuyo último par de patas es menor que los demás.
ANÓN m. Anona, arbolito.
ANONA f. Provisión de víveres. • *Bot.* Arbolito anonáceo, de flores de color blanco amarillento, solitarias, y fruto como una manzana.

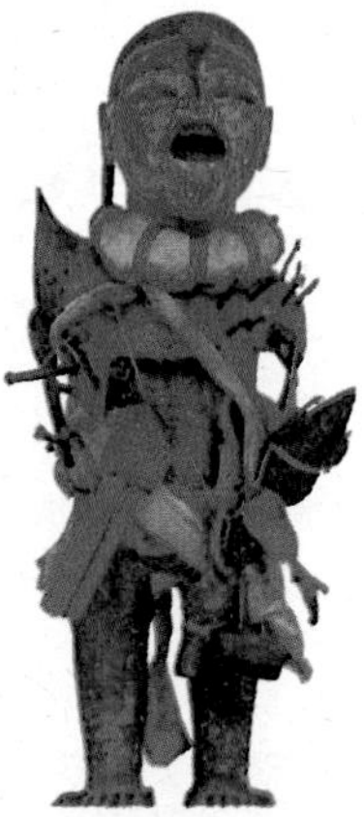
Fetiche usado en prácticas de **animismo**

Anís

Gabriele d'**Annunzio**

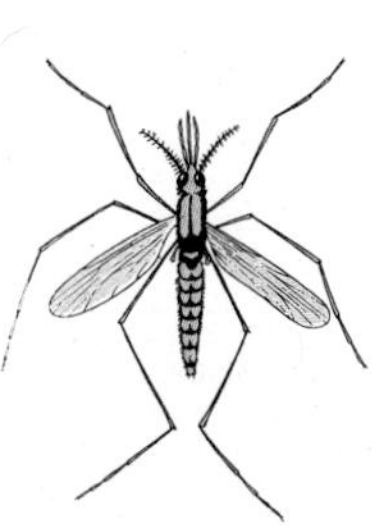
Anófeles

Ánsar

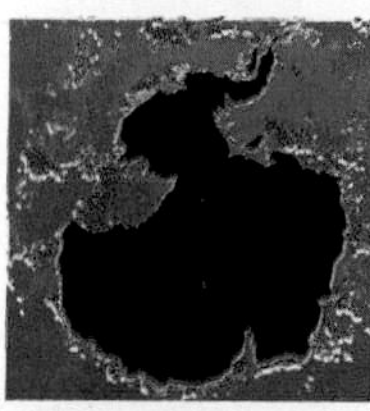

Antártida. Arriba, imagen de satélite en colores falsos; sobre estas líneas, pájaros bobos, aves que crían en el polo Sur

ANONÁCEO, A adj. y f. *Bot.* Árboles y arbustos dicotiledóneos que tienen hojas alternas simples y enteras, flores casi siempre axilares, y fruto a menudo en baya, como la anona.

ANONADADOR, DORA adj. Que anonada.

ANONADAR tr. y prnl. Reducir a la nada alguna cosa. • tr. fig. Disminuir mucho alguna cosa. • tr. y prnl. fig. Humillar. ■ ANONADACIÓN; ANONADAMIENTO.

ANONCILLO m. *Amér.* Nombre de diversos árboles anonáceos, de fruto sabroso.

ANONIMIA f. Carácter o condición de anónimo, dicho de la obra que no lleva el nombre del autor y de este cuando no es conocido.

ANÓNIMO, MA adj. y m. Díc. de una obra literaria, pictórica, etc., cuyo autor se desconoce. • m. Autor cuyo nombre no es conocido. • m. Escrito en que no se expresa el nombre del autor. ■ ANONIMATO; ANONIMIA.

ANOPLURO, RA adj. y m. *Zool.* Díc. de insectos chupadores ápteros, sin apéndices en el abdomen.

ANOPSIA f. *Med.* Ceguera. • Tipo de estrabismo en el que se da la desviación del globo ocular hacia arriba.

ANORAK (voz esquimal) m. Chaquetón impermeable propio de esquiadores y montañeros.

ANOREXIA f. *Pat.* Falta de apetito.

ANORMAL adj. Que se halla fuera de su natural estado, o de las condiciones que le son inherentes. • com. Persona cuyo desarrollo es inferior al que corresponde a su edad. ■ ANORMALIDAD.

ANORTITA f. Silicato de aluminio y calcio, que cristaliza en el sistema triclínico.

ANORTOSITA f. Roca intrusiva básica constituida esencialmente por plagioclasa cálcica y minerales máficos.

ANORZA f. Nueza blanca, planta.

ANOSCOPIO m. Espéculo que se utiliza para realizar el examen médico de la porción inferior del recto.

ANOSMIA f. *Med.* Disminución del olfato.

ANOTADOR, RA adj. y s. Que anota. • *Cin.* Ayudante del director que se encarga de apuntar durante el rodaje de una película todos los pormenores de cada escena.

ANOTAR tr. Poner notas. • Apuntar. ■ ANOTACIÓN.

ANOTICIAR tr. y prnl. *Argent.* Dar noticia, hacer saber alguna cosa.

ANOUILH, *Jean* (1910-1987) Dramaturgo fr. *La alondra, Becket o el amor de Dios.*

ANOVELADO, DA adj. Que participa de los caracteres de la novela.

ANOVULACIÓN f. *Pat.* Cesación o suspensión de la ovulación.

ANOVULATORIO, RIA adj. y m. Que impide la ovulación. • m. Fármaco que bloquea la secreción de la hormona gonadotropina foliculoestimulante de la hipófisis, impidiendo la ovulación. Se usa como anticonceptivo.

ANOXEMIA f. *Med.* Trastorno sanguíneo que ocasiona una disminución del oxígeno circulante. Origina la anoxia.

ANOXIA f. Déficit de oxígeno en los tejidos orgánicos.

ANQUEAR intr. *Amér.* Mover el caballo las ancas lateralmente.

ANQUETIL, *Jacques* (1934-1987) Ciclista fr. Ganador de muchos títulos europeos (*Tour, Giro* y *Vuelta* a España).

ANQUIALMENDRADO, DA adj. Se dice de la caballería que tiene las ancas muy estrechas, de modo que la grupa va en punta hacia la cola.

ANQUIDERRIBADO, DA adj. Se dice de la caballería que tiene la grupa alta y en declive hasta la parte superior del maslo.

ANQUILOSAR tr. Producir anquilosis. • prnl. fig. Detenerse una cosa en su progreso. ■ ANQUILOSAMIENTO.

ANQUILOSIS f. *Med.* Disminución o imposibilidad de movimiento en una articulación.

ANQUISES Príncipe troyano, amado, según la leyenda por Afrodita, de quien tuvo a Eneas.

ANSA f. Hansa.

ÁNSAR m. Ave anátida, de pico cónico y muy fuerte en la base; tarsos robustos y pies rojizos, con membranas interdigitales. • Ganso. ■ ANSARINO, NA.

ANSCHLUSS (al., *Unión*) Movimiento político al. que preconizaba la anexión de Austria, la cual se realizó en 1938.

ANSELMO (1033-1109) Santo. Teólogo benedictino, it., arzobispo de Canterbury.

ANSERIFORME adj. y s. Díc. de aves acuáticas caracterizadas por tener un pico ancho y dedos unidos por una membrana.

ANSERMET, *Ernest* (1883-1969) Director de orquesta, compositor y musicólogo suizo.

ANSIA f. Congoja que causa en el cuerpo inquietud violenta. • Aflicción del ánimo. • Anhelo. • pl. Náuseas. ■ ANSIAR; ANSIOSO, SA.

ANSIEDAD f. Estado de inquietud del ánimo. • *Med.* Angustia que suele acompañar a muchas enfermedades.

ANTA f. Alce. • *Amér. Merid.* Tapir. • Menhir. • Pilastra embutida en un muro, del cual sobresale, y que tiene delante una columna. • Pilastra que se levantaba a los costados de la puerta de la fachada de los edificios.

ANTAGONISMO m. Contrariedad, oposición en doctrinas y opiniones. ■ ANTAGÓNICO, CA.

ANTAGONISTA com. Persona o cosa contraria a otra. • adj. Díc. de los músculos que en una misma región anatómica obran en sentido contrario. • *Anat.* Díc. de los nervios que animan funciones contrarias en un mismo órgano.

ANTAKYA Nombre turco de → Antioquía.

ANTALYA C. de Turquía, a orillas del Mediterráneo; 258 100 hab. Centro com. y turístico.

ANTANANARIVO Cap. de Madagascar; 1 050 000 hab. Centro comercial y cultural.

ANTAÑO adv. tiempo. En el año que precedió al corriente. • P. ext., en tiempo antiguo.

ANTARA f. *Perú.* Zampoña.

ANTARA *Ibn Saddad* (ss. V-VI) Legendario poeta y guerrero ár. Protagonista del libro de caballería árabe *Romance de Antar.*

ANTARES Estrella de primera magnitud de la constelación de Escorpión.

ANTÁRTICO, CA adj. *Astr.* y *Geog.* Cercano o relativo al polo antártico. • P. ext., meridional. • Relativo a la Antártida.

ANTÁRTICO, *océano* Mar que rodea la Antártida, y limita con el Pacífico, el Atlántico y el Índico. Se distinguen tres cuencas: la pacífico-antártica cuenta con fosas de más de 5 000 m de media; incluye los mares de Ross, Amundsen y Bellingshausen; la dorsal de las Shetland marca la transición a la cuenca antártico-africana, con el mar de Weddell; y la antártico-australiana, separada de la anterior por la dorsal de las Kerguelen, y de la primera cuenca por el mar de D'Urville y la dorsal australiana. En Argentina la denominación of. de este mar que rodea la Antártida es océano Atlántico Sur.

ANTÁRTIDA Continente sit. en el polo Sur o Antártico; 14 107 637 km². Constituye una enorme masa de configuración parecida a la del continente amer., aunque las observaciones vía satélite parecen indicar que la región occidental constituye un arch. de grandes islas soldadas por el hielo al resto del continente. Se consideran dependencias suyas diversos arch. e islas del océano Antártico (Orcadas del Sur, Shetland del Sur, arch. Palmer, isla Pedro I, islas Balleny, Auckland, Campbell, Macquarie, Kerguelen, Príncipe Eduardo, isla Bouvet). Está separada de Sudamérica por el pasaje de Drake (880 km), que se halla entre la Península Antártica y la isla Grande de Tierra del Fuego. La A. por convención, se divide en cuatro cuadrantes: a) el americano o de Weddel (0° a 90° long. O); b) el africano o de Enderby (0° a 90° long. E); c) el pacífico o de Ross (90° a 180° long. O); el australiano o de Victoria (90° a 180° long. E).

* *Geog.* Comprende una serie de vastísimas altiplanicies configuradas por la enorme acumulación de hielo y en cuyos bordes sobresalen cadenas montañosas de considerable alt. (la mayor, el monte Vinson, alcanza 5 140 m). En la zona del mar de Ross existen bastantes conos volcánicos, entre los que destacan el Erebus (3 794 m) y el Terror. La abundancia de plancton ha atraído tradicionalmente ballenas a la zona. Están muy difundidos los pájaros bobos y las focas, máx. representación de la

vida animal en tierra firme, que obtienen su alimento del mar. Las plantas terrestres consisten en líquenes, algas, etc., aunque se encuentran algunas plantas fanerógamas, todas ellas al N del círculo polar.

* *Hist.* El descubrimiento y la exploración se realizó en las siguientes etapas: a) reconocimiento costero (1773-1842), realizado por Cook, Bellingshausen, Biscoe, Weddell, Dumont D'Urville y Ross; b) comprobación de la existencia del continente (1902-1909), por Scott, Doygalski y Shackleton; c) penetración interior (1911-1958) por Amundsen (llega al polo Sur en diciembre 1911), Scott (enero 1912), E. Hillary y V. Fuchs; d) instalación de bases científicas, a partir del Año Geofísico Internacional (1957-1958). El tratado Antártico (diciembre 1959) abrió el continente a la investigacón y la cooperación internacionales y prohibió la militarización del mismo.

ANTÁRTIDA ARGENTINA Porción del territorio arg. ubicado en el continente antártico. Forma parte de una prov. arg. junto con → la Tierra del Fuego y las Islas del Atlántico Sur. Los límites de la Antártida Argentina se sitúan entre los paralelos 60° y 90° de latitud S y los meridianos 25° y 74° de longitud O.

ANTE prep. En presencia de, delante de. • En comparación, respecto de. • m. Alce, cuadrúpedo. • Búfalo. • Piel de ante. • *Guat.* Almíbar de harina de garbanzos, etc. • *Méx.* Postre de bizcocho, coco y almendra. • *Perú.* Bebida de frutas, vino, etc.

ANTE MERÍDIEM exp. latina. Antes del mediodía.

ANTEADO, DA adj. De color de ante. • *Méx.* Estropeado, averiado, invendible.

ANTEALTAR m. Espacio contiguo al altar.

ANTEANOCHE adv. tiempo. En la noche de anteayer.

ANTEAYER adv. tiempo. En el día que precedió inmediatamente al de ayer.

ANTEBRAZO m. Parte del brazo desde el codo hasta la muñeca. • Brazuelo de los cuadrúpedos.

ANTEBURRO m. *Zool.* Tapir de México.

ANTECAMA f. Especie de tapete para ponerlo delante de la cama.

ANTECÁMARA f. Pieza delante de las salas prales. de un palacio. • Pieza delante de la cámara donde se recibe.

ANTECEDENCIA f. Antecedente, acción o dicho anterior. • Ascendencia. • Precedencia.

ANTECEDENTE adj. Que antecede. • m. Acción, dicho o circunstancia anterior, que sirve para juzgar hechos posteriores. • *Gram.* El primero de los términos de la relación gramatical. • *Gram.* Nombre, pronombre u oración a que hacen referencia los pronombres relativos. • *Lóg.* Proposición de la que otra es consecuente. • *Mat.* Primer término de una razón.

ANTECEDER tr. Preceder.

ANTECESOR, RA adj. Anterior en tiempo. • m. y f. Persona que precedió a otra en una dignidad, empleo, etc. • m. Antepasado, ascendiente.

ANTECLÁSICO, CA adj. Anterior al arte o literatura clásicos.

ANTECO, CA adj. y m. pl. *Geog.* Díc. de los moradores del globo terrestre que ocupan puntos a igual distancia del ecuador, pero unos por la parte septentrional y otros por la meridional.

ANTECOCINA f. Pieza o habitación que precede a la cocina.

ANTECORO m. Pieza situada delante del coro, entre éste y el altar mayor.

ANTEDATA f. Fecha falsa de un documento, anterior a la verdadera. ■ ANTEDATAR.

ANTEDECIR tr. Predecir. ■ ANTEDICHO, CHA.

ANTEDESPACHO m. Pieza situada delante del despacho pral. de una casa.

ANTEDÍA adv. tiempo. Antes de un día determinado.

ANTEDILUVIANO, NA adj. Anterior al diluvio universal. • fig. Antiquísimo.

ANTEFIJA f. Motivo ornamental que constituye el coronamiento de las cornisas. • Alero de un tejado.

ANTEFIRMA f. Fórmula del tratamiento que se pone antes de la firma. • Denominación del firmante de un documento, antes de la firma.

ANTEHISTÓRICO, CA adj. Prehistórico.

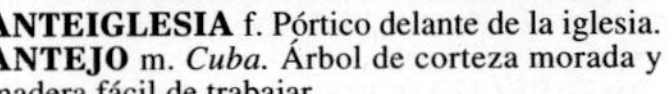

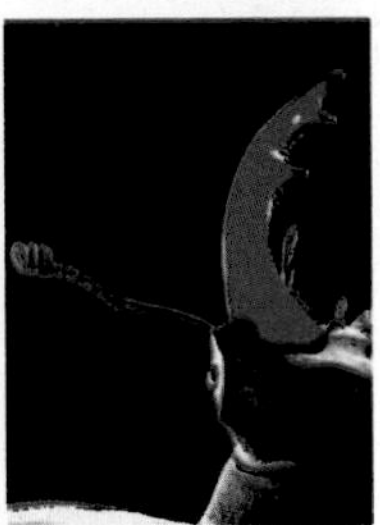

Distintos tipos de **antenas:** izquierda, de mariposa; derecha, de ciervo volante

ANTEIGLESIA f. Pórtico delante de la iglesia.

ANTEJO m. *Cuba.* Árbol de corteza morada y madera fácil de trabajar.

ANTEJUICIO m. *Der.* Trámite previo establecido como garantía en favor de jueces y magistrados, en el que se decide si ha lugar a proceder criminalmente contra ellos por razón de su cargo.

ANTELACIÓN f. Anticipación con que, en orden al tiempo, sucede una cosa respecto a otra.

ANTELAMI, *Benedetto* (h. 1150-h. 1220) Escultor it. El *Descendimiento* de la catedral de Parma, *El martirio de san Andrés.*

ANTELAR tr. *Amér.* Anticipar.

ANTELLEVAR tr. *Méx.* Llevar ante sí.

ANTEMANO (*De*) m. adv. Con anticipación.

ANTEMENCIONADO, DA adj. Mencionado anteriormente.

ANTEMERIDIANO, NA adj. Anterior al mediodía. • *Astr.* Cualquier punto del paralelo de un astro anterior al de intersección con el meridiano.

ANTEMIO, *Procopio* (m. 472) Emperador rom. de Occidente [467-472], nombrado por León I de Oriente. • **De Tralles** (primera mitad s. VI) Arquitecto bizantino originario de Asia Menor. Iglesia de Santa Sofía en Constantinopla.

ANTEMURAL m. Fortaleza o montaña que sirve de defensa. • fig. Defensa.

ANTENA f. Entena. • *Electr.* Dispositivo para la captación o emisión de radiaciones electromagnéticas. • *Zool.* Apéndice articulado situado en la cabeza de muchos artrópodos.

* *Ing.* Fundamentalmente, una a. es un conductor metálico conectado a tierra por uno de sus extremos y en el que se intercala, cerca de dicha conexión, un generador de alta frecuencia, ajustable o sintonizable. Existen a. de muy diversos tipos, según las exigencias en términos de amplitud de banda, directividad, etc.; cuando se requiere alta directividad, se recurre a las a. *parabólicas,* que concentran en un punto (el foco de la parábola de sección media) todas las radiaciones que inciden en su plato perpendicularmente.

Antena parabólica para telecomunicaciones vía satélite

ANTENADO, DA adj. y m. *Zool.* Díc. de artrópodos que poseen antenas, mandíbulas, maxilares y ojos compuestos.

ANTENOCHE adv. tiempo. Anteanoche.

ANTENOMBRE m. Nombre o calificativo que se pone antes del nombre propio.

ANTENOR (s. VI a. C.) Escultor gr., autor del grupo de Harmodio y Aristogitón. • *Mit.* Príncipe troyano. Según la leyenda, fundó Patavium, actual Padua.

ANTENUPCIAL adj. Anterior a las nupcias.

ANTEO *Mit.* Gigante hijo de Neptuno y de Gea.

ANTEOJERA f. Caja en que se guardan anteojos. • Pieza de cuero que se coloca junto a los ojos de las caballerías para que no vean por los lados.

ANTEOJO m. Instrumento óptico para ver objetos lejanos. • Cada una de las dos piezas convexas de vaqueta que ponen delante de los ojos a los caballos. • pl. Instrumento óptico que sirve para mirar a lo lejos con ambos ojos. • Instrumento óptico con un armazón que permite tenerlo sujeto delante de los ojos para corregir los defectos de visión. • **astronómico.** Sistema óptico formado por un objetivo de gran distancia focal y un ocular de poca distancia focal, ambos convergentes y dispuestos de tal modo que los focos del sistema se hallan en el infinito. • **de estrella.** *Mar.* El de pequeño tamaño que se coloca en los instrumentos de reflexión usados a bordo para observar las alturas de las estrellas. • **de**

Anteojo usado por Galileo. Museo de Historia de la Ciencia, Florencia

Galileo. El terrestre. • **de pasos**. El colocado sobre un eje horizontal y en el plano meridiano, destinado a observar la culminación de los astros. • **directo.** El terrestre. • **doble.** Astrógrafo. • **inverso.** El que invierte la imagen de los objetos. • **meridiano.** Anteojo de pasos • **prismático.** Instrumento óptico para ver objetos lejanos. • **reflector.** Telescopio. • **terrestre.** El que, como el astronómico, consta de un objetivo y un ocular dispuestos de tal forma que el sistema es afocal. ■ ANTEOJERO, RA.

Anteras abiertas de una inflorescencia de pita

ANTEPALCO m. Espacio o pieza que da ingreso a un palco.

ANTEPASADO, DA adj. Dicho de tiempo, anterior a otro tiempo pasado ya. • m. Abuelo o ascendiente. Suele usarse en pl. • **Culto de los a.** Culto que se basa en la fe en la supervivencia del alma y en la necesidad de que los descendientes la atiendan de modo ritual.

ANTEPECHO m. Pretil para evitar caídas. • Reborde inferior de las ventanas. • Parapeto. • Correa que se coloca delante del pecho de las caballerías para que no se lastimen.

ANTEPENÚLTIMO, MA adj. Inmediatamente anterior al penúltimo.

ANTEPONER tr. y prnl. Poner delante; poner inmediatamente antes. • Preferir, estimar más.

ANTEPORTADA f. Hoja que precede a la portada de un libro.

ANTEPROYECTO m. Conjunto de trabajos preliminares para redactar el proyecto de una obra de arquitectura o de ingeniería. • P. ext., redacción provisional de una ley, programa, etc.

ANTEPUERTA f. Repostero o cortina que se pone delante de una puerta. • Puerta interior o segunda que cierra la entrada de una fortaleza.

ANTEPUERTO m. Terreno elevado que en las cordilleras precede al puerto.

ANTEQUERA Mun. de España, en la prov. de Málaga; 40 732 hab.

ANTEQUERA y Castro, ***José de*** (1689-1731) Jurista y político pan. Juez de Charcas en el conflicto entre los criollos, los jesuitas y el gobernador de Asunción por las encomiendas, que originó la rev. de los comuneros del Paraguay.

ANTERA f. *Bot.* Parte final del estambre de las flores.

ANTERIDIO m. *Bot.* Órgano vegetal que alberga los gametos masculinos o anterozoides de las plantas.

ANTERIOR adj. Que precede en lugar o tiempo. ■ ANTERIORIDAD.

ANTEROZOIDE m. *Bot.* Célula reproductora masculina de las criptógamas y de las fanerógamas inferiores.

ANTES adv. tiempo y lugar que denota prioridad de tiempo o lugar. Se antepone con frecuencia a las partículas *de* y *que.* • adv. de orden que denota prioridad o preferencia. • conj. adversativa que denota idea de contrariedad y preferencia en el sentido de una oración respecto del de otra. • Hablando del tiempo o sus divisiones, se suele usar como adjetivo por lo mismo que antecedente o anterior.

ANTESALA f. Pieza delante de la sala o salas principales de una casa.

ANTEVER tr. Prever.

ANTEVÍSPERA f. Día inmediatamente anterior al de la víspera.

ANTIACADÉMICO, CA adj. Que va contra las academias o el academicismo.

ANTIÁCIDO, DA adj. y m. Díc. de la sustancia que neutraliza o reduce la acidez.

ANTIAÉREO, A adj. y m. Relativo a la defensa contra aviones militares.

ANTIALCOHÓLICO, CA adj. Opuesto al alcoholismo, o que es eficaz contra él.

ANTIARTÍSTICO, CA adj. Contrario a las reglas del arte o a la estética.

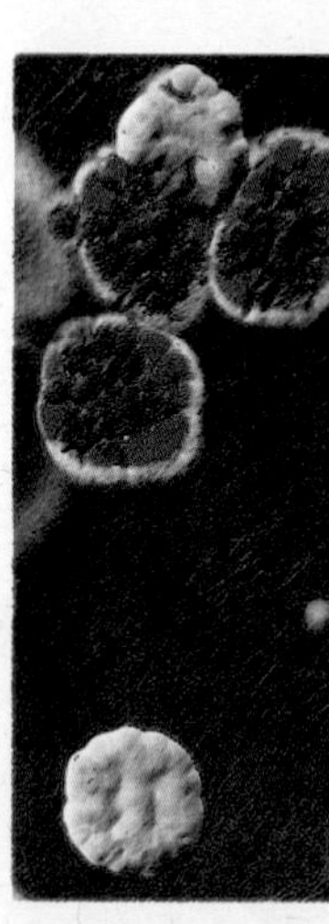

Antibiótico. Colonias de mohos

ANTIARTRÍTICO, CA adj. *Med.* Medicamento o tratamiento contra el artritismo.

ANTIASMÁTICO, CA adj. y m. *Med.* Que previene o combate el asma.

ANTIATLAS *(Atlas es-Saghir)* Cord. herciniana del S de Marruecos. Alt. máx.: Adrar N'Aklim (2 531 m).

ANTIATÓMICO, CA adj. Que se opone o protege de los efectos de cualquier radiación.

ANTIAUXINA f. *Biol.* Sustancia que antagoniza la acción de las → auxinas en los vegetales, impidiendo su crecimiento normal.

ANTIBABY (voz ing.) adj. Anticonceptivo.

ANTIBAQUIO m. Pie de las métricas gr. y latina, que consta de dos sílabas largas y una breve.

ANTIBIÓTICO, CA adj. y m. *Biol.* y *Med.* Díc. de la sustancia producida por algunos organismos vivientes que destruye las bacterias y otros microorganismos. • adj. Relativo a la acción de estas sustancias.

* *Med.* La penicilina, el primero de los a. conocidos, fue descubierta por A. Fleming en 1929, observando un cultivo de un moho del género *penicillium.* Después se descubrió la estreptomicina, a la que siguió, a partir de 1948, una larga serie de nuevos a. Más recientemente, se ha logrado obtenerlos por vía sintética. El esfuerzo para desarrollar nuevos a. es constante y se ve estimulado por las resistencias que se desarrollan en los gérmenes con el uso masivo de a., cuya acción terapéutica se basa en un mecanismo de interferencia: merced a su afinidad química con una sustancia indispensable para el metabolismo del germen desplazan a ésta y bloquean así los procesos de la célula microbiana.

ANTIBLÁSTICO m. *Farm.* Sustancia de toxicidad específica elevada respecto a las células cancerosas. Utilizada en el tratamiento de las neoplasias.

ANTICANCEROSO, SA adj. Díc. del medicamento o tratamiento contra el cáncer.

ANTICANÓNICO, CA adj. Opuesto a los cánones eclesiásticos.

ANTICAPITALISTA adj. y s. Contrario al capitalismo.

ANTICARRO adj. Opuesto a la acción de los vehículos blindados.

ANTICATARRAL adj. *Med.* Que combate el catarro.

ANTICÁTODO m. Nombre dado al electrodo positivo de los tubos de vacío que se utilizan para la producción de radiaciones.

ANTICATÓLICO, CA adj. Contrario al catolicismo.

ANTICICLÓN m. Área de alta presión en la que el viento circula alrededor del centro de máx. presión en el sentido de las agujas del reloj en el hemisferio N y en sentido contrario en el hemisferio S.

ANTICIENTÍFICO, CA adj. Opuesto a la ciencia o al espíritu científico.

ANTICIPACIÓN f. *Ret.* Figura que consiste en proponerse uno la objeción que otro pudiera hacerle, para refutarla de antemano.

ANTICIPAR tr. Hacer que ocurra alguna cosa antes de tiempo. • Fijar tiempo anterior al señalado para hacer alguna cosa. • Tratándose de dinero, darlo o entregarlo antes de tiempo. • Prestar dinero. • prnl. Adelantarse una persona a otra en la ejecución de alguna cosa. • Ocurrir una cosa antes del tiempo regular o señalado. • *Amér.* Prever. ■ ANTICIPADA; ANTICIPADOR; ANTICIPAMIENTO; ANTICIPO.

ANTICLERICAL adj. y s. Contrario al clero y al clericalismo.

ANTICLERICALISMO m. Doctrina o procedimiento contra el clericalismo. • Actitud de oposición a la religión organizada.

ANTICLÍMAX m. *Ret.* Disminución de los términos de una gradación descriptiva o narrativa, que consiste en un inesperado descenso de la tensión.

ANTICLINAL adj. y m. Pliegue de las rocas de la corteza terrestre.

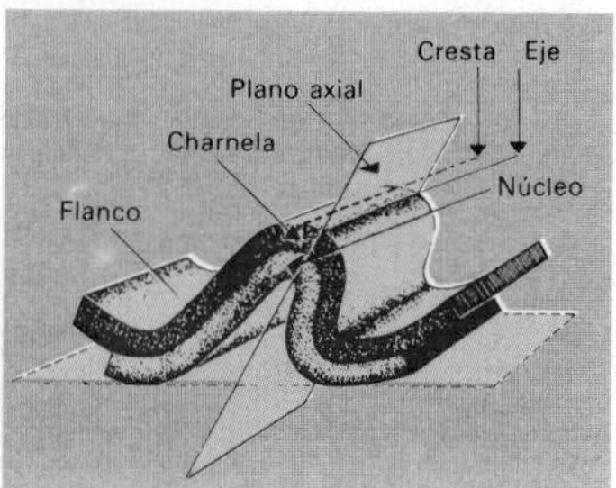

Anticlinal. Pliegue inclinado

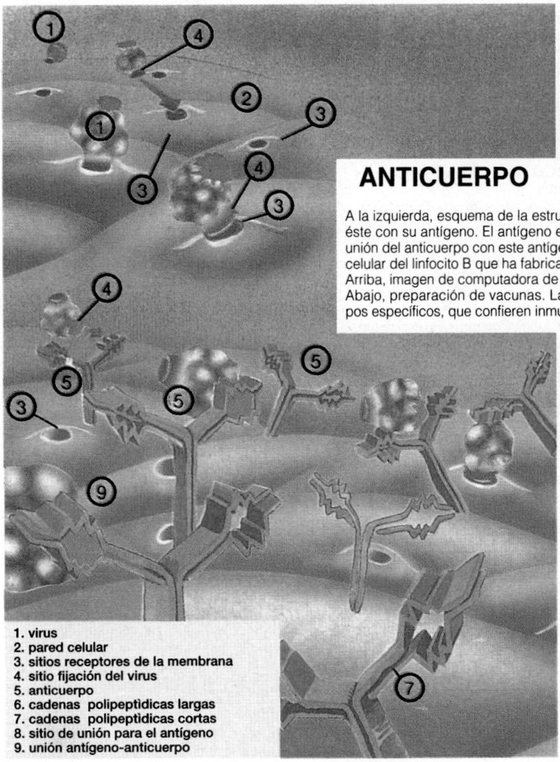

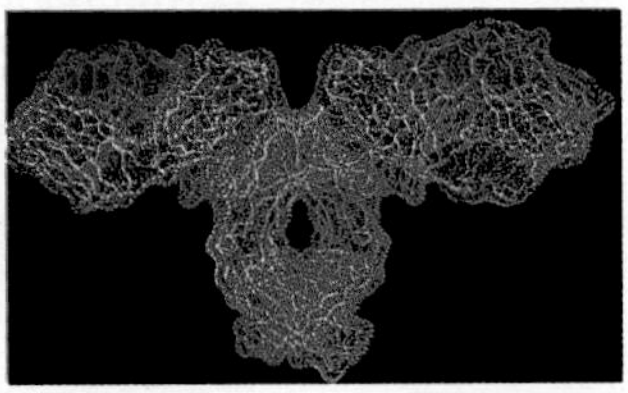

ANTICUERPO

A la izquierda, esquema de la estructura de un anticuerpo y del proceso de unión de éste con su antígeno. El antígeno es en este esquema una macromolécula viral, y la unión del anticuerpo con este antígeno tiene lugar sobre la superficie de la membrana celular del linfocito B que ha fabricado el anticuerpo.
Arriba, imagen de computadora de una típica molécula de anticuerpo.
Abajo, preparación de vacunas. La vacunación estimula la producción de anticuerpos específicos, que confieren inmunidad frente a un determinado agente patógeno.

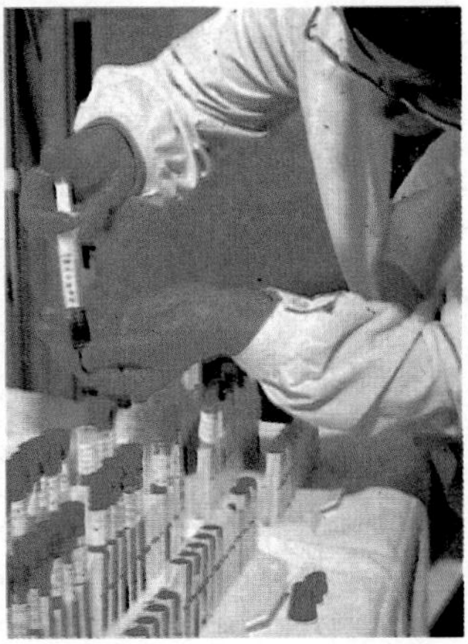

1. virus
2. pared celular
3. sitios receptores de la membrana
4. sitio fijación del virus
5. anticuerpo
6. cadenas polipeptìdicas largas
7. cadenas polipeptìdicas cortas
8. sitio de unión para el antígeno
9. unión antígeno-anticuerpo

ANTICOAGULANTE adj. y m. *Farm.* Sustancia capaz de inhibir o retardar la coagulación de la sangre.
ANTICODON m. *Bioq.* Zona especial de las moléculas de ácido ribonucleico soluble o transportador, constituida por un triplete de bases nitrogenadas.
ANTICOLONIALISMO m. Oposición al colonialismo. ■ ANTICOLONIALISTA.
ANTICOMBUSTIBLE adj. y m. Que se opone a la combustión.
ANTICOMUNISMO m. Tendencia contraria al comunismo. ■ ANTICOMUNISTA.
ANTICONCEPCIONISMO m. Aplicación de prácticas destinadas a evitar la concepción.
ANTICONCEPTIVO, VA adj y m. *Fisiol.* Díc. del método seguido para impedir la fecundación de óvulo por el espermatozoide, y de los elementos empleados en dicho método. ■ ANTICONCEPCIONAL.
ANTICONFORMISMO m. Oposición a las costumbres establecidas. ■ ANTICONFORMISTA.
ANTICONGELADOR, RA adj. y m. *Aer.* Díc. del dispositivo que impide la formación de hielo.
ANTICONGELANTE adj. y m. *Ing.* Díc. del producto que, en los motores que tienen enfriamiento por agua, se mezcla a ésta para disminuir el punto de congelación.
ANTICONMUTATIVO, VA adj. *Mat.* En un conjunto que es grupo abeliano con respecto a una operación, díc. de la propiedad que verifica una segunda operación, *, por la cual $(X * Y) = -(Y * X)$ Es a., p. ej., el producto vectorial entre vectores.
ANTICONSTITUCIONAL adj. Contrario a la constitución o ley fundamental de un Estado.
ANTICORROSIVO, VA adj. Que se opone a la corrosión.
ANTICRESIS f. Contrato en que el deudor cede al acreedor el goce del usufructo de un inmueble hasta cancelar la deuda. ■ ANTICRÉTICO, CA.
ANTICRIPTOGÁMICO, CA adj. *Bot.* Díc. de aquellas sustancias que sirven para la lucha contra las enfermedades de las plantas debidas a parásitos vegetales.
ANTICRISTIANO, NA adj. Contrario al cristianismo.
ANTICRISTO m. Ser contrario a Cristo, mencionado en pasajes del Nuevo Testamento.
ANTICRÍTICO m. El opuesto o contrario al crítico.
ANTICUADO, DA adj. Que hace mucho tiempo que no se usa, pasado de moda.
ANTICUAR tr. Declarar antigua una cosa. • prnl. Hacerse antiguo.
ANTICUARIO m. El conocedor de las cosas antiguas. • El que las colecciona.
ANTICUCHO m. *Perú.* Pedacito de hígado de vaca asado.
ANTICUCO, CA adj. *Hond.* y *Nic.* Muy antiguo.
ANTICUERPO m. Sustancia defensiva producida en el organismo como respuesta a la presencia de un antígeno.
ANTIDÁCTILO m. Anapesto.
ANTIDEMOCRÁTICO, CA adj. Contrario a la democracia.
ANTIDEPORTIVO, VA adj. Contrario a las reglas del deporte, o hecho sin nobleza.
ANTIDEPRESIVO, VA adj. y m. Díc. del fármaco capaz de invertir el humor deprimido.
ANTIDESLIZANTE adj. y m. Que se opone al deslizamiento.
ANTIDESLUMBRANTE adj. Que evita el deslumbramiento.
ANTIDETONANTE adj. Díc. del producto que se añade a la gasolina para evitar la explosión prematura de la mezcla carburante.
ANTIDIABÉTICO, CA adj. y m. Díc. de los medicamentos que combaten la diabetes.
ANTIDIARREICO, CA adj. y m. Díc. del producto aplicado para combatir la diarrea.

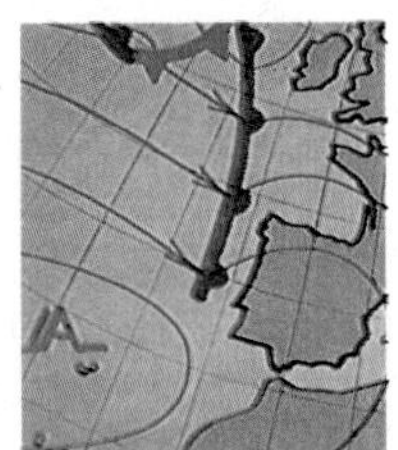

Líneas isóbaras que indican la presencia de un **anticiclón**

Polichinela con **antifaz**

ANTIDIFTÉRICO, CA adj. y m. Que sirve para combatir la difteria.
ANTIDILUVIANO, NA adj. Barb., por antediluviano.
ANTIDINÁSTICO, CA adj. Contrario a la dinastía reinante.
ANTIDOPING adj. Díc. de todo lo que tiende a evitar el uso de drogas por los deportistas.
ANTÍDOTO m. Contraveneno. • fig. Medio para no incurrir en un vicio o falta.
ANTIECONÓMICO, CA adj. No rentable. • Opuesto a la economía.
ANTIEMÉTICO, CA adj. y m. *Med.* Que contiene las náuseas o el vómito.
ANTIENZIMA m. *Bioq.* Anticuerpo específico que se forma en el organismo animal después de la introducción de una enzima por vía parenteral.
ANTIEPILÉPTICO, CA adj. *Med.* Eficaz contra la epilepsia.
ANTIESCLAVISTA adj. Contrario a la esclavitud.
ANTIESCORBÚTICO, CA adj. y m. *Med.* Que es eficaz contra el escorbuto.
ANTIESPASMÓDICO, CA adj. y m. *Med.* Que sirve para calmar los espasmos.
ANTIESTÁTICO, CA adj. Que impide la formación de electricidad estática.
ANTIESTÉTICO, CA adj. Contrario a la estética.
ANTIEVANGÉLICO, CA adj. Contrario a la doctrina del Evangelio.
ANTÍFANES (s. IV a. C.) Comediógrafo gr. al que se atribuyen unas 350 obras.
ANTIFASCISMO m. Tendencia contraria al fascismo. ■ ANTIFASCISTA.
ANTIFAZ m. Máscara con que se cubre la cara.
ANTIFEBRIL adj. *Med.* Eficaz contra la fiebre.
ANTIFEMINISTA adj. y s. Opuesto al movimiento feminista y a la emancipación de la mujer.
ANTIFERMENTO m. Cuerpo que impide la fermentación.
ANTIFERNALES adj. *Der.* Díc. de los bienes dados por el marido a la mujer en compensación de la dote.
ANTIFILOSÓFICO, CA adj. Contrario a la filosofía.
ANTIFLOGÍSTICO, CA adj. y m. *Med.* Que sirve para calmar la inflamación.
ANTÍFONA f. Breve pasaje de la Sagrada Escritura, que se canta o reza. • fig. y fam. Antifonario, trasero. ■ ANTIFONARIO, RIA; ANTIFONERO.
ANTÍFRASIS f. *Ret.* Figura que consiste en designar personas o cosas con voces que signifiquen lo contrario de lo que se debiera decir.
ANTIFRICCIÓN f. Aleación que disminuye el rozamiento entre dos cuerpos.
ANTIGÁS adj. Díc. de la máscara o careta destinada a evitar la acción de los gases tóxicos.
ANTÍGENO m. *Biol.* Sustancia que provoca la formación de anticuerpos.
ANTÍGONA *Mit.* Hija de Edipo y de Yocasta. Símb. del amor filial y fraternal.
ANTÍGONO Rey de los judíos (40-37 a. C.), el último de los Macabeos. • ***El Tuerto*** *(Monoftalmos)* (hacia 380-301 a. C.) General macedonio, lugarteniente de Alejandro. Conquistó Siria, Grecia y el Peloponeso. • **I *Gonatas*** (320-239 a. C.) Rey de Macedonia, hijo de Demetrio I Poliorcetes. Expulsado temporalmente del trono por Pirro.
ANTIGRAMATICAL adj. Contrario a las leyes de la gramática.
ANTIGRAVEDAD f. *Astron.* Conjunto de materiales y dispositivos amortiguadores de los efectos de las variaciones de intensidad de la aceleración de la gravedad.
ANTIGRIPAL adj. y m. Que sirve para combatir la gripe.
ANTIGUA GUATEMALA C. de Guatemala, cap. del dpto. de Sacatepéquez; 16 357 hab. Destruida por un terremoto en 1773, fue abandonada y los capitanes generales se instalaron en la actual Guatemala. Reconstruida post., constituye hoy un conjunto arquitectónico en el que predomina el barroco. Considerado patrimonio cultural internacional.

Fachada de la universidad de San Carlos, en **Antigua Guatemala**, actualmente Museo Colonial

ANTIGUA Y BARBUDA *(Antigua and Barbuda)* Est. de las Antillas (islas Antigua, Barbuda y Redonda). Islas de origen volcánico, con el int. llano y una costa coralina muy recortada; máx. alt. en el volcán Boggy Park (402 m), en A. Algodón y caña de azúcar. Pesca. Aceite, ron, melaza. Turismo. Pob. de origen africano en su mayoría. Lenguas: inglés (of.), criollo-inglés. *Rel.*: protestantismo. U. M.: dólar del Caribe Este. Cap. Saint John's, en A.
**Hist.* Descubierta A. por Colón (1493), pasó a los ing. en 1625. B. lo hizo en 1628, siendo luego propiedad privada (1691-1872). Integradas en la Federación (1958-1962) y en los Estados Asociados de las Indias Occidentales (1967-1981), este último año lograron la indep., como est. miembro de la Commonwealth. Desde entonces, los laboristas se han sucedido en el poder, a pesar de estar implicados en repetidos escándalos políticos. El primer ministro Lester Bird ocupa el cargo desde 1993.

ANTIGUA Y BARBUDA

Superficie	442 km^2
Población	64 000 hab. (145 hab./km^2)
Recursos económicos	
Pesca	2 200 t
Indicadores sociológicos	
PNB	355 millones de dólares
Renta per cápita	4 770 dólares
Esperanza de vida	74 años
Alfabetismo	88 %

Mapa de situación y bandera de **Antigua y Barbuda**

ANTIGUALLA f. Obra u objeto de arte de antigüedad remota. • Noticia o relación de sucesos muy antiguos. Se usa más en pl. • Uso o estilo antiguo. Se usa más en pl. • Mueble, traje, adorno, etc., que ya no está de moda.
ANTIGUAR tr. Anticuar. • intr. y prnl. Adquirir antigüedad cualquier individuo de tribunal, colegio u otra dependencia. • prnl. Anticuarse.
ANTIGUBERNAMENTAL adj. Contrario al gobierno constituido.
ANTIGÜEDAD f. Calidad de antiguo. • Tiempo antiguo. • Lo sucedido en tiempo antiguo. • Los hombres que vivieron en lo antiguo. • Tiempo transcurrido desde el día en que se obtiene un empleo. • pl. Monumentos u objetos artísticos de tiempo antiguo.
ANTIGUO, GUA adj. Que existe desde hace mucho tiempo. • Que existió o sucedió en tiempo remoto. • Díc. de la persona que cuenta mucho tiempo en un empleo o profesión. • Díc. de la persona que tuvo o desempeñó un cargo o empleo. • pl. Los que vivieron en siglos remotos.
ANTIGUO Régimen *(Ancien Régime)* En Francia, organización política anterior a la rev. de 1789. Para otros países, monarquías que precedieron al triunfo del liberalismo.
ANTIGUO Testamento Nombre general de la colección de escritos de la Biblia, anterior al advenimiento de Jesucristo.
ANTIHALO adj. Que se opone a la formación de halos. • adj. y m. *Fot.* Capa que se coloca sobre las placas y películas fotográficas para evitar la reflexión de la luz.
ANTIHELMÍNTICO, CA adj. y m. *Med.* Que sirve para extinguir los gusanos parásitos.
ANTIHEMOLÍTICO, CA adj. y m. Que previene o evita la hemólisis.
ANTIHEMORROIDAL adj. y m. *Med.* Que combate las almorranas.
ANTIHÉROE m. Personaje de novela, cine, etc., carente de las cualidades del héroe.
ANTIHIDRÓPICO, CA adj. *Farm.* Remedio o medicamento usado para combatir la hidropesía.
ANTIHIGIÉNICO, CA adj. Contrario a los preceptos de la higiene.
ANTIHIPNÓTICO, CA adj. y m. Productos farmacéuticos usados para combatir el sueño.
ANTIHISTAMÍNICO, CA adj. y m. Que bloquea la respuesta del organismo frente a la histamina.
ANTIHISTÉRICO, CA adj. y m. *Med.* Que es eficaz contra el histerismo.
ANTIHORMONA f. *Bioq.* Sustancia que funciona como un anticuerpo producida en el organismo tras la administración prolongada de hormonas proteicas que actúan como antígenos.
ANTIHUMANITARIO, RIA adj. Contrario al humanitarismo.

ANTIIMPERIALISMO m. Movimiento político que trata de liberar a un país de la dependencia política o económica de otro. ■ ANTIIMPERIALISTA.

ANTIINFLAMATORIO, RIA adj. y m. *Farm.* Díc. de la sustancia o del fármaco que combate la inflamación.

ANTIJURÍDICO, CA adj. Que es contra el derecho.

ANTIKOMINTERN, *Pacto* El firmado por Alemania y Japón (25 noviembre 1936) contra la Internacional comunista. Italia se adhirió a él en 1937; España y Manchukuo, en 1939.

ANTILÍBANO *(Jebel ech Charqi)* Cord. que limita Siria y Líbano. Taalat Moussa (2 659 m) es la pral. altura.

ANTILISINA f. *Biol.* Anticuerpo producido por las lisinas bacterianas.

ANTILLA Mun. de Cuba, en la prov. de Granma; 32 500 hab. Exportación de azúcar.

ANTILLANO, NA adj. y s. De las Antillas.

ANTILLAS Conjunto de islas que se extienden paralelas a la América Central, desde la pen. de Florida, al N, hasta el golfo de Maracaibo, al S, recorriendo antes parte de la costa septentrional sudamericana. Son montañosas y se hallan separadas por estr. de gran profundidad (fosa de Puerto Rico: 8 525 m), lo que hace suponer que sean restos de una cadena sumergida que separaba el Atlántico del mar de las A. o Caribe. Clima tropical lluvioso. Por su extensión se dividen en Grandes A. y Pequeñas A. Las grandes son: Cuba, Haití o La Española, Puerto Rico y Jamaica. Las pequeñas se dividen, atendiendo a su situación, en islas de Barlovento y de Sotavento. En conjunto las A. tienen 240 000 km^2, y 30 000 000 hab., en gran parte negros y mulatos, excepto en Cuba y Puerto Rico, donde predominan los descendientes de europeos. Azúcar, café, tabaco, bananas. • **Británicas** Constituidas por las islas Caimán, Turks y Caicos, Vírgenes, Anguila y Montserrat. La isla de Anguila es una dependencia autónoma y las demás colonias. • **Francesas** Formadas por los dptos. fr. de ultramar de Guadalupe y sus dependencias, cap., Basse-Terre, y Martinica, cap., Fort-de-France. • **Neerlandesas** Conjunto de islas de las Pequeñas A. formado por Curaçao y Bonaire, frente a las costas de Venezuela, y San Martín (compartida con Francia), San Eustaquio y Saba. La cap. común es Willemstad. • **Norteamericanas** Constituidas por el est. asociado de Puerto Rico y las Islas Vírgenes, de los EE UU.

ANTILLÓN y Marzo, *Isidoro* (1778-1814) Geógrafo y político esp. *Lecciones de geografía astronómica, natural y política, Noticias históricas de don Gaspar Melchor de Jovellanos.*

ANTILOCÁPRIDO, DA adj. y m. *Zool.* Díc. de mamíferos artiodáctilos de la familia antilocápridos. • m. pl. Familia de estos mamíferos.

ANTILOGARITMO m. *Mat.* Número con respecto al valor de su logaritmo.

ANTILOGÍA f. Contradicción entre dos textos o expresiones. ■ ANTILÓGICO, CA.

ANTÍLOPE m. *Zool.* Mamífero artiodáctilo de la familia bóvidos. Se caracteriza por su cornamenta persistente.

ANTILOPINO, NA adj. y m. Díc. de los bóvidos de la subfamilia antilopinos. • m. pl. Subfamilia de bóvidos caracterizada por poseer cuernos permanentes.

ANTILUÉTICO, CA adj. Antisifilítico.

ANTIMAGNÉTICO, CA adj. Que está exento de la influencia magnética.

ANTIMATERIA f. *Fís.* Materia constituida por antipartículas, y en la que cada partícula ha sido reemplazada por la antipartícula correspondiente.

ANTIMETABOLITOS m. pl. *Bioq.* Sustancias que provocan en los organismos vivos la aparición de síntomas de carencia de los metabolitos a los que se asemejan.

ANTIMILITARISMO m. Oposición a los ejércitos y a la guerra. ■ ANTIMILITARISTA.

ANTIMINISTERIAL adj. Contrario al ministerio o a los ministros.

ANTIMISIL m. *Arm.* Misil destinado a interceptar y destruir a otro misil.

ANTIMONÁRQUICO, CA adj. y s. Contrario a la monarquía.

ANTIMONIAL adj. *Quím.* Que contiene antimonio.

ANTIMONIATO m. *Quím.* Sal que origina la reacción del ácido antimónico con una solución acuosa de una base.

ANTIMONIO m. *Quím.* Elemento metálico de símb. Sb, n. a. 51 y p. a. 121,75. Presenta diversas formas alotrópicas y se emplea en medicina y en aleaciones especiales. ■ ANTIMÓNICO, CA.

ANTIMONITA f. *Miner.* Sulfuro de antimonio, llamado también *estibina,* del que se beneficia el antimonio.

ANTIMONIURO m. Combinación del antimonio con un metal.

ANTIMORAL adj. Contrario a la moral.

ANTINACIONAL adj. Contrario a los intereses de la nación.

ANTINATURAL adj. Contrario al orden de la naturaleza.

ANTINEFRÍTICO, CA adj. y m. *Med.* Eficaz contra la nefritis.

ANTINEOPLÁSICO, CA adj. y m. Díc. del fármaco que combate el cáncer, la leucemia, etc.

ANTINEURÁLGICO, CA adj. y m. *Med.* Eficaz contra la neuralgia.

ANTINEUTRÓN m. *Fís.* Antipartícula del neutrón.

ANTINODO m. *Ac.* Puntos, líneas o superficies de un sistema de ondas estacionarias donde algunas de las características del sistema tienen amplitud máxima.

ANTINOMIA f. Contradicción entre dos leyes o dos lugares de una misma ley. ■ ANTINÓMICO, CA.

ANTÍOCO III, *el Grande* Rey seléucida de Siria (223-187 a. C.); fue derrotado por los griegos en las Termópilas (191 a. C.) y en Magnesia (189 a. C.) • **IV Epífanes** Rey seléucida de Siria (175-164 a. C.) Procedió a la helenización sistemática de sus dominios.

ANTIOQUENO, NA adj. y s. De Antioquía (Turquía).

ANTIOQUEÑO, ÑA adj. y s. De Antioquia (Colombia).

ANTIOQUIA Dpto. del N de Colombia, que llega hasta el Caribe; 63 612 km^2, 4 919 619 hab. Cap., Medellín. Valles del Magdalena, Cauca-Nechí y Atrato. Cord. Central, con elevadas altiplanicies; cord. Occidental (Pico Frontino, 4 080 m); valle del Cauca. Maíz, café, plátano, caña de azúcar, tabaco. Ganado bovino, caballar y suido. Oro, petróleo, plomo, hierro, carbón. Ind. textil, metalúrgica, alimentaria.

Antillas. Arriba, playa de Guajataca, en Puerto Rico; abajo, patio de vecinos de una casa de La Habana

Antílopes

Detalle del retablo de Sigena, de J. y P. Serra, donde se representa uno de los tópicos del **antisemitismo** medieval: la fantástica leyenda según la cual los judíos profanaban la hostia y sacrificaban niños cristianos para conmemorar la Pascua

ANTIOQUÍA *(Antakya)* C. del S de Turquía, sit. a orillas del r. Orontes; 109 200 hab. Cereales, frutos, algodón, tabaco.
ANTIOXIDANTE adj. y m. Que evita o protege de la oxidación.
ANTIPALÚDICO, CA adj. y m. Eficaz contra el paludismo.
ANTIPAPA m. El que no está canónicamente elegido papa y pretende ser reconocido como tal. ■ ANTIPAPADO; ANTIPAPISTA.
ANTIPAR f. *Aer.* Hélice de la cola de los helicópteros destinada a equilibrar el par de rotación del fuselaje.
ANTIPARA f. Cancel o biombo que se pone delante de una cosa para encubrirla.
ANTIPARASITARIO, RIA adj. y m. Que elimina, destruye o reduce la acción de los parásitos o los parásitos mismos. • m. *Electr.* Elemento de un circuito destinado a reducir las señales extrañas que podrían perturbar una recepción.
ANTIPARLAMENTARIO, RIA adj. Contrario a los usos y prácticas parlamentarios.
ANTIPARRAS f. pl. fam. Anteojos, gafas.
ANTIPARTÍCULA f. *Fís.* Partícula elemental definida por magnitudes (masa, carga, spin, etc.) con los mismos valores absolutos pero signo contrario que los de su partícula correspondiente.
ANTÍPATER o **ANTIPATROS** (390-319 a. C.) General de Filipo de Macedonia y lugarteniente de Alejandro Magno. Rey de Macedonia y Epiro.
ANTIPATÍA f. Repugnancia natural que se siente hacia alguna persona o cosa. • fig. Oposición recíproca entre seres inanimados. ■ ANTIPÁTICO, CA.
ANTIPATIZAR intr. *Amér.* Sentir aversión contra alguna persona. • Discrepar en ideas o aficiones.
ANTIPATRIOTA m. y f. Persona que actúa en contra de su patria. ■ ANTIPATRIÓTICO, CA.
ANTIPEDAGÓGICO, CA adj. Contrario a los preceptos de la pedagogía.
ANTIPERISTÁLTICO, CA adj. *Fisiol.* Se aplica al movimiento de contracción del estómago y de los intestinos.
ANTIPERÍSTASIS f. Acción de dos cualidades contrarias, una de las cuales excita el vigor de la otra. ■ ANTIPERISTÁTICO, CA.
ANTIPIRÉTICO, CA adj. y m. *Med.* Díc. del medicamento eficaz contra la fiebre.
ANTIPIRINA f. Fármaco que se emplea como analgésico.
ANTIPLÁSTICO, CA adj. Díc. de las sustancias que, en cerámica, se mezclan con la materia prima para reducir el exceso de plasticidad.
ANTÍPODA adj. y s. *Geog.* Cualquier habitante del globo terrestre, con respecto a otro que more en lugar diametralmente opuesto.
ANTIPOÉTICO, CA adj. Contrario a los preceptos de la poética.
ANTIPOLILLA adj. y m. Producto usado contra las polillas.
ANTIPOPULAR adj. Contrario a los gustos de la opinión pública o a los intereses populares.

Antonio de Padua

Antozoo

ANTIPROGRESISTA adj. y s. Enemigo del progreso.
ANTIPROTÓN m. Antipartícula del protón.
ANTIPSIQUIATRÍA f. Término que designa cualquier experiencia realizada para poner en duda la psiquiatría tradicional y el valor terapéutico de la institución manicomial.
ANTIPÚTRIDO, DA adj. y m. Que sirve para impedir la putrefacción.
ANTIRRÁBICO, CA adj. m. *Med.* Útil contra la rabia.
ANTIRRACIONALISMO m. Doctrina opuesta al racionalismo.
ANTIRRADAR adj. y m. Conjunto de medios y técnicas para anular la efectividad de los radares.
ANTIRRAQUÍTICO, CA adj. y m. Eficaz contra el raquitismo.
ANTIRREGLAMENTARIO, RIA adj. Que se hace o se dice contra el reglamento.
ANTIRREPUBLICANO, NA adj. Contrario a la república o a los republicanos.
ANTIRREUMÁTICO, CA adj. y m. Que sirve para combatir el reuma.
ANTIRREVOLUCIONARIO, RIA adj. Opuesto a la revolución.
ANTIRROBO adj. y m. Dispositivo cuyo objeto es impedir el robo.
ANTISANA Volcán andino de Ecuador; 5 704 m.
ANTISCIO adj. Díc. de los habitantes de las dos zonas templadas que, por vivir sobre el mismo meridiano y hemisferios opuestos, proyectan al mediodía la sombra en dirección contraria.
ANTISEMITISMO m. Doctrina hostil a los judíos. ■ ANTISEMITA; ANTISEMÍTICO, CA.
ANTISEPSIA f. *Med.* Método que consiste en combatir o prevenir las enfermedades infecciosas, destruyendo los microbios que las causan.
ANTISÉPTICO, CA adj. y m. Díc. del procedimiento o sustancia usados para lograr la antisepsia de un ambiente o zona dados.
ANTISIFILÍTICO, CA adj. *Med.* Que sirve para curar la sífilis.
ANTISIMÉTRICO, CA adj. *Mat.* Díc. de la propiedad de una relación binaria R entre los elementos de un conjunto, que expresa: si para cada par de elementos, x, y, del conjunto se verifica xRy, yRx, entonces debe ser $x = y$.
ANTISÍSMICO adj. *Arq.* Díc. del edificio construido para resistir los terremotos.
ANTISOCIAL adj. Díc de lo opuesto a la organización social humana • m. *Psiq.* Término que designa un psicópata de conducta contraria a la escala de valores predominante.
ANTISPASTO m. Pie de las métricas gr. y latina, compuesto de un yambo y un troqueo.
ANTÍSTENES (444-365 a. C.) Filósofo ateniense, fundador de la escuela cínica.
ANTISTROFA f. En la poesía gr. segunda parte del canto lírico compuesto de estrofa y antistrofa, o de estas dos partes y el epodo.
ANTISUBMARINO, NA adj. Medios utilizados en la defensa contra los submarinos.
ANTISUERO m. Suero animal que contiene un anticuerpo específico formado como reacción contra un determinado antígeno.
ANTISUYU Una de las cuatro provincias en que se dividía el imperio incaico.
ANTITANQUE adj. *Mil.* Díc. de las armas y proyectiles destinados a destruir tanques.
ANTITÉRMICO, CA adj. Que protege o aísla del calor. • adj. y m. *Med.* Antipirético.
ANTÍTESIS f. *Fil.* Oposición de dos afirmaciones. • *Ret.* Figura que consiste en contraponer una frase o una palabra a otra contraria. ■ ANTITÉTICO, CA.
ANTITETÁNICO, CA adj. y m. Eficaz contra el tétanos.
ANTITÍFICO, CA adj. y m. Eficaz contra el tifus.
ANTITIROIDEO, A adj. y m. Fármaco que deprime la síntesis de tiroxina.
ANTITÓXICO, CA adj. y m. Que contrarresta o elimina el efecto de un veneno.
ANTITOXINA f. *Med.* Sustancia que destruye los efectos de las toxinas.
ANTITRAGO m. Prominencia de la oreja.
ANTITRINITARIO, RIA adj. y m. Díc. de quien niega el misterio cristiano de la Trinidad.

Mina cuprífera de Chuquicamata, en **Antofagasta** (Chile)

ANTITUBERCULOSO, SA adj. Relativo a los procedimientos e instituciones para combatir la tuberculosis.
ANTITUSÍGENO, NA adj. y m. Eficaz para calmar la tos.
ANTIVAHO adj. Díc. del dispositivo que impide la formación de vaho.
ANTIVARIÓLICO, CA adj. Que sirve para combatir la viruela.
ANTIVENENO m. Contraveneno.
ANTIVENENOSO, SA adj. Díc. de la sustancia que sirve para combatir la acción de un veneno.
ANTIVENÉREO, A adj. Que combate las afecciones venéreas.
ANTIVÍRICO, CA adj. Fármaco usado contra las enfermedades producidas por virus.
ANTIVITAMINAS f. pl. *Bioq.* Sustancias de estructura análoga a la de ciertas vitaminas y qu e están dotadas de acción antagónica, comportándose como antimetabolitos.
ANTOCIANINA f. Pigmento vegetal que da color a las flores y frutos.
ANTOCIANO m. Pigmento vegetal que da color a las flores, a los frutos y a distintas formaciones de las plantas.
ANTOFAGASTA Región del N de Chile, bañada al O por el Pacífico y fronteriza al E con Bolivia y Argentina; 126 443,9 km², 407 409 hab. Comprende de O a E un cordón montañoso paralelo al litoral, la cord. de la Costa (alt. máx., Cerro Colupo, 2 335 m), una depresión interior desértica ocupada por la pampa del Tamarugal al N y el desierto de Atacama en el centro y S, y la cord. andina. Clima muy árido. Río Loa. Vegetación localizada en los oasis. Cereales, patatas. Nitratos, bórax, cobre, azufre, guano. Ind. de explosivos, alimentaria. Metalurgia del cobre. Cedida por Bolivia en 1884. • Prov. del N de Chile, en la región hom.; 245 103 hab. • C. y puerto de Chile, cap. de la prov. y región hom.; 214 500 hab. Cobre, nitratos, azufres. Ind. minera, fertilizantes, alimentaria.
ANTOFAGASTINO, NA adj. y s. De Antofagasta.
ANTÓFAGO, GA adj. *Zool.* Que pralm. se alimenta de flores.
ANTOFALLA, *Volcán* Cumbre andina de Argentina, en la prov. de Catamarca; 6 100 m.
ANTOFILITA f. Silicato natural de hierro y magnesio; cristaliza en el sistema rómbico.
ANTÓFILO, LA adj. *Zool.* Díc. del insecto que se nutre del néctar y polen de las flores.
ANTOINE, *Louis* (1846-1912) Místico belga. *La coronación de la obra revelada*, *Desarrollo de la enseñanza*.
ANTOJARSE prnl. Hacerse objeto de vehemente deseo alguna cosa. • Ofrecerse a la consideración como probable alguna cosa. ■ ANTOJADIZO, ZA; ANTOJADO, DA; *Col.* ANTOJOSO, SA.
ANTOJO m. Deseo vivo y pasajero. • Juicio que se hace de alguna cosa sin bastante examen. • pl. Manchas o lunares naturales en la piel.
ANTOLÍNEZ, *José* (1635-1675) Pintor barroco esp. Creador de un tipo de *Concepción* muy popular.
ANTOLOGÍA f. Selección de fragmentos de obras literarias o musicales. ■ ANTOLÓGICO, CA.
ANTONELLI, *Bautista* (1550-1616) Arquitecto militar it. al servicio de España. Morro de La Habana, fortificaciones de San Juan de Ulúay, San Juan de Puerto Rico, camino de Portobello a Panamá.
ANTONELLO da Messina(1431-1477) Pintor it. Difundió en Venecia la pintura al óleo.
ANTONESCU, *Ion* (1882-1946) Militar y político rum. Contribuyó a derrocar al rey Carol II (1940) y se erigió en dictador. Luchó contra los sov. y cuando éstos penetraron en Rumania fue ejecutado.
ANTONIANO, NA adj. y s. Religioso de la orden de San Antonio Abad.
ANTÓNIMO, MA adj. y m. *Gram.* Díc. de las palabras que expresan ideas contrarias. ■ ANTONIMIA.
ANTONINO, NA adj. y s. Relativo a cualquiera de los emperadores Antoninos. • m. pl. Dinastía de emperadores rom. (Nerva, Trajano, Adriano, Antonino, Marco Aurelio, Vero y Cómodo), que reinó desde el año 96 hasta el 192.
ANTONINO *Pío* (86-161) Emperador rom., sucesor de Adriano en 138; su gobierno constituye el apogeo dela pax romana.
ANTONIO, *Nicolás* (1617-1684) Erudito y bibliógrafo esp. *Bibliotheca Hispana*. • **de Padua** (1159-1231) Santo port. Agustino, tomó posteriormente el hábito franciscano. • **María Claret** (1807-1870) Santo esp. Fundó la orden de los Misioneros del Corazón Inmaculado de María, «claretianos». Arzobispo de Santiago de Cuba. Confesor de Isabel II
ANTONIONI, *Michelangelo* (nacido 1912) Director cinematográfico it. *Las amigas*, *El grito*, *La aventura*, *La noche*, *El eclipse*, *El desierto rojo*, *Blow-up*, *El misterio de Oberwald*.
ANTONOMASIA f. *Ret.* Sinécdoque que consiste en poner el nombre apelativo por el propio o viceversa. ■ ANTONOMÁSTICO, CA.
ANTORCHA f. Hacha, vela de cera. • fig. Lo que sirve de guía.
ANTOZOO adj. y m. *Zool.* Díc. de los invertebrados de la clase antozoos. • m. pl . Clase de invertebrados que viven fijos en los fondos marinos y carecen de la fase medusa. Engloba un gran número de cnidarios, animales con apariencia de flor, que con frecuencia forman colonias arborescentes (corales).
ANTRACENO m. Hidrocarburo aromático obtenido del alquitrán de hulla.
ANTRACITA f. Carbón fósil, poco bituminoso, que tiene un poder calorífico muy elevado.
ANTRACOIDE adj. Que tiene el color del carbón. • *Med.* Parecido al ántrax.
ANTRACOSIS f. *Med.* Neumoconiosis producida por el carbón.
ANTRAQUINONA f. *Quím.* Sustancia derivada del antraceno.
ÁNTRAX m. *Pat.* Infección cutánea de naturaleza infecciosa, parecida al forúnculo. El **a. maligno** recibe el nombre de → carbunco.
ANTRO m. fig. Establecimiento, local, etc., de mala reputación. • Caverna, madriguera.
ANTROPOCENTRISMO m. Sistema filosófico que considera al hombre como centro del universo. ■ ANTROPOCÉNTRICO, CA.
ANTROPOFAGIA f. Práctica de comer carne humana. ■ ANTROPÓFAGO, GA.
ANTROPOGEOGRAFÍA f. Nombre adoptado por la escuela al. para designar la geografía humana.
ANTROPOGRAFÍA f. Parte de la antropología, que trata de la descripción de las razas humanas. ■ ANTROPOGRÁFICO, CA.
ANTROPOIDE adj. y s. *Zool.* Animales que por sus caracteres morfológicos se asemejan al hombre.
ANTROPOIDEO, A adj. y m. *Zool.* Primates superiores, directamente emparentados con el hombre, el cual se incluye entre ellos. • m. pl. Grupo de estos primates.
ANTROPOLOGÍA f. Ciencia que estudia al hombre desde los puntos de vista biológico (a. física) y cultural (a. cultural), tanto en el presente como en el pasado.
* *Antr.* La a. cultural trata del estudio de la cultura de los grupos humanos como un todo y su relación con otras culturas, así como la relación entre los componentes del grupo y su interacción con los contenidos culturales. Se entiende por *cultura* la

Chimpancé, mono **antropoideo**

1

2
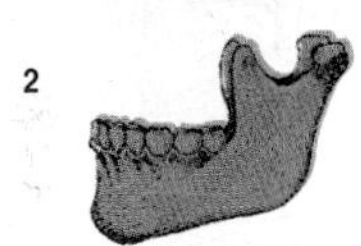
3
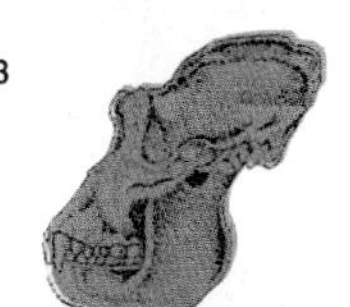
4
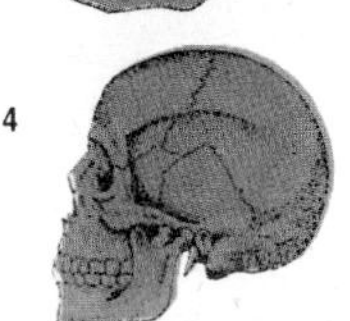
Antropología. Comparación de la mandíbula y cráneo del orangután (1 y 3) con la mandíbula y cráneo del hombre (2 y 4)

concepción de la realidad, típica de cada uno de los grupos humanos, en cuanto se transmite de generación en generación y que, de vez en cuando, se modifica por efecto de la experiencia o a causa de la interacción entre los miembros del grupo o las diversas instituciones sociales. La a. cultural se identifica a menudo con la → etnología, aunque el campo de ésta es más específico de los grupos humanos concebidos como etnias. La a. física se ha equiparado tradicionalmente a la historia natural del hombre, considerado como grupo zoológico específico, ligado a otros grupos taxonómicos (primates), aunque con notables diferencias que exigen un tratamiento científico peculiar. ■ ANTROPOLÓGICO, CA; ANTROPÓLOGO, GA.

Figura **antropomorfa** masculina grabada en la cueva de Hornos, Cantabria (España)

ANTROPOMETRÍA f. Parte de la antropología física que estudia las proporciones y medidas del cuerpo humano. ■ ANTROPOMÉTRICO, CA.

ANTROPOMORFISMO m. Conjunto de creencias que atribuyen características humanas a seres no humanos. • Herejía de los antropomorfitas. ■ ANTROPOMÓRFICO, CA.

ANTROPOMORFITA adj. y s. Díc. de ciertos herejes que atribuyen a Dios cuerpo humano.

ANTROPOMORFO, FA adj. Que tiene forma o apariencia humana. • adj. y s. Antropoideo.

ANTROPONIMIA f. Rama de la onomástica que estudia los nombres de personas.

ANTROPÓNIMO m. Nombre propio de persona.

ANTROPOPITECO m. Pitecántropo.

ANTROPOSOFÍA f. Conocimiento de la naturaleza humana. • Doctrina derivada de la teosofía y fundada a principios del s. XIX por Rudolf Steiner, filósofo austr. ■ ANTROPÓSOFO, FA.

ANTROPOZOICO, CA adj. *Geol.* Díc. del pleistoceno por ser la época en que apareció la especie humana. • Díc. de los terrenos en que se encuentran restos humanos de épocas geológicas.

ANTÚNEZ, *Nemesio* (nacido 1918) Arquitecto y pintor chil. Su pintura abstracta figura en los mejores museos de arte moderno. Murales en el edificio de las Naciones Unidas. • **De Mayolo, *Santiago*** (1887-1967) Ingeniero per. Aprovechamiento de las corrientes fluviales para la producción de energía.

ANTUÑA, *José G.* (1890-1976) Poeta, escritor y político ur. Diputado y senador. *Los viejos ritmos, Perspectivas de América, Nuevas páginas bolivarianas.*

Anubis

ANTUVIAR tr. fam. Dar de repente, o primero que otro, un golpe. ■ ANTUVIADA; ANTUVIÓN.

ANU En la religión sumeroacádica, dios del firmamento, dios de dioses.

ANUAL adj. Que sucede o se repite cada año. • Que dura un año.

ANUALIDAD f. Importe anual de una renta o carga periódica.

ANUARIO m. Libro que se publica cada año.

ANUBARRADO, DA adj. Cubierto de nubes.

ANUBIS Dios egipcio, hijo de Neftis y Osiris.

ANUBLAR tr. y prnl. Ocultar las nubes el azul del cielo o la luz del Sol o la Luna. • prnl. fig. Desvanecerse una cosa que se deseaba.

ANUBLO m. Añublo.

ANUCLEADO, DA adj. *Biol.* Díc. de las células que carecen de núcleo.

ANUDAR tr. y prnl. Hacer nudos. • Juntar mediante un nudo dos hilos, etc. • fig. Juntar, unir. • tr. fig. Continuar lo interrumpido. • prnl. Dejar de crecer o medrar las personas, los animales o las plantas. ■ ANUDADURA; ANUDAMIENTO.

ANUENCIA f. Consentimiento. ■ ANUENTE.

ANULAR adj. De figura de anillo. • Díc. de un dedo de la mano. • Díc. de un eclipse. • tr. Dar por nulo o dejar sin fuerza un precepto, testamento, etc. • tr. y prnl. fig. Desautorizar a uno. • prnl. fig. Humillarse. ■ ANULABLE; ANULACIÓN; ANULADOR, RA.

ANULOSO, SA adj. Compuesto de anillos. • De forma de anillo.

ANUNCIACIÓN f. En la religión católica, el anuncio del arcángel san Gabriel a la Virgen del misterio de la Encarnación.

ANUNCIAR tr. Dar noticia o aviso de alguna cosa. • Pronosticar. • Dar publicidad a una cosa con fines de propaganda comercial. ■ ANUNCIADOR, RA; ANUNCIANTE.

ANUNCIO m. Conjunto de palabras, imágenes, etc. con que se anuncia algo. • Pronóstico.

Anunciación. Detalle del retablo de Bonifacio Ferrer, de autor anónimo

ANUNNAKI m. pl. Uno de los dos grupos de los dioses sumeroacádicos.

ANUO, NUA adj. Anual.

ANURIA f. *Med.* Supresión de la secreción urinaria.

ANURO, RA adj. y m. *Zool.* Que carece de cola. • Anfibios desprovistos de cola, en los individuos adultos, y cuyas larvas se desarrollan con metamorfosis. • m. pl. Orden de estos anfibios.

ANVERSO m. En las monedas y medallas, cara que se considera principal. • *Art. Gráf.* Cara en que va impresa la primera página de un pliego.

ANZA, *Juan Bautista de* (1735-1788) Militar y explorador esp. Fundó (1776) la misión y fuerte de San Francisco de California. Gobernador de Nuevo México (1777-1788).

ANZENGRUBER, *Ludwig* (1839-1888) Escritor austríaco. *El párroco de Kirchfeld.*

ANZOÁTEGA adj. y s. De Anzoátegui. ■ ANZOATEGUIENSE.

ANZOÁTEGUI Est. del NE de Venezuela, a orillas del Caribe; 43 300 km^2, 1 098 691 hab.Cap., Barcelona. Comprende una zona montañosa de materiales cretácicos al NE (alt. máx., Cerro Tristeza, 2 600 m), la cord. de la Costa o macizo Oriental; en el NO y centro-norte se encuentra la depresión aluvial del Unare; por el E, centro y S se extienden hasta el Orinoco las «mesas», formaciones tabulares de 200-500 m de alt. Clima cálido, con mayor pluviosidad en el int. Algodón, maíz, plátanos, caña de azúcar, café. Petróleo.

ANZOÁTEGUI, *Ignacio B.* (1905-1979) Escritor y poeta arg. *Romances, Nueve cuentos, Tres ensayos españoles,* etc. • ***José Antonio*** (1789-1 819) Patriota y general ven. que luchó junto a Bolívar.

ANZOLAR tr. Poner anzuelos.

ANZOLERO m. El que hace o vende anzuelos.

ANZUELO m. Arponcillo que sirve para pescar. • fig. y fam. Atractivo o aliciente.

ANZUS Alianza de defensa recíproca en el Pacífico sudoriental, establecida, en 1951, entre Australia, Nueva Zelanda y EE UU.

AÑACAL m. El que llevaba trigo al molino.

AÑADIR tr. Agregar una cosa a otra. • Aumentar. ■ AÑADIDO, DA; AÑADIDURA.

AÑAFEA f. Papel de estraza.

AÑAFIL m. Trompeta recta morisca.

AÑAGAZA f. Señuelo para coger aves. • fig. Artificio.

AÑAJE m. *Col.* Aspecto, cariz.

AÑAL adj. Anual. • adj. y s. Cordero, becerro o macho cabrío que tiene un año cumplido. • m. Ofrenda que se da por los difuntos el primer año después de su fallecimiento.

AÑALEJO m. Calendario eclesiástico.

AÑÁS f. *Perú.* Especie de zorra.

AÑASCAR tr. fam. Juntar poco a poco cosas de poco valor. • tr. y prnl. Enredar.

AÑEJAR tr. y prnl. Hacer añeja alguna cosa. • prnl. Alterarse algunas cosas con el transcurso del tiempo. ▪ AÑUJAMIENTO; AÑUJO, JA.
AÑERO, RA adj. *Chile.* Vecero, dicho de las plantas.
AÑICOS m. pl. Pedazos pequeños en que se divide alguna cosa, al romperse.
AÑIL m. Arbusto papilionáceo, de fruto en vaina arqueada, con granillos lustrosos y muy duros. • Colorante que se obtiene de esta planta. ▪ AÑILAR; AÑILERÍA; AÑILERO.
AÑINO, NA adj. Añal, dicho del cordero. • m. Cordero de un año. • pl. Pieles no tonsuradas de corderos de un año o menos.
AÑO m. *Astr.* Tiempo de la revolución real de la Tierra en su órbita alrededor del Sol. Consta de 365 días. • Período de 12 meses. • pl. Día en que alguno cumple años. • **académico.** Período que comienza con la apertura de curso. • **anomalístico.** *Astr.* Período entre dos pasos sucesivos del Sol por el perigeo: 365 días, 6 h., 13 min. y 50 seg. • **bisiesto.** El que excede al común en un día, añadido al mes de febrero. • **civil.** El que tiene 365 días, si es común, o 366 si bisiesto. • **cósmico.** *Astr.* 220 millones de años que necesita el Sol para dar una revolución al centro galáctico. • **de eclipses.** *Astr.* Período entre dos conjunciones sucesivas: 364 días, 14 h., 52 min. y 52,23 seg. • **eclesiástico.** El que gobierna las solemnidades de la iglesia católica y empieza el primer domingo de Adviento. • **escolar.** Académico. • **gregoriano.** El civil. • **juliano.** Se introdujo en el 45 a. C. y tiene 365,25 días de duración. • **litúrgico.** Eclesiástico. • **lunar.** *Astr.* Período de 12 rev. sinódicas de la Luna: 354 días. • **luz.** *Astr.* Unidad de longitud igual a la distancia que recorre la luz en un año: 9,461 billones de km. • **nuevo.** El que está a punto o acaba de empezar. • **planetario.** Tiempo que un planeta tarda en dar la vuelta al Sol. • **platónico.** Tiempo en que el punto equinocial da una vuelta entera en torno a la eclíptica: unos 25.800 años trópicos. • **político.** Civil. • **sabático.** Para los hebreos, el último año de un período de 7, en el que la tierra debe descansar como el hombre cada séptimo día. • En algunas universidades, especialmente de EE UU, período de descanso, cada siete años, que toman los profesores para actualizar conocimientos. • **santo.** El de jubileo o indulgencias por peregrinar. • **sideral, sidéreo o solar.** *Astr.* Tiempo entre dos pasos consecutivos de la Tierra por el mismo punto de la órbita. Es el año propiamente dicho: 365 días, 6 h., 9 min. y 10 seg. • **sinódico.** El comprendido entre dos conjunciones sucesivas de la Tierra con un mismo planeta. • **trópico.** *Astr.* Llamado también astronómico, equinocial, de las estaciones, natural o solar; es el período de revolución entre un solsticio o equinocio: 365 días, 5 h., 48 min. y 45,975 seg. • **y vez.** Expr. referida a las tierras que se siembran un año sí y otro no, y a los árboles que producen un año sí y otro no. • **de la nana.** fig. y fam. Para señalar época remota.
AÑOJAL m. Pedazo de tierra que se deja erial.
AÑOJO, JA m. y f. Becerro de un año cumplido.
AÑORANZA f. Soledad o pesar por la ausencia. ▪ AÑORAR.
AÑOSO, SA adj. De muchos años.
AÑUBLO m. Enfermedad de los cereales producida por hongos que atacan cañas, hojas y espigas.
AOF Siglas de la ant. África Occidental Francesa.
AOJAR tr. Hacer mal de ojo. • fig. Desgraciar o malograr algo. ▪ AOJADOR, RA; AOJADURA; AOJO.
AOMORI Prefectura de Japón, en la isla de Honshu; 9 619 km², 1 483 000 hab. Cap., la c. hom. (287 800 hab.).
AÓNIDES f. pl. Las musas.
AONIO, NIA adj. y s. Beocio.
AORISTO m. Pret. indef. de la conjugación gr.
AORTA f. Arteria que nace del ventrículo izquierdo del corazón y es la mayor del cuerpo. Existe en todos los vertebrados. • Cada una de las dos grandes arterias que nacen del ventrículo o ventrículos del corazón de los lamelibranquios, cefalópodos y reptiles. • Arteria que nace del ventrículo del corazón de los gasterópodos, los peces y los batracios. ▪ AÓRTICO, CA.
AORTITIS f. *Med.* Inflamación de la aorta.
AOSTA, *Valle de* Región autónoma del NO de Italia; 3 264 km², 115 900 hab. Cap., Aosta. Sit. en los Alpes occidentales. Ganado vacuno. Hierro, cobre, carbón, amianto. La pob. habla una variante francoprovenzal. • C. de Italia, cap. de la prov. hom. y de la región de Valle de A.; 36 200 hab.
AOVADO, DA adj. De forma de huevo.
AOVADO-LANCEOLADA adj. *Bot.* Díc. de la hoja lanceolada, redondeada en el peciolo.
AOVAR intr. Poner huevos las aves.
AOVILLARSE prnl. fig. Encogerse mucho.
APABILAR tr. Preparar el pabilo de las velas.
APABULLAR tr. fam. Dejar a uno confuso y turbado, sin saber qué responder. ▪ APABULLAMIENTO; APABULLO.
APACENTAR tr. y prnl. Dar pasto a los ganados. • fig. Satisfacer los deseos. • prnl. Pacer el ganado. ▪ APACENTADERO; APACENTADOR, RA; APACENTAMIENTO.
APACHE adj. y s. Relativo a los apaches. • m. pl. Pueblo amerindio que habitaba zonas de Texas, Nuevo México y Arizona. Hoy, algunos miles viven en reservas, sobre todo en Arizona. • adj. fig. Nombre dado, a fines del siglo pasado, a los malhechores de París.
APACHETA f. *Perú.* Montón de piedras colocado por los indígenas andinos en señal de devoción a la divinidad.
APACHURRAR tr. Despachurrar.
APACIBLE adj. Manso, agradable en el trato. • Tranquilo, agradable. ▪ APACIBILIDAD.
APACIGUAR tr. y prnl. Poner en paz, sosegar. ▪ APACIGUADOR, RA; APACIGUAMIENTO.
APACILAGUA Mun. de Honduras, en el dpto. de Choluteca; 11 300 hab.
APACORRAL m. *Hond.* Árbol gigantesco cuya corteza se usa como tónico y febrífugo.
APADANA f. Sala hipóstila de los palacios reales persas de la época aqueménida.
APADRINAR tr. Acompañar como padrino a una persona. • fig. Patrocinar. • *Eq.* Acompañar un jinete a otro jinete que monta un potro para domarlo. ▪ APADRINADOR, RA; APADRINAMIENTO.
APAGADIZO, ZA adj, Díc. de las materias que arden muy difícilmente.
APAGADO, DA adj. De genio sosegado y apocado. • Tratándose del color, etc., poco vivo. • *Const.* Proceso de hidratación a que se somete, en obra, la cal viva.
APAGADOR, RA adj. y s. Que apaga. • m. Pieza de metal que sirve para apagar las luces.
APAGALLAMAS m. *Mil.* Dispositivo de un arma, que cumple el papel de cámara de expansión y enfriamiento de los gases de combustión producidos en el disparo.
APAGAR tr. y prnl. Extinguir el fuego o la luz. • Aplacar. • tr. Echar agua a la cal viva. • *Mil.* Hacer cesar con la artillería los fuegos de la del enemigo. • *Pint.* Rebajar en los cuadros el color demasiado vivo. • prnl. Marchitarse, perder vigor, etc. ▪ APAGABLE; APAGAMIENTO; APAGOSO, SA.
APAGAVELAS m. Apagador.
APAGÓN, NA adj. *Cuba, Guat.* y *Méx.* Apagadizo. • m. Extinción repentina de un alumbrado.
APAISADO, DA adj. Díc. de lo que es más ancho que alto. ▪ APAISAR.
APAJARADO, DA adj. *Chile.* Aturdido.
APALABRAR tr. y prnl. Concertar de palabra alguna cosa.
APALACHES Cadena montañosa, al E de los

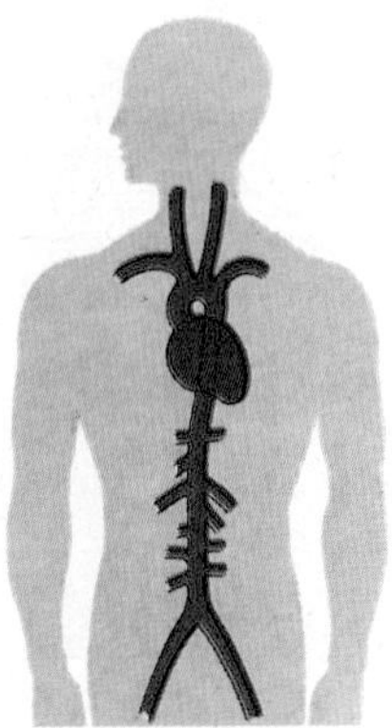
Recorrido de la arteria **aorta**

India **apache**

Detalle de un bajorrelieve de la **Apadana** de Persépolis, Irán (s. VI-V a. C.)

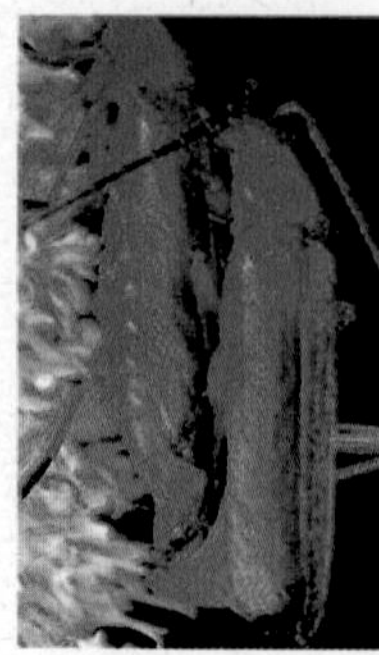

Apareamiento de insectos

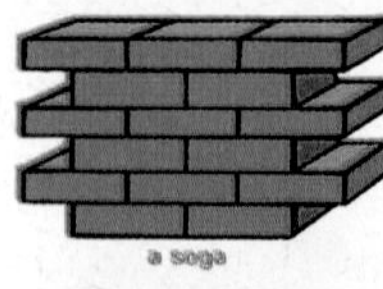

Diversos tipos de **aparejo**

EE UU. Se extiende desde Alabama hasta la desembocadura del r. San Lorenzo. Alt. máx.: Monte Mitchell, 2 037 m.

APALACHIANO adj. Díc. del relieve que, como el del macizo de los Apalaches, presenta picos paralelos, separados entre sí por valles profundos.

APALANCAR tr. Levantar, mover alguna cosa con palanca. ■ APALANCAMIENTO.

APALASTRARSE prnl. *Col.* Desvanecerse.

APALEAR tr. Dar golpes con palo u otra cosa semejante. • Sacudir con palo o vara. • Varear. • Aventar con pala el grano. • Tener dinero en abundancia. ■ APALEADOR, RA ; APALEAMIENTO; APALEO.

APALMADA adj. *Her.* Díc. de la mano abierta.

APAMPAR tr. y prnl. *Amér.* Embobar.

APANALADO, DA adj. Que forma celdillas.

APANAR tr. *Perú.* Empanar.

APANCLE m. *Méx.* Apantle.

APANCORA f. *Chile.* Crustáceo decápodo, braquiuro, con caparazón oval y espinoso, y pinzas grandes y gruesas.

APANDAR tr. fam. Pillar, guardar alguna cosa con ánimo de apropiársela.

APANDILLAR tr. y prnl. Hacer pandilla.

APANGALARSE prnl. *Col.* Desalentarse.

APANGARSE prnl. *Hond.* Agarbarse.

APANOJADO, DA adj. *Bot.* Díc. del tallo y de la flor dispuestos en forma de panoja.

APANTALLADO, DA adj. *Méx.* Bobo, necio.

APANTANAR tr. y prnl. Llenar de agua algún terreno, dejándolo hecho un pantano.

APANTLE m. *Méx.* Acequia descubierta.

APAÑADO, DA adj. Aplícase a los tejidos semejantes al paño. • adj. fig. Hábil, mañoso para hacer alguna cosa.

APAÑAR tr. Recoger y guardar alguna cosa. • Asir con la mano. • Apoderarse de una cosa ilícitamente. • Aderezar. • prnl. fam. Darse maña para hacer alguna cosa. ■ APAÑADOR, RA; APAÑADURA; APAÑAMIENTO.

APAÑO m. Apañamiento. • fam. Compostura en alguna cosa. • fam. Maña para hacer alguna cosa. • fam. Amante. • Acomodo.

APAÑUSCAR tr. fam. Apretar entre las manos alguna cosa, ajándola. • Apañar.

APAPAGAYADO, DA adj. Semejante al papagayo.

APAPORIS Río del SE de Colombia; 900 km. Desagua en el Caquetá, en la frontera con Brasil; ambos forman el Japurá brasileño.

APARADOR m. Mueble donde se guarda lo necesario para el servicio de la mesa. • Taller de algún artífice. • Escaparate. • *Hond.* Agasajo de dulces, bebida, etc. ■ *Amér.* APARADORISTA.

APARAR tr. Acudir a recoger alguna cosa, gralte. con las manos. • Dar segunda labor a las plantas ya crecidas. • tr. y prnl. Disponer, adornar.

APARASOLADO, DA adj. De forma de parasol. • adj. y f. *Bot.* Umbelífero.

Manifestación en la República Sudafricana contra el **apartheid**

APARATARSE prnl. Prepararse, disponerse. • *Col.* Encapotarse el cielo, nublarse.

APARATERO, RA adj. *Chile.* Aparatoso.

APARATO m. Apresto, reunión para algún fin. • Pompa. • Circunstancia que precede o acompaña a alguna cosa. • Conjunto de instrumentos para hacer experimentos. • *Cir.* Apósito. • Conjunto de órganos que en los animales y en las plantas concurren a una misma función. • Conjunto de síntomas con que aparece alguna enfermedad. ■ APARATOSIDAD; APARATOSO.

APARCAR tr. Colocar en un campamento o parque los pertrechos y material de guerra. • Dejar un vehículo en un lugar público señalado. ■ APARCAMIENTO.

APARCERÍA f. Contrato temporal por el que el dueño de una finca rústica la cede a alguien, a cambio de una parte de los beneficios. ■ APARCERO, RA.

APAREAMIENTO m. Acción y efecto de aparear o aparearse. • *Biol.* Unión por parejas de los individuos sexuados para proceder a la reproducción. • *Bioq.* Unión de las bases púricas y pirimídicas complementarias en los ácidos nucleicos. • *Genét.* Unión entre los cromosomas homólogos producida durante la meiosis.

APAREAR tr. Ajustar una cosa con otra, de forma que queden iguales. • tr. y prnl. Unir una cosa con otra, formando par. • Juntar animales para que críen.

APARECER intr. y prnl. Manifestarse. • Hallarse lo que se había perdido. • intr. Publicar. • Deducirse.

APARECIDO, DA m. Espectro de un difunto.

APAREJADO, DA adj. Apto, idóneo.

APAREJADOR, RA adj. y s. Que apareja. • m. Técnico de la construcción especializado en materiales y en el trazado de planos parciales.

APAREJAR tr. y prnl. Preparar. • tr. Vestir con esmero. • Poner el aparejo a las caballerías. • *Mar.* Poner a un buque su aparejo. • *Pint.* Imprimar. ■ APAREJAMIENTO.

APAREJO m. Preparación para alguna cosa. • Prevención de lo necesario para conseguir un fin. • Objetos necesarios para hacer ciertas cosas. • Sistema de poleas compuestas. • *Arq.* Forma en que quedan colocados los materiales en una construcción. • *Mar.* Conjunto de palos, vergas, jarcias y velas de un buque. • *Pint.* Preparación de un lienzo o tabla.

APARENCIAL adj. *Fil.* Que sólo tiene existencia aparente.

APARENTAR tr. Manifestar lo que no es o no hay. • Tener alguien el aspecto correspondiente a su edad.

APARENTE adj. Que parece y no es. • Conveniente. • Que aparece y se muestra a la vista.

APARICIO, *Francisco* (1892-1951) Arqueólogo arg., director del Museo Etnográfico de Buenos Aires. • ***José*** (1773-1838) Pintor neoclásico esp. Fue pintor de cámara de Fernando VII. *El hambre en Madrid.* • ***Luis*** (nacido 1934) Deportista ven. Destacado jugador de béisbol. • ***Timoteo*** (1814-1882) Militar ur. Encabezó la rev. del Partido blanco contra el gobierno de Lorenzo Batlle, pero fue derrotado.

APARICIÓN f. Acción de aparecer o aparecerse. • Visión de un ser sobrenatural o fantástico.

APARIENCIA f. Aspecto exterior de una persona o cosa. • Verosimilitud. • Cosa que parece y no es. • *Fil.* Aspecto de las cosas que se distingue, u opone, a su verdadero ser.

APARRAR tr. Hacer que un árbol extienda sus ramas en dirección horizontal. ■ APARRADO, DA; *Chile* y *Hond.* APARRAGARSE.

APARROQUIAR tr. Procurar parroquianos. • prnl. Hacerse feligrés de una parroquia. ■ APARROQUIADO, DA.

APARTA f. *Amér.* Apartado de reses.

APARTADERO m. Lugar que sirve en los caminos, ferrocarriles y canales para que puedan apartarse los vehículos y quede libre el paso. • Sitio donde se aparta a unos toros de otros para enchiquerarlos. • Vía muerta. • *Méx.* Apartado de reses.

APARTADIJO m. Apartadizo. • Parte pequeña de algunas cosas que estaban juntas.

APARTADIZO, ZA adj. Que se aparta del trato de la gente. • m. Sitio que se separa de otro mayor, para diferentes usos.
APARTADO, DA adj. Retirado. • Diferente. • m. Aposento de una casa desviado de la parte más concurrida. • Conjunto de cartas, periódicos, etc., que se apartan en el correo para que los interesados los recojan. • Lugar de correos destinado a este servicio. • Acción de separar las reses de una vacada para varios objetos. • Acción de encerrar los toros en los chiqueros. • Párrafo que, dentro de un decreto, orden o artículo de una ley o reglamento, se dedica a un asunto.
APARTAMENTO m. Apartamiento o vivienda.
APARTAMIENTO m. Lugar apartado. • Habitación, piso.
APARTAR tr. y prnl. Separar. • Quitar a una persona o cosa del lugar donde estaba para dejarlo desembarazado. • tr. Alejar. • *Der.* Desistir uno de la acción o recurso que entabló. ■ APARTADOR, RA.
APARTE adv. lugar. En otro sitio. • A distancia. • adv. modo. Separadamente, con distinción. • Con omisión, con preterición de. • adj. Diferente. • m. Fragmento del diálogo correspondiente a un personaje en el que expresa algo que sólo debe oír el público. • Trozo de escrito que empieza en mayúscula y termina en punto y aparte. • *Argent.* Separación que se hace en un rodeo de cierto número de cabezas de ganado.
APARTHEID m. Política de segregación racial practicada en la Rep. Sudafricana, hasta su abolición of. en 1991.
APARTIDAR tr. Formar partido.
APARVAR tr. Disponer la mies en la era.
APASEO EL ALTO Mun. de México, en el est. de Guanajuato; 28 100 hab. Maíz, frijoles, cereales.
APASEO EL GRANDE Mun. de México, est. de Guanajuato; 33 100 hab. Cereales y legumbres.
APASIONAR tr. y prnl. Excitar alguna pasión. • prnl. Aficionarse con exceso a una persona o cosa. • Ser parcial. ■ APASIONADO, DA; APASIONAMIENTO.
APASTE m. *Guat.*, *Hond.* y *Méx.* Lebrillo hondo de barro y con asas.
APASTEPEQUE Mun. de El Salvador, en el dpto. de San Vicente; 15 500 hab. Agricultura.
APATÍA f. Falta de vigor. • Desinterés por el medio. ■ APÁTICO, CA.
APATITA f. o **APATITO** m. *Miner.* Fosfato de calcio con flúor y cloro, incoloro o coloreado por impurezas, cristalizado en el sistema hexagonal.
APATOSAURUS m. *Pal.* Gén. de reptiles dinosaurios fósiles del jurásico superior y del cretácico inferior de EE UU.
APÁTRIDA adj. y s. Que carece de patria.
APATRONARSE prnl. *Chile.* Contratarse con un patrón. • Amancebarse la mujer.
APATURIAS f. pl. Fiestas atenienses.
APATZINGÁN Mun. de Méx., est. de Michoacán; 66 900 hab. Agricultura, minas de plata, yeso.
APAYASAR tr. Dar a una cosa el carácter de payasada. • prnl. Proceder uno como un payaso.
APEA f. Soga que sirve para maniatar las caballerías.
APEADERO m. Poyo para montar o desmontar de las caballerías. • Punto del camino en que los viajeros pueden apearse y descansar. • En los ferrocarriles, punto del recorrido preparado para la subida o bajada de pasajeros.
APEALAR tr. *Amér.* Manganear.
APEAR tr. y prnl. Bajar de una caballería o vehículo. • tr. Trabar las caballerías. • Calzar algún coche o carro. • Reconocer, señalar o deslindar una o varias fincas. • tr. *Arq.* Sostener provisionalmente un edificio, construcción o terreno. • *Arq.* Bajar de su sitio alguna cosa. • *Amér.* Tomar los alimentos con la mano. • prnl. *Amér.* Hospedarse. ■ APEADOR, RA; APEAMIENTO.
APECHUGAR intr. Dar o empujar con el pecho. • fig. y fam. Aceptar alguna cosa, venciendo la repugnancia que causa. ■ APECHAR.
APEDAZAR tr. Despedazar. • Echar pedazos.
APEDREADO, DA adj. Manchado o salpicado de varios colores.
APEDREAR tr. Tirar piedras a una persona o cosa. • Matar a pedradas. • impers. Caer pedrisco o granizo. • prnl. Estropearse la cosecha a causa del pedrisco. ■ APEDREAMIENTO; APEDREO.
APEGO m. Afición particular. ■ APEGARSE.
APEGUALAR intr. *Argent.* y *Chile.* Hacer uso del pegual.
APELADO, DA adj. y s. *Der.* Litigante que ha obtenido sentencia favorable contra la cual se apela. • adj. Díc. de dos o más caballerías del mismo pelo o color.
APELAMBRAR tr. Meter los cueros en pelambre para que pierdan el pelo.
APELAR intr. *Der.* Recurrir a juez o tribunal superior para que enmiende o anule la sentencia dada por el inferior. • intr. y prnl. fig. Recurrir a una persona o cosa para algún trabajo. • intr. Referirse.• Ser del mismo pelo o color dos o más caballerías. ■ APELABLE; APELACIÓN; APELAR.
APELATIVO adj. y m. Sobrenombre o nombre que se da a una persona. • m. *Amér.* Apellido.
APELDAR intr. fam. Escapar, huir.
APELDOORN C. de Países Bajos, en Güeldres; 144 800 hab. Centro ind.
APELES (m. a comienzos del s. III a. C.) Pintor gr. considerado el más ilustre de los pintores del mundo clásico.
APELLAR tr. Adobar una piel, sobándola.
APELLIDAR tr. Llamar a alguien por su apellido. • Nombrar, llamar.
APELLIDO m. Nombre de familia. • Mote.
APELLINARSE prnl. *Chile.* Amojamarse.
APELMAZAR tr. y prnl. Hacer que una cosa esté menos esponjosa de lo necesario. ■ APELMAZADO, DA.
APELOTONAR tr. y prnl. Formar pelotones.
APENAR tr. y prnl. Causar pena, afligir.
APENAS adv. modo. Casino. • adv. tiempo. Luego que, al punto que.
APENCAR intr. fam. Apechugar.
APÉNDICE m. Cosa adjunta a otra, con respecto a la cual es de importancia secundaria. • Suplemento al final de una obra. • *Zool.* Parte del cuerpo animal unida a otra principal. • **cecal, vermicular, o vermiforme.** *Zool.* Prolongación del intestino ciego. ■ APENDICULADO; APENDICULAR.
APENDICECTOMÍA f. *Cir.* Extirpación del apéndice vermicular.
APENDICITIS f. *Med.* Inflamación aguda del apéndice vermicular.
APENDICULARIO, RIA adj. y m. Díc. de invertebrados tunicados, que viven en alta mar.
APENINOS *(Appennini)* Cord. que recorre Italia de NO a S y se prolonga en Sicilia. Alt. máx.: Corno (2 914 m), en el Gran Sasso. En la parte central y S se encuentran los volcanes Vesubio y Etna.
APEÑUSCAR tr. y prnl. Apiñar, agrupar.
APEO m. Instrumento jurídico que acredita el deslinde y demarcación. • *Arq.* Armazón con que se apea un edificio o terreno.
APEONAR intr. Andar a pie y rápidamente.
APEPSIA f. *Med.* Falta de digestión.
APEPÚ m. *Amér. Merid.* Planta de la familia rutáceas. Es un naranjo agrio.
APERAR tr. Arreglar o hacer carros o aperos de labranza. ■ APERADOR.
APERCANCARSE prnl. *Chile.* Enmohecerse.
APERCEPCIÓN f. Acción y efecto de apercibir. • *Fil.* Percepción consciente.
APERCHAR tr. *Chile.* Apilar o hacinar.
APERCIBIMIENTO m. *Der.* Una de las correcciones disciplinarias.
APERCIBIR tr. y prnl. Disponer lo necesario para alguna cosa. • tr. Amonestar. • Observar. • *Der.* Hacer saber a la persona citada, emplazada o requerida, las consecuencias de determinados actos u omisiones suyas. • *Amér.* Cobrar.
APERCOLLAR tr. fam. Coger o asir por el cuello a alguno. • fam. Acogotar.
APEREÁ m. *Amér. Merid.* Roedor sin cola.
APERGAMINADO, DA adj. Semejante al pergamino.
APERGAMINARSE prnl. fig. y fam. Acartonarse.
APERITIVO, VA adj. y m. Que abre el apetito. • m. Bebida que se toma antes de una comida.
APERNAR tr. Asir el perro por las piernas a una res.
APERO m. Conjunto de instrumentos y cosas necesarias para la labranza. • Conjunto de animales destinados en una hacienda a las faenas agrícolas. • *Amér.* Recado de montar propio de la gente del campo.

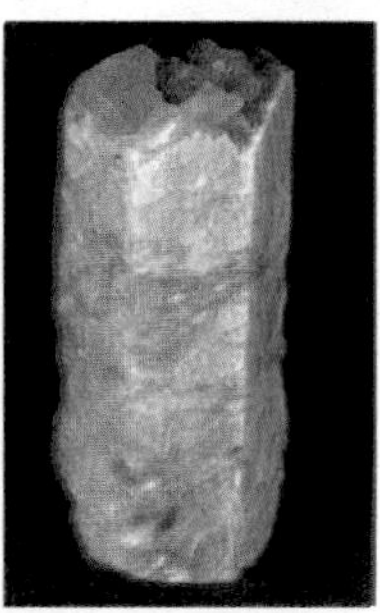

Apatita

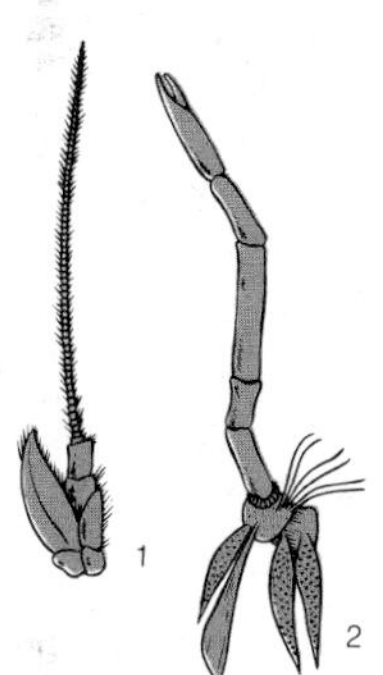

Apéndices del cangrejo de río: 1. antena; 2. pata locomotriz

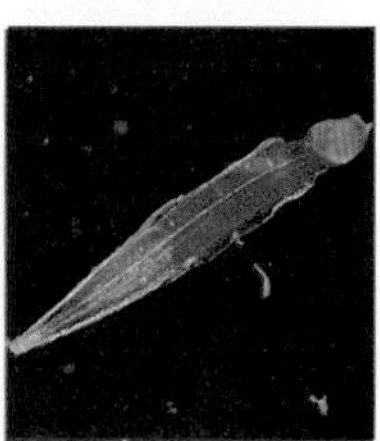

Apendicularia

Apicultura

Ápido

Apio

Apisonadora

APERREAR tr. Echar perros a alguien para que le muerdan. ■ APERREADO, DA; APERREO.
APERSOGAR tr. Atar un animal, especialmente del cuello, para que no huya.
APERSONARSE prnl. Personarse. • *Der.* Comparecer como parte en un negocio el que tiene interés en él. ■ APERSONAMIENTO.
APERTURA f. Acción de abrir. • Tratándose de asambleas, etc., acto de dar principio a sus tareas, etc. • Tratándose de testamentos cerrados, acto solemne de darles publicidad. • Conjunto de jugadas con que se inicia una partida de ajedrez. • *Electr.* Con referencia al haz de irradiación de una antena, ángulo que forman la dirección de máxima irradiación con aquella en que la potencia irradiada se reduce a la mitad. • *Ópt.* Para un objetivo, relación entre el diámetro del orificio de entrada y el doble de la distancia focal. Cuanto mayor sea la a., mayor será el poder resolutivo del objetivo.
APESADUMBRAR tr. y prnl. Causar pesadumbre, afligir.
APESARAR tr. y prnl. Apesadumbrar. • prnl. *Chile.* Arrepentirse.
APESGAR tr. Hacer peso. • prnl. Agravarse.
APESTAR tr. y prnl. Causar la peste. • tr. fig. y fam. Causar hastío. • intr. Despedir mal olor. ■ APESTOSO, SA.
APÉTALA adj. *Bot.* Que carece de pétalos.
APETECER tr. y prnl. Tener gana de alguna cosa. • intr. Causar apetito. ■ APETECEDOR, RA; APETECIBLE; APETITIVO, VA.
APETENCIA f. Gana de comer. • Inclinación que mueve al hombre a desear alguna cosa.
APETITE m. Salsa para excitar el apetito.
APETITO m. Impulso que lleva a satisfacer deseos. • Gana de comer.
APETITOSO, SA adj. Que excita el apetito. • Gustoso, sabroso.
ÁPEX m. *Astr.* Punto de la esfera celeste hacia el cual se dirigen aparentemente el Sol y los astros del sistema solar. • Ápice o punta.
APEZONADO, DA adj. De forma de pezón.
APEZUÑAR intr. Hincar los animales en el suelo las pezuñas o los cascos.
APIADAR tr. Causar piedad. • prnl. Tener piedad.
APIANAR tr. Disminuir sensiblemente la intensidad de la voz o del sonido.
APIANO (s. II) Historiador gr., autor de una *Historia romana* objetiva y documentada.
APICAL adj. Relativo a un ápice o punta. • adj. y f. *Fon.* Díc. de la consonante pronunciada con la punta de la lengua acercada al paladar, como la *l* o la *t*.
APICARARSE prnl. Adquirir modales o conducta de pícaro.
ÁPICE m. Extremo superior o punta de alguna cosa. • Signo ortográfico colocado sobre las letras. • fig. Parte pequeñísima. • fig. Lo más arduo de un asunto. • **vegetativo.** *Bot.* Tejido meristemático que ocupa la parte terminal del tronco, raíces y ramas.
APICHONADO, DA adj. fam. *Chile.* Amartelado, enamorado.
APÍCULO m. *Bot.* Punta corta, aguda y poco consistente.
APICULTURA f. Cría y cuidado de las abejas para aprovechar su miel, jalea real, cera, etc.
ÁPIDO, DA adj. y m. Díc. de insectos himenópteros caracterizados por poseer un aparato bucal con el que absorben el néctar de las flores. • m. pl. Familia formada por dichos insectos.
APIEZON m. *Ing.* Líquido que a la temperatura ambiente posee una pequeña presión de vapor.
APÍFUGO, GA adj. y s. Sustancias que se usan para evitar las picaduras de las abejas.
APILAR tr. Amontonar, poner en pila o montón. ■ APILAMIENTO; *Amér.* APILONAR.
APIMPLARSE prnl. fam. Emborracharse.
APIMPOLLARSE prnl. Echar pimpollos las plantas.
APINTO m. *Hond.* Especie de agave, cuya raíz se usa, como el jabón, para lavar ropa.
APIÑAR tr. y prnl. Juntar estrechamente personas o cosas. ■ APIÑADO, DA; APIÑAMIENTO.
APIÑONADO, DA adj. *Méx.* De color moreno.
APIO m. Planta umbelífera, comestible; es diurética. • **caballar.** Planta silvestre parecida al apio común. • **cimarrón.** *Arg.* Variedad de a. silvestre usado en medicina. • **de ranas.** Ranúnculo. • **equino.** El caballar.
APIOLAR tr. Poner pihuela. • fig. y fam. Prender a una persona. • fig. y fam. Matar.
APIPARSE prnl. fam. Atracarse de comida o bebida.
APIPIXCA adj. y s. *Méx.* Díc. de la mujer chillona.
APIR m. *Chile.* Apiri.
APIRAMIDADO, DA adj. En forma de pirámide.
APIREXIA f. *Med.* Falta de fiebre. • *Med.* Intervalo que media entre una y otra accesión de la fiebre intermitente. ■ APIRÉTICO, CA.
APIRGÜINARSE prnl. *Chile.* Padecer pirgüín el ganado.
APIRI m. *Amér.* Operario que transporta mineral en las minas.
APIS *Astr.* Nombre latino de la constelación austral de la Abeja.
APIS *(Hepi)* Buey sagrado de los antiguos egipcios.
APISONADORA f. Máquina para allanar y apretar el terreno.
APISONAR tr. Apretar con pisón la tierra u otra cosa. ■ APISONADOR, RA; APISONAMIENTO.
APITONAR intr. Echar pitones los animales. • Empezar los árboles a brotar. ■ APITONAMIENTO.
APIZARRADO, DA adj. De color negro azulado.
APL Lenguaje de programación de alto nivel, diseñado para la definición y manipulación de listas, vectores y matrices de caracteres. Permite realizar operaciones tales como la reducción, la comprensión, la linealización, la concatenación y el producto interno de conjuntos de caracteres mediante la introducción de operadores lógicos y relacionales.
APLACAR tr. y prnl. Amansar. ■ APLACABLE; APLACADOR, RA; APLACAMIENTO.
APLACER intr. y prnl. Agradar, contentar.
APLACERADO, DA adj. *Mar.* Díc. del fondo del mar, llano y poco profundo.
APLANACALLES com. *Amér.* Azotacalles.
APLANADERA f. Instrumento con que se aplana el suelo, terreno, etc.
APLANAR tr. Allanar. • fig. y fam. Dejar a uno pasmado. • prnl. Caerse al suelo algún edificio. • fig. Perder la animación o el vigor. ■ APLANADOR, RA; APLANAMIENTO.
APLANÁTICO, CA adj. *Ópt.* Díc. del sistema óptico exento de aberración esférica. ■ APLANÉTICO, CA.
APLANOSPORA f. *Bot.* Espora asexual.
APLASIA f. *Med.* Detención en el desarrollo de un órgano o tejido, después del nacimiento.
APLASTAR tr. y prnl. Deformar una cosa aplanándola. • tr. fig. y fam. Dejar a uno confuso. • fig. Vencer por completo a un oponente. • tr. y prnl. *Argent.* y *Ur.* Reventar a un caballo. ■ APLASTAMIENTO.
APLATANAR tr. y prnl. Cansar. • prnl. fam. *Ant.* Familiarizarse un extranjero con los usos y costumbres del país.

Apertura española o Rui López (ajedrez)

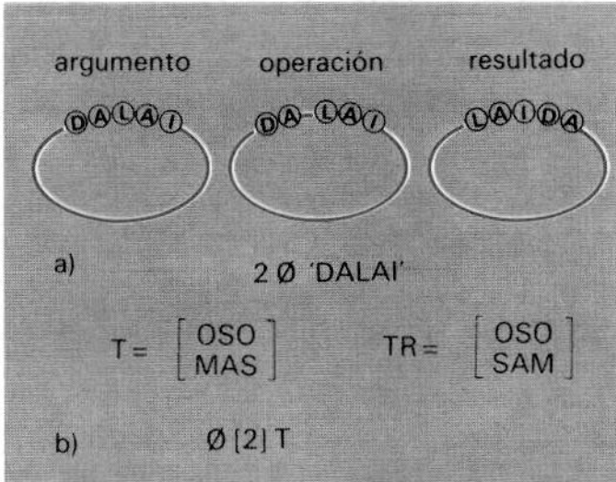

Diagrama del lenguaje de programación de alto nivel **APL,** en el que A representa el operador «rotación» Ø y B el operador 1 Ø [2]; «espejo» (transformación simetría de T)

APLAUDIR tr. Palmotear en señal de aprobación. • Celebrar con palabras u otras demostraciones a persona o cosas. ■ APLAUDIDOR, RA; APLAUSO.
APLAYAR intr. Salir el río de madre.
APLAZADO, DA adj. *Amér.* Suspenso, dicho de un examen.
APLAZAR tr. Convocar para tiempo y sitio señalados. • Diferir. ■ APLAZAMIENTO.
APLEBEYAR tr. y prnl. Hacer plebeyo.
APLICACIÓN f. Acción y efecto de aplicar o aplicarse. • Ornamentación ejecutada en una materia distinta de otra, a la cual se sobrepone. • fig. Esmero con que se hace una cosa. • *Comp.* Descripción, software y documentación que definen la integración de la computadora en una tarea. • *Mat.* Correspondencia entre dos conjuntos.
APLICAR tr. Poner una cosa sobre otra. • fig. Emplear alguna cosa para conseguir un fin. • fig. Atribuir a uno algún hecho o dicho. • fig. Destinar, adjudicar. • fig. Hablando de profesiones, etc., dedicar a ellas a una persona. • *Der.* Adjudicar bienes o efectos. • prnl. fig. Dedicarse a un estudio o ejercicio. • *Amér.* Aspirar a un cargo o empleo. ■ APLICABLE; APLICADO, DA.
APLIQUE m. En el teatro, trasto para decorar. • Lámpara adosada a la pared.
APLITA f. *Miner.* Roca filoniana de grano fino y de composición muy similar a la del granito.
APLODÓNTIDO, DA adj. y m. *Zool.* Díc. del castor de montaña, mamífero roedor y excavador que vive en el O de América del Norte. • m. pl. Familia a la que pertenece dicho roedor.
APLOMAR tr. y prnl. Hacer mayor la pesantez de una cosa. • tr. e intr. Examinar con la plomada si las paredes están verticales. • tr. *Arq.* Poner las cosas verticalmente. • prnl. Desplomarse. ■ APLOMADO, DA.
APLOMO m. Gravedad, circunspección. • En el caballo, cada una de las líneas verticales que deben tener sus miembros para que esté bien constituido. • Verticalidad. • Plomada.
APNEA f. *Med.* Falta o suspensión temporal de la respiración.
APOASTRO m. *Astr.* Punto en que un astro se halla a mayor distancia de su principal.
APOCADO, DA adj. fig. De poco ánimo.
APOCALIPSIS Último texto del Nuevo Testamento, atribuido a san Juan. • **Los cuatro jinetes del** A. Los cuatro azotes de la humanidad: peste, hambre, guerra y muerte.
APOCALÍPTICO, CA adj. Relativo al Apocalipsis. • fig. Que parece del Apocalipsis. • fig. Terrorífico, espantoso.
APOCAR tr. Reducir a poco alguna cantidad. • fig. Limitar, estrechar. • tr. y prnl. fig. Humillar, tener en poco. ■ APOCAMIENTO.
APOCATÁSTASIS f. *Fil.* Retorno de las cosas a su primitivo punto de partida.
APOCINÁCEO, A adj. y f. *Bot.* Plantas de la familia apocináceas. • f. pl. *Bot.* Familia de dicotiledóneas de hojas persistentes, flores hermafroditas, fruto capsular o folicular, y semillas con albumen carnoso o coriáceo.
APÓCOPE f. *Ling.* Pérdida de los elementos finales de una palabra. ■ APOCOPAR.
APÓCRIFO, FA adj. Fabuloso o fingido. • Díc. de todo libro atribuido a autor sagrado, que no está incluido en el canon de la Sagrada Escritura.
APOCROMÁTICO, CA adj. *Ópt.* Objetivo en el que se han corregido las aberraciones cromáticas.
APODAR tr. Poner o decir apodos. • prnl. Usar el apodo.
APODERADO, DA adj. y s. Díc. del que tiene poderes de otro para representarlo.
APODERAR tr. Dar poder una persona a otra para que la represente. • prnl. Hacerse uno dueño de alguna cosa. ■ APODERAMIENTO.
APODIA f. Carencia de pies.
APODÍCTICO, CA adj. *Lóg.* Convincente.
APÓDIDO, DA adj. y m. *Zool.* Díc. de aves de la familia apódidos. • m. pl. Familia de aves apodiformes, denominadas vencejos.
APODO m. Nombre dado a una persona, tomado de sus defectos corporales.
ÁPODO, DA adj. Díc. del animal que carece de patas. • adj. y m. *Zool.* Díc. de anfibios del orden ápodos. • m. pl. *Zool.* Orden de anfibios que carecen de ojos y de patas.
APÓDOSIS f. Oración principal de una construcción lingüística condicional.
APOENZIMA m. *Biol.* Porción proteínica de la molécula de las enzimas compuesta por un proteido. Representa la parte lábil de la enzima.
APOFÁNTICO, CA adj. En la lógica aristotélica, tipo de proposición o discurso que excluye la exclamación, el ruego, etc.
APOFERMENTO m. *Biol.* Apoenzima.
APÓFIGE f. *Arq.* Parte curva que enlaza el fuste de la columna con su basa o capitel.
APÓFISIS f. *Anat.* Parte saliente de un hueso, que sirve para su articulación.
APOFONÍA f. *Fon.* Alteración de vocales en palabras de la misma raíz; como *imberbe,* de *barba.*
APOGEO m. *Astr.* y *Astron.* Punto de la órbita de un astro o de un cuerpo que gira alrededor de la Tierra que se halla a la máxima distancia de ésta. • fig. Punto culminante, plenitud.
APÓGRAFO m. Copia de un escrito original.
APOJOVIO m. *Astr.* Apoastro de las órbitas de los satélites de Júpiter.
APOLILLAR tr. y prnl. Roer la polilla las ropas, etc. ■ APOLILLADURA; APOLILLAMIENTO.
APOLINAR de Laodicea, *el Joven* (¿310-390?) Obispo de Laodicea (Siria). Partidario del monofisismo.
APOLINARISMO m. Doctrina herética de los seguidores de Apolinar de Laodicea el Joven. ■ APOLINARISTA.
APOLÍNEO, A adj. Perteneciente o relativo a Apolo. • En la filosofía de Nietzsche, uno de los dos aspectos contradictorios del espíritu humano, por oposición a lo dionisiaco.
APOLISMAR tr. *Amér.* Magullar.
APOLITICISMO m. Tendencia a desinteresarse de toda actividad política. ■ APOLÍTICO, CA.
APOLLINAIRE, *Guillaume* (1880-1918) Seud. de *Wilhelm Apollinaris de Kostrovitsky,* poeta surrealista fr. de origen lituano. *Las tetas de Tiresias, Alcoholes, Caligramas.*
APOLO *Mit.* Hijo de Leto (Latona), y hermano gemelo de Artemisa (Diana). Arquetipo de la belleza masculina.
APOLO → Proyecto Apolo.
APOLODORO de Damasco (ss. I-II) Arquitecto sirio, constructor, en Roma, del Foro de Trajano.
APOLOGÉTICA f. Rama de la teología que expone y defiende los fundamentos de la fe cristiana. ■ APOLOGÉTICO, CA.
APOLOGÍA f. Discurso en defensa o alabanza de personas o cosas. • fam. Elogio, panegírico.
APOLOGISTA com. Persona que hace alguna apología. • m. y f. Defensor de la fe. Díc. especialmente de los escritores eclesiásticos que compusieron sus obras entre los años 120 y 220 (Atenágoras, Justino, Taciano, Minucio Félix y Tertuliano).
APÓLOGO m. Fábula, composición literaria.
APOLONIO, *Libro de* Poema cast. de mediados del s. XIII, de autor anónimo.
APOLONIO de Atenas (s. I) Escultor gr. Se le atribuyen el Torso del Belvedere y el Pugilista. • **de**

Flores de adelfa, planta de la familia **apocináceas**

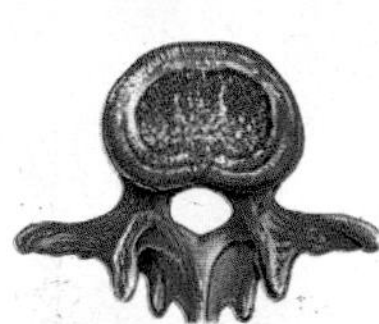

Apófisis

Apolo

Torso del Belvedere, atribuido a **Apolonio de Atenas**

Pérgamo (262-180 a. C.) Matemático gr., llamado «EL GRAN GEÓMETRA», autor de un tratado sobre las secciones cónicas. • **de Rodas** (h. 300-h. 230 a. C.) Poeta gr. *Los argonautas.* • **de Tiana** (m. hacia 97) Filósofo neopitagórico gr. *Vida de Pitágoras.* • **de Tralles** (s. I a. C.) Escultor gr. Autor, con su hermano Taurisco, del grupo del *Toro Farnesio.*

APOLTRONARSE prnl. Hacerse poltrón. • Ponerse cómodo en un asiento. ■ APOLTRONAMIENTO.

APOMECÓMETRO m. Aparato topográfico empleado para medir alturas.

APOMORFINA f. *Biol.* Alcaloide que se obtiene por deshidratación de la morfina.

APONEUROSIS f. *Zool.* Membrana conjuntiva formada por fibras cruzadas, que sirve de envoltura a los músculos. ■ APONEURÓTICO, CA.

APONTE, *José Antonio* (?-1812) Abolicionista cub. Tras promover numerosos levantamientos antiesclavistas, fue hecho prisionero y ahorcado.

Apóstoles. Talla de la *Santa Cena,* obra de F. Bigarny (Catedral de Toledo, España)

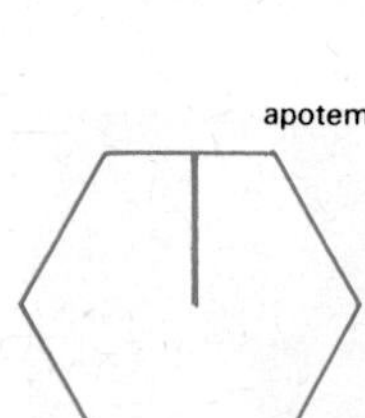

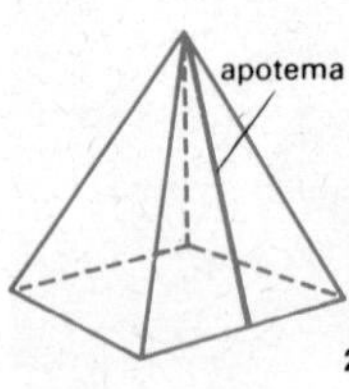

Apotema: 1. de un polígono regular; 2. de una pirámide

APOPA Mun. de El Salvador, en el dpto. de San Salvador; 19 000 hab. Caña de azúcar, cereales, café.

APOPLEJÍA f. *Med.* Hemorragia en el interior del cerebro que causa pérdida de la conciencia y de la sensibilidad, parálisis y, frecuentemente, muerte. ■ APOPLÉTICO, CA.

APOQUINAR tr. fam. Aprontar uno lo que le corresponde entregar o pagar.

APORCAR tr. Cubrir con tierra hortalizas, para que se pongan blancas. • Acollar, arrimar tierra al pie de los árboles. ■ *Chile.* APORCA; APORCADURA.

APORÍA *Fil.* Contradicción o dificultad lógica insuperable en un razonamiento.

APORISMA m. *Med.* Hematoma subcutáneo por derrame de sangre entre la piel y la carne.

APORRAR intr. fam. Quedarse sin habla.

APORREADO, DA adj. Arrastrado. • m. *Cuba.* Guisado de carne de vaca.

APORREAR tr. y prnl. Golpear con porra o palo. • fig. Dar golpes, en general. • fig. Machacar, importunar, molestar. • prnl. fig. Trabajar con suma fatiga y aplicación. ■ APORREAMIENTO; APORREO.

APORTAR tr. Llevar, traer. • Dar, contribuir, añadir. • *Der.* Llevar cada cual la parte que le corresponde a la sociedad. • intr. Tomar puerto o arribar a él. • intr. y prnl. Acudir a determinado punto. ■ APORTACIÓN.

APORTE m. Aportación. • fig. Contribución. • *Geogr.* Acción y efecto de depositar materiales un río, el viento, etc.

APORTILLAR tr. Abrir un boquete en una muralla o pared para poder entrar. • Romper o abrir cualquier cosa unida. • prnl. Caerse alguna parte de muro o pared.

APOSEMÁTICO, CA adj. *Biol.* Díc. de la coloración que poseen determinadas especies como mecanismo de protección.

APOSENTADOR Oficial encargado de aposentar las tropas en las marchas.

APOSENTAR tr. Dar habitación y hospedaje. • prnl. Tomar casa. ■ APOSENTADOR, RA; APOSENTAMIENTO.

APOSENTO m. Pieza de una casa. • Posada.

APOSICIÓN *Gram.* Reunión de dos sustantivos consecutivamente sin partícula subordinante. ■ APOSITIVO, VA.

APÓSITO m. *Med.* Remedio aplicado exteriormente, sujetándolo con gasas, vendas, etc.

APOSTA adv. modo. Adrede.

APOSTADERO m. Lugar donde hay gente apostada.

APOSTAR tr. Hacer una apuesta. • tr. y prnl. Poner una o más personas en determinado lugar.

APOSTATAR intr. Negar la fe de Jesucristo recibida en el bautismo. • Abandonar un religioso la orden a la que pertenece. • Cambiar de opinión o partido político. ■ APOSTASÍA; APÓSTATA.

APOSTEMA f. Postema.

APOSTILLA f. Acotación que interpreta o completa un texto. ■ APOSTILLAR; APOSTILLARSE.

APÓSTOL m. Cada uno de los doce principales discípulos de Jesucristo. • El que convierte a los infieles de cualquier país. • fig. El que hace campaña por alguna causa.

APOSTOLADO m. Ministerio del apóstol. • Congregación de los apóstoles. • Conjunto de las imágenes de los apóstoles. • fig. Campaña de propaganda de alguna causa.

APOSTÓLICO, CA adj. Relativo a los apóstoles. • Perteneciente al Papa, o que dimana de su autoridad. ■ APOSTOLICIDAD.

APÓSTROFE amb. Figura retórica que consiste en interrumpir el discurso para dirigir la palabra a una persona o cosa personificada. ■ APOSTROFAR.

APÓSTROFO m. Signo gráfico (') que indica la elisión de una vocal.

APOSTURA f. Gentileza. • Actitud.

APOTEGMA m. Sentencia breve atribuida a algún personaje famoso.

APOTEMA f. *Geom.* Perpendicular trazada desde el centro de un polígono regular a uno cualquiera de sus lados. • *Geom.* Altura de las caras triangulares de una pirámide regular.

APOTEOSIS f. Concesión de la dignidad de dioses a los héroes. • fig. Ensalzamiento de una persona con grandes honores. • fig. Parte final de un espectáculo. ■ APOTEÓSICO, CA; APOTEÓTICO, CA.

APÓTESIS f. *Med.* Posición de un miembro fracturado, una vez reducida la fractura.

APOTRERAR tr. *Chile* y *Ecuad.* Dividir una hacienda o fundo en potreros. • *Cuba.* Poner el ganado en un potrero.

APOYADURA f. Flujo de leche en los pechos de las hembras cuando dan de mamar.

APOYAR tr. Hacer que una cosa descanse sobre otra. • Basar. • fig. Favorecer. • fig. Sostener alguna opinión. • tr. y prnl. *Eq.* Bajar el caballo la cabeza. • tr. *Mil.* Prestar protección una fuerza. • intr. y prnl. Cargar.

APOYATURA f. *Mús.* Adorno consistente en una nota que precede a la principal.

APOYO m. Lo que sirve para sostener. • Apoyadura. • fig. Protección. • fig. Fundamento de una opinión.

APOZARSE prnl. *Chile* y *Col.* Resbalarse.

APPEL, *Karel* (nacido 1921) Pintor hol., representante europeo de la *Action painting.*

APPERT, *Nicolas* (1749-1841) Inventor fr., creador de un sistema para la conservación de alimentos.

APPIA, *Adolphe* (1862-1928) Teórico teatral suizo creador, junto con Craig, de la escenografía contemporánea.

APPOMATOX C. de EE UU, en el Est. de Virginia, célebre porque en ella se rindió el general sudista Lee al general yanqui Grant, lo que puso fin a la guerra de Secesión norteamericana (1865).

APRA (*Alianza Popular Revolucionaria Americana*) Partido político fundado en 1924 por el per. Víctor Raúl Haya de la Torre. El movimiento, nacido en México, se extendió a otros países, pero, a partir de 1931, su actividad se limitó al Perú. Los principales objetivos consistían en combatir el imperialismo y en la lucha en pro de la unidad política latinoamericana, la nacionalización de las tierras y de las ind.

importantes y la solidaridad con los movimientos revolucionarios mundiales. En 1956 obtuvo la legalidad y, a partir de entonces, evolucionó hacia la moderación. En las elecciones presidenciales de 1985, el candidato aprista, Alan García Pérez, resultó elegido para el cargo hasta 1990.

APRAXIA f. *Med.* Pérdida de la facultad de realizar movimientos coordinados.

APRECIAR tr. Poner precio a las cosas. • fig. Tratándose de la magnitud, intensidad o grado de las cosas y sus cualidades, percibir debidamente. ■ APRECIABLE; APRECIADOR, RA; APRECIATIVO, VA; APRECIO.

APREHENDER tr. Prender a una persona o alguna cosa. • *Fil.* Conocer algo, sin afirmar ni negar nada. • *Der.* Embargar. ■ APREHENSIÓN; APREHENSIVO, VA; APREHENSOR, RA.

APREMIAR tr. Dar prisa, para hacer alguna cosa. • Oprimir. • Obligar a uno con mandamiento de autoridad a que haga alguna cosa. ■ APREMIADOR, RA; APREMIANTE.

APREMIO m. Mandamiento de autoridad para compeler al cumplimiento de un acto. • Recargo por causa de demora en el pago. • Procedimiento ejecutivo para el cobro de impuestos o descubiertos.

APRENDER tr. Adquirir el conocimiento de alguna cosa. • Tomar algo en la memoria. ■ APRENDIZ, ZA.

APRENDIZAJE m. Acción de aprender algún arte u oficio. • Tiempo que se emplea en aprender un arte u oficio. • *Psic.* Modificación en la forma de reaccionar de un organismo frente a una situación experimentada de antemano.

APRENSAR tr. Prensar. • fig. Oprimir.

APRENSIÓN f. Aprehensión. • Temor vago y mal definido. • Opinión extraña. Se usa más en plural. • Miramiento. ■ APRENSIVO, VA.

APRESAR tr. Hacer presa. • Tomar por fuerza alguna nave. • Aprisionar. ■ APRESADOR, RA; APRESAMIENTO.

APRESTAR tr. y prnl. Disponer lo necesario para alguna cosa. • tr. Engomar los tejidos.

APRESTO m. Prevención. • Almidón, cola u otras materias que sirven para aprestar las telas.

APRESURAR tr. y prnl. Dar prisa. ■ APRESURACIÓN; APRESURAMIENTO.

APRETADAMENTE adv. modo. Con fuerza que aprieta u oprime. • Con insistencia.

APRETADERA f. Cinta o cuerda para apretar alguna cosa. Se usa más en plural.

APRETADO, DA adj. fig. Arduo, peligroso. • fig. y fam. Mezquino, miserable.

APRETADOR, RA adj. y s. Que aprieta. • m. Instrumento que sirve para apretar.

APRETAR tr. Estrechar con fuerza. • Obrar con mayor esfuerzo que de ordinario. • Poner una cosa sobre otra haciendo fuerza o comprimiendo. • Aguijar. • Tratándose de lo que sirve para estrechar, aumentar su tirantez para que haga mayor presión. • Estrechar algo. • tr. y prnl. Apiñar estrechamente. • tr. fig. Acosar. • fig. Afligir. • Tratar con excesivo rigor. • tr. e intr. Constreñir con amenazas o razones. • tr. Tratar de llevar a efecto con urgencia o instancia. • *Pint.* Dar apretones. ■ APRETADIZO, ZA; APRETADURA.

APRETÓN m. Apretadura muy fuerte y rápida. • Apretadura causada por la afluencia de gente. • fam. Dolor brusco. • fam. Carrera violenta y corta. • fig. y fam. Ahogo, conflicto. • *Pint.* Mancha de color oscuro.

APRETUJAR tr. fam. Apretar mucho o reiteradamente. • prnl. Oprimirse varias personas en un recinto demasiado estrecho. ■ APRETUJÓN.

APRETURA f. Opresión causada por la excesiva afluencia de gente. • Paraje estrecho. • fig. Aprieto. • Escasez de víveres.

APREVENIR tr. *Col.* y *Guat.* Prevenir.

APRIETO m. Apretura. • fig. Conflicto.

APRIORISMO m. Método en que se emplea el razonamiento *a priori.* ■ APRIORÍSTICO, CA.

APRISA adv. modo. Con celeridad o prontitud.

APRISCO m. Lugar donde se recoge el ganado. ■ APRISCAR.

APRISIONAR tr. Poner en prisión. • fig. Atar.

APRISMO m. Movimiento y doctrina de la APRA.

APROAR intr. *Mar.* Volver el buque de proa a alguna parte.

APROBADO, DA m. En exámenes, calificación mínima de aptitud.

APROBAR tr. Dar por bueno. • Asentir a una doctrina u opinión. • Declarar apto a uno. • Obtener el aprobado en una asignatura o examen. ■ APROBACIÓN; APROBADOR, RA; APROBATORIO, A.

APROCHES m. pl. *Mil.* Trabajos que hacen los que atacan una plaza para acercarse a batirla.

APRONTAR tr. Prevenir. Disponer con prontitud. • Entregar sin dilación dinero u otra cosa.

APROPIAR tr. Hacer propia de alguno cualquier cosa. • Aplicar a cada cosa lo que le es propio. • prnl. Tomar para sí alguna cosa. • fig. Adjudicarse un derecho, idea, etc. ■ APROPIABLE; APROPIACIÓN; APROPIADO, DA; APROPIADOR, RA.

APROPINCUARSE prnl. Acercarse.

APROPÓSITO m. Obra de teatro breve.

APROSEXIA f. Falta de poder de concentración, incapacidad para fijar la atención.

APROVECHAR intr. Servir de provecho alguna cosa. • intr. y prnl. Hablando de la virtud, estudios, etc., adelantar en ellos. • tr. Emplear útilmente alguna cosa. ■ APROVECHABLE; APROVECHADO, DA; APROVECHAMIENTO.

APROVISIONAR tr. Abastecer. ■ APROVISIONAMIENTO.

APROXIMACIÓN f. Acción de aproximar o aproximarse. • Premio de la lotería a los números anterior y posterior al principal. • *Arit.* Grado de exactitud obtenido en la determinación más probable del valor de una magnitud, medida directamente o por medio del cálculo.

APROXIMAR tr. y prnl. Arrimar, acercar. ■ APROXIMADO, DA; APROXIMATIVO, VA.

APSARA f. *Mit.* Para el hinduismo, cada una de las ninfas que habitan en el cielo de Indra.

APSHERON Pen. del est. de Azerbaiján, en el mar Caspio. Petróleo.

ÁPSIDE m. *Astr.* Cada uno de los dos vértices correspondientes al eje mayor de la órbita elíptica descrita por un astro.

APTERÍGIDO, DA adj. y m. Díc. de animales del orden apterigiformes. • m. pl Familia de este orden de animales, que comprende el ave kiwi.

APTERIGÓGENO, NA adj. y m. Insectos de la subclase apterigógenos. • m. pl. Subclase de estos insectos, también llamados ametábolos, que comprende las formas primitivas, que no sufren metamorfosis y carecen de alas.

ÁPTERO, RA adj. Que carece de alas. • *Arqueol.* Díc. de los templos antiguos que carecen de columnas en las fachadas laterales

ÁPTERYX m. Kiwi.

APTITUD f. Cualidad que hace que un objeto sea apto para cierto fin. • Idoneidad para ejercer un cargo.

APTO, TA adj. Idóneo para hacer alguna cosa.

APUESTA f. Acción y efecto de apostar dinero u otra cosa. • Cosa que se apuesta.

APUESTO, TA adj. Ataviado. • Gallardo.

APULEYO, *Lucio* (123-180?) Escritor latino. *Metamorfosis* o *El asno de oro.*

APULGARAR intr. Hacer fuerza con el dedo pulgar. • prnl. Llenarse la ropa de manchas.

APULIA *(Puglia)* Región de Italia, entre los Apeninos y el Adriático; 19 357 km^2, 4 031 900 hab. Cap., Bari. Altiplanicies de Gargano y las Murge, llanura de Tavoliere y pen. Salentina.

APULSO m. *Astr.* Contacto del borde de la imagen de un astro con el hilo vertical del retículo del anteojo. • *Astr.* Contacto aparente entre dos astros.

APUNARSE prnl. *Amér. Merid.* Padecer puna.

APUNTADO, DA adj. Que hace puntas por las extremidades.

APUNTADOR, RA adj. y s. Que apunta. • m. El que en el teatro va apuntando a los actores lo que han de decir. • Traspunte.

APUNTALAR tr. Poner puntales. • fig. Sostener, afirmar. ■ APUNTALAMIENTO.

APUNTAMIENTO m. *Der.* Resumen que de los autos forma el secretario de sala o el relator de un tribunal colegiado.

APUNTAR tr. Asentar un arma arrojadiza o de fuego. • Señalar hacia un sitio u objeto determinado. • Señalar en un escrito alguna cosa con un signo par a encontrarla fácilmente. • Tomar nota por escrito de alguna cosa. • Hacer un apunte o dibujo

Apsara

Templo **áptero** de Atenea Niké, en la Acrópolis de Atenas

Portada de una edición de 1543 de *El asno de oro*, de Lucio **Apuleyo**

Relieve persa de la época **aqueménida**

Corazón **Aquino**

Vista de la catedral de **Aquisgrán**

ligero. • Concertar en pocas palabras. • Empezar a fijar alguna cosa interinamente. • Sacar punta a un arma u otro objeto. • Unir ligeramente por medio de puntadas. • Ir el apuntador leyendo a los actores lo que han de recitar. • fig. Señalar. • fig. Insinuar algún asunto. • fig. Sugerir al que habla algún dato para que recuerde lo olvidado o para que se corrija. • *Méx.* Hablando del trigo y otros cereales, nacerse. ■ APUNTACIÓN.

APUNTE m. Apuntamiento. • Asiento o nota que se hace por escrito. • Dibujo para dar idea o recordar la forma o disposición de algún objeto. • Apuntador. • Manuscrito o impreso que tiene a la vista el apuntador. • En el juego, puesta. • Persona que causa extrañeza. • fam. Perillán. • pl. Extracto de las explicaciones de un profesor.

APUNTILLAR tr. *Taur.* Rematar al toro con la puntilla.

APUÑALADO, DA adj. • De figura parecida a la hoja de un puñal.

APUÑALAR tr. Dar de puñaladas.

APUÑAR tr. Asir o coger algo con la mano, cerrándola. • Apuñear. • intr. Apretar la mano para que no se caiga lo que se lleva en ella.

APUÑEAR tr. fam. Dar de puñadas.

APURACABOS m. Pieza cilíndrica donde se aseguran los cabos de vela para que ardan.

APURADO, DA adj. Pobre, falto de lo que se necesita. • Dificultoso, peligroso. • Esmerado, exacto. • Apresurado.

APURAR tr. Purificar una cosa separando lo impuro o extraño que tenga. • Aplicado a la moral, purificar. • Acabar. • Extremar. • fig. Averiguar radicalmente una cosa. • Sufrir hasta el extremo. • fig. Apremiar. • prnl. Afligirse. ■ APURACIÓN; APURADAMENTE; APURADOR, RA; APURAMIENTO; APURE; APURÓN, NA.

APURE Río de Venezuela, afl. de la margen derecha del Orinoco; 619 km. Forma la frontera N del Estado homónimo. Tiene su origen en la confluencia de los ríos Uribante y Sarare. Recibe cerca de 1 500 afluentes, entre los que destaca el Portuguesa, y es navegable en la mayor parte de su curso. • Estado de Venezuela, situado junto a Colombia; 76 500 km^2, 431 922 hab. Cap., San Fernando de Apure. Se halla en los Llanos, salvo la parte occidental montañosa (Tamá, 3 613 m). Los Llanos se dividen en Bajos, al Este, y Altos, al Oeste, sit. por encima de los 100 m. Ríos principales.: Apure, Meta, Arauca, Capanaparo y Cinaruco. Clima cálido y lluvioso. Precipitaciones más abundantes en el O. Vegetación de tipo sabana. Ganadería vacuna y caballar. Pesca fluvial y cultivos para el consumo local (maíz, leguminosas).

APUREÑO, ÑA adj. y s. De Apure.

APURICMEÑO, ÑA adj. y s. De Apurímac.

APURÍMAC Río del centro-sur de Perú, de unos 900 km de long. Nace en los Andes, en la cord. de Chilca. Después de recibir al Mantaro se le denomina *Ene*, nombre que cambia por el de *Tambo* al unirse con el Perené. Se fusiona con el Urubamba para dar origen al Ucayali. • Dpto. del S de Perú; 20 895,8 km^2, 409 500 hab. (70 % quechuas). Cap., Abancay. Sit. en la región andina, entre el r. Apurímac, al N, y la cord. de Huanzo, al S. El terr. está atravesado por diversos afl. del Apurímac (Pachachaca, Vilcabamba). Clima templado o cálido en los valles y frío en las partes más altas. Ganadería (vacunos, ovinos, llamas). Agricultura (patatas, trigo, maíz, caña de azúcar, café). Yacimientos de oro.

APURO m. Aprieto. • Aflicción. • Apremio, prisa. • Vergüenza, embarazo.

AQABA → Akaba.

AQUEA, *Liga* Confederación defensiva de doce ciudades aqueas.

AQUEJAR tr. fig. Fatigar. • Padecer un dolor, enfermedad o vicio.

AQUEL, LLA, LLO Formas de pronombre demostrativo con que se designa lo que está lejos de la persona que habla y de la persona con quien se habla. Las formas masculina y femenina se usan como adjetivos y como sustantivos; y, en este último caso, llevan acento. • Suele hacer el mismo oficio que el pronombre personal de tercera persona. • m. fam. Gracia.

AQUELARRE m. Conciliábulo de brujos.

AQUEMÉNIDA adj. y s. Díc. de los reyes persas descendientes de Aquemenes. • m. pl. La misma dinastía (ss. VIII-IV a.C.).

AQUENDE adv. lugar. De la parte de acá.

AQUENIO m. *Bot.* Fruto seco, indehiscente, con el pericarpo no soldado a la semilla.

AQUEO, A adj. y s. De Acaya. • adj. y s. P. ext., de Grecia antigua.

AQUERENCIARSE prnl. Tomar, especialmente un animal, querencia a un lugar o persona.

AQUERONTE *Mit.* Río del Infierno para los griegos, que nadie podía atravesar dos veces.

AQUESE, SA, SO Ése, pronombre demostrativo, usado en poesía.

AQUESTE, TA, TO Éste, pronombre demostrativo, usado en poesía.

ÁQUETA f. Cigarra, insecto.

AQUÍ adv. lugar. En este lugar. • A este lugar. • Equivale a veces a *en esto* o *en eso* o simplemente a *esto* o *eso*, cuando va precedido de las preposiciones *de* o *por*. • En correlación con *allí*, suele designar lugar indeterminado. • adv. tiempo. Ahora, en el tiempo presente. • Entonces. • **A.** y **allí.** m. adv. que denota indeterminadamente varios lugares.

AQUIESCENCIA f. Consentimiento. ■ AQUIESCENTE.

AQUIETAR tr. y prnl. Sosegar, apaciguar.

AQUIFOLIÁCEO, A adj. y s. *Bot.* Planta dicotiledónea arbustiva o arbórea, con hojas coriáceas y brillantes y fruto en baya. • f. pl. Familia de las mismas.

AQUIFOLIO m. *Bot.* Acebo.

AQUILA, *L'* C. de Italia, cap. de la prov. hom. y de la región de Abruzos; 66 800 hab.

AQUILATAR tr. Graduar los quilates del oro y piedras preciosas. • fig. Apreciar mérito en algo o alguien. • Apurar, purificar. ■ AQUILATAMIENTO.

AQUILES *Mit.* Héroe gr. protagonista de la *Ilíada* de Homero.

AQUILIA f. *Pat.* Falta o deficiencia de quilo.

AQUILÍFERO m. El que llevaba la insignia del águila en las ant. legiones romanas.

AQUILINO, NA adj. Aguileño.

AQUILLADO, DA adj. De forma de quilla.

AQUILÓN m. Norte. • Polo norte. • Viento del norte.

AQUINO, *Corazón María Cojuanco* (nacida 1933) Política filipina. Viuda del líder opositor Benigno Aquino, asesinado en 1983. Accedió a la presidencia en 1986, tras la renuncia del dictador Marcos. Ocupó el cargo hasta 1992.

AQUISGRÁN (al., *Aachen*; fr., *Aix-la-Chapelle*) C. de Alemania, en Renania Septentrional-Westfalia; 239 800 hab.

AQUITANIA *(Aquitaine)* Circunscripción regional del S de Francia; 41 308 km^2; 2 795 800 hab. Cap., Burdeos. • ***Cuenca de A.*** Región natural del SO de Francia, entre el macizo Central y el litoral Atlántico, y el r. Loira y los Pirineos. Atravesada por el r. Garona. Clima oceánico. • («País de las Aguas») Ant. prov. de la Galia rom., que comprendía parte de la Galia meridional.

AQUITÁNICO, CA o **AQUITANO, NA** adj. De Aquitania.

AQUIVO, VA adj. y s. Aqueo.

Ar *Quím.* Símb. del argón.

ARA f. Altar en que se ofrecen sacrificios. • Piedra consagrada sobre la cual el sacerdote católico celebra la misa. • *Astr.* Constelación austral.

ÁRABE adj. y s. Relativo a los árabes. • m. pl. Pueblos del SO de Asia y del N de África vinculados entre sí por la cultura, la religión y la política. • m. Grupo étnico caucasoide originario de la pen. de Arabia. • adj. Natural de Arabia. • m. Lengua semita hablada por los árabes.

ÁRABE-ISRAELÍES, *guerras* Nombre de los diversos enfrentamientos entre los est. ár. e Israel, desde la fundación de este est. • **guerra a.-i. de 1947-1949.** Provocada por el rechazo de la Liga ár. al proyecto de la ONU de dividir Palestina en dos est., uno ár. y el otro judío (1947). La evacuación de las tropas brit. y la proclamación de la indep. de Israel, decidió la intervención ár. (mayo 1948) de Egipto, Irak, Siria, Transjordania, Líbano y Arabia Saudí. La Legión árabe se apoderó de Jerusalén; los iraquíes atravesaron el Jordán y ocuparon Nablus, en tanto los egipcios, por el S, entraron en Gaza, Beer Sheva y Hebrón. La reacción israelí tuvo éxito en el N (toma de

Acre y Galilea). Se acordó una tregua (junio), rota antes de un mes. Los israelíes se apoderaron de Nazareth. La intervención de la ONU impuso una nueva tregua (julio), rota por los israelíes (septiembre), que ocuparon Beer Sheva y conquistaron el Negev. Los ár., derrotados, firmaron un armisticio (Rodas, 1949). Israel aseguró su indep. y acrecentó su terr., de 14 000 a 20 000 km^2. • **guerra a.-i. de 1956.** La nacionalización del canal de Suez llevó a Francia y Gran Bretaña a intervenir en Egipto; al amparo de esta intervención Israel invadió la pen. del Sinaí (octubre 1956). La actuación conjunta de EE UU y la URSS, que exigieron la retirada del ejército fr.-brit. y de las tropas israelíes, puso rápido fin al conflicto. • **guerra a.-i. de 5-10 junio 1967.** Tras el bloqueo del golfo de Akaba por Egipto, Israel desencadenó una operación sorpresa y destruyó la casi totalidad de la fuerza aérea egipcia. En pocos días, los israelíes ocuparon la pen. del Sinaí, hacia el O, en tanto hacia el E se apoderaron de Jerusalén, desalojaron a los sirios del macizo de Quneitra y avanzaron su frontera hasta la línea formada por el Jordán y el mar Muerto. • **guerra a.-i. de octubre de 1973.** La negativa de Israel a abandonar los terr. ocupados en 1967 llevó a Egipto y Siria a desencadenar una fuerte ofensiva en el canal de Suez y las alturas del Golán (6 octubre 1973). Los egipcios consiguieron cruzar el canal y los sirios atravesar las líneas de alto el fuego en el Golán. Estos éxitos iniciales hicieron que Marruecos, Argelia, Tunicia, Sudán, Irak, Jordania, Arabia Saudí y Kuwait intervinieran con tropas. La contraofensiva israelí obtuvo pleno éxito en el Golán, dejando expedito el camino a Damasco, y en el Sinaí, llegando a penetrar en la ribera O del canal. La amenaza de intervención norteam., contrarrestada por otra de la URSS, aceleró la firma de un alto el fuego entre Israel, Egipto, Jordania (22 octubre) y Siria (25 octubre).

ARABESCO, CA adj. Arábigo. • f. En música, composición corta con una melodía muy ornamentada. • m. Decoración a base de dibujos geométricos entrelazados.

ARABÍ Bajá (m. 1911) Militar y jefe del movimiento nacionalista egipcio. Fue vencido por los ingleses (1882) y deportado a Ceilán.

ARABIA f. *Cuba* y *Ecuad.* Tejido de cuadros azules y blancos, muy pequeños.

ARABIA *(Yazirat al Arab)* Pen. del Asia Sudoccidental, bañada por las aguas del mar Rojo, el golfo de Adén, el mar Arábigo y los golfos de Omán y Pérsico; 3 000 000 km^2. Altiplanicie del Nedjed, delimitada por los desiertos de Nefud, Dahna y Rub al Jali. Prales. relieves: Jabal Shammar y Jabal Tuwaiq. • **A. del Sur, *Federación de*** Liga de est. de la pen. arábiga; hoy, Rep. del Yemen.

ARABIA SAUDITA *(Al Mamlaka al-Arabiya as-Sa'udiya)* Est. del Asia sudoccidental; monarquía; ocupa la mayor parte de la pen. arábiga.

* *Geog.* Limita con Jordania, Irak, Kuwait, las dos repúblicas yemeníes, Omán, los Emiratos Árabes Unidos y Qatar. Regiones más características: Nedjed, Hedjaz, Asir y el desierto de Rub al Jali. Clima cálido y desértico en el interior, y muy cálido y húmedo en la costa. Uno de los máx. productores de petróleo. Cereales, hortalizas, dátiles; ganado; ind. de cemento y fertilizantes. Lengua: árabe. *Rel.*: islamismo sunnita. U.M.: riyal. Cap., Riyadh. C. imp.: Jidda, La Meca, Ta'if, Medina.

* *Hist.* Reino unitario constituido en 1932 con la unión en la persona de Ibn Saud de los reinos de Nedjed y Hedjaz. A partir de 1933, cuando se descubrieron los primeros yacimientos, el petróleo ha sido su pral. fuente de ingresos, los cuales no han servido para modernizar radicalmente el país. Durante las guerras árabe-israelíes de 1967 y 1973, A. apoyó la causa árabe. En marzo de 1975, Faisal ibn Abd al-Aziz, que reinaba desde 1964, fue asesinado; le sucedió su hermano Jaled, que en 1977 nacionalizó la ind. petrolera se mantuvo equidistante entre Egipto y el ala radical del mundo árabe, pese a la violencia de los integristas. En 1982, le sucedió Fahd. En 1991, A.S. participó en la Guerra del Golfo como base militar de los EE UU.

ARÁBICO, CA o **ARÁBIGO, GA** adj. Árabe, de Arabia. • m. Idioma árabe.

ARÁBIGO, *desierto* Región de Egipto entre el valle del Nilo y el mar Rojo. • ***golfo*** Sector marino entre la pen. de Arabia y el litoral de Irán. También denominado *golfo Pérsico.* • ***mar*** Sector marino entre la pen. de Arabia y el litoral de Irán, Pakistán y la India.

ARABIGOESPAÑOL, LA adj. Relativo a árabes y españoles. Aplicado al período que los musulmanes permanecieron en España (ss. VIII al XV) y a sus manifestaciones culturales. • **Literatura a.** Obras escritas por los musulmanes establecidos en la pen. Ibérica.

ARABINA f. Polisacárido incoloro y transparente que se halla en la goma arábiga.

ARABINOSA f. Pectinosa, monosacárido, perteneciente a la serie *L* de los azúcares.

ARABIZAR intr. Imitar o imponer la lengua o las costumbres árabes.

ARABO m. Árbol eritroxíleo de los trópicos, cuya madera se emplea para hacer horcones.

ARABOS, *Los* Mun. de Cuba, en la prov. de Matanzas; 12 400 hab. Caña de azúcar.

ARACAJÚ C. y puerto de Brasil, cap. del est. de Sergipe; 401 000 hab. Ind. textil, exportación de azúcar.

ARACAR, *Cerro* Cumbre andina de Argentina, en la prov. de Salta; 6 086 m.

ARACARI m. Ave parecida al tucán.

Muchacha **árabe**

ARABIA SAUDITA

Superficie	2 153 168 km^2	
Población	15 267 000 hab. (8 hab./km^2)	
Recursos económicos		
Agrios	14 000	t
Cebada	37 500	t
Cebollas	17 000	t
Dátiles	505 000	t
Plátanos	5 000	t
Tomates	435 000	t
Trigo	4 000 000	t
Uva	103 000	t
Ganadería y derivados		
Cabaña asnar	103 000	t
Cabaña bovina	176 000	cabezas
Cabaña camellar	390 000	cabezas
Cabaña caprina	3 350 000	cabezas
Cabaña ovina	5 692 000	cabezas
Pesca	46 400	t
Producción minera		
Gas natural	45 580	millones de m^3
Petróleo	320 375 000	t
Producción industrial		
Acero	1 833 000	t
Cemento	10 000 000	t
Fertilizantes	428 000	t
Indicadores sociológicos		
PNB	105 133	millones de dólares
Renta per cápita	7 328	dólares
Esperanza de vida	69	años
Alfabetismo	62	%

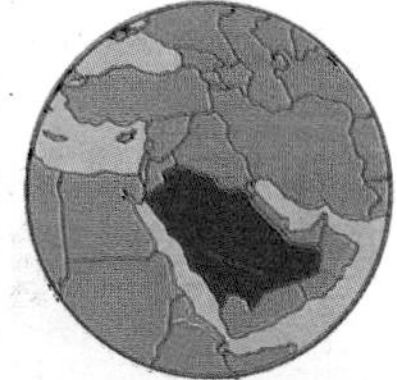

Mapa de situación y bandera de **Arabia Saudita**

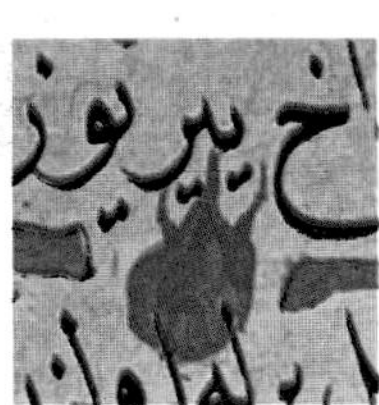

Caracteres **arábigos** en una sura del Corán

ARÁCEO, A adj. y f. Plantas monocotiledóneas, monoicas y provistas de tubérculos.

ARÁCNIDO, DA adj. y m. *Zool.* Díc. de artrópodos de la clase arácnidos. • m. pl. *Zool.* Clase de artrópodos sin antenas, de respiración pulmonar o traqueal, con el tórax unido a la cabeza (cefalotórax) o al abdomen, y cuatro pares de patas.

ARACNOIDES adj. y f. *Anat.* Meninge colocada entre la duramadre y la piamadre.

ARAD C. del O de Rumania, 183 800 hab. Metalurgia.

ARADA f. Acción de arar. • Tierra labrada con el arado. • Cultivo y labor del campo. • Porción de tierra que puede arar en un día una yunta.

ARADO m. Instrumento de trabajo agrícola que, movido por fuerza animal o mecánica, se utiliza para labrar la tierra de cultivo abriendo surcos en ella.

Arácnido

Yasser **Arafat**

Aragonito

Busto del conde de **Aranda**

ARADOR, RA adj. y s. Que ara. • **de la sarna.** Arácnido traqueal, que produce la sarna.
ARAFAT, *Yasser* (nacido 1929) Político palestino n. en Jerusalén. En 1963 organizó el grupo guerrillero al-Fatah. En 1969 unificó los diversos movimientos palestinos en la Organización de Liberación de Palestina (OLP). A partir de la guerra civil del Líbano (iniciada en 1975) adoptó una política de acercamiento a la URSS. Se opuso al pacto Egipto-Israel propiciado por EE UU (1978). En 1988 logró el reconocimiento del est. palestino, con cap. en Jerusalén y aceptó el est. de Israel. Con ello la OLP renunciaba al terrorismo y emprendía el camino de la diplomacia (Conferencia de Paz en 1991 y 1992). Tras los acuerdos con Israel y la concesión de autonomía a Gaza y Jericó, en 1994, Arafat regresó a su tierra como jefe del ejecutivo provisional. El mismo año, obtuvo el premio Nobel de la Paz, junto a Y. Rabin y S. Peres. Vencedor en las elecciones de enero de 1996, se convirtió en el primer presid. de la autonomía palestina.
ARAFURA, *mar de* Sector del océano Pacífico, entre Australia y Nueva Guinea. Su profundidad no supera los 200 m.
ARAGO, *François* (1786-1853) Físico y matemático fr. En 1816 fundó, con Gay-Lussac, los *Anales de química y física.*
ARAGÓN Com. autónoma esp.; 47 650 km², 1 188 817 hab. Comprende las provincias de Huesca, Zaragoza y Teruel. Cap., Zaragoza. Sit. en el sector nordeste de la pen. Ibérica. Accidentada por los Pirineos y el sistema Ibérico. Depresión del Ebro. Clima continental. Agricultura. Ganadería. Ind. metalúrgica, química, mecánica, alimentaria. El condado de A. fue incorporado a Navarra en 925 y constituido como reino por Sancho III en el s. XI. En 1137, su unión al condado de Barcelona favoreció una etapa de expansión. El matrimonio de los Reyes Católicos (1469) unió el reino de A. con el de Castilla. Expulsión de los moriscos en el s. XVII, un 16 % de la pob. Felipe V derogó los fueros tras la guerra de Sucesión. En 1982 se creó la Diputación General de A. como régimen autonómico.
ARAGÓN, *Enrique A.* (1880-1942) Escritor y filósofo mex. *Historia del alma, Las conexiones psicofísicas, Psicología militar.* • ***Louis*** (1897-1982) Poeta y novelista fr. *Los ojos de Elsa, Las campanas de Basilea, Los viajeros de la imperial, Los comunistas.* • **Leiva, *Agustín*** (1904-1962) Escritor y crítico musical mex. *La ciencia como drama, Ensayos sobre cinematografía.*
ARAGONÉS, SA adj. y s. De Aragón. • adj. y m. Dialecto romance llamado también navarroaragonés. • Variedad del castellano que se habla en Aragón. • adj. Especie de uva tinta.
ARAGONESISMO m. Palabra, locución o giro propio y peculiar de los aragoneses.
ARAGONITO m. Carbonato de cal, cristalizado en prismas hexagonales.
ARAGUA Est. del N de Venezuela, ribereño del Caribe; 7 014 km², 1 427 526 hab. Cap., Maracay. De N a S comprende un sector de la cordillera de la Costa (pico Ceniza, 2 435 m), la depresión de los r. Aragua y Tuy, ocupada al O por el lago Valencia (segundo en importancia del país), la serranía del Interior, y parte de los Llanos altos centrales, avenados por el r. Guárico, que forma el embalse de Camatagua. Clima tropical, modificado por la alt. Cultivo de caña de azúcar, algodón, arroz, patatas, tabaco, tomates. Ganado vacuno. Ind. del papel, de azúcar, tejidos de algodón y fibras artificiales, alimentaria, plásticos, vidrio. Maracay y Valencia son las c. más industrializadas y Villa de Cura es un mercado portuario. • Mun. de Venezuela, en el est. Anzoátegui; 37 319 hab. Agricultura, petróleo.
ARAGUANEY m. *Ven.* Árbol bignoniáceo, de madera durísima e incorruptible.
ARAGUATO m. *Amér.* Mono de pelaje leonado oscuro, pelo hirsuto en la cabeza y barba.
ARAGUAYA o **ARAGUAIA** Río del Brasil, afl. izquierdo del Tocantins; 2 640 km (navegables 1 800).
ARAGÜEÑO, ÑA adj. y s. De Aragua.
ARAGUIRÁ m. *Argent.* y *Ur.* Pajarillo de color rojo intenso.
ARAHUACO o **ARAWAK** adj. Relativo a los arahuacos. • m. pl. Pueblos amerindios de las Antillas, que se extendieron desde Venezuela hasta el Pilcomayo y Paraguay. • m. Grupo de lenguas habladas por los arahuacos.
ARAI, *Alberto* (1915-1959) Arquitecto mex. Frontones de la Ciudad Universitaria
ARAKS Río de Asia; 900 km. Nace al S de Erzerum (Turquía) y desemboca en el Caspio.
ARAL, *mar de* Gran lago salado, en el Turquestán, entre los estados de Kazakistán y Uzbekistán.
ARALAR Sierra del País Vasco, entre el Duranguesado y Navarra; alt máx., 1 472 m (Imurugarrieta).
ARALIA f. Arbusto araliáceo, de flores pequeñas y blancas, y frutos negruzcos.
ARALIÁCEO, A adj. y f. *Bot.* Díc. de plantas umbelíferas de hojas alternas, enteras, flores en umbela y fruto drupáceo, o bacciforme.
ARAM Quinto hijo de Sem, según la Biblia.
ARAMBEL m. Colgadura de trozos de paño.
ARAMBURU, *Julio* (1898-1974) Escritor arg. *El buscador de oro.* • ***Pedro Eugenio*** (1903-1970) General y político arg. Participó en el derrocamiento de Perón. Presid. provisional de la República (1955-1958). Asesinado por los Montoneros.
ARAMEO, A adj. y s. Descendiente de Aram. • Relativo a los arameos. • m. pl. Pueblo semita de Mesopotamia que fundó varios reinos junto al Éufrates y en Siria. • Lengua de los nestorianos.
ARÁN, *Valle de* *(Vall d'Aran)* Comarca esp. de los pirineos leridanos; 470 km², 7 200 hab. Cap., Viella. Se habla un dialecto gascón.
ARANA f. Embuste, trampa.
ARANA Osorio, *Carlos* (nacido 1918) Militar y político guat. Presid. (1970-1974) como candidato de la extrema derecha. • **Y Goiri, *Sabino*** (1865-1903) Político esp., vasco, definidor y propagandista del nacionalismo vasco.
ARANCEL m. Tarifa oficial que determina los derechos que se han de pagar en varios ramos. • Tasa, norma, ley. ■ ARANCELARIO, RIA.
ARANDA, *Francisco* (1798-1873) Político y jurisconsulto ven. Fue senador, ministro y embajador plenipotenciario en EE UU. • ***Pedro Abarca de Bolea,*** CONDE DE (1719-1798) Militar y político esp. Ministro de Carlos III (1766-1773) y de Carlos IV (1792-1794), fue uno de los prales. representantes del despotismo ilustrado. Impulsó la reforma agraria, el regalismo y la expulsión de los jesuitas. • ***Vicente*** (nacido 1926) Director de cine esp. *La muchacha de las bragas de oro, Si te dicen que caí, Amantes, Libertarias.*
ARÁNDANO m. Planta ericácea, de flores solitarias y fruto en bayas comestibles. • Fruto de esta planta. ■ ARANDANEDO.
ARANDAS Mun. de México, en el est. de Jalisco; 63 000 hab. Agricultura. Tejidos.
ARANDELA f. Disco con un agujero en medio, que se pone en el candelero, abrazando la vela. • Anillo metálico usado en las máquinas para evitar el roce entre dos piezas. • Pieza de metal que se ponía en la empuñadura de la lanza para defensa de la mano. • Pieza de hoja de lata, que se pone a los troncos de los árboles y se llena de agua, para impedir que las hormigas suban a ellos. • Candelabro con sostén a propósito para fijar lateralmente. • *Amér. Merid.* Chorrera y vueltas de la camisola.
ARANDILLO m. Pájaro insectívoro de color ceniciento, blanco y rojo.
ARANEIDO, DA adj. y m. *Zool.* Díc. de artrópodos del orden araneidos. • m. pl. Ord en de artrópodos con abdomen no segmentado, unido al cefalótórax por un pedúnculo.
ARANERO, RA adj. y s. Embustero, tramposo.
ARANGO, *Gonzalo* (1932-1976) Escritor col. Pral representante del *nadaísmo. El oso y el colibrí, Prosas para leer en la silla eléctrica, La consagración de la Nada, Los ratones van al infierno.* • **Y Escandón, *Alejandro*** (1821-1883) Escritor mex. Director de la Academia de la Lengua. *Proceso del maestro Fray Luis de León, Gramática hebrea.* • **Y Parreño, *Francisco*** (1765-1837) Economista y político cub. Diputado en las Cortes de Cádiz. Sus obras sobre el comercio y la trata de esclavos influyeron en el comportamiento de la sacarocracia cub.
ARANGUREN, *José Luis López* (1909-1996) Filósofo esp. Su obra aborda las cuestiones que suscita el mundo actual con su diversidad de posturas y modos de vida. *Ética y política, La juventud europea, El marxismo como moral.*
ARANJUEZ C. de España, en la prov. de Madrid, 38 900 hab. Fértil vega junto al r. Tajo. Imp. pala-

cio real, con grandes jardines, conocido como *Real Sitio de A.* Su construcción fue iniciada en tiempos de Felipe II por Juan de Herrera y finalizada en el s. XVIII. • **Motín de A.** *Hist.* Levantamiento ocurrido en la noche del 17 de marzo de 1808 que tuvo como consecuencia la abdicación de Carlos IV en favor de su hijo Fernando VII y la prisión de Godoy.

ARANY, *Janos* (1817-1882) Poeta húng. discípulo de Petöfi. Poemas y cuentos de carácter popular.

ARANZADA f. ant. Medida agraria equivalente a 40 o 50 áreas.

ARANZAZU, *Juan de Dios* (1798-1845) Patriota y político col. Ministro de Hacienda (1837) Presid. del Consejo de Est. (1841).

ARAÑA f. *Zool.* Nombre común de los → arañeidos. • Candelabro que se cuelga del techo. • Red para cazar pájaros. • *Bot.* Arañuela, planta ranunculácea. • *Bot. Ant.* Gramínea de cañas rectas y lampiñas, y flores en espigas, en racimos terminales. • *Mar.* Conjunto de cabos que desde un punto común se separan para afianzarse convenientemente. • fig. y fam. Persona muy aprovechada y vividora.

Grupo de mujeres mapuches de la **Araucanía**

ARAÑAR tr. y prnl. Raspar ligeramente la piel con algún objeto punzante. • tr. En algunas cosas lisas, hacer rayas superficiales. • fig. y fam. Recoger de varias partes y en pequeñas porciones lo necesario para algún fin. ■ ARAÑAZO.

ARAÑUELA f. Arañuelo. • Planta ranunculácea.

ARAÑUELO m. Larva o gusano de insectos que destruyen los plantíos. • Garrapata.

ARAO m. *Zool.* Ave palmípeda de la familia álcidos que vive, en el norte del Atlántico y del Pacífico.

ARAOZ de Lamadrid, *Gregorio* (1795-1857) General arg. Luchó en la guerra de la independencia de su país y en la guerra civil.

ARAPAHO m. pl. Pueblo amerindio de EE UU, de lengua algonquina. Habitó al O de los Grandes Lagos.

ARAPAIMA m. *Amér.* Pez teleósteo de agua dulce.

ARAPILES, *Los* Mun. esp., en la prov. de Salamanca, célebre por la victoria de Wellington sobre el general fr. Marmont, en la guerra de la Independencia esp. (22 julio 1812).

ARÁQUIDA f. *Bot.* Cacahuete, maní.

ARAQUISTÁIN, *Luis* (1886-1959) Periodista y político esp. Socialista. *El pensamiento español contemporáneo.*

ARAR tr. Remover la tierra haciendo en ella surcos con el arado. • fig. Ir por un fluido cortándolo. • m. Alerce africano. • Enebro. ■ ARABLE.

ARARAT Macizo de Armenia (Turquía); 5 165 m en el *Gran A.* y 3 914 m en el *Pequeño A.*

ARATO (315-240 a.C.) Astrónomo y poeta gr., discípulo de los estoicos. *Los fenómenos.* • **De Sicione** (275-213 a.C.) Militar gr., jefe de la Liga Aquea, fue vencido en Megalópolis por el rey de Esparta. Murió envenenado.

ARAUCA Río de América del Sur que determina, en parte, la frontera entre Venezuela y Colombia. Nace en la vertiente E de la Cordillera Oriental de Colombia y es un afluente del Orinoco; 930 km. • Dpto. del NE de Colombia, fronteriza con Venezuela; 23 818 km², 185 882 hab. Cap., Arauca. Sit. en los Llanos del Orinoco, el extremo occidental está accidentado por la cord. Oriental andina. La avenan numerosos ríos. Ganadería (vacunos, caballos, cerdos). Arroz, maíz, cacao, plátano. • C. de Colombia, a orillas del r. Arauca, cap. del dpto. hom.; 42 829 hab. Mercado agrícola.

ARAUCANÍA, *La* Región del centro-sur de Chile, constituida por las prov. de Malleco y Cautín; 31 858,4 km², 774 959 hab. Cap., Temuco. Volcanes: Llaima (3 125 m), Lonquimay y otros. Ríos: Cautín, Cholchol, Malleco. Lago Villarrica. Recursos agropecuarios y forestales. Ind. alimentarias.

ARAUCANISMO m. Voz de origen indígena propia del español hablado en Chile. ■ ARAUCANISTA.

ARAUCANO, NA adj. y s. De Araucanía y Arauco. • Relativo a los araucanos. • m. pl. Pueblo indígena del S de Chile y Argentina, que opuso dura resistencia a la colonización hasta 1881. Comprendía las fracciones picunche, huilliche y mapuche. En el s. XVIII, los a. asimilaron a los pueblos pampeanos pehuenche y puelche. Actualmente son unos 300 000 en Chile y unos 10 000 en Argentina. • m. Mapudungu, idioma propio de los araucanos. ■ ARAUCO, CA.

ARAUCARIA f. *Bot. Amér. Merid.* Conífera de fruto drupáceo, con almendra comestible.

ARAUCARIÁCEO, A adj. y f. Díc. de coníferas de la familia araucariáceas. • f. pl. Familia de coníferas de grandes dimensiones, hojas coriáceas y opuestas, y semillas comestibles.

ARAUCO Prov. del S de Chile, en la región del Biobío; 150 794 hab. Cap., Lebu.

ARAUJA f. *Brasil.* Planta asclepiadácea y trepadora, de flores blancas y olorosas.

ARAUJO, *Orlando* (nacido 1928) Escritor, economista y político ven. *Compañeros de viaje, Lengua y creación en la obra de Rómulo Gallegos, Venezuela violenta, Situación industrial de Venezuela.*

ARAÚJO, *Arturo* (1878-1967) Político salv. Presid. de la rep. (1931). Depuesto por el general Maximiliano Hernández.

ARAVICO m. ant. *Perú.* Poeta.

ARAWAK adj. y s. → Arahuaco.

ARAZÁ m. Guayabo, árbol mirtáceo.

ARBENZ, *Jacobo* (1914-1971) Político guat., presid. de la república (1950-1954). Prosiguió el plan de reformas políticas y sociales iniciado por su antecesor, Arévalo. Fue derribado por una junta militar.

ARBER, *Werner* (nacido 1929) Biólogo suizo. Premio Nobel de Medicina en 1978.

ARBITRAJE m. Juicio arbitral. • *Econ.* Operación de bolsa que consiste en comprar un valor en una plaza y venderlo inmediatamente en otra, para aprovecharse de la diferencia de cotización. • Sometimiento de un litigio a un árbitro cuya decisión es aceptada por las partes. • **internacional.** Aquel que es aceptado por naciones soberanas. Incluido en el derecho internacional, se practica desde el s. XIX.

ARBITRAR tr. Proceder uno libremente, usando de su arbitrio. • Dar o proponer arbitrios. • Hacer que se observen las reglas de un deporte. • *Der.* Juzgar como árbitro. • prnl. Ingeniarse. ■ ARBITRADOR, RA; ARBITRAL; ARBITRAMENTO; ARBITRAMIENTO; ARBITRATIVO, VA.

ARBITRARIEDAD f. Acto o proceder contrario a la justicia, la razón o las leyes.

ARBITRARIO, RIA adj. Que depende del arbitrio. • Que incluye arbitrariedad. • Arbitral.

ARBITRIO m. Facultad de adoptar una resolución con preferencia a otra. • Autoridad. • Voluntad no gobernada por la razón. • Medio extraordinario que se propone para el logro de algún fin. • Sentencia del juez árbitro. • pl. Derechos con que se obtienen fondos para gastos públicos.

ARBITRISMO m. Conjunto de proyectos que, durante los ss. XVI, XVII y XVIII, proliferaron en España en busca de soluciones a la crisis económica y política. ■ ARBITRISTA.

ÁRBITRO, TRA adj. y s. Díc. del que puede hacer alguna cosa por sí solo, sin dependencia de otro. • m. Juez árbitro. • El que en las competiciones deportivas cuida de la aplicación del reglamento. • Persona nombrada para resolver una diferencia mediante sentencia arbitral o laudo.

Arándano

Arao común

Araucaria

Esquema de un **arbotante**

El **arcángel** san Miguel en una pintura mural de la basílica de Sant'Angelo in Fornis, Campania (Italia)

Hojas y frutos de **arce**

ÁRBOL m. *Bot.* Planta perenne, de tronco leñoso que gralte. se ramifica formando una copa. • Pieza de hierro en la prensa de imprimir. • En los órganos, eje que hace que suene el registro que el ejecutante desea. • Punzón que usan los relojeros para horadar el metal. • Cuerpo de la camisa, sin las mangas. • *Arq.* Pie derecho de una escalera de caracol. • Disposición de algo en forma de árbol. • *Art. Gráf.* Altura de la letra desde la base hasta el hombro. • *Mar.* Palo de un buque. • *Mec.* Eje metálico cuya función es transmitir o transformar un movimiento. • **del cielo.** Ailanto. • **del diablo.** Jabillo. • **del pan.** Árbol moráceo cuyo fruto cocido se usa como alimento. • **de María.** Calambuco. • **de transmisión.** Eje horizontal, común a dos o más poleas, para transmitir potencia desde su motor a cada una de las máquinas de una fábrica. • **genealógico.** Cuadro descriptivo de los parentescos en una familia. • **respiratorio.** Sistema orgánico formado por la ramificación de los bronquios que parten del tronco de la laringe y de la tráquea. ■ ARBOLADO, DA; ARBOLEDA.

ARBOLADURA f. *Mar.* Conjunto de palos y vergas de un buque.

ARBOLAR tr. Enarbolar. • Poner palos a una embarcación. • Arrimar derecho un objeto alto a una cosa. • prnl. Encabritarse.

ARBOLECER intr. Arborecer.

ARBOLEDA, *Julio* (1817-1862) Político y escritor col. Romántico apasionado, dejó inacabado el poema épico *Gonzalo de Oyón*. Su convicción esclavista le involucró en la guerra civil de 1850. • **Restrepo, *Gustavo*** (1881-1938) Escritor e historiador col. *El Brasil a través de su historia, Historia contemporánea de Colombia, El teatro en Colombia.*

ARBOLETE m. Rama de árbol en la cual los cazadores ponen varetas de liga donde se prenden los pájaros.

ARBOLETES Mun. de Colombia, en el dpto. de Antioquia; 36 600 hab. Agricultura, ganadería.

ARBOLISTA com. Persona dedicada al cultivo de los árboles.

ARBOLLÓN m. Albollón, desaguadero.

ARBORECER intr. Crecer los árboles.

ARBÓREO, A adj. Relativo al árbol. • Semejante al árbol.

ARBORESCENCIA f. Crecimiento o calidad de las plantas arborescentes. • Semejanza de ciertos minerales con la forma de un árbol.

ARBORESCENTE adj. Díc. de la planta que tiene caracteres parecidos a los del árbol.

ARBORÍCOLA adj. y s. Que vive en los árboles.

ARBORICULTURA f. Cultivo de los árboles. • Enseñanza relativa al modo de cultivarlos. ■ ARBORICULTOR.

ARBORIFORME adj. De figura de árbol.

ARBORIZAR tr. Poblar de árboles un terreno. • intr. Desarrollarse una estructura mineralógica en forma de árbol. ■ ARBORIZACIÓN.

ARBOTANTE m. *Arq.* Arco que contrarresta el empuje de algún otro arco o bóveda. • *Mar.* Palo o hierro que sobresale del casco del buque, en el cual se asegura para sostener cualquier objeto.

ARBOVIRUS m. pl. Grupo de virus que se transmiten al hombre a través de un artrópodo. Son los agentes causales de la encefalitis epidémica y de la fiebre amarilla.

ARBULÚ, *Guillermo* (nacido 1921) Militar y político per. Director de la Escuela de estado mayor. Primer ministro (1976-1978).

ARBUSTO m. Planta perenne, de tallos leñosos y ramas desde la base, en la que no existe un tronco predominante. ■ ARBUSTIVO, VA.

ARBUTHNOT, *John* (1667-1735) Médico y escritor brit. Popularizó un personaje que hoy es el símbolo de Inglaterra: John Bull.

ARCA f. Caja sin forrar y con tapa llana. • Caja para guardar dinero. • Horno de las fábricas de vidrio, donde se ponen las piezas después de labradas. • pl. Pieza donde se guarda el dinero en las tesorerías. • Vacíos que hay debajo de las costillas. • **de agua.** Casilla para recibir el agua y distribuirla. • **de la alianza.** Aquella en que se guardaban las tablas de la ley, el maná y la vara de Aarón. • **de Noé.** Embarcación en que se salvaron del diluvio Noé y su familia. • Molusco lamelibranquio muy común.

ARCABUCERÍA f. Tropa armada de arcabuces. • Fuego de arcabuces. • Conjunto de arcabuces. • Lugar donde se vendían o hacían arcabuces. ■ ARCABUCEAR.

ARCABUCERO m. Soldado armado de arcabuz. • Fabricante de arcabuces.

ARCABUCO m. Monte muy espeso y cerrado.

ARCABUZ m. Arma antigua de fuego, semejante al fusil. • Arcabucero. ■ ARCABUZAZO.

ARCADA f. Conjunto de arcos en las fábricas. • Ojo de un arco de puente. • Movimiento convulsivo del estómago. Suele usarse en plural. • *Mús.* Cada uno de los movimientos del arco en los instrumentos de cuerda.

ÁRCADE adj. y s. De la Arcadia. ■ ARCÁDICO, CA; ARCADIO, DIA.

ARCADIA Región de la ant. Grecia, en el Peloponeso. • *Poét.* País de la sencillez pastoril.

ARCADIO (377-408) Emperador rom. de Oriente [395-408]. Heredó de su padre, Teodosio I, la parte oriental del imperio rom. Hizo frente a una invasión de Alarico y a diversas invasiones godas. Dejó el gobierno en manos de Eudoxia, su mujer.

ARCADISMO m. Corriente literaria cuya temática predilecta son los idilios y el bucolismo.

ARCADUZ m. Caño por donde se conduce el agua. • Cada uno de los caños de que se compone una cañería. • Cangilón de noria. • fig. y fam. Medio por donde se consigue algún negocio.

ARCAICO, CA adj. Relativo al arcaísmo. • Muy antiguo. • Díc. de las primeras fases de una cultura o arte. • adj. y m. Subsistema inferior del precámbrico.

ARCAÍSMO m. Voz o frase anticuadas. • Empleo de voces o frases anticuadas. • Imitación de las cosas de la antigüedad. ■ ARCAÍSTA.

ARCAIZAR intr. Usar arcaísmos. • tr. Dar carácter de antigua a una lengua, empleando arcaísmos. ■ ARCAIZANTE.

ARCÁNGEL m. Espíritu bienaventurado que pertenece al octavo coro de los espíritus celestes.

ARCANO, NA adj. Secreto. • m. Misterio muy difícil de conocer.

ARCATEM m. *Metal.* Proceso de soldadura en el cual se utiliza el calor producido al reaccionar entre sí átomos de hidrógeno en estado monoatómico.

ARCATURA f. *Arq.* Arcada figurada, elemento característico del último período del estilo románico.

ARCAYA, *Pedro Manuel* (1874-1958) Escritor, político y diplomático ven. *Estudios sobre personajes y hechos de la historia venezolana*, etc.

ARCE m. Árbol caducifolio aceráceo, de madera muy dura, con ramas opuestas, hojas sencillas, flores en corimbo o en racimo y fruto de dos sámaras unidas. ■ ARCEDO.

ARCE, *Aniceto* (1824-1906) Político bol. Conservador, fue presid. de la rep. en 1888-1892. Unió Bolivia con el Pacífico por ferrocarril. • ***Manuel José*** (1787-1847) General y político salv. Intervino en las luchas por la indep. de Centroamérica. Primer presid. de las Provincias Unidas del Centro de América (1825-1829). Derrotado en la guerra contra El Salvador, renunció a sus cargos. • ***Margot*** (nacida 1904) Escritora puertorriq. Contribuyó a la fundación de la Academia Puertorriqueña de la Lengua Española. *Gabriela Mistral, persona y poesía, Garcilaso de la Vega.* • ***Mariano*** (s. XIX) Escultor mex. Estatua de la libertad (Querétaro), Santiago el Mayor (catedral de Querétaro).

ARCEDIANA f. *Cuba.* Amaranto, planta.

ARCEDIANO m. Dignidad en las iglesias catedrales. ■ ARCEDIANATO.

ARCÉN m. Margen. • Brocal de un pozo.

ARCESILAO (316-241 a.C.) Filósofo gr. Introdujo el escepticismo y fundó la Academia nueva.

ARCHI Pref. que denota preeminencia o muy, mucho.

ARCHICOFRADÍA f. Cofradía más antigua o con mayores privilegios que otras. ■ ARCHICOFRADE.

ARCHIDIÁCONO m. Arcediano.

ARCHIDIÓCESIS f. Diócesis arzobispal.

ARCHIDUQUE, SA m. y f. Dignidad de los príncipes de la casa de Austria. ■ ARCHIDUCADO ; ARCHIDUCAL.

ARCHILAÚD m. ant. Instrumento de música mayor y con más cuerdas que el laúd.

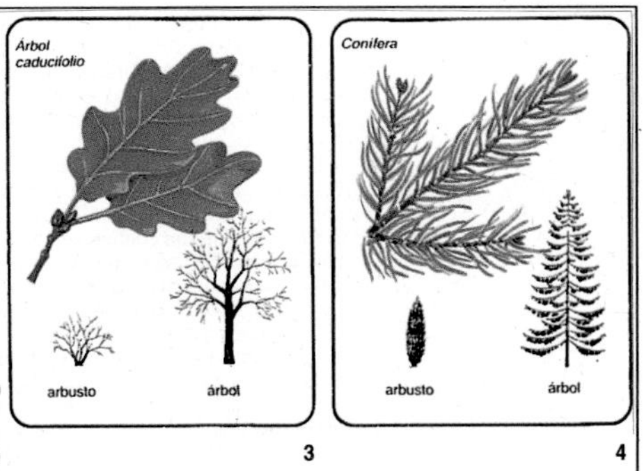

ÁRBOL

1. Un árbol es una planta vivaz en la que, como muestra el dibujo, se distinguen tres partes principales: las raíces, el tronco (tallo simple leñoso) y la copa, formada por ramificación del tronco.
2. Detalle que muestra las yemas, brotes en forma de botones escamosos, que aparecen en las ramas, en los que las hojas se hallan aún imbricadas.
3. y 4. Los dos tipos de especies arbóreas: las frondosas o árboles de hoja caduca y las coníferas, que tienen sus frutos agrupados en conos (piñas) y hojas aciculares, persistentes excepto en el caso del alerce.
5. Sección de un tronco en la que se indican las capas que lo forman.

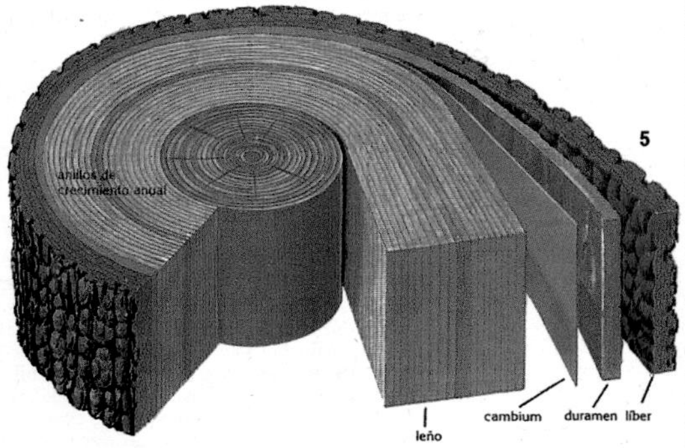

ARCHIMANDRITA m. En la iglesia gr., dignidad eclesiástica inferior al obispo.
ARCHIMILLONARIO, RIA adj. y s. Persona que posee una fortuna de muchos millones.
ARCHIPÁMPANO m. Persona que ejerce gran dignidad o autoridad imaginaria.
ARCHIPIÉLAGO m. Parte del mar poblada de islas. • Conjunto de islas.
ARCHIVADOR, RA adj. y s. Que archiva. • m. Mueble de oficina para archivar documentos. • Carpeta para tales fines.
ARCHIVAR tr. Poner y guardar papeles o documentos en un archivo.
ARCHIVO m. Local en que se custodian documentos. • Conjunto de estos documentos. • *Comp.* Conjunto de los elementos de información con una estructura lógica para su explotación por una computadora. Cada elemento de información se denomina *registro*, que a su vez se subdivide en *campos.* Existen dos tipos básicos de a. (*directo* y *secuencial)*, que se diferencian por el método de acceso a la información contenida en él. Equivale a *fichero.* • fig. Persona de vastos conocimientos. • fig. Persona que sabe guardar un secreto. • **de trabajo.** *Comp.* El diseñado para ser usado como almacenamiento auxiliar durante el curso de un programa. • **maestro.** *Comp.* A. de contenido válido a largo plazo. ■ ARCHIVERO, RA.
ARCHIVOLTA f. *Arq.* Conjunto de molduras que decoran un arco en su paramento exterior vertical, acompañando a la curva en toda su extensión y terminando en las impostas.
ARCIA, *Juan E.* (1872-1927) Poeta ven. Influido por el parnasianismo. *Amanecer, Sangre del Trópico.*
ARCÍFERO, RA adj. y m. Anfibios anuros con las cinturas escapulares de ambos lados no soldadas. • m. pl. Clase de estos anfibios.
ARCIFINIO, NIA adj. Díc. del territorio que tiene límites naturales.
ARCILLA f. *Geol.* Roca sedimentaria clástica poco consolidada, constituida por una mayoría de partículas de tamaño inferior a 4 m. Componentes prales. son la sílice y la alúmina. Se utiliza como materia prima en las ind. ladrillera y cerámica. ■ ARCILLAR; ARCILLOSO, SA.
ARCIMBOLDO, *Giuseppe* (1527-1593) Pintor manierista it., antecesor del surrealismo.
ARCINIEGA, *Claudio de* (1530-1593) Arquitecto esp. Planos de la catedral de México. • **de la Torre, *Rosa*** (nacida 1909) Escritora per. Novelas, cuentos, obras teatrales. *Francisco Pizarro.*
ARCINIEGAS, *Germán* (1900-1999) Escritor col. *Biografía del Caribe*, *América mágica.* • ***Ismael Enrique*** (1865-1938) Poeta col. *Antología poética.*
ARCIÓN m. Ación, correa del estribo. • *Arq.* Dibujo de líneas enlazadas, que se usaban en la ornamentación arquitectónica de la E. Med. • *Col.* y *Méx.* Arzón delantero de la silla de montar.
ARCIONAR tr. e intr. *Col.* y *Méx.* Sujetar el jinete al arzón o arción de la silla de una res vacuna. • tr. *Méx.* Levantar el jinete la pierna sobre la cola de un vacuno para sujetar ésta a la silla y derribarlo.
ARCIPRESTE m. Dignidad en las iglesias catedrales. • Presbítero con ciertas atribuciones sobre

Archivolta

los curas e iglesias de un territorio. ■ ARCIPRESTAL; ARCIPRESTAZGO.

ARCIPRESTE de Hita, *Juan Ruiz*, llamado (m. hacia 1350) Poeta cast., autor del *Libro de buen amor*, una de las más altas creaciones de la literatura castellana de la Baja E. Med. • **de Talavera** *Alfonso Martínez de Toledo*, llamado (¿1398-1470?) Escritor cast., autor de *El Corbacho* o *Reprobación del amor mundano* y de *Atalaya de las crónicas*.

ARCO m. Porción continua de una curva. • Arma para disparar flechas. • Vara delgada, entre cuyos extremos se mantienen tensas las cuerdas que sirven para herir algunos instrumentos musicales. • Aro que ciñe las duelas de pipas, cubas, etc. • Disposición de algo en forma de a. • *Arq.* Elemento arquitectónico cuya función es recibir cargas y transmitirlas a los pilares, salvando así un espacio o vano, llamado luz. • **abocinado.** *Arq.* El que tiene más luz en un parámetro que en el opuesto. • **adintelado.** *Arq.* A. de intradós horizontal, que conserva el aparejo radial de las dovelas. • **apuntado.** *Arq.* A. cuyo intradós forma ángulo en la clave. • **coseno.** *Mat.* Función inversa del coseno. • **cotangente.** *Mat.* Función inversa de la cotangente. • **de herradura.** *Arq.* El que abarca más que una circunferencia y cuya flecha es también mayor que la semiluz. • **de medio punto.** *Arq.* A. cuya sección es una semicircunferencia. • **deprimido.** *Arq.* El formado por dos cuadrantes y una recta horizontal. • **eléctrico o voltaico.** *El.* Descarga eléctrica entre dos electrodos separados por un medio gaseoso. • **elíptico.** *Arq.* A. cuyo perfil es una semielipse. • **invertido.** *Arq.* El que tiene la concavidad hacia arriba. • **iris.** Fenómeno atmosférico luminoso que presenta los siete colores del espectro solar. • **ojival.** *Arq.* A. apuntado formado por dos a. de círculo que se cortan en la clave. • **reflejo.** *Fisiol.* Conexión entre un receptor sensitivo, un centro nervioso y un efector muscular, en el que la médula espinal actúa como simple coordinadora de la acción, sin que intervengan los centros superiores. • **seno.** *Mat.* Función inversa del seno. • **tangente.** *Mat.* Función inversa de la tangente. • **triunfal.** Construcción en forma de a. en celebridad de un suceso notable. • **Tiro con a.** *Dep.* Especialidad olímpica.

Arco de herradura

ARCÓN m. Arca grande.

ARCONTADO m. Forma de gobierno que en Atenas sustituyó a la monarquía.

ARCONTE m. En las ciudades gr., magistrado que desempeñaba funciones de gobierno.

ARCOS, *Santiago* (1822-1874) Político chil., introductor del socialismo utópico en su país.

ARCOSA f. Arenisca compuesta de cuarzo y feldespato, que se origina a partir de los materiales resultantes de la erosión de rocas graníticas.

ARCOSOLIO m. Nicho abierto en una pared.

ARDANZA, *José Antonio* (nacido 1941) Político esp. vasco. Miembro del Partido Nacionalista Vasco, presid. del gobierno autónomo vasco (1985-1998).

ARDEMANS, *Teodoro* (1664-1726) Arquitecto y pintor esp. *Alegorías de la batalla de Lepanto*, *Santa Bárbara*, *Retrato de Filippo Juvara*.

ARDEN, *John* (nacido 1930) Dramaturgo brit. *Sergeant Musgrave's Dance*. • **Quin, *Carmelo*** (nacido 1913) Pintor ur. de vanguardia, residente en Argentina.

ARDENAS (*Ardennes*) Macizo esquistoso. Ocupa el E de Bélgica y el N de Luxemburgo, y se introduce en Francia.

ARDENTÍA f. Ardor. • Pirosis. • Reverberación fosfórica del mar.

ARDER intr. Estar encendido. • fig. Resplandecer. Se usa en poesía. • fig. Repudrirse el estiércol. • fig. Con las prep. *de* o *en*, y tratándose de pasiones o movimientos del ánimo, estar muy agitado por ellos. • fig. Con la prep. *en*, y tratándose de guerras, ser éstas muy vivas y frecuentes. tr. y prnl. Abrasar. • tr. Experimentar ardor. • prnl. Echarse a perder por el excesivo calor y humedad. ■ ARDIENTE, ARDIMIENTO.

Dos tipos de **ardilla,** la común y la voladora

ARDID m. Artificio empleado para el logro de algún intento.

ARDIDO, DA adj. Valiente. • Irritado.

ARDILLA f. *Zool.* Roedor de la familia esciúridos. Su tamaño varía entre el de la musaraña y el de un perro mediano. La mayoría de las especies son arbóreas, y muchas presentan un repliegue membranoso entre las patas que les permite planear.

ARDÍNCULO m. *Vet.* Absceso de las heridas de las caballerías cuando se declara gangrena.

ARDITE m. Moneda castellana antigua. • fig. Cosa insignificante, de poco o ningún valor.

ARDITO Barletta, *Nicolás* (nacido 1938) Político pan. Presid. de la rep. (1984-1985).

ARDOR m. Calor grande. • fig. Brillo. • fig. Enardecimiento de los afectos. • fig. Ansia. • fig. Ardimiento. • *Pat.* Sensación de calor muy intenso. ■ ARDORADA; ARDOROSO, SA.

ARDUÍNO (955-1015) Rey longobardo de Italia, elegido y coronado en 1002, a la muerte del emp. Otón III. En 1004 fue destronado.

ARDUO, DUA adj. Muy difícil. ■ ARDUIDAD.

ÁREA f. Espacio de tierra que ocupa un edificio. • Medida de superficie que equivale a 100 m^2. • Cuadrado pequeño de tierra. • Zona o región. • Zona marcada de un terreno de juego. • Zona destinada a una cosa. • *Comp.* Zona de la memoria en la que se almacenan datos que van a utilizarse en dos o más programas. • *Geom.* Medida de la superficie encerrada dentro de una línea continua. La definición matemática rigurosa se basa en hacer tender al límite un recubrimiento regular de la superficie. • **de entrada/salida.** *Comp.* Zona de la memoria donde se reciben los registros de entrada, o se construyen los de salida, en las transferencias con periféricos. • **Ley de las á.** *Fís.* Ley deducida por Kepler para el movimiento de un planeta en torno al Sol, según la cual el á. barrida por el radio vector trazado desde el planeta al Sol por unidad de tiempo es constante. Puede ser demostrada matemáticamente a partir de la teoría newtoniana de la gravitación. • **metropolitana.** *Urb.* Terr. que excede al término municipal de una gran ciudad y se planifica en función de sus necesidades globales.

ARECA f. Palmera propia de Asia tropical y de Australia. • Fruto de esta planta.

Arenisca

ARECHE, *José Antonio* (s. XVIII) Visitador general del virreinato de Perú. Sus medidas fiscales desencadenaron la rev. de Túpac Amaru (1780-1781).

ARECIBO C. de Puerto Rico, cap. del distr. hom.; 92 700 hab. Cultivos tropicales. Centro industrial.

ARECUNA adj. y s. Relativo a los arecunas. • m. pl. Pueblo amerindio de lengua caribe, que habita en el SE de Venezuela.

AREF, *Abd al-Rahman* (nacido 1917) General iraquí, hermano de Abdullah al-Salam Muhammad, a quien sucedió en 1966 en la jefatura del Estado. En 1968 fue derrocado por un golpe militar. • ***Abdullah al-Salam Muhammad*** (1921-1966) Militar y político iraquí, presid. de la república en 1963, tras organizar el golpe militar que derrocó a Kassem. Murió en circunstancias confusas.

AREFACCIÓN f. Acción y efecto de secar o secarse.

AREGUÁ C. de Paraguay, cap. del dpto. Central; 6 326 hab.

AREITO m. *Amér. Centr.* y *Ant.* Canto y danza de los ant. indígenas.

AREL m. Criba grande para limpiar trigo en la era. ■ ARELAR.

ARENA f. *Geol.* Roca sedimentaria constituida por partículas de tamaño entre 0,02 y 2 mm. Tienen composición variable, pero predominan las silíceas. • Metal o mineral reducido a partes muy pequeñas. • fig. Lugar de combate o lucha. • fig. Redondel de una plaza de toros. • pl. Med. Concreciones minúsculas de la vegija. • **movedizas.** Masa de a. inestable. ■ ARENÁCEO, A; ARENAR; ARENÍFERO, RA; ARENISCO, CA; ARENOSO, SA.

ARENA, *Antonio* (nacido 1907) Ingeniero agrónomo arg. Fundador del Laboratorio de Edafología y del Instituto de Suelos y Agrotécnica. *Geografía de los suelos en la economía nacional.*

ARENAL m. Suelo de arena movediza. • Extensión grande de terreno arenoso.

ARENAL, *Concepción* (1820-1893) Escritora esp. *Cartas a los delincuentes, La cuestión social.*

ARENALES, *José* (s. XIX) Geógrafo arg. *Noticias históricas y descriptivas sobre el gran país del Chaco y Río Bermejo, con observaciones relativas a un plan de navegación y colonización.*

ARENAS, *Braulio* (nacido 1913) Poeta surrealista chil. *El mundo y su doble, Discurso del gran poder.* • ***Reynaldo*** (1943-1990) Escritor cub. *Celestino antes del alba, El mundo alucinante.* • **Betancourt, *Rodrigo*** (1919-1995) Escultor col. Premio Nacional de Cultura (1972). *Monumento a Bolívar, Tentación de hombre infinito.*

ARENAZA, *Luis* (1920-1979) Pintor y poeta arg. del Realismo mágico.

ARENCAR tr. Salar y secar sardinas al modo de los arenques.

ARENDT, *Hannah* (1906-1975) Escritora al. *Eichmann en Jerusalén, Sobre la revolución.*

ARENERO, RA m. y f. Persona que vende arena. • m. Caja en que las locomotoras llevan arena para soltarla sobre los carriles. • Mozo encargado de mantener en condiciones el terreno durante la lidia.

ARENGA f. Discurso solemne y de elevado tono, para enardecer los ánimos. • fig. y fam. Discurso, razonamiento largo y enfadoso. • *Bot.* Género de palmeras de gran tamaño, de savia azucarada. ■ ARENGAR.

ARENÍCOLA adj. Que vive en la arena. • m. Anélido que vive en la arena junto al mar.

ARENILLA f. Arena que se echaba sobre un escrito para secarlo. • pl. Salitre usado en la fabricación de la pólvora. • Cálculo de la vejiga. ■ ARENILLERO.

ARENISCA f. Roca sedimentaria formada con granillos de cuarzo unidos por un cemento. Se utiliza en construcción.

ARENQUE m. Pez osteíctio clupeido de pequeño tamaño. Se consume fresco, salado o ahumado. ■ ARRENQUERA.

AREOLA o **ARÉOLA** f. *Med.* Círculo rojizo que limita ciertas pústulas. • *Zool.* Círculo que rodea el pezón de las mamas. • *Zool.* Espacio comprendido entre los hacecillos de fibras, las láminas o los vasos de algunos tejidos orgánicos. ■ AREOLAR.

AREÓMETRO m. *Fís.* Instrumento para determinar las densidades de los líquidos y la concentración de disoluciones, basándose en el principio de Arquímedes. ■ AEROMETRÍA.

AREÓPAGO m. Tribunal superior de la antigua Atenas. • fig. Grupo de personas con autoridad para resolver ciertos asuntos. ■ AREPAGITA.

AREOSÍSTILO adj. y s. *Arq.* Edificio o monumento adornado con columnatas, cuyos intercolumnios suelen ser de ocho módulos.

AREÓSTILO m. *Arq.* Intercolumnio en que la distancia de columna a columna es de ocho o más módulos.

AREPA f. *Amér.* Pan redondo o torta de maíz, huevos y manteca, cocido al horno.

AREQUIPA f. *Méx.* Cierto postre de leche.

AREQUIPA Dpto. del S del Perú; 63 345,2 km^2; 999 000 hab. Cap., la c. del mismo nombre. En el litoral se alza la cord. Costera; a continuación, hacia el int., se extienden las Pampas. Finalmente, se encuentra la cord. Occidental, en la que se distinguen la cadena volcánica (Misti, Pichu-Pichu), el Altiplano y la zona de cumbres. Clima cálido y desértico en la costa y las Pampas, templado en los valles andinos, y frío en el Altiplano y zonas más altas. Entre los numerosos r., destacan el Majes, el Ocoña, el Vítor y el Tambo. Agricultura (maíz, algodón, trigo, caña de azúcar); ganadería (vacunos, ovinos); yacimientos de oro y hierro, junto con otros minerales. • Cap. del dpto. hom., en el Perú; 629 064 hab. Sit. al pie del volcán Misti; está atravesada por el r. Chili. Aguas termales. Ind. textil y metalúrgica. Segundo centro del Perú en importancia com. Universidad desde 1828. Fundada por don Garcí Manuel de Carvajal en 1540.

AREQUIPEÑO, ÑA adj. y s. De Arequipa.

ARES *Mit.* Hijo de Zeus y de Hera, llamado Marte por los rom. Dios de la guerra.

ARESTIL m. Arestín, enfermedad de las caballerías.

ARESTÍN m. *Bot.* Planta mimosácea, de tallo ramoso, y hojas partidas en tres gajos, con púas en sus bordes. • *Vet.* Excoriación de las caballerías y del ganado vacuno en pies y manos.

ARETE m. Pendiente, zarcillo.

ARETINO, NA adj. y s. De Arezzo.

ARETINO, *El* (1493-1556) Seud. del escritor it. *Pietro Bacci*, que cultivó el gén. satírico. Estuvo al servicio de los Médicis, Francisco I y Carlos V.

ARÉVACO, CA adj. y s. Relativo a los arévacos. • m. pl. Pueblo celtíbero de la pen. Ibérica, asentado en las actuales prov. de Soria y Segovia.

ARÉVALO, *Juan José* (1904-1990) Político guat., presid. de la rep. (1944-1950). Promotor de reformas sociales. • **Martínez, *Rafael*** (1884-1975) Escritor guat. *El hombre que parecía un caballo, El señor Monitot.*

AREZZO C. de Italia, cap. de la prov. hom., en Toscana; 91 700 hab. Turismo, industria.

ARFAR intr. *Mar.* Cabecear la nave.

ARFE Familia de orfebres esp., de origen al., que trabajaron en la pen. Ibérica en los ss. XV y XVI. Entre sus miembros destacan ***Enrique*** (1475-¿1545?), ***Antonio*** (1510-1578) y ***Juan*** (1535-1603). Este último fue también escultor y arquitecto.

ARFVEDSONITA f. *Miner.* Inosilicato de sodio, hierro y magnesio, con flúor e hidroxilos; color variable, peso específico 3,5 y dureza 5 a 6.

ARGADIJO m. Argadillo. • Argamandijo.

ARGADILLO m. Devanadera. • Armazón de la parte inferior de algunas imágenes. • fig. y fam. Persona bulliciosa.

ARGADO m. Enredo. • Dificultad.

ARGALÍ m. Mamífero artiodáctilo de la familia bóvidos, propio de las estepas siberianas y las montañas de Asia central.

ARGALIA f. Algalia, instrumento quirúrgico.

ARGAMANDEL m. Andrajo, jirón de ropa.

ARGAMANDIJO m. fam. Conjunto de varias cosas menudas.

ARGAMASA f. Mezcla de cal, arena y agua. ■ ARGAMASAR; ARGAMASÓN.

ARGAMASILLA f. Argamasa fina que se utiliza para pegar objetos delicados.

ARGÁN m. *Bot.* Árbol sapotáceo, de hojas enteras y ásperas, y fruto comestible, usado para la fabricación de jabón.

Arenque

ÁRGANA f. Grúa para subir cosas de mucho peso. • pl. Angarillas formadas por dos cestos.

ARGANEL m. Círculo pequeño de metal, parte del astrolabio.

ARGANTONIO (s. VI a.C.) Rey de Tartesos; primer personaje ibérico de quien se tienen noticias históricas.

ARGAR, *El* Estación prehistórica esp., en la prov. de Almería. Necrópolis de la Edad del Bronce. ■ ARGÁRICO, CA.

ARGAVIESO m. Turbión, aguacero fuerte.

ARGAYO m. Porción de tierra y piedras que se desprende y cae deslizándose por la ladera de un monte.

ARGEL adj. Díc. del caballo o yegua que solamente tiene blanco el pie derecho.

ARGEL (ár., *al Djazair*; fr. *Alger*) Cap. de Argelia; 1 721 600 hab. Puerto sobre el Mediterráneo. • **Conferencias de A.** En 1973, IV conferencia de países no alineados con representación de movimientos de liberación. En 1976, reunidos representantes de gobiernos y movimientos de liberación, se proclamó la Declaración Universal de los Derechos de los Pueblos.

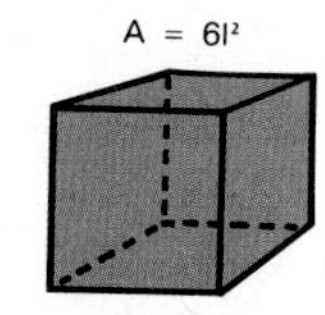

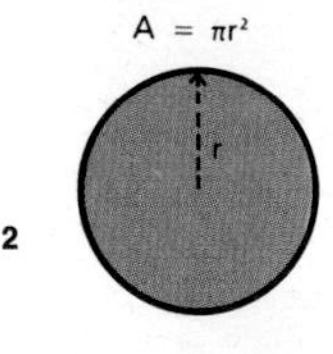

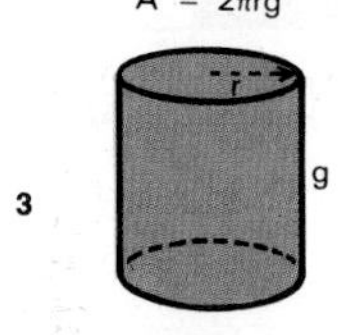

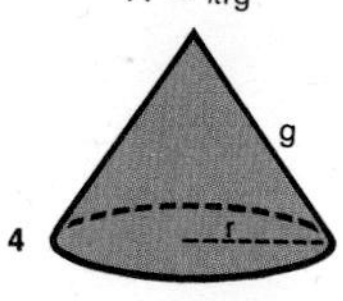

Fórmulas de las **áreas** del cubo, 1; círculo, 2; cilindro (lateral), 3; cono (lateral), 4

Copa de cerámica de El **Argar**. Museo Arqueológico Nacional, Madrid

Mapa de situación y bandera de **Argelia**

ARGELIA

Superficie 2 381 741 km²

Población 29 939 000 hab. (12 hab./km²)

Recursos económicos		
Aceitunas	170 000	t
Dátiles	318 000	t
Naranjas	253 000	t
Uva	180 000	t
Ganadería y derivados		
Cabaña bovina	1 300 000	cabezas
Cabaña caprina	2 550 000	cabezas
Cabaña ovina	18 000 000	cabezas
Riqueza forestal	2 409 000	m³
Pesca	135 402	t
Producción minera		
Carbón	20 000	t
Fosfatos	763 000	t
Gas natural	51 817	millones de m³
Hierro	1 089 000	t
Petróleo	35 330 000	t
Sal	75 000	t
Producción industrial		
Ácido sulfúrico	40 000	t
Amoniaco	310 000	t
Fertilizantes	230 000	t
Tejidos de algodón	69 700 000	m²
Indicadores sociológicos		
PNB	44 609	millones de dólares
Renta per cápita	1 600	dólares
Esperanza de vida	70	años
Alfabetismo	61,6	%

Argelia. Vista panorámica de Argel, la capital

Nómada **argelino**

ARGELIA *(Al Djemhouria Al Djazaïria Demo- kratia Echaabia)* Est. norteafricano; república; sit. a orillas del Mediterráneo, limítrofe con Tunicia, Libia, Níger, Malí, Mauritania, Sáhara Occidental y Marruecos. La cordillera del Atlas cruza el N del país. Al S del Atlas Sahariano, se extiende el desierto del Sáhara. Clima mediterráneo al N y desértico al S. Cereales, vid, olivo, naranjas, dátiles. Ganado (ovino y caprino). Hierro, fosfatos, carbón, cinc, plomo, petróleo, gas natural. Lenguas: árabe (of.), francés y variantes beréberes. Rel.: islamismo. U.M.: dinar argelino. Cap.: Argel. C. imp .: Orán, Constantina, Annaba.

* *Hist.* Ocupa el territorio de las ant. Numidia y Mauritania. Integrada en el imperio otomano en 1520. A partir de 1830 se inició la penetración francesa; A. pasó a ser colonia fr. en 1871. Desde principios del siglo XX las tendencias nacionalistas crecieron con fuerza y cuajaron en la aparición del FLN (Frente de Liberación Nacional), en noviembre de 1954, formación que abanderó la guerra de liberación. Con la firma de los acuerdos de Evian (marzo de 1962) entre el gobierno provisional argelino (GPRA) y el gobierno francés, se puso fin a una guerra que se saldó con más de un millón de muertos. Ahmed Ben Bella, primer presid. de A. independiente, fue derrocado en 1965 por el coronel Huari Bumedián, el cual emprendió una política de industrialización apoyada en las rentas del petróleo. En 1978 le sucedió el coronel Chadly Benjedid. Tras una revuelta popular en 1988 se legalizaron los partidos políticos y en 1991 se celebraron elecciones legislativas. Después de una primera vuelta favorable al FIS el presidente Benjedid dimitió (1992), presionado por la cúpula militar, y se instaló en el poder un Alto Consejo de Seguridad que anuló las elecciones, prohibió el FIS y decretó el estado de emergencia. Desde entonces, el país se sumió en una violenta guerra interna cuya principal víctima fue la población civil. Liamín Zerual, designado presid. en 1994, mantuvo el enfrentamiento con la oposición. En 1999 fue sustituido por Abdelaziz Buteflika, candidato oficial en los comicios celebrados dicho año, a los que no concurrió la oposición.

ARGELINO, NA adj. y s. De Argel o de Argelia.

ARGEMONE f. *Bot.* Planta papaverácea, usada de antídoto contra la mordedura de culebras venenosas.

ARGÉN m. *Her.* Color blanco o de plata.

ARGENTA, ***Ataúlfo*** (1913-1958) Director de orquesta esp. Al frente de la Orquesta Nacional cosechó numerosos triunfos.

ARGENTÁN m. Alpaca, aleación.

ARGENTAR tr. Platear. • Guarnecer alguna cosa con plata. • fig. Dar brillo semejante al de la plata. ■ ARGENTADO, DA; ARGENTARIO; ARGÉNTEO, A; ARGENTERÍA; ARGENTÍFERO; ARGENTOSO, SA.

ARGÉNTICO, CA adj. *Quím.* Aplícase a los óxidos y sales de plata.

ARGENTINA f. Planta rosácea, de flores amarillas en corimbo.

ARGENTINA, ***República*** Est. de América sit. en la parte meridional de Sudamérica, entre los 21° 46' y 55° 03' de lat. S y los 53° 38' y 73° 34' de long. O del meridiano de Greenwich. Sus puntos extremos son: al N, el hito sit. en la confluencia de los ríos Grande de San Juan y Mojinete (Jujuy); al S, el cabo San Pío, en la isla Grande de Tierra del Fuego (Provincia de Tierra de Fuego, Antártida e Islas del Atlántico Sur); al E, un punto sit. al NE de la localidad de Bernardo de Irigoyen (Misiones); el punto extremo occidental se encuentra entre el cerro Agassiz y el cerro Bolados (73° 34' de longitud O). A. tiene indiscutibles derechos sobre la porción del Continente Antártico limitada por los meridianos 25° y 74° O de Greenwich y el paralelo 60° S, hasta el polo Sur. Sus límites son: al N, Bolivia, Paraguay y Brasil; al E, Brasil, Uruguay y el océano Atlántico; al S, Chile y el océano Atlántico; y al O, Chile. Las islas Malvinas se consideran integrantes del sector continental americano. Así mismo se consideran parte de la A. las islas Malvinas, Georgias del Sur y Sandwich del Sur y la Antártida Argentina, incluidas las islas Shetland del Sur y Órcadas del Sur.

* *Geog. fís.* La gran diversidad geográfica de la porción continental americana puede sintetizarse en tres grandes divisiones: una montañosa, los Andes; otra llana, el Chaco y la Pampa; la tercera mesetaria, la Patagonia. La cordillera andina se extiende de N a S en el sector occidental y alcanza la mayor elevación de todo el sistema en el Aconcagua (6 959 m). Más al E se encuentran las sierras Pampeanas. La mitad central y N del país es una extensa llanura, accidentada en el S por las sierras del Tandil y de la Ventana, que es arbolada en la zona chaqueña y herbácea en la Pampa y en la mayor parte de Mesopotamia, cubierta a su vez de selva en el extremo septentrional. Entre el paisaje boscoso y plagado de lagos de los Andes patagónicos y el Atlántico, al S del río Colorado, se extienden las mesetas patagónicas. El conjunto del territorio presenta gran variedad de climas: templado, árido, cálido y frío. Los ríos más imp. son el Río de la Plata, el Paraná, el Uruguay, el Colorado, el Negro y el Chubut. Las islas Malvinas son onduladas, mientras que las australes (Georgias del Sur y Sandwich del Sur) son más montañosas. También es notablemente accidentada buena parte de la Antártida Argentina, sobre todo la parte S de la Península Antártica.

* *Geog. econ.* La agricultura y la ganadería fueron hasta la II Guerra Mundial las prales. fuentes de riqueza. Se mantiene todavía una gran actividad agrícola y ganadera relacionada con la climatología de cada zona. En los valles intermontanos del O se cultivan viñedos, olivares y frutales; en los valles del N, caña de azúcar. La llanura chaqueña es la zona del algodón y sus bosques dan quebracho. Las áreas inundables de la Mesopotamia están plantadas de

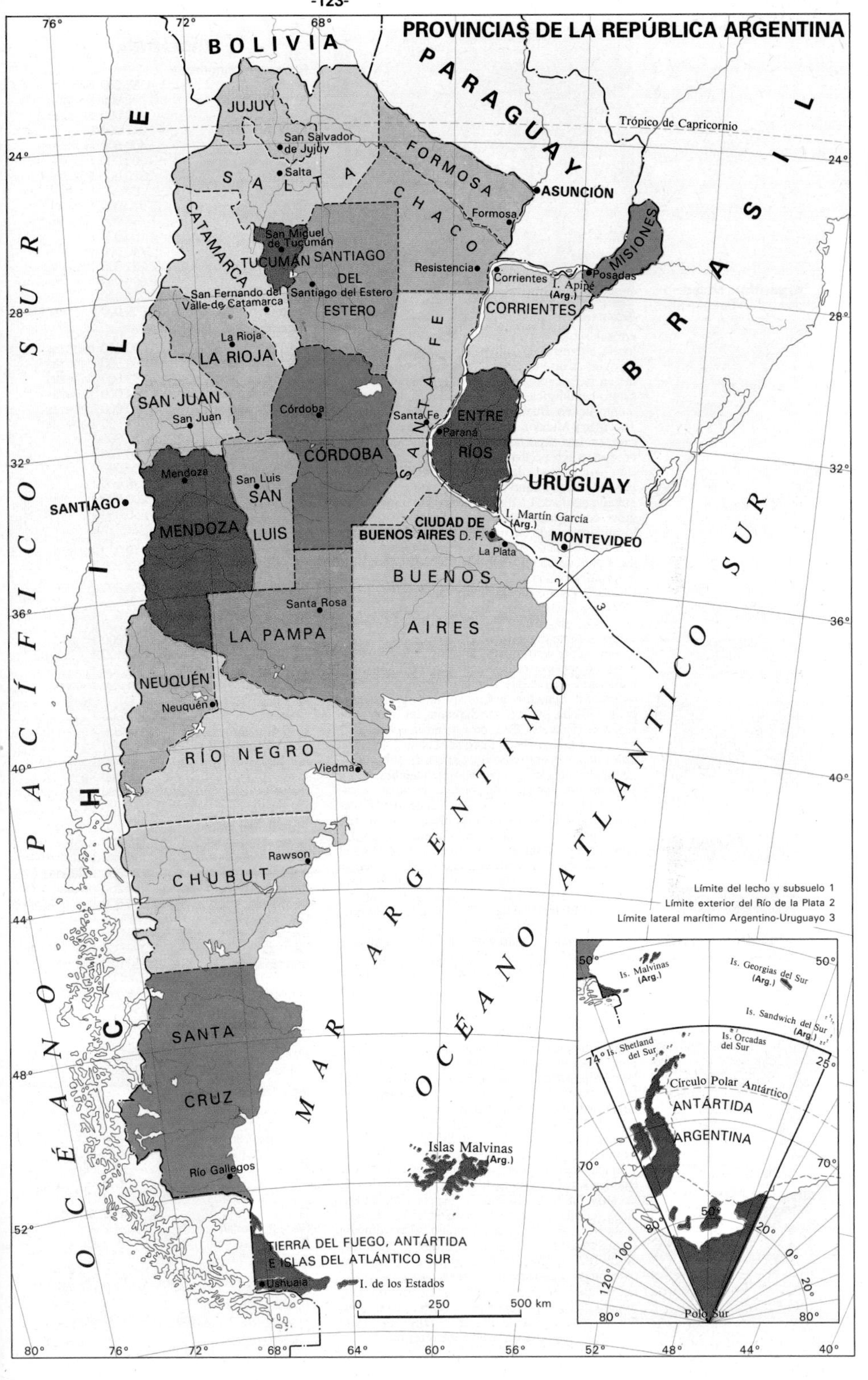
PROVINCIAS DE LA REPÚBLICA ARGENTINA
BOLIVIA
PARAGUAY
BRASIL
CHILE
URUGUAY
OCÉANO PACÍFICO SUR
OCÉANO ATLÁNTICO SUR
MAR ARGENTINO
JUJUY
San Salvador de Jujuy
SALTA
Salta
FORMOSA
Formosa
ASUNCIÓN
CHACO
Resistencia
MISIONES
Posadas
CATAMARCA
San Fernando del Valle de Catamarca
TUCUMÁN
San Miguel de Tucumán
SANTIAGO DEL ESTERO
Santiago del Estero
Corrientes
I. Apipé (Arg.)
CORRIENTES
LA RIOJA
La Rioja
SANTA FE
Santa Fe
SAN JUAN
San Juan
Córdoba
CÓRDOBA
ENTRE RÍOS
Paraná
Mendoza
MENDOZA
San Luis
SAN LUIS
SANTIAGO
I. Martín García (Arg.)
CIUDAD DE BUENOS AIRES D. F.
MONTEVIDEO
La Plata
BUENOS AIRES
Santa Rosa
LA PAMPA
NEUQUÉN
Neuquén
RÍO NEGRO
Viedma
Rawson
CHUBUT
SANTA CRUZ
Río Gallegos
Islas Malvinas (Arg.)
TIERRA DEL FUEGO, ANTÁRTIDA E ISLAS DEL ATLÁNTICO SUR
Ushuaia
I. de los Estados
Trópico de Capricornio
Límite del lecho y subsuelo 1
Límite exterior del Río de la Plata 2
Límite lateral marítimo Argentino-Uruguayo 3
0 250 500 km
Is. Malvinas (Arg.)
Is. Georgias del Sur (Arg.)
Is. Sandwich del Sur (Arg.)
Is. Shetland del Sur
Is. Orcadas del Sur
Círculo Polar Antártico
ANTÁRTIDA ARGENTINA
Polo Sur

Argentina. Matadero industrial en Buenos Aires

arrozales. La Pampa es la zona cerealística por excelencia, alternando el cultivo con la ganadería vacuna. La ovina se disemina por todo el país, con predominio en la Patagonia. Se desarrolla una potente ind. siderometalúrgica, mecánica, química, textil y alimentaria, en Buenos Aires, Rosario, Córdoba, Tucumán y Mendoza. El petróleo representa una gran riqueza. Las exportaciones se basan pralm. en los productos agropecuarios.

* *Geog. humana.* La pob. de A. creció espectacularmente en el último cuarto del s. XIX por la inmigración europea. La distribución de la pob. es irregular, concentrándose pralm. en Buenos Aires y las localidades que lo circundan, hasta convertirla en la c. más poblada de América del Sur. La mayor parte de la pob. desciende de españoles e italianos. Los amerindios, unos miles, están diseminados por el Chaco, la Patagonia y el Noroeste.

* *Org. pol.* Ejerce el poder ejecutivo el presid. de la Nación, elegido por seis años. El presidente y el vicepresidente son elegidos por los compromisarios escogidos por voto directo. Asesora al presid. un gabinete compuesto por ocho ministerios. Existen, además, varias secretarías. El poder legislativo es ejercido por el Senado y la Cámara de Diputados. El poder judicial, por la Corte Suprema, las Cámaras y los Jueces federales. Cada prov. tiene un gobernador.

* *Hist.* **Época precol.** Poco se sabe de las vicisitudes de los primitivos hab. (guaraníes, abipones, querandíes, puelches, araucanos, tehuelches, ona y yaganes) que nomadearon por el territorio que escapó a la influencia incaica (los calchaquíes del NO dependieron del Cuzco). Estaban organizados en tribus y practicaban mayoritariamente la caza. La conquista y colonización de lo que luego sería el territorio argentino ocupa un largo período, que va desde la expedición del piloto cast. Juan Díaz de Solís, en 1516, hasta la creación del Virreinato del Río de la Plata, a finales del s. XVIII. La base económica de esta formación político-administrativa era la exportación de cuero y de carne salada, que provenían de la Pampa. El núcleo de la producción agrícola y pecuaria se situaba alrededor del puerto de Buenos Aires. • **Independencia.** Impedidos de exportar sus productos dentro del ámbito del poder colonial, los hacendados fueron la avanzada del proceso revolucionario que, en 1816, aprovechando la difícil situación que atravesaba la monarquía española, condujo a la independencia. La guerra contra la metrópoli y contra las potencias europeas (sobre todo Inglaterra y Francia) que aspiraban a heredar la hegemonía esp. en América del Sur, desmembró el ant. territorio virreinal y posibilitó el surgimiento del ente nacional argentino, desprovisto del Alto Perú y de la Banda Oriental. Bajo este signo, la organización nacional tuvo que privilegiar al gran puerto de Buenos Aires, en contra de los intereses básicos de las prov. interiores. El conflicto se convirtió en una larga guerra civil, cuyas consecuencias se sintieron hasta 1852, año en que se promulgó la Constitución formalmente federalista. En el campo económico, desde 1820 se había registrado una vertiginosa expansión de la ganadería, gracias a las tierras vírgenes del interior. A ese fenómeno se sumó el crecimiento de las exportaciones de carne, favorecidas por los progresos de la ind. de los frigoríficos y el tendido de una extensa red de líneas férreas.

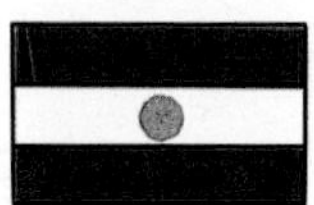

Argentina. Arriba, mapa de situación y bandera; abajo, vista de Ushuaia, en la Tierra del Fuego

ARGENTINA

Recursos económicos		
Aceitunas	98 000	t
Algodón (fibra)	290 000	t
Avena	450 000	t
Arroz	347 000	t
Batatas	400 000	t
Caña de azúcar	19 000 000	t
Cebada	320 000	t
Centeno	90 000	t
Girasol	3 970 000	t
Maíz	7 768 000	t
Mandioca	150 000	t
Naranjas	740 000	t
Sorgo	2 251 000	t
Papas	2 600 000	t
Soja	11 250 000	t
Trigo	9 000 000	t
Ganadería y derivados		
Aves de corral	53 000 000	cabezas
Cabaña bovina	50 080 000	cabezas
Cabaña ovina	27 552 000	cabezas
Cabaña porcina	4 464 000	cabezas
Cabaña caballar	3 400 000	cabezas
Cabaña caprina	3 320 000	cabezas
Carne	3 432 000	t
Lana (lavada)	66 700	t
Leche	6 200 000	t
Mantequilla	38 000	t
Queso	280 000	t
Vino	14 650 000	hl
Riqueza forestal		
Madera	10 819 000	m^3
Yerba mate	163 000	t
Pesca	555 600	t
Producción minera		
Amianto	2 000	t
Carbón	270 000	t
Cinc	39 100	t
Estaño	100	t
Gas natural	21 290	millones de m^3
Hierro	414 000	t
Manganeso	1 200	t
Oro	1 200	kg
Petróleo	24 784 000	t
Plata	70 000	kg
Plomo	24 200	t
Uranio	100	t
Producción industrial		
Acero	3 624 000	t
Aluminio	169 000	t
Automóviles (turismos)	120 800	unidades
Automóviles (comerciales)	18 200	unidades
Azúcar refinado	1 594 000	t
Caucho sintético	57 600	t
Cemento	4 199 000	t
Cerveza	3 949 000	hl
Energía eléctrica	50 910	millones de kwh
Fertilizantes	50 000	t
Neumáticos	4 554 000	unidades
Papel (pasta química)	599 000	t
Papel (pasta mecánica)	6 000	t
Plásticos y resinas	268 000	t
Tejido de algodón	90 600	t
Indicadores sociológicos		
PNB	91 211	millones de dólares
Renta per cápita	2 780	dólares
Esperanza de vida	71	años
Crecimiento vegetativo	1,3	%
Alfabetismo	95,5	%
Libros publicados	4 800	títulos
Prensa diaria	200	cabeceras
Red ferroviaria	34 192	km
Red de carreteras	211 369	km
Autopistas	4 835	km
Teléfonos	3 685 000	unidades
Televisores	6 848 000	unidades
Aparatos de radio	21 195 564	unidades
Automóviles de turismo	5 680 000	unidades

***Contemporánea.** El período de prosperidad se completó con la aparición de la agricultura cerealera, que a comienzos del s. XX constituía ya el pral. producto de la exportación. Las características de la producción determinaron un veloz crecimiento urbano y la aparición de una clase media numerosa, que, aunque aceptaba el orden impuesto por los grandes ganaderos y las fuerzas armadas, aspiraba a una mayor representación en los órganos de gobierno. A partir de la crisis mundial de 1929, y sobre todo con el estallido de la II Guerra Mundial, la acumulación de capitales, que no podía volcarse al mercado externo, dio origen a un proceso de industrialización (textil y metalurgia liviana) y al surgimiento de un proletariado urbano numeroso, que hizo su entrada en el panorama político a través del peronismo, en 1945. Quedó así configurado, en sus líneas básicas, un complejo equilibrio de fuerzas económico-políticas y de factores de poder: el Ejecutivo, las fuerzas económicas heredadas de los ant. hacendados, las organizaciones sindicales y la Iglesia. La búsqueda de una convivencia entre estas fuerzas quedó planteada a partir de 1955 con el derrocamiento del primer gobierno Perón, y a través de numerosos avatares, que incluyen una larga alternacia de gobiernos civiles y militares, tanto como nuevos enfrentamientos con Gran Bretaña (1982), esta vez a causa de la soberanía de las islas Malvinas. La derrota en esta guerra le costó a Galtieri la presidencia, y a la Junta Militar, el poder. Reynaldo Bignone, nuevo presidente, restableció el derecho a la actividad partidaria. Celebradas elecciones (octubre de 1983), Raúl Alfonsín, de la Unión Cívica Radical, fue elegido presid. Se propició la apertura de una nueva etapa. En enero de 1984 se firmó con Chile un tratado de paz y amistad para zanjar el contencioso sobre los espacios australes. Desde la presidencia, se impulsó un nuevo ordenamiento territorial, con el proyecto de traslado de la capital a la Patagonia. Por otra parte, los máximos responsables de las Juntas Militares fueron detenidos y juzgados,

Argentina. Vista panorámica de la aglomeración urbana del Gran Buenos Aires, con la zona industrial y el puerto

División administrativa de la **Argentina**

Provincias	*Km²*	*Población* [1]	*Densidad*	*Capital*	*Habitantes* [2]
Buenos Aires	307 571	12 582 321	40,9	La Plata	542 567 [3]
Catamarca	102 602	265 571	2,6	San Fernando del Valle de Catamarca	110 489
Chaco	99 633	838 303	8,4	Resistencia	297 646
Chubut	224 686	356 587	1,6	Rawson	100 132
Córdoba	165 321	2 764 176	16,7	Córdoba	1 179 067
Corrientes	88 199	795 021	9	Corrientes	267 742
Entre Ríos	78 781	1 022 865	13	Paraná	277 338
Formosa	72 066	404 367	5,6	Formosa	165 700
Jujuy	53 219	513 992	9,7	San Salvador de Jujuy	229 520
La Pampa	143 440	260 034	1,8	Santa Rosa	78 057
La Rioja	89 680	220 729	2,5	La Rioja	106 281
Mendoza	148 827	1 414 058	9,5	Mendoza	121 696
Misiones	29 801	789 677	26,5	Posadas	219 824
Neuquén	94 078	388 934	4,1	Neuquén	265 050
Río Negro	203 013	506 796	2,5	Viedma	44 582
Salta	155 488	866 771	5,6	Salta	373 857
San Juan	89 651	529 920	5,9	San Juan	119 399
San Luis	76 748	286 334	3,7	San Luis	121 146
Santa Cruz	243 943	159 964	0,7	Río Gallegos	79 033
Santa Fe	133 007	2 797 293	21	Santa Fe	442 214
Santiago del Estero	136 351	672 301	4,9	Santiago del Estero	201 709
Tierra del Fuego, Antártida e Islas del Atlántico Sur	1 002 445	69 450	2,1 [4]	Ushuaia	29 696
Tucumán	22 524	1 142 247	50,7	San Miguel de Tucumán	473 014
Capital Federal	200	2 960 976	14 804,9		
ARGENTINA	3 761 274 [5]	32 608 560	11,7	Buenos Aires	11 353 592 [6]

[1] Censo Nacional de Población y Vivienda 1991. Fuente: INDEC.
[2] Población del departamento que contiene la capital.
[3] Partido que contiene la capital.
[4] Excluidas Antártida e Islas del Atlántico Sur.
[5] Incluye la superficie de la Antártida Argentina e islas del Atlántico Sur
[6] Aglomeración urbana.

Argentina. De arriba abajo: José de San Martín, artífice de la independencia; Juan Domingo Perón; Carlos Saúl Menem; Fernando de la Rúa; Eduardo Duhalde

Gobernantes de la **Argentina**

Juntas

25/05/1810 - 18 /12/1810	Junta Patria
18/12/1810 - 23/09/1811	Junta Grande

Triunviratos

23/09/1811 - 08/10/1812	Primer Triunvirato.
08/10/1812 - 22/01/1814	Segundo Triunvirato

Directores de las Provincias Unidas del Río de la Plata

1814-1815	Gervasio A. de Posadas
1815	Carlos M. de Alvear
1815	José Rondeau [1]
1815-1816	I. Álvarez Thomas
1816	Antonio González Balcarce
1816-1819	Juan M. de Pueyrredón
1819-1820	José Rondeau

Gobernadores de la Provincia de Buenos Aires

1820	Manuel de Sarratea, Ildefonso Ramos Mejía
20/06/1820	Ildefonso Ramos Mejía, Miguel E. Soler, Cabildo de Buenos Aires
23-28/06/1820	Miguel E. Soler, Manuel Dorrego
1820-1824	Martín Rodríguez
1824-1826	Juan Gregorio de las Heras

Presidentes legales Unitarios

1826-1827	Bernardino Rivadavia
1827-1828	Vicente López (interino)

Gobernadores de la Prov. de B. Aires a cargo de las Relaciones Exteriores

1827-1828	Manuel Dorrego
1828-1829	Juan Lavalle
1829	Juan José Viamonte
1829-1832	Juan Manuel de Rosas
1832-1833	J. R. González Balcarce
1833-1834	Juan José Viamonte
1834-1835	Manuel V. Maza
1835-1852	Juan Manuel de Rosas

Director Provisorio de la Confederación

1852-1854	Justo José de Urquiza

Presidentes Constitucionales de la Confederación

1854-1860	Justo José de Urquiza
1860-1861	Santiago Derqui

Encargado Provisional del Poder Ejecutivo Nacional

1861-1862	Bartolomé Mitre

Presidentes de la Nación

1862-1868	Bartolomé Mitre
1868-1874	Domingo F. Sarmiento
1874-1880	Nicolás Avellaneda
1880-1886	Julio Argentino Roca
1886-1890	Miguel Juárez Celman
1890-1892	Carlos Pellegrini [2]
1892-1895	Luis Sáenz Peña
1895-1898	José E. Uriburu [2]
1898-1904	Julio Argentino Roca
1904-1906	Manuel Quintana
1906-1910	José Figueroa Alcorta [2]
1910-1914	Roque Sáenz Peña
1914-1916	Victorino de la Plaza [2]
1916-1922	Hipólito Yrigoyen
1922-1928	Marcelo T. de Alvear
1928-1930	Hipólito Yrigoyen
1930-1932	José Félix Uriburu
1932-1938	Agustín P. Justo
1938-1942	Roberto M. Ortiz
1942-1943	Ramón S. Castillo [2]
1943	Arturo Rawson
1943-1944	Pedro P. Ramírez
1944-1946	Edelmiro J. Farrell
1946-1955	Juan Domingo Perón
1955	Eduardo Lonardi
1955-1958	Pedro E. Aramburu
1958-1962	Arturo Frondizi
1962-1963	José María Guido
1963-1966	Arturo Umberto Illia
1966-1970	Juan Carlos Onganía
1970-1971	Roberto Marcelo Levingston
1971-1973	Alejandro Lanusse
1973	Héctor J. Cámpora
1973	Raúl A. Lastiri
1973-1974	Juan Domingo Perón
1974-1975	Mª Estela Martínez de Perón [2]
1975	Italo Luder
1975-1976	Mª Estela Martínez de Perón
1976-1981	Jorge Videla
1981	Roberto Viola
1981-1982	Leopoldo Galtieri
1983	Reynaldo Bignone
1983-1989	Raúl Alfonsín
1989-1999	Carlos Saúl Menem
1999-2001	Fernando de la Rúa
2001	Ramón Puerta [3]
2001	Adolfo Rodríguez Saá
2001	Eduardo Camaño [4]
2002	Eduardo Duhalde

1 Rondeau no se hizo cargo por estar ausente; interinamente le sustituyó el coronel Ignacio Álvarez Thomas.
2 Vicepresidente, asumió la presidencia.
3 Presidente del Senado, asumió la presidencia de forma transitoria.
4 Presidente de la Cámara de Diputados, asumió la presidencia transitoriamente tras la dimisión del presidente del Senado, Ramón Puerta.

pero el gobierno tuvo que hacer frente a poderosas fuerzas desestabilizadoras y a una gravísima crisis económica, debido a la deuda externa y la inflación galopante. En tales circunstancias se celebraron elecciones en 1989, en las que venció el peronista Carlos Saúl Menem. Pese a los problemas económicos, los comicios parciales de 1991 y 1993, reforzaron la posición de Menem. En 1994 se aprobó la reforma de la Constitución que permitió la reelección de Menem en 1995. En las legislativas parciales de 1997, la Alianza (UCR y Frepaso) obtuvo la victoria y acabó con la mayoría absoluta del justicialismo en la Cámara de Diputados. El ascenso de la Alianza culminó en 1999 con la victoria de Fernando de la Rúa en las elecciones presidenciales. Su mandato estuvo marcado por la crisis política (dimisión del vicepresid. C. Álvarez en 2000) y, sobre todo, económica. A pesar de las medidas extraordinarias adoptadas por el gobierno (reducción del déficit público, recortes salariales, inmovilización de depósitos bancarios), el país vivió la peor recesión económica de su historia, y De la Rúa presentó la dimisión (20 de diciembre de 2001). La presidencia recayó en Adolfo Rodríguez Saá, elegido por la Asamblea Legislativa, pero la presión popular y las disensiones dentro del Partido Justicialista forzaron su dimisión una semana después. El 1 de enero de 2002 el pleno del Congreso designó presid. al peronista Eduardo Duhalde, quien anunció el fin de la paridad entre el peso y el dólar.

* *Arte.* **Pint.** Los artistas del s. XVIII y también primera mitad del s. XIX realizaron un arte documental pintando escenas de la época; entre ellos destacan: Emeric Essex Vidal, D'Hastrel, Monvoisin, Pellegrini, Morel y Pueyrredón. Esta pintura se prolonga en el naturalismo de la segunda mitad del XIX. Son pintores de historia: Sívori y Cándido López. En la primera mitad del s. XX se da una gran actividad creadora, cuyo centro es Buenos Aires. En la segunda mitad del siglo tiene especial relieve el cubismo de Raúl Soldi. Destacan también Lino Spilimbergo, Basaldúa, Batlle Planas, Butler, Luis Seoane, Antonio Berni, Raúl Russo, Santiago Cogorno y Carlos Alonso. • **Arq.** De la época colonial quedan vestigios importantes en la ciudad de Córdoba y en las ruinas de San Ignacio.

En Buenos Aires predomina, durante el s. XIX, la influencia de los artistas italianos y franceses. El edificio Kavanagh fue el primer rascacielos de la capital. Actualmente, frente a las grandes mansiones Errázuriz y el Palacio Paz, están las manifestaciones de la arquitectura moderna como el Banco de Londres, el Edificio Fiat, el Edificio Entel, Torres para viviendas, etc. Otra obra importante es el pasaje Barolo, en la avenida de Mayo. • **Esc.** La escultura argentina comienza a manifestarse con relativa importancia sólo a finales del s. XIX con Francisco Cafferata y Lucio Correa Morales. Ya en el s. XX surge Rogelio Yrurtia, el más alto exponente de esta disciplina. Otros escultores destacados son: Arturo Aresco, Pedro Zonza Briano y Alberto Lagos.

* *Mús.* De la música indígena sólo se han conservado algunas canciones y danzas; en cambio, las criollas son muy numerosas. Durante la etapa colonial la actividad musical se centró en las misiones de los jesuitas, y hubo un breve florecimiento musical en el s. XVIII. En este siglo y en el siguiente se construyeron los teatros líricos de Buenos Aires, género que alcanzó gran difusión a partir del s. XIX. La independencia favoreció la creación musical. En 1813 se adoptó la *Marcha patriótica* de Blas Parera como himno nacional. En el romanticismo destaca A. Williams. La primera mitad del s. XX cuenta con dos corrientes estéticas: el nacionalismo musical y el universalista. El centro musical del país es Buenos Aires, cuyo teatro Colón es uno de los primeros teatros líricos del mundo.

* *Cin.* En 1896 se proyectó en A. la primera película. Después de varios documentales, en 1908 se rodaba el primer filme argumental (*El fusilamiento de Dorrego*, de Mario Gallo). Alcanzó gran desarrollo entre 1915 y 1920. A partir de 1930 se inició la proyección de películas sonoras. En 1932 se construyen los estudios Sono Films y Lumiton, contribuyendo a que Buenos Aires se convirtiera en la capital del cine de habla castellana, hasta después de la II Guerra Mundial. En la época peronista, el cine perdió parte de sus mercados, se vio influido por el norteam. y el it. y vivió un resurgimiento de los llamados *géneros populares*. Tras el gobierno de las juntas (1976-1983) algunos filmes de denuncia alcanzaron reconocimiento internacional.

* *Lit.* La generación de 1810 penetra con el iluminismo; sus manifestaciones más importantes las encontramos en Manuel Belgrano, Fernández de Agüero, Juan Cruz Valera, etc. La llamada generación de 1837 recibe una gran influencia europea; en ella destaca Domingo Faustino Sarmiento. La generación siguiente hace su aparición tras la caída de Rosas (1852), siendo algunos de sus seguidores fray Mamerto Esquiú y Bartolomé Mitre. En 1866 surge una nueva generación contraria a la orientación política y doctrinaria de las anteriores: José Hernández publica el *Martín Fierro*. Entre los que siguieron la corriente positivista están Santiago Estrada y José María Cantilo. La generación de 1896 tiene representantes como Juan A. García y José B. Ambrosetti. Ricardo Rojas y Alejandro Korn son representantes de la generación de 1910, que desarrolló la filosofía neokantiana y neohegeliana. La generación del 25 cuenta con la gran figura de Jorge Luis Borges (*Ficciones*, *Historia de la eternidad*, etc.) y con los novelistas Adolfo Bioy Casares y Eduardo Mallea, y la poetisa Silvina Ocampo. Entre los escritores posteriores destacaron especialmente Ernesto Sábato, ensayista y novelista, y el también novelista Julio Cortázar. Por último, en los años ochenta y noventa sobresalieron Juan José Sáer, Ricardo Piglia y Osvaldo Soriano.

ARGENTINA, *La* Sobrenombre de *Antonia Mercé* (1888-1936) Bailarina y coreógrafa esp. nacida en Buenos Aires. • ***Imperio*** (nacida 1906) Seud. de *Magdalena Niles del Río.* Cantante y actriz cinematográfica hispanoargentina, *Nobleza baturra*, *Morena clara.*

ARGENTINIDAD f. Sentimiento de la nacionalidad argentina.

ARGENTINISMO m. Locución, giro o modo de hablar propio y peculiar de los argentinos.

ARGENTINITA, *La* Sobrenombre de *Encarnación López* (1895-1945) Bailarina y coreógrafa esp. Fundó el Ballet de Madrid, con García Lorca (1932).

ARGENTINIZAR tr. Dar carácter argentino.

Argentina. *Mujeres*, óleo de Batlle Planas

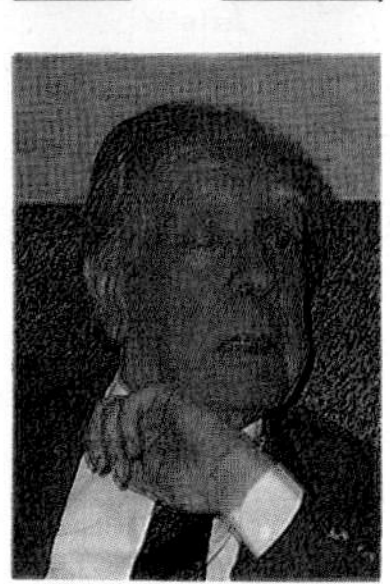

Argentina. De arriba abajo: Ilustración de *La vuelta de Martín Fierro*; Julio Cortázar; Jorge Luis Borges; Ernesto Sábato

ARGENTINO, NA adj. Argénteo. • adj. y s. De la República Argentina. • adj. fig. Díc. de la voz o el sonido agradables. • m. Moneda de oro, de la República Argentina, que valía cinco pesos de oro.

ARGENTINO Lago del S de Argentina, en la prov. de Santa Cruz, al pie de los Andes de Patagonia; 1 415 km^2. Recibe las aguas del r. La Leona, y emite el r. Santa Cruz.

ARGENTITA f. Sulfuro de plata natural.

ARGENTO m. poét. Plata.

ARGERICH, *Martha* (nacida 1941) Pianista arg. Premio Internacional de Ginebra y del Concurso Chopin de Varsovia.

ARGILA f. Arcilla. ■ ARGILOSO, SA.

ARGILITA f. Roca compacta de grano fino constituida por cuarzo, feldespato y arcilla.

ARGININA f. *Bioq.* Aminoácido monocarboxílico. Forma parte de la mayoría de las proteínas, y de las nucleoproteínas.

ARGIRIA f. *Pat.* Coloración de la piel y mucosas producida en la intoxicación con sales de plata.

ARGIRIASIS f. *Pat.* Argiria.

ARGIRISMO m. *Pat.* Intoxicación que se produce al ingerir o manejar sales de plata.

ARGIROPIRITA f. *Miner.* Sulfuro doble de plata y hierro, llamado plata sulfurada flexible.

ARGIVO, VA adj. y s. De Argos o de la Argólida. • adj. y s. P. ext. De Grecia antigua.

ARGÓLIDA Región de la ant. Grecia, en el Peloponeso oriental.

ARGOLLA f. Aro grueso de hierro, que sirve para amarre o de asidero. • Pena que consistía en exponer al reo sujeto por el cuello con una argolla en un poste. • Gargantilla que usaban las mujeres como adorno. • *Amér.* Anillo de boda. • fig. Sujeción.

ARGÓN m. *Quím.* Elemento de símb. A, n. a. 18 y p. a. 39,948.

ARGONAUTA m. *Mit.* Cada uno de los héroes griegos que fueron a la conquista del vellocino de oro. • *Zool.* Molusco marino, cefalópodo, cuya hembra posee una concha calcárea.

ARGOS m. Persona muy vigilante.

ARGOS *Mit.* Gigante gr. de cien ojos, hijo de Gea (la Tierra).

ARGOS C. de Grecia, en el Peloponeso, 25 500 hab. Ant. cap. de la Argólida.

ARGOT (voz fr.) m. fam. Jerga, lenguaje.

ARGOTE de Molina, *Gonzalo* (1548-1598) Humanista esp. *Discurso sobre la poesía castellana.*

ARGUCIA f. Argumento falso presentado con agudeza.

ARGUEDAS, *Alcides* (1879-1946) Escritor bol. defensor del indígena americano. *Raza de bronce, Los caudillos bárbaros, Vida criolla.* • ***José María*** (1911-1970) Escritor per. autor de *Yawar Fiesta*, sobre las costumbres indígenas y los problemas sociales.

Óscar **Arias**

ARGÜELLES, ***Agustín*** (1776-1843) Político esp., diputado en las Cortes de Cádiz. Ministro de la Gobernación en 1820. Tutor de Isabel II.
ARGÜELLO, ***Juan*** (s. XIX) Patriota y político nicar. Derrocó a De la Cerda (1826) y asumió el poder hasta 1829, en que le sustituyó el hond. Herrera. • ***Leonardo*** (1875-1947) Médico y político nicar. El jefe de la guardia nacional, Somoza, le avaló como presid. y le derrocó con un golpe militar. • ***Manuel*** (1845-1902) Escritor costarric. *Costa Rica pintoresca, Las dos gemelas del Mojón.* • ***Santiago*** (1872- 1940) Poeta, crítico y ensayista literario nicar. discípulo de Rubén Darío. *Ojo y alma, Poesías escogidas y poesías nuevas. Ocaso, Modernismo y modernistas.*
ARGUENAS f. pl. Angarillas. • Alforjas. • *Chile.* Árganas. ■ *Chile.* ARGUENERO.
ARGUETA, ***Manlio*** (nacido 1936) Poeta y novelista salv. *El costado de luz, El valle de las hamacas, Caperucita en la zona roja.*
ARGÜIR tr. Sacar en claro, deducir como consecuencia natural. • Descubrir, probar, dejar ver con claridad. • Echar en cara, acusar. • intr. Disputar impugnando la opinión ajena. • Poner argumentos contra alguna opinión.
ARGUL, ***José Pedro*** (1903-1974) Crítico de arte e historiador ur. *Pintura y escultura del Uruguay.*
ARGUMENTAR tr. intr. y prnl. Argüir. ■ ARGUMENTACIÓN.
ARGUMENTO m. Razonamiento usado para demostrar una proposición, o bien para convencer a otro de aquello que se afirma o se niega. • Asunto de que se trata en una obra literaria, discurso, etc. • Sumario de una obra literaria o de cada una de sus partes. • Indicio o señal. • *Mat.* En la representación vectorial de los números complejos, valor del ángulo que forma el vector que representa el complejo con el eje de abcisas. • *Mat.* Variable independiente de una función.

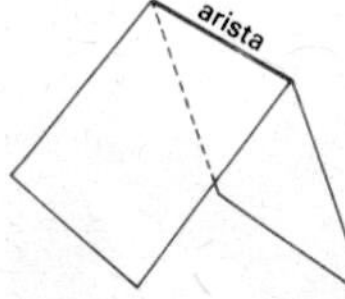

Arista

ARGUN o **ERGUN** Río de Asia, una de las ramas madre del Amur. Nace en China (Gran Jingan, Manchuria) y forma frontera entre dicho país y Rusia; 1 530 km.
ARHUACO adj. y s. Aruaco.
ARHUS → Aarhus.
ARIA f. Composición musical sobre cierto número de versos para que la cante una sola voz.
ARIADNA *Mit.* Hija de Minos y de Pasifae.
ARIAS, ***Augusto*** (1903-1974) Escritor ecuat. *España eterna, Panorama de la literatura ecuatoriana.* • ***Arnulfo*** (1901-1988) Político pan. Elegido presid. en 1940, 1949 y 1968, nunca culminó sus mandatos al ser derrocado en 1941, 1951 y 1968. • ***Céleo*** (1835-1890) Abogado y político hond. Preparó desde El Salvador la insurrección contra el presid. Medina. Presid. de gobierno (1872-1874), fue derrocado por Leiva. • ***Harmodio*** (1886-1962) Abogado y político pan. Presid. de gobierno (1932-1936). • ***Juan Ángel*** (1859-1927) Político hond. Presid. en 1903, fue derrocado ese mismo año por Bonilla. • ***Óscar*** (nacido 1941) Político cost. Licenciado en Derecho y Econ. y Doctor en Ciencias Políticas. Elegido diputado en 1978 y presid. en 1986. Premio Nobel de la Paz en 1987 por su intervención en los acuerdos de Esquipulas II para el logro de la paz en América Central. • ***Ricardo M.*** (1912-1993) Diplomático y político pan. Presid. (1955-1956). • ***Virginio*** (1855-1941) Escultor chil. *El descendimiento.*

Jean-Bertrand **Aristide**

ARIBAU, ***Bonaventura Carles*** (1798-1862) Escritor y economista cat., fundador del periódico *El Europeo* e introductor del romanticismo en España. Su obra *Oda a la Patria* marca el inicio de la *Renaixença* de las letras catalanas.
ARICA C. del N de Chile, en la región de Tarapaca, cap. de la prov. hom.; 167 200 hab. Ind. de abonos, alimentaria, mecánica. Pesca. Cedida temporalmente a Chile por Perú, según el tratado de Ancón (1883); al no celebrarse el pactado plebiscito sobre la soberanía de este territorio, quedó integrada definitivamente a Chile por el Tratado de Lima (1929). • Prov. de Chile en la región de Tarapaca; 167 800 hab.
ARICAR tr. Arar muy superficialmente.
ARIDECER tr. intr. y prnl. Hacer árido algo.
ARIDEZ f. Calidad de árido.
ARIDJIS, ***Homero*** (nacido 1940) Poeta mex. *Mirándola dormir, El encantador solitario.*

Aristófanes

ÁRIDO, DA adj. Seco, estéril. • fig. Falto de amenidad. • m. pl. Granos, legumbres y otros frutos secos a que se aplican medidas de capacidad. • Materiales empleados para hacer argamasas.
ARIEL (voz heb.) Altar de los holocaustos. • Nombre simbólico de Jerusalén. • *Lit.* Espíritu aéreo, alegre y bueno (en Shakespeare), uno de los ángeles rebeldes (en Milton y Goethe).
ARIEL *Astr.* Primer satélite de Urano.
ARIES m. *Astr.* Primer signo o parte del Zodíaco. • *Astr.* Constelación zodiacal que en otro tiempo coincidió con el signo de este nombre. Su nombre vulgar es *Carnero.*
ARIETE m. Máquina que se empleaba para batir murallas. • *Mar.* Buque de vapor, blindado y con un espolón muy reforzado y saliente. • **hidráulico.** *Mec.* Máquina para elevar agua.
ARIETINO, NA adj. Semejante a la cabeza del carnero.
ARIJO, JA adj. Aplícase a la tierra delgada y fácil de cultivar.
ARÍLICO, CA adj. *Quím.* Díc. de los compuestos orgánicos de la serie aromática.
ARILLO m. Arete, pendiente.
ARIMEZ m. *Arq.* Resalto en algunos edificios.
ARIO, RIA adj. y s. Relativo a los arios. • m. pl. Pueblo ant. de lengua indoeuropea, originario de Asia central y Rusia meridional. • m. Lengua de los arios. • adj. Díc. de los pueblos descendientes de éstos. • adj. y s. Impropiamente, indoeuropeo. • f. Supuesta raza superior, según los teóricos del racismo alemán.
ARIO Mun. de México, en el est. de Michoacán; 24 200 hab. Agricultura, ganadería. Minas de cobre.
ARIÓN (s. VI a. C.) Músico y poeta gr., inventor del ditirambo.
ARIOSTO, ***Ludovico*** (1474-1533) Poeta renacentista it. *Orlando furioso, Los estudiantes, La alcahueta.*
ARIQUE m. *Cuba.* Tira de yagua que se emplea para atar.
ARISBLANCO, CA adj. De aristas blancas.
ARISCO, CA adj. Áspero. ■ ARISCARSE.
ARISMENDI, ***Juan Bautista*** (1770-1825) General ven. Participó en las luchas independentistas. Se opuso a una excesiva concentración de poder en manos de Bolívar y se hizo fuerte en la isla Margarita (1817-1819). Fue vicepresidente durante un corto período (1819).
ARISNEGRO, GRA adj. De aristas negras.
ARISQUEAR intr. *Amér.* Mostrarse arisco.
ARISTA f. Filamento áspero del cascabillo que envuelve el grano de algunas gramíneas. • Pajilla del cáñamo o lino, que queda después de agramarlos. • Borde de un sillar, etc., convenientemente labrado. • *Geom.* Intersección de dos caras de un poliedro. • Segmento común a dos superficies de un cuerpo cualquiera por su parte exterior. • pl. Peligros de un asunto.
ARISTA, ***Mariano*** (1802-1855) Militar y político mex. Tomó parte en la guerra contra Texas. Presid. (1851-1853). Se vio obligado a dimitir.
ARISTÁGORAS (m. 497 a.C.) Tirano de Mileto, promotor del levantamiento jonio contra Darío que dio origen a la primera guerra médica.
ARISTARCO m. fig. Crítico entendido, pero excesivamente severo.
ARISTARCO de Samos (310-230 a.C.) Astrónomo gr., precursor de Copérnico. • **de Samotracia** (s. II a.C.) Gramático y crítico gr., autor de estudios críticos.
ARISTIDE, ***Jean-Bertrand*** (nacido 1953) Sacerdote y político de Haití. De familia humilde, ingresó en la orden salesiana, de la que fue expulsado. Estudió teología e idiomas. Venció en los comicios de 16 de diciembre de 1990. Ocupó la presidencia en febrero de 1991, pero fue derrocado en septiembre. Regresó al país en 1994, gracias al apoyo de EE UU, ocupando la presid. hasta 1995. Elegido de nuevo presid. en las elecciones de 2000.
ARÍSTIDES (540-469 a.C.) General y político ateniense. Destacó en la batalla del Maratón. Organizó la confed eración marítima de Delos (476 a.C.). • **de Mileto** (s. II a.C.) Escritor gr., autor de unos *Cuentos milesios* que se consideran precursores de la literatura erótica.
ARISTIPO de Cirene (435-360 a.C.) Filósofo gr., fundador de la escuela cirenaica o hedonista.

Ariete

ARISTOCRACIA f. Gobierno de la nobleza. • Clase noble de una nación. • P. ext., clase que sobresale entre las demás.
**Pol.* En la Grecia antigua constituyó una casta militar, convertida en propietaria de tierras y oligárquica. En Roma, se identificó con la casta de los patricios. A comienzos de la E. Med. estuvo formada por una nobleza militar, cuyos miembros, al poseer las tierras, sentaron las bases del feudalismo. Desde la Revolución Francesa, el término se aplicó a la nobleza defensora del Antiguo Régimen. ■ ARISTÓCRATA; ARISTOCRÁTICO, CA; ARISTOCRATIZAR.
ARISTÓFANES (445-386 a.C.) Comediógrafo gr., autor de violentas sátiras. *Las aves, Los caballeros, Las ranas, Las avispas, Las nubes.*
ARISTOFÁNICO, CA adj. Propio de Aristófanes.
ARISTOLOQUIA f. Planta aristoloquiácea, de raíz fibrosa, flores amarillas y fruto esférico.
ARISTOLOQUIÁCEO, A adj. y f. *Bot.* Hierbas dicotiledóneas de tallo nudoso, hojas alternas de peciolos ensanchados, flores situadas en las axilas de las hojas, frutos capsulares y semillas con albumen carnoso o casi córneo. • f. pl. *Bot.* Familia de estas plantas.
ARISTÓN m. Especie de organillo.
ARISTOSO, SA adj. Que tiene muchas aristas.
ARISTÓTELES (384-322 a.C.) Filósofo gr. discípulo de Platón, fundó su propia escuela en Atenas y fue preceptor de Alejandro Magno. A. opone la lógica a la sofística y la dialéctica. En su *Filosofía primera* (llamada más tarde *metafísica*) instituye como fundamento de toda explicación los coprincipios de *potencia y acto.* En sus *Ética a Nicómaco, Ética a Eudemo* y *Gran ética* define como fin supremo del hombre el desarrollo de la inteligencia. El hombre, para A., sólo se realiza plenamente dentro del Estado, según lo expone en su *Política.* Se interesó también por otras muchas ciencias y artes.
ARISTOTÉLICO, CA adj. Perteneciente o relativo a Aristóteles. • Conforme con la doctrina de Aristóteles.
ARISTOTELISMO m. Doctrina de Aristóteles y corrientes de ella derivadas. • *Fil.* La escuela peripatética heredó su pensamiento. Sus obras fueron redescubiertas en Europa a través de los árabes, y contribuyeron al establecimiento de la escolástica.
ARITENOIDES m. *Anat.* Cada uno de los dos cartílagos sit. en la parte posterior de la laringe, que se articulan con el cartílago cricoides.
ARITMÉTICA f. *Mat.* Parte de las matemáticas que trata de los números y de las operaciones que se efectúan con ellos. Actualmente, el nombre de a. se aplica a las operaciones elementales y las técnicas de cálculo, habiéndose constituido en ciencias particulares ramas como la teoría de números de la que antes formaban parte. • **de coma fija.** *Comp.* Exp. que indica que la computadora realiza los cálculos usando la expresión numérica habitual. • **de coma flotante.** *Comp.* Exp. que indica que la computadora realiza los cálculos usando una notación constituida por una mantisa, cuyo valor está comprendido entre 0 y 1, y una *característica* o exponente de la potencia de 10 por la que está multiplicada la mantisa. • **Progresión a.** *Mat.* Se dice que una sucesión de números está en progresión a. cuando cada uno de ellos es igual al anterior más un determinado valor constante.
ARITMÓGRAFO m. Regla circular de cálculo.
ARITMOMANCIA f. Arte de adivinación por medio de números.
ARITMÓMETRO m. Instrumento para realizar cálculos aritméticos elementales.
ARITO m. *Amér.* Arete, pendiente.
ARIZONA Est. del SO de los EE UU; 295 260 km^2, 3 665 000 hab. (7 % de amerindios). Cap., Phoenix. Al NO, altiplanicie del Colorado, excavada por el Gran Cañón. Oro, plata, cobre, uranio, vanadio. Ind. electrónica, aeronáutica, atómica. Parte del territorio fue cedido por México, en 1848, y parte comprado a éste en 1853. Est. de la Unión desde 1912. Reservas indias.
ARJONA Mun. de Colombia, en el dpto. de Bolívar; 25 800 hab. Cultivos tropicales. Ganadería. Refinerías de azúcar.
ARJONA, *Manuel María de* (1771-1820) Poeta neoclásico esp. *Las ruinas de Roma, Manifiesto de su conducta política a la nación española.*
ARKÁNGEL *(Arjánguelsk)* C. de la Rep. de Rusia, a orillas del mar Blanco; 403 000 hab. Madera. Pesca. Constr. naval.
ARKANSAS Est. del S de los EE UU, sit. en las Llanuras centrales. 137 755 km^2; 2 351 000 hab. Cap., Little Rock. Clima templado. Maíz, trigo, avena, tabaco, algodón. Bauxita, carbón, petróleo, cobre y gas natural. Ind. textil y del aluminio. Est. de la Unión desde 1836. • Río de EE UU, afl. del Misisipí; 3 330 km.
ARKWRIGHT, *Richard* (1732-1792) Industrial brit., inventor de una máquina de hilar algodón.
ARLAND, *Marcel* (1899-1986) Escritor fr. *El orden, Mónica, Antología de la poesía francesa.*
ARLEQUÍN m. Personaje cómico de la ant. comedia it. que llevaba mascarilla negra y traje de cuadros de colores. • Persona vestida con ese traje. • Gracioso de algunas compañías teatrales. • fig. y fam. Persona informal, ridícula y despreciable. ■ ARLEQUINADA; ARLEQUINESCO, CA.
ARLÉS C. de Francia, en el dpto. de Bouches-du-Rhône. 50 800 hab. Ind. química, metalúrgica y papelera. Turismo.
ARLO m. Agracejo. • Colgajo de frutas.
ARLT, *Roberto* (1900-1942) Escritor arg. *El juguete rabioso, Los siete locos, Amor brujo, Aguafuertes porteños, El jorobadito.*
ARMA f. Instrumento para atacar o defenderse. • *Mil.* Cada una de las partes principales de los ejércitos combatientes. • *Taur.* Cuerno del toro. • pl. Armadura, conjunto de armas. • Tropas de un estado. • Defensas naturales de los animales. • Piezas con que se arman algunos instrumentos. • Milicia. • Hechos de armas. • fig. Medios que sirven para conseguir alguna cosa. • *Her.* Blasones del escudo. • *Her.* Escudo de armas. • **A. arrojadiza.** La ofensiva que se arroja desde lejos, como la flecha o el dardo. • **atómica.** La que usa la energía atómica con fines ofensivos. • **automática.** La que, hecho el primer disparo, descarga mecánicamente una serie de proyectiles. • **blanca.** La ofensiva de hoja de acero. • **de fuego.** La que se carga con pólvora. • **negra.** Espada u otra arma semejante, de hierro ordinario, sin filo y con un botón en la punta, con que se aprende la esgrima. • **Alzarse en a.** fr. Sublevarse. • **Pasar a** uno **por las a.**fr. *Mil.* Fusilarlo. • **Presentar las a.** fr. *Mil.* Hacer la tropa los honores militares a las personas a quienes corresponde.
ARMADA f. Conjunto de fuerzas navales de un estado. • Conjunto de buques de guerra para determinado servicio. • *Amér. Merid.* Forma en que se dispone el lazo para lanzarlo.
ARMADA Invencible Flota enviada en 1588 por Felipe II contra Inglaterra. Las tempestades y el mal comandamiento la destrozaron.
ARMADÍA f. Maderos unidos a otros para conducirlos a flote.
ARMADIJO m. Trampa para cazar animales. • Armazón de palos.
ARMADILLO m. *Amér. Merid.* Mamífero desdentado, parecido al cerdo. Puede arrollarse sobre sí mismo, quedando protegido por la coraza que forma la piel de su cuerpo, cubierta de laminillas córneas.
ARMADO, DA adj. Provisto de armas. • m. Hombre vestido como los antiguos soldados rom.
ARMADOR, RA m. y f. Persona que arma un mueble, artefacto, etc. • m. El que arma una embarcación para dedicarla a fines comerciales.

Aristóteles

La ***Aritmética.*** Boecio y Pitágoras mostrando dos tipos de cálculo, en un grabado antiguo

Armadillo

Armadura

ARMADURA f. Conjunto de armas de hierro con que se vestían los guerreros. • Pieza o piezas unidas unas con otras, en que, o sobre que, se arma alguna cosa. • Esqueleto de los vertebrados. • *Arq.* Conjunto de medios que se disponen provisionalmente en la obra para sostener una construcción. • *Fís.* Cada uno de los cuerpos conductores de la electricidad con que se forman los condensadores eléctricos.

ARMAGNAC Ant. condado de Francia, en la Gascuña. • Familia noble fr. al servicio de los Orleáns y enemiga de los Borgoñones.

ARMAMENTISMO m. *Pol.* Estrategia defensiva que ve en la acumulación de armamentos la mejor garantía de la seguridad nacional.

ARMAMENTO m. Prevención de lo necesario para la guerra. • Conjunto de armas para el servicio de un cuerpo militar. • Armadura, conjunto de piezas en que se arma una cosa.

ARMAR tr. y prnl. Vestir o poner a uno armas ofensivas o defensivas. • Proveer de armas. • Preparar para la guerra. • Juntar entre sí las piezas de que se compone un mueble, artefacto, etc. • Sentar, fundar una cosa sobre otra. • Poner los pasamaneros y tiradores de oro este metal o la plata sobre otro metal. • Dejar a los árboles una o más guías, según la forma que se les quiera dar. • tr. y prnl. fig. y fam. Disponer alguna cosa. • fig. y fam. Tratándose de pleitos, etc., causar. • tr. fig. y fam. Aviar a uno de lo que le hace falta. • *Mar.* Aprestar una embarcación. • intr. Cuadrar o convenir una cosa a alguno. • *Min.* Yacer el mineral explotable entre las rocas. • prnl. fig. Ponerse en disposición de ánimo para lograr algún fin. • *Amér.* Plantarse un animal.

ARMARIO m. Mueble en que se guardan libros, ropas u otros objetos.

ARMAS Alfonzo, ***Alfredo*** (1921-1990) Escritor ven. Premio Nacional de Literatura (1969). *Los cielos de la muerte, Tramojo, La parada de Maimós, El osario de Dios.* • **Chitty, *José Antonio*** (nacido 1908) Escritor ven. Premio Nacional de Literatura (1961). *Candil, romances de la tierra, Retablo, Documentos para la historia colonial de los Andes venezolanos.*

ARMATOSTE m. Cualquier máquina o mueble tosco, pesado y mal hecho. • Armadijo.

ARMAZÓN f. Armadura, pieza sobre la que se arma una cosa. • m. Armadura, esqueleto. • *Amér.* Anaquelería.

ARMCO m. *Metal.* Acero de bajo porcentaje de carbono que puede trabajarse fácilmente y es muy resistente a la corrosión.

ARMELLA f. Anillo de metal con una espiga o tornillo para clavarlo en parte sólida.

ARMENDÁRIZ, ***José de***, MARQUÉS DE CASTELFUERTE Virrey de Perú (1724-1736). • ***Pedro*** (1919-1963) Actor mex. *María Candelaria, La perla, La malquerida.*

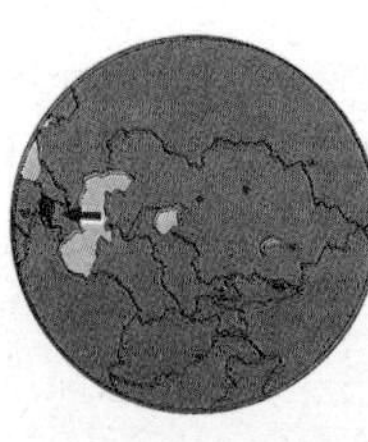
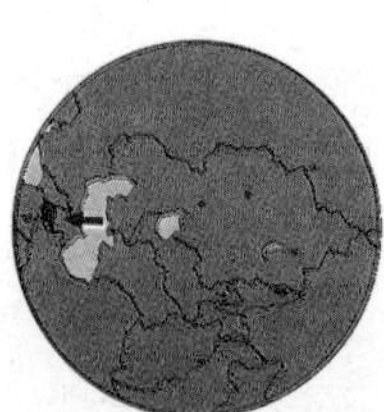

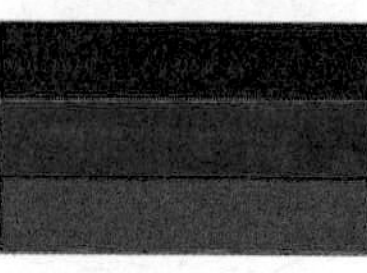

Armenia. Arriba, mapa de situación y bandera; abajo, ruinas de una iglesia del s. XIII

ARMENIA *(Hayastani Hanrapetutyun)* Est. de Transcaucasia. Limítrofe con Irán, Azerbaiján, Georgia y Turquía. Comprende parte de la meseta hom. y la mitad meridional del Pequeño Cáucaso, el Zanguezur y la fosa del lago Seván. Clima continental. Algodón, tabaco, vid, remolacha azucarera; ganadería; cobre, cinc, aluminio; ind. química. Grupos étnicos: armenios (mayoría), azerbaijanos, kurdos, rusos. Lenguas: armenio (of.), azerbaijano, ruso, kurdo. *Rel.*: cristianismo ortodoxo armenio. Cap., Yereván. C. prales.: Kumayri (ex Leninakán).

**Hist.* En 1918, el sector ruso de A. se constituyó en rep. indep., a la que el laudo del presid. norteam. Wilson otorgó 80 000 km² junto al mar Negro, pero el est. acabó por sucumbir en 1920. De la ant. A. rusa, Kars y Ardahan fueron anexionados a Turquía y el resto se convirtió en la RSS de Armenia (1920). Rep. federada desde 1936, fue escenario de fuertes agitaciones nacionalistas en 1988. En 1991 se autoproclamó indep. y se integró en la CEI. Ese mismo año, el estallido de la guerra con Azerbaiján por la posesión de Nagorno-Karabaj, enclave armenio en territorio azerbaijano, marcaron el nacimiento del nuevo Estado. A pesar de la firma de un alto el fuego en 1993, la tensión bélica se mantuvo, entorpeciendo el desarrollo del país.

ARMENIA

Superficie	29 800 km²
Población	3 765 000 hab. (126 hab./km²)
Recursos económicos	
Aves de corral	3 000 000 cabezas
Cabaña ovina	623 000 cabezas
Neumáticos	104 000 unidades
Vino	100 000 hl
Indicadores sociológicos	
PNB	2 752 millones de dólares
Renta per cápita	730 dólares
Esperanza de vida	71 años

ARMENIA Región del Asia occidental, formada por una meseta y limitada por las cord. Póntica y Taúrica y el Pequeño Cáucaso. Repartida entre Turquía, Irán y la República de Armenia.

**Hist.* A. apareció como Est. en el s. II a. C. Desde finales de la E. Ant., hasta la E. Cont. A. estuvo dominada por Bizancio, Persia, los ár., los turcos seleúcidas y otomanos y los rusos.

ARMENIA C. de Colombia, cap. del dpto. de Quindío; 231 745 hab. Café; ind. diversas. Terminal del ferrocarril del Pacífico.

ARMENIO, NIA adj. y s. De Armenia. • adj. y s. Díc. de cristianos pertenecientes a dos iglesias orientales. • Relativo a los armenios. • Pueblo indoeuropeo natural de la Gran Armenia histórica. • m. Lengua indoeuropea hablada por este pueblo.

ARMERÍA f. Edificio en que se guardan armas. • Arte de fabricar armas. • Tienda en que se venden armas.

ARMERO m. Fabricante o vendedor de armas. • Encargado de custodiar o de tener dispuestas las armas. • Aparato para tener armas.

ARMERO Mun. de Colombia, en el dpto. de Tolima. En 1985 la erupción del Nevado de Ruiz desencadenó un torrente de fango que arrasó la población, muriendo unas 25 000 personas.

ARMÍFERO, RA o ARMÍGERO, RA adj. Díc. del que viste o lleva armas. • fig. Belicoso. • m. Escudero que tenía por oficio llevar armas de su señor.

ARMILAR adj. → Esfera armilar.

ARMILLA f. *Arq.* Espira de la columna. • *Mil.* Astrágalo de los cañones.

ARMILLITA (1905-1964) Torero mex. • ***Chico*** (1911-1978) Hermano del anterior. Uno de los grandes toreros mexicanos.

ARMINIANISMO m. Doctrina de los seguidores de Jacobus Arminius. Se basa en la impugnación del dogma calvinista de la doble predestinación, primando el libre albedrío.

ARMINIO (***Hermann***) (s. I) Jefe germano (querusco). Venció a los rom. en la selva de Teutoburgo (año 9). El año 16 fue derrotado por Germánico.

ARMINIUS, ***Jacobus*** Nombre latinizado de *Jakob Harmensz* (1560-1609). Reformador religioso neerlandés.

ARMIÑÁN, ***Jaime de*** (nacido 1927) Director de cine esp. *Mi querida señorita, El nido.*

ARMIÑO m. Mamífero carnívoro, de piel muy suave y delicada. • Pinta blanca junto al casco de las caballerías. • *Her.* Figura convencional, a ma-

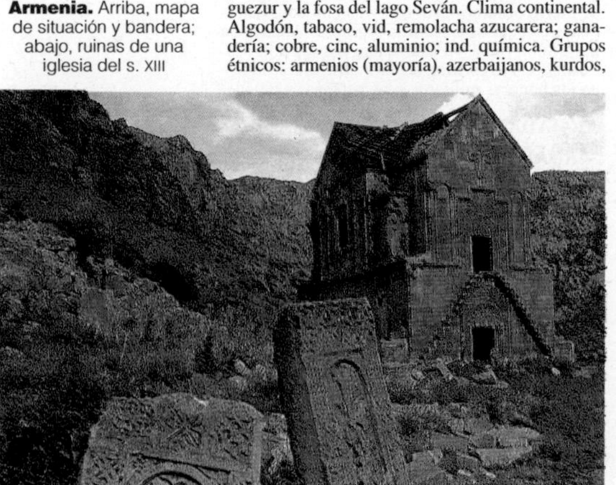

nera de mota negra, sobre campo de plata. ■ ARMIÑADO, DA.

ARMISTICIO m. Suspensión de hostilidades pactada entre pueblos o ejércitos beligerantes.

ARMITAGE, *Kenneth* (nacido 1916) Escultor ing. Sus obras tienen un carácter expresionista y dinámico.

ARMÓN m. Juego delantero de la cureña de campaña.

ARMONÍA f. Combinación de sonidos simultáneos y diferentes, pero acordes. • Acertada combinación de palabras, acentos y pausas del lenguaje. • fig. Conveniente proporción y correspondencia de unas cosas con otras. • fig. Amistad y buena relación. • *Mús.* Arte de formar y enlazar los acordes. • **imitativa.** Imitación, por medio de las palabras, de otros sonidos. ■ ARMONIOSO, SA.

ARMÓNICA f. Instrumento formado por lengüetas metálicas fijadas en una placa de metal que vibran al soplar o aspirar por unos agujeros.

ARMÓNICO, CA adj. Relativo a la armonía. • *Fís.* Componente sinusoidal de una onda periódica, de frecuencia múltiplo de la frecuencia fundamental. • *Mús.* Sonido agudo, concomitante, producido por la resonancia de otro fundamental. • Sonido muy agudo y dulce que se produce en los instrumentos de cuerda. • **Análisis a.** *Mat.* Estudio del desarrollo en serie de → Fourier de las funciones periódicas. • **Analizador a.** *Fís.* Dispositivo mecánico, eléctrico, electrónico u óptico, usado para investigar los armónicos de una onda periódica. • **Función a.** *Mat.* Función continua que posee derivadas primeras y segundas continuas y satisface la ecuación de → Laplace.

ARMONIO m. Instrumento musical de teclado, al cual se da el aire por medio de un fuelle.

ARMÓNIUM m. Armonio.

ARMONIZAR tr. Poner en armonía las cosas. • *Mús.* Escoger y escribir los acordes a una melodía o bajete. • intr. Estar en armonía.

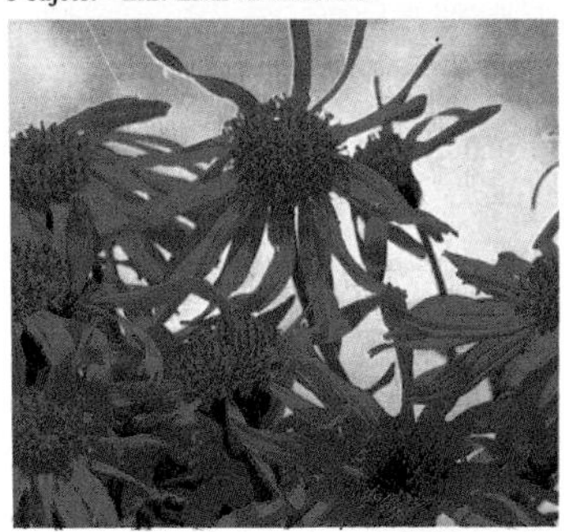

Árnica

ARMÓRICA Parte de la ant. Galia, comprendida entre el Sena y el Loira, la Bretaña actual.

ARMORICANO, NA adj. y s. De Armórica.

ARMSTRONG, *Louis* (1900-1971) Trompetista y cantante de *jazz* norteam. Introdujo la figura del solista y popularizó el *swing.* • ***Neil*** (nacido 1930) Astronauta norteam. Primer hombre que pisó la Luna.

ARMUELLE m. Planta quenopodiácea comestible de semilla negra y dura. • Bledo. • Orzaga. • **borde.** Ceñiglo.

ARN *Bioq.* Siglas del ácido ribonucleico. Componente esencial de las nucleoproteínas, presente en el núcleo y en el citoplasma.

**Bioq.* El ARN está constituido por una cadena de moléculas de ribosa y de ácido fosfórico, de la que emergen moléculas de una base nitrogenada (purinas o pirimidinas). Su estructura secundaria es de tipo helicoidal, por formación de puentes de hidrógeno entre las bases de los distintos nucleótidos. Se encuentra en los nucleolos del núcleo, y en forma de partículas aisladas o en ribosomas en el citoplasma. Se conocen tres tipos de ARN, cada uno de ellos con un papel distinto en la síntesis de proteínas: el *soluble* o *transportador,* que activa y transporta los aminoácidos; el *ribosómico,* que traduce el mensaje genético procedente del núcleo; y el *mensajero,* que lleva este mensaje genético a los ribosomas.

ARNALDO de Brescia (1100-1155) Reformador religioso y político it. Propugnó la abolición del poder político de la Iglesia.

ARNAULD, *Antoine* (1612-1694) Filósofo cartesiano y teólogo jansenista fr. *Tratado sobre la comunión frecuente, La lógica de Port-Royal, La gramática de Port-Royal.* • ***Marie Angélique*** (1591-1661) Religiosa jansenista fr., directora del centro de Port-Royal.

ARNAUT Daniel (ss. XII-XIII) Trovador provenzal. *Fantasmagoría del paganismo, Reinaldo y Lancelota.*

ARNDT, *Ernst Moritz* (1769-1860) Poeta al. *Catecismo del soldado. El espíritu del tiempo.*

ARNÉS m. Armadura, conjunto de armas. • pl. Guarniciones de las caballerías. • fig. y fam. Cosas necesarias para algún fin.

ARNHEM C. de Países Bajos, cap. de la prov. de Güeldres, a orillas del Rin; 128 100 hab. Ind. mecánicas.

ARNHEM, *Tierra de* Península del N de Australia. Boscosa y húmeda. Relieve accidentado. Reservas de aborígenes.

ÁRNICA f. Planta compuesta, cuyas flores y raíz tienen sabor acre y aromático, y olor fuerte que hace estornudar. Se emplea en medicina. • Tintura preparada con a., usada para las contusiones.

ARNICHES, *Carlos* (1866-1943) Comediógrafo esp. *Don Quintín el amargao, El cabo primero, Alma de Dios.*

ARNILLO m. *Zool.* Pez osteíctio, de color de chocolate y piel áspera.

ARNIM, *Ludwig Joachim,* o ***Achim von*** (1781-1831) Poeta romántico al. *Isabel de Egipto, Los guardianes de la corona.*

ARNO Río de Italia, en Toscana; 241 km. Desemboca en el Mediterráneo.

ARNO, *Peter* (1904-1968) Dibujante caricaturista norteam.

ARNOLD, *Matthew* (1822-1888) Poeta y crítico brit. defensor del helenismo.

ARNOLFO di Cambio (1240-1302) Arquitecto y escultor it. Planos de la catedral de Florencia y sepulcro del cardenal De Braye, en Orvieto.

ARNS, *Paulo Evaristo* (nacido 1921) Prelado bras., defensor de los derechos humanos. Obispo auxiliar de São Paulo en 1966 y arzobispo titular en 1970. Cardenal en 1973.

ARNULFO (849-899) Hijo natural de Carlomagno, coronado emperador de Occidente.

ARO m. Pieza de hierro en forma de circunferencia. • Armadura de madera que sostiene el tablero de la mesa. • Juguete en forma de aro, que los niños hacen rodar valiéndose de un palo. • Planta arácea, de raíz tuberculosa y feculenta, y frutos del color y tamaño de la grosella. • *Amér.* Arete.

AROEIRA m. Nombre de diversos árboles de los que se extraen resinas medicinales.

AROIDEO, A adj. y s. *Bot.* Aráceo.

AROLAS, *Juan de* (1805-1849) Poeta romántico esp. *Orientales.*

AROMA f. Flor del aromo, de muy fragante olor. • m. y f. Cualquier goma, leño o hierba de mucha fragancia. • Olor muy agradable.

AROMAR tr. Aromatizar.

AROMÁTICO, CA adj. Que tiene aroma u olor agradable. • *Quím.* Díc. de ciertos hidrocarburos caracterizados por poseer una o más cadenas cerradas de seis carbonos con enlaces alternativamente sencillos y dobles. ■ AROMATICIDAD.

AROMATIZAR tr. Dar aroma alguna cosa. ■ AROMATIZACIÓN; AROMATIZANTE.

AROMO m. Árbol mimosáceo, especie de acacia, cuya flor es la aroma.

AROMOSO, SA adj. Aromático.

ARON m. Aro, planta.

ARON, *Raymond* (1905-1983) Político y sociólogo fr. *La filosofía crítica de la historia, La lucha de clases.* Premio Erasmo 1982.

ARONCO, *Raimondo d'* (1857-1932) Arquitecto modernista it. Pabellones prales. de la Exposición de Arte en Turín (1902).

AROSEMENA, *Alcibíades* (1883-1958) Político pan. Presid. provisional de la rep. (1951-1952) tras el golpe que derribó a Arnulfo Arias. • ***Florencio***

Armiño

Louis **Armstrong**

El Palazzo Vecchio de Florencia, obra de **Arnolfo di Cambio**

Arpa

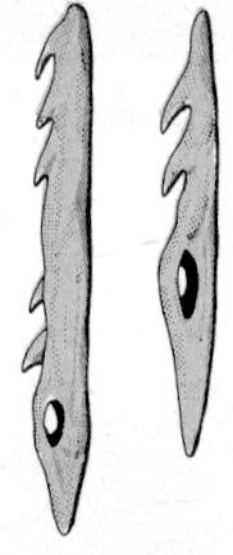
Arpones del magdaleniense superior

Arquero persa

Arquímedes, por Ribera

Harmodio (1872-1945) Político pan. Presid. de la rep. en 1928-1931. • ***Juan Demóstenes*** (1879-1939) Político pan. Presid. de la rep. en 1936-1939. • ***Justo*** (1817-1896) Escritor y político col. Participó en la constitución de los Estados Unidos de Colombia. Primer presid. constitucional de Panamá. • ***Leopoldo José*** (1848-1919) Escritor y gramático pan. *Ortología elemental de la lengua castellana, Diccionario ortográfico de la lengua castellana.* • ***Mariano*** (1794-1868) Político, escritor e historiador pan. *Apuntamientos históricos.*• ***Pablo*** (1836-1920) Político pan. Presid. de los Estados Unidos de Colombia en 1875 y 1885, y presid. de la rep. (1910-1912). • **Gómez, *Otto*** (1922-1986) Político ecuat. Presidió la Coalición Institucional Democrática. Diputado desde 1956, y presid. provisional de la rep. (1966-1968). • **Monroy, *Carlos J.*** (nacido 1919) Político ecuat. Vicepresid. en 1960 y presid. tras el derrocamiento de Velasco Ibarra (1961), fue derribado por un golpe militar en 1963. Post. fue diputado. • **Tola, *Carlos J.*** (1888-1952) Político ecuat., padre del anterior. Presid. de la rep. (1947-1948).

ARP, *Hans* o ***Jean*** (1887-1966) Escultor, pintor y poeta fr. de origen alsaciano. Evolucionó del expresionismo al abstraccionismo formal. Obras de carácter monumental: esculturas para la ciudad universitaria de Caracas, el edificio de la Unesco en París y la universidad de Bonn.

ARPA f. Instrumento musical, triangular, con cuerdas colocadas verticalmente y que se tocan con ambas manos • *Amér.* Persona o animal flacos. • **eolia.** Instrumento musical en el cual se producían sonidos exponiéndolo a una corriente de aire. ▪ ARPISTA.

ARPAD (m. 907) Jefe magiar. Fundó el estado de Hungría e inició la dinastía de los Arpad.

ARPADO, DA adj. Que remata en dientecillos. • Pájaro de canto armonioso.

ARPANET *Comp.* Primera gran red computacional moderna, desarrollada por el Pentágono conjuntamente con diversas universidades y laboratorios.

ARPAR tr. Arañar con las uñas. • Hacer pedazos alguna cosa. ▪ ARPADURA.

ARPEGIO m. *Mús.* Sucesión acelerada de los sonidos de un acorde. ▪ ARPEGIAR.

ARPELLA f. Ave rapaz diurna de color pardo y con collar y moño amarillentos.

ARPÍA f. Ave fabulosa, con el rostro de doncella y el resto de ave rapiña. • fig. y fam. Persona que con arte saca cuanto puede. • fig. y fam. Mujer de muy mala condición, o muy fea. • *Amér. Centr.* y *Merid.* Ave del grupo de las águilas.

ARPILLAR tr. *Méx.* Cubrir fardos o cajones con arpillera. ▪ ARPILLADOR; ARPILLADURA.

ARPILLERA f. Tejido fuerte y basto de yute o estopa de cáñamo.

ARPÓN m. Utensilio consistente en una barra provista de una púa que hiere y otras que hacen presa. • *Arq.* Grapa. ▪ ARPONADO, DA; ARPONERO.

ARPONEAR tr. Cazar o pescar con arpón. • intr. Manejar el arpón. ▪ ARPONAR.

ARQUEADA f. En los instrumentos musicales de arco, golpe o movimiento de éste.

ARQUEAR tr. y prnl. Dar figura de arco. • tr. En el obraje de paños sacudir la lana con un arco. • Medir la capacidad de una embarcación. • intr. Nausear. ▪ ARQUEAJE; ARQUEAMIENTO.

ARQUEGONIO m. *Bot.* Órgano que aloja el gameto femenino en las briófitas, pteridófitas y fanerógamas.

ARQUELAO (413-339 a.C.) Rey de Macedonia. Restaurador del estado macedónico. Murió asesinado, tras haber tenido diferencias con Esparta.

ARQUÉNTERON m. *Biol.* Cavidad tubular formada en el embrión durante la gastrulación. ▪ ARQUENTERIO.

ARQUEO m. *Mar.* Capacidad de una embarcación. • Recuento de los caudales existentes en caja.

ARQUEOCIÁTIDOS m. pl. *Pal.* Animales marinos que vivían en su fondo. Dieron origen a los arrecifes más antiguos que se conocen.

ARQUEOLOGÍA f. Ciencia que estudia las culturas de la antigüedad para reconstruir su historia. • ***submarina.*** Rama arqueológica que explora los fondos marinos.

**Arq.* e *Hist.* La a. se basa en documentos escritos, monumentos, utensilios y restos hallados en las excavaciones. Se inició en el Renacimiento al revalorizarse la Antigüedad clásica. El descubrimiento de Pompeya y Herculano, en el s. XVIII, despertó el entusiasmo por la a., reavivado por los hallazgos de la expedición napoleónica a Egipto, y por los descubrimientos de Schliemann (Troya y Micenas) y Evans (Magna Grecia y Cnosos), etc. Las modernas técnicas arqueológicas, como la prueba del carbono 14 o del potasio-argón ofrecen dataciones más precisas. ▪ ARQUEOLÓGICO, CA; ARQUEÓLOGO, GA.

ARQUEOPTÉRIX m. *Pal.* Fósil del jurásico, la más primitiva de las aves conocidas.

ARQUERÍA f. Serie de arcos.

ARQUERITA f. Amalgama natural de plata.

ARQUERO m. Soldado que peleaba con arco y flechas. • El que tiene por oficio hacer aros para toneles, cubas, etc. • *Amér.* Portero; jugador que, en algunos deportes, defiende la meta de su equipo.

ARQUETA f. Arca pequeña.

ARQUETIPO m. Modelo prototipo de una obra material o intelectual. • *Fil.* Idea ejemplar de las cosas, modelo ideal. ▪ ARQUETÍPICO, CA.

ARQUIAS, *Licinio* (s. I a.C.) Poeta y gramático gr., maestro de Cicerón.

ARQUIDIÓCESIS f. Diócesis arquiepiscopal.

ARQUIEPISCOPAL adj. Arzobispal.

ARQUÍLOCO (s. VII a.C.) Poeta lírico gr., al que se considera inventor del verso yámbico.

ARQUÍMEDES (287-212 a.C.) Matemático, físico e inventor gr. Inició el estudio de la estática, anticipó métodos del cálculo infinitesimal y sentó las bases de la hidrostática. *Sobre la esfera y el cilindro, Teoremas mecánicos de Eratóstenes, Medida del círculo, Acerca de los cuerpos flotantes.* • **Espiral de A.** *Mat.* Curva cuyo radio vector es proporcional al ángulo girado. • **Postulado de A.** *Mat.* Dados dos segmentos sobre una recta, cualquiera de ellos puede ser recubierto con un número entero de segmentos iguales al otro. • **Principio de A.** *Mat.* Todo cuerpo sumergido en un líquido experimenta un empuje hacia arriba igual que el peso del fluido que desaloja.

ARQUIMESA f. Mesa con cajones.

ARQUÍPTERO adj. y m. *Díc.* de insectos masticadores, parásitos o de vida libre, con cuatro alas membranosas y reticuladas; sus larvas son acuáticas y zoófagas en muchas especies. • m. pl. Orden de estos animales.

ARQUISINAGOGO m. El principal de la sinagoga.

ARQUITECTO m. El que se dedica a la arquitectura. • **técnico.** Aparejador.

ARQUITECTURA f. Arte y ciencia de construir edificios o de organizar espacios interiores y exteriores. • fig. Estructura, modo de estar hecha una cosa. • **civil.** Arte de construir edificios públicos y particulares. • **naval.** Arte de construir embarcaciones. • **religiosa.** Arte de construir templos, monasterios, sepulcros y demás edificios de carácter religioso.

**Hist.* Las primeras manifestaciones arquitectónicas conocidas surgen en Babilonia, Fenicia, Persia, Egipto y la India. La griega y la romana fueron en parte fruto de la asimilación de los elementos anteriores, y Bizancio creó un nuevo estilo basado en la ornamentación. Todos estos conocimientos fueron recogidos por los ár. Ligados al espíritu religioso de la E. Med., nacieron el románico y, como evolución técnica suya, el gótico. En el Renacimiento se volvió a la cultura clásica y, con ella, al

ARQUITECTURA

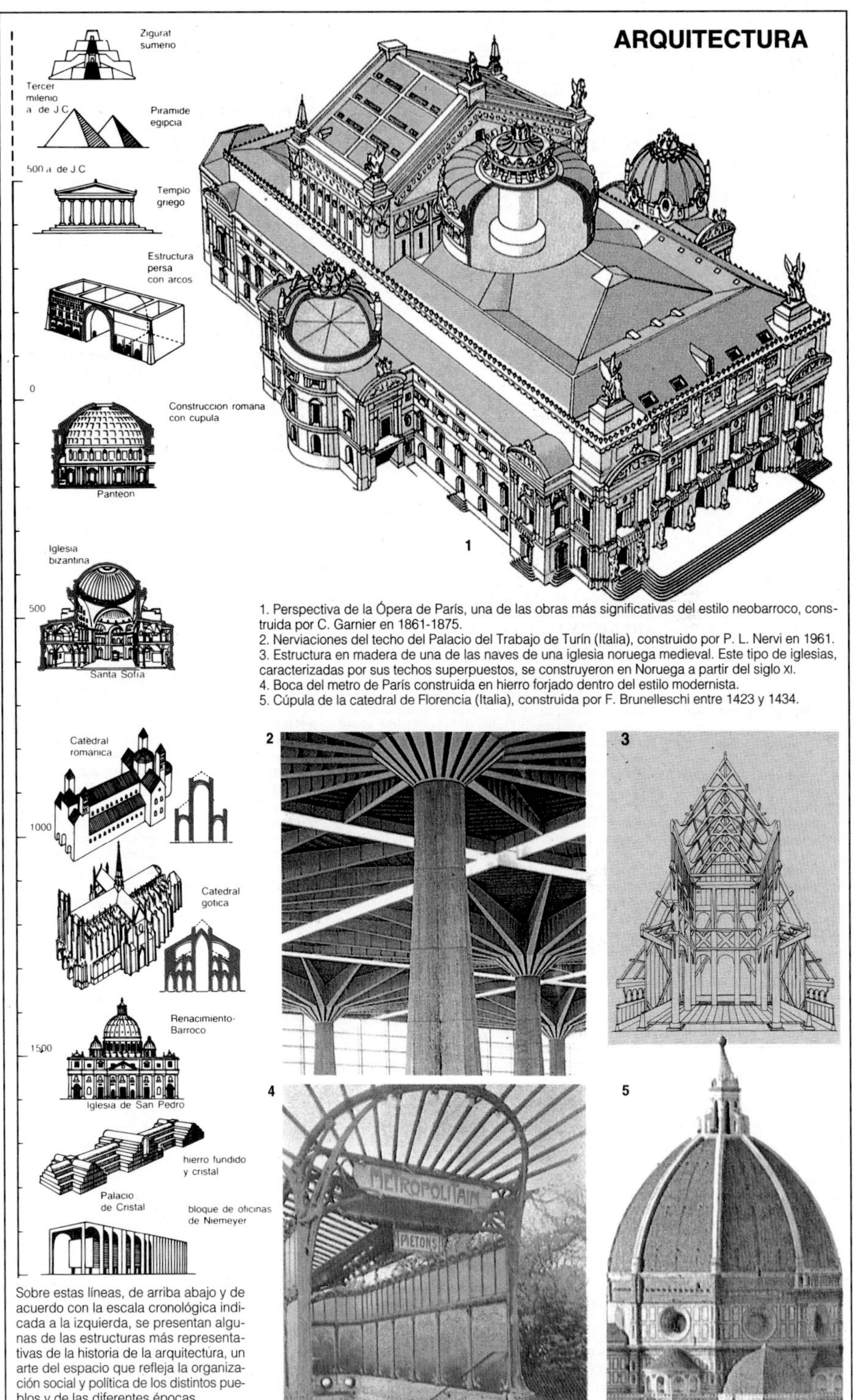

1. Perspectiva de la Ópera de París, una de las obras más significativas del estilo neobarroco, construida por C. Garnier en 1861-1875.
2. Nerviaciones del techo del Palacio del Trabajo de Turín (Italia), construido por P. L. Nervi en 1961.
3. Estructura en madera de una de las naves de una iglesia noruega medieval. Este tipo de iglesias, caracterizadas por sus techos superpuestos, se construyeron en Noruega a partir del siglo XI.
4. Boca del metro de París construida en hierro forjado dentro del estilo modernista.
5. Cúpula de la catedral de Florencia (Italia), construida por F. Brunelleschi entre 1423 y 1434.

Sobre estas líneas, de arriba abajo y de acuerdo con la escala cronológica indicada a la izquierda, se presentan algunas de las estructuras más representativas de la historia de la arquitectura, un arte del espacio que refleja la organización social y política de los distintos pueblos y de las diferentes épocas.

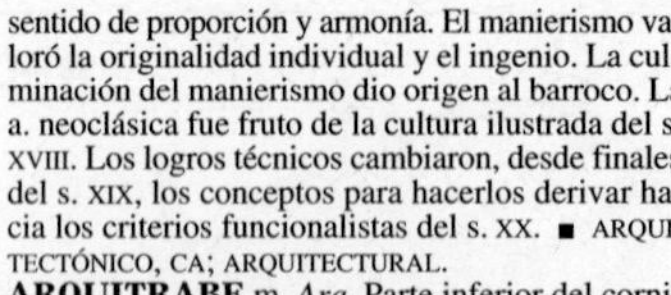

sentido de proporción y armonía. El manierismo valoró la originalidad individual y el ingenio. La culminación del manierismo dio origen al barroco. La a. neoclásica fue fruto de la cultura ilustrada del s. XVIII. Los logros técnicos cambiaron, desde finales del s. XIX, los conceptos para hacerlos derivar hacia los criterios funcionalistas del s. XX. ■ ARQUITECTÓNICO, CA; ARQUITECTURAL.

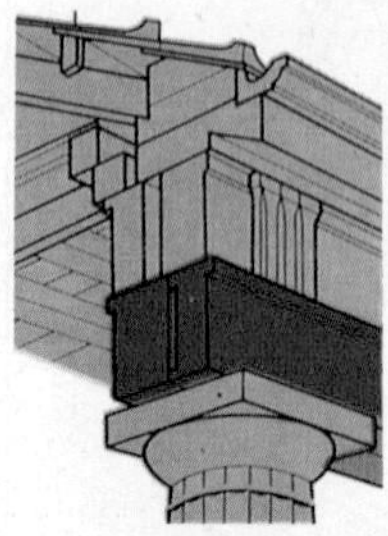

Arquitrabe

ARQUITRABE m. *Arq.* Parte inferior del cornisamento.

ARQUIVOLTA f. *Arq.* Archivolta.

ARRABÁ m. *Arq.* Adorno rectangular, que circunscribe el arco de puertas y ventanas de estilo ár.

ARRABAL m. Barrio fuera del recinto de la población. • Población anexa a otra mayor.

ARRABAL, *Fernando* (nacido 1932) Dramaturgo esp., en lengua fr. A él se debe el «teatro pánico». *La ceremonia de la confusión, El arquitecto y el emperador de Asiria, La torre herida por el rayo.*

ARRABALERO, RA adj. y s. Habitante de un arrabal. • fig. y fam. Díc. de la persona que da muestra de mala educación.

ARRABIATAR tr. *Amér. Centr.* Atar un animal a la cola de otro. • prnl. *Amér. Centr.* Someterse servilmente a la opinión de otro.

ARRABIO m. *Metal.* Aleación de hierro y carbono (1,7–4,8 %), obtenida por → fundición en un alto horno.

ARRACACHA f. *Amér. Merid.* Planta umbelífera semejante a la chirivía. • fig. *Col.* Sandez.

ARRACADA f. Pendiente con adorno colgante. • *Art. Gráf.* Espacio que, en la composición, se reserva para dar cabida a un grabado.

ARRACIMARSE prnl. Unirse algunas cosas en figura de racimo. ■ ARRACIMADO, DA.

ARRACLÁN m. Árbol ramnáceo, de madera flexible, que da un carbón muy ligero.

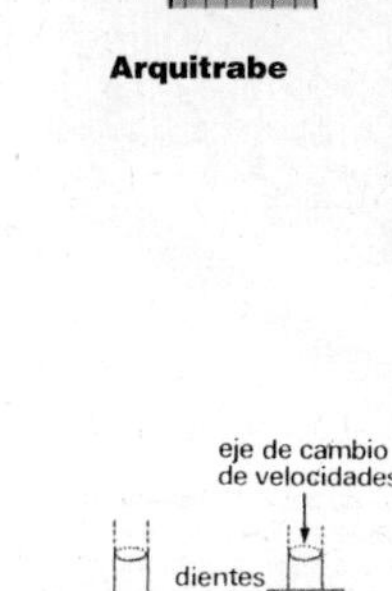

Sistema de **arranque** a pedal para motocicleta

ARRAIGADO, DA adj. Que posee bienes raíces.

ARRAIGAR intr. y prnl. Echar raíces. • fig. Hacerse muy difícil de extinguir un afecto, virtud, vicio, uso o costumbre. • *Der.* Afianzar la responsabilidad a las resultas del juicio. • tr. fig. Fijar firmemente una cosa. • Fijar y afirmar a alguien en una virtud, vicio, posesión, etc. • *Amér.* Notificar judicialmente a una persona que no salga de la población. • prnl. Establecerse de manera fija en un sitio, adquiriendo en él bienes. ■ ARRAIGO.

ARRAIZ, *Antonio* (1903-1963) Escritor y poeta ven., de carácter vanguardista. *Cinco sinfonías, El mar es como un potro, Todos iban desorientados.*

ARRAMBLAR tr. Dejar un río cubierto de arena el terreno después de una avenida. • prnl. Cubrirse el suelo de arena a causa de una avenida.

ARRANCADA f. Partida o salida violenta. • *Mar.* Primer empuje de un buque al emprender su marcha.

ARRANCADERA f. Esquila grande que llevan los mansos.

ARRANCADO, DA adj. fig. y fam. Arruinado.

ARRANCADOR, RA adj. y s. Que arranca. • f. Máquina agrícola para arrancar raíces. • **de disparo.** En los motores de arranque, mecanismo de puesta en marcha.

ARRANCAR tr. Sacar de raíz. • Sacar con violencia una cosa del lugar a que está adherida, o de que forma parte. • Quitar con violencia. • fig. Obtener algo de una persona con violencia o astucia. • fig. Conseguir algo en fuerza del entusiasmo u otro afecto vehemente que se siente o se inspira. • fig. Separar con violencia o con astucia a una persona de alguna parte. • fig. Despedir o hacer salir la flema arrojándola. • tr. e intr. Dar a un barco mayor velocidad de la que lleva. • Iniciarse el funcionamiento de una máquina o el movimiento de traslación de un vehículo. • intr. Partir de carrera para seguir corriendo. • fam. Partir o salir de alguna parte. • intr. y prnl., fig. y fam. Empezar a hacer algo de modo inesperado. • intr. fig. Provenir, traer origen. • *Arq.* Principiar el arco o la bóveda. ■ ARRANCADERO; ARRANCADURA; *Amér.* ARRANCÓN.

ARRANCHAR tr. *Mar.* Dicho de la costa o de un bajo, etc., pasar muy cerca de ellos. • *Amér. Centr.* Arrebatar. • prnl. e intr. Juntarse en ranchos.

ARRANCIARSE prnl. Enranciarse.

ARRANQUE m. Dispositivo para poner en marcha un motor o mecanismo. • fig. Ímpetu de cólera u otro afecto. • fig. Prontitud excesiva en alguna acción. • fig. Ocurrencia que no se esperaba. • fig. Pujanza, brío. Se usa más en pl. • *Arq.* Principio de un arco o bóveda. • *Biol.* Comienzo de un miembro o de una parte de un animal o vegetal.

ARRANQUERA f. *Cuba, Méx.* y *P. Rico.* Falta de dinero; pobreza, miseria.

ARRAPIEZO m. Harapo. • fig. Persona pequeña, de corta edad o humilde condición.

ARRAS f. pl. Lo que se da como señal en algún contrato. • Las trece monedas que, al celebrarse el matrimonio, entregaba el desposado a la desposada. • *Der.* Donación que el esposo hace a la esposa en remuneración de la dote o por sus cualidades personales.

ARRASADO, DA adj. De la calidad del raso, o parecido a él.

ARRASADURA f. Rasadura.

ARRASAR tr. Allanar la superficie de alguna cosa. • Echar por tierra, arruinar violentamente, no dejar piedra sobre piedra. • Igualar con el rasero. • Llenar de líquido una vasija hasta el borde. • tr. y prnl. Llenar o cubrir los ojos de lágrimas. • intr. y prnl. Quedar el cielo despejado de nubes. ■ ARRASAMIENTO.

ARRASTRADERA f. *Mar.* Ala del trinquete.

ARRASTRADERO m. Camino por donde se hace, en el monte, el arrastre de maderas. • Sitio por donde se sacan de la plaza de toros los animales muertos.

ARRASTRADO, DA adj. fig. y fam. Pobre, desastrado, afligido de privaciones y trabajos. • adj. y s., fig. y fam. Pícaro.

ARRASTRAR tr. Llevar a una persona o cosa por el suelo, tirando de ella. • Pasar una cantidad de una cuenta a otra que es la continuación de la anterior. • fig. Impulsar un poder o fuerza irresistible. • fig. Llevar uno tras sí, o traer a otro a su dictamen o voluntad. • fig. Tener por consecuencia inevitable. • fig. Llevar adelante o soportar algo penosamente. • intr. Ir una cosa rasando el suelo y como barriéndolo, o pender hasta tocar el suelo. • intr. y prnl. Ir de un punto a otro rozando con el cuerpo en el suelo. • pnrl. fig. Humillarse vilmente. ■ ARRASTRADIZO, ZA; ARRASTRAMIENTO.

ARRASTRE m. *Min.* Talud de las paredes de un pozo de mina. • *Méx.* Molino donde se pulverizan los minerales de plata.

ARRATE y Acosta, *José Martín Félix de* (1697-1766) Historiador cub. *Llave del Nuevo Mundo y Antemural de las Indias Occidentales.*

ARRAU, *Claudio* (1903-1991) Pianista chil. Premio Internacional de Ginebra en 1941.

ARRAYÁN m. Arbusto mirtáceo, de flores axilares, solitarias, pequeñas y blancas, y bayas negras. • **brabántico.** Mata mirtácea, cuyo fruto es una baya que produce una especie de cera. ■ ARRAYANAL.

¡ARRE! interj. Se usa para arrear a las bestias. • m. fam. Caballería ruin; caballo de juguete.

ARREADA f. *Argent.* y *Méx.* Robo de ganado.

ARREADOR m. *Amér. Merid.* Látigo para arrear. • Vareador de aceituna.

ARREAR tr. Estimular a las bestias para que anden, para que aviven el paso. • *Argent.* y *Méx.* Llevarse ganado ajeno. • Dar prisa. • Poner arreos. • Dar golpes. • intr. Ir deprisa. • **¡Arrea!** interj. Úsase para meter prisa o manifestar asombro.

ARREAZA Calatrava, *José Tadeo* (1885-1970) Poeta ven. Modernista. *Cantos de la carne y del reino interior, Canto a Venezuela.*

ARREBAÑADERAS f. pl. Ganchos de hierro para sacar los objetos que caen a los pozos.

ARREBAÑAR tr. Recoger alguna cosa sin dejar nada. • Apurar los residuos de comida de un plato. ■ ARREBAÑADURA.

ARREBATADO, DA adj. Precipitado e impetuoso. • fig. Inconsiderado y violento. • Color del rostro muy encendido.

ARREBATAMIENTO m. fig. Furor causado por la vehemencia de alguna pasión. • Éxtasis.

ARREBATAR tr. Quitar alguna cosa con violencia. • Llevar tras sí o consigo con fuerza irresistible. • tr. y prnl. fig. Sacar de sí, conmover excitando alguna pasión. • Arrobar el espíritu. • Hablando de las mieses, agostarlas antes de tiempo el demasiado calor. • prnl. Enfurecerse. • Asarse mal un manjar por exceso de fuego. ■ ARREBATADIZO, ZA; ARREBATADOR, RA; ARREBATIÑA.

ARREBATO m. Furor. • Éxtasis. • **A. y obcecación.** *Der.* Circunstancias atenuantes de la responsabilidad penal.
ARREBOL m. Color rojo de las nubes heridas por los rayos del Sol. • Color encarnado que se ponen las mujeres en el rostro. ■ ARREBOLADA; ARREBOLAR.
ARREBOZAR tr. y prnl. Rebozar. • tr. fig. Ocultar mañosamente. • prnl. Arracimarse las abejas alrededor de la colmena.
ARREBOZO m. Rebozo.
ARREBUJAR tr. Coger sin orden alguna cosa flexible. • tr. y prnl. Cubrir bien con la ropa de la cama, o con alguna prenda de vestir. • Reburujar, enredar.
ARRECHO, CHA adj. *Amér.* Rijoso; animoso.
ARRECHUCHO m. fam. Arranque de cólera o de rapidez. • fam. Indisposición repentina.
ARRECIAR tr. y prnl. Dar fuerza y vigor. • intr. Cobrar fuerza, vigor o gordura. • intr. y prnl. Irse haciendo cada vez más recia o violenta alguna cosa. • prnl. Arrecirse. • Fortalecerse.
ARRECIFE m. Calzada. • Firme de un camino. • *Geol.* Banco en el mar, a flor de agua. • **coralino.** El formado por esqueletos calcáreos de corales.
ARRECIRSE prnl. Entumecerse por el frío.
ARREDONDO, *José Miguel* (1832-1904) Militar ur. Luchó contra Rosas y Sarmiento y en la guerra del Paraguay. • ***Nicolás Antonio*** (1726-1802) Militar esp. Virrey del Río de la Plata (1789-1795).
ARREDRAR tr. y prnl. Apartar. • fig. Hacer volver atrás, por el peligro que ofrece alguna cosa. fig. Amedrentar. ■ ARREDRAMIENTO.
ARREFLEXIA f. *Pat.* Ausencia de reflejos nerviosos.
ARREGAZADO, DA adj. fig. Que tiene la punta hacia arriba.
ARREGAZAR tr. y prnl. Recoger las faldas hacia el regazo.
ARREGLAR tr. y prnl. Reducir a regla. • tr. Componer. • *Chile.* Capar los gatos. • prnl. Acicalarse. ■ ARREGLADO, DA.
ARREGLO m. Acción de arreglar o arreglarse. • Regla, coordinación. • Avenencia, conciliación. • fam. Amancebamiento. • **de cuentas.** fr. fig. Venganza. • **Con a.** m. adv. Conforme.
ARREGOSTO m. fam. Gusto que se toma a una cosa, hecho ya costumbre.
ARREGUI, *Vicente* (1871-1925) Compositor esp. *Historia de una madre.*
ARREICO, CA adj. Díc. de las regiones sin circulación regular de agua.
ARREJACAR tr. Dar a los sembrados una labor, que consiste en romper la costra del terreno.
ARREJERAR tr. *Mar.* Sujetar la embarcación con dos anclas por la proa y una por la popa.
ARREJONADO, DA adj. *Bot.* En forma de rejón.
ARRELLANARSE prnl. Ensancharse y extenderse en el asiento con comodidad • fig. Vivir uno en su empleo con gusto.
ARREMANGAR tr. y prnl. Recoger hacia arriba las mangas o la ropa. • prnl. fig. y fam. Tomar enérgicamente una resolución. ■ ARREMANGADO, DA.
ARREMANGO m. Remango.
ARREMANSAR intr. *Amér.* Estancarse.
ARREMATAR tr. fam. Rematar.
ARREMEDAR tr. Remedar.
ARREMETER intr. Acometer con ímpetu. • Arrojarse con presteza. ■ ARREMETIDA.
ARREMOLINARSE prnl. Amontonarse o apiñarse desordenadamente las gentes.
ARREMPUJAR tr. Empujar.
ARRENDADERO m. Anillo al que se atan las caballerías en los pesebres.
ARRENDAJO m. Ave parecida al cuervo. • *Amér.* Ave que suele domesticarse. Imita la voz de otros animales. • fig. y fam. Persona que imita a otra. • fig. Imitación imperfecta de una cosa.
ARRENDAR tr. Alquilar temporalmente una cosa mediante una renta. • Imitar la voz o las acciones de alguno. • Atar por las riendas una caballería. • Enseñar al caballo a que obedezca a la rienda. • fig. Sujetar. • Acollar las vides. ■ ARRENDABLE; ARRENDADO, DA; ARRENDADOR, RA; ARRENDAMIENTO; ARRENDATARIO, RIA; ARRENDATICIO, CIA.
ARRENQUÍN m. *Amér.* Caballería que sirve de guía a las demás. • *Amér.* Persona que obedece a otra ciegamente.
ARREO m. Atavío. • pl. Guarniciones de las caballerías. • Adherentes o cosas menudas que pertenecen a otra pral. • adv. tiempo. Sucesivamente.
ARREOLA, *Juan José* (1918-2001) Escritor mex. Segundo narrador mexicano contemporáneo, después de Rulfo. *Varia invención*, *Confabulario*, *La hora de todos*, *La feria.*
ARREPANCHIGARSE prnl. fam. Repantigarse.
ARREPÁPALO m. Masa de harina frita.
ARREPENTIMIENTO m. Pesar de haber hecho alguna cosa. • *Pint.* Corrección que se advierte en un cuadro o pintura. • *Der.* El que manifiesta el reo. Es circunstancia atenuante.
ARREPENTIRSE prnl. Pesarle a uno de haber hecho o haber dejado de hacer alguna cosa. • Echarse atrás, corregirse de una opinión, etc. ■ ARREPENTIDA.
ARREQUESONARSE prnl. Tratándose de la leche, cortarse.
ARREQUINTAR tr. *Amér.* Apretar fuertemente con cuerda o vendaje.
ARREQUIVE m. Labor o guarnición que se ponía en el borde del vestido. • pl. fam. Adornos. • fig. y fam. Circunstancias.
ARRESTAR tr. Detener. • prnl. Arrojarse a una empresa ardua. ■ ARRESTADO, DA.
ARRESTO m. Detención provisional del presunto reo. • Reclusión por un tiempo breve, como corrección o pena. • Arrojo para emprender una cosa ardua. • **domiciliario.** Confinamiento del arrestado en su domicilio.
ARRETRANCA f. *Col.*, *Ecuad.* y *Méx.* Retranca, freno.
ARREZAGAR tr. y prnl. Arremangar. • Alzar.
ARRHENIUS, *Svante August* (1859-1927) Químico sueco. Aportó a la química la teoría sobre la disociación electrolítica. Premio Nobel en 1903.
ARRIA f. Recua de caballerías.
ARRIAGA, *Camilo* (1860-1945) Político mex. Uno de los fundadores del Partido Liberal Mexicano. • ***Juan Crisóstomo de*** (1806-1826) Compositor esp. Compuso una *Fuga*, la ópera *Nada y todo*, una *Salve*, una *Misa*, *Cantatas y Romanzas*, y *Cuartetos*

Arriba, **arrecife** coralino del Pacífico y, abajo, detalle de la estructura de la colonia coralífera

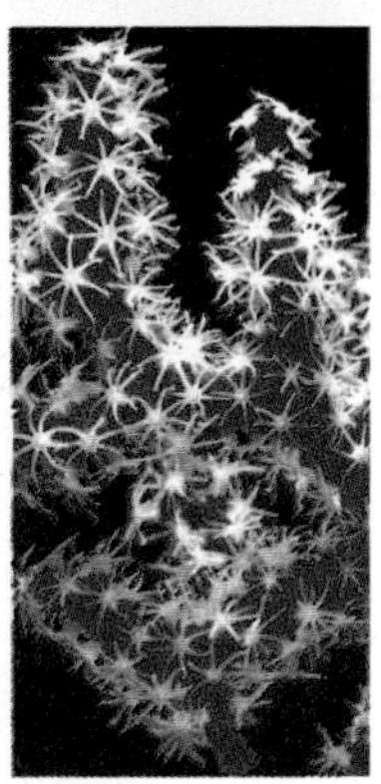

Arrendajo

Arriero

para cuerda. • ***Manuel José de*** (1841-1917) Político port., primer presid. de la rep. (1910). Dimitió en 1915. • ***Ponciano*** (1811-1863) Político mex. Diputado y ministro, fue desterrado por Santa Anna. Post., diputado y presid. del congreso.

ARRIANISMO m. Doctrina herética de Arrio, difundida desde el año 318 y condenada en el concilio de Nicea (325). Pretendía que el Hijo o Verbo no era igual o consustancial al Padre. ■ ARRIANO, NA.

ARRIANO, *Flavio* (s. II) Historiador gr., autor de una historia de Alejandro Magno *(Anábasis)*.

ARRIAR tr. *Mar.* Bajar las velas o las banderas que están izadas. • tr. y prnl. Inundar. ■ ARRIADA.

ARRIATE m. Era estrecha para plantas junto a paredes de jardines. • Calzada o paso • Encañado. ■ ARRIATA.

ARRIAZ m. Gavilán de espada.

ARRIAZA, *Juan Bautista* (1770-1837) Poeta neoclásico esp. *Terpsícore o las gracias del baile.*

ARRIBA adv. lugar. A lo alto, hacia lo alto. • En lo alto, en la parte alta. • En lugar anterior o que está antes de otro. • En dirección hacia lo que está más alto. • En los escritos, antes o antecedentemente. • Con voces expresivas de cantidad o medida, denota exceso indeterminado. • **¡Arriba!** interj. Úsase para ordenar a alguien que se levante, que suba, etc. • **De a. abajo.** m. adv. Del principio al fin, de un extremo a otro. • fig. De superior a inferior o con desdén.

ARRIBADA f. Acción de arribar, especialmente la nave. • *Mar.* Bordada que da un buque, dejándose ir con el viento.

ARRIBANO, NA adj. *Chile.* Arribeño. Díc. de los habitantes de las provincias del Sur.

ARRIBAR intr. Llegar la nave al puerto. • intr. y prnl. Llegar por tierra a cualquier paraje. • intr. fig. y fam. Ir recobrando la salud o reponiendo la hacienda. • fig. y fam. Llegar a conseguir lo que se desea. • *Mar.* Dejarse ir con el viento. ■ ARRIBAJE; ARRIBO.

ARRIBAZÓN m. Afluencia de peces a las costas.

ARRIBEÑO, ÑA adj. y s. *Amér.* Aplícase al que procede de las tierras altas.

ARRIBISTA com. Oportunista, persona que progresa en la vida por medios rápidos y sin escrúpulos. • Advenedizo, individuo que pretende ocupar una posición superior a la que le corresponde. ■ ARRIBISMO.

ARRIBOFLAVINOSIS f. pl. *Pat.* Condición morbosa provocada por la carencia de riboflavina (vitamina B_2).

ARRIENDO m. Arrendamiento.

ARRIERAJE m. *Perú.* Arriería, oficio del arriero.

ARRIERO m. El que trajina con bestias de carga. ■ ARRIERÍA.

ARRIESGADO, DA adj. Aventurado, peligroso. • Osado, imprudente, temerario. ■ ARRIESGAR.

ARRIETA, *José Agustín* (1802-1874) Pintor mex. Temática costumbrista: *La pulpería, Mesa revuelta.*

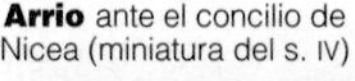

Arrio ante el concilio de Nicea (miniatura del s. IV)

• ***Pascual,*** llamado EMILIO (1823-1894) Compositor esp. Óperas de estilo it. y zarzuelas. *Marina.* • ***Pedro de*** (m. 1738) Arquitecto mex. Autor de la ant. Basílica de Guadalupe, el templo de la Profesa y la escuela de Medicina. • ***Rafael Alberto*** (1889-1968) Poeta arg. *Las noches de oro.*

ARRIMADO, DA m. y f. Persona que vive en casa ajena, a costa de su dueño.

ARRIMADOR m. Tronco que se pone en las chimeneas para apoyar en él otros al quemarlos.

ARRIMAR tr. y prnl. Acercar. • tr. fig. Con ciertos nombres, dejar la profesión, etc., simbolizados por ellos. • fig. Arrinconar a uno. • fig. y fam. Dar un golpe. • prnl. Apoyarse sobre alguna cosa. • Juntarse a otros, haciendo un cuerpo con ellos. • fig. Acogerse a la protección de uno. • fig. Acercarse al conocimiento de alguna cosa. • fam. Amancebarse. ■ ARRIMADERO; ARRIMADIZO; ARRIMADURA; ARRIMÓN.

ARRIMO m. Báculo, u otra cosa usada como tal. • fig. Favor. • Apego. • Pared sobre la que no se carga peso. • *Amér.* Cerca que separa dos heredades.

ARRINCONAR tr. Poner alguna cosa en un rincón. • Acosar a uno hasta que no pueda seguir retrocediendo. • fig. Privar a uno del favor que gozaba; no hacer caso de él. • fig. Arrimar. • prnl. fig. y fam. Retirarse del trato de las gentes. ■ ARRINCONADO, DA; ARRINCONAMIENTO.

ARRINQUÍN m. *Amér.* Persona que no se separa de otra.

ARRIÑONADO, DA adj. Que tiene forma de riñón.

ARRIO (h. 260-336) Sacerdote libio, promotor del arrianismo. Discípulo de Luciano de Antioquía. Enseñó que el Hijo de Dios estaba por encima del resto de la creación pero que era algo menos que divino. Excomulgado en Nicea, murió la víspera del día señalado para su reconciliación con la Iglesia.

ARRIOSTRAR tr. Poner riostras.

ARRISCADO, DA adj. Formado de riscos. • Atrevido • Ágil, libre en la manera de presentarse o de caminar. • *Amér.* Remangado, vuelto hacia arriba.

ARRISCADOR, RA m. y f. Persona que recoge la aceituna al tiempo de varear los olivos.

ARRISCAR tr. y prnl. Arriesgar. • prnl. Despeñarse las reses por los riscos. • fig. Encresparse. • fig. Engreírse. ■ ARRISCAMIENTO.

ARRITMIA f. Falta de ritmo regular. • Alteración del ritmo normal de las contracciones cardíacas. ■ ARRÍTMICO, CA.

ARRITRANCO m. *Amér.* Trasto viejo.

ARRIZAR tr. *Mar.* Aferrar a la verga una parte de las velas para que tomen menos viento. • *Mar.* Atar o asegurar a uno.

ARRIZÓFITO, TA adj. y m. Díc. de la planta que carece de raíces.

ARROBA f. Peso que equivale a 11,5 kg (25 libras). • Pesa de una arroba. • *Comp.* Nombre del símbolo @ usado entre otras funciones para componer direcciones del correo electrónico.

ARROBAR tr. Embelesar. • prnl. Enajenarse. ■ ARROBADOR, RA; ARROBAMIENTO; ARROBO.

ARROCABE m. Maderamen colocado en lo alto de los muros de un edificio, para ligar a éstos entre sí. • Adorno a manera de friso.

ARROCERO, RA adj. Perteneciente o relativo al arroz. • m. y f. Persona que cultiva arroz.

ARROCHELARSE prnl. *Col.* Alborotarse el caballo. • *Ven.* Aquerenciarse el caballo.

ARROCINADO, DA adj. Parecido al rocín.

ARROCINAR tr. y prnl., fig. y fam. Embrutecer. • prnl. fig. y fam. Enamorarse ciegamente.

ARRODAJARSE prnl. *C. Rica.* Sentarse con las piernas cruzadas.

ARRODEAR intr. y tr. Rodear.

ARRODILLAR tr. Hacer que uno hinque las rodillas. • intr. y prnl. Ponerse de rodillas. ■ ARRODILLADURA; ARRODILLAMIENTO.

ARRODRIGONAR tr. *Agr.* Poner rodrigones a las vides.

ARROGAR tr. *Der.* Adoptar o recibir como hijo al huérfano o al emancipado. • prnl. Atribuirse jurisdicción, facultad, etc. ■ ARROGACIÓN; ARROGANTE.

ARROJADO, DA adj. fig. Resuelto, osado, intrépido, imprudente, inconsiderado. ■ ARROJO.

ARROJAR tr. Impeler con violencia una cosa. •

Echar. • fig. Tratándose de cuentas, documentos, etc., presentar, dar de sí como consecuencia o resultado. • fam. Vomitar. • prnl. Precipitarse con violencia de arriba abajo. • Ir violentamente hacia una persona o cosa. • fig. Emprender una cosa sin reparar en sus dificultades. ▪ ARROJADIZO, ZA; ARROJADOR, RA.

ARROLLADO m. *Chile.* Carne de puerco cocida, dispuesta en forma de rollo con la piel del mismo animal.

ARROLLAMIENTO m. *El.* Hilo conductor aislado abobinado sobre un núcleo (→ devanado).

ARROLLAR tr. Envolver en forma de rollo. • Llevar rodando la violencia del agua o del viento alguna cosa sólida. • fig. Derrotar al enemigo. • fig. Atropellar, no hacer caso de leyes, respetos ni otros miramientos. • fig. Vencer, superar. • fig. Confundir una persona a otra, dejándola sin poder replicar. • Mecer al niño. ▪ ARROLLABLE.

ARROMADIZAR tr. Causar romadizo. • prnl. Contraer romadizo.

ARROMANZAR tr. Poner en romance.

ARRÓNIZ, ***Joaquín*** (1838-1870) Escritor mex. *Ensayo de una historia de Orizaba, Geografía especial de México.*

ARRONZAR tr. *Mar.* Ronzar una cosa pesada. • intr. *Mar.* Caer el buque a sotavento.

ARROPAR tr. y prnl. Cubrir con ropa. • tr. Rodear los cabestros a las reses bravas para conducirlas. •Echar arrope al vino. ▪ ARROPAMIENTO.

ARROPE m. Mosto cocido hasta que toma consistencia de jarabe. • Jarabe concentrado. • *Amér. Merid.* Dulce de tuna, algarrobillo, etc. ▪ ARROPERA.

ARROPEA f. Grillete. • Traba de las caballerías.

ARROPÍA f. Melcocha, miel.

ARROSTRAR tr. Hacer cara, sin dar muestra de cobardía, a las calamidades. • tr. e intr. Sufrir a una persona o cosa desagradable. • prnl. Arrojarse a batallar con el contrario.

ARROYADA f. Valle por donde corre un arroyo. • Surco o hendedura que hace en él. • Crecida de un arroyo e inundación que causa.

ARROYAR tr. y prnl. Formar la lluvia arroyadas en la tierra. • tr. Formar arroyos. • prnl. Contraer roya las plantas. ▪ ARROYADERO.

ARROYO m. Caudal corto de agua, casi continuo. • Cauce por donde corre. • Parte de la calle, por donde suelen correr las aguas. • *Amér. Merid.* Río de corta extensión, navegable.

ARROYO Mun. de Puerto Rico, en el distr. de Guayama; 18 900 hab. Caña de azúcar, destilerías de ron.

ARROYO, ***César Emilio*** (1890-1937) Ensayista ecuat., residente en España y México. *Romancero del pueblo ecuatoriano.* • **Del Río, *Carlos Alberto*** (1893-1969) Político y abogado ecuat. Jefe del Partido Liberal y presid. de la rep. (1940-1944). Derrocado por Velasco Ibarra (1944).

ARROZ m. *Bot.* Planta gramínea cuyo fruto es un grano oval, harinoso, y blanco después de descascarillado. • Fruto de esta planta. ▪ ARROZAL.

**Hist.* Las más de mil variedades existentes en la India han hecho pensar que su cultivo se inició en el este y sudeste de este país, en épocas remotas, como sustituto del trigo y la cebada. Algunas variedades salvajes se han encontrado en el África tropical. Llegó hasta África y los países mediterráneos durante la Antigüedad, y comenzó a cultivarse a lo largo del s. XVIII en EE UU.

ARRUAR intr. Gruñir el jabalí cuando huye.

ARRUÉ ***Juan de*** (1565-1637) Pintor mex. Retablos del Hospital de San Pedro y de la catedral de Puebla.

ARRUFADURA f. *Mar.* Curvatura de cubiertas, cintas, galones y bordas de los buques. ▪ ARRUFAR.

ARRUFAT, ***Antón*** (nacido 1935) Escritor cub. *El caso se investiga, En claro, Repaso final, Mi antagonista y otras observaciones.*

ARRUFINADO, DA *adj.* Parecido al rufián.

ARRUGA f. Pliegue en la piel o en una membrana • Pliegue irregular en cualquier cosa flexible.

ARRUGA, ***Hermenegildo*** (1886-1972) Oftalmólogo esp., renovador de la técnica quirúrgica del ojo. *Cirugía ocular.*

ARRUGAR tr. y prnl. Hacer arrugas. • Con el complemento directo *frente, ceño, entrecejo,* y siendo el sujeto nombre de persona, mostrar en el semblante preocupación o enojo. • prnl. Encogerse. ▪ ARRUGAMIENTO.

ARRUINAR tr. y prnl. Causar ruina. • fig. Destruir. ▪ ARRUINAMIENTO.

ARRULLO m Canto grave y monótono con que se atraen las palomas y las tórtolas. • Habla dulce y cariñosa con que se enamora a una persona. • fig. Cantar amoroso y monónoto para adormecer a los niños. • fig. Susurro o ruido que sirve para arrullar.

ARRUMA f. *Mar.* División que se hace en la bodega de un buque para colocar la carga.

ARRUMACO m. fam. Demostración de cariño hecho con gestos. Se usa más en plural • fam. Adorno estrafalario

ARRUMAR tr. *Mar.* Distribuir y colocar la carga en un buque. • *Chile y Ecuad.* Amontonar. • prnl. *Mar.* Cargarse de nubes el horizonte. ▪ ARRUMAJE; ARRUMAZÓN.

ARRUMBADOR, RA m. Obrero que en las bodegas sienta las botas, trasiega, cabecea y clarifica los vinos. • Obrero portuario que carga desde los muelles a los diferentes transportes.

ARRUMBAR tr. Retirar una cosa por inútil. • Almacenar cosas inútiles. • fig. Arrollar a uno en la conversación. • fig. Arrinconar a uno. • *Mar.* Determinar la dirección que sigue una costa. • *Mar.* Hacer coincidir dos o más objetos en un solo rumbo • intr. *Mar* Fijar rumbo. • prnl. *Mar* Marearse. ▪ ARRUMBAMIENTO

ARRUNFLAR tr. y prnl. En los juegos de naipes, juntar muchas cartas de un mismo palo.

ARRURRUZ m. Fécula que se extrae de la raíz de una planta cingiberácea que crece en la India.

ARRUZA, ***Carlos*** (1920-1966) Torero mex. Formó con Manolete una pareja que alcanzó grandes éxitos • ***José Manuel*** (nacido 1955) Torero mex., hijo del anterior.

ARSACES (s. III a.C.) Jefe parto, fundador de la dinastía de los arsácidas. Independizó Partia. Divinizado por sus sucesores.

ARSÁCIDAS m. pl. Nombre de una dinastía de reyes partos, fundada por Arsaces y que gobernó en Persia (250 a. C.-224 d. C.) y en Armenia (hasta 428).

ASÁFRAGA f. Berrera, planta.

ARSENAL m. Establecimiento en que se construyen, reparan y conservan embarcaciones. • Almacén de armas y otros efectos de guerra. • fig. Conjunto de noticias, etc.

ARSENAMINA f. Gas incoloro, venenoso, de olor parecido al del ajo. Es una combinación del arsénico con el hidrógeno.

ARSÉNICO m. *Quím.* Elemento de símb. As, n. a. 33 y p. a. 74,9. De color gris y brillo metálico, muy quebradizo, se sublima fácilmente. Muy tóxico. ▪ ARSENICAL.

ARSENIO (m. hacia 450) Santo rom., preceptor de los hijos de Teodosio.

ARSENIOSIDERITA f. *Miner.* Arseniato férricocálcico. Es pleocroico y cristaliza en el sistema tetragonal.

ARSENIOSO, SA adj. *Quím.* Se aplica a los compuestos oxigenados de arsénico trivalente.

ARSENIURO m. *Quím.* Combinación del arsénico con otro cuerpo simple.

ARSINA f. *Quím.* Producto derivado de la arsenamina por sustitución de los átomos de hidrógeno por radicales alquílicos o arílicos.

ARSOLLA f. Arzolla, planta.

ART NOUVEAU → Modernismo.

ARTAGNAN, ***Charles de Baatz d'*** (1611-1673) Gentilhombre gascón, al servicio de Manzarino y luego de Luis XIV.

ARTAJERJES I ***Longímano*** (464-424 a. C.) Rey aqueménida de Persia, hijo de Jerjes; derrotado por Atenas, concertó la paz de Cimón. • **II Mnemón** Rey persa, hijo de Darío; reinó de 404 a 358 a. C. Vencido en Cunaxa (401) por su hermano Ciro el Joven.

ARTAUD, ***Antonin*** (1896-1948) Escritor, director teatral y actor fr., uno de los renovadores de la escena fr. moderna. *Heliogábalo o el anarquista coronado, Van Gogh, el suicida de una sociedad.*

ARTE amb. Ejercicio de las facultades humanas preparado por experiencias anteriores. • Conjunto de normas y preceptos acumulados por generacio-

Arroz

Arrumbador

Fragmento de *Las siete* ***artes liberales***, tabla de Jacopo da Ponte (Museo del Prado, Madrid)

Artemisa

nes anteriores en una actividad. • Aptitud individual, disposición para hacer una cosa. • Cautela, maña, astucia. • Útil de pesca. • pl. Lógica, física y metafísica. • **decorativa.** A. plástica cuyo objeto es el embellecimiento de un edificio. • **mayor.** Díc. de los versos de nueve o más sílabas. • **menor.** Díc. de los versos que no pasan de ocho sílabas. • **gráficas.** Las que se expresan mediante la impresión. • **liberales.** En la E. Med., cualquiera de las que requerían el uso del entendimiento. Estaban formadas por el *trivium* y el *quadrivium*. • **plásticas** o **figurativas**. Las que trabajan sobre la materia visible. • **Bellas a.** Rúbrica que comprende las a. plásticas clásicas, además de otras modernas como diseño gráfico e industrial, etc. • **Séptimo a.** El cine.

**Arte.* Son muchas las teorías acerca del a.; unas destacan el componente lúdico, no utilitario (F. Schiller, Freud, Marcuse). Otras dan mayor valor a su función social de concienciación (tesis del realismo socialista). Mondrián lo consideró como sustitutivo de la vida, es decir, como medio de establecer un equilibrio entre el hombre y medio. También se ha considerado dentro de una semiótica general o ciencia de los signos. Con esta teoría, la forma se ha querido separar del contenido. Ambos siempre se encuentran unidos por una interacción dialéctica, ya que el contenido no es solamente *lo que* se representa, sino *cómo* se representa. La historiografía del a. consideró en un principio que las formas y los estilos eran autónomos respecto a cualquier otra consideración; hoy lo relaciona con el desarrollo general de la cultura.

ARTEAGA, *José María* (1827-1865) Militar y político mex. Se distinguió en la campaña de la guerra de la Reforma y apoyó el plan de Ayutla. Murió fusilado por el emperador Maximiliano. • **Alemparte, *Domingo*** (1835-1880) Político chil. Diputado del Partido Radical. • **Alemparte, *Justo*** (1834-1882) Político y escritor chil., hermano del anterior. *Los constituyentes chilenos* (obra común).

ARTECHE, *Miguel* (nacido 1926) Poeta chil. *El sur dormido, De la ausencia de la noche*.

ARTEFACTO m. Máquina, dispositivo.

ARTEJO m. Nudillo del dedo. • *Zool.* Cada una de las piezas articuladas entre sí, de que se forman los apéndices segmentarios de los artrópodos.

ARTEMISA f. Planta olorosa, compuesta, de tallo herbáceo y flores de color blanco amarillento, en panojas. Es medicinal. • *Amér.* Planta de la familia compuestas, y flores verdes y amarillentas. Es medicinal.

ARTEMISA Mun. de Cuba, en la prov. de La Habana; 68 800 hab. Ganado vacuno, azúcar.

ARTEMISA Divinidad gr., llamada Diana por los romanos.

ARTERIA f. *Anat.* Cada uno de los vasos que llevan la sangre desde el corazón a las demás partes del cuerpo. • fig. Calle importante y de mucho tráfico de una pob. • **celíaca.** *Anat.* La que lleva la sangre al estómago y otros órganos del vientre. • **coronaria.** *Anat.* Cada una de las propias del corazón. • **emulgente.** *Anat.* Cada una de las que llevan la sangre a los riñones. • **ranina.** *Anat* .La de la cara inferior de la lengua. • **subclavia.** *Anat.* Cada una de las dos que, partiendo del tronco braquicefálico, a la derecha, y del cayado de la aorta, a la izquierda, corren hacia el hombro respectivo, y al pasar por debajo de la clavícula cambian su nombre por el de *a. axilar.* ■ ARTERIAL; ARTERIOSO, SA.

ARTERÍA f. Amaño, astucia.

ARTERIOGRAFÍA f. *Med.* Descripción de las arterias. • *Med.* Radiografía de las art erias.

ARTERIOLA f. *Anat.* Vaso arterial de pequeño calibre, que se caracteriza por la abundancia de fibras musculares en su pared.

ARTERIOLOGÍA f. Parte de la anatomía que trata de las arterias.

ARTERIOSCLEROSIS f. *Pat.* Enfermedad crónica progresiva de las arterias. Es una de las causas de fallecimiento más comunes en los países desarrollados. Entre los factores que favorecen su aparición cabe citar: la edad avanzada, el sexo masculino, el exceso de colesterol en sangre, la hipertensión arterial y la herencia. ■ ARTERIOSCLERÓSICO, CA; ARTERIOSCLERÓTICO, CA.

ARTERITIS f. *Pat.* Inflamación de la pared arterial.

ARTERO, RA adj. Disimulado, astuto.

ARTESA f. Recipiente de madera, rectangular, estrecho por el fondo, usado para amasar el pan, dar de comer a los animales, etc.

ARTESANADO m. Artesanía, clase social de artesanos. • Actividad u oficio del artesano.

ARTESANÍA f. Clase social constituida por los artesanos. • Arte artesano. ■ ARTESANAL.

ARTESANO, NA m. y f. Persona que ejerce un oficio manual y por su cuenta, ayudado a veces por miembros de la familia.

ARTESIANO, NA adj. y s. Del Artois. • Díc. de un determinado tipo de pozo.

ARTESILLA f. Cajón de madera que en las norias recibe el agua que vierten los arcaduces.

ARTESÓN m. Artesa que sirve en las cocinas para fregar. • *Arq.* Adornos con molduras y un florón en el centro. ■ ARTESONADO; ARTESONAR.

ARTHUR, *Chester Alan* (1830-1886) Político norteam., vigésimo presid. de EE UU y uno de los fundador es del partido republicano.

ÁRTICO, CA adj. Relativo al polo Norte y, p. ext., a las tierras árticas. • Relativo al Ártico. • m. Conjunto de áreas marinas y continentales dispuestas alrededor del polo Norte y hasta una lat. de 60°. Clima extremado (máximas de 10 °C y mínimas de –50 °C) y escasez de precipitaciones. Las pob. indígenas (esquimales, lapones, etc.) basan su subsistencia en la caza (osos, focas, morsas, zorros) o en la ganadería trashumante (reno).

ÁRTICO, océano El más septentrional del globo terrestre; limitado por Alaska y Canadá, el círculo polar ártico y el límite septentrional de Europa y Asia; 14 060 000 km^2; profundidad media, 3 000 m.

ARTICULACIÓN f. Enlace de dos piezas de una máquina o instrumento. • Pronunciación clara y distinta de las palabras. • *Bot.* En las plantas, la unión de una parte con otra distinta de la cual puede desgajarse. • *Bot.* Nudo en algunas partes de ciertas plantas. • *Anat.* Unión de un hueso con otro. • *Gram.* Posición de los órganos de la voz para la pronunciación de una vocal o consonante.

ARTICULADO, DA adj. Que tiene articulaciones. • m. Serie de los artículos de un tratado, etc. • *Der.* Serie de los medios de prueba que propone un litigante. • pl. ant. *Zool.* Artrópodos.

ARTICULAR adj. Relativo a la articulación. • tr. y prnl. Unir, enlazar. • tr. Pronunciar clara y distintamente. • *Chile.* Disputar, refunfuñar. • *Der* . Proponer medios de prueba o preguntas para los litigantes. • *Fon.* Dar a los órganos de la palabra la disposición que requiere cada uno de los sonidos del lenguaje. ■ ARTICULATORIO, RIA.

ARTÍCULO m. Artejo. • Una de las partes en que suelen dividirse los escritos. • Cada una de las divisiones de un diccionario encabezada por distinta palabra. • Cada una de las disposiciones numeradas de un tratado, etc. • Cualquiera de los escritos de mayor extensión que se insertan en periódicos o revistas. • Mercancía con que se comercia. • *Anat.* Articulación. • *Gram.* Parte de la oración gramatical que precede al nombre, determina su género y número y concuerda siempre con él. • **adicional.** *Der.* Cada uno de los que al final de una ley regulan la implantación, alcance y vigencia de ella. • **de fe.** *Teol.* Verdad que se debe creer como revelada por

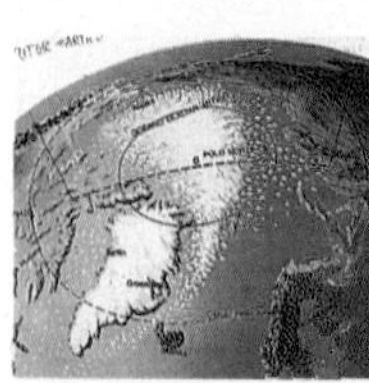

Ártico. De arriba abajo: mapa del Ártico; oso polar, mamífero característico de las tierras árticas; lapones, habitantes del Ártico cuya economía tradicional se basa en el pastoreo de renos

Dios. • **de fondo.** El que se inserta en lugar preferente en un periódico, y trata temas de actualidad. • **de primera necesidad.** El indispensable para el sostenimiento. • **definido o determinado.** *Gram.* El que limita la extensión del sustantivo. Tiene en singular las formas *el, la, lo*; y en plural, *los, las*. • **genérico, indefinido o indeterminado.** *Gram.* El que no precisa la extensión del sustantivo. Es en singular *un, una*; y en plural, *unos, unas*. ■ ARTICULISTA.

ARTÍFICE com. Artista. • Persona que ejecuta una obra mecánica. • fig. Autor. • fig. Persona que tiene arte para conseguir lo que desea.

ARTIFICIAL adj. Hecho por mano o arte del hombre. • No natural, ficticio.

ARTIFICIERO m. *Mil.* Artillero encargado de la clasificación, reconocimiento, etc., de proyectiles, cartuchos, y explosivos en general.

ARTIFICIO m. Arte con que está hecha alguna cosa. • Artefacto. • fig. Disimulo. ■ ARTIFICIOSO, SA.

ARTIGAR tr. Romper un terreno para cultivarlo, quemando el monte bajo y las ramas.

ARTIGAS Dpto. del NO de Uruguay, fronterizo con Argentina y Brasil; 11 928 km^2, 75 059 hab. Terreno montañoso, con abundantes bosques y prados, es una de las regiones más ricas del país. Ganadería y agricultura (cereales y árboles frutales). • Cap. del dpto. hom., 40 249 hab. Centro com. Aeropuerto.

ARTIGAS, ***José Gervasio*** (1764-1850) Prócer del Uruguay. Capitán de las milicias esp. se adhirió a la revolución de mayo de 1810. Levantó a su país contra los colonizadores, pero sus sucesivos éxitos militares se vieron frustrados por el centralismo bonaerense, que se alió con port. y bras. contra los principios republicanos y federalistas que inspiraban su acción. En 1815 decretó la primera reforma agraria latinoamericana. El entendimiento porteño-port. le obligó a exiliarse en Paraguay, donde falleció.

ARTIGUENSE adj. y s. De Artigas.

ARTILLAR tr. *Mil.* Armar de artillería las fortalezas o las naves. • *Mil.* Colocar en disposición de combate la artillería.

ARTILLERÍA f. *Mil.* Arte de construir y usar armas, máquinas y municiones de guerra. • Conjunto de armamento que tiene una plaza, un ejército o un buque. • Cuerpo militar destinado a este servicio. • **atómica.** La que utiliza cañones con proyectiles de carga atómica. • **de batalla**, o **de campaña.** Artillería ligera, etc. • **de costa.** La de grueso calibre, usada en los fuertes y baterías de tierra. • **de montaña.** La de pequeño calibre que se destina al terreno montuoso. • **de plaza, de sitio** o **gruesa.** La de grueso calibre, usada en el asedio de las fortalezas. • **ligera, montada, rodada** o **volante.** La destinada a sostener a las tropas en campaña. • **pesada.** La de grueso calibre. ■ ARTILLERO, RA.

ARTILUGIO m. despect. Mecanismo artificioso, de poca importancia.

ARTIMAÑA f. Trampa para cazar. • fam. Artificio para engañar a uno, o para otro fin.

ARTIOCARPÁCEO, A adj. y f. Moráceo.

ARTIODÁCTILO, LA adj. y m. *Zool.* Díc. de los mamíferos ungulados del orden artiodáctilos. • m. pl. *Zool.* Orden de estos animales que se caracteriza por la existencia en sus pies de un núm. par de dedos.

ARTISTA com. Persona que ejercita alguna de las bellas artes o está bien dotada para su cultivo. • Intérprete de una obra musical. • Actor en algún espectáculo público.

ARTÍSTICO, CA adj. Relativo a las artes. • Hecho con arte.

ARTOCARPÁCEO, A adj. y f. *Bot.* Árboles o arbustos de la familia moráceas, con jugo lechoso, hojas alternas, flores unisexuales, fruto compuesto y semilla sin albumen, como el árbol del pan.

ARTOLAS f. pl. Aparato que se coloca sobre la caballería para que puedan ir sentadas dos personas.

ARTRALGIA f. *Pat.* Dolor en las articulaciones.

ARTRITIS f. *Pat.* Proceso inflamatorio de una articulación. La *a. aguda* se manifiesta por dolor, enrojecimiento y tumefacción de la articulación. ■ ARTRÍTICO, CA.

ARTRITISMO m. *Pat.* Enfermedad general atribuida a deficiencia de los actos nutritivos.

ARTRÓDIRO, RA adj. y m. *Pal.* Peces fósiles pertenecientes al orden de los artródiros. • m. pl. *Pal.* Orden de estos animales, de la clase placodermos, que vivieron durante el período devónico.

ARTROGRAFÍA f. *Med.* Descripción de las articulaciones.

ARTROLOGÍA f. Parte de la anatomía que trata de las articulaciones.

ARTROPATÍA f. *Pat.* Lesión o enfermedad de las articulaciones.

ARTRÓPODO, DA adj. y m. *Zool.* Díc. de los invertebrados con apéndices provistos de piezas o artejos articulados. • m. pl. *Zool.* Tipo de estos animales.

ARTROSIS f. *Pat.* Afección crónica degenerativa de las articulaciones.

ARTURO *(Arcturus) Astr.* Estrella α (alfa) de la constelación del Boyero.

ARTURO o **ARTÚS** Rey legendario de Bretaña (s. VI), fundador de los Caballeros de la Tabla Redonda.

ARUACO o **ARHUACO, CA** adj. y s. Relativo a los aruacos. • m. pl. Pueblos amerindios, de lengua chibcha, que habitan en la sierra de Santa Marta (Colombia).

ARUBA Isla de las Pequeñas Antillas, perteneciente a los Países Bajos; 193 km^2, 62 000 hab. Cap., Oranjestad. Refinerías de petróleo. Desde 1986 se rige por un estatuto de amplio autogobierno. En 1996 rechazó hacer efectiva su opción a la independencia.

ÁRULA f. *Arqueol.* Ara pequeña.

ARUNACHAL PRADESH (ant. *Agencia Fronteriza del Nordeste*) Est. de la India. Limita con el Tibet, Myanma y Bután. Cap., Itanagar. 83 578 km^2, 858 400 hab.

ARUNDÍNEO, A adj. *Bot.* Relativo a las cañas.

ARÚSPICE m. Sacerdote que en la antigua Roma examinaba las entrañas de las víctimas para hacer presagios. ■ ARUSPICINA.

ARVEJA f. *Bot.* Planta leguminosa, trepadora,cuya semilla sirve de alimento a las aves. • *Argent.* y *Chile.* Guisante. • **silvestre.** *Bot.* Planta parecida a la lenteja. ■ ARVEJAL; ARVEJANA; ARVEJAR; ARVEJERA.

ARVEJO m. Guisante.

ARVELO Larriva, ***Alfredo*** (1883-1934) Poeta ven. *Sones y canciones.* • **Torrealba,** ***Alberto*** (1904-1971) Poeta ven. *Música de cuatro, Glosas al cancionero, Florentino y el diablo.*

ARVENSE adj. *Bot.* Aplícase a toda planta que crece en los sembrados.

ARVERNO adj. y s. Díc. de los individuos del pueblo galo que habitaban en la actual Auvernia.

ARZAQUEL → Azarquiel.

ARZOBISPO m. Jefe de los obispos de una provincia eclesiástica, llamado también metropolitano. ■ ARZOBISPADO; ARZOBISPAL.

ARZOLLA f. *Bot.* Planta compuesta, de tallo herbáceo muy espinoso. • Cardo lechero. • Almendruco.

ARZÓN m. Fuste de la silla de montar.

ARZÚ, ***Álvaro Enrique*** (nacido 1946) Político guat. Cofundador del Partido de Avanzada Nacional (PAN). Alcalde de la ciudad de Guatemala (1985-1990). Presid. de la rep. entre 1996-2000, durante su mandato se firmó la paz con la guerrilla (1996).

ARZUMANJAN, ***Anushavan Agafónovich*** (1904-1965) Economista soviético. *El progreso mundial y la rivalidad de los dos sistemas mundiales.*

As *Quím.* Símb. del arsénico.

AS m. Moneda de cobre de los rom. • Carta que en cada palo de la baraja de naipes lleva el número uno. • Punto único señado en una de las seis caras del dado.

ASA f. Parte que sobresale del cuerpo de una vasija, cesta, etc., y sirve para asirla. • fig. Asidero, o pretexto. • Jugo que fluye de diversas plantas umbelíferas. • **fétida.** *Bot.* Planta umbelífera, de flores amarillas y fruto seco en cápsula estrellada.

ASÁ adv. modo. fam. Así.

ASADOR m. Varilla en que se clava lo que se quiere asar. • Aparato para asar.

ASADURA f. Conjunto de las entrañas del animal. Se usa también en pl. • Hígado y bofes. • fam. Pachorra.

ASAETEAR tr. Disparar saetas contra alguien. • Herir a matar con saetas. • fig. Causar a uno repetidamente disgustos o molestias ■ ASAETEADOR, RA.

ASAINETADO, DA adj. Parecido al sainete.

ASALARIADO, DA adj. y s. Que percibe un salario por un trabajo. • Díc. del que, en ideas o en

José Gervasio **Artigas.** Óleo de J.M. Blanes

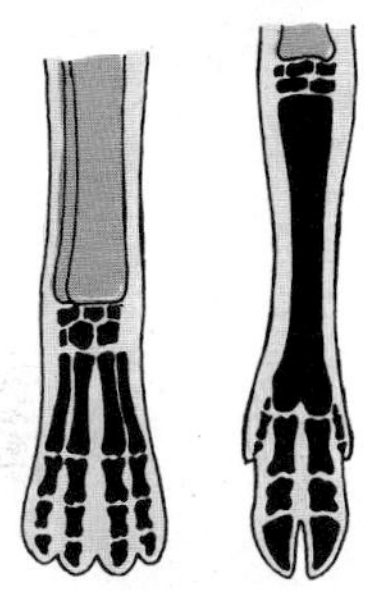

Estructura del pie en los **artiodáctilos**

Artrópodo

El rey **Arturo**

La **Ascensión** del Señor. Ilustración del misal de los Reyes Católicos

Ascidia

Hongo **ascomiceto**

conducta, supedita su criterio al de quien le paga. ■ ASALARIAR.

ASALMONADO, DA adj. Salmonado. • De color rosa pálido.

ASALTAR tr. Acometer una plaza para entrar en ella. • Acometer repentinamente a las personas. • fig. Ocurrir de pronto una enfermedad, un pensamiento, etc.

ASALTO m. Acción y efecto de asaltar. • *Esg.* Acometimiento que se hace metiendo el pie derecho y la espada al mismo tiempo. • *Esg.* Combate simulado entre dos personas, a arma blanca. • *Dep.* Cada una de las partes o tiempos de que consta un combate de boxeo.

ASAM Familia de artistas barrocos al. ***Cosmas Damian*** (1686-1739), pintor y escultor, y ***Egid Quirin*** (1692-1750), arquitecto, hijos del pintor ***Georg***.

ASAMBLEA f. Reunión de personas convocadas para algún fin. • Cuerpo político deliberante, como el congreso o el senado. • *Mil.* Reunión de tropas. • *Mil.* Toque para que la tropa se una y forme. ■ ASAMBLEÍSTA.

ASAMBLEA General de las Naciones Unidas → Organización de las Naciones Unidas. • **Nacional Constituyente.** Nombre adoptado por los Estados Generales de Francia en julio de 1789. Votó la Declaración de los Derechos del Hombre.

ASAR tr. Exponer un manjar crudo a la acción del fuego para hacerlo comestible. • fig. Tostar. • prnl. fig. Sentir calor. ■ ASACIÓN; ASADERO, RA.

ASARDINADO, DA adj. Aplícase a la obra hecha de ladrillos o adobes puestos de canto.

ASARGADO, DA adj. Parecido a la sarga.

ASARHADÓN Rey asirio [680-669 a.C.], padre de Asurbanipal y conquistador del Bajo Egipto.

ASARINA f. *Bot.* Planta escrofulariácea.

ÁSARO m. *Bot.* Planta aristoloquiácea, de flores terminales de color rojo oscuro. Es vomitiva.

ASATIVO, VA adj. *Farm.* Aplícase al cocimiento que se hace de alguna cosa con su zumo.

ASAZ adv. cantidad. Bastante, harto, muy.

ASBESTO m. *Miner.* Mineral semejante al amianto, de fibras duras y rígidas, usado como aislador del calor, revestimiento de frenos, etc.

ASCA f. *Bot.* Asco.

ASCALONIA f. Chalote, especie de cebolla.

ÁSCARI m. Soldado de infantería marroquí. • *Zool.* Ascáride.

ASCÁRIDE f. *Zool.* Gusano nematodo, llamado también lombriz intestinal.

ASCARIDIASIS o **ASCARIDIOSIS** f. *Pat.* Infestación por ascárides.

ASCASUBI, *Hilario* (1807-1875) Poeta arg. que describió la vida de los gauchos. *Santos Vega*, *Aniceto el Gallo*.

ASCÁSUBI, *Francisco Javier* (m. 1810) Patriota y militar ecuat. Participó en la conspiración independentista y luchó contra los realistas.

ASCENDENCIA f. Serie de ascendientes. • Linaje. • Ascendiente moral. • *Psic.* Tendencia a desempeñar un papel preponderante ante el comportamiento social de un individuo. • *Mat.* Carácter de una progresión cuyos términos van en aumento.

ASCENDER intr. Subir de un sitio bajo a otro más alto. • fig. Adelantar en empleo o dignidad. • tr. Dar un ascenso. • Importar una cuenta.

ASCENDIENTE adj. Que asciende. • com. Padre, madre, o cualquiera de los abuelos, de quien desciende una persona. • m. Predominio moral.

ASCENSIÓN f. Por excelencia, la de Cristo a los cielos. • Exaltación a una dignidad suprema. • Escalada a una montaña. • **recta.** Astr. Arco del ecuador, comprendido entre el punto equinoccial de primavera y el círculo horario de un astro. ■ ASCENSIONAL; ASCENSIONISTA.

ASCENSIÓN Isla brit. del océano Atlántico, al NO de Santa Elena; 88 km^2, 1 100 hab. Cap., Georgetown.

ASCENSIÓN Bahía de la costa oriental del Yucatán, en México.

ASCENSO m. Subida. • fig. Promoción a mayor dignidad o empleo. • **capilar.** *Fís.* Altura que alcanza el nivel del líquido dentro de un tubo capilar, por encima del nivel del recipiente que lo contiene.

ASCENSOR m. Aparato para trasladar personas de unos a otros pisos. • Montacargas. ■ ASCENSORISTA.

ASCETA com. Persona que hace vida ascética. ■ ASCETERIO; ASCETISMO.

ASCÉTICO, CA adj. Que se dedica a la práctica y ejercicio de la perfección espiritual.

ASCH, *Shalom* (1880-1957) Escritor norteam., de origen polaco y raza judía. *La madre*, *El Nazareno*, *Los hijos de Abraham*.

ASCIDIA f. *Zool.* Animal tunicado marino caracterizado por tener forma de saco.

ASCIDIÁCEO, A adj. y m. *Zool.* Díc. de los tunicados pertenecientes a la clase ascidiáceos. • m. pl. *Zool.* Clase de estos animales que viven fijos en los fondos marinos.

ASCIDIO m. Órgano en forma de saco que tienen algunas plantas carnívoras.

ASCII Siglas de *American Standard Code for Information Interchange*, código normalizado que utiliza en total 8 bits.

ASCIO, CIA adj. *Geogr.* Habitante de la zona tórrida.

ASCITIS f. *Pat.* Hidropesía del vientre.

ASCLEPIADÁCEO, A adj. y f. *Bot.* Plantas angiospermas dicotiledóneas, de hojas alternas, flores en racimo, corimbo o umbela y fruto en folículo. • f. pl. *Bot.* Familia de estas plantas.

ASCLEPIADEO, A adj. y f. *Bot.* Asclepiadáceo. • adj. y m. Díc. de un verso de la métrica clásica, compuesto por un espondeo, dos coriambos y un pirriquio.

ASCO m. Repugnancia de alguna cosa que incita a la náusea y el vómito. • *Bot.* Órgano reproductor celular que contiene esporas. • fig. Impresión desagradable causada por alguna cosa que repugna. • fig. y fam. Aburrimiento, fastidio. ■ ASCOSO, SA.

ASCOMICETO, TA adj. y m. *Bot.* Díc. de los hongos que tienen sus esporidios encerrados en ascos. • m. pl. Clase de estos hongos.

ASCÓN adj. *Zool.* Díc. del tipo de organización de algunas esponjas calcáreas en las que la cavidad atrial se halla revestida de canocitos o células digestivas.

ASCÓRBICO adj. *Quím.* Díc. de un ácido orgánico, conocido con el nombre de vitamina C, que se presenta como una sustancia cristalina de color blanco, hidrosoluble, de sabor agrio pero agradable.

ASCUA f. Pedazo de cualquier materia sólida y combustible que por acción del fuego está incandescente. • **de oro.** fig. Cosa que brilla mucho. • **Estar** uno **en** o **sobre a.** fig. y fam. Estar inquieto, sobresaltado. Úsase también con *tener*, *poner* y análogos.

ASDIC m. Sistema de detección submarina basado en la emisión de ondas ultrasónicas.

ASDRÚBAL (270-221 a. C.) Militar cartaginés. Intervino en la ocupación cartaginesa de la pen. Ibérica. • (m. 207 a. C.) General cartaginés. Venció a los Escipiones en España.

ASEAR tr. Poner limpia y ordenada una cosa. • prnl. Lavarse, peinarse y ponerse ropa limpia. ■ ASEADO, DA.

ASECHANZA f. Engaño o artificio para hacer daño a otro. Se usa más en plural. ■ ASECHAMIENTO; ASECHAR.

ASEDAR tr. Poner suave como la seda.

ASEDIAR tr. Sitiar. • fig. Importunar a uno sin descanso. ■ ASEDIO.

ASEGLARARSE prnl. Relajarse el clérigo o religioso portándose y viviendo como seglar.

ASEGUNDAR tr. Repetir un acto después de haberlo llevado a cabo por vez primera.

ASEGURAR tr. Establecer sólidamente. • Poner a una persona en condiciones que le impidan huir o defenderse. • tr. y prnl. Librar de preocupación. • tr. Dejar seguro de la certeza de alguna cosa. • tr. y prnl. Afirmar la certeza de lo que se dice. • Preservar de daño a las personas y las cosas. • tr. Dar garantía o prenda que haga cierto el cumplimiento de una obligación. • Poner a cubierto un bien propio, la vida de uno, etc., de pérdida o destrucción mediante el pago de una prima, para recibir indemnización en caso de siniestro. • prnl. Suscribir un contrato de seguro. ■ ASEGURACIÓN; ASEGURADO, DA; ASEGURADOR, RA; ASEGURAMIENTO.

ASEIDAD f. Atributo de Dios, por el cual existe por sí mismo.

ASEIEV, *Nicolay Nikolaievich* (1899-1963) Poeta vanguardista ruso. Premio Lenin en 1939 por su obra *La flauta nocturna*.

ASÉLIDO, DA adj. *Zool.* Relativo a los asélidos. • m. pl. *Zool.* Gén. de crustáceos isópodos, pequeños, de agua dulce.
ASEMEJAR tr. y prnl. Representar una cosa como semejante a otra. • intr. Tener semejanza. • prnl. Mostrarse semejante.
ASEMILLAR intr. *Chile.* Cerner.
ASENCIO, Grito de Levantamiento inaugural de la guerra de indep. del Uruguay (1811), junto al arroyo de A. Lo comandaron Pedro Viera y Venancio Benavides.
ASENDEREADO, DA adj. fig. Agobiado. • Práctico, experto.
ASENDEREAR tr. Hacer sendas o senderos. • Perseguir a uno haciéndole andar fugitivo.
ASENJO Barbieri, *Francisco* → Barbieri, Francisco Asenjo. • **Gómez, *Alfonso*** (1906-1980) Médico chil. Impulsó la neurocirugía en su país.
ASENTADA f. Tiempo que sin interrupción está sentada una persona. • **De una a.** adv. De una vez, sin levantarse.
ASENTADERAS f. pl. fam. Nalgas.
ASENTADO, DA adj. Sentado, juicioso. • fig. Estable, permanente.
ASENTADOR, RA m. y f. Persona que asienta. • Persona que contrata al por mayor víveres para un mercado público. • Suavizador de las navajas de afeitar.
ASENTAMIENTO m. *Mil.* Emplazamiento de las piezas de artillería. • Instalación provisional de colonos. • fig. Juicio, cordura.
ASENTAR tr. y prnl. Poner a uno en un asiento, de manera que quede apoyado y descansando sobre las nalgas. • Colocar a uno en determinado lugar, en señal de posesión de algún empleo. • tr. Poner alguna cosa de modo que permanezca firme. • Tratándose de pueblos o edificios, fundar. • Aplanar o alisar. • Afinar el filo de una navaja, etc. • Presuponer alguna cosa. • Dar por cierto un hecho. • Ajustar un convenio. • Anotar alguna cosa, para que conste. • intr. Sentar bien una prenda de vestir. • prnl. Posarse las aves o los líquidos. • Establecerse en un lugar.
ASENTIR intr. Admitir como cierta o conveniente una cosa. ■ ASENSO; ASENTIMIENTO.
ASENTISTA com. Persona que contrata con otra el suministro de víveres u otros efectos.
ASEÑORADO, DA adj. Parecido a lo que es propio de señor o señora.
ASEO m. Limpieza, esmero, cuidado. • Compostura. • Buena disposición.
ASÉPALO, LA adj. *Bot.* Que carece de sépalos.
ASEPSIA f. *Med.* Ausencia completa de microorganismos vivos en un medio. ■ ASÉPTICO, CA.
ASEQUIBLE adj. Que puede conseguirse.
ASER Octavo hijo de Jacob y epónimo de la tribu de su nombre.
ASERCIÓN f. Acción y efecto de afirmar. • Proposición en que se hace la afirmación.
ASERRAR tr. Cortar con sierra la madera u otra cosa, serrar. ■ ASERRADERO; ASERRADIZO, ZA; ASERRADO, DA; ASERRADOR, RA; ASERRADURA.
ASERRÍN m. Serrín.
ASERRUCHAR tr. *Amér.* Cortar con serrucho.
ASERTAR tr. Afirmar, asegurar, aseverar. ■ ASERTIVO, VA; ASERTO; ASERTOR, RA.
ASERTORIO adj. Afirmativo. • *Fil.* Díc. del juicio que no excluye la posibilidad lógica de una contradicción.
ASESAR tr. Hacer que uno adquiera seso o cordura. • intr. Adquirir seso o cordura.
ASESINAR tr. Matar alevosamente o por precio, o con premeditación. • fig. Causar aflicción. • fig. Engañar en asunto grave a alguien.
ASESINATO m. *Der.* Delito contra las personas consistente en la muerte de una por otra, concurriendo circunstancias agravantes de la responsabilidad penal.
ASESINO, NA adj. Que asesina, homicida. Se emplea como s. cuando se aplica a personas. • fig. Díc. de las cosas, palabras, etc., que perjudican.
ASESORAR tr. Dar consejo. • prnl. Tomar consejo una persona de otra. ■ ASESOR, RA; ASESORAMIENTO; ASESORÍA.
ASESTAR tr. Dirigir un arma hacia el objeto que se ataca. • Dirigir la vista, etc. • Descargar contra un objeto el proyectil o el golpe. • fig. Intentar causar algún daño a otro. • intr. fig. Poner la mira. ■ ASESTADURA.
ASEVERAR tr. Afirmar o asegurar lo que se dice. ■ ASEVERACIÓN.
ASEVERATIVO, VA adj. Que asevera o afirma. • adj. y f. *Gram.* Díc. de la oración simple que expresa un enunciado.
ASEXUAL adj. Sin sexo; ambiguo. • *Biol.* Díc. de la reproducción que se verifica sin intervención de los dos sexos. ■ ASEXUADO, DA.
ASFALTAR tr. Revestir de asfalto. ■ ASFALTADO.
ASFALTITA f. *Miner.* Sustancia sólida y negruzca constituida por hidrocarburos naturales de elevado peso molecular.
ASFALTO m. Mezcla de hidrocarburos, de color negruzco, muy viscosa, usada en pavimentos y revestimiento de muros. • fig. Carretera. ■ ASFÁLTICO, CA.
ASFÉRICO, CA adj. *Ópt.* Díc. de la superficie que ha sido deformada a fin de eliminar la aberración esférica.
ASFIGMIA f. *Pat.* Ausencia de pulso.
ASFIXIA f. Ahogo. • *Med.* Aporte insuficiente de oxígeno a los tejidos. • fig. Sensación de agobio debida al excesivo calor. ■ ASFÍCTICO, CA; ASFIXIAR; ASFÍXICO, CA.
ASFÓDELO m. Gamón, planta.
ASHANTI adj. y s. Díc. de los individuos de un pueblo negroafricano que habita en la región hom. de Ghana. En los ss. XVII-XVIII constituyeron un poderoso reino unificado que dominó sobre un amplio terr. hasta su derrota por los británicos.
ASHANTI Región de Ghana, sit. en el Volta inferior; 24 390 km^2, 2 089 700 hab. Cap., Kumasi.
ASHJABAD C. y cap. de Turkmenistán; 356 000 hab. Centro comercial.
ASHKENAZÍ adj. y s. Díc. de los judíos procedentes de Alemania y de la Europa central y oriental.
ASHMUN, *Jehudit* (1794-1828) Abolicionista norteam., fundador de la colonia de Liberia.
ASÍ adv. modo. De esta, o de esa manera. • Úsase en oraciones desiderativas. • Denota extrañeza o admiración en oraciones interrogativas o exclamativas. • Tanto, de tal manera. • También. • Como conjunción comparativa, equivale a tanto, o a de igual manera. • También equivale a en consecuencia, por lo cual; y en este caso gralte. lleva antepuesta la copulativa y. • **Así así.** m. adv. Tal cual, medianamente. • **como.** m. adv. Así que. • También denota comparación, equivaliendo a como, o a de igual manera que. • **como así.** m. adv. De cualquier manera, de todos modos. • **que.** m. adv. Tan luego como, al punto que. • m. conj. En consecuencia, por lo cual.
ASIA El continente más extenso del mundo (unos 44 millones de km^2). Limita al N con el océano Ártico, al E con el Pacífico, al S con el Índico y al O con Europa (montes Urales), el mar Caspio, el Cáucaso, el mar Negro, el Mediterráneo, el canal de Suez y el Mar Rojo. Con Europa, forma la masa de tierras emergidas denominada Eurasia.
* *Geog. fís.* Presenta, en conjunto, una configuración maciza y una altitud media superior a los

Aserradero mecanizado

Asfódelo

Asia. Pequeña ciudad de Da-Li, en la provincia china de Yunnan

Asia. Uno de los genios protectores del templo del Palacio Imperial de Bangkok, Thailandia

Asia, estados y territorios

Estados y territorios	*Km²*	*Población*	*Densidad*	*Capital*
Afganistán	652 225	13 748 000	21	Kabul
Arabia Saudita	2 153 168	15 267 000	8	Riyadh
Armenia	29 800	3 765 000	126	Yereván
Azerbaiján	86 600	7 449 000	89	Bakú
Bahrein	678	579 000	854	Manama
Bangla Desh	143 998	116 095 000	806	Dacca
Brunei	5 765	285 000	49	Bandar Seri Begawan
Bután	47 000	1 476 000	31	Thimphu y Punakha
Camboya	181 035	10 081 000	57,4	Phnom Penh
China	9 537 611	1 234 652 000	118	Pekín
Chipre	9 251	860 000	93	Nicosia
Corea (RDP)	120 538	24 317 000	202	Pyongyang
Corea, Rep.	99 237	45 628 000	459	Seúl
Emiratos Árabes Unidos	83 600	2 580 000	31	Abu Dhabi
Filipinas	300 000	62 000 000	207	Manila
Georgia	69 700	5 377 000	77	Tbilisi
India	3 287 263	967 613 000	258	Nueva Delhi
Indonesia [1]	1 529 072	199 544 000	130	Yakarta
Irak	434 128	22 219 000	51	Bagdad
Irán	1 648 196	62 305 000	37	Teherán
Israel	20 700	5 652 000	273	Jerusalén
Japón	372 819	123 921 000	332	Tokio
Jordania	97 740	4 522 000	46	Ammán
Kazakistán	2 717 300	16 554 000	46	Astana
Kirguisistán	198 500	4 595 000	23	Pishpek
Kuwait	17 818	1 691 000	96	Al Kuwait
Laos	236 800	5 117 000	21,6	Vientiane
Líbano	10 400	3 859 000	371	Beirut
Malaysia	329 747	21 767 000	66	Kuala Lumpur
Maldivas	298	267 000	896	Male
Mongolia	1 566 500	2 373 000	1,5	Ulan Bator
Myanma (Birmania)	678 033	46 822 000	69	Rangún o Yangún
Nepal	140 797	21 424 000	146	Katmandú
Omán	212 457	2 265 000	10,7	Mascate
Pakistán	796 095	129 808 000	145	Islamabad
Qatar	11 437	561 000	39	Doha
Rusia (terr. asiático)	12 836 900	33 000 000	3	
Singapur	639	3 104 000	4 842	Singapur
Siria	185 180	15 009 000	81	Damasco
Sri Lanka	65 610	18 663 000	284	Colombo
Tadjikistán	143 100	6 054 000	42,3	Dushanbe
Taiwán	36 000	21 616 000	597	Taipeh
Thailandia	513 115	60 602 000	109	Bangkok
Turkmenistán	488 100	4 695 000	9,6	Ashjabad
Turquía (terr. asiático)	755 688	55 133 000	81	Ankara
Uzbekistán	447 400	23 664 000	52	Tashkent
Vietnam	331 109	75 545 000	225	Hanoi
Yemen [2]	527 968	14 900 000	28	Sana
Asia indep.	44 156 024	3 361 979 000	76	
Christmas	135	3 000	25	
Islas Cocos	14	1 000	50	
Asia australiana	149	4 000	29,5	
Terr. Brit. del Océano Índico	46	2 000	28	
Asia brit.	46	2 000	-	
Sinaí	58 824	254 000	4	
Gaza	378	790 000	2 090	
Asia egipcia	59 202	1 044 000	18	
ASIA	44 215 416 [3]	3 362 870 100	76,5	

[1] Excluida la superficie y la población de Irian Occidental y comprendida la de Timor Oriental.
[2] Excluida Socotora, considerada en África.
[3] 44 444 038 con el mar Caspio (371 000 km²) y el lago Aral (41 000 km²).

Asia. El volcán Fuji Yama visto desde el lago Kawagushi, en la isla de Honshu, Japón

Asia. 1. Cultivo de arroz en el Sudeste Asiático. 2. Niños en una guardería de Chonsan-Ri, R.D.P. de Corea; 3. Muchacha india. 4. Palacio de Potala, antigua residencia del dalai lama, en Lhasa, Tíbet; 5. Mausoleo de Shakhi-Zinda, en Samarcanda

1

2

4

1 000 m. Comprende varias grandes áreas naturales: a) la región siberiana, al N, extendida desde los montes Urales hasta el mar de Bering; comprende una llanura al O, una meseta en el centro, y una zona montañosa al E; b) las mesetas centrales y occidentales (Mongolia, Pamir, Tibet, Irán, Armenia, Arabia y Anatolia), bordeadas por elevadas cord. Altái, Sayán, Gran Jingan, Karakorum, Hindu Kush, Kuen Lun, Himalaya (Everest, 8 848 m), Sulaimán, Elburz, Zagros, Cáucaso, Tauro; c) la depresión central del Turquestán, dividida por las cordilleras del Tian Shan; d) las llanuras periféricas china, indochina, indogangética y mesopotámica; e) la región insular, compuesta por el arch. japonés e Insulindia; f) el Indostán, extenso apéndice mesetario meridional. Los r. asiáticos son por lo general largos y caudalosos. En el océano Ártico desembocan el Ob, Yeniséi, Lena, Indiguirka y Kolima, que riegan la región siberiana. En los mares litorales que forman el océano Pacífico desaguan el Amur, Hoang-ho, Yang Tsé-kiang, Si-kiang, Rojo, Mekong, Menam. Al océano Índico (golfo de Bengala y mar Arábigo) van el Saluén, Irawadi, Ganges (afl. Brahmaputra), Godavari, Krishna e Indo. Al golfo Pérsico afluyen el Tigris y el Éufrates. En el océano Ártico se hallan las pen. de Yamal, Guidán, Taimir y Chukotka. Junto a la costa se forman los mares de Kara, Laptev y de Siberia Oriental. En el océano Pacífico, extendido desde el estrecho de Bering al N y el de Malaca al S, se forman diversos mares litorales (Bering, Ojotsk, Japón, Amarillo y de China Oriental y Meridional) enmarcados por sus muchos acci-

3

5

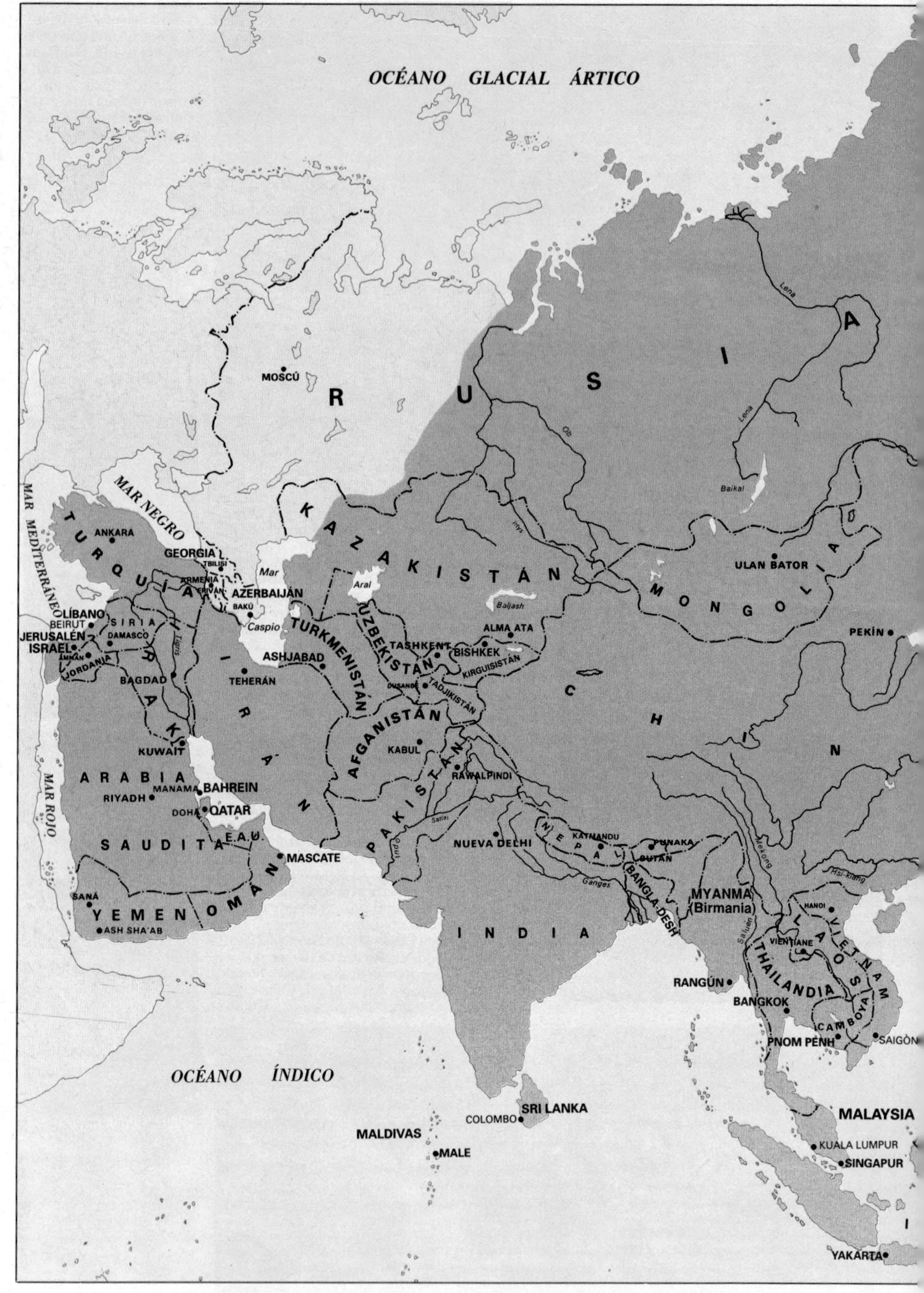

dentes, entre ellos las pen. de Kamchatka, Corea, Shantung, Indochina y Malaca. En el océano Índico se encuentran las pen. de Arabia, Indostán e Indochina, separadas entre sí por el mar Arábigo y el golfo de Bengala; dentro del mar Arábigo se hallan los golfos de Omán y Pérsico, unidos por el estrecho de Ormuz; el estrecho de Bab-el Mandeb comunica el golfo de Adén con el mar Rojo. En el Mediterráneo se encuentra el golfo de Alejandría y la pen. de Anatolia. Clima muy variado.

Geog. econ. El pral. recurso es la agricultura (arroz, té), extendida preferentemente en las grandes llanuras, para cuyo cultivo se utilizan en muchos lugares técnicas arcaicas; la ganadería se da

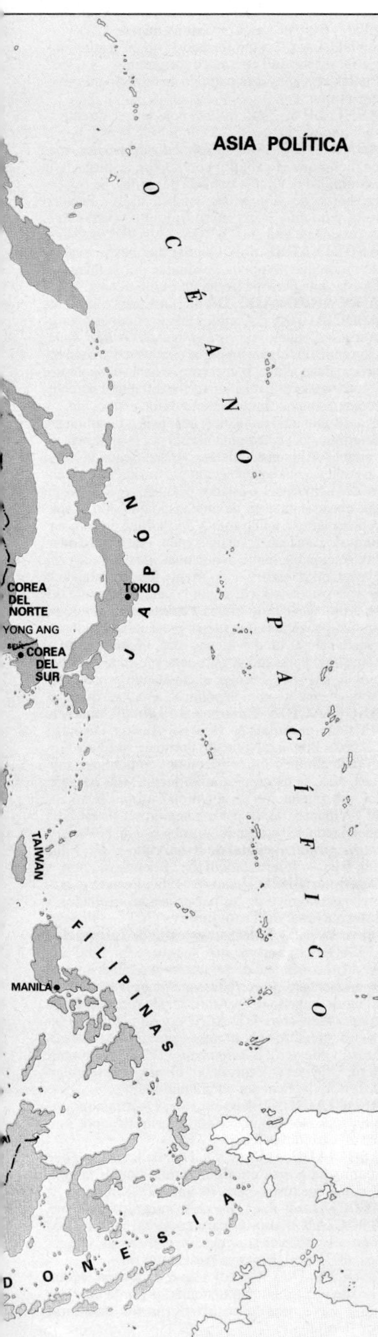

en las estepas; el subsuelo, en conjunto, es rico, especialmente en minerales combustibles (60% de las reservas mundiales de gas natural, petróleo, carbón, uranio). La ind., en general poco desarrollada, cuenta con notables excepciones en Japón, Corea del Sur, Taiwán ySingapur, así como en zonas de Siberia, China e India.

**Geog. humana.* La pob. asiática supera los 3 200 millones de hab. La densidad de población del SE es extremadamente elevada, mientras que en el N y en el centro hay extensas regiones muy poco pobladas. Salvo la propiamente negra, todas las demás razas están profusamente representadas, especialmente la amarilla o mongoloide, la más numerosa (chinos, tibetobirmanos, siameses, japoneses, coreanos, mongoles, samoyedos, tunguses, fineses, turcos, malayo-polinesios e indochinos); sigue en importancia la caucasoide o blanca (árabes, israelitas, caucasianos, hindúes, iranios, armenios, rusos y ainos). Hay grupos con caracteres especiales, como los drávidas o melanohindúes, los australoides y los negritos.

ASIA MENOR → Anatolia.

ASIÁTICO, CA adj. y s. De Asia.

ASIBILAR tr. Hacer sibilante el sonido de una letra.

ASICAR tr. *R. Dom.* Hostigar, fastidiar.

ASIDERA f. *Argent.* y *Méx.* Correa de la cincha del caballo en la cual se sujeta el lazo.

ASIDERO m. Parte por donde se ase alguna cosa. • fig. Ocasión o pretexto.

ASIDUO, DUA adj. Frecuente, puntual, perseverante. ■ ASIDUIDAD.

ASIENTO m. Silla, banco, etc., para sentarse. • Lugar que se tiene en un tribunal o junta. • Sitio en que está fundado un pueblo o edificio. • Poso de un líquido. • Descenso de los materiales de un edificio a causa de la presión de los unos sobre los otros. • Tratado de paces. • Contrato para proveer de dinero, etc. • Anotación en un libro de contabilidad. • *Amér.* Territorio y población de las minas. • *Amér.* Acuerdo entre la Corona española y los particulares por la que aquélla arrendaba una explotación comercial en régimen de monopolio. • Parte del freno que entra en la boca de la caballería. • Espacio sin dientes en la mandíbula de las caballerías. • Estancamiento de alguna sustancia en el estómago o en los intestinos. • Capa de argamasa sobre la que se colocan los ladrillos cuando se pavimenta. • fig. Estabilidad. • fig. Cordura. • fig. Estado y orden que deben tener las cosas. • pl. Perlas desiguales que por un lado son chatas y por el otro redondas. • Asentaderas. • **de negros.** *Hist.* Licencia expedida en régimen de monopolio para el transporte de esclavos africanos a las colonias hispanoamericanas por la Corona esp. En 1713 el **tratado de a.** otorgó el privilegio de la trata a Gran Bretaña hasta su renuncia expresa en 1750. • **de pastor.** *Bot.* Mata leguminosa de flores azules o violáceas.

ASIGNADO m. Cada uno de los títulos que sirvieron de papel moneda en Francia durante la Revolución. • *Ecuad.* Parte que, del salario de los empleados de las haciendas, se paga en especies.

ASIGNAR tr. Señalar lo que corresponde a una persona o cosa. • Señalar, fijar. ■ ASIGNACIÓN.

ASIGNATARIO, RIA m. y f. *Der. Amér.* Persona a quien se asigna la herencia o el legado.

ASIGNATURA f. Cada una de las materias que se enseñan o forman un plan de estudios.

ASILAR tr. Dar asilo. • tr. y prnl. Albergar en un asilo. • prnl. Tomar asilo en algún lugar. ■ ASILADO, DA.

ASILO m. Establecimiento en que se recogen menesterosos. • Acción de dar albergue. • *Pol.* Derecho de residencia que concede un gobierno al huido de un país por motivos políticos. • fig. Amparo. • *Zool.* Insecto zoófago díptero, de abdomen alargado y trompa larga.

ASILVESTRADO, DA adj. Planta silvestre que procede de semilla de planta cultivada.

ASIMETRÍA f. Falta de simetría. ■ ASIMÉTRICO, CA.

ASIMILACIÓN f. Acción y efecto de asimilar. • *Biol.* Incorporación de sustancias extrañas y conversión en la materia viva de los seres por medio del metabolismo. • *Fon.* Fenómeno de atracción articulatoria debido al cual un sonido toma las características de otro.

ASIMILAR tr. y prnl. Asemejar. • tr. Conceder a los individuos de una profesión derechos iguales a los que tienen los de otra. • *Fon.* Alterar un sonido para asemejarlo a otro que influye sobre aquél. • *Fisiol.* Absorber las células las sustancias necesarias para su conservación. • intr. Ser semejante una cosa a otra. • prnl. Parecerse. ■ ASIMILATIVO, VA.

ASIMILISTA adj. Que procura asimilar. Aplíca-

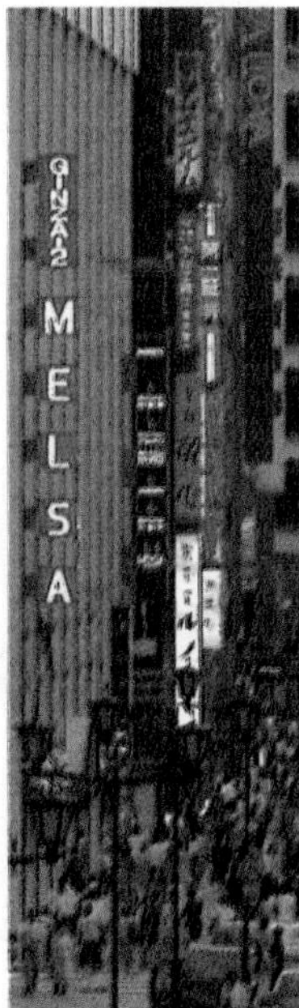

Asia. Calle céntrica en Tokio

Asia. Tigre de Bengala

se a la política que persigue tal fin, respecto de minorías étnicas o lingüísticas, o de colonias.

ASIMISMO adv. modo. De este o del mismo modo. • También.

ASIMOV, *Isaac* (1920-1992) Escritor y científico norteam., de origen ruso. Ciencia ficción (*Yo, robot*, la serie de las *Fundaciones*) y divulgación científica (*El universo*, *Historia universal Asimov*).

ASIMPLADO, DA adj. Que parece simple.

ASÍN o **ASINA** adv. modo. fam. Así.

ASÍN Palacios, *Miguel* (1871-1944) Arabista esp. *Glosario de voces romances registradas por un botánico hispano musulmán.*

ASINCRÓNICO, CA adj. Relativo al asincronismo. • *El.* Díc. del motor eléctrico en el que la velocidad de rotación del eje tiende a igualar la velocidad del campo magnético giratorio.

ASINCRONISMO m. Falta de sincronismo o de sincronía.

ASÍNCRONO, NA Adj. *Comp.* Díc. de la computadora cuyos procesos se inician como consecuencia de la presencia de una señal determinada y de la transmisión de datos entre computadoras carácter a carácter, sin seguir una cadencia preestablecida. • *El.* Díc. del motor eléctrico asincrónico.

ASINDÉTICO, CA adj. *Comp.* Díc. de los elementos que no pueden guardar relación entre sí.

ASÍNDETON m. *Ret.* Figura que consiste en omitir conjunciones para dar vivacidad a la frase.

ASINELLI, *Gerardo* (s. XII) Arquitecto it. Autor, con su hermano, de las torres inclinadas de Bolonia.

ASINERGIA f. Defecto o carencia de sinergia.

ASINTAL, El Mun. de Guatemala, en el dpto. de Retalhuleu; 11 700 hab. Agricultura.

ASÍNTOTA adj. y f. *Geom.* Díc. de una recta o curva que se acerca a otra sin llegar a ser tangentes.

ASIR tr. Tomar. • intr. Tratándose de plantas, arraigar. • prnl. Agarrarse de alguna cosa. • fig. Tomar pretexto para decir o hacer lo que se quiere. • prnl. fig. Reñir o contender dos o más. ■ ASIMIENTO.

ASIR Emirato incorporado a Arabia Saudita en 1934; 682 000 hab. Cap., Abha. Sit. en el SO de Arabia. Clima seco. Trigo, mijo, dátiles, café.

ASIRIA Ant. región de Asia, en la cuenca del Tigris, que correspondía al actual Kurdistán iraquí. Tuvo sucesivamente por cap. Asur, Kalah (Nimrud) y Nínive.

ASIRIO, RIA adj. y s. De Asiria. • Individuo de un pueblo de lengua semita y rel. cristiana, que habita en Turquía, Irak, Irán, Siria y Transcaucasia. • Lengua de la ant. Asiria, del grupo semítico.

ASIRIOLOGÍA f. Ciencia que trata de la escritura, lengua, historia de Asiria y Babilonia. ■ ASIRIÓLOGO, GA.

ASÍSMICO, CA adj. *Geol.* Díc. de las regiones estables de la corteza terrestre, donde no se registran movimientos sísmicos.

ASISTENCIA f. Acción de asistir o presencia actual. • Emolumentos que se ganan con la asistencia personal. • Socorro. • *Méx.* Pieza para recibir visitas. • pl. Medios que se dan a alguno para que se mantenga. • **social.** Servicio de orientación o beneficencia prestado por instituciones. ■ ASISTENCIAL.

ASISTENTA f. Mujer que hace de criada en una casa. • **social.** Diplomada cuya misión es solventar los problemas particulares de tipo social.

ASISTENTE adj. Que asiste. • m. Soldado destinado al servicio personal de un oficial.

ASISTIR tr. Acompañar a alguno en un acto público. • Servir en algunas cosas o interinamente. • Socorrer. • Estar de parte de uno la razón, etc. • intr. Acudir a una casa, trabajo, etc. • Estar presente.

ASISTOLIA f. *Pat.* Enfermedad producida por debilidad de la sístole cardíaca. ■ ASISTÓLICO, CA.

ASIUT Gobernación de Egipto, en el Alto Egipto; 1 553 km^2, 2 223 000 hab. • C. de Egipto, de la gobernación hom.; 213 700 hab.

ASMA f. *Pat.* Enfermedad de los pulmones manifestada por accesos de disnea respiratoria y emisión de ruidos sibilantes. ■ ASMÁTICO, CA.

ASMARA *(Asmera)* C. y cap. de Eritrea; 424 500 hab. Centro com. y fabril. Ind. alimentarias.

ASMONEOS Familia de los Macabeos, descendientes de Asmón (tribu de Simeón).

ASNA f. Hembra de asno. • pl. *Arq.* Costaneras, maderos que cargan sobre la viga principal.

Arte **asirio.** De arriba abajo: cabeza de un toro androcéfalo alado; representación de dos dignatarios en una pintura proveniente del palacio de Til Barsip; bajorrelieve del s. VIII a. C.

ASNACHO m. Mata papilionácea, de flores amarillas y fruto en vaina. • Gatuña, planta.

ASNILLA f. Sostén formado con un madero horizontal apoyado en cuatro tornapuntas. • *Const.* Puntal para apoyar la parte de un edificio que amenaza ruina.

ASNILLO m. *Zool.* Insecto coleóptero, insectívoro y muy voraz.

ASNO m. *Zool.* Animal solípedo, doméstico, más pequeño que el caballo, con las orejas largas y la extremidad de la cola poblada de cerdas. Se usa como bestia de carga y tiro. • adj. y m. fig. Persona ruda y de muy poco entendimiento. • **silvestre.** Asno salvaje africano. ■ ASNADA; ASNAL; ASNEAR.

ASOBINARSE prnl. Quedar una bestia tendida de modo que no pueda levantarse por sí misma. • Quedar una persona hecha un ovillo al caer.

ASOCARRONADO, DA adj. Que parece socarrón.

ASOCIACIÓN f. Acción y efecto de asociar o asociarse. • Conjunto de cosas asociadas. • *Biol.* Relación entre dos organismos que conviven con o sin beneficio mutuo. En el primer caso se habla de simbiosis, y en el segundo la relación recibe diferentes nombres (comensalismo, inquilinismo, parasitismo, etc.). • *Bot.* Comunidad de plantas adaptada a un ambiente determinado, y que se manifiesta por la presencia invariable de algunas especies. • *Psic.* Según la teoría de Pavlov, enlace establecido por un aprendizaje entre dos actividades o estados psíquicos. • *Ret.* Figura que consiste en decir de muchos lo que sólo es aplicable a varios o a uno solo. • *Soc.* Grupo de personas formado para realizar un fin común. • **de ideas** o **mental.** Acción mediante la que unas ideas o imágenes evocan otras. • **libre.** *Psiq.* Regla fundamental de la terapia psicoanalítica, según la cual el paciente debe decir cuanto se le ocurra. • **mineral.** *Miner.* Conjunto de minerales que suelen presentarse unidos, al estado natural, en una misma roca. • **Libertad de a.** Derecho reconocido por primera vez en la constitución fr. del 1848. Permite al ciudadano expresar colectivamente su opinión política. ■ ASOCIAMIENTO.

ASOCIACIÓN Europea de Libre Comercio (EFTA) Constituida en 1959 por Austria, Dinamarca, Gran Bretaña, Noruega, Portugal, Suecia y Suiza para eliminar las restricciones comerciales mutuas, post. se incorporaron Finlandia y las islas Feroe. La ampliación de la Unión Europea restó a la EFTA algunos de sus países miembros, y desde 1995 quedó reducida a Islandia, Liechtenstein, Noruega y Suiza. • **Internacional de Desarrollo** (AID) Filial del Banco Internacional de Reconstrucción y Desarrollo (BIRD). Creada en 1960, financia el progreso económico de los países subdesarrollados. • **Internacional de Trabajadores** (AIT) → Primera Internacional. • **Latinoamericana de Integración** (ALADI) Organismo que sustituyó en 1980 a la ALALC con objeto de garantizar el establecimiento de un mercado común latinoamericano tras el fracaso en su empeño de la ALALC. Ha recuperado algunos organismos de la ALALC y estructurado a sus países miembros en: a) *desarrollados* (Argentina, Brasil y México); b) *intermedios* (Chile, Colombia, Perú, Uruguay y Venezuela); c) *menos desarrollados* (Bolivia, Ecuador y Paraguay).

ASOCIACIONISMO m. *Psic.* Doctrina que explica todos los fenómenos de interioridad, por simple asociación de ideas.

ASOCIADO, DA adj. y s. Díc. de la persona que acompaña a otra en alguna comisión. • m. y f. Persona que forma parte de una asociación.

ASOCIAL adj. *Psic.* Que no se integra socialmente.

ASOCIAR tr. Juntar para cooperar a un fin común. • Establecer una relación entre ideas, imágenes, etc. • prnl. Juntarse para algún fin.

ASOCIATIVO, VA adj. Capaz de asociar. • *Mat.* Díc. de una propiedad matemática por la cual dos o más elementos consecutivos pueden sustituirse por su resultado.

ASOLANAR tr. y prnl. Dañar el viento solano alguna cosa.

ASOLAPAR tr. Asentar una teja, losa, etc., sobre otra, de modo que sólo cubra parte de ella.

ASOLAR tr. Poner por el suelo, destruir, arrasar. • tr. y prnl. Secar los campos, o echar a perder sus frutos, el calor, etc. • prnl. Tratándose de líquidos, posarse. ■ ASOLACIÓN; ASOLAMIENTO.

ASOLDAR tr. y prnl. Tomar a sueldo, asalariar.

ASOLEADO, DA adj. *Guat.*, *Hond.* y *Méx.* Torpe, tonto.
ASOLEAR tr. Tener al sol una cosa. • prnl. Acalorarse tomando el sol. • Ponerse muy moreno. • *Vet.* Contraer asoleo los animales. ■ *Amér.* ASOLEADA.
ASOLEO m. *Vet.* Enfermedad de ciertos animales, caracterizada por sofocación y palpitaciones.
ASOMAGADO, DA adj. *Ecuad.* Soñoliento.
ASOMAR intr. Empezar a mostrarse. • tr. y prnl. Sacar o mostrar alguna cosa por una abertura, o por detrás de alguna parte. • intr. Dejar entrever. • prnl. fam. Tener algún principio de borrachera. • fam. Empezar a enterarse de algo sin propósito de profundizar en su estudio. ■ ASOMADA; *R. Dom.* ASOMADERA.
ASOMBRAR tr. Hacer sombra una cosa a otra. • Oscurecer un color mezclándolo con otro. • tr. y prnl. fig. Asustar, espantar. • fig. Causar gran admiración. ■ ASOMBRADIZO, ZA; ASOMBRO; ASOMBROSO, SA.
ASOMO m. Indicio de alguna cosa. • Sospecha.
ASONADA f. Reunión numerosa para conseguir violentamente cualquier fin.
ASONANCIA f. Correspondencia de un sonido con otro. • fig. Correspondencia de una cosa con otra. • *Métr.* Identidad de vocales en las terminaciones de dos palabras a contar desde la última acentuada. • *Ret.* Uso inmotivado de voces que se correspondan unas con otras, hiriendo el oído. • *Ret.* Figura que consiste en emplear, al fin de dos o más miembros del periodo, voces que terminan en sílaba o sílabas iguales. ■ ASONANTE; ASONÁNTICO, CA.
ASONANTAR intr. Ser una palabra asonante de otra. • Incurrir en el vicio de la asonancia. • tr. Emplear en la rima una palabra como asonante de otra.
ASONAR intr. Hacer asonancia o convenir un sonido con otro.
ASORDAR tr. Ensordecer a alguno con ruido o con voces, de manera que no oiga.
ASOROCHARSE prnl. *Amér. Merid.* Padecer soroche. • *Amér. Merid.* Ruborizarse.
ASOTANAR tr. Excavar en el suelo para construir en él sótano o bodegas.
ASPA f. Conjunto de dos maderos atravesados en forma de X. • Aspacera. • Aparato exterior del molino de viento que forma una cruz o aspa. • Cada uno de los brazos de este aparato. • Cualquier agrupación, figura, representación o signo en forma de X.
ASPADO, DA adj. y s. Díc. del que por penitencia llevaba los brazos extendidos en forma de cruz, atados por las espaldas a una barra de hierro, espada, madero u otra cosa. • adj. Que tiene forma de aspa. • fig. y fam. Aplícase al que no puede manejar con facilidad los brazos, por oprimirle el vestido.
ASPALATO m. Nombre de varias plantas espinosas parecidas a la retama.
ASPAR tr. Hacer madeja el hilo en la aspadera. • Clavar en un aspa a una persona. • fig. y fam. Mortificar a alguno. ■ ASPADERA; ASPADOR, RA.
ASPARAGUINA f. *Biol.* Aminoácido derivado por reacción del ácido glutámico con el amoníaco. Posee propiedades hidrófilas.
ASPÁRTICO adj. *Biol.* Díc. de un aminoácido de cuatro átomos de carbono, una de las moléculas fundamentales de las proteínas.
ASPASIA Esposa de Pericles, famosa por su belleza e inteligencia.
ASPAVENTAR tr. Atemorizar o espantar.
ASPAVIENTO m. Demostración excesiva o afectada de espanto, admiración o sentimiento. ■ ASPAVENTERO, RA.
ASPEARSE prnl. Despearse.
ASPECTO m. Apariencia. • *Gram.* Categoría que distingue en el verbo clases de acción. ■ ASPECTUAL.
ASPEREAR intr. Tener sabor áspero.
ASPEREZA f. Calidad de áspero. • Desigualdad del terreno., ■ ASPERIDAD.
ASPERGER tr. Asperjar.
ASPERGES (voz latina) m. fam. La primera palabra de la antífona que canta el sacerdote al proceder a la aspersión con agua bendita. • fam. Rociadura. • fig. y fam. Hisopo.
ASPERGILLUS m. Gén. de mohos, que alteran algunos productos alimenticios y se utilizan para la fabricación de diversas sustancias bioquímicas.
ASPERIEGO, GA adj. y s. Especie de manzana, y manzano que la produce.
ASPERILLA f. *Bot.* Planta rubiácea, olorosa, de flores de color blanco azulado y fruto redondo.
ASPERILLO m. Gusto agrio de la fruta no madura, o el que tiene algún manjar o bebida.
ASPERJAR tr. Hisopear. • Rociar un líquido. ■ ASPERSIÓN; ASPERSOR; ASPERSORIO.
ASPERMIA f. *Pat.* Reducción notable o falta de secreción espermática. ■ ASPERMO, MA.
ÁSPERO, RA adj. No suave al tacto. • Escabroso. • fig. Desapacible al gusto o al oído. • fig. Violento, hablando de enfrentamientos. • fig. Desabrido.
ASPERÓN m. Arenisca de cemento silíceo o arcilloso, usada en construcción y en piedras de amolar.
ASPÉRULA f. *Bot.* Gén. de plantas de la familia rubiáceas, usadas para alimentación del ganado y en medicina.
ÁSPID m. *Zool.* Víbora europea muy venenosa. • *Zool.* Serpiente venenosa del N de África. • ant. Pieza de artillería, de pequeño calibre.
ASPIDISTRA f. *Bot.* Planta liliácea de hojas persistentes.
ASPILLERA f. *Mil.* Abertura en un muro.
ASPIRACIÓN f. Acción y efecto de aspirar. • *Mús.* Espacio menor de la pausa. • *Fon.* Sonido que resulta de una fuerte emisión de aliento.
ASPIRADO, DA adj. *Fon.* Díc. del sonido que se pronuncia emitiendo con fuerza el aire de la garganta. • adj. y f. Letra que representa este sonido.
ASPIRADOR, RA adj. y s. Que aspira el aire. • m. y f. Electrodoméstico que absorbe. • Dispositivo para extraer fluidos, por aspiración.
ASPIRANTE adj. y s. Que aspira. • m. Persona que ha obtenido derecho a ocupar un cargo.
ASPIRAR tr. Atraer el aire exterior a los pulmones. • Pretender algún empleo, etc. • *Fon.* Pronunciar con aspiración.
ASPIRINA f. *Farm.* Nombre comercial patentado del ácido acetilsalicílico, de acción analgésica, antirreumática y febrífuga.
ASPIROPSICRÓMETRO m. *Fís.* Variante del psicrómetro en la que una corriente de aire acelera la evaporación del agua en la muselina del termómetro húmedo.
ASPLENIA f. *Med.* Carencia de bazo.
ASPLUND, *Erik Gunnar* (1885-1940) Arquitecto sueco. Sus obras señalan la transición del eclecticismo clasicista al funcionalismo. Edificios de la Exposición de Estocolmo, ayuntamiento de Göteborg.
ASQUEAR tr. e intr. Sentir asco de alguna cosa: desecharla, repudiarla.
ASQUELMINTO adj. y m. *Zool.* Díc. de los invertebrados del grupo asquelmintos. • m. pl. *Zool.* Taxón que incluye especies de distintos grupos que no pueden considerarse monofiléticos.
ASQUEROSO, SA adj. Que causa asco. • Que tiene asco. • Propenso a tenerlo. • fam. Muy sucio. ■ ASQUEROSIDAD.
ASQUITH, *Anthony* (1902-1968) Director cinematográfico brit. *Pigmalión*, *La millonaria*. • ***Herbert Henry*** (1852-1928) Estadista brit. Ministro del Interior en los gabinetes de Gladstone y Rosebery. Primer ministro [1908-1916]. Ostentó la jefatura del partido liberal hasta 1926.
ASSAD, *Hafez al-* (1928-2000) Militar y político sirio. Nombrado ministro de Defensa y jefe de las Fuerzas Aéreas en 1966. Primer ministro en 1970 a raíz de un golpe. Elegido presid. en 1971.
ASSAM Est. del NE de la India, atravesado por el Brahmaputra; 78 523 km, 22 294 600 hab. Cap., Dispur. Terr. llano. Arroz, té, algodón. Petróleo, carbón.
ASSEMBLER → Ensamblador.
ASSINIBOINE Río de Canadá; 965 km. Se une en Winnipeg con el río Rojo.
ASSOCIATED PRESS Agencia informativa norteam. estructurada en forma de cooperativa, la más importante del mundo.
ASTA f. Arma ofensiva de los rom. • Palo de la lanza, pica, venablo, etc. • Lanza. • Palo en cuyo extremo se pone una bandera. • Cuerno de un animal. ■ ASTADO, DA.
ASTÁCIDO, DA adj. *Zool.* Díc. de los crustáceos denominados vulgarmente cangrejos de río.
ÁSTACO m. Cangrejo de agua dulce.
ASTAIRE, *Fred* (1899-1987) Bailarín y actor norteam. Con Ginger Rogers formó una pareja cinematográfica famosa.

Asno

Aspa de molino

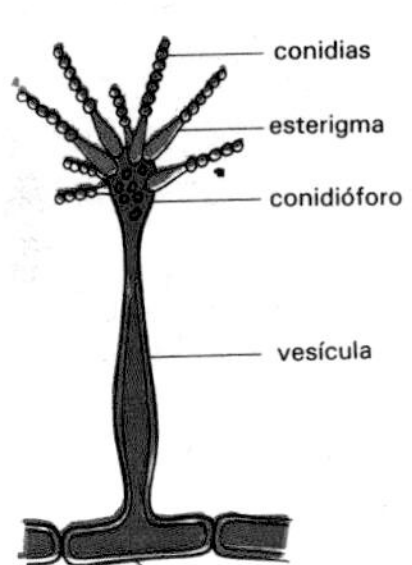

Arriba, esquema anatómico de un cultivo de moho del género **Aspergillus**

Áspid

Aster

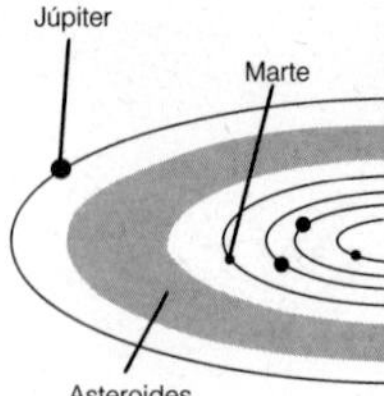

Órbitas recorridas por los **asteroides**

Astrolabio árabe del s. XII

ASTANA C. y cap. de Kazakistán; 280 200 hab. Nucleo industrial. Ant. Tselinogrado, en 1997 sustituyó a Alma-Atá como cap. del Est. con el nombre de Akmola. En 1998 adoptó su nombre actual.
ASTARTÉ (fenicio, *Ashtart*) *Mit.* Diosa fenicia de origen sumeroacadio.
ASTASIA f. *Pat.* Dificultad o imposibilidad de mantener la posición erecta del cuerpo.
ASTÁTICO, CA adj. Díc. del sistema formado por dos agujas imantadas que se colocan con los polos invertidos y los ejes paralelos.
ASTATO m. *Quím.* Elemento de símb. At, n. a. 85 y p. a. del isótopo más notable 210. Es un no metal sólido.
ASTEÍSMO m. *Ret.* Figura que consiste en dirigir una alabanza con apariencia de reprensión.
ASTENIA f. *Pat.* Falta de fuerza, agotamiento tanto físico como psíquico. ■ ASTÉNICO, CA.
ASTENOSFERA f. *Geol.* Zona de la Tierra, que comprende la corteza terrestre y las capas superiores del manto.
ASTER m. *Bot.* Gén. de plantas de la familia compuestas, vivaces, con hojas alternas, sencillas, y flores con cabezuelas solitarias.
ÁSTER m. *Biol.* Estructura del centrosoma compuesta por fibras proteínicas gelificadas dispuestas en estrella.
ASTERIA f. *Zool.* Equinodermo, estrella de mar.
ASTERISCO m. Signo ortográfico (*) que se emplea como llamada para las notas añadidas al texto o para otros usos convencionales.
ASTEROIDE adj. Que tiene forma de estrella. • m. *Astr.* Planetoide que recorre órbitas intermedias entre Marte y Júpiter.
ASTEROIDEO, A adj. y m. *Zool.* Díc. de los equinodermos de la clase asteroideos. • m. pl. *Zool.* Clase de equinodermos: incluye la llamada *estrella de mar.*
ASTI Prov. de Italia, en la región del Piamonte; 1 511 km^2, 211 800 hab. • C. de Italia, cap. de la prov. hom.; 75 800 hab.
ASTIFINO adj. *Taur.* Díc. del toro de astas delgadas y finas.
ASTIGMATISMO m. *Ópt.* Aberración del ojo o de un instrumento óptico. Se presenta cuando los rayos procedentes de un punto no se concentran en otro punto. En el hombre es debido a un defecto de esfericidad de la córnea. ■ ASTÍGMATA; ASTIGMÁTICO, CA.
ASTIGMÓMETRO m. *Ópt.* Instrumento que sirve para apreciar o medir el astigmatismo y su dirección.
ASTIL m. Mango de las hachas, azadas, etc. • Varilla de la saeta. • Barra horizontal, de cuyos extremos penden los platillos de la balanza. • Vara de hierro por donde corre el pilón de la romana. • Eje córneo que continúa el cañón y del cual salen las barbas de la pluma.
ASTILLA f. Fragmento que salta de un trozo de madera partido toscamente. • Esquirla, trozo irregular arrancado de otro material cualquiera. ■ ASTILLAR; ASTILLAZO.
ASTILLERO m. Percha en que se ponen las astas o picas y lanzas. • Instalación donde se construyen y reparan buques. • Depósito de maderos. • *Méx.* Lugar del monte en que se hace corte de leña.
ASTILLOSO, SA adj. Aplícase a los cuerpos que fácilmente se rompen formando astillas. • *Miner.* Díc. de la fractura de los minerales que, al quebrarse, tienen sus caras ásperas como las de las astillas.
ASTON, *Francis William* (1877-1945) Físico brit. Construyó el primer espectrógrafo de masas. Premio Nobel de Química (1922).
ASTOR, *John Jacob* (1763-1848) Comerciante norteam. de origen al., fundador de la ciudad de Astoria. • ***William Waldorf*** (1848-1919) Bisnieto del anterior. Establecido en Gran Bretaña, creó diversas empresas periodísticas.
ASTRACÁN m. Piel de cordero nonato o recién nacido. • Tejido de lana o de pelo de cabra que forma rizos.
ASTRACÁN (*Astrajan*) Prov. de Rusia; 971 000 hab. Famosa por la calidad de sus pieles de cordero. • C. y cap. de la prov. homónima; 493 000 hab.
ASTRACANADA f. fam. Farsa teatral disparatada y chabacana.
ASTRADA, *Carlos* (1894-1970) Filósofo y sociólogo arg. Estudioso del marxismo. *Existencialismo y crisis de la filosofía, El marxismo y las escatologías, Nietzsche y la crisis del irracionalismo.*
ASTRÁGALO m. Tragacanto, planta. • *Arq.* Cordón en forma de anillo que rodea el fuste de la columna. • *Mil.* Anillo de adorno en los cañones de artillería. • *Anat.* Taba, hueso.
ASTRAL adj. Relativo a los astros. • *Biol.* Relativo al áster.
ASTRANA Marín, *Luis* (1889-1959) Erudito esp. *Vida ejemplar y heroica de Miguel de Cervantes, Cristóbal Colón.*
ASTRAPOTERIO, A adj. y m. *Zool.* Díc. de los mamíferos del orden astrapoterios. • m. pl. *Zool.* Orden de mamíferos ungulados que vivieron en la era terciaria en América del Sur.
ASTREA *Mit.* Diosa de la justicia.
ASTRINGENTE adj. y s. Díc. de la sustancia que provoca una contracción fibrilar de los tejidos orgánicos.
ASTRINGIR tr. Estrechar, contraer alguna sustancia los tejidos orgánicos. • fig. Sujetar, obligar, constreñir. ■ ASTRICCIÓN; ASTRICTIVO, VA; ASTRINGENCIA; ASTRIÑIR.
ASTRO m. Cuerpo celeste de la Vía Láctea, de forma bien determinada, como las estrellas, planetas, satélites y cometas. • Persona que destaca en su medio.
ASTRODINÁMICA f. Ciencia que estudia las leyes dinámicas de los movimientos de los astros.
ASTRODOMO m. *Aer.* Cubierta transparente de las cabinas de pilotaje de los aviones.
ASTROFÍSICA f. Rama de la astronomía que estudia los fenómenos físicos y la composición de los cuerpos celestes y de la materia interestelar. ■ ASTROFÍSICO, CA.
ASTROFOTOGRAFÍA f. Técnica de la aplicación de la fotografía a los estudios astronómicos.
ASTROGEOFÍSICA f. *Astr.* Rama de la astronomía que usa técnicas propias de la astronomía y de la geofísica.
ASTRÓGRAFO m. Telescopio aplicado a la fotografía de los astros y de sus espectros. ■ ASTROGRÁFICO, CA.
ASTROLABIO m. ant. Instrumento para medir la altura de los astros.
ASTROLITO m. Aerolito.
ASTROLOGÍA f. Ciencia o arte adivinatoria consistente en predecir el porvenir por la posición de los astros. ■ ASTROLÓGICO, CA; ASTRÓLOGO, GA.
ASTROMETEOROLOGÍA f. Ciencia que estudia las relaciones entre los fenómenos cósmicos y los atmosféricos terrestres.
ASTRONAUTA com. Persona que navega a bordo de una astronave.
ASTRONÁUTICA f. Ciencia y técnica de la navegación aérea. Actualmente, el término se aplica especialmente a los viajes espaciales, al diseño de vehículos para realizar estos viajes o poner en órbita satélites y al conjunto de técnicas necesarias.
* *Hist.* Los primeros ensayos de cohetes propulsados por combustibles líquidos se realizaron a principios de siglo; los pioneros fueron el ruso Ziolkovski, el norteam. Goddad, el fr. Esnault-Peleterie, el rumano Oberth y el al. Sängert. Durante la II Guerra Mundial, Alemania desarrolló las V1 y V2, diseñadas por W. von Braun. Los soviéticos lanzaron con éxito el primer satélite artificial, el *Sputnik* (1957). Con la puesta en órbita del satélite *Explorer I* (1958), se inició la gran pugna entre los EE UU y la URSS en la carrera del espacio. EE UU ha puesto énfasis en los cohetes de lanzamiento, mientras Rusia ha concentrado sus esfuerzos en el estudio de los efectos sobre el organismo humano de los viajes espaciales prolongados. La investigación espacial se desarrolla en tres frentes: el de los vehículos de lanzamiento, el de los satélites, tanto civiles como militares, y el de las sondas de exploración científica del sistema solar.
ASTRONAVE f. Vehículo espacial para efectuar recorridos interplanetarios.
ASTRONOMÍA f. Ciencia que estudia los cuerpos celestes, sus movimientos, su composición química y física, sus posiciones relativas y la evolución de su desarrollo.
* *Hist.* La observación del cielo ha sido una constante desde los albores de la humanidad. Los pueblos más antiguos advirtieron que determinados puntos del firmamento permanecían fijos (las estrellas), mientras que otros cambiaban de posición (los planetas). Los astrónomos griegos (Aristarco de Samos, Hiparco, Tolomeo), aunque apoyándose casi

ASTRONÁUTICA

1

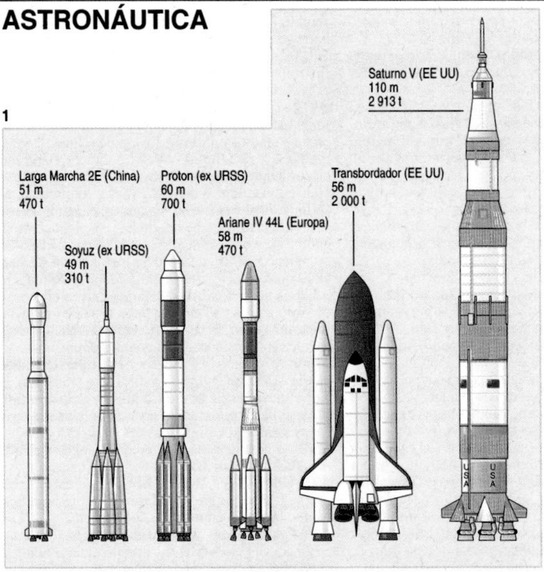

Larga Marcha 2E (China) 51 m 470 t

Soyuz (ex URSS) 49 m 310 t

Proton (ex URSS) 60 m 700 t

Ariane IV 44L (Europa) 58 m 470 t

Transbordador (EE UU) 56 m 2 000 t

Saturno V (EE UU) 110 m 2 913 t

1. Aunque el cohete nació en China en el s. XIII, fueron los alemanes quienes revolucionaron la astronáutica durante la II Guerra Mundial. Con los cohetes, grupos autónomos propulsados por la fuerza de reacción originada por la expulsión parcial de su masa, el hombre inició la exploración del espacio.
2. Uno de los hitos de la astronáutica fue la llegada del hombre a la Luna, el 20 de julio de 1969.
3. El desarrollo de naves no tripuladas, sondas espaciales y robots ha permitido investigar los planetas del sistema solar. En la imagen, el módulo explorador ligero *Sojourner* de la misión *Mars Pathfinder* explorando la superficie de Marte en 1997.
4. Las estaciones espaciales son grandes obras de ingeniería en órbita que posibilitan la vida en el espacio. En la imagen, la recreación de la Estación Espacial Internacional (ISS), que permitirá, en el año 2005, la investigación científica en el espacio.

2

3

4

siempre en una visión geocéntrica del universo, sistematizaron y desarrollaron los conocimientos astronómicos de los pueblos más antiguos, e idearon técnicas para realizar las primeras mediciones de distancias. La a. moderna tiene su punto de partida en 1543, año en que Nicolás Copérnico publicó *La revolución de los cuerpos celestes*, obra que defendía el heliocentrismo. Posteriormente, Galileo, apoyándose en su anteojo astronómico, y después Tycho Brahe, llevaron a cabo una ingente tarea de observación del universo. Sus aportaciones permitieron a Kepler afirmar el movimiento elíptico de los planetas y formular sus leyes, las cuales, sin embargo, no se deducían de un principio único y eran realmente simples ajustes matemáticos de las observaciones recogidas. La gran unificación fue obra de Newton, quien en 1687 introdujo la Ley de la atracción gravitatoria, que permitió explicar con un solo principio todas las leyes de Kepler. Newton y Leibniz sentaron las bases del cálculo infinitesimal en el que había de apoyarse toda la a. posterior. El paradigma newtoniano fue profundizado y ampliado durante los ss. XVIII y XIX por astrónomos como Laplace, Herschel, Bessel o Le Verrier, y permaneció incontestado hasta la revolucionaria obra de Einstein, quien sentó con su teoría de la relatividad generalizada las bases de la cosmología contemporánea. La a. tiene ahora la posibilidad de explorar el universo en todas las longitudes de onda del espectro electromagnético (ultravioleta, infrarrojo, rayos X, etc.) mientras que hasta hace pocas décadas la exploración sólo era posible en la luz visible; así se ha logrado verificar muchas de las previsiones de la relatividad generalizada. ■ ASTRÓNOMO, MA.

ASTRONÓMICO, CA adj. Relativo a la astronomía. • fig. y fam. Díc. de las cantidades extraordinariamente grandes.

ASTROSO, SA adj. Infausto, desgraciado. • Desastrado. • fig. Vil, despreciable.

ASTUCIA f. Calidad de astuto. • Ardid para lograr un intento.

ASTURIANISMO m. Locución o modo de hablar peculiar de los asturianos.

ASTURIANO, NA adj. y s. De Asturias. • adj. y m. *Ling.* Variedad asturiana del dialecto romance astur-leonés.

ASTURIAS, *Principado de* Com. autón. de España integrada por la prov. de Asturias; 10 565 km^2, 1 087 885 hab. Cap., Oviedo. Sit. en el N de la pen. Ibérica. Relieve accidentado (cord. Cantábrica). Clima oceánico. Minería. Agricultura. Ganadería. Pesca. El reino de A. nació el año 718, al ser proclamado rey Pelayo, tras la derrota de los musulmanes en Covadonga. Reino indep. hasta el 924, en que la capital se trasladó a León. En 1981 se constituyó en com. autón. regida por un Consejo de Gobierno.

ASTURIAS, *Miguel Ángel* (1899-1974) Escritor y diplomático guat. Se dio a conocer, en 1930, con *Leyendas de Guatemala*. Novelista: *Week-end en Guatemala*, *El señor presidente*, *Hombres de maíz* y la trilogía formada por *Viento fuerte*, *El Papa Verde* y *Los ojos de los enterrados*. Cultivó también la poesía, el teatro y la antología *(Poesía precolombina)*. Premio Nobel de Literatura en 1967.

Miguel Ángel **Asturias**

Desierto de **Atacama**

Atahualpa

Asunción, capital de Paraguay

ASTURLEONÉS, SA o ASTUR-LEONÉS, SA adj. De Asturias y León. • adj. y m. *Ling.* Dialecto romance nacido en Asturias y León.

ASTUTO, TA adj. Hábil para engañar o evitar el engaño o lograr artificiosamente un fin. • Que implica astucia. ▪ ASTUCIOSO, SA.

ASUÁN o **ASWÂN** Gobernación de Egipto; 1 533 km², 649 000 hab. Presa sobre el Nilo, con un embalse (lago Nasser) que tiene 400 km de longitud • C. de Egipto, cap. de la gobernación hom.; 144 700 hab.

ASUERO (heb., *Ahasweros*) Rey persa, casado con Ester. Defensor de los hebreos.

ASUETO m. Tiempo de descanso o vacación.

ASUMIR tr. Atraer a sí, tomar para sí. • Tomar algo gran incremento. • *Amér.* Suponer.

ASUNCENO, NA adj. y s. De Asunción.

ASUNCIÓN f. Acto de ser elevada por Dios la Virgen desde la tierra al cielo en cuerpo y alma. • Fiesta c on que celebra la Iglesia este acto, el 15 de agosto. • Acto de ser ascendido al pontificado, imperio, etc.

ASUNCIÓN C. de Paraguay, cap. del país y distrito especial, sit. a orillas del río Paraguay; 794 166 hab. (agl. urbana). Cap. financiera y bancaria. Centro de comunicaciones. Ind. textil y alimentaria. Universidad (s. XVI). Fundada en 1537 por Juan de Salazar. Centro colonial de penetración hacia las cuencas del Paraguay y Pilcomayo. Notables construcciones del s. XIX (catedral, palacio del Congreso, palacio arzobispal, iglesia de la Encarnación). Ocupada por las tropas bras (1870-1875). • ***La*** C. de Venezuela, cap. del est. Nueva Esparta; 10 400 hab.

ASUNCIÓN MITA Mun. de Guatemala, en el dpto. de Jutiapa; 25 300 hab. Agricultura, ganadería. Industria.

ASUNCIONISTA adj. y s. com. Religioso de la congregación de la Asunción de María.

ASÚNSOLO, *Ignacio* (1890-1965) Escultor mex. *La soldadera muerta, Monumento a los niños héroes.*

ASUNTAR tr. *R. Dom.* Atender. • intr. *Ur.* Pensar, reflexionar.

ASUNTO m. Materia de que se trata. • Argumento de una obra. • Lo que representa un cuadro o escultura. • Negocio.

ASUR o ASHUR Primera cap. de Asiria, en el s. XIX a.C. Sit. cerca de Ash Sharqat.

ASUR Dios guerrero de Asiria.

ASURAR tr. y prnl. Requemar los guisados en la vasija donde se cuecen. • Abrasar los sembrados el calor excesivo • fig. Inquietar mucho. • prnl. Asarse. ▪ ASURAMIENTO.

ASURBANIPAL I Rey de Asiria (669-625 a. C.), bajo cuyo mandato el imperio alcanzó el apogeo.

ASURCADO, DA adj. Que tiene surcos o hendiduras.

ASURNASIRPAL II (883-859 a.C.) Rey asirio. Extendió sus dominios desde el Tigris hasta el Mediterráneo. Estableció su cap. en Kalah (Nimrud).

ASUR-UBALIT I (mediados s. XIV a.C.) Rey asirio. Liberó a su país del dominio del Mitanni y se anexionó parte de este estado. • **II** (finales s. VII a.C.) Último rey asirio. Sus esfuerzos por mantener a Asiria independiente resultaron inútiles.

ASUSTAR tr. y prnl. Dar o causar susto. ▪ ASUSTADIZO, ZA.

At *Quím.* Símbolo del astato.

ATABACADO, DA adj. De color de tabaco.

ATABAL m. Timbal, tambor de un parche. • Tamboril que se toca en fiestas públicas. • Atabalero.

ATABALEAR intr. Producir los caballos con las manos ruido semejante al de los atabales. • Imitar con los dedos, sobre un mueble, el golpear de los palillos sobre los atabales.

ATABANADO, DA adj. Díc. del caballo o yegua de pelo oscuro, con pintas blancas.

ATABE m. Pequeña abertura en la parte alta de una cañería para que salga el aire o para comprobar si llega el agua a ella.

ATABERNADO adj. Díc. del vino que se vende al por menor en las tabernas.

ATABLADERA f. Tabla que, arrastrada por caballerías, sirve para atablar.

ATABLAR tr. Allanar con la atabladera la tierra ya sembrada.

ATACADO, DA adj. Encogido. • fig. y fam. Miserable. • m. Operación de rellenar el agujero de un barreno para apisonar su carga explosiva.

ATACADOR, RA adj. y s. Que ataca • m. *Mil.* Instrumento para atacar los cañones de artillería.

ATACAMA Región del N de Chile; 75 573,3 km², 230 786 hab. Cap., Copiapó. Zona de desiertos salinos (Maricemga y Ojos del Salado), accidentada en su mitad oriental por los Andes, que alcanzan grandes elevaciones (Potro, Tres Cruces, San Francisco). Clima moderado y seco. Avenada por los r. Huasco, Copiapó y Salado. Vid, gramináceas, alfalfa. Ganadería ovina, vacuna y caprina. Pesca. Cobre, hierro, oro, bórax, plata. Ind. (concentrada en la cap. y en Paipote, Punta del Cobre, El Soldado, Ojanco y Elisa de Bordos) metalúrgica, alimentaria, maderera. Puerto pral.: Caldera. • **Desierto de A.** Zona árida y cálida del N de Chile, en las prov. de Antofagasta y Chañaral; unos 132 000 km². Es el lugar más seco de la Tierra. Grandes oscilaciones térmicas diarias. Zona con grandes depósitos de sal común y boratos. • **Puna de A.** Altiplanicie andina que se extiende desde la cordillera Domeyko, en Chile, hasta la sierra de Calalaste, en Argentina. Es desértica y presenta diversas depresiones ocupadas por salares, entre ellos el hom. (2 270 km²) de Chile, rico en boratos y sal común, y el de Arizavo.

ATACAMEÑO, ÑA adj. y s. De Atacama.

ATACAMITA f. *Miner.* Mineral de color verde que se funde con facilidad dando cobre metálico. Abunda en el desierto chil. de Atacama.

ATACAR tr. Abrochar, ajustar al cuerpo cualquier pieza del vestido. • Meter y apretar el taco en un arma de fuego, mina o barreno. • Apretar, atiborrar. • Acometer. • fig. Impugnar, contradecir. • fig. Acorralar a una persona en algún argumento. • fig. Tratándose del sueño, enfermedades, etc., acometer, dar. • *Mús.* Producir un sonido por medio de un golpe seco y fuerte. • *Quím.* Ejercer acción una sustancia sobre otra. ▪ ATACADURA.

ATACOLA m. Correa o cordón con que se mantiene recogida la cola del caballo.

ATADERAS f. pl. fam. Ligas para atar las medias.

ATADERO m. Lo que sirve para atar. • Parte por donde se ata una cosa. • Gancho, anillo, etc., en que se ata el ramal de las bestias.

ATADIJO m. fam. Lío pequeño y mal hecho. • Atadero, lo que sirve para atar.

ATADO, DA adj. fig. Díc. de la persona pusilánime. • m. Conjunto de cosas atadas.

ATADOR, RA adj. y s. Que ata. • m. *Agr.* Entre segadores, el que ata los haces o gavillas.

ATAFAGAR tr. y prnl. Aturdir. • tr. fig. y fam. Molestar importunamente.

ATAFETANADO, DA adj. Semejante al tafetán.

ATAGUÍA f. Macizo de alguna materia impermeable para atajar el paso del agua durante la construcción de una obra hidráulica.

ATAHARRE m. Banda de cuero o cáñamo que sirve para impedir que el aparejo de la caballería se corra hacia adelante.

ATAHORMA f. Águila de color ceniciento, con el pecho manchado de gris rojizo y tarsos amarillos.

ATAHUALPA (1500-1533) Hijo de Huayna Cápac y de una descendiente de los reyes de Quito. Se proclamó inca del Perú tras derrotar a su hermano paterno Huáscar. Pizarro le hizo prisionero en 1532 y posteriormente lo mandó ejecutar.

ATAIDE, *Manuel da Costa* (1762-1837) Pintor rococó bras. *Asunción de la Virgen* (Ouro Prêto).

ATAIRE m. Moldura en escuadras y tableros de puertas o ventanas. ▪ ATAIRAR.

ATAJADERO m. Caballón u obstáculo que se pone en las caceras, acequias o regueras para hacer entrar o distribuir el agua en una finca.

ATAJADIZO m. Tabique con que se ataja un sitio. • Porción menor del sitio atajado.

ATAJADOR, RA adj. y s. Que ataja. • *Chile.* El que guía la recua.

ATAJAPRIMO m. *Cuba.* Baile popular.

ATAJAR intr. Ir por el atajo. • tr. Salir al encuentro por algún atajo. • Cortar o dividir algún sitio por medio de un tabique, un cancel, etc. • Señalar en un escrito la parte a omitir al leerlo o copiarlo. • Impedir el curso de alguna cosa. • fig. Interrumpir a uno en lo que va diciendo. • prnl. fig. Correrse de vergüenza, miedo o perplejidad. ▪ *Chile.* ATAJADA.

ATAJO m. Senda por donde se abrevia el camino. • fig. Procedimiento rápido. • Separación o división de alguna cosa. • Pequeño grupo de cabezas de ganado. • fig. y fam. Conjunto o copia.
ATALAJAR tr. Poner el atalaje a las caballerías de tiro y engancharlas.
ATALAJE m. Atelaje. • fig. y fam. Ajuar.
ATALANTAR tr. e intr. Agradar, convenir. • prnl. Acodiciarse, prendarse.
ATALAYA f. Torre para atalayar. • Altura desde donde se descubre mucho espacio de tierra o de mar. • fig. Estado o posición desde la que se aprecia bien una verdad. • m. Hombre destinado a registrar desde la atalaya y avisar de lo que descubre. • El que atisba o procura inquirir lo que sucede.
ATALAYAR tr. Registrar el campo o el mar desde una atalaya. • tr. y prnl. fig. Espiar las acciones de otros. ■ ATALAYADOR, RA.
ATALAYERO m. Soldado que servía en puestos avanzados, para avisar los movimientos del enemigo.
ATALUDAR tr. Dar talud.
ATALUZAR tr. Ataludar.
ATAMÁN m. Capitán de cosacos. • Título de los príncipes herederos rusos desde 1835.
ATAMIENTO m. fig. y fam. Cortedad de ánimo.
ATANASIA f. Hierba de Santa María.
ATANASIO ***de Alejandría*** (295?-373) Santo. Obispo de Alejandría. Defensor de las definiciones del concilio de Nicea (325).
ATANOR m. Cañería para conducir agua. • Cada uno de los tubos de barro cocido de que suele formarse dicha cañería.
ATANQUÍA f. Ungüento depilatorio. • Adúcar del capullo. • Cadarzo, seda basta.
ATAÑER intr. Tocar o pertenecer.
ATAPASCO, CA o **ATHABASCO, CA** adj. y s. Relativo a los atapascos. • m. pl. Pueblos amerindios norteam. diseminados desde Alaska hasta el N de México y del Pacífico a la bahía de Hudson.
ATAPIALAR tr. *Ecuad.* Tapiar.
ATAPUZAR tr. *Ven.* Atiborrar, llenar.
ATAQUE m. Acción y efecto de atacar. • *Dep.* En juegos de equipo, conjunto de jugadores encargados de puntuar en meta contraria.• *Mil.* Trabajos de trinchera para expugnar una plaza. • *Min.* Fase de la extracción de una roca o mineral durante la que se separa la masa a extraer según varias caras. • *Quím.* Operación de diferenciación de los componentes de una aleación, para proceder al examen microscópico.
ATAQUIZAR tr. *Agr.* Amugronar.
ATAR tr. Unir o sujetar con ligaduras o nudos. • fig. Impedir o quitar el movimiento. • Juntar, relacionar, conciliar. • prnl. fig. Embarazarse, no saber cómo salir de un apuro. • fig. Ceñirse a una cosa o materia determinada. ■ ATADURA.
ATARACEA f. Taracea.
ATARANTADO, DA adj. Picado de la tarántula. • fig. y fam. Inquieto y bullicioso. • fig. y fam. Aturdido o espantado.
ATARANTAPAYOS m. *Méx.* Espantavillanos.
ATARANTAR tr. y prnl. Causar aturdimiento. • prnl. *Chile.* Atropellarse, precipitarse.
ATARAXIA f. *Fil.* Imperturbabilidad del ánimo. Voz usada por Demócrito para designar el estado óptimo de interioridad, producto de un adecuado conocimiento que libera de temores.
ATARÁXICO, CA adj. y s. Tranquilizante.
ATARAZANA f. Arsenal en que se reparan embarcaciones. • Cobertizo en que trabajan los cordeleros o los fabricantes de telas de estopa o cáñamo.
ATARAZAR tr. Morder o rasgar con los dientes.
ATARDECER intr. Caer la tarde. • m. Último período de la tarde.
ATAREAR tr. Poner o señalar tarea. • prnl. Entregarse mucho al trabajo.
ATARJEA f. Construcción de ladrillo con que se cubren las cañerías para protegerlas. • Conducto por donde las aguas residuales van al sumidero. • *Méx.* Canalito de mampostería para conducir agua.
ATARQUINAMIENTO m. *Ing.* Procedimiento para elevar un terreno más bajo que el circundante hasta conseguir que alcance el mismo nivel de éste. El a. se realiza mediante el vertido de aguas turbias, cuyo légamo (tarquín) va elevando el suelo al sedimentarse. ■ ATARQUINAR.
ATARRAGA f. Olivarda, planta.
ATARRAGAR tr. Entre herradores, dar forma con el martillo a la herradura y a los clavos. • tr. y prnl. *Amér.* Atracar.
ATARRAYA f. Esparavel, red para pescar.
ATARUGAR tr. *Carp.* Asegurar un ensamblado con tarugos, cuñas o clavijas. • Tapar con tarugos o tapones los agujeros de los pilones, pilas o vasijas, para impedir que se escape el líquido que contienen. • tr. y prnl., fig. y fam. Hacer callar a alguno. • tr. fig. y fam. Atestar. • tr. y prnl., fig. y fam. Atracar, hartar. • prnl. fig. y fam. Atragantarse. • fig. Cortarse. ■ ATARUGAMIENTO.
ATASAJADO, DA adj. fam. Díc. de la persona que va tendida sobre una caballería.
ATASAJAR tr. Hacer tasajos la carne.
ATASCADERO m. Sitio donde se atascan los carruajes, caballerías o personas. • fig. Estorbo que impide la continuación de un proyecto, empresa, etc.
ATASCAR tr. Tapar con tascos las aberturas que hay entre tabla y tabla y las hendiduras de ellas. • tr. y prnl. Obstruir un conducto con alguna cosa. • fig. Poner embarazo en cualquier dependencia o negocio para que no prosiga. • fig. Impedir a alguno que prosiga lo comenzado. • prnl. Quedarse detenido en un pantano de donde no se puede salir fácilmente. • fam. Quedarse detenido por algún obstáculo. • fig. Quedarse en algún razonamiento sin poder proseguir. ■ ATASCAMIENTO; ATASCO.
ATASSI, *Nureddin* (nacido 1929) Político sirio, jefe del gobierno baasista desde 1966 a 1969.
ATATÜRK, *Mustafá Kemal* (1881-1938) Fundador y primer presid. de la República de Turquía [1923-1938]. En 1924 abolió el califato. Modernizó y secularizó las instituciones del país.
ATAÚD m. Caja donde se pone el cadáver para llevarlo a enterrar.
ATAUJÍA f. Obra de adorno que se hace con filamentos de oro o plata embutidos en otros metales. • fig. Labor primorosa.
ATAÚLFO Rey visigodo [410-415], sucesor de Alarico I. Formó un reino independiente en las Galias, con cap. en Burdeos.
ATAURIQUE m. Labor propia del arte ár. que representa hojas y flores, hecha con yeso.
ATAVIAR tr. y prnl. Componer, asear, adornar.
ATAVÍO m. Compostura y adorno. • fig. Vestido. • pl. Objetos que sirven para adorno.
ATAVISMO m. Semejanza con los abuelos. • Presencia, en algunos individuos aislados, de características que no aparecen en los padres ni en los ascendientes de varias generaciones y sí en los antepasados remotos. • fig. Comportamiento instintivo, ancestral. ■ ATÁVICO, CA.
ATAXIA f. *Med.* Imposibilidad de coordinar los movimientos musculares fundamentales que integran un acto voluntario. ■ ATÁXICO, CA.
ATBARA Río de Etiopía y Sudán, afl. del Nilo, 1 100 km de curso, en parte navegables.
ATÉ Diosa gr. del mal, hija de Zeus y de Eris.
ATEDIAR tr. y prnl. Causar tedio.
ATEÍSMO m. Doctrina que niega la existencia de cualquier ser superior y sobrenatural.
ATEÍSTA adj. y s. Ateo.
ATEJE m. *Cuba.* Árbol borragináceo, de hojas parecidas a las del café, y fruto colorado.
ATELAJE m. Caballerías que tiran de un carruaje. • Conjunto de guarniciones de las bestias de tiro.
ATELANA adj. y s. Díc. de la pieza cómica de los latinos, semejante al entremés o sainete.
ATELECTASIA f. *Pat.* Condición morbosa caracterizada por la reducción del contenido aéreo de los alveolos.
ATELES m. Mono americano, llamado también mono araña.
ATEMORIZAR tr. y prnl. Causar temor.
ATEMPERAR tr. y prnl. Moderar, templar. • Acomodar una cosa a otra.
ATENACEAR tr. Arrancar con tenazas pedazos de carne a una persona. • fig. Torturar.
ATENÁGORAS (1886-1972) Patriarca ecuménico de Constantinopla desde 1948. Trabajó en pro del acercamiento de las iglesias ortodoxas y otras confesiones cristianas.
ATENAS *(Athinaí)* C. de la ant. Grecia, cap. del actual nomo de Ática y, desde 1835, de la Grecia independiente. La Gran Atenas tiene 3 027 300 hab. Centro adm., fabril e intelectual. Universidad.

Atalaya

Ateles

Vista de la Acrópolis de **Atenas**

Atenea. Copia romana de una escultura de Fidias, Museo Arqueológico Nacional, Atenas

Panorámica de **Atlanta**

**Hist.* A. fue durante la antigüedad un foco principalísimo de las ciencias y las artes. Alcanzó su máx. esplendor en el s. V a.C., época en que dominaba todo el Mediterráneo. Sucumbió a la dominación rom. (146 a.C.) y post. fue conquistada por los godos, los hérulos y Alarico (396). Los almogávares la integraron en la Corona de Aragón, para volver a dominio bizantino en 1388. Perteneció al imperio turco desde 1458.

ATENAZADO, DA adj. Díc. de las fortificaciones en forma de tenaza, que forman ángulos entrantes y salientes.

ATENAZAR tr. Atenacear. • Torturar a alguien un pensamiento, remordimiento, etc.

ATENCIÓN f. Capacidad de concentrar la actividad psíquica sobre un objeto. • Cortesía. • pl. Negocios, obligaciones. • **En a.** adv. Atendiendo, teniendo presente.

ATENDEDOR, RA m. y f. *Art. Gráf.* Persona que atiende a lo que va leyendo el corrector.

ATENDER tr. Aguardar a una persona. • tr. e intr. Acoger favorablemente o satisfacer un deseo, ruego o mandato. • Aplicar el entendimiento a un objeto. • intr. Tener en cuenta alguna cosa. • *Art. Gráf.* Leer uno para sí el original de un escrito, para ver si está conforme la prueba que lee en voz alta el corrector. ■ ATENDENCIA.

ATENEA Diosa gr., llamada *Palas Atenea*, la Minerva de los rom. Divinidad de la guerra, de la paz, de la sabiduría y de las artes.

ATENEBRARSE prnl. Entenebrecerse.

ATENEO m. Asociación cultural. • Local en donde se reúnen sus socios. ■ ATENEÍSTA.

ATENERSE prnl. Adherirse a una persona o cosa, teniéndola por más segura. • Ajustarse uno en sus acciones a alguna cosa.

ATENIENSE adj. y s. De Atenas.

ATENORADO, DA adj. Díc. de la voz parecida a la del tenor y de los instrumentos cuyo sonido tiene timbre parecido.

ATENTADO, DA adj. Cuerdo, moderado. • Hecho con mucho tiempo, sin meter ruido. • m. Procedimiento abusivo de cualquier autoridad. • Acto delictivo contra la autoridad, o actitud grave de resistencia a la misma. • Agresión contra la vida o la integridad de una persona. • Acción contraria a un principio u orden que se considera recto. ■ ATENTACIÓN; ATENTATORIO, RIA.

ATENTAR tr. Ejecutar una cosa contra el orden que previenen las leyes. • Intentar un delito, cometer atentado. • *Chile.* Tentar. • prnl. Irse con tiempo, moderarse.

ATENTO, TA adj. Que tiene fija la atención en algo. • Cortés. • adv. modo. En atención.

ATENUACIÓN f. *Ret.* Figura que consiste en no expresar todo lo que se quiere dar a entender.

ATENUADOR, RA adj. Que atenúa. • adj. y m. Dispositivo eléctrico que sirve para reducir la amplitud de las señales que recibe, sin apenas distorsionarlas.

ATENUANTE adj. Que atenúa. • adj. y f. *Der.* Cada uno de los hechos tipificados que, cuando acompañan a la comisión de un delito, disminuyen las responsabilidad penal del autor.

ATENUAR tr. Poner tenue o delgada alguna cosa. • fig. Minorar o disminuir.

ATEO, A adj. y s. Que niega la existencia de Dios.

ATEPOCATE m. *Méx.* Renacuajo.

ATERCIANADO, DA adj. y s. Que padece tercianas.

ATERCIOPELADO, DA adj. Semejante al terciopelo.

ATERIDO, DA adj. Pasmado de frío.

ATERIR tr. y prnl. Pasmar de frío. ■ ATERIMIENTO.

ATERMAL adj. Díc. del agua mineral fría.

ATÉRMANO, NA adj. *Fís.* Que difícilmente da paso al calor.

ATEROMA m. *Med.* Quiste sebáceo. • *Pat.* Arteriosclerosis con alteraciones grasientas de la pared arterial.

ATEROSCLEROSIS f. *Pat.* Forma de arteriosclerosis caracterizada por el depósito de lipoides en la capa interna de las arterias.

ATERRADA f. *Mar.* Aproximación de un buque a tierra. • Recalada.

ATERRAJAR tr. Labrar con la terraja las roscas de los tornillos y tuercas. • Hacer molduras con la terraja.

ATERRAJE m. *Mar.* Determinación geográfica del punto en que ha aterrado una nave.

ATERRAMIENTO m. Aumento del depósito de tierras, limo o arena en el fondo de un paraje marítimo o fluvial. • Terror. • Humillación.

ATERRAR tr. Bajar al suelo. • Derribar. • tr. y prnl. Causar terror. • tr. fig. Postrar. • Cubrir con tierra. • *Min.* Echar los escombros en los terrenos. • intr. Llegar a tierra. • Aterrizar. • prnl. *Mar.* Acercarse a tierra los buques en su derrota.

ATERRIZAR intr. Tomar tierra un pasajero o tripulante de un aparato volador. • Posarse en tierra dicho aparato. ■ ATERRIZAJE.

ATERRONAR tr. y prnl. Hacer terrones alguna materia suelta.

ATERRORIZAR tr. y prnl. Causar terror.

ATESORAR tr. Guardar dinero o cosas de valor. • *Econ.* Retener parte del ahorro en forma líquida. • fig. Tener muy buenas cualidades.

ATESTACIÓN f. Deposición de testigo.

ATESTADO, DA adj. Testarudo. • m. Documento oficial en que se hace constar algo como cierto. • pl. Testimoniales.

ATESTAR tr. Henchir una cosa hueca, apretando lo que se mete en ella. • Meter una cosa en otra. • Rellenar con mosto las cubas de vino para suplir la merma producida por la fermentación. • tr. y prnl. fig. y fam. Atracar, hartar. • tr. *Der.* Testificar, atestiguar. ■ ATESTADURA; ATESTAMIENTO.

ATESTIGUAR tr. Deponer, afirmar como testigo alguna cosa. ■ ATESTIGUACIÓN; ATESTIGUAMIENTO.

ATETADO, DA adj. De forma de teta.

ATETAR tr. Dar la teta; díc. más comúnmente de los irracionales. • intr. Mamar de la teta.

ATETILLAR tr. *Agr.* Cavar alrededor de los árboles, dejando tierra arrimada al tronco.

ATETOSIS f. *Pat.* Síndrome neurológico caracterizado por movimientos involuntarios, que afectan a las manos, la cara y los pies.

ATEZADO, DA adj. Que tiene la piel tostada y oscurecida por el sol. • De color negro.

ATEZAR tr. Poner liso o lustroso. • tr. y prnl. Ennegrecer. ■ ATEZAMIENTO.

ATHABASCA Lago del Canadá en el N de las prov. de Alberta y Saskatchewan; 11 500 km^2. • Río del Canadá; 1 200 km. Nace en las montañas Rocosas y desagua en el lago hom.

ATHOR En la mitología egipcia, diosa del amor y de la noche, encarnación de la Luna.

ATIBAR tr. *Min.* Rellenar las excavaciones de una mina para reforzar su estructura.

ATIBORRAR tr. Llenar alguna cosa de borra. • tr. y prnl. fig. y fam. Atracar de comida. • tr. fig. Atestar de algo un lugar. • Llenar la cabeza de lecturas, etc.

ÁTICA *(Attiké)* Nomo de la región de Grecia central y Eubea, sit. entre la Boecia y el monte Parnaso.

ATICISMO m. Delicadeza que caracteriza a los escritores y oradores atenienses de la edad clásica, y p. ext. a los escritores y oradores de cualquier época o país. ■ ATICISTA.

ÁTICO, CA adj. y s. Del Ática o de Atenas. • Relativo al aticismo. • m. Uno de los dialectos de la lengua griega. • *Arq.* Último piso de un edificio, que cubre el arranque de la techumbre. • Cuerpo de un edificio que se construye encima de la cornisa.

ÁTICO, *Tito Pomponio* (109-32 a.C.) Escritor rom., conocido sobre todo por su correspondencia epistolar con Cicerón.

ATIERRE m. *Min.* Escombro que llena los sitios de labor de las minas. • *Méx.* Acción de llenar la tierra.

ATIESAR tr. y prnl. Poner tiesa una cosa.

ATIFLE m. Utensilio de barro que ponen los alfareros en el horno, entre pieza y pieza, para evitar que se peguen al cocerse.

ATIGRADO, DA adj. Manchado como la piel del tigre.

ATILA Caudillo de los hunos [434-453]. Sometió a fuertes tributaciones al Imperio de Oriente. En el año 451 se lanzó sobre el de Occidente, pero fue derrotado. Al año siguiente invadió Italia. Llamado «el azote de Dios».

ATILDAR tr. Poner tildes a las letras. • fig. Reparar, censurar. • tr. y prnl. fig. Componer, asear. ■ ATILDADO, DA; ATILDADURA; ATILDAMIENTO.
ATIMIA f. *Pat.* Pérdida de la conciencia. • *Pat.* Atimismo. • *Psiq.* Depresión afectiva profunda propia de los esquizofrénicos.
ATIMISMO m. *Pat.* Ausencia de timo.
ATINAR intr. Encontrar lo que se busca a tiento. • intr. y tr. Dar por sagacidad natural o casualmente con lo que se busca. • intr. Acertar a dar en el blanco. • Acertar una cosa por conjeturas.
ATÍNCAR m. Bórax.
ATINENTE adj. Tocante o perteneciente.
ATINGENCIA f. *Amér.* Conexión, relación de una cosa con otra. • *Méx.* Tino, acierto.
ATINGIR tr. *Perú.* Oprimir, tiranizar.
ATIPARSE prnl. Atracarse, hartarse.
ATÍPICO, CA adj. Que no posee ni pertenece a un tipo regular.
ATIPLAR tr. Levantar el tono de un instrumento hasta que llegue a tiple. • prnl. Subir un instrumento, o la voz, del tono grave al agudo.
ATIQUIZAYA Mun. de El Salvador, en el dpto. de Achuachapán; 18 600 hab. Maíz y café.
ATIRANTAR tr. Poner tirante. • *Arq.* Asegurar con tirantes una armadura o un conjunto de piezas.
ATIRICIARSE prnl. Contraer la ictericia.
ATISBAR tr. Mirar, observar con cuidado. ■ ATISBADURA.
ATISBO m. Observación atenta. • Vislumbre.
ATITLÁN Lago de Guatemala, en el dpto. de Sololá; 126 km², a 1 560 m de alt. Es el segundo del país por extensión. • Volcán sit. en la orilla S del lago hom.; 3 537 m de alt. Su última erupción data de 1853.
ATIZADOR, RA adj. y s. Que atiza. • m. Instrumento que sirve para atizar. • El que en los molinos de aceite cuida de arrimar con una pala la aceituna para que pase la piedra por ella.
ATIZAPÁN DE ZARAGOZA Mun. de México, en el est. de México, 44 300 hab. Agricultura. Industrias.
ATIZAR tr. Remover el fuego para que arda más. • Despabilar la mecha de los aparatos de alumbrado. • fig. Avivar pasiones o discordias. • fig. y fam. Tratándose de golpes, darlos. • **¡Atiza!** interj. fam. De sorpresa.
ATIZONAR tr. *Constr.* Asegurar la trabazón en una obra de mampostería con piedras colocadas a tizón. • *Const.* Empotrar un madero en una pared. • prnl. *Agr.* Contraer tizón los cereales.
ATL, *Doctor* Sobrenombre de *Gerardo Murillo* (1875-1964), pintor y escritor mex. Creó una nueva técnica muralista, el *Atlcolor.* Cultivó el periodismo, la crítica artística y la narrativa: *Las artes populares de México, Iglesias de México, El paisaje: un ensayo, ¡Arriba, arriba!, Cuentos bárbaros* y *Cuentos de todos los colores.*
ATLANTA C. de EE UU, cap. del est. de Georgia; 394 000 hab. (2 833 500 hab. la aglo. urb.). Universidad. Sede de los Juegos Olímpicos de 1996.
ATLANTE m. *Arq.* Estatua de hombre que sustenta sobre sus hombros o cabeza los arquitrabes de las obras. • fig. Persona que es firme sostén y ayuda de algo pesado o difícil.
ATLANTE *Mit.* Atlas, uno de los titanes.
ATLANTICENSE adj. y s. Natural de Atlántico, dpto. de Colombia.
ATLÁNTICO, CA adj. Relativo al monte Atlas o al océano Atlántico.
ATLÁNTICO Océano que separa Europa y África de América; 106 200 000 km². Presenta algunos mares adyacentes: Mediterráneo, Caribe, Báltico y el gran golfo de san Lorenzo. Mediante el canal de Panamá, el estrecho de Magallanes y el de Drake se comunica con el Pacífico y, por el S del cabo de las Agujas, enlaza con el Índico. Tiene varias fosas y crestas que se elevan formando islas: Azores, Ascensión, Santa Elena, Tristán de Acuña. Lo surcan la corriente del Labrador y la del Golfo. • **Carta del A.** Programa sobre la política de EE UU y Gran Bretaña para después de la II Guerra Mundial, trazada por Roosevelt y Churchill en 1941.
ATLÁNTICO Dpto. de Colombia, sit. al N del país; 3 388 km², 1 837 468 hab. Cap., Barranquilla. Ocupa una zona predominantemente llana, junto a la desembocadura del Magdalena. Al O se levantan las serranías del Piojó y Caballo. En el centro hay extensas áreas pantanosas (ciénaga de Guájaro). Clima cálido, con escasa pluviosidad. Ganadería vacuna, caballar. Petróleo. Algodón, maíz, yuca. Ind. alimentaria, química, textil, de maquinaria. La canalización de la boca del r. Magdalena ha convertido a la cap. en puerto marítimo.
ATLÁNTIDA Masa continental que se supone ocupó el Atlántico septentrional, entre América del Norte, Europa, Groenlandia y las islas Canarias.
ATLÁNTIDA Dpto. del N de Honduras, a orillas del Caribe; 4 372 km², 329 787 hab. Cap., La Ceiba. Abarca una amplia llanura litoral y una zona interior montañosa, accidentada por las estribaciones de Sierra Madre. Clima cálido y húmedo en las partes bajas; templado o frío en las altas. Cacao, café, caña de azúcar.
ATLÁNTIDAS n. p. f. pl. *Astr.* Híadas.
ATLANTIDENSE adj. y s. De Atlántida.
ATLAS m. Colección de mapas encuadernados en un volumen. • Colección de láminas, gralte. anejas a una obra. • *Anat.* Primera de las vértebras cervicales que sostienen la cabeza.
ATLAS *Astron.* Cohete balístico que se ha usado en los lanzadores de satélites *Agena-Centauro* y *Atlas-Centauro.*
ATLAS Sist. montañoso del NO de África. Se extiende por Marruecos, Argelia y Tunicia. Mayor alt.: Djebel Toubqal (4 167 m).
ATLAS *Mit.* Titán condenado por Zeus a sostener el firmamento sobre sus espaldas.
ATLETA m. El que tomaba parte en los ant. juegos públicos de Grecia y Roma. • com. Persona que practica ejercicios o deportes que requieren fuerza, agilidad, etc. • m. fig. Hombre membrudo y de grandes fuerzas.

Atlante de Tula (México)

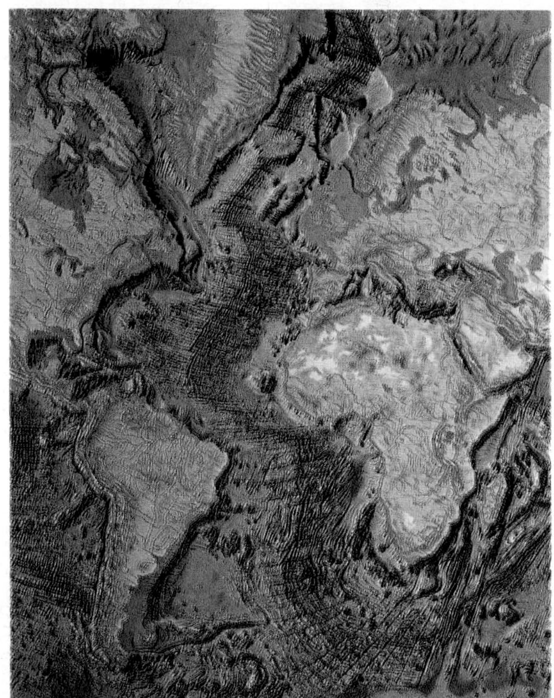

Relieve submarino del **Atlántico**

ATLÉTICO, CA adj. Relativo al atleta o a los juegos públicos o ejercicios propios de él. • adj. y m. En la biotipología de Kretschmer, individuo con gran desarrollo del esqueleto y musculatura, hombros anchos, cintura estrecha, etc.
ATLETISMO m. Práctica de los ejercicios atléticos. **Hist.* El a. como tal se inició en la ant. Grecia y gozaba de un gran prestigio. Con la decadencia de

Atletismo. Arriba, carrera pedestre en un vaso griego del s. VI a. C.; abajo, llegada de una carrera de medio fondo

la civilización helénica desapareció el interés por el a., que no adquirió nuevamente importancia hasta el s. XIX. En 1861 se creó el primer club de a. y en 1886 se celebraron los primeros campeonatos; Gran Bretaña y EE UU establecieron su carácter amateur. En el s. XX el a. ha tenido un gran crecimiento, tanto en practicantes como en calidad de preparación, lo que ha redundado en la continua superación de las marcas.

ATLIXCO Mun. de México, en el est. de Puebla; 72 400 hab. Ganadería. Industrias.

ATM *Fís.* Símbolo de la atmósfera, unidad de presión.

ATMAN m. Término básico del brahmanismo y del hinduismo posterior. Significa en principio el aliento vital, la esencia del cosmos y del hombre.

ATMOFILIA f. *Quím.* Afinidad química de una sustancia hacia el estado gaseoso.

ATMÓLISIS f. *Fís.* Separación de los gases de una mezcla mediante difusión a través de una superficie porosa.

ATMÓMETRO m. *Meteor.* Instrumento para medir la cantidad de agua evaporada en un tiempo determinado.

ATMÓSFERA o ATMOSFERA f. Envoltura gaseosa que rodea un astro; por antonomasia, la de la Tierra. • Fluido gaseoso que está comprendido en un espacio, habitación, recipiente. • fig. Espacio a que se extienden las influencias de una persona o cosa. • fig. Prevención desfavorable o adversa a una persona o cosa. • *Fís.* Unidad de presión que equivale al peso de una columna de mercurio de 76 cm de alto y 1 cm^2 de sección.

**Meteor.* La a. terrestre tiene un espesor de unos 1 000 km y ejerce sobre cada cm^2 de la superficie terrestre una presión equivalente al peso de una columna de mercurio de 76 cm de alt. La a. actúa como regulador térmico, evitando el excesivo enfriamiento de la superficie terrestre durante la noche y reflejando durante el día buena parte de la radiación solar. Está dividida en varias capas: *troposfera*, que se extiende hasta el límite denominado *tropopausa*, a unos 12-14 km de alt., y contiene el 90 % de la masa de la a., estando formada por un 78 % de nitrógeno, un 21 % de oxígeno (necesario para la respiración animal), un 0, 93 % de argón, un 0, 03 % de anhídrido carbónico (base de la fotosíntesis de las plantas) y cantidades variables de vapor de agua y otros gases; *estratosfera*, que se extiende desde la tropopausa hasta unos 50 km de la superficie terrestre, y donde se filtran en gran parte las radiaciones ultravioletas del Sol (perjudiciales para los seres vivos) al ser absorbidas en un proceso en el que se disocia el oxígeno produciéndose ozono, principal componente de esta capa; *mesosfera*, que se extiende desde la *estratopausa* hasta unos 80- 85 km de la superficie terrestre, y contiene ozono y vapores de sodio, responsables de los fenómenos luminosos que se desarrollan en la a.; *ionosfera*, que se extiende desde los 80-85 km de alt. hasta unos 500 km, y cuyos constituyentes son iones o moléculas cargadas. Esta capa juega un papel importante en la transmisión de las ondas de radio y televisión; *exosfera*, que se extiende desde la *termopausa* o límite superior de la estratosfera hasta unos 1 000 km de alt., donde ya la densidad de la a. es prácticamente igual a la del espacio interplanetario. ■ ATMOSFÉRICO, CA.

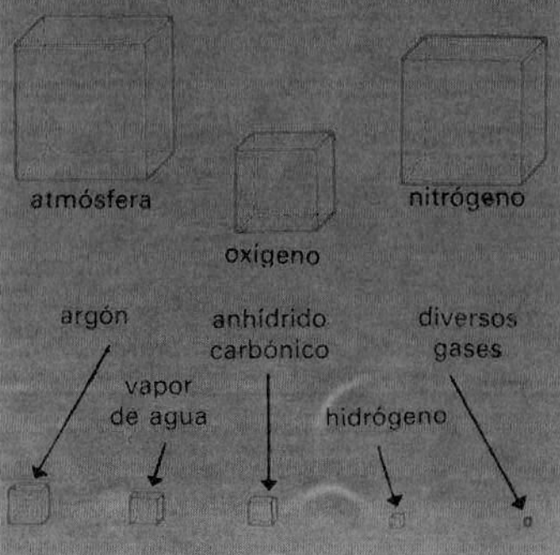

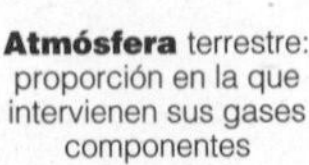

Atmósfera terrestre: proporción en la que intervienen sus gases componentes

ATOCHA f. Esparto, planta gramínea.

ATOCHAL m. Espartizal.

ATOCHAR tr. Llenar alguna cosa de esparto, o de cualquier otra materia, apretándola. • *Mar.* Oprimir el viento una vela contra su jarcia u otro objeto firme. • prnl. *Mar.* Sufrir un cabo presión entre dos objetos que dificultan su laboreo.

ATOCHÓN m. Caña de la atocha. • Atocha.

ATOCIA f. *Med.* Esterilidad en la mujer.

ATOCINADO, DA adj. fig. y fam. Díc. de la persona muy gorda.

ATOCINAR tr. Partir el puerco en canal; hacer los tocinos y salarlos. • fig. y fam. Asesinar. • prnl. fig. y fam. Irritarse. • fig. y fam. Enamorarse perdidamente.

ATOCLE m. *Méx.* Terreno húmedo y fértil.

ATOJAR tr. *C. Rica* y *Cuba.* Azuzar a los animales.

ATOL m. *Cuba, Guat.* y *Ven.* Atole.

ATOLE m. *Amér.* Bebida hecha con harina de maíz, disuelta en agua o leche hervida hasta darle la consistencia conveniente. ■ ATOLERÍA; ATOLERO, RA.

ATOLEADAS f. pl. Fiestas familiares que se celebran en Honduras y en las cuales se obsequia a los invitados con atole de elote.

ATOLLADERO m. Atascadero.

ATOLLAR intr. y prnl. Dar en un atolladero. • prnl. fig. y fam. Atascarse, quedarse detenido por algún obstáculo.

ATOLÓN m. Arrecife coralino de forma anular que contiene en su zona central una laguna.

ATOLONDRAR tr. y prnl. Aturdir, turbar los sentidos. ■ ATOLONDRADO, DA; ATOLONDRAMIENTO.

ATÓMICO, CA adj. *Fís.* Relativo al átomo. • Que usa la energía producida por la desintegración del átomo. • **Calor a.** Capacidad térmica del átomo-gramo de un elemento en estado sólido. • **Número a.** Núm. de orden que ocupa un elemento en la Tabla periódica de los elementos, y que corresponde al núm. total de electrones que posee. • **Peso a.** Peso del átomo de un elemento expresado tomando como unidad 1/16 del peso del oxígeno natural.

ATOMISMO m. *Fil.* Doctrina que concibe la formación del universo por el concurso fortuito de átomos. • **lógico.** Teoría de B. Russell y de Wittgenstein, según la cual la realidad está constituida por elementos directamente cognoscibles. ■ ATOMISTA.

ATOMÍSTICO, CA adj. Relativo al atomismo. • f. Rama de la física que estudia la estructura atómica y subatómica.

ATOMIZAR tr. Dividir en partes sumamente pequeñas. • Pulverizar, especialmente un líquido. ■ ATOMIZACIÓN; ATOMIZADOR.

ÁTOMO m. Estructura que forma la unidad básica de cualquier elemento. Es la menor unidad de materia que puede intervenir en una combinación química. • fig. Cosa muy pequeña.

**Fís.* y *Quím.* Dalton propuso la primera formulación científica de la teoría atómica (1803) para explicar el comportamiento del aire como mezcla de gases en proporción invariable. Supuso que el átomo era simple y que todos los elementos tenían distintos á. Durante el s. XIX la teoría atómica creció en manos de químicos como Avogadro, que introdujo el número que lleva su nombre (→ Avogadro, número de) para dar una justificación a las leyes de los volúmenes de combinación de Gay-Lussac, y de Mendeléiev que agrupó los elementos en la → Tabla periódica. A fines del s. XIX, los descubrimientos del electrón y del protón obligaron a revisar totalmente el concepto de á. J. J. Thomson (1904) y Rutherford (1911) desarrollaron el nuevo modelo, en el que el á. está constituido por un núcleo donde se concentra casi toda la masa y toda la carga positiva, que es equilibrada por la carga negativa de los electrones que giran en torno a él. Sin embargo, según la teoría electromagnética, toda carga en movimiento acelerado emite radiación electromagnética, y pierde así energía. Esto significaba que el á. de Rutherford no podía ser estable: los electrones debían frenarse y acabar colapsando en el núcleo. El danés Niels Bohr (1913), basándose en las ideas cuánticas de Planck, imaginó un á. en el que sólo eran posibles determinadas órbitas para los elec-

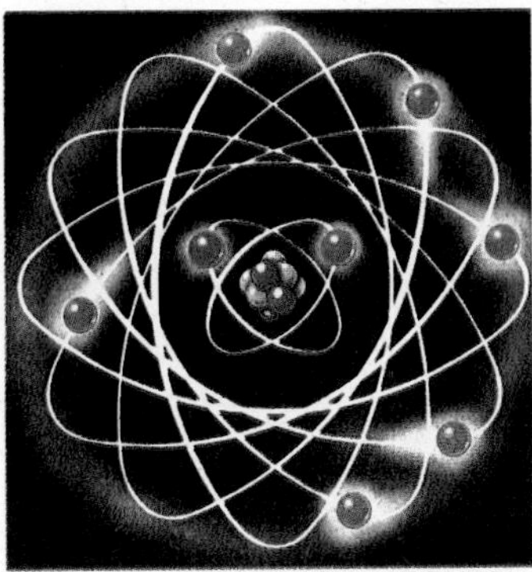

Representación clásica del **átomo** de oxígeno

trones, logrando con este modelo satisfacer las exigencias de estabilidad y explicar la distribución de las líneas del espectro del á. de hidrógeno. La estructura fina del espectro y los espectros de elementos más pesados no pudieron ser explicados por la teoría de Bohr; hizo falta que en la década de los veinte se desarrollase (De Broglie, Heisenberg, Schrödinger) la → mecánica cuántica.

ÁTOMO-GRAMO m. *Quím.* Número de gramos de un elemento, igual a su peso atómico.

ATÓN El Sol en forma de disco, divinidad egipcia que sustituyó al dios Amón.

ÁTONA f. Oveja que cría un cordero de otra madre.

ATONAL adj. *Mús.* Díc. de la música concebida sin sujeción a una tonalidad determinada. ■ ATONALIDAD.

ATONDAR tr. *Eq.* Estimular el jinete con las piernas al caballo.

ATONÍA f. *Pat.* Falta de tono muscular. • Incapacidad para reaccionar física o moralmente.

ATÓNITO, TA adj. Estupefacto, pasmado.

ÁTONO, NA adj. *Gram.* Díc. de los sonidos, vocales, sílabas o palabras que se pronuncian sin acento prosódico. ■ ATÓNICO, CA.

ATONTAR tr. y prnl. Aturdir o atolondrar.

ATONTOLINAR tr. y prnl. fam. Atontar.

ATOPADIZO, ZA adj. Lugar cómodo y agradable.

ATOPILE m. *Méx.* El que en las haciendas de caña distribuye las aguas para los riegos.

ATORAR tr., intr. y prnl. Atascar, obstruir. • tr. Partir leña en tueros. • prnl. Atragantarse. ■ ATORAMIENTO; *Chile.* ATORO.

ATORMENTAR tr. y prnl. Causar dolor corporal. • tr. Dar tormento al reo. • *Mil.* Batir con la artillería. • tr. y prnl. fig. Causar aflicción.

ATORNASOLADO, DA adj. Tornasolado.

ATORNILLAR tr. Introducir un tornillo haciéndole girar alrededor de su eje. • Sujetar con tornillos. • Mantener obstinadamente a alguien en un sitio o puesto. • Presionar a una conducta.

ATOROZONARSE prnl. Padecer torozón las caballerías.

ATORRANTE adj. y m. *Argent.* Vago callejero.

ATORTAJAR tr. y prnl. *Amér.* Atortolar.

ATORTOJAR tr. *Ven.* Atortujar. • *Cuba* y *Ven.* Atortolar.

ATORTOLAR tr. y prnl. fam. Aturdir o acobardar. • Enamorarse tierna y ostensiblemente.

ATORTUJAR tr. Aplastar alguna cosa apretándola. • prnl. *Ven.* Atortolarse.

ATOSIGAR tr. Envenenar. • tr. y prnl. fig. Abrumar a alguno, dándole prisa para que haga una cosa. ■ ATOSIGAMIENTO.

ATOTONILCO EL ALTO Mun. de México, en el est. de Jalisco; 34 900 hab. Agricultura, ganadería, mezcal.

ATÓXICO, CA adj. Que no es venenoso.

ATOYAC DE ÁLVAREZ Mun. de México, en el est. de Guerrero; 32 800 hab. Copra.

ATP *Quím.* Siglas del adenosintrifosfato.

ATRABANCAR tr. e intr. Hacer alguna cosa de prisa. • prnl. Encontrarse en un lío o dificultad. ■ ATRABANCO.

ATRABILIARIO, RIA adj. *Med.* Relativo a la atrabilis. • adj. y s. fam. De genio destemplado.

ATRABILIOSO, SA adj. *Med.* Atrabiliario.

ATRABILIS f. *Med.* Bilis negra y acre.

ATRACADA f. *Cuba* y *Méx.* Atracón. • *Cuba.* Riña.

ATRACADERO m. Lugar donde pueden arrimarse a tierra las embarcaciones menores.

ATRACADO, DA adj. *Chile.* Severo, rígido.

ATRACADOR, RA m. y f. Persona que atraca o saltea. • *Cuba.* Sablista.

ATRACAR tr. fam. Hacer comer y beber con exceso. • Asaltar a alguien en poblado, valiéndose de armas, para robarle. • Arrimar. • *Chile.* Tratar con severidad; zurrar. • intr. *Mar.* Arrimarse en una embarcación a tierra o a otra embarcación. • prnl. Hartarse. • *Cuba* y *Hond.* Reñir.

ATRACCIÓN f. Acción o efecto de atraer.• Fuerza para atraer. • **electrostática.** *El.* La que ejercen entre sí dos cargas eléctricas cualesquiera, y que tiende a alejarlas si son del mismo signo y a acercarlas si son de signos opuestos. • **gravitatoria.** *Fís.* La que ejercen entre sí dos cuerpos del universo. Es proporcional al producto de sus masas e inversamente proporcional al cuadrado de la distancia que los separa. • **molecular.** *Fís.* Cohesión molecular. • **universal.** *Fís.* A. gravitatoria.

ATRACTIVO, VA adj. Que atrae. • m. Cualidad que atrae la simpatía o el afecto de otros.

ATRAER tr. Traer hacia sí alguna cosa. • fig. Provocar una persona o cosa en alguien afecto o deseo de trato o posesión. • fig. Ocasionar o hacer que recaiga algo en uno. ■ ATRACTRIZ; ATRAÍBLE.

ATRAFAGAR intr. Ajetrearse mucho.

ATRAGANTAR prnl. No poder tragar algo que se atraviesa en la garganta. • fig. y fam. Turbarse en la conversación. • fig. y fam. Resultarle a alguien una persona o una cosa antipática, desagradable o difícil.

ATRAIDORADO, DA adj. Que procede como traidor. • Peculiar del traidor.

ATRAILLAR tr. Atar con traílla. • Seguir el cazador la res, guiado del perro que lleva asido con la traílla. • tr. y prnl. fig. Dominar.

ATRAMOJAR tr. *Col.* Atraillar.

ATRAMPAR tr. Coger en lugar del que no se puede salir. • prnl. Caer en la trampa. • Cegarse un conducto. • Caerse el pestillo de la puerta, de modo que no se pueda abrir. • fig. y fam. Atascarse en una cosa.

ATRANCAR tr. Asegurar la puerta con una tranca. • Atascar. • intr. fam. Dar trancos o pasos largos. fig. y fam. Leer muy deprisa, saltando palabras. • prnl. Encerrarse asegurando la puerta con una tranca. • *Méx.* Obstinarse en una opinión.

ATRANCO m. Atolladero. • Embarazo o apuro.

ATRANQUE m. Atranco.

ATRAPAMOSCAS m. *Bot.* Planta carnívora droserácea. • Tira de papel con una sustancia pegajosa que atrae e inmoviliza a las moscas.

ATRAPAONDAS m . *Electr.* Circuito para amplificar frecuencias intermedias, que absorbe las frecuencias indeseables.

ATRAPAR tr. fam. Coger al que huye. • fam. Coger alguna cosa. • fig. y fam. Engañar a uno con maña.

ATRÁS adv. lugar. Hacia la parte que está a las espaldas de uno. • Detrás. • Úsase también para expresar tiempo pasado. • Aplicado al hilo del discurso, anteriormente. • **¡Atrás!** interj. que se usa para mandar retroceder a alguno.

ATRASADO, DA adj. Alcanzado, empeñado.

ATRASAR tr. y prnl. Retardar. • tr. Fijar un hecho en época posterior a aquella en la que ha ocurrido. Hacer que retrocedan las agujas del reloj, o tocar su registro a fin de que el volante o la péndola marchen con menos velocidad. • Hacer que el reloj señale tiempo que ya ha pasado. • intr. y prnl. Señalar el reloj tiempo que ya ha pasado. • prnl. Quedarse atrás. • Dejar de crecer las personas, los animales o las plantas.

ATRASO m. pl. Pagas o rentas vencidas y no cobradas.

ATRATO Río de Colombia, que nace en la cordillera Occidental andina y desemboca en el Caribe, en el golfo de Urabá; 690 km.

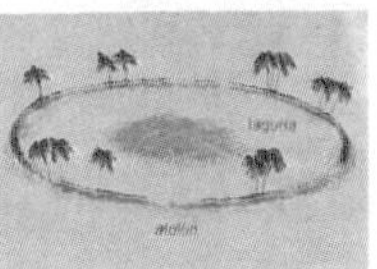

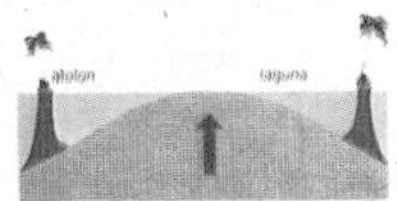

Proceso de formación de un **atolón**

Estela egipcia que representa a Amenhotep IV (Ajenatón) adorando a **Atón,** divinidad solar

Atrapamoscas

Atril

Ruinas de un **atrio** porticado. Ampurias, Girona (España)

Atunes

ATRAVESADO, DA adj. Que tiene los ojos un poco vueltos. • Díc. del animal cruzado. • fig. De mala índole o intención. • *Nic.* Díc. de la persona que se expresa de manera disparatada o confusa.
ATRAVESAR tr. Poner una cosa de modo que pase de una parte a otra. • Pasar un objeto sobre otro. • Tender a una persona o cosa sobre una caballería. • Pasar un cuerpo penetrándolo de parte a parte. • Poner delante algo que impida el paso o haga caer. • Pasar cruzando de una parte a otra. • En el juego, apostar. • prnl. Ponerse alguna cosa entremedias de otras. • fig. Mezclarse en una conversación. • fig. Mezclarse en un asunto ajeno. • fig. Ocurrir alguna cosa que altera el curso de otra. • Tener una riña o discusión con alguien.
ATRAVIESO m. *Chile.* Paso entre montañas.
ATRECHO m. *P. Rico.* Atajo, senda.
ATRECISTA com. Atrezzista.
ATREGUADO, DA adj. Lunático. • Que está en tregua con su enemigo.
ATREGUAR tr. y prnl. Dar o conceder treguas.
ATRENZO m. *Amér.* Conflicto, apuro.
ATREO *Mit.* Rey legendario de Micenas, padre de Agamenón y de Menelao. Creador de la estirpe legendaria de los atridas.
ATREPSIA f. Atrofia de los recién nacidos.
ATRESIA f. *Med.* Oclusión de un orificio o conducto, por defecto en el desarrollo embrionario.
ATRESNALAR tr. Poner los haces en tresnales.
ATREVERSE prnl. Determinarse a algo arriesgado. • Insolentarse. ■ ATREVIDO, DA; ATREVIMIENTO.
ATREZO m. Atrezzo.
ATREZZO (voz it.) m. Conjunto de accesorios que completan el decorado de una escena. ■ ATREZZISTA.
ATRIBUCIÓN f. Cada una de las facultades que a una persona da el cargo que ejerce.
ATRIBUIR tr. y prnl. Aplicar hechos o cualidades a alguna persona o cosa. • tr. Señalar una cosa a alguno como de su competencia. • fig. Achacar.
ATRIBULAR tr. Causar tribulación. • prnl. Padecerla.
ATRIBUTIVO, VA adj. Que indica o enuncia un atributo o cualidad. • Relativo al atributo de la oración. • *Gram.* Díc. de los verbos que forman parte del predicado nominal; también se denominan verbos copulativos. • *Gram.* Díc. de la oración gramatical simple, de predicado nominal.
ATRIBUTO m. Cualidades o propiedad de un ser. • *Comp.* Característica que define un elemento, proceso o información. • *Gram.* Lo que se enuncia de un sujeto. • Adjetivo sustantivo o sintagma en función nominal, que forma el predicado nominal con los verbos *ser* y *estar.* • Predicado nominal. • *Lóg.* Propiedad que se afirma del sujeto. • En metafísica, cualidad inherente a la naturaleza o sustancia de algo. • En las artes figurativas, símbolo distintivo de una figura.
ATRICIÓN f. Dolor de haber ofendido a Dios.
ATRIL m. Mueble para sostener libros o papeles abiertos.
ATRINCAR tr. *Amér.* Trincar, sujetar.
ATRINCHERAR tr. *Mil.* Ceñir con trincheras un puesto para defenderlo. • prnl. *Mil.* Ponerse en trincheras a cubierto del enemigo. • fig. Resguardarse detrás de algo. • fig. Obstinarse., ATRINCHERAMIENTO.
ATRINCHILAR tr. y prnl. *Méx.* Arrinconar a una persona.
ATRIO m. En las antiguas casas rom., parte cercada de pórticos, destinada a reuniones familiares o a los huéspedes. • En las iglesias, patio amplio rodeado de pórticos. • Zaguán. • *Min.* Cabecera de la mesa de lavar. • *Anat.* Cavidad donde se recoge la sangre antes de entrar al corazón. Se llama también aurícula. • *Anat.* Cavidad central del cuerpo, llamada también cavidad atrial.
ATRITO, TA adj. Que tiene atrición.
ATROCHAR intr. Andar por trochas o sendas.
ATROCIDAD f. Crueldad grande. • fam. Exceso. • fam. Dicho o hecho necio o temerario.
ATROFIA f. *Pat.* Disminución del tamaño o de la funcionalidad de un órgano, sistema, tejido o parte de un organismo. • Desaparición paulatina de órganos o estructuras relativamente carentes de utilidad para un organismo. ■ ATROFIAR; ATRÓFICO, CA.
ATROJAR tr. Entrojar. • prnl. fig. y fam. *Méx.* No hallar uno salida en algún empeño. • fig. y fam. *Méx.* Encalmarse el caballo.
ATROMPETADO, DA adj. De forma de trompeta.
ATRONADO, DA adj. Díc. del que hace las cosas precipitadamente.
ATRONADOR, RA adj. Que atruena.
ATRONADURA f. Hendidura en la madera que penetra hasta el interior del tronco del árbol. • *Vet.* Contusión de las caballerías.
ATRONAMIENTO m. Aturdimiento causado por algún golpe. • *Vet.* Enfermedad que padecen las caballerías en los cascos.
ATRONAR tr. Producir un ruido muy potente. • Tapar los oídos de una caballería para que no se espante con el ruido. • Dejar sin sentido a una res. • Matar un toro, hiriéndole de punta en medio de la cerviz.
ATROPADO, DA adj. Díc. de las plantas de ramas recogidas.
ATROPAR tr. y prnl. Reunir gente en cuadrilla, sin formación. • tr. Juntar, reunir.
ATROPELLAR tr. Pasar precipitadamente por encima de alguna persona, especialmente con una caballería o vehículo. • Derribar o empujar a uno para abrirse paso. • fig. Agraviar a alguno empleando violencia o abusando de la fuerza o poder que se tiene. • fig. Proceder sin respeto o consideración a los derechos de alguien, a las leyes convencionales, usos sociales, etc. • fig. Hacer una cosa precipitadamente. • fig. Abatir a uno la edad, los achaques o las desgracias. • prnl. fig. Apresurarse demasiado en las obras o palabras. ■ ATROPELLADO, DA; ATROPELLAMIENTO;ATROPELLO.
ATROPINA f. Alcaloide que se extrae de la belladona y se emplea en medicina y en oftalmología.
ÁTROPOS *Mit.* Una de las tres Parcas gr., la que cortaba el hilo de la vida humana.
ATROZ adj. Fiero. • Enorme. • fam. Muy grande.
ATRUCHADO, DA adj. *Metal.* Díc. del hierro colado parecido a las pintas de la trucha.
ATRUHANADO, DA adj. Que parece truhán. • Que parece de truhán.
ATS *Astron.* Siglas de *Applications Technology Satellite* (Satélite de aplicaciones tecnológicas). Serie de vehículos espaciales.
ATTAVANTI, *Attavante Degli* (1452-1517) Miniaturista florentino, uno de los ilustradores más destacados del Renacimiento italiano.
ATTLEE, *Clement* (1883-1967) Político laborista brit. Primer ministro (1945-1951), período durante el cual introdujo mejoras sociales y reformas económicas.
ATUENDO m. Aparato. • Atavío, vestido.
ATUFAR tr. y prnl. Intoxicar con el tufo. • fig. Enfadar. • prnl. Recibir tufo. • Avinagrarse el vino. • *Ecuad.* Aturdirse. • *Guat.* Ensoberbecerse. ■ ATUFAMIENTO; ATUFO.
ATÚN m. *Zool.* Pez de la familia escómbridos, de color negro azulado por encima y gris plateado por debajo. Su carne es muy apreciada. • fig. y fam. Hombre ignorante y rudo.
ATUNARA f. Almadraba.
ATUNERO, RA m. y f. Persona que trata en atún o lo vende. • m. Pescador de atún. • f. Anzuelo y red para pescar atunes. • adj. y m. Barco destinado a la pesca del atún.
ATURDIMIENTO m. Perturbación de los sentidos por efecto de un golpe, ruido, etc. • fig. Perturbación psíquica ocasionada por una desgracia, etc. • fig. Falta de serenidad. • *Med.* Estado morboso en que los sonidos se confunden y parece que los objetos giran alrededor.
ATURDIR tr. y prnl. Causar aturdimiento. • fig. Confundir, pasmar. ■ ATURDIDO, DA.
ATURQUESADO, DA adj. De color azul turquí.
ATURRULLAR tr. y prnl. fam. Confundir a uno, turbarle, aturdirle. ■ ATURRULLAMIENTO.
ATURULLAR tr. y prnl. Aturrullar.
ATUSAR tr. Recortar e igualar el pelo con tijeras. • Igualar los jardineros con tijeras las plantas. • Alisar el pelo. • prnl. Acicalarse.
ATUTÍA f. *Metal.* Óxido de cinc que se adhiere a conductos y chimeneas de los hornos donde se tratan minerales de cinc o se fabrica latón. • *Farm.* Ungüento medicinal hecho con atutía.

ATWOOD, *George* (1746-1807) Matemático brit. Ideó una máquina para demostrar las leyes de la caída de los cuerpos.

ATZALÁN Mun. de México, en el est. de Veracruz; 32 300 hab. Agricultura, apicultura, ganadería.

Au *Quím.* Símb. del oro.

AUB, *Max* (1903-1972) Escritor esp., nacido en París y residente en México desde 1942. Evolucionó del surrealismo y el dadaísmo (*Fábula verde, Narcho*), a la corriente realista. *El laberinto mágico —Campo cerrado, Campo de sangre, Campo abierto—* está considerada su obra más importante.

AUBER, *Daniel* (1782-1871) Compositor fr. El más grande compositor de óperas cómicas de su tiempo. *Fra Diavolo, Le domino noir.*

AUBIGNÉ, *Théodore Agrippa d'* (1552-1630) Escritor fr. *Los Trágicos, Historia universal de 1550 a 1601.*

AUBRY, *François* (1750-1802) Militar y político fr. Miembro de la Convención, votó la muerte de Luis XVI.

AUBUISSON, *Roberto d'* (1944-1992) Militar y pol. salv. Ultraderechista, acusado de promover los Escuadrones de la Muerte. Candidato a la presidencia en 1980 y 1984.

AUCA adj. y s. *Chile.* Araucano. • *Ecuad.* Huaoraní, indígena de la selva de Oriente. • f. Oca, ánsar y juego.

AUCKLAND C. de Nueva Zelanda, en la isla del Norte; 839 500 hab. Ind. alimentarias, mecánicas y plásticas. Universidad.

AUDACIA f. Osadía, atrevimiento. ■ AUDAZ.

AUDEN, *Wystan Hugh* (1907-1973) Poeta y dramaturgo norteam. de origen ing. *Poemas, La danza de la muerte, España.* En colaboración con Ch. Inherwood escribió piezas teatrales y libros en prosa: *El perro bajo la piel, La subida de F6.*

AUDIBLE adj. Que se puede oír.

AUDICIÓN f. *Fisiol.* Sensación producida por la estimulación de los receptores del oído interno, a través de ondas acústicas. • Acto de oír. • Concierto, recital o lectura en público.

AUDIENCIA f. *Der.* Sesión ante un tribunal durante la cual los litigantes exponen sus argumentos. • *Der.* Tribunal de justicia que entiende en pleitos o causas de determinado territorio. • Edificio en que se reúne. • Conjunto de personas que reciben información de un medio de comunicación de masas.

AUDÍFONO m. Aparato para percibir mejor los sonidos. • *Amér.* Auricular del teléfono.

AUDIMUTISMO m. *Pat.* Desarrollo deficiente o nulo de la palabra articulada.

AUDIOFRECUENCIA f. *Electr.* Frecuencia de corriente alterna usada en la transmisión de sonidos.

AUDIOGRAMA m. Gráfica que traduce la sensibilidad auditiva de un individuo.

AUDIOLOGÍA f. Ciencia del oído, desde el punto de vista acústico.

AUDIOMETRÍA f. Parte de la audiología que se ocupa de la medida de la capacidad auditiva y sus alteraciones.

AUDIÓMETRO m. Aparato para medir la agudeza auditiva.

AUDIÓN m. Rectificador de alta frecuencia.

AUDIOTECNIA f. *Electr.* Rama de la electrónica que se ocupa de la transmisión y el registro de los sonidos.

AUDIOVISUAL adj. Relativo al oído y a la vista. • **Medios a.** Procedimientos de información basados en las modernas técnicas de reproducción de imágenes y sonidos, como la cinematografía, la radiotelefonía, etc.

AUDITAR tr. Asesorar. • Revisar, intervenir o examinar cuentas contables.

AUDITIVO, VA adj. Que tiene virtud para oír. • Perteneciente al órgano del oído.

AUDITOR, RA adj. Que audita. • m. Funcionario jurídico, militar o eclesiástico, que asesora técnicamente. • Revisor de cuentas colegiado.

AUDITORÍA f. Empleo de auditor. • Tribunal o despacho de auditor. • **contable.** Revisión de la contabilidad por el auditor.

AUDITORIO, RIA adj. Auditivo. • m. Conjunto de oyentes. • Sala de conciertos, recitales, etc.

AUDUBON, *John James* (1785-1851) Pintor animalista y naturalista norteam., nacido en Haití. *The Birds of America.*

AUERSWALD, *Rudolf von* (1795-1866) Estadista prusiano. Presid. del consejo de ministros (1848), ministro de Asuntos Exteriores y miembro de la Asamblea Nacional; organizó el ejército.

AUGE m. Elevación grande en dignidad o fortuna. • *Astr.* Apogeo.

AUGELITA f. *Miner.* Fosfato hidratado de aluminio, monoclínico; peso específico 2,7 y dureza 4,5 a 5; color blanco.

AUGIAS *Mit.* Argonauta. Rey de Élide.

AUGIER, *Émile* (1820-1889) Dramaturgo y académico fr. autor de comedias costumbristas en verso *(La aventurera)* y en prosa *(El yerno del señor Poirier, El matrimonio de Olimpia, El contagio).*

AUGITA f. *Miner.* Silicato de calcio y magnesio, monoclínico, del grupo de los piroxenos, de peso específico 3,3-3,5, color verde oscuro y brillo vítreo.

AUGSBURGO *(Augsburg)* C. de Alemania, en Baviera; 244 400 hab. Ind. textil, mecánica, química. • **Confesión de A.** Exposición de la doctrina luterana, ante Carlos V, en la Dieta de A. (1530). • **Liga de A.** Coalición entre Austria, España, Inglaterra y Suecia contra Luis XIV de Francia (1688). • **Paz de A.** La que legalizaba lo expuesto en la Confesión de A. (1555).

AUGUR m. Sacerdote que en la ant. Roma practicaba la adivinación por el canto, el vuelo y la manera de comer de las aves, etc. • fig. Adivino. ■ AUGURACIÓN.

AUGURAR tr. Agorar, pronosticar. ■ AUGURAL.

AUGURIO m. Agüero.

AUGUSTA C. de EE UU, cap. del est de Maine; 21 300 hab.

AUGUSTAL adj. Relativo al emperador Augusto.

AUGUSTO, TA adj. Aplícase a los reyes y a las personas de la familia real. • m. Payaso que forma pareja con el clown.

AUGUSTO, *Cayo Julio César Octavio* (63 a.C.-14 d.C.) Primer emperador rom., sobrino de César. Formó el segundo triunvirato con Marco Antonio y Lépido (43). Derrotó a Marco Antonio en Accio (31). Con él, el Imperio alcanzó su apogeo.

AUGÚSTULO → Rómulo Augústulo.

AULA f. Sala destinada a dar clases.

AULAGA f. *Bot.* Planta papilionácea, de hojas lisas terminadas en púas y flores amarillas, que sirve de pasto al ganado. ■ AULAGAR.

ÁULICO, CA adj. Relativo a la corte o al palacio. • adj. y s. Cortesano o palaciego.

AULLADOR, RA adj. Que aúlla. • m. *Amér. Merid. Zool.* Mono de la familia cébidos.

AULLIDO m. Voz quejosa y prolongada del lobo, el perro y otros animales. ■ AULLAR; AÚLLO.

AUMENTACIÓN f. *Ret.* Gradación en que el sentido va de menos a más.

AUMENTAR tr., intr. y prnl. Dar mayor extensión, número o materia a alguna cosa. • tr. y prnl. Mejorar en conveniencias, empleos o riquezas.

AUMENTATIVO, VA adj. *Gram.* Díc. de los sufijos que sirven para formar palabras y aumentar su significación.

AUMENTO m. Acrecentamiento. • Cosa añadida para aumentar. • **angular.** *Astr.* Si un objeto lejano se observa bajo un ángulo x', se llama a. angular al cociente entre las tangentes trigonométricas de los ángulos x y x'. • **transversal.** *Ópt.* Razón de semejanza entre la distancia entre dos puntos de la imagen y la distancia entre los dos puntos correspondientes del objeto.

AUN adv. cantidad y modo. No obstante, sin embargo; hasta, también, inclusive, con negación, siquiera. • **Aun cuando.** m. conj. Aunque.

AÚN adv. tiempo. Todavía.

AUNAR tr. y prnl. Unir, confederar para algún fin. • Poner juntas o armonizar varias cosas.

AUNCHE m. *Col.* Desecho, residuo.

AUNQUE conj. adversativa. Úsase para denotar oposición, a pesar de la cual puede ser, ocurrir o hacerse alguna cosa.

¡AÚPA! interj. ¡Upa!. • Interj. para animar a los niños a levantarse. • **Ser de a.** fr. fam. Ser de mala condición.

AUPAR tr. y prnl. Levantar o subir a una persona. • fig. Ensalzar, enaltecer.

AUQUE m. *Chile.* Greda blanca.

Augusto

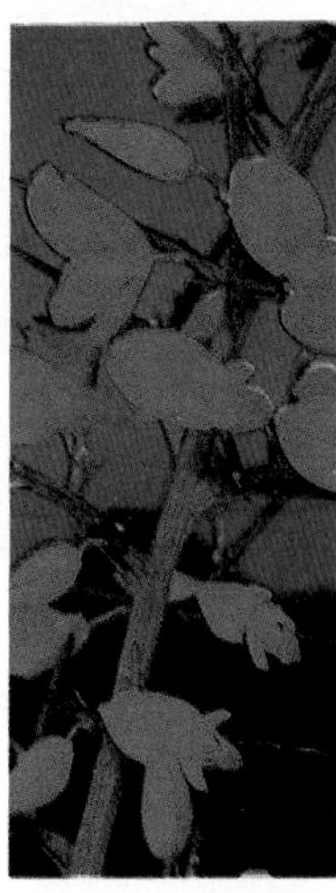

Aulaga

Aullador

Aurora polar

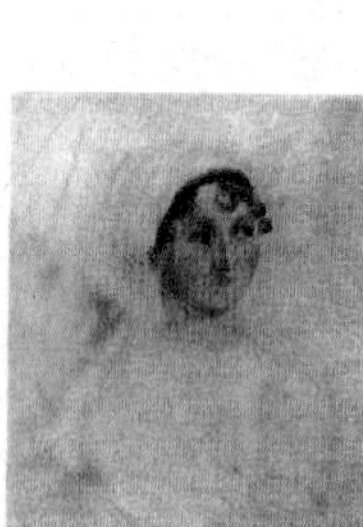

Jane **Austen**

Mapa de situación y bandera de **Australia**

AURA f. Viento suave. • fig. Atmósfera inmaterial que rodea ciertos cuerpos. • fig. Aplauso general. Sensación que precede a un ataque epiléptico o histérico. • *Zool.* Ave falconiforme diurna, del tamaño de una gallina.
AURAMINA f. Colorante de anilina utilizado en terapéutica. Es un polvo amarillo oro difícilmente soluble en agua fría.
AURANCIÁCEO, A adj. y f. Árboles y arbustos dicotiledóneos, siempre verdes, con hojas alternas, cáliz persistente y fruto carnoso. • f. pl. *Bot.* Familia de estas plantas.
AURANGZEB (1618-1707) Emperador mogol de la India (1659), descendiente de Tamerlán. Su gobierno señala el apogeo del Imperio.
AURELIANENSE adj. De Orleáns.
AURELIANO (214-275) Emperador rom. [270-275]. Venció a diversos pueblos bárbaros y a Zenobia, reina de Palmira.
AURELIO (m. 774) Rey de Asturias, sobrino de Alfonso I. Sucedió en el trono a su primo Fruela (768). Su reinado estuvo marcado por una rebelión.
ÁUREO, A adj. De oro; parecido al oro, dorado. • m. Num. Moneda de oro antigua.
AUREOLA o **AURÉOLA** f. Círculo luminoso, que se coloca en la cabeza de las imágenes religiosas. • Areola. • fig. Gloria que alcanza una persona por sus méritos. • *Astr.* Corona o arco luminoso, que en determinadas circunstancias astronómicas rodea al Sol o a la Luna. ■ AUREOLAR.
AUREOMICINA f. Antibiótico de amplio espectro, del grupo de las tetraciclinas.
AURÈS Macizo montañoso del NE de Argelia; pico más alto, Djebel Chélia, 2 327 m.
AURIC, *Georges* (1899-1983) Compositor fr., autor de música para películas *(Orfeo, Moulin Rouge).*
AURICALCITA f. *Miner.* Carbonato natural de cobre y cinc hidratado, de color verde gris.
ÁURICO, CA adj. De oro.
AURÍCULA f. *Anat.* Cavidad del corazón de los moluscos, que recibe sangre arterial. • *Anat.* Cavidad del corazón de los peces, que recibe sangre venosa. • *Anat.* Cada una de las dos cavidades de la parte anterior (superior en el hombre) del corazón de los batracios, reptiles, aves y mamíferos; reciben sangre venosa. • *Bot.* Prolongación de la parte inferior del limbo de las hojas. • Pabellón de la oreja.
AURICULAR adj. Relativo al oído o a las aurículas del corazón. • m. Dedo auricular, meñique. • Pieza de ciertos aparatos que sirve para escuchar.
AURICULARIA f. *Bot.* Hongo basidiomiceto, de color oscuro. • *Zool.* Tipo de larva ciliada característica de las holoturias.
AURÍFERO, RA adj. Que lleva o contiene oro.
AURIGA m. poét. Cochero. • n. p. m. *Astr.* Constelación boreal entre Géminis y Perseo.
AURIGNAC Estación prehistórica, en el dpto. de Haute-Garonne (Francia).
AURIÑACIENSE adj. y m. Primer período del paleolítico superior.
AURIOL, *Vincent* (1884-1966) Político socialista fr., presid. de la IV República (1947-1954).
AURORA f. Luz que precede a la salida del sol. • fig. Principio de algo. • *Méx.* Ave trepadora. • *Guat.* Especie de buharro. • **austral.** *Meteor.* La polar del hemisferio austral. • **boreal.** *Meteor.* La polar del hemisferio septentrional. • **polar.** *Meteor.* Fenómeno luminoso de las zonas altas de la atmósfera, a unos 23° de lat. de los polos.
AURORA *Mit.* Diosa del amanecer, a quien los rom. identificaron con la griega Eos.
AUSANGATE, *Nevado* Cumbre andina de Perú; 6 384 m.
AUSCHWITZ Nombre al. de la c. polaca de *Oswiecim*, en cuyas proximidades los nazis tuvieron en funcionamiento cuatro campos de concentración y exterminio.
AUSCULTAR tr. *Med.* Aplicar el oído a ciertos puntos del cuerpo humano para explorar los sonidos y ruidos en las cavidades del pecho o del vientre. • fig. Sondear el pensamiento de otras personas, el estado de un negocio, etc.
AUSENCIA f. Tiempo en que alguno está ausente. • Falta o privación de alguna cosa. • *Der.* Condición legal de la persona cuyo paradero se ignora. • *Psiq.* Forma de epilepsia en la que se produce una breve pérdida de conciencia.
AUSENTAR tr. Hacer que alguno se aleje de un lugar. • fig. Hacer desaparecer alguna cosa. • prnl. Alejarse uno. • Desaparecer alguna cosa. ■ AUSENTE.
AUSOLES m. pl. *Amér. Centr.* Grietas en los terrenos volcánicos. • *Salv.* Géiseres.
AUSONIO, NIA adj. y s. Relativo a los ausonios. • m. pl. Pueblo ant. de la Italia central, también llamado osco. • adj. y s. P. ext., italiano.
AUSONIO, *Décimo Magno* (310-395) Poeta latino, preceptor del emperador Graciano. *Parentalia.*

AUSTRALIA

Superficie 7 682 300 km²

Población 18 054 000 hab. (2,3 hab./km²)

Recursos económicos	
Algodón	474 000 t
Avena	1 672 000 t
Caña de azúcar	4 901 000 t
Cebada	5 490 000 t
Naranjas	622 000 t
Trigo	16 623 000 t
Uva	767 000 t
Ganadería y derivados	
Cabaña bovina	26 187 000 cabezas
Cabaña ovina	120 651 000 cabezas
Cabaña porcina	2 640 000 cabezas
Carne	3 270 000 cabezas
Riqueza forestal	21 560 000 m³
Pesca	210 500 t
Producción minera	
Bauxita	41 734 000 t
Cobre	381 000 t
Cinc	955 000 t
Gas natural	29 554 millones de m³
Hierro	80 900 000 t
Plata	1 045 t
Plomo	505 000 t
Oro	256 000 kg
Petróleo	20 262 000 t
Uranio	2 208 t
Producción industrial	
Ácido sulfúrico	868 000 t
Aluminio	1 382 000 t
Cemento	7 017 000 t
Tejidos de algodón	51 153 000 m³
Indicadores sociológicos	
PNB	320 705 millones de dólares
Renta per cápita	17 980 dólares
Esperanza de vida	77,8 años
Alfabetismo	100 %

AUSPICIO m. Agüero. • Protección. • pl. Señales que en el comienzo de un negocio parecen presagiar su buena o mala terminación.
AUSTEN, *Jane* (1775-1817) Novelista brit. costumbrista. *Orgullo y prejuicio*, *Emma*, *La abadía de Northanger*, *Persuasión*.
AUSTENITA f. Solución sólida de carbono en hierro gamma estable a partir de 900 °C. Cristaliza en forma cúbica y carece de propiedades magnéticas.
AUSTERLITZ (checo, *Slavkov*) Localidad de la Rep. Checa, en Moravia. En 1805, victoria de Napoleón contra austriacos y rusos.
AUSTERO, RA adj. Agrio, áspero al gusto. • Mortificado y penitente. • Que obra y vive con rigidez y severidad. ■ AUSTERIDAD.
AUSTIN C. de EE UU, cap. del est. de Texas; 465 600 hab. Sit. a orillas del río Colorado.
AUSTRAL adj. Relativo al austro, y gralte. al polo y al hemisferio sur.
AUSTRALASIA Nombre con que se designa al conjunto de las mayores islas de Oceanía: Australia, Nueva Zelanda, Tasmania y Nueva Guinea.
AUSTRALIA *(Commonwealth of Australia)* Estado de Oceanía integrado por la isla austral hom. y la vecina isla de Tasmania; miembro de la Commonwealth brit., como Est. federal independiente;

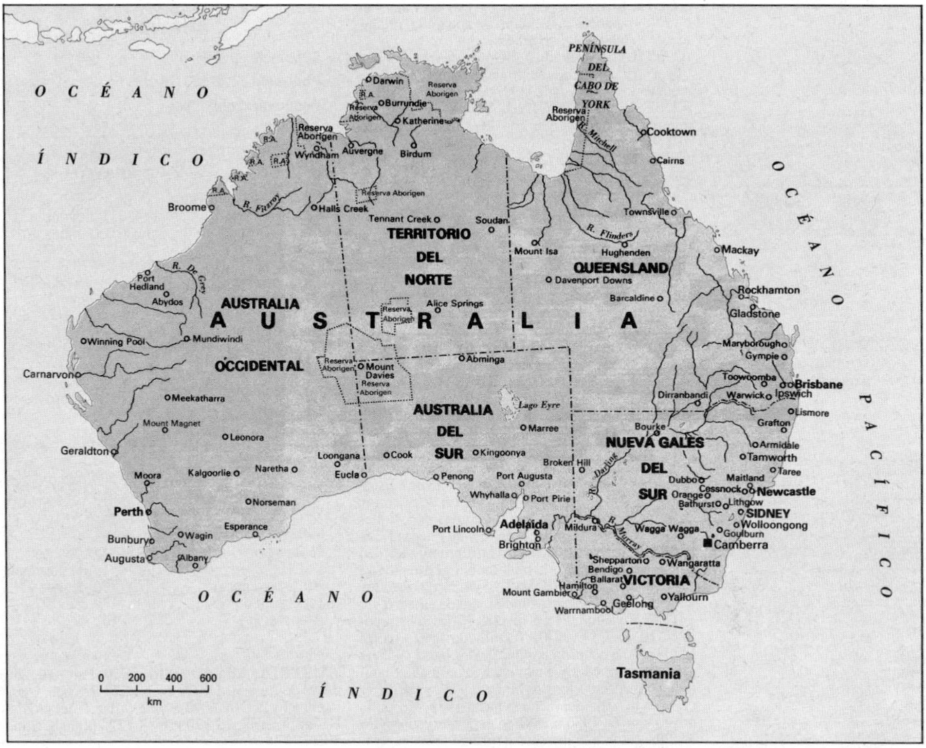

bañado por el Pacífico y el Índico y por los mares de Timor, Arafura, Coral y Tasman. Forma una gran meseta esteparia ocupada al O por una serie de vastos desiertos. Accidentada por los Alpes australianos y la Gran Cordillera Divisoria. La pral. arteria fluvial es el Murray. Clima cálido y seco. Ganadería (máx. productor de lana); cereales, caña de azúcar, patata, algodón; oro, plata, hierro, petróleo, gas natural, titanio, uranio, etc. ; ind. textil, siderúrgica, papelera, mecánica, química, eléctrica. Lenguas: inglés (of.), variantes aborígenes. *Rel.:* protestantismo, catolicismo, animismo. U. M.: dólar australiano. Cap., Canberra. C. imp.: Sidney, Melbourne.

* *Hist.* Se supone que estuvo habitada ya en el cuaternario por individuos australoides. Permaneció aislada del mundo hasta que en los ss. XVI y XVII los port., esp. y hol. llegaron a sus costas. En 1770, J. Cook tomó posesión de la isla en nombre de Gran Bretaña, y al poco tiempo, en 1788, el gobierno brit. estableció allí una colonia penal. La población creció extraordinariamente a causa de la fiebre del oro desencadenada hacia 1851. Alcanzó la autonomía gubernativa en 1860 y se constituyó en 1901 la Federación de A. bajo la presidencia de E. Barton. A. participó en las dos guerras mundiales junto a los aliados. Su política ext. se ha caracterizado por la adhesión a Gran Bretaña y EE UU. En 1977, llegó al poder Malcom Frazer, al frente de una coalición de liberales y nacional-agraristas. En 1983, triunfaron los laboristas, cuyo líder, Bob Hawke, fue elegido primer ministro. Los laboristas revalidaron su victoria en 1990 y, aunque Hawke dimitió en 1991, ganaron de nuevo en 1993. En 1996 perdieron la mayoría ante los conservadores, liderados por John Howard, que fue reelegido en 1998.

AUSTRALIA Meridional Est. de A., ant. colonia fundada en 1836, que pasó a ser de la Comunidad en 1901; 984 377 km², 1 353 000 hab. Cap., Adelaida. • **Occidental.** Est. de A., condición que alcanzó en 1901, después de ser una colonia brit.; 2 527 621 km², 1 382 600 hab. Cap., Perth.

Australia. Vista de Sidney (arriba); calle peatonal en Perth (izquierda); canguros (abajo)

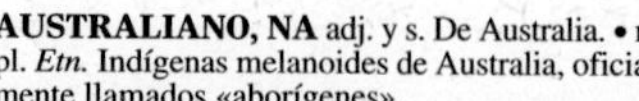

AUSTRALIANO, NA adj. y s. De Australia. • m. pl. *Etn.* Indígenas melanoides de Australia, oficialmente llamados «aborígenes».
AUSTRALOIDE adj. y s. Grupo racial compuesto por los aborígenes australianos, los papúes, los melanesios y los vedda del S de la India y Ceilán.
AUSTRALOPITECINO, NA adj. y s. Díc. de miembros de una subfamilia de primates del pleistoceno inferior.
AUSTRALOPITECO m. *Antr.* Homínido fósil. Sus restos se han encontrado en el S y E de África.

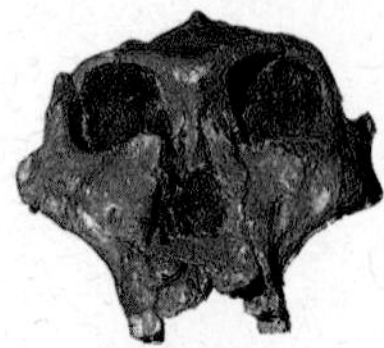

Cráneo fósil de **australopiteco**

AUSTRIA *(Republik Österreich)* Estado centroeuropeo sit. entre Alemania, Rep. Checa, Eslovaquia, Hungría, Eslovenia, Italia, Suiza y Liechtenstein. Los Alpes cruzan el territorio de O a E (máx. alt., Gross Glockner, 3 798 m). Al N, el valle del Danubio, avenado por este río y sus afl. Inn, Enns, Leitha y Morava. Patata, trigo, cebada, centeno, maíz, vid, remolacha. Ganadería (bovina, ovina, caprina, porcina). Hierro, petróleo, lignito, magnesita. Ind. siderúrgica, textil. Producción eléctrica. Clima continental y alpino. Lenguas: alemán (of.), esloveno, húngaro, checo. *Rel.*: catolicismo (90 %), protestantismo. U. M.: euro. Cap.: Viena. C. imp.: Graz, Linz, Salzburgo.
* *Hist.* Habitada desde tiempos prehistóricos (civilización de Hallstatt), fue invadida por numerosos pueblos, hasta que Otón I la incorporó a sus dominios (955). Con la dinastía de la *Casa de A.* se extendió territorialmente y se unió temporalmente a España con Carlos V. Intervino en la guerra de Sucesión esp. (1701-1714) obteniendo algunas posesiones esp. La guerra de los Siete Años contra Prusia (1756-1763) le costó Silesia. En su enfrentamiento con Prusia (1866) perdió la hegemonía germana y se constituyó el imperio de Austria-Hungría. Éste fue vencido en la I Guerra Mundial y se desintegró. En 1918 se proclamó la Rep. federal. Hitler la incorporó al III Reich (1938). Terminada la II Guerra Mundial, fue ocupada por los aliados hasta 1955. A partir de entonces, A. mantuvo una política de neutralidad respecto a los dos bloques y el gobierno recayó en la socialdemocracia hasta 1988. No así la presid. que en 1986 recayó en el conservador Kurt Waldheim, lo que provocó conflictos por su posible implicación en crímenes nazis. En las elecciones presid. de 1992 venció el conservador Thomas Klestil, reelegido en 1998. Durante su primer mandato, A. ingresó en la Unión Europea (1995).
* *Lit.* La lit. a. se identifica con la al. hasta el s. XIX. En teatro destacan G. Grillparzer, G. Raimund y J. Nepomuk Nestroy; en poesía, Nikolaus Lenau y Rainer M. Rilke; en la narrativa, Schnitzler y Altenberg. Ya en el s. XX destacan los novelistas Broch, Musil, Zweig, J. Roth, Th. Bernhard y P. Handke.
* *Arte.* Sólo a partir del s. XVIII puede hablarse de manifestaciones autónomas respecto al arte al. • *Arq.* Durante los ss. XIX y XX han destacado Semper, Wagner (ferrocarril urbano de Viena), Olbrich y Hoffman. • *Esc.* Franz Zauner (neoclásico), autor del monumento ecuestre a José II en Viena, y Zumbusch, autor de un monumento a Beethoven. • *Pint.* En el s. XIX, destacan Josef Koch, Schwind y Waldmüller. En el s. XX, sobresalen G. Klimt y Ó. Kokoschka.

Austria. Arriba, mapa de situación y bandera; abajo, el palacio Schönbrunn de Viena

AUSTRIA

Superficie 83 859 km²	
Población 8 046 535 hab. (96 hab./km2)	
Recursos económicos	
Cebada	1 065 000 t
Maíz	1 474 000 t
Trigo	1 301 000 t
Uva	245 000 t
Ganadería y derivados	
Cabaña bovina	2 430 000 cabezas
Cabaña porcina	3 800 000 cabezas
Riqueza forestal	17 692 000 m³
Producción minera	
Gas natural	1 481 000 000 m³
Hierro	520 000 t
Lignito	1 391 000 t
Magnesita	654 000 t
Petróleo	1 078 000 t
Producción industrial	
Acero	4 990 000 t
Azúcar	467 000 t
Aluminio	32 900 t
Cemento	3 854 000 t
Fertilizantes	220 000 t
Tejidos de algodón	16 800 t
Vidrio	6 400 000 m²
Indicadores sociológicos	
PNB	216 547 millones de dólares
Renta per cápita	26 890 dólares
Esperanza de vida	77 años
Alfabetismo	100 %

AUSTRIA, Alta *(Oberösterreich)* Est. federado del N de Austria; 11 979 km², 1 275 600 hab. Cap., Linz. • **Baja** *(Niederösterreich)* Est. federado del NE de Austria; 19 170 km², 1 422 700 hab. Cap., Viena.
AUSTRIA, ***Casa de*** Dinastía de los Habsburgo que reinó en el Sacro Imperio romano germánico (1418-1806), en España (1514-1700) y en Austria-Hungría (1867-1918).
AUSTRIA-HUNGRÍA Nombre del Est. formado, en 1867, por ambos países, que construyeron un imperio en el centro de Europa. La diversidad cultural y étnica provocó luchas que lo debilitaron. Después de la I Guerra Mundial fue dividido en tres est.: Austria, Hungría y Checoslovaquia.
AUSTRIACO, CA o **AUSTRÍACO, CA** adj. y s. De Austria.
AUSTRO m. Viento que sopla del S. • Sur, punto cardinal.
AUSTRO-PRUSIANA, ***Guerra*** Conflicto que enfrentó a Prusia e Italia con Austria, Baviera, Würtemberg, Sajonia, Hannover, Baden y Hesse. Fue provocado por Bismarck en 1866, para expulsar a Austria de la Confederación Germánica. Concluyó con la victoria de Prusia e Italia.
AUTARQUÍA f. Condición o calidad del ser que no necesita de otro para su subsistencia o desarrollo. • Independencia económica de un Estado. ■ AUTÁRQUICO, CA.
AUTENTICAR tr. Autorizar o legalizar alguna cosa. • Acreditar. ■ AUTENTICACIÓN.
AUTÉNTICO, CA adj. Acreditado de cierto y positivo. • Autorizado; que hace fe pública. ■ AUTENTICIDAD.
AUTENTIFICAR tr. Autenticar.
AUTILLO m. *Zool.* Ave estrígida, de hábitos nocturnos, parecida a la lechuza.
AUTILOS (s. III) Médico gr. que ejerció en Roma. Descubrió un método para extirpar los aneurismas.
AUTISMO m. *Psiq.* Polarización de la vida psíquica hacia el mundo interior del enfermo, con el consiguiente desinterés por su mundo exterior.
AUTLÁN Mun. de México, en el est. de Jalisco; 31 100 hab.
AUTO m. *Der.* Una de las formas de resolución judicial. • Composición dramática en que intervienen personajes bíblicos o alegóricos. • Apócope de automóvil. • pl. *Der.* Conjunto de actuaciones o piezas

de un procedimiento judicial. • **de fe.** Lectura de la sentencia y castigo público de los condenados por la Inquisición. • **sacramental.** Auto dramático escrito en loor de la Eucaristía.
AUTOBIOGRAFÍA f. Vida de una persona, escrita por ella misma. ■ AUTOBIOGRÁFICO, CA.
AUTOBOMBO m. Elogio desmesurado y público que hace uno de sí mismo.
AUTOBÚS m. Gran vehículo automóvil de transporte público urbano.
AUTOCAMIÓN m. Camión automóvil.
AUTOCAR m. Gran vehículo automóvil para el transporte interurbano de pasajeros.
AUTOCARRIL m. *Amér.* Autovía, automotor.
AUTOCENSURA f. Censura que una persona se impone respecto a lo que hace.
AUTOCENTRANTE adj. *Mec. apl.* Dispositivo para mantener el eje de rotación de una pieza en una posición determinada.
AUTOCINE m. Lugar al aire libre para ver cine sin salir del coche.
AUTOCLAVE adj. y s. Marmita herméticamente cerrada por la presión del vapor. • f. Aparato que mediante una elevada temperatura destruye los gérmenes patógenos.
AUTOCOMPLEMENTARIO, RIA adj. Que se complementa a sí mismo. • *Ing.* Clave usada en las calculadoras numéricas, que permite representar las cifras decimales mediante símbolos binarios.
AUTOCORRELACIÓN f. *Est.* Relación de interdependencia entre los valores adquiridos por una magnitud variable.
AUTOCRACIA f. Sistema político en el que el gobernante recibe los poderes de sí mismo y no reconoce ninguan limitación a su autoridad. ■ AUTÓCRATA; AUTOCRÁTICO, CA.
AUTOCRÍTICA f. Crítica de una obra por su autor. • Breve noticia crítica de una obra teatral, escrita por su autor.
AUTÓCTONO, NA adj. y s. Originario del país en que vive. ■ AUTOCTONÍA.
AUTODEPURACIÓN f. Proceso de depuración natural de las aguas merced a la oxidación que ejercen las bacterias cuando encuentran suficiente oxígeno.
AUTODESTRUCCIÓN f. Sistema mediante el cual se logra que un artefacto se destruya a sí mismo en un momento previsto.
AUTODETERMINACIÓN f. Libre decisión de los pobladores de un territorio acerca de su futuro estatuto político.
AUTODIDACTO, TA adj. y s. Que se instruye por sí mismo, sin auxilio de maestro.
AUTODINO adj. *Electr.* Sistema de recepción basado en la superposición de una oscilación local a la señal de llegada.
AUTODIRECCIÓN f. Conducción automática de los aviones y vehículos espaciales.
AUTÓDROMO m. Pista para ensayar automóviles y para competiciones automovilísticas.
AUTOEDICIÓN f. Conjunto de técnicas informáticas que permiten el tratamiento tipográfico de textos, la manipulación de imágenes y la compaginación en un documento.
AUTOENCENDIDO m. Encendido espontáneo de una mezcla de gases en un motor.
AUTOEROTISMO m. *Psic.* Primeras fases de desarrollo de la líbido en el niño. • En el adulto, sinón. de masturbación.
AUTOESCUELA f. Escuela de automovilistas.
AUTOFECUNDACIÓN f. *Biol.* Proceso por el cual un hermafrodita puede fecundarse a sí mismo.
AUTOFINANCIACIÓN f. Financiación de las inversiones de una empresa por medio de una parte de sus beneficios.
AUTOFOBIA f. *Psiq.* Temor morboso a la soledad.
AUTOFONÍA f. *Fisiol.* Percepción de la propia voz con caracteres distintos de los acostumbrados.
AUTOFUNDENTE adj. Díc. del mineral para cuya fusión no es necesaria la adición de fundentes, debido a la capacidad de su propia ganga para ejercer las funciones de éstos.
AUTOGAMIA f. *Biol.* Autofecundación en los vegetales superiores. • *Biol.* Proceso sexual que se presenta en algunos protozoos y que consiste en la división del núcleo y su posterior reunión.

AUTÓGENO, NA adj. Díc. de la soldadura de metales que se hace fundiendo con el soplete las partes por donde ha de hacerse la unión.
AUTOGESTIÓN f. Gestión directa de una empresa por los propios trabajadores a través de órganos elegidos por ellos mismos.
AUTOGIRO m. *Aer.* Aparato con una hélice horizontal, que puede despegar y tomar tierra casi verticalmente.
AUTOGOBIERNO m. Sistema de administración de partes o dependencias de un país, basado en el reconocimiento de un poder local con atribuciones propias. • Sistema educativo en el que los alumnos participan en el gobierno del centro.
AUTOGRAFÍA f. Procedimiento por el cual se traslada un escrito hecho con tinta y en un tipo de papel, a una piedra especialmente preparada para sacar varios ejemplares. • Reproducción así obtenida. ■ AUTOGRAFIAR; AUTOGRÁFICO, CA.
AUTÓGRAFO, FA adj. y s. Aplícase a lo escrito de mano de su mismo autor.
AUTOHEMOTERAPIA f. Med.Tratamiento de las enfermedades infecciosas basado en la inyección al enfermo de su propia sangre.
AUTOINDUCCIÓN f. *El.* Fuerza electromotriz que aparece en un circuito al variar la intensidad de la corriente que circula por él. • Constante de proporcionalidad entre el flujo magnético y la intensidad de corriente. Se designa por la letra L y se mide en henrios.

Autillo

Auto de fe, retablo de Pedro Berruguete

AUTOINJERTO m. Injerto del propio individuo.
AUTOINMUNE adj. *Med.* Díc. de una enfermedad debida a la existencia de autoanticuerpos.
AUTOINTOXICACIÓN f. Intoxicación del organismo por productos que él mismo elabora.
AUTÓLISIS f. Proceso hidrolítico degradativo que sufren las células y tejidos de un organismo tras sobrevenirle la muerte.
AUTOLUBRICACIÓN f. Propiedad de algunos metales que hace innecesaria la lubricación de las piezas construidas con ellos.
AUTOMACIÓN f. *Ing.* Conjunto de técnicas y aplicaciones que tienen por objeto la regulación de máquinas o sistemas sin la intervención del hombre.
AUTÓMATA f. Aparato dotado de un mecanismo que le imprime movimientos. • Máquina que imita los movimientos de un ser animado. • fig. y fam. Persona que se deja dirigir por otra. • **Teoría de a.** *Mat.* Estudio de los modelos formalizados de los autómatas artificiales, que imitan las capacidades del cerebro humano.
AUTOMATICIDAD f. Propiedad de algunas máquinas de realizar operaciones automáticamente.
AUTOMÁTICO, CA adj. Relativo al autómata. • Díc. de los mecanismos que funcionan por sí solos. • Que se produce en determinadas circunstancias. • fig. Maquinal. • m. Corchete que se cierra sujetando el macho con los dientes de la hembra. • f.

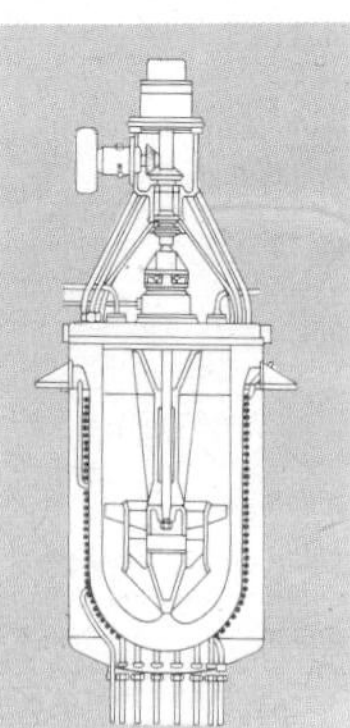
Esquema de un **autoclave** de alta presión

Órganos mecánicos de un **automóvil**

Ciencia que trata de sustituir en un proceso el operador humano por dispositivos mecánicos o electrónicos.

AUTOMATISMO m. *Med.* Ejecución involuntaria de actos. • Sistema automático.

AUTOMATIZACIÓN f. Proceso de mecanización de las actividades industriales para reducir la mano de obra, simplificar el trabajo, etc. ■ AUTOMATIZAR.

AUTOMEDONTE m. fig. Auriga, por alusión a Automedonte, conductor del carro de Aquiles.

AUTOMETAMORFISMO m. *Geol.* Proceso metamórfico de una roca ígnea provocado por la acción de las emanaciones gaseosas de la roca.

AUTOMORFISMO m. *Álg.* Endomorfismo de una estructura algebraica que constituye un isomorfismo.

AUTOMOTOR, RA adj. Díc. de los aparatos que funcionan sin intervención ajena. • adj. y m. *Ferr.* Vehículo de propulsión eléctrica o Diesel.

AUTOMOTRIZ adj. Automotora.

AUTOMÓVIL adj. Que se mueve por sí mismo. • m. *Ing.*Vehículo destinado al transporte de personas.

* *Ing.* Las principales partes del automóvil son: 1) Instalación propulsora, constituida por el motor, el grupo embrague-cambio y la transmisión. En la propia transmisión se intercala el diferencial. 2) Instalación de frenado, constituida por los medios para reducir la velocidad del vehículo, convirtiendo en calor su energía cinética. 3) Mecanismo de dirección, que permite guiar el vehículo actuando sobre la orientación de las ruedas del eje delantero. 4) Suspensión, es decir, conjunto de elementos deformables, comprendido entre el bastidor y las ruedas, destinado a atenuar las sacudidas transmitidas por el firme al bastidor y a impedir la pérdida de contacto de las ruedas con el suelo. 5) Carrocería, destinada a albergar a los pasajeros y constituida a su vez por una envoltura de chapa, los asientos interiores, las puertas y los cristales. 6) Chasis o bastidor, destinado a mantener los diferentes elementos en sus posiciones respectivas. A veces, el chasis no existe y en tal caso la carrocería, debidamente reforzada, desempeña el papel de éste. ■ AUTOMOVILISTA.

AUTOMOVILISMO m. Conjunto de conocimientos acerca del automóvil y su construcción, funcionamiento y uso. • Empleo del automóvil con finalidad deportiva. ■ AUTOMOVILÍSTICO, CA.

AUTOMUTILARSE prnl. Mutilarse una parte del propio cuerpo.

AUTONOMÍA f. desus. Potestad que dentro del Estado pueden gozar entidades suyas para regirse. • Estado y condición del pueblo que goza de independencia política. • Vida propia e independiente de un organismo. • fig. Condición del individuo que no depende de nadie. • *Fil.* Cualidad del comportamiento del individuo que establece en sí mismo el fundamento de la moral. ■ AUTONÓMICO, CA; AUTONOMISTA; AUTÓNOMO, MA.

Sector de una **autopista** que cruza los Alpes

AUTOPILOTO m. Aparato que gobierna una aeronave automáticamente.

AUTOPISTA f. Vía para la circulación rápida de automóviles. • *Ing.* **autopistas de la información** Sistema de telecomunicaciones basado en el funcionamiento de una computadora y una línea telefónica, un cable de fibra óptica u otro modo de cableado, que permite conectar terminales que se hallan distantes entre sí para el intercambio masivo de datos.

AUTOPLASTIA f. *Cir.* Operación que consiste en restaurar un tejido destruido o separado con otro tejido sano del mismo individuo.

AUTOPOLIPLOIDE adj. y m. *Biol.* Poliploide originado por multiplicación o división de la dotación genética de un organismo.

AUTOPOLIPLOIDÍA f. *Biol.* Tipo de poliploidía en el que los cromosomas presentes en los autopoliploides proceden de la misma especie.

AUTOPROPULSIÓN f. Acción de trasladarse una máquina por su propia fuerza motriz.

AUTOPSIA f. *Med.* Examen anatómico del cadáver. • fig. Examen analítico minucioso .

AUTÓPSIDO, DA adj. *Miner.* Díc. de los minerales que tienen aspecto metálico.

AUTOPULLMAN m. Autocar de lujo.

AUTOR, RA m. y f. El que es causa de alguna cosa, o la inventa. • Persona que ha hecho alguna obra científica, literaria o artística. • *Der.* Persona que comete el delito, o fuerza o induce a otras a ejecutarlo, o coopera a la ejecución. • *Der.* Causante.

AUTORIDAD f. Carácter o representación de una persona por su empleo, mérito o nacimiento. • Potestad. • Potestad que en cada pueblo ha establecido su constitución para que le rija y gobierne. • Poder que tiene una persona sobre otra. • Persona revestida de algún poder. • Crédito y fe que se da a una persona o cosa en determinada materia. • Ostentación, aparato. • Texto de un libro o escrito, que se cita en apoyo de lo que se dice. ■ AUTORITARIO, RIA.

AUTORITARISMO m. Sistema político fundado en la sumisión incondicional a la autoridad y en su imposición arbitraria. • Abuso que hace de su autoridad la persona investida con ella. • Dogmatismo político o filosófico.

AUTORIZACIÓN f. Documento en que se autoriza. • **previa.** La que se reserva el gobierno para impedir o permitir el procesamiento de los funcionarios.

AUTORIZADO, DA adj. Díc. de la persona respetada o digna de respeto.

AUTORIZAR tr. Dar a uno facultad para hacer alguna cosa. • Confirmar una cosa con autoridad, o sentencia de algún autor. • Aprobar o abonar. • Dar importancia a una persona o cosa.

AUTORRADIO m. Radiorreceptor para automóviles.

AUTORREACTOR *Mec. apl.* Dispositivo para la propulsión aérea en el que el flujo del aire absorbido se comprime por efecto de la propia velocidad de avance, se calienta después mediante un combustible y se deja expansionar para producir empuje.

AUTORREDUCCIÓN f. *Top.* Proceso de reducción al horizonte de las distancias inclinadas sobre el mismo.

AUTORREGULACIÓN f. Regulación de una máquina por sí misma. También se aplica a las funciones fisiológicas que se regulan por sí mismas. ■ AUTORREGULADOR, RA.

AUTORRETRATO m. Retrato de una persona hecho por ella misma. Existen a. de todas las épocas, especialmente desde el Renacimiento. Los más conocidos son los de Durero, Rembrandt, y Van Gogh.

AUTOSATISFACCIÓN f. Satisfacción de sí mismo, vanidad.

AUTOSERVICIO m. Sistema de venta en el que el comprador va tomando los artículos que le inte-

resan y los paga al salir del establecimiento. • Sistema análogo que se emplea en algunos restaurantes.
AUTOSOMA m. Cada uno de los cromosomas, a excepción de los sexuales o heterocromosomas, de una célula, organismo o especie.
AUTO-STOP, AUTOSTOP o **AUTOESTOP** m. Sistema de viajar en automóviles a los que se para en la carretera. ■ AUTOSTOPISTA O AUTOESTOPISTA.
AUTOSUFICIENCIA f. Sentimiento de la propia suficiencia. • Estado del que puede satisfacer sus necesidades valiéndose de sus propios medios.
AUTOSUGESTIÓN f. *Psic.* Influencia ejercida en nuestro psiquismo por una idea que cultivamos nosotros mismos.
AUTOTEMPLADO m. *Met.* Aceros con propiedades análogas a las del temple.
AUTOTOMÍA f. *Zool.* Propiedad de varios grupos zoológicos de desprender a voluntad algunas partes de su cuerpo que posteriormente se regeneran.
AUTOTRANSFORMADOR, RA adj. Que se transforma por sí mismo. • m. Que posee un solo devanado que desempeña las funciones de primario y secundario.
AUTÓTROFO, FA adj. y s. *Biol.* Organismos que se nutren exclusivamente de compuestos inorgánicos.
AUTOVÍA m. Tren automotor. • f. Carretera de circulación rápida semejante a las autopistas.
AUTRIGÓN, NA adj. y s. Relativo a los autrigones. • m. pl. Pueblo ant. del N. de España.
AUTUMNAL adj. Otoñal.
AUTUNITA f. Fosfato de calcio y uranilo hidratado, del grupo de las micas de uranio.
AUVERNIA *(Auvergne)* Región histórica de Francia, sit. en la parte del macizo Central, avenada porel r. Allier. Actualmente compone la circunscripción regional hom.; 26 013 km^2, 1 321 200 hab. Cap., Clermont-Ferrand.
AUWERS, ***Arthur*** (1838-1915) Astrónomo al., autor de un importante catálogo de estrellas.
AUXESIS f. Crecimiento alcanzado por el aumento de volumen de las células, sin aumentar el número de éstas.
AUXILIAR tr. Dar auxilio. • Ayudar a bien morir. • Verbo que interviene en la formación de tiempos compuestos de otro. • adj. y s. Que auxilia. • Funcionario de categoría subalterna. • Profesor que sustituye a un catedrático. ■ AUXILIARÍA.
AUXILIO m. Ayuda, socorro. • **Primeros a.** Los que, con carácter de urgencia, se prestan al accidentado.
AUXINA f. *Biol.* Hormona del crecimiento de los vegetales.
AUXOCROMO adj. y m. *Quím.* Grupo o radical positivo de átomos, que intensifica la acción de un grupo cromóforo en la síntesis de colorantes.
AUXÓTROFO, FA adj. y s. Cepa de microorganismos que necesita factores imprescindibles para los organismos comunes de la misma especie.
AUYAMA f. *Ant.* Calabaza, planta.
AUZOUT, ***Adrien*** (1622-1691) Astrónomo fr., inventor del micrómetro para medir el diámetro aparente de los cuerpos celestes.
AVAHAR tr. Echar vaho, dirigiéndolo hacia una persona o cosa. • Calentar con el vaho alguna cosa. • intr. y prnl. Echar o despedir vaho.
AVAL m. Firma que se pone al pie de un documento de crédito para responder de su pago, en caso de no efectuarlo la persona obligada a él. • Escrito en que uno responde de la conducta de otro. ■ AVALAR; AVALISTA.
AVALANCHA f. Alud. • Tropel, irrupción.
AVALENTADO, DA adj. Propio del valentón.
AVALENTONADO, DA adj. Valentón.
AVALORAR tr. Dar valor a alguna cosa. • fig. Infundir ánimo.
AVALUAR tr. Valuar. ■ AVALUACIÓN; AVALÚO.
AVANCE m. Anticipo de dinero. • Anticipo de una noticia. • En ciertos coches, parte anterior de la caja, de quita y pon. • *Aut.* Adelanto que suele darse al encendido de los motores de explosión, al hacer saltar la chispa en la bujía antes de que el émbolo llegue al final de la carrera decompresión. • Balance de un comerciante; presupuesto de una obra. • Fragmentos de una película que se presentan con fines publicitarios. • *Chile.* Juego de pelota en campo raso y abierto.
AVANTRÉN m. Parte delantera de un carruaje que comprende la suspensión y los mecanismos de dirección.
AVANZADA f. Partida de soldados destacada para observar de cerca al enemigo.
AVANZADILLA f. Puesto militar que se adelanta a la avanzada. • Muelle construido sobre pilotes y por debajo del cual pasan las aguas.
AVANZADO, DA adj. y s. De ideas políticas radicales en sentido democrático. • Progresista.
AVANZAR tr. Mover o prolongar hacia adelante. • intr. y prnl. Ir hacia adelante. • Tratándose de tiempo, acercarse a su fin. • intr. fig. Adelantar o mejorar en la acción o estado. • Proponer.
AVARICIA f. Afán de poseer y adquirir riquezas para atesorarlas. ■ AVARICIOSO, SA; AVARIENTO.
ÁVARO, RA adj. y s. Relativo a los ávaros. • m. pl. Pueblo ant. turcomongol, que en el s. V formó un imperio entre Manchuria y Turfán. • Pueblo actual del Cáucaso que vive en Daguestán y Azerbaiján.
AVARO, RA adj. y s. Avariento. • fig. Que reserva, oculta o escatima alguna cosa.
AVASALLAR tr. Someter a obediencia. • fig. Atropellar, actuar a despecho de los derechos ajenos. • prnl. Hacerse súbdito de algún rey o señor. • Someterse al que tiene poder. ■ AVASALLAMIENTO.
AVATAR m. Vicisitud.
AVE f. *Zool.* Animal vertebrado ovíparo de respiración pulmonar y sangre caliente, pico corto, cuerpo cubierto de plumas, y con dos pies y dos alas gralte. aptas para el vuelo. • pl. Clase de estos animales. • **del Paraíso.** Pájaro de color rojizo, cabeza dorada y garganta azul. • **de paso.** La que en ciertas estaciones del año se muda de una región a otra. • fig. y fam. Persona que habita poco tiempo en el mismo sitio. • **de rapiña.** Cualquiera de las carnívoras que tienen pico y uñas muy robustos, encorvados y puntiagudos. • fig. y fam. Persona que se apodera con violencia de lo que no es suyo. • **rapaz. A.** de rapiña.
* *Zool.* Las a. son los únicos animales que poseen plumas. Estas plumas están adaptadas a funciones particulares: las remeras de las alas constituyen pla-

Autorretrato de Cézanne

Representación de un arqueoptérix, el **ave** más primitiva conocida

Ave del Paraíso

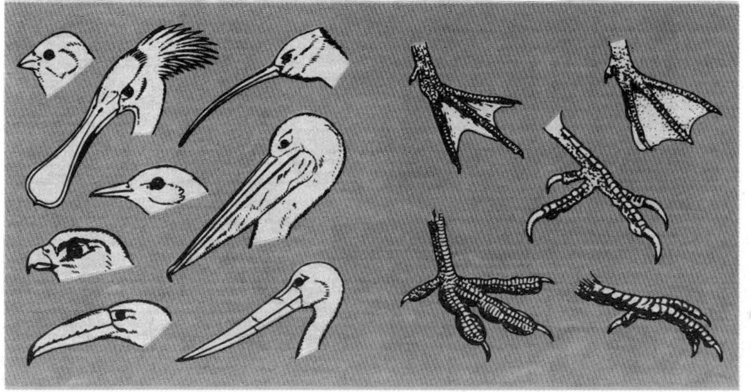
Diversos tipo de picos y patas en las **aves**

nos de sustentación; las timoneras de la cola dirigen el curso del vuelo; las coberteras recubren todo el cuerpo; y el plumón, que se halla debajo de las coberteras, constituye un excelente aislante térmico. No todas las especies utilizan sus alas para volar, algunas se valen de ellas para mantenerse a flote. El esfuerzo del vuelo exige que las aves sean animales de metabolismo elevado, por lo que presentan una elevada temperatura corporal. Las a. maceran y predigieren los alimentos en el buche y la molleja. Su aparato circulatorio es semejante al de los mamíferos, lo que también es cierto para otros sistemas orgánicos. En el aparato reproductor presentan, sin embargo, diferencias respecto a los mamíferos: dado su oviparismo, carecen de útero y sus oviductos desembocan directamente en la cloaca. Las rapaces tienen el sentido de la vista muy agudizado. En las zonas templadas, las a. se aparejan en primavera, siguiendo pautas rituales en ocasiones muy complejas; los machos se tornan más agresivos, y a menudo establecen un territorio, desde el que emiten su canto con función de reclamo. Cuando el macho ha logrado atraer a la hembra, inicia el galanteo, y ambos empiezan la construcción del nido donde la hembra depositará e incubará los huevos. Las crías de las especies más evolucionadas nacen sin plumas, por lo que dependen totalmente de sus padres. En otros grupos, las crías son capaces de buscar su propio alimento desde el momento que salen del huevo. En otoño, las crías ya están desarrolladas.

Avefría

AVE Siglas del tren Alta Velocidad Español, cuya línea férrea de Madrid a Sevilla se inaguró en 1992 con motivo de la Exposición Universal celebrada en la ciudad andaluza.

AVECHUCHO m. Ave de figura desagradable. • fig. y fam. Sujeto despreciable.

AVECINAR tr. y prnl. Acercar. • Avecindar.

AVECINDAR tr. Inscribir a alguien como vecino de una población. • prnl. Establecerse en una población en calidad de vecino. • fig. Arraigar una persona o cosa. ▪ AVECINDAMIENTO.

AVEFRÍA f. *Zool.* Ave caradriforme de la familia escolopácidos de plumaje verde con irisaciones; posee un penacho de plumas en la cabeza.

AVEJENTAR tr. y prnl. Poner viejo o hacer parecer viejo a alguien.

AVEJIGAR tr., intr. y prnl. Levantar vejigas o ampollas sobre alguna cosa.

AVELEDO, *Agustín* (1837-1926) Educador ven. Introductor del positivismo y del evolucionismo en Venezuela.

Avellano. Árbol, flores y frutos

AVELLANA f. Fruto del avellano; es redondo, de unos 2 cm de diámetro, con corteza dura de color canela, dentro de la cual hay una carne blanca, aceitosa y de gusto agradable.

AVELLANADOR m. Barrena cuya rosca está sustituida por una cabecilla de forma de avellana, usada para ensanchar los taladros.

AVELLANAR m. Sitio poblado de avellanos. • tr. Ensanchar los agujeros para los tornillos. • prnl. Arrugarse como los avellanos una persona o cosa. ▪ AVELLANADO, DA.

AVELLANEDA f. Avellanar. ▪ AVELLANEDO.

AVELLANEDA Partido de Argentina, en la prov. de Buenos Aires, al SE de la cap. del país, de cuya agl. urb. forma parte; 334 100 hab. Centro industrial.

AVELLANEDA, *Alonso Fernández de* (s. XVII) Seud. del autor de una *Segunda Parte del Ingenioso hidalgo Don Quijote de la Mancha.* • ***Gertrudis Gómez de*** (1814-1873) Poetisa romántica nacida en Cuba y residente en España desde 1836. Cultivó también la novela: *Al mar, Sab,* y el teatro: *La sonámbula.* • ***Marco M. de*** (1814-1841) Político arg.; se sublevó contra Rosas y fue decapitado por orden de Oribe. • ***Nicolás*** (1836-1885) Político arg., hijo del anterior; presid. de la rep. en 1874-1880.

AVELLANET, *José* (1860-1900) Escritor puertorriq. Influido por Echegaray. *El anillo de bronce.*

AVELLANO m. Arbusto caducifolio de la familia betuláceas, de unos 4 m de alt., con hojas anchas y aserradas, flores masculinas y femeninas, y fruto comestible. • *Cuba.* Árbol euforbiáceo, cuyo fruto es una baya con almendras blancas, y de cuyo tronco se obtiene goma elástica. • *Argent.* y *Chile.* Árbol proteáceo frutal.

Avena

AVEMARÍA f. Oración católica que empieza con la salutación del arcángel Gabriel a María. • Cada una de las cuentas pequeñas del rosario. • Ángelus. • **Al a.** m. adv. Al anochecer. • **En un a.** loc. fig. y fam. En un instante.

¡AVE MARÍA! interj. que denota asombro.

AVEMPACE Nombre cast. de *Ibn Badjá* (m. 1138) Médico arabigoespañol, n. en Zaragoza. Uno de los primeros aristotélicos ár. *Comentarios.*

AVENA f. Planta herbácea de la familia gramíneas, con flores terminales agrupadas en panojas sueltas y reunidas por parejas, usada tanto en la alimentación humana como del ganado. • Grano de esta planta. • poét. Zampoña, flauta pastoril. • **loca.** Ballueca. ▪ AVENAL; AVENADO, DA.

AVENADO, DA adj. Relativo a la avena. • Que contiene avena. • Que tiene vena de loco.

AVENAR tr. Dar salida a las aguas muertas, o a la humedad de los terrenos, por medio de zanjas. • Evacuar aguas un río en su cuenca. ▪ AVENAMIENTO.

AVENARIUS, *Richard* (1843-1896) Filósofo al., nacido en París, creador de una filosofía positivista denominada empirocriticismo.

AVENATE m. Bebida hecha de avena mondada, cocida en agua y molida.

AVENENCIA f. Convenio. • Conformidad.

AVENIDA f. Creciente impetuosa de un río o arroyo. • Camino que conduce a un pueblo o paraje. • Vía ancha con árboles a los lados. • fig. Concurrencia de varias cosas. • *Mil.* Desfiladero, puente, etc., que conduce a una plaza fuerte o posición.

AVENIDO, DA adj. Con los advs. *bien* o *mal*, concorde con personas o cosas, o al contrario.

AVENIR tr. y prnl. Concordar, ajustar las partes discordes. • intr. Suceder, efectuarse un hecho. Se usa en el infinit. y en las terceras personas de sing. y pl. • prnl. Entenderse bien con alguna persona o cosa. • Ajustarse, ponerse de acuerdo. • Amoldarse, hallarse a gusto, conformarse con algo. • Hablando de cosas, hallarse en armonía o conformidad. ▪ AVENIDOR, RA; AVENIMIENTO.

AVENTADOR, RA adj. y s. Díc. del que avienta y limpia los granos. • Máquina o instrumento usado con este fin. • m. Bieldo. • Soplillo, mosqueador o abanico. • *Min.* Válvula de suela, colocada en el tubo de aspiración de las bombas.

AVENTAJAR tr. y prnl. Adelantar, poner en mejor estado, conceder alguna ventaja. • Mejorar a uno o ponerlo en mejor estado. • tr. Anteponer, preferir. • prnl. LLevar ventaja, exceder. ▪ AVENTAJADO, DA.

AVENTAR tr. Hacer aire a alguna cosa. • Echar al viento los granos en la era. • Impeler el viento alguna cosa. • fig. y fam. Echar. • *Cuba.* En los ingenios, exponer el azúcar al aire y al sol. • prnl. Llenarse de viento algún cuerpo. • fig. y fam. Huir. • *Col.* Lanzarse sobre alguna persona o cosa.

AVENTINO Una de las siete colinas de Roma.

AVENTURA f. Suceso extraordinario. • Casualidad. • Riesgo, peligro inopinado. • Empresa desconocida o arriesgada a la que se lanza alguien amante del peligro. • Relación amorosa breve entre un hombre y una mujer. • Empresa de resultado incierto.

AVENTURAR tr. y prnl. Arriesgar. • tr. Decir alguna cosa atrevida o de la que se tiene duda o recelo. ▪ AVENTURADO, DA.

AVENTURERO, RA adj. y s. Que busca aventuras. • Aplícase a la persona de oscuros antecedentes que por medios reprobados trata de conquistar un puesto en la sociedad. • adj. *Cuba.* Díc. del maíz, arroz, etc., producido fuera del tiempo apropiado para su cultivo. • *Méx.* Díc. del trigo que se siembra de secano.

AVERAGE (voz ingl.) m. *Dep.* Promedio, cociente, media.

AVERCHENKO, *Arkadi* (1881-1925) Escritor ruso. Fundador de la revista humorística Satiricón. Autor de cuentos y de breves piezas teatrales.

AVERESCU, *Alexandru* (1859-1938) Militar y político rum., jefe del Estado durante las guerras balcánicas. En el curso de la I Guerra Mundial ostentó el mando del ejército. Jefe del gobierno en 1918, 1920 y 1926.

AVERGONZAR tr. Causar vergüenza. • prnl. Tener vergüenza o sentirla.

AVERÍA f. Daño que padecen las mercaderías o géneros. • Lugar donde se crían aves. • Averío. •

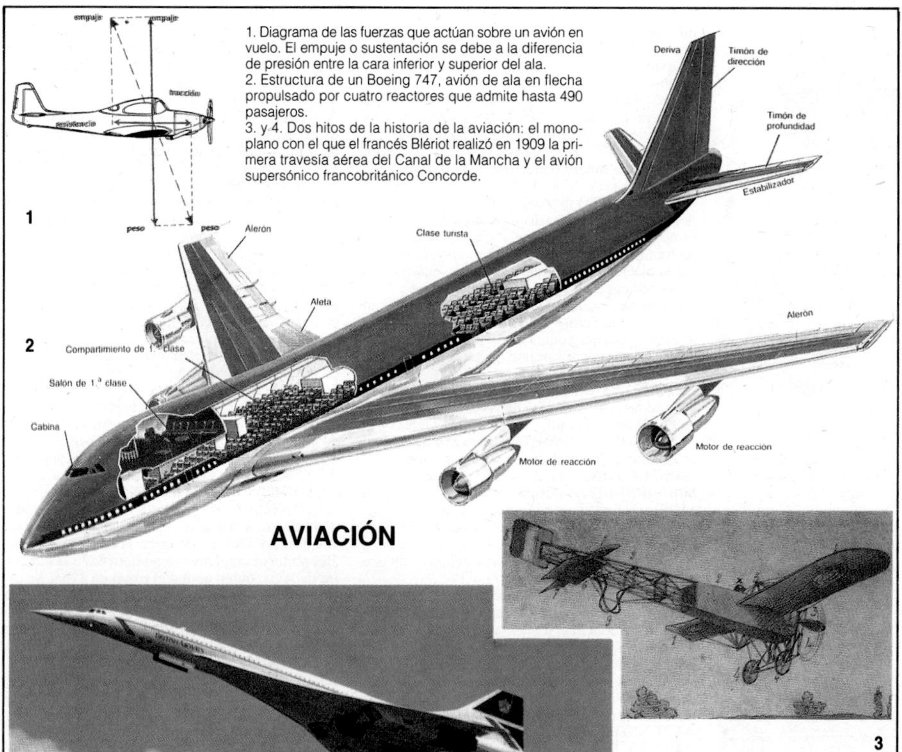

AVIACIÓN

1. Diagrama de las fuerzas que actúan sobre un avión en vuelo. El empuje o sustentación se debe a la diferencia de presión entre la cara inferior y superior del ala.
2. Estructura de un Boeing 747, avión de ala en flecha propulsado por cuatro reactores que admite hasta 490 pasajeros.
3. y 4. Dos hitos de la historia de la aviación: el monoplano con el que el francés Blériot realizó en 1909 la primera travesía aérea del Canal de la Mancha y el avión supersónico francobritánico Concorde.

fam. Azar, daño o perjuicio. • **gruesa.** Daño o gasto causado deliberadamente en un buque o en su cargamento, para salvarlo o para preservar otros buques. • **simple.** La que no afecta a todos los interesados en el riesgo. • **vieja.** En la Casa de la Contratación de Indias, derecho y repartimiento que se hacía para satisfacer el descubierto de las arcas de la a., gabela impuesta a los mercaderes.
AVERIAR tr. Ocasionar avería en un mecanismo, vehículo, etc. • prnl. Echarse a perder o estropearse parcialmente una cosa.
AVERIGUAR tr. Inquirir, indagar, investigar. • intr. *Amér.* Disputar o pelear. ■ AVERIGUACIÓN; AVERIGUAMIENTO.
AVERÍO m. Conjunto de aves de corral.
AVERNO, NA adj. Relativo al infierno. • m. poét. Infierno.
AVERROES Nombre cast. de *Ibn Rosch* (1126-1198) Pensador ár., nacido en Córdoba. Cultivó todas las ciencias. Comentador de Aristóteles. Contra el escepticismo de Algazel, escribió *La destrucción de las destrucciones*.
AVERROÍSMO m. Sist. del filósofo hispanoárabe Averroes, y especialmente su opinión sobre la unidad del entendimiento agente entre todos los hombres. Influyó en los escolásticos y en los pensadores renacentistas. ■ AVERROÍSTA.
AVERRUGARSE prnl. Llenarse de verrugas. ■ AVERRUGADO, DA.
AVERSIÓN f. Oposición y repugnancia que se tiene a alguna persona o cosa.
AVERY, *Milton Clark* (1893-1965). Pintor norteam., pionero del arte abstracto.
AVESTA Nombre con el que se designan los 21 libros sagrados del zoroastrismo.
AVÉSTICO, CA adj. Relativo al Avesta. • m. *Ling.* Lengua en que está escrito el Avesta, hablada antiguamente en la parte septentrional de Persia.
AVESTRUZ m. Ave corredora de cuello largo y cabeza pequeña, perteneciente al orden estruciformes, la de mayor tamaño entre las aves actuales; puede correr a una velocidad de 60 km/h, y no puede volar. Sus plumas son muy apreciadas.
AVETADO, DA adj. Veteado, que tiene vetas.
AVETARDA f. Avutarda, ave.
AVETORO m. Ave ciconiforme de la familia ardeidos, de plumaje pardo rojizo y largas patas.
AVEZAR tr. y prnl. Acostumbrar.
AVIACIÓN f. Locomoción aérea por medio de aparatos más pesados que el aire. • *Mil.* Arma del ejército que utiliza con fines bélicos este tipo de locomoción.
* El primer vuelo de la historia lo realizó en 1890 el fr. Ader, que con su avión *Eolo*, provisto de un motor de vapor, logró despegar, volar y aterrizar, cubriendo una distancia de 50 m. En 1901 se introdujo el motor de gasolina y en 1903 los hermanos Wright realizaron el primer vuelo de larga duración. El fr. Blériot cruzó el canal de la Mancha en 1909, y en 1912 el también fr. Roland Garros alcanzó los 5 000 m. de alt. Durante la I Guerra Mundial la a. fue un instrumento de apoyo táctico a las fuerzas de tierra, realizando tareas de reconocimiento, observación y bombardeo. La guerra sirvió para impulsar la construcción de aviones y al término de la misma entraron en funcionamiento las primeras líneas de a. comercial y el correo aéreo, y se establecieron nuevos récords: primera travesía del Atlántico sin escala (1919); vuelo del hidroavión *Plus Ultra* entre España y Argentina, nueva marca mundial de distancia (1926); primer vuelo sin escala entre Nueva York y París (Lindbergh, 1927). El motor a reacción, obra del al. Pabst von Ohein (1939), permitió a Yaeger superar por primera vez la barrera del sonido en 1947. Durante la II Guerra Mundial, la a. fue un factor decisivo en la contienda, en misiones de apoyo, cobertura y reconocimiento, y en las de bombardeo masivo de ciudades.

Avestruz

Página de una obra de **Avicena,** traducida al hebrero en un manuscrito salmantino del s. XIV

Avión ligero de hélice

Avión de pasajeros

Avión de ataque e interceptación

Avión militar de transporte

Avión supersónico de pasajeros

Diversos tipos de **aviones**

Acabada la guerra, en 1951 entró en servicio el primer reactor comercial, el *Comet*, y la a. civil inició una ininterrumpida expansión con la introducción de aviones cada vez de mayor tamaño (*Tupolev, Jumbo, Concorde, Airbus*).

AVIADOR, RA adj. y s. Piloto de aviación. • Que avía o prepara algo. • m. *Mil.* Individuo que presta servicio en la aviación militar. • Barrena que usan los calafates. • *Amér.* El que costea labores de minas, o presta dinero o efectos a labrador, ganadero o minero.

AVIAMIENTO m. Avío, apresto.

AVIAR tr. Prevenir o disponer alguna cosa para el camino. • Aderezar la comida. • tr. y prnl. fam. Alistar, componer. • fam. Despachar, apresurar y avivar la ejecución de lo que se está haciendo. • fam. Proporcionar a uno lo que le hace falta para algún fin. • tr. *Amér.* Prestar dinero o efectos a labrador, ganadero o minero. • *Chile.* Costear las labores de una mina para que continúe la explotación de la misma, con el fin de resarcirse de los préstamos hechos a su dueño. • prnl. Ponerse el traje adecuado para salir a la calle, recibir visita, etc. • adj. *Zool.* Díc. de las enfermedades de las aves domésticas.

AVIARIO, RIA adj. Relativo a las aves. • m. Colección de aves, vivas o no, para exhibirlas o para su estudio. • Local donde se exhiben aves.

AVICEBRÓN Nombre cast. de *Salomón ben Gabirol* (1020-1070) Filósofo hispanojudío, nacido en Málaga. Neoplatónico. *La fuente de la vida.*

AVICENA Nombre cast. de *Ibn Sina* (980-1037) Filósofo y médico persa. Su *Al-Schefa* (*La curación*) presenta las doctrinas aristotélicas, con acusados rasgos neoplatónicos.

AVICULTURA f. Rama de la zootecnia que se ocupa de la cría de aves con vistas al aprovechamiento de sus productos. ■ AVÍCOLA, AVICULTOR, RA.

AVIDEZ f. Ansia, codicia.

ÁVIDO, DA adj. Ansioso, codicioso.

AVIEJAR tr. y prnl. Avejentar.

AVIENO, ***Festo Rufo*** (s. IV) Poeta didáctico latino. *Descriptio orbis terrae, Ora maritima.*

AVIENTO m. Bieldo.

AVIESO, SA adj. Torcido. • fig. Maligno.

AVIFAUNA f. Conjunto de las aves de un país.

AVIGORAR tr. Vigorizar.

ÁVILA Prov. de España, en la com. autón. de Castilla y León; 8 048 km^2; 169 342 hab. Cereales. Ganado vacuno y ovino. Riqueza forestal. Cap., Ávila. C. prales.: Arenas de San Pedro, Arévalo, Madrigal de las Altas Torres. • C. esp. cap. de la prov. hom.; 47 187 hab. Cuna de Santa Teresa.

ÁVILA, ***Alonso de*** (h. 1486-1542) Conquistador esp. Acompañó en la conquista de México a Cortés, del que fue valedor ante Carlos V para que le concediera el gobierno de las tierras mex. Realizó expediciones a Yucatán y Honduras. • ***Juan de*** (1500-1569) Santo. Predicador esp., autor de epístolas ascéticas. Canonizado en 1970. • ***Julio Enrique*** (1892-1968) Químico, político y escritor salv. *Fuentes de alma, El vigía sin luz, El himno sin patria.* • **Camacho,** ***Manuel*** (1897-1955) Militar y político mex. Se enfrentó a De la Huerta, al movimiento de los cristeros y a los escobaristas. Presid. de la rep. (1940-1946), frenó las conquistas sociales de la época de Cárdenas. • **Echazú,** ***Edgar*** (nacido 1930) Ensayista, poeta y pintor bol. *Historia y antología de la literatura boliviana, Memoria de la tierra, Elegía.*• **Jiménez,** ***Antonio*** (1898-1965) Poeta bol. *Cronos, Las almas, Poemas.*

AVILANTARSE prnl. Insolentarse.

AVILÉS Mun. de España, en Asturias; 85 696 hab. Plantas siderúrgicas, puerto pesquero.

AVILLANADO, DA adj. Que parece villano.

AVILLAR tr. fam. *Méx.* Cohechar, sobornar.

AVINAGRADO, DA adj. fam. De condición acre y áspera.

AVINAGRAR tr. y prnl. Poner aceda o agria una cosa.

AVINCA f. *Perú.* Especie de calabaza.

AVIÑÓN C. del SE de Francia, a orillas del Ródano, cap. del dpto. de Vaucluse, en la región de Provenza; 89 100 hab. Residencia de los papas (1305-1378) y de los antipapas (1378-1408). Festival de teatro.

AVIÑONENSE adj. y s. Aviñonés.

AVIÑONÉS, SA adj. y s. De Aviñón.

AVÍO m. Prevención. • Entre pastores, provisión que llevan para alimentarse. • Conveniencia o provecho personal. • *Amér.* Préstamo que se hace a labrador, ganadero o minero. • pl. fam. Utensilios para alguna cosa. • **¡Al avío!** loc. fam. usada para excitar a uno a hacer algo.

AVIÓN m. Vehículo para la navegación aérea, más denso que el aire, cuya sustentación se debe a fuerzas originadas durante su desplazamiento. • *Zool.* Vencejo, pájaro.

* *Aer.* Los a. están constituidos por tres elementos básicos: a) *conjunto estructural*, que incluye las superficies sustentadoras o *alas*, los *alerones*, el *timón* y el *fuselaje*, armazón en forma de huso que constituye la parte ocupable del a., donde se alojan los tripulantes y los pasajeros o la carga; b) *grupo motopropulsor*, que puede ser de *hélice* o a reacción; este último puede basarse en una turbina de gas o *turborreactor* o bien en un *estatorreactor*, propulsor que carece de piezas móviles; como propulsor suplementario se emplea hoy día el *cohete*. El grupo motopropulsor puede estar acoplado en la proa del fuselaje (monoplanos a hélice), en las alas (cuando existen varios grupos) o en la parte posterior del aparato; c) *equipos*, que incluyen los instrumentos de gobierno del a., generadores, dispositivos anti o descongelantes y el tren de aterrizaje del aparato.

AVIONERO m. *Amér.* Soldado de aviación.

AVIONETA f. Avión pequeño.

AVIÓNICA f. *Aer.* Estudio de las aplicaciones de la electrónica a la aeronáutica y la astronáutica.

AVIS o **AVIZ** Segunda de las grandes dinastías reales portuguesas. Toma su nombre de Juan I, maestre de Avis, quien ocupó el trono en 1385. Se extinguió al morir sin hijos el cardenal don Enrique (1580).

AVISADO, DA adj. Prudente, sagaz. • *Taur.* Díc. del toro que atiende a cuanto se mueve en la plaza, dificultando su lidia. • **Mal a.** Atolondrado.

AVISADOR, RA adj. y s. Que avisa. • m. Persona que lleva avisos. • Dispositivo que emite una señal para advertir de algo.

AVISAR tr. Dar noticia de algún hecho. • Advertir o aconsejar. • Llamar a alguien para que preste un servicio.

AVISO m. Noticia dada a alguno. • Indicio. • Anuncio. • Advertencia, consejo. • Atención. • Prudencia. • *Taur.* Advertencia de la presidencia cuando el matador prolonga demasiado la faena. • **Andar** o **estar** uno **sobre a.** Estar prevenido.

AVISPA f. Insecto himenóptero, provisto de aguijón, de color negro con anillos amarillos o rojos. Vive asociada y construye el panal en forma de celda hexagonal.

AVISPAR tr. Avivar con látigo, etc. a las caballerías. • tr. y prnl. fig. y fam. Hacer despierto a alguno. • *Chile.* Infundir miedo. • prnl. fig. Inquietarse. ■ AVISPADO, DA.

AVISPERO m. Panal que fabrican las avispas. • Lugar en que lo fabrican. • Conjunto de avispas. • fig. y fam. Asunto enredado. • Grupo de diviesos.

AVISPÓN m. Insecto himenóptero parecido a la avispa pero de tamaño bastante mayor.

AVISTAR tr. Alcanzar con la vista alguna cosa. • prnl. Reunirse una persona con otra.

AVITAMINOSIS f. *Med.* Carencia o escasez de vitaminas. • *Pat.* Nombre de las enfermedades producidas por la falta o ausencia de vitaminas.

AVITELADO, DA adj. Parecido a la vitela.

AVITUALLAR tr. Proveer de vituallas. ■ AVITUALLAMIENTO.

AVIVADOR, RA adj. Que aviva. • m. Hueco entre dos molduras. • Cepillo con que los tallistas hacen esas molduras.

AVIVAR tr. Dar viveza, animar. • fig. Encender, acalorar. • fig. Tratándose del fuego, hacer que arda más. • fig. Tratándose de la luz artificial, hacer que dé más claridad. • fig. Hablando de los colores, ponerlos más vivos. • intr. y prnl. Hablando de la semilla de los gusanos de seda, empezar a vivir o nacer éstos. • Cobrar vida. ■ AVIVAMIENTO.

AVIZORAR tr. Acechar.

AVOCAR tr. *Der.* Pedir para sí un tribunal superior la causa que se estaba litigando ante otro inferior. • Pedir para sí un superior un asunto sometido a decisión de un inferior.

AVOCASTRO m. *Chile.* Persona muy fea.

AVOCETA f. Ave caradriforme de la familia recurvirróstridos, de cuerpo blanco con manchas negras, pico largo, delgado y encorvado hacia arriba, cola corta y dedos palmeados.
AVOGADRO di Quaregna, *Amedeo* (1776-1856) Químico it. Uno de los fundadores de la moderna teoría molecular. • **Hipótesis de A.** Todos los gases, a igualdad de volumen, presión y temperatura, tienen el mismo número de moléculas. • **Número de A.** Número de moléculas contenidas en el peso molecular gramo (mol) de cualquier sustancia. El valor aceptado para este número es $6{,}06 \times 10^{23}$, determinado por R.A. Millikan.
AVOLCANADO, DA adj. Aplícase al lugar donde hay volcanes o señales de haber existido.
AVUCASTA f. Avutarda.
AVUGUERO m. Árbol, variedad del peral. ■ AVUGO.
AVULSIÓN f. *Cir.* Extirpación. ■ AVULSIVO, VA.
AVUTARDA f. Ave gruiforme de la familia ótidos, de color rojo manchado de negro. Su carne es muy apreciada.
AXAYÁCATL Emperador azteca (1469-1481), padre de Moctezuma. Extendió sus dominios sometiendo a pueblos vecinos.
AXELROD, *Julius* (nacido 1912) Bioquímico norteam. Premio Nobel de Medicina y Fisiología en 1970 por sus trabajos sobre la transmisión nerviosa.
AXÉNICO, CA adj. Se dice en microbiología del cultivo puro, que sólo contiene microorganismos de una determinada cepa.
AXEROFTOL m. Nombre de la vitamina A.
AXIAL o **AXIL** adj. Concerniente al eje.
AXILA f. *Anat.* Región situada en la parte superoexterna del tórax del hombre, bajo la raíz del brazo. • *Bot.* Ángulo formado por la articulación de cualquiera de las partes de la planta con el tronco, la rama o la vaina. ■ AXILAR.
AXINA f. *Méx.* Producto graso procedente de ciertas cochinillas.
AXINITA f. *Miner.* Silicato de aluminio y calcio, de color gris, azul o violado, traslúcido y con brillo vítreo.
AXIOLOGÍA f. *Fil.* Teoría de los valores y de los juicios de valor. ■ AXIOLÓGICO, CA.
AXIOMA m. *Fil.* Principio o proposición que no necesitan demostración. • *Mat.* Proposición que se establece sin demostración y que, junto a otras no demostradas, permite deducir, de acuerdo con unas reglas determinadas, una teoría coherente de enunciados.
AXIOMÁTICO, CA adj. Incontrovertible, evidente. • Relativo a los axiomas. • f. Conjunto de axiomas en que se basa un sistema teórico.
AXIOMATIZAR tr. Construir la axiomática de una ciencia. ■ AXIOMATIZACIÓN.
AXIÓMETRO m. *Mar.* Instrumento que indica el ángulo de inclinación del timón respecto a la quilla.
AXIS m. *Zool.* Segunda vértebra cervical que, en los reptiles, aves y mamíferos, permite la rotación de la cabeza. ■ AXOIDEO.
AXOLOTE m. *Zool. Méx.* Larva de ciertos anfibios de carne muy estimada.
AXÓN m. Neurita.
AXONOMETRÍA f. *Mat.* Estudio de la proyección de cuerpos sobre un plano.
AXONOMORFO, FA adj. *Bot.* Raíz formada por un eje del que derivan otras raíces.
¡AY! interj. con que se expresa aflicción o dolor. Seguida de la partícula de y un nombre o pronombre, denota pena, temor, conmiseración o amenaza. • m. Suspiro, quejido.
AYABACA Prov. de Perú, en el dpto. de Piura; 4 989 km², 122 300 hab. • C. de Perú, cap. de la prov. hom.; 4 500 hab. Cultivos tropicales, ganadería vacuna y lanar. Minas de oro.
AYACUCHO, CHA adj. y s. De Puerto Ayacucho (Venezuela).
AYACUCHO Dpto. del centro-sur del Perú; 43 814,8 km², 517 800 hab. (75 % quechuas). Cap., la c. hom. Sit. entre el Apurímac y la cordillera Occidental. Al N lo recorren los r. Pampas y Mantaro. Clima seco. Maíz, cebada, patata. Ganado vacuno, ovino, auquénido. • C. de Perú, cap. del dpto. hom.; 105 918 hab. Universidad, aeropuerto. Fundada por Pizarro en 1539; en sus inmediaciones se celebró la batalla que decidió la independencia del Perú (1824). • **Declaración de A.** Documento firmado en Lima (1974) por Argentina, Bolivia, Colombia, Cuba, Ecuador, Panamá, Perú y Venezuela, de tendencia nacionalista y reiterando la igualdad de los Est., la integración regional y el rechazo de la dependencia.
AYAHUASA o **AYAHUASCA** f. *Ecuad.* Planta cuya infusión toman los indios para embriagarse.
AYALA Mun. de México, en el est. de Morelos; 28 100 hab. Agricultura. • **Plan de A.** El proclamado en 1911 por Emiliano Zapata en el que proponía la reforma a graria y la destitución de Madero.
AYALA, *Daniel* (nacido 1908) Compositor y director de orquesta mex. Uno de los fundadores del Grupo de los 4.• ***Eligio*** (1880-1930) Militar y político par. Presid. de la rep. (1923-1924 y 1924-1928), llevó a cabo reformas liberales en la Hacienda y la Administración. Ocupó el Chaco. • ***Eusebio*** (1875-1942) Político par. Presid. de la rep. en 1921-1923 y en 1932-1936, durante la guerra del Chaco. • **Fernando** (1920-1997) Director de cine arg. *La flaca, Plata dulce, El arreglo.* • **Francisco** (nacido 1906) Escritor y periodista esp. Colaborador de revistas esp. y amer. (*Revista de Occidente*, la bonaerense *Realidad*, de la que fue fundador) y crítico literario. *La cabeza del cordero, Muertes de perro, El escritor en la sociedad de masas.* Premio de las Letras Españolas en 1988 y premio Príncipe de Asturias de las Letras en 1998. • ***José*** (1761-1816) Militar y patriota col. Intervino en la revolución de 1810. Fusilado por el general realista Morillo. • ***Manuel Joseph*** (1728-1805) Jurista pan. Compilador de las leyes de Indias. • **Michelena, *Leopoldo*** (1897-1962) Dramaturgo ven. Al dejar *las muñecas, Portal de Leoncio Martínez, La respuesta del otro mundo.*
AYAPANÁ f. *Amér.* Planta compuesta, usada como sudorífica.
AYATE m. *Méx.* Tela de hilo de maguey, palma, henequén o algodón.
AYCINENA, *Mariano* (s. XIX) Político guat., firmante del acta de Independencia. Jefe d el Est. entre 1827 y 1829. • ***Pedro*** (s. XIX) Político guat. Presid. interino de la rep. en 1865, tras la muerte de Carrera.
AYEDAHUE m. *Chile.* Adefesio. • pl. *Chile.* Extravagancias.
AYER adv. tiempo. En el día que precedió inmediatamente al de hoy. • fig. Poco tiempo ha.
AYER, *Alfred Julius* (1910-1989) Filósofo brit. inscrito en el positivismo lógico. *Filosofía y lenguaje.*
AYERMAR tr. y prnl. Convertir en yermo.
AYESTERÁN, *Lauro* (1915-1966) Musicólogo y folclorista ur. *La música en el Uruguay.*
AYGUALS de Izco, *Wenceslao* (1801-1875) Escritor esp., especializado en el folletín. *Pobres y ricos o la bruja de Madrid.*
AYLLU m. Núcleo comunitario de la sociedad inca constituido por miembros de un clan.
AYLWIN, *Patricio* (nacido 1918) Abogado y político chil. Presidente 7 veces de la DC (Democracia Cristiana). Era presid. del Senado, cuando en 1973 se derrocó a Allende. En 1980 integró la oposición al gobierno del general Pinochet. En 1989 resultó vencedor en los comicios para la presid. de la Rep., cargo que ocupó hasta marzo 1994.
AYMARÁ o **AYMARA** adj. y s. Relativo a los aymará. • m. Lengua hablada por las tribus del pueblo aymará: colla, lupaca, collagua, pacasé, caranca, chanca, quillagua, omasuyu, collahuaya. • m. pl. Pueblo amerindio que habita en torno al lago Titicaca, en Bolivia (dptos. de La Paz y Oruro) y Perú (dpto. de Puno). En la actualidad son alrededor de un millón y medio de individuos de los cuales hay un millón en Bolivia. Úsase también *aimará.*
* *Hist.* Los a. formaban, antes de la conquista incaica, pequeños reinos independientes enfrentados entre sí. Estas disputas fueron aprovechadas por el inca Pachacutec para invadirlos y anexionarlos a su imperio (1450). Los incas realizaron grandes construcciones en territorio aymará (templos del Sol y de la Luna en el lago Titicaca). La conquista esp. fue iniciada en 1533 por Diego de Agüero y Pedro Martínez de Moguer, a los que siguieron Diego de Almagro (1535) y Hernando Pizarro, que pacificó la zona. En 1524 todo el territorio a. estaba incluido en el virreinato del Perú.

Avispa

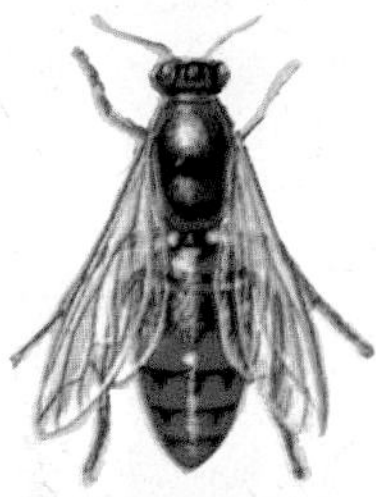

Avispón

Patricio **Aylwin**

Mujer **aymará**

Flor de **azafrán**

Azagayas

Azahar

Flores de **azalea**

AYMÉ, ***Marcel*** (1902-1967) Novelista y comediógrafo fr. *La yegua verde* (novela); *Clérambard* (teatro).
AYO, AYA m. y f. Persona que se encargaba del cuidado y educación de los niños.
AYOCOTE m. *Méx.* Frijol grueso.
AYOGUASCLE m. *Méx.* Semilla de calabaza.
AYOLAS, ***Juan de*** (1493-1538) Conquistador esp., lugarteniente de Pedro de Mendoza. Recorrió el Paraná y el Paraguay. Gobernador del Río de la Plata (1537).
AYORA, ***Isidro*** (1879-1978) Político ecuat. Tras la revolución que puso fin (1925) a la «era de la dominación bancaria», fue nombrado presid. del país (1926). Intentó restablecer el orden y reforzar el poder ejecutivo. Con la crisis económica del año 1929, halló dificultades en el Parlamento. Dimitió en 1931.
AYOTE m. *Amér. Centr.* Calabaza, fruto. • **Dar a.** fig. Guat. Dar calabazas.
AYOTERA f. *Amér. Centr.* Calabacera, planta.
AYÚA f. Ant. *Amér.* Árbol rutáceo, de madera blanda y fruto rojo. Se emplea en construcción y en medicina.
AYUBÍES (1171-1250) Dinastía de sultanes egipcios fundada por Saladino ibn Ayyub.
AYUDA f. Cosa que sirve para ayudar. • Persona o cosa que ayuda. • Medicamento líquido que se introduce por el ano. • Lavativa. • *Eq.* Estímulo que el jinete comunica al caballo tocándole con el pie y con la baqueta. • m. *Mar.* Cabo que se pone para mayor seguridad de otro. • **de cámara.** Servidor adscrito al servicio personal.
AYUDADO, DA adj. y s. *Taur.* Pase de muleta en cuya ejecución intervienen las dos manos.
AYUDADOR, RA adj. y s. Que ayuda. • m. Pastor que ocupa el primer lugar después del mayoral.
AYUDANTA f. Mujer que realiza trabajos subalternos.
AYUDANTE adj. Que ayuda. • com. Funcionario, militar o profesor que trabaja bajo las órdenes de un superior. ■ AYUDANTÍA.
AYUDAR tr. Prestar cooperación. • P. ext., auxiliar. • prnl. Poner los medios para lograr algo. • Valerse de la cooperación de otro.
AYUGA f. Mirabel, planta salsolácea.
AYUINÉ m. *Argent.* Especie de laurel.
AYUNAR intr. Abstenerse de comer o beber. • Privarse de algún gusto. • Guardar el ayuno eclesiástico.
AYUNO, NA adj. Que no ha comido. • Privado de algún gusto. • fig. Que no tiene noticia de lo que se habla, o no lo comprende. • m. Abstención de alimentos o bebidas, durante un período de tiempo, gralte. por motivos religiosos. • **En ayunas.** m. adv. Sin haberse desayunado. • fig. y fam. Sin tener noticia de alguna cosa, o sin comprenderla.
AYUNTAMIENTO m. Corporación compuesta de un alcalde y varios concejales para la administración de un municipio. • Casa consistorial. • Cópula, coito.
AYUNTAR tr. Juntar.
AYUTLA C. de México, en el est. de Guerrero; 24 000 hab. Agricultura, ganadería y explotaciones forestales. • **Plan de A.** Programa político del mov. encabezado por Álvarez y Comonfort contra Santa Anna, base de la Constitución de 1857.
AYYUB Jan, ***Muhammad*** (1907-1974) Político y militar paquistaní. Ministro de Defensa en 1954, después del golpe de estado del general Mirza obligó a éste a dimitir y se hizo con el nombramiento de presid. Reelegido en 1965. Dimitió en 1969.
AZA, ***Vital*** (1851-1912) Médico y comediógrafo esp., autor de farsas, sainetes y zarzuelas. *La rebotica, El rey que rabió.*
AZABACHE m. *Miner.* Variedad dura y compacta de lignito, susceptible de pulimento. • *Zool.* Pájaro de unos 8 cm de largo, lomo de color ceniciento, vientre blanco y cabeza y alas negras.
AZABARA f. *Bot.* Zabila, áloe.
AZACÁN, NA adj. y s. Que se ocupa en trabajos humildes y penosos. • m. Aguador.
AZACANEAR intr. Afanarse.
AZACHE adj. y s. Seda de inferior calidad que se obtiene de las primeras capas del capullo.
AZACUÁN m. *Guat.* Especie de milano.
AZADA f. Instrumento básicamente para cavar, que consta de una pala de hierro y un mango. • Azadón. ■ AZADADA; AZADAZO.
AZADÓN m. Especie de azada. ■ AZADONAR.
AZAFATA f. Criada que estaba al servicio personal de la reina. • Empleada que en los aviones atiende a los pasajeros. • Empleada que atiende a viajeros o visitantes en viajes, exposiciones, etc.
AZAFATE m. Canastillo de mimbre. • *Chile* y *Col.* Bandeja o fuente de loza.
AZAFRÁN m. *Bot.* Planta iridácea con bulbos sólidos, estilo filiforme y estigma de color rojo anaranjado. • Estigma de esta planta. Se usa como condimento, como tinte y como estimulante y emenagogo. • *Mar.* Madero exterior de la pala del timón. • *Pint.* Color amarillo anaranjado para iluminar. ■ AZAFRANAL; AZAFRANERO, RA.
AZAFRANADO, DA adj. De color de azafrán. • *Méx.* Díc. del que tiene el cabello de color bermejo.
AZAFRANAR tr. Teñir de azafrán. • Poner azafrán en un líquido u otra cosa.
AZAGAYA f. Dardo pequeño arrojadizo.
AZAHAR m. Flor del naranjo, del limonero, del cidro, etc. Es blanca, muy olorosa, y se emplea en medicina y perfumería.
AZALÁ m. Entre los mahometanos, oración.
AZALEA f. *Bot.* Arbolito ericáceo, cuyas flores contienen una sustancia venenosa. • *Bot.* Fruto del azamboero.
AZAMBOERO o **AZAMBOO** m. Árbol, variedad del cidro.
AZANAHORIATE m. Zanahoria confitada. • fig. y fam. Expresión muy afectada.
AZANCA f. Manantial de agua subterránea.
AZÁNGARO o **ASÁNGARO** Prov. de Perú, en el dpto. de Puno; 6 442 km², 130 600 hab. • C. de Perú, cap. de la prov. hom.; 7 700 hab. Ganado vacuno y lanar. Minas de plata, cobre, plomo y sal.
AZAÑA, ***Manuel*** (1880-1940) Escritor y político esp., ministro de la Guerra en el primer gobierno republicano. Presid. de la rep. (1936-1939). *El jardín de los frailes, La corona, Vida de don Juan de Valera, Amores, política, literatura.*
AZAR m. Casualidad, caso fortuito. • Desgracia imprevista. • **Al a.** A la ventura.
AZARA, ***Félix de*** (1746-1811) Marino y naturalista esp. Recibió el encargo de trazar los límites de las posesiones esp. y port. en América. Permaneció veinte años en el Nuevo Continente, donde realizó estudios sobre la fauna. *Viajes a través de América Meridional desde 1781 a 1801, Apuntes para la historia natural de los cuadrúpedos del Paraguay.*
AZARAR tr. y prnl. Conturbar, avergonzar. • prnl. Ruborizarse. • Torcerse un asunto por un caso imprevisto. ■ AZARAMIENTO.
AZARBE m. Cauce adonde van a parar los sobrantes de los riegos.
AZARBETA f. Cauce pequeño por el cual los sobrantes de los riegos van al azarbe.
AZARCÓN m. Minio. • *Pint.* Color anaranjado muy encendido.
AZAREARSE prnl. *Amér.* Azararse. • *Amér.* Irritarse, enfadarse.
AZAROSO, SA adj. Abundante en riesgos.
AZARQUIEL Nombre cast. de *al-Zarqali* (m. 1087) Matemático y astrónomo hispanomusulmán, de origen cordobés. Construyó un astrolabio.
AZCAPOTZALCO Delegación de México en el Distrito Federal; 601 500 hab. Forma parte del área metropolitana de Ciudad de México. Ind. láctea, textil. Planta refinadora de petróleo. Ant. ciudad tolteca, muy relacionada con la civilización de Teotihuacán; durante los ss. XII y XIII fue el centro del Anáhuac.
AZCÁRATE, ***Gumersindo*** (1840-1917) Político y sociólogo esp., partidario del krausismo. • ***Nicolás*** (1828-1897) Político y abogado cub. Líder del reformismo.
AZCÁRRAGA, ***Marcelo*** (1832-1915) Militar y político esp. Presid. del gobierno en diversas ocasiones (1901-1902 y 1904-1905).
AZCONA, ***José Simón*** (nacido 1928) Político de Honduras, del Partido Liberal. Presid. de la rep. entre 1985 y 1990. • ***Rafael*** (nacido 1926) Novelista y guionista cinematográfico esp. *El pisito, Los europeos, El cochecito, El verdugo.*
AZCUÉNAGA, ***Miguel de*** (1754-1833) Militar y político arg. Participó en la Revolución de Mayo (1810), de cuya junta formó parte.

AZERBAIJÁN

Superficie 86 600 km²

Población 7 449 000 hab. (86 hab./km²)

Recursos económicos

Acero	37 000 t
Energía eléctrica	17 600 000 kwh
Petróleo	9 563 000 t

Indicadores sociológicos

PNB	3 730 millones de dólares
Renta per cápita	500 dólares
Esperanza de vida	71 años
Alfabetismo	97,3 %

AZEGLIO, *Massimo Taparelli*, MARQUÉS D' (1798- 1866) Político y escritor it. *Ettore Fieramosca, Niccolo de Lapi.*
AZEOTRÓPICO, CA adj. *Fís.* y *Quím.* Díc. de una mezcla de líquidos caracterizada por poseer un punto de ebullición constante y conservar, durante dicha ebullición, una composición constante.
AZERBAIJÁN o **AZERBAIDZHAN** (*Azärbaycan Respublikasi*) Est. de Transcaucasia, a orillas del mar Caspio. La cuenca del río Kura, cuyo pral. afl., el Araks, forma frontera con Irán, ocupa su parte central, bordeada al S por el Pequeño Cáucaso y al N por el Gran Cáucaso (pral. alt., Bazar Diuzi, 4 480 m), que se prolonga hasta el Caspio por la península de Apsheron. El clima de la llanura es suave y con escasa pluviosidad. En las zonas altas es continental. La pob. se concentra en el litoral y al pie de las montañas. Economía desarrollada. Agricultura intensiva (algodón, trigo, patatas, vid). Ganadería bovina, ovina y caballar. Petróleo. Gas natural. Minería (hierro, aluminio, cobre, plomo, etc.). Ind. textil (seda, tejidos de algodón, alfombras, tapices). Calzado. Fundiciones de acero y aluminio. Ind. química, alimentaria, de la construcción. Lenguas: azerbaijano o azerí (oficial), armenio y ruso. *Rel.*: islamismo chiíta (70 %), sunnita (30 %), cristianismo ortodoxo armenio, cristianismo ortodoxo ruso. U.M.: manat. Cap., Bakú. C. prales.: Gandzha y Sumgait. Comprende la regiones autónomas de Najichevan y Nagorno-Karabaj.
* *Hist.* Incorporado al imperio zarista tras los tratados ruso-persas de 1813 y 1828. En abril de 1918 se adhirió a la rep. de Transcaucasia, de la que se separó un mes más tarde para formar un estado indep. Los bolcheviques lo ocuparon en 1920, proclamando la rep. soviética. De 1922 a 1926 formó parte de la RSS Federal de Transcaucasia. A partir de este último año se convirtió en rep. federada. En 1988 fue escenario de fuertes tensiones étnicas antiarmenias, que condujeron a un enfrentamiento armado con la vecina Armenia por el enclave armenio de Nagorno-Karabaj. Tras los profundos cambios ocurridos en la Unión Soviética se autoproclamó independiente en 1991 y al disolverse aquella en diciembre del mismo año, se adhirió a la CEI. En 1993 firmó el alto el fuego con Armenia en el conflicto que le enfrentaba por el enclave de Nagorno-Karabaj.
AZERBAIJÁN Región del NO de Irán, fronteriza con el est. hom., Irak y Turquía. Dividida desde 1928 en dos prov.: *A. oriental* (67 000 km², 2 838 000 hab.), cap., Tabriz; y *A. occidental* (44 000 km², 1 214 000 hab.), cap., Rezaiyeh. Montañosa en gral., con alt. considerables. En el extremo O de la prov. occidental se halla la depresión del lago Urmia, de agua salada. Clima continental. Cultivos a lo largo de los valles fluviales (cereales, algodón, frutales, tabaco). Minas de plomo. La ind. se concentra en Tabriz (tapices, curtidos, tejidos).
* *Hist.* Ocupada por las tropas soviéticas durante la II Guerra Mundial. A fines de 1945, el partido izquierdista Tudeh, bajo la dirección de Pishevari, se levantó contra el gobierno central y proclamó la rep. autónoma. En junio de 1946, A. accedía a la autonomía dentro del imperio persa, pero en diciembre del mismo año las tropas gubernamentales lo invadieron y restablecieron la situación anterior.
AZERBAIJANO, NA o **AZERÍ** adj. y s. Perteneciente o relativo al Azerbaiján. • Díc. del individuo perteneciente a un pueblo turco-tártaro que habita en la rep. de Azerbaiján y en las dos prov. iraníes hom. • m. *Ling.* Lengua turca hablada por dicho pueblo, oficial en la rep. de Azerbaiján.
AZEVEDO, *Aluízio de* (1857-1913) Novelista naturalista bras. *El mulato, Pensión de familia.*
AZILIENSE adj. y s. Relativo a una cultura prehistórica que se desarrolló hacia el 8 000 a. C. en el S de Francia y la zona cantábrica esp.
ÁZIMO adj. Díc. del pan sin levadura.
AZIMUT m. *Astr.* Acimut.
AZIMUTAL adj. *Astr.* Acimutal.
AZKUE, *Resurrección María de* (1864-1951) Escritor y lingüista esp. *Diccionario vasco-español-francés, Gramática de la lengua vasca, Literatura popular del país vasco.*
AZNACHO m. Pino rodeno, gralte. achaparrado. • Madera de este árbol.
AZNAR, *José María* (nacido 1953) Político esp. Presid. de la Junta de Castilla y León (1987-1989). Elegido presid. del Partido Popular en 1990. Accedió a la presid. del gobierno tras su victoria en las elecciones de 1996, siendo reelegido en 2000. • ***Juan Bautista*** (1860-1933) Político esp., último presid. de gobierno del reinado de Alfonso XIII.
AZNAVOUR, *Charles* (nacido 1924) Compositor, cantante y actor fr. de origen armenio. *La cabeza contra la pared, El paso del Rin.*
AZOAR tr. y prnl. *Quím.* Nitrogenar.
AZÓCAR, *Rubén* (1901-1965) Poeta y novelista chil. *Gente de la isla.*
AZOCOMPUESTOS m. pl. *Quím.* Compuestos orgánicos que tienen en su molécula el grupo funcional *azo* –N=N–.
ÁZOE m. *Quím.* Nitrógeno.
AZOEMIA f. *Pat.* Presencia en la sangre de urea o de otros cuerpos nitrogenados.
AZÓFAR m. Latón, aleación de cobre y cinc.
AZOGAR tr. Cubrir con mercurio alguna cosa. • Apagar la cal rociándola con poca agua. • prnl. Contraer la enfermedad producida por la absorción de los vapores de mercurio. • fig. y fam. Aturdirse. ■ AZOGAMIENTO.
AZOGUE m. Mercurio. • Plaza de algún pueblo donde se tiene el trato y comercio público.
AZOGUERO m. *Min.* Jefe que dirige las operaciones de la amalgamación.
AZOGUES C. de Ecuador, cap. de la prov. de Cañar; 21 060 hab. Agricultura, artesanía.
AZOICO adj. Díc. del sedimento o roca que no contiene fósiles. • Díc. del compuesto cuyas moléculas tienen dos átomos de nitrógeno unidos por un enlace doble; utilizado como colorante.
AZOLÁCEO, A adj. y s. *Bot.* Plantas pteridófitas acuáticas, con tallo filiforme provisto de raíces, hojas simples e imbricadas, y por frutos, esporangios y esporocarpios, sit. en la base del tallo, dehiscentes y llenos de esporas.
AZOLAR tr. *Carp.* Desbastar la madera con azuela.
AZOLVE m. *Méx.* Lodo o cualquier otra cosa que obstruye un conducto de agua.
AZOOSPERMIA f. *Pat.* Ausencia de espermatozoides en el semen o falta de vitalidad de los mismos. Es una de las causas de esterilidad.
AZOR m. *Zool.* Ave falconiforme de la familia accipítridos, plumaje gris en el dorso y blanco barrado en el vientre.
AZORADA f. *Col.* Azoramiento.
AZORAMIENTO m. *Psic.* Actitud de inhibición parcial de reacciones sociales que, gralte., se produce durante la infancia y adolescencia.
AZORAR tr. y prnl. fig. Conturbar, avergonzar. • fig. Irritar, encender, infundir ánimo. • Asustar, perseguir o alcanzar el azor a las aves.
AZORENCARSE prnl. *Amér.* Atontarse.
AZORES (*Açores*) Arch. port. del Atlántico, al O de la costa sudoccidental de la pen. Ibérica; 2 335 km², 243 400 hab. Cap., Ponta Delgada. Prales. islas: Santa María, São Miguel, Terceira, São Jorge, Faial, Pico y Flores.
AZORÍN Seud. de *José Martínez Ruiz* (1873-1967) Literato esp., de la generación del 98. Miembro de la Academia Española desde 1924. Novelas: *Don Juan, Doña Inés.* Obras teatrales: *Lo invisible, Old Spain.* Ensayo literario: *Los pueblos, La ruta de Don Quijote, Lecturas españolas, El paisaje de España visto por los españoles.*
AZOROCARSE prnl. *Hond.* Asustarse.

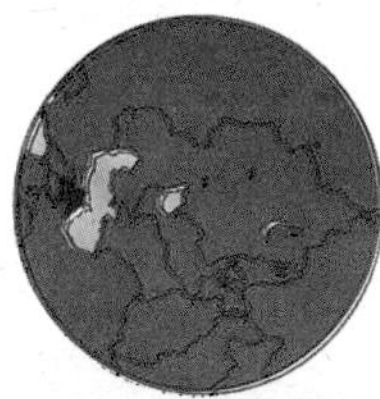

Mapa de situación y bandera de **Azerbaiján**

José María **Aznar**

Azorín

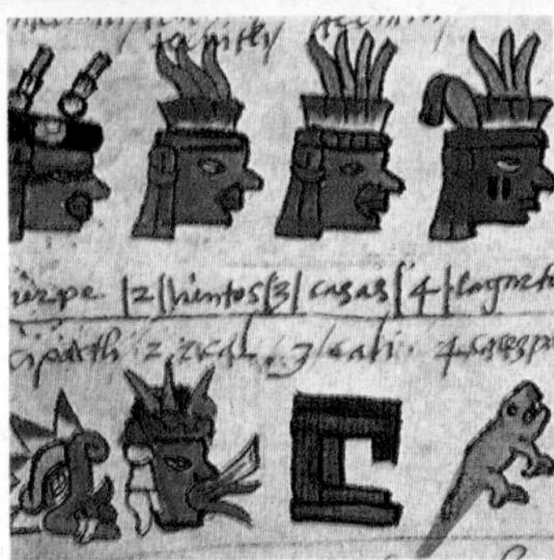

Azteca. Arriba, dibujo de la pirámide de Tenochtitlán; a la derecha detalle de un manuscrito con ideogramas indígenas escritos en nahua y castellano

AZORRADO, DA adj. Parecido a la zorra. • fig. Adormilado, borracho.

AZORRAR tr. *Mar.* Cargar excesivamente un buque, de forma que cale más de lo debido o que se incline más hacia una banda que hacia la otra. • prnl. Quedarse adormecido por tener la cabeza muy cargada. ■ AZORRAMIENTO.

AZORRILLAR tr. *Méx.* Vencer, asaltar.

AZOTADO, DA adj. De varios colores unidos confusamente y sin orden. • *Chile.* Atigrado, acebrado. • m. Reo castigado con pena de azotes. • Disciplinante de semana santa.

AZOTAR tr. y prnl. Dar azotes. • tr. Dar golpes con la cola o las alas. • Cortar el aire violentame nte. • fig. Golpear repetida y violentamente. • prnl. *Amér. Merid.* Arrojarse al agua. ■ AZOTAINA; AZOTAMIENTO; AZOTAZO; AZOTEO; AZOTINA.

AZOTE m. Instrumento de suplicio formado con cuerdas anudadas y a veces erizadas de puntas. • Vara, vergajo o tira de cuero que sirve para azotar. • Azotazo. • Embate o golpe repetido del agua o del aire. • fig. Calamidad, castigo grande. • fig. Persona que es causa o instrumento de esta calamidad o aflicción. • pl. Pena de azotes.

AZOTEA f. Cubierta llana de un edificio dispuesta para poder andar por ella. • *Argent.* Casa de adobe con techo plano.

AZOTERA m. Conjunto de los dos cabos en que termina la rienda.

AZOTOBACTERIAS f. pl. *Biol.* Familia de bacterias del suelo que fijan el nitrógeno atmosférico.

AZOTURIA f. *Pat.* Presencia elevada de urea u otros compuestos nitrogenados en la orina.

AZOV, ***mar de*** Mar interior, entre Ucrania y Rusia meridional, que se comunica con el mar Negro por el estr. de Kerch; 38 000 km^2.

AZPILCUETA, ***Martín de*** (1493-1586) Sacerdote, jurista y economista esp., conocido por DOCTOR NAVARRO. *Manual de confesores, Comentario resolutorio de usuras, Comentario resolutorio de cambios.*

AZTECA adj. y s. Relativo a los aztecas. • m. pl. Pueblo ant. de México, establecido en el Anáhuac. • P. ext., mexicano.

* *Hist.* Los a. llegaron al valle de México a finales del s. XI. En 1325 ya estaban instalados en la isla del lago Texcoco, donde fundaron Tenochtitlán, que se convirtió en su centro de expansión. Tras derrotar a los tepanecas, establecieron una alianza con las ciudades de Texcoco y Tlacopan, y extendieron su dominio sobre toda Mesoamérica (excepto Michoacán y Tlaxcala), en los ss. XIV y XV. Moctezuma I (14 40-1469), su hijo Axayácatl (1469-1481), Tizoc (1481-1486) y Ahuitzotl (1486-1502), ampliaron las conquistas. El imperio entró en crisis cuando los conquistadores esp. se aliaron con el reino de Tlaxcala. Moctezuma II (1502-1520) creyó que los esp. eran los enviados de Quetzalcóatl, cuyo retorno por oriente se había anunciado para el mismo año (1519), les recibió con todos los honores, pero éstos cometieron toda clase de desmanes y le asesinaron. Su sucesor, Cuitláhuac (1520), organizó la resistencia, derrotó a los esp. en la «Noche Triste», pero murió de viruela. Cuauhtémoc (1521), quien sucedió al anterior, no pudo evitar la derrota y fue ejecutado por los esp., lo que marcó el final del imperio y la cultura aztecas. Basada en clanes patriarcales, su organización social mostraba una división en clases: los nobles y comerciantes, el pueblo y los esclavos. Sus instituciones políticas tenían un cierto cariz democrático y otorgaban autonomía a los clanes. El arte, la ciencia (matemáticas y astronomía), la arquitectura y la literatura alcanzaron gran desarrollo.

AZTECA-TANO adj. *Ling.* Díc. de la macrofamilia lingüística amerindia formada por las ramas uto-azteca (shoshon, hopi, nahua, etc.), zuñi y kiowa-tano (kiowa, tiwa, etc.).

AZUA f. *Amér.* Chicha, bebida alcohólica.

AZÚA Prov. del S de la República Dominicana; 2 430 km^2, 189 700 hab. Cap., Azúa de Compostela. Terreno llano al S y accidentado en el N y E (cordillera Central y montes de Ocoa). Avenada por los r. Yaque del Sur, Tábara, Jura, Ocoa. Café, tabaco, caña de azúcar, cañamiel, cereales. Carbón.

AZÚA DE COMPOSTELA C. de la República Dominicana, cap. de la prov. de Azúa; 31 481 hab. Fundada en 1504 por Diego Velázquez.

AZUAY Prov. del S de Ecuador; 8 124,7 km^2, 506 090 hab. Cap., Cuenca. Sit. en el sector meridional de la Sierra, está avenada por los r. Paute, Gualaceo, Cuenca. Maíz, caña de azúcar, café, tabaco. Oro, plata, mercurio, mármol.

AZUAYO, YA adj. De Azuay.

AZÚCAR amb. *Ind.* Sustancia sólida, blanca, cristalina, de sabor dulce, muy soluble en agua y difícilmente soluble en alcohol. Se extrae especialmente de la caña de azúcar y de la remolacha. • *Quím.* Nombre genérico de los glúcidos o hidratos de carbono. • **cande,** o **candi.** El que por medio de clarificaciones y de una evaporación lenta, queda reducido a cristales transparentes. • **de cortadillo.** Azúcar refinado que se expende en terrones. • **moreno** o **morena; negro** o **negra.** El menos puro y refinado que el blanco. • **refinado.** Azúcar de la mayor pureza que se fabrica en las refinerías. • **semirrefinado.** El que se produce directamente en las fábricas que elaboran la caña o la remolacha.

* *Quím.* Los glúcidos se dividen en dos grupos: *osas* y *ósidos*. Las osas (monosacáridos, monosas, a. simples) pueden definirse como aldehídos (aldosas) o cetonas (cetosas) que contienen muchos hidroxilos alcohólicos, uno de los cuales se encuentra siempre en posición adyacente al carbonilo. Las osas, típicas de las dos categorías, la de las aldosas y la de las cetosas, son la glucosa y la fructosa, que se obtienen por hidrólisis catalizada a partir de la sacarosa. Los ósidos se dividen en oligósidos (oligosacáridos), poliósidos (polisacáridos) y heterósidos. Los oligósidos están formados por un pequeño número de moléculas de osas que se escinden por hidrólisis; entre ellos son especialmente im-

Producción de **azúcar** (en miles de t)	
Prales. productores	
India	12 528
CEI	8 750
Brasil	8 675
China	7 836
Cuba	7 623
EE UU	6 531
Francia	4 675
Alemania	4 245
Thailandia	4 006
México	3 943
Australia	2 800
Total mundial	112 224

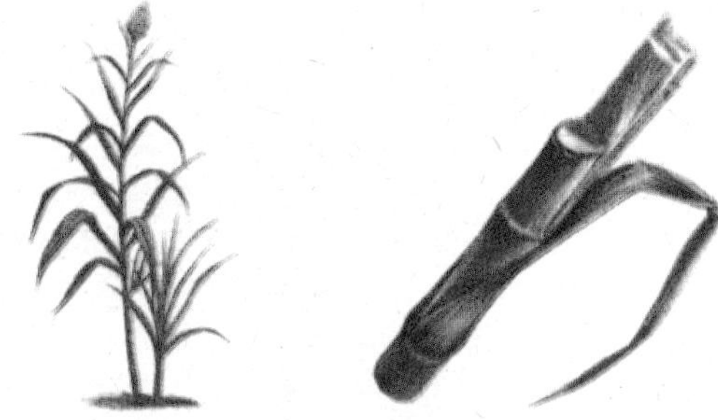

Caña de **azúcar**

portantes la sacarosa (a. de caña), la lactosa (a. de leche), la maltosa (a. de malta) y la celobiosa (a. de celulosa). Los poliósidos están formados por muchas moléculas de a. simple, es decir, por altos polímeros de las osas; los más importantes son el almidón, el glicógeno y la celulosa. Por hidrólisis dan asimismo únicamente a. simples. Los heterósidos poseen moléculas formadas por osas y otros compuestos.

AZUCARADO, DA adj. Semejante al azúcar. • fig. y fam. Blando y meloso en las palabras.

AZUCARAR tr. Bañar con azúcar. • Endulzar con azúcar. • fig. y fam. Suavizar y endulzar alguna cosa. • prnl. *Chile* y *Méx.* Cristalizar el almíbar de las conservas. • Almibararse.

AZUCARERA f. Vasija para azúcar. • Fábrica en que se extrae y elabora el azúcar.

AZUCARERÍA f. *Cuba* y *Méx.*Tienda en que se vende azúcar al por menor.

AZUCARERO, RA adj. Relativo al azúcar. • m. Persona técnica en la fabricación de azúcar. • f. *Zool.* Ave del orden de las trepadoras, de cuerpo pequeño, colores variados, pico largo, agudo y encorvado y con los dos dedos exteriores soldados. • Vasija para azúcar.

AZUCARILLO m. Masa hecha con almíbar, clara de huevo y zumo de limón. Empapado o deshecho en agua, la endulza ligeramente.

Azucena atigrada

AZUCENA f. *Bot.* Planta liliácea, de tallo alto y flores terminales grandes, blancas y muy olorosas. • Flor de esta planta. • Persona o cosa pura o blanca. • **de Buenos Aires.** *Bot.* Planta amarilidácea, de hojas verdes y flores rojas, amarillas, blancas y negras. • **de Guernesey.** *Bot.* Planta amarilidácea de color rojo. • **de la loma.** *Bot.* Planta orquidácea de los Andes, con flores grandes y moradas.

AZUCHE m. Punta de hierro que suele ponerse a los pilotes.

AZUD m. o **AZUDA** f. Máquina con que se saca agua de los ríos para regar los campos. • Presa hecha en los ríos para tomar agua.

AZUELA f. Herramienta de carpintero compuesta de una plancha de hierro, con borde cortante y un mango corto de madera.

AZUELA, *Mariano* (1873-1952) Escritor mex. Médico militar, intervino en la revolución mexicana. *Los de abajo, La malhora, La luciérnaga.*

AZUERO, *Juan Nepomuceno* (1780-1857) Sacerdote y político col. Participó en la insurrección de Santa Fe (1810). Confinado en Ceuta, logró escapar y regresó a Colombia. Miembro del Congreso nacional. • ***Vicente*** (1787-1844) Abogado y político col. Hermano del anterior. Uno de los redactores de la constitución. Post., miembro del consejo de estado y ministro del Interior.

AZUFAIFA f. Fruto del azufaifo. Es una drupa elipsoidal, encarnada por fuera y amarilla por dentro, dulce y comestible. Se usa en medicina.

AZUFAIFO m. Árbol ramnáceo, de hojas alternas y flores pequeñas y amarillas.

AZUFRADO, DA adj. Sulfuroso. • Parecido en el color al azufre. • m. Acción de azufrar las vides.

AZUFRADOR, RA adj. y s. Que azufra. • m. Enjugador, para sahumar la ropa con azufre. • Aparato para azufrar las vides.

AZUFRAR tr. Echar azufre en alguna cosa. • Impregnar de azufre. • Sahumar con él. ■ AZUFRAMIENTO.

AZUFRE m. *Quím.* Elemento de símb. S, n. a. 16 y p. a. 32, 064. Es un no metal amarillo que se presenta en estado sólido en dos formas alotrópicas (rómbico y monoclínico), y en tres cuando es líquido. Se combina directamente con la mayoría de los elementos, formando sulfuros, y arde en el aire o en el oxígeno dando anhídrido sulfuroso y algo de anhídrido sulfúrico. Se emplea para la obtención de sus compuestos (ácido sulfúrico, sulfatos, sulfitos).

AZUFRERO, RA adj. Díc. de todo lo relacionado con la explotación del azufre. • f. Mina de azufre.

AZUFRÓN m. Mineral piritoso.

AZUFROSO, SA adj. Que contiene azufre.[1]

AZUL adj. y s. Quinto color del espectro solar, puro, comprendido entre el verde y el violeta. • m. El cielo, el espacio. • Nombre de varios cuerpos que emiten tonalidades de este color. • Materia colorante que se fabrica calcinando una mezcla de sulfato de hierro, bisulfuro de sodio y arcilla. • Pasta de añil. • **de celeste.** El más claro. • **de cobalto.** Materia colorante usada en pintura que resulta de calcinar una mezcla de alúmina y fosfato de cobalto. • **de metileno.** Colorante sintético que se emplea para fabricar tintas de escribir, para teñir algodón y para teñir preparaciones microscópicas. • **de Prusia.** Sustancia compuesta de cianógeno y hierro. Se usa en pintura. • **de Sajonia.** Disolución de índigo en ácido sulfúrico concentrado, que se emplea como materia colorante. • **de ultramar.** Lapislázuli que se usa en pintura. • **marino.** Azul de mar.

AZUL Partido de Argentina, en la prov. de Buenos Aires; 57 000 hab. Centro com. y agropecuario.

AZULADO, DA adj. De color azul o que tira a él.

AZULAR tr. Dar o teñir de azul.

AZULEAR intr. Mostrar alguna cosa el color azul que tiene. • Tirar a azul.

Azud árabe (Córdoba, España)

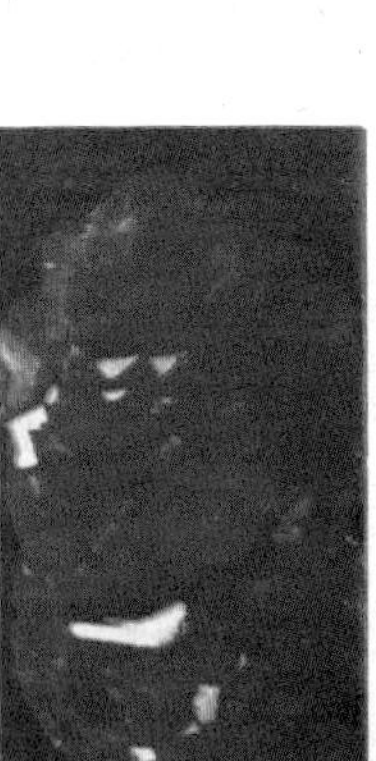

Azufre cristalizado

Cocina valenciana de **azulejos.** Museo de Artes Decorativas, Madrid

AZULEJO, JA adj. *Amér.* Azulado, azulino. • m. *Zool.* Abejaruco. • *Zool. Amér.* Pájaro de unos 12 cm de largo; el macho en verano es de color azul, y en invierno moreno oscuro como la hembra. • *Bot.* Aciano menor, planta. • Placa de cerámica vidriada, usada para decorar zócalos, suelos o frisos.

AZULENCO, CA adj. Azulado.

AZULETE m. Tono azulado que se da a la ropa lavada. • Polvo añil usado para ello.

AZULÓN m. Especie de pato, de gran tamaño.

AZULONA f. *Ant.* Especie de paloma de unos 30 cm de largo, de cabeza y cuello azules con una faja blanca, y cuerpo morado.

AZUMAGARSE prnl. *Chile.* Enmohecerse.

AZÚMBAR m. *Bot.* Planta alismatácea, de flores blancas y fruto en forma de estrella. • *Bot.* Espicanardo, hierba. • Estoraque, bálsamo.

AZUMBRADO, DA adj. Medido por azumbres. • fig. y fam. Ebrio, borracho.

AZUMBRE f. Medida de capacidad para líquidos (2,016 l).

AZUOLA, *Luis Eduardo de* (1774-1821) Jurisconsulto y militar col. Participó en las luchas por la indep. Redactor de la constitución de 1811.

AZUQUERO m. *Amér.* Azucarera.

AZUR adj. y m. *Her.* Color que en pintura se denota con el azul oscuro y en el grabado por medio de líneas horizontales muy espesas.

AZURDUY de Padilla, *Juana* (1781-1862) Guerrillera de la indep. de Bolivia. Dirigió la guerrilla con el grado de coronela.

AZURITA f. *Miner.* Carbonato básico de cobre. Cristaliza en el sistema monoclínico. Es de color azul intenso y brillo vítreo. Se presenta como mineral secundario en los yacimientos de cobre.

AZURUMBARSE prnl. *Amér.* Aturdirse.

AZUZAR tr. Incitar a un animal para que embista. • fig. Irritar, estimular.

AZZOLINO, *Gian Bernardino* (1572-1645) Pintor y escultor manierista it. *La Virgen rodeada de santos.*

B

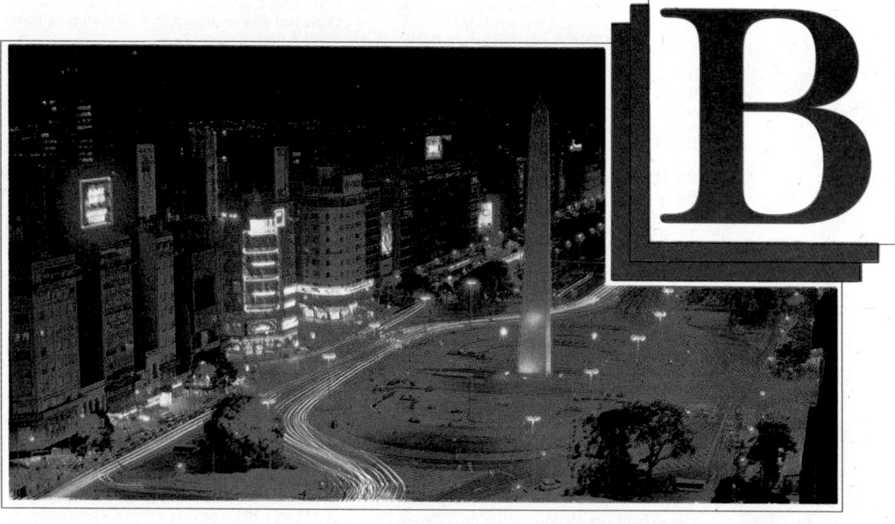

Vista nocturna de la Avenida 9 de julio de **Buenos Aires**

B f. Segunda letra del abecedario esp. y primera de sus consonantes. Su nombre es *be*. • *Fon.* La *b* es bilabial sonora, oclusiva en posición inicial o después de nasal y fricativa, gralte., en otra posición. • *Mús.* Representación del *si* bemol • *Quím.* Símb. del boro.

Ba *Quím.* Símb. del bario.

BÁAL Dios fenicio-cananeo. Gobernaba sobre el viento y la lluvia y se le tributaba un culto licencioso y cruel. ■ BAALITA.

BAAS Partido político ár. que propugna la unión de los Estados árabes.

BAB EL MANDEB (ár., *La puerta de las lágrimas*) Estr. que une el mar Rojo con el golfo de Adén, entre la pen. Arábiga y África oriental.

BABA f. Líquido pegajoso segregado por las babosas y otros moluscos terrestres. • Saliva de los mamíferos. • Líquido de algunos gusanos que, segregado en forma de hilos, forma la seda. • P. ext., jugo viscoso de algunas plantas. • *Col.* y *Ven.* Reptil del gén. del caimán. • *P. Rico.* Palabrería.

BABADA f. Babilla, región de las extremidades de los cuadrúpedos. • Barro que se forma a consecuencia del deshielo. • *P. Rico.* Tontería.

BABADERO o **BABADOR** m. Babero.

BABAHOYO C. del centro-oeste de Ecuador, cap. de la prov. de Los Ríos; 50 285 hab. Sit. a orillas del río hom., en la confluencia con el Guayas. Agricultura. Silvicultura. Comercio.

BABAZA f. Baba de algunos animales y plantas. • *Zool.* Babosa, molusco gasterópodo.

BABEADOR m. *Ecuad.* Babero.

BABEAR intr. Echar baba. • fig. y fam. Obsequiar a una persona con excesivo rendimiento ■ BABEO.

BABEL amb. fig. y fam. Lugar en que hay confusión. • fig. y fam. Confusión.

BABEL, *torre de* Edificio que, según la Biblia, construyeron los descendientes de Noé, para llegar hasta el cielo. Dios castigó su soberbia con la confusión de las lenguas y la dispersión de camitas, semitas y jaféticos por toda laTierra.

BÁBEL, *Isaak Emmanuilovich* (1894-1941) Escritor ruso de origen hebreo. *Petróleo, La carta.*

BABÉLICO, CA adj. Relativo a la torre de Babel. • fig. Confuso.

BABENBERG Familia originaria de Franconia. En 976, ***Leopoldo I de* B**. fue investido por el emperador Otón II con la Marca Oriental, la futura Austria.

BABER Sobrenombre de *Zahirdin Mohamed* (1483-1530), primer emperador mogol de la India.

BABERA f. Pieza de la armadura, que protegía el cuello, el mentón y la barba. • Babero.

BABERO m. Pedazo de lienzo que se pone a los niños pendiente del cuello y sobre el pecho. • Bata que usan los muchachos. • Elemento del hábito de ciertas órdenes religiosas.

BABEUF, *François-Noël,* llamado GRACCHUS (1760-1797) Revolucionario fr. Tomó parte en la «conspiración de los Iguales» y fue guillotinado.

BABIECA adj. y s. fam. Persona boba.

BABILLA f. *Zool.* En los cuadrúpedos, músculos y tendones de las extremidades posteriores. Articulan el fémur con la tibia y la rótula. • *Zool.* Rótula de los cuadrúpedos. • *Méx.* Humor que se extravasa por desgarradura de los tejidos, o fractura de los huesos.

BABILONIA f. fig. y fam. Babel.

Babilonia. A la izquierda, Zigurat Etemen-an-ki, la Torre de Babel de que se habla en la Biblia. Abajo, adorante de Lassa, perteneciente al arte babilónico

BABILONIA Una de las c. más importantes de la antigüedad, sit. a la orilla del r. Éufrates. Mencionada ya en el s. XXIII a. C., hacia 1830 a. C. aparece la dinastía amorrita, que alcanza su apogeo con Hammurabi (finales del s. XVIII a. C.). Este primer imperio fue abatido por los hititas. A partir del s. IX a. C., permaneció bajo el dominio de los asirios, hasta que Nabopolasar derrotó a los asirios y tomó y arruinó su capital, Nínive (612 a. C.). Así se inició el imperio neobabilónico, primera potencia del Oriente Próximo, sobre todo en tiempo de Nabucodonosor II (605-562), y la c. alcanzó su máximo esplendor. Era el centro político, intelectual y comercial de una región fértil, centro caravanero y de navegación fluvial. Muerto Nabucodonosor, B. fue conquistada por los persas (539). La c. se rebeló varias veces contra sus dominadores, pero fue invariablemente vencida y en 486 severamente castigada; sus fortificaciones desmanteladas y parte de su población, deportada. Alejandro Magno la ocupó en 331 y quiso hacer de ella la capital de sus es-

Babuino

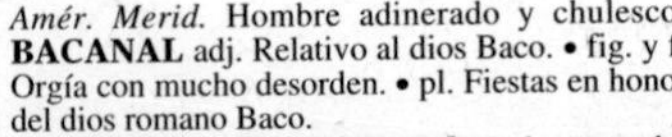

tados y de Oriente. Muerto Alejandro (en B.), la c. empezó a declinar definitivamente; la fundación de Seleucia (312) aceleró su ruina.
BABILÓNICO, CA adj. Relativo a Babilonia. • fig. Fastuoso, ostentoso.
BABILONIO, NIA adj. y s. De Babilonia.
BABÍN, *María Teresa* (1907-1989) Escritora y crítica literaria puertorriq. Autora de una obra de teatro: *La hora calmada.*
BABINET, *Jacques* (1794-1872) Físico fr., inventor del higrómetro y del polariscopio.
BABINEY m. *Cuba.* Charco.
BABINSKI, *Joseph* (1857-1932) Neurólogo fr. de origen polaco, especialista en semiología neurológica.
BABIRUSA m. Jabalí salvaje de Asia.

Bacalao

Johann Sebastian **Bach**

BABISMO m. Movimiento religioso islámico. Fundado en Persia en 1884.
BABITS, *Mihaly* (1883-1941) Escritor húngaro. *El hijo de Virgilio Timor, Los hijos de la muerte.*
BABLE m. *Ling.* Grupo de variantes del leonés, que se habla en algunos valles de Asturias, en el N de España.
BABOR m. *Mar.* Lado izquierdo de la embarcación, mirando de popa a proa.
BABOSA f. *Zool.* Molusco gasterópodo, carente de concha. • Enfermedad del ganado vacuno. • **de mar.** *Zool.* Gasterópodo marino, carente de concha.
BABOSEAR tr. Llenar de babas. • intr. fig. y fam. Babear, obsequiar a una mujer. ■ BABOSEO.
BABOSO, SA adj. y s. Que echa babas. • fig. y fam. Enamoradizo y obsequioso con las mujeres. • fig. y fam. Aplícase al que no tiene edad y condiciones para lo que hace, dice o intenta. • *Amér.* Bobo.
BABOYANA f. *Cuba.* Lagarto pequeño.
BABUCHA f. Zapato ligero sin tacón ni talón. • *Méx.* Zapato de pala alta, cerrado con un cordón.
BABUINO m. *Zool.* Gran primate africano de costumbres gregarias.
BABUVISMO m. Doctrina de Babeuf y de los partidarios de la «Conspiración de los Iguales».
BABY (voz ing.) com. Niño, bebé. • **sitter.** Persona contratada para cuidar niños.
BABY-TEST (voz ing.) m. *Psic.* Test para determinar el desarrollo psíquico en la infancia.
BACA f. Parte superior de las diligencias y automóviles, para transportar equipajes. • *Bot.* Baya del laurel.
BACA, *Luis* (1826-1855) Compositor de óperas mex. *Leonor, Juana de Castilla.* • **Calderón, *Esteban*** (1876-1957) Político mex. En 1906 participó en la huelga de Cananea, por lo que fue condenado a 15 años de prisión. El triunfo maderista lo liberó en 1911. Se enfrentó a la dictadura de Huerta, en 1913. Desempeñó innumerables cargos públicos, entre ellos el de gobernador de Nayarit. • **Flor, *Carlos*** (1867-1941) Pintor per. de fama universal. Maestro del retrato.
BACAB Cada uno de los cuatro hijos gemelos del dios maya Hunabku.
BACACO m. *Amér. Merid.* Ave paseriforme de la familia cotíngidos.
BACALADA f. Bacalao curado.
BACALADERO, RA adj. Relativo al bacalao. • m. Barco para la pesca de bacalao.
BACALADILLA f. Pez gádido, parecido al bacalao, cuya carne es apreciada.
BACALAO m. *Zool.* Pez gádido, de cabeza grande y cuerpo cilíndrico. Se consume salado y desecado. • **Cortar el b.** fig. y fam. Tener capacidad de mandar.
BACALL, *Lauren* (nacida 1924) Actriz de cine norteam. *Tener o no tener, El sueño eterno, Cayo Largo.*
BACALLAR y Sanna, *Vicente*, MARQUÉS DE SAN FELIPE (1669-1726) Diplomático y escritor esp. Contribuyó a la fundación de la Real Academia.
BACÁN m. *Cuba.* Tamal, especie de empanada. • *Amér. Merid.* Hombre adinerado y chulesco.
BACANAL adj. Relativo al dios Baco. • fig. y f. Orgía con mucho desorden. • pl. Fiestas en honor del dios romano Baco.
BACANTE f. *Mit.* Mujer que formaba parte del séquito de Baco. • Sacerdotisa de Baco. • fig. Mujer ebria y lujuriosa.
BÁCARA f. Amaro, planta.
BACARÁ m. Bacarrá.
BACARAY m. *Argent.* y *Perú.* Ternero nonato.
BACARDI y Moreau, *Emilio* (1844-1922) Escritor cub. Sobresalió en la novela histórica. *Crónicas de Santiago de Cuba, Hacía tierras viejas, El abismo, La condesa de Merlín.*
BACARISSE, *Salvador* (1898-1963) Compositor esp. Conciertos para piano, violoncelo y guitarra. *Charlot, Corrida de feria, El tesoro de Boabdil.*
BACARRÁ m. Juego de naipes en que juega el banquero contra los puntos.
BACAU C. de Rumania, a orillas del r. Bistrita. Cap. del distr. hom.; 165 700 hab.
BACCÁCEO, A adj. *Bot.* Díc. del fruto que tiene aspecto de baya.
BACCIFORME adj. *Bot.* Baccáceo.
BACELAR m. Parral, conjunto de parras.
BACERA f. Enfermedad carbuncosa del ganado.
BACETA f. Naipes que quedan sin repartir.
BACH, *Alexander* (1813-1893) Político austr. Dio nombre a un periodo de reacción absolutista. • ***Johann Christian*** (1735-1782) Compositor al., hijo de Johann Sebastian, conocido también como BACH DE MILÁN y BACH DE INGLATERRA. • ***Johann Sebastian*** (1685-1750) Compositor al., nacido en Eisenach (Turingia). Adaptó gran cantidad de música de diferentes países y épocas, lo que le llevó a realizar la mejor síntesis de la hist. de la música. Su profunda religiosidad explica el equilibrio entre su música sacra y su música profana, que tanto en su contenido como en su importancia forman un bloque sin fisuras. *Pasión según San Mateo, Pasión según San Juan, Misa en si menor, Magnificat, Conciertos de Brandeburgo.* • ***Karl Philipp Emmanuel*** (1714-1788) Compositor al., hijo del anterior. Autor de un tratado sobre clavecín. • ***Wilhelm Friedemann*** (1710-1784) Organista y compositor al., hijo de Johann Sebastian, conocido también como BACH DE HALLE.
BACHACO m. *Ven.* Insecto parecido a la hormiga.
BACHATA f. *Cuba* y *P. Rico.* Juerga, holgorio.
BACHE m. Depresión en una carretera. • Desigualdad de presión atmosférica que provoca un descenso del avión. • fig. Tropiezo, contratiempo. • fig. Decaimiento de ánimo. • Sitio donde se encierra el ganado lanar.
BACHEAR tr. Rellenar los baches. ■ BACHEO.
BACHELARD, *Gaston* (1884-1962) Filósofo fr. Intentó un psicoanálisis del uso cotidiano de los cuatro elementos primordiales de los gr. *El racionalismo aplicado, El materialismo racional.*
BACHICHA com. *Argent., Chile* y *Perú.* Apodo con que se designa al it. • *Chile.* Lengua it. • f. pl. *Méx.* Resto que dejan los bebedores en los vasos.
BACHILLER, RA m. y f. Persona que ha cursado la segunda enseñanza. • *Amér.* Persona que ha obtenido el grado de enseñanza secundaria. • adj. y s. fig. y fam. Persona que pretende saberlo todo. ■ BACHILLEREAR; BACHILLERATO.
BACHILLEREAR intr. fam. Hablar mucho e impertinentemente.
BACHILLERÍA f. fam. Locuacidad impertinente. • fam. Cosa dicha sin fundamento.
BACHMANN, *Carlos J.* (1869-1938) Geógrafo per. Intervino en la confección del *Diccionario geográfico de Perú.* Redactó *Demarcación política del Perú.*
BACHOFEN, *Johann Jacob* (1815-1887) Historiador del Derecho y antropólogo suizo. *El matriarcado.*
BACÍA f. Vasija, pieza cóncava. • La de metal que usan los barberos para remojar la barba.
BACILAR adj. De forma alargada, en bastón. • Relativo a los bacilos. • *Miner.* De textura en fibras gruesas.
BACILARIOFÍCEO, A adj. y f. Diatomea.
BACILARIÓFITO m. Diatomea.
BACILIFORME adj. En forma de bacilo.
BACILO m. Bacteria de forma alargada, de carácter patógeno.
BACILOSIS f. Enfermedad bacteriana producida por un bacilo.

Francis **Bacon**, barón de Verulam

Francis **Bacon**

1. La morfología macroscópica y el color de las colonias bacterianas constituyen un primer paso para su reconocimiento. En la fotografía, colonia discoidal, lisa y amarillenta, de un estafilococo y parte de una colonia ramificada de un bacilo.
2. Cultivo de *Escherichia coli*, bacteria responsable de diversos trastornos del aparato digestivo.
3. Organización típica de una célula bacteriana.
4. Gráfico en el que se muestran todos los tipos de bacterias existentes clasificados según su forma.

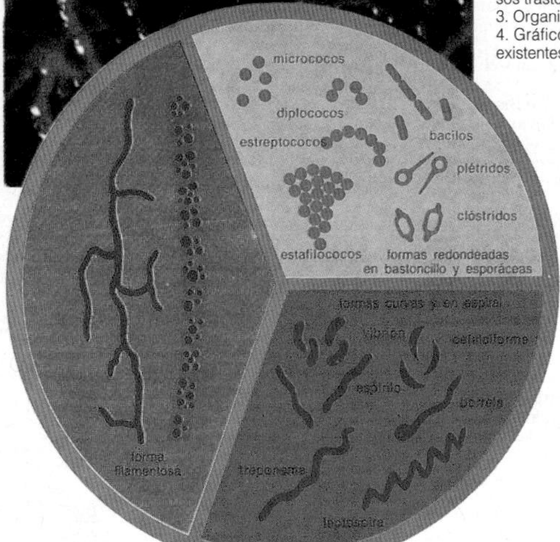

BACÍN m. Vaso de barro, alto y cilíndrico, para recibir excrementos. • Bacineta para pedir limosna. • fig. y fam. Hombre despreciable ■ BACINADA.
BACINETA f. Bacía pequeña.
BACINETE m. Pieza de la armadura que cubría la cabeza. • Soldado que vestía coraza y bacinete. • *Anat.* Pelvis.
BACINICA o **BACINILLA** f. Bacineta. • Bacín bajo y pequeño.
BACITRACINA f. Antibiótico parecido a la penicilina.
BACK, SIR ***George*** (1796-1878) Navegante brit. Exploró el NO de Canadá y descubrió el río que lleva su nombre.
BACKOFEN, ***Hans*** (1470-1519) Escultor gótico al. Sepulcros de las catedrales de Maguncia y Frankfurt.
BACLE, ***César Hipólito*** (1797-1838) Litógrafo e impresor suizo instalado en Buenos Aires. *Escenas típicas.*
BACO *Mit.* Nombre rom. de → Dioniso.
BAÇÓ, ***Jaume*** (s. XV) Pintor esp. de la escuela valenciana, conocido también por JACOMART. Autor del San Benito de la catedral de Valencia.
BACON (voz ing.) m. Panceta, tocino, entreverado.
BACON, ***Francis,*** BARÓN DE VERULAM (1561-1626) Filósofo y estadista ing. Estableció un método cualitativo-inductivo, origen de la investigación científica. *Novum Organum*, *Ensayos sobre moral, economía y política.* • ***Francis*** (1909-1992) Pintor irl., representante del expresionismo contemporáneo. Serie de *Las cabezas*, *Mayo-junio*, *Tres retratos.* • ***Roger*** (h. 1214-hacia 1294) Filósofo y científico ing., defensor de una ciencia basada en el método experimental. *Opus Maius.*
BACONGO, GA adj. y s. Relativo a los bacongo. • m. pl. Pueblo melanoafricano de la región atlántica de Congo, Zaire y N de Angola.
BACONISMO m. Sistema filosófico del ing. Francis Bacon. ■ BACONIANO, NA.
BACONTHORP, ***John*** (m. h. 1348) Filósofo ing., carmelita. Sus doctrinas fueron la base de la escuela carmelitana posterior.
BACORETA f. Pez de la familia escómbridos, parecido al bonito.
BACTERIA f. *Biol.* Microorganismo microscópico de organización procariota, perteneciente a la di-

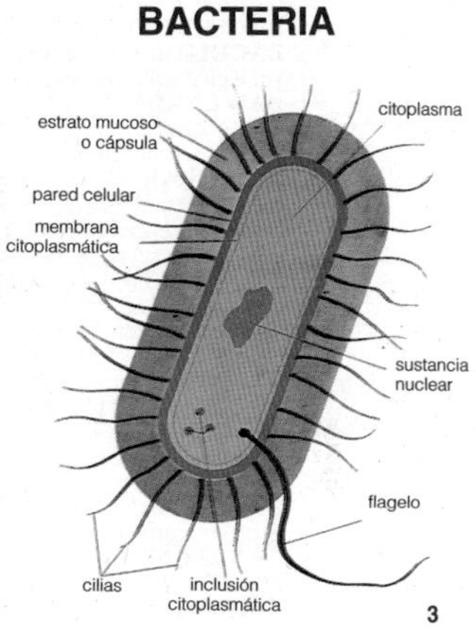

Arte **bacongo.** Estatua llamada del rey de N´soyo

visión de los esquizomicetes. ■ BACTERIANO, NA. * *Biol.* Las b. pueden presentar forma de bastoncillo rígido (bacilos), redondeada (cocos), helicoidal (espirilos); algunas son alargadas y deformables (espiroquetas). Comprenden tipos fisiológicos autótrofos y heterótrofos cuya diversidad de metabolismo, tanto aerobio como anaerobio. sirve para cerrar ciclos en la naturaleza que, de otro modo, quedarían interrumpidos imposibilitando la vida. Las b. son beneficiosas e indispensables para el resto de seres vivos. Algunas, las menos, son parásitas e incluso patógenas para los vegetales, animales y el hombre, produciendo enfermedades; muchas establecen simbiosis con otros seres con beneficio mutuo: muchos antibióticos son segregados por las b.

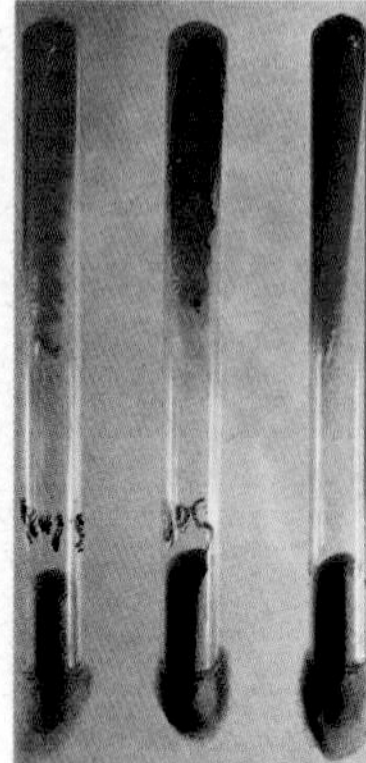

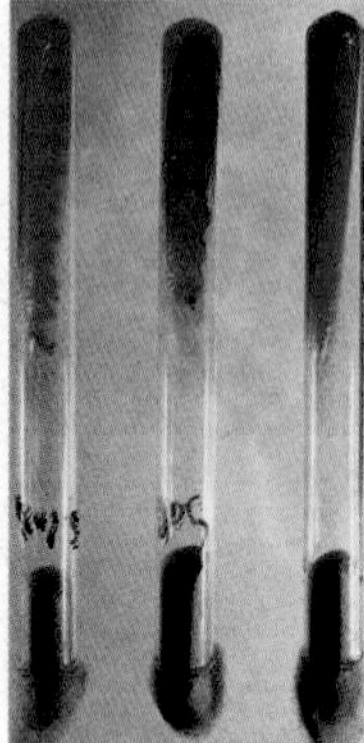

Bacteriología. Cultivo, en agar, de especies bacterianas productoras de pigmentos

BACTERIÁCEAS f. y pl. *Med.* Familia de bacterias que tienen forma de filamento.
BACTERICIDA adj. y m. *Biol.* Agente capaz de provocar la muerte a las bacterias.
BACTERIEMIA f. *Pat.* Presencia de bacterias patógenas en la sangre.
BACTERIOCLOROFILA f. *Biol.* Clorofila de las bacterias fotosintéticas.
BACTERIÓFAGO, GA adj. y m. *Biol.* Virus que parasita en las bacterias.
BACTERIOLOGÍA f. Parte de la microbiología que estudia las bacterias. ■ BACTERIOLÓGICO, CA.
BACTERIÓLOGO, GA m. y f. Especialista en bacteriología.
BACTERIOSIS f. *Pat.* Enfermedad provocada por bacterias.
BACTERIOSTÁTICO, CA adj. Díc. de un agente capaz de detener el crecimiento de las bacterias.
BACTERIOTERAPIA f. *Med.* Tratamiento de las enfermedades por inoculación de microbios.
BACTRIANA Ant. región del Asia Central, que se extendía por el N de Afganistán y el Turquestán ruso. Cap., Bactra *(Balkh).*
BACTRIANO, NA adj. y s. De Bactriana.
BÁCULO m. Cayado. • fig. Alivio, consuelo, apoyo. • **pastoral.** El que usan los obispos.
BAD LANDS (voz ing.) Topografía caracterizada por barrancos separados por crestas.
BADA f. Rinoceronte.
BADAJEAR intr. fig. y fam. Hablar mucho.
BADAJO m. Pieza que pende en el interior de las campanas, cencerros y esquilas. • fig. y fam. Persona habladora y necia. ■ BADAJADA; BADAJAZO.
BADAJOZ Prov. esp., en la com. autón. de Extremadura; 21 657 km², 656 848 hab. Río Guadiana. Agricultura. Hierro, cobre, plomo. • C. esp., cap. de la prov. hom.; 122 510 hab. A orillas del Guadiana.
BADAJOZ, *Juan de,* llamado EL JOVEN (1498-1560) Arquitecto plateresco esp. Sucedió a su padre en la construcción de la catedral de León (1525). Claustros de San Zoilo (1537, Carrión de los Condes) y San Pedro de Eslonza (1547).

Obispo portando el **báculo pastoral.** De un códice del s. XII que representa el XVII concilio de Toledo

BADAJSHAN o **BADAKHSHAN** Región de Asia sudcentral entre el Hindu Kush y el Pamir.
BADALONA C. esp., en la prov. de Barcelona; 210 987 hab. Ind. química, alimentaria y textil.
BADANA f. Piel curtida de carnero u oveja. • Tira de este cuero o de otro material, que se cose en el sombrero para evitar que se manche.
BADARAYANA (entre ss. VI y III a. C.) Pensador hindú. Se le atribuyen los *Vedanta sutra.*
BADARIENSE adj. y s. Ant. civilización eneolítica de Egipto. Toma su nombre de la pob. de al-Badari, en el Egipto Medio.
BADEA f. Sandía, melón o pepino de mala calidad. • fig. y fam. Persona floja.
BADÉN m. Zanja que forma en el terreno el paso del agua. • Cauce que se hace en una carretera para dar paso a un caudal de agua.
BADEN Región histórica del SO de Alemania, entre el Rin y la Selva Negra. Cap., Karlsruhe. Forma, con Württemberg y Hohenzollern, el land de Baden-Württemberg. • **Escuela de B.** Conocida también como *escuela de Friburgo.* Centro filosófico del neokantismo al. de fines del s. XIX y principios del s. XX.
BADEN-BADEN o **BADEN** C. de Alemania, en Baden-Württemberg, al pie de la Selva Negra; 40 800 hab. Estación termal.
BADEN-POWELL, *Robert* (1857-1941) General brit., fundador de los boy scouts.
BADEN-WÜRTTEMBERG Est. del SO de Alemania, fronterizo con Francia y Suiza; 35 752 km², 9 820 000 hab. Cap., Stuttgart. Selva Negra, meseta de Baviera y Jura de Suabia. Ríos: Neckar y Danubio. Lago Constanza en la frontera suiza. C. prales.: Karlsruhe, Mannheim. Ind. mecánica, textil.
BADERNA f. *Mar.* Cabo usado para sujetar el cable al virador, trincar la caña del timón, etc.
BADI, *Aquiles* (1894-1976) Pintor arg. *Buenos Aires 1936, El saltimbanqui.*
BADÍA y LEBLICH, *Domingo,* llamado *Alí Bey* (1767-1822) Viajero esp. Recorrió el N de África y Oriente Próximo como agente de Godoy, y en 1808 pasó al servicio de Francia. *Viajes.*
BADIÁN m. Árbol magnoliáceo de flores blancas y fruto capsular.
BADIANA f. *Bot.* Badián. • *Bot.* Fruto del badián.
BADII, *Libero* (1916-2001) Escultor arg., representante del arte abstracto. Premio Palanza en 1959.
BADIL m. Paleta para mover la lumbre. ■ BADILAZO.
BADILA f. Badil.
BADILEJO m. Llana de albañil.
BADMINTON m. *Dep.* Juego de origen asiático, de reglamento similar al tenis.
BADOGLIO, *Pietro* (1871-1956) Mariscal it. Dirigió la campaña de Etiopía, presidió el Consejo que derrocó a Mussolini y firmó el armisticio (1943).
BADOMÍA f. Despropósito, disparate.
BADULAQUE m. Afeite antiguo. • adj. y m. fig. y fam. Majadero, tonto. • adj. fig. y fam. Informal, embustero. ■ BADULACADA; BADULACIÓN.
BADULAQUEAR intr. *Amér.* Bellaquear.
BAEDEKER, *Karl* (1801-1859) Editor al., establecido en Coblenza. Publicó guías de los est. de Alemania. Su hijo ***Friedrich*** (1844-1925) publicó guías de los países de Europa y América del Norte.
BAENA, *Juan Alfonso de* (1406-1454) Poeta hispanohebraico. *Cancionero de Baena.* • **Soares, *João Clemente*** (nacido 1931) Político bras. Secretario general de la Organización de Estados Americanos (1984), sustituyendo a Alejandro Orfila.

Vista de **Badajoz**

BAEYER, *Adolf von* (1835-1917) Químico al. Premio Nobel de Química en 1905. • **Reactivo B.** *Quím.* Solución acuosa usada en análisis quím. para identificar los compuestos orgánicos no saturados.
BAEZ, *Joan* (nacida 1941) Cantautora norteam. Composiciones políticas y de protesta.
BÁEZ, *Buenaventura* (1810-1884) Político dom., varias veces presid. de la rep. (1849-1853; 1856-1858; 1865; 1868-1873; 1877); en 1877 intentó anexionar su país a los EE UU • ***Cecilio*** (1862-1941) Político y escritor par. Fundador del Partido Liberal. Presid. provisional (1905-1906) • ***Ramón*** (m. 1929)

Político y educador dom. Rector de la universidad de Santo Domingo. Presidente de la rep. en 1914.
BAEZA Flores, *Alberto* (1914-1998) Poeta chil. *Isla en las islas*, *Rapsodia cubana.*
BAFFIN, *Tierra de* Isla del Canadá, en el arch. Ártico; 518 000 km^2.
BAFFIN, *William* (1584-1622) Navegante ing. Descubrió la bahía que lleva su nombre, entre Groenlandia y Canadá.
BAFFLE m. Pantalla difusora acústica.
BAGA f. *Bot.* Cápsula que contiene las semillas del lino.
BAGÁ m. *Cuba.* Árbol amonáceo cuyo fruto sirve de alimento para el ganado.
BAGACERA f. Lugar de los ingenios de azúcar en que se pone a secar el bagazo.
BAGAJE m. Conjunto de cosas que acompañan a alguien en un traslado. • Acémila. • Equipaje. • fig. Riqueza intelectual o artística. • *Bol.* Cantidad recibida por dietas de viaje.
BAGARÍA, *Luis* (1882-1941) Dibujante esp. Colaboró en *El Sol*, de Madrid.
BAGATELA f. Insignificancia, cosa de poco valor. • *Mús.* Obra musical breve, gralte. para piano.
BAGAUDA adj. y s. Díc. de campesinos que se alzaron en las Galias y en Hispania contra los rom.
BAGAZA, *Jean-Baptiste* (nacido 1946) Militar y político de Burundi. En 1976, se aupó a la presid. con un golpe de Est. Derrocado por P. Buyoya en 1987.
BAGAZO m. Cáscara que queda de la baga del lino. • Residuo de las cosas que se exprimen para sacarles el zumo.
BAGDAD Cap. de Irak; 3 236 000 hab. A orillas del Tigris. Centro comercial. Textil, cerveza y cemento. Ant. cap. religiosa del califato abasí.
BAGEHOT, *Walter* (1826-1877) Economista brit., discípulo de David Ricardo. Uno de los máximos representantes de la *banking school.*
BAGRE m. *Zool.* Pez teleósteo de río, carente de escamas, de cabeza muy grande y hocico obtuso.

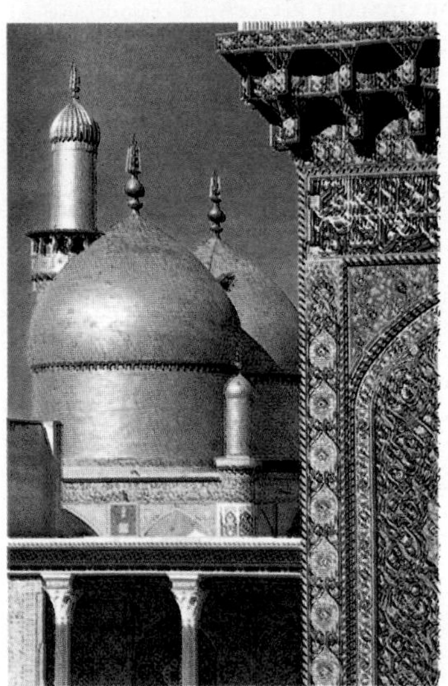

La gran mezquita de **Bagdad**

BAGUAL adj. y s. *Amér.* Bravo, indómito. • m. *Chile.* Hombrote de escasa inteligencia.
BAGUALA f. *Argent.* Canción popular.
BAGUALADA f. *Argent.* Manada de caballos. • *Argent.* Burrada, necedad.
BÁGUARÍ m. *Argent., Par.* y *Ur.* Cigüeña.
BAGUIRMI Ant. sultanato del Sudán, entre el lago Chad y el r. Chari. Su econ. estaba basada en el tráfico de esclavos.
¡BAH! interj. que denota incredulidad o desdén.
BAHA ALLAH Nombre adoptado por el persa *Mirza Husayn Ali Nuri* (1817-1892). Fundador del bahaísmo. *Libro de la Certeza*, *Libro Santísimo.*

BAHAMAS

Superficie 13 939 km^2

Población 287 000 hab. (20 hab./km^2)

Recursos económicos

Caña de azúcar	8 000	ha
Cemento	63 000	t
Energía eléctrica	985	millones de kwh
Pesca	10 000	t
Riqueza forestal	117 000	m^3
Sal	698 000	t
Turismo	3 682 260	visitantes

Indicadores sociológicos

PNB	3 297	millones de dólares
Renta per cápita	11 940	dólares
Esperanza de vida	73	años
Alfabetismo	98	%

Archipiélago de las **Bahamas**

BAHADUR Sah I (1643-1712) Emp. mogol de la India desde 1707. • **Sah II** (1775-1862) Último emp. mogol de la India, desde 1837. Depuesto por los brit. (1858) al pasar su país al dominio de la Corona Británica.
BAHAÍSMO o **BEHAÍSMO** m. Religión derivada del babismo, fundada por Baha Allah. Preconiza la unidad de la humanidad y defiende que las diferentes religiones son aspectos de una misma verdad.
BAHAMAS *(Commonwealth of the Bahamas)* Estado americano constituido por el arch. hom. Consta de unas 30 islas, 660 islotes y 2 400 escollos, entre la península Florida y las islas de Cuba y La Española. Cultivos tropicales y explotación forestal. Turismo. Clima suave y subtropical. Idioma: inglés (of.) y dialecto criollo. *Rel.*: protestante (65 %) y catól. (25 %). U. M.: dólar bahameño. Cap.: Nassau.
* *Hist.* En la isla de Watling (San Salvador) desembarcó Colón en 1492. A comienzos del s. XVII, las B. fueron colonizadas por los brit. En 1964, las islas obtuvieron su primera constitución, pero siguieron siendo protectorado brit. hasta 1973, en que consiguieron la indep. dentro de la Commonwealth.

Mapa de situación y bandera de **Bahamas**

BAHAMONTES, *Federico Martín* (nacido 1928) Ciclista español, vencedor del *Tour* en 1959.
BAHAR, *Muhammad Taqí* (1885-1951) Político y poeta persa, liberal y prooccidental.
BAHAREQUE m. *Col.* y *Ven.* Bajareque.
BAHARÍ m. *Zool.* Ave rapaz diurna, de color gris azulado por encima, rojo con manchas en las partes inferiores y pies rojos.
BAHÍA f. Entrada de mar en la costa, menor que el golfo.
BAHÍA Est. del E de Brasil, a orillas del Atlántico; 556 978 km^2, 11 625 000 hab. Cap., Salvador. C. prales.: Ilheus, Cachoeira, Nazaré. Terreno mesetario. Río São Francisco. Pob. de raza negra (70 %). Cacao, caña de azúcar, tabaco, algodón. Ganado vacuno, ovino y suido. Manganeso, cromo, petróleo. Destilerías de azúcar, manufacturas de tabaco y cacao.
BAHÍA BLANCA C. de Argentina, en la prov. de Buenos Aires; 247 000 hab. Sit. cerca de la bahía hom., donde posee cinco puertos. Nudo ferroviario. Ind. alimentaria y textil. Refino de petróleo. Sede de la Universidad Nacional del Sur. C. fundada en 1828.
BAHÍA HONDA Mun. de Cuba, en Pinar del Río; 41 900 hab.

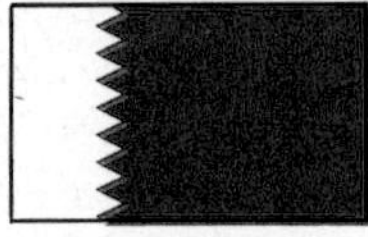
Mapa de situación y bandera de **Bahrein**

Baile de salón moderno

BAHMANÍES Dinastía de sultanes musulmanes que reinaron en el Decán de 1347 a 1527.
BAHORRINA f. fam. Conjunto de cosas asquerosas mezcladas con agua sucia. • fig. y fam. Conjunto de gente soez y ruin. • Suciedad.
BAHORUCO Prov. del SO de la República Dominicana; 1 376 km^2, 86 700 hab. Cap., Neiba. Comprende parte de la depresión lacustre de Enriquillo, y la sierra de Neiba. El r. Yaque del Sur riega la zona oriental. Maíz, plátanos, arroz, caña de azúcar.
BAHR-EL-ABIAD *(Nilo Blanco)* Denominación del tramo del r. Nilo comprendido entre los r. Bahr-el-Ghazal y Bahr-el-Azraq. • **-el-Azraq** *(Nilo Azul)* R. del África nordoriental. Nace en la meseta de Etiopía, afluyendo al Bahr-el-Abiad; 1 600 km. • **-el-Ghazal** R. del S de Sudán, afl. del Nilo; 240 km. • **-el-Jebel** Nombre que recibe el r. Nilo desde que penetra en Sudán hasta la afluencia del Bahr-el-Ghazal.
BAHREIN *(Dawlat al-Bahrain)* Est. asiático del golfo Arábigo, formado por el arch. hom. Las dos islas prales., Bahrein y Muharrak, están unidas por un dique artificial. Otras islas: Sitra, Umm, Nasan y Hawar. Petróleo.Lenguas: árabe (of.) e inglés. Rel.: islamismo. U.M.: dinar de B. Cap., Manama.
* Hist. Dominado por los portugueses desde 1521, pasó a dominio persa (1602-1783) y post. bajo la Corona brit. hasta 1971, año de la indep. En 1975 el emir Issa Ben Salmane al-Kalifa (en el trono desde 1961) suprimió el parlamento y estableció una monarquía absoluta.

BAHREIN

Superficie 678 km^2

Población 579 000 hab. (854 hab/km^2)

Recursos económicos	
Aluminio	450 900 t
Dátiles	20 000 t
Pesca	7 629 t
Petróleo	2 011 000 t

Indicadores sociológicos	
PNB	4 525 millones de dólares
Renta per cápita	7 840 dólares
Esperanza de vida	72 años
Alfabetismo	85 %

BAÏF, ***Jean-Antoine de*** (1532-1589) Erudito y escritor fr. Creador de un verso de quince sílabas. *Los amores de Mélise, Antígona.*
BAIKAL Lago de Rusia, en la Siberia meridional; 31 500 km^2, 1 470 m de profundidad.
BAIKONUR Estación de lanzamiento de cohetes astronáuticos, cercana al mar de Aral (Kazakistán).
BAILABLE adj. y m. Música compuesta para bailar. • m. Danzas ejecutadas en un espectáculo compuesto de mímica y baile.
BAILADERO m. Lugar para bailes públicos.
BAILAR intr. Mover el cuerpo con ritmo, o siguiendo el compás de la música. • Moverse rápidamente una cosa. • Girar rápidamente una cosa en torno de su eje manteniéndose en equilibrio. • Retozar, excitarse las pasiones. • *Eq.* Ejecutar el caballo movimientos nerviosos. ■ BAILADOR, RA; BAILARÍN, NA.
BAILE m. Forma de bailar adaptada a un género musical. • Fiesta en que se baila. • Espectáculo en el que se ejecuta una acción mediante mímica y danzas. • Alteración del orden de las cifras al anotar una cantidad. • **de San Vito.** Afección convulsiva.
BAILÉN C. esp., en la prov. de Jaén; 16 000 hab. • **Batalla de B.** Victoria del ejército esp. sobre el fr., en la guerra de la Independencia (1808).
BAILETE m. Baile de corta duración
BAILLY, ***François Anatole*** (1833-1911) Helenista fr. *Manual para el estudio de las raíces griegas y latinas, Diccionario griego-francés.* • ***Jean Sylvain*** (1736-1793) Astrónomo y político fr. Presid. de la Asamblea Nac. (1789). *Historia de la Astronomía.*
BAILONGO m. Baile popular.
BAILOTEAR intr. Bailar mucho, y en especial sin gracia. ■ BAILOTEO.
BAIN, ***Alexander*** (1818-1903) Filósofo y psicólogo brit. Impulsó la escuela asociacionista. *El espíritu y el cuerpo, La ciencia de la educación.* Fundador de la revista *Mind.*
BAINVILLE, ***Jacques*** (1879-1936) Periodista e historiador fr. *Historia de Francia.*
BAIRD, SIR ***David*** (1757-1829) General brit. Participó en diversas acciones coloniales. • ***John Logie*** (1888-1946) Inventor brit. de la televisión sin hilos.
BAIRE, ***Grito de*** Episodio de la historia de Cuba (23 febrero 1895). Marca el inicio de la definitiva guerra de indep. de la isla.
BAIRE, ***René*** (1874-1932) Matemático fr., autor de importantes trabajos sobre la teoría de la medida y de la integración.
BAIVEL m. Escuadra usada por los canteros.
BAJA f. Disminución del precio y estimación de algo. • Alemanda, danza. • *Mil.* Falta de un individuo. • *Mil.* Documento que acredita la falta de un individuo. • Formulario fiscal para tales declaraciones. • Cese de una persona en un empleo, etc. • Acto y papeleta en que el médico certifica la cesación en el trabajo.
BAJÁ m. En Turquía, el que obtenía un mando superior. ■ BAJALATO.
BAJA AUSTRIA → Austria, Baja.
BAJA CALIFORNIA → California, Baja.
BAJA NORMANDÍA → Normandía, Baja.
BAJA SAJONIA → Sajonia, Baja.
BAJA VERAPAZ → Verapaz, Baja.
BAJACA f. *Ecuad.* Cinta que las mujeres llevan en el pelo.
BAJACALIFORNIANO, NA adj. y s. De Baja California.
BAJADA f. Camino por donde se desciende desde alguna parte.
BAJADOR, RA adj. *Chile.* Díc. de las bebidas que se toman cuando se siente pesadez de estómago. • m. *Amér.* Gamarra.
BAJAMAR f. Retroceso o descenso del nivel del mar durante las mareas. • Tiempo que dura.
BAJANTE adj. y f. Que baja. • m. Cañería que conduce las aguas de un edificio hasta las cloacas. • *Amér.* Descenso del nivel de las aguas.
BAJAR intr. y prnl. Ir de un lugar a otro que esté más bajo. • intr. Disminuir alguna cosa. • tr. Poner alguna cosa en un lugar inferior al que estaba. • tr., intr. y prnl. Apear de un medio de locomoción. • tr. Inclinar hacia abajo. • Disminuir el valor de una cosa. • Descender el sonido de la voz o de un instrumento. • fig. Humillar, abatir. • prnl. Inclinarse hacia el suelo. • *Cuba.* com. Pagar.
BAJAREQUE m. *Cuba.* Bohío muy pobre. • *Amér. Central, Col., Cuba., Ecuad.* y *Ven.* Pared de cañas y barro. • *Pan.* Llovizna menuda.
BAJATIVO m. *Bol., Chile* y *Ecuad.* Licor que se toma después de comer. • *Bol.* y *Chile.* Tisana.
BAJAVERAPACENSE adj. y s. De Baja Verapaz.
BAJEAR tr. Acompañar con las notas graves un canto o melodía. • *Ecuad.* En los naipes, jugar a las cartas bajas.
BAJEL m. Buque, barco.
BAJERA f. *Argent.* Sudadero de las cabalgaduras. • *Cuba.* Hojas inferiores de la planta del tabaco, de mala calidad.
BAJERO, RA adj. Bajo. • Que se usa debajo de otra cosa. • adj. y m. *Amér.* Tabaco preparado con las hojas inferiores de la planta.
BAJETE m. *Mús.* Barítono. • Mús. Tema escrito en clave de fa.
BAJEZA f. Acción indigna. • fig. Condición de humildad o inferioridad.
BAJIAL m. *Perú.* Lugar bajo, que se inunda en el invierno.
BAJÍO m. Banco de arena. • *Amér.* Terreno bajo.
BAJISTA com. Persona que juega a la baja.
BAJO, JA adj. De poca alt., o lo que está en un lugar inferior respecto a otras cosas de la misma clase. • adv. Abajo. • adv. m. En voz baja. • fig. Humilde, despreciable. • fig. Aplicado a exp. de lenguaje, etc., vulgar, ordinario. • fig. Precio corto, poco considerable. • fig. Sonido que no se oye. • m. Sitio, lugar hondo. • *Mar.* Elevación del fondo que impide flotar a las embarcaciones. • *Min.* Oro y plata con demasiada liga. • *Mús.* La más grave de

las voces humanas, o el instrumento que produce los sonidos más graves. • *Mús.* Persona que tiene aquella voz o toca este instrumento. • *Mús.* Nota que sirve de base a un acorde. • *Mús.* Música escrita para ser interpretada por una voz o instrumentista de la cuerda de bajos. • *Pint.* Color poco vivo. • pl. Parte inferior del traje de las mujeres. • Piso bajo de un edificio. • *Equit.* Manos y pies del caballo. • *Mar.* Ríos y lagos navegables. • prep. Debajo de. • **cantante.** *Mús.* Barítono con voz como la del bajo. • **cifrado.** *Mús.* Indicación abreviada de la armonía, mediante números. • **continuo** . *Mús.* Música que sirve para la armonía del acompañamiento. • **profundo.** *Mús.* Cantor cuya voz excede a la ordinaria del bajo. • **Bajos fondos.** Zona social de mala vida. • **Por lo b.** Acompañando a una cantidad, indica que es la mínima probable.

BAJÓN m. *Mús.* Instrumento musical semejante al fagot. • *Mús.* Bajonista. • fig. y fam. Disminución en el caudal, la salud, etc.

BAJONADO m. *Cuba.* Pez marino, parecido a la dorada.

BAJONCILLO m. *Mús.* Instrumento musical parecido al bajón.

BAJORRELIEVE m. Relieve en el que las figuras sobresalen poco del fondo.

BAJUNO, NA adj. Bajo, soez.

BAJURA f. Falta de elevación.

BAKELITA f. Baquelita.

BAKER, ***Josephine*** (1906-1975) Artista norteam. de music-hall. Alcanzó gran popularidad. • ***Samuel*** (1821-1893) Explorador brit. Recorrió el África central y descubrió el lago Alberto. • **Eddy, *Mary*** → Eddy, Mary Baker.

BAKHTIAR, ***Shapur*** (1914-1991) Político iraní, representante de un nacionalismo moderado. Dirigió el último gobierno del emperador Muhammad Reza Pahlavi.

BAKOTA adj. y s. Relativo a los bakota. • m. pl. Pueblo melanoafricano, de lengua bantú, que habita en Congo y Gabón.

al-BAKR, ***Ahmed Hassan*** (nacido 1914) Mil. y político iraquí. Presid. del gobierno (1968-1979), procuró el acercamiento a la URSS.

al-BAKRÍ, ***Abu Ubayd*** (m. 1094) Geógrafo hispanoárabe. *Libro de los reinos y de los caminos.*

BAKÚ Cap. de Azerbaiján, a orillas del mar Caspio; 1 693 000 hab. Ind. petroquímica y exportación de petróleo.

BAKUBA adj. y s. Relativo a los bakuba. • m. pl. Pueblo melanoafricano de lengua bantú que habita en la República Democrática del Congo.

BAKUNIN, ***Mijaíl Alexandrovich*** (1814-1876) Revolucionario ruso y dirigente anarquista. *Los principios de la revolución, Catecismo revolucionario, Llamamiento a los eslavos.*

BALA f. Proyectil de las armas de fuego. • Fardo comprimido y atado de una mercancía. • Conjunto de diez resmas de papel. • **perdida.** La que va a dar en un punto apartado del que apuntó el tirador. • fig. y fam. Tarambana.

BALACA f. *Amér.* Baladronada.

BALACADA f. *Argent.* y *Ecuad.* Balaca.

BALACEAR tr. *Amér.* Disparar, tirotear.

BALACERA f. *Amér.* Tiroteo.

BALADA f. Balata. • *Lit.* Composición poética en la que se relata algún suceso, transmitida por vía oral. • *Lit.* Composición poética de origen provenzal. • *Mús.* Forma musical muy antigua, con acompañamiento libre, que podía danzarse.

BALADÍ adj. De poca importancia.

BALADRO m. Alarido o voz espantosa ■ BALADRAR.

BALADRÓN, NA adj. Bravucón, fanfarrón ■ BALADRONADA; BALADRONEAR.

BALAFÓN m. Instrumento de percusión propio del África negra, popular en Colombia, Ecuador, Guatemala y México, con la denominación de *marimba.*

BÁLAGO m. Paja larga de los cereales. • Paja trillada ■ BALAGUERO.

BALAGRE m. *Hond.* Bejuco para hacer nasas.

BALAGUER, ***Joaquín*** (nacido 1906) Político dom.; nombrado presid. de la rep. en 1960-1962. Exiliado a los EE UU, fue sucesivamente reelegido entre 1966 y 1978, enfrentándose a graves disturbios. Nuevamente presid. en 1986, 1990 y 1994.

BALAJ o **BALAJE** m. Rubí morado.

BALAKIREV, ***Milij Alekseievich*** (1837-1910) Compositor ruso. Formó parte del grupo de los Cinco. Autor de los poemas sinfónicos *Tamar, Rusia* e *Islamey*, dos sinfonías, oberturas, conciertos y música de cámara; canciones y coros.

BALALAIKA f. Instrumento musical, empleado en la música popular rusa.

BALANCE m. Movimiento que hace un cuerpo, inclinándose de un lado a otro. • fig. Vacilación. • *Cont.* Valoración del activo y del pasivo, cuyo objeto es la representación y medida de la situación patrimonial de una persona o entidad. • Documento que refleja esta valoración. • *Mar.* Movimiento que hace la nave de babor a estribor, o al contrario. • fig. Estudio de las ventajas o inconvenientes de algo.

BALANCEAR intr. y prnl. Dar o hacer balances. Díc. más tratándose de naves. • intr. fig. Dudar, estar perplejo. • tr. Igualar, contrapesar.

BALANCEO m. Acción y efecto de balancear o balancearse. • *Aer.* y *Mar.* Mov. de rotación en torno al eje longitudinal de un buque, un avión o un vehículo espacial.

BALANCHIN, ***George*** (1904-1983) Seud. de *George Melitónovich Balanchivadze*, bailarín y coreógrafo ruso, nacionalizado norteam. Actuó en los Ballets Rusos, en París. *Apolo Musageta, Concierto barroco, Tema y variaciones.*

BALANCÍN m. Madero paralelo al eje de las ruedas delanteras de un carruaje. • Madero a cuyas extremidades se enganchan los tirantes de las caballerías. • Palo largo que usan los volatineros. • Volante para sellar monedas. • Barra que se emplea en las máquinas de vapor para transformar un mov. alternativo rectilíneo en otro circular continuo. • Mecedora. • pl. *Mar.* Cabos que penden de la entena y sirven para moverla.

BALANDIER, ***Georges*** (nacido 1920) Sociólogo y etnólogo fr. *Sociología actual del África negra, Antropología política.*

BALANDRA f. Embarcación pequeña con cubierta y un solo palo.

BALANDRÁN m. Vestidura talar ancha y con esclavina que usan los eclesiásticos.

BALANDRO m. Balandra pequeña. • *Cuba.* Barco pescador aparejado de balandra ■ BALANDRISTA

BALANITIS f. *Pat.* Inflamación de la membrana mucosa que reviste el bálano o glande.

BÁLANO o **BALANO** m. *Anat.* Glande. • *Bot.* Bellota, fruto. • *Zool.* Crustáceo cirrípedo, de color gris oscuro, sin pedúnculo.

Joaquín **Balaguer**

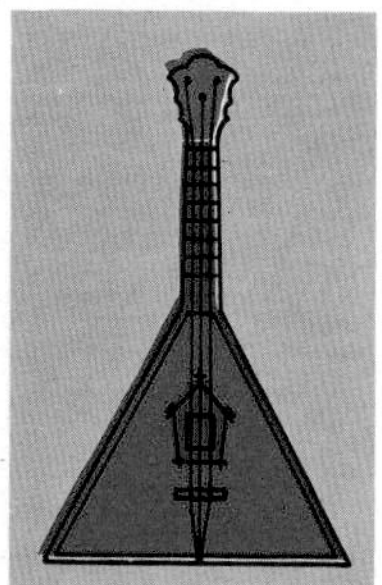

Balalaika

Balandros

BALANZA f. Instrumento para medir masas. • fig. Comparación entre dos o más cosas. • n. p. f. *Astr.* Libra, constelación y signo zodiacal. • f. *Cont.* Balance. • **comercial.** *Econ.* Uno de los componentes de la balanza de pagos: el de transacciones visibles, formado por exportaciones, importaciones y oro no monetario. • **de pagos.** *Econ.* Documento que resume las transacciones entre un país y el extranje-

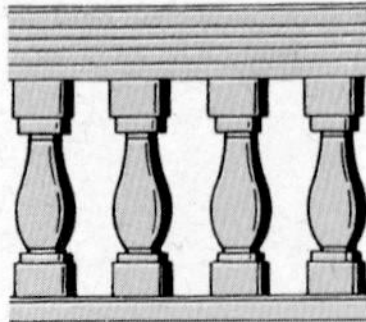

Balaustrada

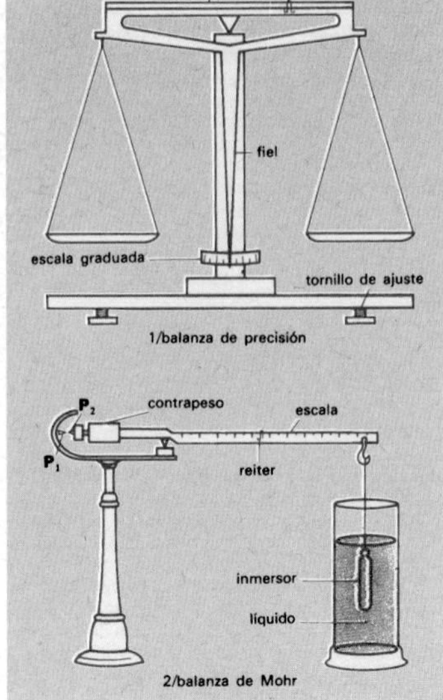

Balanza: 1. de precisión; 2. hidrostática o de Mohr

Vasco Núñez de **Balboa**

Monasterio de Rousanou en Meteoros (Grecia), en la península de los **Balcanes**

ro durante un determinado período. • **de precisión.** *Fís.* La destinada a medir masas con gran exactitud. • **hidrostática.** *Fís.* La destinada a obtener densidades de líquidos.

BALANZÓN m. Vasija que usan los plateros. • *Amér.* Platillo de la balanza.

BALAQUEAR intr. *Amér. Merid.* Baladronear.

BALAR intr. Dar balidos ▪ BALADOR, RA.

BALARRASA m. fam. Aguardiente fuerte. • fig. y fam. Tarambana.

BALASTO m. Capa de grava que asienta las traviesas de las vías férreas o el pavimento de una carretera ▪ BALASTAR; BALASTERA.

BALATA f. Composición poética para ser cantada. • *Bot. Amér.* Árbol sapotáceo. • Goma obtenida de este árbol.

BALATE m. Margen de una parata o bancal. • Terreno pendiente, de poca anchura. • Borde exterior de las acequias. • Cohombro de mar.

BALAÚSTA f. *Bot.* Fruto carnoso, dividido en celdillas.

BALAUSTRA f. *Bot.* Granado de flores dobles y de color vivo.

BALAUSTRE o **BALAÚSTRE** m. Cada una de las columnitas que con los barandales forman barandillas ▪ BALAUSTRADA; BALAUSTRADO, DA.

BALAY m. *Amér.* Cesta de mimbre o carrizo. • *Col.* Cedazo de bejuco.

BALAZO m. Impacto o herida de bala.

BALÁZS, *Bela* (1884-1949) Teórico cinematográfico húng. Reivindicó para el cine el carácter de arte autónomo. *El hombre visible*, *El espíritu del filme*.

BALBÁS, *Jerónimo de* (s. XVII) Arquitecto esp. Su obra más notable es la capilla de los Reyes de la catedral de México.

BALBÍN, *Ricardo* (1904-1981) Político arg. Miembro de la Unión Cívica Radical, fundaría más tarde la UCR del Pueblo. Estuvo preso durante el primer gobierno de Perón y el régimen del general Videla.

BALBINO, *Décimo Celio Calvino* (178-238) Patricio rom. Nombrado emp. junto con Pupiano Máximo por el Senado, en oposición a Maximino al que apoyaban los soldados. Murió a manos de los pretorianos poco después.

BALBO, *Cesare*, CONDE DE VINADIO (1789-1853) Político e historiador it. Teórico del nacionalismo. Prestó servicios a la monarquía piamontesa como estadista. • ***Italo*** (1896-1940) Militar y político it. Miembro destacado del movimiento fascista, colaboró en la marcha sobre Roma.

BALBOA m. Unidad monetaria de Panamá.

BALBOA C. de la zona del canal de Panamá; 10 000 hab. Base militar de los EE UU.

BALBOA, *Silvestre de* (1563-1648) Poeta cub. Autor de la composición épica *Espejo de paciencia*, considerada el primer poema cubano. • ***Vasco Núñez de*** (1475-1517) Conquistador esp. Gobernador de Darién, se distinguió por su crueldad. Descubrió el océano Pacífico. Murió ejecutado.

BALBUCEAR intr. Balbucir.

BALBUCIR intr. Hablar o leer con pronunciación dificultosa y vacilante.

BALBUENA, *Bernardo de* (1568-1627) Poeta esp. *Bernardo o la victoria de Roncesvalles*, *Grandeza mexicana*.

BALCANES Pen. mediterránea del S de Europa. Limita al N con el mar Muerto y el de Mármara, al S con el Egeo y al O con el Adriático y el Jónico; 510 000 km². Ríos: Danubio, Maritza, Drina. Agricultura y ganadería. Clima mediterráneo en la costa y continental en el int. Comprende los Est. de Turquía (parte europea), Bulgaria, Grecia, Albania y las naciones federadas yugoslavas hasta 1991 (Macedonia, Servia, Montenegro, Bosnia-Herzegovina, Croacia y Eslovenia). • Sist. montañoso de la pen. hom. Se extiende desde el r. Timok hasta el mar Negro. Alt. máx., Botev (2 376 m). • **Campañas de los B.** Conflictos armados que tuvieron lugar en la pen. hom. entre 1876 y 1913. • **Guerras de los B.** Conflictos bélicos de principios del s. XX entre los diversos est. de la pen. hom. En la primera guerra (1912), Bulgaria, Servia, Grecia y Montenegro derrotaron a Turquía, consiguiendo Albania su indep. En la segunda (1913), Servia, Grecia y Rumania, tras derrotar a Bulgaria, obtuvieron la Macedonia, la zona costera de Tracia y la Dobrudja meridional, respectivamente.

BALCÁNICO, CA adj. Relativo a los Balcanes.

BALCARCE Sierras de Argentina, al SE de la prov. de Buenos Aires. • Partido de Argentina en la prov. de Buenos Aires; 4 120 km², 39 500 hab. Centro com. y agropecuario. Cuna del campeón automovilístico Juan M. Fangio.

BALCARCE, *Antonio González* (1777-1819) Militar arg. Vencedor en Suipacha. Gobernador (1814) y director (1816) de Buenos Aires; luchó a las órdenes de San Martín en Maipú. • ***Mariano*** (1807-1885) Diplomático arg., hijo del anterior. Contrajo matrimonio con la hija del libertador San Martín, Mercedes.

BALCARROTAS f. pl. *Méx.* Mechones de pelo que los indígenas dejaban colgar a ambos lados de la cara. • *Col.* Patillas.

BALCH, *Emily Green* (1867-1961) Educadora norteam. Secretaria (1919-1922) de la Liga Femenina Internacional pro Paz y Libertad. Premio Nobel de la Paz en 1946, con J. R. Mott.

BALCÓN m. Hueco abierto desde el suelo de la habitación, con barandilla gralte. saliente. • Esta barandilla. • fig. Miranda. • **corrido.** El que comprende de varios huecos de una fachada.

BALCONCILLO m. Galería de un teatro, más baja y delante de la primera fila de palcos. • Galería sobre el toril en las plazas de toros.

BALDA f. Anaquel de armario o alacena.

BALDADO, DA adj. Tullido, impedido. • m. *C. Rica.* Contenido de un cubo o balde.

BALDADURA f. o **BALDAMIENTO** m. Impedimento físico de algún miembro.

BALDAQUÍN o **BALDAQUINO** m. Dosel de seda. • Pabellón que cubre un altar.

BALDAR tr. y prnl. Impedir una enfermedad o accidente el uso de algún miembro. • Fallar en juegos de cartas. • fig. Causar gran contrariedad.

BALDE m. Cubo para transportar agua. • Recipiente parecido destinado a otros usos.

BALDEAR tr. Regar con baldes. • Achicar con baldes el agua de una excavación.

BALDER *Mit.* Dios germánico, hijo de Odín.

BALDÉS m. Piel de oveja curtida, usada para confeccionar guantes.

BALDI, *Lamberto* (1896-1979) Compositor ur. Dirigió la orquesta estatal.

BALDÍO, A adj. y m. Tierra que ni se labra ni está adehesada o es yerma. • adj. Vano, sin funda-

mento. • Vagabundo. • *Col.* Terreno de dominio estatal, susceptible de apropiación privada.
BALDO, DA adj. y m. Falto, arruinado. • *Col.* Díc. de la persona que está baldada. • m. Falta de un palo en algunos juegos de naipes.
BALDOMIR, *Alfredo* (1884-1948) Político ur. Presid. de la rep. (1938-1943). Reformó la constitución.
BALDÓN m. Oprobio, injuria.
BALDONAR o **BALDONEAR** tr. Injuriar.
BALDORIOTY, *Román* (1822-1889) Político y físico puertorriq. Diputado a las Cortes esp. por el Partido Liberal.
BALDOSA f. ant. Instrumento musical de cuerda parecido al salterio. • Placa de barro cocido, que se usa para solar.
BALDOSADO m. *Chile.* Embaldosado.
BALDOSAR tr. Embaldosar. ■ BALDOSADOR.
BALDOSÍN m. Baldosa pequeña y fina.
BALDOVINETTI, *Alessio* (1425-1499) Pintor it. del *Quattrocento.* Frescos de la iglesia de San Miniato (Florencia).

Vista de Palma de Mallorca, capital de **Baleares**

BALDRAGAS m. Hombre sin energía.
BALDUINO I (1058-1118) Rey de Jerusalén, sucesor de su hermano Godofredo de Bouillon. • **I** (1171-1206) Conde de Flandes; capitaneó la cuarta cruzada y se proclamó emp. de Constantinopla. • **I** (1930-1993) Rey de Bélgica desde 1951, en que su padre Leopoldo III abdicó en su favor.
BALDUNG, *Hans*, llamado GRIEN (1480?-1545) Pintor y grabador al., discípulo de Durero. *La adoración de los reyes magos, Las edades y la muerte.*
BALDUQUE m. Cinta angosta para atar legajos. • *Col.* Belduque, cuchillo.
BALDWIN, *James* (1924-1987) Escritor norteam., de raza negra, antisegregacionista. *Notas de un nativo, Blues para Mr. Charlie.* • ***James Mark*** (1861-1934) Psicólogo y sociólogo norteam. *Diccionario de filosofía y de sociología, Teoría genética de la realidad.* • ***Stanley,*** PRIMER CONDE DE (1867-1947) Político conservador brit. Primer ministro en 1924-1929 y 1935-1937. Forzó la abdicación de Eduardo VIII.
BALEADOR, RA adj. y s. Que balea. • Que hiere o mata a balazos.
BALEAR adj. y s. De las islas Baleares. • adj. Baleárico. • tr. *Amér.* Herir o matar con bala.
BALEARES Com. autón. esp., en el arch. hom. Comprende las islas de Mallorca, Menorca, Ibiza, Formentera y Cabrera; 5 014 km^2, 760 379 hab. Cap., Palma de Mallorca. Clima mediterráneo. Agricultura y ganadería. Ind. agropecuaria. Turismo. Conquistadas por los rom. (122 a. C.), los musulmanes se hicieron con ellas en el 902. En 1229, Jaime I las conquistó y a su muerte se creó el reino de Mallorca. En 1983 se constituyó en com. autón.

BALEÁRICO, CA adj. Relativo a las islas Baleares.
BALENCIAGA, *Cristóbal* (1895-1972) Modisto esp., instalado en París.
BALENICIPÍTEDO, DA adj. y m. Aves de la familia balenicipítidos. • m. pl. *Zool.* Familia de aves ardeiformes. Su única especie es el picozapato.
BALÉNIDO, DA adj. *Zool.* Díc. de individuos de una familia de cetáceos, cuyo representante principal es la ballena. • Relativo a estos animales. • m. pl. *Zool.* Familia de estos animales.
BALEO m. Ruedo o felpudo. • Aventador del fuego. • *Amér.* Tiroteo.
BALERÍA f. o **BALERÍO** m. Depósito de balas.
BALERO m. Molde para fundir balas de plomo. • *Col.* y *Méx.* Boliche, juguete.
BALFOUR, *Arthur James*, PRIMER CONDE DE (1848-1930) Político brit., jefe de los conservadores en los Comunes. Primer ministro (1902-1906) y ministro de Asuntos Exteriores (1916-1919). Apoyó la creación de un Est. judío en Palestina.
BALI Isla de Indonesia, sit. al E de Java; 5 561 km^2, 2 469 900 hab., de religión hindú en su mayoría. Cap., Denpasar. Montañosa y volcánica. Clima monzónico. Agricultura y ganadería.
BALIANI, *Giovanni Battista* (1582-1666) Sabio it. Sostuvo una tesis distinta a la de Galileo sobre la caída de los cuerpos. *De motu naturali gravium fluidorum et solidorum.*
BALIDO m. Voz del carnero, el cordero, la oveja, la cabra, el gamo y el ciervo.
BALIKPAPAN C. de Indonesia, en la costa E de Borneo; 280 700 hab. Petróleo.
BALÍN m. Bala de menor calibre que la ordinaria de fusil. • Munición para pistolas de juguete.
BALIÑA, *Pedro Luis* (1880-1949) Médico arg., especializado en dermatosifilografía.
BALISTA f. ant. Máquina de guerra que arrojaba piedras de mucho peso.
BALÍSTICA f. *Fís.* y *Mil.* Rama de la cinemática que estudia el movimiento de los proyectiles. Se llama *interior* a la que estudia el mov. del proyectil dentro del cañón o sistema lanzador; *exterior* a la que estudia su trayectoria, y *de efectos* a la que trata de los que produce el proyectil en el blanco.
BALÍSTICO, CA adj. Relativo a la balista o a la balística. • *Fís.* y *Mil.* Díc. del proyectil que sigue una trayectoria balística una vez ha agotado el combustible.
BALITAR intr. Balar con frecuencia.
BALIZA f. Señal que se coloca a la entrada de los puertos y en lugares peligrosos. • Edificio, montón de piedras, árbol, señal o punto notable de la tierra o de la costa que sirve para situarse. • Señal para limitar pistas terrestres.
BALIZAJE m. Derecho de puerto. • Sistema de balizas.
BALIZAR tr. Señalar con balizas. ■ BALIZAMIENTO.
BALJASH Lago salado de Asia central en la rep. de Kazakistán, 18 785 km^2. Recibe las aguas del Ili.
BALLADUR, *Edouard* (nacido 1929) Político fr. Fue secretario gral. de la presidencia de la república (1974), consejero de est. (1984) y ministro de Economía y Finanzas (1986-1988). Entre 1993 y 1995 ocupó el cargo de primer ministro.
BALLAGAS, *Emilio* (1910-1954) Poeta cub. *Júbilo y fuga, Antología de poesía negra hispanoamericana.*
BALLENA f. *Zool.* Mamífero cetáceo, el mayor de los animales conocidos. • Cada una de las láminas córneas de la mandíbula superior de la ballena, usadas para la fabricación de las ballenas elásticas. • Cada una de estas tiras. • *Astr.* Constelación del hemisferio austral, próxima al ecuador.
* *Zool.* Aunque se aplica en general de forma po-

Balduino I de Bélgica

Las edades y la muerte, tabla de Hans **Baldung.** Museo del Prado, Madrid

Danza tradicional de **Bali**

Ballena

Ballesta

Ballet

Honoré de **Balzac**

co rigurosa, el nombre de b. debe reservarse para los miembros de las familias balénidos y escríctidos. El tamaño varía entre los 6 m de las b. enanas y los 30 m de la b. azul, que llega a pesar 150 tm. Las b. se alimentan de plancton, que filtran mediante sus barbas. Su cuerpo está revestido de una gruesa capa de grasa, que ayuda a su flotación y le sirve de aislante térmico. Se reproducen durante el invierno en las aguas templadas o subtropicales, emigrando en verano a las aguas circumpolares. Se caza para obtener su aceite.

BALLENATO m. Cría de la ballena.

BALLENERO, RA adj. Relativo a la pesca de la ballena. • m. Pescador de ballenas. • Buque dedicado a la pesca de la ballena.

BALLESTA f. ant. Máquina de guerra para arrojar piedras o saetas. • ant. Arma portátil para disparar flechas, saetas y bodoques. • Armadijo para cazar pájaros. • *Aut.* Muelles que forman parte del sistema de suspensión de los vehículos. ■ BALLESTADA; BALLESTAZO.

BALLESTEAR tr. Tirar con la ballesta. • Flexionar ligeramente las piernas.

BALLESTER Peña, *Juan A*. (nacido 1895) Pintor y grabador arg. Temática religiosa. *Clara de Asís, El sacrificio de Isaac, Vísperas*.

BALLESTERA f. Tronera.

BALLESTERÍA f. Arte de la caza mayor. • Conjunto de ballestas. • Gente armada de ellas.

BALLESTERO m. El que disparaba con ballesta.

BALLESTEROS, *Severiano* (nacido 1957) Golfista esp., ganador de campeonatos mundiales y trofeos internacionales, entre ellos el *open* británico. • **Y Beretta, *Antonio*** (1880-1949) Historiador esp. *Historia de España y su influencia en la historia universal.*

BALLESTILLA f. Balancín pequeño del carro. • ant. *Astr.* Instrumento para tomar las alturas de los astros. • *Mar.* Arte de anzuelo y cordel, a modo de arco de ballesta. • *Vet.* Instrumento para sangrar.

BALLESTRINQUE m. *Mar.* Nudo que se forma con dos vueltas de cabo, dadas de tal modo que resultan cruzados los chicotes.

BALLET m. Representación de danza y pantomima, acompañada de música, que sigue gralte. un argumento y unas especificaciones coreográficas.

BALLICO m. Planta gramínea vivaz, buena para pasto y para formar céspedes.

BALLIVIÁN, *Adolfo* (1831-1874) Político bol., hijo de José B. Presid. en 1873-1874. • ***Hugo*** Mil. y político bol. Presid. en 1951-1952. • ***José*** (1805-1852) Mil. y político bol. Dirigió la resistencia frente a la invasión per. (1841). Presid. (1841-1847). • ***Manuel Vicente*** (1848-1921) Geógrafo bol., autor de numerosos tratados. • ***Rafael*** (1898-1963) Poeta, ensayista y crítico bol. *La senda iluminada, Comentarios marginales, Entreactos*. • **Y Rojas, *Vicente*** (1816-1891) Precursor del romanticismo en su país con la novela *Claudio y Elena*.

BALLUECA f. Avena que crece entre los trigos.

BALLY, *Charles* (1865-1947) Lingüista suizo. Estudió la estilística como una rama de la expresión lingüística. *Tratado de estilística francesa, El lenguaje y la vida*.

BALMACEDA, *José Manuel* (1838-1891) Político chil., presid. de la rep. (1886-1891). Fomentó las obras públicas y la educación. Su tendencia hacia un gobierno presidencialista motivó una guerra civil. Derrocado, se suicidó.

BALMASEDA, *Juan de* (h. 1487-h. 1550) Escultor y retablista renacentista esp., precursor de la escuela cast. de imaginería del s. XVI.

BALMER, *Johan Jakob* (1857-1898) Físico suizo. Descubrió la fórmula para calcular la posición de las rayas del espectro de hidrógeno.

BALMES, *Jaime Luciano* (1810-1848) Filósofo y publicista esp. Eclesiástico, su ideario está impregnado por el catolicismo. Propugnó una renovación moderada del ant. régimen. Dirigió la revista *El Pensamiento de la Nación*. Escribió entre otras obras: *El criterio, Filosofía fundamental, El protestantismo comparado con el catolicismo*.

BALNEARIO, RIA adj. Relativo a baños públicos. • m. Edificio con baños medicinales.

BALNEOTERAPIA f. *Med.* Método de tratar las enfermedades por baños.

BALOMPIÉ m. Fútbol ■ BALOMPÉDICO, CA.

BALÓN m. Fardo grande de mercancías. • Pelota recubierta de cuero usada en varios juegos. • Recipiente para contener cuerpos gaseosos. • Recipiente esférico de vidrio, con cuello prolongado. ■ BALONAZO.

BALONCESTO → Básquet.

BALONMANO → Handball.

BALONVOLEA → Voleibol.

BALOTA f. Bolilla para votar.

BALOTADA f. *Eq.* Salto que da el caballo alzando las patas en tal forma que deja ver las herraduras.

BALOTAR intr. Votar con balotas. ■ *Méx.* y *Perú.* BALOTAJE.

BALSA f. Charca. • En los molinos de aceite, estanque donde van a parar las heces, agua, etc. • Conjunto de maderos unidos unos con otros, que forman una plataforma flotante. • *Bot.* Amér. Centr. Madera de un árbol de la familia bombacáceas, usada en aeromodelismo, para flotadores, rellenos ligeros en aislamientos, etc. • **de aceite.** fig. y fam. Lugar o concurso de gente muy tranquilo. ■ BALSERO.

BALSADERA f. o **BALSADERO** m. Sitio en la orilla de un río, donde hay balsa o lancha para pasarlo.

BALSAMERA f. Vasija para poner bálsamo.

BALSÁMICO, CA adj. Que tiene bálsamo o cualidades de tal. • adj. y m. Sustancia que tiene propiedades balsámicas.

BALSAMINA f. *Bot. Amér.* Planta cucurbitácea de fruto capsular, con semillas en forma de almendra. • *Bot. Perú.* Planta geraniácea, usada como vulneraria.

BALSAMINÁCEO, A adj. y f. *Bot.* Plantas herbáceas angiospermas, dicotiledóneas, con tallo carnosos, hojas sin estípulas, flores cigomorfas con cálices frecuentemente coloreados y fruto en forma de cápsula carnosa. • f. pl. Familia de estas plantas.

BALSAMITA f. Jaramago, planta.

BÁLSAMO m. Sustancia resinosa, aromática y fluida, que exudan ciertos árboles. • *Farm.* Medicamento compuesto de sustancias aromáticas. • fig. Consuelo. • **del Canadá.** Oleorresina de una especie de abeto, usada en observaciones microscópicas. • **de Tolú.** *Col.* Resina de un árbol de la familia papilionáceas, usada como pectoral.

BALSAS Río del S de México que desemboca en el Pacífico. En diversos puntos de su recorrido es llamado *Atoyac* y *Mezcala;* 771 km.

BALSEIRO, *José Agustín* (nacido 1900) Escritor puertorriq. *El Quijote de la España contemporánea, Miguel de Unamuno, En vela mientras el mundo duerme*.

BALSO m. *Mar.* Lazo para suspender pesos.

BALTA, *José* (1814-1872) Militar y político per. Se opuso a la dictadura de Prado. Presid. en 1868, impulsó las obras públicas. Murió fusilado en un golpe militar.

BALTASAR *(Bel-sharr-usur)* Último rey de Babilonia (556-539 a. C.); primogénito de Nabonid.

BÁLTICO, CA adj. y s. Relativo al mar Báltico y a las regiones circundantes. • **Lenguas bálticas.** *Ling.* Lenguas indoeuropeas (letón, lituano, prusiano), habladas en el E del Báltico.

BÁLTICO (al., *Ostsee*; sueco, *Östersjö*; finl., *Itämeri*) Mar interior del N de Europa. Es poco profundo, no muy salado y carece de mareas. Se hiela fácilmente; 420 000 km^2.

BALTIMORE C. y puerto de los EE UU, en el est. de Maryland; 2 174 000 hab. (á. metr.) Centro com. e industrial.

BALTIMORE, *David* (nacido 1938) Biólogo norteam. Premio Nobel de Medicina en 1975, compartido con Temin y Dulbecco, por sus investigaciones sobre los cambios que producen en las células los virus tumorales.

BALTISTÁN Región septentrional de la Cachemira pakistaní, entre el Himalaya y el Karakorum; 22 000 km^2. aprox.

BALTO, TA adj. y s. Linaje visigodo.

BALTRA, *Alberto* (nacido 1912) Economista y político chil. Ministro de Economía y Comercio. *Economía dirigida, Organización económica de la URSS.*

BALUARTE m. Obra de fortificación de figura pentagonal. • fig. Amparo.

BALUBA adj. y s. Relativo a los baluba. • m. pl. Pueblo negroafricano de lengua bantú, que habita en la región meridional de Zaire.

BALUMA f. *Cuba.* Balumba.

BALUMBA f. Bulto que hacen muchas cosas juntas. • Conjunto desordenado y excesivo de cosas. •

Amér. Aparato para pescar. • *Ecuad.* Alboroto.
BALUMBO m. Lo que abulta mucho.
BALZAC, *Honoré de* (1799-1850) Novelista fr. Escribió *La comedia humana*, título que abarca más de 100 obras. Son magníficos retratos de la soc. de su época. Los tipos y caracteres que aparecen en su obra: burguesía, clero, aristocracia, las clases humildes y el mundo del hampa, son arquetípicos y la hacen intemporal. *Eugenia Grandet, Papa Goriot, Cesar Birotteau, Las ilusiones perdidas, El lirio del valle.*
BAMAKO Cap. de Mali, en la región hom.; 404 000 hab. Agricultura. Puerto fluvial.
BAMBA f. Bambarria, acierto casual. • Calzado ligero y flexible, de goma y lona, adecuado para practicar dep. Se usa más en pl.
BAMBADOR m. *Hond.* Faja que se sujeta a la frente y sirve para llevar pesos grandes en la espalda.
BAMBALEAR intr. y prnl. Bambolear. • fig. No estar segura alguna cosa.
BAMBALINA f. Tira de lienzo pintado que cuelga del telar del teatro.
BAMBAMARCA Mun. de Perú, en la prov. de Hualgayoc; 45 800 hab. Agricultura. Ganadería. Minería.
BAMBANEAR intr. y prnl. Bambonear.
BAMBARA adj. y s. Relativo a los bambara. • m. pl. Pueblo melanoafricano sudanés del grupo mandinga que vive al S de Mali, en Senegal y en Burkina Faso.
BAMBARRIA adj. y s. fam. Persona tonta. • f. En el juego de trucos y en el de billar, acierto casual.
BAMBERG C. de Alemania, en Baviera; 72 000 hab. Industria.
BAMBITA f. *Guat.* Moneda de medio real.
BAMBOCHADA f. Cuadro que representa borracheras o banquetes ridículos.
BAMBOCHE m. fam. Persona baja y gruesa.
BAMBOLEAR intr. y prnl. Balancearse. ■ BAMBOLEO.
BAMBOLLA f. Burbuja, ampolla, vejiga. • fig. Cosa fofa, abultada y de poco valor. • fam. Boato. ■ BAMBOLLERO, RA.
BAMBONEAR intr. y prnl. Bambolear. ■ BAMBONEO.
BAMBÚ m. *Bot.* Planta gramínea de tallo leñoso. Sus cañas se usan en la construcción y en la fabricación de muebles, armas, etc. Los brotes tiernos son comestibles. ■ BAMBUDAL.
BAMBUCO m. Baile popular. • Tonada de este baile.
BAMILEKÉ adj. y s. Relativo a los bamileké. • m. pl. Pueblo melanoafricano, de lengua semibantú, que vive en el Camerún.
BAMPUCHE m. *Ecuad.* Figura de barro que se ponía en las balaustradas de las azoteas.
BANACH, *Stefan* (1892-1945) Matemático pol., autor de importantes trabajos en análisis funcional.
BANAL adj. Trivial, común, insustancial. ■ BANALIDAD.
BANALIZACIÓN f. *Ferr.* Sist. de circulación ferroviaria que usa las dos direcciones en todas las vías.
BANANA f. Plátano. • *Col.* Confite. • *El.* Terminal unipolar para la conexión entre aparatos o circuitos eléctricos. ■ *Amér. Centr.* BANANAL.
BANANAS, *Unión de Países Exportadores de (UPEB)* Organismo fundado en 1974 del que son miembros Colombia, Costa Rica, Guatemala, Honduras y Panamá. Ecuador y Nicaragua participan como observadores.
BANANERO, RA adj. Relativo al banano. • Díc. del terreno poblado de bananos o plátanos. • m. Plátano, planta musácea.
BANANO m. Plátano, planta musácea. • Fruta, variedad de plátano. • Cambur.
BANASTA f. Cesto de mimbres o listas de madera. ■ BANASTERO, RA.
BANASTO m. Banasta redonda.
BANATO Región de Europa Oriental, en la cuenca del Danubio; 30 000 km^2. Desde 1920 está repartida entre Hungría, Yugoslavia y Rumania.
BANCA f. Asiento de madera, sin respaldo. • Cajón donde se colocan las lavanderas para lavar. • Juego en el que el banquero pone una cantidad de dinero y apuestan los demás, a las cartas que eligen, la cantidad que quieren. • Cantidad de dinero que pone el banquero. • *Econ.* Banco, institución económica. • Mesa en lugar público donde se tienen frutas y otras cosas que se venden. • *Econ.* Conjunto de bancos o banqueros. • *Argent.* y *Par.* Asiento en el Parlamento obtenido en las elecciones. • **Tener b.** *Argent.* y *Par.* Tener influencia. ■ BANCARIO, RIA.
BANCADA f. Banco sobre el cual se tundían los paños. • Porción de paño preparada para ser tundida. • *Arq.* Trozo de obra. • *Min.* Escalón en las galerías subterráneas. • *Ur.* Grupo político con representación parlamentaria.
BANCAL m. En los terrenos pendientes, rellano de tierra que se cultiva. • Pedazo de tierra para plantar legumbres, vides, olivos o árboles frutales. • Arena amontonada a la orilla del mar. • Tapete que se pone sobre el banco.
BANCARROTA f. Quiebra comercial. • fig. Desastre, descrédito.
BANCHIERI, *Adriano* (1567-1634) Compositor it., autor de la *Moderna armonía* para órgano.
BANCHS, *Enrique* (1888-1968) Poeta arg. de estilo clásico con influencias modernistas. *Las barcas, La urna.*
BANCO m. Asiento para varias personas. • En las galeras, asiento para los galeotes y demás remeros. • Tablero grueso y pesado que sirve de mesa de trabajo en carpintería. • *Arq.* Sotabanco, piso habitable. • *Geol.* Estrato de gran espesor. • *Econ.* Institución que actúa como intermediaria en el mercado de dinero y capitales. • *Mar.* Bajo que se prolonga en gran extensión. • *Mar.* Conjunto numeroso de peces que van juntos. • *Min.* Macizo de mineral con dos caras descubiertas. • **de datos.** • *Comp.* Conjunto de datos almacenados en fichas, discos magnéticos, etc., del que se puede extraer información. • **de hielo.** *Geol.* Extensa planicie de agua de mar congelada que, en las regiones polares, flota sobre el mismo mar. • **de ojos.** *Med.* Establecimiento donde se conservan ojos para ser trasplantados. • **de pruebas.** El que determina las características de algo. • **de sangre.** *Med.* Establecimiento médico donde se conserva sangre humana para transfusiones.
BANCO Interamericano de Desarrollo (BID) Entidad financiera amer., creada paralelamente a la Alianza para el Progreso. Financia el 40 % de los préstamos que reciben las naciones latinoamericanas. • **Internacional de Reconstrucción y Desarrollo** *(BIRD)* Fundado en 1946, al igual que el Fondo Monetario Internacional, como resultado de los acuerdos de Bretton Woods, dedica sus recursos a países en vías de desarrollo, concediendo préstamos a un plazo de 15-20 años. Sede en Washington. Forma parte, junto con la Asociación Internacional de Desarrollo (AID) y la Corporación Financiera Internacional (CFI), del Banco Mundial. ■ BANCARIO, RIA.

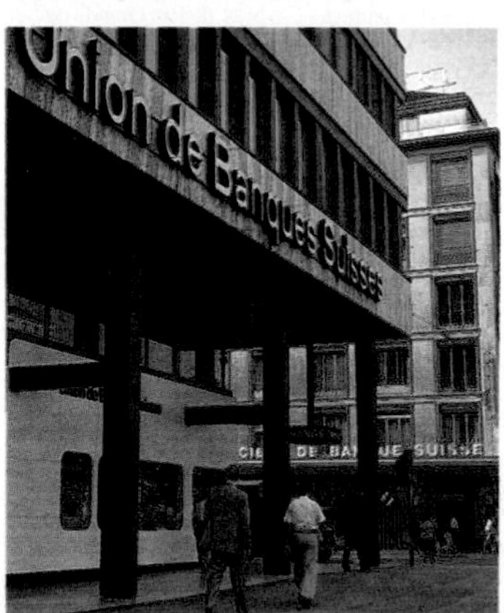

Oficinas **bancarias** en una calle de Ginebra, Suiza

BANCO, *El* Mun. de Colombia, en el dpto. de Magdalena. 35 700 hab. Aeropuerto.
BANCOCRACIA f. Influjo abusivo de la banca.
BANCROFT, *George* (1800-1891) Historiador y político norteam. *Historia de los Estados Unidos.*
BANDA f. Cinta que se lleva cruzada sobre el pe-

Bambú

Árbol y fruto del **banano**

cho como insignia o distintivo. • Faja o lista. • Porción de gente armada. • Gente que favorece y sigue el partido de alguno. • *Fís.* Zona espectral oscura. • *Fís.* Gama. • Bandada. • Lado. • Baranda de la mesa de billar. • Humeral, paño litúrgico. • *Her.* Pieza que representa las altas jerarquías militares y se coloca diagonalmente. • adj. y s. *Antr.* Relativo a los banda. • m. pl. Pueblo melanoafricano sudanés que vive en la República Centroafricana y la Rep. Dem. del Congo. • *Mar.* Costado de la nave. • Conjunto musical de instrumentos de viento y percusión. • **de absorción.** *Fís.* Raya oscura, visible en un espectro luminoso cuando una o varias de sus radiaciones han sido absorbidas por una sustancia que se interpone en la trayectoria de los rayos. • **de frecuencias.** En radiodifusión y televisión, frecuencias comprendidas entre dos límites definidos de frecuencia. • **de Moebius.** *Mat.* Superficie no orientable en el espacio ordinario. • **de sonido o sonora.** Parte de un filme en que el sonido está grabado al margen de la imagen. • **Cerrarse** uno **a la**, **de** o **en b.** fig. y fam. Mantenerse firme en un propósito.

Monumento a los **bandeirantes** en São Paulo (Brasil)

BANDA, *Hastings Kamuzu* (1905-1997) Político de Malawi, impulsor de la indep. Presid. (1966-1994).

BANDA, *mar de* Sector marino comprendido entre las pequeñas islas de la Sonda orientales, las islas Molucas y las Célebes.

BANDA, *La* C. del centro-norte de Argentina, en la prov. de Santiago del Estero; 80 800 hab. Ind. láctea y textil.

BANDA ORIENTAL Nombre del terr. del virreinato del Río de la Plata, que comprendía el actual Uruguay y parte del est. bras. de Rio Grande do Sul.

BANDADA f. Número crecido de aves que vuelan juntas y, p. ext., conjunto de peces. • Grupo bullicioso de personas.

BANDALAJE m. *Amér.* Bandidaje.

BANDALLA m. *Argent.* Facineroso.

BANDARANAIKE, *Sirimavo* (1916-2000) Estadista cingalesa. Sucedió a su marido, Solomon Dias Bandaranaike, en la jefatura de su partido y en la del gobierno de Sri Lanka. Derrotada en las elecciones de 1965, gobernó de nuevo de 1970 a 1977.

Antonio **Banderas**

BANDAZO m. *Mar.* Tumbo violento de una embarcación.

BANDEADO, DA adj. Listado.

BANDEAR tr. Hacer oscilar las campanas para que toquen al ser golpeadas por el badajo. • *Amér.* Cruzar un río de una banda a otra. • *Chile.* Atravesar de parte a parte con un proyectil. • prnl. Ingeniarse para satisfacer las necesidades de la vida.

BANDEIRA, *Antonio* (1922-1968) Pintor bras., uno de los más importantes de su país. Figuró en la Exposición Internacional de Bruselas de 1968. • ***Manuel*** (1886-1968) Poeta bras. *La ceniza de las horas*, *Libertinaje*.

BANDEIRANTES m. pl. Aventureros que, formando partidas *(bandeiras)*, se internaban en el interior bras. en busca de indígenas que trabajasen las plantaciones de azúcar de São Paulo o Pernambuco.

Bandurria

BANDEJA f. Recipiente en el cual se sirve comida, bebidas, etc. • Pieza movible, que divide horizontalmente el interior de un baúl, maleta, etc. • Cajón de mueble con pared delantera rebajada o sin ella.

BANDELLO, *Matteo* (1485-1561) Escritor it. Luego de un periodo como religioso dominico, llevó una vida aventurera. *Novelle.*

BANDERA f. Pedazo de tela rectangular sujeto a un mástil. Según su color o dibujo constituye la insignia de una nacionalidad, etc. • Tela semejante usada como adorno. • Insignia de las tropas de infantería. • Tropa que milita bajo la misma bandera. • Compañía de los ant. tercios esp.• **blanca** o **de paz.** La enarbolada como señal de paz. • fig. Acuerdo tras una disputa. • **negra.** La que izaban los piratas. • loc. fig. con que se denota hostilidad extremada contra algo o alguien. • **A banderas desplegadas.** Con exhibición y arrogancia.

BANDERAS, *Antonio* (nacido 1960) Actor esp. Ha trabajado en España a las órdenes de Almodóvar (*La ley del deseo, Átame*), y en EE UU (*Los reyes del mambo, Two Much, La marca del zorro*).

BANDERÍA f. Bando o parcialidad.

BANDERILLA f. Palo armado de una lengüeta de hierro en un extremo que usan los toreros para clavarlo en los toros. • fam. Petardo, chasco. • fig. y fam. Dicho punzante y satírico, pulla. • **negra.** La de doble lengüeta, más larga y gruesa que la normal. ■ BANDERILLEAR; BANDERILLERO.

BANDERILLAZO m. *Col.* y *Méx.* Petardo, parche o sablazo.

BANDERÍN m. Bandera pequeña. • Cabo o soldado que sirve de guía a la infantería. • Depósito para enganchar reclutas.

BANDERIZAR tr. y prnl. Abanderizar.

BANDERIZO, ZA adj. Que sigue un bando. • fig. Fogoso, alborotado.

BANDEROLA f. Bandera pequeña con asta, usada en la milicia, en topografía y en marina. • Bandera pequeña que se pone en las efigies de Cristo, san Juan Bautista, etc. • Cinta o pedazo de tela que colocaban los soldados de caballería en la lanza, debajo de la moharra. • *Argent.*, *Par.* y *Ur.* Ventana sobre una puerta.

BANDICUT m. Pequeño canguro australiano.

BANDIDAJE m. Bandolerismo.

BANDIDO, DA adj. y s. Fugitivo de la justicia llamado por bando. • m. Bandolero. • Estafador.

BANDÍN m. *Mar.* Asiento corrido de la popa de ciertas embarcaciones.

BANDINELLI, *Baccio* (1488-1560) Pintor y escultor florentino. Tumbas de León X y Clemente VII, en Roma.

BANDO m. Edicto o mandato solemne. • Facción, parcialidad. • Bandada. • Banco de peces.

BANDOLA f. *Mús.* Instrumento musical pequeño de cuatro cuerdas. • *Mar.* Armazón provisional que se pone en el buque que ha perdido algún palo.

BANDOLERA f. Mujer que vive con bandoleros. • Correa que se cruza por el pecho y espalda.

BANDOLERISMO m. Existencia de bandoleros en una comarca. • Actividad de bandoleros.

BANDOLERO m. Ladrón. • fig. Persona perversa.

BANDOLÍN m. Bandola.

BANDOLINA f. Sustancia mucilaginosa para fijar el pelo. • Bandolín.

BANDOLÓN m. Instrumento musical de forma de bandurria, y del tamaño de una guitarra. ■ BANDOLONISTA.

BANDONEÓN m. Variedad de acordeón de origen al., muy popular en Argentina y Uruguay.

BANDUJO m. Tripa grande de cerdo, carnero o vaca, llena de carne picada.

BANDULLO m. fam. Vientre.

BANDUNG C. de Indonesia, cap. de la prov. de Java Occidental; 1 462 600 hab. • **Conferencia de B.** La primera de los países del Tercer Mundo (1955). De ella surgió un amplio mov. de apoyo a la descolonización.

BANDURRIA f. Instrumento musical semejante a la guitarra. ■ BANDURRISTA.

BANDURRILLA f. Ave paseriforme de la familia furnáridos, que vive en los Andes.

BANER, *Johan Gustafsson* (1596-1641) Militar sueco. Comandante en jefe del ejército sueco al morir Gustavo Adolfo en Lützen (1632).

BANES Mun. de Cuba, en la prov. de Holguín; 85 700 hab. Plátanos y caña de azúcar.

BANGALORE *(Bengaluru)* C. de la India, cap. del est. de Karnataka. 4 086 500 hab. (agl. urb.). Ind. aeronáutica, textil y del cuero.

BANGLA DESH

Superficie 143 998 km²

Población 116 095 000 hab. (806 hab./km²)

Recursos económicos

Acero	34 000 t
Arroz	24 659 000 t
Cabaña bovina	24 340 000 cabezas
Cemento	324 000 t
Gas natural	7 365 millones de m³
Madera	31 346 000 m³
Patatas	1 440 000 t
Sal	340 000 t
Tejidos de algodón	32 000 000 m
Yute	770 000 t

Indicadores sociológicos

PNB	28 599 millones de dólares
Renta per cápita	240 dólares
Esperanza de vida	58 años
Alfabetismo	38 %

BANGAÑA f. o **BANGAÑO** m. *Amér.* Fruto de ciertas cucurbitáceas.
BANGKOK *(Krung Thep)* Cap. de Thailandia, a orillas del r. Menam; 5 018 300 hab. (agl. urb.). Universidad. Templos budistas. Ind. alimentaria, papelera, jabón y cemento. Aserraderos.
BANGLA DESH *(Gana Projatantri Bangladesh)* Est. sudasiático, sit. en el NE del Indostán, en el golfo de Bengala; rodeado por la India, excepto en el SE, donde limita con Myanma (Birmania). Ocupa la llanura aluvial del curso bajo del Ganges y del Brahmaputra. Colinas de Chittagon al SE. Importante productor de yute. Arroz, bambú. Ganadería. Ind. textil y papelera. Acería. Clima monzónico que provoca inundaciones. Lenguas: bengalí (of.) e ing. *Rel.*: islamismo (80 %), hinduísmo (18,4 %). U. M.: el taka. Cap.: Dacca. C. prales.: Chittagong, Khulna.
* *Hist.* En 1971 fue proclamada la indep. Hasta entonces había formado parte de Pakistán. Con el apoyo de la India y tras unas guerra con Pakistán, el partido nacionalista awami y su líder Mujibur Rahman consolidaron la soberanía nacional. Tras unas gravísimas inundaciones, fue asesinado Rahman (1975) y sustituido por Kondakar Mushtaque Ahmed, que también fue asesinado y, a su vez, sustituido por Mohammad Saayem, aunque el poder había pasado a manos del general Ziaur Rahman, asesinado en 1981. Su sucesor, Abdul Sattar, fue depuesto por el general Ershad, que gobernó hasta 1990 en que dimitió a causa de las protestas populares. En 1991 resultó elegido presid. Abdur Rahman Biswas, sucedido en 1996 por Shahabudin Ahmed.
BANGUI Cap. de la República Centroafricana; 387 100 hab. Sit. a la orilla del r. Ubangui. Centro com. Ind. textil.
BANÍ C. de la República Dominicana, cap. de la prov. de Peravia; 36 705 hab.
BANIANO m. Comerciante de la India, gralte. sin residencia fija. • *Bot.* Árbol de la familia moráceas, con raíces aéreas que arraigan como troncos.
BANISADR, *Abdolhassan* (nacido 1933) Político iraní. Presid. en 1980. Sus divergencias con Jomeini le llevaron al exilio en 1981.
BANJA LUKA C. de Bosnia-Herzegovina; 124 000 hab. Ind. del calzado y del tabaco. Centrales termoeléctricas.
BANJARMASIN C. de Indonesia, en Borneo; 381 300 hab. Aceite de copra y caucho. Refinerías.
BANJO m. Instrumento musical, parecido a la guitarra, cuya caja sonora es un pellejo.
BANJUL (*Bathurst*, hasta 1973) Cap. de Gambia; 110 000 hab. Sit. en el estuario del r. Gambia.
BANKS, *Joseph* (1743-1820) Naturalista brit. Acompañó a James Cook en un viaje alrededor del mundo.
BANKS, *Tierra de* Isla occidental del arch. Ártico, en el Canadá; 66 500 km².
BANQUEO m. Desmonte de un terreno en planos escalonados.
BANQUERO m. El que se dedica a operaciones bancarias o dirige un banco.
BANQUETA f. Asiento sin respaldo. • Banquillo bajo para poner los pies. • Andén de alcantarilla subterránea. • *Eq.* Obstáculo hecho de tepes que se utiliza en los concursos hípicos. • *Mil.* Obra a modo de banco corrido para que los soldados se coloquen sobre él en dos filas.
BANQUETE m. Comida para celebrar algún acontecimiento. • Comida espléndida.
BANQUETEAR tr. intr. y prnl. Dar banquetes o participar en ellos con frecuencia.
BANQUILLO m. Asiento en que se coloca el procesado ante el tribunal. • *Dep.* En un partido de fútbol, lugar en el que se sientan el entrenador, reservas y otros técnicos.
BANTING, sir ***Frederick Grant*** (1891-1941) Médico can., descubridor de la insulina. Premio Nobel de Medicina en 1923.
BANQUISA f. Costra de hielo, que cubre la mayor parte de los océanos Ártico y Antártico.
BANTOCK, sir ***Granville*** (1868-1946) Compositor brit. *Omar Khayyam.*
BANTÚ adj. y s. Relativo a los bantúes • m. pl. Grupo de pueblos melanoafricanos del centro y S de África. • *Ling.* Familia de lenguas africanas habladas por unos 60 millones de individuos.
BANTUSTÁN m. Nombre que se dio a algunas áreas político-administrativas reservadas a la población negra autóctona de la República Sudafricana. Creados en 1959 de acuerdo con la política de segregación racial *(apartheid)*, fueron abolidos en 1994.
BANVILLE, *Théodore de* (1823-1891) Poeta y dramaturgo fr. Poesías: *Las cariátides, Odas funambulescas.*
BÁNZER, *Hugo* (nacido 1926) Mil. y político bol. Presid. de la Rep. desde 1971, año en que derrocó el régimen popular del general Torres, hasta 1978, en que fue destituido por el general Pereda. Candidato a la presidencia por Acción Democrática Nacionalista (ADN), en 1989 apoyó la subida al poder de J. Paz Zamora, y en 1997 fue elegido presidente. En agosto de 2001 renunció al cargo por motivos de salud.
BANZO m. Cada uno de los dos listones del bastidor en que se fija la tela para bordar. • Cada larguero que sirve para afianzar un armazón. • Quijero de acequia.
BAÑADERA f. *Amér.* Bañera. • *Argent.* Autocar descubierto.
BAÑADERO m. Charco donde se bañan los animales monteses.
BAÑADO m. Bacín, sillico. • *Argent.* y *Ur.* Terreno cenagoso.
BAÑADOR, RA adj. y s. Que baña. • m. Cajón o vaso que sirve para bañar cosas. • Traje de baño.
BAÑAR tr. y prnl. Meter el cuerpo o parte de él en un líquido. • tr. Sumergir una cosa en un líquido. • Humedecer en agua alguna cosa. • Tocar un lugar el agua del mar, de un río, etc. • Cubrir una cosa con una capa de otra sustancia. • Tratándose del sol, de la luz o del aire, dar de lleno. • *Pint.* Dar una mano de color transparente.
BAÑERA f. Mujer que cuida de los baños. • Pila para bañarse.
BAÑERO m. Dueño de un baño. • El que cuida de los baños. • Bañador, el que baña.
BAÑISTA com. Persona que acude a una playa o balneario para bañarse.
BAÑO m. Agua o líquido para bañarse. • Pila para bañar el cuerpo o parte de él. • Sitio donde hay aguas para bañarse. • Capa de materia extraña con que queda cubierta la cosa bañada. • fig. Conocimiento superficial de una ciencia. • *Fot.* Disolución con la que se tratan las películas fotográficas para obtener determinados efectos. • *Metal.* Masa de metal fundido en la plaza o crisol de un horno. • *Pint.* Mano de color que se da sobre lo ya pintado. • *Quím.* Calor templado por la interposición de alguna materia entre el fuego y lo que se calienta. • pl. Balneario de aguas medicinales. • **de asiento.** *Med.* El que se toma sentado en la bañera con objeto de no mojarse más que las piernas, caderas y nalgas. • **de María.** *Quím.* Operación que consiste en calentar el agua de un recipiente, en el que se han sumergido otros que contienen líquidos o sólidos, de modo que éstos alcancen una temperatura no superior a los 100 °C. • **de sangre.** fig. Matanza de muchas personas.
BAO m. *Mar.* Pieza que une los costados de un buque y sirve de asiento a las cubiertas.

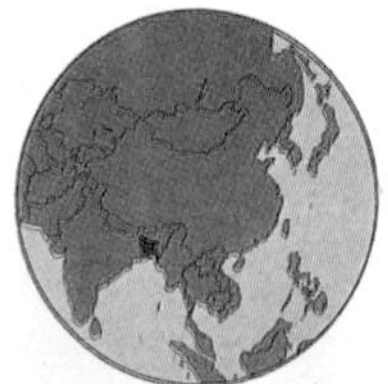

Mapa de situación y bandera de **Bangla Desh**

El **banquero** Jakob Fugger en un grabado del s. XVI

Baño de María, dispositivo para efectuar la operación

Baobab

BAOBAB m. *Bot.* Árbol bombacáceo africano tropical, de grandes dimensiones, ramas horizontales y fruto comestible. De su corteza se obtienen papel y telas.

BAO-DAI (1913-1997) Emp. de Annam. Proclamó la indep. de Vietnam en 1945. Derrocado en 1955.

BAORUCO → Bahoruco.

BAPTISMO m. *Rel.* Rama del protestantismo, promovida por John Smith hacia 1570-1612, que cuenta con gran número de seguidores en EE UU.

BAPTISTA, *Mariano* (1832-1907) Político bol. Presid. (1892-1896). • **Gumucio, *Mariano*** (1933) Escritor y diplomático bol. Miembro de la Academia Boliviana de la Lengua. *La guerra final, Salvemos a Bolivia de la escuela, Ensayos sobre la realidad boliviana.*

BAPTISTERIO m. Sitio donde está la pila bautismal. • Pila bautismal. • *Arq.* Edificio donde se bautizaba.

BAQUE m. Golpe que da el cuerpo cuando cae. • Batacazo.

BAQUEANO, NA adj. Baquiano.

BAQUEAR intr. *Mar.* Dejarse llevar una embarcación por la corriente del agua.

BAQUEDANO, *Manuel* (1826-1897) General chil. Dirigió la campaña de 1879 a 1881 contra Perú.

BAQUELITA f. *Quím.* Resina sintética.

BAQUERIZO Moreno, *Alfredo* (1859-1950) Político y escritor ecuat. Presid. de la rep. (1916-1920 y 1931-1932). *El señor Penco, Tierra adentro.*

BAQUERO, *Gastón* (1916-1997) Poeta y periodista cub. Fundó los cuadernos *Clavileño. Saúl sobre su espada, Memorial de un testigo, Darío, Cernuda y otros temas políticos.*

BAQUETA f. Vara para atacar las armas de fuego. • Varilla que usan los picadores. • *Arq.* Junquillo, moldura. • pl. Palillos con que se toca el tambor. ■ BAQUETAZO.

BAQUETEAR tr. Molestar mucho. • Hacer sufrir penalidades. • fig. Adiestrar. ■ BAQUETEADO, DA; BAQUETEO.

BAQUÍA f. Conocimiento de los caminos, ríos, etc., de un país. • *Argent.* Destreza.

BAQUIANO, NA adj. Experto. • adj. y m. Práctico de los caminos y atajos. • m. Guía para transitar por ellos.

BÁQUICO, CA adj. Relativo a Baco. • fig. Relativo a la embriaguez.

BAQUÍJANO y Carrillo, *José* (1751-1817) Político y escritor per. *Elogio al virrey Jáuregui, Informe sobre las alteraciones de América y medios de pacificación.*

BAQUIO m. Pie de las métricas gr. y latina, compuesto de una sílaba breve y dos largas.

BÁQUIRA m. *Amér.* Cerdo salvaje.

Baptisterio de la iglesia de San Miguel de Terrassa, Barcelona (España)

BAR m. Establecimiento donde se toman bebidas. • *Fís.* Unidad de presión igual a un millón de barias. • Fís. Nombre del baro en la terminología internacional.

BAR, *Confederación de* Unión de patriotas polacos formada en 1768 para luchar contra la intromisión rusa.

BARA, *Theda* (1890-1955) Actriz cinematográfica norteam. Destacados papeles en *The Vamp, Cleopatra, Salomé.*

BARACOA C. y puerto de Cuba, en la prov. de Guantánamo; 20 100 hab. Fundada por D. Velázquez en 1512, fue la primera población esp. de la isla.

BARACUTA f. *Amér. Centr.* Pez acantopterigio.

BARAGUA Mun. de Cuba, en la prov. de Ciego de Ávila; 23 600 hab.

BARAHONA Prov. del SO de la República Dominicana; 2 528 km^2, 151 300 hab. Accidentada por la sierra de Bahoruco. Café, caña de azúcar. Caoba. Yeso y carbón. • C. de la República Dominicana, cap. de la prov. hom., en la bahía de Neiba; 49 334 hab.

BARAHONA de Soto, *Luis* (1548-1595) Poeta esp. *Las lágrimas de Angélica.*

BARAHÚNDA f. Ruido y confusión grandes.

BARAJA f. Conjunto de naipes que sirve para varios juegos.

BARAJAR tr. En el juego de naipes, mezclar los unos con otros antes de repartirlos. • En el juego de dados, impedir la suerte que se va a hacer. • tr. y prnl. fig. Mezclar y revolver unas personas o cosas con otras. • tr. *Argent.* Parar los golpes del adversario. • *Chile.* Impedir, estorbar. • *Ec.* Tirar al caballo de una y otra rienda para refrenarlo. • intr. Reñir unos con otros. ■ BARAJADURA; BARAJE.

BARAJUSTAR intr. *Guat.* Corcovear un caballo o mula. • *Hond.* y *Ven.* Salir de estampía una bestia.

BARAK, *Ehud* (nacido 1942) Militar y político israelí. Ministro de Interior y de Exterior en diferentes gob. laboristas, en 1999 fue elegido primer ministro. Su mandato finalizó en 2001 tras la derrota en las elecciones generales anticipadas de febrero.

BARAKALDO C. esp., en el País Vasco; prov. de Vizcaya; 100 474 hab. Hierro. Ind. siderúrgica.

BARALT, *Rafael María* (1810-1860) Escritor ven. *Historia antigua y moderna de Venezuela, Diccionario de galicismos.*

BARAN, *Paul A.* (1911-1964) Economista norteam. Partió del marxismo para elaborar la teoría del excedente económico que desarrolló en *Economía política del crecimiento.*

BARANDA f. Barandilla. • Borde de las mesas de billar.

BARANDA, *Joaquín* (1840-1909) Político y jurista mex. Diputado liberal y elaborador de un plan de estudios aprobado en 1896.

BARANDADO o **BARANDAJE** m. Barandilla.

BARANDAL m. Listón sobre el que se sientan los balaustres. • El que los sujeta por arriba. • Barandilla.

BARANDILLA f. Antepecho del balcón, escalera, etc.

BARASOAIN Julbe, *Manuel* (1890-1973) Compositor y ensayista puertorriq. *Modernísima tecnología de la música, Taquigrafía armónica, Impropiedades solfistas.*

BARATA f. Baratura. • Trueque. • Venta fingida. • *Méx.* Barato. • Cucaracha.

BARATEAR tr. Dar una cosa por menos de su precio. • Regatear una cosa antes de comprarla.

BARATERÍA f. *Der.* Fraude en compras, ventas o trueques. • *Der.* Delito del juez que prevarica.

BARATÍA f. *Col.* Baratura.

BARATIJA f. Cosa menuda y de poco valor. Se usa más en pl.

BARATILLO m. Conjunto de cosas de poco precio, que se venden. • Puesto en que se venden. • Sitio en que se hacen estas ventas. ■ BARATILLERO, RA.

BARATO, TA adj. Vendido o comprado a bajo precio. • fig. Que se logra con poco esfuerzo. • m. Venta de efectos a bajo precio. • Dinero que da voluntariamente el que gana en el juego, y también el que exige por fuerza el baratero. • adv. modo. Por poco precio. ■ BARATERO, RA; BARATURA.

BÁRATRO m. poét. Infierno de los condenados por Dios. • *Mit.* Infierno.

BARAÚNDA f. Barahúnda.

BARAYA, *Antonio* (1768-1816) Mil. col., héroe de la indep. Fusilado por el dictador Nariño.

BARBA f. Parte de la cara, debajo de la boca. • Pelo que nace en esta parte de la cara y en las mejillas. • En el ganado cabrío, mechón de pelo pendiente del pellejo. • Carúnculas colgantes que en la mandíbula inferior tienen algunas aves. • Primer enjambre que sale de la colmena. • Parte superior de la colmena. • Cada uno de los dientes situados en la parte inferior del pestillo de una cerradura. • Rasura. • m. Actor que hace el papel de viejo. • f. pl. Raíces delgadas de árboles y plantas. • Bordes desiguales del papel de tina. • Prolongaciones filiformes de las plumas de las aves. • **cabruna.** *Bot.* Planta compuesta, de flores amarillas y raíz comestible. • **cerrada.** fig. La del hombre muy poblada y fuerte. • **de cabra.** *Bot.* Hierba rosácea de flores en panojas colgantes y blancas.

BARBA, ***Ramón*** (1767-1831) Pintor esp. Realizó los retratos de Carlos IV y María Luisa. • **Jacob,** ***Porfirio*** (1883-1942) Seud. de *Miguel Ángel Osorio,* poeta col. de intenso lirismo. *Rosas Negras, Poemas temporales.* • **Guichard,** ***Ramón*** (1894-1964) Escultor, ceramista y dibujante col. Integrante del grupo Bachué, representó la vida cotidiana.

BARBACANA f. *Mil.* Obra de defensa avanzada. • Muro que rodea las plazuelas o puertas de algunas iglesias. • Saetera.

BARBACENA, ***Felisberto Caldeira,*** MARQUÉS DE (1772-1841) Político y mil. bras., liberal. Provocó con sus denuncias la abdicación de Pedro I.

BARBACOA f. Parrilla para asar carne o pescado al aire libre. • Carne o pescado así asado. • *Amér.* Especie de camastro. • *Amér.* Zarzo o tablado en lo alto de las casas, donde se guardan granos, frutos, etc. • *Amér.* Casita construida en alto, sobre árboles o estacas. • *C. Rica.* Armazón sobre el que se extienden las plantas enredaderas.

BARBADA f. Quijada inferior de las caballerías. • Cadenilla o hierro que se pone a las caballerías debajo de la barba. • Pez teleósteo anacanto, parecido al abadejo. • *Perú.* Barboquejo.

BARBADO, DA adj. y s. Que tiene barbas. • m. Árbol que se planta con raíces, o sarmiento con ellas que sirve para plantar viñas. • Renuevo que brota de las raíces de los árboles.

BARBADOS Est. americano del mar Caribe, constituido por la isla hom., sit. en el arch. de las Pequeñas Antillas. Miembro de la Commonwealth. De naturaleza coralina, el clima es cálido y húmedo. Turismo. Caña de azúcar. Lengua: ing. (of.). *Rel.*: protestante y catól. U. M.: dólar de B. Cap., Bridgetown. Otras c.: Speighstown, Christchurch. Descubierta por los esp. en 1519 y ocupada por los ing. desde 1625 hasta 1966, en que consiguió la indep. dentro de la Commonwealth

BARBAGELATA, ***Hugo D.*** (1887-1971) Periodista e historiador ur. *Artigas y la revolución americana, Bolívar y San Martín.*

BARBAJA f. *Bot.* Planta compuesta de hojas lanceoladas y flores rojizas. • pl. *Agr.* Primeras raíces de los vegetales.

BARBAJÁN adj. y s. *Cuba* y *Méx.* Tosco.

BARBAR intr. Echar barbas el hombre. • Criar las abejas. • Echar raíces las plantas.

BÁRBARA (s. III) Santa. Venerada como protectora de las tormentas y patrona de la artillería.

BARBARÁ, ***Federico*** (1828-1893) Militar y escritor arg. Intervino en la guerra con Paraguay. *Usos y costumbres de los indios pampas, Manual de la lengua pampa.*

BARBARI, ***Jacopo de*** (1440 o 1450-1515) Pintor y grabador veneciano. *La perdiz.*

BARBARIDAD f. Necedad. • Enormidad.

BARBARIE f. fig. Rusticidad, falta de cultura. • fig. Fiereza.

BARBARISMO m. Vicio del lenguaje, que consiste en pronunciar o escribir mal las palabras, o en emplear vocablos impropios. • fig. Barbaridad. • Barbarie.

BARBARIZAR tr. Usar barbarismos. • intr. Decir barbaridades.

BARBARO, ***Umberto*** (1902-1959) Teórico cinematográfico it. *El cine y el hombre moderno.*

BÁRBARO, RA adj. y s. *Hist.* Díc. de cualquiera de los pueblos que en el s. V abatieron el imperio rom. y se extendieron por Europa. Eran, en su mayoría, de raza germánica o eslava y de un nivel cultural muy bajo, que dio lugar a un periodo de estancamiento cultural durante el cual se gestaron las nacionalidades europeas. • fig. Fiero, cruel. • fig. Arrojado, temerario. • fig. Inculto, grosero. • fig. Fantástico, extraordinario. • fig. Muy grande. ■ BARBÁRICO, CA.

BARBADOS

Superficie 431 km²

Población 265 000 hab. (615 hab./km²)

Recursos económicos	
Azúcar	38 000 t
Cerveza	73 000 hl
Gas natural	32 000 000 m³
Pesca	2 585 t
Indicadores sociológicos	
PNB	1 745 millones de dólares
Renta per cápita	6 560 dólares
Esperanza de vida	75 años
Alfabetismo	97 %

Mapa de situación y bandera de **Barbados**

BARBARROJA Nombre de dos famosos corsarios que en el s. XVI fundaron la regencia de Argel: **Horuc** (1474-1518) y **Jayr al-Din** (1476-1546). El primero estuvo al servicio de Egipto, Turquía y Túnez, y el segundo se alió con Francia contra Carlos V de España.

BARBASCO m. Verbasco.

BARBEAR tr. Llegar con la barba a cierta altura. • Afeitar la barba o el bigote. • fig. *Méx.* Adular. • fig. *Méx.* Coger una res vacuna por el hocico y el cuerno, y torcerle el cuello. • intr. Trabajar el barbero en su oficio. • fig. Acercarse una cosa a la altura de otra. • *Taur.* Andar el toro a lo largo de las tablas, buscando la salida.

BARBECHAR tr. Arar la tierra.

BARBECHERA f. Conjunto de barbechos. • Tiempo en que se barbecha.

BARBECHO m. Tierra de labor que no se siembra durante uno o más años. • Haza arada para sembrar después.

BARBERENA, ***Santiago Ignacio*** (1851-1916) Escritor salv. *Descripción geográfica y estadística de la República de El Salvador, Historia de El Salvador.*

BARBERÍA f. Tienda del barbero. • Oficio de barbero. • Sala o pieza destinada para servicios de barbero o peluquero.

BARBERINI Noble familia florentina. Uno de sus miembros fue elegido papa en 1623 con el nombre de Urbano VIII.

BARBERO, RA adj. Relativo al barbero. • m. El que tiene por oficio afeitar la barba y cortar el pelo. • *Zool. Ant.* Pez acantopterigio de color de chocolate y piel áspera. • *Méx.* Adulador. ■ BARBERIL.

BARBEROL m. *Zool.* Pieza del labio inferior de los insectos masticadores.

Santa **Bárbara,** tabla del Maestro de Flémalle. Museo del Prado, Madrid

BARBES, ***Armand*** (1809-1870) Revolucionario fr., colaborador de Blanqui. Socialista radical. Participó en la rev. de 1848.

BARBETA f. *Mil.* Parapeto para que tire la artillería a descubierto. • *Mar.* Trozo de meollar. • **A b.** m. adv. Mil. Díc. de la fortificación que cubre a los artilleros.

BARBEY d'Aurevilly, ***Jules*** (1808-1889) Novelista fr., renovador de la novela religiosa. *Le chevalier des Touches.*

BARBIÁN, NA adj. y s. fam. Desenvuelto.

BARBIBLANCO, CA o **BARBICANO, NA** adj. Que tiene cana la barba.

BARBIERI, ***Francisco Asenjo*** (1823-1894) Compositor y musicólogo esp. Zarzuelas: *Jugar con fuego, El barberillo de Lavapiés, Pan y toros.* • ***Leandro,*** llamado GATO (nacido 1935) Saxofonista arg. Musicalmente parte del influjo de Coltrane y añade elementos instrumentales y vocales de inspiración latinoamericana, que adapta a la nueva música negra de los EE UU. *Tercer mundo.* • ***Vicente*** (1903-1956) Poeta arg. *Árbol total, Corazón del oeste.*

BARBIESPESO adj. Que tiene espesa la barba.

BARBIJO m. *Amér.* Barboquejo. • *Argent.* y *Bol.* Chirlo, herida en la cara.

BARBILAMPIÑO adj. Díc. del varón adulto que no tiene barba o la tiene muy escasa.
BARBILINDO adj. Hombre joven que se las da de guapo.
BARBILLA f. Remate de la barba, mentón. • Apéndice carnoso de la cabeza de algunos tipos de peces. • Cartílago que rodea como aleta a ciertos peces. • *Carp.* Corte en la cara de un madero para que encaje en el hueco de otro. • m. pl. *Col.* Hombre de barba escasa.
BARBILLERA f. Rollo de estopa que se coloca alrededor de las cubas de vino para recoger el mosto. • Venda que se pone a los cadáveres para cerrarles la boca.
BARBILUCIO adj. Barbilindo.

La plaza de Cataluña, en el centro de la ciudad de **Barcelona** (España)

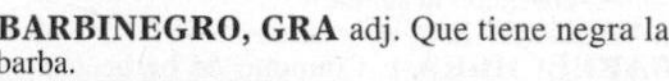

BARBINEGRO, GRA adj. Que tiene negra la barba.
BARBIPONIENTE adj. fam. Díc. del joven a quien empieza a salir la barba. • fig. y fam. Principiante.
BARBIQUEJO m. Barboquejo. • *Mar.* Cabo o cadena que sujeta el bauprés al tajamar.
BARBIRRUBIO, BIA adj. Que tiene rubia la barba.
BARBIRRUCIO, CIA adj. Que tiene la barba mezclada de pelos blancos y negros.
BARBITAHEÑO, ÑA adj. Que tiene roja la barba.
BARBITÚRICO, CA adj. *Quím.* Díc. del ácido formado por la combinación de la urea con el ácido malónico. • m. *Med.* Sustancia empleada como sedante.

Barco Ra

BARBITURISMO m. Intoxicación producida por barbitúricos.
BARBIZÓN, ***Escuela de*** Grupo de pintores fr. del s. XIX, de estilo realista.
BARBO m. *Zool.* Pez osteíctio de agua dulce, que carece de dientes y posee unas características barbillas. • **de mar.** Salmonete.
BARBÓN m. Hombre barbado. • Cabrón.
BARBOQUEJO o **BARBUQUEJO** m. Cinta con que se sujeta el sombrero o morrión.
BARBOTAR intr. y prnl. Barbotear.
BARBOTE m. Babera de la armadura. • *Argent.* Barrita que, embutida en el labio inferior, llevaban algunos indígenas.
BARBOTEAR intr. Barbullar, mascullar.
BARBUDA Isla del grupo de las de Sotavento, perteneciente al est. de Antigua y Barbuda 160 km². C. pral. Codrington.
BARBUDO, DA adj. Que tiene muchas barbas. • m. *Zool.* Ave piciforme de la familia capitónidos, destaca por sus vistosos colores. • Barbado, renuevo de una planta.
BARBULLA f. fam. Gritería, jaleo.
BARBULLAR intr. fam. Hablar atropelladamente. ■ BARBULLÓN, NA.
BARBUSSE, ***Henry*** (1873-1935) Escritor fr. Su obra de carácter realista provocó grandes controversias. • *El fuego* (alegato pacifista), *El infierno*, *Claridad*.
BARCA f. Embarcación pequeña.
BARCA, ***La*** Mun. de México, en el est. de Jalisco; 40 648 hab. Ganadería, ind. láctea.

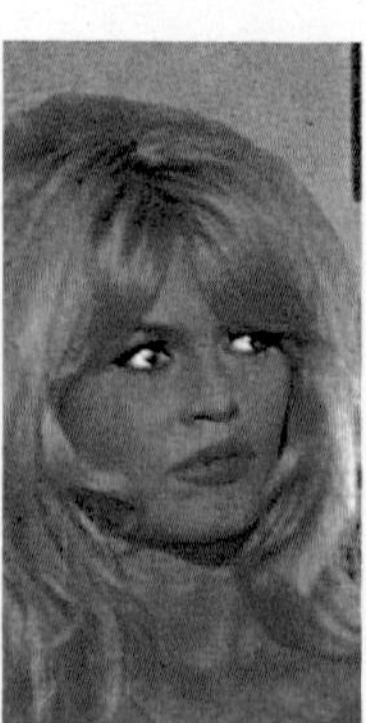
Brigitte **Bardot**

Barco fluvial movido por ruedas hidráulicas

BARCADA f. Carga que lleva una barca. • Viaje de una barca.
BARCAJE m. Transporte de efectos en una barca. • Cantidad que se paga por pasar de una a otra parte del río en una barca.
BARCAROLA f. Canción popular de Italia. • Canto de marineros.
BARCAZA f. Lanchón para transportar carga.
BARCELÓ, ***Antonio Romero*** (1868-1941) Político puertorriq. Fundó el partido Alianza de Puerto Rico (1924) y después el partido liberal. • ***Miquel*** (nacido 1957) Pintor esp. Sus obras, inspiradas a menudo en el continente africano, reciben influencias del expresionismo alemán y la transvanguardia italiana.
BARCELONA C. de Venezuela, cap. del est. Anzoátegui y del distr. Bolívar, en el NE de la depresión del Uvare; 236 700 hab. (agl. urb.). Centro com., oleoducto, aeropuerto.
BARCELONA Prov. esp., en la com. autón. de Cataluña, a orillas del Mediterráneo; 7 733 km², 4 628 277 hab. Sierras del Montseny, Montserrat, Montnegre y Collcerola. Ríos: Ter, Tordera, Besós, Llobregat. Cap., la c. hom. C. prales.: Sabadell, Terrassa, Manresa, Mataró, Sta. Coloma de Gramenet, Badalona, L'Hospitalet de Llobregat. Ind. diversas. Vinos espumosos. Sales potásicas. • C. esp., cap. de Cataluña y de la prov. hom.; 1 508 805 hab. (agl. urb.: 3 200 000 hab. aprox.). Primer centro comercial e industrial de España. Importante puerto. Universidad. Aeropuerto. C. rom.; monumentos góticos y románicos. Sede de los Juegos Olímpicos de 1992. • ***Condado de B.*** Núcleo originario de Cataluña; nació como un pequeño terr. dependiente de los francos. En 878, Wifredo el Velloso inició una dinastía exclusiva del condado que logró su independencia en 988 con Borrell II.
BARCELONÉS, SA adj. y s. De Barcelona.
BÁRCENA, ***Alfonso*** (1528-1598) Filólogo esp. Estudió las lenguas indígenas del Perú. • ***Catalina*** (1890-1978) Actriz esp., nacida en Cuba. Realizó varios filmes en Hollywood. • ***Lucas*** (nacido 1906) Poeta pan. *Iris*, *Prisma*, *Caracol*. • ***Mariano*** (1848-1899) Naturalista y meteorólogo mex. *Estudios sismológicos*, *Tratado de paleontología mexicana*.
BARCEO m. Albardín, especie de esparto.
BARCHILÓN, NA m. y f. *Amér.* Enfermero de hospital.
BARCIA f. Ahechaduras que se sacan al limpiar el grano.
BARCIA, ***Roque*** (1823-1885) Político republicano esp. Participó en las rev. de 1868 y de 1873.
BARCINA f. Herpil, saco. • Haz grande de paja.
BARCINO, NA adj. Díc. de los animales de pelo blanco y pardo, y a veces rojizo.
BARCO m. Embarcación para transportar mercancías o personas. • Barranco poco profundo.
BARCO, ***Virgilio*** (1921-1997) Político col. Ocupó diversos cargos en la administración pública de su país y del extranjero. En 1986 accedió a la presidencia de la rep., como candidato del Partido Liberal. En 1990 le sucedió César Gaviria. • **Centenera,** ***Martín del*** (1535-1605) Poeta esp., autor de *La Argentina*, poema que dio nombre a este país.
BARCOKEBAS (s. II) Caudillo judío, dirigente de la segunda rebelión contra los rom. (132-135).
BARDA f. Arnés o armadura con que antiguamente se guarnecían los caballos para su defensa. • Cubierta de paja, broza, etc., que se pone sobre las tapias.
BARDAGUERA f. Arbusto salicíneo, usado para hacer cestas.
BARDAL m. Barda, cubierta y seto. • Zarza.
BARDANA f. Lampazo, planta compuesta.
BARDAR tr. Poner bardas a los vallados.
BARDAS **Focas** (m. 989) General bizantino. Se

proclamó emperador (971). Fue derrotado y muerto en Ábidos.

BARDEEN, ***John*** (1908-1991) Físico norteam. Inventor del transistor, junto a W. B. Shockley y W. H. Brattain. Los tres recibieron el premio Nobel de Física en 1956. Su teoría de la superconductividad le valió el segundo Nobel en 1972.

BARDEM, ***Juan Antonio*** (nacido 1922) Director cinematográfico esp. *Cómicos, Muerte de un ciclista, Siete días de enero.*

BARDESIO, ***Orfila*** (nacida 1922) Poetisa ur. De lírica intimista. *Voy, Poemas, Uno.*

BARDILI, ***Christoph Gottfried*** (1761-1808) Filósofo al. *Bosquejo de la lógica primera.*

BARDO m. Poeta celta.

BARDOT, ***Brigitte*** (nacida 1934) Actriz cinematográfica fr. *Y Dios creó a la mujer, La verdad, Viva María.*

BAREA, ***Arturo*** (1897-1957) Escritor esp. *La forja de un rebelde.*

BAREILLY *(Bareli)* C. de la India, en el est. de Uttar Pradesh; 386 700 hab. Ind. algodonera y ferroviaria.

BAREIRO Saguier, ***Rubén*** (nacido 1930) Escritor par. Premio Casa de las Américas (1971). *Biografía de ausente, Ojo por diente.*

BARELLA, ***Carlos*** (nacido 1892) Escritor chil. Cultiva la poesía. *Campanadas silenciosas, Un drama vulgar, El último adiós.*

BAREMO m. Libro o tabla de cuentas ajustadas. • Lista o repertorio de tarifas. • Escala de medicina ponderada para valorar una prueba.

BARENBOIM, ***Daniel*** (nacido 1942) Pianista y director de orquesta arg. Director de la orquesta de París. Especialista en Beethoven y Mozart.

BARENTS, ***mar de*** Sector litoral del océano Ártico, entre Escandinavia, las islas Svalbard y la de Nueva Zembla.

BARENTS, ***Willem*** (1560-1597) Explorador hol. Dio su nombre al mar de Barents.

BARGUEÑO m. Variante esp. de escritorio con muchos cajoncitos y gavetas, en boga en los ss. XVI y XVII.

BARI C. de Italia, cap. de la prov. hom. y de la región de Apulia; 342 300 hab. Puerto sobre el Adriático. Universidad.

BARIA f. *Fís.* Unidad de presión del sistema cegesimal, equivalente a 1 dina por cm^2.

BARÍA m. *Bot. Cuba.* Árbol borragináceo, de madera de color castaño, dura y flexible.

BARICENTRO m. *Fís.* Centro de gravedad de un cuerpo o de un conjunto de masas puntuales. • *Geom.* Punto donde se cortan las medianas de un triángulo.

BARILLAS, ***Manuel Lisandro*** (1844-1907) Político guat. Tomó parte en el derrocamiento de Cerna y desbarató la conjura del general Barrundia. Presid. interino de la rep. en 1885. Presid. de 1886 a 1892. Superó varios intentos de golpe de Estado.

BARILOCHE, ***San Carlos de*** C. de Argentina, en la prov. de Río Negro; 60 300 hab. Centro de deportes invernales.

BARINAS Est. del O de Venezuela; 35 200 km^2, 557 896 hab. Cap., la c. hom. Orográficamente comprende un sector de la cordillera de Mérida, una zona de pie de monte llanero-andino y parte de los Llanos. Los ríos que la avenan pertenecen a la cuenca del Apure. Clima tropical en los Llanos; en el pie de monte varía con la altitud. Explotación forestal y ganadería. Arroz, maíz, café, cacao, caña de azúcar. • C. de Venezuela, cap. del est. hom.; 172 600 hab. Sit. a orillas del r. Santo Domingo. Serrerías. Ind. de transformación de la madera y lácteas.

BARINÉS, SA adj. y s. De Barinas.

BARING, ***Maurice*** (1874-1945) Escritor brit. *Aves de paso, La princesa blanca, Daphne Adeane.*

BARIO m. *Quím.* Elemento químico de símb. Ba, n. a. 56 y p. a. 137, 34. Es un metal alcalinotérreo. Tiene variadas aplicaciones industriales.

BARISFERA f. Núcleo central del globo terrestre.

BARITA f. *Quím.* Óxido de bario.

BARITEL m. Malacate, máquina.

BARITINA f. *Miner.* Sulfato de bario natural que cristaliza en el sistema rómbico.

BARÍTONO m. *Mús.* Voz media entre la de tenor y la de bajo. • *Mús.* El que tiene esta voz.

BARKHAUSEN, ***Heinrich Georg*** (1881-1956) Físico al. Con Kurz, inventó un oscilador, precursor de los tubos microondas.

BARKLA, ***Charles Glover*** (1877-1944) Físico brit. Investigó las ondas eléctricas y los rayos X. Premio Nobel de Física en 1917.

BARLACH, ***Ernst*** (1870-1938) Dramaturgo y escultor al., de estilo expresionista. Obra literaria: *El día muerto, El bulbo azul.* Obra escultórica: *Mendiga, Vengador.*

BARLETTA C. y puerto de Italia, en Apulia, prov. de Bari, junto a la costa del Adriático; 84 900 hab.

Paseo marítimo de **Bari**

BARLETTA, ***Alejandro*** (nacido 1925) Músico arg. Concertista de bandoneón de fama internacional. • ***Leónidas*** (1902-1975) Poeta, novelista y dramaturgo arg. *Los pobres, La ciudad de un hombre.* • ***Nicolás Ardito*** (nacido 1939) Político pan. Perteneciente al Partido Revolucionario Democrático, fue elegido presid. de la rep. en 1984 y sustituido por Delvalle en 1985.

BARLOA f. *Mar.* Cable con que se sujetan los buques abarloados.

BARLOVENTEAR intr. *Mar.* Ganar distancia contra el viento, navegando de bolina. • fig. y fam. Vagabundear.

BARLOVENTO m. *Mar.* Parte de donde viene el viento.

BARLOVENTO, ***Islas*** En sentido amplio, nombre de las Pequeñas Antillas, que se extienden desde Puerto Rico a Trinidad y están sit. de cara a los alisios. La misma denominación se aplica al grupo de las Windward.

BARMAKÍ Familia persa, algunos de cuyos miembros desempeñaron altos cargos bajo los califas abasíes.

BARMAN m. Empleado que en los bares, cafeterías, etc., prepara y sirve las consumiciones.

BARN m. *Fís.* Unidad de superficie equivalente a 10^{-24} cm^2.

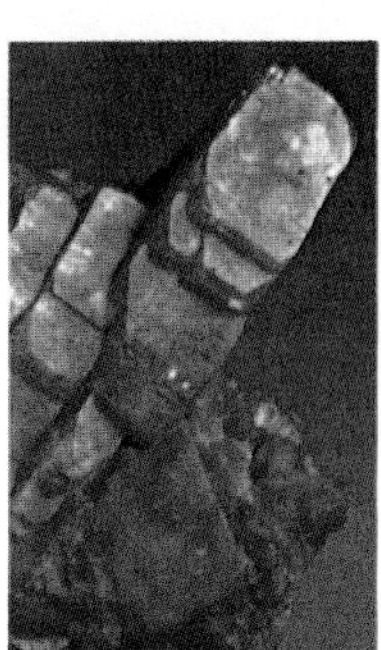

Baritina

BARNABITA adj. y s. Díc. del clérigo regular de la congregación de San Pablo.

BARNACLA f. *Zool.* Pato marino, ave anseriforme del tamaño de un ganso y de colores más vivos.

BARNARD, ***Christian*** (1922-2001) Cirujano sudafricano. Realizó el primer trasplante de corazón humano. • ***Edward Emerson*** (1857-1923) Astrónomo estadoun. Descubrió el quinto satélite de Júpiter.

BARNAUL C. de Rusia, cap. del territorio del Altái; 578 000 hab. Agricultura. Ganadería. Industria.

BARNET, ***José A.*** (1864-1945) Político y diplomático cub. Presid. de la rep. en 1935. • ***Miguel*** (nacido 1940) Escritor cub. Especializado en temas folklóricos y etnográficos. *Biografía de un cimarrón, La canción de Rachel, Gallego.*

BARNIZ m. Disolución de sustancias resinosas en un líquido volátil; se extiende sobre los objetos para que adquieran lustre. • Baño que se da en crudo al barro, loza y porcelana, y que se vitrifica con la cocción. • fig. Noción superficial de una ciencia. • *Art. Gráf.* Compuesto de trementina y aceite que, mezclado con polvos de humo de pez, sirve para hacer tinta.

BARNIZAR tr. Dar un baño de barniz. ■ BARNIZADO.

Barnacla. Arriba, canadiense; abajo, cuellirroja

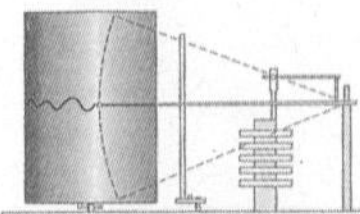
Barógrafo

Pío **Baroja**

Barraca en la huerta valenciana

Barrena en acción dentro de una mina

BARNUM, *Phineas Taylor* (1810-1891) Empresario norteam., renovador del espectáculo circense.
BARO m. Unidad de medida de la presión atmosférica, equivalente a 100 millones de pascalios.
BARODA *(Vadodara)* C. de la India, en el estado de Gujarat; 734 500 hab. Ind. químicas, textiles, mecánicas.
BARÓGRAFO m. Barómetro registrador.
BAROGRAMA m. Gráfico obtenido mediante un barógrafo.
BAROJA, *Pío* (1872-1956) Escritor esp. De su extensa obra, plena de memoria personal o remembranzas históricas, destacan: *El mayorazgo de Labraz, Zalacaín el aventurero, Camino de perfección, El árbol de la ciencia, La lucha por la vida (La busca, Mala hierba* y *Aurora Roja), Desde la última vuelta del camino.* • ***Ricardo*** (1871-1953) Pintor, grabador y literato esp., hermano del anterior. Cultivó el teatro, la novela y el ensayo. *La última corrida, El Dorado, Los tres retratos, Gente del 98.*
BARÓMETRO m. *Fís.* Instrumento para medir la presión atmosférica. • **aneroide.** El constituido por una caja metálica en cuyo interior se ha dispuesto un muelle y se ha hecho el vacío. La deformación debida a la presión exterior se aprecia mediante un índice dispuesto sobre una escala. • **de mercurio.** El que indica la presión a partir de la alt. alcanzada por una columna de mercurio en un tubo de vidrio. ■ BAROMÉTRICO, CA.
BARÓN m. Título nobiliario que en España sigue al de vizconde. ■ BARONÍA.
BARONESA f. Mujer del barón. • Mujer que goza una baronía.
BARONET m. Título nobiliario brit., entre los de barón y caballero.
BARONIO, *Cesare* (1538-1607) Cardenal e historiador it. *Annales eclessiastici.*
BARORRECEPTOR adj. y m. *Fisiol.* Receptor sensitivo de la presión. Se aplica pralm. a los receptores de la presión sanguínea.
BARÓSCOPO m. *Fís.* Aparato usado para la verificación experimental del principio de Arquímedes en los gases.
BARQUEAR tr. Atravesar en barca un río o lago. • intr. Utilizar los botes o lanchas.
BARQUERO, RA m. y f. Persona que dirige la barca.
BARQUERO, *Efraín* (nacido 1931) Poeta chil. *El pan del hombre, Maula, Epifanías, El poema negro de Chile.*
BARQUÍA f. Embarcación de cuatro remos por banda, como máximo.
BARQUICHUELO m. Barco pequeño.
BARQUILLA f. Molde para pasteles. • Cesto en que van los tripulantes de un globo.
BARQUILLO m. Hoja de pasta de harina y azúcar, a la que se da forma de canuto. ■ BARQUILLERO, RA.
BARQUÍN m. Fuelle grande.
BARQUINAZO m. fam. Fuerte vaivén de un carruaje.
BARQUINERA f. Barquín.
BARQUINO m. Odre. • Barquín. • Estómago.
BARQUISIMETANO, NA adj. y s. De Barquisimeto.
BARQUISIMETO C. del NO de Venezuela, cap. del est. Lara; 702 800 hab. Centro com. y de comunicaciones. Ind. mecánica, textil, alimentaria, maderera.
BARRA f. Pieza de metal u otra materia, de forma prismática o cilíndrica y mucho más larga que gruesa. • Palanca de hierro para levantar cosas de peso. • Rollo de metal sin labrar. • Barandilla que, en la sala de sesiones de un tribunal, etc., separa el lugar del público. • Pieza alargada de pan. • La que suelen tener los bares a lo largo del mostrador, y éste mismo. • Depósito emergido de arenas marinas que aparece cerrando entrantes del mar en las zonas costeras. • *Amér.* Público que asiste a las sesiones de un tribunal, asamblea, etc. • *Chile.* Marro, juego de muchachos. • *Chile.* Público que asiste a un espectáculo al aire libre. • *Mar.* La de hierro con grilletes en la que se aseguran los presos. • *Mús.* Línea que corta perpendicularmente el pentagrama. • *Argent., Par.* y *Ur.* Pandilla, grupo de amigos. • *Zool.* Espacio desprovisto de dientes en la mandíbula de los mamíferos ungulados. • Los dos listones delgados de madera que sirven para mantener tirante el bastidor de bordar. • **fija.** *Dep.* La sujeta horizontalmente para hacer ejercicios gimnásticos. • **del día.** pl. *Ur.* loc. fam. con la que los campesinos nombran los primeros fulgores de la aurora. • **B. paralelas.** *Dep.* Paralelas. • **Hacer b.** *Perú.* fig. Alentar en un espectáculo al favorito de una barra.
BARRA, *Eduardo de la* (1839-1900) Escritor chil., autor de tratados sobre el modernismo. *Poesías líricas, Poesías.* • ***Emma de la*** (1860-1947) Novlista arg., nieta del anterior; usó el seud. CÉSAR DUAYÉN. *Stella, Mecha Iturbe, El manantial.*
BARRABÁS Bandolero judío. Pilato ofreció a los judíos decidir entre su libertad o la de Jesús. • m. fig. y fam. P. ext., persona díscola.

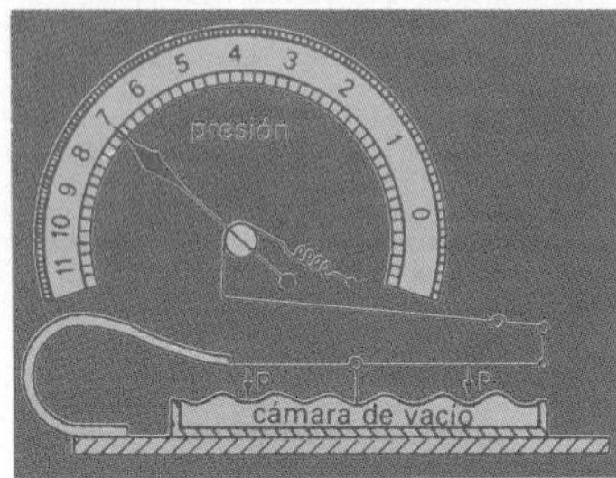

Barómetro de Vidi

BARRABASADA f. fam. Travesura grave.
BARRACA f. Vivienda pequeña, de construcción precaria. • *Amér.* Edificio usado para almacén. • **de feria.** Construcción desmontable para diversiones en fiestas populares. ■ BARRAQUERO, RA; BARRAQUISTA.
BARRACÓN m. Construcción ligera, de un solo piso, para albergar tropas o ser usada como almacén.
BARRACUDA f. *Zool.* Pez osteíctio. Es muy voraz y agresivo.
BARRADAS, *Rafael* (1890-1928) Pintor ur. Su obra traduce influencias del futurismo italiano. *Estampones de Montevideo.*
BARRADO, DA adj. Díc. del tejido con alguna tira que desdice del resto. • *Her.* Aplícase a la pieza sobre la cual se ponen barras.
BARRAGÁN m. Tela de lana impermeable. • Abrigo de esta tela.
BARRAGÁN, *Miguel* (1789-1836) Político y mil. mex. Presid. de la rep. en 1835.
BARRAGANA f. Concubina.
BARRAGANERÍA f. Concubinato.
BARRAGANÍA f. Contrato conyugal, frecuente en la E. Med., en el que no mediaba sacramento eclesiástico. Se dio en las uniones entre esp. y criollas en época colonial.
BARRAL, *Carlos* (1928-1989) Escritor y editor esp. Como editor fomentó la difusión de la novela latinoamericana. Autor de los poemarios *Usuras y figuraciones* y *Lecciones de cosas*, entre otros.
BARRANCABERMEJA C. del centro-norte de Colombia, en el dpto. de Santander, a orillas del r. Magdalena; 122 700 hab. Petróleo.
BARRANCO, CA m. y f. Despeñadero. • Hendidura profunda en la tierra. • m. *Pan.* Borde en pendiente de un río, por oposición a borde llano. • fig. Dificultad en lo que se intenta. ■ BARRANCAL; BARRANCOSO, SA.
BARRANQUERA f. Barranca.
BARRANQUILLA C. del N de Colombia, cap. del dpto. de Atlántico, en la desembocadura del r. Magdalena; 1 021 683 hab. Imp. puerto fluvial y marítimo. Ind. textil, alimentaria, metalúrgica y maderera. Universidad. Aeropuerto.
BARRANQUILLERO, RA adj. y s. De Barranquilla.
BARRANTES, *Emilio* (nacido 1903) Filósofo y pedagogo per. *La enseñanza en el Perú y la educación secundaria, La escuela humana.*
BARRAQUÉ, *Jean* (1928-1973) Compositor fr. Miembro del grupo de investigación de la música concreta. *Secuencia, Sonata, Estudio.*

BARRAQUER, ***Ignacio*** (1884-1965) Oftalmólogo esp. Creó un nuevo procedimiento para operar las cataratas llamado facoéresis.
BARRAQUISMO m. Fenómeno urbanístico de las grandes c. originado por la formación de núcleos de barracas sin apenas condiciones de habitabilidad.
BARRAR tr. Embarrar con barro. • Poner barras.
BARRAS, ***Paul,*** VIZCONDE DE (1755-1829) Político fr. Intervino en la conspiración del 9 termidor. Por su vida fastuosa fue apodado «el rey Barras».
BARRAULT, ***Jean Louis*** (1910-1994) Actor, director y crítico teatral fr. Trabajó en la Comédie Française *(El zapato de raso)* y formó compañía con Madeleine Renaud. Ha dirigido el Teatro de Francia y el festival del Teatro de las Naciones.
BARREAR tr. Cerrar con barras o maderos.
BARREDA f. Valla o antepecho de madera.
BARREDA, ***Enrique*** (1879-1944) Pintor per. Influido por los impresionistas franceses; especializado en paisajes. • ***Ernesto Mario*** (1833-1958) Escritor arg. Modernista en su poesía y de temática rural en la narrativa. *Prismas líricos, Una mujer.* • ***Gabino*** (1818-1881) Médico y político mex. Colaborador de Juárez, decretó la enseñanza elemental gratuita, obligatoria y laica.
BARREDERO, RA adj. fig. Que arrastra o se lleva cuanto encuentra. • m. Escoba con que se barre el horno antes de meter el pan.
BARREDURA f. pl. Inmundicia que se barre. • Residuo que suele quedar de algunas cosas sueltas y menudas.
BARREIRO, ***Cándido*** (muerto 1880) Político par. Presid. de la rep. de 1878 a 1880. Cedió parte del Chaco al firmar un tratado con Bolivia. • ***Miguel*** (1780-1847) Político ur. Dirigió la resistencia de Montevideo frente a la invasión port.
BARREN GROUNDS Región del N de Canadá cubierta por la tundra, entre la bahía de Hudson y el Gran Lago de los Osos.
BARRENA f. Instrumento para taladrar madera, metal, etc. • Barra de hierro para agujerear rocas, sondar terrenos, etc. • **En b.** *Aer.* Descenso de un avión describiendo un movimiento helicoidal.
BARRENADO, DA adj. fam. Loco.
BARRENAR tr. Abrir agujeros con barrena o barreno en algún cuerpo. • *Mar.* Dar barreno a un barco. • fig. Impedirle a uno el logro de alguna cosa. • fig. Hablando de leyes, derechos, etc., violarlos.
BARRENDERO, RA m. y f. Persona que tiene por oficio barrer las calles.
BARRENECHEA, ***Julio*** (1910-1979) Poeta chil. *El espejo del ensueño, Mi ciudad.*
BARRENERO m. El que hace o vende barrenas. • Operario que abre los barrenos en las minas, canteras, etc.
BARRENILLO m. Insecto que come la albura de los árboles. • Enfermedad que produce este insecto en los árboles. • *Cuba.* Terquedad.
BARRENO m. Barrena grande. • Agujero que se hace con la barrena. • Agujero relleno de pólvora, en una roca o en una obra de fábrica, para hacerla volar. • fig. Vanidad. • fig. *Chile.* y *Méx.* Tema o manía. • **Dar b.** *Mar.* Agujerear una embarcación para que se vaya a fondo. • **Llevarle el b.** a uno. fig. y fam. *Méx.* Acomodarse a su capricho.
BARREÑA f. Barreño.
BARREÑO m. Recipiente para fregar y para otros usos semejantes.
BARRER tr. Quitar del suelo con la escoba el polvo, la basura, etc. • fig. Llevarse todo lo que había en alguna parte. • fig. Derrotar, hacer huir. • fig. Quitar, hacer desaparecer. • **hacia adentro** o **para casa.** loc. fig. Comportarse interesadamente. ■ BARREDOR, RA.
BARRERA f. Valla para separar, cercar u obstaculizar el paso. • Parapeto para defenderse. • Antepecho en las plazas de toros. • En las plazas de toros, primera fila de asientos. • Obstáculo. • Sitio de donde se saca el barro que se utiliza en los alfares. • Montón de tierra que queda después de haber sacado el salitre. • Alacena para guardar barros. • En ciertos juegos deportivos, fila de jugadores que se colocan delante de su meta para protegerla de un lanzamiento contrario. • **de frenado.** Dispositivo empleado para detener a los aviones. • **del calor.** Fenómenos térmicos que alteran las condiciones de vuelo, producidas en los aviones en vuelo supersónico por rozamiento con el aire. • **del sonido.** Conjunto de dificultades técnicas que se debían vencer para superar la velocidad del sonido. • **ecológica.** Impedimento que imposibilita la ampliación del área de distribución de una especie, variedad o raza.
BARRERA, ***Claudio*** (1912-1971) Poeta y periodista hond. Fundador de las revistas *Surco* y *Letras de América. Las liturgias del sueño, Poesía completa, Canciones para un niño de seis años.* • **Valverde,** ***Alfonso*** (nacido 1929) Escritor y diplomático ecuat. *Testimonio, Tiempo secreto, Dos muertes en una vida, Heredarás un mar que no conoces y lenguas que no sabes.*
BARRERO m. Alfarero. • Barrera, sitio del que se saca barro. • Barrizal. • *Amér. Merid.* Terreno salitroso que lamen los ganados.
BARRÈS, ***Maurice*** (1862-1923) Escritor y político fr.; jefe intelectual del mov. nacionalista. *Mis cuadernos, El Greco o el secreto de Toledo.*
BARRETA f. Barra que usan los mineros, albañiles, etc. • Tira de cuero para reforzar la costura del calzado.
BARRETEAR tr. Afianzar alguna cosa con barras.
BARRETERO m. Min. El que trabaja con barra, cuña o pico.
BARRETINA f. Gorro catalán.
BARRETO, ***Mariano*** (1856-1927) Filólogo nic. Fundador del *El Eco Nacional. Vicios de nuestro lenguaje, Idioma y letras, Lecciones de castellano a mis hijos.* • ***Vítor de Lima*** (1905-1982) Director cinematográfico bras. *O Cangaceiro, La primera misa.* • **De Meneses,** ***Tobías*** (1839-1889) Filósofo bras. *Filosofía y crítica.*
BARRETÓN m. *Col.* Pico de los mineros.
BARRIADA f. Barrio. • Parte de un barrio. • Arrabal, barrio pobre.
BARRIAL adj. *Méx.* Díc. de la tierra gredosa o arcillosa. • m. *Amér.* Barrizal.
BARRICA f. Tonel mediano.
BARRICADA f. Parapeto hecho con adoquines, automóviles, etc.
BARRIDA f. *Chile.* Barrido, o barredura.
BARRIDO, DA m. Barreduras. • En los motores alternativos, recorrido del pistón durante el cual el vapor o el gas es expulsado del cilindro. • En una pantalla de radar, cada uno de los recorridos que efectúa el haz de rayos catódicos para trazar la base de tiempos. • **de pantalla.** En un oscilógrafo de rayos catódicos, huella luminosa observable en la pantalla.
BARRIE, ***James Matthew*** (1860-1937) Novelista y dramaturgo escocés, autor de *Peter Pan* y de *El admirable Crichton.*
BARRIENTOS, FRAY ***Lope de*** (1382-1469) Dominico esp. Autor de *La llave de la sabiduría*, enciclopedia teologicofilosófica escrita en latín. • ***María*** (1884-1946) Soprano esp., que alcanzó gran celebridad en Italia, EE UU y América del Sur. • ***René*** (1919-1969) Mil. y político bol. Vicepresid. en 1964, junto a Paz Estensoro, a los pocos meses se sublevó y logró la presidencia. Combatió a la guerrilla de «Che» Guevara. Salvo en 1966, detentó el poder hasta su muerte en accidente de aviación.
BARRIGA f. Vientre. • fig. Parte media abultada de una vasija. • fig. Comba de una pared. ■ BARRIGÓN, NA; BARRIGUDO, DA.
BARRIGA, ***Joaquín*** (1803-1854) Militar y político col. Intervino en la batalla de Carabobo y en la campaña de Pasto. Gobernador de Panamá y ministro de Guerra con Mosquera.
BARRIGUERA f. Correa que ciñe la barriga a las caballerías de tiro.
BARRIL m. Vasija de madera para conservar licores y géneros. • Unidad estadounidense de capacidad usada para el petróleo y derivados. • *Chile.* Nudo en forma de barrilito. ■ *Méx.* BARRILAJE; BARRILAMEN; BARRILERÍA; BARRILERO.
BARRILA f. Bronca, escándalo.
BARRILETE m. *Carp.* Instrumento de hierro para asegurar sobre el banco los materiales. • Pieza del revólver en la que se colocan los cartuchos. • *Mar.* Nudo en forma de barril. • *Mús.* Pieza del clarinete inmediata a la boquilla. • *Zool.* Crustáceo decápodo con una pinza muy desarrollada.
BARRILLA f. *Bot.* Planta salsolácea, de cuyas cenizas se obtiene la sosa. • Estas mismas cenizas. • *Bol.* y *Perú.* Cobre nativo. ■ BARRILLAR; BARRILLERO, RA.

Barrenillo

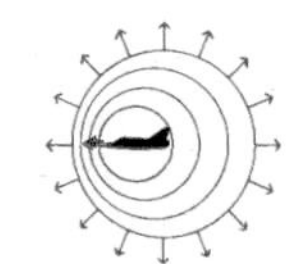

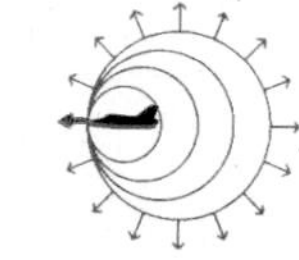

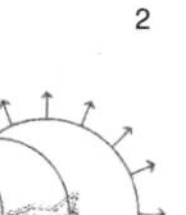

Barrera del sonido.
1. Velocidad subsónica.
2. Velocidad transónica.
3. Velocidad supersónica

Barril

BARROCO

1. Fachada de la iglesia del Gesù de Roma, construida por Vignola y Della Porta en 1568-1584.
2. *Habacuc y el ángel*, escultura en mármol de Bernini, 1656-1666. Capilla Chigi de Santa Maria del Popolo, Roma.
3. y 4. Indumentarias del siglo XVII.
5. Detalle del *Árbol genealógico de Cristo*, iglesia de Santo Domingo de Oaxaca de Júarez (México).
6. *Las meninas*, óleo de Velázquez, 1656. Museo del Prado, Madrid.

Estatua de la Libertad, en el puerto de Nueva York, obra de F. A. **Bartholdi**

BARRILLO m. Barro, granillo rojizo.

BARRIO m. Cada una de las partes en que se dividen las c. y pueblos grandes. • Arrabal. • Caserío dependiente de otra pob. • **El otro b.** fig. y fam. El otro mundo.

BARRIOS, ***Eduardo*** (1884-1963) Escritor chil. *Tamarugal*, *El niño que enloqueció de amor*, *Gran señor y rajadiablos*. • ***Gerardo*** (1809-1865) General y político salv., presid. de la rep. (en 1858, 1859-1860 y 1861-1863). Su sucesor, Dueñas, le condenó a muerte. • ***Justo Rufino*** (1835-1885) Militar y político guat. Presid. de la rep. desde 1873. Intentó reunificar Centroamérica y, al no lograrlo mediante negociaciones, quiso imponer su deseo por las armas. Murió en la batalla de Chalchuapa. • **Cruz,** ***Luis*** (1898-1968) Escritor ven. Sobresalió como poeta. *Plenitud*, *Cuadrante*, *La sombra del avión*, *Seis poemas*. • **de Chamorro,** ***Violeta*** → Chamorro.

BARRIZAL m. Sitio lleno de barro o lodo.

BARRO m. Masa que resulta de la unión de tierra y agua. • *Geol.* Sedimento oceánico. • Lodo que se forma en las calles cuando llueve. • Cualquier objeto de cerámica o alfarería, hecho de arcilla endurecida por cocción. • Cosa despreciable. • Cada uno de los granillos rojizos que salen en el rostro. • Cada uno de los tumorcillos que salen al ganado. ▪ BARROSO, SA.

BARROCO, CA adj. y m. *Arte.* Díc. del estilo, en especial el empleado en la ornamentación arquitectónica, caracterizado por el predominio de líneas curvas y la profusión de adornos. • Díc. de las cuestiones retorcidas y complicadas.

* *Arte.* El término b., introducido a mediados del s. XVIII para definir todo lo recargado formal y conceptualmente hablando, se usa para definir un período de la hist. del arte europeo y americano (1580-1750). H. Wölfflin consideró este arte como contrapuesto al renacentista. El ideal de equilibrio propio del Renacimiento se transformó en afán de impresionar mediante efectos de masa, luz y mov. Así, en arq., se realzaron las curvaturas y la riqueza de ornamentación; en pint., se introdujo la composición en diagonal, la perspectiva aérea y el claroscuro, y en esc., las formas se distorsionaron. Desde España, este estilo se extendió a América Latina, donde alcanzó gran esplendor, especialmente en México, llegando a convertirse en el estilo colonial por excelencia.

BARRÓN m. *Bot.* Planta gramínea que crece en los arenales marítimos.

BARROQUISMO m. Tendencia a lo barroco. • Extravagancia, mal gusto.

BARROS, ***João de*** (1496-1570) Historiador port. Historia de las conquistas portuguesas en ultramar. • **Arana,** ***Diego*** (1830-1907) Historiador y pedagogo chil. de ideas liberales. Su obra más importante, la *Historia general de Chile*, es fundamental para el estudio de los acontecimientos hispanoamericanos.

Historia de la independencia de Chile, Vida y viaje de Fernando de Magallanes. • **Borgoño, *Luis*** (1858-1943) Político chil. Representó al conservadurismo chil. en las elecciones de 1920, en las que fue vencido por Alessandri. Presid. interino en 1925. • **Grez, *Daniel*** (1834-1904) Escritor chil. *El huérfano.* • **Luco, *Ramón*** (1835-1919) Político chil. Sirvió de 1871 a 1910 a todos los gobiernos del país. Presid. de la rep. en 1910-1915. Intervino en la constitución del grupo ABC (Argentina, Brasil y Chile).

BARROTE m. Barra gruesa. • Barra de hierro para afianzar, sostener o reforzar. • Palo que se pone atravesado sobre otros palos para reforzar.

BARROW, *Isaac* (1630-1677) Matemático ing. *Lecciones de óptica y geometría.*

BARRUECO m. Perla irregular. • Nódulo esferoidal que suele encontrarse en las rocas.

BARRUJO m. Acumulación de hojas de pino.

BARRUMBADA f. fam. Dicho jactancioso. • fam. Gasto excesivo hecho por jactancia.

BARRUNDIA, *José Francisco* (1784-1854) Político guat. Luchó por la indep. Presid. de la Federación Centroamericana (1829-1830). • ***Juan*** (1780-1850) Político guat., hermano del anterior. Presid. en 1824, fue derrocado por Arce (1826) y repuesto en 1829, aunque renunció.

BARRUNTAR tr. Prever o presentir por algún indicio. ■ BARRUNTAMIENTO.

BARRUNTE m. Indicio, noticia.

BARRUNTO m. Barrunte. • *Méx.* Viento del N.

BARRY, *Charles* (1795-1860) Arquitecto brit. Dirigió la construcción del nuevo Parlamento de Londres *(Westminster Palace).* • ***Jeanne Bécu***, CONDESA DU (1743-1793) Cortesana fr., fue favorita de Luis XV; guillotinada durante el Terror.

BARRYMORE Familia de actores cinematográficos norteam.: ***Lionel*** (1878-1945), el mayor de todos, ***Ethel*** (1879-1959) y ***John*** (1882-1942), el más popular.

BARTH, *Heinrich* (1821-1865) Arqueólogo y geógrafo al., explorador de África. *Viajes y descubrimientos en el África del Norte y Central.* • ***Karl*** (1886-1968) Teólogo calvinista suizo de gran influencia en el pensamiento teológico moderno.

BARTHÉLEMY, *Jean-Jacques* (1716-1795) Escritor y erudito fr. *Viaje del joven Anacarsis a Grecia.*

BARTHES, *Roland* (1913-1980) Crítico fr. *El grado cero de la escritura, Sobre Racine, Mitologías.*

BARTHOLDI, *Frédéric August* (1834-1904) Escultor fr., autor de la estatua de la Libertad, en el puerto de Nueva York.

BARTOK, *Bela* (1881-1945) Compositor húng. Su música está plena de elementos nacionales al inspirarse en canciones populares de su país. *Cantata profana, Mikrokosmos.*

BARTOLA (A la) m. adv. fam. Sin ningún cuidado.

BARTOLEAR intr. *Chile.* Tener pereza.

BARTOLILLO m. Pastel pequeño relleno de crema o carne.

BARTOLINA f. *Amér. Centr.* y *Méx.* Calabozo.

BARTOLOMÉ (arameo, *Bar Tolmay*) Santo. Uno de los doce apóstoles, patrono de los carniceros.

BARTOLOMEO della Porta, llamado FRA BARTOLOMMEO (1472-1517) Pintor it. *Deposición, Sagrada conversación, Virgen entronizada.*

BARTON, *Clara* (1821-1912) Luchadora de la reforma social norteam. Fundadora de la Cruz Roja Internacional en los EE UU.

BARTULEAR intr. *Chile.* Cavilar, pensar.

BÁRTULOS m. pl. fig. Enseres que se manejan.

BARUC (heb., *Baruk*; h. s. VI a. C.) Profeta del A. T., hijo de Neriyyah.

BARULLO m. fam. Confusión, desorden.

BARUTA Mun. de Venezuela, en el est. Miranda; 121 500 hab.

BARYE, *Antoine Louis* (1796-1875) Escultor fr. *Tigre devorando un cocodrilo, León en reposo, La guerra, la paz, el orden.*

BARZANI, *Mustafá* (1902-1979) Dirigente nacionalista kurdo. Creador del partido democrático de su país, logró en 1966 el reconocimiento de su pueblo por parte de Irak.

BARZÓN m. Paseo ocioso. • Anillo por donde pasa el timón del arado en el yugo. • *C. Rica.* Coyunda con que se uncen los bueyes. • Arzón.

BARZONEAR intr. Pasear sin rumbo fijo.

BASA f. Base o apoyo. • Asiento sobre el que se pone la columna o estatua. • *Arq.* Pieza inferior de la columna. • **ática.** *Arq.* La formada por una escocia entre dos filetes y dos toros. • **corintia.** *Arq.* La formada por dos escocias y uno o dos junquillos entre dos toros. • **toscana.** *Arq.* La formada por un filete y un toro.

BASADA f. Aparato armado en la grada debajo del buque, para botarlo al agua.

BASADRE, *Jorge* (1903-1980) Historiador y político per. *Historia de la república del Perú.*

BASAL adj. Relativo a la base. • Sit. en la base de una formación orgánica o de una construcción. • Díc. del segmento próximo a la aleta de los peces. • Díc. de la cuantía de una función orgánica durante el reposo y el ayuno.

BASALDÚA, *Héctor* (1895-1976) Pintor arg. Notable escenógrafo, influido por el cubismo.

BASALTO m. *Petr.* Roca volcánica de color oscuro y elevada densidad. Constituido por plagioclasas y minerales máficos, se emplea en adoquinados. ■ BASÁLTICO, CA.

BASAMENTO m. *Arq.* Cuerpo formado por la basa y el pedestal de la columna. • P. ext., parte inferior de una fachada o edificio.

BASANITA f. Basalto.

BASAR tr. Asentar algo sobre una base. • tr. y prnl. fig. Fundar. • Partir, en las operaciones geodésicas, de una base previamente determinada.

BASÁRIDE f. *Amér.* Mamífero carnívoro, parecido a la comadreja. Tiene en la cola ocho anillos negros.

BASÁRIDES *Mit.* Bacantes tracias que dieron muerte a Orfeo.

BASAURI Mun. esp., en la prov. de Vizcaya. Forma parte del complejo industrial de Bilbao; 48 490 hab.

BASAURI, *Carlos* (1895-1965) Antropólogo mex. Fundador de la revista *Quetzalcóatl. La situación social actual de la población indígena de México, Tojolabales, tzentales y mayas.*

BASAVE, *Agustín* (nacido 1886) Arquitecto y escritor mex. *Ensayos críticos, El hombre y la arquitectura, Viejos temas.*

BASCA f. Ansia e inquietud que se experimenta en el estómago. Se usa más en pl. ■ BASQUEAR.

BASCOSIDAD f. Inmundicia, suciedad. • *Ecuad.* Palabra soez.

BASCOSO, SA adj. Que padece bascas. • *Amér.* Soez, indecente.

BÁSCULA f. Balanza para medir pesos grandes. • Máquina para alzar un puente levadizo.

BASCULAR intr. Realizar un movimiento de vaivén. • En algunos vehículos de transporte, inclinarse la caja, de modo que la carga resbale por su propio peso.

BASCULERO m. Encargado de la báscula oficial en puertos, estaciones, etc.

BASCUÑANA f. Variedad de trigo fanfarrón.

Basa de una columna

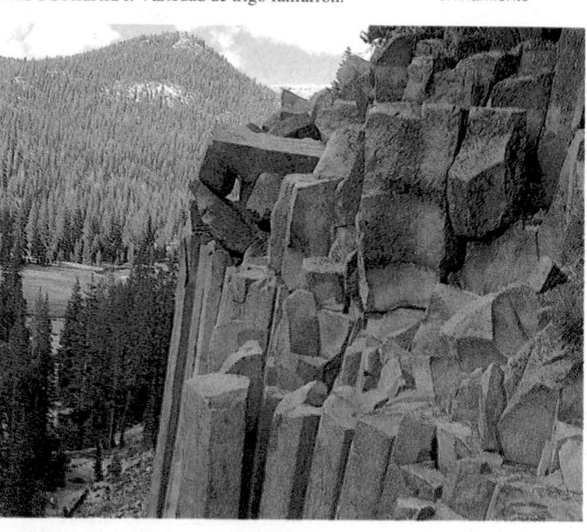

Formación de columnas hexagonales de **basalto,** producidas por contracciones durante el enfriamiento

Detalle del interior de la **basílica** de Santa María la Mayor (Roma)

Básquet

Perro de raza **basset**

BASE f. Fundamento en que estriba o descansa una cosa. • Conjunto de personas representadas por un mandatario o portavoz. • Conjunto de militantes de una organización política o sindical que no ocupan cargos directivos. • *Arq.* Base de una columna o estatua. • *Dep.* En el básquet, jugador que organiza el juego de su equipo, fundamentalmente en la transición entre defensa y ataque. • *Geom.* Línea o superficie de una figura que se toma como referencia para determinar la alt. • *Mat.* Expresión que ha de elevarse a una potencia. • *Quím.* Sustancia que combinada con un ácido forma una sal. • *Top.* Longitud medida en el terreno con precisión y reducida al geoide. • **aérea.** *Mil.* Aeropuerto militar. • **de datos.** *Comp.* Conjunto de datos interrelacionados y estructurados, almacenados de forma que pueden servir para todos los programas que los puedan utilizar. • **de lanzamiento.** *Astron.* Complejo diseñado para el lanzamiento de cohetes espaciales. • **de logaritmos.** *Mat.* Número con respecto al cual se calculan los logaritmos. • **de operaciones.** *Mil.* Lugar donde se concentra y prepara un ejército. • **de un espacio vectorial.** *Mat.* En un espacio vectorial E, un subconjunto B de vectores de E es una base si: 1) todos los vectores de E pueden ser expresados en forma de combinación lineal de vectores de B; 2) los vectores de B son linealmente independientes. • **naval.** *Mil.* Puerto donde se preparan para navegar las fuerzas navales. ■ *Anat.* BASILAR.

BASE-BALL (voz ing.) m. Béisbol.

BASEDOW, *enfermedad de* *Pat.* Hipertiroidismo.

BASEDOW, *Johann Bernhard* (1723-1790) Pedagogo al. Sus métodos se basaban en el respeto al sentimiento interior y en la analogía. *Selección metódica de conocimientos necesarios para la instrucción de la juventud.* • ***Karl Adolph*** (1799-1854) Médico al. Describió los síntomas resultantes del hiperfuncionamiento del tiroides, y que son conocidos como *enfermedad de B.*

BASHKIR adj. y s. Relativo a un pueblo turco de los Urales. • Lengua turca. • m. pl. Pueblo turco de la rep. de Baskhkortostán

BASHKORTOSTÁN Rep. del estado de Rusia; 143 000 km², 3 952 000 hab. Cap., Ufá. Sit. en la vertiente occidental de los Urales. Petróleo.

BASIC *Comp.* Siglas de la exp. ing. *Beginners All-purpose Symbolic Instruction Code.* De alto nivel simbólico de programación introducido a mediados de los años 60 para el aprendizaje de programación.

BASICIDAD f. *Quím.* Propiedad de un cuerpo de actuar como base en una combinación.

BÁSICO, CA adj. Relativo a la base. • *Geol.* Díc. de la roca cuyo contenido en sílice es inferior al 50 %. • *Quím.* Díc. de la sal en que predomina la base. • Fundamental.

BASIDIO m. Tipo de esporangio, propio de los hongos basidiomicetos.

BASIDIOMICETO, TA adj. y m. *Bot.* Hongos formados a partir de un basidio. • m. pl. Clase de estos hongos, a la que pertenecen la mayor parte de las setas tanto comestibles como venenosas.

BASIDIOSPORA f. Espora unicelular haploide que se une al basidio por medio del esterigma.

BASIE, *William «Count»* (1904-1984) Pianista, director de orquesta y arreglista norteam. Destaca por su sobriedad y por el empleo del *blues.*

BASILÁN Arch. de Filipinas, al S de Mindanao. Plantaciones de heveas. • C. de Filipinas, en la isla hom.; 201 400 hab. Pesca.

BASILEA (fr., *Bâle*; al., *Basel*) C. del NO de Suiza que forma el semicantón de Basilea-ciudad; 37 km², 192 000 hab. Centro industrial y financiero. • **Paz de B.** La acordada entre España y Francia en 1795, por la que se cedía la mitad de la isla de Santo Domingo a Francia.

BASÍLICA adj. y f. *Anat.* Vena del brazo. • f. Edificio público rom. que servía de tribunal y de lugar de reunión. Los cristianos la usaron para su culto. • Iglesia notable. ■ BASILICAL.

BASILICATA Región del S de Italia, sit. a orillas del mar Tirreno y del golfo de Tarento; 9 992 km², 610 500 hab. Cap., Potenza. Gas y petróleo.

BASILICÓN adj. y s. Ungüento madurativo y supurativo, compuesto con pez negra.

BASILIENSE adj. y s. De Basilea.

BASILIO I (h. 812-886) Emp. de Bizancio. Fundó la dinastía macedonia y renovó el derecho rom. • **II** (958-1025) Emp. de Bizancio. Sometió a los búlgaros y amplió sus dominios hasta Asia.

BASILIO *el Grande* (329-379) Santo. Padre de la Iglesia gr., iniciador de la vida cenobítica. *Hexamerón, Contra Eunomio.*

BASILISCO m. Animal fabuloso. • ant. Pieza de artillería. • Reptil de color verde y del tamaño de una iguana pequeña.

BASKERVILLE, *John* (1706-1775) Impresor brit. Inventor del papel vitela.

BASORA *(Basra)* Gobernaduría del SE de Irak; 19 070 km², 872 200 hab. Cap., la c. hom. • C. de Irak, cap. de la gobernaduría hom.; 346 500 hab. Pral. puerto del país y del área del golfo Pérsico. Gravemente afectada por la guerra irano-iraquí en 1984, fue devasatada en 1991 primero por los bombardeos aliados en la guerra del Golfo y después por los ataques contra la pob. chiíta rebelde por el ejército de Saddam Hussein.

BASOTHO-QWAQWA Antiguo bantustán creado por las autoridades sudafricanas en abril de 1969 con un pequeño territorio situado en el Estado Libre de Orange.

BÁSQUET o **BASQUETBOL** (voz ing., *basket* o *basketball*) m. *Dep.* Juego de pelota por equipos, que consiste en introducir el balón con la mano en una canasta colocada en el campo adversario.

BASQUILLA f. Enfermedad del ganado lanar.

BASQUIÑA f. Saya, negra por lo común.

BASSANI, *Giorgio* (1916-2000) Novelista it. *Los últimos años de Clelia Trotti, El jardín de los Finzi-Contini.*

BASSANO, *Jacopo da Ponte* llamado ***Jacopo*** (entre 1510 y 1518-1592) Pintor it., destacado representante del manierismo. Miembro de una dinastía de pintores activa entre 1501 y 1620.

BASSET m. Raza de perro de cuerpo muy alargado y patas cortas, llamado «perro salchicha».

BASSE-TERRE C. de la isla de Guadalupe, cap. del dpto. hom.; 13 700 hab.

BASSETERRE C. de la isla de San Cristóbal, cap. de la federación formada por las islas San Cristóbal y Nevis; 15 700 hab.

BASSO Maglio, *Vicente* (1899-1961) Poeta y periodista ur. *El diván y el espejo, La expresión heroica.*

BASSOLS, *Narciso* (1897-1959) Abogado y político mex. Redactor de la Nueva Ley Agraria (1927). Colaborador del presid. Lázaro Cárdenas.

BASTA f. Hilván. • Puntada hecha a trechos en el colchón. • *Perú.* Bastilla.

BASTAARD (voz afrikaans) com. Persona de origen bóer y hotentote. Los b. forman varias comunidades en Namibia y en la República Sudafricana.

BASTANTE adj. Que basta. • adv. cantidad. Ni mucho ni poco, ni más ni menos de lo regular. • No poco.

BASTANTEAR intr. y tr. *Der.* Reconocer un abogado el poder otorgado a un procurador. ■ BASTANTEO.

BASTAR intr. y prnl. Ser suficiente para alguna cosa. • Abundar. **¡Basta!** Exclamación que sirve para poner término a una acción o discurso.

BASE DE DATOS

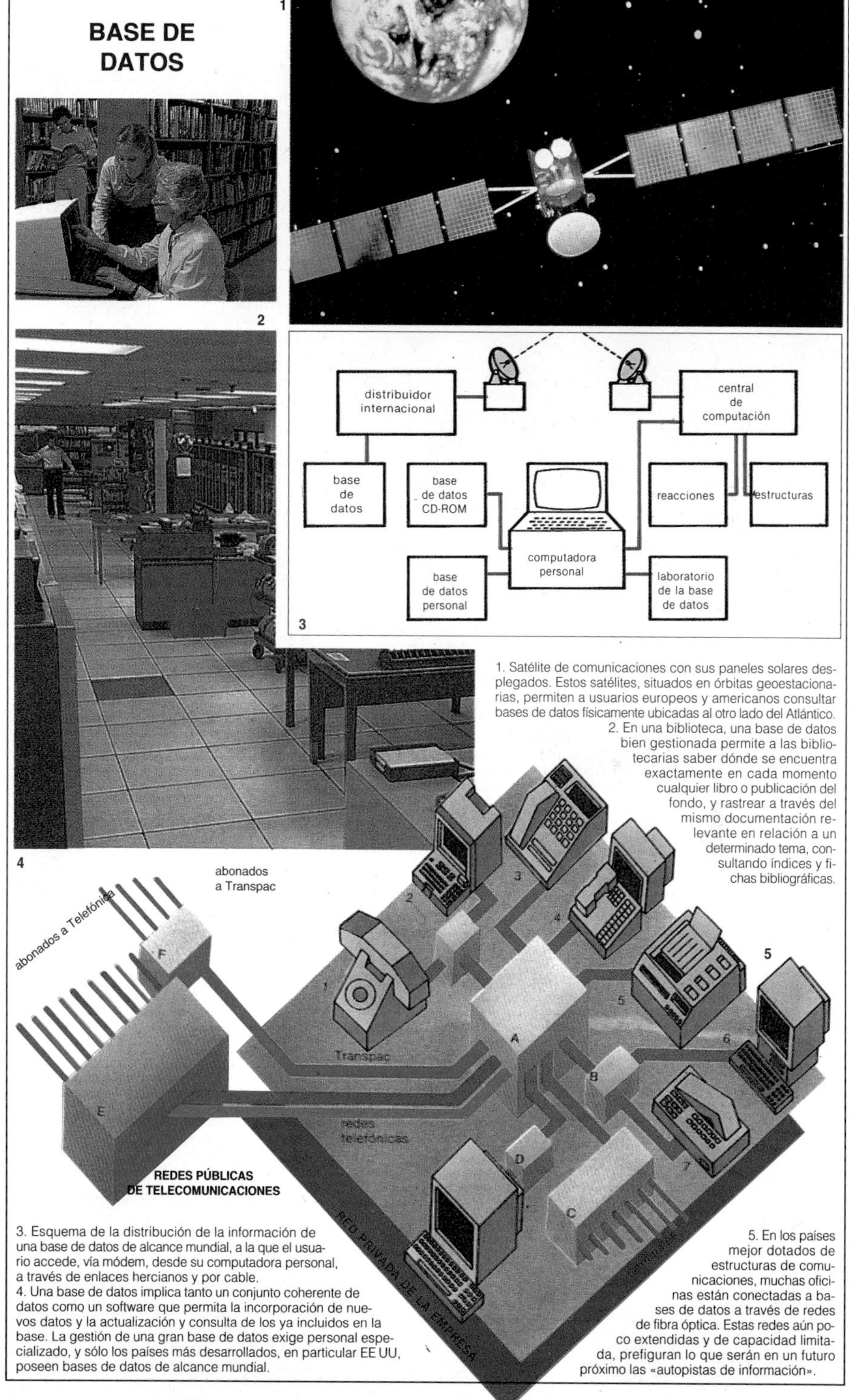

1. Satélite de comunicaciones con sus paneles solares desplegados. Estos satélites, situados en órbitas geoestacionarias, permiten a usuarios europeos y americanos consultar bases de datos físicamente ubicadas al otro lado del Atlántico.

2. En una biblioteca, una base de datos bien gestionada permite a las bibliotecarias saber dónde se encuentra exactamente en cada momento cualquier libro o publicación del fondo, y rastrear a través del mismo documentación relevante en relación a un determinado tema, consultando índices y fichas bibliográficas.

3. Esquema de la distribución de la información de una base de datos de alcance mundial, a la que el usuario accede, vía módem, desde su computadora personal, a través de enlaces hercianos y por cable.

4. Una base de datos implica tanto un conjunto coherente de datos como un software que permita la incorporación de nuevos datos y la actualización y consulta de los ya incluidos en la base. La gestión de una gran base de datos exige personal especializado, y sólo los países más desarrollados, en particular EE UU, poseen bases de datos de alcance mundial.

5. En los países mejor dotados de estructuras de comunicaciones, muchas oficinas están conectadas a bases de datos a través de redes de fibra óptica. Estas redes aún poco extendidas y de capacidad limitada, prefiguran lo que serán en un futuro próximo las «autopistas de información».

La toma de la **Bastilla**

BASTARDA f. Lima de grano fino. • ant. Pieza de artillería.
BASTARDEAR intr. Degenerar un animal o planta. • fig. Aplicado a personas, apartarse de lo que conviene a su origen. • fig. Aplicado a cosas, apartarse de la pureza primitiva.
BASTARDELO m. Minutario del notario.
BASTARDILLA f. *Mús.* Especie de flauta. • adj. y f. Letra de imprenta que imita la de mano.
BASTARDO, DA adj. Que degenera de su origen. • Ilegítimo, nacido de padres no casados. • Que pertenece a dos géneros distintos. • Que no es de raza pura. • m. Boa, serpiente ■ BASTARDÍA.
BASTE m. Basta. • Almohadilla que lleva la silla de montar en su parte inferior.
BASTEAR tr. Echar bastas.
BASTERNA m. Individuo de un ant. pueblo sármata que ocupó el terr. de las actuales Podolia y Ucrania. • f. Carro de los antiguos b. • Litera cubierta que usaban las damas romanas.
BASTERRA, *Ramón de* (1888-1928) Poeta esp. *Las ubres luminosas, Virulo: mocedades, Virulo: mediodía.*
BASTEZA f. Grosería, tosquedad.
BASTIAT, *Frédéric* (1801-1850) Político y economista fr. Defendió el libre cambio y la bondad del sistema capitalista puro. *Armonías económicas, Sofismos económicos.*
BASTIDA f. Máquina militar usada antiguamente para batir castillos y plazas fuertes.
BASTIDAS, *Rodrigo de* (1460-1526) Navegante esp. Exploró las costas de Colombia y Venezuela. Fundó Santa Marta (1525).
BASTIDOR m. Armazón para fijar lienzos, para armar vidrieras o para decoración de escenarios. • Armazón metálico que soporta la caja de un vagón, automóvil, etc. • *Cuba.* Somier. • *Mar.* Armazón de hierro o bronce en que la hélice apoya su eje cuando no es fija. • **de instrumentos.** *Astron.* Estructura para instalar los instrumentos de a bordo y el equipo del vehículo espacial.
BASTILLA f. Doblez que se asegura con puntadas a los extremos de la tela para que ésta no se deshilache.
BASTILLA Fortaleza fr. del s. XIV, convertida en prisión por Richelieu. El pueblo parisino la tomó por asalto el 14 de julio de 1789, por considerarla símbolo de la opresión y el absolutismo monárquicos. El día del asalto se conmemora como fiesta nacional.
BASTIMENTO m. Embarcación, barco. • Provisión para sustento de una c., ejército, etc. ■ BASTIMENTAR.
BASTIÓN m. Baluarte, obra de fortificación.
BASTO, TA adj. Grosero, tosco. • Díc. de la persona rústica o grosera. • m. Aparejo o albarda de caballerías de carga. • Cualquiera de los naipes del palo de bastos. • pl. Uno de los cuatro palos de la baraja esp. • *Amér.* Almohadas que forman el lomillo ■ BASTEDAD.

Batata. Planta y tubérculo

BASTÓN m. Vara para apoyarse al andar, para golpear, etc. • Insignia de mando. • En el arte de la seda, palo en que está envuelta la tela para pasarla al plegador. • *Her.* Cada una de las listas que parten el escudo de arriba abajo. • *Zool.* Célula fotorreceptora de la retina de los vertebrados ■ BASTONADA O BASTONAZO; BASTONEAR; BASTONEO; BASTONERA; BASTONERO.
BASTONCILLO m. Galón angosto que sirve para guarnecer. • *Zool.* Bastón.
BASURA f. Inmundicias, desechos que se recogen en las ciudades. • Estiércol de las caballerías. *Cuba.* Desperdicios del tabaco en rama. • fig. Lo repugnante ■ *Amér.* BASURAL; BASURERO.
BASUREAR tr. *Argent.* Tratar despectivamente a una persona.
BATA f. Prenda usada para estar en casa. • Batín usado para trabajar.
BATABANÓ Mun. de Cuba, en la prov. de La Habana; 21 600 hab. Agricultura. Puerto pesquero.• **Golfo de B.** Amplia abertura de la costa septentrional de Cuba.
BATACAZO m. Golpe que da una persona cuando cae. • Caída inesperada de un estado o condición. *Amér. Merid.* Triunfo inesperado de un caballo en unas carreras. • *Amér. Merid.* Triunfo inesperado.
BATAHOLA f. fam. Bulla, ruido grande.
BATAILLE, *Henri* (1872-1922) Autor dramático fr. *La marcha nupcial, La mujer desnuda.*
BATAILLON, *Marcel* (1895-1977) Hispanista fr. *La picaresca, Los historiadores de Indias, La Celestina, Erasmo en España, Las Casas y la defensa de los indios.*
BATAK adj. y s. Pueblo protomalayo que vive en el N de Sumatra (Indonesia).
BATALLA f. Combate de un ejército, armada, etc., con otro. • *Mil.* Acción bélica en que toman parte todos o los principales elementos de combate. • *Mil.* Orden de batalla. • Justa o torneo. • Parte de la ballesta en que se pone el lance. • Parte de la silla de montar en que descansa el cuerpo del jinete. Distancia de eje a eje en los carruajes de cuatro ruedas. • fig. Agitación interior. • *Esg.* Pelea de los que juegan con espadas negras. • *Pint.* Cuadro en que se representa una acción de guerra. • **campal.** • *Mil.* La que se da en campo raso.
BATALLAR intr. Pelear. fig. • Disputar, porfiar.• fig. Fluctuar. • *Esg.* Contender con espadas negras ■ BATALLADOR, RA; BATALLÓN, NA.
BATALLONA adj. fam. Díc. de la cuestión muy reñida.
BATÁN m. Máquina con gruesos mazos de madera que sirve para golpear, desengrasar y enfurtir los paños. • Edificio en que funciona esta máquina. • *Col.* Tienda en la que se venden productos de lana. • *Perú.* Piedra sobre la que se muele a mano. • *Perú.* Caderas de una persona.
BATANAR tr. Abatanar paños ■ BATANADO, DA; BATANADURA.
BATANEAR tr. fig. y fam. Dar golpes a alguno.
BATANERO m. El que trabaja en los batanes.
BATANGA f. Flotador de algunas embarcaciones filipinas.
BATAOLA → Batahola.
BATARA f. *Amér. Merid.* Ave paseriforme de la familia formicáridos.
BATATA f. *Bot.* Planta convolvulácea de tubérculos comestibles. • Tubérculo de esta planta. • fam. *Argent.* Timidez ■ BATATAR.
BATATAZO m. Suerte en las carreras de caballos.
BÁTAVA, *República* Est. constituido en Países Bajos en 1795. Napoleón I la convirtió en reino en 1806.
BATAVIA Nombre de la c. de Yakarta desde su fundación en 1619 hasta 1949.
BÁTAVO, VA adj. y s. De un ant. pueblo germánico, que habitó en el delta del Rin.
BATAYOLA f. *Mar.* Barandilla de madera.
BATE m. Palo, que se utiliza para jugar al béisbol ■ BATEADOR; BATEAR.

BATEA f. Bandeja o azafate. • Barco pequeño de forma de cajón. • Vagón descubierto, con los bordes muy bajos.• *Amér.* Artesa para lavar.
BATEAGUAS m. Canal que impide que el agua de la lluvia penetre en el edificio. • *Argent.* Paraguas.
BATEKE adj. De uno de los prales. grupos étnicos melanoafricanos de la República Popular del Congo. m. pl. Este grupo étnico.
BATEKE Región mesetaria del centro de la República Popular del Congo, al N de Brazzaville. Habitada por el pueblo hom.
BATEL m. Bote, barca pequeña. ■ BATELERO, RA.
BATEO m. Acción de batear. • fam. Bautizo.
BATERÍA f. *Mil.* Conjunto de piezas de artillería dispuestas para hacer fuego. • *Mil.* Unidad táctica del arma de artillería, que se compone de cierto número de piezas y de los artilleros que las sirven. Obra de fortificación destinada a contener piezas de artillería. • *Mil.* En los buques mayores de guerra, cañones que hay en cada puente. • *Mil.* Espacio en que los mismos cañones están colocados. • *Fís.* Conjunto de acumuladores eléctricos conectados entre sí. • Brecha que produce la artillería. • *Mús.* Conjunto de instrumentos de percusión en una banda u orquesta. • m. Persona que los toca. fig. En los teatros, fila de luces del proscenio. • *Col.* Conjunto de pisones de un molino minero. • **de cocina.** Conjunto de utensilios necesarios para la cocina. • **solar.** Fuente de energía eléctrica compuesta por generadores que transforman la energía radiante del sol en energía eléctrica.
BATEY m. *Ant.* Lugar ocupado por las viviendas, barracones, almacenes, etc., en ingenios, etc.
BATIAL adj. Díc. de la zona batimétrica marina que comprende los fondos marinos entre 200 y 2 000 m de profundidad.
BATIBOLEO m. *Méx.* Bulla, batahola.
BATIBORRILLO o **BATIBURRILLO** m. Baturrillo.
BATICABEZA m. *Zool.* Coleóptero de cuerpo estrecho al que la disposición de las piezas de su esternón permite darse la vuelta cuando cae de espaldas.
BATICOLA f. Correa sujeta al fuste trasero de la silla de montar, terminada en un ojal por donde entra la cola. Ataharre. *Bol.* Taparrabos. • **Ser de la b. floja.** *Perú.* Se aplica a la mujer de costumbres ligeras. • **Tener la b. floja**. *Perú.* fam. Tener diarrea.
BATIDERA f. Instrumento a manera de azada, que se emplea para mezclar la cal con la arena y el agua al hacer la argamasa. • Instrumento con que se cortan los panales al catar las colmenas.
BATIDERO m. Continuo golpear de una cosa con otra. • Lugar donde se bate. • Terreno desigual que hace molesto el movimiento de los carruajes. • pl. *Mar.* Pedazos de tabla que se ponen en la parte inferior de las bandas del tajamar. • *Mar.* Refuerzo que se pone a las velas en los sitios que pueden rozar con las cofas, crucetas, etc.
BATIDO, DA adj. Aplícase a los tejidos de seda que resultan con visos distintos. • Aplícase al camino muy andado y trillado. • m. Masa de que se hacen bizcochos. • Claras, yemas o huevos batidos. • Bebida hecha batiendo leche con un helado, fruta, etc.
BATIDOR, RA adj. Que bate. • m. y f. Instrumento para batir manjares, bebidas, etc. • m. Explorador que descubre y reconoce el campo o el camino. • Peine claro de púas. • El que levanta la caza. • *Argent.* Delator. • *Guat., Hond.* y *Méx.* Chocolatera, vasija en que se bate el chocolate. • **de oro,** o **plata.** El que hace panes de oro o plata para dorar o platear.
BATIENTE adj. Que bate. • m. Parte del cerco de las puertas y ventanas en que baten cuando se cierran. • Lugar donde la mar bate el pie de una costa o de un dique. • En los claves y pianos, listón de madera forrado de paño en el que baten los macillos. • *Mar.* Canto vertical de las portas de las baterías.
BATIÉRGIDO, DA adj. y s. Mamíferos de la familia batiérgidos. • m. pl. *Zool.* Familia de mamíferos roedores africanos que tienen ojos y oídos relativamente atrofiados.
BATIHOJA m. Batidor de oro o plata. • Artífice que a golpes de mazo labra metales, reduciéndolos a láminas.
BATILONGO m. *Cuba.* Bata larga de mujer.
BATIMÁN m. Mov. rápido de los brazos mientras se habla. • En danza, mov. que se realiza alzando una pierna y llevándola hacia la otra.
BATIMETRÍA f. Estudio de los fondos marinos y de la distribución de los animales y plantas en sus distintas capas o zonas. ■ BATIMÉTRICO, CA.
BATÍMETRO m. Instrumento para medir la profundidad de los fondos marinos.
BATÍN m. Bata para estar en casa.
BATINTÍN m. Plato o caldero suspendido verticalmente, que se golpea con una bola cubierta de lana, fija en el extremo de un palito. • Gong.
BATIPELÁGICO, CA adj. Díc. de la región marina comprendida por debajo de los 100 m. Relativo a esta región.
BATIPNEA f. *Med.* Respiración profunda.
BATIPORTE m. *Mar.* Canto alto o bajo de la porta de una batería.
BATIR tr. Golpear. • Arruinar, echar por tierra alguna pared, edificio, etc. • Hablando de la tienda o el toldo, recogerlo, desarmarlo. • Hablando del sol, el agua o el aire, dar en una parte sin estorbo alguno. • Mover con ímpetu alguna cosa. • Mover y revolver alguna cosa para que se condense o trabe, o para que se liquide o disuelva. • Martillar una pieza de metal hasta reducirla a chapa. • Peinar el pelo hacia arriba. • Ajustar y acomodar las resmas de papel. • Derrotar al enemigo. • Acuñar moneda. • Con voces como *campo, monte*, etc., reconocer, recorrer. • Registrar un lugar en busca de enemigos, delincuentes o sospechosos. • *Enc.* Golpear con mazo o martillo el volumen para disminuir su grosor y hacer que desaparezca el resalto de la impresión. • *Argent.* y *Ur.* Delatar, denunciar. • prnl. Combatir, pelear. • Abatirse, descender el ave de rapiña. ■ BATIDA; BATIMIENTO.
BATISCAFO m. Nave de inmersión para explorar las profundidades marinas.
BATISFERA f. Aparato de inmersión submarina unido a un buque mediante un cable.

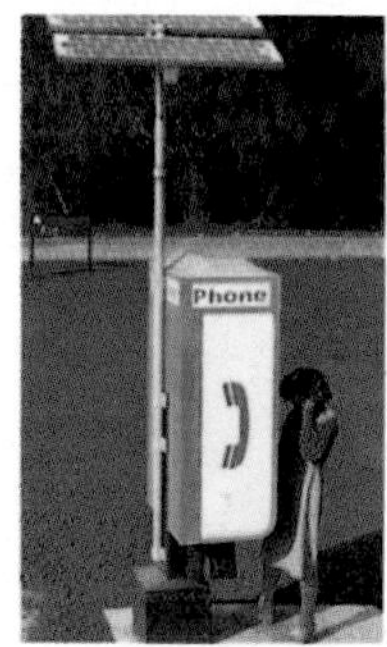

Cabina telefónica alimentada por **baterías solares**

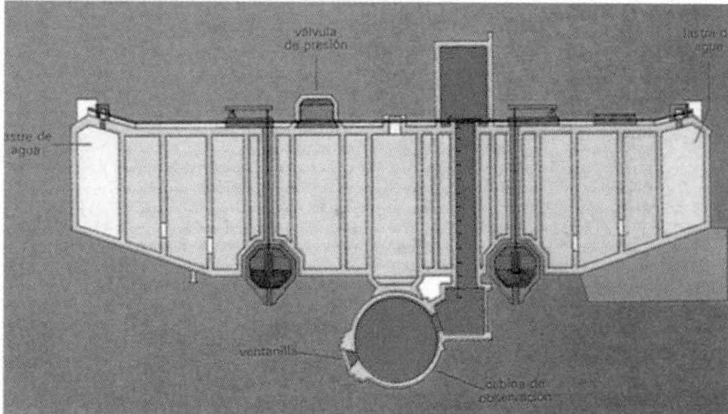

Sección esquemática de un **batiscafo**

BATISTA f. Lienzo fino muy delgado.
BATISTA, ***Fulgencio*** (1901-1973) Político y mil. cub. Presid. en 1940-1944, y luego en 1952 ejerció una férrea dictadura hasta ser derrocado por Fidel Castro en 1959.
BATITERMÓGRAFO m. Instrumento oceanográfico para medir y registrar las variaciones de la temperatura en función de la profundidad.
BATLLE, ***Lorenzo*** (1810-1887) Mil. y político ur. Presid. de la rep. (1868-1872) por el Partido Colorado. • **Berres,** ***Luis*** (1897-1964) Político ur. Presid. de la rep. a la muerte de Berreta (1946) y en 1954 y 1955. • **Ibáñez,** ***Jorge*** (nacido 1927) Político ur. Diputado y senador por el Partido Colorado, en 1999 fue elegido presid. de la rep. • **Planas,** ***Juan*** (1911-1966) Pintor arg. de origen esp. Tendencia surrealista. • **Y Ordóñez,** ***José*** (1856-1929) Político ur., hijo de Lorenzo B. Presid. de la rep. (1903-1907 y 1911-1915) por el Partido Colorado.
BATMAN Personaje de cómic creado en 1939 por Bob Kane.
BATO m. Hombre tonto o torpe.
BATOFOBIA f. Temor patológico a las profundidades y al vacío.
BATOJAR tr. Derribar con vara los frutos de los árboles.

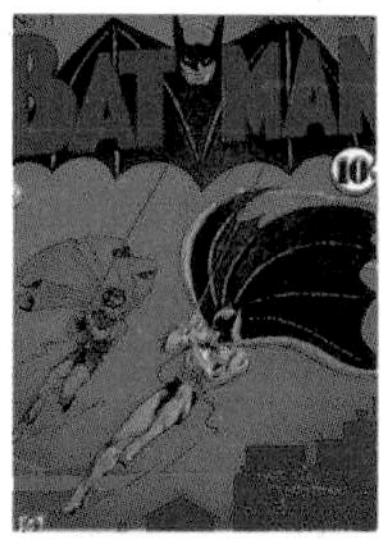

Portada de un cómic de aventuras de **Batman**

Charles **Baudelaire,** por Courbet

BATOLITO m. *Geol.* Gran masa rocosa, formada básicamente por granito.
BATOLOGÍA f. *Ret.* Repetición inmotivada de palabras.
BATÓMETRO m. Aparato para medir la profundidad del mar.
BATON ROUGE C. del S de los EE UU, cap. del est. de Luisiana; 219 500 hab. Refinerías de petróleo. Centro de comunicaciones.
BATRACIO, CIA adj. y m. Anfibio.
BATRES Jáuregui, ***Antonio*** (1847-1930) Político y escritor guat. *La América Central frente a la Historia.* • **Montúfar, *José*** (1809-1844) Poeta y cuentista guat. *Tradiciones de Guatemala.*
al-BATTANI (858-929) Astrónomo ár., conocido en la Europa medieval por ALBATENIUS.
BATTENBERG Familia de condes al. extinguida hacia 1314 y cuyo título fue restablecido de nuevo en 1851. En 1858 se concede a los B. el título de príncipes. • ***Luis Alejandro de*** (1854-1921), MARQUÉS DE MILFORD HAVEN, cambió en 1917 su nombre al. por el brit. de *Mountbatten.*
BATUMI C. de Georgia, cap. de la rep. autón. de Adjaristán; 132 000 hab.
BATUQUEAR tr. *Amér.* Mover con ímpetu.
BATURRILLO m. Mezcla de cosas que no guardan orden.
BATURRO, RRA adj. y s. Rústico aragonés. adj. Relativo al baturro ■ BATURRADA.
BATUTA f. Vara delgada y corta con la que el director de una orquesta indica el compás.
BATY, ***Gaston*** (1885-1952) Autor y director teatral fr. Adaptó a la escena *Crimen y castigo* y *Madame Bovary.* Como autor, se le deben *Dulcinea* y *Vida del teatro desde sus orígenes hasta nuestros días.*
BAUCHANT, ***André*** (1873-1958) Pintor *naif* fr. Realizó decorados para los ballets de Diaghilev.
BAUDEAU, ***Nicolás*** (1730-1792) Economista fr., seguidor de las teorías de Quesnay. *Primera introducción a la filosofía económica.*
BAUDELAIRE, ***Charles*** (1821-1867) Poeta fr., de gran influencia en la poesía actual. *Las flores del mal, Pequeños poemas en prosa, Los paraísos artificiales, La Fanfarlo.*

Bautismo en el río, rito de la iglesia baptista

BAUDIO m. *Comp.* Unidad de velocidad de transmisión de la información, equivalente a un bit por segundo.
BAUER, ***Bruno*** (1809-1882) Filósofo y crítico al., discípulo de Hegel. Amigo personal de Marx y componente destacado de la izquierda hegeliana. *El cristianismo descubierto, El cristianismo a partir del helenismo romano.* ***Otto*** (1881-1938) Político austr., dirigente de la II Internacional y fundador del partido socialdemócrata.
BAUHAUS (al., «casa de la construcción») Escuela de arte fundada por W. Gropius en Alemania en 1919. Pretendía suprimir las diferencias entre artistas y artesanos y defendía el trabajo en equipo. Derivó hacia el diseño industrial.
BAÚL m. Cofre. • fig. y fam. Vientre. • **mundo.** El grande y de mucho fondo. ■ BAULERO.
BAUM, ***Vicki*** (1888-1960) Escritora austr. Algunas de sus novelas —*Gran Hotel, La carrera de Doris Hart*— han sido llevadas al cine.
BAUMÉ adj. *Quím.* Díc. de ciertos grados densitométricos, utilizados para determinar concentraciones de disoluciones.
BAUMEISTER, ***Willi*** (1889-1955) Pintor al., Sus *Mauerbilder* (cuadros murales), son un intento de fusión de la pintura y el muro en busca de las formas cubistas.
BAUMGARTEN, ***Alexander Gottlieb*** (1714-1762) Filósofo al., seguidor de la escuela racionalista de Leibniz y Wolff. Sus aportaciones prales. se centran en la estética.
BAUPRÉS m. *Mar.* Palo grueso de la proa de los barcos.
BAUR, ***Ferdinand Christian*** (1792-1860) Teólogo protestante al., fundador de la escuela teológica de Tubinga.
BAUSA f. *Perú.* Ocio, pereza.
BAUSÁN, NA m. y f. Figura de hombre rellena de paja y vestida con armadura. • fig. Persona boba. • adj. *Amér.* Ocioso.
BAUSERO, RA m. y f. *Perú.* Holgazán, haragán.
BAUTAIN, ***Louis*** (1796-1867) Filósofo y teólogo fr. Sus tesis fueron condenadas (1838) por la iglesia católica como fideísmo.
BAUTISMO m. *Rel.* Acto por el que una persona queda adscrita a una confesión religiosa. • **de fuego.** Entrar por primera vez en combate. • **de sangre.** Ser herido por vez primera en una acción bélica ■ BAUTISMAL.
BAUTISTA m. El que bautiza. • **El Bautista.** P. ant., san Juan, el precursor de Cristo.
BAUTISTA, ***Daniel*** (nacido 1952) Deportista mex. Medalla de oro en los Juegos Olímpicos de Montreal (1976), en la especialidad de 20 km marcha. • **Julián** (1901-1961) Compositor esp. Casi toda su obra está escrita en Argentina. Sinfonías, cuartetos de cuerda, una *Fantasía española para clarinete y orquesta, Juerga* (ballet) y los *Cuatro poemas gallegos.*
BAUTISTERIO m. Baptisterio.
BAUTIZAR tr. Administrar el sacramento del bautismo. • fig. Poner nombre a una cosa. • fig. y fam. Dar a una persona o cosa otro nombre que el que le corresponde. fig. y fam. Tratándose del vino, mezclarlo con agua . fig. y fest. Arrojar sobre una persona agua u otro líquido ■ BAUTIZO.
BAUXITA f. *Miner.* Roca sedimentaria rojiza formada por hidratos de aluminio, óxidos de hierro y silicatos de aluminio. Constituye la pral. fuente para la obtención del aluminio (por electrólisis), y se utiliza también para fabricar abrasivos y productos químicos. Los principales yacimientos se encuentran en Jamaica y Surinam.
BAUZÁ, ***Ramón*** (1894-1969) Escultor ur. Realizó monumentos. *Palero, Meditación,* monumento a *Bartolomé Hidalgo.*
BAVIERA *(Bayern)* El más extenso de los est. de la Rep. de Alemania, sit. al SE de la misma limitando con Austria y la Rep. Checa; 70 554 km^2; 10 450 000 hab. Cap., Munich. C. prales.: Nuremberg, Augsburgo, Ratisbona, Wurzburgo. Río Danubio. Montes de la selva de Franconia, macizo de Fichtelgebirge y los Alpes. Ganadería y agricultura.
* *Hist.* Ducado (788-1805) con las dinastías de los Güelfos y de los Wittelsbach. Reino desde 1806, se adhirió al imperio al. hasta 1918, que adoptó el régimen republicano. Fue foco del nazismo y en 1945 se convirtió en *land* de la RFA, hasta la reunificación alemana el 3 de octubre de 1990.
BAX, SIR ***Arnold Edward Trevor*** (1883-1953) Compositor brit. *Autor de En las colinas de las hadas, Tintagel, Bosques de noviembre* (poemas sinfónicos), sinfonías y piezas para piano y música de cámara.
BAYA f. *Bot.* Fruto que contiene semillas rodeadas de pulpa. • Planta liliácea, cuyo bohordo produce en su extremidad florecitas azules. • *Cuba.* Molusco marino con dos valvas. • *Cuba.* Especie de güiro. • *Chile.* Chicha de uva.
BAYACETO I (1347-1403) Sultán de los turcos otomanos desde 1389, conquistó Bulgaria y Asia Menor. Venció a los cruzados (1396) en Nicópolis.
BAYADERA f. Bailarina y cantante de la India.
BAYAGUANA Mun. de la República Dominicana, en la prov. de San Cristóbal; 20 500 hab. Arroz.

Baviera. Vista de la Marienplatz de Munich

BAYAHONDA f. *R. Dom.* Acacia.
BAYAL adj. Dic. de una variedad de lino. • m. Palanca usada en las tahonas para volver las piedras de un lado a otro.
BAYAMO C. de Cuba, cap. de la prov. de Granma; 139 000 hab. Caña de azúcar, arroz, tabaco, café.
BAYAMÓN C. del N de P. Rico, cap. del distr. hom.; 214 900 hab. Azúcar, tabaco. Fábricas de papel, materiales para la construcción, transformados metálicos.
BAYANISMO m. Doctrina propugnada en el s. XVII por Miguel de Bayo.
BAYAR, ***Celal*** (1884-1986) Político turco. Colaboró con Kemal Atatürk y fundó, en 1946, el partido demócrata.
BAYARD, ***Pierre du Terrail,*** SEÑOR DE (1475-1524) Soldado fr. Hábil jefe militar, recibió el sobrenombre de «el caballero sin miedo y sin tacha».
BAYBARS (1223-1277) Cuarto sultán mameluco [1260-1277]. A la caída del califato abasí, en 1258, reconoció por califa en El Cairo a Abu-l-Qasim Ahmad al-Mustansir.
BAYETA f. Tela de lana poco tupida. • Trapo de fregar el suelo.
BAYETÓN m. Tela de lana con pelo.
BAYEU, ***Francisco*** (1734-1795) Pintor esp., muy influyente en su época, ejerció gran ascendiente sobre su cuñado Goya. Frescos (Palacio Real de Madrid, Pilar de Zaragoza). Su hermano ***Ramón*** (1746-1793) fue pintor del rey. Cartones para tapices (*El choricero*, *El majo de la guitarra*).
BAYLE, ***Pierre*** (1647-1706) Escritor fr. *Diccionario histórico y crítico.*
BAYLEY, ***Edgar*** (nacido 1919) Poeta arg. Dirigió la revista *Arturo*, en la que impulsaba una lírica vanguardista. *En común, La vigilia y el viaje*. • ***Samuel*** (1791-1870) Economista brit., opuesto a las teorías de Ricardo. *Disertación crítica sobre la naturaleza, medida y causas del valor.*
BAYLISS Maddock, SIR ***William*** (1860-1924) Fi-
ólogo brit. Descubrió, junto con E. Starling, la se-
ina.
O, YA adj. y s. De color blanco amarillento.
lica más comúnmente a los caballos. • m. Ma-
del gusano de seda, usada como cebo.
Alberto (1899-1967) Militar. esp. Colabo-
idel Castro en la insurrección de Sierra
• ***Ciro*** (1859-1939) Escritor esp. *El pe-*
entretenido, Lazarillo español. • ***Miguel***
do MICHEL DE BAY (1513-1589) Teólogo fr., precursor de Jansenio. Urbano VIII condenó su doctrina, el bayanismo.
BAYONA *(Bayonne)* C. del SO de Francia, en el dpto. de Pyrénées-Atlantiques, a orillas del Adour; 120 000 hab. (agl. urb.). En ella se fabricaron las primeras bayonetas, en el s. XVII.
BAYONA Posada, ***Daniel*** (1886-1919) Escritor col. Formó parte de la «generación del centenario». *Contraste, Pasión.*
BAYONETA f. Arma blanca complementaria del fusil. • *Cuba*. Arbusto usado en cordelería. • **A b. loc.** adv. con que se designa la manera de encajar una pieza a presión en otra. ■ BAYONETAZO.
BAYREUTH C. de Alemania, en Baviera; 70 600 hab. Ind. textil y mecánica. Teatro construido por Luis II.
BAYÚ m. Cuba. Casa o reunión indecente.
BAYUCA f. fam. Taberna.
BAYUNCO, CA adj. *Amér. Centr.* Grosero.
BAZ, ***Ignacio*** (1826-1887) Pintor arg. Retratista.• ***Juan José*** (1820-1887) Político mex. Defendió la cap. de la invasión de EE UU. Ministro de la Gobernación (1872-1876).
BAZA f. Número de cartas que en ciertos juegos de naipes recoge el que gana la mano. • **Meter b.** fig. y fam. Intervenir en un asunto sin haber sido llamado. • **No dejar meter b.** fig. y fam. Hablar una persona de modo que no deje hablar a otra.
BAZAINE, ***François Achille*** (1811-1888) Mariscal fr. Jefe del cuerpo expedicionario en México. Murió en Madrid. • ***Jean*** (nacido 1904) Pintor fr. Mosaico monumental en el edificio de la UNESCO en París. Gran premio de las Artes de Francia.

Bayas de enebro

El paseo de las Delicias en Madrid, lienzo de Francisco **Bayeu**. Museo del Prado, Madrid

BAZÁN, ***Álvaro de,*** SEGUNDO MARQUÉS DE SANTA CRUZ (1571-1646) Marino esp. nacido en Nápoles. Desde 1615, capitán gral. de galeras y, en 1630, gobernador del Milanesado. • ***Armando*** (nacido 1907) Escritor per. *La urbe doliente* (poesía) y *Unamuno y el marxismo* (ensayo).
BAZAR m. En Oriente, mercado público. • Tienda en que se venden productos diversos.
BAZIL, ***Osvaldo*** (1884-1946) Poeta dom. *Rosales en flor*, *Campanas de la tarde*, *Remos en la sombra.*
BAZILLE, ***Frédéric*** (1841-1870) Pintor fr. Precursor del impresionismo. *El vestido rojo*, *Reunión de familia*.
BAZIN, ***André*** (1918-1958) Crítico cinematográfico fr., fundador de la revista *Cahiers du cinéma.*
BAZO, ZA adj. De color moreno y que tira a amarillo. • m. *Anat.* Organo impar parecido a una glándula, situado en la parte posterior izquierda del abdomen, entre el riñón izquierdo, el diafragma y las falsas costillas. Desempeña un papel imp. en la defensa del organismo, pues desintegra los glóbulos rojos, dejando en libertad hemoglobina que el hígado excreta en forma de bilirrubina.
BAZOFIA f. Desechos de comida. • Comida mala.
BAZOOKA (voz ing.) m. *Mil.* Arma portátil lanzagranadas contra tanques.
BAZUCA m. *Mil.* Bazooka.
BAZUCAR o **BAZUQUEAR** tr. Revolver un líquido moviendo el recipiente en que está. • Traquetear o agitar.

François Achille **Bazaine**

Portada del álbum *Rubber Soul* de The **Beatles**

BAZZANO, *Hamlet* (nacido 1886) Científico ur. Director del Observatorio Nacional. *Estudios sobre el Río de la Plata y movimientos de sus aguas.*
BBC (*British Broadcasting Corporation*) Siglas de la empresa estatal brit. de radiodifusión y televisión.
BCG Vacuna antituberculosa obtenida por Calmette y Guérin.
Be *Quím.* Símb. del berilio.
BE f. Nombre de la letra *b.* • Onomatopeya de la voz del carnero y de la oveja. • m. Balido.
BEAGLE m. Perro de raza emparentada con los perros salchicha.
BEAGLE Nave de vela brit. que durante una expedición científica a Sudamérica (1831-1836) llevó a bordo a Charles Darwin.
BEAGLE Canal interoceánico del extremo meridional de América del Sur, entre la isla Grande de Tierra del Fuego por el N y las islas Gordon, Hoste, Navarino, Picton y Nueva por el S; 182 km de long. y de 2 a 3 km de anchura.
BEAMONTÉS, SA adj. y s. Ant. facción de Navarra, enemiga de los agramonteses, que acaudillaba el condestable don Luis de Beaumont.
BEARD, *Charles Austin* (1874-1948) Economista e historiador norteam. *Una interpretación económica de la constitución de Estados Unidos.*
BEARDSLEY, *Aubrey Vincent* (1872-1898) Dibujante brit. Creó el llamado estilo decadentista inglés. Ilustró obras de Wilde y Poe.
BÉARN Región histórica del S de Francia. Cap., Pau. Ocupa la parte oriental del actual dpto. de Pyrénées-Atlantiques.
BEARNÉS, SA adj. y s. De Béarn. • m. *Ling.* Subdialecto occitano hablado en Béarn.
BEAT Generation (ing., «generación vencida») Mov. literario norteam., surgido hacia 1950, que propugna el culto a la espontaneidad y se opone a los convencionalismos.
BEATA f. Mujer que viste hábito religioso y vive en su casa con recogimiento. • La que vive con otras bajo cierta regla. • fam. Mujer que frecuenta los templos. ■ BEATERÍA.

Página miniada de los *Comentaria ad Apocalypsim* del **Beato de Liébana**

BEATERIO m. Casa en que viven las beatas. • Conjunto de personas beatas.
BEATIFICAR tr. Hacer feliz a alguno. • Hacer venerable una cosa. • Declarar el Sumo Pontífice que se puede dar culto a alguien ■ BEATÍFICO, CA.
BEATITUD f. Bienaventuranza eterna. • Tratamiento honorífico de algunos patriarcas de la iglesia oriental católica y también del máximo jerarca de la iglesia cismática.
BEATLES, *The* Conjunto musical brit., muy popular en la década de los 60. Lo formaban Ringo Starr, Paul Mc Cartney, George Harrison y John Lennon (este último asesinado en 1980).
BEATNIK (voz ing.) adj. y s. Partidario de un movimiento juvenil que en la década 1960-1970 manifestó rebeldía contra la sociedad.
BEATO, TA adj. y s. Feliz o bienaventurado. • Persona beatificada por el Sumo Pontífice. • Que se ejercita en obras de virtud y se abstiene de diversiones. • fig. Que afecta virtud. • m. El que viste hábito religioso sin seguir regla determinada. • fam. Hombre que frecuenta mucho los templos.
BEATO de Liébana (m. 798) Monje asturiano. Combatió el adopcionismo. *Comentaria ad Apocalypsim.*
BEATRIZ Portinari (1266-1290) Dama florentina inmortalizada por Dante, en la *Divina Comedia.*
BEAUCHAMP, Pierre-Joseph de (1752-1801) Astrónomo y cartógrafo fr. Realizó el levantamiento cartográfico del mar Negro y de la cuenca del Nilo.
BEAUFORT, *mar de* Sector del océano Ártico entre el arch. Ártico y las costas de Alaska y las del extremo NO de Canadá.
BEAUFORT, *Henry* (1377-1447) Cardenal ing., hermano de Enrique IV. Presidió el tribunal que condenó a Juana de Arco a la hoguera.
BEAUHARNAIS, *Alexandre,* VIZCONDE DE (1760-1794) General fr. Estuvo casado con Josefina, la futura emperatriz. Su hijo ***Eugène*** (1781-1824) acompañó a Napoleón en la campaña de Egipto.
BEAUJOLAIS Ant. región de Francia (actualmente en el dpto. del Ródano, en su mayor parte), célebre por sus vinos. C. prales.: Beaujeu, Villefranche-sur-Saône.
BEAUMARCHAIS, *Pierre Augustin Caron de* (1732-1799) Dramaturgo fr., autor de comedias. *El barbero de Sevilla, Las bodas de Fígaro.*
BEAUMONT, *Francis* (1584-1616) Dramaturgo ing. Escribió numerosas obras con John Fletcher. *El misógino, La tragedia de la doncella.*
BEAUNEVEU, *André* (s. XIV) Escultor y pintor fr. Trabajó en la decoración de palacios (castillo de Nieppe) y realizó estatuas (abadía de Saint-Denis) y mausoleos (tumba de Felipe VI).
BEAUVAIS C. de Francia, cap. del dpto. de Oise; 52 400 hab. Tapices.
BEAUVOIR, *Simone de* (1908-1986) Escritora fr. Plantea el existencialismo sartriano en *La sangre de los demás* y *Todos los hombres son mortales,* y el feminismo en *El segundo sexo.*
BEAUX, *Cecilia* (1855-1942) Pintora retratista norteam. *Clemenceau, Lord Beatty.*
BEAVERBROOK, *William Maxwell Aitken* (1879-1964) Político brit. Después de la I Guerra Mundial adquirió el *Daily Express*, el periódico de mayor tirada del mundo. Durante la II Guerra Mundial adaptó la ind. brit. a las exigencias bélicas.
BEBE, BA m. y f. *Amér. Merid.* Bebé.
BEBÉ m. Nene, niño muy pequeño.
BEBEDERO, RA adj. Bueno para beber. • m. Vaso en que se echa la bebida a las aves domésticas. • Paraje a donde acuden a beber los animales. • Pico saliente de algunas vasijas y que sirve para beber. • Abrevadero. pl. • Pedazos largos de tela que se ponen en los extremos del vestido para reforzarlos.
BEBEDIZO, ZA adj. Potable. • m. Bebida qu
da por medicina. • Bebida que se decía tener v
para producir amor. • Bebida confecciona
veneno.
BEBEL, *August* (1840-1913) Político s
mócrata al. Se opuso a la política imperi
Bismarck, por lo que fue encarcelado. •
(1472-1518) Humanista al., amigo de E
gran influencia en el Renacimiento.

BEBENDURRIA f. Reunión en la que se bebe mucho.

BEBER intr. y tr. Ingerir un líquido. • Brindar. • fig. Abusar de las bebidas alcohólicas. • tr. e intr. fig. Absorber, consumir. • fig. Recibir, admitir. • fig. Refiriéndose al juicio, trastornarlo. ■ BEBEDOR, RA; BEBESTIBLE; BEBIBLE; BEBIDO, DA

BEBEZÓN f. *Col.* y *Cuba.* Borrachera. • *Col.* y *Cuba.* Bebida alcohólica.

BEBIDA f. Líquido que se bebe. • Líquido compuesto, como la horchata o los medicinales, y especialmente los alcohólicos. • Hábito de tomar bebidas alcohólicas.

BEBIENDA f. Bebida, líquido que se bebe.

BEBISTRAJO m. fam. Mezcla extraña de bebidas. • fam. Bebida desagradable.

BEBORROTEAR intr. fam. Beber a menudo y en poca cantidad.

BECA f. Insignia que llevaban los colegiales sobre el manto. • Embozo de capa. • Especie de chía que usaban los clérigos. • Subvención económica para cursar estudios. ■ BECADO, DA; BECARIO, RIA.

BECACINA f. Becada.

BECADA f. Ave caradriforme de la familia escolopácidos, de carne muy apreciada. Llamada también *chocha perdiz,* o simplemente *chocha.*

BECAFIGO m. Papafigo.

BECAR tr. Sufragar o conceder a alguien una beca.

BECCARIA, ***Cesare*** (1738-1794) Jurisconsulto y economista it., de gran influencia en la reforma del derecho penal. *De los delitos y las penas.*

BECERRA f. Vaca desde que deja de mamar hasta que cumple un año. • *Bot.* Dragón.

BECERRA, ***Francisco*** (1546-1601) Arquitecto esp., residente en México y en Perú. Catedrales de Puebla, Santo Domingo de Quito, Lima y Cuzco; palacio virreinal de Lima; fuertes del Callao. • ***Gaspar*** (1502-1570) Pintor y escultor manierista esp. Retablo mayor de la catedral de Astorga; frescos en el palacio del Pardo. • ***Gustavo*** (nacido 1925) Compositor chil. *Sonatas, Sonatina en trío, Cuarteto.* • ***José Carlos*** (1937-1970) Poeta mex. *Oscura palabra, Relación de los hechos,* etc.

BECERRILLO m. Piel de becerro curtida.

BECERRO m. Toro desde que deja de mamar hasta que cumple un año. • Piel de ternero curtida. • Libro en que las iglesias copiaban sus privilegios y pertenencias. • **de oro.** fig. Dinero, riquezas materiales. • **marino.** Foca. ■ BECERRADA; BECERRIL.

BECHAMEL m. Salsa hecha de harina, leche y mantequilla.

…as **Becket** en una miniatura
…la época

…1929) Filósofo al., en-
…. *Introducción a la fi-*

… Clarinete y saxo-
…rupo de «King»
… *Williams Blue*
… *mers.*
…ch (1857-
… Pavlov,
…nducta

BECHUANALANDIA → Botswana.

BECHUANO, NA adj. y s. Individuo de un grupo étnico africano bantú, distribuido por la República Sudafricana , N de Botswana y zonas de Namibia.

BECK, ***Jakob Siegmund*** (1761-1840) Filósofo al., discípulo de Kant. *Bosquejo de la filosofía crítica.*

BECKER, ***Jacques*** (1906-1960) Director cinematográfico fr. *París, bajos fondos, La evasión.*

BECKET, ***Thomas*** (1118-1170) Santo. Prelado ing., arzobispo de Canterbury. Entró en conflicto con Enrique II Plantagenet al defender las prerrogativas de la Iglesia. Murió asesinado por orden del rey.

BECKETT, ***Samuel*** (nacido 1906) Escritor irl., nacionalizado fr. Representante del «teatro del absurdo». Premio Nobel de Literatura en 1969. *Esperando a Godot, Final de partida.*

BECKMAN, ***Max*** (1884-1950) Pintor al. Personajes melancólicos y enfermos o de circo. *Carromato de circo, Dos mujeres.*

BECOQUÍN m. Bicoquín, cofia.

BECOQUINO m. Ceriflor, planta.

BECQUE, ***Henry*** (1837-1898) Dramaturgo fr. Autor de melodramas y comedias. *Sardanápalo, El rapto, La parisiense.*

BÉCQUER, ***Gustavo Adolfo*** (1836-1870) Escritor romántico esp. Su obra maestra, *Rimas,* es una serie de breves poemas líricos muy conmovedores, pese a la parquedad del lenguaje. Prosa: *Cartas desde mi celda, Leyendas.*

BECQUEREL, ***Antoine-Henri*** (1852-1908) Físico e ingeniero fr. Premio Nobel de Física en 1903, con los esposos Curie, por sus descubrimientos sobre la radiactividad natural.

BECQUERELITA f. *Miner.* Óxido de uranio y calcio de color amarillo, que cristaliza en el sistema rómbico.

BECUADRADO m. *Mús.* Primera de las llamadas propiedades en el canto gregoriano.

BECUADRO m. *Mús.* Signo que expresa que la nota a que se refiere debe sonar con su entonación natural.

BEDA el Venerable (672-735) Santo. Benedictino anglosajón. *Historia eclesiástica de los anglos.*

BEDANO m. Escoplo grueso.

BEDAUX, ***Charles*** (1888-1944) Ingeniero fr., inventor de un método de racionalización y control horario del trabajo.

BEDEL m. En establecimientos de enseñanza, el encargado de mantener el orden fuera de las clases, de señalar la hora de entrada y salida, etc. ■ BEDELÍA.

BEDEL, ***Maurice*** (1883-1954) Escritor fr., de fino humorismo. *El laurel de Apolo, Jerónimo.*

BEDELIO m. Gomorresina de olor suave y sabor amargo, procedente de árboles burseráceos de la India, Arabia y NE de África. Usada en medicina.

BEDFIRD C. de Gran Bretaña, cap. del Bedforshire; 74 200 hab. Ind. del automóvil.

BÉDICERE, ***Joseph*** (1864-1938) Medievalista fr. Sostuvo la tesis de la creación literaria individual de los cantares de gesta. *Las leyendas épicas.*

BEDMAR, *Alfonso de la Cueva,* MARQUÉS DE (1572-1655) Diplomático esp. Embajador en Venecia. En 1618, acusado de participar en una conjuración contra el dux, huyó a Milán. En 1622 fue nombrado cardenal.

BEDÓN, FRAY ***Pedro*** (1556-1621) Religioso dominico y pintor ecuat. Maestro de la «escuela quiteña». Fundó varios conventos y escribió libros religiosos.

BEDOYA, ***Manuel*** (1888-1942) Escritor per. *La ciudad de las brujas, La ronda de los muertos.*

BEDREGAL, ***Juan Francisco*** (1883-1944) Escritor bol. *La máscara de estuco, En serio y en broma, Figuras animadas.* • ***Yolanda*** (nacida 1916) Poetisa, novelista y escultura bol., hija del anterior. *Bajo el oscuro sol* (novela); *Nadir, Del mar y la ceniza* (poesía).

BEDUINO, NA adj. y s. Árabes nómadas del desierto, que habitan en África del NE y en el Oriente Medio.

BEECHER-STOWE, ***Harriet Elizabeth*** (1811-1896) Escritora norteam., autora de *La cabaña del tío Tom,* en favor de los esclavos negros.

Becada

Max **Beckman**

Beduino

Ludwig van **Beethoven**

Menahem **Begin**

Begonia

Bejín

BEER, ***August*** (1825-1863) Físico al., descubridor de la ley que lleva su nombre, para calcular la cantidad de luz transmitida por una sustancia absorbente.
BEERNAERT, ***Auguste Marie François*** (1829-1912) Político belga, adscrito al partido católico. Presid. de la cámara de diputados (1895). Premio Nobel de la Paz en 1909.
BEERY, ***Wallace*** (1885-1949) Actor cinematográfico norteam. *Los cuatro jinetes del Apocalipsis, La isla del tesoro, Viva Villa.*
BEETHOVEN, ***Ludwig van*** (1770-1827) Compositor al. Vivió en Viena, donde desarrolló un vigoroso estilo sinfónico. Innovador en la forma (creó el *scherzo*), e inquieto en la instrumentación y en la armonía, conmueve por su humanismo y facilita la aparición del romanticismo. Entre sus obras destacan 9 sinfonías, 5 conciertos para piano y 1 para violín, 32 sonatas y una variada producción de música de cámara, en la que sobresalen los cuartetos de cuerda en los que la expresividad y el carácter innovador del músico al. se manifiestan en su mayor pureza.
BEFA f. Grosera expresión de desprecio.
BEFAR intr. Mover los caballos el befo. • tr. Burlar, escarnecer.
BEFO, FA adj. y s. Belfo, que tiene más grueso el labio inferior que el superior. • De labios abultados y gruesos. • Zambo o zancajoso. • m. Belfo, labio de un animal. • Especie de mico.
BEGARDO, DA m. y f. Hereje de los ss. XIII-XIV que defendía la impecabilidad del alma humana cuando llega a la visión directa de Dios.
BEGGIATOALES o **BEGIATOALES** f. pl. *Biol.* Orden de bacterias marinas, que comprende a microorganismos de metabolismo sulfurado y que originan grandes filamentos.
BEGIN, ***Menahem*** (1913-1992) Político israelí. Premio Nobel de la Paz en 1978, junto a Anwar el-Sadat. Fundador del partido derechista Likud.
BEGONIA f. *Bot.* Planta perenne, originaria de América, de la familia begoniáceas.
BEGONIÁCEO, A adj. y f. *Bot.* Plantas de la familia begoniáceas. • f. pl. *Bot.* Familia de plantas dicotiledóneas, propias de países tropicales.
BEGUINO, NA m. y f. Begardo, da.
BEGUM f. Título de algunas princesas indias.
BEHAIM, ***Martin*** (1459-1506) Geógrafo al. Construyó el primer globo terráqueo.
BEHANZIN (1844-1900) Rey de Dahomey en 1890. Cuando, en 1893, el general fr. Dodds conquistó el territorio, fue deportado.
BEHAVIORISMO m. *Psic.* Conductismo. Llamado también *psicología objetiva.* Entiende la conducta como la totalidad de las reacciones a un estímulo externo.
BEHETRÍA f. Población cuyos vecinos podían recibir por señor a quien quisiesen. • fig. Confusión.
BEHRENS, ***Peter*** (1868-1940) Arquitecto y decorador al., precursor del racionalismo. Maestro de Gropius y Mies van der Rohe, entre otros.
BEHRING, ***estrecho de*** → Bering, estrecho de.
BEHRING, ***Emil Adolf von*** (1854-1917) Bacteriólogo al. Demostró que el suero de un ser inmunizado contra una enfermedad infecciosa tiene el poder de inmunizar a otro. Premio Nobel de Medicina en 1901.
BEIDERBECKE, ***Leon Bismarck*** llamado BIX (1903-1931) Trompetista y pianista norteam. Influyó en todo el *jazz* blanco, en especial en el *dixieland.*
BEIGE (voz fr.) adj. y m. De color castaño claro.
BEIRA C. y puerto del centro-sur de Mozambique, en el estuario del Pungue. Cap. de la prov. de Sofala; 113 800 hab.
BEIRA, *María Teresa de Braganza,* PRINCESA DE (1793-1874) Infanta port. Viuda de Pedro Gabriel de Borbón, casó con el pretendiente carlista a la corona esp., Carlos María Isidro. Apoyó las tentativas absolutistas de su hermano Miguel en Portugal.
BEIRUT Cap. del Líbano; 938 900 hab. El mayor puerto del país y uno de los prales. de Oriente. Tres universidades. Desde 1975 se encuentra semidevastada a causa de la guerra civil.
BÉISBOL m. Juego entre dos equipos de nueve jugadores, en que éstos deben recorrer ciertos puntos o bases en combinación con el lanzamiento de una pelota. Muy popular en EE UU.
BEJA adj. y s. Individuo de un pueblo cusítico que vive al NE del Sudán. • *Ling.* Lengua hablada por dicho pueblo.
BEJARANO, NA adj. Facción que luchaba en Badajoz contra la de los portugalenses en tiempos del rey don Sancho el Bravo.
BÉJART, ***Maurice*** (nacido 1927) Bailarín y coreógrafo fr. Influido por Martha Graham, fundó en 1960 el Ballet del Siglo XX, con el que ha puesto en escena coreografías como *Pájaro de fuego* y *Arcanos.*
BEJÍN m. *Bot.* Hongo semejante a una bola, que encierra un polvo negro, usado en medicina. • Persona colérica.
BEJUCAL Mun. de Cuba, en la prov. de La Habana; 16 200 hab. Agricultura.
BEJUCO m. Nombre de diversas plantas tropicales, de tallos largos, usadas para ligaduras, jarcias, tejidos, muebles, bastones, etc. ■ BEJUCAL.
BEJUQUEAR tr. *Amér.* Varear, apalear.
BEJUQUEDA f. *Perú.* Paliza.
BEJUQUILLO m. Cadenita de oro usada como collar. • *Bot.* Ipecacuana, planta.
BEKESEY, ***George von*** (1899-1972) Físico norteam., especialista en fisiología del oído. Premio Nobel de Medicina en 1961.
BEL m. *Fís.* Unidad de potencia sonora. → Decibelio.
BEL CANTO loc. it. que designa la técnica del canto clásico.
BELA Kun (1886-1937) Revolucionario hung., fundador del partido comunista de su país. Exiliado en la URSS, fue víctima de las purgas estalinistas.
BELALCÁZAR, ***Sebastián de*** (1480-1551) Conquistador esp. Organizó la expedición a Quito y fundó Santiago de Guayaquil, Ampudia, Popayán y Neiva. Condenado a muerte por el cargo de crueldad para con los indios.
BELAU → Palaos.
BELAÚNDE, ***Víctor Andrés*** (1883-1966) Diplomático y ensayista per. Participó en las negociaciones de límites con Ecuador, Brasil y Bolivia. *El Cristo de la Fe y los Cristos literarios, Inquietud.* • **Terry,** ***Fernando*** (nacido 1912) Político per., fundador de Acción Popular. Presid. del país en dos periodos (1963-1968 y 1980-1985), el primero no lo concluyó debido al golpe militar del general Velasco.
BELAVAL, ***Emilio*** (1903-1973) Escritor puertorriq. *Cuentos de la Universidad, Cuentos para fomentar el turismo, Cuentos de la plaza fuerte.*
BELCEBÚ (heb., *Báal Zebub,* «Señor de las moscas») Dios de la c. filistea de Eqrón. En el N. T., jefe supremo de los demonios.
BELCHO m. Arbusto muy ramificado y sin hojas.
BELDAD f. Belleza, y más particularmente la de la mujer. • Mujer muy bella.
BELDAR tr. Aventar con el bieldo las mieses, etc., para separar del grano la paja.
BELDUQUE m. *Amér.* Cuchillo grande de hoja puntiaguda.
BELÉM C. del N del Brasil, cap. del est. de Pará; 1 246 000 hab. Puerto y centro com. de la Amazoni
Ind. alimentaria y química. Caucho y madera.
BELEMNITA f. *Pal.* Fósil constituido por l
tremidad del hueso de una clase extinguida
falópodos.
BELEMNITES m. *Pal.* Orden de cefaló
siles, que alcanzó su máximo desarrol
el jurásico y el cretácico.
BELÉN m. fig. Nacimiento, en la ace
presentación del de Jesucristo. • fig. y
que hay mucha confusión.
BELÉN C. de Jordania, en las m
24 100 hab. Lugar de nacimie
BELEÑO m. *Bot.* Planta
fruto capsular con semilla
BELEÑO, ***Joaquín*** (n
De sus obras sobresale
de Gamboa.
BELÉRICO m. M
BELEROFONT
y venció a la Q
BELFAST
orillas del
industrial
taria y m

Beleño

BELFO, FA adj. y s. Díc. del que tiene más grueso el labio inferior, como suelen tenerlo los caballos. • m. Cualquiera de los dos labios del caballo y otros animales.

BÉLGICA *(Royaume de Belgique; Koninkrijk België)* Estado de Europa occidental, limítrofe con los Países Bajos al N y NE, Alemania y Luxemburgo al E y Francia al S; monarquía; 66 km de costas bajas, arenosas y rectilíneas en el mar del Norte. En la zona SE se levanta el macizo de las Ardenas. El Mosa atraviesa el país de SO a NE y en el NO el Escalda riega la llanura de Flandes. Básicamente industrial, aunque con imp. recursos agrícolas y ganaderos. Clima marítimo con abundantes brumas, temperaturas uniformes y moderadas. Lenguas: francés y neerlandés (oficiales), y alemán. *Rel.*: catól. (95 %), protestantes (0,5 %). U. M.: euro. Cap., Bruselas. C. prales.: Amberes, Lieja, Brujas.

* *Hist.* Roma conquistó este territorio en el año 57 a. C. Invadido por los francos en el s. V, pasó posteriormente a los reinos merovingio y carolingio, y en el tratado de Verdún (843) se repartió el país entre Francia y Lotaringia. Dividido en condados y ducados, en la E. Med. conoció una gran prosperidad. En 1477, se establecieron allí los Habsburgo y, en 1520, comenzó la dominación por parte de la rama española de esta dinastía. La pol. absolutista de Felipe II provocó la secesión de las regiones septentrionales de los Países Bajos en 1581, pero Bélgica siguió unida a España hasta 1714, en que pasó a manos austríacas hasta 1795. En los ss. XVII y XVIII, las guerras fronterizas delimitaron el territorio de la actual Bélgica, en la que quedaban englobadas dos comunidades (flamencos y valones) distintas en lengua, pero iguales en religión (católica). Tras un periodo de sometimiento a Holanda, en 1831 consiguió la indep. y ofreció la corona a Leopoldo de Sajonia-Coburgo. Durante el reinado de Leopoldo II (1865-1909) se inició el desarrollo económico y se comenzó a colonizar el Congo. En 1914, reinando Alberto I (1909-1934), B. se vio envuelta en la I Guerra Mundial pese a su declaración de neutralidad. Igualmente padeció las consecuencias de la II Guerra, sufriendo la invasión, que explotó en su beneficio las diferencias entre flamencos y valones. En 1951, Leopoldo III abdicó en su hijo Balduino I. Al morir éste sin herederos, en 1993 le sucedió su hermano Alberto II. B. es miembro del Benelux desde 1948, de la OTAN (1949), de la Comunidad Económica Europea (1957) y de la Unión Europea (1993). En 1960 otorgó la indep. al Congo, aunque mantiene allí importantes intereses económicos. Desde 1945 se alternan en el poder socialcristianos y socialistas. Durante el mandato de Jean-Luc Dehaene (elegido en 1992 y reelegido en 1995) se avanzó en la solución del problema franco-valón: en febrero de 1993 se votó la reforma de la constitución, estableciéndose B. como un Estado federal con tres regiones: Flandes, Valonia y Bruselas y la división en dos de la provincia de Brabante.

* *Arte.* En la E. Med. y en el Renacimiento floreció el arte flamenco, destacando, en arquitectura, el neoclasicismo (s. XIX) de Van der Straeten, Roelandt y Suys; el funcionalismo (s. XX) de Bourgeois y Stynen; en escultura, el impresionismo de Rikwonters y Minne, en pintura, la escuela romántica (Wiertz, Wappers y De Keyzer), realista (Ensor, Evenepael y Rick) y expresionista de Permeke, Smet y Brusselmans. En el s. XX los surrealistas, R. Magritte y P. Delvaux.

* *Lit.* En lengua fr. destacaron a mediados del s. XIX, Octave Pirmez y Charles de Coster. Hacia 1880 se produjo una eclosión literaria en la que sobresale M. Maeterlinck. En el s. XX cabe destacar a los novelistas: A. Baillon, C. Plisnier, G. Simenon y los poetas Michaux y Vandeputte. En flamenco destacan Villens, van Duyse y Conscience, en lo que respecta al s. XIX. Ya en el s. XX, los novelistas Stijn Streulves, Elsschot y los autores de cuentos Teirlinck, Timmermans y Claes; en poesía, van Woestijne, van Ostaije, Moens y Herreman.

BÉLGICA

Superficie	30 528 km²
Población	15 151 000 hab. (332 hab./km²)
Recursos económicos	
Cebada	416 000 t
Patatas	2 100 000 t
Remolacha azucarera	6 729 000 t
Trigo	1 536 000 t
Ganadería y derivados	
Cabaña bovina	3 369 000 cabezas
Cabaña ovina	150 000 cabezas
Cabaña porcina	7 053 000 cabezas
Riqueza forestal	4 340 000 m³
Pesca	34 591 t
Producción minera	
Gas natural	1,4 millones de m³
Lignito	753 000 t
Producción industrial	
Acero	11 606 000 t
Ácido sulfúrico	1 593 000 t
Cemento	7 569 000 t
Cobre refinado	371 200 t
Fertilizantes	70 000 t
Hierro colado	9 199 000 t
Hilaturas de algodón	47 200 t
Construcción naval	11 210 t
Indicadores sociológicos	
PNB	250 710 millones de dólares
Renta per cápita	24 710 dólares
Esperanza de vida	77 años
Alfabetismo	100 %

Mapa de situación y bandera de **Bélgica**

Bélgica. Vista parcial de la Grande Plaçe de Bruselas

Manuel **Belgrano**

BELGRADO *(Beograd)* Cap. de la rep. de Servia, en la confluencia de los ríos Danubio y Save; 1 470 100 hab. (agl. urb.). Cap. de Yugoslavia hasta su desmembración en 1992 y de la nueva Yugoslavia, no reconocida internacionalmente, a partir de esa fecha. Centro comercial e industrial. Universidad.
BELGRANO, ***Manuel*** (1770-1820) General arg. Derrotó a los realistas en Tucumán (1812) y en Salta (1813). Miembro del primer gobierno nac. Creador de la bandera arg.
BELIAYEV, ***Pavel Ianovich*** (nacido 1925) Cosmonauta sov. Comandante de la cabina *Vosjod 2*; el tripulante Leonov dio el primer «paseo espacial», el 18 de marzo de 1965.
BELICE *(Belize)* Est. de América Central, sit. en la costa del golfo de Honduras, en el mar Caribe; democracia representativa; limita con México y Guatemala. Llano en el N y montañoso en el S. Clima tropical. Litoral pantanoso y con manglares. Riqueza forestal y agrícola. Lenguas: ing. (of.) y esp. *Rel.*: catól. (94 %) y protestantes. U. M.: dólar de B. Cap., Belmopan, que sustituyó en 1970 a Belice, el pral. núcleo urbano.
**Hist.* Ant. posesión esp., a partir del s. XVII se instalaron los brit., presencia que reconoció España en 1763 y 1786. Gran Bretaña se autoadjudicó el terr. en 1862, pero Guatemala reivindicó el derecho al mismo. En 1981 accedió a la indep. En 1991, Guatemala renunció a su reivindicación sobre el terr., pero las relaciones entre ambos est. no se han normalizado.

BELICE

Superficie	22 965 km²
Población	189 000 hab. (8 hab./km²)
Recursos económicos	
Arroz	4 000 t
Banana	34 000 t
Maíz	20 000 t
Naranja	40 100 t
Nuez de coco	3 000 t
Pomelo	5 515 000 t
Riqueza forestal	188 000 m³
Pesca	1 512 t
Producción industrial	
Azúcar	108 000 t
Cerveza	32 000 hl
Indicadores sociológicos	
PNB	389 millones de dólares
Renta per cápita	2 050 dólares
Esperanza de vida	68 años
Alfabetismo	93 %

Mapa de situación y bandera de **Belice**

BELICE Río que nace en el dpto. guat. de El Petén, atraviesa Belice de SO a NE y desemboca en el Caribe. 240 km. • C. y puerto del est. hom., sit. en la desembocadura del r. del mismo nombre; 43 600 hab. Centro comercial.
BELICENSE adj. y s. De Belice.
BELICISMO m. Tendencia a promover conflictos armados. ■ BELICISTA; BÉLICO, CA; BELICOSO, SA; BELIGERANCIA; BELIGERANTE; BELÍGERO, RA.
BELIO m. *Fís.* Bel.
BELISARIO (494-565) General del emp. bizantino Justiniano. Salvó Constantinopla del ataque de los hunos.
BELÍSONO, NA adj. De ruido bélico.
BELITRE adj. y s. fam. Pícaro, bellaco.
BELL, ***Alexander Graham*** (1847-1922) Físico escocés establecido en EEUU. Inventor del teléfono.
BELLACO, CA adj. y s. Malo, ruin. • Astuto. adj. • *Argent.* Díc. de la cabalgadura que tiene resabios. ■ BELLACADA; BELLAQUEAR; BELLAQUERÍA.
BELLADONA f. *Bot.* Planta herbácea de la familia solanáceas. Se emplea como narcótico, antiespasmódico, estimulante cardíaco y para suprimir secreciones.
BELLASOMBRA f. Ombú, árbol.
BELLAY, ***Joachim du*** (1524-1560) Humanista y retórico fr., el más importante, después de Ronsard, de los poetas de la *Pléyade*. *Defensa e ilustración de la lengua francesa*, *Lamentaciones*.

Belladona

BELLE ISLE Estrecho que separa la isla de Terranova de la península de Labrador; 20 km de anchura.
BELLEAU, ***Rémi*** (1528-1577) Poeta fr., integrante de la Pléyade. *La pastoral*, *Los amores y nuevas metamorfosis de las piedras preciosas*, *La reconocida*.
BELLEGAMBE, ***Jean*** (1470-h. 1534) Pintor fr. *Leyenda de san Huberto*; *Santa Margarita* (abadía de Flinnes); pinturas de la catedral de Cambrai.
BELLEZA f. Conjunto de cualidades cuya contemplación produce deleite. • *Fil.* El concepto b. varía según la época o la corriente filosófica. En la actualidad, se considera bello aquello que se adapta a su funcionalidad. ■ BELLO, LLA.
BELLI, ***Carlos Germán*** (nacido 1927) Poeta per. Barroco y surrealista. *Oh, hada cibernética*, *Sextina y otros poemas*.
BELLIDO, DA adj. Bello, agraciado, hermoso.
BELLINI, ***Gentile*** (1420-1507) Pintor veneciano, discípulo de Mantegna. Retratista y pintor religioso. • ***Giovanni*** (1430-1516) Pintor veneciano, precursor de la escuela veneciana del s. XVI. Mural del Diluvio y el Arca de Noé para la *Scuola Grande* de San Marcos. • ***Vicenzo*** (1801-1835) Compositor de óperas it. *Norma*, *Los puritanos*.
BELLÍSIMA f. *Amér. Centr.*, *Ecuad.*, *Perú* y *Ven.* Planta trepadora con flores rosas y rojas.
BELLISTA adj. Relativo a la vida y obras de Andrés Bello. • adj. y s. Dedicado al estudio de las obras de Andrés Bello.
BELLO Mun. de Colombia, en el dpto. de Antioquia; 121 200 hab. Agricultura, ganadería.
BELLO, ***Andrés*** (1781-1865) Escritor ven., maestro de Simón Bolívar. Sus estudios gramaticales aún están vigentes y los jurídicos dieron como resultado el código civil de Chile. Sus poesías crearon un género poético nac. *Repertorio americano*, *Filosofía del entendimiento*. • **Codesido, *Emilio*** (1868-1965) Abogado y político chil. Organizó el Partido Liberal. Presid. de la Junta de Gobierno de 1925.
BELLOCCHIO, ***Marco*** (nacido 1939) Director cinematográfico it. *Los puños en el bolsillo*, *China está próxima*.
BELLOCQ, ***Adolfo*** (1899-1972) Grabador y pintor arg. Temática social. Uno de los grandes ilustradores del *Martín Fierro*.
BELLONI, ***José*** (1882-1965) Escultor ur. *La carreta*, *La diligencia*, *El entrevero*.
BELLOTA f. *Bot.* Fruto de la encina, del roble, del alcornoque y de otros árboles del mismo género. Se emplea para alimento de los cerdos. • Bálano, glande y crustáceo. • Botón o capullo del clavel sin abrir. • Vasija en forma de bellota en la que se echan bálsamos. • Adorno de pasamanería que consiste en una pieza de madera en forma de bellota, cubierta de hilo.
BELLOTE m. Clavo grande.
BELLOTEAR intr. Comer la bellota el ganado de cerda.
BELLOTERO, RA m. y f. Persona que coge o vende bellotas. • Tiempo en que se recoge la bellota y se ceban los cerdos. • Cosecha de bellotas.
BELLOTO m. *Chile.* Árbol lauráceo, cuyo fruto sirve de alimento a los animales.
BELLOW, ***Saul*** (nacido 1915) Periodista y escritor norteam. Premio Nobel de Literatura en 1976. *La víctima*, *Dangling Man*, *Herzog*, *Las aventuras de Augie March*.
BELMAR, ***Daniel*** (nacido 1906) Novelista chil. Adscrito al criollismo. *Coirón*, *tierra de los horizontes sumergidos*, *Desembocadura*.
BELMONDO, ***Jean Paul*** (nacido 1933) Actor cinematográfico fr. *Al final de la escapada*, *El hombre de Río*, *La sirena del Misisipí*.
BELMOPAN C. de Belice, cap. del est.; 2 900 hab.
BELO HORIZONTE C. del E de Brasil, cap. del est. de Minas Gerais; 2 049 000 hab. (agl. urb.) Centro minero e industrial. Facultad de Derecho. Escuela de minas. Ind. metalúrgica, textil, mecánica y química.
BELONIFORME adj. y m. *Zool.* Peces del orden beloniformes. • m. pl. *Zool.* Orden de teleósteos, gralte. marinos, con aletas pectorales de gran tamaño y aletas pélvicas en posición posterior.
BELT *(Baelt)* Nombre de dos estrechos (Grande y Pequeño), que unen el mar Báltico con el estrecho de Kattegat.
BELTRÁN, ***Alberto*** (nacido 1923) Dibujante y

grabador mex. Ilustró numerosos libros. Premio Nac. de Grabado en 1956 y 1958. • ***Enrique*** (nacido 1903) Biólogo mex. Fundador de la Estación de Biología marina del golfo y del Instituto Biotécnico. • ***Manuela*** (s. XVIII) Heroína de Nueva Granada. Inició un motín contra los nuevos impuestos del regente Gutiérrez de Piñeres. • ***Pedro*** (1897-1980) Político per. Dirigió poderosas patronales agrícolas, bancarias y periodísticas. Embajador en EEUU (1944-1945). Primer ministro y ministro de Finanzas, fue depuesto por un golpe militar (1961).

BELUCHI adj. y s. Individuo de un pueblo caucasoide de lengua irania que vive en Beluchistán.

BELUCHISTÁN Región del S de Asia. Montañosa y de clima desértico, se extiende por el SE de Irán y el SO de Pakistán.

BELUGA f. *Zool.* Delfín de los mares boreales. • *Zool.* Esturión gigante que vive en los mares Negro y Caspio; proporciona el caviar más apreciado.

BELZÚ, *Manuel Isidoro* (1808-1865) Mil. y político bol. que se sublevó contra Ballivián en 1848. Presid. (1850-1855). Tuvo que hacer frente a 40 levantamientos. Murió asesinado.

BEMBA f. *Amér.* Bembo. • *Perú.* Hocico, jeta.

BEMBERG, *María Luisa* (1942-1995) Directora de cine arg. *Señora de nadie*, *Camila*, *Miss Mary*.

BEMBO m. *Amér.* Bezo, labio grueso.

BEMBÓN, NA o **BEMBUDO, DA** adj. *Amér.* Bezudo. Díc. sólo de las personas.

BEMOL adj. y s. *Mús.* Nota alterada en un semitono por debajo de su sonido natural. • m. *Mús.* Signo (♭) que representa esta alteración. **Doble b.** *Mús.* Nota cuya entonación es de dos semitonos más baja que la de su sonido natural. • *Mús.* Signo compuesto de dos bemoles, que representa esta doble alteración. fig. Dificultad. ■ BEMOLADO, DA.

BEMOLAR tr. Poner bemol o bemoles.

BEN m. Árbol leguminoso, de cuyo fruto se obtiene un aceite que es usado en relojería y perfumería. Raíz medicinal de este árbol.

BEN Bella, *Ahmed* (nacido 1916) Político argelino, líder de la indep. Presid. de la rep. en 1963, fue derribado y encarcelado por Bumedián en 1965. Recobró la libertad en 1980. Exiliado en Suiza, regresó a Argelia en 1990. • **Gurión, *David*** (1886-[illegible]73) Político israelí, fundador del mov. sionista [illegible]lista Poale Zion. Proclamó en 1948 el est. de [illegible] tuvo un papel determinante en la actual re[illegible]cioeconómica del país. • **Zvi, *Izhaz*** (1884-[illegible]lítico israelí, uno de los creadores del es[illegible]el. Presid. en 1957 y 1962.

[illegible]**RRAF, *Baruj*** (nacido 1920) Inmunó[illegible]acionalizado norteam. Premio Nobel de [illegible]en1980, con J. Dausset y G. Snell, por [illegible]aciones de los antígenos de trasplante. [illegible]acida 1926) Cineasta ven. Realizadora [illegible]traje *Reveron* y del largometraje *Araya*. [illegible]S *(Varanasi)* C. del NE de la India, en el [illegible] Pradesh; 708 600 hab. Junto al r. Ganges. [illegible] Shiva y Annapurna. Universidad hindú.

El Ganges a su paso por **Benarés**

BENAVENTE, *Diego José* (1789-1867) Militar, escritor y político chil. Ministro de Hacienda y de Interior. *Memorias históricas sobre las primeras campañas de la independencia.* • ***Jacinto*** (1866-1954) Dramaturgo esp. *Los intereses creados*, *La malquerida*, *Señora ama*. Premio Nobel de Literatura en 1922. Miembro de la Real Academia Española, desde 1913. • ***José Manuel*** (nacido 1901) Pianista y compositor bol. *Noches del Altiplano*, *Adoración a las montañas*.

BENAVIDES, *Óscar* (1876-1945) Militar y político per. Participó en los derrocamientos de los presid. Billinghurst (1914) y Leguía (1930). Presid. provisional (1915) y constitucional (1933-1936). Su mandato se caracterizó por sus medidas dictatoriales y su política represiva. Prorrogó su presidencia hasta 1939, anulando las elecciones.

BENBEN f. Piedra cónica del antiguo Egipto, objeto de veneración.

BENCENO m. *Quím.* Hidrocarburo de fórmula C_6H_6, perteneciente a la serie cíclica aromática, que se obtiene en la destilación seca de la hulla. Es un líquido incoloro, volátil e inflamable.

BENCINA f. *Quím.* Mezcla de hidrocarburos resultantes de la destilación fraccionada del petróleo bruto o del alquitrán de hulla.

BENDECIR tr. Alabar. • Colmar de bienes a uno la Providencia. Invocar la bendición divina. • Consagrar al culto divino alguna cosa. • Formar cruces en el aire con la mano, invocando a la Santísima Trinidad o recitando oraciones.

BENDEZÚ, *Francisco* (nacido 1928) Poeta per. *Arte menor*, *Los años, Cantos*. Cultiva también la novela: *Tres de octubre: crónica de fugitivos*, *Niebla en la isla*.

BENDICIÓN f. Acción y efecto de bendecir. • pl. *Rel.* Ceremonias con que se celebra el sacramento del matrimonio.

BENDITO, TA adj. y s. Santo o bienaventurado. • Dichoso, feliz. • adj. Sencillo y de pocos alcances. • m. Nombre de una oración.

BENEDETTI, *Giambattista* (1530-1590) Matemático y físico it., predecesor de Galileo. • ***Mario*** (nacido 1920) Literato ur., poeta y novelista. *La tregua*, *Montevideanos*, *El país de la cola de paja*, *Gracias por el fuego*, *El cumpleaños de Juan Ángel*.

BENEDETTO, *Antonio Di* (1922-1986) Escritor arg., vinculado al existencialismo. *Zama*, *El Pentágono*, *Los suicidas*, *Mundo animal*, *Two stories*. • **Da Maiano** Sobrenombre de *Benedetto di Leonardo* (1442-1497) Escultor y arquitecto it. Realizó, con Cronaca, el palacio Strozzi de Florencia. Relieves del púlpito de la iglesia de la Santa Cruz (Florencia).

BENEDÍCITE m. Licencia que los religiosos piden a sus prelados para viajar. • Oración para bendecir la comida.

BENEDICT, *Ruth* (1887-1948) Antropóloga norteam. Estudió las variaciones de personalidad en un medio cultural general. *Patterns of culture*.

BENEDICTINO, NA adj. De la orden de San Benito. • m. Licor que fabrican los frailes de esta orden. • m. pl. Orden monástica fundada en 529 por San Benito de Nursia.

BENEDICTO XIV (1675-1758) Papa [1740-1758] . Famoso canonista; protector de las artes y las letras. • **XV** (1854-1922) Papa [1914-1922]. Su pontificado se caracterizó por una estricta neutralidad durante la I Guerra Mundial.

BENEDITO y Vives, *Manuel* (1875-1963) Pintor esp. Combina el academicismo con la técnica impresionista. *Dos muchachas*, *Mujeres de Bretaña*.

BENEFACTOR, RA adj. y s. Bienhechor.

BENEFICENCIA f. Virtud de hacer bien. • Conjunto de servicios cuyo fin es socorrer a las personas que no pueden pagar su asistencia médica, etc.

BENEFICIADO, DA m. y f. Persona en beneficio de la cual se ejecuta un espectáculo. • m. El que goza un beneficio eclesiástico.

BENEFICIAR tr. y prnl. Hacer bien. • tr. Cultivar una cosa. • Trabajar un terreno. • *Min.* Extraer de una mina las sustancias útiles. • *Min.* Someter estas sustancias al tratamiento metalúrgico. • Conseguir un empleo. • Hablando de efectos, libranzas y otros créditos, venderlos por menos de lo que importan. • *Amér.* Descuartizar una res para venderla.

BENEFICIARIO, RIA adj. y s. Persona en cuyo favor se ha constituido un seguro, contrato, etc.

Estatua de Andrés **Bello** en Caracas

Bellotas de roble

Ahmed **Ben Bella**

David **Ben Gurión**

Vista de **Bengasi**

Escultura en bronce del antiguo reino de **Benin**

Mapa de situación y bandera de **Benin**

• *Der.* Persona que goza un territorio, predio o usufructo que recibió de un superior.

BENEFICIO m. Bien que se hace o se recibe. Utilidad. • *Econ.* Diferencia entre los ingresos resultantes de las ventas de los productos y los gastos que ocasiona su producción. • Labor y cultivo que se da a los campos, árboles, etc. • Emolumentos de un eclesiástico. • Espectáculo público, cuyo producto se concede a una persona, corporación, etc. • *Der.* Derecho que compete a uno. • *Amér. Centr.* Ingenio o hacienda. • **de inventario.** Facultad que la ley concede al heredero de aceptar la herencia con la condición de no quedar obligado a pagar a los acreedores del difunto más de lo que importe la herencia misma. • **marginal.** El que obtiene el empresario de la última unidad producida de un bien. • **Tasa de b.** Rendimiento que se espera obtener cuando se compran o producen nuevos bienes de capital. ■ BENEFICIOSO, SA.

BENÉFICO, CA adj. Que hace bien. • Relativo a la ayuda gratuita que se presta a los necesitados.

BENEKE, *Friedrich Eduard* (1798-1854) Filósofo, psicólogo y pedagogo al. Contrario al idealismo. *Doctrina empírica del alma como fundamento de todo saber.*

BENELUX Acrónimo de la unión aduanera entre Bélgica, *Nederland* (Países Bajos) y Luxemburgo, establecida por el convenio de Londres (1944) y completada por el tratado de La Haya (1958).

BENEMÉRITO, TA adj. Digno de galardón. • **La b.** La guardia civil.

BENEPLÁCITO m. Aprobación. • Complacencia.

BENES, *Edward* (1884-1948) Político chec. Colaboró con Masaryk en el mov. por la indep. de su país. Presid. del país en 1935-1938 y 1945-1948.

BENET, *Juan* (1927-1993) Escritor español. Ha escrito una saga situada en un país imaginario llamado *Región. Cinco narraciones y dos fábulas, La moviola de Eurípides.*

BENEVENTO Prov. de Italia, en la Campania; 2 071 km2, 301 100 hab. Tabaco. • C. de Italia, cap. de la prov. hom.; 66 700 hab.

BENEVOLENCIA f. Simpatía hacia las personas. ■ BENEVOLENTE O BENÉVOLO, LA.

BENGALA f. Caña de Indias de la que se hacen bastones. • ant. Insignia de mando militar en forma de bastón. • Fuego artificial que arde con luz de color.

BENGALA Región del S de Asia, sit. a orillas del golfo hom. Abarca los est. de Bengala Occidental y Bangla Desh. Sit. en la llanura aluvial de los r. Ganges y Brahmaputra. • ***Golfo de*** Parte del océano Índico, comprendida entre la India y Birmania.

BENGALA OCCIDENTAL Est. del NE de la India, a orillas del golfo de Bengala y limítrofe con Bangla Desh; 87 853 km², 67 982 700 hab. Cap., Calcuta. Arroz, caña de azúcar, tabaco y té. Ind. de yute, caucho y papel.

BENGALÍ adj. y s. De Bengala. • m. *Ling.* Lengua indoeuropea derivada del sánscrito. • *Zool.* Pájaro de gran colorido.

BENGASI *(Benghazi)* C. del NE de Libia, cap. de la prov. hom.; 286 900 hab. Ind. alimentaria y textil.

BENI Dpto. del N de Bolivia; 213 564 km², 276 174 hab. Cap., Trinidad. Llanura regada por los r. Beni, Mamoré e Iténez. Clima tropical lluvioso. Ganadería. Caucho. Maderas tintóreas. Cultivos tropicales. Colonizado por los jesuitas en los ss. XVI-XVIII. • Río de Bolivia; 1 600 km. Unido al Mamoré, da origen al Madeira. Afl.: Madre de Dios.

BENIDORM Mun. esp., en la Comunidad Valenciana, prov. de Alicante; 50 040 hab. Turismo.

BENIMERÍN adj. y m. Individuo que formaba parte de un pueblo beréber de Marruecos que, en el s. XIII, desplazó en España a los almohades.

BENIN Ant. Est. africano del golfo de Guinea. Alcanzó su apogeo en los ss. XV-XVII, cuando se convirtió en un activo proveedor de esclavos. Protectorado brit. desde 1897, hoy pertenece a Níger. • C. del S de Nigeria, cap. del est. de Bendel y, antiguamente, del reino hom.; 136 000 hab. Centro comercial.

BENIN, *República de* *(République du Bénin)* Est. del África Occidental, a orillas del golfo de Guinea, entre Togo, Burkina Faso, Níger y Nigeria. Terreno llano que se eleva en el interior. Costa baja y arenosa. Ríos: Níger y Ouemé. Clima tropical cálido y húmedo. Mandioca y madera. Sus habitantes son en su mayoría de raza sudanesa. Lenguas: fr. (of.), fon, yoruba. *Rel.*: animista (mayoritaria), cristiana y musulmana. U. M.: franco de B. Cap. Porto-Novo. C. prales.: Cotonú y Abomey.

* *Hist.* Base de tráfico de esclavos, sus costas fueron muy frecuentadas en el s. XVII por fr. y port. En 1851, Francia estableció un tratado con Abomey (el ant. reino que dio origen a B.) y se instaló en sus pob. costeras. En 1899 lo convirtió en colonia, bajo la denominación de Dahomey. Autonomía en 1958. Independencia en 1960. En 1975 se proclamó la rep. popular, bajo la presidencia de Ahmed Kérékou y directrices marxistas-leninistas. La crisis económica y la presión popular obligaron a democratizar el país, siendo elegido democráticamente presid. Nicéphore Soglo (1991). En 1996 Kérékou retornó al poder al vencer en las elecciones presidenciales, siendo reelegido en marzo de 2001.

BENIN

Superficie	112 622 km²
Población	5 410 000 hab. (48 hab./km²)
Recursos económicos	
Aceite de palma	13 300 t
Algodón	32 000 t
Cabaña bovina	1 223 000 cabezas
Cabaña ovina	940 000 cabezas
Cemento	380 000 t
Petróleo	310 000 t
Riqueza forestal	5 726 000 m³
Indicadores sociológicos	
PNB	2 034 millones de dólares
Renta per cápita	370 dólares
Esperanza de vida	50 años
Alfabetismo	37 %

BENÍTEZ, *Fernando* (1904-2000) Escritor y periodista mex. *La ruta de Hernán Cortés, Los indios de México, Historia de la ciudad de México* • FRAY ***Francisco*** (s. XVI-XVII) Escultor ecuat. En el convento franciscano de Quito realizó la sillería del coro, y, en la iglesia de San Pedro, los santos d[illegible] cúpula del crucero. • ***Justo Pastor*** (1896-1963)[illegible] lítico y escritor par. *Formación social del p[illegible] paraguayo.* • **Rojo, *Antonio*** (nacido 1931) [illegible] ta cub. Premio Casa de las Américas (19[illegible] *de Reyes.* • **Vinueza, *Leopoldo*** (nacido[illegible] critor y diplomático ecuat. Presid. de la[illegible] de la ONU durante 1973 y 1974. *Argon[illegible] selva, Ecuador, drama y paradoja.*

BENITO, TA adj. y s. Benedictino.

BENITO de Nursia (480-547) Santo. F[illegible] la orden benedictina. Fundó, también, e[illegible] rio de Monte Cassino. Su *Regla* rigió la[illegible] nástica europea durante seis siglos.

BENITO-JOSÉ *Labre* (1748-1783) Sa[illegible] ta fr. No pudo sujetarse a ninguna regla [illegible] y llevó vida de peregrino penitente. Pat[illegible] personas desplazadas.

BENJAMÍN, NA m. y f. fig. Hijo me[illegible] mimado de sus padres.

BENJAMÍN (heb., *Binyamín*) Hijo menor de Jacob y de Raquel. La tribu de su nombre ocupaba desde Jericó hasta el mar Muerto.

BENJAMITA adj. y s. Descendiente de la tribu de Benjamín. • adj. Relativo a Benjamín.

BENJUÍ m. Resina balsámica de algunos árboles tropicales. Contiene pralm. ácido benzoico, vainillina y resina.

BENLLIURE, *Mariano* (1886-1947) Escultor esp. Naturalismo detallista no exento de romanticismo.

BENNET, *Arnold* (1867-1931) Novelista brit. retratista de la burguesía provinciana. *Cuentos de comadres, Los Clayhanger.*

BENOIS, *Alenxandr Nicolaievich* (1870-1960) Pintor ruso, residente en París desde 1930. Colaboró, con Bakst, en la decoración de los *ballet* de S. Diaghilev. Conservador del museo del Ermitage (Leningrado). *Los tesoros del arte ruso, Historia del arte ruso del s. XIX, Historia de la pintura.*

BENOIT, *Pierre* (1886-1962) Novelista fr. *Koenigsmark, La Atlántida.*

BENOT, *Eduardo* (1822-1907) Filólogo esp. *Dic-*

cionario de ideas afines, Arquitectura de las lenguas.
BENTEVEO m. *Argent.* y *Ur.* Bienteveo, pájaro.
BENTHAM, *Jeremy* (1748-1832) Filósofo, jurisconsulto y economista ing. Consejero en la Revolución Francesa. *Introducción a los principios de la moral y de la legislación, Deontología o ciencia de la moral.*
BENTON, *Thomas Hart* (1889-1975) Pintor realista norteam. Murales históricos.
BENTÓNICO, CA adj. Díc. del animal o planta que vive en contacto con el fondo del mar.
BENTONITA f. Arcilla de grano muy fino, que se origina por desvitrificación de cenizas volcánicas.
BENTOS m. Conjunto de organismos que viven en el fondo marino.
BENUÉ Río de África Occidental, que afluye en el Níger; 1 400 km.
BENVENUTTO Murrieta, *Pedro* (1913-1978) Escritor per. Autor de *Quince plazuelas, una alameda y un callejón, El lenguaje peruano.*
BENZ, *Karl* (1844-1929) Ingeniero al. Ideó un motor para automóviles de dos tiempos y otro de cuatro, con una sola velocidad. Formó con Daimler la firma Daimler-Benz, constructora del *Mercedes Benz.*
BENZALDEHÍDO m. *Quím.* Aldehído aromático, líquido, de olor a almendras amargas, poco soluble en agua.
BENZOICO, CA adj. Relativo al benjuí. • *Quím.* Díc. de un ácido que se halla en el benjuí, usado para conservar.
BENZOL m. *Quím.* Hidrocarburo que se extrae del alquitrán de hulla. • *Quím.* Benceno.
BEOCIA Región de la ant. Grecia, al NE del golfo de Corinto. Cap., Tebas. Los beocios formaron una liga (s. VI a. C.) que apoyó a Esparta contra Atenas.
BEOCIO, CIA adj. y s. De Beocia. • fig. Estúpido.
BEODEZ f. Embriaguez. ■ BEODO, DA.
BEORÍ m. *Amér.* Tapir.
BEQUE m. *Mar.* Obra exterior de proa. • *Mar.* En los barcos, retrete de la marinería. • fig. Bacín.
BERBÉN m. *Méx.* Loanda, escorbuto.
BERBERECHO m. *Zool.* Molusco bivalvo de la familia cárdidos. Numerosas especies, propias gralte. de los mares templados. Son activamente capturados para el consumo humano.
BERBERÍ adj. y s. Beréber.
BERBERÍA f. *Hond.* Adelfa, planta.
BERBERIDÁCEO, A adj. y f. *Bot.* Arbustos y matas dicotiledóneos de hojas sencillas o compuestas, flores hermafroditas y por frutos bayas secas o carnosas. • f. pl. *Bot.* Familia de estas plantas. ■ BERBERÍDEO, A.
BERBERÍS m. Bérbero.
BERBERISCO, CA adj. y s. Beréber.
BÉRBERO o **BÉRBEROS** m. Agracejo, arbusto berberidáceo. • Fruto del bérbero.
BERBEROVA, *Nina* (1901-1993) Escritora rusa, nacionalizada norteam. *La acompañante, Moura Budberg: historia de la baronesa Budberg.*
BERBIQUÍ m. Herramienta para hacer agujeros, consistente en un manubrio provisto de una barrena.
BERCEO, *Gonzalo* de (1195?-1264?) Poeta cast. El más ant. representante del mester de clerecía. Escribió en dialecto riojano. *Milagros de Nuestra Señora.*
BERCEUSE (voz fr.) m. Canción de cuna. • *Mús.* Pequeña pieza para piano sin forma fija.
BERCHEM, *Nicolaes* (1620-1683) Pintor naturalista hol. Escenas de caza, pastoriles y de mar.
BERCHTOLD, *Leopold* (1863-1942) Político austr. Ministro de Asuntos Exteriores, envió a Servia el ultimátum que dio origen a la I Guerra Mundial.
BERDIAEV, *Nikolai* (1874-1948) Filósofo ruso. Al triunfar la rev. ocupó la cátedra de economía en la universidad de Moscú, pero en 1922 fue expulsado por el gobierno sov., estableciéndose en París. *Filosofía de la libertad, Destino del hombre.*
BERDIALES, *Germán* (1896-1975) Pedagogo y escritor arg. *El arte de escribir para los niños, Antología y coplas argentinas.*
BERÉBER adj. y s. *Etn.* Individuo de un grupo étnico camita que vive al N de África, especialmente en Argelia y Marruecos. • m. *Ling.* Lengua camitosemítica de los beréber.
BEREBERE adj. Beréber.
BÉRÉGOVOY, *Pierre* (1925-1993) Político francés. Fue uno de los fundadores del Partido Socialista unificado. Varias veces ministro durante los sucesivos mandatos de Mitterrand. Entre abril de 1992 y marzo de 1993 ocupó el cargo de primer ministro.
BERENGARIO, RIA adj. y s. Partidario de Berenguer de Tours.
BERENGARIO o **BERENGUER de Tours** (1020-1088) Heresiarca fr., discípulo de Fulberto. Sostuvo que la razón es superior a la autoridad.
BERENGO, GA adj. *Méx.* Bobo, cándido.
BERENGUELA (1171-1244) Hija de Alfonso VIII de Castilla, casó con el rey de León Alfonso IX. Al abdicar en su hijo, Fernando III el Santo, se unificaron las coronas de Castilla y León.
BERENGUER, *Amanda* (nacida 1924) Poetisa ur., de gran audacia formal. Poesías, Identidad de ciertas frutas. • ***Dámaso*** (1873-1953) Militar y político esp. Alfonso XIII le nombró jefe del gobierno después de la dimisión de Primo de Rivera (1930). Dimitió en 1931. • **De Marquina, *Félix*** (1738-1826) Marino esp., gobernador de Filipinas y virrey de Nueva España.
BERENGUER Ramón I (1006-1035) Conde de Barcelona. Organizó la defensa contra los musulmanes. • **Ramón II, *El Fratricida*** (1053-1096) Conde de Barcelona, hijo de B. Ramón I y hermano de Ramón B. II, al que asesinó.
BERENICE Nombre de varias princesas de la familia egipcia de los Ptolomeos. • Princesa judía, hija de Herodes Agripa I.
BERENJENA f. Planta dicotiledónea de la familia solanáceas, fruto alargado y piel purpúrea, amarilla o roja. • Fruto de esta planta; comestible.
BERENJENAL m. Sitio plantado de berenjenas. • fig. Asunto enredado.
BERENJENÍN m. Variedad de berenjena, de fruto blanco, rayado de rojo.
BERENSON, *Bernard* (1865-1959) Historiador de arte norteam. de origen lituano. Análisis sociopolítico del arte y crítica formal basada en los «valores táctiles» y la ilusión de espacio tridimensional. *Estudio y crítica del arte italiano, Ensayos de método, Estudios de pintura medieval, Ensayos de apreciación.*
BERESFORD, *William Carr,* VIZCONDE DE (1768-1854) Militar brit. Luchó en el sitio de Buenos Aires (1806). Al servicio de Portugal, ocupó Madeira (1807).
BEREZINA Río de Bielorrusia, afl. por la derecha del río Dniéper; 550 km.
BERG, *Ducado de* Ant. estado del O de Alemania. Cap., Düsseldorf.
BERG, *Alban* (1885-1935) Compositor austr. atonalista. *Concierto para violín y orquesta; Lulú, Wozzeck* (óperas). • ***Paul*** (nacido 1926) Bioquímico norteam. Premio Nobel de Química, en 1980, junto a W. Gilbert y F. Sanger, por sus estudios sobre el ADN.
BERGA C. esp., en la prov. de Barcelona; 13 800 hab., bergadanes. Cap. de la comarca del Berguedà (Bergadán). Sede de la junta del principado durante la guerra de la Independencia y de la Junta Suprema en la primera guerra carlista.
BERGAMÍN, *José* (1897-1983) Escritor esp., de gran agudeza intelectual. *Mangas y capirotes, El cohete y la estrella, Medea.*
BÉRGAMO C. del N de Italia, cap. de la prov. hom., en Lombardía; 119 400 hab.
BERGAMOTA f. Variedad de pera muy jugosa. • Variedad de lima muy aromática.
BERGAMOTE o **BERGAMOTO** m. Limero que produce la bergamota. • Peral que produce la bergamota.
BERGANTE m. Pícaro, tunante.
BERGANTÍN m. *Mar.* Velero de dos palos, con velas cuadradas y una cangreja, llamada bergantina. • Goleta. • El que usa aparejo de goleta en el palo mayor.
BERGAÑO y Villegas, *Simón* (1781-1828) Periodista y poeta guat. Adscrito al neoclasicismo. *Cuatro piezas poéticas, Despedida de la corte y elogio de la vida del campo.*
BERGEN C. y puerto de Noruega, cap. de la región de Hordaland; 207 300 hab. Astilleros e ind. textil.
BERGER, *Hans* (1873-1941) Psiquiatra austr. Estudió el ritmo uniforme de ondas en el electroencefalograma.
BERGIUS, *Friedrich* (1884-1949) Químico al. Obtuvo combustibles líquidos a partir de la hidrogenación del carbón. Premio Nobel de Química en 1931.

Mujer **beréber**

Berenguer Ramón I. Detalle de una miniatura del *Tratado de las Batallas* (s. XV)

Berenjena

Fotograma del filme *Fanny y Alexander*, de Ingmar **Bergman**

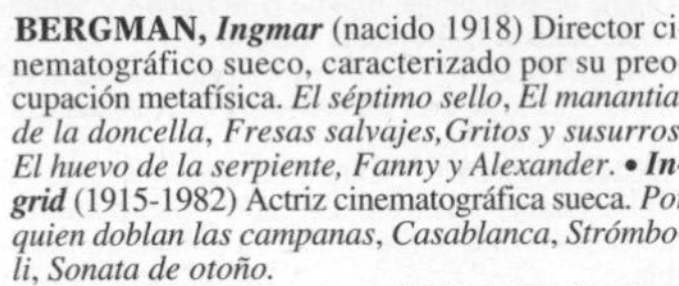

BERGMAN, ***Ingmar*** (nacido 1918) Director cinematográfico sueco, caracterizado por su preocupación metafísica. *El séptimo sello*, *El manantial de la doncella*, *Fresas salvajes*,*Gritos y susurros*, *El huevo de la serpiente*, *Fanny y Alexander*. • ***Ingrid*** (1915-1982) Actriz cinematográfica sueca. *Por quien doblan las campanas*, *Casablanca*, *Strómboli*, *Sonata de otoño*.

BERGMANN, ***Ernst von*** (1836-1907) Cirujano al., pionero en la adopción de la asepsia quirúrgica.

BERGSON, ***Henri*** (1859-1941) Filósofo fr. Basó su fil. en el plano de la conciencia intuitiva. *Material y memoria*, *Ensayo sobre los datos inmediatos de la conciencia*. Premio Nobel en 1927.

BERGSTRÖM, ***Sune K.*** (nacido 1916) Bioquímico sueco. Premio Nobel de Medicina en 1982, junto a B. I. Samuelson y John R. Vane, por sus descubrimientos sobre las prostaglandinas.

BERIA, ***Laurenti Pavlovitch*** (1899-1953) Político sov. Jefe de la policía política en 1942 y, posteriormente, ministro del Interior y de la seguridad del estado. Tras la muerte de Stalin, formó, con Malenkov y Molotov, un triunvirato dirigente de la URSS. Acusado de traición, fue ejecutado.

Cristal de **berilo** de la variedad aguamarina

BERIBERI m. *Pat*. Enfermedad provocada por una insuficiencia de vitamina B_1. Se caracteriza por edemas, polineuritis y trastornos cardiovasculares.

BERILIO m. *Quím*. Elemento químico de símb. Be, n. a. 4 y p. a. 9,013. Es el más ligero de los alcalinotérreos.

BERILO m. *Miner*. Silicato de aluminio y berilio, cristalizado en el sistema hexagonal.

BERING, ***Estrecho de*** Paso de 92 km de ancho que separa Asia de América, y comunica el mar del mismo nombre con el océano glacial Ártico.

BERING o **BEHRING,** ***Vitus*** (1680-1741) Explorador danés. Comprobó que Asia estaba separada de América por el estrecho que lleva su nombre.

BERIO, ***Luciano*** (nacido 1925) Compositor it. Obras de técnica instrumental y vocal o electroacústica. *Caminos*, *Laberinto y Sinfonía* para 8 voces.

BERISSO Partido de Argentina, en la prov. de Buenos Aires; 66 200 hab. Forma parte del área metropolitana de La Plata.

BERISTAIN, ***Joaquín*** (1817-1839) Compositor mex. Uno de los prales. representantes del nacionalismo musical. Escribió música religiosa y para orquesta. • **Y Souza,** ***José Mariano*** (1756-1817) Bibliógrafo mex. *Biblioteca Hispanoamericana Septentrional*.

BERISTAYN, ***José Jorge de*** (1894-1964) Pintor arg. Notable retratista. *Pedro Rojas*, *Bañistas*.

BERKELEY C. de EEUU (California), en la bahía de San Francisco; 116 700 hab. Universidad.

BERKELEY, ***George*** (1685-1753) Filósofo irl. Obispo de Cloyne. Ejerció una crítica radical a los problemas del conocimiento. *Tratado sobre los principios del conocimiento humano y Ensayo sobre una nueva teoría de la visión*.

Luis García **Berlanga**

BERKELIO m. Elemento quím. de símb. Bk, y n. a. 97. Obtenido en 1949 por Seaborg, bombardeando el americio con partículas alfa.

BERKSHIRE Condado de Gran Bretaña, en Inglaterra; 1 256 km²; 706 900 hab.

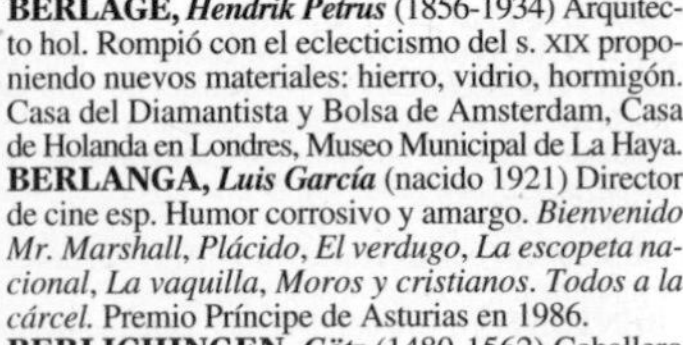

BERLAGE, ***Hendrik Petrus*** (1856-1934) Arquitecto hol. Rompió con el eclecticismo del s. XIX proponiendo nuevos materiales: hierro, vidrio, hormigón. Casa del Diamantista y Bolsa de Amsterdam, Casa de Holanda en Londres, Museo Municipal de La Haya.

BERLANGA, ***Luis García*** (nacido 1921) Director de cine esp. Humor corrosivo y amargo. *Bienvenido Mr. Marshall*, *Plácido*, *El verdugo*, *La escopeta nacional*, *La vaquilla*, *Moros y cristianos*. *Todos a la cárcel*. Premio Príncipe de Asturias en 1986.

BERLICHINGEN, ***Götz*** (1480-1562) Caballero al., llamado MANO DE HIERRO. Encarnó la última protesta del espíritu feudal. Inspiró a Goethe. *Götz de Berlichingen* y es el protagonista de *El diablo y Dios*, de Sartre.

BERLIN, ***Irving***, seudónimo de *Israel Balin* (nacido 1888) Compositor norteam. de origen ruso. Especializado en música ligera. *El sombrero de copa*, *Cheek to cheek*.

BERLÍN *(Berlin)* C. y cap. de Alemania, que forma el est. hom., sit. en una planicie entre las cuencas del Elba y el Older, a orillas del r. Spree; 889 km², 3 435 000 hab. Tras la II Guerra Mundial, la c. fue dividida en dos zonas que desde 1961 a 1989 permanecieron separadas por un muro de gran significación política. El sector occidental de B., con una superficie de 480 km² y 1 848 600 hab. quedó bajo tutela aliada. El sector oriental, con sus 403 km² y 1 282 000 hab., fue mientras duró la división de la c. la cap. de la República Democrática Alemana, desaparecida como tal el 3 octubre 1990. Lagos y parques. Puerta de Brandeburgo. Centro com. e ind. Universidad. Aeropuerto internacional.

* *Hist*. Cap. de Prusia desde 1701, ha sufrido la ocupación austr. (1757), rusa (1760) y napoleónica (1806-1808). siendo cap. del imperio alemán desde 1871. Tras la crisis subsiguiente a su división, la c. ha recuperado su dinamismo al convertirse en cap. de la Alemania reunificada. • **Congreso de B.** Conferencia diplomática celebrada en 1878 a petición de Inglaterra y Austria-Hungría, para revisar el tratado de San Estéfano entre Rusia y Turquía. Dirigido por Bismarck, el congreso acordó la desaparición de la «Gran Bulgaria». Rumania, Serbia y Montenegro alcanzaron la independencia, y Rusia obtuvo la Besarabia y los distritos de Kars y Batum. • **Festival de B.** Certamen cinematográfico internacional celebrado anualmente en la ciudad.

BERLINA f. Coche cerrado, de dos asientos. • En las diligencias, departamento cerrado.

BERLINER Ensemble Compañía teatral fundada en 1949 por Bertolt Brecht, dedicada al desarrollo de sus concepciones estéticas y políticas.

BERLINÉS, SA adj. y s. De Berlín.

BERLINGA f. Pértiga para remover la masa fundida de un horno metalúrgico. • *Mar*. Percha

BERLINGUER, ***Enrico*** (1922-1984) Político it. Miembro del Partido Comunista y de su comité central desde 1945, y secretario general a partir de 1972. Diputado desde 1968. Impulsó la política del compromiso histórico. Líder del eurocomunismo.

BERLIOZ, ***Héctor*** (1803-1869) Compositor fr. Representante en sumo grado tanto del sentimiento como del temperamento del romanticismo. Su obra refleja aspectos autobiográficos, primera manifestación de la intrusión de la vida privada en la música de un artista. *La condenación de Fausto*, *La infancia de Cristo*, *Carnaval romano*, *Romeo y Julieta*.

BERLUSCONI, ***Silvio*** (nacido 1936) Empresario y político it. Fundador de Forza Italia, lideró la coalición de derechas que venció en las elecciones de marzo de 1994, y ocupó el cargo de primer ministro hasta inicios de 1995. En mayo de 2001 fue nuevamente elegido jefe del gobierno italiano.

BERMA f. Espacio horizontal con el que se interrumpen los taludes de los terraplenes de diques, canales y trincheras.

BERMEJAL m. Extensión de terreno bermejo.

BERMEJEAR intr. Mostrar una cosa color bermejo. • Tirar a bermejo.

BERMEJIZO, ZA adj. Que tira a bermejo. • m. Especie de murciélago.

BERMEJO, JA adj. Rubio, rojizo.

BERMEJO R. de Argentina y Bolivia, afl. del Paraguay; 1 045 km. Navegable en su curso inferior.

BERMEJO, ***Bartolomé*** (s. XV) Pintor esp. de la escuela flamenca; introdujo en España el uso de la técnica al óleo. *Piedad del canónigo Desplá* (catedral de Barcelona), *Santa Eulalia* (Boston), *Retablo de Sto. Domingo de Silos*. • ***Vladimiro*** (nacido 1908) Escritor per. Adscrito al realismo, sus personajes son pinturas costumbristas. *La Chabela, El Inca Garcilaso de la Vega, Pólvora.*

BERMEJÓN, NA adj. De color bermejo.

BERMEJUELA f. Pez teleósteo, fisóstomo, de color variable.

BERMEJURA f. Color bermejo.

BERMELLÓN m. Pigmento rojo constituido por cinabrio pulverizado. • adj. y m. Color de este pigmento y de ciertas combinaciones químicas que lo imitan.

BERMUDAS adj. y m. pl. Pantalones que llegan hasta la rodilla.

BERMUDAS Arch. brit. del Atlántico N. Unas 300 islas; 53 km^2; 67 800 hab. Cap., Hamilton, 5 000 hab., en Main, la isla pral. Pesca. Cultivos tropicales. Turismo. Posesión brit. desde 1612, es una colonia semiautónoma.

BERMÚDEZ, *Cundo* (nacido 1914) Pintor cub. *La espera, Homenaje a Magritte.* • FRAY **Jerónimo** (1530?-1590?) Dramaturgo esp., seguidor de los cánones del teatro clásico. *Nise lastimosa, Nise laureada.* • ***Jorge*** (1883-1926) Pintor arg., influido por Zuloaga. *Tipos norteños.* • ***José Francisco*** (1782-1831) Mil. ven. Participó junto a Bolívar en la batalla de Maturín. • ***Juan*** (ss. XV-XVI) Navegante esp., descubridor de las islas Bermudas. • **Pedro Pablo** (1793-1852) Político per. Presid. de la rep. (1834). Derrocado por Orbegoso. • ***Ricardo J.*** (nacido 1914) Poeta, ensayista y arquitecto pan. *Poemas de ausencia, Variaciones del pez en la sangre, Con la llave en el suelo.*

BERMUDO I *el Diácono* (s. VIII) Rey de Asturias [788/789-791]. Abdicó en su sobrino Alfonso II • ***II el Gotoso*** (h. 955-999) Rey de Galicia [982-999]. • **III** (1016-1037) Rey de León [1027-1037]. Murió en la batalla de Tamarón, frente a Fernando I.

BERNA *(Bern)* Cap. de Suiza y del cantón hom., a orillas del r. Aar; 142 100 hab. Ind. siderúrgica, mecánica, alimentaria, textil y química. Universidad.

Vista de la Torre del Reloj de **Berna**

BERNABÉ (m. 70) Santo. Apóstol cuyo nombre verdadero era José. Nacido en Chipre, predicó en su isla natal, Asia Menor y Siria. Llevan su nombre varios libros apócrifos.

BERNABÓ, *Roberto* (1908-1972) Dibujante arg. Ilustrador en los diarios *Crítica, La Nación* y *Noticias Gráficas.*

BERNADOTTE, *Jean* (1736-1844) Mariscal fr. A la muerte del rey sueco Carlos XIII, le sucedió con el nombre de Carlos XIV.

BERNAL, *Heraclio* (1845-1888) Guerrillero mex., llamado EL RAYO DE SINALOA. Luchó contra Díaz en favor de Juárez, con el apoyo de los trabajadores mineros.

BERNALDO de Quirós, *Cesáreo* (1879-1968) Pintor arg. Notable paisajista. Influido por Zuloaga y Sorolla. *Los segadores, El juez federal.*

Celebración del segundo centenario de la Puerta de Brandeburgo en **Berlín**

BERNANOS, *Georges* (1888-1948) Novelista fr., cuyas obras están marcadas por un catolicismo patético cuyo centro es la lucha entre Dios y Satán. *Bajo el sol de Satán, Diario de un cura de aldea, La impostura, Diálogo de carmelitas.*

BERNARD, *Claude* (1813-1878) Médico fr. Fundador de la fisiología moderna y creador del método experimental. Descubrió la función glicogénica del hígado y las secreciones internas. • ***Émile*** (1868-1941) Pintor, escultor y escritor fr. Junto con Van Gogh, elaboró el *cloissonismo*, basado en la utilización de tintas planas, colores fuertes y contornos oscuros delimitando las figuras. Fundó la revista *La renovación estética.* • ***Paul,*** llamado TRISTÁN (1866-1947) Dramaturgo fr. Comedias satíricas. *El crimen de Orleáns, Un marido pacífico, Petit café.*

BERNARDES, *Arturo da Silva* (1875-1955) Político bras. Presid. de la rep. (1922-1926). Retiró al país de la Sociedad de Naciones.

BERNÁRDEZ, *Francisco Luis* (1900-1978) Poeta arg. *Poemas elementales, La ciudad sin Laura, El buque, Kindergarten.*

BERNARDIN de Saint-Pierre, *Henri* (1737-1814) Escritor prerromántico fr., influido por Rousseau . *Pablo y Virginia.*

BERNARDINA f. fam. Mentira.

BERNARDINO de Siena (1380-1444) Santo. Reformador de la orden franciscana. Gran orador de masas.

BERNARDO, DA adj. y s. Monje o monja de la orden del Cister.

BERNARDO de Claraval (1091-1153) Santo fr. Doctor de la Iglesia, llamado EL MELIFLUO. Fundador y abad de Claraval, reformador de la orden del Cister. *Tratado del amor de Dios, Tratado del libre albedrío.* • **De Chartres** (m. h. 1130) Filósofo fr., el pensador platónico más representativo de su tiempo. En la teoría de los universales tomó el partido de los realistas. • **Del Carpio** Personaje legendario que, según un cantar de gesta, venció a Carlomagno en Roncesvalles.

BERNAYS, *Paul* (1888-1977) Matemático suizo, autor de imp. aportaciones a la axiomatización de la teoría de los conjuntos.

BERNEGAL m. Taza de boca ancha y de forma ondeada. • *Venez.* Tinaja que recibe el agua destilada por el filtro.

BERNÉS, SA adj. y s. De Berna.

BERNHARDT, *Sarah* (1844-1923) Nombre artístico de la actriz fr. *Henriette-Rosine Bernard.* Destacó, por su capacidad polifacética y la profundidad de sus actuaciones, como admirable intérprete tanto en teatro como en cine.

BERNI, *Antonio* (1905-1983) Pintor arg. Temas sociales expresados a través de personajes simbólicos.

BERNINA Macizo de los Alpes Réticos, en el SE de Suiza, junto a la frontera con Italia. Piz Bernina (4 049 m).

Santo Domingo de Silos entronizado como abad, retablo de Bartolomé **Bermejo**

*San **Bernardo** de Claraval presidiendo el capítulo de la abadía.* Miniatura de Jean Fouquet

Vista de la plaza de San Pedro (Vaticano), cuya columnata es obra de Gian Lorenzo **Bernini**

BERNINI, ***Gian Lorenzo*** (1598-1680) Arquitecto, escultor y pintor barroco it. *David, Apolo y Dafnis* (esculturas); fuentes del Tritón y de los Cuatro Ríos (obra arquitectónica); *Autorretrato* (pintura).

BERNIS, ***Francisco*** (1887-1933) Economista esp. Su libro *Fomento de las exportaciones* constituye un valioso estudio del comercio exterior español de la época.

BERNOULLI, Familia de científicos suizos. • ***Jacobo*** (1654-1705) Matemático. Realizó el primer tratado sobre la ley de los grandes números. • ***Juan*** (1667-1748) Físico y médico. Realizó importantes aportaciones al cálculo exponencial. • ***Daniel*** (1700-1782) Físico, matemático y médico hol. Enunció el *teorema de B.* para la hidrodinámica. • **Teorema de B**. La suma de las energías cinética, de presión y de posición de una corriente, es constante.

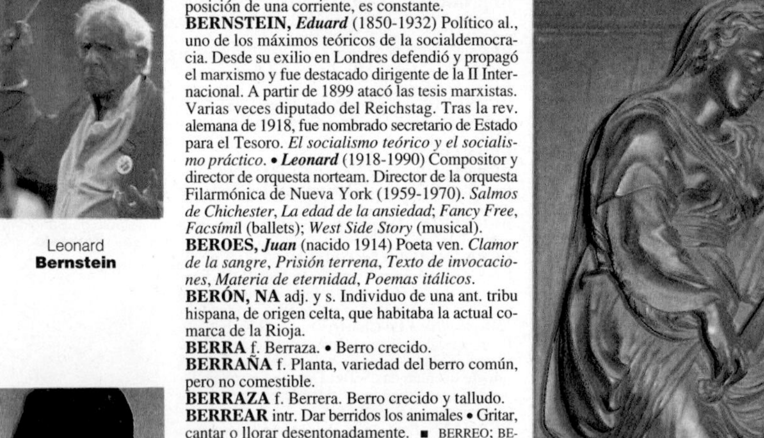

Leonard **Bernstein**

BERNSTEIN, ***Eduard*** (1850-1932) Político al., uno de los máximos teóricos de la socialdemocracia. Desde su exilio en Londres defendió y propagó el marxismo y fue destacado dirigente de la II Internacional. A partir de 1899 atacó las tesis marxistas. Varias veces diputado del Reichstag. Tras la rev. alemana de 1918, fue nombrado secretario de Estado para el Tesoro. *El socialismo teórico y el socialismo práctico.* • ***Leonard*** (1918-1990) Compositor y director de orquesta norteam. Director de la orquesta Filarmónica de Nueva York (1959-1970). *Salmos de Chichester, La edad de la ansiedad; Fancy Free, Facsímil* (ballets); *West Side Story* (musical).

BEROES, ***Juan*** (nacido 1914) Poeta ven. *Clamor de la sangre, Prisión terrena, Texto de invocaciones, Materia de eternidad, Poemas itálicos.*

BERÓN, NA adj. y s. Individuo de una ant. tribu hispana, de origen celta, que habitaba la actual comarca de la Rioja.

BERRA f. Berraza. • Berro crecido.

BERRAÑA f. Planta, variedad del berro común, pero no comestible.

BERRAZA f. Berrera. Berro crecido y talludo.

BERREAR intr. Dar berridos los animales • Gritar, cantar o llorar desentonadamente. ■ BERREO; BERRIDO.

BERRENDO, DA adj. Manchado de dos colores. • adj. y m. Díc. del toro que tiene manchas de color distinto del de la capa. • m. *Zool.* Antílope norteam., de la familia antilocápridos.

BERRERA f. Planta umbelífera.

BERRETA, ***Tomás*** (1875-1947) Político ur., presid. de la rep. en 1947. Falleció el mismo año de asumir la presid.

BERRÍN m. Bejín, persona enojadiza.

BERRINCHE m. fam. Coraje. ■ *Amér.* BERRINCHUDO, DA.

BERRIO, ***Pedro Justo*** (1827-1875) Político conservador col., presid. de Antioquia.

Autorretrato de Pedro **Berruguete**

BERRO m. Planta herbácea crucífera, de sabor picante. Comestible. ■ BERRIZAL.

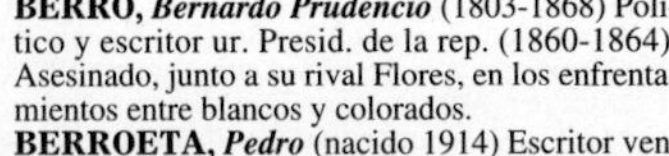

BERRO, ***Bernardo Prudencio*** (1803-1868) Político y escritor ur. Presid. de la rep. (1860-1864). Asesinado, junto a su rival Flores, en los enfrentamientos entre blancos y colorados.

BERROETA, ***Pedro*** (nacido 1914) Escritor ven. *La leyenda del conde Luna, El espía que vino del cielo, La farsa del hombre que amó a dos mujeres.*

BERROQUEÑO, ÑA adj. Duro como el granito. • f. Piedra parecida al granito.

BERRUECO m. Tumorcillo del iris. • Tolmo granítico. Barrueco, perla irregular. ■ BERROCAL.

BERRUGUETE, ***Alonso*** (1488-1561) Escultor y pintor manierista esp., de influencias italianas (Donatello, Miguel Ángel, Leonardo) y helenísticas (Laocoonte). Creó una escultura vigorosa, característica por las soluciones formales efectistas y los movimientos exasperados. Retablos del monasterio de San Benito de Valladolid, de la capilla del colegio de los Irlandeses, en Salamanca, y sillería de la catedral de Toledo. • ***Pedro*** (m. 1504) Pintor esp. establecido en Toledo. Su pintura representa la etapa de transición del gótico al Renacimiento.

BERRUTI, ***Alejandro E.*** (1888-1964) Periodista y dramaturgo arg. *Madre Tierra, La suprema ley.*

BERRUTTI, ***José J.*** (1871-1951) Pedagogo arg. *Educación, escuela y democracia, Educar al soberano.*

BERRY Región histórica del centro de Francia; 15 500 km^2. Abarcaba el territorio de los actuales dptos. de Cher e Indre y una parte de Creuse, Nièvre y Allier.

BERRY, ***Juan de Francia***, DUQUE DE (1340-1416) Príncipe Capeto, conde de Poitiers (1356-1360) y duque de Auvernia (1360-1416), tercer hijo de Juan II el Bueno. Durante la minoría de edad de Carlos VI (1380-1388) compartió la regencia con los duques de Anjou, Borgoña y Borbón. Al enloquecer Carlos VI, los duques de Berry, Orleáns y Borgoña se repartieron el poder. En 1413 fue nombrado capitán de París y lugarteniente del Languedoc. • ***León*** «CHU» (1910-1941) Saxofonista norteam., uno de los más grandes del jazz.

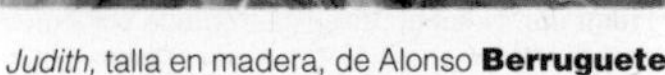

Judith, talla en madera, de Alonso **Berruguete**

BERSAGLIERI Unidad de fusileros del ejército it. fundada en 1836. Tuvo un papel importante en la unificación de Italia.
BERTA (m. 783) Llamada «Berta la del gran pie», por Villon (*Balada de las damas de antaño)*, madre de Carlomagno y mujer de Pipino el Breve.
BERTHA Pieza de artillería al. utilizada en la I Guerra Mundial.
BERTHEAU, ***Margarita*** (1913-1975) Pintora cost. Gran acuarelista. *Figuras, Paisaje de Puntarenas.*
BERTHELOT, ***Marcellin*** (1827-1907) Químico fr., uno de los fundadores de la termoquímica. Sintetizó numerosas sustancias químicas.
BERTHIER, ***Louis Alexandre*** (1753-1815) Mariscal fr., jefe del Estado Mayor de Napoleón. Posteriormente, sirvió a Luis XVIII.
BERTHOLLET, ***Claude Louis*** (1748-1822) Químico fr. Descubrió el clorato potásico y el fulminato de plata y analizó el amoniaco por primera vez.
BERTINI, ***Eugenio*** (1846-1933) Matemático it. Uno de los iniciadores de la escuela italiana, famosa por el impulso que dio a la geometría algebraica. • ***Francesca,*** seudón. de *Elena Seracini* (1892-1985) Actriz italiana del cine mudo. Se caracterizó por la finura de los matices psicológicos que imprimía a sus personajes.
BERTIS, ***Juan Felipe*** (1837-1899) Religioso y escritor salv. *La bella literatura, Las escuelas dominantes, Ciencia y literatura.*
BERTOLDO di Giovanni (1420-1491) Escultor florentino. Protegido de los Médicis, fue director de la academia de arte de Florencia. Relieves del púlpito de San Lorenzo, *Combate de caballería, Triunfo de Sileno.*
BERTOLECIA f. Árbol de la familia mirtáceas, oriundo del Brasil, Guayanas y Venezuela. Llamado *nuez del Brasil.*
BERTOLUCCI, ***Bernardo*** (nacido 1941) Director de cine it. *La comare secca, Antes de la revolución, El conformista, El último tango en París, Novecento, El último emperador y El pequeño Buda.*
BERTONI, ***Moisés Santiago*** (1857-1929) Naturalista suizo. Investigó la flora par. *Descripción física del Paraguay, Civilización guaraní.*
BERTRAND, ***Aloysius*** (1807-1841) Escritor fr. Creador del poema en prosa *Gaspar de la noche.* • ***Francisco*** (m. 1926) Político hond., presid. (en 1911 y en 1912-1919). Inició una etapa de prosperidad económica.
BERUETE, ***Aureliano*** (1845-1922) Pintor impresionista y crítico de arte esp. Discípulo de Haes, se dedicó preferentemente al paisaje.
BERUTI, ***Antonio Luis*** (1772-1841) Militar arg. Partidario de la indep. sin violencia, propuso una monarquía constitucional. Participó en las batallas de Chacabuco y Maipú.
BERUTTI, ***Arturo*** (1862-1938) Compositor arg. *Los Andes, Sinfonía argentina, Evangelina.*
BERWICK, ***James Stuart,*** DUQUE DE (1670-1734) Mariscal fr., jefe de las fuerzas francesas en España en 1704.
BERZA f. Col, planta. ■ BARZAL.
BERZAS m. fam. Persona ignorante o necia.
BERZELIUS, BARÓN ***Jöns Jakob*** (1779-1848) Químico sueco. Introdujo la actual nomenclatura de símbolos químicos y fue descubridor de numerosos elementos.
BES m. *Fís.* Unidad de medida de masa en el sistema MKS, correspondiente a 1 kg masa.
BESALAMANO m. Esquela con la abreviatura B. L. M., que se redacta en tercera persona.
BESAMANOS m. Ceremonia durante la cual se saludaba a los reyes. • Modo de saludar a algunas personas, acercando la mano derecha a la boca. • Acto en que se besa la mano a un sacerdote después de su primera misa.
BESAMEL o **BESAMELA** f. Bechamel.
BESANA f. Labor de surcos paralelos que se hacen con el arado. • Primer surco que se abre en la tierra.
BESANÇON C. de Francia, cap. del dpto. de Doubs y de la región del Franco Condado; 113 800 hab. Ind. metalúrgica, textil y alimentaria.
BESANT, ***Annie Wood*** (1847-1933) Teósofa brit. Luchó por la autonomía de India, cuyo Congreso Nacional presidió en 1917. *El hombre y su cuerpo, La sabiduría de las Upanishads, Problemas de reconstrucción.*

Fotograma del filme *El último emperador*, de Bernardo **Bertolucci**

BESANTE m. Antigua moneda bizantina de oro o plata. • *Her.* Figura heráldica que representa la moneda de ese nombre.
BESAR tr. Tocar suavemente o acariciar a una persona o cosa con los labios. • fig. y fam. Tratándose de cosas inanimadas, tocar unas a otras. • rec. fig. y fam. Tropezar una persona con otra, dándose un golpe con la cara o en la cabeza.
BESARABIA Región de Europa oriental, entre los r. Prut y Dniéster; 44 422 km^2. Agricultura y ganadería.
BESARIÓN (1389-1472) Humanista gr., cardenal de la iglesia ortodoxa y defensor ardiente de la unión con la iglesia rom. en la que ingresó.
BESKIDES *(Beskidy)* Región montañosa de Europa Central, perteneciente al sist. carpático. Forma un sector de la frontera entre Eslovaquia y Polonia. Comprende diversos altiplanos con elevaciones escarpadas (Babía Gora, 1 725 m). Riqueza forestal. Ganadería. Petróleo, gas natural, hierro, carbón.
BESO m. Acción y efecto de besar. • **de Judas.** fig. El que se da con doblez. • **de paz.** El que se da en muestra de amistad.
BESSEL, ***Friedrich*** (1748-1846) Astrónomo al., el primero en medir la distancia entre varias estrellas y la Tierra. • **Fórmulas de B.** Grupos de fórmulas trigonométricas que permiten resolver un triángulo esférico.
BESSEMER, SIR ***Henry*** (1813-1898) Metalúrgico

Berza

Operación de descarga de un convertidor de **Bessemer**

Miniatura del ***Bestiario*** *de amor*, de Fournival (s. XIII). Biblioteca Nacional, París

Betónica

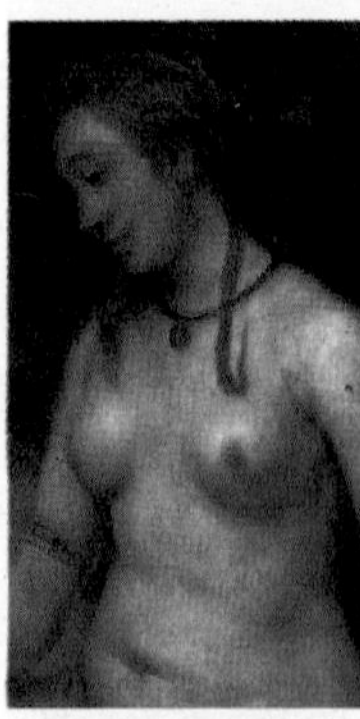
Detalle de ***Betsabé***, óleo de Rembrandt

brit. inventor de un método para la obtención del acero.

BEST Maugard, ***Adolfo*** (1891-1964) Pintor, escritor y poeta mex. Realizó un ballet para Ana Pavlova, y publicó varias obras sobre arte mex. y enseñanza del dibujo.

BESTIA f. Animal cuadrúpedo. Comúnmente se entiende por los domésticos de carga. • adj. y s. fig. Persona ruda e ignorante. • **Gran b.** Anta, o tapir ■ BESTIAJE.

BESTIAL adj. Brutal o irracional. • fig. y fam. De grandeza desmesurada, extraordinario.

BESTIALIDAD f. Brutalidad o irracionalidad. • Relación sexual que se tiene con animales.

BESTIALIZARSE prnl. Vivir u obrar como las bestias.

BESTIARIO m. Hombre que luchaba con las fieras en los circos rom. • En arte, iconografía animalística medieval. • En la literatura medieval, colección de fábulas referentes a animales.

BÉSTOLA f. Aguijada del arado.

BEST-SELLER (voz ing.) m. Libro que obtiene un excepcional y rápido éxito de venta.

BESUCAR tr. fam. Besuquear. ■ BESUCADOR, RA; BESUCÓN, NA.

BESUGO m. *Zool.* Pez perciforme de la familia espáridos, con grandes ojos, de carne muy apreciada. • fig. y fam. Tonto, necio.

BESUGUERA f. Cazuela para guisar besugos.

BESUGUETE m. Besugo pequeño. • Pagel, pez.

BESUQUEAR tr. fam. Besar repetidamente.

BETA f. Nombre de la segunda letra del alfabeto griego (β), que corresponde a la *be* del castellano. • En la ordenación decreciente de las estrellas de una constelación de acuerdo con su brillo aparente, la segunda. • *Fís.* Uno de los tres tipos de radiación, el que consiste en una emisión de electrones. • *Mar.* Cualquiera de los cabos empleados en los aparejos. • *Quím.* La letra b. designa el segundo de una serie de productos o compuestos.

BETANCES, ***Ramón Emeterio*** (1830-1898) Político puertorriq. Abolicionista y partidario de una rep. antillana junto a Cuba.

BETANCOURT, ***Esteban*** (1893-1942) Escultor cub. Monumentos a Manuel Ramón Silva y Avellaneda y a Céspedes; metopas para la fachada del Capitolio Nacional. • ***José Victoriano*** (1813-1875) Escritor y patriota cub. Intervino en la insurrección de 1868. *El espejo, el daguerrotipo y la ola.* • ***Rómulo*** (1908-1982) Político ven., fundador de Acción Democrática. Presid. de la rep. (1945-1948 y 1959-1964). Derrotado por Caldera en las elecciones presidenciales de 1973.

BETANCUR, ***Belisario*** (nacido 1923) Político col. Presid. de la rep. (1982-1986) por el partido conservador.

BETANZOS, ***Juan de*** (1510-1576) Cronista esp. *Suma y narración de los incas que los indios llamaron capaccuna.*

BETARRAGA o **BETARRATA** f. Remolacha, planta.

BETATRÓN m. *Fís.* Acelerador de partículas por inducción magnética, para la producción de electrones de gran energía. Es propiamente un transformador en el que las partículas aceleradas forman el devanado secundario.

BETEL m. *Bot.* Planta trepadora piperácea que se cultiva en el Extremo Oriente. • Buyo.

BETELGEUSE f. *Astr.* Segunda estrella, por la intensidad de su brillo, de la constelación de Orión.

BETHE, ***Hans Albrecht*** (nacido 1906) Físico al., nacionalizado en EE UU. Autor de la teoría sobre las reacciones nucleares entre el Sol y las estrellas calientes. Premio Nobel de Física en 1967. • **Ciclo de B.** *Astr.* Serie de reacciones termonucleares que explican los orígenes de la energía radiada por las estrellas. Comporta la transformación de cuatro átomos de hidrógeno en un átomo de helio, con regeneración del carbono que interviene.

BETHENCOURT, ***Juan de*** (1360-1425) Navegante normando, conquistador de las islas Canarias.

BETHMANN Hollwegg, ***Theobald von*** (1856-1921) Político al. Ministro del Interior (1907) y canciller del Imperio (1909-1917). Intentó impedir la declaración de guerra en 1914. Apoyó la invasión de Bélgica, se opuso a la vuelta a una guerra submarina e intentó lograr una paz de compromiso en 1916. Impulsó las tendencias liberalizadoras y, en 1917, se vio obligado a dimitir.

BÉTHUNE C. del N de Francia, en el dpto. de Pas-de-Calais; 145 200 hab. Ind. mecánica y química.

BÉTICA Prov. del imperio romano, en el S de la pen. Ibérica, correspondiente a la actual Andalucía.

BÉTICAS, ***cordilleras*** o ***Sistema*** **BÉTICO** Conjunto orográfico de España que se extiende desde Gibraltar hasta el cabo de la Nao (650 km) y que se formó en el plegamiento alpino.

BÉTICO, CA adj. y s. De la Bética.

BETLEMITA o **BETLEMÍTICO, CA** adj. y s. De Belén. • adj. y s. Religioso de la orden fundada en Guatemala en el s. XVII por Pedro de Bethencourt.

BETÓNICA f. *Bot.* Planta de la familia labiadas, de flores moradas o blancas. Usada en medicina. • *Cuba.* Planta de la que se obtiene un aguardiente aromático.

Besugo

BETSABÉ Mujer israelita, madre de Salomón.

BETSAIDA Caserío de la antigua Palestina, a orillas del lago Tiberíades. Cuna de los apóstoles Pedro, Juan, Santiago el Mayor y Felipe.

BETTELHEIM, ***Charles*** (nacido 1913) Economista fr., especialista en planificación y estructura económica. *Problemas teóricos y prácticos de la planificación*, *La construcción del socialismo en China*, *La transición hacia la economía socialista.*

BETTI, ***Enrico*** (1823-1892) Matemático it. Trabajó en temas de análisis matemático • ***Ugo*** (1892-1953) Autor dramático it. *Corrupción en el Palacio de Justicia*, *El ama*, *Tierra quemada*, *La fugitiva.*

BETULÁCEO, A adj. y f. *Bot.* Árboles o arbustos de la familia betuláceas. • f. pl. Bot. Familia de plantas dicotiledóneas arbóreas o arbustivas, de hojas alternas simples, flores monoicas en amento y fruto seco, monospermo e indehiscente.

BETUMINOSO, SA adj. Bituminoso.

BETÚN m. Producto sólido negro que se presenta en la naturaleza o se obtiene como residuo de la destilación del alquitrán de hulla. • Preparado para lustrar el calzado. • Zulaque, pasta para cubrir las juntas de las cañerías ■ BETUNERÍA; BETUNERO.

BETUNEAR tr. *Cuba.* Humedecer con betún el tabaco en rama.

BEUST, ***Friedrich Ferdinand*** BARÓN, más tarde CONDE DE (1809-1886) Político al servicio de Sajonia y, posteriormente, de Austria. Ministro del Interior y Exterior de Sajonia, intentó la creación de una tercera fuerza capaz de medirse con Austria y Prusia, mediante la unión de los pequeños est. alemanes. Tras de dimitir, pasó al servicio de Austria, donde le fue confiada la pacificación del Imperio.

BEVAN, ***Aneurin*** (1897-1960) Político galés, dirigente del sindicato minero, y jefe de la izquierda laborista. Ministro de Sanidad, nacionalizó la medicina.

BEVATRÓN m. *Fís.* Sincrotrón de protones que permitió el descubrimiento del antiprotón.

BEVERIDGE, LORD ***William Henry*** (1879-1963) Político brit. Director de la Escuela de economistas de Londres y diputado liberal. *La ocupación plena: sus requisitos y consecuencias*, *El precio de la paz.*

BEVIN, ***Ernest*** (1881-1951) Sindicalista y político brit. En 1921 unificó 50 uniones de trabajadores en el Sindicato de los Obreros del Transporte. En 1937 presidió el Consejo General de las *Trade Unions.* Ministro de Asuntos Exteriores (1945-1951).

BEY m. Gobernador de una ciudad o región del antiguo imperio turco. • Título del sultán de Túnez hasta 1957.

BEYLE, *Henri* → Stendhal.
BEZAAR o **BEZAR** m. Bezoar.
BEZANTE m. *Her.* Figura redonda, de metal.
BÈZE, *Théodore de* (1519-1605) Teólogo protestante fr., colaborador y sucesor de Calvino. *El asno lógico, Historia eclesiástica de las iglesias reformadas en Francia.*
BEZO m. Labio grueso. • Labio, cada una de las dos partes exteriores de la boca que cubren la dentadura. • fig. Carne que se levanta alrededor de la herida enconada ■ BEZUDO, DA.
BEZOAR m. Concreción calculosa de las vías digestivas y urinarias de algunos cuadrúpedos. En la E. Med. se usó como antídoto ■ BEZOÁRICO, CA.
BEZOTE m. *Amér.* Adorno o arracada que usaban los indios en el labio inferior.
BÉZOUT, *Étienne* (1730-1783) Matemático fr. Hizo interesantes aportaciones al álgebra, en la teoría de las ecuaciones.
BHAGAVADGITA (sánscrito, «Canto del Señor») Poema filosófico-religioso indio que forma parte del *Mahabharata.*
BHARAT Nombre hindi de la India.
BHASA (ss. IV-III a. C.) Dramaturgo hindú. En 1910 se descubrieron 3 dramas suyos.
BHÁSKARA (1114-h. 1185) Matemático hindú. Se le atribuye el *Lilavati*, recopilación de todos los conocimientos aritméticos y geométricos de la India de su tiempo.
BHAVNAGAR C. del O de la India, en el est. de Gujarat, a orillas del golfo de Khambhayat; 307 100 hab. Centro ind. Puerto exportador de algodón.
BHIKKU adj. y m. Monje budista que renuncia a los bienes materiales y observa una vida de meditación y castidad.
BHOPAL C. del centro-norte de la India, cap. del est. de Madhya Pradesh; 311 000 hab. Centro comercial e industrial.
BHUTAN → Bután.
BHUBANESWAR C. de la India, cap. del est. de Orissa; 411 500 hab.
BHUTTO, *Ali* (1928-1979) Político paquistaní. Ocupó diversos cargos públicos bajo la presidencia de Ayub Jan. Tras la secesión de Bangla Desh, sucedió en la presidencia de la república a Yahya Jan. Nombrado primer ministro en 1974. Derrocado en un golpe de Estado en 1977, fue ahorcado en 1979. • ***Benazir*** (nacida 1953) Política pakistaní, hija del anterior. Primera ministro (1988-1990), fue destituida por abuso del poder. Reelegida en 1993, fue destituida de nuevo en 1997 y derrotada en las elecciones celebradas ese mismo año.
Bi *Quím.* Símb. del bismuto.
BIAFRA Nombre que tomó la región oriental de Nigeria en 1967, al proclamar su indep.; 76 400 km^2. Tras una dura guerra, hasta 1970, el gobierno biafreño capituló, y el terr. volvió a Nigeria.
BIAFREÑO, ÑA adj. y s. De Biafra.
BIAJACA f. *Cuba.* Pez perciforme de ríos y lagunas.
BIAJAIBA f. *Ant.* Pez marino de cola ahorquillada y rojiza, y de carne apreciada.
BIALYSTOK Voivodato de Polonia; 10 055 km^2; 666 100 hab. Agricultura. • C. de Polonia, cap. del voivodato hom.; 245 400 hab. Mercado rural.
BIANCHI, *Andrés* (1677-1740) Arquitecto it., radicado en Buenos Aires. Autor de las prales. iglesias coloniales de Buenos Aires, en colaboración con Juan Bautista Prímoli. Templos del Pilar, La Merced, Las Catalinas, San Telmo.
BIANCO, *José* (1909-1986) Escritor arg. Vinculado al grupo Sur. *Sombras suele vestir, Las ratas.*
BIANUAL adj. y s. Que pasa dos veces al año.
BIARCA m. Oficial que en la milicia rom. cuidaba de los víveres y de las pagas.
BIARD, *Pierre* (1559-1609) Escultor y pintor fr. de tendencia clasicista. Mausoleo de los duques de Épernon (iglesia de San Blas de Cadillac); trascoro de Saint Etienne-du-Mont, en París.
BIARTICULADO, DA adj. Díc. del mecanismo o aparato con dos articulaciones.
BIAS (s. VI a. C.) Uno de los siete sabios de Grecia.
BIAURICULAR adj. Relativo a ambos oídos.
BIÁXICO, CA adj. Díc. de cristales birrefringentes con dos direcciones de monorrefringencia, denominadas ejes ópticos.
BIBÁSICO, CA adj. *Quím.* Díc. del ácido que tiene dos átomos de hidrógeno reemplazables por átomos o radicales metálicos.
BIBELOT (voz fr.) m. Pequeño objeto artístico o decorativo.
BIBERMANN, *Herbert* (1895-1971) Director cinematográfico norteam. *La sal de la tierra.*
BIBERÓN m. Utensilio para la lactancia artificial. • Líquido que contiene.
BIBÍ m. *Argent.* Planta liliácea.
BIBIANA (m. 363) Santa. Virgen y mártir rom.
BIBICHO m. *Hond.* Gato, mamífero.
BIBIJAGUA f. *Cuba.* Hormiga perjudicial para los árboles y plantas. • fig. *Cuba.* Persona laboriosa ■ *Cuba.* BIJUAGÜERO.
BIBLIA (del gr. *ta Biblía*, «los Libros») Conjunto de libros judíos y cristianos que se cree revelado por Dios. Divididos en A. T. y N. T., el primero narra desde la creación del mundo hasta la sublevación de los Macabeos, y el segundo recoge la misión de Jesús y los primeros tiempos del cristianismo. La Iglesia Catól. reconoce 47 libros en el A. T. y 27 en el N. T.; la mayoría de los primeros están escritos en hebreo y el N. T. en gr., excepto el Evangelio de Mateo, compuesto en arameo. La versión latina más aceptada del A. T. se debe a San Jerónimo y se denomina *Vulgata.* • ***Políglota Complutense,*** versión que se editó en Alcalá de Henares entre 1502-1517, por iniciativa del cardenal Cisneros. Colaboraron en ella los humanistas Antonio de Nebrija, Juan de Vergara, Pablo de Zamora, López de Zúñiga y Alfonso de Alcalá ■ BÍBLICO, CA.
BIBLIÓFAGO, GA adj. Díc. de las larvas o insectos que se alimentan del papel de los libros.
BIBLIOFILIA f. Pasión por los libros, y especialmente por los raros y curiosos. ■ BIBLIÓFILO, LA.
BIBLIOGRAFÍA f. Descripción de libros con datos sobre sus ediciones, fechas de impresión, etc. • Catálogo de libros o escritos de una materia ■ BIBLIOGRÁFICO, CA; BIBLIÓGRAFO, FA.
BIBLIOLOGÍA f. Estudio del libro en su aspecto histórico y técnico.
BIBLIOMANCIA f. Adivinación interpretando un pasaje de un libro al azar.
BIBLIOMANÍA f. Pasión de tener muchos libros raros o de una especialidad ■ BIBLIÓMANO, NA.
BIBLIOTECA f. Local donde existe libros ordenados para su lectura. • Conjunto de estos libros. • Obra en que se da cuenta de los escritores de una nación y de su obra. • Colección de libros semejantes entre sí ■ BIBLIOTECARIO, RIA.
BIBLIOTECONOMÍA f. Ciencia de la conservación, ordenación, etc., de las bibliotecas.
BIBLOS C. y puerto de la antigua Fenicia. Su origen se remonta al V milenio a. C. Fue emporio del comercio del papiro (*biblos*, en gr.).
BICAL m. Salmón macho.
BICAMERALISMO m. Existencia de dos cámaras o asambleas parlamentarias en el sistema constitucional de un Estado ■ BICAMERAL.

Benazir **Bhutto**

Cristales **biáxicos** de calcita

Sala de lectura de una moderna **biblioteca**

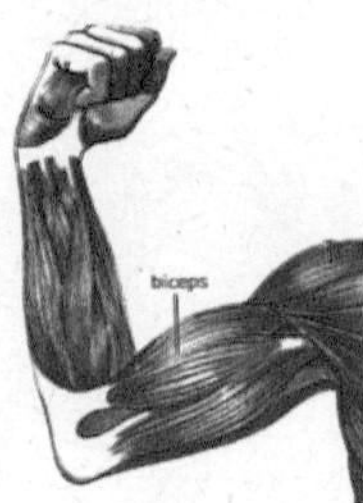

Biceps braquial

Bicicleta de carreras

Lente **bicóncava**

Lente **biconvexa**

BICAPSULAR adj. *Bot.* Díc. del fruto que tiene dos carpelos.
BICARBONATO m. Cada una de la sales del ácido carbónico, especialmente la sal sódica.
BICÉFALO, LA adj. Que tiene dos cabezas.
BICENTENARIO m. Segundo centenario.
BÍCEPS adj. *Zool.* De dos cabezas, dos puntas o cabos. • adj. y m. *Anat.* Músculos pares que tienen por arriba dos porciones o cabezas. • **branquial.** *Anat.* El que va desde el omoplato a la parte superior del radio. • **femoral**. *Anat.* El situado en la parte posterior del muslo.
BICERRA f. Cabra montés de cuernos levantados y ganchosos, con la frente y barbas manchadas de blanco.
BICHA f. *Col.* Bicho. • fam. Culebra. • *Arq.* Figura fantástica usada como ornato.
BICHAT, *Xavier* (1771-1802) Anatomista e histólogo fr. Fundador de la histología y de la anatomía patológica.
BICHE adj. Col. Díc. de la fruta verde, y de las personas canijas. • *Méx.* Vacío.

BICHERO m. *Mar.* Asta para atracar y desatracar.
BICHO m. Sabandija o animal pequeño. • Bestia. • Toro de lidia. • fig. Persona fea o de aspecto ridículo. • **Mal b.** fig. Persona de malas intenciones ▪ BICHARRACO.
BICHOCO, CA adj. y s. *Amér.* Viejo y que no puede moverse con rapidez.
BICHOZNO m. Quinto nieto.
BICI f. Apócope fam. de bicicleta.
BICICLETA f. Vehículo de dos ruedas en que el movimiento de los pies se transmite a la rueda trasera mediante una cadena.
BICICLO m. Velocípedo de dos ruedas, cuyos pedales actúan directamente sobre una de ellas.
BICÍPITE adj. Bicéfalo.
BICOCA f. fam. Cosa muy ventajosa y que cuesta poco. • fam. Cosa de poca importancia.
BICOLOR adj. De dos colores.
BICÓNCAVO, VA adj. Díc. del cuerpo que tiene dos superficies cóncavas opuestas.
BICONDICIONAL adj. *Lóg.* Díc. de la conectiva binaria «si y sólo si», que suele simbolizarse con el signo «$\leftrightarrow$».
BICONVEXO, XA adj. Díc. del cuerpo que tiene dos superficies convexas opuestas.
BICOQUE m. *Bol.* Golpe dado en la cabeza con los nudillos de los dedos.
BICOQUETA f. *Perú.* Bicoquete. • *Perú.* Gorro alto que usan algunos religiosos.
BICOQUETE m. Papalina.
BICOQUÍN m. Bicoquete.
BICORNE adj. De dos cuernos o dos puntas. • adj. y f. *Bot.* Plantas del orden bicornes. • f. pl. *Bot.* Orden de plantas dicotiledóneas con hojas adaptadas a la escasez de agua y flores hermafroditas.
BICORNIO m. Sombrero de dos picos.
BICOS m. pl. Puntillas de oro que se ponían en los birretes de terciopelo.
BICROMÍA f. *Art. Gráf.* Impresión o grabado en dos colores.
BICUADRADO, DA adj. *Mat.* Díc. del polinomio algébrico de cuarto grado que carece de los monomios de grado impar. • m. *Mat.* Número elevado a la cuarta potencia. • **Ecuación b.** → bicuadrática.
BICUADRÁTICO, CA adj. *Mát.* Díc. de la ecuación de cuarto grado que carece de términos de grado par.
BICUENTO m. Billón.
BICÚSPIDE adj. Que tiene dos cúspides.
BIDAULT, *Georges* (1899-1983) Político fr. Presidió el Comité Nacional de Resistencia. Varias veces ministro de Asuntos Exteriores y presid. del Consejo. Apoyó la candidatura de A. Poher en 1969.
BIDÉ m. Aparato sanitario que se utiliza para lavarse las partes íntimas del cuerpo.
BIDENTE adj. poét. De dos dientes. • m. poét. Azada de dos dientes.
BIDET (voz fr.) m. Bidé.
BIDÓN m. Recipiente metálico para envasar y transportar líquidos.
BIDONVILLE m. Barrio de barracas.
BIEDERMEIER Estilo de mobiliario imperante en Alemania tras las guerras napoleónicas.
BIEL C. del NO de Suiza, a orillas del lago hom.; 53 000 hab. Ind. relojera.
BIELA f. Pieza que en las máquinas sirve para transmitir esfuerzos entre órganos de las mismas, transformando el movimiento rectilíneo en rotatorio, o viceversa.
BIELA, *Wilhelm von* (1782-1856) Astrónomo austr., descubridor del cometa que lleva su nombre.
Dio nombre al grupo de estrellas de las Biélidas.
BIELDA f. Bieldo que sirve para recoger, cargar y encerrar la paja.
BIELDAR tr. Beldar.
BIELDO o **BIELGO** m. Instrumento para beldar, compuesto de cuatro palos fijos en otro transversal, al cual va acoplado un mango.
BIELEFELD C. de Alemania en el est. de Renania Septentrional-Westfalia; 301 700 hab. Centro industrial.
BIELGA f. Bieldo grande, usado para hacer los pajares.
BIELINSKI, *Vissarion* (1811-1848) Crítico literario ruso. Propugnador del realismo en su país.
BIELORRUSIA, BYELARUS o **RUSIA BLANCA** *(Respublika Belarus)* Est. de Europa oriental. Limita con Polonia al O, Lituania y Letonia al N, Rusia al N y E, y Ucrania al S. Situada en extensa zona llana y pantanosa, sobre todo al S, donde se halla el Polesie. El único relieve es una línea de colinas morrénicas que corre en dirección E-O. Ríos prales.: el Niemen y sus afl., el Dniéper, con el Pripiat y el Berezina, y el Dvina Occidental. Abundantes bosques de abetos y abedules. Clima continental, de inviernos muy fríos y largos, con abundantes nevadas. Economía agropecuaria, en vías de industrialización. Turberas. Ind. mecánica, de transformados metálicos, electrónica y textil. Lenguas: bielorruso (oficial), ruso. *Rel.*: catolicismo uniato, cristianismo ortodoxo ruso, catolicismo romano. U. M.: zaihik. Pob. bielorrusa en un 80%. Cap., Minsk. C. prales: Gomel, Vitebsk, Moguiliov.
* *Hist.* En los s. VIII y IX las tribus eslavas que la poblaban formaron pequeños principados en Pinsk, Turov, Polotsk, Slutsk y Minsk, incorporados más tarde al imperio de Kiev. Después de que este est. sufriera la invasión mongola de 1240, B. cayó bajo el control del Gran Ducado de Lituania. Unida a Polonia en 1569. En 1648-1654 se produjo una gran revuelta dirigida contra los terratenientes. Al efectuarse en 1772 el primer reparto polaco, Catalina la Grande obtuvo el oriente de B., con las ciudades de Vitebsk, Moguiliov y Gomel. En los sucesivos repartos de 1793 y 1795 pasó al poder zarista el resto del país, iniciándose una etapa de intensa rusificación. La invasión napoleónica de 1812 afectó seriamente a B. que quedó devastada. Durante la I Guerra Mundial fue ocupada en parte por los alemanes. En 1919 se proclamó la rep. soviética. Los polacos obtuvieron en 1921 la parte occidental de B. La pequeña rep. bielorrusa soviética (52 116 km^2 y 1 500 000 h) fue engrandecida en 1924 con las regiones de Polotsk, Vitebsk, Orsha y Moguiliov y en 1926 con Gomel, alcanzando así 126 792 km^2 y unos 5 000 000 de h. En 1939, al invadir Polonia los nazis, la URSS ocupó la B. polaca. En 1941 cayó bajo dominio alemán, sufriendo vandálicas destrucciones (70% de viviendas) y grandes pérdidas humanas. Al término del conflicto, la URSS firmó un acuerdo con Polonia por el que ésta cedía todos sus antiguos distritos bielorrusos salvo el de

Despiece de una **biela** de motor de explosión

Bialystok. B. se autoproclamó independiente en 1991 y se adhirió a la Comunidad de Estados Independientes (CEI) en diciembre de ese año. En 1994 se eligió al primer presid. del país, A. Lukashenko, quien promovió la firma de un tratado de unión política, económica y militar con Rusia en 1996. Lukashenko, que impuso un régimen autoritario, fue reelegido en septiembre de 2001.

BIELORRUSO, SA adj. y s. Natural de Bielorrusia, Byelarus o Rusia Blanca. • adj. Perteneciente o relativo a este estado. • m. *Ling.* Idioma indoeuropeo de la rama eslava oriental. Constituye el tercer idioma de la vasta área lingüística rusa. Desde 1919 es oficial en Bielorrusia.

BIELSKO-BIALA Voivodato de Polonia; 3 704 km²; 865 300 hab. Ind. textil, mecánica. • C. de Polonia, cap. del voivodato hom.; 174 100 hab.

BIEN m. *Fil.* Valor supremo de la moral. • Utilidad, beneficio. • *Econ.* Cualquiera de las cosas susceptibles de satisfacer necesidades humanas. • adv. modo. Según es debido, perfecta o acertadamente, de buena manera. • Según se apetece o requiere. • Con gusto. • Con buena salud. • Sin inconveniente o dificultad. • Mucho, muy. • Úsase como conjunción distributiva. • m. pl. Hacienda. • **Bienes adventicios.** *Der.* Los que el hijo de familia que está bajo la patria potestad adquiere por su trabajo o por fortuna; y los que hereda. • **comunales** o **concejiles.** Los que pertenecen al común o concejo de algún pueblo. • **de fortuna.** Bienes. • **fungibles.** *Der.* Los muebles de que no puede hacerse el uso adecuado a su naturaleza sin consumirlos. • **gananciales.** Los adquiridos por el marido o la mujer, o por ambos, durante la sociedad conyugal. • **inmuebles.** Bienes raíces. • **mostrencos.** Los muebles o los semovientes que, por no tener dueño conocido, se aplican al Estado. • **muebles.** Los que pueden trasladarse de una parte a otra, sin menoscabo de la cosa inmueble que los contiene. • **parafernales.** *Der.* Los que lleva la mujer al matrimonio fuera de la dote y los que adquiere durante él por título lucrativo, como herencia o donación. • **raíces.** Las tierras, edificios, caminos, construcciones y minas; y los adornos, artefactos o derechos a los cuales atribuye la ley consideración de inmuebles. • **No bien.** m. conjunt. Apenas, luego que, al punto. • **Si bien.** m. conjunt. Aunque. • Y bien. Exp. que sirve para introducir preguntas.

BIENAL adj. Que sucede cada bienio. • Que dura un bienio. • *Bot.* Díc. de la planta cuyo ciclo de reproducción dura 2 años. • f. Exposición o concurso organizado cada 2 años.

BIENANDANZA f. Felicidad, fortuna en los sucesos. ■ BIENANDANTE.

BIENAVENTURADO, DA adj. y s. Que goza de Dios en el cielo. • adj. Afortunado, feliz. • adj. y s. Díc. irónicamente de la persona cándida.

BIENAVENTURANZA f. Vista y posesión de Dios en el cielo. • Prosperidad o felicidad humana. • pl. Las ocho bendiciones que según san Mateo pronunció Jesús.

BIENESTAR m. Comodidad, vida holgada. • **Teoría del b.** *Econ.* Teoría expuesta por varios economistas (A. Marshall, Pareto, Pigou), según la cual el objetivo de la actividad humana es el b. social.

BIENGRANADA f. Planta aromática quenopodiácea, usada en medicina.

BIENHABLADO, DA adj. Que habla cortésmente y sin murmurar.

BIENHADADO, DA adj. Bienfortunado.

BIENHECHOR, RA adj. y s. Que hace bien a otro.

BIENINTENCIONADO, DA adj. Que tiene buena intención.

BIENIO m. Período de dos años.

BIENLLEGADA f. Bienvenida.

BIENMANDADO, DA adj. Obediente a sus superiores.

BIENMESABE m. Dulce de claras de huevo y azúcar.

BIENOLIENTE adj. Fragante.

BIENQUERENCIA f. Buena voluntad, cariño.

BIENQUERER tr. Querer bien, apreciar. • m. Bienquerencia.

BIENQUISTAR tr. y prnl. Poner bien a una o varias personas con otra u otras.

BIENQUISTO, TA adj. De buena fama y estimado.

BIENTEVEO m. Candelecho, choza. • *Amér.* Ave paseriforme insectívora, activa, vivaz y agresiva.

Bielorrusia. Plaza del centro de Minsk

BIELORRUSIA

Superficie 207 600 km²

Población 10 297 000 hab. (50 hab./km²)

Indicadores sociológicos

PNB	21 356 millones de dólares
Renta per cápita	2 070 dólares
Esperanza de vida	70 años
Alfabetismo	98 %

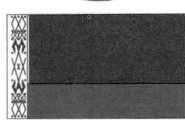

Mapa de situación y bandera de **Bielorrusia**

BIENVENIDA f. Llegada feliz. • Parabién que se da a uno por haber llegado con felicidad.

BIENVIVIR intr. Vivir con holgura. • Vivir honestamente.

BIERCE, *Ambrose* (1842-1914) Escritor y periodista norteam. Estilo humorístico. *Tales of Soldiers and Civilians.*

BIERGOL m. *Astron.* Propergol compuesto por dos ergoles líquidos (comburente y combustible) que se inyectan separadamente en la cámara de combustión del cohete.

BIERUT, *Boleslaw* (1892-1956) Político pol. Primer presid. electo de Polonia, después de la II Guerra Mundial (1947).

BIES m. Sesgo, oblicuidad. • Trozo de tela cortado al sesgo respecto al hilo.

BIFÁSICO, CA adj. *Fís.* Díc. del sistema de corriente eléctrica alterna con dos fases.

BIFE m. *Amér.* Bistec.

BÍFERO, RA adj. Díc. de las plantas que fructifican dos veces al año.

BÍFIDO, DA adj. *Biol.* Hendido en dos partes.

BIFLORO, RA adj. Que tiene dos flores.

BIFOCAL adj. *Ópt.* Que tiene dos focos.

BIFORME adj. De dos formas.

BIFRONTE adj. De dos frentes o dos caras.

BIFTEC m. Bistec.

BIFURCACIÓN f. Punto donde se separan dos o más vías o caminos.

BIFURCARSE prnl. Dividirse en dos ramales, brazos o puntas una cosa.

BIGA m. Carro rom. de dos ruedas, tirado por un tronco de caballos.

BIGAMIA f. *Der.* Estado de un hombre casado con dos mujeres a un mismo tiempo, o de la mujer casada con dos hombres. • *Der.* Segundo matrimonio que contrae el que sobrevive de los dos consortes. ■ BÍGAMO, MA.

BIGARD, *León Albany* «BARNEY» (1906-1980) Clarinetista norteam. de *jazz,* representante del estilo Nueva Orleáns. Con D. Ellington tuvo su época más creativa.

BIGARDEAR intr. fam. Andar uno vagando y sin ocupación.

BIGARDÍA f. Burla, fingimiento.

BIGARDO, DA adj. y s. fig. Vago, vicioso. Se aplicó especialmente a los frailes licenciosos.

BÍGARO m. Molusco gasterópodo marino de carne comestible.

BIGATTI, *Alfredo* (1898-1964) Escultor arg. Monumentos a Mitre, a Roca y a la bandera.

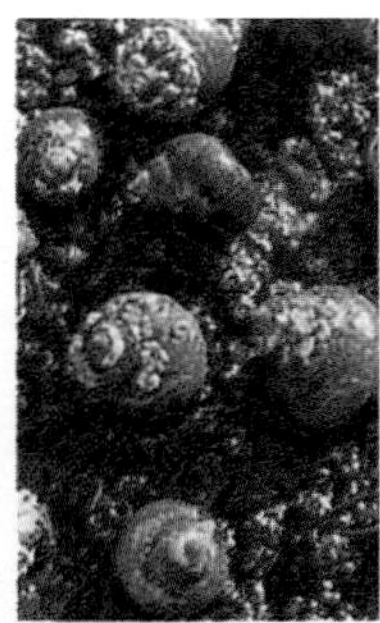

Bígaro

Flores típicas de las plantas de la familia **bignoniáceas**

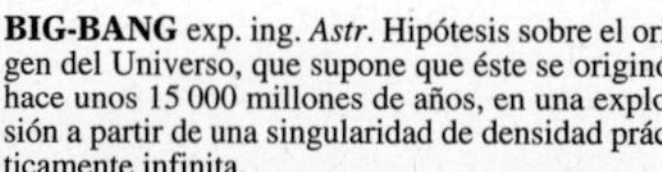

BIG-BANG exp. ing. *Astr.* Hipótesis sobre el origen del Universo, que supone que éste se originó, hace unos 15 000 millones de años, en una explosión a partir de una singularidad de densidad prácticamente infinita.

BIGNONE, ***Reynaldo*** (nacido 1928) Militar y político arg. Tras la guerra de las Malvinas, fue designado presid. de la rep. por el estamento mil. Convocó las elecciones que ganó R. Alfonsín.

BIGNONIA f. Planta bignoniácea de grandes flores.

BIGNONIÁCEO, A adj. y f. *Bot.* Plantas sarmentosas y trepadoras, con hojas compuestas, cáliz de una pieza con cinco divisiones, corola gamopétala con cinco lóbulos y fruto en cápsula. • f. pl. Familia de estas plantas.

BIGORNIA f. Yunque con dos puntas opuestas.

BIGORRA Región histórica del SO fr. Cap., Tarbes. Abarca la cuenca alta del r. Adour.

BIGOTE m. Pelo que nace sobre el labio superior. • *Méx.* Croqueta. • *Art. Gráf.* Línea horizontal, gruesa por el medio y delgada por los extremos. • *Min.* Abertura semicircular que los hornos de Cuba tienen en la delantera. • pl. *Min.* Llamas que salen por esta abertura. • *Min.* Infiltraciones del metal en las hendeduras del interior del horno.

BIGOTERA f. Protección que se pone en los bigotes para dormir. • Bocera que queda en el labio superior cuando se bebe. Se usa más en pl. • Adorno de cintas que usaban las mujeres para el pecho. • Puntera del calzado. • Compás pequeño. • *Metal.* Abertura de sangrado de los hornos, por la que se extraen las escorias de los minerales.

BIGOTUDO, DA adj. Que tiene mucho bigote. • m. *Zool.* Ave paseriforme de la familia muscicápidos.

Bigotudo

BIGUÁ f. *Argent.* Ave palmípeda.

BIGUDÍ m. Pinza o aguja sobre la que se arrolla el pelo para que se rice.

BIHAR Est. del NE de la India, al S del Nepal.; 173 876 km², 86 338 900 hab.; Cap., Patna. Río Ganges. Clima monzónico. Azúcar, arroz. Ind. siderúrgica. Carbón, hierro, mica y cobre.

BIHARÍ adj. y s. De Bihar. • m. *Ling.* Lengua índica hablada en los est. de Bihar y Uttar Pradesh.

BIJA f. *Amér.* Árbol bixáceo, de cuyo fruto se hace una bebida medicinal. De la semilla se saca una sustancia de color rojo, que se usa en pintura y en tintorería. • Fruto de este árbol. • Semilla de este fruto.

BIJAGOS Arch. africano sit. frente a la costa de Guinea-Bissau, de la que forma parte. Islas prales.: Orango, Formosa, Caravela, Roxa, Bolama.

BIJÁGUARA f. *Cuba.* Árbol ramnáceo, de madera rojiza muy resistente.

BIJAO m. *Amér.* Planta musácea con cuyas hojas cubren los indios sus barracas.

BIJIRITA f. *Cuba.* Pájaro parecido al canario. • *Cuba.* Cometa pequeña de papel. • com. *Cuba.* Cubano de padre esp.

BIJOL m. *Cuba.* Polvo que se obtiene triturando los granos de la bija o achiote y que se emplea como sustitutivo del azafrán.

BIKILA, ***Abebe*** (1932-1973) Atleta etíope, vencedor del maratón en las olimpíadas de Roma y Tokio.

BIKINI m. Bañador femenino de dos piezas.

BIKINI Atolón del Pacífico, en Micronesia, al N de las islas Marshall. Teatro de experimentación atómica en 1946.

BILABARQUÍN m. Berbiquí.

BILABIADO, DA adj. *Bot.* Díc. del cáliz o corola cuyo tubo se halla dividido en dos partes.

Museo Guggenheim, **Bilbao**

BILABIAL adj. *Fon.* Díc. del sonido en cuya pronunciación intervienen los dos labios, y también de la letra que lo representa.

BILATERAL adj. Que afecta a dos aspectos de una misma cosa. • *Der.* Díc. del contrato que obliga a ambos contrayentes. • *Geom.* Díc. de un tipo de simetría plana caracterizada por poseer dos ejes de simetría. • adj. y m. *Zool.* Díc. de animales metazoos caracterizados por presentar simetría bilateral.

BILBAO o **BILBO** C. esp., cap. de la prov. de Vizcaya, en el País Vasco; 358 875 hab. Sit. junto al r. Nervión, que forma la ría de Bilbao. Segundo puerto del est. Universidad. Altos hornos. Ind. siderúrgica y de conservas de pescado. Astilleros. Junto con Baracaldo, Sestao, Portugalete, Santurce, Begoña, Deusto y Erandio forma el Gran Bilbao. Museo Guggenheim. Palacio Euskalduna.

BILBAO, ***Francisco*** (1823-1865) Político y ensayista chil. Procesado y excomulgado por atacar al catolicismo. • **Gonzalo** (1860-1938) Pintor esp. Participó en exposiciones internacionales. *La siega de Andalucía, La mantilla negra.* • **Manuel** (1827-1895) Escritor chil., hermano de Francisco B. Propagandista liberal. *El pirata de Guayas.*

BILBAÍNO, NA adj. y s. De Bilbao.

BILBILITANO, NA adj. y s. De Calatayud.

BILINGÜE adj. Que habla dos lenguas. • Escrito en dos idiomas.

BILINGÜISMO m. Coexistencia de dos lenguas en un mismo país.

BILIOSO, SA adj. Abundante de bilis. • De mal genio.

BILIRRUBINA f. *Fisiol.* Pigmento de color amarillento, presente en el plasma sanguíneo combinado con la albúmina hepática. Su acumulación en el organismo por insuficiencia hepática provoca la ictericia.

BILIS f. *Fisiol.* Humor viscoso, amarillento o verdoso, de sabor amargo, segregado por el hígado. Se trata de una secreción digestiva, carente de actividad enzimática, que fluye directamente al intestino duodeno o se recoge en la vejiga de la hiel (bilirrubina). ■ BILIAR; BILIARIO, RIA.

BILÍTERO, RA adj. De dos letras.

BILIVERDINA f. *Fisiol.* Pigmento de color verde que se libera en la sangre cuando mueren los eritrocitos de la misma.

BILL (voz ing.) m. Término con el que se designa todo proyecto de ley sometido al Parlamento. • **of rights.** Declaración de derechos aprobada por Guillermo III de Inglaterra a petición del Parlamento (1689).

BILL, ***Max*** (1908-1994) Escultor suizo. Integrado en el grupo *Abstraction-Creation. Superficie infinita en forma de columna.*

BILLA f. En el billar, jugada por la que se mete una bola en la tronera después de haber chocado con otra.

BILLAR m. Juego que se ejecuta impulsando con un taco 3 bolas en una mesa rectangular cubierta de un paño verde. • Mesa donde se practica este juego. • Casa pública o aposento privado donde están la mesa o mesas para este juego. ■ BILLARISTA.

BILLARDA f. Juego de la tala. • *Hond.* y *Méx.* Trampa para coger lagartos.

BILLAUD-VARENNE, ***Jean Nicolas*** (1756-1819) Revolucionario fr. Diputado de la Convención y miembro del Comité de Salud Pública. En 1795 fue deportado a la Guayana.

BILLBERGIA f. *Amér.* Planta de la familia bromeliáceas.

BILLETADO, DA adj. *Her.* Sembrado de cartelas.

BILLETAJE m. Conjunto de los billetes de teatro, tranvía, etc.

BILLETE m. Carta breve. • Pequeño impreso que da derecho para entrar u ocupar asiento en alguna parte. • Pequeño impreso que acredita participación en una rifa o lotería. • Cédula que representa cantidades de numerario. • *Her.* Cartela. • **de banco.** Papel moneda que imprime y pone en circulación un banco oficial. • **kilométrico.** El que autoriza para recorrer por ferrocarril cierto número de kilómetros.

BILLETERO, RA m. y f. Pequeña cartera para guardar billetes de banco.

BILLINGHURST, ***Guillermo*** (1851-1915) Político per. Presid. en 1912, fue derrocado en 1914 por un golpe militar.

BILLINI, ***Francisco Gregorio*** (1844-1898). Político dom. Presid. de la rep. en 1884, renunció en 1885 al oponerse a la limitación de la libertad de prensa.

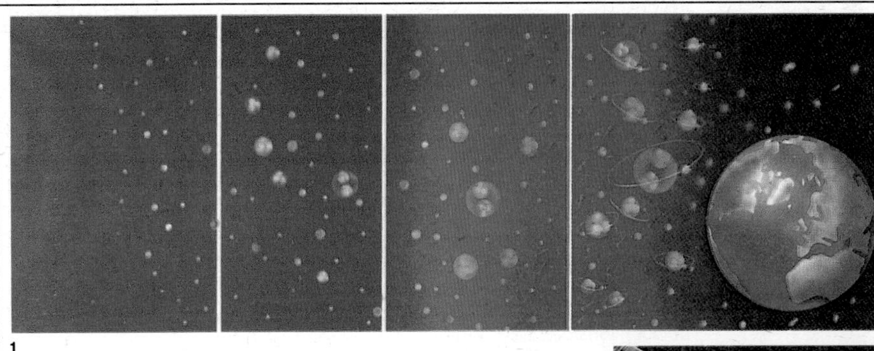

1

BIG-BANG

1. Representación de la evolución del Universo: su nacimiento en el Big-Bang; la aniquilación de las partículas y las antipartículas creadas, con supervivencia sólo de partículas; la formación de átomos de hidrógeno y helio; y la formación de galaxias, estrellas y sistemas planetarios. La física permite explicar la evolución del Universo desde 10^{-43} segundos después del Big-Bang.

2

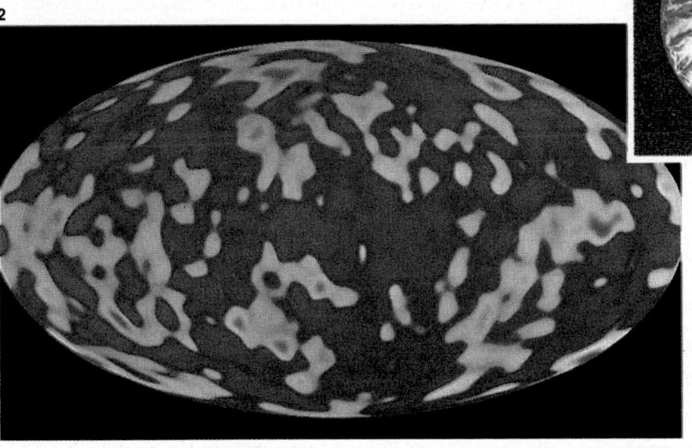

3

2. y 3. Una de las pruebas a favor del Big-Bang es la existencia de la radiación cósmológica de fondo, que constituye un fósil de la radiación que llenaba el Universo en el momento en que la materia y la radiación se desacoplaron, unos 300 000 años después del Big-Bang. En 1993, las observaciones del satélite *Cobe*, que detectó fluctuaciones en esta radiación, según se observa en el mapa, reforzaron el modelo del Big-Bang, ya que dichas fluctuaciones permiten explicar la formación de las galaxias.

BILLÓN m. Un millón de millones. Gráficamente, se expresa por la unidad seguida de doce ceros. En la América del Norte anglosajona la voz designa el valor de mil millones.
BILLONÉSIMO, MA adj. Ordinal y partitivo de un billón. • adj. Que ocupa en una serie el lugar al cual preceden otros 999 999 999 999 lugares.
BILMA f. *Amér.* Bizma, emplasto.
BILMAR tr. En algunas partes, bizmar.
BILOBULADO, DA adj. Que tiene dos lóbulos.
BILOCARSE prnl. Hallarse a un tiempo en dos lugares. • *Argent.* Chiflarse. ■ BILOCACIÓN.
BILOCULAR adj. *Bot.* Díc. de la cápsula con cavidades.
BILOGÍA f. Libro, tratado o composición literaria con dos partes.
BILONGO m. *Cuba.* Brujería, mal de ojo. ■ *Cuba.* BILONGUEAR; BILONGUERO, RA.
BIMANO, NA o **BÍMANO, NA** adj. y m. De dos manos. • m. pl. *Zool.* Grupo del orden de los primates, al cual sólo pertenece el hombre.
BIMBA f. fam. Chistera, sombrero.
BIMBALETE m. *Méx.* Columpio. • *Méx.* Palo redondo y largo para sujetar tejados.
BIMBRE m. fam. Mimbre.
BIMEMBRE adj. De dos miembros o partes.
BIMESTRAL adj. Que se repite cada bimestre. • Que dura un bimestre.
BIMESTRE adj. Bimestral. • m. Tiempo de dos meses. • Renta, pensión, etc., que se cobra por cada bimestre.
BIMETALISMO m. Sistema monetario que admite como patrones el oro y la plata, conforme a la relación que la ley establece entre ellos. ■ BIMETALISTA.
BIMOTOR adj. y m. De dos motores.
BIN LADEN, ***Osama*** (nacido 1957) Hombre de negocios de origen saudí. Musulmán sunnita integrista, en 1988 creó *Al-Qaida* (La base), núcleo de acción armada. Se le atribuyen acciones terroristas contra las Torres Gemelas de Nueva York (1993), contra Hosni Mubarak en Addis Abeba (1995), contra las embajadas estadounidenses en Kenia y Tanzania (1998), y contra las Torres Gemelas y el Pentágono (2001).
BINADERA f. Binador, instrumento agrícola.
BINADOR m. El que bina. • Instrumento para binar o cavar.
BINAR tr. Dar segunda reja a las tierras de labor. • Hacer la segunda cava en las viñas. • intr. Celebrar un sacerdote dos misas en día festivo. ■ BINA; BINACIÓN; BINADURA; BINAZÓN.
BINARIO, RIA adj. Compuesto de dos elementos. • *Astr.* Díc. de cada uno de los astros que forman una estrella doble. • *Mat.*→ Numeración. • *Mús.* Díc. del compás de dos tiempos.
BINCHA f. *Amér. Merid.* Huincha, cinta.
BINET, ***Alfred*** (1857-1911) Médico psicólogo fr. Autor, con el psiquiatra Simon, del primer test de inteligencia confeccionado en función de la edad.
BINGARROTE m. *Méx.* Aguardiente del binguí.
BINGHAM, ***George Caleb*** (1811-1879) Pintor estadoun. Describió la vida en la frontera del Misuri. • **Hiram** (1875-1956) Explorador y arqueólogo estadoun., especializado en cultura incaica. Descubrió las ruinas de Machu Picchu. *Machu Picchu, La ciudad perdida de los incas.*

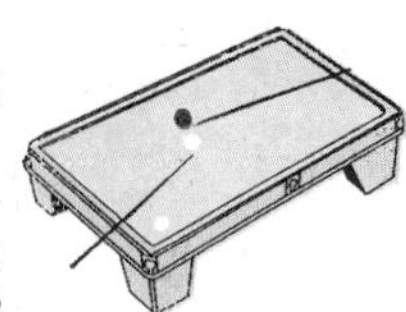

Mesa de **billar**

Microscopio **binocular**

BINGO m. Juego de azar.
BINGUÍ m. *Méx.* Bebida que se extrae del tronco del maguey.
BINOCULAR adj. Relativo a los dos ojos. • Díc. de la visión con los dos ojos y de los aparatos que la permiten.
BINÓCULO m. Anteojo para ambos ojos.
BINOMIAL adj. Relativo al binomio. • *Est.* Díc. de una distribución de probabilidad que se obtiene al considerar el número de veces que ocurrirá un suceso al repetir una experiencia, cuando se conoce la probabilidad de que el suceso ocurra o no.
BINOMIO m. *Mat.* Expresión algebraica formada por la suma o la diferencia de dos términos, llamados monomios.
BINSWANGER, ***Ludwig*** (1881-1966) Psiquiatra suizo, discípulo de Heidegger. Creador del *Daseinsanalyse* o análisis existencial.
BÍNUBO, BA adj. y s. Casado por segunda vez.
BINZA f. Fárfara del huevo. • Película de la cebolla. • Telilla del cuerpo de un animal.
BIOBIENSE adj. De Biobío.
BIOBÍO Río de Chile, el más imp. que riega el valle Central. Nace en los Andes y tiene un curso de 370-380 km. Desemboca en el Pacífico.
BIOBÍO Región del centro de Chile, formada por las prov. de Ñuble, Biobío, Concepción y Arauco; 36 929,3 km²; 1 729 920 hab. Cap., Concepción. Agricultura y ganadería. • Prov. de Chile; 326 368 hab. Cap., Los Ángeles.
BIOCATALIZADOR, RA adj. y m. *Biol.* Sustancia orgánica utilizada por un organismo vivo para catalizar una reacción química de su metabolismo.
BIOCENOSIS f. *Biol.* Conjunto de especies animales y vegetales que habitan un mismo territorio, relacionándose por razones de convivencia o de tipo trófico.
BIOCOMUNICACIÓN f. *Biol.* Proceso mediante el cual los animales suministran o reciben información de otros animales.
BIODEGRADABLE adj. *Biol.* Díc. de las sustancias que pueden ser transformadas en otras químicamente más sencillas.
BIODINÁMICA f. Rama de la fisiología que estudia los fenómenos vitales de los organismos.
BIOELEMENTO m. *Biol.* Elemento químico que entra en la composición de la materia viva.
BIOFÍSICA f. Ciencia que estudia los fenómenos biológicos mediante los métodos de la física.
BIOGÉNESIS f. *Biol.* Teoría que sostiene que todo ser vivo procede de otro ser vivo.
BIOGENIA f. Ciencia que estudia el origen de la vida y las especies, y su evolución.
BIOGEOGRAFÍA f. Ciencia que estudia la distribución geográfica de los seres vivos y las causas que la han determinado.
BIOGRAFÍA f. Historia de la vida de una persona. ■ BIOGRÁFICO, CA.
BIOGRAFIAR tr. Hacer la biografía de uno.
BIÓGRAFO, FA m. y f. Escritor de vidas particulares.
BIOKO (ant. *Fernando Poo*) Isla de Guinea Ecuatorial; 2 017 km²; 57 200 hab. Cap., Malabo.
BIOLOGÍA f. Ciencia que estudia los seres vivos, actuales o fósiles, tanto en relación a su organización estructural como en su funcionamiento como máquinas vivientes. ■ BIOLÓGICO, CA; BIÓLOGO, GA.
BIOLUMINISCENCIA f. *Biol.* Emisión de luz por seres vivos, vegetales o animales.
BIOMA f. *Biol.* Conjunto de asociaciones biológicas o biocenosis que presentan entre sí relaciones ecológicas de nivel superior.
BIOMASA f. *Biol.* Masa total de los componentes biológicos de un ecosistema.
BIOMBO m. Mampara compuesta de varios bastidores unidos por goznes.
BIOMECÁNICA f. Ciencia que explica la acción de los agentes físicos y mecánicos sobre los organismos vivientes.
BIOMETRÍA f. Ciencia que estudia la variabilidad de los caracteres de herencia de los seres, como la altura, el peso, etc.
BIÓNICA f. *Biol.* Disciplina de la ingeniería genética que reproduce mediante procesos de autorregulación cibernéticos el funcionamiento de los seres vivos como sistemas autoorganizados.

Gran puente sobre el río **Biobío,** en la región homónima de Chile

BIOPSIA f. *Cir.* Examen diagnóstico de una porción de tejido de un ser vivo.
BIOQUÍMICA f. *Biol.* Parte de la biología que estudia la constitución química de los seres vivos y los procesos químicos base de las funciones vitales. ■ BIOQUÍMICO, CA.
BIORREGULADOR, RA adj. y m. *Biol.* Sustancia que en muy pequeñas dosis es capaz de actuar a nivel bioquímico o fisiológico.
BIOSATÉLITE m. *Astron.* Satélite artificial que transporta cápsulas recuperables con seres vivientes e instrumentos para realizar estudios biológicos en el espacio exterior.
BIOSFERA f. Conjunto de las zonas habitadas de la litosfera, atmósfera e hidrosfera.
BIOSÍNTESIS f. Síntesis de cualquier sustancia química verificada en un organismo vivo.
BIOSOCIOLOGÍA f. Ciencia que estudia las asociaciones biológicas y las relaciones entre individuos de la misma o de otras especies diferentes.
BIOTELEMETRÍA f. Técnica de medición a distancia de los índices biológicos, empleada durante vuelos espaciales.
BIÓTICO, CA adj. Relativo a los seres vivos.
BIOTINA f. *Biol.* Vitamina hidrosoluble del grupo B que actúa como coenzima en la transferencia de los grupos carboxílicos.
BIOTIPO m. *Biol.* Características hereditarias de un organismo en relación con la información genética de sus cromosomas. • Conjunto de individuos de una población con el mismo fenotipo.
BIOTITA f. *Miner.* Filosilicato de hierro, potasio y manganeso, del grupo de las micas, cristalizado en el sistema monoclínico.
BIOTOPO m. *Ecol.* Hábitat local, condicionado por el medio ambiente, donde se desarrollan las poblaciones de una especie.
BIÓXIDO m. *Quím.* Combinación de un radical simple o compuesto con dos átomos de oxígeno.
BIOY Casares, ***Adolfo*** (1914-1999) Escritor arg. Sus novelas y colecciones de cuentos muestran originalidad, humor y sentido de lo mágico. *La invención de Morel*, *Plan de evasión*, *Diario de la guerra del cerdo*, *El gran serafín*.
BIPARTICIÓN f. División de una cosa en dos partes.
BIPARTIDISMO m. Sistema de gobierno basado en dos partidos políticos que representan a la mayoría del país.
BIPARTIDO, DA adj. Partido en dos pedazos o partes.
BIPARTITO, TA adj. Que consta de dos partes.
BÍPEDE o **BÍPEDO, DA** adj. y m. De dos pies.
BIPENNA f. Hacha de doble hoja o filo utilizada por algunos pueblos de la antigüedad.
BIPIRAMIDAL adj. *Miner.* Díc. del cristal que presenta la forma de dos pirámides unidas por su base.
BIPLANO m. Aeroplano cuyas cuatro alas forman dos planos de sustentación paralelos.
BIPLAZA adj. y m. Díc. del vehículo de dos plazas.
BIPOLAR adj. De dos polos. • *El.* Díc. del interruptor eléctrico que cierra o abre simultáneamente el circuito de dos polos.
BIPONTINO, NA adj. y s. De Dos Puentes *(Zweibrücken)*.
BIRD, ***Vere*** (nacido 1910) Político de Antigua y Barbuda elegido primer ministro en 1981.
BIRIMBAO m. Instrumento musical que consiste en una barrita de hierro en forma de herradura, con una lengüeta de acero.
BIRKELAND, ***Kristian*** (1869-1917) Físico nor. Inventó un proceso de obtención de nitrato cálcico por fijación del nitrógeno atmosférico.
BIRLAR tr. Tirar por segunda vez la bola en el juego de bolos desde donde se detuvo la primera vez que se tiró. • fig. y fam. Matar o derribar a uno de un golpe o disparo. • fig. y fam. Hurtar. ■ BIRLADOR, RA.
BIRLÍ m. *Art. Gráf.* Parte inferior que queda en blanco en un impreso. • Ganancia que por ello obtiene el impresor.
BIRLIBIRLOQUE m. Encantamiento; utilizado en la exp. *por arte de birlibirloque.*
BIRLOCHA f. Cometa, juguete de niños.
BIRLOCHO m. Carruaje sin cubierta, de cuatro ruedas y cuatro asientos y sin portezuelas.

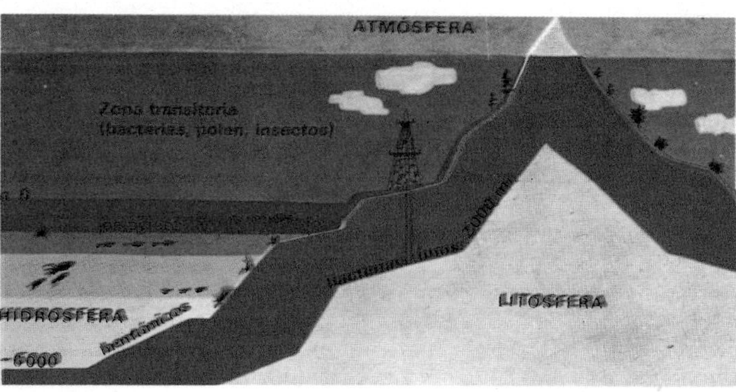

Biosfera. Distribución de los organismos en la atmósfera, la litosfera y la hidrosfera

BIRMANIA → Myanma.
BIRMANO, NA adj. y s. De Myanma (ant. Birmania). • m. *Ling.* Lengua tibetobirmana de los habs. del centro y S de Myanma, donde es el idioma oficial.
BIRMINGHAM C. de Gran Bretaña, cap. del condado de West Midlands; 920 400 hab. Industria.
BIRMINGHAM C. del SE de EE UU, en Alabama; 284 400 hab. (650 000 el área metropolitana). Centro siderúrgico.
BIRON, ***Ernst Johann,*** DUQUE DE CURLANDIA (1690-1772) Político ruso nacido en Alemania. Favorito de la emperatriz de Rusia Ana Ivanovna, la cual le nombró primer ministro (1730), y duque de Curlandia. Su gobierno se caracterizó por el despotismo, el terror y la corrupción.
BIRREFRACCIÓN f. *Fís.* Birrefringencia.
BIRREFRINGENCIA f. *Ópt.* Propiedad de ciertos cristales transparentes por la cual duplican la imagen de los objetos observados a través de ellos ■ BIRREFRINGENTE.
BIRREME adj. y s. Antigua nave de dos órdenes de remos.
BIRRETE m. Birreta. • Gorro de forma prismática, coronado por una borla, distintivo de los profesores de las facultades universitarias. • Gorro, bonete.
BIRRETINA f. Gorro o birrete pequeño. • Gorra de pelo que usaban los granaderos del ejército, y algunos regimientos de húsares.
BIRRIA f. y m. Zaharrón, moharracho. • f. Mamarracho, adefesio. • fig. Persona o cosa de poco valor. • *Col.* Tema, capricho, obstinación.
BIS adv. cantidad. Se emplea para dar a entender que una cosa debe repetirse o está repetida. • m. Ejecución o declamación, repetida para corresponder a los aplausos, de una obra o fragmento de obra.
BISABUELO, LA m. y f. Respecto de una persona, el padre o la madre de su abuelo o de su abuela. • m. pl. El bisabuelo y la bisabuela.
BISAGRA f. Conjunto de dos planchitas de metal articuladas entre sí, que sirve para facilitar el movimiento giratorio de las puertas, etc. • Palo de boj que usan los zapateros para alisar el canto de la suela de los zapatos.
BISALTA adj. y s. Individuo de un ant. pueblo que habitó en la región macedonia de Bisaltia.
BISALTIA ant. región de Macedonia, en los confines de Tracia. Agricultura. Minería.
BISAR tr. Repetir, a petición del público, la ejecución de un número musical, etc.
BISAYAS Grupo de islas de Filipinas. → Visayas.
BISBÍS m. Juego de azar. • Tablero que se utiliza para este juego.
BISBISAR tr. fam. Musitar ■ BISBISEO.
BISCUIT m. Bizcocho.
BISECAR tr. *Geom.* Dividir en dos partes iguales ■ BISECCIÓN; BISECTOR, TRIZ.
BISECULAR adj. De 2 siglos de duración.
BISEL m. Corte oblicuo en el borde de una lámina o plancha ■ BISELADOR, RA.
BISELAR tr. Cortar en bisel.
BISEMANAL adj. Que ocurre dos veces por semana.
BISEXUAL adj. *Biol.* Díc. de la potencialidad de todas las células de los animales y vegetales de presentar atributos masculinos o femeninos. • adj. y s. Hermafrodita. • Díc. de los individuos que mantienen relaciones sexuales con individuos de cualquier sexo.
BISEXUALIDAD f. Condición de la persona que se siente atraída por personas de uno y otro sexo. • Coexistencia, en un mismo individuo, de caracteres, o de rasgos psíquicos, de ambos sexos.
BISIESTO adj. y m. Díc. del año de 366 días.
BISILÁBICO, CA o **BISÍLABO, BA** adj. De dos sílabas.
BISMARCK Arch. de Papuasia-Nueva Guinea. Más de 100 islas; isla pral. Manus. Volcanes. • C. de EE UU, cap. de Dakota del Norte; 49 300 hab.
BISMARCK, ***Otto von*** PRÍNCIPE DE (1815-1898) Político al., llamado «el Canciller de Hierro». Jefe del gobierno prusiano, siguió desde 1862 una política militarista cuyo objetivo era la unificación al. Coronó a Guillermo I de Prusia emp. de Alemania y se autonombró canciller. Dimitió en 1890.
BISMUTILO m. *Quím.* Es el catión BiO^+. Se obtienen sales de bismutilo, insolubles, al diluir las soluciones acuosas de las sales de bismuto trivalente.
BISMUTINA f. *Miner.* Sulfuro de bismuto. Cristaliza en el sistema rómbico; peso específico 6,7, dureza 2, color gris o blanco, brillo metálico y sabor dulce.
BISMUTO m. *Quím.* Elemento químico de símb. Bi, n. a. 83 y p. a. 209,00. Junto al antimonio y al arsénico, forma el grupo de elementos nativos semimetálicos.
BISNIETO, TA m. y f. Biznieto.
BISO m. Producto de secreción de una glándula de muchos moluscos lamelibranquios, que toma la forma de filamentos mediante los cuales se fija el animal a las rocas.
BISOJO, JA adj. y s. Díc. de la persona que tuerce la vista.
BISONTE m. *Zool.* Mamífero artiodáctilo de la familia bóvidos, de gran tamaño y con una giba en la cruz. El b. americano fue antaño muy abundante, pero hoy sólo existen unos pocos miles.

Hoja **bipartida**

Otto von **Bismarck**

Bisonte americano

Arte **bizantino.** De arriba abajo: Interior de la basílica de Santa Sofía, en Istanbul; Pantócrator de la catedral de Monreale, Sicilia

Representación de la ópera *Carmen*, de G. **Bizet**

BISOÑADA f. fam. Dicho o hecho de quien no tiene conocimiento o experiencia.
BISOÑÉ m. Peluca que cubre sólo la parte anterior de la cabeza.
BISOÑO, ÑA adj. y s. Soldado o tropa nuevos. • fig. y fam. Nuevo en cualquier arte u oficio.
BISPÓN m. Rollo de encerado de que se valen los espaderos para varios usos.
BISSAGOS → Bijagos.
BISSAU Cap. de Guinea-Bissau, sit. en el estuario del r. Geba; 105 300 hab. Exportación de madera, aceite de palma y copra.
BISTÉ o **BISTEC** m. Lonja de carne de vaca.
BISTORTA f. Planta poligonácea, de flores en espiga de color encarnado.
BISTRE m. *Pint.* Color pardo amarillento preparado con hollín y óxido de manganeso.
BISTURÍ m. *Cir.* Cuchillo quirúrgico. • **eléctrico.** Electrodo de corriente de alta frecuencia que tiene la forma de aguja de acero; corta los tejidos coagulándolos.
BISULCO, CA adj. *Zool.* De pezuñas partidas.
BISULFATO m. *Quím.* Sal del ácido sulfúrico en la que uno sólo de los átomos de hidrógeno ha sido sustituido por metal.
BISULFITO m. *Quím.* Cualquiera de las sales ácidas del ácido sulfuroso.
BISULFURO m. *Quím.* Combinación de un radical con dos átomos de azufre.
BISURCO adj. Díc. del arado mecánico con dos rejas.
BISUTERÍA f. Joyería de imitación.
BIT m. *Comp.* Contracción de la exp. ing. *binary digit* (cifra binaria), que designa la unidad mínima de información que puede representarse físicamente. • **de paridad.** Bit que se añade al grupo de bits de una cadena para que el número total de bits en el estado 1 sea par.
BITA f. *Mar.* Cada uno de los postes de madera o hierro que sirven para dar vuelta a los cables de ancla cuando se fondea la nave.
BITÁCORA f. *Mar.* Aparato en el que se suspende la brújula para que se mantenga horizontal.
BITADURA f. *Mar.* Porción del cable del ancla, que se tiene preparada sobre cubierta cuando la nave está próxima a fondear.
BITANGENTE adj. y f. *Geom.* Díc. de la recta tangente a una curva plana en dos de sus puntos.
BITAR tr. *Mar.* Amarrar y asegurar la cadena del ancla a las bitas.
BÍTER m. Licor alcohólico amargo, que se obtiene macerando diversas sustancias en ginebra.
BITINIA Ant. región de Asia Menor (Turquía), habitada por colonos tracios; cap., Nicomedia.
BITÍNICO, CA adj. Relativo a Bitinia.
BITINIO, NIA adj. y s. De Bitinia.
BITNERIÁCEO, A adj. y f. *Bot.* Plantas dicotiledóneas, árboles, arbustos y matas con hojas alternas y vellosas, flores axilares y fruto capsular. • f. pl. *Bot.* Familia de estas plantas.
BITOLA C. de la Rep. de Macedonia; 80 800 hab. Ind. azucarera y de alfombras y curtidos.
BITONGO, GA adj. Díc. del adolescente que quiere hacerse pasar por niño.
BITONO m. *Art. Gráf.* Doble impresión, en un mismo color, de un grabado o texto.
BITOQUE m. Tarugo de madera con que se cierra la piquera de los toneles. • fig. *Amér.* Cánula de la jeringa. • *Méx.* Grifo, llave.
BITOR m. Rey de codornices, ave zancuda.
BITOWNITA f. *Miner.* Plagioclasa básica compuesta por albita y anortita.
al-BITRUJÍ (m. 1204) Astrónomo y filósofo hispanoárabe, conocido también con el nombre de AL-PETRAGIO. Tradujo al ár. el *Almagesto*, de Tolomeo. *Libro de Astronomía* (ár., *Kitab al-Haia*).
BITTI, *Bernardo* (1548-1610) Pintor y jesuita it., instalado en Perú y Bolivia. Máximo representante del arte en América del Sur durante el s. XVI. Formó la Escuela Cuzqueña con artistas indígenas. *La virgen con el niño.*
BITUMINOSO, SA adj. Que tiene betún o se parece a él.
BIURET m. *Quím.* Producto resultante de la unión de dos moléculas de urea con pérdida de una de amoníaco.
BIVALENTE adj. *Quím.* Que posee valencia dos.
BIVALVO, VA adj. Que tiene dos valvas. • m. pl. *Zool.* Clase de moluscos que poseen dos valvas o conchas; también se les denomina lamelibranquios, por la forma de sus branquias.
BIXÁCEO, A adj. y f. *Bot.* Árboles o arbustos de la familia bixáceas. • f. pl. *Bot.* Familia de plantas dicotiledóneas arbustivas o arbóreas, de hojas alternas, simples y enteras, flores hermafroditas axilares y frutos capsulares.
BIXÍNEO, A adj. y f. Bixáceo.
BIYECTIVA adj. *Mat.* Díc. de una aplicación que es inyectiva y exhaustiva a la vez.
BIZA f. Bonito, pez acantopterigio.
BIZANCIO o **IMPERIO Romano de Oriente** Parte oriental del imperio rom. Se erigió en unidad política independiente en 330/395. Se gobernó hasta el s. VII según las leyes rom., aunque Siria y Egipto hicieron prevalecer cada vez más sus culturas autóctonas, lo que provocó conflictos internos que acabarían con el Imperio. Fue gobernado por 5 dinastías: **Isaurios** (717-867); **Macedonios** (867-1057); **Comnenos** y **Angelos** (1057-1204) y **Paleólogos** (1204-1453). Estos últimos, en medio de la ruina económica, fueron incapaces de detener el avance de los otomanos, que tomaron Constantinopla en 1453.
BIZANTINISMO m. Suntuosidad exagerada; exceso de ornamentación artística. • Afición a discusiones bizantinas. • Conjunto de estudios acerca de la civilización bizantina.
BIZANTINO, NA adj. y s. De Bizancio. • fig. Díc. de la discusión inútil e intempestiva. • **Arte b.** Reflejo del espiritualismo contemplativo de la religión del imperio oriental, en contraste con el espíritu práctico de Roma. Nacido de la conjunción de elementos helenísticos y orientales, el arte b. presenta abundancia de mosaicos, gran riqueza en orfebrería y en el trabajo del marfil y un gran hieratismo en las figuras. Iglesias de los Santos Sergio y Baco y de Santa Sofía de Constantinopla.
BIZARRÍA f. Gallardía. • Generosidad. • *Pint.* Colorido o adorno exagerados. ■ BIZARREAR; BIZARRO, RRA.
BIZAZA f. Alforja de cuero.
BIZBIRINDO, DA adj. *Méx.* Vivaracho.
BIZCAR intr. Torcer la vista al mirar. • tr. Guiñar.
BIZCO, CA adj. y s. Bisojo. • adj. Díc. de la mirada torcida o del ojo que tiene esta mirada. • Díc. de cosas torcidas.
BIZCOCHADA f. Sopa de bizcochos hecha con leche. • Panecillo de forma alargada, con un corte a lo largo.
BIZCOCHAR tr. Recocer el pan para que se conserve mejor.
BIZCOCHERÍA f. *Col.* y *Méx.* Tienda donde se venden bizcochos, chocolate, etc.
BIZCOCHERO, RA adj. *Mar.* Díc. del barril en que se lleva el bizcocho en las embarcaciones. • m. y f. Persona que hace o vende bizcochos.
BIZCOCHO m. Pan sin levadura, que se cuece dos veces para que pueda conservarse mucho tiempo. • Masa compuesta de harina, huevos y azúcar, que se cuece al horno. • Yeso que se hace de yesones. • Objeto de loza o porcelana después de la primera cochura. • *Col.* Pastel de crema o dulce. • **borracho.** El empapado en almíbar y vino.
BIZCORNEAR intr. *Cuba* y *P. Rico.* Bizcar.
BIZCORNETO, TA adj. *Col.*, *Méx* y *Ven.* Bizco.
BIZCOTELA f. Bizcocho ligero cubierto de azúcar.
BIZERTA *(Binzert)* C. y puerto del N de Tunicia; 94 500 hab. Astilleros. Refinería de petróleo. Acererías. Base naval fr. hasta 1963.
BIZET, *Georges* (1838-1875) Compositor fr. Discípulo de Zimmermann, Cherubini y Gounod. Compuso 12 óperas, entre las que destacan *La Arlesiana y Carmen.* Además, 22 obras corales, 2 sinfonías, 3 oberturas y varias composiciones pianísticas.
BIZMA f. Emplasto para confortar. • Pedazo de lienzo cubierto de emplasto ■ BIZMAR.
BIZNA f. Película que separa los cuatro gajitos de la nuez.
BIZNAGA f. Planta umbelífera, de tallos lisos, flores blancas y fruto oval y lampiño. • Cada uno de los piececillos de las flores de esta planta. • *Méx.* Planta cáctacea. Consiste en un tallo muy corto sin hojas ■ BIZNAGAL.

BIZNIETO, TA m. y f. Respecto de una persona, hijo o hija de su nieto o de su nieta.
BIZQUEAR intr. fam. Torcer la vista el bizco.
BIZQUERA f. Estrabismo.
BJÖRNSON, *Björnstjerne* (1832-1910) Escritor noruego. *Más allá de las fuerzas humanas*, *La bancarrota*. Premio Nobel de Literatura en 1903.
Bk *Quím*. Símb. del berkelio.
BLACK, *Joseph* (1728-1799) Físico y químico brit. Introdujo la nociones de calor específico y calor latente.
BLACK HILLS Grupo de montañas de EE UU (O de Dakota del Sur y E de Wyoming), ricas en minerales; 2 207 m en el pico Harney.
BLACK *Power* (*Poder Negro*) Mov. político y social de negros norteam., surgido a fines de los años 60 como oposición al sistema de integración racial.
BLACKBURN C. de Gran Bretaña, en Inglaterra; 88 200 hab. Ind. algodonera.
BLACKETT, *Patrick Maynard Stuart* (1897-1974) Físico brit. Estudió los rayos cósmicos y el magnetismo. Premio Nobel de Física en 1948.
BLACKFOOT adj. y s. Pie negro, individuo del pueblo amerindio norteam. de los pies negros.
BLACKPOOL C. de Gran Bretaña, en Inglaterra; 147 900 hab. Balneario. Turismo.
BLAIR, *Tony* (nacido 1953) Político brit. Líder del Partido Laborista, en 1997 venció en las elecciones y fue nombrado Primer Ministro. Impulsó del acuerdo de paz de Irlanda del Norte (1998). Fue reelegido en las elecciones de junio de 2001.
BLAKE, *Joaquín* (1759-1827) Militar esp. de origen brit. Fue designado por las Cortes de Cádiz para formar parte de la II Regencia. En 1814 presidió el Consejo de Estado. • ***William*** (1757-1827) Poeta, pintor y grabador brit. Se anticipó al modernismo con las ilustraciones de sus libros *Cantos de inocencia y Cantos de experiencia*.
BLANC, *Louis* (1811-1882) Político e historiador fr. Miembro del gobierno provisional de 1848. Luchó contra el paro obrero y propugnó la creación de talleres nacionales. *Organización del trabajo*, *Historia de la revolución francesa*.
BLANCA f. Moneda antigua de vellón. • Mús. Nota musical que vale la mitad de una redonda o dos negras. • **Estar** uno **sin b.** fig. Estar sin dinero.
BLANCA, *Bahía* Entrante del litoral de Argentina (prov. de Buenos Aires). Cercana al fondo está emplazada la c. de Bahía Blanca.
BLANCA, *Cordillera* Alineación montañosa de los Andes per. Nevado de Huascarán (6 768 m).
BLANCA de Borbón (h. 1335-1361) Reina de Castilla, hermana de Carlos V de Francia, se casó por razones de estado con Pedro I de Castilla, quien la abandonó y ordenó que la encerraran hasta su muerte. El partido nobiliario defendió su causa en las guerras civiles que se originaron. • **De Castilla** (1188-1252) Reina de Francia, esposa de Luis VII; regenta durante la minoría de edad de su hijo, san Luís. • **De Navarra** (m. 1155) Esposa de Sancho III de Castilla. Murió al nacer su hijo, el futuro Alfonso VIII.
BLANCAZO, ZA adj. fam. Blanquecino.
BLANCHARD, *Jean-Pierre* (1753-1809) Aeronauta fr. Atravesó en globo el canal de la Mancha. • **María** (1881-1932) Pintora cubista esp. *El niño del helado*.
BLANCHOT, *Maurice* (nacido 1907) Escritor fr. Novelista (*Tomás el oscuro*) y crítico literario (*El espacio literario*, *L'écriture du désastre*).
BLANCO, CA adj. y s. De color de nieve o leche. • adj. Díc. de las cosas que tienen color más claro que otras. • adj. y s. Tratándose de la especie humana, díc. del color de la raza europea o caucásica. • fig. y fam. Cobarde. • m. Lunar de pelo blanco que tienen algunos animales en la cabeza y en los miembros. • Objeto situado lejos para ejercitar en el tiro y puntería. • P. ext., objeto sobre el cual se dispara un arma de fuego. • Hueco o intermedio entre dos cosas. • Espacio que en los escritos se deja sin llenar. • Intermedio en la representación de obras dramáticas. • fig. Fin a que se dirigen nuestros deseos o acciones. • **de España.** Nombre común del carbonato básico de plomo, el subnitrato de bismuto y la creta lavada. • **de la uña.** Faja blanquecina arqueada en el nacimiento de la uña. • **En b.** loc. adv. Sin escribir ni imprimir. • Sin comprender lo que se oye o lee. ■ BLANCOR; BLANCURA; BLANCUZCO, CA; BLANQUECINO, NA.
BLANCO Cabo del NO de África, sit. entre Mauritania y el Sáhara Occidental. • Cabo del N de Tunicia, cerca de Bizerta. En ár., *Ras el Abiad*.
BLANCO, *Mar* Golfo del N del sector europeo de Rusia, entre las pen. de Kola y Kanin; 95 000 km^2.
BLANCO, *Andrés Eloy* (1896-1955) Político y poeta ven. Vicepresid. de Acción Democrática. Ministro del Exterior con R. Gallegos. *Tierras que me oyeron*, *Poda*. • ***Antonio Nicolás*** (1887-1945) Escritor puertorriq. Director de la revista *Alma latina*. *El jardín de Pierrot*, *Y muy sencillo*.• ***Eduardo*** (1838-1912) Militar, político y escritor ven. Ministro de Relaciones Exteriores y de Instrucción Pública (1905-1906). *Venezuela heroica*, *Historia de un cuadro*, *Tradiciones viejas y cuentos épicos*. • ***Hugo*** (nacido 1935) Sindicalista per. Afiliado en Argentina al trotskismo, organizó en Perú sindicatos campesinos y el Frente de Izquierda Revolucionario. Diputado en 1978 por una coalición izquierdista. • ***José Félix*** (1782-1872) Político ven. Intervino en las luchas independentistas. Fue diputado, ministro de Guerra y Marina y de Hacienda. • ***José Miguel*** (1839-1897) Escultor chil. *Tambor en reposo*, *La bacante*; monumentos a Prat, Las Casas y Galvarino. • ***Pedro*** (1795-1829) Militar bol. Elegido presid. en 1828, murió a los pocos días. • ***Salvador Jorge*** (nacido 1926) Político dom. Líder del Partido Revolucionario. Presid. de la rep. (1982-1986). • **Amor, *Eduardo*** (1897-1979) Escritor esp. en lengua gall., radicado en Argentina. *Romances galegos*, *Cancioneiro*, *A esmorga*, *Os Biosbardos*. • **Encalada, *Manuel*** (1790-1876) Militar y político chil., n. en Buenos Aires. Organizó la marina. Derrotó en Chiloé a las últimas tropas españolas. Presid. provisional en 1826, dimitió poco después. • **Fombona, *Rufino*** (1874-1944) Escritor modernista ven. *El hombre de hierro*, *El hombre de oro*, *Judas capitalino*. • **Galindo, *Carlos*** (1882-1943) Militar bol., presid. de la Junta Militar en 1930 y 1931. • **White, *José Mª*.** (1775-1841) Seud. de *José M.ª Blanco y Crespo*, escritor esp. Publicó en el exilio la revista *El español*, *Cartas de España*. • **Y Erenas, *Ramón*,** MARQUÉS DE PEÑA PLATA (1833-1906) Militar esp. Capitán general de Cuba, sofocó la «guerra chiquita». Debido al sitio a que fue sometida la isla, se vio obligado a entregarla a los EE UU.
BLANCOTE, TA adj. Muy blanco. • adj. y s., fig. y fam. Cobarde, pusilánime, sin valor.
BLANDEAR intr. y prnl. Aflojar. • tr. Hacer que uno cambie de parecer. • tr., intr. y prnl. Blandir.
BLANDENGUE adj. Blando, suave. • m. Soldado de caballería que en el s. XVIII defendía Buenos Aires y Montevideo.
BLANDICIA f. Adulación. • Molicie, delicadeza.
BLANDIR tr. Mover un arma u otra cosa con movimiento vibratorio.
BLANDO, DA adj. Tierno, que cede fácilmente al tacto. • Tratándose de los ojos, tierno. • Tratándose del tiempo o la estación, templado. • fig. Suave, benigno. • fig. Que no es para el trabajo. • fig. De trato apacible. • fig. y fam. Cobarde, sin valor. • *Mús*. Bemolado. • adv. modo. Con suavidad. ■ BLANDUCHO, CHA; BLANDUZCO, CA.
BLANDÓN m. Hacha de cera de un pabilo. • Candelero en que se ponen estas hachas.
BLANDURA f. Emplasto que se aplica a los tumores para que maduren. • Regalo, delicadeza. • fig. Dulzura en el trato. • fig. Palabra halagüeña o requiebro. • Capa blanda de algunas piedras calizas.
BLANES, *Juan Manuel* (1830-1901) Pintor ur. Grandes lienzos de temas históricos. • **Viale, *Pedro*** (1879-1926) Pintor ur. Retratos y paisajes. *La preferida*, *Una niña*.
BLANQUEAR tr. Poner blanca una cosa. • Dar manos de cal o de yeso blanco, diluidos en agua, a las paredes o techos. • En tenería, descarnar las pieles. • Dar las abejas cierto betún a los panales. • Blanquecer. • intr. Mostrar una cosa su blancura. • Tirar a blanco. • Ir tomando una cosa color blanco. ■ BLANQUEADO, DA; BLANQUEADURA O BLANQUEAMIENTO; BLANQUEO; BLANQUICIÓN.
BLANQUECER tr. Bruñir el oro, la plata y otros metales. • Poner blanca una cosa.
BLANQUETE m. Afeite para blanquear el cutis.
BLANQUI, *Louis-Auguste* (1805-1881) Revolucionario socialista fr. En su obra *Crítica social* se muestra partidario de un Estado popular y socialis-

Mar **Blanco**

Tony **Blair**

Escena campestre, obra de Juan Manuel **Blanes**

ta, y de la organización de sociedades secretas que lleven a una minoría de rev. al poder.

BLANQUILLO, LLA adj. y s. Candeal. • m. *Chile* y *Perú.* Durazno de cáscara blanca. • *Chile.* Pez de color rojizo y plateado. • *Méx.* Huevo de gallina.

BLANQUIMENTO o **BLANQUIMIENTO** m. Disolución para blanquear telas, metales, etc.

BLANQUINEGRO, GRA adj. De color mezclado de blanco y negro.

BLANQUINOSO, SA adj. Blanquecino.

BLANQUIZAL o **BLANQUIZAR** m. Gredal.

BLANTYRE C. del S de Malawi, cap. del distr. hom.; 222 200 hab. Ind. textil. Centro de comunicaciones. Primera c. del país.

BLAS, ***Camilo*** (nacido 1903) Pintor per. de tendencia modernista.

Vicente **Blasco Ibáñez**

BLASCO Ibáñez, ***Vicente*** (1867-1928) Novelista naturalista esp. *Cañas y barro*, *La barraca*, *Los 4 jinetes del Apocalipsis* (llevada al cine), *Sangre y arena.*

BLASETTI, ***Alessandro*** (1900-1987) Director cinematográfico it., el más destacado del período fascista . *La corona de hierro*, *Cuatro pasos por las nubes.*

BLASFEMAR intr. Decir blasfemias. • fig. Maldecir.

BLASFEMIA f. Palabra injuriosa contra Dios o sus santos. •fig. Palabra injuriosa contra una persona. ■ BLASFEMATORIO, RIA; BLASFEMO, MA.

BLASÓN m. Heráldica. • Figura, señal o pieza que se pone en un escudo. • Escudo de armas. • Honor o gloria ■ BLASONISTA.

Blasón en el palacio del Infantado. Guadalajara, España

BLASONAR tr. *Her.* Disponer el escudo de armas según las normas heráldicas. • intr. fig. Hacer ostentación de alguna cosa. ■ BLASONADO, DA; BLASONADOR, RA.

BLASONERÍA f. Baladronada.

BLASTEMA m. Materia viva y amorfa de la que se suponía derivaban las células, tejidos y órganos.

BLASTOCELE m. *Biol.* Primera cavidad general del embrión de los animales.

BLASTOCITO m. *Biol.* En el desarrollo embrionario de los mamíferos, vesícula formada por las primeras células derivadas del cigoto.

BLASTODERMO m. *Biol.* Hoja embrionaria formada por una sola capa de células o blastómeros que tapiza la blástula.

BLASTÓLICO, CA adj. *Biol.* Díc. del líquido interno de la blástula, que tiene funciones nutricias y almacenadoras.

BLASTOMA m. *Méd.* Tumor.

BLASTÓMERO m. *Biol.* Célula procedente de la división del cigoto, que da lugar a la blástula.

BLASTÓPORO m. Orificio de la gástrula originado por reducción en diámetro de la invaginación formadora del arquenterón.

BLÁSTULA f. *Biol.* Estadio del desarrollo embrionario animal inmediatamente posterior al proceso de segmentación (mórula). Se trata de una esfera microscópica formada por una capa (blastodermo) de células (blastómetros) con una cámara en su interior (blastocele) llena de líquido blastólico.

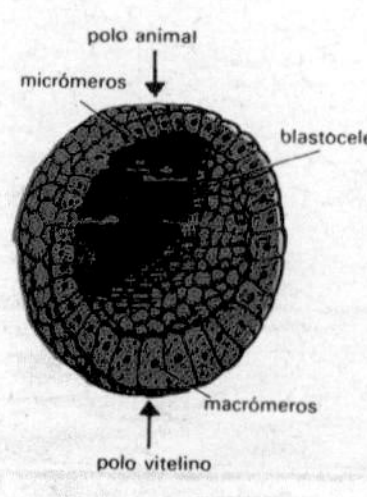

Elementos que componen la **blástula**

BLAUE Reiter, ***der*** *(El caballero azul)* Título de un cuadro de Kandinsky que dio origen a un mov. pictórico entre 1909 y 1914 que sentó las bases de los grandes «ismos» de nuestra época.

BLAVATSKY, ***Helena Petrovna*** (1831-1891) Escritora y teósofa rusa. Fundó la Sociedad Teosófica. *Isis sin velo, La llave de la teosofía.*

BLEDO m. *Bot.* Planta anual de la familia quenopodiáceas, de tallos rastreros, hojas triangulares verdes y flores rojas. • **No dársele** a uno **un b.** de alguna cosa. fig. y fam. Hacer desprecio de *ella.* • **No importar,** o **no valer, un b.** una cosa. fig. y fam. No darle importancia.

BLEFARITIS f. *Med.* Inflamación de los párpados.

BLEFARONEMA m. Filamento cilíndrico de naturaleza proteínica, formado por nueve tubos periféricos y un tubo central.

BLEFÁROPLASTIA f. *Cir.* Restauración del párpado por medio de la aproximación de la piel inmediata.

BLEFAROPLASTO m. Corpúsculo basal de los flagelos o cilios de los protozoos y de las algas unicelulares.

BLEFAROPTOSIS f. Caída del párpado superior con estrechamiento de la hendidura palpebral, alisamiento del párpado y desaparición del pliegue del mismo.

BLENDA f. *Miner.* Sulfuro de cinc, que se halla en la naturaleza en cristales muy brillantes.

BLENORRAGIA f. Secreción o flujo mucoso. • *Pat.* Inflamación catarral de la mucosa uretral. ■ BLENORRÁGICO, CA.

BLENORREA f. *Pat.* Blenorragia crónica.

BLÉRIOT, ***Louis*** (1872-1936) Ingeniero y aviador fr. Fue el primero en atravesar el canal de la Mancha en un monoplano (1909).

BLEST Gana, ***Alberto*** (1830-1920) Escritor chil. autor de novelas realistas. *Los trasplantados.*

BLEULER, ***Eugen*** (1857-1939) Psiquiatra suizo, introductor del término *esquizofrenia.*

BLIGH, ***William*** (1754-1817) Marino brit. Capitán del navío *Bounty*, fue abandonado en un bote cerca de las islas Tonga.

BLINDA f. *Mil.* Viga que constituye un cobertizo defensivo. • *Mil.* Bastidor de madera para contener las tierras en las trincheras.

BLINDADO, DA adj. Revestido con blindaje. • m. Vehículo blindado para el transporte de personal en la zona de combate.

BLINDAJE m. *Mil.* Cobertizo que se hace con blindas. • Revestimiento con que se protegen vehículos militares u otras cosas. • *Const.* Revestimiento de refuerzo de los pozos y túneles para evitar derrumbamientos.

BLINDAR tr. Proteger exteriormente las cosas o lugares contra los efectos de las balas, el fuego, etc. • *El.* Proteger un circuito eléctrico de la inducción propia o de otros circuitos.

BLISS, SIR ***Arthur*** (1891-1975) Compositor ing. *Rapsodia*, *Sinfonía de los colores*, *Conversación*; *Checkmate*, *Adam Zero* (ballets).

BLITZKRIEG (*guerra relámpago*) Técnica bélica practicada por los ejércitos al. del III Reich.

BLOC m. Taco de calendario. • Taco de hojas de papel.

BLOCA f. Punta aguda de forma cónica que tenían en el centro algunos escudos.

Vehículo **blindado** anfibio

BLOCAO m. Pequeña fortificación.

BLOCAR tr. *Dep.* En el fútbol y otros deportes, detener el balón el portero y sujetarlo fuertemente contra el cuerpo.

BLOCH, ***Ernest*** (1880-1959) Compositor norteam., de origen suizo. En sus obras (*Israel*, *Shelomo*, *Macbeth*, etc.) introduce elementos folklóricos judíos. • ***Ernst*** (1885-1977) Filósofo al. Adscrito al socialismo y al marxismo, hubo de exiliarse a Suiza y a EE UU. Sus investigaciones se centraron en el estudio de los sistemas de valores y creencias. Consideró necesaria la utopía marxista como globalización de la concepción histórica. *El principio de la esperanza.* • ***Félix*** (1905-1983) Físico atómico suizo. Su método de medición de los campos magnéticos en el núcleo atómico le valió, con Purcell, el premio Nobel de Física en 1952. • ***Marc*** (1886-1944) Historiador fr. Promovió la integración de la historia y la economía. Participó en la Resistencia y fue fusilado por los alemanes. *La sociedad feudal, Introducción a la historia.*

BLOEMBERGEN, ***Nicolaas*** (nacido 1920) Físico hol., nacionalizado en EE UU. Premio Nobel de

Física en 1981 por su trabajo sobre electroscopia de los láser.
BLOEMFONTEIN C. de la República Sudafricana, cap. del est. libre de Orange; 230 700 hab. Ind. mecánica, textil y alimentaria.
BLOK, *Aleksandr Aleksandrovich* (1880-1921) El más importante de los poetas simbolistas rusos. *La bella dama, La máscara de nieve, La desconocida, Los Doce, Los escritos.*
BLOMBERG, *Héctor Pedro* (1890-1955) Escritor arg. posromántico. *La canción lejana, La isla de la inquietud, La pulpera de Santa Lucía, La mulata del restaurador.*
BLONDA f. Encaje de seda.
BLONDO, DA adj. Rubio.
BLONDEL, *André* (1863-1938) Físico fr., inventor del oscilógrafo. Estableció la teoría de los convertidores. • ***Maurice*** (1861-1949) Filósofo fr. Intentó demostrar la vinculación de ciencia y creencia, filosofía y fe. *El pensamiento, El Ser y los seres, La acción.*
BLOOMFIELD, *Leonard* (1887-1949) Lingüista norteam. Introductor en su país de las teorías estructuralistas. *El lenguaje, Los aspectos lingüísticos de la ciencia.*
BLOQUE m. Trozo grande de piedra sin labrar. • Conjunto de hojas de papel superpuestas y pegadas de modo que se puedan desprender fácilmente. • Agrupación ocasional de partidos políticos. • Manzana de casas. • Edificio que comprende varias casas de características semejantes. • En los motores de explosión, pieza de fundición en cuyo interior se ha labrado el cuerpo de uno o varios cilindros, y está provista de dobles paredes. • Alianza entre diversos partidos políticos que, pese a sus diferencias, se unen para gobernar o para luchar por algún objetivo táctico. • **En b.** loc. fig. En conjunto, sin distinción.
BLOQUEAR tr. Asediar. • Blocar. • *Art. Gráf.* Reemplazar en una parte de la composición las letras que faltan en las cajas por otras que se colocan invertidas. • *Mar.* Cortar todo género de comunicaciones a uno o más puertos del país enemigo. • tr. y prnl. Cortar el paso. • tr. Interferir las ondas de una emisora de radio. • *Cont.* Inmovilizar la autoridad una cantidad o crédito, privando a su dueño de disponer de ellos por cierto tiempo. ■ BLOCAJE.
BLOQUEO m. *Mar.* Fuerza marítima que bloquea. • Asedio de una plaza, puerto, etc., mediante el corte de sus comunicaciones con el exterior. • *Fisiol.* Detención de una vía metabólica, gralte. por mutación de algún gene cuya información genética era la de la biosíntesis de alguna enzima de dicha vía.
BLOY, *Léon* (1846-1917) Escritor fr. Adoptó una actitud de vindicativa cólera contra la sociedad y sus mismos correligionarios. *El desesperado, La sangre del pobre, La mendiga.*
BLUCHER, *Vasili Konstantinovich* (1889-1938) Mariscal sov. Participó activamente en la guerra civil y luchó contra la intervención extranjera. Fue jefe de las fuerzas soviéticas en Extremo Oriente y consejero de Sun Yat-sen. Desapareció en una de las purgas estalinistas.
BLÜCHER, *Gebhard Leberecht von* (1742-1819) Mariscal prusiano. Contribuyó decisivamente a la victoria de Waterloo (1815).
BLUEFIELDS C. del E de Nicaragua, cap. del dpto. de Zelaya, puerto sobre el Caribe; 17 000 hab. Ind. alimentarias y madereras. Hasta 1860 fue residencia del cacique de los indios mosquitos.
BLUES m. Canto popular de los negros norteam., fusión de la cultura afric. con la occidental.
BLUFF (voz ing.) m. Fanfarronada.
BLUM, *Léon* (1872-1950) Político fr., líder del partido socialista y promotor del Frente Popular. Jefe de gobierno en 1936 y en 1946.
BLUMBERG, *Baruch S.* (nacido 1925) Médico norteam., estudioso de las proteínas séricas. Premio Nobel de Medicina y Fisiología en 1976.
BLUSA f. Prenda exterior de vestir, que cubre la parte superior del cuerpo.
BLUSÓN m. Blusa larga.
BLYM, *Hugo* (nacido 1910) Escritor bol. *Puna, Títeres de la meseta, Torbellino del Ande.*
BOA f. *Zool.* Ofidio de gran tamaño, fuerza y corpulencia, que se alimenta de aves y pequeños ma-

Boa

míferos. • Prenda de piel o pluma que usan las mujeres para abrigo o adorno del cuello.
BOA VISTA C. de Brasil, cap. del est. de Roraima; 143 000 hab.
BOABDIL (*Abu Abdullah;* m. 1527) Último rey de Granada con el nombre de **Mohammed XI** [1482-1492].
BOACO Dpto. de Nicaragua; 4 271 km^2; 117 900 hab. Limita al S con el lago Nicaragua. • Cap. del dpto. hom.; 7 800 hab. Agricultura.
BOADA, *Fernando* (nacido 1902) Escultor cub. *Monumento Estudiantes de 1871*, en Colón (Matanzas), el busto de Juárez, en el palacio presidencial.
BOAQUEÑO, ÑA adj. y s. De Boaco.
BOARDILLA f. Buharda.
BOAS, *Franz* (1858-1942) Antropólogo al., nacionalizado norteam. Fundamentó la antropología cultural e hizo suya la teoría de la difusión valorando el fenómeno de los préstamos entre culturas. Estudió las lenguas amerindias y combatió el racismo.
BOATO m. Ostentación en el porte exterior.
BOBADA f. Bobería.
BOBADILLA, *Emilio* (1862-1921) Escritor cub. *A fuego lento, En la noche dormida, En pos de la paz.* • ***Francisco de*** (m. 1502) Colonizador esp., enviado en 1500 a Santo Domingo para investigar los actos de Colón y sus hermanos, a los que hizo volver a España.
BOBALÍAS com. fam. Persona muy boba.
BOBALICÓN, NA adj. y s. fam. Bobo.
BOBATEL m. fam. Hombre bobo.
BOBÁTICO, CA adj. fam. Que se dice o hace neciamente o con bobería.

Boabdil

BOBEAR intr. Hacer o decir boberías. • fig. Emplear el tiempo en cosas vanas e inútiles.
BOBERA o **BOBERÍA** f. Dicho o hecho necio.
BOBET, *Louison* (nacido 1925) Ciclista fr. Ganador (1953, 1954, 1955) del *Tour* y campeón del mundo en 1954.
BOBETA adj. y s. *Argent.* y *Ur.* Bobalicón.
BÓBILIS BÓBILIS (De) m. adv. fam. De balde. • fam. Sin trabajo.
BOBILLO m. Jarro vidriado y barrigudo. • Encaje que llevaban las mujeres alrededor del escote.
BOBINA f. Carrete, para devanar o arrollar en él hilos, alambres, etc. • *El.* Cilindro de hilo conductor devanado, con diversas aplicaciones en electricidad. • *Art. Gráf.* Rollo de papel continuo para la impresión. • **de inducción.** *El.* La de hilo de cobre aislado, para regular la tensión en instalaciones de corriente alterna.
BOBINAR tr. Arrollar algo que tiene forma de hilo alrededor de una bobina ■ BOBINADOR, RA.
BOBITO m. *Cuba.* Pájaro parecido al papamoscas.
BOBO, BA adj. y s. De corto entendimiento. • Excesivamente candoroso. • m. Gracioso de las farsas o entremeses. • *Cuba.* Mona, juego de naipes. • *Zool.* Pez de los ríos de Guatemala y México.
BOBSLEIGH (voz ing.) m. *Dep.* Trineo para deslizarse sobre pistas de hielo o nieve.
BOCA f. *Anat.* Cavidad con abertura, en la parte anterior de la cabeza del hombre y de muchos animales, por la cual se toma el alimento. • Abertura anterior de la boca. • Parte, en forma de tenaza, con que termina cada una de las patas delanteras de los crustáceos. • fig. Entrada o salida. • fig. Abertura, agujero. • fig. En ciertas herramientas, parte afilada con que cortan; y en algunos instrumentos, la extremidad opuesta al cotillo, en la cual van las ore-

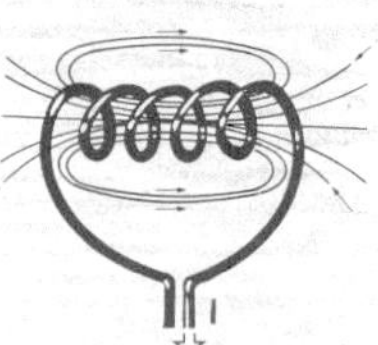
Bobina de inducción

Giovanni **Boccaccio** en un retrato de Andrea del Castagno

Bocel

Boda *en la corte de Borgoña.* Miniatura de Loyset Lyedet. Biblioteca del Arsenal, París

jas. • fig. Hablando de vinos, gusto o sabor. • fig. Órgano de la palabra. • fig. Persona o animal a quien se mantiene y da de comer. • pl. En el juego de la argolla, parte del aro que tiene las rayas que se dicen barras. • **de fuego.** Arma que se carga con pólvora. • **del estómago.** Parte central de la región epigástrica. • Cardias. • **de la isla.** Pinza grande arrancada al barrilete. • **de riego.** Abertura en un conducto de agua, en la cual se enchufa una manguera para regar. • **A b. de cañón** o **de jarro.** m. adv. A quemarropa. • **A pedir de b.** loc. adv. fig. A medida del deseo. • fig. Con toda propiedad, exactamente. • **b. abajo.** m. adv. Tendido con la cara hacia el suelo. • **De b. en b.** m. adv. con que se denota la manera de propagarse de unas personas a otras noticias, rumores, etc. • **Hacer b.** fig. y fam. Tomar algún alimento ligero y aperitivo. • **No abrir** uno **la b.** fig. Callar cuando debería hablar. • **No decir** uno **esta b. es mía**. fig. y fam. No hablar palabra.

BOCABARRA f. *Mar.* Cada una de las muescas abiertas en el cabrestante, donde se encajan las barras para hacerlo girar.

BOCACALLE f. Entrada de una calle. • Calle secundaria que afluye a otra.

BOCACAZ m. Abertura en una presa para que por ella salga cierta porción de agua.

BOCACHO, CHA m. y f. *Pan.* Persona que ha perdido uno o varios dientes delanteros. • f. Boca muy grande. • Trabuco naranjero.

BOCACÍ m. Tela de hilo, de color, entrefina.

BOCADEAR tr. Partir en bocados una cosa.

BOCADILLO m. Lienzo delgado y poco fino. • Cinta muy estrecha. • Alimento que se toma entre almuerzo y comida. • Dulce de guayaba envuelto en hojas de plátano. • Panecillo relleno con jamón, queso, tortilla, etc. • *Amér.* Dulce de coco o de boniato. • Intervención de un actor en el diálogo cuando consiste sólo en pocas palabras. • Globo o nubecilla en que se encierran las frases que pronuncian los personajes de las historietas gráficas.

BOCADO m. Porción de comida que cabe de una vez en la boca. • Un poco de comida. • Mordedura que se hace con los dientes. • Pedazo de cualquier cosa que se arranca con la boca. • Pedazo arrancado de cualquier cosa con el sacabocados o violentamente. • Parte del freno que entra en la boca de la caballería, y también el mismo freno. • pl. Fruta en conserva, partida en pedazos que se dejan secar. • **de Adán.** Nuez de la garganta.

BOCAJARRO (A) m. adv. A quemarropa. • fig. De improviso, sin preparación.

BOCAL m. Jarro de boca ancha para sacar el vino de las tinajas. • Presa, azud. • Pecera.

BOCALLAVE m. Ojo de la cerradura.

BOCAMANGA f. Parte de la manga que está más cerca de la muñeca.

BOCAMINA f. Boca que sirve de entrada a una mina.

BOCANADA f. Cantidad de líquido que de una vez se toma en la boca o se arroja de ella. • Porción de humo que se echa cuando se fuma.

BOCANEGRA, ***Matías de*** (1612-1688) Religioso y poeta mex. Su obra más destacada es *Canción a la vista del desengaño.*

BOCÁNGEL y Unzueta, ***Gabriel*** (1603-1658) Escritor esp. *Las rimas*, *El Fernando*, *Prosas.*

BOCAS DEL TORO Prov. del NO de Panamá; 8 745,4 km^2, 136 604 hab. Cap., la ciudad hom. Incluye el arch. del mismo nombre. Al S la accidenta la cordillera de Chiriquí. Agricultura. • C. de Panamá, cap. de la prov. hom.; 22 622 hab. (en el distr.). Puerto exportador.

BOCATEJA f. Teja primera de las canales de un tejado, junto al alero.

BOCATERÍA f. *Ven.* Baladronada. ■ *Cuba, Hond.* y *Ven.* BOCATERO, RA.

BOCATIJERA f. En los carruajes, parte del juego delantero en donde se sujeta la lanza.

BOCATOMA f. *Amér.* Bocacaz, boquera.

BOCATOREÑO, ÑA adj. y s. De Bocas del Toro.

BOCAZA o **BOCAZAS** m. fig. y fam. Persona que habla lo que debería callar.

BOCAZO m. Explosión que sale por la boca del barreno sin producir efecto.

BOCCACCINO, ***Boccaccio*** (1467-1525) Pintor it. Frescos de la iglesia de Cremona; *Coronamiento de la Virgen*, en Santa María Transportevia, Roma. A su hijo **Camillo** (1501-1546) se deben los frescos de San Segismundo de Cremona.

BOCCACCIO, ***Giovanni*** (1313-1375) Humanista y escritor it. Su obra maestra, *Decamerón*, ensalza el triunfo de los instintos, del espíritu libre y del amor.

BOCCANEGRA Familia genovesa cuyo origen se remonta al s. XII y que dio gran número de políticos al partido popular. Entre sus miembros destacan ***Guglielmo*** (m. h. 1270), ***Simone*** (m. 1363), ***Gil*** (m. 1367) y ***Ambrosio*** (m. 1373), hijo de Gil.

BOCCHERINI, ***Luigi*** (1743-1805) Violoncelista y compositor it. Residió en Madrid y en Berlín como músico de corte.

BOCCIONI, ***Umberto*** (1882-1916) Pintor y escultor it., pral. teórico del futurismo en su país (manifiestos de 1909 y 1910). Evolucionó hacia la abstracción.

BOCEAR intr. Bocezar.

BOCEL m. *Arq.* Moldura lisa, convexa, de sección semicircular y a veces elíptica. • Cepillo utilizado por los tallistas para hacer medias cañas en la madera. • **Cuarto b.** *Arq.* Moldura de superficie convexa cuya sección es un cuarto de círculo. • **Medio b.** *Arq.* Moldura en forma de medio cilindro.

BOCELAR tr. Dar forma de bocel.

BOCERA f. Lo que queda pegado a la parte exterior de los labios después de haber comido o bebido. • Boquera, excoriación en la comisura de los labios.

BOCETAR tr. Esbozar.

BOCETO m. *Pint.* Borrón colorido que hacen los pintores antes de pintar un cuadro. • *Esc.* Proyecto de la obra escultórica, ligeramente modelado.

BOCEZAR intr. Mover los labios las bestias hacia uno y otro lado.

BOCHA f. Bola de madera para tirar en el juego de bochas. • pl. Juego que consiste en tirar a cierta distancia unas bolas. ■ BOCHAZO.

BOCHAR tr. En el juego de bochas, dar con una bola un golpe a otra. ■ BOCHISTA.

BOCHE m. Hoyo pequeño que hacen los muchachos en el suelo para jugar, tirando a meter dentro de él las piezas con que juegan. • *Ven.* Bochazo. • fig. y fam. *Ven.* Repulsa.

BOCHINCHE m. Tumulto, barullo. ■ BOCHINCHERO, RA.

BOCHORNO m. Aire caliente y molesto en el estío. • Calor sofocante. • Sonrojo. • Sofocamiento producido por algo que ofende, molesta o avergüenza. ■ BOCHORNOSO, SA.

BOCHUM C. de la Alemania, en el est. de Renania Septentrional-Westfalia; 384 800 hab. Centro industrial.

BOCÍN m. Pieza redonda de esparto que se pone alrededor de los cubos de las ruedas de los carruajes. • En los molinos de cubo, agujero por donde cae el agua al rodezno.

BOCINA f. Cuerno, instrumento musical. • Instrumento de forma cónica con que se amplifica el sonido. • Instrumento semejante al anterior que se hace sonar en los automóviles y otros artefactos; claxon. • Pabellón con que se refuerza el sonido de los gramófonos. • Caracola, caracol marino. • *Chile* y *Col.* Trompetilla para los sordos. • *Amér.* Bocín de metal que cubre los extremos del eje del carruaje. • *Mar.* Revestimiento metálico con que se guarnece un orificio. ■ BOCINAZO.

BOCINAR intr. Tocar la bocina, o usarla para hablar.

BOCIO m. *Pat.* Tumoración de la glándula tiroides que produce abultamiento en la parte anterior del cuello.

BOCK (voz al.) m. Vaso alto con asa, para beber cerveza.

BÖCKLIN, ***Arnold*** (1827-1901) Pintor romántico suizo. *Centauro y ninfa.*

BOCÓN, NA adj. y s. fam. Bocudo. • fig. y fam. Que habla mucho y echa bravatas. • adj. fig. Maldiciente, murmurador. • m. *Ant.* Sardina de ojos y boca muy grandes.

BOCOY m. Barril grande para envase.

BOCUDO, DA adj. Que tiene grande la boca.

BODA f. Casamiento, y fiesta con que se solemniza. Se usa también en pl. • **Bodas de diamante.** Aniversario sexagésimo de la boda o de otro acon-

tecimiento solemne. • **de oro.** Aniversario quincuagésimo de los mismos hechos. • **de plata.** Aniversario vigésimo quinto.
BODE, ***Johann Elert*** (1742-1826) Astrónomo al. Dirigió el observatorio de Berlín y fundó el *Anuario Astronómico de Berlín*. Publicó numerosos mapas y un catálogo de estrellas. • **Ley de B.** *Astr.* Regla empírica formulada por el astrónomo al. Wolf y divulgada por Bode, que da las distancias de los planetas al Sol.
BODEGA f. Lugar donde se guarda y cría el vino. • Cosecha de vino. • Tienda o almacén de vinos. • Despensa en que se guardan comestibles. • Almacén, depósito. • Troj o granero. • En los puertos de mar, piezas bajas que sirven de almacén a los mercaderes. • Taberna. • *Mar.* Espacio interior de los buques desde la cubierta inferior hasta la quilla. ■ BODEGUERA, RA.
BODEGA y Quadra, ***Juan Francisco de la*** (1743-1794) Marino esp., nacido en Lima. Exploró la costa del continente amer. Encargado de dirimir el conflicto entre España y Gran Bretaña sobre la bahía de Nutka (Canadá).
BODEGAJE m. *Chile* y *Nic.* Almacenaje.
BODEGÓN m. Establecimiento donde se sirven comidas baratas. • Taberna. • *Pint.* Representación de naturalezas inanimadas. ■ BODEGONERO, RA.
BODEGONEAR intr. Andar de bodegón en bodegón.
BODENSEE Denominación al. del lago Constanza (Suiza-Alemania).
BODHIDHARMA (h 470-h 543) Monje hindú al que se le atribuye la fundación del budismo zen en China.
BODHISATTVA m. En el budismo, la persona que se convertirá en Buda en el futuro.
BODIGO m. Panecillo hecho de la flor de la harina.
BODIJO m. fam. Boda desigual. • fam. Boda sin pompa ni ostentación.
BODIN, ***Jean*** (1530-1596) Filósofo, economista y jurista fr., teórico de la monarquía absoluta y de la sabiduría del Estado. *La República.*
BODOCAL adj. Especie de uva negra, de grano gordo, y vid que la produce.
BODONI, ***Giovanni Battista*** (1740-1813) Impresor it., creador del tipo de imprenta que lleva su nombre. *Manual tipográfico.*
BODOQUE m. Bola de barro endurecida al aire, que servía para tirar con ballesta de bodoques. • Burujo. • Reborde con que se refuerzan los ojales del colchón por donde se pasan las bastas. • Relieve de forma redonda que sirve de adorno en algunos bordados. • adj. y m. fig. y fam. Persona torpe. • m. fig. *Méx.* Chichón.
BODOQUERA f. Molde para bodoques. • Escalerita de cuerda de vihuela, que se formaba en medio de la cuerda de la ballesta, en la cual se ponía el bodoque. • Cerbatana.
BODRIO m. Comida mala. • Sangre de cerdo mezclada con cebolla para embutir morcillas. • fig. Cosa mal hecha.
BODY Art (voz ing.) Arte del comportamiento corporal. • *Arte.* Tendencia que trata de captar la belleza del cuerpo humano.
BOECIO, ***Anicio Manlio Torcuato Severino*** (480-524) Filósofo, poeta y político latino. Autor de *Consolación de la filosofía* y de numerosas traducciones de autores griegos.
BOEHMITA f. Hidróxido de aluminio; cristaliza en el sistema rómbico y es de color amarillento.
BÓER adj. y s. Díc. de los sudafricanos de origen hol. • Relativo a la República Sudafricana.
**Hist.* El nombre b., que significa campesino, se aplica a los descendientes de los ant. inmigrantes europeos sudafricanos que, en buena parte, h 1835 partieron de la prov. de El Cabo y fundaron los estados de Natal, Orange y Transvaal. El expansionismo brit. condujo, entre 1899 y 1902, a una cruenta guerra con estos últimos a los que se anexionó, igual que hizo antes con Natal. En la actualidad, los b. constituyen un 55% de la población blanca sudafricana, poseen su propio idioma *(afrikaans)*, y destacan por su exacerbado racismo.
BOERHAAVE, ***Hermann*** (1668-1738) Médico neerlandés. Primer maestro de lecciones clínicas. Estudió las glándulas sudoríparas que llevan su nombre.
BOERO, ***Alejandra*** (nacida 1920) Actriz y directora de teatro arg. Fundadora de "Nuevo teatro". • ***Felipe*** (1884-1958) Compositor de óperas arg. *El matrero, Raquela, Tucumán.*
BOÉTIE, ***Etienne de la*** (1530-1563) Humanista fr., autor de *De la servidumbre voluntaria*, tratado contra la tiranía.
BOETTNER, ***Juan Max*** (1902-1958) Compositor y musicólogo par. Obras orquestales y ballets. *Música y músicos del Paraguay.*
BOEZUELO m. Figurilla que representa un buey, antiguamente utilizada en la caza de perdices.
BOFE m. Pulmón. Se usa más en pl. • **Echar** uno **el b.,** o **los b.** fig. y fam. Trabajar excesivamente. • **Ser uno un b.** *C. Rica* y *Cuba.* Ser inoportuno.
BOFETADA f. Golpe que se da en el rostro con la mano abierta. • *Chile.* Puñetazo.
BOFETÓN m. Bofetada. • Tramoya de teatro, que al girar, hace aparecer o desaparecer ante los espectadores personas u objetos. • *Cuba.* Hoja de papel litografiado con que en las cajas de cigarros puros van éstos cubiertos.
BOFFRAND, ***Germain*** (1667-1754) Arquitecto barroco y decorador fr. Proyectó el castillo de Nancy y, en colaboración, el palacio de Wurzburgo.
BOFILL i Leví, ***Ricard*** (nacido 1939) Arquitecto esp., creador del Taller de Arquitectura (1961), grupo de investigación urbanística. *El barrio Gaudi* (Reus); *La ciudad en el espacio, experiencia I* (Madrid).
BOFO, FA adj. Fofo.
BOGA f. *Zool.* Pez teleósteo, fisóstomo, de color plateado y con aletas casi blancas. • *Zool.* Pez teleósteo, acantopterigio, de cuerpo comprimido, color blanco azulado, con rayas negruzcas, doradas y plateadas. • fig. Buena aceptación, fortuna creciente.
BOGADA f. Espacio que la embarcación navega por el impulso de un golpe de los remos.
BOGAR intr. *Mar.* Remar. • tr. *Min. Chile.* Desnatar, quitar la escoria al metal.
BOGART, ***Humphrey*** (1899-1957) Actor cinematográfico norteam. Óscar en 1952 por su interpretación en *La reina de África. Tener y no tener, El halcón maltés, El sueño eterno, Casablanca, El motín del Caine.*
BOGAVANTE m. Primer remero de cada banco de la galera. • Lugar en que se sentaba este remero. • *Zool.* Crustáceo decápodo marino, con pinzas muy fuertes.
BOGDÁNOV, *Alexander Alexándrovich Malinovski,* llamado (1873-1928) Científico ruso. Dirigió la Academia Socialista de Ciencias Sociales. *Ciencia universal de la organización, Sobre la cultura proletaria.*
BOGGIO, ***Emilio*** (1857-1920) Pintor ven., residente en París. En 1920, el Salón de Otoño de París le dedicó una muestra junto a obras de Renoir.
BOGHAZKOEI o **BOGAZKÖY** Aldea de Turquía, al E de Ankara. Emplazamiento de Hattusa, ant. capital hitita (ss. XVI-XIII a. C.).
BOGIE m. *Ferr.* Carretón articulado de rodadura de los vehículos ferroviarios, que puede incluir el motor; facilita la inscripción en las curvas y la suavidad de la circulación.
BOGOMILISMO m. Doctrina de los bogomilos.
BOGOMILO, LA adj. y s. Seguidor del pope Bogomil. Las doctrinas b. enlazaban con el maniqueísmo. En Francia, dieron origen a los cátaros o albigenses.
BOGOMOLETZ, ***Alexander Alexándrovich*** (1881-1946) Médico y bioquímico ruso. Inventó el suero citotóxico antirreticular, que evita el deterioro de los tejidos conectivos.
BOGOTÁ Cap. de Colombia y del dpto. de Cundinamarca, sit. a 2 640 m de alt. en la sabana de su nombre (cord. Oriental andina) y al pie de los cerros Guadalupe y Monserrate; 6 314 305 hab. (agl. urb.). Concentra la mayor parte de la actividad com., ind., financiera y cultural del país. El extraordinario crecimiento de la pob. ha sido el factor determinante de la creación del *Distrito Especial* (1 587 km^2). Ind. textil, siderúrgica, metalúrgica, química, editorial, alimentaria. Manufacturas de tabaco. Orfebrería, y mercado de esmeraldas. Imp. centro universitario, sede de la Universidad Nacional. Aeropuerto. Arzobispado.

Bodhisattva japonés del periodo Heian (s. XII)

Boecio

Bogavante

* *Hist.* Fundada en 1538 por Jiménez de Quesada, fue sucesivamente cap. del virreinato esp. de Nueva Granada (1719-1810); de la federación de la Gran Colombia (1819-1830); de la federación de Nueva Granada (1831-1863); desde 1863 hasta 1886 de los Estados Unidos de Colombia y, a partir de 1886, de la Rep. de Colombia.

BOGOTANO, NA adj. y s. De Bogotá.

BOGRÁN, *Luis* (m. 1926) Militar y político hond. Sucedió a Soto, al renunciar éste a la presid., en 1883. Se hizo reelegir en 1887 y dejó el cargo a Ponciano Leira en 1891. Fundó la Casa de la Moneda y la Escuela de Artes y Oficios.

Niels **Bohr**

BOHEMIA (checo, *Cesk´y;* ; al., *Böhmen*) Región histórica de la República Checa. Eslavizada en el s. VI y evangelizada en el s. IX, junto con Moravia, es la cuna de la nación checa. En 1545 quedó incorporada al imperio germánico, bajo la égida de los Habsburgo. José II (1780-1790) intentó acabar con los intentos autonomistas, que se sucedieron hasta 1848. Quedó integrada en el imperio austrohúngaro, hasta el reconocimiento internacional de Checoslovaquia en 1918.

BOHEMIA-MORAVIA, *Protectorado de* Entidad político-administrativa creada por la Alemania nazi en 1939. Desapareció en 1945.

BOHÉMICO, CA adj. Relativo a Bohemia.

BOHEMIO, MIA adj. y s. De Bohemia. • Gitano. • adj. Díc. de la persona de costumbres libres y vida irregular. • Díc. de la vida y costumbres de esta persona. • m. *Ling.* Checo, lengua checa. • f. Conjunto de bohemios.

BOHÍO m. *Amér.* Cabaña de ramas o cañas.

BÖHL de Faber, *Cecilia* Nombre real de → Fernán Caballero. • ***Juan Nicolás*** (1770-1863) Hispanista al., residente en Cádiz. Padre de → Fernán Caballero. Introdujo en España las ideas de Schlegel y defendió el romanticismo.

BÖHM-BAWERCK, *Eugen von* (1851-1914) Economista austr., uno de los prales. representantes del marginalismo. *Capital e interés*, *Algunas cuestiones acerca de la teoría del capital.*

BÖHME, *Jakob* (1575-1624) Filósofo y místico luterano al. Su concepción panteísta ejerció notable influencia en escritores y filósofos del idealismo al. y también en Schopenhauer. Heidegger ha renovado algunas de sus ideas. *Aurora naciente*, *De los tres principios de la esencia divina.*

Boj. Arbusto, hojas y flor

BOHOL Isla de Filipinas, del grupo de las Visayas; 4 117 km²; 806 000 hab. Cap., Tagbilaran.

BOHORDO m. Junco de la espadaña. • Lanza corta arrojadiza, que se usaba en los juegos y fiestas de caballería. • Tallo herbáceo que sostiene las flores y el fruto de algunas plantas.

BOHR, *Aage* (nacido 1922) Físico danés, hijo de Niels B. Con Mottelson, autor del modelo unificado del núcleo atómico. Premio Nobel de Física en 1975, junto a Mottelson y Rainwatter. • ***Niels*** (1885-1962) Físico danés. Propuso un modelo atómico basado en la idea de la cuantificación, que permitió explicar el espectro del átomo de hidrógeno. Premio Nobel de Física en 1922. Autor de *La teoría atómica y la descripción de los fenómenos* y *Física atómica y conocimiento humano.*

BOIARDO, *Matteo María,* CONDE DE SCANDIANO (1441-1494) Poeta renacentista it. autor de *Orlando enamorado.*

BOICOT m. Interrupción voluntaria e intencionada de toda relación con un individuo, entidad, Est., etc., para obligarlo a ceder a ciertas exigencias. ■ BOICOTEAR; BOICOTEO.

BOIELDIEU, *François Adrien* (1775-1834) Compositor fr. *La Dama Blanca, El califa de Bagdad* (óperas).

BOÍL m. Boyera.

BOILEAU-DESPRÉAUX, *Nicolás* (1636-1711) Poeta, preceptista y crítico fr. Contribuyó a la renovación de las letras francesas. *Arte poética.*

BOINA f. Gorra redonda y sin visera, de una pieza.

BOIRA f. Niebla.

BOIS, *William du* (1868-1963) Escritor norteam. Defensor de la causa de los negros amer. Fundador de la NAACP (Asociación nacional para el desarrollo de las gentes de color).

BOISE CITY C. de EE UU, cap. del est. de Idaho; 125 700 hab.

BOÎTE (voz fr.) f. Club nocturno, sala de fiestas.

BOITO, *Arrigo* (1842-1918) Compositor y libretista it. *Mefistófeles*, *Otelo*, *Falstaff* de Verdi, *La Gioconda* de Ponchielli.

BOJ m. *Bot.* Arbusto perennifolio de la familia buxáceas, de madera amarilla, dura y compacta, muy apreciada para el grabado, obras de tornería, etc. • Madera de este arbusto. • Grabado realizado sobre madera de dicho arbusto. • Bolo de madera sobre el cual se cosen los pedazos de cordobán de que se hace el zapato. • *Mar.* Bojeo.

BOJADOR Cabo del NO de África, en el Sáhara Occidental.

BOJAR tr. Quitar la flor, las aguas y las manchas al cordobán de colores, rayéndolo con la estira. • *Mar.* Medir el perímetro de una isla, cabo o porción saliente de la costa. • intr. Tener una isla, cabo o porción saliente de la costa tal o cual dimensión en circuito. • Recorrer dicho circuito navegando.

BOJE m. Boj, arbusto perennifolio. • *Ferr.* Bogie. ■ BOJEDAL.

BOJEAR tr. e intr. *Mar.* Bojar. ■ BOJO.

BOJEO m. *Mar.* Perímetro de una isla o cabo.

BOJIGANGA f. ant. Compañía de farsantes que representaba comedias y autos en los pueblos.

BOJOTE m. *Amér.* Lío, bulto o paquete.

BOKASSA, *Jean Bedel* (1921-1996) Político y militar centroafricano. Presid. de la Rep. Centroafricana en 1966. Tras derribar a David Dacko, se autoproclamó emp. en 1976. Derrocado en 1979. Condenado a muerte en 1987, la sentencia fue conmutada por la de cadena perpetua.

BOL m. Ponchera. • Taza grande y sin asa. • Redada, o lance de red. • Jábega o red. • Bolo.

BOL, *Ferdinand* (1616-1680) Pintor hol., retratista. *Elisabeth Bas.*

BOLA f. Cuerpo esférico. • En algunos juegos de naipes, lance que consiste en hacer uno todas las bazas. • Betún para el calzado. • Cebo envenenado para matar perros. • Pelota de tenis, golf, etc. • *Mat.* Conjunto de puntos que cumplen ciertas condiciones. • fig. y fam. Embuste. • *Chile.* Cometa grande y de forma redonda. • *Méx.* Tumulto, riña. • Rumor falso. • *Ven.* Tamal de figura esférica. • pl. Canicas. • *Chile* y *Cuba.* Argolla, juego.

BOLACHA f. *Amér.* Bola de caucho en bruto.

BOLADA f. Tiro de bola. • *Amér.* Ganga, suerte. • Caña del cañón de artillería. • *Col.* Jugarreta. • *Chile.* Golosina. • *Perú.* Bola, rumor.

BOLADO m. Azucarillo.

BOLANDISTA adj. y m. Eclesiástico, continuador de la labor hagiográfica de John Bolland (1596-1665).

BOLAÑOS, *Enrique* (nacido 1928) Político nic. Líder del Partido Liberal Constitucionalista (PLC), vicepresid. de la rep. (1997-2000). Elegido presid. en noviembre de 2001. • ***Óscar*** (nacido 1901) Poeta y periodista per. *Los espejos envenenados*, *Cantos a la revolución*, *Los campesinos y otros condenados.*

BOLARDO m. Noray de hierro que se coloca junto a la arista exterior de un muelle.

BOLAZO m. Golpe de bola. • **De b.** m. adv. fig. y fam. Deprisa y sin esmero.

BOLCHEVIQUISMO m. Bolchevismo.

BOLCHEVISMO m. *Pol.* El ala izquierda del partido socialdemócrata ruso, bajo la dirección de Lenin desde 1903 y en el poder desde 1917. Para los bolcheviques, incumbía al proletariado la transformación de la rev. burguesa en rev. socialista, gracias a la propaganda y agitación de un partido compuesto de profesionales de la rev., bien disciplinados y actuando bajo las reglas del centralismo democrático. Cambiaron su nombre por el de Partido Comunista (Bolchevique) en 1918. ■ BOLCHEVIQUE.

BOLDO m. *Bot. Chile.* Arbusto nictagíneo, usado en medicina.

BOLEADA f. *Argent.* Partida de caza cuyo objeto es bolear animales.

BOLEADORAS f. pl. Instrumento, usado en Sudamérica, que se arroja a los pies o al cuello de un animal para apresarlo. Se compone de dos o tres piedras, forradas de cuero y sujetas a sendas guascas.

BOLEAR intr. En los juegos de trucos y billar, jugar por puro entretenimiento. • Tirar las bolas de madera o de hierro, apostando a quién las arroja más lejos. • tr. fam. Arrojar, impeler. • *Argent.* Cazar con boleadoras. • tr. y prnl. fig. *Argent.* y *Ur.* Confundir, aturullar. • prnl. *Dep.* En béisbol, arrojarse la pelota los jugadores. ■ BOLEO.

BOLERA f. Boliche para jugar a los bolos.
BOLERO, RA adj. Novillero, que hace novillos. • adj. y s. fig. y fam. Que dice muchas mentiras. • m. Aire musical popular esp., cantable y bailable en compás ternario y de movimiento majestuoso. • Chaquetilla corta de señora. • *Guat.* y *Hond.* Chistera, sombrero de copa alta. • *Méx.* Limpiabotas.
BOLET, ***Alberto*** (nacido 1905) Compositor y director de orquesta cub. • ***Jorge*** (nacido 1914) Pianista y concertista cub. de fama internacional, hermano del anterior. • ***Ramón*** (1836-1876) Pintor y dibujante ven. Ilustró libros de viaje.
BOLEÍTA f. *Miner.* Oxicloruro natural de cobre, plomo y plata hidratado.
BOLETA f. Cédula de entrada. • *Amér.* Papeleta para votar.
BOLETÍN m. Boleta, cédula, etc. • Periódico que trata de asuntos especiales. • Periódico oficial del estado, de un ministerio, etc., donde se insertan disposiciones legales.
BOLETO m. *Amér.* Billete de teatro, tren, etc. • Papeleta de sorteo, quiniela, etc. ■ *Amér. Merid.* BOLETERÍA; BOLETERO.
BOLICHE m. Bola que se usa en el juego de las bochas. • Juego de bolos. • Lugar donde se ejecuta este juego. • Juguete compuesto de un palo acabado en punta y de una bola agujereada sujeta con un cordón, que se lanza al aire para insertarla en el palo. • Adorno de forma torneada en que rematan ciertas partes de algunos muebles. • Tabaco de clase inferior. • Horno pequeño para hacer carbón de leña. • Horno pequeño para fundir minerales de plomo. • *Amér.* Tienda dedicada al despacho y consumo de bebidas y comestibles. • Jábega pequeña. • Pescado menudo que se saca con ella. • *Mar.* Bolina de las velas menudas. ■ BOLICHERO, RA.
BOLICHEAR intr. Ocuparse en negocios de poca importancia.
BÓLIDO m. *Astr.* Meteorito que al atravesar la atmósfera explosiona. • fig. Persona o cosa muy rápida. • fig. *Dep.* Vehículo muy rápido para participar en carreras.
BOLÍGRAFO m. Instrumento para escribir con un tubo de tinta en su interior y una bolita metálica en la punta.
BOLILLA f. *Amér. Merid.* Bola numerada usada en sorteos. • *Amér. Merid.* Cada tema numerado de un programa de enseñanza.
BOLILLERO m. *Amér. Merid.* Bombo de un sorteo.
BOLILLO m. Palito torneado para hacer encajes y pasamanería. • En la mesa de trucos, hierro redondo, puesto perpendicularmente en una cabecera, frente a la barra. • Hueso a que está unido el casco de las caballerías. • pl. Barritas de masa dulce.
BOLÍN m. Bolita del juego de bochas. • **De b., de bolán.** m. adv. fam. Inconsideradamente, sin reflexión.
BOLINA f. *Mar.* Cabo con que se hala hacia proa la relinga de barlovento de una vela. • *Mar.* Sonda o cuerda con un peso de plomo. • *Mar.* Cada uno de los cordeles que forman las arañas que sirven para colgar los coyes. • *Mar.* Castigo de azotes que se daba a los marineros a bordo. • fig. y fam. Ruido de pendencia o alboroto. • **Ir, o navegar, de b.** *Mar.* Navegar de modo que la dirección de la quilla forme con la del viento el ángulo menor posible.
BOLINEAR intr. *Mar.* Ir, o navegar, de bolina.
BOLINERO, RA adj. *Mar.* Díc. del buque que navega bien de bolina. • *Chile.* Alborotador.
BOLINGBROKE, ***Henry Saint-John*** (1678-1751) Político y escritor ing., precursor del teísmo filosófico. Uno de los negociadores del tratado de Utrecht (1713).
BOLISA f. En algunas parte, pavesa.
BOLÍVAR m. Unidad monetaria de Venezuela.
BOLÍVAR Dpto. de Colombia, junto al mar Caribe; 25 978 km^2; 1 702 168 hab. Zona deltaica del Magdalena; montañas de Santa María; depresión del Mompós; área selvática de la serranía de San Lucas. Clima tropical. Agricultura. Ganadería. Ind. petroquímica y mecánica. • Prov. del centro de Ecuador; 3 939,9 km^2; 155 088 hab. Cap., Guaranda. Sit. en la Sierra, está atravesada por el r. Chimbo. Agricultura y ganadería. Bosques. Ind. láctea, artesanía. • Est. del SE de Venezuela, limítrofe con Brasil y Guyana; 240 528 km^2; 1 240 466 hab. Cap., Ciudad Bolívar. Al N presenta tierras bajas cubiertas de sabana y selva, con montes aislados y serranías. Al S, accidentado por altas montañas con cima amesetada (tepuis). Al SE, la Gran Sabana, a 900 m alt. Ríos de la cuenca del Orinoco, que forma el límite septentrional. Ind. siderúrgica. Electricidad. Ganadería. • Partido de Argentina, prov. de Buenos Aires; 4 724 km^2; 33 100 hab. Agricultura y ganadería. Ind. lácteas y textil. • Mun. de Colombia, en el dpto. del Cauca; 42 700 hab. Agricultura y ganadería. Oro y cobre. • Mun. de Colombia, en el dpto. de Santander; 23 400 hab. Cultivos tropicales. • Mun. de Colombia, en el dpto. de Antioquia; 27 300 hab. Agricultura y ganadería. Oro, cobre y sal. • Mun. de Venezuela, en el est. Lara; 29 700 hab. Agricultura y ganadería. • Pico de Venezuela (5 007 m), cima más alta de la sierra Nevada de Mérida.
BOLÍVAR, ***Simón,*** llamado EL LIBERTADOR (1783-1830) Militar y político latinoamericano, prócer de la indep. Educado en España, viajó por Europa hasta 1807 y, de regreso a su tierra, participó en el mov. general de los cabildos latinoamericanos, primera manifestación independentista. Cuando el 5 de julio de 1811 el Congreso proclamó la indep., se alistó en el ejército. En 1812 escribió *Memoria dirigida a los ciudadanos de Nueva Granada por un caraqueño,* en la que expuso su credo político. Tras el éxito de la *Campaña admirable,* proclamó la II república (1814), de la que fue elegido jefe de gobierno. Derrotado por el realista Boves, embarcó hacia Jamaica en 1815, para iniciar una nueva campaña un año después. Fue a partir de entonces, cuando comprendió que la liberación de Latinoamérica debía ser total. Tras una campaña victoriosa, en la que destaca el paso a través de los Andes para liberar Nueva Granada (batalla de Boyacá, 1819), proclamó la República de la Gran Colombia, formada por los actuales est. de Colombia, Venezuela, Ecuador y Panamá. En 1822, se reunió con San Martín en Guayaquil. En adelante, trabajó activamente por la unidad latinoamericana. Liberó Perú y convocó un congreso panamericano en Panamá. Pero B. no pudo ver cumplido su sueño y murió decepcionado. *Manifiesto de Cartagena, Carta de Jamaica.*
BOLIVARENSE adj. y s. De Bolívar.
BOLIVARIANO, NA adj. Relativo a Simón Bolívar.
BOLIVIA Estado sudamericano lindante con Brasil al N y E, Paraguay al SE, Argentina al S. Chile al SO y O, y Perú al O y NO.
* *Geog. fís.* Su terr., privado de salida al mar, está formado por una zona llana, al E, y otra, al O, que corresponde a la región andina, en la que se levantan las cord. Occidental y Oriental o Real. Entre ambas se extiende el Altiplano, y, sobre él, las cuencas lacustres del Titicaca y Poopó, y los pantanos salobres de Coipasa y Uyuni, el mayor del Planeta. Gran parte del Altiplano está cubierto por la puna. Las mayores alt. del país (Illampú, Illimani) se hallan en la cord. Real, en cuyos valles se dan cultivos tropicales. Al N de esta cord. se encuentra una depresión regada por los r. Beni y Mamoré. Otros r. importantes son el Desaguadero, el Pilcomayo y el Madera. En la zona centrooccidental del país hay una serie

Simón **Bolívar**

Mapa de situación y bandera de **Bolivia**

Pico **Bolívar,** en la sierra Nevada de Mérida (Venezuela)

Bolivia. Jorge Quiroga

de altiplanicies (los Llanos) cubiertas de sabanas y fertilizadas por afl. del Guaporé. El clima de B. está condicionado por la altitud. En el Altiplano las temperaturas caen por debajo de 0 °C en invierno, y en verano superan los 20 °C, situándose la media en 17 °C; las precipitaciones son escasas y la vegetación es xerófita y de poca altura. En las tierras bajas el clima es caluroso, oscilando la temperatura entre los 23 °C y los 27 °C, y las precipitaciones son elevadas pero estacionales; abundan los algarrobos, los quebrachos y los arbustos.

* *Geog. econ.* La pral. riqueza se halla en el subsuelo: estaño, del que es uno de los prales. productores, cerca de Oruro y Potosí; plata; oro; cobre; bismuto; plomo; cinc; tungsteno; antimonio; petróleo; gas natural. La agr., con sólo un 3 % de terreno cultivado, se destina a la producción para el consumo local, a excepción del café. De los bosques de la llanura se explota el caucho. El ganado más numeroso es el ovino, seguido del bovino y de las llamas y alpacas. La ind. abarca fundición de estaño en Oruro, cemento, cerveza, tabaco, textil, zapatos, confección, gráficas y mecánica.

Gobernantes de **Bolivia**

1825	Libertador Simón José Antonio de la Santísima Trinidad Bolívar y Palacios
1826	Antonio José de Sucre y Alcalá
1828	Gral. José Mª. Pérez de Urdidinea
1828	Gral. José M. de Velasco Franco
1828	Gral. Pedro Blanco Soto
1829	Gral. José M. de Velasco Franco
1829	Mariscal de Zepita Andrés de Sta. Cruz Calahumana
1831	Mariscal de Zepita Andrés de Sta. Cruz Calahumana
1839	Dr. Mariano E. Calvo Cuéllar
1839	Dr. José María Serrano
1839	Gral. José M. de Velasco Franco
1841	Gral. Sebastián Agneda
1841	Dr. Mariano E. Calvo Cuéllar
1841	Mariscal de Ingavi José Ballivián y Segurola
1847	Gral. Eusebio Guilarte
1848	Gral. José M. de Velasco Franco
1848	Gral. Manuel I. Belzu Humerez
1850	José Gabriel Téllez
1855	Gral Jorge Córdova
1857	Dr. José Mª. Linares Lizarazu
1861	Junta Mixta de Gobierno: José Mª. Acha, R. Fernández, M.A. Sánchez
1862	Gral. José Mª. Acha Valiente
1864	Gral. José Mª. Melgarejo V.
1871	Gral. Agustín Morales H.
1872	Dr. Tomás Frías Ametller
1873	Gral. Adolfo Ballivián Coll
1874	Dr. Tomás Frías Ametller
1876	Gral. Hilarión Daza Groselle
1880	Gral. Narciso Campero Leyes
1884	Indut. Gregorio Pacheco Leyes
1888	Dr. Aniceto Arce Ruiz
1892	Dr. Mariano Baptista Caserta
1896	Dr. Severo Fernández Alonso
1899	Junta de Gobierno: José Manuel Pando Solares, Serapio Reyes Ortiz, Macario Pinilla
1899	Gral. José M. Pando Solares
1903	Dr. Aníbal Capriles
1904	Gral. Ismael Montes Gamboa
1909	Dr. Eliodoro Villazón Montaño
1913	Gral. Ismael Montes Gamboa
1917	Dr. José Gutiérrez Guerra
1920	Junta civil de Gobierno: Bautista Saavedra Mallea, José Mª. Escalier, José Manuel Ramírez
1921	Dr. Bautista Saavedra Mallea
1925	Prof. Felipe Segundo Guzmán
1926	Dr. Hernán Siles Reyes
1930	Junta Militar de Gobierno: C. Blanco Galindo
1931	Dr. Daniel Salamanca Urey
1934	Dr. José Luis Tejada Sorzano
1936	Junta Mixta de Gobierno: David Toro Ruilova
1937	Tcl. Germán Busch Becerra
1939	Gral. Carlos Quintanilla Quiroga
1940	Gral. Enrique Peñaranda Castillo
1943	Gral. Waldo Belmonte
1943	Cnl. Gualberto Villarroel López
1945	Dr. Julián V. Montellano
1946	Junta de Gobierno Civil: Néstor Guillén Olmos
1946	Dr. Tomás Monje Gutiérrez
1947	Dr. Enrique Hertzog Garaizábal
1947	Dr. Mamerto Urriolagoitia Harriague
1948	Dr. Mamerto Urriolagoitia Harriague
1951	Gral. Hugo Ballivián Rojas
1952	Dr. Hernán Siles Zuazo
1952	Dr. Víctor Paz Estenssoro
1956	Dr. Hernán Siles Zuazo
1960	Dr. Víctor Paz Estenssoro
1964	Gral. René Barrientos Ortuño
1966	Gral. Alfredo Ovando Candía
1966	Gral. René Barrientos Ortuño
1969	Dr. Luis Adolfo Salinas
1969	Gral. Alfredo Ovando Candía
1970	Junta Militar: Efraín Guachalla, Fernando Satori, Alberto Albarracín
1970	Gral. Juan José Torrez Gonzales
1971	Gral. Hugo Banzer Suárez
1978	Gral. Juan Pereda Asbún
1978	Gral. David Padilla Arancibia
1979	Dr. Walter Guevara Arce
1979	Gral. Alberto Natush Busch
1979	Sra. Lidia Gueiler Tejada
1980	Gral. Luis García Meza
1981	Junta de Gobierno: Celso Torrelio Villa, Waldo Bernal Escalante, Oscar Pamo Rodríguez
1981	Gral. Celso Torrelio Villa
1982	Gral. Guido Vildoso Calderón
1982	Dr. Hernán Siles Zuazo
1985	Dr. Víctor Paz Estenssoro
1989	Lic. Jaime Paz Zamora
1993	Lic. Gonzalo Sánchez de Lozada
1997	Hugo Bánzer Suárez
2001	Jorge Quiroga Ramírez

BOLIVIA

Recursos económicos	
Arroz	259 000 t
Bananas	521 000 t
Café	31 000 t
Caña de azúcar	3 164 000 t
Cebada	59 000 t
Maíz	521 000 t
Mandioca	299 000 t
Papas	810 000 t
Yuca	447 t
Trigo	88 000 t
Ganadería y derivados	
Alpacas	343 000 cabezas
Aves de corral	56 000 000 cabezas
Cabaña bovina	6 012 000 cabezas
Cabaña caprina	1 517 000 cabezas
Cabaña ovina	7 789 000 cabezas
Llamas	1 500 000 cabezas
Riqueza forestal	1 555 000 m³
Pesca	6 200 t
Producción minera	
Antimonio	6 000 t
Azufre	3 000 t
Cinc	122 600 t
Cobre	100 t
Estaño	18 600 t
Gas natural	3 078 000 000 m³
Oro	12,8 t
Petróleo	1 029 000 t
Plata	400 t
Plomo	21 200 t
Tungsteno	1 000 t
Producción industrial	
Cemento	630 000 t
Cerveza	1 333 000 hl
Energía eléctrica	2 445 millones de kwh
Hilaturas de algodón	3 300 t
Indicadores sociológicos	
PNB	5 472 millones de dólares
Renta per cápita	770 dólares
Esperanza de vida	67,9 años
Alfabetismo	80 %

* *Geog. humana.* La población comprende un elevado número de personas de ascendencia amerindia. Las que conservan su lengua y costumbres son más de la mitad del total. Los cholos, amerindios asimilados y amestizados, integran una cuarta parte. El resto está compuesto por criollos y descendientes de europeos (esp., al., etc). La lengua oficial es el castellano. En el Altiplano están muy difundidos el aymara y el quechua, cooficiales desde 1977. Los indígenas de las selvas y sabanas orientales y del Chaco hablan dialectos tupí-guaraníes, arahuacos y otros. Rep. unitaria. Cap. constitucional: Sucre. Sede del gobierno: La Paz. C. prales: Cochabamba, Oruro, Santa Cruz de la Sierra. *Rel.*: mayoría católicos, pequeños núcleos protestantes y religiones amerindias. U.M.: boliviano.

* *Hist.* Desde antiguo B. estuvo habitada por aymarás y guaraníes. En el siglo XIII el territorio quedó asimilado al imperio inca, hasta la conquista esp. La actual B., denominada Alto Perú, dependió administrativamente del virreinato del Perú y, luego, del de Río de la Plata. La zona tuvo gran prosperidad al descubrirse las minas de Potosí, Porco y Tupiza. Los abusos esp. provocaron diversas revueltas indígenas; las más importantes fueron las de Túpac Amaru y Tomás Catari (1781). En 1809 se inició la lucha por la independencia, que finalizó en 1825 con la fundación de Bolivia. La victoria decisiva fue la de Ayacucho (1824), conseguida por Sucre, quien fue el primer presid. de la nación. Después de la independencia se vivió una larga crisis a causa de los «pronunciamientos» y de los conflictos fronterizos. En uno de los más imp., la guerra del Pacífico con Chile, B. perdió su salida al mar. A comienzos del siglo XX, la fuerza política de los militares pasó a los partidos liberal y conservador.

División administrativa de **Bolivia**[1]

Departamentos	*Km²*	*Habitantes*	*Capital*	*Habitantes*
Beni	213 564	276 174	Trinidad	57 328
Chuquisaca	51 524	453 756	Sucre	131 769
Cochabamba	55 631	1 110 205	Cochabamba	407 825
La Paz	133 985	1 900 786	La Paz	713 738
Oruro	53 588	340 114	Oruro	183 422
Pando	63 827	38 072	Cobija	10 001
Potosí	118 218	645 889	Potosí	112 078
Santa Cruz	370 621	1 364 389	Sta. Cruz de la Sierra	697 278
Tarija	37 623	291 407	Tarija	90 113
BOLIVIA	1 098 581	6 420 792[2]	La Paz / Sucre	

[1] Censo de 1992
[2] Según estimaciones: 8 329 000 hab. en el año 2000 y 10 229 000 hab. en el año 2010.

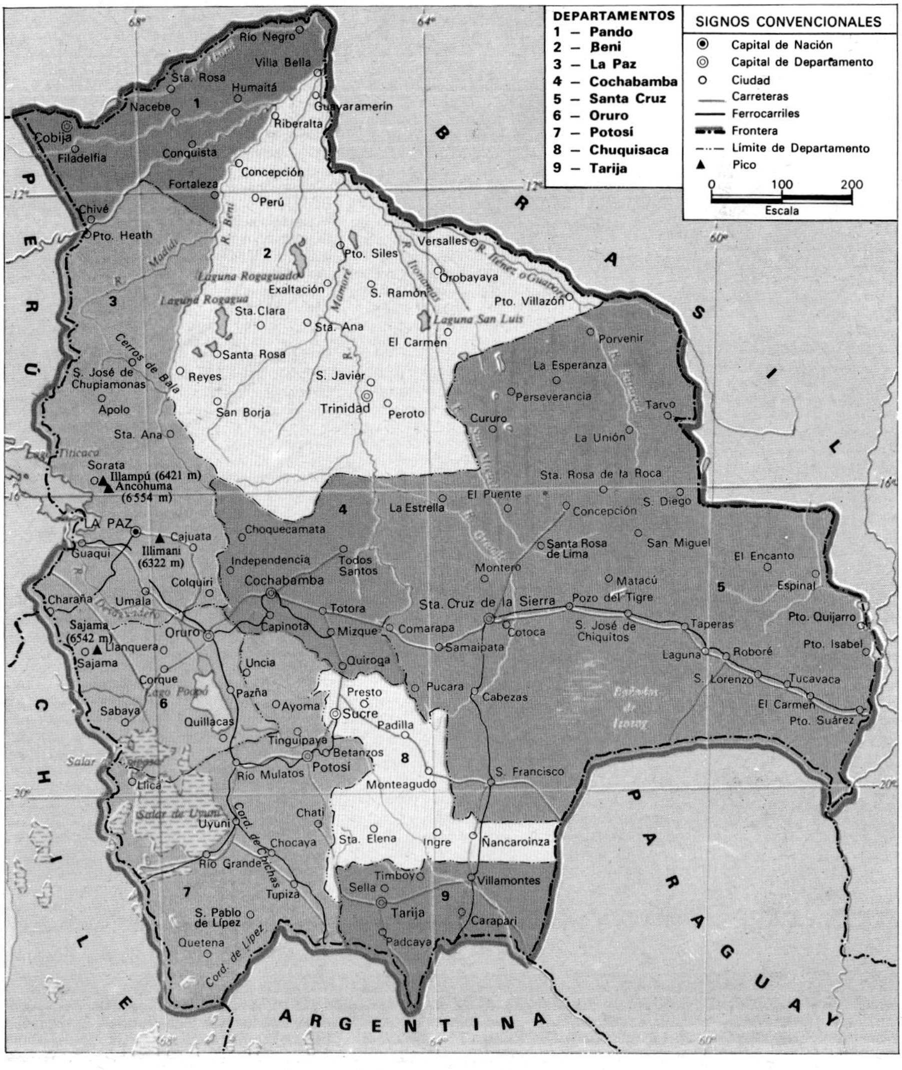

DEPARTAMENTOS
1 – Pando
2 – Beni
3 – La Paz
4 – Cochabamba
5 – Santa Cruz
6 – Oruro
7 – Potosí
8 – Chuquisaca
9 – Tarija

SIGNOS CONVENCIONALES
Capital de Nación
Capital de Departamento
Ciudad
Carreteras
Ferrocarriles
Frontera
Límite de Departamento
Pico
0 100 200
Escala

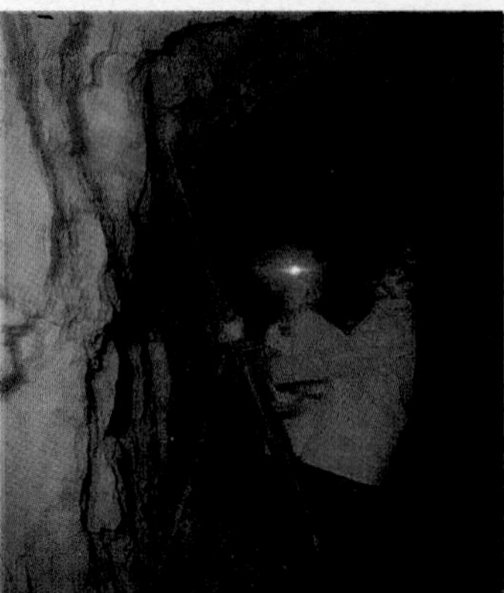

Bolivia. Interior de una mina, en Oruro

La inestabilidad política se mantuvo y se produjo la penetración de capital extranjero. En 1932 estalló la guerra del Chaco con Paraguay, que supuso la pérdida de terr. Después de un intervalo de reformas y gobiernos militares, en 1952 el MNR (Movimiento Nacional Revolucionario) subió al poder en la persona de Víctor Paz Estenssoro. Los golpes militares y las elecciones impugnadas se sucedieron hasta que en 1983 finalizaron los gobiernos militares para dar paso a mandatarios civiles. Primero fue Hernán Siles Suazo y después, en 1985, de nuevo Paz Estenssoro. En 1989 subió al poder Jaime Paz Zamora, líder del Movimiento de Izquierda Revolucionaria (MIR). En 1993 el Congreso, nombró pres. a Gonzalo Sánchez de Lozada del MNR. En las elecciones presid. de 1997 la fuerza más votada fue la Acción Democrática Nacionalista (ADN) de Hugo Bánzer, que fue elegido presid. Sin embargo no finalizó su mandato, ya que en agosto de 2001 anunció su renuncia por motivos de salud: el vicepresidente Jorge Quiroga asumió la presidencia.

* *Lit.* Los prales. representantes del romanticismo, en poesía, son Ricardo José Bustamante, María Josefa Mujía y M J. Tovar. En novela, Nataniel Aguirre y el bibliógrafo Gabriel René Moreno. La transición hacia el modernismo se manifiesta en Juan Francisco Bedregal y este movimiento alcanza su plenitud con Ricardo Jaimes Freyre y Mariano Babtista Gumucio. Ya entrado el s. XX destacan Armando Chirveches, Jaime Mendoza, Alcides Arguedas, Carlos Medinaceli, Augusto Céspedes, Franz Tamayo, Adela Zamudio, Augusto Guzmán, Jesús Lara y F. Díez de Medina. Entre los narradores que sobresalen en las últimas décadas están Marcelo Quiroga Santa Cruz, Adolfo Cáceres Romero, Renato Prada Oropesa, Jesús Urzagasti y Raúl Teixidó. La poesía boliviana actual tiene sus principales representantes en Yolanda Bedregal, Roberto Echazú, Primo Castrillo, Jaime Sáenz y Alcira Cardona Torrico, entre otros.

* *Arte.* Se conservan grandes monumentos en piedra de la cultura de Tiahuanaco. Durante la época colonial se imita la arquitectura esp. como en el caso de la Casa de la Moneda, mientras que en los altiplanos se crea el llamado estilo mestizo. En el s. XIX se impone el neoclasicismo. Abundan los retablos barrocos, las tallas y pinturas populares. Destacan el escultor Francisco Titu Yupanqui y el pintor Melchor Pérez de Holguin. Modernistas son los pintores Gil Imaná y Lorgio Vaca. En el s. XX, bajo la influencia del movimiento «indianista» mexicano, sobresalen las obras del pintor Cecilio Guzmán de Rojas y la escultora Marina Núñez del Prado.

Arte **boliviano.** Monolito antropomorfo de la cultura de Tiahuanaco

BOLIVIANO, NA adj. y s. De Bolivia. • m. Unidad monetaria de Bolivia.

BÖLL, ***Heinrich*** (1917-1985) Novelista y dramaturgo al. Su estilo seco y sencillo es la perfecta expresión de su fondo moralista, crítico y sincero. Premio Nobel de Literatura en 1972. *Casa sin amo, Opiniones de un payaso, Retrato de grupo con señora.*

BOLLADURA f. Abolladura.

BOLLAR tr. Abollonar, repujar. • Abollar.

BOLLERÍA f. Establecimiento donde se hacen bollos. • Tienda donde se venden.

BOLLERO, RA m. y f. Persona que hace o vende bollos. • f. fig. y fam. Mujer homosexual.

BOLLO m. Panecillo de harina amasada con huevos, leche, etc. • Elevación en una de las caras de una pieza que ceda sin romperse. • Plegado de tela, de forma esférica, usado en vestidos y tapicería. • fig. Chichón. • fig. y fam. Lío.

BOLLÓN m. Clavo de cabeza grande, que sirve para adorno. • Broquelillo o pendiente con sólo un botón. ■ BOLLONADO, DA.

BOLO, LA adj. *Guat, Hond* y *Méx.* Ebrio. • *Cuba.* Dic. de las aves sin cola. • m. Trozo de palo labrado en forma cónica o en otra de base plana. • Bola en los juegos de naipes. • adj. y m. fig. y fam. Hombre ignorante o de escasa habilidad. • m. Machete usado en Filipinas. • Actor independiente de una compañía, contratado para hacer un papel. • Grupo de actores que recorren los pueblos para explotar alguna obra famosa. • *Arq.* Nabo o cilindro vertical colocado en el centro de un armazón. • *Farm.* Píldora más grande que la ordinaria. • pl.: Juego que consiste en poner bolos derechos sobre el suelo y en derribarlos, tirando con una bola.

BOLOGNA, ***Giovanni da*** (1529-1608). Escultor flam. *Fuente de Neptuno*, en Bolonia: *Rapto de las Sabinas* y *Mercurio volando*, en Florencia.

BOLOGNESI, ***Andrés*** (1772-1834) Violoncelista y director de orquesta it. residente en Perú. *Las bellas de Lima.* • ***Francisco*** (1816-1880) Militar per., hijo del anterior, heroico defensor de Arica durante la guerra del Pacífico (1880).

BOLÓMETRO m. *Fís.* Instrumento para medir la energía de las radiaciones electromagnéticas que inciden sobre una superficie.

BOLÓN m. *Chile.* Piedra del tamaño mediano que se emplea en las construcciones.

BOLONESA Academia de pintura fundada en Bolonia por los hermanos Carracci (1589). En ella se formaron Guido Reni, Domenichino, F. Albani, Guercino y A. Albini, entre otros.

BOLONIA *(Bologna)* C. del N de Italia, cap. de la región Emilia-Romagna y de la prov. hom.; 404 400 hab. Universidad. Centro industrial.

BOLOÑÉS, SA adj. y s. De Bolonia.

BOLSA f. Saco para llevar o guardar alguna cosa. • Saquillo para guardar el dinero. • Taleguilla de tafetán que usaban los hombres para llevar recogido el pelo. • Folgo. • Arruga que hace un vestido, o la que forman dos telas cosidas cuando una es más larga que la otra. • Pieza de estera en forma de saco, que pende entre los varales del carro, para colocar efectos. • Establecimiento público en el que se reúnen los comerciantes, agentes intermediarios, colegiados, banqueros y especuladores, a fin de concertar o cumplir operaciones mercantiles. • Reunión oficial de los que operan con efectos públicos. • Conjunto de operaciones con efectos públicos. • fig. Caudal o dinero de una persona. • *Cir.* Cavidad llena de pus, linfa, etc. • *Mil.* Entrante muy profundo que se forma en un frente de combate. • *Min.* Parte de un criadero donde el mineral está reunido con mayor abundancia. • pl. Recipiente que forma las dos cavidades del escroto en las cuales se alojan los testículos. • **de cambio.** *Econ.* La dedicada a operaciones de cambio de valores mobiliarios. • **de comercio.** La dedicada a la contratación de mercancías. • **de corporales.** Pieza de dos hojas de cartón cuadradas y forradas de tela, entre las cuales se guardan plegados los corporales. • **de estudios.** Beca. • **de pastor.** *Bot.* Planta crucífera, anual, de hojas pubescentes y flores blancas. • **de trabajo.** Organismo encargado de recibir ofertas y peticiones de trabajo. • **turca.** Vaso de vaqueta, que suele usarse para beber cuando se viaja. ■ BOLSISTA.

BOLSEAR tr. *Guat., Hond.* y *Méx.* Robar a uno del bolsillo. • *Chile.* Pedir a alguien u obtener gratis de él una cosa. • *Argent., Bol.* y *Perú.* Dar calabazas.

BOLSERA f. Bolsa que usaban las mujeres para el pelo.

BOLSERO, RA m. y f. El que hace o vende bolsas. • *Chile.* Gorrón, pedigüeño.

BOLSICO m. *Chile.* Bolsillo de los vestidos.

BOLSILLO m. Bolsa para guardar dinero. • Pequeña bolsa cosida en un vestido. • fig. Bolsa, dinero.

BOLSÍN m. Lonja donde se reúnen los comerciantes. • Reunión de los bolsistas para sus tratos,

fuera de las horas y sitio de reglamento. • Lugar donde habitualmente se verifica dicha reunión.
BOLSIQUEAR tr. *Chile.* Registrarle a uno los bolsillos para sacarle lo que lleva en ellos.
BOLSO m. Bolsillo, del dinero y de la ropa. • Bolsa de mano provista de cierre, usada para llevar dinero, documentos, etc. • *Mar.* Seno que, por la acción del viento, se forma en las velas cuando se efectúan en ellas ciertas maniobras.
BOLSÓN m. En los molinos de aceite, tablón de madera con que se forra el suelo del alfarje. • *Const.* Abrazadera de hierro en un barrón vertical de este metal, donde se fijan los tirantes o barras que abrazan horizontalmente las bóvedas para su mayor firmeza.
BOLTON C. de Gran Bretaña, en el Gran Manchester; 146 722 hab. Ind. textil.
BOLTRAFFIO, *Giovanni Antonio* (1467-1516) Pintor renacentista it. *Madona Casio* (retrato); frescos de San Onofrio, en Roma.
BOLTZMANN, *Ludwig* (1844-1906) Físico austr. Demostró la ley de radiación del cuerpo negro establecida por J. Stefan. Estableció la relación entre la probabilidad de un estado y su entropía. • **Constante de B.** *Fís.* Equivale al cociente entre la constante universal de los gases y el núm. de Avogadro: k=R/N.
BOLYAI, *Johan* (1802-1860) Hermano de Wolfang B. Uno de los fundadores de la geometría no euclidiana. • ***Wolfang*** (1775-1856) Matemático, poeta y dramaturgo húng. Estudió los fundamentos teóricos de la geometría.
BOLZANO C. de Italia, en la región Trentino-Alto Adigio, cap. de la prov. hom.; 102 100 hab. Centro industrial.
BOLZANO, *Bernhard* (1781-1848) Filósofo y matemático checo, de origen it. • **Teorema de B.** *Mat.* Toda función continua en un intervalo cerrado (*a*, *b*) que toma valores de distinto signo en *a* y *b*, se anula en un punto del intervalo.
BOMBA f. Máquina para elevar un líquido y darle impulso en una determinada dirección. • Proyectil hueco lleno de materia explosiva y provisto de artificio para que estalle. • Pieza hueca de cristal que se pone en las lámparas. • En los instrumentos musicales de metal, tubo que por sus extremos enchufa con otros abiertos en la mitad del instrumento, y sirve para la afinación. • fig. y fam. Versos improvisados. • fig. y fam. *Amér.* Borrachera. • fig. y fam. *Cuba* y *Méx.* Chistera. • **aspirante.** *Fís.* La que eleva el líquido por combinación con la presión atmosférica. • **aspirante e impelente.** *Fís.* La que saca el agua de profundidad por aspiración y la impele por un procedimiento mecánico. • **atómica.** *Mil.* Dispositivo explosivo de efectos devastadores, basado en la fisión del uranio 235. • **de cobalto.** *Med.* Aparato que utiliza las radiaciones gamma del cobalto para el tratamiento de tumores. • **de hidrógeno.** *Mil.* Dispositivo explosivo basado en la fisión nuclear. • **de mano.** *Mil.* La pequeña que se lanza con la mano. • **de neutrones.** *Mil.* La que mata a partir de las radiaciones de neutrones, sin afectar a los edificios e instalaciones. • **de relojería.** *Mil.* La preparada para hacer explosión determinado tiempo después de ser colocada en un determinado lugar. • **Neumática.** *Fís.* La que se emplea para extraer el aire, y a veces comprimirlo.
BOMBACÁCEO, A adj. y f. *Bot.* Plantas de la familia bombacáceas. • f. pl. Familia de plantas dicotiledóneas arbóreas o arbustivas, con hojas alternas, flores axilares en racimo o en panoja y semilla cubierta de lana o pulpa.
BOMBACHA f. *Argent.* Pantalón muy ancho ceñido por la parte inferior.
BOMBACHO adj. y m. pl. Calzón corto, ancho y abierto por un lado, y pantalón, ancho también, cuyos perniles terminan en forma de campana abierta por el costado y con botones para cerrarla.
BOMBAL, *María Luisa* (1910-1980) Novelista chil. *La última niebla*, *La amortajada.*
BOMBARDA f. ant. Cañón de gran calibre. • Buque de dos palos, armado de morteros en la parte de proa. • Embarcación de cruz, sin cofas y de dos palos. • ant. Instrumento musical de viento.
BOMBARDEAR tr. Bombear, arrojar bombas. • Arrojar bombas desde una aeronave. • Dirigir el

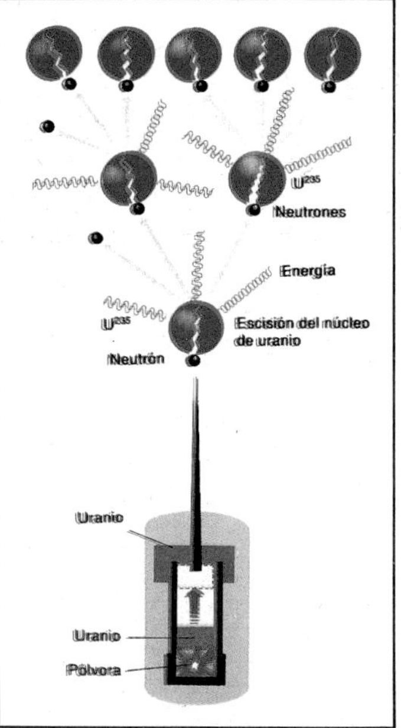

Esquema de la reacción en cadena implicada en la explosión de una **bomba atómica**

fuego violento y sostenido de artillería, contra el interior de una población u otro recinto. • *Fís.* Someter un cuerpo a la acción de ciertas radiaciones o al impacto de neutrones. ■ BOMBARDEO; BOMBAZO.
BOMBARDERO, RA adj. y m. Preparado para llevar bombas.
BOMBARDINO m. Instrumento musical de viento, semejante al figle.
BOMBARDÓN m. Instrumento musical de viento, de grandes dimensiones, que sirve de contrabajo en las bandas militares.
BOMBASÍ m. Fustán, tela de algodón.
BOMBÁSTICO, CA adj. *Amér.* Díc. del lenguaje ampuloso, redundante.
BOMBAY *(Mumbay)* C. de la India, cap. del est. de Maharashtra; 12 571 700 hab. (agl. urb.). Pral. puerto y centro comercial e industrial de la India. Universidad.
BOMBÉ m. Carruaje ligero de dos ruedas y dos asientos, abierto por delante.
BOMBEADOR m. *Argent.* Explorador.
BOMBEAR tr. Arrojar bombas de artillería. • Lanzar por alto una pelota haciendo que siga una trayectoria parabólica. • Sacar o trasegar agua u otro líquido por medio de una bomba.
BOMBEO m. Comba, convexidad.
BOMBERA f. *Cuba.* Sosería.
BOMBERO m. El que trabaja con la bomba hidráulica. • Individuo que se encarga de apagar incendios. • Cañón que dispara bombas.
BOMBILLA f. Bombillo para sacar líquidos. • Recipiente de vidrio dentro del cual hay un filamento que se pone incandescente al paso de la corriente eléctrica, produciendo luz. • *Amér.* Caña o tubo delgado que termina en un ensanchamiento lleno de agujeritos, que se utiliza para sorber el mate.
BOMBILLO m. Aparato con sifón para evitar la subida de malos olores en los desagües. • Tubo con un ensanchamiento en la parte inferior, para sacar líquidos. • *Mar.* Bomba pequeña. • *Amér.* Bombilla eléctrica.
BOMBÍN m. fam. Sombrero hongo.
BOMBO, BA adj. fam. Aturdido. • m. Tambor muy grande que se toca con una maza y se emplea en orquestas y en bandas militares. • El que toca este instrumento. • Buque de fondo chato. • Caja esférica que sirve para contener números de lotería, papeletas, etc. y que se hace girar antes de sacar uno en suerte. • Elogio exagerado.

Edificio de la Corporación Municipal de **Bombay**

Pintura en un templo del centro arqueológico maya de **Bonampak**

Bonifacio VIII

Catedral de **Bonn**

BOMBÓN m. Golosina pequeña de chocolate, rellena de crema, licor, etc. ■ BOMBONERA; BOMBONERÍA.
BOMBONA f. Vasija de boca estrecha, barriguda y de bastante capacidad para transportar líquidos. • Vasija metálica fuerte y de cierre hermético que contiene gases o líquidos a presión. • Recipiente de metal en el que se guardan las gasas y algodones esterilizados.
BOMBONAJE m. *Bot.* Planta pandanácea, de hojas alternas, que sirven para fabricar objetos de jipijapa.
BON, ***Cabo*** *(Ras Addar)* Promontorio del NE de Tunicia.
BON, ***Gustave Le*** (1891-1931) Sociólogo fr., positivista. *Psicología de las masas.*
BONA *(Annaba)* C. y puerto del NE de Argelia; 255 900 hab. Puerto exportador. Centro industrial.
BONACHÓN, NA adj. y s. fam. Crédulo, sencillo, amable.
BONAERENSE adj. y s. De Buenos Aires.
BONAFOUX, ***Luis*** (1855-1918) Escritor puertorriq. Residió largo tiempo en el extranjero. *Esbozos novelescos, El avispero.*
BONAIRE Isla de las Pequeñas Antillas, del grupo de Sotavento; 288 km²; 9 500 hab. Llana y de clima subárido. Cap., Kralendijk. Agricultura. Colonia neerlandesa con autonomía interna.
BONALD, *Louis Gabriel Ambroise,* VIZCONDE DE (1754-1840) Escritor y político fr., adalid del tradicionalismo monárquico y religioso. Miembro del Consejo de Instrucción Pública en 1814, diputado y, en 1822, ministro de Est. *Ensayo analítico sobre las leyes naturales del orden social, Demostración filosófica del principio constitutivo de la sociedad.*
BONAMPAK Centro arqueológico maya, en el est. de Chiapas (México). En uno de sus templos se descubrieron (1946), unas magníficas pinturas murales, algunas con jeroglíficos no descifrados aún.
BONANCIBLE adj. Tranquilo, sereno, suave.
BONANNO DE PISA (s. XII) Arquitecto y escultor románico it. autor de los batientes de bronce de la capilla de San Ranieri en la catedral de Pisa.
BONANZA f. Tiempo tranquilo o sereno en el mar. • fig. Prosperidad. • *Min.* Zona de mineral muy rico ■ BONANZOSO, SA.
BONAO C. de la República Dominicana, cap. de la prov. de Monseñor Nouel; 30 400 hab.
BONAPARTE, ***Carlos María*** (1746-1785) Padre de Napoleón I. • ***Jerónimo*** (1784-1860) Rey de Westfalia, hermano de Napoleón I. • ***José*** → José I Bonaparte. • ***Luciano*** (1775-1840) Hermano de Napoleón I, participó en el Consejo de los Quinientos y fue ministro del Interior. • ***Luis*** (1778-1846) Rey de Holanda, hermano de Napoleón I. • ***Luis Luciano*** (1813-1891) Político fr., hijo de Luciano Bonaparte, diputado y senador en el II Imperio. • ***María Ana*** (1777-1820) llamada ELISA. Hermana de Napoleón I, gobernadora de Toscana. • ***María Anunciata***, llamada CAROLINA (1782-1839). Hermana de Napoléon I y esposa de Murat, fue reina de Nápoles. • ***María Leticia*** (1750-1836) Madre de Napoleón I, quien le otorgó el título de MADAME MÈRE. • ***Napoléon*** → Napoléon I. • ***Paulina*** (1780-1825) PRINCESA DE BORGHESE Y DUQUESA DE GUASTALLA, famosa por su belleza y libertad de costumbres. Acompañó a Napoleón a Elba.
BONAPARTISMO m. Partido o unión política de los bonapartistas.
BONAPARTISTA adj. y s. Partidario de Napoleón Bonaparte, o del imperio y dinastía fundados por él. • adj. Relativo al bonapartismo.
BOND, ***George Philips*** (1825-1865) Astrónomo norteam., sucesor de su padre ***William Cranach*** (1789-1859) en la dirección del observatorio del Harvard College y colaborador del mismo en el descubrimiento, del satélite *Hiperión.* Obtuvo la primera fotografía correcta de la Luna.
BONDAD f. Calidad de bueno. • Natural inclinación a hacer el bien. • Amabilidad de carácter. ■ BONDADOSO, SA.
BONDARCHUK, ***Sergei*** (1920-1994) Actor y director cinematográfico ruso. Como realizador intervino en un serial sobre la novela de Tolstoi *Guerra y paz.*
BONDERIZACIÓN f. *Metal.* Proceso de fosfatación a que se someten las superficies de los materiales de hierro para evitar su corrosión.
BONET i Castellana, ***Antoni*** (1913-1989) Arquitecto y urbanista esp., catalán. Exiliado a América (1938), fundó el grupo Austral de arquitectura moderna; elaboró proyectos urbanísticos en Buenos Aires y en zonas costeras de Argentina y Uruguay. En 1963 volvió a Barcelona, prosiguiendo sus realizaciones.
BONETA f. *Mar.* Paño que se añade a algunas velas.
BONETE m. Gorro de cuatro picos, usado por los eclesiásticos y seminaristas. • fig. Clérigo secular, a diferencia del regular, que se llamaba capilla. • Dulcera de vidrio ancha de boca y estrecha de base. • En fortificación, obra exterior en las plazas y castillos, con dos ángulos entrantes y tres salientes. • *Zool.* Redecilla de los rumiantes. ■ BONETERÍA.
BONETERO, RA m. y f. Persona que hace o vende bonetes. • m. *Bot.* Arbusto celastráceo usado para setos. Su carbón se emplea en la fabricación de la pólvora.
BONETÓN m. *Chile.* Juego de prendas.
BONGO m. *Amér. Centr.* Canoa usada por los indios. • Pequeño tambor doble de origen africano; se usa más en pl. • *Cuba.* Barca de pasaje y de carga a manera de balsa de maderos. • *Zool.* Antílope afr., de color castaño oscuro con franjas blancas, provisto de cuernos. • adj. y s. Individuos de un pueblo negroide del SO de Sudán.
BONGO, ***Omar*** (nacido 1935) Político gabonense. En 1967 accedió a la presidencia de la rep.; fue reelegido en 1979.
BONIATO m. *Bot.* Planta convolvulácea de tubérculos semejantes a la batata. • Tubérculo comestible de esta planta.
BONIFACIO Estrecho entre las islas de Córcega y Cerdeña; 10 km de ancho.
BONIFACIO Nombre de nueve papas romanos. • **I** Santo. Papa [418-422]. Defendió los derechos del pontificado en Iliria. • **II** Papa [530-532]. Contribuyó a la desaparición de la herejía semipelagiana. **III** Papa [607]. Determinó la elección pontificia, tres días después de ser celebradas las exequias del papa predecesor. • **IV** Papa [608-615], benedictino. Transformó en iglesia cristiana el panteón que recibiera del emperador Focas. • **V** Papa [619-625]. Contribuyó al desarrollo del cristianismo en Inglaterra. • **VI** Papa; su pontificado duró 15 días. • **VII** Papa [974-984]. Es considerado papa ilegítimo. • **VIII** Papa [1294-1303]. Bajo su pontificado Roma volvió a ser centro de la cristiandad. En su bula *Ausculta fili* reafirmaba los derechos de la Santa Sede. • **IX** Papa [1389-1404]. Aumentó el impuesto pontificio de la anata.
BONIFACIO (680-754) Santo. Benedictino anglosajón, evangelizador de la Alemania occidental.
BONIFAZ, ***Ramón de*** (h. 1200-1256) Marino cast., considerado el creador de la armada de Castilla.
BONIFICACIÓN f. Aumento de valor o mejora.
BONIFICAR tr. Abonar en una cuenta. • Descontar una cantidad de otra que se ha de pagar.
BONILLA, ***Alonso de*** (s. XVII) Poeta conceptista esp. *Nuevo jardín de flores divinas, Peregrinos pensamientos de misterios divinos.* • ***Abelardo*** (1898-1969) Político y escritor cost. Vicepresid. del país (1958-1962). *El valle nublado, Historia y antología de la literatura costarricense.* • ***Diego*** (nacido 1900) Violinista cub. Realizó numerosas giras como concertista por Europa y EE UU. Director del conservatorio de La Habana. • ***Manuel*** (1849-1913) Militar y político hond. Presid. de la rep. (1903-1907). En 1906 sostuvo una guerra con Nicaragua por motivos fronterizos. De nuevo presid. desde 1912 a 1913. • ***Policarpo*** (1858-1926) Político hond. Aliado con Santos Zelaya, presid. de Nicaragua, se apoderó de la presidencia del país, en la que se mantuvo desde 1894 hasta 1900. • **San Martín,** ***Adolfo*** (1875-1926) Polígrafo esp. Erudito y crítico agudo sobre temas cardinales de filosofía, derecho y letras. *Luis Vives y la filosofía del Renacimiento, Las leyendas de Wagner en la literatura española.*
BONITERO, RA adj. Relativo al bonito. • adj. y f. Lancha destinada a la pesca del bonito. • f. Pesca del bonito y temporada que dura.

BONITO, TA adj. Bueno. • Lindo, agraciado, de cierta proporción y belleza. • m. *Zool.* Pez teleósteo acantopterigio de la familia escómbridos, muy parecido al atún. ■ BONIZAL.
BONIZO m. Panizo de poca altura y de granos muy menudos.
BONN C. de Alemania, en Renania del Norte-Westfalia, a orillas del Rin; 291 300 hab. Ind. mecánica. Universidad. Cuna de Beethoven. Cap. de la ant. RFA (1949-1990).
BONNARD, *Pierre* (1867-1947) Pintor fr., paisajista y retratista. Del impresionismo derivó al intimismo. *Desnudo en el baño*, *El jardín*.
BONNET, *Charles* (1720-1793) Fisiólogo y naturalista suizo. Investigó sobre la partenogénesis.
BONO m. Tarjeta o vale canjeable por algún artículo. • *Econ.* Título de deuda pública.
BONO, *Emilio de* (1866-1944) Militar y político it. Ocupó diversos cargos bajo el fascismo. Contribuyó a la caída de Mussolini (1943), por lo que fue ejecutado.
BONOMI, *Ivanoe* (1873-1952) Político it., fundador del movimiento socialista reformista. Presid. del gobierno en 1944-1945.
BONONCINI, *Giovanni Batista* (1670-h. 1750) Compositor it. Compuso obras instrumentales, religiosas y profanas, pero es conocido por las óperas. *Astarto*, *Crispo*, *Griselda*, *Polifemo*.
BONONIENSE adj. y s. Boloñés.
BONOTE m. Filamento de la corteza del coco.
BONPLAND, *Aimé* (1773-1858) Botánico fr. En compañía de Humboldt, exploró América del Sur.
BONTÁ, *Marco A.* (nacido 1898) Pintor chil. Premios en la Exposición de Sevilla (1929) y en el Salón Nacional (1936). Fundador del Museo de Arte Contemporáneo de Santiago.
BONTEMPELLI, *Massimo* (1878-1960) Novelista y dramaturgo it. en cuya obra se observa un tránsito del clasicismo al futurismo. Con Curzio Malaparte publicó en fr. la revista *900*. *Vida y muerte de Adria y sus hijos*, *El hijo de dos madres*.
BONZO m. Sacerdote budista y lamaísta.
BOÑIGA f. Excremento del ganado.
BOÑIGAR adj. y s. Especie de higo blanco, más ancho que alto.
BOÑIGO m. Porción de excremento de ganado.
BOOGIE-WOOGIE (voz ing.) m. Variante del jazz, de ritmo muy rápido e insistente.
BOOLE, *George* (1815-1864) Matemático y filósofo ing. Desarrolló el acercamiento algebraico a la lógica. • **Álgebra de B.** *Mat.* La que trata de las operaciones entre las partes de un conjunto.
BOOLEANO, NA adj. *Mat.* Díc. de un tipo de álgebra elaborada por el matemático y lógico Boole. • Relativo a esta álgebra.
BOOM (voz ing.) m. *Econ.* Alza brusca de los valores bursátiles, efímera y ficticia. • Súbita prosperidad económica sin garantías de continuidad. • Expansión rápida en los negocios y en los beneficios.
BOOMERANG (voz ing.) m. Bumerán.
BOONE, *Daniel* (1735-1820) Pionero y explorador norteam.
BOOTH, *John Wilkes* (1838-1865) Actor norteam., simpatizante de los confederados. Asesinó al presid. Lincoln (1865) en el teatro Ford de Washington.
BOOTH, *William* (1829-1912) Filántropo, predicador y moralista ing., fundador del Ejército de Salvación y primer «general» del mismo (1865). *En la Inglaterra más sombría, y sobre el modo de liberarse.*
BOOTHIA Península ártica de Canadá. Descubierta por J. Ross en 1829.
BOPHUTHATSWANA Ant. bantustán sudafricano, creado en 1968 (Tswanaland) y abolido en 1994; 40 330 km^2; 1 287 800 hab. Cap., Mabatho.
BOPP, *Franz* (1791-1867) Lingüista al. Investigador de las lenguas indoeuropeas. *Gramática comparada de las lenguas sánscrita, zenda, griega, latina, lituana, eslava antigua, gótica y alemana.*
BOQUEAR intr. Abrir la boca. • Estar expirando. • fig. y fam. Estar una cosa acabándose. • tr. Pronunciar una palabra o expresión. ■ BOQUEADA.
BOQUERA f. Boca de piedra que se hace en el caz para regar las tierras. • Ventana por donde se echa la paja o heno en el pajar. • *Med.* Excoriación que se forma en las comisuras de los labios. • *Vet.* Llaga en la boca de los animales.

Boquerón

BOQUERÓN m. Abertura grande. • *Zool.* Pez malacopterigio parecido a la sardina.
BOQUERÓN Dpto. de Paraguay, en el Chaco; 91 669 km^2, 26 292 hab. Cap., Filadelfia. Explotación forestal y ganadera.
BOQUETA adj. *Amér.* Que tiene el labio hendido.
BOQUETE m. Entrada estrecha de un lugar o paraje. • Brecha, agujero.
BOQUI m. *Chile.* Especie de enredadera, cuyo tallo se emplea en la fabricación de cestos y canastos.
BOQUIABIERTO, TA adj. Que tiene la boca abierta. • fig. Que está embobado mirando alguna cosa.
BOQUIANCHO, CHA adj. Ancho de boca.
BOQUIANGOSTO, TA adj. Estrecho de boca.
BOQUIBLANDO, DA adj. Blando de boca.
BOQUIDURO, RA adj. Duro de boca.
BOQUIFLOJO, JA adj. *Méx.* Boquirroto.
BOQUIFRESCO, CA adj. Aplícase a las caballerías que tienen la boca muy salivosa y por eso son dóciles y obedientes al freno. • fig. y fam. Aplícase a la persona que sin reparo dice verdades desagradables.
BOQUIHENDIDO, DA adj. De boca muy hendida.
BOQUIHUNDIDO, DA adj. Díc. de la caballería que tiene muy altas las comisuras de los labios.
BOQUILLA f. Abertura del pantalón, por donde sale la pierna. • Cortadura que se hace en las acequias a fin de extraer las aguas para el riego. • Pieza pequeña y hueca, que se adapta al tubo de varios instrumentos de viento y sirve para producir el sonido. • Tubo pequeño, en cuya parte más ancha se pone el cigarro para fumarlo aspirando el humo por el extremo opuesto. • Escopleadura que se abre en las piezas de madera para ensamblarlas. • Abrazadera del fusil. • Pieza donde se produce la llama en los aparatos de alumbrado. • Portalámparas. • Extremo anterior del cigarro puro. • Filtro cilíndrico que llevan los cigarrillos emboquillados. • **De b.** m. adv. Sin intención de cumplir lo que se dice.
BOQUIMUELLE adj. Blando de boca. • fig. Aplícase a la persona fácil de engañar.
BOQUIRROTO, TA adj. fam. Parlanchín.
BOQUIRRUBIO, BIA adj. fig. Que habla mucho y sin reserva.
BOQUISECO, CA adj. Que tiene seca la boca. • Díc. de la caballería que no saborea el freno ni hace espuma.
BOQUITUERTO, TA adj. Que tiene torcida la boca.
BORA, *Katharina von* (1499-1552) Religiosa cisterciense al.; tras abandonar el claustro, se casó con Lutero.
BORACITA f. *Miner.* Cloroborato de magnesio, dimorfo. A la temperatura ambiente es rómbico y por encima de 265 °C es cúbico.
BORAGINÁEO, A adj. y f. Borraginácea.
BORANO m. *Quím.* Combinación hidrogenada del boro. Se utiliza como carburante para los cohetes.
BORATERO, RA adj. *Chile.* Relativo al borato. • m. *Chile.* El que trabaja o comercia en borato. • f. *Argent.* y *Chile.* Yacimiento de borato.
BORATO m. *Quím.* Sal del ácido bórico.
BÓRAX m. *Geol.* y *Quím.* Borato hidratado de sodio, cristalizado en el sistema monoclínico. Se usa en la industria del vidrio y en farmacia.
BORBOLLAR o **BORBOLLEAR** intr. Hacer borbollones el agua. ■ BORBOLLEO.
BORBOLLÓN m. Borbotón. • **A b.** m. adv. fig. A borbotones.
BORBOLLONEAR intr. Borbollar.
BORBÓN, *casa de* Familia noble cuyas diferentes ramas han ocupado los tronos de Francia [1589-1792 y 1814-1830]; España [1700-1868; 1874-1931 y desde 1975]; Dos Sicilias [1735-1860]; Parma [1731-1860] y Nápoles [1735-1806 y 1815-1816].
BORBÓNICO, CA adj. Relativo a los Borbones.
BORBORIGMO m. *Fisiol.* Ruido que se produce en el intestino humano a consecuencia de los movimientos peristálticos de las paredes intestinales.

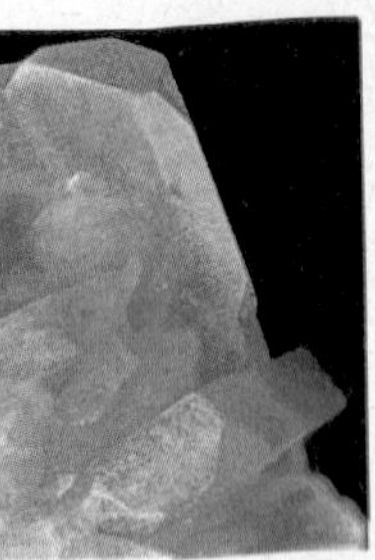
Cristales de **bórax**

Borbón.
Fernando VII a [...]
lienzo de Franc[...]
Goya

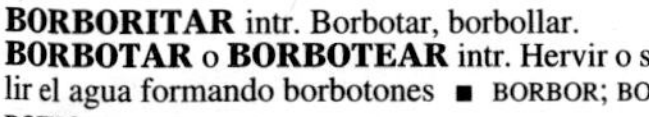

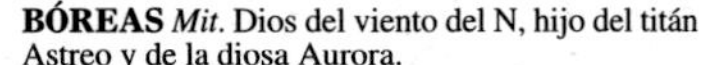

Bordado del tapiz de Bayeaux (s XI) que representa un ataque normando

BORBORITAR intr. Borbotar, borbollar.
BORBOTAR o **BORBOTEAR** intr. Hervir o salir el agua formando borbotones ■ BORBOR; BORBOTEO.
BORBOTÓN m. Erupción que hace el agua de abajo para arriba, elevándose sobre la superficie. • **A b.** m. adv. fig. Atropelladamente.
BORCEGUÍ m. Calzado que llega hasta más arriba del tobillo, abierto por delante y que se ajusta por medio de correas o cordones.
BORCHERT, *Wolfgang* (1921-1947) Dramaturgo expresionista al. *En la entrada.*
BORDA f. *Mar.* Vela mayor en las galeras. • *Mar.* Canto superior del costado de un buque. • Choza.
BORDA, *Arturo* (1883-1953) Pintor y escritor bol. Paisajista y retratista; *Retrato de mis padres.* En su libro *El loco* mezcla todos los géneros. • **Leaño, *Héctor*** (nacido 1927) poeta y político bol. *El sapo y la serpiente, Con rabiosa alegría.*
BORDABERRY, *Juan María* (nacido 1928) Político ur. Senador por el partido blanco, ingresó en 1969 en el colorado. Presid. de la rep. (1972-1976).
BORDADA f. *Mar.* Camino que hace entre dos viradas una embarcación cuando navega, voltejeando para ganar o adelantar hacia barlovento. • fig. y fam. Paseo reiterado de una parte a otra.
BORDADO, DA adj. fig. Perfecto, sin faltar detalle. • Labor de relieve ejecutada con aguja y diversas clases de hilo.
BORDADURA f. Bordado. • *Her.* Bordura.
BORDAR tr. Adornar una tela o piel con bordados. • fig. Ejecutar alguna cosa con primor ■ BORDADOR, RA.
BORDE adj. Aplícase a plantas y árboles silvestres. • adj. y s. Bastardo, ilegítimo. • m. Extremo u orilla de alguna cosa. • En las vasijas, orilla que tienen alrededor de la boca. • *Mar.* Bordo de la nave. • *Aer.* Superficie o arista en la que terminan las alas o planos de un avión. • **A, o al b.** m. adv. A punto de que suceda algo.
BORDEAR intr. Andar por la orilla o borde. • *Mar.* Dar bordadas. • fig. Frisar, acercarse mucho a una cosa.
BORDEAUX, *Henry* (1870-1963) Escritor y académico fr. Autor de novelas, ensayos y obras teatrales. *El país natal, El temor de vivir, Historia de una vida.*
BORDELÉS, SA adj. y s. De Burdeos. • adj. y f. Tonel de vino de 225 litros.
BORDES, *Charles* (1863-1909) Compositor y musicólogo fr. Contribuyó al conocimiento de la música coral polifónica del Renacimiento y de la música folklórica vasca. *Antología de maestros religiosos primitivos.*
BORDILLO m. Borde de las aceras formado por piedras largas y estrechas.
BORDO m. *Mar.* Lado o costado exterior de la nave. • Bordada. • *Guat.* y *Méx.* Reparo de césped y estacas que forman los labradores en los campos, con objeto de represar las aguas. • **A b.** m. adv. En la embarcación.
BORDÓN m. Bastón, con punta de hierro, más alto que un hombre, como el que llevan los peregrinos. • Verso quebrado que se repite al fin de cada copla. • Muletilla, palabra o frase que repite frecuentemente una persona en la conversación. • En los instrumentos musicales de cuerda, cualquiera de las más gruesas que hacen el bajo. • Cuerda de tripa atravesada diametralmente en el parche inferior del tambor. • fig. Persona que guía y sostiene a otra. • *Art. Gráf.* Omisión de una o más palabras, frase, etc., que al componer comete el cajista. • *Cir.* Cuerda de tripa que se emplea para dilatar conductos naturales.
BORDONCILLO m. Bordón, muletilla en la conversación.
BORDONEAR intr. Ir tentando o tocando la tierra con el bordón. • Dar palos con el bordón o bastón. • fig . Vagar. • Pulsar el bordón de la guitarra.
BORDONEO m. Sonido ronco del bordón de la guitarra.
BORDONERÍA f. Vida ociosa y vagabunda, por alusión a la de los peregrinos ■ BORDONERO, RA.
BORDURA f. *Her.* Pieza honorable que rodea el escudo por su interior.
BOREAL adj. Septentrional.
BÓREAS m. *Meteor.* Viento N.
BÓREAS *Mit.* Dios del viento del N, hijo del titán Astreo y de la diosa Aurora.
BOREL, *Émile* (1871-1956) Matemático fr. Desarrolló una teoría de la medida de conjuntos. • **Teorema de B.-Lebesgue.** *Mat.* Toda familia de conjuntos abiertos que recubre un conjunto cerrado y acotado contiene una subfamilia finita que lo recubre.
BORELIANO, NA adj. y s. *Mat.* Conjunto que puede obtenerse a partir de intervalos abiertos por medio de reunión (finita o numerable), intersección (finita o numerable) y paso al complementario.
BORES, *Francisco* (1898-1972) Pintor esp. Evolucionó a partir del cubismo en busca de la esencia y dinámica de los objetos. *La mesa del pintor.*
BORG, *Björn* (nacido 1956) Tenista sueco. Entre los años 1976 a 1981 resultó ganador en los diversos torneos del *Grand Slam* y de la Copa Davis con su país.
BORGES, *Jorge Luis* (1899-1986) Escritor arg. Nació en Buenos Aires, pero entre 1919 y 1921 se instaló en España. Adscrito al mov. ultraísta fundó, ya en Argentina, las revistas *Prisma* y *Proa* y el volumen de poesía *Fervor de Buenos Aires.* Su obra se caracteriza por la hondura y búsqueda conceptual expresada con gran riqueza verbal. Premio Cervantes en 1979. *Historia universal de la infamia, Ficciones, Historia de la eternidad, El Aleph, El idioma de los argentinos, Literaturas germánicas.* • **Norah** (nacida 1903) Pintora arg. Hermana del anterior. *La visitación, La quinta, Santa Rosa de Lima.*
BORGHESE, *Camillo* → Paulo V.
BORGIA o **BORJA** Familia romana de origen valenciano, entre cuyos miembros hay varios papas y personajes importantes del Renacimiento it. • ***César*** (1476-1507) Hijo natural del papa Alejandro VI, inspiró a Maquiavelo en *El príncipe.* • ***Lucrecia*** (1480-1519) Hija natural del papa Alejandro VI, tuvo un imp. papel en las intrigas cortesanas de éste y de su hermano.
BORGLUM, *Gutzon* (1871-1941) Escultor norteam., autor de las tallas gigantes de cuatro presid. de EE UU, en el monte Rushmore.
BORGOÑA m. Vino de Borgoña.
BORGOÑA *(Bourgogne)* Región histórica y ant. prov. de Francia, correspondiente a los actuales dptos. de Côte d'Or, Saône-et-Loire y Ain, y parte de los de Yonne y Aube. • Actual región administrativa de Francia, compuesta por los dptos. de Côte-d'Or, Nièvre, Saône-et-Loire y Yonne; 31 582 km^2, 1 609 700 hab. Cap., Dijon.
BORGOÑA, *Felipe de* → Vigarny. • ***Juan de*** (m. h. 1536) Pintor de origen borgoñón y de formación it. Entre sus obras destacan los frescos de la sala capitular de la catedral de Toledo.
BORGOÑÓN, NA adj. y s. De Borgoña.
BORICADO, DA adj. *Quím.* Díc. de algunas preparaciones que contienen ácido bórico.
BÓRICO adj. *Quím.* Relativo al boro. • Díc. del ácido o anhídrido derivado del boro trivalente.
BORICUA adj. y s. En tono festivo, puertorriqueño.
BORINCANO, NA adj. y s. Puertorriqueño.
BORINQUÉN Denominación de Puerto Rico, que deriva del nombre taino *Borikén.*
BORINQUEÑO, ÑA adj. Puertorriqueño.
BORIS III (1894-1943) Rey de Bulgaria [1918-1943]. Su reinado se caracterizó por una gran inestabilidad política y un marcado carácter autoritario. Durante la II Guerra Mundial se alió con la Alemania hitleriana. Murió, sin embargo, asesinado por los nazis.
BORIS Godunov (1551-1605) Boyardo ruso que fue zar [1598-1605], como sucesor de su cuñado Fedor I y tras asesinar al sucesor legítimo Demetrio.
BORJA → Borgia. • ***Arturo*** (1892-1912) Poeta modernista ecuat. *La flauta de ónix.* • ***Rodrigo*** (nacido 1935) Político socialdemócrata ecuat. Licenciado en Ciencias Políticas y doctor en Jurisprudencia por la Universidad Central de Quito. Diputado (1962-1982), fundador y líder del Partido Izquierda Democrática. Presid. de la rep. entre 1988 y 1992. *Socialismo democrático. Democracia y populismo.* • **Y Aragón, *Francisco de*** (h. 1577-1658) PRÍNCIPE DE ESQUILACHE. Virrey del Perú (1614-1621), intentó mejorar la suerte de los indígenas.

Jorge Luis **Borges**

BORLA f. Conjunto de hilos o cordoncillos sujetos por un extremo, que se emplea como adorno. • pl. *Bot.* Amaranto, planta.
BORLILLA f. Antera de la flor.
BORMAN, *Frank* (nacido 1928) Astronauta norteam. que, con J. Lovell, tripuló el *Gemini 7*, que dio 206 vueltas a la Tierra. Realizó el primer acoplamiento acercándose 0,3 m al *Gemini 6*. Con J. Lovell y W. Anders voló en el *Apolo 8*, dando 2 vueltas a la Tierra y 10 alrededor de la Luna.
BORMANN, *Martin* (nacido 1900) Político nazi al. General de las SS, jefe del estado mayor de Rudolf Hess (1933) y jefe de la Cancillería (1941). Durante la II Guerra Mundial fue lugarteniente de Hitler. Desapareció en 1945. Condenado a muerte por el tribunal de Nuremberg.
BORN, *Max* (1882-1970) Físico al., nacionalizado brit. Premio Nobel de Física en 1954, por sus trabajos en el campo de la mecánica cuántica. Elaboró, junto con Jordan, la mecánica de matrices. Publicó una teoría cuántica del campo electromagnético.
BORNE m. Extremo de la lanza que se empleaba en las justas. • *Bot.* Codeso, planta. • Fís. Terminal metálico para la conexión eléctrica de un aparato con el exterior.
BORNEAR tr. Dar vuelta, torcer o ladear. • Labrar en contorno las columnas. • *Arq.* Disponer y mover oportunamente los sillares hasta dejarlos colocados en su debido lugar. • *Arq.* Mirar con un solo ojo para examinar si un cuerpo o varios están en una misma línea con otro u otros, o si una superficie tiene alabeo. • *Mar.* Girar el buque sobre sus amarras, estando fondeado. • prnl. Hacer comba la madera. ■ BORNEADIZO, ZA.
BORNEO m. Movimiento del cuerpo en el baile.
BORNEO Isla de Insulindia, al SE de la península Malaca; 736 000 km²; 14 190 000 hab. La parte S pertenece a Indonesia *(Kalimantan)*, y la N a Malaysia y el estado de Brunei. Arroz y especias.
BORNEOL m. *Quím.* Alcohol secundario que se obtiene por reducción del alcanfor.
BORNÍ m. Ave rapaz diurna que anida en la orilla del agua.
BORNITA f. *Miner.* Sulfuro de hierro y cobre, que cristaliza en el sistema cúbico, peso específico 4,9 a 5,3, dureza 3, color pardo y brillo metálico.
BORNU Región de África occidental, al O y SO del lago Chad. Comprende zonas de Níger, Nigeria y Camerún; 250 000 km².
BORO m. *Quím.* Elemento químico de símb. B, n. a. 5 y p. a. 10,82. Elemento no metálico, forma compuestos halogenados gaseosos y varios hidruros.
BOROBUDUR Célebre templo budista de mediados del s. IX, sit. en Java (Indonesia).
BORODIN, *Alexander* (1833-1887) Compositor romántico ruso. *En las estepas de Asia Central* (poema sinfónico), *El Príncipe Igor* (ópera).
BORODINO Aldea de Rusia, en la región de Moscú, escenario de la última batalla victoriosa de Napoleón sobre los rusos (1812).
BORONA f. Mijo. • Maíz. • Pan de maíz. • *Amér.* Migaja del pan.
BORONÍA f. Alboronía, guisado de berenjenas.
BORORÓ adj. y s. Individuo de un pueblo amerindio del Mato Grosso (Brasil), hoy casi desaparecido.
BORRA f. Cordera que pasa de un año y no llega a dos. • Parte más basta de la lana. • Pelo de cabra para rellenar pelotas, cojines, etc. • Pelusa del algodón. • Pelusa del polvo que se forma en bolsillos, bajo los muebles, etc . • Hez o sedimento espeso que forman la tinta, el aceite, etc. • fig. y fam. Palabras inútiles.
BORRACHA f. fig. y fam. Bota para el vino.
BORRACHEAR intr. Emborracharse frecuentemente.
BORRACHERA f. Efecto de emborracharse. • Banquete en que hay algún exceso en comer y beber. • fig. y fam. Exaltación extremada en la manera de hacer o decir alguna cosa.
BORRACHERÍA f. fam. Taberna.
BORRACHERO m. *Bot. Amér. Merid.* Arbusto solanáceo que despide olor desagradable de día y grato y narcótico de noche.
BORRACHEZ f. Embriaguez. • fig. Turbación de juicio o de la razón.
BORRACHÍN, NA m. y f. Aficionado a beber mucho.
BORRACHO, CHA adj. y s. Ebrio, embriagado por la bebida. • adj. Que se embriaga habitualmente. • adj. y m. Díc. del bizcocho borracho. • Se aplica a algunos frutos y flores de color morado. • fig. y fam. Vivamente poseído o dominado de alguna pasión.
BORRADOR m. Escrito sobre el que se hacen enmiendas, adiciones o supresiones, y que sirve para elaborar el definitivo. • Libro en que los comerciantes hacen sus apuntes para arreglar después sus cuentas. • Utensilio para borrar la pizarra. • *Amér.* Goma de borrar.
BORRAGINÁCEO, A o **BORRAGÍNEO, A** adj. y f. *Bot.* Plantas de la familia borragináceas. • f. pl. *Bot.* Familia de dicotiledóneas, con hojas alternas, flores monopétalas en espiga, racimo o panoja, y fruto en cápsula o baya con una semilla sin albumen.
BORRAJA f. *Bot.* Planta borraginácea comestible, de flores azules en racimo. Cubierta de pelos ásperos y punzantes. Usada en medicina.
BORRAJEAR tr. Emborronar. • Escribir sin asunto determinado.
BORRAJO m. Rescoldo, brasa con ceniza. • Hojarasca de los pinos.
BORRAR tr. Hacer rayas sobre lo escrito, para que no pueda leerse o para dar a entender que no sirve. • tr. y prnl. Hacer que la tinta se corra y desfigurelo escrito. • Hacer desaparecer por cualquier medio lo representado con tinta, lápiz, etc. • fig. Desvanecer, hacer que desaparezca una cosa ■ BORRADURA.
BORRASCA f. *Meteor.* Tempestad o temporal fuerte. • fig. Riesgo. • fig. *Méx.* En las minas, carencia de mineral útil en el criadero.
BORRASCOSO, SA adj. Que causa borrascas. • Propenso a ellas. • fig. y fam. Díc. de la vida, diversiones, etc., en que predomina el libertinaje.
BORRASQUERO, RA adj. fig. y fam. Díc. de la persona dada a diversiones borrascosas.
BORRASSÀ, *Lluís* (h. 1360-h. 1424) Pintor catalán, introductor y máximo exponente del estilo gótico internacional.
BORREGADA f. Rebaño de borregos o corderos.
BORREGO, GA m. y f. Cordero o cordera de uno a dos años. • adj. y s. fig. y fam. Persona sencilla, muy dócil o ignorante. • m. fig. *Cuba* y *Méx.* Mentira. • m. pl. Nubes pequeñas. • Olas cortas y espumosas. ■ BORREGUIL.
BORRELL I (h. 875-911) Conde de Barcelona, Gerona y Ausona, hijo de Wifredo el Velloso. • **II** (h. 915-992) Conde de Barcelona, Gerona, Ausona y Urgel. Estableció la paz con los califas de Córdoba, hasta que Almanzor destruyó Barcelona.
BORRÉN m. En las sillas de montar, encuentro del arzón y las almohadillas.

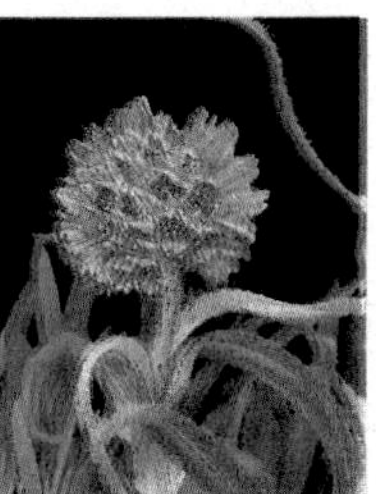
Flores de heliotropo, planta de la familia **borragináceas**

Detalle del retablo de *La Virgen y San Jorge*, de Lluís **Borrassà**

BORRERO, ***Esteban*** (1849-1906) Poeta y médico cub. Intervino en la revolución de 1868. Tras la indep., fue profesor en la universidad de La Habana. *Poesías, Arpas amigas*. • ***Juana*** (1878-1896) Escritora cub. Hija del anterior. Sobresalió en poesía. *El Fígaro, Gris* y *Azul*. • ***Manuel María*** (1883-1978) Historiador y político ecuat. Presid. de la rep. en 1938. • **Y Cortázar,** ***Antonio*** (1827-1912) Político y escritor ecuat. Opuesto a la dictadura de García Moreno. Presid. de la rep. de 1875 a 1876.

El carro de heno, tabla de Hieronymus **Bosch.** Museo del Prado, Madrid

BORRICA f. Asna. • f. y adj., fig. y fam. Mujer necia.

BORRICADA f. Conjunto o multitud de borricos. • Cabalgada que se hace en borricos por diversión. • fig. y fam. Necedad, tontería.

BORRICO m. Asno. • Armazón que sirve a los carpinteros para apoyar en ella la madera que labran. • adj. y s. fig. Persona muy necia. ■ BORRICAL; BORRIQUEÑO, ÑA.

BORRICÓN o **BORRICOTE** m. y adj. fig. y fam. Hombre excesivamente sufrido.

BORRIQUERO adj. Díc. de una variedad de cardo de hojas rizadas y espinosas. • m. Guarda o conductor de una borricada.

BORRIQUETE m. Borrico de carpintero. • *Mar.* Vela que se pone sobre el trinquete.

BORRO m. Cordero que pasa de un año y no llega a dos.

BORROMEO, ***Carlos*** → Carlos Borromeo.

BORROMINESCO adj. Díc. del estilo introducido en la arquitectura por los italianos Borromini y otros en el s. XVII.

BORROMINI, ***Francesco Castelli*** (1599-1667) Arquitecto barroco it. Rivalizó con Bernini, consiguiendo alternativamente la protección de los papas. San Carlo alle Quatro Fontane; oratorio y biblioteca de San Felipe Neri y Santa María in Vallicella; iglesia de Sant'Ivo della Sapienza; galería del palacio Spada; obras en Sant'Agnese; colegio de la Propagación de la Fe.

BORRÓN m. Mancha de tinta. • Borrador. • fig. Imperfección que desluce o afea. • fig. Acción indigna que mancha la reputación o fama. • *Pint.* Primer apunte para un cuadro. • **B. y cuenta nueva.** fig. y fam. con que se expresa olvido de algo pasado y propósito de no incurrir en los mismos errores.

BORRONEAR tr. Borrajear.

BORROSO, SA adj. Lleno de borra o heces. • Confuso por haberse corrido la tinta, o por cualquier otra causa. • fig. Que no se distingue con claridad ■ BORROSIDAD.

BORROW, ***George*** (1803-1881) Escritor brit. Recorrió y estudió España. *Los gitanos en España, La Biblia en España.*

BORSO di Carminati, ***Cayetano*** (1799-1841) Militar esp. Combatió el absolutismo en Cerdeña, España y Portugal. Miembro de la conspiración contra Espartero, después de haberse sublevado en Zaragoza, fue hecho prisionero y fusilado.

Bosnia-Herzegovina. Arriba, mapa de situación y bandera; a la derecha, vista de Mostar

BORT m. *Ind.* Variedad de diamante utilizada como abrasivo debido a su gran dureza.

BORUCA f. Bulla, algazara.

BORUJO m. Burujo, bulto pequeño. • Masa que resulta del hueso de la aceituna después de molida y exprimida.

BORUJÓN m. Chichón, bulto.

BORUQUIENTO, TA adj. *Méx.* Bullicioso.

BORUSCA f. Seroja, hojarasca.

BORZAGE, ***Frank*** (1893-1962) Director cinematográfico norteam. *El séptimo cielo, Torrentes humanos.*

BOSANQUET, ***Bernard*** (1848-1923) Filósofo brit., representante de la corriente idealista neohegeliana en Gran Bretaña. *Fundamentos de lógica, El principio de la individualidad y de valor.*

BOSCAJE m. Bosque de corta extensión. • *Pint.* Cuadro que representa un paisaje poblado de árboles, matorrales y animales.

BOSCÁN, ***Juan*** (1487-1542) Escritor esp. Con Garcilaso de la Vega, introdujo en la literatura castellana la métrica it. Petrarquista, cultivó la poesía tradicional castellana.

BOSCAWEN, ***Edward*** (1711-1761) Militar brit. Se distinguió en la lucha contra esp. y fr. pero fracasó, en la India, contra Pondichéry. En 1758 mando la expedición que conquistó las islas de Cabo Bretón y Louisburg, y en 1759, dirigió la flota del Mediterráneo contra los fr. a los que derrotó en Lagos.

BOSCH, *Jeroen Anthoniszoon van Aken,* llamado ***Hieronymus*** (1450-1516) Pintor flamenco. Su pintura refleja la crisis espiritual del final de la E. Med. La obsesión satánica, la hipocresía del clero, la superstición e ignorancia de los laicos aparecen inmersas en sus obras, cuyas raíces hay que buscarlas en las leyendas populares, en las historias de milagros y en las representaciones sacras. *La adoración de los Magos, Las tentaciones de San Antonio, El jardín de las delicias, El carro de heno.*

BOSCH, ***Juan*** (1909-2001) Político dom. Fundó el Partido Revolucionario en 1939. Tres años más tarde se exilió hasta 1961. En 1963 fue elegido presid., pero el mismo año lo depusieron los militares. Volvió al exilio y regresó en 1966, fracasando en una nueva elección presidencial. Hasta 1973, pral. figura de la oposición a Balaguer. • ***Karl*** (1874-1940) Químico al. Premio Nobel de Química en 1931, por sus trabajos sobre la síntesis del amoniaco. • **Gimpera,** ***Pedro*** (1891-1975) Prehistoriador y arqueólogo esp. *Etnología de la península Ibérica, América prehispánica.*

BOSCO, ***Juan*** (1815-1888) Sacerdote ital. Santo. En 1859 fundó la congregación de san Francisco de Sales o salesianos. Canonizado en 1934.

BOSCOSO, SA adj. Que abunda en bosques.

BOSE, SIR ***Jagadish Chunder*** (1858-1937) Físico indio. Inventó el crescógrafo, para observar el crecimiento de las plantas.

BÓSFORO (turco, *Karadeniz Bogazi*) Estr. que une el mar Negro con el de Mármara; 30 km de longitud y entre 300 m y 3 km de ancho.

BÓSFORO Cimerio Nombre ant. del estr. de Kerch, que separa Crimea del litoral del Kubán. • Reino griego de la Antigüedad, establecido sobre la pen. de Crimea y tierras continentales aledañas, a orillas del estr. que le dio nombre.

BOSNIA-HERZEGOVINA *(Bosna i Hercegovina)* Ant. región histórica del NO de la península Balcánica. • Est. del S de Europa, en los Balcanes. Limita al N, O, SO y S con Croacia, al E con

BOSNIA-HERZEGOVINA

Superficie 51 129 km²

Población 3 124 000 hab. (61 hab./km²)

Recursos económicos	
Riqueza forestal	5 379 000 m³
Indicadores sociológicos	
PNB	797 millones de dólares
Renta per cápita	300 dólares

Serbia y al SE con Montenegro; la parte meridional se halla muy próxima al mar Adriático, al que tiene acceso por el puerto de Naum. Relieve muy montañoso, accidentado por una serie de cadenas que parten de los Alpes Dináricos, con alt. considerables (más de 2 000 m al S). Ríos prales.: Sava, Bosna, Drina y sus afl. Extensos bosques, con especies raras en el resto de Europa. Agric. y ganadería. Minas de hierro, carbón, lignito, cobre, plomo, etc. Ind. siderúrgica, mecánica, química, alimentaria, de electrodomésticos, de materiales de construcción, etc. Artesanía textil. Lenguas: serbocroata (oficial), serbio, croata. *Rel.*: islamismo sunnita, cristianismo ortodoxo, catolicismo. U. M.: dinar. Cap., Sarajevo. C. prales.: Banja Luka, Tuzla y Mostar.

* *Hist.* B.-H. formó parte de la ant. Iliria. Entre los s. VII-X permaneció unida a Serbia. Incorporada al reino húngaro a mediados del s. XIII. Durante el gobierno de Kulin (1180-1204), gozó de gran autonomía. Con Tvrtko I (1353-1391) B.-H., ya independiente y convertida en reino, alcanzó su máximo apogeo (conquista de parte de Serbia, Croacia y Dalmacia). Los turcos se apoderaron del país en 1463. En 1875 se produjo una gran sublevación antiotomana, que motivó la intervención de Rusia y Serbia. El congreso de Berlín de 1878 colocó a B.-H. bajo la administración de Austria-Hungría, que la anexionó en 1909, una de las causas primarias de la I Guerra Mundial. En 1919 fue integrada en el nuevo reino de Yugoslavia. De 1941 a 1945 perteneció a la Croacia fascista. Reincorporada a Yugoslavia como rep. federada en 1945. En 1992 se declaró rep. independiente, pero la minoría serbia, apoyada por el ejército federal, desató una feroz guerra, con bombardeos indiscriminados y el sitio de la cap., Sarajevo, y otras c., ocupando el 70 % del terr. y realizando en él una «limpieza étnica». La intervención de la UE y la ONU no pudo detener la escalada bélica entre 1992 y 1994. En 1995, por mediación de EE UU, se firmó el acuerdo de Dayton, por el que se confirmó la indep. del estado bosnio formado por la Federación croato-musulmana y la República serbobosnia. En los primeros comicios celebrados tras la paz (1996), el musulmán Alija Izetbegovic fue pres. de la jefatura colegiada del Est., cargo que ejerció hasta 2000, cuando anunció su dimisión. Las elecciones legislativas (1997) llevaron a B. Bosic, serbobosnio y a H. Silajdzic, bosnio musulmán, a compartir el cargo de primer ministro.

BOSNIO, NIA adj. y s. Natural de Bosnia. • Díc. del individuo originario de Bosnia, que pertenece a la comunidad de religión musulmana y habla serbocroata. • adj. Perten. o rel. a Bosnia-Herzegovina.

BOSÓN m. *Fís.* Nombre genérico de las partículas con valor entero del *spín.*

BOSQUE m. *Biol.* Comunidad de organismos animales y vegetales, dominada por una agrupación de árboles. • *Bot.* Sitio poblado de árboles y matas. • fig. Abundancia desordenada de alguna cosa.

BOSQUEJAR tr. Pintar o modelar, sin definir los contornos ni dar la última mano a la obra. • Empezar a trabajar en una obra, sin concluirla. • fig. Indicar con alguna vaguedad un concepto o plan.

BOSQUEJO m. Boceto, esbozo, esquema. • Obra literaria o artística hecha sólo con los elementos esenciales, como preparación para la definitiva.

BOSQUETE m. Bosquecillo, bosque artificial.

BOSQUIMANO, NA adj. Relativo al pueblo bosquimano. • adj. y s. *Etn.* Individuo de un pueblo de África autodenominado *san*, que forma la raza khoisánida • m. *Ling.* Lengua hablada por este pueblo.

BOSSA Nova f. Término musical bras. aplicado al estilo evolucionado de la samba, aparecido en la primera mitad de la década 1960-1970.

BOSSUET, *Jacques-Bénigne* (1627-1704) Prelado, escritor y predicador fr., preceptor del delfín; sostuvo la política religiosa de Luis XIV y luchó contra el protestantismo. *Oraciones fúnebres.*

BOSTA f. Excremento del ganado.

BOSTEAR intr. *Argent.* y *Chile.* Excretar los animales.

BOSTEZAR intr. Inspirar lenta y profundamente, abriendo mucho la boca ■ BOSTEZADOR, RA; BOSTEZO.

BOSTON m. Danza semejante a un vals lento, muy en boga hacia 1915.

BOSTON C. y puerto de EE UU, sit. sobre la bahía hom. Cap. del est. de Massachusetts; 574 300 hab. (4 171 600 la agl. urb.). Centro industrial y pesquero. Universidades.

BOSWORTH Lugar de Gran Bretaña (Inglaterra), al O de Leicester, célebre por la victoria de Enrique Tudor sobre Ricardo III que puso fin a la guerra de las Dos Rosas (1485).

BOTA f. Cuero pequeño empegado por su parte interior y cosido por sus bordes, que remata en un cuello con brocal por donde se llena de vino y se bebe. • Cuba para guardar vino y otros líquidos. • Medida para líquidos, equivalente a unos 516 l. • Calzado que resguarda el pie y parte de la pierna. • **Ponerse** uno **las b.** fig. y fam. Enriquecerse.

BOTADA f. Amér. Despedida.

BOTADOR, RA adj. Que bota. • adj. y s. *Amér.* Manirroto. • m. Palo largo con que se hace fuerza en la arena para impulsar una embarcación. • *Carp.* Instrumento de hierro para arrancar los clavos que no se pueden sacar con las tenazas, o para embutir sus cabezas. • Hierro en forma de escoplillo que usan los dentistas. • *Art. Gráf.* Trozo de madera fuerte para apretar y aflojar las cuñas de la forma.

BOTAFUEGO m. *Mil.* Varilla de madera en cuyo extremo se ponía la mecha encendida para pegar fuego a las piezas de artillería. • fig. y fam. Persona que se irrita fácilmente.

BOTAFUMEIRO m. Incensario. • fig. y fam. Adulación.

BOTAGUEÑA f. Longaniza de asadura de puerco.

BOTALÓN m. *Mar.* Palo que se saca hacia la parte exterior de la embarcación cuando conviene, para varios usos. • *Mar.* Bauprés de una embarcación pequeña. • *Mar.* Mastelero del bauprés en un velero grande. • *Col.* y *Ven.* Poste hincado en el suelo, bramadero.

BOTAMEN m. Conjunto de botes de una farmacia. • *Mar.* Pipería de los buques.

BOTANA f. Remiendo que se pone en los agujeros de los odres para que no se salga el líquido. • Taruguito de madera que se pone con el mismo objeto en las cubas de vino. • fig. y fam. Parche que se pone en una llaga para que se cure. • fig. y fam. Cicatriz de una llaga. • *Col.* y *Cuba.* Vaina de cuero que se pone a los gallos de pelea en los espolones.

BOTÁNICA f. Parte de la biología que estudia, describe y clasifica los vegetales. • *P. Rico.* Herboristería.

BOTÁNICO, CA adj. Relativo a la botánica. • m. y f. Persona que profesa la botánica o tiene en ella especiales conocimientos. • *P. Rico.* Yerbatero, curandero que receta pralm. hierbas.

BOTANISTA com. Botánico.

BOTAR tr. Arrojar o echar fuera con violencia. • Echar al agua un buque. • Despedir, echar. • *Amér.* Echar, arrojar. • *Amér.* Malgastar, derrochar. • *Mar.* Echar o enderezar el timón a la parte que conviene. • intr. Saltar la pelota después de haber chocado con el suelo. • Saltar o levantarse otra cosa cualquiera. • Saltar, levantarse del suelo con ímpetu. • Dar botes el caballo. • prnl. *Eq.* Sustraerse el caballo a la acción del bocado, intentando derribar al jinete. ■ BOTADURA.

BOTARATE m. y adj. fam. Hombre alocado o informal. • Persona manirrota. ■ BOTARATADA.

BOTAREL m. *Arq.* Contrafuerte.

BOTARETE adj. *Arq.* Arbotante, aplicado a un arco.

BOTARGA f. Especie de calzón ancho y largo usado antiguamente. • Vestido ridículo que se usa en las mojigangas. • Armazón que usan los actores debajo de los trajes para deformar su figura. • Especie de embuchado.

BOTASILLA f. *Mil.* Toque de clarín para que los soldados ensillen los caballos.

BOTAVANTE m. Asta larga y herrada que usaban los marineros en los abordajes.

BOTAVARA f. *Mar.* Palo horizontal que sirve para cazar la vela cangreja.

BOTE m. Golpe dado con un arma enastada, como lanza o pica. • Salto o brinco que da el caballo. • Salto que da la pelota al chocar contra el suelo. • Salto que da una persona, u otra cosa cualquiera, botando como la pelota. • Boche, hoyuelo que los muchachos hacen en el suelo para jugar. • Recipiente pequeño, gralte. cilíndrico, que se utiliza para guardar cosas muy diversas. • *Mar.* Barco pequeño, de

Bosque

Mujer **bosquimana**

Jacques Benigne **Bossuet**

remo y sin cubierta. • **de carnero.** Salto que da el caballo metiendo la cabeza entre los brazos, levantando el cuarto trasero y dando a la vez repetidos pares de coces. • **De b. en b.** fig. y fam. Completamente lleno de gente.

BOTELHO Gosálvez, *Raúl* (nacido 1917) Escritor y diplomático bol. *Altiplano, Coca, Con la muerte a cuestas, La lanza capitana.*

BOTELLA f. Recipiente gralte. cilíndrico y de cuello estrecho, para contener líquidos. • Líquido que cabe en ella. • **de Leyden.** *Fís.* Condensador constituido por una b. de vidrio, que hace el papel de dieléctrico, y electrodos de papel de estaño dentro y fuera de ella ■ BOTELLAZO; BOTELLERÍA.

Amerindios **botocudos**

BOTELLERO m. El que fabrica botellas o comercia con ellas. • Recipiente para contener o transportar botellas.

BOTELLÍN m. Botella pequeña.

BOTELLÓN m. Botella grande. • *Méx.* Damajuana.

BOTERO m. El que hace o vende botas o pellejos para vino, aceite, etc. • Patrón de un bote.

BOTERO, *Fernando* (nacido 1932) Pintor col., residente en México y en EE UU. Naturalismo impresionista y satírico.

BOTHA, *Louis* (1862-1919) General bóer, uno de los creadores de la Unión Sudafricana. Aunque primero luchó contra los brit., después abogó por la integración de los bóers con los mismos. Primer ministro de la Unión [1910-1919]. En 1914 aplastó una sublevación antibritánica. Con Smuts ocupó en 1915 el África del SO. • ***Pieter Willem*** (nacido 1916) Político sudafricano, elegido primer ministro en 1978. Intentó suavizar la política de apartheid, manteniendo la preponderancia de la minoría blanca. Fue reelegido en el cargo en 1984.

BOTHE, *Walter* (1891-1957) Físico al., premio Nobel de Física en 1954, con Max Born, por sus trabajos sobre radiactividad.

BOTHWELL, *James Hepburn*, CONDE DE (1536-1578) Noble escocés; hizo asesinar a lord Darnley, segundo esposo de María Estuardo, y se casó con ella. Huyó a Dinamarca, donde murió.

BOTI, *Regino* (1878-1958) Poeta y crítico literario cub. *Arabescos mentales, El mar y la montaña, La nueva poesía en Cuba.*

BOTICA f. Farmacia. • Conjunto de medicamentos. • fig. Medicamento, droga o mejunje.

BOTICARIO, RIA m. y f. Farmacéutico.

BOTIJA f. Vasija de barro mediana, redonda y de cuello corto y estrecho. • **Estar hecho una b.** fig. y fam. Estar muy gordo. ■ BOTIJERO, RA.

BOTIJO m. Vasija de barro poroso, de abultado vientre, con asa en la parte superior. A uno de los lados boca proporcionada para echar el agua, y al opuesto un pitón para beber.

Mapa de situación y bandera de **Botswana**

BOTILLA f. Borceguí.

BOTILLERÍA f. Tienda donde se vendían toda clase de refrescos y bebidas heladas. • *Chile.* Comercio de venta de vinos o licores embotellados.

BOTILLERO m. El que hacía o vendía bebidas heladas o refrescos.

BOTILLO m. Pellejo pequeño para llevar vino.

BOTÍN m. Polaina. • Botina. • Despojos cogidos al enemigo. • Producto de cualquier robo. ■ BOTINERÍA.

BOTINA f. Calzado que pasa algo del tobillo.

BOTINERO, RA adj. Díc. de la res vacuna de pelo claro que tiene negras las extremidades. • m. El que hace o vende botines.

BOTIONDO, DA adj. Díc. de la cabra en celo. • fig. Dominado por el deseo sexual.

BOTIQUÍN m. Habitación, armario o recipiente portátil donde se guardan medicamentos. • Conjunto de estos medicamentos.

BOTITO m. Bota de hombre que se ciñe al tobillo.

BOTIVOLEO m. Acción de jugar la pelota a volea después que ha botado en el suelo.

BOTNIA golfo del mar Báltico, entre Suecia y Finlandia. Escasa salinidad.

BOTO, TA adj. Romo, obtuso. • fig. Rudo o torpe. • m. Cuero pequeño para echar vino u otro líquido. •Bota alta de montar.

Retrato de un desconocido, obra de Sandro **Botticelli**

BOTOCUDO, DA adj. y s. Individuo del pueblo amerindio de los botocudos. • m. pl. Indios bras. de cultura primitiva que llevan discos de madera (botoques) en las orejas y labio inferior.

BOTÓN m. Yema de los vegetales. • Flor cerrada y cubierta por las hojas. • Pieza pequeña de metal, madera, plástico, etc., forrada de tela o sin forrar, que se pone en los vestidos para abrocharlos. • Resalto de forma cilíndrica o esférica que se atornilla en algún objeto para que sirva de tirador, asidero, etc. • En el timbre eléctrico, pieza en forma de botón que, al oprimirla, hace que suene aquél. • *Bot.* Parte central de las flores de la familia de las compuestas. • *Esg.* Chapita redonda de hierro que se pone en la punta de la espada o florete para no hacerse daño en la esgrima. • *Mús.* En los instrumentos musicales de pistones, pieza circular y metálica que recibe la presión del dedo para funcionar. • *Mús.* Pieza en forma de botón que tienen los instrumentos de arco en su parte inferior para sujetar a ella el trascoda ■ BOTONADURA; BOTONAZO; BOTONERÍA; BOTONERO, RA.

BOTSWANA

Superficie 581 730 km²		
Población 1 550 000 hab. (3 hab./km²)		
Recursos económicos		
Cabaña bovina	2 800 000	cabezas
Cabaña caprina	1 900 000	cabezas
Cabaña ovina	250 000	cabezas
Carbón	899 000	t
Cobre	22 800	t
Diamantes	15 538 000	quilates
Maíz	5 000	t
Níquel	23 000	t
Riqueza forestal	1 538 000	m³
Sorgo	38 000	t
Indicadores sociológicos		
PNB	4 381	millones de dólares
Renta per cápita	3 020	dólares
Esperanza de vida	68	años
Alfabetismo	69,8	%

BOTONES m. Muchacho que sirve en hoteles y otros establecimientos para llevar los recados.

BOTOTO m. *Amér.* Calabaza para llevar agua.

BOTSWANA *(Republic of Botswana)* Est. de África austral; rep.; limítrofe al N y O con Namibia; al S y SE con la Rep. Sudafricana; al NE con Zimbabwe y al N con Zambia. Desierto de Kalahari en el centro y en el S. Clima subdesértico. Precipitaciones escasas. Sorgo, mijo, maíz. Ganadería. Diamantes. Lenguas: ing. (of.) y setswana. *Rel.:* animistas, protestante, católica, U. M.: el pula. Cap., Gaborone. C. prales.: Serowe, Kanye.

* *Hist.* En el s. XVII se establecieron en el país tribus bechuanas que rechazaron a invasores bosquimanos, mababeles y bóers. En 1817 se instalaron las primeras misiones protestantes. En 1885 fue declarado protectorado brit., con el nombre de Bechuanalandia. En 1961 se promulgó una constitución, y en 1966 fue declarada la indep. en el marco de la Commonwealth. Ese mismo año, S. Khama fue elegido presid., ocupando el cargo hasta su muerte (1980). Le sucedió K. Masire, reelegido en 1994.

BOTTAL, *Giuseppe* (1895-1959) Político it. Uno de los fundadores de los Fascios it. de combate. Enfrentado a Mussolini, fue condenado a muerte en 1944, pero logró huir a Argelia. Vuelto a Italia en 1948, militó en las filas monárquicas.

BOTTICELLI, *Sandro* (1455-1510) Pintor florentino, posiblemente discípulo de Filippo Lippi y Verrochio. *La primavera, El Nacimiento de Venus.*

BOTUTO m. Pezón largo y hueco que sostiene la hoja del lechoso o papayo. • Trompeta de guerra de los indios del Orinoco.

BOTZARIS, *Markos* (1789-1823) Héroe de la guerra de la indep. griega.

BOU m. Pesca en que dos barcas, apartada la una de la otra, tiran de la red arrastrándola por el fondo. • Embarcación destinada a esta pesca.

BOUCHARD, *Hipólito* (1783-1837) Marino fr., al servicio de Argentina en la rev. de 1810.

BOUCHER, *François* (1703-1770) Pintor fr. representante destacado del arte rococó. Fue denominado, despectivamente, *peintre de seins et de culs. Diana en el baño, La toilette de Venus, Retrato de Mille, O'Murphy.* • **De Perthes, *Jacques*** (1788-1868) Antropólogo fr., precursor de los estudios prehistóricos.

BOUCOURECHLIEV, ***André*** (nacido 1925) Compositor, crítico y musicólogo fr. de origen búlgaro. *Grodek, Músicas nocturnas, Texto I, Texto II, Archipiélagos (I a IV).*
BOUDIN, ***Eugène Louis*** (1824-1898) Pintor fr., precursor del impresionismo. Paisajes y marinas.
BOUGAINVILLE Isla septentrional del arch. melanésico de Salomón, perteneciente a Papuasia-Nueva Guinea; 10 000 km^2; 71 800 hab.
BOUGAINVILLE, ***Louis Antoine***, CONDE DE (1729-1811) Navegante y escritor fr. *Viaje alrededor del mundo.*
BOUGAINVILLEA f. *Bot.* Buganvilla.
BOUGUER, ***Pierre*** (1698-1758) Físico fr. Participó en la expedición enviada al Perú para la medición de un arco de meridiano. Se le deben la iniciación de la fotometría y la invención del heliómetro.
BOUILLE, ***François Claude Amour***, MARQUÉS DE (1739-1800) Militar fr. Después de ocupar altos cargos, fue nombrado, en 1790, general en jefe de los ejércitos del Sarre, Mosa y Mosela. Participó en el fracasado plan de huida de Luis XVI. *Memorias sobre la Revolución francesa.*
BOULANGER, ***Georges*** (1837-1891) General y político fr. Ministro de la Guerra en 1886, imprimió un carácter democrático al ejército. Planeó un golpe de Est. y hubo de huir a Bruselas, donde vivió exiliado hasta su suicidio.
BOULANGERITA f. *Miner.* Sulfoantimoniuro de plomo; cristaliza en el sistema monoclínico; color gris de plomo y brillo metálico.
BOULEZ, ***Pierre*** (nacido 1925) Compositor y director de orquesta fr. Su obra es una síntesis del dodecafonismo y los hallazgos rítmicos y tímbricos de Stravinsky y Webern. *El martillo sin dueño, Quator para Ondas Martenot, El sol de las aguas, Polifonía X.*
BOUNTY, ***Islas*** Grupo de islotes deshabitados, situado al SE de Nueva Zelanda, descubiertas en 1788. • Navío brit., comandado por W. Bligh, que exploró la Polinesia en 1788, y cuya tripulación se amotinó.
BOURBAKI, ***Nicolás*** Seud. utilizado por un grupo de matemáticos fr., entre ellos H. Cartan y C. Chevalley, que emprendieron alrededor del año 1940 la publicación de *Elementos de Matemáticas*, obra que abarca la casi totalidad de las matemáticas, presentando los temas clásicos bajo formas que constituyeron una auténtica revolución.
BOURDELLE, ***Antoine*** (1861-1929) Escultor fr. Uno de los creadores que liberaron del academicismo a la escultura y abrieron las vías a la expresión plástica moderna.
BOURDICHON, ***Jean*** (h. 1457-1521) Pintor miniaturista fr. Autor del libro *Las Grandes Horas de la Reina Ana de Bretaña* y de los retratos de Luis XI, Carlos VIII, Luis XII y Francisco I.
BOURDON, ***Sébastien*** (1616-1671) Pintor fr. Pintó notables retratos (Fouquet, Cristina de Suecia) y pinturas murales con escenas mitológicas (*Historia de Faetón, Deificación de Hércules*).
BOURGEOIS, ***Léon*** (1851-1925) Político fr. Ocupó la prefectura de la policía en 1887. Fue diputado, ministro por nueve veces, presid. del consejo de ministros (1895-1896) y del senado (1920-1923).
BOURGES C. de Francia, cap. del dpto. de Cher; 76 400 hab. Centro industrial y turístico.
BOURGET, ***Paul*** (1852-1935) Escritor fr. Autor de ensayos y de novelas de análisis, en alguna de las cuales es patente un deliberado inmoralismo distinto al de Wilde o al de Gide. *El discípulo, Némesis, Cruel enigma, La etapa.*
BOURMONT, ***Louis***, CONDE DE GHAISNES (1773-1846) Militar fr. Participó de forma activa en todas las luchas absolutistas de su tiempo. Fue comandante de los Cien Mil Hijos de San Luis y luchó en Portugal al mando de las tropas miguelistas.
BOURNEMOUTH C. de Gran Bretaña, en Dorset; 144 800 hab. Balneario.
BOURNONITA f. *Miner.* Sulfoantimoniuro de cobre y plomo que cristaliza en el sistema rómbico; color gris de plomo y fuerte brillo metálico.
BOURRÉE (voz fr.) f. Ant. danza fr., semejante al rigodón.
BOURVIL, Seud. de *André Rainbourg* (1917-1970), actor cinematográfico fr. especializado en papeles de humor. *Los tres mosqueteros, La gran juerga, El hombre del Cadillac.*

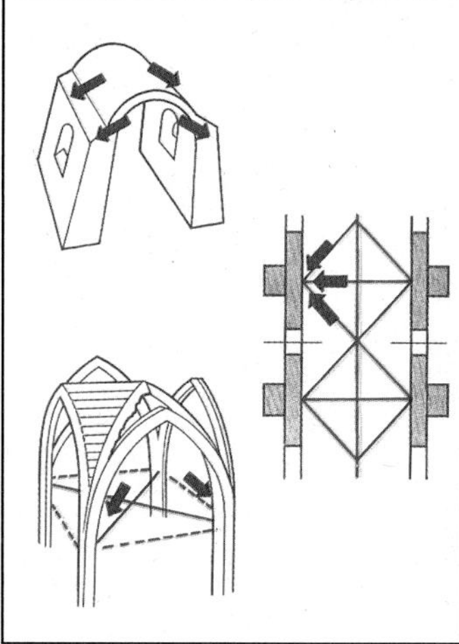

Empuje lateral de una **bóveda** de medio cañón (arriba) y de crucería (en medio y abajo)

BOUTADE (voz fr.) f. Salida de tono, comentario ingenioso y gratuito.
BOUTIQUE (voz fr.) f. Tienda de modas.
BOUTROUX, ***Émile*** (1845-1921) Filósofo fr., maestro de Bergson y de Blondel. *La contingencia de las leyes de la naturaleza, Ciencia y religión en la filosofía contemporánea.*
BOUTS, ***Dieric*** (1400-1475) Pintor gótico flamenco, discípulo de Van der Weyden. *Retablo de la Eucaristía*, en la colegiata de San Pedro, en Lovaina.
BOUVARD, ***Alexis*** (1767-1841) Astrónomo fr. Se le deben diversos cálculos astronómicos.
BOUVARDIA f. *Bot. Amér. Central.* Gén. de plantas de la familia rubiáceas, de flores muy bellas.
BOVARISMO m. Actitud del individuo que, por falta de autocrítica, se imagina superior a su entorno social y reclama consideración a la personalidad idealizada que él mismo se ha forjado.
BÓVEDA f. *Arq.* Estructura de perfil arqueado para cubrir el espacio comprendido entre muros o varios pilares. • Habitación subterránea abovedada. • Cripta. • **celeste.** Firmamento. • **claustral, de aljibe** o **esquifada.** *Arq.* Aquella cuyos dos cañones cilíndricos se cortan el uno al otro. • **de cañón.** *Arq.* La cilíndrica que cubre el espacio entre dos muros paralelos.
BOVEDILLA f. *Arq.* Bóveda pequeña entre viga y viga del techo de una habitación. • *Mar.* Parte arqueada de la fachada de popa de los buques, desde el yugo pral. hasta el de la segunda cubierta.
BOVES, ***José Tomás Rodríguez*** (1783-1814) Marino esp. Su actuación militar se desarrolló en la Gran Colombia a partir de 1812; fue uno de los máximos dirigentes realistas en la lucha contra los independentistas. Murió en combate.
BÓVIDO adj. y m. *Zool.* Mamíferos rumiantes, con cuernos óseos cubiertos por estuche córneo, no caedizos, y que existen tanto en el macho como en la hembra. • m. pl. *Zool.* Familia de estos animales.
BOVINO, NA adj. *Zool.* Relativo al buey o a la vaca. • adj. y m. *Zool.* Mamífero rumiante, con el estuche de los cuernos liso, el hocico ancho y desnudo, y la cola larga, con un mechón en el extremo. • m. pl. *Zool.* Subfamilia de estos animales.
BOWRING, SIR ***John*** (1792-1872) Político brit. En 1854 fue nombrado gobernador de Hong Kong; la inflexibilidad de su política ayudó al estallido de la segunda guerra china.
BOX (voz ing.) m. En una cuadra departamento separado para un caballo. • *Aut.* En las competiciones automovilísticas, lugar destinado a repostar los bólidos participantes. Se usa más su pl., boxes.
BOXEAR tr. Practicar el boxeo. ■ BOXEADOR.
BOXEO m. *Dep.* Lucha deportiva basada en la utilización reglamentaria de los puños contra un adversario.
BÓXER m. y adj. Miembro de una sociedad secreta china. • Raza de perros usados para vigilancia.

Bovino de la raza de Las Marcas (Italia)

Boxeo

Perro **bóxer**

Braceros segando en una miniatura medieval

Tycho **Brahe**

Johannes **Brahms**

BOY (voz ing.) m. En los territorios coloniales, sirviente. • Bailarín de conjunto en los espectáculos de *music-hall* o revista.
BOYA f. Cuerpo flotante sujeto al fondo del mar, de un lago, etc., que se coloca como señal. • Corcho que se pone en la red para que las plomadas no la lleven al fondo.
BOYACÁ Dpto. del centro-este de Colombia; 23 189 km^2; 1 315 579 hab. Cap., Tunja. Territorio atravesado por la cord. Oriental andina al O. El r. Magdalena forma el límite occidental. Clima cálido, varía con la alt. Ganadería y agricultura. Carbón y hierro. Ind. siderúrgica. Cemento. • **Batalla de B.** Victoria de las tropas de Bolívar sobre las realistas en 1819.
BOYACENSE adj. y s. De Boyacá.
BOYADA f. Manada de bueyes.
BOYAL adj. Relativo al ganado vacuno.
BOYANTE adj. Que boya. • *Mar.* Díc. del buque que por llevar poca carga no cala lo que debe calar. • *Taur.* Díc. del toro de lidia que acomete de modo franco. • fig. Que tiene fortuna o felicidad creciente.
BOYAR intr. *Mar.* Volver a flotar la embarcación que ha estado en seco.
BOYARDA f. Mujer del boyardo.
BOYARDO m. Ant. título de nobleza hereditario en la Rusia zarista.
BOYCOTT, *Charles Cunningham* (1832-1897) Funcionario brit. En 1880, siendo administrador de los dominios del conde de Erne en el condado de Mayo (Irlanda), tomó duras medidas contra los arrendatarios, los cuales se negaron a tener cualquier tipo de trato con él. De su apellido deriva la palabra *boicot.*
BOYER, *Charles* (1897-1978) Actor cinematográfico fr. que residió en EE UU a partir de 1940. *Mayerling, Seis destinos, El demonio de la noche.*
BOYERA o **BOYERIZA** f. Corral donde se recogen los bueyes.
BOYERIZO o **BOYERO** m. El que guarda bueyes o los conduce.
BOYERO n. p. m. *Astr.* Constelación del hemisferio boreal que se halla en la prolongación de la cola de la Osa Mayor.
BOYLE, *Robert* (1627-1691) Físico y químico ing. Fue el primero en emplear el término «análisis químico» en su actual significado. • **Ley de B.** *Fís.* A temperatura constante, los volúmenes ocupados por un gas son inversamente proporcionales a las presiones a las que está sometido. La expresión matemática de esta ley es PV = constante.
BOY-SCOUT (voz ing.) m. Niño afiliado a cierta sociedad que preconiza actividades al aire libre.
BOYTACA, *Diego* (m. 1528) Arquitecto port., n. en Francia. Fortificaciones de Ceuta, Tánger, Alcacer y Arzila, la iglesia de Setúbal y la de los jerónimos de Belém (Lisboa).
BOYUNO, NA adj. Bovino.
BOZA f. Pedazo de cuerda que por medio de vueltas que da al calabrote, cadena, etc., que trabaja, impide que se escurra. • *Mar.* Cabo que, hecho firme en la proa de las embarcaciones menores, sirve para amarrarlas a un buque, muelle, etc.
BOZAL adj. y s. Negro recién sacado de su país. • fig. y fam. Novato, inexperto. • fig. y fam. Simple, idiota. • adj. Tratándose de caballerías, cerril. • m. Objeto que se pone en el hocico de algunos animales. • Adorno que se pone a los caballos en el bozo. • *Amér.* Bozo, cuerda.
BOZO m. Vello que apunta sobre el labio superior antes de nacer la barba. • Parte exterior de la boca. • Cuerda que se echa a las caballerías sobre la boca, formando un cabezón con sólo un cabo o rienda.
Br *Quím.* Símb. del bromo.
BRABANTE m. Lienzo fabricado en la región de este nombre.
BRABANTE *(Brabant)* Región histórica actualmente dividida entre Bélgica y Países Bajos. • Importante ind. textil (brabante).
BRABANZÓN, NA adj. y s. De Brabante.
BRACEADA f. Movimiento de brazos.
BRACEADOR, RA adj. Díc. del caballo que bracea.
BRACEAJE m. Trabajo y labor de las monedas. • Profundidad del mar medida en brazas.
BRACEAR intr. Mover repetidamente los brazos. • Nadar sacando los brazos fuera del agua y volteándolos hacia adelante. • fig. Esforzarse, forcejear. • *Eq.* Doblar el caballo los brazos con soltura al andar. • *Mar.* Halar de las brazas. ■ BRACEO.
BRACERO, RA adj. Aplícase al arma que se arrojaba con el brazo. • m. El que da el brazo a otro para que se apoye en él. • Peón, jornalero.
BRACHO, *Carlos* (1899-1966) Escultor mex. Destaca, entre sus obras, la cabeza del compositor Silvestre Revueltas. • ***Gabriel*** (nacido 1915) Pintor ven. Estudió la técnica mural en México. Temática fundamentalmente social. • ***Julio*** (1909-1978) Actor y director de cine y teatro mex. *La mujer de todos, La sombra del caudillo.*
BRACMÁN m. Brahmán.
BRACO, CA adj. y s. Perro perdiguero. • fig. y fam. Persona que tiene la nariz roma y levantada.
BRÁCTEA f. *Bot.* Hoja modificada, que nace en el pedúnculo de las flores de ciertas plantas.
BRACTÉOLA f. *Bot.* Bráctea pequeña.
BRADFORD C. de Gran Bretaña, en Yorkshire; 280 700 hab. Centro industrial.
BRADICARDIA f. *Med.* Lentitud del pulso.
BRADIPEPSIA f. *Med.* Digestión lenta.
BRADITA f. *Astr.* Estrella fugaz de poco brillo y que se mueve con lentitud.
BRADLEY, *James* (1693-1762) Astrónomo ing. Descubrió el fenómeno de la aberración de la luz y el de la mutación. • ***Francis Herbert*** (1846-1924) Filósofo brit. Introductor del neohegelianismo en Inglaterra, no descuidó la tradición empirista ing. Defendió el principio kantiano de la «buena voluntad». *Apariencia y realidad, Los fundamentos de la lógica.* • ***Omar*** (1893-1981) Militar norteam. Destacó en las campañas del N de África, Sicilia e Italia (1943) y en el desembarco de Normandía (1944).
BRAFONERA f. ant. Pieza de la armadura que cubría la parte superior del brazo.
BRAGA f. Calzón, prenda de vestir masculina. Se usa más en pl. • Prenda interior femenina. Se usa más en pl. • Metedor, pañal de los niños. • Conjunto de plumas que cubren las patas de las aves calzadas. • Cuerda con que se ciñe un fardo, un tonel, etc., para suspenderlo en el aire.
BRAGA, *Joaquim Theophilo* (1843-1924) Político y escritor port. Presid. de la rep. en 1915. Introductor del positivismo en su país. *Historia de la literatura portuguesa.*
BRAGADA f. Cara interna del muslo del caballo y de otros animales. • *Mar.* Parte más ancha de una pieza curva o angular de madera que asegura dos maderos en ángulo.
BRAGADO, DA adj. Aplícase al buey y a otros animales que tienen la bragadura de diferente color que el resto del cuerpo. • fig. Díc. de la persona malintencionada. • fig. y fam. Aplícase a la persona enérgica y firme.
BRAGADURA f. Entrepiernas del hombre o del animal. • Parte de las bragas que da ensanche al juego de los muslos.
BRAGANZA, *Casa de* Familia real port. que reinó en Portugal de 1640 a 1910 y en Brasil de 1822 a 1889.
BRAGAZAS m. y adj. fig. y fam. Hombre que se deja dominar con facilidad.
BRAGG, *Braxton* (1817-1876) Militar norteam. Se distinguió en la guerra de México (1847) y al estallar la guerra de Secesión, fue nombrado brigadier del ejército del Sur. A la muerte del general Johnston tomó el mando de sus tropas. Fue derrotado por Grant (1863) y Sherman (1864).
BRAGG, SIR ***William Henry*** (1862-1942) Físico brit. En 1915 compartió el premio Nobel de Física con su hijo, SIR ***William Lawrence*** (1890-1972), por sus trabajos de análisis de estructuras cristalinas por medio de rayos X.
BRAGUERO m. Aparato o vendaje para contener las hernias. • *Méx.* Cuerda que a modo de cincha rodea el cuerpo del toro, y de la cual se ase el que lo monta a pelo. • *Mar.* Cabo grueso que, pasado por el ojo del cascabel de una pieza de artillería, servía en los buques para moderar el retroceso producido por el disparo.
BRAGUETA f. Abertura delantera del pantalón.
BRAGUETAZO (Dar) fig. y fam. Casarse un hombre pobre con mujer rica.
BRAGUETERO adj. y s. fam. Díc. del hombre lascivo.

BRAGUETÓN m. *Arq.* Nervadura de bóveda ojival.
BRAGUILLAS m. fig. Niño que empieza a usar pantalones. • fig. Niño pequeño y mal dispuesto.
BRAHE, *Tycho* (1546-1601) Astrónomo danés. Aunque mantuvo una visión geocéntrica del Universo, realizó observaciones muy precisas. Sus datos sirvieron para establecer las leyes del mov. planetario.
BRAHMA Uno de los tres dioses superiores del hinduismo que componen la Trimurti.
BRAHMAN n. p. m. Símbolo de la fuerza mágica universal, en el brahmanismo.
BRAHMÁN m. Individuo de la primera de las cuatro castas del hinduismo.
BRÁHMANAS f. pl. Comentarios teológicos, de h. 800-600 a. C., que contienen la elaboración del material de los *Vedas.*
BRAHMANASPATI Deidad de enorme poder mágico, en la religión védica.
BRAHMANISMO m. *Rel.* Doctrina que reconoce a Brahma como dios supremo. Se basa en la interpretación de los textos sagrados (los *Veda* y los *Upanishad*) y propone los caminos de la ascética física y mental (*yoga*), la contemplación y la adoración. ■ BRAHMÁNICO, CA.
BRAHMAPUTRA Río del S de Asia. Nace en el Himalaya. Forma con el Ganges un delta en el golfo de Bengala; 2 900 km.

Templete de San Pietro in Montorio, Roma, obra de Donato **Bramante**

BRAHMA-SAMAJ Secta india fundada en 1828 por Ram Mohan Roy.
BRAHMS, *Johannes* (1833-1897) Compositor al. Su obra marca la culminación de la época romántica. Compuso para piano y música de cámara; realizó grandes obras para coros y orquesta, cuatro sinfonías y varios *lieder*.
BRAHUI adj. y s. Individuo de un pueblo de lengua drávida que vive en el centro y E de Beluchistán. • m. *Ling.* Lengua dravídica hablada por dicho pueblo.
BRAILA C. de Rumania, cap. del distr. hom. 225 000 hab. Astilleros. Celulosa.
BRAILLE, *Louis* (1809-1852) Pedagogo fr., ciego desde los 3 años, inventor de un alfabeto, en relieve, para ciegos. • **Sistema B.** Sistema de escritura y lectura para ciegos, creado por L. Braille. Se basa en un alfabeto en relieve a base de puntos y rayas.
BRAMA f. Acción y efecto de bramar. Se usa especialmente para designar el celo de los animales salvajes.
BRAMADERA f. Tablita con un agujero y una cuerda que, agitada en el aire, hace ruido semejante al bramido del viento. • *Col.* y *Cuba.* Bravera.
BRAMADERO m. *Amér.* Poste al que se amarran los animales para herrarlos, domesticarlos o matarlos. • Sitio adonde acuden con preferencia los ciervos y otros animales salvajes cuando están en celo.
BRAMANTE adj. Que brama. • m. y adj. Hilo gordo o cordel delgado hecho de cáñamo. • m. Brabante.
BRAMANTE, *Donato d'Angelo* (1444-1514) Arquitecto y pintor it. Creó el llamado renacimiento bramantesco. Reedificación de la basílica de San Pedro, en Roma.
BRAMAR intr. Dar bramidos. • fig. Manifestar uno con gritos y con extraordinaria violencia la ira de que está poseído. • Hacer ruido estrepitoso el viento, el mar, etc.
BRAMERA f. *Chile.* Bravera.
BRAMIDO m. Voz del toro y de otros animales salvajes. • fig. Grito de cólera. • fig. Ruido grande producido por el aire, el mar, etc.
BRANCADA f. Especie de red barredera.
BRANCAL m. Conjunto de las dos gualderas del bastidor de un carruaje que descansan por intermedio de cojinetes sobre los extremos de los ejes de rotación de las ruedas.
BRANCO Río de Brasil, afl. del Negro. Nace en el NE del territorio de Roraima; 640 km.
BRANCUSI, *Constantin* (1876-1957) Escultor rumano. Bajo la influencia de Rodin, abandonó el academicismo. *La sabiduría, El pájaro de oro.*
BRANDAL m. *Mar.* Cada uno de los dos ramales de cabo sobre los cuales se forman las escalas que se utilizan en algunos casos para subir a los buques. • *Mar.* Cabo grueso que se da en ayuda de los obenques de juanete.
BRANDEBURGO (*Brandenburg*) Región del E de Alemania, en el distr. de Potsdam; 29 056 km^2, 2 580 000 hab. C. prales.: Brandeburgo, Potsdam, Francfort del Oder, Cottbus. Comprende el Berlín Occidental. Ind. Siderúrgica, mecánica, química. • C. de Alemania, en el distr. de Potsdam, junto al r. Havel; 95 200 hab. Puerto fluvial.
BRANDES, *Georg* (1842-1927) Erudito y crítico danés. Influido por Carlyle y por Nietzsche, propugnó un radicalismo aristocrático y exaltó el culto al héroe. *Las grandes corrientes de la literatura del siglo* XIX.
BRANDO, *Marlon* (nacido 1924) Actor cinematográfico norteam. *Un tranvía llamado Deseo, ¡Viva Zapata!, El último tango en París.*
BRANDSEN, *Federico* (1785-1827) Militar arg. Intervino en las batallas de Maipú de Ituzaingó.
BRANDT, *Federico* (1878-1932) Pintor ven. Influido por el rumano Samuel Mützner, cultivó el expresionismo. *Techo de Caracas, Corral.* • ***Karl Herbert Frahm***, llamado WILLY (1913-1992) Político socialdemócrata al. Alcalde de Berlín (1957-1969). Canciller de la RFA (1969-1974). Presid. del SPD (1975-1987) y de la Internacional Socialista (1976-1992). Premio Nobel de la Paz en 1971.
BRANDY (voz ing.) m. Coñac.
BRANERITA f. *Miner.* Óxido complejo de uranio, que cristaliza en el sistema rómbico o monoclínico; color negro y brillo vítreo.
BRANICKI, *Franciseck* (1730-1819) Político pol. Gran hetmán y general del ejército, fue uno de los artífices de la confederación de Targowica. En 1794 fue declarado traidor a consecuencia de la alianza con Rusia que llevó al primer reparto de Polonia. • ***Jan*** (1689-1771) Mariscal pol., gran hetmán de la corona. En 1763, a la muerte de Augusto III, figuró con el conde Radziwill como líder del partido republicano. Desterrado en 1764, volvió a Polonia al ocupar el trono Poniatowski.
BRANKOVIC Familia serbia cuyos miembros fueron: ***Vuk*** (m. 1398), yerno del zar Lázaro, que durante la invasión turca de Serbia abandonó el campo de batalla; ***Jorge*** (m. 1456), príncipe de Serbia [1427-1456], que intentó, con Hungría, frenar la invasión turca; ***Gregorio*** (m. 1459) y ***Esteban***, hechos prisioneros en 1439 por los turcos (Esteban gobernó Serbia desde 1459 a 1466).
BRANNAGH, *Kenneth* (nacido 1960) Actor y director cinematográfico brit. Destacado director e intérprete de obras de Shakespeare. *Henry V, Mucho ruido y pocas nueces, Hamlet.*
BRANQUIA f. *Zool.* Órgano respiratorio de los animales acuáticos. Se usa más en pl. ■ BRANQUIAL.

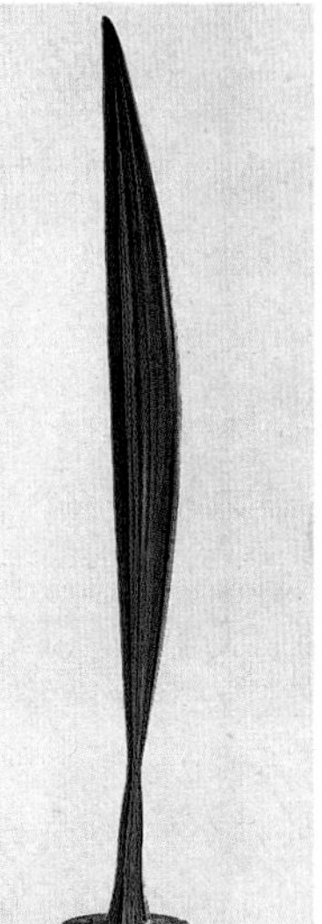

El pájaro en el espacio, escultura de C. **Brancusi**

Marlon **Brando** en el filme *Rebelión a bordo*

Willy **Brandt**

Cara de mujer, óleo de Georges **Braque**

Mapa de situación y bandera de **Brasil**

* *Zool.* Las b. son expansiones filiformes o laminares del cuerpo, muy vascularizadas, propias de animales cuyo tamaño no les permite subsistir con el oxígeno que toman a través de la piel.

BRANQUIADO, DA adj. y m. *Zool.* Animal provisto de branquias.

BRANQUÍFERO, RA adj. Branquiado.

BRANT, ***Sebastián*** (1458-1521) Humanista alsaciano, n. en Estrasburgo. Tradujo a autores latinos y escribió poesías en latín y en alsaciano. *La nave de los locos.*

BRANTING, ***Karl Hjalmar*** (1860-1925) Político sueco, uno de los fundadores del partido socialista de su país. Premio Nobel de la Paz en 1921.

BRANTÔME, ***Pierre de Bourdeilles*** (1540-1614) Escritor fr. *Memorias, Vidas de los hombres ilustres y de los grandes capitanes extranjeros, Vidas de las damas ilustres y de las damas galantes.*

BRAÑAS, ***César*** (1899-1976) Escritor guat. Obra de trasfondo histórico. *El carro de fuego, Diario de un aprendiz de tímido, Cancionerillo de octubre.*

BRAQUE, ***Georges*** (1882-1963) Pintor fr. Uno de los iniciadores del cubismo al que incorporó elementos como signos tipográficos (arena, madera y técnicas de *collage*). Entre sus obras destaca, entre otras, el óleo *Cara de mujer.*

BRAQUIAL adj. Relativo al brazo.

BRAQUICÉFALO, LA adj. y s. *Antr.* Persona cuyo cráneo presenta un diámetro transversal igual o algo menor que el anteroposterior. ■ BRAQUICEFALIA.

BRAQUIGRAFÍA f. Taquigrafía.

BRAQUIÓPODO adj. y m. *Zool.* Animal marino con apariencia de molusco bivalvo.

BRAQUIURO, RA adj. y s. *Zool.* Crustáceos de abdomen muy reducido y replegado debajo del tórax. • m. pl. *Zool.* Suborden de crustáceos decápodos, caracterizados por su abdomen desarrollado, simétrico y recubierto por un caparazón.

BRASA f. Trozo incandescente de carbón, madera u otra materia combustible y sólida.

BRASCA f. Metal. Mezcla de polvo de carbón y arcilla con que se forma la plaza y copela de algunos hornos metalúrgicos.

BRASCHI, ***Juan*** (1874-1934) Escritor puertorriq. Cultivó el costumbrismo y la sátira social. *La úlcera.*

BRASERO m. Recipiente de metal en el que se hace lumbre para calentarse. • *Méx.* Hogar de la cocina.

BRÁSIDAS (m. 422 a. C.) General espartano, vencedor de los atenienses en Pylos y Antípolis.

BRASIL m. *Bot.* Árbol cesalpiniáceo, cuya madera es el palo brasil. • Palo brasil. • Color encarnado que usaban para afeite las mujeres.

BRASIL *(República Federativa do Brasil)* Est. de América del Sur, el mayor de la misma y el quinto del mundo por su extensión. Limita al N con Colombia, Venezuela, Guyana, Surinam, Guayana francesa, y el Atlántico; al S con Uruguay; al E con el Atlántico y al O con Argentina, Paraguay, Bolivia, Perú y Colombia. Lenguas: portugués (of.), tupí, guaraní y otras lenguas amerindias. *Rel.*: mayoría católica, grupos minoritarios protestantes, hebreos, animistas; sin embargo, en la mayor parte de las c. la población practica religiones sincréticas, como la *macumba.* U.M.: real. Cap., Brasilia. C. prales.: São Paulo, Río de Janeiro.

* *Geog. fís.* De relieve bajo, cabe destacar la meseta central, el macizo de las Guyanas al N, y el meridional, formado por las sierras de Mantiqueira, Paranapiacabra, Serra do Mar, etc. Río Amazonas, el más caudaloso y uno de los más largos del mundo, con más de 1 200 afl.: Jurúa, Purús, Madeira, Tapajoz, Xingú, Tocantins, ríos, São Francisco, Paranaíba, Paraná, Uruguay, Paraguay. Existen tres grandes zonas climáticas: la zona ecuatorial en la

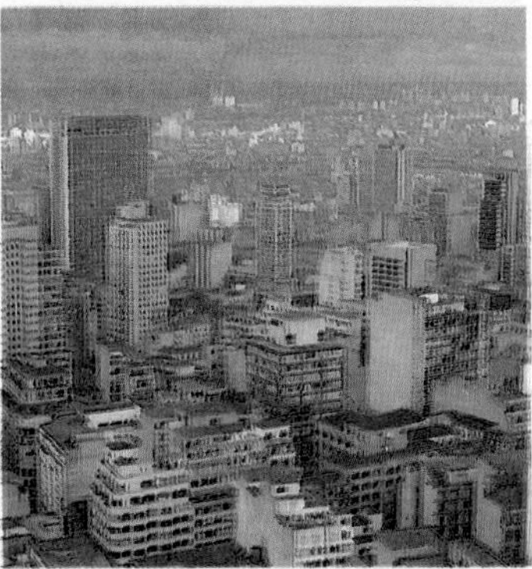
Brasil. Vista de la ciudad de São Paulo

División administrativa de **Brasil**

Estados	*Km²*	*Habitantes*	*Capital*	*Habitantes*
Acre	153 698	455 000	Río Branco	196 871
Alagoas	29 107	2 685 000	Maceió	628 240
Amapá	142 358	326 000	Macapá	179 252
Amazonas	1 567 954	2 320 000	Manaus	1 010 544
Bahía	566 978	12 646 000	Salvador	2 072 058
Ceará	145 694	6 714 000	Fortaleza	1 765 794
Espírito Santo	45 733	2 787 000	Vitória	258 243
Goiás	340 166	4 308 000	Goiania	920 840
Maranhão	329 556	5 231 000	São Luis	695 199
Mato Grosso	901 421	2 314 000	Cuiabá	401 303
Mato Grosso do Sul	357 471	1 913 000	Campo Grande	525 463
Minas Gerais	586 624	16 505 000	Belo Horizonte	2 017 115
Pará	1 246 833	5 449 000	Belém	1 244 688
Paraíba	53 958	3 340 000	João Pessoa	497 306
Paraná	199 324	8 713 000	Curitiba	1 313 094
Pernambuco	101 023	7 445 000	Recife	1 296 995
Piauí	251 273	2 725 000	Teresina	598 411
Río de Janeiro	43 653	13 296 000	Río de Janeiro	5 473 346
Río Grande do Norte	53 167	2 582 000	Natal	606 681
Río Grande do Sul	280 674	9 579 000	Pôrto Alegre	1 263 239
Rondônia	238 379	1 340 000	Pôrto Velho	286 471
Roraima	225 017	262 000	Boa Vista	142 902
Santa Catarina	95 318	4 837 000	Florianópolis	254 941
São Paulo	248 256	33 700 000	São Paulo	9 626 880
Sergipe	21 863	1 605 000	Aracajú	401 676
Tocantins	277 322	1 007 000	Palma de Tocantins	24 261
Distrito Federal	5 794	1 738 000	Brasilia	1 738 000
BRASIL	8 511 996	155 822 000	Brasilia	1 738 000

BRASIL

Recursos económicos

Algodón	515 000	t
Ananás	913 000	t
Arroz	11 236 000	t
Bananas	5 679 000	t
Cacao	319 000	t
Café	930 000	t
Caña de azúcar	302	millones de t
Frijoles	2 913 000	t
Maíz	36 276 000	t
Mandioca	25 538 000	t
Patatas	2 626 000	t
Soja	28 581 000	t
Sorgo	261 000	t
Tabaco	453 000	t
Tomates	2 734 000	t
Trigo	1 516 000	t

Ganadería y derivados

Aves de corral	715 000 000	cabezas
Cabaña bovina	156 500 000	cabezas
Cabaña caballar	6 300 000	cabezas
Cabaña ovina	21 300 000	cabezas
Cabaña porcina	35 350 000	cabezas

Riqueza forestal	275 303 000	m^3
Pesca	800 000	t

Producción minera

Amianto	210 000	t
Bauxita	8 673 000	t
Carbón	5 194 000	t
Cobre	45 000	t
Diamantes	1 500 000	quilates
Fosfatos	3 300 000	t
Fluorita	90 000	t
Gas natural	2 880 000 000	m^3
Hierro	109 000 000	t
Manganeso	897 000	t
Plata	50	t
Oro	76	t
Petróleo	33 494 000	t
Uranio	106	t

Producción industrial

Acero	25 076 000	t
Ácido sulfúrico	3 724 000	t
Azúcar	13 000 000	t
Energía eléctrica	260 682	millones kwh
Fertilizantes	709 000	t
Fibras artificiales	62 800	t
Naval	172 000	t
Neumáticos	33 395 000	unidades
Cemento	25 231 000	t

Indicadores sociológicos

PNB	579 787	millones de dólares
Renta per cápita	3 640	dólares
Esperanza de vida	67	años
Alfabetismo	83,3	%

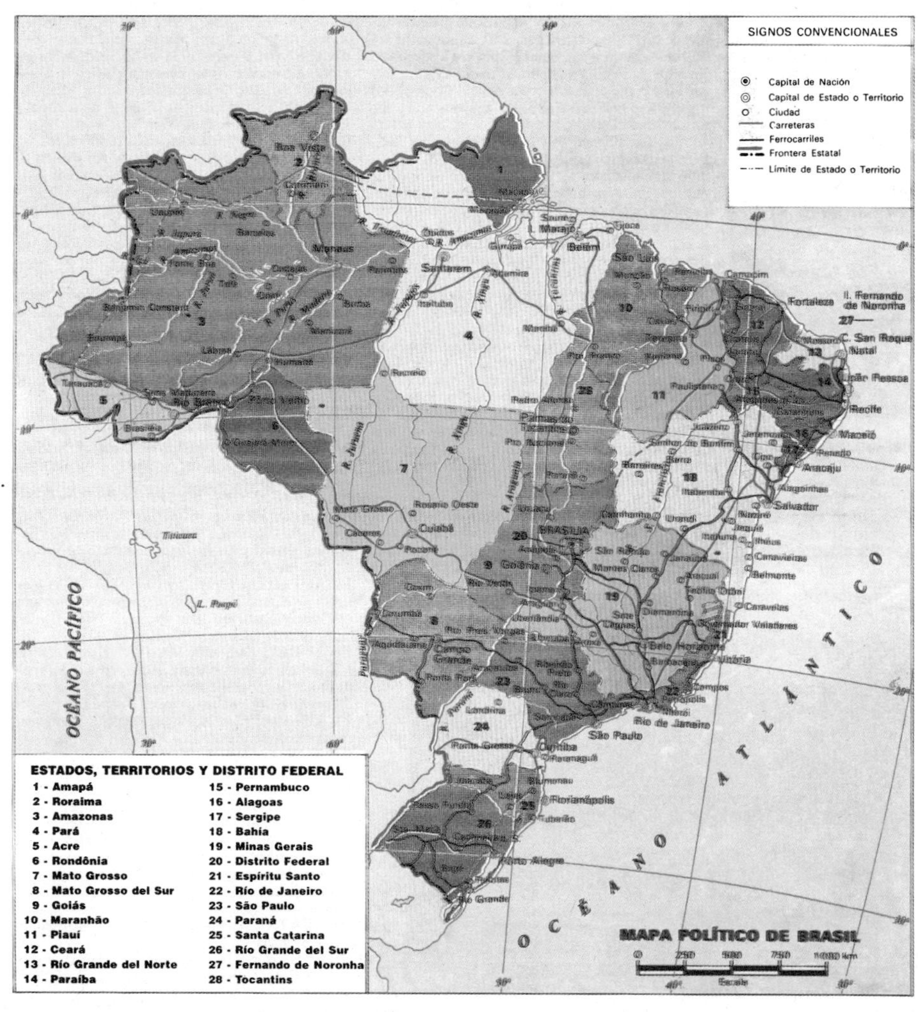

Amazonía; la subecuatorial en el centro, y la templada al S. Lluvias muy desiguales. Zonas de selvas impenetrables y rica vegetación. Fauna abundante.
* *Geog. econ.* La agr. se concentra en la parte oriental de la gran meseta. Café, arroz, maíz, algodón, caña de azúcar, mandioca, alubias, trigo, bananas, patatas, cacao, tabaco, naranjas, vid. Riqueza forestal muy variada. Por el número de cabezas de ganado, se ha convertido en una primera potencia mundial. Las mayores reservas mundiales de hierro en Mato Grosso, Minas Gerais y Amapá; inmensos yacimientos de manganeso en Minas Gerais, Bahía, Mato Grosso y Amapá. Gas natural y petróleo en Bahía; sal marina en Río Grande del N, cromo y estaño en Goiás. Ind. irregularmente repartida; prales. centros industriales: São Paulo, Río de Janeiro, Minas Gerais, Río Grande del Sur y Pernambuco.
* *Hist.* Descubierto por Vicente Yáñez Pinzón, el año 1500. Por el tratado de Tordesillas (1494) era el rey portugués quien tenía derecho a ese territorio. En 1549, se centralizó el país y se dejó en manos de Tomás de Sousa como gobernador general. En 1604 se creó, a mitación de Castilla, el Conselho de India. Los altiplanos fueron colonizados por los → Bandeirantes, y el Amazonas por los jesuitas. Cuando se deshizo la unión de España y Portugal, se planteó de nuevo el problema de los límites que se resolvió en 1777 por el tratado de San Ildefonso. Inglaterra mantenía desde 1703 el monopolio del comercio bras., sobre todo el de las minas de oro y diamantes. En 1759, el gobierno del ilustrado marqués de Pombal expulsó a los jesuitas. En 1808, la familia real port. se exilió a Brasil forzada por Napoleón; al regresar, Juan IV dejó como regente a su hijo Pedro que, para evitar que el territorio, como el resto de Sudamérica, se convirtiera en rep., se independizó y se nombró emp. (1822). Pero la monarquía sólo duró hasta 1889, en que estalló la revolución que destituyó al monarca e implantó la rep. A partir de 1895, el país vivió una época de auge económico que se acrecentó al alinearse junto a los aliados en la I Guerra Mundial. Pero esta economía, basada en la exportación, se hundió irremisiblemente y como consecuencia sobrevino, en 1930, el golpe de Estado de Getulio Vargas, que ejerció una dictadura fascistizante y populista. Aún con alternativas y paréntesis, Vargas se mantuvo en el poder hasta 1954, año en que se suicidó. Un año después ganó las elecciones el socialdemócrata Kubischek quien llevó a cabo profundas reformas que, por su costo, abocaron el país a una grave crisis económica. Desde 1961, Janio Quadras primero y João Goulart, después, intentaron un acercamiento a los países socialistas, para escapar del área de influencia de los EE UU. La consecuencia fue un golpe de estado mil. que llevó al poder al gral. Castelo Branco. Le sucedieron Costa e Silva (1967), Garrástazu Médici (1969), Ernesto Geisel (1974), y João Baptista Figueiredo (1979). Este último inició una serie de medidas liberalizadoras que culminaron cuando, en 1985, llegó a la presidencia José Sarney, vicepresidente de Tancredo Neves, muerto antes de asumir el cargo. En 1988 una constitución democrática preparó las elecciones para 1989 en las que venció Fernando Collor de Mello. Acusado de corrupción, en septiembre de 1992 fue cesado como presid. por el Congreso en espera de un juicio sobre su comportamiento. Celebrado en los últimos días del año, fue destituido, supliéndole legalmente en el cargo el, hasta entonces, vicepresidente Itamar Franco. Las elecciones democráticas de octubre 1994 dieron el triunfo al socialdemócrata Fernando Henrique Cardoso, anterior ministro de Relaciones Exteriores y de Economía, quien, tras reformar la Constitución para poder optar a un segundo mandato consecutivo, fue reelegido en 1998.

Brasil. De arriba abajo: Fernando Henrique Cardoso; detalle de un paso esculpido por el Aleijadinho; la plaza de los Tres Poderes y los edificios del Parlamento en Brasilia

BRASILERO, RA o **BRASILEÑO, ÑA** adj. De Brasil.

BRASILIA Cap. de Brasil; 1 596 000 hab. Con el terr. que la rodea forma el Distrito Federal. 5 794 km^2. Construida (1956-1960) para promover la colonización del interior. Estructurada en tres frentes: el oficial (monumental), el residencial y el comercial. Lucio Costa la diseñó en forma de cruz con los brazos algo arqueados y, en uno de los extremos, con una plaza triangular donde están las sedes del poder ejecutivo, legislativo y judicial. Además de L. Costa trabajó en ellos Óscar Niemeyer.

BRASSENS, ***Georges*** (1921-1981) Poeta fr. Sus composiciones, cantadas por él mismo, alcanzaron gran difusión en todo el mundo. *La mala hierba, Pobre Martín, Los Quat'z'Árts,* Ha musicado también poemas de Villon, Hugo, Verlaine, Paul Fort y otros.

BRASSEUR, ***Pierre*** (1905-1972) Seud. de *Pierre Albert Espinasse.* Actor cinematográfico fr. *Sombras del paraíso, La puerta de las lilas.*

BRASSOV C. de Rumania, en el distr. hom.; 331 200 hab. Centro industrial.

BRATIANU Familia rumana. Sus miembros estuvieron, en los ss. XIX-XX, al frente del partido liberal: ***Dumitru*** (1818-1892), presid. del consejo de gobierno (1880); ***Ion*** (1 821-1891), hermano de Dumitru, jefe del partido liberal en 1876. En 1881 encabezó una sublevación triunfante contra el gobierno, llevando a término una política dictatorial que finalizó en 1888; ***Ion*** (1864-1927), hijo del anterior, fue diputado, ministro, jefe del partido liberal (1909) y presid. del consejo en cinco ocasiones; ***Constantin*** (1866-1950), hermano del anterior, fue presid. del partido en 1934 y participó en el gobierno después del golpe de Estado de 1944.

BRATISLAVA (al., *Pressburg*; húng. *Pozsony*) cap. de Eslovaquia, junto al Danubio: 435 500 hab. Ind. siderometalúrgica y textil. Universidad.

BRATSK C. de Rusia, en Siberia; 240 000 hab. Gran central hidroeléctrica.

BRATTAIN, ***Walter*** (1902-1987) Físico norteam. Premio Nobel de Física en 1956 por sus investigaciones sobre los semiconductores.

BRAU, ***Mario*** (1871-1941) Dibujante puertorriq. Destacó como caricaturista. *Castigar riendo, Trazos, De mis vendimias.* • ***Salvador*** (1842-1912) Escritor puertorriq. *La vuelta al hogar, Los horrores del triunfo, Puerto Rico y su historia.*

BRAUCHITSCH, ***Walter von*** (1881-1948) Mariscal de campo al. Dirigió la invasión de Polonia (1939), Bélgica, Holanda y Francia (1940), y las campañas de los Balcanes y Rusia (1941).

BRAUDEL, ***Fernand*** (1902-1985) Historiador fr. Ha destacado la importancia del estudio del medio social y geográfico. *El Mediterráneo y el mundo mediterráneo en la época de Felipe II.*

BRAULIO (590-651) Santo. Obispo de Zaragoza, discípulo de san Isidoro.

BRAUN, ***Eva*** (1910-1945) Aviadora al., compañera de Adolf Hitler. • ***Karl Ferdinand*** (1850-1918) Físico al. Investigó sobre los fenómenos eléctricos de los rayos catódicos con el tubo que lleva su nombre. Premio Nobel de Física en 1909, junto con Marconi, por sus trabajos en la telegrafía sin hilos. • ***Wernher von*** (1912-1977) Ingeniero al. Durante la II Guerra Mundial construyó las *V-1* y *V-2*. Nacionalizado en los EE UU en 1945, tuvo a su cargo imp. proyectos espaciales amer.

BRAVATA f. Amenaza proferida con arrogancia. • Baladronada.

BRAVEAR intr. Fanfarronear. ■ BRAVEADOR, RA.

BRAVERA f. Ventana o respiradero de algunos hornos.

BRAVEZA f. Bravura. • Ímpetu del mar embravecido, del viento, etc.
BRAVÍO, A adj. Feroz, indómito, salvaje. • fig. Se dice de los árboles y plantas silvestres.
BRAVO, VA adj. Valiente, esforzado. • Bueno, excelente. • Hablando de animales, fiero, feroz. • Aplícase al mar cuando está alborotado y embravecido. • Áspero, fragoso. • Enojado, enfadado. • fam. Valentón o que se las da de guapo. • fig. y fam. De genio áspero. • fig. y fam. Suntuoso, magnífico. • ¡Bravo! Interj. de aplauso.
BRAVO, ***Juan*** (m. 1521) Jefe comunero esp. Vencido por Carlos I junto a sus compañeros Padilla y Maldonado en Villalar, murió decapitado. • ***Mario*** (1882-1944) Escritor, sociólogo y político arg. Diputado y senador. Poesías: *Canciones y poemas, Canciones de Soledad.* De su obra sociológica sobresalen *Sociedades cooperativas, Derechos civiles de la mujer.* • ***Nicolás*** (h. 1784-1854) Militar y político méx. Se destacó durante la guerra de Independencia. Como republicano convencido, intervino en el derrocamiento de Itúrbide, tras de lo cual fue miembro del poder ejecutivo. Presid. provisional en 1842. • **Murillo,** ***Juan*** (1803-1873) Político esp. Ministro de Isabel II (1850), intentó una reforma constitucional de carácter absolutista.
BRAVO DEL NORTE, ***Río*** → Grande.
BRAVUCÓN, NA adj. y s. fam. Valiente sólo en la apariencia, fanfarrón. ■ BRAVUCONADA; BRAVUCONERÍA.
BRAVURA f. Fiereza de los brutos animales. • Esfuerzo o valentía de las personas. • Bravata.
BRAY, ***Jan de*** (1627-1697) Pintor hol. *Vulcano y los cíclopes, La dirección de la guilda de San Lucas.*
BRAZ, ***Wenceslao*** (1880-1966) Político bras. Presid. de la rep. (1914-1918). Después de tres años de neutralidad, durante la I Guerra Mundial optó por participar contra los imperios centrales.
BRAZA f. Medida de long. equivalente a 1,6718 m. • Modo de nadar en que los hombros se mantienen a nivel del agua y los brazos se mueven simultáneamente de adelante a atrás, al mismo tiempo que las piernas se encogen y estiran. • *Mar.* Cabo que laborea por el penol de las vergas y sirve para mantenerlas fijas.
BRAZADA f. Movimiento que se hace con los brazos extendiéndolos y recogiéndolos alternativamente. • Brazado. • *Chile, Col.* y *Ven.* Braza, medida de longitud.
BRAZADO m. Cantidad de leña, hierba, etc., que se puede abarcar de una vez con los brazos.
BRAZAL m. ant. Pieza de la armadura que cubría el brazo. • Embrazadura del escudo, pavés, etc. • Sangría que se saca de río o acequia grande para regar. • Tira de tela que ciñe el brazo izquierdo por encima del codo y que sirve de distintivo • *Mar.* Cada uno de los maderos fijados por sus extremos en una y otra banda desde la serviola al tajamar, para la sujeción de éste, la formación de los enjaretados, etc.
BRAZALETE m. Aro que rodea el brazo y se usa como adorno. • Brazal de la armadura.
BRAZO m. Miembro del cuerpo que comprende desde el hombro a la extremidad de la mano. • Parte de ese miembro desde el hombro hasta el codo. • Cada una de las patas delanteras de los cuadrúpedos. • En algunas lámparas y otros aparatos de iluminación, candelero que sale del cuerpo central y sirve para sostener las luces. • Cada uno de los dos palos que salen desde la mitad del respaldo del sillón hacia adelante. • En la balanza, cada una de las dos mitades de la barra horizontal. • Rama de árbol. • fig. Valor, poder. • *Mec.* Cada una de las distancias del punto de apoyo de la palanca, a las direcciones de la potencia y la resistencia. • pl. fig. Protectores, valedores. • **de gitano.** Pieza de repostería formada de una capa de bizcocho que se unta por encima con crema o dulce de fruta, y se arrolla en forma de cilindro. • **de mar.** Canal ancho y largo del mar que entra tierra adentro. • **secular.** Autoridad temporal que se ejerce por los tribunales y magistrados de la nación. • **de un par de fuerzas.** *Fís.* Distancia que separa los dos vectores fuerza que constituyen el par de fuerzas. • **A b. partido.** m. adv. Con los brazos solos, sin usar de armas. • fig. A viva fuerza. • **Con los brazos abiertos.** m. adv. fig. Con mucho agrado o deseo. • **Con los brazos cruzados.** m. adv. fig. Ociosamente, sin hacer nada. • **Hecho un b. de mar.** loc. fig. y fam. Muy elegante o acicalado. • **No dar uno su b.** a torcer. fig. y fam. Mantenerse firme en una decisión, postura, sin reconocer las razones de los otros. • **Ser el b. derecho de uno.** fig. Ser la persona de su mayor confianza.
BRAZOLA f. *Mar.* Reborde con que se refuerza la boca de las escotillas.
BRAZOLARGO m. *Amér.* Mono araña.
BRAZUELO m. Parte de las patas delanteras de los cuadrúpedos entre el codo y la rodilla.
BRAZZA, ***Pierre Camille de,*** CONDE DE SAVORGNAN (1852-1905) Explorador fr. de origen it. Puso bajo dominio de Francia los territorios que actualmente forman Gabón y la República del Congo.
BRAZZAVILLE Cap. de la República del Congo, sit. a la orilla del río Congo o Zaire; 480 500 hab. (agl. urb.). Aeropuerto. Ind. alimentaria, textil y de la construcción.
BREA f. Líquido denso y negro obtenido por destilación de la hulla o de la madera. • Tela basta y embreada usada para forrar fardos. • *Chile.* Arbusto del que se extraía resina. • *Mar.* Mezcla de brea, pez, sebo y aceite de pescado usada para calafatear.
BREAK (voz ing.) m. Coche inglés con pescante elevado y dos filas de asientos en la parte trasera. • *Dep.* En tenis, ruptura de servicio. • En boxeo, voz que emplea el árbitro para que se separen los púgiles.
BREAR tr. fam. Maltratar, molestar. • fig. y fam. Zumbar, chasquear.
BREBAJE m. Bebida desagradable compuesta de varios ingredientes.
BRECA f. Albur, pez malacopterigio. • Variedad de pagel.
BRECCIA, ***Alberto*** (1919-1993) Dibujante ur. Autor del personaje Mort Cinder.
BRECHA f. Boquete o abertura. • Abertura en una pared. • fig. Impresión hecha en el ánimo. • *Geol.* Roca detrítica constituida por fragmentos rocosos angulosos y con aristas vivas. • **Estar** uno **siempre en la b.** fig. Estar siempre preparado y dispuesto para la defensa.

Brecha

BRECHERET, ***Víctor*** (1894-1955) Escultor bras. Premio de la Bienal de São Paulo (1951).
BRECHT, ***Bertolt*** (1898-1956) Poeta y dramaturgo al. Renovador de la técnica teatral mediante el «distanciamiento del espectador», a fin de que éste juzgue de modo objetivo y razonado cuanto se le ofrece. *Galileo Galilei, Madre Coraje, El círculo de tiza caucasiano.*
BRÉCOL m. Variedad de col cuyas hojas, de color más oscuro, no se apiñan.
BRECOLERA f. Especie de brécol.
BREDA C. de Países Bajos, en la prov. de Brabante Septentrional; 119 000 hab. Su rendición a los españoles en 1625, inspiró a Velázquez el cuadro *La rendición de Breda,* también llamado *Las lanzas.* • **Compromiso de B.** Acuerdo firmado por Margarita de Parma y los flamencos en favor de la tolerancia religiosa. • **Declaración de B.** Texto que restauró en Inglaterra la dinastía de los Estuardo en 1660.

Detalle de *La rendición de* ***Breda,*** cuadro de Velázquez. Museo del Prado, Madrid

Reloj de la plaza de la Loggia de **Brescia**

Menhires próximos a Carnac, **Bretaña**

Leonid Ilich **Brezhnev**

BREGA f. Riña o pendencia. • fig. Chasco, zumba, burla.
BREGAR intr. Luchar, reñir unos con otros. • Ajetrearse, trabajar afanosamente. • fig. Luchar con los riesgos y dificultades para superarlos. • tr. Amasar de cierta manera.
BREGNO, *Andrea*, llamado también *Andrea da Milano* (1421-1506) Escultor it. Altares de Santa María del Popolo y la catedral de Siena; estatuas de San Pablo Extramuros y San Juan de Letrán; Madonna de Monteoliveto y la Caridad, del Vaticano.
BRÉGUET, *Abraham Louis* (1747-1823) Relojero suizo, inventor de un péndulo astronómico. • ***Louis*** (1880-1955) Ingeniero y aviador fr., fundador de una factoría aeronáutica.
BRÉHIER, *Louis* (1868-1951) Historiador y arqueólogo fr. *El arte bizantino, El mundo bizantino.*
BREL, *Jacques* (1929-1979) Cantautor belga. *Ne me quitte pas, Le plat pays.*
BREMEN Est. de Alemania, constituido por la cap. hom. y la c. de Bremerhaven. Entre ambas se extiende el est. de la Baja Sajonia; 404 km^2; 680 000 hab. • C. de Alemania, cap. del est. hom., a orillas del río Weser; 530 500 hab. Uno de los prales. puertos del país. Ind. siderúrgica, textil y química. Manufactura de tabaco. Cerveza. Refinerías de petróleo. Torrefacción de café.
BREMERHAVEN C. y puerto de Alemania (est. de Bremen), en la desembocadura del Weser; 135 100 hab. Pesquerías. Ind. navales y mecánicas. Antepuerto.
BREMOND, *Henri* (1865-1933) Crítico e historiador fr. Defendió la afinidad entre poesía y mística. *La poesía pura, Plegaria y poesía.*
BREMSSTRAHLUNG (voz al.) f. *Fís.* Radiación electromagnética que emite un electrón al atravesar un medio material y sufrir desviaciones causadas por los átomos de este medio.
BRENAN, *Gerald* (1894-1987) Hispanista ing., nacido en Malta. Escribió sus impresiones sobre la situación politicosocial esp. anterior a la guerra civil de 1936. *El laberinto español, La literatura del pueblo español, Al sur de Granada.*
BRENCA f. Poste que en las acequias sujeta las compuertas. • Fibra, filamento.
BRENES, *Roberto* (1874-1947) Escritor y político costarricense que publicó una *Gramática histórica y lógica de la lengua castellana.* Cultivó también la poesía y el ensayo.
BRENNAN, *Louis* (1852-1932) Ingeniero e inventor australiano. Estudió el giroscopio y sus aplicaciones a monocarriles y torpedos.
BRENO Jefe de la tribu gala de los senones, que saquearon e incendiaron Roma en el año 390 a. C.
BRENTANO, *Bettina* (1785-1859) Escritora al., hermana de Clemens B. *Epistolario de Goethe con una niña, Corona de primavera, Conversación con los demonios.* • ***Clemens*** (1778-1842) Poeta romántico al. En colaboración con Achim von Arnim publicó una colección de canciones medievales al. *Historia del bravo Gaspar y de la bella Ana* (novela). • ***Franz*** (1838-1907) Filósofo austr. Renovó la concepción de la lógica y de la ética. En lógica, separa el acto lógico del psicológico; en ética, descubre los valores de los objetos hacia los que tiende la voluntad. *El origen del conocimiento moral, La doctrina aristotélica sobre el origen del espíritu humano.* • ***Heinrich von*** (1904-1964) Político al. Uno de los fundadores del partido cristianodemócrata. Ministro de Asuntos Exteriores (1955-1956), vicecanciller (1956- 1961) y presid. del partido.
BREÑA f. Tierra quebrada entre peñas y poblada de maleza. ■ BREÑAL O BREÑAR; BREÑOSO, SA.
BREÑA Mun. del Perú, en el dpto. de Lima; 112 800 hab. Agricultura e ind. derivadas.
BREQUE m. *Zool.* Breca, especie de pagel. • *Amér.* Freno del ferrocarril.
BREQUERO m. *Amér.* Guardafrenos.
BRESCIA C. del N de Italia, en Lombardía, cap. de la prov. hom.; 200 800 hab.Centro comercial, industrial y de comunicaciones.
BRESHROVSKY, *Catalina* (1844-1936) Revolucionaria rusa, llamada «la Abuela de la Revolución», deportada varias veces a Siberia y expulsada de Rusia.
BRESSE Región del E de Francia, en los dptos. de Ain, Saône-et-Loire y Jura. Agricultura y ganadería.
BRESSON, *Robert* (1907-1999) Director cinematográfico fr. Parte de las esencias íntimas para mostrar a sus personajes. *Un condenado a muerte se ha escapado, Pick-pocket, El proceso de Juana de Arco, Los ángeles del pecado.*
BREST C. de Francia, en Finisterre (Bretaña); 190 800 hab. Principal puerto mil. fr. en el Atlántico. Escuela naval, astilleros.
BREST Prov. de la rep de Bielorrusia; 32 300 km^2, 1 458 000 hab. Riqueza forestal. • C. de Bielorrusia, cap. de la prov. hom.; 258 000 hab. Ind. textil y maderera.
BREST-LITOVSK, *Tratado de* El firmado en 3 de marzo de 1918 entre las potencias centrales (Alemania, Austria-Hungría, Bulgaria Turquía y la URSS), y por el cual este último país renunciaba a su dominio sobre Lituania, Letonia, Estonia, la Polonia rusa y la mayor parte de Bielorrusia; cedía los distritos de Kars, Ardahan y Batum y reconocía la indep. de Finlandia y Ucrania.
BRETAÑA f. Lienzo fino fabricado en Bretaña. • Jacinto, planta liliácea y su flor.
BRETAÑA (bretón, *Breizh*; fr. *Bretagne*) Región histórica del NO de Francia. Cap., Rennes. Comprende los dptos. de Côtes-du-Nord, Finisterre, Ille-et-Villaine, Morbihan y Loire-Atlantique; 27 208 km^2, 2 795 600 hab.
BRETE m. Cepo de hierro que sirve para sujetar los pies a los reos. • fig. Aprieto sin refugio o evasiva. • *Argent.* y *Ur.* En las estancias, estaciones ferroviarias y mataderos, pasadizo corto entre dos estacadas con atajadizos en ambos extremos para enfilar el ganado. • Manjar que los indios hacen de una hoja de olor, sabor y color de clavo, junto con otros ingredientes.
BRÉTIGNY, *Paz de* Tratado firmado en 1360, en esta localidad fr. Significó una victoria para Inglaterra y una pausa en la guerra de los Cien Años.
BRETÓN, NA adj. y s. De Bretaña. • m. *Ling.* Lengua céltica hablada en Bretaña. • Variedad de col, cuyo troncho echa muchos tallos. • Renuevo o tallo de esta planta.
BRETON, *André* (1896-1966) Poeta surrealista fr. *Manifiesto del surrealismo, El surrealismo y la pintura.* • ***Tomás*** (1850-1923) Compositor esp. *La verbena de la Paloma, El Apocalipsis, La Dolores, Los amantes de Teruel.* • **De los Herreros, *Manuel*** (1796-1873) Comediógrafo esp. Presenta en sus obras una visión satírica de las costumbres españolas. *Marcela o ¿cuál de las tres?, Muérete y verás, El pelo de la dehesa.*
BRETÓNICA f. Betónica, planta.
BRETTON WOODS C. de EE UU, en el est. de New Hampshire. En esta c. se han tomado desde 1945 las más imp. decisiones sobre la economía mundial. Creación del FMI y del BIRD e instrumentación del patrón oro.
BREUER, *Josef* (1842-1925) Psiquiatra austr.; colaborador de Freud. Descubrió una terapéutica especial para el tratamiento de enfermedades nerviosas. • ***Marcel*** (1902-1981) Arquitecto y diseñador húng. Profesor de la Bauhaus de Weimar, colaboró con W. Gropius hasta 1941. Profesor en Harvard, ha ejercido una notable influencia en la arquitectura de EE UU. En colaboración con Pier Luigi Nervi y Bernard Zehrfuss, proyectó la UNESCO de París (1953-1958).
BREVA f. Primer fruto que anualmente da la higuera breval. • Bellota temprana. • Cigarro puro algo aplastado y menos apretado que los de forma cilíndrica. • fig. Ventaja lograda por alguno. • *Cuba* y *Salv.* Tabaco para mascar. ■ BREVAL.
BREVE adj. De corta extensión o duración. • *Gram.* Aplicado a palabras, grave o que lleva el acento en la penúltima sílaba. • m. Documento pontificio menos solemne que la bula. • f. *Mús.* Nota musical que vale dos compases mayores. • **En b.** m. adv. Dentro de poco tiempo, muy pronto.
BREVEDAD f. Corta extensión o duración de una cosa, acción o suceso.
BREVETE m. Membrete.
BREVIARIO m. Libro que contiene el rezo eclesiástico de todo el año. • Epítome o compendio.
BREVICAULE adj. Díc. de la planta de tallo corto.

BREVIPENNE adj. y s. *Zool.* Díc. de las aves corredoras. • f. pl. *Zool.* Familia de estas aves.
BREWSTER, SIR ***David*** (1781-1868) Físico escocés. Inventó el calidoscopio. • **Ley de B.** La polarización para los rayos refractado y reflejado por la superficie de separación de dos medios es máx. cuando ambos rayos son perpendiculares. • ***William*** (h. 1566-1644) Predicador puritano brit. Las persecuciones religiosas le obligaron, en 1608, a emigrar a Holanda. Posteriormente, formó parte del grupo de los llamados «padres peregrinos» que, en 1620, a bordo del *Mayflower*, llegaron a Plymouth (Massachusetts), donde establecieron una colonia de la que Brewster fue director espiritual y temporal.
BREZHNEV, ***Leonid Ilich*** (1906-1982) Político sov. Ingresó en el comité central del PCUS en 1952. Presid. de la URSS (1960-1964). Al caer Jruschov (1964) fue designado primer secretario del partido. Impulsó la coexistencia pacífica y el reparto del mundo en zonas de influencia, conjuntamente con EE UU. En 1976 fue nombrado mariscal, y en 1977, nuevamente, jefe del estado.
BREZO m. Arbusto ericáceo, de madera dura y raíces gruesas que sirven para hacer carbón de fragua. • Cuna para niños. ■ BREZAL.
BRIAGA f. Braga, cuerda de esparto.
BRIAL m. Vestido de seda o tela delicada que usaban las mujeres. • Faldón corto de tela que llevaban los hombres de armas.
BRIAN Boru, llamado BOROIMHE (926-1014) Rey de Irlanda [1002-1014]. En 976 fue nombrado rey de Munster y en 1002, obligó al Maelsechlainn II a cederle su corona. Intentó, sin éxito, la unificación de Irlanda.
BRIANCHON, ***Maurice*** (1899-1979) Pintor fr. *La toilette, Los acróbatas, French can-can.*
BRIAND, ***Aristide*** (1862-1932) Político socialista fr. Apoyó la Sociedad de Naciones y favoreció el acercamiento franco-alemán. Compartió con Stressemann el Premio Nobel de la Paz en 1926.
BRIANSK C. de la rep. de Rusia, capital de la prov. hom.; 452 000 hab. Centro industrial y de comunicaciones.
BRIAREO *Mit.* Gigante gr., hijo del cielo (Urano) y de la Tierra (Gea).
BRIBA f. Hampa, vida y mundo de pícaros.
BRIBÓN, NA adj. y s. Haragán, dado a la burla. • Pícaro, bellaco. ■ BRIBONADA; BRIBONEAR; BRIBONERÍA.
BRICBARCA m. *Mar.* Buque de tres palos sin vergas de cruz en la mesana.
BRICEÑO, ***Antonio Nicolás,*** llamado EL DIABLO (1782-1813) Militar ven. Firmó el Acta de Independencia y se adelantó a Bolívar en la invasión de Venezuela. • ***Arturo*** (1908-1971) Escritor ven. Adscrito al movimiento criollista. *Pancho Urpiales, Balumba, Conuco.* • **Méndez, *Pedro*** (1794-1836) Patriota y militar ven. Colaborador de Bolívar.
BRICEÑO-IRAGORRY, ***Mario*** (1897-1958) Escritor y político ven. Presid. del Congreso, se exilió por su oposición a la dictadura de Pérez Jiménez. Historiador de la época colonial. *El conquistador español, Tapices de historia patria, Los Riberas.*
BRICHO m. Hoja de plata u oro que sirve para bordados.
BRICOLAGE (voz fr.) m. Bricolaje.
BRICOLAJE m. Arte de fabricar o arreglar muebles u otros enseres domésticos en casa.
BRIDA f. Freno del caballo con las riendas y el correaje que sirve para sujetarlo a la cabeza del animal. • Reborde circular en el extremo de los tubos metálicos para acoplar unos a otros con tornillos o roblones. • pl. *Cir.* Filamentos membranosos que se forman en los labios de las heridas.
BRIDGE (voz ing.) m. Juego de naipes practicado por parejas y con baraja francesa.
BRIDGETOWN Cap. de Barbados, pral. puerto de la isla; 7 500 hab. Destilerías de ron, manufacturas de cigarrillos. Centro turístico.
BRIDGEWATER, ***Francis Egerton,*** TERCER DUQUE DE (1736-1803) Industrial brit. Encargó la construcción del canal de Worsley a Manchester para el transporte del carbón de sus minas.
BRIDGMANN, ***Percy William*** (1882-1961) Físico norteam. Investigó sobre la conductividad eléctrica de los metales y las propiedades de los cristales. Premio Nobel de Física en 1946.
BRIENZ Lago de Suiza, en el cantón de Berna; 262 m de profundidad.
BRIGADA f. *Mil.* Gran unidad orgánica de un arma determinada, formada por dos o más regimientos o por cuatro o seis batallones. • *Mil.* Cierta agregación de tropa, de número variable. • *Mil.* Grado de la jerarquía militar, entre los de sargento y oficial. • Cierto número de bestias con sus tiros conductores. • Conjunto de obreros.
BRIGADAS Internacionales *Hist.* Unidades mil. formadas por voluntarios de diversos países, que combatieron el lado de la rep. durante la guerra civil esp. (1936-1939). • **Rojas** Organización terrorista it. marxista-leninista. Después de importantes golpes como el asesinato de Aldo Moro (1978), fueron casi desarticuladas.
BRIGADIER m. ant. General de brigada.
BRIGANTINA f. Coraza en forma de jubón de tejido fuerte recubierto de láminas metálicas.
BRIGGS, ***Henry*** (1561-1630) Matemático ing. Estableció los logaritmos de base diez y publicó unas tablas (*Logarithmorum Chiliaes prima*) en las que se hallaban los logaritmos con catorce decimales de los mil primeros números naturales.
BRIGHT, ***Richard*** (1789-1858) Clínico y patólogo brit. Estudió la nefritis crónica progresiva (mal de Bright), los tumores abdominales, la ictericia pancreática y la glucosuria.
BRIGHTON C. de Gran Bretaña, en el condado de East Sussex, al SE de Inglaterra y a orillas del canal de la Mancha; 146 100 hab. Estación balnearia.
BRÍGIDA (1303-1373) Santa. Mística sueca. Fundó la orden de las Brigitinas.
BRILLANTE adj. Que brilla. • fig. Admirable o sobresaliente. • m. Diamante tallado y pulido.
BRILLANTEZ f. Brillo.
BRILLANTINA f. Cosmético para dar brillo al cabello.
BRILLAR intr. Resplandecer, despedir rayos luminosos. • fig. Lucir o sobresalir en talento, hermosura, etc ■ BRILLADOR, RA.
BRILLAT-SAVARIN, ***Anthelme*** (1755-1826) Jurista fr. que ocupó importantes cargos políticos después de la Revolución. *La fisiología del gusto, tratado de gastronomía.*
BRILLAZÓN m. *Argent.*, *Bol.* y *Ur.* Espejismo.
BRILLO m. Lustre o resplandor. • fig. Lucimiento, gloria. • *Fís.* Intensidad luminosa que, en dirección normal, presenta la unidad de superficie de un manantial de luz. • *Miner.* Propiedad física que depende de la superficie del mineral que se considere, del índice de refracción del mismo y de su poder de absorción.
BRIN m. Vitre, lana fina. • Tela ordinaria de lino que se usa para forros y para pintar al óleo.
BRINCAR intr. Dar brincos o saltos. • fig. y fam. Omitir con cuidado alguna cosa pasando a otra, en la conversación o lectura. • fig. y fam. Resentirse y alterarse demasiado. ■ BRINCADOR, RA.
BRINCO m. Movimiento que se hace levantando los pies con ligereza. • Joya que llevaban las mujeres colgando de las tocas.
BRINDAR intr. Manifestar, al ir a beber vino u otro licor, el bien que se desea a personas o cosas. • intr. y tr. Ofrecer voluntariamente a uno alguna cosa, convidarle con ella. • tr. fig. Provocar, convidar las cosas a que alguien se aproveche de ellas o las goce. • prnl. Ofrecerse voluntariamente a hacer alguna cosa.
BRINDIS m. Lo que se dice al brindar.
BRINDIS de Salas, ***Claudio*** (1800-1872) Músico cub., autor de la opereta *Las congojas matrimoniales.*
BRINDISI Prov. de Italia. en la Apulia; 1 838 km^2, 404 700 hab. Agricultura. • C. y puerto de Italia, cap. de la prov. hom.; 92 100 hab.; Astilleros. Ind. petroquímica.
BRINQUILLO o **BRINQUIÑO** m. Alhaja pequeña.
BRIÑÓN m. Griñón, melocotón.
BRÍO m. Energía, pujanza. Se usa más en pl. • fig. Espíritu, resolución. • fig. Garbo, gallardía, gentileza. ■ BRIOSO, SA.

Brezo

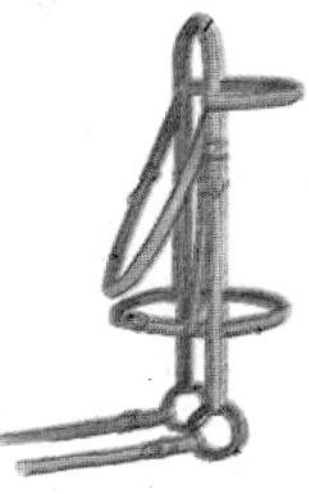
Brida

Francis Egerton, tercer duque de **Bridgewater**

BRIÓFITO

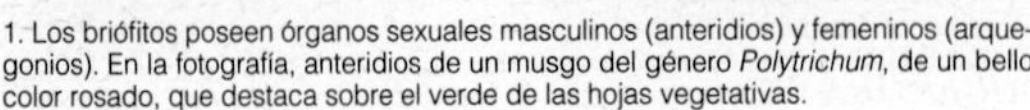

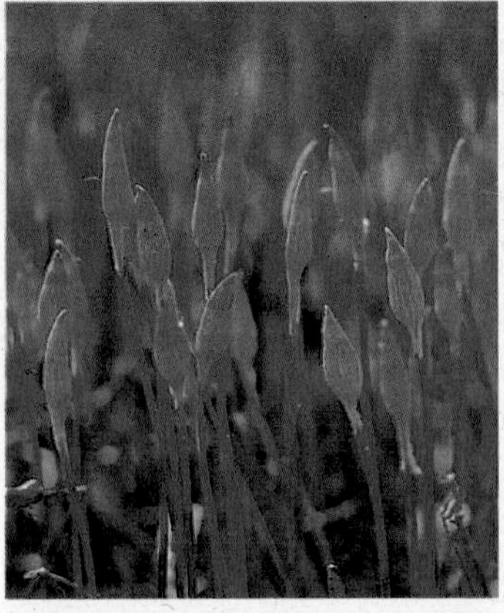

1. Los briófitos poseen órganos sexuales masculinos (anteridios) y femeninos (arquegonios). En la fotografía, anteridios de un musgo del género *Polytrichum*, de un bello color rosado, que destaca sobre el verde de las hojas vegetativas.
2. Los musgos, al igual que las hepáticas, viven sobre las rocas, en el suelo y, como el musgo de la fotografía, sobre la corteza de los árboles.
3. y 4. Esporófitos del musgo *Polytrichum commune*, con pedúnculo color rojo, y abajo, ciclo de reproducción de este musgo, típico de muchos briófitos.

La reproducción de los musgos:

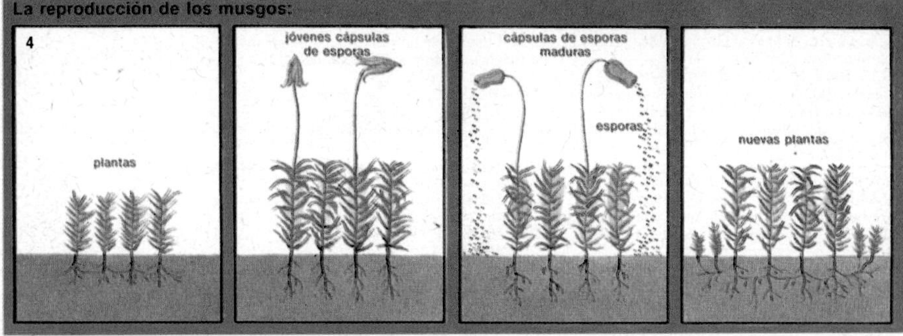

BRIÓFITO, TA o **BRIOFITO, TA** adj. y s. *Bot.* Plantas del grupo de las briófitas. • f. pl. Grupo de criptógamas sin vasos y raíces.
BRIOL m. *Mar.* Cada uno de los cabos que sirven para cargar las relingas de las velas de cruz, cerrándolas y apagándolas.
BRIÓN, *Luis* (1782-1821) Comerciante hol. que puso su fortuna y flota al servicio de la causa independentista de Colombia. Participó en varias acciones bélicas y realizó gestiones diplomáticas en México y EE UU. El gobierno colombiano le otorgó el título de capitán general.
BRIONIA f. Nueza, planta parásita.
BRIOS! *(¡Voto a)* expr. fam. ¡Voto a Dios!
BRIOSCO, *Andrea* (1470-1532) Escultor, orfebre y medallista it., autor del famoso candelabro de 4 m de alt. para la iglesia de San Antonio de Padua.
BRIOZOO adj. y m. *Zool.* Animales de la clase briozoos. • m. pl. Tronco o clase de animales invertebrados del grupo de los tentaculados.
BRIQUETA f. Conglomerado de carbón u otra materia en forma de ladrillo.
BRISA f. Viento periódico y local que se debe a un diferente calentamiento de grandes masas rocosas o acuáticas. • Viento suave. • Orujo de la uva.
BRISBANE C. de Australia, cap. del est. de Queensland; 1 138 000 hab. (agl. urb.). Sit. en la costa del Pacífico, a orillas del río. Brisbane. Puerto exportador de lana y carne. Universidad. Astilleros. Centro comercial e industrial.
BRISCA f. Cierto juego de naipes. • El as o el tres de los palos que no son triunfo, en este juego y en el del tute.
BRISCADO, DA adj. Hilo de oro o plata a propósito para emplearse entre seda, en el tejido de ciertas telas.
BRISCAR tr. Tejer o hacer labores con hilo briscado.
BRISERA f. *Amér.* Guardabrisa, fanal.

Briozoo

BRISGOVIA *(Brisgau)* Región histórica de Alemania; cap., Friburgo. Fue posesión austr. desde el s. XIV hasta 1805; a partir de entonces se encuentra incorporada a Baden.
BRISOTE f. Brisa dura y con fuertes chubascos.
BRISSOT, *Jacques-Pierre,* llamado BRISSOT DE NARVILLE (1754-1793) Político y periodista fr., dirigente del partido girondino. Tuvo gran influencia en la política exterior fr. e impulsó las guerras contra Austria, Inglaterra y Holanda. Murió guillotinado. *Teoría de las leyes criminales, Sobre Francia y los Estados Unidos.*
BRISTOL C. y puerto de Gran Bretaña, en el condado de Gloucester (Inglaterra), a orillas del río Avon; 388 000 hab. Astilleros. Centro industrial. Universidad. • ***Canal de B.*** Golfo del océano Atlántico, al S de Gales y SO de Inglaterra; 136 km de long. hasta el estuario del Severn.
BRÍSTOL m. Tipo de cartulina.
BRISURA f. *Her.* Lambel, u otra pieza de igual significado.
BRITÁNICA f. Romaza de hojas vellosas y de color morado oscuro.
BRITÁNICAS, *Islas* Arch. de Europa occidental (312 321 km^2), compuesto por las islas de Gran Bretaña, Irlanda y otras menores (Hébridas, Shetland, Orcadas). Políticamente se reparte entre el Reino Unido y la República de Eire.
BRITÁNICO, CA adj. De la ant. Britania. • Relativo a Gran Bretaña.
BRITANO, NA adj. y s. De la ant. Britania. • adj. Británico.
BRITISH Museum Museo de Londres fundado en 1753. El más imp. del mundo.
BRITISH Termal Unit *(BTU) Fís.* Unidad ing. de calorimetría definida por la cantidad de calor necesaria para aumentar en 1 °F la temperatura de 1 libra ing. de agua.
BRITO, *Duarte de* (s. XV) Poeta port., de la corte de Juan II. • ***Capello, Carlos de*** (1841-1894) Ex-

plorador port. Atravesó África desde Angola a Mozambique.
BRITÓNICO, CA adj. Relativo a los pueblos celtas que se establecieron en Gran Bretaña. • m. *Ling.* Lengua céltica introducida en Gran Bretaña por los pueblos celtas.
BRITTEN, *Benjamin* (1913-1977) Pianista y compositor brit. Su *Peter Grimes* (1945) marcó el principio de la ópera brit. moderna. Óperas: *La vuelta de la tuerca, Curlew River.* Música vocal: *Sinfonía de primavera, Réquiem bélico.*
BRIZA f. Gén. de plantas gramíneas muy estimadas como pasto.
BRIZNA f. Filamento o hebra especialmente de plantas. • Trozo muy fino y ligero de cualquier cosa.
BRNO (al., *Brünn)* C. de la República Checa, cap. de Moravia, en la confluencia de los r. Svitava y Svratka; 383 400 hab. Centro comercial e industrial. Universidad.
BROAD PEAK Pico de la India, de la cadena del Karakorum; 8 051 m.
BROADWAY Arteria pral. de Nueva York, en Manhattan, donde se centra el mundo neoyorquino del espectáculo y la vida nocturna.
BROCA f. Carrete que dentro de la lanzadera lleva el hilo para la trama de ciertos tejidos. • Barrena de boca cónica que se usa con las máquinas de taladrar. • Clavo de cabeza cuadrada con que los zapateros afianzan la suela en la horma.
BROCA, *Paul* (1824-1880) Neurólogo y antropólogo fr. Se le conoce por sus estudios sobre la afasia atáxica (*afasia de B.*), la pequeña circunvolución en la cara interna del hemisferio cerebral (*área de B.*), el centro del lenguaje (*centro de B.*), y la porción central del lóbulo anterior olfatorio del cerebro, que también lleva su nombre. • ***Philippe de*** (nacido 1933) Director cinematográfico fr. *Los juegos del amor, Cartouche.*
BROCADILLO m. Tela de seda y oro más ligera que el brocado.
BROCADO m. Guadamecí dorado o plateado. • Tela de seda entretejida con oro o plata. • Tejido fuerte de seda con dibujos de distinto color que el del fondo.
BROCAL m. Antepecho que rodea la boca de un pozo. • Boquilla de la vaina de las armas blancas. • Cerco de madera que se pone a la boca de la bota. • Ribete de acero que guarnece el escudo. • *Mil.* Moldura que refuerza la boca de las piezas de artillería. • *Min.* Boca de un pozo.
BROCAMANTÓN m. Joya grande de oro o piedras preciosas, a manera de broche.
BROCAR, *Arnaldo Guillermo* (s. XVI) Tipógrafo esp. que imprimió la *Biblia Políglota Complutense.*
BROCATEL adj. y s. Mármol con vetas de colores variados. • m. Tejido adamascado de cáñamo y seda.
BROCEARSE prnl. *Amér. Merid.* Esterilizarse una mina, ya por cortarse o perderse la veta metálica, ya por salir el metal de mala ley. ■ BROCEO.
BROCH, *Hermann* (1886-1951) Novelista austr. Busca la redención del hombre a través del mito. *Los sonámbulos, Los inocentes.*
BROCHA f. Escobilla de cerda atada al extremo de un mango que sirve para pintar. • Pincel para enjabonar la barba. • *Cuba.* Chito, tángano o tejo. • **De b. gorda.** exp. fig. Díc. del pintor y de la pintura de puertas, ventanas, etc. • fig. y fam. Díc. del mal artista ■ BROCHADA; BROCHAZO.
BROCHADO, DA adj. Aplícase a los tejidos de seda que tienen alguna labor de oro o plata, con el hilo retorcido o levantado.
BROCHADORA adj. y f. Díc. de una máquina que arranca linealmente la viruta de una superficie mediante una especie de brocha.
BROCHAL m. *Arq.* Madero atravesado entre otros dos de un suelo, y ensamblado en ellos.
BROCHAR tr. *Cuba.* Tirar con el tejo al chito o brocha.
BROCHE m. Conjunto de dos piezas, una de las cuales engancha o encaja en la otra. • Aguja o alfiler que se prende en el vestido. • *Chile.* Instrum. de metal para unir papeles. • pl. *Ecuad.* Gemelos de camisa.
BROCHETA f. Broqueta.
BROCHÓN m. Escobilla de cerdas atada a un palo que sirve para blanquear las paredes.
BROCKDORFF-RANTZAU, *Ulric von* (1869-1928) Diplomático al. Ministro de Asuntos Exteriores (1919-1920), presid. de la delegación al. en la conferencia de paz de Versalles y embajador en Moscú.
BROCKEN Cima superior del Harz, en Alemania; 1 142 m. Famoso por ciertos fenómenos de difracción que tienen lugar en su cumbre.
BRÓCULI m. Brécol.
BROD, *Max* (1884-1968) Escritor checo en lengua al. *Historia de un judío en el s. XVI.* Amigo y albacea de Kafka, escribió su biografía.
BRODSKY, *Joseph* (1940-1996) Poeta ruso, nacionalizado norteam. Considerado uno de los mayores poetas rusos del s. XX. Vivió en el exilio desde 1980. Premio Nobel de Literatura (1987). *Menos que uno, La canción del péndulo, Marca de agua.*
BROGLIE, *Louis Victor*, PRÍNCIPE DE (1892-1987) Físico fr. Descubridor del carácter ondulatorio del electrón. Premio Nobel de Física en 1929. • ***Maurice,*** DUQUE DE (1875-1960) Físico fr., hermano del anterior. Descubrió los espectros de rayos X.
BROKER (voz ing.) com. Persona que se dedica a la compra y venta de acciones empresariales en la Bolsa.
BROKITA f. *Miner.* Óxido de titanio. Cristaliza en el sist. rómbico; color pardo claro a negro de hierro.
BROMA f. Bulla, diversión. • Chanza, burla. • *Zool.* Molusco lamelibranquio marino de aspecto vermiforme. • Masa de cascote, piedra y cal ■ BROMAZO; BROMEAR; BROMISTA.
BROMACIÓN f. *Quím.* Introducción de átomos de bromo en la molécula de un compuesto orgánico.
BROMAR tr. Roer la broma la madera.
BROMARGIRITA f. *Miner.* Bromuro de plata. Cristaliza en el sistema cúbico; color amarillento.
BROMATOLOGÍA f. Ciencia que estudia los alimentos y la nutrición. ■ BROMATÓLOGO, GA.
BROMELIÁCEO, A adj. y f. *Bot.* Plantas monocotiledóneas propias de zonas tropicales o subtropicales. • f. pl. *Bot.* Familia de estas plantas.
BROMFIELD, *Louis* (1896-1956) Novelista norteam. Premio Pulitzer por *Precoz otoño.* Su novela *Vinieron las lluvias* fue llevada al cine.
BROMHÍDRICO, CA adj. y m. *Quím.* Ácido cuya molécula está formada por un átomo de bromo y otro de hidrógeno. • adj. Relativo a este ácido.
BROMHIDROSIS f. *Pat.* Secreción abundante de sudor fétido.
BROMLEY C. de Gran Bretaña, en el Gran Londres; 299 200 hab.
BROMO m. *Quím.* Elemento químico de símb. Br, n. a. 35 y p. a. 79,916, del grupo de los halógenos.
BROMOURACILO m. *Biol.* Base nitrogenada similar a la timina; en la duplicación del ADN puede actuar como citosina y condicionar una mutación.
BROMURO m. *Quím.* Sal del ácido bromhídrico.
BRONCA f. fam. Riña o disputa ruidosas. • Reprensión áspera. • Manifestación colectiva y ruidosa de desagrado en un espectáculo público.
BRONCE m. Aleación de cobre y estaño, de color amarillento, tenaz y sonora. • fig. poét. El cañón de artillería, la campana, el clarín o la trompeta. • Moneda de cobre. ■ BRONCEADO, DA; BRONCEADURA; BRONCERÍA; BRONCÍNEO, A; BRONCISTA.
BRONCEAR tr. Dar color de bronce. • tr. y prnl. Tostar el cutis al sol.
BRONCO, CA adj. Tosco, sin desbastar. • Aplícase a los metales vidriosos, poco dúctiles y sin elasticidad. • fig. Díc. de la voz y de los instrumentos de música de sonido desagradable y ásperos. • fig. De genio y trato áspero. ■ BRONQUEDAD.
BRONCONEUMONÍA f. *Pat.* Inflamación de la mucosa bronquial y del parénquima pulmonar.
BRONCORRAGIA f. *Pat.* Hemorragia de la mucosa bronquial.
BRONCORREA f. *Pat.* Flujo mucoso de los bronquios.
BRONQUEAR tr. Reprender con dureza, reñir.
BRONQUIECTASIA f. *Pat.* Dilatación de uno o varios bronquios.
BRONQUINA f. fam. Pendencia, riña.
BRONQUIO m. *Anat.* Cada uno de los dos conductos, y sus ramificaciones, en que se bifurca la tráquea para comunicarse con los pulmones. Suele emplearse en pl. ■ BRONQUIAL.
BRONQUIOLO o **BRONQUÍOLO** m. *Anat.* Última ramificación de los bronquios que termina en el alvéolo pulmonar.
BRONQUITIS f. *Pat.* Inflamación de la membrana mucosa de los bronquios. ■ BRONQUÍTICO, CA.
BRONTË, *Anne* (1820-1849) Novelista brit., hermana de Charlotte y Emily, autora de *Agnes Grey.*

Broche de cinturón de la época visigótica

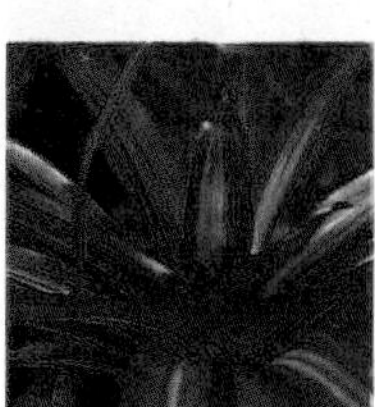
Planta ornamental de la familia **bromeliáceas**

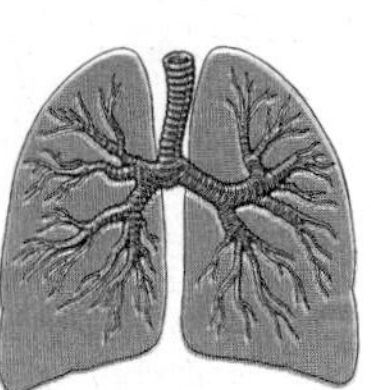
Bronquios

El escultor, óleo de **Bronzino**. Museo del Louvre, París

Anton **Bruckner**

Detalle de *La danza de los aldeanos*, óleo sobre tabla de **Brueghel** el Viejo. Museo de Historia del Arte, Viena

• ***Charlotte*** (1816-1855) Novelista brit., que narra su infancia en su obra *Jane Eyre*. • ***Emily*** (1818-1848) Novelista brit., autora de *Cumbres borrascosas*. De las tres hermanas brit., fue la de mayor personalidad y talento literarios.

BRONTOFOBIA f. Temor patológico a los truenos, relámpagos y tempestades.

BRONTOSAURUS → Apatosaurus.

BRONX Distrito de la c. de Nueva York, al NE de Manhattan; 2 000 000 hab. aprox.

BRONZINO, *Angiolo di Cosimo* (1503-1573) Pintor manierista florentino. Entre sus retratos destacan los que realizó para las familias Médicis y Panciatichi.

BROOK, *Peter* (n. 1925) Director teatral brit., famoso por sus versiones shakespearianas (*Tito Andrónico*, *El rey Lear*) y de autores modernos europeos (Anouilh, Sartre, Weiss, etc.). Ha dirigido algunos filmes (*Moderato cantabile*, *Marat Sade*).

BROOKE, *Henry* (1703-1783) Literato irl. *Gustavo Vasa*, *El necio de calidad*.

BROOKLYN Distr. de Nueva York, en Long Island; 3 000 000 hab. aprox. Unido a Manhattan por el famoso puente colgante hom., de 1 825 m.

BROOKS, *Richard* (1912-1992) Director cinematográfico norteam. *Crisis*, *Semilla de violencia*, *Los profesionales*, *A sangre fría*.

BROONZY, *William Lee Conley «Big Bill»* (1893- 1958) Guitarrista y cantor norteam. Uno de los grandes intérpretes de *blues* del Misisipí. En *Black, brown and white* denuncia la segregación racial.

BROQUA, *Alfonso* (1876-1946) Compositor ur. Sus obras reflejan la influencia fr., aunque da gran importancia a los elementos folklóricos de su país. *Tabaré* (ópera), *Cruz del Sur*, *Evocación criolla*, *Noche campera*.

BROQUEL m. Escudo. • fig. Defensa o amparo.

BROQUELARSE prnl. Abroquelarse.

BROQUELILLO m. Pendiente redondo.

BROQUETA f. Aguja o estaquilla en que se ensartan o espetan pajarillos, pedazos de carne u otro manjar, para asarlos.

BROSSE, *Salomon de* (1571-1626) Arquitecto renacentista fr. Construyó el castillo de Coulommiers y el palacio de Luxemburgo en París.

BRÓTANO m. Abrótano, planta.

BROTAR intr. Nacer o salir la planta de la tierra. • Salir en la planta renuevos, hojas, etc. • Echar la planta hojas o renuevos. • Manar el agua de los manantiales. • fig. Tratándose de viruelas, granos, etc., salir al cutis. • fig. Tener principio o empezar a manifestarse alguna cosa. • tr. Echar la tierra plantas, hierbas, etc. • fig. Arrojar, producir, originar. ■ BROTADURA.

BROTE m. Pimpollo o renuevo que empieza a desarrollarse. • Manifestación repentina de una enfermedad o una epidemia; recrudecimiento de una enfermedad o una epidemia latentes.

BROUSSE, *Paul* (1844-1912) Político fr. Participó en la Comuna de París (1871). Fundador de un grupo socialista de carácter reformista, opuesto al partido obrero francés, llamado *posibilista* o *broussista*. En 1905 fue presid. del consejo municipal de París y en 1906 fue elegido diputado.

BROUWER, *Adriaen* (1606-1638) Pintor flamenco, discípulo de Franz Hals y de Rubens. Escenas de los bajos fondos, los ambientes de figón y de juego.

BROWN, *Ford Madox* (1821-1893) Pintor brit., precursor del mov. prerrafaelista. • ***Guillermo*** (1777-1857) Marino irl. Apoyó la causa de la indep. amer. Comandando la escuadra arg., destruyó la armada realista en el Buceo (1814). • ***Herbert Charles*** (nacido 1912) Químico norteam. Premio Nobel de Química en 1979, junto a G. Witting. • ***John*** (1800-1859) Colono abolicionista norteam. Ahorcado por alentar la rebelión de los esclavos, su muerte contribuyó a acelerar la guerra de Secesión • ***Michael S.*** (nacido 1941) Médico norteam., investigador del metabolismo de los lípidos. Premio Nobel de Medicina en 1985. • ***Robert*** (1773-1858) Botánico e investigador escocés. Descubrió el movimiento en zigzag de las partículas coloidades (*mov. browniano*). • ***Thomas*** (1778-1820) Filósofo escocés, seguidor de Hume. Autor de imp. trabajos sobre la psicología de la sensación.

BROWNE, SIR ***Thomas*** (1605-1682) Médico y escritor ing. *La religión del médico*, *Errores vulgares*.

BROWNING (voz ing.) f. Pistola automática.

BROWNING, *Elizabeth Barrett* (1806-1861) Poetisa brit. de exquisita sensibilidad. *Aurora Leigh*. • ***John Moses*** (1855-1926) Inventor de armas norteam. Su rifle automático del calibre 30 y su pistola automática del 45 fueron adoptados por las fuerzas armadas de los EE UU. • ***Robert*** (1812-1889) Poeta brit. *El anillo y el libro*. • ***Tod*** (1882-1944) Director cinematográfico norteam. *La parada de los monstruos*, *Drácula*.

BROWN-SÉQUARD, *Charles-Édouard* (1817-1894) Fisiólogo y endocrinólogo fr., nacionalizado en EE UU. Uno de los fundadores de la endocrinología y de la organoterapia.

BROZ, *Josip* → Tito.

BROZA f. Conjunto de hojas, ramas y otros despojos de las plantas. • Desecho o desperdicio de alguna cosa. • Maleza de arbustos y plantas en los montes y campos. • fig. Cosas inútiles que se dicen de palabra o por escrito. • *Art. Gráf.* Bruza. ■ BROZOSO, SA.

BROZAR tr. *Art. Gráf.* Bruzar.

BRU, *Anye* (s. XVI) Pintor renacentista al. Retablo mayor de Sant Cugat del Vallés, Barcelona.

BRUANT, *Liberal* (1635-1697) Arquitecto fr. Iglesias de San Luis, Hospital de los Inválidos, iglesia de la Salpêtrière (con Le Vau) y de los Mínimos (con Le Muert) y el castillo de Richmond.

BRUCE, *James* (1730-1794) Explorador escocés, que llegó al Nilo en 1770 y publicó un relato de su viaje. • ***Robert*** (1274-1329) Rey de Escocia, con el nombre de Roberto I [1314-1329].

BRUCELLA f. Gén. de bacterias de la familia parvobacteriáceas, de pequeño tamaño, parásitas intracelulares.

BRUCELOSIS f. *Pat.* Enfermedad infecciosa causada por bacterias y transmitida al hombre por los animales vacunos, las cabras y los cerdos.

BRUCERO m. El que hace o vende bruzas, cepillos, escobillas, etc.

BRUCES (De) m. adv. Boca abajo.

BRUCH, *Max* (1838-1920) Compositor al. Destaca su concierto para violín y orquesta.

BRUCINA f. Alcaloide de propiedades análogas a las de la estricnina.

BRUCITA f. *Miner.* Hidróxido de magnesio natural. Es infusible al soplete y se presenta en cristales o masas compactas.

BRUCKNER, *Anton* (1824-1896) Compositor y organista austr. Autor de nueve sinfonías y numerosa música religiosa.

BRUDIEU, *Juan* (h. 1520-1591) Compositor esp. de origen fr., creador de un nuevo estilo madrigal.

BRUEGHEL, *Jan*, llamado B. DE VELOURS (1568-1625) Pintor flam., hijo de B. Creó un gén. intimista y delicado. *Los cinco sentidos*. • ***Pieter,*** llamado EL JOVEN (1564-1638) Pintor flam., hijo de B. el viejo. También se le conoce como «Brueghel del Infierno», por su maestría en la realización de escenas obsesivas y diabólicas. • ***Pieter***, llamado EL VIEJO (1528-1569) Pintor flam. Autor de paisajes y de composiciones apocalípticas, y de escenas populares, *Combate naval en el puerto de Nápoles*, *Dulle Griet*.

BRUGHETTI, *Faustino* (1877-1956) Pintor arg. Trabajó en París y Roma. • ***Romualdo*** (nacido 1912) Poeta y crítico de arte arg., hijo del anterior.

BRUGO m. Larva de un lepidóptero que devora las hojas de los encinares. • Larva de una especie de pulgón.

BRUJA f. Lechuza, ave rapaz. • Mujer que tiene pacto con el diablo. • fig. y fam. Mujer fea y vieja.

BRUJAS (fr., *Bruges*; flam., *Brugge*, «puente») C. del NO de Bélgica, cap. de Flandes Occidental; 118 000 hab. Centro comercial e industrial.

BRUJEAR intr. Hacer brujerías.

BRUJERÍA f. Actividades extraordinarias a las que se dedican los brujos y las brujas. Se desarrolló en la Europa cristiana en los ss. XIII, XIV y XV. La Iglesia católica la consideró herejía y siguió numerosos procesos inquisitoriales contra sus practicantes.

BRUJIDOR m. Grujidor.

BRUJILLA f. Dominguillo, muñeco que siempre queda erguido.

Vista de **Brujas**

BRUJIR tr. Grujir los vidrios.
BRUJO, JA adj. Perverso. • Que atrae. • *Chile*. Falso. • *Cuba, Méx.* y *P. Rico*. Empobrecido. • m. Hombre que tiene pacto con el diablo.
BRÚJULA f. Instrumento que señala la dirección Norte-Sur magnética, mediante una aguja magnética que gira alrededor de un eje vertical y que se halla suspendida de modo que su eje magnético sea horizontal. • n. p. f. Constelación austral.
BRUJULEAR tr. Descubrir poco a poco las cartas para conocer por las rayas o pintas de qué palo son. • fig. y fam. Descubrir por indicios y conjeturas algún suceso. • fig. y fam. Procurar por varios medios el logro de algún propósito. ■ BRUJULEO.
BRULL, *Mariano* (1891-1956) Poeta dadaísta cub. *Solo de rosas, Tiempo en pena.*
BRULOTE m. Barco cargado de materias inflamables que se dirigía contra los buques enemigos para incendiarlos.
BRUM, *Baltasar* (1875-1933) Político ur. presid. de la rep. entre 1919 y 1923. Perteneciente al partido colorado, colaboró estrechamente con Batlle y Ordóñez. Se suicidó públicamente como protesta por el golpe de Estado de G. Terra.
BRUMA f. Niebla ■ BRUMAL; BRUMOSO, SA.
BRUMADOR, RA adj. Abrumador.
BRUMAR tr. Abrumar.
BRUMARIO m. Segundo mes del calendario publicano francés.
BRUMAZÓN m. Niebla espesa y grande.
BRUMIDI, *Constantino* (1805-1880) Pintor it., residente en EE UU. Decoró el Capitolio de Washington.
BRUMMELL, *George Bryan* (1778-1840) Cortesano ing., llamado EL BELLO BRUMMELL; famoso por su elegancia en el vestir.
BRUMO m. Cera blanca y purificada.
BRUN, *Charles Le* (1619-1690) Pintor fr., decorador del palacio de Versalles.
BRUNEAU, *Alfred* (1857-1934) Compositor fr., autor de óperas inspiradas en Zola. *El huracán, El niño rey.*
BRUNEI Est. del sudeste asiático. Sit. en el NO de la isla de Borneo, a orillas del mar de la China meridional, y limítrofe con Malaysia. Gas natural, petróleo. Grupos étnicos: malayos y chinos. Lenguas: malayo, inglés y chino. *Rel.*: musulmanes. U.M.: dólar de Brunei. Cap., Bandar Seri Begawan. Protectorado brit. desde 1888, consiguió la indep. en 1984.
BRUNELLESCHI, *Filippo* (1377-1446) Arquitecto y escultor florentino, uno de los iniciadores del Renacimiento. Palacio Pitti, cúpula de Santa Maria dei Fiore.
BRUNET, *Marta* (1901-1967) Escritora chil. *Montaña adentro, Humo hacia el Sur, María Nadie.*
BRUNETIÈRE, *Ferdinand* (1849-1906) Escritor fr., representante de un cristianismo basado en el positivismo y el evolucionismo.
BRUNHILDA *Astr.* Asteroide núm. 123, descubierto por C. H. Peters en 1872.
BRUNHILDA *Mit.* Heroína de la mitología germánica, hija de Wotan (Odín). • (534-613) Hija del rey visigodo esp. Atanagildo y esposa de Sigiberto, rey de Austrasia. Luchó contra Fredegunda y contra su hijo, Clotario II.

BRUNEI

Superficie	5 765 km²
Población	285 000 hab. (49 hab./km²)
Recursos económicos	
Arroz	1 000 t
Búfalos	5 000 cabezas
Energía eléctrica	1 315 millones de kwh
Gas natural	9 920 000 000 m³
Pesca	4 511 t
Petróleo	8 050 000 t
Riqueza forestal	295 000 m³
Indicadores sociológicos	
PNB	4 200 millones de dólares
Renta per cápita	14 500 dólares
Esperanza de vida	75 años
Alfabetismo	88,2 %

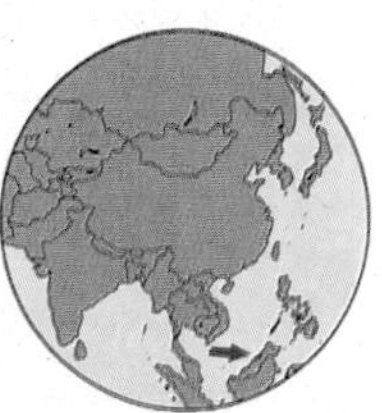

Mapa de situación y bandera de **Brunei**

BRUNI, *Leonardo* (1370-1444) Humanista it., llamado EL ARETINO, divulgador de clásicos gr. *Vidas de Dante y de Petrarca, Historias populares florentinas.*
BRÜNING, *Heinrich* (1885-1961) Político al. Canciller del Reich (1930-1932), intentó llevar a cabo una política autoritaria. El ascenso del nazismo le obligó a apoyarse en el partido social demócrata. Se exilió en 1933.
BRUNO, NA adj. De color negro u oscuro.
BRUNO (1035-1101) Santo. Monje al., fundador de la orden de los cartujos. • ***Giordano*** (1548-1600) Filósofo y escritor it. Intentó conciliar las doctrinas cristianas con el emanantismo neoplatónico. Acusado de herejía, fue encarcelado por la Inquisición y condenado a la hoguera. *De la causa, principio y uno, Del infinito universo y mundos.*
BRUNSCHVICG, *León* (1869-1944) Filósofo fr., representante del idealismo crítico fr. *Modalidad del juicio, Las etapas de la filosofía matemática, El progreso de la conciencia en la filosofía occidental.*
BRUNSWICK *(Braunschweig)* Antiguo est. al. Derrocada la dinastía Hannover en 1918, se proclamó la rep. En 1934, se integró en el III Reich y actualmente forma parte del est. de Baja Sajonia; 253 100 hab. Centro industrial. Universidad.
BRUNSWICK, *Karl Wilhelm Ferdinand*, DUQUE DE (1735-1806) General al. al servicio de Prusia, que se distinguió en la guerra de los Siete Años. *Manifiesto.*
BRUÑIR tr. Sacar lustre a una cosa. • fig. y fam. Aplicar afeites al rostro. • *Amér.* Fastidiar. ■ BRUÑIDO; BRUÑIDOR, RA; BRUÑIDURA; BRUÑIMIENTO.
BRUÑO m. Bruno, ciruela.
BRUSA Nombre ant. de la c. turca de Bursa.
BRUSCA f. *Bot.* Planta de la familia cesalpiniáceas, originaria de la América tropical. Chamarasca, leña menuda.
BRUSCO, CA adj. Áspero, desapacible. • Rápido, repentino, pronto. • m. *Bot.* Rusco. ■ BRUSQUEDAD.
BRUSELA f. Hierba doncella. • pl. Pinzas anchas que usan los plateros.
BRUSELAS (fr., *Bruxelles*; flam., *Brussel*) Cap. de Bélgica y de la prov. de Brabante, a orillas del río Senne; 982 434 hab. (agl. urb.). Centro comercial e industrial. Puerto. Universidades. Cap. de los Países Bajos en 1430, fue centro del Imperio con

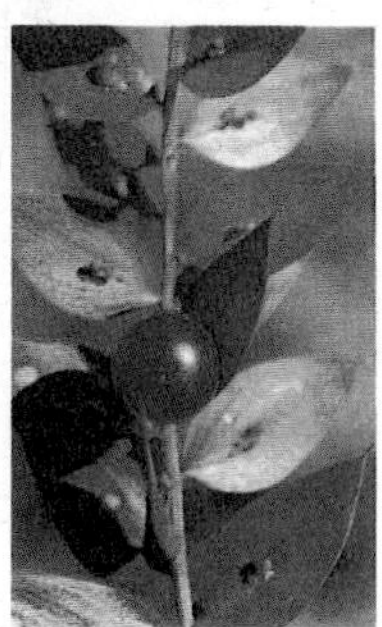
Tallo y fruto de **brusco**

Atomium de **Bruselas**

Sala de conciertos en **Bucarest**

Bucerótido

James **Buchanan**

Buda de Kamakura, Japón

Carlos V. Compartió capitalidad con La Haya. Con la indep. de Bélgica (1831), se transformó en cap. del nuevo Est. Sede de la CEE.
BRUSELENSE adj. y s. De Bruselas.
BRUSÍLOV, ***Alexéi Alexeyevich*** (1853-1926) Militar sov. Después de la revolución de Octubre formó parte del consejo consultivo militar.
BRUTAL adj. Cruel, violento. • fig. y fam. Enorme, colosal. • m. Bruto, animal.
BRUTALIDAD f. fig. Incapacidad o falta de razón. • fig. Acción torpe o cruel.
BRUTEZA f. Brutalidad. • Tosquedad.
BRUTO, TA adj. y s. Necio, incapaz. • adj. Vicioso, torpe. • Díc. de las cosas toscas y sin pulimento. • m. Animal irracional. • **En b.** loc. adj. Sin pulir o labrar.
BRUTO, ***Lucio Junio*** Personaje legendario al que se tiene por fundador de la república rom. Cónsul en el año 509 a. C. • ***Marco Junio*** (85-42 a. C.) Sobrino de Catón de Utica, ahijado de César y uno de sus asesinos (44 a. C.).
BRUYÈRE, ***Jean de la*** (1645-1696) Prosista fr. Su obra capital, *Los caracteres*, está inspirada en la hom. del filósofo gr. Teofrasto.
BRUYN, ***Bartholomaeus*** (1493-1555) Pintor al. Retablos de las iglesias de Essen y Xanten y retratos de burgueses y patricios de Colonia: *Johann von Aich y su mujer*, *Arnold von Brauweiler*.
BRUZA f. Cepillo para limpiar las caballerías, los moldes de imprenta, etc.
BRUZAR tr. Limpiar con la bruza.
BRYAN, ***William Jennings*** (1860-1925) Político norteam. Secretario de Est. (1913-1915). • **Pacto B.-Chamorro** Acuerdo entre Nicaragua y EE UU, por el que la primera cedía a EE UU un territorio para construir un canal interoceánico.
BRYCE Echenique, ***Alfredo*** (nacido 1939) Escritor per. En sus obras describe el mundo de la aristocracia per., con una prosa fluida y ácida. *Todos los cuentos*, *La vida exagerada de Martín Romaña*, *No me esperen en abril*, *Reo de nocturnidad*.
BRYNNER, ***Yul*** (1920-1985) Actor cinematográfico norteam. *Los siete magníficos*.
BTU Siglas de *British Termal Unit*.
BU m. fam. Ser imaginario con que se asusta a los niños.
BU Hmara *(Abu Himara)* (m. 1909) Agitador marroquí que se hizo reconocer como sultán del NE de Marruecos (1902-1909). Se rebeló contra el sultán Abd al-Aziz.
BÚA f. Postilla o tumorcillo. • pl. Bubas.
BUARILLO o **BUARO** m. Buharro, ave.
BUBA f. Postilla o tumorcillo. • pl. Tumores blandos en la región inguinal y en las axilas y el cuello. ■ BUBOSO, SA.
BÚBALO, LA m. y f. Búfalo asiático.
BUBASTE Ant. c. del Bajo Egipto donde residieron los reyes de la XXII dinastía.
BUBER, ***Martin*** (1878-1965) Filósofo, teólogo y sociólogo israelí, de origen austr. Influyó en los existencialistas. *Yo y Tú*, *Caminos de Utopía*.
BUBI adj. y s. Del pueblo guineano de los bubis. • m. pl. Pueblo melanoafricano que habita en Fernando Poo.
BUBÓN m. *Pat.* Tumefacción inflamatoria de un ganglio linfático. • pl. Bubas. ■ BUBÓNICO, CA.
BUCAL adj. Relativo a la boca.
BUCANERO m. Corsario que en los ss. XVII y XVIII se entregaba al saqueo de las posesiones de ultramar.
BUCARAM, ***Abdalá*** (nacido 1952) Político ecuat., fundador del Partido Roldosista (1982). Alcalde de Guayaquil (1984). Derrotado por Rodrigo Borja en las elecciones de presidenciales de 1988, venció en las de 1996, pero en 1997 fue cesado por el Congreso. • **Assad** (1916-1982) Político ecuat. Líder de Concentración de Fuerzas Populares, de orientación populista. Alcalde de Guayaquil, legislador y presid. del congreso nacional.
BUCARAMANGA C. del centro-norte de Colombia, cap. del dpto. de Santander; 464 583 hab. Centro agropecuario. Ind. mecánica, alimentaria. Fábricas de cemento. Manufactura de tabaco. Universidad industrial. Aeropuerto.
BUCARE o **BÚCARE** m. *Bot. Amér.* Árbol papilionáceo que se cultiva para sombra en las plantaciones de café y de cacao. ■ BUCARAL.
BUCARELI y Ursúa, ***Antonio María*** (1717-1779) Militar esp. Gobernador de Cuba y virrey de Nueva España (1771-1779). Saneó la hacienda virreinal y organizó la frontera meridional.
BUCAREST *(Bucuresti)* Cap. de Rumania, sit. a orillas del río. Dimbovitza; 2 211 400 hab. (agl. urb.). Centro comercial e industrial.
BÚCARO m. Arcilla roja que despide olor agradable. • Vasija hecha con esta arcilla.
BUCCINO m. Caracol marino cuya tinta se usaba para teñir telas.
BUCEAR intr. Nadar bajo el agua. • Trabajar como buzo. • fig. Explorar en algún asunto. ■ BUCEO.
BUCÉFALO m. fig. y fam. Hombre rudo y estúpido.
BUCÉFALO n. p. m. Nombre del caballo de Alejandro Magno.
BUCELARIO m. Soldado de ciertas milicias bizantinas. • Entre los visigodos, hombre libre que se sometía al patrocinio de un magnate.
BUCENTAURO m. Centauro con cuerpo de toro.
BUCER, ***Martin*** (1491-1551) Uno de los prales. jefes de la Reforma en la Alemania meridional. Comenzó una traducción de la Biblia.
BUCERO, RA adj. y s. Sabueso de hocico negro.
BUCERÓTIDO, DA adj. y m. *Zool.* Aves de la familia bucerótidos. • m. pl. *Zool.* Familia de aves coraciformes. Se conocen con el nombre de cálaos.
BUCES (De) m. adv. De bruces.
BUCHACA f. Bolsa, bolsillo.
BUCHADA f. Bocanada.
BUCHANAN, ***George*** (1506-1582) Humanista escocés. Propugnó la soberanía popular, en contra del absolutismo. • ***James*** (1791-1868). Decimoquinto presid. de EE UU (1856-1860). Partidario del esclavismo.
BUCHE m. Bolsa membranosa de las aves que comunica con el esófago. • En algunos animales cuadrúpedos, estómago. • Porción de líquido que cabe en la boca. • Bolsa que hace la ropa. • fam. Estómago humano. • fig. y fam. Pecho o lugar donde imaginariamente se guardan los secretos. • Borrico recién nacido y mientras mama.
BUCHENWALD Campo de concentración nazi, instalado en 1937, al NO de Weimar, en el que murieron unos 56 000 deportados.
BUCHETE m. Mejilla inflada.
BUCHINCHE m. Zaquizami, cuchitril. • *Cuba.* Café o taberna de aspecto pobre.
BUCHNER, ***Eduard*** (1860-1917) Químico al. Demostró que la fermentación de los azúcares se producía por un grupo de enzimas contenidas en ellos. Premio Nobel de Química en 1907. • ***Georg*** (1813-1837) Dramaturgo y novelista al. Su drama *Woyzeck* fue utilizado por Alban Berg como libreto para su ópera del mismo título. • ***Ludwig*** (1824-1899) Médico y filósofo al. Su obra *Fuerza y materia* es un manifiesto del materialismo.
BUCHÓN, NA adj. Díc. del palomo doméstico que puede hinchar el buche desmesuradamente.
BUCK, ***Pearl S.*** (1892-1973) Novelista norteam. Vivió en China la mayor parte de su vida. *La buena tierra* (premio Pulitzer), *Viento del Este, viento del Oeste*. Premio Nobel de Literatura en 1938.
BUCKINGHAM, ***George Villiers***, PRIMER DUQUE DE (1592-1628) Político ing., favorito de Jacobo I; se enriqueció escandalosamente elevando los impuestos, vendiendo privilegios, etc.
BUCKINGHAM Palace Residencia londinense de los soberanos británicos.
BUCKLE, ***Henry Thomas*** (1821-1862) Historiador brit. *Historia de la civilización en Inglaterra*.
BUCLE m. Rizo de cabello en forma helicoidal. • *Comp.* Segmento de programa que se ejecuta automáticamente.
BUCO m. Macho de la cabra. • Abertura o agujero.
BUCÓLICA f. *Lit.* Composición poética del gén. bucólico. • fam. Comida.
BUCÓLICO, CA adj. *Lit.* Aplícase al gén. poético que canta la vida pastoril y campestre. Relativo a este género de poesía. • adj. y s. Aplícase al poeta que lo cultiva.
BUCÓNIDO, DA adj. y m. *Zool.* Aves de la familia bucónidos. • m. pl. *Zool.* Familia de aves piciformes (bucos o juanes).
BUCOVINA *(Bukovina)* Región de Europa oriental, entre el Dniéster y los Cárpatos; 10 442 km^2, 950 000 hab. Cap., Chernovtsi *(Cernauti)*. La parte N pertenece a Rusia y el S a Rumania.

BUDA (sánscrito, *Buddha*, «el Iluminado») Nombre que se da a *Sidhartha Gautama* (560-480 a. C.), fundador del budismo.
BUDAPEST Cap. del centro-norte de Hungría, sit. a orillas del Danubio, resultado de la unión de dos c.: Buda y Pest. Puerto fluvial; 2 072 000 hab. Centro cultural, comercial e industrial. Astilleros. Balnearios. Universidad.
BUDARE m. *Ven.* Plato para cocer el pan de maíz.
BUDÉ, *Guillaume* (1467-1540) Humanista fr. *De asse. Comentarios sobre la lengua griega.*
BUDÍN m. Dulce que se prepara con bizcocho, leche, azúcar y frutas secas, cocido todo al baño María. ■ BUDINERA.
BUDIÓN m. *Zool.* Pez teleósteo, caracterizado por los dobles labios carnosos que cubren sus mandíbulas.
BUDIONNY, *Semión Mijáilovich* (1883-1973) Militar sov. Participó en la guerra ruso-japonesa y en la I Guerra Mundial. Fundó la caballería roja bolchevique y, en 1935, alcanzó el grado de mariscal.
BUDISMO m. Religión fundada por Buda. Según su credo, el *nirvana* se alcanza por la continencia, la vida moralmente recta, la abstención de bebidas alcohólicas y la continua meditación sobre la vanidad del deseo. ■ BÚDICO, CA; BUDISTA.
BUEN adj. Apócope de bueno.
BUENA ESPERANZA Cabo de la República Sudafricana, sobre la costa atlántica.
BUENABOYA f. Bagarino.
BUENANDANZA f. Bienandanza.
BUENAVENTURA f. Buena suerte. • Adivinación de la suerte de las personas.
BUENAVENTURA C. del O de Colombia, en el dpto. de Valle del Cauca; 165 870 hab. Puerto en el Pacífico. Fundada en 1540.
BUENAVENTURA (1221-1274) Santo. Franciscano it. Teólogo y filósofo, llamado DOCTOR SERÁFICO. *Itinerario de la mente a Dios*, *Breviloquio*, *Meditaciones sobre la vida de Jesucristo.* • ***Enrique*** (n. 1925) Escritor dramático col. Teatro épico y de denuncia social. *Réquiem por el padre Las Casas*, *Apuntes para un método de creación colectiva.*
BUENO, NA adj. Que tiene bondad en su género. • Útil y conveniente. • Agradable, divertido. • Grande, suficiente. • Sano. • Excesivamente cándido. • No deteriorado y que puede servir. • Bastante, suficiente. • Usado como adv. denota aprobación, sorpresa, etc., o equivale a basta o no más. • m. En exámenes, nota superior a la de aprobado.
BUENOS AIRES Lago andino (400 km^2), sit. en la frontera chileno-argentina. La parte occidental, perteneciente a Chile, recibe el nombre de lago General Carrera.
BUENOS AIRES Prov. de Argentina, sit. a orillas del Río de la Plata y del Atlántico, sobre el sector SE de la Pampa; 307 571 km^2, 12 582 321 hab. El terreno es llano, a excepción de las cord. de Tandilia y de Ventania. Avenada por el Paraná, el Salado y el Colorado. Clima templado, lluvioso en el sector costero y más seco y extremado hacia el interior. Abundantes pastos, donde se cría gran cantidad de ganado. Agricultura. Pesca (el 90% de la prod. nacional). Ind. derivadas de la agricultura, ganadería y pesca. Refinería de petróleo en Bahía Blanca y La Plata. Ind. metalúrgica, textil y química. Administrativamente está dividida en 124 partidos, más la isla Martín García de jurisdicción arg. Cap.: La Plata. C. prales.: Buenos Aires, Bahía Blanca, Avellaneda. • Cap. de la República Argentina. Forma por sí sola el Distrito Federal; 200 km^2, 11 353 592 hab. (agl. urb.). Sit. en la margen derecha del Río de la Plata. Fisonomía moderna con amplias y largas avenidas y bellos monumentos: conjunto escultórico al general San Martín, obelisco a la fundación de la c., Pirámide de Mayo, Casa Rosada, Catedral (ss. XVII-XVIII). Universidad Nacional. Centro económico del país por su ind., su puerto y el «cinturón hortícola» que la rodea. Ind. cárnica, textil, alimentaria, automovilística, etc. A través de su puerto, uno de los núcleos portuarios más importantes de Sudamérica, se exportan carnes, cueros, cereales, etc. Nudo de comunicaciones. * *Hist.* El descubrimiento del estuario del Río de la Plata por Juan Díaz de Solís inició la dominación esp. Formó parte del virreinato del Perú hasta 1776, en que se constituyó en el núcleo dinamizador del nuevo virreinato del Río de la Plata. En 1812, pasó a integrar las Provincias Unidas del Río de la Plata. La c. de B. A. fue fundada en 1536 por Pedro Mendoza, pero tuvo que ser abandonada por la hostilidad de los aborígenes. Fundada de nuevo por Juan de Garay en 1580, su imp. creció a raíz de la creación del virreinato del Río de la Plata (1776). B. A. fue la base de los centralistas en el s. XIX, que llegaron a formar un est. independiente. Cap. federal desde 1880.

Vista nocturna de **Buenos Aires**

BUERO Vallejo, *Antonio* (1916-2000) Dramaturgo esp., introductor de las nuevas corrientes del teatro europeo en la España de la posguerra. *Historia de una escalera*, *En la ardiente oscuridad*, *Un soñador para un pueblo*, *La tejedora de sueños*, *El concierto de San Ovidio*, *El tragaluz*. Premio Cervantes 1986 y Premio Nacional de las Letras 1996.
BUEY m. Toro al que se castra para emplearlo como animal de tiro. • **almizclero.** Bóvido del tamaño de un carnero y cubierto de abundante pelaje que vive en las zonas árticas. • **de cabestrillo,** o **de caza.** Buey de que se sirven los cazadores, escondiéndose detrás de él para tirar a la caza. • Armazón tras la que se oculta el cazador para tirar desde allí a la caza. ■ BUEYADA; BUEYUNO, NA.
BUFA f. Burla, bufonada.
BUFADO, DA adj. Díc. del vidrio soplado.
BUFADOR m. Fumarola.
BÚFALO, LA m. y f. *Zool.* Rumiante del mismo gén. que el toro, de cuernos vueltos hacia atrás. ■ BUFALINO, NA.
BUFANDA f. Prenda para abrigar el cuello.
BUFAR intr. Resoplar con furor el toro, el caballo y otros animales. • prnl. Ahuecarse una pared.
BUFÉ, BUFET o **BUFFET** m. Mesa cubierta de manjares y bebidas en cenas frías, cócteles, etc. • Mueble en que se guarda el servicio de mesa.
BUFEO m. *Argent.* y *Perú.* Delfín, cetáceo.
BUFETE m. Mesa de escribir. • fig. Despacho de un abogado. • fig. Clientela del abogado. • *Nic.* Mueble para guardar utensilios de cocina.
BUFFALO C. y puerto del NE de EE UU, en el est. de Nueva York, a orillas del lago Erie; 1 242 800 hab. con el área metropolitana. Universidad. Centro industrial.
BUFFALO BILL (1846-1917) Seud. de *William Frederick Cody*. Militar y aventurero norteam. Participó en la guerra de Secesión y en las guerras contra los siux y cheyennes. Post. se dedicó a exhibir sus habilidades de tirador y jinete.
BUFFER m. *Comp.* Área de memoria que almacena temporalmente la información de entrada o de salida de cualquier periférico.
BUFFET, *Bernard* (1928-1999) Pintor fr. Autor del tríptico *La Pasión*, con personajes modernos.
BUFFETING (voz ing.) m. *Aer.* Trepidación producida en las estructuras de un avión por los torbellinos creados durante su desplazamiento en el aire.
BUFFON, *George Louis Leclerc*, CONDE DE (1707-1788) Naturalista y escritor fr., defensor del método experimental en la investigación. *Historia natural.*

Antonio **Buero Vallejo**

Flores de **buganvilla**

Búho

Buitre

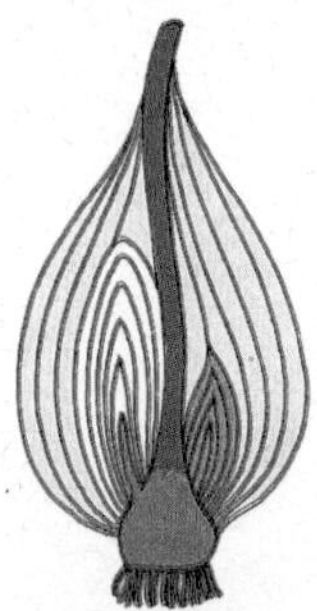
Sección longitudinal se un **bulbo** de tulipán

Perro **buldog**

BUFIDO m. Voz del animal que bufa. • fig. y fam. Expresión de enojo o enfado.
BUFO, FA adj. Cómico, jocoso, grotesco, chocarrero. • m. y f. Persona que hace el papel de gracioso en la ópera it. ■ BUFONESCO, CA.
BUFÓN, NA m. y f. Persona que hacía reír a los reyes, cortesanos, etc. • adj. y s. fig. Persona que servilmente hace reír a otros.
BUFONADA f. Dicho o hecho propio de bufón. • Chanza satírica ■ BUFONEARSE; BUFONERÍA.
BUFONIA (gr., *boufonia*) f. Fiesta dedicada a Zeus en Atenas.
BUFÓNIDO, DA adj. y m. *Zool.* Animales de la familia bufónidos. • m. pl. *Zool.* Familia de anfibios anuros que comprende las especies conocidas con el nombre de sapos.
BUFONIZAR intr. Decir bufonadas.
BUG Meridional Río de Ucrania. Nace en la meseta de Volinia-Podolia y desemboca en el mar Negro; 750 km. • **Occidental** Río de Ucrania y Bielorrusia, y Polonia, afl. del Vístula. Nace en la meseta de Volinia-Podolia en Ucrania; 800 km.
BUGA C..de Colombia, en el dpto. de Valle del Cauca; 84 000 hab. Cultivos tropicales, ganadería. Centro de comunicaciones. Fundada en 1555.
BUGALLA f. Agalla del roble y otros árboles que sirve para tintes o tinta.
BUGANDA Ant. reino de África oriental. Actualmente es una región de Uganda; 61 609 km², 2 667 400 hab. Cap., Kampala.
BUGANVILLA f. *Bot. Amér.* Arbusto de flores de color rojo morado y hojas pequeñas y verdosas.
BUGATTI, ***Ettore*** (1882-1947) Industrial it. nacionalizado francés. Fundó una factoría para la fabricación de automóviles deportivos de lujo.
BUGEAUD, ***Thomas Robert,*** MARQUÉS DE LA PICONNERIE (1784-1849) Mariscal fr. Gobernador de Argelia (1840), llevó a cabo devastaciones de las zonas rebeldes. Comandante en jefe del ejército de los Alpes.
BUGLE m. Instrumento musical de viento, formado por un largo tubo cónico de metal, provisto de pistones.
BUGLOSA f. Lengua de buey, planta.
BUGUI-BUGUI m. Boogie-woogie.
BUHARDA o **BUHARDILLA** f. Ventana en el tejado de una casa. • Desván.
BUHARRO m. Corneja, ave rapaz.
BUHEDERA f. Tronera, agujero.
BUHEDO m. Lagunajo que se seca en verano.
BÜHLER, ***Karl*** (1879-1963) Psicólogo al., integrado en el mov. de la psicología de la forma. *La percepción de la forma, La crisis de la psicología, Teoría del lenguaje.*
BÚHO m. *Zool.* Ave rapaz nocturna, estrígida, de ojos grandes. • fig. y fam. Persona huraña.
BUHONERÍA f. Mercancías de poco valor, como botones, agujas, peines, etc. ■ BUHONERO.
BUIDO, DA adj. Aguzado, afilado. • Acanalado o con estrías.
BUIGAS, ***Carlos*** (1898-1979) Ingeniero luminotécnico esp., de formación autodidacta. Construyó fuentes luminosas en Barcelona y otras muchas c. del mundo.
BUILDING (voz ing.) m. Inmueble de muchas plantas y grandes dimensiones.
BUISSON, ***Ferdinand*** (1841-1932) Pedagogo fr. *Diccionario de pedagogía.* Premio Nobel de la Paz en 1927.
BUITRE m. *Zool.* Ave rapaz falconiforme, accipítrida, de gran tamaño y cabeza desnuda, que se alimenta de carne muerta y vive en bandadas. • fig. Persona avarienta, tacaña y ambiciosa. ■ BUITRERO, RA.
BUITREAR intr. *Chile.* Cazar buitres.
BUITRERA f. Lugar en que los cazadores ponen el cebo al buitre.
BUITRÓN m. Arte de pesca en forma de cono prolongado. • Red para cazar perdices. • *Amér.* Horno de manga para fundir minerales argentíferos. • *Amér.* Era donde se beneficiaban los minerales argentíferos mezclándolos con azogue y magistral. • *Metal.* Cenicero del hogar en los hornos metalúrgicos.
BUJA f. *Méx.* Buje.
BUJAK Sector meridional de Besarabia. C. prales.: Belgorod-Dnestrovski e Ismail.
BUJARÁ Prov. de Uzbekistán, en Asia central; 39 400 km², 1 141 000 hab. • C. de Uzbekistán, cap. de la prov. del mismo nombre, 224 000 hab. Centro comercial, administrativo, de comunicaciones e industrial.
BUJARDA f. Herramienta de acero, a modo de martillo, con corte por ambos lados usada por los canteros y albañiles.
BUJARIA Ant. est. del Asia central, con cap. en Bujará. Comprendía las tierras situadas al N de Amu-Dariá, entre el oasis del Jorezm, el Badajshán y el oasis de Zeravshán.
BUJARIN, ***Nicolai Ivanovich*** (1888-1938) Político, economista y teórico marxista sov. Participó en la revolución de Octubre de 1917. Encabezó el ala moderada del partido en 1928 y defendió un lento proceso de industrialización que aumentara el poder adquisitivo del campesinado (NEP), frente a la colectivización propugnada por Trotski. Destituido de sus cargos, en 1928, y juzgado en los procesos de Moscú (1936), murió ejecutado. *La economía mundial y el imperialismo.*
BUJARRÓN adj. y s. Sodomita.
BUJE m. *Mec. apl.* Pieza cilíndrica de hierro o de cobre que guarnece interiormente el cubo de las ruedas de los carruajes.
BUJERÍA f. Baratija.
BUJETA f. Caja de madera. • Pomo para perfumes. • Cajita en que se guarda este pomo.
BUJÍA f. Vela de cera blanca, esperma o estearina. • Candelero en que se pone. • *Fís.* Unidad para medir la intensidad de un foco luminoso, candela. • En los motores de explosión, dispositivo que produce la chispa eléctrica que enciende la mezcla explosiva.
BUJUMBURA Cap. de Burundi; 272 600 hab. Pral. puerto sobre el lago Tanganica. Fábricas de cerveza, cemento. Café. • Prov. de Burundi; 1 334 km², 647 200 hab. Cap., la c. hom.
BUKAVU C. del Zaire, cap. de la región de Kivu; 209 100 hab. Centro comercial turístico y de comunicaciones.
BUKOWSKI, ***Charles*** (1920-1994) Escritor norteam. de origen al. Narrativa corrosiva y provocadora. *La máquina de follar.*
BULA f. Distintivo que en la ant. Roma llevaban los hijos de los nobles hasta que vestían la toga. • Sello de plomo que va pendiente de ciertos documentos pontificios. • Documento pontificio relativo a materia de fe o de interés general, concesión de privilegios, asuntos judiciales o administrativos, expedido por la cancillería apostólica. • **Tener b.** Contar con facilidades negadas a los demás para obtener cosas difíciles o imposibles. ■ BULARIO.
BULAWAYO C. del SO de Zimbabwe; 413 800 hab. Centro industrial y minero. Nudo de comunicaciones.
BULBO m. Bot. Ensanchamiento del tallo de algunas plantas, que después de seca la planta puede dar lugar a otra nueva. • **dentario.** *Anat.* Parte blanda contenida en el interior de los dientes. piloso. *Anat.* La porción más abultada del fondo del folículo, que da origen al pelo. • **raquídeo.** *Anat.* Abultamiento de la médula espinal en su parte superior. ■ BULBOSO, SA.
BULDOG m. Raza de perros de gran tamaño, rechonchos y de nariz chata.
BULDÓZER m. Excavadora con pala y cuchara, usada para sacar y remover tierras.
BULÉ En la ant. Atenas, senado, asamblea.
BULERÍAS f. pl. Cante popular andaluz que se acompaña con palmoteo. • Baile que se ejecuta al son de este cante.
BULETO m. Breve, documento pontificio.
BULEVAR m. Paseo público.
BULGANIN, ***Nikolai Alexandrovich*** (1895-1975) Político y mariscal sov., presid. del Consejo de la URSS en 1955. Destituido por Jruschov en 1958.
BULGARIA *(Republika Balgarija)* Est. de Europa sudoriental, sit. al E de la pen. Balcánica, a orillas del mar Negro. Limita con Rumania, Servia, Macedonia, Grecia y Turquía.
* *Geog.* En el centro del país, se levanta de O a E la cadena de los Balcanes cubierta de espesos bosques. Al S se abre la llanura ocupada por el río Maritza y sus afluentes. La región meridional está ocupada por los montes Rodope. Clima continental con

BULGARIA

Superficie	110 994 km²
Población	8 427 000 hab. (76 hab./km²)
Recursos económicos	
Cebada	900 000 t
Girasol	650 000 t
Maíz	1 200 000 t
Remolacha azucarera	200 000 t
Trigo	3 523 000 t
Ganadería y derivados	
Cabaña ovina	3 117 000 cabezas
Cabaña porcina	1 722 000 cabezas
Riqueza forestal	3 565 000 m³
Pesca	22 000 t
Producción minera	
Gas natural	11 millones de m³
Hierro	180 000 t
Lignito	28 584 000 t
Petróleo	36 000 t
Producción industrial	
Acero	2 724 000 t
Cemento	1 908 000 t
Naval	91 600 t
Neumáticos	552 000 unidades
Tejidos de algodón	69 millones de m²
Indicadores sociológicos	
PNB	11 225 millones de dólares
Renta per cápita	1 330 dólares
Esperanza de vida	71 años
Alfabetismo	97,8 %

inviernos rigurosos y veranos cálidos. Precipitaciones abundantes en los Balcanes. Cereales, girasol, tabaco, patata y frutas. Imp. cultivo de rosas que ha creado una ind. de perfumería. Siderúrgica, metalúrgica, mecánica y química. Cap. Sofía. C. prales.: Plovdiu, Varna, Ruse.

* *Hist.* Los romanos llamaron al territorio búlgaro, Mesia inferior. Desde entonces (s. V) hasta el s. XVII, B. se vio sometida a sucesivas invasiones de pueblos vecinos. En el s. XVIII renace el espíritu nacionalista del país. En 1878 consigue la autonomía ante el gobierno turco y, en 1879, se convierte en Est. bajo una monarquía constitucional y un Parlamento unicameral. Al iniciarse la II Guerra Mundial, B. fue ocupada por los al. En 1945, triunfó ampliamente el Frente Patriótico, favorable a la URSS, pero EE UU y Gran Bretaña no reconocieron la victoria. En 1946, un referéndum dio como resultado la proclamación de la rep. y al año siguiente, una nueva constitución configuró al Est. como una democracia popular en estrecha relación con la URSS. La apertura que trajo la *perestroika* supuso para Bulgaria la celebración en 1990 de sus primeras elecciones libres, en cuatro décadas, ganadas por el partido comunista. Desde entonces, los conservadores y los comunistas se han alternado en el poder, intentando recomponer ambos las relaciones económicas del país tanto con Rusia como con Occidente. En las elecciones presidenciales de 1996 obtuvo la mayoría el líder conservador Petar Stoyanov. En junio de 2001 el ant. rey Simeón II venció en las elecciones generales y fue elegido primer ministro, y en noviembre de ese mismo año Gueorgui Parvanov, ex comunista, fue elegido presidente.

BULL, *John* Personificación popular de la nación ing. que tiene su origen en un libro de Arbuthnot (*Historia de John Bull, 1712*).

BULL RUN Río de EE UU, en Virginia. En sus inmediaciones fueron dos veces derrotados los unionistas en la guerra de Secesión.

BULLA f. Ruido confuso de voces, gritos y risas. • Concurrencia de mucha gente.

BULLABESA (fr. de *bouillabaisse*) f. Sopa de pescado, sazonada con especias, vino y aceite.

BULLAJE m. Aglomeración confusa de gente.

BULLANT, *Jean* (1515-1578) Arquitecto fr. Construyó las Tullerías, y los palacios de Soissons y Chantilly, y parte del palacio de Fontainebleau.

BULLARENGUE m. fam. Prenda que, colocada bajo la falda, la abulta por detrás. • *Cuba.* Cosa fingida o postiza.

BULLDOG (voz ing.) m. Buldog.

BULLDOZER (voz ing.) m. Buldózer.

BULLEBULLE com. fam. Persona inquieta y entremetida.

BULLICIO Bulla, ruido confuso. • Alboroto o tumulto. ■ BULLICIOSO, SA.

BULLIONISMO (ing., *bullion*, «lingote») m. *Econ.* Sistema de emisión de billetes regulados en función del valor de su encaje metálico para impedir la inflación del papel-moneda.

BULLIR intr. Hervir el agua u otro líquido. • Agitarse una cosa con movimiento similar al del agua que hierve. • fig. Moverse, agitarse una masa de personas u objetos. • tr. fig. Mover, menear. ■ BULLIDOR, RA.

BULLÓN m. Tinte que está hirviendo en la caldera. • Botón grueso de metal para guarnecer las cubiertas de los libros grandes. • Bollo, plegado de las telas.

BULLRICH, *Silvina* (1915-1990) Novelista arg. *La redoma del primer Ángel, Bodas de cristal, La tercera versión, El hermano Quiroga.*

BULNES, *Manuel* (1799-1866) Militar y político chil. Se separó de las filas realistas para unirse al ejército de San Martín. Participó en la revolución de 1829 y en la guerra contra la Confederación Peruboliviana, durante la cual tomó Lima y venció a Santa Cruz en 1839. Presid. de la rep. (1841-1851). Su mandato fue una etapa de prosperidad y paz interna.

BULO m. Noticia falsa propalada con algún fin.

BÜLOW, *Bernhard von* (1849-1929) Diplomático y político al. Canciller del Imperio (1900-1909). Aunque alentó la expansión de Alemania no pudo evitar su aislamiento en Europa (Triple Entente). • ***Friedrich Wilhelm,*** CONDE DE (1755-1816) General prusiano; contribuyó a las victorias de Leipzig y Waterloo. • ***Hans von*** (1830-1894) Compositor y director de orquesta al., uno de los más grandes intérpretes de Wagner.

BULTMANN, *Rudolf* (1884-1976) Teólogo protestante al. Propuso la teoría de la «desmitologización» de la Biblia. *Teología del Nuevo Testamento, El Evangelio de Juan, Fe y representación.*

BULTO m. Volumen o tamaño de cualquier cosa. • Cuerpo que por la distancia, por falta de luz o por estar cubierto, no se distingue lo que es. • Elevación causada por cualquier hinchazón. • Busto o estatua.• Fardo, baúl, maleta, etc. • Funda de la almohada. • *Amér.* Cartapacio, vademécum.

BULUGGÍN (m. 984) Primer sultán ziri de Ifriqiya. Fundó Argel (960), y conquistó Sicilia y Trípoli (977-978). Le sucedió su hijo al-Mansur.

BULULÚ m. Comediante que iba por los pueblos representando él solo todos los personajes de una comedia, loa o entremés. • *Ven.* Alboroto.

BULWER-LYTTON, *Edward George* (1803-1873) Escritor brit. *Paul Clifford, Zanoni, Los Caxtons, La raza venidera, Kenelm Chillingly, Rienzi, Los últimos días de Pompeya.*

BUMANGUÉS, SA adj. y s. De Bucaramanga.

BUMEDIÁN, *Huari* (1925-1978) Político argelino. Uno de los prales. dirigentes del ejército de liberación nacional. En 1965 derrocó al presid. Ben Bella y tomó el poder. Inició la nacionalización de sectores básicos de la economía (1971) y una reforma agraria (1972). En 1976, al aprobarse una nueva constitución, fue elegido presid. con un 99% de los votos.

BUMERÁN o **BUMERANG** m. Arma arrojadiza formada de una lámina de madera encorvada.

BUNA f. *Quím.* Nombre comercial del caucho artificial, obtenido por polimerización catalítica del butadieno.

BUNCHE, *Ralph Johnson* (1904-1971) Político norteam. de raza negra. En 1947 fue nombrado subsecretario de asuntos políticos especiales de la ONU. Participó en la firma del armisticio entre Egipto e Israel (1948-1949), por lo que le fue concedido el premio Nobel de la Paz (1950). En 1960 fue designado representante de la ONU en Zaire. Subsecretario general de la ONU (1968-1971).

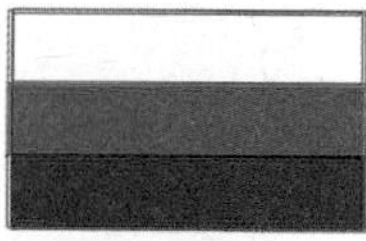

Mapa de situación y bandera de **Bulgaria**

Bulgaria. Detalle de *La Crucifixión*, fresco del monasterio de Boïana. (s. XIII)

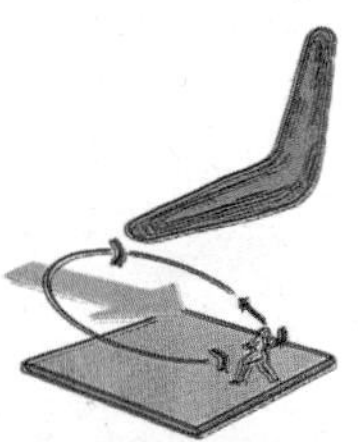

Bumerán

BUNDESRAT Cámara legislativa de Alemania, compuesta por representantes de los *länders*. • Nombre de la cámara territorial en la Confederación de Alemania del N y en el imperio alemán.
BUNDESTAG Asamblea legislativa de Alemania.
BUNDESWEHR Nombre dado, en 1956, al ejército de la RFA.
BUNGALOW (voz. ing.) m. Casa de campo de un solo piso con galería exterior.
BUNGE, *Mario* (nacido 1919) Filósofo y científico arg. Ha sido profesor en las universidades de Buenos Aires, Pennsylvania y Montreal. Especialista en temas de fundamentación y metodologías de las ciencias. *La causalidad, La ciencia, Intuición y ciencia, La investigación científica.*
BURDEL adj. Lujurioso, vicioso. • m. Casa de prostitución. • fig. y fam. Casa o lugar donde hay mucho ruido y confusión.
BURDEOS m. Vino tinto procedente de Burdeos. • adj. y s. Color rojo violáceo.
BURDEOS (fr., *Bordeaux*) C. de Francia cap. del dpto. de la Gironda y de la circunscripción regional de Aquitania. Sit. a orillas del Garona; 210 336 hab. (696 400 la agl. urb.). Puerto fluvial. Agricultura. Comercio e ind. del vino. Universidad.
BURDO, DA adj. Tosco, grosero.
BUREIÁ Río de Rusia, en la prov. de Amur y el territorio de Jabarovsk; 770 km.
BUREL m. *Her.* Faja cuyo ancho es la novena parte del escudo.

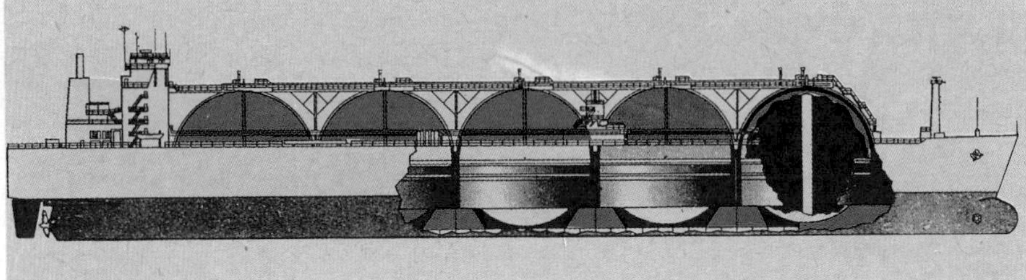

Esquema de un **buque** para el transporte de gas

BUNIATO m. Boniato.
BUNIN, *Iván Alexeievich* (1870-1953) Escritor sov., el mejor prosista, junto a Gorki, de la literatura rusa de nuestro siglo. *La aldea, Las manzanas de Antonov, Sujodol.* Premio Nobel de Literatura en 1933.
BUNIO m. Nabo que se deja para simiente.
BÚNKER (voz al.) m. Casamata, refugio fortificado. • fig. y fam. *Pol.* Ultraderecha.
BUNKER HILL Montaña de Charlestown (Massachusetts), donde tuvo lugar una imp. batalla de la guerra de la indep.
BUNSEN, *Robert Wilhelm* (1811-1899) Químico y físico al. Inventó el mechero de gas que lleva su nombre.
BUNYAN, *John* (1628-1688) Escritor ing. representativo del espiritualismo puritano. *Vida y muerte del señor Badman, El viaje de peregrino.*
BUNYORO Ant. reino del África Oriental, situado en la orilla del lago Mobutu. Sus orígenes se remontan al s. XV.
BUÑUEL, *Luis* (1900-1983) Director cinematográfico esp., nacionalizado mex. Muy relacionado con la generación del 27, en París se decantó por el surrealismo (*Un perro andaluz, La edad de oro*), para derivar a la denuncia social (*Tierra sin pan*), que continuó en su exilio mexicano (*Los olvidados, Nazarín*). En *Viridiana* y *El ángel exterminador* retoma el surrealismo. *Tristana, Belle de jour, Ese oscuro objeto del deseo, Mi último suspiro* (libro autobiográfico).
BUÑUELO m. Masa de harina frita en aceite. ■ BUÑOLERÍA; BUÑOLERO, RA.
BUONARROTI, *Philippe* (1761-1837) Revolucionario fr., de origen it. Presid. del Club de Panteón (neojacobinos). Con Babeuf, fue teórico y cronista de la «conspiración de los Iguales». Bajo Napoleón se exilió a Suiza y, más tarde, a Italia, donde participó en el mov. carbonario. • ***Michelangelo***. → Miguel Ángel.
BUQUE m. Cabida, espacio o capacidad. • *Mar.* Casco de la nave. • Barco de gran tamaño, con cubierta, para navegaciones importantes.
BURBUJA f. Glóbulo de aire u otro gas que sube a la superficie de los líquidos ■ BURBUJEAR; BURBUJEO.
BURCHACA f. Burjaca.
BURCHARD Eggeling, *Pablo* (1874-1964) Pintor chil. de origen al., uno de los grandes maestros de la pintura chil. Premio Nacional en 1944.
BURCHFILED, *Charles E.* (1893-1967) Pintor norteam., figura del movimiento «Escena Americana».
BURCKHARDT, *Jacob* (1818-1897) Historiador suizo. *Historia de la cultura griega, El cicerone, Reflexiones sobre la historia del mundo, La cultura del renacimiento en Italia.*

Burgos. Detalle de la fachada de la casa de Cordón, o del Condestable, de fines del s. XV

BURELADO adj. *Her.* Díc. del escudo que tiene diez fajas, cinco de metal y cinco de color.
BURÉO m. Juzgado en que se conocía de las causas tocantes a las personas que gozaban del fuero de la casa real. • fig. Juerga, diversión.
BURETA f. *Quím.* Tubo de vidrio graduado cuya parte superior está abierta y la inferior se cierra con llave esmerilada.
BURGA f. Manantial de agua caliente.
BURGADO m. Caracol terrestre del tamaño de una nuez pequeña.
BURGALÉS, SA adj. y s. De Burgos.
BURGAS Distrito de Bulgaria, junto al mar Negro; 14 657 km^2; 837 900 hab. • C. de Bulgaria, cap. del distr. hom., 197 600 hab. Centro industrial y minero. Fuentes termales.
BURGELAND Est. federado de Austria, fronterizo con Hungría; 3 965 Km^2; 268 713 hab. Cap., Eisenstadt, 10 102 hab. Lignito, petróleo. Perteneció a Hungría hasta el desmembramiento del imperio austro-húngaro.
BURGER, *Gottfried August* (1747-1794) Poeta al. El último, cronológicamente, de los representantes del mov. literario *Sturm und Drang*. Autor de la balada *Leonora.*
BURGESS Wilson, *John*, llamado ANTHONY (1917-1993) Escritor británico. *La naranja mecánica, Sinfonía napoleónica, El hombre del piano.*
BURGKMAIR, *Hans* (1473-1531) Pintor y grabador al., introductor del renacimiento it. en Alemania. *El triunfo del emperador Maximiliano.*
BURGO m. Ant. aldea. pob. muy pequeña que dependía de otra pral., origen de las ciudades y de la clase burguesa (artesanos y comerciantes).
BURGOMAESTRE m. Primer magistrado municipal de algunas c. de Alemania, Países Bajos, Suiza, etc.
BURGOS Prov. de esp., en la com. autón. de Castilla y León; 14 309 km^2, 350 074 hab.Agricultura y ganadería. Hierro, lignito. Ind. textil, mecánica y agroalimentaria. • C. esp., cap. de la prov. hom.; 163 156 hab.
BURGOS, *Carmen de* (1878-1932) Escritora esp., que utilizó el seud. COLOMBINE. *El retorno, La malcasada.* • ***Francisco Javier de*** (1778-1 849) Político y escritor esp., ministro por dos veces (Fomento y Gobernación). Tradujo las obras completas de Horacio. • ***Javier de*** (1842-1902) Escritor esp. *La boda de Luis Alonso, El baile de Luis Alonso.* • ***Julia C.*** de (1914-1953) Poetisa puertorriq. Activa militante socialista y defensora de la indep. de su país, su poesía se inspira en el amor y en la denuncia de las desigualdades sociales. *Río Grande de Loiza.*
BURGOYNE, *John* (1722-1792) General y lite-

rato brit. Combatió en las guerras coloniales del Canadá y de la independencia estadounidense.
BURGRAVE m. Señor de una ciudad, título usado antiguamente en Alemania. ■ BURGRAVIATO.
BURGUEÑO, ÑA adj. y s. De un burgo.
BURGUÉS, SA adj. Relativo al burgo o al burgués. • adj. y s. Persona que disfruta de una posición económica acomodada. • adj. fig. Vulgar, mediocre.

Los esposos Arnolfini, óleo de Jan Van Eyck que refleja la vida de la **burguesía** naciente

BURGUESÍA f. *Soc.* Conjunto de burgueses. Se considera que forman parte de la b. los financieros, los empresarios industriales y comerciales (*alta b.*); los propietarios de medianas empresas o rurales acomodados, los ejecutivos, cuadros y altos mandos de las empresas (*b. media*); los terratenientes y empresarios industriales y comerciales modestos, los funcionarios, los profesionales liberales y los artesanos (*pequeña b.*).
BURGUIBA, *Habib* (1903-2000) Político tunecino, fundador del partido independentista (Neo-Destur) en 1934. Presidió la Asamblea Constituyente y el gobierno en 1956. Presidente de la rep. en 1964, 1969 y 1974. En 1987 fue destituido de su cargo por incapacidad.
BURGUILLOS, *Tomé de* Seud. usado por *Lope de Vega* en sus *Rimas humanas y divinas*.
BURGUNDIO, A m. y f. Individuo de un ant. pueblo germánico del Vístula. • adj. Relativo a este pueblo. • m. pl. Este mismo pueblo.
BURÍ m. Palma que se cría en Filipinas. • com. Miembro de la dinastía de origen turco que reinó en Damasco de 1104 a 1154. • adj. Relativo a esta dinastía.
BURIATIA Rep. autónoma que se halla en el estado de Rusia, en la Siberia centromeridional; 351 300 km², 1 000 000 hab. Cap., Ulán-Udé. Agricultura y ganadería. Bosques. Oro, hierro. Ind. siderúrgica, mecánica y maderera.
BURIATO, TA m. y f. Individuo de un pueblo mongol que habita en Buriatia. • *Ling.* Lengua hablada por dicho pueblo.
BURIEL adj. De color rojo entre negro y leonado.
BURIL m. Instrumento de acero usado para grabar metales. ■ BURILADA; BURILADURA; BURILAR.
BURIL n. p. *Astr.* Constelación del hemisferio Sur, sit. entre el Eridano y la Paloma.
BURJACA f. Bolsa grande de cuero.
BURKE, *Edmund* (1729-1797) Escritor y político irl., adversario de Pitt; apoyó a los colonos norteam. en contra de las leyes fiscales brit. *Reflexiones sobre la revolución en Francia*. • ***Robert O'Hara*** (1820-1861) Explorador irl. que atravesó por primera vez el continente australiano. • ***Thomas*** (1886-1945) Novelista brit., autor de relatos sobre la vida londinense. *La lluvia y el viento*.

BURKINA FASO Est. del África occidental; rep. unitaria; sit. entre Malí, Níger, Benin, Togo, Ghana y Costa de Marfil. Ocupa una altiplanicie regada por afl. de los ríos Volta, Blanco, Rojo y Negro. Clima tropical de sabana. Agricultura (mijo, sorgo, maíz, algodón y cacahuete), ganadería y yacimientos auríferos. Grupos étnicos: mossi (48 %), fulbé (10 %), lobi (7 %), mandingo (7 %), lobo (7 %), senufo (7 %). Lenguas: fr. (of.), mandé, pular, idiomas voltaicos. *Rel.*: animismo (75 %), islamismo (20 %), catolicismo. U.M.: franco C.F.A. Cap.: Uagadugu. C. pral.: Bobo-Dioulasso.
* *Hist.* Hacia el s. XI los mossi sentaron las bases del imperio *moro naba*, base del actual Est. En 1919 el terr. fue conquistado por los fr., que crearon la colonia de Alto Volta. La República del Alto Volta consiguió la indep. en 1960, pero un golpe militar suspendió el régimen civil desde 1966 hasta 1977, en que se aprobó una nueva constitución. Tras varios golpes militares, se hizo con el poder el capitán Thomas Sankara, que en 1984 otorgó al país la actual denominación y le imprimió un carácter revolucionario. En octubre de 1987 un golpe de Est. dirigido por el capitán Compaore derrocó a Sankara, que murió en el curso de los combates. Se inició el proceso para redactar una nueva Constitución, que fue aprobada en 1991. Blaise Compaore fue reelegido presidente en 1992 y 1997.
BURLA f. Acción o palabras con que se procura ridiculizar a alguien. • Chanza. • Engaño. • **b. burlando.** m. adv. fam. Sin advertirlo o sin darse cuenta de ello. • fam. Disimuladamente o como quien no quiere la cosa. • **De b.,** m. adv. No de veras.

BURKINA FASO

Superficie 274 200 km²

Población 10 324 000 hab. (38 hab./km²)

Recursos económicos	
Azúcar	31 000 t
Algodón	94 000 t
Cabaña bovina	4 350 000 cabezas
Cabaña caballar	23 000 cabezas
Cabaña caprina	5 800 000 cabezas
Maíz	350 000 t
Mandioca	5 000 t
Mijo	831 500 t
Oro	1 618 kg
Pesca	8 000 t
Riqueza forestal	9 771 000 m³
Sorgo	1 232 000 t

Indicadores sociológicos	
PNB	2 417 millones de dólares
Renta per cápita	230 dólares
Esperanza de vida	49 años
Alfabetismo	19,2 %

BURLADERO m. *Taur.* Trozo de valla que se pone delante de las barreras o paredes de las plazas y corrales de toros, para que pueda refugiarse el torero. • Acera que se coloca en medio de calles o plazas para que se refugien los peatones.
BURLADOR, RA adj. y s. Que burla. • m. Libertino habitual que hace gala de deshonrar a las mujeres. • Vaso de barro con agujeros. • Conducto oculto de agua.
BURLAR tr. y prnl. Chasquear. • tr. Engañar, hacer creer lo que no es verdad. • Esquivar a quien va a impedir el paso o a detenerlo. • Frustrar la esperanza, el deseo, etc., de alguno. • intr. y prnl. Hacer burla.
BURLERÍA f. Burla. • Cuento fabuloso.
BURLESCO, CA adj. fam. Festivo, jocoso.
BURLETE m. Tira de tela que se pone en los bordes de puertas y ventanas para que no pase el viento por los resquicios.
BURLÓN, NA adj. y s. Inclinado a decir burlas o hacerlas. • adj. Que implica o denota burla. • m. *Zool.* Ave paseriforme de la familia mimidos de gran habilidad imitativa.
BURLOTE m. En los juegos de azar, partida en que la banca es accidental y transitoria.

Habib **Burguiba**

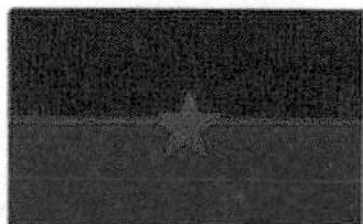
Mapa de situación y bandera de **Burkina Faso**

Colocación de un **burlete**

Fanny **Burney**

BURNE-JONES, ***Edward Coley*** (1833-1898) Pintor brit., uno de los más representativos de la escuela prerrafaelita. *Merlín y Bibiana, El día y la noche.*
BURNEY, ***Fanny*** (1752-1840) Escritora brit., conocida también con el nombre de MADAME D'ARBLAY. *Evelina.*
BURNHAM, ***James*** (1905-1987) Sociólogo norteam. *La revolución direccional.*
BURNS, ***John*** (1858-1943) Político y sindicalista brit. Primer diputado obrero que fue ministro en Inglaterra. Dimitió en 1914, al declararse la I Guerra Mundial. • ***Robert*** (1759-1796) Poeta escocés. *Cantos populares de Escocia.*
BURÓ m. Escritorio.
BUROCRACIA f. *Soc.* Influencia excesiva de los funcionarios en el gobierno. • Clase social que forman los empleados públicos. ■ BURÓCRATA; BUROCRÁTICO, CA.
BUROCRATIZAR tr. y prnl. Dar a una administración los caracteres de la burocracia. ■ BUROCRATIZACIÓN.
BURRA f. Hembra del burro. • adj. y f. fig. Mujer necia o poco instruida. • fig. y fam. Mujer laboriosa y de mucho aguante.
BURRADA f. Manada de burros. • fig. En el juego del burro, jugada hecha contra regla. • fig. y fam. Necedad.
BURRAJO m. Estiércol usado como combustible.
BURRERO m. Acemilero.
BURRO m. Asno, animal solípedo. • Armazón para sujetar una de las cabezas del madero que se ha de aserrar. • Rueda dentada de madera del torno de la seda. • Cierto juego de naipes. • fig. y fam. Persona de poco entendimiento. • fig. y fam. Burro de carga. • fig. *Méx.* Escalera de tijera. • **de carga.** fig. y fam. Hombre laborioso y de mucho aguante. • **Caer uno de su,** o **del b.** fig. y fam. Conocer que ha errado en alguna cosa.
BURROUGHS, ***Edgar Rice*** (1875-1950) Novelista norteam. creador del popular personaje *Tarzán.*
BURROWS, ***Ronald Montagu*** (1867-1920) Arqueólogo y helenista ing., por cuyos estudios se comprobó la veracidad del historiador gr. Tucídides.
BURRUMBADA f. fam. Barrumbada.
BURSA C. de Turquía, en el NO de Anatolia, cap. de la prov. hom.; 614 100 hab. Centro industrial. Aguas termales.
BURSÁTIL adj. *Econ.* Concerniente a la bolsa comercial.
BURSERÁCEO, A adj. y f. *Bot.* Plantas angiospermas dicotiledóneas que destilan resinas y bálsamos. • f. pl. *Bot.* Familia de estas plantas.
BURTON, ***Richard Francis*** (1821-1890) Explorador brit., que viajó por Asia, África, Brasil y Paraguay. • ***Richard*** (1925-1984) Actor cinematográfico brit. (galés). *Cleopatra, Beckett, La noche de la iguana, El espía que surgió del frío.* En el teatro, especialista en la interpretación de obras de Shakespeare. • ***Robert*** (1577-1640) Escritor ing., denominado el «Montaigne inglés». *La anatomía de la melancolía.*

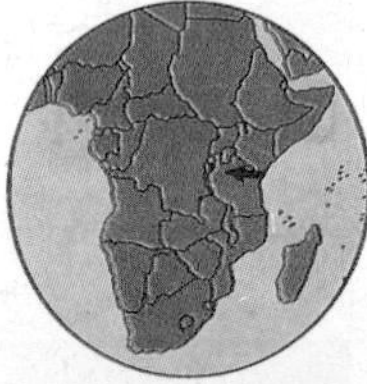

Mapa de situación y bandera de **Burundi**

BURUCA f. *Guat.* Boruca.
BURUCUYÁ f. *Amér.* Pasionaria.
BURUJO m. Pella que se forma apretándose unas con otras las partes que debían estar sueltas. • Borujo, masa de aceituna molida.
BURUJÓN m. aum. de burujo. • fig. y fam. Chichón.
BURUNDANGA f. *Amér.* Morondanga. • *P. Rico.* Plato en que entran diferentes hortalizas.
BURUNDI *(Republika y'Uburundi)* Estado centroafricano, sit. al N del lago Tanganica. Limita con la República Democrática del Congo, Ruanda y Tanzania. Configurado básicamente por una altiplanicie surcada por varios ríos, entre los que destaca el Ruvuvu. Clima tropical y pluviosidad irregular. Economía agropecuaria. Cereales, batata, mandioca, café, algodón y tabaco. Ganado caprino y ovino. Fabricación de cerveza y cemento. Lenguas: fr. y kirundi (of.); swahili. • *Rel.*: católicos (63%), animistas (33%), etc. U.M.: franco de B. Cap.: Bujumbura.
* *Hist.* Desde 1884 hasta 1916 el país formó parte del África Oriental Alemana, pero al terminar la Gran Guerra, la Sociedad de Naciones lo puso bajo mandato belga (territorio de Ruanda-Urundi). En 1961, Urundi se separó de Ruanda y tomó la denominación actual. En 1962 obtuvo definitivamente la indep. Siguieron unos años de intensas luchas internas y conflictos tribales que en ocasiones llegaron al genocidio (matanza de los hutu con más de 100 000 muertos). A partir de 1976, se inició una etapa de una cierta distensión política, truncada por diversos golpes de est. (1987, 1993) y magnicidios (M. Ndadaye, 1993; C. Ntaryamira, 1994). En 1988 la minoría tutsi en el poder perpetró una nueva matanza de hutus, repetida en abril 1994. En 1996 Pierre Buyoya dio un golpe de est. y asumió la presidencia de la rep.

George W. **Bush**

BURUNDI

Superficie 27 834 km²

Población 5 982 000 hab. (215 hab./km²)

Recursos económicos	
Cabaña bovina	420 000 cabezas
Cabaña caprina	920 000 cabezas
Cabaña ovina	350 000 cabezas
Cerveza	1 383 000 hl
Mandioca	501 000 t
Plátanos	1 421 000 t
Riqueza forestal	4 831 000 m³
Sorgo	66 000 t

Indicadores sociológicos	
PNB	984 millones de dólares
Renta per cápita	160 dólares
Esperanza de vida	49 años
Alfabetismo	42,2 %

Burundi. Vista del río Akanyaru, en la frontera con Ruanda

BUS m. fam. Autobús. • *Comp.* Conductor que permite transmitir información entre diversos periféricos o usuarios. Se conocen tres tipos de bases: *de direcciones, de datos* y *de control.*
BUSCA f. Tropa de cazadores y perros, que corre el monte para levantar la caza.
BUSCADOR, RA adj. y s. Que busca. • adj. y m. Anteojo pequeño de mucho campo que forma cuerpo con los telescopios, refractores y reflectores, para facilitar su puntería. • Dispositivo para la localización de averías en las conducciones de gases, líquidos o corrientes eléctricas. • Instrumento que determina la magnitud de las desviaciones angulares de un vehículo espacial con respecto a las direcciones previstas.
BUSCANIGUAS m. *Amér.* Buscapiés.
BUSCAPIÉ m. fig. Cosa que se suelta para rastrear y poner en claro alguna cosa.
BUSCAPIÉS m. Cohete que, una vez encendido, corre por el suelo.
BUSCAPIQUES m. *Perú.* Buscapiés.
BUSCAPLEITOS com. Picapleitos.
BUSCAR tr. Hacer gestiones para encontrar alguna persona o cosa. • Irritar, provocar. ■ BUSCADA.
BUSCARRUIDOS com. fam. Persona inquieta y pendenciera. • m. *Mar.* Embarcación menor que iba de exploradora delante de una flota.
BUSCAVIDAS com. fam. Persona curiosa en averiguar las vidas ajenas. • fig. y fam. Persona diligente en buscarse el modo de vivir.

BUSCÓN, NA adj. y s. Que busca. • Díc. de la persona que hurta o estafa. • f. Ramera.
BUSH, ***George*** (nacido 1924) Político estadoun., del Partido Republicano. Director de la CIA (1975-1976). Vicepresid. durante los dos mandatos de Reagan (1981-1988). Resultó elegido presid. en 1988, pero en 1992 le derrotó el demócrata Bill Clinton. • ***George W.*** (nacido 1946) Político estadoun., hijo del anterior. Gobernador del estado de Texas desde 1995, en 2000 venció en las elecciones presidenciales como candidato del Partido Republicano.
BUSILIS m. fam. Punto en que estriba la dificultad del asunto de que se trata.
BUSONI, ***Ferruccio*** (1866-1924) Compositor it. Reputado intérprete de la obra de Liszt, son famosos sus arreglos para piano de piezas de Bach. Publicó *Acerca de la unidad de la música*. Compuso óperas *(Doctor Fausto)*, suites sinfónicas y conciertos.
BÚSQUEDA f. Investigación científica.
BUSQUILLO m. fam. *Chile* y *Perú*. Buscavidas, persona diligente en buscar el modo de vivir.
BUSTAMANTE, ***Anastasio*** (1780-1853) Militar y político mex. Participó en la guerra de la indep. Vicepresid. en 1829 y presid. en 1830. Derrocado en 1832, gobernó de nuevo entre 1837-1841, período en el que hubo de hacer frente a las ambiciones norteam. y fr. • ***Bartolomé de*** (1492-1570) Arquitecto esp. Jesuita. Su estilo es de transición entre el clasicismo de Bramante y el plateresco. • ***Carlos María de*** (1774-1848) Escritor y político mex. Participó en la guerra de la independencia, en la que cayó prisionero. Se unió a Santa Anna, pero de nuevo cayó en prisión acusado de conspiración contra Iturbide. A la caída del Imperio, fue reelegido en el congreso que elaboró la Constitución Federal. *Cuadro histórico de la revolución de la América mexicana*. • ***José Rafael*** (1881-1961) Escritor, diplomático y político ecuat. Recopiló sus ensayos en *Filosofía de la libertad*. • ***Manuel Basilio*** (mediados s. XIX) Político ur. Presid. interino de la rep. en 1855. Dimitió un año después. • ***Ricardo José*** (1821-1886) Poeta modernista bol. Autor del Himno Nacional. *Laurel fúnebre al general Ballivián*. • ***William Alexander*** (1884-1977) Político jamaicano, prócer de la indep. Jefe de gobierno (1962-1968). • **Rivero,** ***José Luis*** (1894-1989) Abogado y político per. Presid. de la rep. en 1945. • **Y Guerra,** ***José*** (1759-1825) Marino esp. Gobernador de Uruguay y capitán general de Guatemala. • **Y Septién,** ***Benigno*** (1784-1858) Político y científico mex. Vicegobernador de Guanajuato (1827). Levantó el mapa de Guanajuato.
BUSTILLO, ***Alejandro*** (1889-1982) Arquitecto arg., destacado representante del «eclecticismo».
BUSTO m. Escultura de la cabeza y parte superior del tórax. • Parte superior del cuerpo humano.
BUSTOS, ***Hermenegildo*** (1832-1907) Pintor mex., especializado en retratos. • ***Juan Bautista*** (1779-1830) Militar y político arg. Luchó contra los brit. (1806-1807) y fue elegido gobernador de Córdoba (1820-1828). Afecto al federalismo.
BUSTRÓFEDON o **BUSTROFEDON** adv. modo. Escribir trazando un renglón de izquierda a derecha, y el siguiente de derecha a izquierda.
BUTACA f. Silla de brazos con el respaldo inclinado hacia atrás. • Luneta, asiento de teatro.

BUTÁN

Superficie 47 000 km²

Población 1 476 000 hab. (31 hab./km²)

Recursos económicos	
Arroz	43 000 t
Cabaña bovina	413 000 cabezas
Cabaña porcina	73 000 cabezas
Maíz	40 000 t
Patatas	33 000 t
Riqueza forestal	3 224 000 t

Indicadores sociológicos	
PNB	260 millones de dólares
Renta per cápita	180 dólares
Esperanza de vida	48 años
Alfabetismo	38 %

BUTADIENO m. *Quím.* Hidrocarburo con dos dobles enlaces, de fórmula $CH_2 = CH — CH = CH_2$. Está contenido en los gases que se desprenden en el *cracking* del petróleo.
BUTÁN ***(Druk Yul)*** Est. del Asia centromeridional, limítrofe con la República Popular China (Tibet) al N, la Unión India al S, el E y O. Sit. en la vertiente meridional del Himalaya. Dos zonas climáticas: la del N, cubierta de colinas, con una densa vegetación tropical y clima monzónico; en el S, clima muy frío. Ríos: afl. del Brahmaputra. Agricultura (arroz, patatas, mijo, maíz), ganadería trashumante e ind. artesanales. Lenguas: dzongkha (of.), inglés. • *Rel.*: budismo mahayana. U. M.: rupia india. Cap.: Thimphu (verano); Punakha (invierno).
* *Hist.* Durante el s. XIX, el gobierno de B. lo compartieron dos soberanos: el *Dharm* rajá, encarnación de Buda y el *Deb* rajá, gobernador político. En 1865, fue invadido por los brit. Desde 1907 lo gobierna la dinastía actual que en 1910 aceptó el protectorado brit., para pasar en 1949 a la Unión India. En 1971 B. ingresó en la ONU. Durante la década de 1990 se registró un creciente movimiento opositor que reclamó una mayor democratización del régimen.

Bután. Arriba, mapa de situación y bandera; abajo, monasterio de Taksang Dzong

BUTANO m. *Quím.* Hidrocarburo saturado gaseoso (C_4H_{10}), presente en las emanaciones gaseosas de los pozos de petróleo y de los productos del *cracking* de los aceites pesados. ■ BUTANERO, RA.
BUTEN (De) loc. fam. De primera, de lo mejor.
BUTENANDT, ***Adolf Friedrich Johannes*** (1903-1995) Químico al. Aisló la foliculina y sintetizó la hormona del cuerpo lúteo. Premio Nobel de Química en 1939.
BUTIFARRA f. Embutido que se come tierno. • *Perú.* Pan dentro del cual se pone un trozo de jamón y un poco de ensalada. • fig. y fam. Calza o media muy ancha. ■ BUTIFARRERO, RA.
BUTILO m. Radical orgánico derivado del butano.
BUTÍRICO, CA adj. *Quím.* Díc. de un ácido graso, líquido, viscoso, parcialmente soluble en agua y alcohol. • Relativo a este ácido.
BUTIRO m. Mantequilla de vaca. ■ BUTIROSO, SA.
BUTIRÓMETRO m. Instrumento para medir la cantidad de materias grasas de la leche.
BUTLER, FRAY ***Guillermo*** (1880-1961) Pintor arg. Premio Nacional de Pintura en 1925. Fundador de la Academia Beato Angélico. • ***Nicholas Murray*** (1862-1947) Pedagogo y publicista norteam. Organizó y presidió la fundación Carnegie para la paz. Premio Nobel de la Paz en 1931. • ***Samuel*** (1612-1680) Poeta brit., célebre por su epopeya satírica *Hundibras*. • ***Samuel*** (1835-1902) Escritor brit., autor de corrosivas sátiras contra la sociedad victoriana. *El camino de la carne*, *La vida y las costumbres*, *Erewhon*.
BUTOMÁCEO, A adj. y f. *Bot.* Plantas monocotiledóneas que tienen por tipo el junco florido. • f. pl. *Bot.* Familia de estas plantas.
BUTOR, ***Michel*** (nacido 1926) Novelista fr., representante del «nouveau roman». *El empleo del tiempo*, *La modificación*.
BUTROS GHALI, ***Butros*** (nacido 1922) Diplomático egipcio. Ministro de asuntos extranjeros. Participó en el acuerdo de paz entre Egipto e Is-

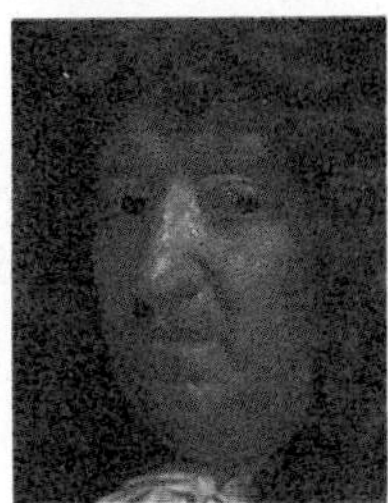

Samuel **Butler**

Butros Ghali

rael (1979) y en la coalición del mundo árabe frente a Saddam Hussein en la guerra del Golfo (1991). Secretario general de la ONU (1992-1996).

BUXTEHUDE, *Dietrich* (1637-1707) Compositor y organista germano-danés. Escribió gran número de obras vocales e instrumentales. Una de las fuentes prales. de la música de órgano al. en los ss. XVII-XVIII.

BUYO m. Pasta hecha con el fruto de la areca, hojas de betel y cal de conchas, que mascan los naturales de algunos pueblos del Extremo Oriente.

BUYS-BALLOT, *Christoph Hendrik* (1817-1890) Meteorólogo hol. Realizó experimentos sobre el efecto Doppler.

BUZ m. Beso de reconocimiento y reverencia. • Labio de la boca.

BUZAMIENTO m. *Geol.* Ángulo diedro que forma el plano de un estrato con la horizontal.

BUZAR intr. Inclinarse hacia abajo los filones o las capas del terreno. • Bucear.

BUZARDA f. *Mar.* Cada una de las piezas curvas con que se liga y fortalece la proa de la embarcación.

BUZO m. El que trabaja sumergido en el agua.

BUZÓN m. Conducto por donde desaguan los estanques. • Agujero por donde se echan las cartas para el correo. • P. ext., caja o receptáculo donde caen los papeles echados por el b. • Tapón de cualquier agujero para dar entrada o salida al agua u otro líquido. • Sumidero.

Lord **Byron,** según un retrato de R. Westall

BWANA (voz swahili) m. Amo, señor.

BYDGOSZCZ (al., *Bromberg*) Voivodato del N de Polonia, en Posnania; 10 349 km²; 1 074 100 hab. • C. del N de Polonia, cap. del voivodato hom.; 361 400 hab. Centro comercial e industrial.

BYNG, *George,* VIZCONDE DE TORRINGTON (1663-1733) Almirante brit. Primer lord del Almirantazgo en 1727.

BYRD, *Richard Evelyn* (1888-1957) Explorador, aviador y marino norteam.; el primero que sobrevoló el polo Norte (1926) y el polo Sur (1929); dirigió varias expediciones a la Antártida. • ***William*** (1543-1623) Compositor ing., que destacó en la música polifónica sacra. Compuso salmos, madrigales y obras instrumentales.

Dos tipos de **buzo:** 1. Hombre rana. 2. Buzo con escafandra

BYRON, *George Gordon,* LORD (1788-1824) Poeta brit., arquetipo del héroe romántico. *La peregrinación de Childe Harold*, *Horas de solaz*, *Mazeppa*, *Lara*, *Caín*, *Don Juan*.

BYSTRÖM, *Johan Niklas* (1783-1848) Escultor sueco, una de cuyas obras más destacadas es un colosal busto de Carlos XIV.

BYTE (voz ing.) m. *Comp.* Cadena fija de ocho bits que se emplea para codificar un carácter. Se denomina también octeto.

BYTOM (al., *Beuthen*) C. de Polonia en la Alta Silesia; 239 200 hab. Gran centro minero e industrial.

Caballería cristiana medieval

C f. Tercera letra del alfabeto español y segunda de sus consonantes. Su nombre es *ce*. Ante las vocales *e*, *i* se pronuncia como *z*, con las mismas variedades de articulación e igual extensión geográfica y social del seseo. En cualquier otra posición se pronuncia en todos los países de lengua española con articulación velar, oclusiva y sorda (como *k*). • Con una pequeña vírgula debajo, cedilla. • Núm. rom[illegible]quivalente a 100. • *Fís*. Símb. del culombio. •[illegible]ímb. del grado centesimal o de grado Celsius [illegible]*Mús*. Indicación del compás de cuatro tiem-[illegible]*Quím*. Símb. del carbono. [illegible]*uím*. Símb. del calcio.

[illegible]! interj. fam. ¡Quia!

CAABA → Kaaba.

CAACUPÉ C. de Paraguay, cap. del dpto. de La Cordillera; 9 100 hab. Azúcar, aceite de coco. Turismo.

CAAGUAZÚ Dpto. de Paraguay, accidentado por la cord. hom.; 11 474 km^2, 462 500 hab. Cap., Coronel Oviedo. Explotación forestal. Tabaco, café, cereales. Ganadería vacuna. • Mun. de Paraguay, en el dpto. hom.; 58 700 hab. Ganadería, yerba mate.

CAAMAÑO, *Francisco* (1933-1973) Militar y político dom. Dirigió con éxito un levantamiento que impuso la constitución de 1963. En 1973 se le dio por muerto oficialmente. • ***José María Plácido*** (1838-1901) Político ecuat. Encabezó la rev. contra Veintemilla. Presid. de la rep. (1884-1888). • ***Roberto*** (nacido 1923) Pianista y compositor arg. Director del Teatro Colón (1960-1964). *Variaciones amerindias* (orquesta), *Concierto para bandoneón y orquesta*, *Salmos*.

CAAZAPÁ Dpto. del SE de Paraguay; 9 496 km^2, 132 000 hab. Relieve suave. Terreno llano y pantanoso al SO. Tabaco, yerba mate, naranja. Ganadería. Explotación forestal. Cap. la c. hom. (2 900 hab.).

CABA, *Eduardo* (1890-1953) Compositor bol. Director del Conservatorio Nacional de La Paz (1942). *Potosí*, *Aires indios*.

CABADA, *Juan de la* (1903-1986) Escritor mex., de inspiración indigenista. *Paseo de mentiras*, *Cuentos completos*.

CABAIGUÁN Mun. de Cuba, en la prov. de Sancti Spíritus; 60 500 hab. Ganado vacuno. Tabaco.

CABAL adj. Ajustado a peso, medida o precio. • Díc. de lo que corresponde a cada uno. • fig. Completo, acabado. • adv. modo. Cabalmente.

CABAL, *José María* (1770-1816) Militar y naturalista col. Liberó a Popayán de los realistas (1815), pero fue hecho prisionero y fusilado.

CÁBALA f. Tradición oral judía que explicaba el sentido de los libros del A. T. • Arte supersticioso que por medio de combinaciones de las letras hebraicas y de las palabras de la Sagrada Escritura, quiere descubrir su sentido. • fig. Cálculo supersticioso para adivinar una cosa. • fig. y fam. Negociación secreta. ■ CABALISTA; CABALÍSTICO, CA.

CABALGADA f. Tropa de jinetes que salía a recorrer el campo enemigo.

CABALGADURA f. Bestia en que se cabalga. • Bestia de carga.

CABALGAMIENTO m. *Ret*. Hipermetría.

CABALGAR intr. y tr. Montar a caballo. • intr. Andar o pasear a caballo. • *Eq*. Mover el caballo los remos cruzando el uno sobre el otro. • tr. Cubrir el caballo u otro animal a su hembra.

CABALGATA f. Conjunto de jinetes, caballos y carruajes que desfilan en una fiesta popular.

CABALLA f. Pez perciforme de la familia escómbridos, de carne bastante apreciada.

CABALLADA f. Manada de caballos. • *Amér*. Animalada.

CABALLAJE m. Acción de cubrir el caballo o el burro a la hembra. • Precio que se paga por cubrirla.

Venta de artesanía en una calle de **Caacupé**

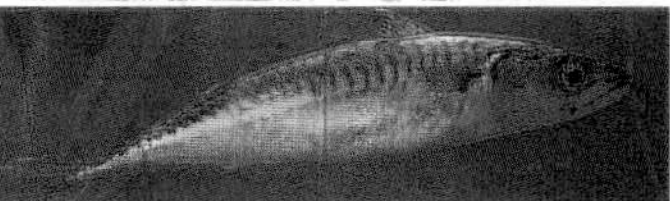

Caballa, pez propio del Atlántico norte

CABALLAZO m. *Chile* y *Méx*. Encontrón que da un jinete a otro o a alguno de a pie, echándole encima el caballo.

CABALLÉ, *Montserrat* (nacida 1933) Soprano esp. Cultiva la ópera y el concierto (*lied*).

CABALLEJO m. Caballo malo. • Potro en que se daba tormento.

CABALLEREAR intr. Actuar de caballero.

CABALLERETE m. fam. Joven presumido.

CABALLERÍA f. Cualquier équido que se utiliza como montura. • *Mil*. Cuerpo del ejército formado por soldados a caballo y, modernamente, motorizados. • Nombre de ciertas órdenes militares. • Clase formada por los caballeros. • Institución militar feudal.

CABALLERIZA f. Estancia de los caballos y bestias de carga. • Conjunto de caballos o mulas de una caballeriza. ■ CABALLERIZO.

CABALLERO, RA adj. Que cabalga. • Porfiado. • m. Hidalgo de calificada nobleza. • El que per-

Montserrat **Caballé**

Caballero medieval

tenece a alguna ant. orden de caballería. • El que se porta con nobleza. • Señor, término de cortesía. • *Mil.* Obra de fortificación bastante elevada sobre una plaza. • **andante.** En los libros de caballerías, el que anda buscando aventuras. ■ CABALLERESCO, CA; CABALLEROSIDAD; CABALLEROSO, SA.

CABALLERO, ***Bernardino*** (1839-1912) Militar y político par. Héroe de la guerra contra la Triple Alianza (1865-1870). Presid. de la rep. (1880-1886). • ***Fermín*** (1800-1876) Político y geógrafo esp. Ministro de la Gobernación (1844). *Fomento de la población rural.* • ***Fernán*** → Fernán Caballero. • ***Manuel Fernández*** (1835-1906) Compositor esp. de zarzuelas. *Gigantes y cabezudos, Los sobrinos del capitán Grant.* • ***Pedro Juan*** (1786-1821) Militar par. Luchó por la indep. Miembro de la primera Junta de gobierno. • **Calderón,** ***Eduardo*** (nacido 1910) Escritor y político col. *El Cristo de espaldas, El buen salvaje, Caín y Sudamérica, tierra del hombre.* • **De la Torre,** ***José Agustín*** (1771-1835) Eclesiástico y pedagogo cub. Autor del primer proyecto de autonomía colonial.• **Holguín,** ***Luis*** (nacido 1943) Pintor y dibujante col. Afincado en París. Intervino en la bienal de São Paulo.

CABALLEROTE m. fam. Caballero tosco.

CABALLETA f. Saltamontes, insecto.

CABALLETE m. Línea de un tejado, de la cual arrancan dos vertientes. • Caballón. • Prominencia de la nariz que la hace corva. • *Zool.* Quilla de las aves. • Armazón en que se coloca el cuadro.

CABALLETE DEL PINTOR *Astr.* Constelación austral situada al N del Fénix.

Caballito del diablo

CABALLITO m. dim. de caballo. • *Méx.* Metedor de los niños pequeños. • *Perú.* Especie de balsa compuesta por odres. • pl. Tiovivo. • **del diablo.** *Zool.* Insecto ondonato de hermoso color. • **de mar.** *Zool.* Hipocampo, pez teleósteo. • **de San Vicente.** *Cuba* y *Hond.* Caballito del diablo. • **de siete colores.** *Perú.* Nombre de un hermoso coleóptero. • **de totora.** *Perú.* Embarcación hecha de haces de totora, para el transporte individual.

CABALLO m. *Zool.* Mamífero ungulado de la familia équidos. Se domestica con facilidad y es muy inteligente. • Pieza del ajedrez. • Naipe que representa un caballo con su jinete. • Buba. • **del diablo.** Caballito del diablo. • **de mar.** Caballo marino. • **de Troya.** Artefacto de madera con que los gr. asaltaron Troya. • **de vapor.** *Fís.* Unidad de potencia que representa la necesaria para levantar, a 1 m de alt. en un segundo, 75 kg de peso. • **marino.** Hipopótamo. • Hipocampo, pez teleósteo. • **A c.** m. adv. Montado en una caballería. • **A mata c.** m. adv. Atropelladamente. ■ CABALLAR; CABALLEAR; CABALLISTA; CABALLUNO, NA.

Caballito de mar

CABALLO MENOR *Astr.* Constelación boreal situada al oriente de Pegaso.

CABALLÓN m. Lomo entre surco y surco. •El que se levanta con la azada para erar las huertas. • El que se dispone para contener las aguas.

CABALONGA f. *Cuba* y *Méx.* Haba de San Ignacio, arbusto.

CABANIS, ***Pierre Jean Georges*** (1757-1808) Médico y filósofo fr., de la corriente de los ideólogos. *Tratado de física y de moral del hombre.*

CABANYES, ***Manuel de*** (1808-1833) Poeta esp. prerromántico. *Preludios de mi lira.*

CABAÑA f. Caseta tosca de palos entretejidos con cañas y cubierta de ramas o hierbas. • Conjunto de los ganados de una región, país, etc. ■ CABAÑAL; CABAÑERO, RA; CABAÑIL.

CABAÑAS Dpto. del N de El Salvador, fronterizo con Hond.; 1 104 km^2, 151 968 hab. Sit. en la vertiente S de la cord. Centroamericana. Cap., Sensuntepeque. Arroz. Carbón y plata. Central hidroeléctrica en el r. Lempa. • Mun. de Cuba, en la prov. de Pinar del Río; 33 000 hab. Ganadería. Azúcar.

CABAÑAS, ***Lucio*** (1938-1974) Guerrillero mex. Maestro rural, se alzó en armas en defensa de un programa agrario. Pereció en un enfrentamiento con el ejército. • ***Trinidad*** (m. 1871) Militar y político hond. Presid. de la rep. (1852-1855). Fue derrocado por el guat. Carrera.

CABAÑENSE adj. y s. De Cabañas.

CABAÑUELAS f. pl. Primeras lluvias de verano.

CABARET (voz fr.) m. Local público donde se bebe, se baila y se representan espectáculos. ■ CABARETERA.

Caballo

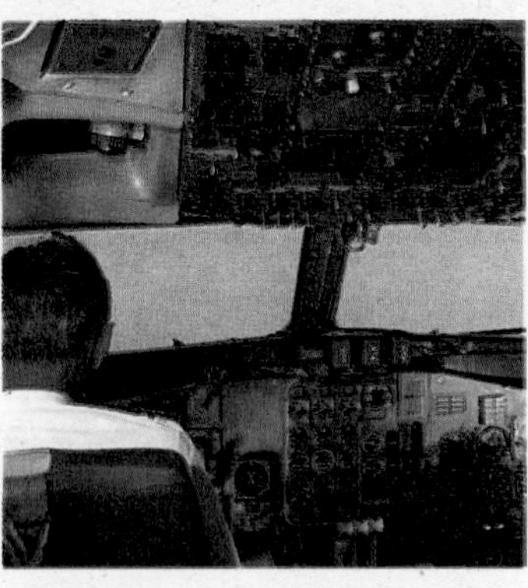
Cabina de mandos de un avión

CABARRÚS, ***Francisco,*** CONDE DE (1752-1810) Financiero y político esp., nacido en Bayona (Francia). Primer director del Banco Nacional de San Carlos y creador de la Compañía de Filipinas. En 1808 tomó partido por José Bonaparte. • ***Teresa*** (1773-1835) Dama esp., hija del anterior, residente en Francia. Acusada durante el Terror, se salvó gracias a su amante, y luego esposo, Tallien.

CABÁS (voz fr.) m. Cesto para llevar la compra.

CABE prep. Cerca de, junto a.

CABECEAR intr. Mover la cabeza de un sitio a otro, de arriba abajo. • Inclinar la cabeza hacia el pecho cuando uno se va durmiendo. • *Mar.* Moverse la embarcación subiendo y bajando la proa. • Inclinarse lo que estaba en equilibrio. • *Chile.* Formar las puntas de los cigarros. • *Enc.* Poner cabezadas en un libro. • En fútbol, golpear la pelota con la cabeza. ■ CABECEAMIENTO; CABECEO.

CABECERA f. Principio o parte pral. de algunas cosas. • Parte pral. de un sitio en que se juntan varias personas. • Parte de la cama donde se ponen las almohadas. • Población pral. de un territorio. • Almohada. • *Art. Gráf.* Adorno en la cabeza de una página o capítulo. • *Enc.* Cada extremo del lomo de un libro.

CABECIDURO, RA adj. y s. *Amér.* Testarudo.

CABECILLA com. Jefe de rebeldes. • P. ext., el que capitanea cualquier grupo.

CABELLERA f. El pelo de la cabeza. • *Astr.* Cola luminosa de los cometas.

CABELLERA DE BERENICE *Astr.* Constelación cuya denominación latina es *Coma Berenices.*

CABELLO m. Cada uno de los pelos de la cabeza. • Conjunto de todos ellos. • **de ángel.** Dulce de calabaza en almíbar. • *Amér.* Planta enredadera, de ramas larguísimas. • *Chile* y *Perú.* Planta convolvulácea, especie de cuscuta. ■ CABELLUDO, DA.

CABELLO Balboa, ***Miguel*** (1535-1608) Misionero esp. *Historia del Perú.* • **De Carbonera,** ***Mercedes*** (1845-1909) Novelista per. cuya obra es un intento realista de desterrar el romanticismo y el naturalismo. *Blanca Sol, El conspirador.*

CABER intr. Poder contenerse una cosa dentro de otra. • Tener lugar o entrada. • Tocarle a uno alguna cosa. • Ser posible.

CABESTRAR tr. Echar cabestros a las bestias.

CABESTREAR intr. Seguir dócilmente la bestia al que la lleva del cabestro.

CABESTRILLO m. Vendaje que se sujeta al cuello para sostener o inmovilizar una mano o brazo.

CABESTRO m. Ramal que se ata a la cabeza de la caballería para llevarla o asegurarla. • Buey manso que sirve de guía en las toradas. ■ CABESTRAJE; CABESTRERÍA.

CABET, ***Étienne*** (1788-1856) Socialista fr. Fundó el diario *Le Populaire.* Fracasó en su intento de formar una comunidad socialista en EE UU. *Viaje a Icaria.*

CABETE m. Herrete, pieza metálica.

CABEZA f. Parte pral. o superior de una cosa. • *Anat.* Parte superior del cuerpo del hombre y superior o anterior de los animales. • Cráneo. • Parte opuesta a la punta del clavo, donde se dan los golpes para clavarlo. • fig. Capacidad, talento. • fig. Persona. • fig. Res. • fig. Población principal de un sitio. • m. Jefe que gobierna una comunidad. • Jefe de una familia que vive reunida. • **de ajo.** Conjunto de partes que forman el bulbo de la planta llamada ajo. • **de chorlito.** fig. y fam. Persona alocada. • **de lectura/grabación.** *Comp.* Elemento capaz de traducir las magnetizaciones de tarjetas, cintas, discos o tambores en impulsos eléctricos que recorren los circuitos lógicos de un ordenador, y, a la inversa, capaz de codificar magnéticamente a partir de impulsos suministrados por el ordenador. • **de puente.** Posición militar en territorio enemigo para preparar el paso del grueso de las fuerzas. • **de turco.** fig. y fam. Persona a la que siempre se hace blanco de inculpaciones. • **nuclear.** Bomba nuclear con que van armados algunos misiles. • **Mala c.** fig. y fam. Persona que procede sin juicio.

CABEZA de Vaca, *Álvar Núñez* (1507-1559) Explorador y conquistador esp. Superviviente de la expedición de Pánfilo de Narváez a la Florida (1527), recorrió a pie la zona sur de los EE UU y el N de México. Gobernador del Río de la Plata. *Naufragios y comentarios.*

CABEZADA o **CABECEADA** f. Golpe dado con la cabeza. • El que se recibe en ella, chocando con un cuerpo duro. • Cada movimiento que hace con la cabeza el que se va durmiendo. • Inclinación de cabeza, como saludo de cortesía. • Correaje que ciñe la cabeza de una caballería. • Guarnición que sirve para afianzar el bocado de las caballerías. • *Enc.* Cordel con que se cosen las cabeceras de los libros.

CABEZAL m. Almohada pequeña. • Vendaje que se pone sobre las heridas. • Almohada larga que ocupa toda la cabecera de la cama. • *Ind.* Parte de las máquinas-herramienta en la que van montados los elementos que transmiten el movimiento del motor al eje o árbol de transmisión.

CABEZAZO m. Cabezada, golpe dado con, o en, la cabeza.

CABEZO m. Cerro alto o cumbre de una montaña. • Montecillo aislado. • *Mar.* Roca que sobresale del agua.

CABEZÓN, NA adj. fam. Cabezudo, de cabeza grande. • fig. Terco. • *Amér.* Cabezudo o espiritoso. ■ CABEZONADA.

CABEZORRO m. fam. Cabeza grande.

CABEZOTA f. Cabeza grande. • adj. y s. fig. y fam. Persona testaruda.

CABEZOTE m. Piedra usada en mampostería.

CABEZUDO, DA adj. Que tiene grande la cabeza. • fig. y fam. Terco. • fig. y fam. Díc. del vino muy espirituoso. • m. Figura de enano de gran cabeza. • Mújol, pez.

CABEZUELA f. Harina más gruesa del trigo. • Heces que cría el vino. • *Bot.* Planta herbácea mediterránea usada para hacer escobas. • Botón de la rosa, usado en perfumería. • *Bot.* Capítulo. • com. fig. y fam. Persona de poco juicio.

CABIDA f. Capacidad de una cosa para contener otra. • Extensión superficial de un terreno.

CABILA f. Tribu de beduinos en el N de África. ■ CABILEÑO, ÑA.

CABILDANTE m. *Amér. Merid.* Regidor o concejal.

CABILDEAR intr. Gestionar con maña para ganar partidarios en un cuerpo o corporación. ■ CABILDEO; CABILDERO, RA.

CABILDO m. Comunidad de eclesiásticos capitulares de una iglesia. • Ayuntamiento, corporación compuesta de un alcalde y varios concejales. • Junta celebrada por un cabildo. • Sala donde se celebra. ■ CABILDADA.

CABILIA → Kabilia.

CABILLO m. Pezón de las plantas.

CABIMAS Mun. de Venezuela, en el est. Zulia; 154 700 hab. Puerto internacional. Petróleo.

CABIMIENTO m. Cabida, capacidad.

CABINA f. Pequeño departamento, gralte. aislado. • Locutorio telefónico. • Recinto de un cine, sala de conferencias, etc., donde están los aparatos de proyección. • Departamento en los aviones para la tripulación, y en otros vehículos para el conductor. • Recinto para mudarse la ropa en playas, etc. • *Astron.* Sección de una astronave reservada para la tripulación y para el equipo y aparatos necesarios para el vuelo.

CABINDA Distr. de Angola, sit. al N de la desembocadura del r. Congo, entre Zaire y la República del Congo; 7 270 km², 107 900 hab. Cap., la c. hom., 21 100 hab. Agricultura. Petróleo.

CABINERA f. *Col.* Azafata de avión.

CABIO m. Listón que se atraviesa a las vigas para formar suelos y techos. • *Arq.* Madero sobre el cual van asentados los maderos de suelo. • *Arq.* Cabrio de una armadura del tejado. • *Carp.* Travesaño superior e inferior del marco de las puertas o ventanas.

CABIZBAJO, JA adj. Que tiene la cabeza inclinada hacia abajo, por preocupación o vergüenza.

CABLE m. Maroma gruesa. • fam. Cablegrama. • *Mar.* Medida de 120 brazas, equivalentes a 190,64 m. • Hilo metálico para la conducción de la electricidad y para la telegrafía y telefonía subterránea o submarina. • **herciano.** Sistema de comunicación realizado mediante ondas electromagnéticas. • **submarino.** El eléctrico, aislado, reforzado y tendido bajo el mar. Se emplea en telecomunicaciones. • **Echar,** o **tender un c.** a uno. fig. y fam. Ayudarle. ■ CABLEGRÁFICO, CA; CABLERO, RA.

CABLEADO m. Operación que consiste en aplicar una nueva torsión a varios hilos ya retorcidos para formar uno solo. • *El.* Conjunto de los conductores que conectan las diversas partes de un aparato o de una instalación, conduciendo la energía a los distintos puntos de utilización.

CABLEGRAFIAR tr. Transmitir un cablegrama.

CABLEGRAMA m. Telegrama transmitido por cable submarino.

CABO m. Cualquiera de los extremos de las cosas. • Extremo o parte pequeña que queda de alguna cosa. • Hilo o hebra. • Lío pequeño que no llega a fardo. • Porción de tierra que penetra en el mar. • Parte, lugar, sitio o lado. • fig. Fin. • *Mar.* Cuerda. • *Mil.* Individuo de la clase de tropa, inmediatamente superior al soldado. • pl. Piezas sueltas que se usan con el vestido. • Patas, hocico y crines del caballo. • Asunto, tema. • **suelto.** fig. y fam. Circunstancia imprevista o pendiente en algún asunto. • **Al c.** m. adv. Al fin, por último. • **Atar cabos.** fig. Reunir datos para sacar una consecuencia. • **De c. a cabo,** o **de c. a rabo.** m. adv. Del principio al fin. • **Estar** uno **al c.** de una cosa, o **al c. de la calle.** fig. y fam. Estar muy enterado de ella. • **Llevar** uno **a c.** una cosa. Ejecutarla.

CABO, *Ciudad de El* (ing., *Cape Town*; afrikaans, *Kaapstad*) C. del SO de la República Sudafricana, cap. de la prov. de El Cabo; 825 800 hab. (agl. urb.). Sede del parlamento. Pral. puerto sudafricano.

CABO, *El* Prov. del S de la República Sudafricana; 721 000 km², 6 721 900 hab. Cap., Ciudad de El Cabo. Centro industrial.

CABO BRETÓN *(Cap Breton)* Isla del Canadá; 10 282 km². Cap., Sydney.

CABO HAITIANO *(Cap-Haïtien)* C. de Haití, cap. del dpto. Nord; 64 400 hab. Ind. azucarera. Puerto.

CABO ROJO Mun. de Puerto Rico, en el distr. de Mayagüez; 26 060 hab. Azúcar, café, tabaco, salinas.

Vista parcial de **Ciudad de El Cabo**

Francisco **Cabarrús**

Estirado de **cables** que se utilizarán para tendido eléctrico de alta tensión

Mapa de situación y bandera de **Cabo Verde**

CABO VERDE

Superficie 4 033 km^2

Población 403 000 hab. (97,7 hab./km^2)

Recursos económicos	
Bananas	6 000 t
Batata	8 000 t
Cabaña bovina	19 000 cabezas
Cabaña caballar	1 000 cabezas
Cabaña caprina	130 000 cabezas
Cabaña ovina	4 000 cabezas
Cabaña porcina	450 000 cabezas
Energía eléctrica	39 millones de kwh
Maíz	10 000 t
Mandioca	3 000 t
Pesca	5 896 t
Ron	2 387 hl
Sal	4 000 t

Indicadores sociológicos	
PNB	366 millones de dólares
Renta per cápita	910 dólares
Esperanza de vida	65 años
Alfabetismo	72 %

CABO VERDE *(República do Cabo Verde)* Estado de África constituido por el arch. hom.; rep. sit. en el océano Atlántico, 500 km al O del continente. Formado por numerosas islas de origen volcánico. Clima cálido y seco. Agricultura y ganadería. Extracción de sal en las islas de Sal y Maio. Lenguas: port. (of.) y dialecto criollo. *Rel.*: Catolicismo. U. M.: Escudo de C. V. Cap., Praia. C. pral.: Mindelo.

* *Hist.* Descubierto por los port. en el s. XV, éstos lo dominaron durante cinco siglos. La lucha contra el régimen colonial la organizó el PAIGC (Partido Africano para la Independencia de Guinea y Cabo Verde). En 1975 Portugal reconoció la plena soberanía del territorio. En 1980 se redactó una constitución y Arístides Pereira fue el primer presidente de la nación. Las primeras elecciones multipartidistas se celebraron en 1991, siendo elegido António Mascarenhas. Un año después se redactó una nueva constitución. En 1996 A. Mascarenhas fue reelegido en las elecciones presidenciales.

Cabra

CABOCLO adj. y s. *Brasil.* Mestizo de indio y blanco. • Habitantes de un *sertão.*

CABOTAJE m. Navegación y tráfico marítimo a lo largo de la costa.

CABOTO, *Juan* (1450-1498) Navegante it., al servicio de Inglaterra. Con su hijo Sebastián, fue el primero en desembarcar en América del Norte. • ***Sebastián*** (1476-1557) Al servicio de España, exploró los ríos de la Plata, Paraná y Paraguay.

CABRA f. *Zool.* Mamífero rumiante, de la familia bóvidos. Tiene cuernos curvados hacia atrás, retorcidos en hélice. • Trepa con gran facilidad. • Hembra de esta especie. • *Col., Cuba* y *Ven.* Trampa en el juego de dados o en el dominó. • *Chile.* Carruaje ligero de dos ruedas. • pl. Cabrillas, manchas en las piernas. • **de almizcle.** Almizclero. ■ CABRERÍA; CABRERIZA; CABRERIZO, ZA; CABRÍO, A; CABRUNO, NA.

Grabado del s. XVI que reproduce la Flota de Pedro Álvares **Cabral**

CABRAHIGAR m. Terreno poblado de cabrahígos. • tr. Colgar sartas de higos silvestres en las ramas de las higueras para facilitar la fecundación de sus flores. ■ CABRAHIGADURA.

CABRAHÍGO m. Higuera silvestre. • Fruto de este árbol.

CABRAL Mun. de la República Dominicana, en la prov. de Barahona; 24 500 hab. Café.

CABRAL, *Amílcar* (1924-1973) Político guineano, fundador del mov. independentista de Guinea-Bissau y dirigente de la guerrilla. Asesinado por agentes de la policía port. • ***Facundo*** (nacido 1937) Cantante y compositor arg. *No soy de aquí ni soy de allá.* • ***Gonçalvo Velho*** (s. XV) Navegante port., descubridor de la isla más oriental de las Azores. • ***José María*** (1819-1899) Político dom. Independizó su país de Haití y se opuso a la anexión a España. Presid. de la rep. (1865 y 1866-1868). • ***Juan Bautista*** (m. 1813) Militar arg. A costa de su vida, salvó la del general San Martín, en el combate de San Lorenzo. • ***Manuel del*** (nacido 1907) Poeta dom. *Antología clave, El escupido.* • ***Pedro Álvares*** (h. 1467-1520) Navegante port. Descubrió Brasil en 1500, desembarcando en las costas del actual estado de Bahía (Porto Seguro).

Cabrestante

CABRALES, *Luis Alberto* (1901-1974) Escritor nic. *Política de Estados Unidos y poesía de Hispanoamérica, Ópera parva.*

CABRÉ Aguiló, *Juan* (1882-1947) Arqueólogo esp. *El arte rupestre en España, Cerámica de Azaila.*

CABREAR tr. y prnl. Molestar, irritar. • tr. *Perú.* Esquivar engañosamente en los juegos. ■ CABREO.

CABRERA Mun. de la Rep. Dominicana, prov. María Trinidad Sánchez; 24 400 hab. Café, cacao.

CABRERA, *Ángel* (1879-1960) Naturalista arg. *Mamíferos sudamericanos.* • ***Delfín*** (1921-1981) Deportista arg., vencedor de la maratón de los Juegos Olímpicos de Londres (1948). • ***Francisco*** (1780-1845) Pintor y grabador guat. Retratos y temas religiosos. • ***Germán*** (1903-1990) Escultor ur. Monumento al general Paz. • ***Jerónimo de*** (1528-1574) Conquistador esp. Gobernador de Tucumán. Fundador de la c. de Córdoba. • ***Miguel*** (1695-1768) Pintor mex. Fundador de la Academia de Pintura Mexicana. *Sor Juana Inés de la Cruz.* • ***Raimundo*** (1852-1923) Escritor cub. *Cuba y sus jueces, Mis malos tiempos.* • ***Sarandy*** (nacido 1923) Poeta ur. *Onfalo, Banderas y otros fuegos.* • **I Grinyó, *Ramón*** (1806-1877) Militar esp. carlista que participó es las dos primeras guerras que enfrentaron a carlistas y liberales. • **Infante, *Guillermo*** (nacido 1929) Escritor cub. Fundó la cinemateca de Cuba. Se exilió en Londres en 1962. *Así en la paz como en la guerra, Tres tristes tigres.* Premio Cervantes en 1997.• **Malo, *Rafael*** (1872-1935) Político y escritor ven. *La guerra, El reflejo de los remansos azules.*

CABRERO, RA m. y f. Pastor de cabras. • m. *Cuba.* Pájaro de color amarillo anaranjado, con una mancha verde en el lomo.

CABRESTANTE o **CABESTRANTE** m. Torno colocado verticalmente, usado para mover grandes pesos.

CABRIA f. Aparato elevador de cargas.

CABRILLA f. *Zool.* Pez osteíctio, de color azul oscuro. • Trípode de madera usado por los carpinteros. • Manchas que se hacen en las piernas por permanecer mucho tiempo cerca del fuego. • Juego que consiste en tirar piedras planas sobre la superficie del agua para que reboten. • Pequeñas olas que se levantan en el mar.

CABRILLEAR intr. Formarse cabrillas en el mar. • Rielar la luz. ■ CABRILLEO.

CABRIO m. *Arq.* Madero colocado paralelamente a los pares de una armadura de tejado, para recibir la tablazón.

CABRIOLA f. Salto que se da en la danza, cruzando varias veces los pies en el aire. • fig. Voltereta. • fig. *Méx.* Salto que da el caballo, soltando un par de coces. ■ CABRIOLAR.

CABRIOLÉ m. Especie de birlocho o silla volante. • Automóvil convertible. • Capote con mangas o aberturas para sacar por ellas los brazos.

CABRITILLA f. Piel curtida de animal pequeño.

CABRITO m. Cría de la cabra. • fig. y fam. Aplicado a personas, cabrón.

CABRO m. Macho de la cabra.

CABRÓN m. Macho de la cabra. • m. y adj., fig. y fam. El que consiente el adulterio de su mujer. • m. fig. y fam. El casado con mujer adúltera. • fig. y fam. El que hace cabronadas. • *Amér.* Rufián.

CABRONADA f. fam. Acción infame que permite alguno contra su honra. • fam. Acción malintencionada contra alguien.

CABRUJAS, *José Ignacio* (nacido 1938) Dramaturgo ven. *Los insurgentes, En nombre del rey.*

CABUJÓN m. Piedra preciosa pulimentada y no tallada, de forma convexa.

CABURE m. *Amér. Merid.* Ave de rapiña pequeña que aturde con sus chillidos a los pájaros.

CABUYA f. Pita, planta. • Fibra de la pita, con que se fabrican cuerdas y tejidos. • *Amér.* Cuerda y especialmente la de pita. • *Mar.* Cabuyería. • **Dar c.** *Amér. Merid.* Amarrar, atar. • **Ponerse en la c.** fig. *Amér. Merid.* Ponerse al corriente de un asunto.

CABUYERA f. Conjunto de las cuerdas que lleva la hamaca a cada extremo.

CACA f. fam. Excremento humano, y especial-

mente el de los niños pequeños. Es voz infantil. • fig. y fam. Defecto o vicio. • fig. y fam. Suciedad.
CACAHUERO m. *Amér.* Propietario de cacahuales. • *Amér.* Persona que comercia con cacao.
CACAHUETE o **CACAHUATE,** o **CACAHUÉ** o **CACAHUEY** m. Planta papilionácea procedente de América, de flores amarillas, que alargan el pedúnculo y se introducen en el suelo para que sazone el fruto de cáscara coriácea y semillas comestibles. • Fruto y semilla de esta planta. ■ CACAHUAL; CACAHUATERO, RA; CACAOTAL.
CACALOTE m. *Méx.* Cuervo, pájaro carnívoro. • *Amér. Centr.* Rosetas de maíz.
CACAMATZIN (h. 1494-1520) Rey de Texcoco. Intentó liberar a Moctezuma II, apresado por los esp.; fue asesinado por orden de Cortés.

Producción de **cacao**
(en miles de t)

Prales. productores	
Costa de Marfil	1 254
Ghana	340
Indonesia	274
Brasil	256
Nigeria	145
Camerún	126
Malaysia	125
Ecuador	88
Colombia	65
Total mundial	2 954

CACAO m. *Bot.* Árbol esterculiáceo de América y África tropicales. Su fruto es una vaina cuyas semillas se emplean para elaborar el chocolate. • Semilla de este árbol. Las semillas se fermentan y se secan al sol, y posteriormente se tuestan, para obtener la manteca de c. • Moneda de los aztecas que consistía en granos de cacao. • fig. y fam. Barullo, jaleo.
CACAOPERA Mun. de El Salvador, en el dpto. de Morazán; 14 300 hab. Henequén, cordelería.
CACARAÑA f. Cada una de las señales del rostro de una persona.
CACARAÑAR tr. *Guat.* Ocasionar cacarañas la viruela. • *Méx.* Pellizcar una cosa blanda dejándola llena de hoyos. ■ CACARAÑADO , DA; *Méx.* CACARIZO, ZA.
CACAREAR intr. Dar voces el gallo o la gallina. • tr. fig. y fam. Ponderar con exceso las cosas propias. ■ CACAREADOR, RA; CACAREO.
CACATÚA f. Ave trepadora de Oceanía, de pico muy encorvado, plumaje blanco y penacho en la cabeza.
CACAXTLE m. *Méx.* Armazón de madera para llevar algo a cuestas. ■ CACAXTLERO.
CACCINI, *Giulio* (1546-1618) Cantor y compositor it., iniciador del estilo recitativo que preparó el camino de la ópera. Creador del *bel canto.* Autor de madrigales, sonetos, arias y dramas musicales.
CACEAR tr. Revolver una cosa con el cazo.
CACERA f. Zanja para regar.
CACEREÑO, ÑA adj. y s. De Cáceres.
CÁCERES Prov. esp., en la com. autón. de Extremadura; 19 945 km², 413 396 hab. Accidentada por el sistema Central y por los montes de Toledo. Río pral.: Tajo. Clima seco. Agricultura. • C. de España, cap. de la prov. hom.; 77 768 hab.
CÁCERES, *Alonso de* (s. XVI) Conquistador esp. Exploró Honduras y fundó Comayagua (1537). • ***Andrés Avelino*** (1833-1923) Militar y político per. Encabezó el mov. que derrocó a Iglesias (1884). Presid. de la rep. (1886-1890 y 1894-1895). Derribado por Piérola. • ***Esther de*** (1903-1971) Poetisa ur. *Cruz y éxtasis de la pasión, Las ínsulas extrañas, El libro de la soledad.* • ***Felipe de*** (m. 1574) Conquistador esp. Participó en la expedición de Cabeza de Vaca. Gobernador de Asunción. Enviado a España, murió en prisión. • ***Ramón*** (1868-1911) Militar y político dom. Dirigente de la conjura que asesinó a Heureaux. Presid. (1906 y 1908). Murió asesinado. • **Díaz de Arismendi, *Luisa*** (1799-1866) Heroína de la indep. ven. Apresada por los realistas, fue enviada a la prisión de Cádiz, de donde logró fugarse y retornar a su país (1818). • **Lara, *Víctor*** (nacido 1915) Escritor hond. *Humus, Tierra ardiente.* • **Romero, *Adolfo*** (nacido 1937) Escritor bol. *La emboscada, La mansión de los elegidos.*
CACERÍA f. Partida de caza. • Conjunto de animales muertos en la caza.
CACERINA f. Bolsa para llevar balas.
CACEROLA f. Vasija cilíndrica, con asas o mango, usada para cocer y guisar.
CACETA f. Colador que usaban los boticarios.
CACHA f. Cada una de las dos chapas que cubren o de las dos piezas que forman el mango de navajas y cuchillos y la culata de las pistolas. Se usa más en pl. • fam. Nalga. • Cachete.
CACHACO, CA m. y f. *P. Rico.* Nombre que se da a los esp. residentes en la isla, de buena posición económica. • m. *Col.* Hombre joven, elegante y caballeroso. • *Col., Ecuad.* y *Ven.* Lechuguino.
CACHADA f. *Amér.* Cornada, golpe dado con el cuerno.
CACHALOTE m. *Zool.* Cetáceo odontoceto de la familia fisetéridos, de cabeza grande y boca provista de dientes. Puede alcanzar hasta 20 m de largo. Pescado por su grasa y el ámbar gris, precipitado sólido de su intestino.
CACHAMARÍN m. Quechemarín, embarcación.
CACHAÑERO, RA adj. y s. *Chile.* Que hace burla o fisga.
CACHAPA f. *Ven.* Panecillo de maíz.
CACHAPOAL Prov. de Chile, en la región del Libertador General Bernardo O'Higgins; 473 521 hab. Cap., Rancagua.
CACHAR tr. Hacer pedazos una cosa. • Partir madera en el sentido de las fibras. • Arar una tierra alomada llevando la reja por el medio de los lomos. • *Amér. Centr.* Conseguir. • *Amér. Centr.* Robar. • *Ecuad.* Burlar.
CACHARPARI m. *Perú.* Convite y baile de despedida.
CACHARPAS f. pl. *Amér. Merid.* Trebejos, trastos de poco valor. ■ *Chile.* CACHARPERO, RA.
CACHARPAYA f. *Bol.* y *Perú.* Cacharpari.
CACHARPEARSE prnl. *Chile.* Engalanarse.
CACHARRO m. Vasija tosca. • Pedazo de ella en que se pueda echar alguna cosa. • Máquina o instrumento viejo o estropeado. ■ CACHARRERÍA; CACHARRERO, RA.
CACHAVA f. Juego que consiste en hacer entrar con un palo una pelota en hoyuelos abiertos en la tierra. • Palo para este juego. • Cayado. ■ CACHAVAZO.
CACHAZA f. fam. Flema. • Aguardiente de melaza. • Primera espuma que arroja el zumo de la caña al cocerse.
CACHAZO m. *Chile* y *Méx.* Cachada, cornada.
CACHAZUDO, DA adj. y s. Que tiene cachaza. • m. Cuba. Gusano muy perjudicial a los tabacales.
CACHE adj. *Argent.* Mal arreglado o ataviado.
CACHEAR tr. Registrar a gente sospechosa para quitarle las armas u objetos ocultos. • *Chile.* Acornear. ■ CACHEO.
CACHEMARÍN m. Quechemarín, embarcación.
CACHEMIRA f. Casimir.
CACHEMIRA *(Kashmir)* Región septentrional indostánica, sit. entre China, India, Pakistán y Afganistán; 222 800 km², repartidos entre los tres primeros países. Terreno montañoso: K2 (8 611 m), Nanga Parvat (8 126 m). Río pral.: Jhelum. Clima variable, desde semitropical a alpino. Agricultura. La pob. supera los 5,5 millones de hab. (indoarios y tibetobirmanos).
CACHEMIRO, RA adj. y s. De Cachemira. • m. *Ling.* Lengua indoaria hablada en el valle de Cachemira.
CACHENÉ m. *Chile.* Bufanda.
CACHEO m. *Bot. Rep. Dom.* Palma de la que se obtiene la bebida fermentada hom.
CACHERA f. Ropa de lana muy tosca.
CACHERÍA f. *Argent., Guat.* y *Salv.* Comercio o tienda al por menor.
CACHERO, RA adj. *Salv.* Pedigüeño, ansioso. • *Ven.* Mentiroso, chancero.
CACHET (voz fr.) m. Estilo propio, carácter.
CACHETA f. Gacheta, palanquita o diente de los pestillos.
CACHETADA f. *Amér.* Bofetada.
CACHETE m. Golpe que con el puño cerrado se da en la cabeza o en la cara. • Carrillo de la cara. •

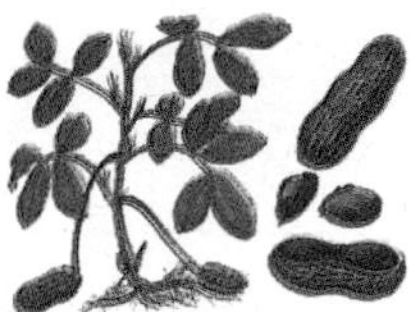
Cacahuete

Cacao

Cacatúa

Cáceres. Vista parcial de la ciudad

Cachalote

Cacho dorado

Leona con sus **cachorros**

Cachetero, puñal. ■ *Chile*, *Col.* y *Perú*. CACHETÓN, NA; CACHETUDO, DA.

CACHETEAR tr. Dar cachetes. • *Chile*. Comer mucho y a gusto.

CACHETERO m. Puñal corto y agudo. • *Taur.* Puñal con que se remata a las reses. • *Taur.* Torero que remata al toro con este instrumento. • fig. y fam. El postrero entre los que causan un daño. • *Col.* Peso fuerte.

CACHETINA f. Riña a cachetes. • Azotaina.

CACHI, ***Nevado de*** Pico de Argentina, en la prov. de Salta; 6 380 m.

CACHICAMO m. *Amér.* Armadillo, mamífero.

CACHICÁN m. Capataz de una hacienda de labranza. • m. y adj., fig. y fam. Hombre astuto.

CACHICUERNO, NA adj. Aplícase al cuchillo o arma que tiene las cachas o mango de cuerno.

CACHIDIABLO m. fam. El que se viste de botarga, imitando al diablo.

CACHIFOLLAR tr. fam. Humillar, apabullar.

CACHIGORDO, DA adj. fam. Díc. de la persona pequeña y gorda.

CACHIMBA f. Pipa para fumar. • *Argent.* Cacimba, hoyo.

CACHIMBO m. *Amér.* Cachimba, pipa. • *Perú.* despect. Miembro de la Guardia Nac. • *Perú.* Músico de banda militar o pueblerina. • Estudiante de primer grado en la enseñanza superior. • **chupar c.** Fumar en pipa.

CACHIN, ***Marcel*** (1869-1958) Político fr. Diputado por París (1914). Dirigió *L'Humanité*. Uno de los fundadores del partido comunista fr. y primer senador comunista de su país (1935).

CACHIPODAR tr. Podar las ramas pequeñas y encimeras de un árbol.

CACHIPOLLA f. Insecto del orden arquípteros, de color ceniciento, con manchas oscuras en las alas y tres filamentos articulados.

CACHIPORRA f. Palo con un extremo muy abultado. • m. Chile. Farsante. ■ CACHIPORRAZO.

CACHIQUEL adj. y s. Grupo indígena que habita en el E de Guatemala. • Lengua de la familia maya hablada por este pueblo.

CACHIRULO m. Vasija para guardar licores. • Adorno que las mujeres usaban en la cabeza. • En estilo bajo, cortejo. • *Méx.* Refuerzo que se pone a los pantalones de montar en la culera y entrepierna.

CACHIVACHE m. despect. Vasija, utensilio. Se usa más en pl. • Trasto. Se usa más en pl.

CACHIZO adj. y s. Madero grueso serradizo.

CACHO, CHA adj. Gacho. • m. Pedazo de alguna cosa. • Juego de naipes que se juega con media baraja. • *Zool.* Pez de agua dulce, de la familia ciprínidos, de abundantes espinas. • *Amér.* Cuerno de los animales. • *Argent.*, *Par.* y *Ur.* Racimo de bananas. • *Chile* y *Guat.* Cuerna o aliara.

CACHÓN m. Ola que rompe en la playa y hace espuma. Se usa más en pl. • Chorro de agua que cae de poca altura y forma espuma.

CACHONDEARSE prnl. fam. Burlarse. ■ CACHONDEO.

CACHONDEZ f. Apetito sexual. ■ CACHONDO, DA.

CACHORRILLO m. Pistola pequeña.

CACHORRO, RRA m. y f. Perro de corta edad. • Cría de otros mamíferos. • m. Cachorrillo.

CACHUA f. *Bol., Ecuad.* y *Perú.* Baile indígena.

CACHUCHA f. Bote o lanchilla. • Gorra.

CACHUCHERO m. El que hace o vende cachuchas o gorras. • El que hace o vende cachuchos o alfileteros.

CACHUCHO m. Medida de aceite que equivalía a 8 cl. • En el carcaj, hueco en que se metía cada flecha. • Alfiletero. • Cachucha, bote. • *Zool.* Pez común en el Atlántico oriental de color escarlata y carne apreciada.

CACHUDO, DA adj. *Chile*, *Col.*, *Ecuad.* y *Méx.* Díc. del animal de cuernos grandes.

CACHUELA f. Guisado de la asadura del puerco. • Guisado de hígados, corazones y riñones de conejo. • Molleja de las aves.

CACHUELO m. *Zool.* Pez osteíctio, de carne fina y apreciada, que habita en ríos españoles.

CACHUMBA f. Planta compuesta, propia de Filipinas, usada como sucedáneo del azafrán.

CACHUNDE f. Pasta compuesta de almizcle, ámbar y cato, usada para perfumar la boca y como estomacal. • Cachú.

CACHUPÍN o **CACHOPÍN** com. Español establecido en América.

CACHUPINADA f. fig. y fam. Fiesta de gente cursi.

CACICA f. Mujer del cacique. • Señora de vasallos en algunos poblados indígenas.

CACICAZGO o **CACICATO** m. Dignidad de cacique o de cacica. • Territorio que posee el cacique o la cacica. • fam. Autoridad o poder del cacique.

CACIMBA f. Hoyo que se hace en la playa para buscar agua. • Oquedad de las rocas en que se deposita el agua de lluvia. • Balde.

CACIQUE m. *Amér. Centr.* y *Merid.* Jefe en algunas tribus indígenas. • fig. y fam. Persona que en un pueblo ejerce influencia abusiva en asuntos políticos, sociales o administrativos. ■ CACIQUEAR; CACIQUIL.

CACIQUE MARA Mun. de Venezuela, en el est. Zulia; 151 900 hab. Su sector urb. se integra en la c. de Maracaibo. Petróleo.

CACIQUISMO m. Corrupción del ejercicio del poder por una persona, que se basa en arbitrarias consideraciones personales, dando lugar a abusos. • Control político de las oligarquías locales sobre zonas bien determinadas.

CACLE m. *Méx.* Sandalia tosca de cuero.

CACO m. Ladrón que roba con destreza. • fam. Hombre cobarde y de poca resolución.

CACOFONÍA f. Repetición frecuente de unas mismas letras o sílabas. ■ CACOFÓNICO, CA.

CACOGRAFÍA f. Ortografía viciosa.

CACOLOGÍA f. Solecismo.

CACOMITE m. *Méx.* Planta iridácea de raíz comestible.

CACOMIZTLE m. *Méx.* Basáride, mamífero.

CACOQUIMIA f. *Pat.* Alteración en la constitución de los humores. • *Pat.* Caquexia, o alteración de la nutrición. ■ CACOQUÍMICO, CA.

CACOQUIMIO, MIA m. y f. Melancólico.

Cadena montañosa

CACOSMIA f. *Pat.* Alteración del sentido del olfato, que hace percibir olores fétidos sin el estímulo adecuado. • *Pat.* Perversión del sentido del olfato, que hace agradables los olores fétidos.

CACOTA f. *Col.* Residuos que quedan tras descerezar el café.

CACTÁCEO, A o **CÁCTEO, A** adj. y f. *Bot.* Plantas de la familia cactáceas. • f. pl. *Amér.* Familia de plantas dicotiledóneas, comunes en los desiertos, muy resistentes a la sequía.

CACTO o **CACTUS** m. Cactáceas de tallo redondeado, cilíndrico, prismático dividido en una serie de paletas ovaladas con espinas o pelos, globosas. Su tallo almacena gran cantidad de agua.

CACUMEN m. fam. Agudeza, perspicacia.

CACUMINAL adj. *Fon.* Díc. del sonido que se articula con la lengua elevada hacia los alveolos superiores o el paladar.

CACUY m. *Argent.* Ave nocturna de color plomizo y párpados ribeteados de amarillo; su canto se asemeja a un lamento.

CAD-CAM (voz ing.) m. *Comp.* Siglas de *Computer Aided Design-Computer Aided Manufacturing* (Diseño asistido por computadora-Fabricación asistida por computadora). Aplicación de las computadoras en el campo del diseño y en el de la fabricación.

CADA adj. para designar separadamente una o más personas o cosas con relación a otras de su especie. • Se usa como adjetivo ponderativo en ciertas frases gralte. elípticas. • m. *Bot.* Enebro.

CA'DA Mósto, ***Alvise*** → Cadamosto.

CADALSO m. Tablado que se levanta para un acto solemne. • Patíbulo.

de eslabones elípticos

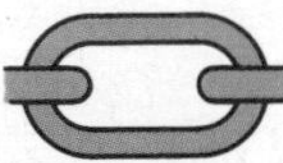

de eslabones torcidos

de rodillos

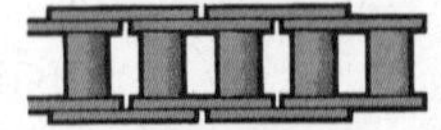

de Vaucanson

Diversos tipos de **cadenas** y eslabones que las forman

CAD-CAM

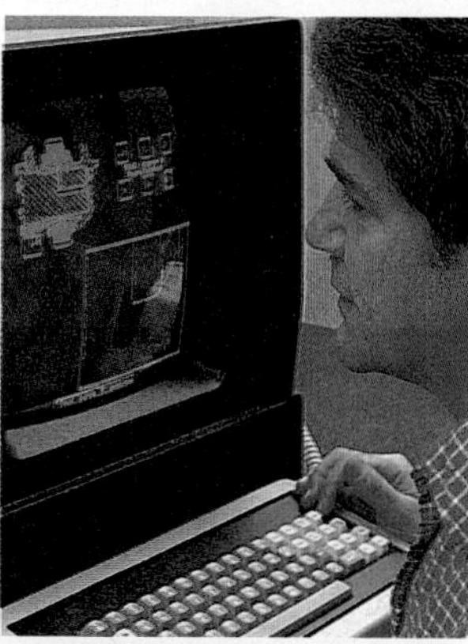

1. Los sistemas de CAD permiten realizar planos y diseños tales como el de este automóvil Citroën, obtenido superponiendo en el plano final distintas capas de dibujos.
2. El proyectista dibuja en la pantalla dando sencillas órdenes de dibujo lineal tras haber cargado un programa de CAD en la memoria de su computadora; este programa le permite, además, obtener vistas en sección y perspectivas a partir de dibujos en planta y alzado.
3. Con un programa de CAD-CAM se logra que una máquina herramienta dotada de control numérico, tal como la de la fotografía, realice las tareas de mecanizado de la pieza proyectada siguiendo las especificaciones del proyecto, sin necesidad de intervención humana.
4. Sencillo e imaginativo dibujo realizado con un plotter.

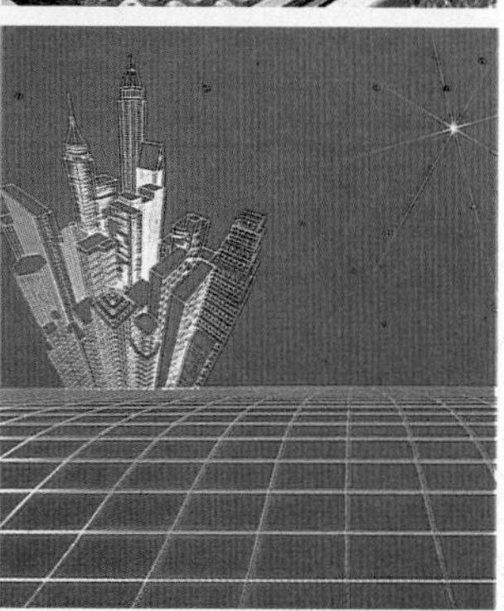

CADALSO, ***José*** (1741-1782) Militar y escritor prerromántico esp. *Noches lúgubres, Eruditos a la violeta, Cartas marruecas.*
CADAMOSTO, ***Alvisio*** (1432-1488) Navegante veneciano al servicio de Portugal. Descubrió las islas de Cabo Verde.
CADAÑERO, RA adj. Que dura un año. • Anual. • adj. y f. Que pare cada año.
CADARZO m. Seda basta de los capullos enredados. • Camisa del capullo.
CADÁVER m. Cuerpo orgánico después de la muerte. ■ CADAVÉRICO, CA.
CADAVERINA f. *Quím.* Amina resultante de la degradación de la lisina. Se produce en el proceso de putrefacción de la carne por acción de las bacterias.
CADDIE (voz ing.) m. El que lleva los palos y pelotas del jugador de golf.
CADE, ***John,*** llamado JACK (m. 1450) Líder de la rebelión de Kent contra Enrique VI. Derrotó a las fuerzas reales y conquistó Londres. Murió asesinado.
CADEJO m. Parte del cabello muy enredada. • Madeja pequeña de hilo o seda. • *Nic.* y *Salv.* Ser que, según la superstición, se aparece por la noche.
CADENA f. Conjunto de muchos eslabones enlazados entre sí por los extremos. • Cuerda de galeotes o presidiarios que iban a cumplir condena. • Serie de perchas o piezas de madera unidas a tope, para cerrar la boca de un puerto, dársena o río. • fig. Sujeción que causa una pasión vehemente o una obligación. • fig. Continuación de sucesos. • fig. Conjunto de tiendas, instalaciones, etc., de la misma especie o función, pertenecientes a una misma empresa. • *Biol.* Conjunto de relaciones de nutrición entre los individuos que, perteneciendo a distintos niveles tróficos, son eslabones de una serie de actos de depredación, siendo unos alimentos de otros. • **de caracteres.** *Comp.*• Serie ordenada de letras y/o cifras, tratada como un todo unitario en un programa. • **de montaje.** *Ind.* Proceso en el cual cada operario realiza una o varias operaciones durante el intervalo de tiempo en que la pieza permanece en su zona de trabajo. • **de montañas.** *Geog.* Cordillera, serie de montañas. • **En c.** loc. Por transmisión o sucesión continuadas. • **sin fin.** Conjunto de piezas metálicas iguales y articuladas entre sí que forman un circuito cerrado. • **Reacción en c.** *Fís.* Reacción en la cual las partículas necesarias para desencadenarla se obtienen en la propia reacción.
CADENCIA f. Serie de sonidos o movimientos que se suceden de un modo regular o medido. • Proporcionada distribución de los acentos y de las pausas, en la prosa o verso. • Medida del sonido que regula el movimiento de danza. • Conformidad de los pasos del que danza con la medida indicada por el instrumento. • Ritmo, sucesión o repetición de sonidos que caracterizan una pieza musical. • Núm. de disparos que efectúa un arma de fuego por unidad de tiempo. ■ CADENCIOSO, SA.
CADENETA f. Labor que se hace con hilo, lana o seda, en figura de cadena delgada.
CADENILLA f. Cadena estrecha que se pone por adorno en las guarniciones.
CADERA f. *Anat.* Cada una de las dos partes salientes formadas a los lados del cuerpo por los huesos superiores de la pelvis. • pl. Caderillas.
CADERILLAS f. pl. Miriñaque que ahuecaba la falda por la parte de las caderas.
CADETADA f. fam. Acción irreflexiva o ligereza propia de gente joven.

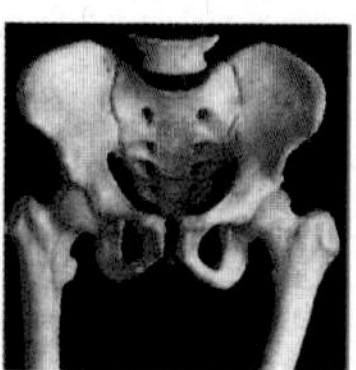

Cadera

Cádiz. La catedral y las escolleras

CADETE m. Alumno de una academia militar. • adj. y m. Talla de la indumentaria masculina entre la de hombre y la de niño. • *Argent.* y *Bol.* Meritorio o aprendiz de comercio. • En la Rusia zarista, miembro del partido demócrata constitucional (partido c.).
CADÍ m. Entre musulmanes, juez civil.
CADIDENO m. *Quím.* Hidrocarburo presente en diversas esencias de origen vegetal y en el aceite de enebro.
CADILLA, *Arturo* (nacido 1895) Dramaturgo y periodista puertorriq. *El oro de la dicha.* • ***Carmen Alicia*** (nacida 1908) Escritora puertorriq. *Canciones en flauta blanca, Antología poética.* • ***María*** (1886-1951) Escritora puertorriq. *Fin de un ensueño, Costumbres y tradiciones de mi tierra.*
CADILLO m. *Bot.* Planta umbelífera, de fruto elipsoidal, erizado de espinas. • *Bot.* Planta compuesta, de frutos aovados, cubiertos de espinas.
CÁDIZ Prov. esp., en la com. autón. de Andalucía, ribereña del Atlántico, el Mediterráneo y el estr. de Gibraltar; 7 385 km^2, 1 105 762 hab. Cap., la c. hom. • C. esp., cap. de la prov. hom.; 145 595 hab. Centro industrial y comercial. Astilleros y activo puerto. Entre 1717 y 1790 tuvo el monopolio del comercio con América, albergó el Consejo de Regencia en 1811 y en 1812 se promulgó en la c. la primera constitución española.
CADMIA f. *Metal.* Óxido de cinc sublimado durante la fundición de este metal.
CADMIADO m. *Metal.* Recubrimiento electrolítico de las piezas de hierro mediante una capa de cadmio para protegerlas de la corrosión.
CADMIO m. *Quím.* Elemento químico de símb. Cd, n. a. 48 y p. a. 112,40. Metal blanco argentino con reflejos azulados, se encuentra en pequeñas cantidades en los minerales de cinc; usado como recubrimiento antioxidante del hierro y en reactores nucleares para absorber neutrones.
CADORNA, *Luigi,* CONDE (1850-1928) Militar it. Jefe del est. mayor durante la I Guerra Mundial, hasta la derrota de Caporetto. • ***Raffaele*** (1889-1973) Generalit., miembro de la Resistencia en 1943, jefe del Comité de Liberación Nacional de Italia y dirigente de los partisanos con Parri y Longo.
CADUCAR intr. Chochear. • Perder su fuerza una ley, testamento, etc. • Extinguirse un derecho, una instancia o recurso. • fig. Arruinarse o acabarse alguna cosa por ant. y gastada. ■ CADUCIDAD; CADUCO, CA; CADUQUEZ.
CADUCEO m. Vara delgada, lisa y cilíndrica, rodeada de dos culebras, atributo de Mercurio.
CADUCIFOLIO, A adj. *Bot.* Díc. de los árboles y arbustos de hoja caduca.
CAEDURA f. Lo que en los telares se desperdicia de los materiales que se tejen.
CAELUM *Astr.* Nombre latino de una constelación cuya denominación cast. es Cincel.
CAEN C. de Francia, cap. del dpto. de Calvados y de la región de Baja Normandía; 191 500 hab. Ind. siderúrgica.
CAER intr. y prnl. Venir abajo un cuerpo por su peso. • Desprenderse. • intr. Seguido de la prep. *de* y del nombre de alguna parte del cuerpo, venir al suelo dando en él con la parte nombrada. • Venir a dar en un engaño. • fig. Desaparecer. • fig. Incurrir en algún error o en algún daño o peligro. • fig. Tratándose de operaciones del entendimiento, venir en conocimiento, llegar a comprender. • fig. Minorarse, debilitarse alguna cosa. • fig. Ir a parar a distinta parte de aquella que uno se propuso al principio. • fig. Cumplirse los plazos en que empiezan a devengarse los réditos. • fig. Tocar a alguno una alhaja, empleo o suerte. • fig. Estar situado en alguna parte o cerca de ella. • fig. Quedar incluido en alguna denominación o sujeto a una regla. • fig. Corresponder un suceso a determinada época del año. • fig. Venir o sentar bien o mal. • fig. Hablando del Sol, del día, de la tarde, etc., acercarse a su ocaso o a su fin. • fig. Sobrevenir. • fig. y fam. Morir. • prnl. fig. Desconsolarse, afligirse, descaecer. • **C. bien** o **mal.** Causar buena o mala impresión. • **Estar** una cosa **al c.** fig. Estar muy próxima a suceder. ■ CADENTE; CAEDIZO, ZA; CAIMIENTO.
CAETANO, *Marcelo José das Neves Alves* (1906-1980) Político port. Subsecretario de la presidencia (1940). Presid. del Consejo de Ministros (1968). Mantuvo la línea autoritaria del régimen salazarista. En 1974 entregó el poder a las fuerzas sublevadas del ejército.

Cafeto. Planta, flores y frutos

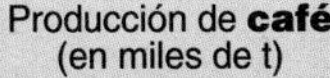

Producción de **café**
(en miles de t)

Prales. productores	
Brasil	1 290
Colombia	822
Indonesia	431
México	325
Uganda	257
Etiopía	230
Guatemala	207
Vietnam	198
India	180
Total mundial	5 931

CAF Sigla del ing. *cost and freight* (coste y flete) para indicar que en el precio de una mercancía se incluyen los gastos de transporte.
CAFARNAÚM C. de la ant. Galilea, a orillas del lago Tiberiades, donde, según los Evangelios, residió Jesús.
CAFÉ m. Cafeto. • Semilla del cafeto. • Infusión de esa semilla tostada y molida. • Establecimiento público donde se toma ésta y otras bebidas. • fig. y fam. *Amér. Merid.* Reprimenda. • **cantante.** El amenizado por cantantes, músicos, etc. • **concierto.** Local en el que se ofrecen actuaciones variadas y el público puede beber, fumar, etc. • **descafeinado.** El desprovisto de cafeína. • **exprés.** El hecho a presión. • **instantáneo** o **soluble.** El soluble en agua. • **teatro.** Establecimiento en el que se representan piezas teatrales desenfadadas y con decoración mínima. • **Mal c.** Exp. fig. y fam. Mal humor o mal talante. ■ CAFETERO, RA.
* *Hist.* El c. se conoce en Europa desde el s. XVI (es originario del África tropical) y fue reexportado dos siglos después a Sudamérica, donde encontró un clima excepcional para su cultivo. Los principales países productores de c. son Brasil, con casi el 50% del total mundial, Colombia, Costa de Marfil, México, Uganda, Angola, El Salvador, Guatemala, Indonesia, Etiopía, etc. La infusión de c. es muy apreciada.
CAFÉ Filho, *João Fernandes* (1899-1970) Político bras. Presid. interino tras el suicidio de Vargas (1954-1955).
CAFEÍNA f. Alcaloide blanco obtenido del café, del té y de otros vegetales. Sintéticamente, se obtiene a partir del ácido úrico.
CAFEÍSMO m. Intoxicación por el café.
CAFERÍA f. Aldea o cortijo.
CAFETERÍA f. Local público donde se sirven cafés y otras bebidas y en algunos casos aperitivos y comidas, gralte. en la barra.
CAFETÍN o **CAFETUCHO** m. Café, establecimiento de poca importancia.
CAFETO m. *Bot.* Planta rubiácea de flores blanquecinas, que se transforman en bayas de color rojo que contienen las semillas de las que se extrae el café. ■ CAFETAL; CAFETALERO, RA; *Cuba.* CAFETALISTA.
CAFFERATA, *Francisco* (1861-1890) Escultor arg. *Belgrano, Almirante Brown, El esclavo.*
CÁFILA f. fam. Conjunto o multitud de gentes, animales o cosas.
CAFIRISTÁN → Nuristán.
CAFIROLETA f. *Cuba.* Dulce de boniato, coco rallado y azúcar.
CAFRE adj. y s. Para los musulmanes, negro del África austral que no profesa la fe mahometana. • *Antr.* Bantú que habita el SE de África. • fig. Bárbaro y cruel. • fig. Salvaje.
CAFRUNE, *Jorge* (1938-1978) Cantante y guitarrista arg. Intérprete de composiciones de A. Yupanqui , O. Rodríguez Castillo, A. Sampayo, etc.
CAFTÁN m. Capa usada por turcos y moros.
CAFUNGA m. *Cuba.* Indígena o negro cimarrón que, según la mitología popular, fue víctima de una muerte atroz. • P. ext., augurio funesto.
CAGAACEITE m. Zorzal charlo.
CAGACHÍN m. Mosquito pequeño y de color rojizo. • Especie de pájaro pequeño, común en España.

Vista de **El Cairo,** con la mezquita Mehmet Ali

CAGAFIERRO m. Escoria del hierro fundido.
CAGAJÓN m. Cada una de las porciones del excremento de las caballerías.
CAGANIDO o **CAGANIDOS** m. El último pájaro de la pollada. • fig. El último hijo.
CAGAR intr., tr. y prnl. Descargar el vientre de excremento. • tr. fig. y fam. Echar a perder. • prnl. Acobardarse. ■ CAGADA; CAGADERO; CAGADO, DA; CAGALERA; CAGATORIO; CAGÓN, NA; CAGUETA.
CAGARRIA f. *Bot.* Colmenilla.
CAGARRUTA f. Cada una de las porciones del excremento del ganado menor y de ciervos, gamos, corzos, conejos y liebres.
CAGATAI o **CHAGATAI** (m. 1241) Hijo de Gengis Jan. A la muerte de su padre, fundó un imperio en Asia central, que se mantuvo hasta la invasión de Tamerlán (1369).
CAGATINTA o **CAGATINTAS** m. fam. despect. Oficinista.
CAGE, *John* (1912-1992) Compositor norteam. Creador de la técnica del «piano preparado», e iniciador de la música aleatoria. *Bacanal, Mysterious Adventure, Música para Marcel Duchamp, Paisajes imaginarios n°s 4 y 5.*
CAGGIANO, *Antonio* (1889-1976) Prelado arg. Fundador de la Acción Católica Argentina. Cardenal en 1946. Primado de Argentina entre 1959 y 1975.
CAGLIARI C. y puerto de Italia, cap. de la prov. hom. y de la isla de Cerdeña; 204 200 hab. Centro comercial e industrial. Universidad.
CAGLIOSTRO, *Giuseppe Balsamo,* CONDE DE (1743-1795) Aventurero it. Condenado por la Inquisición, por practicar la alquimia y la adivinación.
CAGUAMA f. *Amér.* Tortuga marina, de concha verde y carne muy estimada. • Materia córnea de esta tortuga.
CAGUÁN m. *Zool.* Mamífero filipino, del orden dermópteros, del tamaño de un gato, con una membrana que utiliza a modo de paracaídas.
CAGUAS C. de Puerto Rico, en el distr. de Guayama; 133 447 hab. Centro agrícola. Mármol.
CAHABÓN Mun. de Guatemala, en el dpto. de Alta Verapaz; 21 100 hab. Café. Ganadería.
CAHÍZ m. Medida de capacidad para áridos. • Cahizada.
CAHIZADA f. Porción de terreno que se puede sembrar con un cahíz de grano.
CAÍ m. *Amér. Merid.* Nombre de distintas especies de monos de talla media, cuerpo robusto y cola prensil.
CAIBARIÉN Mun. de Cuba, en la prov. de Villa Clara; 38 400 hab. Ganadería. Azúcar.
CAICEDO, *Domingo* (1783-1843) Militar y político col. Miembro del consejo de gobierno de Cundinamarca. Gobernador de Neiva. Presid. del consejo de ministros (1828-1830). Vicepresid. de la rep. (1830 y 1840). • ***Rodolfo*** (1868-1905) Poeta pan. *La lechuza, el perro y otros animales, El burro arquitecto.* • **Flores, *Fernando*** (1756-1832) Religioso y educador col. Abrazó la causa de la indep. *Manifiesto en favor de la libertad eclesiástica.* • **Rojas, *José*** (1816-1897) Escritor col. *Apuntes de ranchería, Don Álvaro.*
CAICEDONIA Mun. de Colombia, en el dpto. de Valle del Cauca; 32 600 hab. Café, tabaco, caña de azúcar. Ganadería.
CAICO m. *Cuba.* Arrecife grande.
CAÍD m. Especie de juez o gobernador, y gralte. jefe, en algunos países musulmanes.
CAÍDO, DA adj. Desfallecido, amilanado. • adj. y s. Muerto por una causa política o en la guerra. • f. Acción y efecto de caer. • Declive de alguna cosa. • Lo que cuelga de alto abajo quedando pendiente. • Manera de plegarse o de caer los paños y ropajes. • fig. Culpa de los ángeles malos y del primer hombre. • fig. y fam. Dichos oportunos. • **de los cuerpos.** *Fís.* Movimiento experimentado por cualquier cuerpo libre que, en virtud de la fuerza de gravedad, es atraído hacia el centro de la Tierra. • **libre.** *Aeron.* Primera fase del descenso de un paracaidista, antes de abrirse el paracaídas. *Astron.* Desplazamiento de una astronave con los propulsores parados por el espacio interplanetario, a velocidad constante.
CAIFÁS (s. I) Sumo sacerdote judío, que recomendó al sanedrín la muerte de Jesucristo.
CAIGUA f. *Perú.* Planta cucurbitácea, cuyos frutos se comen, rellenos de carne picada.
CAIGUÁ adj. y s. *Amér. Merid.* Díc. del indígena que habitaba en los montes del Uruguay, Paraná y Paraguay.
CAILLAUX, *Joseph* (1863-1944) Político fr. Presid. del Consejo (1911-1912). Partidario de la paz durante la I Guerra Mundial.
CAILLIÉ, *René* (1799-1838) Explorador fr. Fue el primer europeo que entró en Tombuctú. Estudió el árabe y las costumbres senegalesas.
CAIMACÁN m. Lugarteniente del gran visir. • *Col.* Persona de autoridad.
CAIMÁN m. *Zool.* Saurio de los ríos de América, parecido al cocodrilo, de hocico más corto y ancho. • fig. Persona astuta y taimada.
CAIMÁN *(Cayman)* Arch. antill., sit. al NO de Jamaica y al S de Cuba; 259 km^2, 16 700 hab. Cap., Georgetown. Islas: Gran C., Pequeño C. y C. Brac. Colonia brit. Pesca de tortugas y tiburones.

John **Cage**

CAIMITILLO m. *Ant.* Nombre vulgar de diversas plantas sapotáceas.
CAIMITO m. *Bot. Amér. Central.* Árbol sapotáceo, del cual existen diversas especies. *Bot.* Fruto de estos árboles. ■ CAIMITAL.
CAIMITO DEL GUAYABAL Mun. de Cuba, en la prov. de La Habana; 27 400 hab. Ganadería. Azúcar.
CAÍN Primogénito de Adán y Eva. Mató a su hermano Abel.
CAINITA adj. y s. Díc. del descendiente de Caín. • Díc. del miembro de una secta gnóstica del s. II que consideraba héroes a los contrarios del Dios cristiano. • f. *Miner.* Clorosulfato de potasio y magnesio.
CAIREL m. Cerco de cabellera postiza. • Guarnición que cuelga de algunas ropas, a modo de fleco. • Cristal que adorna candelabros, arañas, etc. ■ CAIRELAR.
CAIRNES, *John Elliot* (1823-1875) Economista irl. Elaboró la teoría de los grupos no concurrentes. *Algunos principios fundamentales de economía, Carácter y métodológico de economía política.*
CAIRO, *El* *(al-Qahira)* Cap. de Egipto, sit. a orillas del Nilo; 10 000 000 hab. (agl.urb.). Es la mayor c. de África y del Próximo Oriente. Alberga imp. museos y monumentos: mezquitas de Amr, Ibn Tulún, la Biblioteca. Universidad de al-Azhar, una de las más prestigiosas del mundo musulmán. Centro industrial. Puertos fluviales.
CAIROTA adj. y s. De El Cairo.
CAITE m. *Amér. Centr.* Cacle.
CAJA f. Recipiente para guardar o transportar alguna cosa, gralte. provisto de tapa. • Ataúd. • Parte del carruaje en la que van sentados los ocupantes. • Tambor. • Parte exterior de madera que cubre y resguarda algunos instrumentos musicales, o que forma parte pral. de los mismos. • Hueco o espacio en que se introduce alguna cosa. • Pieza de la balanza y de la romana, en que entra el fiel cuando el peso está equilibrado. • En las armas de fuego portátiles, pieza de madera en que se ponen y aseguran el cañón y la llave. • Espacio en que se construye la escalera de un edificio. • Oficina o dependencia de cualquier entidad pública o privada, destinada a percibir cobros, realizar pagos y recibir valores en depósito. • Cuenta de los libros de contabilidad llamados Diario y Mayor. • En los escenarios, espacio comprendido entre cada dos bastidores. • *Bot.* Cápsula, fruto seco, dehiscente. • *Art. Gráf.* Cajón con varias separaciones o cajetines, en

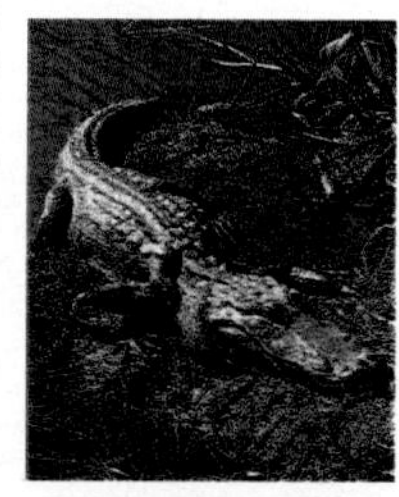

Caimán

Caja registradora

Cajero automático

Cala

Calabacera. Planta y fruto

cada uno de los cuales se ponen los caracteres que representan una misma letra o signo tipográfico. • **alta.** *Art. Gráf.* Parte superior izquierda de la c. en la que se colocan letras mayúsculas o versales y algunos otros signos. • **baja.** *Art. Gráf.* Parte inferior de la c. en la que se colocan las minúsculas, los números, la puntuación y los espacios. • **de ahorros.** Establecimiento cuyo fin básico es el fomento del ahorro. • **de cambios.** *Aut.* Dispositivo que permite, mediante un sistema de engranajes, compensar los aumentos necesarios del par motor por reducciones en la velocidad. • **de caudales.** La de hierro para guardar dinero y cosas de valor. • **de dientes.** *Col.* Dentadura postiza. • **de las muelas.** fam. Encías, y también toda la boca. • **del cuerpo.** Tórax. • **del tambor** o **del tímpano.** *Anat.* Parte media del órgano del oído de los vertebrados, formada por una cavidad excavada en el hueso temporal, que contiene los huesecillos del oído. • **de música.** Instrumento pequeño de barretas de acero, a las cuales hace sonar un cilindro con púas, movido por un muelle de reloj. • **de reclutamiento** o **de reclutas.** Organismo militar encargado de la inscripción, clasificación y destino de reclutas. • **de resistencia.** Fondo constituido por las cotizaciones de los obreros de un sindicato.• **de resistencias.** Conjunto de carretes de hilo conductor y resistencia conocida, cuyos extremos están soldados a piezas metálicas de resistencia despreciable y conectadas en serie a través de los carretes. • **de resonancia.** La que cubre algunos instrumentos músicos. • **fuerte.** La de acero, con doble puerta, alarma y diversos sistemas de cierre, para guardar valores o dinero. • **registradora.** La que se usa en el comercio para sumar el importe de las ventas.

CAJAL, ***Santiago Ramón y*** → Ramón y Cajal, Santiago.

CAJAMARCA Dpto. del N de Perú, en el límite con Ecuador; 34 022,88 km^2, 1 343 500 hab. Sit. en el N de la cordillera Occidental andina. Avenado por el río Marañón, y sus afl. Chinchipe, Chamaya, Llaucán. Clima templado o frío en las zonas altas y cálido en los valles. Cereales, patatas y caña de azúcar. Ganadería. Oro, cobre, plata y carbón. • C. del Perú, cap. del dpto. hom.; 92 447 hab. Sit. a 2 720 m de alt. Centro comercial e industrial. En C. fue preso y muerto Atahualpa (1533).

CAJAMARQUEÑO, ÑA adj. y s. De Cajamarca.

CAJEL adj. y f. Variedad de naranja producida por injerto de naranjo dulce sobre agrio.

CAJEME Mun. de México, en el est. de Sonora; 182 900 hab. Arroz, trigo, algodón.

CAJERO m. El que hace cajas. • El que está al cuidado de la caja en un banco, etc. • Caja o cajón que se forma en las acequias, inmediato a la presa. • Buhonero. • *Argent.* Músico que toca la caja.• **automático** Máquina que funciona conectada a una entidad bancaria y que sirve para que los usuarios realicen operaciones sobre sus cuentas. • f. Mujer que en los establecimientos comerciales está al cuidado de la caja.

CAJETA f. *C. Rica y Méx.* Caja redonda con tapa para guardar postres y jaleas.

CAJETE m. *Guat., Méx.* y *Salv.* Cazuela o escudilla de barro.

CAJETILLA f. Paquete de tabaco.

CAJETÍN m. Sello de mano con que se estampan anotaciones. • Cada una de estas anotaciones. • Listón de madera con dos ranuras en las que se alojan los conductores eléctricos. • *Art. Gráf.* Cada uno de los compartimientos de la caja.

CAJÍ m. *Cuba.* Pez de cola ahorquillada y color morado y amarillo.

CAJIGAL, ***Juan Manuel*** (1803-1856) Matemático ven. Fundador del Observatorio Astronómico de Caracas. *Curso de astronomía.* • **De la Vega, *Francisco*** (1691-1777) Militar esp. Gobernador y capitán general de Cuba. Virrey interino de Nueva España (1760). • **Y Monserrat, *Juan Manuel*** (1738-1808) Militar esp. Capitán general de Cuba (1872). Conquistó a los ing. las Bahamas.

CAJISTA com. Obrero tipógrafo que compone lo que se ha de imprimir.

CAJÓN m. Caja grande. • Caja movible de algunos muebles. • En los estantes, espacio que media entre tabla y tabla. • Casilla de madera que sirve de tienda. • *Chile.* Cañada larga por cuyo fondo corre algún río o arroyo. • *Amér.* Comercio, tienda de abacería. • *Arq.* Cada uno de los espacios en que queda dividida una tapia o pared por los machones. • **de sastre.** fig. y fam. Conjunto de cosas diversas y desordenadas. ■ *Amér.* CAJONERO.

CAJONERÍA o **CAJONERA** f. Conjunto de cajones de un armario o estantería.

CAKCHIQUEL adj. y s. Pueblo amerindio de la familia maya-quiché, que vive en el centro de Guatemala. • m. *Ling.* Lengua amerindia de la familia maya-quiché.

CAKE (voz ing.) m. Bizcocho relleno de pasas y frutas.

CAL f. Óxido de calcio, sustancia blanca, ligera, cáustica y alcalina que en estado natural se halla siempre combinada con alguna otra. Se la suele llamar cal viva. En contacto con el agua reacciona químicamente con desprendimiento de calor (cal apagada o muerta); mezclada con arena, forma la argamasa o mortero. ■ CALERA; CALERO, RA; CALIZO, ZA.

CALA f. Acción y efecto de calar un melón y otras frutas semejantes. • Pedazo cortado de una fruta para probarla. • Supositorio para la evacuación del vientre. • *Const.* Rompimiento hecho en una pared o un pavimento para conocer el grosor o su fábrica. • *Mar.* Parte más baja en el interior de un buque. • Lugar distante de la costa, propio para pescar con anzuelo. • *Cir.* Tienta para reconocer la profundidad de una herida. • Ensenada pequeña. • *Bot.* Planta acuática arácea, con hojas radicales de peciolos largos, espádice amarillo y espata grande y blanca.

CALABACERA f. *Bot.* Planta anual de la familia cucurbitáceas, con tallos muy largos y cubiertos de pelo, hojas lobuladas y flores amarillas. Su fruto es la calabaza.

CALABACÍN m. Calabacita cilíndrica de corteza verde y carne blanca. • fig. y fam. Calabaza, persona inepta.

CALABACINATE m. Guisado hecho con calabacines.

CALABACINO m. Calabaza seca y hueca, para tener vino u otro líquido.

CALABAZA f. *Bot.* Fruto en pepónide, característico de las plantas de la familia cucurbitáceas, en general y de las calabaceras, en particular. • Calabacino. • fig. y fam. Persona inepta y muy ignorante. • fig. y fam. *Mar.* Buque pesado y de malas condiciones náuticas. • fig. y fam. Cabeza. • fig. y fam. Suspenso, mala nota en un examen académico. • pl. fig. y fam. Con verbos que tienen sentido de dar o recibir, desprecio o desaire amoroso. ■ CALABACEAR; CALABAZADA; CALABAZAZO; CALABAZAR.

CALABAZATE m. Dulce seco de calabaza. • Cascos de calabaza en miel o arrope.

CALABAZO m. Calabaza, fruto de la calabacera. • Calabacín. • *Cuba.* Güiro, instrumento musical. • *Mar.* Calabaza, buque pesado.

CALABOBOS m. fam. Lluvia menuda.

CALABOZO m. Lugar donde se encierra a presos. • Aposento de cárcel, comisaría, cuartel, etc., para incomunicar a los presos. • Instrumento para podar y desmochar árboles. ■ CALABOCERO.

CALABOZO Mun. de Venezuela, en el est. Guárico; 42 900 hab. Arroz, maíz. Pesca fluvial.

CALABRÉS, SA adj. y s. De Calabria.

CALABRIA Región de Italia, ribereña de los mares Jónico y Tirreno; 15 080 km^2; 2 070 200 hab., cap., Catanzaro. Terr. montañoso integrado por las prov. de Catanzaro, Cosenza y Reggio di Calabria. Vid, olivos, naranjos.

CALABRIA, ***Fernando de Aragón,*** DUQUE DE (1488-h. 1540) Príncipe heredero de Nápoles, hijo de Federico III. Fernando el Católico le nombró lugarteniente en Cataluña (1505). Carlos I le nombró virrey de Valencia.

CALABRIAR tr. Mezclar vinos. • fig. Mezclar cosas diversas. ■ CALABRIADO, DA.

CALADA f. Acción y efecto de calar un líquido. • Acción de sumergir en el agua alguna cosa. • Vuelo rápido del ave de rapiña, bajando o subiendo.

CALADERO m. Sitio para calar las redes.

CALADIO m. *Amér. Merid.* Planta ornamental de la familia aráceas, de hojas muy hermosas.

CALADO m. Labor que se hace con aguja en alguna tela, sacando o juntando hilos. • Labor que consiste en taladrar papel, tela, madera, etc., tomando un dibujo como modelo. • *Mar.* Profundidad

que alcanza en el agua la parte sumergida de un barco. • *Mar.* Altura que alcanza la superficie del agua sobre el fondo.
CALADOR m. El que cala. • Tienta del cirujano. • Instrumento para calafatear. • *Argent.* y *Méx.* Barrena acanalada para sacar muestras de mercancías sin abrir los bultos.

Calabria. Costa de Praia y la isla de Dino

CALADORA f. *Ven.* Piragua grande.
CALAFATEAR tr. *Mar.* Cerrar las junturas de las maderas de las naves con estopa y brea. • P. ext., cerrar o tapar otras junturas. ■ CALAFATE; CALAFATEADO; CALAFATEO.
CALAGUALA f. *Perú.* Helecho de la familia papilionáceas.
CALAGUASCA f. *Col.* Aguardiente.
CALAIS C. del N de Francia, en la región Norte; 76 500 hab. Ind. pesquera y metalúrgica. Puerto de pasaje, que enlaza con gran Bretaña.
CALAÍTA f. *Miner.* Turquesa.
CALAKMUL Ant. c. maya, en el est. de Campeche (México).
CALALÚ m. *Cuba.* Potaje de verduras. • *Cuba.* Planta amarantácea, que produce una legumbre con la que se adereza el calalú. • *Salv.* Quingombó.
CALAMA C. de Chile, en la prov. de El Loa, II Región de Antofagasta. 110 400 hab. Ganadería. Oro y plata.
CALAMACO m. Tela de lana delgada y estrecha.
CALAMAR m. *Zool.* Molusco cefalópodo comestible, del orden decápodos. Su manto tiene forma de cono y en su parte anterior da paso a la cabeza y a los tentáculos. El c. común mide 20-30 cm, es abundante en el océano Atlántico y se captura en grandes cantidades.
CALAMBAC m. Agóloco.
CALAMBRE m. Contracción espasmódica, involuntaria, dolorosa y transitoria de un músculo.
CALAMBUCO o **CALABA** m. *Amér.* Árbol de la familia sapotáceas, con flores blancas y olorosas, y frutos redondos y carnosos. Su resina es el bálsamo de María.
CALAMBUR m. Equívoco, juego de palabras.
CALAMEÑO, ÑA adj. y s. De Calama.
CALAMIDAD f. Desgracia que alcanza a muchas personas. • Persona muy torpe. ■ CALAMITOSO, SA.
CALAMIFORME adj. Díc. de las partes vegetales o animales que tienen forma de cañón de pluma.
CALAMINA f. *Miner.* Hemimorfita. • Cinc fundido.
CALAMINTA f. o **CALAMENTO** m. Planta labiada medicinal.
CALAMIS (s. V a. C.) Escultor gr. Estatuas de Apolo, y de Afrodita Sosandra, en Atenas.
CALAMITA f. Piedra imán. • Brújula. • Calamite.
CALAMITE m. Sapo pequeño con verrugas punteadas de rojo en el dorso.
CÁLAMO m. Especie de flauta antigua. • *Bot.* Caña de las plantas monocotiledóneas. • *Bot.* Palmera de la familia palmáceas, cuyos tallos se usan en cestería y en ebanistería (cañas de India). • poét. Pluma para escribir.
CALAMOCANO, NA adj. fam. Algo embriagado. • m. fam. Chocho, que chochea.
CALAMOCHA f. Ocre amarillo pálido.
CALAMOCO m. Canelón, carámbano.
CALAMÓN m. *Zool.* Ave gruiforme, de cabeza roja, lomo verde y vientre violado. • Clavo usado para tapizar o adornar.
CALAMORRA adj. Díc. de la oveja que tiene lana en la cara. • f. fam. Cabeza humana.
CALAMORRO m. *Chile.* Calzado tosco.
CALANCHA, FRAY ***Antonio de la*** (1548-1654) Historiador de Indias bol. *Crónica moralizada del orden de San Agustín en Perú.*
CALANDRA f. Adorno metálico que cubre el radiador de los coches.
CALANDRAJO m. fam. Jirón que cuelga del vestido. • fig. y fam. Persona ridícula.
CALANDRAR tr. Pasar el papel o la tela por la calandria, a fin de satinarlos.
CALANDRIA f. *Zool.* Alondra, ave. • *Ind.* Máquina provista de varios cilindros de ejes paralelos y separación regulable, para reducir el espesor, curvar, alisar, aplanar, pulir, o recubrir de sustancias protectoras diversos materiales (papel, tejidos, plásticos, etc.), que se hacen pasar entre los pares de cilindros que giran en sentidos opuestos. • Cilindro hueco de madera para levantar cosas pesadas, por medio de un torno. • fam. Persona que se finge enferma para alojarse en un hospital.
CALÁNTICA f. Tocado de tela semejante a una mitra, que usaban las mujeres de la Antigüedad.
CALAÑA f. Muestra. • fig. Índole, naturaleza de una persona o cosa. • Abanico ordinario con varillaje de caña.
CÁLAO m. Ave piciforme, propia de países tropicales, con un gran pico coronado por un casco o protuberancia de hueso.
CALAPATILLO m. Insecto hemíptero, de color ceniciento, y en la parte posterior de color de cobre.
CALAPÉ m. *Amér.* Tortuga asada en su concha.
CALAR adj. Calizo. • m. Lugar en que abunda la piedra caliza. • tr. Penetrar un líquido en un cuerpo permeable. • Atravesar un instrumento, otro cuerpo de una parte a otra. • Imitar la labor del encaje en las telas, sacando o juntando algunos de sus hilos. • Agujerear tela, papel, metal, etc., de forma que resulte un dibujo parecido al encaje. • Cortar de un melón o de otras frutas un pedazo con el fin de probarlas. • tr. y prnl. Dicho de la gorra, el sombrero, etc., ponérselos haciéndolos entrar mucho en la cabeza. • tr. Hablando de algunas armas, ponerlas en disposición de herir. • fig. y fam. Penetrar, comprender el motivo, razón o secreto de una cosa. • tr. y prnl. fig. y fam. Introducirse en alguna parte. • tr. *Col.* Apabullar, cachifollar. • *Méx.* Sacar con el calador una muestra de un fardo. • *Mar.* Sumergir en el agua las redes o artes de pesca. • intr. *Mar.* Alcanzar un buque en el agua determinada profundidad por la parte más baja de su casco. • prnl. Pararse bruscamente el motor de explosión por producir poca potencia. • Mojarse una persona hasta que el agua, penetrando la ropa, llegue al cuerpo. • Abalanzarse las aves sobre una presa.
CALARCÁ Mun. de Colombia, en el dpto. de Quindío; 50 000 hab. Agricultura. Ganadería. Oro.
CALARCÁ (1570-1605) Cacique de los pijaos, pueblo de los Andes col. Encabezó una sublevación contra los esp. y llegó a dominar el valle del Cauca. Murió en combate.
CALASANCIO, CIA adj. Escolapio.
CALASANZ, ***José de*** (1556-1648) Santo sacerdote y pedagogo esp.; fundó la congregación de las Escuelas Pías. Patrono del magisterio esp.
CALATAYUD, ***Alejo*** (m. 1731) Caudillo per., uno de los jefes de la insurrección de Cochabamba (1730). Murió ajusticiado.
CALATRAVA, ***Orden de*** Orden religiosa y militar esp., fundada en 1158.
CALATRAVO adj. y m. Díc. del caballero de la orden de Calatrava.
CALAVERA f. Esqueleto de la cabeza. • Mariposa de cuerpo grueso y pelado, y alas estrechas, que tiene sobre el tórax una manchas que recuerdan a una calavera. • m. fig. Hombre de vida irregular. ■ CALAVERADA; CALAVEREAR.
CALAVERNARIO m. Osario.
CALAZÓN f. Calado de un buque.
CALCAGNO, ***Francisco*** (1827-1903) Escritor y pedagogo cub. Luchador abolicionista. *Diccionario biográfico cubano, Poetas de color.*
CALCÁNEO m. *Anat.* Hueso corto, situado en la parte posterior del pie, que forma el talón.

Calamón

Calandria de una fábrica de papel

Calao

Calceolaria

Vista parcial del Victoria Memorial de **Calcuta**

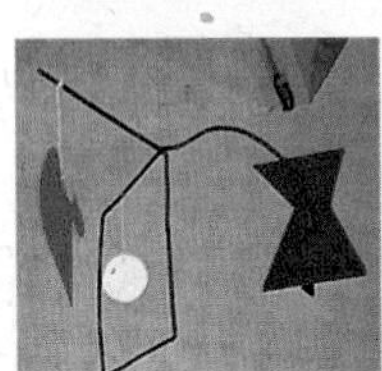

Alexander **Calder.** Arriba, *Móvil;* abajo, *La gran vela*, del Instituto de Tecnología de Massachusetts

CALCANTE → Calcas.

CALCANTITA f. *Miner.* Sulfato de cobre hidratado, triclínico; es de color azul y traslúcido.

CALCAÑAR o **CALCAÑAL** m. Parte posterior de la planta del pie.

CALCAÑO, *Arístides* (1828-1875) Poeta ven. *Fabián* (poesía), *El venezolanismo* (ensayo). • ***José Antonio*** (1827-1894) Poeta ven. *La siega.* • ***Julio*** (1840-1918) Escritor y filólogo ven. *Los héroes nuestros, Tres poetas pesimistas del s. XIX, Poesías.* • ***Simón*** (1835-1891) Poeta ven. Hermano de Arístides. *Sucre, El pescador de sueños.*

CALCAR tr. Sacar copia de un dibujo, inscripción o relieve por contacto del original con el papel o la tela a que han de ser trasladados. • Apretar con el pie. • fig. Imitar, o reproducir con exactitud. ■ CALCADO; CALCADOR, RA; CALCO.

CALCÁREO, A adj. Que tiene cal. • *Geol.* Díc. del sedimento o de la roca sedimentaria constituida esencialmente por carbonatos de calcio y magnesio. Las calizas y dolomias son las rocas c. más extendidas.

CALCE m. Llanta de los carruajes. • Porción de hierro o acero que se añade a las herramientas gastadas. • Cuña para ensanchar el espacio entre dos cuerpos. • Calza, cuña. • *Amér. Centr.* y *Méx.* Pie de un documento.

CALCEDONIA f. *Miner.* Variedad microcristalina, traslúcida y compacta de cuarzo.

CALCEDONIA Ant. c. de Asia Menor (Bitinia), donde en 451 se celebró el concilio ecuménico que condenó a los seguidores de Eutiques.

CALCEDONIO, NIA adj. y s. De Calcedonia.

CALCEMIA f. *Fisiol.* Cantidad de calcio en la sangre.

CÁLCEO m. Calzado que usaban los rom.

CALCEOLARIA f. Planta anual, de la familia escrofulariáceas, de flores blancas en corimbo, de color blanco, amarillo o rojo.

CALCETA f. Media. ■ CALCETERO, RA; CALCETERÍA.

CALCETÍN m. Prenda de punto que cubre el pie y parte de la pierna.

CALCHA f. *Chile.*Cerneja del caballo. Se usa más en pl. • *Chile.* Pelusa que tienen algunas aves en los tarsos. • *Argent.* y *Chile.* Conjunto de las ropas de vestir y cama de los trabajadores.

CALCHAQUI adj. y s. Pueblo indígena que habitó el valle de Calchaquí, en Tucumán. Fueron dominados por los incas y, prácticamente, aniquilados por los esp.

CALCHÍN adj. y s. *Argent.* Indígena de origen guaraní.

CALCHONA f. *Chile.* Ser fantástico y maléfico. • *Chile.* Bruja. • *Chile.* Mujer vieja y fea.

CALCICOSIS f. *Pat.* Neumoconiosis causada por el polvo de cal.

CALCÍDICA Pen. de Grecia, en el Egeo. Cereales, vid y olivos. Mármol.

CALCIDIO (s. IV) Filósofo neoplatónico, probablemente hispanorromano. Hace una interpretación ecléctica del platonismo, neoplatonismo y cristianismo.

CALCIFEROL m. *Biol.* Nombre científico de la vitamina D. Estimula la absorción del calcio por los intestinos y su asimilación en los huesos; su falta o déficit en el organismo produce raquitismo.

CALCIFICAR tr. Producir por medios artificiales carbonato de cal. • tr. y prnl. Fijar las sales de calcio en tejido orgánico. ■ CALCIFICACIÓN.

CALCÍMETRO m. Aparato para determinar la cal contenida en las tierras de labor. • Instrumento para apreciar la cantidad de calcio que contiene un líquido.

CALCINA f. Hormigón, mezcla.

CALCINAR tr. Reducir a cal viva los minerales calcáreos, por medio del calor. • Someter al calor los minerales de cualquier clase. ■ CALCINACIÓN O CALCINAMIENTO.

CALCIO m. *Quím.* Elemento químico de símb. Ca., n. a. 20 y p. a. 40,08. Es un metal alcalinotérreo, blanco y muy blando. Su sulfato presenta las formas de yeso, alabastro y anhidrita, y su carbonato, las amorfas de piedra caliza, coral, perlas, cáscara de huevo, etc., y las cristalizadas de mármol, espato de Islandia, aragonito, etc. ■ CÁLCICO, CA.

CALCITA f. *Miner.* Carbonato cálcico natural, cristalizado en el sistema trigonal. Es el constituyente esencial de las calizas y uno de los minerales más abundantes.

CALCÓFILO, LA adj. *Quím.* Díc. del elemento químico que presenta afinidad por el azufre.

CALCOGRAFÍA f. *Art. Gráf.* Sistema para grabar planchas metálicas. ■ CALCOGRAFIAR; CALCOGRÁFICO, CA; CALCÓGRAFO, FA.

CALCOMANÍA f. Procedimiento que consiste en pasar de un papel a objetos diversos, imágenes coloreadas. • Imagen obtenida por este medio.

CALCOPIRITA f. *Miner.* Sulfuro natural de cobre y hierro, de color negro azulado y amarillento con brillo metálico.

CALCOSINA f. *Miner.* Sulfuro de cobre, que cristaliza en el sistema rómbico.

CALCOSQUISTO m. *Miner.* Roca metamórfica, constituida por calcita y micas.

CALCOTIPIA f. *Art. Gráf.* Procedimiento para reproducir en planchas en relieve una composición tipográfica de caracteres movibles.

CALCULACIÓN f. Cálculo, acción de calcular.

CALCULADOR, RA adj. y s. Que calcula. • adj. fig. Interesado, egoísta. • adj. y f. Máquina para realizar operaciones de cálculo automáticamente. • m. → Computador.

**Ing.* Las c. pueden ser mecánicas, electromagnéticas o electrónicas. Se llaman *analógicas* cuando representan los valores numéricos mediante magnitudes variables continuas, y *digitales* cuando para representar los números emplean elementos capaces de tomar valores distintos estables (relés, interruptores, transistores, etc.).

CALCULAR tr. Hacer cálculos. • fig. Conjeturar, prever.

CALCULISTA adj. y s. Proyectista.

CÁLCULO m. Operación con la que se determina el valor de una cantidad cuya relación con el de otra u otras dadas se conoce. • Conjetura. • Reflexión. • *Med.* Concreción anormal, que se forma en la vejiga, los riñones y la vesícula biliar. • **de probabilidades.** Parte de las matemáticas que se ocupa en determinar la razón entre el número de casos favorables a la realización de un suceso y el número de casos probables, cuando todos ellos son igualmente posibles. • **diferencial.** Parte de las matemáticas que estudia el cálculo de las derivadas y sus aplicaciones. • **infinitesimal.** Parte de las matemáticas que comprende el cálculo diferencial e integral. • **integral.** Parte de las matemáticas que estudia la integración de las funciones. • **lógico.** El que se realiza mediante un sistema de signos que permite formaciones y operaciones conforme a unas reglas explícitas.

CALCUTA *(Kalikata)* C. y puerto de la India, en el delta del Ganges, cap. del est. de Bengala Occidental; 4 388 300 hab. (11 605 800 la agl. urb.). Centro industrial y ferroviario. Aeropuerto. Ant. cap. de la India brit.

CALDARIO m. En las termas rom., sala donde se tomaban baños de vapor.

CALDAS Dpto. de Colombia, sit. entre los ríos Cauca y Magdalena; 7 888 km^2, 1 030 062 hab. Cap., Manizales. Relieve montañoso (Nevado de Ruiz, 5 400 m). El clima, cálido en los valles, es modificado por la alt. Agricultura. Ganadería. Oro, plata, mercurio. Ind. textil, maderera, alimentaria, del calzado. • Mun. de Colombia, en el dpto. de Antioquia; 32 000 hab. Agricultura. Ganadería. Riqueza minera.

CALDAS, *Francisco José de* (1771-1816) Botánico y geógrafo col., fundador del *Semanario de Nueva Granada,* abrazó la causa de la independencia y fue fusilado por orden de Morillo.

CALDEA Ant. región de Mesopotamia. Esta denominación se extendió a toda Babilonia.

CALDEAR tr. y prnl. Calentar mucho. • fig. Excitar, animar. • tr. y prnl. Hacer ascua el hierro. ■ CALDA.

CALDEO, A o **CALDAICO, CA** adj. y s. De Caldea. • m. *Ling.* Lengua de los caldeos.

CALDER, *Alexander* (1898-1976) Escultor norteam., residente en Francia. Realizó un tipo de escultura *(mobil)* a la que el equilibrio de las masas proporcionaba movilidad. Autor también de esculturas fijas *(stabiles)* y de combinaciones de ambas *(mobiles-stabiles).*

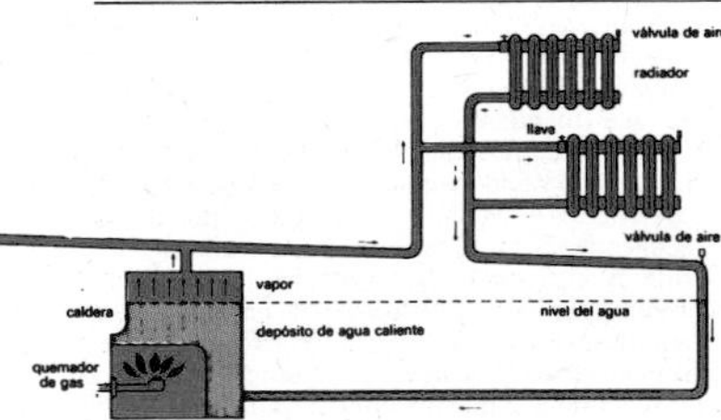

Esquema de un sistema simple de **calefacción** de gas

CALDERA f. Vasija de metal, grande y redonda, para calentar o cocer algo. • Calderada. • *Argent.* Cafetera, tetera y vasija para hacer el mate. • **de vapor.** *Ing.* Aparato en el que el agua se calienta hasta su ebullición para producir vapor. ■ CALDERADA; CALDERERÍA; CALDERERO.

CALDERA Rodríguez, *Rafael* (nacido 1916) Político ven. Líder de la democracia cristiana, del partido COPEI. Presid. de la rep. (1968-1974), dio un giro progresista a la política del país, y obtuvo su «pacificación», amnistiando a la guerrilla y legitimando los partidos de izquierda. Presid. del Consejo de la Unión Interparlamentaria (1980-1983). Fue elegido de nuevo presid. en diciembre de 1993 por la coalición de Convergencia Nacional.

CALDERETA f. Guiso de pescado, cebolla, aceite y vinagre. • Guisado de cordero o cabrito.

CALDERILLA f. Conjunto de monedas de valor inferior al de la unidad monetaria.

CALDERILLO m. Caldereta, guisado de carne.

CALDERO m. Caldera pequeña con asa sujeta a dos argollas. • Lo que cabe en esta vasija.

CALDERÓN m. Caldera grande. • *Mús.* Signo que representa la suspensión del movimiento del compás y floreo que suele acompañarlo. • *Zool.* Cetáceo de la familia delfínidos, de cuerpo negro, excepto una mancha blanca en la parte inferior.

Calendario azteca denominado Piedra del Sol

CALDERÓN, *Abdón* (1804-1822) Patriota ecuat. Murió en la batalla de Pichincha, que puso fin al dominio esp. sobre Quito. • ***Armando*** (nacido 1948) Político salv. Presid de ARENA, accedió a la presid. de la nación en las elecciones de 24 abril 1994. • ***Clímaco*** (1852-1913) Político col. Presid. interino (1882). *Tratado de hacienda pública.* • ***Fernando*** (1809-1845) Dramaturgo mex., uno de los primeros escritores románticos de su país. *Hernán o la vuelta del cruzado, Zoila o la esclava indiana.* • ***José*** (1838-1909) Escritor puertorriq. *Cuentos e impresiones, Estados del alma.* • ***María,*** llamada LA CALDERONA (s. XVII) Actriz, amante de Felipe IV, de quien tuvo a Juan de Austria, segundo de este nombre. • **De la Barca, *Pedro*** (1600-1681) Dramaturgo esp. del Siglo de Oro. Se le atribuyen 200 obras, que participan del conceptismo y culteranismo del barroco esp. *El mágico prodigioso, El alcalde de Zalamea, La vida es sueño, El gran teatro del mundo.* • **Fournier, *Rafael Ángel*** (nacido 1950). Abogado cost. Presid. de la nación entre 1990-1994 por el Partido de Unidad Social Cristiana. • **Guardia, *Rafael Ángel*** (1900-1970) Político cost., del partido Republicano. Presid. de la Rep. (1940-1944). Creador de la Caja Costarricense del Seguro Social, de la Universidad de Costa Rica.

CALDERONIANO, NA adj. Propio de la producción literaria de Calderón de la Barca.

CALDERS, *Pere* (1912-1994) Escritor esp. en lengua catalana. Destacó como autor de narraciones breves. *Crónicas de la verdad oculta, Aquí descansa Nevares, Invasión sutil y otros cuentos.*

CALDERUELA f. Vasija en que los cazadores nocturnos llevan luz para deslumbrar las perdices.

CALDILLO m. Salsa de algunos guisados.

CALDO m. Líquido que resulta de cocer en agua la vianda. • Aderezo de la ensalada o del gazpacho. • *Méx.* El jugo o guarapo de la caña. • Cualquier jugo vegetal destinado a la alimentación. Se usa más en pl. • **de cultivo.** Líquido preparado para favorecer la proliferación de algunas especies microbianas. ■ CALDOSO, SA.

CALDUCHO m. despect. Caldo de poca sustancia o mal sazonado.

CALDUDA f. *Chile.* Empanada caldosa.

CALDWELL, *Erskine* (1903-1987) Novelista norteam. *La ruta del tabaco.*

CALÉ m. Gitano de raza.

CALECER intr. Ponerse caliente alguna cosa.

CALEDONIA Ant. nombre de Escocia.

CALEDONIA, *canal de* Canal artificial en Escocia, que une el mar del Norte y el Atlántico; 96 km.

CALEDONIA, *Nueva* → Nueva Caledonia.

CALEDONIANO, NA adj. y s. De Caledonia.• *Geol.* Ciclo orogénico del paleozoico inferior, que afectó numerosas zonas de la corteza terrestre sobre todo durante el cámbrico y el devónico.

CALEFACCIÓN f. Acción y efecto de calentar o calentarse. • *Ing.* Operación por la que se eleva la temperatura de los cuerpos o de los ambientes. • Conjunto de aparatos e instalaciones que realizan esta operación. • **central.** Sistema de radiadores comunicados por tubos por los que circula agua caliente. ■ CALEFACTOR.

CALENDA f. Lección del martirologio rom., con los nombres y hechos de los santos, y las fiestas pertenecientes a cada día. • pl. En el ant. cómputo rom. y en el eclesiástico, el primer día de cada mes.

CALENDARIO m. Sistema de división del tiempo en intervalos (días, semanas, meses, años) basado en fenómenos astronómicos. • Almanaque. • **gregoriano.** El que no cuenta como bisiestos los años que terminan siglo. Rige en los países occidentales, Turquía, Japón, etc.• **juliano.** El que considera bisiestos los años cuyo núm. de días es divisible por 4.

CALENDAS f.pl. Primer día de cada mes entre los rom. • Tiempo, periodo, época.

CALÉNDULA f. Planta compuesta de porte herbáceo, con flores amarillentas o anaranjadas.

CALENTAMIENTO m. Enfermedad que padecen las caballerías en las ranillas y el pulmón.

CALENTAR tr. y prnl. Hacer subir la temperatura. • tr. fig. Avivar o dar calor a una cosa, para que se haga con más celeridad. • fig. y fam. Pegar, golpear. • prnl. Estar rijosos los animales o excitadas sexualmente las personas. • fig. Enfervorizarse en la disputa. ■ CALENTADOR, RA.

CALENTÓN m. fam. Acto de calentarse de prisa o fugazmente.

CALENTURA f. Fiebre. • *Cuba.* Descomposición por fermentación lenta que sufre el tabaco apilado. • *Cuba.* Planta de hojas lanceoladas y florecilla anaranjada. Es emética y se usa en la cordelería. ■ CALENTURÓN.

CALENTURIENTO, TA adj. y s. Díc. del que tiene indicios de calentura. • *Chile.* Tísico.

CALEÑO, ÑA adj. y s. De Cali. Que puede dar o producir cal. • Calizo.

CALEPINO, *Ambrogio* (1440-1510) Humanista agustino it. *Diccionario de la lengua latina.*

CALERA C. de Chile, en la prov. de Quillota, V Región de Valparaíso; 42 700 hab. Agricultura. Piedra caliza.

CALERO, *Adolfo* (1899-1980) Escritor nic. *Cuentos nicaragüenses, Correrías líricas.*

CALESA f. Carruaje de dos o cuatro ruedas, con la caja abierta por delante, dos o cuatro asientos y capota de vaqueta. ■ CALESERO.

CALESERA f. Chaqueta con adornos.

CALESÍN m. Carruaje ligero, de cuatro ruedas y

Caldera para cocer el mosto, en la fabricación de la cerveza

Rafael **Caldera**

Armando **Calderón**

Caléndula. Planta y detalle de la flor

dos asientos, tirado por una sola caballería. ■ CALESINERO.

CALESITA f. *Argent* y *Ur*. Tiovivo.

CALETA f. Cala, ensenada pequeña. • *Ven*. Gremio de porteadores de mercancías. ■ *Ven*. CALETERO.

CALETRE m. fam. Tino, discernimiento.

CALGARY C. de Canadá, en la prov. de Alberta; 592 700 hab. Centro comercial, ferroviario e industrial. Turismo. Sede de los Juegos Olímpicos de invierno en 1988.

CALGÓN m. Nombre com. del hexametafosfato de sodio, polímero del metafosfato sódico.

CALHOUN, *John Caldwel* (1782-1850) Estadista norteam. Gestionó la anexión de Texas. Vicepresid. con Adams y Jackson.

CALI C. de Colombia, cap. del dpto. de Valle del Cauca; 1 783 546 hab. Ind. cafetalera. Fundada en 1536 por Sebastián de Belalcázar.

CALIBRAR tr. Medir o reconocer el calibre de las armas de fuero o el de otros tubos. • Medir o reconocer el calibre de los proyectiles, o el grueso de los alambres, chapas de metal, etc. • Dar al alambre, al proyectil o al ánima del arma el calibre que se desea. • fig. Medir el talento, cualidades, etc., de uno o la importancia de un asunto. • Ajustar un instrumento de medida a fin de que tenga la precisión deseada. ■ CALIBRACIÓN; CALIBRADOR.

CALIBRE m. Diámetro interior de las armas de fuego. • P. ext., diámetro del proyectil o de un alambre. • Diámetro interior de muchos objetos huecos; como tubos, conductos, cañerías. • fig. Tamaño, importancia.

CALICANTO m. Obra de mampostería.

CALICATA f. Reconocimiento del subsuelo mediante sonda o barrena.

CALICHE m. Piedrecilla que, introducida por descuido en el barro, se calcina al cocerlo. • En los melones y otras frutas, maca. • Costra calcárea que se forma en zonas de climas áridos por la precipitación del carbonato de calcio y de otras sales evaporíticas disueltas en agua. • *Bol.*, *Chile* y *Perú*. Nitrato de sosa, salitre de sosa o nitrato cúbico. • *Bol.*, *Chile* y *Perú*. Calichera.

CALICHERA f. *Chile*. Yacimiento de caliche, terreno en que hay caliche.

CALICIFLORA adj. *Bot*. Díc. de la planta cuyos pétalos y estambres parecen insertarse en el cáliz.

CALICIFORME adj. Díc. de la flor que tiene forma de cáliz.

CALÍCRATES (s. v. a. C.) Arquitecto gr. Constructor, con Fidias e Ictinos, del Partenón.

CALÍCULO o **CALICILLO** m. *Bot*. Conjunto de apéndices foliáceos caliciformes que rodea el cáliz de algunas flores.

CALIDAD f. Manera de ser de una persona o cosa. • Carácter, genio, índole. • Condición o requisito que se pone en un contrato. • fig. Importancia o cualidad de una cosa. • Estado de una persona, su naturaleza, su edad y demás circunstancias y condiciones que se requieren para un cargo o dignidad. • Nobleza del linaje. • *Ing*. Valor absoluto de la tolerancia.

CALIDOSCOPIO o **CALEIDOSCOPIO** m. Instrumento óptico compuesto por tres espejos dispuestos en ángulo que multiplican simétricamente la imagen de varios objetos de colores colocados entre ellos. ■ CALEIDOSCÓPICO, CA.

CALIENTAPLATOS m. Recipiente para mantener los platos calientes.

CALIFA m. Título de los musulmanes que sucedieron a Mahoma en la jefatura de la comunidad islámica. ■ CALIFAL.

CALIFATO m. Estructura político-religiosa del Islam, basada en la autoridad del califa. • Terr. gobernado por el califa. • Periodo histórico en que hubo califas.

CALIFICAR tr. Apreciar o determinar las calidades o circunstancias de una persona o cosa. • tr. y prnl. Valorar algo según una escala. • tr. Dar o poner nota a un alumno. • fig. Ennoblecer, ilustrar, acreditar una persona o cosa. ■ CALIFICACIÓN; CALIFICADO, DA; CALIFICADOR, RA.

CALIFICATIVO, VA adj. Que califica. • adj. y s. *Gram.* Adjetivo que denota alguna calidad de sustantivo; frases u oraciones que realizan idéntica función.

CALIFORNIA Est. del SO de EE UU, en la costa del Pacífico; 411 049 km^2, 29 760 000 hab. Cap., Sacramento. Accidentado por dos cord., sierra Nevada (monte Whitney, 4 418 m) y la cadena Costera, que enmarcan el Gran Valle Central. Ríos Sacramento y San Joaquín. Al S y SO, se extienden los desiertos de Mohave y Colorado. Clima de tipo mediterráneo, con variaciones según la alt. Algodón, frutales, cítricos, vid y remolacha. Primer centro pesquero de EE UU. Petróleo, gas natural, mercurio, sales potásicas. Ind. petrolífera. C. prales.: Los Ángeles y San Francisco. C. perteneció a México hasta 1848, año que quedó incorporada a EE UU por el tratado Guadalupe-Hidalgo. • **Baja C.** Pen. del NO de Méx., bañada al O por el Pacífico y al E por el golfo de California. • **Baja C.** Est. de México que ocupa la mitad septentrional de la pen. hom.; 70 113 km^2, 2 487 700 hab. Cap., Mexicali. Terreno montañoso (Cerro de la Encantada, 3.088 m). Clima seco. Algodón, hortalizas y frutales. • **Baja C. Sur** Est. de México que ocupa la mitad S de la pen. hom.; 73 677 km^2, 423 515 hab. Cap., La Paz. Sector semiárido de elevadas temperaturas, accidentado al E por la sierra de la Giganta. Trigo, Algodón. Cobre y hierro.

CALIFORNIANO, NA o **CALIFORNIO, NIA** o **CALIFÓRNICO, CA** adj. y s. De California.

CALIFORNIO m. *Quím*. Elemento artificial, de símbolo Cf, n. a. 98 y p. a. del isótopo más estable 249.

CÁLIGA f. Sandalia guarnecida de clavos, que usaban los soldados rom.

CALÍGINE f. Niebla, oscuridad. • Bochorno. ■ CALIGINOSO, SA.

CALIGRAFÍA f. Arte de escribir con letra hermosa. • Conjunto de rasgos que caracterizan la escritura de una persona, un documento, etc. ■ CALIGRAFIAR; CALIGRÁFICO, CA; CALÍGRAFO, FA.

CALIGRAMA m. Disposición tipográfica caprichosa, usada en composiciones poéticas para producir una impresión visual evocadora del objeto o el tema aludido en el poema.

CALÍGULA (12-41 d. C.) Tercer emperador rom., hijo de Germánico y Agripina; sucedió a Tiberio en el 37. Se proclamó dios, nombró cónsul a su caballo, hizo ejecutar a inocentes ciudadanos y se atribuyó imaginarias victorias. Murió asesinado.

CALILA Y DIMNA Colección de apólogos de origen indio, traducida al ár. por Ibn al-Muqaffa y vertida al cast. por encargo de Alfonso X el Sabio.

CALILLA f. *Amér.* Persona molesta y pesada. • fam. *Amér.* Molestia, pejiguera. • *Chile*. Deuda.

CALIMA f. Conjunto de corchos enfilados usados como boya.

CALIMA Valle del SO de Colombia, en el dpto. del Valle del Cauca, donde se han realizado hallazgos arqueológicos correspondientes a una cultura desarrollada en los ss. VIII-X.

CALÍMACO (s. v a. C.) Escultor y arquitecto gr., inventor del capitel corintio. • (310-240 a. C.) Poeta gr. del periodo alejandrino. *La cabellera de Berenice*.

CALIMBAR tr. *Amér.* Herrar, marcar. ■ *Amér.* CALIMBA.

CALINA f. Neblina. ■ CALINOSO, SA.

CALINDA f. *Cuba*. Danza que se ejecuta en dos filas y haciendo un simulacro de lucha.

CALINICOS de Heliópolis (s. VII) Arquitecto y químico gr. Inventor del «fuego griego», compuesto de cal viva, resina, azufre y salitre.

CALÍOPE *Mit. gr.* Madre de Orfeo y de las Sirenas, y musa de la poesía épica y de la elocuencia.

CALIPEDIA f. Arte quimérica de procrear hijos hermosos.

CALIPO (s. IV a. C.) Astrónomo gr. Estableció la duración de las estaciones del año.

CALIPSO *Mit. gr.* Ninfa marina, hija de Tetis y del Océano, que retuvo a Ulises durante siete años en la isla de Ogigia.

CALISAYA f. Variedad de quina muy apreciada.

CALISTEAS f. pl. Fiestas que se celebraban en homenaje de Hera y Afrodita en la ant. Grecia.

CALÍSTENES (s. IV a. C.) Historiador y filósofo gr., sobrino de Aristóteles. Condenado a muerte por conspirar contra Alejandro Magno.

CALISTENIA f. Ejercicio físico conducente al desarrollo de las fuerzas musculares.

Vista del Parque Nacional de Yosemite, en el estado de **California**

Calígine originada por cúmulos

Dibujo de un capitel corintio, ideado por **Calímaco**

CALISTO *Astr.* Cuarto satélite de Júpiter. • *Astr.* Nombre de un asteroide.
CALITRÍCIDO, DA adj. y m. *Zool. Amér. Merid.* Primates de pequeño tamaño, propios de las selvas tropicales y llamados titís, de larga cola, no prensil, y pelaje espeso, largo y sedoso. • m. pl. *Zool.* Familia de estos primates.
CALIXTO I (m. 222) Santo. Según san Hipólito, asumió el papado de 217 a 222. • **II** (1060-1124) Papa [1119-1124]. Puso fin a la lucha de las Investiduras. • **III** (1378-1458) Papa [1455-1458]. De la casa Borgia. Intentó organizar en Europa una gran cruzada contra los turcos.
CÁLIZ o **CÁLICE** m. Vaso que sirve en la misa para echar el vino que se ha de consagrar. • *poét.* Copa o vaso. • *Bot.* Cubierta externa de las flores completas. • *Anat.* Cualquier estructura en forma de copa que forme parte de algún órgano o sistema orgánico de los animales.
CALIZA f. *Geol.* Roca sedimentaria formada por carbonato cálcico. Por calcinamiento, desprende anhídrido carbónico, dejando cal como residuo. Se emplea en la ind. del cemento.
CALLA f. *Amér.* Palo puntiagudo para sacar plantas con sus raíces y abrir hoyos para sembrar.
CALLADA f. Silencio o efecto de callar. • **Dar** uno **la c. por respuesta.** fam. Dejar intencionadamente de contestar.
CALLADO, DA adj. Silencioso, reservado. • Díc. de lo hecho con silencio o reserva.
CALLAGHAN, ***James*** (nacido 1912) Político laborista brit. Sindicalista en su juventud, en 1931 ingresó en el Partido Laborista. Parlamentario desde 1945, ministro de Asuntos Exteriores en 1974, en 1976 fue designado jefe del partido y primer ministro. Perdió el poder tras las elecciones de 1979.
CALLAMPA f. *Chile.* Seta, hongo. • fig. y fam. *Chile.* Sombrero de fieltro. • **Población c.** *Chile.* Cinturón periférico de las grandes ciudades donde se apiñan desordenadamente chabolas y pob. de extremada pobreza.
CALLANA f. *Amér.* Vasija tosca que usan los indígenas americanos para tostar maíz o trigo. • Escoria metalífera que puede beneficiarse. • Crisol para ensayar metales. • fig. *Chile.* Reloj de bolsillo muy grande.
CALLANDICO, TO adv. modo. fam. En silencio, con disimulo.
CALLAO, ***El*** Prov. constitucional de Perú, junto al Pacífico; 146,98 km^2, 699 600 hab. Constituye una división adm. especial. • C. de Perú, cap. de la prov. hom. Astilleros, base naval. Ind. metalúrgica, alimentaria y pesquera. Fundada en 1540, su crecimiento se relaciona con la cercanía de Lima, a la que servía de puerto. Destruida por un terremoto en 1746, fue la última plaza amer. abandonada por los esp. (1826); durante la guerra del Pacífico, fue inútilmente bombardeada por la escuadra de Méndez Núñez.
CALLAPO m. *Chile.* Entibo, madero para apuntalar. • *Chile.* Grada de escalera en la mina. • *Bol.* y *Perú.* Parihuela.

Vista parcial de **El Callao**

CALLAR intr. y prnl. No hablar, guardar silencio una persona. • Cesar de hablar. • Cesar de llorar, degritar, de cantar, de tocar un instrumento musical. • Abstenerse de manifestar lo que se siente o se sabe. • Cesar ciertos animales en sus voces. • Dejar de hacer ruido el mar, el viento, etc. • tr. y prnl. Tener reservada, no decir una cosa.
CALLAS, ***Maria Kalogeropulos*** (1923-1977) Soprano norteam., de origen gr. Destacó en la interpretación de óperas italianas.
CALLE f. Camino entre casas o edificios en una población. • Moradores de una calle o de las calles en general. • *Dep.* Espacio por donde debe ir un atleta o nadador durante una competición deportiva. • En el juego de damas, serie de casillas en línea diagonal. • *Art. Gráf.* Línea de espacios que se forma en una composición tipográfica. ■ CALLEJA; CALLEJUELA.
CALLEAR tr. Hacer calles en las viñas.
CALLECALLE amb. *Chile.* Nombre de una planta iridácea, de flores blancas; medicinal.
CALLEJA, ***Félix María de*** (1750-1820) General esp., virrey de México en 1813. Venció a las tropas libertadoras mandadas por Hidalgo, en las batallas de San Jerónimo y Puente de Calderón. Jefe de la expedición de 1820, abortada por la sublevación de Riego.
CALLEJAS, ***Rafael Leonardo*** (nacido 1943). Político hond. Licenciado en economía agrícola. Venció en las elecciones presidenciales de 1989, por el Partido Nacional de Honduras. Cesó en 1994.
CALLEJEAR intr. Deambular por las calles. ■ CALLEJEO.
CALLEJERO, RA adj. Que gusta de callejear. • Relativo a la calle. • m. Guía de calles de una ciudad.
CALLEJÓN m. Calleja, callejuela. • *Dep.* Calle. • *Taur.* Espacio entre la barrera y la contrabarrera.
CALLES, ***Plutarco Elías*** (1877-1945) Político mex. Nombrado comisario de Agua Prieta por Maytorena en 1911, desempeñó un papel imp. en la insurrección de Sonora contra Huerta. Integrado en el Ejército del Noroeste de A. Obregón, pronto alcanzó el grado de coronel. Se inclinó al lado de los carrancistas en 1914 y formó parte del gobierno de Carranza en 1919, aunque participó activamente en su derrocamiento. Tras el asesinato de Obregón (1924), le sucedió en la presidencia (1924-1928), realizando imp. reformas agrarias, sociales y docentes. Finalizado su mandato, fundó el Partido Nacional Revolucionario (1929). Opuesto a Lázaro Cárdenas, fue expulsado del país (1936), al que regresó durante el gobierno de Ávila Camacho.
CALLO m. Dureza que se forma en los pies, manos, rodillas, etc. • Cualquiera de los dos extremos de la herradura. • *Cir.* Cicatriz que se forma en la reunión de los fragmentos de un hueso fracturado. • pl. Pedazos del estómago de la vaca, ternera o carnero, que se comen guisados. ■ CALLISTA; CALLOSO, SA.
CALLOSIDAD f. Dureza semejante al callo, pero menos profunda. • Endurecimiento de la epidermis de los vertebrados terrestres. • pl. Durezas en algunas úlceras crónicas.
CALMA f. Estado de la atmósfera cuando no hay viento. • fig. Cesación o suspensión de algunas cosas. • fig. Paz. • fig. y fam. Cachaza. • **chicha.** Se dice en la mar, cuando el aire está en completa quietud. • **En c.** m. adv. Díc. del mar cuando no levanta olas.
CALMANTE adj. Que calma. • adj. y m. *Med.* Díc. de los medicamentos narcóticos.
CALMAR tr. y prnl. Sosegar, adormecer, templar. • intr. Estar en calma o tender a ella. ■ CALMOSO, SA O CALMUDO, DA.
CALMETTE, ***Albert*** (1863-1933) Médico fr., descubridor, junto con Guérin, de una vacuna antituberculosa (BGC).
CALMIL m. *Méx.* Tierra sembrada junto a la casa del labrador.
CALMO, MA adj. Díc. del terreno o tierra erial sin árboles ni matas. • Que está en descanso.
CALMUCO, CA adj. y s. Relativo a los calmucos. • m. pl. Pueblo mongol que habita en Kalmykia (Rusia). • m. *Ling.* Lengua mongol hablada por dicho pueblo.
CALÓ m. Lenguaje de los gitanos esp. • P. ext. jerga del hampa.
CALOFRÍO m. Escalofrío. Suele emplearse en pl. ■ CALOFRIARSE.

Cáliz de Doña Urraca (s. XI)

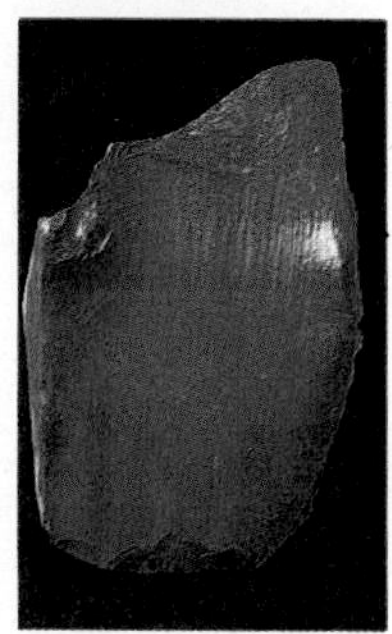
Fragmento macrosópico de una **caliza** coralina

Rafael Leonardo **Callejas**

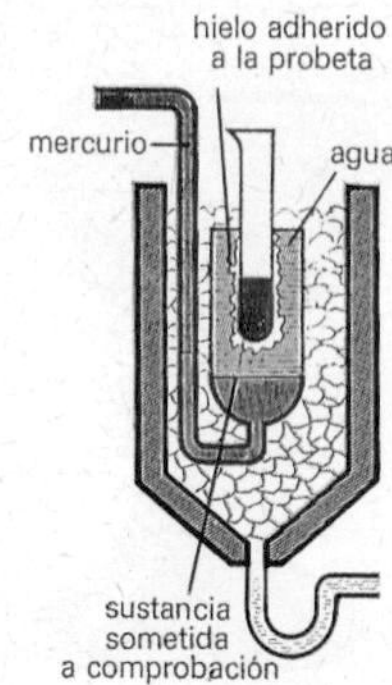

Esquema del **calorímetro** de Bunsen

CALOMARDE, *Francisco Tadeo* (1773-1842) Político esp. Ministro de Justicia de Fernando VII, practicó una política absolutista. En 1833 se adhirió a la causa carlista. Desterrado a la muerte de Fernando VII.

CALOMELANOS m. pl. o **CALOMEL** m. *Quím.* Cloruro mercurioso. Es un polvo blanco, insoluble en agua, que se emplea como purgante y antiséptico. También posee aplicaciones en electricidad y en agricultura.

CALOOCAN C. de Filipinas, en la isla de Luzón; 467 800 hab.; comprendida en la agl. de Manila.

CALOR m. *Fís.* Manifestación de la energía a cuyas variaciones se deben ciertos fenómenos, especialmente la dilatación, la contracción y el cambio de estado de los cuerpos. • amb. Sensación que experimenta el cuerpo animal cuando su temperatura es menos elevada que la de otro cualquiera que le transmite la suya por contacto o radiación. • m. Aumento extraordinario de temperatura que experimenta el cuerpo animal, por causas fisiológicas o morbosas. • fig. Ardimiento, actividad, viveza. • fig. Favor, buena acogida. • fig. Lo más fuerte y vivo de una acción. • **atómico.** *Fís.* Producto del p. a. de un elemento químico por su calor específico. • **de condensación.** *Fís.* Cantidad de c. desprendido cuando un gramo de una sustancia pasa del estado de vapor al estado líquido. • **de disolución.** *Fís.* Cantidad de c. necesario para disolver la unidad de masa de soluto de una disolución, sin variación de temperatura. • **de formación.** *Fís.* Variación calórica que acompaña a la formación de un mol de un compuesto atómico a partir de sus elementos. • **de fusión.** *Fís.* Cantidad de c. necesario para que un gramo de un sólido pase al estado líquido (si el fenómeno tiene lugar a la temperatura de fusión). • **de solidificación.** *Fís.* Cantidad de c. necesario para que un gramo de líquido pase al estado sólido (si el fenómeno se realiza a la temperatura de solidificación). • **de sublimación.** *Fís.* Cantidad de c. necesario para que un gramo de un sólido pase al estado gaseoso. • **de vaporización.** *Fís.* Cantidad de c. necesario para que un gramo de un líquido pase al estado gaseoso (si el fenómeno tiene lugar a la temperatura de vaporización). • **específico.** *Fís.* Cantidad de c. necesario para elevar en un grado la temperatura de un gramo de una sustancia. • **natural.** El normal del cuerpo. • **negro.** El que producen ciertos aparatos eléctricos. • **Equivalente mecánico del c.** *Fís.* Es la equivalencia 1 julio = 0,24 calorías o 1 caloría = 4,18 julios. ■ CÁLIDO, DA; CALIENTE; CALÓRICO, CA; CALORÍFERO, RA; CALORÍFICO, CA; CALORÍFUGO, GA; CALUROSO, SA.

Jean **Calvino**

CALORÍA f. *Fís.* Unidad de medida de la cantidad de calor.

CALORICIDAD f. *Fisiol.* Propiedad vital por la que los animales conservan casi todos un calor superior al del ambiente en que viven.

CALORIFICACIÓN f. *Fisiol.* Termogénesis.

CALORIMETRÍA f. *Fís.* Técnica que se ocupa de la medida de la variación de la cantidad de calor en un proceso. ■ CALORIMÉTRICO, CA.

CALORÍMETRO m. *Fís.* Aparato para medir el calor específico de los cuerpos.

CALOSA f. *Bot.* Sustancia hialina propia de las células liberianas, que constituyen los vasos conductores de la savia elaborada.

CALOSTRO m. Primera secreción mamaria de la hembra, poco antes o después del parto.

CALOYO m. Cordero o cabrito recién nacido.

CALPAMULO, LA adj. y s. *Méx.* Mestizo de albarazado y negra o de negro y albarazada.

CALPE Ant. nombre de Gibraltar.

CALPIXQUE m. Capataz encargado por los encomenderos del gobierno de los indígenas.

CALPUL m. *Guat.* Reunión. • *Hond.* Montículo que señala los ant. pueblos indígenas.

CALQUÍN m. *Argent.* Variedad mediana del águila, que vive en los Andes patagónicos.

CALSAMIGLIA, *Eduardo* (1880-1918) Dramaturgo cost. *El combate y otras obras dramáticas, Bronces de antaño.*

CALTA f. Planta vivaz, de la familia ranunculáceas, con tallos lisos, hojas gruesas y flores amarillas.

CALTANISSETTA C. de Italia, en Sicilia; 62 100 hab.; cap. de la prov. hom.; 294 100 hab. Ind. del azufre.

Leopoldo **Calvo Sotelo** leyendo su discurso de investidura

CALUMA f. *Perú.* Cada una de las gargantas de los Andes. • *Perú.* Lugar de indios.

CALUMET m. Pipa ceremonial usada por ciertas tribus indígenas de América del Norte.

CALUMNIAR tr. Atribuir falsa y maliciosamente a alguno palabras, actos o intenciones deshonrosos. • *Der.* Imputar a una persona falsamente la comisión de un delito de los que dan lugar a procedimiento de oficio. ■ CALUMNIA; CALUMNIOSO, SA.

CALUNGO m. *Col.* Perro de pelo crespo.

CALURO m. *Amér. Centr.* Ave trepadora, de plumaje verde y rojo por el cuerpo, y negro y blanco por las alas; pico delgado y encorvado.

CALUYO m. *Bol.* Baile indígena.

CALVA f. Parte de la cabeza de la que se ha caído el pelo. • Parte de una piel, felpa, etc., que ha perdido el pelo por el uso. • Sitio en los sembrados, plantíos y arbolados, donde no hay vegetación. • Juego que consiste en tirar los jugadores piedras a la parte superior de un madero. • Área que en los cultivos uniformes de bacterias aparece libre de crecimiento bacteriano por la actuación de virus bacteriófagos.

CALVARIO m. Vía Crucis. • fig. y fam. Serie de adversidades y sufrimientos.

CALVARIO (heb., *Gólgota*, «montaña de la calavera») Colina cercana a Jerusalén donde, según los Evangelios, ocurrió la crucifixión de Jesucristo.

CALVATRUENO m. fam. Calva grande que coge toda la cabeza. • fig. y fam. Calavera, hombre de poco juicio.

CALVERO m. Claro en un bosque o arboleda. • Gredal, terreno gredoso. ■ CALVERIZO, ZA.

CALVETTI, *Jorge* (nacido 1916). Poeta arg. Exponente neopopularista de la generación de 1940. *Memoria terrestre, Libro de homenaje.*

CALVICIE o **CALVEZ** f. Falta de pelo en la cabeza.

CALVIN, *Melvin* (1911-1997) Bioquímico norteam. Premio Nobel de Química en 1961 por sus investigaciones sobre la fotosíntesis. • **Ciclo de C.** Conjunto de reacciones que forman parte de la fotosíntesis clorofílica. Consiste en la captación de CO_2 atmosférico por un aceptor específico de éste, el difosfato de ribulosa, que se transforma en un aldehído derivado de la glicerina, el fosfogliceraldehído.

CALVINISMO m. Doctrina teológica de Calvino, según la cual la salvación se consigue con la fe, que Dios concede a sus elegidos, y no por las buenas obras. El c. se extendió sobre todo por Suiza, Francia (hugonotes), Holanda, Hungría, Inglaterra (puritanos) y Escocia (presbiterianos). La expansión colonial llevó el c. a América Septentrional y África del Sur. ■ CALVINISTA.

CALVINISTA metodista, *iglesia* Denominación de la iglesia presbiteriana de Gales.

CALVINO, *Jean* (1509-1564) Teólogo fr. Tras adherirse públicamente a la Reforma, se estableció en Ginebra, donde desarrolló y aplicó su doctrina, el calvinismo. *Ordenanzas eclesiásticas de la iglesia de Ginebra, Institutio christianae religionis.* • ***Italo*** (1923-1985) Escritor it. *Nuestros antepasados, Las cosmicómicas, Las ciudades invisibles, El barón rampante.*

CALVO, VA adj. y s. Que ha perdido el pelo de la cabeza. • Tratándose del terreno, pelado, sin vegetación alguna. • Díc. del paño y otros tejidos que han perdido el pelo.

CALVO, *Bartolomé* (1815-1889) Abogado y político col. Presid. interino de la rep. en 1861. La guerra civil provocada por el general Mosquera le obligó a refugiarse en EE UU. • ***Carlos*** (1824-1906) Jurista arg. *Derecho internacional teórico y práctico.* • ***César*** (nacido 1940) Poeta y periodista per. *Poemas bajo tierra, Ausencias y retardos, Pedestal para nadie.* • **Sotelo, *Joaquín*** (1905-1993) Académico y dramaturgo esp. *La visita que no llamó al timbre, Plaza de Oriente, La muralla, La amante, El jefe.* • **Sotelo, *José*** (1893-1936) Político esp. Ministro de Hacienda durante la dictadura de Primo de Rivera (1925-1930). Diputado por la oposición monárquica (1933-1936). Murió asesinado. • **Sotelo, *Leopoldo*** (nacido 1926) Político esp. perteneciente a UCD. Presid. del gobierno (1981-1982) tras la dimisión de Adolfo Suárez.

CALZA f. Pantalón. Úsase más en pl. • Liga o cinta con que se suele señalar a algunos animales para distinguirlos de otros de la misma especie. • Cuña con que se calza. • fam. Media.
CALZADA f. Camino empedrado y ancho. • Parte de la calle comprendida entre dos aceras.
CALZADERA f. Cuerda delgada de cáñamo para atar y ajustar las abarcas. • Hierro con que se calza la rueda del carruaje.
CALZADO, DA adj. Que usa zapatos. • Todo género de zapato, alpargata, abarca, etc., que cubre el pie.
CALZADOR m. Utensilio con el que se ayuda a que el pie entre en el zapato. • *Argent.* y *Bol.* Lapicero, instrumento en que se pone el lápiz.
CALZAR tr. y prnl. Cubrir el pie y algunas veces la pierna con el calzado. • Tratándose de guantes, espuelas, etc., usarlos o llevarlos puestos. • tr. Poner una cuña entre el piso y alguna rueda de un carruaje o máquina, que los inmovilice, o que debajo de cualquier mueble o trasto lo afirme de modo que no cojee. • Admitir, las armas de fuego, bala de un calibre determinado. • *Art. Gráf.* Poner con calzas los clichés o grabados a la alt. de la letra.
CALZO m. Calce. • *Mar.* Calza, cuña con que se calza. • pl. Las extremidades de una caballería cuando son de color distinto del pelo del cuerpo.
CALZÓN m. Prenda de vestir del hombre, que cubre la cintura hasta las rodillas. Úsase más en pl. • Pantalón. • *Méx.* Enfermedad de la caña de azúcar en que, por falta de riego, se secan las dos hojitas inmediatas al pie de la planta.
CALZONAZOS o **CALZORRAS** m. fig. y fam. Hombre que se deja dominar, particularmente por su mujer.
CALZONCILLOS m. pl. Prenda interior de hombre, que puede cubrir desde la cintura hasta la ingle, la mitad de los muslos o los tobillos.
CALZONERAS f. pl. *Méx.* Pantalón abotonado de arriba abajo por ambos costados.
CAM (heb., *Ham,* «negro») Hijo de Noé.
CAMA f. Mueble para dormir, descansar, etc. • Plaza para un enfermo en el hospital o sanatorio. • Pieza del arado en la cual encajan por la parte inferior delantera el dental y la reja, y por detrás la esteva. • Pina de una rueda. • fig. Sitio donde se echan los animales para su descanso. • fig. Suelo o plano del carro o carreta. • fig. En el melón y otros frutos, parte que está pegada contra la tierra mientras están en la mata. • Camada, crías de un animal. • *Mar.* Hoyo que forma en la arena o en el fango una embarcación varada. • **redonda.** Aquélla en que duermen varias personas. • **turca.** Sofá ancho, sin respaldo ni brazos. • **Caer** uno **en c.** Enfermar. • **Guardar** uno c. Estar en ella por necesidad.
CAMACHO, *Arturo* (1910-1982) Poeta col. *Luna de arena.* • ***Heliodoro*** (1831-1899) Militar y político bol. Jefe del ejército y del partido Liberal. Participó en el derrocamiento de Daza. • ***Juan Vicente*** (1829-1872) Escritor y diplomático ven. Adscrito al tradicionalismo ven. *La virgen de la Soledad, Una página de Homero.* • ***Marcelino*** (nacido 1918) Sindicalista y político esp., miembro del comité central del PCE. Elegido secretario gral. de Comisiones Obreras (1957) y presid. (1987). • ***Arturo*** (nacido 1910) Poeta col. formó parte del grupo «Piedra y Cielo». *Presagio de amor, Luna de arena.* • **Roldán, *Salvador*** (1827-1900) Político liberal col. Gobernador de Panamá. Presid. interino del país. Denunció la conspiración militar de Obando.
CAMACITA f. Aleación natural de hierro y níquel cuya riqueza en hierro es de hasta un 93 %.
CAMADA f. Crías de algunos mamíferos que se paren de una vez. • Capa de ciertas cosas extendidas horizontalmente.
CAMAFEO m. Figura tallada de relieve en ónice u otra piedra dura y preciosa. • La misma piedra labrada. • Medallón que contiene una de aquellas figuras labradas.
CAMAGUA adm. *Amér. Centr.* y *Méx.* Díc. del maíz que empieza a madurar.
CAMAGÜEY Prov de Cuba, en el sector centro oriental de la isla; 15 839 km², 723 000 hab. Penillanura accidentada por relieves montañosos. Clima tropical lluvioso. Caña de azúcar, tabaco, plátano, arroz. Ganadería. Ind. alimentaria y metalúrgica. • C. de Cuba, cap. de la prov. hom. 286 400 hab. Centro agrícola y ganadero. Ind. Metalúrgica (cromo). Fundada en 1514.
CAMAGÜEYANO, NA adj. y s. De Camagüey.
CAMAGUIRA f. *Cuba.* Árbol de madera compacta, dura y de color amarillo veteado, que admite pulimento.
CAMAHUETO m. *Chile.* Animal acuático fabuloso, que simboliza las tempestades y avenidas de los ríos.
CAMAJUANÍ Mun. de Cuba, en la prov. de Villa Clara; 65 000 hab. Tabaco, caña de azúcar. Ind. agropecuarias.
CAMAL m. Cabestro de cáñamo con que se ata la bestia. • *Bol.* y *Perú.* Matadero de reses.
CAMÁLDULA n. p. f. Orden monástica fundada por san Romualdo en el s. XI. ■ CAMALDULENSE o CAMANDULENSE.
CAMALEÓN m. *Zool.* Reptil saurio, de cuerpo comprimido lateralmente y cola prensil. Posee la facultad de asimilarse al color del medio ambiente. • fig. y fam. Persona que cambia con facilidad de parecer. • *Astr.* Constelación austral.

Camaleón

CAMALEOPARDO *Astr.* Constelación boreal situada en la proximidad del polo.
CAMALERO m. *Perú.* Matarife. • *Perú.* Traficante en carnes.
CAMALOTE m. *Amér. Merid.* Planta acuática de la familia pontederiáceas, de tallo largo y hueco, y hoja en forma de plato. Flores azules. • Conjunto de estas plantas que, enredadas con otras, forman como islas flotantes. • *Cuba* y *Méx.* Planta con la cual se hacen flores y figuras para adornar cajas de dulces. • CAMALOTAL.
CAMAMA f. fam. Embuste, falsedad, burla.
CAMAMBÚ m. *Amér.* Planta solanácea silvestre de flor amarilla y fruta blanca y muy dulce.
CAMAMILA f. Camomila.
CAMANANCE m. *C. Rica.* Hoyuelo que se forma a cada lado de la boca en algunas personas cuando se ríen.
CAMANCHACA f. *Chile* y *Perú.* Niebla espesa y baja.
CAMÁNDULA n. p. f. Camáldula. • f. Rosario de uno o tres dieces. • fig. y fam. Hipocresía. ■ CAMANDULEAR; CAMANDULERO, RA.
CAMAO m. *Cuba.* Paloma pequeña, silvestre, de color pardo.
CÁMARA f. Sala o pieza pral. de una casa. • Ayuntamiento, junta. • Nombre de ciertos cuerpos legislativos. • Tomavistas de cine o televisión. • Máquina de fotografiar. • Granero. • Sala pral. de los barcos. • Tubo de goma interior en los neumáticos. • Compartimiento que tiene comunicación con los hornos metalúrgicos, para condensar o transformar las sustancias volatilizadas. • En las armas de fuego, espacio que ocupa la carga. • Deposición, evacuación. • *Anat.* Espacio cerrado, compartimiento. • com. Operador de cine o televisión. • *Pol.* Órgano colectivo de deliberación, cuyos miembros representan a los súbditos de un Est. en la discusión y aprobación de las leyes. • pl. Diarrea. • **cinematográfica.** C. fotográfica que realiza fotografías a un ritmo muy rápido (24 imágenes por segundo). • **de aire.** Espacio hueco entre dos paredes para que sirva de aislamiento. • **de burbujas.** Dispositivo destinado a la visualización de partículas emitidas por las sustancias radiactivas. • **de combustión.** Espacio de los motores de combustión interna en el que se quema la mezcla carburante. • **de gas.** Recinto cerrado en el que se da muerte a una persona por medio de gases tóxicos. • **de Wilson.** Dispositivo destinado a la visualización de la trayectoria de partículas procedentes de sustancias radiactivas. • **lenta.** Rodaje acelerado de una película para que produzca efecto de lentitud al proyectarla. • **mortuoria.** Capilla ardiente. • **oscura.** Aparato en el que se reproducen, en el fondo de una caja oscura, los objetos exteriores. • **De c.** loc. Aplícase al que en palacio tenía determinado cometido. • CAMARIENTO, TA.

* *Pol.* Las c. constituyen la base del poder legislativo en la mayor parte de los países. En los países donde existen, suelen formar parte de un cuerpo legislativo dual (sistema bicameral), aunque en algunos se da el sistema unicameral. En el primer caso es frecuente denominar *c. baja* la que representa

Cámara cinematográfica montada en una grúa

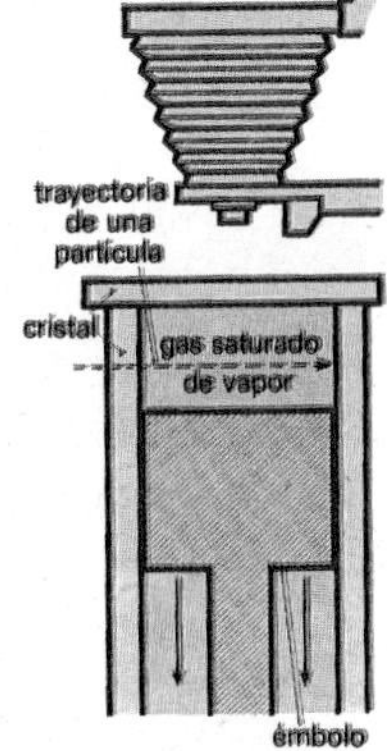

Esquema de la **cámara de Wilson**

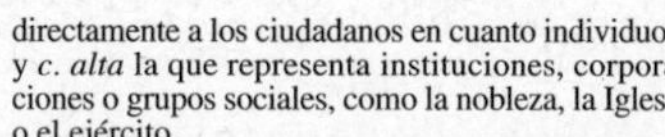

Camarín de la iglesia visigótica de San Pedro de la Nave (Zamora, España)

Camarón

Francesc **Cambó**

directamente a los ciudadanos en cuanto individuos, y *c. alta* la que representa instituciones, corporaciones o grupos sociales, como la nobleza, la Iglesia o el ejército.

CÁMARA, *Helder* (1909-1999) Prelado bras. Obispo de Recife, en el concilio Vaticano II destacó por su actitud progresista. En 1974 el parlamento nor. le otorgó el «premio del Pueblo para la Paz». • ***Sixto*** (1825-1859) Periodista y socialista utópico esp. Intervino en la revolución de 1856 en Madrid y Málaga.

CAMARADA com. Compañero y amigo. • Tratamiento que se dan entre sí los miembros de algunos partidos políticos. ■ CAMARADERÍA.

CAMARERO, RA m. y f. Persona que sirve consumiciones en un bar, restaurante, etc., o que cuida de las habitaciones en hoteles, barcos de pasajeros, etc. • m. Oficial que antiguamente servía al rey y a los nobles. • f. Criada pral. de una casa. • Carrito de cocina para llevar comida o bebida.

CAMARETO m. *Cuba.* Batata amarilla.

CAMARGO Mun. de México, en el est. de Chihuahua; 36 000 hab. Cereales. Manganeso.

CAMARGO, *José Vicente* (m. 1816) Héroe de la indep. bol. Muerto por el coronel Centeno. • ***Sergio*** (1832-1907) Militar y político col. Presid. interino en 1877 durante unos meses, en sustitución del doctor Parra. En 1885 se sublevó contra el gobierno de Rafael Núñez. • **Ferreira, *Edmundo*** (1936-1964) Poeta bol. Influido por el surrealismo. *Del tiempo de la muerte.*

CAMARICO m. Ofrenda que hacían los indígenas amer. a los sacerdotes, y después a los esp. • fig. y fam. *Chile.* Lugar preferido de una persona. • fig. y fam. *Chile.* Amorío.

CAMARILLA f. Conjunto de personas que influyen subrepticiamente en los asuntos del Est. y, p. ext., en otras cosas. ■ CAMARILLESCO, CA.

CAMARÍN m. Capilla pequeña colocada algo detrás de un altar y en la cual se venera alguna imagen. • Pieza en que se guardan las alhajas y vestidos de una imagen. • En los teatros, cada uno de los cuartos donde los actores se visten para salir a la escena. • Pieza pequeña y retirada de una casa. • Tocador, aposento.

CAMARLENGO m. Cardenal que administra los asuntos de la Iglesia mientras la sede está vacante.

CAMARÓN m. *Zool.* Crustáceo marino comestible decápodo, de color pardusco, con el cuerpo estrecho y encorvado, caparazón terminado por un cuerno largo y dentado. • *C. Rica.* Propina o gratificación. • *R. Dom.* Espía. • *Perú.* Camaleón, persona que cambia con facilidad de ideas.

CAMARONERO m. El que pesca o vende camarones. • *Perú.* Martín pescador.

CAMAROTE m. Dormitorio de los barcos.

CAMAROTERO m. *Amér.* Camarero que sirve en los camarotes de los barcos.

CAMARÚ m. *Amér. Merid.* Árbol fagáceo de madera parecida a la del roble. Su corteza se emplea en medicina.

CAMASQUINCE com. Persona entremetida.

CAMASTRO m. despect. Lecho pobre.

CAMASTRÓN, NA m. y f. fam. Persona experimentada que actúa con disimulo buscando la propia conveniencia. ■ CAMASTRONERÍA.

CAMAXTLI Ant. dios tribal de distintos pueblos mex. (otomíes, chichimecas, etc.), señor de la caza, de la guerra, del Norte y de las estrellas.

CAMBA f. Cama, palanca del freno de las caballerías.

CAMBA, *Julio* (1882-1962) Periodista y escritor esp. *Millones al horno, Aventura de una peseta.*

CAMBACERES, *Eugenio* (1843-1889) Novelista y periodista arg. Naturalista. *Sin rumbo, En la sangre.*

CAMBACÉRÈS, *Jean Jacques Régis de* (1753-1824) Político y jurista fr. Diputado en la Convención. Napoleón le nombró segundo cónsul.

CAMBADO, DA adj. *R. de la Plata.* Estevado o patizambo.

CAMBALACHE m. fam. Trueque de objetos de poco valor. • *Argent.* Prendería. ■ CAMBALACHEAR; CAMBALACHERO, RA.

CAMBAR tr. *Argent.* y *Ven.* Combar, encorvar.

CAMBARÁ m. *Amér. Merid.* Árbol de la familia compuestas, de hoja verde y blanca y flor blanca diminuta, usado en medicina.

CÁMBARO m. Crustáceo marino comestible decápodo. ■ CAMBERA.

CAMBETO, TA adj. *Ven.* Cambado.

CAMBIADOR, RA adj. Que cambia. • *Chile* y *Méx.* Guardagujas. • **de calor.** *Ind.* Dispositivo para facilitar el intercambio de calor entre dos fluidos, directamente o interponiendo un tercer fluido.

CAMBIANTE adj. Que cambia. • m. Cambista.

CAMBIAR tr. y prnl. Tomar o hacer tomar, en vez de lo que se tiene, algo que lo sustituya. Se usa también como intr. con la prep. *de.* • Convertir en otra cosa, especialmente en la opuesta o en la contraria. • tr. Dar o tomar valores o monedas por sus equivalentes. • Dar o tomar, en el sistema de comercio o particularmente, géneros u otras cosas. • Intercambiar cosas materiales, especialmente por razones de amistad. • Intercambiar algunas acciones, como ideas, palabras, miradas, risas. • intr. y prnl. Mudar o alterar una persona o cosa su condición o apariencia física o moral. • intr. Hablando del viento, se refiere especialmente a su dirección. • En los vehículos de motor, pasar de una velocidad a otra. • *Mar.* Virar, cambiar de rumbo; dar vueltas al cabrestante para levar anclas, etc. ■ CAMBIADA.

CAMBIAVÍA m. *Col., Cuba* y *Méx.* Guardagujas.

CAMBIASO, *Luca* (1527-1585) Pintor manierista it., creador de la decoración mural genovesa. *La sagrada familia.*

CAMBIAZO *(Dar un)* loc. fam. Cambiar fraudulentamente una cosa por otra.

CAMBIJA f. Depósito de agua elevado sobre las cañerías que la conducen.

CAMBIO m. Acción y efecto de cambiar. • Dinero menudo. • Tanto que se abona o cobra, según los casos, sobre el valor de una letra de cambio. • Precio de cotización de los valores mercantiles. • Cambio de velocidades. • *Der.* Permuta. • *Econ.* Valor relativo de las monedas de países diferentes o de las de distinta especie de un mismo país. • **de estado.** *Fís.* Proceso termodinámico que sigue una sustancia al cambiar de fase, caracterizado por la existencia de un calor de transformación, por la temperatura constante durante la transformación y por las variaciones de densidad del sistema. • **de marchas** o **de velocidades.** Sistema de engranajes que permite variar la velocidad de un vehículo con relación a las revoluciones de un motor. • **Libre c.** Sistema económico que franquea o favorece el comercio, pralm. el internacional. • Régimen aduanero fundado en esta teoría económica. • **En c.** m. adv. En lugar de, en vez de; cambiando una cosa por otra.

CAMBISES II (s. VI a. C.) Rey de los medos y persas [528-521 a. C.], hijo y sucesor de Ciro el Grande. Conquistó Egipto, Tripolitania y Cirenaica. Se distinguió por su crueldad tras tomar Egipto.

CAMBISTA com. Persona que cambia dinero. • m. Banquero.

CÁMBIUM m. *Bot.* Estrato celular meristemático responsable del crecimiento secundario de tallo y raíces.

CAMBÓ, *Francesc* (1876-1947) Político esp., ilustre representante del catalanismo, conservador, y dirigente de la *Lliga regionalista.* Murió en Argentina.

CAMBON, *Jules* (1845-1935) Diplomático fr. Mediador en el conflicto entre España y los EE UU (1897). • ***Pierre-Joseph*** (1756-1820) Político fr. Diputado en la Asamblea Legislativa y en la Convención. Miembro del primer Comité de Salud Pública (1793).

CAMBOYA *(Preah Reach Ana Pak Kampuchea)* Estado del SE asiático, sit. en la pen. de Indochina; monarquía. A orillas del golfo de Siam y limítrofe con Thailandia, Laos y Vietnam. La región central está ocupada por una vasta llanura avenada por el Mekong y rodeada por los montes Cardamomos y Elefante, al S, y la cord. Dang Reak, al N. Clima tropical monzónico. Agricultura: arroz, maíz, café, tabaco y plátanos. Ganadería: bovina y porcina. Bosques y pesca. Minería: hierro, cobre, fosfatos y piedras preciosas. Ind. automovilística (montaje), tabaquera y neumáticos. Grupos étnicos o nac.: khmers, vietnamitas, chinos. Lenguas: khmer (of.), fr. *Rel.:* budismo (98 %). U.M.: riel. C. pral.: la cap., Phnom Penh.

**Hist.* Formó parte del gran imperio khmer. En 1863 Francia estableció un protectorado integrado

CAMBOYA

Superficie	181 035 km²
Población	10 081 000 hab. (57,4 hab./km²)
Recursos económicos	
Arroz	1 817 000 t
Bananas	132 000 t
Búfalos	760 000 cabezas
Cabaña bovina	2 589 000 cabezas
Cabaña porcina	1 610 000 cabezas
Cemento	50 000 t
Copra	8 000 t
Maíz	50 000 t
Mandioca	12 000 t
Naranjas	45 000 t
Nuez de coco	48 000 t
Riqueza forestal	5 929 000 m³
Tabaco	4 200 millones de cigarrillos
Indicadores sociológicos	
PNB	2 718 millones de dólares
Renta per cápita	630 dólares
Alfabetismo	74 %

Camboya. Templo de Wat Phnom en Phnom Penh

en la Indochina fr. En 1946 se estableció una monarquía constitucional, reconociéndose en 1954 su soberanía total. En 1970 el príncipe Norodom Sihanuk fue derrocado por un golpe militar derechista, que proclamó la rep. bajo el mando de Lon Nol. C. se vio envuelta en la guerra de Indochina, auspiciada por EE UU. En 1975, tras una gran ofensiva guerrillera, el FUNK (Frente Unido Nacional de Kampuchea) logró la victoria. El régimen de terror instalado por los khmers rojos, tras realizar fuertes cambios económicos, sucumbió ante la ofensiva del ejército vietnamita en 1979, que derrocó el régimen de Pol Pot e instauró un régimen prosoviético, presidido por Heng Samrin. Los khmers rojos, junto con otras fuerzas, se enfrentaron al nuevo régimen. En 1988 se iniciaron conversaciones de paz y la retirada de tropas vietnamitas. En 1991 las facciones en lucha firmaron la paz y crearon un Consejo Nacional. En 1993 por una nueva constitución C. se convirtió en monarquía y Norodom Sihanuk de nuevo en rey y su hijo Norodom Ranariddh en primer ministro. En 1997, Hun Sen, del ant. partido comunista, dio un golpe de Estado. Sumido en una crisis política y económica, C. celebró elecciones en 1998, que ganó Hun Sen.

CAMBRAY *(Cambrai)* C. del N de Francia en el dpto. de Nord; 36 000 hab. • **Liga de C.** Alianza entre el papa Julio II, Luis XII de Francia y Fernando el Católico contra la Rep. de Venecia (1508). • **Paz de C.** Tratado entre Francisco I de Francia y Carlos I de España (1529), por el que el rey fr. renunciaba a Flandes, Artois e Italia, y Carlos cedía a Francia el ducado de Borgoña y, tras su muerte, el Charolais.

CÁMBRICO, CA adj. y s. Díc. de los ant. pobladores del país de Gales. • m. *Geol.* Primero de los cinco periodos de la era primaria o paleozoica. A inicios del mismo existían ya las prales. clases del reino animal, salvo los vertebrados, pero la flora estaba representada únicamente por distintos tipos de algas. Sus fósiles más característicos son los trilobites y los braquiópodos.

CAMBRIDGE C. de Gran Bretaña, en Inglaterra, cap. del condado hom.; 90 400 hab. Importante universidad fundada en 1229. • **Escuela analítica de C.** *Fil. (Cambridge School of Analysis)* Grupo de filósofos brit. inscrito en el neopositivismo. Está basada en las tesis de G. E. Moore, B. Russell y L. Wittgenstein.

CAMBRIDGE C. del NE de EE UU, en el est. de Massachusetts, sit. en el área urbana de Boston; 121 000 hab. Universidad de Harvard, fundada en 1636, la más ant. del país.

CAMBRÓN m. o **CAMBRONERA** f. Arbusto solánaceo, de ramas divergentes, torcidas, enmarañadas y espinosas, hojas pequeñas, flores blanquecinas y bayas redondas. • Espino cerval. • Zarza. ■ CAMBRONAL.

CAMBRÚN m. *Col.* Cierta clase de tela de lana.

CAMBUCHO m. *Chile.* Cucurucho. • *Chile.* Cesta o canasto en que se echan los papeles inútiles, o se guarda la ropa sucia. • *Chile.* Chiribitil, tabuco, tugurio. • *Chile.* Funda o forro de paja que se pone a las botellas.

CAMBUÍ m. *R. de la Plata.* Árbol de tronco liso que da semillas coloradas en racimos. • Fruto de este árbol.

CAMBUJ m. Mascarilla o antifaz.

CAMBUJO, JA adj. Tratándose de caballerías menores, morcillo. • adj. y s. *Méx.* Díc. del descendiente del zambaigo y china, o de chino y zambaiga. • adj. *Méx.* Díc. del ave que tiene negras la pluma y la carne.

CAMBULLÓN m. *Amér.* Enredo, trampa, cambalache de mal género. • *Chile.* Cosa hecha por confabulación, con engaño, para alterar la vida social o política.

CAMBUR m. Planta de la familia musáceas, parecida al plátano, pero con la hoja más ovalada y el fruto más redondeado.

CAMBUTE m. Planta tropical gramínea, de hojas anchas y agudas, y flores en espigas.

CAMBUTO, TA adj. *Perú.* Rechoncho.

CAMDEN C. de Gran Bretaña (Inglaterra), sit. en el Gran Londres; 175 500 hab. Dio nombre a una escuela postimpresionista de pintura.

CAMEDRIO o **CAMEDRIS** m. Planta labiada, de flores purpúreas, usadas como febrífugo.

CAMEDRITA m. Vino preparado con la infusión del camedrio.

CAMELAR tr. fam. Galantear, requebrar. • fam. Seducir, engañar adulando. • fam. Amar, querer, desear. • *Méx.* Ver, mirar, acechar. ■ CAMELISTA.

CAMELIA f. Arbusto de la familia teáceas, de hojas perennes, lustrosas, y flores blancas, rojas o rosadas. Flor de este arbusto. • *Cuba.* Amapola.

CAMÉLIDO, DA adj. y m. *Zool.* Díc. de individuos de una familia de mamíferos a la que pertenecen el camello y el dromedario. • adj. Relativo a estos animales. • m. pl. *Zool.* Familia de estos animales.

CAMÉLINAT, *Zéphirin* (1840-1932) Dirigente obrero fr. Uno de los fundadores de la Internacional y miembro de la Comuna.

CAMELLA f. Gamella, arco del yugo. • Gamella, artesa para que coman los animales. • Hembra del camello. • Camellón, caballón.

CAMELLO m. *Zool.* Animal artiodáctilo rumiante oriundo del Asia central, corpulento y algo más alto que el caballo. Tiene el cuello largo, la cabeza pequeña y dos gibas en el dorso. • fig. y fam. Pequeño traficante de drogas. • *Mar.* Dique flotante para levantar los barcos. ■ CAMELLERO.

CAMELLÓN m. Caballón, lomo de tierra. • Artesa para el ganado vacuno.

CAMELO m. fam. Galanteo. • fam. Chasco. • Noticia falsa. • Simulación.

CAMELOPARDALIS *Astr.* Constelación situada entre la estrella polar y la constelación Auriga (Cochero). La denominación cast. es Jirafa.

CAMELOTE m. Tejido de lana fuerte e impermeable.

CAMELOTÓN m. Tela parecida al camelote.

CAMEMBERT m. Queso graso de vaca fabricado en Normandía y Turena.

CAMERA f. *Col.* Especie de conejo silvestre.

CAMERALISMO m. *Pol.* Sujeción del poder a las asambleas.

CAMERAMAN (voz ing.) m. Operador, encargado de manejar la cámara cinematográfica.

Mapa de situación y bandera de **Camboya**

Entrada del King's College de **Cambridge** (Inglaterra)

Camelia

Camello

Camerún. Modernos edificios en Yaundé

CAMERÚN

Superficie	475 442 km²
Población	14 678 000 hab. (30,9 hab./km²)
Recursos económicos	
Aceite de palma	105 000 t
Aluminio	85 600 t
Azúcar	75 000 t
Cacao	100 000 t
Café	70 000 t
Caucho	40 000 t
Cabaña bovina	4 900 000 cabezas
Cabaña caprina	3 800 000 cabezas
Cabaña ovina	3 800 000 cabezas
Cemento	522 000 t
Maíz	654 000 t
Mandioca	1 300 000 t
Mijo	100 000 t
Petróleo	8 480 000 t
Riqueza forestal	15 040 000 m³
Indicadores sociológicos	
PNB	8 615 millones de dólares
Renta per cápita	680 dólares
Esperanza de vida	56 años
Alfabetismo	55 %

Mapa de situación y bandera de **Camerún**

Camomila

CAMERINO m. Camarín, cuarto de un teatro donde se viste el actor para salir a escena.
CAMERO, RA adj. Díc. de la cama grande. • Lo relativo a ella. • m. y f. Persona que hace o vende camas.
CAMERONIANO, NA adj. y m. Díc. de los adeptos a un grupo presbiteriano escocés que toma el nombre de Richard Cameron (1648?-1680?). Desde 1743, este grupo tomó el nombre de iglesia presbiteriana reformada.
CAMERÚN *(République du Cameroun; Republic of Cameroon)* Estado de África, en el golfo de Guinea, limitado por Nigeria, Chad, República Centroafricana, República Popular del Congo, Gabón y Guinea Ecuatorial. Rep. constituida en 1961 con la fusión del ant. C. fr. y la parte S del brit. Relieve variado: llanura litoral, meseta central (macizo de Adamaoua al N) y cubeta del lago Chad y el Sabel. Ríos prales.: Sanaga y Nyong. Café, tabaco, cacahuetes, sésamo, plátanos, sorgo, mijo y mandioca. Ébano y okumé. Grupos étnicos o nac.: fulbés, hausas, bamileke, fang, etc. Lenguas: fr. e ingl. (of.), bantúes, sudanesas. *Rel.*: animismo (45 %), catolicismo (24 %), islamismo (20 %), protestantismo (20 %). U. M.: franco C.F.A. Cap., Yaundé; c. pral.: Duala.
* *Hist.* Durante los ss. XVIII-XIX C. fue una base del com. del marfil y la trata de esclavos. Protectorado al. (1844). Ocupado en 1916 por tropas fr. e ing. En 1960 el C. fr. consiguió la autonomía interna y en 1961 la indep. definitiva. La descolonización brit. supuso la anexión de la parte N a Nigeria y la federación del S con el ant. Congo fr. En 1972 se sustituyó la forma federal por la rep. unitaria. Ahmadou Ahidjo, del partido oficial, gobernó el país de 1960 a 1982. En 1983 fue elegido Paul Biya y en 1990 se adoptaron medidas para liberalizar la vida política de la nación. En las elecciones de 1997 fue reelegido Paul Biya.
CAMERÚN, ***Monte*** Macizo volcánico del SO de Camerún. Alt. máx., 4 070 m.
CAMESTRES Palabra convencional de lógica escolástica, usada para indicar un modo de silogismo de la segunda figura.
CAMIBAR m. *C. Rica* y *Nic.* Copayero, árbol. • *C. Rica* y *Nic.* Bálsamo de copaiba.
CAMILLA f. Cama pequeña. • Mesa armada con unos bastidores plegadizos y un tablero de quita y pon, debajo de la cual hay un enrejado y una tarima para brasero. • Cama pequeña y portátil para transportar heridos o enfermos. ■ CAMILLERO.
CAMILO adj. y s. Díc. del clérigo de una congregación fundada por san Camilo de Lelis.
CAMILO, ***Marco Furio*** (417?-365? a. C.) Dictador rom. Conquistó Veyes, reconstruyó Roma y aprobó las leyes licinias (367 a. C.) en favor de los plebeyos. • **De Lelis** (1550-1614) Santo it. Fundó la orden de los camilos.
CAMILUCHO, CHA adj. y s. *Argent.* Indígena jornalero del campo.
CAMINAR intr. Ir de viaje. • Andar. • fig. Seguir su curso las cosas inanimadas. • tr. Andar determinada distancia. ■ CAMINANTE.
CAMINATA f. Paseo o recorrido largo y fatigoso. • Viaje corto que se hace por diversión.
CAMINÍ m. *Par.* Especie de hierba mate.
CAMINO m. Tierra hollada por donde se transita habitualmente. • Cualquier vía de comunicación. • fig. Medio para hacer o conseguir alguna cosa. • **de hierro.** Ferrocarril. • **de Santiago.** Vía Láctea. • **de sirga.** El que a orillas de los ríos y canales sirve para llevar las embarcaciones tirando de ellas desde tierra. • **óptico.** *Fís.* Magnitud definida como el producto del índice de refracción de un medio por la longitud del trayecto recorrido por un rayo de luz en dicho medio. • **trillado.** El muy frecuentado. • fig. Modo común o regular de obrar o discurrir. • **vecinal.** El construido y conservado por el municipio. • **De c.** m. adv. De paso. ■ CAMINERO, RA.
CAMIÓN m. Vehículo automóvil de cuatro o más ruedas, grande y fuerte, para transportar cargas pesadas. • En algunas partes, autobús. ■ CAMIONERO.
CAMIONAJE m. Servicio de transportes hecho con camión. • Precio de este servicio.
CAMIONETA f. Vehículo automóvil menor que el camión, para transporte de toda clase de mercancías. • En algunas partes, autobús interurbano.
CAMISA f. Prenda de vestir de tejido ligero, abrochada por delante. • Telilla con que están inmediatamente cubiertos algunos frutos, legumbres y granos. • Epidermis de los ofidios que se desprende periódicamente. • *Mec. apl.* Revestimiento interior de un artefacto o una pieza mecánica, como el de los hornos de fundición, formado por materiales refractarios. • Capa de cal, yeso o tierra blanca que se echa en la pared cuando se enluce o enjalbega. • Funda en forma de red, hecha con fibras de metales raros, con la cual se cubren los mecheros de gas. • fig. Envoltura de papel de un expediente o legajo. • *Chile.* Entre los empapeladores, papel ordinario que suele ponerse debajo del fino para que éste asiente y pegue mejor. • **de fuerza.** La abierta por detrás, con mangas cerradas en su extremidad, que se pone a los locos furiosos para inmovilizarles. • **Camisas negras.** Nombre de las milicias fascistas italianas. • **pardas.** Nombre de los militantes del partido nazi alemán. • **rojas.** Nombre de los compañeros de Garibaldi. • **Dejar** a uno **sin c.** fig. y fam. Arruinarle enteramente. ■ CAMISERÍA; CAMISERO, RA.
CAMISETA f. Prenda interior, ajustada y sin cuello, gralte. de punto.
CAMISOLA f. Camisa de hombre o de mujer cuyo cuello y pechera quedan a la vista.
CAMISOLÍN m. Especie de pechera postiza.
CAMISÓN m. Camisa larga que usan las mujeres para dormir. • *Amér.* Camisa de mujer. • *Chile, Col.* y *Ven.* Vestido, traje de mujer, excepto cuando es de seda negra.
CAMITA adj. y s. Descendiente de Cam. • m. pl.

Etn. Conjunto de los pueblos no negros del N y E de África, con tal de que no hayan emigrado de Arabia ni de Europa. ▪ CAMÍTICO, CA.

CAMOAPA Mun. de Nicaragua, en el dpto. de Boaco; 20 000 hab. Agricultura, ganadería.

CAMOATÍ m. *R. de la Plata.* Insecto himenóptero parecido a la avispa.

CAMOCHAR tr. *Hond.* Desmochar los árboles y otras plantas.

CAMOES, *Luis Vaz de* (1524-1580) Poeta port. Su poema *Os Lusíadas*, inspirado en la expedición de Vasco de Gama, es una obra maestra del Renacimiento literario europeo.

CAMOMILA o **CAMAMILA** f. Manzanilla.

CAMÓN m. Trono real portátil que se colocaba junto al presbiterio cuando asistían los reyes en público a la real capilla. • Mirador, balcón encristalado. • Cada una de las piezas curvas que componen los dos anillos o cercos de las ruedas hidráulicas. • pl. Maderos gruesos que sirven de calce a las carretas.

CAMÓN Aznar, *José* (1899-1979) Escritor esp., crítico e historiador de arte. *Las artes y los pueblos de España primitiva, Velázquez.*

CAMORRA f. fam. Riña o pendencia. ▪ CAMORREAR; CAMORRERO, RA; CAMORRISTA.

CAMORRA Organización secreta dedicada al bandidaje, surgida en Nápoles en 1830. En 1860 asumió la forma de partido político. Disuelta en 1912, resurgió de nuevo en 1980.

CAMOTÁN Mun. de Guatemala, en el dpto. de Chiquimula; 17 000 hab. Agricultura.

CAMOTE m. *Amér.* Batata. • fig. *Amér.* Enamoramiento. • fig. *Amér.* Amante, querida. • fig. *Amér.* Mentira, bola. • fig. *Méx.* Bribón, desvergonzado. • fig. *Salv.* Verdugón, cardenal. • fig. *Ecuad.* y *Méx.* Persona tonta, boba. ▪ *Amér.* CAMOTAL; *Méx.* CAMOTERO, RA.

CAMOTEAR intr. *Méx.* Andar vagando sin acertar con lo que se busca.

CAMOTILLO m. *Chile* y *Perú.* Dulce de camote machacado. • *Méx.* Madera de color violado, veteada de negro. • *Guat., Hond.* y *Salv.* Cúrcuma, planta tintórea.

CAMP adj. Que adopta aspectos externos imperantes hacia los años treinta. • P. ext., que adopta cualquier moda pasada.

CAMPA adj. Díc. de la tierra sin arbolado, que sólo sirve para la siembra de cereales.

CAMPA, *Gustavo* (1863-1934) Compositor mex. Autor de sinfonías, óperas e investigaciones sobre teoría musical. *El rey poeta.*

CAMPAL adj. Relativo al campo. Se aplica pralm. a las batallas.

CAMPAMENTO m. Acción de acampar. • *Mil.* Lugar en despoblado donde se acampa. • Gente acampada. • Instalaciones provisionales donde se acampa.

CAMPANA f. Instrumento de bronce en forma de copa, que suena al ser golpeado por un badajo que tiene en su interior. • fig. Cualquier cosa que tiene forma de campana. • **de buzo** o **subacuática.** Aparato usado para trabajar bajo el agua. • **de paracaídas.** Superficie sustentante del paracaídas durante su descenso. • **neumática.** Recipiente de cristal en el que se practica el vacío mediante la máquina neumática. • **Echar las c. al vuelo.** fig. y fam. Dar publicidad con júbilo a alguna cosa. ▪ CAMPANEAR; CAMPANEO.

CAMPANADA f. Golpe que da el badajo en la campana. • Sonido que hace. • fig. Escándalo.

CAMPANARIO m. Torre de iglesia donde se colocan las campanas. • Una de las dos partes del telar de mano.

CAMPANELA f. Paso de danza que consiste en dar un salto, describiendo un círculo con uno de los pies cerca de la punta del otro. • Sonido de la cuerda de guitarra que se toca en vacío, en medio de un acorde hecho a bastante distancia del puente del instrumento.

CAMPANELLA, *Tommaso* (1568-1639) Religioso dominico it., filósofo, teólogo, pensador, político y poeta. Escribió *La ciudad del Sol*, doctrina política utópica, y *La filosofía racional*, antecedente del cartesianismo.

CAMPANERO m. Fundidor de campanas. • El que toca las campanas en la iglesia. • *Amér.* Ave paseriforme, de canto pausado y sonoro.

CAMPANIA Región del S de Italia; 13 595 km^2, 5 630 300 hab. Comprende las prov. de Avellino, Benevento, Caserta, Nápoles y Salerno. Agricultura, industria y minería. Cap., Nápoles.

CAMPANIFORME adj. De forma de campana. • **Cultura del vaso c.** *Prehist.* Cultura megalítica de la pen. Ibérica (2200 a. C. a 1900 a. C.), caracterizada por sus vasijas en forma de campana invertida, que se extendió a gran parte de Europa.

Tommaso **Campanella**

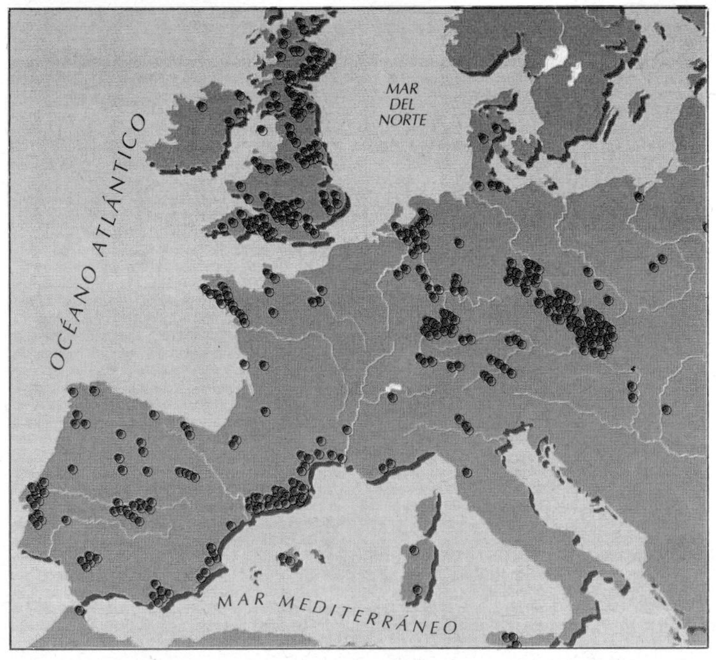

Cultura del vaso **campaniforme.** Arriba, vaso campaniforme, con decoración geométrica; a la izquierda, mapa que muestra la extensión de esta cultura en Europa

Campanil de la catedral de Florencia, obra de Giotto

Flores de **campánula**

Campesinos en una miniatura lombarda del s. XV

CAMPANIL adj. Díc. del bronce de campanas. • m. Campanario, torre.

CAMPANILLA f. Campana pequeña. • Burbuja. • Úvula de la garganta. • Flor cuya corola es de una pieza, y de figura de campana. • Adornos de forma de campana. • **De c.,** o **de muchas c.** expr. fig. y fam. Importante, notable. ■ CAMPANILLAZO; CAMPANILLEAR; CAMPANILLEO.

CAMPANO m. Cencerro. • Esquila. • *Amér.* Árbol cuya madera se emplea en la construcción de buques.

CAMPANUDO, DA adj. Que tiene forma de campana. • Díc. del vocablo de sonido muy sonoro y del lenguaje o estilo hinchado.

CAMPÁNULA f. Farolillo, planta campanulácea.

CAMPANULÁCEO, A adj. y s. *Bot.* Díc. de plantas dicotiledóneas, lechosas, con hojas alternas u opuestas, flores azules, amarillas o purpúreas, y fruto capsular con semillas pequeñas. • f. pl. *Bot.* Familia de estas plantas.

CAMPAÑA f. Campo llano sin monte ni aspereza. • Esfuerzos de índole diversa que se aplican a conseguir un fin determinado. • fig. Periodo en que una persona ejerce un cargo o profesión, o se dedica a ocupaciones determinadas. • *Amér.* Campo, terreno fuera de poblado. • *Mil.* Periodo de actividad no interrumpida o correspondiente a cierta época, en tiempos de guerra.

CAMPAÑA, ***Pedro de*** (1503-1580) Pintor flam. Estudió en Italia la obra de Miguel Ángel y de Rafael. Trabajó en Sevilla de 1537 a 1563. *El descendimiento de la cruz, San Antonio Abad y San Pablo ermitaño.*

CAMPAÑISTA m. *Chile.* Pastor.

CAMPAÑOL m. Mamífero rodeor de la familia múridos.

CAMPAR intr. Sobresalir. • Acampar. ■ CAMPANTE.

CAMPBELL, ***Douglas Hougthon*** (1859-1953) Botánico norteam. Investigó la reproducción sexual en musgos y helechos. • ***William Wallace*** (1862-1938) Astrónomo norteam. Elaboró un catálogo de las estrellas binarias.

CAMPEADOR adj. y s. Decíase del que sobresalía en el campo con acciones señaladas. Este calificativo se dio por excelencia al Cid Rodrigo Díaz de Vivar.

CAMPEAR intr. Salir a pacer los animales domésticos, o andar por el campo los que son salvajes. • Verdear ya las sementeras. • Campar, sobresalir. • *Chile* y *R. de la Plata.* Salir al campo en busca de alguna persona, animal o cosa. • *Mil.* Estar en campaña. • *Mil.* Sacar el ejército a combatir en campo raso. • *Mil.* Correr o reconocer con tropas el campo para ver si hay en él enemigos.

CAMPECHANO, NA adj. fam. Franco, dispuesto para cualquier broma o diversión. • fam. Dadivoso. • adj. y s. De campeche. ■ CAMPECHANÍA.

CAMPECHE m. *Amér.* Madera dura y negruzca, procedente de un árbol de la familia papilionáceas, usada para teñir de encarnado.

CAMPECHE Est. de México, en la pen. de Yucatán, en las costas del golfo de México; 51 833 km^2, 689 656 hab. Limita al S con Guatemala. Relieve constituido por una plataforma caliza de poca alt. (las colinas más elevadas no sobrepasan los 250 m). Clima tropical, más seco en el sector N. Ríos caudalosos en el S: Candelaria. Agricultura: cultivo comercial del henequén, caña de azúcar, tabaco, arroz y maíz. Chicle y maderas preciosas (cedro y caoba). La pob. se concentra en el sector costero, en las prales. c., la cap., Campeche, y Ciudad del Carmen. La pob. maya es numerosa y abundan los mestizos. • C. y puerto de México, cap. del est. hom.; 216 735 hab. Ind. derivadas de la agricultura. Pesca. Catedral barroca. Fundada en 1540 por Francisco de Montejo, en el lugar donde se asentaba la ant. pob. maya. Saqueada por los ingleses (1659) y los bucaneros (1678 y 1685). Durante el s. XVIII fue amurallada para proteger el tráfico maderero y los astilleros.

CAMPECHE, ***José*** (1751-1809) Pintor puertorriq. Destacó por sus retratos. *Gobernador Castro, Obispo Trespalacios, Gobernador Ustáriz.*

CAMPECHUELA Mun. de Cuba, en la prov. de Granma; 48 600 hab. Agricultura, explotación forestal. Azúcar.

CAMPEÓN, NA m. y f. Persona o equipo que obtiene la primacía en una competición deportiva. • fig. Persona que defiende esforzadamente una causa o doctrina. • m. Héroe famoso en armas. • El que tomaba parte en los torneos y desafíos antiguos.

CAMPEONATO m. Competición deportiva en la que se disputa el título de campeón. • Preeminencia obtenida en las luchas deportivas.

CAMPERO, RA adj. Relativo al campo. • Descubierto en el campo y expuesto a todos vientos. • Se aplica al ganado y a otros animales cuando duermen en el campo. • *Amér.* Díc. del animal muy adiestrado en el paso de los ríos, montes, zanjas, etc. • *Méx.* Díc. del trote suave del caballo. • *R. de la Plata.* Aplícase a la persona muy práctica en el campo, así como en las operaciones y usos peculiares de las estancias.

CAMPERO, ***Narciso*** (1815-1896) Político y militar bol. Presid. de la rep. de 1880 a 1884. Realizó grandes reformas. Jefe del ejército peruanoboliviano, perdió en Tacna la salida de Bolivia al mar. Recuerdos. • **Echazú,** ***Octavio*** (1898-1970) Poeta bol. *Arias sentimentales, Voces, Al borde de la sombra.*

CAMPESINADO m. Conjunto de campesinos. • Clase social integrada por los que poseen tierra y viven de ella.

CAMPESINO, NA adj. Relativo al campo. • adj. y s. Que suele andar en él. • m. y f. Labrador.

CAMPESINOS, ***guerra de los*** Insurrección antinobiliaria iniciada en 1524 por los campesinos al. de la Selva Negra. Extendida por el S de Alemania, se caracterizó por elem. de rev. social y política, y por excesos y violencias condenados por el propio Lutero. Vencidos en Leipheim por la Liga Suaba (4 abril 1525), los campesinos sufrieron su derrota final en el ataque a Frankenhausen (5 mayo).

CAMPESTRE adj. Campesino. • m. Baile ant. de México.

CAMPILLO m. Campo pequeño. • Ejido.

CAMPINA GRANDE C. de Brasil, en el est. de Paraíba; 265 600 hab. Ind. algodonera. Agricultura. Aeropuerto.

CAMPINAS C. del SE de Brasil, en el est. de São Paulo; 568 500 hab. Centro industrial.

CAMPINE (flam., *Kempen*) Región del N de Bélgica y S de Países Bajos. Llanura arenosa entre el Mosa y el Escalda. Riqueza maderera. Carbón. Ind. metalúrgica, química, mecánica.

CAMPING (voz ing.) m. Actividad deportiva que consiste en acampar al aire libre. • Terreno reservado al camping.

CAMPINO, ***Enrique*** (1794-1881) Militar chil. Luchó por la indep. y sobresalió en la batalla de Chacabuco. Intendente de Santiago.

CAMPIÑA f. Espacio grande de tierra llana labrantía.

CAMPIRANO, NA adj. *C. Rica.* Patán, rústico. • adj. y s. *Méx.* Campesino. • *Méx.* Entendido en las faenas del campo. • *Méx.* Diestro en el manejo del caballo y en domar a otros animales.

CAMPISTA m. *Amér. Min.* Arrendador de una mina. • com. Persona que practica el camping.

CAMPISTEGUY, ***Juan*** (1859-1937) Político ur. Miembro del Partido Colorado, participó en varios gobiernos batllistas. Presid. de la rep. (1927-1931).

CAMPO m. Terreno extenso fuera del poblado. • Tierra de cultivo. • En contraposición a sierra o monte, campiña. • Sembrados, árboles y demás cultivos. • Término, terreno contiguo a una población. • fig. Ámbito real o imaginario de una actividad. • fig. Asunto, materia. • Lugar de un encuentro deportivo. • fig. En grabados y pinturas, espacio sobre el que se presentan las figuras. • *Comp.* Zona de información definida en una memoria o en un soporte. • *Fís.* Espacio en que se hace perceptible un determinado fenómeno. • *Her.* Superficie total e interior del escudo, donde se dibujan las particiones y figuras. • *Mil.* Terreno o comarca ocupados por un ejército durante las operaciones de guerra. • *Mil.* Algunas veces, el ejército mismo. • **de Agramante.** fig. Lugar en que hay confusión y en que nadie se entiende. • **de batalla.** *Mil.* Lugar donde combaten dos ejércitos. • **de concentración.** Lugar en que se recluye a cierto número de personas por razones diversas. • Recinto en que se tienen prisioneros. • **del honor.** fig. Lugar donde, conforme a ciertas reglas, combaten dos o más personas. • fig. Campo de batalla. • **eléctrico.** *Fís.* Región del espacio en que una masa eléctrica pasiva colocada encualquier punto sufre la acción de una fuerza. • **gravitatorio.** *Fís.* C. de fuerzas creado por uno o varios sistemas de masas materiales. Se llama g. *terrestre* al creado por la masa de la Tierra; su acción se manifiesta en la caída de los cuerpos. • **magnético.** *Fís.* C. de fuerzas creado por cargas eléctricas en movimiento, que se manifiesta por la fuerza que experimenta una carga eléctrica al moverse en su interior. Se llama C. magnético *terrestre* al existente en el espacio próximo a la Tierra, y que puede ponerse de manifiesto con una aguja imantada. • **operando.** *Comp.* Parte de una instrucción que contiene información destinada a especificar a la Unidad Central de Procesamiento, con que operando se debe ejecutar una función. • **santo.** Cementerio católico. • **visual.** *Fisiol.* Espacio que abarca la vista estando el ojo inmóvil. • *Astr.* Espacio que se ve con un anteojo o telescopio. • **A c. traviesa.** m. adv. Dejando el camino y cruzando el campo.

CAMPO, *Ángel del* (1868-1908) Escritor mex. Publicó numerosos artículos en *El Imparcial* y *El Nacional. Ocios y apuntes, cartones y cosas vistas.* • ***Estanislao del*** (1834-1880) Escritor arg., autor de *Fausto,* poema gauchesco.

CAMPO DE MARTE Lugar de la ant. Roma, junto al Tíber, en el que se rendía culto al dios Marte. • Explanada de París, junto al Sena, donde se levanta la torre Eiffel.

CAMPO GRANDE C. de Brasil, cap. del est. de Mato Grosso do Sul; 526 000 hab. Agricultura. Ind. cárnicas.

CAMPOAMOR, *Ramón de* (1817-1901) Escritor esp. *Doloras, Pequeños poemas, Humoradas, Colón, El drama universal.*

CAMPOBASSO C. de Italia, cap. de la prov. hom. y de la región de Molisse; 50 900 hab.

CAMPOMANES, *Pedro Rodríguez*, CONDE DE (1723-1802) Político esp., uno de los prales. representantes del despotismo ilustrado esp. Miembro de los consejos de Castilla y Hacienda (1759-1791), fue desposeído por Jovellanos de todos sus cargos. Llevó a cabo imp. medidas reformadoras: colonización de Sierra Morena; supresión de los gremios.

CÁMPORA, *Héctor José* (1909-1980) Político arg. Candidato del Frente Justicialista de Liberación, fue elegido presid. en las elecciones de abril de 1973. Renunció a su cargo para permitir nuevas elecciones con la inclusión de la candidatura de Perón. Expulsado del partido justicialista en 1975, buscó asilo en la embajada de México tras el golpe militar de 1976.

CAMPOS C. del E de Brasil, en el est. de Río de Janeiro; 349 000 hab. Ind. alimentarias.

CAMPOS, *Julieta* (nacida 1932) Escritora cub. *Muerte por agua, Oficio de leer, Celina y los gatos.* • ***Rubén M.*** (1876-1948) Folclorista mex. El folclore y la música mexicana. • **Cervera, *Hérib*** (1908-1953) Poeta par. Evolucionó del surrealismo hacia lo íntimo y social. *Ceniza redimida, Hombre secreto.* Exiliado a Buenos Aires.

CAMPOS ELÍSEOS Avenida de París (fr., *Champs-Elysées*), una de las prales. arterias comerciales de la ciudad.

CAMPOSANTO m. Campo santo, cementerio.

CAMPRUBÍ, *Zenobia* (1887-1956) Escritora esp., esposa de Juan Ramón Jiménez. Traductora del poeta indio Tagore.

CAMPS, *Pompeyo* (nacido 1924) Compositor arg. *La pendiente* (ópera), *Viñetas porteñas, Fantasía, Danzas.*

CAMPUS m. Conjunto formado por los edificios y zonas verdes de una ciudad universitaria.

CAMUESO m. Árbol cuyo fruto es la camuesa. • fig y fam. Hombre necio e ignorante. ■ CAMUESA.

CAMUFLAR tr. y prnl. Disimular la presencia de armas, tropas, barcos, etc. • fig. Disimular una cosa dándole aspecto de otra. ■ CAMUFLAJE.

CAMUS, *Albert* (1913-1960) Escritor fr., nacido en Argelia. Participó en la Resistencia. C. fue, con Sartre, el más importante de los llamados escritores «comprometidos», y su obra es también de problemática existencialista. Ensayista —*El mito de Sísifo, El hombre rebelde*—, dramaturgo —*El malentendido, Calígula, Los justos, El estado de sitio*— y, pralm., novelista —*El extranjero, La peste.* Premio Nobel de literatura en 1957. • ***Mario*** (nacido 1935) Director de cine esp. *La colmena, Los santos inocentes, Adosados, La ciudad de los prodigios.*

CAMUY Mun. de Puerto Rico, en el distr. de Aguadilla; 19 900 hab. Azúcar, cocos. Destilerías.

CAN m. Perro. • Gatillo de las armas de percusión. • Kan. • *Arq.* Cabeza de una viga del techo interior, que carga en el muro y sobresale al exterior, sosteniendo la corona de la cornisa. • *Arq.* Modillón. • *Astr.* Nombre de dos constelaciones, el Can Mayor y el Can Menor.

CANA f. Cabello que se ha vuelto blanco. Se usa más en pl. • *Cuba.* Una de las variedades del guano silvestre, parecido al coco. • **Echar** uno **una c. al aire.** fig. y fam. Permitirse ocasionalmente una diversión o expansión. • **Peinar** uno **canas.** fig. y fam. Ser viejo.

CANÁ Aldea de Galilea donde, según los Evangelios, realizó Jesús el milagro de la conversión del agua en vino, durante un banquete de bodas.

CANAÁN (heb., *Kenaan)* Hijo de Cam y origen de los cananeos.

CANACA m. despect. *Chile.* Individuo de raza amarilla. • *Chile.* Dueño de un burdel.

CANACO, CA m. y f. Nombre de origen colonial dado impropiamente a indígenas melanesios o polinesios de Oceanía.

CANACUATE m. *Méx.* Serpiente acuática.

CANADÁ Est. de América del Norte, sit. en la parte septentrional del subcontinente. Limita con los EE UU al S y al NO (Alaska) y está bañado por el océano Atlántico y el océano Pacífico.

CANADÁ

Recursos económicos	
Colza	6 436 000 t
Lino	691 000 t
Maíz	7 510 000 t
Remolacha azucarera	1 027 000 t
Soja	2 280 000 t
Trigo	32 432 000 t
Ganadería y derivados	
Cabaña bovina	12 849 000 cabezas
Cabaña caballar	350 000 cabezas
Cabaña porcina	10 516 000 cabezas
Riqueza forestal	187 951 000 m³
Pesca	2 010 582 t
Producción minera	
Amianto	686 000 t
Carbón	36 645 000 t
Cobalto	2 290 t
Gas natural	128 060 millones de m³
Hierro	23 084 000 t
Níquel	152 136 t
Oro	145 t
Petróleo	85 688 000 t
Plata	740 t
Platino	14 t
Uranio	9 647 t
Recursos industriales	
Acero	14 300 000 t
Ácido sulfúrico	3 560 000 t
Aluminio	2 250 600 t
Automovilística	1 105 981 unidades
Azúcar	145 000 t
Caucho sintético	197 000 t
Cemento	10 584 000 t
Energía eléctrica	554 186 millones de kwh
Fertilizantes	3 489 000 t
Hierro colado	8 106 000 t
Neumáticos	21 692 000 unidades
Papelera	12 122 000 t
Tejidos de algodón	41 300 t
Indicadores sociológicos	
PNB	573 695 millones de dólares
Renta per cápita	19 570 dólares
Esperanza de vida	77 años
Alfabetismo	98 %

Vista parcial de **Campinas**

Tumba de Albert **Camus** en Provenza (Francia)

Mapa de situación y bandera de **Canadá**

División administrativa de **Canadá**

Provincias y territorios	*Km²*	*Población*	*Densidad*	*Capital*	*Habitantes*
Alberta	661 190	2 747 000	3,8	Edmonton	840 000 [1]
Columbia Británica	947 800	3 766 000	3,5	Victoria	288 000 [1]
Manitoba	649 950	1 138 000	1,7	Winnipeg	652 000 [1]
Nueva Brunswick	73 440	760 000	9,8	Fredericton	44 400
Nueva Escocia	55 490	938 000	16,2	Halifax	320 500 [1]
Ontario	1 068 580	11 100 000	9,4	Toronto	4 338 000 [1]
Príncipe Eduardo	5 660	136 000	22,9	Charlottetown	15 800
Quebec	1 540 680	7 334 000	4,5	Quebec	645 500 [1]
Saskatchewan	652 330	1 096 200	1,5	Regina	175 000
Terranova	405 720	575 000	1,4	Saint John's	96 000
Territorios del Noroeste	3 426 320	66 000	0,02	Yellowknife	11 800
Yukon	483 450	30 000	0,05	Whitehorse	15 000
CANADÁ	9 970 610	29 606 000	2,7	Ottawa	1 026 900 [1]

[1] Aglomeración urbana.

Canadá. 1. Parque nacional de Banff, en el estado de Alberta. 2. Vista panorámica de Ottawa.

Canadá. Esquimales pescando en un lago helado, al norte del país

* *Geog. fís.* Su inmenso terr. presenta de E a O varias regiones naturales: la cord. de los Apalaches, que se prolonga por EE UU; las tierras bajas del r. San Lorenzo, y de los Grandes Lagos; el escudo canadiense, de terreno erosionado, que se extiende desde la pen. del Labrador hasta la cuenca del r. Mackenzie; al N se encuentra el arch. Ártico (1 295 000 km²). Islas: Terranova (océano Atlántico) y Vancouver. Río pral.: San Lorenzo, que desemboca en el Atlántico. Más de 600 000 km² ocupados por lagos (Superior, Hurón, Erie Ontario). Costas recortadas: bahías de Hudson y Mackenzie, y golfos de Boothia y Amundsen, en el Ártico, y el de San Lorenzo en el Atlántico. Clima continental, riguroso al N (polar en las zonas árticas) y templado en el S.

* Geog. econ. La agr. ocupa el 8 % de la pob. activa. Sólo existe un 4,4 % de terreno cultivable. Patata, lino, remolacha y tabaco. Ganado bovino, caballar, ovino y suido. Pesca. Riqueza forestal, que proporciona materia prima para las ind. papeleras. Carbón, petróleo, gas natural, hierro, níquel, amianto, uranio, radio, cobre, plomo y cinc. Metalurgia (acero, cinc, cobre, plomo, aluminio). Ind. de transformación de los productos agrícolas, ganaderos y forestales, la textil, la automovilística y la química. Estado federal. Lenguas: ing. y fr. (of.), esquimal-alastiano y de los grupos algonquino, atabasco e iroqués. Rel.: catolicismo, protestantismo. U. M.: dólar canadiense. Cap., Ottawa. C. prales.: Quebec, Toronto, Edmonton, Montreal, Vancouver, Hamilton, Calgary, Winnipeg.

* *Hist.* Navegantes vikingos arribaron en el s. X a las costas del Labrador y de Terranova, bordeada por el genovés Caboto en 1497. En 1608 Samuel de Champlain fundó Quebec y estableció las bases de la colonia de Nueva Francia. Bajo el impulso de Colbert, fueron ampliándose los dominios fr. Los colonos ing., con el tratado de Utrecht (1713), impusieron su presencia en la bahía de Hudson. Durante la guerra de los Siete Años, el terr. pasó a dominio brit. En 1783 C. recibió inmigrantes de EE UU leales a la corona ing. En 1791 fue dividido en C. Superior, ing., y C. Inferior fr. En 1840 se reunificaron las dos regiones, y en 1867 se formó la Confederación, a la que más tarde se unieron Columbia Británica (1871), Príncipe Eduardo (1873), Manitoba, Saskatchewan y Alberta (1905) y Terranova (1949). En 1931 (estatuto del Westminster) fue reconocido como est. soberano. C. se ha visto afectada por el movimiento separatista de Quebec. Pierre Elliott Trudeau, del partido liberal, fue designado primer ministro en 1968 y reelegido en varias ocasiones. En 1982 se efectuó la «repatriación» de la constitución canadiense desde el Reino Unido. En las elecciones de 1984 y 1988 el conservador Brian Mulroney fue elegido primer ministro, pero en 1993 la elección del liberal Jean Chrétien puso fin a 9 años de gobierno conservador. Posteriormente, en las elecciones de 1997 y 2000, Chrétien repitió mayoría absoluta.

CANADIENSE adj. y s. De Canadá.

CANAL amb. Cauce artificial de agua. • Parte más profunda y limpia de la entrada de un puerto. • m. Estrecho marítimo. • amb. Cualquiera de los conductos por los que el agua o los gases circulan en el seno de la tierra. • Llanura larga y estrecha entre dos montañas. • Teja delgada y muy combada usada para formar en los tejados conductos por donde corre el agua. • Cada uno de estos conductos. • Vaso o conducto del organismo animal o vegetal. • Camellón, artesa. • Res muerta y abierta, sin despojos. • Parte opuesta al lom o de un libro encuadernado. • Faringe. • *Arq.* Estría. • *Comp.* Unidad de la computadora que permite gestionar las operaciones de entrada-salida. • *Electr.* Margen de frecuencias entrecuyos límites se realiza una transmisión radioeléctrica. • **En c.** m. adv. Abierto de arriba abajo.

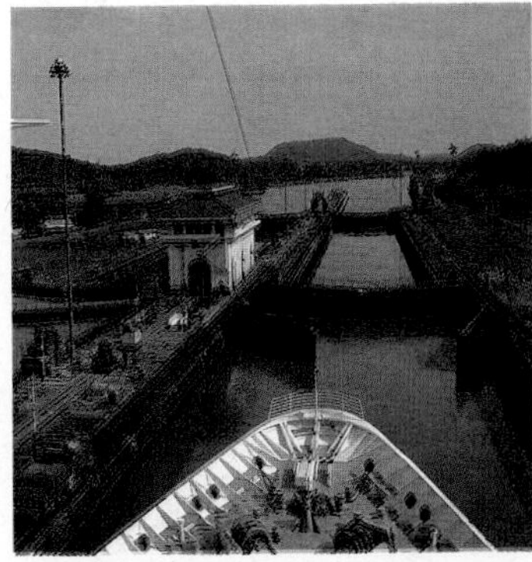

Zona del **Canal.** Vista de las esclusas

CANAL, *Islas del* Islas de Gran Bretaña ubicadas en el Canal de la Mancha, 195 km², 143 000 hab. Cap. Saint Peter Port (16 100 hab).

CANAL, *Zona del* Terr. a ambas orillas del canal de Panamá; 1 676 km², 45 000 hab. Cedido por Panamá a EE UU en uso perpetuo bajo pago de 10 millones de dólares y una cantidad anual. En 1977 se firmó un nuevo estatuto (acuerdo Torrijos-Carter) en virtud del cual la Zonal del C. volvió a soberanía panameña el 31 de diciembre de 1999.

CANAL Feijoo, *Bernardo* (1897-1982) Escritor arg. *Pasión y muerte de Silverio Leguizamón* (teatro), *Los casos de Juan el Zorro* (cuentos).

CANALADURA f. *Arq.* Moldura hueca en línea vertical.

CANALEJA o **CANALETA** f. Pieza de madera unida a la tolva, por donde pasa el grano a la muela.

CANALEJAS y Méndez, *José* (1854-1912) Político esp., del partido liberal. Jefe del gobierno en 1910-1912, impulsó diversas reformas politicoadministrativas. Murió víctima de un atentado.

CANALETE m. Remo con el cual se boga sin escálamo ni chumacera, y que sirve para gobernar las canoas.

CANALETTO, *Antonio Canale* (1697-1768) Pintor veneciano, el pral. representante de los pintores de vistas ciudadanas *(vedutistas)*.

CANALÍCULO m. Conducto pequeño.

CANALIZAR tr. Abrir canales. • Regularizar el cauce o la corriente de un río o arroyo. • Aprovechar para el riego o la navegación las aguas corrientes o estancadas, dándoles conveniente dirección por medio de canales o acequias. • fig. Recoger corrientes de opinión, iniciativas, etc., y orientarlas.

CANALIZO m. *Mar.* Canal estrecho entre islas o bajos.

CANALIZO, *Valentín* (1794-1850) Militar y político mex., amigo de Santa Anna; siguió a éste en su política.

CANALLA f. fig. y fam. Chusma, gente ruin. • m. fig. y fam. Hombre despreciable. ▪ CANALLADA; CANALLESCO, CA.

CANALÓN m. Conducto que recibe y vierte el agua de los tejados. • Sombrero de teja. • Placa rectangular de pasta de harina rellena de carne, pescado, etc., y arrollada; canelón.

CANALS Frau, *Salvador* (1893-1958) Antropólogo arg. *Prehistoria de América*, *Las poblaciones indígenas de América*.

CANANA f. Cinto para llevar cartuchos.

CANANEA C. de México, en el est. de Sonora; 21 300 hab. Centro cuprífero. Ganadería. Aeropuerto. Escenario, en 1906, de una huelga de los mineros mex. ante la discriminación económica respecto a los mineros norteam., que fue reprimida violentamente (23 muertos).

CANANEO, A adj. y s. De Canaán.

CANAPÉ m. Diván, sofá. • Aperitivo consistente en una rebanadita de pan sobre la que se extienden viandas.

CANARIA f. Hembra del canario.

CANARIAS Com. autón. esp., constituida por el arch. hom. Sit. en el océano Atlántico, a 100 km del litoral afr.; 7 242 km², 1 493 784 hab. Dos provincias: Santa Cruz de Tenerife y Las Palmas. Capitalidad compartida alternativamente entre Santa Cruz de Tenerife y Las Palmas de Gran Canaria. Las islas se formaron por la acumulación de rocas volcánicas. Terr. montañoso (Teide, 3 718 m). Clima cálido y seco, modificado por la alt., los alisios y la corriente fría que baña la costa. Plátanos, tomates, cereales, tabaco. Pesca. Turismo, conservas, refinería de petróleo. Los Reyes Católicos ultimaron la colonización de C. en 1496, tras vencer la resistencia de los aborígenes guanches. Se constituyó en com. autón. en 1982.

CANARICULTURA f. Arte de criar canarios.

CANARIERA f. Jaula para la cría de canarios.

CANARIO, RIA o **CANARIENSE** adj. y s. De las islas Canarias. • m. *Zool.* Pájaro originario de las islas Canarias. Mide unos 13 cm de long.; tiene cola larga y ahorquillada, pico cónico y delgado, y plumaje amarillo, verdoso o blanquecino. De bello canto, se reproduce en cautividad.

CANARIS, *Constantinos* (1790-1877) Patriota gr., héroe de la guerra de indep. de su país. • ***Wilhelm*** (1887-1945) Almirante al., jefe del Servicio Secreto de información durante la II Guerra Mundial; participó en el complot contra Hitler (1944). Murió ejecutado.

El Gran Canal, óleo de **Canaletto.** Galería de los Uffizi, Florencia (Italia)

CANARO, *Francisco* (1888-1964) Compositor ur. Uno de los máximos representantes del tango-milonga. Gran difusor de la música uruguayo-argentina.

CANASTA f. Cesto de mimbres, ancho de boca, que suele tener dos asas. • Juego de naipes que se practica con dos barajas fr. entre dos bandos de jugadores. • En este juego, reunión de siete naipes del mismo número que se extienden sobre el tapete por un solo jugador o ayudado por su compañero. • Tanto en el juego del baloncesto.

CANASTADA f. Lo que cabe en una canasta.

CANASTERO, RA m. y f. Persona que hace o vende canastos. • *Chile.* Vendedor ambulante que lleva en canastos su mercancía. • f. *Zool.* Pájaro insectívoro de unos 23 cm de long., de alas largas y puntiagudas y cola abarquillada.

CANASTILLA f. Cestilla de mimbres en que se tienen pequeños objetos de uso doméstico. • Ropa preparada para la novia o el niño que va a nacer.

CANASTILLO m. Azafate hecho con mimbres.

CANASTO m. Canasta de forma cilíndrica.

CANATLÁN Mun. de México, en el est. de Durango; 62 100 hab. Cereales, frutas, explotación forestal.

CANBERRA Cap. federal de Australia; 256 000 hab. Con el terr. circundante forma un enclave especial *(Australian Capital Territory)* de 2 400 km². Centro adm. y com.

CÁNCAMO m. *Mar.* Armella de hierro que sirve para enganchar motones, amarrar cabos, etc. • **de mar.** Ola gruesa o fuerte golpe de mar.

CANCAMUSA f. fam. Recurso con que se distrae a uno para que no se dé cuenta del engaño que se le prepara.

CANCÁN m. Baile de escenario de moda en París h. 1830.

Canario

Batalla de Roncesvalles, origen de la **Canción de Roldán**

Cancionero *de palacio.* Biblioteca de la Universidad de Salamanca (España)

CÁNCANA f. Araña gruesa, de patas cortas y color oscuro.
CANCANEAR intr. fam. Vagar o pasear sin objeto determinado. • *Col., C. Rica* y *Méx.* Tartajear, tartamudear. • *Col., C. Rica* y *Méx.* ■ CANCANEO.
CÁNCANO m. fam. Piojo.
CANCEL m. Contrapuerta, gralte. de tres hojas, una de frente y dos laterales, ajustadas éstas a las jambas de una puerta de entrada y cerrado todo por un techo. • Reja o armazón que divide espacios de una sala o habitación.
CANCELA f. Verja baja que cierra el paso en algunas entradas cuando están abiertas las puertas.
CANCELA, *Arturo* (1892-1956) Escritor arg. *Tres relatos porteños, Babel, La historia funambulesca del doctor Landormy.*
CANCELAR tr. Anular, hacer ineficaz un instrumento público, una inscripción en registro, una nota o una obligación que tenía autoridad o fuerza. • fig. Borrar de la memoria, abolir, derogar. ■ CANCELACIÓN O CANCELADURA.
CANCELARÍA f. Tribunal rom. por donde se despachan las gracias apostólicas.
CANCELARIO m. El que en las universidades tenía la autoridad pontificia y regia para conceder los grados. • *Bol.* Rector de universidad.
CÁNCER m. *Pat.* Tumor maligno, en especial el formado por células epiteliales (→ carcinoma). • fig. Lo que destruye algo. ■ CANCERADO, DA; CANCERÍGENO, NA; CANCEROSO, SA.
CÁNCER *Astr.* Constelación del Zodíaco. La denominación castellana es Cangrejo. • Cuarto signo del Zodíaco.
CÁNCER y Velasco, *Jerónimo de* (fines s. XVI-1655) Dramaturgo esp., autor de entremeses y comedias satíricas.
CANCERARSE prnl. Tomar carácter canceroso un tumor. • fig. Corromperse, pudrirse.
CANCERBERO m. *Mit.* Perro de tres cabezas que guardaba la puerta de los infiernos. • fig. Portero o guarda severo. • *Dep.* Guardameta.
CANCERÓLOGO, GA m. y f. Médico especialista del cáncer.
CANCHA f. Terreno destinado a la práctica de algunos deportes. • Parte de la explanada del frontón o trinquete en la cual juegan los pelotaris. • *Amér. Merid.* En general, terreno, espacio, local o sitio llano y despejado. • *Amér. Merid.* Corral o cercado espacioso para depositar ciertos objetos. • *Amér. Merid.* Hipódromo. • *Amér. Merid.* Lugar en que el cauce de un río es más ancho y desembarazado. • *Amér. Merid.* Maíz o habas tostadas. • *Col.* Lo que cobra el dueño de una casa de juego. • *Ur.* Senda o camino. • **¡Cancha!** *Argent., Chile, Par.* y *Ur.* interj. que se usa para pedir que abran paso.
CANCHAL m. Depósito de grandes rocas sueltas.
CANCHALAGUA o **CACHANLAGUA** f. *Bot. Amér.* Planta anual, de la familia gencianáceas, parecida a la centaura menor. Se usa en medicina.
CANCHAMINA f. *Chile.* Cancha cercada en una mina para recoger el mineral y escogerlo.
CANCHEAR intr. Trepar por los canchos o por los canchales. • *Amér. Merid.* Holgazanear.
CANCHERO, RA adj. *Argent.* y *Chile.* Ducho y experto en determinada actividad. • Se dice del clérigo de misa y olla que por cualquier medio saca dinero a sus feligreses. • *Chile.* Se aplica al trabajador encargado de una cancha. • *Chile.* Se aplica al que señala los tantos en el juego. • *Chile.* Aplícase al que busca trabajos de poca duración y esfuerzo. • m. y f. *Amér.* El que tiene una cancha de juego o cuida de ella.
CANCHO m. Peñasco grande. • Canchal. Suele emplearse en pl. • fam. *Chile.* Propina.
CANCILLA f. Puerta en forma de verja que cierra los huertos, corrales o jardines.
CANCILLER m. Empleado auxiliar en las embajadas, legaciones, consulados y agencias diplomáticas y consulares. • Magistrado supremo en algunos países. • Funcionario de alta jerarquía. • Título que lleva, en algunos Est. de Europa, un alto funcionario que es a veces jefe o presidente del gobierno.
CANCILLERÍA f. Oficio de canciller. • Oficina especial en las embajadas, legaciones, consulados y agencias diplomáticas y consulares. • **apostólica.** Oficina rom. que registra y expide las disposiciones pontificias y las bulas. ■ CANCILLERESCO, CA.
CANCIÓN f. Composición en verso que se puede cantar. • Música con que se canta esta composición. • Nombre de distintas composiciones poéticas. • fig. Cosa dicha con repetición insistente o pesada. • **de cuna.** Cantar con que se procura hacer dormir a los niños. ■ CANCIONISTA.
CANCIÓN de Roldán *(Chanson de Roland)* La más ant. e importante epopeya fr., escrita, al parecer, h. 1100-1125 por un autor anónimo.
CANCIONERO m. Colección de poesía medieval esp.: *C. de Baena* (1445), *C. de Stúñiga* (1458), *C. general*, de Hernando de Castilla (1511).
CANCO m. *Chile.* Especie de olla hecha de greda. • *Chile.* Maceta, tiesto. • *Bol.* Nalga. • pl. *Chile.* Caderas anchas en la mujer.
CANCÓN m. fam. Bu.
CANCRO m. Cáncer. • *Bot.* Úlcera que se manifiesta por manchas blancas o rosadas en la corteza de los árboles. ■ CANCROIDEO, A.
CANCROIDE m. Epitelioma de la piel relativamente benigno.
CANDADO m. Cerradura suelta contenida en una caja metálica y provista de un asa que sirve para sujetar puertas, tapas, etc. • *Col.* Perilla de la barba. • pl. Las dos cavidades inmediatas a las ranillas, que tienen las caballerías en los pies.
CANDAMO, *Manuel* (1841-1904) Político per., jefe del Partido Civilista. Continuador de Piérola, destacó su labor en la creación de la ley de matrimonio no católico. Presid. de la rep. (1903-1904).
CANDAR tr. Cerrar con llave. • P. ext., cerrar de cualquier modo.
CANDE o **CANDI** adj. Díc. del azúcar cristalizado.
CANDEAL o **CANDIAL** adj. y s. Díc. del pan hecho con trigo candeal. • Díc. de una especie de trigo aristado, con la espiga cuadrada y granos ovales: da harina y pan blancos.
CANDELA f. Vela para alumbrarse. • Candelero en que se pone la vela. • Flor del castaño. • Fam. Lumbre, brasa. • *Fís.* Unidad de intensidad luminosa definida como la sesentava parte de la que fluye, por 1 cm^2 y en dirección normal, del orificio de una cavidad incandescente que se encuentra en la temperatura de fusión del platino. • **Arrimar c.** fig. y fam. Pegar, dar de palos.
CANDELA, *Félix* (1910-1997) Arquitecto mex., nacido en España. Utiliza la bóveda como elemento constructivo. Pabellón de rayos cósmicos, en la universidad de México, iglesia de la Milagrosa.
CANDELABRO m. Candelero de dos o más brazos, que se sustenta sobre su pie o sujeto en la pared. • *Argent.* Planta cactácea.
CANDELADA f. Hoguera.
CANDELARIA f. Fiesta de la Purificación (2 febrero). • Gordolobo. • *Perú.* Flor de la candelaria o gordolobo.
CANDELARIA Mun. de Cuba, en la prov. de Pinar del Río; 14 700 hab. Agricultura, explotación forestal. • Mun. de Venezuela, en el est. de Carabobo; 110 200 hab. Integrado en la c. de Valencia. • **De la Frontera** Mun. de El Salvador, en el departamento de Santa Ana; 11 000 hab. Agricultura y ganadería.
CANDELARIA Canobio, *Luis* (1892-1964) Aviador arg. Fue el primero que cruzó los Andes en avión (1918), desde Zapala (Argentina) a Cunco (Chile).
CANDELARIO, RIA adj. fam. *Perú.* Tonto.
CANDELECHO m. Choza levantada en alto para vigilar.
CANDELEJÓN adj. y m. fam. *Amér.* Bobo.
CANDELERO m. Utensilio para sostener la vela o candela. • Velón. • **En c.** loc. fig. En posición, dignidad o cargo destacado.
CANDELILLA f. *Cir.* Instrumento flexible y cilíndrico usado para explorar la uretra, el recto, etc. • *Bot.* Planta euforbiácea que da un jugo lechoso y drástico. • *Cuba.* Especie de bastilla, costura. • *Chile, C. Rica* y *Hond.* Luciérnaga. • *Chile.* Fuego fatuo. Se usa más en pl.
CANDELIZO m. fam. Carámbano de hielo.
CANDENTE adj. Díc. del cuerpo, gralte. metal, cuando se enrojece o blanquea por la acción del calor. • fig. Díc. del asunto de interés actual y vivo. ■ CANDENCIA.
CANDÍA C. y puerto de Grecia, en la costa N de la isla de Creta; 102 400 hab.

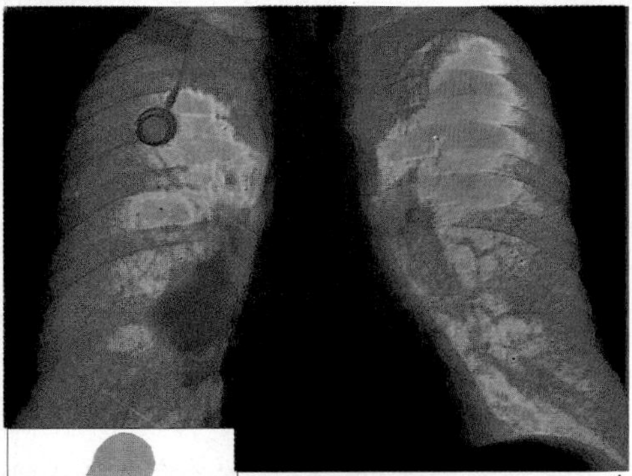

1

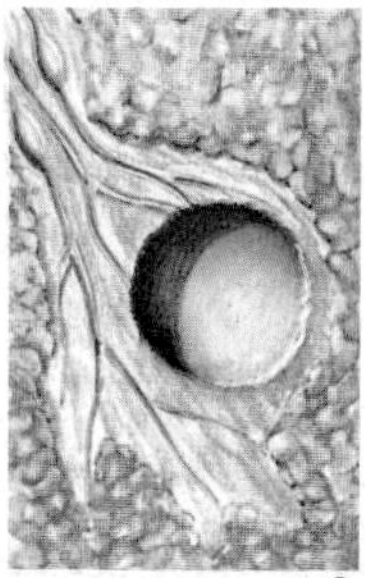

1. Imagen radiológica de un cáncer de pulmón, tipo de cáncer más directamente vinculable al hábito de fumar.
2. y 3. Tumor de mama benigno y maligno. El primero es un quiste relleno de líquido que no se propaga. El segundo, un carcinoma cuyas células han invadido las estructuras adyacentes y se propagan por los vasos linfáticos.
4. Órganos en que se localiza con mayor frecuencia un cáncer.
5. La mamografía es una técnica de exploración radiológica que permite distinguir la presencia de tumores en las glándulas mamarias.
6. Los tres métodos empleados para combatir el cáncer. Existen fundadas esperanzas de que a ellos se unirán pronto los métodos de terapia génica.

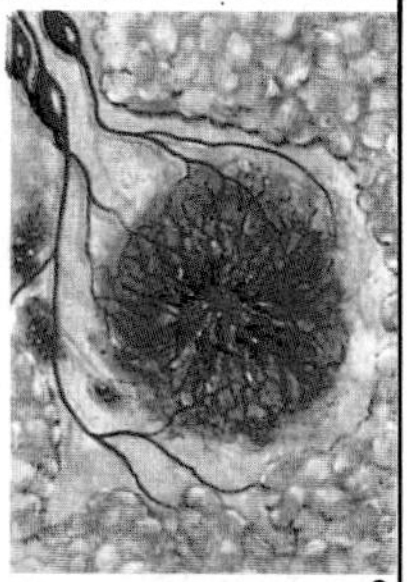

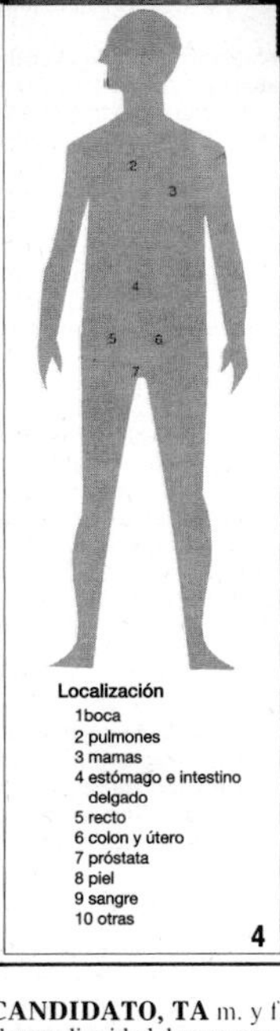

2 3

Localización
1 boca
2 pulmones
3 mamas
4 estómago e intestino delgado
5 recto
6 colon y útero
7 próstata
8 piel
9 sangre
10 otras

4

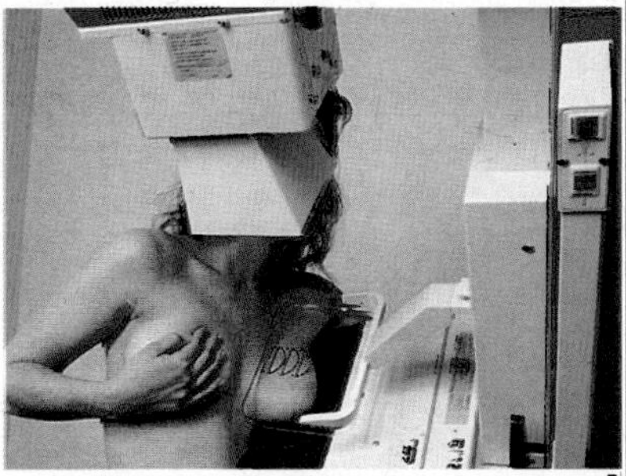

5

CÁNCER

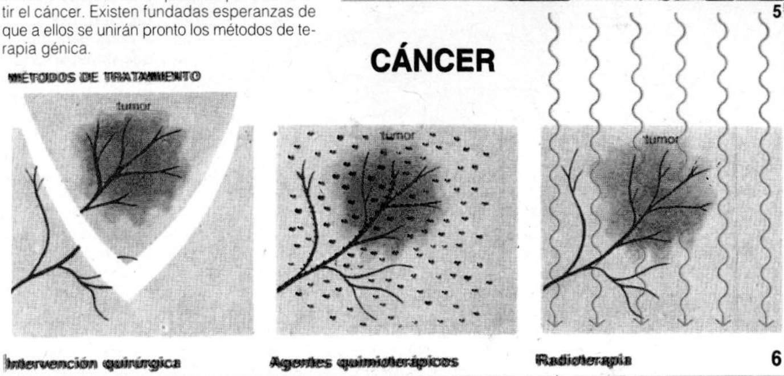

MÉTODOS DE TRATAMIENTO

tumor

Intervención quirúrgica — Agentes quimioterápicos — Radioterapia

6

CANDIDATO, TA m. y f. Persona que pretende alguna dignidad, honor o cargo. • Persona propuesta o indicada para una dignidad o un cargo, aunque no lo solicite. • Persona a quien se reconoce el derecho a intervenir por sí o por apoderados las operaciones de una elección popular.
CANDIDATURA f. Reunión de candidatos a un empleo. • Aspiración a cualquier honor o cargo o a la propuesta para él. • Papeleta en que va escrito o impreso el nombre de uno o varios candidatos. • Propuesta de persona para una dignidad o un cargo.
CÁNDIDO, DA adj. Blanco. • Sencillo, sin malicia ni doblez. • Simple, bobo. ■ CANDIDEZ.
CANDIEL m. Mezcla de vino blanco, yemas de huevo, azúcar y algún otro ingrediente.
CANDIL m. Utensilio para alumbrar, formado por un recipiente por cuyo borde asoma el extremo de una mecha que queda sumergida en aceite. • Lamparilla manual de aceite, en forma de taza cubierta, que tenía en su borde superior , por un lado, la piquera o mechero, y por otro el asa. • Punta alta de las cuernas de los venados • fig. y fam. Pico del sombrero. • *Méx.* Araña, candelabro colgado. • *Bot.* Planta muy parecida al aro, pero con espata amarillenta y las hojas veteadas de blanco, con aurículas divergentes y puntiagudas. • Arísaro, planta.
CANDILADA f. fam. Porción de aceite que se ha derramado o caído de un candil.
CANDILAZO m. Golpe dado con un candil. • fig. Arrebol crepuscular.
CANDILEJA f. Vaso interior del candil. • Vaso pequeño en que se pone una materia combustible para que ardan una o más mechas. • Lucérnula. • pl. Línea de luces en el proscenio del teatro.
CANDILEJO m. Candileja, lucérnula.
CANDILERA f. Mata de la familia labiadas, de hojas lineales y flores amarillas, con el cáliz cubierto de pelos largos.
CANDILILLO m. Arísaro. Se emplea en pl.
CANDINGA f. *Chile.* Majadería. • *Hond.* Chanfaina, enredo, baturrillo. • *Méx.* Diablo.
CANDIOTA f. Barril para llevar o tener vino u otro licor. • Vasija de barro empegada por dentro y con una espita por la parte inferior.
CANDOLLE, *Augustin de* (1778-1841) Botánico suizo. *La flora francesa, Teoría elemental de la botánica, Sistema natural de los vegetales.*
CANDOMBE m. *Amér. Merid.* Baile estrepitoso ejecutado por los negros. • Tambor usado para acompañar este baile.
CANDONGA f. fam. Cancamusa. • fam. Broma, burla. • fam. Mula de tiro. • *Hond.* Lienzo con que se faja el vientre a los niños recién nacidos. • pl. *Col.* Pendientes.
CANDONGUEAR tr. fam. Dar a uno candonga. • intr. fam. Hacerse el marrajo por no trabajar. ■ CANDONGO, GA; CANDONGUERO, RA.
CANDOR m. Suma blancura. • fig. Sinceridad, sencillez y pureza de ánimo. ■ CANDOROSO, SA.
CANÉ m. Juego de azar parecido al monte.
CANÉ, *Luis* (1897-1957) Poeta y escritor arg.

Candelabro de siete brazos

Canelo. Árbol y ramas, cuya segunda corteza es la canela

Tiempo de vivir. • ***Miguel*** (1851-1905) Escritor y político arg. *Juvenilia, Charlas literarias*.
CANECA f. Frasco cilíndrico de barro vidriado, para contener licores. • *Argent*. Vasija o balde de madera. • *Cuba*. Medida de capacidad para líquidos, equivalente a 19 l.
CANECO, CA adj. *Bol*. Ebrio, achispado.
CANÉFORA f. Doncella que en algunas fiestas paganas llevaba en la cabeza un canastillo con utensilios para los sacrificios.
CANEFORIAS f. pl. En la ant. Grecia, fiestas en honor de Diana.
CANEICITOS m. pl. *Cuba*. Diversión popular en la que hay música, rifas, venta de dulces, etc.
CANEL, *Fausto* (nacido 1939) Director de cine cub. Se inició como documentalista. *Desarraigo, Papeles son papeles*.
CANELÁCEO, A adj. y f. *Bot*. Díc. de plantas angiospermas dicotiledóneas, leñosas, propias de países tropicales. • f. pl. *Bot*. Familia de estas plantas.
CANELAS, *Demetrio* (1879-1964) Escritor bol. Representante del realismo costumbrista. *Aguas estancadas*.
CANELERO m. Canelo, árbol de la canela.
CANELILLA f. *Cuba* y *Méx*. Árbol de la familia euforbiáceas.
CANELILLO m. *C. Rica*. Canelo, madera.

Vista de **Canelones**

CANELINA f. Sustancia cristalizable contenida en la canela blanca.
CANELITA f. *Geol*. Roca meteórica.
CANELO, LA adj. De color de canela, aplicado especialmente a los perros y caballos. • m. *Bot*. Árbol originario de Ceilán, de la familia lauráceas, de tronco liso, flores blancas, y drupas ovales de color pardo azulado. La segunda corteza de sus ramas es la canela. • *Bot. Chile*. Árbol de la familia magnoliáceas, de flores blancas y olorosas, y bayas de color negro. • *C. Rica*. Planta lauràcea usada en ebanistería. • f. Corteza de las ramas del canelo, de color rojo amarillento y de olor aromático y sabor agradable. • fig. y fam. Cosa muy fina y exquisita. • *Col*. Fuerza, vigor.

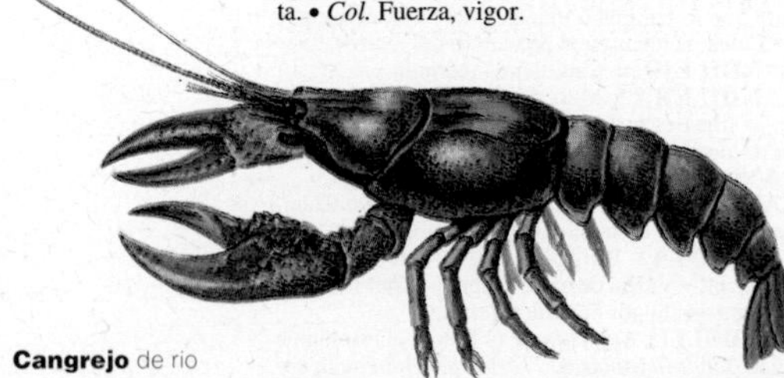
Cangrejo de río

CANELÓN m. Canalón de tejados. • Carámbano largo y puntiagudo que cuelga de las canales. • Labor tubular de pasamanería, como la de las flechas de la charreteras. • Confite largo que tiene dentro una raja de canela o de acitrón. • Rollo de pasta de harina relleno de carne, pescado, etc. • fam. Extremo de los ramales de las disciplinas, más grueso y retorcido. • *R. de la Plata*. Capororoca. • *Méx*. Cachada que se da con un trompo en otro. • *Ven*. Rizo hecho en el pelo.
CANELONENSE adj. y s. De Canelones.
CANELONES Dpto. de Uruguay, ribereño del Atlántico; 4 536 km^2, 443 053 hab. Relieve poco accidentado. Clima templado. Trigo, maíz, patatas. Ganadería. Cap., la c. hom.; C. pral.: Las Piedras. Turismo. • C. de Uruguay, cap. del dpto. hom., 19 388 hab. Ind. papelera y agropecuaria.

Canguro

CANESÚ m. Cuerpo de vestido de mujer, gralte. sin mangas. • Pieza superior de la camisa o blusa.
CANETTI, *Elías* (1905-1994) Escritor austr., nacido en Bulgaria de padres judíos sefardíes. Premio Nobel de Literatura en 1981. Sus obras principales son *Auto de fe, Masa y poder, El otro proceso de Kafka, La lengua absuelta, La antorcha al oído*.
CÁNEY, *El* Localidad de Cuba, en la prov. de Oriente; 3 400 hab. Agricultura, bosques. Hierro. Tomada en 1898 por las fuerzas cub. y norteam. después de derrotar a las fuerzas esp. que la defendían.
CANGA f. En China, instrumento de suplicio que consistía en un círculo, un cuadrado o un triángulo de madera en que se aprisionaban el cuello y las muñecas del reo. • *Amér*. Mineral de hierro con arcilla.
CANGAGUA f. *Ecuad*. Tierra para hacer adobes.
CANGALLA com. *Col*. Persona o animal enflaquecidos. • *Amér*. Persona cobarde, pusilánime y despreciable. • *Bol*. Aparejo con albarda, para llevar cargas las bestias. • f. *Argent*. y *Chile*. Desperdicios de los minerales.
CANGALLAR tr. *Chile*. Robar en las minas metales o piedras metalíferas. • fig. *Chile*. Defraudar al fisco.
CANGALLERO m. *Chile* y *Perú*. Ladrón de metales o piedras metalíferas de la mina donde trabaja. • *Chile*. El que compra cangalla robada. • *Perú*. Vendedor de objetos a bajo precio.
CANGALLO Prov. de Perú, en el dpto. de Ayacucho; 68 800 hab. Cap., Cangallo; 10 000 hab.
CANGILÓN m. Recipiente grande de barro o metal, en forma de cántaro, para contener líquidos, y a veces para medirlos. • Vasija de barro o metal, que sirve para sacar agua de los pozos y ríos, atada, con otras, a una maroma doble que descansa sobre la rueda de la noria. • Cada vasija de hierro de ciertas dragas que extraen del fondo de los puertos, ríos, etc., el fango, piedras y arena que los obstruyen. • *Amér*. Bache, hoyo.
CANGRE m. *Cuba*. Trozo del tallo de la yuca destinado a la reproducción.
CANGREJA adj. y s. *Mar*. Vela de cuchillo, de forma trapezoidal, que va envergada por dos relingas en el pico y palo correspondientes.
CANGREJAL m. *R. de la Plata*. Terreno pantanoso e intransitable por la abundancia de ciertos cangrejos.
CANGREJERA f. Nido de cangrejos.
CANGREJERO, RA m. y f. Persona que coge o vende cangrejos. • m. *Zool*. Ave zancuda, parecida a la garza, de color rojizo leonado, plumas occipitales blanquecinas, y pecho, abdomen y piernas blancos. • *Chile*. Cangrejera. • *Guat*. Carnívoro semejante al perro, que se alimenta de cangrejos.
CANGREJO m. *Zool*. Nombre de ciertos crustáceos decápodos, marinos o de agua dulce, así como de algún otro animal no perteneciente al grupo de los crustáceos. • *Astr*. Cáncer. • *Astr*. Nebulosa situada en la constelación del Toro. • **de mar.** Cámbaro.
CANGRENA f. Gangrena.
CANGRENARSE prnl. Gangrenarse.
CANGRO m. *Col., Guat.* y *Méx*. Cáncer.
CANGÜESO m. Pez marino acantopterigio, de color pardo aceitunado, con manchas oscuras.
CANGUIL m. *Ecuad*. Maíz pequeño.
CANGURO m. *Zool*. Mamífero marsupial, herbívoro, propio de Australia y Nueva Guinea. Se mueve a grandes saltos por tener sus extremidades delanteras mucho más cortas que las posteriores. • fig. Persona que cuida niños en sus domicilios, durante la ausencia de sus familiares.
CANÍBAL adj. y s. Antropófago. • fig. Díc. del hombre cruel y feroz.
CANIBALISMO m. Antropofagia. • fig. Ferocidad o inhumanidad.
CANICA f. *Cuba*. Canela silvestre. • Juego de niños que se hace con bolitas de barro, vidrio u otra materia dura. • Cada una de estas bolitas.
CANICHE adj. y s. Díc. de una raza de perros de compañía, inteligentes y hábiles, llamados también *perros de lanas* o *de aguas*.

CANICIE f. Color cano del pelo.
CANÍCULA f. Periodo del año en que son más fuertes los calores.
CANICULAR adj. Relativo a la canícula. • m. pl. Días que dura la canícula.
CÁNIDO, DA adj. y m. Díc. de los individuos de una familia de mamíferos carnívoros cuyo tipo es el perro, el zorro y el lobo. • adj. Relativo a estos animales. • m. pl. *Zool.* Familia de estos animales.
CANIJO, JA adj. y s. fam. Débil y enfermizo.
CANILLA f. Cualquiera de los huesos largos de la pierna o del brazo. • Cualquiera de los huesos prales. del ala del ave. • Carrete metálico en que se devana la seda o el hilo, y que va dentro de la lanzadera en las máquinas de tejer y coser. • Lista que en los tejidos suelen formar, por descuido, algunas hebras de distinto color o grueso. • Grifo, espita. • *Col.* Pantorrilla. • fig. *Méx.* Fuerza física.
CANILLERA f. Espinillera. • *Amér.* Temblor de piernas.
CANILLERO, RA m. y f. Persona que hace canillas para tejer. • m. Agujero que se hace en las tinajas o cubas para poner la canilla.
CANIME m. *Col.* Árbol gutífero que produce un aceite medicinal.
CANINA f. Excremento de perro.
CANINDEYÚ Dpto. de Paraguay; 14 667 km^2, 96 826 hab. Cap., Salto del Guaira. Selvas en el E y prados en el O. Explotación forestal y ganadería.
CANINO, NA adj. Relativo al can. • Aplícase a las propiedades que tienen semejanza con las del perro. • adj. y m. Colmillo, diente.
CANIS MÁJOR *Astr.* Constelación de la familia de Orión. Denominación cast.: Can Mayor.
CANIS MINOR *Astr.* Constelación de la familia de Orión. Denominación cast.: Can Menor.
CANISIO, *Pedro* (1520-1597) Santo hol. Provincial de la Compañía de Jesús en Alemania. Su *Catecismo* enfrentaba la doctrina católica al *Catecismo* de Lutero.
CANISTEL m. *Cuba.* Árbol sapotáceo, de fruto semejante al mango. • Fruto de este árbol.
CANJE m. Cambio, trueque o sustitución. ■ CANJEAR.
CANNABÁCEO, A o **CANABÍNEO, A** o **CANNABINÁCEO, A** adj. y f. *Bot.* Díc. de plantas dicotiledóneas, herbáceas, con flores unisexuales y frutos en aquenio, de las que se obtiene el cáñamo, la marihuana y el lúpulo. • adj. Relativo a estas plantas. • f. pl. *Bot.* Familia de estas plantas.
CANNAS (lat., *Cannae*) Ant. c. de Apulia, en Italia, donde el 216 a. C. Aníbal derrotó a las legiones rom. de Lucio Emilio Paulo y Terencio Varrón.
CANNES C. de Francia, en la costa Azul (dpto. de Alpes-Maritimes); 72 300 hab. Centro turístico. Ind. del perfume. • **Festival de C.** Prestigiosa muestra cinematográfica creada en 1946.

El milagro del pozo, de Alonso **Cano** (Museo del Prado, Madrid)

CANNING, *George* (1770-1827) Político brit. En 1803 se unió a William Pitt y fue elegido diputado *tory*. Secretario de Est. para Asuntos Exteriores (1807-1809), apoyó a España en la guerra de la Independencia. En su segunda etapa al frente del ministerio (1822-1827), ayudó a Grecia y a Latinoamérica en sus luchas por la indep.
CANO, NA adj. Lleno de canas. • fig. Anciano o ant. • fig. y poét. Blanco, de color de nieve o leche.
CANO, *Alonso* (1601-1667) Pintor, escultor y arquitecto esp., uno de los prales. maestros del barroco. Evolucionó de un tenebrismo realista *(Cristo atado a la columna)* hacia concepciones más decorativas *(El milagro del pozo, La Virgen del Rosario)*. Esculturas: *Virgen de Belén, San Diego de Alcalá.* • ***Melchor*** (1509-1560) Religioso dominico y teólogo esp. Consejero de Felipe II. *De locis theologicis.*
CANOA f. Embarcación de remo muy estrecha, sin quilla y sin diferencia de forma entre proa y popa. • Bote muy ligero de remo o motor. • *Amér.* Canal para conducir el agua. • *Amér.* Artesa para comer el ganado. • *Chile.* Vaina grande y ancha de los coquitos de la palmera. • *Chile* y *C. Rica.* Canal del tejado. ■ CANOERO, RA.
CANÓDROMO m. Lugar para las carreras de galgos.
CANON m. Regla. • Regla establecida en algún concilio de la Iglesia sobre el dogma o la disciplina. • Catálogo de los libros sagrados declarados auténticos por la iglesia católica. • Catálogo o lista. • Parte de la misa. • *Arte.* Tipo de las proporciones humanas tomado como base por los artistas. • Prestación pecuniaria periódica que grava una concesión. • Lo que paga periódicamente el censario al censualista. • Precio de un arrendamiento. • *Mús.* Composición de contrapunto en que sucesivamente van entrando las voces, repitiendo o imitando cada una el canto de la que le antecede.
CANONESA f. Mujer que en abadías flam. y al. vive en comundad pero sin hacer votos.
CANÓNICO, CA adj. Realizado según los sagrados cánones. • Se aplica a los libros contenidos en el canon de los libros auténticos de la Sagrada Escritura. • *Mat.* Díc. de un elemento de un conjunto elegido como representante por ser la forma o expresión más simple. ■ CANONICAL; CANONISTA.
CANÓNIGA f. fam. Siesta anterior a la comida.
CANONIZACIÓN f. *Rel.* Proceso jurídico de la iglesia católica rom. por el cual el papa declara santo a un católico fallecido.
CANONIZAR tr. Declarar solemnemente el papa la santidad de un fiel. • fig. Calificar de bueno. • fig. Aplaudir, aprobar.
CANONJÍA o **CANONICATO** f. Prebenda del canónigo. • fig. y fam. Empleo de poco trabajo y bastante provecho. ■ CANÓNIGO.
CANOPE Ant. c. de Egipto, al NE de Alejandría. Fue un importante centro industrial.
CANOPUS *Astr.* La estrella más brillante de la constelación Carina (Quilla del Navío).
CANORO, RA adj. y f. Díc. del ave de canto grato y melodioso. • Grato y melodioso. • m. pl. Grupo de pájaros insectívoros de canto melodioso y plumaje poco vistoso.
CANOSO, SA adj. Que tiene muchas canas.
CANOTIÉ (del fr. *canotier*) m. Sombrero de paja, de copa plana y baja y ala recta.
CANOVA, *Antonio* (1757-1821) Escultor neoclásico it. Sus obras principales son *Amor y Psique, Héctor y Áyax, Las tres Gracias, Paulina Bonaparte Borghese, como Venus.*
CÁNOVAS del Castillo, *Antonio* (1828-1897) Político e historiador esp. Jefe del partido conservador y artífice de la subida al trono de Alfonso XIII y del sistema de turno pacífico de partidos (conservador y liberal) en el poder.
CANSANCIO m. Falta de fuerzas que resulta de haberse fatigado. • fig. Aburrimiento. ■ CANSINO, NA.
CANSAR tr. y prnl. Causar cansancio. • Quitar fertilidad a la tierra. • fig. Enfadar, molestar. ■ CANSADO, DA.
CANSERA f. fam. Molestia y enojo causados por la importunación. • *Amér.* Tiempo perdido en algún empeño.
CANTABLE o **CANTABILE** adj. Que se puede

Lobo, mamífero de la familia **cánidos**

Tallo y frutos de lúpulo, planta de la familia **cannabáceas**

Paulina Bonaparte en una escultura de Antonio **Canova**

Antonio **Cánovas del Castillo**

cantar. • *Mús.* Que se canta despacio. • m. Parte que el autor del libreto de una zarzuela escribe en versos, para que puedan ponerse en música. • Escena de la zarzuela en que se canta, para diferenciarla de aquella en que se habla. • *Mús.* Trozo de música majestuoso y sencillo.

CANTABRIA Región natural e histórica esp., en la cornisa cantábrica, que constituye la com. autón. uniprovincial hom.; 5 289 km², 527 437 hab. Cap., Santander. En su terr. se distinguen la Montaña y la Marina. Ríos prales.: Ebro, Besaya. Clima oceánico. Pastos naturales, bosques. Pesca. Ind. lechera, siderúrgica, metalúrgica, química. Imp. restos prehistóricos (cueva de Altamira). Las villas de C. pertenecieron al reino astur-leonés y luego al de Castilla, en el que gozaron de privilegios (fueros). Su auge comercial se remonta a finales de la E. Med. Se constituyó en com. autón. en 1982.

CANTÁBRICA, *cordillera* Macizo montañoso del N de España. Alt. máx.: Peña Cerredo (2 648 m), Peña Ubiña (2 417 m) y Peña Prieta (2 356 m).

CANTÁBRICO, CA adj. Relativo a Cantabria.

CANTÁBRICO, *mar* Parte del océano Atlántico, al N de España y O de Francia.

CÁNTABRO, BRA adj. y s. De Cantabria. • *Hist.* Individuo de un ant. pueblo celtíbero del N de España.

CANTAL m. Canto de piedra. • Cantizal.

CANTALETA f. Ruido y confusión de voces e instrumentos con que se burlaban de alguna persona. • Canción burlesca con que, ordinariamente de noche, se hacía mofa de una o varias personas. • fig. y fam. Chasco, vaya, zumba. • En algunas partes, estribillo, repetición enfadosa.

CANTALETEAR tr. *P. Rico.* Repetir las cosas hasta causar fastidio. • *Méx.* Dar cantaleta.

CANTAMAÑANAS com. fam. Persona informal, irresponsable, sin crédito.

Extracción de mármol de una **cantera**

Catedral de **Canterbury**

CANTAR intr. y tr. Formar con la voz sonidos melodiosos y variados. • intr. Producir algunos insectos sonidos estridentes, haciendo vibrar ciertas partes de su cuerpo. • intr. y tr. fig. Componer o recitar alguna poesía. • fig. En ciertos juegos de naipes, decir el punto o calidades. • fig. y fam. Rechinar y sonar los ejes y otras piezas de los carruajes cuando se mueven. • fig. y fam. Sonar las abrazaderas del fusil al rozar contra el cañón. • fig. y fam. Descubrir o confesar lo secreto. • m. Copla breve o composición poética puesta en música para cantarse, o adaptable a alguno de los aires populares. • Especie de saloma que usan los trabajadores de tierra. • **de gesta.** Nombre con que se conocen los poemas épicos medievales, que narran hechos de personajes históricos o legendarios. ■ CANTADOR, RA; CANTANTE; CANTARÍN, NA; CANTATRIZ.

CANTAR de Mio Cid El más antiguo cantar de gesta en lengua cast. que se conoce, compuesto h. 1140. • **De los cantares** (heb., *Sir hasirim*) Libro poético y didáctico del A. T., atribuido al rey Salomón.

CÁNTARA f. Medida de capacidad para líquidos, equivalente a 1 613 cl. • Cántaro.

CANTARADA f. Líquido que cabe en el cántaro.

CANTARELA f. Primera cuerda del violín o la guitarra.

CANTARERA f. Poyo de fábrica, o armazón de madera, que sirve para poner los cántaros.

Miniatura de las ***Cantigas*** *de Santa María.* Códice de El Escorial, Madrid

CANTARERO m. Alfarero.

CANTÁRIDA f. *Zool.* Insecto coleóptero, de color verde, del cual se obtiene la cantaridina. • Llaga que producen las cantáridas sobre la piel.

CANTARIDINA f. Principio activo de la tintura de cantáridas, usado como estimulante del aparato genitourinario y como diurético.

CÁNTARO m. Vasija grande de barro ancha de barriga y estrecha de pie y cuello, gralte. con una o dos asas. • Todo el líquido que cabe en un cántaro. • Medida para líquidos. • *Méx.* Piporro, instrumento musical. • **A cántaros.** m. adv. En abundancia, con mucha fuerza.

CANTATA f. *Mús.* Composición para una o varias voces con acompañamiento. La c. se originó en Florencia (s. XVII), desde donde pasó a Francia. Fue cultivada, entre otros, por J. S. Bach, Telemann y Rameau. En el s. XX la c. volvió a revalorizarse con la obra de Stravinski.

CANTAZO m. Golpe dado con canto.

CANTE m. Canto, especialmente el popular.

CANTEAR tr. Labrar los cantos de una tabla, piedra, etc. • Poner de canto los ladrillos.

CANTEL Mun. de Guatemala, en el dpto. de Quezaltenango; 13 900 hab. Hilaturas de algodón.

CANTERA f. Sitio donde se saca piedra, greda u otro material análogo para obras varias. • fig. Talento, ingenio y capacidad que muestra alguna persona. • fig. Lugar, región, etc., prolijo en talentos en una especialidad. • *Dep.* Conjunto de los practicantes o profesionales de un deporte naturales de una región.

CANTERAC, *José* (1786-1835) Militar esp. Fue enviado al Perú como jefe de Estado Mayor. Conquistó La Paz y el valle de Jauja (1821). Derrotado por Sucre en Ayacucho (1824), regresó a España, donde fue nombrado capitán general.

CANTERBURY C. de Gran Bretaña (Inglaterra); 33 000 hab. Sede del arzobispo primado y centro religioso del país.

CANTERÍA f. Arte de labrar las piedras para las construcciones. • Obra hecha de piedra labrada. • Porción de piedra labrada.

CANTERO m. El que labra las piedras para las construcciones. • Extremo de algunas cosas duras que se pueden partir con facilidad. • Trozo de heredad o huerta. • *Amér.* Cuadro de un jardín.

CANTICIO m. fam. Canto frecuente y molesto.

CÁNTICO m. Cada una de las composiciones poéticas de los libros sagrados y los litúrgicos en que se dan gracias o tributan alabanzas a Dios. • Suele también darse este nombre a ciertas poesías profanas.

CANTIDAD f. Todo lo que es capaz de medirse o numerarse. • Porción grande de alguna cosa. • Porción indeterminada de dinero. • *Fil.* Una de las categorías fundamentales que se relacionan con la sustancia. • *Fon.* Tiempo que se invierte en la pronunciación de una sílaba. • *Mat.* Objetos de una clase entre los que se puede definir la igualdad y la suma. • **alzada.** La suma total de dinero que se considera suficiente para algún objeto. • **de electricidad.** *Fís.* Producto de la intensidad de una corriente eléctrica por su duración. • **de movimiento.** *Fís.* Magnitud vectorial definida como el producto de la masa, m, de un cuerpo por la velocidad, v, con que se mueve: $p = mv$. • **discreta.** La que consta de unidades o partes separadas unas de otras.

CANTIGA o **CÁNTIGA** (voz gallegoportuguesa) f. *Lit.* Composición poética gallegoportuguesa de carácter religioso o profano. Alcanza su máx. esplendor en las *Cantigas de Santa María*, de Alfonso X el Sabio.

CANTIL m. Sitio o lugar que forma escalón en la costa o en el fondo del mar. • Borde de un despeñadero. • *Guat.* Especie de culebra grande.

CANTILENA o **CANTINELA** f. Cantar, copla, composición poética breve, hecha para que se cante. • fig. y fam. Repetición molesta de alguna cosa.

CANTILEVER (voz ing.) m. *Aer.* Sistema de empotramiento de las alas en el fuselaje de los aviones. • *Aut.* Sistema de suspensión mediante ballestas fijas al chasis por uno de sus extremos. • *Const.* Puente metálico cuyas vigas prales. se prolongan en voladizo.

CANTILLO m. Piedrecilla para jugar a los cantillos. • Cantón, esquina. • pl. Juego que consiste

en lanzar cinco piedrecillas hacia arriba para recogerlas en el aire al caer.
CANTILLON, *Richard* (1680-1734) Economista irl., precursor de los fisiócratas. *Ensayo sobre la naturaleza del comercio en general.*
CANTIMPLA adj. y s. *R. de la Plata.* Tonto.
CANTIMPLORA f. Vasija de metal para enfriar el agua. • Recipiente aplanado, para llevar la bebida. • *Guat.* Papera.
CANTINA f. Sótano donde se guarda el vino para el consumo de la casa. • Puesto público en que se venden bebidas y algunos comestibles. • Caja cubierta de cuero y dividida en varios compartimientos, para llevar las provisiones de boca. • pl. Estuche doble con fiambreras y divisiones para llevar en los viajes las provisiones diarias. • *Méx.* Dos bolsas cuadradas de cuero, con tapas que se colocan unidas junto a la silla de montar, como las antiguas alforjas. ■ CANTINERO, RA.

Miniatura medieval que muestra a unos monjes entregados al **canto gregoriano**

CANTINFLAS Seudónimo de *Mario Moreno* (1911-1993) Actor cinematográfico mex. Comenzó a hacer cine en 1936; en 1940 fijó su cómico personaje, un hombre desastrado, de hablar confuso y buen corazón, representativo del «pelado» de su país. *Abajo el telón, Ahí está el detalle.*
CANTIZAL m. Terreno donde hay muchos cantos y guijarros.
CANTO m. Acción y efecto de cantar. • Arte de cantar. • Poema corto del gén. heroico, llamado así por su semejanza con cada una de las divisiones del poema épico, a que se da este mismo nombre. • También se llama así a otras composiciones de distinto gén. • Composición lírica, genéricamente hablando. • Cada una de las partes en que se divide el poema épico. • *Mús.* Parte melódica que da carácter a una pieza de música concertante. • Extremidad o lado de cualquier parte o sitio. • Extremidad, punta, esquina o remate de alguna cosa. • Cantón, esquina. • En el cuchillo, o en el sable, lado opuesto al filo. • Corte del libro, opuesto al lomo. • Grueso de alguna cosa. • Dimensión menor de una escuadría. • Trozo de piedra. • **del cisne.** fig. Última obra o actuación notable de uno. • **gregoriano** o **llano.** El propio de la liturgia cristiana, cuyos puntos o notas son de igual y uniforme figura y proceden con la misma medida de tiempo. • **rodado.** Piedra alisada y redondeada a fuerza de rodar impulsada por las aguas. • **Al c. del gallo.** m. adv. fam. Al amanecer. • **De c.** m. adv. De lado, no de plano. ■ CANTOLLANISTA.
CANTÓN m. Esquina de las paredes de una casa. • División administrativa de ciertos países. • *Her.* Cada uno de los cuatro ángulos que pueden considerarse en el escudo. • *Méx.* Tela de algodón que imita al casimir. ■ CANTONADO, DA.
CANTÓN (chino, *Guangzhou*; ing., *Kuangchou*) C. de la China meridional; 3 120 000 hab. Cap. de la prov. de Kuangtung. Puerto sobre el r. Chukiang. Centro comercial e industrial.
CANTON Y ENDERBURY Islas del Pacífico, sit. en el arch. de las Fénix; 70 km^2, 400 hab. Condominio anglonorteam. hasta su incorporación al estado de Kiribati. Aeropuerto.
CANTONADA f. Cantón, esquina de un edificio. • **Dar c.** a uno. fig. Darle esquinazo. • fig. Dejarle burlado.
CANTONALISMO m. Sistema político que aspira a dividir el Estado en cantones casi autónomos. • fig. Desconcierto caracterizado por una gran relajación del poder central en la nación. ■ CANTONAL; CANTONALISTA.
CANTONAR tr. y prnl. Acantonar.
CANTONEAR intr. Vagar ociosamente. ■ CANTONERO, RA.
CANTONERA f. Pieza que se pone en las esquinas de libros, muebles, etc., como refuerzo o adorno. • Rinconera, mesilla.
CANTONÉS, SA adj. y s. De Cantón. • m. *Ling.* Dialecto chino, llamado también *yue*, hablado en Kuantung (China).
CANTOR, RA adj. Que tiene por oficio cantar. • *Zool.* Díc. de las aves pequeñas, de cuello corto, alas medianas, plumaje suave y abundante, uñas largas y los músculos de la laringe muy desarrollados. • f. fam. *Chile.* Bacín, bacinilla. • pl. *Zool.* Orden de las aves cantoras.
CANTOR, *Georg Ferdinand* (1845-1918) Matemático al. Creó la teoría de conjuntos, que constituye el lenguaje en el que se formula toda la matemática actual.
CANTORAL m. Libro de coro.
CANTÚ m. *Perú.* Planta polemoniácea, de flores muy hermosas. Usada para teñir de amarillo.
CANTÚ, *Cesare* (1804-1895) Historiador y político it. Miembro de la «Joven Italia», participó en el gobierno provisional de Milán (1848). *Historia universal.*
CANTÚ, *Federico* (nacido 1908) Pintor y escultor mex. *Cristo y Dios Padre*, *La batalla de Mala Pelea*, etc. • ***Luis Pedro*** (1883-1943) Escultor y acuarelista ur. Numerosos monumentos en Europa y América.
CANTÚA f. *Cuba.* Dulce seco, compuesto de boniato, coco, ajonjolí y azúcar moreno.
CANTUARIENSE adj. y s. De Canterbury.
CANTUESO m. Planta perenne, de la familia labiadas, con tallos derechos y ramosos, hojas oblongas estrechas y vellosas y flores olorosas y moradas.
CANTURÍA f. Ejercicio de cantar. • Canto de música. • Canto monótono. • *Mús.* Modo o aire de cantarse que tienen las composiciones.
CANTURREAR o **CANTURRIAR** intr. fam. Cantar a media voz. ■ CANTURREO.
CANTUTA f. *Amér. Merid.* Clavellina.
CÁNULA f. Caña pequeña. • Tubo usado en cirugía o que forma parte de aparatos físicos o quirúrgicos. • Tubo terminal o extremo de las jeringas. ■ CANULAR.
CANUTERO m. Cañutero. • *Amér.* Mango de la pluma de escribir.
CANUTO m. En las cañas, parte que media entre nudo y nudo. • Trozo de tubo. • *Amér.* Mango de la pluma de escribir. • *Méx.* Helado de huevo y leche cuajado en moldes de forma de canuto. • fam. *Chile.* Pastor protestante.
CANUTO I *(Knut) el Grande* (995-1035) Rey de Dinamarca [1018], Inglaterra [1017] y Noruega [1028]. Reconquistó el trono ing., perdido por su padre Suenón. A su muerte repartió sus reinos entre sus tres hijos. • **II *(Knut) el Santo*** (1040-1068) Rey de Dinamarca. Reafirmó la autoridad real y concedió privilegios a la Iglesia. Murió asesinado. Elevado a los altares, es el patrón de Dinamarca.
CAÑA f. Tallo de las plantas gramíneas. • Nombre común de distintas plantas gramíneas de tallo leñoso, hueco y flexible, hojas anchas, y flores en panojas. • Caña de azúcar. • Caña de Indias. • Canilla del brazo o de la pierna. • Tuétano de los huesos. • Parte de la bota que cubre la pierna. • Vaso de forma ligeramente cónica alto y estrecho, que se usa para beber vino o cerveza. • Grieta en la hoja de la espada. • *Arq.* Fuste de la columna. • *Min.* Galería de mina. • pl. Fiesta de a caballo en que diferentes cuadrillas hacían varias escaramuzas arrojándose recíprocamente las cañas, de las que se resguardaban con las adargas. • **amarga.** *Amér.* Planta gramínea tropical. • **brava.** *C. Rica, Hond., Perú* y *Ven.* Gramínea silvestre muy dura, usada en construcción. • **de azúcar.** Planta gramínea, originaria de la India, con el tallo leñoso, hojas largas y flores purpúreas en panoja piramidal; el tallo contiene un

Mario Moreno, **Cantinflas**

Flor de **cantueso**

Caña de Indias

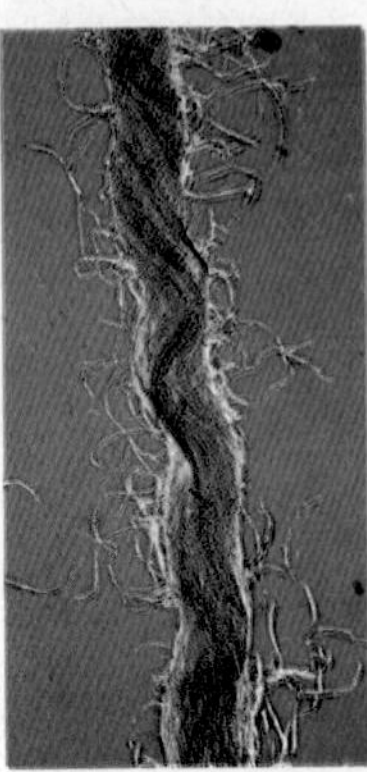
Fibra de **cáñamo**

tejido del que se extrae azúcar. • **de Batavia.** Planta gramínea, de tallo violeta, hojas verdes y jugo acuoso. • **de Indias** o **de Bengala.** Cañacoro. • Planta gramínea de gran porte. • **de pescar.** La que sirve para pescar, y va provista de un sedal en cuyo extremo se coloca el anzuelo. • **dulce** o **melar.** Caña de azúcar. ■ CAÑAVERAL; CAÑIZAL O CAÑIZAR.

CAÑACORO m. Planta herbácea de la familia cannáceas, con hojas puntiagudas y flores encarnadas.

CAÑADA f. Espacio de tierra entre dos alturas poco distantes entre sí. • Vía para los ganados trashumantes. ■ CAÑADÓN.

CAÑADILLA f. *Zool.* Múrice comestible.

CAÑADUZ f. Caña de azúcar. ■ CAÑADUZAL.

CAÑAFÍSTOLA o **CAÑAFÍSTULA** f. Árbol, propio de los países intertropicales, con tronco ceniciento y ramoso, hojas compuestas, flores amarillas, y vainas que contienen una pulpa que se usa en medicina. • Fruto de este árbol.

CAÑAHEJA o **CAÑAHERLA** f. Planta umbelífera, de tallo recto, cilíndrico, hojas divididas en tiras y flores amarillas, del cual se extrae una gomorresina.

CAÑAHUA f. *Perú.* Especie de mijo, del que se hace chicha.

CAÑAHUATE m. *Amér. Merid.* Árbol bignoniáceo, especie de guayaco.

CAÑAL o **CAÑAR** m. Cañaveral. • Cerco de cañas que se hace en los ríos para pescar.

CAÑAMAZO m. Estopa de cáñamo. • Tela tosca de cáñamo. • Tela de tejido ralo, dispuesta para bordar en ella con seda o lana de colores. • La misma tela después de bordada. • *Cuba.* Planta silvestre, gramínea y forrajera.

CAÑAMELAR o **CAÑADUZAL** m. Plantío de cañas de azúcar.

CAÑAMIEL f. Caña de azúcar.

CAÑAMIZA f. Agramiza, residuo de la caña quebrantada.

CÁÑAMO m. *Bot.* Planta anual de la familia cannabináceas, de tallo erguido, ramoso, hueco y velloso, del cual se obtienen fibras usadas para fabricar tejidos o cuerdas. • Filamento textil de esta planta. • *Amér.* Nombre que se da a varias plantas textiles. • *Chile, C. Rica* y *Hond.* Bramante, cordel delgado. • **de Manila.** Abacá, fibra textil. • **índico.** Variedad de c. usada para obtener preparados narcóticos (kif, hachís, etc.). ■ CAÑAMAR; CAÑAMEÑO, ÑA; CAÑAMERO, RA.

CAÑAMÓN m. Simiente del cáñamo, con núcleo blanco, redondo, cubierto de una corteza gris.

Dibujo de dos **cañones** del s. XVI, de carga frontal

CAÑAR Prov. de Ecuador, en el sector de la Sierra o región andina; 3 122,1 km², 189 347 hab. Cap., Azogues. Comprende las hoyas de Paute y Cañar. Al NE se alzan los cerros de Ñaupaín (4 329 m) y Quinsaloma (3 920 m). Clima templado frío o cálido según la alt. Pob. mestiza, descendiente en gran parte de los cañarís. Ind. alimentarias (azúcar, alcohol), del cemento, artesanía y turismo.

CAÑARENSE adj. y s. De Cañar.

CAÑARÍ adj. y s. Individuo de un pueblo amerindio del S de Ecuador del que proceden, en parte, los campesinos de la prov. de Cañar. Asimilados por los incas, tras dura resistencia, y sometidos y cristianizados por los esp. (1534).

CAÑARROYA f. Parietaria.

CAÑAS, *Alberto F.* (nacido 1920) Escritor cost. *Aquí y ahora, El héroe, El luto robado.* • ***José María*** (1809-1860) Militar salv., partidario de la Federación Centroamericana. Intentó restituir como presid. al cost. Mora, pero fue derrotado y fusilado. • ***Juan José*** (1826-1918) Militar, político y poeta salv. *Días de días.* • **Y Portocarrero, *Diego*,** DUQUE DEL PARQUE-CASTRILLO (1755-1832) Político y militar esp. Tomó parte activa en el motín de Aranjuez. Combatió a los fr. al frente del ejército de Castilla. Apoyó en 1820 la rev. liberal y presidió las Cortes constitucionales. • **Y Villacorta, *José Simeón*** (1767-1838) Religioso salv. Miembro de la Asamblea Constituyente de las provincias del Centro de América, hizo aprobar la ley abolicionista.

CAÑAVERA f. Carrizo, planta gramínea.

CAÑAZO m. Golpe dado con una caña. • *Amér.* Aguardiente de caña. • *Cuba.* Herida o golpe que se da el gallo de pelea, o le dan, en las cañas o piernas.

CAÑERÍA f. Tubería para conducir agua o gas.

CAÑERO adj. *Méx.* Que sirve para los trabajos de la caña. • m. *Cuba.* Vendedor de caña dulce. • *Méx.* Lugar en que se deposita la caña en los ingenios. • El que hace cañerías o se ocupa de su cuidado.

CAÑIFLA f. *C. Rica* y *Hond.* El brazo o pierna flacos.

CAÑILAVADO, DA adj. Aplícase a los caballos y mulas que tienen las canillas delgadas.

CAÑINQUE adj. *Amér.* Enclenque.

CAÑIZA adj. Se dice de la madera que tiene la veta a lo largo. • f. Especie de lienzo.

CAÑIZARES, *José de* (1676-1750) Comediógrafo esp. *El picarillo de España.*

CAÑIZO m. Tejido hecho con cañas partidas longitudinalmente.

CAÑO m. Tubo corto. • Albañal, conducto de desagüe. • En el órgano, conducto del aire que produce el sonido. • Chorro, líquido que sale de un orificio. • Cueva donde se enfría el agua. • En las bodegas, subterráneos donde están las cubas. • Galería de mina. • *Mar.* Canal angosto.

CAÑÓN m. Pieza hueca y larga. • Pliegue de la ropa en forma tubular. • Parte córnea y hueca de la pluma del ave. • Pluma del ave, cuando empieza a nacer. • Parte más dura del pelo de la barba, inmediata a la raíz. • *Mil.* Pieza de artillería. • Tubo de la escopeta o del fusil. • Pieza del bocado del caballo. • Paso estrecho entre montañas. • *Col.* Tronco de un árbol. • *Méx.* Cañada. • *Perú.* Camino. • **de chimenea.** Conducto que sube desde la campana de la chimenea, y sirve de respiradero para que salga el humo.

CAÑONAZO m. Tiro del cañón de artillería. • Ruido y estrago que causa.

CAÑONEAR tr. y rec. Batir a cañonazos. ■ CAÑONEO.

CAÑONERA f. Tronera, abertura para disparar el cañón. • Espacio en las baterías para colocar la artillería. • *Amér.* Pistolera.

CAÑONERÍA f. Conjunto de los cañones de un órgano. • *Mil.* Conjunto de cañones de artillería.

CAÑONERO, RA adj. Aplícase a los barcos o lanchas que montan algún cañón. • m. *Mil.* Buque de guerra cuyo armamento básico estaba constituido por el cañón.

CAÑOTA f. Carrizo.

CAÑUCELA f. Cañita delgada.

CAÑUELA f. *Bot.* Nombre común de varias gramíneas.

CAÑUTAZO m. fam. Soplo o chisme.

CAÑUTERÍA f. Cañonería del órgano. • Labor de oro o plata hecha con cañutillo.

CAÑUTERO m. Alfiletero.

CAÑUTILLO m. Cuenta de vidrio alargada y fina que se emplea en pasamanería. • Hilo de oro o de plata rizado para bordar. • Depósito donde la langosta guarda los huevos.

CAÑUTO m. En las cañas, sarmientos, etc., parte intermedia entre nudo y nudo. • Canuto. • fig. y fam. Soplón.

CAO m. *Cuba.* Ave paseriforme carnívora, de plumaje negro y pico corvo.

CÃO, ***Diogo*** (s. XV) Navegante port. Descubrió la desembocadura del r. Congo (1482) y exploró las costas del SO de África.

CAO Dai Religión fundada en 1926, en Vietnam del Sur. Amalgama de ideas budistas, taoístas, confucianistas y cristianas. Fue una importante fuerza política y contó con un ejército propio, que apoyó a los japoneses, al Vietminh, a los franceses y al gobierno de Diem.

CAO Ky, ***Nguyen*** (nacido 1930) Militar y político sudvietnamita. Vicepresidente en 1967. Las elecciones de 1971 le enfrentaron al presid. Van Thieu, que declaró inválida la candidatura de Ky.

CAOBA f. *Bot. Amér.* Árbol de la familia meliáceas, de tronco recto y grueso, cuya madera es usada en ebanistería. • Madera de este árbol.

CAOBILLA f. *Ant.* Árbol de madera parecida a la caoba, pero de color amarillento.

CAOBO m. Caoba, árbol.

CAOLÍN m. Roca sedimentaria constituida por minerales de arcilla, entre los que predomina la caolinita. Tiene aspecto terroso y color blanco. Se emplea para fabricar porcelanas y en la ind. papelera.

CAOLINITA f. Filosilicato de aluminio de color blanco y brillo perlado; untuosa al tacto. Es componente fundamental de ciertas arcillas.

CAOLINIZACIÓN f. Proceso por el que determinadas rocas feldespáticas pierden álcalis bajo el ataque de aguas ácidas, formándose arcillas ricas en caolinita.

CAONABÓ (m. 1496) Cacique de La Española. Destruyó el Fuerte Navidad, primer establecimiento esp. en América.

CAOS m. En las cosmogonías ant., confusión de todos los elementos antes de que fueran separados y ordenados para constituir el universo. • fig. Confusión. ■ CAÓTICO, CA.

CAPA f. Prenda de abrigo, sin mangas, que cubre desde el cuello, ensanchándose gradualmente hacia la parte inferior. • Trozo de tela roja que usan los toreros durante la lidia. • Sustancia que se sobrepone en una cosa para cubrirla o bañarla. • Porción de algunas cosas que est án extendidas unas sobre otras. • Hoja de tabaco que se destina a envolver la tripa, formando el cigarro puro. • Cubierta con que se protege una cosa. • Coloración de los animales domésticos. • fig. Pretexto con que se encubre un designio. • fig. Ap ariencia, cualidad superficial y escasa. • fig. Estamento social. • fig. Encubridor. • fig. Caudal, hacienda. • *Geol.* Estrato, terreno sedimentario. • **consistorial** o **magna.** La que usan obispos y arzobispos en actos religiosos solemnes. • **límite.** *Fís.* En hidrodinámica, región que se encuentra en las proximidades de las paredes por las que fluye un líquido, en la cual no puede despreciarse el rozamiento. • **pluvial.** La que se usa en ciertos actos de culto divino.

CAPÁ m. *Ant.* Árbol borragináceo, cuya madera se usa en construcción naval.

CAPABLANCA, ***José Raúl*** (1888-1942) Ajedrecista cub. Campeón del mundo (1921-1927).

CÁPAC Yupanqui (s. XIII) Quinto soberano inca. Sucedió a Mayta Cápac y ensanchó sus dominios hasta el Apurímac.

CAPACETE m. Pieza de la armadura, que cubría y defendía la cabeza. • *Mil.* Pieza de hierro que, en los proyectiles perforantes, protege la punta de la ojiva.

CAPACHA f. Capacho, espuerta. • fig. y fam. Orden de San Juan de Dios cuyos miembros recogían la limosna en capachas.

CAPACHO m. Espuerta de juncos o mimbres. • Media sera de esparto que sirve para varios usos. • Espuerta que usan los albañiles. • *Zool.* Zumaya, ave. • Planta tropical del gén. del cañacoro y de fruto comestible. • fig. y fam. Religioso de la orden de San Juan de Dios. ■ CAPACHERO.

CAPACIDAD f. Espacio vacío de alguna cosa, suficiente para contener otra u otras. • Extensión o espacio de algún sitio o local. • Volumen interno de un recipiente y su valor expresado en unidades cúbicas. • Actitud o suficiencia para alguna cosa. • fig. Talento o disposición para comprender bien las cosas. • fig. Oportunidad, lugar o medio para ejecutar alguna cosa. • *Der.* Aptitud jurídica para ejercitar un derecho o una función civil, política o administrativa. • **calorífica.** *Fís.* Cantidad de calor necesaria para aumentar en 1 °C la temperatura de un cuerpo. • **de almacenamiento.** *Comp.* Límite máximo de la cantidad de información contenida en una memoria central, un soporte de dispositivo periférico o una zona, registro o bloque de ellas. • **eléctrica.** Enun condensador, relación entre la carga y la diferencia de potencial entre las armaduras. • **vital.** *Fisiol.* Máxima cantidad de aire que un individuo puede expulsar por los pulmones en una espiración forzada, después de haberlos llenado al máximo. ■ CAPAZ.

CAPACITANCIA f. El. Valor de la impedancia en un circuito, cuando sólo existe una capacidad.

CAPACITAR tr. y prnl. Hacer a uno apto, habilitarle para alguna cosa. • Facultar o comisionar a una persona para hacer algo. ■ CAPACITACIÓN.

CAPADA f. fam. Lo que cabe en la capa.

CAPADOCIA Ant. región de Asia Menor. Perteneció a hititas y persas y a los grales. de Alejandro Magno. El emp. Tiberio, en el 17 d. C., la convirtió en prov. (Cesarea).

CAPADOCIO, CIA adj. y s. De Capadocia.

CAPADOR m. El que tiene el oficio de capar. • Silbato de los capadores.

CAPADURA f. Acción y efecto de capar. • Cicatriz que queda al animal castrado. • Hoja de tabaco de calidad inferior.

CAPAR tr. Extirpar o inutilizar los órganos genitales. • fig. Disminuir o cercenar.

CAPARAZÓN m. Cubierta que se pone al caballo para tapar la silla o protegerle de la lluvia. • Cubierta que se pone encima de algunas cosas para su protección. • Serón que contiene el pienso y se cuelga de la cabeza de la caballería. • *Zool.* Esqueleto torácico del ave. • *Zool.* Cubierta coriácea, ósea o caliza que protege las partes blandas del cuerpo de los insectos, arácnidos, quelonios y crustáceos.

CAPARIDÁCEO, A o **CAPARÍDEO, A** adj. y s. *Bot.* Plantas dicotiledóneas, herbáceas o arbóreas, de hojas alternas, palmeadas, flores raras veces unisexuales, y frutos en baya o silicua. • f. pl. *Bot.* Familia de estas plantas.

CAPARRO m. *Perú* y *Ven.* Mono lanoso de pelo blanco.

CAPARRÓN m. Botón que sale de la yema de la vid o del árbol.

CAPARROSA f. Nombre dado a algunos sulfatos de metales pesados. • **azul.** Sulfato de cobre. • **blanca.** Sulfato de cinc.

CAPATAZ m. El que dirige a los operarios.

CAPAZO m. Espuerta grande.

CAPCIOSO, SA adj. Díc. de las palabras, doctrinas, proposiciones, etc., falsas o engañosas. • Díc. de las preguntas, argumentaciones, sugerencias, etc., que se hacen para arrancar al contrincante o interlocutor una respuesta que pueda comprometerlo, o que favorezca propósitos de quien las formula. ■ CAPCIOSIDAD.

CAPDEVILA, ***Arturo*** (1889-1967) Escritor arg., autor de poesías *(El libro de la noche, Melpómene),* ensayos y estudios literarios *(Guzmán de Alfarache o el pícaro moralista).*

CAPE COAST C. y puerto de Ghana, al SO de Accra, cap. de la región Central; 86 600 hab. Puerto.

Nguyen **Cao Ky**

Masa terrosa de **caolinita**

CAPAC YVPANQVI YNGA V.

Cápac Yupanqui

Paisaje de **Capadocia**

La Creación de Adán, de Miguel Ángel, **Capilla Sixtina**

CAPEAR tr. Hacer suertes con la capa al toro o novillo. • fig. y fam. Entretener a uno con engaños o evasivas. • fig. y fam. Eludir un compromiso o trabajo ingratos. • *Mar.* Sortear el mal tiempo con adecuadas maniobras. ■ CAPEA; CAPEADOR; CAPEO.

CAPEK, *Karel* (1890-1938) Escritor checo. Autor de novelas (*Calvarios*, *Historias penosas*, *La fábrica del absoluto*, *Trilogía*) y de la pieza teatral *R. U. R. (Robots Universales de Rossum)*.

CAPELÁN m. Pez osteictio de la familia salmónidos, de color verde, con aletas grises orilladas de negro.

CAPELINA f. *Cir.* Capellina, vendaje.

CAPELLA *Astr.* Estrella binaria gigante de la constelación *Auriga* (Cochero).

CAPELLADA f. Puntera, contrafuerte. • Remiendo que se echa en la pala a los zapatos rotos. • Pala, parte superior del calzado.

CAPELLÁN m. El que obtiene alguna capellanía. • Sacerdote que dice misa en una capilla privada y está a sueldo de una corporación o de un particular.

CAPELLANÍA f. Fundación en la cual ciertos bienes quedan sujetos al cumplimiento de misas y otras cargas pías.

CAPELLINA f. Pieza de la armadura que cubría la parte superior de la cabeza. • Capucha que usaban algunos campesinos. • *Cir.* Vendaje en forma de gorro.

CAPELO m. Sombrero rojo de los cardenales. • fig. Dignidad de cardenal. • *Amér.* Fanal, campana de cristal para resguardar del polvo.

CAPERO m. Cuelgacapas, percha.

CAPERUZA f. Bonete que remata en punta.

CAPETA f. Capa corta y sin esclavina.

CAPETO Tercer linaje real de Francia (987-1328), fundado por Hugo Capeto. Sus representantes unificaron la mayor parte de los feudos de Francia.

CAPI m. *Amér. Merid.* Maíz. • *Chile.* Vaina tierna de simiente.

CAPIA f. *Argent.*, *Col.* y *Perú.* Variedad de maíz blanco. • *Argent.* y *Col.* Dulce de maíz.

CAPIALZO m. *Arq.* Pendiente o derrame del intradós de una bóveda. ■ CAPIALZADO, DA.

CAPIATÍ m. *Argent.* Planta medicinal.

CAPIBARA o **CAPIGUARA** m. *Amér.* Carpincho, roedor.

CAPICATÍ m. *Amér.* Planta ciperácea cuya raíz se usa en Paraguay para fabricar cierto licor.

CAPICÚA m. En el juego del dominó, modo de ganar con una ficha que puede colocarse en cualquiera de los dos extremos. • Número que se lee lo mismo de derecha a izquierda que de izquierda a derecha.

CAPIGORRA m., **CAPIGORRISTA** o **CAPIGORRÓN** adj. y s. Ocioso y holgazán.

CAPILAR adj. Relativo al cabello. • Díc. de los fenómenos producidos por la capilaridad. • adj. y m. *Anat.* Cada uno de los vasos sanguíneos microscópicos, de pared permeable, que comunican las arteriolas con las vénulas.

CAPILARIDAD f. Calidad de capilar. • *Fís.* Fenómeno que consiste en la elevación o el descenso del nivel de un líquido en el interior de un tubo capilar sumergido en el mismo.

Portada de una edición de *El* ***Capital*** de Carlos Marx

CAPILLA f. Capucha sujeta al cuello de algunas prendas de vestir y hábitos religiosos. • Edificio contiguo a una iglesia, o parte integrante de ella, con altar y advocación particular. • Cuerpo o comunidad de capellanes, ministros y dependientes de ella. • Cuerpo de músicos asalariados de alguna iglesia. • Oratorio portátil de los regimientos y otros cuerpos militares. • Oratorio de las casas particulares. • fig. y fam. Religioso regular, a diferencia del clérigo secular. • fig. y fam. Pequeño grupo de adictos a uno o a una idea. • **ardiente.** fig. La de la iglesia en que se levanta el túmulo y se celebran honras solemnes por algún difunto. • fig. Cámara donde se vela o tributan honras a un cadáver.

CAPILLA Sixtina Capilla privada de los papas en el Vaticano, construida a instancias de Sixto IV, en 1473-1481. Impresionantes frescos de Miguel Ángel, realizados por encargo de Julio II: escenas del Génesis; *Juicio Final.*

CAPILLEJO m. Cofia antigua. • Madeja de seda.

CAPILLETA f. Nicho en figura de capilla.

CAPILLO m. Gorro de lienzo que se pone en la cabeza a los niños muy pequeños. • Vestidura de tela blanca que se pone en la cabeza de los niños al bautizarlos. • Capirote que se pone a las aves de cetrería. • Refuerzo en la punta del zapato. • Red para cazar conejos. • Colador para la cera.

CAPINCHO m. *R. de la Plata.* Carpincho.

CAPIROTADA f. Aderezo hecho con hierbas, huevos, ajos, etc. para cubrir con él otros manjares. • *Amér.* Plato criollo que se hace con carne, maíz tostado y queso, manteca y especias. • *Méx.* Fosa común.

CAPIROTAZO m. Golpe que se da haciendo resbalar con violencia, sobre la yema del pulgar, el envés de la última falange de otro dedo de la misma mano.

CAPIROTE adj. Díc. de la res vacuna de distinto color en la cabeza que en el resto del cuerpo. • Muceta de los doctores de cada facultad. • Cucurucho cubierto de tela, que se usa en procesiones. • Caperuza de cuero que se pone a las aves de cetrería. • Capirotazo.

CAPIRUCHO m. fam. Capirote.

CAPISAYO m. Vestidura corta que servía de capa y sayo. • Vestidura común de los obispos. • *Col.* Camiseta.

CAPITÁ m. *Amér. Merid.* Pajarillo de cuerpo negro y cabeza de color rojo vivo.

CAPITACIÓN f. Reparto de contribuciones y tributos por cabezas.

CAPITAL adj. Relativo a la cabeza. • Aplícase a los siete pecados o vicios que son cabeza u origen de otros. • Díc. de la población pral. y cabeza de un estado, prov. o distrito. • fig. Pral. o muy grande. • Díc. de la letra mayúscula. • m. Hacienda, caudal, patrimonio. • *Econ.* Valor permanente de lo que ocasiona rentas, intereses o frutos. • *Econ.* Elemento o factor de la producción, formado por la riqueza acumulada, que en cualquier aspecto se destina de nuevo a aquélla en unión del trabajo y de los agentes naturales. • **circulante.** *Econ.* Parte del c. que se consume inmediatamente o se transforma en otro bien: materias primas, bienes acabados o semiacabados, energía, etc. • **fijo.** *Econ.* Parte del c. constituida por toda clase de bienes no directamente destinados al consumo, pero sí decisivos para el desarrollo del proceso productivo. ■ CAPITALIDAD; CAPITALINO, NA.

CAPITAL, *El* Obra fundamental de K. Marx, cuyo primer volumen apareció en 1867 y el resto en 1885 y 1894, editado por F. Engels. Es un exhaustivo análisis del sistema capitalista.

CAPITALISMO m. Sist. económico y político basado en el predominio del capital como factor de producción y creador de riqueza, y cuyos fundamentos son la propiedad privada de los medios de producción y la libertad del mercado. Los orígenes del c. se hallan en la econ. ciudadana de la Baja E. Med. y en el desarrollo com. de las rep. it. La rev. industrial y el maquinismo consolidaron el sistema. El c. moderno se caracteriza pralm. por la concentración de capitales (c. monopolista), la existencia de empresas multinacionales y la subordinación de la ind. a la banca. ■ CAPITALISTA.

CAPITALIZAR tr. *Econ.* Convertir en capital. •

fig. Convertir en beneficioso determinado hecho por parte de una persona u organización. ■ CAPITALIZACIÓN.

CAPITÁN m. *Mil.* Oficial del ejército, a quien reglamentariamente corresponde el mando de una compañía, escuadrón, batería o unidad similar. • El que manda un buque mercante de altura. Antiguamente, solía llamarse así al comandante del barco de guerra. • Genéricamente, caudillo militar. • Jefe de un grupo de gente, equipo deportivo, etc. • **general.** Grado supremo del ejército. • Cargo correspondiente al mando de una región militar o dpto. naval. ■ CAPITANÍA.

CAPITÁN PRAT Prov. del S de Chile, en la región Aisén del General Carlos Ibáñez del Campo; 2 900 hab. Cap., Cochrane.

CAPITANA f. *Mil.* Nave en que va embarcado el jefe de una escuadra. • fam. Mujer que es cabeza de una tropa. • fam. Mujer del capitán.

CAPITANEAR tr. Mandar tropa. • fig. Mandar gente, aunque no sea militar ni armada.

CAPITEL m. *Arq.* Parte superior de la columna, decorada según el orden arquitectónico a que corresponda. La arq. gr. creó tres tipos de c.: el dórico, el jónico y el corintio. Los rom. añadirían el toscano y el compuesto. En el Renacimiento y el Barroco, los c. más utilizados fueron el corintio y los compuestos.

CAPITOLINO, NA adj. Relativo al Capitolio.

CAPITOLIO m. Edificio majestuoso y elevado. • *Arqueol.* Acrópolis.

CAPITOLIO (latín, *Mons Capitolinus*) Una de las 7 colinas de la ant. Roma, sede de los templos de Júpiter y Minerva.

CAPITOLIO Edificio de Washington, construido en 1793 por William Thornton. Aloja el Senado y la Cámara de Representantes.

CAPITÓN m. Mújol, pez.

CAPITONÉ adj. y m. Acolchado.

CAPITOSTE com. despect. Cabecilla de una entidad, institución, grupo social, etc. • Persona con influencia o mando.

CAPITULACIÓN f. Convenio, pacto. • *Mil.* Convenio en que se estipula la rendición de un ejército, plaza o punto fortificado. • pl. *Der.* Conciertos que se hacen entre los futuros esposos.

CAPITULAR adj. Relativo a un cabildo secular o eclesiástico o al capítulo de una orden. • m. Individuo de alguna comunidad eclesiástica o secular con voto en ella. • intr. Pactar, hacer algún ajuste. • Entregarse una plaza de guerra o un cuerpo de tropas bajo determinadas condiciones. • tr. Hacer a uno capítulos de cargos. ■ CAPITULADO, DA.

CAPITULARIO m. Libro de coro que contiene las capítulas.

CAPITULEAR intr. *Chile* y *Perú.* Cabildear.

CAPÍTULO m. Junta que celebran los canónigos y clérigos. • En las órdenes militares, junta de los caballeros y demás vocales. • Cabildo secular. • Reprensión que se da a un religioso en presencia de su comunidad. • Cada una de las divisiones que se hacen en un libro o escrito. • *Bot.* Inflorescencia de las flores sésiles dispuestas sobre un eje muy corto y más o menos dilatado.

CAPÓ m. Cubierta del motor de un automóvil o avión. • Cubierta del maletero o portaequipajes de los coches.

CAPOC m. Fibra utilizada para rellenar almohadas y colchones, que se obtiene del fruto de la ceiba.

CAPÓN adj. y m. Díc. del hombre y del animal castrado. • m. Pollo que se castra cuando es pequeño, y se ceba. • Haz de sarmientos. • fam. Golpe dado en la cabeza con el nudillo del dedo.

CAPONA f. Divisa militar como la charretera, pero sin canelones.

CAPONE, *Alphonse*, llamado AL (1899-1947) Gángster norteam. de origen it. Durante la Ley Seca se enriqueció con el contrabando de bebidas alcohólicas.

CAPONERA f. Jaula en que se pone a los capones para cebarlos. • fig. y fam. Sitio donde uno encuentra comida y regalo sin gasto alguno. • fig. y fam. Cárcel. • *Mil.* Galería o casamata para el flanqueo de un foso.

CAPORAL m. Capataz. • *Mil.* Cabo de escuadra.

CAPORETTO Ant. pob. it. (actual *Kobarid*, en Eslovenia), donde, en 1917, tropas it. fueron derrotadas frente a los ejércitos austroalemanes.

CAPOROROCA m. *R. de la Plata.* Árbol mirtáceo, de tronco empinado, ramas altas y hojas que, arrojadas al fuego, estallan ruidosamente.

CAPOTA f. Cabeza de la cardencha. • Tocado femenino, ceñido a la cabeza y sujeto con cintas por debajo de la barba. • Cubierta plegadiza que llevan algunos carruajes y automóviles. • Capeta.

CAPOTAR intr. Volcar un vehículo automóvil quedando en posición invertida, o dar con la proa en tierra un aparato de aviación.

CAPOTAZO m. Suerte del toreo hecha con el capote para ofuscar o detener al toro.

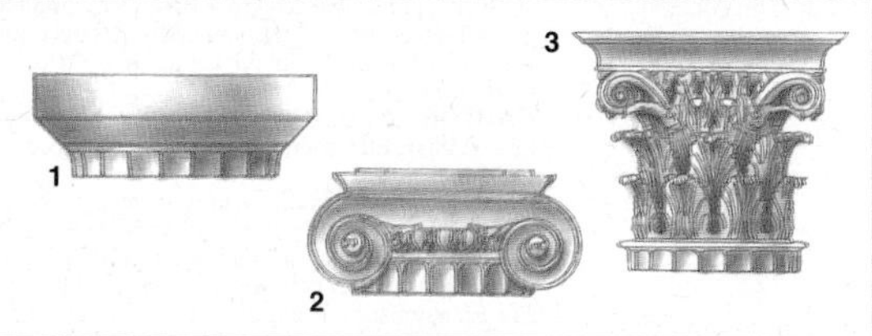

Tipos de **capitel** griego: 1. dórico (arcaico y helenístico); 2. jónico; 3. corintio

CAPOTE m. Capa con mangas y poco vuelo. • *Mil.* Especie de gabán ceñido al cuerpo y con largos faldones. • *Taur.* Capa corta, ligera, que usan los toreros para la lidia. • fig. y fam. Ceño, demostración de enfado.

CAPOTE, *Truman* (1924-1984) Novelista norteam. En su obra, la truculencia y la explosión pasional se ven atemperadas por un personal gusto poético. *Otras voces, otros ámbitos, A sangre fría.*

CAPOTEAR tr. Capear al toro de lidia. • fig. Capear, entretener con engaños. • fig. Evadir mañosamentelas dificultades y compromisos. ■ CAPOTEO.

CAPOTERA f. *Amér.* Percha para la ropa. • *Ven.* Maleta de viaje abierta por los extremos.

CAPOTILLO m. Especie de capote corto.

CAPOTUDO, DA adj. Ceñudo.

CAPOZZOLI, *Glauco* (nacido 1929) Pintor y grabador ur. *Joven con una rosa, Plaza Cagancha.*

CAPRA, *Frank* (1897-1991) Director de cine norteam., de origen it., uno de los creadores de la comedia americana. *Sucedió una noche, Vive como quieras, ¡Qué bello es vivir!*

Vista del **Capitolio** de Washington

CAPRARIO, RIA o **CAPRINO, NA** adj. Cabruno.

CAPRI Isla de Italia, en el golfo de Nápoles; 10,36 km^2, 8 500 hab. Centro turístico.

CAPRICHO m. Deseo irreflexivo. • Obra de arte llena de ingenio. • Deseo vehemente. • *Mús.* Composición fantasiosa y alegre. ■ CAPRICHOSO, SA.

CAPRICORNIO m. *Astr.* Signo y constelación zodiacales.

CAPRIFOLIÁCEO, A adj. y f. *Bot.* Díc. de matas y arbustos dicotiledóneos de hojas opuestas y semillas con albumen carnoso. • f. pl. *Bot.* Familia de estas plantas.

CAPRILES, *Teodoro*, llamado TEO (1907-1982) Ciclista ven., ganador de numerosas medallas de oro. Líder estudiantil y promotor de actividades culturales.

CAPRÍPEDE o **CAPRÍPEDO, DA** adj. De pies de cabra.

CAPRIVI, *Georg Leo*, CONDE DE (1831-1899) Político al. Sucedió a Bismarck como canciller. Trató de llevar a cabo una política de distensión exterior e interior. La oposición conservadora le obligó a dimitir en 1893.

CAPSIENSE adj. y m. Cultura que se desarrolló en el NO de África durante el paleolítico superior y el mesolítico, caracterizada por el desarrollo del trabajo del sílex.

CÁPSULA f. Casquete de estaño con que se cierran herméticamente las botellas después de llenas y taponadas con corcho. • En las armas de fuego, cilindro metálico hueco que contiene el fulminante. • *Anat.* Membrana en forma de saco cerrado, que se encuentra en las articulaciones y en otras partes del cuerpo. • *Astron.* Habitáculo hermético donde se coloca la tripulación, animales, instrumentos de investigación y control, etc. • *Biol.* Capa de naturaleza mucosa que, segregada por el citoplasma, se

Frank **Capra**

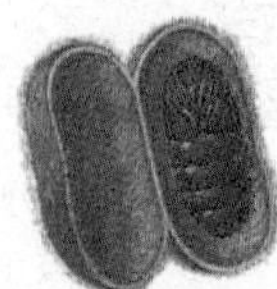

Dibujo en sección que muestra el **capullo** y la oruga de una mariposa

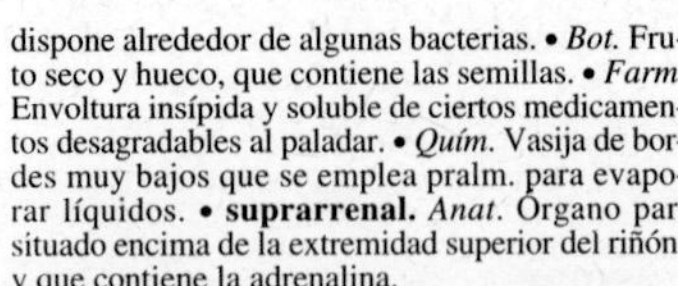

dispone alrededor de algunas bacterias. • *Bot.* Fruto seco y hueco, que contiene las semillas. • *Farm.* Envoltura insípida y soluble de ciertos medicamentos desagradables al paladar. • *Quím.* Vasija de bordes muy bajos que se emplea pralm. para evaporar líquidos. • **suprarrenal.** *Anat.* Órgano par, situado encima de la extremidad superior del riñón, y que contiene la adrenalina.

CAPSULAR adj. Relativo a la cápsula. • tr. Cerrar definitivamente las botellas, poniéndoles la cápsula.

CAPTAR tr. y prnl. Atraer a sí. • tr. Percibir por los sentidos. • Recibir imágenes, ondas, etc. • Darse cuenta, percatarse de algo. • Entender, comprender. • Tratándose de aguas minerales, recoger convenientemente las de un manantial. ■ CAPTACIÓN; CAPTADOR, RA.

CAPTOR, RA adj. Que capta. • adj. y s. Que captura. • *Amér.* En términos jurídicos, el que hace una presa marítima.

CAPTURA f. Acción y efecto de capturar. • Fenómeno consistente en la captación de las aguas de un río por las de otro que se ha introducido en su vertiente al efectuar una erosión remontante. • *Fís.* En atomística, cualquier proceso por el cual un sistema atómico o nuclear adquiere una partícula. • K. *Fís.* Tipo de desintegración radiactiva que consiste en la c. de un electrón del átomo por parte del núcleo.

Carabela en un retablo del Archivo de Indias (Sevilla, España)

CAPTURAR tr. Prender, apresar. • Cazar o pescar.

CAPUANA f. fam. Zurra, azotes.

CAPUCHA f. Especie de capilla unida a varias prendas de vestir. • Capucho.

CAPUCHINO, NA adj. y s. *Rel.* Religioso descalzo de la orden de San Francisco. • *Chile.* Aplícase a la fruta muy pequeña. • m. *Amér. Centr.* y *Perú.* Especie de mono de la familia cébidos. • f. *Bot.* Planta trepadora ornamental originaria del Perú, de tallos sarmentosos, hojas alternas y flores en forma de capucha, de color rojo anaranjado, olor aromático y sabor picante. • Lamparilla portátil de metal, con apagador en forma de capucha. • Dulce de yema cocido al baño de María y comúnmente en figura de capucha.

CAPUCHO m. Pieza del vestido, que sirve para cubrir la cabeza.

CAPUCHÓN m. Capucha grande. • Manto con capucho. • Dominó corto. • Cubierta de la pluma estilográfica, bolígrafo, etc.

CAPULÍ m. *Amér.* Árbol de la familia rosáceas, de unos 15 m de alt. • Fruta de este árbol. • *Perú.* Fruto de una planta solanácea, de sabor agridulce, usado como condimento.

CAPULINA f. *Amér.* Fruto del capulí. • *Méx.* Araña negra muy venenosa.

CAPULLA f. y adj. fig. y fam. Mujer estúpida. ■ CAPULLADA.

CAPULLO m. Envoltura en la que se encierran algunas orugas para transformarse en mariposas. • Yema floral cuando está próxima a abrirse. • Cascabillo de la bellota. • fig. y fam. Glande. • m. y adj. fig. y fam. Estúpido, necio.

CAPULTAMAL m. *Méx.* Torta de capulí.

Batalla de **Carabobo,** de 1821, según Martín Tovar. Cúpula del Capitolio de Caracas

CAPUZ m. Capucho. • Cierta capa o capote antiguo. • Chapuz, acción de chapuzar.

CAPUZAR tr. Chapuzar. • *Mar.* Cargar y hacer calar el buque de proa.

CAQUETÁ Dpto. del SE de Colombia; 88 965 km², 367 898 hab. Cap., Florencia. El sector occidental comprende las estribaciones de la cord. oriental Andina; el resto se extiende sobre la llanura amazónica, cubierta por densas selvas y accidentada por el cerro de Cumare y las Mesas de Iguaje. Clima cálido y lluvioso. Arroz, plátano, caña de azúcar. Ganadería. Explotación forestal. • R. de América del Sur, afl. izquierdo del Amazonas, que discurre entre Colombia y Brasil; 2 200 km.

CAQUETENSE adj. y s. De Caquetá.

CAQUEXIA f. *Bot.* Decoloración de las partes verdes de las plantas por falta de luz. • *Med.* Estado de trastorno constitucional profundo y progresivo, que produce un extremado adelgazamiento. ■ CAQUÉCTICO, CA.

CAQUI m. *Bot.* Árbol frutal, originario del Japón. • Fruto de este árbol. • Tela de algodón o de lana, cuyo color varía, desde el amarillo de ocre al verde de gris. • adj. y m. Díc. del color de esta tela.

CAQUINO m. *Méx.* Risa muy ruidosa, carcajada. Se emplea más en pl.

Carabina

CARA f. *Anat.* Parte anterior de la cabeza, desde el principio de la frente hasta la punta de la barba. Se dice, p. ext., de algunos animales. • Semblante, manifestación de afecto. • Fachada o frente de alguna cosa. • Superficie de alguna cosa. • Anverso de las monedas. • fig. Presencia de alguno. • *Geom.* Cada plano de un ángulo diedro o poliedro. • *Geom.* Cada una de las superficies que forman o limitan un poliedro. • adv. lugar. Hacia. • **y cruz.** Juego de las chapas. • **Caérsele** a uno **la c. de vergüenza.** fig. y fam. Sonrojarse. • **Cara a c.** m. adv. En presencia de otro y abiertamente. • **Dar la c.** fig. Responder de los propios actos y afrontar las consecuencias. • **De c.** m. adv. Enfrente. • **Echar en c.** a uno alguna cosa. fig. y fam. Recordarle algún beneficio que se le ha hecho o vituperarle. • **Verse las caras.** fig. y fam. Verse para reñir.

CARABA f. En algunas partes, reunión de campesinos en las fiestas y ratos de ocio. • **Ser la c.** fam. Frase ponderativa, tanto en sentido meliorativo como peyorativo.

CARABAÑO, *Fernando* (m. 1816) Militar ven. Participó en las batallas de Mariara, Valencia y Puerto Cabello. Decapitado por orden de Morillo. • ***Francisco*** (1783-1848) Militar ven. Combatió en Valencia con Miranda. Confinado en Ceuta y Algeciras, participó en la insurrección de Riego. Post., en su país, intervino en la rev. de las Reformas.

CARABAO m. Rumiante parecido al búfalo, de color gris azulado y cuernos largos.

CARABAYLLO Mun. de Perú, en el dpto. de Lima; 53 100 hab. Algodón.

CARABE m. Ámbar.

CARABELA f. *Ant.* embarcación de vela, de tres palos, muy ligera, larga y angosta.

CARÁBIDO adj. *Zool.* Díc. de insectos coleópteros, pentámeros, carnívoros, muy voraces y beneficiosos para la agricultura. • m. pl. *Zool.* Familia de estos insectos.

CARABINA f. Arma de fuego, portátil, menor que el fusil. • fig. y fam. Mujer que hacía de acompañante de una joven. ■ CARABINAZO.

CARABINERO m. Soldado destinado a la persecución del contrabando. • *Zool.* Crustáceo de carne comestible semejante a la quisquilla.

CÁRABO m. Embarcación pequeña, de vela y remo, usada por los moros. • *Zool.* Insecto coleóptero pentámero de la familia carábidos, de alas verdes. • Autillo, ave nocturna.

CARABOBEÑO, ÑA adj. y s. De Carabobo.

CARABOBO Est. del N de Venezuela, en la costa del mar Caribe; 4 650 km², 1 992 022 hab. Cap., Valencia. Accidentado por la cord. de la Costa y la Serranía del Interior al SE. Depresión del lago Valencia. Clima tropical lluvioso. Algodón, tabaco, café, cacao, maíz, patatas. Ind. textil, química, alimentaria. C. pral.: Puerto Cabello. • **Batallas de C.** Enfrentamientos que se desarrollaron, durante la guerra de independencia amer. (1814 y 1821), entre los patriotas de Bolívar y las tropas realistas, que fueron vencidas.

CARABRITEAR intr. Perseguir el macho cabrío montés en celo a la hembra.

CARACAL m. Especie de lince, muy feroz.

CARACALLA, *Marco Aurelio* (188-217) Emperador rom. (211-217). Asesinó a su hermano Geta, y mandó ejecutar a unas 20 000 personas. Promulgó la Constitución Antoniniana (212), que confirió la ciudadanía rom. a todas las prov. del Imperio.

CARACARÁ m. *Argent.*, *Par.* y *Ur.* Ave falconiforme, de color pardo, con alas y cola blanquecinas y pico y garras fuertes.

CARÁ-CARÁ com. *Argent.* Indígena de una tribu que habitaba en la isla de la laguna Iberá, prov. de Corrientes o, en la época de la conquista esp., en la región próxima a la desembocadura del r. Carcarañá.

CARACAS m. Cacao procedente de la costa de Caracas, en la América del Sur. • *Méx.* Chocolate.

CARACAS Cap. de Venezuela, sit. en el valle hom. de la cord. de la Costa, a 920 m de alt., cerca del mar Caribe; 3 796 779 hab. Centro com. y financiero. Ind. de la construcción, textil, del calzado, metalúrgica, automovilística, química, alimentaria; fabricación de electrodomésticos, artículos de cuero, etc. Aeropuerto. Universidad. Catedral de Santa Ana (1614), convento de San Francisco. Amplias avenidas y numerosos edificios de factura moderna, como la ciudad universitaria y el centro Simón Bolívar. Fundada por Diego Losada en 1567, fue, a partir de 1810, el centro del mov. de indep. A lo largo del presente s. se aceleró el crecimiento demográfico, especialmente a partir de 1920 (tenía en esa fecha 92 212 hab.; en 1950, 495 064).

CARACCIOLO, *Giovanni Battista*, llamado BATTISTELLO (1570-1637) Pintor it., *Lavatorio de los pies*, *Subida al Calvario*.

CARACENA, *Luis Benavides*, MARQUÉS DE (principios del s. XVII-1668) Militar esp. Gobernador de Milán y los Países Bajos.

CARACEÑO, ÑA adj. y s. De Carazo.

CARACHA o **CARACHE** amb. *Chile* y *Perú.* Enfermedad de los pacos o llamas, semejante a la sarna.

CARACHO, CHA adj. De color violáceo.

CARACHOSO, SA o **CARACHENTO, TA** adj. *Amér. Merid.* Sarnoso.

CARACHUPA f. *Perú.* Zarigüeya, mamífero.

CARACOL m. *Zool.* Molusco gasterópodo, de concha espiraliforme. • Concha de caracol. • *Anat.* Una de las tres cavidades que constituyen el laberinto del oído, que tiene la forma de un cono hueco en espiral. • Pieza del reloj, cónica, con un surco en el cual se enrosca la cuerda. • Rizo de pelo. • *Méx.* Camisón de mujer. • *Méx.* Blusa de mujer. • *Eq.* Cada una de las vueltas y tornos que el jinete hace dar al caballo.

CARACOLA f. Molusco gasterópodo marino, gralte. de gran tamaño.

CARACOLADA f. Guisado de caracoles.

CARACOLEAR intr. *Eq.* Hacer caracoles el caballo. ■ CARACOLEO.

CARACOLÍ m. *Col.* Anacardo, árbol.

CARACOLILLO m. *Amér. Merid.* Planta de flores grandes, blancas y azules, aromáticas y enroscadas. • Flor de esta planta. Se usa también en pl. • Café de grano más pequeño y redondo que el común. • Clase de caoba que tiene muchas vetas.

CARÁCTER m. Señal o marca que se imprime, pinta o esculpe en alguna cosa. • Signo de escritura. Se usa más en pl. • Estilo o forma de los signos de la escritura. • Marca o hierro con que se distinguen de los animales de un rebaño los de otro. • *Rel.* Señal espiritual que imprimen algunos sacramentos. • Índole, condición, conjunto de rasgos o circunstancias con que se da a conocer una cosa, distinguiéndose de las demás. • Modo de ser peculiar y privativo de cada persona. • Cualidades que moralmente diferencian de otro un conjunto de personas o todo un pueblo. • Fuerza y elevación de ánimo, firmeza, energía. • Natural o genio. • En las obras literarias y artísticas, fuerza y originalidad de intención y de estilo. • Modo de decir, o estilo. • pl. Letras de imprenta.

CARACTERÍSTICO, CA adj. Relativo al carácter. • adj. y s. Cualidad que da carácter o sirve para distinguir una persona o cosa de sus semejantes. • m. y f. Actor o actriz que incorporan personajes típicos. • **de un logaritmo.** *Mat.* Parte entera del mismo.

Caracas. Avenida Bolívar

CARACTERIZAR tr. Determinar los atributos peculiares de una persona o cosa, de modo que claramente se distinga de las demás. • Autorizar a una persona con algún empleo, dignidad u honor. • prnl. Pintarse la cara o vestirse el actor conforme al tipo o figura que ha de representar. ■ CARACTERIZADO, DA; CARACTERIZADOR, RA.

CARACTEROLOGÍA f. Parte de la psicología que estudia el carácter y personalidad del hombre. ■ CARACTEROLÓGICO, CA.

CARACÚ m. *Amér.* Hueso con tuétano que se echa en algunos guisos.

CARACUL adj. Variedad de ganado ovino procedente de Asia central, de pelo rizado y cola ancha. • Piel de los corderos de esta raza.

CARADO, DA adj. Con los adv. *bien* o *mal*, que tiene buena o mala cara.

CARADRIFORME adj. *Zool.* Díc. de los individuos de un orden de aves limícolas de patas largas. • Relativo a estas aves. • m. pl. *Zool.* Orden de estas aves.

CARADURA adj. y s. Desvergonzado.

CARAFFA, *Emilio* (1862-1939) Pintor arg. *El paso del Paraná por el general Urquiza*; decoraciones de la catedral de Córdoba.

CARAGUATÁ f. *Amér.* Especie de agave o pita. • *Amér.* Filamento producido por esta planta.

CARAGUAY m. *Bol.* Lagarto grande.

CARAIRA f. *Cuba.* Caracará o carancho.

CARAÍSMO m. Doctrina judía basada en la Biblia, a la que dio cuerpo Anán ben David (s. VIII).

CARAÍTA adj. y s. Individuo de una secta judaica que profesa escrupulosa adhesión al texto literal de la Escritura.

CARAJÁ adj. y s. Individuo de la tribu bras. de este nombre. • m. pl. Tribu que habita en las orillas del río Araguaya, en los est. bras. de Pará y Piauí.

CARAJO m. vulg. Pene. Se usa como interjección.

CARAMA f. Escarcha.

CARAMANCHEL m. *Col.* Tugurio, chiribitil. • *Perú.* Cobertizo. • *Ecuad.* Caja de vendedor ambulante.

CARAMAÑOLA o **CARAMAYOLA** f. *Argent.* y *Chile.* Cantimplora.

CARAMBA f. ant. Moño que llevaban las mujeres. • **¡Caramba!** interj. con que se expresa extrañeza, enfado o admiración.

Caracol

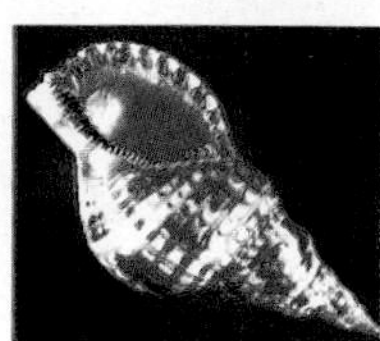

Concha de **caracola**

Chorlito, ave del orden **caradriformes**

Indio **carajá**

Carátula teatral en un mosaico romano del s. II

La dormición de la Virgen, óleo de **Caravaggio.** Museo del Louvre, París

Detalle de una **caravana** en ruta hacia Catay, según el *Atlas catalán* de 1375

CARÁMBANO m. Pedazo de hielo que cuelga de una gotera. • *Nic.* Carao. ■ CARAMBANADO, DA.

CARAMBOLA f. Lance del juego de billar en que la bola atacada toca a las otras dos. • fig. y fam. Doble resultado que se alcanza mediante una sola acción. • fig. y fam. Casualidad, azar. ■ CARAMBOLEAR; *Argent.* y *Chile.* CARAMBOLERO, RA; CARAMBOLISTA.

CARAMBOLO m. Árbol oxalidáceo de la India, de hojas compuestas de hojuelas oblicuas y aovadas, flores rojas y bayas amarillas.

CARAMELIZAR tr. y prnl. Acaramelar, bañar de azúcar en punto de caramelo.

CARAMELO m. Pasta de azúcar hecho almíbar al fuego y endurecido sin cristalizar al enfriarse.

CARAMERA f. *Ven.* Dentadura mal ordenada.

CARAMILLO m. Flautilla de caña, madera o hueso, con sonido muy agudo. • Zampoña, especie de flauta. • *Bot.* Planta del mismo género que la barrilla. • Montón mal hecho. • fig. Chisme.

CARAN d'Ache Seud. de *Emmanuel Poiré* (1859-1909) Dibujante fr., creador del género periodístico de las «historietas sin palabras».

CARANCHO m. *Amér.* Caracará. • *Perú.* Búho, ave.

CARANDAÍ o **CARANDAY** m. *Argent.* Palmera usada en construcción y en cestería, y que produce cera.

CARANDE, *Ramón* (1887-1986) Historiador y economista esp. *Carlos V y sus banqueros.*

CARANEGRA adj. y s. *Argent.* Díc. de una oveja de cara negra. • m. *Col., C. Rica* y *Ven.* Especie de mono negro.

CARÁNGANO o **CARANGA** m. *Amér.* Piojo, cáncano.

CARANTAMAULA f. fam. Careta de cartón, de aspecto feo. • fig. y fam. Persona muy fea.

CARANTOÑA f. fam. Carantamaula. • fig. y fam. Mujer vieja, fea y muy pintada. • pl. fam. Halagos y caricias que se hacen a uno para conseguir de él alguna cosa. ■ CARANTOÑERO, RA.

CARAÑA f. *Amér.* Resina medicinal de ciertos árboles, quebradiza, gris amarillenta, lustrosa y de mal olor. • *Amér.* Nombre de estos árboles.

CARAO m. *Amér. Centr.* Árbol copado y alto que da flores en racimos rosados y un fruto leñoso, que contiene una melaza de propiedades tónicas y depurativas.

CARAPA f. *Amér.* Planta meliácea, de la cual los indígenas extraían un aceite que, mezclado con bija, les servía para teñirse el cuerpo.

CARAPACHO m. Caparazón que cubre las tortugas, los cangrejos y otros animales. • *Cuba.* Guisado que se hace en la misma concha de los mariscos. • pl. Pueblo indígena del Perú, en el dpto. de Huánuco.

¡CARAPE! interj. ¡Caramba!

CARAPULCA f. *Perú.* Guisado criollo hecho de carne, papa seca y ají.

CARAQUEÑO, ÑA adj. y s. De Caracas.

CARASOL m. Solana.

CARATE m. *Amér.* Especie de sarna.

CARATO m. *Amér.* Jagua, árbol. • *Ven.* Bebida refrescante hecha con arroz o maíz o con jugo de piña o de guanábana y aderezada con azúcar y agua.

CARÁTULA f. Careta, máscara o mascarilla. • fig. Profesión de comediante. • *Amér.* Portada de un libro.

CARAÚ m. *Argent.* Ave zancuda, de pico largo y encorvado, y color castaño oscuro.

CARAVAGGIO, *Michelangelo Merisi*, llamado (1573-1610) Pintor it. Creador de una imp. corriente que caracteriza el barroco it.: un realismo impregnado de fuerte patetismo. *Descanso en la huida a Egipto, La Virgen muerta.*

CARAVANA f. Grupo de personas, mercaderes, peregrinos, etc., que atraviesa el desierto. • Hilera de coches que se forma en una carretera cuando el tráfico es intenso. • *Hond.* y *Méx.* Cortesía, urbanidad. • pl. *Amér.* Pendientes, arracadas. ■ CARAVANERO.

¡CARAY! interj. ¡Caramba!

CARAYA m. *Amér. Merid.* Mamífero primate aullador.

CARAZO Dpto. del O de Nicaragua, a orillas del Pacífico, 1 097 km², 150 000 hab. Se distinguen dos sectores: el interior, formado por altiplanicies de clima suave, y el costero, formado por una llanura cálida. Café, caña de azúcar, arroz. C. prales.: la cap., Jinotepe, y Diriamba.

CARAZO, *Evaristo* (1822-1889) *Mil.* y político nic. Presid. de la rep. (1887-1889), proyectó un canal interoceánico. • **Odio, *Rodrigo*** (nacido 1926) Político cost., creador del Partido de Renovación Nacional y de la Universidad para la Paz. Presid. (1978-1982) como candidato de la coalición conservadora Unidad.

CARBAJAL, *Antonio* (nacido 1929) Futbolista mex. Intervino en los campeonatos mundiales de 1950, 1954, 1958, 1962 y 1966. • **Victorica, *Juan*** (1894-1962) Jurisconsulto y político ur. Perteneciente al Partido Colorado. Ministro del Interior en 1943, con el presid. Amézaga.

CARBALLIDO, *Emilio* (nacido 1925) Escritor mex. *Las visitaciones del diablo* (novela), *Felicidad* (teatro).

CARBAMATO m. *Quím.* Sal del ácido carbámico. Los c. son fácilmente hidrolizables, y sus disoluciones acuosas suministran carbonato y amoniaco.

CARBAMINOHEMOGLOBINA f. *Fisiol.* Sustancia formada por la unión del anhídrido carbónico y la hemoglobina, que sirve para el transporte del CO_2 desde los tejidos hasta los pulmones.

CÁRBASO m. Variedad de lino muy delgado. • fig. Vestidura hecha de este lino.

CARBAZOL m. *Quím.* Derivado del pirrol, que se encuentra en el aceite de antraceno.

CARBINOL m. *Quím.* Alcohol metílico.

CARBODINAMITA f. *Quím.* Materia explosiva derivada de la nitroglicerina.

CARBÓGENO m. Polvo que sirve para la preparación doméstica del agua de Seltz.

CARBOHIDRATO m. *Quím.* Glúcido.

CARBÓLICO adj. *Quím.* Fénico.

CARBOLOY m. *Metal.* Acero que contiene cobalto, níquel y wolframio, cuya dureza se conserva a temperaturas elevadas.

CARBÓN m. *M. prima.* Materia sólida, ligera, negra y muy combustible, que resulta de la destilación o de la combustión incompleta de la leña o de la descomposición natural incompleta de otros cuerpos orgánicos. • Carboncillo. • Enfermedad de las plantas gramíneas producida por hongos. • fig. y fam. Muy negro o sucio. • **animal.** El que por medio de la destilación se obtiene de los huesos y otras sustancias animales. • **de piedra** o **mineral.** Sustancia fósil, dura, bituminosa y térrea, de color oscuro o casi negro, que resulta de la descomposición lenta de la materia leñosa. • **vegetal.** El de leña. ■ CARBONERÍA; CARBONOSO, SA.

* *M. prima.* El c. es, gralte., de color negro castaño oscuro; tiene un peso específico variable entre 1 y 1,8 y una dureza igualmente variable entre 0,5 y 2,5. Químicamente está compuesto por carbono, hidrógeno, oxígeno y nitrógeno, conteniendo además materiales arcillosos, óxidos de hierro, carbonatos, etc. Tradicionalmente se distinguen cuatro tipos principales de c.: turba, lignito, hulla y antracita, en los que aumenta del primero al último el contenido en carbono y el poder calorífico, y disminuye el contenido en volátiles.

CARBONADA f. Cantidad de carbón que se echa de una vez en la hornilla. • *Argent., Chile* y *Perú.* Guisado nacional de carne frita, rebanadas de choclos, zapallo, papas y arroz.

CARBONADO m. Diamante negro.

CARBONALLA f. Mezcla de arena, arcilla y carbón.

CARBONAR tr. y prnl. Hacer carbón.

CARBONARIO, RIA adj. y s. Díc. de cierta sociedad secreta it., de carácter democrático y nacionalista, nacida en el s. XIX, que se proponía derrocar las monarquías sostenidas por la santa Alianza y la unificación de Italia. El mov. se extendió a Francia y España. ■ CARBONARISMO.

CARBONATADO, DA adj. *Quím.* Que contiene carbonatos. • Díc. de las rocas que están constituidas fundamentalmente por carbonato cálcico o magnésico, como las calizas y el mármol.

CARBONATAR tr. y prnl. *Quím.* Convertir en carbonato. • tr. Tratar con ácido carbónico.

CARBONATO m. *Quím.* Sal resultante de la combinación del ácido carbónico con un radical simple o compuesto. Se llama neutro cuando los dos hidrógenos del ácido han sido sustituidos por metales, y ácido o bicarbonato cuando sólo ha sido sustituido un átomo de hidrógeno.

Carbonero común

maciones físicas y químicas mediante las cuales la materia vegetal se transforma en carbón. • En la ind. textil, acción de limpiar la lana con ácido sulfúrico o clorhídrico, seguida de un secado a más de 100 °C.

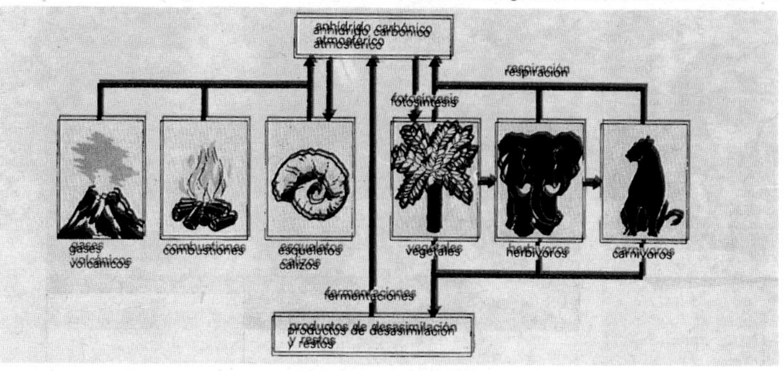

Ciclo del **carbono** en la naturaleza

CARBONCILLO m. Palillo de brezo, sauce, etc., que, carbonizado, sirve para dibujar. • *Bot.* Tizón, hongo parásito del trigo. • *Bot.* Hongo, planta talófita. • Arena de color negro.

CARBONEAR tr. Hacer carbón de leña. ʙ CARBONEO.

CARBONELL, ***José María*** (1791-1816) Patriota col. Consiguió la celebración de un cabildo abierto, que dio lugar a la indep. del país. Ejecutado por Morillo.

CARBONERA f. Pila de leña cubierta de arcilla, que se quema con combustión incompleta por falta de oxígeno, para obtener carbón vegetal. • Lugar donde se guarda carbón. • Mujer que vende carbón. • *Col.* Mina de hulla. • *Chile.* Parte del ténder en que va el carbón. • *Hond.* Cierta planta de los jardines.

CARBONERO, RA adj. Relativo al carbón. • m. El que hace o vende carbón. • *Zool.* Ave paseriforme de pequeño tamaño, pico negro y plumaje vistoso. • *Cuba.* Árbol de madera dura, compacta, blanquecina y correosa.

CARBÓNICO, CA adj. *Quím.* Relativo al carbono. • Que contiene carbono. • *Biol.* y *Quím.* Díc. del ácido débil de fórmula CO_3H_2 y del anhídrido o dióxido de fórmula CO_2.

* *Biol.* y *Quím.* El anhídrido c. tiene extraordinaria importancia bioquímica y está presente en el aire en proporción de un 0,3 por 1000. Esta proporción se mantiene prácticamente constante porque, si bien los animales y plantas expulsan al respirar anhídrico c., que además se origina en fermentaciones, putrefacciones y combustiones, las plantas lo absorben para realizar la función clorofílica. El anhídrico c. es un gas incoloro que se emplea industrialmente para la preparación de bebidas gaseosas y de mezclas frigoríficas.

CARBÓNIDOS m. pl. *Quím.* Grupo de sustancias que comprenden los cuerpos formados de carbono puro o combinado.

CARBONÍFERO, RA adj. Díc. del terreno que contiene carbón mineral. • adj. y m. *Geol.* Relativo al periodo durante el cual se formaron las masas de carbón mineral. • m. Quinto periodo de la era primaria, con una duración aproximada de 65 millones de años. Durante el mismo se formaron los depósitos de carbón por carbonización de grandes bosques de helechos arborescentes. A este periodo corresponde la aparición de los primeros reptiles y el plegamiento herciniano; al final del mismo se inició la primera glaciación.

CARBONILLA f. Carbón mineral menudo que suele quedar al mover el grueso. • Residuo menudo del carbón quemado.

CARBONILO m. *Quím.* Óxido de carbono considerado como radical divalente, llamado también grupo ceto.

CARBONITRURACIÓN f. *Metal.* Tratamiento térmico de los aceros para incorporar carbono y nitrógeno en las capas superficiales.

CARBONIZACIÓN f. Acción y efecto de carbonizar o carbonizarse. • *Geol.* Conjunto de transfor-

CARBONIZAR tr. y prnl. Reducir a carbón un cuerpo orgánico. • tr. Destilar carbón, madera u otras sustancias orgánicas.

CARBONO m. *Quím.* Elemento químico de símb. C, n. a. 6 y p. a. 12,0111. Se encuentra libre en la naturaleza, cristalizado (diamante, grafito) o amorfo (carbones minerales). La capacidad de los átomos de c. de unirse entre sí formando compuestos de elevado peso molecular, fundamentales en los procesos vitales, es la base de la existencia de la vida.

CARBORUNDO m. Carburo de silicio de gran dureza obtenido por calentamiento en un horno eléctrico de una mezcla de carbón y sílice. Se emplea para pulimentar y para dar resistencia a materiales refractarios.

CARBOXILO m. *Quím.* Radical orgánico monovalente formado por un átomo de carbono, dos de oxígeno y uno de hidrógeno. ʙ CARBOXÍLICO, CA.

CARBUNCLO m. *Miner.* Carbúnculo, variedad del corindón, de color rojo oscuro. Muy estimado en joyería. • Carbunco.

CARBUNCO m. *Med.* Enfermedad virulenta y contagiosa del ganado, que puede transmitirse a las personas, cuyo agente es el *Bacillus anthracis*. En el ser humano presenta tres formas: cutánea (la más común), gastrointestinal y pulmonar (la más peligrosa). ʙ CARBUNCAL, CARBUNCOSO, SA.

CARBUNCOSIS f. *Med.* Infección carbuncosa.

CARBÚNCULO m. Rubí.

CARBURADOR, RA adj. Que carbura. • m. *Aut.* Dispositivo del sistema de alimentación de los automóviles que mezcla la gasolina con el aire para formar la mezcla carburante.

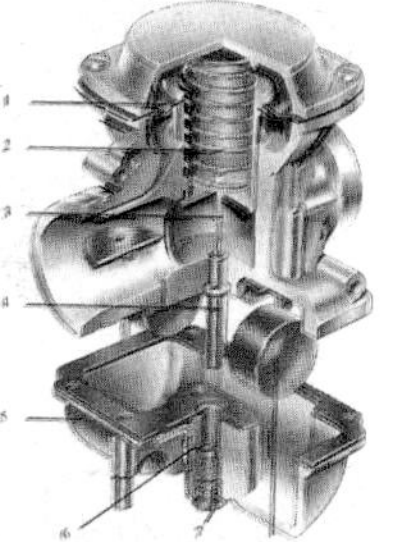
Esquema de un **carburador:** 1. diafragma; 2. muelle; 3. aguja; 4. surtidor de aguja; 5. cuba del flotador; 6. surtidor piloto; 7. surtidor principal; 8. flotador

CARBURANTE m. *Aut.* Mezcla de hidrocarburos que se emplea en los motores de explosión o de combustión interna.

CARBURAR tr. *Quím.* Mezclar los gases o el aire atmosférico con los carburantes gaseosos o con los vapores de los carburantes líquidos, para hacerlos combustibles o detonantes. • *Metal.* Incrementar la proporción de carbono que contiene un metal. ʙ CARBURACIÓN.

CARBURO m. *Quím.* Combinación del carbono con otro elemento químico.

CARCA adj. y s. despect. Carlista. • fam. Extremadamente conservador.

CARCAJ m. o **CARCAZA** f. Aljaba, recipiente portátil donde se llevan las flechas. • *Méx.* Funda de cuero en que se lleva el rifle al arzón de la silla.

CARCAJADA f. Risa impetuosa y ruidosa. ʙ CARCAJEAR.

CARCAMAL adj. y m. fam. Persona decrépita.

CARCAMÁN, NA adj. *Cuba.* Aplícase al extranjero de baja condición o a persona despreciable. • m. y f. *Argent.* y *Perú.* Persona de muchas pretensiones y poco mérito.

CARCASA f. *Mec.* En la técnica de las construcciones mecánicas, estructura exterior gralte. compuesta por vigas. • *Aut.* Carrocería. • Cierta bomba incendiaria.

CARCASONA *(Carcassonne)* C. de Francia, cap.

Vista de las murallas que rodean **Carcasona**

del dpto. de Aude; 41 200 hab. Centro comercial e industrial. Dividida en C. baja (moderna, industrial) y *Cité*, C. vieja, uno de los conjuntos monumentales de la E. Med. más imp. del mundo.

CÁRCAVA f. Zanja grande que suelen hacer las avenidas de agua. • Zanja o foso. • Sepultura.

CARCAVÓN m. Barranco que deja una avenida de agua.

CARCAVUEZO m. Hoyo profundo en la tierra.

CÁRCEL f. Edificio destinado a tener encerrados a los presos, que han de cumplir penas cortas o preventivas. • Prisión. • *Carp.* Barra de madera con dos salientes, entre los cuales se oprimen dos piezas de maderas encoladas. ▪ CARCELARIO, RIA; CARCELERO, RA.

CARCELERÍA f. Detención forzada, aunque no sea en la cárcel.

CARCHI Prov. del N de Ecuador, fronteriza con Colombia; 3 605,1 km², 141 482 hab. Sit. en los Andes, en una altiplanicie en forma de hoya atravesada por el río hom. Clima templado-frío, debido a la alt. Agricultura (papas), ganadería. Comercio y turismo. Cap., Tulcán, a 3 000 m de altitud.

CARCINOMA m. Tumor epitelial maligno. ▪ CARCINOMATOSO, SA.

* *Pat.* El c. configura una neoplasia epitelial maligna que tiende a invadir los tejidos circundantes y a provocar metástasis en regiones distantes del organismo. Se desarrolla más frecuentemente en la piel, intestino grueso, pulmones, estómago, próstata, cuello uterino y mamas. En gral., presenta una consistencia dura de contornos irregulares y nodulares, con un borde bien definido en algunas localizaciones; tiene coloración blanquecina con manchas hemorrágicas oscuras y zonas amarillentas de necrosis. Su tratamiento es dificultoso ya que casi nunca puede ser totalmente extirpado sin eliminar a la vez parte del tejido circundante normal.

CARCO, *Francis* (1886-1958) Poeta y novelista fr. Cantor de la vida bohemia. *Escenas de la vida de Montmartre*, *El hombre acorralado*.

CÁRCOLA f. Pedal de los telares.

Carcoma

CARCOMA f. *Zool.* Insecto coleóptero de color oscuro, cuya larva roe la madera. • Polvo que produce este insecto después de digerir la madera. • fig. Cuidado grave y continuo que mortifica y consume al que lo tiene. • fig. Persona o cosa que poco a poco va gastando la hacienda. ▪ CARCOMER.

CARCOVA, *Ernesto de la* (1867-1927) Pintor arg., de carácter realista y social. *Sin pan y sin trabajo*.

CARCUNDA adj. y s. despect. y fam. Carca.

CARDA f. Acción y efecto de cardar. • Cabeza terminal del tallo de la cardencha. Sirve para sacar el pelo a los paños y felpas. • *Ind.* Máquina utilizada en la ind. textil para separar completamente las fibras, eliminar las fibras cortas, etc., y terminar la limpieza iniciada en los batanes. • fig. y fam. Amonestación, reprensión.

CARDADOR, RA m. y f. Persona que carda la lana. • m. Miriópodo de cuerpo cilíndrico y liso, con poros laterales por donde sale un licor fétido.

CARDAMINA f. Mastuerzo, planta crucífera.

CARDAMOMO m. Planta medicinal, especie de amomo.

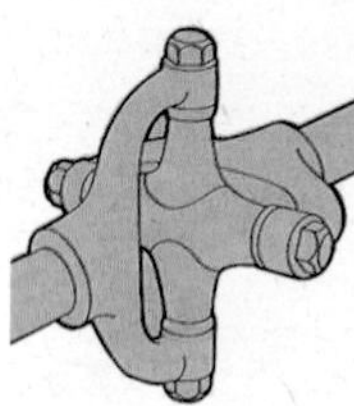
Junta **cardán**

CARDÁN adj. y m. *Mec. apl.* Acoplamiento por articulación de árboles o ejes mecánicos, que hace posible la transmisión de un movimiento de rotación entre ejes no alineados. • Suspensión articulada.

Gerolamo **Cardano**

CARDANO, *Gerolamo* (1501-1576) Médico, matemático y filósofo it. Estudió el tifus exantemático y el tratamiento de la sífilis, y publicó algoritmos para la resolución de las ecuaciones de tercer y cuarto grados.

CARDAR o **CARDUZAR** tr. Preparar con la carda una materia textil para el hilado. • Sacar suavemente el pelo con la carda a los paños y felpas. ▪ CARDADA; CARDADO, DA; CARDADURA.

CARDARIO m. Pez cuyo cuerpo está cubierto de aguijones a modo de carda.

CARDELINA f. Jilguero, ave.

CARDENAL m. Cada uno de los prelados que componen el Sacro Colegio. • *Zool. Amér.* Pájaro ceniciento, con un penacho rojo. • Equimosis, mancha en la piel por un golpe. ▪ CARDENALATO; CARDENALICIO.

CARDENAL, *Ernesto* (nacido 1925) Político, poeta y sacerdote nic. Ministro de Cultura (1979-1988). *La ciudad deshabitada*, *El conquistador*, *Hora 0*, *Oración por Marilyn Monroe*.

CÁRDENAS C. de Cuba, en la bahía hom., prov. de Matanzas; 54 900 hab. Ind. azucarera; destilerías de alcohol. • Mun. de México, en el est. de Tabasco; 78 900 hab. Agricultura, ganadería, pesca.

CÁRDENAS, *Adán* (1836-1916) Político nic. Presid. de la rep. (1883-1887). Liberal y contrario a la unión centroamericana. • ***Agustín*** (nacido 1927) Escultor cub. Su obra se halla repartida en museos de numerosos países. *El cuarto fambá*. • ***Cuauhtémoc*** (nacido 1934) Político mex., hijo de Lázaro C. Militó en el PRI (1966-1987). Electo presid. del Partido de la Revolución Democrática (PRD), en 1990. En 1988 y 1994 concurrió a las elecciones a la presid. de la rep., y en 1997 fue elegido regente del Distrito Federal. • ***Lázaro*** (1895-1970) Militar y estadista mex. Participó en la lucha contra el dictador Huerta, y alcanzó el grado de general. Ocupó varios cargos ministeriales antes de ser elegido presid. (1934-1940); en este cargo condujo a buen puerto la nacionalización de las empresas ferroviarias y petroleras y prosiguió la reforma agraria con mayor intensidad que sus predecesores. • **Becerra, *Horacio*** (nacido 1924) Escritor ven. *Los ahorcados*, *Cuentos*, *Víspera de la palabra*.

CARDENCHA f. *Bot.* Planta bienal, de la familia dipsacáceas, con hojas aserradas, y flores purpúreas, terminales. • Carda, instrumento para cardar. ▪ CARDENCHAL.

CARDENILLA f. Variedad de uva menuda, tardía y de color amoratado.

CARDENILLO m. Mezcla venenosa de acetatos básicos de cobre: materia verdosa o azulada, que se forma en los objetos de cobre o sus aleaciones. • Acetato de cobre que se emplea en la pintura. • Color verde claro semejante al del acetato de cobre.

CÁRDENO, NA adj. De color amoratado. • Díc. del toro cuyo pelo tiene mezcla de negro y blanco.

CARDIÁCEO, A adj. Que tiene forma de corazón.

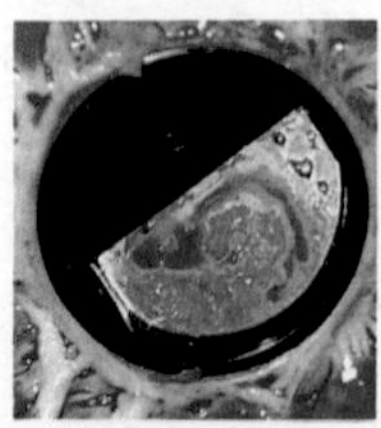
Implantación de una válvula **cardiaca** artificial

CARDIACO, CA o **CARDÍACO, CA** adj. Relativo al corazón. • adj. y s. Que padece del corazón.

CARDIALGIA f. *Pat.* Dolor agudo que se siente en el caardias y oprime el corazón.

CARDIAS m. *Anat.* Orificio esofágico del estómago; boca del estómago.

CARDIAZOL m. *Farm.* Medicamento estimulante del sistema nervioso central.

CARDIFF C. y puerto de Gran Bretaña, cap. del País de Gales; 260 600 hab. Carbón, siderurgia, astilleros.

CARDILLO m. *Bot.* Planta bienal, compuesta, de hojas rizadas y espinosas. • *Méx.* Escardillo, reflejo que se hace con un espejo.

CARDINAL adj. Pral., fundamental. • Cada una de las cuatro partes que dividen el horizonte en otras tantas partes iguales. • *Astr.* Aplícase a los signos Aries, Cáncer, Libra y Capricornio. • *Gram.* Díc. del adjetivo numeral que expresa exclusivamente el número, la cantidad. • *Mat.* Expresión del número de elementos de un conjunto.

CARDINALE, *Claudia* (nacida 1939) Actriz it. *La chica de la maleta*, *Rocco y sus hermanos*, *El gatopardo*, *Los profesionales*, *Ocho y medio*.

CARDINAS f. pl. *Arq.* Adorno parecido a las hojas del cardo.

CARDIOGRAFÍA f. *Med.* Estudio y descripción del corazón.

CARDIÓGRAFO m. Aparato que mide y registra los movimientos del corazón.

CARDIOGRAMA m. *Med.* Diagrama obtenido por medio del cardiógrafo.

CARDIOLOGÍA f. Parte de la medicina que trata de los conocimientos relativos al corazón y sus funciones. ▪ CARDIÓLOGO, GA.

CARDIOPATÍA f. *Med.* Nombre genérico de las enfermedades del corazón. ▪ CARDIÓPATA.

CARDIOSCLEROSIS f. *Pat.* Endurecimiento del músculo cardiaco por proliferación de tejido fibroso.

CARDIOTÓNICO, CA adj. y m. Díc. de la sustancia o fármaco que combate la insuficiencia cardiaca.

CARDIOVASCULAR adj. Relativo al corazón y a los vasos sanguíneos.

CARDÍTICO, CA adj. Relativo al corazón.

CARDITIS f. Cardiopatía inflamatoria.

CARDIZAL o **CARDAL** m. Sitio en que abundan los cardos y otras hierbas inútiles.

CARDO m. *Bot.* Nombre común de varias especies de la familia compuestas pertenecientes a los gén. *Carduus, Cynara* y otros. • fig. Persona arisca.
CARDÓN m. Cardencha, planta. • Acción y efecto de sacar pelo al paño o al fieltro antes de tundirlo. • *Chile.* Planta bromeliácea. • *Amér.* Nombre común de varios cactos gigantes. • *Perú* y *Ven.* Cardo, planta.
CARDONA f. *Cuba.* Especie de cacto que se cría en la costa.
CARDONA, *Jenaro* (1863-1930) Poeta y novelista cost. *El primo, La esfinge del sendero* (novela), *El calor hogareño* (cuentos). • **Peña, *Alfredo*** (nacido 1917) Poeta y crítico literario cost. *El mundo que tú eres, Primer paraíso, Pablo Neruda y otros ensayos.* • **Torrico, *Alcira*** (nacida 1926) Poetisa bol. *Carcajada de estaño y otros poemas, Rayo y simiente, Tormenta en el Ande.*
CARDONCILLO m. Variedad de cardo.
CARDOSO, *Fernando Henrique* (nacido 1931) Sociólogo y político bras. Miembro del Partido de la Social Democracia Brasilera (PSDB), ha sido senador por el est. de São Paulo y en el senado federal. Ministro de Relaciones Exteriores y Hacienda, con I. Franco, fue elegido presid. del país en octubre 1994. • ***Onelio Jorge*** (nacido 1914) Escritor cub. Adscrito al realismo. *Taita, diga usted cómo, El caballo de coral, El hilo y la cuerda, El carbonero.*
CARDOZA y Aragón, *Luis* (1904-1992) Escritor guat., surrealista. *Luna Park, Torre de Babel, Retorno al futuro.*
CARDOZO, *Efraím* (1906-1973) Historiador y político par. *El Chaco en régimen de intendencias, Historia paraguaya, Hace cien años.*
CARDUCCI, *Giosuè* (1835-1907) Poeta it. *Odas bárbaras.* Premio Nobel de Literatura en 1906.
CARDUCHA f. Carda de hierro.
CARDUCHO Nombre dado en España, donde trabajaron, a los pintores it. hermanos Carducci. ***Bartolomé*** (1560-1608), pintor de cámara en la corte (*San Francisco, La Santa Cena*) y ***Vicente*** (1576-1638) es autor de un *Diálogo sobre pintura.*

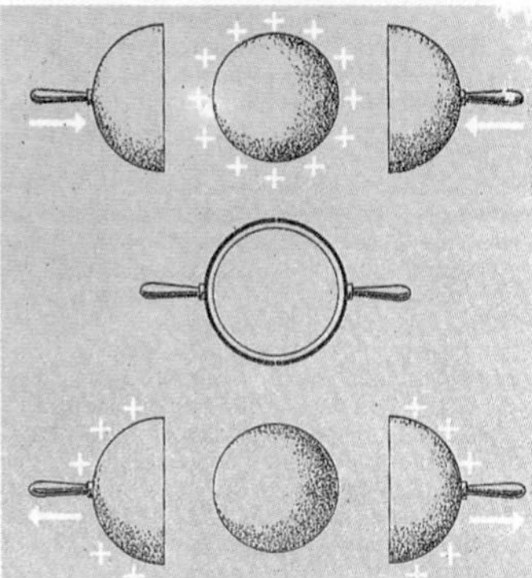

La **carga** de la esfera se reparte sobre la superficie exterior de los hemisferios cuando entran en contacto, lo que prueba que en un conductor en equilibrio electrostático la carga se encuentra en su superficie

CARDUME o **CARDUMEN** m. Banco, conjunto de peces. • *Chile.* Multitud de cosas.
CAREADOR adj. Díc. del perro empleado para carear o guiar las ovejas. • m. *R. Dom.* El que cuida el gallo durante la riña.
CAREAR tr. Poner a una o varias personas en presencia de otra u otras, para comprobar la veracidad de sus afirmaciones. • fig. Cotejar una cosa con otra. • intr. Dar o presentar la faz hacia una parte. • prnl. Verse las personas para algún asunto. • Ponerse cara a cara dos o más personas a fin de resolver algún asunto. ■ CAREO.
CAREL m. Borde superior de una embarcación pequeña donde se fijan los remos que la mueven.
CARELIA (finés, *Karjala*) Región del NO de Europa, entre el golfo de Finlandia y el mar Blanco. Dividida entre Finlandia (prov. de Pohjois-Karjalan) y Rusia. En 1920, Finlandia obtuvo el reconocimiento sobre la C. occidental. La zona rusa (C. oriental) se constituyó en rep. autónoma en 1924. • Rep. del NO integrada en el est. de Rusia; 172 000 km^2, 790 002 hab. Cap. Petrozavodsk.
CARENA f. *Mar.* Casco, en especial los fondos, de una embarcación. • *Mar.* Reparación que se hace en el casco de un barco. • fig. y fam. Burla.
CARENAR tr. *Mar.*Reparar el casco de un barco. ■ CARENADURA; CARENERO.
CARENCIA f. o **CARECIMIENTO** m. Falta o privación de algo. • *Med.* Falta o disminución en el aporte alimenticio de una sustancia, sobre todo las vitaminas, que puede determinar la aparición de enfermedades carenciales (pelagra, raquitismo, escorbuto, etcétera). ■ CARECER; CARENTE; CARENCIAL.
CARENOTE m. Cada tablero que mantiene derecha una embarcación varada.
CAREO m. Acción y efecto de carear o carearse. • *Der.* Procedimiento jurídico auxiliar, utilizado cuando no hay pruebas o cuando diversas declaraciones son contradictorias.
CARESTÍA f. Falta o escasez de alguna cosa, especialmente de víveres. • Precio subido de productos de mucho consumo.
CARETA f. Máscara para cubrir la cara. • Mascarilla de red metálica que usan los apicultores y los que practican la esgrima. • fig. Disimulo.
CARETO, TA adj. Caballar o vacuno con la cara blanca y la frente y cabeza oscura. • *Hond., Nic.* y *Salv.* Persona que tiene la cara sucia y pringada.
CAREY m. Tortuga de mar, muy apreciada por su concha. • Materia córnea obtenida de estas conchas, y que se utiliza para fabricar peines, gafas, etc. • *Cuba.* Bejuco de hojas anchas y tan ásperas, que se usan como lija. • *Cuba.* Arbusto borragináceo de madera durísima usado para fabricar bastones.
CARFOLOGÍA f. *Pat.* Agitación continua e involuntaria de las manos, que parecen buscar y recoger objetos.
CARGA f. Acción y efecto de cargar. • Cosa que hace peso sobre otra. • Cosa transportada. • Unidad de medida de algunos productos. • Cantidad de pólvora que se echa en el cañón de un arma de fuego. • Cantidad de sustancia explosiva con que se causa la voladura de una mina o barreno. • Cantidad de electricidad contenida en un condensador. • Trabajo útil que suministra un motor en cada unidad de tiempo. • Repuesto o cantidad de sustancia con que se repone o rellena un instrumento, utensilio, etc. • fig. Tributo, imposición, gravamen. • fig. Censo, hipoteca, servidumbre u otro gravamen real de la propiedad. • fig. Obligación aneja a un estado, empleo u oficio. • Embestida o ataque contra manifestantes o grupos de personas. • **afectiva.** *Psic.* Capacidad de una idea, imagen o recuerdo, para motivar tendencias apetitivas o repulsivas y suscitar reacciones emocionales. • **eléctrica.** *Fís.* Agente físico que existe en todo cuerpo y que determina la existencia de fuerzas eléctricas. Las c. eléctricas pueden ser positivas o negativas, y se atraen o se repelen, según sean de distinto o del mismo signo, de acuerdo con la ley de Coulomb (→ Coulomb, ley de). • **eléctrica elemental.** *Fís. nucl.* Valor de la carga del electrón, que representa la cantidad mínima de c. que puede existir aislada; equivale a $1{,}602 \times 10^{-19}$ coulombs. • **específica del electrón.** *Fís. nucl.*Valor de la carga del electrón por unidad de masa. • **hueca.** *Mil.* Aquella en que la masa del explosivo presenta una cavidad en forma de cono, cuya base entra en contacto con el objetivo.
CARGADERO m. Sitio donde se cargan y descargan las mercancías que se transportan. • Boca del horno metalúrgico. • *Arq.* Dintel.
CARGADO, DA adj. Díc. del tiempo o de la atmósfera bochornosos. • Aplícase a la oveja próxima a parir. • Fuerte, espeso, saturado.
CARGADOR, RA adj. Que carga. • m. El que embarca las mercancías para su transporte. • El que por oficio conduce cargas. • El que carga las escopetas en la caza de ojeo. • Pieza o instrumento para cargar ciertas armas de fuego. • *Comp.* Programa del sistema operativo que controla y ejecuta la carga del programa del usuario. • *Amér.* Mozo de cordel.
CARGAMENTO m. Conjunto de mercancías que transporta una nave, avión, camión, tren, etc.

Cardo

Fernando Henrique **Cardoso**

Carelia. Iglesia de madera del cementerio de la isla de Kizi, en el lago Onega

Saricé, ave de la familia **cariámidos**

Bernardino Rivadavia, en una **caricatura**

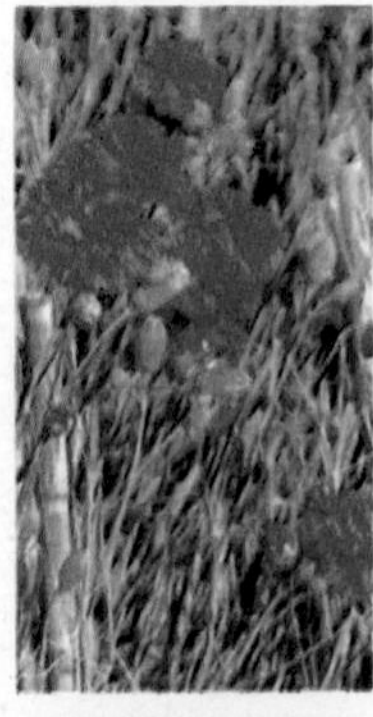
Claveles, plantas de la familia **cariofiláceas**

CARGAMENTO, *Cultos del* Nombre de numerosos mov. religiosos revivalistas y nativistas de Melanesia, aparecidos en el s. XX. Coinciden en las creencias de que arribarán barcos repletos de ricos cargamentos para ellos, los muertos resucitarán, los blancos desaparecerán y los nativos heredarán sus poderes.

CARGAR tr. Poner o echar peso sobre una persona o una bestia. • Embarcar o poner en un vehículo mercancías para transportarlas. • Introducir la carga en el cañón de cualquier arma de fuego. • Hacer pasar una corriente eléctrica a un acumulador. • Poner una carga o repuesto. • Acopiar con abundancia algunas cosas. • fig. Aumentar, agravar el peso de alguna cosa. • fig. Imponer a las personas o cosas un gravamen, carga u obligación. • fig. Imputar, achacar a uno alguna cosa. • tr. y prnl. fig. y fam. Incomodar, molestar, cansar. • tr. Anotar en las cuentas corrientes las partidas que corresponden al debe. • *Mar.* Recoger las velas. • *Mil.* Acometer con fuerza y vigor a los enemigos. • Acometer los agentes de la fuerza pública a manifestantes o grupos de personas para dispersarlos. • intr. y prnl. Inclinarse una cosa hacia alguna parte. • intr. Mantener, tomar o cargar sobre sí algún peso. • Estribar o descansar una cosa sobre otra. • Junto con la prep. *con*, llevarse, tomar. • fig. Tomar o tener *sobre* sí alguna obligación o cuidado. • fig. Con la prep. sobre, hacer a uno responsable de culpas o defectos ajenos. • prnl. Echar el cuerpo hacia alguna parte. • Matar a una persona o animal. • Suspender a alguien en un examen. • fig. Tratándose del tiempo, el cielo, el horizonte, etc., irse aglomerando y condensando las nubes. • fig. Con la prep. *de*, llenarse o llegar a tener copia o abundancia de ciertas cosas. • **un programa.** *Comp.* Introducir en la memoria de la computadora un programa para su ejecución. ■ CARGANTE.

CARGARÉME m. Recibo.

CARGAZÓN f. Cargamento. • Pesadez de cabeza, estómago, etc. • Aglomeración de nubes espesas. • *Argent.* Obra mal terminada. • *Argent.* y *Chile.* Abundancia de frutos en los árboles y otras plantas.

CARGO m. Acción de cargar. • Carga o peso. • Cantidad de uva o aceituna que se prensa de una vez. • En las cuentas, conjunto de cantidades que uno ha recibido o que anota en el debe. • fig. Dignidad, empleo, oficio. • fig. Obligación, precisión de haber de hacer o cumplir alguna cosa. • fig. Falta que se imputa a uno en su comportamiento. • **Hacerse** uno c. de alguna cosa. Encargarse de ella. • Formar concepto de ella. • Considerar todas sus circunstancias.

CARGO-BOAT o **CARGO** (voz ing.) m. Buque de gran calado, para el transporte de mercancías.

CARGOSEAR tr. *Chile.* Importunar, molestar. ■ CARGOSO, SA.

CARGUERO, RA adj. Que lleva carga. • m. Buque de carga. • *Argent.* Bestia de carga.

CARI adj. *Argent.* y *Chile.* Díc. del color pardo claro o plomizo. • *Chile.* Pimienta de la India.

CARIA f. Fuste o caña de la columna.

CARIA Ant. región al SO de Asia Menor. C. prales.: Halicarnaso, Mileto, Cnido.

CARIACO m. *Cuba.* Baile popular.

CARIACONTECIDO, DA adj. fam. Que muestra en el semblante pena o sobresalto.

CARIACOS m. pl. *Ant.* Indígenas caribes en la época del descubrimiento.

CARIACU m. *Amér.* Mamífero cérvido de pelo pardusco.

CARIÁMIDO, DA adj. y s. *Zool.* Ave de la familia cariámidos. • m. pl. Familia de aves gruiformes que cuenta con dos especies denominadas chuñas o seriemas. Son insectívoras y viven en Amér. Merid., en la zona N de la Pampa y en el Chaco.

CARIANCHO, CHA adj. fam. Que tiene ancha la cara.

CARIAQUITO m. Arbusto vivaz de la familia verbenáceas, de aroma suave.

CARIAR tr. y prnl. Producir caries.

CARÍAS Andino, *Tiburcio* (1876-1969) Político y militar hond. Fundador del Partido Nacional. Presid. de la rep. (1933-1949). • **Reyes, *Marcos*** (1905-1949) Escritor hond. *La heredad, Germinal, Hombres de pensamiento.*

Pórtico de las **cariátides** del Erecteion, Atenas

CARIÁTIDE f. *Arq.* Estatua de mujer con traje talar, y que sirve de columna o pilastra.

CARIBDIS → Escila.

CARIBE adj. y s. Díc. del individuo del pueblo hom., que dominó una parte de las Antillas. • m. Lengua de los caribes. • *Zool. Ven.* Pez pequeño y muy voraz. • fig. Hombre cruel e inhumano.

CARIBE o **DE LAS ANTILLAS, *Mar*** División del océano Atlántico, entre el litoral de Venezuela y Yucatán y el arch. de las Antillas.

CARIBLANCO m. *C. Rica.* Especie de jabalí.

CARIBÚ m. Mamífero cérvido que habita en la tundra ártica canadiense.

CARICÁCEO, A adj. y f. *Bot.* Díc. de árboles angiospermos dicotiledóneos con tallo poco ramificado. • f. pl. *Bot.* Familia de estas plantas.

CARICATO m. Bajo cantante que en la ópera hace los papeles de bufo. • *Amér.* Caricatura.

CARICATURA f. Figura ridícula en que se deforman las facciones y el aspecto de alguna persona. • Obra de arte en que claramente o por medio de emblemas y alusiones se ridiculiza a una persona o cosa. • *Amér.* Cortometraje de dibujos animados. ■ CARICATURAR O CARICATURIZAR; CARICATURESCO, CA O CARICATURAL; CARICATURISTA.

CARICHATO, TA adj. De cara chata.

CARICIA f. Demostración cariñosa que consiste en rozar suavemente con la mano el rostro de una persona, el cuerpo de un animal, etc. • Roce suave y agradable. • Halago, demostración amorosa.

CARIDAD f. Sentimiento compasivo hacia los que padecen infortunio. • Actitud sociorreligiosa frente a la situación de los infortunados. • *Rel.* Una de las tres virtudes teologales. • Limosna o auxilio. • Virtud opuesta a la envidia y a la animadversión. • *Méx.* Comida de los presos. ■ CARITATIVO, VA.

CARIDAD, *Hermanas de la* Nombre de varias congregaciones religosas.

CARIDOLIENTE adj. Que en el semblante manifiesta dolor.

CARIES f. *Med.* Proceso destructivo del hueso, por acción de ciertas bacterias. • *Bot.* Enfermedad criptogámica, que afecta a ciertos cereales y vegetales. • *Bot.* Tizón, hongo parásito del trigo. • **dental.** Destrucción del esmalte y dentina de los dientes por acción de bacterias. ■ CARIADO, DA.

CARIGORDO, DA adj. fam. Que tiene gorda la cara.

CARILAMPIÑO, ÑA adj. Sin barba.

CARILARGO, GA adj. fam. Que tiene larga la cara.

CARILLENO, NA adj. fam. Que tiene abultada la cara.

CARILLÓN m. Grupo de campanas en una misma torre, que producen un sonido armónico por estar acordadas. • Juego de tubos o planchas de acero que producen un sonido musical.

CARILUCIO, CIA adj. fam. Que tiene lustrosa la cara.

CARIMBA f. *Perú.* Marca que con hierro candente se ponía a los esclavos.
CARIMBO m. *Bol.* Hierro para marcar las reses.
CARINA *Astr.* Constelación de la familia Aguas Celestes.
CARINCHO m. *Amér.* Guisado hecho con patatas cocidas, carne de vaca, carnero o gallina y salsa con ají.
CARINEGRO, GRA adj. Que tiene muy morena la cara.
CARINO, ***Marco Aurelio*** (m. 285) Emperador rom., sucesor de Caro. Se opuso a Diocleciano, nombrado emp. por el ejército. Murió asesinado.
CARINTIA (*Karnten*) Est. del S de Austria; 9 534 km², 537 700 hab. Cap., Klagenfurt. Accidentado por los Alpes. R. pral.: Drave. La pob., mayoritariamente al., comprende un 10 % de eslavos. Explotación forestal. Ganadería. Hierro, lignito y galena. Ind. metalúrgica.
CARIÑO m. Afecto, amor. • Expresión y señal de dicho sentimiento. Se usa más en pl. • fig. Esmero con que se hace o trata una cosa. ■ CARIÑOSO, SA.
CARIO, RIA adj. y s. De la Caria. • *Amér.* Guaraní.
CARIOCA adj. y s. De Río de Janeiro. • f. Baile bras.
CARIOCINESIS o **CARIOQUINESIS** f. *Biol.* En la división celular indirecta o mitosis, conjunto de los fenómenos necesarios para la división del núcleo celular.
CARIOFANAL adj. y s. Bacteria del orden cariofanales. • f. pl. Orden de bacterias filamentosas que carecen de pigmentos.
CARIOFILÁCEO, A o **CARIOFILEO, A** adj. y f. *Bot.* Planta de la familia cariofiláceas. • f. pl. *Bot.* Familia de plantas dicotiledóneas del orden centrospermas.
CARIÓFILINA f. Sustancia contenida en el clavo de las Molucas.
CARIOGAMIA f. *Biol.* En la reproducción sexual, fase en la que se unen los dos núcleos haploides de los gametos para formar el cigoto. • *Biol.* Tipo de reproducción sexual en la que no se forman gametos.
CARIOLINFA f. *Biol.* Jugo nuclear de una célula.
CARIÓPSIDE o **CARIÓPSIS** f. Fruto seco a cuya única semilla está adherido el pericarpio.
CARIOTECA f. *Biol.* Membrana del núcleo de una célula.
CARIOTIPO m. *Biol.* Dotación cromosómica de las células de un organismo que constituye el soporte físico de la información genética.
CARIPAREJO, JA adj. fam. Se dice de la persona cuyo semblante es inmutable.
CARIPELADO m. *Col.* Especie de mono.
CARIRRAÍDO, DA adj. fam. Descarado.
CARIRREDONDO, DA adj. fam. Redondo de cara.
CARISMA m. Voz de origen gr. que significa gracia, oficio, favor, misión, etc. • *Teol.* Don gratuito que concede Dios con abundancia a una criatura. • Conjunto de cualidades que dan un atractivo especial a una persona. • Este mismo atractivo. ■ CARISMÁTICO, CA.
CARISTIO, TIA adj. y s. Pueblo hispánico prerromano que habitaba en el actual País Vasco.
CARITAS Internationalis Organización católica de beneficencia.
CARITE m. *Cuba.* Pez parecido al pez sierra.
CÁRITES *Mit.* Nombre común de tres diosas, llamadas Gracias.
CARIUCHO m. *Ecuad.* Guiso de carne y patatas con ají.
CARIZ m. Aspecto de la atmósfera. • fig. y fam. Aspecto que presenta un asunto.
CARLANCA f. Collar ancho y fuerte, erizado de puntas de hierro, que preserva a los mastines de las mordeduras de los lobos. • fig. y fam. Maula, picardía. • *Amér.* Grillete. • *Ecuad.* Especie de trangallo o palo que se cuelga de la cabeza a los animales para que no entren en los sembrados. • *Chile* y *Hond.* Molestia, pesadez. • *Hond.* Persona de tal condición.
CARLEAR intr. Jadear.
CARLEVARO, ***Abel*** (nacido 1919) Guitarrista y compositor ur. Intérprete de una técnica precisa y depurada.
CARLINA f. Especie de angélica, planta.

Carlismo. Combate entre carlistas catalanes y tropas isabelinas en un grabado de la época

CARLINGA f. Parte del avión destinada a la tripulación y a los pasajeros.
CARLISMO m. Doctrina política de los seguidores de Carlos María Isidro, hermano de Fernando VII y pretendiente al trono de España, y de su línea de sucesión (rama carlista). → carlistas, guerras. ■ CARLISTA.
CARLISTAS, ***guerras*** Contiendas civiles que tuvieron lugar en España en el s. XIX, originadas en la derogación de la ley sálica por Fernando VII, que excluía así de la línea sucesoria a su hermano Carlos María Isidro (pretendiente al trono con el nombre de Carlos V), en favor de su hija Isabel. • **primera guerra carlista (1833-1840).** Estalló al acceder al trono Isabel II y en ella se distinguieron Zumalacárregui en el bando carlista y Espartero en el liberal o isabelino. Tras numerosos encuentros, favorables primero a los c., la causa del pretendiente sufrió un grave golpe con la muerte de Zumalacárregui en el sitio de Bilbao y acabó la guerra con el convenio de Vergara. Don Carlos buscó refugio en Francia y abdicó (1845) en su hijo (Carlos VI). • **segunda guerra carlista (1846-1849).** Se desarrolló pralm. en Cataluña, donde las tropas isabelinas sofocaron fácilmente los diversas tentativas de levantamiento. En 1860, en la intentona de la Rápita, el pretendiente cayó prisionero y renunció a sus derechos en favor de su sobrino Carlos María de los Dolores (Carlos VII). • **tercera guerra carlista (1872-1876).** Iniciada reinando Amadeo de Saboya, comenzó claramente favorable al bando carlista, hasta el pronunciamiento de Martínez Campos y con él la restauración de la rama borbónica isbaelina en la persona de Alfonso XII. Muchos carlistas, hartos de una lucha que se prolongaba ya casi medio siglo, retiraron su apoyo al pretendiente, que, aun cuando siguió luchando, regresó a Francia al caer Seo de Urgel (1 agosto 1875). En 1909 falleció, legando sus derechos a su hijo Jaime.
CARLOMAGNO o **CARLOS I** ***el Grande*** (latín, *Carolus Magnus*) (768-814) Rey de los francos [800-814], hijo de Pepino el Breve. Fue coronado emp. de Occidente por León III (800). Unificó gran parte de Europa en el aspecto cultural y religioso (cristianismo).
CARLOMÁN II (751-771) Hijo de Pepino el Breve y hermano de Carlomagno. Heredó la Austrasia, que a su muerte pasó a Carlomagno.
CARLOS Nombre de diversos reyes y emperadores.

Escena de la vida de **Carlomagno,** según una miniatura francesa

IMPERIO ROMANO GERMÁNICO

CARLOS I → Carlomagno. • **II *el Calvo*** → Carlos II de Francia. • **IV de Luxemburgo** (1316-1378) Rey de Alemania [1346-1378], de Bohemia [1347-1378] y emp. germánico [1355-1378], Fundó la universidad de Praga. • **V** → Carlos I de España. • **VI** (1685-1740) Rey de Hungría, con el nombre de Carlos III [1711-1740] y de Sicilia, como Carlos VI [1711-1738] y emp. germánico [1711-1740]; hijo de Leopoldo I. Intervino en la guerra de sucesión esp. como pretendiente opuesto a Felipe V.

AUSTRIA

CARLOS I (y IV de Hungría; 1887-1922) Emp. de Austria y rey de Hungría [1916-1918]. Abdicó en 1918, al proclamarse la rep.

ESPAÑA

CARLOS I (1500-1558) Príncipe de Países Bajos [1506-1555], rey de España [1517-1556] y emp. de Alemania [1519-1556], con el nombre de Carlos V. De sus abuelos maternos, los Reyes Católicos, obtuvo el dominio de las Indias Occidentales. Enfrentó el avance turco en el Mediterráneo, el acoso fr. sobre Italia y el mov. luterano, encarnado por los príncipes al. que perseguían su indep. Abdicó la corona imperial en favor de su hermano Fernando y entregó el resto de sus posesiones a su hijo → Felipe II.

Carlos I,
retrato de Tiziano

Carlos III,
retrato de Mengs

Detalle de *La familia de* ***Carlos IV,*** de Goya

• **II *el Hechizado*** (1661-1700) Rey de España [1665-1700]. De débil carácter, delegó sus poderes en validos incapaces. Durante su reinado se agudizó la crisis econ. social y política del país. Perdió parte de Flandes y entregó a Francia el Franco Condado. No tuvo descendencia y nombró heredero de la corona a Felipe V. • **III** (1716-1788) Rey de Espa ña [1759-1788], hijo de Felipe V y de Isabel de Farnesio. Su reinado se inspiró en los métodos del despotismo ilustrado. Su política contra los privilegios le enfrentó contra la nobleza y el clero (motín de Esquilache). Expulsó a los jesuitas, mejoró las vías de comunicación y liberalizó el com. con América. Se enfrentó a Gran Bretaña y obtuvo Florida y Menorca (1783). • **IV** (1748-1819) Rey de España [1788-1808]. Paralizó las reformas iniciadas por Carlos III y dejó el poder en manos de Godoy, inspirador de una desastrosa política ext. (derrota de Trafalgar). El motín de Aranjuez ocasionó su abdicación en favor de su hijo → Fernando VII (1808).

FRANCIA

CARLOS Martel (688-741) Hijo bastardo de Pipino de Heristal. Se hizo con el poder a la muerte de éste (714); gobernó a los francos y unificó el estado merovingio. Venció a los árabes en Poitiers (732). • **I** → Carlomagno. • **II *el Calvo*** (823-877) Rey de Francia [840-877] y emp. de Occidente [875-877]. Fracasó en sus intentos de recrear el imperio carolingio. • **V *el Sabio*** (1338-1380) Rey de Francia [1364-1380]. Los problemas campesinos (la insurrección de la *Jacquerie* y el motín de París) dominaron su reinado. Venció a los ing., pero fracasó en su intento de conquistar Bretaña. • **VII** (1403-1461) Rey de Francia [1422-1461], hijo de Carlos VI y de Isabel de Baviera, fue reconocido como rey gracias al apoyo de Juana de Arco. Dejó el gobierno en manos del condestable Trémouille. • **IX** (1550-1574) Rey de Francia [1560-1574]. Favoreció secretamente las aspiraciones de los hugonotes, pero, instigado por los consejeros de su madre, autorizó la matanza de la noche de San Bartolomé (1572). • **X** (1757-1836) Rey de Francia [1824-1830]. Su política conservadora y antipopular originó la rev. de 1830, en la que fue destronado.

GRAN BRETAÑA

CARLOS I (1600-1649) Rey de Inglaterra, Escocia e Irlanda [1625-1649], hijo de Jacobo I, de la familia de los Estuardo. Enfrentado al parlamento, su intransigencia acabó en una guerra civil que se transformó en rev. Vencido por O. Cromwell, fue juzgado y ejecutado. • **II** (1630-1685) Rey de Inglaterra, Escocia e Irlanda, hijo de Carlos I. Restaurador de la monarquía, la oposición parlamentaria le obligó a firmar el *Test Act* y el *Habeas Corpus.*

HUNGRÍA

CARLOS II → Carlos III de Nápoles. • **III** → Carlos VI, emperador. • **IV** → Carlos I de Austria.

NAVARRA

CARLOS I → Carlos IV de Francia. • **II *el Malo*** (1332-1387) Rey de Navarra [1349-1387]. Casado con una hija de Juan II de Francia, apoyó a éste en la represión de la *Jacquerie.* Tras la muerte de Juan II, Carlos V le arrebató sus posesiones en Francia.

SICILIA Y NÁPOLES

CARLOS I de Anjou (1226-1285) Rey de Sicilia y de Nápoles. Como rey de Sicilia se convirtió en jefe de los güelfos. Fue destronado por Pedro III de Aragón.

SUECIA

CARLOS X Gustavo (1622-1660) Rey de Suecia [1654-1660]. Sucedió a su prima Cristina. Conquistó Polonia (1655) y derrotó a Dinamarca, aunque fue vencido por ésta en 1659. • **XI** (1655-1697) Rey de Suecia [1660-1697]. Participó en las luchas por la hegemonía del Báltico; reorganizó el país y me-

Carlos VII, retrato de Jean Fouquet

Carlos IX, retrato de Clouet

noscabó el poder de la nobleza. • **XII** (1682-1718) Rey de Suecia [1697-1718]. Derrotó a Dinamarca, Rusia y Sajonia. Murió en el sitio de Fredrikshald (Noruega). • **XVI Gustavo** (nacido 1946) Rey de Suecia (1973). Proclamado heredero en 1950, sucedió a su abuelo, Gustavo VI Adolfo. En 1976, se casó con Silvia Sommerlath.

CARLOS Borromeo (1538-1584) Santo. Cardenal-arzobispo de Milán; se le considera como la encarnación del ideal de la Contrarreforma. • **de Austria,** ARCHIDUQUE (1771-1847) General austr., hijo de Leopoldo II. Luchó contra Napoleón y venció a los generales Jourdan y Moreau (1796-1797). • **de Viana,** PRÍNCIPE (1420-1461) Hijo de Juan II de Aragón y de Blanca de Navarra. Sublevado contra su padre y derrotado, cat., aragoneses y valencianos lo repusieron en el trono. • ***el Temerario*** (1433-1477) Duque de Borgoña y de Flandes, aliado de los ing. contra Luis I. Murió en el sitio de Nancy. • **Luis,** CONDE DE MONTEMOLÍN (1818-1861) Príncipe esp., hijo de Carlos María Isidro. Dirigió la segunda guerra carlista (1846-1849). • **María Isidro** (1788-1885) Infante de España, hermano de Fernando VII. Se apoyó en la ley Sálica para reivindicar sus derechos al trono esp. provocando la guerra civil (primera guerra carlista), que se prolongó de 1833 a 1840. Derrotado, se refugió en Francia.

CARLOS MANUEL DE CÉSPEDES Mun. de Cuba, en la prov. de Camagüey; 22 100 hab. Ganadería, caña de azúcar.

CARLOTA f. Torta hecha con leche, huevos, azúcar, cola de pescado y vainilla.

CARLOTA, *María Amalia* (1840-1925) Hija de Leopoldo I de Bélgica y esposa de Maximiliano, emperador de México.

CARLSBAD → Karlovy Vary.

CARLYLE, *Thomas* (1795-1881) Crítico e historiador brit. Aplicó al estudio de la historia una concepción individualista y elitista. *Historia de la Revolución francesa*, *Historia de Federico el Grande*, *El héroe, el culto al héroe y lo heroico en la historia.*

CARMAÑOLA f. Especie de chaqueta parecida al marsellés y de cuello estrecho. • Canción revolucionaria fr. de la época del Terror.

CARMELINA f. Segunda lana que se saca de la vicuña.

CARMELITA adj. y s. Díc. del religioso de la orden del Carmen. • adj. Carmelitano. • *Chile* y *Cuba*. Díc. del color pardo, castaño claro o acanelado. • f. Flor de la capuchina.

CARMELITAS m. y f. pl. Orden religiosa fundada en 1155 por Bertoldo de Calabria y reformada en 1564 por san Juan de la Cruz. La orden femenina fue creada en 1452 y reformada por santa Teresa de Jesús en 1562.

CARMELO (heb., «jardín de árboles») Monte de Israel; fue el retiro del profeta Elías. Dio nombre a la orden de los carmelitas.

CARMEN m. Orden de religiosos y religiosas mendicantes fundada en el s. XIII por Simon Stock. • Verso o composición poética. ■ CARMELITANO.

CARMEN Mun. de México, en el est. de Campeche; 76 700 hab. Cereales, pesca, astilleros.

CARMEN, *El* Dpto. de Argentina, en la prov. de Jujuy; 44 000 hab. Cereales, ganadería, harineras. • Mun. de Venezuela, en el est. Anzoátegui; 38 500 hab. Actualmente absorbido por la c. de Barcelona.

CARMEN DE BOLÍVAR, *El* Mun. de Colombia, en el dpto. de Bolívar; 48 300 hab. Tabaco, café. Ganadería.

CARMENAR tr. y prnl. Desenredar, desenmarañar y limpiar el cabello, la lana o la seda. • fig. y fam. Repelar, tirar del pelo. • fig. y fam. Quitar a uno dinero o cosas de valor. ■ CARMENADOR; CARMENADURA.

CARMENTINA f. Planta de la familia acantáceas, usada en medicina.

CARMESÍ adj. y s. Aplícase al color de grana dado por el quermes animal y a lo que es de este color. • Tela de seda roja.

CARMICHAEL, *Stokeley* (nacido 1941) Político norteam. de raza negra. Uno de los fundadores del SNCC (Comité de coordinación de los estudiantes no violentos). Entre 1967 y 1969 preconizó la lucha violenta contra el racismo (*Black Panthers Party*, panteras negras).

CARMÍN m. Producto de color rojo intenso. • m. y adj. Este mismo color. • Rosal silvestre cuyas flores son del color antedicho. • Flor de esta planta. ■ CARMÍNEO, A; CARMINOSO, SA.

CARMINATIVO, VA adj. y s. Sustancia o medicamento que favorece la expulsión de los gases desarrollados en el tubo digestivo.

CARMONA, *António Óscar de Fragoso* (1869-1951) General y político port.; participó en el golpe militar de 1926, que aseguró la dictadura. Confirmado como presid. de la rep. en 1928, llamó a Salazar al gobierno.

CARNAC Aldea de Bretaña en donde se hallan alineamientos megalíticos de 2000-1400 a. C.

CARNADA f. Cebo para pescar o cazar. • fig. y fam. Añagaza, trampa.

CARNADURA f. Musculatura, robustez, abundancia de carnes. • Encarnadura.

CARNAL adj. Relativo a la carne. • Lascivo o lujurioso. • Relativo a la lujuria. • Díc. de los parientes colaterales en primer grado. • fig. Terrenal, y que mira solamente las cosas del mundo.

CARNALIDAD f. Sensualidad.

CARNALITA f. *Miner.* Cloruro de potasio y magnesio; rómbico; incoloro o diversamente coloreado.

CARNAP, *Rudolf* (1891-1970) Filósofo al. Colaborador y director del Círculo de Viena, su pensamiento filosófico se inscribe en el neopositivismo. Se exilió a EE UU ante el auge del nazismo. *La estructura lógica del mundo, Síntesis lógica del lenguaje, Fundamentación lógica de la física.*

CARNARVON, *George Edward,* CONDE DE (1866-1923) Egiptólogo brit. Descubridor de la tumba de Tutankamón. • ***Henry Howard*** (1831-1890) Político brit. Secretario de Colonias y virrey de Irlanda.

CARNAUBA f. *Amér.* Carandaí.

CARNAVAL m. Los tres días que preceden al miércoles de ceniza. • Fiesta popular que se celebra en tales días, y consiste en mascaradas, comparsas, bailes y otras diversiones bulliciosas. ■ CARNAVALADA; CARNAVALESCO, CA.

CARNAZA f. Cara de las pieles, que ha estado en contacto con la carne. • Carnada, cebo. • fam. Abundancia de carnes en una persona.

CARNE f. Masa de musculatura estriada, que incluye gralte. tejido conjuntivo y grasa. • En sentido más restringido, se aplica a la musculatura de vaca, ternera, cerdo, cordero y carnero, usada por el hombre para su nutrición. • Alimento animal de la tierra o del aire. • Parte mollar de la fruta. • Vicio que inclina a la sensualidad. • En la taba, parte en que ésta tiene figura de S. • **de cañón.** fig. Tropa inconsideradamente expuesta a peligro de muerte. • fig. y fam. Gente sencilla, tratada sin miramientos. • **de gallina.** fig. Aspecto que toma la piel de las personas semejante a la de un ave desplumada, por efecto del frío o del miedo. • **de membrillo.** Codoñate. • **viva.** Carne sana con que se va cerrando una herida. ■ CÁRNICO, CA; CARNOSO, SA; CARNUZA.

CARNÉ o **CARNET** m. Tarjeta o documentación de identidad.

CARNÉ, *Marcel* (1909-1996) Director cinematográfico fr. *Muelle de las brumas*, *Hotel del Norte*, *Los niños del paraíso*.

CARNÉADES de Cirene (hacia 214-129 a. C.) Filósofo gr., el más importante de los platónicos de la Academia Nueva. Su pensamiento es escéptico y antidogmático.

Carlos I de Inglaterra, retrato de Van Dyck

Carlos de Austria, retrato de Sánchez Coello

Carlos de Viana, según una miniatura de un códice de 1480

CARNEAR tr. *Amér.* Matar y descuartizar las reses, para aprovechar su carne. • fig. *Chile.* Engañar a uno perjudicándole en sus intereses. • *Méx.* Herir y matar con arma blanca. ■ *Amér.* CARNEADA.
CÁRNEAS f. pl. Fiestas lacedemonias en honor de Apolo.
CARNEGIE, *Andrew* (1835-1919) Industrial norteam. Con el trust *Carnegie Steel Company*, llegó a controlar la cuenca metalúrgica de Pittsburgh.
CARNER, *Josep* (1884-1970) Poeta lírico esp. Uno de los máx. representantes del simbolismo en Cataluña; escribió su obra en catalán. *Els fruits saborosos, Les Monjoies, La paraula en el vent, L'oreig entre les canyes, El cor quiet.*
CARNERAJE m. Derecho o contribución pagado por los carneros.
CARNEREAR tr. Matar, degollar reses, en pena de haber hecho algún daño el ganado.

Carneros de Alaska

CARNERO m. Mamífero rumiante, de cuernos arrollados en espiral y lana espesa; es animal doméstico muy apreciado por su carne, y por su lana. • Macho de la oveja. • Lugar donde se echan los cadáveres. • Osario. • *Astr.* Constelación zodiacal cuyo nombre latino es *Aries.* • **Cantar para el c.** fr. fam. *Argent.* Morir. ■ CARNERUNO, NA o CARNERIL.
CARNESTOLENDAS f. pl. Carnaval.
CARNICERÍA o **CARNECERÍA** f. Tienda donde se vende carne al por menor. • Mortandad de gente causada por la guerra u otra gran catástrofe. • Herida, lesión, etc., con profusión de sangre. • *Ecuad.* Matadero, rastro.
CARNICERO, RA adj. y s. *Zool.* Carnívoro. • adj. fig. Cruel, sanguinario, inhumano. • m. y f. Persona que vende carne.
CARNICOL m. Pesuño.
CARNIFICACIÓN f. Modificación de ciertos tejidos, que adquieren el aspecto y la consistencia del tejido muscular.
CARNIFICARSE prnl. Sufrir un tejido un proceso de carnificación.
CARNINA f. *Biol.* Principio amargo contenido en el extracto de carne.
CARNIO adj. y s. Díc. del individuo de un ant. pueblo que habitó en los Alpes orientales y dio nombre a la Carniola.

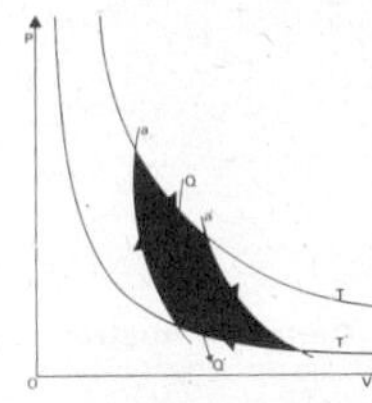
Diagrama del ciclo de **Carnot**

CARNIOLA (al., *Krain)* Región histórica europea, hoy englobada en su mayor parte en Eslovenia; cap., Laibach (hoy Liubliana). Entre 1849 y 1919 constituyó un reino autónomo dentro del imperio austriaco y austrohúngaro.
CARNISECO, CA adj. Delgado.
CARNITINA f. *Biol.* Sustancia necesaria para el desarrollo de algunos insectos.
CARNÍVORO, RA adj. y s. *Zool.* Díc. de mamíferos placentarios cuyas extremidades se caracterizan por una avanzada especialización en la caza y en la persecución de presas. • *Bot.* Díc. de ciertas plantas de la familia droseráceas y otras afines, que se nutren de insectos. • m. pl. *Zool.* Orden de mamíferos placentarios.
CARNIZA f. fam. Desperdicio de la carne que se mata. • fam. Carne muerta.
CARNOSIDAD f. Carne superflua que crece en una llaga. • Carne irregular que sobresale en alguna parte del cuerpo. • Gordura extremada.
CARNOSINA f. *Biol.* Dipéptido que se encuentra en el tejido muscular.

Arte **carolingio.** Relicario del duque de Aquitania

CARNOT, *Lazare* (1753-1823) Revolucionario fr., llamado «el Organizador de la Victoria». Creador del ejército rep. • ***Marie François*** (1837-1894) Político fr. Presid. de la rep. en 1887; afrontó la agitación de Boulanger y la crisis de la Compañía del Canal de Panamá. Murió en un atentado. • ***Nicolás Léonard Sadi*** (1796-1832) Ingeniero militar fr. Contribuyó al desarrollo de la termodinámica. *Reflexiones sobre la potencia motriz del fuego y sobre las máquinas capacitadas para desarrollar esta potencia.*
CARNOT, *ciclo de Fís.* Transformación termodinámica cíclica, constituida por dos isotermas y dos adiabáticas. • **Ciclo de C.** Teorema que afirma que el rendimiento de todas las máquinas que realizan procesos reversibles entre dos temperaturas es el mismo.
CARO, RA adj. Que excede mucho del valor o estimación regular. • Subido de precio. • Amado, querido. m. *Cuba.* Comida de huevas de cangrejo y cazabe. • adv. modo. A un precio alto o subido. ■ CARERO, RA.
CARO, *José Eusebio* (1817-1853) Escritor y político col., de tendencia conservadora. Representante del Romanticismo en su país, cultivó la poesía cívica y moralizadora. *El ciprés, Bendición nupcial.* • ***Marco Aurelio*** (m. 283) Emp. rom. Proclamado por sus tropas. • ***Miguel Antonio*** (1843-1909) Político y escritor col., presid. de la rep. en 1894. *Tratado sobre el participio, Gramática de la lengua latina.* • ***Rodrigo*** (1573-1647) Escritor esp. *Canción a las ruinas de Itálica.* • **Baroja, *Julio*** (1914-1995) Etnólogo e historiador esp. *Los pueblos de España, Los vascos, Los judíos en la España moderna y contemporánea.*
CAROCA f. Decoración de lienzos y bastidores con que se adornan las calles. • Composición bufa, a semejanza de los mimos antiguos. • fig. y fam. Palabra o acción afectadamente cariñosa y lisonjera. • fig. y fam. Carantoñas. Se usa más en pl.
CAROL I (1839-1914) Rey de Rumania [1881-1914]. Consiguió la indep. del país (1878). Se mantuvo neutral al comenzar la guerra europea. • **II** (1893-1953) Rey de Rumania [1930-1940]. En 1925 repudió a su mujer Elena de Grecia, para poder vivir con Magda Lupescu; por ello renunció a sus derechos al trono. En 1930 regresó al país y durante 10 años gobernó de modo dictatorial. Abdicó en su hijo Miguel.
CAROLA f. Danza ant., acompañada de canto.
CAROLINA Mun. de Puerto Rico, en el distr. de Bayamón; 197 300 hab. Caña de azúcar, tabaco, Industria.
CAROLINA del Norte *(North Carolina)* Est. del E de EE UU, a orillas del Atlántico; 136 413 km², 6 629 000 hab. Cap., Raleigh. Litoral bajo y arenoso. Clima subtropical lluvioso. Tabaco, maíz, algodón. Ind. textil y elaboración de tabaco. Explorado por Vázquez de Ayllón y Hernando de Soto. • **Del Sur** *(South Carolina)* Est. del E de EE UU, a orillas del Atlántico; 80 582 km², 3 264 000 hab. Cap., Columbia. C. pral.: Charleston. Ocupado en sus 2/3 partes por la llanura litoral. Clima subtropical húmedo. Algodón, tabaco, cereales, ganado. Uno de los prales. est. esclavistas durante el s. XVIII; en 1730 se separó de Carolina del Norte.
CAROLINAS Arch. de Micronesia integrado en los Estados Federados de → Micronesia.

Predicación de San Esteban, por **Carpaccio.** Museo del Louvre, París

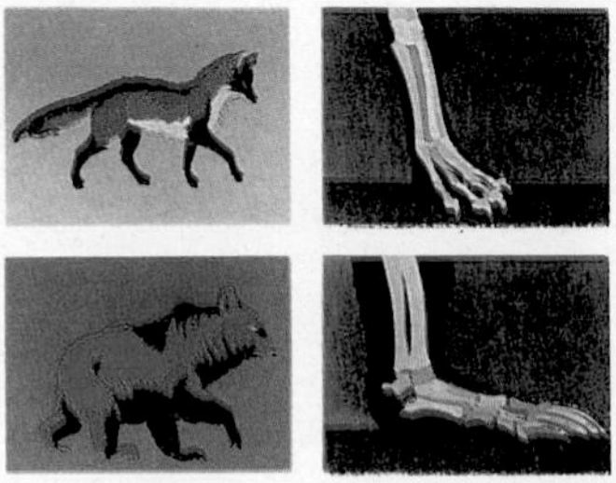

CARNÍVORO

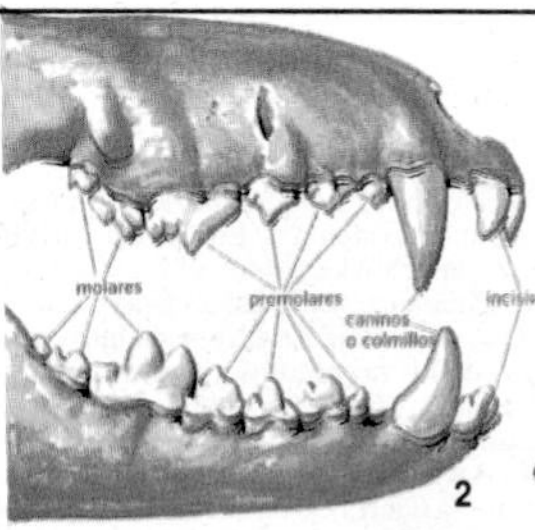

1 Los mamiferos terrestres del orden carnivoros son en su mayoria digitigrados, es decir que se desplazan apoyandose solo sobre los dedos de los pies, tal como el zorro, pero algunos mustelidos y los osos son plantigrados, es decir que apoyan toda la planta del pie al caminar.
2 Dientes del lado derecho de un lobo. Destaca el gran desarrollo de los caninos, del ultimo premolar y del primer molar, caracteristica comun de los fisipedos (carnivoros terrestres).
Representantes de las distintas familias de carnivoros terrestres: 3. oso (ursidos); 4. turon (mustelidos); 5. mapache (procionidos); 6. panda gigante (ailuropodidos); 7. lobo (canidos); 8. mangosta (viverridos); 9. leon (felidos); 10. hiena (hienidos)

CAROLINGIO, GIA o **CARLOVINGIO, GIA** adj. y s. Relativo a Carlomagno, a su dinastía o a su época. La dinastía c. gobernó la Galia, la Germania occidental e Italia del N desde el 751, con Pipino el Breve, hasta el 987, con Ludovico V. Sucedió a la merovingia y logró fundir la herencia latina con la germánica. El arte c. alcanza su máxima expresión en la capilla Palatina de Aquisgrán.
CAROLINO, NA adj. y s. De las Carolinas. • Díc. también de lo referente a la persona o reinado de algún Carlos, y especialmente a Carlos I de España.
CARÓN o **CARONTE** *Mit.* Barquero de los Infiernos, hijo de Erebo y Nyx. Su misión era el transporte de los muertos.
CARON, *Antoine* (1521-1599) Pintor fr., muy influido por el manierismo. *Triunfo del verano, La matanza de los triunviros.*
CARONA f. Pedazo de tela gruesa acolchada que se pone bajo la silla o albarda. • Parte interior de la albarda. • Parte del lomo sobre la cual cae la corona de la albarda.
CARONÍ R. de Venezuela, afl. del Orinoco; 925 km. Con el nombre de Cuquenán, nace en las vertientes occidentales de Roraima. Atraviesa en dirección O la Gran Sabana.
CAROÑOSO, SA adj. Aplícase a las caballerías que tienen mataduras.
CARORA C. de Venezuela, en el est. Lara; 36 500 hab. Agricultura y ganadería. Aeropuerto. Fundada en 1573.
CAROSIERO m. *Bras.* Especie de palmera de fruto parecido al del manzano.
CAROSSA, *Hans* (1878-1956) Novelista y poeta al. Busca la expresión de las fuerzas naturales y mira con fervor el orden del cosmos. *Guías y compañeros, El médico Gión, Diario rumano, Una infancia, Mundos desiguales.*
CAROTA f. Cara muy grande y redondeada. • com. fig. y fam. Caradura.
CAROTENO m. o **CAROTINA** f. *Biol.* Pigmento de color amarillo o rojo anaranjado que se encuentra en la zanahoria, las hojas verdes, la leche y la sangre.
CARÓTIDA f. *Anat.* Cada una de las dos arterias que por uno y otro lado del cuello llevan la sangre a la cabeza.
CAROTINOIDE m. *Biol.* Cada uno de los pigmentos vegetales amarillos, anaranjados y rojos presentes en los cloroplastos y en los plastidios. Coadyuvan a la fotosíntesis mediante la absorción de luz y la transmisión de energía a la clorofila.
CAROZO m. Raspa de la espiga del maíz. • Hueso de algunas frutas.
CARPA f. *Zool.* Pez osteíctio de la familia ciprínidos, de agua dulce, con el dorso verdoso y el vientre amarillento, boca pequeña, escamas grandes y una aleta dorsal. • Toldo de circo. • *Amér. Merid.* Toldo, tenderete de feria. • *Chile, Méx.* y *Perú.* Tienda de campaña. • *Argent.* y *Ur.* Tienda de playa.
CARPACCIO, *Vittore* (1465-1526) Pintor veneciano. *Leyenda de santa Úrsula, Vocación de san Mateo, Vida de san Esteban.*

Carpa

CARPANEL adj. Díc. del arco que consta de varios segmentos de circunferencias tangentes entre sí y trazadas desde distintos centros.
CARPANTA f. fam. Hambre violenta. • *Méx.* Pandilla de gente alegre o maleante.
CÁRPATOS (checo y pol., *Karpaty*; rum., *Carpatii*) Sist. montañoso alpino de Europa central; alt. máx., el pico Gerlachovka (2 663 m).
CARPE m. Hojaranzo, variedad de jara.
CARPELO m. *Bot.* Hoja transformada que constituye, junto con los primordios u óvulos seminales, el gineceo de las flores femeninas o hermafroditas. ■ CARPELAR.
CARPENTARIA Amplio golfo del océano Pacífico, entre la Tierra de Arnhem y la pen. del Cabo York.

La fortaleza de Spissky, en los **Cárpatos**

CARPENTIER, *Alejo* (1904-1980) Novelista cub. Plantea la defensa de la personalidad amer. frente al mundo occidental mecánico y racionalista. Su estilo es variado, montado sobre un lenguaje rico y sensorial, y sobre técnicas narrativas muy rigurosas; con tales materiales construye un «realismo mágico» particular. *Ecué-Yamba O!*, *Los pasos perdidos*, *El reino de este mundo*, *El siglo de las luces*, *Guerra del tiempo*, *La música en Cuba*.
CARPETA f. Especie de cartera para escribir sobre ella y guardar papeles. • Cubierta con que se resguardan y ordenan los legajos. • Cartón, plástico, etc., doblado por la mitad, para guardar papeles.
CARPETANO, NA adj. y s. Díc. de un pueblo hispánico prerromano. • adj. y s. Del reino de Toledo.
CARPETAZO *(Dar)* fr. fig. Suspender la tramitación de una solicitud o expediente. • fig. Dar por terminado un asunto.
CARPINCHO m. *Amér. Merid.* Roedor anfibio que vive a orillas de los ríos y lagunas.
CARPINTERÍA f. Taller en donde trabaja el carpintero. • Oficio de carpintero. • Conjunto de cosas de madera de un edificio, local, etc. • **metálica.** La que en vez de madera emplea metales para la construcción de muebles, armaduras de puertas y ventanas, etc. ■ CARPINTEAR; CARPINTERO.
CARPIO → Bernardo del Carpio.
CARPIR tr. y prnl. Dejar a uno pasmado. • tr. *Amér.* Limpiar o escardar la tierra con el carpidor. ■ *Amér.* CARPIDOR.

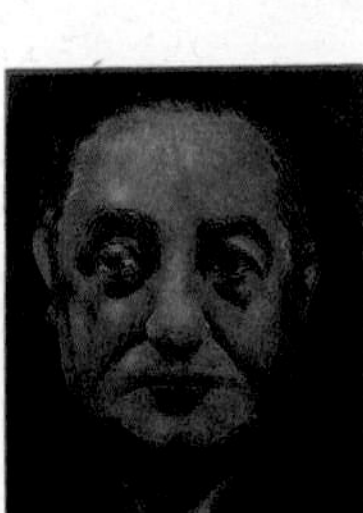
Alejo **Carpentier**

CARPO m. *Anat.* Conjunto de huesos que forman parte del esqueleto de las extremidades anteriores de los batracios, reptiles y mamíferos. En el hombre constituye el esqueleto de la muñeca.
CARPÓCRATES (s. II) Filósofo gr. Oriundo de Cefalonía, enseñó en Alejandría hacia el año 130. Uno de los iniciadores del gnosticismo cristiano.
CARPÓFAGO, GA adj. *Zool.* Díc. del animal que se alimenta de frutos.
CARPOLOGÍA f. *Bot.* Parte de la morfología botánica que estudia el fruto.
CARQUESA f. Horno para templar objetos de vidrio.
CARQUESIA f. Mata leñosa, de la familia papilionáceas, parecida a la retama. Es medicinal.
CARR, *Edward Hallett* (1892-1982) Historiador y diplomático brit. *Historia de la Rusia Soviética*.
CARRA f. Plataforma sobre la que se monta una decoración de teatro o parte de ella para facilitar las instalaciones.
CARRÀ, *Carlo* (1881-1966) Pintor it. Firmante del manifiesto futurista (1910). *La muerte de un anarquista*, *La amante del ingeniero*.

Venustiano **Carranza**

CARRACA f. Antigua nave de transporte de grandes dimensiones. • despect. Artefacto deteriorado o viejo. • Instrumento de madera que produce un ruido seco y desagradable, y que, en algunos lugares, se usa en Semana Santa. • Mecanismo de rueda dentada y linguete de algunas herramientas. • *Col.* Mandíbula o quijada seca de algunos animales. • *Zool.* Ave coraciforme de pico fuerte y plumaje vistoso, propia de la Europa oriental y mediterránea.
CARRACCI Familia de pintores barrocos it. que fundaron en Bolonia una academia de pintura, llamada de los *Desiderosi* y, posteriormente, de los *Incamminati*. Cabe destacar: ***Agostino*** (1557-1602), autor de *La comunión de san Jerónimo y Cristo y la adúltera*; ***Annibale*** (1560-1609), el más personal de todos: *Hombre comiendo habichuelas*, *Historia de Rómulo*, *Venus y Adonis*, y ***Ludovico*** (1555-1619): *La Anunciación*, *La curación del ciego*.

Detalle de *La pesca*, óleo de A. **Carracci.** Museo del Louvre, París

CARRACO, CA adj. y s. fam. Viejo achacoso. • m. *Col.* Aura, ave. • *C. Rica.* Ánade de paso, con la cabeza y cuello tornasolados y las alas de color oscuro.
CARRADA f. Carretada, carga de un carro.
CARRAL m. Barril o tonel a propósito para acarrear vino. ■ CARRALERO.
CARRALEJA f. *Zool.* Insecto coleóptero, parecido a la cantárida, aunque con élitros cortos y sin alas membranosas.
CARRAMPLÓN m. *Col.* Instrumento musical. • *Col.* Cada uno de los clavos salientes que se ponen en las suelas de las botas.
CARRANZA f. Cada una de las puntas de hierro de la carlanca.
CARRANZA, *Bartolomé* (1503-1576) Teólogo esp., dominico, arzobispo de Toledo y confesor de la reina María de Inglaterra. Participó en la redacción de las leyes de Indias. Acusado por la Inquisición de herejía. • ***Eduardo*** (1913-1985) Poeta col. *Los días que ahora son sueños*. • ***Venustiano*** (1859-1920) Político mex. Se enfrentó con el dictador Porfirio Díaz y fue ministro de Guerra y Marina durante la presidencia de Madero; al morir éste, se puso al frente del mov. constitucionalista contra Huerta. En 1917 fue elegido presid. de la rep.; desarrolló una política de reformas y promulgó una Constitución progresista. Murió asesinado en Puebla por partidarios de Obregón.
CARRAO m. *Ven.* Ave gruiforme y de pico largo.
CARRAÓN m. Especie de trigo, con espigas dísticas comprimidas y grano también comprimido.
CARRARA C. de Italia, en la Toscana, al pie de los Alpes Apuanos; 68 600 hab. Canteras de mármol.
CARRARA Noble familia it. que gobernó tiránicamente Padua desde 1318 hasta el s. XV.
CARRASCA f. *Bot.* Árbol fagáceo, parecido a la encina, pero de menor tamaño. • *Amér.* Instrumento musical, consistente en un bordón con muescas que se raspa a compás con un palillo. ■ CARRASQUEÑO, ÑA.
CARRASCAL m. Sitio o monte poblado de carrascas. • *Chile.* Pedregal.
CARRASCO m. Carrasca, planta. • *Amér.* Extensión de terreno con vegetación leñosa.
CARRASCO de la Vega, *Rubén* (nacido 1926) Filósofo bol. *Heidegger y la formulación de la pregunta por el Ser*, *Insuficiencia de la formulación tradicional de la pregunta por el Ser*.
CARRASPADA f. Bebida compuesta de vino tinto aguado, con miel y especias.
CARRASPERA f. Aspereza y sequedad de la garganta que enronquece la voz. ■ CARRASPEO; CARRASPEAR; CARRASPOSO, SA.
CARRASPIQUE m. Planta herbácea, crucífera, con tallos rectos, hojas lanceoladas y flores moradas o blancas en corimbos redondos.
CARRASPOSA f. *Col.* Planta de hojas ásperas.
CARRASQUILLA f. Camedrio, planta.
CARRASQUILLA, *Tomás* (1858-1940) Novelista costumbrista col. *Hace tiempo*, *Palonegro*.

CARREL, ***Alexis*** (1873-1944) Fisiólogo fr. Investigó sobre injertos de tejidos y supervivencia de órganos. Premio Nobel de Medicina en 1912.

CARREÑO, ***Eduardo*** (1884-1954) Escritor ven. *Vida anecdótica de venezolanos ilustres, Arturo Michelena* • ***María Teresa*** (1853-1917) Compositora y pianista ven. *Himno nacional venezolano, danzas y obras para piano.* • ***Mario*** (nacido 1913) Pintor chil. de origen cub. Murales de la New School for Social Research de Nueva York. • ***Omar*** (nacido 1927) Pintor y escultor ven. Integrante del Taller Libre de Arte de Caracas. • **De Miranda,** ***Juan*** (1614-1685) Pintor barroco esp. Alumno de Velázquez. *El martirio de san Bartolomé.*

CARRERA f. Paso rápido del hombre o del animal, para trasladarse de un sitio a otro. • Sitio destinado para correr. • Camino real o carretera. • Calle que fue antes camino. • Serie de calles que ha de recorrer una comitiva en procesiones y otros actos públicos y solemnes. • *Dep.* Certamen de velocidad. •fig. Conjunto o serie de cosas puestas en orden o hilera. • fig. Línea de puntos que se sueltan en la media o en otro tejido análogo. • fig. Camino o curso que sigue uno en sus acciones. • fig. Curso o duración de la vida humana. • fig. Profesión de las armas, letras, ciencias, etc. • *Arq.* Viga larga colocada horizontalmente. • Curso de los astros. • Longitud de recorrido de un émbolo o elemento dotado de movimiento alternativo. • pl. Concurso hípico.

CARRERA, ***José Miguel*** (1785-1821) Patriota, militar y político chil.; en 1811 se convirtió en dictador militar. Depuesto y sustituido por O'Higgins. Recuperó el poder en 1814, pero, tras la derrota de Rancagua, se exilió. Murió fusilado. • ***Rafael*** (1814-1865) Político y militar guat. Elegido presid. en 1844; separó a su país de la Federación Centroamericana y dimitió a causa de las continuas insurrecciones. Reelegido en 1851, gobernó dictatorialmente hasta su muerte. • **Andrade,** ***Jorge*** (1903-1978) Poeta vanguardista ecuat. *Edades poéticas, Lugar de origen.*

CARRERILLA f. En la danza esp., dos pasos cortos acelerados, hacia adelante, inclinándose a uno u otro lado. • *Mús.* Subida o bajada, por lo común de una octava, pasando ligeramente por los puntos intermedios. • *Mús.* Notas que expresan la carrerilla. • **De c.** m. adv. fam. De memoria.

CARRERO, ***Jaime*** (nacido 1931) Escritor y pintor puertorriq. *Flag inside, El caballo de Ward* (teatro); *Los nombres* (poesía). • **Blanco,** ***Luis*** (1903-1973) Político esp. Ministro subsecretario de la presidencia del gobierno (1951) y vicepresidente (1967). De incondicional adhesión a Franco, en 1973 fue nombrado presid. del gobierno. Murió en atentado.

CARRETA f. Carro de dos ruedas, más bajo que el ordinario, cuyo plano se forma de tres o cinco maderos, y el de en medio más largo, que sirve de lanza, donde se sujeta el yugo. ■ CARRETIL.

CARRETADA f. Carga que lleva una carreta o un carro. • fig. y fam. Gran cantidad de una cosa.

CARRETE m. Cilindro taladrado por el eje, con bordes en sus bases, en el que se arrollan hilo, alambre, cordel, etc. • Rueda en que llevan los pescadores arrollado el sedal. • *Fís.* Alambre aislado eléctricamente y devanado en torno a un cilindro. • **Dar c.** Ir largando el sedal para que no lo rompa el pez grande que ha caído en el anzuelo. • **Dar c.** a uno. fig. Entretener con dilaciones.

CARRETEAR tr. Conducir una cosa en carreta o carro. • Gobernar un carro o carreta. • intr. *Cuba.* Gritar las cotorras y loros. • prnl. Inclinar el cuerpo con los pies hacia afuera los bueyes o mulas cuando tiran de un vehículo.

CARRETELA f. Coche de cuatro asientos con caja poco profunda, y cubierta plegadiza. • *Chile.* Vehículo de dos ruedas para acarrear bultos. • *Chile.* Ómnibus.

CARRETERA f. Camino público, ancho y espacioso, pavimentado, destinado al paso de vehículos.

CARRETERÍA f. Conjunto de carretas. • Ejercicio de carretear. • Taller en que se fabrican o reparan carros y carretas. • Barrio, plaza o calle en que abundan, o abundaban estos talleres, o donde pernoctaban antiguamente las carretas, gralte. al aire libre y en las afueras de una población. • Baile del s. XVII a imitación de los que usaban los carreteros y trajinantes.

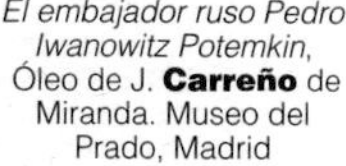
El embajador ruso Pedro Iwanowitz Potemkin, Óleo de J. **Carreño** de Miranda. Museo del Prado, Madrid

CARRETERO o **CARRERO** adj. Díc. del camino propio para el paso de carros. • m. El que hace carros y carretas. • El que guía las caballerías o los bueyes que tiran de ellos. ■ CARRETERIL.

CARRETILLA f. Carro pequeño de mano, que se compone de un cajón, donde se pone la carga; una rueda en la parte anterior, y en la posterior dos pies para descansarlo y dos varas que coge el conductor para dirigirlo. • Cualquier vehículo pequeño, provisto de motor o remolcado, que sirve para el transporte de cargas. • *Amér.* Carro común de menores dimensiones que la carreta. • *Argent.* y *Chile.* Quijada, mandíbula. • *Argent.* Fruto del trébol. • **De c.** m. adv. fig. y fam. De memoria, irreflexivamente.

CARRETILLADA f. Lo que cabe en una carretilla.

CARRETÓN m. Carro pequeño. • Armazón con una rueda, en donde lleva el afilador las piedras y un pequeño recipiente con agua.

CARRETONERO m. El que conduce el carretón. • *Col.* Trébol.

CARRIC m. Especie de gabán o levitón muy holgado, usado en el s. XIX.

CARRICERA f. Planta perenne de la familia gramíneas, con flores blanquecinas.

CARRICERO m. Ave paseriforme de la familia sílvidos, de pico fino, y de plumaje pardo o apagado.

CARRICOCHE m. despect. Coche viejo o destartalado.

CARRICUBA f. Carro que tiene un depósito de agua para regar.

CARRIEGO m. Buitrón, arte de pesca. • Cesta grande para echar en colada las madejas de lino cuando se cura y blanquea.

CARRIEGO, ***Evaristo*** (1883-1912) Poeta arg. *Misas herejes, La canción del barrio* (poesía); *Flor de arrabal* (cuentos).

CARRIEL m. *Col., Ecuad.* y *Ven.* Guarniel, maletín de cuero. • *C. Rica.* Bolsa de viaje con varios compartimientos para papeles y dinero. • *C. Rica.* Ridículo, bolsa.

CARRIER-BELLEUSE, ***Albert*** (1824-1887) Escultor fr. Esculpió el monumento a Masséna y modeló bustos de Napoleón III. • ***Louis*** (1864-1913) Hijo y discípulo de Albert. Realizó estatuaria monumental en América. *Belgrano, Mausoleo de San Martín,* en Buenos Aires; *O'Higgins,* en Santiago de Chile; *Tumba del presidente Barrios,* en Guatemala.

CARRIL m. Surco que hacen en la tierra las ruedas. • Camino capaz tan sólo para el paso de un carro. • *Ferr.* Cada una de las guías fijas sobre las que se mueve un mecanismo o vehículo especialmente adaptado para circular sobre raíles. • En las vías públicas, cada banda longitudinal destinada al tránsito de una sola fila de vehículos.

CARRIL, *Piero Bruno Ugo Fontana,* llamado

Llegada a la meta en una **carrera** pedreste

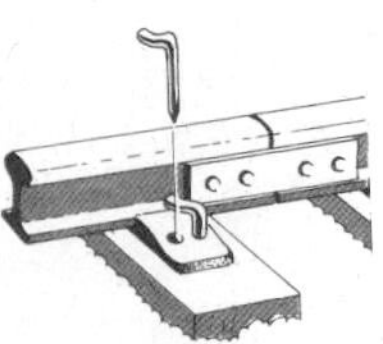
Esquema de la fijación de un **carril** ferroviario

Alfonso **Carrillo.** Detalle de un fresco de la sala capitular de la catedral de Toledo (España)

Carrizo. Espiga y rizoma

Carro de combate alemán *Leopardo 2*

Hugo del (1912-1989) Cantante, actor y director de cine arg. *Las aguas bajan turbias.*

CARRILANO m. *Chile.* Operario del ferrocarril. • *Chile.* Ladrón, bandolero.

CARRILERA f. Carril que forman las ruedas. • *Cuba.* Apartadero de una vía. • *Col.* Emparrillado.

CARRILLADA f. Grasa que tiene el puerco a los lados de la cara. • Tiritón que hace temblar y chocar las mandíbulas. Se usa más en pl.

CARRILLERA f. Quijada de ciertos animales. • Cada una de las dos correas, por lo común cubiertas de escamas de metal, que forman el barboquejo del casco o chacó.

CARRILLO m. Parte carnosa de la cara, debajo de la mejilla. • Garrucha o polea. • **Comer a dos carrillos.** fig. y fam. Comer con rapidez y voracidad. ■ CARRILLUDO, DA.

CARRILLO, *Alfonso* (1410-1482) Cardenal esp., regente de Castilla en ausencia de Enrique IV. Apoyó a la reina Isabel en la guerra de sucesión cast. • ***Braulio*** (1800-1845) Político cost. Presid. por un golpe de Est. (1838), gobernó despóticamente. Exiliado en 1842. Murió asesinado. • ***Francisco*** (1851-1926) Caudillo de la indep. cub. Participó en las tres guerras. Vicepresid. de la rep. (1921-1925). • ***José de Cruz*** (1796-1865) Patriota ven. Diputado en el gobierno Trujillo. Activo luchador de la indep. • ***Julián*** (1875-1965) Compositor mex. Creador de un sist. musical llamado «Sonido 13». Óperas y sinfonías. *Xochimilco, Ossian.* • ***Mariano*** (s. XIX) Pintor per. Retratos del virrey de la Pezuela y del general San Martín. • ***Santiago*** (nacido 1915) Político esp. Secretario gral. de las Juventudes Socialistas Unificadas (1936). Secretario gral. del Partido Comunista de España (1960-1982), eurocomunista expulsado del PC en 1985. Diputado en las elecciones de 1977 y 1982. Se integró en el PSOE en 1991. • **De Albornoz** → Albornoz. • **De Mendoza, *Diego*** (m. 1624) Político esp. Virrey de Nueva España (1621-1624). Acabó con el monopolio del maíz. • **De Sotomayor, *Luis*** (h. 1582-1610) Poeta esp., precursor de Góngora. *Libro de la erudición poética.*• **Puerto, *Felipe*** (1872-1924) Líder campesino mex., fusilado bajo la dictadura de Huertas.

CARRINGTON, *Leonora* (nacida 1917) Pintora de origen brit. residente en México. Temas surrealistas y fantásticos. *Retorno a la Osa Mayor.*

CARRIÓN, *Alejandro* (nacido 1915) Escritor ecuat. Innovador de la crónica política. Colaboró en *El Universo* bajo el seud. JUAN SIN CIELO. *Muerte en la isla, La espina.* • ***Benjamín*** (1897-1979) Escritor ecuat. *El nuevo relato ecuatoriano. Atahualpa.* • ***Jerónimo*** (1812-1873) Político ecuat. Presid. de la rep. en 1865, fue obligado a dimitir por el Congreso dos años más tarde. • ***Miguel de*** (1875-1929) Escritor naturalista cub. *Las honradas, Las impuras.*

CARRIQUÍ m. *Col.* Ave paseriforme, de color verde y amarillo y canto agradable.

CARRIZO m. Planta gramínea, de rizoma largo, hojas lanceoladas y flores en panículas grandes. ■ CARRIZAL.

CARRO m. Carruaje, usualmente de dos ruedas, con lanza o varas para enganchar el tiro, y cuyo armazón consiste en un bastidor con listones o cuerdas para sostener la carga, y varales o tablas en los costados y frentes para sujetarla. • Carga de un carro. • En las máquinas de escribir, pieza móvil en que va montado el papel, sobre un rodillo. • *Mil.* Carro de combate. • *Astr.* Nombre vulgar de las siete estrellas más luminosas de la Osa Mayor. • *Amér.* Automóvil. • **de combate.** *Mil.* Vehículo acorazado de propulsión por cadenas que monta una torreta con armamento poderoso. • **Untar el c.** fig. y fam. Regalar o gratificar a alguno para conseguir lo que se desea.

CARROCERÍA f. Taller del carrocero. • Parte de los vehículos que se apoya sobre el bastidor y sirve de envolvente de los restantes elementos, al tiempo que permite el transporte de personas y mercancías protegiéndolas en caso de accidente.

CARROCERO adj. Relativo a la carroza. • m. Constructor de coches. • El que fabrica, diseña, monta o repara carrocerías.

CARROCHA o **CAROCHA** f. Huevecillos del pulgón o de otros insectos.

CARROCHAR intr. Poner sus huevecillos los insectos.

CARROLL, *Lewis* (1832-1898) Seud. de *Charles L. Dodgson*, escritor y matemático ing. Utiliza un idioma brillante e ingenioso, con frecuentes onomatopeyas y juegos de palabras. *A través del espejo, Alicia en el país de las maravillas.*

CARROMATO m. Carro con dos varas para enganchar una caballería o más en reata, con bolsas para la carga y un toldo de lona. ■ CARROMATERO.

CARROÑA f. Carne corrompida.

CARROZA f. Coche grande, lujosamente amueblado. • P. ext., carruaje muy decorado que participa en los desfiles festivos. • adj. y s. fam. Refiriéndose a personas, viejo, anticuado.

CARROZAR tr. y prnl. Poner carrocería a un vehículo.

CARRUAJE m. Vehículo formado por una armazón de madera o hierro, montada sobre ruedas. ■ CARRUAJERO.

CARRUCHA f. Garrucha, polea.

CARRUJADO, DA adj. Encarrujado, rizado.

CARRUJO m. Copa de un árbol.

CARRUSEL m. Espectáculo en el que varios jinetes ejecutan vistosas evoluciones. • Tiovivo.

CARSON CITY C. de EE UU, cap. del est. de Nevada; 40 410 hab.

CARSTENS, *Karl* (1914-1992) Político al. cristianodemócrata. Presid. de la RFA (1979-1984).

CÁRSTICO, CA adj. → Karst.

CARTA f. Escrito de carácter privado que una persona envía a otra, gralte. en sobre cerrado. • Cada uno de los naipes de la baraja. • Constitución escrita de un Estado. • Mapa geográfico. • Lista de manjares y bebidas que se pueden tomar en un restaurante o lugar análogo. • **abierta.** La dirigida a una persona y destinada a la publicidad. • La de crédito por cuantía indefinida. • **blanca.** La que se da a una autoridad para que obre discrecionalmente. • fig. y fam. Facultad amplia que se da a alguno para obrar en determinado asunto. • **credencial.** La que se da al embajador o ministro, para que se le admita y reconozca como tal. • **de crédito.** La que se da a una persona para que disfrute de cierto crédito, por cuenta del que la da. • **de las Naciones Unidas.** → Naciones Unidas. • **de marear.** Mapa que representa una parte del mar, con los datos útiles para la navegación. • **de naturaleza.** Derecho concedido en un país a un extranjero a ser considerado como natural de él. • **de pago.** Documento en que se declara haber recibido cierta cantidad como pago de una deuda. • **del Atlántico.** → Atlántico. • **pastoral.** Escrito o discurso con instrucciones o exhortaciones de un prelado para sus diocesanos. • **A c. cabal.** loc. adv. Intachable, completo. • **Tomar cartas en un asunto.** fig. y fam. Intervenir en él.

CARTABÓN m. Instrumento en forma de triángulo rectángulo isósceles, que se emplea en el dibujo lineal. •Regla graduada que usan los zapateros. • *Const.* Ángulo que forman en el caballete las dos vertientes de una armadura de tejado. • *Const.* Elemento de refuerzo, gralte. triangular, que se fija en los ángulos formados por vigas y pilares. • *Amér.* Aparato para medir la talla de las personas.

CARTAGENA C. y puerto del N de Colombia a orillas del Caribe, cap. del dpto. de Bolívar; 661 830 hab. Mercado agropecuario y refinería de petróleo. Ind. alimentaria, química y textil. Fundada en 1533

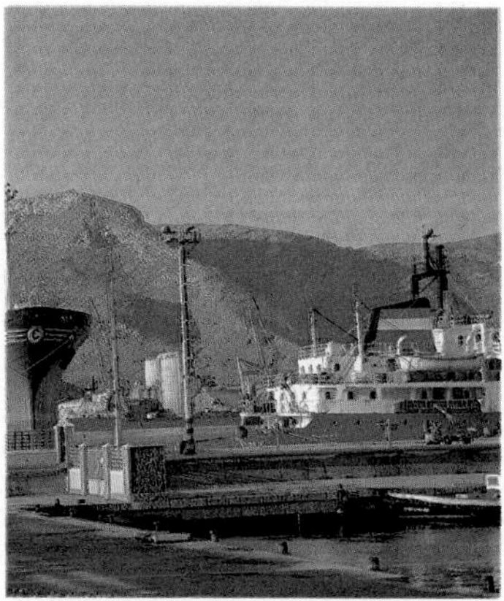

El puerto de **Cartagena** (España)

por Pedro de Heredia, con el nombre de Sebastián el Calamar; en época colonial fue llamada Cartagena de Indias. • C. esp., en la com. autón. de Murcia; 170 483 hab. Puerto militar. Refinería de petróleo.

CARTAGENA, ***Alonso de*** (1384-1456) Erudito y político cast. Fue obispo de Burgos, y representó a Juan II en el concilio de Basilea. *Genealogía de los reyes de España*.• **Portalatín,** ***Aída*** (nacida 1918) Escritora dom. *Vísperas del sueño*, *La tierra escrita*.

CARTAGENERO, RA adj. y s. De Cartagena.

CARTAGINENSE Ant. prov. rom. del SE de Hispania. Cap., Cartago Nova.

CARTAGINÉS, SA o **CARTAGINENSE** adj. y s. De Cartago. • Cartagenero.

CARTAGO Prov. del centro de Costa Rica; 3 125 km^2, 340 298 hab. Relieve montañoso, de origen volcánico. Clima templado. Café, caña de azúcar, maíz, frutales. Ganadería. Oro y cobre. Cap., Cartago. C. prales.: Paraíso, Orosí, Turrialba. • C. del O de Colombia, en el dpto. del Valle del Cauca; 92 000 hab. Centro agrícola, ganadero e industrial. Fundada en 1540. • C. de Costa Rica, cap. de la prov. hom.; 108 958 hab. Sit. al pie del volcán Irazú, destruida en varias ocasiones.

CARTAGO Ant. c. del N de África, al NE de Tunicia. Fue una gran potencia com., rival de Roma. Esta rivalidad condujo a las guerras púnicas, que terminaron en 146 a. C., con la destrucción de C., que posteriormente se convirtió en prov. romana. En el 698 fue destruida por los ár.

CÁRTAMO m. o **CÁRTAMA** f. Alazor, planta.

CARTAPACIO m. Cuaderno para escribir o tomar apuntes. • Carpeta para meter libros, libretas, etc. • Carpeta que se coloca sobre la mesa para contener papeles y escribir sobre ella.

CARTAPEL m. Papel o escrito inútil.

CARTAZO m. fam. Carta de censura.

CARTEADO, DA adj. y s. Díc. de cualquiera de los juegos de naipes que no son de envite.

CARTEAR intr. Jugar las cartas. • prnl. Escribirse dos personas. ■ CARTEO.

CARTEL m. Papel, impreso o manuscrito, que se coloca en un lugar público con objeto de anunciar alguna cosa.

CÁRTEL m. *Econ.* Acuerdo entre varias empresas para regular la producción, la venta o los precios, con el fin de eliminar la competencia en un determinado campo de la producción.

CARTELA f. Tarjeta para apuntes. • Ménsula de mucho vuelo. • Cada hierro que sostiene un balcón sin repisa de albañilería.

CARTELERA f. Armazón para fijar carteles o anuncios públicos. • Sección de los periódicos donde aparecen los anuncios de espectáculos.

CARTELERO, RA adj. Díc. del espectáculo, autor, etc., que tiene cartel o atrae al público. • m. Obrero que pega los carteles.

CÁRTER m. *Ing.* Caja metálica que sirve de protección a elementos móviles del motor (función pasiva), o de recipiente para contener el aceite de lubricación (función activa).

CARTER, ***James Earl*** (nacido 1924) Político norteam. Propietario rural del Sur y miembro del Partido Demócrata, fue elegido presid. de EE UU en 1976. Vencido por el republicano Reagan en 1980.

CARTERA f. Utensilio semejante a las tapas de un libro, con varios compartimientos para llevar billetes, documentos, tarjetas de visita, etc. • Utensilio de igual forma y mayores dimensiones que la cartera de bolsillo, para guardar documentos, libros, etc. • Cargo y funciones de un ministro. • Conjunto de valores o efectos comerciales que forman parte del activo de un comerciante o una empresa. ■ CARTERÍA; CARTERISTA; CARTERO.

CARTESIANISMO m. *Fil.* Doctrina de Descartes y sus seguidores, y movimiento filosófico originado bajo su influencia en el s. XVII.

CARTESIANO, NA adj. Partidario del cartesianismo, o perteneciente a él. Aplicado a personas, se usa también como sustantivo. • *Mat.* Relativo al sistema de referencia que, en un espacio, permite establecer una correspondencia biyectiva entre sus puntos y un conjunto de pares, ternas, etc., ordenados de números reales.

CARTIER, ***Jacques*** (1491-1557) Navegante fr. Descubrió Terranova, y el r. San Lorenzo. • ***Raymond*** (1904-1975) Periodista y escritor fr. Creador de un estilo de reportaje internacional. *Historia de la II Guerra Mundial.*

CARTÍLAGO m. *Anat.* Tejido de sostén formado por células de morfología variable separadas por una sustancia fundamental sólida, constituida por colágeno y condromucoide. ■ CARTILAGÍNEO, A; CARTILAGINOSO, SA.

CARTILLA f. Cuaderno pequeño, impreso, que contiene las letras del alfabeto y los primeros rudimentos para aprender a leer. • Cualquier tratado breve y elemental. • Cuaderno o libreta donde se anotan ciertos datos, como la cartilla militar, de racionamiento, etc. • Añalejo, calendario eclesiástico. • **Leerle** a alguien **la c.** fig. y fam. Reprender severamente.

CARTISMO m. Mov. político y social obrero, de carácter reformista, que se desarrolló en Gran Bretaña a causa de la crisis económica y por la reforma electoral conservadora de 1832.

CARTIVANA f. Tira de papel o tela que se pone en las láminas u hojas sueltas para que se puedan encuadernar de modo conveniente.

CARTOGRAFÍA f. Arte y técnica que, con la ayuda de las ciencias geográficas y sus afines, tiene por objeto la elaboración de mapas.

CARTOGRAFIAR tr. Levantar y trazar la carta geográfica de una porción de superficie terrestre. ■ CARTOGRÁFICO, CA; CARTÓGRAFO, FA.

CARTOMANCIA o **CARTOMANCÍA** f. Arte de adivinar lo futuro por medio de los naipes. ■ CARTOMÁNTICO, CA.

CARTOMETRÍA f. Medición de las líneas trazadas sobre los mapas. ■ CARTOMÉTRICO, CA; CARTÓMETRO.

CARTÓN m. Conjunto de varias hojas sobrepuestas de pasta de papel que forman una sola hoja gruesa. • *Pint.* Dibujo o bosquejo que, gralte., se hace en papel grueso, como estudio. • *Amér.* Dibujos animados. Se usa más en pl. • **piedra.** Pasta de c. o papel, yeso y aceite secante, que resulta muy dura después de seca. ■ CARTONERÍA; CARTONERO, RA.

CARTONAJE m. Obras de cartón.

CARTONÉ m. Clase de encuadernación en que las tapas y el lomo van cubiertos de papel.

CARTUCHERA f. Caja destinada a llevar la dotación individual de cartuchos. • Canana.

CARTUCHO m. *Mil.* Carga de pólvora y proyectil, o de pólvora sola, envuelta en un tubo metálico o de cartón. • Envoltorio cilíndrico de monedas de una misma clase. • Cucurucho de dulces. • Bolsa de papel fuerte o de cartulina en que se meten ciertos géneros. • **Quemar el último c.** fig. Emplear el último recurso en casos apurados.

CARTUJA f. Orden monacal fundada por san Bruno, en 1084, cuyos miembros se dedican a la vida contemplativa, dentro de una gran austeridad. • Monasterio o convento de esta orden.

CARTUJANO, NA adj. Relativo a la Cartuja. • adj. y s. Cartujo. • adj. Díc. del caballo o yegua más característico de la raza andaluza.

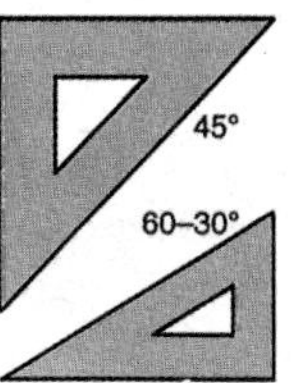

Dos tipos de **cartabón**

Cartel de Toulouse-Lautrec para el Moulin Rouge de París

James Earl **Carter**

CARTUJO adj. y m. Religioso de la Cartuja. • m. fig. y fam. Hombre taciturno o retraído.
CARTULARIO m. Códice diplomático de la E. Med. en el que se registraban cartas o documentos. • Escribano autorizado para dar fe.
CARTULINA f. Cartón delgado o papel grueso, que se usa para tarjetas, diplomas, etc.
CARTWRIGHT, *Edmund* (1743-1823) Inventor ing. Patentó una máquina de cardar lana.
CARUATA f. *Ven.* Especie de pita o agave, de que se hacen cuerdas muy fuertes.
CARÚNCULA f. *Zool.* Especie de carnosidad que poseen en la cabeza algunos animales, como el pavo y el gallo. • **lagrimal.** *Anat.* Pequeña prominencia en el ángulo interno del ojo, formada por un grupo de folículos pilosos.
CARÚPANO C. del NE de Venezuela, a orillas del Caribe, en el est. Sucre; 66 200 hab. Puerto comercial. Aeropuerto.
CARURÚ m. *Amér.* Planta amarantácea, que sirve para hacer lejía.
CARUSO, *Enrico* (1873-1921) Tenor dramático it. La amplitud del registro de su voz le permitía abordar partituras muy diversas.

Caricatura de Enrico **Caruso**

CARUTO m. Jagua, árbol.
CARVAJAL, *Francisco de* (1464-1548) Conquistador esp., compañero de Pizarro. Famoso por su crueldad. Fue ajusticiado. • ***Gaspar de*** (1504-1584) Cronista de Indias esp. Dominico. *Relación del nuevo descubrimiento del famoso río Grande de las Amazonas.* • ***Juan de*** (m. 1546) Conquistador esp. Fundador de Tocuyo. • **Y Lancáster, *José de*** (1696-1754) Político esp. Vicepresid. del Consejo de Indias y secretario de Est. (1746-1754). • **Y Vargas Manrique, *José*,** DUQUE DE SAN CARLOS (1771-1828) Político esp. Secretario de Est. (1814).
CARVALLO m. Roble, árbol.
CARVALLÓN, *Juan de* (1524-1565) Conquistador esp. Alcalde mayor de Nicaragua; inició la colonización de Costa Rica con Juan de Estrada Rávago.
CARVI m. Simiente de la alcaravea.
CAS m. *C. Rica.* Árbol de buena madera y fruto semejante a la guayaba redonda, que se usa para refrescos. • Este fruto.
CASA f. Edificio destinado a vivienda. • Piso o parte de una casa, en que vive un individuo o una familia. • Familia, individuos que viven juntos. • Estados, vasallos y rentas de un señor. • Descendencia o linaje que tiene un mismo apellido, y viene del mismo origen. • Establecimiento industrial o mercantil. • Escaque, casilla del tablero de damas o ajedrez. • **consistorial.** Ayuntamiento. • **cuna.** Hospicio. • **de banca.** Banca, establecimiento mercantil. • **de beneficencia.** Hospital, hospicio o asilo. • **de campo.** La que está fuera de poblado y sirve para el cultivo o para recreo, o ambas cosas. • **de citas.** Burdel. • **de Dios.** Iglesia o templo. • **de empeño.** Establecimiento donde se presta dinero mediante la entrega de alhajas, ropas u otros bienes muebles en prenda. • **de huéspedes.** Aquella en que se da alojamiento, y a veces comida, mediante pensión. • **de locos.** Manicomio. • **de maternidad.** Hospital destinado a la asistencia de parturientas. • **de moneda.** La destinada para fundir, fabricar y acuñar moneda. • **de putas.** Burdel. • **de socorro.** Establecimiento público donde se prestan gratuitamente servicios médicos de urgencia.

Alminar de la Gran Mezquita, en el casco antiguo de **Casablanca**

CASA Blanca (ing., *White House)* Residencia del presid. de EE UU, en Washington. Construida en 1792-1800. • **de contratación de las Indias.** *Hist.* Institución fundada en Sevilla en 1503 por los Reyes Católicos, para impulsar y controlar el tráfico con el Nuevo Mundo. En 1524 pasó a depender del Consejo de Indias. Trasladada a Cádiz en 1717, fue suprimida en 1790. • **Rosada.** Residencia del presid. de la República Argentina, en Buenos Aires.
CASABE m. Cazabe, torta.
CASABILLO m. *Cuba.* Lunar blanco en el rostro, y por lo común cerca de los ojos.
CASABLANCA f. Proceso textil utilizado para obtener grandes tirajes.
CASABLANCA (*Dar el-Beida*) C. y puerto de Marruecos, en el Atlántico; 2 139 200 hab. Fundada por los port. en 1515, es la cap. económica y comercial del país. • **Conferencia de C.** La celebrada en 1943 entre Roosevelt y Churchill, para tratar de la invasión de Italia y de la capitulación de los países del Eje.

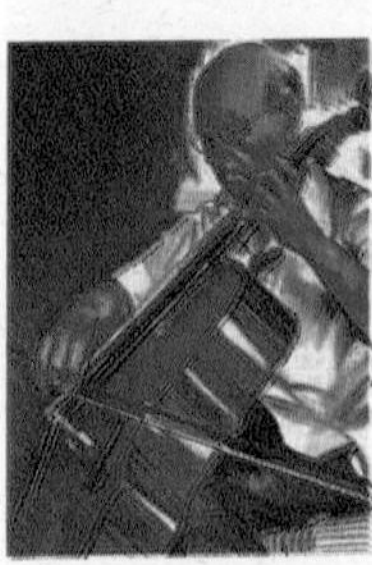

Pau **Casals**

CASACA f. Vestidura de mangas anchas, con faldones y ceñida al cuerpo. • *Col.* Frac.
CASACCIA, *Gabriel* (1907-1980) Escritor par., exiliado en Argentina. Su obra recrea la problemática social del país. *La llaga*, *Los exiliados.*
CASACIÓN f. *Der.* Anulación de una sentencia.
CASADO del Alisal, *José* (1832-1886) Pintor esp., discípulo de Madrazo. Retratos de Isabel II, Alfonso XII, Castelar; *Rendición de Bailén.* • **López, *Segismundo*** (1893-1968) Militar republicano esp. Trató de pactar con el gobierno de Burgos. *Así cayó Madrid.*
CASAISACO m. *Cuba.* Vegetal parásito de las palmeras, de hojas de color morado.
CASAL m. Casería, casa de campo. • En algunas partes, pareja de macho y hembra.
CASAL, *Julián del* (1863-1893) Poeta cub., precursor del modernismo. Hojas al viento. • ***Julio J.*** (1889-1954) Poeta ur. Fundador de la revista *Alfar.* Ultraísta y vanguardista. *Cuaderno de otoño.*
CASALICIO m. Casa, edificio.
CASALS, *Pau* (1876-1973) Violoncelista y compositor esp., uno de los mejores instrumentistas de su época. Exiliado en 1938, murió en San Juan de Puerto Rico. *El pesebre.*
CASAMATA f. *Mil.* Fortificación que consiste en una bóveda de hormigón o acero.
CASAMIENTO m. Acción y efecto de casar o casarse. • Ceremonia nupcial. ■ CASAMENTERO, RA.
CASAMPULGA f. *Hond.* y *Salv.* Araña venenosa de abdomen rojo y patas cortas.
CASANARE Río del E de Colombia, afl. del Meta; 515 km. • Dpto. del E de Colombia; 44 460 km^2, 211 329 hab. Cap., Yopal.
CASANDRO (h. 358-297 a. C.) Rey de Macedonia (305). Venció a Polipercón, heredero legítimo.
CASANOVA, *Rafael de* (1660-1743) Político esp. Símbolo del nacionalismo cat. por dirigir la resistencia contra las tropas esp. de Felipe V en Barcelona. • **de Seingalt, *Giacomo*** (1725-1798) Aventurero it., célebre por sus intrigas y amores, que relató en sus *Memorias.* • **Zenteno, *Álvaro*** (1857-1939) Pintor chil. de marinas y temas históricos. Premios en el Salón de Santiago (1890) y en la Exposición de Sevilla (1929). *La primera escuadra chilena.*
CASANOVAS, *Narciso* (1747-1799) Organista y compositor esp. *Responsorios* y *Salves.*
CASAPUERTA f. Zaguán o portal.
CASAR tr. *Der.* Anular, abrogar, derogar. • intr. y prnl. Contraer matrimonio. • tr. Dar fe del matrimonio un sacerdote o la autoridad civil. • fig. Unir o juntar una cosa con otra. • tr. e intr. fig. Disponer y ordenar algunas cosas de suerte que hagan juego o tengan correspondencia entre sí. ■ CASADERO, RA; CASADO, DA.
CASARES, *Julio* (1877-1964) Erudito esp., autor de estudios filológicos. *Diccionario ideológico de la lengua española.* • ***María*** (1922-1996) Actriz fr., de origen esp. Hija de Casares Quiroga. Ha formado parte de la compañías de la Comedia Francesa y del Teatro Nacional Popular. • **Quiroga, *Santiago*** (1884-1950) Político esp., nacionalista gallego. Jefe del gobierno y ministro de la Guerra al estallar la guerra civil esp., en 1936.
CASAS, FRAY ***Bartolomé de Las*** (1474-1566) Escritor esp., dominico, obispo de Chiapas. Defensor de los indígenas, sus acusaciones de graves abusos y crueldades por parte de los conquistadores y encomenderos motivaron la promulgación de las *Leyes Nuevas*, que acabaron a la larga con las encomiendas, pero no supusieron el fin de los abusos. *Brevísima relación de la destrucción de las Indias e Historia general de las Indias.* • ***Ignacio Mariano*** (1719-1773) Arquitecto barroco mex. Trabajó también en retablos. Iglesias de Santa Rosa y San Agustín, en Querétaro. • ***José Joaquín*** (1865-1951) Poeta col., romántico dentro del modernismo. *Las glorias de la patria.*
CASAS y Novoa, *Fernando de* (m. 1749) Arquitecto barroco esp. Autor de la casa de la Inquisición, de la iglesia de San Martín Pinario y de la fachada del Obradoiro, en la catedral de Santiago.
CASATIENDA f. Conjunto de tienda y vivienda del comerciante.
CASBAH f. Alcazaba.

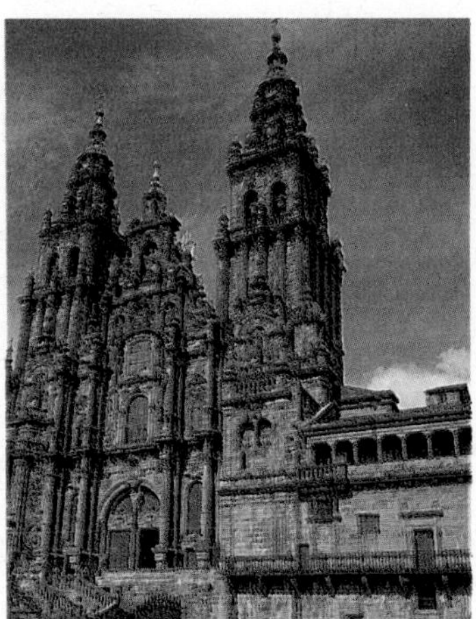

Fachada del Obradoiro de la catedral de Santiago de Compostela, obra de **Casas y Novoa**

CASCA f. Hollejo de la uva después de pisada y exprimida. • Corteza de ciertos árboles que se usa para curtir las pieles. • Rosca compuesta de mazapán y cidra o batata, bañada y cubierta con azúcar. • Cáscara.

CASCABEL m. Bolita hueca de metal, con orificios y un trozo de hierro o latón en su interior, que produce un sonido agradable. • **Poner el c. al gato.** fig. y fam. Poner en ejecución un proyecto peligroso.

CASCABELA f. *C. Rica.* Crótalo o serpiente de cascabel.

CASCABELEAR tr. fig. y fam. Alborotar a uno con esperanzas lisonjeras y vanas para que ejecute alguna cosa, soliviantar. • intr. fig. y fam. Portarse con ligereza y poco juicio.

CASCABELERO, RA adj. fig. y fam. Díc. de la persona alegre y de poco juicio. • m. Sonajero.

CASCABELILLO m. Ciruela que, expuesta al sol o al aire, se reduce a pasa.

CASCABILLO m. Cascabel. • Cascarilla en que se contiene el grano de trigo o de cebada. • Cúpula de la bellota.

CASCACIRUELAS com. fam. Persona despreciable, que no sirve para nada.

CASCADA adj. fig. Díc. de la voz que carece de fuerza, sonoridad y fácil entonación. • f. *Geog.* Salto de agua debido a un brusco desnivel en el cauce de un río.

CASCADAS, *Cordillera de las* (*Cascada Range*) Sistema montañoso de América del Norte, que se extiende desde la Columbia Británica hasta Oregón y California. Alt. máx.: monte Rainier (4 392 m).

CASCAJAL o **CASCAJAR** m. Sitio donde hay mucho cascajo o guijo. • Vertedero de la casca de la uva fuera del lagar.

CASCAJO m. Guijo, fragmentos de piedra y de otras cosas que se quiebran. • Fruta de cáscara seca. • fam. Vasija rota e inútil. Díc. también de algunos trastos o muebles viejos. • **Estar hecho un c.** fig. y fam. Estar decrépito. ■ CASCAJERA; CASCAJOSO, SA.

CASCALOTE m. *Amér.* Árbol de la familia mimosáceas, muy alto y grueso, cuyo fruto se emplea para curtir y también en medicina.

CASCAMAJAR tr. Quebrantar machacando.

CASCANUECES m. Instrumento para partir nueces. • *Zool.* Pájaro córvido, de plumaje colorvinoso con manchas blancas.

CASCAR tr. y prnl. Quebrantar, romper una cosa quebradiza. • tr. fam. Pegar, golpear. • tr. y prnl. fig. y fam. Quebrantar la salud de uno. • tr. e intr. fam. Charlar. • intr. fig. y fam. Morir. ■ CASCADO, DA; CASCADURA; CASCAMIENTO.

CÁSCARA f. Corteza o cubierta exterior de los huevos, frutas y otras cosas. • Corteza de los árboles. ■ CASCARUDO, DA.

CASCARILLA f. *Amér.* Corteza de un árbol de la familia euforbiáceas, amarga, aromática y medicinal. • Quina delgada. • Laminilla de metal muy delgada que se emplea en cubrir objetos. • Afeite hecho con cáscara de huevo.

CASCARILLERO, RA m. y f. Persona que recoge o vende cascarilla. • m. Cascarillo.

CASCARILLO m. *Perú.* Quino. ■ *Perú.* CASCARILLAL.

CASCARÓN m. Cáscara de huevo de cualquier ave, y más particularmente la rota por el pollo al salir de él. • *Amér. Merid.* Árbol parecido al alcornoque. • *Arq.* Bóveda cuya superficie es la cuarta parte de la de una esfera. • **de nuez.** fam. Embarcación muy pequeña para el uso a que se destina.

CASCARRABIAS com. fam. Persona que se enoja fácilmente.

CASCARRIA f. Cazcarria, lodo.

CASCARRÓN, NA adj. fam. Bronco, áspero.

CASCARULETA f. fam. Ruido que se hace en los dientes, dándose golpes con la mano en la barbilla.

CASCÁS m. *Chile.* Insecto coleóptero, de mandíbulas en forma de gancho.

CASCO m. Cráneo. • Pedazo de una vasija, ladrillo, etc., roto. • Pieza de la armadura, que cubre y defiende la cabeza. • Cobertura de metal, fibra, etc., que protege la cabeza de soldados, motoristas, etc. • Recipiente, especialmente botella, destinado a contener un líquido. • *Mar.* Cuerpo de un barco sin la arboladura, maquinaria, etc. • Armazón de la silla de montar. • En las bestias caballares, uña del pie o de la mano, que se corta y alisa para sentar la herradura. • Núcleo de una población edificado con continuidad. • pl. Cabeza de carnero o de vaca, quitados los sesos y la lengua. • fam. Cabeza, parte del cuerpo y también entendimiento. • **Calentarse** o **romperse los c.** fig. y fam. Estudiar mucho, cavilar mucho sobre una cosa. • **Ligero de c.** loc. fam. Díc. de la persona poco juiciosa. ■ CASCUDO, DA.

CASCOL m. Resina de un árbol de la Guayana, que sirve para fabricar lacre negro.

CASCOS Azules Sobrenombre que se da a las fuerzas internacionales de la ONU, destacadas para garantizar acuerdos de alto el fuego o la paz en zonas en litigio.

CASCOTE m. Escombro, fragmento de una edificación.

CASEACIÓN f. Acción de cuajarse o endurecerse la leche.

CASEICO, CA adj. Caseoso. • Díc. de un ácido producido por la descomposición del queso.

CASEIFICAR tr. Transformar en caseína. • Separar o precipitar la caseína de la leche. ■ CASEIFICACIÓN.

CASEÍNA f. *Biol.* Sustancia proteínica de la leche, que unida a la manteca forma el queso.

CASELLA, *Alfredo* (1883-1947) Compositor y director de orquesta it. Autor de trascripciones de obras de Monteverdi y Vivaldi, óperas, ballets y dos sinfonías.

CASEMENT, *Roger David* (1864-1916) Patriota irl. Ahorcado por intentar conseguir el apoyo de los al. a la causa irlandesa.

CASEOSO, SA adj. Relativo al queso. • Semejante a él.

CASERÍA f. Casa aislada en el campo, con edificios dependientes y fincas rústicas unidas o cercanas a ella.

CASERÍO m. Conjunto de casas. • Casería.

CASERNA f. Bóveda a prueba de bombas construida debajo de los baluartes.

CASERO, RA adj. Que se hace en casa o pertenece a ella. • Díc. de la persona muy dada a permanecer en casa. • Sencillo, de confianza. • m. y f. Dueño de alguna casa, que la alquila a otro. • Administrador de ella. • Persona que cuida de una casa y vive en ella, ausente el dueño. • Inquilino, el que vive en una casa pagando alquiler.

CASERÓN o **CASARÓN** m. Casa muy grande y destartalada.

CASEROS, *Batalla de* Acción bélica de las luchas civiles de Argentina, que puso fin a la tiranía de Rosas (3 febrero 1852); el vencedor fue el general J. J. Urquiza.

CASETA f. Casa pequeña de construcción ligera

Casamata

Giacomo **Casanova**

Fray Bartolomé de **Las Casas**

Soldado de los **Cascos Azules**

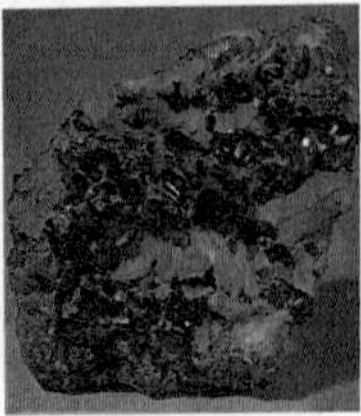
Casiterita

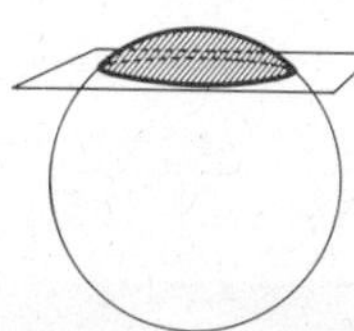
Casquete esférico (parte sombreada)

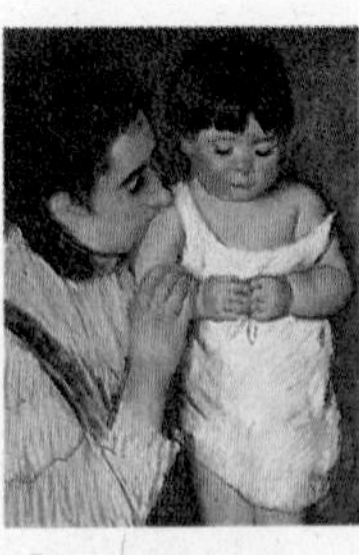
Madre y niño, pintura de Mary **Cassat**

y sin piso alto. • Construcción pequeña que se emplea para algún servicio, pero no para habitarla.

CASETE amb. Cajita que contiene una cinta magnética, virgen o grabada, que puede pasar de una bobina a otra. • Magnetófono de casetes.

CASI adv. cantidad. Cerca de, poco menos de, aproximadamente, con corta diferencia, por poco. También se usa repetido.

CASIANO, *Juan* (h. 350-h. 432) Teólogo y escritor ascético de origen incierto (Escitia o Galia). *Colaciones.*

CASICONTRATO m. *Der.* Cuasicontrato.

CASIDA f. Composición poética árabe o persa, monorrima, con un número indeterminado de versos.

CASILLA f. Caseta, especialmente la que se destina a un vigilante. • Despacho de billetes de los teatros, ventanilla. • Casa, escaque del tablero de damas o ajedrez. • Cada una de las divisiones del papel rayado verticalmente o en cuadrículas, en que se anotan separados y en orden guarismos u otros datos. • Cada una de las divisiones del casillero. • Cada uno de los compartimientos que se hacen en algunas cajas, estanterías y en varios recipientes. • *Amér.* Apartado postal. • **Sacar** a uno **de sus c.** fig. y fam. Hacerle perder la paciencia. • **Salir** uno **de sus c.** fig. y fam. Excederse por efecto de la ira.

CASILLERO m. Mueble con varias divisiones, para tener clasificados papeles y otros objetos.

CASIMBA f. Cacimba.

CASIMIR m. Tela muy fina, lisa, gralte. negra y fabricada con lana merina y en punto de tafetán.

CASIMIR-PERIER, *Jean* (1847-1907) Político fr. Jefe del gobierno y presid. de la rep. (1894). Desarrolló una política derechista.

CASIMIRO (1458-1483) Santo. Patrono de Polonia, hijo de Casimiro IV. • **I el Restaurador** (1016-1058) Duque de Polonia [1034-1058]. Reconquistó a los checos la c. de Wroclaw. • **III el Grande** (1309-1370) Rey de Polonia [1333-1370]. Conquistó Galitzia, Podolia y Volinia. Puso los cimientos del derecho pol. con el estatuto de Wislica (1347). • **IV** (1427-1492) Gran duque de Lituania y rey de Polonia [1447-1492]. Hizo concesiones a la nobleza y dejó el país en manos de una oligarquía.

CASINETE m. *Amér.* Tela de calidad inferior al casimir.

CASINO m. Casa de recreo. • Centro de recreo donde se reúnen pesonas que desean conversar, jugar, etc. • Edificio donde se reúnen los miembros de sociedades culturales o recreativas. • Establecimiento de juego.

CASIOPEA f. *Astr.* Constelación boreal.

CASIOPEA *Mit.* Reina legendaria de Etiopía, esposa de Cefeo y madre de Andrómeda.

CASIQUIARE Río del S de Venezuela, afl. del Guainía-Negro; 400 km. Nace en la orilla izquierda del Orinoco.

CASIS f. *Bot.* Planta muy parecida al grosellero, pero de fruto negro. • m. *Zool.* Molusco gasterópodo.

CASITA o **CASSITA** adj. y s. Díc. de los individuos de un ant. pueblo nómada, que invadió Babilonia hacia el s. XVIII a. C. • m. pl. Este mismo pueblo.

CASITÉRIDOS m. pl. *Quím.* Grupo de elementos, que comprende el estaño, el antimonio, el cinc y el cadmio.

CASITERITA f. *Miner.* Óxido de estaño, mineral de color pardo y brillo diamantino.

CASO m. Suceso, acontecimiento. • Lance, ocasión o coyuntura. • Asunto de que se trata o que se propone para consultar a alguno • *Gram.* Variación morfológica del sustantivo, adjetivo, artículo y pronombre de las lenguas de flexión. Los casos son seis: nominativo, genitivo, dativo, acusativo, vocativo y ablativo. • *Gram.* Cada uno de estos casos. • **clínico.** *Med.* Cualquier proceso morboso individual. • **de conciencia.** Punto dudoso en materia moral. • **fortuito.** Suceso, gralte. perjudicial, que acontece inesperadamente. • **perdido.** fig. Persona cuya conducta no es fácil enmendar. • **En todo c.** loc. adv. Como quiera que sea, o sea lo que fuere.

CASO, *Alfonso* (1896-1970) Antropólogo y arqueólogo mex. Destacó por sus investigaciones sobre la vida de los aztecas y sus excavaciones en Monte Albán (Oaxaca). Dirigió el Instituto Nacional de Antropología entre 1939 y 1944. *Los aztecas, pueblo del Sol, Las exploraciones de Monte Albán.* • ***Antonio*** (1883-1946) Filósofo mex. De orientación espiritualista, dio a conocer el pensamiento de Bergson y Husserl. *Doctrinas e ideas, El peligro del hombre.*

CASONA, *Alejandro* (1903-1965) Seud. del dramaturgo esp. *Alejandro Rodríguez Álvarez.* Su teatro es una mezcla de lirismo, fantasía y humor. *Nuestra Natacha, La dama del alba, El caballero de las espuelas de oro.*

CASORIO m. fam. Casamiento hecho sin juicio ni consideración, o de poco lucimiento.

CASPA f. Escamillas blancuzcas que se forman en el cuero cabelludo. • La que forman las herpes o queda de las hinchazones o llagas, después de sanas. ■ CASPOSO, SA.

CASPERA f. Lendrera, peine espeso.

CASPICIAS f. pl. fam. Sobras de ningún valor.

CASPIO El mayor mar cerrado del mundo; 424 300 km^2. Sit. entre la región Caucásica y Asia Central.

CASPIROLETA f. *Amér.* Bebida compuesta de leche caliente, huevos, canela, aguardiente y azúcar.

¡CÁSPITA! interj. con que se denota extrañeza o admiración.

CASQUERO m. Tripicallero, vendedor de tripas o callos. • Lugar donde se cascan los piñones. ■ CASQUERÍA.

CASQUETAZO m. Cabezazo.

CASQUETE m. Pieza de la armadura que cubría y defendía la parte superior de la cabeza. • Media peluca que cubre solamente una parte de la cabeza. • Cairel, cabellera postiza. • **esférico.** *Geom.* Parte de la superficie de la esfera, cortada por un plano que no pasa por su centro. • **glaciar.** Inlandsis. • **polar.** Parte de la superficie terrestre comprendida entre el círculo polar y el polo respectivo.

CASQUIDERRAMADO, DA adj. Aplícase al caballo o yegua que tiene ancho de palma el casco.

CASQUIJO m. Guijo, piedra menuda.

CASQUILLA f. Entre colmeneros, cubierta de las celdas o nichos donde se crían las reinas.

CASQUILLO m. Anillo o abrazadera de metal, que sirve para reforzar la extremidad de una pieza de madera. • Hierro de la saeta o flecha. • Cartucho metálico vacío. • Parte metálica fijada en la bombilla de una lámpara eléctrica, que permite conectar ésta con el circuito. • En un tubo de vacío, parte inferior en donde se hallan sujetas las patillas de conexión. • *Hond.* Forro de cuero suave que se pone a los sombreros.

CASQUITE adj. *Ven.* Agriado, aplicado a la bebida llamada carato. • P. ext., díc. de la persona de mal carácter.

CASQUIVANO, NA adj. fam. Alegre, atolondrado.

CASSAT, *Mary* (1845-1926) Pintora y grabadora norteam. Residió en París desde 1870. Contribuyó a la rehabilitación del hecho cotidiano en el impresionismo.

CASSEL, *Karl Gustav* (1866-1945). Economista sueco, de la escuela neoclásica. *Economía social teórica, El problema de la estabilización.*

CASSIN, *René* (1887-1976) Jurista fr. Presid. de la Comisión de Derechos Humanos de la ONU. Premio Nobel de la Paz en 1968.

CASSINI, *Gian Domenico* (1625-1712) Astrónomo it., nacionalizado fr. Descubrió tres satélites de Saturno, el período de rotación de Júpiter y la luz zodiacal. • **Curva de C.** *Geom.* Lugares geométricos de los puntos de un plano, tales que sus distancias a dos puntos fijos llamados *focos* tienen un producto constante. • **División de C.** *Astr.* Intervalo oscuro, de 4 000 km de espesor, que separa dos de los anillos de Saturno.

CASSIRER, *Ernst* (1874-1945) Filósofo al., miembro de la escuela neokantiana de Marburgo. Aplicó a la filosofía los métodos de conocimiento y conceptuación de las ciencias físicas. *Filosofía de las formas simbólicas, Antropología filosófica.*

CASSOLA, *Carlo* (1917-1987) Novelista it. *Fausto y Ana, Un matrimonio de posguerra, El soldado y la muchacha de Bube.*

CASSOU, *Jean* (1897-1986) Escritor fr. n. en Deusto (España). Humanista e hispanista. *Panorama de la literatura española, Vida de Felipe II.*

CASTA f. Generación o linaje. • *Soc.* Parte de los

hab. de un país que forman un estrato especial sin mezclarse con los demás. La organización en c. se encuentra en diversas partes del mundo (África, Polinesia). Sin embargo, la más representativa es la de la India, que se remonta a la edad védica. Consta de cuatro grandes divisiones: brahmanes (sacerdotes), kshatriyas (gobernantes), vaishyas (comerciantes) y sudras (servidores). • fig. Gremio, institución o estamento militar que practica una política corporativa a ultranza. • fig. Especie o calidad de una cosa.

CASTAGNINO, ***Juan Carlos*** (1908-1972) Pintor, dibujante y arquitecto arg. Colaboró con Siqueiros. Gran Premio de Honor del Salón Nacional en 1961. Sobresalen sus dibujos de caballos. *Martín Fierro.*• ***Raúl Héctor*** (nacido 1914) Crítico teatral y escritor arg. *Esquema de la literatura dramática argentina, Teoría del teatro.*

CASTAGNO, ***Andrea del*** (1423-1457) Pintor it. de la escuela florentina. *Crucifixión, Asunción de la Virgen.*

CASTÁLIDAS f. pl. Las musas. ■ CASTALIO, LIA.

CASTANEDA, ***Carlos*** (1925-1998) Etnólogo mex., nacionalizado norteam. Estudió desde un punto de vista participativo la cultura de los indígenas yaquis de Sonora. *Las enseñanzas de Don Juan, Viaje a Ixtlán.*

CASTAÑA f. Fruto del castaño, del tamaño de la nuez y cubierto de una cáscara correosa de color pardo oscuro. • Vasija o frasco semejante a la castaña para contener líquidos. • Especie de moño que con el pelo se hacen las mujeres en la parte posterior de la cabeza. • *Méx.* Barril pequeño. • **pilonga.** Castaña desecada. ■ CASTAÑAL O CASTAÑAR.

CASTAÑAZO m. Puñetazo.

CASTAÑEDA Castro, ***Salvador*** (1888-1965) Político y militar salv. Elegido presid. en 1945. Derrocado por un golpe militar en 1948.

CASTAÑERO, RA m. y f. Persona que vende castañas. • m. *Zool.* Ave palmípeda, de la familia de las palomas.

CASTAÑETA f. Castañuela, instrumento para el baile. • Chasquido realizado al golpear con fuerza el dedo medio con el pulgar. • Castañola, pez. • *Chile.* Pez de color azul apizarrado por el dorso y plateado por el vientre. • Moña de los toreros.

CASTAÑETAZO m. Golpe recio que se da con las castañuelas, o con los dedos. • Chasquido que algunas veces dan las articulaciones de los huesos.

CASTAÑETEAR tr. Tocar las castañuelas. • intr. Traqueteo de los dientes al chocar los de una mandíbula contra los de otra por efectos del frío, miedo, etc. • Producir cierto sonido las articulaciones del cuerpo. • Producir el macho de la perdiz ciertos sonidos semejantes a chasquidos. ■ CASTAÑETEADO.

CASTAÑO, ÑA adj. y m. De color de la cáscara de la castaña. • m. *Bot.* Árbol de la familia fagáceas, de tronco grueso, copa ancha y redonda, hojas grandes, flores blancas y frutos parecidos al erizo, y cuya simiente es la castaña. • Madera de este árbol. • **de Indias.** *Bot.* Árbol de la familia hipocastanáceas, de madera blanda y amarillenta, hojas palmeadas, flores en racimos derechos, y fruto muy parecido al del castaño común. Es originario de la India. • **Pasar de c. oscuro** una cosa. fig. y fam. Ser demasiado enojosa o grave.

CASTAÑOLA f. Pez osteíctio, de color de acero, escamas blandas que cubren las aletas, y carne blanca y floja.

CASTAÑOS, ***Francisco Javier*** (1758-1852) General esp. Venció al ejército fr. de Dupont en Bailén (1808). Presid. de la Junta de Regencia y tutor de Isabel II en 1843.

CASTAÑUELA f. Instrumento musical de percusión, compuesto de dos mitades cóncavas, que juntas forman la figura de una castaña. Por medio de un cordón se sujetan al dedo pulgar o al medio y se repican con los demás dedos. • *Bot.* Planta ciperácea, que sirve para cubrir las chozas y para otros usos.

CASTEL GANDOLFO o **CASTELGANDOLFO** Mun. de Italia en el Lacio, a orillas del lago Albano. Residencia veraniega del papa.

CASTELAO, ***Alfonso Rodríguez*** (1886-1950) Político, escritor y dibujante esp. Diputado del Frente Popular, se exilió a Buenos Aires en 1940. En 1946 fue nombrado ministro de la rep. en el exilio. *Sempre en Galiza, Un ollo de vidro.*

CASTELAR, ***Emilio*** (1832-1899) Escritor y político esp. En 1873 fue presid. de la I Rep. esp.; dimitió ante el alzamiento de Pavía. Durante la Restauración, colaboró con Sagasta.

CASTELLANA f. Señora de un castillo.

CASTELLANÍA f. Territorio o jurisdicción independiente.

CASTELLANISMO m. Dicho o modo de hablar privativo de las prov. castellanas.

CASTELLANIZAR tr. Dar forma castellana a un vocablo de otro idioma.

CASTELLANO, NA adj. y s. De Castilla. • adj. Perteneciente a esta región de España. • Aplícase a cierta variedad de gallinas negras muy ponedoras. • m. Una de las lenguas of. de España y de los países latinoamericanos de ant. colonización española. • Dialecto románico nacido en Castilla la Vieja, del que tuvo su origen esta lengua. • Soldado armado con lanza. • Señor, alcaide o gobernador de un castillo.

* *Lit.* El c. tuvo su cuna en Cantabria y en los pequeños condados dependientes del reino de León, entre ellos Castilla. 1) Se inicia con las primeras manifestaciones en lengua romance y finaliza al comenzar la E. Mod., pocos años antes del reinado de los Reyes Católicos. Esta etapa se subdivide en: a) época anónima que arranca de las jarchas mozárabes y alcanza su apogeo con los juglares —mester de juglaría—, de quienes conservamos el *Cantar de Mio Cid*, y por la escuela erudita —mester de clerecía—: Berceo y los anónimos autores del *Libro de Apolonio* y *Libro de Alexandre*; b) s. XIV: Arcipreste de Hita, don Juan Manuel, canciller Pero López de Ayala; c) los dos primeros tercios del s. XV, en los que se aprecia un intento de integración a las corrientes humanistas iniciadas en Italia por Petrarca. Juan de Mena, Marqués de Santillana, Arcipreste de Talavera. 2) Renacimiento y época barroca, llamada Siglo de Oro. Se inicia con un humanista, Nebrija; un poeta, Jorge Manrique; un dramaturgo, Juan del Encina; la primera narración caballeresca, *Amadís de Gaula*, y la indiscutible *Celestina*. El Renacimiento se extiende a todo lo largo del s. XVI y se caracteriza por una primera época con Boscán, Garcilaso, poetas; Gil Vicente, Torres Naharro y Lope de Rueda, comediógrafos, y el *Lazarillo*. A la segunda época, calificada de cristiana, corresponde la nacionalización de las formas e ideología de la Contrarreforma; el misticismo y las escuelas salmantina y sevillana. Los últimos lustros del s. XVI anuncian ya el barroco y en este periodo aparecen dos genios, Cervantes y Lope de Vega, creadores respectivamente de la novela y el teatro modernos. En el s. XVII surgen los mov. conceptista y culteranista, se intensifica la producción teatral y se revitaliza la novela picaresca: Quevedo, Góngora, Tirso, Alemán, Gracián, Calderón. 3) El s. XVIII es una etapa de afrancesamiento. 4) En el s. XIX pueden separarse dos periodos: romanticismo y realismo-naturalismo, mov. que tienen su fin al aparecer la generación del 98. En el romanticismo destacan el teatro de Martínez de la Rosa, Rivas, Zorrilla, y la poesía de Espronceda y Bécquer. En la etapa realista-naturalista: Alarcón, Pereda, Valera, «Clarín», Pardo Bazán, Galdós, Blasco Ibáñez, Palacio Valdés. 5) La época contemporánea supone notables cambios: modernismo (Villaespesa, Manuel Machado), generación del 98 (Unamuno, Azorín, Pío Baroja, Valle-Inclán, Antonio Machado); generación novecentista (Miró, Ortega, Gómez de la Serna); generación del 27 (Guillén, Salinas, Gerardo Diego, Cernuda, Lorca, Alberti, Aleixandre, Dámaso Alonso, Manuel Altolaguirre, Rosa Chacel y Juan Ramón Jiménez). Miguel Hernández representa un momento de transición hacia una poesía más hondamente amorosa y social. Entre los autores de posguerra cabe señalar, en poesía, a Panero, León Felipe (en el exilio), Vivanco, Rosales, Celaya, Ridruejo, Otero; en prosa, a Sender, Aub, Ayala, Cela, Laforet, Delibes, Sánchez Ferlosio, Martín Santos, Goytisolo, Torrente Ballester, Ana M.ª Matute, Fernández Santos; en teatro, a Buero Vallejo y Alfonso Sastre. A partir de los años sesenta, tras la ruptura con el realismo social de los cincuenta, cabe

Detalle de *La Asunción de la Virgen*, fresco de Andrea del **Castagno**

Castaño. Árbol, flor y fruto

Emilio **Castelar**

destacar en poesía: José Ángel Valente, Gil de Biedma, Caballero Bonald, Barral, Félix de Azúa y P. Gimferrer. En prosa, Juan Benet, Juan Marsé, Luis Goytisolo, E. Mendoza, Vázquez Montalbán y Rosa Montero; en teatro, Francisco Nieva, José Martín Recuerda y Antonio Gala.

Baldassare de **Castiglione,** retrato de Rafael

CASTELLANOS, ***Rosario*** (1925-1973) Escritora mex. En su producción narrativa y poética predominan los temas indigenistas y pueblerinos. *Oficio de tinieblas, Ciudad real, Lívida luz, Materia memorable*.

CASTELLI, ***Juan José*** (1764-1812) Patriota arg., uno de los primeros líderes de la indep.

CASTELLÓN o CASTELLÓ Prov. del E de España, en la Comunidad Valenciana; 6 679 km^2, 456 727 hab. Relieve montañoso. Clima mediterráneo. Naranjas, arroz. Ind. del calzado, cerámica. • **de la Plana** C. de España, cap. de la prov. hom.; 135 729 hab.

CASTELLONENSE adj. y s. De Castellón de la Plana.

CASTELO Branco, ***Camilo*** (1825-1890) Novelista port., realista de raíz romántica. *Amor de perdición, Cuentos del Miño*. • ***Humberto*** (1900-1967) Militar y político bras. En 1964 capitaneó un golpe de Estado que terminó con el sist. parlamentario de su país. Murió en un accidente de aviación.

Fernando III el Santo, rey de **Castilla**

CASTICISMO m. Amor a lo castizo, tanto en el idioma como en las costumbres, usos y modales. ■ CASTICISTA.

CASTIGAR tr. Imponer algún castigo. • Mortificar y afligir. • Escarmentar; corregir con rigor a uno. • Dañar, perjudicar, estropear. • fig. Enamorar por pasatiempo o jactancia. ■ CASTIGADOR, RA.

CASTIGLIONE, ***Baldassare de*** (1478-1529) Escritor y político it. Su obra *El cortesano* define el ideal del hombre del Renacimiento.

CASTIGO m. Pena que se impone al que ha cometido un delito o falta. • fig. En obras o escritos, enmienda, corrección. • *Chile.* Acción y efecto de castigar, reducir gastos.

CASTILLA Región histórica de la pen. Ibérica cuyos núcleos originarios fueron el condado de C. y el reino de León en el centro de la pen.

* *Hist.* El condado de Castilla fue fundado en 931 por Fernán González. En 1035, el hijo de Sancho III el Mayor de Navarra, Fernando I, fue proclamado rey de C. y se anexionó el reino de León. Con Fernando III el Santo se produjo una reunificación definitiva con León (1230), la conquista de Murcia, de Andalucía occidental y de Sevilla. A la muerte de Juan II de Aragón y Enrique IV de C., los hijos de ambos, Fernando e Isabel (los futuros Reyes

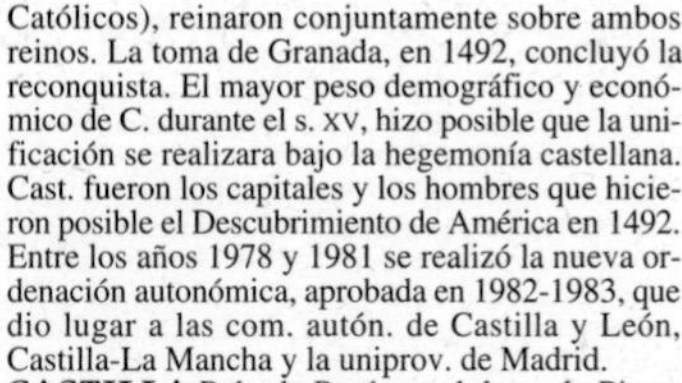

Católicos), reinaron conjuntamente sobre ambos reinos. La toma de Granada, en 1492, concluyó la reconquista. El mayor peso demográfico y económico de C. durante el s. XV, hizo posible que la unificación se realizara bajo la hegemonía castellana. Cast. fueron los capitales y los hombres que hicieron posible el Descubrimiento de América en 1492. Entre los años 1978 y 1981 se realizó la nueva ordenación autonómica, aprobada en 1982-1983, que dio lugar a las com. autón. de Castilla y León, Castilla-La Mancha y la uniprov. de Madrid.

Castilla-La Mancha. Molinos de viento

CASTILLA Pob. de Perú, en el dpto. de Piura; 29 500 hab. Centro agrícola y ganadero.

CASTILLA-LA MANCHA Com. autón. esp.; 79 230 km^2, 1 658 436 hab. Sit. en la zona centro y centro-sur de la pen. Ibérica. Cap., Toledo. Sist. Central, Sist. Ibérico, montes de Toledo. Ríos prales: Tajo y Guadiana. Clima continental mediterráneo Cereales, vid, olivo y patatas. Ganadería. Mercurio, plomo, antimonio, carbón. Constituida en com. autón. en 1982.

CASTILLA Y LEÓN Com. autón. esp.; 94 193 km^2, 2 545 926 hab. Cap., Valladolid. Sit. en la parte N de la Meseta. Cord. Cantábrica. Sist. Central. Sist. Ibérico. Montes de León. Clima continental. Trigo, leguminosas, viñas. Ganadería. Minería. Constituida en com. autón. en 1983.

CASTILLA del Pino, ***Carlos*** (nacido 1922) Psiquiatra y escritor esp. *Un estudio sobre la depresión, La culpa, Psicoanálisis y marxismo*. • **Marquesado,** ***Ramón*** (1796-1867) Militar y político per. Tras derrocar a Vivanco, fue elegido presid. de la rep. (1845-1851). Se sublevó (1854) contra Echenique y proclamó la abolición de la esclavitud. Elegido de nuevo presid. para el periodo 1855-1862.

CASTILLEJO m. Carrito en el que se pone a los niños pequeños para que aprendan a andar. • Andamio que se levanta para la construcción de una casa. • *Méx.* Cada una de las dos armazones verticales de hierro colocadas a ambos lados del trapiche, en las cuales descansan los ejes de los cilindros moledores.

CASTILLEJO, ***Cristóbal de*** (h. 1490-1550) Poeta esp. *Sermón de amores, Diálogo de mujeres*.

CASTILLO m. Edificio fortificado con murallas, baluartes y fosos. • Ant. máquina de guerra, en forma de torre de madera, que se colocaba sobre elefantes. • Maestril. • Cabida de un carro, desde la escalera hasta lo alto de los varales. • *Her.* Figura que representa una o más torres, en este caso, unidas por cortinas. • *Mar.* Parte de la cubierta alta o pral. del buque, comprendida entre el palo trinquete y la proa. • **de fuego.** Armazón para fuegos artificiales. • **en el aire.** fig. y fam. Ilusiones o esperanzas infundadamente optimistas.

CASTILLO Mun. de la República Dominicana, en la prov. de Duarte; 19 900 hab. Maíz, arroz, café, cacao.

CASTILLO, ***Antonio del*** (1811-1894) Ingeniero y geólogo mex. Contribuyó a la realización del mapa geológico de su país. *Cuadro de la minería mexicana*. • ***Antonio del*** (1616-1668) Pintor esp. Retratista. Escenas de acento naturalista. • ***Francisca Josefa del*** (1671-1742) Escritora y religiosa col., inscrita en la tradición mística esp. *Vida, Los sentimientos espirituales*. • ***Hernando del*** (s. XVI) Poeta esp., recopilador del *Cancionero general*. • ***Michel del*** (nacido 1933) Escritor fr., de origen esp. *Tanguy*. • ***Ramón*** (1873-1944) Político arg. Presid. de la rep. en 1940. Derrocado por un golpe militar en 1943. • ***Teófilo*** (1857-1922) Pintor per. Temas de la Lima virreinal. *Los funerales de Santa Rosa de Lima, Damas de la colonia*. • **Armas,** ***Carlos*** (1914-1957) Militar y político guat. Con la ayuda norteam., invadió Guatemala (1954), derrocó al presid. electo Arbenz e impuso una constitución conservadora (1956). Murió asesinado. • **Duany,** ***Demetrio*** (1856-1922) Militar y político cub. Colaboró con Shafer en la toma de Santiago de Cuba (1898). Se opuso a la política arbitraria de Estrada Palma. • **Ledón,** ***Luis*** (1879-1944) Escritor y político mex. *La novela en México, Miguel Hidalgo y Costilla, la vida del héroe*. • **Puche,** ***José Luis*** (nacido 1919) Novelista esp. Realista simbólico o metafísico. *Con la muerte al hombro, Sin camino, El vengador, Hicieron partes, Paralelo 40*. • **Solórzano,** ***Alfonso del*** (1584-1648) Novelista esp. *Tardes entretenidas, Carnestolendas en Madrid, La niña de los embustes, El bachiller Trapaza*. • **Y Radá, *José María del*** (1776-1835) Político col. Formó parte del Colegio constituyente (1811) y del triunvirato que gobernó Nueva Granada. Presidió la convención de Ocaña. Ministro de Hacienda en el gobierno Santander (1823). Jefe del gobierno durante la dictadura de Bolívar.

CASTRO m. Acción y efecto de castrar. • Juego de muchachos que consiste en dirigir unas piedrecitas por unas rayas. • Real o sitio donde estaba acampado y fortificado un ejército. • **Cultura de los c.** Cultura prerromana y rom. de la pen. Ibérica (N de Portugal, Galicia y Asturias), a la que dan nombre los numerosos c. o poblados fortificados.

Castillo de Javier, en Navarra, España

CASTINA f. Fundente calcáreo que se emplea cuando el mineral que se trata de fundir contiene mucha arcilla.

CASTIZO, ZA adj. De buen origen y casta. • Aplícase al lenguaje puro y sin mezcla de voces ni giros extraños. • Muy prolífico. • adj. y s. Cuarterón; nacido en América de mestizo y española o de español y mestiza. ■ CASTICIDAD.

CASTLE, *William Bosworth* (nacido 1897) Médico norteam. Descubrió que la anemia perniciosa era causada por deficiencia de secreción gástrica.

CASTLEREAGH, *Robert Stewart*, VIZCONDE DE (1769-1822) Estadista brit., decidido propulsor de las coaliciones contra Napoleón.

CASTO, TA adj. Puro, honesto, opuesto a la sensualidad. • fig. Puro, limpio. ■ CASTIDAD.

CASTOR m. *Zool.* Mamífero roedor anfibio, de cuerpo grueso, cubierto de pelo castaño, patas cortas, y cola aplastada, oval y escamosa. Se le caza para aprovechar su piel y para extraerle el castóreo. • Pelo de este animal. • Tela de lana muy suave. • Paño o fieltro hecho con pelo del castor.

CASTOR *Astr.* Sistema de seis estrellas, que nosotros percibimos como una sola.

CÁSTOR y Pólux *Mit.* Semidioses; hermanos gemelos, hijos de Zeus y Leda. • *Astr.* Estrellas prales. de la constelación de Géminis.

CASTÓREO m. Sustancia sólida de color pardo, olor fuerte característico y sabor amargo, secretada por el castor. Se usa en medicina y en perfumería.

CASTRA f. Acción de castrar. • Tiempo en que se suele hacer esta operación.

CASTRACIÓN f. Acción y efecto de castrar. • *Psic.* **Complejo de c.** → Complejo.

CASTRADERA f. Instrumento para castrar las colmenas.

CASTRAMETACIÓN f. Arte de ordenar los campamentos militares.

CASTRAPUERCAS o **CASTRAPUERCOS** m. Silbato con que se anuncian los capadores.

CASTRAR tr. Capar, extirpar o inutilizar las glándulas genitales. • tr. y prnl. Secar las llagas.• Podar. • Quitar a las colmenas panales con miel, dejando los suficientes para que las abejas puedan mantenerse y fabricar nueva miel. • Arrancar o cortar al maíz las matas sobrantes, para que las otras se desarrollen mejor • fig. Debilitar, enervar, apocar. ■ CASTRADO; CASTRADOR; CASTRAZÓN.

CASTRENSE adj. Relativo al ejército y al estado o profesión militar.

CASTRIES Cap. de Santa Lucía, al NO de la isla; 17 500 hab. Puerto.

CASTRISMO m. Doctrina inspirada en las ideas de Fidel Castro y del régimen cub. ■ CASTRISTA.

CASTRO, *Américo* (1885-1972) Filólogo e historiador esp. nacido en Brasil. Ensayos sobre literatura (especialmente del Siglo de Oro) y la España medieval. *El pensamiento de Cervantes, Judíos, moros y cristianos*. • ***Cipriano*** (1858-1924) Militar y político ven. Presid. tras derribar a Andrade (1899), instauró un régimen dictatorial. • ***Guillen de*** (1569-1613) Dramaturgo esp., de la escuela de Lope. *El conde Alarcos, Las mocedades del Cid*. • ***Inés de*** → Inés de Castro. • ***José María*** (1818-1892) Político cost. Presid. de la rep. (1846-1849). Proclamó la rep. soberana e indep. (1848). • ***Josué de*** (1908-1973) Sociólogo y economista bras. Presid. de la FAO (1952-1956) y del Centro Internacional para el Desarrollo. Consejero de los presid. Kubitschek y Goulart, a la caída de éste hubo de exiliarse. *Geografía del hambre, Geopolítica del hambre, Hombres y cangrejos* • ***Juan José*** (1895-1968) Compositor y director de orquesta arg. Fundó la orquesta de cámara Renacimiento junto con José María Castro. Utiliza técnica de Bartok y Stravinski. Ha compuesto música para algunas obras de García Lorca. *A una madre* (poema sinfónico); *Argentina, Sinfonía de los campos* (sinfonías). • ***Julián*** (s. XIX) General y político ven. Caudillo de la rev. de Marzo (1858), que derrocó a Monagas. Presid. interino, fue derribado por un golpe militar (1859). • ***Rosalía de*** (1837-1885). Escritora esp., figura pral. del renacimiento de las letras gallegas. Poesía donde dominan los temas del amor desgraciado y la denuncia social. *La hija del mar, Follas novas, En las orillas del Sar*. • ***Sergio de*** (nacido 1921) Compositor arg. Se inspira en las tradiciones medievales y sigue la evolución de la tradición latinomediterránea. Obras para pequeños conjuntos instrumentales. • **Ruz, *Fidel*** (nacido 1927) Político cub. Primer ministro desde el triunfo de la rev. en 1959. En 1953 fue condenado a prisión por intentar derribar a Batista, en el poder desde el golpe de estado del año anterior. Exiliado en México, fundó el *Movimiento 26 de julio*. En 1956 desembarcó en Cuba y consolidó el grupo guerrillero de Sierra Maestra, con el cual derrocó finalmente a Batista. En 1961 proclamó el carácter socialista de la revolución cubana e inició una política internacionalista (intervenciones en Angola y Etiopía). Desde 1976, jefe del Estado y del Gobierno. Reelegido en las elecciones de 1993. • **Ruz, *Raúl*** (nacido 1932) Político cub., hermano de Fidel. Participó en el asalto al cuartel de Moncada (1953) y en el desembarco del *Granma* (1956). Viceprimer ministro y ministro de las fuerzas armadas (1960). Desde 1976, segundo secretario del partido oficial, ministro de las fuerzas armadas y primer vicepresidente.

CASUALIDAD f. Combinación de circunstancias que no se pueden prever ni evitar. ■ CASUAL.

Castor

Rosalía de **Castro**

Fidel **Castro**

Casuario

Literatura **catalana.** Portada del libro de caballerías *Tirant lo Blanch*

Catalina II de Rusia

CASUALISMO m. Teoría que atribuye al azar el origen de todos los acontecimientos.
CASUÁRIDO, DA adj. y f. *Zool.* Díc. de las aves corredoras que tienen tres dedos en cada pie y pico comprimido. • f. pl. *Zool.* Familia de estas aves.
CASUARINA f. Árbol de Australia, Java y Madagascar. Sus ramas producen con el viento un sonido musical.
CASUARINÁCEO, A adj. y s. *Bot.* Plantas angiospermas dicotiledóneas, leñosas, que viven en Australia y en otras islas del océano Pacífico. • f. pl. *Bot.* Familia de estas plantas.
CASUARIO m. Ave corredora de gran tamaño, de la familia casuáridos, de color negro o gris, con un casco óseo en la cabeza y carúnculas azules o rojas.
CASUCHA f. despect. Casa pequeña y mal construida.
CASUISTA adj. y s. Díc. del autor que expone casos prácticos de teología moral. • P. ext., se aplica también al que expone casos prácticos, propios de cualquiera de las ciencias morales o jurídicas. • fig. Díc. de quien emplea sutilezas de argumentación para justificar la conducta reprobable propia o ajena, al modo de los casuistas.
CASUÍSTICA f. Parte de la teología moral que trata de los casos de conciencia. • Conjunto de casos particulares en cualquier materia. ■ CASUÍSTICO, CA.
CASULLA f. Vestidura sagrada que se pone el sacerdote sobre las demás que sirven para celebrar la misa. • *Hond.* Grano de arroz que conserva la cáscara, entre los demás ya descascarillados.
CASUS BELLI exp. latina. Situación de hecho que provoca una guerra.
CATA f. Acción de catar. • Porción de alguna cosa que se prueba. • *Col.* y *Méx.* Calicata, sondeo de un terreno. • *Col.* Cosa oculta o encerrada.
CATABAPTISTA adj. y s. Díc. del que prescinde del bautismo y niega su necesidad.
CATABÓLICO, CA adj. Relativo al catabolismo. • m. *Antr.* Biotipo longilíneo caracterizado por el predominio del nervio simpático.
CATABOLISMO m. *Fisiol.* Parte del metabolismo que comprende las reacciones de degradación de los alimentos para dar dióxido de carbono, agua y energía o para formar las moléculas clave del metabolismo intermediario.
CATABRE o **CATABRO** m. *Col.* y *Ven.* Vasija de calabaza en que se lleva el grano para sembrar.
CATACALDOS com. fam. Persona que emprende muchas cosas sin acabar ninguna. • Persona entremetida.
CATACAMAS Mun. de Honduras, en el dpto. de Olancho; 19 400 hab. Bovinos y derivados lácteos.
CATACAOS Mun. de Perú, en la prov. y dpto. de Piura; 40 800 hab. Algodón; ind. agrícola.
CATACLISMO m. Trastorno de grandes proporciones, como un terremoto o hundimiento. • fig. Gran trastorno en el orden social o político.
CATACRESIS f. *Ret.* Figura que consiste en emplear una palabra en sentido distinto del propio.
CATACUMBAS f. pl. Subterráneos en los cuales los primitivos cristianos enterraban sus muertos y practicaban el culto.
CATADIÓPTRICA f. *Fís.* Parte de la óptica que estudia los efectos combinados de la reflexión y la refracción. • Óptica de los instrumentos en los que intervienen espejos y lentes. ■ CATADIÓPTRICO, CA.
CATÁDROMO, MA adj. Díc. de los peces que emigran del río al mar en la época del desove.
CATADURA f. Acción y efecto de catar. • Gesto o semblante.
CATAFALCO m. Túmulo adornado con magnificencia, que se pone en los templos para las exequias solemnes.
CATALÁN, NA adj. y s. De Cataluña. • m. Lengua románica hablada en Cataluña, Baleares, Comunidad Valenciana, Andorra, la Cataluña N o fr., la franja oriental de Aragón, zona murciana de Carche y la c. it. de Alguer (Cerdeña).

* *Lit.* La literatura c. se divide en dos etapas: la medieval (ss. XI-XV) y la que se inicia en 1833 (*Renaixença*). La etapa medieval está muy vinculada a la Provenza. Con la obra de Ramón Llull aparece la auténtica literatura c., de inclinaciones trovadorescas. El s. XV aporta la figura del humanista Ausias March, y aparece la famosa novela de caballerías *Tirant lo Blanch* de Joanot Martorell (1940). La unión con Castilla marca la decadencia de las letras catalanas, que resurgirán en el s. XIX *(Renaixença)*. Paralelamente, Pompeu i Fabra fija las normas gramáticales. Ángel Guimerà y Santiago Rusinyol, abren el camino a la obra de Adrià Gual, Josep Maria de Sagarra, Salvador Espriu. En poesía descuellan Maragall, Costa i Llobera, C.Riba, J. Verdaguer y J. V. Foix. Tras la guerra civil, Espriu, Oliver, G. Ferrater, J. Brossa, N. Oller y P. Corominas. Llorenç Villalonga y Mercè Rodoreda. Las figuras de Eugeni d'Ors y Josep Pla, dominan el ensayo.
CATALANIDAD f. Calidad o carácter de lo que es catalán.
CATALANISMO m. Defensa de los valores históricos y culturales de Cataluña y de los Países Catalanes y, muy especialmente, del uso y valor de la lengua catalana. • Mov. político surgido a finales del s. XIX que propugnaba para Cataluña una estructura gubernamental propia. • Préstamo lingüístico del catalán. ■ CATALANISTA.
CATALASA f. Enzima compuesta por una proteína de peso molecular 240 000 y cuatro grupos tetrapirrólicos que contienen hierro.
CATALÉCTICO, CA o **CATALECTO, TA** adj. y s. Díc del verso de la poesía gr. y latina que termina en pie incompleto.
CATALEJO m. Anteojo de larga vista.
CATALEPSIA f. Estado psicopatológico consistente en que el enfermo conserva la actitud muscular en que se le pone, sin sensación de fatiga. ■ CATALÉPTICO, CA.
CATALICORES m. Pipeta para catar licores.
CATALINA adj. Díc. de la rueda pral. de los relojes.
CATALINA I (1684-1727) Emperatriz de Rusia [1725-1727], esposa y sucesora de Pedro I el Grande. Con el apoyo de la nobleza cortesana, se opuso a los boyardos y al pueblo. • **II** ***la Grande*** (1729-1796) Emperatriz de Rusia [1762-1796]. Ejemplo del despotismo ilustrado: reorganizó administrativamente el país, fortaleció el poder de la nobleza y disminuyó el del clero. Incorporó a Rusia Crimea, Polonia oriental y Lituania. • **de Aragón** (1485-1536) Reina de Inglaterra [1509-1536], hija de los Reyes Católicos. Casada con Enrique VIII, quien rompió con la Santa Sede para divorciarse de ella y casarse con Ana Bolena. • **de Médicis** (1519-1589) Reina de Francia, esposa de Enrique II. Regente del país durante el reinado de Carlos IX. • **Howard** (1522-1542) Reina de Inglaterra, quinta esposa de Enrique VIII (1540) quien la mandó decapitar. • **Parr** (1512-1548) Reina de Inglaterra [1543-1547], sexta esposa de Enrique VIII. Intervino en contra de las persecuciones religiosas.
CATALINETA f. *Cuba.* Pez osteíctio de color amarillo con fajas oscuras, cola ahorquillada y escamas ásperas.
CATÁLISIS f. *Quím.* Modificación de la velocidad de una reacción química motivada por la presencia de cuerpos que al finalizar la reacción aparecen inalterados. ■ CATALÍTICO, CA.

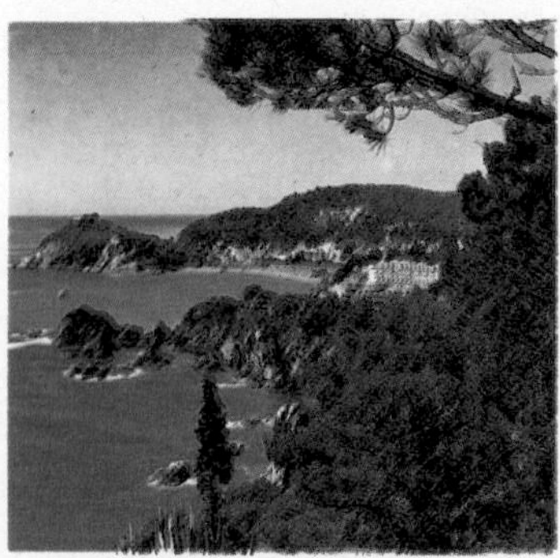

Cataluña. Vista de la Costa Brava

Sierra de Ambato, en **Catamarca**

CATALIZADOR adj. y m. *Quím.* Agente o sustancia capaz de acelerar o retardar una reacción, sin alterar el resultado final de la misma. • fig. Díc. de lo que aglutina, activa o transforma una tendencia, un fenómeno, etc. • **biológico.** Biocatalizador.
CATALNICA f. fam. Cotorra, ave.
CATALOGAR tr. Apuntar, registrar ordenadamente libros, manuscritos, etc. ■ CATALOGACIÓN; CATALOGADOR, RA.
CATÁLOGO m. Lista o inventario hecho ordenadamente.
CATALPA f. Árbol de la familia bignoniáceas, con hojas en verticilo, flores blancas, y vainas largas.
CATALUFA f. Tejido de lana tupido y afelpado, del cual se hacen alfombras. • *Cuba.* Catalineta.
CATALUÑA o **CATALUNYA** Área histórica que esencialmente abarca la región esp. del mismo nombre y la casi totalidad del dpto. francés de Pirineos Orientales, conocido como Rosellón, C. Francesa o C. Norte. • Com. autón. de España, formada por las prov. de Barcelona, Tarragona, Lleida y Girona; 31 930 km^2, 6 090 040 hab. Cap., Barcelona. Sit. junto al Mediterráneo. Pirineos. Cord. Litoral y Prelitoral. Delta del Ebro. Ríos prales.: Ter y Llobregat. Clima mediterráneo, modificado por la alt. Bosques. Agricultura. Ind. textil, metalúrgica, química, alimentaria, editorial. Turismo. Integrada después de la invasión rom. en la prov. Citerior, y luego en la Tarraconense. C. fue invadida por los visigodos y por los musulmanes. Los condados cat. dependieron de los reyes francos, que crearon una barrera al avance musulmán, la Marca Hispánica. A partir del s. X estos condados se independizaron, imponiéndose sobre todos ellos el de Barcelona. En 1137 se unieron al reino de Aragón, y emprendieron, bajo el reinado de Jaime I, una gran expansión por el Mediterráneo. Tras una crisis demográfica, económica y social (s. XIV), las pretensiones centralizantes de la monarquía absoluta (una vez unida C. a Castilla) originaron la guerra de separación de C. (1640-1652). Posteriormente, tras la guerra de Sucesión, los Decretos de Nueva Planta (1717) pusieron fin a la autonomía política y administrativa de C. En los ss. XIX-XX, con la recuperación económica y la industrialización, se reavivaron las aspiraciones de autonomía. Durante la II Rep., y hasta la guerra civil (1936-1939), fue restablecida la *Generalitat*, órgano de autogobierno de tradición medieval, que se recuperó en 1979, al constituirse C. en com. autón.
CATAMARCA Prov. del NO de Argentina, limítrofe con Chile; 102 602 km^2, 265 571 hab . Cap., San Fernando del Valle de C. Relieve montañoso. Comprende: al NO, un sector de la Puna; en la franja occidental, la cord. andina, con alt. superiores a los 6 000 m; en el centro y E, la Precordillera y las sierras pampeanas. Cuencas hidrográficas endorreicas. Ríos prales.: Valle, Belén y Salado o Colorado. Clima continental árido. Vegetación esteparia. Cereales, vid, olivo, frutales y forrajes. Ganadería caprina. Hierro, cobre. Ind. derivadas de la agr. y textil. Terr. en su mayoría desértico y con abundantes llanuras de salitre. • C. de Argentina. *(San Fernando del Valle de C.)*, cap. de la prov. hom.; 110 489 hab. Centro com., agrícola e industrial. Típica c. colonial, sit. a orillas del r. Valle. Fundada en 1559, en 1683 se trasladó a su actual emplazamiento.
CATAMARQUEÑO, ÑA adj. De Catamarca.
CATANA f. Catán. • *Argent.* y *Chile*. Sable largo y viejo. • *Cuba.* Cosa pesada, tosca, deforme. • *Ven.* Loro verde y azul.
CATANGA f. *Argent.* Escarabajo, insecto. • *Col.* Nasa, arte de pesca. • *Bol.* Carrito tirado por un caballo para el transporte de frutas.
CATANIA Prov. de Italia, en Sicilia; 3 552 km^2, 1 051 400 hab. Trigo y viñedos. • Cap. de la prov. hom.; 376 300 hab. Primer puerto del país, en la costa oriental de la isla. Centro industrial y comercial. Aeropuerto. Universidad.
CATANZARO Prov. de Italia en la región de Calabria; 2 391 km^2, 382 565 hab. Cap., la c. hom. Metalúrgicas y fertilizantes. Turismo. • C. de Italia, cap. de la prov. hom. y de la región de Calabria; 96 600 hab.
CATAÑO Mun. de Puerto Rico, en el distr. de Bayamón; 34 587 hab. Centro agrícola y pesquero.
CATAÑO, ***Quirino*** (1550-1622) Escultor guat., de probable origen it. *Cristo de Esquipulas, Jesús del Perdón.*
CATAPLASMA f. Masa plástica y plana que contiene productos medicinales y que se aplica como calmante o emoliente. • fig. y fam. Persona pesada y fastidiosa.
CATAPLEJÍA f. Pérdida de la sensibilidad en una parte del cuerpo.
CATAPLEXIA f. Asombro o susto que se manifiesta en la cara, especialmente en los ojos. • Catalepsia de los animales.
CATAPULTA f. Máquina bélica ant., utilizada en los asedios para arrojar piedras, flechas, etc. • Dispositivo de lanzamiento de aviones desde pistas cortas.
CATAPULTAR tr. Disparar con catapulta. • Lanzar violentamente.
CATAR tr. Probar, gustar alguna cosa para examinar su sabor o sazón. • Ver, examinar, registrar. • Castrar las colmenas. • tr. y prnl. Mirar, fijar la vista en un objeto; tener por fin alguna cosa; estar situada una cosa enfrente de otra; pensar, juzgar; inquirir, informarse de una cosa. ■ CATADOR, RA.

Cataratas más importantes

Nombre	*País*	*Metros altura*
Ángel	Venezuela	980
Tugela	Sudáfrica	948
Sutherland	Nueva Zelanda	579
Ribbon	California	490
Gavarnie	Francia	421
Lofoi	Rep. Dem. del Congo	384
Staubbach	Suiza	305
Rjukan	Noruega	271
Gersoppa	India	253
Kaiteur	Guyana	247
Victoria	Zambia	100
Iguazú	Brasil-Argentina-Paraguay	70
Niágara	EE UU-Canadá	49

CATARAÑA f. Ave, de cuerpo blanco y ojos, pico y patas de color verde rojizo.
CATARATA f. Cascada o salto grande de agua. • Opacidad del cristalino del ojo que produce la ceguera. • pl. Lluvia copiosa.
CATARINA Mun. de Guatemala, en el dpto. de San Marcos; 12 300 hab. Café, caña de azúcar, frutos tropicales.
CATARINITA f. *Méx.* Variedad de la cotorra. • *Méx.* Coleóptero pequeño y de color rojo.
CÁTARO, RA adj. y s. Relativo a los cátaros. • Díc. de los miembros de diversas sectas de herejes (ss. XI-XII) que buscaban una absoluta pureza de costumbres y sencillez de vida.
CATARÓMETRO m. *Fís.* Detector usado en cromatografía de gases, que se basa en la diferente conductividad térmica de los gases.
CATARRINO, NA adj. y m. *Zool.* Díc. de los primates del grupo catarrinos. • m. pl. Grupo de primates caracterizados por la carencia de cola prensil, la posesión, en muchas especies, de callosidades isquiáticas bajo la cola, y la orientación hacia abajo de los orificios nasales.
CATARRO m. Flujo o destilación procedente de

Catapulta

Cataratas de Iguazú, en la frontera de Brasil, Argentina y Paraguay

Castillo **cátaro**

Cabeza de zopilote, ave de la familia **catártidos**

las membranas mucosas. • Inflamación de estas membranas.
CATARSIS f. En la religión mistérica gr., periodo en que el alma, después de la muerte, debía purgar sus faltas. • *Fisiol.* Expulsión espontánea o provocada de sustancias nocivas al organismo. • *Psic.* Eliminación de recuerdos que perturban la conciencia o el equilibrio nervioso. ■ CATÁRTICO, CA.
CATÁRTIDO, DA adj. y m. *Zool. Amer.* Díc. de los individuos de una familia de aves falconiformes que tienen los orificios nasales juntos, sin separación ósea, en la base del pico, como el cóndor y el zopilote. • adj. Relativo a estas aves. • m. pl. *Zool.* Familia de estas aves.
CATASALSAS com. fam. Catacaldos.
CATASCOPIO m. Nave que se usaba para transmitir noticias o para hacer descubiertas.
CATÁSTASIS f. Punto culminante del asunto de un drama, tragedia o poema épico.
CATASTRO m. Censo y padrón estadístico de las fincas rústicas y urbanas. ■ CATASTRAL.
CATÁSTROFE f. Última parte del poema dramático, con el desenlace, especialmente cuando es doloroso. • P. ext., desenlace desgraciado de otros poemas. • fig. Suceso infausto que altera gravemente el orden regular de las cosas. • fig. Hiperbólicamente se aplica a cosas que son de mala calidad o resultan mal, producen mala impresión, etc. ■ CATASTRÓFICO, CA.
CATATAR tr. *Amér.* Fascinar, hechizar.
CATATONIA f. *Psiq.* Síndrome complejo propio de la psicosis esquizofrénica, que supone negativismo, mutismo, sugestionabilidad, amaneramiento, catalepsia, estereotipia, etc. • *Pat.* Tendencia a la contracción tónica de los músculos, de donde resultan actitudes estereotipadas que podrían creerse afectadas.
CATAURO m. *Ant.* Especie de cesto formado de yaguas.
CATAVINO m. Jarrillo o taza para dar a probar el vino de las cubas o tinajas. • Copa de cristal fino con la que se examinan, huelen y prueban los mostos y los vinos.
CATAVINOS m. El que tiene por oficio catar los vinos para comprobar su calidad y sazón. • fig. y fam. Borracho que anda de taberna en taberna.
CATCH (voz ing.) m. Término abreviado de *catch as catch can*, lucha libre amer.
CATE m. Golpe, bofetada. • fam. Nota de suspenso en los exámenes.
CATEADA f. Conjunto de suspensos. • fam. *Amér.* Acción y efecto de catear, explorar.
CATEADOR m. *Amér. Merid.* El que hace catas para hallar minerales.
CATEAR tr. Catar, buscar, procurar. • fig. y fam. Suspender en los exámenes a un alumno. • *Amér.* Reconocer o explorar los terrenos en busca de alguna veta minera. • *Amér.* Allanar la casa de alguno . • *Argent.* y *Chile.* Espiar, acechar. ■ CATEO.

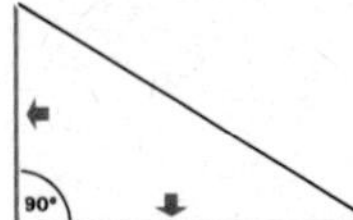

Catetos de un triángulo rectángulo (señalados por flechas)

CATECISMO m. Libro en que se contiene la explicación de la doctrina cristiana. • Obra que contiene la exposición sucinta de alguna ciencia o arte.
CATECOLAMINA f. *Biol.* Tipo de hormona animal de acción adrenérgica.
CATECÚMENO, NA m. y f. Persona que se está instruyendo en la doctrina católica, con el fin de recibir el bautismo. • P. ext., neófito de cualquier religión.
CÁTEDRA f. Asiento elevado, desde donde el maestro da lección a los discípulos. • Aula. • Especie de púlpito con asiento, desde el que se imparten clases. • Empleo y ejercicio del catedrático. • fig. Facultad o materia particular que enseña un catedrático. • fig. Dignidad pontificia o episcopal. • fig. Capital donde reside el prelado. • **Poner,** o **sentar,** c. uno. fig. Hablar afectadamente en tono magistral.
CATEDRAL adj. y f. Iglesia designada como sede del obispo o del arzobispo; la pral. de una diócésis. ■ CATEDRALICIO, CIA.
CATEDRAL Mun. de Venezuela, en el est. Lara; 80 300 hab.
CATEDRÁTICO, CA m. y f. o **CÁTEDRO** com. Profesor que desempeña una cátedra en una universidad, instituto, etc.
CATEGOREMA m. *Lóg.* Cualidad por la que un objeto se clasifica en una u otra categoría.
CATEGORÍA f. *Fil.* En la lógica aristotélica, cada una de las diez nociones abstractas y generales siguientes: sustancia, cantidad, calidad, relación, acción, pasión, lugar, tiempo, situación y hábito. • *Fil.* En la crítica de Kant, cada una de las formas del entendimiento; a saber: cantidad, cualidad, relación y modalidad. • fig. Cada jerarquía o grado de una profesión o carrera. • fig. Condición social de unas personas respecto de las demás. • fig. Clase de objetos semejantes. • fig. Uno de los diferentes elementos de clasificación que suelen emplearse en las ciencias. • **De c.** loc. De elevada condición o calidad.

Flores de **catleya**

CATEGÓRICO, CA adj. Claro, preciso, que afirma o niega rotundamente.

Catedral de Chartres

CATENARIA adj. y f. Curva de equilibrio de un hilo suspendido por sus extremos bajo la acción de la gravedad. • f. Sistema de cable aéreo que alimenta de corriente eléctrica a un vehículo.
CATENULAR adj. De forma de cadena.
CATEQUISMO m. o **CATEQUESIS** f. Ejercicio de instruir en cosas pertenecientes a la religión. • Arte de instruir por medio de preguntas y respuestas. ■ CATEQUISTA; CATEQUÍSTICO, CA.
CATEQUIZAR tr. Instruir en la doctrina católica. • Persuadir a alguien hábilmente para que haga cierta cosa. ■ CATEQUIZADOR, RA.
CATÉRESIS f. *Med.* Extenuación independiente de la evacuación artificial. • Debilidad producida por un medicamento. • Acción cáustica moderada.
CATERÉTICO, CA adj. *Cir.* Aplícase a la sustancia que cauteriza superficialmente los tejidos.
CATERING (voz ing.) m. Servicio de abastecimiento de comida que brinda una empresa a otras o a particulares.
CATERVA f. Multitud de cosas o personas.
CATETE m. *Chile.* Demonio. • *Chile.* Puches que se hacen con caldo de cerdo.
CATÉTER m. *Cir.* Sonda, tienta para exploración. • *Cir.*Tubo cilíndrico utilizado para evacuar líquido o para distender un conducto.
CATETERISMO m. *Cir.* Acto quirúrgico o exploratorio que consiste en introducir un catéter en un conducto o cavidad.
CATETO, TA adj. y s. Lugareño, palurdo. • m. *Geom.* Cada uno de los dos lados que forman el ángulo recto en un triángulo rectángulo. • **Teorema del c.** *Geom.* La longitud de un c. es media proporcional entre la de la hipotenusa y la de su proyección sobre ella.
CATETÓMETRO m. *Fís.* Instrumento que sirve para medir pequeñas longitudes verticales.
CATEY m. *Cuba.* Perico, ave trepadora. • *Ant.* Nombre de una variedad de palmera.
CATGUT(voz ing.) m. Hilo usado en cirugía.
CATHER, *Willa Sibert* (1876-1947) Novelista norteam. *La muerte del arzobispo*, *Una dama extraviada*, *Los colonos.*
CATIBÍA f. *Cuba.* Residuo de la harina de yuca.
CATIBO m. *Cuba.* Pez de río.
CATILINA, *Lucio Sergio* (109-62 a. C.) Político rom., propretor de África. Denunciado por conjura ante el senado por Cicerón, fue muerto en el combate de Pistoya.
CATILINARIA adj. y f. Díc de las oraciones pronunciadas por Cicerón contra Catilina. • f. fig. Escrito o discurso vehemente dirigido contra alguna persona.
CATIMBAO m. *Chile* y *Perú.* Máscara o figurón que sale en la procesión del Corpus. • *Chile.* Persona ridículamente vestida. • *Chile.* Payaso. • *Perú.* Persona obesa y de poca estatura.

CATINGA f. *Amér.* Olor desagradable que desprenden algunas personas, animales o plantas. ■ *Amér.* CATINGOSO.
CATIÓN m. Ion de carga positiva que en la electrólisis se dirige hacia el cátodo.
CATIRE adj. *Amér.* Díc. del individuo rubio, en especial del que tiene el pelo rojizo y ojos verdosos o amarillentos.
CATIRRINO, NA adj. y m. *Zool.* Díc. de los individuos de un grupo de primates del suborden simios del Viejo Mundo. • adj. Relativo a estos animales. • m. pl. *Zool.* Grupo de estos animales.
CATITA f. *Amér. Merid.* Especie de loro, de color verde claro brillante y alas remeras azules.
CATITE m. Piloncillo que en los ingenios se hace del azúcar más depurado. • Golpe o bofetada dados con poca fuerza. • *Méx.* Especie de tela de seda.
CATITEAR intr. *Argent.* Oscilar o moverse la cabeza en los ancianos. • fig. Andar escaso de dinero.
CATIVÍ f. *Hond.* Especie de herpes que produce unas manchas moradas en todo el cuerpo.
CATLEYA f. *Amér.* Planta orquidácea.
CATLIN, *George* (1796-1872) Pintor norteam. Viajó por el continente amer. para reflejar en sus lienzos a los indígenas.
CATO m. Sustancia medicinal que se extrae de una especie de acacia. • *Bol.* Medida agraria. • adj. y s. Individuo de un ant. pueblo germano que habitó las tierras al E del Rin y al N del macizo del Taunus.
CATOCHE m. fam. *Méx.* Mal humor.
CATÓDICO, CA adj. *Fís.* Relativo al cátodo. • **Rayos catódicos.** *Fís.* Corriente de electrones emitidos desde un cátodo de un tubo de descarga, durante el bombardeo del gas que se encuentra en su interior, por medio de iones positivos. • **Tubo de rayos catódicos.** *Electr.* Dispositivo de presentación visual, del tipo pantalla, empleado en televisores y monitores de computadora.
CÁTODO m. *Fís.* Polo negativo de un generador de electricidad o de una batería eléctrica.
CATOLICIDAD f. Universalidad de la doctrina católica.
CATOLICISMO m. Creencia de la iglesia católica. • Comunidad y gremio universal de los que pertenecen a la iglesia católica.
CATÓLICO, CA adj. Universal, que comprende y es común a todos; se aplica a la iglesia rom. desde san Ignacio de Antioquía (s. II). • Verdadero, cierto, infalible, de fe divina. • adj. y s. Que profesa la religión católica. • adj. Relativo a la religión católica.
CATOLIZAR tr. Convertir a la fe católica; predicarla, propagarla.
CATÓN m. fig. Censor severo. • Silabario, primer libro de lectura.
CATÓN, *Marco Porcio* (234-149 a. C.) Político y escritor rom., llamado EL CENSOR. Se opuso al lujo y a las corrientes helenizantes. Enemigo de Cartago. • ***Marco Porcio*** (95-46 a. C.) Biznieto del anterior, llamado DE ÚTICA. Partidario de la rep. y tradicionalista. Se enfrentó a César, apoyando a Cicerón en contra de Catilina. Se suicidó.
CATÓPTRICA f. Parte de la óptica que estudia la reflexión de la luz. ■ CATÓPTRICO, CA.
CATOPTROSCOPIA f. *Med.* Reconocimiento del cuerpo humano por medio de aparatos catóptricos.
CATORCE adj. Diez más cuatro. • Decimocuarto. Aplicado a los días del mes se emplea como s.m. • m. Conjunto de signos con que se representa el número catorce.
CATORCEAVO, VA adj. y s. Catorzavo.
CATORCENA f. Conjunto de 14 unidades.
CATORCENO, NA adj. Decimocuarto. • Que tiene 14 años.
CATORRO m. *Méx.* Golpe, encuentro violento y su efecto.
CATORZAVO, VA adj. y m. Díc. de cada una de las 14 partes iguales en que se divide un todo.
CATRACA f. *Méx.* Ave semejante al faisán.
CATRE m. Cama ligera para una sola persona. • fam. Cama, lecho. • *Argent.* Balsa, conjunto de maderos que flotan.
CATRICOFRE m. Cofre destinado para recoger la cama en él, y que tiene dentro unos bastidores que pueden servir de catre.
CATRÍN m. *Méx.* Petimetre.
CATRINTRE m. *Chile.* Queso hecho de leche desnatada. • *Chile.* Pobre mal vestido.
CATTANEO, *Danese* (1509-1573) Escultor manierista y poeta it. Monumentos sepulcrales y retratos.
CATULO, *Cayo Valerio* (87-54 a. C.) Poeta lírico latino. Su temática es el erotismo. *Poemas a Lesbia.*
CATUQUINA adj. y s. Díc. del individuo de un pueblo amerindio del NO de Brasil y E de Perú.
CATUTO m. *Chile.* Pan de forma cilíndrica, hecho de trigo machacado y cocido.
CATZO m. *Ecuad.* Especie de abejorro.
CAUBA f. *Argent.* Arbolito espinoso de la familia cesalpiniáceas, cuya madera se usa en ebanistería.
CAUCA f. *Bol.* Bizcocho de harina de trigo.
CAUCA Dpto. del SO de Colombia, en la costa del Pacífico; 29 308 km^2, 1 127 668 hab. Cap., Popayán. En su relieve se distingue la llanura litoral y el sector montañoso (Cord. Occidental y Central de los Andes). Entre ambas se encuentra la fosa del Patía, la pen. de Popayán y el valle alto del Cauca. Clima ecuatorial en el sector costero y disminución de las temperaturas con la alt. La agr. varía según las condiciones climatológicas. Café, caña de azúcar, plátanos, arroz, maíz. Riqueza forestal. Oro y platino. • Río de Colombia, afl. del Magdalena; 1 350 km^2. Discurre por la mitad occidental del país en dirección S-N. Nace en la cord. Central, en el dpto. de Cauca. Es navegable en gran parte de su curso.
CAUCANO, NA adj. y s. Del Cauca.
CAUCÁSEO, A o **CAUCASIANO, NA** adj. Relativo a la cord. y a la región del Cáucaso.
CAUCASIA Región que se extiende por Rusia, Georgia y Azerbaiján, entre los mares Negro y Caspio. Comprende el Cáucaso y terr. inmediatos.
CAUCASIA Mun. de Colombia, en el dpto. de Antioquía; 32 900 hab. Maíz, tabaco, café. Ganadería. Hierro.
CAUCÁSICO, CA adj. Aplícase a la raza blanca o indoeuropea, por suponerla oriunda del Cáucaso. • *Ling.* Díc. de las lenguas que se hablaron o se hablan en el Cáucaso.

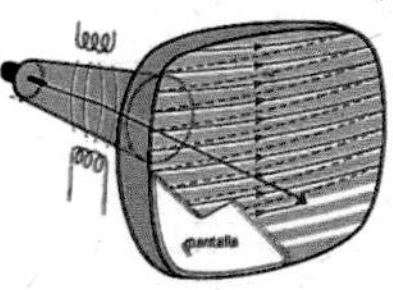

Tubo de rayos catódicos de un televisor

Marco Porcio **Catón**

Paisaje del **Cáucaso**

CÁUCASO *(Kavkaz)* Cordillera del SE de Europa, entre los continentes europeo y asiático. Se extiende entre el estrecho de Kerch (en el mar Negro) y la pen. de Apsheron (en el Caspio).
CAUCASOIDE adj. y s. Uno de los grandes grupos raciales en que se divide la especie humana, (se halla extendido por América, Europa, S de África y Oceanía).
CAUCE m. Lecho de los ríos y arroyos. • Conducto descubierto o acequia por donde corren las aguas para riegos u otros usos. • fig. Dirección natural o lógica de las cosas o sucesos.
CAUCEL m. *Amér. Centr.* Ocelote.
CAUCHA f. *Chile.* Planta umbelífera espinosa, de hojas lanceoladas, usada como antídoto de la picadura de arañas venenosas.
CAUCHERO, RA m. y f. El que busca o trabaja el caucho. • f. Planta de la que se extrae el caucho. • *Col., Ecuad.* y *Perú.* Plantación de caucho.
CAUCHO m. *M. prima.* Látex producido por varias moráceas y euforbiáceas intertropicales, entre las que destaca la *Hevea brasiliensis*, de aplicaciones industriales. ■ CAUCHAL.
CAUCHOTINA f. Compuesto de caucho, usado

Incisión para la obtención de **caucho** en una *Hevea brasiliensis*

para dar flexibilidad e impermeabilidad a las pieles.

CAUCHY, *Augustin-Louis* (1789-1857) Matemático fr., uno de los creadores del análisis matemático. Autor de estudios sobre funciones de variable compleja y de sistematizaciones de los procesos de paso al límite y cálculo diferencial.

CAUCIÓN f. Prevención, precaución o cautela. • *Der.* Fianza que da una persona por otra. ■ CAUCIONAR.

CAUCO, CA adj. y s. Díc. de los individuos de un ant. pueblo del NE de la Germania.

CAUDA f. Falda o cola de la capa magna.

CAUDAL adj. Caudaloso, de mucha agua. • Relativo a la cola. • m. Hacienda, bienes de cualquier especie, y más comúnmente dinero. • Cantidad de agua que mana o corre. • fig. Abundancia de cosas que no sean dinero o hacienda. ■ CAUDALOSO, SA.

CAUDILLAJE m. Mando o gobierno de un caudillo. • *Amér.* Caciquismo. • *Chile.* Tiranía.

CAUDILLISMO m. Sistema de mando o gobierno basado en la vinculación personal no representativa.

CAUDILLO m. El que como cabeza, guía y manda la gente de guerra. • El que dirige algún gremio, comunidad o cuerpo. • *Pol.* Jefe militar que utiliza la fuerza de las armas para imponer su dominio o conquistar el poder.

CAUDIMANO o **CAUDÍMANO** adj. *Zool.* Díc. del animal que tiene cola prensil y del que se sirve de ella como instrumento de trabajo.

CAUDIO Ant. c. de Italia, junto a la Campania, habitada por los samnitas.

CAUDRON, *Gastón* (1882-1915) y ***René*** (1884-1959) Ingenieros y aviadores fr., hermanos. Construyeron planeadores y aviones.

CAUJAZO m. *Amér.* Planta de la familia borragináceas, cuya madera se emplea en construcción.

CAULA f. *Chile* y *Hond.* Treta, engaño, ardid.

CAULERPÁCEO, A adj. y f. *Bot.* Díc. de las algas de la familia caulerpáceas. • f. pl. Familia de algas verdes de talo claramente diferenciado, usadas como abono y para la alimentación humana.

CAULESCENTE adj. *Bot.* Díc. de la planta cuyo tallo se distingue fácilmente de la raíz por estar bien desarrollado.

CAULÍCULO m. *Arq.* Adorno del capitel corintio.

CAULIFLORO, RA adj. Díc. de los árboles y arbustos cuyas flores nacen del tronco.

CAULINAR adj. *Bot.* Relativo al tallo.

CAUPOLICÁN (1505-1558) Jefe araucano. Se distinguió en la lucha contra los esp. y derrotó a Pedro de Valdivia. García Hurtado de Mendoza lo venció en Monte Pino y lo mandó ejecutar. Sus hazañas fueron cantadas por Ercilla en *La Araucana.*

CAUQUE m. *Chile.* Pejerrey grande. • fig. *Chile.* Persona lista y viva.

CAUQUENES Prov. del centro de Chile, en la VII Región del Maule; 54 600 hab. Cap., Cauquenes. • C. de Chile, cap. de la prov. hom.; 40 300 hab. Centro vinícola.

CAURA Río de Venezuela, afl. de la derecha del Orinoco; 570 km. Nace en el macizo guayanés con el nombre de Merevari.

CAURI m. Molusco gasterópodo, cuya concha se utilizó como moneda en diversos países de Asia y África Oriental.

CAURO m. Noroeste, viento que sopla de esta parte.

CAUSA f. *Fil.* Lo que se considera como fundamento u origen de algo. • Motivo o razón para obrar. • Interés o partido. • Litigio, pleito. • *Der.* Proceso criminal que se instruye de oficio o a instancia de parte. • *Chile.* Comida ligera. • *Perú.* Puré de patatas con lechuga, queso, aceitunas, choclo y ají. • **final.** *Fil.* Fin con que o porque se hace algo. • **pública.** Utilidad y bien del común. • A c. de. loc. Por efecto. • **Hacer c. común.** Aunarse para un fin.

CAUSAHABIENTE com. *Der.* Persona a quien se han transmitido los derechos de otra.

CAUSAL adj. Díc. de la relación de causa que existe entre dos o más hechos, ideas, etc. • f. Razón y motivo de alguna cosa.

CAUSALIDAD f. Causa, origen, principio. • *Fil.* Ley en virtud de la cual se producen efectos. • *Fís.* y *Fil.* Relación que existe entre causa y efecto.

CAUSANTE adj. y s. Que causa. • m. *Der.* Persona de quien proviene el derecho que alguno tiene.

Aníbal **Cavaco Silva**

Detalle de *El juicio final*, fresco de P. **Cavallini**

CAUSAR tr. Producir la causa su efecto. • tr. y prnl. Ser causa, razón y motivo de que suceda una cosa. • P. ext., ser ocasión o darla para que suceda una cosa. ■ CAUSACIÓN; CAUSATIVO, VA.

CAUSEAR intr. *Chile.* Tomar el causeo; merendar. • *Chile.* Comer a deshora fiambres. • tr. fig. *Chile.* Vencer con facilidad a una persona. • *Chile.* Comer, en general.

CAUSEO m. *Chile.* Comida que se hace fuera de horas, ordinariamente de fiambres o cosas secas.

CAUSÓN m. Calentura fuerte y de corta duración.

CAUSTICAR tr. Dar causticidad a alguna cosa.

CÁUSTICO, CA adj. Díc. de toda sustancia que ataca y destruye los tejidos de los seres vivos. • fig. Mordaz, agresivo. • adj. y m. Medicamento que produce una escara en los tejidos. • m. Vejigatorio. • f. Curva envolvente de los rayos emergentes de un sistema óptico. • **Potasa c.** *Quím.* Hidróxido potásico. • **Sosa c.** *Quím.* Hidróxido sódico. ■ CAUSTICIDAD.

CAUTELA f. Precaución y reserva con que se procede. • Astucia y sutileza para engañar. ■ CAUTELOSO, SA.

CAUTELAR tr. Prevenir, precaver. • prnl. Precaverse, recelarse.

CAUTERIO m. Cauterización. • fig. Lo que corrige o ataja eficazmente algún mal. • *Cir.* Instrumento con el que se aplica calor en un punto con fines terapéuticos, para convertir los tejidos en una escara.

CAUTERIZAR tr. *Cir.* Restañar la sangre, castrar las heridas y curar otras dolencias con el cauterio. • fig. Corregir con aspereza o rigor algún vicio. • fig. Calificar o tildar con alguna nota. ■ CAUTERIZACIÓN.

CAUTÍN Prov. del S de Chile, en la IX Región de La Araucanía; 522 500 hab. Cap., Temuco. Relieve: sector andino (volcán Lanín, 3 747 m; lagos Villarrica, Colico) y llanura litoral. Clima templado y lluvias abundantes. Cereales, patatas, forrajes y frutales. Es la zona en donde se conservan más puros los rasgos araucanos.

CAUTIVAR tr. Aprisionar al enemigo en la guerra, privándole de libertad. • fig. Atraer, ganar. • fig. Ejercer irresistible influencia en el ánimo por medio de atractivo físico o moral. • intr. Ser hecho cautivo, o entrar en cautiverio. ■ CAUTIVADOR, RA.

CAUTIVIDAD f. o **CAUTIVERIO** m. Situación del individuo o grupo privados de libertad.

CAUTIVO, VA adj. y s. Prisionero de guerra. • fig. Atraído por una persona o cosa.

CAUTO, TA adj. Que obra con sagacidad.

CAUTO Río de Cuba; 250 km. Nace en Sierra Maestra y desemboca en el golfo de Guacanayabo.

CAVA adj. y f. *Anat.* Díc. de cada una de las dos venas que van a parar a la aurícula derecha del corazón. • f. Acción de cavar; y más comúnmente, la labor que se hace en las viñas, cavándolas. • En palacio, lugar donde se cuidaba del agua y del vino que bebían las personas reales. • Subterráneo abovedado que sirve para conservar los vinos. • Foso, excavación en torno de un fuerte.

CAVACO Silva, *Aníbal* (nacido 1939) Político port. Primer ministro de 1985 a 1995, por el PSD.

CAVACOTE m. Montoncillo de tierra hecho con la azada para que sirva de señal o mojón.

CAVAFIS, *Constantinos* (1863-1933) Poeta gr. *Las Termópilas, El dios abandona a Antonio.*

CAVALCANTI, *Alberto* (1897-1982) Productor y director de cine bras. *Nada más que las horas*, *Cara de carbón*, *El canto del mar*, *Mujer de verdad.* Autor del libro *Cine y realidad.* • ***Emiliano di*** (1897-1976) Pintor bras., uno de los más destacados de América Latina. *Pan nuestro*, *El carnaval*, *El crepúsculo.* • ***Guido*** (1255-1300) Poeta it. Su canción *Una dama me ruega que yo explique* constituye una especie de manifiesto del *stil nuovo.*

CAVALIERI, *Bonaventura* (1598-1647) Matemático y astrónomo it. partidario del sistema de Copérnico. Introdujo en Italia el uso de los logaritmos de Neper y Briggs. • ***Emilio de*** (h. 1550-1602) Compositor it. Uno de los primeros representantes del estilo recitativo y de su adaptación escénica. *Representación del alma y del cuerpo.*

CAVALLERO, *Pedro Juan* (1786-1821) Patriota par. Inició la rev. independentista. Presid. del Congreso que proclamó la rep. (1813). • ***Ugo*** (1880-

1943) Militar it., partidario de Mussolini. Subsecretario de Est. para la guerra (1925-1928). Jefe del alto est. mayor (1941-1943). Al producirse la invasión de Italia por los aliados, conspiró para poner fin a la alianza italogermana. Murió en misteriosas circunstancias.

CAVALLINI, ***Pietro*** (h. 1240-h. 1330) Pintor it. Autor de mosaicos (*Historia de la Virgen*, en Santa Maria in Trastevere), y de frescos: *El juicio final*, en Santa Cecilia, Roma; *Coronamiento de la Virgen con los apóstoles Pedro y Pablo*.

CAVALLOTTI, ***Felice*** (1842-1898) Dramaturgo y poeta lírico it. Seguidor del género «bohemio». Dramas históricos: *Los mendigos*, *Alcibiades*, *Los mesenios*.

CAVANI, ***Liliana*** (nacida 1937) Directora de cine it. *El portero de noche*, *La piel*.

CAVAR tr. Levantar y mover la tierra con la azada, azadón u otro instrumento semejante. • intr. Ahondar, penetrar. • fig. Pensar con intención o profundamente en alguna cosa. ■ CAVADIZO, ZA; CAVADOR, RA; CAVADURA.

CAVATINA f. Breve fragmento de ópera, parecido a una aria. • Breve composición instrumental de carácter lírico.

CAVAZOS, ***Eloy*** (nacido 1950) Torero mex. Tomó la alternativa en agosto de 1966, y en 1971 se presentó por primera vez en España.

CÁVEA f. Jaula rom. para aves y otros animales. • Lugar destinado a los espectadores en los teatros gr. y rom.

CAVEDIO m. Patio de la casa romana.

CAVENDISH, ***Henry*** (1731-1810) Físico y químico ing., el primero en realizar un estudio minucioso del hidrógeno. Determinó la composición del agua. Estableció la existencia de gases diferentes en el aire común. Calculó la densidad media de la Tierra. Determinó experimentalmente la constante de la gravitación universal. • ***Thomas*** (1560-1592) Navegante ing., dio la vuelta al mundo pasando por el estr. de Magallanes y el cabo de Buena Esperanza.

CAVENTOU, ***Joseph Bienaimé*** (1795-1877) Químico y farmacéutico fr. En colaboración con Pelletier, aisló la estricnina y la quinina.

CAVERNA f. Cavidad natural subterránea o entre rocas. • *Pat.* Cavidad que se forma, en algunos órganos del cuerpo, después de la evacuación del pus de un absceso o por el reblandecimiento de una masa tuberculosa.

CAVERNARIO, RIA adj. Propio de las cavernas, o que tiene caracteres de ellas. • Díc. del hombre prehistórico que vivía en cavernas.

CAVERNÍCOLA adj. y s. Que vive en las cavernas. • despect. fig. y fam. Retrógrado, reaccionario en sus ideas.

CAVERNOSIDAD f. Oquedad, hueco natural de la tierra, cueva. Se usa más en pl.

CAVERNOSO, SA adj. Relativo o semejante a la caverna. • Aplícase a la voz, a la tos o al sonido broncos. • Que tiene muchas cavernas.

CAVETO m. *Arq.* Moldura cóncava cuyo perfil es un cuarto de círculo.

CAVÍ m. Raíz seca y guisada de la oca, planta del Perú.

CAVIA f. Especie de alcorque o excavación. • m. Conejillo de Indias.

CAVIAR o **CAVIAL** m. Conserva hecha de huevas de esturión.

CAVIDAD f. Espacio hueco dentro de un cuerpo.

CAVILAR tr. Pensar mucho en alguna cosa. ■ CAVILOSO, SA.

CAVILOSIDAD o **CAVILACIÓN** f. Aprensión infundada, juicio poco meditado.

CAVITACIÓN f. *Fís.* Fenómeno que consiste en la formación de burbujas de vapor en un cuerpo que se desplaza en un líquido.

CAVITE C. de Filipinas, al S de la isla de Luzón, cap. de la prov. hom.; 87 700 hab. Puerto en la bahía de Manila, donde la escuadra esp. fue destruida en 1898 por la norteam.

CAVOUR, ***Camillo***, CONDE DE (1810-1861) Político it. Miembro de la aristocracia y liberal. Con Garibaldi, fue el personaje clave de la unidad it. Jefe del gobierno piamontés desde 1852 hasta su muerte. El 17 de marzo de 1861, proclamó el reino unido de Italia.

CAXÉS, ***Eugenio*** (1576-1634) Pintor esp., hijo y discípulo del it. ***Patricio Caxés,*** a quien sucedió como pintor de cámara de Felipe III. Frescos en la catedral de Toledo y el ant. Alcázar de Madrid.

CAXTON, ***William*** (1422-1491) Impresor ing. Introdujo la imprenta en Inglaterra y publicó el primer libro impreso en este país.

CAY m. *Argent.* Mono capuchino.

CAYADO m. o **CAYADA** f. Palo o bastón corvo por la parte superior, usado especialmente por los pastores. • Báculo pastoral de los obispos. • **de la aorta.** *Anat.* Arco que describe esta arteria a poco de su nacimiento en el ventrículo izquierdo, para descender a lo largo del tórax y del abdomen.

CAYAMA f. *Cuba.* Ave ciconiforme, acuática.

CAYANA f. *Argent.* y *Col.* Callana, vasija.

CAYAPA adj. y s. Díc. del individuo de una tribu amerindia, de la familia lingüística chibcha, que habita en el NO de Ecuador.

CAYAPEAR intr. *Ven.* Reunirse muchos para atacar a uno con más seguridad.

CAYAPÓ adj. y s. Díc. del individuo de una tribu amerindia, de la familia lingüística ge, que vive en el NO del Brasil.

CAYATTE, ***André*** (1909-1989) Director de cine fr. *La falsa amante*, *No matarás*, *Morir de amor*.

CAYAYA f. *Cuba.* Arbusto silvestre, de florecillas blancas en racimos, y frutos pequeños.

CAYENA *(Cayenne)* Cap. de la Guayana fr., en la desembocadura del río Guayenne; 38 100 hab. Tratamiento de los productos del hinterland (cacao, madera, ron).

CAYEPUTI m. Árbol de la India y de Oceanía, de la familia mirtáceas, del cual se extrae un aceite aromático usado en medicina.

CAYETANO (1480-1547) Santo. Sacerdote it., fundador de los teatinos (1517).

CAYETÉ adj. y s. Díc. de los indígenas de una tribu amerindia que en la época del descubrimiento habitaba en Brasil, junto al río Paraíba.

CAYEY Mun. de Puerto Rico, en el distr. de Guayama; 42 200 hab. Caña de azúcar, tabaco, café.

CAYO m. Islote llano y arenoso del mar de las Antillas y del golfo de México.

CAYOTE m. Chayote. • Coyote.

CAYUCO m. Embarcación india con el fondo plano y sin quilla, que se gobierna con el canalete.

CAYUTANA f. Planta de la familia rutáceas.

CAZ m. Canal de derivación para tomar el agua y conducirla a donde es aprovechada.

CAZA f. Acción de cazar. • Animales salvajes, antes y después de ser cazados. • m. *Mil.* Avión de guerra destinado a interceptar o derribar los aviones enemigos.

CAZABE m. *Amér.* Torta hecha con harina de raíz de mandioca.

CAZABOMBARDERO m. *Mil.* Avión destinado a portar armas para abatir objetivos tácticos.

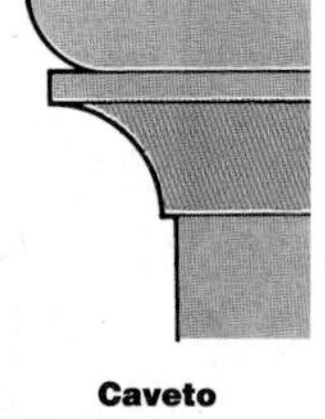

Caveto

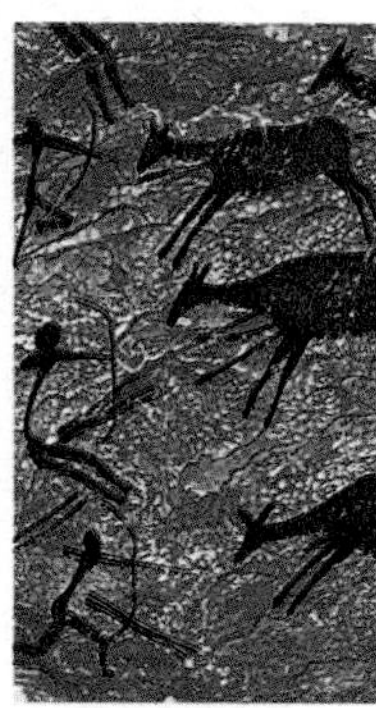

Pintura rupestre de una escena de **caza**

Formación de **cazabombarderos** en un portaviones

CAZACLAVOS m. Tenaza para arrancar clavos.

CAZADOR, RA adj. y s. Que caza. • adj. Díc. de los animales que persiguen y cazan otros animales. • m. *Mil.* Soldado de tropas ligeras. • **furtivo.** El que caza en terreno vedado.

CAZADORA f. Chaqueta de corte deportivo, ajustada a la cintura y provista de cremallera. • *C. Rica.* Ave de color amarillo limón y canto agradable.

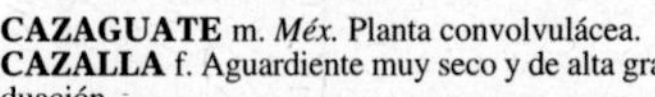

Nicolae **Ceausescu**

Espigas de **cebada**

Marta **cebellina**

CAZAGUATE m. *Méx.* Planta convolvulácea.
CAZALLA f. Aguardiente muy seco y de alta graduación.
CAZAR tr. Perseguir la caza para matarla. • fig. y fam. Adquirir con destreza alguna cosa difícil o que no se esperaba. • fig. y fam. Cautivar la voluntad de alguno con halagos o engaños. • fig. y fam. Captar las cosas con rapidez. • fig. y fam. Sorprender a alguno en un descuido o error que desearía ocultar. ■ CAZADERO.
CAZASUBMARINO m. *Mil.* Nave destinada a la persecución y destrucción de submarinos.
CAZATORPEDERO m. *Mil.* Buque pequeño y bien armado, usado para perseguir torpederos.
CAZCALEAR intr. fam. Andar de una parte a otra aparentando actividad, pero sin hacer nada.
CAZCARRIA f. Lodo o barro que salta del suelo y se pega y seca en la ropa, o en la piel o lana de los animales. Suele usarse en pl. ■ CAZCARRIENTO, TA.
CAZCORVO, VA adj. Aplícase a la caballería que tiene las patas corvas. • *Col., Méx.* y *Ven.* Patizambo.
CAZO m. Vasija metálica semiesférica y con mango largo. • Recazo, lomo del cuchillo.
CAZOLADA f. Cantidad de comida que cabe en una cazuela.
CAZOLETA f. Cazuela pequeña. • Pieza de las ant. armas de fuego donde se colocaba la pólvora. • Pieza de hierro u otro metal, que se pone debajo del puño de la espada y del sable, y sirve para resguardo de la mano. • Especie de perfume. • Receptáculo pequeño que llevan algunos objetos.
CAZOLETEAR intr. Cucharetear.
CAZÓN m. Pez selacio muy voraz, del suborden escuálidos, de cuerpo casi cilíndrico y dientes agudos y cortantes. Su piel sirve de lija, después de seca. • Azúcar moreno, sin purificar del todo.
CAZONAL m. Red para pescar cazones. • fig. y fam. Asunto de difícil solución.
CAZOTTE, *Jacques* (1719-1792) Escritor fr. *Olivier, El diablo enamorado, Lord impromptu.*
CAZUDO, DA adj. Que tiene mucho recazo, o que lo tiene pesado.
CAZUELA f. Vasija más ancha que honda, que sirve para guisar. • Guisado que se hace en ella. • Parte del teatro a la que sólo asistían mujeres. • Paraíso de los teatros.
CAZUMBRE m. Cordel de estopa poco torcida, con que se unen las tablas y las duelas de las cubas de vino. ■ CAZUMBRAR.
CAZURRO, RRA adj. y s. fam. Persona de pocas palabras, aparentemente ignorante, pero astuta.
cc Abrev. de centímetro cúbico. • Abrev. de cuenta corriente. Suele escribirse c/c.
Cd *Quím.* Símb. del cadmio.
CD m. Abrev. de *Compact Disc* (disco compacto). Disco óptico de alta densidad, de 12 cm de diámetro, que sirve como soporte para almacenar información. • **-DA** Abrev. de *Compact Disc Digital Audio* (disco compacto audio digital). CD en el que se almacena audio digital de alta calidad. Éste fue el primer tipo de CD que se fabricó. • **-i** Abrev. de *Compact Disc Interactive* (disco compacto interactivo). CD diseñado especialmente como medio de información interactiva o multimedia. • **-ROM** Abrev. de *Compact Disc-Read Only Memory* (disco compacto de memoria sólo de lectura). Formato de CD que permite almacenar datos digitalmente codificados. Se utiliza principalmente para edición electrónica, bases de datos y productos multimedia.
CE f. Nombre de la letra *c.* • **Ce por be,** o **ce por ce.** loc. adv. fig. y fam. Prolijamente, con todo detalle. • **Por ce** o **por be.** loc. adv. fig. y fa m. De un modo o de otro.
CE Siglas de Comunidad Europea.
Ce *Quím.* Símb. del cerio.
CEA f. Cía, hueso de la cadera.
CEA Bermúdez → Zea Bermúdez.
CEARÁ Est. del NE de Brasil; 145 694 km², 6 401 000 hab. Cap., Fortaleza. Ocupa una penillanura cristalina accidentada por algunas sierras. Clima tropical seco. Algodón, caña de azúcar, café. Ganadería y pesca. Producción maderera. Ind. derivadas.
CEARINA f. Pomada de cera, ceresina y parafina líquida.
CEÁTICA f. Ciática, neuralgia.
CEAUSESCU, *Nicolae* (1918-1989) Político rum. Secretario del comité central del partido comunista (1965). En 1967 sucedió a Gheorghiu-Dej en la jefatura del Est. Defendió frente a Breznev la indep. nacional y rechazó la invasión de Checoslovaquia por las tropas del Pacto de Varsovia (1968). Presid. de la rep. en 1974. Su nepotismo desembocó en una insurrección civil en 1989, tras la cual fue detenido y ejecutado, junto a su esposa.
CEBA f. Alimentación abundante y esmerada que se da al ganado. • fig. Acción de alimentar los hornos con el combustible necesario.
CEBADA f. *Bot.* y *Agr.* Nombre común de las especies del gén. *Hordeum* (familia gramíneas), plantas herbáceas con tallos fistulosos, hojas anchas y lanceoladas y flores agrupadas en espiguillas. Germinada y tostada (malta), se emplea en la fabricación de cerveza y como sucedáneo del café. • Simiente de esta planta. ■ CEBADAL; CEBADAZO, ZA.
CEBADAR tr. Dar cebada a las bestias.
CEBADERA f. Morral o manta que sirve de pesebre para dar cebada al ganado en el campo. • Cajón donde se pone la cebada para las caballerías.
CEBADERO m. El que vende cebada. • Mozo de posada. • Caballería que en la recua lleva la cebada. • El que tenía por oficio cebar y adiestrar a las aves de la cetrería. • Sitio o paraje en que se acostumbra echar el cebo a la caza. • *Min.* Abertura por donde se introduce mineral en el horno.
CEBADILLA f. Especie de cebada silvestre. • Fruto de una planta mex. del mismo género que el eléboro blanco. • Raíz del eléboro blanco.
CEBADO, DA adj. *Amér.* Díc. de la fiera que por haber probado carne humana, es más temible. • m. Operación que consiste en llenar una bomba hidráulica para facilitar el funcionamiento inicial de la misma.
CEBADOR, RA adj. Que ceba. • m. Frasquito en que se llevaba la pólvora para cebar las armas de fuego. • *El.* Dispositivo para cebar un tubo fluorescente.
CEBADURA f. Acción y efecto de cebar o cebarse. • *R. de la Plata.* Cantidad de yerba que se pone en el mate cuando se prepara la infusión.
CEBALLOS, *Juan Bautista* (1811-1859) Político mex. Presid. de la rep. (1853), disolvió el Congreso pero, ante el descontento militar, dimitió.

Barcas de pesca en **Ceará**

CEBAR tr. Dar o echar cebo a los animales para alimentarlos, engordarlos o atraerlos. • fig. Alimentar, fomentar; como echar aceite a la luz, leña al fuego, mineral al horno, etc. • fig. Poner en las armas, proyectiles huecos, torpedos y barrenos, el cebo necesario para inflamarlos. • fig. Hablando de máquinas o aparatos, ponerlos en condiciones para empezar a funcionar. • fig. Tratándose de la aguja magnética, tocarla a un imán para darle o renovarle la fuerza. • tr. y prnl., fig. Fomentar o alimentar un afecto o pasión. • tr. *Amér. Merid.* Preparar el mate para tomarlo. • intr. y tr. fig. Penetrar, prender, agarrar o asirse una cosa en otra; como el clavo en la madera, el tornillo en la tuerca, etc. • prnl., fig. Entregarse con mucha intensidad a una cosa. • fig. Encarnizarse, ensañarse.
CEBELLINA adj. y f. Díc. de una variedad de marta, apreciada por la gran calidad de su piel.
CEBICHE o **CEVICHE** m. *Amér.* Guiso de pescado o marisco crudo con limón y ají.
CÉBIDO, DA adj. y m. *Zool.* Díc. de los individuos de una familia de mamíferos primates carac-

terizados por tener las cuatro extremidades casi iguales de longitud. • adj. Relativo a estos animales. • m. pl. *Zool.* Familia de estos animales.

CEBIL m. *R. de la Plata.* Árbol de la familia mimosáceas, alto y corpulento. Su corteza es un poderoso curtiente.

CEBO m. Comida que se da a los animales para alimentarlos, engordarlos o atraerlos. • Porción de materia explosiva que se coloca en determinados puntos de las armas de fuego, los proyectiles huecos, los torpedos y los barrenos, para producir, al inflamarse, la explosión de la carga. • Porción de mineral que se echa de una vez para cebar el horno. • Fomento o pábulo que se da a un afecto o pasión. • Cefo.

CEBOLLA f. *Bot.* Planta hortense de la familia liliáceas, de hojas cilíndricas, y raíz fibrosa que nace de un bulbo esferoidal, formado de capas tiernas y jugosas, de olor fuerte y sabor picante. Se cultiva por su valor gastronómico y por sus propiedades diuréticas o antiescorbúticas. • Cepa o bulbo de esta planta. • Bulbo. • fig. Pieza esférica con agujeros pequeños, que se pone en las cañerías, caño de la regadera, etc. • **albarrana.** *Bot.* Planta perenne y medicinal, de la familia liliáceas, con hojas algo carnosas, flores blancas en racimo, y un bulbo semejante al de la cebolla común. ■ CEBOLLAR.

CEBOLLANA f. Planta muy parecida a la cebolla, con el tallo cilíndrico, las flores violadas, uno o varios bulbos, de sabor dulce, y hojas jugosas, que se comen en ensalada.

CEBOLLETA f. Planta muy parecida a la cebolla, con el bulbo pequeño y parte de las hojas comestibles. • Cebolla común que, después del invierno, se vuelve a plantar y se come tierna antes de florecer. • *Cuba.* Especie de juncia.

CEBOLLINO m. Sementero de cebollas, cuando están en sazón para ser trasplantadas. • Simiente de cebolla. • Cebollana. • fig. Hombre torpe e ignorante.

CEBOLLÓN, NA m. y f. *Chile.* Solterón. • m. Variedad de cebolla, aovada y menos picante que la común.

CEBOLLUDO, DA adj. Bulboso.

CEBÓN, NA adj. y s. Díc. del animal que está cebado. • m. Puerco.

CEBRA f. *Zool.* Mamífero équido afr., parecido al asno o al caballo, según las especies. Vive formando rebaños y se caracteriza por su pelo listado transversalmente de negro y blanco amarillento.

CEBRADO, DA adj. Díc. del caballo, yegua, etc., que tiene manchas negras transversales.

CEBRIÁN y Agustín, ***Pedro,*** CONDE DE FUENCLARA (1687-1752) Político esp. Virrey de Nueva España (1742-1746).

CEBRIÓN m. Insecto coleóptero de cuerpo prolongado y de élitros blandos.

CEBRUNO, NA adj. Cervuno, dicho del color del caballo parecido al del ciervo.

CEBÚ m. Mamífero bóvido, provisto de una giba adiposa sobre el lomo.

CEBÚ Isla de Filipinas, del grupo de las Visayas; 5 088 km^2, 2 091 600 hab. Montañosa. Azúcar de caña, maíz, tabaco. Carbón. • C. de Filipinas, importante puerto exportador y pral. núcleo urbano de la isla hom.; 490 300 hab.

CEBUANO, NA adj. y s. De Cebú.

CEBURRO adj. Díc. del trigo candeal.

CECA f. Casa donde se labra moneda. • *Argent.* Cruz, reverso de la moneda. • **De la C. a la Meca.** loc. fig. y fam. De aquí para allá.

CECA Siglas de la Comunidad Europea del Carbón y del Acero.

CECAL adj. *Anat.* Relativo al intestino ciego o a cualquier estructura anatómica que termina como un saco.

CECEAR intr. Pronunciar la s con articulación igual o semejante a la de la cante *e, i,* o a la de la *z.* ■ CECEO; CECEOSO, SA.

CECH, ***Svatopluk*** (1846-1908) Poeta y novelista checo. *Eslavia, Los admitas* (obras épicas nacionalistas), *La excursión del señor Broucek por la Luna* (novela satírica).

CECIAL m. Merluza u otro pescado parecido, seco y curado al aire.

CECIDIA f. Excrecencia de un vegetal producida por ácaros, bacterias, hongos, etc.

CECIDÓMIDO, DA adj. y m. *Zool.* Díc. de insectos dípteros, frágiles y de pequeño tamaño. • m. pl. *Zool.* Familia de estos insectos.

CECIL of Chelwood, ***Edgar Robert,*** PRIMER VIZCONDE DE (1864-1958) Político ing. , uno de los prales. redactores de la Carta de la Sociedad las Naciones. Premio Nobel de la Paz en 1937.

CECILIA (s. III) Santa. Doncella rom. mártir. Patrona de los músicos.

CECINA f. Carne salada, enjuta y seca al aire, sol o humo. • *Ecuad.* Loncha de carne fresca.

CECINAR tr. Acecinar.

CECOGRAFÍA f. Escritura y modo de escribir de los ciegos. ■ CECÓGRAFO.

CÉCROPE o **CÉCROPS** *Mit.* Primer rey de Ática, de origen egipcio.

CÉCUBO m. Vino célebre en la ant. Roma.

CEDA f. Zeda, última letra del alfabeto español.

CEDACEAR intr. Aplicado a la vista, disminuir, oscurecerse.

CEDACILLO m. Planta anual, de la familia gramíneas, parecida a la tembladera, de la cual se distingue por tener las espiguillas acorazonadas y violáceas.

CEDAZO m. Utensilio formado por una tela metálica o de tejido, sujeta por un aro, que se utiliza para cribar. • Cierta red grande para pescar. ■ CEDACERÍA.

CEDEÑO, ***Manuel*** (1781-1821) General ven. Participó con Bolívar en la primera batalla de Carabobo. Murió en la segunda.

CEDER tr. Dar, transferir, traspasar a otro una cosa, acción o derecho. • intr. Rendirse, sujetarse. • Ser o convertirse una cosa en bien o mal, etc., de alguno. • Disminuir, mitigarse.

CEDILLA f. Letra de la antigua escritura castellana (ç).

CEDIZO, ZA adj. Díc. de algunas cosas de comer que empiezan a pudrirse o corromperse.

CEDOARIA f. Raíz medicinal, de sabor acre y de olor aromático, que proviene de una planta de la India Oriental.

CEDRIA f. Resina que se extrae del cedro.

CÉDRIDE f. *Bot.* Fruto del cedro.

CEDRO m. *Bot.* Árbol de la familia pináceas, de tronco grueso y derecho, ramas horizontales y hojas persistentes, casi punzantes. Su madera es de color más claro que la caoba, es aromática, compacta y de larguísima duración. Madera de este árbol. • **Esencia de c.** Aceite esencial utilizado para aumentar el índice de refracción entre la preparación y el objetivo en los microscopios de inmersión. ■ CEDRINO, NA.

CEDRÓN m. *Amér. Merid.* Planta simarubácea, con frutos en drupa, denominados huevos de pavo o nueces de cedrón.

Bulbo de **cebolla**

Cebra

Cebú

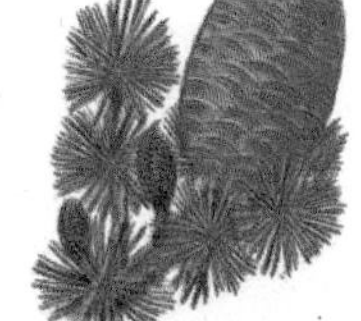
Cedro. Árbol y piña

CEDROS Mun. de Honduras, en el dpto. de Francisco Morazán; 15 200 hab. Café, caña de azúcar. Ganadería. Hierro.

CÉDULA f. Escrito o documento. • Documento en que se reconoce una obligación.

CEDULARIO m. Colección de cédulas reales.

CEDULÓN m. fam. Edicto o anuncio que se fija en sitios públicos. • fig. Pasquín.

CEE Siglas de Comunidad Económica Europea.

Pulpo, molusco marino de la clase **cefalópodos**

Camilo José **Cela**

Celada borgoñona

Celentéreo. Actinia

CEFALALGIA f. *Med.* Dolor de cabeza. Sus causas más frecuentes son la jaqueca y la tensión psicógena, y constituye un síntoma de numerosas enfermedades infecciosas y tumores cerebrales. ■ CEFALÁLGICO, CA.
CEFALEA f. Cefalalgia violenta y tenaz.
CEFÁLICO, CA adj. *Anat.* Relativo a la cabeza.
CEFALINA f. En bioquímica, fosfolípido poco soluble, compuesto por un diglicérido, ácido fosfórico y una base nitrogenada, la colamina.
CEFALITIS f. *Med.* Encefalitis.
CÉFALO m. Róbalo, pez.
CEFALOCORDADO, DA adj. y m. *Zool.* Díc. de los individuos de un tipo de animales marinos que poseen una cuerda dorsal uniforme a lo largo del cuerpo. • adj. Relativo a estos animales. • m. pl. *Zool.* Tipo de estos animales.
CEFALONIA *(Kefallinia)* Isla de Grecia, en el mar Jónico; 904 km^2, 31 300 hab. Cap., Argostoli. La mayor de las islas Jónicas, sit. en la entrada del golfo de Patrás.
CEFALÓPODO adj. y s. *Zool.* Díc. de los moluscos marinos que tienen la cabeza rodeada de tentáculos a propósito para la natación; se hallan, por lo general, desprovistos de concha y segregan un líquido negruzco con que enturbian el agua con objeto de ocultarse; como el pulpo, el argonauta y el calamar. • m. pl. *Zool.* Clase de estos animales.
CEFALORRAQUÍDEO, A adj. *Anat.* Relativo a la cabeza y a la médula espinal. Suele aplicarse al sistema nervioso cerebroespinal. • *Anat.* Díc. del líquido de composición parecida al plasma, que se encuentra alrededor y en cavidades del encéfalo, y rodeando la médula espinal.
CEFALOTÓRAX m. *Anat.* En los artrópodos, región del cuerpo formada por la fusión de la cabeza y el tórax.
CEFEIDA f. *Astr.* Estrella que presenta una variación periódica de su magnitud con oscilaciones que van desde periodos muy breves a otros de hasta 70 días.
CEFEO m. *Astr.* Constelación boreal.
CÉFIRO m. Poniente, viento. • *poét.* Cualquier viento suave y apacible. • Tela de algodón casi transparente y de colores variados.
CEFISO *(Kífissos)* Nombre de varios ríos gr.
CEFO m. Mamífero cuadrumano originario de Nubia, con el cuerpo rojo y la nariz blanca.
CEGAJOSO, SA o **CEGATOSO, SA** adj. y s. Que habitualmente tiene cargados y llorosos los ojos.
CEGAR intr. Perder enteramente la vista. • tr. Quitar la vista a alguno. • tr. e intr. fig. Ofuscar el entendimiento, turbar o extinguir la luz de la razón. • tr. fig. Cerrar, tapar alguna cosa que antes estaba hueca o abierta.
CEGARRA o **CEGARRITA** adj. fam. Díc. de la persona que necesita entornar los ojos para ver.
CEGATO, TA adj. y s. fam. Corto de vista.
CEGATÓN, NA adj. y s. *Amér.* Cegato.
CEGESIMAL adj. *Fís.* Díc. del sistema que tiene por unidades fundamentales el centímetro (longitud), el gramo (masa) y el segundo (tiempo).
CEGRÍ m. Individuo de una familia del reino musulmán de Granada.
CEGUERA f. Pérdida total de la vista. • **nocturna.** Disminución de la visión en la luz crepuscular o la oscuridad. • **para los colores.** Dificultad o imposibilidad para distinguir los colores. Puede ser total, o acromatopsia, y parcial, o daltonismo. • **psíquica** o **mental.** Imposibilidad de reconocer lo que se ve. • **verbal.** Imposibilidad de entender la palabra escrita. ■ CEGUEDAD.
CEI *(Comunidad de Estados Independientes)* Confederación de estados integrada por doce ex repúblicas sov. (Azerbaiján, Armenia, Bielorrusia, Georgia, Kazakistán, Kirguistán, Moldavia, Rusia, Tadjikistán, Turkmenistán, Ucrania y Uzbekistán), cuya formación en 1991 supuso el fin de la URSS. Prevé una unión monetaria, económica y de defensa.
CEIBA f. *Amér.* Árbol de la familia bombacáceas, de unos 30 m de alt. • Alga en forma de cinta.
CEIBA, ***La*** C. de Honduras, cap. del dpto. de Atlántida; 68 764 hab. Centro agrícola y comercial. Puerto en el Caribe.
CEIBA Mun. de Puerto Rico, en el distr. de Humacao; 17 300 hab. Azúcar.
CEIBAL m. Lugar plantado de ceibas o de ceibos.
CEIBO m. *Amér.* Árbol de la familia papilionáceas, de flores rojas y brillantes, que nacen antes que las hojas, que son lanceoladas, verdes por la haz y grisáceas por el envés.
CEIBÓN m. *Cuba.* Especie de ceiba.
CEILÁN (ing. *Ceylon*) Ant. nombre de → Sri Lanka.
CEÍNA f. Sustancia extraída del maíz.
CEISATITA f. *Miner.* Variedad de ópalo.
CEJA f. Parte prominente y curvilínea cubierta de pelo, sobre la cuenca del ojo. • Pelo que la cubre. • fig. Parte que sobresale un poco en algunas cosas. • fig. Cumbre del monte. • *Cuba.* Camino estrecho, senda o vereda en una faja de bosque. • Mús. Listón que tienen los instrumentos de cuerda entre el clavijero y el mástil, para apoyo y separación de las cuerdas. • *Mús.* Abrazadera que se fija en el mástil de la guitarra para hacer subir la entonación de todas las cuerdas. ■ CEJUDO, DA.
CEJADERO o **CEJADOR** m. En los carruajes, correa de la guarnición que sirve para retroceder.
CEJADOR y Frauca, ***Julio*** (1864-1927) Lingüista y crítico esp. *Tesoro de la lengua castellana, La lengua de Cervantes, Historia de la lengua y literatura castellanas.*
CEJAR intr. Retroceder, andar hacia atrás. • Andar hacia atrás las caballerías que tiran de un carruaje. • fig. Aflojar en un asunto.
CEJIJUNTO, TA adj. Que tiene las cejas muy pobladas de pelo y casi juntas. • fig. Ceñudo.
CEJO m. Niebla que suele levantarse sobre los r. y arroyos después de salir el sol. • Atadura de esparto con que se sujetan los manojos de la misma planta.
CELA, ***Camilo José*** (1916-2002) Escritor esp. Sus novelas muestran un extraordinario dominio del lenguaje narrativo, teñido de humor y tremendismo. *La familia de Pascual Duarte, La colmena, Viaje a la Alcarria, Mazurca para dos muertos, Madera de boj.* Académico de la Lengua (1957) y Premio Nacional de Literatura (1984), Premio Nobel (1989) y Premio Cervantes (1995). • **Trulock,** ***Jorge*** (nacido 1932) Escritor esp. *Las horas, Trayecto circomatadero, Inventario base.*
CELACANTIFORME adj. y m. *Zool.* Díc. de peces del orden celacantiformes. • m. pl. *Zool.* Orden de peces crosopterigios, que comprende numerosas formas fósiles y una especie actual del celacanto.
CELACANTO m. *Zool.* Pez celacantiforme, única especie viviente del grupo crosopterigios.
CELADA f. Pieza de la armadura, que servía para cubrir y defender la cabeza. • Emboscada de gente armada • Engaño, trampa.
CELADOR, RA adj. Que cela o vigila. • m. y f. Vigilante destinado por la autoridad. ■ CELADURÍA.
CELAJE m. Aspecto que presenta el cielo cuando hay nubes tenues y de varios matices. Se usa más en pl. • Claraboya o ventana, y la parte superior de ella. • fig. Presagio, anuncio de lo que se espera o desea. • *Mar.* Conjunto de nubes.
CELAKOVSKI, ***Frantisek Ladislaw*** (1799-1852) Poeta checo. *Cantos nacionales eslavos.*
CELAM Siglas del → Consejo Episcopal Latinoamericano.
CELAN, ***Paul*** (1920-1970) Poeta al. Su obra *Fuga de muerte (Todesfugue)* es un alegato contra la barbarie antisemita del régimen nazi.
CELANDÉS, SA adj. y s. Zelandés.
CELANO, ***Tommaso da*** (h. 1200-entre 1244 y 1250) Franciscano it., autor de *Dies irae.*
CELAR tr. Procurar con particular cuidado el cumplimiento y observancia de las leyes, estatutos y otras obligaciones o encargos. • Observar los movimientos y acciones de una persona, por recelos que se tienen de ella. • Vigilar a los dependientes o inferiores; cuidar de que cumplan con sus deberes. • Tener celos de una persona amada. • tr. y prnl. Encubrir, ocultar. • tr. Grabar en láminas de metal o madera para sacar estampas. • Cortar con buril o cinceles metal, piedra o madera, para darles forma.
CELARENT *Lóg.* Palabra convencional de la lógica escolástica, usada para indicar un modo de silogismo de la primera figura. Consta de una premisa universal negativa y otra universal afirmativa; la conclusión es universal negativa.
CELASTRÁCEO, A o **CELASTRÍNEO, A** adj. y s. *Bot.* Díc. de árboles y arbustos dicotiledóneos de hojas simples y coriáceas, flores blanquecinas o verdosas y frutos capsulares. • f. pl. *Bot.* Familia de estas plantas.

CELASTRO f. Arbusto de la familia celastráceas.
CELAYA Mun. de México, en el est. de Guanajuato; 147 300 hab. Ind. lácteas y textiles. Monumentos neoclásicos.
CELAYA, *Gabriel* (1911-1991) Nombre literario del poeta esp. *Rafael Gabriel Múgica Celaya. La soledad cerrada, Lo demás es silencio, Poesía urgente*. Premio Nacional de las Letras Españolas 1986.
CELDA f. Aposento destinado al religioso o religiosa en su convento. • Aposento donde se encierra a los presos en las cárceles celulares. • Celdilla de los panales.
CELDILLA f. Cada una de las casillas de que se componen los panales. • fig. Nicho, hueco practicado en un muro. • Célula, cavidad pequeña. • *Bot.* Cada uno de los huecos que ocupan las simientes en la caja o cajilla.
CELE adj. *Amér. Centr.* Díc. de la fruta tierna.
CÉLEBES (*Sulawesi*) Arch. de Indonesia, sit. entre el estrecho de Macasar, al O; el mar de Flores, al S; los mares de Molucas y de Banda al E y el mar de Célebes al N. Forma la prov. indonesia hom. (189 216 km², 10 409 500 hab.). • Isla indonesia, al E de Borneo, en el arch. hom. Pob. predominantemente malaya. • **Mar de las C.** Mar del océano Pacífico, sit. entre las islas de Borneo, Célebes y Mindanao.
CELEBRAR tr. Alabar, exaltar a una persona o cosa. • Hacer solemnemente alguna ceremonia o acto. • tr. e intr. Decir misa. ■ CELEBRACIÓN; CELEBRADOR, RA; CELEBRANTE.
CELEBRIDAD f. Fama, renombre que tiene una persona o cosa. • Persona famosa. ■ CÉLEBRE; CELEBÉRRIMO, MA.
CELENTÉREO o **CELENTERADO, DA** adj. y m. *Zool.* Díc. del animal con órganos célulares distintos, de simetría radiada, provistos de cavidad digestiva central y un sistema de canales periféricos. • m. pl. *Zool.* Grupo de estos animales.
CELEO *Mit.* Rey de Eleusis. Acogió a Deméter cuando vagaba en busca de Perséfone.
CELEQUE adj. *Amér. Centr.* Cele.
CÉLERE adj. Pronto, rápido. • m. Individuo del cuerpo de caballería en la ant. Roma. • f. pl. *Mit.* Las horas.
CELERIDAD f. Prontitud, rapidez, velocidad.
CELESCOPIO m. Aparato para iluminar las cavidades de un cuerpo orgánico.
CELESTA f. Instrumento de percusión, en forma de pequeño piano.
CELESTE adj. Relativo al cielo. • adj. y m. Se aplica al color azul claro.
CELESTIAL adj. Relativo al cielo o paraíso. • fig. Perfecto, delicioso.
CELESTINA f. *Miner.* Sulfato de estroncio, gralte. de color azulado y fractura concoidea. • Ave canora de Tucumán. • fig. Alcahueta.
CELESTINEAR intr. fig. Alcahuetear.
CELESTINO, NA adj. y s. Religioso de la orden de los eremitas, fundada por el papa Celestino V en 1251 e incorporada por Urbano IV a la orden de San Benito. • adj. Relativo a esta orden. ■ CELESTINESCO, CA.
CELESTINO V (h. 1215-1296) Santo it. Organizó la orden monástica de los celestinos. Papa en 1294, renunció poco después.
CELFO m. Cefo.
CELIACO, CA o **CELÍACO, CA** adj. Relativo al vientre o a los intestinos.
CELIBATO m. Estado de la persona que no ha contraído matrimonio. • *Rel.* Díc. especialmente de dicho estado referido a los sacerdotes católicos. • fam. Hombre célibe. ■ CÉLIBE.
CÉLICO, CA adj. poét. Celeste, relativo al cielo. • poét. Celestial, muy excelente.
CELÍCOLA m. fig. Habitante del cielo.
CELIDONIA f. Hierba de la familia papaveráceas, con tallo ramoso, hojas verdes por encima y amarillentas por el envés, flores en umbela y fruto en vaina.
CÉLINE, *Louis Ferdinand* (1894-1961) Seud. del escritor y médico fr. *Louis Ferdinand Destouches. Viaje al fin de la noche, De castillo en castillo.*
CELITE m. Producto blando, de estructura terrosa, formado por el esqueleto silíceo de las diatomeas.
CELLA f. Espacio interior de los templos gr. y rom. comprendido entre el pronaos y el pórtico.
CELLAR adj. Díc. del hierro que se usa para cellos de pipas o toneles de vino.
CELLENCO, CA adj. fam. Achacoso.
CELLIERS, *Jan François Elias* (1865-1940) Escritor sudafricano, en lengua afrikaans. *La llanura, Martjie, El gran secreto.*
CELLINI, *Benvenuto* (1500-1571) Orfebre y escultor florentino; trabajó en Roma y en Francia para Francisco I. *Perseo cortando la cabeza de la Medusa*. Escribió una autobiografía: *Vita*.
CELLISQUEAR intr. Caer agua y nieve muy menuda impelidas con fuerza por el viento. ■ CELLISCA.
CELLO m. Aro con que se sujetan las duelas de las cubas, comportas, etc. • (voz. it.; esp., *chelo*) Aféresis de *violoncello*, instrumento musical.
CELLOSOLVE m. *Quím.* Éter monoetílico del glicol etilénico. Se usa como disolvente.
CELO m. Cuidado que se pone en el cumplimiento del deber. • Gran actividad inspirada por la fe religiosa o por el afecto a una persona. • Recelo que inspira el bien ajeno. • Aparición periódica del instinto sexual y reproductor en numerosas especies de animales, particularmente en los mamíferos. • Nombre vulgar de una marca registrada de papel transparente que tiene propiedades adhesivas. • pl. Inquietud y envidia por la relación afectiva de la persona amada con otra persona. ■ CELOSO, SA.
CELOBIOSA f. *Biol.* Disacárido formado por dos moléculas de beta glucosa.
CELOFÁN m. o **CELOFANA** f. Material plástico obtenido a partir de la celulosa, en forma de hojas flexibles, transparentes, gralte. incoloras, e impermeables a líquidos y gases.
CELOIDINA f. Producto obtenido por evaporación del colodión. Se emplea en preparaciones microscópicas y en fotografía.
CELOMA m. *Embriol.* Cavidad interna de un animal, formada entre las dos hojas del mesodermo, cuya existencia permite la formación de órganos complejos.
CELOSÍA f. Enrejado de pequeños listones que se pone a las ventanas para ver sin ser visto. • Celotipia.
CELOTE m. Individuo de un grupo religioso judío, caracterizado por su integrismo.
CELOTIPIA f. Delirio de celos.
CELSIUS, *Anders* (1701-1744) Astrónomo y físico sueco. Inventó la escala termométrica centígrada que lleva su nombre.
CELSO (s. II) Filósofo platónico que vivió en Roma. Atacó al cristianismo en su obra *Discurso verdadero*. • ***Cornelio*** (s. I) Escritor y médico latino. *De re medica*.
CELTA adj. y s. Individuo de un grupo de pueblos indogermánicos que se establecieron en el occidente europeo. • Relativo a dichos pueblos. • m. *Ling.* Lengua de los c.
CELTES o **CELTIS, *Konrad*** (1459-1508) Humanista y poeta al. Escribió poemas amorosos en latín. Descubrió y publicó un códice con los *Dramas* de la monja Roswitha.
CELTIBERIA Nombre que dieron algunos historiadores rom. al territorio de la Hispania Tarraconense, que comprendía las actuales prov. de Zaragoza, Teruel, Cuenca, Guadalajara y Soria.
CELTÍBERO, RA o **CELTIBERO, RA**, o **CELTIBÉRICO, CA** o **CELTIBERIO, RIA** adj. y s. De la ant. Celtiberia. • m. pl. Pueblo de la pen. Ibérica, resultante de la fusión entre celtas e íberos, que luchó denodadamente contra cartagineses y rom.
CELTÍDEO, A adj. y f. *Bot.* Ulmáceo.
CELTOHISPÁNICO, CA o **CELTOHISPANO, NA** adj. Díc. de los restos de la cultura céltica existentes en la pen. Ibérica.
CÉLULA f. Pequeña celda, cavidad o seno. • *Biol.* Unidad anatómica, fisiológica y genética de todos los seres vivos eucariotas. • Unidad elemental de una estructura. • Grupo organizado y reducido de militantes de un partido político. • Elemento constitutivo esencial de un conjunto administrativo. • Conjunto del fuselaje y las alas de un avión. • **electrolítica.** Denominación genérica de todo recipiente en el que tienen lugar fenómenos electroquímicos. • **fotoeléctrica.** *Fís.* Dispositivo formado por dos electrodos, de los que el cátodo es fotosensible y emite electrones al incidir los rayos luminosos so-

Benvenuto **Cellini**

Anders **Celsius**

Cruz **celta** en Glendalough (Irlanda)

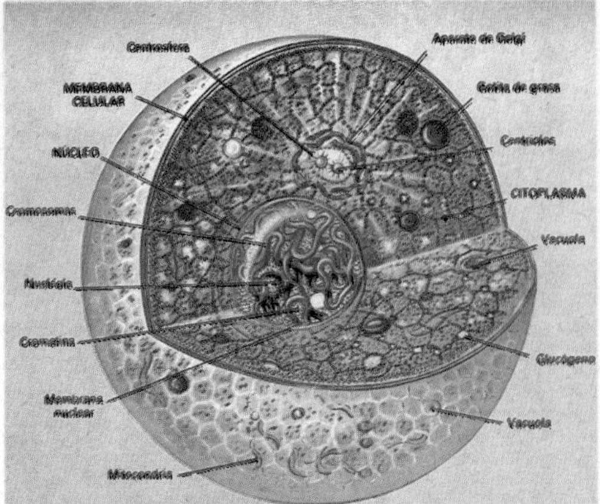

Representación de una **célula** animal ideal

bre él (efecto fotoeléctrico), estableciéndose así una corriente eléctrica. • **huevo.** *Biol.* Cigoto. ■ CELULADO, DA; CELULAR.

CELULITA f. Pasta obtenida machacando la fibra leñosa y mezclándola con sustancias minerales, cera y caucho.

CELULITIS f. *Med.* Afección del tejido conjuntivo y graso subcutáneo, que se localiza preferentemente en los muslos y nalgas.

CELULOIDE m. Disolución sólida de nitrocelulosa en alcanfor. Usado para la fabricación de películas fotográficas.

Estructura de la **celulosa**

CELULOSA f. *Biol.* Glúcido polisacárido que forma las membranas de las células vegetales. Se utiliza para fabricar papel, seda artificial, colodión, celuloide y nitrocelulosa. ■ CELULÓSICO, CA.

CEMENTACIÓN f. *Metal.* Acción y efecto de cementar. • *Metal.* Tratamiento térmico de los aceros para aumentar el contenido en carbono de las capas superficiales. • En algunos sedimentos pétreos, precipitación química de carbonato de calcio u otros materiales disueltos en agua que rellena los intersticios sedimentarios.

CEMENTANTE m. *Metal.* Materia utilizada para endurecer superficialmente por carburación piezas de acero.

CEMENTAR tr. *Metal.* Calentar una pieza de metal en contacto con otra materia en polvo o pasta. • Precipitar una solución de sales de cobre introduciendo en ella trozos de hierro.

La Santa ***Cena*** por Juan de Juanes, Museo del Prado, Madrid

CEMENTERIO m. Terreno destinado a enterrar cadáveres. • Lugar al que van a morir ciertos animales. • Lugar en que se depositan vehículos inservibles.

CEMENTITA f. *Metal.* Carburo de hierro, CFe_3, con un 6,67 % de carbono y 93,33 % de hierro.

CEMENTO m. Materia pulverulenta, que amasada con agua se endurece y permite unir cuerpos sólidos. • *Anat.* Tejido óseo que cubre el marfil en la raíz de los dientes de los vertebrados. • *Geol.* Materia mineral que une los fragmentos detríticos de ciertas rocas clásticas. • *Metal.* Materia con que se cementa una pieza de metal. • **armado.** Fábrica hecha con cemento sobre una armadura de barras de hierro o acero. • **Portland.** Cemento hidráulico de color similar a la piedra de las canteras inglesas de Portland. ■ CEMENTOSO, SA.

CEMITA f. *Nicar.* y *Salv.* Pastel de pan de salvado, dulce y fruta tropical.

CEMPOAL m. *Méx.* Planta herbácea de flores amarillas, usada en medicina. En Europa se la conoce como clavel de Indias.

CEMPOALA Ant. c. de México, al NO de Veracruz. Cap. de una región totonaca. Imp. monumentos (templo del dios del aire). Fue una de las c. que se rebelaron contra los aztecas, aliándose con Hernán Cortés.

CENA f. Comida que se toma por la noche. • Acción de cenar. • P. ant., última cena de Jesucristo con sus apóstoles.

CENAAOSCURAS com. fig. y fam. Persona huraña. • fig. y fam. Persona que por tacañería se priva de las comodidades elementales.

CENACHO m. Espuerta de esparto o palma, con una o dos asas.

CENÁCULO m. Sala en que Jesús celebró la última cena. • fig. Reunión poco numerosa de personas que profesan las mismas ideas, y más comúnmente de literatos o artistas.

CENADERO m. Sitio destinado para cenar. • Cenador, espacio cerrado en algunos jardines.

CENADOR, RA adj. y s. Que cena. • m. Espacio que suele haber en los jardines, cercado y vestido de plantas trepadoras o árboles.

CENADURÍA f. *Méx.* Fonda en que sirven comidas por la noche.

CENAGAL m. Sitio o lugar lleno de cieno. • fig. y fam. Asunto de difícil salida.

CENAGOSO, SA adj. Lleno de cieno.

CENAR intr. Tomar la cena. • tr. Tomar en la cena tal o cual cosa. ■ CENADO, DA.

CENCA f. *Perú.* Nombre que se da a la cresta de las aves.

CENCAPA f. *Perú.* Jáquima que se pone a la llama.

CENCEÑO, ÑA adj. Delgado o enjuto.

CENCERREAR intr. Hacer ruido insistentemente con cencerros. • fig. y fam. Tocar mal un instrumento musical o tocarlo destemplado. • fig. y fam. Hacer ruido las aldabas, puertas, ventanas, etc., cuando no están bien ajustadas. ■ CENCERRADA; CENCERREO.

CENCERRO m. Campanilla cilíndrica que suele atarse al pescuezo de las reses.

CENCERRÓN m. Redrojo, racimo de pocas uvas y pequeñas.

CENCIDO, DA adj. Díc. de la hierba, dehesa o terreno antes de ser hollado.

CENCOZ m. *Amér. Centr.* y *Merid.* Reptil arborícola, de ojos desarrollados y cola que se estrecha notablemente.

CENCUATE m. *Méx.* Culebra venosa.

CENDAL m. Tela de seda o lino muy delgada y transparente. • Humeral, vestidura sacerdotal. • Barbas de la pluma. • pl. Algodones colocados en el fondo del tintero. ■ CENDALÍ.

CENDOLILLA f. Muchacha alocada.

CENDRA f. Pasta de ceniza de huesos con que se preparan las copelas para afinar el oro y la plata.

CENDRADA f. Cendra. • Asiento de ceniza que se pone en la plaza del horno de afinar la plata.

CENDRAR tr. Acendrar, depurar.

CENDRARS, ***Blaise*** (1887-1961) Seud. del escritor suizo en lengua fr. *Frédéric Sauser.* Poemas, narraciones y novelas. *El oro, El hombre fulminado.*

CENEFA f. Lista sobrepuesta o tejida en los bordes de las cortinas, doseles, pañuelos, etc. • Dibujo de ornamentación que se pone a lo largo de los muros, pavimentos y techos.

CENEMA m. *Ling.* Término usado por Hjelmslev (→ glosemática) para designar los constituyentes en el plano de la expresión. Pueden ser de dos tipos: marginales y centrales. Los marginales son las consonantes y los centrales las vocales.

CENEMÁTICA f. *Ling.* Parte de la glosemática que estudia los cenemas.

CENESTESIA f. *Psic.* Sensación general que te-

nemos de la existencia de nuestro cuerpo, con independencia de los sentidos. • Conjunto de sensaciones internas que dan la impresión de bienestar o malestar al individuo. ■ CENESTÉSICO, CA.
CENHEGÍ adj. y s. Individuo de la tribu berberisca de Zanhaga, del África Septentrional, de cuyo seno salieron los almorávides.
CENICERO m. Espacio que hay debajo de la rejilla del hogar, para que en él caiga la ceniza. • Sitio donde se recoge o echa la ceniza. • Recipiente donde el fumador deja las colillas.
CENICIENTO, TA adj. De color de ceniza. • f. Persona o cosa injustamente postergada, desconsiderada o despreciada.
CENICILLA f. Oídio de la vid.
CENIT m. *Astr.* Punto de intersección de la bóveda celeste con la vertical que pasa por el observador. • fig. Punto culminante o apogeo de algo. ■ CENITAL.
CENIZA f. Residuo sólido que queda después de una combustión completa. • Cenicilla. • fig. Restos de un cádaver. Se usa más en pl. • *Pint.* Cernada para imprimir los lienzos. • **volcánica.** Fragmento rocoso extremadamente fino originado y desprendido en grandes cantidades por las erupciones volcánicas. ■ CENIZOSO, SA.
CENÍZARO m. *C. Rica.* Árbol de copa ancha, que se cubre de flores rosadas o rojas, y cuya fruta, en vainas, sirve de alimento al ganado. Su madera es dura y fina.
CENIZO, ZA adj. Ceniciento. • m. *Bot.* Planta silvestre de la familia quenopodiáceas, con tallo herbáceo, blanquecino, hojas romboidales, verdes por encima y cenicientas por el envés, y flores verdosas en panoja. • Cenicilla. • fam. Aguafiestas.
CENOBIO m. Monasterio. • *Zool.* Colonia formada a partir de un solo individuo, por gemación repetida.
CENOBITA m. Persona que profesa la vida monástica. ■ CENOBÍTICO, CA.
CENOBITISMO m. Vida cenobítica.
CENOCARPO m. *Bot.* Fruto que carece de semillas o, si las posee, son estériles o atrofiadas .
CENOLÉSTIDO, DA adj. y m. *Zool. Amér. Merid.* Díc. de unos mamíferos marsupiales de costumbres arborícolas. • m. pl. *Zool.* Familia de estos animales.
CENOLOGÍA f. Disciplina de la física cuyo objeto son los fenómenos que tienen lugar en el vacío y los procedimientos para obtenerlo.
CENOSIS f. Comunidad en la que existen dos o más especies de animales dominantes.
CENOTAFIO m. Monumento funerario que no conserva el cadáver del personaje.
CENOTE m. Laguna, depósito natural de agua alimentado por una corriente subterránea. Abundan en Yucatán (México), donde algunos tenían carácter sagrado entre los antiguos mayas (Chichén Itzá).
CENOZOICO, CA adj. *Geol.* Se aplica a los terrenos o formaciones que componen la parte superior de las tres en que se divide la corteza terrestre.
CENSO m. Padrón o lista que los censores rom. hacían de las personas o haciendas. • Padrón o lista de la pob. o riqueza de una nación o pueblo. • Contribución o tributo que entre los ant. romanos se pagaba por cabeza. • *Der.* Contrato por el cual se sujeta un inmueble al pago de una pensión anual, como interés de un capital recibido en dinero, y reconocimiento de dominio. • Registro general de ciudadanos con derecho de sufragio activo. ■ CENSAR; CENSATARIO; CENSUAL; CENSUALISTA; CENSUARIO.
CENSOR m. Persona que censura. • Persona que realiza un censo. • Magistrado rom. a cuyo cargo estaba formar el censo. • Funcionario encargado oficialmente de la censura de los impresos, obras literarias, películas , etc., o de los medios de información social. • En algunas corporaciones, individuo encargado pralm. de velar por la observancia de estatutos, reglamentos y acuerdos. • El que es propenso a murmurar o criticar las acciones o cualidades de los demás. ■ CENSORIO, RIA.
CENSURA f. Entre los ant. rom., oficio y dignidad de censor. • Dictamen y juicio que se hace o da acerca de una obra o escrito. • Nota, corrección o reprobación de alguna cosa. • Crítica, detracción. • Intervención que ejerce el censor gubernativo en obras literarias, películas, medios de comunicación social, etc. • *Psic.* Defensa del yo y del superyó contra los impulsos peligrosos, no permitiéndoles el acceso a la conciencia, a no ser que se presenten bajo una forma sustitutiva y deformada por el desplazamiento, inversión y simbolización, como ocurre en los sueños. ■ CENSURABLE.
CENSURAR tr. Formar juicio de una obra u otra cosa. • Corregir, reprobar o notar por mala alguna cosa. • Murmurar, vituperar. • Hacer la censura de un escrito, película, etc., antes de publicarlo.
CENTAUR *Astron.* Cohete que forma parte del *Atlas-Centaur* estadounidense. Tiene un empuje de 13 600 kilopondios.
CENTAURA f. Planta perenne, de la familia compuestas, de tallo ramoso, recto, con hojas grandes y flores de color pardo purpúreo en corimbo irregular, con cáliz de cabecilla escamosa.
CENTAURINA f. Sustancia que existe en ciertas plantas amargas y que se ha extraído del cardo bendito y del cardo estrellado.
CENTAURO m. *Mit.* Monstruo mitad hombre, de la cintura a la cabeza, y mitad caballo.
CENTAURO (latín *Centaurus*) *Astr.* Constelación del hemisferio austral, visible en la época en que se encuentra bajo la cola de Hidra.
CENTAVO, VA adj. y m. Centésimo. • m. Centésima parte del peso en países latinoamericanos, y del dólar en EE UU.
CENTELLA f. Rayo de poca intensidad. • Chispa de fuego. • fig. Restos de algún sentimiento intenso. • *Chile.* Ranúnculo.
CENTELLEAR intr. Despedir destellos rápidos y vivos. ■ CENTELLEANTE; CENTELLEO.
CENTENA f. Conjunto de cien unidades.
CENTENADA f. Centena, centenar.
CENTENAL m. Centenar, centena. • Sitio sembrado de centeno.
CENTENAR m. Centena. • Centenario, fiesta centenaria. • Centenal, sitio sembrado de centeno.
CENTENARIO, RIA adj. Relativo a la centena. • adj y s. Díc. de la persona que tiene alrededor de cien años. • m. Tiempo de cien años. • Fiesta que se celebra de cien en cien años. • Día en que se cumplen una o más centenas de años del nacimiento o muerte de alguna persona ilustre, o de algún suceso famoso. • Fiestas que se celebran con dicho motivo.
CENTENAZA adj. y f. Díc. de la paja del centeno.
CENTENILLA f. Género de plantas primuláceas de América, que comprende varias especies.
CENTENO m. *Bot.* Planta anual, de la familia gramíneas, de espiga larga, estrecha y comprimida, con granos de figura oblonga, puntiagudos por un extremo y envueltos en un cascabillo áspero por el dorso y terminado en arista. Se emplea para la alimentación humana (harina panificable, cerveza) y como forraje. • Simiente de esta planta.
CENTEOTL Uno de los dioses del maíz, llamado también Cinteotl, en la religión del ant. México.
CENTÉSIMO, MA adj. Que sigue inmediatamente en orden al o a lo nonagésimo nono. • adj. y s. Cada una de las cien partes iguales en que se divide un todo. ■ CENTESIMAL.
CENTIÁREA f. Medida de superficie que equivale a la centésima parte del área (1 m^2).
CENTÍGRADO, DA adj. Díc. de la escala dividida en cien grados, y de los termómetros que se ajustan a ella. • Cada uno de estos grados.
CENTIGRAMO m. Peso que es la centésima parte de 1 gr.
CENTILITRO m. Medida de capacidad que equivale a la centésima parte de 1 l.
CENTILLERO m. Candelabro que se usa en la exposición del Santísimo Sacramento.
CENTÍMETRO m. Medida de longitud que es la centésima parte de 1 m. • *El.* Unidad de capacidad en el sistema de unidades electrostáticas (ues). Equivalente a $1/(9 \cdot 10^{11})$ faradios. • **cuadrado.** Medida superficial correspondiente a un cuadrado de 1 cm de lado. • **cúbico.** Medida de volumen correspondiente a un cubo de un 1 cm de arista. • **de mercurio** (*cm. Hg*). Unidad de presión igual a la setentaiseisava parte de la alt., en centímetros, que alcanza la columna en el barómetro de mercurio.
CÉNTIMO, MA adj. Centésima parte de un todo. • m. Moneda, real o imaginaria, que vale la centésima parte de la unidad monetaria.

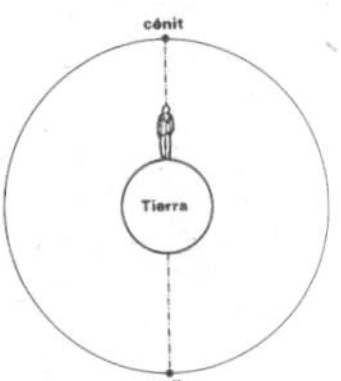

Cenit y nadir

Flor de **centaura**

Espigas de **centeno**

Miembro de la Guardia Real Británica, en su puesto de **centinela**

CENTINELA amb. *Mil.* Soldado que hace la guardia en algún sitio. • fig. Persona que está en observación de alguna cosa.

CENTINODIA f. Planta de la familia poligonáceas, con hojas oblongas y pequeñas, tallos con muchos nudos y tendidos sobre la tierra y semilla pequeña.

CENTIPLICADO, DA adj. Centuplicado.

CENTLA Mun. de México, en el est. de Tabasco; 42 900 hab. Agricultura, fruticultura. Ganadería.

CENTOLLO m. o **CENTOLLA** f. Crustáceo marino, de caparazón cubierto de pelos y tubérculos ganchudos, y con cinco pares de patas vellosas.

CENTÓN m. Manta hecha de gran número de piececitas de paño o tela de diversos colores. • fig. Obra literaria, en verso o prosa, compuesta de sentencias y expresiones ajenas.

CENTRAL adj. Relativo al centro. • Que está en el centro. • f. Oficina donde están reunidos o centralizados varios servicios públicos de una misma clase. • Casa o establecimiento pral. de algunas órdenes religiosas, o de algunos particulares, como banqueros o industriales. • *Cuba.* y *P. Rico.* Ingenio o fábrica de azúcar. • **eléctrica.** Instalación para producir energía eléctrica a partir de otras formas de energía. Se denomina *hidroeléctrica* si utiliza la energía producida por un salto de agua, *térmica* si el motor utilizado es térmico, y *nuclear* si la turbina es accionada por vapor obtenido mediante calor generado por un reactor nuclear.

CENTRAL Dpto. de Paraguay; 2 465 km^2, 769 100 hab. Cap., Areguá. Relieve ondulado, más accidentado al N. Avenado por el r. Paraguay. Cuencas lacustres de Ypacarí e Ypoá. Clima cálido y húmedo. Algodón, azúcar, arroz, tabaco.

CENTRAL Cord. de los Andes Septentrionales, en Colombia, entre los r. Cauca y Magdalena; long.: 700 km. El más elevado de los tres ramales en que se dividen los Andes en este sector; alt. media: 4 000 m. Cumbres prales.: Nevado de Huila (5 750 m), Nevado de Ruiz (5 400 m) y Nevado de Santa Isabel (5 100 m). Volcanes activos (Doña Juana y Puracé). • ***Cordillera*** Sierra montañosa de Costa Rica, al N de la meseta Central. Alt. superiores a 2 500 m y 3 000 m. Picos volcánicos: Poás, Barba, Irazú y Turrialba. Con la cord. de Guanacaste forma la denominada cord. Volcánica. • ***Cordillera*** Macizo montañoso de La Española (Grandes Antillas). Alt. máx.: pico Duarte (3 175 m).

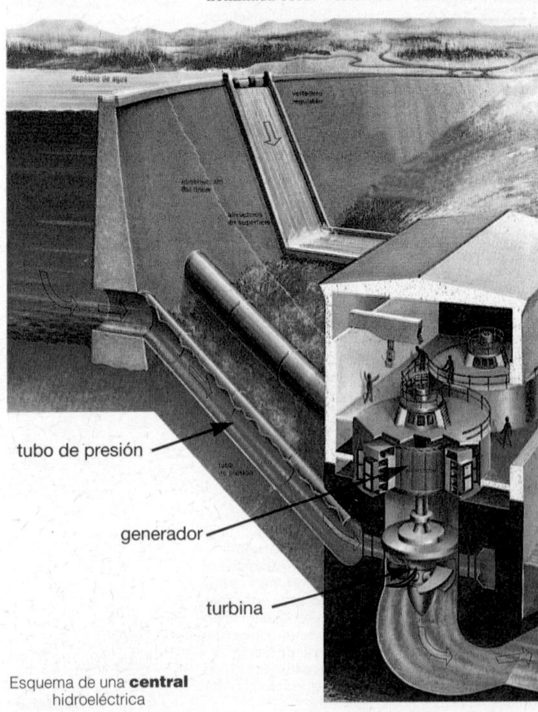

Esquema de una **central** hidroeléctrica

CENTRAL, *Macizo* Región natural montañosa del centro y S de Francia, de plegamiento herciniano. Alt. máx.: Puy de Saney, 1 886 m.

CENTRAL, *Sistema* Cord. de la pen. Ibérica, entre los valles del Duero y el Tajo. Alt. máx.: Pico del Moro Almanzor (2 592 m).

CENTRAL Intelligence Agency (*CIA*) Servicio central de inteligencia norteam., creado en 1947 como instrumento de la guerra fría y de la defensa de los intereses de EE UU en todo el mundo. Se estima que cuenta con unos 200 000 agentes en el exterior y unos 15 000 en EE UU.

CENTRALISMO m. Sistema de organización del Est. cuyas decisiones de gobierno son únicas y dimanan de un mismo centro, sin tener en cuenta las diferentes culturas o pueblos que conviven en él. • **democrático.** Forma de funcionamiento de las organizaciones comunistas, cuyo pral. postulado, establecido por Lenin, es: «la máxima libertad en la discusión y la más estricta unidad en la acción». ■ CENTRALISTA.

CENTRALITA f. Central telefónica, instalada en el domicilio de un abonado.

CENTRALIZAR tr. y prnl. Reunir varias cosas en un centro común, o hacerlas depender de un poder central. • tr. Asumir el poder público facultades atribuidas a organismos locales.

CENTRAR tr. Determinar el punto céntrico de una superficie o de un volumen. • Colocar una cosa de modo que su centro coincida con el de otra. • Hacer que se reúnan en el lugar conveniente los proyectiles de una arma de fuego, los rayos procedentes de un foco luminoso, etc. • tr. y prnl. Dirigir la acción o atención hacia un objetivo determinado.

CENTRÁRQUIDO, DA adj. y m. *Zool.* Díc. de peces de la familia centrárquidos. • m. pl. *Zool.* Familia de peces perciformes, marinos y de agua dulce, propios del continente amer., algunas de cuyas especies han sido introducidas en Europa.

CENTRIFUGACIÓN f. Acción de centrifugar. • *Metal.* Procedimiento utilizado en fundición para obtener piezas de revolución.

CENTRIFUGADOR, RA adj. y s. Díc. del aparato o máquina en que se aprovecha la fuerza centrífuga. Consiste en uno o varios recipientes que giran a gran velocidad en torno a un eje.

CENTRIFUGAR tr. Someter una cosa a la acción de la fuerza centrífuga.

CENTRÍFUGO, GA adj. Que aleja del centro. • **Fuerza c.** *Mec.* Fuerza ficticia que se introduce en la descripción dinámica del movimiento circular uniforme cuando se utiliza un sistema de referencia no inercial fijo al cuerpo que describe dicho movimiento.

CENTRIOLO m. *Biol.* Corpúsculo cilíndrico formado por nueve tubos periféricos simples o tabicados y dos tubos centrales. Rige el mov. de los cromosomas en las divisiones celulares.

CENTRÍPETO, TA adj. *Mec.* Que atrae, dirige o impele hacia el centro.

CENTRIS m. *Amér. Merid.* Insecto himenóptero de la familia antofóridos.

CENTRISCO m. Trompetero, pez.

CENTRISMO m. Posición o tendencia política moderada, de izquierda o derecha. Se identifica con un reformismo liberal. ■ CENTRISTA.

CENTRO m. *Geom.* Punto del círculo, del cual equidistan todos los de la circunferencia correspondiente. • *Geom.* En la esfera, punto del cual equidistan todos los de la superficie. • *Geom.* En los polígonos y poliedros, punto en que todas las diagonales que pasan por él quedan divididas en dos partes iguales. • *Geom.* En las líneas y superficies curvas, punto de intersección de todos los diámetros. • Lo más distante o retirado de la superficie exterior de una cosa. • Lugar de donde parten o a donde convergen acciones particulares coordenadas. • Punto donde habitualmente se reúnen los miembros de una sociedad o corporación. • fig. Fin u objeto pral. a que se aspira. • fig. El punto o las calles más concurridos de una población. • fig. Tendencia o agrupación política cuya ideología es intermedia entre la de la derecha y la de la izquierda. • *Dep.* Pase de pelota desde una banda al centro. • *Cuba.* Terno de pantalón, camisa y chaleco.

REPÚBLICA CENTROAFRICANA

Superficie 622 436 km²

Población 3 274 000 hab. (5,4 hab./km²)

Recursos económicos		
Algodón	19 000	t
Bananas	100 000	t
Cabaña bovina	2 797 000	cabezas
Cabaña caprina	1 350 000	cabezas
Cabaña porcina	547 000	cabezas
Cacahuetes	86 000	t
Diamantes	495 000	quilates
Energía eléctrica	101	millones de kwh
Maíz	71 000	t
Mandioca	402 000	t
Riqueza forestal	3 762 000	m³
Sésamo	27 000	t
Sorgo	23 000	t
Tejidos de algodón	11 300	m

Indicadores sociológicos		
PNB	1 123	millones de dólares
Renta per cápita	370	dólares
Esperanza de vida	48	años
Alfabetismo	60	%

• *Cuba.* Asiento, pieza de tela. • *Hond.* y *Méx.* Chaleco. • **de gravedad.** *Fís.* Punto de aplicación de la resultante de todas las fuerzas que actúan sobre las distintas masas materiales de un cuerpo. • **nervioso.** Grupo de células nerviosas que rigen o controlan una función. • **óptico.** Punto de un sistema óptico centrado, tal que todo rayo que pasa por él no sufre desviación. • **Centros de interés.** Método pedagógico ideado por Decroly, que consiste en centrar los temas de estudio de acuerdo con los intereses de los niños en cada edad. ■ CENTRADO, DA.

CENTRO (fr. *Centre*) Región francesa; 39 151 km², 2 371 000 hab. Cap., Orleans.

CENTROAFRICANA, *República* (*République Centrafricaine*) Est. del centro de África; rep. constituida por el ant. terr. fr. del Ubangui-Chari, limita con Chad, Sudán, Rep. Dem. del Congo, Rep.del Congo y Camerún. Ocupa una vasta meseta de 500 m de alt. Cap.: Bangui.C. pral.: Nana-Mambéré. R. prales.: Ubangui y Chari. Clima subecuatorial. Sabana al N y selva ecuatorial al S. Mijo, maíz, sorgo, café, cacahuetes. Ganadería. Oro, diamantes y uranio. Ind. agroalimentarias. Grupos étnicos: banda, baya, mandjia, sara y otros. Lenguas: fr. (of.), sango, dialectos sudaneses. Rel.: animismo, islamismo, protestantismo, catolicismo. U. M.: franco C.F.A.

* *Hist.* El terr. fue conquistado por los fr. entre 1896-1898 y convertido en colonia en 1905. Indep. en 1960, en 1966 las aspiraciones dictatoriales de D. Dacko motivaron el golpe de Est. que llevó al poder a J. B. Bokassa; éste emprendió una política autocrática y tiránica hasta llegar a proclamarse emperador en 1976. Dacko lo derrocó en 1979 con ayuda fr. Confirmado en las elecciones de 1981, Dacko fue derrocado ese mismo año y sustituido por André Kolingba. En 1982 se produjo un fallido golpe de est. a cargo de A. Patassé y en 1986 se aprobó una constitución que consagró el partido único. Pero, tras el *Gran Debate Nacional*, en agosto de 1992, se optó por el multipartidismo. Las elecciones de 1993 dieron la victoria a A. Patassé. Una serie de disturbios provocaron la intervención de una fuerza multinacional africana apoyada por Francia, en 1997.

CENTROAMÉRICA Área continental e insular que une los hemisferios N y S, del continente americano. La zona continental abarca las tierras comprendidas entre el S de México (Tehuantepec) y el extremo septentrional de América del Sur (Darién). La porción insular está formada por las islas Antillas, entre las cuales y el continente se halla el mar Caribe.

CENTROAMÉRICA, *Provincias Unidas de* Estado federal constituido, en 1824, por Guatemala, Honduras, El Salvador, Nicaragua y Costa Rica. La pugna entre los liberales y los conservadores provocó su disolución, separándose en 1832 El Salvador y en 1838 Costa Rica, Nicaragua y Honduras.

CENTROAMERICANA, *Cordillera* → Madre Centroamericana, sierra.

CENTROAMERICANO, NA adj. y s. De Centroamérica.

CENTROCAMPISTA m. Jugador de fútbol que canaliza el juego de su equipo, enlazando las labores de contención en la defensa con el juego de ataque de los delanteros en punta.

CENTROEUROPEO, A adj. Díc. de los países situados en la Europa Central, y de lo relativo a los mismos. • adj. y s. De Europa Central.

CENTROLECITO adj. y m. *Biol.* Tipo de huevo o cigoto propio de los insectos, que se caracteriza por la posesión de sustancia alimenticia, vitelo o deutoplasma, en localización central.

CENTRÓMERO m. *Biol.* Región intercalar de los cromosomas, cuya función es regir el mov. de los cromosomas en la meiosis y mitosis.

CENTROSFERA f. *Biol.* Zona de citoplasma clara y fluida que se halla en el centrosoma, alrededor del centriolo.

CENTROSOMA m. *Biol.* Estructura del citoplasma celular constituida por una porción protoplasmática, un corpúsculo central y el áster.

CENTROSPERMO, MA adj. y f. *Bot.* Díc. de las plantas del orden centrospermas. • f. pl. *Bot.* Orden de plantas dicotiledóneas caracterizadas por presentar las semillas en placentación central.

CENTUM adj. *Ling.* Díc. de las lenguas indoeuropeas ant. que conservaron la consonante velar *k*, en contraposición al grupo oriental o *satem*.

CENTUNVIRO m. Cada uno de los cien ciudadanos que en la ant. Roma asistían al pretor urbano en los juicios.

CENTUPLICAR tr. y prnl. Hacer cien veces mayor una cosa. ■ CÉNTUPLO, PLA.

CENTURIA f. Número de cien años, siglo. • En la ant. milicia rom. compañía de cien hombres. ■ CENTURIÓN.

CENTURIÓN, *Emilio* (1894-1970) Pintor arg. Dibujante de rigurosa minuciosidad. Primer premio en el Salón Internacional en 1920 y 1935. *Venus Criolla*, *Misia Mariquita*, *Demolición.*

CENURO m. Gusano platelminto, parásito de diversas especies de herbívoros.

CÉNZALO m. Mosquito común.

CENZONTE m. *Hond.* y *Méx.* Sinsonte, ave.

CEÑIDOR f. Faja, cinta, correa o cordel con que se ciñe el cuerpo por la cintura.

CEÑIGLO m. Cenizo, planta.

CEÑIR tr. Rodear, ajustar o apretar la cintura, el cuerpo, el vestido u otra cosa. • Cerrar o rodear una cosa a otra. • fig. Abreviar una cosa o reducirla a menos. • *Mar.* Navegar de bolina. • prnl. fig. Moderarse o reducirse en los gastos, en las palabras, etc. • fig. Amoldarse a una ocupación o trabajo. ■ CEÑIDO, DA.

Centrárquido

República Centroafricana. Arriba, mapa de situación y bandera; abajo, Cámara de Industria y Artesanía, en Bangui

CEÑO m. Demostración o señal de enfado y enojo, que se hace arrugando la frente. • fig. Aspecto imponente y amenazador que toman ciertas cosas.
CEOLITA f. *Miner.* Nombre común de un grupo de minerales que químicamente corresponden a tectosilicatos de aluminio y metales alcalinotérreos (calcio y bario).
CEPA f. Parte del tronco de cualquier árbol o planta, que está dentro de la tierra y unida a las raíces. • Tronco de la vid, y por extensión toda la planta. • Raíz o principio de algunas cosas, como el de las astas y colas de los animales. • fig. Tronco u origen de una familia o linaje. • *Méx.* Foso, hoyo casi siempre grande. • *Arq.* En los arcos y puentes, parte del machón desde que sale de la tierra hasta la imposta. • *Antr.* Conjunto de individuos que presentan unas determinadas características genotípicas y fenotípicas respecto a un determinado carácter.
CEPALC Siglas de la → Comisión Económica para América Latina y el Caribe.
CEPEDA f. Lugar en que abundan arbustos y matas de cuyas cepas se hace carbón.
CEPEDA Samudio, *Álvaro* (1926-1972) Escritor col. Renovador de la narrativa de su país, integró el grupo de Barranquilla junto a Mutis y García Márquez. *Todos estábamos a la espera, La casa grande.* • **Y Ahumada, *Teresa de*** → Teresa de Jesús.
CEPEJÓN m. Raíz gruesa que arranca del tronco del árbol.
CEPELLÓN m. *Agr.* Pella de tierra que se deja adherida a las raíces de los vegetales para trasplantarlos.
CEPHEUS *Astr.* Constelación que se halla entre las de Casiopea y Dragón.
CEPILLADORA f. Acepilladora.
CEPILLADURA f. Acepilladura.
CEPILLAR tr. Acepillar. • tr. y prnl. fig. y fam. Adular, lisonjear. • tr. fig. y fam. Desplumar, robar. • tr. y prnl. fig. y fam. Quitar a uno de en medio o resolver un asunto con rapidez.
CEPILLO m. Cepo para recoger donativos. • Instrumento de carpintería formado por un prisma que lleva embutido un hierro acerado con filo que permite pulir madera. • Instrumento provisto de pequeños manojos de cerdas que forman un conjunto espeso, y sirve para varios usos de limpieza: c. de dientes, para la ropa, etc.

Coleóptero de la familia **cerambícidos**

1 2 3 4

Cerámica. 1. Porcelana feldespática de la Fábrica Real de Copenhague (1895); 2. Mayólica italiana del s. XVI; 3. Plato chino de la dinastía Ts'ing (hacia 1730); 4. Cerámica *san cai* de la dinastía Tang (ss.VII-XI)

CEPIÓN, *Quinto Servilio* (s. II a.C.) Político y militar rom. Gobernó la Hispania Ulterior e instigó el asesinato de Viriato.
CEPO m. Gajo o rama de árbol. • Madero grueso en que se fijan y asientan la bigornia, yunque, tornillos y otros instrumentos de los herreros, cerrajeros, etc. • Instrumento hecho de dos maderos que forman en el medio unos agujeros en los cuales se aseguraba la garganta o la pierna del reo, juntando los maderos. • Instrumento para devanar la seda antes de torcerla. • Trampa para cazar lobos u otros animales, formada por un dispositivo que se cierra aprisionando al animal cuando lo toca. • Pequeño recipiente provisto de una ranura para depositar limosnas. • Utensilio compuesto de una o dos varillas de madera o metal, que sirve para sujetar los periódicos y revistas sin doblarlos. • Cefo.
CEPORRO m. Cepa vieja que se arranca para la lumbre. • fig. Persona poco inteligente.
CEQUÍ m. Ant. moneda ár. de oro.
CEQUIA f. Acequia.
CEQUIÓN m. *Chile.* Canal o acequia grande.
CERA f. Sustancia sólida que segregan las abejas para formar las cedillas de los panales. • Sustancia parecida que elaboran algunas plantas. • *Ind.* Materia de cualidades parecidas a la c. de las abejas y que precisa elaboración o se obtiene artificialmente. • Conjunto de velas o hachas de cera que sirven en alguna función. • **de los oídos.** Secreción interior de los oídos semejante a la cera. • **virgen.** Entre colmeneros, la que no está aún melada. • La que está en el panal y sin labrarse. ■ CERERÍA; CERERO, RA; CERÍFERO, RA; CEROSO, SA.
CERACIÓN f. Operación de fundir metales.
CERAFOLIO m. Perifollo, planta herbácea.
CERAGALLO m. *Bol.* y *C. Rica.* Planta perenne herbácea, de la familia lobeliáceas, con tallo ramoso y flores rojas y amarillas.
CERAMBÍCIDO, DA adj. y m. *Zool.* Díc. de insectos coleópteros de gran tamaño, cuerpo delgado y antenas largas, que viven en la madera. • m. pl. *Zool.* Familia de estos insectos.
CERÁMICA f. Arte de fabricar vasijas y otros objetos de barro, loza y porcelana. La primera c. conocida proviene de Irán y Palestina (VI milenio a. C.). La c. egipcia (3000 a. C.) se extendió por Mesopotamia, Creta, Grecia y Europa Occidental. La c. china es la máx. expresión de este arte. ■ CERÁMICO, CA; CERAMISTA.
CERAPEZ f. Cerote, mezcla de cera y pez.
CERASITA f. *Miner.* Silicato de alúmina y magnesio.
CERASTA f. Víbora con una especie de pequeños cuernos sobre los ojos.
CERATITES m. *Pal.* Grupo de moluscos cefalópodos ammonoideos fósiles.
CERATO o **CEROTO** m. *Farm.* Composición que tiene por base una mezcla de cera y aceite.
CERATÓPSIDO adj. y m. *Pal.* Díc. de los fósiles del grupo ceratópsidos. • m. pl. Grupo de reptiles dinosaurios carnívoros, con el cuello protegido por un gran escudo óseo y provistos de una gran cresta cefálica, que vivieron durante el jurásico y el cretácico.
CERAUNOMANCIA o **CERAUNOMANCÍA** f. Adivinación por medio de las tempestades.
CERAUNÓMETRO m. *Fís.* Aparato para medir la intensidad de los relámpagos.
CERBATANA f. Canuto largo que sirve para lanzar, soplando, pequeños proyectiles. • Trompetilla usada por los sordos.
CERBERO o **CANCERBERO** *Mit.* Monstruo tricéfalo, guardián de las puertas del infierno.
CERCA f. Vallado, tapia o muro que se pone alrededor de algún sitio, heredad o casa para su resguardo o división. • En milicia, formación de infantería, parecida al cuadro moderno, en que la tropa presentaba por todas partes el frente al enemigo, teniendo los flancos cubiertos unos con otros y dejando vacío el centro. • adv. lugar y tiempo. Próxima o inmediatamente. Antecediendo a nombre o pronombre a que se refiera, pide la prep. de.• Con la misma prep., sirve en lenguaje diplomático para designar la residencia de un ministro en determinado país extranjero. • m. pl. Objetos situados en el primer término de un cuadro. • **de.** m. adv.

Aproximadamente, con corta diferencia, poco menos de. • Acerca de. • **De c.** m. adv. A corta distancia.

CERCADO, DA m. Huerto, prado u otro sitio rodeado de valla, tapia u otra cosa para su resguardo. • Cerca, valla o tapia. • *Perú.* División territorial que comprende la cap. de un estado o prov. y los pueblos que de aquélla dependen.

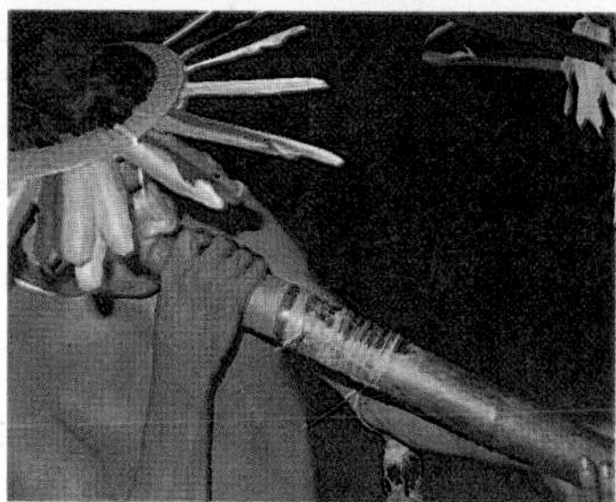

Indígena de la Amazonia soplando una **cerbatana**

CERCADO, *El* Mun. de la República Dominicana, en la prov. de San Juan; 32 300 hab. Café, bananas. Ind. maderera.

CERCADOR, RA adj. y s. Que cerca. • m. Entre cinceladores, hierro adelgazado, pero sin corte, que sirve para dibujar cualquier contorno en piezas de chapa delgada sin cortarla.

CERCANÍA f. Calidad de cercano. • Contorno, alrededores. Se usa más en pl.

CERCANO, NA adj. Próximo, inmediato.

CERCAR tr. Rodear o circunvalar un sitio con vallado, tapia o muro. • Poner cerco o sitio a una plaza, c. o fortaleza. • Rodear mucha gente a una persona o cosa.

CERCARIA f. Forma larval con cola de ciertos gusanos trematodos.

CERCEN o **CERCÉN** adv. modo. A cercén. • **A. c.** m. adv. Completamente y por el arranque de la cota de que se trata.

CERCENADURA f. o **CERCENAMIENTO** m. Parte o porción que se quita de la cosa cercenada.

CERCENAR tr. Cortar las extremidades de alguna cosa. • Disminuir o acortar.

CERCETA f. *Zool.* Ave de la familia anátidos, semejante al ánade silvestre, pero de tamaño algo menor. • pl. Pitoncitos blancos que nacen al ciervo en la frente.

CERCHA f. Regla plana y flexible para medir y trazar superficies curvas. • Cada una de las partes de que se compone un aro de mesa, un arco, una baranda, etc.

CERCHAR tr. Acodar la vid.

CERCHÓN m. *Arq.* Cimbra, armazón de madera para construir arcos y bóvedas.

CERCIORAR tr. y prnl. Asegurar a alguno la verdad de una cosa.

CERCO m. Lo que ciñe o rodea. • Aro de cuba, de rueda y de otros objetos. • Asedio que pone un ejército, rodeando una plaza o c. para combatirla. • Corrillo. • Giro o movimiento circular. • Aureola que a nuestra vista se forma alrededor del Sol o de la Luna. • Marco que rodea alguna cosa. • *Hond.* Seto vivo.

CERCOPITÉCIDO, DA adj. y m. *Zool.* Díc. de los primates de la familia cercopitécidos. • m. pl. Familia de primates catarrinos que incluye todos los monos del Viejo Mundo, salvo los antropomorfos. Comprende unas 60 especies, arborícolas, como el macaco, o de vida terrestre, como el mandril.

CERCOPITECO m. Gén. de primates cercopitécidos, que incluye 19 especies de monos de pequeño tamaño y hábitos arborícolas, designadas colectivamente con el nombre de monos o micos.

CERDA f. Pelo grueso, duro y largo que tienen las caballerías en la cola y crines, y el del cuerpo del cerdo y jabalí. • Hembra del cerdo. • Lazo hecho de cerda, para cazar perdices. Se usa más en plural. • Mies segada. ■ CERDOSO, SA.

CERDA, *Manuel Antonio de la* (m. 1829) Político nic. Condenado a cadena perpetua en 1812, por luchar por la indep. Jefe del Est. (1825-1827). Tras provocar una cruenta guerra civil, fue derrocado y fusilado por su sucesor, Juan Argüello. • **Sandoval, *Gaspar de la*** (1653-1697) Virrey de Nueva España (1688-1697). Impulsó la conquista de Texas. Sofocó la rebelión de los tarahumaras (1691) y la de la Ciudad de México (1693) • **Y Aragón, *Tomás Antonio de la*** (1638-1692) Virrey de Nueva España. Sofocó la rebelión de los indios de Nuevo México y repobló Santa Fe. Mandó ahorcar al célebre Tapado, falso visitador del virreinato.

Tota, primate **cercopiteco**

CERDÁ, *Ildefonso* (1816-1876) Ingeniero y urbanista esp., autor del plan de ensanche de Barcelona. • **Y Rico, *Francisco*** (1739-1800) Erudito y bibliófilo esp. Autor de ediciones críticas de escritores esp. clásicos.

CERDADA f. Piara de cerdos. • fig. Acción innoble.

CERDAMEN m. Manojo de cerdas atadas y dispuestas para hacer brochas, cepillos, etc.

CERDAÑA o **CERDANYA** Comarca pirenaica de Cataluña, en el valle alto del Segre. Ganadería. Cereales y patatas. Su cap. natural es Puigcerdá. La parte E pertenece a Francia, y la O a España.

Fortificación de la Edad de Bronce, en **Cerdeña**

CERDAÑOLA DEL VALLÉS o **CERDANYOLA DEL VALLÈS.** Mun. de España en la prov. de Barcelona (Cataluña); 50 503 hab. Agricultura. Industria de materiales de construcción, textil y metalúrgica.

CERDEAR intr. Flaquear de los brazuelos el animal. Díc. especialmente de los toros cuando están heridos de muerte, y de los caballos cuando padecen alguna debilidad en los brazuelos. • Sonar mal o ásperamente las cuerdas de un instrumento. • fig. y fam. Resistirse a hacer algo, o andar buscando excusas para no hacerlo.

CERDEÑA Isla y región autón. de Italia, en el Mediterráneo; 24 090 km^2, 1 648 200 hab. Integrada por las prov. de Cagliari, Nùoro, Oristano y Sassari. Cap. y puerto pral.: Cagliari. Accidentada por mesetas cortadas por hondas depresiones. Clima seco. Olivo, vid y cereales. Ind. metalúrgica, química, textil y alimentaria. Lenguas: it. (of.), sardo y cat. (L'Alguer). En 1324 pasó a la Corona de Aragón y, en 1713, a Austria, hasta su incorporación a Italia (1861).

Cerdo

CERDO m. *Zool.* Mamífero artiodáctilo de la familia suidos que vive en domesticidad y que el hombre aprovecha de manera muy completa. Deriva del jabalí, cuya domesticación se inició probablemente en China hace unos 3 500 años, si bien su cría racional no se inició hasta el s. XVIII. • fig. y fam. Hombre sucio. • fig. y fam. Hombre que actúa sin escrúpulos. • **hormiguero.** *Zool.* Mamífero del S de África que se alimenta de hormigas y termes que desentierra mediante sus fuertes uñas e ingiere a través de su hocico tubular.

Cerdo hormiguero

Cerezo. Árbol, flores y frutos

Vinicio **Cerezo**

Cernícalo

CEREAL adj. y m. *Bot.* Díc. de las plantas gramíneas de semillas farináceas que se cultivan intensamente para alimento del hombre y de algunos animales. Los más explotados son: trigo, centeno, avena, cebada, arroz, maíz, mijo y sorgo. ■ CEREALISTA.

CEREBELO m. *Anat.* Formación nerviosa del encéfalo, ubicada en la parte posterior del cráneo, entre el cerebro y el bulbo. Posee un cuerpo central alargado y dos lóbulos laterales, y su función es el control de la ejecución de los movimientos musculares. ■ CEREBELOSO, SA.

CEREBRACIÓN f. Actividad funcional del cerebro. • Importancia progresiva del cerebro en la serie evolutiva de los vertebrados, en relación con el conjunto del sistema nervioso.

CEREBRAL adj. Relativo al cerebro. • fig. Intelectual, en oposición a emocional; imaginario, en oposición a vivido. • m. *Antr.* Biotipo morfológico con predominio del cráneo y del sistema nervioso central.

CEREBRALIZACIÓN f. *Antr.* Proceso evolutivo de desarrollo del cerebro, acompañado del correspondiente aumento de capacidad craneana, que han experimentado los homínidos y, especialmente, el hombre.

CEREBRO m. *Anat.* Engrosamiento superior del cordón nervioso de un animal • fig. Cabeza, en su parte superior, y también entendimiento. • **electrónico.** Computadora.

* *Anat.* En el hombre, el c. se halla situado en la caja craneana y está dividido en dos mitades: los hemisferios cerebrales, unidos entre sí por una masa de sustancia blanca, y el cuerpo calloso. Los hemisferios están formados por una corteza de sustancia gris con unos repliegues, llamados circunvoluciones, que envuelven sustancia blanca, en cuyo seno se hallan diversos núcleos de sustancia gris. El c. está recubierto por tres membranas fibrosas, llamadas meninges.

CEREBROESPINAL adj. Díc. de aquello que está relacionado con el cerebro y la médula espinal.

CEREBRÓSIDO m. *Biol.* Lipoide que se encuentra en el cerebro, asociado con fosfolípidos, como sustancia de reserva del metabolismo nervioso.

CEREBROTÓNICO m. *Psic.* Tipo descrito por Sheldon, caracterizado por el predominio de un factor inhibitivo, la introversión, la lentitud de reacciones, la apariencia juvenil y la necesidad de soledad.

CEREMONIA f. Acto celebrado con solemnidad y según ciertas normas. • Ademán afectado, en obsequio de una persona o cosa.

CEREMONIAL adj. Relativo al uso de las ceremonias. • m. Serie o conjunto de formalidades para cualquier acto público o solemne. • Libro, cartel o tabla en que están escritas las ceremonias que se deben observar en ciertos actos públicos.

CERENKOV, *Pavel Alekseevic* (nacido 1904) Físico sov. Descubrió la radiación que lleva su nombre. Premio Nobel de Física en 1958 con I. M. Frank e I. Y. Tamm.

CÉREO, A adj. De cera. • Relativo a la cera. • m. *Bot. Amér.* Planta de la familia cactáceas.

CERES *Astr.* Nombre del primer asteroide que se descubrió en 1801.

CERES Diosa rom. de los cultivos y de la vegetación.

CERESINA f. Grasa mineral sólida obtenida por destilación de la ozoquerita.

CERETÉ Mun. de Colombia, en el dpto. de Córdoba; 37 000 hab. Maíz, caña de azúcar, tabaco, explotaciones forestales.

CEREZA f. Fruto del cerezo. • *C. Rica.* Fruta de un árbol frondoso, cultivado en jardines.

CEREZO m. *Bot.* Árbol frutal de la familia rosáceas, con el tronco liso y ramoso, copa abierta, hojas lanceoladas, flores blancas y por fruto la cereza. Su madera se emplea en ebanistería. • Madera de este árbol. ■ CEREZAL.

CEREZO, *Mateo* (1626-1666) Pintor esp., influido por Zurbarán y el Greco. *El Cristo de la agonía, Magdalena penitente.*• ***Vinicio*** (nacido 1942) Político guat. Como representante de la democracia cristiana, fue elegido presid. de la rep. para un periodo de cinco años (1986-1991).

CERIFLOR f. Planta de la familia borragináceas, de flores amarillentas y cuatro semillas dentro de dos nueces huesosas. • Flor de esta planta.

CERILLA f. Vela de cera, muy delgada y larga, que se usaba para alumbrar. • Palito, pedazo de papel enrollado o trozo de cartón con fósforo u otra sustancia química inflamable en un extremo, que sirve para encender. • Cerumen.

CERILLERO, RA m. y f. Fosforera. • Persona que vende cerillas.

CERILLO m. Cerilla, fósforo. • *Cuba.* Árbol silvestre, cuya madera se usa en carpintería y para hacer bastones. • *C. Rica.* Planta gutífera de cuya corteza mana una goma amarilla que los indígenas utilizaban para calafatear sus canoas.

CERINA f. Especie de cera que se extrae del alcornoque. • *Miner.* Silicato de cerio. • *Quím.* Sustancia que se obtiene de la cera blanca.

CERIO m. *Quím.* Elemento de símb. Ce, n. a. 58 y p. a. 140,12.

CERITA f. *Miner.* Silicato hidratado de cerio, hierro y calcio del que se extrae el cerio.

CERMEÑA f. Fruto del cermeño.

CERMEÑO m. Especie de peral, con las hojas de la figura de corazón, vellosas por el envés, y cuyo fruto es la cermeña. • adj. y m. fig. Hombre tosco, sucio, necio.

CERMET m. Material refractario compuesto de productos cerámicos y metales en polvo.

CERN Siglas de *Centre Européen pour la Recherche Nucléaire*, organismo de la UNESCO creado en 1953 para lograr una colaboración en las investigaciones nucleares de carácter científico.

CERNA, *Vicente* (s. XIX) Político y militar guat. Colaborador y sucesor del dictador Carreras (1865). Derrocado en 1891.

CERNADA f. Parte no disuelta de la ceniza, que queda en el cernadero después de echada la lejía sobre la ropa. • *Vet.* Cataplasma de ceniza y otros ingredientes, para fortalecer las partes lastimadas de las caballerías.

CERNADERO m. Lienzo grueso que se pone en el cesto o coladero sobre toda la ropa, para que, echando sobre él la lejía, pase a la ropa sólo el agua con las sales que lleve en disolución y se detenga en él la cernada. • Lienzo de hilo o de hilo y seda, de que se hacían valonas.

CERNE m. Parte más dura y sana del tronco de los árboles.

CERNEDERA f. Marco de madera del tamaño de la artesa, sobre el cual se pone uno o dos cedazos para cerner con más facilidad la harina que cae dentro de la artesa. Suele emplearse en pl.

CERNEDERO m. Delantal para no ensuciarse la ropa al cerner. • Lugar para cerner la harina.

CERNEDOR, RA m. y f. Persona que cierne. • m. Torno para cerner harina.

CERNEJA f. *Anat.* Protuberancia en la parte posterior de las patas del caballo, por encima del casco.

CERNER o **CERNIR** tr. Separar con el cedazo la harina del salvado o las partes gruesas de cualquier otra materia pulverizada. • fig. Atalayar, observar, examinar. • fig. Depurar, afinar los pensamientos y las acciones. • intr. Hablando de la vid, del olivo, del trigo y de otras plantas, estar fecundándose la flor. • fig. Llover suave y a menudo. • prnl. Andar contoneándose. • Mover las aves sus alas, manteniéndose en el aire sin apartarse del sitio en que están. • fig. Amenazar de cerca algún mal.

CERNÍCALO m. *Zool.* Ave falconiforme con cabeza abultada, pico y uñas negros y fuertes, y plumaje rojizo y manchado de negro. • adj. y m. fig. Hombre ignorante y rudo.

CERNIDILLO m. Lluvia muy menuda. • fig. Modo de andar con pasos cortos y contoneándose.

CERNIDO m. Acción de cerner. • Cosa cernida, y pralm. harina cernida para hacer el pan.

CERNIDURA f. Cernido. • pl. Lo que queda después de cernida la harina.

CERNO m. Corazón de algunas maderas duras.

CERNUDA, *Luis* (1904-1963) Poeta esp., que, partiendo de un clasicismo formal, ha realizado una obra lírica de gran expresividad superrealista. *Los placeres prohibidos, Perfil del aire, La realidad y el deseo.*

CERO m. *Mat.* El menor de los números naturales o el cardinal del conjunto vacío. • P. ext., elemento neutro de cualquier grupo abeliano. • *Fís.*

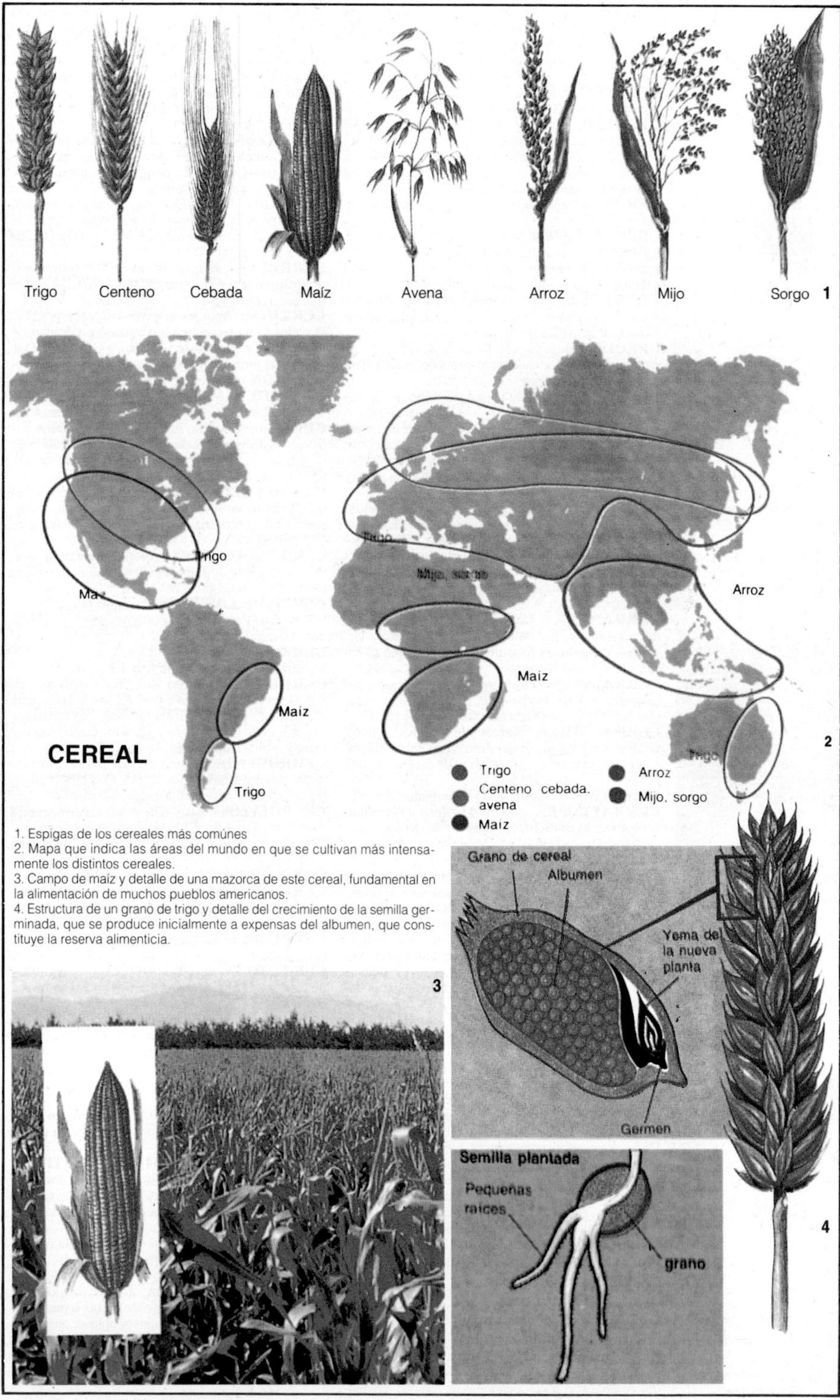

1. Espigas de los cereales más comunes
2. Mapa que indica las áreas del mundo en que se cultivan más intensamente los distintos cereales.
3. Campo de maíz y detalle de una mazorca de este cereal, fundamental en la alimentación de muchos pueblos americanos.
4. Estructura de un grano de trigo y detalle del crecimiento de la semilla germinada, que se produce inicialmente a expensas del albumen, que constituye la reserva alimenticia.

Punto desde el cual se cuentan los grados y otras fracciones de medida en la escala de un aparato de medición. • **absoluto.** Punto c. de la escala absoluta de temperaturas, cuyo valor en la escala centígrada es –273, 16 °C. • **Al c.** m. adv. Al rape.

CEROLEÍNA f. Una de las sustancias que constituyen la cera de las abejas.

CEROLLO, LLA adj. Aplícase a las mieses que al tiempo de segarlas están algo verdes y correosas.

CEROMA f. Ungüento cuyo pral. ingrediente era la cera, y con el que se frotaban los miembros los atletas antes de empezar la lucha.

CERÓN m. Residuo, escoria o heces de los panales de la cera.

CEROPLÁSTICA f. Arte de modelar la cera.

CEROTE m. Mezcla de pez y cera de que usan los zapateros para encerar los hilos con que cosen el calzado. • fig. y fam. Miedo, temor.

CEROTEAR tr. Dar cerote los zapateros a los hilos con que cosen el calzado. • intr. *Chile*. Gotear la cera de las velas encendidas.

CERQUILLO m. Corona formada de cabello en la cabeza de los religiosos de algunas órdenes. • Tira de refuerzo del calzado.

CERRADA f. Parte de la piel del animal, que corresponde al cerro o lomo.

CERRADERO, RA adj. y s. Aplícase al lugar que se cierra, o al instrumento con que se ha de cerrar alguna cosa. • m. Parte de la cerradura en la cual penetra el pestillo. • Cordones con que se cierran y abren las bolsas y bolsillos.

CERRADO, DA adj. fig. Incomprensible, oculto y oscuro. • fig. Díc. del cielo o de la atmósfera cuando se presentan muy cargados de nubes. • fig. y fam. Aplícase a la persona muy callada, introvertida. • fig. Díc. del que habla con acento provincial o extranjero muy marcado. • fig. Aplícase a la persona de pocos alcances. • m. Cercado.

CERRADURA f. Acción de cerrar. • Mecanismo de metal que se fija en puertas, cajones, etc., y sirve para cerrarlos por medio de pestillos que se hacen jugar con la llave.

CERRAJA f. Cerradura, mecanismo que sirve para cerrar. • *Bot.* Hierba de la familia compuestas, que constituye un excelente pasto para el ganado.

CERRAJEAR intr. Ejercer el oficio de cerrajero.

CERRAJERO m. El que hace cerraduras, llaves, candados, cerrojos y otras cosas de hierro. ■ CERRAJERÍA.

CERRAJÓN m. Cerro alto y escarpado.

CERRALBO, ***Enrique de Aguilera y Gamboa,*** MARQUÉS DE (1845-1922) Político y arqueólogo esp., carlista. Descubrió el yacimiento paleolítico de Torralba (Soria).

CERRAMIENTO m. Acción y efecto de cerrar. • Cosa que cierra o tapa cualquier abertura, conducto o paso. • Cercado y coto. • División con tabique.

CERRAR tr. Hacer que una cosa no pueda verse por dentro. • tr. e intr. Encajar en su marco la hoja o las hojas de una puerta, o poner cualquier otra cosa delante de lo que estaba abierto, para que deje de estarlo. • tr. Correr el pestillo o cerrojo, echar la llave, enganchar la aldaba. • Tratándose de los cajones de una mesa, de los cuales se haya tirado hacia fuera sin sacarlos del todo, volver a hacerlos entrar en su hueco. • Ocultar una cosa uniendo o juntando otras que, estando separadas, la dejaban en descubierto. • Tratándose de partes del cuerpo del animal o de cosas compuestas de piezas unidas por goznes, tornillos, etc., unirlas al todo de que formen parte. • Encoger, doblar o plegar lo que estaba extendido. Hacer desaparecer una abertura. • Tratándose de cartas, paquetes, etc., disponerlos y pegarlos de modo que no sea posible ver lo que contengan, ni abrirlos. • Hablando de cuerpos o establecimientos públicos o privados, poner fin a las tareas, ejercicios o negocios propios de cada uno de ellos. • fig. Concluir ciertas cosas o ponerles término. • Tratándose de certámenes, concursos de opositores, suscripciones, empréstitos, etc., declarar terminado el plazo dentro del cual era posible tomar parte en ellos. • Refiriéndose a ajustes, tratos o contratos, darlos por terminados y firmes. • Tratándose de gente que camina formando hilera o columna, ir en último lugar. • Embestir, acometer. Se usa más seguido de la prep. *con.* • intr. En el juego del dominó, poner una ficha que impida seguir colocando las demás que aún tengan los jugadores. • Cercar, rodear con una cerca. • prnl. Hablando de heridas o llagas, cicatrizarse. • Tratándose de flores, juntarse unos con otros sus pétalos sobre el botón o capullo. • prnl. y tr. fig. Unirse, apiñarse. • prnl. fig. Mantenerse firme en un propósito. • fig. Hablando del vehículo o del conductor que toma una curva, ceñirse al lado de menor radio. ■ CERRADOR, RA.

CERRAZÓN f. Oscuridad grande que precede a las tempestades, cubriéndose el cielo de nubes negras. • Incapacidad de comprender algo. • *Col.* Contrafuerte de una cordillera.

CERRERO, RA adj. Que vaga o anda libre y suelto. • Cerril. • fig. *Argent.*, *Perú* y *P. Rico.* Tratándose de personas, inculto, brusco. • *Méx.* y *Ven.* Díc. de lo que es amargo.

CERRETANI, ***Arturo*** (nacido 1907) Narrador y dramaturgo arg. *Celuloide* (relatos), *Hay que salvar a Susana*, *Delito frente al mar* (teatro).

CERRIL adj. Aplícase al terreno escabroso. • Díc. del ganado mular, caballar o vacuno no domado. • fig. y fam. Grosero, tosco, rústico. • fig. y fam. Que se obstina tercamente en una actitud.

CERRIÓN m. Canelón, carámbano.

CERRITO, ***El*** Mun. de Colombia, en el dpto. de Valle del Cauca; 32 500 hab. Agricultura, ganadería.

CERRO m. Cuello o pescuezo del animal. • Espinazo o lomo. • Elevación de tierra aislada y de menor altura que el monte o la montaña. ■ CERREJÓN.

CERRO BOLÍVAR Monte de Venezuela, en el est. Bolívar, donde se encuentra uno de los yacimientos de hierro más ricos del mundo (reserva de 653 mill. t); 802 m de alt.

CERRO COLORADO Necrópolis precolombina, en la península de Paracas (Perú). Se han hallado momias cubiertas por ricas telas.

CERRO DE LAS MESAS Centro arqueológico de México (Veracruz). Importantes restos de la cultura olmeca.

CERRO DE PASCO C. de Perú, cap. de la prov. y el dpto. de Pasco; 54 148 hab. Centro minero.

CERRO LARGO Dpto. del NE de Uruguay, limítrofe con Brasil; 13 648 km², 82 510 hab. Relieve accidentado por la Cuchilla Grande, que forma las cuencas de los ríos Negro y Tacuarí. Ganadería vacuna y ovina. Cap., Melo. 46 889 hab.

CERROBEND m. Aleación compuesta por bismuto, plomo, estaño y antimonio. Con ella se construyen clisés y moldes tipográficos.

CERROJAZO m. Acción de echar el cerrojo recia y bruscamente. • fig. Clausura inesperada de una actividad, sesión, etc. Se usa casi siempre con el verbo *dar*.

CERROJILLO, TO m. Herreruelo, pájaro.

CERROJO m. Barreta de hierro con manija, movible entre dos armellas, que cierra una puerta o ventana.

CERRUMA f. *Vet.* Cuartilla, parte del casco de las caballerías.

CERRUTO, ***Oscar*** (1912-1981) Escritor bol. Vanguardista en la lírica y de temática social en prosa. *Cifra de las rosas y siete cantares*, *Cerco de cantares.*

CERTAMEN m. Desafío, competición, duelo, pelea o batalla entre dos o más personas. • fig. Función literaria en que se argumenta o disputa sobre algún asunto, comúnmente poético. • fig. Concurso literario, artístico o científico.

CERTERO, RA adj. Diestro y seguro en tirar. • Seguro, acertado. • Cierto, sabedor, bien informado.

CERTEZA o **CERTIDUMBRE** o **CERTITUD** f. Conocimiento seguro y claro de alguna cosa.

CERTIFICACIÓN f. Acción y efecto de certificar. • Instrumento o documento en que se asegura la verdad de un hecho.

CERTIFICADO, DA adj. y s. Díc. de la carta o paquete que se certifica. • m. Certificación, documento en que se certifica.

CERTIFICAR tr. Asegurar, afirmar, dar por cierta alguna cosa. • Tratándose de cartas o paquetes que se han de remitir por el correo, obtener, mediante pago, un certificado o resguardo con que se pueda acreditar haberlos remitido. • *Der.* Hacer cierta una cosa por medio de instrumento público. ■ CERTIFICATORIO, RIA.

Cerrado

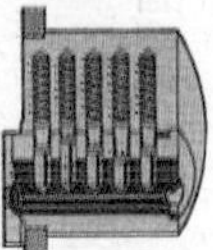

Abierto

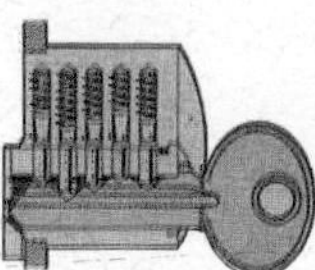

Esquema del funcionamiento de una **cerradura**

Cerusita

Miguel de **Cervantes Saavedra**

CERULARIO, ***Miguel*** (1000-1059) Patriarca de Constantinopla (1043-1059). Artífice del cisma entre las iglesias rom. y oriental.
CERÚLEO, A adj. Azul celeste.
CERUMEN m. Cera de los oídos, de las secreciones de las glándulas sebáceas y ceruminosas del conducto auditivo externo.
CERUSA o **CERUSITA** f. *Miner.* Carbonato de plomo, que cristaliza en el sistema rómbico.
CERVAL adj. Cervuno, propio del ciervo o semejante a él. • Díc. del espanto o del miedo atroz.
CERVANTES, ***Pedro*** (m. 1654) Escultor per., autor de *Santiago a caballo* y de un *San Jerónimo*.• **Saavedra,** ***Miguel de*** (1547-1616) Escritor esp., unos de los prales. representantes de las letras universales e iniciador, según muchos estudiosos, de la novela. Soldado en la batalla de Lepanto, donde quedó inútil de la mano izquierda (por lo que fue conocido como el MANCO DE LEPANTO), cayó prisionero de los piratas de Argel que le retuvieron cautivo durante cinco años. En 1584 publicó su primera obra, *La Galatea* (novela pastoril) y en 1585 vio la luz en Madrid la primera parte del *Quijote*. De su producción poética destaca *Viaje del Parnaso*, mientras que de la teatral sobresalen sus entremeses (*La guardia cuidadosa*, *El retablo de las maravillas*, etc.). Su genialidad, no obstante, se plasma en la prosa: las *Novelas ejemplares* (*Rinconete y Cortadillo*, *La gitanilla*—picarescas—, *El coloquio de los perros*—costumbrista—, *El licenciado Vidriera*—sátira—, *La ilustre fregona*—amor y aventuras—), pero sobre todo *El ingenioso hidalgo don Quijote de la Mancha*, obra maestra de la lit. universal, cuya segunda parte apareció en 1615. • **Premio literario C.** Galardón que premia el conjunto de la obra literaria de un autor en lengua castellana.
CERVANTINO, NA adj. Propio y característico de Cervantes como escritor, o que tiene semejanza con cualquiera de las dotes o calidades por que se distinguen sus producciones. ■ CERVANTISTA; CERVANTÓFILO, LA.
CERVATILLO m. Almizclero, animal rumiante.
CERVATO m. Ciervo menor de seis meses.
CERVECEO m. Fermentación de la cerveza.
CERVERA, ***Pascual*** (1839-1909) Marino esp. Mandó la escuadra esp. que fue hundida por la norteam. en Santiago de Cuba en 1898.
CERVEZA f. Bebida alcohólica y carbónica, obtenida pralm. de malta de cebada, agua y lúpulo mediante la fermentación con levaduras. Existe una gran variedad de tipos de un contenido alcohólico que oscila entre 3,5 y 5,5 %, aunque existen algunos con hasta 15 %. ■ CERVECERÍA.
CERVICABRA f. Especie de antílope de la India, de cuernos divergentes y retorcidos.
CERVICAL adj. Relativo al cuello. • adj. y f. pl. Díc. de cada una de las siete vértebras del cuello y de los ocho pares nerviosos que nacen de la médula espinal.
CÉRVIDO, DA adj. y m. *Zool.* Díc. de los mamíferos de la familia cérvidos. • m. pl. Familia de mamíferos artiodáctilos, rumiantes, de patas largas y esbeltas, caracterizados por poseer una cornamenta ramificada que los machos cambian y aumentan cada año; las hembras sólo poseen cornamenta en algunas especies.
CERVIGUILLO o **CERVIGÓN** m. Parte exterior de la cerviz cuando es abultada y gruesa.
CERVINO (*Matterhorn*) Monte de Suiza (Valais), en la frontera con Italia; 4 482 m. de alt.
CERVIZ f. *Anat.* Parte dorsal del cuello, que en el hombre y en la mayoría de los mamíferos consta de siete vértebras, varios músculos y la piel. ■ CERVICAL; CERVIGUDO, DA.
CERVUNO, NA adj. Relativo al ciervo. • Parecido a él. • Díc. del color del caballo o yegua que es intermedio entre el oscuro y el zaino. ■ CERVINO, NA.
CESAIRE, ***Aimé*** (nacido 1913) Escritor martiniqués, en lengua fr. Inspirador del mov. de la negritud, sus poemas, de gran contenido revolucionario, evocan las fuentes afr. del paisaje natal. *Cuaderno de un retorno al país natal*, *Las armas milagrosas* (poesía), *La tragedia del rey Cristophe* (drama), *Discurso sobre la colonización*.
CESALPINIÁCEO, A adj. y f. *Bot.* Díc. de plantas de la familia cesalpiniáceas. • f. pl. *Bot.* Familia de las rosales consideradas como una subfamilia de las leguminosas.
CESALPINO, ***Andrea*** (1519-1603) Médico y naturalista it. Realizó estudios sobre la circulación de la sangre y la respiración. Intentó establecer una clasificación de las plantas tras un estudio de sus elementos esenciales. *De plantis*.
CESANTE adj. Que cesa. • adj. y s. Díc. del empleado que queda sin empleo.
CESANTÍA f. Estado de cesante. • Paga que disfruta en ciertos casos el empleado cesante. • Correctivo por el que se priva al empleado de su destino.
CESAR intr. Suspenderse o acabarse una cosa. • Dejar de desempeñar un empleo o cargo. • Dejar de hacer lo que se está haciendo. ■ CESACIÓN; CESAMIENTO.
CESAR Dpto. del N de Colombia, separado en 1967 del de Magdalena; 22 905 km², 757 096 hab.; Cap., Valledupar. Relieve llano en los sectores central y occidental, accidentado al N por la sierra Nevada de Santa Marta, y al E por la serranía de los Motilones. Ríos: Magdalena y Cesar. Clima tropical en los llanos. Bananas, algodón, café, tabaco, maíz, arroz. Ganadería. Caucho y maderas.
CÉSAR n. p. m. Sobrenombre que llevaron los emperadores rom. y la persona designada para suceder en el imperio. • Emperador, entre los rom.
CÉSAR, ***Cayo Julio*** (101-44 a. C.) General rom., político e historiador. Formó el primer triunvirato con Pompeyo y Craso. Muerto éste, se enfrentó con Pompeyo, al que obligó a huir y persiguió en Hispania, derrotándole en Lérida (*Ilerda*) y Munda. Sus numerosas victorias extendieron las fronteras del imperio. Sus aspiraciones personales y la ambición de reimplantar la monarquía en Roma sirvieron de pretexto a sus enemigos para asesinarle en los *idus* de marzo. Escribió *De bello gallico* y *De bello civile*, memorias de sus campañas militares.
CESARE *Lóg.* Palabra convencional de la lógica escolástica, usada para designar un modo de silogismo de la segunda figura.
CESAREA Nombre de diversas c. ant.: C. de Filipo, en Siria; C. de Palestina o C. Marítima; C. de Capadocia (Kayseri), etc.
CESÁREA f. *Cir.* Operación que consiste en extraer el feto practicando una incisión en la pared del abdomen y en la musculatura uterina.
CESARENSE adj. y s. De César.
CESÁREO, A adj. Relativo al imperio o a la majestad imperial.
CESARISMO m. Sistema de gobierno en el cual una sola persona asume y ejerce todos los poderes públicos. ■ CESARISTA.
CESBRON, ***Gilbert*** (1913-1979) Novelista fr. Trató la injusticia social, bajo el prisma católico. *Los santos van al infierno*, *Perros perdidos sin collar*.
CESE m. Orden por la cual un funcionario deja de desempeñar el cargo que ejercía. • Nota o documento que se expide para que desde aquel día cese el pago de la asignación que tenía algún individuo.
CESENA C. de Italia, en la prov. de Forli, en Emilia; 90 000 hab. Azufre.
CESIBLE adj. *Der.* Que se puede ceder o dar a otro.
CESIO m. *Quím.* Elemento de símb. Cs, n. a. 55 y p. a. 132,905.
CESIÓN f. Renuncia de alguna cosa, posesión, acción o derecho, que una persona hace a favor de otra. • **de bienes.** *Der.* Dejación que los deudores hacen de sus bienes a sus acreedores. ■ CESIONARIO, RIA; CESIONISTA.
CESKÉ BUDEJOVICE C. de la rep. Checa, cap. de la prov. de Bohemia Meridional; 93 500 hab. Ind. mecánicas, fábricas de loza.
CÉSPED m. Hierba menuda y tupida que cubre el suelo. • **inglés.** Ballico, planta gramínea. ■ CESPEDERA; CESPITOSO, SA.
CÉSPEDES, ***Augusto*** (nacido 1904) Político y escritor bol. Fundador del Movimiento Nacionalista Revolucionario (MNR). *Sangre de mestizos*, *El dictador suicida*. • ***Carlos Manuel de*** (1819-1874) Político cub., primer presid. de la República de Cuba, en la época de la lucha por la indep. Participó en el mov. separatista de 1868. Al parecer se suicidó. • ***Pablo de*** (1538-1607) Pintor y escritor esp., rena-

Gamo, mamífero de la familia **cérvidos**

El monte **Cervino**

Algarrobo, árbol de la familia **cesalpiniáceas**

Cayo Julio **César**

Delfín, mamífero del orden **cetáceos**

El príncipe alemán Conrado practicando la **cetrería** en una miniatura del Manuscrito de Manessus (s. XIV)

Grabado que representa una escena de la batalla de **Chacabuco**

centista tardío. *El arte de la pintura*. • **Y Meneses, *Gonzalo de*** (1585-1638) Escritor esp. del gén. picaresco. *Poema trágico del español Gerardo y desengaño del amor lascivo*. • **Y Quesada, *Carlos Manuel de*** (1871-1939) Político y diplomático cub. Presid. de la Rep. (1933) tras el derrocamiento de Machado. Derrocado por Batista.
CESPITAR intr. Titubear, vacilar.
CESTA f. Utensilio portátil, de materia flexible, para transportar o guardar alguna cosa. • Especie de pala de tiras de madera de castaño entretejidas, cóncava y en figura de uña, que sirve para jugar a la pelota. • Aro de hierro del que cuelga una red por donde tiene que pasar la pelota en el juego del baloncesto. • Tanto conseguido en este juego.
CESTADA f. Lo que puede caber en una cesta.
CESTERÍA f. Taller donde se hacen cestos o cestas. • Tienda donde se venden. • Arte del cestero.
CESTERO, RA m. y f. Persona que hace o vende cestos o cestas.
CESTERO, *Manuel Florentino* (1879-1926) Escritor dom. *Cuentos a Lila* y *El canto del cisne*, novela influida por el modernismo.
CESTI, *Pietro Antonio* (1623-1669) Compositor it. de motetes, arias, cantatas y óperas. *Dori*, *Orontea*, *La manzana de oro*.
CESTIARIO m. Gladiador que combatía armado con el cesto.
CESTO m. Cesta grande. • Armadura de la mano, usada en el pugilato por los ant. atletas.
CESTODO, DA adj. *Zool.* Díc. de los gusanos platelmintos desprovistos de aparato digestivo, que forman cadena en el tubo digestivo de los animales superiores y del hombre; como la solitaria. • m. pl. *Zool.* Clase de estos animales.
CESTÓN m. Cesto grande. • Cesto grande relleno de tierra o piedra que sirve de defensa en la fortificación.
CESTONADA f. Fortificación hecha con cestones.
CESURA f. Separación o pausa en el verso después de cada uno de los acentos métricos.
CETA f. Zeta, letra.
CETÁCEO, A adj. y m. *Zool.* Díc. de los mamíferos housepisciformes. • m. pl. *Zool.* Orden de mamíferos que comprende formas exclusivamente adaptadas a la vida acuática, y gralte. de gran tamaño.
CETARIO m. Paraje en que la ballena y otros vivíparos marinos paren y crían sus hijuelos. • Vivero de crustáceos.
CETENO m. *Quím.* Hidrocarburo de la serie olefínica. Por su gran tendencia a la ignición se utiliza para motores Diesel.
CETINA f. Esperma de la ballena.
CETINA, *Gutierre de* (1520-1557?) Poeta petrarquista esp. *A unos ojos* (madrigal).
CETOGÉNESIS f. *Biol.* Producción de cuerpos cetónicos.
CETONA f. *Quím.* Nombre común a numerosos compuestos orgánicos que se obtienen por oxidación de los alcoholes secundarios o por destilación seca de las sales cálcicas de ácidos orgánicos. Se emplean en perfumería, en productos farmacéuticos y en la ind. química en general.
CETONEMIA f. *Med.* Exceso de cetonas en la sangre.
CETONIA f. Insecto coleóptero con reflejos metálicos que vive en las flores y en los árboles.
CETONURIA f. Exceso de cetonas en la orina.
CETRARINA f. Materia amarga que se extrae de algunos líquenes.
CETRERÍA f. Arte de criar, domesticar, enseñar y curar los halcones y demás aves que servían para la caza de volatería. • Caza de aves y algunos cuadrúpedos que se hacía con halcones y otros pájaros que perseguían la presa hasta herirla o matarla.
CETRERO m. Ministro que sirve con capa y cetro en las funciones de iglesia. • El que ejercía la cetrería, cazando con halcones y otros pájaros.
CETRINO, NA adj. Aplícase al color amarillo verdoso. • Compuesto con cidra o que participa de sus cualidades. • fig. Melancólico y adusto.
CETRO m. Bastón de mando, insignia del poder supremo. • Vara de plata que usan algunos dignatarios de la iglesia. • fig. Reinado.
CEUTA C. y puerto esp. en el N de África; 18,5 km^2, 68 615 hab. Comprende la pen. de Punta Almina y el istmo donde se alza la ant. c. Conservas de pescado. En 1995 obtuvo el estatuto de Ciudad Autónoma.
CEUTÍ adj. y s. De Ceuta.
CEVA, *Giovanni* (h. 1647-1734) Matemático it. Autor de varios teoremas sobre las transversales en relación con los triángulos. • ***Tommaso*** (1649-1730) Matemático jesuita it., hermano del anterior. Ideó un instrumento para la bisección del ángulo. Precursor de la geometría no euclidiana.
CEVALLOS, *Pedro Antonio* (1715-1778) Militar y político esp. Gobernador de Buenos Aires y primer virrey de Río de la Plata (1776). • ***Pedro Fermín*** (1812-1893) Historiador, filólogo, abogado y político ecuat. Fundador del partido liberal. Como ministro de Est. abolió la esclavitud y expulsó a los jesuitas. *Resumen de la historia del Ecuador desde su origen a 1845*, *Breve catálogo de errores en orden a la lengua y al lenguaje castellanos*.
CEVICOS Mun. de la República Dominicana, en la prov. de Sánchez Ramírez; 36 800 hab. Tabaco.
CÉZANNE, *Paul* (1839-1906) Pintor fr., precursor del fauvismo, el expresionismo y el cubismo. En 1861 conoció a Pissarro y al grupo de los futuros impresionistas, de cuyo salón fue rechazado por heterodoxo. En 1888, en París, conoció a Van Gogh, época en que su estilo alcanza su máx. fecundidad. *Los jugadores de cartas*, *Las bañistas*, *Madame Cézanne*.
Cf *Quím.* Símb. del californio.
CF o **C & F** Abrev. de las voces ing. *cost* (coste) y *freight* (flete). Se aplica a las ventas en cuyo precio se incluye el del transporte, excluyendo los gastos del seguro.
CFI Siglas de la → Corporación Financiera Internacional.
CGS Sistema absoluto de unidades cuyas magnitudes fundamentales son la longitud, la masa y el tiempo y sus unidades fundamentales el centímetro, el gramo y el segundo.
CGT Siglas de la → Confederación General del Trabajo.
CH f. Dígrafo del español que representa el sonido palatal, africado y sordo. Su nombre es *che*. En la escritura es inseparable.
CHA m. Nombre del té en China, Filipinas y algunos países hispanoamericanos.
CHABACANADA o **CHABACANERÍA** f. Falta de arte y mérito estimable. • Dicho insustancial.
CHABACANO, NA adj. Sin arte o grosero y de mal gusto. • m. *Méx.* Árbol semejante al albaricoquero.
CHABAN-DELMAS, *Jacques* (nacido 1915) Político fr. Primer ministro en 1969-1972.
CHABASITA f. *Miner.* Silicato de calcio, sodio y aluminio, del grupo de las ceolitas.
CHABELA f. *Bol.* Bebida, mezcla de vino y chicha.
CHABELÓN f. fam. *Guat.* Cobarde.
CHABOLA f. Choza o caseta en el campo. • Barraca en los suburbios de las grandes ciudades.
CHABROL, *Claude* (nacido 1930) Director cinematográfico fr., de la *nouvelle vague*. *Landrú*, *La década prodigiosa*.
CHAC Dios maya del tiempo atmosférico, de los cuatro puntos cardinales, del trueno y del rayo. Deidad de la agricultura.
CHACA f. *Chile.* Variedad de marisco comestible.
CHACABUCO Partido de Argentina, en la prov. de Buenos Aires; 41 100 hab. Riqueza agrícola y

ganadera. • Prov. de Chile, en la región metropolitana de Santiago; 1 977,7 km^2, 89 951 hab. Cap., Colina. • **Batalla de Ch.** Victoria (12 febrero 1817) de las tropas chil. de San Martín sobre las esp. en el estero de Ch. (Chile). Marcó el comienzo del declive esp. en América.

CHACAL m. Mamífero carnívoro, de la familia cánidos, parecido al lobo. Vive en las regiones templadas de Asia y África.

CHACALÍN m. *Amér. Centr.* Camarón.

CHACANA f. *Ecuad.* Camilla, parihuela.

CHACANEAR intr. *Chile.* Espolear con fuerza a la cabalgadura. • fig. *Chile.* Importunar.

CHACAO Mun. de Venezuela, en el est. Miranda; 78 500 hab. Centro residencial y com. de Caracas.

CHÁCARA f. *Amér.* Chacra, alquería. • m. *Col.* Monedero.

CHACAREAR intr. *Argent.* Trabajar en el campo.

CHACARERO, RA adj. y s. *Amér.* Dueño de una chácara, granja. • Persona que trabaja en ella. • f. Danza popular de la campiña argentina.

CHACARRACHACA f. fam. Ruido molesto de disputa o algazara.

CHACATE m. *Méx.* Planta poligalácea.

CHACEAR intr. *Ven.* Hacer chazas el caballo.

CHACEL, *Rosa* (1898-1994) Escritora esp. *Memorias de Leticia Valle*, *La sinrazón*, *Barrio de Maravillas*.

CHACHA f. fam. Niñera. • Por ext., sirvienta.

CHACHACOMA f. *Chile.* Planta propia de la cordillera andina, de flores amarillas. Se usa en medicina casera.

CHACHACOMANI, *Nevado* Cumbre de 6 553 m en la cord. de Bolivia.

CHACHALACA f. *Méx.* Especie de gallina de cola larga y de plumas amarillentas, sin cresta. • s. y adj. fig. *Méx.* Persona locuaz.

CHACHANI Volcán extinguido del Perú meridional; 6 075 m. Sit. al N de Arequipa.

CHACHAPOYAS Prov. de Perú, en el dpto. de Amazonas; 3 111 km^2, 37 100 hab. • C. de Perú, cap. de la prov. hom. y del dpto. de Amazonas; 15 785 hab. Ind. hotelera y aeropuerto. Fundada 1536-1538.

CHÁCHARA f. fam. Abundancia de palabras inútiles. • Conversación frívola. • pl. Baratijas, cachivaches. B CHACHAREAR; CHACHARERO, RA.

CHACHI adj. fam. Estupendo. • **Pasarlo chachi.** Pasarlo muy bien.

CHACHO, CHA m. y f. fam. Aféresis de muchacho o muchacha.

CHACINA f. Cecina. • Carne de puerco adobada. B CHACINERÍA; CHACINERO, RA.

CHAC-MOOL Escultura de piedra que muestra a una figura reclinada y el rostro vuelto hacia un lado. Propia de la América precolombina (mayas y toltecas).

CHACO m. Montería con ojeo, que hacían antiguamente los indios de la América del sur, estrechando en círculo la caza para cogerla. • *Amér. Merid.* Vasta extensión de tierra sin explorar.

CHACO Región natural de América del Sur, aprox. 800 000 km^2. Se extiende por el N de Argentina, O de Paraguay y E de Bolivia. Zona de hundimiento rellenada por sedimentaciones terciarias y cuaternarias. Clima cálido con lluvias torrenciales en verano. Explotación forestal y cría de ganado bovino. En la parte arg. se cultiva algodón. Yacimientos petrolíferos. Pob. escasa; los indígenas, una ínfima minoría. • **Guerra del Ch.** Conflicto bélico entre Bolivia y Paraguay, por la posesión parcial del Chaco. Iniciada en 1932, finalizó en 1935; Paraguay obtuvo la mayor parte de la zona en litigio (225 000 km^2).

CHACO Prov. del NE de Argentina, limítrofe con Paraguay; 99 633 km^2, 838 303 hab. Cap., Resistencia. Limitada al N por el río Bermejo y al E por el Paraguay y el Paraná. Terreno llano. Clima cálido. Vegetación de estepa herbácea con arboledas. Explotación forestal; cultivos de algodón, maíz, caña de azúcar, etc. Ganado bovino. Prov. constituida en 1951.

CHACÓ m. Morrión de la caballería ligera.

CHACOLÍ o TXAKOLI m. Vino ligero de Euskadi, Cantabria y Chile.

CHACOLOTEAR intr. Hacer ruido la herradura por estar floja.

CHACÓN, *Lázaro* (1837-1930) Militar y político guat. Presid. del país en 1927; enfermo, renunció al cargo en 1930.

CHACONA f. Baile de los ss. XVI y XVII, de origen it., que se ejecutaba con acompañamiento de castañuelas y de coplas.

CHACONADA f. Tela de algodón muy fina y de vivos colores.

CHACOTA f. Bulla mezclada de chanzas y carcajadas. • **Echar,** o **tomar, uno** a **chacota** una cosa. fam. burlarse de ella. B CHACOTEAR; CHACOTEO; CHACOTERO, RA.

CHACOTE m. *Bol.* Daga larga y cortante.

CHACRA f. *Amér.* Alquería o granja.

CHACUACO m. *Metal.* Horno de manga para fundir minerales de plata.

CHAD *(Tchad)* Lago del centro de África; 16 300 km^2. Tributario pral.: río Chari.

CHAD, *República del* (*République du Tchad*) Estado de África central, sit. entre Libia, Sudán, República Centroafricana, Camerún, Nigeria y Níger. Ocupa una depresión rodeada por el macizo Tibesti y las montañas Ennedi y Ouadaî. Clima tropical al S, semidesértico en el centro y árido al N. Abundantes lluvias. Ganadería y agricultura: algodón, cacahuetes, arroz, mijo, dátiles, etc. Ganado bovino, caprino y ovino. Estaño. Ind. agropecuaria. Prales. grupos étnicos: sara, tubu y ár. Lenguas: fr. (of.), ár. y variantes sudanesas. *Rel.*: animismo, islamismo, catolicismo, protestantismo. U. M.: franco C.F.A. Cap., N'Djamena; c. prales.: Sarh, Moundou.

CHAD

Superficie 1 284 000 km^2

Población 6 625 000 (5 hab./km^2)

Recursos económicos		
Algodón	45 000	t
Azúcar	33 000	t
Batatas	47 000	t
Cabaña bovina	4 539 000	cabezas
Cabaña caprina	3 271 000	cabezas
Cabaña ovina	2 219 000	cabezas
Cacahuetes	207 000	t
Camellos	600 000	cabezas
Cerveza	119 000	hl
Energía eléctrica	85	millones de kwh
Mijo	307 000	t
Pesca	80 000	t
Riqueza forestal	4 406 000	m^3
Indicadores sociológicos		
PNB	1 144	millones de dólares
Renta per cápita	180	dólares
Esperanza de vida	48	años
Alfabetismo	48,1	%

* *Hist.* La región fue solar de Estados afr. como el Kanem-Bornu (ss. IX-XIX) y el de Baguirmi (ss. XVI-XIX). Colonia fr. desde 1920, Ch. consiguió la indep. en 1960. Elegido presid. en 1962, F. Tombalbaye afrontó la secesión del norte, en poder del grupo guerrillero FROLINAT (*Front de Libération National du Tchad*), que desembocó en una prolongada guerra civil. Tras las presid. de F. Malloum y G. Oueddeï, en 1982 las tropas del norte tomaron la capital, y su líder, Hissène Habré, fue nombrado presid. Un año más tarde, Libia ocupó el norte del país, iniciándose un conflicto en el que Ch. contó con el apoyo de Francia. En 1988 Ch. y Libia restablecieron las relaciones diplomáticas y en 1990 Habré fue depuesto por Iddris Déby, reelegido en 1996. En 1998 se inició el proceso de pacificación del país ratificado por la firma de acuerdos de paz con algunos grupos guerrilleros (Fuerzas Armadas para una República Federal, FARF). Déby fue reelegido en 2001.

CHADLY Benjedid (nacido 1929) Militar y político argelino. Apoyó el golpe contra Ben Bella (1965). Sucedió a Bumedián como líder del Frente de Liberación Nacional y fue presid. de la rep. (1979-1992).

Chacal

Llanura del **Chaco** argentino, en la provincia de Formosa

Mapa de situación y bandera de **Chad**

Chad. Fachada de la Cámara de Comercio en N'Djamena

París a través de la ventana, óleo de Marc **Chagall**

CHADWICK, SIR ***James*** (1891-1974) Físico brit., descubridor del neutrón. Premio Nobel de Física en 1935.

CHAFALLO m. fam. Remiendo mal echado.

CHAFALLÓN, NA adj. y s. fam. Chapucero, que trabaja toscamente.

CHAFAR tr. y prnl. Aplastar lo que está erguido o levantado. • tr. Arrugar y deslucir la ropa, maltratándola.

CHAFAROTE m. Alfanje corto y ancho, corvo hacia la punta.

CHAFARRINADA f. Borrón o mancha que desluce una cosa.

CHAFIRRO m. *C. Rica.* Cuchillo, machete.

CHAFLÁN m. Cara que resulta en un sólido al cortar por un plano una esquina o ángulo diedro. • Plano largo y estrecho que, en lugar de esquina, une dos paramentos o superficies que forman ángulo. ■ CHAFLANAR.

Cabeza de **chajá**

CHAGA adj. y s. Díc. del individuo de un pueblo melanoafricano de Tanzania. • m. *Ling.* Lengua bantú hablada por dicho pueblo.

CHAGALL, ***Marc*** (1887-1985) Pintor fr. n. en Bielorrusia. Inicialmente cubista, evolucionó hacia el surrealismo. *El profeta, El circo, El violinista, París a través de la ventana.*

CHAGAS, ***Carlos Ribeiro Justiniano*** (1879-1934) Médico bras. Descubrió el agente de la enfermedad que lleva su nombre, causada por el *Tripanosoma Cruzi* (→ vinchuca).

CHAGOLLA f. *Méx.* Moneda falsa o muy gastada.

CHAGORRA f. *Méx.* Mujer muy humilde.

CHAGRA com. *Ecuad.* Campesino. • f. *Col.* Chacra, alquería.

CHAGRES Río de Panamá; 190 km. Atraviesa la prov. de Colón y desemboca en el mar de las Antillas.

CHAGRILLO m. *Ecuad.* Mezcla de pétalos de flores rociados con perfumes.

CHAGUAL m. *Amér. Merid.* Planta bromeliácea cuya médula del tallo nuevo es comestible y las fibras sirven para cordeles.

Arco de Triunfo de París, obra de Jean **Chalgrin**

CHAGUALA f. *Col.* Pendiente que los indios llevaban en la nariz. • *Col.* Zapato viejo. • *Col.* Chirlo. • *Méx.* Chancleta.

CHAGUALÓN m. *Col.* Árbol del incienso. • *Col.* Zapato viejo.

CHÁGUAR m. *Amér.* Caraguatá.

CHAGÜETO, TA adj. *Col.* Torcido, tuerto.

CHAGÜÍ m. *Ecuad.* Pajarillo que abunda en el litoral.

CHÁHUAR adj. y s. *Ecuad.* Díc. de la caballería de color bayo. • m. *Amér.* Cháguar.

CHAHUISTLE f. *Méx.* Roya, enfermedad del maíz.

CHAHUITE m. *Amér.* Lodazal, pantano.

CHAIKOVSKI, ***Piotr Ilich*** (1840-1893) Compositor ruso posromántico. Autor de óperas (*Eugenio Oneguin*), ballets (*El lago de los cisnes, Cascanueces*), sinfonías, conciertos para piano y música de cámara.

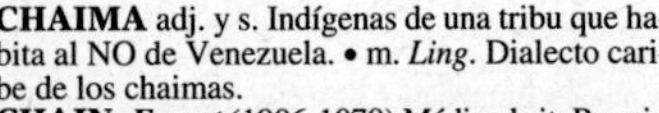

CHAIMA adj. y s. Indígenas de una tribu que habita al NO de Venezuela. • m. *Ling.* Dialecto caribe de los chaimas.

CHAIN, ***Ernest*** (1906-1079) Médico brit. Premio Nobel de Medicina 1945, junto con Fleming y Florey, por el descubrimiento de la penicilina y su aplicación terapéutica.

CHAIRA f. Cuchilla que usan los zapateros para cortar la suela. • Cilindro de acero que usan los carniceros y otros oficiales para avivar el filo de sus cuchillas. • Cilindro de acero que usan los carpinteros para sacar rebaba a las cuchillas de raspar.

CHAJÁ m. *Argent.* y *R. de la Plata.* Ave zancuda, de color gris claro y cuello largo. Se domestica con facilidad.

CHAJAL m. *Ecuad.* Indio que estaba al servicio del cura en las parroquias. • *Ecuad.* Criado.

CHAJUÁN m. *Col.* Bochorno, calor.

CHAJUL Mun. de Guatemala, en el dpto. de El Quiché; 18 000 hab. Trigo, manufactura de telas, cestería.

CHAL m. Paño de seda, lana, etc., mucho más largo que ancho, y que sirve a las mujeres como abrigo o adorno.

CHALA f. *Argent.* Dinero. • *Amér. Merid.* Envoltura de la mazorca del maíz, farfolla. • *Chile.* Chalala.

CHALACO, CA adj. y s. *Perú.* De El Callao.

CHALACO Mun. de Perú, en el dpto. de Piura, prov. de Morropón; 20 800 hab. Agricultura, industria alimentaria, explotación forestal.

CHALADO, DA adj. fam. Alelado. • fam. Muy enamorado.

CHALALA f. *Chile.* Sandalia de cuero crudo.

CHALÁN, NA adj. y s. Que trata en compras y ventas, especialmente de caballos u otras bestias, y tiene para ello maña y destreza. • m. *Col.* y *Perú.* Picador, domador de caballos.

CHALANA f. Embarcación menor, de fondo plano, proa aguda y popa cuadrada, utilizada en parajes de poco fondo.

CHALANEAR tr. Tratar los negocios con maña y destreza propias de chalanes. • *Col.* y *Perú.* Adiestrar caballos ■ CHALANEO; CHALANERÍA; CHALANESCO, CA.

CHALAR tr. y prnl. Enloquecer, alelar. • Enamorar.

CHALATE m. *Méx.* Caballejo matalón.

CHALATECO, CA adj. y s. De Chalatenango. • adj. Relativo a esta c. y dpto. de El Salvador.

CHALATENANGO Dpto. de El Salvador, sit. al N del país; 2 016 km^2, 195 245 hab. Cap., Chalatenango. C. prales.: Nueva Concepción y Tejutla. En su relieve destacan la cordillera de Chalatenango al N y los montes de Alotepet y Metapán al E. El río Lempa configura el valle del mismo nombre. El clima, templado-cálido y lluvioso, permite el cultivo de café, caña de azúcar y yuca. Ch. es el máx. productor de trigo del país. • C. de El Salvador, cap. del dpto. hom.; 27 600 hab. Aguas minerales, cereales, cobre y plomo.

CHALAZA f. Cada uno de los dos filamentos que sostienen la yema del huevo en medio de la clara.

CHALCATZINGO Yacimiento arqueológico mex., en el est. de Morelos. En él se han encontrado petroglifos de la cultura olmeca. Se estima que estas muestras pertenecen al periodo preclásico medio (1000 a 360 a.C.)

CHALCHA f. *Chile.* Papada. Se usa más en pl.

CHALCHAL m. *R. de la Plata.* Árbol de la familia de los pinos.

CHALCHIHUITE m. *Méx.* Especie de esmeralda basta. • *Guat.* y *Salv.* Cachivache, baratija.

CHALCHIUHTLICUE Diosa azteca, esposa de Tlaloc. Fue venerada como señora de las aguas sobre la tierra.

CHALCHUAPA Mun. de El Salvador, en el dpto. de Santa Ana; 42 900 hab. Centro comercial. Cultivos tropicales. • C. de El Salvador en el mun. hom.; 23 100 hab.

CHALCO Mun. de México, en el est. de México; 41 500 hab. Centro de abastos agrícolas y ganaderos de la cap. del país.

CHALÉ m. Chalet.

CHALECO m. Prenda de vestir, sin mangas, que se abotona al cuerpo y llega hasta la cintura. • **salvavidas.** El usado para flotar en caso de naufragio. ■ CHALEQUERO, RA.

CHALET (voz fr.) m. Casa de madera y tabique a

estilo suizo. • Casa de recreo de no grandes dimensiones.
CHALGRIN, *Jean* (1739-1811) Arquitecto fr. Autor de los planos del Arco de Triunfo, de París.
CHALIAPIN, *Feodor Ivanovich* (1873-1938) Cantante y actor sov. Fue famosa su interpretación de *Boris Godunov*, de Mussorgski.
CHALILONES m. pl. Regocijos de carnaval.
CHALINA f. Corbata de caídas largas y de varias formas. • *Argent.* y *Col.* Rebozo angosto que usan las mujeres a modo de boa.
CHALLENGE (voz ing.) f. *Dep.* Competición en la que el campeón pone en juego su título ante un aspirante, seleccionado por un sistema de eliminatorias sucesivas.
CHALLULLA f. *Perú.* Cierto pez fluvial y sin escamas.
CHALMERS, *Thomas* (1780-1847) Teólogo calvinista. Fundador de la Iglesia Libre de Escocia. Siguió las tesis de Malthus en sus exposiciones económicas.
CHALÓN m. *Ur.* Manto o mantón negro.
CHALONA f. *Bol.* Carne de oveja, salada y secada al sol. • *Perú.* Carne de carnero acecinada.
CHÂLONS-SUR-MARNE C. de Francia, cap. del dpto. de Marne; 51 100 hab. Ind. papelera y mecánicas.
CHALOTE adj. y m. Planta perenne de la familia de las liliáceas. Es originaria de Asia. Se emplea como condimento lo mismo que la cebolla.
CHALUDO, DA adj. *Argent.* Que tiene mucha chala o dinero.
CHALUPA f. Embarcación pequeña, con cubierta y dos palos para velas. • Lancha, bote. • Canoa en que caben dos personas y sirve para navegar entre las chinampas de México. • *Méx.* Torta de maíz, pequeña y ovalada.
CHALUPKA, *Samos* (1812-1883) Poeta eslovaco, cantor nacional de la rebeldía frente a los opresores de su patria. *Tristeza* y *El cosaco*.
CHAM adj. y s. Díc. de individuos de un pueblo malayoindonesio que viven en Vietnam y Camboya. • adj. Relativo a dicho pueblo. • m. *Ling.* Lengua malayoindonesia.
CHAMA f. Cambalache, cambio, trueque.
CHAMACO, CA m. y f. *Méx.* Niño, muchacho.
CHAMACOCO, CA adj. y s. Díc. de individuos de un pueblo amerindio sudamericano en extinción, que ocupa buena parte de la región del Chaco (Paraguay). • adj. Relativo a dicho pueblo.
CHAMADA f. Chámara, chamarasca.
CHAMAGOSO, SA adj. *Méx.* Mugriento.
CHAMAGUA f. *Méx.* Milpa de maíz al empezar a sazonarse.
CHAMAL m. *Argent., Bol.* y *Chile.* Paño que usan los indios araucanos envolviéndolo en forma de pantalones. • *Chile.* Manta de las indias en la misma región.
CHAMALEON *Astr.* Constelación muy próxima al polo Sur y cuyas estrellas son débiles, de magnitud 4 a 5. Su nombre castellano es *Camaleón*.
CHAMÁN m. Persona que practica el chamanismo, al que accede por vocación tras un largo y difícil aprendizaje.
CHAMANISMO m. Práctica magicorreligiosa de índole animista, propia de Siberia y Asia Central.
CHAMANTO m. *Chile.* Manto de lana fina que usan los campesinos.
CHAMAR tr. Entre chamarileros y gente vulgar, cambiar unas cosas por otras.
CHÁMARA o **CHAMARASCA** f. Leña menuda que levanta mucha llama sin consistencia ni duración. • Esta misma llama.
CHAMARILEAR tr. Chamar. ■ CHAMARILEO; CHAMARILERO, RA.
CHAMARIZ m. Pajarillo, poco más pequeño que el jilguero, de plumaje verdoso y amarillento. Vive en cautividad.
CHAMARÓN m. Pájaro pequeño, de pico cónico y de cola muy larga.
CHAMARRA f. Vestidura de jerga o paño burdo, parecida a la zamarra. • *Amér. Centr.* Engaño. fraude. • *Amér. Centr.* y *Ven.* Manta de lana que sirve de poncho y de colcha.
CHAMARREAR intr. *Amér.* Engañar.
CHAMARRETA f. Casaquilla larga hasta poco más abajo de la cintura y con mangas.
CHAMARRO m. *Hond.* y *Méx.* Manta gruesa de lana.
CHAMBA f. fam. Chiripa. • *Col.* y *Ven.* Zanja o vallado que sirve para limitar los predios.
CHAMBADO m. *Argent.* y *Chile.* Cuerna, vaso rústico.
CHAMBARIL m. Zancajo, hueso del pie que forma el talón.
CHAMBEAR tr. *Ecuad.* Tapar o cerrar con césped o tepes una presa o portillo. • *Col.* Cortar, afeitar. • intr. *Méx.* Cambiar, trabajar.
CHAMBELÁN m. Camarlengo.
CHAMBERGO, GA (de *Schomberg*) adj. *Amér. Merid.* fam. Sombrero. • *Cuba.* Pájaro canoro algo más grande que el canario.
CHAMBERINADA f. *Perú.* Lujo, ostentación.
CHAMBERLAIN, *Austen* (1863-1937) Político brit. Fue líder liberal de la Cámara de los Comunes y secretario del Foreign Office [1924-1929]. Premio Nobel de la Paz en 1925. • ***Houston Stewart*** (1855-1927) Escritor al. de origen brit., precursor del nacionalismo y el racismo. En *Los fundamentos del siglo XIX* defiende la primacía de la raza aria. • ***Joseph*** (1836-1914) Político brit., defensor de la libertad de enseñanza y dirigente del partido liberal unionista. • ***Neville*** (1869-1940) Político brit., conservador; hermanastro de Austen. Fue primer ministro (1937-1940). Firmó los acuerdos de Munich, en 1938. • ***Owen*** (nacido 1920) Físico norteam. Colaboró en el desarrollo de la bomba atómica. Premio Nobel de Física en 1959, junto con E. Segré, por el descubrimiento del antiprotón.
CHAMBERS, *Georges* (nacido 1928) Político de Trinidad y Tobago; primer ministro en 1981-1986.
CHAMBÉRY C. de Francia, cap. del dpto. de Saboya; 53 400 hab. Centro industrial y de comunicaciones. Castillo de los duques de Saboya. (s. XV).
CHAMBO m. *Méx.* Cambio de granos y semillas por otros artículos.
CHAMBO, *Hoya de* Región natural de Ecuador, en la sierra (prov. de Chimborazo), constituida por una depresión regada por el río del mismo nombre.
CHAMBÓN, NA adj. y s. fam. De escasa habilidad en el juego. • Por. ext., poco hábil en cualquier arte. • fam. Que consigue por chiripa alguna cosa.
CHAMBORD, *Henri,* CONDE DE (1820-1883) Príncipe fr., último de la rama de los Borbones. Pretendiente al trono fr., a la muerte de Carlos X (1836).
CHAMBOROTE adj. *Ecuad.* Aplícase al pimiento blanco. • fig. *Ecuad.* Díc. de la persona de nariz larga.
CHAMBRA f. Vestidura corta que usaban las mujeres sobre la camisa.
CHAMBRANA f. *Arq.* Adorno de piedra o madera alrededor de las puertas, ventanas, etc.
CHAMBURGO m. *Col.* Remanso, charco.
CHAMBURO m. Árbol de grandes hojas que produce una baya comestible. Vive en América tropical.
CHAMELICO m. *Amér.* Trebejo.
CHAMELOTE m. Camelote.
CHAMELOTÓN m. Camelote ordinario y grosero.
CHAMICADO, DA adj. *Chile* y *Perú.* Díc. de la persona taciturna, y también la que está perturbada por la embriaguez.
CHAMICERA f. Pedazo de monte que, quemado, tiene la leña sin hojas ni corteza.
CHAMICO m. *Amér. Merid.* y *Cuba.* Arbusto silvestre, de hojas grandes dentadas y fruto como un huevo, erizado de púas.
CHAMIZA f. *Bot.* Hierba gramínea silvestre y medicinal. Sirve para techumbre de chozas y casas rústicas. • Leña menuda para los hornos. ■ CHAMIZAR.
CHAMIZAL, *El* Terr. mex. que de 1868 a 1967 perteneció a EE UU a causa de una avenida que, al cambiar el curso del río Bravo, lo dejó en su margen.
CHAMIZO m. Árbol medio quemado o chamuscado. • Choza cubierta de chamiza. • Fig. y fam. Tugurio sórdido.
CHAMORRA f. fam. Cabeza trasquilada.
CHAMORRO, *Diego Manuel* (m. 1923) Político nic. Presid. de la rep. (1921-1923). • ***Emiliano*** (1875-1966) Político nic. presid. de la rep. en 1916-1921 y en 1926. Estuvo al servicio de EE UU. • ***Frutos*** (1806-1855) Militar y político nic. Presid. de la rep.

Chalupa

Joseph **Chamberlain**

(1853-1855). • **Pedro Joaquín** (1818-1890). Presid. de la rep. (1874-78). Decretó la enseñanza gratuita y obligatoria. • **Violeta Barrios de** (nacida 1930) Política nic. Presidenta de su país, por la Unión Nacional Opositora (UNO), entre 1990 y 1996.

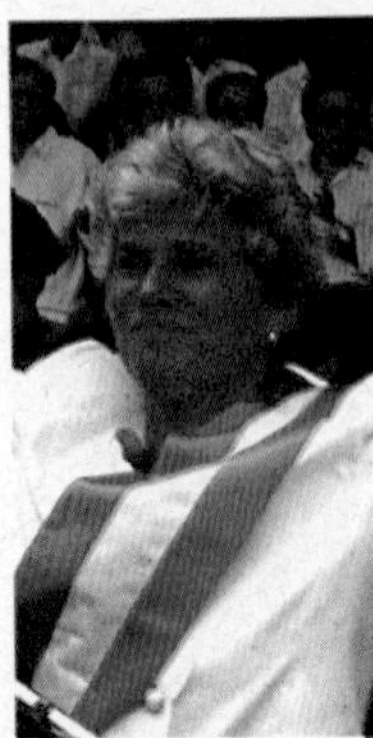
Violeta Barrios de **Chamorro**

CHAMOSITA f. *Miner.* Silicato de hierro y magnesio, monoclínico y de color verde grisáceo; pertenece al grupo de las cloritas.
CHAMOTA f. Material de constitución arcillosa empleado para el revestimiento interior de los hornos metalúrgicos.
CHAMPA f. *Chile.* Raigambre, tepe, cepellón. • *Amér. Merid.* Adobe.
CHAMPA Ant. reino indochino de civilización hindú, existente entre los ss. III y XVII en la zona central del actual Vietnam.
CHAMPAIGNE, *Philippe de* (1606-1674) Pintor fr. de origen flamenco. Cúpula de la Sorbona, *El voto de Luis XIII, El exvoto.*
CHAMPÁN m. Vino espumoso que se fabrica en la región fr. de Champaña. • Por ext., vino similar elaborado en otras regiones.
CHAMPAÑA (*Champagne*) Región hist. de Francia, en el E de la cuenca de París. Importante producción agrícola. Ganado vacuno. Famosa por sus vinos espumosos.
CHAMPAÑA-ARDENAS (*Champagne-Ardenne*) Circunscripción de acción regional del NE de Francia. Abarca los dptos. de Ardennes, Aube, Marne y Haute-Marne; 25 606 km^2, 1 347 900 hab. Cap., Reims.
CHAMPAÑIZAR tr. Volver achampañado un vino.
CHAMPAR tr. fam. Decir a uno en su cara una cosa desagradable.
CHAMPEAR tr. *Chile, Ecuad.* y *Perú.* Tapar con césped.
CHAMPFLEURY, *Jules Husson* (1821-1889) Escritor fr. *Aventuras de Mlle. Mariette, Los burgueses de Molinchart.*

Detalle de *Los prebostes de los comerciantes,* de Philippe de **Champaigne.** Museo del Louvre, París

CHAMPIÑÓN m. Nombre común de una seta con sombrerillo carnoso, acampanado, de color blanco pardusco, laminillas negruzcas y pie grueso. Comestible.
CHAMPLAIN Lago del NE de EE UU, entre los est. de Nueva York y Vermont; 1 550 km^2. Descubierto, en 1608, por S. Champlain.
CHAMPLAIN, *Samuel de* (1570-1635) Explorador y colonizador fr. En 1604 fundó Port Royal, y en 1608 Quebec.
CHAMPOLA f. *Cuba.* Refresco hecho con pulpa de guanábana, azúcar y agua o hielo.
CHAMPOLLION, *Jean-François* (1790-1832) Egiptólogo fr. Descifró jeroglíficos sobre la piedra de Rosetta, hallada en Egipto.
CHAMPÚ m. Loción usada para lavar el cabello.
CHAMPURRO m. Mezcla de vinos o licores.
CHAMPÚS m. *Ecuad.* y *Perú.* Gachas de harina de maíz, azúcar y zumo de naranjilla.
CHAMUCHINA f. Cosa de poco valor. • *Amér.* Populacho.
CHAMULLAR intr. fam. Charlar, decir.
CHAMUSCADO, DA adj. fig. y fam. Con indicios de estar contaminado por ciertos vicios, ideas o pasiones.
CHAMUSCAR tr. y prnl. Quemar una cosa por la parte exterior. • En la ind. textil, quemar los filamentos de ciertos tejidos.
CHAMUSCO m. o **CHAMUSQUINA** f. fig. y fam. Camorra. • **Oler a ch.** fig. y fam. Recelar, no ver claro un asunto.
CHAN m. *Guat.* y *Salv.* Chía, semilla de salvia.
CHANADA f. fam. Chasco, superchería.
CHANCA f. Chancla. • Zueco. • Pequeña ind. de salazón de pescado. • *Amér.* Trituración. • *Chile* y *Perú.* Tunda, paliza.
CHANCACA f. *Amér.* Azúcar mascabado en panes compactos. • *Ecuad.* Pasta de maíz o trigo tostado y molido con miel.
CHANCADORA f. *Chile.* Trituradora.
CHANCAR tr. *Amér.* Triturar. • *Chile* y *Perú.* Golpear, maltratar. • *Chile* y *Perú.* Apabullar, vencer. • *Chile* y *Ecuad.* Hacer mal, o a medias, una cosa. • *Perú.* Estudiar con ahínco.

Viñedos en **Champaña-Ardenas,** departamento de Marne

CHANCAY Prov. de Perú, en el dpto. de Lima; 233 000 hab. Cap., Huacho. Algodón, frutales, industria pesquera, puerto. • Pob. de Perú, en el dpto. de Lima, prov. de Huaral; 25 200 hab. Restos de una cultura precolombina (hacia 1300-1400) que destaca por sus cerámicas de dibujo geométrico.
CHANCE (voz ing.) f. Por oportunidad, ocasión, suerte.
CHANCEAR intr. y prnl. Usar de chanzas. ■ CHANCERO, RA.
CHANCHA f. *Amér. Merid.* Hembra del chancho.
CHANCHAMAYO Prov. de Perú, en el dpto. de Junín; 98 500 hab. Cereales, café. • C. del Perú, cap. de la prov. hom.; 59 100 hab.
CHANCHÁN Ant. c. de Perú, cerca de la actual Trujillo, cap. del reino chimú (1000-1470).
CHANCHARRETA f. *Perú.* Calzado roto y viejo.
CHANCHERÍA f. *Amér.* Tienda donde se vende carne de chancho y embuchados.
CHANCHO, CHA adj. *Amér.* Puerco, sucio, desaseado. • *Amér.* Cerdo.
CHANCHULLO m. fam. Manejo ilícito para conseguir un fin, y especialmente para lucrarse. ■ CHANCHULLERO, RA.
CHANCILLER m. Canciller.
CHANCILLERÍA f. Tribunal superior castellano de justicia (ss. XIV-XIX). De sus ejecutorias no había apelación. • Importe de los derechos que se pagaban al canciller por su oficio.

Champiñones

CHANCLA f. Zapato viejo cuyo talón está aplastado por el mucho uso. • Chancleta.
CHANCLETA f. Chinela sin talón que suele usarse dentro de casa. • com. fig. y fam. Persona inepta. • *Amér.* Mujer, especialmente la recién nacida. ■ CHANCLETEAR; CHANCLETEO.
CHANCLETERO, RA o **CHANCLETUDO, DA** adj. *Amér.* Díc. de la persona de baja condición social.
CHANCLO m. Especie de sandalia de madera o suela gruesa, que sirve para preservarse de la humedad. • Zapato grande de goma u otra materia elástica, en que entra el pie calzado. • Parte inferior de algunos calzados, en forma de chanclo.
CHANCRO m. *Pat.* Lesión cutánea de tipo ulceroso típica de ciertas enfermedades venéreas. • *Bot.* Enfermedad de los troncos de los vegetales.
CHANCUCO m. *Col.* El tabaco de contrabando.
CHANDIGARH Terr. de la India; 114 km^2, 640 700 hab. Cap., la c. hom. (503 000 hab.), que es también cap. de Haryana y Punjab.
CHANDLER, *Raymond* (1888-1959) Escritor norteam., destacó en el género policiaco. *El largo adiós, La dama del lago.*
CHANEQUE adj. fam. *Guat.* Corriente, jovial. • m. *Salv.* Guía, baqueano.
CHANEY, *Lon* (1883-1930) Actor cinematográfico norteam. *El jorobado de Nuestra Señora, El fantasma de la Ópera.*
CHANFAINA f. Guisado de asadura hecha de pedazos menudos. • *Col.* Guiso que se hace con carne de oveja o cordero. • fig. y fam. *Col.* Enchufe, cargo o empleo.
CHANFLE m. *Méx.* Chanflán. • *Argent.* Policía.
CHANFLÓN, NA adj. Díc. de la moneda falsa. • adj. y s. Persona o cosa despreciable. • m. Disco de metal o moneda estropeada que se usa para jugar a la chita.

CHANG Ching-kuo (1910-1988) Político formosano. Hijo mayor de Chang Kai-shek. Fue presidente al morir su padre (1975). • **Kai-shek** (1887-1975) General y político chino. Representó la facción conservadora en la guerra civil; vencido por los comunistas, se refugió en Taiwan (1950), de la que fue presid. vitalicio.

CHANGA f. fam. Negocio de poca importancia. • *Argent.*, *Bol.* y *Ur.* Servicio que presta el changador. • En algunas partes, chanza, burla, chuscada. • *P. Rico.* Insecto dañino para las plantas. • fig. *P. Rico* Persona perversa.

CHANGADOR m. *R. de la Plata.* Mozo de cuerda.

CHANGANGO m. *Argent.* Guitarra.

CHANGAR tr. Romper, descomponer.

CHANGCHUN C. del NE de China, cap. de la prov. de Kirin; 1 740 000 hab. Ind. automovilística, de material ferroviario y química.

CHANGLE m. *Chile.* Planta parásita, especie de hongo que crece en algunos árboles; es comestible.

CHANGO, GA adj. y s. *Chile.* Díc. de la persona torpe. • *P. Rico*, *R. Dom.* y *Ven.* Bromista. • m. y f. *P. Rico.* Persona de modales afectados. • *Argent.*, *Bol.* y *Méx.* Muchacho.

CHANGSHA C. de China, cap. de la prov. de Hunan; 1 050 000 hab. Mercado arrocero; ind. metalúrgica y textil. Puerto fluvial.

CHANGUEAR intr. *Col.*, *Cuba* y *P. Rico.* Bromear. ■ CHANGUERO, RA.

CHANGÜÍ m. fam. Chasco, engaño. Se usa más con el verbo *dar.* • *Cuba.* Ant. baile popular.

CHANGURRO m. Plato vasco hecho con centollo.

CHANGZHOU C. de China, en la prov. de Kiangsu; 839 000 hab. Metalurgia, textiles.

CHANIS Pinzón, *Daniel* (1892-1961) Médico y político pan. Presid. de la rep. en 1949; depuesto el mismo año por un golpe militar.

CHANO, CHANO m. adv. fam. Lentamente.

CHANQUETE m. Pez pequeño comestible.

CHANSONNIER (voz. fr.) m. Cantante de cabaret.

CHANTAJE m. Amenaza de pública difamación que se hace contra alguno, a fin de obtener de él algún provecho. ■ CHANTAJISTA.

CHANTAR tr. Vestir o poner. • Clavar. • fam. Decir a uno algo cara a cara sin miramiento.

CHANTICO Diosa azteca del fuego del hogar y del fuego de los volcanes.

CHANTILLÍ m. Crema de nata batida.

CHANTILLY C. de Francia; 8 400 hab. Famosa por sus fábricas de encajes y sedas. Su castillo del s. XVI guarda una importante colección artística.

CHANTRE (voz fr.) m. En las iglesias catedrales o colegiales, canónigo que dirigía el canto en el coro. ■ CHANTRÍA.

CHANZA f. Dicho festivo y gracioso. • Burla amable, sin malicia.

CHAÑA f. *Chile.* Rebatiña.

CHAÑAR m. *Amér. Merid.* Árbol parecido al olivo, espinoso y de corteza amarilla. • Fruto de este árbol, comestible.

CHAÑARAL Prov. del N de Chile, en la región de Atacama; 48 000 hab. Cap., Chañaral.

CHAÑO m. *Chile.* Manta de lana burda.

CHAO, *Manuel* (1883-1924) Político mex. Activo durante la rev., fue nombrado gobernador del est. de Chihuahua. Con la escisión tomó partido por Villa. Vuelto del exilio, de Costa Rica, fue fusilado en Jiménez.

CHAOLA f. Chabola.

CHAPA f. Lámina de metal, madera u otra materia. • Tapa metálica, con corcho en su interior, que cierra herméticamente las botellas. • Pedazo de metal, madera, etc., que sirve de contraseña. • Entre zapateros, pedazo de piel para rematar las cortaduras o uniones de unas piezas con otras. • Chapeta. • fig. y fam. Seso, formalidad. • *Amér.* Cerradura. • pl. Juego parecido al de cara y cruz.

CHAPADO, DA adj. Chapeado. • **a la antigua.** loc. adj. Díc. de la persona de ideas o costumbres anticuadas.

CHAPALA Lago del centro-oeste de México, sit. a 1 500 m de alt. entre los estados de Jalisco y Michoacán; 1 100 km^2. Recibe las aguas del río Lerma.

CHAPALEAR intr. Chapotear, sonar el agua agitada por los pies y las manos. • Chacolotear. ■ CHAPALEO.

CHAPALETA f. Válvula de la bomba de sacar agua.

CHAPALETEO m. Rumor de las aguas al chocar con la orilla. • Ruido de la lluvia al caer. ■ CHAPALETEAR.

CHAPAPOTE m. Asfalto más o menos espeso que se halla en las Antillas.

CHAPAR tr. Chapear, cubrir, con chapas. • fig. Asentar, encajar.

CHAPARRA f. Coscoja, árbol. • Chaparro. • Coche de caja ancha y poco elevada, usado antiguamente.

CHAPARRADA f. Chaparrón.

CHAPARRAL m. Sitio poblado de chaparros. • Tipo de vegetación que se caracteriza por el predominio de formaciones arbustivas xerófilas.

CHAPARRAL Mun. de Colombia, en el dpto. de Tolima; 39 300 hab. Agricultura, ganadería, oro, plata, petróleo.

CHAPARRAZO m. *Hond.* y *Ven.* Chaparrón.

CHAPARREAR intr. Llover reciamente.

CHAPARRERAS f. pl. *Méx.* Especie de zahones de piel adobada.

CHAPARRO m. Mata de encina o roble, de muchas ramas y poca altura. • *Bot.* Arbusto malpigiáceo de la América Central.

CHAPARRO, RRA adj. y s. fig. y fam. Díc. de la persona rechoncha.

CHAPARRÓN m. Lluvia muy intensa de corta duración. • fig. Copia o muchedumbre de cosas. • fig. Riña, regaño, reprimenda.

CHAPATAL m. Lodazal o ciénaga.

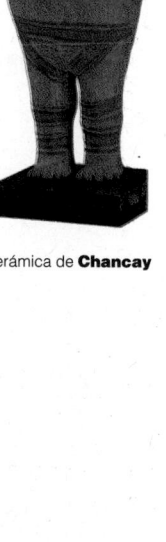

Cerámica de **Chancay**

El castillo-museo de **Chantilly**

CHAPE m. *Argent.*, *Chile* y *Col.* Trenza de pelo. • *Chile.* Babosa.

CHAPEADO, DA adj. Díc. de lo que está cubierto con chapas. • m. Operación que consiste en recubrir una parte o la totalidad de la superficie de un cuerpo con láminas o chapas muy finas.

CHAPEAR tr. Cubrir con chapas. • *Amér.* Limpiar la tierra de malezas y hierbas con el machete. • intr. Chacolotear. • prnl. *Chile.* Medrar.

CHAPECÁN m. *Chile.* Trenza.

CHAPECAR tr. *Chile.* Trenzar. • *Chile.* Hacer ristras con ajos o cebollas.

CHAPEO m. Sombrero, prenda que cubre la cabeza.

CHAPERA f. *Const.* Plano inclinado hecho con maderos, que se usa en las obras en sustitución de escaleras.

CHAPETA f. dim. de chapa. • Mancha de color encendido que suele salir en las mejillas.

CHAPETEAR intr. Chapotear.

CHAPETÓN, NA adj. y s. Díc. del esp. recién llegado a América, y por ext., del europeo en iguales condiciones. • adj. Inexperto. • m. Chapetonada. • Rodaja de plata con que se adornan los arneses de montar. • **Pasar el ch.** fig. y fam. Pasar el peligro o el contratiempo.

CHAPETONADA f. Primera enfermedad que pa-

Chang Kai-shek

decían los esp. al llegar a América. • fig. *Ecuad.* Novatada, noviciado.

CHAPETONAR intr. *Amér.* Obrar inesperadamente.

CHAPÍ, Ruperto (1851-1909) Compositor esp. de zarzuelas. *La Bruja, El rey que rabió, La revoltosa.*

CHAPICO m. *Chile.* Arbusto solanáceo, cuyas hojas se usan para teñir de amarillo.

CHAPÍN m. Chanclo de corcho, forrado de cordobán. • Pez parecido al cofre, que vive en los mares tropicales. • **de la reina.** Servicio pecuniario que hacía el reino de Castilla en ocasión de casamiento de los reyes.

CHAPINAZO m. Golpe dado con un chapín.

CHAPINO, NA adj. *Argent.* Patojo.

CHAPISCA f. *C. Rica.* Recolección del maíz.

CHAPISTA com. Persona que trabaja la chapa de metal y las carrocerías de los automóviles.

Chapitel corintio

CHAPITEL m. *Arq.* Remate de las torres que se levanta en figura piramidal. • *Arq.* Capitel, parte superior de la columna. • Pequeño cono de ágata o de otra piedra dura, que encajado en el centro de la aguja imantada, sirve para que ésta se apoye y gire sobre el extremo del estilete.

CHAPLIN, *Charles Spencer* (1889-1977) Actor y director de cine brit. En 1910 se trasladó a EE UU y en 1919 fundó una compañía propia, con la que realizó sus mejores films. En 1952 se trasladó a Suiza. Creador del famoso personaje «Charlot». *La quimera del oro, El circo, Tiempos modernos, El gran dictador.*

CHAPMAN, *George* (1559-1634) Poeta y dramaturgo ing. *El mendigo ciego de Alejandría, El ujier gentilhombre.* Han quedado como clásicas sus versiones de la Ilíada y la Odisea.

CHAPÓ m. Cierto juego de billar.

CHAPODAR tr. Cortar ramas de los árboles, a fin de que no se envicien. • fig. Cercenar.

CHAPODO m. Trozo de la rama que se chapoda.

CHAPOLA f. *Col.* Mariposa.

CHAPÓN m. Borrón grande de tinta.

CHAPOPOTE m. *Méx.* Chapapote.

CHAPOTEAR tr. Humedecer repetidas veces una cosa con esponja o paño empapado en agua o en otro líquido, sin estregarla. • intr. Sonar el agua batida por los pies o las manos. ■ CHAPOTEO.

CHAPUCERÍA f. Imperfección en cualquier artefacto. • Obra hecha sin arte. • Embuste. ■ CHAPUCEAR.

Cartel publicitario de un filme de *Charlot,* inolvidable personaje credo por Charles Spencer **Chaplin**

CHAPUCERO, RA adj. Hecho groseramente. • adj. y s. Díc. de la persona que trabaja de este modo. • Embustero. • m. Herrero que fabrica clavos, trébedes, badiles y otras cosas ordinarias de hierro. • Vendedor de hierro viejo.

CHAPUL m. *Col.* Libélula. • *Amér.* Especie de langosta o saltamontes.

CHAPULÍN m. *Amér.* Langosta, cigarrón.

CHAPULTEPEC Palacio y parque de Ciudad de México. Fue residencia de los virreyes esp., escuela mil. y residencia del emperador Maximiliano. En 1937 fue convertido en museo arqueológico. • **Acta de Ch.** Firmada en 1945. Determinó que todos los países americanos debían ayudarse a defender su independencia.

Parque de **Chapultepec**

CHAPUPO m. *Guat.* Chapapote, asfalto.

CHAPURRADO m. Bebida compuesta de varios licores. • *Cuba.* Bebida compuesta de ciruelas cocidas con agua, azúcar y clavo.

CHAPURRAR tr. e intr. Hablar con dificultad un idioma. • tr. fam. Mezclar un licor con otro.

CHAPURREAR tr. e intr. Chapurrar un idioma.

CHAPUZ m. Obra de poca importancia o mal hecha. • *Mar.* Cualquiera de las piezas que se agregan exteriormente a las prales. que forman un palo, para completar su redondez.

CHAPUZA f. Chapuz, chapucería.

CHAPUZAR tr., intr. y prnl. Meter a uno de cabeza en el agua. ■ CHAPUZÓN.

CHAQUÉ m. Prenda masculina como una chaqueta que, a partir de la cintura, se abre hacia atrás formando faldones.

CHAQUEAR tr. *Argent.* Desmontar un terreno.

CHAQUEÑO, ÑA adj. y s. Del Chaco. • adj. Relativo a esta región de América del Sur.

CHAQUETA f. Prenda exterior de vestir, con mangas y sin faldones. • Americana.

CHAQUETE m. Juego parecido al de damas.

Jean-Martin **Charcot** desarrollando una experiencia hipnótica

CHAQUETEAR intr. Tener miedo, volverse atrás. • Mudar interesadamente de opinión. ■ CHAQUETEO.

CHAQUETERO, RA adj. y s. fam. Que chaquetea. • fam. Adulador, tiralevitas.

CHAQUETILLA f. Chaqueta, en general más corta que la ordinaria.

CHAQUETÓN m. Prenda exterior de más abrigo y algo más larga que la chaqueta.

CHAQUIÑÁN m. *Ecuad.* Atajo, sendero.

CHAQUIRA f. Grano de aljófar, cuentas menudas de vidrio o de metal que se ensartan en collares o se aplican en la ornamentación de objetos.

CHARA f. *Argent.* y *Cuba.* Avestruz o ñandú joven.

CHARADA f. Enigma que resulta de formar con las sílabas divididas o trastocadas de una voz, otras dos o más voces.

CHARAL m. Pez osteíctio que vive en lagos de México y, curado al sol, es artículo de comercio.

CHARAMUSCA f. *Méx.* Confitura de azúcar ordinario, mezclada con otras sustancias y acaramelada.

CHARANGA f. Música militar que consta sólo de instrumentos de viento y percusión. • P. ext., cualquier otra música de igual composición, aunque no sea militar.

CHARANGO m. Especie de bandurria pequeña, de cinco cuerdas y sonidos muy agudos, que usan los indios del Perú.

CHARANGUERO, RA adj. y s. Chapucero.

CHARAPA f. *Perú.* Especie de tortuga pequeña y comestible.

CHARAPE m. *Méx.* Bebida fermentada hecha con pulque, panocha, miel, clavo y canela.

CHARATA f. *Argent.* Ave galliforme.

CHARCA f. Depósito de agua detenida en el terreno, natural o artificialmente. • adj. y s. Díc. del individuo de una tribu aymará que vive al NE del lago Poopó (Bolivia). • adj. Relativo a dicha tribu.

CHARCAL m. Sitio en que abundan los charcos.

CHARCAS, *Audiencia de* Territorio de América del Sur que correspondía al actual boliviano. Fue establecida en 1559; dependió del virreinato del Perú hasta 1776, año en el que pasó al del Río de la Plata.

CHARCHINA f. *Méx.* Matalote, caballo flaco y ruin.

CHARCO m. Agua detenida en un hoyo de la tierra o del piso. • **pasar** uno **el charco.** fig. y fam. Pasar el mar, especialmente el océano Atlántico.

CHARCÓN, NA adj. *Argent.* De complexión enjuta. • m. *Argent.* Res o animal doméstico que nunca engorda.

CHARCOT, *Jean-Martin* (1825-1893) Médico fr. Estudió los efectos de la hipnosis. Iniciador de la neurología y de la psiquiatría.

CHARCUTERÍA f. Tienda donde se venden alimentos selectos.

CHARDONNET, *Hilaire,* CONDE DE (1829-1924) Químico fr., descubrió, en 1884, un procedimiento para fabricar seda artificial (rayón).

CHARI Río de África ecuatorial; 1 200 km. Pral. tributario del lago Chad.

CHARLA f. fam. Acción de charlar. • Cagaaceite. • Disertación oral sin excesivas formalidades.
CHARLAR intr. fam. Hablar mucho y sin ninguna utilidad. • fam. Conversar, platicar por mero pasatiempo. • tr. Decir lo que debe callarse.
CHARLATÁN, NA adj. y s. Que habla mucho y sin sustancia. • Hablador indiscreto. • Embaucador. Aplícase a curanderos y proyectistas. • *Zool.* Pájaro ictérido que vive en América. ■ CHARLATANEAR; CHARLATANERÍA; CHARLATANISMO.
CHARLES m. *Mús.* Charlestón, pieza de la batería.
CHARLES, *Jacques Alexandre César* (1746-1823) Físico fr. Perfeccionó los globos aerostáticos. Inventó el hidrómetro termométrico. • ***Mary Eugenia*** (nacida 1919) Política de Dominica; elegida primera ministra en 1980. • ***Ray*** (nacido 1932) Cantante, pianista y director de orquesta norteam. Su estilo oscila entre el *blues*, el *gospel* y el *rock*.
CHARLESTÓN m. Danza de origen norteam. que en 1928 adquirió gran popularidad en todo el mundo. • *Mús.* Pieza de la batería, consistente en dos címbalos superpuestos.
CHARLESTON C. y puerto de EE UU, en el est. de Carolina del Sur; 57 300 hab. Base naval.
CHARLISTA com. Conferenciante.
CHARLÓN, NA adj. y s. *Ecuad.* Charlatán, hablador.
CHARLOT → Chaplin, Charles Spencer.
CHARLOTADA f. Festejo taurino bufo. • Actuación pública, colectiva, grotesca o ridícula.
CHARLOTEAR intr. Charlar. ■ CHARLOTEO.
CHARLOTTE C. de EE UU, en el est. de Carolina del Norte; 250 000 hab (410 000 la aglomeración).
CHARLOTTETOWN C. de Canadá, cap. de la prov. de Príncipe Eduardo; 15 800 hab.
CHARME (voz fr.) m. Encanto, poder de seducción.
CHARNECA f. Lentisco, planta.
CHARNELA f. Bisagra de puertas, ventanas, etc. • Gozne. • Vínculo que liga dos elementos constructivos y capaz de permitir su rotación recíproca. • *Geol.* Zona de máx. curvatura de un pliegue. • *Zool.* Articulación de las dos valvas de los moluscos acéfalos.
CHARNOCKITA f. *Geol.* Roca metamórfica de textura granulítica constituida por hiperstena, cuarzo y feldespato.
CHAROL m. Barniz muy lustroso y permanente. • Cuero con este barniz. • *Amér.* Bandeja de maque o laca. ■ CHAROLAR.
CHAROLA f. *Amér.* Charol, bandeja. • *Amér.* Díc. del ojo grande y feo.
CHAROLADO, DA adj. Lustroso.
CHAROLAIS Región fr., en el macizo Central (dpto. de Saône-et-Loire). Imp. producción de vacunos de raza charolesa.
CHARPA f. Tahalí que hacia la cintura lleva unido un pedazo de cuero con ganchos para colgar armas de fuego. • *Med.* Cabestrillo para sostener el brazo enfermo.
CHARPENTIER, *Gustave* (1860-1956) Compositor fr. Debe su fama a la ópera *Louise*.
CHARQUE m. *Argent.* y *Méx.* Charqui.
CHARQUEADOR m. *Argent.* El que charquea carne.
CHARQUEAR tr. *Amér.* Acecinar la carne. • fam. *Argent.* Herir o matar a una persona.
CHARQUECILLO m. *Perú.* Congrio salado y seco.
CHARQUI m. *Amér. Merid.* Tasajo.
CHARQUICÁN m. *Amér.* Guiso hecho con charqui, ají, patatas, judías y otros ingredientes.
CHARRA f. *Hond.* Sombrero común.
CHARRADA f. Dicho o hecho propio de un charro. • Baile propio de los charros. • fig. y fam. Obra o adorno de mal gusto.
CHARRÁN adj. y s. Pillo, tunante. • m. *Zool.* Ave. caradriforme acuática, de pico rojo o negro, largo y puntiagudo y cola ahorquillada. ■ CHARRANADA; CHARRANEAR; CHARRANERÍA; CHARRANESCO, CA.
CHARRASCA f. fam. y fest. Arma arrastradiza, por lo común sable. • fam. Navaja de muelles.
CHARRASQUEO m. Ruido metálico.
CHARRETERA f. Divisa militar que se sujeta sobre el hombro. • Jarretera, condecoración. • Hebilla de la jarretera. • fig. y fam. Albardilla de los aguadores.
CHARRIOT m. *Ind.* Parte del torno sobre la que se fija la torreta o portaherramientas.
CHARRO, RRA adj. y s. Aldeano de Salamanca. • fig. Basto y rústico. • adj. fig. y fam. Aplícase a algunas cosas demasiado recargadas. • *Méx.* Pintoresco. • m. *Méx.* Jinete o caballista que viste chaqueta bordada, pantalón ajustado y sombrero de ala ancha y alta copa cónica.
CHARRÚA adj. y s. Díc. del individuo perteneciente a las tribus, hoy extinguidas, que habitaban la costa septentrional del Río de la Plata.
CHARTRES C. de Francia, cap. del dpto. Eure-et-Loire; 31 100 hab. Ind. química y eléctrica. Catedral gótica. • **Escuela de Ch.** Escuela filosófico-teológica de inclinación platónica (s. XI).
CHARTREUSE (voz fr.) m. Licor fabricado por los monjes de la Gran Cartuja, en Isère (Francia).
CHASCA f. Leña menuda. • Ramaje que se coloca sobre la leña dispuesta para hacer carbón. • *Amér.* Greña, maraña, vedija.
CHASCADA f. *Hond.* Adehala.
CHASCAR intr. Dar chasquidos. • Chasquear la madera. • Separar súbitamente del paladar la lengua, produciendo una especie de chasquido. • tr. Triturar, ronzar. • fig. Engullir.
CHASCARRILLO m. fam. Anécdota ligera o frase de sentido equívoco y gracioso.
CHASCÁS m. Morrión con cimera plana y cuadrada, usado primero por los polacos y después en los regimientos de lanceros de toda Europa.
CHASCO m. Burla o engaño que se hace a alguno. • fig. Decepción que causa a veces un suceso contrario a lo que se esperaba.
CHASCOMÚS Partido de Argentina, en la prov. de Buenos Aires; 25 000 hab (10 500 en la cabecera). Agricultura, ganadería y turismo. • C. de Argentina, en la prov. de Buenos Aires; 21 000 hab.
CHASCÓN, NA adj. *Chile.* Enmarañado, enredado, greñudo.
CHASCONEAR tr. *Chile.* Enredar, enmarañar. • *Chile.* Repelar.
CHASCUDO, DA adj. *Argent.* Chascón.
CHASIS m. Armazón, caja del coche. • *Electr.* Soporte metálico sobre el que se montan los diversos componentes de un circuito electrónico complejo. • *Fot.* Bastidor donde se colocan las placas fotográficas.
CHASPARREAR tr. *Amér.* Chamuscar.
CHASPE m. Señal que se hace sobre los troncos de los árboles, mediante un golpe superficial de hacha. ■ CHASPEAR.
CHASPONAZO m. Señal que deja la bala al pasar rozando un cuerpo duro.
CHASQUEAR tr. Dar chasco o zumba. • Faltar a lo prometido. • Manejar el látigo o la honda, haciéndoles dar chasquido. • intr. Dar chasquidos la madera u otra cosa cuando se abre por sequedad o mutación de tiempo. • prnl. Frustrar un hecho adverso las esperanzas de alguien.
CHASQUETEO m. Chasquidos repetidos.
CHASQUI m. *Perú.* Indio que servía de correo. • *Amér. Merid.* Mensajero, emisario.
CHASQUIDO m. Sonido o estallido que se hace con el látigo o la honda. • Ruido seco y súbito que produce al romperse, rajarse o desgajarse alguna cosa.
CHASSÉRIAU, *Théodore* (1819-1856) Pintor fr. Fue discípulo de Ingres. *Andrómeda, Interior de un harén.*
CHATA f. Bacín plano con mango hueco. Se usa como orinal para los enfermos que no pueden incorporarse. • *Amér.* Chalana.
CHATARRA f. *Metal.* Escoria que deja el mineral de hierro. • Hierro viejo. • Restos metálicos procedentes del desguace de barcos, automóviles, maquinaria, etc.
CHATARRERÍA f. Baratillo, tienda donde se vende chatarra. ■ CHATARRERO, RA.
CHATASCA f. *R. de la Plata.* Charquicán.
CHATEAR tr. Tomar chatos de vino. ■ CHATEO.
CHATEAUBRIAND, *François-René*, VIZCONDE DE, (1768-1848) Escritor y político fr. Contribuyó a la introducción del romanticismo en Francia. Permaneció fiel a los Borbones y se opuso a Napoleón. En *El genio del cristianismo* se erige en defensor del

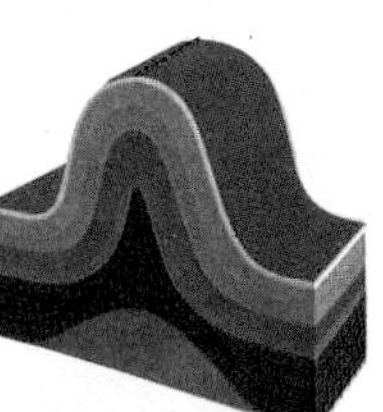

Charnela de un pliegue geológico

Charrán

Catedral de **Chartres**

François-René de **Chateaubriand,** retrato de Girodet-Trioson

Cabeza de felino en el castillo de **Chavín**

espíritu cristiano frente a Voltaire y los enciclopedistas. *Los mártires*, *Viaje a América*, *René*.
CHATEDAD f. Calidad de chato.
CHÂTELIER, *Henri Le* (1850-1936) Químico fr. Trabajó en metalografía y formuló la ley sobre el equilibrio químico que lleva su nombre .
CHATHAM Pequeño arch. de la isla Sur de Nueva Zelanda; 963 km^2, 520 hab., maoríes. Estación meteorológica.
CHATO, TA adj. y s. Que tiene la nariz como aplastada. • adj. Díc. también de la nariz que tiene esta figura. • Aplícase a algunas cosas que de propósito se hacen con menos relieve que las que suelen tener las de la misma especie. • m. fig. y fam. En las tabernas, vaso bajo y ancho de vino o de otra bebida.
CHATÓN m. Piedra preciosa gruesa engastada en una sortija u otra alhaja.
CHATRE adj. *Chile* y *Ecuad.* Ricamente acicalado.
CHATRIA m. En la India, individuo perteneciente a la segunda casta, o sea, noble, guerrero.
CHATTAHOOCHEE Río del SE de EE UU; 800 km. Nace en las montañas Blue Ridge, en Georgia, y desemboca en el golfo de México.
CHATTANOOGA C. de EE UU, en el estado de Tennessee; 120 000 hab. (305 000 la aglomeración). Puerto fluvial a orillas del Tennessee. Centro industrial.
CHATTERTON (voz ing.) m. Recubrimiento aislante empleado en la técnica de construcción de acumuladores.
CHATUNGO, GA adj. fam. Chato.
CHATURA f. Calidad de chato.
¡CHAU! interj. *R. de la Plata.* ¡Adiós!
CHAUCER, *Geoffrey* (1340-1400) Poeta ing. En su pral. obra, los *Cuentos de Canterbury*, en verso, fijó la gramática y la lengua de su país.
CHAUCHA f. *Argent.* y *Ur.* Judía verde. • *Chile.* Moneda de veinte centavos. • *Chile.* Patata temprana o menuda que se deja para simiente.
CHAUCHERA f. *Chile.* y *Ecuad.* Portamonedas.
CHAÚL m. Tela de seda de la China.
CHAUSSON, *Ernest* (1855-1899) Compositor fr. Poema, para violín y orquesta. Sinfonía.
CHAUVINISMO (fr., *chauvinisme*, de N. Chauvin, personaje célebre por su ardor patriótico) m. Patriotería, exaltación exagerada de los sentimientos patrióticos. ■ CHAUVINISTA.
CHAVAL, LA m. y f. fam. Niño o joven. • fig. y fam. Novia. ■ CHAVALERÍA.
CHAVALONGO m. *Chile.* Tifoidea.
CHAVANTE adj. y s. Díc. de un pueblo amerindio del grupo lingüístico ge, que vive en Mato Grosso (Brasil). Su número es de unos treinta mil individuos. En 1972 se sublevaron, provistos de armas de fuego, para rechazar a los colonos. • Concerniente a ese pueblo.
CHAVEA m. fam. Chiquillo, muchacho.
CHAVERO, *Alfredo* (1841-1906) Historiador y dramaturgo mex. Tanto para el teatro como para la investigación histórica se basó en la vida indígena y en la época prehispánica. *Xóchitl*, *Quetzalcóatl*, *México a través de los siglos.*
CHAVES, *Cristóbal de* (m. 1602) Escritor esp. *Relación de la cárcel de Sevilla*, fundamental para el estudio de la picaresca. Probable autor del *Vocabulario de germanía*, incorporado al *Diccionario de Autoridades*, que constituye la más. ant. recopilación de la jerga castellana de la delincuencia. • ***Fernando*** (nacido 1902) Escritor ecuat. Ministro de Educación. Con él se inicia en el Ecuador la novela llamada indigenista. *Plata y bronce*, *La embrujada.* • ***Francisco de,*** llamado EL PIZARRISTA (m. 1541) Conquistador esp. Acompañó a Pizarro en la conquista del Perú. Participó en la fundación de La Plata (Sucre). • ***Francisco de***, llamado EL DE CHILE (s. XVI) Conquistador esp. Sirvió a Almagro en las conquistas de Chile y Perú y en la lucha contra Pizarro. • ***Nuflo de*** (1518-1568) Conquistador esp. Recorrió el terr. de Charcas y enlazó la colonia del Perú con la del Río de la Plata. En 1560 fundó Santa Cruz de la Sierra.
CHAVETA f. Clavo hendido que se remacha separando las dos mitades de su punta. • Clavija o pasador que impide que se salgan las cosas que sujetan una barra. • **Perder la ch.** Volverse loco.
CHAVETERO m. *Mec. apl.* Ranura en la que se encajan las chavetas y lengüetas.

República Checa. Mapa de situación y bandera

CHÁVEZ, *Carlos* (1899-1978) Compositor mex. De inspiración indígena y nacional. En 1928 fundó la Orquesta Sinfónica de México. Obras sinfónicas, ballets, conciertos y música de cámara. • ***César*** (1923-1993) Sindicalista y político norteam., chicano. Fundador de un sindicato agrario, dirigió una larga huelga (1965-1970) con objeto de obtener derechos para los chicanos. En 1976 respaldó la candidatura de J. Carter. • ***Coronado*** (1807-1881) Político y diplomático hond. Presid. interino de la rep. [1845-1847]. • ***Ezequiel A.*** (1868-1946) Filósofo y docente mex. Desarrolló su magisterio en México y en el extranjero, reformando las enseñanzas primaria y preparatoria. *La filosofía de las instituciones políticas*, *Siete ensayos filosóficos sobre Dios*, *El Universo y la libertad.* • ***Hugo*** (nacido 1954) Militar y político ven. En 1992 fue encarcelado como líder del golpe de est. fallido contra el gobierno de Carlos Andrés Pérez. Liberado en 1995, en diciembre de 1998 obtuvo la victoria en las elecciones presidenciales, siendo reelegido en julio de 2000. • ***Ignacio*** (1897-1979) Médico cardiólogo mex. Creador de la escuela mex. de cardiología. Es autor de libros sobre temas cardiológicos.
CHAVÍN Cultura preincaica que se desarrolló entre los ss. VIII a.C. y I d.C. en la región costera e interior al N de la cordillera andina del Perú. Su cap., Chavín de Huántar, estaba sit. en un valle en el curso alto del Marañón. Sus hab. fueron constructores y ceramistas, trabajaban el oro y dominaban la técnica del tejido. Son numerosos los edificios que forman grupos de terrazas superpuestas, unidas por rampas y escaleras, y decoradas con un típico felino estilizado esculpido, o grabado (Cerro Sechín).
CHAYA f. *Amér.* Burlas y juegos de los días de carnaval.
CHAYOTERA f. Planta trepadora americana, de la familia de las cucurbitáceas. Las flores tienen cinco pétalos amarillos y el cáliz acampanado.
CHAZA f. En el juego de la pelota, suerte en que ésta vuelve contrarrestada, y se para antes de llegar al saque. • Señal que se pone donde paró la pelota. • **Hacer chazas.** *Eq.* Mantenerse el caballo sobre el cuarto trasero, adelantando terreno a saltos.
CHAZARRETA, *Andrés* (1876-1960) Folclorista y compositor arg. Autor de más de 400 obras basadas en el folclore nacional.
¡CHE! *interj. Argent. Bol., Ur.* y *Valencia.* Voz con que se llama, se hace detener o se pide atención a una persona. A veces expresa asombro o sorpresa.
CHECA f. Primera policía política de la URSS, sustituida por la GPU (1922), a la que siguieron la NKVD (1934) y la KGB. • Organismo semejante de otros países, que sometía a los presos a torturas. • Local utilizado para torturar a los presos políticos.
CHECA, *República* *(Ceská Republika)* Est. de Europa central, sit. entre Alemania, Polonia, Austria y Eslovaquia. Comprende: Bohemia, sit. en el centro y O, y Moravia-Silesia, al E. La meseta central bohemia está rodeada por los Sudetes al NE, lugar donde nace el Elba o Labe, r. que la cruza, los Montes Metálicos al NO y la Selva de Bohemia al SO. Moravia-Silesia, con las Colinas de Moravia al O, se extiende por la llanura del Morava, r. que nace en los Sudetes y cuya red fluvial desemboca en el Danubio. Agricultura (trigo, cebada, forrajes, patatas, remolacha azucarera). Minería (lignito, uranio, plomo, cinc, carbón, hierro, gas natural). Ind. siderúrgica, química, mecánica, papelera, del mueble, del cristal, de porcelana, de instrumentos musicales. Turismo. Grupos étnicos: checos (mayoría), eslovacos, alemanes, polacos, gitanos. Lenguas: checo (oficial), eslovaco, alemán, polaco. *Rel.*: catolicismo (mayoría), protestantismo. U. M.: corona. Cap. Praga. C. prales.: Brno, Ostrava, Plzen, Olomouc.
* *Hist.* Ocupado el actual terr. por los celtas y luego conquistado por los romanos, en la E. Media los eslavos antecesores de checos formaron el reino de Bohemia, integrado en el Sacro Imperio (s. XIII) y en los dominios germánicos de los Habsburgo (desde 1620). El surgimiento del nacionalismo checo no se manifestó hasta la fracasada revolución de 1848. La permanencia de los checos durante varios siglos bajo el dominio austriacoalemán acentuó las diferencias con sus vecinos y parientes étnicos eslovacos. Así, pronto surgieron fricciones con Eslovaquia después de que los aliados, al tér-

REPÚBLICA CHECA

Superficie 78 864 km²

Población 10 307 000 hab. (130 hab./km²)

Recursos económicos	
Avena	187 000 t
Cebada	3 793 000 t
Centeno	484 000 t
Lúpulo	9 900 t
Patata	1 330 000 t
Remolacha azucarera	3 712 000 t
Trigo	3 732 000 t
Vid	43 000 t
Ganadería y derivados	
Aves de corral	26 000 000 cabezas
Cabaña bovina	2 030 000 cabezas
Cabaña ovina	165 000 cabezas
Riqueza forestal	12 910 000 m³
Pesca	21 823 t
Producción minera	
Carbón	22 770 000 t
Gas natural	703 millones de m³
Lignito	85 521 000 t
Plata	20 t
Producción industrial	
Acero	12 071 000 t
Automovilística	135 800 unidades
Cerveza	17 715 000 hl
Energía eléctrica	89 345 millones de kwh
Fibras sintéticas	17 000 t
Hierro colado	8 749 000 t
Indicadores sociológicos	
PNB	40 000 millones de dólares
Renta per cápita	3 870 dólares
Esperanza de vida	73 años
Alfabetismo	100 %

mino de la I Guerra Mundial (1918), auspiciaran la creación de Checoslovaquia (1918-1939 y 1945-1992). Durante la II Guerra Mundial la Alemania nazi la anexionó. En 1945, Checoslovaquia resurgió como est., bajo las directrices de la URSS, progresivamente contestadas. Fue en la cap. ch. donde con mayor fuerza se mostró el deseo de cambio de régimen político, durante la llamada «Primavera de Praga», en 1968. Moscú respondió con una dura represión. En 1989 los comunistas ch., faltos de apoyo sov., renunciaron al poder, iniciándose un proceso democratizador dirigido por Václav Havel. En 1992, según un pacto mutuo, los jefes de gobierno de la Rep. Checa (federada desde 1969) y de Eslovaquia dividieron el est. checoslovaco. Así, en enero de 1993 surgió la Rep. Checa indep., con V. Havel como primer presid. El primer ministro Václav Klaus, ganador de las elecciones de 1993 y artífice de una política de privatizaciones, fue derrotado en 1998 por el socialdemócrata Milos Zeeman. En 1999 entró en la OTAN.

* *Lit.* Se atribuye a los monjes Cirilo y Metodio el inicio lit. en Ch. Durante el s. XIX tuvo su mayor empuje. Vuc Karadijc (1787-1864) impulsó el romanticismo. Jan Kollar *(La hija de Slava)*, L. Celakovsky y K. J. Erben se insertan en esta corriente. En la época realista, Jan Neruda. En entreguerras, Karel Capek, y durante la Rep. Popular, Jan Drda y el poeta V. Nezval. Posteriormente, destacan el novelista Milan Kundera (*La insoportable levedad del ser*) y el poeta, dramaturgo y político Václav Havel.

CHECHE m. *P. Rico*. Jaque, valentón.

CHECHENIA Rep. de la Federación Rusa; 13 000 km²; 1 200 000 hab.; Cap., Groznii. Agricultura. Petróleo. Ind. química y mecánica. Autoproclamada independiente en 1991, en 1994 se desató la guerra con Rusia. En 1996 se firmó la paz y un año más tarde se celebraron elecciones presidenciales en las que venció Aslan Masjadov. En 1999 se reanudó el conflicto y el ejército ruso invadió la república.

CHÉCHERES m. pl. *Amér.* Cachivaches.

República Checa. A la izquierda, el puente de Carlos en Praga; abajo, detalle del reloj astronómico de la Torre del Ayuntamiento Viejo, también en Praga

CHECKPOINT (voz ing.) m. *Comp.* Punto de control. • Durante la ejecución de un programa, punto en que se registran en un soporte externo los resultados de cálculo contenidos en la memoria de la computadora.

CHECO, CA adj. Relat. a Bohemia y p. ext., a la República Checa y a la extinta Checoslovaquia. • m. *Ling.* Lengua de estos pueblos.

CHECOSLOVAQUIA *(Ceska a Slovenska Federativni Republika)* Ant. est. de Europa central, existente entre 1918-1939 y 1945-1992.

* *Hist.* Ch. surgió como est. tras la I Guerra Mundial, en el tratado de Versalles. Durante la contienda se organizó el movimiento de la indep., proclamada por T. Masaryk en 1918. En 1938 la región de los Sudetes, de pob. al., fue anexionada por Hitler. Al año siguiente, los nazis ocuparon Praga. La oposición a los nazis culminó con la revolución de Praga (1945). En las elecciones de 1946 los comunistas consiguieron el 38 % de los votos; el golpe de est. de 1948 les permitió asumir todo el poder. En 1968 el presid. A. Dubcek liberalizó la vida política y Ch. fue invadida por las fuerzas del pacto de Varsovia. El nuevo presid., L. Svoboda, dimitió en 1975; le sustituyó G. Husak. En 1987 la Asamblea Federal nombra presid. a Nezval y en 1989 al escritor Václav Havel, reafirmado en las primeras elecciones libres tras 44 años. En 1992, Eslovaquia proclamó su soberanía, lo que motivó la división incruenta del país, ratificada en septiembre. En 1993 entró en vigor la división entre Rep. Checa y Rep. Eslovaca.

CHEJE m. *Hond.* y *Salv.* Eslabón de una cadena.

CHÉJOV, *Antón Pávlovich* (1860-1904) Dramaturgo y novelista ruso. Fundó el Teatro de Arte de Moscú. De su obra teatral sobresalen *La gaviota, El jardín de los cerezos, El tío Vania* y *Las tres hermanas;* y, en la narrativa, *El duelo, Historia de mi vida, Narración de un desconocido* y *La sala número 6.*

CHEJU Isla de Corea, perteneciente a la República de Corea, que forma la prov. homón. Sit. en el mar de China Oriental; 1 825 km², 489 500 hab.

CHEKA → Checa.

CHEKIANG *(Zhejiang)* Prov. del E de China; 100 000 km², 41 445 930 hab. Cap., Hangchou. *(Hangzhou).* Relieve accidentado en el interior. Clima subtropical monzónico. Arroz, té y carbón.

CHELE adj. y s. *Salv.* Persona muy blanca y rubia. • m. *Salv.* Legaña.

CHELENSE m. *Prehist.* Periodo del paleolítico inferior, caracterizado por la ind. lítica de artefactos nodulares o «hachas de mano».

CHELI m. Argot que contiene elementos castizos y contraculturales.

CHELIABINSK C. de Rusia, cap. de la prov. hom., 1 143 000 hab. Ind. mecánica textil y química.

CHELÍN m. Moneda brit. que valía la vigésima parte de la libra esterlina. • Ant. unidad monetaria de Austria.

Checoslovaquia. A. Dubcek

Luigi **Cherubini**

Calle comercial de **Chester**

Palacio de Palenque, ciudad del maya clásico, en el estado de **Chiapas**

CHELO m. Violonchelo.
CHELOSO, SA adj. *Salv.* Legañoso.
CHEMA m. fam. *Guat.* Quetzal, moneda.
CHEMICETINA f. Uno de los nombres comerciales del antibiótico de amplio espectro cloranfenicol.
CHEMNITZ C. de Alemania: 317 469 hab. Ind. textil, mecánica. Antigua Karl-Marx-Stadt.
CHEN Yi (1901-1972) Militar y político chino. En 1923 ingresó en el partido comunista. Fue ministro de Asuntos Exteriores de 1958 a 1972.
CHENAB Río de la India y Pakistán; 1 100 km^2. Nace en Cachemira (India), cerca del Himalaya. Afl. prales. el Jhelum y el Ravi.
CHENAUT, *Indalecio* (1808-1871) Militar y político arg. Jefe del ejército durante la guerra con Paraguay (1865).
CHENCHA adj. *Méx.* Haragán, holgazán.
CHENGCHOU *(Zhengzhou)* C. del centro sur de China, cap. de la prov. de Henan; 1 159 160 hab.
CHENGTU *(Chengdu)* C. del SO de China, cap. de la prov. de Szchuan *(Sichuan)*; 2 640 000 hab.
CHÉNIER, *André de* (1762-1794) Poeta romántico fr. Partidario de la Revolución, se opuso al Terror jacobino y murió en la guillotina. *Bucólicas, Idilios.*
CHEPA f. fam. Corcova, joroba.
CHEPÉN Mun. de Perú, en la prov. de Pacasmayo, dpto. de la Libertad; 34 500 hab. Arroz y frutales.
CHÉPICA f. *Chile.* Grama.
CHEQUE m. Documento en forma de mandato de pago. • **al portador.** El que no lleva el nombre del beneficiario y puede ser cobrado por cualquier persona. • **a la orden.** El que lleva el nombre del beneficiario y sólo es transmisible mediante endoso. • **cruzado.** Aquel sobre el cual se trazan dos líneas paralelas transversales y no puede ser cobrado sino por intermedio de un banco. • **de viaje** o **de viajero.** El que se utiliza para cobrar sumas en bancos de diversos países. • **documentario.** El que sólo se hace efectivo previa presentación de ciertos documentos. • **nominativo.** Aquel que lleva el nombre del beneficiario y sólo puede cobrarlo él, o bien otra persona si el ch. lleva en el reverso la firma de aquél.
CHEQUEAR intr. *Amér.* Girar cheques. • *Amér.* Controlar, cotejar. • *Amér.* Facturar un equipaje.
CHEQUEO m. Inspección, examen detallado, especialmente médico. • *Amér.* Control.
CHEQUERA f. *Amér.* Talonario de cheques. • Cartera para guardar el talonario.
CHERCÁN m. *Chile.* Pajarillo semejante al ruiseñor, pero de canto mucho menos dulce.
CHERCHA f. *Hond.* y *Ven.* Chacota, burla.
CHERKÉS, SA *(adiguci)* adj. y s. Individuos de un pueblo caucasiano que habitaba en la cuenca del Kubán, (s. VIII). Sobreviven núcleos aislados en Rusia, en la rep. autónoma de Karacháievo-Cherkesia. En Turquía viven cerca de 100 000 descendientes de ch. inmigrados. • m. *Ling.* Lengua caucásica.
CHERNA f. Mero, pez.
CHERNIENKO, *Konstantin* (1911-1985) Político soviético. Secretario del Comité Central del PCUS en 1976; sucesor de Andropov a la muerte de éste (1984).
CHERNÍGOV C. de Ucrania, cap. de la prov. hom.; 296 000 hab.
CHERNOZEM (voz rusa) m. Suelo negro estepario, rico en materia orgánica.
CHEROKÉS, SA (*salaki*; ing., *cherokee*) adj. y s. Díc. de individuos pertenecientes a un pueblo amerindio norteam., de una rama meridional de los iroqueses. Sobreviven unos 100 000.
CHERRAPUNJI Localidad de la India, en Meghalaya. La media anual de sus precipitaciones (12 040 l/m^2) es la más alta del mundo.
CHERUBINI, *Luigi* (1760-1842) Compositor it. Autor de óperas *(Medea, Anacreonte)* y música religiosa *(Misa de Santa Cecilia, Réquiem en re menor).*
CHERVONETZ m. Ant. moneda rusa, de oro. Actualmente, billete de banco de diez rublos.
CHESAPEAKE Bahía de la costa atlántica de EE UU; su puerto más importante es Baltimore.
CHESO, SA adj. y s. De hecho. • adj. Perteneciente a este valle de la prov. de Huesca. • m. *Ling.* Dialecto del aragonés medieval.
CHESTER C. y puerto de Gran Bretaña, en Inglaterra, cap. del Cheshire; 58 400 hab. Metalurgia, plomo, energía atómica.
CHESTERTON, *Gilbert Keith* (1874-1936) Escritor ingl. Ensayista y novelista. *Herejes, La literatura en la época victoriana, La esfera y la cruz, El hombre que fue jueves.*
CHETUMAL C. de México, cap. del est. de Quintana Roo; 208 404 hab. en el municipio. Puerto exportador de madera, en la pen. de Yucatán, abierto a la bahía de Chetumal, cerca de la frontera con Belice.
CHEUQUE m. *Chile.* Flamenco, ave zancuda.
CHEURÓN m. *Her.* Cabrio, pieza honorable.
CHEUTO, TA adj. *Chile.* Se aplica a la persona que tiene el labio partido o deformado.
CHEVALIER, *Jacques* (1882-1962) Filósofo fr. Fue profesor en Grenoble y secretario de Instrucción Pública bajo Pétain. *Historia del pensamiento, Conversaciones con Bergson.* • ***Maurice*** (1888-1972) «Chansonnier» y actor fr. *Gigí* y *Fanny* son algunas de sus películas más conocidas.
CHEVIOT m. Lana del cordero de Escocia. • Paño que se hace con ella.
CHEVIOT Cordillera de Gran Bretaña, que separa Escocia de Inglaterra.
CHEVREUL, *Eugène* (1786-1889) Químico fr. *Investigaciones sobre los cuerpos grasos de origen animal,* donde se formula científicamente el proceso de saponificación.
CHEYENE adj. y s. Díc. de los individuos de una tribu que habitó ant. el est. de Minnesota (EE UU).
CHEYENNE C de EE UU, cap. del est. de Wyoming; 50 000 hab.
CHI Chung-Hsiang Dramaturgo chino de la dinastía Yuan. *Chao Shih Ku Erh,* drama histórico.
CHÍA f. Manto negro usado en los lutos antiguos. • Parte de una vestidura llamada beca. • Semilla de una especie de salvia. De su mucílago, con azúcar y zumo de limón, se obtiene un refresco muy usado en México.
CHIANG Ching (1914-1991) Política china. Actriz y tercera esposa de Mao Tse-tung. Dirigió la Revolución Cultural en el plano artístico. Condenada a muerte en 1981 por sus tendencias radicales.
CHIANG Tse-min (nacido 1926) Político chino. Alcalde de Shangai (1985-1987). Sucedió a Zhao Zi-yang como secretario general del Partido Comunista tras la matanza de Tienanmen (1989). En 1993 fue nombrado presidente de la República.
CHIANTI m. Quianti.
CHIANTI Región de Italia, en Toscana; cultivo de la vid. Afamados vinos.
CHIAPAS Est. de Méx., sit. en parte sobre el istmo de Tehuantepec; 73 887 km^2, 3 920 515 hab.
* *Geog.* Ch. comprende: la llanura litoral, la Sierra Madre, con los volcanes Tacaná y Niquivil, el valle Central, y la Mesa Central, a una altitud superior a los 1 000 m, con el pico Tzontehuitz (2 703 m). Destaca el río Grijalva, que forma la presa de Netzahualcóyotl. Clima cálido y lluvioso. Cultivos de café, caña de azúcar, aguacate, cacao, etc. Pequeñas explotaciones mineras e ind. artesanal. Su pob. pertenece a 14 grupos étnicos; destacan los mayas, los tzeltales y los tzotziles. Prales. pob.: la cap., Tuxtla Gutiérrez; San Cristóbal de las Casas, Tonalá. Restos mayas en Palenque y Bonampak.
* *Hist.* El terr. de Chiapas fue incorporado desde 1543 por los esp. a la capitanía general de Guatemala y, a raíz de la indep. (1821), se decidió por referéndum (1823) la integración a México. En enero 1994 fue escenario de una revuelta campesina.
CHIARI, *Roberto Francisco* (1905-1982) Político pan. Durante su mandato como presid. de la Rep. (1960-1964) se opuso al régimen castrista. • ***Rodolfo*** (1869-1937) Político pan. Presid. de la Rep. (1924-1928), reprimió las agitaciones populares de 1926, y las sublevaciones indígenas de San Blas.
CHIAUNTEMPAN Mun. de México, en el est. de Tlaxcala; 32 600 hab. Cereales, frutas. Ind. textil.
CHIBA f. *Col.* y *Ven.* Mochila.
CHIBA Prefectura de Japón, en Honshu; 5 151 km^2, 5 555 000 hab. Cap. la c. hom. (829 800 hab.)
CHIBALETE m. *Art. Gráf.* Comodín dotado de un pupitre en su parte superior.
CHIBCHA adj. y s. *Etn.* Díc. del individuo de un pueblo que habitó Amér. Centr. y Colombia. • m. *Ling.* Idioma de los chibchas.
* *Etn.* Los ch. se organizaban en est. independientes aliados, gobernados por un monarca y una poderosa clase sa cerdotal. Su economía se basaba en la agr. (maíz), en tierras colectivas, y el com. se extendía a las tribus vecinas. Los esp. les dominaron (1536) y acabaron con su cultura.

CHIBOLO, LA m. y f. *Ecuad.* Cuerpo redondo y pequeño: chichón.
CHIBUQUÍ m. Pipa que usan los turcos para fumar.
CHIC m. Gracia, elegancia.
CHICA f. Cierto baile de negros. • Botella pequeña. • *Méx.* Moneda de plata de tres centavos.
CHICACAO Mun. de Guatemala, en el dpto. de Suchitepéquez; 22 400 hab. Café, caña de azúcar, ganadería.
CHICADA f. Rebaño de corderos enfermizos, a los que se reserva la mejor hierba. • Niñada.
CHICAGO C. de EE UU en el est. de Illinois; 7 103 600 hab. (á. metr.). Puerto sobre el lago Michigan; uno de los nudos de comunicaciones más importantes del país. Mataderos, fábricas de conservas e ind. metalúrgica, mecánica, química y alimentaria. Refinerías de petróleo. Astilleros. Centro financiero y bancario. De 1803 a 1830 fue puesto militar. Ascendió a la categoría de ciudad en 1837. Desde 1852, cuando llegó el primer ferrocarril, el crecimiento ha sido ininterrumpido. Es la segunda metrópoli del país.
CHICALÉ m. *Amér. Centr.* Pájaro muy hermoso por los colores de su plumaje.
CHICALOTE m. Argemone.
CHICAMOCHA Río de Colombia, afl. derecho del Magdalena; 400 km. Tras su confluencia con el Suárez, recibe el nombre de Sogamoso.
CHICANO adj. y s. Díc. de los individuos de la minoría de origen mex. afincada en los EE UU. Discriminados durante más de un siglo, el sentimiento nacionalista y sus reivindicaciones les unificaron en la Conferencia Nacional de la Juventud Chicana (1969). En los últimos años han surgido importantes manifestaciones culturales y artísticas de esta comunidad.
CHICAR intr. *Argent.* Mascar tabaco.
CHICARRÓN, NA adj. y s. fam. Díc. de la persona de corta edad, muy crecida o desarrollada.
CHICHA f. Bebida alcohólica que resulta de la fermentación del maíz, uvas u otros frutos, en agua azucarada. • fam. Carne comestible. • **De ch. y nabo.** loc. fig. y fam. De poca importancia, despreciable. • **No ser** uno o una cosa, **ni ch. ni limonada.** fig. y fam. No valer para nada.
CHÍCHARO m. Guisante, garbanzo, judía.
CHICHARRA f. Cigarra, insecto. • Juguete que hace un ruido tan desapacible como el canto de la cigarra. • fig. y fam. Persona muy habladora. • fig. y fam. Calor excesivo. ■ CHICHARRERO, RA.
CHICHARRO m. Chicharrón, residuo de pella o manteca derretida. • Jurel, pez.
CHICHARRO, *Eduardo* (1873-1949) Pintor esp., discípulo de Sorolla. Autor de escenas populares y de sugestivo color.
CHICHARRÓN m. Residuo de las pellas del cerdo, después de derretida la manteca. Díc. también del residuo del sebo de la manteca de otros animales. • fig. Carne requemada. • fig. y fam. Persona muy tostada por el sol.
CHICHE m. *Argent.* Juguete. • *Chile.* Objeto de bisutería. • *Guat.* y *Méx.* Pecho, mama de la nodriza.
CHICHÉ Mun. de Guatemala, en el dpto. de El Quiché; 11 000 hab. Ganadería, tejidos de lana.

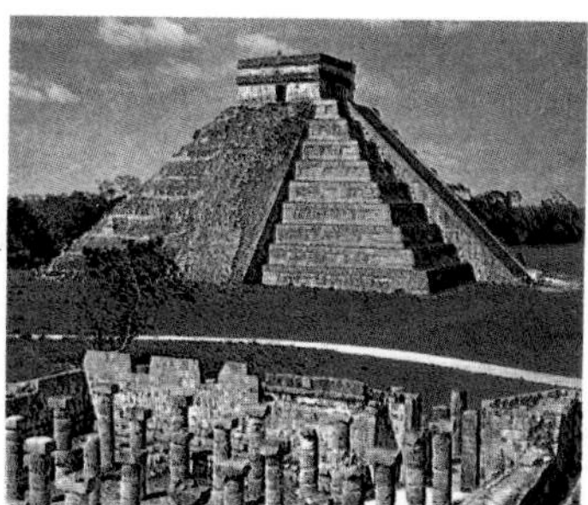
Castillo o templo de Kukulcán de **Chichén-Itzá**

CHICHEAR intr. y tr. Sisear. ■ CHICHEO.
CHICHÉN-ITZÁ Cap. del imperio maya en México (Yucatán). En el s. X se instaló en ella la tributolteca de los Itzá y fundó una nueva dinastía. Chichén, Uxmal y Mayapán formaron la liga de tres c. que dominó el imperio maya durante doscientos años. Los edificios de la época son de estilo tolteca: la pirámide escalonada central, el templo de los Jaguares y de los Guerreros, y el de Chac, dios de la lluvia.
CHICHERÍA f. *Amér.* Casa o tienda donde se vende chicha.
CHICHERIN, *Georgii Vasilievich* (1872-1936) Político y diplomático sov. Sucesor de Trotski en el cargo de comisario de Asuntos Exteriores.
CHICHI f. fam. *Guat.* y *Méx.* Nodriza.
CHICHICASTE m. *Amér. Centr.* Arbusto silvestre de tallo fibroso, que se utiliza para cordelería.
CHICHICASTENANGO C. de Guatelama, en el dpto. de El Quiché; 45 800 hab. Tejidos, de lana y algodón, turismo.
CHICHICUILOTE m. *Méx.* Ave zancuda, de color gris y pico largo y delgado. Es comestible .

Cerámica **chibcha**

Panorámica de **Chicago**

CHICHIGALPA Mun. de Nicaragua, en el dpto. de Chinandega; 27 400 hab. Cereales, legumbres, caña de azúcar, arroz.
CHICHIGUA f. *Amér. Centr.* Nodriza.
CHICHILASA f. *Méx.* Hormiga de color rojo, pequeña y muy dañina. • fig. *Méx.* Mujer hermosa, pero arisca.
CHICHILO m. *Bol.* Especie de tití, mono de color amarillento.
CHICHIMECA adj. y s. Nombre dado a las tribus amerindias procedentes del N de México que ocuparon los terr. toltecas de la meseta central a finales del s. XII; se establecieron junto a las lagunas de Anáhuac. Eran considerados bárbaros y semisalvajes por las tribus de Méx.
CHICHIRIMICO m. *Amér.* Juego de muchachos parecido a la rata.
CHICHISBEO m. Obsequio continuado de un hombre a una mujer. • Hombre galanteador. • Coqueteo.
CHICHITO m. fam. Niño pequeño. • fam. Criollo, hispanoamericano.
CHICHO m. Rizo de pelo sobre la frente.
CHICHOLO m. *R. de la Plata.* Dulce envuelto en chala.
CHICHÓN m. Hematoma subcutáneo de la cabeza producido por una contusión.
CHICHONERA f. Gorro con armadura adecuada para preservar a los niños de golpes en la cabeza.
CHICLÁN adj. Ciclán, de un solo testículo.
CHICLANA DE LA FRONTERA C. esp., en la prov. de Cádiz; 53 001 hab. Pesca (atún). Factoría conservera.
CHICLAYANO, NA adj. y s. De Chiclayo.
CHICLAYO C. de Perú, cap. de la prov. hom. y del dpto. de Lambayeque; 393 418 hab. Centro comercial, ind. azucarera.

Cultura **chichimeca.** Cabeza de un noble

Perro de raza **chihuahua**

Catedral de **Chihuahua**

CHICLE o **CHICLÉ** m. Goma de mascar perfumada. • *Méx.* Gomorresina que fluye del tronco del chicozapote. Es masticatoria. • *Mec. apl.* Pieza del carburador, que asegura un suministro exacto de gasolina. ■ *Méx.* CHICLEAR.

CHICLER m. *Mec. apl.* Chicle.

CHICO, CA adj. Pequeño o de poco tamaño. • y s. Niño. • m. Muchacho que hace recados y ayuda, en trabajos de poca importancia. • f. Criada.

CHICO de Santa Cruz Río de Argentina, en la Patagonia (prov. de Santa Cruz); 600 km. Nace en los Andes y desemboca en el Atlántico. • **Sur** Río de Argentina, en la Patagonia (prov. de Chubut); 300 km. Nace en el lago Musters.

CHICOCO, CA m. y f. *Chile.* Muchacho robusto y de poca estatura.

CHICOLEO m. fam. Requiebro, frase galante que se dice a una mujer. ■ CHICOLEAR.

CHICOLONGO m. *Cuba.* Hoyuelo, juego de muchachos.

CHICOMECOATL Deidad azteca asociada a la fertilidad y la vegetación, y primordialmente al maíz.

CHICOMÓZTOC Nombre que los nahuas dan a su lugar de origen.

CHICONTEPEC Mun. de México, en el est. de Veracruz; 60 137 hab. Agricultura, ganadería.

CHICORIA f. Achicoria. ■ CHICORIÁCEO.

CHICOTAZO m. *Amér.* Golpe dado con el chicote, látigo. ■ *Amér.* CHICOTEAR.

CHICOTE, TA m. y f. Muchacho robusto y lleno de salud. • m. fig. Cigarro puro. • *Amér.* Látigo. • *Mar.* Extremo de cuerda o pedazo de ella.

CHICOZAPOTE m. Zapote, árbol.

CHICURA f. *Méx.* Guaco, planta.

CHIETLA Mun. de México, en el est. de Puebla; 35 422 hab. Productos forestales, ganadería, aguas termales.

CHIÈVRES, *Guillaume de Croy,* SEÑOR DE (1458-1521) Político flamenco al servicio de los Habsburgo. Fue gobernador de Países Bajos y preceptor de Carlos V.

CHIFLA f. Especie de silbato. • Cuchilla de acero, de corte curvo, con que los encuadernadores y guanteros raspan las pieles.

CHIFLADERA f. Chifla, silbato.

CHIFLADURA f. Acción y efecto de chiflar o chiflarse. • Afición notable por una persona o cosa.

CHIFLAR intr. Silbar con la chifla, silbato, o imitar su sonido con la boca. • tr. Adelgazar y raspar las badanas y pieles finas. • tr. y prnl. Mofar, hacer burla o escarnio en público. • fam. Beber mucho y con presteza vino o licores. • prnl. fam. Perder uno la energía de las facultades mentales. • fam. Tener sorbido el seso por una persona o cosa. ■ CHIFLADO, DA.

CHIFLATO m. Silbato, pito.

CHIFLE m. Chiflo. • Silbato para cazar aves. • Frasco de cuernos, en el cual solía guardarse la pólvora fina para cebar las piezas de artillería.

CHIFLETA f. *Amér.* Cuchufleta, burla.

CHIFLIDO m. Sonido del chiflo. • Silbo que lo imita.

CHIFLÓN m. *Amér. Merid.* Viento colado, o corriente sutil de aire. • *Méx* . Canal por donde sale el agua con fuerza. • *Chile* y *Méx.* Derrumbe de piedra suelta en el interior de las minas. • Ave ciconiforme, propia de Amér. Merid.

CHIGNAHUAPAN Mun. de México, en el est. de Puebla; 41 903 hab. Agricultura, minería.

CHIGUA f. *Argent., Bol.* y *Chile.* Especie de cesto hecho con cuerdas o corteza de árboles, de forma oval y boca de madera.

CHIGÜIL m. *Ecuad.* Masa de maíz, manteca y huevos con queso, envuelta en chala y cocida al vapor.

CHIGÜIRO m. *Ven.* Carpincho, roedor.

CHIHUA f. *Argent.* y *Chile.* Chigua.

CHIHUAHUA m. *Ecuad.* Artificio de fuego, que consiste en un armazón de cañas y papelón, en figura humana y llena de pólvora. • adj. y s. Díc. de una raza de perros muy pequeños (1-2 kg), oriundos de México.

CHIHUAHUA Est. de México, limitado al N por EE UU; 247 087 km^2, la entidad más extensa de la rep. En su relieve destacan al O diversas estribaciones de la sierra Madre occidental. Las partes centr. y oriental abarcan un sector de las Llanuras Boreales. En su sistema hidrográfico figuran ríos de caudal constante (Bravo y Conchos) y de carácter endorreico (Santa María). Ha sido necesaria la construcción de presas (Boquilla, Luis L. León, el Tintero) para contrarrestar el carácter desértico de gran parte del terr. Existen tres franjas climáticas: occidental, central y oriental. En la occidental, el clima es cálido semiseco y semihúmedo; en la central, al pie de Sierra Madre, es semiseco y templado semiseco; y en la faja oriental (desierto de Ch.) semicálido y templado seco. En las zonas fértiles hay cultivos varios (algodón, alfalfa, frijol, maíz) y ganadería bovina (2 millones de cabezas). Con una población de 3 047 867 hab., tiene una densidad baja (10 hab./km^2). La distribución por sectores es del 49,9 % para el primario, para el de la ind. el 19,8 % y el 30,2 % para servicios. El P.I.B. es de 120 440 millones de pesos y la renta per cápita asciende a unos 60 100 pesos. La pobl. alfabetizada es del 92 %. • C. de Méx., cap. del estado hom; 670 208 hab. Rodeada al S y O por serranías ricas en minerales, especialmente plata. Centro comercial de la región minera circundante. Ind. textil, fundiciones, minería. Nudo ferroviario. Catedral (s. XVIII). Universidad fundada en 1705. Sede del gobierno de Juárez (1864) durante la invasión francesa.

CHIH-YI (538-597) Fundador de la escuela china del Tien-tai y autor de numerosos comentarios sobre el budismo.

CHIÍ adj. y s. Relativo al chiísmo. Díc. en especial de los seguidores de esta tendencia religiosa islámica. ■ CHIITA.

CHIÍSMO m. Mov. cismático musulmán, extendido, sobre todo, entre los iranios. Nació al plantearse la cuesti ón básica del califato, y en ella adoptó una posición «legitimista», pues admitía como único imán posible sólo a quien descendiera de Alí.

CHILABA f. Especie de túnica con capucha que usan los moros.

CHILACA f. *Méx.* Variedad del chile, poco picante.

CHILACATE m. *Méx.* Silbato de carrizo.

CHILACAYOTE m. Planta, variedad de sandía. • Fruto de esta planta.

CHILACOA f. *Col.* Especie de chochaperdiz, muy común y abundante.

CHILAM Balam Conjunto de copias (ss. XVI-XVIII) de colecciones de tradiciones anteriores a la conquista esp., procedentes del Yucatán. Escritos en lengua maya, se conocen dieciocho *Libros.* Útil fuente para el estudio de la rel. maya.

CHILANCO m. Cilanco, charco.

CHILAPA Mun. de México, en el est. de Guerrero; 85 621 hab. Agricultura, ganadería, explotación forestal.

CHILAQUIL m. *Méx.* Sombrero de fieltro, viejo y mugriento. • pl. *Méx.* Guiso compuesto de tortillas de maíz, despedazadas y cocidas en caldo y salsa de chile.

CHILAQUILE f. *Guat.* Tortillas de maíz con relleno de queso, hierbas y chile.

CHILAR m. Sitio poblado de chiles.

CHILATE m. *Amér. Centr.* Bebida común, hecha con chile, maíz tostado y cacao.

CHILATOLE m. *Méx.* Guiso de maíz entero, chile y carne de cerdo.

CHILCA f. *Amér. Merid.* Arbolillo balsámico y resinoso, de hoja verde clara y flor amarilla. • *Guat.* Chirca.

CHILCHOTE m. *Méx.* Una especie de ají o chile muy picante.

CHILCO m. *Chile.* Fucsia silvestre.

CHILDE, *Vere Gordon* (1892-1957) Historiador brit. Elaboró un método de interpretación de la historia basado en el materialismo histórico. *La evolución de la sociedad , Qué sucedió en la historia.*

CHILDEBERTO Nombre de tres reyes merovingios: **I** (511-558), hijo de Clodoveo; **II** (570-596), rey de Austrasia y Borgoña; y, **III** (683-711) que reinó bajo la tutela de Pepino el Joven.

CHILDERICO I (436-481) Rey de los francos salios [457-481], padre de Clodoveo; fue desterrado por sus súbditos. • **II** (653-675) Rey de Austrasia [662-675]. Murió asesinado. • **III** (m. 754) Último rey merovingio [743-751]. Destronado por Pepino el Breve.

CHILDRENITA f. *Miner.* Fosfato de hierro y aluminio, de color castaño, que cristaliza e n el sistema rómbico.

CHILE m. Ají, pimiento.

CHILE *(República de Chile)* Est. de América del Sur, constituido por la estrecha franja litoral que se extiende entre el océano Pacífico y la cord. de los Andes. Limita al N con Perú, al E con Bolivia y Argentina, y al O con el océano Pacífico. República. Lenguas: castellano (of.) y mapuche. *Rel.:* catolicismo (89 %), protestantismo. U. M.: peso chileno. Cap., Santiago. Ciudades prales.: Concepción, Valparaíso, Viña del Mar, Talcahuano.

* *Geog. física.* Chile comprende tres unidades longitudinales: de un lado la cordillera de la Costa, con alt. que apenas superan los 1 500 m y sectores de configuración mesetaria; en segundo lugar, la depresión central, integrada por pampas desérticas (Tamarugal) y salares (Atacama, Punta Negra) al N, y, más al S, por una serie de cuencas separadas (valles del Copiapó, Limari, Illapel) y por el valle Central chileno; la última unidad geomorfológica en dirección al interior corresponde a los Andes. Éstos accidentan la parte oriental del país, formando el límite con Argentina. Sus cumbres superan los 6 000 m (Ojos del Salado). Hay bastante conos volcánicos y abundantes glaciares. Los ríos son cortos, exiguos e irregulares en el N (Camarones, Loa) y más caudalosos en el centro y sur (Maipo, Huasco, Maule, Biobío). Las costas son rectilíneas en el sector N y muy recortadas en el S, con fiordos y numeros islas (Chiloé, Chonos, Madre de Dios, Tierra del Fuego). El clima es desértico en el extremo N, templado en el centro, y oceánico frío al S. La vegetación se corrresponde con las zonas climáticas.

* *Geog. económica.* Los prales. recursos son la agricultura, la ganadería y, sobre todo, la minería. Entre los cultivos destacan: cereales (trigo, maíz, avena), patata, vid, manzana y remolacha. En las zonas merid. se explotan los extensos bosques. La cabaña incluye un importante número de ovinos y bovinos que proporcionan lana y carne. La pesca reviste importancia potencial. Del subsuelo se extrae cobre, cuyos yacimientos prales. se localizan en El Teniente y El Salvador; hierro, petróleo, gas natural, oro, plata, azufre, carbón, molibdeno, manganeso, etc. En el N se benefician los depósitos de nitratos. En el sector ind. destaca la fabricación de tejidos de algodón, rayón, fibras sintéticas y calzado; la siderurgia, construcciones navales, metalurgia del cobre, congelación de carne, elaboración de azúcar, papel, abonos. Las importaciones están representadas por maquinaria, productos quím. y farmacéuticos, material de transporte y productos agrícolas; las exportaciones por metales y minerales. Comercia pralm. con EE UU, Alemania, Argentina, Gran Bretaña, Países Bajos y Japón.

* *Org. pol.* Desde el golpe militar de 1973, la constitución estuvo en suspenso y las fuerzas armadas ocuparon el poder. El poder ejecutivo fue ejercido por el jefe supremo del Estado (general Augusto Pinochet) y el legislativo recayó en una junta de gobierno integrada por los comandantes en jefe de los ejércitos, y presidida por el jefe supremo. El poder judicial y la fiscalización de las cuentas fueron independientes. A raíz del referéndum de octubre de 1988 se inició una nueva etapa en la organización del país.

* *Hist.* **Época precol. y colonial.** En la época precolombina, Ch. estaba habitado, en la parte septentrional, por diversos pueblos (atacameños, changos) integrados en el s. XV en el imperio inca; en el centro, por los araucanos (mapuches); y al S por tribus muy primitivas (alacaluf, ona). El primer esp. que penetró en el terr. fue Diego de Almagro (1536), que consiguió llegar hasta el valle del Aconcagua. En 1540 Pedro de Valdivia emprendió su conquista. Al llegar al valle del Mapocho decidió fundar una c. a la que dio el nombre de Santiago del Nuevo Extremo (1541). Santiago se convirtió en el centro de futuras exploraciones. La fundación en 1550 de Concepción llevó la conquista esp. hasta los límites del Biobío. El avance esp. fue detenido en 1553 al ser derrotado y muerto Valdivia por los araucanos de Lautaro. En 1556 la audiencia de Lima nombró a Villagra corregidor y justicia mayor de ch. Villagra consiguió dar muerte a Lautaro en 1557, pero no obtuvo una victoria decisiva. Fue García Hurtado de Mendoza quien conquistó el territorio e hizo prisionero y mató a Caupolicán (1558), sucesor de Lautaro. La conquista quedó así consolidada. Desde entonces, la situación geográfica de

Chile. Puente sobre el río Biobío de 3 kilómetros de longitud, el más largo del país

CHILE

Recursos económicos		
Arroz	117 000	t
Avena	207 000	t
Cebada	109 000	t
Centeno	9 000	t
Maíz	836 000	t
Naranjas	110 000	t
Patatas	844 000	t
Remolacha azucarera	2 150 000	t
Tabaco	15 000	t
Trigo	1 589 000	t
Vid	1 130 000	t
Ganadería y derivados		
Cabaña bovina	3 300 000	cabezas
Cabaña ovina	6 650 000	cabezas
Cabaña porcina	1 300 000	cabezas
Carne	553 000	t
Llamas y alpacas	33 000	cabezas
Riqueza forestal	18 708 000	m^3
Pesca	5 195 418	t
Producción minera		
Carbón	2 183 000	t
Cobre	1 814 300	t
Gas natural	950	millones de m^3
Guano	5 700	t
Hierro	5 035 000	t
Lignito	40 000	t
Manganeso	12 400	t
Molibdeno	13 830	t
Nitratos	870 000	t
Oro	28	t
Petróleo	842 000	t
Plata	674	t
Sal	1 835 000	t
Producción industrial		
Acero	800 000	t
Automóviles	11 000	unidades
Azúcar	3 590 000	t
Cemento	2 115 000	t
Cerveza	2 653 000	hl
Cobre	1 300 000	t
Energía eléctrica	18 372	millones de kwh
Fertilizantes	130 000	t
Hierro colado	722 000	t
Neumáticos	1 632 000	unidades
Papel	291 000	t
Tabaco	10 011	millones de cigarrillos
Tejidos de algodón	31 000 000	m
Indicadores sociológicos		
PNB	51 900	millones de dólares
Renta per cápita	4 700	dólares
Esperanza de vida	76	años
Alfabetismo	96	%

Chile. De arriba abajo: mapa de situación y bandera; el volcán Osorno; fachada de la Universidad Nacional, en Santiago

División administrativa de **Chile**

Regiones	Km²	Población	Densidad	Capital	Habitantes
I Tarapacá	58 698,1	341 112	5,8	Iquique	144 600
II Antofagasta	126 443,9	407 409	3,2	Antofagasta	214 500
III Atacama	75 573,3	230 786	3,1	Copiapó	79 300
IV Coquimbo	40 656,3	502 460	12,4	La Serena	113 900
V Valparaíso	16 396,1	1 373 967	83,8	Valparaíso	290 000
VI Libertador General Bernardo O'Higgins	16 365	688 835	42,1	Rancagua	189 800
VII Maule	30 301,7	834 053	27,5	Talca	173 900
VIII Biobío	36 929,3	1 729 920	46,8	Concepción	307 600
IX La Araucanía	31 858,4	774 959	24,3	Temuco	239 700
X Los Lagos	66 997	953 330	14,2	Puerto Montt	120 300
XI Aisén del General Carlos Ibáñez del Campo	108 494,9	82 071	0,8	Coihaique	48 200
XII Magallanes y de la Antártica Chilena	132 033,5	143 058	1	Punta Arenas	119 700
Metropolitana de Santiago	15 348,8	5 170 293	336,9	Santiago	5 170 293
CHILE	756 096,3*	13 231 803**	17,5	Santiago	5 170 293

* Territorio continental americano ** 15 272 000 hab. según estimaciones recientes.

Ch. determinó su aislamiento y la formación de un régimen económico autárquico. Durante el s. XVII se incrementó la emigración esp., que se dedicó a la ganadería. En el s. XVIII Ch. disfrutó de prosperidad económica y cultural (universidad de San Felipe, 1747). En 1812, se promulgó un reglamento constitucional que, aunque reconocía al monarca esp., aseguraba un gobierno autónomo. Ante estos hechos, el virrey de Perú envió un ejército realista. La victoria esp. (1814) sobre las fuerzas chil. de O'Higgins y Carrera frenó los brotes independentistas.

* **Independencia y época contemporánea.** En 1817, el ejército chil. mandado por San Martín venció a las tropas esp., y consolidó la indep. con una nueva victoria en 1818. B. O'Higgins tomó el poder. Después de diversas fricciones entre conservadores («pelucones») y liberales («pipiolos»), en 1830 tuvo lugar una revuelta que instauró un gobierno y una constitución conservadora. En 1836 Ch. declaró la guerra a la Confederación Peruboliviana. Ch. venció (Yungay, 1839) y se disolvió la Confederación. En las elecciones de 1841 se impuso Bulnes, sobrino del ant. presid. conservador Prieto. Se inicia entonces un período de prosperidad («decenios Bulnes y Mont», su sucesor en la presid.). En 1879 estalló la guerra del Pacífico, de nuevo contra Perú y Bolivia. Ch. venció, y Perú cedió el terr. de Tarapacá (tratado de Ancón, 1883). Aprovechando esta guerra, los araucanos se sublevaron, pero fueron derrotados. En 1886 fue elegido J. M. Balmaceda. A su política progresista se opusieron liberales y conservadores. Una guerra civil (1891) concluyó con el suicidio de Balmaceda. Comenzó así el llamado período parlamentario (1892-1924). La constitución de 1925 reinstauró el presidencialismo. En 1929 la crisis económica desembocó en una huelga general, y en 1932 una coalición civil-militar dio un golpe de Est. y proclamó la rep. socialista. En las elecciones de 1938 es elegido Aguirre Cerda, candidato del Frente Popular. Le siguieron en el poder otros dos presid.s radicales por el F. P. (J. A. Ríos y González Videla). Las elecciones de 1952 las ganó el candidato de la derecha, Ibáñez del Campo. Durante su mandato (1952-1958) mejoraron las relaciones con EE UU. Jorge Alessandri, candidato de la derecha, fue elegido presid. en 1958. En 1964 resultó elegido presid. el demócrata cristiano Eduardo Frei Montalva. En 1970 ganó Salvador Allende, candidato de Unidad Popular (coalición de partidos de izquierda). La chilenización del cobre, la reforma agraria y la nacionalización de la banca privada y de los grandes monopolios industriales fueron las medidas básicas de su gobierno. En 1973, tras un golpe de Est., la Junta militar encabezada por A. Pinochet se hizo con el poder. En 1988 mediante plebiscito se convocaron elecciones generales para 1989, en las que venció Patricio Aylwin. Pinochet abandonó el poder en 1990. En los comicios de 1993 fue elegido el democristiano Eduardo Frei Ruiz-Tagle. Una de las prioridades del gobierno Frei fue la reforma de la Constitución con el propósito de democratizar el Senado, pero la modificación fue rechazada. Así, el general Pinochet cesó en 1998 como Comandante en jefe del Ejército, y pudo asumir el puesto de senador vitalicio. Sin embargo, ese mismo año Pinochet fue detenido en Londres a instancias de la justicia española. En este contexto político se celebraron las elecciones presidenciales de 2000 en las que venció el socialista Ricardo Lagos. Poco después se produjo el retorno de Augusto Pinochet a Chile.

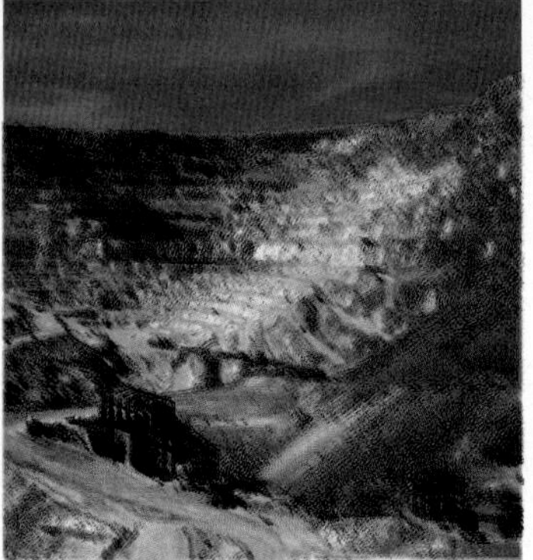

Chile. Mina de cobre en Chuquicamata

Chile. Arriba, puerto de Valparaíso; abajo, panorámica de la ciudad de Santiago con los Andes al fondo

* *Arte.* Los restos arqueológicos y artísticos precolombinos son escasos y de poco interés. De la dominación incaica destaca el santuario de Licancabur. En la época colonial no hubo grandes realizaciones artísticas. En el s. XVII los jesuitas llevaron a Ch. artesanos bávaros que crearon valiosas piezas de orfebrería. El arquitecto it. Toesca introdujo en Ch. el neoclasicismo (palacio de La Moneda). En escultura destaca Ignacio Andía, y, en pintura, José Gil de Castro. En el s. XIX llegan al país. R. Moivoisin y C. F. Brunet, que fundaron la Escuela de Arquitectura de Santiago y la de Pintura de Valparaíso. A principios del s. XX destacan en pintura Fray P. Subercaseaux, Juan González y, más recientemente R. Matta y E. Castro. En escultura: V. Arias y E. Plaza.

* *Lit.* El primer escritor es Alonso de Ercilla (1533-1594) *La Araucana*; y Pedro de Oña, el primero nacido en Ch. (1570-h. 1643), *El arauco domado*. Cronistas y clérigos, historiadores y naturalistas, proliferan durante los ss. XVI, XVII y XVIII. Tras la Independencia, surgen: J. J. Vallejo (1811-1858), V. Pérez (1807-1886) y Andrés Bello (1781-1865). El novelista más importante del s. XIX es Alberto Bles Gana (1830-1920), *Martín Rivas*, *El loco estero*. Al iniciarse el s. XX destacan Augusto D'Halmar (1882-1950), Joaquín Edwards (1887-1968) y Manuel Rojas (1896-1973). Del realismo destacan: C. Droguett, *Todas esas muertes*; y N. Guzmán (1904-1964), *La sangre y la esperanza*. La «generación del 50» está compuesta por E. Lafourcade, *La fiesta del rey Acab*; J. Donoso, *El obsceno pájaro de la noche*; J. Edwards, *El peso de la noche*. Destacan también, A. Dorfman e I. Allende. En poesía, cuatro nombres universales: V. Huidobro, G. Mistral, P. de Rokha y P. Neruda. En filosofía: J. Echevarría, J. Millas y R. Torretti.

Gobernantes de **Chile**

1810	Primera Junta de Gobierno
1811	Primer Congreso Nacional
1812	José Miguel Carrera
1813	Junta de Gobierno
1814	Francisco de la Lastra
1814-1817	Reconquista española
1817-1823	Bernardo O'Higgins
1823-1826	Ramón Freire
1826	Manuel Blanco Encalada
1826-1827	Agustín Eyzaguirre
1827	Ramón Freire
1827-1829	Francisco A. Pinto
1830-1831	José Tomás Ovalle
1831-1841	José Joaquín Prieto
1841-1851	Manuel Bulnes
1851-1861	Manuel Montt
1861-1871	José J. Pérez
1871-1876	Federico Errázuriz Zañartu
1876-1881	Aníbal Pinto
1881-1886	Domingo Santa María
1886-1891	José M. Balmaceda
1891-1896	Jorge Montt
1896-1901	Federico Errázuriz Echaurren
1901-1906	Germán Riesco
1906-1910	Pedro Montt
1910-1915	Ramón Barros Luco
1915-1920	Juan L. Sanfuentes
1920-1924	Arturo Alessandri Palma
1925	Luis Barros Borgoño
1925-1927	Emiliano Figueroa
1927-1931	Carlos Ibáñez del Campo
1931-1932	Juan E. Montero
1932-1938	Arturo Alessandri Palma
1938-1941	Pedro Aguirre Cerda
1941-1942	Jerónimo Méndez
1942-1946	Juan Antonio Ríos
1946-1952	Gabriel González Videla
1952-1958	Carlos Ibáñez del Campo
1958-1964	Jorge Alessandri Rodríguez
1964-1970	Eduardo Frei Montalva
1970-1973	Salvador Allende Gossens
1973-1990	Augusto Pinochet Ugarte
1990-1993	Patricio Aylwin
1994-2000	Eduardo Frei Ruiz-Tagle
2000	Ricardo Lagos Escobar

Presid. temporales: Fco. R. Vicuña (1829), Fco. Ruiz Tagle (1830), F. Errázuriz (1831), E. Fernández Albano (1910), E. Figueroa (1910), Luis Altamirano (1924-1925), Emilio Bello C. (1925), Luis Barros (1925), Pedro Opazo L. (1931), Juan E. Montero (1931), Manuel Trucco (1931), Carlos Dávila (1932), Guillermo Blanche (1932), Abraham Oyanedel (1932) y Alfredo Duhalde (1946).

CHILENIZAR tr. Dar carácter chileno.

CHILENO, NA adj. y s. De Chile.

CHILINDRINA f. fam. Cosa de poca importancia. • fam. Anécdota ligera, chiste picante. • fam. Chafaldita, pulla.

CHILINDRÓN m. Juego de naipes entre dos o cuatro personas. • *Hond.* Chirca.

CHILINGUEAR tr. *Col.* Columpiar, mecer.

CHILLA f. Instrumento que sirve a los cazadores para imitar el chillido de la zorra, la liebre, etc. • Tabla delgada y de escasa calidad. • *Enc.* Cada una de las dos planchas entre las que se pone el libro ya dorado en la prensa. Se usa más en pl. • *Chile.* Especie de zorra, menor que la europea común.

CHILLÁN C. de Chile, cap. de la prov. de Ñuble; 144 700 hab. Centro comercial y agrícola. Fundada en 1580 y arrasada en varias ocasiones, tanto por los terremotos como por las incursiones de los araucanos. Su emplazamiento actual data de 1835.

CHILLANEJO, JA adj. y s. De Chillán.

CHILLAR intr. Dar chillidos. • Imitar con la chilla el chillido de los animales de caza. • Chirriar. • fig. *Pint.* Destacarse los colores con demasiada viveza o estar mal combinados.

CHILLERÍA f. Conjunto de chillidos o voces descompasadas. • Represión áspera y prolija.

CHILLIDA, *Eduardo* (nacido 1924) Escultor esp. Ha trabajado el hierro, madera, hormigón. *Homenaje a Kandinsky, Yunques de ensueño, Rumor sin límites.* Premio Príncipe de Asturias 1987.

CHILLIDO m. Sonido inarticulado de la voz, agudo y desapacible.

CHILLO m. Chilla. • *Amér. Centr.* Deuda.

CHILLÓN, NA adj. y s. fam. Que chilla mucho. • adj. Díc. de todo sonido agudo y desagradable. • fig. Aplícase a los colores excesivamente vivos o mal combinados. • m. Clavo que sirve para tablas de chilla. • **real.** Clavo mayor que el chillón ordinario.

CHILMOLE m. *Méx.* Salsa o guisado de chile.

CHILOÉ Isla de Chile, separada del continente por los golfos de Corcovado y Ancud. Relieve mesetario, accidentado por la cord. de Piuchué (alt. máx.: cerro Maldonado 892 m). La mayor isla del país. La pob. supera los 70 000 hab. • Prov. del S de Chile, en la región de Los Lagos; 130 680 hab. Formada por la isla hom. y algunas islas del arch. de los Chonos y las islas Guaitecas. Clima frío y húmedo. Explotación forestal, agropecuaria (maíz, patatas, ganadería lanar) y pesca. La escasa ind. deriva de la agr. La pob. con fuerte impronta indígena, se localiza en la vertiente interior. La fachada del Pacífico está casi despoblada. Las prales. c. son Castro, la cap., y Ancud.

CHILÓN Mun. de México, en el est. de Chiapas; 66 649 hab. Agricultura, explotación forestal.

CHILOTE, TA adj. y s. De Chiloé. • m. *Méx.* Bebida que se hace con pulque y chile.

CHILPANCINGO DE LOS BRAVOS C. de México, cap. del est. de Guerrero; 192 509 hab. Centro agrícola y ganadero. Aeropuerto. Fundada en el s. XVIII, en ella se reunió el primer congreso constituyente mex. (1813).

CHILPE m. *Ecuad.* Tira de hoja del agave o cabuya. • *Ecuad.* Hoja seca de maíz. • pl. *Chile.* Andrajos, trastos, trebejos.

CHILPOTLE m, *Méx.* Chile secado al humo.

CHIMALPAHIN Cuauhtlehuanitzin, llamado *Domingo Francisco de San Antón Muñoz* (1579-1660) Historiador indígena mex. Descendiente de los antiguos reyes de Chalco, escribió en lengua náhuatl sobre la historia indígena. *Ocho relaciones históricas, Memorial breve acerca de la fundación de Culhuacán.*

CHIMALTECO, CA adj. y s. De Chimaltenango.

CHIMALTENANGO Dpto. del centro-sur de Guatemala; 1 979 km², 314 813 hab. El clima, cálido y húmedo, posee una pluviosidad de 3 800 mm. Cereales, legumbres, caña de azúcar, café. Ganadería vacuna y lanar. Ind. de la madera. El 81 % de sus hab. se dedica al sector primario. • C. de Guatemala, cap. del dpto. hom.; 26 465 hab. Centro comercial y agrícola. Ind. textil.

Chile. De arriba abajo: Salvador Allende, Augusto Pinochet, Eduardo Frei Ruiz-Tagle y Ricardo Lagos

Chimpancé

China. De arriba abajo: mapa de situación y bandera; Teng Hsiao-ping

CHIMANGO m. Ave falconiforme de plumaje oscuro y blanco.
CHIMBA f. *Chile* y *Perú.* Banda de un río opuesta a aquella en quese está. • *Chile.* Barrio menor de un pueblo cortado en dos por un río.
CHIMBADOR m. *Perú.* Indígena perito en atravesar ríos.
CHIMBO adj. y s. *Amér.* Díc. de una especie de dulce hecho con huevos, almendras y almíbar.
CHIMBORACENSE adj. y s. De Chimborazo.
CHIMBORAZO Volcán apagado y cumbre más alta de los Andes ecuatorianos; 6 310 metros.
CHIMBORAZO Prov. de Ecuador, sit. en la región de la Sierra, entre las cord. Oriental y Occidental; 6 569,3 km^2, 364 682 hab. Cap., Riobamba. En su relieve destacan los picos Chimborazo, Capac Urco o Altar y Quilimas, y las hoyas Patate, Chambo y Chanchán. Avenada por ríos que desaguan en el Amazonas y el Pacífico (Alausí, Chambo). Clima seco. Trigo, maíz, cebada. Ind . extractivas, químicas, alimentarias, del cemento y artesanía.
CHIMBOTE C. de Perú, cap. de la prov. de Santa, en el dpto. de Ancash; 269 900 hab. Siderurgia; puerto pesquero.
CHIMENEA f. Conducto para dar salida al humo que resulta de la combustión. Provoca una depresión (tiro) entre la entrada y la salida, para que se establezca una corriente de aire. • Hogar o fogón para guisar o calentarse, con un cañón o conducto para la salida de humos. • En las armas de fuego llamadas de pistón, cañoncito colocado en la recámara, donde se encaja la cápsula para que al choque del gatillo se comunique el fuego a la carga. • Conducto vertical de madera por donde en los teatros suben y bajan los contrapesos necesarios para las maniobras de la maquinaria. • Excavación estrecha que se abre en el cielo de una labor de mina, o hueco que resulta a causa de un hundimiento. • En alpinismo, paso vertical de paredes muy próximas. • **francesa.** La que se hace sólo para calentarse y se guarnece con un marco y una repisa en su parte superior. • **volcánica.** *Geol.* Conducto que en un volcán une el cráter con el magma; por él sale la lava al exterior.
CHIMKENT C. de Asia central, cap. de la prov. hom. de Kazakistán; 369 000 hab. Minería.
CHIMÓ m. Pasta de extracto de tabaco cocido y sal de urao, que mascan los hab. de la cordillera occidental de Venezuela.
CHIMOJO m. *Cuba.* Medicamento antiespasmódico hecho de tabaco, cáscara de plátano, salvia y otros ingredientes.
CHIMPANCÉ m. *Zool.* Mamífero arborícola del orden primates, familia póngidos. Existen varias subespecies; las mayores pueden alcanzar tallas de 1,70 m en los machos. Posee brazos largos y camina sobre las cuatro extremidades, cuyo pulgar es oponible. Su alimentación es vegetariana. Vive en grupos reducidos en África ecuatorial.
CHIMÚ adj. y s. Díc. de un pueblo preincaico sucesor de los mochica, del N del Perú (1000-1470 d. C.). En su cap., Chanchán, se han hallado edificios de adobes decorados con formas geométricas esculpidas; cerámica; bronce, oro, cobre y plata.
CHIN adj. y s. Díc. de individuos de un pueblo mongoloide que habita en la parte sur de la cadena montañosa que separa Myanma (Birmania) del terr. indio de Mizoram. Suman unos 300 000 hab. Su territorio, *Chin Hills,* forma una división administrativa especial de Myanma (35 600 km^2, 360 000 hab.; cap., Falam). • adj. Concerniente a dicho pueblo asiático.
CHINA f. Piedra pequeña. • Suerte que echan los muchachos metiendo en el puño una piedrecita y, presentando las dos manos cerradas, pierde aquel que señala la mano en que está la piedra. • fig. y fam. Dinero. • Raíz medicinal de una hierba del mismo nombre, que se cría en América y en China. • Porcelana, loza fina inventada en China. • Tejido de seda o lienzo, que viene de China, o labrado a su imitación. • *Amér. Centr.* y *Merid.* Indígena o mestiza que se dedica al servicio doméstico, y modernamente criada o mujer de pueblo bajo. • **Tocarle** a uno **la china.** fig. y fam. Tener mala suerte.
CHINA, ***mar de la*** Sector del océano Pacífico, que se extiende a lo largo del litoral chino. Dividido por el estr. de Formosa en Oriental y Meridional.

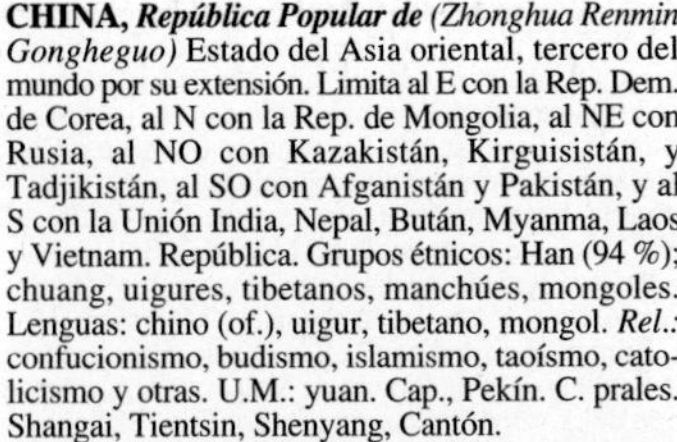

CHINA, ***República Popular de*** *(Zhonghua Renmin Gongheguo)* Estado del Asia oriental, tercero del mundo por su extensión. Limita al E con la Rep. Dem. de Corea, al N con la Rep. de Mongolia, al NE con Rusia, al NO con Kazakistán, Kirguisistán, y Tadjikistán, al SO con Afganistán y Pakistán, y al S con la Unión India, Nepal, Bután, Myanma, Laos y Vietnam. República. Grupos étnicos: Han (94 %); chuang, uigures, tibetanos, manchúes, mongoles. Lenguas: chino (of.), uigur, tibetano, mongol. *Rel.:* confucionismo, budismo, islamismo, taoísmo, catolicismo y otras. U.M.: yuan. Cap., Pekín. C. prales. Shangai, Tientsin, Shenyang, Cantón.
* *Geog. fís.* Ch., además de Manchuria, se divide en tres zonas fundamentales: la septentrional comprende de la gran llanura avenada por el Hoang-ho; la central, constituida por la cuenca roja de Szechuan y las tierras irrigadas por el Yang Tse-kiang, y la meridional, formada por montañas y colinas atravesadas por el Si-kiang. Al O las mesetas de Yunan y Kueichou. La parte occidental de Ch. se divide en Mongolia Interior, Sinkiang y Tibet. Al N, en Mongolia y el Sinkiang, se encuentran los desiertos de Gobi y Ala Shan. Al S los macizos de Altin Tagh y Kuen Lun, y las cord. tibetanas derivadas del Himalaya. Su litoral marítimo comprende 11 000 km de costas, y unas tres mil islas e islotes. El clima es continental al O, lluvioso al E y tropical en el S, con influencia monzónica. La vegetación se corresponde con los climas, destacando los bosques de coníferas del N y NE.
* *Geog. económica.* La economía es de base agrícola, a pesar del desarrollo industrial experimentado desde el triunfo de la revolución. El cultivo pral. es el arroz. Al N predomina el trigo. Otros cultivos: maíz, cebada, mijo, sésamo, cacahuete, remolacha y soja. En el S tabaco, té, algodón, caña de azúcar y frutales. Los bosques (15 % del terr.) dan lugar a ind. derivadas. Ganado de cerda, avicultura, y bovinos, ovinos y caprinos. En pesca, Ch. ocupa el tercer lugar mundial. Yacimientos de hulla y de petróleo. Abundan el hierro y las pizarras bituminosas que han dado origen a una imp. ind. de destilación. También existen yacimientos de estaño, cinc, magnesita, bauxita, antimonio, fosfatos, gas natural y uranio. Gigantescas centrales térmicas e hidráulicas. Produce acero y energía nuclear, aunque la ind. pral. continúa siendo la textil. El sector sedero, modernizado, se localiza en Shanghai y Cantón. La ind. quím. produce fertilizantes, sosa cáustica y diversos ácidos. Ch. exporta textiles, quím., agr. e importa bienes de equipo.
* *Org. pol.* La constitución de 1975 describe a Ch. como un «Estado socialista de dictadura del proletariado». El Partido Comunista Chino desempeña un papel fundamental en el país, que está dividido en 21 provincias, 5 regiones autónomas, 3 municipalidades y una región bajo administración especial (Hong Kong). El P. C. controla la asamblea popular nacional, que elige los órganos de gobierno y nombra al presid.
* *Hist.* Ch. ha estado habitada desde el pleistoceno; han existido colectividades organizadas desde el IV milenio a. C. En la E. de Bronce se sitúa la dinastía Shang o Yin. La de los Chou (1050-249 a. C.), se inicia en el valle del Wey, desplazada luego hacia el Hoang-ho. De esta segunda época (772-481 a. C.) datan los primeros anales chinos y el inicio del confucianismo. Entre los s. IV-III a. C. se inicia una época feudal que perdurará hasta el s. XX. Un señor feudal, Che Huang-ti, unificó el imperio y se proclamó emperador. Edificó la Gran Muralla y fundó la dinastía T'sin. Con la dinastía Han (206 a. C.-220 d. C.), tuvo lugar la conquista del Turkestán y la invasión del Tonkín. La administración estatal creó la clase de los mandarines, pral. sostén del poder imperial. Entre 180 y 618, dividido el imperio, tuvo lugar la época conocida como de los Tres Reinos y las Seis Dinastías; el budismo se implantó en el pueblo. Una revuelta popular colocó en el poder a la dinastía T'ang (618-960), que devolvió al imperio su poderío cultural y económico. Fueron sucedidos por los Sung (960-1280). Su civilización, brillante y refinada, no pudo evitar el dominio mongol. Qubilay Jan, nieto de Gengis Jan, fundó la dinastía Yuan (1260-1368). Entre sus realizaciones destacan el correo mongol, el restablecimiento de las rutas imperiales y la construcción del Gran Canal. La eclosión de ciertos levantamientos populares colocaron en el poder a la dinastía Ming (1368-1644). En el s. XVII, los man-

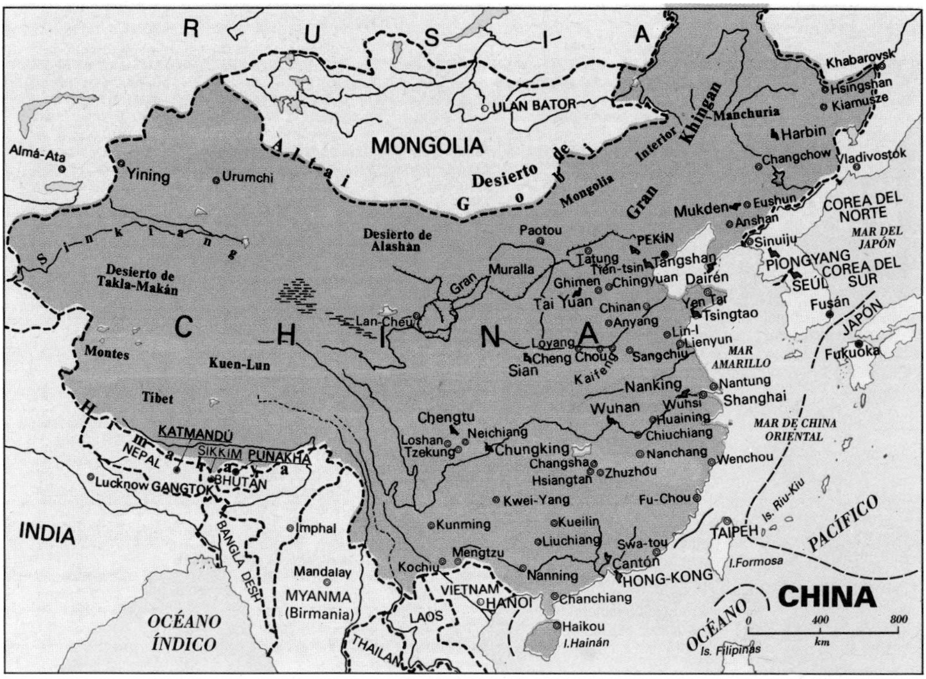

chúes invadieron Ch. y fundaron la dinastía Tsing, floreciente durante ciento cincuenta años. En 1841, Gran Bretaña se apoderó de Hong Kong, provocando la crisis imperial. El interés de Japón sobre Corea originó la guerra ch.-jap. en 1894; Ch. acabó derrotada al cabo de un año. Los intereses extranjeros dieron lugar a la guerra de los bóxers en 1900. Paralelamente las actividades del Kuomintang se extendieron por todo el país, y proclamaron, en 1912, la rep. nac., con Sun Yat-sen como presid. El terr. se dividió con la creación de la Rep. Sov. Ch., en 1931, con Mao Tse-tung como presid. La «larga marcha» confirmó la figura de Mao y el poderío comunista. Dos décadas de enfrentamientos con Chang Kai-shek concluyeron con la creación de la Rep. Popular Ch. en 1949, y la expulsión del gobierno nacionalista a Taiwán. La concepción ch. del socialismo provocó, en 1960, la ruptura con la URSS. En 1966, las luchas internas del P.C. Ch. se dirimieron mediante la «revolución cultural». La lucha por el poder a la muerte de Mao (1976) se saldó con la derrota de los «radicales». El nuevo equipo ha iniciado un progresivo a bandono de las tesis maoístas. En 1982, el XII congreso del P.C.Ch. dio un gran paso adelante en el proceso de reformas y modernización económicas, bajo la dirección de Teng Hsiao-ping. El XIII Congreso (1987), consolidó la reforma desde la cúpula del aparato. Para ello fueron eliminados aquellos que no habían conseguido controlar a los estudiantes y Zhao Zi-yang siguió al frente del partido, mientras Li Peng lo hacía al frente del gobierno y Teng Hsiao-ping continuaba siendo el verdadero artífice de la vía del «socialismo de mercado», manchada en la sangre de los independentistas tibetanos (1988) y de los estudiantes que, apoyados por la población civil, exigieron en la plaza de Tienanmen de Pekín (1989) la democratización del régimen. El XIV Congreso del PCCh (1992) aprobó y profundizó la vía del mercado, pero mantuvo el monolitismo político del régimen, que continuó dominado por Teng Hsiao-ping hasta su muerte en 1997. Fue éste quien promovió en 1993 el nombramiento de Chiang Tse-min (secretario general del PCCh desde 1989) como jefe del Estado. En julio de 1997 la antigua colonia británica de Hong Kong retornó definitivamente a China.

* *Arte.* El arte ch. más importante se plasmó con los distintos periodos dinásticos. Con la dinastía Shang empezaron las construcciones religiosas. El imperio T'sin vio la aparición de la laca y las primeras representaciones humanas. Durante la dinastía Han se dieron los primeros bordados. La época de las Seis Dinastías vio el florecimiento del arte budista. La época clásica coincidió con la dinastía T'ang y la extensión del budismo. Se descubrió la porcelana y la técnica del vidrio soplado. Durante los Yuan sobresalieron las alfombras y las sedas. La dinastía Ming se caracterizó por la construcción de la «ciudad prohibida». Porcelanas, bordados y pintura alcanzaron su máx. esplendor.

CHINA Nacionalista, *República de la* → Taiwan.

CHINACAf. *Méx.* Pobretería, gente desharrapada y miserable.

CHINACATE m. *Méx.* Gallo sin plumas. • *Méx.* Hombre del pueblo. • *Méx.* Murciélago.

CHINAMA f. *Guat.* Choza de cañas y ramas.

CHINAMECA Mun. de El Salvador, en el dpto. de San Miguel; 20 000 hab. Café, ganadería.

CHINAMITLA f. *Méx.* Choza de pajas y tejamaniles.

CHINAMPA f. Terreno de corta extensión en las lagunas vecinas a la Ciudad de México, donde se cultivan flores y verduras. En el ant. México, las ch. eran auténticos jardines flotantes que ocupaban todo el lago de Texcoco y constituían la base de la floreciente agr. de Tenochtitlán. ■ CHINAMPERO, RA.

CHINAMPEAR intr. *Méx.* Huir el gallo en la pelea.

CHINANA f. fam. *Méx.* Supositorio. • fam. *Méx.* Molestia.

CHINANDEGA Dpto. del NO de Nicaragua; 4 789 km², 330 500 hab. Los prales. accidentes de su relieve son la sierra de San Francisco y la cord. de Marabios. En su hidrografía destacan los ríos Negro y Chinandega-Taoya. El golfo de Fonseca y la península de Cosigüina son los accidentes costeros más sobresalientes, destacando además el puerto de Corinto. Clima tropical lluvioso; caña de azúcar, café, algodón y cacao. Cap.: Chinandega, C. prales.: Chichigalpa y Puerto Morazán. • C. de Nicaragua, cap. del dpto. hom.; 67 000 hab. Centro comercial agrícola (algodón, caña de azúcar, café).

CHINANDEGANO, NA adj. y s. De Chinandega.

CHINAPO m. *Méx.* Obsidiana.

China. Arriba, arrozales dispuestos en terrazas en la provincia de Yunnan; abajo, embarcación fluvial de vela característica

China. Palacio del Estado en Pekín

CHINA

Superficie 9 536 499

Población 1 155 790 000 hab.

Recursos económicos

Algodón	5 663 000	t
Arroz	187 450 000	t
Cacahuetes	6 060 000	t
Cebada	3 000 000	t
Maíz	93 350 000	t
Mijo	4 501 000	t
Patatas	35 533 000	t
Remolacha azucarera	16 237 000	t
Sésamo	500 000	t
Soja	9 807 000	t
Sorgo	5 615 000	t
Tabaco	3 121 000	t
Té	566 000	t
Trigo	95 003 000	t
Yute	680 000	t

Ganadería y derivados

Búfalos	21 635 000	cabezas
Cabaña bovina	81 407 000	cabezas
Cabaña caprina	97 378 000	cabezas
Cabaña ovina	112 820 000	cabezas
Cabaña porcina	363 975 000	cabezas
Camellos	463 000	cabezas

Riqueza forestal 277 015 000 m^3

Pesca 12 095 363 t

Producción minera

Amianto	192 000	t
Antimonio	15 000	t
Bauxita	3 000 000	t
Carbón	1 080 000 000	t
Cinc	710 000	t
Cobre	350 000	t
Estaño	33 700	t
Fosfatos	21 552 000	t
Gas natural	16 320 000 000	m^3
Hierro	86 080 000	t
Manganeso	640 000	t
Mangnesita	2 000 000	t
Mercurio	1 000	t
Petróleo	142 716 000	t
Plata	180	t
Plomo	319 700	t
Sal	28 130 000	t
Tungsteno	11 000	t
Vanadio	4 500	t

Producción industrial

Acero	70 570 000	t
Azúcar	78 360 000	t
Cemento	304 000 000	t
Bicicletas	36 270 000	unidades
Energía eléctrica	618 000	millones kwh
Hierro colado	58 200 000	t
Neumáticos	32 091 000	unidades
Tejidos de algodón	22 556	millones de m^2

Indicadores sociológicos

PNB	424 012	millones de dólares
Renta per cápita	370	dólares
Esperanza de vida	69	años
Alfabetismo	73	%

División administrativa de **China**

*Regiones, *regiones autónomas, prov., **municipios*	*Km²*	*Habitantes*	*Densidad*	*Capital*
Heilungkiang	453 300	35 214 873	78	Harbin
Kirin	187 400	24 658 721	131	Changchun
Liaoning	145 700	39 459 697	271	Shenyang
*Mongolia interior	1 200 000	21 456 798	18	Huhehot
Región del Nordeste	1 986 400	120 790 089	61	Shenyang
Hopei	187 700	61 082 439	325	Shinkiachuang
**Tientsin	11 305	8 785 402	777	Tientsin
**Pekín	16 808	10 819 407	644	Pekín
Shansi	156 000	28 759 014	184	Taiyüan
Región del Norte	371 813	109 446 262	294	Pekín
Shantung	153 300	84 392 827	550	Tsian
Kiangsu	100 000	67 056 519	670	Nankin
**Shanghai	6 186	13 341 896	2157	Shanghai
Anhwei	139 900	56 180 813	401	Hofei
Chekiang	100 000	41 445 930	414	Hangchou
Fukien	120 000	30 048 224	250	Fuchou
Región del Este	619 386	292 466 209	472	Shanghai
Hoang-Ho	167 000	85 509 535	512	Chengchou
Hupei	185 900	53 969 210	290	Wuhan
Hunan	210 000	60 659 754	289	Changsha
Kiangsi	166 600	37 710 281	226	Nanchang
Kuangtung	178 000	62 829 236	353	Cantón
*Kuangsi Chuang	230 000	42 245 765	184	Nanning
Región Centro Sur	1 171 500	349 481 263	298	Wuhan
Szechuan	570 000	107 218 173	188	Chengtu
Kueichou	176 300	32 391 066	184	Kuiyang
Yunnan	394 000	36 972 610	94	Kumming
*Tibet	1 200 000	2 196 010	2	Lhasa
Región del Sudoeste	2 340 300	178 777 859	76	Chungking
Shensi	205 600	32 882 403	160	Sian
Kansu	454 000	22 371 141	49	Lanchou
*Ningsia Hui	66 000	4 655 451	70	Yinchuan
Tsinghai	721 500	4 456 946	6	Sining
*Sinkiang Uigur	1 600 000	15 155 778	9	Urumchi
Región del Noroeste	3 047 100	79 521 719	26	Sian
CHINA	9 536 499	1 130 483 401[1]	118	Pekín

[1] Última estimación 1 155 790 000 hab.

CHINATA f. *Cuba*. Cantillo, juego.
CHINAUTLA Mun. de Guatemala, en el dpto. de Guatemala; 32 800 hab. Caña de azúcar, café, bambú, frutales, ind. del carbón.
CHINAZO m. aum. de china. • Golpe dado con una china, piedrecilla.
CHINCHA f. *Amér*. Chinche.
CHINCHA Pequeñas islas sit. frente a la costa de Perú, en el dpto. de Ica. Depósitos de guano. Completamente desérticas, frente a la bahía de Paracas.
CHINCHA Prov. del centro de Perú, en el dpto. de Ica; 116 000 hab. • **Alta** C. de Perú, cap. de la prov. hom.; 48 400 hab. Imp. centro comercial e industrial. Textil, algodón.
CHINCHAR tr. Molestar, fastidiar.
CHINCHARRAZO m. fam. Cintarazo.
CHINCHARRERO m. Sitio donde hay muchas chinches. • *Amér*. Barco pequeño de pesca.
CHINCHE f. *Zool*. Insecto hemíptero, de color rojo oscuro, cuerpo muy aplastado y cabeza inclinada hacia abajo. Es nocturno y taladra la piel humana con picaduras irritantes para chupar sangre. • Chincheta. • adj. y s. fig. y fam. Dícese de la persona molesta.
CHINCHEL m. *Chile*. Cantina.
CHINCHEMOLLE m. *Chile*. Insecto sin alas, que se distingue por su olor nauseabundo.
CHINCHERO m. Tejido de mimbres o listones de madera con varios agujerillos para recoger las chinches, y sacudirlas después.
CHINCHETA f. Clavito metálico de cabeza grande, que sirve para sujetar algo.
CHINCHIBÍ m. *Amér*. Bebida fermentada de jengibre.
CHINCHILLA f. *Zool*. Mamífero roedor, parecido a la ardilla, pero con pelaje gris, más claro por el vientre que por el lomo, muy apreciado en peletería. Vive en madrigueras subterráneas y es propio de Amér. Merid. • Piel de este animal.
CHINCHIMÉN m. *Chile*. Especie de nutria de mar.
CHINCHÍN m. *Chile*. Arbusto de hojas mellizas y flores en espigas de color amarillo.
CHINCHINEAR tr. *Amér. Centr*. Acariciar, mimar.
CHINCHINTOR m. *Hond*. Víbora muy venenosa.
CHINCHÓN, *Ana de Osorio,* CONDESA DE (1599-1655) Esposa del virrey de Perú [1628-1639], ***Luis Jerónimo,*** (1589-1647) CONDE DE CHINCHÓN. Introdujo en Europa el uso de la quina como febrífugo (1632).
CHINCHOLERO m. Escaramujo.
CHINCHONA f. Quinina.
CHINCHORRERÍA f. fig. y fam. Impertinencia, pesadez. • fig. y fam. Chisme, cuento. ■ CHINCHORRERO, RA.
CHINCHORRO m. Red a modo de barredera y semejante a la jábega, aunque menor. • Embarcación de remos, muy chica y la menor de a bordo. • Hamaca ligera tejida de cordeles. Es el lecho usual de los indígenas de Venezuela.
CHINCHOSO, SA adj. fig. y fam. Díc. de la persona molesta y pesada.
CHINCHOU (*Jinzhou*) C. de China, en el NE del país, prov. de Liaoning; 735 000 hab. Minas de carbón. Ind. textil y de material ferroviario.
CHINCHUDO, DA adj. *Argent*. Chinchoso.
CHINCHULINES m. pl. *Argent*. Tripas de vaca que se comen asadas.
CHINCOL m. *Amér. Merid*. Pajarillo común, de canto agradable.
CHINCOLITO m. *Chile*. Agua con aguardiente.
CHINCUAL m. *Méx*. Sarampión.
CHINCUALEAR intr. *Méx*. Ir siempre de juerga, armar alboroto. • Irritar la piel.
CHINCUALÓN m. *Méx*. Préstamo que se hace al obrero a cuenta de su paga semanal.
CHINDA com. Persona que vende despojos de reses.
CHINDASVINTO (563-653) Rey visigodo de España [642-653]. Promulgó leyes para lograr la igualdad entre hispanor romanos y godos.
CHINDWIN Río de Myanma (Birmania), pral. afl. del Irawadi, 900 km de long.
CHINÉ adj. Díc. de cierta clase de telas rameadas o de varios colores combinados.
CHINEAR tr. *Amér. Centr*. y *Bol*. Llevar en brazos o a cuestas.
CHINELA f. Calzado a modo de zapato, sin talón, de suela ligera. • Especie de chapín que usaban las mujeres sobre el calzado en tiempo de lodos.
CHINELAZO m. Golpe dado con una chinela.
CHINELÓN m. aum. de chinela. • *Ven*. Especie de zapato con orejas, sin botones, hebillas ni lazos, y más alto que la chinela.
CHINERO m. Armario en que se guardan piezas de porcelana, cristal, etc.
CHINGA f. *Amér*. Mofeta, mamífero. • *C. Rica*. Colilla. • *Hond*. Chunga. • *Ven*. Borrachera.
CHINGANA f. *Amér*. Taberna en que suele haber canto y baile.
CHINGAR tr. fam. Beber, embriagarse. • *C. Rica*. Cortar el rabo a un animal. • *Salv*. Importunar molestar. • intr. fam. Fornicar. • prnl. Embriagarse. • *Chile*. Fracasar alguna cosa.
CHINGASTE m. *Amér*. Poso, residuo.
CHINGO, GA adj. *Cuba*. Vulgarismo por pequeño, diminuto. • *C. Rica*. Díc. del animal rabón. • adj. y s. *Ven*. Chato.
CHINGOLO m. *R. de la Plata*. Chincol.
CHINGOYO m. *Perú*. Gén. de plantas compuestas.
CHINGUE m. *Chile*. Mofeta, mamífero.
CHINGUERO m. *C. Rica*. Garitero.
CHINGUIRITO m. *Cuba* y *Méx*. Aguardiente de caña de calidad inferior.
CHINJU C. del S de la República de Corea, a orillas del Namgang; 122 000 hab.
CHINO, NA adj. y s. De China. • *Amér*. Díc. del descendiente de india y zambo o de indio y zamba. • *Cuba*. Díc. del descendiente de negro y mulata o de mulato y negra. • m. *Ling*. Lengua hablada por los chinos. Comprende las variedades *Wen-li* o mandarín, *wu* y *min*. La lengua oficial de la República Popular de China se basa, sobre todo, en el mandarín. • *Amér. Merid*. Criado. • *Amér. Merid*. Hombre plebeyo. • *Amér. Merid*. Calificativo cariñoso. • *Chile*. Indio. • **Engañar** a uno **como a un chino.** exp. fam. que se usa hablando de persona muy crédula.
CHINO-JAPONESA, *guerra* Conflicto entre China y Japón (1894-1895) por el dominio de Corea. La rápida victoria japonesa se plasmó en el tratado de Shimonoseki, por el que China reconocía el protectorado japonés en Corea, cedía Formosa y parte de la pen. de Lioatung, y pagaba una fuerte indemnización, entre otras concesiones.
CHIP (voz ing.) m. *Comp*. Pequeña sección de material semiconductor, generalmente silicio, que forma el sustrato sobre el que se fabrican uno o varios circuitos integrados. Es capaz de memorizar datos o de gestionar información.
CHIPA f. *Amér. Merid*. Rodillo o cesto de paja para recoger frutas y legumbres. • *Col*. Rollo, materia enrollada.
CHIPÁ f. *R. de la Plata*. Torta de maíz o mandioca.
CHIPACO m. *Argent*. Torta de pan de acemita.
CHIPAO m. *Argent*. Entrañas de res asada.
CHIPE m. fam. *Chile*. Dinero. Se usa más en pl.
CHIPÉ f. Verdad, bondad. • **De ch.** loc. adj. fam. De órdago.
CHIPÉN f. Vida, bullicio. • **De ch.** loc. adj. fam. De chipé.
CHIPIAR tr. *Amér*. Fastidiar, molestar.
CHIPICHAPE m. fam. Zipizape. • Golpe.
CHIPICHIPI m. *Méx*. Llovizna.
CHÍPIL m. *Méx*. Hijo penúltimo.
CHIPILE m. *Méx*. Planta herbácea, vivaz, de hojas comestibles.
CHIPILO, LA adj. *Méx*. El niño menor de la familia. • m. *Bol*. Rodajas de plátano fritas que se llevan como provisión de viaje.
CHIPIÓN m. *Amér*. Reprimenda.
CHIPIRÓN m. Calamar que no ha llegado al estado adulto.
CHIPOJO m. *Cuba*. Camaleón, especie de lagarto.
CHIPOLO m. *Col., Ecuad*. y *Perú*. Juego de naipes.
CHIPOTAZO m. *Amér. Centr*. Chipote.
CHIPOTE m. *Amér. Centr*. Manotada. ■ *Amér. Centr*. CHIPOTEAR.

China. Soldados de terracota en la tumba del primer emperador de la dinastía T'sun (210 a. C.)

Chinche común

Chinchilla

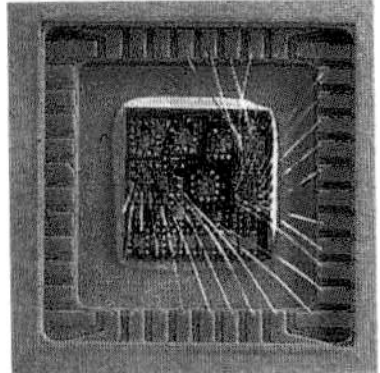
Chip

CHIPPENDALE, ***Thomas*** (1718-1779) Ebanista ing., creador del estilo que lleva su nombre y en el que se mezclan diversas formas decorativas.

CHIPRE (*Kypriake Demokratia-Kibris Cumhuriyeti*) Isla del Mediterráneo oriental que forma el Estado hom. Los montes Olimpo y Pentadáctylos la atraviesan en dirección E-O, separados por la llanura central de Messaria. Ríos: Pedieos e Ialias. Clima mediterráneo. Agricultura: trigo, vid, olivo. Cobre, amianto, piritas de hierro. Tabaco. Ind. textil, cemento. República. Grupos étnicos o nacionales: griegos (75 %), turcos (23 %) y otros. Lenguas: griego y turco (of.) *Rel.*: ortodoxa, musulmana y católica. U.M: libra esterlina de Ch. Cap., Nicosia. C. prales: Limassol, Famagusta, Larnaca.

* *Hist.* Entre 1600 y 1000 a.C. se desarrolló el comercio y se introdujo la civ. micénica. Formó parte del imperio de Alejandro Magno y del imperio romano. En 1191 fue conquistada por Inglaterra, y la familia Lusignan la gobernó hasta 1475, pasando luego a los turcos hasta 1878, fecha en que pasó a los brit. Terminada la II Guerra Mundial surgieron los conflictos entre nacionalistas gr. y turcos. Makarios propuso la *enosis*. En 1959 se declaró la indep. En 1974 el presid. Makarios fue derrocado. Turquía invadió el tercio septentrional y, en 1975, proclamó unilateralmente el «Estado turcochipriota». En 1976 la pob. turca eligió a Rauf Denktash, presidente del sector. En la zona gr., Kiprianu sucedió a Makarios, desde 1977 hasta 1988, en que fue elegido nuevo presid. Georgios Vasiliu, independiente en las listas del Partido Comunista Chipriota. En 1993 fue elegido presid. el conservador Glafcos Clerides, que se propuso la unificación de la isla.

Silla de estilo **chippendale**

CHIPRIOTA adj. y s. De Chipre.

CHIPUSTE m. *Guat.* Bulto que nace en el cuerpo. • *Guat.* Persona regordeta.

CHIQUEADORES m. pl. Rodajas de carey que se usaban en México como adorno. • *Méx.* Rodajas de papel que, untadas de sebo u otra sustancia, se pegan en las sienes para los dolores de cabeza.

CHIQUEAR tr. *Amér. Centr.* Contonearse al andar. • *Cuba* y *Méx.* Mimar, acariciar con exceso, especialmente de palabra o por escrito. ■ CHIQUEO.

CHIQUERO m. Pocilga. • Toril.

CHIQUICHAQUE m. El que tenía por oficio aserrar piezas gruesas de madera. • Ruido que se hace con las quijadas cuando se masca.

CHIQUIGÜITE m. *Guat.* y *Méx.* Cesto o canasta de mimbres, bejuco o carrizo, sin asas.

CHIQUILÍN, NA adj. dim. de chico. • m. y f. Niño o niña pequeños.

CHIQUILLO, LLA adj. y s. Chico, niño, muchacho. ■ CHIQUILLADA; CHIQUILLERÍA.

CHIQUIMULA Dpto. del E de Guatemala; 2 376 km², 230 767 hab. Los ríos San José y Jocotán configuran junto con el Lempa, Olope y Shutaque valles con abundantes recursos. Clima cálido y lluvioso. Agricultura: tabaco, café, caña de azúcar. Minería: plata, plomo, hierro, cobre. Cap., la c. hom. C. pral.: Esquipulas, con su famosa basílica, cap. de la fe centroamericana. • C. de Guatemala, cap. del dpto. hom.; 62 300 hab. Centro agrícola y minero. Ind. de la construcción.

Chipre. Arriba, mapa de situación y bandera; a la derecha, teatro romano de Salamina

CHIQUIMULILLA Mun. de Guatemala, en el dpto. de Santa Rosa; 29 100 hab. Ganadería.

CHIQUINQUIRÁ Mun. de Venezuela, en el est. Zulía; 42 600 hab. Petróleo. • C. de Colombia, en el dpto. de Boyacá; 44 900 hab. Centro de la fértil región agrícola y ganadera hom., en el valle del alto Suárez. Ganadería (caballos, cerdos, vacunos); yacimientos de hierro y esmeraldas. Aeropuerto.

CHIQUIRÍN m. *Guat.* Insecto semejante a la cigarra.

CHIQUIRRITÍN, NA o **CHIQUITÍN, NA** adj. y s. fam. Díc. del niño o niña que no ha salido de la infancia.

CHIQUISÁ m. *Amér.* Abejón.

CHIQUITO, TA adj. y s. dim. de chico. • Díc. de individuos de un pueblo amerindio que vive en el E de Bolivia (dpto. de Santa Cruz). • m. *Ling.* Lengua amerindia hablada por los chiquitos. • **Andarse** uno con **chiquitas.** fam. Usar de contemplaciones para esquivar, ya una medida, ya una obligación. Úsase por lo común con negación.

CHIQUITURA f. *Argent.* Pequeñez.

CHIRA f. *C. Rica.* Espata del plátano. • *Col.* Jirón. • *Salv.* Llaga.

CHIRAC, ***Jacques*** (nacido 1932) Político fr. Respaldó a Giscard y fue su primer ministro de 1974 a 1976. Alcalde de París desde 1977. Líder del PRP, fue elegido primer ministro en 1986. Tras las elecciones de 1988 fue sustituido por M. Rocard. Elegido presid. de Francia en 1995.

CHIRAJO m. *Amér.* Trastos.

CHIRAPA f. *Bol.* Andrajo. • *Perú.* Lluvia con sol.

CHIRCA f. *Amér. Centr.* y *Merid.* Árbol de la familia de las euforbiáceas, de madera dura, hoja áspera, flores amarillas y fruto en cápsula.

CHIRCAL m. Terreno poblado de chircas. • *Col.* Tejar.

CHIRCALEÑO m. *Col.* Tejero, adobero.

CHIRCATE m. *Col.* Saya de tela tosca.

CHIRIBICO m. *Col.* Arácnido de olor desagradable y cuya picadura produce fiebre. • *Cuba.* Pez pequeño, de figura elíptica y color morado.

CHIRIBITA f. Chispa, partícula pequeña y encendida. Se usa más en pl. • *Zool.* Pez acantopterigio, de los mares de las Antillas. • pl. fam. Partículas que, vagando en el interior de los ojos, ofuscan la vista. • Margarita, planta herbácea. • **Echar ch.** fig. y fam. Estar furioso. • **Hacer ch.** los ojos. fig. y fam. Ver, durante un tiempo corto, chispas móviles delante de los ojos.

CHIRIBITAL m. *Col.* Erial.

CHIRIBITIL m. Desván, rincón bajo y estrecho. • fam. Pieza o cuarto muy pequeño.

CHIRICANO, NA adj. y s. De Chiriquí.

CHIRICATANA f. *Ecuad.* Poncho de tela basta.

CHIRICAYA f. *Hond.* Dulce de leche y huevos.

CHIRICO, ***Giorgio de*** (1888-1978) Pint. it. creador de la «pintura metafísica» consistente en objetos entremezclados (columnas, chimeneas, maniquíes, estatuas), creando un universo inquietante.

CHIRICOTE m. *Argent.* y *Par.* Ave ralliforme que vive a orillas de lagunas.

CHIRIGOTA f. fam. Cuchufleta. ■ CHIRIGOTERO.

CHIPRE

Superficie 9 251 km²

Población 860 000 hab. (93 hab./km²)

Recursos económicos	
Cebada	132 000 t
Vino	650 000 hl
Patatas	220 000 t
Agrios	312 000 t
Cabaña ovina	225 000 cabezas
Cobre	12 000 t
Cemento	1 053 000 t

Indicadores sociológicos	
PNB	8 616 millones de dólares
Renta per cápita	13 420 dólares
Alfabetismo	95,5 %

CHIRIGUANO, NA adj. y s. Díc. de individuos de un pueblo que habita en los Andes bol. y a orillas del Pilcomayo. A principios de siglo sobrevivían unos veinte mil individuos.
CHIRIGUARE m. *Ven.* Ave de rapiña muy voraz.
CHIRIGÜE m. *Chile.* Avecilla común de alas negras, garganta, pecho y abdomen amarillos y el pico y las patas brunos.
CHIRILAGUA Mun. de El Salvador, en el dpto. de San Miguel; 21 100 hab. Ganadería.
CHIRIMBAINA f. Tarambana.
CHIRIMBOLO m. fam. Utensilio, vasija o cosa análoga. Se usa más en pl.
CHIRIMÍA f. Instrumento musical de viento. • m. Músico que lo toca. • fig. y fam. *Guat.* Persona que habla mucho y con voz desagradable.
CHIRIMOYA f. Fruto del chirimoyo. Es una baya verdosa por fuera, blanca por dentro, de sabor muy agradable.
CHIRIMOYO m. Árbol de la familia de las anonáceas, originario de la América Central. Su fruto es la chirimoya.
CHIRINADA f. *Argent.* Fracaso.
CHIRINGO m. *Hond.* Harapo. • *Méx.* Fragmento menudo de una cosa. • *P. Rico.* Caballo pequeño, de inferior calidad.
CHIRINGUITO m. Establecimiento, gralte. en forma de quiosco, en que se sirven bebidas y comidas simples.
CHIRINOLA f. Reyerta, pendencia, discusión. • Juego de muchachos que se parece al de los bolos. • fig. Cosa de poca monta o poca importancia. • Charla larga y animada.
CHIRIPA f. En el juego de billar, suerte favorable que se gana por casualidad. • fig. y fam. Casualidad favorable. ■ CHIRIPEAR; CHIRIPERO, RA.
CHIRIPÁ m. *Argent.* y *Chile.* Prenda semejante al chamal que usaban los gauchos. • *Argent.* Pañal que se pone a los niños.
CHIRIPAZO m. *Amér.* Chiripa.
CHIRIQUÍ, ***Golfo de*** Amplio entrante en la costa pan., en el litoral del Pacífico con pequeñas islas: Sevilla, Parida, Boca. • ***Laguna de Ch.*** Bahía del NO de Panamá, comunicada con el Caribe. En su boca, las islas de Popa y Cayo Agua. • ***Volcán de Ch.*** Máx. elevación de Panamá, sit. en la prov. de Chiriquí; 3 478 m. • Prov. del SO de Panamá; 8 653,3 km^2, 428 371 hab. En su relieve destacan las sierras Santa Clara y Tabasará de la cord. Central, y el volcán Chiriquí. El resto del terr. es llano. Ríos: David, Chiriquí, Fonseca, etc. En su costa destaca el golfo de Chiriquí con su puerto de Armuelles. Clima cálido y lluvioso. Plátanos, café, cacao. El 10 % de su pob. se concentra en su cap., David.
CHIRIVÍA f. *Bot.* Planta de la familia de las umbelíferas, de raíz fusiforme carnosa y comestible. • *Zool.* Aguzanieves, pájaro.
CHIRIVISCO m. *Guat.* Zarzal seco.
CHIRLA f. Molusco bivalvo, de menor tamaño que la almeja y que vive en fondos litorales fangosos.
CHIRLAR intr. fam. Hablar atropelladamente y metiendo ruido.
CHIRLATA f. Timba donde sólo se juega calderilla y plata menuda. • *Mar.* Trozo de maderaque completa otro corto o defectuoso.
CHIRLAZO m. Chirlo.
CHIRLE adj. fam. Insípido, insustancial. • m. Sirle, excremento del ganado.
CHIRLEAR intr. *Ecuad.* Cantar los pájaros al amanecer.
CHIRLO m. Herida prolongada en la cara. • Señal o cicatriz que deja después de curada.
CHIRLOMIRLO adj. Medio embriagado. • m. Cosa de poco alimento. • Estribillo de cierto juego infantil.
CHIRMOL m. *Guat.* Pisto de chile o pimiento, tomate, cebolla y otros condimentos.
CHIROLA f. *Argent.* Moneda boliviana o chilena. • *Chile.* Moneda pequeña, calderilla.
CHIRONA f. fam. Cárcel, prisión.
CHIROSO, SA adj. *Amér.* Astroso.
CHIROTA m. fam. *Hond.* Marimacho.
CHIROTE m. *Ecuad.* y *Perú.* Especie de pardillo, de canto dulce. • fig. *Perú.* Persona ruda o de cortos alcances. • fig. *C. Rica.* Grande, hermoso.
CHIROTEAR intr. Callejear.
CHIRRIADO, DA adj. *Col.* Gracioso, salado.
CHIRRIAR intr. Dar sonido agudo una sustancia al penetrarla un calor intenso. • Producir un sonido agudo y desagradable al ludir un objeto con otro. • Chillar los pájaros que no cantan con armonía. • fig. y fam. Cantar desentonadamente.
CHIRRIDO m. Voz o sonido agudo y desagradable de algunas aves u otros animales. • Cualquier otro sonido agudo y desagradable.
CHIRRINGO m. *Col.* Chiquitín.
CHIRRIÓN m. Carro fuerte de dos ruedas y eje móvil, que chirría mucho cuando anda. • *Amér.* Látigo o rebenque fuerte hecho de cuero.
CHIRRIQUITÍN, NA adj. fam. Chiquitín.
CHIRRIPÓ Río del NE de Costa Rica, límite entre las prov. de Heredia y Limón. 100 km de long. Nace en las laderas del volcán Irazú y afluye al Colorado. • ***Cerro*** Pico culminante de Costa Rica, en la cordillera de Talamanca; 3 819 m.
CHIRULA f. Flauta vasca.
CHIRULÍ m. *Ven.* Avecilla cuyo canto recuerda el sonido de su nombre.
CHIRUMEN m. fam. Caletre.
CHIRUSA o **CHIRUZA** f. *Amér.* Moza del pueblo, de poca instrucción.
CHIRVECHES, ***Armando*** (1881-1926) Escritor bol. *Lilí, Noche estival, Añoranzas.*
CHIS interj. para hacer callar o llamar a uno.
CHISA f. *Col.* Larva de un género de escarabajos.
CHISACÁ m. *Col.* Cierta especie de crisantemo.
CHISCARRA f. *Geol.* Roca caliza de tan poca coherencia que se divide fácilmente en fragmentos pequeños.

Jacques **Chirac**

Plaza de Italia, óleo de Giorgio de **Chirico.** Colección Bergamini, Milán (Italia)

CHISCO m. *Perú.* Ave similar al sinsonte.
CHISCÓN m. Tabuco, habitación pequeña.
CHISGARABÍS m. fam. Zascandil, mequetrefe.
CHISGO m. fam. *Méx.* Gracia, donaire.
CHISGUETE m. fam. Trago de vino que se bebe. • fam. Chorrillo de un líquido que sale violentamente. • *Amér.* Tubo de caucho.
CHISMAR intr. Chismear.
CHISME m. Noticia verdadera o falsa con que se pretende indisponer a unas personas con otras o se murmura de alguna. • fam. Baratija o trasto pequeño. ■ CHISMEAR; CHISMERÍA; CHISMERO; CHISMOSO.
CHISMOGRAFÍA f. fam. Ocupación de chismear. • fam. Relación de los chismes y cuentos que corren.
CHISMORREAR intr. fam. Chismear. ■ CHISMORREO.
CHISPA f. Partícula pequeña encendida que salta de la lumbre, del hierro herido por el pedernal, etc. • Luz viva, destello. • Diamante muy pequeño. • Gota de lluvia menuda. • Partícula pequeña de cualquier cosa. • fig. Viveza de ingenio. • fam. Borrachera. • **eléctrica.** *Fís.* Descarga brusca y luminosa entre dos cuerpos de diferente potencial separados por un medio mal conductor. • **Echar** uno **chispas.** fig. y fam. Dar muestras de enojo y furor.
CHISPARSE prnl. Emborracharse.
CHISPAZO m. Acción de saltar la chispa de fuego o la eléctrica. • Daño que hace. • fig. Suceso aislado y de poca entidad que, como señal precede o sigue a otros de más importancia. Se usa más en pl. • fig. y fam. Cuento o chisme que uno lleva a otro.
CHISPEADO m. *Metal.* Procedimiento para perforar metales mediante un chorro de chispas eléctricas.

Chirimoyas

Chandan Pura, antigua mezquita de madera, en **Chittagong**

CHISPEANTE p. a. de chispear. • adj. Que chispea. • fig. Díc. del escrito o discurso en que abundan los destellos de ingenio y agudeza.
CHISPEAR intr. Echar chispas. • Relucir o brillar mucho. • Llover muy poco, cayendo sólo algunas gotas pequeñas.
CHISPERO m. Chapucero, herrero de trébedes y otras cosas menudas.
CHISPO, PA adj. fam. Achispado, bebido. • m. fam. Chisguete, trago de vino.
CHISPOLETO, TA adj. Listo, vivaracho.
CHISPORROTEAR intr. fam. Despedir chispas reiteradamente. ■ CHISPORROTEO.
CHISPOSO, SA adj. Díc. de la materia combustible que arroja muchas chispas cuando se quema.
CHISQUERO m. Esquero, bolsa. • Encendedor de bolsillo.
CHIST interj. Chis.
CHISTAR intr. Prorrumpir en alguna voz o hacer ademán de hablar. Se usa más en negación.
CHISTE m. Dicho agudo y gracioso. • Frase, dibujo, etc., de carácter cómico. • Burla o chanza. ■ CHISTOSO.
CHISTERA f. Cestilla que llevan los pescadores para echar los peces. • Cesta de los pelotaris. • fig. y fam. Sombrero de copa alta.
CHISTU m. Instrumento musical vasco de sonido parecido a una flauta aguda. ■ CHISTULARI.
CHITA f. Astrágalo, hueso del pie. • Juego que consiste en poner derecha una chita o taba en sitio determinado, y tirar a ella con tejos o piedras. • *Méx.* Redecilla. • **A la chita callando.** m. adv. fam. A la chiticallando.
CHITÁ C. de la rep. de Rusia, cap., de la región; al E del lago Baikal; 336 000 hab. Ind. del cuero y metalúrgica.
CHITAR intr. Chistar.
CHITE m. *Col.* Arbusto del cual se obtiene carboncillo para dibujar.
CHITICALLA com. fam. Persona que calla y no descubre ni revela lo que ve. • Cosa o suceso que se procura tener callado.
CHITICALLANDO adv. modo. fam. Con mucho silencio, sin meter ruido. • fig. y fam. Sin escándalo ni ruido, para dar en el hito o conseguir lo que se desea. • **A la ch.** m. adv. fam. Sin meter ruido.
CHITO m. Pieza de madera o de otra cosa, sobre la que se pone el dinero en el juego de la chita. • Chita, juego.
CHITO o **CHITÓN** interj. para imponer silencio.
CHITRÉ C. de Panamá, cap. de la prov. de Herrera; 38 579 hab. (en el distr.). Centro agropecuario.
CHITTAGONG C. de Bangla Desh, primer puerto del país; 1 388 500 hab. Centro industrial y comercial. Universidad.
CHIVA f. *Amér. Centr.* Manta, colcha. • *Ven.* Red para llevar legumbres y verduras. • *Amér.* Perilla, barba.
CHIVAR tr. y prnl. *Amér.* Fastidiar, molestar, engañar. • prnl. fam. Irse de la lengua; decir algo que perjudica a otro. • *Argent., Cuba, Guat., Ur.* y *Ven.* Enojarse.
CHIVARRAS f. pl. *Méx.* Calzones de cuero peludo de chivo.
CHIVATO, TA m. y f. fam. Soplón. • m. Chivo mayor de seis meses y menor de un año. ■ CHIVATAZO.
CHIVAZO m. *Méx.* Golpe, porrazo.
CHIVICOYO m. *Méx.* Ave galliforme de carne estimada.
CHIVILCOY Partido de Argentina, en la prov. de Buenos Aires; 54 400 hab. Centro comercial. Export. de carne congelada. Curtidos, alimentarias, corcho y metalúrgicas.
CHIVILLO m. *Perú.* Especie de estornino, de color negro con visos de azul.
CHIVO, VA m. y f. Cría de la cabra, desde que no mama hasta que llega a la edad de procrear. • *Amér.* Perilla, barba. • *Amér. centr.* Manta o colcha. • *Ven.* Red para llevar legumbres y verduras. • m. Poza o estanque donde se recogen las heces del aceite.
CHIXOY Río de Guatemala; 400 km. Nace en la sierra Madre y corre por la sierra de los Cuchumatanes. También se le conoce por el nombre de Negro.

Chocha

CHIZA f. *Col.* Cierto gusano que ataca la patata.
CHLADNI, *Erns* (1756-1827) Físico al. Contribuyó decisivamente a la fundación de la acústica moderna, realizando mediciones de la propagación del sonido en medios sólidos y gaseosos.
CHOAPA Prov. del N de Chile, en la región de Coquimbo; 77 393 hab. Cap., Illapel.
CHOCA f. *Cet.* Cebadura que se daba al azor, dejándole pasar la noche con la perdiz que voló.
CHOCANO, *José Santos* (1875-1934) Poeta y político per. Ministro de Pancho Villa en México. Por su uso del lenguaje parnasiano se le incluye en el grupo de Rubén Darío. *Alma América, Fiat lux, La epopeya del Morro.*
CHOCANTE p. a. de chocar. • adj. Que choca. • Gracioso, chocarrero. • *Méx.* Fastidioso, empalagoso.
CHOCANTERÍA f. *Amér.* Grosería, extravagancia, impertinencia.
CHOCAR intr. Encontrarse violentamente una cosa con otra. • fig. Pelear, combatir. • fig. Provocar, enojar a uno por genio o por costumbre. • fig. Causar extrañeza o enfado. • Gustar, agradar. • **Chocarla.** fam. Darse la mano dos personas.
CHOCARRERÍA f. Chiste grosero. ■ CHOCARREAR; CHOCARRERO, RA.
CHOCHA f. Ave caradriforme, común en el S de Europa durante el invierno, de pico largo, recto y delgado y plumaje de color gris rojizo con manchas negras. • **de mar.** Centrisco.
CHOCHAPERDIZ f. Chocha.
CHOCHAR intr. *Amér.* Chochear.
CHOCHEAR intr. Tener debilitadas las facultades mentales por efecto de la edad. • fig. y fam. Extremar el cariño y afición a personas o cosas, al punto de conducirse como quien chochea.
CHOCHERA f. Chochez.
CHOCHITO m. Planta enredadera de Venezuela.
CHOCHO, CHA adj. Que chochea. • fig. y fam. Lelo de puro cariño. • m. Altramuz, fruto de él. • Canelón, confite de canela. • fig. y fam. Vulva. • pl. Golosina que se da a los niños. ■ CHOCHEZ.
CHOCHOCOL m. *Méx.* Tinaja.
CHOCLAR intr. En el juego de la argolla, introducir de golpe la bola por las barras.
CHOCLO m. Chanclo de madera. • *Amér. Merid.* Mazorca tierna de maíz. • *Amér. Merid.* Humita.
CHOCLÓN, NA adj. Entremetido. • Desaliñado, mal vestido.
CHOCO, CA adj. *Bol.* Color rojo oscuro. • *Col.* Se aplica a la persona de tez muy morena. • *Chile.* Rufo, de pelo ensortijado. • *Chile.* Rabón. • *Chile.* Díc. del que le falta una pierna o una oreja. • *Guat.* y *Hond.* Tuerto. • m. *Bol.* Sombrero de copa. • *Chile.* Tueco, tocón. • *Perú.* Caparro, mono. • Jibia pequeña. • *Amér. Merid.* Perro ordinario.
CHOCÓ adj. y s. Díc. de individuos pertenecientes a un pueblo amerindio de la familia lingüística caribe, cuyos escasos supervivientes viven en la parte N del dpto. colombiano de Chocó.
CHOCÓ Dpto. del NO de Colombia; 46 530 km^2, 406 199 hab. Subsisten grupos indígenas: cunas, chocoes. Relieve llano (valles de Atrato y San Juan) y accidentado por la serranía de Baudó, que se extiende a lo largo de la costa (500 km) y las estribaciones de la cord. Occidental andina, al E, y la serranía de Darién, en el límite con Panamá. Ríos: caudalosos y navegables: Atrato (anchura máx. 600 m), San Juan y Baudó. Clima ecuatorial con abundantes precipitaciones. Azúcar, coco, cacao, bananas. Explotación forestal. Oro, plata, platino. C. prales.: la cap., Quibdó; Baudó.
CHOCOLATE m. *Ind.* Pasta hecha con cacao y azúcar molidos, a la que gralte. se añade canela o vainilla. • Bebida hecha con esta pasta desleída y cocida en agua o en leche. ■ CHOCOLATERA; CHOCOLATERÍA; CHOCOLATERO, RA, CHOCOLATÍN.
CHÓCOLO m. *Col.* Choclo. • *Col.* Hoyuelo, juego de muchachos.
CHOCOLÓN m. *C. Rica* y *Salv.* Chócolo.
CHOCOPE Mun. de Perú, en la prov. de Trujillo, dpto. de La Libertad; 29 300 hab. Caña de azúcar, vacas.
CHOCOYO m. *Guat.* Herreruelo, pájaro. • *Hond.* Chócolo, hoyuelo.
CHÓFER o **CHOFER** m. Conductor de automóvil.

CHOFETA f. Calientapiés.
CHOISEUL, *Étienne-François*, DUQUE DE (1719-1785) Político fr., ministro de Luis XV. Dirigió la política fr. de 1758 a 1770. Favoreció a los enciclopedistas y expulsó de Francia a los jesuitas. Fue desterrado en 1770.
CHOL adj. y s. Díc. del individuo de un pueblo amerindio de la familia lingüística maya. Restos culturales se hallan esparcidos por las zonas fronterizas de México y Guatemala.
CHOLA f. fam. Cholla.
CHOLCO, CA adj. *Guat.* y *Salv.* Mellado.
CHOLLA f. fam. Cabeza, parte del cuerpo, y también entendimiento.
CHOLLO m. fam. Ganga, bicoca.
CHOLO, LA adj. y s. *Amér.* Díc., especialmente en el ámbito andino, del indígena aculturado y del mestizo.
CHOLOMA Mun. de Honduras en el dpto. de Cortés; 21 800 hab. Centro comercial. Bananas.
CHOLÓN adj. y s. Díc. de individuos de un pueblo amerindio, de la fam. ling. chibcha, que habita en el Perú centrooriental.
CHOLOQUE m. *Amér.* Árbol que da unas bolas de color oscuro, que se emplean como jabón. • Fruto de este árbol.
CHOLULA DE RIVADABIA C. de México en el est. de Puebla; 32 200 hab. Centro agrícola, ganadero y comercial. Ch. se remonta al s. IV a. C. Del s. III d. C. data la estructura de la célebre pirámide. Cerámica precolombina. Hernán Cortés la arrasó en 1519.
CHOLUTECA Dpto. del S de Honduras, en la costa del Pacífico; 4 360 km²; 394 958 hab. Llano en el sector costero, y accidentado en el interior por la cordillera Centroamericana. Ríos: Choluteca, con sus afluentes Nacaome y Guasaulte. Clima cálido. Maíz y arroz. Riqueza forestal. Ganadería vacuna. Minas de oro y plata. Prales. pob.: la cap., Choluteca; Pespire y San Marcos de Colón. • C. de Honduras, cap. del dpto.hom.; 54 481 hab. Vainilla, café, añil y maderas tintóreas. Jabones, calzados y muebles.
CHOMÓN, *Segundo de* (1871-1929) Operador de cine esp. Se le atribuye el descubrimiento del trucaje llamado «paso de manivela» o «imagen por imagen».
CHOMPA f. *Argent.*, *Chile* y *Perú*. Jersey.
CHOMSKY, *Noam* (nacido 1918) Lingüista norteam. Ha expuesto el principio del carácter formal de la gram. y propuesto un nuevo método de descripción ling.: el transformacionalismo.
CHONCHOL, *Jacques* (nacido 1916) Político chil. Se separó de la democracia cristiana y fue ministro de Agricultura del gobierno de Allende [1970-1973]. Se exilió en 1973.
CHONCHÓN, NA m. y f. *Chile*. Persona fea.
CHONGO m. *Méx.* Moño de pelo. • *Guat.* Rizo de pelo. • *Méx.* Chanza, broma. • *P. Rico* y *R. Dom.* Caballo vulgar.
CHONGUEARSE prnl. *Méx.* Chunguearse.
CHONO, NA adj. y s. Díc. de individuos de un pueblo amerindio extinguido que habitaba en el arch. de Chonos.
CHONOS Arch. del S de Chile. Se extiende entre las islas Guaitecas y la península de Taitao. 1 000 islas e islotes deshabitados. Densa vegetación de coníferas.
CHONTA f. *Amér. Centr.* y *Perú*. Árbol, variedad de la palma espinosa, cuya madera se emplea en bastones y otros objetos de adorno.
CHONTAL adj. y s. Díc. de individuos pertenecientes a un pueblo amerindio que en época precolombina se extendió por el S de Méx. hasta Nic. Actualmente existen unos veinte mil.
CHONTALEÑO adj. y s. De Chontales.
CHONTALES Dpto. de Nicaragua, a orillas del lago Nicaragua; 6 324 km², 129 600 hab. Relieve llano junto a las costas y accidentado al N (montañas de Huapi). Clima tropical. Ríos: Mico, Oyate y Tepenaguasapa. Caña de azúcar, tabaco, arroz y cítricos. Pral. fuente de riqueza: la forestal (maderas preciosas, caucho y plantas medicinales). Prales. núcleos: la cap. Juigalpa; Santo Domingo, La Libertad y Acoyapa.
CHONTARURO m. *Col.* y *Ecuad.* Especie de palma cuyo fruto es comestible.
CHOPA f. *Zool.* Pez marino del orden de los acantopterigios, de unos 20 cm de largo. • *Mar.* Cobertizo que se colocaba en la popa junto al asta de la bandera.
CHOPAL m o **CHOPALERA** f. Chopera.
CHOPAZO m. *Chile*. Golpe dado con el chope. • *Chile* y *Perú*. Puñetazo.
CHOPE m. *Chile*. Palo con un extremo plano para usos del campo. • *Chile*. Raño, garfio de hierro.
CHOPEAR intr. *Chile* y *Perú*. Dar de puñetazos. • *Chile*. Trabajar con el chope.
CHOPERA f. Sitio poblado de chopos.
CHOPÍ m. *Argent.* Nombre de una especie de tordo.
CHOPIN, *Frédéric* (1810-1849) Pianista y compositor pol. A los 7 años publicó su primera Polonesa. En 1831 se instaló en París, donde se relacionó con Balzac, Heine, Listz y G. Sand. De carácter sensible y ensimismado, a una gran simplicidad melódica une un gran refinamiento armónico. Mazurcas, polonesas, baladas, nocturnos, preludios, valses. Símbolo del nacionalismo pol., por la denuncia de la opresión a su pueblo.
CHOPO m. *Bot.* Nombre común de diversas especies del gén. *Populus*, familia salicáceas. Su denominación más frecuente es → álamo. La especie mediterránea más común tiene hojas verdes y aserradas, y su madera se usa para pasta de papel. • fam. Fusil.
CHOQUE m. Encuentro violento de una cosa con otra. • fig. Contienda, disputa o desazón con una o más personas. • Combate de breve duración o que involucra un número reducido de tropas. • *Med.* Depresión súbita de la vitalidad, debida a un traumatismo, una emoción brusca, etc., caracterizada por insuficiencia de la circulación periférica, descenso de la presión sanguínea, pulso rápido y débil, ansiedad y, a veces, inconsciencia. • **eléctrico.** Electrochoque. • **emocional.** Emoción intensa y súbita.
CHOQUEZUELA f. Rótula de la rodilla.
CHORAR tr. Vulgarismo por hurtar, robar.
CHORBO, BA m. y f. fam. Persona, especialmente si es joven.
CHORCHA f. Chocha. • *Guat.* Pájaro dentirrostro, semejante a la oropéndola. • *Hond.* y *Salv.* Cacique.
CHORDÓN m. Churdón.
CHOREAR intr. *Chile*. Refunfuñar.
CHOREO m. fam. *Chile*. Protesta, refunfuño.
CHORICERÍA f. Tienda de chorizos.
CHORICERO, RA m. y f. Persona que hace o vende chorizos. • Vulgarmente, ratero, ladronzuelo. • f. Máquina para hacer chorizos.
CHORIZO m. Pedazo corto de tripa lleno de carne, regularmente de puerco, picada y adobada. • Contrapeso, balancín de volatinero. • vulg. Ladronzuelo, y por ext., maleante.
CHORLA f. Ave, parecida a la ganga, pero de mayor tamaño.
CHORLITO m. *Zool.* Ave caradriforme de la familia carádridos, algo mayor que los chorlitejos. • fig. y fam. Cabeza de chorlito.
CHORLO m. *Miner.* Silicato natural de alúmina, de color azul celeste.
CHORO m. Vulgarmente, ratero, ladronzuelo. • *Chile*. Molusco comestible parecido al mejillón.
CHOROLQUE, *Nevado de* Volcán apagado de Bolivia, en la cordillera Central o Real (dpto. de Potosí); 5 603 m. Minas de estaño y bismuto.
CHOROTE m. *Col.* Chocolatera de loza sin vidriar. • *Cuba*. Toda bebida espesa. • *Ven.* Especie de chocolate con el cacao cocido en agua y endulzado con papelón.
CHOROTEGA adj. y s. Dícese de individuos de una tribu amerindia asentada en el litoral nicaragüense del Pacífico y originaria del N de México.
CHOROY m. *Chile*. Especie de papagayo.
CHORRA f. fam. Suerte, casualidad. • Vulgarmente, miembro viril. • com. Vulgarmente, estúpido, tonto.
CHORRADA f. Porción de líquido que se agrega después de dar la medida. • fam. Tontería, estupidez.
CHORREADO, DA adj. Díc. de la res vacuna que tiene el pelo con rayas verticales de color más oscuro que el de la capa. • *Amér.* Sucio, manchado. • f. Pequeña cantidad de líquido que se vierte a chorro.

Muchacha **chocó**

Duque de **Choiseul**

Catedral de las Siete Naves, en **Cholula de Rivadabia**

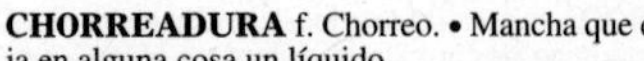

Frédéric **Chopin,** retrato de E. Delacroix

CHORREADURA f. Chorreo. • Mancha que deja en alguna cosa un líquido.

CHORREAR intr. Caer un líquido formando chorro. • Salir el líquido goteando. • tr. Soltar un objeto el líquido que contiene, o un ser vivo sus secreciones, humores. etc. • fig. y fam. Abroncar, reprender. • intr. fig. y fam. Díc. de algunas cosas que van viniendo poco a poco. ■ CHORREO.

CHORREÓN m. Chorreadura.

CHORRERA f. Lugar por donde cae una corta porción de algún líquido. • Señal que el agua deja por donde ha corrido. • Trecho corto de río en el que el agua, por causa de un gran declive, corre con mucha velocidad. • Adorno de encaje de las camisas masculinas.

CHORRETADA f. fam. Chorro de un líquido que sale improvisadamente. • Chorrada.

CHORRILLO m. fig. y fam. Acción continua de recibir o gastar una cosa.

CHORRILLOS C. de Perú, en el dpto. de Lima; 138 700 hab. Escuela militar. Playas turísticas.

CHORRO m. Porción de líquido o de gas, que sale por una parte estrecha con alguna fuerza. • P. ext., caída sucesiva de cosas iguales y menudas. • **de voz.** fig. Plenitud de la voz. • **A chorros.** m. adv. fig. Con abundancia.

CHORRÓN m. Cáñamo que se saca limpio al repasar las estopas de la primera rastrillada.

CHORTAL m. Lagunilla formada por un manantial poco abundante que brota en su fondo.

CHORZÓW C. de Polonia, en el voivodato de Katowice; 144 200 hab. Minería.

CHOTA m. y f. *Cuba* y *P. Rico*. Soplón, delator. • *P. Rico*. Inepto, pusilánime.

CHOTA Prov. de Perú en el dpto. de Cajamarca; 140 700 hab. Cap., la población hom. • Mun. de Perú; 36 200 hab. Maíz, cebada, alfalfa. Ganadería vacuna.

CHOTA ***Nagpur*** Región mesetaria de la India, en el est. de Bihar. Acero, aluminio y cobre. pral. c.: Ranchi.

CHOTACABRAS m. Cualquiera de las aves pertenecientes a la familia caprimúlgidos.

CHOTE m. *Cuba*. Chayote.

CHOTEARSE prnl. Burlarse de alguien. ■ CHOTEO.

CHOTIS m. Baile muy popular en España.

CHOTO, TA m. y f. Cría de la cabra mientras mama. • En algunas partes, ternero o ternera.

CHOTUNO, NA adj. Relativo al ganado cabrío que mama. • Díc. de los corderos flacos y enfermizos.

Chorlito

CHOU EN-LAI → Chu En-lai.

CHOUCROUTE (voz fr.) f. Plato a base de col fermentada, acompañada de productos de charcutería y legumbres.

CHOVA f. Especie de cuervo de plumaje negro y pico amarillo o rojizo. • Corneja.

CHOW-CHOW adj. y s. Díc. de una raza china de perros de abundante melena.

CHOZA f. Cabaña formada de estacas y cubierta de ramas o paja. • Casa tosca y pobre.

CHOZCHORITO m. Mamífero roedor que vive en Bolivia y Argentina.

CHOZNO, NA m. y f. Cuarto nieto, o sea hijo del tataranieto.

Perro de raza **chow-chow**

CHOZO m. Choza pequeña.

CHOZPAR intr. Saltar o brincar los corderos, cabritos y otros animales. ■ CHOZPO.

CHRÉTIEN, ***Henri-Jacques*** (1879-1956) Físico y astrónomo fr. Investigaciones de óptica. Invención del objetivo anafórmico «Hypergonar» utilizado en el cinemascope.

CHRISTCHURCH C. de Nueva Zelanda, en la Isla Sur, cap. de la prov. de Canterbury; 322 100 hab. Universidad. Materias plásticas, caucho.

CHRISTIAN I (1426-1481) Rey de Dinamarca [1448-1481], Noruega [1450-1481] y Suecia [1457-1471]. Fundador de la dinastía Oldenburg que reinó en Dinamarca hasta 1863. Obtuvo la corona de Noruega y logró ser reconocido como rey de Suecia al derrotar a Carlos VIII Knutsson. • **II** (1481-1559) Rey de Dinamarca y Noruega [1513-1523] y de Suecia [1520-1523]. Intentó restaurar la Unión de Kalmar. Se apoderó de la corona sueca y mandó ejecutar a los nobles que representaban la resistencia nacional. Este «baño de sangre» terminó con la Unión y favoreció la sublevación de Gustavo Vasa. Éste le venció en 1523. • **III** (1503-1559) Rey de Dinamarca y Noruega [1534-1559], hijo y sucesor de Federico I. Reconquistó Dinamarca y Noruega. Adoptó el luteranismo como religión oficial. • **IV** (1577-1648) Rey de Dinamarca y Noruega [1588-1648], hijo y sucesor de Federico II. En 1611 llevó a cabo una guerra con Suecia, que concluyó con la paz de Knärod. Intervino en la guerra de los Treinta Años, y fue vencido por Tilly en Lutter (1626). Perdió Jutlandia y tuvo que aceptar la paz de Lübeck (1629). Al aumentar los derechos de paso por el Sund, Suecia, con ayuda de los Países Bajos, le declaró la guerra, que terminó con el Tratado de Brömsebro (1645), que supuso el fin de la hegemonía danesa en el norte. • **V** (1646-1699) Rey de Dinamarca y Noruega [1670-1699]. Fue el primer rey hereditario de Dinamarca, e instaurador del absolutismo. • **VI** (1699-1746) Rey de Dinamarca y Noruega [1730-17 46], hijo de Federico IV. Aplicó el sistema mercantilista francés, lo que contribuyó al desarrollo económico de Dinamarca. • **VII** (1749-1808) Rey de Dinamarca y Noruega [1766-1808], hijo y sucesor de Federico V. Introdujo en el país el despotismo ilustrado. Mentalmente enfermo, en 1770 entregó la dirección del país al al. Struensee. • **VIII** (1786-1848) Rey de Dinamarca [1839-1848], sucesor de Federico VI. Fue proclamado rey de Noruega, pero tuvo que renunciar a esta corona. • **IX** (1818-1906) Rey de Dinamarca [1863-1906], sucesor de Federico VII. Pretendió la anexión de los ducados de Schleswig-Holstein, pero el duque Federico de Augustenborg se opuso, originándose la guerra de 1864, en la que Dinamarca perdió ambos ducados. En 1866 se aprobó una nueva constitución, a la que siguió un largo periodo de inestabilidad política. • **X** (1870-1947) Rey de Dinamarca [1912-1947], hijo y sucesor de Federico VIII. Se mantuvo neutral durante la I Guerra Mundial. En 1920, a consecuencia de un plebiscito, obtuvo de nuevo el Schleswig septentrional.

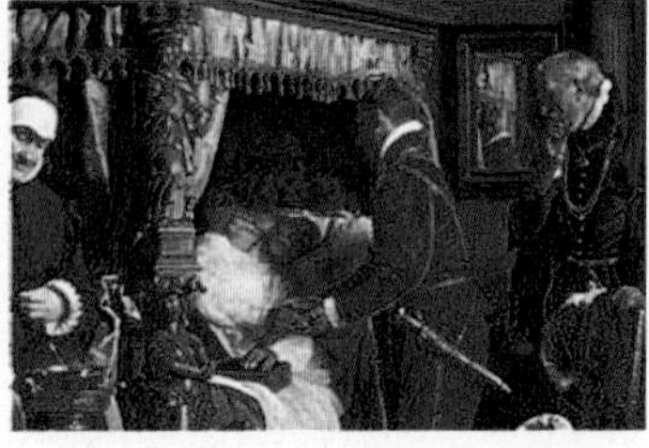

Muerte de ***Christian IV,*** óleo de P. Isaasz

Choza de Banpo, China

CHRISTIAN Science («ciencia cristiana») Comunidad religiosa mística que fundó Mary Baker Eddy en el año 1876. Propugna la curación mística de los males humanos.

CHRISTIE, ***Agatha*** (1891-1976) Novelista ing. célebre por sus relatos policiacos. Muchas de sus obras han sido adaptadas al cine y al teatro. *Los diez negritos, El misterio del tren azul, La ratonera, Cianuro espumoso, etc.* • ***Julie*** (nacida 1941) Actriz cinematográfica brit. *Darling, Fahrenheit 451, El doctor Zhivago, Petulia, El mensajero.*

CHRISTMAS (voz ing.) m. Tarjeta para felicitar las navidades.

CHRISTMAS Isla del Pacífico, en Polinesia Central, que pertenece a Kiribati. Es el mayor atolón del Pacífico; 500 hab. Exportación de copra. • Isla del océano Índico, al S de Java, que depende de Australia; 3 400 hab. Abundantes yacimientos de fosfatos.

CHRISTOFF, ***Boris*** (1914-1993) Cantante búlg. con voz de bajo. Interpretó *La bohème*, *Fausto* y *Boris Godunov*, en la que se especializó.

CHRISTOPHE, ***Henri*** (1767-1820) Dictador y rey de Haití. Se sublevó contra Francia. Fue proclamado presid. en 1807 y en 1811 se proclamó rey. En 1820 estalló una revuelta contra él y se suicidó.

CHRISTOFFEL, ***Elwin Bruno*** (1829-1900) Matemático al. Importantes contribuciones a la geom. diferencial. Introdujo la diferenciación covariante y los símb. que llevan su nombre.

CHROMA Key (voces ing. «clave cromática»)

Nombre que designa un aparato electrónico utilizado en el tratamiento de imágenes televisivas en color con superposición de dos imágenes tomadas por cámaras diferentes.
CHU Río de Kazakistán, en Asia Central; 1 000 km. Nace en Kirguisistán y finalmente se pierde en unos arenales al E de Kzil Orda.
CHU En-Lai (1898-1976) Político chino. En 1949, tras la proclamación de la Rep. Pop., fue nombrado primer ministro y ministro de Asuntos Exteriores. Participó en las conferencias d e Ginebra (1954) y Bandung (1955). En 1968 logró la admisión de Ch. en la ONU y la expulsión de Taiwan. • **Hsi** (1130-1200) Pensador chino neoconfucianista. Glosó a los clásicos chinos. • **Teh** (1886-1976) Político y militar chino. Organizó el ejército rojo y en 1949 fue nombrado comandante en jefe de los ejércitos.
CHUÁN m. Miembro de un mov. campesino fr. que, apoyado por la aristocracia, se rebeló contra la I República (1793).
CHUANG adj. y s. Díc. del individuo de un pueblo de estirpe thai, del SE de China. • *Ling*. Lengua de la familia chino-tibena.
CHUANG Tzu (360-286 a.C.) Pral. representante del taoísmo después de Lao-tse. También recibe el nombre de Chuang Chou.
CHUANG-Tsé (s. IV-III a.C.) Filósofo chino, uno de los prales. pensadores de la primera escuela del taoísmo.
CHUASCLE m. *Méx.* Engaño. • *Méx.* Trampa, artificio para cazar.
CHUBASCO m. Chaparrón o aguacero con mucho viento. • fig. Adversidad o contratiempo transitorios, pero que entorpecen o malogran algún designio. • *Mar.* Nubarrón oscuro y cargado de humedad, que suele presentarse repentinamente, empujado por un viento fuerte.
CHUBASQUERO m. Impermeable, sobretodo.
CHUBESQUI m. Recipiente cilíndrico de paredes dobles entre las que se pone agua caliente, y que se utiliza normalmente para calentar la cama.
CHUBUT Río del S de Argentina; 850 km^2. Nace en la prov. de Río Negro y desemboca en el Atlántico. • Prov. de Argentina en el sector central de Patagonia; 224 686 km^2, 356 587 hab. Relieve constituido por una meseta cuya altitud desciende hacia el Atlántico. El extremo occidental está accidentado por los Andes patagónicos. Lagos: General Vintter, Musters y Colhué Huapí. Ríos: Chubut y Chico-Senguerr. Clima seco. Cereales en secano y frutales y hortalizas en regadío. Ganadería lanar. Explotación forestal en la zona montañosa. Petróleo, gas natural. Prales. ciudades: la cap., Rawson, con puerto comercial, y Comodoro Rivadavia, en la costa.
CHUCA f. Uno de los cuatro lados de la taba, que tiene un hoyo o concavidad.
CHUCÁN, NA adj. *Guat* y *Hond.* Bufón, chocarrero.
CHUCANEAR intr. *Guat.* Bufonear, bromear.
CHUCAO m. *Chile.* Pájaro del tamaño del zorzal, de plumaje pardo, que habita en los bosques.
CHÚCARO, RA adj. *Amér.* Arisco, bravío. Díc. pralm. del ganado vacuno y del caballar y mular aún no desbravado.
CHUCERO m. Soldado armado de chuzo.
CHUCHA f. *Col.* Mamífero marsupial. • *Col.* Maraca, instrumento musical.
CHUCHADA f. *Guat.* Tacañería.
CHUCHAR tr. *Cuba.* Azuzar.
CHUCHAZO m. *Cuba* y *Ven.* Latigazo.
CHUCHEAR intr. Cuchichear. • Coger caza menor valiéndose de señuelos, lazos u otros aparejos.
CHUCHERÍA f. Cosa de poca importancia, pero pulida y delicada. • Alimento ligero y apetitoso. • Acción de chuchear para cazar perdices y pájaros.
CHUCHERO, RA adj. Que chuchea para cazar perdices y pájaros. • *Cuba.* Guardagujas.
CHUCHO, CHA m. y f. fam. Perro común. • m. *Chile.* Ave de rapiña, diurna y nocturna, de poco tamaño. • *Chile* y *R. de la Plata.* Calofrío. • *Chile* y *R. de la Plata.* Fiebre palúdica. • *Amér. Merid.* Pez pequeño, como el arenque, y de carne muy estimada. • *Cuba.* Aguja, pincho. • *Cuba.* Obispo, pez. • *Cuba* y *Ven.* Látigo.
CHUCHOCA f. *Amér. Merid.* Especie de frangollo o maíz cocido y seco, que se usa como condimento.
CHUCHUMECO m. Hombre ruin. • *Méx.* Chichimeco.
CHUCO, CA adj. *Amér. Centr.* Fermentado, podrido.
CHUCUA f. *Col.* Lodazal, pantano.
CHUCURU m. *Ecuad.* Animal parecido a la comadreja.
CHUCUTO, TA adj. *Ven.* Rabón.
CHUECA → f. Tocón. • Hueso redondeado o parte de él que encaja en el hueco de otro en una coyuntura; como la rótula en la rodilla. • Bolita pequeña con que los labradores suelen jugar el juego de la chueca. • Juego entre dos bandos, en que cada uno procura que la chueca, impelida con palos, no pase la raya que señala su término. • fig. y fam. Burla o chasco.
CHUECA, *Federico* (1846-1908) Compositor esp., autor de famosas zarzuelas: *La marcha de Cádiz, Agua, azucarillos y aguardiente, El año pasado, por agua, La Gran Vía.* • **Goitia, *Fernando*** (nacido 1911) Arquitecto e historiador del arte español. En 1958 fue nombrado director del museo de Arte Moderno y en 1966 miembro de la Academia de Historia. Es autor de *Invariantes castizos de la arquitectura española, La catedral de Valladolid, La catedral nueva de Salamanca, Historia de la arquitectura española.*
CHUECO, CA adj. *Amér. Merid.* Estevado, patituerto.
CHUELA f. *Chile.* Azuela, destral.
CHUÉN En la religión de los mayas, signo del undécimo día ritual.
CHUEQUEAR intr. *Amér.* Andar con los chuecos.
CHUETA (cat., *xueta*) com. Nombre que se da en las islas Baleares a los que se supone ser descendientes de judíos conversos.
CHUFA f. Cada uno de los tubérculos que, a modo de nudos de 1 cm de largo, tiene la planta ciperácea homónima. • Planta herbácea ciperácea, que vive silvestre en el N de África, península Ibérica y Mediterráneo oriental.
CHUFAR intr. y prnl. Hacer burla o escarnio de una cosa.
CHUFLA o **CHUFLETA** f. fam. Cuchufleta. ■ CHUFLETEAR.
CHUICO m. *Chile.* Damajuana.
CHUJRÁI, *Grigori* (nacido 1921) Director de cine soviético. *El cuarenta y uno, La balada del soldado.*
CHUKCHI m. Pueblo paleoasiático mongoloide, en el extremo NE de Siberia. Actualmente existen entre quince y veinte mil personas.
CHUKOTSK, *mar de* Sector del océano Glaciar Ártico, entre Siberia y la península de Alaska. Las profundidades son inferiores a los 50 metros.
CHULADA f. Chulería. • Dicho o hecho gracioso con cierta soltura y desenfado.
CHULALONGKORN, *Paramindr Maha* (1853-1910) Rey de Siam [1868-1910]. Practicó una po-

Christian II

Chu En-lai

Vista del lago Futalaufquén, en **Chubut**

lítica de amistad con Francia y Gran Bretaña. Abolió la esclavitud y reformó la administración, el ejército y la enseñanza. Cedió Battambang y Angkor a Francia y la soberanía de los estados malayos a Inglaterra.

CHULAPO, PA m. y f. Chulo, tipo madrileño.

CHULEAR tr. Administrar a una mujer pública. • tr. y prnl. Burlarse de alguien con gracia y chispa. • intr. y prnl. Pavonearse, presumir, especialmente de valiente.

CHULERÍA f. Cierto aire o gracia en las palabras o ademanes. • Dicho o hecho jactancioso. • Desfachatez, descaro. • Conjunto o reunión de chulos.

CHULETA f. Cada una de las costillas de buey, ternera, cordero o cerdo, destinadas al consumo. • fig. Pieza irregular que se añade a alguna obra de manos para rellenar un hueco. • fig. y fam. Bofetada. • fig. y fam. Papelito con apuntes que llevan los estudiantes a los exámenes para consultarlo con disimulo. • pl. fig. Patillas. • m. fam. Muchacho que actúa con chulería.

CHULLO, LLA adj. *Ecuad.* Díc. del objeto que, usándose en número par, se queda solo.

CHULO, LA adj. y s. Que hace y dice las cosas con chulería. • Persona de ciertos barrios populares de Madrid, que se distingue por su lenguaje y modales desenfadados. • m. El que ayuda en el matadero al encierro de las reses mayores. • El que en las fiestas de toros asiste a los lidiadores y les da garrochones, banderillas, etc. • Rufián. ■ CHULESCO.

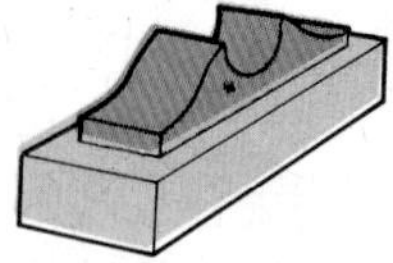

Chumacera

CHULUCANAS Mun. de Perú, cap. de la prov. de Morropón, dpto. de Piura; 72 000 hab. Arroz; ganadería bovina.

CHUMA f. *Argent.* Borrachera.

CHUMACERA f. Pieza de metal o madera, con un hueco en que descansa y gira cualquier eje de maquinaria. • *Mar.* Tablita que se pone sobre el borde de la lancha u otra embarcación de remo, y en cuyo medio está el tolete. Sirve para que no se gaste el borde con el continuo roce del remo. • *Mar.* Rebaje semicircular practicado en la falca de los botes, que sirve para que en él juegue el remo. Sustituye al tolete.

CHUMACERO, *Alí* (nacido 1918) Poeta méx. Integró el grupo de poetas vinculados por la revista *Tierra Nueva. Páramo de sueños, Palabras en reposo.* • **Y Carrillo, *Juan*** (1580-1660) Diplomático y jurista esp. De 1643 a 1648 desempeñó la presidencia del consejo de Castilla.

CHUMBAR tr. *Argent.* Azuzar. • *Bol.* Disparar con bala.

CHUMBE m. *Amér.* Ceñidor o faja.

CHUMBERA f. *Bot.* Nombre común de algunas especies del gén. *Opuntia,* familia cactáceas. La especie *O. vulgaris* presenta el tallo tendido y los cladodios ovalados, con espinas muy abundantes, cortas y uniformes. Es originaria de América oriental; se cultiva como seto y por sus frutos comestibles, llamados higos chumbos.

CHUMPIPE m. *Guat.* Pavo.

CHUN Doo-Hwan (nacido 1931) Militar y político surcoreano. Designado como jefe del estado, fue presidente de la Rep. de 1980 a 1988.

CHUNCHO m. Nombre dado por los incas a los pueblos que habitaban en las laderas orientales de los Andes. Actualmente se aplica este nombre a los indios amazónicos peruanos no asimilados. • *Perú.* Caléndula.

CHUNG Hee Park (1915-1979) Militar y político surcoreano, artífice del golpe militar que en 1961 le sirvió para subir a la presidencia del país, cargo desde el que llevó a cabo una política autoritaria y represiva. Murió asesinado.

CHUNGA f. fam. Burla, broma. ■ CHUNGARSE.

CHUNGKING *(Chongqing)* C. del SO de China, en la prov. de Szechuan; 2 779 400 hab. Navegación fluvial. Ind. química y textil.

CHUNGUEARSE prnl. fam. Chungarse. ■ CHUNGUEO.

CHUÑA f. Ave sudamericana del mismo orden que las grullas; en el arranque de su pico lleva una serie de plumas finas, dispuestas en abanico. • *Chile.* Arrebatiña.

CHUÑO m. *Amér.* Fécula de la patata y de otros tubérculos.

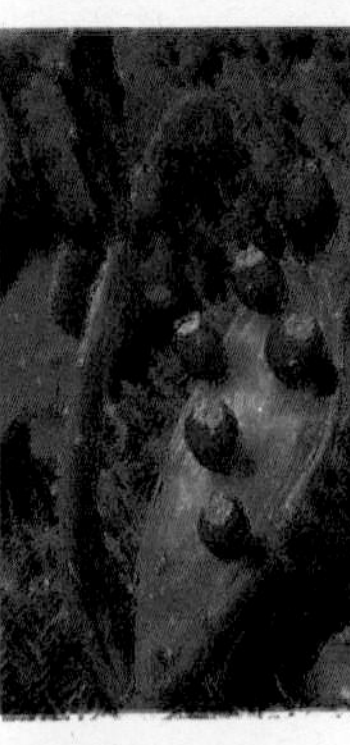

Chumbera con sus frutos

CHUPA f. Parte del vestido que cubría el cuerpo con una faldilla. En el traje mil. ant. se ponía debajo de la casaca. • Chaqueta, chaquetilla. • **Poner** a uno **de chupa de dómine.** fig. y fam. Ponerle como un trapo.

CHUPACIRIOS m. despect. Beato, hombre que frecuenta mucho los templos.

CHUPADERO, RA adj. Díc. de lo que chupa. • m. Chupete de los niños.

CHUPADO, DA adj. fam. Muy flaco, extenuado. • fig. y fam. Muy fácil.

CHUPADOR, RA adj. y s. Que chupa. • m. Chupete de los niños.

CHUPAFLOR m. *P. Rico* y *Ven.* Especie de colibrí.

CHUPALÁMPARAS com. Persona beata o santurrona.

Mina de cobre de **Chuquicamata**

CHUPALLA f. *Chile.* Planta bromeliácea que tiene las hojas en forma de roseta y fruto en cápsula. • *Chile.* Sombrero de paja tosco, hecho con tirillas de las hojas de esta planta.

CHUPAMIRTO m. *Méx.* Colibrí.

CHUPAR tr. e intr. Sacar o atraer con los labios el jugo o la sustancia de una cosa. • Absorber los vegetales el agua o la humedad. • fig. y fam. Absorber. • fig. y fam. Ir quitando a otro una cosa; aprovecharse de una situación en beneficio propio. • prnl. Irse enflaqueciendo o desmedrando. ■ CHUPADA; CHUPADURA.

CHUPATINTAS m. despect. Oficinista de poca categoría.

CHUPE m. *Chile* y *Perú.* Guisado muy común, hecho con patatas, carne o pescado, mariscos, queso, huevos, ají, tomate, etc.

CHUPETA f. *Mar.* Pequeña cámara que hay a popa en la cubierta pral. de algunos buques.

CHUPETE m. Pieza de goma elástica en forma de pezón que se pone en el biberón. • Objeto semejante, de goma o pasta, que se da a los niños para distraerlos o evitarles las molestias de la dentición.

CHUPETEAR tr. e intr. Chupar poco y con frecuencia. ■ CHUPETEO; CHUPETÓN.

CHUPÍCUARO Pob. mex. en el mun. de Jerécuaro (Guanajuato). Posee un yacimiento arqueológico que documenta la escultura preclásica de los tarascos. Se han hallado muestras de cerámica pintada con dibujos geométricos y figuras, y pequeñas culturas de arcilla representando hombres y animales.

CHUPILCA f. *Chile.* Harina desleída en zumo de sandía.

CHUPINAZO m. Disparo hecho con una especie de mortero en los fuegos artificiales, cuya carga son candelillas. • fam. *Dep.* En fútbol y otros deportes, disparo potente.

CHUPO m. *Amér.* Grano, divieso.

CHUPÓN, NA adj. fig. y fam. Que chupa. • adj. y s. Que saca dinero con astucia y engaño. • m. Vástago que brota en las ramas prales. en el tronco y aun en las raíces de los árboles, y les chupa la savia y amengua el fruto. • Cada una de las plumas con cañón no consolidado que suelen tener sangre cuando se arrancan al ave. • *Amér.* Biberón. • Émbolo de las bombas de desagüe.

CHUPÓPTERO, RA m. y f. fam. Persona que, sin trabajar, disfruta uno o más sueldos.
CHUQUICAMATA C. de Chile, en la prov. de El Loa, en la II Región de Antofagasta; 28 600 hab. Minas de cobre.
CHUQUIRAGUA f. *Amér.* Cierta planta que se cría en los Andes y se usa como febrífugo.
CHUQUISA f. *Chile* y *Perú.* Chusquisa.
CHUQUISACA Dpto. del S de Bolivia; 51 524 km^2, 453 756 hab, con predominio de pob. indígena. En su relieve se distingue el sector de montañas y valles de las estribaciones de los Andes y el inicio de la llanura del Chaco en el E. Variedad climática. Ríos: Pilcomayo y Grande. Caña de azúcar, tabaco y arroz; cereales, frutales y vid; patatas, cebada y pastos. Ganadería vacuna y porcina. Petróleo. C. prales.: la cap. Sucre, Azurduy y Padilla. • Ant. nombre de la c. boliviana de Sucre. • **Trato de Ch.** Convenio firmado en Ch. entre Perú y Bolivia, en 1826. En sus cláusulas se establecía la federación entre las dos naciones. El gobierno de Lima no ratificó los acuerdos.
CHUQUISAQUEÑO, ÑA adj. y s. De Chuquisaca.
CHURANA f. *Amér. Merid.* Aljaba que usan los indios.
CHURCH, *Alonzo* (nacido 1903) Lógico y matemático norteam. Precursor de la lógica combinatoria. Construyó el denominado «cálculo de conversión lambda». • ***Frederick Edwin*** (1826-1900) Pintor norteam. Pintó en Ecuador escenas andinas. *Andes of Ecuador; Cotopaxi; Chimborazo.*
CHURCHILL Río de Canadá; nace en el lago La Loche y desemboca en la bahía de Hudson; 1 600 km. • Río del Labrador, en el NE de Canadá; 956 km. Desemboca en el lago Melville.
CHURCHILL, LORD ***Randolph Henry Spencer*** (1849-1895) Político conservador brit. Diputado en 1874, fue designado canciller del Exchequer bajo el gabinete Salisbury. • SIR ***Winston Spencer*** (1874-1965) Político brit. Ministro de Comercio (1908), del Interior (1910), primer lord del Almirantazgo (1911). Nombrado primer ministro al estallar la II Guerra Mundial. Participó en las conferencias de Teherán, El Cairo y Yalta. Perdió las elecciones de 1945, pero ganó las de 1951. Premio Nobel de Literatura en 1953. *La crisis mundial, Historia de los pueblos de habla inglesa, Memorias.*
CHURCO m. *Chile.* Planta oxalídea gigantesca.
CHURDÓN m. Frambueso. • Frambuesa. • Jarabe o pasta de frambuesa y azúcar que, desleídos en agua, se usan como refrescos.
CHURLA f. o **CHURLO** m. Saco de tela de pita cubierto con uno de cuero para transportar canela u otras cosas sin que pierdan sus cualidades.
CHURO m. *Ecuad.* Rizo de pelo. • *Ecuad.* Caracol, molusco.
CHURRA f. Ortega, ave.
CHURRASCADO, DA adj. Quemado.
CHURRASCO m. *Amér. Merid.* Carne asada a la parrilla. ■ CHURRASQUEAR.
CHURRE m. fam. Pringue que escurre de una cosa grasa. • fig. y fam. Lo que se parece a ella.
CHURREAR intr. *Argent.* Tener diarrea.
CHURRETADA f. Churrete grande. • Cantidad de churretes.
CHURRETE m. Mancha que ensucia la cara, las manos u otra parte visible del cuerpo. ■ CHURRETOSO.
CHURRIA f. *Col.* Chiripa, bambarria. • *Méx.* Mancha alargada. • pl. Diarrea.
CHURRIANA f. Vulgarmente ramera.
CHURRIENTO, TA adj. Que tiene churre.
CHURRIGUERA o **XURIGUERA** Familia de tallistas, escultores y arquitectos esp. de los ss. XVII y XVIII. • ***José Benito*** (1665-1725), el más conocido, talló el retablo de la iglesia de San Esteban de Salamanca y planificó la construcción de la c. de Nuevo Baztán.
CHURRIGUERESCO, CA adj. fig. Charro, recargado, de mal gusto. • m. *Arq.* Estilo introducido en la arq. esp. por Churriguera. • *Arq.* El ch. se caracteriza por el predominio de la decoración en una arq. clasicista.
CHURRIGUERISMO m. Ornamentación recargada en las obras de arquitectura. • *Arq.* Estilo de Churriguera y sus seguidores, modalidad del barroco tardío español. ■ CHURRIGUERISTA.
CHURRO, RRA adj. y s. Díc. del carnero o de la oveja que tiene las patas y la cabeza cubiertas de pelo grueso, corto y rígido, y cuya lana es más basta y larga que la de la raza merina. • adj. Díc. de esta lana. • m. Fruta de sartén, de la misma masa que se emplea para los buñuelos y de forma cilíndrica estriada. • fam. Chapuza, cosa mal realizada. ■ CHURRERÍA; CHURRERO, RA.
CHURROSO, SA adj. *Amér.* Que tiene diarrea.
CHURRUCA y Elorza, *Cosme Damián* (1761-1805) Marino esp. En 1788 tomó parte en la expedición para explorar el estrecho de Magallanes. Durante este viaje escribió el *Apéndice al primer viaje de Magallanes.* Más tarde dirigió una expedición en cargada de realizar un atlas marítimo de América del Norte. Se incorporó a la escuadra hispanofrancesa de Gravina y Villeneuve al mando del navío *San Juan Nepomuceno.* Murió en la batalla de Trafalgar.
CHURRULLERO, RA adj. y s. Charlatán, hablador insulso.
CHURRUSCAR tr. y prnl. Dejar que se queme una cosa; como el pan, el guisado, etc.
CHURRUSCO adj. *Col.* y *Pan.* Crespo, ensortijado. • m. Pedazo de pan demasiado tostado o que se empieza a quemar. • *Col.* Cierta oruga cuyo contacto tiene un efecto urente.

Winston **Churchill**

Fachada del ayuntamiento de Salamanca, obra de José Benito **Churriguera**

CHURUMBEL (voz del caló) m. fam. Niño.
CHURUMBELA f. Instrumento de viento, semejante a la chirimía. • Bombilla que se usa en América para tomar el mate.
CHURUMO m. fam. Jugo o sustancia.
CHUSCADA f. Dicho gracioso y basto; chiste ordinario.
CHUSCHAR tr. *Argent.* Tirar del pelo.
CHUSCO, CA adj. y s. Que tiene gracia, donaire y picardía. • Pedazo de pan, mendrugo o panecillo. • Pieza de pan de munición.
CHUSINJA m. *Zool.* Pequeño antílope de la India. Se denomina también tetrácero y antílope cuadricone, porque los machos de la especie poseen cuatro cuernos.
CHUSMA f. Conjunto de galeotes que servían en las galeras reales. • Conjunto de gente soez. • Muchedumbre de gente.
CHUSMAJE m. *Amér.* Chusma, gente soez.
CHUSOVAIA Río de Rusia, afl. del Kama. Tiene su origen en la vertiente O del Ural, 735 kilómetros.
CHUSPA f. *Amer. Merid.* Bolsa, morral.
CHUSQUE m. *Col.* Planta gramínea de mucha alt.; es una especie de bambú.
CHUSQUISA f. *Chile* y *Perú.* Mujer de vida alegre, prostituta.
CHUSTE m. *C. Rica.* Cera amarilla.
CHUT o **CHUTE** m. En fútbol, acción y efecto de lanzar el balón de un puntapié..
CHUTAR tr. Lanzar el balón de un puntapié. ■ CHUT.

Cosme Damián **Churruca y Elorza**

CHUTO, TA adj. *Amér.* Rabón, sin cola.
CHUVA f. *Perú.* Cierta especie de mono, propio de la América Meridional.
CHUVACHE adj. y s. Díc. de individuos de un pueblo que habita en la región del Volga medio, en la rep. de Chuvashia. • m. *Ling.* Lengua turca hablada por el pueblo chuvache.
CHUVASHIA República de Rusia, en la región del Volga medio;18 300 km^2, 1 336 000 habitantes. Cap., Cheboksari. Limita con la rep. de Mari el N; Tartaria al E, y Mordovia al SO. Actualmente presenta una elevada productividad agrícola y fuerte industrialización. Cultivo de lúpulo, cáñamo, trigo, centeno, patata, legumbres. Explotación forestal. Industrias madereras, textiles, químicas; fabricación de electrodomésticos. La población está compuesta en gran parte por chuvaches (75 %). Esta república fue constituita en 1925. De 1929 a 1936 formó parte del territorio de Gorki.
CHUYO, YA adj. *Bol.* y *Ecuad.* Aguado y poco espeso.
CHUZA f. *Méx.* Lance en el juego del boliche y en el del billar, que consiste en derribar todos los palos de una vez y con sólo una bola. • *Argent.* y *Ur.* Lanza rudimentaria.
CHUZAR tr. *Col.* Punzar, pinchar, herir.
CHUZAZO m. Golpe dado con el chuzo.
CHUZNIETO, TA m. y f. *Ecuad.* Chozno.
CHUZO m. Palo armado con un pincho de hierro, que se usa para defenderse y ofender. • *Cuba.* Látigo hecho de vergajo o cuero retorcido que va adelgazándose hacia la punta. • *Chile.* Barra de hierro cilíndrica y puntiaguda, que se usa para abrir suelos. • **Caer, llover** o **nevar, chuzos.** fig. y fam. Caer granizo, llover o nevar con mucha fuerza o ímpetu.
CHUZÓN, NA adj. y s. Astuto, recatado. • Que tiene gracia para burlarse de otros en la conversación. • m. Chuzo, palo armado con pincho de hierro.
CHUZONADA f. Bufonada.
CHUZONERÍA f. Burleta.
CHYTILOVA, ***Vera*** (nacida 1929) Directora de cine chec. Innovadora y crítica, algunos de sus filmes han creado fuerte polémica. *Las margaritas, El juego de la manzana.*
CÍA f. *Anat.* Hueso de la cadera.
CIA Siglas de la → Central Intelligence Agency.
CIABOGA f. *Mar.* Vuelta que se da a una embarcación con los remos. • Por analogía, hacer igual maniobra un buque de vapor sirviéndose del timón y la máquina.
CIALES Mun. de Puerto Rico, en el distr. de Arecibo; 15 600 hab. Tabaco, café. Ganadería. Ind. textil.
CIÁN m. *Art. Gráf.* y *Fot.* Color azul verdoso, complementario del rojo, uno de los fundamentales en la impresión policroma y el tecnicolor.
CIAN- o **CIANO-** *Quím.* Pref. que indica la presencia del radical monovalente CN.
CIANAMIDA f. *Quím.* Amida del ácido ciánico; es una masa cristalina, higroscópica e incolora. Se utiliza como abono y como insecticida o fungicida.
CIANHÍDRICO adj. *Quím.* Díc. de un ácido formado por un átomo de carbono, uno de nitrógeno y otro de hidrógeno, llamado también ácido prúsico. Es un líquido incoloro, de olor a almendras amargas, que hierve a 26 °C y es muy soluble en agua. Tanto él como sus sales, cianuros, son venenos muy peligrosos.
CIANINA f. Materia colorante azul, que se encuentra en muchas flores y se utiliza para sensibilizar las placas fotográficas.
CIANITA f. *Miner.* Turmalina de color azul o silicato natural de alúmina.
CIANO, ***Galeazzo,*** CONDE (1903-1944) Político fascista it. Participó en la marcha sobre Roma. Ministro de Asuntos Exteriores (1936). Votó contra Mussolini en el Gran Consejo (1943). Refugiado en Alemania, fue entregado a los it., condenado a muerte y ejecutado.
CIANOFÍCEO, A adj. y f. *Bot.* Díc. de algas del grupo de las cianofíceas. • f. pl. *Bot.* Grupo de algas unicelulares o filamentosas, que poseen clorofila y pigmentos fotosintéticos (ficocianina, ficoeritrina) que les dan su característico color verde azulado.
CIANÓGENO m. *Quím.* Gas incoloro venenoso, de olor penetrante y compuesto de ázoe y carbono, que entra en la composición del azul de Prusia.

Detalle de la fuente de la diosa **Cibeles,** en Madrid

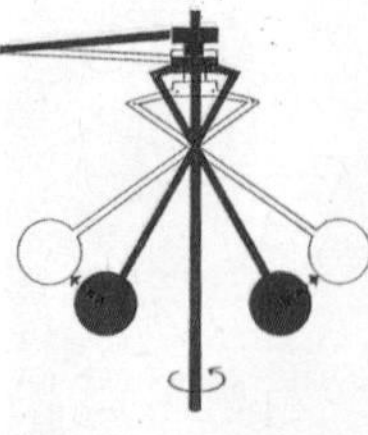

Cibernética. Esquema del regulador centrífugo de velocidad de Watt

CIANOPSIA f. Trastorno de la visión cromática, caracterizado por la preponderancia del azul.
CIANOSIS f. *Pat.* Coloración azul, y alguna vez negruzca o lívida, de la piel y las mucosas por un exceso de hemoglobina reducida en la sangre. ■ CIANÓTICO, CA.
CIANURACIÓN f. *Metal.* Método para la obtención del oro y la plata, aplicado a los minerales que contienen el metal finamente dividido. • *Metal.* Procedimiento utilizado para endurecer superficialmente, y con rapidez, pequeñas piezas de acero.
CIANURO m. *Quím.* Sal del ácido cianhídrico, muy tóxico. Se emplea para obtener oro y plata, en galvanoplastia, en fotografía, en la cementación del acero y en la preparación de insecticidas.
CIAR intr. Andar hacia atrás, retroceder. • fig. Aflojar en un negocio, cesando en él, sin pasar adelante.
CIÁTICO, CA adj. *Med.* Díc. de los cuatro troncos nerviosos del plexo sacro que inervan la región pelviana, y especialmente del nervio ciático mayor. • f. *Med.* Inflamación del nervio ciático que provoca un dolor que se extiende desde la nalga hasta el dorso del pie. • *Bot. Perú.* Arbusto de hojas largas y estrechas y flor semejante a la campanilla.
CIAXARES I (633-584 a. C.) Rey medo. Se alió con Nabopolasar, rey de Babilonia, y destruyó Nínive, lo que significó el fin del imperio asirio.
CIBAO Sistema montañoso de la isla Española. (→ Central, Cordillera).
CIBELES *Mit.* Diosa anatolia de la fertilidad, la Tierra y la vida silvestre. Los gr. la identificaron con Rea. Se introdujo en Roma.
CIBELINA f. Cebellina, especie de marta.
CIBERA adj. Que sirve para cebar. • f. Porción de trigo que se echa en la tolva del molino para que vaya cebando la rueda.
CIBERESPACIO m. Espacio virtual compuesto por las redes de las autopistas de la información y la información que circula por ellas.
CIBERNÉTICA f. Disciplina científica que estudia los sist. y procesos de comunicación y autorregulación, tanto de los seres vivos cuanto de los sist. electrónicos y electromecánicos o de cualquier otro tipo que puedan sustituir a aquéllos. Se basa en el principio de la *caja negra* de N. Wiener, en la que es difícil conocer su funcionamiento interior, pero se puede estudiar su comportamiento investigando las relaciones lógicas entre los conjuntos de entes que constituyen la entrada (*input*) y la salida (*output*).En el desarrollo de la c. han influido los trabajos de von Neumann sobre la *teoría de los juegos* como apoyatura matemática y la *teoría de los servomecanismos* nacida de la necesidad de automatización del tiro antiaéreo en la II Guerra Mundial. Un lugar central en la c. lo ocupa el concepto de *información* con sus dos elementos constitutivos: su soporte material (la señal) y su significado (semántica). En cierto sentido, la información puede considerarse como una medida de la organización, y por tanto análoga a la *entropía*, de modo que un incremento en la información corresponde a un decremento en la entropía. Los seres animados mantienen su organización en equilibrio dinámico con el entorno *regulándose*, guiando el flujo de energía y materiales que vienen del exterior de modo que puedan contrarrestar la tendencia entrópica de la naturaleza. Para que un organismo pueda ajustar su conducta debe conocerla antes, lo que lleva a la idea de retroacción o *feedback*, que permite variar la conducta en función de la conducta anterior: toda máquina intencional y adaptativa, y que deba regularse contra el ambiente, necesita del feedback. La cantidad de regulación que puede obtenerse está esencialmente limitada por la cantidad de información que es posible recibir. Ha sido la base de la teoría de sistemas y el análisis sistémico, de gran aplicación en las ciencias sociales y psicológicas.
CIBI m. *Cuba.* Pez marítimo comestible. Algunas especies producen la ciguatera.
CIBICA f. Barra de hierro dulce, que sirve de refuerzo a los ejes de madera de los carruajes.
CÍBOLO m. Bisonte.
CIBORIO m. Copa para beber, usada entre los ant. gr. y rom. • Baldaquino que corona un altar en los primitivos templos cristianos.

CIBUCÁN m. *R. Dom.* Talega o manga de pleita, caña o tela muy basta, que se utiliza para exprimir la yuca rallada, eliminar el zumo venenoso que contiene y hacer el cazabe.
CICADÁCEO, A adj. y f. *Bot.* Díc. de plantas de la familia cicadáceas. • f. pl. *Bot.* Familia de plantas leñosas gimnospermas, propias de países tropicales y subtropicales.
CICÁDIDO, DA adj. y m. *Zool.* Díc. de los individuos de una familia de insectos hemípteros, conocidos con el nombre de cigarras. • adj. Relativo a estos insectos. • m. pl. *Zool.* Familia de estos insectos.
CICATERO, RA adj. y s. Mezquino, ruin, miserable, que escatima lo que debe dar. • adj. Que da importancia a pequeñas cosas o se ofende por ellas. ■ CICATEAR; CICATERÍA.
CICATRIZ f. Masa formada por fibras conjuntivas, que aparece como fase final de la curación de una herida o de un proceso inflamatorio. • fig. Impresión que queda en el ánimo por algún sentimiento pasado.
CICATRIZAR tr. intr. y prnl. Completar la curación de las llagas o heridas, hasta que queden bien cerradas. ■ CICATRIZACIÓN; CICATRIZATIVO, VA.
CICÉRCULA f. Almorta, planta.
CÍCERO m. Unidad de medida tipográfica, equivalente a poco más de 4,5 mm.
CICERÓN, *Marco Tulio* (106-43 a. C.) Orador, escritor y político rom. Nombrado cónsul, consiguió frustrar la conjuración de Catilina. Combatió las dictaduras de César y de Marco Antonio. Murió asesinado. *Filípicas.*
CICERONE m. Persona que enseña y explica las curiosidades de una localidad, edificio, etc.
CICERONIANO, NA adj. Característico de Cicerón como orador o literato, o que se le asemeja.
CICINDELA f. Insecto coleóptero con las antenas insertas en la base de las mandíbulas.
CICINDÉLIDO, DA adj. y m. *Zool.* Díc. de los individuos de una familia de insectos coleópteros de colores variados con brillo metálico y élitros verdes o amarillos. • adj. Relativo a estos insectos. • m. pl. *Zool.* Familia de estos insectos.
CÍCLADAS *(Kiklades)* Arch. de Grecia, en el mar Egeo; 2 572 km^2, 83 600 hab. Cap., Hermúpolis.
CICLAMEN m. *Bot.* Nombre común de unas plantas de la familia primuláceas, de rizomas tuberosos, tallos cortos, flores rojas o blanquecinas y fruto en cápsula.
CICLAMINO m. Pamporcino.
CICLAMOR m. Árbol de la familia cesalpiniáceas, de tronco y ramas tortuosos, hojas sencillas y acorazonadas, y flores carmesí en racimos.
CICLÁN adj. y s. Que tiene un solo testículo. • m. Borrego cuyos testículos no salen al exterior.
CICLATÓN m. Túnica o manto de lujo usada en la E. Med. • Tela de seda y oro con que se hacían dichas vestiduras.
CICLISMO m. Deporte que consiste en hacer carreras de bicicletas. Pueden ser de aficionados o profesionales y efectuarse en carretera o en pista cerrada. Se dividen en: *contra reloj* y en *línea.* Las grandes carreras, como las vueltas a un determinado país (*Tour* de Francia, *Giro* de Italia, *Vuelta a* España), se realizan por etapas según recorridos diarios. ■ CICLISTA.
CICLO Pref. que significa *círculo.* • *Quím.* Pref. que significa que una molécula es de cadena cerrada. • m. Período de tiempo o cierto número de años que, acabados, se vuelven a contar de nuevo. • Serie de fases por que pasa un fenómeno periódico hasta que se reproduce una fase anterior. • Conjunto de tradiciones épicas concernientes a determinado periodo de tiempo, a un grupo de sucesos o a un personaje heroico. • Serie de actos culturales relacionados entre sí. • **de fabricación.** *Ind.* Detalle del conjunto de las operaciones realizadas en el proceso de fabricación de un objeto o producto. • **lunar.** Período de diecinueve años en que los novilunios y demás fases de la Luna vuelven a suceder en los mismos días del año. • **menstrual.** Serie de cambios que se repiten periódicamente en el ovario, útero y otros órganos sexuales femeninos. • **solar.** Periodo de veintiocho años, en el cual, en el calendario juliano, volvían los días de la semana a caer en los mismos días del mes. • **Ciclos económicos.** *Econ.* Períodos alternantes de alza y baja en los niveles de actividad económica, caracterizados por elementos homogéneos en la producción, el consumo, los precios, etc. ■ CÍCLICO, CA.
CICLOBARBITAL m. *Quím.* Ácido que se presenta en forma de cristales o polvo cristalino blanco, empleado en medicina.
CICLOFRENIA f. Enfermedad psíquica caracterizada por la alternancia de periodos de excitación y depresión. Se denomina psicosis maniaco-depresiva.
CICLOHEXANO m. *Quím.* Hidrocarburo aromático que se obtiene por síntesis del benzol mediante hidrogenación catalítica en presencia de níquel, o a partir del petróleo.
CICLOHEXANOL m. *Quím.* Alcohol monovalente, derivado del ciclohexano, que se obtiene haciendo pasar una mezcla de fenol e hidrógeno sobre polvo de níquel.
CICLOHEXENO m. *Quím.* Hidrocarburo cíclico que se encuentra en el alquitrán de hulla. Se utiliza en muchas síntesis de química orgánica.

Flores de **ciclamen**

Ciclismo. Competición por equipos en pista

CICLOIDE f. *Geom.* Curva plana descrita por un punto de la circunferencia cuando ésta rueda, sin deslizamiento, sobre una línea recta. • m. *Psic.* Tipo caracterizado por una tendencia a la oscilación entre la euforia y la depresión. ■ CICLOIDAL.
CICLOMOTOR m. Bicicleta provista de un pequeño motor auxiliar, o motocicleta ligera que lleva un motor de poca potencia.
CICLÓN m. *Meteor.* Masa de aire caliente, rodeada de otra fría, que se traslada a gran velocidad con movimiento rotacional. • Aparato estático que separa las partículas en suspensión del fluido en movimiento turbulento que contiene. • fig. Persona llena de ímpetu. ■ CICLONAL O CICLÓNICO, CA.
CICLONITA f. *Quím.* Sustancia cristalina, soluble en acetona e insoluble en agua y alcohol. Es un explosivo muy poderoso.
CÍCLOPE o **CICLOPE** m. *Mit.* Cada uno de los gigantes hijos del Cielo y de la Tierra, que tenían sólo un ojo en medio de la frente. ■ CICLÓPEO, A.
CICLOPENTADIENO m. *Quím.* Compuesto cíclico con cinco átomos de carbono y dos enlaces dobles. Se encuentra en la brea de hulla.
CICLOPENTANO m. *Quím.* Compuesto cíclico con cinco átomos de carbono, que puede obtenerse por reducción de la ciclopentanona.
CICLOPENTANONA f. *Quím.* Compuesto cíclico con cinco átomos de carbono y una función cetona. Constituye un subproducto del proceso de obtención de alcohol metílico.
CICLOPTÉRIDO, DA adj. y m. *Zool.* Díc. de peces marinos, cuyas aletas abdominales se han convertido en una ventosa. • m. pl. *Zool.* Familia de estos peces.
CICLOSILICATO m. *Miner.* Silicato cuyos retículos cristalinos están constituidos por grupos tetraédricos SiO_4.
CICLOSIS f. *Biol.* Movimiento circular de los componentes citoplasmáticos de la célula, debido a las modificaciones del complejo coloidal que los aloja.

Algunas de las fases de la evolución de un **ciclón**. Las líneas continua y discontinua representan las dos masas de aire de diferente temperatura

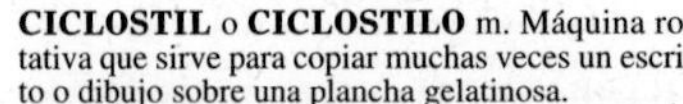

CICLOSTIL o **CICLOSTILO** m. Máquina rotativa que sirve para copiar muchas veces un escrito o dibujo sobre una plancha gelatinosa.

CICLÓSTOMA m. Molusco gasterópodo pulmonado, terrestre y de pequeño tamaño, cuya concha presenta una abertura circular.

Cicuta. Planta y flores

CICLÓSTOMO adj. y m. *Zool.* Díc. de los vertebrados de la clase ciclóstomos. • adj. Relativo a estos animales. • m. pl. Clase de vertebrados acuáticos muy primitivos, caracterizados por la ausencia de mandíbulas. Comprende dos grupos, el más conocido de los cuales es el de las lampreas, que incluye especies marinas, de agua dulce, o capaces de vivir en ambos medios. El segundo grupo es el de los mixinoideos, con unas pocas especies marinas parasitarias.

CICLOTIMIA f. Psicosis maniacodepresiva.

CICLOTÍMICO, CA adj. Relativo a la ciclotimia. • m. y f. *Antr.* Tipo psicológico, caracterizado por la tendencia a los cambios periódicos de humor y sentimiento.

CICLOTRÓN m. *Fís.* Acelerador de partículas elementales que, por la acción combinada de un campo eléctrico y otro magnético, comunica una trayectoria circular a las mismas.

Monumento al **Cid Campeador,** en Burgos (España)

CICONIFORME adj. y f. *Zool.* Díc. de las aves del orden ciconiformes. • adj. Relativo a estas aves. • f. pl. Orden de aves de gran tamaño, cola corta y cuello y pico de notable longitud.

CICUTA f. *Bot.* Hierba venenosa de la familia umbelíferas, con tallo rollizo y hueco, muy ramoso en lo alto, hojas blandas y fétidas, flores blancas y semilla negruzca. • **menor.** Hierba venenosa de la familia umbelíferas, semejante al perejil, del que se distingue por su color más oscuro y sus hojas fétidas.

CICUTINA f. Alcaloide contenido en la cicuta.

CID m. fig. Hombre fuerte y valiente.

CID Campeador, ***Rodrigo Díaz de Vivar***, llamado el (1043-1099) Héroe cast. de la Reconquista, mitificado por la leyenda y la literatura (*Cantar de Mio Cid*). Apoyó a Sancho II en contra de Alfonso VI de León. Fue desterrado y combatió indistintamente a reyes moros y cristianos. Sometió al rey moro de Valencia y permaneció en esta c. hasta su muerte.

CIDIANO, NA adj. Relativo al Cid.

CIDRA f. Fruto del cidro, semejante al limón, de corteza amarilla, mesocarpio blanco, aromático, comestible, y pulpa ácida y blanquecina. • **cayote.** *Amér. Centr.* Calabaza de la que se hace cabello de ángel.

CIDRA Mun. de Puerto Rico, en el distr. de Guayama; 23 900 hab. Tabaco. Ind. textil.

CIDRADA f. Conserva hecha de cidra.

CIDRAYOTE m. Variedad de la calabaza que sirve para hacer dulce.

CIDRO m. Árbol de la familia rutáceas cuyo fruto es la cidra.

CIDRONELA f. Toronjil, árbol.

CIEGO, GA adj. y s. Privado de la vista. • adj. fig. Poseído con vehemencia de alguna pasión. • fig. Ofuscado, alucinado. • Cegado, obturado. • m. *Anat.* Primera porción del intestino grueso. • *Ecuad.* Pez de los ríos de este país. • **A ciegas.** m. adv. Con ceguedad. • fig. Sin conocimiento; sin reflexión.

CIEGO DE ÁVILA Prov. de Cuba; 6 910 km^2, 353 000 hab. Cap., la c. hom. • C. de Cuba, en la prov. hom.; 101 600 hab. Ind. alimentarias.

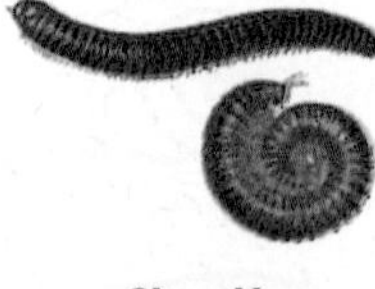

Ciempiés

CIELITO m. *R. de la Plata.* Baile y tonada de los gauchos.

CIELO m. Espacio en el cual se mueven los astros. • Parte del espacio que parece formar una bóveda sobre la Tierra. • Atmósfera. • *Rel.* Mansión en que los ángeles, los santos y los bienaventurados gozan la presencia de Dios. Se usa también en plural. • Gloria o bienaventuranza. • fig. Dios o su providencia. Se usa también en plural. • fig. Parte superior que cubre algunas cosas. • **raso.** Techo interior de superficie plana y lisa. • **A c. abierto.** m. adv. Sin techo ni cubierta alguna. • **A c. descubierto.** m. adv. Al descubierto. • **Bajado del c.** exp. fig. y fam. Prodigioso, excelente. • **Llovido del c.** loc. fig. y fam. Muy oportuno. • **Ver** uno **el c. abierto,** o **los cielos abiertos**. fig. y fam. Presentársele ocasión o coyuntura favorable para salir de un apuro o conseguir lo que deseaba.

CIEMPIÉS m. Nombre común de los miriápodos, de cuerpo alargado, dividido en numerosos segmentos, cada uno de los cuales lleva un par de patas.

CIEN adj. Apócope de ciento. Úsase siempre antes de sustantivo.

CIEN AÑOS, ***guerra de los*** Lucha sostenida entre Francia e Inglaterra de 1337 a 1453. La causa primera fue la política centralizadora de la corona fr., a la cual se opusieron los reyes ing. que tenían posesiones en Francia como duques de Guyena y Aquitania. Luego se convirtió en una lucha por la corona fr., al extinguirse la dinastía de los Capetos (1328), pues Eduardo III de Inglaterra esgrimió sus derechos a la sucesión. A esto se añadió el deseo ing. de atraer a Flandes a su área de influencia. Los primeros combates fueron victoriosos para Inglaterra, tanto en el mar (l'Écluse, 1340) como en tierra (Crécy, 1346; Poitiers, 1356); esta primera fase finalizó con el tratado de Bretigny (1360) por el que Eduardo III renunció a la corona fr. a cambio del reconocimiento de su soberanía sobre los feudos del SO fr. A comienzos del s. XV, Enrique V de Inglaterra solicitó de nuevo la corona fr., derrotó a los fr. en Azincourt (1415) y consiguió la firma del tratado de Troyes (1420), por el que Carlos VI de Francia reconocía a Enrique V como heredero al trono fr., lo cual no fue aceptado por el delfín (futuro Carlos VII). La intervención de Juana de Arco en favor de éste y la defección de Borgoña de la alianza con Inglaterra propiciaron el triunfo fr. Se reconquistó París (1436), Normandía (1449-1450) y Guyena (1449-1451) y, tras caer Burdeos (1453), los ing. conservaron sólo Calais en terr. fr.

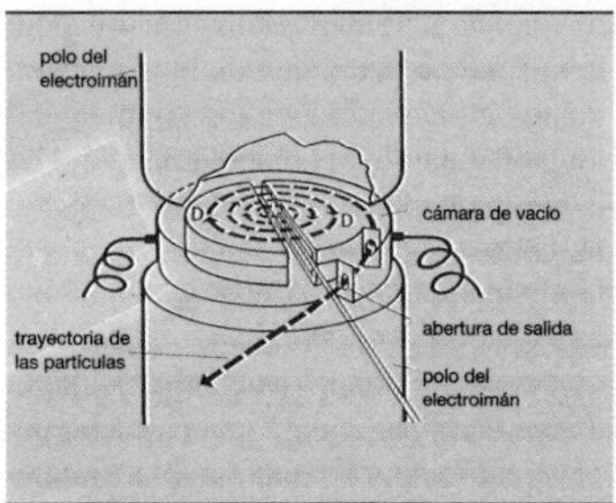

Representación de las partes y funcionamiento de un **ciclotrón**

CIÉNAGA f. Lugar o paraje lleno de cieno.

CIÉNAGA Mun. de Colombia, en el dpto. del Magdalena; 89 700 hab. Plátano, algodón, tabaco. Ganadería. Pesca.

CIÉNAGA DE ORO Mun. de Colombia, en el dpto. de Córdoba; 30 200 hab. Ganadería. Carbón.

CIENCIA f. *Fil.* Tipo de conocimiento sistemático y articulado que aspira a formular, mediante lenguajes apropiados y rigurosos (recurriendo en lo posible a la matematización), las leyes que rigen los fenómenos relativos a un determinado sector de la realidad. • fig. Saber o erudición. • fig. Habilidad, maestría, conjunto de conocimientos en cualquier cosa. • pl. Conjunto de conocimientos relativos a las ciencias exactas, fisicoquímicas y naturales. • **Gaya ciencia.** Arte de la poesía. • **A ciencia cierta.** m. adv. Con toda seguridad, sin duda alguna. Se usa por lo común con el verbo *saber*. ■ CIENTÍFICO, CA.

* *Fil.* Las c. *formales* (matemática y lógica) estudian las relaciones teóricas entre los conceptos abstractos. Las c. *factuales* estudian los fenómenos de la naturaleza en su expresión teórica (*c. puras*) o práctica (*c. aplicadas*). Otra división imp. es la que se refiere a su objeto de estudio: los fenómenos de la naturaleza, *c. naturales*, las que pueden ser objeto de experiencias controlables en laboratorio, *c. experimentales*, y las que estudian el comportamiento del hombre como individuo y en sociedad, *c. sociales o humanas*.

CIENCIA-FICCIÓN f. Género narrativo cuyos argumentos se desarrollan sobre la base de anticipar literariamente unos presuntos logros científicos, técnicos, biológicos, psicológicos, sociopolíticos, etc., más o menos avanzados respecto a la fecha en que se escribe o se publica el relato.

CIENFUEGOS Prov. de Cuba; 4 185 km^2, 354 000 hab. Cap., la c. hom. • C. de Cuba, cap. de la prov. hom.; 136 200 hab. Centro agropecuario.
CIENFUEGUERO, RA adj. y s. De Cienfuegos.
CIENMILÉSIMO, MA adj. y s. Díc. de cada una de las cien mil partes iguales en que se divide un todo.
CIENMILÍMETRO m. Centésima parte de 1 mm.
CIENMILLONÉSIMO, MA adj. y s. Díc. de cada una de los cien millones de partes iguales en que se divide un todo.
CIENMILMILLONÉSIMO, MA adj. y s. Díc. de cada una de los cien mil millones de partes iguales en que se divide un todo.
CIENO m. Lodo blando que forma depósito en ríos, en lagunas o en sitios bajos y húmedos.
CIENTIFICISMO m. Teoría según la cual las cosas se pueden conocer mediante la ciencia como son realmente, y la investigación científica basta para satisfacer las necesidades de la inteligencia humana. • Tendencia a dar excesivo valor a las nociones científicas o pretendidamente científicas. ■ CIENTIFISTA.
CIENTO adj. Diez veces diez. • Centésimo. • m. Signo o conjunto de signos con que se representa el número ciento. • Centena. • pl. Juego de naipes que comúnmente se juega entre dos.
CIERNA f. Antera de la flor del trigo, la vid y otras plantas cultivadas.
CIERNE m. Acción de cerner o fecundarse la flor de ciertas plantas. • **En c.** m. adv. En flor. Díc. de la vid, del olivo, del trigo y de otras plantas.
CIERRE m. Acción y efecto de cerrar o cerrarse. • Lo que sirve para cerrar. • Dispositivo para juntar y mantener unidas ciertas partes separadas. • Clausura temporal de tiendas y otros establecimientos mercantiles.
CIERRO m. Cierre, acción y efecto de cerrar. • *Chile.* Cerca, tapia o vallado. • *Chile.* Sobre en que se ponen las cartas y otros papeles.
CIERTO, TA adj. Conocido como verdadero, seguro, indubitable. • Sabedor, seguro de la verdad de algún hecho. • adv. afirmación. Ciertamente. • **Por c.** m. adv. Ciertamente, a la verdad.
CIERVA f. Hembra del ciervo; es casi de su mismo tamaño y figura, pero no tiene cuernos.
CIERVA, *Ricardo de la* (nacido 1926) Historiador y político esp., *Los documentos de la Primavera Trágica, Historia ilustrada de la guerra civil española.* Ministro de Cultura (1980). • **Y Codorníu, *Juan de la*** (1893-1936) Ingeniero y aviador esp., inventor del autogiro (1924). • **Y Peñafiel, *Juan de la*** (1864-1938) Político esp. Ministro de Instrucción Pública (1904) y de Gobernación (1907).
CIERVO m. Mamífero rumiante, de la familia cérvidos, esbelto, de pelo áspero, corto y pardo rojizo en verano y gris en invierno; patas largas y cola muy corta. El macho está armado de cuernos. • **volante.** Coleóptero de gran tamaño, negro, con cuatro alas, y las mandíbulas ramosas.
CIERZO m. Viento septentrional inclinado a levante o a poniente.
CIEZA de León, *Pedro* (h. 1520-1554) Historiador esp. Intervino en la conquista de Nueva Granada (actual Colombia) y en la guerra civil del Perú. *Crónica del Perú.*
CIF Siglas de los vocablos ing. *cost, insurance freight* (coste, seguro y flete) con las que se designa la forma de pago mediante la cual se incluyen en el coste de la mercancía el seguro y el flete.
CIFELA m. Hongo que vive entre el musgo de los tejados.
CIFOSIS f. *Med.* Incurvación defectuosa de la columna dorsal, de convexidad posterior.
CIFRA f. Número, signo con que se representa. • Escritura en que se usan signos, guarismos o letras convencionales, y que sólo puede comprenderse conociendo la clave. • Enlace de dos o más letras, gralte. las iniciales de nombres y apellidos, que se emplea en sellos, marcas, etc. • Abreviatura.
CIFRADO, DA adj. Díc. del sistema convencional de lenguaje empleado en transmisiones secretas.
CIFRAR tr. Escribir en cifra. • tr. y prnl. fig. Compendiar, reducir muchas cosas a una, o un discurso a pocas palabras. • tr. fig. Seguido de la prep. en, reducir exclusivamente a cosa, persona o idea determinadas lo que procede de varias causas.

CIGALA f. Crustáceo marino decápodo, de color rosado y caparazón duro, parecido al bogavante pero, gralte., de menor tamaño.
CIGARRA f. Insecto hemíptero, de color verdoso amarillento, con cabeza gruesa, ojos salientes, alas membranosas y abdomen cónico, en cuya extremidad tienen los machos un órgano sonoro que emite un chirrido.
CIGARRERA f. Mujer que hace o vende cigarros. • Caja o mueblecillo en que se tienen a la vista cigarros puros. • Petaca de bolsillo.
CIGARRERÍA f. *Amér.* Estanco, tienda donde se venden cigarros y tabaco. • *Amér.* Fábrica de cigarros o cigarrillos.
CIGARRERO m. El que hace o vende cigarros.
CIGARRILLO m. Cigarro pequeño de picadura envuelta en un papel de fumar.
CIGARRO m. Rollo de hojas de tabaco preparado para fumar. • fam. Cigarrillo. • **puro.** Cigarro.
CIGARRÓN m. Saltamontes.
CIGOFILÁCEO, A o **CIGOFÍLEO, A** adj. y f. *Bot.* Díc. de las plantas de la familia cigofiláceas. • f. pl. Familia de dicotiledóneas, de hojas opuestas, flores pentapétalas y fruto capsular.
CIGOMÁTICO, CA adj. Relativo a la mejilla o al pómulo. • adj. y m. *Anat.* Hueso de la cara que forma la prominencia de la mejilla. También llamado malar.
CIGOMORFA adj. Díc. de la flor en la que solamente uno de los planos que pasan por su eje la divide en dos partes simétricas.
CIGOÑAL m. Dispositivo para sacar agua de un pozo, consistente en un palo apoyado en una horquilla, con un cubo sujeto a un extremo.
CIGOÑINO m. Pollo de la cigüeña.
CIGOÑUELA f. Ave del orden caradriformes, de plumaje blanco, con nuca, espalda y alas negras, y pico recto.
CIGOTO m. *Biol.* Resultante de la unión de dos gametos, uno masculino y otro femenino. • *Biol.* Macrogameto fecundado; se llama también *cigocito.*
CIGUA f. *Ant.* Árbol de la familia lauráceas, con tronco maderable, hojas gruesas, elípticas, flores verdosas en grupos axilares, y bayas ovoides. • *Cuba.* Caracol de mar.
CIGUAPA f. *Cuba.* Ave de rapiña, de la familia estrígidos, nocturna, de pico corto azulado; color pardo con manchas amarillas, el pecho y vientre más claros, con pintas rojizas.
CIGUAPATE f. *Hond.* Planta umbelífera medicinal.
CIGUARAYA f. *Amér. Centr.* Árbol perennifolio de la familia meliáceas.
CIGUATERA f. Enfermedad de los peces y crustáceos de las costas del golfo de México, de efectos perniciosos para las personas que los ingieren. ■ CIGUATARSE; CIGUATO, TA.
CIGÜEÑA f. *Zool.* Ave del orden ciconiformes, migradora, de más de 1 m de alt., de cabeza redonda, cuello largo, cuerpo blanco, alas negras, patas largas y rojas, lo mismo que el pico. • Hierro sujeto a la cabeza de la campana, donde se asegura la cuerda para tocarla. • Codo que tienen los tornos y otros instrumentos y máquinas en la prolongación del eje, por cuyo medio se les da con la mano movimiento rotatorio.
CIGÜEÑAL m. Cigoñal. • *Mec. apl.* Eje que transforma el movimiento alternativo de las bielas de un motor en movimiento circular.
CILAMPA f. *C. Rica* y *Salv.* Llovizna.
CILANCO m. Charco que deja un río en la orilla al retirar sus aguas, o en el fondo cuando se ha secado.
CILANTRO m. Hierba de la familia umbelíferas, con tallo lampiño, hojas filiformes, flores rojizas y simiente aromática y estomacal.
CILIADO, DA adj. y m. *Zool.* Que posee cilios. • adj. Díc. de los protozoos de la clase ciliados. • Relativo a estos protozoos. • m. pl. Clase de protozoos caracterizados por la presencia de cilios. Son de forma variable, gralte. depredadores, casi siempre de agua dulce. De tamaño mayor que el resto de los protozoos por la presencia de dos o más núcleos.
CILICIA *Ant.* región de Anatolia, en Turquía. Limitada al N y O por los montes Tauro, al E por el Antitauro y al S por el Mediterráneo. Helenizada por Alejandro Magno, fue prov. rom. en el s. I a. C. Formó parte de los imperios bizantino y otomano.

Fotograma de *La Guerra de las Galaxias,* película de **ciencia-ficción**

Ciervo

Cigüeña

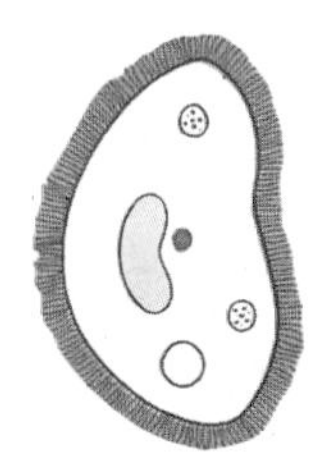
Colpidio, protozoo de la clase **ciliados**

CILICIO m. Vestidura de tela muy áspera que se usaba como penitencia. • Faja de cerdas o de cadenillas de hierro con puntas que se usa para mortificarse.
CILINDRADA f. *Aut.* Capacidad de los cilindros de un motor de explosión cuando el tiempo de admisión llega al máximo.
CILINDRAR tr. Comprimir con el cilindro o rodillo. ■ CILINDRADO, DA.
CILINDRO m. *Geom.* Sólido limitado por una superficie cilíndrica cerrada y dos planos que forman sus bases. • *Geom.* P. ant., el recto y circular. • *Art. Gráf.* Pieza de la máquina que, girando sobre el molde o sobre el papel, hace la impresión. • *Art. Gráf.* Pieza que, por su mov. de rotación, bate y toma la tinta con que los rodillos han de bañar el molde. • *Mec.* Tubo en que se mueve el émbolo de una máquina. • Tambor de la máquina del reloj, sobre el cual se enrosca la cuerda. ■ CILÍNDRICO, CA.
CILINDROEJE m. Prolongación de las neuronas.
CILIO m. Filamento protoplasmático de ciertos protozoos y otras células animales, cuya función se relaciona con el movimiento. ■ CILIAR.
CILLA f. Granero. • Renta del diezmo.
CILLERERO m. En algunas órdenes monacales, mayordomo del monasterio. ■ CILLERÍA.
CILLERIZO o **CILLERO** m. El que tenía a su cargo una cilla. • Cilla, granero.
CIMA f. Lo más alto de los montes, cerros y collados. • La parte más alta de los árboles. • Tallo del cardo y de otras plantas. • fig. Fin o complemento de alguna obra o cosa. • *Bot.* Conjunto de flores cuyos pedúnculos salen de un mismo punto, y llegan a la misma alt. • **Dar. c.** a una cosa. fig. Concluirla. ■ CIMOSO, SA.
CIMABUE, ***Giovanni*** (1240-1302) Pintor it., maestro de Giotto. *Escenas del Apocalipsis, Virgen de los ángeles.*

Virgen de los ángeles, tabla de Giovanni **Cimabue.** Museo del Louvre, París

CIMACIO m. *Arq.* Gola, moldura en figura de S.
CIMAROSA, ***Domenico*** (1729-1801) Compositor it. Autor de misas, oratorios, cantatas, conciertos, óperas. *El matrimonio secreto* (ópera).
CIMARRON Río de EE UU; 1 100 km. Nace en Nuevo México y desemboca en el Arkansas, cerca de Tulsa (Oklahoma).
CIMARRÓN, NA adj. *Amér.* Díc. del animal doméstico que huye al campo y se hace montaraz. *Amér.* Decíase del esclavo que huía al monte. • *Amér.* P. ext., delincuente refugiado en el monte. • *Amér.* Aplícase a la planta silvestre de cuyo nombre o especie hay otra cultivada. • adj. y s. *R. de la Plata.* Díc. del mate amargo, o sea sin azúcar. • fig. *Mar.* Díc. del marinero indolente y poco trabajador.
CIMARRONADA f. *Amér.* Manada de animales cimarrones.
CIMATE m. *Méx.* Planta cuyas raíces se usan como condimento.
CIMBA f. *Bol.* Trenza. • Embarcación usada por los rom. para navegar por los ríos.
CIMBADO m. *Bol.* Látigo trenzado, chicote.
CIMBALARIA f. Hierba de la familia escrofulariáceas, que se cría en las peñas.
CÍMBALO m. Campana pequeña. • Instrumento musical de percusión, muy popular, usado con frecuencia por los gitanos. ■ CIMBALERO O CIMBALISTA.

Dibujo de una **cimbra**

CIMBEL m. Cordel que se ata a la punta del cimillo en que se pone el ave que sirve de señuelo para cazar otras. • Ave, real o imitada, que sirve de señuelo para cazar.
CIMBOGA f. Acimboga, fruta.
CIMBORIO o **CIMBORRIO** m. *Arq.* Cuerpo cilíndrico que sirve de base a la cúpula y descansa sobre los arcos torales. • *Arq.* Cúpula en forma redondeada que cubre ciertos edificios.
CIMBRA f. *Arq.* Armazón de madera que sostiene la superficie convexa sobre la cual se van colocando las dovelas de una bóveda o arco. • *Arq.* Vuelta o curvatura de la superficie interior de un arco o bóveda.
CIMBRADO m. Paso de baile que se hace doblando rápidamente el cuerpo por la cintura.
CIMBREAR o **CIMBRAR** tr. Hacer vibrar en el aire una vara flexible u otra cosa semejante, agarrándola por un extremo. • *Arq.* Colocar las cimbras en una obra. ■ CIMBREANTE; CIMBREÑO, ÑA; CIMBREO.

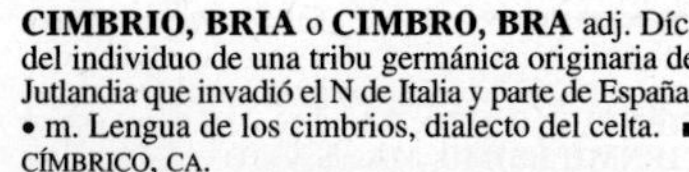
CIMBRIO, BRIA o **CIMBRO, BRA** adj. Díc. del individuo de una tribu germánica originaria de Jutlandia que invadió el N de Italia y parte de España. • m. Lengua de los cimbrios, dialecto del celta. ■ CÍMBRICO, CA.
CIMBRÓN m. *Ecuad.* Punzada, dolor agudo.
CIMBRONAZO m. Cintarazo. • *Col.* y *C. Rica.* Estremecimiento nervioso muy fuerte.
CIMENO m. *Quím.* Hidrocarburo aromático, líquido e incoloro, usado como disolvente orgánico.
CIMENTAR tr. Echar o poner los cimientos de un edificio o fábrica. • Fundar, edificar. • fig. Establecer o asentar los principios de algunas cosas espirituales. ■ CIMENTACIÓN.
CIMENTO m. Cemento, masa mineral que une los componentes de ciertas rocas.
CIMERA f. Parte superior del casco, que se solía adornar con plumas y otras cosas.
CIMERO, RA adj. Díc. de lo que está en la parte superior y finaliza o remata alguna cosa elevada.
CIMI En la religión de los mayas, signo del sexto día ritual.
CIMÍCIDO, DA adj. y m. *Zool.* Díc. de los individuos de una familia de insectos parásitos, de cuerpo deprimido y ovalado. • Relativo a estos animales. • m. pl. *Zool.* Familia de dichos insectos.
CIMIENTO m. Parte del edificio que está debajo de tierra y sobre la que se apoya toda la construcción. Se usa más en pl. • Terreno sobre el que descansa el mismo edificio. • fig. Principio y raíz de alguna cosa.
CIMILLO m. Vara larga y flexible atada a la rama de un árbol. En uno de sus extremos se sujeta un ave que sirve de señuelo.
CIMITARRA f. Especie de sable curvo usado por turcos y persas.
CIMOFANA f. Crisoberilo.
CIMÓGENO, NA adj. Que da origen a fermentación. • Que produce la formación de un fermento.
CIMÓN (h. 510-449 a. C.) General ateniense, hijo de Milcíades, que se distinguió en Salamina y gobernó Atenas.
CIMPA f. *Péru.* Crizneja, trenza.
CINA f. *Ecuad.* Cierta especie de planta gramínea.
CINABRIO m. *Miner.* Sulfuro de mercurio cristalizado en el sistema trigonal. Presenta color rojo típico y brillo metálico, y constituye la principal mena del mercurio.
CINACINA f. *Amér. Centr.* y *Merid.* Árbol caducifolio de la familia cesalpiniáceas, de hoja estrecha y flor olorosa.
CINÁMICO, CA adj. *Quím.* Perteneciente o relativo a la canela.
CINAMOMO m. Pangino.
CINC m. *Quím.* Elemento químico de símb. Zn, n. a. 30 y p. a. 65,37. Metal blanco azulado de brillo intenso, quebradizo y fácilmente oxidable en aire húmedo. Su mena más importante es su sulfuro (blenda). Se utiliza como ánodo en pilas eléctricas y en varias aleaciones (latón y plata alemana). ■ CÍNCICO, CA.
CINCEL m. Herramienta con boca acerada y recta de doble bisel, que sirve para labrar a golpe de martillo piedras y metales.
CINCELAR tr. Labrar, grabar con cincel en piedras o metales. ■ CINCELADO, DA; CINCELADURA.
CINCHA f. Banda de cuero o de tejido con que se sujeta la silla o la albarda por debajo del vientre de la caballería.
CINCHAR tr. Asegurar la silla o albarda apretando las cinchas. • Asegurar con cinchos o aros de hierro. ■ CINCHADURA.
CINCHAZO m. *C. Rica* y *Hond.* Cintarazo.
CINCHERA f. Parte del cuerpo de las caballerías en que se pone la cincha.
CINCHO m. Faja ancha. • Aro de hierro con que se aseguran o refuerzan barriles, ruedas, maderos ensamblados, edificios, etc. • *Arq.* Porción de arco saliente en el intradós de una bóveda en cañón.
CINCHÓN m. *R. de la Plata.* Cincha angosta con una argolla en un extremo, que hace oficios de sobrecincha. • *Ecuad.* Aro o fleje de hierro o madera que sujeta las duelas de las cubas. • *Col.* Sobrecarga de una caballería.
CINCINNATI C. de EE UU, en Ohio; 385 500 hab. (1 401 500 la agl. urb.). Sit. a orillas del r. Ohio. Puerto fluvial. Centro industrial.

CINCITA f. *Miner.* Óxido de cinc. Cristaliza en el sistema hexagonal; peso específico 5,7; dureza 4; color rojo y brillo metálico. Mena del cinc.
CINCO adj. Cuatro y uno. • Quinto. Aplicado a los días del mes, también se usa como sustantivo. • m. Signo o cifra con que se representa el número cinco. • Naipe que representa cinco señales. • Guitarrilla venezolana de cinco cuerdas.
CINCOENRAMA f. Hierba de la familia rosáceas, de hojas compuestas de cinco hojuelas, flores solitarias, amarillas y raíz delgada, usada en medicina.
CINCOGRAFÍA f. Arte de dibujar o grabar en una plancha de cinc preparada al efecto.
CINCOMESINO, NA adj. De cinco meses.
CINCONEGRITOS m. *C. Rica* y *Nic.* Arbusto verbenáceo que se cultiva como ornamental.
CINCUENTA adj. Cinco veces diez. • Quincuagésimo. • m. Signo o conjunto de signos con que se representa el número cincuenta.
CINCUENTAVO, VA adj. y m. Díc. de cada una de las 50 partes iguales en que se divide un todo.
CINCUENTENA f. Conjunto de 50 unidades homogéneas.
CINCUENTENARIO m. Conmemoración del día en que se cumplen cincuenta años de algún suceso.
CINCUENTENO, NA adj. Quincuagésimo.
CINCUENTÓN, NA adj. y s. Díc. de la persona que tiene cincuenta años cumplidos.

Cine. *El viaje a la Luna*, de Méliès

CINE m. fam. Cinematógrafo. • Técnica, arte o ind. de representar imágenes en mov. por medio del cinematógrafo. • Aparato proyector que reproduce imágenes. • Local donde se proyectan películas. • **De c.** Fantástico, extraordinario. ■ CINEASTA.
* *Hist.* Se considera a los hermanos Lumière como los fundadores del c. (París, 1895). G. Méliès introdujo el argumento y utilizó los primeros trucos. Con D. W. Griffith las técnicas cinematográficas recibieron un gran impulso, influyendo en S. M. Eisenstein. En EE UU aparecieron M. Sennet, Ch. Chaplin, B. Keaton, C. B. De Mille, J. von Stenberg; R. Flaherty, K. Vidor, H. Hawks, E. Lubitsch y J. Ford. En Europa, en la década de 1920, se consolidó la escuela sov. (Eisenstein y Pudovkin) y triunfaron F. Murnau, F. Lang, V. Sjostrom, R. Clair, A. Gance y los filmes surrealistas de L. Buñuel, así como J. Renoir, y el c. cómico de los hermanos Marx y de la pareja S. Laurel y O. Hardy. Mención aparte merece el c. psicológico de A. Hitchcock, incorporado, al igual que muchos otros europeos (Lang, etc.), al c. norteam. En la década de los 40 surgió el neorrealismo it. (V. De Sica, L. Visconti, R. Rosellini), que derivó hacia el realismo mágico de F. Fellini y la obra personal de M. Antonioni. Surgieron así mismo otras corrientes como el *free cinema* brit. (T. Richardson y K. Reisz) y la *nouvelle vague* fr. (J. L. Godard, F. Truffaut, C. Chabrol, E. Rohmer) y el c. experimental de A. Resnais. En EE UU surgieron en la década de los 40 con gran fuerza cineastas como O. Wells, el cine negro de J. Huston, así como E. Kazan, O. Preminger, J. L. Mankiewicz, B. Wilder y N. Ray, y los filmes de Walt Disney. Ya en los 50 y 60 destacan G. Douglas, R. Fleischer, S. Kubrick, A. Penn, S. Peckinpah, R. Altman y W. Allen. Como realizadores de otros países destaca el japonés A. Kurosawa, I. Bergman, A. Wadja, M. Forman, R. Polanski. De los 70 sobresalen en Alemania R. W. Fassbinder, V. Schlöndorf, P. Fleischman, A. Kluge, W. Herzog. En Latinoamérica brillan a gran alt. el c. mex. de E. Fernández y L. Alcoriza, así como las cinematografías de Cuba (S. Álvarez), Argentina (L. Torre-Nilsson, A. Alcón), Perú (A. Robles Godoy, F. J. Lombardi), Bolivia (J. Sanjinés) y, sobre todo, el *cinema novo* bras. (G. Rocha, R. Guerra, L. Barreto). Desde los últimos años de los 70 y tras una grave crisis, el c. norteam. sorprendió con las grandes producciones basadas en los efectos especiales de G. Lucas, R. Scott, S. Spielberg y J. Cameron, y los filmes bélicos (O. Stone). El c. de autor contó con F. Coppola, M. Cimino, Q. Tarantino o los hermanos Cohen. El c. europeo continuó la línea emprendida en los 60 y, junto a los miembros de la ant. *nouvelle vague* fr. y la escuela al. de los 70, destacan nuevos valores como A. Tanner, B. Tavernier, W. Wenders, M. von Trotta. En Gran Bretaña, el cine humorístico del grupo Monty Phyton, J. Temple, etc. En Italia, junto a los directores consagrados, destacan B. Bertolucci, M. Ferreri, los hermanos P. y V. Taviani, E. Scola y M. Bellochio. El c. latinoamericano se consagró y obtuvo notables éxitos en los años 80 y 90, en especial en países como Colombia, Argentina, México y Cuba.
CINECLUB m. Asociación dedicada a la divulgación de la cultura cinematográfica.
CINEGÉTICA f. Arte de la caza. ■ CINEGÉTICO, CA.
CINEMASCOPE m. Marca registrada de un proceso cinematográfico que filma imágenes de campo superior al normal, que se proyectan sobre una pantalla de formato especial.
CINEMATECA f. Organismo que se ocupa de la conservación de películas y de otros documentos relacionados con el cine.

CINEMÁTICA f. *Fís.* Parte de la mecánica que estudia el movimiento en sus condiciones de espacio y tiempo.
CINEMATOGRAFÍA f. Arte, técnica e ind. del cine.
CINEMATOGRAFIAR tr. Filmar.
CINEMATÓGRAFO m. Aparato óptico que produce la impresión de mov. haciendo pasar rápidamente muchas imágenes fotográficas correspondientes a momentos consecutivos. • Establecimiento en que se exhiben películas. ■ CINEMATOGRÁFICO, CA.
CINERACIÓN f. Incineración.
CINERAMA m. Procedimiento cinematográfico consistente en la utilización de tres películas contiguas que, mediante otros tantos proyectores, se reproducen sobre una pantalla cóncava.
CINERARIO, RIA adj. Cinéreo. • Destinado a contener cenizas de cadáveres.
CINÉREO, A adj. Ceniciento.
CINESCOPIO m. Tubo de rayos catódicos que se usa en TV para reproducir imágenes.
CINESIA f. Movimiento. • *Med.* Mareo producido por ciertos movimientos.
CINESITERAPIA f. Tratamiento de enfermedades mediante el ejercicio muscular y los masajes.
CINÉTICA f. *Fís.* Rama de la mecánica que estudia el movimiento introduciendo el concepto de masa en la cinemática. • *Quím.* Estudio de la velocidad de las reacciones químicas.
CINÉTICO, CA adj. Relativo al movimiento. • adj. y m. *Arte.* Tipo de arte en el que se inscriben obras bi o tridimensionales que presentan un movimiento real u óptico. El término c. se incorpora al léxico artístico en 1955, con la exposición conjunta de Calder, Agam, Vasarely, Soto, Bory, etc., en la Galería Denise René.

Cine. Fotogramas de *Ciudadano Kane*, de Orson Welles (arriba) y de *La conquista del Oeste*, western (abajo)

Cine. Fotograma de *El retorno del Jedi*, perteneciente a la trilogía de George Lucas, *La guerra de las galaxias*

Cine. Arriba, *Pulp Fiction*, dirigida por Quentin Tarantino; abajo, *Titanic*, de James Cameron

CINGALÉS, SA adj. y s. De Sri Lanka o Ceilán. • m. *Ling.* Lengua indoaria hablada en el centro y sur de Sri Lanka (Ceilán).
CÍNGARO, RA adj. y s. Gitano.
CINGIBERÁCEO, A adj. y s. *Bot.* Díc. de las plantas de la familia cingiberáceas. • f. pl. Familia de monocotiledóneas herbáceas, con rizoma rastrero o turberoso, hojas alternas, flores en espiga, racimo o panoja y frutos capsulares.
CINGLAR tr. Hacer andar un bote, canoa, etc., con un solo remo puesto a popa. • *Metal.* Forjar el hierro para limpiarlo de escorias. ■ CINGLADO.
CÍNGULO m. Cordón con una borla a cada extremo, que ciñe el alba.
CÍNICO, CA adj. y s. Filósofo de cierta escuela fundada por Antístenes. • Díc. del que actúa en contra de sus principios éticos y alardea de su forma de proceder.
CÍNIFE m. Mosquito común.

Ciprés. Árbol y frutos

CINISMO m. Doctrina de los cínicos. • Desvergüenza en defender o practicar acciones o doctrinas vituperables. • Impudencia, obscenidad descarada.
CINNA, *Lucio Cornelio* (m. 84 a.C.) Cónsul rom. en el 87. Auxiliar de Mario en la lucha contra el partido de Sila.
CINO da Pistoia (h. 1270-h. 1336) Jurista y escritor it., influido por el *stil nuovo. Lectura in Codicem, Rimas*.
CINOCÉFALO m. Mono de hábitos terrestres, locomoción cuadrúpeda, hocico prominente y cola corta.
CINOGLOSA f. Hierba de la familia borragináceas, con raíz fusiforme, tallo velloso, hojas largas y lanceoladas cubiertas de vello y flores violáceas en racimos derechos. Huele mal; la corteza de su raíz se emplea en medicina.
CINOREXIA f. *Pat.* Aumento exagerado del apetito.
CINQUECENTO n. p. m. Nombre con el que se designa el último periodo del Renacimiento it., correspondiente al s. XVI.
CINTA f. Tejido largo y estrecho que sirve para atar, ceñir o adornar. • *Bot.* Planta perenne de la familia gramíneas, con tallos estriados, hojas listadas de blanco y verde, y flores en panoja alargada, mezclada de blanco y violeta. • Película cinematográfica. • *Arq.* Filete, parte más fina de la moldura. • *Arq.* Adorno a manera de tira estrecha que se pliega y repliega en diferentes formas. • Tira de acero graduada, que utilizan los agrimensores para medir pequeñas distancias. • Dispositivo formado por una banda metálica o plástica que, movida automáticamente, traslada mercancías, equipajes, etc. • **aislante**. La que recubre los empalmes de los conductores eléctricos. • **magnética**. La que registra sonidos o imágenes por medios magnéticos. • **métrica**. La que tiene la longitud del metro y sus divisiones y se emplea para medir. • **perforada**. *Comp.* La de papel que, perforada según un determinado código, sirve como soporte de información. ■ CINTEADO, DA; CINTERÍA; CINTERO, RA.
CINTAGORDA f. Red para la pesca del atún.
CINTALAPA Mun. de México, en el est. de Chiapas; 31 900 hab. Cereales, frutales. Ganadería.
CINTARAZO m. Golpe que se da de plano con la espada.
CINTILAR tr. Brillar, centellear.
CINTILLO m. Cordoncillo o cinta pequeña que se usa como adorno en los sombreros. • Sortija de oro o plata, guarnecida de piedras preciosas.
CINTO m. Cinturón. • Cintura, parte del cuerpo.
CINTRA f. *Arq.* Curvatura de una bóveda o de un arco. ■ CINTRADO, DA.
CINTRA, *Gonçalo de* (m. 1445) Navegante port. Descubrió la bahía que lleva su nombre, en la costa afr. (Sahara Occidental).
CINTURA f. Parte más estrecha del cuerpo humano, por encima de las caderas. • Cinto.
CINTURILLA f. Cinta de tela que se pone en la cintura de los vestidos.

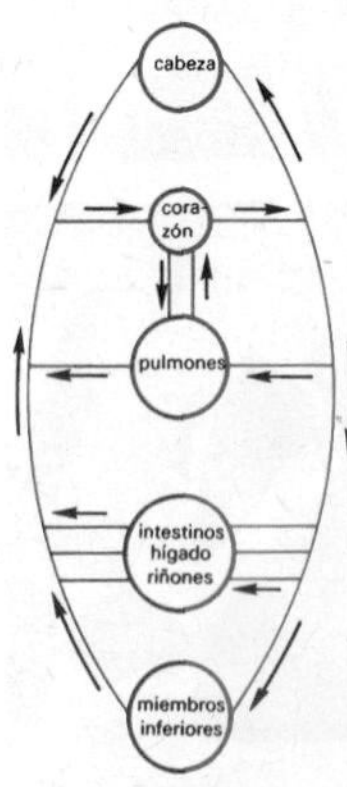

Esquema de la **circulación** de la sangre en los vertebrados

CINTURÓN m. Cinta de cuero o de tejido recio que se usa sobre el vestido o el pantalón para ceñirlo o sujetarlo. • Distintivo de la indumentaria del judoca que indica la categoría de quien lo usa. • Serie de cosas que rodean a otra. • **de castidad**. El impuesto antiguamente a la mujer por el marido para asegurarse de su inviolabilidad. • **de radiación de la Tierra**. Zonas de la magnetosfera cuya estructura les permite retener partículas cargadas (radiación corpuscular) del plasma cercano a la Tierra; se trata, pues, de una *trampa geomagnética*. • **de seguridad.** El que se usa para evitar caídas desde alturas peligrosas, o golpes graves en el interior de un vehículo. • **de Van Allen.** *Astr.* El de radiación de la Tierra.
CINTURÓN de Orión *Astr.* Nombre de las tres brillantes estrellas que se alinean oblicuamente en el centro de la constelación de Orión.
CINZOLÍN adj. y s. De color de violeta rojizo.
CIOLKOVSKIJ, *Konstantin* (1857-1935) Físico sov. Pionero de la astronáutica. Realizó estudios sobre los combustibles líquidos para la navegación espacial y sobre los problemas matemáticos acerca de las posibles trayectorias de las astronaves.
CIORAN, *Emile Michel* (1911-1995) Filósofo fr. de origen rumano. *En las cimas de la desesperación, La tentación de exitir, El aciago demiurgo.*
CIPANGO Nombre dado al Japón en la E. Med.
CIPARISO m. poét. Ciprés.
CIPAYO m. Soldado indio al servicio de Francia, Portugal y Gran Bretaña (ss. XVI-XIX). • **Rebelión de los c.** La que se produjo en el valle medio del Ganges, inspirada por Nana Sahib, aprovechando la escasez de fuerzas británicas en la India por causa de la guerra de Crimea (1857-1858).
CIPE adj. *Amér. Centr.* Díc. del niño que se cría canijo durante la lactancia. • m. *Salv.* Resina.
CIPERÁCEO, A adj. y s. *Bot.* Díc. de plantas monocotiledóneas, herbáceas, con rizoma corto, tallos triangulares y sin nudos, hojas envainadoras, flores en espigas, y semilla con albumen harinoso o carnoso. • f. pl. *Bot.* Familia de estas plantas.
CIPO m. Pilastra erigida en memoria de alguna persona difunta. • Poste en los caminos, para indicar la dirección o la distancia. • Hito.
CIPOLINO, NA adj. y s. Especie de mármol micáceo.
CIPOTE m. fam. Miembro viril. • Hombre bobo, estúpido. • *Salv.* y *Hond.* Chiquillo.
CIPRÉS m. *Bot.* Árbol monoico de la familia cupresáceas, de tronco recto, ramas erguidas, copa espesa y cónica, hojas pequeñas y escamosas y frutos gálbulos. • Madera de cualquiera de las especies de este árbol. ■ CIPRESAL; CIPRESINO, NA.
CIPRIANI, *Amilcare* (1844-1918) Político it. Luchó por la indep. de Italia, intervino en la fundación de la Internacional (1864) y fue uno de los jefes de la Comuna de 1871, por lo que fue deportado a Nueva Caledonia.
CIPRÍNIDO, DA adj. y m. *Zool.* Díc. de los individuos de una familia de peces provistos de dientes faríngeos. • adj. Relativo a estos peces. • m. pl. *Zool.* Familia de dichos peces.
CIPRINIFORME adj. y m. *Zool.* Díc. de los individuos de un orden de peces con radios blandos en las aletas, vejiga natatoria y un mecanismo que relaciona la vejiga natatoria con el oído. • adj. Relativo a estos peces. • m. pl. *Zool.* Orden de dichos peces.
CIPRINO, NA, CIPRIO, A o **CIPRIOTA** adj. y s. Chipriota.
CIPSÉLIDAS m. pl. Dinastía de tiranos de Corinto, fundada por Cipselo (ss. VII-VI a. C.).
CIRCASIA Ant. denominación de una región situada al NO del Cáucaso, englobada actualmente en los territorios sov. de Stavropol y Krasnodar y la RSSA de Kabardino-Balkaria.
CIRCASIANO, NA adj. y s. De Circasia. • Díc. del individuo de un pueblo caucasiano, más conocido actualmente con el nombre de cherkés.
CIRCE f. fig. Mujer astuta y engañosa.
CIRCE *Mit. gr.* Hechicera de la isla de Ea que, según la *Odisea*, acogió a Ulises y transformó en cerdos a sus compañeros.
CIRCO m. Lugar destinado entre los rom. para la carrera de carros o caballos. • Edificio u otro local, con gradería para los espectadores y en medio un espacio circular, donde se ejecutan ejercicios ecuestres y gimnásticos, se exhiben animales amaestrados, se practican juegos malabares, etc. • **glaciar.** Depresión semicircular formada por erosión de la nieve o hielo. ■ CIRCENSE.

CIRCÓN m. *Miner.* Silicato de circonio, transparente o translúcido, que presenta en alto grado la doble refracción. Algunas de sus variedades son gemas apreciadas en joyería (jacinto, jargón de Ceilán).
CIRCONIO m. *Quím.* Elemento químico de símb. Zr, n. a. 40 y p. a. 91,22. Es un metal de transición del grupo IV del sist. periódico, químicamente similar al titanio. Se emplea para absorber gases en la fabricación de válvulas electrónicas.
CIRCUIR tr. Rodear, cercar.
CIRCUITO m. Terreno comprendido dentro de un perímetro. • Contorno. • Itinerario de una carrera, viaje, de la sangre, etc. • Conjunto de elementos eléctricos o electrónicos conectados mediante conductores adecuados. • Trayecto cerrado para carreras de automóviles, motocicletas, etc. • Curva cerrada trazada en una superficie. • **impreso.** *El.* Placa aislante de material plástico recubierta parcialmente de una capa de estaño en aleación. Esta capa dibuja sobre la placa un contorno que corresponde a las conexiones entre los componentes del circuito. • **lógico.** Dispositivo, gralte., electrónico, cuyo funcionamiento materializa relaciones lógicas, en particular las booleanas. • **magnético.** Región del espacio capaz de contener un flujo magnético de inducción.
CIRCULACIÓN f. Acción de circular. • Ordenación del tráfico. • *Econ.* Movimiento total y ordenado de los productos, monedas, signos de crédito y, en gral., de la riqueza. • *Quím.* Operación que consiste en tratar por medio del fuego una sustancia contenida en uno de los matraces, de modo que los vapores que de la misma se desprenden se condensen en el otro matraz y vuelvan a la masa de donde salieron. • **de la sangre.** *Fisiol.* Mov. de la sangre por el interior del cuerpo de los animales.
CIRCULAR adj. Relativo al círculo. • De figura de círculo. • f. Orden que una autoridad superior dirige a todos o gran parte de sus subalternos. • Cada una de las cartas o avisos iguales dirigidos a diversas personas para darles conocimiento de alguna cosa. • intr. Andar o moverse en derredor. • Ir y venir. • Correr o pasar alguna cosa de unas personas a otras. • intr. y tr. Partir de un centro órdenes, instrucciones, etc., verbales o escritas, dirigidas en iguales términos a varias personas. • Salir alguna cosa por una vía y volver por otra al punto de partida. • En comercio, pasar los valores de una a otra persona mediante trueque o cambio. ■ CIRCULANTE.
CIRCULATORIO, RIA adj. Relativo a la circulación. • **Aparato c.** *Anat.* y *Fisiol.* Conjunto de órganos que distribuyen por todas las células del organismo las sustancias nutritivas obtenidas de la ingestión de alimentos y el oxígeno absorbido mediante la respiración.
**Anat.* y *Fisiol.* En el hombre, el aparato c. se compone de una bomba muscular, el corazón, que impulsa la sangre hacia las arterias. La ramificación de las arterias forma las arteriolas, sistema que origina las redes capilares, a cuyo nivel la sangre circula lentamente, separada de los tejidos del organismo únicamente por una capa de células, lo que permite el mutuo intercambio de sustancias. La reunión de los capilares constituye las vénulas y éstas forman las venas, que se dirigen al corazón, completándose el sistema cerrado.
CÍRCULO m. *Geom.* Área o superficie plana limitada por una circunferencia. • Circunferencia. • Casino, círculo de recreo, club. • Agrupación de personas, que en gral. posee un carácter político, económico o científico.
CIRCUMPOLAR adj. Que está alrededor del polo.
CIRCUNCENTRO m. *Geom.* En un triángulo, punto en que concurren las tres mediatrices trazadas sobre los lados.
CIRCUNCIDAR tr. Cortar circularmente una porción del prepucio. • fig. Cercenar.
CIRCUNCISIÓN f. Acción y efecto de circuncidar.
* *Hist.* Es posible que la c. naciera como un rito de iniciación al matrimonio. Abraham la institucionalizó como pacto con Jehová, y de él pasó a los judíos y a los musulmanes.
CIRCUNCISO adj. y m. fig. Judío, moro.
CIRCUNDAR tr. Cercar, rodear. ■ CIRCUNDANTE.
CIRCUNFERENCIA f. *Geom.* Curva plana, lugar geométrico de los puntos que equidistan de uno dado llamado centro de la c. • Contorno de una superficie, territorio, mar, etc. • **máxima**. En una superficie esférica, cualquiera de las obtenidas al seccionarla por un plano que pasa por su centro.
CIRCUNFERIR tr. Circunscribir, limitar.
CIRCUNFLEJO adj. y s. Díc. del acento ortográfico que en algunas lenguas indica la desaparición de una consonante o se usa con carácter diacrítico.
CIRCUNLOCUCIÓN f. o **CIRCUNLOQUIO** m. Rodeo de palabras para expresar algo que hubiera podido explicarse más brevemente.
CIRCUNNAVEGACIÓN f. Acción y efecto de circunnavegar. Las c. más imp. han sido las de Magallanes y Elcano (1519-1522), Francis Drake (1577-1580) y Fernández de Quirós (1595).
CIRCUNNAVEGAR tr. Navegar alrededor. • Dar un buque la vuelta al mundo.
CIRCUNSCRIBIR tr. Reducir a ciertos límites o términos alguna cosa. • *Geom.* Construir un polígono cuyos lados sean tangentes a una curva, o un poliedro cuyas caras sean tangentes a una superficie. También, construir un polígono de modo que en sus lados se hallen los vértices de otro (inscrito). • prnl. Ceñirse, concretarse a una ocupación. ■ CIRCUNSCRITO, TA.
CIRCUNSCRIPCIÓN f. Acción y efecto de circunscribir. • División administrativa, militar, electoral o eclesiástica de un territorio.
CIRCUNSPECCIÓN f. Prudencia. • Seriedad, decoro. ■ CIRCUNSPECTO, TA.
CIRCUNSTANCIA f. Accidente de tiempo, lugar, modo, etc., que está unido a la sustancia de algún hecho o dicho. • Calidad o requisito. • Conjunto de lo que está en torno a uno. ■ CIRCUNSTANCIAL; CIRCUNSTANTE.
CIRCUNSTANCIAR tr. Determinar las circunstancias de algo. ■ CIRCUNSTANCIADO, DA.
CIRCUNVALACIÓN f. Acción de circunvalar. • Línea de ferrocarril o carretera que une las diferentes salidas de una ciudad por el exterior de ésta. • *Mil.* Línea de atrincheramientos.
CIRCUNVALAR tr. Cercar, ceñir, rodear una ciudad, fortaleza, etc.
CIRCUNVECINO, NA adj. Aplícase a los lugares u objetos próximos y alrededor de otro.
CIRCUNVOLAR tr. Volar alrededor.
CIRCUNVOLUCIÓN f. Vuelta o rodeo de alguna cosa. • **cerebral**. *Anat.* Cada uno de los relieves de la superficie exterior del cerebro, separados por unos surcos llamados anfractuosidades.
CIREBON C. de Indonesia, puerto de la costa N de Java; 223 800 hab.
CIRENAICA *(Barqa)* Región oriental de Libia. Colonizada por los dorios (s. IV a. C.), fue conquistada por Alejandro Magno; los ár. la ocuparon en 642. Prov. otomana desde el s. XVI, en 1911 pasó a poder de Italia, y desde 1951 forma parte de Libia.
CIRENAICO, CA o **CIRENEO, A** adj. y s. De Cirene. • *Fil.* Una de las escuelas socráticas menores, fundada por Arístipo de Cirene (ss. V-IV a.C.).
CIRENE (gr., *Kyrene*) Ant. c. de la Cirenaica, fundada en 631 a. C. por los dorios.
CIRIAL m. Cada uno de los candeleros altos que llevan los acólitos en algunas funciones de iglesia.
CIRÍLICO, CA adj. Díc. del alfabeto usado en Rusia, Bulgaria y Serbia (Yugoslavia).
CIRILO de Alejandría (376-444) Santo. Sucesor de Teófilo en el patriarcado de Alejandría. Se enfrentó a Nestorio, condenándole en el concilio de Éfeso. • **de Jerusalén** (315-386) Santo. Padre de la Iglesia de Jerusalén. Participó en el concilio de Constantinopla. • **de Tesalónica** (827-869) Santo. Apóstol, junto a Metodio, de los eslavos.
CIRINEO adj. Cireneo. • m. fig. y fam. Persona que ayuda a otra en algún empleo o trabajo.
CIRIO m. Vela de cera de un pabilo, larga y gruesa. • *Amér.* Planta cactácea. • **pascual**. El muy grueso; se enciende durante el tiempo pascual.
CIRO, *el Grande* (m. 529 a. C.) Rey y fundador del imperio medopersa. Conquistó Lidia, Asia Menor y Babilonia, de la cual se hizo proclamar rey. • *el Joven* (423-401 a. C.) Rey de Persia y gobernador de Asia Menor, hijo de Darío II. A la muerte de su padre intentó arrebatar el trono a su hermano mayor, Artajerjes II, pero fue muerto en la batalla de Cunaxa.

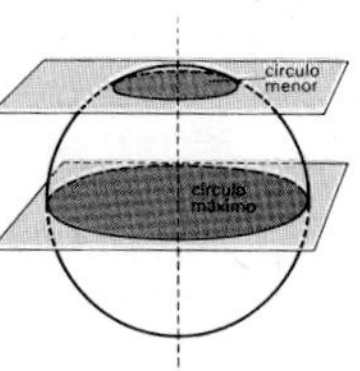

Círculos que se obtienen al seccionar una esfera

La **circuncisión** miniatura del *Libro de Horas* de Fernando el Católico

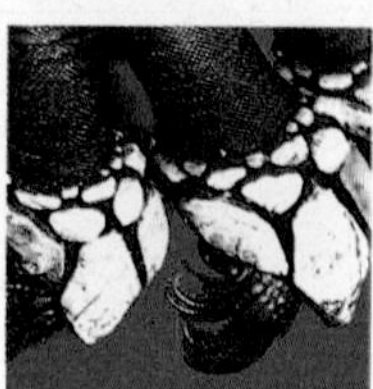
Percebes, crustáceos del orden **cirrípedos**

Ciruelo. Árbol y fruto

Cisne

El cardenal **Cisneros,** retrato de Juan de Borgoña

CIRRÍPEDO o **CIRRÓPODO** adj. y s. *Zool.* Aplícase a los crustáceos que viven adheridos a los cuerpos submarinos, y cuya concha se compone de varias valvas. • m. pl. *Zol.* Orden de estos animales.

CIRRO m. Escirro, tumor. • Zarcillo de la vid. • *Meteor.* Nube blanca y ligera, de aspecto filamentoso, que se presenta en las regiones superiores de la atmósfera. • Tentáculo de ciertos crustáceos, muy delgado y con barbillas laterales. ■ CIRROSO, SA.

CIRROCÚMULO m. *Meteor.* Nube alta constituida por cristales de hielo, en forma de gránulo.

CIRROESTRATO m. *Meteor.* Nube alta constituida por cristales de hielo, que aparece como un velo blanquecino muy delgado.

CIRROSIS f. *Med.* Proceso degenerativo de un órgano que origina su trastorno funcional. Puede presentarse en pulmones, ovarios, corazón, estómago, y con mayor frecuencia en los riñones y sobre todo en el hígado. ■ CIRRÓTICO, CA.

CIRTA Ant. cap. de Numidia.

CIRUELA f. Fruto del ciruelo.

CIRUELO m. *Bot.* Árbol frutal de la familia rosáceas, de hojas ovaladas y dentadas, flores blancas, que crecen al mismo tiempo que las hojas y frutos (ciruelas) en drupas pulposas y dulces. • adj. y s. fig. y fam. Necio.

CIRUGÍA f. Parte de la medicina que cura las enfermedades por medio de operaciones hechas con instrumentos adecuados. • **estética**. La que se preocupa del embellecimiento de una parte del cuerpo. • **plástica**. La que restablece, mejora o embellece la forma de una parte del cuerpo. ■ CIRUJANO, NA.

CISALPINA Rep. organizada por Napoleón en 1797, con cap. en Milán. Estaba formada por los ducados de Milán, Parma y Módena, y por territorios cedidos por el papa.

CISALPINO, NA adj. Situado entre los Alpes y Roma.

CISANDINO, NA adj. Del lado de acá de los Andes.

CISCAR tr. fam. Ensuciar alguna cosa. • prnl. Cagarse.

CISCO m. Carbón menudo. • fig. y fam. Bullicio, reyerta, alboroto. • **Hacer c.** Hacer trizas.

CISCÓN m. Restos que quedan en los hornos de carbón después de apagados.

CISÍPEDO adj. Que tiene el pie dividido en dedos.

CISJORDANIA Parte de Palestina comprendida entre el r. Jordán y la línea de armisticio árabe-israelí de 1949. Anexionada al reino de Transjordania (Jordania) en 1950. En 1967 fue ocupada militarmente por Israel. En 1974 Jordania cedió sus derechos sobre C. y reclamó, junto con la OLP, la creación de un est. palestino, posibilidad rechazada por Israel (1978). La conflictiva situación del terr. se agravó desde 1987, al extenderse las protestas de la pob. palestina. En 1994, la autonomía de Gaza y Jericó abrió la vía a la paz entre Israel y Jordania.

CISKEI Ant. bantustán sudafricano, al SE de la prov. de El Cabo. Fue abolido en 1994; 12 075 km², 682 900 hab. Cap. Zwelitsha.

CISMA amb. División o separación entre los individuos de un cuerpo o comunidad. • *Rel.* Toda escisión de la unidad eclesiástica. • **de Oriente**. Se originó en el s. IX, y condujo a la creación de la iglesia ortodoxa gr. • **de Occidente**. Causado por la pugna entre los papas de Roma y Aviñón, resuelta por el concilio de Constanza en 1417. ■ CISMÁTICO, CA.

CISMONTANO, NA adj. Situado en la parte de acá de los montes, respecto al punto o lugar desde donde se considera.

CISNE m. *Zool.* Ave anseriforme, de plumaje blanco o negro, cabeza pequeña, cuello muy largo y flexible, patas cortas y alas grandes. • fig. Poeta o músico excelente. • *Astr.* Constelación boreal *(Cygnus).*

CISNEROS, ***Antonio*** (nacido 1942) Poeta per. Premio Nacional de Poesía (1964) y premio Casa de las Américas (1968). *Destierro, Comentarios reales, Como higuera en un campo de golf.* • ***Francisco Jiménez de*** (1436-1517) Eclesiástico y político esp., confesor de Isabel I. Regente de Castilla (1506) y de España a la muerte de Fernando (1516). Fundó la universidad de Alcalá de Henares. • **Betancourt,** ***Salvador*** (1828-1914) Político cub. Apoyó la sublevación nacionalista. Presid. de la rep. (1873-1875 y 1895-1897).

CISORIA adj. Se aplica a cierta habilidad para trinchar, llamada arte cisoria.

CISPADANA ***República*** Est. creado por Bonaparte, en 1796, al S del Po, y unido en 1797 a la República Cisalpina.

CISPADANO, NA adj. Situado entre Roma y el río Po.

CISPLATINA, ***Provincia*** Nombre del Uruguay durante la dominación bras. (1821-1828).

CISPLATINO, NA adj. De este lado del Plata.

CISTÁCEO, A o **CISTÍNEO, A** adj. y f. *Bot.* Díc. de las plantas de la familia cistáceas. • f. pl. Familia de dicotiledóneas, de flores en panoja o corimbo, hojas sencillas y fruto capsular.

CISTEÍNA f. *Bioq.* Aminoácido esencial que se encuentra libre, en asociaciones peptídicas y en proteínas, especialmente en escleroproteínas (pelo, piel, uñas, etc.).

CISTEL m. → Cister.

CISTER m. Orden religiosa de la regla de San Benito, fundada por Roberto de Molesmes en 1098. Restableció la rigurosidad de las reglas primitivas y tuvo una gran influencia política y religiosa. El arte cisterciense señala la transición del románico al gótico. ■ CISTERCIENSE.

CISTERNA f. Depósito donde se recoge agua de lluvia o de un manantial.

CISTÍ (m. 1236) Místico musulmán, originario de la India.

CISTICERCO m. Larva de la tenia que vive enquistada en los músculos de ciertos animales. Si es ingerida por el hombre, se desarrolla en el intestino.

CISTICERCOSIS f. *Med.* Enfermedad debida a la presencia de cisticercos y de tenias adultas en el intestino humano.

CÍSTICO, CA adj. Relativo a la vesícula biliar.

CISTINA f. *Bioq.* Aminoácido formado por la unión de dos moléculas de cisteína.

CISTITIS f. *Med.* Inflamación de la vejiga urinaria.

CISTOLITO m. *Med.* Cálculo en la vejiga urinaria.

CISTOSCOPIO m. *Cir.* Instrumento para explorar la superficie interna de la vejiga.

CISTOTOMÍA f. *Cir.* Incisión de la vejiga para operar en el interior de este órgano.

CISURA o **CISIÓN** f. Rotura o abertura sutil que se hace en cualquier cosa. • Herida que hace el sangrador en la vena.

CITA f. Día, hora y lugar en que convienen encontrarse dos personas. • Nota que se alega para prueba de lo que se dice o refiere.

CITACIÓN f. Acción de citar. • Diligencia mediante la que se comunica a uno la cita de un juez.

CITAR tr. Avisar a uno señalándole día, hora y lugar para tratar de algún asunto. • Referir los autores, textos o lugares que se alegan en comprobación de lo que se dice o escribe. • *Der.* Notificar a una persona el emplazamiento del juez. • *Taur.* Provocar al toro para que embista. ■ CITATORIO, RIA.

CITARA f. Pared con sólo el grueso del ancho del ladrillo común.

CÍTARA f. Instrumento musical con tres órdenes de cuerdas, cada uno de ellos compuesto de una entorchada y dos de alambre. ■ CITARISTA.

CITÉ, ***Île de la*** Isla del Sena, cuna de París. En ella se alza la catedral de Notre Dame.

CITEREO, A adj. poét. Relativo a Venus.

CITERIOR adj. Situado de la parte de acá, en contraposición de lo que está de la parte de allá.

CITIDINA f. Nucleósido formado por la unión de una base nitrogenada, la citosina, y un azúcar de cinco átomos de carbono, la ribosa.

CITISO m. Codeso, planta.

CITLALTEPETL Nombre azteca («cerro de las estrellas») del monte Orizaba.

CITOCINESIS f. *Biol.* División del citoplasma.

CITOCROMO m. *Biol.* Biocatalizador constituido por un proteido cuyo grupo prostético posee hierro; se caracteriza por su propiedad de absorber la luz. Su peso molecular varía entre 12 000 y 30 000.

CITOCROMOOXIDASA f. *Biol.* Citocromo capaz de reducir el oxígeno.

CITODIAGNOSIS f. *Med.* Diagnosis basada en el examen de células.

CITOGENÉTICA f. Parte de la biología que estudia los fenómenos de la herencia, atendiendo al comportamiento de los cromosomas dentro de la célula.

CÍTOLA f. Tablita de madera, pendiente de una cuerda sobre la piedra del molino harinero, para que la tolva vaya despidiendo la cibera, y para conocer que se para el molino cuando ésta deja de golpear.
CITÓLISIS f. *Biol.* Destrucción de la célula, debida a agentes externos (ácidos, enzimas, etc.) o a autodigestión por la acción de lisosomas celulares sobre la célula muerta.
CITOLOGÍA f. Parte de la biología que estudia la célula y sus orgánulos. Su desarrollo ha sido paralelo al del microscopio.
CITOPLASMA m. *Biol.* Parte del protoplasma, que en la célula rodea al núcleo. Está constituido por el → hialoplasma.
CITOSINA f. Base nitrogenada fundamental en la constitución de los nucleósidos.
CITOSTÁTICO, CA adj. y s. *Farm.* Que inhibe el crecimiento y multiplicación de las células. Los c. son muy usados en el tratamiento de los tumores.
CITOSTOMA m. *Anat.* Orificio, gralte. situado en la parte anterior o lateral del cuerpo de los ciliados, a través del cual se introducen los alimentos en el cuerpo.
CITR- *Quím.* Prefijo que significa *ácido cítrico.*
CITRAL m. *Quím.* Aldehído no saturado, con cadena ramificada, caracterizado por su olor agradable parecido al del limón.
CITRATO m. *Quím.* Cada una de las sales del ácido cítrico.
CÍTRICO, CA adj. Relativo al limón. • m. pl. Agrios, frutos como el limón, la naranja, la piña, etc. • **Ácido c.** *Quím.* Compuesto cristalino, soluble en agua y en alcohol, que se emplea en la fabricación de bebidas, sales efervescentes, ind. alimentaria, etc. Se obtiene de limones sin madurar y por fermentación de melazas. Actúa como regulador del nivel de calcio en el organismo.
CITRICULTURA f. Cultivo de los agrios.
CITRINA f. *Quím.* Aceite esencial del limón.
CITROËN, ***André*** (1878-1935) Ingeniero e industrial fr. A principios de la I Guerra Mundial construyó una fábrica de municiones que más tarde transformó para construir automóviles en serie.
CITRÓN m. Limón.
CITY (voz ing.) f. Ciudad; nombre que comúnmente se da a un barrio central de Londres, sede del mundo financiero y comercial brit.
CIUDAD f. Núcleo urbano, de pob. densa. Constituye un complejo demográfico, económico, sociológico y político en el que se ejercen actividades económicas relacionadas con la ind. y los servicios. • **dormitorio**. Núcleo o barrio de características exclusivamente residenciales, cuyos hab. trabajan en otros lugares. • **estado**. Forma de organización pol. y demográfica de la Grecia ant., fundamentalmente de Atenas. • **jardín**. Barrio o parte de una c. en que una porción de cada solar ha de reservarse para jardín. • **lineal**. La que ocupa una faja de terreno de varios kilómetros de long. y de poca anchura con una sola avenida central. • **universitaria**. Conjunto de edificios destinados a la enseñanza universitaria.
CIUDAD ARCE Mun. de El Salvador, en el dpto. de La Libertad; 25 100 hab. Cereales, caña de azúcar. Centro comercial.
CIUDAD BARRIOS Mun. de El Salvador, en el dpto. de San Miguel; 14 900 hab. Café, caña de azúcar, henequén.
CIUDAD BOLÍVAR C. y puerto fluvial de Venezuela, en la orilla derecha del Orinoco. Cap. del est. Bolívar; 258 100 hab. Centro com. y nudo de comunicaciones. Ind. siderúrgica, maderera; manufactura de tabaco. Export. de mineral de hierro. Fundada en 1595 con el nombre de Santo Tomé de Guayana, en 1762 se denominó Angostura; recibió su nombre actual en 1846.
CIUDAD DARÍO Mun. de Nicaragua, en el dpto. de Matagalpa; 28 000 hab. Agricultura. Cuna de Rubén Darío.
CIUDAD DE EL CABO → Cabo, Ciudad de El.
CIUDAD DEL ESTE C. de Paraguay, cap. del dpto. de Alto Paraná, 133 893 hab. Ind. alimentarias. Denominada antes Puerto Presidente Stroessner.
CIUDAD DEL MAÍZ Mun. de México, en el est. de San Luis Potosí; 45 703 hab. Algodón, caña de azúcar. Ind. alimentaria.
CIUDAD GUAYANA C. del E de Venezuela, en el est. Bolívar; 523 578 hab. Sit. en la orilla derecha del Orinoco, junto a la confluencia del Caroní. Ind. siderúrgica, química y de la constr. Puerto fluvial.
CIUDAD GUZMÁN C. de México, en el est. de Jalisco: 73 919 hab. Agricultura, minería.

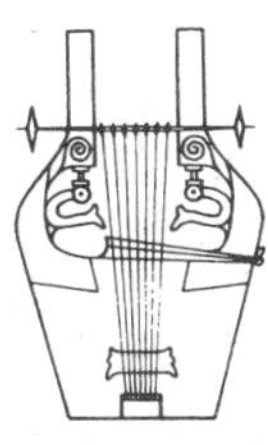
Cítara

Ciudad medieval, en un fresco de A. Lorenzetti

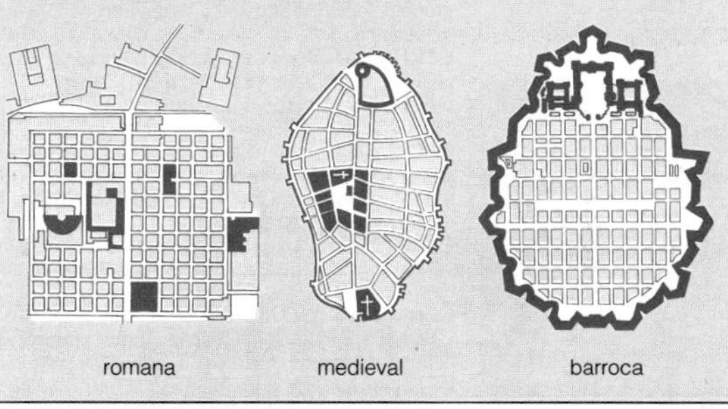

Tres tipos de planta urbana, que reflejan la evolución de la **ciudad**

CIUDAD JUÁREZ C. de México, en el est. de Chihuahua; 797 679 hab. Sit. en el centro de la frontera con los EE UU, a orillas del r. Bravo del Norte, frente a la c. de El Paso (Texas). Ind. cervecera y del algodón. Universidad. Fundada en 1659 con el nombre de El Paso del Norte; cuartel general de Benito Juárez durante la guerra civil y la invasión fr. (1865). Recibió el nombre actual en 1888.
CIUDAD MADERO C. de México, en el est. de Tamaulipas; 159 644 hab. Centro turístico. Petróleo.
CIUDAD OBREGÓN C. de México, en el est. de Sonora; 161 300 hab. Arroz, trigo, algodón.
CIUDAD OJEDA C. de Venezuela, en el est. Zulia; 88 500 hab. Centro petrolífero a orillas del lago Maracaibo.
CIUDAD REAL Prov. del centro-sur de España en la com. autón. de Castilla-La Mancha; 19 749 km^2, 478 672 hab. Cap., la c. hom. C. prales.: Puertollano, Valdepeñas, Alcázar de San Juan. Cereales, olivos, vid. Ganadería. Carbón, plomo, mercurio (Almadén). Ind. alimentarias. Refinería de petróleo en Puertollano. • C. esp., cap. de la prov. hom.; 59 392. Ind. alimentarias y de la construcción. Fundada por Alfonso X (1255).
CIUDAD TRUJILLO Denominación de Santo Domingo de 1936 a 1961.
CIUDAD VICTORIA C. de México, cap. del est. de Tamaulipas; 282 686 hab. Centro agrícola y comercial.
CIUDADANÍA f. Calidad y derecho de ciudadano. En la ant. fueron muy pocos los que gozaron del estatus de c., hasta que Roma extendió el título de ciudadano a todos los miembros del imperio, excluidos los esclavos. En la actualidad, la c. la disfruta toda persona vinculada a un Est. • Civismo.
CIUDADANO, NA adj. y s. Natural o vecino de una ciudad. • Relativo a la ciudad o a los ciudadanos. • m. y f. El que está en posesión de los derechos que le permiten tomar parte en el gobierno de un país.
CIUDADELA f. Recinto de fortificación permanente en el interior de una plaza, que sirve para dominarla o de último refugio a su guarnición.

Rincón de **Ciudad Bolívar**

Cladodios de una cactácea del género *Opuntia*

La diosa, escultura de Josep **Clarà** (Barcelona, España)

Clarinete

CIUDADREALEÑO, ÑA adj. y s. De Ciudad Real.

CIVETA f. Carnívoro fisípedo de la familia vivérridos, del cual se extrae una sustancia utilizada en perfumería.

CÍVICO, CA adj. Civil, ciudadano. • Patriótico. • Doméstico, relativo al domicilio. • Relativo al civismo.

CIVIL adj. Ciudadano, relativo a la ciudad. • Sociable, atento. • Aplícase a la persona que no es militar. • *Der.* Relativo a las relaciones e intereses privados en orden al estado de las personas, régimen de la familia, condición de los bienes y los contratos. • *Der.* Díc. de las disposiciones que emanan de las potestades laicas, en oposición a las que proceden de la Iglesia.

CIVILIDAD f. Sociabilidad, urbanidad. ■ CIVILISTA.

CIVILIZACIÓN f. Conjunto de ideas, técnicas, costumbres y prácticas artísticas que singularizan el desarrollo de un pueblo o grupo étnico.
**Soc.* El término suele emplearse para distinguir entre sociedades plenamente urb. (culturas civilizadas) y sociedades primitivas. La expansión colonial y el contacto con otras sociedades dio origen al concepto etnográfico de c., según el cual cada grupo o sociedad humana posee una c. propia que lo caracteriza.

CIVILIZAR tr. y prnl. Sacar del estado salvaje a pueblos o personas. • Educar, ilustrar.

CIVISMO m. Serie de cualidades que caracterizan al buen ciudadano. • fig. Cortesía.

CIZALLA f. Máquina para cortar planchas de metal. • Especie de guillotina que sirve para cortar cartones y cartulinas. • Recorte o fragmento de cualquier metal. ■ CIZALLADO, DA.

CIZALLADURA f. *Fís.* Deformación que sufre un cuerpo al aplicarle una fuerza tangencial en una de sus caras.

CIZALLAR tr. Cortar con la cizalla.

CIZAÑA f. Planta anual, de la familia gramíneas, con hojas estrechas y flores en espiguillas terminales comprimidas. La harina de su semilla es venenosa. • fig. Vicio que se mezcla entre las buenas acciones o costumbres. • fig. Cualquier cosa que daña a otra. • fig. Disensión o enemistad.

CIZAÑAR tr. Sembrar o meter cizaña; enemistar. ■ CIZAÑERO, RA; CIZAÑOSO, SA.

Cl *Quím.* Símb. del cloro.

CLAC m. Sombrero de copa alta que por medio de muelles puede plegarse. • Sombrero de tres picos que podía plegarse. • Claque del teatro.

CLACA f. fam. Claque.

CLACHIQUE m. *Méx.* Pulque sin fermentar.

CLACO m. *Méx.* Ant. moneda de cobre.

CLACOPACLE m. *Méx.* Aristoloquia.

CLACOTA f. o **CLACOTE** m. *Méx.* Tumorcillo o divieso.

CLACTONIENSE adj. y m. Díc. de cierta cultura del paleolítico inferior caracterizada por el corte ancho y uniforme de sus herramientas de sílex.

CLADÓCERO, RA adj. y m. *Zool.* Díc. de los crustáceos del orden cladóceros. • m. pl. Orden de crustáceos acuáticos bivalvos y gralte. microscópicos, dos de cuyos apéndices son grandes antenas ramosas con las que nadan. Pulgas de agua.

CLADODIO m. Rama o tallo de forma comprimida (incluso laminar), de color verde.

CLAIR, *René* (1898-1981) Seud. de *René Chomette*. Director de cine fr. *París dormido, Un sombrero de paja de Italia, Bajo los techos de París, Viva la libertad, El último millonario, Mujeres soñadas, Puerta de las Lilas*. Publicó el libro *Reflexiones sobre el cine*.

CLAIRAUT, ***Alexis Claude*** (1713-1765) Matemático fr. Estudió los movimientos de la Luna y la forma de la Tierra. *Elementos de geometría, Elementos de álgebra*.

CLAMAR intr. Quejarse a gritos, pidiendo ayuda. • Hablar con vehemencia o de manera grave.

CLÁMIDE f. Capa corta y ligera que usaron los gr. y los rom.

CLAMÍDEO, A adj. *Bot.* Relativo al periantio floral.

CLAMIDÓSPORA f. *Bot.* Tipo de espora característica de los hongos, de membrana reforzada y engrosada para resistir la sequedad.

CLAMOREAR tr. Gritar, suplicar, quejarse. • intr. Doblar, tocar a muerto las campanas. ■ CLAMOR; CLAMOREADA; CLAMOREO; CLAMOROSO, SA.

CLAN m. Nombre que en Escocia designaba tribu o familia. • Grupo de parientes de filiación unilateral. • Camarilla, grupo de personas unidas por los mismos intereses.

CLANDESTINO, NA adj. Secreto, oculto. Aplícase gralte. a lo que se hace o se dice secretamente por temor a la ley para eludirla. • Díc. del impreso que se publica sin observancia de los requisitos legales. ■ CLANDESTINIDAD.

CLANGOR m. poét. Sonido de la trompeta o del clarín.

CLANVOWE, SIR, ***Thomas*** (m. h. 1410) Poeta ing. de la corte de Ricardo II y Enrique II. *El cuco y el ruiseñor*.

CLAPA f. *Méx.* Ricino.

CLAPARÈDE, ***Édouard Alfred*** (1873-1940) Pedagogo y psicólogo suizo. Fundó, con P. Bovet, el Instituto J. J. Rousseau, hoy Instituto de las Ciencias de la Educación de Ginebra, y los *Archives de psychologie*.

CLAPEYRON, ***Émile*** (1799-1864) Ingeniero y físico fr. Revalorizó la obra y las ideas de Carnot sobre la fuerza motriz del calor. Contribuyó al desarrollo de la termodinámica.

CLAQUE f. Conjunto de personas a las que se facilita la entrada a los teatros para que aplaudan en los momentos oportunos y estimulen de este modo el aplauso del resto del público.

CLARA f. Materia albuminosa y transparente que rodea la yema del huevo. • Parte de la cabeza que clarea por falta de pelo. • fam. Espacio corto durante el cual se interrumpe la lluvia.

CLARA (1193-1253) Santa it. Se apartó de la regla benedictina para crear una orden propia, llamada actualmente de las clarisas.

CLARÀ, ***Josep*** (1878-1958) Escultor esp. *La diosa, Serenidad, Juventud*.

CLARABOYA f. Ventana abierta en el techo o en la parte alta de las paredes.

CLARAR tr. Aclarar.

CLARASÓ, ***Enrique*** (1857-1941) Escultor esp. *Sugestión, Memento homo, Eva*.

CLARAVAL *(Clairvaux)* Ant. monasterio del Cister, en el dpto. del Aube (Francia), fundado en 1115 por san Bernardo.

CLAREA f. Bebida que se hace con vino claro, azúcar o miel, canela e ingredientes aromáticos.

CLAREAR tr. Dar claridad. • intr. Empezar a amanecer. • Irse abriendo y disipando el nublado. • *Méx.* Atravesar de un balazo. • prnl. Transparentarse. • fig. y fam. Descubrir uno involuntariamente sus intenciones.

CLARECER intr. Amanecer.

CLARENDON, ***Edward Hyde***, CONDE DE (1609-1674) Político ingl. Defensor de la monarquía, intentó conciliar al rey con el Parlamento, a fin de evitar una guerra civil. Al estallar el conflicto armado, tomó partido por el rey y, a su muerte (1649), apoyó a su hijo Carlos II, de quien fue primer ministro. Cayó a consecuencia de la derrota frente a los Países Bajos (1667).

CLARENS m. Coche de cuatro asientos, con capota.

CLAREO m. Acción de aclarar un monte.

CLARET, ***Antonio M.ª*** → Antonio M.ª Claret.

CLARETE adj. y s. Vino clarete.

CLARETIANO, NA adj. Relativo a la congregación que fundó san Antonio Mª. Claret en 1849.

CLARIDAD o **CLAREZA** f. Calidad de claro. • Efecto que causa la luz iluminando un espacio, de modo que se distinga lo que hay en él. • Distinción con que por medio de los sentidos percibimos las sensaciones, y por medio de la inteligencia, las ideas. • fig. Palabra o frase con que se dice a uno franca o resueltamente algo desagradable. Se usa más en pl. • fig. Buena opinión y fama que resulta del nombre y de los hechos de alguna persona. ■ *Amér. Centr. y Méx.* CLARIDOSO, SA.

CLARIFICADOR, RA adj. y s. Que clarifica. • f. *Cuba.* Vasija cuadrilonga que se usa para clarificar el guarapo del azúcar.

CLARIFICAR tr. Iluminar, alumbrar. • Aclarar alguna cosa. • Poner claro, limpio, lo que estaba denso, turbio o espeso. ■ CLARIFICACIÓN; CLARIFICATIVO, VA.

CLARÍN m. Instrumento musical de viento, de metal, semejante a la trompeta, pero más pequeño y de sonidos más agudos. • Uno de los registros del órgano. • Persona que toca el clarín. • Tela de hilo muy delgada y clara. • **de la selva**. *Amér.* Pájaro de pico encorvado, cola muy larga, plumaje gris, patas, pico y ojos negros.

CLARÍN Seud. de ***Leopoldo Alas*** (1852-1901) Crítico y novelista esp. Cultivó el naturalismo en sus novelas. *La Regenta, Su único hijo* y la sensibilidad y el humor en sus cuentos. *¡Adiós Cordera!*

CLARINADA f. fam. Toque de clarín. • fam. Tontería, necedad.

CLARINETE m. Instrumento musical de viento, que se compone de una boquilla de lengüeta de caña, un tubo formado por varias piezas de madera dura, con agujeros que se tapan con los dedos o se cierran con llave, y un pabellón de clarín. • Clarinetista.

CLARINETISTA com. Persona que toca el clarinete.

CLARIÓN m. Pasta hecha de yeso mate y greda, que se usa para escribir en los encerados.

CLARIS, ***Pau*** (1585-1641) Eclesiástico y político esp. Presid. de la *Generalitat de Catalunya*, se opuso al centralismo del conde duque de Olivares, declarando el principado rep. independiente (1641).

CLARISA adj. y f. Religiosa de la segunda orden de San Francisco, fundada por santa Clara en el s. XIII.

CLARIVIDENCIA f. Facultad de comprender y discernir claramente las cosas. • Penetración, perspicacia. ■ CLARIVIDENTE.

CLARK, ***Colin*** (1905-1989) Economista australiano. Divulgó la división de la economía en tres sectores: primario, secundario y terciario. *La renta nacional, Las condiciones del progreso económico*. • ***Jim*** (1936-1968) Automovilista brit. Campeón del mundo en 1963 y en 1965. Triunfó en las 500 Millas de Indianápolis (1965). Murió durante una carrera. • ***Mark Wayne*** (1896-1984) General norteam. Dirigió durante la II Guerra Mundial las fuerzas del N de África, Italia y Austria, y en la guerra de Corea las tropas de la ONU. • ***William*** (1770-1838) Explorador norteam. Acompañado del capitán Lewis, remontó la cuenca del Misuri y descendió por el curso del Columbia hasta el océano Pacífico.

CLARKE, ***Charles Edward*** (1741-1779) Navegante ing. Dio tres veces la vuelta al mundo.

CLARO, RA adj. Bañado de luz. • Que se distingue bien. • Limpio, puro, despejado. • Transparente y terso; como el agua, el cristal, etc. • Se aplica a las cosas líquidas mezcladas con algunos ingredientes, que no están muy trabadas ni espesas; como el chocolate, la almendrada, etc. • Más ensanchado o con más espacios e intermedios de lo regular. • De color poco subido. • Inteligible, fácil de comprender. • Evidente, cierto, manifiesto. • Expresado con libertad. • Díc. de la persona que se expresa de este modo. • Díc. del tiempo, día, noche, etc., en que está el cielo despejado y sin nubes. • En los tejidos, ralo, poco tupido. • fig. Perspicaz, agudo. • fig. Ilustre, insigne, famoso. • m. Abertura, a modo de claraboya, por donde entra luz. • Espacio que media de palabra a palabra en un escrito. • Espacio o intermedio que hay entre algunas cosas; como en las procesiones, líneas de tropas, sembrados, etc. • *Arq.* Luz, hueco en alguna pared para que entre la claridad. Se usa más en pl. • *Pint.* Porción de luz que baña la figura u otra parte del lienzo. • adv. modo. Claramente. • **de luna**. Momento en que la Luna se muestra en noche oscura.

CLAROR m. Resplandor o claridad.

CLAROSCURO m. *Pint.* Conveniente distribución de la luz y de las sombras en un cuadro. • *Pint.* Diseño o dibujo que no tiene más que un color sobre el material en que se pinta.

CLASCAL m. *Méx.* Tlascal.

CLASE f. Totalidad de un conjunto de objetos, individuos, sucesos, datos, fenómenos, etc., que se distinguen de otros por algún rasgo peculiar. • Conjunto de personas que, en una formación social dada, desempeñan igual o parecido papel en la producción económica de bienes, y llevan a cabo una práctica social y política homogénea. • Conjunto de estudiantes que reciben un mismo grado de enseñanza. • Aula. • Lección que da el maestro a los discípulos cada día. • En los establecimientos de enseñanza, cada una de las asignaturas a que se destina separadamente determinado tiempo. • Distinción, personalidad. • *Bot.* y *Zool.* Categoría sistemática comprendida entre la división o tipo y el orden. • *Mat.* Conjunto de elementos equivalentes entre sí según una relación que cumple las propiedades reflexiva, simétrica y transitiva. • *Lóg.* Conjunto. • pl. *Mil.* Nombre genérico de los individuos de tropa que forman los escalones intermedios entre el oficial y el soldado raso. • **media**. La formada por pequeños y medianos industriales y comerciantes, profesiones liberales, etc.

CLASICISMO m. Sistema literario o artístico fundado en la imitación de los modelos de la Antigüedad gr. y rom. ■ CLASICISTA.

* *Arte* y *Lit.* El c. se desarrolló en Francia durante el reinado de Luis XIV. Además de la fidelidad a los modelos clásicos, el c. fr. aplicó el cartesianismo en la resolución de las cuestiones estéticas. Sus prales. representantes fueron Racine, Boileau, La Fontaine, Bossuet, Mme. de Sévigné, Mme. de La Fayette y Poussin.

CLÁSICO, CA adj. y s. Díc. del estilo, autor o época considerado modélico en su especialidad o en su momento. • P. ant. la cultura grecolatina. • **Escuela c.** Conjunto de filósofos y teóricos de la economía política que, entre 1750 y 1850, desarrollaron los postulados del capitalismo industrial y la iniciativa privada. Destacaron Adam Smith, David Ricardo, Thomas Malthus, John Stuart Mill, Jeremy Benthan y J. E. Cairnes.

CLASIFICACIÓN f. Ordenación de elementos de cualquier tipo en varias clases, fundada en ciertos rasgos diferenciadores previamente determinados. • **decimal**. Sistema para la ordenación de bibliotecas que utiliza un lenguaje numérico para registrar los temas.

CLASIFICADOR, RA adj. y s. Que clasifica. • m. Mueble de despacho con varios departamentos para guardar papeles. • f. Máquina que permite la clasificación automática de tarjetas perforadas.

CLASIFICAR tr. Ordenar, disponer por clases. • prnl. *Dep.* Obtener determinado puesto en una competición. • Obtener un puesto que permita seguir en competición.

CLASISMO m. Parcialidad por determinada clase social. • Actitud despectiva o injusta respecto de las clases inferiores.

CLASISTA adj. y s. Lo que es peculiar de una clase social. • Partidario de las diferencias de clases o que se comporta con conciencia de ello.

CLÁSTICO, CA adj. *Geol.* Díc. de las rocas constituidas por fragmentos de rocas procedentes de la erosión de rocas preexistentes.

CLAUDE, ***Georges*** (1870-1960) Físico y químico fr. Importantes descubrimientos: la licuefacción del aire, la obtención de oxígeno y nitrógeno a partir del aire líquido, la posibilidad de utilizar el agua del mar como fuente de energía.

CLAUDEL, ***Paul*** (1868-1955) Escritor y diplomático fr. Sus convicciones religiosas impregnan su obra. *La ciudad, La doncella Violaine, La anunciación a María, El zapato de raso, Juana de Arco en la hoguera*.

CLAUDIA adj. Díc. de una variedad de ciruela, redonda, de color verde y muy dulce y jugosa.

Clarín por P. Vicente

Paul **Claudel**

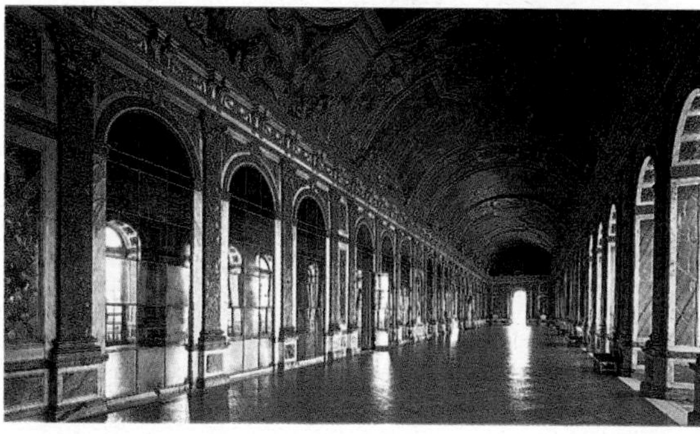

El Salón de los Espejos del palacio de Versalles, excelente muestra del **clasicismo** francés

CLAUDIANO, ***Claudio*** (370-404) Poeta latino. Sátiras, epigramas y poemas mitológicos.
CLAUDICACIÓN f. Acción y efecto de claudicar. • *Med.* Trastorno intermitente de una función.
CLAUDICAR intr. Cojear. • fig. Realizar concesiones ante las presiones insistentes.
CLAUDIO I, ***Tiberio Claudio César Augusto Germánico*** (10 a. C.-54 d. C.) Emperador rom. [41-54], hijo de Druso. Se dedicó al estudio y la literatura. Asesinado Calígula, compró a los pretorianos y fue nombrado emp. Conquistó el S de Britania y anexionó Tracia y Mauritania. Asesinado por su esposa Agripina. • **II** ***el Gótico*** (214-270) Emperador rom. [268-270], sucesor de Galieno. Defendió el paso de las Termópilas frente a los bárbaros; derrotó a los godos en la batalla de Naissus. • ***Apio*** (s. IV y III a. C.) Patricio y político rom.; fue cónsul, dictador y censor. • **Nerón,** ***Cayo*** (s. III a. C.) General rom. cónsul en 207 a. C. Venció en Metauro a Asdrúbal, hermano de Aníbal.
CLAUSEWITZ, ***Karl von*** (1780-1831) General y teórico militar prusiano, de origen pol. Influyó sobre la concepción de la guerra por Engels y Marx, y asentó los fundamentos de la estrategia y de la guerra revolucionarias. *De la guerra.*
CLAUSIUS m. *Fís.* Unidad de entropía. Un c. es la variación de entropía que experimenta un sistema termodinámico cuando absorbe el calor de 1 julio a la temperatura de 1 °K.
CLAUSIUS, ***Rudolf*** (1822-1888) Físico al. Introdujo el concepto de entropía.

Clave de un arco

CLAUSTRO m. Galería que cerca el patio pral. de una iglesia o convento. • Junta que gobierna ciertos centros docentes. • Conjunto de profesores de un centro de enseñanza. • Reunión de los miembros de un claustro. • fig. Estado monástico. • **materno**. Matriz, en las hembras. ■ CLAUSTRAL.
CLAUSTROFOBIA f. Fobia a los espacios cerrados.
CLÁUSULA f. *Der.* Cada una de las disposiciones de un contrato, tratado, testamento, etc. • *Gram.* Frase.
CLAUSULADO, DA adj. Cortado, escrito en párrafos cortos. • m. Conjunto de cláusulas.
CLAUSULAR tr. Poner fin a lo que se estaba diciendo. • Poner cláusulas a un contrato, etc.
CLAUSURA f. En los conventos, recinto donde no pueden entrar personas ajenas a la comunidad. • Vida religiosa o en clausura. • Acto solemne con que se terminan o suspenden las deliberaciones de un congreso, un tribunal, etc.
CLAUSURAR tr. Cerrar un congreso, sesión, tribunal, etc.
CLAVA f. Cachiporra más gruesa por un extremo que por otro.

Claveles

CLAVADURA f. Herida que se hace a las caballerías cuando se les introduce en los pies o manos un clavo que penetra hasta la carne.
CLAVAR tr. Introducir un clavo u otra cosa aguda, a fuerza de golpes, en un cuerpo. • Asegurar con clavos una cosa en otra. • tr. y prnl. Introducir una cosa puntiaguda. • tr. Entre plateros, sentar o engastar las piedras en el oro o la plata. • Hablando de caballerías, causarles una clavadura. • fig. Fijar, parar, poner. • tr. y prnl. fig. y fam. Engañar a uno perjudicándole. • tr. y prnl. fig. y fam. Perjudicar a uno cobrándole más de lo justo. ■ CLAVADO, DA.
CLAVAZÓN f. Conjunto de clavos puestos en alguna cosa, o preparados para ponerlos.

Clavicémbalo

CLAVE m. Clavicémbalo. • f. Explicación de los signos convenidos para escribir en cifra, o de cualesquiera otros distintos de los conocidos o usuales. • Nota o explicación que necesitan algunos libros o escritos para ser comprendidos. • Noticia o idea por la cual se hace comprensible algo que era enigmático. • *Arq.* Piedra con que se cierra el arco o bóveda. • *Mús.* Signo que se pone al principio del pentagrama para determinar el nombre de las notas. ■ CLAVECINISTA.
CLAVÉ, ***Josep Anselm*** (1824-1874) Músico y político republicano esp., creador de un mov. coral destinado a la educación musical de los obreros. Autor de composiciones corales.
CLAVEL m. Planta de la familia cariofiláceas, con tallos nudosos y delgados, hojas largas, estrechas, puntiagudas; flores con cáliz cilíndrico y cinco pétalos de diversos colores. • Flor de esta planta.
CLAVELITO m. Clavel con flores pequeñas de color rosa o blanco. • Flor de esta planta.
CLAVELLINA f. Clavel, pralte. el de flores sencillas. • Planta semejante al clavel común, pero de tallos, hojas y flores más pequeños.
CLAVELÓN m. *Méx.* Planta herbácea de la familia compuestas, de tallo y ramas erguidas, hojas recortadas y flores amarillas y fétidas.
CLAVEQUE m. Cristal de roca, en cantos rodados, que se talla imitando el diamante.
CLAVERA f. Agujero o molde en que se forman las cabezas de los clavos. • Agujero por donde se introduce el clavo.
CLAVERÍA f. Dignidad de clavero en las órdenes militares. • Oficina que se ocupaba de recaudación y distribución de las rentas del cabildo.
CLAVERÍA, ***Carlos*** (1909-1974) Erudito esp. Investigador literario y lingüístico. *Cinco estudios de literatura española moderna, Temas de Unamuno, Estudio sobre los gitanismos del español.*
CLAVERO, RA m. y f. Llavero, persona a quien se confían llaves. • m. Dignatario superior de algunas órdenes militares. • *Bot.* Árbol tropical, de la familia mirtáceas, copa piramidal, hojas opuestas, flores róseas, con cáliz de color rojo oscuro y fruto en drupa. Los capullos de sus flores son los clavos de especia. • *Méx.* Clavijero, percha.

Claustro del monasterio de Santo Domingo de Silos (Burgos, España)

CLAVETE m. Púa o plumilla con que se tañe la blandurria.
CLAVETEAR tr. Guarnecer o adornar con clavos de oro, plata u otro metal alguna cosa. • Herretear las agujetas, cordones, etc. • fig. Terminar un asunto con todos sus pormenores. ■ CLAVETEO.
CLAVICÉMBALO m. Instrumento musical de dos teclados, parecido al piano de media cola. ■ CLAVICEMBALISTA.
CLAVICORDIO m. Antiguo instrumento musical de cuerdas de alambre y con teclado, semejante al piano de cola.
CLAVÍCULA f. *Anat.* Hueso par, largo y curvo, que se articula con el esternón y la escápula. ■ CLAVICULADO, DA; CLAVICULAR.
CLAVIJA f. Trozo de madera, metal o de otra materia que se encaja en un taladro hecho al efecto en una pieza sólida para sujetar alguna cosa, para tensar las cuerdas de un instrumento musical, etc.
CLAVIJERO m. Pieza en que se encajan las clavijas de los clavicordios, pianos y otros instrumentos análogos. • Colgador.
CLAVIJERO, ***Francisco Javier*** (1731-1787) Jesuita e historiador mex. *Historia antigua de México.*
CLAVIJO y Fajardo, ***José*** (1730-1806) Erudito esp., cuya vida sentimental inspiró un drama de Goethe. Fundó el periódico, *El Pensador*.
CLAVILLO m. Pasador que sujeta las varillas de un abanico o las dos hojas de unas tijeras. • Clavo, capullo seco de la flor del clavero.
CLAVO m. Pieza de hierro larga y delgada, con cabeza y punta, que sirve para fijarla en alguna parte, o para asegurar una cosa a otra. Los hay de varias formas y tamaños. • Capullo seco de la flor del

clavero. Es medicinal, y se usa como especia. • *Cir.* Materia que se desprende del divieso. • *Col.* Mal negocio. • *Hond.* y *Méx.* Parte de una veta rica en metales. • **Agarrarse** uno **a un c. ardiendo**. fig. y fam. Valerse de cualquier recurso para salvarse de un peligro, evitar un mal o conseguir alguna otra cosa. • **Dar** uno **en el c.** fig. y fam. Acertar en lo que se hace o dice, especialmente cuando es dudosa la resolución. • **Remachar** uno **el c.** fig. y fam. Añadir a un error otro mayor, queriendo enmendar el desacierto. • fig. y fam. Añadir uno o más argumentos en pro de una aserción ya acreditada por anteriores razones.

CLAXON m. Bocina eléctrica de los automóviles.

CLAY, ***Cassius*** (nacido 1942) Boxeador norteam. Campeón mundial de los pesos pesados en 1964-1967 y 1974-1978. Adoptó el nombre de Muhammad Alí, y es miembro de los Musulmanes Negros. Se retiró del boxeo en 1980.

CLAYTON-BULWER, ***tratado*** Convenio firmado en 1850 entre EE UU e Inglaterra, por el que ambos países cedían su control exclusivo sobre el futuro canal interoceánico de Nicaragua.

CLAZOL m. *Méx.* Bagazo de la caña, estiércol.

CLEANTES (h. 330-h. 232 a. C.) Filósofo gr., representante del estoicismo. De él se conserva un himno a Zeus.

CLEARING (voz ing.) m. Liquidación entre varios copartícipes de un negocio. • **Acuerdo de c.** Convenio bilateral entre dos países, cuyo objeto es regular las deudas y los créditos existentes entre ellos por medio de un mecanismo bilateral.

CLEMÁTIDE f. Planta medicinal de tallo rojizo, sarmentoso y trepador, y flores blancas y de olor suave.

CLEMENCEAU, ***Georges*** (1841-1929) Político fr. En 1917 ocupó la presidencia del Consejo. Reconocido como el «Padre de la Victoria», presidió la firma del tratado de Versalles (1919).

CLEMENCIA f. Virtud que modera el rigor de la justicia. ■ CLEMENTE.

CLEMENT, *René* (1913-1996) Director de cine fr. Codirigió con J. Cocteau el filme *La bella y la bestia*, emblema del cine surrealista. Otras obras: *Juegos prohibidos*, *A pleno sol* y *Arde París*.

CLEMENTE I (s. I). Santo. Elevado al papado el año 87. *Carta a los Corintios*. • **V** (m. 314) Papa. Trasladó la residencia pontificia a Aviñón y presidió el concilio de Vienne. Defensor de la política fr. frente al imperio germánico. • **VII** (1342-1394) Religioso fr.; en 1378 fue elegido papa de Aviñón. Con él se consuma el cisma de Occidente; se le excluyó de las listas del anuario pontificio. • **VII** (1478-1534) Papa. Con Francisco I, los príncipes de Italia y el rey de Inglaterra, formó la Liga Santa contra Carlos V. Excomulgó a Enrique VIII y organizó la jerarquía eclesiástica en América. • **de Alejandría** (h. 150-h. 215) Escritor y eclesiástico gr. Propugnó una gnosis cristiana, aunque todo conocimiento superior suponga la fe.

CLEMENTE, *Lino* (1767-1834) Militar ven. Fue uno de los firmantes de la declaración de indep. y de la primera constitución de su país (1811). Ministro de Marina (1826-1829).

CLEMENTI, ***Muzio*** (1752-1832) Compositor y pianista it. Uno de los creadores de la moderna escuela pianística.

CLEMENTINA f. Cada una de las constituciones de la colección del derecho canónico publicadas por Juan XXII en 1317.

CLEOFÁS Uno de los dos discípulos de Cristo que hicieron el viaje a Emaús y a quienes se apareció Jesús resucitado. • Hermano de san José.

CLEÓMENES I (m. 487 a. C.) Rey de Esparta [520-490]. Ayudó a los atenienses a derrotar la tiranía de los pisistrátidas (514), pero fracasó en su apoyo al partido aristocrático (507). Enfrentado con Demarato, el otro rey espartano, tuvo que huir a Tesalia. A su regreso se suicidó en un ataque de locura. • **III** (m. 219 a. C.) Rey de Esparta. Sucedió a Agis IV. Para asegurarse el apoyo del ejército entró en guerra con la Liga Aquea, a la que derrotó; derrotado en Corinto y Selasia, huyó a Egipto.

CLEOPATRA VII (66-30 a. C.) Reina de Egipto (51-30 a. C.), última de la dinastía de los lágidas. Célebre por sus amores con César y con Marco Antonio. Su unión con este último ponía en peligro la hegemonía rom. en el Mediterráneo, por lo que Octavio les declaró la guerra; los amantes fueron vencidos en Accio y se suicidaron.

CLEPS m. *Top.* Instrumento para levantamientos planimétricos.

CLEPSIDRA f. Reloj de agua.

CLEPTOMANÍA f. Propensión morbosa al hurto. ■ CLEPTOMANIACO, CA O CLEPTOMANÍACO, CA; CLEPTÓMANO, NA.

CLERECÍA f. Clero, conjunto de clérigos. • Oficio u ocupación de clérigos.

CLERGYMAN (voz. ing.) m. Traje eclesiástico de calle.

CLERICAL adj. Relativo al clérigo. • Acusadamente afecto al clero y a sus directrices.

CLERICALISMO m. Nombre que suele darse a la influencia excesiva del clero en los asuntos políticos. • Marcada afección y sumisión al clero y a sus directrices.

CLÉRIGO m. El que ha recibido las órdenes sagradas. • El que tiene la primera tonsura. • En la E. Med., hombre letrado y de estudios escolásticos, aunque no tuviese orden alguna. ■ CLERICATO; CLERICATURA.

CLERIZONTE m. El que usaba de hábitos clericales sin estar ordenado.

CLERMONT-FERRAND C. de Francia, cap. de la región de Auvernia y del dpto. de Puy-de-Dôme; 254 400 hab. Universidad. Centro turístico e industrial. • **Concilio de C.-F.** El más importante fue el de 1095, presidido por Urbano II, en el que se proclamó la primera cruzada.

CLERO m. Conjunto de clérigos. • Clase sacerdotal en la iglesia católica. • **regular**. El que se liga con los tres votos solemnes de pobreza, obediencia y castidad. • **secular**. El que no hace dichos votos solemnes.

CLEROFOBIA f. Odio manifiesto al clero. ■ CLERÓFOBO, BA.

CLEUASMO m. *Ret.* Figura que se comete cuando el que habla atribuye a otro sus buenas acciones o cualidades, o cuando se atribuye a sí mismo las malas de otro.

CLEVE, *Joos van* (h. 1485-1540) Pintor flam. manierista. *Francisco I, Leonor de Francia*.

CLEVELAND C. de EE UU, en el est. de Ohio, en la desembocadura del Cuyahoga; 573 800 hab. Universidad. Ind. siderúrgica, química y textil. Fabricación de automóviles. Refinerías de petróleo. Fundada en 1796.

CLEVELAND, *Grover* (1837-1908) Político norteam. Presid. de EE UU (1855). Reelegido en 1893. Político reformista y flexible, se mostró apaciguador con los est. sureños.

CLIC m. *Ling.* Nombre que designa un sonido, realizado por dos oclusiones, de variable naturaleza y empleado en ciertas lenguas.

CLICHÉ o **CLISÉ** m. Plancha metálica en la que se ha grabado una imagen, para su impresión tipográfica. • Negativo de una fotografía. • Lugar común; expresión que a fuerza de repetirse se ha convertido en un tópico.

CLIENTA f. Parroquiana de una tienda.

CLIENTE com. Respecto del que ejerce alguna profesión, persona que utiliza sus servicios. • Parroquiano de una tienda.

CLIENTELA f. Conjunto de los clientes de un establecimiento comercial.

CLIFT, ***Montgomery*** (1920-1966) Actor cinematográfico norteam. *Le heredera, Yo confieso, De aquí a la eternidad.*

Vista parcial de la ciudad de **Cleveland**

Clemente V

Cleopatra, bronce de Campeny. Museo de Arte Moderno, Barcelona

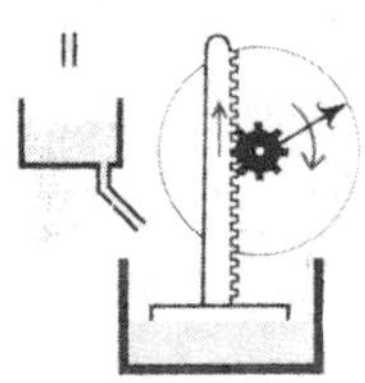

Esquema de funcionamiento de una **clepsidra**

CLIMA m. Condiciones o estado medio de la atmósfera sobre una área y en un periodo de tiempo determinado. Indica así mismo su variabilidad. • fig. Ambiente social. • **artificial**. El creado en un local mediante sistemas técnicos de acondicionamiento. ■ CLIMÁTICO, CA.

* *Geog.* y *Meteor.* Los prales, elementos que definen un c. son: a) la radiación solar, cuya manifestación es la temperatura; b) la humedad atmosférica o cantidad de vapor de agua que contiene un metro cúbico de aire (→ humedad relativa); c) la presión atmosférica, o presión que ejercen las capas de aire sobre la superficie terrestre. En cuanto a los factores que mayor influencia tienen en el c., pueden destacarse: 1) la latitud, de la que depende la inclinación de los rayos solares en un lugar determinado; 2) la altitud, que influye en los valores de la presión atmosférica y de la temperatura; 3) la distribución de tierras y mares, debido a la acción de regulación térmica de los mares.

Bill **Clinton**

Detalle del *Bautismo de* ***Clodoveo.*** Tapiz del Museo de Reims (Francia)

CLIMACOFOBIA f. Temor patológico a las escaleras.

CLIMATERIO m. Periodo de la menopausia y de la andropausia. • Periodo crítico en el transcurso de la vida, durante el cual el organismo sufre un cambio radical, con la declinación de toda actividad sexual. ■ CLIMATÉRICO, CA.

CLIMATIZADOR, RA adj. Que climatiza. • adj. y m. Díc. del aparato acondicionador de aire.

CLIMATIZAR tr. Crear las condiciones de temperatura y humedad del aire, y a veces presión, adecuadas para la salud o la comodidad. ■ CLIMATIZACIÓN.

CLIMATOLOGÍA f. Ciencia que estudia los climas. ■ CLIMATOLÓGICO, CA.

CLÍMAX m. *Ret.* Gradación en el tono y sentido de las palabras del discurso. • Momento culminante de un poema o de una acción dramática. • Asociación vegetal estable y equilibrada, típica de una determinada área geográfica cuyos factores climáticos, edáficos y ambientales son también estables.

CLINAMEN m. Palabra latina, empleada por Lucrecio en su exposición de la filosofía de Epicuro, que designa la capacidad de inclinación de los átomos en mov. La teoría pretendía salvar el libre albedrío frente a los estoicos que defendían la fatalidad del destino humano.

CLÍNICA f. Parte práctica de la enseñanza de la medicina. • Departamento de los hospitales destinado a dar esta enseñanza. • Hospital privado, gralte., quirúrgico. ■ CLÍNICO, CA.

CLINÓMETRO o **CLINOSCOPIO** m. Especie de nivel. • *Aer.* Indicador para comprobar la horizontalidad de vuelo de una aeronave.

CLINOTERAPIA f. Cura de reposo. • Tratamiento de las enfermedades, incluso de tipo psíquico, por el reposo en cama.

CLINTON, *Bill* (nacido 1946) Político norteam. del Partido Demócrata, gobernador del estado de Arkansas (1984-1992). En 1992 se impuso al republicano George Bush en las elecciones presidenciales, y en 1996 fue reelegido.

CLÍO *Mit.* La primera de la nueve Musas. Era hija de Zeus y Mnemosine, y protectora de la poesía épica y de la historia.

CLIP (voz ing.) m. Sujetapapeles de alambre. • Horquilla para sujetar el pelo.

CLÍPEO m. Escudo rom. circular y cóncavo.

CLÍPER m. Tipo de velero de arboladura muy alta y casco alargado y estrecho en los extremos. Es el de mayor eficacia técnica de cuantos se construyeron en el s. XIX. • Avión de servicio transoceánico.

CLIQUE f. Galicismo por camarilla.

CLISAR tr. *Art. Gráf.* Reproducir con planchas de metal la composición de imprenta o grabados en relieve, de que previamente se ha sacado un molde. ■ CLISADO.

CLÍSTENES (s. VI a. C) Legislador ateniense. Líder del mov. democrático, dio el derecho de ciudadanía a todos los hombres libres del Ática.

CLISTER o **CLISTEL** m. Lavativa.

CLITEMNESTRA Hija de Tíndaro y de Leda y esposa de Agamenón y madre de Orestes, Electra, Ifigenia y Crisótemis. Incurrió en adulterio con Egisto y, de acuerdo con él, mató a su marido cuando regresó de Troya. Orestes vengó a su padre, dándoles muerte.

CLÍTORIS m. *Anat.* Pequeño órgano eréctil de gran excitabilidad sexual, situado en la parte elevada de la vulva de la mujer.

CLIVE, *Robert* (1725-1774) Militar brit. Marchó a la India, como funcionario de la Compañía de las Indias Orientales, en 1774. Gobernador de Bengala, se vio envuelto en un proceso por concusión.

CLIVOSO, SA adj. poét. Que está en cuesta.

CLO o **CLOC** Onomatopeya de la voz de la gallina clueca.

CLOACA f. Conducto por donde van las aguas sucias de las poblaciones. • *Anat.* Porción final del intestino recto de las aves.

CLOASMA m. *Pat.* Manchas cutáneas irregulares, de color amarillo oscuro, que aparecen con cierta frecuencia en la cara de las mujeres embarazadas y en algunos estados patológicos.

CLOCAR intr. Cloquear, la gallina.

CLOCHE m. *Amér. Centr.* Embrague de un vehículo.

CLODION, *Claude Michel,* llamado (1738-1814) Escultor fr. Evolucionó desde el barroco hasta el clasicismo.

CLODOVEO I o **CLOVIS** (465-511) Rey merovingio de los francos [481-511]. Convertido al catolicismo, conquistó el N de Francia y extendió sus dominios hasta los Pirineos.

CLOISSONNÉ (voz fr.) m. Técnica oriental de esmaltado.

CLON m. *Biol.* Conjunto de los descendientes de un solo organismo, que puede ser vegetal (por multiplicación asexual vegetativa) o animal (por partenogénesis). Los individuos de un c. son iguales entre sí, tienen la misma dotación genética y las mismas características morfológicas y fisiológicas. • Payaso que representa el papel de tonto y actúa formando pareja con el → augusto.

CLONA f. *Biol.* Clon.

CLONACIÓN o **CLONAJE** f. *Biol.* Producción de clones mediante reproducción asexual.

* *Biol.* La c. es un método de reproducción natural en los seres unicelulares y pluricelulares. En los vertebrados se consigue de forma espontánea mediante la formación de gemelos auténticos por la división del huevo fecundado. En el laboratorio se ha logrado la c. de embriones de ratón y de ternero, y en 1997 se consiguió la c. de una oveja a partir de una célula animal adulta. ■ CLÓNICO.

CLONO o **CLONUS** m. *Pat.* Serie de contracciones rítmicas e involuntarias debidas a una hiperexcitabilidad refleja.

CLONQUI m. *Chile.* Planta semejante a la arzolla.

CLOQUE m. Bichero, croque. • Garfio enastado para enganchar los atunes en las almadrabas.

CLOQUEAR intr. Hacer *clo clo* la gallina clueca. • tr. Enganchar el atún con el cloque en las almadrabas. ■ CLOQUEO.

CLOQUERA f. Estado de las gallinas y otras aves, que las incita a incubar los huevos.

CLORACIÓN f. *Quím.* Introducción de átomos de cloro en moléculas orgánicas.

CLORAL m. *Quím.* Líquido oleoso producido por la acción del cloruro sobre el alcohol anhidro. Se usa en medicina como anestésico.

CLORHÍDRICO, CA adj. *Quím.* Díc. de un ácido binario de fórmula HCl (→ cloro). Juntamente con el sulfúrico es el ácido de mayor importancia industrial.

CLORITA f. Mineral de color verdoso y brillo anacarado, compuesto de un silicato y un aluminato hidratados de magnesio y óxido de hierro.

CLORITO m. *Quím.* Sal del ácido cloroso.

CLORO m. *Quím.* Elemento químico de símb. Cl, n. a. 17 y p. a. 35,457. Pertenece al grupo de los halógenos. Es un gas amarillo verdoso, irritante y más pesado que el aire. Se utiliza en grandes cantidades como agente de blanqueo en las ind. papelera, textil y quím., y para esterilizar el agua potable. ■ CLORADO, DA; CLÓRICO, CA.

CLOROFÍCEAS f. pl. *Bot.* Clase de algas de color verde.

CLOROFILA f. Pigmento verde de los vegetales, esencial en la fotosíntesis. Su función pral. consiste en absorber las radiaciones luminosas de onda larga, devolviendo después esta energía en forma de energía quím., necesaria para la fotosíntesis. ■ CLOROFÍLICO, CA.

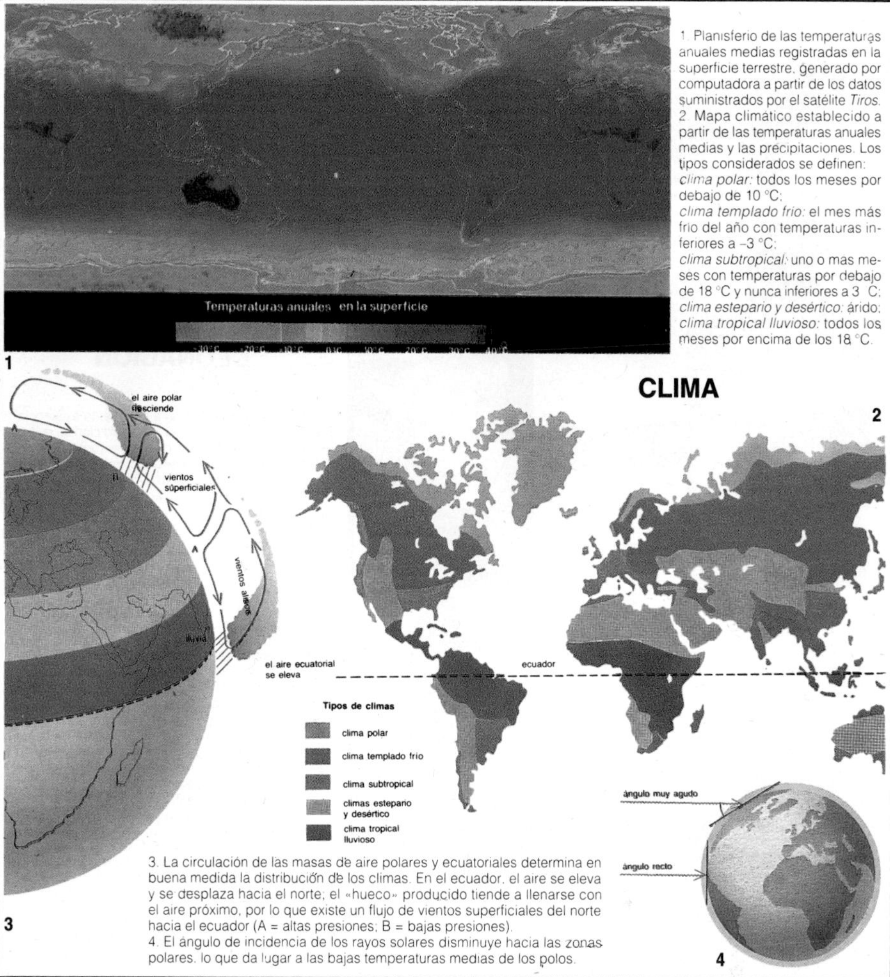

1. Planisferio de las temperaturas anuales medias registradas en la superficie terrestre, generado por computadora a partir de los datos suministrados por el satélite *Tiros*.
2. Mapa climático establecido a partir de las temperaturas anuales medias y las precipitaciones. Los tipos considerados se definen: *clima polar:* todos los meses por debajo de 10 °C; *clima templado frío:* el mes más frío del año con temperaturas inferiores a -3 °C; *clima subtropical:* uno o más meses con temperaturas por debajo de 18 °C y nunca inferiores a 3 °C; *clima estepario y desértico:* árido; *clima tropical lluvioso:* todos los meses por encima de los 18 °C.

CLIMA

3. La circulación de las masas de aire polares y ecuatoriales determina en buena medida la distribución de los climas. En el ecuador, el aire se eleva y se desplaza hacia el norte; el «hueco» producido tiende a llenarse con el aire próximo, por lo que existe un flujo de vientos superficiales del norte hacia el ecuador (A = altas presiones; B = bajas presiones).
4. El ángulo de incidencia de los rayos solares disminuye hacia las zonas polares, lo que da lugar a las bajas temperaturas medias de los polos.

CLOROFORMIZAR tr. Anestesiar con cloroformo. ■ CLOROFORMIZACIÓN.
CLOROFORMO m. *Quím.* Compuesto de carbono, hidrógeno y cloro. Es un líquido denso y de olor característico, que ha sido utilizado como anestésico. ■ CLOROFÓRMICO, CA.
CLOROMICETINA f. Antibiótico usado en el tratamiento de la fiebre tifoidea.
CLOROPLASTO m. *Biol.* Órgano citoplasmático responsable de la función clorofílica.
CLOROSIS f. *Pat.* Anemia de las adolescentes. • *Bot.* Enfermedad de las plantas debida a trastornos en la nutrición, que se manifiesta por la presencia de hojas amarillentas. ■ CLORÓTICO, CA.
CLORURAR tr. Transformar una sustancia en cloruro.
CLORURO m. *Quím.* Sal del ácido clorhídrico. • **de cal.** *Quím.* Producto químico que resulta de la absorción del cloro por la cal apagada, y que sirve para desinfectar y para blanquear el papel y las telas. • **de sodio**, o **sódico**. *Quím.* Sal común.
CLOTARIO I (497-561) Rey de Neustria [511-551], hijo de Clodovedo I; tras la muerte de sus hermanos quedó como único rey de los francos (558). • **II** (584-629) Rey de Neustria, nieto de Clotario I; llegó a ser único rey de Francia.
CLOTILDE (m. 545). Santa. Reina de los francos, esposa de Clodoveo I.
CLOUET, ***François*** (1520-1572) Pintor fr. hijo de Jean C. *Retrato del farmacéutico Pierre Cutte, Desconocida en el baño.* • ***Jean*** (h. 1475-1541) Pintor flam., activo en París como pintor de cámara de Francisco I. Retratos al carbón y sanguina.
CLOUTHIER, ***Manuel Jesús*** (1934-1989) Político mex. Vinculado a organizaciones empresariales. Candidato del Partido de Acción Nacional a la presidencia de la rep. en 1988.
CLOUZOT, ***Henri Georges*** (1907-1977) Director cinematográfico fr. *El asesino vive en el 21, Las diabólicas, El salario del miedo, La verdad.*
CLOWN (voz ing.) m. Clon, payaso.
CLUB (voz ing.) m. Asociación de personas en torno a unos fines comunes. ■ CLUBISTA.
CLUECA adj. y f. Díc. de la gallina y otras aves cuando se echan sobre los huevos para empollarlos.
CLUJ Distr. de Rumania, en Transilvania; 738 600 hab. Cap., Cluj-Napoca (301 200 hab.).
CLUNIACENSE adj. y s. Relativo a la congregación benedictina de Cluny. • Díc. del arte desarrollado por este monasterio, sit. en los orígenes del románico.
CLUNY C. de Francia, en el dpto. de Saône-et-Loire; 4 500 hab. Debe su origen a la famosa abadía benedictina del s. X, fundada por Guillermo de Aquitania.

Clorita con cuarzo

1. A una primera oveja se le extrae un óvulo no fecundado y se vacía del material genético o ADN.
2. De la oveja que se quiere clonar se extrae una célula diferenciada de una glándula mamaria.
3. El óvulo vaciado se fusiona con la célula de la glándula mamaria, originándose un embrión.
4. El embrión resultante se implanta en el útero de una tercera oveja, que desarrolla el embarazo. Al cabo de cinco meses nace Dolly, con un ADN idéntico a la oveja que se quería clonar.

CLONACIÓN

En febrero de 1997 se dio a conocer la existencia de la oveja Dolly, el primer mamífero clónico desarrollado en un laboratorio, que en ese momento contaba ya con siete meses de edad. Era la primera vez que se conseguía con éxito la copia genéticamente idéntica de un mamífero adulto. La clonación fue obra del biólogo escocés Ian Wilmut y un equipo de científicos del Instituto Roslin de Edimburgo (Escocia), financiada por una compañía farmacéutica productora de medicamentos a partir de la leche de oveja.

El experimento que dio la vida a Dolly significó un importante avance científico para la humanidad, por su contribución a la lucha para combatir ciertas enfermedades —especialmente el cáncer— y por permitir mejorar la elaboración de algunos fármacos y facilitar la selección de linajes en la ganadería. Con la clonación se abrieron también otras posibilidades de investigación, como la copia de animales transgénicos, es decir, genéticamente modificados, para crear razas enteras con características predefinidas, de modo que, por ejemplo, fueran resistentes a los virus.

El enorme adelanto para la ciencia que supuso la clonación de la oveja Dolly reabrió en el mundo científico el debate sobre la posibilidad de clonar seres humanos y planteó graves interrogantes éticos, poniendo de manifiesto la necesidad de llenar el vacío legal existente en relación con los avances de la ingeniería genética.

Detalle de *Las damas en azul*, fresco del palacio de Minos, en **Cnosos**

CLUPEIDO, DA adj. y m. *Zool.* Díc. de peces de cuerpo alargado, deprimido, cubierto de escamas. • adj. Relativo a estos peces. • m. pl. *Zool.* Familia de dichos peces.

CLYDE Río de Escocia que atraviesa Glasgow; 170 km. Desemboca en el canal del Norte formando un estuario (*firth of C.*).

Cm *Quím.* Símb. del curio.

CNIDARIO, A adj. y m. *Zool.* Díc. de los metazoos del tipo cnidarios. • adj. Relativo a estos animales. • m. pl. Tipo de metazoos que atraviesan a lo largo de su vida dos fases claramente distintas, una fija (fase pólipo) y otra móvil (fase medusa).

CNIDO Ant. c. gr. de Asia Menor, al N de Rodas, fundada por los espartanos.

CNIDOBLASTO m. *Anat.* Cápsula urticante propia de los animales cnidarios.

CNOSOS Ant. cap. del imperio cretense, centro de la civilización minoica h. el 2000 a. C. Ruinas del palacio de Minos.

CNT Siglas de Confederación Nacional del Trabajo.

Co *Quím.* Símb. del cobalto.

COA f. *Amér.* Palo aguzado y endurecido al fuego, de que se valían los amerindios para labrar la tierra. • *Méx.* Pala fuerte con mango largo en su mismo plano que se usa como azada. • *Chile.* Jerga hablada por los ladrones y presidiarios.

COACCIÓN f. Fuerza o violencia que se hace a una persona para que ejecute una cosa contra su voluntad. • *Der.* Empleo de fuerza legítima que acompaña al derecho para hacer exigibles sus obligaciones y eficaces sus preceptos. ■ COACCIONAR; COACTIVO, VA.

COACERVAR tr. Juntar o amontonar.

COACREEDOR, RA m. y f. Acreedor con otro.

COACUSADO, DA adj. y s. *Der.* Acusado en juicio con otro u otros.

COADJUTOR, RA o **COADYUTOR, RA** m. y f. Persona que ayuda a otra en sus funciones. • m. Eclesiástico que ayuda al párroco. ■ COADJUTORÍA; COADYUTORIO, RIA.

COADQUISICIÓN f. Adquisición en común entre dos o más personas.

COADUNAR tr. y prnl. Unir, mezclar e incorporar unas cosas con otras.

COADYUVAR tr. Contribuir, asistir o ayudar a la consecución de alguna cosa. ■ COADYUVANTE.

COAGENTE m. El que coopera a algún fin.

COAGULACIÓN f. Acción y efecto de coagular o coagularse. • Precipitación de un coloide, por acción de un agente físico (calor) o químico (alcohol, ácidos). • Fenómeno de solidificación de la sangre, gralte. en contacto con el aire atmosférico.

COAGULAR tr. y prnl. Cuajar, solidificar lo líquido; como la leche, la sangre, etc. ■ COAGULANTE.

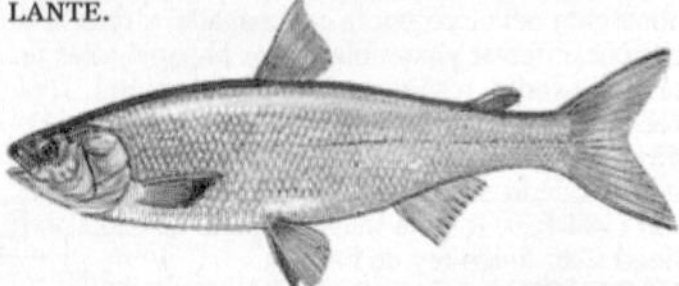

Arenque, pez de la familia **clupeidos**

COÁGULO m. Producto de la precipitación de una suspensión. En la leche se forma por precipitación de la albúmina, y en la sangre por la formación de redes de fibrina. • Grumo extraído de un líquido coagulado. • Masa coagulada.

COAHUILA Est. del NE de México, el tercero en extensión; 151 571 km^2, y 2 295 808 hab. Limita al N con EE UU. El pral. conjunto del relieve lo constituyen las tierras altas, llanas y áridas de la altiplanicie septentrional, que forman parte del Bolsón de Mapimí (Llano del Guaje). Por el SE del est. penetra la sierra Madre Oriental que lo accidenta y atraviesa en dirección N-NO (sierra de los Alamitos, sierra del Carmen, serranías del Burro). Los r. del NE pertenecen a la cuenca del r. Bravo; en el resto las aguas forman cuencas interiores que forman lagunas estacionales (Viesca, Mayrán). Clima cálido y seco, muy árido al O. Producción de cereales y vid en secano y de algodón, caña de azúcar, tabaco y café en regadío. Ganado bovino. Minas de hierro, hulla, playa y oro. Ind.: metalúrgica, alimentaria y textil. Baja densidad de pob. Entre los prales. centros se encuentran la cap. Saltillo, Torreón y Monclova. Poblado por grupos nómadas de cazadores-recolectores, fue un terr. de colonización tardía (fundación en 1577 de la villa de Santiago de Saltillo). El Congreso Constituyente del est. tuvo lugar en 1824. La constitución local se promulgó en 1869 tras la constitución de la rep. y la separación del est. de Nuevo León.

COAITA f. Mono araña.

COALA m. Marsupial australiano, parecido al osezno.

COALESCENCIA f. Unión de varias cosas en una sola. • Unión de partículas en suspensión coloidal para formar gránulos o de gotas en una emulsión para formar otras gotas de mayor tamaño. ■ COALESCENTE.

COALICIÓN f. Confederación, liga. • Asociación transitoria, militar y política, de varias naciones, para actuar concertadamente contra un enemigo común. ■ COALICIONISTA.

COAMO Mun. de Puerto Rico, en el distr. de Ponce; 33 837 hab. Aguas termales. Agricultura.

COANA f. *Anat.* Orificio interno del cuerpo de los vertebrados, que comunica las fosas nasales con la cavidad bucal.

COANOCITO m. Célula que reviste la cavidad atrial de las esponjas, y que tiene función digestiva.

Posductal — Preductal — Aorta interrumpida

Diversos tipos de **coartación** de la aorta

COARTACIÓN f. Acción y efecto de coartar. • Estrechez de la aorta.

COARTADA f. Demostración por parte del acusado de que en el momento de cometerse el delito imputado se hallaba en lugar distinto al escenario donde se produjo.

COARTAR tr. Limitar, restringir, no conceder enteramente alguna cosa. • Obligar a algo.

COATEPEC C. de México, en el est. de Veracruz; 61 647 hab. Agricultura y ganadería. Ind. textil.

COATEPEQUE Mun. de Guatemala, en el dpto. de Quezaltenango; 40 200 hab. Agricultura. Industria.

COATÍ m. Cuatí

COATLICUE Diosa azteca de la primavera, de la tierra y de los vendedores de flores.

COATZACOALCOS Río del S de México, en el mismo istmo de Tehuantepec; 300 km. Es navegable en su mayor parte. Afluye al golfo de México.

COATZACOALCOS Mun. de México, en el est. de Veracruz; 232 314 hab. Maíz, arroz, caña de azúcar. Petróleo. Puerto.

COAUTOR, RA m. y f. Autor o autora con otro u otros.

COAXIAL adj. Que tiene el mismo eje que otro cuerpo. • m. Cable telefónico constituido por uno o más tubos c. y un cierto número de partes o cuadretes intersticiales.

COBA f. fam. Halago o adulación. ■ COBISTA.

COBÁ Ant. c. maya, en el est. méx. de Quintana Roo. Importantes restos.

COBALAMINA f. Denominación química de la vitamina B_{12}.

COBALTINA f. *Miner.* Sulfoarseniuro de cobalto, que cristaliza en el sistema cúbico.

COBALTO m. *Quím.* Elemento químico de símb. Co, n. a. 27 y p. a. 58,94. Es un metal de color blanco, rojizo, duro y difícil de fundir. Se emplea en aleaciones de cobre, hierro y acero y su óxido forma la base azul de muchas pinturas. ■ COBÁLTICO, CA.

COBALTOTERAPIA f. Terapia contra los tumores malignos, que se realiza mediante cobalto radiactivo.

COBÁN C. de Guatemala, cap. del dpto. de Alta Verapaz; 33 996 hab. El valle de C. es una de las regiones más fértiles del país. Centro comercial. Fundada por fray Bartolomé de las Casas en 1538.

COBARDE adj. y s. Pusilánime, sin valor ni espíritu. • adj. Hecho con cobardía. ■ COBARDÓN, NA.

COBARDÍA f. Falta de ánimo y valor. ■ COBARDEAR.

COBAYA f. o **COBAYO** m. Roedor de pequeño tamaño, llamado también *conejillo de Indias*, de la familia cávidos, y originario de la parte occidental de Sudamérica. Se emplea como animal experimental en laboratorios médicos y biológicos.

COBDEN, *Richard* (1804-1865) Economista y político brit., defensor del librecambismo. Dirigente de la Escuela de Manchester, impulsó la *Anti-com law Association*. Sus discursos, artículos, etc., están recogidos en la obra *Escritos políticos de R. Cobden*.

COBEA f. *Amér. Centr.* Planta enredadera de la familia convolvuláceas, de flores violáceas.

COBERTERA f. Tapadera para ollas y otros utensilios de cocina. • fig. Alcahueta.

COBERTIZO m. Tejado que sale fuera de la pared y sirve para guarecerse de la lluvia. • Sitio cubierto para resguardar de la intemperie.

COBERTOR m. Colcha. • Manta o cobertera de abrigo para la cama.

COBERTURA f. Cubierta, lo que sirve para cubrir. • Acción de cubrir. • *Econ.* Metálico, dividisas, etc. que sirven de garantía para la emisión de billetes de banco o para otras operaciones financieras.

COBIJA f. Teja que se pone con la parte cóncava hacia abajo. • Cada una de las plumas pequeñas que cubren el arranque de las grandes del ave. • Cubierta que se pone sobre una cosa para taparla. • *Amér.* Manta para abrigarse. • *Amér.* Ropa de cama. • *Cuba.* Techo de palma o paja. • *Ven.* Nombre de una palma.

COBIJAR tr. y prnl. Cubrir o tapar. • fig. Albergar, dar albergue. ■ COBIJAMIENTO; COBIJO.

COBIJA C. de Bolivia, cap. del dpto. de Pando; 10 001 hab.

COBIJERA f. Encubridora, alcahueta. • *Ven.* Mujer provocativa y audaz.

COBLENZA *(Koblenz)* C. de Alemania en Renania-Palatinado. Puerto fluvial en la confluencia del Mosela y el Rin; 111 200 hab. Centro comercial, industrial y vinícola.

COBO, *Bernabé* (1572-1659) Jesuita, cronista y naturalista esp. *Historia del Nuevo Mundo.*

COBOL adj. *Comp.* Díc. de un lenguaje computacional construido para su utilización en la gestión empresarial.

COBOS, *Francisco de los* (1477-1547) Político esp. Secretario imperial y pral. consejero de Carlos I, ejerció el gobierno efectivo de España. Estableció un impuesto personal («derecho de Cobos») sobre la plata y el oro extraídos en América.

COBRA f. Coyunda para uncir bueyes. • Cierto número de yeguas enlazadas, para la trilla. • Serpiente venenosa de los países tropicales, sumamente dañina. • Acción de buscar el perro la pieza hasta traerla al cazador.

COBRA Grupo pictórico contemporáneo cuyas iniciales proceden de Copenhague, Bruselas y Amsterdam, ciudades de donde eran originarios sus creadores (Karel Appel, Corneille, Jorn y Alechinsky).

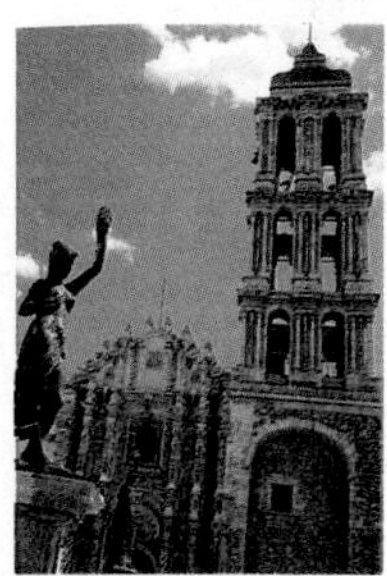

Coahuila. Fachada de la catedral de Saltillo

La diosa **Coatlicue.** Museo Nacional de Antropología, México

Cobaya o conejillo de Indias

Cobra

Planta de **coca**

Distintos tipos de **coches:** 1. vehículo de turismo; 2. coche deportivo; 3. vehículo monovolumen; 4. coche urbano

Cochinilla

COBRAR tr. Percibir uno la cantidad que otro le debe. • Recuperar. • Tratándose de ciertos afectos o movimientos del ánimo, tomar o sentir. • Adquirir. • Tirar de una cuerda, soga, etc., e irla recogiendo. • En montería, recoger las reses y piezas que se han herido o muerto. • prnl. Recuperarse, volver en sí. ■ COBRADERO, RA; COBRADOR, RA; COBRANZA; COBRATORIO, RIA; COBRO.
COBRE m. *Quím.* Elemento químico de símb. Cu, n. a. 29 y p. a. 63,54. Es un metal de color rojo pardo, brillante, maleable y dúctil, muy tenaz y duro. Aleado con el estaño forma el bronce; con el cinc, el latón, el metal blanco, etc. Se utiliza en la fabricación de conductores eléctricos. • Batería de cocina de cobre. • pl. Conjunto de instrumentos metálicos de viento de una orquesta. ■ COBREÑO, ÑA; COBRIZO, ZA.

Producción de **cobre** (en miles de t)

Prales. productores	
Chile	2 510
EE UU	1 850
Canadá	724
Indonesia	479
Australia	448
China	442
Polonia	431
Perú	380
Zambia	342
Total mundial	9 311

COBRE, *El* Mun. de Cuba, en la prov. de Granma; 53 300 hab. Café. Ganadería. Cobre.
COBREAR tr. Recubrir un metal con una capa de cobre. ■ COBREADO, DA.
COCA f. *Bot. Perú.* Arbusto de la familia eritroxiliáceas, de cuyas hojas se extrae la cocaína. • fam. Cabeza. • fam. Golpe que, cerrado el puño, se da con los nudillos en la cabeza de uno. • *Col.* Boliche, juego.
COCACHO m. Coscorrón.
COCADA f. Dulce de coco y azúcar. • *Bol* y *Col.* Especie de turrón.
COCAÍNA f. Alcaloide obtenido de las hojas de la coca. Se usa como anestésico local. Tiene acción directa sobre el sistema nervioso central, por lo que actúa como droga capaz de crear hábito.
COCAINISMO m. Intoxicación, aguda o crónica, producida por la cocaína.
COCAINOMANÍA f. Hábito morboso de intoxicarse con cocaína. ■ COCAINÓMANO, NA.
COCAL m. *Perú.* Sitio donde se crían o cultivan los árboles que producen la coca. • *Amér.* Cocotal.
COCAMA adj. y s. *Amér.* Díc. del individuo de ciertas tribus amerindias que desde la época precolombina habitan en el alto Amazonas y en el bajo Ucayali. • adj. Relativo a estas tribus. • m. pl. Las mismas tribus.
COCAR tr. fam. Hacer cocos, adular, mimar.
COCARAR tr. Proveer y abastecer de coca.
COCAVÍ m. *Amér. Merid.* Provisión de coca que llevan los que viajan a caballo.
COCCIDIOS adj. *Zool.* Díc. de los protozoos que habitan en las células de otros animales. • m. pl. *Zool.* Familia de estos protozoos.
CÓCCIDOS m. pl. *Zool.* Familia de insectos hemípteros, notables por su dimorfismo sexual. Viven parásitos sobre los vegetales. Los machos son alados y las hembras no.
COCCINELA f. Insecto coleóptero, trímero, de cuerpo hemisférico con puntos negros.
COCCINÉLIDOS m. pl. *Zool.* Familia de insectos coleópteros, con antenas cortas. Son de tamaño pequeño y de cuerpo hemisférico, con élitros lisos de vivos colores con puntos negros.
COCCIOLI, *Carlo* (nacido 1920) Novelista it. *El mejor y el último, La difícil esperanza, El cielo y la tierra, La imagen y las estaciones.*
CÓCCIX m. *Anat.* Hueso impar que forma la terminación de la columna vertebral. Es propio de los vertebrados que carecen de cola. ■ COCCÍGEO, A.
COCEAR intr. Dar o tirar coces. • fig. y fam. Resistir, no querer convenir en alguna cosa. ■ COCEADOR, RA; COCEADURA.
COCEDOR m. Maestro u operario que en ciertas ind. se ocupa en la cocción o concentración de un producto. • Lugar en que se cuece algo.
COCER tr. Mantener un alimento crudo en agua hirviente para hacerlo comestible. • Someter una cosa a la acción del fuego para que adquiera determinadas propiedades. • Someter alguna cosa a la acción del fuego en un líquido para que comunique a éste ciertas propiedades. • intr. Hervir un líquido. • Fermentar un líquido. • prnl. fig. Padecer por largo tiempo un dolor o incomodidad. ■ COCCIÓN; COCEDERO, RA; COCEDIZO, ZA; COCEDURA; COCIMIENTO.
COCHA f. *Perú.* Espacio grande y despejado, pampa. • *Chile* y *Ecuad.* Laguna, charco.
COCHABAMBA Dpto. de Bolivia; 55 631 km^2, 1 110 205 hab. Relieve montañoso y accidentado por la cord. Oriental andina (cord. de Cochabamba; Tunari, 5 199 m). Amplios valles: r. Mizque y Caine o Grande. Por el N discurren los r. de la cuenca del Mamoré (Isiboro, Chaparé). Clima lluvioso y temperaturas determinadas por la alt. Considerado el granero de Bolivia (cereales, patatas). Explotación forestal. Estaño, plomo y oro. La pob. se concentra en los valles fluviales (Cliza, Arani, Mizque). • C. de Bolivia, cap. del dpto. hom.; 407 825 hab. Fundada en 1574 con el nombre de Oropesa. Escenario de la sublevación indígena de Túpac Catari (1786).
COCHAMBRE amb. fam. Cosa puerca, grasienta y de mal olor. ■ COCHAMBRERÍA; COCHAMBROSO, SA.
COCHARRO m. Vaso o taza de madera, y más comúnmente de piedra.
COCHASTRO m. Jabalí, lechal.
COCHAYUYO m. *Amér. Merid.* Alga marina comestible, cuyo talo, en forma de cinta, puede alcanzar más de 3 m de largo.
COCHE m. Carruaje de cuatro ruedas, de tracción animal o automóvil, con una caja, dentro de la cual hay asientos para dos o más personas. • Vagón de ferrocarril para pasajeros. • Cochino, cerdo. • **cama**. Vagón de ferrocarril con varios compartimientos diseñado para poder dormir en ellos. • **de línea**. El que hace el servicio regular de viajeros entre dos poblaciones. ■ COCHERIL.
COCHERO, RA adj. Que se cuece con facilidad • m. El que tiene por oficio conducir los caballos o mulas que tiran del coche. • f. Lugar donde se guardan los coches.
COCHERO n. p. m. *Astr.* Constelación boreal. Su nombre latino es *Auriga.*
COCHIFRITO m. Guisado de tajadas de cabrito o cordero, que se fríe después de cocido.
COCHIGATO m. *Méx.* Ave zancuda de cabeza y cuello negros, con un collar rojo, vientre verde y pico largo y robusto.
COCHIN *(Kochin)* C. y puerto del S de la India, en el est. de Kerala; 551 600 hab.
COCHINCHINA Región histórica del S de Vietnam, en el delta del Mekong. Conquistada por los fr., fue integrada en 1949 en el ant. Vietnam del Sur.
COCHINERÍA o **COCHINADA** f. fig. y fam. Porquería, suciedad. • fig. y fam. Acción indecorosa, baja, grosera.
COCHINERO, RA adj. Díc. de ciertos frutos que se dan a los cochinos.
COCHINILLA f. *Zool.* Crustáceo con el cuerpo anillado, de color ceniciento oscuro y patas muy cortas. Cuando se le toca se hace una bola. • *Zool.* Insecto hemíptero, que vive parásito en las plantas. • Materia colorante obtenida de la cochinilla del nopal.
COCHINILLO m. Cochino o cerdo de leche.
COCHINO, NA m. y f. Cerdo. • Cerdo cebado que se destina a la matanza. • adj. y s. fig. y fam. Díc. de la persona muy sucia y desaseada. • m. y f. fig. y fam. Despreciable, sin valor. • fig. y fam. Persona cicatera, tacaña o miserable. • m. *Cuba.* Pez del orden de los plectognatos, con dos aletas dorsales; de color oscuro por el lomo y claro en el vientre.
COCHITRIL m. o **COCHIQUERA** f. fam. Pocilga. • fig. y fam. Habitación pequeña y desaseada.
COCHIZO m. Parte más rica de una mina.
COCHO, CHA adj. Cocido. • *Col.* Crudo. • m. *Chile.* Mazamorra de harina tostada.
COCHOTE m. *Méx.* Especie de loro.

COCHRANE, ***Thomas*** (1775-1860) Almirante ing. al servicio de Chile. Dirigió la flota bras. contra los port. en 1823.
COCHURA f. Cocción. • Masa o porción de pan que se ha amasado para cocer.
COCIDO m. Olla, guiso de carne, tocino, hortalizas y garbanzos.
COCIENTE m. Resultado que se obtiene dividiendo una cantidad por otra. • **intelectual**. Medida o cociente psicométrico de la inteligencia.
COCINA f. Lugar de la casa donde se prepara la comida. • Aparato que proporciona calor para guisar. • fig. Arte o manera especial de guisar de cada país y de cada cocinero.
COCINAR tr. Guisar, preparar los alimentos con el fuego. • intr. fam. Meterse uno en lo que no le importa. B *Chile y Perú.* COCINERÍA; COCINERO, RA.
COCINILLA f. Hornillo portátil para hacer sencillos preparados de cocina. • m. fam. El que se entromete en cosas que no son de su incumbencia.
COCKER m. Raza de perros de caza, de origen ing., de pelo largo y orejas colgantes.
COCKTAIL (voz. ingl.) m. Cóctel.
COCLÉ Prov. del centro de Panamá, ribereña del Pacífico; 4 927,3 km², 197 981 hab. El relieve es llano en gral., atravesado en el sector central por la cord. Centroamericana con alt. superiores a 1 000 m. Caña de azúcar, tabaco y café. Ganadería. Pesca. Prales. c.: la cap. (Penonomé), Río Hato y La Pintada.
CÓCLEA f. Rosca de Arquímedes para elevar agua. • *Anat.* Conducto en espiral que en los vertebrados forma parte del oído interno.
COCLEAR adj. Que tiene forma de espiral. • Relativo a la cóclea.
COCLEARIA f. Hierba medicinal de la familia crucíferas, de hojas acucharadas y flores blancas.
COCLEÁRIDO, DA adj. y m. *Zool.* Díc. de aves de la familia cocleáridos. • m. pl. *Zool.* Familia de aves ciconiformes que cuenta con una sola especie, el arapapá o pico de barca, que vive en Sudamérica.
COCO m. Cocotero. • Fruto de este árbol, cubierto de dos cortezas, la primera fibrosa y la segunda muy dura; por dentro, tiene una pulpa blanca y gustosa, y en la cavidad central un líquido refrescante. Con la primera corteza se confeccionan tejidos bastos. De la pulpa se extrae aceite. • fam. Cabeza. • Gusanillo que se cría en algunos frutos y semillas. • Bacteria redondeada que se presenta individualmente o agrupada. • Fantasma para meter miedo a los niños. • fam. Gesto, mueca.
COCO Río del N de Nicaragua, llamado también Segovia; 750 km. Durante gran parte de su curso forma la frontera con Honduras. Desemboca en el mar Caribe.
COCOBOLO m. *Amér.* Árbol de la familia papilionáceas, de madera usada en carpintería y ebanistería. • Madera de este árbol.
COCODRILIANO, NA adj. y m. *Zool.* Díc. de reptiles del orden cocodrilianos. • m. pl. *Zool.* Orden de reptiles que incluye los aligátores, caimanes, cocodrilos y gaviales.
COCODRILO m. *Zool.* Reptil anfibio del orden de los saurios que vive en los grandes ríos de las regiones intertropicales. Tiene de 4 a 5 m de largo, y está cubierto de escamas durísimas, de color verdoso oscuro con manchas amarillo rojizas. Es temible por su voracidad. • *El.* Pinzas con dientes de sierra utilizadas para conexiones temporales.

Cocodrilo del Nilo

COCOL m. *Méx.* Panecillo en forma de rombo. B *Méx.* COCOLERO.
COCOLERA f. *Méx.* Especie de tórtola.
COCOLÍA f. *Méx.* Ojeriza, antipatía.
COCOLICHE m. *Argent.* Jerga de ciertos inmigrantes it. que mezclan su habla con el esp. • com. *Argent.* It. que habla de este modo.
COCONETE adj. y fam. *Méx.* Pequeñito.
CÓCORA adj. y s. fam. Díc. de la persona molesta e impertinente. • adj. *Col.* Rabia, cólera. • *Cuba.* Incomodidad. • *Perú.* Ojeriza.
COCOS, ***Archipiélago de los*** Grupo de islas coralinas, denominadas también Keeling, bajo administración australiana, al SO de Java; 14,2 km², 1 800 hab. Base aérea. Nuez de coco, aceite y copra.
COCOTAZO m. Golpe en la cabeza.
COCOTERO m. Palmera de las regiones tropicales. Su fruto es el coco. De su pulpa se extraen aceites. B COCOTAL.
COCOTTE f. Voz fr. que significa *prostituta.*
COCTEAU, ***Jean*** (1889-1963) Escritor fr. Cultivó la novela *(Los hijos terribles)*; el drama *(La voz humana)*; poesía *(Canto llano)*; el ballet *(Los recién casados de la torre Eiffel)*. Dibujante y director de cine: *La sangre de un poeta, Orfeo, La bella y la bestia.*
CÓCTEL m. Bebida compuesta de diversos licores, jugo de frutas, etc., con hielo. • Reunión o fiesta en que se toman cócteles u otras bebidas. • **molotov**. Artefacto explosivo consistente en una botella llena de gasolina, en cuya boca se introduce una mecha.
COCTELERA f. Recipiente para hacer cócteles.
COCUIZA f. *Méx.* y *Ven.* Cuerda muy resistente que se hace con las fibras del cocuy.
COCUMA f. *Perú.* Mazorca de maíz asada.
COCUY m. Cocuyo. • *Amér.* Pita.
COCUYO m. *Zool. Amér.* Insecto coleóptero con dos manchas amarillentas a los lados del tórax, por las cuales despide de noche una luz azulada. • *Cuba.* Árbol silvestre cuya madera se emplea en construcción.
CODA f. *Mús.* Pequeña conclusión que se añade al terminar una pieza repitiendo su último extremo. • *Mús.* Repetición final de una pieza bailable. • *Carp.* Prisma pequeño triangular, de madera, que se encola en el ángulo entrante formado por la unión de dos tablas.
CODAL adj. Que consta de un codo. • Que tiene medida o figura de codo. • m. Mugrón de la vid. • *Arq.* Madero atravesado horizontalmente entre las dos jambas de un vano o entre las dos paredes de una excavación, para evitar que se muevan o se desplomen. • *Carp.* Cada uno de los dos palos o listones en que se asegura la hoja de la sierra. • *Carp.* Cada uno de los dos brazos de un nivel de albañil.
CODASTE m. *Mar.* Madero grueso puesto verticalmente sobre el extremo de la quilla inmediato a la popa, y que sirve de fundamento a toda la armazón de esta parte del buque.
CODAZO m. Golpe dado con el codo.
CODAZZI, ***Agustín*** (1792-1859) Cartógrafo y militar it. A instancias de Bolívar levantó mapas de las costas de Maracaibo y la Guajira. Siendo jefe del Estado Mayor realizó el *Atlas físico y político de la República de Venezuela.* Afincado en Colombia, publicó *Geografías física y política de la Nueva Granada.*
CODEADOR, RA adj. y s. *Amér. Merid.* Pedigüeño.
CODEAR intr. Mover los codos, o dar golpes con ellos frecuentemente. • tr. *Amér. Merid.* Pedir insistentemente; socaliñar. • prnl. fig. Tratarse de igual a igual una persona con otra.
CODEÍNA f. Alcaloide que se extrae del opio y se usa como calmante.
CODELINCUENTE adj. y s. Díc. de la persona que delinque en compañía de otra u otras. B CODELINCUENCIA.
CODEO m. Acción y efecto de codear o codearse. • *Amér. Merid.* Socaliña, sablazo.
CODERA f. Remiendo o refuerzo que se pone en el codo de una prenda. • *Mar.* Cabo grueso con que se amarra el buque por la popa.
CODESO m. Arbusto de la familia papilionáceas, con hojas compuestas de tres folios, flores amariposadas amarillas y fruto en legumbre.
CODEUDOR, RA m. y f. Persona que con otra u otras participa en una deuda.
CÓDICE m. Manuscrito ant. en forma de libro.
CODICIA f. Deseo exagerado de poseer dinero, riquezas u otras cosas consideradas buenas. B CODICIOSO, SA.

Mariquita, coleóptero de la familia **coccinélidos**

Perro de la raza **cocker** spaniel

Cocotero

Codeso. Arbusto y flores

CODICIAR tr. Desear con ansia las riquezas y otras cosas.
CODICILO m. Escrito en el que una persona declara su última voluntad, al margen de las formalidades legales de los testamentos. ■ CODICILAR.
CODIFICAR tr. Hacer o formar un cuerpo de leyes metódico y sistemático. • Formular un mensaje siguiendo las reglas de un código. • *Comp.* Traducir la información que se quiere introducir en la computadora a un lenguaje que ésta pueda interpretar. ■ CODIFICACIÓN.

VÍA OBLIGATORIA PARA BICICLETAS Y CICLOMOTORES

VÍA OBLIGATORIA PARA VEHÍCULOS DE TRACCIÓN ANIMAL

VÍA OBLIGATORIA PARA ANIMALES DE MONTURA

VÍA OBLIGATORIA PARA PEATONES

VELOCIDAD MÍNIMA OBLIGADA

PARADA EN LA INTERSECCIÓN

CEDA EL PASO

DETENCIÓN OBLIGATORIA

Algunas señales del **código** de circulación

Codorniz

La adoración de las Sagradas Formas Milagrosas de Gorkum por el rey Carlcs II y su corte, óleo de C. **Coello.** El Escorial, Madrid

CÓDIGO m. Cuerpo de leyes dispuestas según un plan riguroso y sistemático. • Recopilación de las leyes o estatutos de un país. • fig. Norma o regla. • Sistema de signos convencionales que permite formular y emitir un mensaje. • Clave que permite descifrar o descodificar un mensaje. • *Comp.* Conjunto de signos convencionales que permiten representar los datos para su manejo en la computadora. • **civil**. *Der.* El que contiene lo estatuido sobre régimen jurídico, aplicable a personas, bienes, modos de adquirir la propiedad, obligaciones y contratos. • **de barras**. *Comp.* Conjunto de rayas verticales u horizontales de distinto espesor que contiene información del producto sobre el que figuran. Se usa para todas las mercancías de venta directa al público y como partitura para los sintetizadores. • **de circulación**. El que regula el tránsito de vehículos. • **de comercio** o **mercantil**. *Der.* El que reúne cuanto jurídicamente concierne a los comerciantes y a sus contratos, el comercio marítimo, la suspensión de pagos, la quiebra y la prescripción. • **de señales**. Sistema convencional que usan los buques para comunicarse entre sí. • **fuente**. *Comp.* Estructura de un lenguaje de programación que precisa, para su procesamiento, ser compilado. • **genético**. *Biol.* Sistema de codificación, traducción y transcripción de la información genética acumulada en las moléculas de ADN de los cromosomas. • **Morse**. Sistema telegráfico de señales en que a cada letra, núm. o signo de puntuación corresponde una combinación de rayas, puntos o espacios, de sonidos largos o breves o de luces instantáneas o prolongadas. • **penal**. *Der.* El que reúne lo estatuido sobre delitos y faltas, personas responsables de ellos y penas en que incurren.
CODILLERA f. *Vet.* Tumor que padecen las caballerías en el codillo.
CODILLO m. En los animales cuadrúpedos, coyuntura del brazo próxima al pecho. • Parte comprendida desde esta coyuntura hasta la rodilla. • Parte de la rama, que queda unida al tronco por el nudo cuando aquélla se corta. • Entre cazadores, parte de la res que está debajo del brazuelo izquierdo.
CODIRECCIÓN f. Dirección en común. ■ CODIRECTOR, RA.
CODO m. Parte posterior y prominente de la articulación del brazo con el antebrazo. • Codillo de los cuadrúpedos. • Trozo de tubo doblado que sirve para variar la dirección recta de las cañerías o tuberías. • Medida lineal que equivale aproximadamente a 42 cm. • **Empinar el c.** fig. y fam. Beber mucho. • **Hablar por los c.** fig. y fam. Hablar demasiado.
CODOMINANCIA f. *Biol.* Tipo de herencia en la que, además de la normal manifestación del carácter regulado por el alelo dominante, también se reconoce la acción del alelo recesivo.
CODÓN m. *Biol.* Triplete de bases nitrogenadas del ARN mensajero que dan lugar, por traducción, a un aminoácido.
CODOÑATE m. Dulce de membrillo.
CODORNIZ f. Ave de paso, del orden de las gallináceas, con alas puntiagudas y cola corta.
CODREANU, *Corneliu* (1899-1938) Político rum. Introdujo en su país la ideología hitleriana.
CODRINGTON, SIR ***Edward*** (1770-1851) Almirante brit. Mandó el *Orión* en la batalla de Trafalgar (1805) y en 1821 ascendió a vicealmirante. En 1827 tomó el mando de la flota aliada que libró la batalla de Navarino contra la flota turca.
CODY → Buffalo Bill.
COECKE, *Pieter*, llamado VAN AELST (1502-1550) Pintor, escultor y arquitecto flam. Varios lienzos de la *Última Cena, Epifanía* y *La mujer adúltera.*
COEDUCACIÓN f. Educación que se da juntamente a niños o jóvenes de uno y otro sexo. Definida por la Escuela Nueva como institución normal de educación, ha sido admitida progresivamente en la práctica escolar de todos los países.
COEFICIENTE adj. Que juntamente con otra cosa produce un efecto. • m. *Álg.* Número o, en general, factor que, escrito a la izquierda e inmediatamente antes de un monomio, hace oficio de multiplicador. • Cociente. • **de capital**. Relación que existe entre las reservas de capital y el volumen de la renta nacional. • **de dilatación cúbica**. *Fís.* Constante de proporcionalidad correspondiente al aumento de volumen. • **de dilatación lineal**. *Fís.* Constante de proporcionalidad que relaciona el aumento lineal relativo de la longitud de un sólido con el incremento de temperatura. • **de dilatación superficial**. *Fís.* Constante de proporcionalidad correspondiente al aumento de superficie.
COELLO, *Augusto* (1884-1941) Escritor y político hond. Ministro de Asuntos Exteriores, hubo de refugiarse en Costa Rica y El Salvador, donde dirigió los periódicos *En Marcha* y *Pro Patria.* Autor del himno nacional. *Canto a la bandera.* • ***Claudio*** (1642-1693) Pintor esp. *La Sagrada Forma*, en El Escorial; *Don Juan Alarcón, El padre Cabanillas, La reina María Ana de Austria, Valenzuela.*
COENDÚ m. *Amér. Merid.* Puerco espín de hábitos arborícolas.
COENZIMA m. *Biol.* Sustancia de peso molecular relativamente bajo, cuyo concurso es necesario para que se pueda manifestar la acción de algunas enzimas.
COEPÍSCOPO m. Obispo contemporáneo de otros en una misma prov. eclesiástica.
COERCER tr. Contener, refrenar, sujetar. ■ COERCIBILIDAD; COERCIBLE; COERCIÓN; COERCITIVO.
COERCITIVIDAD f. *Fís.* Fenómeno por el cual ciertas sustancias conservan propiedades magnéticas tras cesar la acción imanadora.
COETÁNEO, A adj. y s. Aplícase a las personas y a algunas cosas que viven o coinciden en una misma edad o tiempo. • De la misma edad. • P. ext. contemporáneo.
COETERNO, NA adj. *Teol.* Se usa para denotar que las tres personas divinas son igualmente eternas. ■ COETERNIDAD.
COEUR, *Jacques* (h. 1395-1456) Financiero fr., nombrado consejero real. Fue acusado de traición y encarcelado, y sus bienes confiscados. Murió en Quíos combatiendo contra los turcos.
COEVO, VA adj. Díc. de las cosas que existieron a un mismo tiempo.
COEXISTENCIA f. Existencia simultánea de dos o más cosas. • **pacífica**. Defensa de la convivencia entre países con sistemas políticos y económicos distintos.
COEXISTIR intr. Existir una persona o cosa a la vez que otra. ■ COEXISTENTE.
COEXTENDERSE prnl. Extenderse a la vez que otro.
COFERMENTO m. *Biol.* Coenzima.
COFIA f. Red con que las mujeres se recogían el pelo. • Gorra que usaban las mujeres para abrigar y adornar la cabeza y que actualmente usan enfermeras, niñeras, etc. • *Bot.* Cubierta membranosa que protege la extremidad de las raíces.
COFÍN m. Cesto de esparto, mimbres, etc.
COFRADÍA f. Asociación devota de personas para un fin religioso. • Gremio o asociación de gentes para un fin determinado. ■ COFRADE.

COFRE m. Baúl para guardar ropa, joyas, etc. • *Zool.* Pez del orden de los plectognatos, con el cuerpo cubierto de escudetes óseos.
COFRE DE PEROTE Monte de México, ant. volcán apagado, en la cord. Neovolcánica (est. de Veracruz); 4 282 m. También se le conoce por el nombre de Nauhcampatépetl.
COGEDOR, RA adj. y s. Que coge. • m. Utensilio en forma de paleta que sirve para recoger la basura, el carbón, la ceniza, etc.
COGER tr. y prnl. Asir, agarrar o tomar. • tr. Recibir en sí alguna cosa. • Recoger los frutos de la tierra. • Tener capacidad o hueco para contener cierta cantidad de cosas. • Ocupar cierto espacio. • Hallar, encontrar. • Descubrir un engaño, penetrar un secreto, sorprender a uno en un descuido. • Tomar u ocupar un sitio, etc. • Sobrevenir, sorprender. • Contraer una enfermedad. • *Amér.* Copular. • Alcanzar al que o a lo que va delante. • Prender, apresar. • Herir o enganchar el toro a una persona con los cuernos. • intr. Caber. ■ COGEDORA; COGEDERO, RA; COGEDIZO, ZA; COGEDURA.
COGESTIÓN f. Administración conjunta de una empresa por la dirección y los empleados. • Sistema educativo en el que los alumnos participan conjuntamente con los profesores, a nivel organizativo y didáctico.
COGIDO, DA m. Pliegue que se hace en los vestidos, las cortinas, etc. • f. fam. Cosecha de frutos. • fam. Acto de coger el toro a un torero.
COGIENDA f. *Col.* y *Ven.* Cosecha.
COGITABUNDO, DA adj. Preocupado.
COGITATIVO, VA adj. Que tiene facultad de pensar.
COGNAC (voz fr.) m. Coñac.
COGNACIÓN f. Parentesco de consanguinidad por la línea femenina entre los descendientes de un tronco común. ■ COGNADO, DA.
COGNICIÓN f. Acción y efecto de conocer.
COGNOMENTO m. Renombre que adquiere una persona o un pueblo.
COGNOSCITIVO, VA adj. Díc. de lo que es capaz de conocer. ■ COGNOSCIBILIDAD; COGNOSCIBLE.
COGOLLERO m. *Cuba.* Parásito del tabaco.
COGOLLO m. Parte interior y más apretada de la lechuga, la berza y otras hortalizas. • Brote que arrojan los árboles y otras plantas. • fig. Meollo, centro o núcleo de una cosa. • *Amér.* Punta de la caña de azúcar. • *Chile.* Alabanza.
COGÓN m. Planta de la familia gramíneas, propia de los países cálidos. ■ COGONAL.
COGORZA f. fam. Borrachera.
COGOTE m. Parte superior y posterior del cuello. • Penacho que se colocaba en la parte del morrión que corresponde al cogote. ■ COGOTAZO.
COGOTERA f. Trozo de tela que, sujeto en la parte posterior de algunas prendas que cubren la cabeza, sirve para resguardar la nuca del sol o de la lluvia.
COGOTUDO, DA adj. Díc. de la persona que tiene grueso el cogote. • fig. y fam. Díc. de la persona muy altiva u orgullosa. • m. y f. *Amér.* Nuevo rico.
COGUCHO m. *Cuba.* Azúcar de inferior calidad que se saca de los ingenios.
CÓGUIL m. *Chile.* Fruto comestible de boqui.
COGUJADA f. Pájaro de la familia aláudidos, muy semejante a la alondra, de la que se distingue por tener un largo moño puntiagudo, una cola más corta y un pico algo curvado.
COGUJÓN m. Cualquiera de las puntas que forman los colchones, almohadas, etc.
COGULLA f. Hábito o ropa exterior que visten varios religiosos monacales.
COGULLADA f. Papada del puerco.
COHABITAR tr. Habitar juntamente con otro u otros. • Hacer vida marital el hombre y la mujer. ■ COHABITACIÓN.
COHECHAR tr. Sobornar a un funcionario público. • *Agr.* Dar a la tierra la última vuelta antes de sembrarla. ■ COHECHADOR, RA; COHECHO.
COHEN, ***Hermann*** (1842-1918) Filósofo al., fundador de la Escuela de Marburgo, una de las ramas del neokantismo. Se orientó predominantemente hacia cuestiones de carácter lógico y matemático.
COHEREDAR tr. Heredar juntamente con otro u otros. ■ COHEREDERO, RA.
COHERENCIA f. Conexión, relación o unión de unas cosas, ideas, actitudes, etc., con otras. • *Fís.* Cohesión, unión molecular. • *Ópt.* Propiedad relativa a dos o más rayos luminosos procedentes del mismo punto de un manantial de luz y consistente en que todos ellos están formados por los mismos trenes de ondas. Es una de las condiciones de interferencia. ■ COHERENTE.
COHESIÓN f. Acción y efecto de reunirse o adherirse las cosas entre sí o la materia de que están formadas. • Enlace, unión de dos cosas. • *Fís.* Unión íntima entre las moléculas de un cuerpo. • Fuerza de atracción que las mantiene unidas. En el estado gaseoso la c. es nula, en el líquido es muy pequeña y en el sólido determina la mayor o menor dureza de los cuerpos. ■ COHESIVO, VA.
COHETE m. Artificio pirotécnico que explota en el aire produciendo diversos efectos luminosos. • Aparato de vuelo que se desplaza a causa de la fuerza de reacción que se origina por la expulsión parcial de su masa.
COHIBIR tr. y prnl. Refrenar, reprimir, contener. ■ COHIBICIÓN.
COHL, ***Emile Courtet*** (1857-1938) Dibujante y caricaturista fr. Uno de los creadores de las películas de dibujos animados.
COHOBAR tr. *Quím.* Destilar repetidas veces una misma sustancia.
COHOBO m. Piel de ciervo. • *Ecuad.* y *Perú.* Ciervo.
COHOMBRILLO m. *Bot.* Planta medicinal de la familia cucurbitáceas, con tallos rastreros, hojas acorazonadas, flores amarillas y fruto muy amargo. • Fruto de esta planta.
COHOMBRO m. *Bot.* Planta hortense, variedad de pepino, cuyo fruto es largo y torcido. • Fruto de esta planta. • Churro. • **de mar.** *Zool.* Animal radiado, de piel coriácea, cuerpo cilíndrico y boca rodeada de apéndices ramosos.
COHONESTAR tr. Dar semejanza o visos de buena a una acción.
COHORTE f. Unidad táctica del ant. ejército rom. • fig. Conjunto, serie.
COICOY m. *Chile.* Sapo pequeño, llamado así por su grito particular. También se le conoce como sapo de cuatro ojos, por las cuatro protuberancias que tiene en la espalda.
COIHAIQUE Prov. del S de Chile, en la región Aisén del General Carlos Ibáñez del Campo; 42 800 hab. • C. de Chile, cap. de la provincia hom.; 48 200 hab.
COIHUE m. Variedad de jara pequeña propia de los Andes patagónicos.
COIHUÉ m. *Perú.* Árbol fagáceo.
COIMA f. Manceba. • Lo que cobra el dueño del garito. • *Argent.* y *Chile.* Dinero con que se soborna.
COIMBATORE *(Koyamputtur)* C. del S de la India, en el est. de Tamil Nadu; 704 500 hab. Centro textil; ind. del azúcar.
COIMBRA C. del O de Portugal, cap. del distri-

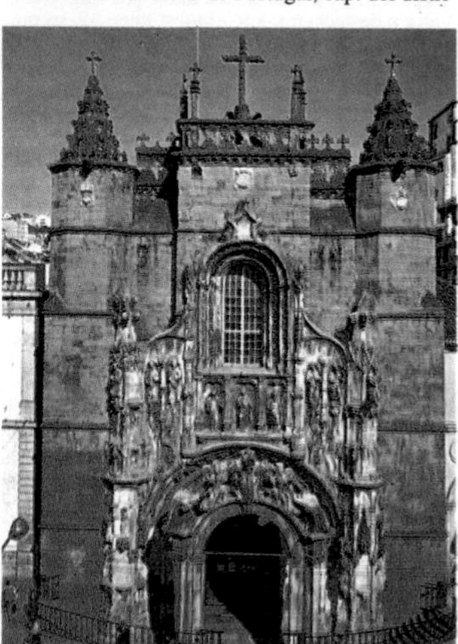

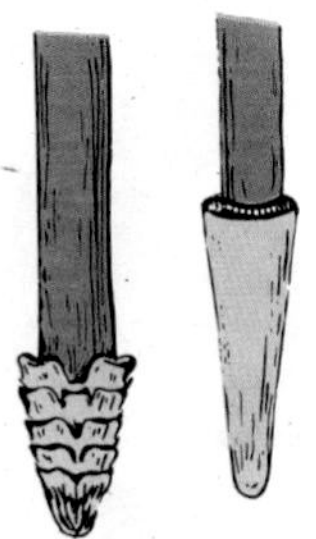

Dos tipos de **cofia**

Cofre de marfil, muestra del arte del Califato de Córdoba (Museo Bargello, Florencia, Italia)

Despegue de un **cohete** *Ariane* de la Agencia Europea del Espacio

Fachada de la catedral de la Santa Cruz de **Coimbra**

Dos tipos de **cojinete:** arriba, de bolas; abajo, de rodillos

to hom., en la orilla derecha del r. Mondego; 71 800 hab. Centro cultural. Ind. textil y cerámica. Catedral románica del s. XII. Universidad fundada en 1290.

COIMEAR intr. *Argent.* Recibir coima o soborno.

COINCIDIR intr. Convenir una cosa con otra; ser conforme con ella. • Ocurrir dos o más cosas a un mismo tiempo. • Ajustarse una cosa con otra; confundirse con ella. • Concurrir simultáneamente dos o más personas en un mismo lugar. • Estar de acuerdo en algo. ■ COINCIDENCIA; COINCIDENTE.

COINÉ f. *Ling.* Lengua común, basada en el dialecto ático, origen del gr. moderno.

COINQUILINO, NA m. y f. Inquilino con otro.

COINTERESADO, DA adj. y s. Interesado juntamente con otro u otros en una cosa.

COIPÚ m. *Zool. Amér.* Mamífero roedor de la familia capromíidos, de tamaño mediano y cola redonda. Se cría en granjas por su piel.

COIRÓN m. *Bol., Chile* y *Perú.* Planta gramínea de hojas duras y punzantes, usada para techar las barracas de los campos.

COITO m. Cópula o ayuntamiento carnal de los animales superiores.

COJA f. fam. Mujer de mala vida.

COJATE m. *Cuba.* Planta cingiberácea de grandes y anchas hojas, flores rojas y raíces diuréticas.

COJATILLO m. *Cuba.* Especie de jengibre que nace a orillas de los ríos y en los bosques.

COJEAR intr. Andar con irregularidad a causa de algún defecto en la pierna. • Moverse un mueble, por tener algún pie más o menos largo que los demás, o por desigualdad del piso. • fig. y fam. No obrar como es debido. • Ir poco preparado en un trabajo, estudios, etc. ■ COJERA; COJITRANCO, CA; COJO, JA.

COJEDES Est. del centro-oeste de Venezuela; 14 800 km^2, 246 257 hab. Cap., San Carlos. Orográficamente comprende dos zonas; la cord. de la Costa y la serranía del Interior al N; al S los Llanos. Ríos: Portuguesa y afl. y subafluentes (Cojedes, Tinaco, Pao, Chirgua). Clima tropical lluvioso. Centro ganadero. Pesca fluvial. Arroz, maíz. Amianto.

COJIJO m. Sabandija, bicho. • Desazón. ■ COJIJOSO, SA.

COJÍN m. Almohadón.

COJINETE m. Almohadilla para coser. • *Ferr.* Pieza de hierro con que se sujetan los carriles a las traviesas. • *Mec.* Dispositivo mecánico que sirve de apoyo y guía a un eje en movimiento. • **Cojinetes de fricción**. *Mec.* Aquellos cuyos ejes rozan por deslizamiento en su apoyo. • **Cojinetes de rodamiento** o **rodamientos**. Aquellos en los que se intercalan entre el eje y su apoyo esferas, cilindros o conos que hacen que el rozamiento sea sólo la rodadura.

COJINÚA f. *Cuba.* Pez de color plateado y cola ahorquillada. Su carne es muy apreciada.

COJOBO m. *Cuba.* Jabí, árbol.

COJOLITE m. *Méx.* Especie de faisán.

COJÓN m. Testículo. Se usa más en pl. • fig. y fam. Valor o desfachatez. • **¡Cojones!** interj. de sorpresa, enfado, etc. ■ COJONUDO, DA.

COJUDO, DA adj. Díc. del animal no castrado.

COJUTEPEQUE C. de El Salvador, cap. del dpto. de Cuscatlán; 43 600 hab. Se halla al pie del volcán hom., llamado también Las Pavas. Caña de azúcar, tabaco, café. Manufactura de tabaco. Fabricación de calzado.

COL f. Planta hortense, de la familia crucíferas, con hojas radiales muy anchas.

Col

COLA f. Parte posterior del cuerpo de algunos animales. La poseen las larvas de los anfibios, y los adultos de los urodelos y los ápodos, en los que corresponde, como en los reptiles y los mamíferos, a la región caudal de la columna vertebral. En las aves forma un conjunto de plumas cuya función es dirigir el vuelo. • Porción de ropa que en algunos vestidos largos se prolonga por la parte posterior y se lleva gralte. arrastrando. • Punta o extremidad posterior de una cosa. • Apéndice luminoso que suelen tener los cometas. • Hilera de personas que esperan vez. • Último lugar en una clasificación. • Pasta fuerte y pegajosa utilizada para encolar. • *Bot.* Nombre común de diversas especies del gén. *Cola* (fam. esterculiáceas) propias del África tropical cuyas semillas, llamadas nueces de c., contienen alcaloides estimulantes, por lo que se usan en la fabricación de bebidas y en medicina. • **de caballo**. *Bot.* Hierba de la familia equisetáceas, con hojas filiformes, a manera de cola de caballo. • Peinado en que se recoge el pelo en la parte superior de la cabeza.

COLABORACIONISMO m. Colaboración con un régimen que la mayoría de los ciudadanos considera opresivo e ilegítimo, especialmente si es un régimen de ocupación. ■ COLABORACIONISTA.

COLABORADOR, RA m. y f. Compañero en la formación de alguna obra literaria, musical, etc. • Persona que escribe habitualmente en un periódico o una editorial sin pertenecer a la plantilla.

COLABORAR tr. Contribuir con el propio esfuerzo a la consecución o ejecución de algo en lo que trabaja otro u otros. ■ COLABORACIÓN.

COLACIÓN f. Acto de conferir un beneficio eclesiástico, un grado universitario, etc. • Cotejo que se hace de una cosa con otra. • Comida ligera. • **Sacar** o **traer a c.** Mencionar en la conversación a una persona o asunto. ■ COLATIVO, VA.

COLACIONAR tr. Cotejar.

COLACTÁNEO, A m. y f. Hermano de leche.

COLADA f. Acción y efecto de colar un líquido, la ropa, etc. • Lejía en que se cuela la ropa. • Ropa colada. • Lavado periódico de la ropa de la casa. • *Metal.* Extracción de la masa fundida en un horno. • *Metal.* Operación de llenar un molde con metal fundido. • **volcánica**. Masa de lava que fluye por la pendiente del terreno. Se aplica al material volcánico consolidado.

COLADERA f. Pequeño colador para licores. • *Méx.* Sumidero con agujeros.

COLADERO m. Colador. • Camino o paso estrecho. • fig. Centro docente, curso, asignatura o examen que se caracterizan por la facilidad con que se obtienen en ellos buenas calificaciones.

COLADOR m. El que confiere un beneficio eclesiástico o grado universitario. • Utensilio formado por una tela, tela metálica o plancha con agujeros, que sirve para colar líquidos.

COLADORA f. La que hace coladas. • Máquina que sirve para colar la ropa.

COLADURA f. Acción y efecto de colar líquidos. • fig. y fam. Acción y efecto de colarse, equivocarse.

COLÁGENO m. *Anat.* Proteína fibrosa, componente fundamental de la sustancia intersticial de los tejidos cartilaginoso y óseo.

COLAGOGO, GA adj. Díc. de la sustancia que provoca la evacuación de la bilis.

COLAINA f. Acebolladura en la madera.

COLAJE m. Operación que en la fabricación del papel sigue al refinado de las fibras y les da cierta impermeabilidad.

COLANGIOGRAFÍA f. *Med.* Radiografía de las vías biliares.

COLANILLA f. Pequeño pasador que se utiliza para cerrar puertas y ventanas.

COLAÑA f. Tabique de poca altura, que sirve de antepecho o separación.

COLAPEZ o **COLAPISCIS** f. Cola de pescado.

COLAPSO m. *Med.* Estado de postración extrema y depresión repentina, con debilitamiento de la actividad cardíaca. • fig. Paralización brusca de una actividad cualquiera. ■ COLAPSAR.

COLAR tr. Conferir un beneficio eclesiástico o un grado universitario. • Pasar un líquido por un cedazo o colador. • Blanquear la ropa después de lavada, metiéndola en lejía caliente. • intr. Pasar por un lugar o paraje estrecho. • fam. Beber vino. • fam. Pasar una cosa en virtud de engaño o artificio. • prnl. Introducirse en un sitio subrepticiamente. • Equivocarse, meter la pata. • **No c.** una cosa. • fig. y fam. No ser creída.

COLARGOL m. Coloide obtenido por precipitación del nitrato de plata. Es un poderoso antiséptico y microbicida.

COLATERAL adj. Díc. de las cosas que están a uno y otro lado de otra principal. • adj. y s. Díc. del pariente que no lo es por línea recta.

COLATITUD f. Ángulo complementario del que representa la latitud terrestre de un lugar; es decir colatitud = 90 $-\varphi$ siendo φ la latitud.

COLAYO m. Pimpido, pez.

COLBERT, ***Claudette*** seud. de *Claudette Chauchion* (1905-1996) Actriz de cine norteam. *Cleopatra*, *Sucedió una noche*, *Tempestad en la cumbre.* • ***Jean Baptiste*** (1619-1683) Estadista fr. Administrador privado de Mazarino, recomendado

por éste a Luis XIV. En 1665 fue nombrado supervisor general de Finanzas; más tarde, secretario de Estado de la Casa del Rey y de la Marina. Se preocupó de la reorganización financiera del Est. y estimuló la expansión colonial y el desarrollo de la ind. mediante la protección estatal (→ mercantilismo) y de la creación de manufacturas.
COLCHA f. Cobertura de cama que sirve de adorno y abrigo.
COLCHAGUA Prov. del centro de Chile, en la región VI del Libertador General Bernardo O'Higgins; 167 100 hab. Se distingue un gran sector andino con elevadas alturas (volcán Tinguiririca, 4 075 m), bordeado al O por el valle Longitudinal. Río pral.: Tinguiririca. Clima templado seco en el valle y frío en el sector andino. Cereales, vid, tabaco. Ganadería. Yacimientos de caliza. Cap., San Fernando.
COLCHAGÜINO, NA adj. y s. De Colchagua.
COLCHAR tr. Acolchar las telas. • *Mar.* Corchar. ■ COLCHADO, DA; COLCHADURA.
COLCHESTER C. de Gran Bretaña, en Essex; 81 900 hab. Centro comercial e industrial.
COLCHICINA f. Alcaloide que se extrae de las semillas maduras y amargas del cólchico. En la E. Med. se usó como veneno, y se utiliza actualmente en agricultura y en medicina.

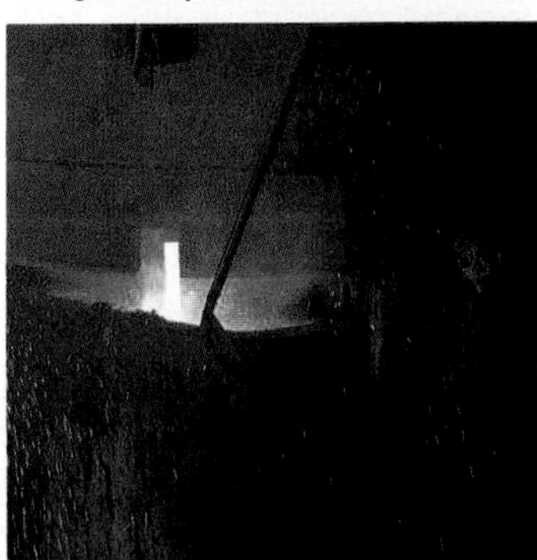
Operación de **colada** en un molde

CÓLCHICO m. Planta herbácea de la familia liliáceas, que contiene colchicina.
COLCHÓN m. Especie de saco, relleno de lana o de otra materia esponjosa o blanda, o hecho con muelles, que se coloca sobre el somier de la cama. ■ COLCHONERÍA; COLCHONERO, RA.
COLCHONETA f. Cojín largo y delgado. • Colchón delgado.
COLCÓTAR m. *Miner.* Óxido de hierro que se encuentra en estado natural, pero que se obtiene casi siempre por calcinación de sulfato ferroso. Se usa como pigmento, en cerámica y, como abrasivo, para pulir cristales ópticos.
COLE, *George Douglas* (1889-1959) Economista brit. Teórico socialista; preconizó el control de las ind. por medio de los sindicatos. *Historia del pensamiento socialista.*
COLEADA f. Sacudida o movimiento de la cola de los peces y otros animales. • *Amér.* Acto de derribar una res tirándole de la cola.
COLEADO, DA adj. *Chile.* Díc. del que ha suspendido un examen.
COLEADOR, RA adj. Díc. del animal que colea. • m. *Amér.* El que colea una res.
COLEAR intr. Mover con frecuencia la cola. • tr. *Taur.* Sujetar la res por la cola, por lo común cuando embiste al picador caído. • *Amér.* Derribar el jinete a la res que huye, cogiéndole la cola. • fam. *Col.* Molestar. • *Chile.* Suspender un examen. • *Guat.* Seguir a alguien. ■ COLEADURA; COLEO.
COLECCIÓN f. Conjunto de cosas, por lo común de una misma clase.
COLECCIONAR tr. Formar colección.
COLECCIONISMO m. Afición a hacer colecciones. ■ COLECCIONISTA.
COLECCIONOMANÍA f. Tendencia obsesiva a reunir objetos determinados.
COLECISTITIS f. Inflamación de la vesícula biliar.
COLECTA f. Recaudación de donativos voluntarios.
COLECTAR tr. Recaudar, o recoger especialmente dinero. ■ COLECTACIÓN.
COLECTICIO, CIA adj. Aplícase al cuerpo de tropa compuesto de gente nueva, sin disciplina.
COLECTIVIDAD f. Conjunto de personas reunidas o concertadas para un fin. • Comunidad humana.
COLECTIVISMO m. Doctrina política que propugna la propiedad colectiva de los medios de producción. Ha sido objeto de experiencias aisladas por parte de socialistas utópicos (Fourier, Owen) y practicado por anarquistas, socialistas y comunistas. ■ COLECTIVISTA.
COLECTIVIZAR tr. Transformar evolutiva o coactivamente los bienes individuales en colectivos. ■ COLECTIVIZACIÓN.
COLECTIVO, VA adj. Formado por varias personas o cosas. • Hecho por varios. • Que tiene la virtud de recoger o reunir. • m. *Argent.* Microbús.
COLECTOR adj. Que recoge. • m. El que hace alguna colección. • Recaudador. • Alcantarilla principal. • *El.* Parte de la dinamo formada por laminillas de cobre que se hallan conectadas a las escobillas para recoger la corriente. ■ COLECTURÍA.
COLÉDOCO m. *Anat.* Conducto biliar formado por la reunión de los conductos hepático y cístico, que vierte la bilis en el duodeno.
COLEGA com. Compañero en un colegio, iglesia, corporación o ejercicio.
COLEGATARIO m. Aquel a quien se le ha legado una cosa juntamente con otro u otros.
COLEGIADO, DA adj. Díc. del individuo que pertenece a una corporación que forma colegio. • Díc. de la corporación constituida en colegio. • m. *Dep.* Árbitro.
COLEGIAL adj. Relativo al colegio. • m. Niño que asiste a un colegio. • fig. y fam. Muchacho inexperto y tímido.
COLEGIALA f. Alumna que tiene plaza en un colegio o asiste a él.
COLEGIALISTA adj. y s. *Ur.* Partidario del régimen colegiado de gobierno.
COLEGIARSE prnl. Reunirse en colegio los individuos de una misma profesión o clase. • Inscribirse en un colegio profesional. ■ COLEGIACIÓN.
COLEGIATA f. Iglesia colegial.
COLEGIATURA f. Beca o plaza en un colegio.
COLEGIO m. Comunidad de personas revestidas de la misma dignidad. • Establecimiento de enseñanza para niños y jóvenes. • Asociación oficial integrada por personas pertenecientes a la misma profesión, que representa y defiende sus intereses colectivos • **electoral**. Reunión de electores comprendidos en una misma unidad electoral. • Sitio donde se reúnen para votar. • **mayor**. Residencia de estudiantes universitarios • **menor**. Residencia de estudiantes de enseñanza media.
COLEGIR tr. Juntar, unir las cosas sueltas y esparcidas. • Inferir, deducir una cosa de otra.
COLEGISLADOR, RA adj. Díc. del cuerpo que concurre con otro para la formación de las leyes.
COLÉMBOLO, LA adj. y m. *Zool.* Díc. de insectos del orden colémbolos. • m. pl. *Zool.* Orden de insectos carentes de alas.
COLEMIA f. *Pat.* Presencia anormal de bilis en la sangre.
COLÉNQUIMA m. *Bot.* Tejido vegetal formado por células vivas, redondeadas o fibrosas, con las membranas engrosadas y endurecidas por la presencia de lignina.
COLEÓPTERO, RA adj. y m. *Zool.* Díc. de los insectos del orden coleópteros. • m. pl. Orden de insectos, designados colectivamente como escarabajos, que engloba casi la cuarta parte de los animales conocidos.
CÓLERA f. Bilis. • fig. Ira, enojo, enfado. • m. Enfermedad infecciosa transmitida por contaminación fecal de los alimentos o del agua, caracterizada por vómitos, deposiciones fluidas y frecuentes y violentos dolores intestinales. • **Montar** uno **en c.** Airarse, encolerizarse. ■ COLÉRICO, CA.
COLERESIS f. *Med.* Secreción de bilis por el hígado.

Jean Baptiste **Colbert**

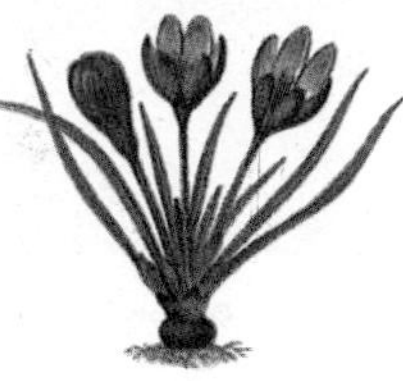
Cólchico

Escarabajo enterrador, insecto del orden **coleópteros**

COLERÉTICO, CA adj. *Farm.* Que incrementa la producción de bilis.
COLERIDGE, *Samuel Taylor* (1772-1834) Poeta romántico, crítico y filósofo ing. Con sus obras filosóficas (*Ayudas a la reflexión*), creó los pilares básicos del idealismo brit. Poemas: *Baladas líricas, Christabel.*

Samuel Taylor **Coleridge**

COLERINA f. Enfermedad parecida al cólera, pero menos grave. • Una variedad de diarrea.
COLESTEROL m. o **COLESTERINA** f. *Fisiol.* Sustancia que existe normalmente en la sangre, bilis, cerebro, ovarios, cápsulas suprarrenales y tejidos adiposo. Su acumulación en las paredes de los vasos produce la arteriosclerosis, y en las vías biliares puede formar cálculos.
COLETA o **COLETILLA** f. Trenza de pelo, especialmente la que se lleva en la parte posterior de la cabeza. • Cabello recogido y envuelto en una cinta y colgado sobre la espalda. • fig. y fam. Adición breve a lo escrito o hablado. • *Amér.* Lona. • *Méx.* Mahón.
COLETAZO m. Golpe dado con la cola. • fig. Manifestación de algo que se está acabando.
COLETEAR tr. *Cuba.* Dar coletazos.
COLETILLO m. Corpiño sin mangas.
COLETO m. Vestidura hecha de piel, por lo común de ante, que se ajustaba al cuerpo a modo de chaqueta. • fig. y fam. Cuerpo del hombre. • fig. y fam. Interior, adentros.
COLETÓN m. *Ven.* Tela basta de estopa; harpillera.
COLETTE, *Gabrielle* (1873-1954) Escritora fr. *Claudine, Diálogos de animales, Querido, La vagabunda, Los zarcillos de la vid.*

Colibrí

COLGADERO, RA adj. Que puede colgarse. • m. Gancho o cosa similar donde puede colgarse algo.
COLGADIZO, ZA adj. Díc. de algunas cosas que sólo tienen uso estando colgadas. • m. Tejadillo saliente de una pared.
COLGADO, DA adj. fam. Díc. de la persona burlada o frustrada en sus deseos. • Contingente, incierto. • m. y f. Persona que está bajo los efectos de la droga o sufre adicción.
COLGADOR m. Percha o cosa adecuada para colgar algo.
COLGADURA f. Conjunto de tapices o telas con que se cubren las paredes y balcones de una casa. • Trapo o andrajo que cuelga.
COLGAJO m. Cualquier trapo o cosa que cuelga. • Racimo de uvas o porción de frutas que se cuelga para conservarlas. • *Cir.* Porción de piel sana que en las operaciones quirúrgicas se reserva para cubrir la herida.

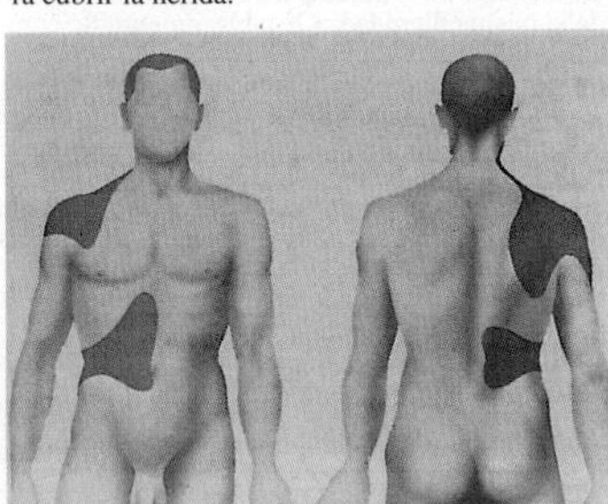
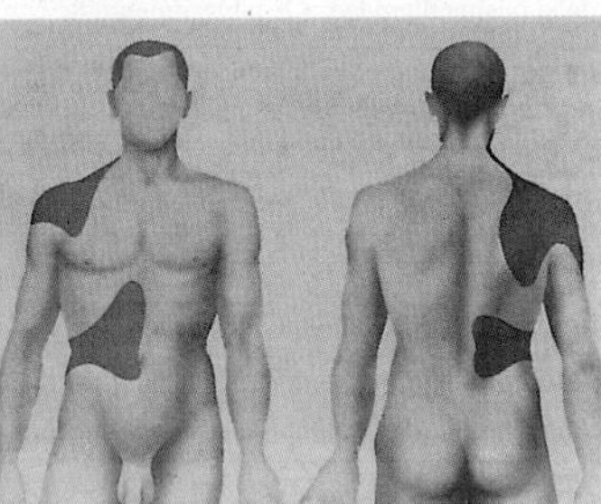

Localización e irradiación del dolor en el **cólico hepático** o **biliar**

COLGANDEJO m. *Col.* Colgajo, cosa que cuelga.
COLGANTE adj. y s. o **COLGANDERO, RA** adj. Que cuelga. • m. Joya o adorno colgante. • *Arq.* Festón, adorno.
COLGAR tr. Suspender, poner una cosa pendiente de otra, sin que llegue al suelo. • Adornar con colgaduras y tapices. • fig. y fam. Ahorcar. • fig. Regalar. • fig. Imputar, achacar. • intr. Estar una cosa en el aire pendiente o asida de otra. ▪ COLGAMIENTO.
COLHUÉ HUAPÍ Lago de la Argentina, en Patagonia (prov. de Chubut); 803 km².
COLIBACILO m. Bacilo que vive en el intestino del hombre y de los animales.
COLIBACILOSIS f. *Med.* Enfermedad provocada por el colibacilo.
COLIBLANCO, CA adj. De cola blanca.

Coliflor

COLIBRÍ m. *Amér.* Ave de pequeño tamaño, que recibe el nombre de pájaro mosca. Su plumaje suele ser vistoso, con irisaciones metálicas. El pico, largo y muy delgado, está adaptado a la succión del néctar de las flores.
CÓLICA f. Cólico pasajero determinado por indigestión y caracterizado por vómitos y evacuaciones de vientre.
COLICANO, NA adj. Díc. del animal que tiene en la cola canas o cerdas blancas.
COLICHE m. fam. Baile o fiesta a la que, sin ser formalmente convidados, pueden acudir los amigos de quien la da.
CÓLICO, CA adj. Relativo al intestino colon. • m. *Pat.* Dolor de colon y, en general, de la cavidad abdominal, que se presenta en accesos. • *Pat.* Dolor agudo e intenso debido a contracciones espasmódicas de un órgano hueco. • **hepático** o **biliar**. El debido a la obstrucción de las vías biliares producida por cálculos. • **miserere.** Oclusión intestinal aguda que determina un estado gravísimo • **nefrítico** o **renal.** El debido a la obstrucción del uréter.
COLICOLI m. *Chile.* Especie de tábano, de color pardo, muy común y molesto.
COLICUACIÓN f. Acción y efecto de colicuar o colicuarse. • *Med.* Enflaquecimiento rápido a consecuencia de evacuaciones abundantes. ▪ COLICUATIVO, VA.
COLICUAR o **COLICUECER** tr. y prnl. Derretir, o hacer líquidas a la vez dos o más sustancias sólidas o crasas.
COLIFLOR f. Variedad cultivada de la col, cuya inflorescencia hipertrofiada tiene los brotes transformados en masas carnosas y compactas.
COLIGACIÓN, COLIGADURA f. o **COLIGAMIENTO** m. Unión, trabazón o enlace de unas cosas con otras.
COLIGARSE prnl. Unirse, confederarse unos con otros para algún fin. ▪ COLIGADO, DA.
COLIGNY, *Gaspard de* (1519-1572) Almirante fr. Jefe del partido hugonote, contribuyó a firmar la paz de Saint-Germain (1570) con los católicos. Asesinado en la noche de San Bartolomé.
COLIGUACHO adj. *Chile.* De color pardo. • fam. *Chile.* Muy grande. • m. *Chile.* Moscardón negro, de la misma familia que los tábanos, con el tórax y el abdomen cubiertos de pelos rojizos.
COLIGÜE m. *Argent.* y *Chile.* Planta gramínea trepadora.
COLILARGA f. *Chile.* Pájaro insectívoro de color rojizo por encima, alas grises oscuras, capucha bermeja y que tiene en la cola dos plumas más largas que todo el cuerpo.
COLILLA f. Punta del cigarro que se tira. ▪ COLILLERO, RA.
COLIMA Est. de México, en la costa del Pacífico; 5 455 km², 540 679 hab. Cap., la c. hom. Relieve montañoso, excepto en la llanura litoral; por el N penetran las estribaciones de la cord. Neovolcánica. Los ríos Armería y Coahuayana forman fértiles valles. En éstos, y en la llanura litoral, se dan las «tierras calientes». La alt. modifica el clima dando origen a las llamadas «tierras templadas», con temperaturas suaves. Caña de azúcar, plátanos, maíz, frijol y algodón. Riqueza forestal. Ganadería. Hierro, plata y plomo. Imp. puerto comercial en la bahía de Manzanillo. • C. de Méx., cap. del est. hom.; 129 454 hab. Sit. junto al río hom., afl. del Armería. Centro agropecuario y comercial. Fabricación de aceite de coco y jabón. Yacimientos de arte precolombino (cerámica).
COLIMA, *Nevado de* Volcán extinto de la cordillera Neovolcánica de México, en el est. de Jalisco; 4 330 m.
COLIMADOR m. *Ópt.* Dispositivo de determinados instrumentos, que sirve para dirigir visuales o para colimar los rayos luminosos.
COLIMAR tr. *Fís.* Obtener un haz de rayos paralelos a partir de un foco luminoso. • *Fís.* Alinear los elementos constituyentes de un sistema óptico. ▪ COLIMACIÓN.
COLIMBO m. Ave gaviforme, con membranas interdigitales completas, pico comprimido y alas cortas, pero útiles para el vuelo.
COLÍN adj. Díc. del caballo que tiene poca cola. • m. *Méx.* Ave del orden de las gallináceas.
COLIN, *Alexander* (1527-1612) Escultor flam.

Trabajó en Alemania (Heidelberg) y Austria, donde terminó la tumba de Maximiliano (Innsbruck) y realizó la de Fernando I, en Praga.
COLINA f. Elevación natural de terreno, menor que una montaña. • Simiente de coles y berzas. • Base nitrogenada que interviene en la constitución de algunos fosfolípidos, como las lecitinas.
COLINA C. de Chile, cap. de la prov. de Chacabuco, en la Región Metropolitana de Santiago; 32 000 hab. Termas.
COLINABO m. Berza de hojas sueltas, sin repollar.
COLINDAR intr. Lindar entre sí dos o más fincas, términos, etc. ■ COLINDANTE.
COLINETA f. Ramillete de dulce.
COLINO m. Colina, sementera. • Era de coles pequeñas que aún no se han trasplantado.
COLIPAVA adj. Díc. de cierta clase de palomas que tienen la cola más ancha que las demás.
COLIRIO m. *Farm.* Medicamento líquido o pastoso que se emplea para el tratamiento de trastornos oculares o palpebrales.
COLIRRÁBANO m. Planta crucífera, variedad de la col.
COLIRROJO m. Ave paseriforme, de pequeño tamaño, que tiene la cola y las coberturas dorsales de color castaño rojizo.
COLISA f. *Mil.* Plataforma giratoria, sobre la cual se coloca la cureña de un cañón de artillería.
COLISEO m. Teatro para la representación de tragedias y comedias. • n. p. m. Anfiteatro rom. construido en tiempos de Vespasiano y Tito (75-80).

Vista parcial del foso y las gradas del **Coliseo** romano

COLISIÓN f. Choque de dos cuerpos. • fig. Oposición de ideas, principios o intereses.
COLISTA adj. y s. Díc. del que ocupa el último lugar en una clasificación deportiva.
COLITIGANTE com. Persona que litiga en unión con otra.
COLITIS f. *Pat.* Inflamación de colon.
COLL, ***Pedro Emilio*** (1872-1947) Político y escritor ven. Modernista. *Palabras, El castillo de Elsinor, La escondida senda. El diente roto.*
COLLA f. Gorjal, pieza de la armadura. • Arte de pesca compuesto por determinado número de nasas colocadas en fila cuando se calan. • Traílla de dos perros. • adj. y s. *Argent.* y *Bol.* Díc del indígena que habita en las mesetas andinas. • Individuo de una de las prales. tribus aymaraes.
COLLADO m. Cerro, elevación de poca altura. • Depresión suave por donde se puede pasar fácilmente de un lado a otro de una sierra. • f. *Mar.* Duración larga de un mismo viento.
COLLAGE (voz fr.) m. Técnica que consiste en aplicar sobre una superficie materiales y objetos.
COLLANTES, ***Francisco*** (1599-1656) Pintor esp. Su producción paisajística fue influida por los estilos it. y flamenco.
COLLAR m. Adorno que se lleva alrededor del cuello. • Insignia de algunas magistraturas, dignidades y órdenes de caballería. • Aro de metal que se ponía al cuello de los malhechores, esclavos, etc. • Aro que se pone al cuello de algunos animales. • Faja de plumas que ciertas aves tienen alrededor del cuello, y que se distingue por su color. • *Mec. apl.* Anillo que abraza cualquier pieza circular de una máquina para sujetarla sin impedirle girar. • *Cuba* y *Méx.* Collera, arreo.
COLLAREJA f. *Col.* y *C. Rica.* Especie de paloma silvestre de color azul, muy estimada por su carne. • *C. Rica* y *Méx.* Comadreja, animal.
COLLARÍN m. Alzacuello de los eclesiásticos. • Sobrecuello de algunas casacas. • *Mil.* Reborde que rodea el orificio de la espoleta de las bombas, y sirve para facilitar su manejo. • *Arq.* Collarino.
COLLARINO m. *Arq.* Parte inferior del capitel, entre el astrágalo y el tambor.
COLLAZO, ZA m. y f. Hermano de leche. • Compañero o compañera de servicio en una casa. • m. Palo con que se recogen las gavillas y se cargan en el carro. • Pescozón.
COLLAZO, ***Guillermo*** (1850-1896) Pintor cub. *La siesta, Dama sentada a orillas del mar, Retrato de Susanita de Cárdenas.* • **Y Tejada,** ***Enrique*** (1848-1921) General y escritor cub. Participó en la guerra de indep., y fundó el diario *La Nación.* Autor de *Cuba independiente, Cuba intervenida.*

Colimbo

COLLEJA f. *Bot.* Hierba de la familia cariofiláceas, con hojas blanquecinas y suaves, tallos ahorquillados y flores blancas en panoja colgante. • pl. Nervios delgados que los carneros tienen en el pescuezo.
COLLERA f. Collar de cuero o lona, relleno de borra o paja, que se pone al cuello a las caballerías para que no les haga daño el horcate. • fig. Cadena de presidiarios. • *Amér.* Pareja. • *Amér.* Yunta de animales. • pl. *Argent.* y *Chile.* Gemelos para una camisa.
COLLERÓN m. Collera de lujo, fuerte y ligera, que se usa para los caballos de los coches.
COLLIE m. Perro pastor escocés caracterizado por su gran resistencia e inteligencia.
COLLINGWOOD, ***Cuthbert*** (1748-1810) Almirante brit. Participó en las guerras contra la Francia revolucionaria y Napoleón, y tuvo un importante papel en la victoria brit. de Trafalgar. Sustituyó a Nelson en el mando de la escuadra del Mediterráneo. • ***Robin George*** (1889-1943) Filósofo brit. Afirmó que el campo de la experiencia es una actividad del espíritu cognoscitivo, que desde el arte, la religión y la ciencia, llega a la historia y la filosofía. *Idea de la naturaleza, Idea de la historia.*
COLLINS, ***Michael*** (nacido 1930) Astronauta norteam. En 1966, en el *Gemini 10*, dio 43 vueltas a la Tierra. En 1969 participó en el primer viaje del hombre a la Luna. • ***William Wilkie*** (1824-1889) Novelista ing., precursor del gén. policiaco. *La dama de blanco, La piedra lunar.*

Caricatura de W. W. **Collins**

COLLIVADINO, ***Pío*** (1869-1945) Pintor y grabador arg. Director de la Academia de Bellas Artes de Buenos Aires (1908-1935). *La hora del almuerzo, Caín.*
COLLOCHO m. *Chile.* Tronco de determinadas hortalizas.
COLLODI, ***Carlo*** Seud. de *Carlo Lorenzini* (1826-1890) Escritor y periodista it., célebre por sus obras de literatura infantil. *Giannetino* y *Pinocho.*
COLLÓN, NA adj. y s. fam. Cobarde. ■ COLLONADA; COLLONERÍA.
COLLOR DE MELLO, ***Fernando*** (nacido 1949). Economista y periodista bras. Gobernador del estado de Alagoas. Como candidato populista, ganó en 1989 las primeras elecciones democráticas celebradas, tras muchos años, en Brasil. Acusado de corrupción fue destituido por el Congreso en septiembre de 1992.
COLMADO, DA adj. Abundante, copioso, completo. • m. Establecimiento donde se sirven bebidas y refrescos, mariscos, etc. • Tienda de comestibles.
COLMAN, ***Narciso Ramón*** (1878-1954) Escritor par. Su obra, escrita casi por completo en lengua guaraní, recoge la tradición indígena. *Mil leyendas guaraníes, Génesis de la raza guaraní* (en cast.)
COLMAR tr. Llenar hasta el borde. • Dar con abundancia. • Satisfacer plenamente.
COLMAR C. de Francia, cap. del dpto. de Haut-Rhin; 62 500 hab. Centro industrial.
COLMATAR tr. *Geol.* Rellenar una cuenca o depresión por arrastre de materiales sedimentarios • P. ext., rellenar una oquedad cualquiera. ■ COLMATACIÓN.
COLMENA f. Alojamiento de un enjambre de abe-

Colmenilla

jas, consistente en una cavidad natural o en una caja artificial. Las c. artificiales (de explotación intensiva) contienen bastidores para la fabricación de los panales, a menudo con un molde de cera. ■ COLMENERO, RA.

COLMENAR m. Lugar donde están las colmenas.

COLMENILLA f. Nombre común de varios hongos comestibles de pie blanquecino y sombrero alveolado.

COLMILLAZO m. o **COLMILLADA** f. Golpe dado o herida hecha con el colmillo.

COLMILLO m. Diente agudo y fuerte, colocado en cada uno de los lados de las hileras que forman los dientes incisivos, entre el último de éstos y la primera muela. • Cada uno de los dos dientes incisivos prolongados en forma de cuerno que tienen los elefantes. • **de mar.** Nombre vulgar aplicado a los moluscos de la clase escafópodos. • **Enseñar** uno **los colmillos**. fig. y fam. Manifestar fortaleza, hacerse temer o respetar. ■ COLMILLUDO, DA.

COLMO m. Porción de materia pastosa o árida, o de cosas de poco volumen, que sobresale por encima de los bordes del vaso que las contiene. • fig. Complemento o término de alguna cosa. • fig. y fam. Lo que sobrepasa toda precisión o cálculo. • adj. Que está colmado o tiene colmo.

COLOANE, *Francisco* (nacido 1910) Escritor chil. Adscrito al realismo. *Cabo de Hornos, El camino de la ballena, La Tierra del Fuego se apaga.*

COLOBO m. *Amér.* Mono catirrino, de cuerpo delgado y cola muy larga, con espesa crin negra sobre el lomo y cara blanca.

Colombia. Arriba, vista de la ciudad universitaria de Bogotá; abajo, mapa de situación y bandera

COLOCACIÓN f. Acción y efecto de colocar o colocarse. • Situación de una cosa. • Empleo o destino.

COLOCAR tr. y prnl. Poner a una persona o cosa en su lugar. • tr. Hablando de dinero, invertirlo • tr. y prnl. fig. Proporcionar un empleo.

COLOCASIA f. Hierba originaria de la India, con las hojas grandes y la flor de color rosa.

COLOCHO m. *C. Rica.* Viruta. • *C. Rica.* Rizo, tirabuzón.

COLOCOLO m. *Chile.* Especie de gato montés.

COLOCOLO (m. 1561) Caudillo araucano que junto a Caupolicán, venció a los esp. en la batalla de Tucapel. Fue, a su vez, derrotado y muerto en la batalla de Quipeo.

COLODIÓN m. Disolución de algodón pólvora o nitrocelulosa en una mezcla de alcohol y éter.

COLODRA f. Vasija de madera que usan los pastores para ordeñar. • Recipiente de madera para el vino que se vende al por menor. • Cuerna, vaso.

COLODRILLO m. Parte posterior de la cabeza.

COLOFANA f. *Miner.* Fosfato hidratado de calcio, microcristalino, que se encuentra como componente esencial de las fosforitas.

COLOFÓN m. *Art. Gráf.* Nota que a veces se pone al final de un libro para indicar el nombre del impresor y la fecha en que concluyó. • fig. Complemento que se añade a una obra literaria.

COLOFÓN Ant. c. de Asia Menor, en Jonia, a orillas del mar Egeo. Supuesta cuna de Homero.

COLOFONIA f. Resina común, constituida por los ácidos resínicos que quedan cuando de la trementina se extraen, por destilación, los terpenos volátiles (esencia de trementina).

COLOFONITA f. *Miner.* Granate de color verde claro o amarillento rojizo.

COLOGARITMO m. *Mat.* Para un número dado, valor de su logaritmo en una base determinada, cambiado de signo.

COLOGÜINA f. *Guat.* Variedad de gallina.

COLOIDE m. *Quím.* Cuerpo que se dispersa en un fluido en partículas (*micelas*) de tamaño comprendido entre 0,2 y 0,1 micras, formando una solución denominada coloidal. Entre los más imp. figuran la albúmina, la goma arábiga, etc. Las plantas y los animales están constituidos esencialmente por c. ■ COLOIDAL; COLOIDEO, A.

COLOLO, *Nevado de* Pico de Bolivia, al N del lago Titicaca, en el Nudo de Apolobamba. Alt. máx.: 5 915 m.

COLOMA, *Luis* (1851-1914) Jesuita y escritor esp. *Pequeñeces, Juan Miseria, La reina mártir, Jeromín.*

COLOMBA Mun. de Guatemala, en el dpto. de Quezaltenango; 29 700 hab. Ganadería. Café, caña de azúcar.

COLOMBIA *(República de Colombia)* Estado perteneciente al conjunto de países andinos de América Meridional. Ubicado en el sector NO del continente. Limita con el mar Caribe al N y el océano Pacífico al O, los Llanos del Orinoco al E y la Amazonia y los Andes al S. Tiene fronteras con Venezuela y Brasil, por el E, por el O con Panamá y por el S con Ecuador y Perú. Lenguas: cast. (of.), lenguas amerindias. Rel.: catolicismo. U.M.: el peso.

COLOMBIA

Recursos económicos	
Aceite de palma	268 300 t
Algodón	142 000 t
Ananás	240 000 t
Arroz	1 739 000 t
Bananas	1 630 000 t
Cacao	59 000 t
Café	870 000 t
Maíz	1 274 000 t
Mandioca	2 810 000 t
Naranjas	350 000 t
Patatas	2 372 000 t
Sorgo	738 000 t
Trigo	94 000 t
Ganadería y derivados	
Cabaña bovina	24 875 000 cabezas
Cabaña caballar	1 980 000 cabezas
Cabaña ovina	2 745 000 cabezas
Cabaña porcina	2 700 000 cabezas
Riqueza forestal	19 384 000 m^3
Pesca	101 119 t
Producción minera	
Amianto	8 000 t
Azufre	45 000 t
Carbón	20 468 000 t
Fosfato	37 000 t
Gas natural	3 800 millones de m^3
Oro	28 t
Petróleo	22 155 000 t
Plata	8 t
Sal gema	99 300 t
Sal marina	268 000 t
Recursos industriales	
Acero	733 000 t
Ácido sulfúrico	75 000 t
Azúcar	1 617 000 t
Cemento	6 360 000 t
Cerveza	11 973 000 hl
Energía eléctrica	36 000 millones de kwh
Fertilizantes	96 000 t
Fibras sintéticas	1 300 t
Hilados de algodón	76 200 t
Hierro colado	347 000 t
Neumáticos	1 915 000 unidades
Papelera	136 000 t
Tabaquera	17 500 000 000 cigarrillos
Indicadores sociológicos	
PNB	48 400 millones de dólares
Renta per cápita	1 503 dólares
Esperanza de vida	69 años
Alfabetismo	87 %

Cap.: Bogotá, C. prales.: Medellín, Cali, Barranquilla, Cartagena, Bucaramanga.

* *Geog. física.* Los Andes, al entrar en C.; se trifurcan en las cord. Oriental, Central y Occidental. Los hondos y anchos valles entre las cord. son atravesados por los r. Cauca y Magdalena. La cord. Central alcanza su mayor alt. en el Nevado del Huila (5 750 m) y muere en las llanuras del Caribe. Las alturas de la cord. Occidental están cerca del límite de los 4 800 m (Volcán Cumbal). La cord. Oriental es la de mayor anchura (más de 200 km) y alcanza los 5 493 m en la Sierra Nevada del Cocuy. Más al N, sobre el Caribe, se encuentra la sierra Nevada de Santa Marta, con la máx. alt. del país (5 800 m en el Pico Cristóbal Colón). Entre los volcanes, muchos de ellos ubicados en la cord. Central, destaca el Nevado del Ruiz (5 400 m). La vertiente caribeña comprende el sist. fluvial más imp., el del Magdalena, con su afl. Cauca. Vertiente del Pacífico: San Juan y Patía. Las vertientes orientales están formadas por el Orinoco y la red amazónica (Putumayo, Caquetá). Gran variedad de climas, condicionada pralm. por los Andes.

* *Geog. económica.* El latifundio concentra las mejores tierras en pocas manos. El minifundio se da en las montañas y los valles intermedios. En las zonas frías se obtienen excelentes pastos, cebada, patatas, maíz y leguminosas. Los climas medios dan café, plátano y caña de azúcar. Las tierras calientes producen coco, caucho, tabaco, cacao y algodón. El café sigue siendo uno de los pilares de la economía y se cultiva en Caldas, Antioquia, Risaralda, Quindío, Norte de Santander y Tolima. Ganadería de gran importancia, bovina, porcina y ovina. Rique-

Colombia. Antigua Casa de la Moneda en Bogotá

za minera excepcional: carbón (la mayor reserva del continente), petróleo, platino, oro, (Antioquia y Chocó), plata (Tolima). En la producción de esmeraldas C. posee prácticamente el monopolio mundial (minas de Muzo y Coscuez). Las prales. existencias de hierro se encuentran en Boyacá, Tolima y Antioquia. Entre las prales. ind. figura la textil. Las acerías de Paz de Río (Boyacá) producen lingotes de acero y derivados. Imp. producción de sosa en Zipaquirá. Otras ind.: papel, bebidas, vestuario, calzado, artesanía, que han tenido un rápido crecimiento en los últimos años. Imp. el comercio exterior en la economía del país.

* *Org. pol.* La constitución data de 1991 y establece un gobierno democrático y la división de poderes. El ejecutivo es ejercido por el presid. de la rep.; el legislativo por el congreso (senado y cámara de representantes), los concejos municipales y las asambleas departamentales. Los órganos del poder judicial son la corte suprema de justicia, el consejo de estado y la corte constitucional, entre otros.

* *Hist.* **Época precol.** Antes de la llegada de los esp., los pobladores indígenas se distribuían, a grandes rasgos, de la siguiente manera: los caribes en el litoral atlántico, la cuenca del Magdalena y los Llanos orientales; los arahuacos, en la Guajira y los Llanos; los quimbayas, relacionados con los quechuas, en las cord. Central y Occidental; los chibchas o muiscas, en las altiplanicies de la cord. Oriental. • **Época colonial.** En 1499, Alonso de Ojeda inició la exploración del país, cuya delimitación inicial y conquista abarcarían un periodo de casi 40 años (sumisión chibcha, 1538). La pob. indígena quedó sometida a los colonos esp. por medio de la encomienda. La estructuración político-territorial correspondió a la Real Audiencia de Santa Fe, creada en 1550, y al Virreinato de Nueva Granada (1719). Los antagonismos entre los representantes del poder económico (criollos) y del poder político (administradores esp.), si bien latentes desde el inicio, se hicieron progresivamente manifiestos. En Socorro, en 1781, se inició la revuelta de los comuneros, comandados por José Antonio Galán. La insurrección fue aplastada y sus prales. cabecillas, ejecutados. • **Independencia**. Conquistada España por las tropas napoleónicas y ante el vacío de poder, los criollos trataron de constituir un gobierno compartido. Negada tal posibilidad, el 20 de julio de 1810 se inició una revuelta popular dirigida por José María Carbonell, verdadero prócer de la indep., que dio como resultado la formación de la junta de gobierno del Nuevo Reino de Granada. Entre 1810 y 1816 se inició el primer mandato criollo, denominado «patria boba». Antonio Nariño se enfrentó a la junta enarbolando la bandera del centralismo democrático frente al gobierno federal protector de los intereses de la oligarquía criolla. De esta pugna surgieron las guerras civiles. En 1812, Simón Bolívar

División administrativa de **Colombia**

Departamentos	*Km²*	*Población*[1]	*Capital*
Amazonas	109 665	56 399	Leticia
Antioquia	63 612	4 919 619	Medellín
Arauca	23 818	185 882	Arauca
Atlántico	3 388	1 837 468	Barranquilla
Bolívar	25 978	1 702 188	Cartagena
Boyacá	23 189	1 315 579	Tunja
Caldas	7 888	1 030 062	Manizales
Caquetá	88 965	367 898	Florencia
Casanare	44 640	201 329	Yopal
Cauca	29 308	1 127 678	Popayán
Cesar	22 905	827 219	Valledupar
Chocó	46 530	406 199	Quibdó
Córdoba	25 020	1 275 623	Montería
Cundinamarca[2]	24 210	7 359 581	Bogotá
Guainía	72 238	28 478	Puerto Inírida
Guajira	20 848	433 361	Riohacha
Guaviare	42 327	97 602	San José del Guaviare
Huila	19 890	843 798	Neiva
Magdalena	23 188	1 127 691	Sta. Marta
Meta	85 635	618 427	Villavicencio
Nariño	33 268	1 443 671	Pasto
Norte de Santander	21 658	1 162 474	Cúcuta
Putumayo	24 885	264 291	Mocoa
Quindío	1 845	495 212	Armenia
Risaralda	4 140	844 184	Pereira
San Andrés y Providencia	44	61 040	San Andrés
Santander	30 537	1 811 741	Bucaramanga
Sucre	10 917	701 105	Sincelejo
Tolima	23 562	1 286 078	Ibagué
Valle del Cauca	22 140	3 736 090	Cali
Vaupés	65 268	24 671	Mitú
Vichada	100 242	62 073	Puerto Carreño
COLOMBIA	1 141 748	37 654 711[3]	Bogotá

[1] Datos según último censo (1993).
[2] Incluido el Distrito Capital de Bogotá (1 587 km²).
[3] 40 214 723 hab. según estimaciones recientes.

desembarcó en Cartagena y desalojó a los esp. de la costa atlántica; en 1814 tomó Santa Fe y unificó todas las prov. de Nueva Granada, pero tropas esp. comandadas por Pablo Morillo reconquistaron parte del terr. y fusilaron a las prales. figuras de la junta de gobierno. El regreso de Bolívar y su alianza con las fuerzas llaneras de José Antonio Páez y las de Francisco de Paula Santander marcaron la derrota definitiva de los esp.: batalla de Boyacá (7 agosto 1819). El congreso de Angostura creó la Rep. de la Gran Colombia (Nueva Granada, Venezuela y, posteriormente, Panamá y Ecuador), de efímera duración. Tras la muerte de Bolívar (1830), surgió separada del resto, la República de Nueva Granada, transformada en Estados Unidos de Colombia, en 1863. A lo largo del s. XIX, el país se vio abocado a una serie de guerras civiles. La última y más ruinosa de todas fue la llamada de los Mil Días, al término de la cual EE UU se apoderó del istmo de Panamá. • **Contemporánea**. Los treinta primeros años del presente s. fueron dominados por el Partido Conservador, que estableció la paz con EE UU y atrajo la inversión de capitales de este país. En 1930 fue elegido presid. el liberal Enrique Olaya Herrera. Su sucesor, Alfonso López Pumarejo, trató de superar las trabas feudales de la economía col. Sus reformas fueron frenadas por Eduardo Santos (1938-1942). Elegido de nuevo López Pumarejo, no finalizó su mandato, siendo sustituido por Alberto Lleras Camargo, creador de una coalición de fuerzas de ambos partidos que se opusiera a Jorge Eliécer Gaitán, líder popular. Tras la elección del conservador Mariano Ospina Pérez (1946), se desató lo que se conoce como el periodo de la «violencia» (300 000 muertos y el asesinato de Eliécer Gaitán). La violencia llegó a extremos inauditos con el mandato de Laureano Gómez, quien fue derribado por el general Gustavo Rojas Pinilla (1953), derrocado, a su vez, por un golpe incruento que dio paso al Frente Nacional, una coalición de liberales y conservadores que llevó a Alberto Lleras Camargo a la presidencia (1958). Le sucedieron Guillermo L. Valencia, Carlos Lleras Restrepo y Misael Pastrana Borrero, con quien finalizan los 16 años de alternancia y paridad política entre liberales y conservadores. A Pastrana Borrero le sucedió Alfonso López Michelsen (1974-1978), al que seguirían el también liberal Julio César Turbay Ayala. Los años siguientes registraron una actividad creciente de la guerrilla M-19 y un aumento de las tensiones sociales. A reducirlas se aplicó el nuevo presid. Belisario Betancur, conservador electo en 1982 y artífice del *Grupo de Contadora* (Colombia, Venezuela, México y Panamá), empeñado en hallar una solución pacífica para Centroamérica. En 1984 se firmó una tregua entre el gobierno y las prales. guerrillas (FARC y M-19), con una dispar evolución. La presidencia pasó en 1986 al liberal Virgilio Barco, sucedido por el también liberal César Gaviria, vencedor en los comicios de 1990. En esta misma consulta se respaldó la convocatoria de una Asamblea Nacional Constituyente, que elaboró una nueva Constitución (4 julio 1991). Tras la celebración de elecciones para renovar el Senado y la Cámara de Diputados, el partido del presid. obtuvo la mayoría absoluta. Las elecciones presidenciales de 1994 dieron el triunfo a Ernesto Samper del Partido Liberal, cuyo mandato estuvo marcado por el aumento de la actividad del narcotráfico y la guerrilla. En este contexto, después de tres presidencias liberales consecutivas, las elecciones de junio de 1998 dieron la victoria al candidato conservador, Andrés Pastrana.

* *Lit.* La figura más destacada de la época colonial fue Juan Rodríguez Freyle, autor de *El carnero*. Ya en el s. XIX, *La vorágine*, de José Eustasio Rivera, creó el tipo de novela realista. Siguieron sus pasos Tomás Carrasquilla, Eduardo Zalamea (*Cuatro años a bordo de mí mismo*), Manuel Zapata Olivella y Manuel Mejía Vallejo (*El día señalado*). José Osorio Lizarazo ahondó en las raíces de la violencia política en C. Con Jorge Zalamea y José Félix Fuenmayor se crea una nueva narrativa, fruto del mito, la leyenda y la fantasía conectadas con la realidad, género que culminará en la obra incomparable de Gabriel García Márquez. El pral. representante de la poesía col. de época colonial fue Domínguez Camargo. En el s. XIX destacaron Rafael Pombo, José Asunción Silva (introductor del modernismo) y Julio Flórez. Más recientemente, Guillermo Valencia, Luis Carlos López, Porfirio Barba y su máx. exponente León de Greiff.

Colombia. A la izquierda, Ernesto Samper; a la derecha, Andrés Pastrana

* *Arte.* Los restos más imp. de arte precolombino son los de las culturas tairona, de San Agustín, chibcha y quimbaya. El s. XVIII irradia la influencia barroca (Pedro Laboría, escultor), Pedro Caballero (tallista). Torres Méndez inicia el costumbrismo pictórico, y Pedro José Figueroa y Epifanio Garay, la escuela retratista. Bajo la influencia del muralismo mex. aparecen figuras como Andrés Santa María, Gómez Jaramillo, Alberto Acuña. En 1950 el arte col. inicia un movimiento de renovación con Alejandro Obregón. Las c. de Bogotá, Tunja, Po-

Gobernantes de **Colombia**

1810	Junta Suprema (pres.	1870-1872	Eustorgio Salgar
	José Miguel Pey)	1872-1874	M. Murillo Toro
1811	Jorge Tadeo Lozano	1874-1876	Santiago Pérez
1811-1812	Antonio Nariño	1876-1878	Aquileo Parra
1812-1813	Camilo Torres	1878-1880	Julián Trujillo
1813-1814	Manuel B. de Álvarez	1880-1882	Rafael Núñez
1814-1815	Triunvirato: J.M. del	1882	Clímaco Calderón
	Castillo y Rada,		Fco. J. Zaldúa
	J. Camacho y	1882-1884	José E. Otálora
	J. Fernández Madrid	1884	Ezequiel Hurtado
1815	Custodio García Rovira,	1884-1886	Rafael Núñez
	Antonio Villavicencio,	1886-1887	J. M. Campo Serrano
	Manuel Rodríguez	1887	Eliseo Payán
	Torices, José Miguel Pey	1887-1888	Rafael Núñez
1815-1816	Camilo Torres	1888-1892	Carlos Holguín
1816	José Fernández Madrid	1892-1896	Miguel Antº. Caro
	Custodio García Rovira	1896	G. Quintero Calderón
	Liborio Mejía	1896-1898	Miguel Antº. Caro
	Fernando Serrano	1898	José M. Marroquín
1816-1819	Pablo Morillo, Francisco	1898-1900	M. A. Sanclemente
	Montalvo, Juan Sámano	1900-1904	José M. Marroquín
		1904-1909	R. Reyes. J. Holguín
	República	1909-1910	R. González Valencia
1819	Simón Bolívar	1910-1914	Carlos E. Restrepo
1819-1827	F. de P. Santander	1914-1918	José V. Concha
1827-1830	Simón Bolívar	1918-1921	Marco Fidel Suárez
1830	Joaquín Mosquera	1921-1922	Jorge Holguín
	Domingo Caicedo	1922-1926	Pedro Nel Ospina
1830-1831	Rafael Urdaneta	1926-1930	M. Abadía Méndez
1831-1832	José María Obando	1930-1934	E. Olaya Herrera
1832	José I. de Márquez	1934-1938	Alfonso López
1832-1837	F. de P. Santander	1938-1942	Eduardo Santos
1837-1841	José I. de Márquez	1942-1945	Alfonso López
1841	J. de D. Aranzazu	1945-1946	Alberto Lleras
1841-1845	Pedro A. Herrán	1946-1950	Mariano Ospina P.
1845-1849	Tomás C. Mosquera	1950-1953	Laureano Gómez
1849-1853	J. Hilario López		R. Urdaneta Arbeláez
1853-1854	José María Obando	1953-1957	G. Rojas Pinilla
1854	José María Melo	1957-1958	Junta Militar
1854-1855	José de Obaldía	1958-1962	Alberto Lleras
1855-1857	M. M. Mallarino	1962-1966	Guillermo L. Valencia
1857-1861	Mariano Ospina R.	1966-1970	Carlos Lleras Restrepo
1861	Bartolomé Calvo	1970-1974	M. Pastrana Borrero
1861-1864	Tomás C. Mosquera	1974-1978	Alfonso López Michelsen
1864	J. A. de Uricoechea	1978-1982	Julio C. Turbay Ayala
1864-1866	M. Murillo Toro	1982-1986	Belisario Betancur
1866	J. M. Rojas Garrido	1986-1990	Virgilio Barco
1866-1867	Tomás C. Mosquera	1990-1994	César Gaviria
1867-1868	Santos Acosta	1994-1998	Ernesto Samper
1868-1870	Santos Gutiérrez	1998	Andrés Pastrana

payán y Cartagena conservan imp. restos de arquitectura colonial, pralm. de estilo barroco. En periodo reciente cabe destacar las figuras del arquitecto y urbanista Rogelio Salmona, y del pintor Fernando Botero.

COLOMBIA Mun. de Cuba, en la prov. de Las Tunas; 28 900 hab. Ganadería. Caña de azúcar.

COLOMBIANO, NA adj. y s. De Colombia.

COLOMBO m. Raíz amarga y amarillenta de una planta de Asia y África, usada en medicina.

COLOMBO *(Kolamba)* Cap. de Sri Lanka, 623 000 hab. Imp. puerto sobre el Índico. Exportaciones de grafito, caucho, té y copra. Curtidos. Tabaco.

COLOMBOFILIA f. Cría y educación de palomas mensajeras.

COLOMONCAGUA Mun. de Honduras, en el dpto. de Intibucá; 10 200 hab. Cereales, legumbres, henequén.

COLON m. *Anat.* Segunda porción del intestino grueso, entre el ciego y el recto. • *Gram.* Parte o miembro pral. del periodo. • *Gram.* Puntuación con que se distinguen esos miembros (punto y coma y dos puntos).

COLÓN m. U. M. de Costa Rica y El Salvador.

Cristóbal **Colón**

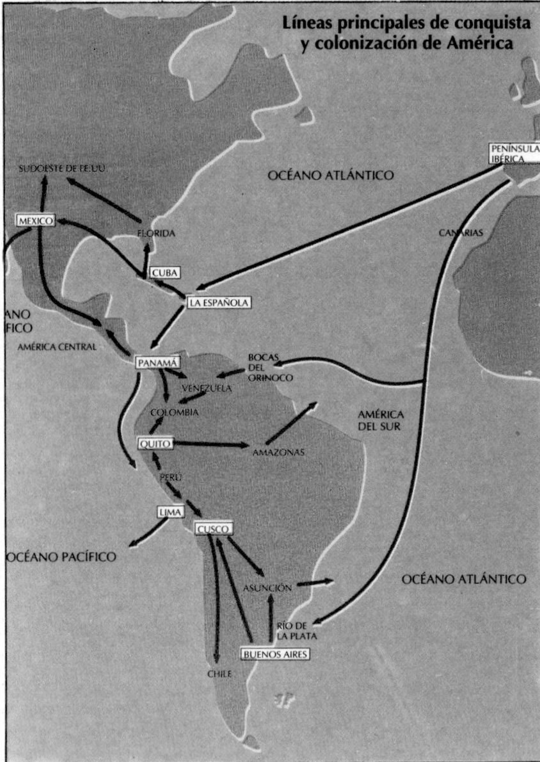

COLÓN Arch. de Ecuador, también llamado Galápagos, sit. en el océano Pacífico, a unos 900 km de la costa ecuat. Formado por siete islas mayores y numerosos islotes y escollos, posee más de 2 000 conos volcánicos. Clima tropical. La pob. se concentra en la cap., Puerto Baquerizo Moreno, en la isla de San Cristóbal. Es famoso por su fauna y flora, únicas en el mundo (tortugas gigantes o galápagos, iguanas). Constituye la prov. de → Galápagos. • Dpto. de Honduras, a orillas del Caribe; 8 248,8 km², 215 189 hab. Cap. Trujillo. Comprende un área montañosa al O y otra al E y S, separadas por la llanura aluvial del Aguán. Clima tropical. Plátanos, café, caña de azúcar, piña. Oro, plata, hierro y níquel. • Prov. de Panamá, en la costa del mar Caribe; 4 890,1 km², 197 802 hab. Cap., Colón. Dividida en dos por la Zona del Canal. Relieve llano, excepto en el sector meridional ocupado por la cord. Centroamericana. Clima cálido y húmedo. Cultivos tropicales. Carbón, oro y manganeso. • C. de Panamá, cap. de la prov. hom.; 156 289 hab. (en el distr.). Sit. en la isla de Manzanillo. Puerto franco. • Mun. de Cuba, en la prov. de Matanzas; 62 100 hab. Agricultura. Ganadería. • Mun. de El Salvador, en el dpto. de La Libertad; 13 000 hab. Agricultura. Ganadería.

COLÓN, *Bartolomé* (h. 1461-1514) Hermano de Cristóbal C., quien le nombró adelantado de las Indias. Fundó la c. de Santo Domingo. • ***Cristóbal*** (h. 1451-1506) Navegante genovés. En su juventud realizó diversos viajes por el Mediterráneo. En 1476 fijó su residencia en Lisboa, donde se introdujo en círculos interesados por la navegación geográfica y científica. Muy influenciado por las ideas del cosmógrafo florentino Toscanelli, quien sostenía que la distancia oceánica entre Europa y las Indias por occidente era más corta que por oriente. Rechazados sus proyectos de seguir esta ruta marina por Juan II de Portugal, fue recibido en España por los Reyes Católicos en 1486. Hacia 1491 visitó La Rábida, donde recibió el apoyo de fray Juan Pérez, ex confesor de la reina. Concluida la conquista de Granada, los Reyes Católicos acordaron con Colón las Capitulaciones de Santa Fe (abril 1492). El 3 agosto 1492 zarparon de Palos de Moguer tres carabelas, *Santa María, Pinta* y *Niña*. El 12 de octubre C. desembarcó en la isla de Guanahaní, que bautizó con el nombre de San Salvador; después tocó Cuba y Santo Domingo, que llamó La Española. Hizo tres viajes más (1493, 1498 y 1502); en el segundo descubrió las Antillas Menores; en el tercero la costa continental (Venezuela) y en el cuarto la costa de América Central. • ***Diego*** (1478-1526) Almirante esp., hijo mayor de Cristóbal C.; gobernador de La Española en 1509. • ***Hernando*** (1488-1539) Cosmógrafo y bibliógrafo esp. Hijo natural de Cristóbal C. y Beatriz Enríquez de Arana. *Historia del almirante Don Cristóbal Colón.* • ***Óscar*** (1889-1967) Pintor puertorriq. *La canasta vacía, Bodegón.*

COLONATO m. Sistema de explotación de las tierras por medio de colonos.

COLONCHE m. *Méx.* Aguardiente de tuna.

COLONENSE adj. y s. De Colón, c. y prov. de Panamá.

COLONEÑO, ÑA adj. y s. De Colón, dpto. de Honduras.

COLONIA f. Conjunto de personas que salen de un país para establecerse en otro. • Terr. fuera de la nación que lo hizo suyo y, ordinariamente, regido por leyes especiales. • Agrupación de animales que viven juntos en gran número. • Agua de colonia.

COLONIA Dpto. del SO de Uruguay, junto al estuario del Río de la Plata; 6 106 km², 120 241 hab. Cap., Colonia. El relieve lo constituyen pequeñas elevaciones que enlazan con las llanuras aluviales del Río de la Plata y del Uruguay. Clima templado. Cereales. Ganadería intensiva. Ind. lácteas. • C. de Uruguay, cap. del dpto. hom.; 22 200 hab. Sit. a orillas del estuario del Río de la Plata, frente a Buenos Aires. Centro comercial e industrial. Puerto.

COLONIA *(Köln)* C. de Alemania, en Renania Septentrional-Westfalia, a orillas del Rin; 922 300 hab. Centro comercial, industrial y de comunicaciones. Puerto sobre el Rin. Refinería de petróleo.

COLONIA, *Juan de* (h. 1410-1481). Arquitecto esp., de origen al. Introductor del gótico flamígero en España. Levantó el cimborrio y las torres de la catedral de Burgos. • ***Simón de*** (h. 1450-1511) Arquitecto y escultor esp. Autor de la capilla del Condestable, en la catedral de Burgos.

COLONIAJE m. *Amér.* Tiempo durante el cual varios de los actuales países americanos fueron colonias de España.

COLONIAL adj. Relativo a la colonia. • Ultramarino. • ***Arte c.*** Conjunto de elementos artísticos de una colonia; es el resultado de una mezcla del arte de la metrópoli con el indígena. Se aplica especialmente al arte de las ant. colonias esp. de América. • **Pacto c.** Relaciones económicas entre una colonia y su metrópoli, impuesta por la segunda para enriquecerse a costa de la primera.

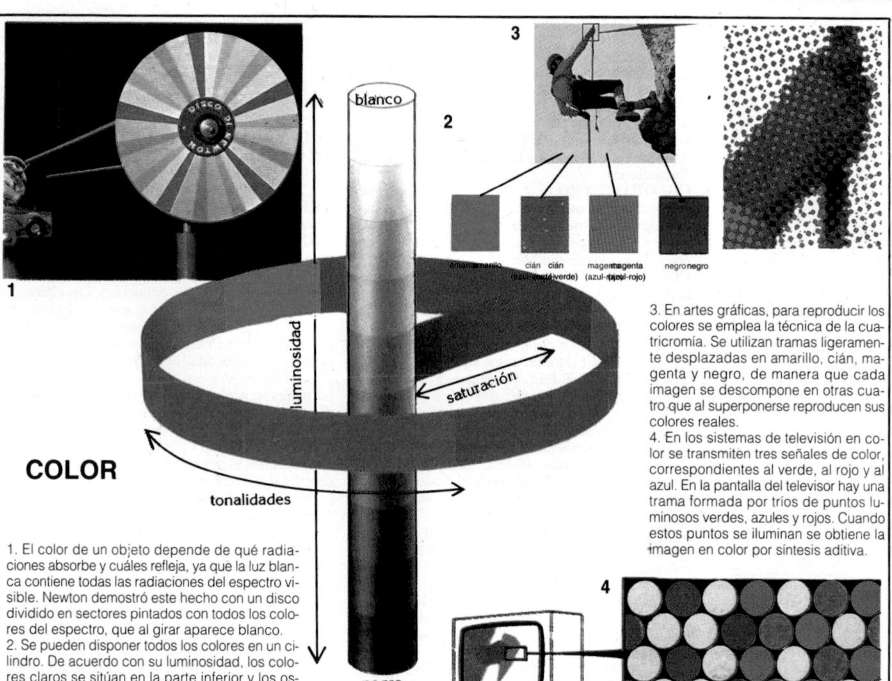

1. El color de un objeto depende de qué radiaciones absorbe y cuáles refleja, ya que la luz blanca contiene todas las radiaciones del espectro visible. Newton demostró este hecho con un disco dividido en sectores pintados con todos los colores del espectro, que al girar aparece blanco.
2. Se pueden disponer todos los colores en un cilindro. De acuerdo con su luminosidad, los colores claros se sitúan en la parte inferior y los oscuros en la superior, mientras las tonalidades se disponen alrededor del eje de la escala de grises y la saturación crece desde el centro de la escala de grises (eje del cilindro) hacia la periferia.

3. En artes gráficas, para reproducir los colores se emplea la técnica de la cuatricromía. Se utilizan tramas ligeramente desplazadas en amarillo, cián, magenta y negro, de manera que cada imagen se descompone en otras cuatro que al superponerse reproducen sus colores reales.
4. En los sistemas de televisión en color se transmiten tres señales de color, correspondientes al verde, al rojo y al azul. En la pantalla del televisor hay una trama formada por tríos de puntos luminosos verdes, azules y rojos. Cuando estos puntos se iluminan se obtiene la imagen en color por síntesis aditiva.

COLONIALISMO m. Tendencia imperialista a la expansión colonial y a la conservación de las colonias. ■ COLONIALISTA.
COLONIZACIÓN f. Intervención de un pueblo, por la fuerza o por el acuerdo, en un terr. ocupado por otro en un estadio económico y técnico inferior, el cual se convierte en colonia del primero. La c. supone un cambio radical en la vida del pueblo sometido (segregación política, mestizaje, aculturación, etc.).
COLONIZAR tr. Formar o establecer colonia en un país. • Fijar en un terreno la morada de sus cultivadores. ■ COLONIZADOR, RA.
COLONNA Familia rom. que desempeñó un importante papel en la historia de la iglesia católica, desde 1100 hasta 1661. Entre sus miembros destacan: ***Edigio*** (h. 1245-1316), economista y general de la orden de los agustinos; ***Oddo*** (1368-1461), papa bajo el nombre de Martín V; ***Próspero*** (m. 1523), general de Carlos V, vencedor en Bicoca; ***Vittoria*** (1492-1547), llamada LA DIVINA, poetisa y amante de Miguel Ángel; y ***Marcantonio*** (1535-1584), gral. de las galeras pontificias en Lepanto.
COLONO m. El que habita en una colonia. • Labrador que cultiva y labra una heredad por arrendamiento y suele vivir en ella.
COLOQUÍNTIDA f. Planta de la familia cucurbitáceas, con tallos rastreros y pelosos, hojas hendidas en cinco lóbulos dentados, vellosas y blanquecinas por el envés, flores amarillas y frutos de la forma, color y tamaño de la naranja y muy amargos, usados como purgantes. • Fruto de esta planta.
COLOQUIO m. Conferencia o plática entre dos o más personas. • Gén. de composición literaria, prosaica o poética, en forma de diálogo. • *Col.* Sainete que se representa en una plaza pública. ■ COLOQUIAL.
COLOR amb. *Fís.* Impresión que los rayos de luz reflejados por un cuerpo producen al incidir en la retina. • Sustancia preparada para pintar. • *Arte.* Colorido de una pintura. • fig. Pretexto aparente para hacer una cosa sin derecho. • fig. Carácter peculiar de algunas cosas. • Color natural de la tez humana. • Matiz de opinión o fracción política. • pl. Colores que una entidad, equipo o club, adoptan como símbolo de su identidad. • **De c.** exp. Hablando de vestidos, el que no es negro. • Personas que no son de raza blanca, especialmente negros y mulatos. • **Mudar** uno **de c.** fam. Palidecer. • **Ponerse** uno **de mil colores**. fig. Cambiar de color el rostro por vergüenza o cólera reprimida. • **Sacarle** a uno **los colores**. fr. fig. Sonrojarle.
COLORADO, DA adj. Que tiene color. • adj. y s. Que tiene color rojo. • adj. fig. Verde, obsceno.
COLORADO R. del O de EE UU; 2 250 km. Nace en las montañas Rocosas, penetra en terr. mex. y desagua en el golfo de California. A su paso por Arizona forma el *Gran Cañón*. • R. del S de EE UU; 1 570 km. Nace en el Llano Estacado y desemboca en el golfo de México. • **Meseta del C.** Región natural del SO de EE UU (est. de Utah, Colorado, Nuevo México y Arizona). Sit. entre la Gran Cuenca y las montañas Rocosas. Clima continental seco. El r. Colorado ha excavado profundos cañones. • Est. del O de EE UU; 269 596 km^2, 3 294 000 hab. Cap., Denver. R. prales.: Colorado, Arkansas y South Platte. Imp. riqueza minera. C. perteneció a México hasta 1848. Est. miembro de la Unión desde 1876.
COLORADO R. de Argentina; 1 300 km. Nace en los Andes, discurre en dirección E-SE y desemboca en el Atlántico. Se le considera el límite entre la Pampa y la Patagonia.
COLORANTE adj. Que colora. • m. *Quím.* e *Ind.* Cualquier sustancia capaz de teñir o colorear un material. Los c. tienen gran importancia en casi todas las ramas de la ind. y en especial en la textil.
COLORAR tr. Dar color o teñir alguna cosa. ■ COLORACIÓN; COLORATIVO, VA.
COLOREAR tr. Colorar, dar color. • fig. Dar apariencia de razón o de verdad a lo que no la tiene. • Disimular una mala acción. • intr. y prnl. Tirar a colorado. • intr. Empezar a madurar un fruto.

Combate entre soldados británicos y cipayos sublevados contra el **colonialismo** británico en 1857

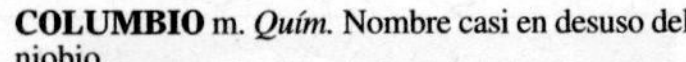

Paloma bravía, ave de la familia **colúmbidos**

COLORETE m. Arrebol, cosmético de color rojo.
COLORIDO m. Disposición y grado de intensidad de los diversos colores de una pintura. • Color, pretexto para hacer alguna cosa. • Color, carácter peculiar de ciertas cosas.
COLORIMETRÍA f. *Fís.* Rama de la óptica que se ocupa de medir el color difundido o reflejado por una superficie. • *Quím.* Procedimiento de análisis químico fundado en la intensidad del color de las disoluciones.
COLORÍMETRO m. *Fís.* Instrumento para medir los componentes de un color compuesto en función de tres colores primarios (rojo, azul y verde). • *Quím.* Instrumento para medir la intensidad del color de ciertas disoluciones.
COLORÍN m. Jilguero. • Color vivo y sobresaliente. Se usa más en pl.
COLORINCHE m. *Argent.* Combinación de colores chillones que resulta ridícula.
COLORIR tr. Dar color. • fig. Colorear, pretextar. • intr. Tener o tomar color algo naturalmente.
COLORISMO m. *Pint.* Tendencia de algunos artistas a dar preferencia al color sobre el dibujo. • *Lit.* Propensión a recargar el estilo con calificativos vigorosos o redundantes. ■ COLORISTA.
COLOSIO Murrieta, ***Luis Donaldo*** (1950-1994) Político mex. Miembro del PRI, fue diputado (1985-1988) y senador (1988-1994). Asesinado en marzo 1994, días después de ser designado candidato of. del PRI a la presid. del país.
COLOSO m. Estatua de una magnitud extraordinaria. • fig. Persona o cosa que por sus cualidades sobresale muchísimo. ■ COLOSAL.
COLOTE m. *Méx.* Canasto.
COLPA f. Colcótar que como magistral se emplea para beneficiar la plata en algunos procedimientos de amalgamación. • *Chile.* Trozo de mineral en estado puro.
COLPECTOMÍA f. *Cir.* Escisión de la vagina.
COLPITIS f. *Pat.* Inflamación de la vagina.
COLPOPLASTIA f. *Cir.* Formación de una vagina artificial.
COLQUICÁCEO, A adj. y f. *Bot.* Díc. de las plantas liliáceas, perennes, bulbosas, de hojas radicales, flores en bohordo o tallo, frutos capsulares y semillas con albumen carnoso o cartilaginoso. • f. pl. *Bot.* Familia de estas plantas.
COLQUICO m. Hierba de la familia liliáceas, con hojas planas, flores de color de rosa y frutos semejantes a una nuez. Se emplea en medicina.
CÓLQUIDA Ant. región del Asia Anterior, junto al mar Negro y al S del Cáucaso.
COLT, ***Samuel*** (1814-1862) Inventor norteam. Ideó la pistola de tambor o revólver que lleva su nombre y un sistema de cables telegráficos submarinos, que tendió en el puerto de Nueva York.
COLTRANE, ***John*** (1926-1967) Saxofonista norteam. Su música está inmersa en el espíritu del *blues*.
COLÚBRIDO m. *Zool.* Individuo de la familia de reptiles ofidios, cuyo tipo es la culebra. • pl. *Zool.* Familia de estos animales.
COLUDIR intr. *Der.* Pactar en daño de tercero.
COLUMBA *Astr.* Constelación del hemisferio austral, de la familia de las Aguas Celestes.
COLUMBA, ***Ramón*** (1891-1956) Dibujante caricaturista arg. Fundó la revista *Páginas de Columba, El Tony, Intervalo*.
COLUMBARIO m. *Arqueol.* En los cementerios rom., lugar donde colocaban las urnas cinerarias.
COLUMBIA R. de América del N; nace en las Rocosas canadienses y desemboca en el Pacífico; 1 953 km. • Cumbre de las Rocosas canadienses; 3 747 m. • Distrito federal de EE UU; 178 km^2, 607 000 hab. Cap., Washington. • C. de EE UU, cap. de Carolina del Sur; 98 000 hab. Centro industrial. Universidad.
COLUMBIA Británica *(British Columbia)* Prov. del O del Canadá; 947 800 km^2, 3 282 800 hab. Cap., Victoria. Accidentada por las montañas Rocosas y la cadena Costera. Bosques. En 1790 atribuida a Gran Bretaña; prov. canadiense desde 1871.
COLÚMBIDO, DA adj. y m. *Zool.* Díc. de los individuos de una familia de aves de pico corto con orificios nasales, y cuyo vuelo es veloz. • adj. Relativo a estas aves. • m. pl. *Zool.* Familia de dichas aves.
COLUMBINO, NA adj. Relativo a la paloma, o semejante a ella.

Colza. Planta, flor y fruto

COLUMBIO m. *Quím.* Nombre casi en desuso del niobio.
COLUMBRAR tr. Divisar, ver desde lejos una cosa, sin distinguirla bien. • fig. Rastrear o conjeturar por indicios una cosa.
COLUMBRETE m. *Mar.* Mogote poco elevado que hay en medio del mar.
COLUMBUS C. de EE UU, cap. del est. de Ohio; 632 900 hab. (1 377 400 la agl. urb.). Universidad.
COLUMELA, ***Lucio*** (s. I) Escritor latino, nacido en Cádiz. *De re rustica, Adversus astrologos.*
COLUMELAR adj. y m. Díc. de los dientes caninos.
COLUMNA f. *Arq.* Apoyo de forma gralte. cilíndrica, de mucha más altura que diámetro, que sirve para sostener techumbres u otras partes de la fábrica o adornar edificios o muebles. Los elementos prales. que constituyen una c. son, de abajo arriba, la basa, el fuste o caña y el capitel. • Monumento conmemorativo en forma de columna. • Serie o pila de cosas colocadas ordenadamente unas sobre otras. • En impresos o manuscritos, cualquiera de las partes en que suelen dividirse las planas por medio de un blanco o línea que las separa de arriba abajo. • fig. Persona o cosa que sirve de amparo, apoyo o protección. • Forma más o menos cilíndrica que toman algunos fluidos en su movimiento ascensional. • *Fís.* Porción de fluido contenido en un cilindro vertical. • *Mil.* Masa de tropas dispuesta en formación de poco frente y mucho fondo. • **vertebral**. *Anat.* Conjunto óseo que forma el esqueleto axial de los vertebrados. En el hombre consta de 24 vértebras móviles (7 cervicales, 12 torácicas y 5 lumbares) y 9 fijas (5 fusionadas en el hueso sacro y 4 que forman el cóccix). • **Quinta c.** Conjunto de los partidarios de una causa comprometidos a servirla activamente, y que, en ocasión de guerra, se hallan dentro del terr. enemigo.
COLUMNARIO, RIA adj. Que tiene columnas. • Díc. de la moneda de plata acuñada en América durante el s. XVIII, con un sello en el que están esculpidas dos columnas y la inscripción *plus ultra*.
COLUMNATA f. Serie de columnas que sostienen o adornan un edificio.
COLUMNISTA com. Redactor de una columna fija de un periódico.
COLUMPIAR tr. y prnl. Impeler al que está puesto en un columpio. • prnl. fig. y fam. Mover el cuerpo de un lado a otro cuando se anda.
COLUMPIO m. Asiento suspendido entre dos cuerdas para mecerse. • *Cuba.* Mecedora.
COLURIA f. *Pat.* Presencia de pigmentos biliares en la orina.
COLURO m. *Astr.* Cada uno de los dos círculos máximos de la esfera celeste que pasan por los polos del mundo y cortan a la eclíptica, el primero en los puntos equinocciales (*c. de los equinoccios*) y el segundo en los solsticiales (*c. de los solsticios*).
COLUSIÓN f. *Der.* Acuerdo entre varios con ánimo de perjudicar a alguien. ■ COLUSORIO, RIA.
COLUTORIO m. *Farm.* Enjuagatorio medicinal.
COLUVIAL adj. *Geol.* Díc. de los materiales detríticos que cubren el fondo de un valle y que han descendido de las vertientes del mismo.
COLUVIE f. Conjunto de pícaros o gente de mala vida. • fig. Sentina, lodazal.
COLZA f. Nombre vulgar de algunas variedades de nabo y colinabo, de cuyas semillas se extrae un aceite empleado en la industria. Su uso para fines domésticos fue causa de una gravísima intoxicación en España en 1982 por el *síndrome del aceite de c.*
COMA f. Signo ortográfico (,) que sirve para indicar la división de las frases o miembros más cortos de la oración o del periodo, y que también se emplea en aritmética para separar los enteros de las fracciones decimales. • *Mús.* Intervalo muy pequeño que diferencia dos sonidos casi exactos. • *Fís.* Aberración óptica que se presenta en los espejos y lentes esféricos. • m. *Pat.* Estado de sopor profundo con abolición del conocimiento, sensibilidad y movilidad. ■ COMÁTICO, CA; COMATOSO, SA.
COMA BERENICES *Astr.* Constelación boreal situada entre las de *Canes Venatici* (Lebreles o Perros de Caza) y *Virgo* (Virgen). Su nombre cast. es Cabellera de Berenice.

COMADRE f. Partera. • La madrina de un niño con relación al padrino y a los padres. • fam. Alcahueta. • fam. Vecina y amiga muy íntima.
COMADREAR intr. fam. Chismear, murmurar, en especial las mujeres. ■ COMADREO; COMADRERÍA; COMADRERO, RA.
COMADREJA f. Mamífero carnívoro nocturno de color pardo rojizo por el lomo y blanco por debajo. Es muy vivo y ligero; mata los ratones y otros animales pequeños, y come los huevos de los gallineros y mata las crías.
COMADRÓN m. Cirujano que asiste a la mujer en el acto del parto.
COMADRONA f. Mujer reconocida oficialmente para asistir a las parturientas. • P. ext., partera.
COMAL m. *Méx.* Disco de barro muy delgado y con bordes para cocer las tortillas de maíz.
COMALCALCO Mun. de México, en el est. de Tabasco; 71 400 hab. Agricultura; petróleo. Restos de una c. maya.
COMALIA f. *Vet.* Hidropesía que acomete a los animales.
COMANCHE adj. y s. Individuo de un pueblo amerindio que vivía en tribus en el NO de Texas y en Nuevo México. Actualmente unos 3 000 comanches residen en Oklahoma.
COMANDANCIA f. Empleo de comandante. • Prov. o comarca que está sujeta en lo militar a un comandante. • Edificio, cuartel o dpto. donde se hallan las oficinas de aquel cargo. • **de marina**. Subdivisión de un dpto. marítimo.
COMANDANTE m. Jefe militar de categoría comprendida entre las de capitán y teniente coronel. • Militar que ejerce el mando en ocasiones determinadas, aunque no tenga el empleo de c.
COMANDAR tr. *Mil.* Mandar un ejército, una plaza, un destacamento, una nota, etc.
COMANDITA adj. Díc. de la sociedad comercial en que parte de los socios suministran los fondos sin participar en la gestión de la misma.
COMANDITAR tr. Aportar los fondos necesarios para una empresa comercial o industrial, sin contraer obligación mercantil alguna. ■ COMANDITARIO, RIA.
COMANDO m. *Mil.* Mando militar. • *Mil.* Pequeño grupo de tropas de choque. • Cualquier grupo de gente armada.
COMAPA Mun. de Guatemala, en el dpto. de Jutiapa; 11 500 hab. Henequén. Ganadería. Ind. de la jarcia.
COMARCA f. División territorial definida por sus rasgos físicos o por características humanas e históricas. ■ COMARCAL.
COMARCANO, NA adj. Cercano, inmediato. Díc. de pob., campos, tierras, etc.
COMARCAR intr. Confinar, lindar. • tr. Plantar los árboles en líneas rectas a distancias iguales, de modo que formen calles.
COMAS y Solá, *José* (1868-1937) Astrónomo esp., cat. Fundador de la Sociedad Astronómica de España y América. Descubrió los asteroides *Hispania, Barcelona* y *Alphonsina*, y el cometa que lleva su nombre.
COMAYAGUA Dpto. del centro-oeste de Honduras, delimitado al N por el río Sulaco; 5 124 km^2, 346 083 hab. Cap., Comayagua. Sector montañoso atravesado por el r. Comayagua o Humuya y sus afl. Clima templado húmedo. Café, tabaco, caña de azúcar, maíz y arroz. Riqueza forestal. Hierro, cobre, oro, plata. Ganadería. • C. de Honduras, cap. del dpto. hom., 37 226 hab. Sit. en el valle del Humuya. Centro comercial y agrícola. Manufactura de tabaco. Destilerías. Fábricas de jabón.
COMBA f. Inflexión de cuerpos sólidos cuando se encorvan. • Juego que consiste en saltar por encima de una cuerda que se hace pasar por debajo de los pies y sobre la cabeza del que salta. • Esta misma cuerda.
COMBALACHARSE prnl. Conchabarse.
COMBAR tr. y prnl. Torcer, encorvar una cosa, como la madera o el hierro. ■ COMBADURA.
COMBATE m. Pelea entre personas o animales. • Acción bélica o pelea en que intervienen fuerzas militares de alguna importancia. • fig. Agitación del espíritu. • fig. Contradicción, pugna. ■ COMBATIVIDAD; COMBATIVO, VA.
COMBATIENTE adj. Que combate. • m. Cada uno de los soldados que componen un ejército. • *Zool.* Ave caradriforme cuya característica pral. es el cambio de plumaje de los machos en primavera. • *Zool.* Pez osteíctio perciforme. En época de celo, los machos cambian de color.
COMBATIR intr. y prnl. Pelear. • tr. Acometer, embestir. • Atacar, reprimir, refrenar lo que se considera un mal o daño. • fig. Contradecir. • fig. Agitar los afectos del ánimo. ■ COMBATIBLE.
COMBE, *William* (1741-1823) Escritor ing. *Viaje del Dr. Syntax en busca de lo pintoresco, Viaje del Dr. Syntax en busca de consuelo.*
COMBÉS m. Espacio descubierto, ámbito.
COMBES, *Émile* (1835-1921) Político fr. Desde la jefatura del gobierno (1902-1905), propugnó una total separación entre la Iglesia y el Estado.
COMBINACIÓN f. Unión de dos cosas en un mismo sujeto. • Arreglo y disposición de varias cosas análogas. • Unión de dos o más propiedades distintas, que no se pueden separar por métodos físicos. • Prenda de vestir que usan las mujeres por encima de la ropa interior. • *Mat.* Cada uno de los subconjuntos de *m* elementos que pueden formarse con los *n* elementos de un conjunto dado. Si los *m* elementos de cada subconjunto son distintos, se habla de c. sin repetición.
COMBINADO m. Cuerpo que resulta de una combinación. • Cóctel. • Plato combinado.
COMBINADOR m. *Ferr.* Dispositivo que regula el paso de un tren a lo largo de un itinerario.
COMBINAR tr. Unir cosas diversas, de manera que formen un compuesto o agregado. • Hablando de escuadras o ejércitos, unirlos o juntarlos. • fig. Concertar. • tr. y prnl. fig. Armonizar una cosa con otra. • *Quím.* Unir dos o más cuerpos en proporciones atómicas determinadas para formar un compuesto de propiedades distintas de las de los componentes.
COMBINATORIO, RIA adj. Aplícase al arte de combinar. • *Mat.* Díc. de los números de la forma $\binom{n}{m}$ que representan las combinaciones de *n* elementos tomados de *m* en *m*. • f. Parte de las matemáticas que estudia las propiedades de los elementos en cuanto a su posición y a los grupos que pueden formarse en dichos elementos.
COMBO, BA adj. Díc. de lo que está combado. • m. Tronco o piedra grande sobre que se asientan las cubas. • *Amér.* Mazo, almadana. • *Chile.* Puñetazo.
COMBRETÁCEO, A adj. y f. *Bot.* Díc. de árboles o arbustos angiospermos dicotiledóneos, con hojas sin estípulas, flores axilares o terminales en espiga, y drupas con semillas solitarias. • f. pl. *Bot.* Familia de estas plantas.
COMBURENTE adj. y m. *Fís.* que hace entrar en combustión o la activa, como el oxígeno.
COMBUSTIBLE adj. Que puede arder. • Que arde con facilidad. • m. Sustancia que, al combinarse con el oxígeno u otro oxidante, arde fácilmente, dando lugar a una combustión. Los combustibles pueden ser sólidos (leña, carbón), líquidos (petróleo, gasolina) y gaseosos (butano). • Carburante que hace funcionar un vehículo, un aparato, etc. • En los cohetes, componente del propulsante, que interviene en la reacción de oxidación al entrar en contacto con el oxidante. ■ COMBUSTIBILIDAD.
COMBUSTIÓN f. Acción y efecto de arder o quemar. • *Quím.* Combinación de un cuerpo combustible con otro comburente. • Tercer tiempo del funcionamiento de un motor de explosión, en el ciclo de cuatro tiempos. • **espontánea**. La que se produce sin aplicación previa de una llama.
COMECON Siglas del Consejo de Ayuda Económica Mutua.
COMEDERO, RA adj. Que se puede comer. • m. Vasija o cajón donde se echa la comida a las aves y otros animales. • Comedor, habitación donde se come.
COMEDIA f. Obra dramática, en prosa o en verso, que pretende divertir y cuyo desenlace es feliz. • Poema dramático. • Género cómico. • Teatro, edificio. • fig. Farsa. • **musical**. Espectáculo teatral o cinematográfico que integra números cantados y bailes. ■ COMEDIÓGRAFO, FA.
**Lit.* La c. tiene su origen en los coros que integraban los festivales de Dioniso en la ant. Grecia, en los que se intercambiaban burlas satíricas entre el coro y el público. A la c. de intención satírica y política de Aristófanes siguió, un siglo más tarde, la costumbrista de Menandro, para alcanzar su apo-

Comadreja

Combatiente

Actor de **comedia** en un fresco de Pompeya

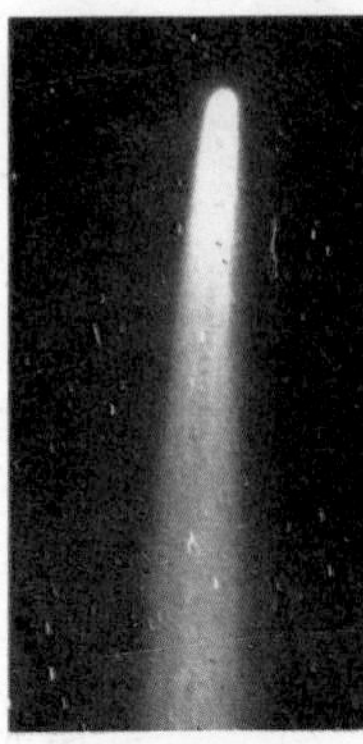

Cometa Halley fotografiado a su paso cerca de la Tierra

Obélix, personaje del **cómic** Astérix, creado por el guionista René Goscinny y el ilustrador Albert Uderzo

geo en las obras de Plauto y Terencio. Durante el Renacimiento aparece en Italia la *commedia dell'arte*, que llegará hasta Goldoni y el fr. Marivaux. En España destaca la vigorosa creación de *La Celestina*. El barroco aporta a la c. la idiosincrasia y costumbres nac. (Lope de Vega, Ben Johnson, Molière). En el s. XIX aparece la c. dramática en prosa. Ibsen, Pirandello, Chéjov, Anouilh, Giraudoux y Brecht han sido los autores que más aportaciones han hecho a la c. en el s. XX, mientras Beckett y Ionesco han revolucionado su estructura dramática con la «farsa metafísica». La gran revolución en el terreno de la c. ha sido la *musical*, por las grandes posibilidades expresivas del celuloide. Nacida con el sonoro (A. Crosland, Ll. Bacon y R. Mamoulian), la coreografía y el baile le impusieron un nuevo ritmo y estructura, consagrados por realizadores como B. Berkeley, S. Donen y V. Minnelli, así como actores y coreógrafos, como G. Kelly o la pareja F. Astaire-G. Rogers, en la época dorada de los 40 y 50. Tras un periodo de declive de los musicales en el que sólo se produjeron adaptaciones de los éxitos de Broadway *(West Side Story)*, Bob Fosse, con *Cabaret* y *Empieza el espectáculo*, inició una nueva singladura para la c. musical.

COMEDIANTE, TA m. y f. Actor o actriz. • fig. Persona que aparenta lo que no siente.

COMEDIO m. Centro o medio de un reino, sitio o paraje. • Intermedio o espacio de tiempo que media entre dos épocas o tiempos señalados.

COMEDIRSE prnl. Arreglarse, moderarse, contenerse. • Ofrecerse o disponerse para alguna cosa. ■ COMEDIDO, DA; COMEDIMIENTO.

COMEDÓN m. Grano sebáceo con un puntito negro que se forma en la piel del rostro.

COMEDOR, RA adj. Que come mucho. • m. Pieza destinada para comer. • Mobiliario de esta pieza. • Establecimiento destinado para servir comidas.

COMEJÉN m. Termes.

COMEJENERA f. Lugar donde se cría comején. • fig. y fam. *Ven.* Lugar donde se reúnen gentes de mal vivir.

COMELENGUA f. *Amér. Centr.* Cierta culebra grande.

COMENDADOR m. Caballero que tiene encomienda en alguna de las órdenes militares o de caballeros. • El que en las órdenes de distinción tiene dignidad superior a la de caballero e inferior a la de gran cruz. • Prelado de algunas órdenes religiosas.

COMENDADOR C. de la República Dominicana, cap. de la prov. de Elías Piña; 6 000 hab.

COMENDADORA f. Superiora o prelada de los conventos de las órdenes militares, o de religiosas de la Merced. • Religiosa de ciertos conventos de las ant. órdenes militares.

COMENDERO m. Persona a quien se daba encomienda alguna villa o lugar, o tenía en ellos algún derecho concedido por los reyes, con obligación de prestar juramento de homenaje.

COMENIUS, *Johann Amos* (1592-1670) Teólogo y pedagogo chec. *Didactica magna, Janua linguarum reserata, Orbis sensualium pictus.*

COMENSAL com. Persona que vive a la mesa y expensas de otra, en cuya casa habita como familiar o dependiente. • Cada una de las personas que comen en una misma mesa. • adj. y m. Díc. de los animales o plantas que se benefician de una relación de comensalismo.

COMENSALISMO m. *Biol.* Asociación entre organismos de distinta especie en el que el comensal vive sobre su huésped sin producirle beneficio ni daño alguno.

COMENTADOR, RA m. y f. Persona que comenta. • Persona inventora de falsedades o ficciones.

COMENTAR tr. Aclarar un escrito. • fam. Hacer comentarios.

COMENTARIO m. Escrito que sirve de explicación y aclaración de una obra, para que se entienda más fácilmente. • Explicación hablada que apoya una transmisión televisiva. • fam. Conversación sobre alguna persona, por lo general acompañada de murmuración. • pl. Título que se da a algunas historias escritas con brevedad.

COMENTARISTA com. Persona que escribe comentarios. • Persona que hace el comentario en una transmisión televisiva. • En radio y televisión, persona que comenta las noticias de actualidad.

COMENTO m. Acción y efecto de comentar. • Comentario, escrito que explica los puntos oscuros de una obra. • Embuste, mentira disfrazada con artificio.

COMENZAR tr. Empezar, dar principio a una cosa. • intr. Empezar, tener una cosa principio.

COMER intr. y tr. Masticar y desmenuzar el alimento en la boca y pasarlo al estómago. • intr. Tomar alimento. • Tomar la comida principal del día. • tr. Tomar por alimento una cosa. • fig. Gastar, consumir, desbaratar la hacienda, el caudal, etc. • fig. Sentir comezón fiscal o moral. • fig. Gastar, corroer, consumir. • fig. En el juego del ajedrez y en el de las damas, ganar una pieza al contrario. • fig. Hablando del color, ponerlo la luz desvaído. • m. Comida, alimento. • **Sin comerlo ni beberlo.** loc. fig. y fam. Sin haber tenido parte en la causa o motivo del daño o provecho que se sigue. ■ COMIBLE; COMIDO, DA.

COMERCIALIZACIÓN f. Acción y efecto de comercializar. • *Econ.* Proceso mediante el cual los bienes producidos llegan al consumidor.

COMERCIALIZAR tr. Dar a un producto condiciones y organización comerciales para su venta. • fig. Ordenar los ideales, hábitos y métodos de una persona, asociación o comunidad, en función del rendimiento o del lucro.

COMERCIANTE adj. Que comercia. Se usa también como sustantivo. • com. Individuo o sociedad cuya actividad legalmente reconocida es la comercial. La clase social de los c. es la primera en la historia no ligada directamente a la producción, a diferencia de los agricultores, ganaderos o artesanos.

COMERCIAR tr. Negociar comprando y vendiendo o permutando géneros. • fig. Tratar unas personas con otras. ■ COMERCIABLE; COMERCIAL.

COMERCIO m. *Econ.* Negociación que se hace comprando o vendiendo. • Comunicación y trato de unas gentes o pueblos con otros. • fig. Gremio de comerciantes. • Tienda, almacén, establecimiento comercial. • **al por mayor.** Compra de mercancías a un productor y venta a otro productor o detallista. • **al por menor**. Venta de artículos directamente a los consumidores. • **exterior.** El que una nación tiene con otra. • **interior**. El que tiene lugar en un espacio económico homogéneo, regulado por unas mismas leyes.

COMERÍO Mun. de Puerto Rico, en el distr. de Guayama; 18 800 hab. Tabaco, calzado.

COMESTIBLE adj. Que se puede comer. • m. Todo género de alimentos o víveres. Se usa más en pl.

COMETA m. *Astr.* Astro que describe alrededor del Sol una órbita muy excéntrica acompañada de un rastro luminoso llamado cola. • f. Juguete formado por una armazón de tela, de papel o tela y cañas, que se mantiene en el aire por medio de un hilo o bramante.

**Astr.* Un c. consta de cabeza, formado por núcleo y cabellera, y cola. El núcleo está constituido pralm. por un aglomerado de granos de polvo y gases helados, y la cabellera por gases expelidos por el núcleo debido a la acción de las radiaciones solares. La cola es el resultado de los gases o polvo formados en el núcleo y lanzados por la radiación solar o viento solar en dirección opuesta al Sol. Unos 250 c. son periódicos y sus periodos se hallan comprendidos entre 3 y 145 años.

COMETER tr. Encargar a uno un santo. • Hablando de culpas, yerros, faltas, etc., caer, incurrir en ellas. • Hablando de figuras retóricas o gramaticales, usarlas. • Dar comisión mercantil.

COMETIDO m. Comisión encargo. • P. ext., incumbencia, obligación moral.

COMETIERRA f. *Amér.* Ave de cuerpo robusto y abundante plumaje que llega hasta los 125 cm de envergadura.

COMETÓN m. *Cuba.* Cometa, juguete.

COMEZÓN f. Picazón que se padece en alguna parte del cuerpo o en todo él. • fig. Desazón interior que ocasiona el deseo o apetito de alguna cosa mientras no se logra.

CÓMIC m. Serie de viñetas gráficas que narran una historia cómica, de aventuras, etc. El c., producto de la cultura de los *mass-media*, está influido por el cine y la lit. popular, pero posee un lenguaje indepen-

diente y unas convenciones propias. Ha creado una serie de héroes míticos universales (Charlie Brown, Mafalda, Superman, etc.) En Latinoamérica reciben el nombre de *historietas* o *muñequitos*.
COMICIOS m. pl. Junta que tenían los rom. para tratar de los asuntos públicos. • Reuniones y actos electorales. • Elecciones. ■ COMICIAL.
CÓMICO, CA adj. Relativo a la comedia. • Gracioso. • Aplícase al actor que representa papeles jocosos. • m. y f. Comediante. ■ COMICASTRO; COMICIDAD.
COMIDA f. Alimento. • Acción de comer. • Acción de tomar habitualmente alimentos a una hora del día o de la noche. • Alimento que se toma al mediodía o primeras horas de la tarde.
COMIDILLA f. fam. Cosa a la que uno es muy aficionado. • fig. y fam. Tema preferido en alguna murmuración o conversación satírica.
COMIENZO m. Principio, origen y raíz de una cosa.
COMILITONA f. fam. Comilona.
COMILLAS f. pl. Signo ortográfico («...», "..." o "...") que se pone al principio y al fin de las frases incluidas como citadas o ejemplos en impresos o manuscritos, y también al principio de todos los renglones que estas frases ocupan. Suele emplearse con el mismo oficio que el guión en los diálogos, en los índices y en otros escritos semejantes. También se emplea para poner de relieve una palabra o frase. • Signo ortográfico ('...') que se usa al principio y al fin de una palabra o frase incluidas como cita o puesta de relieve dentro de un texto entrecomillado más extenso.
COMILÓN, NA adj. y s. fam. Que come mucho o desordenadamente. • f. fam. Comida en que hay abundancia de manjares.
COMINEAR intr. Entremeterse en menudencias. ■ COMINERO, RA.
COMINERÍA f. Chisme, minuciosidad exagerada. Se usa más en pl.
COMINILLO m. Cizaña, planta. • *Chile* y *R. de la Plata*. Escozor. • *Argent.* y *Chile*. Bebida alcohólica.
COMINO m. Hierba de la familia umbelíferas, con fruto aromático del mismo nombre, usado en medicina y para condimento. • *Col.* Especie de laurel. • fig. Persona de tamaño pequeño y, más comúnmente, los niños.
COMIQUEAR intr. Representar comedias caseras. ■ COMIQUERÍA.
COMIQUERÍA f. fam. Conjunto o reunión de cómicos.
COMISAR tr. Declarar que una cosa ha caído en comiso.
COMISARÍA f. o **COMISARIATO** m. Empleo del comisario. • Oficina del comisario. • *Amér.* Demarcación administrada por un comisario.
COMISARIO m. Persona que desempeña un cargo o una función especial por comisión o delegación de una autoridad superior. • *Amér.* Inspector de policía. • **de guerra**. Jefe de administración militar, cuya categoría equivale a la de teniente coronel del ejército, cuando es de primera clase, y a la de comandante si es de segunda. • **de policía.** Jefe superior de policía de un distrito. • **general de Indias**. En la orden franciscana, religioso a cuyo cargo estaba el gobierno de sus provincias en Indias.
COMISCAR o **COMISQUEAR** tr. Comer a menudo de varias cosas en pequeñas cantidades.
COMISIÓN f. Acción de cometer. • Orden y facultad que una persona da por escrito a otra para que ejecute algún encargo. • Encargo que una persona da a otra para que haga alguna cosa. • Conjunto de personas encargadas para entender en algún asunto. • Cantidad que uno cobra por ejecutar algún encargo o vender mercancías por cuenta ajena. ■ COMISIONISTA.
COMISIÓN Económica para América Latina y el Caribe *(CEPALC)* Organismo de las Naciones Unidas fundado en 1948, con sede en Santiago de Chile. Asesora a los gobiernos en planes de desarrollo industrial y agrario.
COMISIONADO, DA adj. y s. Encargo de una comisión. • m. *Cuba*. Alguacil.
COMISIONAR tr. Encargar a alguien una comisión.
COMISIONES Obreras, *Confederación Sindical de* *(CS* de *CCOO)* Unión esp. de sindicatos obreros, legal desde 1976, de tendencia comunista.
COMISO m. *Der.* Pena de perdimiento de la cosa, en que incurre el que comercia en géneros prohibidos. • *Der.* Cosa decomisada o caída en comiso convencional. ■ COMISORIO, RIA.
COMISTRAJO m. fam. Bazofia, comida mala.
COMISURA f. Punto de unión de ciertas partes similares del cuerpo. • Sutura de los huesos del cráneo. • Banda de fibras que une partes opuestas similares.
COMITANCILLO Mun. de Guatemala, en el dpto. de San Marcos; 18 600 hab. Cereales. Café.
COMITÉ m. Comisión de personas, gralte, elegidas en asamblea, y que negocia determinados asuntos en nombre de aquélla. • **de Salvación Pública**. Organismo creado por la Convención revolucionaria fr. en 1793, encargado de organizar, en caso de urgencia, la defensa del país. El Directorio lo suprimió en 1795. • **Francés de Liberación Nacional** *(CFLN).* Creado en Argel (1943) a raíz de la ocupación al., unificó los dos organismos de la Resistencia, el de De Gaulle y el de Giraud. • **Olímpico Internacional** *(COI).* Organismo que establece las normas por las que se rigen las competiciones y la organización de juegos olímpicos.
COMITIVA f. Acompañamiento de personas.
CÓMITRE m. *Mar.* Persona que en las galeras gobernaba a los galeotes. • fig. y fam. Persona que hace trabajar duramente a sus subordinados.
COMMEDIA dell'arte Forma teatral, nacida en Italia a mediados del s. XVI y que se mantuvo viva hasta finales del s. XIX, de movimiento flexible y mímica expresiva. Sus personajes Arlequín, Colombina, Pantaleón, son ya universales del teatro.
COMMON Law Nombre dado al derecho consuetudinario anglosajón. Constituye la base del derecho brit. y se fundamenta en la aplicación práctica de la jurisprudencia según la costumbre.
COMMONWEALTH Término utilizado para designar el régimen político instaurado en Inglaterra (1649), y, posteriormente, en Irlanda (1650) y Escocia (1652). • **of Nations.** Asociación de est. y terr. de colonización brit., definida en el estatuto de Westminster (1931). A partir del final de la II Guerra Mundial su sentido fue variando, identificando la asociación de Gran Bretaña con sus ant. dominios coloniales, pralm. en lo económico y lo jurídico.
COMNENOS Familia de Bizancio, que fundó una dinastía de emperadores (1057-1185): Isaac, Alejo I, Juan II, Manuel I, Andrónico I y Alejo II.
COMO adv. modo interr. De qué modo o manera • adv. modo. Del modo o la manera que. • Denota a veces idea de encarecimiento en buen o mal sentido. • En sentido comparativo denota idea de equivalencia, semejanza o igualdad, y significa gralte. el modo o la manera que, o a modo o manera de. En este sentido corresponde a menudo con *así tal, tan*, y *tanto*. • Según conforme. • En calidad de. • Por qué motivo, causa o razón; en fuerza o en virtud de qué. • Así que. • A fin de que, o de modo que. • Empléase como la conj. *que* para introducir una subordinada. • Hace también oficio de conj. condicional, equivaliendo a *si*. • Toma también carácter de conj. causal.
COMO Lago sit. al borde de los Alpes it.; 145 km^2. Centro turístico.
COMO C. de Italia, en Lombardía; 92 700 hab. Centro industrial. Turismo.
CÓMODA f. Mueble con tablero de mesa de tres o cuatro cajones que ocupan todo el frente y sirven para guardar ropa.
COMODATO m. *Der.* Contrato por el que una persona entrega gratuitamente a otra una cosa no fungible para que use de ella durante cierto tiempo y la devuelva cuando haya transcurrido. ■ COMODANTE.
COMODIDAD f. Calidad de cómodo. • Conveniencia, conjunto de cosas necesarias para vivir a gusto y con descanso. Se usa más en pl. • Buena disposición de las cosas para el uso que se ha de hacer de ellas. • Ventaja, oportunidad. • Utilidad, interés. ■ COMODISTA; COMODÓN, NA.
COMODÍN m. En algunos juegos de naipes, carta que tiene el valor que le otorga el que la posee. • fig. Lo que se hace servir para fines diversos, según con-

Planta de **comino**

Arlequín y Colombina, personajes de la **Commedia dell'arte**

Marco Aurelio **Cómodo**

viene al que lo usa. • fig. Pretexto habitual y poco justificado. • *Art. Gráf.* Mueble donde se guardan las cajas tipográficas. • adj. y m. *Amér.* Comodón.

CÓMODO, DA adj. Conveniente, oportuno, acomodado, fácil, proporcionado.

CÓMODO, *Marco Aurelio* (161-192) Emperador de Roma [180-192], hijo de Marco Aurelio. Gobernó de un modo despótico. Produjo una grave crisis financiera.

COMODORO m. *Mar.* Nombre que en Inglaterra y otras naciones se da al capitán de navío cuando manda más de tres buques.

COMODORO RIVADAVIA C. de Argentina, en la prov. de Chubut, a orillas del golfo de San Jorge; 96 800 hab. Puerto exportador. Yacimientos petrolíferos, gas. Universidad.

COMONDÚ Mun. de México, en el est. de Baja California; 32 300 hab. Trigo, algodón, frutas. Pesca.

COMONFORT Mun. de México, en el est. de Guanajuato; 34 500 hab. Agricultura.

COMONFORT, *Ignacio* (1812-1863) Político y militar mex. Ministro de la Guerra en 1855 y presid. constitucional en 1857. Promulgó decretos que abolían los fueros eclesiástico y militar. Luchó junto a Juárez contra los fr. Murió asesinado.

COMOQUIERA adv. modo. De cualquier manera.

COMORES *(República Federal Islámica de las Comores)* Est. de África, constituido por el arch. hom., sit. en el océano Índico, unos 300 km al NO de Madagascar. Cap., Moroni. Comprende cuatro islas mayores (Gran Comore, Mayotte, Anjouan y Mohéli) y numerosos islotes. Lenguas: fr. y ár. (of.); lenguas bantúes. *Rel:.* mayoría musulmana.

Comores. Arriba, mapa de situación y bandera; abajo, un aspecto de Moroni

COMORES

Superficie 1 862 km²

Población 514 000 hab. (276 hab./km²)

Recursos económicos		
Nuez de coco	52 000	t
Arroz	17 000	t
Copra	6 000	t
Cabaña bovina	50 000	cabezas
Cabaña caprina	128 000	cabezas
Maíz	4 000	t
Mandioca	52 000	t
Pesca	13 000	t
Indicadores sociológicos		
PNB	237	millones de dólares
Renta per cápita	470	dólares
Esperanza de vida	59	años
Alfabetismo	91	%

* *Hist.* Ex colonia fr., independiente desde 1974 (excepto la isla de Mayotte). En 1978 fue derrocado el presid. Ali Soilih y fue sustituido por Ahmed Abdallah, que inició un acercamiento a los países ár., pero siguió reafirmando sus lazos con la ant. metrópoli. Abdallah fue asesinado en 1989 y su sucesor, Said Mohamed Djohar, fue confirmado por las urnas en 1990. En 1996 fue elegido presid. Mohamed Taki Abdoulkarim que hizo frente a las demandas de secesión de las islas Anjoan y Mohéli. En 1999 un golpe de estado depuso a Tadjidine Ben Saoud Masonde, presid. en funciones tras la muerte de M. Taki.

COMPACTAR tr. Hacer compacta una cosa. ■ COMPACTACIÓN.

COMPACTO, TA adj. Díc. de los cuerpos de textura apretada y poco porosa. • fig. Apretado, apiñado. ■ COMPACIDAD.

COMPADECER tr. Compartir la desgracia ajena, sentirla, dolerse de ella • tr. y prnl. Inspirar a una persona lástima o pena la desgracia de otra. • prnl. Venir bien una cosa con otra, convenir con ella. • Conformarse o unirse.

COMPADRAR intr. Contraer compadrazgo • Hacerse compadre o amigo. ■ COMPADRAJE; COMPADRERÍA.

COMPADRAZGO m. Conexión o afinidad que contrae con los padres de una criatura el padrino. • Compadraje. • *Méx.* Confabulación.

COMPADRE m. Padrino del niño respecto de los padres y la madrina de éste. • En algunas partes, amigo. • adj. y s. *Argent.* Chulo.

COMPADREAR intr. Tratarse de manera familiar. • *Argent.* y *Ur.* Baladronear.

COMPADRITO m. fam. *Argent.* Bravucón.

COMPAGINACIÓN f. Acción y efecto de compaginar o compaginarse. • *Art. Gráf.* Disposición de las páginas de un libro. • *Art. Gráf.* Acción de ajustar y distribuir el texto, los grabados y los espacios en blanco en una plana.

COMPAGINADA f. *Art. Gráf.* Cada una de las pruebas de las planas que resultan de la compaginación de las galeradas.

COMPAGINAR tr. y prnl. Poner en buen orden cosas que tienen alguna conexión o relación mutua. • tr. *Art. Gráf.* Ajustar las galeradas para formar páginas. • prnl. fig. Corresponder o conformarse bien una cosa con otra. ■ COMPAGINADOR, RA.

COMPANAJE o **COMPANGO** m. Comida fiambre que se toma con pan, y a veces se reduce a queso o cebolla.

COMPANYS, *Lluís* (1883-1940) Político esp. Sucedió a Macià como presid. de la *Generalitat* de Cataluña (1934). Murió fusilado tras la guerra civil.

COMPAÑERISMO m. Vínculo que existe entre compañeros. • Armonía y buena correspondencia entre ellos.

COMPAÑERO, RA m. y f. Persona que acompaña a otra para algún fin. • En los colegios, centros de trabajo, etc., cada uno de los individuos que hay en ellos. • En varios juegos, cualquiera de los jugadores que se unen y ayudan contra los otros. • Persona que tiene o corre una misma suerte o fortuna con otra.

COMPAÑÍA o **COMPAÑA** f. Efecto de acompañar. • Persona o personas que acompañan a otra u otras. • Sociedad o junta de varias personas unidas por un mismo fin. • Cuerpo de actores formado para representar en un teatro. • *Econ.* Sociedad de hombres de negocios. • *Mil.* Cierta unidad orgánica de soldados a las inmediatas órdenes de un capitán. • **de Jesús**. Orden religiosa fundada por san Ignacio de Loyola.

COMPAÑÍA Francesa de las Indias Compañía de com. fundada por Law en 1719, con la absorción de las ant. compañías de las Indias Orientales, de China y de Senegal. • **Francesa de las Indias Occidentales** Compañía comercial fundada en 1664 por Colbert. Tenía el monopolio de explotación del terr. de África comprendido entre Cabo Verde y cabo de Buena Esperanza y del terr. amer. de Luisiana a Acadia, Guayanas y Antillas. Fue disuelta en 1674. • **Francesa de las Indias Orientales** Compañía fundada por Colbert en 1664. Obtuvo la concesión, por 50 años, del monopolio de navegación y com. en el Índico y el Pacífico. Se le reconoció la propiedad de la isla de Madagascar. En 1719 fue absorbida por la Compañía de las Indias de Law. • **Inglesa de las Indias Orientales** Empresa comercial brit. fundada en 1600 para comerciar con India y Extremo Oriente. Consiguió establecerse en Madrás, Bengala y Bombay. Bajo el nombre de *Compañía unida de mercaderes de Inglaterra para el comercio con las Indias Orientales*, afianzó su monopolio sobre compañías rivales. Su monopolio comercial fue abolido en 1813 y la India brit. pasó directamente a depender de la corona (1857). • **Neerlandesa de las Indias Occidentales** Empresa com. fundada en 1621 para la explotación de las costas occidentales africanas, sit. al S del trópico de Cáncer y de las costas orientales de América. Hasta 1791 dedicada a la trata de esclavos entre la costa africana y las Antillas. • **Neerlandesa de las Indias Orientales** Empresa mercantil constituida en 1602 con el objeto de arrebatar a los port. el monopolio comercial en las Indias Orientales. Conquistó la mayor parte del arch. malayo, fundó Batavia y expulsó a los port. de Malaca y Ceilán. Desapareció en 1798.

COMPAÑÓN m. Testículo.

COMPARABLE adj. Que puede o merece compararse con otra persona o cosa. • *Mat.* Sea A un conjunto en el que está definida una relación R de orden; se dice que dos elementos x, y de A son comparables si se tiene xRy o yRx. • *Mat.* Díc. de dos infinitésimos que son c. si el límite de su cociente es una constante.

COMPARACIÓN f. Acción y efecto de comparar. • *Ret.* Símil, semejanza de ideas.
COMPARADOR m. Instrumento para comparar unas medidas con otras.
COMPARAR tr. Fijar la atención en dos o más objetos para descubrir sus relaciones o valorar sus diferencias o semejanzas. • Cotejar. ■ COMPARANZA.
COMPARATIVO, VA adj. Díc. de lo que compara o que sirve para hacer comparación de una cosa con otra. • adj. y s. *Gram.* Grado de significación del adjetivo.
COMPARECENCIA f. *Der.* Acto de comparecer ante el juez o un superior. • *Der.* Acto y trámite que en el juicio de menor cuantía y en algunos procedimientos equivale a la vista.
COMPARECER intr. Presentarse uno en algún lugar donde ha sido llamado o convocado. • *Der.* Presentarse uno ante otro para un acto formal, en virtud del llamamiento o intimación que se le ha hecho, o mostrándose parte en algún negocio. ■ COMPARECIENTE.
COMPARENCIA f. *Chile* y *R. de la Plata*. Comparecencia.
COMPARENDO m. *Der.* Despacho en que se manda a uno comparecer.
COMPARICIÓN f. *Der.* Comparecencia. • *Der.* Auto del juez o superior, mandando a alguno comparecer.
COMPARSA f. Conjunto de personas que en las representaciones teatrales figuran y no hablan. • Conjunto de personas que en los festejos populares van vestidas con trajes de una misma clase.
COMPARSERÍA f. Conjunto de comparsas que participan en las representaciones teatrales.
COMPARTIMENTO o **COMPARTIMIENTO** m. Acción y efecto de compartir. • Cada una de las partes que resultan de dividir un espacio mediante tabiques, paredes, etc. • **estanco**. *Mar.* Cada una de las secciones, absolutamente independientes, en que se divide el interior de un buque.
COMPARTIR tr. Repartir, dividir las cosas en partes. • Participar uno en alguna cosa. ■ COMPARTIDOR, RA.
COMPÁS m. Instrumento formado por dos brazos agudos unidos en su extremidad superior por un eje para que puedan abrirse o cerrarse. Sirve para trazar curvas y tomar distancias. • Territorio o distrito alrededor de un monasterio. • fig. Regla o medida de algunas cosas; como de la vida, de las acciones, etc. • *Mar.* Brújula. • *Mús.* Cada uno de los periodos de tiempo iguales en que se marca el ritmo de una frase musical. • *Mús.* Ritmo o cadencia de una pieza musical. • *Mús.* Espacio del pentagrama en que se escriben las notas correspondientes a un compás y se limita por cada lado con una raya vertical. • **de espera**. *Mús.* Silencio que dura todo el tiempo de un compás. • fig. Detención de un asunto por poco tiempo.
COMPÁS *Astr.* Constelación cuya denominación latina es *Circinus*.
COMPASAR tr. Medir con el compás. • fig. Arreglar, medir, proporcionar las cosas de modo que ni sobren ni falten. • *Mús.* Dividir en tiempos iguales las composiciones, formando líneas perpendiculares que cortan el pentagrama. ■ COMPASADO, DA.
COMPASIÓN f. Sentimiento de lástima hacia el mal o desgracia que sufre alguien. ■ COMPASIBLE; COMPASIVO, VA.
COMPATIBLE adj. Que tiene aptitud o proporción para unirse o concurrir en un mismo lugar o sujeto. • *Comp.* Díc. de las máquinas que trabajan en un mismo código interno. P. anton., díc. de las computadoras capaces de ejecutar el mismo software que la IBM PC. • *Mat.* Díc. de aquellos sistemas de ecuaciones lineales que admiten alguna solución, es decir, de aquellos en que las ecuaciones no imponen condiciones contradictorias a las posibles soluciones. Si el número de éstas es finito, se habla de sistema *c. determinado*, y si es infinito de sistema *c. indeterminado*. ■ COMPATIBILIDAD.
COMPATRIOTA com. Persona de la misma patria que otra.
COMPELER tr. Obligar a uno, con fuerza o por autoridad, a que haga lo que no quiere. ■ COMPULSIVO, VA.
COMPENDIAR o **COMPENDIZAR** tr. Reducir a compendio. ■ COMPENDISTA.
COMPENDIO m. Síntesis de lo más importante de una exposición oral o escrita. • **En c.** m. adv. Abreviadamente. ■ COMPENDIOSO, SA.
COMPENETRARSE prnl. Penetrar las partículas de una sustancia entre las de otra, o recíprocamente. • fig. Identificarse las personas en ideas y sentimientos. ■ COMPENETRACIÓN.
COMPENSACIÓN f. Acción y efecto de compensar. • Indemnización que el causante de heridas o de muerte entregaba al herido o a los herederos del difunto. • *Der.* Modo de extinguir obligaciones vencidas, entre personas que son recíprocamente acreedoras y deudoras; consiste en dar por pagada la deuda de cada uno en cuantía igual a la de su crédito. • **óptica**. *Fís.* Sistema empleado en los espectrofotómetros de doble haz. Consiste en desdoblar, mediante dos parejas de espejos iguales y simétricos, la radiación emitida por la fuente en dos rayos idénticos.
COMPENSADOR, RA adj. Que compensa. • m. Péndulo de reloj, utilizado para corregir los efectos de las variaciones de temperatura.
COMPENSAR tr., prnl. e intr. Igualar en opuesto sentido el efecto de una cosa con el de otra. • tr. y prnl. Dar alguna cosa o hacer un beneficio en resarcimiento del daño, perjuicio o disgusto que se ha causado. ■ COMPENSATORIO, RIA.
COMPETENCIA f. Disputa o contienda entre dos o más sujetos sobre alguna cosa. • Rivalidad, oposición. • Incumbencia. • Aptitud, idoneidad. • *Der.* Atribución legítima a un juez u otra autoridad para el conocimiento o resolución de un asunto. • *Amér.* Competición de tipo deportivo. • *Econ.* Rivalidad entre las empresas que desean obtener mayor ganancia en un mismo mercado. • Con respecto a una de esas empresas, conjunto de las que rivalizan con ella. • *Meteor.* Capacidad de una corriente de agua o aire para transportar partículas materiales de determinada dimensión.
COMPETER intr. Pertenecer, tocar o incumbir a uno alguna cosa. ■ COMPETENTE.
COMPETICIÓN f. Competencia. • Certamen deportivo.
COMPETIR intr. y prnl. Contender dos o más personas aspirando a una misma cosa. • Igualar una cosa a otra análoga, en la perfección o en las propiedades. ■ COMPETIDOR, RA; COMPETITIVIDAD; COMPETITIVO, VA.
COMPILACIÓN f. Acción de compilar. • Colección de varias noticias, leyes o materias. • *Comp.* Operación que consiste en introducir el programa fuente a la computadora bajo el control del compilador y producir otro programa de salida, conocido como programa objeto. ■ COMPILATORIO, RIA.
COMPILADOR, RA adj. y s. Que compila. • adj. y m. Díc. del programa para computadora que traduce una información escrita en lenguaje simbólico al lenguaje máquina.
COMPILAR tr. Reunir en una sola obra extractos de otros libros o documentos. • *Comp.* Traducir un lenguaje simbólico al lenguaje máquina.
COMPINCHE com. fam. Amigo, camarada. • fam. Amigote, compañero de diversiones o de tratos irregulares.
COMPITALES f. pl. Fiestas que los rom. hacían en honor de los lares protectores de las encrucijadas.
COMPLACER tr. Acceder uno a lo que otro desea y puede serle útil o agradable. • prnl. Alegrarse y tener satisfacción en alguna cosa. ■ COMPLACENCIA; COMPLACIDO, DA; COMPLACIENTE.
COMPLEJO, JA o **COMPLEXO, XA** adj. Díc. de lo que se compone de elementos diversos. • Díc. del núm. compuesto de unidades de diferente especie. • *Mat.* Díc. del núm. formado por otros dos, uno real y otro imaginario. • m. Conjunto o unión de dos o más cosas. • *Psic.* Conjunto de ideas y sentimientos que permanecen reprimidos en el inconsciente y ejercen gran influencia sobre el sujeto. • Conjunto de ind. destinadas a una producción particular y bajo unos mismos responsables. ■ COMPLEJIDAD; COMPLEXIDAD.
* *Mat.* Los números c. fueron introducidos en las matemáticas con objeto de que todas las ecuaciones algebraicas de coeficientes reales tengan solución. Tienen la forma $a + bi$, donde i, es la unidad

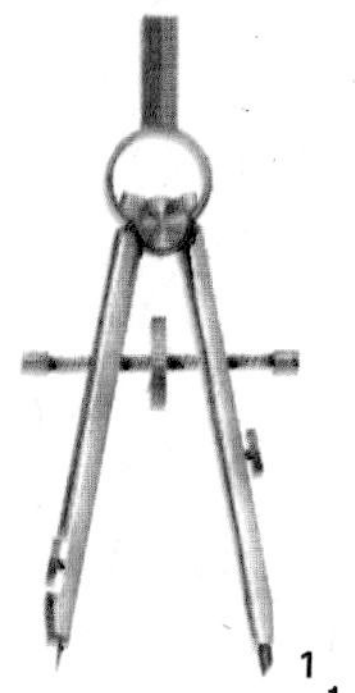
1

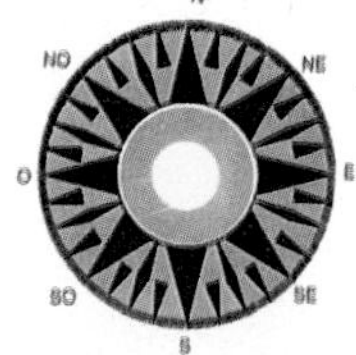

2

1. **Compás** de dibujo.
2. **Compás** marítimo: brújula

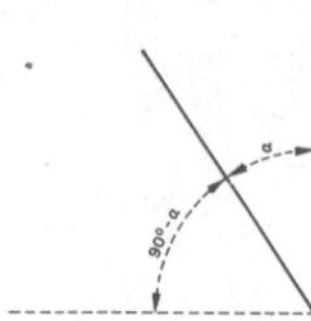

El ángulo 90–α es el **complemento** del ángulo α

imaginaria, que corresponde a la raíz cuadrada de −1. Las sucesivas potencias de *i* son por lo tanto $i^1 = i$, $i^2 = -1$, $i^3 = -i$, $i^4 = 1$, repitiéndose de nuevo estos valores para los sucesivos exponentes. Teniendo en cuenta lo anterior, es posible operar con números complejos como si se tratase de expresiones binómicas.

* *Psic.* Los c. más imp. son el de *castración*, como el temor al castigo de pasiones sexuales prohibidas; el de *Edipo* o fijación erótica del hijo con respecto al progenitor del sexo opuesto, y el de *Electra* o fijación erótica de la hija al padre, con rechazo o antagonismo frente a la madre.

COMPLEMENTAR tr. y prnl. Dar complemento a una cosa.

COMPLEMENTARIEDAD f. Calidad o condición de complementario. • **Principio de c.** *Fís.* Principio según el cual los fenómenos físicos pueden ser descritos en términos de ondas o de partículas.

COMPLEMENTO m. Lo que hace falta agregar a una cosa para completarla. • *Geom.* Ángulo que le falta a otro para completar uno recto. • *Geom.* Arco que, sumado con otro, completa un cuadrante. • *Gram.* Palabra o frase en que recae o se aplica la acción del verbo. • **circunstancial**. *Gram.* El que precisa el significado de la oración, expresando relaciones de lugar, modo, tiempo, causas, etc. • **directo**. *Gram.* Elemento gramatical en que recae inmediatamente la acción verbal. • **indirecto**. *Gram.* Elemento gramatical en que recae indirectamente la acción del verbo. ■ COMPLETIVO, VA.

COMPLETAR tr. Integrar, hacer cabal una cosa. • Hacerla perfecta en su clase.

COMPLETAS f. pl. Última parte del oficio divino.

COMPLETO, TA adj. Lleno, cabal. • Acabado, perfecto. ■ COMPLETITUD.

COMPLEXIÓN f. Constitución, naturaleza y relación de los sistemas orgánicos de cada individuo. • *Ret.* Figura que consiste en empezar con un mismo vocablo y en acabar igualmente con uno mismo, diverso del otro, dos o más cláusulas o miembros del periodo. ■ COMPLEXIONAL.

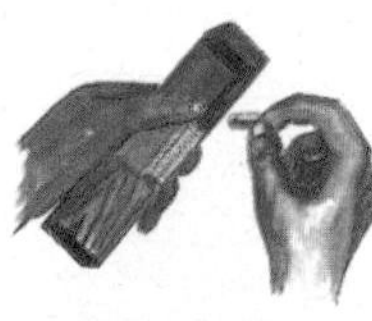

Componedor donde se alinean los tipos de cada línea

COMPLICACIÓN f. Embrollo, dificultad. • Concurrencia y encuentro de cosas diversas. • Accidente que sobreviene en el curso evolutivo de una enfermedad y que dificulta o impide su curación.

COMPLICADO, DA adj. Enmarañado, de difícil comprensión. • Compuesto de gran número de piezas. • Díc. de la persona cuyo carácter y conducta no son fáciles de entender.

COMPLICAR tr. Mezclar, unir cosas diversas entre sí. • tr. y prnl. fig. Enredar, dificultar. • prnl. Confundirse, embrollarse, enmarañarse.

CÓMPLICE com *Der.* Participante o asociado en crimen o culpa imputable a dos o más personas. • *Der.* Persona que, sin ser autora de un delito, participa sustancialmente en su perpetración. ■ COMPLICIDAD.

COMPLOT m. fam. Confabulación entre dos o más personas contra otra u otras. • fam. Trama, intriga.

COMPLOTAR intr. Confabularse, tramar una conjura.

COMPLUTENSE adj. y s. De Alcalá de Henares.

COMPLUVIO m. Abertura cuadrada o rectangular en la techumbre de las casas rom.

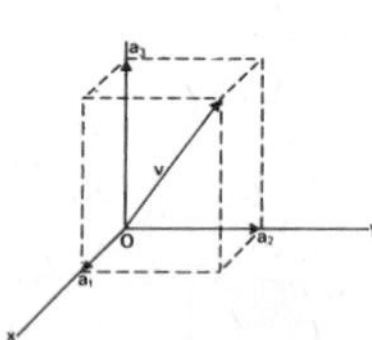

Componentes de un vector en un espacio tridimensional

COMPONEDOR, RA m. y f. Persona que compone. • m. *Art. Gráf.* Regla en la cual se colocan las letras y signos que han de componer un renglón. • Persona cuya decisión se han comprometido a acatar las partes afectadas por una divergencia. • *Amér.* Curandero.

COMPONENDA f. Cantidad que se paga en la dataría rom. por algunas bulas y licencias. • Arreglo censurable o de carácter inmoral. • fam. Acción de arreglar un asunto por vía de negociación.

COMPONENTE adj. y m. Que compone o entra en la composición de un todo. • **Componentes de un vector**. *Mat.* En un espacio vectorial en el que se ha definido una base, conjunto de parámetros que permiten expresar el vector dado en función de los vectores de la base.

COMPONER tr. Formar de varias cosas una, juntándolas y colocándolas en orden. • tr. y prnl. Constituir, formar un cuerpo o agregado de varias cosas o personas. • tr. Aderezar con varios ingredientes el vino u otras bebidas para mejorarlos. • Hablando de números, sumar o ascender a una determinada cantidad. • Ordenar, reparar lo descompuesto o roto. • Adornar una cosa. • tr. y prnl. Ataviar y engalanar a una persona. • Ajustar y concordar; poner en paz a los enemistados. • tr. Cortar algún daño eventual, acallando al que puede perjudicar. • Moderar, corregir, arreglar. • Tratándose de ciertas obras científicas, literarias o artísticas, producirlas. • fam. Reforzar, restaurar, restablecer. • *Amér.* Restituir a su lugar los huesos dislocados. • *Art. Gráf.* Formar las palabras, líneas y planas. • *Mat.* Reemplazar en una proporción cada antecedente por la suma del mismo con su consecuente. • intr. Hacer versos. • Producir obras musicales. ■ COMPONIBLE.

COMPORTA f. Especie de canasta que se utiliza para transportar las uvas en la vendimia. • *Perú.* Molde para solidificar el azufre refinado.

COMPORTAMIENTO m. Conducta, manera de comportarse. • **animal**. *Zool.* Conjunto de acciones que llevan a cabo los animales para relacionarse entre sí y con el medio que les rodea. • **social**. Modo de actuar de un grupo humano.

COMPORTAR tr. fig. Sufrir, tolerar. • prnl. Portarse, conducirse. ■ COMPORTABLE.

COMPORTE m. Proceder, modo de portarse. • Aire o manejo del cuerpo.

COMPOSICIÓN f. Acción y efecto de componer. • Ajuste, convenio entre dos o más personas. • Compostura, circunspección. • Obra científica, literaria o musical. • Ejercicio de redacción que se pone a los estudiantes. • *Gram.* Procedimiento para formar nuevas palabras que consiste en la yuxtaposición de vocablos ya existentes. • *Art. Gráf.* Conjunto de líneas, galeradas y páginas, antes de la imposición. • *Mús.* Técnica y arte de la creación musical. • *Pint.* y *Esc.* Arte de agrupar las figuras y elementos accesorios para conseguir el mejor efecto. • **de fuerzas.** *Fís.* Determinación de una fuerza *(resultante)* capaz de producir el mismo efecto que otras fuerzas *(componentes)* que actúan simultáneamente sobre un cuerpo *(sistema de fuerzas)*. • **Hacer** uno **c. de lugar**. fig. Meditar todas las circunstancias de un asunto con objeto de forjar un plan.

COMPOSITIVO, VA adj. *Gram.* Aplícase a las preposiciones o partículas con que se forman voces compuestas.

COMPOSITOR, RA adj. y s. Que compone. • Que hace composiciones musicales. • *R. de la Plata.* Díc. del que prepara un caballo para la carrera.

COMPOSTELA Mun. de México, en el est. de Nayarit; 58 800 hab. Tabaco, café, caña de azúcar. Oro, plata. Ganadería.

COMPOSTELANO, NA adj. y s. De Santiago de Compostela.

COMPOSTURA f. Construcción de un todo que consta de varias partes. • Reparo de una cosa descompuesta, maltratada o rota. • Aseo, adorno de una persona o cosa. • Mezcla o preparación con que se adultera o falsifica un género o producto. • Ajuste, convenio, arreglo. • Modestia, mesura y circunspección. • *R. de la Plata.* Acción de componer gallos o caballos.

COMPOTA f. Dulce de fruta cocida con agua y azúcar. ■ COMPOTERA.

COMPOUND (voz ing.) adj. y m. Díc. de la máquina de vapor cuyos cilindros están acoplados paralelamente para efectuar la expansión del vapor. • m. Sistema motor en que la energía de los gases de escape de un motor de émbolo es recuperada, y aprovechada en parte, por los álabes de una turbina.

COMPRA f. Acción y efecto de comprar. • Conjunto de los comestibles que se compran para el gasto diario de las casas. • Cualquier objeto comprado.

COMPRAR tr. Adquirir algo por dinero. • Sobornar.

COMPRAVENTA f. Contrato por el que una persona se obliga a transmitir a otra el dominio de una cosa, mediante una cantidad de dinero. • **mercantil**. Compra de cosas muebles para venderlas.

COMPRENDER o **COMPREHENDER** tr. Abrazar, ceñir, rodear por todas partes una cosa. • tr. y prnl. Contener, incluir en sí alguna cosa. • tr. Entender, alcanzar, penetrar. • Encontrar justificados o naturales los actos o sentimientos de otros. ■ COMPRENHENSIVO, VA; COMPRENSIBILIDAD, COMPRENSIBLE.

COMPRENSIÓN f. Acción de comprender. • Facultad, capacidad o perspicacia para entender y penetrar las cosas. • Actitud comprensiva o tolerante. • Todo conocimiento acerca de un objeto, situación, suceso, dato, etc. • *Fil.* Propiedad inherente al concepto considerado como forma lógica. ■ COMPRENSIVO, VA.

COMPRESA f. Pedazo de algodón o gasa con varios dobleces que se emplea como apósito.

COMPRESIBILIDAD f. Calidad de compresible. • *Fís.* Variación que presenta el volumen de un cuerpo al ser sometido a una variación de presión. • **adiabática**. *Fís.* Compresión en la que no hay intercambio de calor entre el gas y medio ambiente. • **isotérmica**. *Fís.* Compresión en la que el gas no sufre variación de temperatura. El módulo de c. coincide, en este caso, con el valor de la presión.

COMPRESÍMETRO m. Aparato o dispositivo capaz de medir la compresibilidad del terreno, o indicar su resistencia para recibir una cimentación.

COMPRESIÓN f. Acción y efecto de comprimir. • Acción mecánica que ejerce una fuerza exterior sobre un cuerpo, reduciendo el volumen de éste. • Uno de los tiempos del ciclo de trabajo de un motor de combustión interna. • Presión metódica ejercida, por cualquier medio, con objeto terapéutico. • *Gram.* Sinéresis. ■ COMPRESIBLE; COMPRIMIBLE.

COMPRESOR adj. y s. Que comprime. • Máquina para comprimir gases a presión superior a la atmosférica.

COMPRIMIDO, DA adj. y s. Aplastado. • m. *Farm.* Pastilla que se obtiene por compresión de sus ingredientes.

COMPRIMIR tr. y prnl. Oprimir, apretar, estrechar. • Reprimir y contener. ■ COMPRESIVO, VA.

COMPROBANTE adj. Que comprueba. • m. Recibo o cualquier otro tipo de documento que se utiliza para verificar la realización de un contrato.

COMPROBAR tr. Verificar, confirmar una cosa cotejándola con otra o repitiendo las demostraciones que la prueban y acreditan como cierta. ■ COMPROBACIÓN; COMPROBATORIO, RIA.

COMPROMETER tr. y prnl. Poner de común acuerdo en manos de un tercero la determinación de la diferencia, pleito, etc., sobre que se contiende. • Exponer a alguno, ponerle a riesgo en una acción o caso aventurado. • Constituir a uno en una obligación. • tr. Hacer a una cosa objeto de una obligación o compromiso. ■ COMPROMETEDOR, RA; COMPROMETIDO, DA; COMPROMETIMIENTO.

COMPROMISARIO adj. Persona a la que confían otras la solución de un conflicto. • m. Representante de los electores primarios para votar en elecciones de segundo o ulterior grado.

COMPROMISO m. Modo de elección en que los electores son representados por compromisarios. • Convenio entre litigantes, por el cual confían a un tercero el arbitraje de su diferencia. • Escritura o instrumento en que las partes otorgan este convenio. • Obligación contraída, palabra dada, fe empeñada. • Noviazgo y tiempo que dura. • Dificultad, embarazo, empeño. • **Estar, o poner, en c.** Estar, o poner, en duda una cosa que antes era clara y segura. ■ COMPROMISORIO, RIA.

COMPROVINCIANO, NA m. y f. Persona de la misma prov. que otra.

COMPTON, *Arthur Holly* (1892-1962) Físico norteam. Realizó imp. investigaciones sobre los rayos cósmicos. Premio Nobel de Física en 1927, con Charles Wilson. • **Efecto C**. *Fís.* Variación de la longitud de onda de los rayos X cuando existe difusión de los mismos por átomos ligeros. Confirmó inicialmente la naturaleza corpuscular de la luz.

COMPTON-BURNETT, *Ivy* (1892-1969) Novelista brit. *Más mujeres que hombres, Hermanos y hermanas, Noche y día, Dos mundos y sus maneras.*

COMPUERTA f. Media puerta que se coloca a manera de antepecho en algunas casas para no impedir el paso de la luz. • Plancha fuerte encajada en correderas laterales, por las que puede deslizarse verticalmente. • Pedazo de tela sobrepuesto, en que los comendadores de las órdenes militares llevaban la cruz al pecho.

COMPUESTO, TA adj. Formado por varias partes. • *Arq.* Díc. de un orden formado por la mezcla del jónico y el corintio. • adj. y f. *Bot.* Aplícase a plantas dicotiledóneas, herbáceas o arbustivas, que se distinguen por sus hojas simples o sencillas, y por sus flores reunidas en cabezuelas; como la dalia, el ajenjo, el alazor, la alcachofa y el cardo. • adj. *Gram.* Aplícase al vocablo formado por composición de dos o más voces simples. • *Gram.* Díc. de los tiempos de un verbo que se conjugan con el participio pasado precedido de un auxiliar. • m. Agregado de varias cosas que componen un todo. • f. pl. *Bot.* Familia de las plantas compuestas.

COMPULSA f. Acción y efecto de compulsar. • *Der.* Copia o traslado de una escritura, instrumento o autos.

COMPULSAR tr. Examinar dos o más documentos, cotejándolos o comparándolos entre sí. • *Der.* Sacar compulsas. • *Amér.* Compeler. ■ COMPULSACIÓN.

COMPULSIÓN f. *Der.* Apremio y fuerza que, por mandato de autoridad, se hace a uno, compeliéndole a que ejecute alguna cosa. • *Psic.* Conducta del individuo que busca apartar la angustia o culpabilidad que aparecería si no se cumpliera el acto en cuestión.

COMPUNCIÓN f. Sentimiento o dolor de haber cometido un pecado. • Sentimiento que causa el dolor ajeno.

COMPUNGIR tr. Mover a compunción. • prnl. Contristarse o dolerse uno de alguna culpa o pecado propio, o de la aflicción ajena. ■ COMPUNGIDO, DA.

COMPURGACIÓN f. *Der.* Purgación, refutación de los indicios de culpabilidad.

COMPURGAR tr. *Der.* Pasar por la prueba de la compurgación el acusado.

COMPUTACIÓN f. Cómputo. • Conjunto de disciplinas y técnicas desarrolladas para el tratamiento automático de la información, considerada como soporte de los conocimientos de la sociedad humana, mediante el uso de computadoras.

* *Comp.* La c. estudia los métodos y los mecanismos para, a partir de las representaciones de la información *(sonidos y grafismos)*, transformarla en datos codificados y estructurados para su manipulación y procesamiento por medios automáticos, con el fin de almacenarlos en archivos *(memoria)* y generar nuevos datos después de someterlos a operaciones lógicas y aritméticas. La c. ha penetrado en todas las esferas del mundo moderno y con las computadoras personales (P.C.), las microcomputadoras y sus aplicaciones en los campos de la robótica, la telemática, etc., ha invadido la vida doméstica y dominado todos los procesos de la sociedad actual.

COMPUTADOR, RA adj. y s. Que computa o calcula. • Calculador o caculadora, aparato o máquina de calcular, ordenador.

* *Comp.* Para que una c. realice un trabajo se requieren dos componentes que se complementan: el *hardware*, que es el conjunto de componentes electrónicos, eléctricos y mecánicos que soportan la información y realizan las operaciones básicas, y el *software*, que es el conjunto de instrucciones y datos que, almacenados en la memoria de la máquina, describen el trabajo a realizar. A un conjunto de instrucciones y datos se le denomina programa, por lo que también puede definirse el *software* como el conjunto de programas que el *hardware* ejecuta para realizar un trabajo de tratamiento de la información. El *hardware* se compone de varias unidades con funciones distintas conectadas entre sí; por ello se suele hablar de la arquitectura de una computadora cuando se describen los distintos componentes del *hardware*. La arquitectura más simple incluye una unidad de entrada, una memoria principal, una unidad central de procesamiento y una unidad de salida. Para poder ser ejecutado por la unidad central de procesamiento (UCP), el programa tiene que estar codificado en un código binario que se denomina lenguaje máquina. La UCP se encarga de ir extrayendo de la máquina instrucciones y datos, y de ejecutar las distintas operaciones mediante sus circuitos electrónicos (sumas, movimientos de datos entre distintas posiciones de memoria, comparación entre los datos, etc.). Entre estas operaciones destacan las que introducen nuevos datos en la memoria desde las unidades de entrada, o envían los resultados a las unidades de salida. Las unidades de entrada o salida pueden ser de diferentes tipos, según el soporte sobre el que se co-

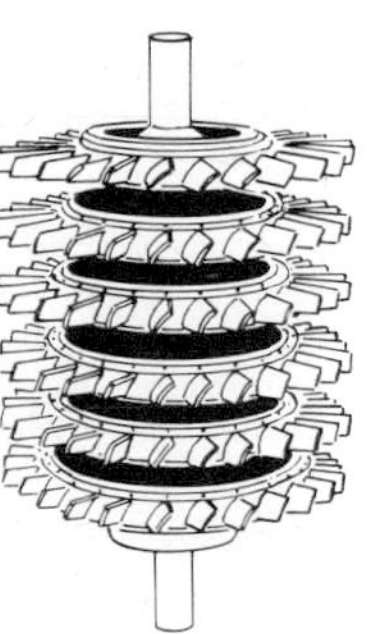

Esquema de un **compresor** de reactor

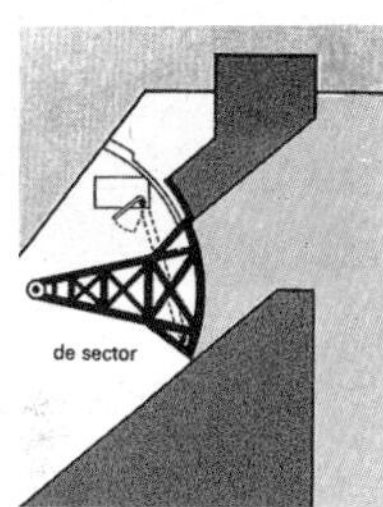

Esquema del funcionamiento de la **compuerta** de una presa

Cabezuela de una planta de la familia **compuestas**

COMPUTACIÓN

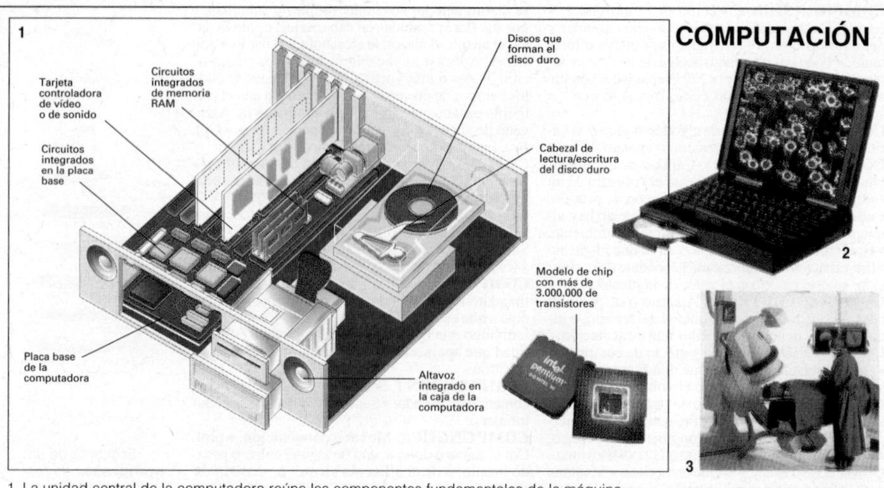

1. La unidad central de la computadora reúne los componentes fundamentales de la máquina. En ella se encuentra la placa base a la que están conectados el resto de elementos, desde los chips de memoria hasta las tarjetas controladoras de sonido e imagen, y las unidades de almacenamiento (disco duro, disquetes).
2. Una de las manifestaciones de la evolución de la computación es la reducción del tamaño de las computadoras –en la imagen, computadora portátil– a la vez que se aumentan sus prestaciones.
3. La introducción de la computación en algunos ámbitos de la ciencia ha generado una auténtica revolución, como en la medicina, en la que la computadora se ha convertido en una de las herramientas fundamentales para el diagnóstico y tratamiento de enfermedades.
4. Teclado ergonómico.
5. Esquema del proceso que siguen los datos desde su entrada en la máquina hasta su salida.
6. La robótica, basada en la computación y la automática, estudia los robots, ingenios mecánicos controlados electrónicamente, que pueden realizar tareas cada vez más complejas.

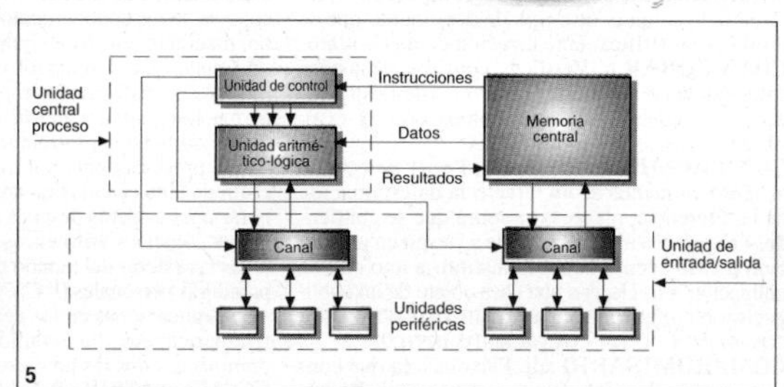

difica la información. Los soportes más corrientes son las fichas perforadas, la cinta de papel perforada, la cinta magnética y los discos de registro magnético (diskettes y discos duros); para la salida se utiliza el papel, la pantalla o los discos de registro magnético.

COMPUTAR tr. Calcular.

CÓMPUTO m. Cuenta o cálculo. • **eclesiástico.** Conjunto de cálculos necesarios para determinar en el calendario civil las fechas de celebración de las fiestas religiosas que se rigen por los ciclos lunares.

COMTE, *Auguste* (1798-1857) Filósofo fr., fundador del positivismo y padre de la sociología. Según C., el hombre atraviesa por tres estadios: el teológico, el metafísico y el positivo. En la base de todo conocimiento se encuentra la matemática. *Curso de filosofía positiva, Sistema de política positiva, Catecismo positivista.*

COMULACCIÓN f. Acumulación.

COMULGAR tr. Dar la sagrada comunión. • intr. Recibirla. • Coincidir con otro en ideas o sentimientos. ■ COMULGATORIO.

COMÚN adj. Díc. de lo que pertenece a todo el mundo. • Corriente, general. • Ordinario, vulgar, corriente y muy sabido. • Bajo, de inferior clase y despreciable. • m. Todo el pueblo de cualquier prov., pueblo o ciudad. • Comunidad; generalidad de personas. • Retrete. • **de dos.** *Gram.* Género común. • **El c. de las gentes.** exp. La mayor parte de las gentes. • **En c.** m. adv. que denota que se goza o posee una cosa por muchos sin que pertenezca a ninguno en particular. Se usa con los verbos *gozar, tener, poseer,* etc. • Juntos todos los individuos de un cuerpo; para todos generalmente. • **Por lo c.** m. adv. Comúnmente.

Detalle de *Los* ***comuneros,*** óleo de A. Gisbert. Palacio de las Cortes, Madrid

COMUNA f. *Amér.* Municipio. • Conjunto de personas que viven en comunidad al margen de convencionalismos sociales. • **popular.** Organización comunitaria establecida en las zonas rurales de China a partir de 1958. No existe la propiedad privada de la tierra y cada c. posee su propia ind. de transformación donde los campesinos hallan gratuitamente todo lo necesario.

COMUNA *(Commune)* Gobierno rev. surgido en París, de marzo a mayo de 1871, de la insurrección armada de obreros artesanos con el apoyo de la guardia nacional, contra el gobierno de Thiers.

COMUNAL adj. Común. • Díc. del patrimonio de un mun. (prados, bosques dehesas, tierras), cuyo beneficio se dedica a la cobertura de los gastos públicos, o bien es aprovechado directamente por todos los vecinos del mun. • *Amér.* Relativo a la comuna. • m. Común. conjunto de habitantes de un pueblo o lugar.

COMUNALISMO m. Sistema de utilización común de tierras, bosques, abastecimientos y otros servicios, en aldeas o pueblos agrícolas.

COMUNERO, RA adj. Popular, agradable. • Relativo a las comunidades de Castilla. • m. El que tiene parte indivisa con otro u otros en un inmueble, un derecho u otra cosa. • El que seguía el partido de las comunidades de Castilla. • pl. Pueblos que tienen comunidad de pastos.

COMUNEROS Movimientos populares del s. XVIII contra las autoridades coloniales de la América esp. Entre 1717 y 1735 se registraron mov. insurreccionales en Paraguay, resultado de la lucha de la burguesía criolla por controlar la vida municipal. En 1781, en la comunidad de Socorro, en Nueva Granada, se produjo un levantamiento contra el virrey por un aumento de los impuestos. Estos mov. son considerados como los primeros síntomas emancipadores.

COMUNICACIÓN f. Acción y efecto de comunicar. • Trato, correspondencia entre personas. • Oficio, escrito en que se comunica algo. • Cualquier medio de enlace, como caminos, canales, vías, etc. • pl. Correos, telégrafos, etc. • **de masas.** *Sociol.* La caracterizada por el uso de medios de gran potencia; prensa, radio, TV.

COMUNICADO adj. Díc. de lugares con referencia a los medios de comunicación que tienen acceso a ellos. • m. Nota, declaración o parte que se comunica para conocimiento público.

COMUNICAR tr. Hacer partícipe a otro de lo que uno tiene. • Descubrir, manifestar alguna cosa. • tr. y prnl. Conversar, tratar con otro de palabra o escrito. • Consultar con otros un asunto, tomando su parecer. • prnl. Tratándose de cosas inanimadas, tener correspondencia o paso con otras. • Dar el teléfono la señal que indica que la línea está ocupada. ■ COMUNICATIVO, VA.

COMUNIDAD f. Calidad de común, propio de todos. • Común de algún pueblo, prov. o reino. • Junta o comunidad de personas que viven unidas y bajo ciertas reglas. • pl. Movimiento rev. promovido, esencialmente, por la burguesía ind. y artesanal de algunas c. cast. contra la política de Carlos I (demanda de subsidios, concesión de cargos a extranjeros y desinterés hacia los problemas castellanos) y contra los privilegios nobiliarios. Los comuneros fueron derrotados en Villalar (1521), y sus dirigentes ejecutados. ■ COMUNITARIO, RIA.

COMUNIDAD Democrática Centroamericana Alianza formada en 1982 por El Salvador, Hond. y Costa Rica para la colaboración econ. y pacífica, aunque sin excluir una posible colaboración militar. • **Económica Europea** *(CEE)* → Unión Europea. • **Europea** (*CE*) Organización constituida como *Comunidad Económica Europea* o *Mercado Común Europeo* por el tratado de Roma (Francia, Italia, RFA, Bélgica, Luxemburgo y Países Bajos) el 25 marzo 1957, renombrada como → Unión Europea, a partir de noviembre 1993. • **Europea de Energía Atómica** *(CEEA o Euratom)* Organización creada, al igual que la CEE, por el tratado de Roma, con el fin de utilizar coordinadamente las técnicas y descubrimientos nucleares. • **Europea del Carbón y del Acero** *(CECA)* Org. creada en 1952 por la RFA, Bélgica, Francia, Italia, Luxemburgo y Países Bajos para controlar su producción de acero y carbón . • **Francesa** *(Communauté)* Asociación internacional constituida en 1958 por Francia y doce de sus ex colonias afr. Prácticamente disuelta, se ha sustituido por relaciones y acuerdos bilaterales y multilaterales, y la común org. monetaria *(CFA)*. • **Valenciana** → Valencia.

COMUNIÓN f. Participación en lo común. • Trato familiar, comunicación de unas personas con otras. • En la Iglesia católica, acto de recibir los fieles la eucaristía. • Congregación de personas que profesan la misma fe religiosa. • **de la Iglesia**, o **de los Santos.** Participación que los fieles tienen y gozan de los bienes espirituales.

COMUNISMO m. *Teor.* Sistema social basado en la colectivización de los bienes de producción, la distribución de los bienes de consumo según las necesidades individuales y la desaparición progresiva del Est. El c. fue la base ideológica de corrientes filosóficas idealistas: Platón *(La república)*, Tomás Moro y Campanella. ■ COMUNISTA

* *Hist.* En sentido estricto, el c. va unido a las corrientes socialistas de tipo marxista, a la creación de la Primera Internacional (1864) y a la experiencia de la Comuna de París (ejemplo práctico de la toma del poder por las clases trabajadoras). La teoría y la práctica comunistas van unidas a la historia del movimiento obrero, a las teorías de K. Marx, desarrolladas por Lenin, y a la rev. rusa de 1917. Los regímenes c. se convirtieron en sociedades totalmente estatalizadas; la extinción del Est. (finalidad última del c.) desapareció por completo de la práctica y la teoría c., afirmándose, por el contrario, la burocratización de la sociedad convertida en una prolongación del estado totalitario, al mismo tiempo que se consolidaba una nueva clase (la *nomenklatura*), que, gracias al control y usufructo exclusivo de los aparatos político y económico, se perpetuaba en el poder unas veces por cooptación de sus dirigentes y la mayoría mediante la aplicación del terror indiscriminado con sangrientas purgas de los opositores reales o posibles. La introducción de las reformas preconizadas por Gorbachov en 1985 (*glasnost* —transparencia— y *perestroika* —reformas—) quebraron el monolitismo del sistema, que, incapaz de funcionar en condiciones de libertad, se hundió estrepitosamente, dando paso al rechazo de los sistemas c. en las democracias populares del Este (1989-1990) para transitar a sistemas de economía de mercado y a la disolución de Yugoslavia y de la propia URSS en 1991 tras el intento de golpe de estado c. de agosto de 1991. Estos hechos provocaron que el PCUS fuera declarado fuera de la ley e incautados buena parte de sus bienes, lo que representaba el acta final de defunción del c. y del marxismo.

CON prep. que significa el medio, modo o instrumento que sirve para hacer alguna cosa. • Antepuesta al infinitivo, equivale a gerundio. • En ciertas loc., aunque. • Juntamente y en compañía.

CONAKRY Cap. de la República de Guinea, en la península de Tumbo; 763 000 hab. Centro comercial, administrativo e industrial.

CONATO m. Empeño y esfuerzo en la ejecución de una cosa. • Propensión, tendencia. • *Der.* Intento de delito. • Acto que se inicia y no se acaba.

CONCADENAR o **CONCATENAR** tr. Unir o enlazar varias cosas entre sí.

CONCATENACIÓN f. Acción y efecto de concatenar. • *Ret.* Figura que consiste en repetir la última palabra de una frase al principio de la siguiente, quedando así encadenado el período.

CONCAUSA f. Cosa que, juntamente con otra, es causa de algún efecto.

CÓNCAVO, VA adj. Que tiene la superficie más deprimida en el centro que por los bordes.

CONCEBIR intr. y tr. Quedar preñada la hembra. • fig. Formar idea, hacer concepto de una cosa, comprenderla. • tr. fig. Comenzar a sentir alguna pasión.

CONCEDER tr. Dar, otorgar. • Asentir, convenir en algún extremo con los argumentos que se oponen a la tesis sustentada.

CONCEJAL, LA m. y f. Individuo de un concejo o ayuntamiento. ■ CONCEJALÍA.

CONCEJO m. Ayuntamiento, casa y corporación municipales. • Municipio. • Sesión celebrada por los individuos de un concejo. ■ CONCEJIL.

CONCELEBRAR tr. Celebrar varios sacerdotes juntamente la misa u otra función litúrgica.

CONCENTO m. Canto acordado y armonioso de diversas voces.

CONCENTRACIÓN f. Acción, efecto de concentrar o concentrarse. • Reunión de un número considerable de personas para manifestar públicamente su conformidad o disconformidad con algún hecho, o para conmemorar algo. • Densidad de pob. en determinada área, según su distribución. • Actitud del sujeto que centra su atención en una parte de su experiencia actual. • *Quím.* En una disolución, relación entre la cantidad de soluto y la de disolución o de disolvente.

CONCENTRAR tr. y prnl. fig. Reunir en un centro o punto lo que estaba separado. • Reunirse varias o muchas personas en un mismo lugar, obedeciendo a una misma motivación. • Reunir bajo un mismo dominio la propiedad de diversas parcelas. • *Quím.* Aumentar la cantidad relativa de soluto con respecto al disolvente. • Fijar la atención, la mirada, el pensamiento, etc., sobre algo, con intensidad. • prnl. Reconcentrarse. ■ CONCENTRADO, DA.

CONCÉNTRICO, CA adj. *Geom.* Díc. de las figuras y de los sólidos que tienen un mismo centro.

CONCEPCIÓN f. Acción y efecto de concebir. • Por excelencia, la de la Virgen María. • Fiesta con que anualmente celebra la Iglesia el dogma de la Inmaculada Concepción de la Virgen, el día 8 de diciembre.

CONCEPCIÓN Prov. del centro de Chile, en la región de Biobío; 752 200 hab. Amplia llanura aluvial avenada por los r. Andalién y Biobío, y accidentada por alineaciones costeras de poca altura. Clima templado lluvioso. Cereales, vid, frutales y forraje. Ganadería. Imp. región industrial (siderurgia, alimentaria, química) y comercial. Densidad de las más

Comunismo. Lenin dirigiéndose a los obreros de la fábrica Putilov, en mayo de 1917, según Brodski

La Inmaculada ***Concepción,*** óleo de Murillo. Museo del Prado, Madrid

Diversos tipos de **conchas** de moluscos

altas del país. Cap., Concepción. C. prales. Hualqui, Talcahuano, Tomé. • Dpto. del Paraguay, en la frontera con Brasil; 18 051 km^2, 181 500 hab. Región llana, fertilizada por los r. Paraguay, Alquidabán, Ypané y Apá. Ganado bovino. Explotación forestal. Algodón, tabaco, yerba mate. Escasa pob. concentrada en la cap., Concepción, y a orillas de los r. • C. de Chile, cap. de la región de Biobío y de la prov. hom.; 307 600 hab. Con la c. de Talcahuano forma una conurbación de más de 500 000 h. Tercer gran núcleo fabril del país. Fundada por Pedro de Valdivia en 1550, fue destruida por los araucanos (1554 y 1555). Trasladada a 14 km del lugar originario por la frecuencia de movimientos sísmicos. • C. de Paraguay, cap. del dpto. hom.; 22 900 hab. Puerto sobre el Paraguay. Centro ganadero e industrial. • C. de Argentina, en la prov. de Tucumán; 61 500 hab. (con el término). Centro agrícola.

CONCEPCIÓN DE LA VEGA o **LA VEGA** C. de la República Dominicana, cap. de la prov. de La Vega; 52 132 hab. Centro comercial, agrícola y ganadero.

CONCEPCIÓN DEL URUGUAY C. de Argentina, en la prov. de Entre Ríos; 46 000 hab. Centro comercial. Ind. del cemento.

CONCEPCIÓN TUTUAPA Mun. de Guatemala, en el dpto. de San Marcos; 18 000 hab. Agricultura. Ind. artesanal.

CONCEPCIONERO, RA adj. y s. De Concepción.

CONCEPCIONISTA adj. y f. Díc. de la religiosa que pertenece a la tercera orden franciscana, llamada de la Inmaculada Concepción.

CONCEPTEAR intr. Usar frecuentemente conceptos agudos o ingeniosos.

CONCEPTIBLE adj. Que se puede concebir o imaginar. • Conceptuoso.

CONCEPTISMO m. Escuela literaria esp. del s. XVII. Constituye la base de todo el estilo barroco europeo (intenta plasmar el máximo de ideas con el mínimo de palabras). Quevedo, Gracián y Saavedra Fajardo son las figuras más representativas. Se opone al culteranismo, aunque éste no sea más que un refinamiento del c. El culteranismo se prodigó en la poesía; el c. desarrolló su estilo a través del teatro, la poesía y la prosa. ■ CONCEPTISTA.

CONCEPTO m. *Fil.* Representación simbólica de una idea abstracta y general. • Pensamiento expresado con palabras. • Sentencia, dicho ingenioso. • Opinión. • Crédito en que se tiene a una persona o cosa. ■ CONCEPTIVO, VA; CONCEPTIVOSO, SA.

CONCEPTUAL adj. Perteneciente o relativo al concepto. • **Arte c.** Movimiento que propone la desmaterialización del arte.

CONCEPTUALISMO m. *Fil.* Sistema que defiende la realidad de las nociones universales y abstractas, en cuanto son conceptos de la mente, aunque tengan existencia fuera de ella. Cabe incluir dentro del c. a filósofos como Kant, Bergson, los vitalistas y los existencialistas. ■ CONCEPTUALISTA.

Concilio Vaticano II

Concilios ecuménicos

	Lugar	Fecha	Papa
1	Nicea I	325	Silvestre I
2	Constantinopla I	381	Dámaso
3	Éfeso	431	Celestino I
4	Calcedonia	451	León I
5	Constantinopla II	553	Virgilio
6	Constantinopla III	680-681	Agatón
7	Nicea II	787	Adriano I
8	Constantinopla IV	869-870	Adriano II
9	Letrán I	1123	Calixto II
10	Letrán II	1139	Inocencio II
11	Letrán III	1179	Alejandro III
12	Letrán IV	1215	Inocencio III
13	Lyon I	1245	Inocencio IV
14	Lyon II	1274	Gregorio X
15	Vienne	1311-1312	Clemente V
16	Constanza	1414-1418	Gregorio XII-Martín V
17	Basilea-Ferrara-Florencia	1431-1442	Eugenio IV
18	Letrán V	1512-1517	Julio II-León X
19	Trento	1545-1563	Pablo III
20	Vaticano I	1869-1870	Pío IX
21	Vaticano II	1962-1965	Juan XXIII-Pablo VI

CONCEPTUAR tr. Formar concepto.

CONCERNIR intr. Atañer, tocar o pertenecer.

CONCERTANTE adj. Que concierta. • adj. y m. *Mús.* Díc. de la pieza compuesta de varias voces entre las cuales se distribuye el canto. Se aplica también a composiciones musicales de los ss. XVII-XVIII en las que participan varios instrumentos solistas.

CONCERTAR tr. Componer, ordenar. • Ajustar, tratar del precio de una cosa. • tr. y prnl. Pactar un negocio. • Traer a identidad de fines o propósitos cosas diversas o intenciones diferentes. • Acordar entre sí voces o instrumentos músicos. • Concordar una cosa con otra. • intr. Concordar, convenir entre sí una cosa con otra. • intr. y tr. Concordar en los accidentes gramaticales dos o más palabras variables. ■ CONCERTISTA.

CONCERTINA f. *Mús.* Acordeón hexagonal u octogonal.

CONCERTINO m. *Mús.* Violinista primero que en las orquestas toca los solos.

CONCESIÓN f. Acción y efecto de conceder. • Otorgamiento gubernativo para el disfrute de una explotación. • Otorgamiento que una empresa hace a otra, o a un particular, de vender sus productos en una población o país distinto. • *Ret.* Figura en que el que habla aparenta convenir en algo que se le objeta, dando a entender que aun así podrá sustentar victoriosamente su opinión. ■ CONCESIBLE; CONCESIONARIO, RIA.

CONCESIVO, VA adj. Que se concede o que puede concederse. • adj. y f. *Gram.* Díc. de la oración subordinada que expresa una dificultad para que se cumpla la acción de la oración pral., sin que esta dificultad impida el cumplimiento de la acción. • *Gram.* Díc. también de la conjunción que une la oración subordinada c. con la principal.

CONCHA f. *Zool.* Parte exterior y dura que cubre el cuerpo de muchos moluscos y crustáceos. • Ostra. • Carey, capa delgada que se saca de esta clase de tortugas. • Mueble que se coloca en el proscenio de los teatros para ocultar el apuntador. • Seno muy cerrado en la costa del mar. • fig. Cualquier cosa que tiene la figura de la concha de los animales. • fig. y fam. *Amér. Merid.* Vulva. ■ CONCHADO, DA; CONCHÍFERO, RA.

CONCHA, ***Ernesto*** (1874-1911) Escultor chil. Primer premio en el Salón Nacional de 1897 y en el Salón de París de 1908. • ***José Gutiérrez de la*** (1809-1895) General esp. Gobernador de Cuba durante los reinados de Isabel II y Alfonso XII. • ***José Vicente*** (1867-1929) Político col. Presid. (1914-1918), mantuvo la neutralidad durante la I Guerra Mundial. • ***Manuel Gutiérrez de la*** (1806-1874), MARQUÉS DEL DUERO. Militar y político esp., hermano del anterior. Capitán general de Cataluña. Al mando del ejército del Norte en la tercera guerra carlista (1874). • **Ortiz**, ***Malaquías*** (1859-1921) Político chil. Fundador del Partido Demócrata. Ocupó diversos cargos ministeriales.

CONCHABAR tr. Unir, asociar. • Mezclar la clase inferior de la lana con la superior o mediana. • tr. y prnl. *Amér.* Asalariar, contratar a alguno para un servicio de orden inferior. • prnl. fam. Unirse dos o más personas entre sí para algún fin. ■ CONCHABAMIENTO O CONCHABANZA.

CONCHABO m. En algunas partes, contrato de servicio doméstico. • *Argent.* Lugar de trabajo.

CONCHAL adj. Díc. de una seda de clase superior.

CONCHALÍ C. de Chile, en la Región Metropolitana de Santiago; 171 000 hab. Agricultura. Ganadería. Cobre.

CONCHIL m. Molusco marino gasterópodo, de concha rugosa.

CONCHILLOS, ***Lope de*** (m. 1521) Político esp. Secretario de Fernando el Católico, formó parte del Consejo del Reino durante su regencia.

CONCHO, CHA adj. *Ecuad.* Del color de las heces de la chicha o de la cerveza. • m. *Ecuad.* Túnica de la espiga de maíz. • *Chile.* El final de algo. • pl. *Chile.* Las sobras de la comida.

CONCHOS R. de México, afl. del Bravo; 587 km. Aprovechamiento hidroeléctrico.

CONCHUDO, DA adj. Díc. del animal cubierto de conchas. • fig. y fam. Astuto, cauteloso, sagaz. • *Amér.* Sinvergüenza.

CONCIENCIA f. *Fil.* Sentimiento interior por el cual una persona reconoce sus propias acciones. •

Conocimiento, noción interior del bien que debemos hacer y del mal que debemos evitar. • Conocimiento exacto y reflexivo de las cosas. • **colectiva**. Conjunto de representaciones, ideas, creencias e ideales comunes a una sociedad. • **de clase**. Conocimiento real de la clase social a la que se pertenece.
CONCIERTO m. Buen orden y disposición de las cosas. • Ajuste o convenio sobre alguna cosa. • Función de música, en que se ejecutan composiciones sueltas. • Composición musical para diversos instrumentos, en que uno o varios actúan como solistas.
CONCILIÁBULO m. Concilio no convocado por autoridad legítima.
CONCILIACIÓN f. Acción y efecto de conciliar. • Conveniencia o semejanza de una cosa con otra. • Favor o protección que uno se granjea. • *Der.* Acto de comparecencia de las partes litigantes ante el juez, para lograr un acuerdo.
CONCILIAR adj. Relativo a los concilios. • m. Persona que asiste a un concilio. • tr. Poner de acuerdo. • Conformar dos o más proposiciones o doctrinas al parecer contrarias. • prnl. Ganarse granjearse, merecer. ■ CONCILIABLE; CONCILIADOR, RA; CONCILIATIVO, VA; CONCILIATORIO, RIA.
CONCILIO m. Congreso de obispos y otros eclesiásticos de la Iglesia católica para deliberar y decidir sobre las materias de dogmas y de disciplina.
CONCINI, ***Concino*** (m. 1617) Aventurero it. Favorito de María de Médicis, regente de Francia, fue nombrado mariscal y ejerció un poder tiránico.
CONCISIÓN f. Brevedad en el modo de expresar los conceptos. ■ CONCISO, SA.
CONCITAR tr. Instigar contra otro, promover discordias. • Reunir, congregar.
CONCIUDADANO, NA m. y f. Cada uno de los ciudadanos de una misma c., respecto de los demás. • P. ext., cada uno de los naturales de una misma nación, respecto de los demás.
CONCLAVE o **CÓNCLAVE** m. Lugar donde se reúnen los cardenales en asamblea para elegir papa. • Esta misma asamblea. ■ CONCLAVISTA.
CONCLUIR tr. y prnl. Acabar o finalizar una cosa. • Determinar y resolver sobre todo lo que se ha tratado. • Inferir, deducir una verdad de otras que se admiten, demuestran o presuponen. • tr. e intr. Convencer a uno con la razón, de modo que no tenga que responder ni replicar. • tr. Rematar minuciosamente una obra. • *Der.* Poner fin a los alegatos de la defensa del derecho de una parte, después de haber respondido a los de la contraria, por no tener más que decir ni alegar.
CONCLUSIÓN f. Acción y efecto de concluir o concluirse. • Fin y determinación de una cosa. • Resolución que se ha tomado sobre una materia después de haberla ventilado. • *Der.* Cada una de las afirmaciones numeradas contenidas en el escrito de calificación penal. Se usa más en plural. • **En c.** m. adv. En suma, por último, finalmente.
CONCOIDE o **CONCOIDEO, A** adj. y f. *Geom.* Nombre genérico de varias curvas, algunas de las cuales tienen forma parecida a una concha.
CONCOMERSE prnl. fam. Mover hombros y espaldas como por comezón. • fig. Consumirse de impaciencia, pesar u otro sentimiento. ■ CONCOMIMIENTO O CONCOMIO.
CONCOMITAR tr. Acompañar una cosa a otra, u obrar juntamente con ella. ■ CONCOMITANCIA; CONCOMITANTE.
CONCÓN m. *Chile.* Autillo, ave.
CONCORD C. de EE UU, cap. del est. de Nueva Hampshire; 36 000 hab.
CONCORDACIÓN f. Coordinación, combinación o conciliación de algunas cosas.
CONCORDANCIA f. Correspondencia o conformidad de una cosa con otra. • *Gram.* Conformidad de accidentes entre dos o más palabras variables. • pl. Índice alfabético de todas las palabras de un libro, con todas las citas de los lugares en que se hallan.
CONCORDAR tr. Poner de acuerdo lo que no lo está. • intr. Convenir una cosa con otra. • intr. y tr. Formar concordancia gramatical. ■ CONCORDADOR, RA.
CONCORDATO m. Tratado que el gobierno de un Estado hace con la Santa Sede.
CONCORDE Nombre de un tipo de avión supersónico anglofrancés destinado al transporte de viajeros. Está dotado de alas en delta y nariz abatible que permite mejorar la visibilidad en el despegue y en el aterrizaje.
CONCORDIA f. Conformidad, unión de voluntades. • Ajuste entre personas que contienden. • Instrumento jurídico, quebrantar una ley, obligación o principio en el cual se contiene lo tratado y convenido entre las partes. • Unión, anillo compuesto de dos enlazados. ■ CONCORDE.
CONCORDIA C. de Argentina, en la prov. de Entre Ríos; 94 200 hab. Citricultura. Ganadería e ind. derivadas.
CONCORDIA, *La* Mun. de Venezuela, en el est. Táchira; 77 700 hab.
CONCORDIA *Mit.* Diosa rom. que simbolizaba la armonía entre la gente.
CONCRECIÓN f. Acumulación de varias partículas en una masa sólida. • *Med.* Cálculo. ■ CONCRECIONAR.
CONCRESCENCIA f. *Bot.* Crecimiento simultáneo de varios órganos de un vegetal, de modo que se confunden en una sola masa. ■ CONCRESCENTE.
CONCRETAR tr. Combinar, concordar. • Reducir a lo más esencial la materia sobre que se habla o escribe. • prnl. Reducirse a hablar de una sola cosa.
CONCRETO, TA adj. Díc. de cualquier objeto considerado en sí mismo, con exclusión de cuanto pueda serle extraño o accesorio. • *Arte.* Díc. del arte que investiga las formas plásticas y los colores puros. • *Mús.* Díc. de la música obtenida en laboratorios experimentales. • *Gram.* Díc. de las palabras que designan un ser o un objeto perceptible por los sentidos. • *Arit.* Díc. del número cuya unidad está determinada. • Díc. de las cosas que sufren concreción. • m. Concreción.
CONCUBINATO m. Vida que hacen el hombre y la mujer que habitan juntos sin estar casados. ■ CONCUBINA.
CONCÚBITO m. Cópula carnal.
CONCULCAR tr. Hollar, pisotear. • Infringir o, autorizado en debida forma.
CONCUNA f. *Col.* Especie de paloma torcaz.
CONCUÑADO, DA m. y f. Cónyuge de una persona respecto del cónyuge de otra persona hermana de aquélla. • Hermano o hermana de una de dos personas unidas en matrimonio respecto de las hermanas o hermanos de la otra.
CONCUÑO, ÑA m. y f. *Amér.* Concuñado.
CONCUPISCENCIA f. Deseo de placeres, especialmente de los sexuales. ■ CONCUPISCENTE; CONCUPISCIBLE.
CONCURRENTE adj. y s. Que concurre. • f. Epacta.
CONCURRIR intr. Juntarse en un mismo lugar o tiempo diferentes personas, sucesos o cosas. • Contribuir con una cantidad para un fin. • Convenir con otro en el parecer o dictamen. • Tomar parte en un concurso. • *Geom.* Pasar varias líneas por un mismo punto. ■ CONCURRENCIA; CONCURRIDO, DA.
CONCURSAR tr. *Der.* Declarar el estado de insolvencia de una persona que tiene acreedores. • Concurrir, tomar parte en un concurso. ■ CONCURSANTE.
CONCURSO m. Concurrencia de gente, sucesos, circunstancias, etc. • Asistencia o ayuda para una cosa. • Oposición que se hace a algún cargo o dignidad. • Llamamiento a los que quieran encargarse de ejecutar una obra o prestar un servicio, a fin de elegir la propuesta que ofrezca mayores ventajas. • Competición o prueba entre varios participantes para alcanzar un premio.
CONCUSIÓN f. Conmoción violenta. • Exacción hecha por un funcionario público en provecho propio. ■ CONCUSIONARIO, RIA.
CONDADO m. Dignidad honorífica de conde. • Territorio sobre el cual el conde ejercía señorío. • División adm. menor de EE UU, Hungría, Irlanda y Reino Unido.
CONDAMINE, *Charles Marie de la* (1701-1774) Geógrafo fr. Dirigió la primera exploración científica del Amazonas.
CONDARCO Morales, *Ramiro* (nacido 1925) Historiador y ensayista bol. *Protohistoria andina, Atlas histórico de América.*
CONDE m. Título de nobleza, entre el de marqués y vizconde. ■ CONDAL.
CONDE, *Carmen* (1907-1996) Escritora esp. Poemas en prosa (*Brocal, Júbilos, Empezando la vida*),

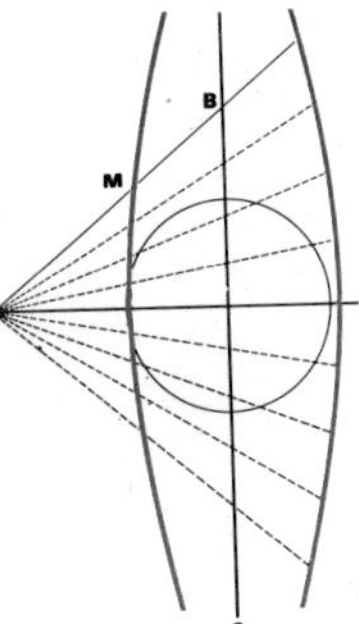

Una de las formas que adopta la **concoide** de Nicomedes

El príncipe Luis II de **Condé,** detalle de un óleo de F. J. Reim

Cóndor

El **condotiero,** óleo de Antonello de Messina. Museo del Louvre, París

Conducciones en una refinería petrolífera

versos (*Pasión del verbo, Mujer sin Edén, Iluminada tierra, Poemas del mar Menor*) y novelas (*Las oscuras raíces*). Primer miembro femenino de la Real Academia Española. • ***José Antonio*** (1765-1820) Arabista esp. *Historia de la dominación de los árabes en España. Vocabulario de los gitanos.*

CONDÉ, ***Luis I de Borbón***, PRÍNCIPE DE (1530-1569) Jefe de la familia Borbón-Condé y del partido calvinista fr. Dirigió en 1560 la fracasada conjura de Amboise contra el rey Francisco II. En 1562 se puso al frente de los protestantes en las guerras de religión. • ***Luis II***, PRÍNCIPE DE, llamado EL GRAN CONDÉ (1621-1686) Noble fr. Jefe de las tropas fr. en la guerra de los Treinta Años, aniquiló a los tercios esp. en la batalla de Rocroi (1643). Venció al año siguiente a los al. Friburgo (1644). En 1648 venció de nuevo a los esp. en Lens.

CONDECORACIÓN f. Acción y efecto de condecorar. • Insignia de honor y distinción. ■ CONDECORAR.

CONDEGA Mun. de Nicaragua, en el dpto. de Estelí; 15 200 hab. Agricultura. Ganadería.

CONDELL Maza, ***Carlos*** (1843-1887) Marino chil. Destacado combatiente de la guerra del Pacífico.

CONDENAR tr. Pronunciar el juez sentencia imponiendo al reo la pena correspondiente. • Reprobar una doctrina u opinión. • Desaprobar una cosa. • Incurrir en la pena eterna. • prnl. Culparse a sí mismo. ■ CONDENA; CONDENACIÓN; CONDENADO, DA; CONDENATORIO, RIA.

CONDENSACIÓN f. Acción y efecto de condensar o condensarse. • Proceso de condensar o hacer más compacto. • *Fís.* Licuefacción de gases y vapores por aumento de presión o sustracción de calor.

CONDENSADOR, RA adj. Que condensa. • m. Aparato para condensar el vapor, por mezcla con agua fría, o por contacto, con una superficie que hace la función de intercambiador de calor. • **eléctrico**. Sistema constituido por dos conductores dispuestos de manera que sus cargas eléctricas respectivas sean iguales y de signo contrario.

CONDENSAR tr. Convertir un vapor en líquido. • tr. y prnl. Reducir el volumen de una cosa y darle más consistencia. • tr. fig. Reducir en extensión un escrito sin quitarle nada de lo esencial.

CONDES, ***Las*** Comuna de Chile, en la Región Metropolitana de Santiago; 184 300 hab. Minas de cobre. Agricultura. Ganadería. Forma parte del Gran Santiago.

CONDESA f. Mujer del conde, o la que por sí heredó u obtuvo un condado.

CONDESCENDER intr. Acomodarse por bondad al gusto y voluntad de otro. ■ CONDESCENDENCIA; CONDESCENDIENTE.

CONDESIL adj. En lenguaje festivo, condal.

CONDESTABLE m. El que antiguamente ejercía el mando supremo del ejército. • *Mil.* El que hace las veces de sargento en las brigadas de artillería de marina. ■ CONDESTABLÍA.

CONDICIÓN f. Índole de las cosas. • Natural, carácter o genio de los hombres. • Estado, situación especial en que se halla una persona. • Calidad del nacimiento o estado de los hombres. • Calidad o circunstancia con que se hace o promete una cosa. • Acontecimiento futuro e incierto de cuya realización se hace depender un acto jurídico o sus consecuencias. • pl. Aptitud. • Circunstancias.

CONDICIONAL adj. Que incluye y lleva consigo una condición o requisito. • *Gram.* Díc. de la oración subordinada que establece una condición para que se efectúe la acción expresada en la principal. • Díc. de la conj. o loc. conj. que introduce una condición: *si, con tal que*, etc.

CONDICIONAMIENTO m. Mecanismo fisiológico de asociación entre un estímulo y un proceso de excitación que precede a una o varias iniciativas. Según Pavlov, el c. constituye el mecanismo básico de los procesos psicológicos.

CONDICIONAR intr. Convenir una cosa con otra. • tr. Hacer depender una cosa de alguna condición. ■ CONDICIONADO, DA.

CONDIGNO, NA adj. Correspondiente.

CONDILLAC, ***Étienne Bonnot de*** (1715-1780) Filósofo fr., colaborador de la *Enciclopedia*. Influido por el cartesianismo y, en menor grado, por Locke y Newton. *Ensayo sobre el origen de los conocimientos humanos, Tratado de las sensaciones.*

CÓNDILO m. *Anat.* Eminencia redondeada, en la extremidad de un hueso, que forma articulación encajando en el hueco de otro hueso.

CONDIMENTAR tr. Sazonar los manjares. ■ CONDIMENTO.

CONDISCÍPULO, LA m. y f. Persona que estudia o ha estudiado con otra u otras bajo la dirección de un mismo maestro o en un mismo centro de enseñanza.

CONDOLERSE o **CONDOLECERSE** prnl. Compadecerse de lo que otro siente o padece. ■ CONDOLENCIA.

CONDOMINIO m. *Der.* Dominio de una cosa que pertenece en común a dos o más personas. Estatuto de un territorio sometido a la soberanía conjunta de dos o más Estados.

CONDÓN m. Preservativo higiénico en forma de bolsa cilíndrica que cubre el miembro viril durante el coito. Impide la fecundación.

CONDONAR tr. Perdonar o remitir una pena o deuda. ■ CONDONACIÓN.

CÓNDOR m. *Zool.* Ave falcofirme diurna, de poco más de 1 m de largo y 3 m de envergadura, con la cabeza y cuello desnudos, plumaje de color negro azulado, y collar, espalda y parte superior de las alas blancas. Habita en los Andes. • Moneda de oro de Colombia, Chile y Ecuador.

CONDORCET, ***Marie Jean Antoine Caritat***, MARQUÉS DE (1743-1794) Filósofo, matemático y político fr. Miembro del partido girondino. Realizó investigaciones sobre cálculo integral y cálculo de probabilidades. Colaboró en la *Enciclopedia. Bosquejo de un cuadro histórico de los progresos del espíritu humano.*

CONDOTIERO m. Jefe de los soldados mercenarios. • Soldado mercenario.

CONDRILA f. Hierba de la familia compuestas, con flores amarillas en cabezuelas pequeñas. De su raíz se saca liga.

CONDRINA f. Escleroproteína que se encuentra en la sustancia que sostiene y rodea las células que constituyen el tejido cartilaginoso.

CONDRIOMA m. *Biol.* Conjunto de orgánulos celulares (mitocondrias) presentes en las células eucariotas.

CONDRIOSOMA m. *Biol.* Elemento granular que forma parte del condrioma. Se llama también mitocondria.

CONDRITO m. Meteorito del grupo de los aerolitos constituido por olivino y aleaciones de hierro-níquel.

CONDROGRAFÍA f. Parte de la anatomía que trata de la descripción de los cartílagos.

CONDROÍCTIO, TIA adj. y m. *Zool.* Díc. de los individuos de una clase de peces caracterizados por poseer un esqueleto cartilaginoso. • adj. Relativo a estos peces. • m. pl. *Zool.* Clase de dichos peces.

CONDUCHO m. Comida, bastimento.

CONDUCIR tr. Llevar, transportar de una parte a otra. • Guiar hacia un sitio. • tr. e intr. Guiar un vehículo automóvil. • tr. Dirigir, mandar. • Ajustar, concertar por precio o salario. • Convenir, ser a propósito para algún fin. • prnl. Portarse, comportarse, proceder de una determinada manera. ■ CONDUCCIÓN; CONDUCTIVO, VA; CONDUCTOR, RA.

CONDUCTA f. Conducción. • Gobierno, mando, guía, dirección. • Porte o manera con que los hombres gobiernan su vida y dirigen sus acciones. • *Psíc.* Forma particular del comportamiento humano y animal consistente en las reacciones y actitudes que produce un estímulo o situación determinada. El estudio de este comportamiento ha dado lugar a una corriente psicológica, el behaviorismo o conductismo, influenciada, en parte, por las teorías de Pavlov y muy útil en el campo de la pedagogía.

CONDUCTISMO m. Behaviorismo, doctrina psicológica que se basa en el estudio de las manifestaciones externas de la conducta.

CONDUCTIVIDAD f. *Fís.* Propiedad de un cuerpo de facilitar la propagación del calor, la electricidad, etc., a través de su propia masa.

CONDUCTO m. Canal que sirve para dar paso y salida a las aguas y otras cosas. • Cada uno de los tubos o canales que se hallan en los cuerpos organizados para la vida y sirven a las funciones fisiológicas (c. auditivo externo, c. ástico, c. hepático, etc.). • fig. Persona a través de la cual se dirige un negocio o pretensión o por quien se tiene noticia de alguna cosa.

CONDUEÑO com. Compañero de otro en el dominio o señorío de alguna cosa.

CONDUMIO m. fam. Comida.

CONDUPLICACIÓN f. *Ret.* Figura que consiste en repetir al principio de una cláusula o miembro del periodo la última palabra del miembro o cláusula inmediatamente anterior.

CONECTAR tr. *Mec. apl.* Combinar el movimiento de una máquina y el de un aparato dependiente de ella. • Poner en contacto, unir. • Enchufar un aparato o máquina a la corriente eléctrica, o apretar un botón, clavija, etc., para que funcionen. ■ CONECTADOR, RA.

CONECTIVO, VA adj. Que une partes de un mismo aparato o sistema. • *Ling.* Díc. de los elementos que funcionan como nexos. • adj. y f. *Lóg.* Díc. de todo término que no tiene significado propio (sincategoremático) y cuyo cometido es establecer conexiones o precisar el ámbito de otros términos que tienen significado propio y designan alguna cosa (categoremáticos). Entre estos últimos están los nombres, adjetivos calificativos, verbos, etc. Entre los primeros se hallan las partículas tales como «y», «o», «todos», etc. • **Tejido c.** Tejido → conjuntivo.

CONEJA f. Hembra del conejo.

CONEJERA f. Madriguera donde se crían conejos. • fig. y fam. Casa donde se junta gente de mal vivir. • fig. y fam. Sótano, cueva o lugar donde se recogen muchas personas.

CONEJILLO de Indias → Cobaya o cobayo. • fig. y fam. Individuo en quien se experimenta algo.

CONEJO m. Mamífero muy prolífico, del orden de los roedores, pelo espeso de color ordinariamente gris, orejas largas, patas posteriores más largas que las anteriores y carne comestible. ■ CONEJAL O CONEJAR; CONEJERO, RA; CONEJUNO, NA.

Conejo

CONEXIDADES f. pl. Derechos y cosas anejas a otra principal.

CONEXIÓN f. Enlace de una cosa con otra. • Unión eléctrica de dos circuitos oscilantes. • pl. Mancomunidad de ideas o de intereses. ■ CONEXIONAR.

CONEXO, XA adj. Aplícase a la cosa que está enlazada o relacionada con otra. • Díc. de una superficie cuando es posible pasar entre dos cualesquiera de sus puntos, siguiendo un camino enteramente comprendido en ella. • *Der.* Díc. de los delitos que por su relación deben ser objeto de un mismo proceso. ■ CONEXIVO, VA.

CONFABULAR intr. Conferir, tratar una cosa entre dos o más personas. • prnl. Ponerse de acuerdo dos o más personas para perjudicar a uno. ■ CONFABULACIÓN; CONFABULADOR, RA.

CONFALÓN m. Bandera, estandarte. ■ CONFALONIERO.

CONFECCIÓN f. Acción y efecto de confeccionar bebidas, medicamentos, perfumes, prendas de vestir, etc. • *Farm.* Medicamento de consistencia blanda, con cierta cantidad de jarabe o miel. • Hechura de prendas de vestir.

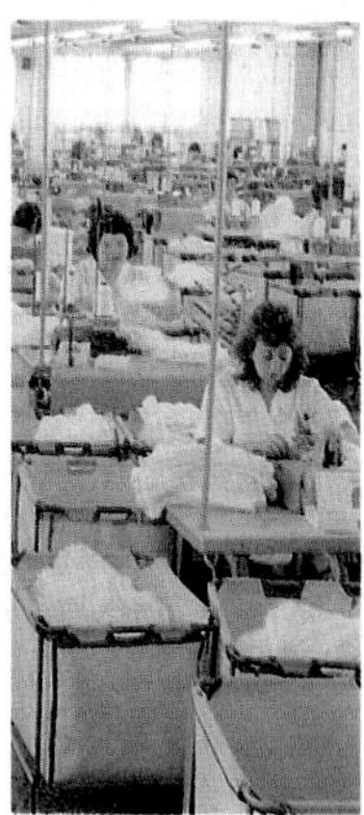
Taller de **confección** de sábanas

CONFECCIONAR tr. Hacer, preparar, componer, tratándose de obras materiales. • *Farm.* Preparar medicamentos.

CONFEDERACIÓN f. Alianza o pacto entre algunas personas, naciones o estados. • Conjunto de personas o de estados confederados. ■ CONFEDERATIVO, VA.

CONFEDERACIÓN Argentina Ant. nombre de la República Argentina (1852-1862). • **del Rin** Unión política de diversos est. al (1806-1813) propiciada por Napoleón. • **Germánica** (1815-1816) Asociación de 38 est. al. creada por el congreso de Viena. Concluyó tras un conflicto armado entre Prusia y Austria que dio lugar a la constitución de la Confederación del Norte de Alemania (1866-1871). • **Granadina** Ant. nombre de Colombia (1858-1862). • **Helvética** → Suiza. • **Peruboliviana** → Peruboliviana, Conferedación.

CONFEDERACIÓN General del Trabajo (*CGT*) Organización sindical arg., fundada en 1930, muy influida por el peronismo. Con una fuerte implantación social, representó la oposición obrera a los gobiernos que se sucedieron entre la caída de Perón (1955) y la segunda etapa peronista (1973-1976). Proscrita por la Junta militar en 1976, en 1982 reemprendió sus actividades. Se opuso a la política sindical del gobierno radical de R. Alfonsín (rechazo del proyecto de ley sindical, 1984). • **General del Trabajo** (*CGT*) Organización sindical fr. fundada en 1902. Disuelta por el gobierno de Vichy, participó en la Resistencia. El partido comunista es la fuerza con más influencia en su seno. • **Internacional de Sindicatos Libres** (*CISL*) Organización internacional de sindicatos, creada en 1949 por sindicatos nacionales de la Federación Sindical Mundial y por la Federación Norteamericana del Trabajo (AFL). • **Nacional del Trabajo** (*CNT*) Sindicato esp., de orientación anarcosindicalista, fundado en 1910. Fue una de las prales. fuerzas del país, pralm. en Cataluña y Andalucía. Durante la guerra civil (1936-1939) impulsó las colectivizaciones en Cataluña y en el frente de Aragón, y al finalizar ésta sufrió una fuerte represión. Legalizada de nuevo en 1977, no alcanzó su anterior implantación. • **Obrera Boliviana** (*COB*) Organización sindical bol. constituida en 1952 a partir de la f. de mineros, cuyo secretario general, Juan Lechín, ha sido el pral. dirigente de la organización.

CONFEDERAR tr. y prnl. Hacer alianza, liga o unión o pacto entre varios. ■ CONFEDERADO, DA.

CONFER (abrev. *cf., cfr*). Palabra latina que se utiliza para indicar una obra que se ha de consultar.

CONFERENCIA f. Reunión de varias personas para tratar un asunto. • Lección o disertación pública. • Conversación telefónica interurbana. • **episcopal**. Junta de los obispos de un territorio o de una nación.

CONFERENCIAR intr. Tratar en conferencia varias personas sobre algún asunto. ■ CONFERENCIANTE; *Amér.* CONFERENCISTA.

CONFERIR tr. Conceder, asignar a uno dignidad, empleo, facultades o derechos. • Examinar entre varias personas algún punto. • Cotejar o comparar una cosa con otra. • intr. Conferenciar. • Atribuir una cualidad.

CONFESAR tr. y prnl. Manifestar o aseverar uno sus hechos, ideas o sentimientos. • Reconocer y declarar uno, obligado por algún motivo, lo que sin ello no reconocería ni declararía. • tr. y prnl. Declarar el penitente al confesor los pecados que ha cometido. • *Der.* Declarar el reo o el litigante ante el juez. ■ CONFESANTE.

CONFESIÓN f. Declaración que uno hace de lo que sabe, espontáneamente o preguntado por otro. • Declaración, al confesor, de los pecados que uno ha cometido. • Credo religioso de cada uno. • *Der.* Declaración del litigante o del reo en el juicio. ■ CONFESIONAL.

CONFESIONARIO m. Confesonario. • Tratado o discurso en que se dan reglas para saber confesar y confesarse.

CONFESO, SA adj. Díc. del que ha confesado su delito o culpa. • adj. y s. Aplícase al judío convertido. • m. Monje lego, donado.

CONFESONARIO m. Mueble dentro del cual se coloca el sacerdote para oír las confesiones.

CONFESOR m. Cristiano que confesaba su fe en tiempos de Jesucristo. • Sacerdote que confiesa.

CONFETI m. Pedacitos de papel de color que se arrojan en algunas fiestas.

CONFIANZA f. Esperanza firme que se tiene de una persona o cosa. • Ánimo, aliento y vigor para obrar. • Presunción y vana opinión de sí mismo. • Familiaridad en el trato.

CONFIAR intr. Esperar con firmeza y seguridad. • tr. Encargar o poner al cuidado de uno algún asunto. • Depositar en uno la hacienda, el secreto u otra cosa cualquiera. • Dar esperanza a uno de que conseguirá lo que desea. ■ CONFIABLE; CONFIADO, DA.

CONFIDENCIA f. Confianza. • Revelación de un secreto. ■ CONFIDENCIAL.

CONFIDENTE, TA adj. Fiel, seguro, de confianza. • m. Canapé de dos asientos. • m. y f. Persona a quien otra fía sus secretos. • Maleante que informa a la policía. • Delator.

CONFIGURACIÓN f. Disposición de las partes que componen un cuerpo y le dan su peculiar figura. • *Comp.* Estructura de un equipo de procesamiento de datos por lo que se refiere a los atributos

Representantes israelíes en la **Conferencia** para la Paz celebrada en Madrid en 1991, que sentó en una misma mesa a árabes y judíos

de su unidad central y al tipo y número de dispositivos periféricos asociados.

CONFIGURAR tr. y prnl. Dar determinada figura a una cosa.

CONFÍN adj. Confinante. • m. Límite, raya, término. • Horizonte.

CONFINAR intr. Lindar, estar contiguo o inmediato a otro territorio, mar, río, etc. • tr. Desterrar a uno, señalándole un lugar determinado de donde no pueda salir en cierto tiempo. • intr. y prnl. Encerrar, recluir. ■ CONFINACIÓN; CONFINADO, DA; CONFINAMIENTO.

CONFINIDAD f. Proximidad, inmediación.

Quema de incienso en un templo **confucianista** de Taipeh (Taiwán)

CONFIRMACIÓN f. Acción y efecto de confirmar. • Nueva prueba de la verdad y certeza de un suceso, dictamen u otra cosa. • *Rel.* Rito de iniciación en muchas Iglesias, y uno de los siete sacramentos de la católica. ■ CONFIRMANDO, DA.

CONFIRMAR tr. Corroborar la verdad, certeza o probabilidad de una cosa. • Revalidar lo ya aprobado. • tr. y prnl. Asegurar, dar a una persona o cosa mayor firmeza o seguridad. • tr. Administrar el sacramento de la confirmación. ■ CONFIRMATORIO, RIA.

CONFISCAR tr. Privar el Est. de los bienes patrimoniales a una persona o institución y aplicarlos al fisco. • Apoderarse la policía de algo. ■ CONFISCACIÓN; CONFISCADO, DA.

CONFITAR tr. Cubrir de azúcar las frutas o cocerlas en almíbar. • fig. Endulzar. ■ CONFITADO, DA; CONFITURA.

CONFITE m. Pasta hecha de azúcar y algún otro ingrediente, gralte. en forma de bolitas de varios tamaños. Se usa más en pl. ■ CONFITERO, RA.

CONFÍTEOR m. Palabra latina con que empieza una oración. • fig. Confesión paladina de alguna falta.

CONFITERÍA f. Establecimiento donde se hacen o venden los dulces. • Industria del confitero. • *Amér.* Café donde se expenden dulces, tabacos, etc., además de bebidas.

CONFITICO o **CONFITITO** m. Labor menuda que tienen algunas colchas, parecida a los confites.

CONFITILLO m. *Cuba.* Pelo rizado de los negros. • *Cuba.* Artemisa silvestre. • Confitico.

Confucio

CONFLAGRACIÓN f. Incendio. • fig. Perturbación repentina y violenta de pueblos o naciones. • P. ext., guerra.

CONFLAGRAR tr. Inflamar, incendiar, quemar alguna cosa.

CONFLICTO m. Colisión u oposición de intereses, derechos, pretensiones, etc. • Lo más recio de un combate. • Punto en que aparece incierto el resultado de la pelea. • fig. Angustia interior. • fig. Apuro, situación desgraciada y de difícil salida. ■ CONFLICTIVO, VA.

CONFLUENCIA f. Acción de confluir. • Lugar donde confluyen los ríos o los caminos. • *Anat.* Punto de reunión de varios conductos o vasos. ■ CONFLUENTE.

CONFLUIR intr. Juntarse dos o más ríos u otras corrientes de agua en un mismo lugar. • fig. Juntarse en un punto dos o más caminos. • fig. Concurrir en un sitio mucha gente que viene de diversas partes.

CONFORMACIÓN f. Colocación, distribución de las partes que forman una cosa. • Aspecto de una determinada estructura anatómica.

CONFORMADOR m. Aparato con que los sombrereros toman la medida de la cabeza.

CONFORMAR tr., intr. y prnl. Ajustar una cosa con otra. • intr. y prnl. Convenir una persona con otra. • prnl. Sujetarse uno voluntariamente a hacer o sufrir una cosa que le desagrada.

CONFORME adj. Igual, correspondiente. • Acorde con otro en un mismo dictamen, o unido con él para alguna acción o empresa. • Resignado en las adversidades. • adv. modo que denota relaciones de conformidad, correspondencia o modo, equivaliendo más comúnmente o con arreglo a, al tenor de, en proporción o correspondencia a, o de la misma suerte o manera que.

CONFORMIDAD f. Semejanza entre dos personas. • Igualdad, correspondencia de una cosa con otra. • Unión, concordia y buena correspondencia entre dos o más personas. • Simetría y proporción entre las partes que componen un todo. • Adhesión íntima y total de una persona a otra. • Tolerancia y sufrimiento en las adversidades.

CONFORMISTA adj. y s. Que acepta las normas establecidas. ■ CONFORMISMO.

CONFORT (voz fr.) m. Comodidad.

CONFORTANTE adj. y s. Que conforta. • m. Mitón.

CONFORTAR tr. y prnl. Dar vigor, espíritu y fuerza. • Animar, alentar, consolar al afligido. ■ CONFORTABLE; CONFORTACIÓN; CONFORTAMIENTO; CONFORTATIVO, VA; CONFORTE.

CONFRACTAR tr. Romper, quebrar.

CONFRATERNIDAD f. Hermandad de parentesco o por amistad. • Vínculo que establece.

CONFRATERNIZAR intr. Fraternizar, establecer buenas relaciones.

CONFRONTAR tr. Carear una persona con otra. • Cotejar una cosa con otra. • intr. Confinar, lindar • tr. y prnl. Estar o ponerse una persona o cosa frente a otra. • fig. Congeniar una persona con otra. ■ CONFRONTACIÓN.

CONFUCIANISMO m. *Rel.* Sistema filosófico y religioso originado en las enseñanzas de Confucio.

CONFUCIANISTA adj. Relativo a Confucio.

CONFUCIO (h. 551-479 a. C.) Filósofo chino. Creador del confucianismo. Pasó una parte de su existencia en peregrinación (496-483), con el propósito estéril de que los señores feudales procuraran detener con reformas la decadencia de la dinastía Chou. Publicó los seis *Clásicos*, especie de notas de historiografía, música y principios de culto, convencido de que con tales escritos lograría contener los males de su época.

CONFULGENCIA f. Brillo simultáneo.

CONFUNDIR tr. y prnl. Mezclar cosas diversas de modo que las partes de las unas se incorporen con las de las otras. • tr. Barajar confusamente diferentes cosas que estaban ordenadas. • tr. y prnl. Equivocar, perturbar, desordenar una cosa. • tr. fig. Convencer o concluir a uno en la disputa. • tr. y prnl. fig. Humillar, abatir, avergonzar. ■ CONFUNDIMIENTO; CONFUSO, SA.

CONFUSIÓN f. Acción y efecto de confundir. • Falta de orden, de concierto y de claridad. • fig. Perplejidad, desasosiego. • Acción de tomar una cosa por otra. • fig. Abatimiento, humillación. • fig. Afrenta, ignominia. • *Psic.* Estado de ánimo que se caracteriza por la carencia de pensamientos claros, por trastornos emotivos y, a veces, por trastornos de la percepción. • **mental**. *Pat.* Estado caracterizado por torpeza intelectual e incoherente de ideas.

CONFUSIONISMO m. Confusión y oscuridad en las ideas o en el lenguaje.

CONFUTAR tr. Impugnar de modo convincente la opinión contraria. ■ CONFUTACIÓN; CONFUTATORIO, RIA.

CONGA f. *Cuba.* Baile popular de origen afr. • Música con que se acompaña. • *Cuba.* Hutía mayor que la rata, de color ceniciento o rojizo. • *Col.* Hormiga grande y venenosa.

CONGAR, ***Yves Marie-Joseph*** (1904-1995) Teólogo fr., dominico. *Ensayos sobre el misterio de la Iglesia, Jalones para una teología del laicado, La tradición y las tradiciones.*

CONGELAR tr. y prnl. Solidificar o endurecer un líquido sometiéndolo a la acción del frío. • tr. Someter a muy baja temperatura carnes, pescados y otros alimentos para que se conserven hasta el momento de su consumo. • tr. y prnl. Dañar el frío los tejidos orgánicos y especialmente producir la necrosis de una parte extrema expuesta a bajas temperaturas. • tr. Inmovilizar un gobierno fondos o créditos particulares prohibiendo toda clase de operaciones con ellos. • Declarar inmodificables los salarios o los precios. ■ CONGELACIÓN; CONGELADOR, RA; CONGELAMIENTO.

CONGÉNERE adj. y s. Del mismo género, de un mismo origen o de la propia derivación.

CONGENIAR intr. Tener dos o más personas genio, carácter o inclinaciones que concuerdan fácilmente. ■ CONGENIAL.

CONGÉNITO, TA adj. Que se engendra juntamente con otra cosa. • Connatural.

CONGERIE f. Cúmulo o montón de cosas. • Sinatroísmo.

CONGESTIÓN f. *Fisiol.* Acumulación excesiva de sangre en alguna parte del cuerpo. • Aglomeración excesiva de personas o vehículos. ■ CONGESTIONAR; CONGESTIVO, VA.

CONGLOBAR tr. y prnl. Unir, juntar cosas o partes, de modo que formen un conjunto o montón. ■ CONGLOBACIÓN.

CONGLOMERAR tr. Aglomerar. • prnl. Unirse fragmentos de una o diversas sustancias con tal coherencia que resulte una masa compacta. ■ CONGLOMERACIÓN; CONGLOMERADO; CONGLOMERANTE.

CONGLUTINAR tr. Unir, pegar una cosa con otra. • prnl. Reunirse y ligarse entre sí fragmentos, glóbulos o corpúsculos, de modo que resulte un cuerpo compacto. ■ CONGLUTINACIÓN; CONGLUTINATIVO, VA; CONGLUTINOSO, SA.

CONGLUTININA f. *Biol.* Anticuerpo que se extrae del suero y que tiene la propiedad de producir conglutinación.

CONGO, GA adj. y s. Congoleño. • m. *Cuba* y *Méx.* Hueso fémur de la patas posterior del cerdo. • *Hond.* Pez acantopterigio. • *C. Rica* y *Salv.* Mono aullador.

CONGO Río de África ecuatorial. Nace en el Lualaba (República Democrática del Congo), y desemboca en el Atlántico; 4 650 km.

CONGO, *Reino del* Antiguo estado del África ecuatorial, en el NO de la actual Angola y áreas vecinas. Fundado a principios del s. XIV, desapareció a finales del s. XVII.

CONGO, *República del* (*République du Congo*) Ant. Congo Medio fr. Estado del África central. Bañado al SO por el océano Atlántico y limítrofe al O con Gabón, al N con Camerún y la Rep. Centroafricana, al E y S con Rep. Dem. del Congo y al SO con el enclave de Cabinda. La mayor parte del país está ocupada por una vasta meseta, avenada por el r. Congo. Clima ecuatorial cálido y húmedo. Al N se extiende la sabana y al S la selva.

* *Hist.* El terr. estaba ocupado por varios reinos indígenas (vili, bateké) antes de la llegada de los port. (1472). Durante los ss. XVI a XIX fue un imp. centro de la trata de esclavos. En el s. XIX se establecieron factorías fr. en la costa, y en 1891 se creó la colonia del Congo fr., integrada en 1910 en el África Ecuatorial Francesa. Accedió a la indep. en 1960. El primer presid., Fulbert Youlou, fue derrocado en 1963. Desde entonces se han sucedido numerosos golpes de Est. Marien Ngouabi estableció un régimen de partido único (Constitución de 1970). En 1977 fue asesinado. Denis Sassou-Nguesso, miembro del comité militar que asumió el poder, fue elegido presid. en 1979 y reelegido en 1984 y 1989. Pero en 1991 fue depuesto por un gobierno de transición y nombrado André Milongo, derrocado, en 1992, por un golpe militar. Sin embargo, el proceso de transición democrática culminó con la elección de un nuevo presid., Pascal Lissouba. En 1997, Sassou-Nguesso, tras varios meses de guerra civil, derrocó al presid. Lissouba con la ayuda de Francia y se hizo con el poder.

REPÚBLICA DEL CONGO

Superficie 342 000 km²

Población 2 583 000 hab. (7 hab./km²)

Recursos económicos	
Aceite de palma	14 500 t
Ananás	12 000 t
Bananas	44 000 t
Cacahuetes	25 000 t
Caña de azúcar	27 000 ha
Cemento	58 000 t
Energía eléctrica	435 millones de kwh
Cabaña bovina	68 000 cabezas
Cabaña caprina	305 000 cabezas
Cabaña ovina	111 000 cabezas
Gas natural	2 000 000 m³
Petróleo	9 158 000 t
Riqueza forestal	3 639 000 m³
Indicadores sociológicos	
PNB	1 784 millones de dólares
Renta per cápita	680 dólares
Esperanza de vida	51 años
Alfabetismo	75 %

CONGO, *República Democrática del* (*République Democratique du Congo*) Est. de África ecuatorial (ant. *Congo-Kinshasa*). Limita al N con Sudán, República Centroafricana y Congo; al E con Uganda, Ruanda, Burundi y Tanzania; al S y SE con Zambia; al SO con Angola; y al O, con el Atlántico. Macizos de Ruwenzori (5 119 m) y de Karasimbi (4 507 m); montes de Cristal (750 m). R. Congo y sus afl., Lomami, Ubangui y Kasai. Lagos Alberto, Eduardo, Kivu, Tanganica y Moero. Clima ecuatorial. Selva, sabana arbolada y bosque-galería. Agricultura de subsistencia (mandioca, maíz, batata, mijo, sorgo) y cultivos de exportación (algodón, cacahuete, café, cacao, caucho). Maderas preciosas. Cobre, cobalto, cinc, manganeso, oro, estaño, uranio, diamantes. Ind. textil, química, de transformación de minerales y de derivados agropecuarios. Lenguas: fr. (of.), variantes del bantú y sudanesas. *Rel.*: Animismo (mayoría), catolicismo, protestantismo, islamismo. U. M.: el franco congoleño. Cap., Kinshasa.

República del Congo. Arriba, mapa de situación y bandera; abajo, máscara teké

REPÚBLICA DEMOCRÁTICA DEL CONGO

Superficie 2 344 885 km²

Población 46 674 000 hab. (19 hab./km²)

Recursos económicos	
Aceite de palma	182 000 t
Cabaña bovina	1 480 000 cabezas
Cabaña caprina	4 220 000 cabezas
Cabaña ovina	1 050 000 cabezas
Café	102 000 t
Caucho	12 000 t
Cemento	150 000 t
Cerveza	1 607 000 hl
Cobalto	2 000 t
Cobre	235 000 t
Diamantes	17 000 000 quilates
Energía eléctrica	6 155 millones de kWh
Estaño	700 t
Oro	1 083 kg
Pesca	194 000 t
Plata	60 000 kg
Riqueza forestal	45 927 000 m³
Tejidos de algodón	61 000 m²
Indicadores sociológicos	
PNB	5 313 millones de dólares
Renta per cápita	120 dólares
Esperanza de vida	53 años
Alfabetismo	77 %

* *Hist.* En 1885 el territorio se constituyó como Est. indep. del Congo, propiedad personal de Leopoldo II, el rey de Bélgica. Éste hubo de ceder su posesión al Est. belga en 1908, con lo que el terr. pasó a denominarse Congo Belga. En 1960 el rey Balduino concedió la indep. del Congo, siendo elegido presid. Joseph Kasavubu. A los pocos días de la indep. se produjo la insurrección de la fuerza pública, la intervención militar belga y la secesión de los est. de Kasai y Katanga, dirigida por Tshombé y sostenida por los belgas. Lumumba y Kasavubu se destituyeron el uno al otro, y el coronel Mobutu tomó el poder. En 1964 estalló una rebelión campesina dirigida por ant. lumumbistas que se apoderaron del E del país. Mobutu suprimió los partidos políticos y asumió la jefatura del Est. En 1967 el Congo-Leopoldville se constituyó en República Democrática del Congo, y en 1971 cambió su nombre por el de Zaire. A partir de entonces, Mobutu fue reelegido en varias ocasiones, al tiempo que la situación del país se deterioraba (epidemia del virus Ébola). En 1996 estalló en el E del país una revuelta que, dirigida por Laurent Kabila, culminó en mayo de 1997 con la caída de Kinshasa, la huida de Mobutu, y la toma del poder por parte de Kabila, que dio al país el nombre actual. En 1998 se inició una nueva revuelta en el E que desembocó en una guerra abierta en la que se implicaron los países vecinos. En enero de 2001 Laurent Kabila fue asesinado y su hijo Joseph asumió la presidencia.

CONGO, *El* Mun. de El Salvador, en el dpto. de Santa Ana; 11 800 hab. Agricultura. Ganadería. Turismo.

República Democrática del Congo. Arriba, mapa de situación y bandera

CONGOJA f. Desmayo, fatiga, angustia y aflicción. ■ CONGOJOSO, SA.
CONGOJAR tr. y prnl. Acongojar.
CONGOLA f. *Col.* Pipa de fumar.
CONGOLONA f. *C. Rica.* Gallina silvestre.
CONGOROCHO m. *Ven.* Especie de ciempiés.
CONGOSTO m. Pequeño desfiladero abierto por un río a través de rocas duras.
CONGRACIAR tr. y prnl. Conseguir la benevolencia o el afecto de uno. ■ CONGRACIADOR, RA; CONGRACIAMIENTO.
CONGRAINS Martín, *Enrique* (nacido 1932) Escritor per. *Lima hora cero, Kikuyo, No una sino muchas muertes.*
CONGRATULAR tr. y prnl. Felicitar. ■ CONGRATULACIÓN; CONGRATULATORIO, RIA.
CONGREGACIÓN f. Junta para tratar de uno o más asuntos. • En algunas órdenes religiosas, reunión de muchos monasterios bajo la dirección de un superior general. • Cofradía, sociedad de cofrades. • Cuerpo o comunidad de sacerdotes seculares, dedicados al ejercicio de los ministerios eclesiásticos, bajo ciertas constituciones. • En la corte pontificia, cualquiera de las juntas compuestas de cardenales, prelados y otras personas. • En algunas órdenes regulares, capítulo, junta de clérigos o religiosos. • **de los fieles**. Iglesia católica o universal. ■ CONGREGANTE, TA.
CONGREGACIONALISMO m. Dentro de la Iglesia protestante, doctrina que defiende la autonomía de cada comunidad cristiana. ■ CONGREGACIONALISTA.
CONGREGAR tr. y prnl. Juntar, reunir.
CONGRESO m. Junta o reunión de varias personas para deliberar sobre algún asunto científico, político, etc. • Cópula carnal. • En algunos países, asamblea nacional. • **eucarístico**. Asamblea de fieles y clérigos cristianos. ■ CONGRESAL; CONGRESISTA.
CONGRESO de Organizaciones Industriales *(Congress of Industrial Organizations, CIO)* Organización sindical norteam., creada en 1935. En 1956 se unió a la AFL, formando un poderoso sindicato.
CONGREVE, *William* (1670-1729) Dramaturgo brit., el más imp. de la Restauración. *El solterón, El falso amigo, Amor por amor, La esposa doliente, Así anda el mundo.* • SIR ***William*** (1772-1828) General brit. Inventó el cohete que lleva su nombre. Ideó un procedimiento para imprimir en varios colores; perfeccionó la fabricación de la pólvora y formó una sociedad de alumbrado público por medio de gas.
CÓNGRIDO, DA adj. y m. *Zool.* Díc. de peces teleóstomos anguiliformes, de cuerpo robusto, piel revestida de mucosidad, cabeza alargada, mandíbula superior prominente y aleta dorsal prolongada. • m. pl. *Zool.* Familia de estos peces.

cóngrido

CONGRIO m. Pez anguiliforme, con el cuerpo gris oscuro, cilíndrico, bordes negros en las aletas dorsal y anal, y carne blanca y comestible.
CONGRUA f. Renta que debe tener el que se ha de ordenar *in sacris.*
CONGRUENCIA f. Conveniencia, oportunidad. • *Mat.* Relación de equivalencia en el conjunto de números enteros, por la que éstos se clasifican según su resto al dividirlos por otro llamado módulo. ■ CONGRUENTE; CONGRUO, GRUA.
CONHORTAR tr. Consolar.
CONICIDAD f. *Geom.* Calidad de cónico. • Forma o figura cónica.
CÓNICO, CA adj. Relativo al cono. • De forma de cono. • adj. y f. *Geom.* Díc. de la curva que resulta de la intersección de una superficie cónica con un plano. • **Superficie c.** La originada por una recta al girar alrededor de otra que la corta.
CONIDIO m. *Bot.* Tipo de espora vegetal que se forma por gemación en el extremo de una hifa (conidióforo).
CONIDIÓFORO m. *Bot.* Tipo especial de esporangio, que forma esporas exógenas o externas, llamadas conidios.
CONÍFERO, RA adj. y s. *Bot.* Aplícase a árboles y arbustos dicotiledóneos, de hojas lineales y persistentes, fruto cónico, y ramas de contorno también cónico, como el ciprés, el pino y la sabina. • f. pl. *Bot.* Clase de estas plantas.

Pino silvestre, árbol de la clase **coníferas**

CONIFORME adj. *Geom.* Cónico, por su figura.
CONIMBRICENSE adj. y s. De Coimbra.
CONIRROSTRO adj. y s. *Zool.* Díc. del pájaro granívoro que tiene el pico grueso, fuerte y cónico, como el gorrión y la alondra. • m. pl. *Zool.* Suborden de estos pájaros.
CONIVALVO, VA adj. *Zool.* De concha cónica.
CONJETURAR tr. Formar juicio probable de una cosa por indicios y observaciones. ■ CONJETURA, CONJETURAL.
CONJUGACIÓN f. Acción y efecto de conjugar. • *Biol.* Mecanismo por el que dos células bacterianas libres se unen temporalmente intercambiando material genético. • *Gram.* Serie ordenada de todas las voces de varia inflexión con que el verbo expresa sus diferentes modos, tiempos, números y personas. En cast. hay tres distintas clases de conjugaciones, y pertenecen respectivamente, a la primera, la segunda y la tercera los verbos cuyos infinitivos acaban en *ar, er* o *ir*.
CONJUGADO, DA • adj. *Geom.* Aplícase a cualquier elemento geométrico (punto, recta, plano) relacionado con otro por alguna ley o relación determinada. • adj. y f. *Bot.* Díc. de las algas verdes de la subclase conjugadas. • f. pl. Subclase de algas verdes unicelulares o pluricelulares filamentosas, sin flagelos y revestidas de membranas, gralte. mucilaginosas. Son propias de aguas dulces. • **de un número complejo**. *Álg.* Es el número complejo con la misma parte real que el dado y cuya parte imaginaria tiene el mismo valor absoluto y signo contrario que la del dado.
CONJUGAR tr. Enlazar o coordinar. • Escribir o decir un verbo con sus distintas inflexiones de modo, tiempo, número y personas.
CONJUNCIÓN f. Junta, unión. • *Astr.* Posición de dos cuerpos celestes tal que al proyectarlos sobre la eclíptica o sobre el ecuador celeste resultan alineados con la Tierra. • *Gram.* Parte de la oración o clase de palabras que sirven para unir dos frases o miembros de ellas. • **adversativa**. La que denota oposición o diferencia entre la frase que precede y la que sigue. • **causal**. La que precede a la oración en que se motiva lo manifestado anteriormente. • **comparativa**. La que denota idea de comparación. • **compuesta**. Modo conjuntivo. • **condicional**. La que denota condición o necesidad de que se verifique alguna circunstancia. • **consecutiva**. La que implica o denota idea de continuación. • **copulativa**. La que junta y enlaza simplemente una cosa con otra. • **distributiva**. La disyuntiva cuando se reitera aplicada a términos diversos. • **disyuntiva**. La que denota separación, diferencia o alternativa entre dos o más personas, cosas o ideas. • **dubitativa**. La que implica o denota duda. • **final**. La que denota el fin u objeto de lo manifestado anteriormente. • **ilativa**. La que enuncia una ilación o consecuencia de lo que anteriormente se ha manifestado.
CONJUNTAR tr. y prnl. Lograr una actuación de conjunto armoniosa y homogénea en equipos deportivos, orquestas, etc. ■ CONJUNTADO, DA.
CONJUNTIVITIS f. *Med.* Inflamación de la conjuntiva.
CONJUNTIVO, VA adj. Que junta y une una cosa con otra. • Relativo a la conjunción. • *Biol.* Díc. de un tejido mecánico, de unión o conectivo, derivado del mesénquima, formado por células gralte. estrelladas y por fibras, además de una sustancia que se convierte en gelatina. • f. Membrana mucosa que cubre la parte anterior del globo ocular y se extiende por la superficie interna del párpado. ■ CONJUNTIVAL.
CONJUNTO, TA adj. Unido o contiguo a otra cosa. • Mezclado, incorporado con otra cosa diversa. • fig. Aliado, unido a otro por el vínculo de parentesco o de amistad. • m. Reunión de varias personas o cosas que forman un todo. • Juego de prendas de vestir que se llevan al mismo tiempo. • Colección de elementos u objetos que poseen unas características comunes. • *Mat.* Serie de elementos matemáticos definidos por una propiedad característica que permite conocer si un elemento determinado pertenece o no a la referida serie.

Cono engendrado por el triángulo OAV al girar sobre su lado OV

CONJUNTOR m. Aparato que sirve para establecer conexiones o conmutaciones al introducirle una clavija. También se le llama *jack*.
CONJURAMENTAR tr. Tomar juramento a uno. • prnl. Juramentarse.

CONJURAR intr. y prnl. Ligarse con otro, mediante juramento, para algún fin. • intr. fig. Conspirar, uniéndose muchas personas contra alguien. • tr. Juramentar, tomar juramento. • Exorcizar. • fig. Impedir, evitar, alejar un daño o peligro. ■ CONJURA; CONJURACIÓN; CONJURADO, DA; CONJURO.

CONKLIN, *Edwin G.* (1863-1952) Biólogo norteam. Especialista en embriología, herencia y citología. *Herencia y medio ambiente en la evolución del hombre, Libertad y responsabilidad.*

CONLLEVAR tr. Ayudar a uno a sufrir un trabajo o penalidad. • Sufrir a uno, tolerarle. • Ejercitar la paciencia en los casos adversos.

CONMEMORACIÓN f. Memoria o recuerdo que se hace de una persona o cosa. • Acto, o conjunto de actos, realizados con este fin. • En el oficio eclesiástico, memoria que se hace de un santo, feria, vigilia o infraoctava en las vísperas, laudes y misa, cuando el rezo del día es de otro santo o festividad mayor. ■ CONMEMORAR; CONMEMORATIVO, VA O CONMEMORATORIO, RIA.

CONMENSURAR tr. Medir con igualdad o debida proporción. ■ CONMENSURABLE.

CONMIGO Ablativo de sing. del pron. personal de 1ª pers. en gén. masculino y femenino.

CONMILITÓN m. Soldado compañero de otro.

CONMINAR tr. Amenazar con daños o castigos. • *Der.* Intimar la autoridad un mandato, bajo apercibimiento de corrección o pena determinada. ■ CONMINACIÓN; CONMINATIVO, VA; CONMINATORIO, RIA.

CONMINUTA adj. *Cir.* Aplícase a la fractura en que el hueso queda reducido a fragmentos menudos.

CONMISERACIÓN f. Compasión que uno tiene del mal de otro. ■ CONMISERATIVO, VA.

CONMISERARSE prnl. *Perú.* Tener conmiseración de alguien.

CONMISTIÓN o **CONMIXTIÓN** f. *Der.* Mezcla de cosas diversas de distintos dueños.

CONMOCIÓN f. Sacudida, perturbación del ánimo o del cuerpo. • Tumulto, levantamiento, alteración de un Est., prov. o pueblo. • Movimiento sísmico muy perceptible. • **cerebral**. Trastorno cerebral funcional transitorio, consecuencia de un traumatismo craneal. ■ CONMOCIONAR.

CONMONITORIO m. Memoria o relación por escrito de algunas cosas o noticias.

CONMORACIÓN f. *Ret.* Expolición.

CONMOVER tr. y prnl. Perturbar, inquietar, alterar, mover fuertemente o con eficacia. • Enternecer, mover a compasión. ■ CONMOVEDOR, RA.

CONMUTA f. *Amér.* Conmutación.

CONMUTAR tr. Trocar, cambiar, permutar una cosa por otra. ■ CONMUTABILIDAD; CONMUTABLE; CONMUTACIÓN; CONMUTADOR, RA; CONMUTATRIZ.

CONMUTATIVO, VA adj. Concerniente al cambio. • **Propiedad c.** *Mat.* Para una operación definida en un conjunto, propiedad de que el resultado sea independiente del orden de los elementos que se operan.

CONNATURAL adj. Propio o conforme a la naturaleza del ser viviente.

CONNATURALIZARSE prnl. Acostumbrarse uno a aquellas cosas a que antes no estaba acostumbrado. ■ CONNATURALIZACIÓN.

CONNECTICUT Est. del NE de EE UU, a orillas del estr. de Long Insland; 12 997 km², 3 287 000 hab. Cap., Hartford. Relieve dominado por el valle del río hom. Clima continental húmedo. Ind. mecánica, textil y metalúrgica. Centrales térmicas de energía eléctrica. • Río del NE de EE UU; 580 km. Nace en el lago hom., junto a la frontera canadiense y desemboca en el Atlántico, en el estr. de Long Island.

CONNIVENCIA f. Disimulo o tolerancia en el superior acerca de las transgresiones que cometen sus súbditos. • Confabulación.

CONNIVENTE adj. *Bot.* Díc. de las hojas o partes de la planta que tienden a aproximarse. • Que tiene connivencia.

CONNOLLY, *James* (1870-1916) Político irl. Divulgador del socialismo en su país. Partidario de la indep. de Irlanda, dirigió una rebelión, en 1916, contra la dominación brit. Fue apresado y ejecutado.

CONNOTACIÓN f. Acción y efecto de connotar. • Parentesco en grado remoto. • *Ling.* Valor significativo secundario de una palabra. • *Lóg.* Comprensión de un concepto.

CONNOTADO, DA adj. *Amér.* Distinguido, notable. • m. Connotación, parentesco lejano.

CONNOTAR tr. Hacer relación. • Significar la palabra varias ideas, una pral. y las demás complementarias. ■ CONNOTATIVO, VA.

CONNUBIO m. Matrimonio, casamiento.

CONNUMERAR tr. Contar una cosa o hacer mención de ella entre otras.

CONO m. *Bot.* Fruto de las coníferas. • *Geom.* Sólido limitado por una superficie cónica. • Cualquier objeto de forma cónica. • Célula sensible a la luz que forma parte de la retina. • **de deyección**. Zona terminal de un torrente, por la que éste desemboca en un valle principal. • **de luz**. *Fís.* Haz de rayos luminosos limitado por una superficie cónica, gralte. circular. • **de sombra**. *Fís.* Espacio ocupado por la sombra que proyecta un cuerpo, gralte. esférico. • **truncado**. *Geom.* Tronco de c. ■ CONOIDEO, A.

CONOCER tr. Averiguar por el ejercicio de las facultades intelectuales la naturaleza, cualidades y relaciones de las cosas. • Entender, advertir, saber, echar de ver. • Percibir el objeto como distinto de todo lo que no es él. • tr. y prnl. Tener trato y comunicación con alguno. • tr. Presumir o conjeturar lo que puede suceder. • Entender en un asunto con facultad legítima para ello. • Reconocer, confesar. • fig. Tener una persona contacto sexual con otra. • prnl. Juzgar justamente de sí propio. ■ CONOCEDOR, RA; CONOCIBLE; CONOCIDO, DA.

CONOCIMIENTO m. Acción y efecto de conocer. • Entendimiento, inteligencia, razón natural. • Conocido, sin ser amigo. • Sentido, dominio de las facultades en el hombre. • Documento que contiene el estado de las mercancías cargadas en un barco. • pl. Ciencia, sabiduría.

CONOIDE m. *Geom.* Sólido limitado por una superficie curva con punta o vértice a semejanza del cono. • *Geom.* Superficie engendrada por una recta que se mueve apoyándose en una curva y en otra recta y conservándose paralela a un plano. • *Geom.* Cualquiera de las superficies curvas que están cerradas por una parte y se prolongan indefinidamente por la opuesta.

CONOPEO m. Velo que cubre el sagrario.

CONOPIAL adj. *Arq.* Díc. del arco muy rebajado, con una escotadura en el centro de la clave.

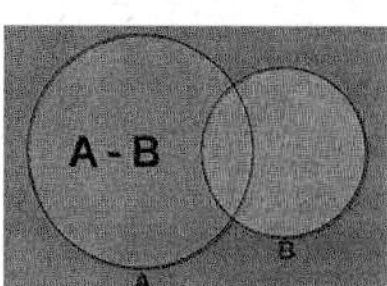

Diferencia entre los **conjuntos** A y B

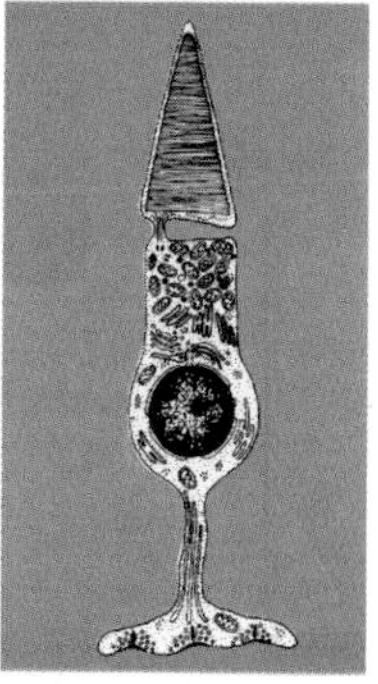

Esquema de la estructura de un **cono** de la retina

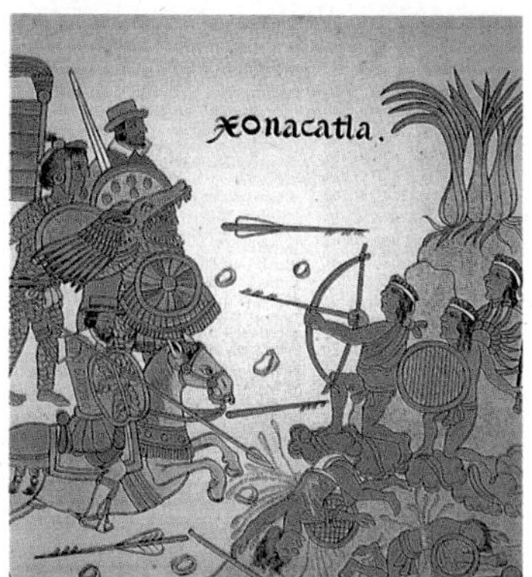

Batalla entre españoles e indígenas durante la **conquista** de América, en el *Lienzo de Tlaxcala*

CONOPOFÁGIDO, DA adj. y m. *Zool.* Díc. de pájaros de la familia conopofágidos. • m. pl. *Zool.* Familia de aves paseriformes de pequeño tamaño, propias de las selvas amazónicas y las estribaciones de los Andes. También llamados chapadientes.

CONOTO m. *Ven.* Especie de gorrión, que imita el canto de otras aves.

CONQUE conj. ilativa con la cual se enuncia una consecuencia natural de lo que acaba de decirse. • m. fam. Condición que se impone.

CONQUENSE adj. y s. De Cuenca (España).

CONQUIFORME adj. De figura de concha.

CONQUILIOLOGÍA f. Parte de la zoología que trata de las conchas de los moluscos. ■ CONQUILIÓLOGO, GA.

CONQUISTA f. Acción y efecto de conquistar. • Persona o cosa conquistada.

Hernán Cortés, prototipo de los **conquistadores**

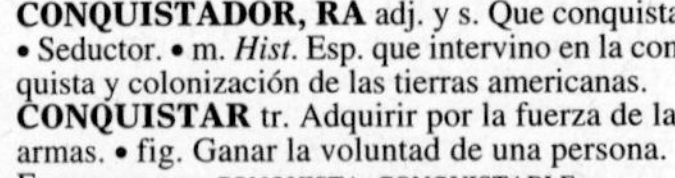

CONQUISTADOR, RA adj. y s. Que conquista. • Seductor. • m. *Hist.* Esp. que intervino en la conquista y colonización de las tierras americanas.

CONQUISTAR tr. Adquirir por la fuerza de las armas. • fig. Ganar la voluntad de una persona. • Enamorar. ■ CONQUISTA; CONQUISTABLE.

CONRAD, ***Charles Peter*** (nacido 1930) Astronauta norteam. Participó en diferentes misiones espaciales: *Gemini 5* (1965); *Gemini 11* (1966); *Apolo 12* (1969). • ***Joseph*** (1857-1924) Novelista brit., de origen pol. *Lord Jim, El tifón, Azar, El negro del «Narcyssus»*. • ***Michael Georg*** (1846-1927) Novelista al., naturalista. *Lo que murmura el Isar.*

CONRADI, ***Hermann*** (1862-1890) Novelista al., influido por Nietzsche. *Adam Mensch.*

CONRADO I, ***de Franconia*** (m. 918) Rey de Germania [911-918]. Pese a que intentó fortalecer el poder real, los ducados de Lorena, Sajonia, Baviera y Suabia no reconocieron su autoridad. • **II *de Franconia*** (990-1039) Rey de Germania [1024-1039]. Emp. de Alemania [1027-1039]. Rechazó a los polacos, dominó Bohemia y anexionó a sus estados el reino de Borgoña. • **II *de Jerusalén*** → Conrado IV de Suabia. • **I *de Sicilia*** → Conrado IV de Suabia. • **III *de Suabia*** (h. 1093-1152) Emp. de Alemania [1138-1152]. Su reinado fue una continua lucha civil entre los güelfos y los gibelinos. • **IV *de Suabia*** (1228-1254) Emp. de Alemania [1250-1254]. Intentó conquistar el S. de Italia y murió en la lucha.

CONREAR tr. Preparar o adobar una cosa mediante cierta manipulación. ■ CONREO.

CONSABIDO, DA adj. Aplícase a la persona o cosa de que ya se ha tratado anteriormente.

CONSABIDOR, RA adj. y s. Que juntamente con otro sabe alguna cosa.

CONSAGRA, ***Pietro*** (nacido 1920) Escultor it. Ha evolucionado desde un cubismo sobrio hacia un arte abstracto más imaginativo. *Coloquios.*

CONSAGRAR tr. Hacer sagrada a una persona o cosa. • Pronunciar el sacerdote las palabras de la consagración. • tr. y prnl. Ofrecer a Dios por culto o voto una persona o cosa. • tr. fig. Erigir un monumento, para perpetuar la memoria de una persona o suceso. • tr. y prnl. fig. Dedicar con suma eficacia y entusiasmo una cosa a determinado fin. • fig. Dedicar, destinar. ■ CONSAGRACIÓN; CONSAGRADO, DA.

CONSANGUINIDAD f. Parentesco de las personas que descienden de un mismo tronco. • Cruzamiento entre individuos pertenecientes a la misma familia o de genotipos idénticos o muy parecidos. ■ CONSANGUÍNEO, A.

Momento de la **consagración,** en la *Misa del papa Gregorio Magno* de Pedro Berruguete (Museo Arqueológico de Burgos, España)

CONSCIENCIA f. *Fil.* y *Psic.* Conciencia.

CONSCIENTE adj. Que siente, piensa, quiere y obra con cabal conocimiento y plena posesión de sí mismo. • Lo que se hace en estas condiciones.

CONSCRIPCIÓN f. *Amér.* Reclutamiento. ■ CONSCRIPTO.

CONSECUENCIA f. Proposición que se deduce de otra o de otras, con enlace tan riguroso, que, admitidas o negadas las premisas, es ineludible el admitirla o negarla. • Hecho o acontecimiento que se sigue o resulta de otro. • Correspondencia lógica entre la conducta de un individuo y los principios que profesa.

CONSECUENTE adj. Que sigue en orden respecto de una cosa, o está colocado a su continuación. • Díc. de la persona cuya conducta guarda correspondencia lógica con los principios que profesa. • m. Proposición que se deduce de otra que se llama antecedente. • *Álg.* y *Arit.* Segundo término de una razón. • *Gram.* Segundo de los términos de la relación gramatical.

CONSECUTIVO, VA adj. Que se sigue a otra cosa inmediata o es consecuencia de ella. • *Gram.* Díc. de la oración gramatical que expresa consecuencia de lo indicado en otra. • *Gram.* Díc. de la conj. o loc. conj. que expresa relación de consecuencia *luego, pues, conque, por tanto*, etc.• **Ángulos c.** *Geom.* Ángulos que tienen un lado en común.

CONSEGUIR tr. Alcanzar, lograr lo que se pretende o desea. ■ CONSECUCIÓN; CONSEGUIMIENTO.

CONSEJA f. Cuento, fábula, patraña. • Junta para tratar cosas ilícitas.

CONSEJERO, RA m. y f. Persona que aconseja. • Persona que tiene plaza en algún consejo. • Individuo de alguno de los actuales consejos. • fig. Lo que sirve de advertencia para la conducta de la vida.

CONSEJO m. Parecer o dictamen que se da o toma para hacer o no hacer una cosa. • Nombre de diferentes tribunales superiores. • Corporación consultiva encargada de informar al gobierno sobre determinada materia de la admon. • Cuerpo administrativo y consultivo en sociedades o compañías particulares. • Acuerdo, resolución de una persona. • **de Est.** Alto cuerpo consultivo existente en muchos países que entiende en los negocios más importantes del Est. • **de familia**. *Der.* Reunión de personas que intervienen por la ley en la tutela de un menor o un incapacitado. • **de guerra**. Tribunal compuesto de generales, jefes u oficiales que entiende en las causas de la jurisdicción militar. • **de ministros**. Ministerio, cuerpo de ministros. • Reunión de los ministros para tratar de los negocios del Est. • **Consejos obreros**. *Hist.* Organismos creados por los trabajadores para reorganizar la actividad económica insurreccional bajo el signo de la autogestión. Nacidos en Rusia en 1917, fueron el instrumento revolucionario de amplias masas obreras en Alemania e Italia después de la I Guerra Mundial.

CONSEJO DE AYUDA ECONÓMICA MUTUA (*COMECON*) Organización económica fundada en 1949, en Moscú. Agrupaba a la URSS, Checoslovaquia, Bulgaria, Hungría, RDA, Polonia, Rumania, Mongolia, Cuba y Vietnam. Coordinaba la producción y la cooperación técnica. Disuelta en 1991. • **de Castilla**. Tribunal supremo y cuerpo consultivo de los reyes. • **de Ciento**. Ant. corporación municipal de Barcelona (1249-1714). • **de Europa**. Institución creada en Londres en 1949 para promover las relaciones entre sus miembros. Agrupó a Bélgica, Dinamarca, España, Francia, Gran Bretaña, Grecia, Irlanda, Islandia, Italia, Luxemburgo, Noruega, Países Bajos, Suecia, RFA, Turquía, Chipre, Suiza, Malta y Portugal. Tiene su sede en Estrasburgo. • **de Indias**. Consejo creado en 1511 por Fernando el Católico para los asuntos de las posesiones esp. de ultramar. Definitivamente suprimido en 1834. • **de la Inquisición**. Tribunal supremo de los delitos contra la fe. • **de Seguridad**. Órgano de la ONU en el que sólo EE UU, URSS (más tarde Rusia) China, Francia y Gran Bretaña tienen derecho de veto. • **Económico y Social de las Naciones Unidas**, Organismo de la ONU, encargado de fomentar la cooperación económica y social entre los países. • **Episcopal Latinoamericano** (*CELAM*). Creado en 1958 para coordinar las actividades de la Iglesia en Latinoamérica. Tiene la sede en Bogotá.

CONSENSO m. Asenso, consentimiento en un asunto de todos los miembros de una corporación.

CONSENSUAL adj. *Der.* Díc. del contrato que se perfecciona por el solo consentimiento.

CONSENTIDO, DA adj. y m. Díc. del marido que sufre la infidelidad de su mujer. • adj. y s. Aplícase a la persona mimada con exceso.

CONSENTIDOR, RA adj. y s. Que consiente que se haga una cosa. • adj. Que mima excesivamente.

CONSENTIMIENTO m. Acción y efecto de consentir. • *Der.* Conformidad de voluntades entre los contratantes, o sea entre la oferta y su aceptación, que es el pral. requisito de los contratos.

CONSENTIR tr. Permitir una cosa o condescender en que se haga. • Creer, tener por cierta una cosa. • Ser compatible, sufrir, admitir. • Mimar a los hijos. • Hacer sentimiento, resentirse, ceder, aflojarse las piezas que componen un mueble u otra construcción. • *Der.* Otorgar, obligarse. • prnl. Cascarse, rajarse o empezar a romperse una cosa.

CONSERJE m. El que tiene a su cuidado la custodia y limpieza de una casa, o establecimiento público. ■ CONSERJERÍA.

CONSERVA f. Confitura de frutas. • Sustancia alimenticia conservada en un recipiente herméticamente cerrado, que se guarda mucho tiempo. • **En c.** loc. adj. que indica que un alimento ha sido preparado para el consumo posterior. ■ CONSERVERÍA; CONSERVERO, RA.

CONSERVACIÓN f. Acción y efecto de conservar o conservarse. • **Teorema de la c. de la cantidad de movimiento**. *Fís.* La cantidad de movimiento de un sistema aislado permanece constante. • **Teorema de la c. de la energía,** o **de Helmholtz**. *Fís.* Principio general válido en todos los campos de la física, que afirma la imposibilidad de la creación o destrucción de la energía, aunque es posible su transformación en otro tipo de energía.

CONSERVADOR, RA adj. y s. Que conserva. • Partidario de mantener el orden político y social establecido. • adj. *Ling.* Díc. de la lengua o dialecto poco evolucionado con respecto a otros del mismo origen. • m. y f. Técnico encargado de la conservación de los fondos de un museo o archivo. ■ CONSERVADURÍA; CONSERVATORÍA.

CONSERVADURISMO m. Actitud de los que son contrarios a los cambios políticos y sociales.

CONSERVAR tr. y prnl. Mantener una cosa o cuidar de su permanencia. • tr. Hablando de costumbres, virtudes, etc., continuar la práctica de ellas. • Guardar con cuidado una cosa. • Hacer conservas.

CONSERVATISMO m. *Amér.* Conservadurismo.

CONSERVATIVO, VA adj. Díc. de lo que conserva una cosa. • *Fís.* Díc. de un sistema cuya energía permanece constante.

CONSERVATORIO, RIA adj. Que contiene y conserva alguna o algunas cosas. • m. Establecimiento, en que se enseñan ciertas artes, en especial la música.

CONSIDERANDO m. *Der.* Cada una de las razones esenciales que preceden y sirven de apoyo al precepto de una ley, fallo, dictamen, etc.

CONSIDÉRANT, ***Víctor*** (1808-1893) Político y economista fr. Seguidor de Fourier y de las teorías del socialismo. *Exposición del sistema de Fourier, Principios del socialismo.*

CONSIDERAR tr. Pensar, meditar, reflexionar una cosa con atención y cuidado. • Tratar a una persona con respeto. • tr. y prnl. Juzgar, estimar. ■ CONSIDERABLE; CONSIDERACIÓN; CONSIDERADO, DA.

CONSIGNA f. *Mil.* Órdenes que se dan al que manda un puesto, y las que éste manda observar al centinela. • Hablando de agrupaciones políticas, sindicales, etc., orden que una persona u organismo dirigente da a los afiliados. • En las estaciones de ferrocarril, aeropuertos, etc., lugar en que los viajeros pueden depositar los equipajes.

CONSIGNADOR m. El que consigna sus mercancías o naves a la disposición de un corresponsal suyo.

CONSIGNAR tr. Señalar y destinar el rédito de una finca o efecto para el pago de una cantidad o renta que se debe o se constituye. • Designar la tesorería o pagaduría que ha de cubrir obligaciones determinadas. • Asentar en un presupuesto una partida para atender a determinados gastos o servicios. • Destinar un sitio para poner en él una cosa. • Entregar por vía de depósito una cosa. • Tratándose de opiniones, votos, doctrinas, hechos, circunstancias, datos, etc., asentarlos por escrito. • Hablando de dinero, ponerlo en poder de otro. • Enviar las mercancías a manos de un corresponsal. • Depositar a disposición de la autoridad judicial la cosa debida. ■ CONSIGNACIÓN.

CONSIGNATARIO m. El que recibe en depósito, por auto judicial, el dinero que otro consigna. • Acreedor que administra, por convenio con su deudor, la finca que éste le ha consignado. • Destinatario de un buque, un cargamento o una partida de mercaderías. • Persona que en los puertos de mar representa el armador de un buque.

CONSIGO Ablativo de sing. y pl. de la forma reflexiva *se, sí*, del pron. personal de 3ª pers. en gén. masculino y femenino.

CONSIGUIENTE adj. Que depende y se deduce de otra cosa. • m. *Lóg.* Segunda proposición del entimema o del argumento que sólo tiene dos proposiciones.

CONSILIARIO, RIA m. y f. Consejero, persona que aconseja. • En varias corporaciones y sociedades, persona elegida para asistir con su consejo al superior que las gobierna.

CONSILIUM m. Término latino que indica la obligación que en la E. Med. tenía el vasallo de asistir al señor con sus consejos.

CONSISTENCIA f. Duración, estabilidad, solidez. • Trabazón, entre las partículas de una masa. • Congruencia, conformidad.

CONSISTIR intr. Estribar, estar fundada una cosa en otra. • Ser efecto de una causa. • Estar y criarse una cosa encerrada en otra. ■ CONSISTENTE.

CONSISTORIO m. Consejo que tenían los emperadores rom. para tratar los asuntos más importantes. • Junta que celebra el papa con asistencia de los cardenales. • En algunas partes, ayuntamiento. ■ CONSISTORIAL.

CONSOCIO, CIA m. y f. Socio con respecto a otro u otros.

CONSOLA f. Mesa hecha para estar arrimada a la pared, la cual suele destinarse a sostener reloj, candelabros y otros adornos. • *Comp.* Panel frontal de mandos e indicadores de un equipo de procesamiento de datos, que permite al operador comunicarse directamente con el sistema. Consta en general de un teclado, una pantalla y una impresora.

CONSOLADOR, RA adj. y s. Que consuela. • m. Instrumento usado para masturbarse.

CONSOLAR tr. y prnl. Aliviar la pena o aflicción de uno. ■ CONSOLACIÓN; CONSOLATIVO, VA.

CONSOLIDACIÓN f. Acción y efecto de consolidar o consolidarse. • *Const.* Operación que se realiza para evitar movimientos de tierra y prevenir desmoronamientos. • *Econ.* Conversión de obligaciones a corto plazo en obligaciones a largo plazo para sanear la deuda pública.

CONSOLIDADO, DA adj. y m. Díc. de la deuda pública que goza de una renta fija.

CONSOLIDAR tr. Dar firmeza a una cosa. • Liquidar una deuda flotante para convertirla en fija o perpetua. • fig. Reunir, volver a juntar lo que antes se había quebrado o roto. • fig. Asegurar del todo, afianzar más y más una cosa. • prnl. *Der.* Reunirse en un sujeto atributos de un dominio antes disgregado.

CONSOMÉ m. Caldo de carne.

CONSONANCIA f. *Mús.* Cualidad de aquellos sonidos que, oídos simultáneamente, producen efecto agradable. • Identidad de sonido en la terminación de dos palabras, desde la vocal que lleva el acento. • Repetición innecesaria de sonidos consonantes. • fig. Relación de igualdad o conformidad que tienen algunas cosas entre sí. ■ CONSONAR.

CONSONANTE adj. y s. Díc. de cualquier voz con respecto a otra de la misma consonancia. • adj. y f. *Fon.* Díc. de la articulación de un sonido que se produce al hablar cuando, a su paso por la laringe y la boca, el aire encuentra algún obstáculo: labios, lengua, dientes, paladar. • Díc. de la letra que corresponde a alguno de estos sonidos. • Formado de consonancias. ■ CONSONÁNTICO, CA.

CONSONANTISMO m. Sistema de consonantes de una lengua o dialecto.

CONSONANTIZAR tr. y prnl. Transformar en consonante una semiconsonante o una semivocal. ■ CONSONANTIZACIÓN.

CONSORCIO m. Participación y comunión de una misma suerte con uno o varios. • Unión o compañía de los que viven juntos. • Asociación de empresas para defender intereses comunes.

CONSORTE m. Marido respecto de la mujer, y mujer respecto del marido. • Persona que comparte la suerte de otra. • *Der.* Los que litigan unidos, formando una sola parte en el pleito. • *Der.* Los que juntamente son responsables de un delito.

CONSPICUO, CUA adj. Ilustre, sobresaliente.

CONSPIRAR intr. Unirse algunos contra su superior o soberano. • Unirse contra un particular para hacerle daño. • fig. Concurrir varias cosas a un mismo fin. ■ CONSPIRACIÓN; CONSPIRADOR, RA.

CONSTABLE, ***John*** (1776-1837) Pintor brit. Precursor del impresionismo. *Carreta de heno, La catedral de Salisbury, Campo de trigo, El paisaje inglés* (grabados).

CONSTANCIA f. Calidad de constante. • Firmeza del ánimo en las resoluciones y en los propósitos. • Exactitud de algún hecho o dicho. • Acción y efecto de hacer constar algo de manera fehaciente.

CONSTANCIENSE adj. y s. De Constanza, c. alemana.

CONSTANCIO I, ***Cloro*** (*Flavio Valerio*; m. 306) Emp. rom. [305-306], padre de Constantino el Grande y fundador de la dinastía de los Flavios. Gobernó junto a Galerio y murió durante una campaña militar en Britania. • **II** (*Flavio Julio*; 317-361) Emp. rom. [337-361]. Hijo de Constantino el Grande; a la muerte de sus hermanos, gobernó Egipto, Oriente y Asia y rehízo la unidad del Imperio. • **III** (*Flavio*; m. 421) Emp. rom. [421]. Como general de Honorio, derrotó a los vándalos y al usurpador Constantino, y estableció relaciones de amistad con los godos. Casó con Gala Placidia.

Alumnos del **conservatorio** de Shanghai, China

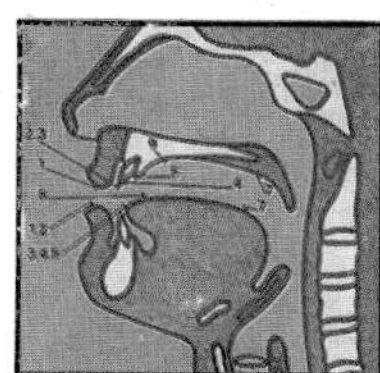

Articulación de los distintos tipos de **consonantes:** 1. labial; 2. labiodental; 3. interdental; 4. dental; 5. alveolar; 6. palatal; 7. velar

Detalle de *La catedral de Salisbury*, óleo de John **Constable**

Constantino *el Grande*

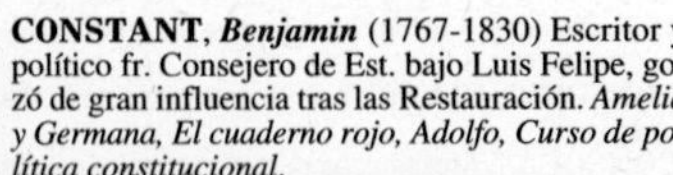

CONSTANT, ***Benjamin*** (1767-1830) Escritor y político fr. Consejero de Est. bajo Luis Felipe, gozó de gran influencia tras las Restauración. *Amelia y Germana, El cuaderno rojo, Adolfo, Curso de política constitucional.*

CONSTANTÁN m. *Metal.* Aleación de cobre (60 %) y níquel (40 %) utilizada en diversos aparatos eléctricos.

CONSTANTE adj. Que consta ser cierta una cosa. • Que tiene constancia. • Dicho de las cosas, persistente, durable. • Frecuente, continuo. • Factor que es o se supone inmutable. • *Fís.* y *Quím.* Dato numérico experimental propio de un cuerpo o un aparato, o relación de proporcionalidad entre propiedades de un mismo cuerpo o un mismo sistema. • *Fisiol.* Magnitud cuya constancia es necesaria para que las funciones vitales sean normales. • f. *Mat.* Función que adopta un mismo valor en cualquier punto.

CONSTANTINA *(Koustantina)* C. del NE de Argelia; 354 300 hab. Sit. junto al uadi Rummel. Cap. del dpto. hom. Centro agrícola, artesanal, industrial y comercial.

CONSTANTINE, ***Eddie*** (1917-1993) Actor fr., nacido en EE UU. *Cita con la muerte, Manos asesinas, Folies Bergère.*

CONSTANTINI, ***Humberto*** (nacido 1924) Escritor arg. *Cuestiones con la vida* (poesía); *Háblame de Funes* (relatos), *De dioses, hombrecitos y policías* (novela).

CONSTANTINO Nombre de varios reyes y emperadores.

Constelación de Auriga en una representación de Hevelius (s. XVII)

IMPERIO ROMANO

CONSTANTINO I *el Grande* (280-377) Emp. rom. [306-337]. Proclamó en 313 el Edicto de Milán, que favorecía a los cristianos. En 330 trasladó la cap. a Bizancio (Constantinopla). • ***Flavio Claudio*** (m. 411) Usurpador del Imperio rom. Ejecutado por Flavio Constancio en Arlés.

IMPERIO DE ORIENTE

CONSTANTINO V (718-775) Emp. bizantino [714-775]. Rechazó los ataques búlgaros a Constantinopla, pero fue derrotado en la ciudad italiana de Ravena. Durante su reinado se iniciaron las luchas iconoclastas. • **VII *Porfirogéneta*** (905-959) Emp. bizantino [911-959)]. Rechazó los ataques húngaros. Fomentó el desarrollo cultural y artístico. • **XI *Paleólogo*** (1405-1453) Emp. bizantino. Resistió los continuos ataques de los turcos hasta que, en el año 1453, murió en la defensa de la ciudad Constantinopla.

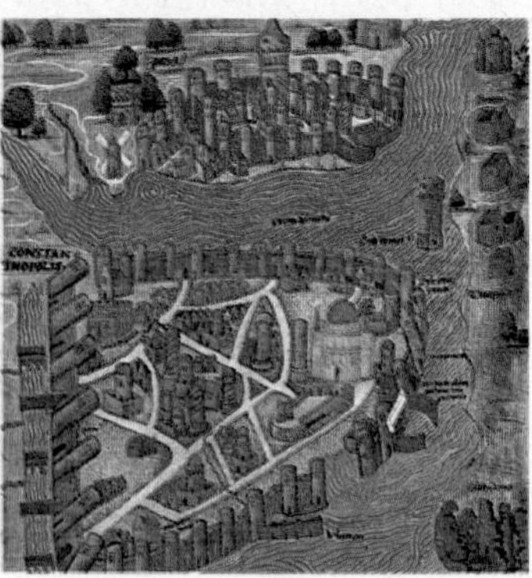

Constantinopla. Plano del s. XVI

GRECIA

CONSTANTINO I (1868-1923) Rey de Grecia [1913-1917 y 1920-1922]. Se mantuvo neutral durante la I Guerra Mundial, lo que le obligó a abdicar en su hijo. • **II** (nacido 1940) Rey de Grecia, hijo de Pablo I. Proclamado rey en 1964, abandonó el país tras el golpe militar de 1967, y perdió la Corona en el plebiscito de 1974.

CONSTANTINO, ***el Africano*** (1015-1087) Médico oriundo de Cartago. Convertido al cristianismo, se dedicó a la traducción de textos árabes.

CONSTANTINOPLA Ant. cap. del imperio bizantino (actual Istanbul), fundada en 324 por Constantino el Grande. Imp. centro cultural y comercial en la E. Med. Conquistada por los turcos en 1453.

CONSTANTINOPOLITANO, NA adj. y s. De Constantinopla.

CONSTANZA *(Bodensee)* Lago de Europa central, entre Alemania, Suiza y Austria; 540 km^2.

Constelaciones

Nombre latino	*Nombre castellano*	*Nombre latino*	*Nombre castellano*	*Nombre latino*	*Nombre castellano*
Andromeda	Andrómeda	Cygnus	Cisne	Pavo	Pavo
Antlia	Máquina Neumática	Delphius	Delfín	Pegasus	Pegaso
Apus	Pájaro del Paraíso	Dorado	Dorada	Perseus	Perseo
Aquarius	Acuario	Draco	Dragón	Phoenix	Fénix
Aquila	Águila	Equuleus	Caballito	Pictor	Caballete del Pintor
Ara	Altar	Eridanus	Eridano	Pisces	Peces
Aries	Carnero	Fornax	Horno Químico	Piscis Australis	Pez Austral
Auriga	Cochero	Gemini	Gemelos	Puppis	Popa
Bootes	Boyero	Grus	Grulla	Pyxis	Brújula
Caelum	Cincel	Hercules	Hércules	Reticulum	Retículo
Camelopardus	Jirafa	Horologium	Reloj	Sagitta	Flecha
Cancer	Cangrejo	Hydra	Hidra Hembra	Sagittarius	Sagitario
Canes Venatici	Lebreles o Perros de Caza	Hydrus	Hidra Macho	Scorpius	Escorpión
Canis Maior	Can Mayor	Indus	Indio	Sculptor	Escultor
Canis Minor	Can Menor	Lacerta	Lagarto	Scutum	Escudo de Sobieski
Capricornus	Capricornio	Leo	León	Serpens	Serpiente
Carina	Quilla del Navío	Leo Minor	León Menor	Caput	Cabeza
Cassiopeia	Casiopea	Lepus	Liebre	Cauda	Cola
Centaurus	Centauro	Libra	Balanza	Sextans	Sextante
Cepheus	Cefeo	Lupus	Lobo	Taurus	Toro
Cetus	Ballena	Lynx	Lince	Telescopium	Telescopio
Chamaeleon	Camaleón	Lyra	Lira	Triangulum	Triángulo
Circinus	Compás	Mensa	Mesa	Triangulum Australe	Triángulo Austral
Columba	Paloma	Microscopium	Microscopio	Tucana	Tucán
Coma Berenices	Cabellera de Berenice	Monoceros	Unicornio	Ursa Major	Osa Mayor
Corona Australis	Corona Austral	Musca	Mosca	Ursa Minor	Osa Menor
Corona Borealis	Corona Boreal	Norma	Escuadra	Vela	Vela
Corvus	Cuervo	Octans	Octante	Virgo	Virgen
Crater	Copa	Ophiuchus	Ofiuco	Volans	Pez Volador
Cruz Australis	Cruz del Sur	Orion	Orión	Vulpecula	Zorro Menor

CONSTANZA *(Konstanz)* C. de Alemania, Baden-Württemberg; 60 000 hab. Sit. a orillas del lago hom. Centro turístico, cultural e industrial (textil y química). Catedral del s. XI. • **Concilio de C.** (1414-1418) El que puso fin al cisma de Occidente. En él se eligió papa a Martín V y se condenó a Jan Huss. • C. y puerto de Rumania, en la Dobrudja, a orillas del mar Negro; 315 700 hab. Centro industrial y turístico.

CONSTANZA Mun. de República Dominicana, en la prov. de La Vega; 30 800 hab. Trigo. Ind. textil.

CONSTANZA (1154-1198) Emperatriz de Alemania y heredera del reino de Sicilia. Esposa del emperador Enrique VI y madre de Federico II. • ***De Suabia*** (1247-1302) Reina de Sicilia y de Aragón. Casó con Pedro III de Aragón, el cual defendió los derechos de su esposa frente a la casa de Anjou, e incorporó la isla a sus dominios.

CONSTAR intr. Ser cierta y manifiesta una cosa. • Tener un todo determinadas partes. • Tratándose de versos, tener la medida y acentuación correspondientes a los de su clase.

CONSTATAR tr. Comprobar un hecho, establecer su veracidad, dar constancia de él.

CONSTELACIÓN f. Acción y efecto de constelar. • *Astr.* Conjunto de estrellas que aparecen como un grupo autónomo al observador.

CONSTELADO, DA adj. Estrellado, lleno de estrellas. • fig. Sembrado, cubierto.

CONSTELAR tr. Cubrir, llenar.

CONSTERNAR tr. y prnl. Causar a alguien abatimiento, disgusto, pena o indignación. ■ CONSTERNACIÓN.

CONSTIPAR tr. Cerrar o apretar los poros, impidiendo la transpiración. • prnl. Acatarrarse, resfriarse. ■ CONSTIPACIÓN; CONSTIPADO, DA.

CONSTITUCIÓN f. Acción y efecto de constituir. • Esencia y calidades de una cosa que la constituyen tal y la diferencia de las demás. • Forma o sistema de gobierno que tiene cada Est. • *Der.* Ley fundamental de la organización de un Est. • Cada una de las ordenanzas o estatutos con que se gobierna una corporación. • *Fisiol.* Conjunto de los caracteres congénitos, morfológicos y fisiológicos de un individuo. • *Med.* Naturaleza y relación de los sistemas y aparatos orgánicos, cuyas funciones determinan el grado de fuerza y vitalidad de un individuo. ■ CONSTITUCIONAL; CONSTITUCIONALIDAD.

CONSTITUIR tr. Formar. • Organizar. • tr. y prnl. Establecer, ordenar. • prnl. Seguido de *en* o *por*, asumir obligación, cargo o cuidado. ■ CONSTITUTIVO, VA.

CONSTITUYENTE adj. y m. Que constituye o establece. • adj. y f. Dícese de las Cortes convocadas para elaborar o reformar la constitución del Estado.

CONSTREÑIR tr. Obligar, precisar, compeler por fuerza a uno a que haga y ejecute alguna cosa. • Coartar, cohibir. • *Med.* Apretar y cerrar, como oprimiendo. ■ CONSTREÑIMIENTO; CONSTRICTIVO, VA; CONSTRICTOR; CONSTRINGENTE.

CONSTRICCIÓN f. Encogimiento, acción de encoger. • *Pat.* Sensación de opresión.

CONSTRUCCIÓN f. Acción y efecto de construir. • Arte de construir. • Tratándose de edificios, obra construida. • *Gram.* Ordenamiento y disposición de las palabras en la oración y las oraciones en el periodo.

CONSTRUCTIVISMO m. Movimiento estético impulsado en Moscú después de la I Guerra Mundial. El constructivismo desechaba los cuadros y las esculturas y propugnaba la creación de construcciones en el espacio. Creadores: Naum Gabo, A. Pevsner y Tatlin.

CONSTRUIR tr. Fabricar, erigir, edificar y hacer de nuevo una cosa. • *Gram.* Ordenar las palabras, o unirlas entre sí con arreglo a las leyes de la construcción gramatical. ■ CONSTRUCTIBILIDAD; CONSTRUCTIVO, VA; CONSTRUCTOR, RA.

CONSUEGRO, GRA m. y f. Padre o madre de una de dos personas unidas en matrimonio, respecto del padre o madre de la otra.

CONSUELDA f. *Bot.* Hierba de la familia borragináceas, de tallo grueso y velloso, hojas ovales, flores en racimos colgantes y rizoma mucilaginoso, usado en medicina.

CONSUELO m. Alivio de la pena, molestia o fatiga que aflige y oprime el ánimo. • Gozo, alegría.

CONSUETUDINARIO, RIA adj. Díc. de lo que es de costumbre. • **Derecho c.** *Der.* Díc. del derecho fundado en la costumbre y los usos del lugar, como el *common law* brit. Es fuente supletoria en los países basados en los códigos napoleónicos.

CÓNSUL m. Cada uno de los dos magistrados que tenían en la República rom. la suprema autoridad. • Cada uno de los jueces que componían el consulado antiguo. • Funcionario público que está encargado en una c. extranjera de la protección y defensa de las personas e intereses de los súbditos del país que representa. ■ CONSULADO; CONSULAR.

CONSULADO Organismo creado en Buenos Aires por Carlos IV en 1794, para juzgar los delitos de orden comercial y fomentar las empresas comerciales y marítimas. Manuel Belgrano desempeñó el cargo de secretario del mismo con carácter de perpetuidad. • Sist. político fr. entre 1799 y 1804 formado por tres cónsules, que acumulaba todo el poder en manos del 1er cónsul, Napoleón Bonaparte.

CONSULESA f. fam. Mujer del cónsul.

CONSULTA f. Acción y efecto de consultar. • Parecer o dictamen que por escrito o de palabra se pide o se da acerca de una cosa. • Visita del médico en su despacho. • Conferencia entre abogados, médicos u otras personas.

CONSULTACIÓN f. Consulta, conferencia entre facultativos.

CONSULTAR tr. Pedir parecer, dictamen o consejo. • Someter una duda o un caso a la consideración de otro. • Buscar datos en libros, ficheros, etc. ■ CONSULTIVO, VA.

CONSULTOR, RA adj. y s. Que da su parecer. • Que consulta. • adj. Teólogo adjunto a los miembros de las congregaciones romanas para preparar el examen de ciertas cuestiones.

CONSULTORIO m. Establecimiento donde se despachan informes o consultas técnicas. • Local en el que el médico recibe y atiende a sus pacientes. • Sección de los periódicos, revistas y emisoras de radio o televisión destinada a contestar a las preguntas que les hace el público.

CONSUMAR tr. Llevar a cabo enteramente. • *Der.* Dar cumplimiento a un contrato o a otro acto jurídico que ya era perfecto. ■ CONSUMACIÓN; CONSUMADO, DA.

CONSUMICIÓN f. Consunción. • Consumo, gasto. • Lo que se consume en un café, bar o establecimiento público.

CONSUMIDO, DA adj. fam. Muy flaco, extenuado y macilento. • fig. y fam. Que se aflige o apura fácilmente.

CONSUMIR tr. y prnl. Destruir, extinguir. • Gastar comestibles u otros géneros. • fig. y fam. Desazonar, afligir. ■ CONSUNCIÓN; CONSUNTIVO, VA.

CONSUMO m. Acción y efecto de consumir, utilizar géneros para el sustento. • Gasto. • pl. Impuesto municipal sobre los comestibles y otros géneros que se introducen en una población. • *Econ.* Utilización por parte del sujeto consumidor, de un bien o servicio producido.

CONSUNO *(De)* m. adv. Juntamente, en unión.

CONSUSTANCIACIÓN o **CONSUBSTANCIACIÓN** f. En la doctrina luterana, presencia de Jesucristo en la Eucaristía, conservando el pan y el vino su sustancia.

CONSUSTANCIAL o **CONSUBSTANCIAL** adj. Que es de la misma sustancia. ■ CONSUSTANCIALIDAD O CONSUBSTANCIALIDAD.

CONTABILIDAD f. Calidad de contable. • Ciencia que se dedica a la captación, representación y medida de los hechos contables (movimientos de fondos, operaciones mercantiles, transacciones comerciales, etc.), en un periodo dado, con el fin de obtener un est. general de cuentas. • Conjunto de cuentas de una empresa, sociedad u organismo público. • **de costes.** Rama de la c. cuyo objeto es determinar los costes totales de un proceso de producción. • **nacional.** Sistema de representación macroeconómica de las transacciones entre los diversos sectores de una economía nacional en un periodo dado.

CONTABILIZAR tr. Apuntar una partida o cantidad en los libros de cuentas. ■ CONTABILIZADOR, RA.

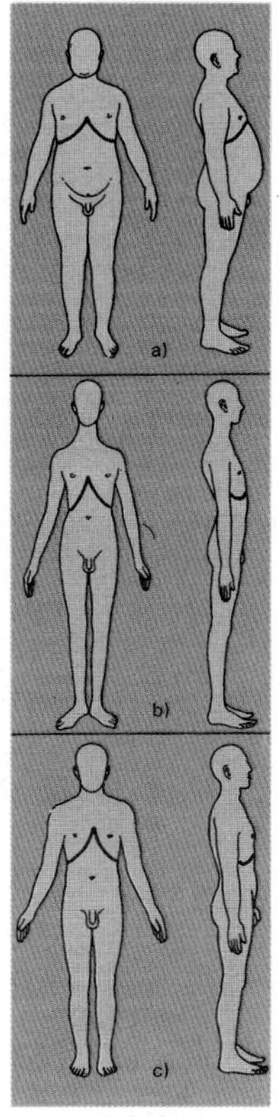

Diversos tipos de **constitución** según Viola: a) braquitipo megalosplácnico; b) longitipo microsplácnico; c) normotipo

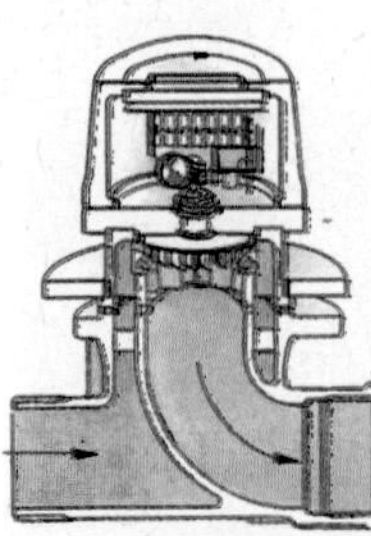
Esquema de un **contador** de gas

Carga de **containers** en un mercante

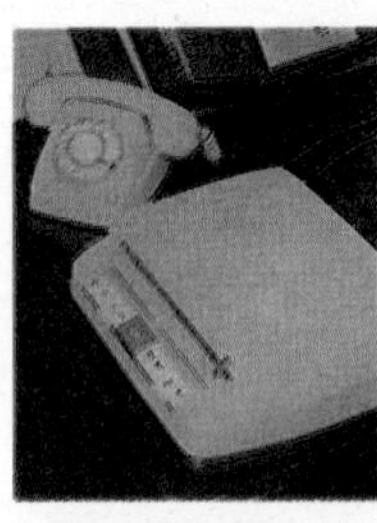
Contestador automático

CONTABLE adj. Que puede ser contado. • Relativo a la contabilidad. • m. y f. Persona que lleva una contabilidad.

CONTACTO m. Acción y efecto de tocarse dos o más cosas. • *El.* Conexión entre dos partes de un circuito. • *El.* Dispositivo para establecer esta conexión. • fig. Relación o trato entre dos o más personas o entidades. • fig. Persona que puede poner en relación a un individuo con otro, o con un grupo. ■ CONTACTAR; CONTACTOR.

CONTADO, DA adj. Raro, escaso. • Determinado, señalado.

CONTADOR, RA adj. y s. Que cuenta. • m. El que tiene por oficio llevar las cuentas de una empresa. • Persona nombrada por un juez competente, o por las mismas partes, para liquidar una cuenta o hacer una partición. • Aparato para llevar cuenta del número de revoluciones de una rueda o mov. de otra pieza de una máquina. • *Comp.* Registro numérico que permite contar el número de veces que se realiza un determinado proceso, adicionando a una variable una unidad cada vez. Permite programar la salida automática de un bucle, por conteo del número de ciclos ejecutados. • *Fís.* Aparato destinado a medir el volumen de líquido o de gas que pasa por una cañería, o la cantidad de electricidad que recorre un circuito en un tiempo determinado. • **de Geiger-Müller.** Dispositivo para el conteo de partículas emitidas por sustancias radiactivas.

CONTADORA, ***isla de*** Isla de Panamá, prov. de Panamá, en el arch. de las Perñas. Ha sido centro de actualidad por los esfuerzos realizados por varios países latinoamericanos para conseguir la paz en Centroamérica. Estos países han formado el llamado *Grupo de C.*, constituido por Colombia, México, Panamá y Venezuela en 1983. El plan de paz, presentado por el presid. de Costa Rica, O. Arias, en 1987, restó protagonismo al Grupo de C., que ha pasado a ocupar un lugar secundario en las negociaciones de paz.

CONTADURÍA f. Oficio de contador. • Oficina del contador. • Casa o pieza en donde se halla establecida. • Administración de un espectáculo público, en donde se expenden los billetes con anticipación y sobreprecio.

CONTAGIAR tr. y prnl. Comunicar o pegar a otro u otros una enfermedad contagiosa. • Comunicar a otro estados de ánimo, costumbres, etc.

CONTAGIO m. Transmisión, directa o indirecta, de una enfermedad infecciosa. • La misma enfermedad. • fig. Perversión que resulta del mal ejemplo o de la mala doctrina. • *Ling.* Fenómeno que consiste en el paso de una característica de un elemento a otro que no la posee.

CONTAGIOSO, SA adj. Aplícase a las enfermedades que se comunican por contagio. • Que tiene mal que se pega. • fig. Díc. de los vicios y costumbres que se comunican con el trato. ■ CONTAGIOSIDAD.

CONTAINER (voz ing.) m. Contenedor.

CONTAL m. Sartal de cuentas para contar.

CONTAMINACIÓN f. Acción y efecto de contaminar o contaminarse. • Inclusión, en el medio ambiente o en los animales, de microorganismos o sustancias nocivas que alteran el equilibrio ecológico, provocando trastornos en el medio físico y en los organismos vivos o el hombre. • *Ling.* Combinación entre dos o más palabras, o cruce entre dos voces sinónimas, que dan lugar a una palabra nueva.

CONTAMINAR tr. y prnl. Penetrar la inmundicia un cuerpo, causando en él manchas y mal olor. • tr. Alterar la pureza de los alimentos, las aguas, el aire, etc., con gérmenes patógenos o sustancias nocivas para la salud. • fig. Corromper, viciar o alterar un texto. • tr. y prnl. Pervertir, corromper, mancillar.

CONTANTE adj. Aplícase al dinero efectivo.

CONTAR tr. Numerar o computar las cosas considerándolas como unidades homogéneas. • Referir un suceso, sea verdadero o fabuloso. • Poner o meter en cuenta. • Poner a uno en el núm., clase u opinión que le corresponde. • intr. Hacer cuentas según reglas de aritmética. ■ CONTADERO, RA.

CONTÉ, ***Nicolas Jacques*** (1755-1805) Químico fr. Inventó los lápices de grafito, una máquina hidráulica, un procedimiento para grabar planchas y un altímetro.

CONTEMPERAR tr. Atemperar.

CONTEMPLACIÓN f. Acción de contemplar. • Consideración que se guarda a uno. • *Fil.* Actividad intelectual que se propone conocer la realidad en sí o en las formas e ideas ejemplares de las cosas.

CONTEMPLAR tr. Poner la atención en alguna cosa material o espiritual. • Complacer a una persona. • *Teol.* Absorberse total y pasivamente en pensar en las cosas divinas. ■ CONTEMPLADOR, RA; CONTEMPLATIVO, VA.

CONTEMPORÁNEO, A adj. y s. Existente al mismo tiempo que otra persona o cosa. ■ CONTEMPORANEIDAD.

CONTEMPORIZAR intr. Acomodarse uno al gusto o parecer ajeno por algún fin particular. ■ CONTEMPORIZACIÓN.

CONTENAU, ***Georges*** (1877-1954) Arqueólogo fr. *Manual de arqueología oriental, La civilización asiriobabilónica, La magia entre los asirios y los babilonios.*

CONTENCIOSO, SA adj. Díc. del que por costumbre disputa o contradice todo lo que otros afirman. • *Der.* Aplícase a las materias sobre que se contiende en juicio, o a la forma en que se litiga. • *Der.* Díc. de todos los asuntos sometidos al fallo de los tribunales en forma de litigio.

CONTENDER intr. Lidiar, pelear, batallar. • fig. Disputar, debatir, altercar. ■ CONTENCIÓN; CONTENDIENTE.

CONTENEDOR, RA adj. Que contiene. • m. Recipiente o embalaje metálico usado para transportar mercancías.

CONTENENCIA f. Parada que hacen en el aire algunas aves. • Paso de lado, en el cual parece que se detiene el que danza.

CONTENER tr. y prnl. Llevar dentro de sí una cosa a otra. • Reprimir el movimiento o impulso de un cuerpo. • fig. Reprimir una pasión. ■ CONTENIDO, DA; CONTENIENTE; CONTENTIVO, VA; CONTINENCIA.

CONTENIDO, DA adj. Que se conduce con moderación y templanza. • m. Lo que se contiene dentro de una cosa. • *Ling.* En glosemática, significado.

CONTENTA f. Agasajo o regalo con que se satisfacen los deseos de uno. • Endoso. • *Mar.* Certificado de solvencia que se da a los oficiales.

CONTENTAR tr. Satisfacer el gusto o las aspiraciones de uno; darle contento. • En comercio, endosar. • tr. y prnl. *Amér.* Reconciliar. • prnl. Darse por contento, quedar contento. • **Ser** uno **de buen,** o **mal, c.** fam. Tener facilidad o dificultad en contentarse. ■ CONTENTADIZO, ZA; CONTENTAMIENTO; *Chile.* CONTENTURA.

CONTENTO, TA adj. Alegre, satisfecho. • m. Alegría, satisfacción.

CONTEO m. Cálculo, valoración. • *Col.* Recuento.

CONTERA f. Pieza que se pone en el extremo opuesto al puño del bastón, paraguas, sombrilla, etc. • Cascabel. • Estribillo. • fig. Remate de alguna cosa.

CONTERO m. *Arq.* Moldura en forma de cuentas, puestas en una misma dirección.

CONTERTULIANO, NA o **CONTERTULIO, LIA** m. y f. Persona que concurre con otras a una tertulia.

CONTESTA f. *Amér.* Plática, contestación.

CONTESTADOR m. Dispositivo que atiende automáticamente las llamadas telefónicas.

CONTESTAR tr. Responder a lo que se pregunta, se habla o se escribe. • Declarar y atestiguar uno lo mismo que otros han dicho. • Comprobar. • Impugnar, negar. • Replicar. • intr. Convenir una cosa con otra. ■ CONTESTABLE; CONTESTACIÓN.

CONTESTATARIO, RIA adj. y s. Que contesta, impugna o está en desacuerdo.

CONTESTE adj. Díc. del testigo que declara lo mismo que ha declarado otro.

CONTEXTO m. Enredo, maraña o unión de cosas que se enlazan y entretejen. • fig. Serie del discurso, hilo de una narración o historia. • Medio que rodea a un objeto o a un individuo sobre los que influye íntimamente.

CONTEXTUAR tr. Acreditar con textos.

CONTEXTURA f. Compaginación, disposición y unión respectiva de las partes que juntas componen un todo. • Contexto. • fig. Configuración corporal del hombre.

1

2

3

CONTAMINACIÓN

1. La contaminación es una amenaza para nuestra salud: respiramos, comemos y bebemos sustancias tóxicas que a través de la circulación se distribuyen por todo el organismo.
2. Las grandes masas forestales constituyen los pulmones del planeta; sin embargo, bajo la presión de intereses comerciales, los trópicos sufren una deforestación irreversible.
3. Militante ecologista manifestando de forma expresiva su visión de un posible futuro.
4. La contaminación producida en las grandes concentraciones de industria pesada puede afectar a áreas muy extensas,. Así, por ejemplo, desde las zonas industriales de los Midlands (Gran Bretaña), el Ruhr (Alemania) y Bohemia (República Checa), el aire contaminado se extiende hasta Escandinavia y el sur de la CEI.
5. Ave marina con el plumaje empapado de petróleo vertido al mar en un accidente.

6. Las pruebas nucleares en la atmósfera (hoy prohibidas), los aviones a reacción y algunos propelentes usados hasta recientemente en pulverizadores dañan la capa de ozono, que absorbe buena parte de la radiación ultravioleta solar. La llegada de más radiación ultravioleta a la Tierra significaría un aumento de los casos de cáncer de piel.
7. El incremento de la concentración de dióxido de carbono en la atmósfera, como consecuencia del uso masivo de combustibles fósiles, puede inducir un aumento de la temperatura del planeta (efecto invernadero).
8. La lluvia ácida se debe a los óxidos de azufre y nitrógeno emitidos por las chimeneas de las centrales térmicas y de algunas industrias. Sus efectos son evidentes en estas dos fotografías, separadas por diez años, de un bosque del sur de Alemania.

5

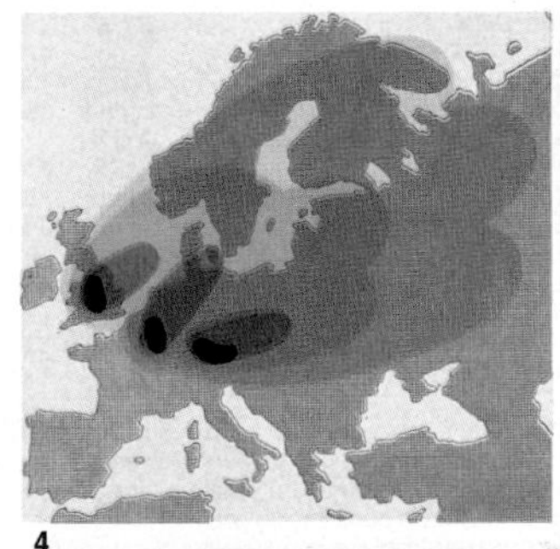

4

6

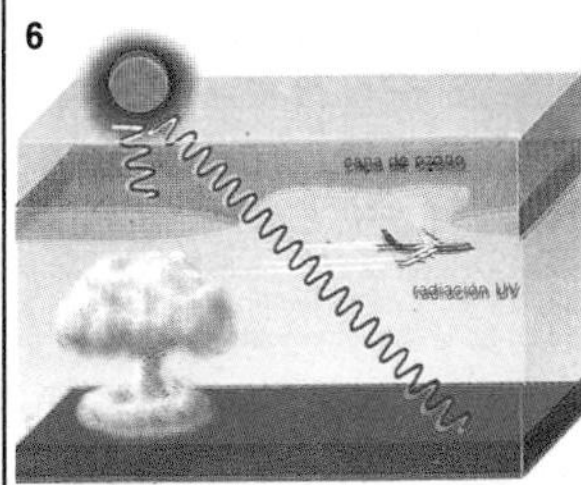

7

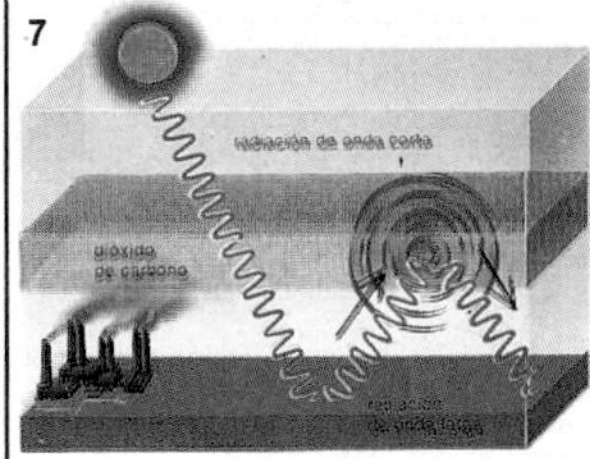

8

Flores de genciana, planta del orden **contortas**

Contrabajo

Radar con cohetes teledirigidos **contracarro**

CONTI, ***Niccolò dei*** (m. 1469) Viajero veneciano, el más notable después de Marco Polo. Recorrió diversos países del Asia meridional, navegó hasta Sumatra, y de allí pasó a Egipto.

CONTIENDA f. Pelea, disputa.

CONTIGO Ablativo de sing. del pron. personal de 2ª persona, en gén. masculino y femenino.

CONTIGÜIDAD f. Inmediación de una cosa a otra. ■ CONTIGUO, GUA.

CONTÍN, ***Pedro A. René*** (nacido 1910) Escritor dom., vanguardista. *Notas acerca de la poesía dominicana, Antología poética dominicana.*

CONTINENTE adj. Que contiene. • Díc. de la persona que posee y practica la continencia. • m. Cosa que contiene a otra. • Aire del semblante y actitud y compostura del cuerpo. • *Geog.* Cada una de las grandes extensiones de tierra que se hallan separadas por los océanos. Los geógrafos distinguen seis grandes c.: Asia, Europa, América del Norte y del Sur, África y Oceanía. Los c. representan el 29 % de la superficie total de la corteza terrestre. ■ CONTINENTAL.

CONTINGENCIA f. Posibilidad de que una cosa suceda o no suceda. • Cosa que puede suceder o no suceder. • Riesgo.

CONTINGENTACIÓN f. *Econ.* Medida que consiste en limitar la cantidad de productos de importación o de exportación.

CONTINGENTE adj. Que puede suceder o no suceder. • m. Contingencia, cosa que puede suceder. • Parte proporcional con que uno contribuye en unión de otros para un mismo fin. • Cuota que se señala para la importación, exportación o producción de una mercancía. • Leva; número de soldados que cada pueblo da para las quintas. • Grupo que se distingue de otros miembros en una reunión u organismo.

CONTINUAR tr. Proseguir uno lo comenzado. • intr. Durar, permanecer. • prnl. Seguir, extenderse. ■ CONTINUACIÓN; CONTINUADOR, RA; CONTINUATIVO, VA.

CONTINUO, NUA adj. Que dura, obra, se hace o se extiende sin interrupción o brusquedades. • Aplícase a las cosas que tienen unión entre sí. • Perseverante en ejercer algún acto. • m. Todo compuesto de partes unidas entre sí. ■ CONTINUIDAD.

CONTONEARSE prnl. Hacer al andar movimientos afectados con los hombros y caderas. ■ CONTONEO.

CONTORCIÓN f. Retorcimiento. • Contorsión.

CONTORNEAR o **CONTORNAR** tr. Dar vueltas alrededor o en contorno de un paraje o sitio. • *Pint.* Perfilar, hacer los contornos o perfiles de una figura. ■ CONTORNADO, DA; CONTORNEO.

CONTORNO m. Territorio o conjunto de parajes de que está rodeado un lugar o una población. Se usa más en pl. • Conjunto de las líneas que limitan una figura o composición. • Canto de la moneda o medalla.

CONTORSIÓN f. Actitud forzada, movimiento irregular y convulsivo. • Ademán grotesco, mueca. ■ CONTORCERSE; CONTORSIONARSE; CONTORSIONISTA.

CONTORTA adj. *Bot.* Díc. de la prefloración o floración imbricada, en la que cada hoja cubre a la inmediata y queda cubierta por la procedente. • adj. y f. *Bot.* Díc. de plantas del orden contortas. • f. pl. *Bot.* Orden de plantas dicotiledóneas, caracterizadas por poseer flores actinomorfas con corola reducida.

CONTRA prep. con que se denota la oposición y contrariedad de una cosa con otra. • Enfrente. • Hacia. • m. Concepto opuesto o contrario a otro. Se usa precedido del artículo *el* y en contraposición a *pro*. • *Mús.* Pedal del órgano. • pl. *Mús.* Bajos más profundos en algunos órganos. • f. fam. Dificultad, inconveniente. • *Esg.* Parada que consiste en un movimiento circular rapidísimo de la espada.

CONTRAÁLABE m. Álabe fijo de una turbina, dirigido en sentido opuesto a los álabes móviles.

CONTRAALISIO adj. y m. *Meteor.* Díc. del viento constante que se origina en las proximidades del Ecuador y se desplaza hasta unos 30°. de latitud en dirección NE, en el hemisferio norte, y SE, en el hemisferio sur. Los c. se originan por ascensión de grandes masas de aire cálido en zonas ecuatoriales.

CONTRAALMIRANTE m. *Mil.* Oficial general de la armada, inferior al vicealmirante.

CONTRAATAQUE m. *Mil.* Reacción ofensiva contra el avance del enemigo. ■ CONTRAATACAR.

CONTRAAVISO m. Aviso contrario a otro anterior.

CONTRABAJO m. El más grave de los instrumentos de cuerda y arco. Posee cuatro cuerdas. • Persona que toca este instrumento. • *Mús.* Voz más grave y profunda que la del bajo ordinario. • *Mús.* Persona que tiene esta voz.

CONTRABALANCEAR tr. Operar con la balanza hasta lograr el equilibrio de los dos platillos. • fig. Compensar, contrapesar.

CONTRABALANZA f. Contrapeso. • fig. Contraposición.

CONTRABANDO m. Comercio o producción de géneros prohibidos por las leyes. • Géneros y mercancías prohibidos. • Acción o intento de fabricar o introducir fraudulentamente dichos géneros. ■ CONTRABANDEAR; CONTRABANDISTA.

CONTRABARRERA f. Segunda fila de asientos en los tendidos de las plazas de toros.

CONTRABATIR tr. *Mil.* Tirar contra las baterías.

CONTRABLOQUEO m. *Mil.* Conjunto de operaciones destinadas a restar eficacia al bloqueo enemigo.

CONTRABOCEL m. *Arq.* Caveto.

CONTRACALCAR tr. Calcar al revés.

CONTRACAMBIO m. Trueque. • *Cont.* Importe del segundo cambio que se origina al recambiar una letra.

CONTRACANDELA f. *Cuba.* Contrafuego.

CONTRACARRO adj. y s. Díc. del arma u obstáculo para impedir la acción de los carros de combate.

CONTRACCIÓN f. Acción y efecto de contraer o contraerse. • *Fisiol.* Proceso de acortamiento de los músculos por acción de un impulso nervioso que supera el umbral de intensidad. • *Gram.* Metaplasmo que consiste en hacer una sola palabra de dos, de las cuales la primera acaba y la segunda empieza en vocal, suprimiendo una de estas vocales. • *Gram.* Sinéresis.

CONTRACEPCIÓN f. Limitación voluntaria de la fecundidad usando métodos anticonceptivos. ■ CONTRACEPTIVO, VA.

CONTRACHAPADO, DA o **CONTRAPLACADO, DA** adj. y s. Díc. del tablero formado por varias capas finas de madera, encoladas a presión y con fibras entrecruzadas. ■ CONTRACHAPAR.

CONTRACLAVE f. *Arq.* Cada una de las dovelas inmediatas a la clave de un arco o bóveda.

CONTRACORRIENTE f. *Meteor.* Corriente derivada de la pral. y de dirección contraria a ésta. • **A c.** m. adv. En la dirección contraria a una corriente, gralte. de agua.

CONTRACTURA f. Contracción involuntaria y dolorosa, duradera o permanente, de uno o más grupos musculares. • *Arq.* Disminución del diámetro del fuste de una columna en su parte superior.

CONTRACULTURA f. Mov. radical que presenta alternativas distintas de la vida y la cultura dominantes. N. a finales de los 50, gozó de gran predicamento en la década de los 60 y ha influido en los cambios de costumbres en las sociedades capitalistas avanzadas, sobre todo en la familia, el sexo y la crítica ante el poder.

CONTRADANZA f. Baile de figuras, de ritmo vivo. • Música de este baile.

CONTRADECIR tr. y prnl. Decir uno lo contrario de lo que otro afirma, o negar lo que da por cierto. • prnl. Obrar de forma opuesta a lo que se dice o se piensa. ■ CONTRADICTOR, RA.

CONTRADICCIÓN f. Acción y efecto de contradecir o contradecirse. • Afirmación y negación que se oponen una a otra y recíprocamente se destruyen. • Oposición, contrariedad. • **Principio de c.** *Fil.* Tautología sintetizada en la sentencia: «Es imposible que una cosa sea y no sea al mismo tiempo y bajo el mismo aspecto.» Se rige por las tablas de verdad y falsedad y no por su contenido. Hegel lo utilizó en la dialéctica como motor de la realidad.
CONTRADICTORIA f. *Lóg.* Posición que se produce entre dos proposiciones que difieren en calidad y en cantidad de manera que no pueda afirmarse una sin negar la otra.
CONTRADIQUE m. Segundo dique, construido cerca del primero.
CONTRADIRECCIÓN f. Dirección contraria a otra establecida.
CONTRAEMBOSCADA f. Emboscada que se hace contra otra.
CONTRAER tr. Estrechar, juntar una cosa con otra. • Aplicar a un caso o a una proposición particular proposiciones o máximas generales. • Tratándose de costumbres, vicios, deudas, obligaciones, etc., adquirirlos, caer en ellos. • tr. y prnl. fig. Reducir el discurso a una idea, a un solo punto. • Encogerse un nervio, un músculo, etc. • Reducir a menor tamaño. • tr. *Amér.* Aplicarse en un trabajo con decisión. ■ CONTRACTABLE; CONTRÁCTIL; CONTRACTILIDAD; CONTRACTIVO, VA; CONTRAYENTE.
CONTRAESCARPA f. Pared en talud del foso enfrente de la escarpa.
CONTRAESCRITURA f. Instrumento para protestar o anular otro anterior.
CONTRAESPIONAJE m. Servicio de seguridad encargado de descubrir y reprimir la actuación de los espías enemigos.
CONTRAFILO m. Filo que se suele sacar algunas veces a las armas blancas de un solo corte por la parte opuesta a éste y junto a la punta.
CONTRAFOQUE m. *Mar.* Foque más pequeño y de lona más gruesa que el pral., que se enverga y orienta más adentro que aquél.
CONTRAFUEGO m. Fuego que se prende a una parte de bosque, a fin de crear un vacío que impida su adelanto.
CONTRAFUERTE m. Correa clavada a los fustes de la silla y donde se afianza la cincha. • Pieza de cuero con que se refuerza el calzado, por la parte del talón. • *Arq.* Machón saliente en el paramento de un muro, para fortalecerlo. • *Geog.* Cadena secundaria de montaña.
CONTRAFUGA f. *Mús.* Fuga en la cual la imitación del tema se ejecuta en sentido inverso.
CONTRAGOLPE m. *Med.* Conmoción del organismo por el traumatismo de una parte sit. lejos del foco traumático. • *Mil.* Contraataque hecho por sorpresa.
CONTRAGUERRILLA f. Tropa ligera, organizada para operar contra las guerrillas.
CONTRAGUÍA f. En el tiro par, mula que va delante y a la izquierda.
CONTRAHACER tr. Imitar. • Falsificar. • tr. y prnl. Fingir.
CONTRAHAZ f. Revés o parte opuesta a la haz en las ropas o cosas semejantes.
CONTRAHECHO, CHA adj. y s. Que tiene torcido o corcovado el cuerpo.
CONTRAHECHURA f. Imitación fraudulenta de alguna cosa.
CONTRAHIERBA f. *Amér.* Planta cuya raíz se usa como antídoto contra el veneno de las serpientes. • fig. Contraveneno, antídoto.
CONTRAHILO *(A)* m. adv. En dirección opuesta al hilo.
CONTRAHUELLA f. Plano vertical del escalón.
CONTRAINDICAR tr. *Med.* Disuadir de la utilidad de un remedio que parece conveniente. ■ CONTRAINDICACIÓN; CONTRAINDICANTE.
CONTRALECHO *(A)* m. adv. *Arq.* Aplícase a los sillares sentados en una obra con las capas de estratificación verticales.
CONTRALOR m. Oficio honorífico de la casa real. • *Amér.* Funcionario encargado de examinar la contabilidad oficial.
CONTRALORÍA f. *Amér.* Servicio encargado de examinar la legalidad y corrección de los gastos públicos.
CONTRALTO m. *Mús.* Voz media entre la de tiple y la de tenor.
CONTRALUZ f. Vista o aspecto de las cosas desde el lado opuesto a la luz. • Fotografía que se realiza con el foco luminoso situado detrás del objeto.
CONTRAMAESTRE m. En algunas fábricas y talleres, vigilante que dirige a los oficiales y obreros. • Jefe de uno o más talleres o tajos de obra. • *Mar.* Oficial de mar que dirige la marinería bajo las órdenes del oficial.
CONTRAMAESTRE Mun. de Cuba, en la prov. de Santiago de Cuba; 90 300 hab. Ind. alimentaria.
CONTRAMALLA f. Red para pescar hecha de mallas anchas y fuertes, la cual, puesta detrás de otra red de mallas más estrechas sirve para recibir y detener el pescado.
CONTRAMANDAR tr. Ordenar lo contrario a lo mandado anteriormente. ■ CONTRAMANDATO.
CONTRAMANO *(A)* m. adv. En dirección contraria u opuesta a la corriente o a la prescrita por la autoridad.
CONTRAMARCA f. Segunda marca. ■ CONTRAMARCAR.

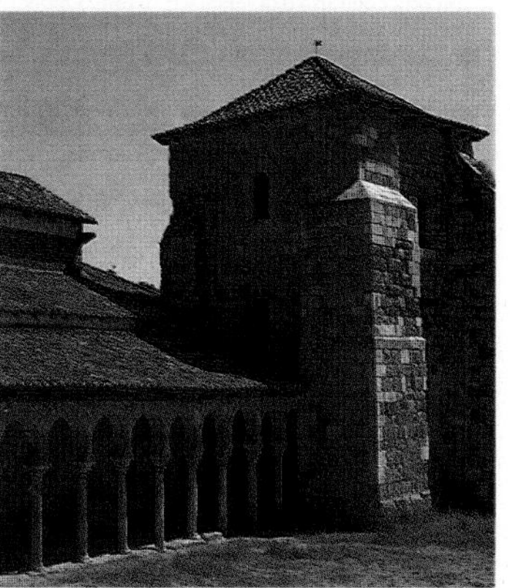

Contrafuerte en un muro del monasterio mozárabe de San Miguel de Escalada, León (España)

CONTRAMARCHA f. Retroceso que se hace del camino que se lleva. ■ CONTRAMARCHAR.
CONTRAMARCO m. *Carp.* Segundo marco que se clava en el cerco o marco que está fijo en la pared, para poner en él las puertas vidrieras.
CONTRAMAREA f. Marea contraria a otra.
CONTRAMINA f. *Mil.* Mina que se hace debajo de la de los contrarios. • *Min.* Comunicación de dos o más minas. ■ CONTRAMINAR.
CONTRAMOLDE m. *Art. Gráf.* Molde que se compone con algunos de los elementos que integran un impreso de dos o más tintas.
CONTRAMUELLE m. Muelle, gralte. opuesto a otro principal.
CONTRAMURALLA f. o **CONTRAMURO** m. Muralla adosada a un muro para reforzarlo.
CONTRANATURAL adj. Contrario al orden de la naturaleza.
CONTRAOFENSIVA f. *Mil.* Ofensiva para contrarrestar la del enemigo.
CONTRAORDEN f. Orden con que revoca otra que antes se ha dado.
CONTRAPAR m. *Arq.* Cabrio, madero que recibe la tablazón del tejado.
CONTRAPARTIDA f. Asiento que se hace para corregir algún error cometido en la contabilidad por partida doble. • Cosa que compensa los efectos contrarios de otra.
CONTRAPÁS m. Cierta figura o paseo en la contradanza.
CONTRAPASAR intr. Pasarse el bando contrario.
CONTRAPASO m. Paso que se da a la parte opuesta del que se ha dado antes. • En el canto, emisión o interpretación por unos cantantes de las notas normales, en tanto que otros hacen el paso o inflexión que sirve de cobertura a la voz.
CONTRAPEAR tr. *Carp.* Aplicar unas piezas de

Contrafoque de un velero (vela sombreada)

Plano en **contrapicado** del filme *Los diez mandamientos*, de C. B. de Mille

madera contra otras, de manera que sus fibras estén cruzadas.

CONTRAPECHAR tr. En los torneos y justas, hacer el jinete que su caballo dé con los pechos en los del que monta su contrario.

CONTRAPELO *(A)* m. adv. Contra la inclinación o dirección natural del pelo. • fig. y fam. Contra el curso natural de una cosa.

CONTRAPESO m. Peso que se pone a la parte contraria de otro para que queden iguales o en equilibrio. • Balancín, palo largo de los volatineros. • fig. Lo que se considera y estima suficiente para equilibrar una cosa que prepondera y excede. • *Chile*. Inquietud. ■ CONTRAPESAR.

CONTRAPICADO m. *Cin*. Procedimiento que consiste en situar la cámara en un nivel inferior al del sujeto, con el objetivo dirigido hacia arriba.

CONTRAPILASTRA f. *Arq*. Resalto que se hace en el paramento de un muro a uno y otro lado de una pilastra o media columna unida a él.

CONTRAPLANO m. *Cin*. Procedimiento que consiste en enfocar una escena desde distintos puntos de vista, pero con ángulos similares.

CONTRAPONER tr. Comparar o cotejar una cosa con otra contraria o diversa. • tr. y prnl. Oponer. ■ CONTRAPOSICIÓN; CONTRAPUESTO, TA.

CONTRAPORTADA f. *Art. Gráf*. Página anterior a la portada. • *Art. Gráf*. Parte opuesta a la portada.

CONTRAPRESIÓN f. Presión opuesta a otra.

CONTRAPRESTACIÓN f. *Der*. Para cada parte contratante, prestación con la que la otra parte corresponde a la suya.

Contrarreforma. A la derecha, una sesión del Concilio de Trento; abajo, Ignacio de Loyola presentando al papa Paulo III la regla de la Compañía de Jesús, en una vidriera de la casa solariega de Loyola, Guipúzcoa (España)

CONTRAPRODUCENTE adj. Díc. del dicho o acto cuyos efectos son opuestos a la intención con que se profiere o ejecuta.

CONTRAPROPAGANDA f. Propaganda destinada a contrarrestar los efectos de una propaganda no deseada.

CONTRAPROPUESTA f. Propuesta contraria a otra.

CONTRAPROYECTO m. Proyecto diferente de otro determinado, y para el mismo fin.

CONTRAPRUEBA f. *Art. Gráf*. Segunda prueba que sacan los impresores o estampadores. • *Der*. En un juicio, prueba que aporta el demandado en contra de otra del demandante.

CONTRAPUERTA f. Portón interior de la casa. • Puerta sit. inmediatamente detrás de otra. • Antepuerta, puerta interior de la fortaleza.

CONTRAPUNTA f. *Mec*. Parte del torno que sirve de apoyo a la pieza que se trabaja.

CONTRAPUNTEARSE prnl. Contrapuntearse.

CONTRAPUNTEAR tr. *Mús*. Cantar de contrapunto. • tr. y prnl. fig. Decir una persona a otra palabras picantes. • intr. *Amér*. Competir. • prnl. fig. Picarse entre sí dos o más personas.

CONTRAPUNTO m. *Mús*. Concordancia armoniosa de voces contrapuestas. Superposición de líneas melódicas a otra línea considerada como principal, llamada *cantus firmus* o *tenor*. La máx. expresión del c. es la fuga, elevada a su perfección por Bach. ■ CONTRAPUNTISTA.

CONTRAQUILLA f. *Mar*. Pieza que cubre toda la quilla por la parte inferior de la nave, de popa y proa.

CONTRARIAR tr. Oponerse a las palabras, acciones o voluntad de otro. • Causar despecho. • Oponerse a algo.

CONTRARIEDAD f. Oposición que tiene una cosa con otra. • Accidente que impide o retarda el logro de un deseo.

CONTRARIO, RIA adj. y f. Opuesto a una cosa. • adj. fig. Que daña o perjudica. • m. y f. Persona que tiene enemistad con otra. • Persona que sigue pleito o pretensión con otra. • Persona que lucha, contiende o está en oposición con otra. • m. Impedimento, embarazo, contradicción.

CONTRARREFORMA f. Movimiento religioso y político que combatió la reforma luterana (ss. XVI y XVII). La c. tuvo su expresión doctrinal en el concilio de Trento (1545-1563). Entre los instrumentos utilizados por la c. destaca el de la Inquisición (valedora de la ortodoxia).

CONTRARRÉPLICA f. Contestación dada a una réplica. • Dúplica.

CONTRARRESTAR tr. Resistir, hacer frente y oposición. • Volver la pelota desde la parte del saque. ■ CONTRARRESTO.

CONTRARREVOLUCIÓN f. Movimiento político destinado a combatir una rev., o a destruir sus resultados. ■ CONTRARREVOLUCIONARIO, RIA.

CONTRARRIEL m. Contracarril.

CONTRARRONDA f. *Mil*. Segunda ronda.

CONTRASEGURO m. Contrato por el que el asegurador se obliga a devolver al contratante las cuotas percibidas.

CONTRASELLO m. Sello más pequeño con que se marcaba el pral. para dificultar las falsificaciones. • El grabado o señal que dejaba el mismo sello. ■ CONTRASELLAR.

CONTRASENTIDO m. Sentido contrario al natural. • Deducción opuesta a los antecedentes. • Dislate, despropósito, necedad.

CONTRASEÑA f. Seña reservada que se dan unas personas a otras para entenderse entre sí. • Contramarca, señal que se pone en ciertos artículos sujetos a impuesto, después de pagado. • *Mil*. Señal o palabra que se da para conocerse respecto de los enemigos.

CONTRASTAR tr. Resistir, hacer frente. • Comprobar y fijar la ley, peso y valor de las monedas o de otros objetos de oro o plata. • Tratándose de pesas y medidas, comprobar su exactitud. • intr. Mostrar notable diferencia, o condiciones opuestas, dos cosas.

CONTRASTE m. Acción y efecto de contrastar. • Diferencia notable que existe entre personas o cosas. • Almotacén, persona que contrasta pesas y medidas. • Oficina donde se contrasta. • Marca que se graba en los objetos de metal noble como garantía. • *Fot*. Brillantez relativa de las partes más oscuras e iluminadas de la imagen.

CONTRATA f. Escritura con que se asegura un contrato. • Contrato que se hace para ejecutar una obra o prestar un servicio por un precio determinado.

CONTRATACIÓN f. Acción y efecto de contratar. • Comercio y trato de géneros vendibles.

CONTRATAPA f. Carne de vaca que está contra la babilla y la tapa. • *Art. Gráf*. Parte interior de las tapas donde se pegan las guardas.

CONTRATAR tr. Pactar, convenir, comerciar, hacer contratos o contratas. • tr. y prnl. Ajustar, mediante convenio, algún servicio. ■ CONTRATISTA.

CONTRATIEMPO m. Accidente perjudicial y por lo común inesperado. • pl. *Eq*. Movimientos desordenados que hace el caballo.

CONTRATIPO m. *Art. Gráf*. Molde de un tipo, hueco o en relieve. • *Fot*. Prueba negativa de un positivo o positiva de un negativo. • *Fot.* Prueba sacada para disponer de un duplicado del original.

CONTRATO m. *Der.* Pacto establecido con ciertas formalidades entre dos o más personas, en virtud del cual se obligan recíprocamente a ciertas cosas. • *Der.* Documento en que se consigna. • **bilateral.** Aquel en que se conmutan prestaciones recíprocas entre los otorgantes, y éstos quedan mutuamente obligados. • **consensual.** El que se perfecciona por el solo consentimiento. • **de arrendamiento.** Convención mutua en virtud de la cual se obliga al dueño de una cosa, mueble o inmueble, a conceder a otro el uso y disfrute de ella por tiempo determinado mediante cierto precio o servicio que ha de satisfacer el que lo recibe. • Aquel por el cual una persona se obliga a ejecutar una obra o prestar un servicio a otro mediante cierto precio. • **de compraventa** o **de compra y venta.** Convención mutua en virtud de la cual se obliga el vendedor a entregar la cosa que vende, y el comprador el precio convenido por ella. • **enfitéutico.** El conmutativo por el cual el dueño de un inmueble cede el dominio útil, reservándose el directo. ■ CONTRACTUAL.

CONTRATORPEDERO m. Cazatorpedero, buque de guerra.

CONTRATRINCHERA f. *Mil.* Contraaproches.

CONTRATUERCA f. Tuerca auxiliar que superpuesta a otra impide que ésta se afloje.

CONTRAVALAR tr. *Mil.* Construir por el frente del ejército que sitia una plaza una línea fortificada, llamada de contravalación. ■ CONTRAVALACIÓN.

CONTRAVALOR m. Valor comercial dado a cambio de otro.

CONTRAVAPOR m. *Ferr.* Sistema de frenado de emergencia en las locomotoras a vapor.

CONTRAVENENO m. Medicamento para contrarrestar los efectos del veneno.

CONTRAVENIR tr. Obrar en contra de lo que está mandado. ■ CONTRAVENCIÓN; CONTRAVENTOR, RA.

CONTRAVENTA f. Venta realizada para deshacer la compraventa anterior.

CONTRAVENTANA f. Puerta que interiormente cierra sobre la vidriera.

CONTRAVIDRIERA f. Segunda vidriera, que sirve para mayor abrigo.

CONTRAYENTE adj. y s. Que contrae. Se aplica únicamente a la persona que contrae matrimonio.

CONTRECHO, CHA adj. Baldado, tullido.

CONTRE-PETTERIE (voz fr.) f. Metátesis recíproca entre sonidos de palabras distintas, que produce un resultado absurdo o burlesco: *cabizbundo y meditabajo* por *cabizbajo y meditabundo*.

CONTRERAS, *Alonso de* (1582-1641) Militar esp. En *Discurso de mi vida* narra las aventuras de su viaje a Sudamérica. • ***Francisco*** (1877-1932) Escritor chil. Introdujo el simbolismo en la poesía de su país. *Esmaltines*. • ***Jerónimo de*** Novelista esp., autor de la *Selva de aventuras*, novela bizantina muy leída en el s. XVI. • ***Rodrigo de*** (1502-1558) Conquistador esp. Gobernador de Nicaragua como sucesor de su suegro Pedrarias Dávila. Organizó una expedición para explorar la zona de comunicación entre el lago Nicaragua y el Atlántico. Los colonos esp. le acusaron ante la Inquisición de enriquecimiento ilícito y de malos tratos a los indígenas, por lo que fue destituido. • **Y López de Ayala, *Juan de,*** MARQUÉS DE LOZOYA (1893-1978) Historiador esp., *Historia del arte hispánico*.

CONTRETE m. Puntal que sostiene una pieza horizontal. • En los eslabones elípticos de una cadena, travesaño que coincide con el eje menor.

CONTRIBUCIÓN f. Acción de contribuir. • Cosa que se hace o da para contribuir a algo. • *Der.* Pago que están obligados a hacer los ciudadanos para contribuir a sostener los gastos del Estado, la prov. o el municipio. • **directa.** La que pesa sobre personas, bienes o usos determinados. • **indirecta.** La que grava determinados actos de producción, comercio o consumo. • **territorial.** La que ha de tributar la riqueza rústica. • **urbana.** La que se imponen a la propiedad inmueble en centros de población. ■ CONTRIBUTIVO, VA.

CONTRIBUIR tr. Dar o pagar cada uno la cuota que le cabe por un impuesto o repartimiento. • Concurrir voluntariamente con una cantidad para determinado fin. ■ CONTRIBUIDOR, RA; CONTRIBUTARIO, RIA; CONTRIBUYENTE.

CONTRICIÓN f. *Teol.* Dolor profundo de haber ofendido a Dios. ■ CONTRITO, TA.

CONTRINCANTE m. Cada uno de los que forman parte de una misma trinca en las oposiciones. • Competidor, rival.

CONTRISTAR tr. y prnl. Afligir, entristecer.

CONTROL m. Comprobación, inspección, intervención, registro. • Dominio, supremacía. • Coordinación de la conducta. • Regulación, limitación. • Lugar donde se controla. • **de calidad.** Método estadístico que, por medio de muestras, permite controlar la fabricación, en serie, de máquinas o de piezas de precisión. • **de cambios.** Método mediante el cual los Estados o sus bancos centrales controlan las transacciones en moneda extranjera, con el fin de mantener su aprovisionamiento de divisas. • **de la natalidad.** Conjunto de métodos que se emplean para dirigir u orientar la procreación. • **de precios.** El que sobre los bienes y servicios ejercen las autoridades gubernamentales.

Sala de **control** en la central de Bratsk, Rusia

CONTROLAR tr. Comprobar, revisar, intervenir, examinar. • Tener bajo su dominio, dirigir. • tr. y prnl. Contener, reprimir.

CONTROLLER (voz ing.) m. Dispositivo para el gobierno de circuitos de tracción eléctrica. • Coordinador y responsable de las tareas de contabilidad y control de ciertas empresas.

CONTROVERTIR intr. y tr. Discutir extensa y detenidamente sobre una materia. ■ CONTROVERSIA; CONTROVERTISTA.

CONTUBERNIO m. Habitación con otra persona. • Cohabitación ilícita. • fig. Alianza vituperable.

CONTUMACIA f. Tenacidad y dureza en mantener un error. • *Der.* Rebeldía, tardanza en comparecer en juicio. ■ CONTUMAZ.

CONTUMELIA f. Oprobio, injuria u ofensa dicha a una persona en su cara. ■ CONTUMELIOSO, SA.

CONTUNDENTE adj. Aplícase al instrumento y al acto que producen contusión. • fig. Que produce gran impresión en el ánimo; convenciéndolo. ■ CONTUNDENCIA.

CONTUNDIR tr. y prnl. Magullar, golpear.

CONTURBAR tr. y prnl. Alterar, turbar, inquietar. • fig. Intranquilizar, alterar el ánimo. ■ CONTURBACIÓN; CONTURBADO, DA.

CONTUSIÓN f. Daño que recibe alguna parte del cuerpo por golpe que no causa herida exterior. • **cerebral.** Traumatismo craneal con lesión cerebral. ■ CONTUSIONAR; CONTUSO, SA.

CONUCO m. *Amér. Centr.* y *Ant.* Parcela de tierra que cultivan los indígenas o los campesinos pobres.

CONURBACIÓN f. *Soc.* Agrupación urbana con solución de continuidad, de varios núcleos de población.

CONVALECER o **CONVALESCER** intr. Recobrar las fuerzas perdidas por enfermedad. • fig. Salir una persona o una colectividad del estado de postración o peligro en que se encuentra. ■ CONVALECENCIA; CONVALECIENTE; CONVALESCENCIA; CONVALESCIENTE.

CONVALIDAR tr. Confirmar, revalidar. • En un establecimiento docente, dar por válidos estudios realizados en otro. ■ CONVALIDACIÓN.

CONVECCIÓN f. *Fís.* Tipo de transmisión de la energía calorífica en el seno de un fluido. Depende de las características del movimiento del fluido y de su conductividad interna. Un ejemplo de propagación por c. lo constituye el desplazamiento del aire caliente hacia arriba, debido a su menor densidad, propagando el calor en el mismo sentido.

CONVECINO, NA adj. Cercano, próximo, inmediato. • adj. y s. Que tiene vecindad con otro en un mismo pueblo.

CONVELERSE prnl. *Med.* Agitarse con una convulsión patológica un miembro o músculo del cuerpo.

CONVENCER tr. y prnl. Precisar a uno con razones eficaces a que mude de dictamen o abandone el que seguía. • Probarle una cosa de manera que racionalmente no la pueda negar. ■ CONVENCIDO, DA; CONVENCIMIENTO; CONVINCENTE.

CONVENCIÓN f. Ajuste y concierto entre dos o más personas o entidades. • Conveniencia. • Asamblea de los representantes de un país que asume to-

Convento dominico, llamado el pequeño Escorial, en Monforte de Lemos, Lugo (España)

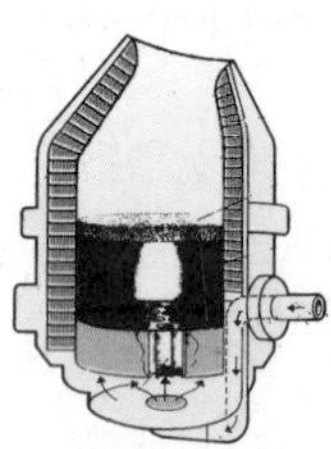
Esquema y partes de un **convertidor** de Bessemer

Flores de una enredadera de la familia **convolvuláceas**

dos los poderes. • En EE UU, convocatoria de un partido político para elegir el candidato a la presidencia. • **Nacional.** Asamblea constituyente fr. creada en 1792; abolió la monarquía y proclamó la I República. Gobernó hasta 1795.

CONVENCIONAL adj. Relativo al convenio o pacto. • Que resulta o se establece en virtud de precedentes o de costumbre. • *Mil.* Díc. de las armas que no son nucleares, químicas o biológicas, y de la guerra en que no se usan. • m. Individuo de una convención.

CONVENCIONALISMO m. Conjunto de opiniones o procedimientos basados en ideas falsas que, por comodidad y conveniencia social, se tienen como verdaderas. ■ CONVENCIONALISTA.

CONVENIENCIA f. Correlación y conformidad entre dos cosas. • Utilidad, provecho. • Ajuste, concierto y convenio. • Acomodo de una persona para servir en una casa. • Comodidad. • pl. Haberes, rentas, bienes. • Decoro.

CONVENIO m. Ajuste, convención. • Pacto, acuerdo. • **colectivo.** *Der.* Acuerdo o pacto establecido entre los representantes sindicales de una empresa o ramo de producción y un patrón o asociación de patronos. Constituye en muchos países fuente de derecho del trabajo.

CONVENIR intr. Ser de un mismo parecer y dictamen. • Acudir o juntarse varias personas en un mismo lugar. • Corresponder, pertenecer. • Importar, ser a propósito, ser conveniente. • prnl. Ajustarse, componerse, concordarse. • Coincidir dos o más voluntades causando obligación. ■ CONVENIDO, DA; CONVENIBLE; CONVENIENTE.

CONVENTÍCULO m. Junta ilícita y clandestina de algunas personas.

CONVENTILLO m. *Amér.* Casa de vecindad.

CONVENTO m. Casa o monasterio en que viven los religiosos o religiosas. • Comunidad de religiosos o religiosas. ■ CONVENTUAL; CONVENTUALIDAD.

CONVERGENCIA f. Acción y efecto de convergir. • *Biol.* Fenómeno por el cual seres pertenecientes a distintas especies presentan órganos parecidos como soluciones de adaptación a un problema común. • *Ópt.* Valor recíproco de la distancia focal imagen, también llamada potencia.

CONVERGER o **CONVERGIR** intr. Dirigirse dos o más líneas a unirse en un punto. • fig. Concurrir al mismo fin los dictámenes, opiniones o ideas de dos o más personas. • *Mat.* En una sucesión o serie, tender hacia un límite finito.

CONVERSACIONAL adj. Díc, de la lengua hablada, coloquial, en contraposición a la escrita o literaria. • *Comp.* Forma de trabajo en diálogo con una computadora: cada entrada de datos por parte del operador conduce a una respuesta por parte de la computadora.

CONVERSAR intr. Hablar una o varias personas con otra u otras. • Vivir, habitar en compañía de otros. • Tratar, comunicar y tener amistad unas personas con otras. ■ CONVERSA; CONVERSACIÓN; CONVERSADOR, RA.

CONVERSIÓN f. Acción y efecto de convertir o convertirse. • Mutación de una cosa en otra. • Mudanza de vida. • Cambio de efectos públicos por otros de diferentes características. • *Mil.* Mutación de frente.

CONVERTIBILIDAD f. Calidad de convertible. • Situación en la que la moneda de un país puede cambiarse por las de otros países.

CONVERTIBLE adj. Que puede convertirse. • Que puede cambiarse por otros títulos o valores. • m. Automóvil descapotable. Se usa más en América.

CONVERTIDOR, RA o **CONVERSOR, RA** adj. Que convierte. • m. Dispositivo para transformar una magnitud física en otra o para variar su valor. • **de Bessemer.** *Metal.* Recipiente metálico basculante recubierto interiormente de material refractario, usado para afinar fundición de hierro.

CONVERTIR tr. y prnl. Mudar o volver una cosa en otra. • Hacer cambiar de religión, parecer u opinión. • prnl. Sustituirse una palabra o proposición por otra de igual significacion. ■ CONVERSIVO, VA; CONVERSO, SA.

CONVEXO, XA adj. Que tiene, respecto del que mira, la superficie más prominente en el medio que en los extremos. • *Geom.* Díc. de cualquier espacio, en el que dos cualesquiera de sus puntos determinan un segmento rectilíneo, todo él contenido en el espacio. ■ CONVEXIDAD.

CONVICCIÓN f. Convencimiento. • Idea fuertemente adherida a uno. Se usa más en pl.

CONVICTO, TA adj. *Der.* Díc. del reo a quien legalmente se ha probado su delito, aunque no lo haya confesado.

CONVIDADA f. fam. Convite que se hace entre la gente del pueblo, y en el que sólo se invita a beber.

CONVIDAR tr. Rogar una persona a otra que la acompañe a comer, beber u otra cosa que le resultaría agradable. • fig. Mover, incitar. • prnl. Ofrecerse voluntariamente para alguna cosa. ■ CONVITE.

CONVIVIR intr. Vivir en compañía de otro u otros, cohabitar. ■ CONVIVENCIA; CONVIVIENTE.

CONVOCAR tr. Citar, llamar a varias personas para que concurran a lugar o acto determinado. • Aclamar algo el público con sus voces.

CONVOCATORIA f. Anuncio o escrito con que se convoca.

CONVOLVULÁCEO, A adj. y f. *Bot.* Díc. de las plantas de la familia convolvuláceas. • f. pl. Familia de árboles, matas y hierbas docotiledóneos, de hojas alternas, corola en forma de campana con cinco pliegues y semillas con albumen mucilaginoso.

CONVÓLVULO m. *Zool.* Oruga de color verde amarillento; vive a expensas de los frutos y hojas de la vid. • *Bot.* Enredadera.

CONVOY m. Escolta o guardia para llevar con seguridad alguna cosa por mar o por tierra. • Taller, angarillas para el servicio de mesa.

CONVOYAR tr. Escoltar lo que se conduce de una parte a otra, para que vaya resguardado. • *Chile.* Ayudar a realizar un negocio. • *P. Rico y Ven.* Confabularse.

CONVULSIÓN f. Contracción espasmódica involuntaria, de naturaleza patológica, de los músculos voluntarios. • fig. Agitación violenta de tipo político o social. • Sacudida de la tierra o del mar motivada por fenónemos sísmicos. ■ CONVULSIONANTE; CONVULSIONAR; CONVULSIVO, VA; CONVULSO, SA.

CONVULSIONARIO, RIA adj. Que padece convulsiones. • m. pl. Supersticiosos fr. del s. XVIII.

CONVULSOTERAPIA f. Tratamiento de algunas enfermedades psíquicas, a través de accesos convulsivos provocados por fármacos o electroshock.

CONYUGACIÓN f. *Biol.* Conjugación.

CÓNYUGE com. Consorte, el marido con respecto a su esposa, y viceversa. ■ CONYUGAL.

CONZE, *Alexander* (1831-1914) Arqueólogo al. *Los relieves sepulcrales áticos, Los resultados de las excavaciones de Pérgamo.*

COÑA f. fam. Chunga, guasa. • fam. Cosa molesta. ■ COÑEARSE; COÑÓN, NA.

COÑAC m. Aguardiente obtenido por la destilación de vinos flojos y añejado en toneles de roble.

COÑETE adj. *Chile.* y *Perú.* Tacaño, mezquino.

COÑO m. fam. Vulva. • **¡Coño!** interj. que expresa enfado, extrañeza, alegría, etc.

COOD, *Enrique* (1826-1888) Político y jurisconsulto chil. *Leyes chilenas sobre el matrimonio entre los no católicos.*

COOGAN, *Jackie* (1914-1984) Actor cinematográfico norteam., famoso por su interpretación del papel del niño en la película *El chico* de Charlie Chaplin.

COOK Arch. del océano Pacífico, sit. en Polinesia, entre las islas Tonga y Sociedad. Políticamente dependiente de Nueva Zelanda (240,6 km^2, 21 300 hab. polinesios). Isla pral.: Rarotonga. Cap., Avarua. • ***estrecho de*** Brazo de mar que separa las islas Norte y Sur de Nueva Zelanda. • ***monte*** Punto culminante de los Alpes neozelandeses; 3 764 m de alt. Se levanta al O de la zona central de la isla Sur.

COOK, *Frederic Albert* (1865-1940) Médico y explorador norteam. de origen al., acompañante de Peary en sus expediciones polares. • ***James*** (1728-1779) Navegante y cartógrafo brit. Descubrió Nueva Zelanda, Nueva Caledonia y las islas Hawai. Sus viajes iniciaron la era de las exploraciones científicas.

COOL (voz ing.) adj. Díc. de un estilo de *jazz* caracterizado por la estilización melódica y armónica.

COOLÍ m. Trabajador chino de una colonia.

COOLIDGE, *Calvin* (1872-1933) Político norteam., presid. de EE UU (1924-1929). El optimismo de su política económica tuvo una espectacular quiebra con el *crack* de 1919. • ***William David***

(1873-1975) Físico y químico norteam. Inventó el tubo de cátodo incandescente que lleva su nombre para la producción de rayos X.
COOPER, *Gary* (1901-1961) Actor cinematográfico norteam. *Tres lanceros bengalíes, El sargento York, Solo ante el peligro.* • ***Gordon Leroy*** (nacido 1927) Astronauta norteam., que ha participado en dos misiones: en 1963, en la cabina *Fate 7*, dio 22 vueltas a la Tierra; en 1965, en la *Gemini 5*, dio 120 vueltas alrededor de la Tierra. • ***James Fenimore*** (1789-1851) Novelista norteam. *Los pioneros, El último mohicano.* • ***Peter*** (1791-1883) Industrial norteam., promotor de la construcción de la *Tom Thumb*, primera locomotora de vapor estadounidense. • ***Samuel*** (1609-1672) Pintor ing., especialista en retratos en miniatura. Retrató a Milton, Cromwell y Carlos II.
COOPERAR tr. Obrar juntamente con otro u otros para un mismo fin. ■ COOPERACIÓN.
COOPERATIVA f. *Econ.* y *Soc.* Sociedad formada por productores o consumidores para vender o comprar en común, sin intermediarios. • **agrícola.** Asociación de pequeños propietarios agrícolas con el fin primordial de obtener créditos, comprar maquinaria en común y subvenir al mantenimiento de la tierra. • **de consumo.** Asociación de consumidores para procurarse los productos que necesitan, mediante su compra al por mayor o directamente a los fabricantes. • **de producción.** Asociación de trabajadores para asumir colectivamente la gestión empresarial.
COOPERATIVISMO m. Movimiento socioeconómico basado en la asociación voluntaria de productores o consumidores. El c. surgió en el s. XIX en Gran Bretaña y se extendió después a casi todo el mundo. Sus prales. impulsores fueron los socialistas utópicos: Saint Simon, Fourier, Blanc y Owen. ■ COOPERATIVISTA.
COOPOSITOR, RA m. y f. Persona que con otra u otras concurre a unas oposiciones.
COOPTAR tr. Cubrir las vacantes de una corporación mediante el voto de sus integrantes. ■ COOPTACIÓN.
COORDENADO, DA adj. y f. *Geom.* Díc. de cada una de las líneas o planos de referencia que sirven para determinar la posición de un punto. • Díc. de cada uno de los números que expresan esta posición en relación a las líneas o planos anteriores. • **Coordenadas celestes** o **astronómicas.** *Astr.* Valores numéricos mediante los que se determina la posición de los astros en la bóveda celeste. • **geocéntricas.** Las de un astro respecto a un sistema con su origen en el centro de la Tierra. • **geográficas.** Parámetros angulares que determinan la posición de un punto sobre la superficie geométrica de la Tierra. • **heliocéntricas.** Las de un astro respecto a un sistema con su origen en el centro del Sol.
COORDINACIÓN o **COORDINAMIENTO** f. Acción y efecto de coordinar. • *Gram.* Relación que existe entre oraciones de sentido independiente. • *Fisiol.* Actividad armónica de las partes que cooperan en una función. ■ COORDINADO, DA.
COORDINAR tr. Disponer cosas metódicamente. ■ COORDINADOR, RA; COORDINATIVO, VA.
COPA f. Vaso con pie para beber. • Todo el líquido que cabe en una copa. • Conjunto de ramas y hojas que forma la parte superior de un árbol. • Parte hueca del sombrero, en que entra la cabeza. • Medida de líquidos, que es la cuarta parte de un cuartillo. • Cada una de las cartas del palo de copas en los naipes. • Premio que se concede en algunos certámenes deportivos. • pl. Uno de los cuatro palos de la baraja esp. en cuyos naipes se representan una o varias figuras de c. • Cabezas del bocado del freno. ■ COPUDO, DA.
COPA *Astr.* Constelación austral, cerca de la Hidra; su nombre latino es *Crater*.
COPACABANA Mun. de Colombia, en el dpto. de Antioquía; 29 300 hab. Agricultura. Ind. de aluminio y textil. • Barrio de Río de Janeiro (Brasil), famoso por sus playas.
COPADO, DA o **COPOSO, SA** adj. Que tiene copa. Díc. comúnmente de los árboles. • *Col.* Sin blanca.
COPAIBA f. Copayero. • Bálsamo de copaiba.
COPAÍNA f. *Quím.* Principio que se obtiene de la copaiba.
COPAL adj. y m. Aplícase a una resina que se emplea en barnices duros de buena calidad. • m. *Cuba.* Árbol silvestre de hojas lustrosas y flores blancas que produce la resina del mismo nombre.
COPALILLO m. *Cuba.* Árbol silvestre que da muy buena madera, amarillenta con vetas rojizas, dura y compacta. • *Hond.* Curbaril, árbol.
COPÁN Dpto. del O de Honduras, en el límite con Guatemala; 3 242 km², 297 533 hab. Cap., Santa Rosa de Copán. Atravesado por la cord. del Merendón y avenado por el Chamelecón. Clima tropical. Tabaco, café, caña de azúcar. Maderas preciosas y plantas medicinales. Ganadería. Minería. • **C. Ruinas.** Localidad de Hond. en el dpto. de Copán; 2 300 hab. Restos monumentales de una imp. c. maya.
COPANTE m. *Hond.* Pasadera, piedra para atravesar un arroyo, charco, etc.
COPAÑO (1511-1548) Cacique chil., jefe de la tribu de los promancos, que sostuvo una encarnizada guerra contra los esp. capitaneados por Valdivia.
COPAQUIRA f. *Chile* y *Perú.* Caparrosa o vitriolo azul.
COPAR tr. Hacer en los juegos de azar una puesta equivalente a todo el dinero con que responde la banca. • fig. Conseguir en una elección todos los puestos. • fig. Apoderarse de todos los puestos, existencias, etc., de un lugar. • *Mil.* Sorprender o cortar la retirada a una fuerza militar.
COPARTICIPACIÓN f. Acción de participar a la vez con otro en alguna cosa. ■ COPARTÍCIPE.
COPAYERO m. *Amér. Merid.* Árbol de la familia cesalpiniáceas, copa poco poblada, hojas alternas compuestas y flores blancas de cuatro pétalos. Su tronco da el bálsamo de copaiba.
COPAZO m. Copa grande. • fam. Con los verbos *tomar, beber, atizar*, etc., beberse una copa de vino, licor, etc., de un solo golpe.
COPE m. Parte más espesa de la red de pescar.
COPE, *Edward Drinker* (1840-1897) Paleontólogo norteam. *Los factores primarios de la evolución orgánica.*
COPEAR intr. Vender por copas las bebidas. • Tomar copas. ■ COPEO.
COPELA f. Vaso de figura de cono truncado, hecho con cenizas de huesos calcinados, y donde se ensayan y purifican los minerales de oro o plata.
COPELADO, DA adj. y m. *Zool.* Díc. de los individuos de una clase de animales tunicados de carácter planctónico, que se hallan en todos los mares. • adj. Relativo a estos animales. • m. pl. *Zool.* Clase de dichos animales.
COPELAR tr. Fundir minerales o metales en copela para ensayos, o en hornos de copela para operaciones metalúrgicas. ■ COPELACIÓN.
COPENHAGUE *(Kobenhavn)* Cap. de Dinamarca, en la isla de Sjaelland; 482 900 hab. (1 365 800 la agl. urb.). Universidad. Ind. harineras, aceite de pescado, cerveza y porcelana. Puerto. • **Círculo lingüístico de C.** Grupo de investigación lingüística fundado por el filólogo danés Hjelmslev. El resultado de sus estudios ha aparecido en la publicación *Trabajos del Círculo Lingüístico de Copenhague*.
COPÉPODO, DA adj. y m. *Zool.* Díc. de los crustáceos de la subclase copépodos. • m. pl. Subclase de crustáceos marinos, de agua dulce o parásitos, gralte. de tamaño minúsculo y hasta submicroscópico. Forman parte del plancton marino.
COPERNICANO, NA adj. Relativo a Copérnico. • Conforme al sistema de Copérnico. • adj. y s. Partidario de este sistema.

James **Cook**

Estela esculpida en **Copán Ruinas**

Vista del puerto de **Copenhague**

Nicolás **Copérnico**

Cabeza de un caballo en la que puede verse el **copete**

Monje medieval realizando una **copia,** según una miniatura de la *Crónica general de Alfonso X el Sabio.* Monasterio de El Escorial, Madrid

COPÉRNICO, ***Nicolás*** (1473-1543) Astrónomo polaco. En su obra *De revolutionibus orbium caelestium* (1543) defendió la concepción heliocéntrica del universo, que más tarde aceptaría y demostraría Galileo. Fundador de la astronomía moderna.

COPERO m. El que tenía por oficio traer la copa y dar de beber a su señor. • Mueble usado para contener copas.

COPETE m. Pelo que se trae levantado sobre la frente. • Moño o penacho de plumas que tienen algunas aves en la cabeza. • Mechón de crin que cae al caballo sobre la frente. • Parte superior de la pala del zapato, que sale por encima de la hebilla. • Cima, lo más alto. • fig. Atrevimiento, altanería, presuntuosidad. ■ COPETUDO, DA.

COPETÍN m. Copa pequeña. • *Amér.* Trago de licor o aperitivo. • *Argent.* Cóctel.

COPETÓN, NA adj. *Amér.* Copetudo. • *Ven.* Cobarde. • m. *Col.* Gorrión moñudo. • f. *Méx.* Mujer elegante.

COPETUDA f. Alondra. • *Cuba.* Flor de la maravilla.

COPEY m. *Amér. Centr.* Árbol de la familia gutíferas, de fruto esférico, pequeño y venenoso.

COPIA f. Muchedumbre o abundancia de una cosa. • Traslado o reproducción de un escrito. • Obra de pintura, de escultura o de otro gén., que se ejecuta reproduciendo la obra original. • Imitación servil del estilo o de las obras de escritores o artistas. • Imitación o remedo de una persona. • Cada ejemplar obtenido a partir de un cliché fotográfico.

COPIAPÓ Volcán del N de Chile; 6 052 m.

COPIAPÓ Prov. del N de Chile, en la región de Atacama; 90 500 hab. Cap., la c. hom. Maíz. Oro, cobre y plata. • C. de Chile, cap. de la región de Atacama y de la prov. hom.: 79 300 hab.

COPIAR tr. Escribir en una parte lo que está escrito en otra. • Escribir lo que dice otro en un discurso seguido. • Sacar copia de una obra de pintura o escultura. • Imitar la naturaleza en las obras de pintura y escultura. • Imitar servilmente el estilo o las obras de escritores o artistas. • Imitar o remedar a una persona. • fig. poét. Hacer descripción o pintura de una cosa. ■ COPIADOR, RA; COPIANTE; COPISTA; COPISTERÍA.

COPIHUE m. *Chile.* Enredadera de flores rojas o blancas y fruto en baya.

COPILCO Yacimiento arqueológico mex., situado en un suburbio de la cap. de México. Pertenece a una civilización desarrollada entre los ss. XV y IX a. C., cuyos vestigios permanecieron ocultos bajo una capa de lava hasta principios de este siglo.

COPILOTO com. Piloto auxiliar.

COPÍN de Holanda, ***Diego*** (ss. XV-XVI) Escultor esp., de origen hol. Participó en la talla del retablo del altar mayor de la catedral de Toledo.

COPINAR tr. *Méx.* Desollar animales, sacando entera la piel. ■ *Méx.* COPINA.

COPINOL m. *Guat.* Curbaril, árbol.

COPIÓN, NA adj. Persona que copia lo que hace, dice o escribe otra. • m. Copia mala de una obra.

COPIOSIDAD f. Abundancia, copia excesiva de una cosa. ■ COPIOSO, SA.

COPLA f. Combinación métrica o estrofa. • Composición que sirve de letra en las canciones populares. • Pareja, conjunto de dos personas o cosas semejantes. • pl. fam. Versos. ■ COPLEAR; COPLERO, RA; COPLISTA.

COPLANARIO, RIA adj. *Geom.* Díc. de los elementos que pertenecen a un mismo plano.

COPLAND, ***Aaron*** (1900-1990) Compositor, pianista y director de orquesta norteam. Autor de conciertos *(Concierto para piano y orquesta, Concierto para clarinete y orquesta),* ballets *(Billy el Niño, Rodeo, Primavera apalache)* y obras didácticas *(Música e imaginación, Nuestra nueva música, Lo que hay que tratar de oír en la música).* Compuso también temas musicales de películas.

COPLEY, ***John Singleton*** (1738-1815) Pintor norteam. *El matrimonio Skinner, La muerte de Chatham. El sitio de Gibraltar.*

COPLÓN m. despect. Mala composición poética. Se usa más en pl.

COPO m. Porción de cáñamo, lana, lino, algodón, etc., en disposición de hilarse. • Cada una de las porciones de nieve que caen cuando nieva. • Grumo. • *Argent.* y *Ur.* Acumulación de nubes. • *Col.* Copa del árbol. • Acción de copar. • Bolsa de red, con que terminan varias artes de pesca.

COPÓN m. Copa en la que se guardan hostias consagradas. • *Col.* Red.

COPOSESIÓN f. Posesión con otro u otros. ■ COPOSESOR, RA.

COPPÉE, ***François*** (1842-1908) Poeta, dramaturgo y novelista fr. *Intimidades, Los humildes, El caminante, El culpable.*

COPPERMINE R. de Canadá, que desagua en el océano Glacial Ártico; 840 km.

COPPI, ***Fausto*** (1919-1960) Ciclista it. Campeón en dos ocasiones de la vuelta a Francia y en cinco de la vuelta a Italia.

COPPOLA, ***Francis Ford*** (nacido 1939) Director de cine norteam. *El padrino, Apocalypse Now, La ley de la calle.*

COPRA f. Médula del coco de la palma, usada para la obrención de aceite.

COPRETÉRITO m. Según la terminología de Andrés Bello, el pretérito imperfecto de indicativo.

COPRODUCCIÓN f. Producción en común. ■ COPRODUCTOR, RA.

COPROFAGIA f. Tipo de alimentación que consiste en la asimilación de los excrementos de otros seres. • *Psiq.* Tendencia patológica a comer excrementos. ■ COPRÓFAGO, GA.

COPROFILIA f. *Psiq.* Tendencia a sentirse atraído por los excrementos.

COPROLALIA f. Tendencia morbosa a emplear expresiones escatológicas u obscenas.

COPROLITO m. Excremento fósil. • Concreción fecal dura que puede causar obstrucción de la luz intestinal o del apéndice.

COPROLOGÍA f. *Med.* Estudio físico, químico y bacteriológico de las materias fecales.

COPROPIEDAD f. Condominio. ■ COPROPIETARIO, RIA.

COPRORREA f. Diarrea.

COPTO, TA o **COFTO, TA** adj. y s. *Rel.* Cristiano de Egipto. La iglesia c., también llamada de los egipcios, desciende de la iglesia de Alejandría. Se separó de la bizantina cuando ésta condenó el monofisismo en el concilio de Calcedonia (451).

COPUCHA f. *Chile.* Vejiga para usos domésticos. • fam. *Chile.* Mentira, embuste, bola. • **Hacer copuchas.** *Chile.* Inflar los carrillos. ■ *Chile.* COPUCHENTO, TA.

CÓPULA f. Atadura, ligamiento de una cosa con otra. • Unión sexual. • *Arq.* Cúpula de un edificio. • *Ling.* y *Lóg.* término que une el predicado con el sujeto.

COPULACIÓN f. Cópula, acción de copular. • *Zool.* Proceso de reproducción sexual de los protozoos, que consiste en la unión permanente de dos individuos que actúan a modo de gameto y forman la célula huevo o cigoto.

COPULAR intr. y prnl. Unirse sexualmente el macho y la hembra de los animales superiores.

COPULATIVO, VA adj. Que liga y junta una cosa con otra. • adj. y f. Díc. de las oraciones gramaticales coordinadas e independientes entre sí. • Díc. de las conj. que unen dos términos o dos frases independientes. • adj. Díc. del verbo que sirve de nexo entre el sujeto y un atributo.

COPYRIGHT (ing., «derecho de copia») m. Derecho del autor o de su concesionario para explotar una obra literaria, científica o artística durante un periodo determinado de tiempo.

COQUE, COK o **COKE** m. Materia carbonosa sólida y de color gris, resultante de la destilación del carbón.

COQUERA f. Cabeza del trompo. • Oquedad de corta extensión en la masa de una piedra. • Cajón para guardar el coque.

COQUERÍA f. Instalación industrial formada por una batería de hornos en los que se efectúa la coquización.

COQUERO, RA adj. *Bol.* y *Perú.* Aficionado a la coca o que la vende o cultiva.

COQUETEAR intr. Tratar de agradar con medios estudiados. • Procurar agradar a muchos a un tiempo. • Tener trato con partido, ideología, etc., sin entregarse seria o abiertamente a ellos. ■ COQUETA.

COQUETERÍA f., o **COQUETEO** o **COQUETISMO** m. Acción y efecto de coquetear. • Estudiada afectación en los modales y adornos.

COQUETO, TA adj. fam. Agradable, bonito.

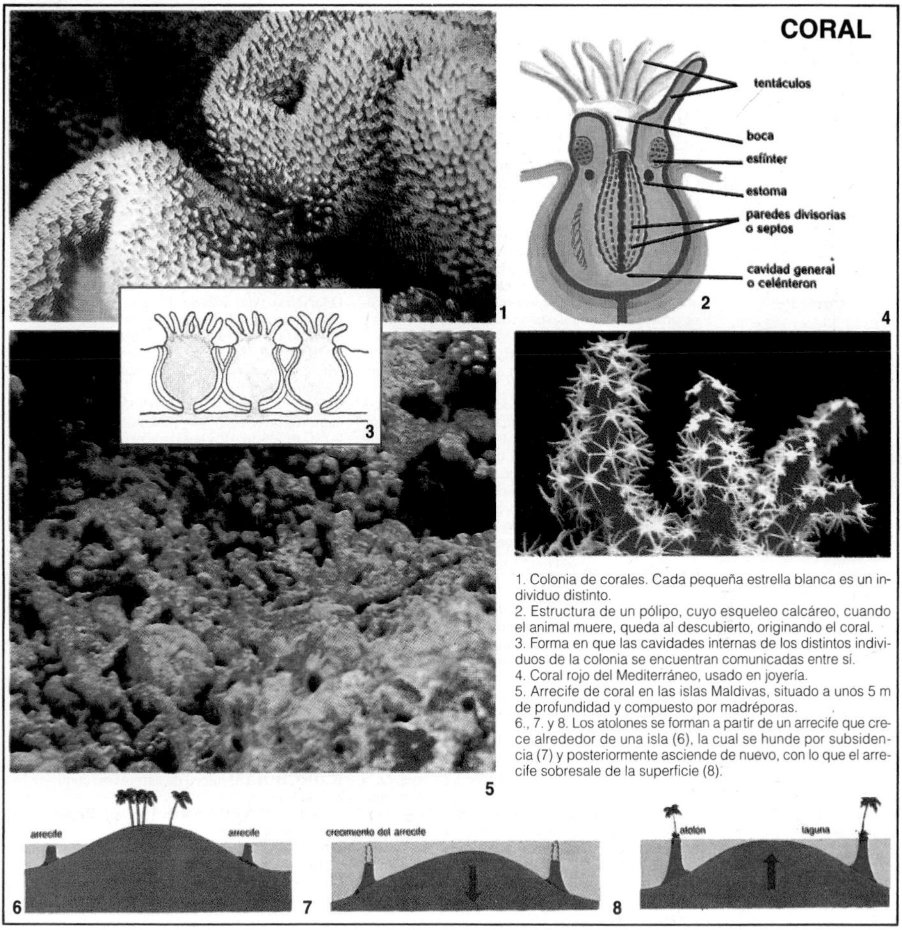

CORAL

1. Colonia de corales. Cada pequeña estrella blanca es un individuo distinto.
2. Estructura de un pólipo, cuyo esqueleo calcáreo, cuando el animal muere, queda al descubierto, originando el coral.
3. Forma en que las cavidades internas de los distintos individuos de la colonia se encuentran comunicadas entre sí.
4. Coral rojo del Mediterráneo, usado en joyería.
5. Arrecife de coral en las islas Maldivas, situado a unos 5 m de profundidad y compuesto por madréporas.
6., 7. y 8. Los atolones se forman a partir de un arrecife que crece alrededor de una isla (6), la cual se hunde por subsidencia (7) y posteriormente asciende de nuevo, con lo que el arrecife sobresale de la superficie (8).

COQUETÓN, NA adj. fam. Gracioso, atractivo, agradable. • adj. y m. fam. Díc. del hombre que procura agradar a muchas mujeres.
COQUÍ m. *P. Rico.* Pequeño batracio de voz aguda y suave.
COQUIBACOA Mun. de Venezuela, en el est. Zulia; 199 400 hab.
COQUILLA f. *Metal.* Molde metálico utilizado en fundición.
COQUILLO m. *Cuba.* Tela de algodón blanco y fino que se usó para vestidos.
COQUIMBO IV región de Chile, sit. al N del país; 40 656,3 km^2, 502 460 hab., cap., La Serena. Accidentada al E por los Andes, que enlazan con la zona costera. R. prales.: Elqui y Limarí. Agricultura de secano, excepto en los valles fluviales (frutales). Oro, cobre, hierro, mercurio. • C. de Chile, cap. de la prov. de Elqui; 102 600 hab. Elaboración de vinos. Ind. (cemento, curtidos, fertilizantes y productos químicos). Minería. Puerto.
COQUINA f. Molusco acéfalo, de valvas finas, ovales, muy aplastadas, y de color gris con manchas rojizas.
COQUINO m. *Bot.* Árbol de madera laborable y fruto comestible.
COQUITO m. Ademán o gesto que se hace al niño para que ría. • *Zool. Amér.* Ave del orden de las columbiformes, parecida a la tórtola. • *Chile* y *Ecuad.* Fruto de una especie de palma. También se le llama coco de Chile.
COQUIZAR tr. Transformar la hulla en coque por acción del calor en atmósfera cerrada. ■ COQUIZACIÓN.

COR m. Corazón. • **pulmonale**. *Pat.* Hipertrofia e insuficiencia del ventrículo derecho.
CORA f. *Perú.* Hierbecilla perjudicial que crece en los plantíos.
CORACÁN m. Planta anual tropical de la familia gramíneas, cuyas semillas se utilizan como alimento.
CORACERO m. Soldado de caballería armado de coraza. • fig. y fam. Cigarro puro de tabaco muy fuerte y de mala calidad.
CORACHA f. Saco de cuero que sirve para transportar tabaco, cacao, mate, etc.
CORÁCIDO, DA adj. y m. *Zool.* Díc. de aves de la familia corácidos. • m. pl. *Zool.* Familia de aves coraciformes propias de las regiones tropicales del Viejo Mundo.
CORACIFORME adj. y f. Relativo a las coraciformes. • pl. Orden de aves trepadoras, como la abubilla.
CORACINA f. Coraza pequeña y ligera.
CORACOIDES adj. y s. *Anat.* Díc. de la apófisis del omóplato, encorvada en forma de pico de cuervo en la parte más prominente del hombro. • Díc. de un hueso que forma parte de la cintura escapular de peces, anfibios, reptiles y aves.
CORAJE m. Impetuosa decisión y esfuerzo del ánimo: valor. • Irritación, ira. ■ CORAJOSO, SA; CORAJUDO, DA.
CORAJINA f. fam. Arrebato de ira.
CORAL adj. Relativo al coro. • m. *Mús.* Composición vocal armonizada a cuatro voces. • *Mús.* Composición instrumental análoga a este canto. • *Zool.* Celentéreo antozoo que vive en colonias cu-

Pantocrátor **copto**

Coralillo

Corán. Frontispicio de un códice de Valencia (1182). Biblioteca de la Universidad de Istanbul

Coraza de bronce púnica (s. III-II a. C.). Museo del Bardo, Tunicia

Capilla de Nôtre Dame du Hant, obra de **Le Corbusier.** Belfort, Francia

yos individuos están unidos entre sí por un polípero calcáreo y ramificado de color rojo y rosado. • *Cuba.* Arbusto de la familia mimosáceas, de hojuelas alternas, ovales y obtusas y flores pequeñas en espiga. ■ CORALERO, RA; CORALÍFERO, RA; CORALÍGENO, NA; CORALINO, NA.

CORAL, ***Mar del*** Sector del océano Pacífico entre el NE de Australia, Nueva Guinea, islas Salomón, Nuevas Hébridas y Nueva Caledonia.

CORALARIO m. *Zool.* Antozoo.

CORALILLO m. *Amér. Merid.* Serpiente muy delgada y con anillos rojos, amarillos y negros. Es muy venenosa.

CORALINA f. *Zool.* Zoófito de cuerpo cilíndrico de unos 2 mm de largo, blanco, membranoso y terminado en ocho tentáculos semejantes a los pétalos de una flor. Vive en colonias provistas de un esqueleto calizo, que es el coral. • *Bot.* Alga ramosa, articulada, compuesta de tallos de color rojizo y cubierta gralte. con una costra de caliza blanca. • Toda producción marina parecida al coral.

CORALITO m. *Col.* Planta así llamada por el color rojo de su fruto.

CORAMBRE f. Conjunto de cueros o pellejos. • Cuero, odre. ■ CORAMBRERO.

CORÁN m. *Rel.* Libro sagrado de los mahometanos. Escrito en ár., contiene cuanto Mahoma predicó a sus fieles inspirado por Alá (Dios). Presenta, aparte lo propio y original de la predicación de Mahoma, elementos bíblicos, judíos, cristianos, iranios, maniqueos y zoroastrianos. ■ CORÁNICO, CA.

CORANA f. *Amér.* Hoz que usan algunos indígenas.

CORANVOBIS m. fam. Aspecto de la persona, en especial la corpulenta, que afecta gravedad.

CORAR intr. *Col.* Labrar la tierra.

CORASÍ m. *Cuba.* Mosquito de cabeza rojiza.

CORAZA f. Armadura, compuesta de peto y espaldar. • Blindaje. • *Zool.* Concha que protege a las tortugas y galápagos.

CORAZÓN m. *Anat.* Órgano central de la circulación de la sangre, situado en el hombre en la cavidad del pecho, hacia su parte media y algo a la izquierda. • fig. Ánimo. • fig. Voluntad, amor. • fig. Centro de una cosa. • fig. Pedazo de lienzo, piedra, etc. que se corta o hace en figura de corazón. • fig. Interior de una cosa inanimada. • *Her.* Punto central del escudo. • **pulmón artificial** *Cir.* Aparato que durante las intervenciones quirúrgicas sobre el c. sustituye sus funciones y las de los pulmones.

* *Anat.* El c. del hombre está constituido por una pared de fibras musculares, unidas por tejido conjuntivo, el miocardio, que está revestido exterior e interiormente por membranas serosas, llamadas pericardio y endocardio, respectivamente. En su interior hay cuatro cavidades: dos superiores, llamadas *aurículas*, donde desembocan los dos grandes troncos venosos, y dos inferiores llamadas *ventrículos*, de donde parten los grandes troncos arteriales. Se contrae *(sístole)* 70-80 veces por minuto, y entre las contracciones se establecen períodos de relajación *(diástole)* en los que la sangre penetra en las cavidades.

CORAZONADA f. Impulso espontáneo. • Presentimiento. • fam. Asadura de una res.

CORAZONCILLO m. Hierba medicinal de la familia gutíferas, de flores amarillas y frutos capsulares acorazonados y resinosos.

CORAZONISTA adj. Relativo al Sagrado Corazón de Jesús o a los Sagrados Corazones de Jesús y María. • adj. y s. Aplícase a la orden de los Sagrados Corazones y a sus miembros.

CORBATA f. Tira de tela que se anuda al cuello como adorno. • Cinta adornada que se ata al asta de una bandera.

CORBATEAR tr. *Col.* Sacudir a uno asiéndolo de la corbata.

CORBATÍN m. Corbata corta que se ajusta por detrás con un broche, o por delante con un lazo sin caídas.

CORBATO m. Baño frío en que está sumergido el serpentín del alambique.

CORBEIL, ***Tratado de*** (1258) Acuerdo firmado en la c. fr. hom. (actual Corbeil-Essones) entre el rey de Aragón Jaime I el Conquistador y Luis IX de Francia. Por él, la Corona de Aragón renunciaba a sus derechos en Occitania y Francia a los condados catalanes.

CORBETA f. Ant. embarcación de guerra, con tres palos y vela cuadrada. • Buque de guerra moderno que de porte es inferior al de la fragata.

CORBIÈRE, *Edouard Joachim*, llamado ***Tristan*** (1845-1875) Poeta fr. Verlaine lo situó en el primer lugar entre los «poetas malditos». Publicó un único libro: *Los amores amarillos.*

CORBONA f. Recipiente donde se guardan alhajas, dinero, etc.

CORBUSIER, *Charles-Edouard Jeanneret Gris*, llamado ***Le*** (1887-1965) Urbanista y arquitecto suizo, nacionalizado fr.; uno de los creadores de la arq. funcional. La primacía concedida a la luz, líneas continuas de ventanales, pilares de hormigón, son características prales. de su estilo. *Palacio de Cristal* (Marsella), *villa Saboye* (Poissy), *refugio del ejército de salvación* (París), *capilla de Nôtre-Dame-du-Haut* (Ronchamp, Haute-Saône).

CÓRCEGA (fr., *Corse*; it., *Corsica*) Isla fr. en el Mediterráneo occidental, constituida por los dptos. de Haute-Corse; 4 666 km², 131 500 hab.; cap., Bastia, y Corse-du-Sud; 4 014 km², 118 200 hab.; cap., Ajaccio. Terr. muy montañoso (Monte Cinto, 2 710 m.). Vid, olivo. Ganadería. Ind. maderera. Centro turístico.

CORCEL m. Caballo ligero.

CORCESCA f. Partesana de hierro largo, con dos orejas a semejanza de los arpones.

CORCHADO y Juarbe, ***Manuel*** (1840-1884) Político y escritor puertorriq. Diputado en 1871. *Páginas sangrientas, Historias de ultratumba.*

CORCHEA f. *Mús.* Figura o nota musical cuyo valor es la mitad de una negra.

CORCHETA f. Hembra en que entra el macho de un corchete.

CORCHETE m. Especie de broche compuesto de macho y hembra. • Signo (II) que, colocado vertical u horizontalmente, abraza dos o más guarismos, palabras o renglones en lo manuscrito o impreso, o dos o más pentagramas en la música.

CORCHO m. *Bot.* Parte exterior de la corteza del alcornoque. • Corchera. • Colmena. • Tapón de corcho. ■ CORCHERO, RA; CORCHOSO, SA.

¡CÓRCHOLIS! interj. de extrañeza, contrariedad o enfado.

CORCHOTAPONERO, RA adj. Relativo a la ind. de los tapones de corcho.

CORCINO m. Corzo pequeño.

CORCOLÉN m. *Chile.* Arbusto bixáceo siempre verde, parecido al aromo por sus flores.

CORCOVA f. Corvadura anómala de la columna vertebral, o del pecho, o de ambos a la vez. ■ CORCOVADO, DA; CORCOVAR; CORCOVETA.

CORCOVADO Cerro en forma de pan de azúcar que domina la bahía de Río de Janeiro.

CORCOVO m. Salto que dan algunos animales encorvando el lomo. • fig. y fam. Desigualdad, torcimiento o falta de rectitud. ■ CORCOVEAR.

CORCUERA, ***Arturo*** (nacido 1935) Poeta per. Premio Nacional de poesía (1963). *Cantoral, Primavera triunfante, Las sirenas y las estaciones.*

CORDADA f. Grupo de alpinistas que realizan la escalada unidos por una cuerda.

CORDADO, DA adj. *Her.* Díc. del instrumento musical o del arco cuyas cuerdas son de distinto esmalte. • adj. y m. *Zool.* Díc. de los animales del tipo cordados. • m. pl. Tipo de animales que poseen notocordio o columna vertebral. Sus formas más primitivas, los procordados, son especies marinas: los tunicados y el anfioxo, que carecen de esqueleto. La mayoría de los c. poseen esqueleto, e integran el subtipo de los vertebrados.

CORDAL adj. y f. Díc. de la muela del juicio. • m. Pieza colocada en la parte inferior de la tapa de los instrumentos de cuerda, y que sirve para atar éstas.

CORDAY, ***Charlotte*** (1768-1793) Joven fr. que, influida por los jefes girondinos de Normandía, asesinó a Marat. Murió en el cadalso.

CORDEL m. Cuerda delgada. • Distancia de cinco pasos. • Camino para los ganados trashumantes. ■ CORDELADO, DA; CORDELAZO; CORDELERÍA.

CORDELEJO m. Chasco, zumba.

CORDELERO, RA adj. Concerniente al cordel. • m. y f. Persona que tiene por oficio hacer o ven-

der cordeles y otras obras de cáñamo. • m. Religioso franciscano.
CORDERAJE m. *Chile*. Borregada.
CORDERÍA f. Conjunto de cuerdas.
CORDERILLO m. o **CORDERINA** f. Piel de cordero adobada con su lana.
CORDERO, RA m. y f. Cría de oveja, que no pasa de un año. • m. Piel de este animal adobada. • fig. Persona mansa y dócil. • fig. Jesucristo. ■ CORDERINO, NA.
CORDERO, *Juan* (1824-1884) Pintor mex. Temas religiosos e históricos. *La mujer adúltera, Santa Ana, La cazadora*. • ***Luis*** (1883-1912) Escritor y político ecuat. Presid. de la rep. (1892-1895). Intentó revalorizar el idioma quechua, en el que escribió algunos poemas. *Poesías jocosas, Diccionario del idioma quechua*. • ***Roque*** (nacido 1917) Compositor y director de orquesta pan. *Capricho interiorano, Obertura panameña n.° 2*.
CORDIAL adj. Que tiene virtud para fortalecer el corazón. • Afectuoso, de corazón. • m. Bebida o poción confortante que se da a los enfermos. ■ CORDIALIDAD.
CORDIFORME adj. Que tiene forma de corazón, acorazonado.
CORDILLA f. Trenza de tripas de carnero.
CORDILLERA f. *Geog*. Conjunto de montañas enlazadas entre sí, producto de una misma orogénesis. Las c. han sido producidas por cuatro plegamientos prales.: el *huroniano*, el *caledoniano*, el *herciniano* (era primaria) y el *alpino* (era terciaria).

Fachada de la catedral de **Córdoba,** Argentina

CORDILLERA Prov. del centro de Chile, en la región Metropolitana de Santiago; 277 401 hab. Cap., Puente Alto. • ***La*** Dpto. de Paraguay; 4 948 km², 222 200 hab. Cap., Caacupé. Relieve ondulado. El r. Paraguay forma su límite occidental.
CORDILLERANO, NA adj. *Amér*. Relativo a la cordillera, especialmente a los Andes.
CORDITA Explosivo compuesto fundamentalmente por pólvora y nitroglicerina.
CÓRDOBA m. Unidad monetaria de Nicaragua.
CÓRDOBA Prov. del centro de Argentina; 165 321 km² (segunda en extensión), 2 764 176 hab. En su relieve se distinguen dos sectores prales.: uno montañoso al O, formado por una serie de sierras y altiplanicies con la denominación común de sierra de Córdoba (Champaquí, 2 790 m); el resto forma parte de la llanura de la Pampa. Los r. (Primero, Segundo, Tercero, Cuarto y Quinto) proceden de la sierra de Córdoba. Clima templado con tendencia a la sequedad, cálido en la Pampa y fresco en la sierra. Cereales, plantas forrajeras, cacahuetes, frutales. Ganadería. Salinas, canteras de mármol y calizas. Ind. mecánica, alimentaria, textil, química, cementera, abonos. Baja densidad de población (14,3 hab./km²). C. prales.: la cap., Córdoba, San Francisco, Río Cuarto, Villa María. • C. de Argentina, cap. de la prov. hom.; 1 179 067 hab.; sit. en un amplio valle a orillas del r. Primero. Segunda c. del país. Centro comercial, agrícola, cultural, industrial, rústico y de comunicaciones. Universidad (1613), una de las más ant. de América. Fundada en 1573 por Luis de Cabrera.
CÓRDOBA Dpto. del NO de Colombia, a orillas del Caribe; 25 020 km², 1 275 623 hab. Relieve llano y de poca alt., excepto en el sector S (sierras de Abibe, Ayapel y San Jerónimo, estribaciones de la cord. Occidental andina). R. prales.: Sinú y San Jorge. Clima cálido, suavizado por la alt. hacia el S. yuca, plátano y ajonjolí. Ganadería. Riqueza forestal, pesca. Carbón y petróleo. C. prales., la cap., Montería, Lorica, Sahagún, Ciénaga de Oro.
CÓRDOBA C. de México, en el est. de Veracruz; 120 000 hab. Cultivos tropicales. Turismo.
CÓRDOBA Prov. esp., en la com. autón. de Andalucía; 13 718 km², 761 401 hab. Accidentada por la Sierra Morena al N, el valle del Guadalquivir y La Campiña en el centro, y las estribaciones del Sistema Bético al Sur. Clima templado en invierno y caluroso en verano. Cereales, olivo, vid, remolacha azucarera, algodón. Ganadería. Antracita y plomo. Ind. derivada de la agricultura. C. prales.: la cap., Córdoba, Lucena, Puente Genil, Montilla. • C. esp., cap. de la prov. hom.; 306 248 hab. • **Emirato y califato de C.** El emirato independiente de C. se formó a la caída del califato omeya de Damasco (773), del que dependían los emires de Al-Andalus. El emirato alcanzó su máx. esplendor con Abd al-Rahman II. Abd al-Rahman III proclamó el califato, que aseguró el predominio musulmán sobre los reinos cristianos y que representó para al-Andalus una época de gran prosperidad. En tiempos de Hissan II, Almanzor realizó expediciones de castigo sobre los territorios cristianos. Tras su muerte, el califato inició la decadencia, hasta ser abolido por la burguesía cordobesa (1031).
CÓRDOBA, *Jorge* (1822-1861) Militar y político bol. Presid. de la rep. en 1855, implantó un régimen liberal. Derrocado en 1858. • **Córdoba y Figueroa, *Pedro de*** (1692-1770) Historiador chil. Gran conocedor de los indios araucanos. *Historia de Chile*. • ***José M.ª*** (1799-1829) Militar y político col. Se le llamó «el héroe de Ayacucho» por su valor en esa batalla (1824). • ***Pedro de*** (1482-1521) Dominico esp. Misionero en La Española (Santo Domingo), protegió a los indígenas frente a los abusos de los encomenderos.
CORDOBÁN m. Piel curtida de macho cabrío o de cabra. • *Cuba*. Árbol cuya semilla sirve de alimento a las aves y a animales domésticos. ■ CORDOBANERO, RA.
CORDOBENSE adj. y s. Del dpto. col. de Córdoba.
CORDOBÉS, SA adj. y s. De Córdoba.
CORDOBÉS, *Manuel Benítez*, llamado EL (nacido 1938) Matador de toros esp. Su toreo se caracterizó por su efectismo.

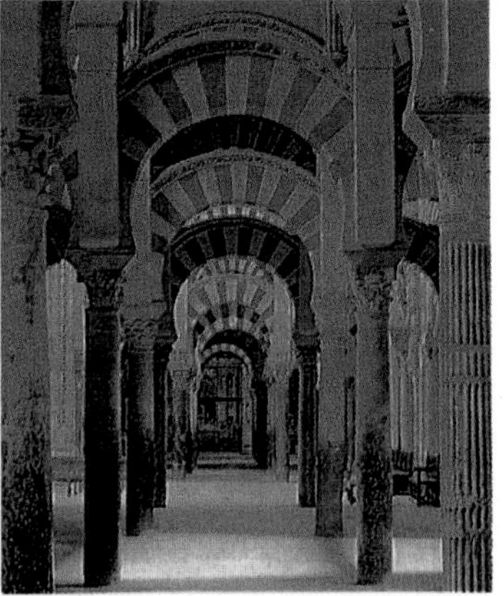

Mihrab de la mezquita de **Córdoba,** España

CORDÓN m. Cuerda de seda, lino, lana, etc. • Cable por el que pasa electricidad. • Serie de personas o cosas colocadas a cierta distancia para vigilar o proteger. • *Arq*. Bocel, moldura. • *Vet*. Raya o faja blanca que algunos caballos tienen en la cara. • pl. Divisa que los militares de cierto empleo y destino llevan colgando del hombro derecho. • **espermáti-**

Córcega. Estatua-menhir de Filitosa (h. 1600 a. C.)

co. *Anat.* Conjunto de estructuras que se dirigen del orificio inguinal de la pared abdominal hacia la bolsa escrotal • **litoral**. *Geog*. Conjunto de montículos que se forman a lo largo de las cosas llanas, por acumulación de arenas o guijarros. • **mesodérmico**. *Anat.* Franja de células del mesodermo que aparece a ambos lados del intestino en diversos grupos de animales y que origina el celoma del embrión. • **nervioso**. *Anat.* Hilo formado por fibras nerviosas, que conecta los ganglios del sistema nervioso de muchos invertebrados. • **sanitario**. Medida higiénica que consiste en establecer sistemas de control para impedir el paso de individuos o el transporte de objetos que puedan transmitir una enfermedad contagiosa. • **umbilical**. *Anat.* Conjunto de vasos que unen la placenta de la madre con el vientre del feto. ■ CORDONAZO; CORDONERÍA; CORDONERO, RA.

CÓRDOVA, ***Andrés F.*** (1892-1983) Político ecuat. Presid. de la rep. (1939-1940). • ***Arturo de*** (nacido 1908) Actor cinematográfico mex. *El esqueleto de la señora Morales, Él.* • ***Gonzalo*** (1863-1928) Político ecuat. Presid. de la rep. (1924-1925). • ***Jorge*** (1822-1861) Político bol. Presid. de la rep. (1855-1857). Derrocado y más tarde asesinado. • **Iturburu,** ***Cayetano*** (1902-1977) Poeta y crítico de arte arg. Crítico de *El Clarín. El árbol, el pájaro y la fuente.*

CORDURA f. Prudencia, buen seso, juicio.

COREA f. Danza que por lo común se acompaña con canto. • Afección del sistema nervioso, caracterizada por la aparición de movimientos rápidos y desordenados. Conocida también como baile de San Vito. ■ COREICO, CA.

COREA País del Extremo Oriente asiático, que ocupa la pen. hom. Limita con la Rep. Popular China y Rusia. Bañado por el mar del Japón, los estrechos de Corea y Cheju, y el mar Amarillo.

* *Hist.* El primer reino de C. se creó h. el 2333 a. C. En el s. XII a. C. se inició la penetración china. Los port. llegaron en el s. XVI. En 1592 los japoneses la invadieron temporalmente. En 1910 fue incorporada al Japón. Al finalizar la II Guerra Mundial, los soviéticos ocuparon el N y los norteam. el S, estableciéndose el límite entre ambas zonas en el paralelo 38°. En 1948 se organizaron elecciones por separado y se constituyeron los dos Est. coreanos. Las discrepancias entre ambos llevaron a la guerra (1950), al invadir C. del Norte a la del Sur. En 1953 se firmó el armisticio y se acordó la división del país. Tras varios intentos de reunificación, en 1991 se llegó a un acuerdo de cooperación y no agresión, violado desde 1996 en varias ocasiones.

REPÚBLICA DE COREA

* *Geog.* Sit. en la parte merid. de la pen. coreana. Paralela a la costa oriental se extiende la cordillera Taebaek, de la que se desprende la cadena Sobaek. Los r. prales. son el Kum y el Han. El litoral O y E cuenta con numerosas pequeñas pen. e islas. Clima continental influido por el monzón. Arroz, cebada, soja, patatas, algodón, tabaco. Pesca; ganadería. Carbón, hierro, ind. textil, metalúrgica y química. Lengua: coreano (of.) *Rel.:* budismo, confucianismo (mayoritarias). U.M.: el won. Cap., Seúl. C. prales.: Pusán, Daegu, Inchon.

* *Hist.* Syngman Rhee, presid. desde la constitución del Estado, se mantuvo en el cargo hasta 1960. Su régimen tiránico estuvo enmarcado por la corrupción y la crisis económica. En las elecciones de ese año fue elegido Chan Myun, derrocado por Chung Hee Park en 1961, quien se mantuvo en el poder hasta su asesinato (1979). En 1980 se produjo una insurrección popular en la c. de Kwangju, sofocada por el futuro presid. Chun Du-Hwan. En 1988, año en que Seúl fue sede de los Juegos Olímpicos, fue elegido presid. Roh Tae Woo, hombre de confianza de Du-Hwan. En 1993 le sucedió Kim Young Sam, quien fue reelegido en 1996. En 1998, el descontento general llevó al opositor Kim Dae Jung a ganar las elecciones presidenciales.

REPÚBLICA DEMOCRÁTICA POPULAR DE COREA

* *Geog.* Sit. en la parte septentrional de la pen. coreana. Relieve muy accidentado, salvo al O. Al NE y E se elevan una serie de cadenas paralelas al litoral (alt. máx., Kwanmobong, 2 541 m). R. prales.: Yalu, Tumen y Taedong. Clima continental influenciado por el monzón. Economía socializada, con una ind. muy desarrollada. Arroz, maíz; madera. Ganadería; pesca. Carbón, lignito, hierro, energía hidroeléctrica; ind. siderúrgica, química, textil, mecánica, papelera. Lengua: coreano (of.). *Rel.*: budismo, confucianismo. U.M.: el won. Cap., Pyongyang. C. prales.: Chongjin, Kaesong.

* *Hist.* Kim Il Sung, jefe militar y del gobierno desde 1948, inició después de la guerra un programa de reforma agraria, nacionalizaciones e industrialización. En 1973 Kim Il Sung se convirtió en presid. Desde 1975, C. pertenece a la conferencia de países no alineados, y practica una política de neutralidad frente a Rusia y China. El gobierno de C. del N ha sido acusado en varias ocasiones de intentar desestabilizar el régimen de C. del S (atentado en Rangún, 1983). Muerto Kim Il Sung en 1994, le sucedió su hijo Kim Jong Il. Desde 1996 su economía está en fuerte recesión.

COREANO, NA ajd. y s. De Corea. • m. Lengua hablada en Corea.

COREAR tr. Componer música para coros. • Acompañar con coros una composición musical. • fig. Asentir varias personas sumisamente al parecer ajeno. • fig. Aclamar, aplaudir.

COREGA o **COREGO** m. Ciudadano que costeaba la enseñanza y vestido de los coros de música y baile en Grecia.

CORÉGONO m. Pez teleósteo que vive en los Grandes Lagos de EE UU. Tiene forma parecida al salmón, escamas grandes, y una aleta adiposa detrás de la dorsal.

CORELLI, ***Arcangelo*** (1653-1713) Compositor it., autor de *concerti grossi* y obras de cámara. Uno de los creadores de la escuela violinística.

REPÚBLICA DE COREA

Superficie 99 237 km²

Población 45 628 000 hab. (459 hab./km²)

Recursos económicos	
Arroz	6 519 000 t
Cabaña bovina	3 075 000 cabezas
Cabaña porcina	6 100 000 cabezas
Carbón	7 438 000 t
Cebada	300 000 t
Energía eléctrica	185 993 millones de kwh
Hierro	107 000 t
Hierro colado	14 380 000 t
Naranjas	625 000 t
Neumáticos	47 105 000 unidades
Papelera	5 561 000 t
Pesca	2 700 000 t
Plata	257 000 kg
Riqueza forestal	6 485 000 t
Soja	160 000 t
Tejidos de algodón	442 millones de m²
Tungsteno	200 t
Indicadores sociológicos	
PNB	435 137 millones de dólares
Renta per cápita	9 700 dólares
Esperanza de vida	72 años
Alfabetismo	95 %

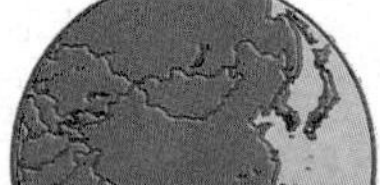

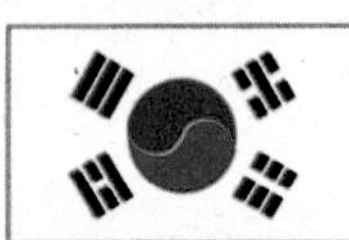

República de Corea. Arriba, mapa de situación y bandera; abajo, a la izquierda, danza tradicional coreana, y a la derecha, vista de Seúl

REPÚBLICA DEMOCRÁTICA POPULAR DE COREA

Superficie 120 538 km²

Población 24 317 000 hab. (202 hab./km²)

Recursos económicos	
Acero	8 000 000 t
Algodón	22 000 t
Arroz	2 580 000 t
Carbón	71 500 000 t
Cemento	17 000 000 t
Cinc	210 000 t
Energía eléctrica	37 000 millones de kwh
Cabaña bovina	1 350 000 cabezas
Cabaña porcina	3 350 000 cabezas
Fertilizantes	660 000 t
Hierro	4 900 000 t
Lignito	26 500 000 t
Maíz	2 350 000 t
Pesca	1 800 000 t
Plata	50 t
Riqueza forestal	4 876 000 t
Soja	400 000 t
Indicadores sociológicos	
PNB	22 300 millones de dólares
Renta per cápita	950 dólares
Esperanza de vida	72 años
Alfabetismo	98 %

COREO m. Pie de la poesía gr. y latina, compuesto de dos sílabas, la primera larga y la otra breve. • Juego o enlace de los coros en la música. • Acción y efecto de corear.

COREOGRAFÍA f. Arte de componer bailes. Arte de representar en el papel un baile por medio de signos. • En general, arte de la danza. ■ COREOGRÁFICO, CA; COREÓGRAFO, FA.

COREPÍSCOPO m. Prelado a quien se investía del carácter episcopal, pero que no ejercía más jurisdicción que la delegada del prelado.

COREZUELO m. Cochinillo. • Pellejo del cochinillo asado.

CORFU *(Kerkira)* Isla de Grecia, en el mar Jónico, separada de la costa continental por el estr. hom., 641 km², 99 500 hab. Cap., la c. hom. (36 900 hab.). Agricultura. Ind. harinera y papelera.

CORI, ***Carl Ferdinand*** (1896-1984) Bioquímico checo, nacionalizado norteam. Premio Nobel de Medicina en 1947, con su esposa ***Gerty*** (1896-1957). • **Ciclo de C.** Ciclo del ácido láctico. En los mamíferos, conjunto de las interrelaciones entre el metabolismo, glúcido del músculo y del hígado.

CORIÁCEO, A adj. Relativo al cuero. • Parecido a él.

CORIAMBO m. Pie de la poesía gr. y latina, compuesto de un coreo y un yambo.

CORIANA f. *Col.* Cobertor o manta.

CORIARIÁCEO, A adj. y f. *Bot.* Planta de la familia coriariáceas. • f. pl. *Bot.* Familia de plantas dicotiledóneas del orden sapindales.

CORIFEO m. El que guiaba el coro en las tragedias antiguas gr. y rom. • fig. El que es seguido de otros en una opinión, secta o partido.

CORILÁCEO, A adj. y f. *Bot.* Díc. de árboles y arbustos de la familia betuláceas, de hojas sencillas, alternas y con estípulas, flores en amentos, cúpula foliácea, y fruto indehiscente con semilla sin albumen. • f. pl. *Bot.* Familia de estas plantas.

CORIMBO m. *Bot.* Tipo de inflorescencia en la que los pedúnculos florales parten de distintas alturas sobre el vástago, pero terminan todos en el mismo plano superior.

CORINA (s. v a. C.) Poetisa gr., contemporánea y rival de Píndaro.

CORINDÓN m. *Miner.* Óxido de aluminio cristalizado en el sistema trigonal. Es el mineral más duro después del diamante y sus variedades transparentes y uniformemente coloreadas son muy apreciadas como gemas (rubí, zafiro, esmeralda). Las variedades turbias se utilizan en la ind.

CORÍNTICO, CA o **CORINTIO, TIA** adj. y s. De Corinto.

CORINTO *(Korinthos)* C. y puerto de Grecia en el Peloponeso; 22 700 hab. Cap. del nomo de Corintia (2 290 km², 123 000 hab.). Sit. junto al golfo y el istmo hom. Fue una de las c. más florecientes de ant. Grecia. • ***golfo de.*** Sit. entre Grecia central y el Peloponeso. Comunica con el mar Jónico y con el Egeo por el canal de C. • ***istmo de.*** Lengua de tierra que une el Peloponeso con la Grecia central.

CORINTO C. de Nicaragua, en el dpto. de Chinandega; 14 700 hab. Puerto comercial y exportador. • Mun. de El Salvador, en el dpto. de Morazán; 12 700 hab. Cereales. Ganadería.

CORION m. *Anat.* En los reptiles, aves y mamíferos, membrana extraembrionaria que forma la envoltura externa del embrión y de las demás membranas.

CORISTA m. Religioso que asiste al coro. • com. Persona que en óperas u otras funciones musicales canta formando parte del coro.

CORITO, TA adj. Desnudo o en cueros. • fig. Encogido y pusilánime. • Obrero que lleva los pellejos de mosto o vino desde el lagar a las cubas.

CORÍXIDO, DA adj. y m. *Zool.* Díc. de los individuos de una familia de insectos hemípteros, que viven sobre el fondo de aguas dulces o salobres. • adj. Perteneciente o relativo a estos insectos. • m. pl. *Zool.* Familia de dichos insectos.

CORIZA f. Catarro nasal agudo.

CORK C. y puerto de Irlanda, en la costa S.; 136 300 hab. Industria automovilística. Refinería de petróleo.

CORLADURA f. Cierto barniz que, dado sobre una pieza plateada, la hace parecer dorada. ■ CORLAR O CORLEAR.

CORLISS, ***George Henry*** (1817-1888) Ingeniero norteam. Diseñó y patentó los primeros modelos de máquinas de vapor.

CORMA f. Especie de prisión compuesta de dos pedazos de madera que se adaptan al pie del hombre o del animal para impedir que ande libremente. • fig. Molestia o gravamen que embaraza para obrar con libertad.

CORMACK Macleod, ***Allan*** (nacido 1924) Físico norteam., de origen sudafricano. Premio Nobel de Medicina en 1979, junto a G. N. Hounsfield, por sus trabajos sobre la tomografía computarizada.

CORMIERA m. Arbolillo de la familia pomáceas.

CORMO m. *Bot.* Aparato vegetativo de las plantas superiores, compuesto por un sistema de anclaje y absorción de agua (raíces), un tallo con funciones mecánicas y conductoras de las disoluciones nutritivas, y un conjunto de órganos fotosintéticos (hojas). ■ CORMÓFITO, TA.

CORMORÁN m. *Zool.* Cuervo marino.

CORN BELT (ing., «cinturón de maíz») Región agrícola y ganadera de EE UU. Se extiende desde Ohio hasta Nebraska y Kansas.

CORN ISLANDS → Maíz, islas del.

CORNAC o **CORNACA** m. El que guía o conduce un elefante.

CORNÁCEO, A adj. De cuerno, o parecido a él. • adj. y s. *Bot.* Díc. de árboles, arbustos y hierbas dicotiledóneos, con hojas opuestas, flores pequeñas, drupas abayadas y semillas de albumen carnoso. • f. pl. *Bot.* Familia de estas plantas.

Cormorán

CORNADA f. Golpe dado por un animal con la punta del cuerno. ■ CORNEAR.

CORNADO m. Moneda ant. de cobre.

CORNAL m. Soga con que se uncen los bueyes.

CORNALINA f. *Miner.* Ágata de color sangre.

CORNAMENTA o **CORNADURA** f. Cuernos de algunos cuadrúpedos como el toro, vaca, venado y otros.

CORNAMUSA f. Trompeta que en el medio hace

Mapa de situación y bandera de la **República Democrática Popular de Corea**

Canal de **Corinto,** que comunica los mares Jónico y Egeo

Pierre **Corneille**

Corneja

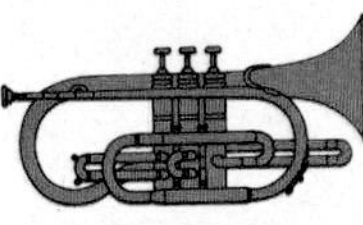
Dibujo de una **corneta**

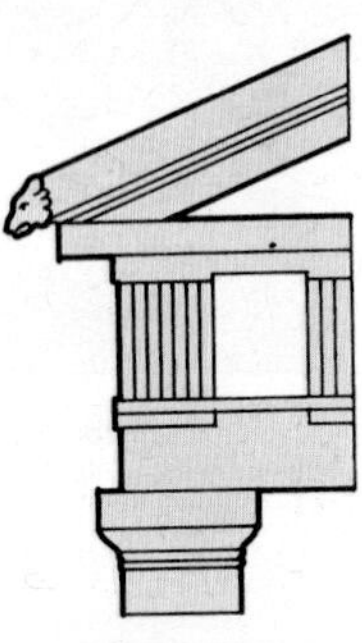
Cornisamiento en el orden dórico

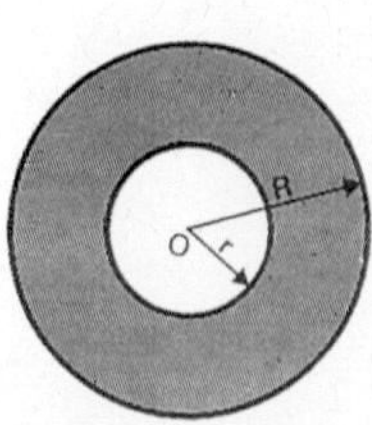

Corona circular

una rosca muy grande, y tiene muy ancho el pabellón. • Instrumento rústico, compuesto de un odre y varios cañutos. • *Mar.* Pieza para amarrar los cabos.
CORNATILLO m. Variedad de aceituna.
CÓRNEA f. *Anat.* Capa transparente y dura, de forma abombada, que forma parte de la porción anterior de la capa externa del globo ocular.
CORNEANA f. *Geol.* Roca metamórfica constituida por cuarzo, feldespato y mica.
CORNEILLE, *Pierre* (1606-1684) Dramaturgo fr., el creador de la tragedia clásica fr. Tras escribir algunas comedias, triunfó con la tragedia *El Cid,* a la que siguieron: *Horacio, Cinna, Poliuto, Nicomedes, Edipo, Atila, Tito y Berenice*. Sus héroes están en constante conflicto entre el deber y las pasiones.
CORNEJA f. Pájaro insectívoro de la familia córvidos.
CORNEJO o **CORNO** m. Arbusto de la familia cornáceas, ramoso, de hojas opuestas, flores blancas, fruto rojo en drupa redonda y madera muy dura.
CORNEJO, *Ángel Gustavo* (1875-1943) Jurista y político per. Ministro de Justicia (1918), *Comentario al Nuevo Código Penal, Código Civil, Exposición sistemática y comentario*. • ***José M.ª*** (s. XIX) Político salv. Presid. desde 1829, fue reelegido en dos ocasiones. Derrotado en 1832 por Morazán, y encarcelado. • ***Mariano H.*** (1867-1942) Diplomático y escritor per. Delegado permanente ante la Liga de las Naciones (1921-1930). *Sociología general, El equilibrio de los continentes.*
CORNELIA (189-110 a. C.) Hija de Escipión el Africano y madre de los Gracos. Renunció a la corona de Egipto.
CORNELIUS, *Peter* (1783-1867) Pintor al., especialista en frescos. Ilustró el *Fausto* de Goethe. Permaneció varios años en Roma, donde formó parte del grupo de los → nazarenos. Su obra refleja la influencia de Durero.
CORNELLÁ DE LLOBREGAT Mun. esp., en la prov. de Barcelona; 85 800 hab.
CÓRNEO, A adj. De cuerno o parecido a él. • *Bol.* Cornáceo.
CÓRNER m. En fútbol, saque de esquina.
CORNETA f. Instrumento músico de viento, semejante al clarín. • Bandera pequeña terminada en dos puntas. • *Mil.* Especie de clarín. • m. El que toca la corneta.
CORNETE m. *Anat.* Cada uno de los pequeños huesos en forma de concha situados en el interior de las fosas nasales, junto al tabique.
CORNETÍN m. Instrumento músico de metal, que tiene casi la misma extensión que el clarín. • El que toca este instrumento.
CORNETO, TA adj. *Amér.* Patizambo.
CORNEZUELO m. Cornatillo. • *Bot.* Hongo ascomiceto parásito del centeno y de otras gramíneas. Contiene dos alcaloides, la ergotoxina y la ergotina, muy tóxicos.
CORNFORTH, *John Warcup* (nacido 1917) Químico austr., residente en Gran Bretaña. Premio Nobel de Química en 1975, con V. Prelog.
CORNICABRA f. Terebinto, arbolillo. • Variedad de aceituna larga y puntiaguda. • Higuera silvestre. • Mata de la familia asclepiadáceas, derecha, ramosa, de hojas oblongas y opuestas, flores blanquecinas y fruto puntiagudo y algo encorvado.
CORNIFORME adj. De figura de cuerno.
CORNÍGERO, RA adj. poét. Que tiene cuernos.
CORNIJAL m. Punta, ángulo o esquina.
CORNISA f. *Arq.* Coronamiento compuesto de molduras, o cuerpo voladizo con molduras, que sirve de remate a otro. • Parte saliente en el borde de una meseta, montaña o cerro.
CORNISAMIENTO m. *Arq.* Conjunto de molduras que corona un edificio o un orden de arquitectura.
CORN-LAWS (ing., «leyes sobre cereales») Conjunto de leyes ing. que protegían la producción cerealista del país. Se establecieron a mediados del s. XVII y fueron abolidas en 1849.
CORNUBIANITA f. *Geol.* Roca metamórfica constituida por cuarzo, mica y feldespato.
CORNUCOPIA f. Vaso en figura de cuerno, rebosante de frutas y flores, que entre los gr. y romanos simbolizaba la abundancia. • Espejo de marco tallado y dorado.
CORNUDILLA f. Pez martillo.
CORNUDO, DA adj. Que tiene cuernos. • adj. y m. fig. Díc. del marido cuya mujer ha faltado a la fidelidad conyugal.
CORNÚPETA adj. y m. Díc. de la res brava de lidia.
CORNUTO adj. *Lóg.* Dilema.
CORO m. Conjunto de personas que ejecutan juntas danzas y cantos. • Conjunto de personas que en una ópera u otra función musical cantan simultáneamente una pieza concertada. • Esta misma pieza musical. • Composición poética que le sirve o puede servirle de letra. • Rezo y canto de las horas canónicas, asistencia a ellas y tiempo que duran. • Parte de la iglesia donde se coloca el coro para cantar los oficios. • Cierto número de espíritus angélicos que componen un orden.
CORO C. del NO de Venezuela, cap. del est. Falcón; 131 200 hab. Centro comercial, exportador y comunicaciones. Aeropuerto. Puerto de La Vela de Coro a 12 km. Construcciones coloniales. Fundada en 1527 por Juan de Ampúes.
CORO, *Manuel Antonio* (1833-1903) Pintor chil. Retratos y escenas costumbristas. *El falte, La zamacueca, El velorio.*
COROCERO, RA adj. *P. Rico.* Cicatero.
COROCHA f. Casaca ant., larga y hueca. • Gusano de color negro verdoso, que vive sobre la vid. Es la larva del escarabajuelo.
COROGRAFÍA f. Descripción de un país, de una región o de una provincia.
COROIDES f. *Anat.* Membrana del globo ocular, situada entre la esclerótica y la retina. ■ COROIDEO, A.
COROJITO, TA adj. *Cuba.* Rechoncho.
COROJO m. Planta monocotiledónea de la familia palmáceas, originaria de África y cultivada en América. De su fruto se obtiene una especie de manteca. ■ *Cuba.* COROJAL.
COROLA f. *Bot.* Segundo verticilo estéril, formado por pétalos que rodea los estambres de las flores masculinas, el pistilo de las flores femeninas y ambos tipos de aparato reproductor en las flores hermafroditas.
COROLARIO m. Proposición que se deduce fácilmente de lo demostrado antes.
COROLIFLORA adj. y f. *Bot.* Díc. de la planta que tiene los estambres soldados con la corola.
COROMANDEL *(Koromandal Tat)* Costa sudoriental de la India, en el golfo de Bengala. Prales. puertos: Madrás, Nagapattinam, Cuddalore y Pondicherry.
COROMINAS, *Joan* (1905-1997) Filólogo esp., nacionalizado norteam. Considerado el principal filólogo de la lengua catalana y uno de los romanistas más notables del siglo XX. *Diccionario crítico etimológico de la lengua castellana, Diccionario etimológico y complementario de la lengua catalana.*
CORONA f. Cerco, de diversos materiales, con que se ciñe la cabeza en señal de premio o dignidad real. • Aureola de las imágenes santas. • Coronilla, tonsura eclesiástica. • fig. Dignidad real. • fig. Reino o monarquía. • Moneda ant. de oro o plata. • Unidad monetaria de la República Checa, Eslovaquia, Dinamarca, Islandia, Noruega y Suecia. • *Astr.* Parte, más externa de la atmósfera solar. • fig. Honor, esplendor. • fig. Fin de una obra. • Cima de una colina. • Arandela para evitar el roce de las piezas de una máquina. • Porción descubierta y esmaltada de los dientes de los vertebrados. • *Arq.* Una de las partes de la cornisa, debajo del cimado. • *Mil.* Ruedecilla dentada para dar cuerda o poner en hora algunos relojes. • Pieza o elemento artificial con que se protege o sustituye la corona de dientes. • *Automóv.* Engranaje tallado, parte diferencial de los automóviles. • **fúnebre**. Ofrenda floral, en forma de círculo, que se dedica a un fallecido. • **circular**. *Geom.* Porción de plano, entre dos circunferencias concéntricas.
CORONA Australis *Astr.* Constelación que se encuentra debajo de la de Sagitario. Resulta muy visible sobre el cielo austral porque se halla al lado de la Vía Láctea. • **Borealis** *Astr.* Constelación pequeña, pero de forma muy bien definida: siete estrellas dan un contorno que se asemeja al de una diadema.
CORONACIÓN f. Acto de coronar o coronarse un soberano. • Coronamiento.
CORONADO, DA m. Clérigo tonsurado u ordenado de menores, que goza del fuero de la Iglesia. •

Cuba. Pez de cuerpo alargado, cabeza cónica, boca muy hendida y color verde claro. • *Amér.* Cornudo.
CORONADO, *Carolina* (1823-1911) Escritora esp. *El divino Figueroa, La luz del Tajo.* • **Martín** (1850-1919) Poeta y dramaturgo arg.: *La piedra del escándalo, La charca de don Lorenzo.*
CORONAL adj. y m. Díc. del hueso de la frente. • adj. Relativo a este hueso.
CORONAMENTO o **CORONAMIENTO** m. Fin de una obra. • *Arq.* Adorno que se pone en la parte superior del edificio y le sirve como de corona.
CORONAR tr. y prnl. Poner la corona en la cabeza. • tr. En los juegos del ajedrez y las damas, llegar un peón a una casilla de la línea base del campo contrario. • fig. Perfeccionar, completar una obra. • intr. y prnl. Asomar la cabeza del feto en el momento del parto.
CORONARIO, RIA adj. Relativo a la corona. • *Bot.* De figura de corona. • *Anat.* Díc. de las arterias que llevan la sangre al corazón.
CORONDA f. *R. de la Plata.* Árbol de hoja menuda y fruto en forma de espigas.
CORONDEL m. *Art. Gráf.* Regleta. • Blanco que hay entre las columnas de un texto impreso. • pl. Rayas verticales transparentes en el papel de tina.
CORONEL m. Jefe militar que manda un regimiento. ■ CORONELÍA.
CORONEL C. de Chile en la prov. de Concepción (Región del Bíobío); 74 600 hab. Ind. de transformación. Puerto.
CORONEL, *Luis* (h. 1450-h. 1535) Filósofo y físico esp. Catedrático de la universidad de Alcalá de Henares. • ***Pedro*** (nacido 1923) Pintor mex. Su pintura es abstracta, con gran economía del color. Varios premios nacionales e internacionales. • ***Rafael*** (nacido 1932) Pintor impresionista mex. • **Urtecho, *José*** (1906-1994) Poeta vanguardista nic. *Pol-lá d'anata katanta, paranta, La muerte del hombre símbolo.*
CORONEL OVIEDO C. de Paraguay, cap. del dpto de Caaguazú; 21 800 hab. Centro agropecuario. Ganadería.
CORONELA f. fam. Mujer del coronel.
CORONILLA f. Parte superior y posterior de la cabeza. • Corona, tonsura de los eclesiásticos. • *Argent.* Árbol del que se extrae una tintura roja. La madera se emplea para hacer carbón. • *Ur.* Árbol de madera muy dura. • **Estar** uno **hasta la c.** fig. y fam. Estar uno cansado y harto de una cosa.
CORONÓGRAFO m. Instrumento óptico destinado a estudiar la corona solar y la cromosfera.
CORONTA f. *Amér. Merid.* Carozo del maíz.
COROT, *Jean Baptiste Camille* (1796-1875) Pintor fr. Su primer viaje a Italia (1826) le permitió superar el naturalismo y situarse en la vanguardia del nuevo realismo. *Vista de Fontainebleau, Puerto de Rouen, Huida a Egipto, La toilette, Mujer de azul.*
COROTA f. *Bol.* y *Chile.* Cresta de gallo. • *Argent.* y *Bol.* Bolsa testicular.
COROTOS m. pl. *Amér.* Trastos, trebejos.
COROZA f. Capirote que se ponía en la cabeza de ciertos delincuentes.
COROZAL Mun. de Puerto Rico, en el distr. Bayamón; 29 800 hab. Plantaciones de tabaco y frutales.
COROZO m. Corojo. • Planta palmácea de hojas muy largas, originaria del Brasil.
CORPA f. *Min.* Trozo de mineral en bruto.
CORPACHÓN o **CORPANCHÓN** m. fam. Cuerpo grande. • Cuerpo de ave despojado de las pechugas y plumas.
CORPANCHO, *Manuel Nicolás* (1830-1863) Político y escritor. *Lira patriótica, El templario.*
CORPIÑO m. Almilla o jubón sin mangas.
CORPORACIÓN f. Entidad de tipo asociativo constituida con fines de interés público. • *Amér.* Compañía o sociedad anónima.
CORPORACIÓN Financiera Internacional (CFI) Organismo internacional fundado en 1956. Su objetivo esencial es invertir en empresas privadas de países subdesarrollados.
CORPORAL adj. Relativo al cuerpo. • m. Lienzo que se extiende en el altar encima del ara para poner sobre él la hostia y el cáliz. Se usa más en pl. ■ CORPORALIDAD.
CORPORATIVISMO m. *Soc.* Sistema de organización social basado en organismos públicos, cuya característica pral. es la de englobar a los ciudadanos por profesiones. ■ CORPORATIVO, VA.
CORPÓREO, A adj. Que tiene cuerpo. • Corporal, relativo al cuerpo. ■ CORPOREIDAD; CORPOREAR; CORPOREIZAR.
CORPORIFICAR tr. y prnl. Dar cuerpo a una idea u otra cosa no material.
CORPULENCIA f. Grandeza y magnitud de un cuerpo natural o artificial. ■ CORPUDO, DA; CORPULENTO, TA.
CORPUS m. Recopilación de textos jurídicos, literarios, lingüísticos, etc. • **delicti.** *Der.* Exp. latina que se usa para designar el cuerpo del delito.
CORPUS n. p. m. Fiesta católica en honor de la eucaristía, instituida en 1264 por Urbano IV; se celebra el jueves siguiente a la octava de Pascua. • **de Sangre** *(Corpus de Sang)* Levantamiento que el 7 de junio de 1640 tuvo lugar en Barcelona contra el virrey de Cataluña y el conde duque de Olivares, iniciando la guerra de secesión de Cataluña.
CORPUS CHRISTI C. de EE UU, en Texas; 284 200 hab. (agl. urb.). Puerto importante en el golfo de México. Ind. química; cemento; refinería de petróleo.
CORPÚSCULO m. Cuerpo muy pequeño, célula, molécula, partícula, elemento. • *Biol.* Nombre genérico de una pequeña estructura, de forma esferoidal, incluida en un conjunto organizado. • **elemental.** *Fís.* Partícula elemental. ■ CORPUSCULAR.
CORRAL m. Sitio cerrado y descubierto, en las casas o en el campo. • Cercado que se hace en los ríos o en la costa del mar, para encerrar la pesca y cogerla. • Casa, patio o teatro donde se representaban las comedias. ■ CORRALERO, RA.
CORRAL, *Pedro del* (s. XV) Escritor esp. Escribió una crónica general que abarca desde los godos hasta Enrique III. *Crónica Sarracina* o *Crónica del rey don Rodrigo.* • **de Villapando** Nombre de tres hermanos esp., ***Gerónimo, Juan*** y ***Ruy***, que trabajaron como arquitectos y escultores a mediados del s. XVI, en Villalpando (Zamora). Constructores de la llamada «Casa blanca» de Medina del Campo.
CORRALILLO Mun. de Cuba, en la prov. de Villa Clara; 27 100 hab. Caña de azúcar.
CORRALIZA f. Corral de las casas de campo.
CORRALÓN m. Corral grande de una casa de campo. • Almacén de madera, barracón. • *Perú.* Terreno cercado.
CORRASIÓN f. *Geol.* Disgregación mecánica de las rocas por acción del choque de las partículas rocosas transportadas por el viento.
CORREA f. Tira de cuero. • Cinturón. • Flexibilidad y extensión de que es capaz una cosa correosa. • *Mec. apl.* Órgano flexible para transmitir un movimiento entre dos ejes rotativos. • pl. Tiras delgadas de cuero sujetas a un mango, que sirven para sacudir el polvo. ■ CORREAJE; CORREAZO; CORRERÍA, CORRETERO, RA.
CORREA, *Juan* (ss. XVI-XVII) Pintor mex., uno de los máx. representantes del barroco de su país. *Crucifixión, La entrada en Jerusalén.* • **De Arauxo, *Francisco*** (ss. XVI-XVII) Organista y compositor esp. *Libro de tientos y discursos de música práctica y teórica de órgano.* • **De Vivar, *Juan*** (m. h. 1566) Pintor esp. Trabajó en Toledo. Retablo del convento de Almonacid de Zorita, *El tránsito de la Virgen.* • **Lima, *José Octavio*** (1874-1974) Escultor bras. Monumentos al almirante Barroso (Río de Janeiro), a la República (Niteroi) y al mariscal Caxias (San Luis do Mar). • **Morales, *Lucio*** (1852-1923) Escultor arg. *La Cautiva, Falucho.*
CORREAL m. Piel de venado, macho, etc., curtida, que se usa para vestidos.
CORREAR tr. Poner correosa la lana.
CORREAS, *Gonzalo* (1570-1631) Filólogo esp. *Ortografía castellana, nueva y perfecta, Arte de la lengua española castellana, Vocabulario de refranes y frases proverbiales.*
CORRECAMINOS m. Ave de la familia cucúlidos, capaz de correr a gran velocidad. Es propia de América del Norte.
CORRECCIÓN f. Acción y efecto de corregir o de enmendar lo errado o defectuoso. • Calidad de correcto. • Represión o censura de un delito, falta o defecto. • Alteración o cambio que se hace en las obras escritas o de otro género para mejorarlas.
CORRECCIONAL adj. Díc. de lo que conduce a

Detalle de *La **coronación** de la Virgen*, retablo de Fra Angélico. Museo del Louvre, París

Carolina **Coronado,** retrato de Madrazo

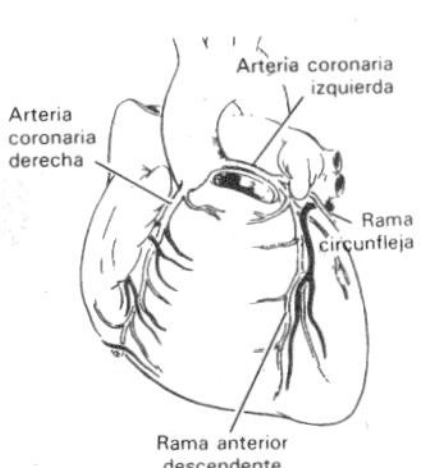

Esquema de la situación de las arterias **coronarias**

Las casas Cabassud, en Ville d'Avray, óleo de J. B. C. **Corot**

la corrección. • m. Establecimiento penitenciario destinado al cumplimiento de las penas de prisión.
CORRECTIVO, VA adj. Que corrige o atenúa. • Castigo. • *Farm.* Sustancia que en un medicamento acompaña al ingrediente pral. para suprimir o atenuar alguna propiedad inconveniente de éste.
CORRECTO, TA adj. Libre de errores o defectos, conforme a las reglas. • Fino, digno, intachable.
CORRECTOR, RA adj. y s. Que corrige. • m. Superior o prelado, en los conventos de religiosos de San Francisco de Paula. • m. y f. El encargado de corregir textos.

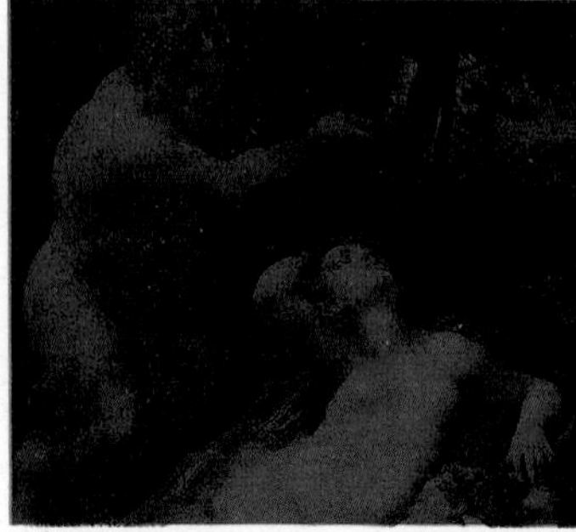

Detalle de *El sueño de Antíope*, óleo de **Correggio.** Museo del Louvre, París

CORREDENTOR, RA adj. y s. Redentor juntamente con otro u otros.
CORREDERA f. Pieza que actúa como guía de un elemento móvil llamado cursor. • Tabla o postiguillo de celosía que corre de una parte a otra para abrir o cerrar. • Muela superior del molino. • Cucaracha, insecto. • fig. y fam. Alcahueta. • *Mar.* Instrumento para medir la velocidad de la nave. • *Argent.* Rápido de río.
CORREDOR, RA adj. y s. Que corre mucho. • adj. y f. *Zool.* Aplícase a las aves de gran tamaño, de mandíbulas cortas y robustas, esternón de figura de escudo y sin quilla, y alas muy cortas. • m. y f. Persona que practica la carrera en competiciones deportivas. • Persona que por oficio interviene en las compras y ventas de ciertos artículos. • Pasillo de una casa. • Cada una de las galerías que corren alrededor del patio de algunas cosas. ■ CORREDURÍA.
CORREDURA f. Lo que rebosa en la medida de los líquidos.
CORREGENTE adj. y s. Que tiene o ejerce la regencia juntamente con otro. ■ CORREGENCIA.
CORREGGIO, *Antonio Allegri*, llamado ***il*** (1489-1535) Pintor it. Decoró numerosas iglesias de Corrreggio y, en Parma, la bóveda del convento de San Pablo, la *Asunción*, la *Coronación de la Virgen* y la *Ascensión*. Autor de telas religiosas *(Natividad, La Virgen y San Sebastián)* y mitológicas *(Ganímedes, Dánae)*. Su obra anticipó el barroco.
CORREGIDOR, RA adj. Que corrige. • m. Funcionario real que desempeñaba funciones judiciales y gubernativas.
CORREGIDOR Isla de Filipinas utilizada por su posición como baluarte defensivo. En la II Guerra Mundial fue ocupada por los japoneses.
CORREGIDORA f. Mujer del corregidor.
CORREGIR tr. Enmendar lo errado. • Advertir, amonestar, reprender. • fig. Disminuir, templar, moderar la actividad de una cosa. • Revisar los ejercicios de los alumnos y señalar los errores. • fig. Disminuir o quitar un defecto físico. • *Art. Gráf.* Enmendar las erratas en la composición de un texto.
CORREHUELA f. Centinodia, planta poligonácea de tallos rastreros. • Mata de la familia convolvuláceas, de tallos rastreros, que se enroscan a lo que encuentran.
CORREINADO m. Gobierno simultáneo de dos reyes en una nación. ■ CORREINANTE.
CORREJEL m. Cuero grueso y flexible.
CORRELACIÓN f. Analogía o relación recíproca entre dos o más cosas. • *Biol.* Relación entre dos órganos o dos estructuras, que implica que cualquier cambio en uno de ellos va acompañado por cambios en el otro. • *Mat.* Grado de dependencia estadística que existe entre dos conjuntos de variables. ■ CORRELATIVO, VA.

Correo. El envío de cartas por medio de mensajeros fue durante siglos el único medio de comunicación a distancia

CORRELACIONAR tr. Relacionar.
CORRELIGIONARIO, RIA adj. y s. Que profesa la misma religión que otro. • P. ext., díc. del que tiene la misma opinión pública que otro.
CORRELÓN, NA adj. *Col., Guat., Méx.,* y *Ven.* Corredor, que corre mucho. • *Guat., Méx.* y *Ven.* Cobarde.
CORRENCIA f. fam. Diarrea. • Vergüenza.
CORRENTADA f. *Amér.* Corriente impetuosa de agua desbordada.
CORRENTÍA f. fam. Correncia, diarrea.
CORRENTINO, NA adj. y s. De Corrientes.
CORRENTÍO adj. Corriente, que corre. Díc. de las cosas líquidas. • fig. y fam. Ligero, suelto.
CORRENTÓGRAFO m. Aparato que registra la velocidad y dirección de las corrientes marinas.
CORRENTÓMETRO m. Aparato para medir la velocidad y la dirección del desplazamiento de las partículas de agua de una corriente.
CORRENTÓN, NA adj. Amigo de corretear. • Bromista, chancero. • *Col.* y *P. Rico.* Corriente caudalosa de agua.
CORRENTOSO, SA adj. *Amér.* Díc. del río o curso de agua de corriente muy rápida.
CORREO m. El que tiene por oficio llevar y traer la correspondencia de un lugar a otro. • Servicio público que tiene por objeto el transporte de la correspondencia, mercancías, de giros, etc. Se usa también en pl. • Sitio o lugar donde se recibe y da la correspondencia. Se usa también en pl. • Tren correo. • *Der.* Responsable con otro u otros de un delito. • **electrónico.** *Comp.* Sistema de transmisión de textos, es decir, de informaciones poco estructuradas, desde un terminal a otro, o a una serie de terminales.
CORREÓN m. Sopanda, correa gruesa.
CORREOSO, SA adj. Que se doblega y extiende sin romperse. • fig. Díc. del pan y otros alimentos cuando se mastican con dificultad.
CORRER intr. Caminar con velocidad. • Hacer algo con mucha rapidez. • Intervenir en una carrera. • Moverse progresivamente de una parte a otra los fluidos y líquidos. • Tratándose de los vientos, soplar o dominar. • Ir, pasar, extenderse de una parte a otra. • Tratándose del tiempo, transcurrir, tener curso. • Dicho de pagas, sueldos o salarios, ir devengándose. • No haber detención ni dificultad en su pago. • Partir de ligero a poner en ejecución alguna cosa. • Recurrir al favor de alguno. • Pasar un negocio por la oficina correspondiente. • Estar admitida o recibida una cosa. • Pasar, valer una cosa durante el año o tiempo de que trata. • Sacar a carrera abierta, por diversión, apuesta o experimento, el animal en que se cabalga. • Perseguir, acosar. • Lidiar los toros. • tr. y prnl. Hacer que una cosa pase o se deslice de un lado a otro. • tr. Tratándose de cerrojos, llaves, etc., echar, pasarlos, cerrar con ellos. • Hablando de velos, cortinas, etc., echarlos o tenderlos, y levantarlos o recogerlos. • Estar expuesto a contingencias determinadas o indeterminadas; arrostrarlas, pasar por ellas. • Recorrer. • Recorrer en son de guerra territorio enemigo. • Arrendar, sacar a pública subasta. • tr. y prnl. fig. Avergonzar y confundir. • prnl. Hacerse a derecha o izquierda los que están en línea. • Pasarse, deslizarse una cosa con suma o demasiada facilidad. • fam. Excederse, espontanearse demasiado. • fam. Ofrecer por una cosa más de lo debido. • fam. Eyacular. • fig. y fam. Alcanzar la mujer el orgasmo. • **Correrla.** exp. fam. Andar divirtiéndose. ■ CORREDIZO, ZA.
CORRERÍA f. Incursión armada en tierra enemiga. • Viaje corto.
CORRESPONDENCIA f. Acción o efecto de corresponder o corresponderse. • Comunicación entre ciudades o vehículos. • Medio de transporte que asegura esta comunicación. • Correo, conjunto de cartas que se reciben o se expiden. • Significado que una palabra tiene en otro idioma. • Relación entre términos de distintas series o sistemas. • *Mat.* Ley que asocia algunos o todos los elementos de un conjunto A con otros de un conjunto B. Casos particulares de las c. son las relaciones, en las que A = B, y las aplicaciones.
CORRESPONDER intr. Pagar con igualdad, relativa o proporcionalmente, afectos, beneficios o

agasajos. • Tocar o pertenecer. • intr. y prnl. Tener proporción o relación una cosa con otra. • prnl. Comunicarse por escrito una persona con otra. • Atenderse y amarse recíprocamente. • Comunicarse una habitación con otra. ■ CORRESPONDIENTE.

CORRESPONSAL adj. Correspondiente, que tiene correspondencia. • **de prensa.** Colaborador local de un periódico. ■ CORRESPONSALÍA.

CORRETAJE m. Profesión del corredor comercial. • Lo que cobra por sus servicios.

CORRETEAR intr. fam. Andar de calle en calle de casa en casa. • fam. Correr en varias direcciones dentro de limitado espacio. • *Amér.* Perseguir a alguien. • *Amér. Centr.* Ahuyentar. ■ CORRETEO.

CORREVEDILE o **CORREVEIDILE** com. fam. Persona que lleva y trae cuentos y chismes. • fam. Alcahuete.

CORRIDA f. Carrera, movimiento rápido. • **de toros.** Fiesta que consiste en lidiar cierto número de toros en una plaza cerrada.

CORRIDO, DA adj. Que excede un poco del peso o de la medida. • fig. Avergonzado. • fam. Aplícase a la persona de mundo, experimentada y astuta. • m. Cobertizo hecho a lo largo de las paredes de los corrales. • Canción popular mex., especie de balada acompañada de guitarras o arpa. • Hablando de algunas partes de un edificio, continuo, seguido. • m. pl. Caídos, créditos ya vencidos.

CORRIENTE adj. Que corre. • Díc. de la semana, del mes, del año o del siglo actual o que va transcurriendo. • Hablando de recibos, periódicos, etc., el último aparecido. • Medio común, regular, no extraordinario. • Cierto, sabido, admitido comúnmente. • Que no tiene impedimento ni embarazo para su uso y efecto. • Admitido o autorizado por el uso común o por la costumbre. • Aplicado al estilo, fluido, suelto, fácil. • f. *Fís.* Todo movimiento de partículas que siguen una trayectoria. • Corriente eléctrica. • Movimiento de traslación continuado de las aguas de un río o del mar. • Tiro de aire entre puertas y ventanas de una casa o habitación. • fig. Curso que llevan algunas cosas. • adv. modo con que se muestra aquiescencia o conformidad. • **alterna.** *Fís.* Aquella cuya intensidad varía periódicamente y cambia de dirección, pasando alternativamente por valores positivos y negativos. • **continua.** *Fís.* La que fluye siempre en la misma dirección con intensidad gralte. variable. • **eléctrica.** *Fís.* Flujo de electrones entre dos puntos de un medio conductor cuando, entre dichos puntos, existe una diferencia de potencial. • **en chorro.** *Meteor.* Haz de vientos de forma tubular que se mueve a gran velocidad, de O a E, en la tropopausa. • **marina.** Desplazamiento de grandes masas de aguas oceánicas en una dirección. • **Al c.** m. adv. Sin atraso, con exactitud. • **Dejarse llevar de la,** o **del c.** fig. Conformarse con la opinión de los más, aunque se conozca que no es la más acertada. • **Estar al c.** de una cosa. Estar enterado de ella. • **Ir contra la c.** fig. Navegar contra la corriente. • **Navegar contra c.,** o **contra la c.** fig. Pugnar contra el común sentir o la costumbre.

CORRIENTES Prov. del NE de Argentina, limítrofe con Paraguay, Brasil y Uruguay; 88 199 km^2, 795 021 hab. Cap., la c. hom. Al N se halla una altiplanicie, conocida como la región de los esteros, con numerosos pantanos y lagunas (Iberá); al SE, hay zonas medanosas, la barranca del Paraná y una planicie ondulada, entre el Aguapay y el límite con Misiones; al S se extienden ondulaciones con pendientes suaves. Ríos más imp: el Paraná y el Uruguay. Clima subtropical. Vegetación exuberante, aunque discontinua. Ganadería vacuna y ovina; algodón, tabaco, arroz, yute, cítricos; bosques (quebracho); ind. derivadas de los productos agropecuarios. • C. de Argentina, cap. de la prov. hom.; 267 742 hab. Puerto sobre la orilla izquierda del Paraná. Centro agrícola y comercial. Ind. textil, alimentaria y del cuero; astilleros; planta de almacenaje de petróleos. Fundada en 1588 por Juan de Vera y Aragón, fue llamada Juan de Vera de las Siete Corrientes. En ella se proclamó, en 1821, la primera constitución provincial argentina.

CORRIENTES, *Diego* (1757-1781) Bandolero esp. Su figura fue mitificada por algunos escritores románticos del s. XIX.

CORRIGAN, *Mairead* (nacido 1944) Pacifista irl. Creador, junto a Betty Williams, de una organización popular en pro de la reconciliación de su país. Premio Nobel de la Paz en 1976.

CORRIGENDO, DA adj. y s. Que sufre pena o corrección. • f. Fe de erratas de un libro.

CORRILLO m. Reunión de personas que forman grupo aparte. ■ CORRILLERO, RA.

CORRIMIENTO m. Acción y efecto de correr o correrse. • Secreción excesiva de algún humor en el organismo. • Vergüenza, rubor.

CORRINCHO m. Junta de gente ruin.

CORRIVACIÓN f. Obra de conducir los arroyuelos y juntarlos para hacer caudal.

CORRO m. Cerco que forma la gente para hablar, solazarse, etc. • Espacio circular. • Juego de niñas que forman un círculo, cogidas de las manos.

CORRO, *José Justo* (1794-1864) Político mex. Ministro de Justicia. Presid. interino de 1836 a 1837, tras la muerte de Barragán.

CORROBORAR tr. y prnl. Vivificar y dar mayores fuerzas al débil, desmayado o enflaquecido. • fig. Dar mayor fuerza a la razón o a la opinión aducidas, con muchos datos. ■ CORROBORACIÓN; CORROBORATIVO, VA.

CORROER tr. y prnl. Desgastar lentamente una cosa como royéndola. • fig. Causar efectos una gran pena o el remordimiento, haciéndose visibles en el semblante o arruinando la salud. ■ CORROSIVO, VA.

CORROMPER tr. y prnl. Alterar y trastrocar la forma de alguna cosa. • Echar a perder. • tr. Sobornar al juez, o a cualquier persona, con dádivas o de otra manera. • fig. Pervertir o seducir a una mujer o a un menor. • tr. y prnl. fig. Estragar, viciar, pervertir. • tr. fig. y fam. Incomodar, fastidiar, irritar. • intr. Oler mal. ■ CORRUPTIBILIDAD; CORRUPTIBLE; CORRUPTIVO, VA; CORRUPTO, TA; CORRUPTOR, RA.

CORRONCHO m. *Col.* Cierto pez de río.

CORRONCHOSO, SA adj. *Amér.* Rudo, tosco.

CORROSAL m. Anona, arbolito.

CORROSCA f. *Col.* Sombrero de paja.

CORROSIÓN f. Acción y efecto de corroer o corroerse. • Erosión debida a agentes químicos. • Ataque superficial de un metal por los agentes atmosféricos.

CORRUGAR tr. *Geol.* Arrugar. ■ CORRUGACIÓN.

CORRUPCIÓN f. Acción y efecto de corromper o corromperse. • Soborno. • Alteración o vicio de un libro o escrito. • fig. Vicio o abuso introducido en las cosas no materiales.

CORRUPTELA f. Corrupción. • Mala costumbre o abuso.

CORRUSCO m. fam. Mendrugo.

CORSARIO, RIA adj. y s. Díc. del que manda una embarcación armada en corso con patente de su gobierno. • Aplícase a al embarcación armada en corso. • m. Pirata.

CORSÉ m. Prenda interior femenina para ceñir el cuerpo. ■ CORSETERÍA; CORSETERO, RA.

CORSELETE m. Pequeño corsé. • Peto.

CORSINI Ant. familia it., originaria de Florencia. Entre sus miembros más destacados se encuentran ***Lorenzo*** (1652-1740), que fue el papa Clemente XII, y ***Neri*** (1685-1770), sobrino del anterior, que gobernó la iglesia rom. durante los últimos años del pontificado de su tío.

CORSO, SA adj. y s. De Córcega. • m. *Ling.* Dialecto it. • Campaña que hacían por el mar los buques con patente de su gobierno para perseguir a los piratas.

CORTA f. Acción de cortar árboles, arbustos y otras plantas en los bosques.

CORTAALAMBRES m. Tenazas destinadas a cortar hilos metálicos.

CORTACÉSPED m. Máquina para cortar e igualar el césped.

CORTACIGARROS m. Cortapuros.

CORTACIRCUITOS m. *El.* Aparato que automáticamente interrumpe la corriente eléctrica. Se conocen con el nombre de fusibles.

CORTACORRIENTE m. Pieza que en un circuito eléctrico interrumpe el paso de la corriente.

CORTADA f. *Amér.* Cortadura, herida.

CORTADERA f. Cuña de acero sujeta a un mango, que sirve para cortar las barras de hierro candente. • Instrumento para cortar panales. • *Amér. Merid.* Planta ciperácea de hojas largas, angostas y aplanadas, cuyos bordes cortan como una navaja.

Correr constituye un excelente ejercicio físico

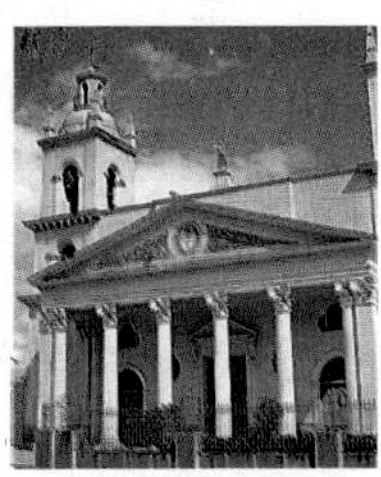

Catedral de **Corrientes**

Corsé

Cortapicos

CORTADILLO, LLA adj. Díc. de la moneda cortada y que no tiene figura circular. • m. Vaso pequeño para beber.
CORTADO, DA adj. Ajustado, acomodado, proporcionado. • Aplícase al estilo del escritor que no expresa los conceptos encadenándolos unos con otros en períodos largos, sino separadamente, en cláusulas breves y sueltas. • Turbado, avergonzado. • m. Taza de café con algo de leche. • Cabriola que se hace en la danza o baile con salto violento.
CORTADOR, RA adj. Que corta. • m. Carnicero, el que vende carne. • Diente incisivo. • m. y f. El que en las sastrerías, zapaterías, talleres de costura, etc. corta las piezas de que se compone el objeto.
CORTADURA f. Separación o división hecha en un cuerpo continuo por instrumento o cosa cortante. • Abertura o paso entre dos montañas. • Recortado. • *Min.* Ensanche en el encuentro de las galerías con el pozo pral. • pl. Recortes o sobrantes de alguna cosa.
CORTAFIERRO m. *Argent.* Cortafrío.
CORTAFRÍO m. Cincel para cortar hierro frío.
CORTAFUEGO m. *Agr.* Vereda ancha que se deja en los sembrados y montes para que no se propaguen los incendios.
CORTAHOJAS m. *Amér. Merid.* Ave paseriforme de pequeño tamaño.
CORTALÁPICES m. Instrumento para aguzar los lápices.
CORTANTE adj. Que corta. • m. Cortador, carnicero, que vende carne.

Hernán **Cortés** recibiendo el homenaje de un cacique. Ilustración del *Lienzo de Tlaxcala*

CORTAPAPELES m. Plegadera, cuchillo para cortar papel. En América se usa más en singular.
CORTAPICOS m. Tijereta, insecto.
CORTAPIÉS m. fam. Tajo o cuchillada que se tira a las piernas.
CORTAPISA f. Guarnición de diferente tela, que se ponía en ciertas prendas de vestir. • fig. Condición o restricción con que se concede o se posee una cosa.
CORTAPLUMAS m. Navaja pequeña.
CORTAPUROS m. Utensilio para cortar la punta de los cigarros puros.

Pietro de **Cortona**

CORTAR tr. Dividir una cosa o separar sus partes con algún instrumento. • Dar forma a las diferentes piezas de que se ha de componer una prenda de vestir o calzar. • Hender un fluido o líquido. • Separar o dividir una cosa en dos porciones. • En el juego de naipes, alzar parte de ellos dividiendo la baraja. • tr. y prnl. Refiriéndose al aire o al frío, ser éstos tan penetrantes y sutiles, que parece que cortan la piel. • Atajar, detener, embarazar, impedir el curso o paso a las cosas. • Dejar de decir algo, o señalar lo que no ha de decirse, en un discurso, un sermón, una comedia, etc. • Castrar las colmenas. • Recortar. • fig. Suspender, interrumpir. Díc. pralm. de una conversación o plática. • fig. Decidir o ser árbitro en un negocio. • Grabar. • Tomar una dirección, echarse a andar. • prnl. Turbarse, faltar a uno palabras por causa de la turbación. • prnl. y tr. Tratándose de la leche, separarse la parte mantecosa de la serosa. • prnl. Tratándose de salsas, natillas, etc., separarse los ingredientes que debían quedar trabados. • Tratándose de dos líneas, superficies o cuerpos que tienen algún elemento común, pasar cada uno de ellos al lado opuesto del otro.

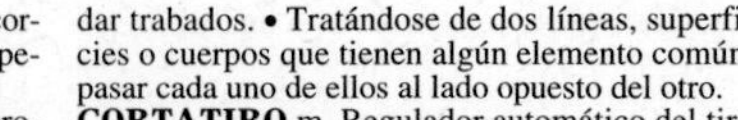

CORTATIRO m. Regulador automático del tiro de una chimenea.
CORTAUÑAS m. Especie de tenacillas para cortar las uñas.
CORTAVIENTO m. Aparato para reducir en un vehículo la resistencia que presenta el viento.
CORTAZAR Mun. de México, en el est. de Guanajuato; 45 600 hab. Agricultura y ganadería. Ind conservera.
CORTÁZAR, *Julio* (1914-1984) Escritor arg. Formó parte de la generación de la postguerra que introdujo imp. cambios en la narrativa. Su primera obra fue el poema dramático *Los reyes* (1949). Post. escribió cuentos fantásticos como *Bestiario* (1951), *Final del juego* (1956), *Las armas secretas* (1959), *Historia de cronopios y famas* (1962), *Todos los fuegos el fuego* (1966), *La vuelta al día en ochenta mundos* (1967), y *Octaedros* (1974). Entre sus novelas destacan: *Los premios* (1961), *Rayuela* (1963), *62 modelo para armar* (1968) y *El libro de Manuel* (1973), que profundiza su constante preocupación por su propia escritura. Post. publicó: *Pameos y meopas* (1971), *Queremos tanto a Glenda* (1981), *Deshoras, Los autonautas de la cosmopista* (1983), en colaboración con Carol Dunlop. *Salvo el crepúsculo* (1984), obra póstuma.
CORTE m. Filo de instrumento con que se corta y taja. • Acción y efecto de cortar. • Cortadura. • Arte y acción de cortar las diferentes piezas de un vestido, de un calzado u otras cosas. • Cantidad de tela o cuero necesaria y bastante para hacer un vestido, un pantalón, un calzado, etc. • Corta. • Sección de un edificio. • fig. Réplica que deja al interlocutor sin respuesta y en situación poco airosa. • f. Población donde habitualmente reside el gobierno en las monarquías. • Conjunto de todas las personas que componen la familia y comitiva del rey. • Asambleas convocadas por el rey para asesorarle y votar la concesión de subsidios. • Chancillería o sus estrados. • Corral. • Establo donde se recoge de noche el ganado. • Aprisco donde se encierran las ovejas. • *Amér.* Tribunal de justicia. • **Hacer la c.** fr. Cortejar, galantear. • **Darse c.** *Argent.* fr. Darse humos.
CORTEDAD f. Pequeñez y poca extensión de una cosa. • fig. Encogimiento de ánimo.
CORTEJAR tr. Asistir, acompañar a uno, contribuyendo a lo que sea de su agrado. • Galantear, requebrar, obsequiar a una mujer.
CORTEJO m. Acción de cortejar. • Personas que forman al acompañamiento de una ceremonia. • Fineza, agasajo, regalo. • fam. Persona que tiene relaciones amorosas con otra. • *Zool.* Conjunto de movimientos y acciones que tienden a preparar a los animales para la cópula. Es propio de los vertebrados y su función es sincronizar la actividad sexual de individuos de la misma especie y sexos opuestos, eliminando las reacciones agresivas.
CORTE-REAL, *Gaspar* (h. 1450-1501) Navegante port. Descubrió Terranova. • ***Jerónimo*** (1535-1588) Poeta port. Escribió, en cast. el poema épico *La Austríada*, inspirado en la batalla de Lepanto.
CORTÉS adj. Atento, comedido, afable, urbano.
CORTÉS Dpto. del NO de Honduras, en la costa del mar Caribe, limítrofe con Guatemala; 3 923 km^2, 886 080 hab. Cap., San Pedro Sula. Puertos prales.: Osmoa y Puerto Cortés. Avenado por los ríos Chamelecón y Ulúa. Accidentado por la sierra de Omoa, al N, y la de Montecillos, al S. Clima tropical. Plátanos, café, coco, arroz.
CORTÉS, *Alfonso* (1893-1969) Poeta nic. *La odisea del Istmo, Tarde de oro, Las rimas universales, El poeta cotidiano y otros poemas.* • ***Francisco Javier*** (1770-1841) Pintor ecuat., trabajó en la expedición botánica del Nuevo Reino de Granada. Director de la Academia de Dibujo y Pintura de Lima. • ***Francisco Pedro*** (nacido 1873) Director de orquesta y compositor puertorriq. Estudió en España y Francia. Autor de obras orquestales, un ballet, una ópera cómica, etc. • ***Hernán*** (1485-1547) Conquistador y descubridor esp. En 1504 llegó a La Española, y poco después a Cuba para participar en la conquista de la isla. En 1519 marchó al

Yucatán, iniciando la conquista de México. A pesar de la destrucción de Cholula, fue recibido por Moctezuma. Volvió a Tenochtitlán y secuestró a Moctezuma, lo cual dio lugar al levantamiento azteca contra los esp. *(Noche triste*, 30 junio-1 julio 1520). La batalla de Otumba frenó a los aztecas y permitió iniciar la marcha final sobre Tenochtitlán. C. fue nombrado capitán general de Nueva España. Acusado de graves cargos regresó a España, donde Carlos I le confirmó en su cargo. Realizó aún algunas expediciones por la costa mex. (1530-1540). En 1541 participó en la expedición a Argel. • ***José*** (1742-1806) Pintor ecuat., el más importante pintor quiteño de su época. Retratista. Sus tres hijos, ***Antonio, Francisco*** y ***Nicolás,*** fueron también pintores. • ***Manuel José*** (1811-1865) Historiador, poeta y político bol. *Ensayo sobre la historia de Bolivia, Poesías, Introducción al derecho.* • **Castro, *León*** (1882-1946) Político cost. Presid. de la rep. de 1936 a 1940. Llevó a cabo grandes reformas.

CORTESANÍA f. Atención, comedimiento.

CORTESANO, NA adj. Relativo a la corte. • Cortés. • m. Palaciego que sirve al rey en la corte. • f. Prostituta.

CORTESÍA f. Demostración o acto con que se manifiesta la atención, respeto o afecto que tiene una persona a otra. • En las cartas, expresiones de obsequio y urbanidad que se ponen antes de la firma. • Cortesanía. • Regalo, dádiva. • Prórroga que se concede en el cumplimiento de algo. • Gracia o merced. • Tratamiento, título que se da a una persona.

CÓRTEX m. *Anat.* Corteza.

CORTEZ m. *Méx.* Árbol de la familia bignoniáceas, cuya madera se usa en ebanistería.

CORTEZA f. *Bot.* Parte exterior del árbol, compuesta de varias capas, que lo cubre desde sus raíces hasta la extremidad de sus ramas. • Parte exterior y dura de algunas frutas (cidra, limón, etc.) y otras cosas (pan, queso, etc.). • fig. Exterioridad de una cosa. • fig. Rusticidad, falta de crianza. • **atómica.** *Fís.* Nube electrónica de un átomo. • **cerebral.** *Anat.* Revestimiento de sustancia gris que constituye la capa externa de los hemisferios cerebrales. • **suprarrenal.** *Fisiol.* Capa exterior de las glándulas suprarrenales, que produce esteroides y hormonas sexuales. • **terrestre.** *Geol.* Capa más superficial de la Tierra, de unos 35 km de espesor medio. ■ CORTEZUDO, DA; CORTICAL.

CORTICALIZACIÓN f. Paso evolutivo hacia los centros superiores corticales de las funciones pertenecientes a los centros paleocefálicos en los mamíferos más primitivos.

CORTICOIDE m. *Fisiol.* Nombre genérico de las hormonas segregadas por la corteza de las glándulas suprarrenales.

CORTICOSTEROIDE adj. y s. Díc. de cada una de las hormonas secretadas por la corteza suprarrenal.

CORTICOTROPINA f. *Fisiol.* Hormona de naturaleza peptídica segregada por el lóbulo anterior de la hipófisis (adenohipófisis). Estimula la corteza suprarrenal en orden a la producción de hormonas corticales, a partir de la colesterina. Se emplea con las mismas finalidades que la cortisona.

CORTIJADA f. Conjunto de habitaciones de un cortijo. • Conjunto de varios cortijos.

CORTIJO m. Finca agrícola andaluza que consta de tierra y casa de labor. ■ CORTIJERO, RA.

CORTINA f. Paño grande con que se cubren y adornan puertas, ventanas etc. • Cortinal. • **Correr la c.** Descubrir lo oculto o difícil de entender. ■ CORTINAJE.

CORTINAL m. Pedazo de tierra cercado que se siembra todos los años.

CORTISONA f. *Fisiol.* Hormona de la corteza suprarrenal. Su misión pral. estriba en fomentar la formación de glúcidos a partir de las proteínas, con aumento de la glucemia. Tiene efectos contrarios a los de la acción de la insulina.

CORTO, TA adj. Díc. de las cosas que no tienen la extensión que les corresponde. • De poca duración, estimación o entidad. • Escaso o defectuoso. • Que no alcanza al punto de su destino. • fig. Tímido, encogido. • fig. De escaso talento o poca instrucción. • fig. Falto de palabras y expresiones para explicarse. • m. *Cin.* Cortometraje. • **A la corta o a la larga** m. adv. Más tarde o más temprano.

CORTOCIRCUITO m. *El.* Circuito producido accidentalmente por contacto entre los conductores sin que la corriente pase por la resistencia.

CORTOMETRAJE m. *Cin.* Película de longitud inferior a 1 500 m.

CORTÓN m. *Zool.* Insecto ortóptero, parecido al grillo, con las dos patas delanteras adaptadas para excavar galerías subterráneas.

CORTONA, *Pietro de* (1596-1669) Pintor, escultor y arquitecto it. Autor de la iglesia de San Lucas y Santa Martina, uno de los primeros edificios del barroco romano.

CORTOT, *Alfred* (1877-1962) Pianista y director de orquesta fr. Con Thibaud y Casals formó un trío que alcanzó gran prestigio. Fundador de la Escuela Normal de Música de París.

CORÚA f. *Cuba.* Ave pelecaniforme, que se alimenta de peces y mariscos.

CORUJA f. Especie de lechuza.

CORUNDO m. Corindón.

CORUÑA, A o **LA CORUÑA** Prov. del NO de España, en la com. autón. de Galicia, junto al océano Atlántico; 7 876 km^2, 1 110 302 hab. Cap., A Coruña; c. prales: El Ferrol, Santiago de Compostela y Betanzos. Bosques; ganadería vacuna y de cerda; cereales, patatas, legumbres, etc.; pesca; hierro, estaño, volframio; ind. alimentarias. • C. esp., en Galicia, cap. de la prov. hom.; 243 785 hab. Sit. en una pequeña pen. a orillas del Atlántico.

Vista de la Torre de Hércules, en **A Coruña**

CORUÑÉS, SA adj. y s. De A Coruña.

CORUSCAR intr. poét. Brillar.

CORVA f. Parte de la pierna, opuesta a la rodilla, por donde se dobla y encorva. • *Cet.* Aguadera, pluma de algunas aves.

CORVADURA f. Parte por donde se dobla o encorva una cosa. • Curvatura. • *Arq.* Parte curva o arqueada del arco o de la bóveda.

CORVALÁN, *Luis* (nacido 1915) Político chil. Miembro del Partido Comunista, fue designado su secretario general en 1958. Arrestado al caer el gobierno de Allende, permaneció en un campo de concentración hasta 1976, cuando fue canjeado por el disidente sov. V. Bukovsky.

CORVAR tr. Encorvar.

CORVATO m. Cría del cuervo.

CORVEJÓN m. *Anat.* Articulación situada entre la parte inferior de la pierna y superior de la caña. • Espolón de los gallos. • *Zool.* Cuervo marino.

CORVEJOS m. pl. Corvejón, articulación de los cuadrúpedos.

CORVETA f. Movimiento que se enseña al caballo, obligándole a ir sobre las patas traseras con los brazos en el aire.

Movimiento de **corveta** del caballo

CORVETEAR intr. Hacer corvetas el caballo.

CÓRVIDO, DA adj. y m. *Zool.* Díc. de las aves de la familia córvidos. • adj. Relativo a estas aves. • m. pl. Familia de pájaros dentirrostros, cuyo tipo es el cuervo común. Representan un grupo muy avanzado, con especies capaces de un cierto rendimiento intelectual, y a menudo forman sociedades complejas. Habitan sobre todo en los bosques y páramos del hemisferio norte.

CORVINA f. *Zool.* Pez teleósteo, del suborden acantopterigios, provisto de una boca con muchos dientes. Es de color pardo con manchas negras en el lomo y plateado en el vientre; vive en el Mediterráneo y en los mares tropicales.

CORVINERO m. *Ecuad.* Matón, asesino.

CORVINO, NA adj. Relativo al cuervo o parecido a él.

CORVISAR, *Jean Nicolas* (1755-1821) Médico fr. Introdujo la auscultación cardíaca en la exploración del tórax. *Ensayo sobre las enfermedades y lesiones orgánicas del corazón.*

CORVO, VA adj. Arqueado o combado. • m. Garfio. • Corvina.

CORVUS Pequeña constelación, de contorno rómbico, situada cerca de Hidra. Su nombre cast. es Cuervo.

CORZO, ZA m. y f. Mamífero rumiante, de la familia cérvidos, algo mayor que la cabra, rabón y de color gris rojizo; tiene las cuernas pequeñas, verrugosas y ahorquilladas hacia la punta.

Pareja de **corzos**

CORZUELA f. Animal artiodáctilo rumiante de la familia cérvidos, propio del continente amer.

CORZUELO m. Granos de trigo que no despidieron la cascarilla al ser trillados.

Detalle de una carta de Juan de la **Cosa** (1500)

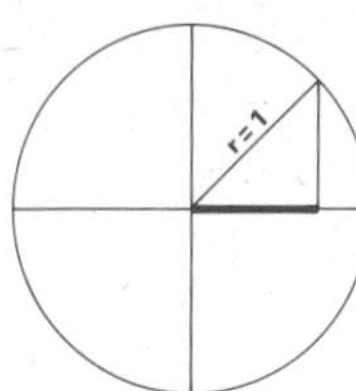
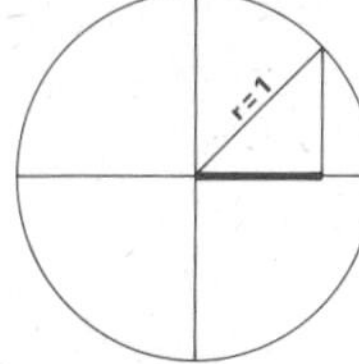

Coseno de un ángulo

Máquina de **coser** en un medallón del s. XIX

Labores de poda en un fresco de F. del **Cossa.** Palacio Schifanova, Ferrara (Italia)

COSA f. Todo lo que tiene entidad, ya sea corporal o espiritual, natural o artificial, real o abstracta. • En ocasiones negativas, nada. • Asunto, cuestión, tema. • Idea, acción o dicho. • *Der.* En contraposición a persona o sujeto, el objeto de las relaciones jurídicas. • *Der.* El objeto material, en oposición a los derechos creados sobre él y a las prestaciones personales.

COSA, ***Juan de la*** (h. 1449-1510) Navegante y cartógrafo esp. Acompañó a Colón en sus tres primeros viajes a América. Delineó el trazado de las Antillas y de Tierra Firme. Participó en la expedición de Ojeda y Nicuesa al Darién. Murió luchando contra los indios.

COSACO, CA adj. y s. Díc. del individuo de los pueblos nómadas o seminómadas instalados, desde el s. XII, en el S de Rusia.

COSAMALOAPÁN Mun. de México, en el est. de Veracruz; 72 700 hab. Caña de azúcar, maíz, café. Ganadería.

COSBUC, ***Gheorghe*** (1866-1918) Poeta rum. Su obra exalta las pasiones y los sentimientos campesinos. Autor de: *Baladas e idilios, Para nosotros la tierra.*

COSCACHEAR tr. *Chile.* Dar coscachos.

COSCACHO m. *Amér.* Coscorrón.

COSCARSE prnl. fam. Concomerse.

COSCOJA f. *Bot.* Árbol achaparrado de la familia fagáceas. • Hoja seca de la carrasca o encina. ■ COSCOJAL O COSCOJAR.

COSCOJO m. Agalla producida por el quermes en la coscoja. • pl. Piezas de hierro, a modo de cuentas, ensartadas en unos alambres asidos al bocado de los frenos a la brida de la caballería. ■ *R. de la Plata.* COSCOJERO, RA.

COSCOLINO, NA adj. *Méx.* Arisco, descontentadizo. • *Méx.* Travieso, inquieto. • f. *Méx.* Mujer de malas costumbres.

COSCOMATE m. *Méx.* Troje cerrado hecho con barro y zacate, para conservar el maíz.

COSCÓN, NA adj. y s. fam. Socarrón, hábil para lograr lo que la acomoda o evitar lo que le disgusta.

COSCOROBA f. *Argent.* y *Chile.* Ave, especie de cisne, de cuello corto, todo blanco.

COSCORRÓN m. Golpe incruento en la cabeza.

COSCURRO m. Cuscurro.

COSCURRÓN m. Pedazo de pan frito.

COSECANTE f. y adj. *Trig.* Secante del complemento de un ángulo o de un arco. Es la razón trigonométrica inversa del seno; su símb. es cosec. • **Función c.** Función que a cada número real le hace corresponder la c. del ángulo cuya medida en radianes es dicho número real.

COSECHA f. Conjunto de frutos que se recogen de la tierra; como trigo, cebada, vino, aceite, etc. • Temporada en que se recogen los frutos. • Ocupación de recoger los frutos de la tierra. • fig. Conjunto de cosas no materiales. ■ COSECHADOR, RA; COSECHAR; COSECHERO, RA.

COSELETE m. Coraza ligera que se usó por ciertos soldados de infantería. • Soldado que llevaba coselete. • Tórax de los insectos.

COSENO m. y adj. *Trig.* En un triángulo rectángulo, el c. de un ángulo agudo es la razón que existe entre el lado contiguo a este ángulo y la hipotenusa. • **hiperbólico.** Función real o imaginaria de una variable, de símb. ch, que puede definirse por la relación $Ch\times = (e^{\times} + e^{-\times})2$. • **Función c.** Función que a cada número real le hace corresponder el c. del ángulo cuya medida en radianes es dicho número real. La función c. es periódica, de periodo 2 radianes. • **Teorema del c.** Relación que expresa que la longitud de uno de los lados de un triángulo es igual a la raíz cuadrada de la suma de los cuadrados de las longitudes de los otros dos, menos el duplo del producto de estas dos longitudes por el coseno del ángulo que forman estos dos lados. En un triángulo rectángulo se reduce al de Pitágoras.

COSENZA Prov. de Italia, en Calabria; 6 650 km², 772 600 hab. Cap., la c. hom. • C. de Italia, cap. de la prov. hom:, 106 000 hab. Importante catedral.

COSER tr. Unir con hilo, dos o más pedazos de tela, cuero u otra materia. • Hacer dobladillos, pespuntes y otras labores de aguja. • fig. Unir una cosa con otra, de suerte que queden muy juntas o pegadas. • Producir varias heridas en el cuerpo con arma punzante. • **y cantar.** fr. fig. y fam. con que se denota que aquello que se ha de hacer no ofrece dificultad ninguna. ■ COSEDOR, RA; COSIDO, DA.

COSGRAVE, ***William Thomas*** (1880-1965) Político irl. Formó parte del mov. independentista *Sinn Fein.* Primer presid. del Consejo Ejecutivo del Estado Libre de Irlanda (1922-1932).

COSIACA f. *Amér.* Cosa insignificante.

COSIDA, ***Jerónimo*** (s. XVI) Pintor renacentista esp. Retablos de San Lorenzo de Zaragoza, del monasterio de Veruela y de la catedral de Tarazona.

COSIFICAR tr. Considerar una idea, facultad o persona como si fuera un objeto. ■ COSIFICACIÓN.

COSIJO m. Inquietud moral apremiante. • *Guat., Méx.* y *Nic.* Cojijo, desazón.

COSIJOSO, SA adj. *Amér.* Cojijoso.

COSINUSOIDE f. Curva que constituye la gráfica en el plano de la función coseno. Su ecuación es $y = \cos x$.

COSÍO Villegas, ***Daniel*** (1900-1976) Historiador mex. Estudioso de la historia contemporánea de su país, escribió la *Historia moderna de México*, referida al período 1955-1972.

COSLADA Mun. de España, en la prov. de Madrid; 76 001 hab. Centro industrial.

COSMAS Indicopleustes (s. VI) Mercader y cosmógrafo nacido en Alejandría. *Descripción de la Tierra, Topografía cristiana del universo.*

COSME Y DAMIÁN Santos. Según la tradición, fueron dos hermanos médicos, de origen ár., martirizados en el año 300.

COSMÉTICO, CA adj. y m. Díc. del preparado para preservar o embellecer el cutis y el cabello. • f. Arte de aplicar estos preparados.

CÓSMICO, CA adj. Relativo al universo. • *Astr.* Se aplica al otro u ocaso de un astro, que coincide con la salida del Sol.

COSMÓDROMO m. *Astron.* Complejo de instalaciones donde se prepara el montaje y el lanzamiento de vehículos espaciales.

COSMOGONÍA f. *Astr.* Parte de la astronomía que estudia la formación y origen del universo. ■ COSMOGÓNICO, CA.

* *Astr.* Actualmente se admite que la formación de las estrellas se produce por condensación de materia de difusión, fenómeno al que sigue un lanzamiento de materia estelar, que provoca la aparición de *novas* o *supernovas.* La formación de las estrellas de nuestra galaxia debió producirse hace unos 10 000 millones de años.

COSMOGRAFÍA f. Descripción astronómica del mundo, o astronomía descriptiva. ■ COSMOGRÁFICO, CA; COSMÓGRAFO, FA.

COSMOLOGÍA f. *Fil.* Término introducido por Kant que significa doctrina del mundo considerado como un todo organizado. Actualmente el término es sinónimo de cosmogonía. ■ COSMOLÓGICO, CA; COSMÓLOGO, GA.

COSMONÁUTICA f. Astronáutica. ■ COSMONAUTA.

COSMOPOLITA adj. y s. Díc. de la persona que considera a todo el mundo como patria suya, y de la que ha vivido en muchos países o ha viajado mucho. • Díc. de lo que es común a todos los países o a la mayoría de ellos. • Díc. de los lugares en los que viven personas de muchos países o en los que coexisten costumbres de lugares diversos. • Aplícase a los seres o especies animales y vegetales aclimatados a todos los países o que pueden vivir en todos los climas. ■ COSMOPOLITISMO.

COSMOQUÍMICA f. Ciencia que estudia la formación y distribución de los elementos en el universo.

COSMORAMA m. Artificio óptico para ver aumentados los objetos mediante una cámara oscura.

COSMOS m. Mundo, universo.

COSMOS Serie de satélites artificiales de la Tierra lanzados por la Unión Soviética a partir de 1962.

COSMOTRÓN m. *Fís.* Máquina destinada a acelerar electrones. Se puede conferir energía del mismo orden que la que poseen los rayos cósmicos.

COSO m. Plaza, sitio o lugar cercado donde se corren y lidian toros y se ejecutan otras fiestas públicas. • Calle pral. en algunas poblaciones. • Carcoma.

COSTA DE MARFIL

Superficie 322 462 km²

Población 14 230 000 hab. (44,1 hab./km²)

Recursos económicos	
Azúcar	190 000 t
Aceite de palma	249 170 t
Algodón	109 000 t
Arroz	1 045 000 t
Bananas	185 000 t
Cacao	860 000 t
Café	194 000 t
Caucho	68 000 t
Copra	34 000 t
Diamantes	15 000 quilates
Cabaña bovina	1 258 000 cabezas
Cabaña ovina	1 282 000 cabezas
Hilados de algodón	93 000 t
Mandioca	1 564 000 t
Pesca	74 094 t
Petróleo	335 000 t
Riqueza forestal	14 487 000 m³
Tabaco	4 500 000 000 cigarrillos

Indicadores sociológicos	
PNB	9 248 millones de dólares
Renta per cápita	660 dólares
Esperanza de vida	55 años
Alfabetización	54 %

COSPE m. Cada uno de los cortes de hacha que se hacen en una pieza de madera para facilitar su desbaste.
COSPEL m. Disco de metal dispuesto para recibir la acuñación de monedas.
COSQUE m. fam. Coscorrón.
COSQUILLAS f. pl. Sensación nerviosa que se experimenta en ciertas partes del cuerpo cuando son tocadas ligeramente. ■ COSQUILLAR; COSQUILLEAR; COSQUILLEO.
COSSA, *Francesco del* (h. 1435-1477) Pintor it., representante de la escuela ferraresa del s. XV. Decoración del palacio Schifanoia, en Ferrara.
COSSIGA, *Francesco* (nacido 1928) Político it. Miembro del partido democratacristiano; ha ocupado varias carteras ministeriales, presidió (1979-1980) dos gabinetes de corta duración. Presid. de la rep. entre 1985 y 1992.
COSSÍO, *Francisco Gutiérrez* (1898-1970) Pintor esp., de origen cub. Evolucionó de un estilo cubista a otro de carácter tradicional y severo. *Retrato de mi madre* • ***José M.ª de*** (1893-1977) Erudito y crítico literario esp. *Los toros* y de *Cincuenta años de poesía española* (1850-1900). • ***Manuel Bartolomé*** (1858-1935) Pedagogo e historiador de arte esp. *El Greco*. • **Del Pomar, *Felipe*** (1888-1981) Pintor y escritor per. Autor de numerosos ensayos: *Historia crítica de la pintura en el Cuzco, Pintura colonial, Escuela cuzqueña, Arte del Perú precolombino*.
COSTA f. Cantidad de que se da o se paga por una casa. • Gasto de la manutención del trabajador cuando se añade al salario. • Orilla del mar y tierra que está cerca de ella. • pl. Gastos judiciales.
COSTA, *Joaquín* (1846-1911) Político, jurisconsulto e historiador esp. Impulsor del «regeneracionismo», fundó el partido de la Unión Nacional (1900). Autor de *Colectivismo agrario en España, La tierra y la cuestión social*, etc. • ***Lucio*** (1902-1998) Arquitecto bras., nacido en Francia. Autor del edificio del Ministerio de Educación y Sanidad en Río de Janeiro, en colaboración con Le Corbusier y O. Niemeyer, y del plano piloto para la urbanización de Brasilia (1956). • **Du Rels, *Adolfo*** (1891-1980) Escritor y diplomático bol. *El quinto caballero* (teatro); *Tierras hechizadas, Los Andes no creen en Dios* (novela). • **E Gomes, *Francisco da*** (1914-2001) Militar y político port. En 1972 fue nombrado jefe del Alto Estado Mayor Central. En marzo 1974 fue destituido por M. Caetano. Tras la revolución de abril y después de la dimisión de Spinola, fue elegido presid., hasta 1976.
COSTA Azul *(Côte d'Azur)* Costa fr. y monegasca del Mediterráneo (desde la frontera con Italia hasta Marsella). Zona turística. • **Brava** Costa esp., en el Mediterráneo, que se extiende por la prov. de Gerona. Zona turística. • **de los Esclavos** → Esclavos, Costa de los. • **de los Mosquitos** → Mosquitos, Costa de los. • **de los Piratas** → Piratas, Costa de los.
COSTA DE MARFIL *(République de Côte d'Ivoire)* Estado de África occidental, rep.; limita con Malí, Burkina Faso, Ghana, Guinea, Liberia y el océano Atlántico. Comprende una llanura costera que se prolonga en una meseta interior. La sabana es la vegetación predominante. Ríos prales.: Sassandra, Bandama y Comoé. Clima cálido y húmedo. La agricultura es el pral. recurso. Para la exportación se producen: café, cacao, plátano, algodón, ananás, etc.; y para el consumo local, mandioca, batata, mijo, sorgo, maíz, arroz. Explotación forestal (ébano, mogano, caucho); manganeso, diamantes, oro; ind. alimentaria y de transformación de la madera. Lenguas: francés (of.) y kwa. *Rel.*: animistas (37 %), musulmanes (34 %) y católicos. U. M.: franco CFA. Cap.: Yamoussoukro. C. pral.: Abidjan.
 * *Hist.* El litoral fue descubierto por los port. en el s. XV. A principios del s. XVIII los comerciantes fr. obtuvieron el control de algunos establecimientos (Grand-Bassam y Assinie) para el comercio del marfil y la trata de esclavos. Colonia fr. en 1893 se integró en el África Occidental Francesa en 1899. En 1958 se transformó en est. autónomo, y en 1960 alcanzó la indep. En esa fecha fue elegido presid. Houphouët-Boigny, que ocupó el cargo hasta su muerte (1993); le sustituyó Henri Konan Bedié, confirmado en la presidencia en las elecciones de 1995. En 1989 se inauguró la basílica de Nuestra Señora de la Paz, réplica de la de San Pedro, en el Vaticano. Un golpe de estado derrocó a Bedié en 1999 y el general Robert Gueï asumió la presid. Un año después se celebraron elecciones, en las que venció Laurent Gbagbo, quien superó en 2001 un nuevo intento de golpe militar.
COSTA DE ORO *(Gold Coast)* → Ghana.
COSTA RICA Estado centroamericano, rep., limitado al N. por Nicaragua, al NE por el mar Caribe, al SE por Panamá y al O y SO por el océano Pacífico.

COSTA RICA

Recursos económicos	
Aceite de palma	90 000 t
Ananás	190 000 t
Arroz	180 000 t
Bananas	1 932 000 t
Cacao	2 000 t
Café	138 500 t
Caña de azúcar	38 000 ha
Coco	29 000 t
Maíz	35 000 t
Mandioca	94 000 t
Naranjas	169 000 t
Patatas	56 000 t
Tabaco	2 000 t
Ganadería y derivados	
Cabaña bovina	1 694 000 cabezas
Cabaña caballar	114 000 cabezas
Cabaña porcina	252 000 cabezas
Riqueza forestal	3 315 000 m³
Pesca	17 650 t
Producción minera	
Oro	650 kg
Sal marina	40 000 t
Producción industrial	
Azúcar	320 000 t
Cemento	315 000 t
Energía eléctrica	4 772 millones de kwh
Fertilizantes	42 000 t
Papelera	19 000 t
Tabaquera	2 000 000 000 cigarrillos
Indicadores sociológicos	
PNB	8 884 millones de dólares
Renta per cápita	2 610 dólares
Esperanza de vida	75,7 años
Alfabetización	94,8 %

Costa de Marfil.
Arriba, mapa de situación y bandera; abajo, mezquita de Bouaké

Mapa de situación y bandera de
Costa Rica

Costa Rica. Abajo, imagen del cráter del volcán Poás, en la Cordillera Central.

Costa Rica. Panorámica de un sector de la costa del Caribe en la provincia de Limón.

* *Geog. fís.* Está atravesada en dirección NO y SO por varias cadenas de montañas: la cordillera Volcánica, formada por las cordilleras de Guanacaste (Miravalles, 2 028 m) y Central (volcán Irazú, 3 432 m) y los montes de Tilarán y Aguacate, al NO; al S, la cordillera de Talamanca (cerro Chirripó - Grande, 3 820 m). La depresión tectovolcánica del Valle Central ocupa unos 3 000 km^2; en ésta se asienta la mayor concentración de población. Las zonas N (hacia Nicaragua) y NE (hacia el mar Caribe) constituyen una llanura muy fértil. Los ríos más imp. son el San Juan, que forma parte de la frontera con Nicaragua y desemboca en el Caribe; el San Carlos, afl. del anterior; el Reventazón, que también afluye al Caribe; el Río Grande de Térraba, el Tempisque y el Sixaola (limítrofe en parte con Panamá). Las costas del Caribe son bajas y rectilíneas, en contraposición a las del Pacífico, más accidentadas (pen. y golfo de Nicoya, bahía de Coronado, pen. de Osa). Clima tropical modificado por la altitud.

* *Geog. econ.* La actividad pral. es la agricultura, a la que se dedica más del 20 % de la población activa. Un tercio del suelo está reservado a la explotación forestal. Los productos dedicados a la exportación son: café, bananas, cacao, caña de azúcar, tabaco, algodón, flores y plantas ornamentales. Para el consumo interior se destina la producción de maíz, frijoles, arroz, patatas, mandioca, aceite de palma, los agrios y el aceite de coco. Reviste importancia la ganadería bovina. Se obtiene oro y plata y existen yacimientos de hierro en San Ramón, de bauxita en el valle del General, de azufre en Aguas Zarcas y de manganeso en la pen. de Nicoya. Las importaciones (maquinaria, artículos manufacturados, material de transporte) superan a las exportaciones, estas últimas basadas en los productos agrícolas.

* *Geog humana.* La población mayoritaria es criolla (97 %); lengua: castellano. *Rel.:* católica, con libertad de culto que practican minorías (animistas). U.M.: el colón. C. prales.: la cap., San José, Alajuela, Puntarenas, Limón, Heredia, Cartago y Guanacaste.

* *Hist.* **Precolonial y colonial.** A la llegada de los españoles, existían en el territorio diversos pueblos, los más imp. eran los chorotegas, huetares y bruncas o borucas. Existían diversos señoríos dependientes del cacicazgo de Nicoya. En 1502 Cristóbal

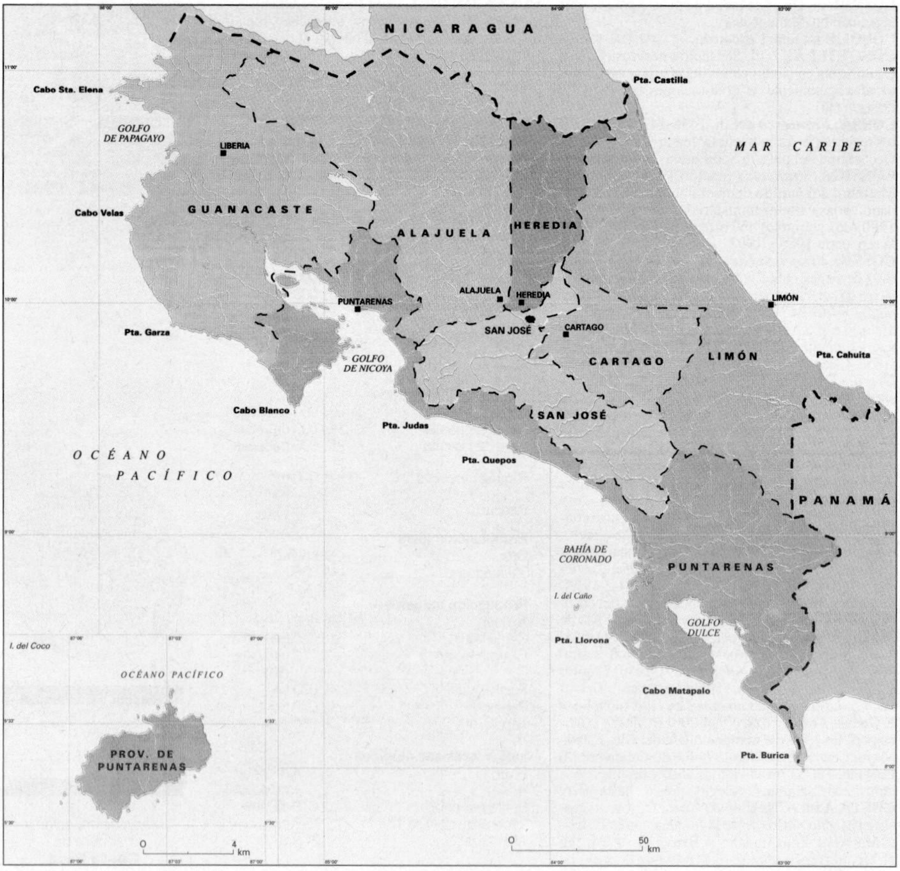

NICARAGUA
Cabo Sta. Elena
GOLFO DE PAPAGAYO
LIBERIA
Pta. Castilla
MAR CARIBE
Cabo Velas
GUANACASTE
ALAJUELA
HEREDIA
ALAJUELA
HEREDIA
PUNTARENAS
LIMÓN
SAN JOSÉ
CARTAGO
Pta. Garza
GOLFO DE NICOYA
CARTAGO
LIMÓN
Pta. Cahuita
Cabo Blanco
SAN JOSÉ
Pta. Judas
OCÉANO PACÍFICO
Pta. Quepos
PANAMÁ
BAHÍA DE CORONADO
PUNTARENAS
I. del Caño
I. del Coco
GOLFO DULCE
Pta. Llorona
OCÉANO PACÍFICO
Cabo Matapalo
PROV. DE PUNTARENAS
Pta. Burica
0 4 km
0 50 km

Colón arribó, en su cuarto viaje al Nuevo Mundo, al poblado costero de Cariari (hoy, Puerto Limón). El territorio, con el nombre de Veragua, formó parte de la gobernación de Nicuesa. La conquista y colonización del interior se llevó a cabo a partir de 1560 por J. Cavallón, J. de Estrada Rávago y J. Vázquez de Coronado. Durante la época colonial fue incorporada a la capitanía General de Guatemala. • **Independencia.** En 1821 se proclamó la independencia. Juan Manuel Cañas, gobernador de la metrópoli, quedó al frente de la provincia. Adoptó la primera constitución, denominada «Pacto de Concordia». En 1822 se integró al Imperio Mexicano. En 1823 formó parte de la Confederación Centroamericana, de la que se separó, en 1838, para constituirse en rep. independiente. • **Contemporánea.** En 1849 fue elegido presid. Juan Rafael Mora, reelegido en 1853. Bajo su mandato, España reconoció a Costa Rica como nación independiente. En 1856 Mora derrotó al norteam. William Walker, quien se había apoderado de Nicaragua con un ejército de mercenarios. En 1894 fue elegido presid. Rafael Iglesias, quien concluyó la construcción de los ferrocarriles interoceánicos, consolidó el cultivo del café y del banano. Desde entonces, sólo han tenido lugar dos gobiernos inconstitucionales: el de Federico Tinoco, surgido del golpe de Estado de 1917, y el de 1948, presidido por José Figueres. En 1940 fue elegido presid. el médico Rafael A. Calderón. En 1948, aspiró nuevamente a la presidencia, pero fue derrotado por el candidato de la oposición Otilio Ulate. Al no aceptar Calderón el resultado de los comicios, comenzó una guerra civil entre las diversas facciones políticas, agrupadas algunas de ellas en torno de José Figueres. El movimiento encabezado por él (Liberación Nacional) triunfó, y Ulate fue proclamado presid. En las elecciones de 1953 accedió al poder José Figueres, quien abolió el ejército, hizo posible el voto femenino y reformó el sistema educativo. En 1958 triunfó el candidato de Unión Nacional, Mario Echandi, a quien sucedió en 1962, Francisco J. Orlich, de Liberación Nacional. En las elecciones de 1966 triunfó José J. Trejos, apoyado por la coalición de partidos, frente al candidato de Liberación Nacional, Daniel Oduber. De nuevo, en 1970 resultó elegido presid. José Figueres, quien inició su tercer mandato. Daniel Oduber, de Liberación Nacional, ganó las elecciones de 1974, frente al candidato de Unificación Nacional, Fernando Trejos. Le sucedió en 1978, Rodrigo Carazo, de la tendencia demócrata cristiana. Cuatro años más tarde resultó elegido socialdemócrata Luis A. Monge. En febrero de 1986, triunfó Oscar Arias (Partido Liberación Nacional, PLN) y en 1990, Rafael A. Calderón (Partido Unidad Social Cristiana, PUSC). En 1994 resultó elegido José María Figueres (PLN), en 1998 Miguel Ángel Rodríguez (PUSC), y en las elecciones de 2002, en las que por primera vez se tuvo que recurrir a una segunda vuelta, Abel Pacheco (PUSC).

Costa Rica. Arriba, vista aérea de un sector de San José de Costa Rica, capital de la República. A la izquierda, panorámica parcial de la ciudad Puerto Limón, con importantes instalaciones marítimas.

* *Arte.* Se distinguen en las culturas precolombinas del país tres núcleos artísticos: la vertiente atlántica y la meseta central; la región de Nicoya, y la de Diquís. La primera región se caracteriza por un gran realismo, tanto en las obras en piedra (figuras antropomórficas) como en la cerámica (vasijas y cuencos con decoración basada en animales y seres humanos). Son característicos los metates de piedra en forma de jaguar, y los metates trípodes con panel colgante. La región de Nicoya está caracterizada por su cerámica policroma, colgantes de jade y metates trípodes. En Diquís se han hallado magníficas esculturas (figuras humanas y de animales muy estilizadas) y esferas monumentales de piedra. De la época colonial destacan las iglesias de Nicoya, Heredia, Orosi y Ujarrás. En el s. XIX sobresalieron Fadrique Gutiérrez (esculturas de piedra monumentales) y Juan Mora G. (bustos en madera); los pintores Enrique Echandi y Aquiles Bigot, retratistas. En el s. XX, los escultores Francisco Zúñiga, Juan M. Sánchez, Néstor Zeledón, Max Jiménez y Hernán González; y los pintores Manuel de la Cruz González, Margarita Bertheau, Fausto Pacheco, Rafael A. García, Teodorico Quirós y F. Amighetti.

* *Lit.* Destacan los poetas tradicionales Justo A. Facio y José M. Alfaro, y los cultivadores del realismo costumbrista (Aquileo J. Echeverría). El modernismo aparece a finales del s. XIX (Roberto Brenes, Rafael Cardona). Post. se da un concepto original de poesía en Rafael Estrada, Arturo Echeverría, Alfredo Cardona, Isaac F. Azofeifa. Prosistas costumbristas fueron Pío Víquez, Manuel González (Magón), Max Jiménez, Carlos Gagini. Representantes del naturalismo son Joaquín García Monge y Carmen Lyra. En la narrativa social sobresalieron Carlos L. Fallas, Fabián Dobles y Adolfo Herrera García. De la última generación de escri-

Costa Rica. Abel Pacheco

División administrativa de **Costa Rica**

Provincias	Km²	Población	Densidad	Capital	Habitantes*
Alajuela	9 752,86	601 674	61,6	Alajuela	175 129
Cartago	3 124,67	378 188	121	Cartago	120 420
Guanacaste	10 140,71	242 681	23,9	Liberia	40 009
Heredia	2 656,64	270 096	101,6	Heredia	74 857
Limón	9 188,52	255 248	27,7	Limón	77 234
Puntarenas	11 276,97	375 639	33,3	Puntarenas	102 291
San José	4 959,63	1 220 412	246	San José	324 011
COSTA RICA	51 100	3 343 938	65,4	San José	324 011

* Habitantes en el cantón que contiene la capital.

Caballeros medievales ataviados con **cotas** de mallas, según detalle del tapiz de Bayeux

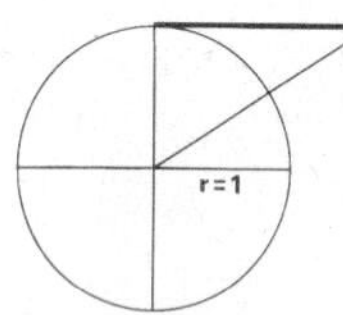

Representación de la **cotangente** (línea más gruesa)

tores sobresalen Carmen Naranjo, Mía Gallegos, Ana Istarú y Gabriela Chavarría. El cuentista pral. es Carlos Salazar. Luis Ferrero, José Figueres y Manuel Picado son ensayistas, y dramaturgos son Alberto F. Cañas, Samuel Rovinsky, Guido Sáenz y D. Gallegos.

COSTADO m. Cada uno de los dos lados del cuerpo. • Lado derecho o izquierdo de un ejército. • Lado. • pl. En la genealogía, líneas de los abuelos paternos y maternos de una persona.

COSTA-GAVRAS, *Constantin* (nacido 1933) Director de cine fr., de origen gr. Especialista en temas políticos. *Z, La confesión, Estado de sitio.*

COSTAL adj. Relativo a las costillas. • m. Saco grande de tela ordinaria. • Cada uno de los listones de madera que, atravesados por las agujas sirven para mantener las fronteras de los tapiales en posición vertical.

COSTALADA f. o **COSTALAZO** m. Golpe que uno da al caer de espaldas o de costado.

COSTALERO m. El que lleva a hombros los pasos en las procesiones.

COSTANA f. Calle en cuesta o pendiente.

COSTANERA f. Cuesta, pendiente del terreno. • pl. Maderos largos que cargan sobre la viga pral. que forma el caballete de un edificio.

COSTANERO, RA adj. Que está en cuesta. • Relativo a la costa.

COSTANILLA f. En algunas poblaciones, calle corta de mayor declive que las cercanas.

COSTAR intr. Ser comprada o adquirida una cosa por determinado precio. • fig. Causar y ocasionar una cosa desvelo, perjuicio, etc. ■ COSTOSO, SA.

COSTARRICENSE o **COSTARRIQUEÑO, ÑA** adj. y s. De Costa Rica.

COSTARRIQUEÑISMO m. Vocablo o giro propio de los cost.

COSTE m. Costa, precio o cantidad que se paga por algo. • Pérdida que supone el empleo de determinados recursos en la consecución de un fin al no poder emplearlos en otro u otros. • **de la vida**. Conjunto de gastos que un individuo o una familia necesitan para mantener un nivel de vida. • **fijo.** El que no varía con la producción de bienes. • **marginal**. El de la última unidad producida. • **social.** Aquel que tiene en cuenta no sólo el gasto que para la empresa supone un volumen determinado de producción, sino también el que se origina, como consecuencia de éste, en otras unidades económicas o en la sociedad en general. • **variable.** El que depende de la cantidad de bienes producida.

COSTE, *Adolphe* (1842-1901) Sociólogo y demógrafo fr. *Principios de una sociología objetiva. El factor «población» en la evolución social.*

COSTEADO, DA adj. *R. de la Plata*. Aplícase al ganado preparado para el engorde.

COSTEAR tr. y prnl. Pagar los gastos de alguna cosa. • tr. Ir navegando sin perder de vista la costa. • Ir por el lado de una cosa, bordearla. • Rematar el lado de una cosa. • fig. Esquivar o soslayar una dificultad o peligro. • prnl. Producir una cosa lo suficiente para cubrir los gastos que ocasiona. • *Amér.* Trasladarse con esfuerzo a un lugar distante o trabajoso de alcanzar.

COSTERA, *Cadena (Coast Range)* Cordillera de EE UU. Se extiende por los estados de Washington, Oregón y California, y hacia el S por la pen. de California (México). El límite E lo marca la depresión Central. Alt. máx.: montes San Bernardino, 3 506 metros.

COSTERO, RA adj. y s. Costanero, próximo a la costa. • m. Cada una de las dos piezas más inmediatas a la corteza, que salen al aserrar un tronco en el sentido de su longitud. • f. Lado o costado de un fardo u otra cosa semejante. • Cuesta, pendiente del terreno. • Costa, orilla del mar. • *Mar.* Tiempo que dura la pesca de salmones y la de otros peces.

COSTILLA f. *Anat.* Cada uno de los huesos planos y alargados, de forma arqueada, dispuestos horizontalmente a lo largo del tórax. • Chuleta, costilla de res con carne. • fig. Cosa de figura de costilla. • fig. y fam. Caudal. • fig. y fam. Mujer propia. • *Arq.* Cada uno de los listones dispuestos horizontalmente sobre los cuchillos de una cimbra para enlazarlos y recibir las dovelas. • *Bot.* Línea o pliegue saliente en la superficie de frutos y hojas. • *Mar.* Cuaderna del buque. • pl. fam. Espalda del cuerpo humano. ■ COSTILLAJE; COSTILLAR.

COSTILLUDO, DA adj. fam. Fornido y ancho de espaldas.

COSTINO, NA adj. Relativo al costo, hierba tropical. • *Chile.* Costanero, relativo a la costa.

COSTO- Pref. que significa costilla.

COSTO m. Costa, precio o cantidad que cuesta algo. • *Bot.* Hierba vivaz, propia de la zona tropical y de la familia de las compuestas.

COSTOESPINAL adj. *Anat.* Relativo a las costillas y a la columna vertebral.

COSTOMATE m. *Méx.* Capulí, planta solanácea.

COSTRA f. Cubierta o corteza exterior que se endurece o seca sobre una cosa húmeda o blanda. • Postilla de las llagas o granos. • Moco de una vela. • **láctea**. *Med.* Usagre de los niños. ■ COSTROSO, SA.

COSTUMBRE f. Hábito adquirido por la repetición de actos de la misma especie. • Práctica que ha adquirido fuerza de precepto. • Lo que por genio o propensión se hace más comúnmente. • Menstruo o regla de las mujeres. • *Der.* Fuente supletoria del derecho. • pl. Conjunto de cualidades y usos que forman el carácter de una nación o persona.

COSTUMBRISMO m. *Lit.* Género que describe con realismo las costumbres típicas. Alcanzó su máx. apogeo en el s. XIX. ■ COSTUMBRISTA.

COSTURA f. Acción y efecto de coser. • Toda labor que está cosiéndose y se halla sin acabar, especialmente si es de ropa blanca. • Serie de puntadas que une dos piezas cosidas. • **Alta c.** Creación de modelos de prendas de vestir, que se difunden a través de revistas, desfiles de colecciones, cine, etc., y que imponen las variaciones de la moda. ■ COSTURERA.

COSTURERO m. Mesita con cajón y almohadilla, de que se sirven las mujeres para la costura. • Cuarto de costura.

COSTURÓN m. despect. Costura grosera. • fig. Cicatriz o señal muy visible de una herida o llaga.

COTA f. armadura ant. a modo de jubón de mallas de hierro. • Vestidura que llevaban los reyes de armas en las funciones públicas, sobre la cual iban bordados los escudos reales. • Cuota. • Acotación. • Piel callosa que cubre la espaldilla y costillas del jabalí. • *Mat.* Dado un subconjunto *A* del conjunto de los números reales, se llama *c. superior* de *A* a cualquier número real mayor o igual que cualquier elemento de *A*. De la misma forma, una calle *A* es un número real menor o igual que cualquier elemento de *A*. • *Top.* Número que en los planos topográficos indica la alt. de un punto.

COTANA f. Agujero cuadrado que se hace con el escoplo en la madera para encajar allí otro madero o la punta de él.

COTANGENTE f. *Trig.* Razón inversa de la tangente; su símb. es cot o cotg. Dado un ángulo cualquiera a, cot a = 1/tg a.

COTAPOS, *Acario* (1889-1969) Compositor chil. *Voces de gesta, El pájaro burlón.*

COTARDÍA f. Especie de jubón forrado usado durante la E. Med.

COTARRO, RRA m. y f. Ladera de un barranco. • m. Recinto en que se da albergue por la noche a pobres y vagabundos. • fig. y fam. Reunión bulliciosa de gentes.

COTEJAR tr. Confrontar una cosa con otra u otras; compararlas teniéndolas a la vista. ■ COTEJO.

COTERRÁNEO, A adj. Natural de la misma tierra que otro.

COTÍ m. Cutí, tela de lienzo rayada.

COTIDIANO, NA adj. Diario. ■ COTIDIANIDAD.

CÓTIDO, DA adj. y m. *Zool.* Díc. de peces teleósteos de cuerpo alargado, cabeza grande y deprimida, erizada de espinas venosas, y boca grande con dientes pequeños. • m. pl. *Zool.* Familia de estos peces.

COTILEDÓN o **COTILEDON** m. *Bot.* Parte de la semilla que en muchas especies de plantas rodea el embrión.

COTILEDÓNEO, A adj. *Bot.* Relativo al cotiledón. • adj. y f. *Bot.* Díc. de las plantas cuyo embrión contiene cotiledones. • f. pl. *Bot.* Grupo de la ant. clasificación botánica, que comprendía a las plantas fanerógamas.

COTILLA f. Ajustador de que usaban las mujeres. • com. y adj. fam. Persona chismosa.

COTILLEAR intr. fam. Chismorrear. ■ COTILLEO.

COTILLO m. Parte del martillo y otras herramientas, que sirve para golpear. • En algunos instrumentos de corte, parte opuesta al filo.
COTILLÓN m. Danza, gralte. en compás de vals, que solía ejecutarse al fin de los bailes de sociedad. • Fiesta y baile con que se termina una fiesta en un día señalado.
COTILO m. o **COTILA** f. *Anat.* Cavidad de un hueso en la que encaja la cabeza de otro.
COTINGA m. *Amér.* Gén. de pájaros dentirrostros, de plumaje muy variado y vistoso.
COTÍNGIDO, DA adj. y m. *Zool.* Díc. de individuos de una familia de aves paseriformes que viven en las selvas tropicales centro y suramericanas. • Relativo a estas aves. • m. pl. *Zool.* Familia de dichas aves.
COTIZA f. *Ven.* Especie de sandalia rústica.
COTIZAR tr. Publicar en alta voz en la bolsa el precio de los títulos de la deuda del Est., o el de las acciones mercantiles, u otros valores que tienen curso público. • Pagar una cuota, contribuir a escote, etc. • Valorar, señalar el valor de una persona o cosa. ■ COTIZACIÓN.
COTO m. Terreno acotado. • Mojón que se pone para señalar la división de los términos o de las heredades. • Término, límite. • Postura, tasa. • Medida lineal de medio palmo. • *Zool.* Pez pequeño de río, del orden de los acantopterigios, de cabeza aplastada y cuerpo prolongado de color fusco. • *Zool.* Mono platirrino aullador centro y suramericano. • *Amér. Merid.* Bocio o papera.
COTÓN m. Tela de algodón. • *Amér.* Camisa o blusa de trabajo.
COTONA f. *Amér.* Camiseta fuerte. • *Méx.* Chaqueta de gamuza.
COTONADA f. Tela blanca de algodón o de lino con fondo liso y flores como de realce.
COTONÍA f. Tela blanca de algodón labrada comúnmente de cordoncillo.
COTONOU C. y puerto de Benin; 533 212 hab. Exportación de aceite de palma, café, algodón. Centro industrial y de comunicaciones. Aeropuerto.
COTOPAXENSE adj. y s. De Cotopaxi.
COTOPAXI Prov. de Ecuador, en la Sierra; 6 071,9 km², 276 324 hab. Relieve montañoso en las estribaciones del volcán hom., con amplias hoyas (Toachi, Patate) y valles. Clima templado, determinado por la alt. Imp. agricultura (papas, yuca, cebada, haba, maíz) y ganadería (vacuna y ovina). Ind. extractiva (minas de sulfatos y carbonatos). Artesanía. Prales. poblaciones: la cap., Latacunga; Pujilí, Salcedo y Saquisilí. • Volcán activo de Ecuador, en la cordillera Real de los Andes, al S. de Quito; 5 790 m. En el s. XVIII devastó la prov. de Quito y Latacunga.
COTORRA f. *Zool.* Papagayo pequeño. • *Zool.* Urraca. • *Zool.* Ave amer. del orden de las psitaciformes, parecida al papagayo, con alas y cola largas y puntiagudas y colores en que domina el verde. • fig. y fam. Persona habladora.
COTORREAR intr. Hablar con exceso. ■ COTORREO.
COTORRERA f. Hembra del papagayo. • fig. y fam. Cotorra, persona habladora.
COTORRÓN, NA adj. Díc. del hombre o de la mujer viejos que presumen de jóvenes.
COTOSO, SA adj. *Amér.* Que tiene bocio.
COTOTO m. *Argent.* y *Chile.* Chichón, golpe.
COTTAFAVI, ***Vittorio*** (nacido 1914) Director de cine it. *Nuestros sueños, Traviata 53, La rebelión de los gladiadores.*
COTTAGE (voz ing.) m. Casita de campo.
COTTOLENGO, ***José B.*** (1786-1842) Santo. Sacerdote it. Dedicado al cuidado de pobres, fundó la *Piccola casa della Divina Providenza.*
COTÚA f. *Ven.* Cuervo marino.
COTUDO, DA adj. Peludo, algodonado. • *Amér. Merid.* Que tiene coto o bocio.
COTUFA f. Tubérculo de la raíz de la aguaturma que se come cocido. • Golosina, gollería. • Chufa, tubérculo de una especie de juncia.
COTUÍ C. de la República Dominicana, cap. de la prov. Sánchez Ramírez, 9 619 hab. Arroz, cacao. Pirita, ámbar, grafito.
COTURNO m. Calzado gr. y rom. que cubría el pie y la pierna, sujetándose con un cordón. • Calzado de suela de corcho sumamente gruesa, usado en las tragedias por los actores ant.
COTUTOR m. Tutor con otro.
COTUZA f. *Salv.* y *Guat.* Agutí, roedor.
COTY, ***René*** (1882-1962) Estadista fr. Presid. (1953-1959).
COUBERTIN, ***Pierre de*** (1863-1937) Pedagogo fr. Reinstaurador de los Juegos Olímpicos (1896), cuya dirección asumió hasta 1925.

Cumbre nevada del volcán **Cotopaxi**

COULOMB m. *Fís.* Nombre del culombio en la nomenclatura internacional.
COULOMB, ***Charles*** (1736-1806) Ingeniero y físico fr. Inició el estudio científico de los fenómenos eléctricos. • **Ley de C.** *Fís.* Afirma que dos cuerpos cargados eléctricamente se atraen o se repelen, según sus cargas sean de signo contrario o del mismo signo, con una fuerza directamente proporcional al producto de sus cargas e indirectamente proporcional al cuadrado de la distancia entre ellos.
COUPERIN, ***François,*** llamado EL GRANDE (1668-1733) Compositor fr. Obras corales, música de cámara y una extensa producción para el clavecín. *El arte de tocar el clavecín.*

J.-Y. **Cousteau**

COURBET, ***Gustave*** (1819-1877) Pintor fr. Influido en sus inicios por el romanticismo literario *(Odalisca, Noche de Walpurgis)*, evolucionó hacia un mayor realismo. Seguidor de Proudhon, fue condenado a prisión con motivo de los hechos de la Comuna (1871). *Entierro en Ornans, Cribadores de trigo, Señoritas a orillas del Sena.*
COURNOT, ***Antoine Augustin*** (1801-1877) Matemático y economista fr., fundador de las matemáticas aplicadas a la economía. *Investigación sobre los principios matemáticos de la teoría de la riqueza, Materialismo, vitalismo y racionalismo.*
COURTOIS, ***Bernard*** (1777-1838) Farmacéutico y químico fr. Aisló la morfina.
COUSINET, ***Roger*** (1881-1973) Pedagogo fr. Difundió en Francia el mov. de la «escuela nueva».
COUSTEAU, ***Jacques-Yves*** (1910-1997) Oceanógrafo fr., investigador de la vida submarina. Autor de documentales cinematográficos.
COUTURAT, ***Louis*** (1868-1914) Filósofo y matemático fr. *Notas sobre la geometría no euclidiana y la relatividad del espacio. El álgebra de la lógica, Historia de la lengua universal.*
COVACHA f. Cueva pequeña. • Aposento pobre, pequeño y oscuro. • Trastería. • Caseta del perro. • *Ecuad.* Tienda de comestibles. ■ COVACHUELA; COVACHUELISTA O COVACHUELO.
COVADA f. *Antropol.* Costumbre ancestral de ciertas tribus por la que el marido participa simbólicamente del parto.
COVADERA f. *Chile y Perú.* Depósito natural de guano.
COVADONGA Valle y cueva esp., en Picos de Europa (Asturias), donde tuvo lugar, h. 718-720, un encuentro entre montañeses, mandados tal vez por Pelayo, y musulmanes, que se considera el punto de partida de la Reconquista de la pen. Ibérica.
COVALENCIA f. *Quím.* Tipo de enlace que se caracteriza por el comportamiento de pares de electrones entre los átomos que constituyen la molécula. ■ COVALENTE.
COVARIANZA o **COVARIANCIA** f. En estadística, observados diversos pares de valores de dos variables, su c. es la suma de los productos de cada par de valores dividida por el número de observaciones.
COVARRUBIAS, ***Alonso de*** (1488-1570) Arquitecto esp. Evolucionó del decorativismo plateresco al clasicismo. Capilla de los Reyes Nuevos

Basílica de la Virgen de **Covadonga**

Sebastián **Covarrubias y Orozco,** retrato de El Greco. Museo del Louvre, París

William **Cowper**

Coyote

Venus, tabla de L. **Cranach** el Viejo. Museo del Louvre, París

en la catedral; puerta nueva de Bisagra; hospital de Afuera. • ***Miguel*** (1904-1957) Pintor, dibujante y caricaturista mex. *El arte indígena de México* y *Centroamérica* (ensayos). • **Y Orozco, *Sebastián*** (1539-1613) Lexicógrafo esp. del Siglo de Oro. *Tesoro de la lengua castellana o española.*

COVELLINA f. *Miner.* Sulfuro de cobre que cristaliza en el sistema hexagonal; de peso específico 4,6 dureza 1,5 a 2, y color azul.

COVENT Garden Teatro de Londres, fundado en 1732. Dedicado a la ópera y al ballet.

COVENTRIZAR tr. Arrasar una ciudad con bombardeos masivos y repetidos.

COVENTRY C. de Gran Bretaña (Inglaterra), en el Warwickshire; 314 100 hab. Casi totalmente destruida por los bombardeos al. durante la II Guerra Mundial.

COVER-GIRL (voz ing.) f. Modelo de fotógrafo para portadas de revistas ilustradas.

COVIN m. *Chile.* Maíz o trigo tostado.

COWARD, *Noel* (1899-1973) Dramaturgo, actor y guionista cinematográfico. *Torbellino, Vidas privadas, Cabalgata.*

COW-BOY (voz ing.) m. Vaquero de los ranchos norteamericanos.

COWPER m. y adj. *Metal.* Aparato para recuperar el calor de los gases procedentes del alto horno.

COWPER, *William* (1731-1800) Poeta brit. *Conversaciones en torno a la mesa.*

COXA f. *Anat.* Cadera, porción basal de la pata de un insecto.

COXAL adj. Relativo a la cadera. • m. *Anat.* Hueso plano de la pelvis compuesto por tres huesos: ilion, isquion y pubis.

COXALGIA f. Artritis muy dolorosa causada por infección en la cadera. ■ COXÁLGICO, CA.

COXCOJILLA, TA f. Juego que consiste en andar a la pata coja y dar con el pie a una piedrecita para sacarla de entre ciertas rayas que se forman en el suelo.

COXIS m. *Anat.* Cóccix.

COXITIS f. Proceso inflamatorio de la articulación de la cadera.

COYA f. Mujer del emp., señora soberana o princesa entre los ant. peruanos.

COYOACÁN Delegación de México, en el Distrito Federal, al S de la cap. del país; 340 000 hab. (en el término). Avenada por el Magdalena. Maíz, fríjol, alfalfa, avena, cebada, legumbres y fruta; viveros para reforestación; ganadería vacuna, avicultura y apicultura; ind. de materiales para la construcción. La cabecera municipal es Coyoacán. Ruinas arqueológicas en Cuicuilco y Copilco el Bajo. Conserva barrios coloniales en los que sobresale la casa de Cortés.

COYOL m. *Amér. Centr.* y *Méx.* Palmera de cuyo tronco se extrae una bebida. • Fruto de este árbol. ■ COYOLAR.

COYOLXAUHQUI Diosa azteca, símbolo de la Luna y hermana del Sol. Su nombre significa «que tiene cascabeles en el rostro».

COYOLEO m. *Amér.* Especie de codorniz.

COYOTE m. Mamífero carnívoro parecido al lobo, de orejas y hocico más puntiagudos, cola larga y tronco robusto. Su hábitat se extiende desde Canadá hasta Costa Rica.

COYOTEAR intr. *Méx.* Comprar y vender cosas, prestar dinero o hacer operaciones bancarias rápidas y de beneficios inmediatos.

COYOTERO, RA adj. y s. *Amér.* Díc. del perro amaestrado para perseguir a los coyotes. • m. Trampa de coyotes.

COYOTLINAHUAL Divinidad azteca de carácter colectivo. Dios de los artesanos que se dedicaban a la confección de mosaicos y plumas.

COYUCA DE BENÍTEZ Mun. de México, en el est. de Guerrero; 38 800 hab. Agricultura, pesca.

COYUCA DE CATALÁN Mun. de México, en el est. de Guerrero; 30 000 hab. Mezcala, ajonjolí, fríjol, almendra.

COYUNDA f. Correa o soga con que se uncen los bueyes al yugo. • fig. Unión conyugal. • fig. Sujeción o dominio.

COYUNTURA f. *Anat.* Articulación o trabazón movible de un hueso con otro. • fig. Sazón, oportunidad para alguna cosa. • Combinación de factores y circunstancias que rodean o componen un hecho, situación, etc.

COYUYO m. *Argent.* Cigarra grande.

COZ f. Sacudimiento violento que hacen las bestias con alguna de las patas. • Golpe que dan con este movimiento. • Retroceso que hace, o golpe que da cualquier arma de fuego al dispararla. • Retroceso del agua cuando, por encontrar impedimento en su curso, vuelve atrás. • Culata de la escopeta y otras armas de fuego. • fig. y fam. Acción o palabra injuriosa o grosera. • fig. Parte inferior o más gruesa de un madero.

COZOLMECA f. *Méx.* Planta de la familia liliáceas, del mismo gén. que la zarzaparrilla.

Cr *Quím.* Símb. del cromo.

CRAC m. Onomatopeya para indicar rotura de una cosa. • *Econ.* Crack, quiebra financiera.

CRACK (voz ing.) m. *Econ.* Hundimiento de un sistema económico. • *Dep.* En las carreras de caballos, favorito en las apuestas. • En fútbol, jugador de gran clase, as.

CRACKING m. *Ind.* Transformación de las fracciones del petróleo en productos de menor peso molecular, análogos a la bencina.

CRACOVIA *(Krakow)* C. del S de Polonia, junto al Vístula; 740 300 hab. Centro comercial. Ind. siderúrgica, metalúrgica, mecánica. Cap. del reino de Polonia en los ss. XIV y XV. Formó una rep. entre 1815 y 1846.

CRACOVIANO, NA adj. y s. De Cracovia.

CRAIG, *John* (m. 1731) Matemático y filósofo esc. Desarrolló las teorías de Newton y divulgó los estudios de Leibniz sobre el cálculo infinitesimal.

CRAIOVA C. del SO de Rumania, a orillas del r. Jiu, cap. natural de la Oltenia; 260 400 hab. Centro agrícola, comercial e industrial.

CRAMER Familia de músicos al. ***Wilhelm*** (1745-1799) fue violinista y director de orquesta; su hijo ***Johann Baptist*** (1771-1858), pianista, es el fundador de la escuela moderna de piano; autor de un método didáctico. • ***Gabriel*** (1704-1752) Matemático suizo. Desarrolló una teoría basada en los principios de Newton. *Introducción al análisis de las curvas algébricas.*

CRAMPÓN m. En alpinismo, especie de suela con puntas para caminar sobre nieve o hielo.

CRAMPTON, *Thomas Russell* (1816-1888) Ingeniero brit. Ideó una veloz locomotora.

CRANACH, *Lucas*, EL VIEJO (1472-1553) Pintor y grabador al., hijo de Hans Maler. Sus primeras obras *(San Jerónimo, Crucifixión, Descanso en la huida a Egipto)* le acercan a la escuela del Danubio. Contribuyó a la creación de la iconografía protestante. *David y Betsabé, El juicio de Paris* y el retrato de Lutero. • ***Lucas,*** EL JOVEN (1515-1586) Pintor al., hijo del anterior. *Crucifixión, Retrato de un hombre.*

CRANE, *Stephen* (1871-1900) Periodista y novelista norteam., uno de los maestros de la literatura realista. *Maggie, una muchacha de la calle, La roja insignia del valor, Los jinetes negros.*

CRÁNEO m. *Anat.* Caja ósea en que está contenido el encéfalo. Es característico de los vertebrados y su posesión separa a éstos de los cordados inferiores. Envuelve y protege el encéfalo y sirve de sostén a los órganos sensoriales y a la boca, así como a la parte anterior de los aparatos digestivo y respiratorio. ■ CRANEAL O CRANEANO, NA; CRANIANO, NA.

CRANEOLOGÍA f. Estudio del cráneo.

CRANEOMETRÍA f. Parte de la craneología que se ocupa de la medición del cráneo humano.

CRANEOPATÍA f. Enfermedad del cráneo.

CRANEOSCOPIA f. Arte que, por la inspección de la superficie exterior del cráneo, presume conocer las facultades intelectuales y afectivas.

CRANEOTOMÍA f. Trepanación del cráneo.

CRANIADO, DA adj. *Zool.* Díc. de los animales que poseen cráneo.

CRÁPULA f. Embriaguez o borrachera. • fig. Disipación, libertinaje. • com. Persona viciosa y libertina. ■ CRAPULOSO, SA.

CRASCITAR intr. Graznar el cuervo.

CRASIENTO, TA adj. Grasiento.

CRASIS f. *Gram.* Contracción.

CRASITUD f. Gordura, grasa del cuerpo.

CRASO, SA adj. Grueso, gordo o espeso. • fig. Unido a ciertos sustantivos, indisculpable. • m. Crasitud.

CRASO, ***Marco Licinio*** (115-53 a. C.) Cónsul rom. que, con César y Pompeyo, formó el primer triunvirato. Combatió a Espartaco.

CRASULÁCEO, A adj. y f. *Bot.* Díc. de hierbas y arbustos dicotiledóneos, con hojas carnosas, flores cimosas y por frutos folículos dehiscentes. • f. pl. *Bot.* Familia de estas plantas.

CRÁTER m. Boca por donde los volcanes arrojan humo, ceniza, lava, fango u otras materias. • Formación lunar semejante a los volcanes terrestres. ■ CRATERIFORME.

CRÁTER *Astr.* Constelación, también llamada *Copa*, sit. debajo de Hidra.

CRÁTERA f. Vasija grande y ancha donde se mezclaba el vino con agua antes de servirlo en Grecia y Roma.

CRATÍCULA f. Ventanita por donde se da la comunión a las monjas. • *Fís.* Artificio dispersor de la luz, consistente en una superficie pulida con numerosas y finísimas rayas equidistantes. Se usa en espectroscopia.

CRATILO (s. v a. C.) Filósofo gr., seguidor extremo de la escuela de Heráclito.

CRATÓN m. Área de la corteza terrestre que no ha sufrido deformaciones tectónicas importantes desde la era primaria.

CRAWFORD, ***Joan*** (1908-1977) Actriz cinematográfica estadoun. *La poseída, Mujeres, Mildred Pierce* (Oscar en 1945), *Johnny Guitar*.

CRAWL (voz ing.) adj. y m. *Dep.* Crol.

CRAXI, ***Bettino*** (1934-2000) Político it. Secretario general del Partido Socialista en 1976, reelegido en 1978, 1981 y 1984. Jefe de gobierno de 1983 hasta 1987. Acusado de corrupción y financiación ilegal de su partido, en 1994 huyó a Tunicia.

CRAZA f. Crisol en que se funden el oro y la plata para amonedarlos.

CREA f. Lienzo entrefino que se usaba para sábanas, camisas, forros, etc.

CREACIÓN f. Acto de crear. • Lo creado. • Acción de instituir nuevos cargos. • Obra artística original. • *Rel.* Actos por los que Dios creó la Tierra, el cielo y el hombre.

CREACIONISMO m. Movimiento poético vanguardista iniciado por el chil. Huidobro en 1917 que proclama la autonomía del poema. • *Fil.* y *Teol.* Doctrina que afirma que el mundo y el hombre han sido creados por un acto divino.

CREADOR, RA adj. y s. Que crea, establece o funda una cosa. • Como sustantivo, se aplica especialmente a Dios.

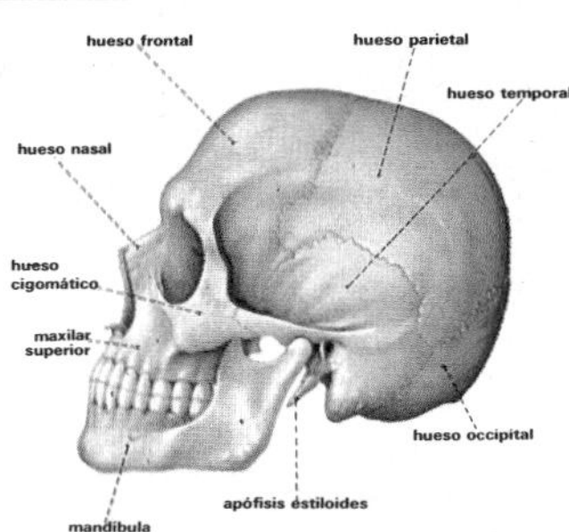

Perfil izquierdo del **cráneo** humano

CREAR tr. Producir algo de la nada. • fig. Instituir un nuevo empleo o dignidad. • Inventar. • fig. Establecer, fundar, introducir por vez primera una cosa. • fig. Producir una obra, imitar, formar componer. ■ CREATIVIDAD; CREATIVO, VA.

CREATINA f. *Fisiol.* Sustancia orgánica originada en el metabolismo del aminoácido glicocola, que en forma de fosfato interviene como suministrador de energía a los músculos.

CRÉBILLON, ***Claude-Prosper Jolyot de*** (1707-1777) Escritor fr., hijo de Prosper. Maestro de la novela libertina. *Cartas de la marquesa de... al conde de..., El sofá, La noche y el momento.* • ***Prosper Jolyot de*** (1674-1762) Dramaturgo fr. cuya obra se caracteriza por su truculencia argumental. *Idomeneo, Electra, Radamisto, Zenobia.*

CRECER intr. Tomar aumento sensible los cuerpos naturales. • Tomar aumento una cosa por añadidura. • Hablando de la Luna, aumentar la parte iluminada visible desde la Tierra. • Hablando de moneda, aumentar su valor. • prnl. Tomar uno mayor autoridad, atrevimiento. • En las labores de punto, añadir puntos regularmente para aumentar su tamaño. ■ CRECEDERO, RA.

CRECES f. pl. Aumento aparente de volumen que adquiere el trigo en la troje traspalándolo de una parte a otra. • Señales que indican disposición de crecer. • fig. Aumento, exceso en algunas cosas. • **Con c.** m. adv. Amplia, colmadamente.

CRECIDA f. Aumento de caudal de una corriente de agua.

CRECIDO, DA adj. fig. Grande o numeroso. • m. pl. Puntos que aumentan en algunas partes de la media, calceta y otras labores análogas.

CRECIENTE adj. Que crece. • f. Crecida. • **de la Luna**. Intervalo que media entre el novilunio y el plenilunio. • **del mar**. Subida del agua del mar por efecto de la marea.

CRECIMIENTO m. Acción y efecto de crecer. • **económico** *Econ.* Media de la diferencia entre la producción al final de un periodo económico y la producción al principio del mismo.

CREDENCIA f. Mesa o repisa que se pone inmediata al altar.

CREDENCIAL adj. Que acredita. • f. Documento que sirve para que un empleado público pueda tomar posesión de su plaza. • pl. Cartas credenciales.

CREDI, ***Lorenzo di*** (1459-1537) Pintor florentino, ayudante y colaborador de Leonardo da Vinci. *La madona, el Niño y san Juan, Venus.*

CRÉDITO m. Asenso. • Derecho que uno tiene a recibir de otro alguna cosa, por lo común dinero. • Apoyo, abono, comprobación. • Reputación, fama, autoridad. Tómase, por lo común, en buena parte. • Carta de crédito. • Opinión que goza una persona de que satisfará puntualmente los compromisos que contraiga. • **abierto**. Letra abierta. • **público.** Concepto que merece cualquier estado en orden a su legalidad en el cumplimiento de sus contratos y obligaciones. ■ CREDITICIO, CIA.

CREDO m. *Rel.* Símbolo de la fe cristiana, ordenado por los apóstoles, en el cual se contienen los prales. artículos de ella. • fig. Conjunto de doctrinas comunes a una colectividad. • **En un c.** m. adv. fig. y fam. En breve espacio de tiempo.

CRÉDULO, LA o **CREEDOR, RA** adj. Que cree ligera o fácilmente. ■ CREDULIDAD.

CREEDERAS f. pl. fam. Demasiada facilidad en creer. Se usa más acompañado de calificativo.

CREEDERO, RA adj. Creíble, verosímil.

CREENCIA f. Firme asentimiento y conformidad con alguna cosa. • Completo crédito que se presta a un hecho o noticia como seguros o ciertos. • Religión, secta.

CREER tr. Tener por cierta una cosa que el entendimiento no alcanza o que no está comprobada o demostrada. • Dar firme asenso a las verdades reveladas por Dios y propuestas por la Iglesia. • Pensar, juzgar, sospechar una cosa o estar persuadido de ella. • tr. y prnl. Tener una cosa por verosímil o probable. ■ CREDIBILIDAD; CREEDOR, RA; CREYENTE.

CREHUELA f. Crea usada para forros.

CREÍBLE adj. Que puede o merece ser creído.

CREMA adj. Díc. del color blanco amarillento. • f. Nata de la leche. • Natillas espesas. • Confección cosmética para suavizar el cutis, parecida a la crema de leche. • Diéresis, signo ortográfico. • **La c.** fig. Lo selecto, principal, escogido. ■ CREMOSO, SA.

CREMACIÓN f. Acción de quemar. • Incineración de los cadáveres. ■ CREMATORIO, RIA.

CREMALLERA f. Barra dentada para engranar con un piñón y convertir un movimiento circular en rectilíneo, o viceversa. • Cierre compuesto por dos tiras flexibles de pequeños dientes que se traban y destraban según se deslice un cursor deslizante. • *Ferr.* Riel dentado entre los dos de una vía férrea

Planta ornamental de la familia **crasuláceas**

Crátera ibérica conocida como vaso Cazurro. Museo Arqueológico de Barcelona (España)

Tapiz de la ***Creación,*** obra del s. XI-XII. Catedral de Girona (España)

Esquema de un mecanismo de piñón y **cremallera**

que engrana con una rueda dentada de la locomotora. • *Ferr.* Vehículo que circula por él.
CREMÁSTER m. *Anat.* Músculo que forma la túnica eritroidea de las bolsas escrotales, y cuya contracción eleva el testículo.
CREMATÍSTICA f. Economía política. • Interés pecuniario de un negocio. ▪ CREMATÍSTICO, CA.
CREMERÍA f. *Argent.* Quesería, mantequería.
CRÉMOR f. *Quím.* Tartrato ácido de potasa que se usa como purgante en medicina y como mordente en tintorería. • **tártaro**. *Quím.* Crémor.
CRENCHA f. Raya que divide el cabello en dos partes. • Cada una de estas dos partes.

El Mediterráneo oriental según el *Atlas catalán* de **Cresques** A.

CRENOTERAPIA f. Tratamiento de enfermedades por medio de aguas medicinales.
CREONTE Rey y tirano de Tebas, hermano de Yocasta, madre de Edipo.
CREOSOTA f. Aceite viscoso que se extrae del alquitrán de madera o hulla.
CREOSOTAR tr. Impregnar de creosota las maderas para que no se pudran. ▪ CREOSOTADO, DA.
CREPAR tr. Galicismo que se emplea en el sentido de ahuecar el pelo peinándose contra dirección.
CRÊPE (voz fr.) amb. o **CREP** f. Especie de tortita muy delgada que se hace con harina, leche (o agua) y huevos.
CREPÉ (voz fr.) m. Caucho bruto utilizado en las suelas de los zapatos. • Tejido de lino o algodón de superficie rugosa. • Postizo rizado para el pelo.
CREPITACIÓN f. Acción y efecto de crepitar. • *Med.* Ruido que produce el roce mutuo de los extremos de un hueso fracturado.
CREPITAR intr. Hacer ruido semejante a los chasquidos de la leña que arde.
CREPUSCULAR adj. Relativo al crepúsculo. • *Psiq.* Díc. de un estado de semiconciencia que precede y sigue a la pérdida absoluta de conciencia. • *Zool.* Díc. de los animales que buscan su alimento pralm. durante el crepúsculo.
CREPÚSCULO m. *Meteor.* Fenómeno atmosférico causado por la reflexión de la luz del Sol en las capas superiores de la atmósfera. • Tiempo que dura este fenómeno. • **matutino**. Periodo de tiempo comprendido entre el instante en que el centro del Sol se halla a 18° bajo el horizonte y su aparición sobre el mismo. • **vespertino**. Periodo de tiempo comprendido entre la puesta de Sol y el instante en que su centro se halla a 18° bajo el horizonte.
CREQUETÉ m. *Cuba.* Caracatey, ave.
CRESA f. En algunos lugares, semilla de la reina de las abejas. • Larva de ciertos dípteros, áptera y vermiforme. • Montones de huevecillos que ponen las moscas sobre la carne.
CRESCENDO (voz it.) adv. modo y m. *Mús.* En una partitura, indicación de un aumento gradual en la intensidad del sonido, y signo que lo representa (<). • **In c.** m. adv. Crescendo, aumentando gradualmente de intensidad.
CRESO (s. VI a. C.) Último rey de Lidia [560-546 a. C.], famoso por sus riquezas.
CRESOL m. *Quím.* Derivado del benceno presente en los alquitranes de hulla y de madera. Se emplea como agente bactericida.
CRESPAR tr. Encrespar.
CRESPI, ***Giuseppe Maria***, llamado LO SPAGNOLO (1665-1747) Pintor y grabador it. Su estilo se caracteriza por el sentido del color y la disposición espacial de las formas. *Mujer espulgándose, Eneas, Los siete sacramentos.*
CRESPILLA f. Colmenilla, hongo.
CRESPILLO m. *Hond.* Clemátide, planta.
CRESPO, PA adj. Ensortijado o rizado. Díc. del cabello que forma rizos o sortijillas. • Díc. de las hojas de algunas plantas, cuando están retorcidas. • fig. Aplícase al estilo artificioso, oscuro y difícil de entender. • fig. Irritado. • m. Rizo de pelo ensortijado.
CRESPO, ***Ángel*** (1926-1995) Poeta y ensayista esp. *El ave en su aire, Ocupación del fuego, La vida plural de Fernando Pessoa.* ***Joaquín*** (1841-1898) Militar y político ven. Presid. de la rep. de 1884 a 1886 y de 1893 a 1898. Muerto durante la revuelta encabezada por J. M. Hernández. • ***Remigio*** (1860-1939) Escritor ecu. *Últimos pensamientos de Bolívar, La armonía social.* • **Gastelú,** ***David*** (1890-1947) Pintor y dibujante bol. De vigoroso trazo y gran colorido. Cultivó el costumbrismo, el paisaje y la caricatura. • **Paniagua,** ***Renato*** (nacido 1922) Escritor bol. Neorrealista. *La isla de José Miguel* (novela), *La promesa verde, El alfarero de marzo* (teatro).
CRESPO Mun. de Venezuela, en el est. Lara; 151 400 hab.
CRESPÓN m. Gasa en que la urdimbre está más retorcida que la trama. • Pedazo de tela negra que se utiliza para denotar luto.
CRESQUES, ***Hasday*** (1340-1410) Pensador judío, nacido en Barcelona. Autor de *Or Adonay* (Luz del Señor), apología de la fe judía. • ***Jafudá*** (ss. XIV-XV) Cartógrafo hebraicoespañol, hijo de C. Abraham, llamado CRESQUES EL JOVEN. Colaboró con su padre en la elaboración del *Atlas catalán.* • **Abraham** (m. 138?) Cartógrafo hebraicoespañol, de Mallorca. Con Jafudá C. levantó, en 1375, el *Atlas catalán.*
CRESSON, ***Edith*** (nacida 1934) Política fr. Ministra de Agricultura, Comercio Exterior y Asuntos Europeos en sucesivos gobiernos de Mitterrand. Fue primera ministra entre mayo de 1991 y abril de 1992.
CRESTA f. Carnosidad roja que tienen sobre la cabeza el gallo y algunas otras aves. • Copete, moño de plumas de ciertas aves. • Protuberancia de poca extensión y alt. que ofrecen algunos animales, aunque no sea carnosa ni de pluma. • fig. Cumbre peñascosa de una montaña. • Cima de una ola. • **de gallo**. Gallocresta, planta. ▪ CRESTADO, DA.
CRESTERÍA f. *Arq.* Adorno de labores caladas que se usó en el estilo ojival. • *Mil.* Almenaje o coronamiento de las ant. fortificaciones.
CRESTOMATÍA f. Colección de escritos selectos para la enseñanza.
CRESTÓN m. Parte de la celada que se levanta sobre la cabeza y en la cual se ponen las plumas. • Parte superior de un filón o de una masa de rocas que sobresale en la superficie del terreno.

Crestón en un casco romano

CRETA f. *Geol.* Roca sedimentaria calcárea, gralte. blanca y de grano fino, constituida por acumulación de caparazones de foraminíferos, y otras formaciones esqueléticas de organismos diversos.
CRETA *(Kriti)* Isla de Grecia en el Mediterráneo; 8 331 km^2, 502 165 hab. Cap., Jania (La Canea). Cereales, vid, olivo, agrios, tabaco; ganado ovino y cabrío; ind. alimentaria; fabricación de alfombras.
**Hist.* En la E. Ant. fue el foco de una cultura evolucionada. Desde el s. XIII hasta la invasión turca (1645), estuvo dominada por los venecianos. Gr. desde 1913.
* *Arte* Del 4000 al 1200 a. C. se desarrolló la cultura cretense o minoica. Entre 2000 y 1700 a. C. se edificaron los palacios de Cnosos, Faistos y Mallia, y se configuró la cerámica Kamares. Entre 1700-1400 a. C. se crean los palacetes de Hagia Triada y el de Gournia, y la pintura al fresco alcanza su máx. esplendor. A partir del 1400 a. C. entra en una fase de decadencia hasta ser absorbida por Micenas.

Creta. Palacio de Cnosos

CRETÁCICO o **CRETÁCEO, A** adj. y s. *Geol.* Díc. del tercer y último periodo de la era secundaria, con una duración de unos setenta millones de años. • Díc. del terreno inmediatamente posterior al jurásico. • adj. Perteneciente a este terreno.
CRETENSE adj. y s. De Creta. • adj. Perteneciente a esta isla del Mediterráneo.
CRÉTICO, CA adj. Cretense. • m. Anfímacro.
CRETINISMO m. Enfermedad congénita, debi-

da a la disfunción o ausencia del tiroides, caracterizada por la detención del desarrollo.
CRETINO, NA adj. y s. Que padece de cretinismo. • fig. Estúpido, necio.
CRETONA f. Tela estampada, de algodón, y fuertemente tejida. Se utiliza en la tapicería.
CREUTZFELDT-JAKOB, *enfermedad de* Pat. Encefalopatía espongiforme subaguda, progresiva y grave, de posible origen genéticocontagioso. Se caracteriza por una pérdida de coordinación y memoria. En su forma clásica se trata de una demencia que suele afectar a personas mayores de 65 años. Existe una nueva variante llamada encefalopatía espongiforme, derivada de la bovina.
CRÍA f. Acción y efecto de criar a los hombres o a los animales. • Niño o animal mientras se está criando. • Conjunto de hijos que tienen de un parto, o en un nido, los animales.
CRIADERO, RA adj. Fecundo en criar. • m. Lugar adonde se trasplantan, para que se críen, los árboles silvestres o los sembrados en almáciga. • Lugar destinado para la cría de los animales. • *Min.* Agregado de sustancias inorgánicas de útil explotación, que naturalmente se hallan entre la masa de un terreno.
CRIADILLA f. En los animales de matadero, testículo. • Patata, tubérculo de esta planta. • **de mar**. Pólipo de figura globosa, hueco y pegado por un solo punto a las rocas. • **de tierra.** Hongo carnoso, redondeado, negruzco por fuera y blanquecino o pardo rojizo por dentro. Se cría bajo tierra. Se usa más en pl.
CRIADO, DA adj. Con los adv. *bien* o *mal*, se aplica a la persona de buena o mala crianza. • m. y f. Persona que sirve por un salario, y especialmente la que se emplea en el servicio doméstico.
CRIADOR, RA adj. Que nutre y alimenta. • adj. y s. Atributo que se da sólo a Dios, como hacedor de todas las cosas. • fig. Díc. de una tierra o prov. respecto de las cosas de que abunda. • m. y f. Persona que tiene a su cargo criar animales. • Vinicultor. • f. Nodriza. • Especie de estufa formada por una plancha de amplia forma circular, colocada muy cerca del suelo, que se usa para dar calor a los polluelos.
CRIAMIENTO m. Renovación y conservación de alguna cosa.
CRIANDERA f. *Amér.* Nodriza.
CRIANZA f. Acción y efecto de criar, especialmente la recibida de las madres o nodrizas durante la lactancia. • Época de la lactancia. • Urbanidad, atención, cortesía: suele usarse con los adj. *buena* o *mala*. • *Chile.* Criadero de animales o árboles.
CRIAR tr. Crear, dar principio a la existencia de una cosa. • tr. y prnl. Producir, engendrar, crear algo con medios humanos. • Nutrir y alimentar la madre o la nodriza al niño con la leche de sus pechos, o con biberón. • Alimentar, cuidar y cebar aves u otros animales. • Instruir, educar y dirigir. • Elegir a uno para una elevada dignidad. • Establecer por vez primera o fundar una cosa. • Producir, cuidar y alimentar un animal a sus hijuelos. • Someter un vino, después de la fermentación tumultuosa, a ciertas operaciones y cuidados. • fig. Dar ocasión y motivo para alguna cosa.
CRIATURA f. Toda cosa criada. • Niño recién nacido o de poco tiempo. • Feto antes de nacer. • fig. Hechura de otro a quien debe su posición social.
CRIBA f. Acción y efecto de cribar. • Utensilio para cribar. • Cualquiera de los aparatos mecánicos que se emplean para cribar semillas, o para lavar minerales. • Cualquiera de los tabiques membranosos, situados en el interior de los vasos cribosos de las plantas por los que pasa la savia descendente. ■ CRIBADO, DA.
CRIBAR tr. Limpiar el trigo u otra semilla, por medio de la criba, del polvo, tierra y otras impurezas. • Pasar una semilla, mineral u otra materia por la criba para separar las partes menudas de las gruesas.
CRIBOSO, SA adj. Díc. de lo que tiene agujeros como una criba. • *Bot.* Aplícase a los vasos que tienen cribas. • f. *Anat.* Lámina horizontal del hueso etmoides, provista de orificios para permitir el paso de las ramificaciones del nervio olfatorio.
CRIC m. Gato, máquina para elevar grandes pesos e instrumentos.
CRICÉTIDO, DA adj. y m. *Zool.* Díc. de los mamíferos de la familia cricétidos. • m. pl. *Zool.* Familia de mamíferos roedores, de hábitos predominantemente terrestres.
CRICK, *Francis Harry Compton* (nacido 1916) Biólogo e investigador brit. Imp. Trabajos sobre la estructura del ácido nucleico. Premio Nobel de Medicina en 1962, con Watson y Wilkins.
CRICKET (voz ing.) m. Criquet.
CRICOIDES adj. y m. *Anat.* Díc. del cartílago anular inferior de la laringe de los mamíferos.
CRIESTESIA f. Sensibilidad anormal al frío.
CRIMEA *(Krim)* Pen. de Ucrania, ribereña del mar Negro y del Azov. Rep. autónoma de Ucrania; 27 000 km^2, 2 456 000 hab. Cap., Simferopol. C. imp.: Sebastopol y Kerch. Vid, tabaco, trigo, girasol; ganadería lanar; hierro, gas natural; ind. siderúrgica, mecánica. En 1921 se convirtió en rep. soviética autónoma. El apoyo de la pob. tártara a la ocupación al. (1941-1944) determinó la supresión del est. autónomo.
CRIMEA, *guerra de* Conflicto que enfrentó a Rusia con Turquía, Inglaterra, Francia y Cerdeña (1853-1856), al invadir la primera Valaquia y Moldavia. Derrotada Rusia, por la paz de París (1856) abrió el mar Negro al comercio internacional.
CRIMEN m. Delito grave. • fam. Asesinato. • fig. y fam. Cosa muy mal hecha o deplorable.
CRIMINAL adj. Relativo al crimen o constitutivo de crimen. • Díc. de las leyes, acciones, etc., destinadas a perseguir y castigar los crímenes o delitos. • adj. y s. Individuo que comete crímenes o delitos de especial gravedad.
CRIMINALIDAD f. Calidad o circunstancia que hace que una acción sea criminosa. • Cómputo de los crímenes cometidos.
CRIMINALISTA adj. y s. Díc. del abogado que ejerce su profesión en asuntos relacionados con derecho penal. • Tratadista sobre materias criminales o penales. • Díc. del escribano que actúa en el enjuiciamiento criminal.
CRIMINAR tr. Acriminar. • fig. Censurar. ■ CRIMINACIÓN.
CRIMINOGÉNESIS f. Conjunto de mecanismos biológicos, psicológicos o sociales que generan un comportamiento caracterizado por actos criminales.
CRIMINOLOGÍA f. Ciencia que estudia el crimen y el comportamiento criminal humano.
CRIMINOSIS f. Neurosis caracterizada por un comportamiento criminal.
CRIMINOSO, SA adj. Criminal. • m. y f. Delincuente o reo.
CRIMNO m. Harina gruesa de espelta y de trigo, de que se hacen las gachas o puches.
CRIN f. Conjunto de cerdas que tienen algunos animales en la parte superior del cuello. Se usa más en pl. • **vegetal.** Filamentos flexibles y elásticos que se obtienen de las hojas del esparto y de las frondas de ciertas algas y musgos, y se emplean en tapicería.
CRINADO, DA adj. poét. Que tiene largo el cabello.
CRINAR tr. Peinar, desenredar el cabello. • Peinar, desenredar el pelo de algunos animales.
CRINEJA f. *Amér.* Crizneja.
CRINERA f. Parte superior del cuello de las caballerías donde nace la crin.
CRINOLINA f. Miriñaque. • Crudillo, tela áspera.
CRÍO, A m. y f. fam. Niño o niña que se está criando.
CRIOANESTESIA f. *Cir.* Método anestésico que utiliza el frío.
CRIOGENIA f. Técnica de la producción de bajas temperaturas.
CRIOLITA f. *Miner.* Fluoruro de aluminio y sodio. Cristaliza en el sistema monoclínico; color blanco y brillo nacarado.
CRIOLLISMO m. Carácter criollo. • Afición a las cosas criollas.
CRIOLLO, LLA adj. y s. Díc. del hijo de padres europeos, nacido en cualquier otra parte del mundo. • Aplícase al negro nacido en América, por oposición al que ha sido traído de África. • Díc. de los amer. descendientes de europeos. • adj. Aplícase a la casa o costumbre propia de los países americanos.
CRIÓMETRO m. *Quím.* Termómetro que se usa para medir temperaturas muy bajas.
CRIONIVAL adj. Díc. del fenómeno geomorfológico debido esencialmente a la acción del hielo y de la nieve.
CRIOSCOPIA f. *Fís.* Estudio del punto de congelación de las disoluciones.
CRIOSTATO m. Dispositivo para mantener bajas temperaturas de forma constante.

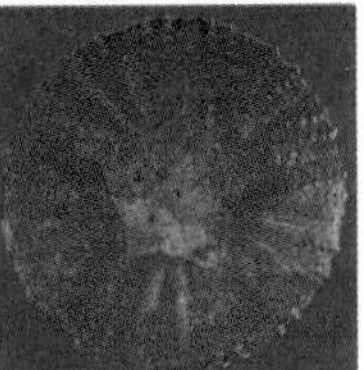

Equinodermo fósil *(Tetragrama variolare)* del período **cretácico**

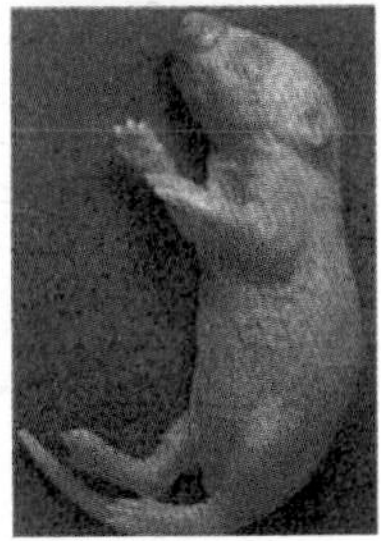

Cría de rata blanca

Hamster, roedor de la familia **cricétidos**

Grabado que reproduce una victoria de los aliados en la **guerra de Crimea**

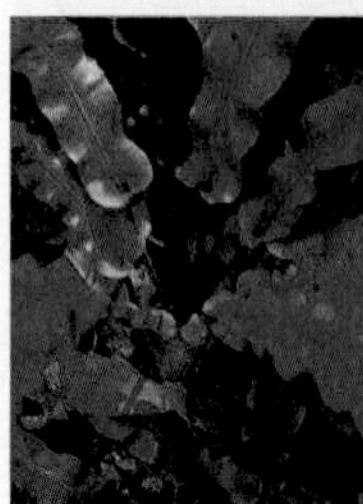
Lengua de ciervo, planta **criptógama** de la familia helechos

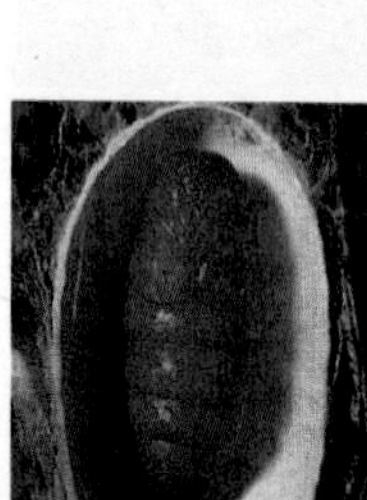
Crisálida de mariposa

Flores de **crisantemo**

CRIOTERAPIA f. *Med.* Empleo terapéutico del frío.
CRIOTURBACIÓN f. *Geol.* Modificación de la disposición de las partículas constituyentes del suelo por acción del hielo.
CRIPSIS f. *Zool.* Mecanismo utilizado por los animales para disimular su presencia, con fines de protección o de ataque. Las formas más conocidas son el mimetismo, o imitación de otros organismos, y la homocromía, o adopción de tonalidades y aspectos que permiten al animal confundirse con el sustrato.
CRIPTA f. Lugar subterráneo en que se acostumbra enterrar a los muertos. • Piso subterráneo destinado al culto en una iglesia. • Oquedad en el parénquima de los órganos.
CRIPTESTESIA f. Conocimiento extrasensorial. El término abarca la telepatía, la clarividencia, la premonición y otras supuestas formas supranormales de adquirir conocimiento.
CRÍPTICO, CA adj. Relativo a la criptografía. • Relativo a la cripsis. • Relativo a una cripta. • Oscuro, enigmático.
CRIPTO- Pref. que significa *oculto*.
CRIPTÓFITO, TA adj. y s. *Bot.* Díc. de los vegetales que, en épocas desfavorables, pierden toda su parte aérea y conservan sólo sus órganos subterráneos.
CRIPTOGAMIA f. Parte de la botánica que estudia las plantas criptógamas.
CRIPTÓGAMO, MA adj. y f. *Bot.* Díc. de la planta que carece de flores. • f. pl. Grupo taxonómico formado por dichas plantas. Las c. se reproducen mediante alternancia de generaciones, sexualmente por gametos, y asexualmente por esporas. El grupo incluye todos los vegetales inferiores: algas, hongos, líquenes, musgos y helechos.
CRIPTOGRAFÍA f. Arte de escribir con clave secreta o de un modo enigmático. Los sistemas más usados son los alfabéticos, por medio de transposición o sustitución de letras, y los códigos, indescifrables sin poseer la clave. ■ CRIPTOGRÁFICO, CA.
CRIPTOGRAMA m. Documento cifrado. • Especie de crucigrama en el que se han de sustituir por palabras una serie de conceptos que los signifiquen.
CRIPTOLALIA f. Empleo de una lengua en clave, por medio de una alteración convencional (adición o inversión de sílabas).
CRIPTOMNESIA f. Memoria subconsciente. • *Psiq.* Trastorno en el que se olvidan experiencias o conocimientos, y reaparecen como creaciones nuevas y no como recuerdos.
CRIPTÓN m. *Quím.* Elemento químico de símb. Kr, n. a. 36 y p. a. 83,7. Es un gas noble, presente en la atmósfera una parte en un millón. Se utiliza en lámparas eléctricas, solo o mezclado con xenón.
CRIPTORQUIDIA f. Defecto de posición de uno o de los dos testículos, que se hallan como ocultos y fuera del escroto.
CRIQUET m. Juego de pelota, al aire libre, de origen ing.; consiste en colocar a 20 m de distancia dos rastrillos, procurando cada bando derribar con una pelota el rastrillo contrario.
CRISÁLIDA f. *Zool.* Periodo inmóvil de los lepidópteros, que corresponde a la ninfa o la pupa de los otros insectos. Durante el mismo, la mariposa queda encerrada en un ligamento duro y frecuentemente brillante.
CRISANTEMA f. o **CRISANTEMO** m. Planta perenne de la familia compuestas, con flores reunidas en cabezuelas, abundantes, pedunculadas, frecuentemente moradas. • Flor de esta planta.
CRISELEFANTINO, NA adj. De oro y marfil.
CRISIPO (281-208 a. C.) Filósofo gr., discípulo de Zenón; fundador del estoicismo.
CRISIS f. Conjunto de estímulos nuevos e imprevistos. • Cambio brusco en el curso de los acontecimientos, tanto en sentido favorable como adverso. • Paroxismo doloroso en una parte u órgano humano, con trastorno funcional. • Trastorno psicológico o nervioso caracterizado por su brevedad, subitaneidad y violencia. • **económica**. Situación caracterizada por la sobreproducción de mercancías, el descenso de los precios, la penuria de medios de pago y la bancarrota. • **ministerial**. Situación que se crea en el periodo que transcurre entre la dimisión de un gobierno y la formación del siguiente.
CRISMA amb. Aceite y bálsamo mezclados que consagran los obispos el Jueves Santo. • **Romper la c.** a uno. fig. y fam. Descalabrarle, herirle en la cabeza. ■ CRISMERA.
CRISMAS m. Christmas.
CRISMÓN m. Lábaro, monograma de Cristo.
CRISOBALANÁCEO, A adj. y f. *Bot.* Díc. de las plantas de la familia crisobalanáceas. • f. pl. Familia de plantas leñosas angioespermas, dicotiledóneas, siempre verdes, que dan frutos en drupa, comestibles. Viven especialmente en América meridional.
CRISOBERILO m. *Miner.* Aluminato de berilio cristalizado en el sistema rómbico. Las variedades de color uniforme y límpidas constituyen gamas apreciadas (alexandrita).
CRISOL m. Vaso que se emplea para fundir una materia a temperatura muy elevada. • *Metal.* Cavidad de los hornos que sirve para recibir el metal fundido. ■ CRISOLADA.
CRISOLAR tr. Acrisolar.
CRISÓLITO m. Variedad de olivino.
CRISOMÉLIDO, DA adj. y m. *Zool.* Díc. de los insectos de la familia crisomélidos. • m. pl. Familia de coleópteros, con el cuerpo ovalado, la cabeza hundida en el tórax hasta los ojos, antenas cortas, alas y élitros. Muchas especies son nocivas a las plantas.
CRISOPEYA f. Arte con que se pretendía transmutar los metales en oro.
CRISÓPIDO, DA adj. y m. *Zool.* Díc. del insecto de mediano tamaño, antenas largas, abdomen cilíndrico y alas retículas. • m. pl. *Zool.* Familia de estos insectos.
CRISOPRASA f. Ágata de color verde manzana.
CRISÓSTOMO, *Juan* (347-407) Santo. Doctor de la Iglesia gr., llamado CRISÓSTOMO (gr., boca de oro) por su elocuencia. Obispo de Constantinopla.
CRISOTERAPIA f. *Med.* Tratamiento para la curación de ciertas enfermedades, a base de sales de oro.
CRISPADURA o **CRISPATURA** f. o **CRISPAMIENTO** m. Efecto de crispar o crisparse.
CRISPAR tr. y prnl. Causar contracción repentina y pasajera en el tejido muscular o en cualquier otro de naturaleza contráctil. • fig. Irritar, enojar, poner nervioso.
CRISPI, *Francesco* (1818-1901) Político it. Compañero y consejero de Garibaldi. Primer ministro en 1887, propició una política nacionalista, autoritaria y conservadora. Dimitió en 1896, al fracasar una expedición de conquista a Abisinia.
CRISTADELFIANO, NA adj. y m. Díc. de los grupos religiosos organizados por el brit. John Thomas. Rechazan el dogma de la Trinidad.
CRISTAL m. *Miner.* Forma poliédrica natural que puede adquirir una sustancia con estructura cristalina. • Vidrio incoloro y muy transparente que resulta de la mezcla y fusión de arena silícea con potasa y minio, y que recibe colores permanentes lo mismo que el vidrio común. • Tela de lana muy delgada y con algo de lustre. • fig. Espejo. • fig. poét. Agua. • **de roca**. Cuarzo cristalizado, incoloro y transparente.
CRISTALERÍA f. Establecimiento donde se fabrican o venden objetos de cristal. • Conjunto de estos mismos objetos. • Parte de la vajilla que consiste en vasos, copas y jarras de cristal.
CRISTALERO, RA m. y f. Persona que trabaja en cristal, que lo vende o que lo instala. • f. Armario con cristales. • Aparador, mueble de comedor. • Cierre o puerta de cristales.
CRISTALINO, NA adj. De cristal. • Parecido al cristal. • Díc. del estado de la materia cuando sus partículas constituyentes presentan una ordenación interna constante. La materia c. posee tres propiedades esenciales: homogeneidad, anisotropía y simetría. • *Anat.* Cuerpo de forma lenticular situado detrás de la pupila del ojo. Está envuelto por una membrana cuyas celdillas contienen un líquido con cierta sustancia albuminosa; su coagulación provoca una catarata.
CRISTALIZACIÓN f. Acción y efecto de cristalizar o cristalizarse. • Proceso físico-químico (evaporación, sublimación, solidificación, etc.) a partir del cual se originan cristales. • Cosa cristalizada.

CRISTALIZADOR m. Recipiente cilíndrico de vidrio que se usa para efectuar la cristalización de cuerpos en disolución.
CRISTALIZAR intr. y prnl. Tomar ciertas sustancias la forma cristalina. • fig. Tomar forma clara y precisa las ideas, sentimientos o deseos. • tr. Hacer tomar la forma cristalina a ciertas sustancias. ■ CRISTALIZADO, DA.
CRISTALOFÍSICO, CA adj. Relativo a la cristalofísica. • f. Parte de la cristalografía que trata de las propiedades físicas de la materia cristalina.
Descartes. En 1654 abdicó en favor de su primo Carlos Gustavo.
CRISTINO, NA adj. y s. Durante la primera guerra carlista esp., partidario de doña Isabel II.
CRISTO m. El Hijo de Dios, hecho hombre. • Crucifijo.
CRISTO DE ARANZA Mun. de Venezuela, en el est. Zulia; 104 000 hab. Su núcleo urbano se engloba en la c. de Maracaibo.
CRISTÓBAL COLÓN Pico más alto de la sierra Nevada de Santa Marta (Colombia); 5 800 m.

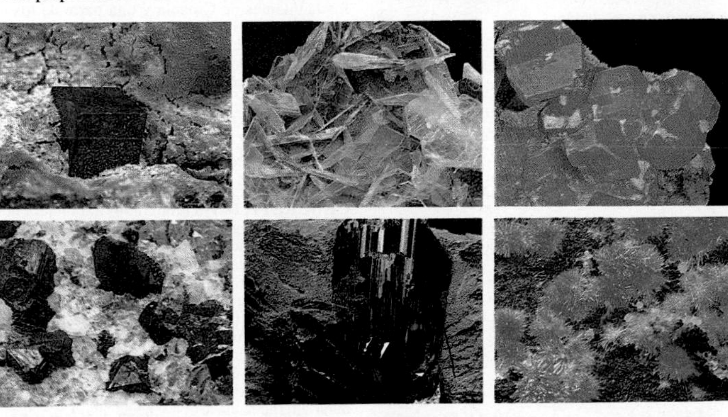

Cristalografía. Diversos tipos de cristalizaciones. De izquierda a derecha y de arriba abajo: boleíta, baritina, azufre, casiterita, azurita y auricalcita

CRISTALOGRAFÍA f. Ciencia que estudia la materia cristalina, especialmente su estructura interna, su crecimiento, las formas externas que origina (cristales) y sus propiedades físicas y químicas. Se divide en *c. geométrica*, que estudia los cristales y la estructura interna de la materia cristalina; *c. física*, que estudia sus propiedades físicas, y *c. química*, que estudia las químicas. ■ CRISTALOGRÁFICO, CA.
CRISTALOIDE m. Sustancia que atraviesa las láminas porosas que no dan paso a los coloides. ■ CRISTALOIDEO, A.
CRISTALOQUÍMICO, CA adj. Relativo a la cristaloquímica. • f. Ciencia que estudia las partículas constituyentes de la materia cristalina.
CRISTERO, RA adj. y s. Díc. de los partidarios de la sublevación hom. que tuvo lugar en México entre 1926 y 1936. • **Sublevación c.** *Hist.* Mov. rebelde mex. contra la política anticlerical del presid. Plutarco Elías Calles, alentada por el episcopado y la Liga Nacional de Defensa de la Libertad Religiosa, y que extendió su lucha contra la laicización de la enseñanza y la reforma agraria. El mov. perdió fuerza con la firma de los acuerdos de 1929, pero no se extinguió hasta 1936.
CRISTIANAR tr. fam. Bautizar.
CRISTIANDAD f. Conjunto de los fieles que profesan la religión crist. • Observancia de esa ley.
CRISTIANI, ***Alfredo*** (nacido 1947) Político salv. candidato a la presidencia por el partido ARENA (Alianza Republicana Nacional). Este industrial cafetero, educado en EE UU, venció en las elecciones de 1989, ocupando la presidencia de la nación hasta 1994.
CRISTIANISMO m. Religión cristiana basada en las doctrinas de Jesucristo. Conjunto de fieles cristianos.
* *Rel.* Los dogmas más imp. son: el establecimiento de un orden ecuménico de verdades para la salvación del hombre; Dios es el origen y fin de todas las cosas; Dios es uno en naturaleza y trino en persona; el hombre, creado a imagen y semejanza suya, al pecar hizo necesaria la redención.
CRISTIANO, NA adj. y s. Persona que profesa la religión de Cristo. • Relativo a la religión de Cristo. • adj. fig. y fam. Aplícase al vino aguado. • m. Hermano o prójimo. • fam. Persona o alma viviente. • **nuevo**. El que se convierte a la religión cristiana y se bautiza siendo adulto. • **viejo**. El que desciende de cristiano, sin mezcla conocida de moro, judío o gentil.
CRISTINA de Suecia (1626-1689) Reina de Suecia [1632-1654], hija y sucesora de Gustavo Adolfo II. Atrajo a su corte numerosos sabios, entre ellos

CRISTOBALITA f. Modificación del anhídrico silícico, estable a temperaturas entre 1 470 y 1 710 °C.
CRISTOLOGÍA f. Tratado de lo referente a Cristo.
CRITERIO m. Norma para conocer la verdad. • Juicio o discernimiento. • Conjunto de elementos con que uno juzga una situación.
CRITIAS (450-403 a. C.) Político y escritor ateniense, discípulo de Sócrates. Uno de los treinta tiranos de Atenas.
CRÍTICA f. Arte de juzgar la bondad, verdad y belleza de las cosas. • Cualquier juicio formado sobre una obra de literatura o arte. • Censura de la conducta de alguno. • Conjunto de opiniones vertidas sobre cualquier asunto. • Murmuración.
CRITICAR tr. Juzgar las cosas fundándose en los principios de la ciencia o en las reglas del arte. • Censurar, vituperar las acciones o conducta de alguien.
CRITICASTRO m. despect. El que sin apoyo ni fundamento censura y satiriza las obras de ingenio.
CRITICISMO m. Método de investigación según el cual a todo trabajo científico debe preceder el examen de la posibilidad del conocimiento de que se trata. • *Fil.* Sistema de Kant y teorías del conocimiento inspiradas en el kantismo.
CRÍTICO, CA adj. Relativo a la crítica. • Relativo a la crisis. Díc. del estado, momento, punto, etc., en que ésta se produce. • Hablando del tiempo, punto, ocasión, etc., el más oportuno, o que debe aprovecharse o atenderse. • *Fís.* Díc. de las condiciones con que en un reactor se inicia la reacción en cadena. • com. Persona que juzga una obra literaria, artística, etc., • fam. Que habla con afectación.
CRITICÓN, NA adj. y s. fam. Que todo lo critica; inclinado a encontrar siempre faltas.
CRITIQUIZAR tr. fam. Abusar de la crítica traspasando sus justos límites.
CRIZNEJA f. Trenza de cabellos. • Soga o pleita de esparto u otra materia semejante.
CROACIA *(Hrvatska)* Estado del S. de Europa, en los Balcanes sit. a orillas del mar Adriático. Limita al N con Eslovenia y Hungría, al E con Serbia, al S con Bosnia y al O con Eslovenia. Al S se levantan las montañas de Kapela y Velebit. Ríos prales.: Save y Drave. El Danubio forma el límite oriental. Economía de base agrícola (cereales, remolacha, cáñamo, frutas, etc.). Ricos yacimientos de bauxita, hulla, petróleo, hierro. Ganadería ovina, bovina y porcina. Ind. en creciente desarrollo (metalúrgica, textil, alimentaria, del cemento, mecánica, etc.). Grupos étnicos: croatas (77,9 %), serbios (12,2 %), húng., eslovenos e it..

Alfredo **Cristiani**

Croacia. Mapa de situación y bandera;

CROACIA

Superficie 56 538 km²		
Población 4 774 900 hab. (84 hab./km²)		
Recursos económicos		
Maíz	1 600 000	t
Patatas	500 000	t
Remolacha azucarera	580 000	t
Trigo	1 080 000	t
Vid	360 000	t
Ganadería y derivados		
Aves de corral	12 000 000	cabezas
Cabaña bovina	483 000	cabezas
Cabaña ovina	453 000	cabezas
Cabaña porcina	1 347 000	cabezas
Riqueza forestal	3 022 000	m³
Pesca	21 402	t
Producción minera		
Bauxita	1 000 000	t
Carbón	96 000	t
Gas natural	1 869	millones de m³
Petróleo	1 577 000	t
Producción industrial		
Acero	424 000	t
Aluminio	26 000	t
Azúcar	64 000	t
Cemento	2 055 000	t
Cerveza	3 122 000	hl
Energía eléctrica	8 275	millones de kwh
Papel	129 000	t
Indicadores sociológicos		
PNB	15 508	millones de dólares
Renta per cápita	3 250	dólares
Alfabetismo	96,7	%

Croacia, vista del puerto de Split

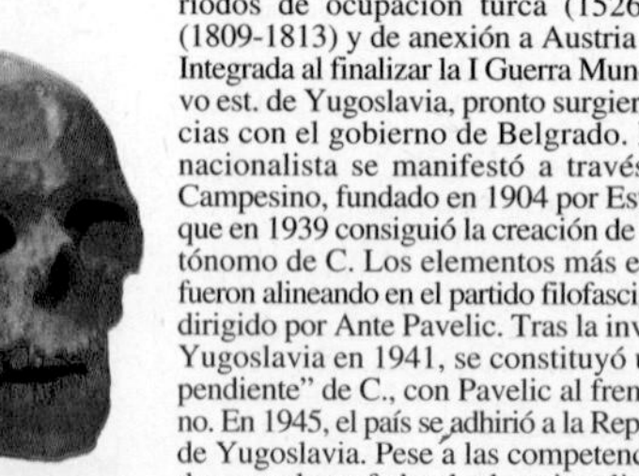

Cráneo de hombre de **Cro-Magnon**. Museo de Saint Germain en Laye, Francia

Lenguas: croata (oficial), serbio. *Rel.*: catolicismo (75,6 %), cristianismo ortodoxo (11,1 %), islamismo (1,2 %), protestantismo. U. M.: kuna. Cap., Zagreb; c. prales.: Rijeka, Split.

* *Hist.* Est. indep. en 925, bajo el reinado de Tomislav I, en 1102 fue unida a Hungría, al extinguirse la dinastía croata, conservando cierta autonomía. Esta unión se mantuvo hasta 1918, salvo períodos de ocupación turca (1526-1699) y fr. (1809-1813) y de anexión a Austria (1849-1868). Integrada al finalizar la I Guerra Mundial en el nuevo est. de Yugoslavia, pronto surgieron discrepancias con el gobierno de Belgrado. La oposición nacionalista se manifestó a través del Partido Campesino, fundado en 1904 por Esteban Radic y que en 1939 consiguió la creación de un banato autónomo de C. Los elementos más extremistas se fueron alineando en el partido filofascista "Ustacha", dirigido por Ante Pavelic. Tras la invasión nazi de Yugoslavia en 1941, se constituyó un est. "independiente" de C., con Pavelic al frente del gobierno. En 1945, el país se adhirió a la República Federal de Yugoslavia. Pese a las competencias reconocidas por el est. federal, el nacionalismo croata se mantuvo. En 1991 el parlamento croata declaró unilateralmente la indep, desencadenando una crisis bélica por la negativa de las minorías serbias en terr. croata a aceptar su integración en el nuevo est. La intervención del ejército federal en apoyo de Serbia se tradujo en una cruenta guerra civil. En 1992 la CE y la ONU reconocieron a C. como est. y Franjo Tudjman asumió la presid. del país. En 1995 el país recuperó la Krajina poco antes de firmarse el acuerdo de Dayton que llevó la paz a los Balcanes. Tras la muerte de Tudjman, en 2000 se celebraron elecciones presidenciales en las que venció Stipe Mesic.

CROAR intr. Cantar la rana.

CROATA adj. y s. Díc. del individuo del pueblo eslavo meridional al que pertenecen la mayoría de los habitantes de Croacia y una parte de los de Bosnia-Herzegovina. • De Croacia.

CROCANTE adj. Díc. de ciertas pastas que crujen al mascarlas. • m. Guirlache.

CROCE, *Benedetto* (1866-1952) Filósofo y crítico it. Influido por el historicismo y por el idealismo hegeliano. *La estética como ciencia de la expresión, La lógica como ciencia del concepto puro.*

CROCHÉ m. Labor de ganchillo.

CROCHET m. En boxeo, golpe que se da doblando el brazo en forma de gancho. • Croché.

CROCKETT, *Davy* (1786-1836) Explorador norteam. Figura legendaria en la lucha de la frontera del Oeste. Murió en la defensa de El Álamo.

CROCO m. Azafrán, planta y estigma de la flor.

CROCOÍTA f. *Miner.* Cromato de plomo. Cristaliza en el sistema monoclínico; color rojizo.

CROISSANT (voz fr.) m. Bollo de pasta algo hojaldrada en forma de media luna.

CROL m. Estilo de natación. Los brazos realizan un movimiento circular alternado y las piernas, extendidas al máximo, efectúan un movimiento pendular alterno hacia arriba y hacia abajo.

CROMADO, DA adj. Que contiene cromo. • m. *Metal.* Acción y efecto de cromar. Los objetos c. son más resistentes a la corrosión que los niquelados y cobaltados, de los que se diferencian por su color más azulado. El c. se realiza provocando el depósito de cromo en el cátodo de un baño electrolítico de anhídrido crómico en disolución acuosa a la que se ha añadido ácido sulfúrico o sulfato de cromo.

CRO-MAGNON Aldea de Francia donde se encontraron, en 1868, esqueletos humanos prehistóricos. El hombre de C. era de talla alta (aprox., 1,80 m) y tenía gran capacidad craneal (1 600 cm³). Vivió en Europa a finales de la última época glaciar.

CROMAR tr. *Metal.* Dar un baño electrolítico de cromo a los objetos metálicos.

CROMÁTICO, CA adj. Relativo al color. • *Mús.* Aplícase a uno de los tres gén. del sistema musical, y es el que procede por semitonos. • *Ópt.* Díc. del cristal o del instrumento óptico que presenta al ojo del observador los objetos contorneados con los visos y colores del arco iris.

CROMÁTIDA f. *Biol.* Cada uno de los dos filamentos de cromatina que resultan de la duplicación de un cromosoma.

CROMATINA f. *Bioq.* Sustancia presente en el núcleo de las células, formada en su mayor parte por ADN y proteínas. Existe en porcentajes muy distintos en los sexos, por lo que se considera que deriva del cromosoma sexual.

CROMATISMO m. *Fís* Coloración. • *Mús.* y *Ópt.* Calidad de cromático.

CROMATO m. *Quím.* Nombre común a las sales de ácido crómico. Los más importantes son el c. sódico y el c. potásico. Los c. y los c. ácidos o dicromatos se emplean en el curtido de pieles, para preparar otros compuestos crómicos y como reactivos.

CROMATOBLASTO m. *Biol.* Célula pigmentaria o célula que da origen a los cromatóforos.

CROMATÓFORO m. *Biol.* Célula pigmentada de la epidermis de los animales, a la que da su color característico. En algunas especies (sepia, camaleón, etc.), los c. pueden contraerse o dilatarse bajo el estímulo de ciertas hormonas, produciendo cambios en la coloración. • Nombre común de todos los plastos portadores de pigmentos. • Denominación de los gránulos laminares de las bacterias fotosintéticas portadoras de los pigmentos clorofílicos.

CROMATOGRAFÍA f. Método de separación de los componentes de una mezcla de sustancias, utilizando su migración diferencial cuando se mueven en un medio poroso absorbente.

CROMATOSIS f. *Pat.* Pigmentación anormal de la piel.

CROMEL m. *Metal.* Aleación de níquel y cromo, que se utiliza con el alumel para la fabricación de pares termoeléctricos.
CRÓMICO, CA adj. y m. *Quím.* Díc. del ácido resultante de la combinación de anhídrido c. con agua.
CROMITA f. Mineral negropardusco de brillo semimetálico. Es un óxido de hierro y cromo. Cristaliza en el sistema cúbico.
CRÓMLECH o **CRÓNLECH** m. Monumento megalítico. Consiste en una serie de piedras ciclópeas, en forma de monolito, dispuestas en círculo o en rectángulo.
CROMO m. *Quím.* Elemento químico de símb. Cr., n. a. 24 y p. a. 52,01. • Cromolitografía, estampa. • fig. y fam. Persona o cosa muy arreglada.
* *Quím.* El c. es un metal de transición, de color blanco argentino, duro y cristalino. No existe libre en la naturaleza, y se extrae de la cromita (cromato ferroso). Se emplea en la fabricación de aceros especiales.
CROMODINÁMICA f. Parte de la física que estudia el color. • **cuántica.** *Fís.* Teoría de las interacciones fuertes construida a semejanza de la electrodinámica cuántica. Describe la fuerza entre dos partículas mediante la introducción de un nuevo tipo de carga, llamada color.
CROMÓFORO, RA adj. *Quím.* Díc. de los grupos de átomos no saturados que, estando presentes en la molécula de una sustancia química, hacen que ésta sea coloreada.
CROMOFOTOGRABADO m. Fotograbado a varios colores.
CROMÓGENO, NA adj. Díc. de las bacterias que producen materias colorantes.
CROMOLITOGRAFÍA f. *Art. Gráf.* Arte de litografiar con varios colores. • Estampa obtenida por medio de este arte. ■ CROMOLITOGRAFIAR; CROMOLITOGRÁFICO, CA; CROMOLITÓGRAFO, FA.
CROMONEMA m. *Biol.* En la anafase de la mitosis y la meiosis, filamento helicoidal que se encuentra en el interior de los cromosomas y da lugar a diversas formaciones (centrómero, satélites, cromómeros, etc.).
CROMONÍQUEL m. *Metal.* Aleación compuesta esencialmente de cromo y níquel, con la adición de otros metales.
CROMOPLASTO m. *Biol.* Orgánulo citoplásmico propio de las células vegetales.
CROMOPROTEIDO m. *Biol.* Proteido constituido por la asociación de una proteína y un grupo prostético que tiene carácter de pigmento.
CROMOSFERA f. *Astr.* Parte de la atmósfera solar, comprendida entre la fotosfera y la corona, formada por gases a baja presión.
CROMOSOMA m. *Biol.* Elemento, compuesto por ADN y proteínas básicas, que existe en el interior del núcleo y desempeña un papel muy importante en la división celular y en la transmisión de los caracteres hereditarios. • **sexual.** Determinante del sexo; se conocen dos tipos: X (c. de corte normal) e Y (c. de corte reducido). La combinación XX es la propia del sexo femenino y la XY del masculino. ■ CROMOSÓMICO, CA.
* *Biol.* En un cromosoma pueden distinguirse: a) el centrómero o constricción primaria, zona que se relaciona con las fibras del huso mitótico; b) las constricciones secundarias, zonas gralte. asociadas a la formación del nucléolo, que, si están localizadas en las posiciones distales, determinan la presencia de satélites. Cada especie posee en sus células un número determinado de c., que es fijo para todos sus individuos.
CROMOTERAPIA f. *Med.* Forma de tratamiento que utiliza las propiedades de ciertos colores. • *Med.* Procedimiento terapéutico por medio de materias colorantes.
CROMOTIPIA f. *Art. Gráf.* Impresión hecha en colores.
CROMOTIPOGRAFÍA f. *Art. Gráf.* Arte de imprimir en colores. • Obra hecha por este procedimiento. ■ CROMOTIPOGRÁFICO, CA.
CROMWELL, *Oliver* (1599-1658) Político ing. Participó en la guerra civil (1642) y formó parte del tribunal que condenó a muerte a Carlos I. Con el nombramiento de Lord Protector de la nueva rep., actuó como dictador durante diez años. Sometió Irlanda y Escocia, y decretó el Acta de Navegación (1651). Le sucedió su hijo ***Richard***.
CRONAXIA f. *Fisiol.* Duración mínima que necesita una corriente para producir la excitación de un músculo o de un nervio cuando la corriente de intensidad es doble que la reobase.
CRÓNICA f. Historia en que se observa el orden de los tiempos. • Artículo periodístico sobre temas de actualidad. ■ CRONISTA; CRONÍSTICO, CA.
CRÓNICO, CA adj. Aplícase a las enfermedades largas o dolencias habituales. • Díc. también de ciertos vicios cuando son inveterados. • Que viene de tiempo atrás. ■ CRONICIDAD.
CRONICÓN m. Breve narración histórica por el orden de los tiempos.
CRONIN, *Archilbald Joseph* (1896-1981) Médico y novelista brit. *La ciudadela, Las llaves del reino, El árbol de Judas.*
CRÓNLECH → Crómlech.
CRONO m. *Ling.* Unidad de duración de un sonido. • Apócope de cronómetro.
CRONOFOTOGRAFÍA f. *Fot.* Técnica que consiste en la toma de una sucesión de fotografías de un objeto en movimiento, para descomponerlo y analizarlo.
CRONÓGRAFO m. El que profesa la cronografía. • Aparato para registrar gráficamente el tiempo. • Reloj o aparato para medir tiempos sumamente pequeños.
CRONOLOGÍA o **CRONOGRAFÍA** f. Ciencia que tiene por objeto determinar el orden y fechas de los sucesos históricos. • Serie de personas o sucesos históricos por orden de fechas. • Manera de computar los tiempos. ■ CRONÓLOGO, A.
CRONOMETRÍA f. Medida exacta del tiempo. ■ CRONOMÉTRICO, CA.
CRONÓMETRO m. Reloj de alta precisión para medir fracciones de tiempo muy pequeñas. ■ CRONOMETRADOR, RA; CRONOMETRAJE; CRONOMETRAR.
CRONOS *Mit. gr.* Divinidad que personifica al tiempo y que corresponde al Saturno romano.
CRONSTADT → Kronstadt.
CROOKES, *William* (1832-1910) Científico ing. Descubrió el talio y los rayos catódicos. Premio Nobel de Química en 1907.
CROQUET m. Juego de procedencia brit. consistente en impulsar, con ayuda de una maza, una bola de madera y hacerla pasar bajo unos aros.
CROQUETA f. Fritura que se hace con carne muy picada, pescado u otro ingrediente, mezclado con leche y rebozada con huevo y harina o pan rallado.
CROQUIS m. Diseño ligero de un terreno, paisaje, posición militar.
CROS, *Charles* (1842-1888) Inventor y poeta fr. Ideó un aparato registrador y reproductor del sonido. Descubrió un procedimiento para la fotografía en color. Como poeta, puede considerársele precursor de los surrealistas.
CROSBY, *Harry Lillis*, llamado BING (1904-1977) Actor de cine y cantante norteam. *Siguiendo mi camino, Navidades blancas.*
CROSCITAR intr. Crascitar.
CROSS-COUNTRY (voz ing.) m. Carrera de obstáculos a campo traviesa.
CROSSING-OVER (voz ing.) m. En genética, sinónimo de entrecruzamiento.
CRÓTALO m. Instrumento musical de percusión semejante a la castañuela. • *Zool. Amér.* Serpiente venenosa que tiene en la punta de la cola unos anillos con los cuales hace cierto ruido. • poét. Castañuela, instrumento de baile.
CROTÓN m. Ricino.
CROTORAR intr. Producir la cigüeña el ruido peculiar de su pico.
CROUPIER (voz fr.) m. Crupié.
CROWN o **CROWNGLAS** (voz ing.) m. Vidrio constituido por borofosfato de bario o de magnesio, que, a diferencia del vidrio común, no contiene ácido silícico. Es débilmente dispersante y se emplea en la fabricación de lentes acromáticas.
CROYDON C. de Gran Bretaña, en el condado metropolitano de Londres, del que forma un arrabal; 320 600 hab. Centro industrial.
CRUASÁN m. Croissant.
CRUCE m. Acción de cruzar o de cruzarse. • Punto donde se cortan dos líneas. • Paso destinado a los peatones. • Interferencia en una comunicación telefónica o telegráfica. • *Ling.* Contaminación.
CRUCEÑO, ÑA adj. y s. De alguno de los pueblos que, en España o en América, llevan el nombre de Cruz o Cruces.

Vista parcial del **crómlech** de Stonehenge (Gran Bretaña)

Oliver **Cromwell**

Cronómetro

Tañedor de **crótalos** en un manuscrito de las *Cantigas* de Alfonso X el Sabio

Dibujo de un **crucero**

Brécol, planta hortense de la familia **crucíferas**

Distintos tipos de **cruz**

CRUCERA f. Nacimiento de las agujas de las caballerías.

CRUCERÍA f. Sistema constructivo propio del estilo gótico, en que la bóveda se logra con el cruce de arcos diagonales. • Nervios que refuerzan la intersección de las bóvedas.

CRUCERO adj. y s. *Arq*. Díc. del arco que va de un ángulo al opuesto, en las bóvedas por aristas. • m. El que lleva la cruz en las procesiones. • Encrucijada de caminos. • Espacio en que se cruzan la nave mayor de una iglesia y la que la atraviesa. • *Astr*. Cruz del Sur. • *Carp*. Vigueta, madero de sierra. • Viaje de placer por mar. • *Mar*. Buque de guerra de gran velocidad y radio de acción, dotado de fuerte armamento. • *Mar*. Maniobra o acto de cruzar. • *Miner*. Dirección de los planos paralelos, por donde los minerales y las rocas suelen tener división más fácil.

CRUCETA f. Cada una de las cruces o de las aspas que resultan de la intersección de dos series de líneas paralelas.

CRUCHAGA, *Ángel* (1893-1964) Poeta chil., perteneciente al mov. vanguardista de 1912. *Las manos juntas, Rostro de Chile, Anillo de jade*.

CRUCIAL adj. Hecho en forma de cruz. • fig. Díc. del momento en que se cruzan tendencias antagónicas que pueden determinar la transformación radical de alguna cosa.

CRUCIFERARIO m. Crucero, persona que lleva la cruz en ciertos actos religiosos.

CRUCÍFERO, RA adj. Que lleva o tiene la insignia de la cruz. • m. Crucero, persona que lleva la cruz en las procesiones. • Religioso de la extinguida orden de Santa Cruz. • adj. y f. *Bot*. Aplícase a plantas dicotiledóneas del orden readales, herbáceas o leñosas, con hojas simples, alternas, flores bisexuales con cuatro sépalos en el cáliz y corola constituida por cuatro pétalos en cruz, ovario súpero y fruto en silicua o silícula. • f. pl. *Bot*. Familia de estas plantas.

CRUCIFICAR tr. Fijar o clavar en una cruz a una persona. Es género de suplicio de muerte. • fig. y fam. Sacrificar, perjudicar. ■ CRUCIFIXIÓN.

CRUCIFIJO m. Efigie o imagen de Cristo crucificado. Aparece en la cristiandad a partir del s. V, vestido y triunfante. Post. fue más frecuente la imagen del Cristo sereno y glorioso (pantocrátor).

CRUCIFIXOR m. El que crucifica.

CRUCIFORME adj. De forma de cruz.

CRUCIGRAMA m. Pasatiempo que consiste en llenar con letras los espacios en blanco de un dibujo geométrico, de forma que leídas en sentido vertical u horizontal dan lugar a palabras cuyo significado se sugiere. • El mismo dibujo. ■ CRUCIGRAMISTA.

CRUDEZA f. Calidad o estado de algunas cosas que no tienen la suavidad o sazón necesaria. • fig. Rigor o aspereza. • fig. y fam. Valentía y guapeza afectadas. • pl. Alimentos que se detienen en el estómago, por no estar bien digeridos.

CRUDILLO m. Tela áspera y dura, semejante al lienzo crudo, usada para entretelas y bolsillos.

CRUDO, DA adj. Díc. de los comestibles que no están preparados por medio de la acción del fuego. • Se aplica a la fruta que no está en sazón. • Díc. de algunos alimentos que son de difícil digestión. • Aplícase a algunas cosas cuando no están preparadas o curadas. • Díc. del color parecido al de la seda cruda y al de la lana sin blanquear. • adj. y m. Díc. del petróleo sin refinar. • adj. fig. Cruel, áspero, despiadado. • Díc. de las obras literarias, cinematográficas, etc., que abordan los temas de forma muy realista, sin eludir aspectos desagradables. • fig. Se aplica al tiempo muy frío y destemplado. • fig. y fam. Díc. del fanfarrón que afecta valentía. • *Cir*. Díc. vulgarmente de los tumores o apostemas que no dan señales de supurar.

CRUEL adj. Que se deleita en hacer mal a un ser viviente. • Que se complace en los padecimientos ajenos. • fig. Insufrible, excesivo. • fig. Sangriento, duro, violento.

CRUELDAD f. Inhumanidad, fiereza de ánimo, impiedad. • Acción cruel e inhumana.

CRUILLES, *Joaquín de Monserrat y C.*, MARQUÉS DE (1700-1771) Militar esp. Virrey de Nueva España (1760-1766). Relevado por corrupción.

CRUENTO, TA adj. Sangriento.

CRUJÍA f. Pasillo largo de algunos edificios que da acceso a las piezas que hay a los lados. • En los hospitales, sala larga en que hay camas a uno y otro costado. • En algunas catedrales, paso cerrado con verjas o barandillas desde el coro al presbiterio. • *Arq*. Espacio comprendido entre dos muros de carga. • *Mar*. Espacio de popa a proa en medio de la cubierta del buque.

CRUJIR intr. Hacer cierto ruido algunos cuerpos cuando luden unos con otros o se rompen; como las telas de seda, las maderas, los dientes, etc. ■ CRUJIDERO, RA; CRUJIDO; CRUJIENTE.

CRÚOR m. Principio colorante de la sangre, según los antiguos. • Glóbulos sanguíneos. • Coágulo sanguíneo. • poét. Sangre. ■ CRUÓRICO, CA.

CRUP m. Inflamación de la mucosa laríngea, con exudación fibrosa que adopta el aspecto de membrana (seudomembrana). ■ CRUPAL.

CRUPIÉ o **CRUPIER** m. En las casas de juego, el que dirige las partidas y canta los números que han salido.

CRURAL adj. Relativo al muslo.

CRUSCHER m. Elemento de los piezómetros utilizado para la medición de elevadas presiones.

CRUSTÁCEO, A adj. Que tiene costra. • adj. y m. *Zool*. Díc. de los animales de la clase crustáceos. • m. pl. Clase de artrópodos antenados de respiración branquial, cubiertos gralte. de un caparazón duro o flexible, y que tienen cierto número de patas dispuestas simétricamente.

CRÚSTULA f. Cortezuela.

CRUX *Astr*. Cruz del Sur.

CRUYFF, *Johan* (nacido 1947) Futbolista hol., de gran técnica y visión de juego. Jugador del Ajax, F. C. Barcelona y el Feyenoord. Se retiró en 1984.

CRUZ f. Figura formada de dos líneas que se atraviesan o cortan perpendicularmente. • Patíbulo formado por un madero hincado verticalmente y atravesado en su parte superior por otro más corto, en los cuales se clavaban o sujetaban las manos y pies de los condenados a este suplicio. • Imagen o figura de este ant. suplicio. • Insignia y señal de cristiano. • Distintivo de muchas órdenes religiosas, militares y civiles. • Reverso de las monedas. • Hablando de algunos animales, la parte más alta del lomo, donde se cruzan los huesos de las extremidades anteriores con el espinazo. • Parte del árbol en que termina el tronco y empiezan las ramas. • En los libros y otros escritos, puesta antes de un nombre de persona, indica que ha muerto. • fig. Peso, carga o trabajo. • *Her*. Pieza de honor que se forma con el palo y la faja. • *Mar*. Unión de la caña del ancla con los brazos. • *Min*. Pared que divide la plaza de los hornos de reverbero esp. • pl. En las tahonas, los cuatro palos que en dos direcciones perpendiculares entre sí abrazan el eje y afirman la corona de la rueda principal. • **del Sur.** *Astr*. Constelación próxima al círculo polar antártico, compuesta de varias estrellas que forman una cruz. • **de san Andrés.** Aspa. • **gamada.** La griega de brazos acodados. Distintivo nazi. • **griega.** La de palo y travesaño iguales que se cortan en los puntos medios. • **latina.** Aquella cuyo travesaño está a tres cuartos de la altura del palo. • **patriarcal.** La compuesta de un pie y dos travesaños paralelos y desiguales que forman cuatro brazos.

CRUZ, *Carlos*, llamado TEO (1937-1970) Boxeador dom. Campeón del mundo de los pesos ligeros en 1968. Muerto en accidente de aviación. • ***Francisco*** (muerto 1895) Político y escritor hond. Presid. de la rep. (1869-1870). *Historia de las islas de Bahía*. • ***Juan de la*** (1542-1591) Religioso carmelita esp.; en el siglo *Juan de Yepes*; canonizado en 1726. Máx. figura de la literatura mística esp. Se le deben cuatro tratados doctrinales: *Subida al monte Carmelo, Noche obscura del alma, Cántico espiritual* y *Llama de amor viva*. Escribió, en prosa, *Avisos* y *Sentencias y cartas*. • SOR ***Juana Inés de***

CRUSTÁCEO

1. Cangrejo ermitaño a punto de introducirse en una concha. Este crustáceo decápodo marino tiene el abdomen blando, por lo que se proteje alojándose en conchas vacías de gasterópodos.
2., 3., 4. y 5. Los malacostráceos constituyen una subclase de los crustáceos, que incluye a los más evolucionados. Entre otros, el cangrejo de mar, el bogavante, el cangrejo de río y los camarones forman parte de esta subclase. Todos elllos son exquisitos mariscos.
6. Formas de locomoción de los malacostráceos.
7. El cuerpo de los malacostráceos macruros está articulado y, generalmente, recubierto de un caparazón duro. El «corazón» se encuentra en la región dorsal, y el sistema nervioso en la abdominal. La hembra conserva los huevos bajo la cola.
8. Los pequeños crustáceos se presentan en gran variedad de formas. Los copépodos predominan en el plancton marino, mientras que numerosas pulgas de agua pueblan las aguas dulces.
9. Detalle de una pulga de agua.
10. Los pequeños crustáceos constituyen un eslabón crucial en la cadena trófica.

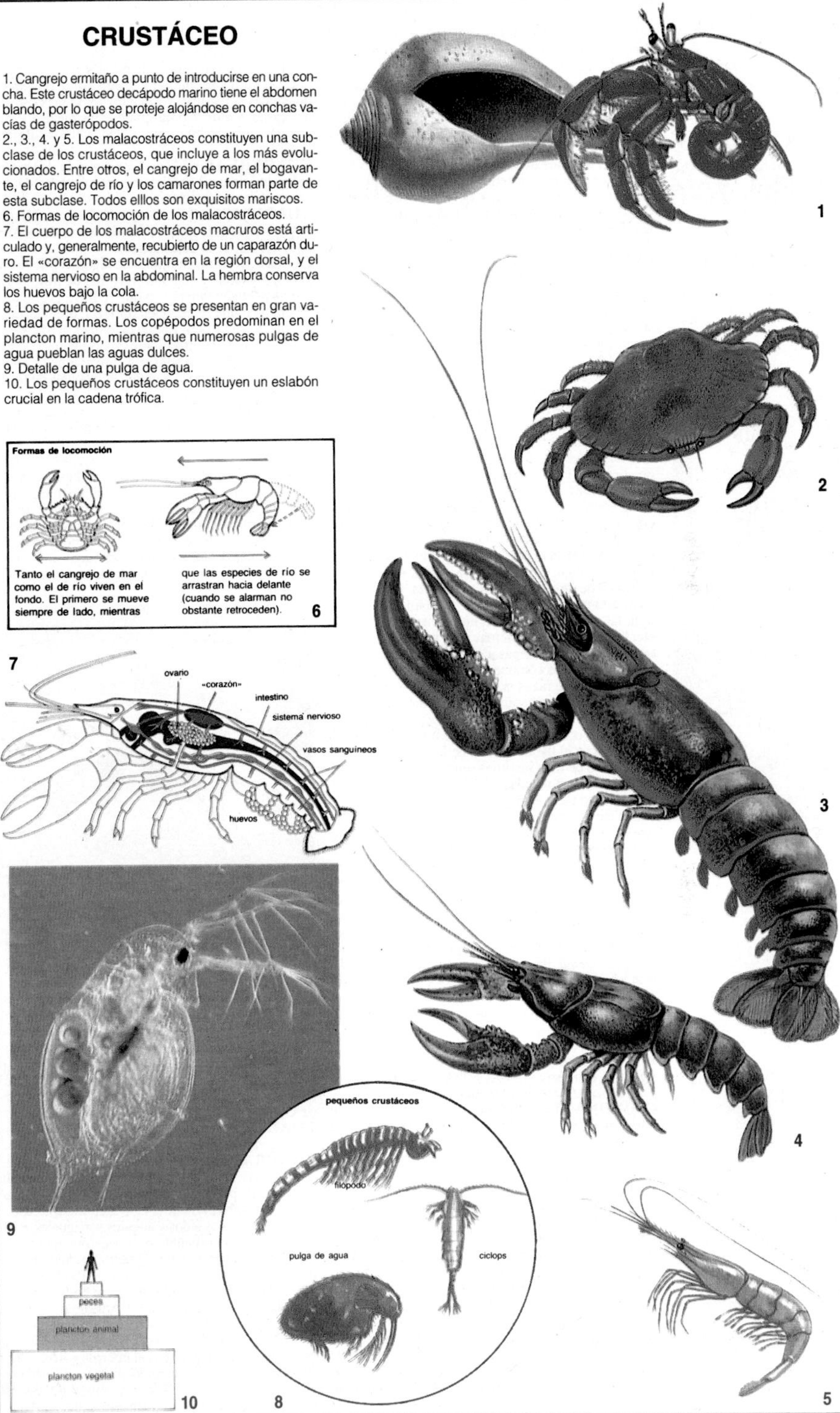

Henri Dunant, fundador de la **Cruz Roja**

Toma de Antioquía durante la primera **cruzada.** Miniatura medieval

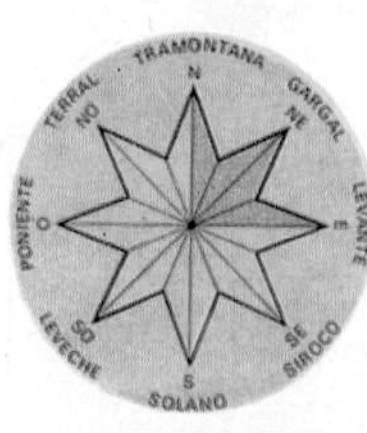

El primer **cuadrante** de la rosa de los vientos (parte sombreada)

la (1651-1695) Poetisa mex.; en el siglo, *Juana de Asbaje*. Figura importante de las letras culteranas hispanoamericanas, influida por Góngora y Calderón. *Inundación castálida*. Cultivó el auto sacramental (*El divino Narciso, El cetro de José*) y el teatro profano (*Amor es más laberinto*). • ***Nicolás*** (s. XVIII) Pintor per. *Los doctores de la Iglesia, San Juan joven*. • ***Ramón de la*** (1731-1794) Dramaturgo y sainetero esp. *Manolo (tragedia para reír y comedia para llorar), La casa de Tócame Roque*. • **Goyeneche, *Luis de la*** (1768-1828) Político chil., presid. de la junta suprema que en 1818 proclamó la independencia de Chile. • **Uclés, *Ramón Ernesto*** (1903-1985) Político hond. Jefe del Partido Nacional. Elegido presid. de la rep. en 1971, en 1972 fue derrocado por un golpe militar.

CRUZ Roja Organismo internacional creado en Ginebra por Henri Dunant (1863). Su finalidad primera fue socorrer a los heridos de guerra. Post. amplió su actuación a la protección de la pob. civil y de los presos políticos. Su emblema es una cruz griega roja sobre fondo blanco.

CRUZADA f. Expedición militar contra los musulmanes, que predicaba el sumo pontífice, concediendo indulgencias a los que a ella concurriesen.

CRUZADO, DA adj. y s. El que tomaba la insignia de la cruz para alistarse a una cruzada. • Caballero que trae la cruz de alguna orden. • Animal nacido de padres de diferentes castas. • *Her.* Las piezas que llevan la cruz sobrepuesta. • m. Nombre de varias monedas ant. esp. y port. • Postura en la guitarra. • Mudanza de los bailarines para formar una cruz. • Prenda de vestir con el ancho necesario para sobreponer un delantero sobre otro.

CRUZAMIENTO m. Acción y efecto de cruzar. • Poner a uno la cruz de alguna orden. • *Biol.* Cruce, unión de individuos de distinta raza. El c. es una técnica empleada en ganadería y botánica para mejorar las razas, obtener individuos más productivos, etc. Los principales sistemas son: la exogamia (entre individuos de antepasados distintos), la endogamia (antepasados comunes), el cruce de mejora y el mestizaje (c. de razas puras distintas).

CRUZAR tr. Atravesar una cosa sobre otra en forma de cruz. • Atravesar un camino, campo, calle, etc., pasando de una parte a otra. • Investir a una persona con la cruz y el hábito de una de las cuatro órdenes militares o de otro instituto semejante, con las solemnidades establecidas. Usado como prnl., recibir esta investidura. • Arar por segunda vez la tierra, trazando surcos perpendiculares a los primeros. • Dar machos de distinta procedencia a las hembras de los animales de la misma especie para mejorar las castas. • tr. y rec. Intercambiar miradas, palabras, sonrisas, etc. • prnl. Tomar la cruz, o sea, alistarse en una cruzada. • Pasar por un punto o camino dos personas o cosas en dirección opuesta. • Hablando de negocios, expedientes, etc., aglomerarse, estorbándose unos a otros. • Atravesarse, interponerse una cosa entre otra. • *Geom.* Pasar una línea a cierta distancia de otra sin cortarla ni serle paralela. • Caminar el animal cruzando los brazos o las piernas. • Hablando de dos palabras o formas gramaticales, gralte. sinónimas, originar otra que ofrece caracteres de cada una.

CRUZEIRO m. Ant. unidad monetaria del Brasil. • **real.** Ant. unidad monetaria de Brasil.

CSIKY, *Gergerly* (1842-1891) Escritor húng. *Los proletarios, El Hombre de hierro.*

CSOKONAI Vitez, *Mihaly* (1773-1805) Poeta húng., representante de la poesía magiar. *Dorotea, o el triunfo de las damas en Carnaval.*

CTESIAS (s. V a. C.) Historiador gr., médico de Ciro el Joven y de Artaterjes II. *Persika, Indika.*

CTESIFONTE Ant. c. de Mesopotamia, a orillas del Tigris. Cap. del reino de los partos y de los persas sasánidas.

CU f. Nombre de la letra *q*. • m. Entre los ant. mex., edificio o túmulo piramidal destinado al culto.

Cu *Quím.* Símb. del cobre.

CUABA f. *Cuba.* Árbol silvestre, ramoso, cuya madera se utiliza para antorchas.

CUACAR tr. fam. *Col.* y *P. Rico.* Cuadrar, gustar.

CUÁCARA f. fam. *Col.* Levita de vestir. • fam. *Chile.* Blusa o chaqueta.

CUACHE adj. y s. *Guat.* Gemelo de un parto. • Cosas que constan de dos partes iguales u ofrecen duplicidad. • Escopeta de doble cañón.

CUACO m. Harina de la raíz de la yuca. • fam. *Méx.* Matalón, rocín.

CUADERNA f. Doble pareja en el juego de tablas. • Moneda de ocho maravedís. • *Mar.* Cada una de las piezas curvas cuya base o parte inferior encaja en la quilla del buque y desde allí arrancan en dos ramas simétricas, formando como las costillas del casco. • *Mar.* Conjunto de estas piezas. • **vía.** Estrofa monorrima de cuatro versos alejandrinos.

CUADERNAL m. *Mar.* Conjunto de dos o tres poleas o roldanas, paralelamente colocadas dentro de una misma armadura.

CUADERNILLO m. Conjunto de cinco pliegos de papel, que es la quinta parte de una mano. • Añalejo, libro de rezo eclesiástico.

CUADERNO m. Conjunto de algunos pliegos de papel, doblados y cosidos en forma de libro. • Libro de pequeño tamaño en que se lleva la cuenta y razón, o en que se escriben noticias, ordenanzas o instrucciones. • fam. Baraja de naipes. • *Art. Gráf.* Compuesto de cuatro pliegos metidos uno dentro de otro. • **de bitácora.** *Mar.* Libro en que se apunta el rumbo, velocidad y demás accidentes de la navegación.

CUADO, DA adj. y s. Pueblo, suevo de origen, que habitó al SE de la ant. Germania, entre Baviera y los Cárpatos.

CUADRA f. Sala o pieza espaciosa. • Caballeriza. • Conjunto de caballos, que suele llevar el nombre del dueño. • Sala de un cuartel, hospital o prisión, en que duermen muchos. • Cuarta parte de una milla. • Grupa. • *Amér.* Manzana de casas. • *Amér.* Distancia entre los ángulos de un mismo lado de dicha manzana. • *Mar.* Anchura del buque en la cuarta parte de su longitud, contada desde popa o desde proa.

Montaje de las **cuadernas** de un buque

CUADRA, *José de la* (1903-1940) Escritor ecuat. Integrante del grupo de Guayaquil. *Los sangurimas, Guásinton, Los monos enloquecidos*. • ***Pablo Antonio*** (nacido 1912) Escritor nic. Su obra jerarquiza lo latinoamericano a través de las tradiciones esp. y católica, en un marco de disconformidad social. *Poemas nicaragüenses, El jaguar y la luna, Cantos de Cifar.*

CUADRADA f. *Mús.* Breve, figura o nota musical que vale dos compases mayores.

CUADRADILLO m. Cuadrado de las camisas. • Cuadrado, regla prismática de sección cuadrada. • Azúcar de pilón partido en piececitas cuadradas.

CUADRADO, DA adj. y m. *Geom.* Aplícase al cuadrilátero cuyos lados y ángulos son iguales. • adj. Díc. del cuerpo prismático de sección cuadrada. • fig. Perfecto, cabal. • fig. Que le cuesta comprender algo o abandonar una idea. • m. Regla prismática de sección cuadrada, que sirve para rayar con igualdad el papel. • Troquel. • Adorno o labor que se pone en las medias y sube desde el tobillo hasta la pantorrilla. • Pieza cuadrada con que en las camisas se unían las mangas al cuerpo. • *Álg.* y *Arit.* Producto que resulta de multiplicar un número por sí mismo. • *Art. Gráf.* Pieza de metal del cuerpo de las letras que se pone entre ellas para formar es-

pacios o blancos, o para sostenerlas. • **mágico.** Tabla de números en cuadro tal que la suma de los de cualquier fila o columna da el mismo resultado. ■ CUADRÁTICO, CA.
CUADRAGENARIO, RIA adj. y s. De cuarenta años.
CUADRAGÉSIMA f. Cuaresma. • En la liturgia católica, primer domingo de cuaresma.
CUADRAGESIMAL adj. Relativo a la cuaresma.
CUADRAGÉSIMO, MA adj. Que sigue inmediatamente en orden al o a lo trigésimo nono. • adj. y s. Díc. de cada una de las 40 partes iguales en que se divide un todo.
CUADRÁNGULO, LA adj. y m. Que tiene cuatro ángulos. ■ CUADRANGULAR.
CUADRANTE adj. Que cuadra. • m. Moneda rom. de cobre. • Cuadral. • Cada una de las cuatro porciones de plano que determinan dos ejes de coordenadas rectangulares. • Reloj solar, trazado en un plano. • *Astr.* Cada una de las cuatro porciones en que la media esfera del cielo superior al horizonte queda dividida por el meridiano y el primer vertical. • *Astr.* Instrumento compuesto de un cuarto de círculo graduado, con pínulas o anteojos, para medir ángulos. • *Der.* Cuarta parte del as o del todo de una herencia. • *Geom.* Cuarta parte del círculo comprendido por los radios perpendiculares entre sí. • *Mar.* Cada una de las cuatro partes en que se consideran divididos el horizonte y la rosa náutica.
CUADRÁNTIDAS f. pl. *Astr.* Enjambre de estrellas fugaces cuyo radiante está en el NE de Boyero. Es activo en los primeros días de enero.
CUADRAR tr. Dar a una cosa figura de cuatro, y más propiamente de cuadrado. • Tratándose de cuentas, balances, etc., hacer que coincidan los totales del debe y el haber. • *Álg.* y *Arit.* Elevar un monomio, un polinomio o un número a la segunda potencia, o sea, multiplicarlo una vez por sí mismo. • *Carp.* Trabajar o formar los maderos en cuadro. • *Geom.* Determinar o encontrar un cuadrado equivalente en superficie a una figura dada. • *Pint.* Cuadricular. • intr. Conformarse o ajustarse una cosa con otra. • Agradar o convenir una cosa con el intento o deseo. • prnl. Quedarse parada una persona con los pies en escuadra; posición que para ciertos actos exigen las instrucciones militares, el arte del manejo de las armas y las reglas del toreo. • *Eq.* Pararse el caballo, quedando con los cuatro remos en firme. • fig. y fam. Mostrar de pronto una persona, al tratar con otra, inusitada gravedad o firme resistencia.
CUADRATÍN m. *Art. Gráf.* Cuadrado.
CUADRATRIZ f. Nombre que se da a ciertas curvas a partir de las cuales resulta posible la cuadratura de otras curvas construidas con regla y compás, no siendo ellas mismas constructibles con regla y compás.
CUADRATURA f. Acción y efecto de cuadrar una figura. • *Astr.* Situación relativa de dos cuerpos celestes, que en long. o en ascensión recta distan entre sí respectivamente uno o tres cuartos de círculo.
CUADRETE m. Tipo de cable telefónico.
CUÁDRICA adj. y f. Díc. de la superficie cuyas secciones planas son cónicas.
CUADRICENAL adj. Que se hace cada cuarenta años.
CUADRICICLO m. Velocípedo, gralte. con motor, de cuatro ruedas.
CUADRÍCULA f. Conjunto de los cuadrados que resultan de cortarse perpendicularmente dos series de rectas paralelas y equidistantes.
CUADRICULAR adj. Relativo a la cuadrícula. • tr. Trazar líneas que formen una cuadrícula. ■ CUADRICULACIÓN.
CUADRIENIO o **CUATRIENIO** m. Tiempo y espacio de cuatro años. ■ CUADRIENAL.
CUADRIFOLIO, LIA o **CUADRIFOLIADO, DA** adj. Que tiene cuatro hojas.
CUADRIFORME adj. Que tiene cuatro formas o cuatro caras. • De figura de cuadro.
CUÁDRIGA o **CUADRIGA** f. Tiro de cuatro caballos enganchados de frente. • Carro tirado por cuatro caballos de frente, usado en la antigüedad para las carreras del circo y en los triunfos.
CUADRIGATO m. Moneda ant. rom. de plata.
CUADRIGÉMINO, NA adj. *Anat.* Díc. de cada uno de los cuatro tubérculos situados encima de los pedúnculos cerebrales.
CUADRIL m. *Anat.* Hueso que sale de la cía, de entre las dos últimas costillas, y sirve para formar el anca. • Anca de las caballerías y otros animales. • Cadera.
CUADRILÁTERO, RA adj. *Geom.* Que tiene cuatro lados. • m. *Geom.* Polígono de cuatro lados. • En boxeo, ring.
CUADRILITERAL o **CUADRILÍTERO, RA** adj. De cuatro letras.
CUADRILLA f. Reunión de personas para el desempeño de algunos oficios o para ciertos fines. • Cada una de las compañías, distinguida de las demás por sus colores y divisas en ciertas fiestas públicas. • Conjunto de perros para la caza. • *Taur.* Conjunto de los toreros que, en la corrida, asisten al matador.

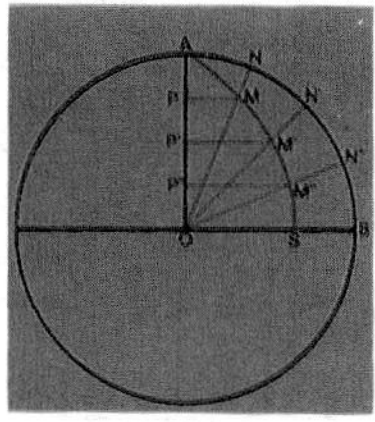

Cuadratiz de Dinostrato

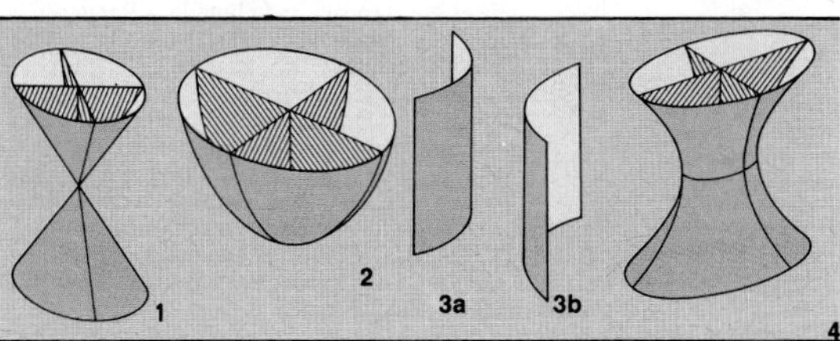

Representación gráfica de diversas **cuádricas:** 1. cono; 2. paraboloide elíptico; 3a y 3b. cilindro hiperbólico; 4. hiperboloide de una hoja

CUADRILLAZO m. *Chile.* Agresión de varias personas contra una.
CUADRILLERO m. Cabo de una cuadrilla. • Individuo de una cuadrilla de la Santa Hermandad. • Guardia de policía rural en Filipinas. • *Chile.* El que da un cuadrillazo.
CUADRILONGO, GA adj. Rectangular, relativo al rectángulo. • m. Rectángulo.
CUADRIMESTRE adj. y m. Cuatrimestre. • Cuarta parte del año.
CUADRIGENTÉSIMO, MA adj. Que sigue en orden al o a lo tricentésimo nonagésimo nono. • adj. y s. Díc. de cada una de las cuatrocientas partes iguales en que se divide un todo.
CUADRINIETO, TA m. y f. Cuarto nieto o cuarta nieta.
CUADRINOMIO m. *Álg.* Expresión que consta de cuatro términos.
CUADRIPÉTALO, LA adj. *Bot.* Que tiene cuatro pétalos.
CUADRISÍLABO, BA adj. y s. Cuatrisílabo.
CUADRIVIO m. Encrucijada de cuatro caminos.
CUADRO, DRA adj. y m. De figura cuadrada. • m. Rectángulo. • Lienzo, lámina, etc., de pintura. • Marco, cerco que guarnece algunas cosas. • En los jardines, parte de la tierra labrada regularmente en cuadro y adornada con varias labores de flores y hierbas. • Cada una de las partes en que se divide la acción teatral y que exige cambio de decoración. • Cuadro vivo. • Descripción muy viva y animada. • Conjunto de nombres, cifras, etc., presentados gráficamente. • fig. Espectáculo de la naturaleza, o agrupación de personas o cosas, que se ofrece a la vista y es capaz de mover el ánimo. • *Art. Gráf.* Tabla de madera, o plancha de bronce o de hierro, que servía para apretar el pliego, a fin de que recibiera la tinta que estaba en la superficie del molde. • *Astr.* Cuadrado, posición de ciertos astros respecto de otros. • *Mil.* Conjunto de los jefes, oficiales, sargentos y cabos de un batallón o regimiento. • Conjunto de cargos directivos de una empresa u organización. Se usa más en plural. • **clínico.** *Med.* Conjunto de síntomas que presenta un enfermo o que caracterizan una enfermedad. • **de distribución.** Conjunto de aparatos de una central eléctrica o telefónica para establecer o interrumpir comunicaciones. • **de mandos.** Conjunto de jefes o directivos. • Panel en que se hallan los mandos de una máquina o vehículo.
CUADRUMANO, NA o **CUADRÚMANO, NA** adj. y s. *Zool.* Díc. de los animales mamíferos que tienen cuatro manos, con el dedo pulgar oponible a los otros. • m. pl. *Zool.* Orden de estos animales.
CUADRÚPEDO adj. y s. Aplícase el animal de cuatro pies.

Cuádriga en el mosaico *El auriga Marcianus Nica* del s. IV. Museo Romano de Mérida (España)

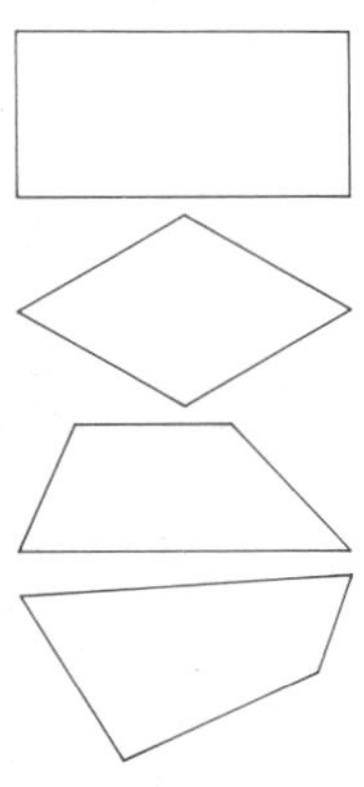
Distintos tipos de **cuadriláteros**

William Penn, promotor de la comunidad **cuáquera** en EE UU

Cuarcita

CUÁDRUPLE adj. Que contiene un número cuatro veces exactamente. • Díc. de la serie de cuatro cosas iguales o semejantes. • Díc. de lo que se realiza entre cuatro.

CUÁDRUPLEX adj. y s. Sistema telegráfico de sentido opuesto que permite transmitir al tiempo cuatro despachos, dos en cada dirección.

CUADRUPLICAR o **CUADRIPLICAR** tr. Hacer cuádruple una cosa; multiplicar por cuatro una cantidad. ■ CUADRUPLICACIÓN.

CUÁDRUPLO, PLA adj. y m. Cuádruple.

CUAIMA f. *Ven.* Serpiente muy ágil y venenosa, negra por el lomo y blanquecina por el vientre. • fig. y fam. *Ven.* Persona muy lista y cruel.

CUAJADA f. Parte caseosa y crasa de la leche, que por el calor o por un cuajo se separa, formando una masa propia para hacer queso o requesón, y deja el suero en su estado líquido. • Requesón hecho con los residuos que quedan al hacer el queso.

CUAJADILLO m. Labor espesa y menuda que se hace en los tejidos de seda.

CUAJADO, DA adj. fig. y fam. Inmóvil y como paralizado por el asombro que produce alguna cosa. • fig. y fam. Díc. del que está o se ha quedado dormido. • m. Comida que se hace de carne picada, hierbas o frutas, etc., con huevos y azúcar.

CUAJAMIENTO m. Coagulación.

CUAJANÍ m. *Cuba.* Árbol parecido al cedro y de madera más resistente.

CUAJAR tr. y prnl. Unir y trabar las partes de un líquido, para convertirlo en sólido. • tr. fig. Recargar de adornos una cosa. • intr. y prnl. fig. y fam. Lograrse, tener efecto una cosa. • intr. fig. y fam. Gustar, agradar, cuadrar. • prnl. fig. y fam. Llenarse, poblarse. • m. *Anat.* Última de las cuatro actividades en que se divide el estómago de los rumiantes. ■ CUAJADURA.

CUAJARÁ m. *Cuba.* Árbol silvestre que proporciona madera para la construcción.

CUAJARÓN m. Porción de sangre o de otro líquido que se ha cuajado.

CUAJICOTE m. *Méx.* Especie de abejón que forma su vivienda en el tronco de los árboles.

CUAJILOTE m. *Méx.* Especie de bignoniácea, cuyo fruto es comestible.

CUAJIMALPA de Morelos Delegación de México, en el Distrito Federal; 36 200 hab.

CUAJIOTE m. *Amér. Centr.* Planta que produce una goma que se usa en medicina.

CUAJO m. Materia contenida en el cuajar de los rumiantes que aún no pacen, y sirve para cuajar la leche. • Efecto de cuajar. • Sustancia con que se cuaja un líquido. • *Anat.* Cuajar, cavidad del estómago de los rumiantes. • fig. y fam. Calma. • **De c.** m. adv. De raíz, sacando enteramente una cosa del lugar en que estaba arraigada.

CUAL pron. relativo que con esta sola forma conviene en sing. a los géneros m., f. y n. y que en pl. hace *cuales*. • Puede construirse con el art. determinado en todas sus formas, y entonces equivale al pron. de su misma clase *que*. • Se emplea con acento en frases de sentido interrogativo o dubitativo. • Denota a veces idea de semejanza. • Contrapónese a *tal*, denotando esta misma idea. • Empléase como pron. indeterminado cuando, repetido de una manera disyuntiva, designa personas o cosas sin nombrarlas ni determinarlas. • adv. modo . Así como, de igual manera que. • En sentido ponderativo o de encarecimiento, *de qué modo*.

CUALESQUIER pron. indet. pl. de cualquier.

CUALESQUIERA pron. indet. pl. de cualquiera.

CUALIDAD f. Cada una de las circunstancias o caracteres, naturales o adquiridos, que distinguen a las personas o cosas. • Calidad, manera de ser. ■ CUALIFICAR; CUALIFICATIVO, VA.

CUALIFICADO, DA adj. Díc. del obrero capacitado en una de las fases de la producción.

CUALQUIER pron. indet. Cualquiera. Se emplea siempre antepuesto al nombre.

CUALQUIERA pron. indet. Una persona indeterminada, alguno, sea el que fuere. Antepónese y pospónese al nombre y al verbo. • **Ser** uno **un c.** Ser persona vulgar y poco importante. • **Ser** una **c.** Ser mujer de vida airada.

CUAN adv. cantidad que se usa para encarecer la significación del adjetivo, el participio y otras partes de la oración, excepto el verbo, precediéndolas siempre. • Como correlativo de *tan*, se emplea en sentido comparativo, y denota equivalencia o igualdad.

CUANDO adv. tiempo. En el tiempo, en el punto, en la ocasión en que. • En sentido interrogativo y también refiriéndose a verbo anteriormente expresado, equivale a *en qué tiempo*. En tal caso se acompaña de acento prosódico y ortográfico. • En caso de que, o sí. • Se usa como conj. adversativa con la significación de *aunque*. • Toma así mismo carácter de conj. continuativa, equivaliendo a *puesto que*. • Empléase también como conj. distrib., equivaliendo a *unas veces* y *otras veces*. • Úsase a veces con carácter de sustantivo, precedido del artículo *el*. • **más.** m. adv. A lo más. • **mucho.** m. adv. Cuando más. • **De c. en c.** m. adv. Algunas veces, de tiempo en tiempo.

CUANGO *(Kwango)* Río de Angola y Zaire. Nace en la meseta central de Angola y desemboca en el Kasai; 1 000 km.

CUANLOTE m. *Méx.* Caulote.

CUANTÍA f. Cantidad, porción de algo. • Suma de cualidades o circunstancias que enaltecen a una persona o la distinguen de las demás. • *Der.* Valor de la materia litigiosa.

CUANTIAR tr. Apreciar las haciendas, tasar.

CUÁNTICO, CA adj. *Fís.* Perteneciente o relativo a los cuantos de energía. • **Mecánica c.** Formulación probabilística de la física atómica que trata como magnitudes de carácter discreto la masa, la energía y la cantidad de movimiento.

* *Fís.* Para la mecánica cuántica carece de sentido hablar de posición de una partícula en un instante dado, pudiendo sólo considerarse la probabilidad de encontrarla en un punto determinado; análogamente, no puede hablarse de órbita definida en un átomo, sino de orbital atómico o zona de máxima probabilidad de encontrar el electrón. Esta probabilidad viene dada por los *números cuánticos*: el primero de estos números, *n*, indica el nivel atómico; el segundo (*l*, núm. c. azimutal) cuantifica la excentricidad de la órbita elíptica del electrón; el tercero (*m*, núm. c. magnético orbital) cuantifica la orientación en el espacio de esta elipse y el cuarto *(s, spin)*, que puede tomar los valores $\pm$ 1/2, caracteriza el sentido de rotación del electrón.

CUANTIFICADOR, RA adj. Que cuantifica. • m. *Lóg.* Símbolo antepuesto a las variables de una fórmula para delimitar los elementos que la satisfacen. Los c. formalizan expresiones del lenguaje cotidiano usadas comúnmente en lógica y matemáticas, tales como «todos», «cualquier», «algún», «uno y sólo uno», etc.

CUANTIFICAR tr. Expresar numéricamente una magnitud. • *Fís.* Introducir los principios de la mecánica cuántica en el estudio de un fenómeno.

CUANTIOSO, SA adj. Grande en cantidad o número.

CUANTITATIVO, VA adj. Relativo a cantidad. • Díc. del análisis que determina las porciones de cada ingrediente.

CUANTO, TA adj. Que incluye cantidad indeterminada. Es correlativo de *tanto*. • Exp. enfática con que se pondera la grandeza, número, etc., de una cosa. • Todo lo que. • adv. modo. En cuanto. • adv. cantidad. En qué grado o manera, hasta qué punto, qué cantidad. • Antepuesto a otros adverbios o correspondiéndose con *tanto*, empléase en sentido comparativo y denota idea de equivalencia o igualdad. • Empleado con verbos expresivos de tiempo, denota duración indeterminada o larga duración. • m. *Fís.* Cantidad elemental de energía, proporcional a la frecuencia de la radiación a la que pertenece. • **antes.** m. adv. Con diligencia, con premura, lo más pronto posible. • **más.** m. adv. y conjunt. con que se contrapone a lo que ya se ha dicho lo que se va a decir, denotando idea de encarecimiento o ponderación. • **En c. a.** m. adv. Por lo que toca o corresponde a. • **Por c.** m. adv. que se usa para notar la razón que se va a dar de alguna cosa.

CUAQUERISMO o **CUAKERISMO** m. Secta de los cuáqueros.

CUÁQUERO, RA o **CUÁKERO, RA** m. y f. Miembro de una comunidad religiosa derivada del puritanismo y extendida pralm. por EE UU. La comunidad c. fue creada por George Fox, en Inglaterra, a mediados del s. XVII. William Penn la trasplantó

a EE UU en el s. XIX. En 1947 se les concedió el premio Nobel de la Paz.
CUARANGO m. *Perú.* Árbol de la familia rubiáceas, con tronco liso y corteza de color.
CUARCITA f. *Geol.* Roca constituida esencialmente por cuarzo. Es de color blanco lechoso, gris, o rojizo si está teñida por el óxido de hierro. Se emplea para la construcción de edificios y caminos.
CUARENTA adj. Cuatro veces diez. • Cuadragésimo, número que sigue al trigésimo nono. • m. Conjunto de signos que se representa el número cuarenta. • **Las c.** Número de puntos que gana en el tute el que reúne el caballo y el rey del palo que es triunfo. • **Cantar** a uno **las c.** fig. y fam. Decirle con resolución y desenfado lo que se piensa aun cuando le moleste. ■ CUARENTENAL.
CUARENTAVO, VA adj. y m. Cuadragésimo, cada una de las cuarenta partes en que se puede dividir un todo.
CUARENTENA f. Conjunto de cuarenta unidades. • Tiempo de cuarenta días, meses o años. • Cuaresma. • Intervalo de tiempo que permanecen privados de comunicación los que vienen de lugares con epidemia. • fig. y fam. Suspensión del ascenso a una noticia o hecho, por tiempo, para asegurarse de su certidumbre.
CUARENTÓN, NA adj. y s. Díc. de la persona que tiene cuarenta años cumplidos.
CUARESMA f. Tiempo de abstinencia para los católicos, entre el miércoles de Ceniza y la Pascua de Resurrección. • Conjunto de sermones para las dominicas y ferias de cuaresma. ■ CUARESMAL.
CUARTA f. Cada una de las cuatro partes iguales en que se divide un todo. • Palmo, medida de la mano abierta y extendida desde el extremo del pulgar al del meñique. • Cuartera, madero de diversas dimensiones. • En la guitarra y otros instrumentos de cuerda, la que está en cuarto lugar empezando por la prima. • Encuarte. • *Méx.* Látigo corto para las caballerías. • *Cuba* y *P. Rico.* Disciplina, instrumento para azotar. • *Astr.* Cuadrante, instrumento compuesto de un cuarto de círculo graduado. • *Mar.* Cada una de las 32 partes en que está dividida la rosa náutica. • *Mil.* Sección formada por la cuarta parte de una compañía de infantería a las órdenes de un oficial o de un sargento. • *Mús.* En la escala diatónica, intervalo entre una nota y la cuarta anterior o posterior, compuesto de dos tonos y un semitono mayor.
CUARTAGO m. Caballo de mediano cuerpo. • Jaca de poca alzada.
CUARTANA f. Variedad de paludismo con accesos febriles cada cuatro días. • **doble.** La que produce accesos de dos días con uno de intervalo. ■ CUARTANAL; CUARTANARIO, RIA.
CUARTAZO m. *Méx.* Latigazo.
CUARTEAR tr. Partir o dividir una cosa en cuartas partes. • Descuartizar. • Echar la puja del cuarto en las rentas ya rematadas. • Entrar a cumplir el número de cuatro para jugar algún juego. • En las cuestas y malos pasos de los caminos, dirigir los carruajes de derecha a izquierda, y viceversa, en vez de seguir en línea recta. • *Méx.* Azotar repetidas veces con la cuarta. • intr. y prnl. *Taur.* Hacer el torero un movimiento en curva, al ir a poner banderillas, a fin de evitar el derrote. • intr. *Ven.* Contemporizar entre dos partidos que se enfrentan. • prnl. Henderse, rajarse, agrietarse una pared, un techo, etc. ■ CUARTEAMIENTO.
CUARTEL m. Cuarta parte de una cosa. • Cada uno de los distintos términos en que a veces se dividen las grandes poblaciones. • *Her.* Cualquiera de las divisiones o subdivisiones de un escudo. • *Mar.* Armazón de tablas con que se encierran las bocas de las escotillas, escotillones, cañoneras, etc. • *Mil.* Edificio para alojamiento de la tropa. • **general.** Población o campamento donde se establece con su estado mayor el jefe de un ejército. • **Estar de c.** fr. *Mil.* Se dice de los oficiales sin empleo y con sueldo reducido. ■ CUARTELERO, RA.
CUARTELADA f. o **CUARTELAZO** m. *Mil.* Comisión de jefes y oficiales de un ejército en el cuartel para impedir un pronunciamiento, vigilándose unos a otros. • Pronunciamiento militar.
CUARTELAR tr. *Her.* Dividir o partir el escudo en los cuarteles que ha de tener.
CUARTELILLO m. Lugar en que se aloja una sección de la tropa. • Local donde está instalado un puesto de policía, bomberos, etc.
CUARTEO m. Acción de cuartear o cuartearse. • Esguince o rápido movimiento del cuerpo hacia uno u otro lado, para evitar un golpe o un atropello. • *Ven.* Acción de cuartear.
CUARTERÍA f. *Chile* y *Cuba.* Casa de vecindad.
CUARTEROLA f. Barril que hace la cuarta parte de un tonel. • Medida para líquidos, que hace la cuarta parte de la bota. • *Chile.* Tercerola pequeña.
CUARTERÓN, NA adj. y s. Nacido en América de mestizo y española, o de español y mestiza. • m. Cuarto, cada una de las cuatro partes iguales en que se divide un todo. • Cuarta parte de una libra. • Postigo, puertecilla de algunas ventanas. • Cada uno de los cuadros que hay entre los peinazos de las puertas y ventanas.
CUARTETA f. Redondilla. • Combinación métrica que consta de cuatro versos octosílabos, de los cuales asonantan el segundo y el último.
CUARTETO o **CUARTETE** m. Combinación métrica que consta de cuatro versos endecasílabos o de arte mayor, que conciertan generalmente en consonantes, el 1.º con el 4.º y el 2.º con el 3.º • *Mús.* Composición para cantarse a cuatro voces diferentes, o para tocarse por cuatro instrumentos distintos entre sí.
CUÁRTICA adj. y f. *Mat.* Curva plana o superficie del espacio ordinario expresable mediante una ecuación algebraica de cuarto grado. Un ejemplo de superficie c. lo constituye el toro.
CUARTILLA f. Medida de capacidad para áridos, cuarta parte de una fanega, equivalente a 1 387 cl. • Medida de capacidad para líquidos, cuarta parte de la cántara. • Cuarta parte de una arroba. • Cuarta parte de un pliego de papel. • Ant. moneda mex. de plata. ■ CUARTILLUDO, DA.
CUARTILLO m. Medida de capacidad para áridos, cuarta parte de un celemín, equivalente a 1 156 ml. • Medida de líquidos, cuarta parte de una azumbre, equivalente a 504 ml. • Cuarta parte un real.
CUARTO, TA adj. y s. Que sigue inmediatamente en orden al o a lo tercero. • Díc. de cada una de las cuatro partes iguales en que se divide un todo. • m. Parte de una casa, destinada para una familia. • Habitación, aposento. • Moneda de cobre esp. cuyo valor era el cuatro maravedís. • Cada una de las cuatro partes en que se divide la hora. • Cada una de las cuatro partes en que antiguamente dividían la noche los centinelas. • Cada uno de las cuatro partes en que se considera dividido el cuerpo de los cuadrúpedos y aves. • Abertura longitudinal, más o menos larga y profunda, que se hace a las caballerías en las partes laterales de los cascos. • *Mil.* Tiempo que está de centinela o vigilante cada uno de los de tropa. • pl. Miembros del cuerpo del animal robusto y fornido. • fig. y fam. Dinero, moneda, caudal. • **Cuartos de final.** Cuatro antepenúltimas competiciones de un campeonato o concurso.
CUARTÓN m. Madero cuya longitud varía según las provincias. • Madero, cortado al hilo. • Pieza de tierra de labor, por lo común de figura cuadrangular. • Cierta medida de líquidos.
CUARTUCHO m. despect. Vivienda o cuarto malo y pequeño.
CUARZO m. *Miner.* Anhídrido silícico cristalizado en el sistema trigonal, de brillo vítreo, incoloro, blanco o muy diversamente coloreado por la presencia de impurezas. Presenta polarización rotatoria. Es el mineral más abundante y frecuente de la corteza terrestre. Variedades de c. son: la calcedonia, ágata, jaspe, pedernal o sílex, cristal de roca, amatista, etc. ■ CUARCÍFERO, RA; CUARZOSO, SA.
CUASCLE m. *Méx.* Manta que se echa al caballo.
CUASI adv. cantidad. Casi.
CUASICONTRATO m. *Der.* Hecho lícito y voluntario, por el que los autores contraen derechos y obligaciones.
CUASIDELITO m. *Der.* Acción dañosa para otro, que uno ejecuta sin ánimo de hacer mal, o de la que, siendo ajena, debe uno responder por algún motivo.
CUASIDINERO m. *Econ.* Conjunto de activos no monetarios de alta liquidez.
CUASIUSUFRUCTO m. *Der.* El derecho usufructuario que recae sobre cosa fungible.
CUATE, TA adj. y s. *Ecuad.* y *Méx.* Gemelo, díc. de los hermanos de un mismo parto. • *Ecuad.* y *Méx.*

Representación de la **Cuaresma** en una publicación del s. XIX

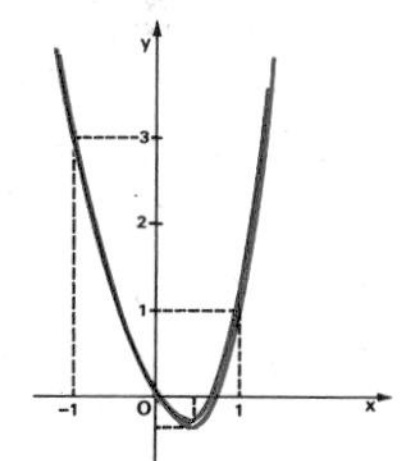

Gráfico de la curva **cuártica** de ecuación $y = 2x^4 - x$

Cuarzo ahumado

Igual o semejante. • *Ecuad.* y *Méx.* Camarada, compañero.
CUATEQUIL m. *Méx.* Maíz.
CUATERNA f. Suerte en el juego de la lotería cuando se han sacado cuatro números de una de las combinaciones que lleva el jugador.
CUATERNARIO, RIA adj. y s. Que consta de cuatro unidades, números o elementos. • *Geol.* Díc. de la última era en que se divide la historia geológica de la Tierra, con una duración de poco más de un millón y medio de años. Durante esta era se produjeron grandes cambios climáticos caracterizados por la sucesión alternada de periodos glaciares e interglaciares. La era c. se divide en dos grandes periodos: el pleistoceno, que comprende las glaciaciones y los interglaciares, y el holoceno, que abarca los tiempos posteriores a la última glaciación. En la era c. la fauna era ya muy similar a la actual, e hizo su aparición el *Homo sapiens*.

Cuauhtémoc frente a Hernán Cortés, según el *Lienzo de Tlaxcala*

CUATERNO, NA adj. De cuatro números.
CUATEZÓN, NA adj. *Méx.* Díc del animal que, debiendo tener cuernos, carece de ellos.
CUATÍ m. *Argent., Col.* y *R. de la Plata.* Coatí, mamífero carnicero.
CUATRALBO, BA adj. Que tiene blancos los cuatro pies. • m. Jefe o cabo de cuatro galeras.
CUATREÑO, ÑA adj. Díc. del novillo o novilla que tiene cuatro hierbas o años.
CUATREREAR tr. *Argent.* Robar ganado, hurtar.
CUATRERO adj. y s. Ladrón de ganado.
CUATRICROMÍA f. *Art. Gráf.* Impresión de un grabado a cuatro colores que, combinados, pueden reproducir toda la gama cromática.
CUATRIDIMENSIONAL adj. Que tiene cuatro dimensiones.
CUATRILLIZO, ZA adj. y s. Díc. de cada uno de los hermanos nacidos en un parto cuádruple.
CUATRILLO m. Juego de naipes semejante al tresillo, que se juega entre cuatro personas.
CUATRILLÓN m. Un millón de trillones, que se expresa por la unidad seguida de 24 ceros.
CUATRIMESTRE adj. Que dura cuatro meses. • m. Espacio de cuatro meses. ■ CUATRIMESTRAL.
CUATRIMOTOR m. Avión de cuatro motores.
CUATRINCA f. Junta de cuatro personas o cosas. Se usa hablando de oposiciones.
CUATRIRREACTOR m. Avión propulsado por cuatro reactores.
CUATRISÍLABO, BA adj. y m. De cuatro sílabas.
CUATRO adj. Tres y uno. • Cuarto, número que sigue al tercero. Aplicado a los días del mes, se usa también como sustantivo. • m. Signo o cifra con que se representa el número cuatro. • Naipe que tiene cuatro señales. • En el juego de la rayuela, cuadro que se forma en medio. • Composición que se canta a cuatro voces. • Guitarrilla ven. de cuatro cuerdas. • fig. Cantidad pequeña e indefinida. • *Méx.* Disparate.
CUATROCENTISTA adj. y s. Díc. de lo que se refiere o pertenece al s. XV.
CUATROCIENTOS, TAS adj. Cuatro veces ciento. • Cuadrigentésimo. • m. Conjunto de signos con que se representa el número cuatrocientos.
CUATROPEADO m. Cierto paso de danza.
CUATROTANTO m. Cuádruplo, o una cantidad cuadruplicada.

Mapa de situación y bandera de **Cuba**

CUAUHTÉMOC C. de México, en el est. de Chihuahua; 66 900 hab. Sit. en la tierra Madre occidental. Avenada por el Santa Clara. Agricultura; ganadería; maderas finas.
CUAUHTÉMOC (1497-1525) Último emperador azteca, sobrino de Moctezuma II. Defendió Tenochtitlán de los esp. Fue ejecutado, por mandato de Cortés, bajo el pretexto de traición.
CUAUTITLÁN Mun. de México, en el est. de México; 41 200 hab. Alfalfa, cereales. Ganadería. Ind. de fertilizantes.
CUAUTLA Mun. de México, en el est. de Morelos 69 000 hab. Agricultura. Ganadería. Apicultura.
CUBA f. Recipiente de madera, que sirve para contener agua, vino, aceite u otros líquidos. • fig. Todo el líquido que cabe en una cuba. • fig. y fam. Persona que tiene gran vientre. • fig. y fam. Persona que bebe mucho vino. • *Metal.* Parte del hueco interior de un horno alto comprendida entre el vientre y el tragante. • **Estar como una c.** Estar muy borracho. ■ CUBERÍA; CUBERO, RA.

CUBA *(República de Cuba)* Estado americano constituido por la isla hom. Sit. al S de la pen. de Florida, entre el golfo de México, el mar Caribe y el océano Atlántico.

* *Geog. fís.* Accidentada por la sierra de los Órganos, al O, la sierra de Escambray, en el centro, y Sierra Maestra (alt. máx., Pico Turquino, 1 994 m), al SE. El río más imp. es el Cauto. El litoral, bordeado por arrecifes coralinos, cuenta con numerosas islas e islotes; la isla más imp. es la de Juventud (ant. Pinos). Destacan los arch. de los Canarreos, Jardines de la Reina, Colorados, Sabana y Camagüey. Clima tropical.

* *Geog. econ.* El gobierno socialista puso en marcha la reforma agraria, la nacionalización de las empresas industriales y comerciales y un plan de industrialización. Su pral. fuente de riqueza es la agricultura, especialmente la caña de azúcar. Produce café, tabaco, ananás, agrios, maíz, arroz, patatas; ganado vacuno; cromita, níquel, manganeso, minerales cupríferos, petróleo; ind. alimentarias, textil, tabaquera, siderurgia. Refinerías de petróleo en La Habana, Santiago de Cuba y Cienfuegos.

* *Hist.* Descubierta por Colón en 1492, que la bautizó con el nombre de Juana, fue conquistada por Diego Velázquez, quien fundó Baracoa, Santiago de Cuba, Puerto Príncipe y Matanzas. Durante la etapa colonial se generalizó el cultivo del café y de la caña de azúcar, basado en el trabajo de negros africanos. Durante el s. XIX se efectuaron sucesivos intentos independentistas. En 1868, Carlos Manuel Céspedes organizó un gobierno propio e inició la primera guerra de independencia. El conflicto ter-

CUBA

Recursos económicos		
Acero	270 000	t
Azúcar	7 623 000	t
Cabaña bovina	4 920 000	cabezas
Cabaña caballar	629 000	cabezas
Cabaña porcina	1 900 000	cabezas
Café	26 000	t
Caña de azúcar	74 000 000	t
Cigarros	16 500 000 000	unidades
Cobalto	1 600	t
Níquel	33 300	t
Petróleo	850 000	t
Sal marina	200 000	t
Tabaco	44 000	t
Indicadores sociológicos		
PNB	9 300	millones de dólares
Renta per cápita	870	dólares
Esperanza de vida	76	años
Alfabetismo	94	%

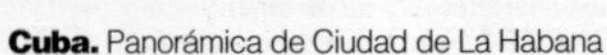
Cuba. Panorámica de Ciudad de La Habana

División administrativa de **Cuba**

Provincia	*Km²*	*Población*	*Densidad*	*Capital*	*Habitantes*
Camagüey	15 839	723 000	45	Camagüey	286 400
Ciego de Ávila	6 910	353 000	51	Ciego de Ávila	101 600
Cienfuegos	4 185	354 000	84	Cienfuegos	136 200
Ciudad de La Habana	724	2 119 000	2 927	Ciudad de La Habana	2 119 000
Granma	8 401	773 000	92	Bayamo	139 000
Guantánamo	6 221	485 000	78	Guantánamo	215 800
Holguín	9 296	972 000	104	Holguín	236 900
La Habana	5 745	630 000	109	Ciudad de La Habana	
Las Tunas	6 854	478 000	72	Victoria de Las Tunas	126 600
Matanzas	12 122	596 000	49	Matanzas	119 500
Pinar del Río	10 860	678 000	62	Pinar del Río	136 300
Sancti Spíritus	6 775	420 000	62	Sancti Spíritus	97 500
Santiago de Cuba	6 187	968 000	156	Santiago de Cuba	434 500
Villa Clara	8 662	796 000	92	Santa Clara	203 700
Municipalidad especial					
Isla de la Juventud	2 411	71 000	29	Nueva Gerona	58 400
CUBA	111 192	10 416 000*	94	Ciudad de La Habana	2 119 000

* Última estimación: 10 736 000.

minó con el pacto de Zanjón (1878) que fue incumplido por España. En 1892, José Martí y Máximo Gómez reanudaron la lucha y declararon la guerra a España. La intervención de EE UU en el conflicto (1898) concluyó con la derrota española y la ocupación militar norteamericana de la isla. En 1902, Cuba alcanzó finalmente la indep., aunque su economía quedó fuertemente ligada a la norteam. Al régimen dictatorial de Gerardo Machado, siguió el de Batista (1952-1958). Éste último tuvo que enfrentarse al *Movimiento 26 de julio*, dirigido por Fidel Castro, que implantó la rev. socialista. El nuevo gob., con Castro a la cabeza, nacionalizó la economía y se enfrentó al bloqueo económico impuesto por EE UU (1960). En 1961, tras la invasión de la bahía de Cochinos, Cuba se acercó a la URSS. En 1976, Castro

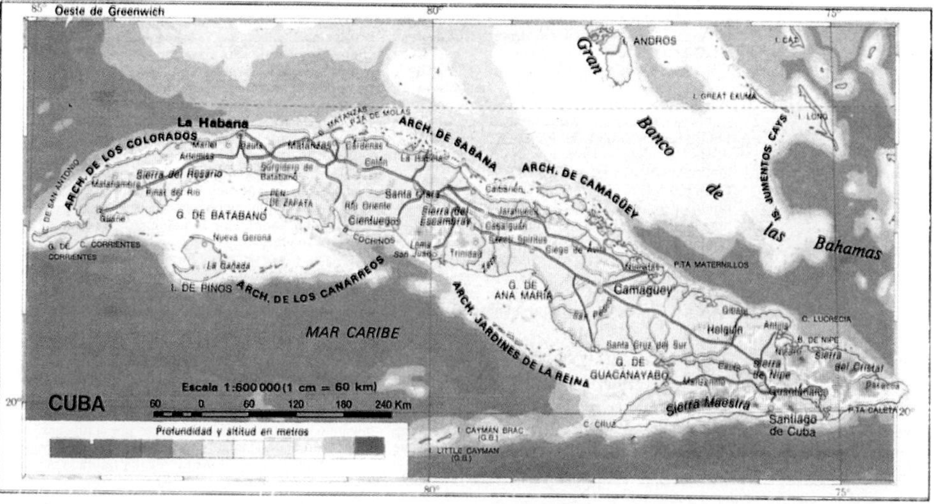

Cuba. El puerto de Ciudad de La Habana, tal como era en el s. XIX

Cuba. Fidel Castro

fue elegido jefe del Estado y del Gobierno. El mismo año, envió tropas a Angola y Etiopía. La retirada del apoyo económico de la extinta URSS y el endurecimiento del bloqueo norteam. iniciaron una grave crisis en la isla. En 1998, la visita del papa Juan Pablo II a Cuba promovió cierta apertura del régimen y el fin del bloqueo internacional sobre la isla.

* *Arte.* De la época precolombina destacan la arquitectura y la cerámica de los ciboney, taino y subtaino. Del s. XVII sobresalen el convento de Santa Clara, y del barroco las iglesias de san Francisco y san Agustín, y el convento de san Francisco de Pavía. Los edificios civiles más imp. son la casa de correos y la del gobierno. Del s. XX destaca la pintura, representada por Carlos Enriques, Amelia Peláez, Mario Carreño, José Mijares, W. Lam, J. Camacho.

* *Lit.* En poesía destacan, en el momento de la independencia, José Martí y, post., Regino E. Boti, Agustín Acosta, José M. Poveda y Felipe Pichardo. Hacia la década de 1950 sobresalen Mariano Brull, Eugenio Florit, Emilio Ballegas y Nicolás Guillén. Tras la revolución aparecen Rolando Escardó, Cleva Solís, Roberto Fernández, E. Desmoes, M. Barnet, N. Felipe, J. Martínez Matos y Herberto Padilla. En narrativa cabe citar, tras la independencia, a Emilio Bacardí y Raimundo Cabrera. Naturalistas son Jesús Castellanos, Miguel de Carrión, Carlos Loveira, José Antonio Ramos. Destaca especialmente Alejo Carpentier. Post. sobresalen Raúl Aparicio, Ramón Ferreira, Eliseo Diego, Virgilio Piñeira, José Lezama Lima, G. Cabrera Infante y Óscar Hurtado. En teatro destacan: José A. Ramos, Marcelo Salinas, Carlos Felipe, Virgilio Piñeira, E. Hernández Espinosa, A. Paz, H. Quintero, R. Blanco y A. Estorino.

CUBAGUA Isla de Venezuela, en el mar Caribe; 12 km^2. Descubierta por Colón en 1498; despoblada. Entre 1510 y 1543 fue famosa por su riqueza perlera. Forma parte del est. Nueva Esparta.

CUBALIBRE m. Combinado a base de ron y un refresco de cola.

CUBANGO Río del África austral; 1 700 km. Nace en Angola. Su curso inferior se denomina Okavango.

CUBANO, NA adj. y s. De cuba.

CUBAS, *Francisco,* MARQUÉS DE (1826-1898) Arquitecto esp. Representante del eclecticismo decimonónico en Madrid. Autor del colegio de los jesuitas en Chamartín. • ***Raúl Alberto*** (nacido 1944) Político par. Miembro del Partido Colorado. Ministro de Hacienda en 1996. Elegido presid. en 1998, dimitió en 1999 y se exilió a Brasil.

CUBEBA f. *Bot.* Arbusto trepador, de la familia piperáceas, de hojas lisas y fruto a modo de pimienta, de color pardo. • Fruto de este arbusto.

CUBERA f. *Cuba.* Pez de color blanquecino por el vientre y aceitunado por el lomo, cola ahorquillada, aletas dorsal y anal moradas, y ojos con cerco amarillo.

CUBERTURA f. Cobertura, cubierta que tapa alguna cosa.

CUBETA f. Cuba pequeña. • Herrada con asa hecha de tablas endebles. • Cuba manual que usan los aguadores. • *Fís.* Depósito de mercurio, en la parte inferior del barómetro, que recibe directamente la presión atmosférica, la cual se marca en un tubo por medio de grados. • Parte inferior del arpa, donde están colocados los resortes de los pedales. • Recipiente usado en operaciones químicas y fotográficas.

CUBETO m. Vasija más pequeña que la cubeta.

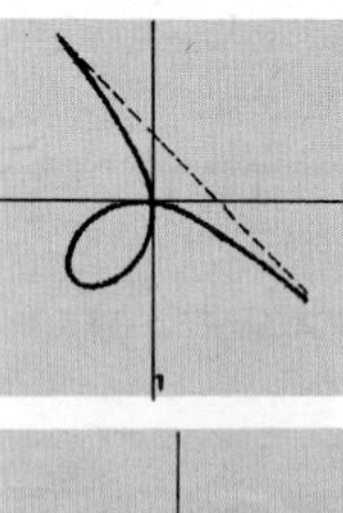

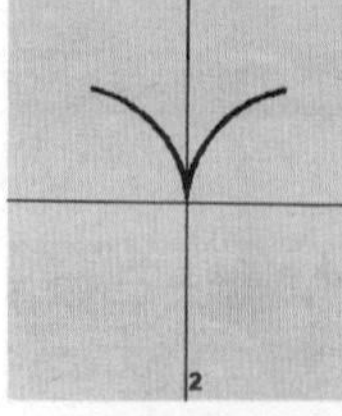

Puntos singulares de las curvas **cúbicas:** con nodo (1), y con cúspide (2)

CÚBICA f. Tela de lana, más fina que la estameña y más gruesa que el alepín. • *Mat.* Curva algebraica del plano, que se expresa mediante una ecuación de tercer grado en las coordenadas *x, y,* o mediante una ecuación homogénea de tercer grado en las tres coordenadas homogéneas si se consideran en el plano proyectivo.

CUBICACIÓN f. Acción y efecto de cubicar.

CUBICAR tr. *Álg.* y *Arit.* Elevar un monomio, un polinomio o un número a la tercera potencia, o sea, multiplicarlo dos veces por sí mismo. • Medir el volumen de un cuerpo o la capacidad de un hueco, para apreciarlos en unidades cúbicas.

CÚBICO, CA adj. Relativo al cubo. • *Geom.* De figura de cubo geométrico. • *Álg.* Díc. de la raíz tercera de una cantidad. • En cristalografía, díc. del sistema de las formas holoédricas que tienen tres ejes prales. iguales y perpendiculares entre sí.

CUBÍCULO m. Aposento, alcoba.

CUBIERTA f. Lo que se pone por encima de una cosa para taparla o resguardarla. • Sobre de cartas y papeles. • Forro de papel del libro en rústica. • fig. Pretexto, simulación. • *Arq.* Parte exterior de la techumbre de un edificio. • *Mar.* Cada uno de los suelos que dividen las estancias de un barco y en especial el primero, que está a la intemperie.

CUBIERTO m. Servicio de mesa que se pone a cada uno de los que han de comer. • Juego compuesto de cuchara, tenedor y cuchillo. • Conjunto de viandas que se ponen a un mismo tiempo en la mesa. • Comida que se da en las fondas a una persona, por precio determinado. • Techumbre de una casa u otro paraje, aque cubre y defiende de las inclemencias del tiempo.

CUBIL m. Sitio donde los animales se recogen para dormir. • Cauce de las aguas corrientes.

CUBILAR m. Cubil de los animales en el campo. • Majada. • intr. Majadear, hacer noche el ganado en una majada.

CUBILETE m. Vaso que usan como molde los cocineros. • Vaso de igual figura del cual se valen los que hacen juegos de manos. • Pastel de figura de cubilete, lleno de carne picada, manjar blanco y otras cosas. • Vaso que sirve para menear los dados.

CUBILETEAR intr. Manejar los cubiletes. • fig. Valerse de artificios para lograr un propósito. ■ CUBILETERO, RA.

CUBILLO m. Carraleja, insecto. • Pieza de vajilla para mantener fría el agua.

CUBILLO de Aragón, *Álvaro* (h. 1596-1661) Dramaturgo esp., de la escuela calderoniana. *El enano de las Musas, Las muñecas de Marcela.*

CUBILOTE m. *Metal.* Horno en el que se refunde el hierro colado para echarlo en los moldes.

CUBISMO m. *Arte.* Escuela y teoría estética que se caracteriza por la imitación, empleo y predominio de figuras geométricas.

* *Arte.* El c. surgió en París en 1906-1907 a partir del cuadro de Picasso *Les demoiselles d'Avignon.* Apoyado por Apollinaire, Matisse, Max Jacob, etc., el movimiento adquirió consistencia. La representación simultánea de varios aspectos de un mismo objeto, la técnica de los *collages,* el uso del color como principio constructivo y la geometría de las figuras son sus características. Destacan también: Braque, J. Gris, L. Stein, F. Léger, R. Delaunay, J. Villon, Duchamp, Archipenko, Le Fauconnier. ■ CUBISTA.

CUBITAL adj. Relativo al codo. Este adjetivo forma parte de la denominación de diversos elementos anatómicos: arteria y nervio cubitales, músculos cubitales. • Que tiene un codo de longitud.

CÚBITO m. *Anat.* Hueso que, junto con el radio, forma el antebrazo.

CUBO m. Vaso, gralte. en forma de cono truncado, con una asa para su transporte. • Pieza central en que se encajar los rayos de las ruedas de los carruajes. • Cilindro hueco en que remata por abajo la bayoneta, y que sirve para adaptarla al fusil. • Mechero, cañón de los candeleros para poner las velas. • Pieza que tienen algunos relojes de bolsillo, en la cual se arrolla la cuerda. • Torreón circular de las fortalezas antiguas. • *Álg.* y *Arit.* Tercera potencia de un monomio, polinomio o número, que se obtiene multiplicando estas cantidades dos veces por sí mismas. • *Arq.* Adorno saliente de figura cúbica en los techos artesonados. • *Geom.* Poliedro regular limitado por seis cuadrados iguales.

CUBOIDES adj. y s. *Anat.* Díc. del hueso del tarso, situado en el borde externo del pie.
CUBRECADENA m. Envoltura que resguarda la cadena de las bicicletas.
CUBRECAMA f. Sobrecama.
CUBRECORSÉ m. Prenda de vestir que usaban las mujeres inmediatamente encima del corsé.
CUBRENUCA f. *Mil.* Cogotera. • *Mil.* Parte inferior del casco, que cubría la nuca.
CUBREOBJETO m. Lámina de cristal, con que se cubren las preparaciones microscópicas.
CUBRIR tr. y prnl. Ocultar y tapar una cosa con otra. • Tapar la superficie de una cosa. • tr. Ocultar o disimular una cosa con arte, de modo que aparente ser otra. • Juntarse el macho con la hembra para fecundarla. • Poner el techo a un edificio, o techarlo. • Defender un puesto militar. • Proteger. • Marchar la tropa o marinería a colocarse en sus puestos de combate. • Ocupar, llenar, completar. • Tratándose de un servicio, disponer de personal para desempeñarlo. • fig. Pagar o satisfacer una deuda o alcance, gastos, etc. • Tratándose de una distancia, recorrerla. • prnl. Ponerse el sombrero, la gorra, etc. • fig. Cautelarse de cualquier responsabilidad, riesgo o perjuicio. • *Mil.* Desplazarse lateralmente el soldado hasta quedar situado detrás y en la misma hilera que el anterior. ■ CUBRICIÓN; CUBRIMIENTO.

Les demoiselles d'Avignon, de Picasso, primer cuadro de estilo **cubista**

CUBULCO Mun. de Guatemala, en el dpto. de Baja Verapaz; 20 000 hab. Sombreros de palma, petate.
CUCA f. Chufa, tubérculo. • Cuco, oruga de cierta mariposa. • fam. Mujer enviciada en el juego. • pl. Nueces, avellanas y otros frutos y golosinas análogos.
CUCALÓN m. *Chile.* Curioso, entrometido.
CUCAMBÉ m. *Col.* y *Ven.* Juego del escondite.
CUCAMONAS f. pl. fam. Carantoñas.
CUCAÑA f. Palo largo, untado de jabón o de grasa, por el cual se ha de trepar o andar para coger un objeto atado a su extremidad. • fig. y fam. Lo que se consigue con poco trabajo o a costa ajena. ■ CUCAÑERO, RA.
CUCAR tr. Guiñar el ojo. • Hacer burla, mofar. • Entre cazadores, avisarse unos a otros de la proximidad de una pieza. • intr. Salir corriendo el ganado cuando le pica la mosca.
CUCARACHA f. *Zool.* Cochinilla de humedad. • *Zool.* Insecto ortóptero, nocturno y corredor, de color negro por encima y rojizo por debajo. • *Zool.* Insecto del mismo género que el anterior, con el cuerpo rojizo. Es propio de América y abunda en los barcos poco cuidados. • Tabaco en polvo de color avellanado. ■ CUCARACHERA.
CUCARACHERO adj. Díc. del tabaco de cucaracha. • m. *Ven.* Pájaro insectívoro, de color leonado, con pintas blancas y negras y de canto agradable.
CUCARACHO m. *Chile.* Especie de cárabo.
CUCARDA f. Escarapela, divisa de colores. • Cada una de las dos piezas de adorno que van a los dos lados de las frontaleras de la brida. • Martillo usado para rematar obras de sillería.
CUCARRA f. *Chile.* Coscorrón.
CUCARREAR intr. *Chile.* Bailar mal el trompo.
CUCARRO adj. y s. *Chile.* Borracho.
CUCAYO m. *Bol.* y *Ecuad.* Provisiones de comida que se llevan en el viaje.
CUCHA f. Yacija del perro. Humorísticamente se aplica a la cama. • **¡Cucha!** o **¡Cucha ahí!** Palabras con las que se ordena a un perro que se acueste.
CUCHALELA f. *Col.* fam. Dolencia fingida.
CUCHARA f. Instrumento compuesto de una palita cóncava y un mango, para llevar a la boca cosas líquidas, blandas o menudas. • Vasija para sacar de las tinajas agua, aceite, etc. • Utensilio que tiene forma similar a la cuchara común. • *Amér. Central* y *Merid.*, *Cuba* y *Méx.* Llana de albañil.
CUCHARADA f. Porción que cabe en una cuchara. • **Meter** uno **su c.** fig. y fam. Meterse en lo que no le importa.
CUCHARADITA f. Porción que cabe en una cucharilla.
CUCHAREAR tr. Sacar con cuchara. • intr. Cucharetear.
CUCHARERO, RA m. y f. Persona que hace o vende cucharas. • m. Cucharetero, listón para poner las cucharas.
CUCHARETA f. Inflamación del hígado en el ganado lanar. • *Amér.* Ave de paso, zancuda, de hermoso plumaje, blanco cuando joven y rosado en la edad adulta, con pico en forma de espátula y patas amarillentas.
CUCHARETEAR intr. fam. Meter y sacar la cuchara en la olla o cazuela para revolver lo que hay en ellas. • fig. y fam. Meterse o mezclarse sin necesidad en los negocios ajenos.
CUCHARETERO, RA m. y f. Persona que hace o vende cucharas de palo. • m. Listón de madera con agujeros para colocar las cucharas en la cocina.
CUCHARILLA f. Enfermedad del hígado en los cerdos. • *Cir.* Instrumento empleado para el raspado de pequeñas lesiones, o para la extirpación de tejidos necrosados. • Lámina de metal colocada en un anzuelo y que, al girar, emite unos destellos que atraen a los peces.
CUCHARÓN m. Cacillo con mango, o cuchara grande para repartir manjares en la mesa. • *Zool. Amér.* Ave ciconiforme, garza rosada.
CUCHE m. *Amér.* Cuchi o cuchí.
CUCHÉ adj. Díc. del papel de impresión cubierto de una capa de caolín satinada.
CUCHETA f. *Amér.* Camarote.
CUCHI o **CUCHÍ** m. *Amér.* Cochino, animal doméstico.
CUCHÍ Coll, ***Isabel*** (nacida 1904) Escritora puertorriq. *La familia de Justo Malgenio* (teatro). *Trece novelas cortas* (relatos).
CUCHICHEAR intr. Hablar en voz baja o al oído a uno, de modo que otros no se enteren. ■ CUCHICHEO.
CUCHICHIAR intr. Cantar la perdiz.
CUCHILLA f. Instrumento compuesto de una hoja muy ancha de hierro acerado de un solo corte, con un mango para manejarlo. • Archa. • Instrumento de acero que se usa en diversas partes para cortar. • Hoja de afeitar. • fig. Montaña escarpada en forma de cuchilla. • fig. poét. Espada, arma blanca. • *Amér.* Cortaplumas.
CUCHILLADA f. Golpe de cuchillo, espada u otra arma de corte. • Herida que de este golpe resulta. • pl. Aberturas que se hacían en los vestidos para que por ellas se viese otra tela de distinto color u otra prenda lujosa. • fig. Pendencia o riña.
CUCHILLERO, RA m. y f. El que hace o vende cuchillos. • m. Abrazadera que ciñe y sujeta alguna cosa. • adj. *Amér.* Camorrista, pendenciero.
CUCHILLO m. Instrumento formado por una hoja de hierro acerado y de un corte solo, con mango de metal, madera u otra cosa. • fig. Añadidura triangular que se hace en una prenda de vestir para darle más vuelo. • fig. Derecho o jurisdicción que uno tiene para gobernar, castigar y poner en ejecución las leyes. • fig. Cualquier cosa cortada

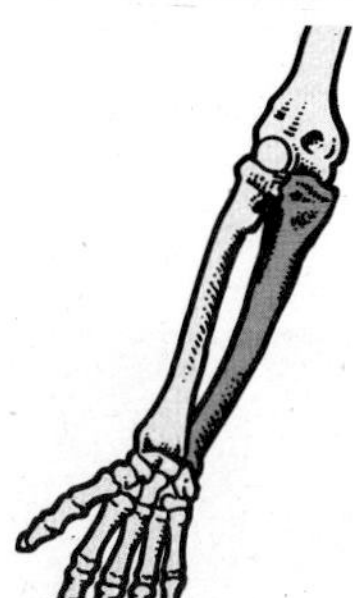
Cúbito (parte sombreada)

Cucaracha

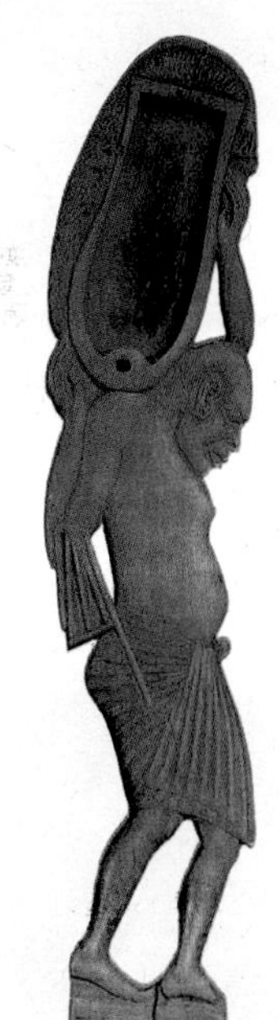
Cuchara egipcia para la aplicación de afeites (s. VI a. C.)

o terminada en ángulo agudo. • *Arq.* Conjunto de piezas de madera o hierro que, colocado verticalmente sobre apoyos, sostiene la cubierta de un edificio o el piso de un puente o una cimbra. • *Mar.* Vela triangular. • **de monte.** El grande de caza. • **Pasar a c.** Dar la muerte. ■ CUCHILLAZO; CUCHILLERÍA.

CUCHIPANDA f. fam. Comilona, francachela.

CUCHITRIL m. Cochitril.

Cudú

CUCHO, CHA adj. y s. *Méx.* Que tiene labio leporino.

CUCHUBAL m. *Amér.* Confabulación.

CUCHUCO m. *Col.* Sopa que se prepara con cebada descascarillada y carne de cerdo.

CUCHUCHE m. *Ecuad.* Caotí, mamífero.

CUCHUCHEAR intr. Cuchichear. • fig. y fam. Decir o llevar chismes.

CUCHUFLETA f. fam. Dicho o palabras de zumba o chanza. ■ CUCHUFLETEAR; CUCHUFLETERO, RA.

CUCHUGO m. *Amér.* Cada una de las dos cajas de cuero que suelen llevarse en el arzón de la silla de montar. Se usa más en pl.

CUCHUMBO m. *Amér.* Embudo. • *Amér. Centr.* Cubilete.

CUCLILLAS (*En*) m. adv. Agachado de forma que las asentaderas se acerquen al suelo.

CUCLILLO m. *Zool.* Ave trepadora cucúlida, con plumaje de color de ceniza, azulado por encima, cola negra con pintas blancas y alas pardas. • fig. Marido de la adúltera.

CUCO, CA adj. fam. Pálido, mono. • adj. y s. fig. y fam. Taimado y astuto. • m. Oruga o larva de cierta mariposa nocturna. • Cuclillo, ave trepadora. • Malcontento, juego de naipes. • Fantasma. • fam. Tahúr.

Vista aérea de **Cuenca** (España)

CUCÚ m. Canto del cuclillo. • Reloj de madera en que, al dar las horas, aparece un cuclillo.

CUCUBÁ m. *Cuba.* Ave nocturna que vive en el hueco de los árboles y cuyo grito semeja un ladrido.

CUCUCHE (*A*) m. adv. *Amér.* A horcajadas.

CUCUFATO m. *Bol.* y *Perú.* Santurrón, beato.

CUCUIZA f. *Méx.* y *Ven.* Hilo obtenido de la pita.

CUCULÍ m. *Chile* y *Perú.* Especie de paloma de color ceniza y con una faja azul alrededor de cada ojo. De agradable canto.

CUCÚRBITA f. Retorta, vasija de cuello largo y encorvado.

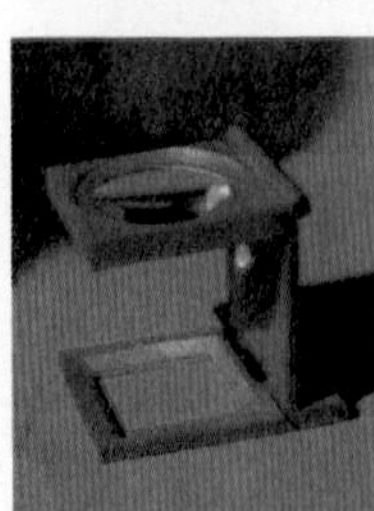

Cuentahilos

CUCURBITÁCEO, A adj. y s. *Bot.* Aplícase a plantas dicotiledóneas de tallo sarmentoso, hojas sencillas, flores unisexuales, fruto carnoso y semilla sin albumen. • f. pl. *Bot.* Familia de estas plantas.

CUCURRUCA f. *Argent.* Pájaro pequeño, de color pardo, que se distingue por su grito repetido.

CUCURUCHO m. Papel o cartón arrollado en forma cónica.

CÚCUTA, *San José de* C. de Colombia, cap. del dpto. de Norte de Santander; 525 465 hab. Centro petrolífero. e ind. (cerveza, textil). Fue fundada en 1773. En 1875 quedó destruida por un terremoto.

CUCUTEÑO, ÑA adj. y s. De Cúcuta.

CUCUY o **CUCUYO** m. Cocuyo, insecto.

CUDRÍO, A adj. Díc. de cosas crudas, o no curadas o preparadas, como el cuero, las tierras, etc.

CUDÚ m. *Zool.* Mamífero artiodáctilo de la familia bóvidos, que vive en África.

CUECA f. *Bol.*, y *Perú.* Baile popular. • *Chile.* Danza nac., de ritmo vivo, que se baila por parejas.

CUELGA f. Conjunto de los hilos de uvas o de las panojas de peras, manzanas, etc. que se cuelgan para conservarlas durante el invierno. • fam. Regalo que se da a uno en el día de su cumpleaños.

CUELGAPLATOS m. Instrumento para colgar platos artísticos en las paredes.

CUÉLLAR, *Jerónimo de* (1622-1665) Dramaturgo esp., de la escuela de Calderón. *El pastelero de Madrigal* y *Cada cual a su negocio.* • ***José Tomás*** (1830-1894) Escritor mex., entre romántico realista y costumbrista. *La linterna mágica.*

CUELLO m. *Anat.* Parte del cuerpo que une a la cabeza con el tronco. • Pezón o tallo que arroja cada cabeza de ajos, cebollas, etc. • Parte superior y más angosta de una vasija. • Tira de una tela unida a la parte superior de los vestidos, para cubrir más o menos el pescuezo. • Alzacuello. • Adorno o abrigo de tela, piel, etc., que se pone alrededor del pescuezo. • Parte más estrecha y delgada de un cuerpo, especialmente si es redondo. ■ CUELLICORTO, TA; CUELLIERGUIDO, DA; CUELLILARGO, GA.

CUENCA f. Hortera o escudilla de madera. • Cavidad en que está cada uno de los ojos. • Terr. rodeado de alt. • Terr. cuyas aguas afluyen todas a un mismo río, lago o mar.

CUENCA Prov. de España, en la parte oriental de la submeseta Sur, en la comunidad autónoma de Castilla-La Mancha; 17 061 km^2, 201 712 hab. Economía de base agraria. Imp. producción hidroeléctrica. Cap., la c. hom. C. prales.: Tarancón, San Clemente, Las Pedroñeras, etc. • C. esp., cap. de la prov. hom.; 43 733 hab. Centro turístico y mercado agrícola. Ind. forestales. En las cercanías se encuentra el paraje llamado la ciudad Encantada, conjunto de rocas calcáreas de formas caprichosas. Catedral gótica. Palacio Episcopal y museo de arte moderno.

CUENCA C. de Ecuador, cap. de la prov. de Azuay; 194 981 hab. Ind. del caucho y alimentarias. Refinerías de azúcar. Centro comercial y turístico. Artesanía. Vía de penetración a la Amazonía.

CUENCA, *Claudio Mamerto* (1812-1852) Poeta arg. Romántico. *Delirios del corazón, La expiación recíproca, Muza* (teatro).

CUENCAMÉ Mun. de México, en el est. de Durango; 322 000 hab. Algodón, trigo, tomate. Ganadería. Oro, cinc, cobre.

CUENCO m. Vaso de barro, hondo y ancho, y sin borde o labio. • Concavidad, sitio cóncavo.

CUENDA f. Cordoncillo de hilos que recoge y divide la madeja para que no se enmarañe.

CUENTA f. Acción y efecto de contar. • Cálculo u operación aritmética. • Pliego o papel en que está escrita alguna razón compuesta de varias partidas, que al fin se suman o restan. • Cierto número de hilos que deben tener los tejidos según sus calidades. • Razón, satisfacción de alguna cosa. • Cada una de las bolitas ensartadas que componen el rosario y sirven para llevar la cuenta de las oraciones que se rezan; por semejanza, cualquier bolita ensartada o taladrada para serlo. • Cuidado, incumbrencia, cargo, obligación, deber. • Cálculo, cómputo. • **atrás.** Lectura, en sentido inverso, del tiempo que falta para el lanzamiento de una aeronave o cohete. • **corriente.** *Cont.* Cada una de las que para ir asentando las partidas del debe y haber, se llevan a las personas o entidades a cuyo nombre están abiertas. • **de crédito.** *Cont.* Cuenta corriente en la que el banco o banquero autoriza al titular para disponer, sobre su saldo favorable, de mayor cantidad, que suele fijarse, con exigencia de garantía o sin ella.

CUENTACACAO f. *Hond.* Araña común, algo venenosa, que deja un salpullido en la piel.

CUENTACORRENTISTA com. Persona que tiene cuenta corriente.

CUENTAGOTAS m. Utensilio para verter un líquido gota a gota.

CUENTAHILOS m. Lente de gran aumento que sirve para contar los hilos de un tejido, las líneas o puntos de un grabado, etc.

Evolución del crecimiento de los **cuernos** o astas de un corzo durante el año

CUENTAKILÓMETROS m. Aparato que registra el número de kilómetros recorrido por un vehículo.
CUENTAPASOS m. Podómetro.
CUENTARREVOLUCIONES m. Aparato que sirve para calcular la velocidad angular de un eje en movimiento rotativo uniforme.
CUENTAVUELTAS m. Tacómetro.
CUENTERO, RA adj. y s. fam. Cuentista, que lleva cuentos o chismes.
CUENTISTA adj. y s. fam. Que tiene la costumbre de llevar cuentos o chismes de una parte a otra. • com. Persona que narra o escribe cuentos.
CUENTO m. Relación de un suceso. • Relación, de palabra o por escrito, de un suceso falso o de pura invención. • *Lit.* Narración breve escrita en prosa. • Fábula o conseja que se cuenta a los muchachos para divertirlos. • Cómputo. • Pie derecho o puntal que se pone para sostener alguna cosa. • fam. Chisme o enredo que se cuenta a una persona para ponerla mal con otra. • fam. Quimera, desazón. • *Arit.* Millón. • Parte exterior por donde se dobla el ala de las aves.
CUERA f. Especie de chaquetilla de piel que se usaba antiguamente sobre el jubón.
CUERAZO m. *Ecuad.* Latigazo.
CUERDA f. Conjunto de hilos de lino, cáñamo, cerda, etc., que torcidos forman un solo cuerpo, largo y flexible. Sirve para atar, suspender pesos, etc. • Hilo que se emplea en muchos instrumentos musicales para producir los sonidos por su vibración. • Cadenita que en los relojes de bolsillo o de sobremesa se fija y arrolla por un extremo en el cubo y por el otro en el tambor que contiene el muelle, para comunicar el movimiento de éste a toda la máquina. • Cada una de las cuerdas o cadenas que sostienen las pesas en los relojes de este nombre. • Conjunto de presos que eran conducidos al presidio, sujetos unos a otros. • Cima aparente de las montañas. • Cordel. • En la cantería, línea de arranque de una bóveda o arco. • *Geom.* Segmento, rectilíneo que une dos puntos de una curva. • *Mús.* Cada una de las cuatro voces fundamentales de bajo, tenor, contralto y tiple. • *Mús.* Extensión de la voz, o sea número de notas que alcanza. • pl. Tendones del cuerpo humano. • **floja.** Alambre con poca tensión sobre el cual hacen sus ejercicios los volatineros. • **Cuerdas vocales.** *Anat.* Ligamentos que van de delante atrás en la laringe, capaces de producir vibraciones.
CUERDO, DA adj. y s. Que está en su juicio. • Prudente, que reflexiona antes de determinar.
CUEREADA f. *Amér. Merid.* Temporada en que se obtienen los cueros secos de las reses desolladas.
CUEREAR tr. *Amér. Merid.* Ocuparse en las faenas de la cuereada. • *Amér. Merid.* Azotar.
CUERIZA f. *Amér.* Paliza.
CUERNA f. Cuerno de res vacuna que se utiliza como vaso. • Cuerno macizo, que algunos animales, como el ciervo, mudan todos los años. • Cornamenta. • Trompa semejante a un cuerno.
CUERNAVACA C. de México, cap. del est. de Morelos; 337 966 hab. Agricultura (maíz, aguacate, mango, azúcar y plátano); manufactura de tabaco. Aeropuerto. Universidad. Centro turístico. Pirámide precolombina de Teopanzolco. Palacio-fortaleza construido por Hernán Cortés.
CUERNAVAQUENSE adj. y s. De Cuernavaca.
CUERNECILLO m. Planta herbácea papilionácea, de importancia forrajera.
CUERNO m. *Zool.* Prolongación ósea cubierta por una capa epidérmica o por una vaina dura y consistente, que tienen algunos animales en la región frontal. • Protuberancia dura y puntiaguda que el rinoceronte tiene sobre la mandíbula superior. • Antena de los animales articulados. • Instrumento musical de viento, de forma corva, gralte. de cuerno, que tiene el sonido como de trompa. • Materia que forma la capa exterior de las astas de las reses vacunas y que se emplea en la ind. para hacer diversos objetos. • *Mil.* Ala de un ejército o de una escuadra. • fig. Cada una de las dos puntas que se ven en la Luna antes de la primera cuadratura y después de la segunda. • **de la abundancia.** Cornucopia. • **¡Cuerno!** interj. de asombro. • **En los c. del toro.** m. adv. fig. y fam. En un inminente peligro. • **Poner los c.** fig. Faltar a la fidelidad conyugal.

Cordelero torciendo los hilos de una **cuerda,** en un grabado del s. XIV

CUERO m. Piel que cubre la carne de los animales. • Esta misma piel, después de curtida y preparada para diferentes usos industriales. • Odre para contener líquidos. • **artificial.** *Ind.* El obtenido a través de un proceso industrial (comprensión, malaxado). • **cabelludo.** *Anat.* Conjunto de capas que recubren el cráneo. • **En cueros,** o **en cueros vivos.** m. adv. En carnes, sin vestido alguno.
CUERPEAR intr. *Argent.* y *Ur.* Esquivar, hurtar el cuerpo para evitar un golpe. • fig. *Argent.* y *Ur.* Capotear, evadirse.
CUERPO m. Lo que tiene extensión limitada y produce impresión en nuestros sentidos por calidades que le son propias. • En el hombre y en los animales, materia orgánica que constituye sus diferentes partes. • Tronco del cuerpo, por oposición a las extremidades. • Talle y disposición personal. • Parte del vestido que cubre desde el cuello a los hombros hasta la cintura. • Hablando de libros, volumen, tomo. • Conjunto de lo que se dice en la obra escrita, con excepción de los índices y preliminares. • Hablando de leyes civiles o canónicas, colección auténtica de ellas. • Grueso de los tejidos, papel, chapas y otras cosas semejantes. • Tamaño. • Espesura de los líquidos. • Cadáver. • Conjunto de personas que forman un pueblo, comunidad, etc. • En la empresa o emblema, figura que sirve para significar alguna cosa. • Cada una de las partes, que pueden ser independientes, cuando se las considera unidas a otra principal. • *Arq.* Agregado de partes que compone una fábrica u obra de arquitectura hasta una cornisa o imposta. • *Art. Gráf.* Tamaño de los caracteres de cada fundición. • *Geom.* Objeto material tridimensional. • *Mat.* Estructura algebraica de un conjunto con dos leyes de composición interna, tales que el conjunto es un grupo abeliano respecto a ambas y se cumple la propiedad distributiva de una respecto a la otra. Un ejemplo de c. lo proporcionan los números racionales con las operaciones habituales de suma y producto. • *Mil.* Cierto número de soldados con sus respectivos oficiales. • **de guardia.** *Mil.* Cierto número de soldados destinados a hacer la guardia en un paraje. • El mismo paraje. • **del delito.** *Der.* Cosa en que, o con que, se ha cometido un delito, o en la cual existen las señales

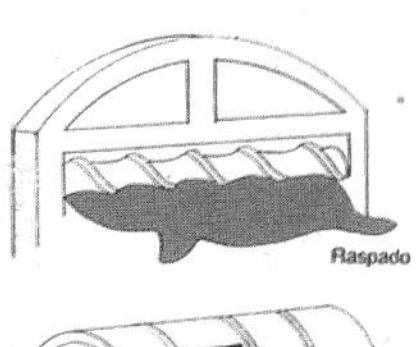

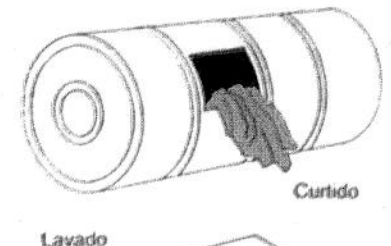

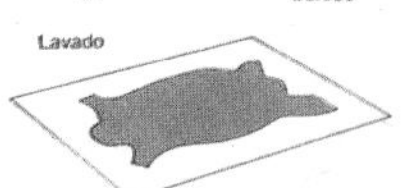

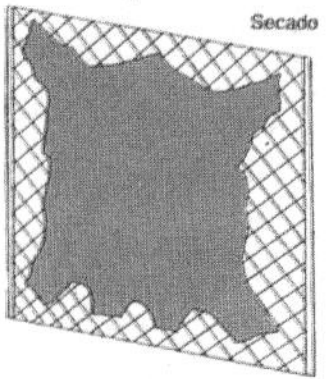

Fases diversas de la transformación del **cuero** crudo en un producto acabado

Cuervo

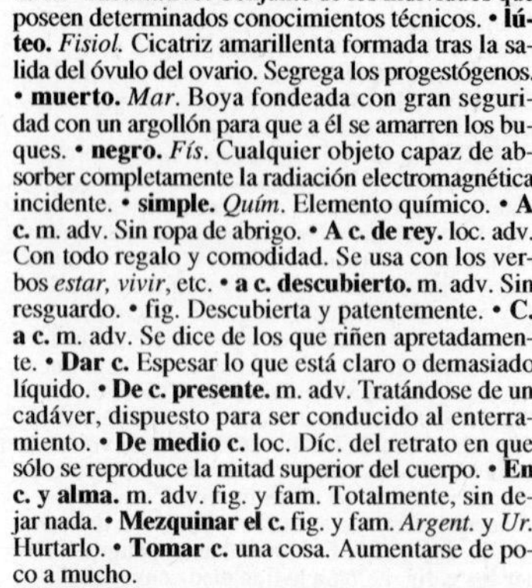

Versículos del Corán en caracteres **cúficos**

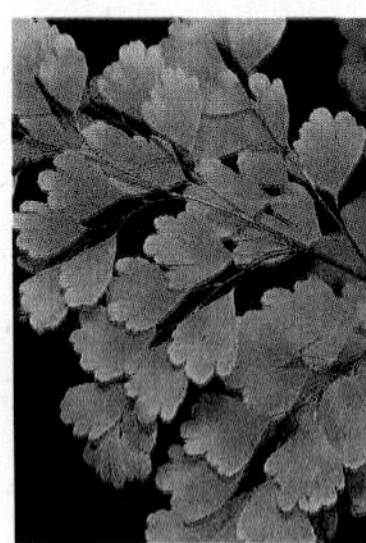

Culantrillo

de él. • **facultativo.** Conjunto de los individuos que poseen determinados conocimientos técnicos. • **lúteo.** *Fisiol.* Cicatriz amarillenta formada tras la salida del óvulo del ovario. Segrega los progestógenos. • **muerto.** *Mar.* Boya fondeada con gran seguridad con un argollón para que a él se amarren los buques. • **negro.** *Fís.* Cualquier objeto capaz de absorber completamente la radiación electromagnética incidente. • **simple.** *Quím.* Elemento químico. • **A c.** m. adv. Sin ropa de abrigo. • **A c. de rey.** loc. adv. Con todo regalo y comodidad. Se usa con los verbos *estar, vivir*, etc. • **a c. descubierto.** m. adv. Sin resguardo. • fig. Descubierta y patentemente. • **C. a c.** m. adv. Se dice de los que riñen apretadamente. • **Dar c.** Espesar lo que está claro o demasiado líquido. • **De c. presente.** m. adv. Tratándose de un cadáver, dispuesto para ser conducido al enterramiento. • **De medio c.** loc. Díc. del retrato en que sólo se reproduce la mitad superior del cuerpo. • **En c. y alma.** m. adv. fig. y fam. Totalmente, sin dejar nada. • **Mezquinar el c.** fig. y fam. *Argent.* y *Ur.* Hurtarlo. • **Tomar c.** una cosa. Aumentarse de poco a mucho.

CUERVO m. *Zool.* Ave paseriforme carnívora, de plumaje negro con visos pavonados, pico cónico, grueso y más largo que la cabeza, tarsos fuertes, alas de un metro de envergadura, con las mayores remeras en medio, y cola de contorno redondeado. • *Astr.* Pequeña constelación austral, muy cerca y al oriente del Cráter. • **marino.** *Zool.* Ave palmípeda del tamaño de un ganso, con plumaje de color gris oscuro, collar blanco, cabeza y alas negras y pico largo con punta doblada.

CUERVO, *Rufino José* (1844-1911) Filólogo col. Realizó investigaciones sobre el esp. de América. *Diccionario de construcción y régimen de la lengua castellana.*

CUESCO m. Hueso de la fruta. • fam. Pedo ruidoso. • *Méx.* Masa redondeada de mineral de gran tamaño.

CUESTA f. Terreno en pendiente. • **A cuestas.** m. adv. Sobre los hombros o las espaldas. • fig. A su cargo, sobre sí. • **Ir c. abajo.** fig. Decaer, declinar. • **Llevar** a uno **a cuestas.** fig. y fam. Cargar con las obligaciones o necesidades de otro.

CUESTA, *Jorge* (1903-1941) Poeta y crítico mex., del grupo de la revista *Contemporáneos. Ensayos y poesías completas.*

CUESTACIÓN f. Petición o demanda de limosna para un objeto piadoso o benéfico.

CUESTAS, *Juan Lindolfo* (1837-1905) Político ur. Presid. de la rep. en 1897-1903; realizó una política reformista.

CUESTIÓN f. Pregunta que se hace o propone para averiguar la verdad de una cosa controvertiéndola. • Gresca, riña. • Punto o materia dudosos o discutibles. • Oposición de términos lógicos o de razones respecto a un mismo tema, que exigen detenido estudio para resolver con acierto. • *Mat.* Problema. • **candente.** fig. Aquella que acalora los ánimos. • **de confianza.** Aquella que para comprobarla plantean los gobiernos al jefe del Estado y al de Gobierno.

CUESTIONAR tr. Controvertir un punto dudoso. ■ CUESTIONABLE.

CUESTIONARIO m. Libro que trata de cuestiones o que sólo tiene cuestiones. • Lista de cuestiones que se proponen con cualquier fin.

CUESTOR m. Magistrado rom. que tenía funciones de carácter fiscal principalmente. • El que demanda o pide limosna para el prójimo o para llevar a cabo una obra benéfica. ■ CUESTURA.

CUETE m. *Méx.* Lonja de carne que se saca del muslo de la res.

CUETEARSE prnl. *Col.* Reventar, saltar.

CUETO m. Sitio alto y defendido. • Colina de forma cónica, aislada y peñascosa.

CUETO Mun. de Cuba, en la prov. de Holguin; 39 900 hab. Caña de azúcar.

CUETO Fernandini, *Carlos* (1913-1968) Filósofo y pedagogo per. *El naturalismo frente a la fenomenología, Bases de la educación peruana.*

CUEVA f. Cavidad subterránea natural o construida artificialmente.

CUEVA, *de la* Familia esp. Su origen se remonta al s. XII. • ***Alfonso*** (1572-1655) fue embajador esp. en Venecia y obispo de Málaga y Oviedo. • ***Francisco*** (1619-1676), octavo duque de Alburquerque, fue virrey de Nueva España y de Sicilia. • ***Francisco*** (m. 1733) fue virrey de Nueva España y hombre de confianza de Felipe V.

CUEVA, *Juan de la* (1550-1610) Escritor esp., de influencia petrarquista en sus comienzos. *La tragedia de los siete infantes de Lara, La libertad de España por Bernardo del Carpio.*

CUÉVANO m. Cesto grande y hondo, de mimbres, para llevar la uva en el tiempo de la vendimia. • Cesto más pequeño que se lleva a la espalda.

CUEVAS, *Jorge Piedrablanca,* MARQUÉS DE (1885-1961) Director de *ballet* chil. Dirigió los *Nuevos Ballets* de Montecarlo y el *Ballet Internacional del marqués de Cuevas.* • ***José Luis*** (nacido 1934) Pintor mex. contemporáneo; uno de los más importantes de su país.

CÚFICO, CA adj. Díc. de ciertos caracteres empleados en la escritura arábiga antigua.

CUGAT, *Xavier* (1902-1990) Violinista y compositor esp., residente en EE UU y desde 1986 en Barcelona (España). Ha introducido ritmos y melodías latinoamericanos en el *jazz.*

CUGUAR m. Puma.

CUI, *César* (1835-1918) Compositor ruso. Música para piano. Óperas: *Ángela, El prisionero del Cáucaso.*

CUIABÁ C. de Brasil, cap. del est. de Matto Grosso; 401 000 hab. Antiguo núcleo de extracción de oro y diamantes.

CUIBA f. Planta oxilidácea de tubérculos comestibles que se cultiva en los Andes.

CUICA f. *Amér.* Mamífero marsupial.

CUICACOCHE f. *Méx.* Ave paseriforme con las plumas del pecho y del vientre amarillas, y las demás grises o negras, que se distingue por su canto.

CUICO, CA adj. *Amér.* Voz con que se designa a los naturales de otras regiones.

CUICUILCO Ant. centro religioso del Valle de México, sit. en el Pedregal de San Ángel. La pirámide que en él se levanta es la más ant. de América. Mide 125 m de diámetro y 20 de altura, y en su plataforma superior se levanta un templo con un altar dedicado al dios del fuego, Huehuetéotl.

CUICUY m. *Chile.* Árbol derribado que sirve de puente.

CUIDADO m. Solicitud y atención para hacer bien alguna cosa. • Dependencia o negocio que está a cargo de uno. • Recelo, sobresalto, temor. • Seguido de la prep. *con* y un nombre significativo de persona, denota enfado contra ella. • **¡Cuidado!** interj. que se emplea en son de amenaza o para advertir la proximidad de un peligro o la contingencia de caer en error. • **De c.** loc. adj. Que ha de ser tratado con cautela, que es peligroso. • **Estar** uno **de c.** fam. Estar gravemente enfermo o en peligro de muerte.

CUIDADOR, RA adj. y s. Que cuida. • adj. Excesivamente solícito y cuidadoso. • m. Celador. • *Dep.* Preparador físico. • *Argent.* Enfermero. • f. *Méx.* Niñera.

CUIDAR tr. Poner diligencia, atención y solicitud en la ejecución de una cosa. • Asistir, guardar, conservar. Seguido de la prep. *de*, tiene valor intransitivo. • Discurrir, pensar. • prnl. Mirar uno por su salud, darse buena vida. • Seguido de la prep. *de*, preocuparse de algo o prevenirse contra algo. ■ CUIDADOSO, SA; CUIDO.

CUIJA f. *Méx.* Lagartija pequeña y muy delgada. • fig. *Méx.* Mujer flaca y fea.

CUIJE m. *Salv.* Persona que secunda o ayuda a otra. • *Hond.* Bribón.

CUILAPA o **CUAJINIQUILAPA** C. de Guatemala, cap. del dpto. de Santa Rosa; 23 627 hab. Café, cereales, piñas. Fábricas de ladrillos y cemento.

CUILCO Mun. de Guatemala, en el dpto. de Huehuetenango; 14 800 hab. Ganadería. Pesca. Refinado de azúcar.

CUILO *(Kwilu)* Río de Angola y Rep. Dem. del Congo, afl. de la orilla der. del Cuango, 1 046 km.

CUAPÚ m. *Amér.* Árbol euforbiáceo del que se extrae un aceite parecido al ricino.

CUÍS m. *Amér. Merid.* Mamífero roedor.

CUITA f. Trabajo, aflicción, desventura. • *Amér.* Estiércol de ave. ■ CUITADO, DA.

CUITEAR intr. *Amér.* Defecar las aves.

CUITLACOCHE m. *Méx.* Hongo parásito del maíz.

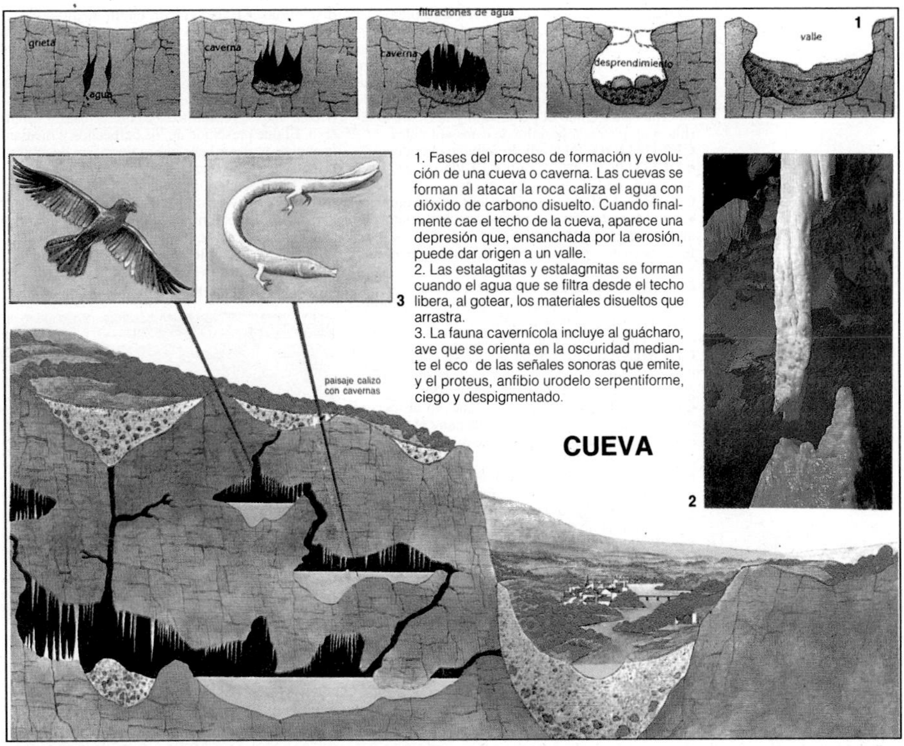

CUEVA

1. Fases del proceso de formación y evolución de una cueva o caverna. Las cuevas se forman al atacar la roca caliza el agua con dióxido de carbono disuelto. Cuando finalmente cae el techo de la cueva, aparece una depresión que, ensanchada por la erosión, puede dar origen a un valle.
2. Las estalagtitas y estalagmitas se forman cuando el agua que se filtra desde el techo libera, al gotear, los materiales disueltos que arrastra.
3. La fauna cavernícola incluye al guácharo, ave que se orienta en la oscuridad mediante el eco de las señales sonoras que emite, y el proteus, anfibio urodelo serpentiforme, ciego y despigmentado.

CUITLÁHUAC (1470-1520) Emperador azteca, sucesor de Moctezuma II. Dirigió el ejército contra los esp., en la célebre *noche triste* (30 junio 1520). Murió víctima de la viruela.
CUITZEO Lago de México, al N de Morelia, en el est. de Michoacán.
CUJA f. Bolsa de cuero asida a la silla del caballo, para meter el cuento de la lanza o bandera y llevarla más cómodamente. • Armadura de la cama. • *Amér.* Cama. • *Hond.* y *Méx.* Sobre de una carta.
CUJE f. *Cuba.* Arbusto que se cría en terrenos pedregosos y produce tallos delgados, lisos y largos. • m. *Cuba.* Vara en la que se cuelgan las mancuernas en la recolección del tabaco.
CUJEAR tr. *Col.* Azuzar, excitar. • *Cuba.* Castigar.
CUJÍ m. *Col.* y *Ven.* Aromo, árbol.
CUKOR, *George* (1899-1983) Director de cine norteam. *Vivir para gozar, Historias de Filadelfia, Ha nacido una estrella, Mi bella dama.*
CULANTRILLO m. Helecho con hojas divididas en lóbulos, que se cría en sitios húmedos.
CULANTRO m. Cilantro, planta.
CULATA f. Anca, parte posterior de una caballería. • Pieza de fundición de hierro o de aluminio que se acopla en la parte superior del bloque de los motores de combustión interna, opuesta al cigüeñal, y que limita la cámara de combustión de los cilindros. • Pieza transversal inferior y que une los núcleos inductores donde van arrolladas las bobinas de un electroimán. • Parte posterior de la caja de las armas portátiles. • En piezas de artillería y armas pesadas, cuerpo posterior de la boca de fuego, donde se aloja el cierre. ■ CULATAZO.
CULCUMEQUE adj. *Salv.* Enfermizo, miedoso, cobarde.
CULEBRA f. *Zool.* Reptil ofidio, de cuerpo cilíndrico y largo, cabeza aplastada, boca grande y piel escamosa. • Serpentín, tubo de los alambiques. • fig. y fam. Chasco, broma. • fig. y fam. Desorden, alboroto promovido de repente por unos pocos en medio de una reunión pacífica.
CULEBRA Isla de Puerto Rico; 26 km^2, 580 hab. Base norteam.
CULEBRAZO m. Culebra, chasco o burla que se hace a uno.
CULEBREAR intr. Andar formando eses, y pasándose de un lado a otro. ■ CULEBREO.
CULEBRERA f. Águila culebrera.
CULEBRILLA f. Enfermedad cutánea, a modo de herpes, que se extiende formando líneas onduladas. • Dragontea. • Anfisbena, reptil.
CULEBRINA f. Pieza de artillería, larga y de poco calibre. • Meteoro eléctrico y luminoso con apariencia de línea ondulada.
CULEBRÓN m. fig. y fam. Hombre muy astuto y solapado. • fig. y fam. Mujer intrigante y de mala reputación.
CULÉN m. *Chile.* Albahaquilla.
CULEQUERA f. *Amér.* Cloquera. • *Amér.* Enamoramiento. • *Amér.* Pereza.
CULERA f. Señal que en las mantillas de los niños dejan las manchas excrementicias. • Remiendo en los calzones o pantalones sobre la parte que cubre el culo.
CULERO, RA adj. Perezoso, que hace las cosas después que todos. • m. Pañal que se pone a los niños. • Granillo, humor que padecen algunas aves.
CULHUACÁN Ant. c. tolteca, sit. al SE de México, junto al lago de Texcoco. Fue fundada en el s. XII por un pueblo de agricultores y ganaderos. En el s. XV pasó a formar parte del imperio azteca, hasta la llegada de los españoles.
CULI m. Trabajador o criado indígena en las colonias europeas de Asia. • *Pan.* Inmigrante asiático.
CULIACÁN C. de México, cap. del estado de Sinaloa, en la zona centro de dicho est.; 744 859 hab. Sit. en la llanura costera del NO de México y junto al río Culiacán. Clima tropical. Agricultura (algodón, maíz, caña de azúcar, cacahuetes, arroz y hortalizas) favorecida por las aguas de la presa Sanalona. Ganadería. Minería e ind. textil. Fundada por Nuño de Guzmán en 1531, con el nombre de San Miguel de Navito. Escenario de imp. acontecimientos durante la Revolución.
CULIACANO, NA o **CULIACANENSE** adj. y s. De Culiacán.

Culebra de Esculapio

CULÍCIDO adj. *Zool.* Díc. de insectos dípteros del suborden nematóceros, provistos de una probóscide que contiene cuatro o más cerdas fuertes, las cuales utilizan las hembras para perforar la piel del hombre y los animales y chupar la sangre, con la que se alimentan. Algunas especies son transmisoras de enfermedades como el paludismo y la fiebre amarilla. • m. pl. *Zool.* Familia de estos animales.

CULINARIO, RIA adj. Relativo a la cocina.

CULITO m. Pequeña porción de vino u otro licor que queda en la botella o en un vaso.

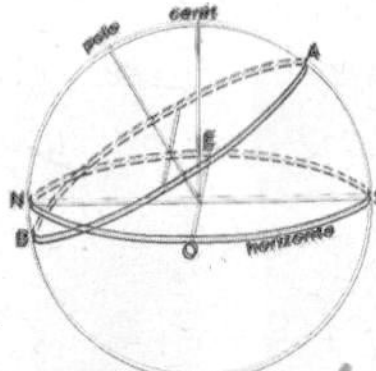

En el hemisferio N, el punto A es la **culminación** del astro que tiene por trayectoria la circunferencia A-B

CULMINACIÓN f. Acción y efecto de culminar. • *Astr.* Momento en que un astro ocupa el punto más alto a que puede llegar sobre el horizonte. • *Astr.* Instante en el que un cuerpo celeste pasa por el meridiano.

CULMINANTE adj. Aplícase a lo más elevado de un monte, edificio, etc. • fig. Superior, sobresaliente, principal. • *Astr.* Díc. del punto más alto en que puede hallarse un astro sobre el horizonte.

CULMINAR intr. Llegar una cosa a la posición más elevada que puede tener. • *Astr.* Pasar un astro por el meridiano superior del observador.

CULO m. Nalgas, carne mollar que, en las personas y ciertos animales, está situada entre el final del espinazo y el nacimiento del muslo. • Zona carnosa que, en los animales, rodea el ano. • Ano. • fig. Extremidad inferior o posterior de una cosa. • En el juego de la taba, parte más plana, opuesta a la carne. • fig. y fam. Escasa porción de líquido que queda en el fondo de un vaso. • **de mal asiento.** fig. y fam. Persona inquieta que no está a gusto en ninguna parte.

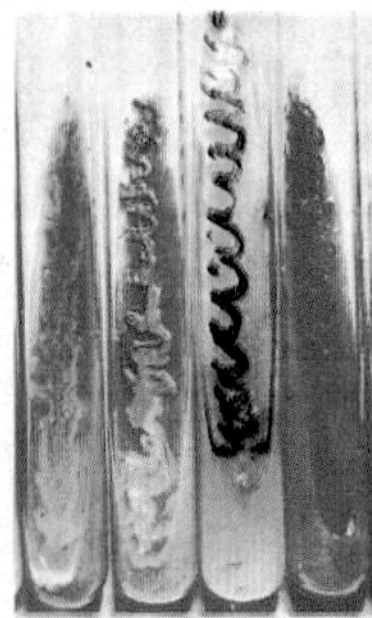
Cultivos de bacterias cromógenas

CULOMBIO m. *Fís.* Unidad de medida de la carga o masa eléctrica, simbolizada por la letra C, y definida como la carga transportada por 1 amperio durante un segundo.

CULÓN, NA adj. y s. Que tiene el culo muy grande en relación con el resto del cuerpo. • m. fig. y fam. Soldado inválido.

CULOTE m. Macizo de hierro que tienen algunos proyectiles en el sitio opuesto a la boca de la espoleta. • *Metal.* Restos de fundición que quedan en el fondo del crisol.

CULPA f. Falta más o menos grave, cometida a sabiendas y voluntariamente. • Causa, responsabilidad de una acción o suceso.

CULPABILIDAD f. Calidad de culpable. • Juicio y veredicto sobre la responsabilidad delictiva de un individuo, formulados por otro o por el grupo social. • Vivencia concomitante del complejo de inferioridad infantil.

CULPABLE adj. y s. Aplícase a aquél a quien se puede echar o se echa la culpa. • Díc. también de las acciones y de las cosas inanimadas. • *Der.* Delincuente responsable de un delito.

CULPAR tr. y prnl. Atribuir la culpa. ■ CULPACIÓN; CULPADO, DA.

CULPEO m. *Chile.* Zorro de color más oscuro y cola menos pelosa que el europeo.

CULPOSO, SA adj. Díc. del acto u omisión imprudente o negligente que origina responsabilidades.

CULTALATINIPARLA f. Festivamente, lenguaje afectado y laborioso de los cultiparlistas.

CULTEDAD f. En lenguaje festivo, calidad de culterano o culto.

CULTERANISMO m. Estilo literario del s. XVII, caracterizado por la profusión de metáforas, latinismos, conceptos ingeniosos, etc. Góngora fue su máx. representante. ■ CULTERANO, NA.

CULTIPARLAR intr. Hablar como los culteranos o cultos. ■ CULTIPARLISTA.

CULTISMO m. Culteranismo. • Palabra culta o erudita.

Culto religioso en un templo budista de Bangkok

CULTIVACIÓN f. Cultivo o cultura.

CULTIVADOR, RA adj. y s. Que cultiva. • m. *Agr.* Instrumento destinado a cultivar la tierra durante el desarrollo de las plantas. • f. *Agr.* Máquina para ahuecar la tierra, que se emplea en cultivos poco profundos.

CULTIVAR tr. Dar a la tierra y a las plantas las labores necesarias para que fructifiquen. • fig. Hablando del conocimiento, del trato o de la amistad, poner todos los medios necesarios para mantenerlos y estrecharlos. • fig. Desenvolver, ejercitar el talento, la memoria u otras facultades. • fig. Ejercitarse en las artes, ciencias, lenguas u otras disciplinas. • Hacer crecer, en un medio adecuado, determinados microorganismos, algas, hongos, etc. ■ CULTIVADO, DA.

CULTIVO m. Acción y efecto de cultivar. • Siembra y cría de bacterias u otros microorganismos. Se utiliza frecuentemente en medicina para el diagnóstico de diversas enfermedades infecciosas. • **intensivo.** El que prescinde de los barbechos y mediante abonos y riegos hace que la tierra, sin descansar, produzca las cosechas.

CULTO, TA adj. Díc. de las tierras y plantas cultivadas. • fig. Dotado de las cualidades que provienen de la cultura o instrucción. • fig. Culterano. • m. Conjunto de actos, ceremonias y objetos que manifiestan los sentimientos religiosos de un individuo o comunidad. • P. ext., admiración afectuosa de que son objeto algunas cosas.

Mosaico de **cultivos** en Villalba de los Arcos, Tarragona (España)

CULTOR, RA adj. y s. Cultivador. • Que adora o venera alguna cosa.

CULTURA f. Desarrollo intelectual o artístico. • Civilización. • *Antr.* Conjunto de elementos de índole material o espiritual, organizados lógica y coherentemente, que incluye los conocimientos, las creencias, el arte, la moral, el derecho, los usos y costumbres, y todos los hábitos y aptitudes adquiridos por los hombres en su condición de miembros de la sociedad. • *Soc.* Conjunto de estímulos ambientales que generan la socialización del individuo. • *Fil.* Conjunto de las producciones creativas del hombre que transforman el entorno y éste repercute a su vez modificando aquél. • **de la imagen.** Sistema o totalidad cultural cuyo elemento clave es la iconografía. Se usa en oposición a «cultura de la palabra». • **de masas.** *Soc.* Conjunto de valores, dominante en las sociedades desarrolladas, que se basa en la transmisión de los conocimientos y las creencias a partir de los medios de comunicación de masas (TV, radio, prensa, etc.). • **física.** Gimnasia. • **general.** Conjunto de conocimientos exigidos a toda persona en un medio cultural determinado como básicos para actuar en sociedad, independientemente de cualquier especialización. • **popular.** *Antr.* Producción intelectual o material creada por las capas populares de una sociedad. Comprende el folclore, el mito, la leyenda, la fábula, las canciones y la música popular, la artesanía y la indumentaria. ■ CULTURAL.

CULTURALISMO m. Concepción norteam. de la sociología y la antropología, que tiene en cuenta, por encima de todo, el influjo que ejerce lo social sobre los individuos.

CULTURAR tr. Cultivar la tierra.

CULTURIZAR tr. Civilizar, incluir en alguna cultura. ■ CULTURIZACIÓN.

CUMA f. *Argent.* Madrina, comadre. • *Hond.* Cuchillo grande.

CUMANÁ C. de Venezuela, cap. del est. Sucre; 227 400 hab. Universidad y aeropuerto. Intensa actividad pesquera; ind. conservera, textil, del calzado. Fundada en 1515. En ella nació Sucre.

CUMANAGOTO, TA o **CUMANÉS, SA** adj. y s. De Cumaná. • m. *Ling.* Dialecto caribe de los cumanagotos.

CUMANO, NA adj. y s. De Cumas. • adj. Perteneciente a esta c. de la Italia antigua. • adj. y s. Individuo del pueblo de los cumanos. • adj. Relativo a dicho pueblo. • m. pl. Ese mismo pueblo.

CUMARINA f. *Quím.* Sustancia aromática muy difundida en la naturaleza; también se conoce como alcanfor de haba tonca. Forma cristales blancos, de olor a heno fresco. Se utiliza ampliamente en perfumería.

CUMARONA f. *Quím.* Sustancia contenida en el alquitrán de hulla. Se polimeriza por la acción del ácido sulfúrico concentrado o del cloruro de aluminio, dando resinas termoplásticas, que se usan en la fabricació de barnices y tintas, y como plastificantes.

CUMARÚ m. *Amér. Centr.* Árbol papilionáceo cuyo fruto se usa en perfumería y para hacer una bebida embriagadora.

CUMBA f. *Hond.* Jícara grande o calabaza de boca ancha.

CUMBAMBA f. *Col.* Barba, quijada inferior.

CUMBANCHAR tr. *Ant.* Divertirse. ■ *Ant.* CUMBANCHERO, RA.

CUMBARÍ adj. *Argent.* Díc. de un ají o pimiento muy rojo y picante.

CUMBERLAND Río de EE UU; nace en la meseta de Cumberland y discurre por Kentucky y Tennessee; 1 105 km.

CUMBERLAND, *Meseta de* Penillanura del SO del sistema de los Apalaches (EE UU), en Tennessee y Alabama.

CUMBERLAND, *William Augustus*, DUQUE DE (1721-1765) General ing. Mandó el ejército aliado en Países Bajos, durante la guerra de Sucesión austr., y el ejército de Hannover durante la de los Siete Años.

CUMBO m. *Hond.* Calabaza o jícara de boca angosta. • *Salv.* Calabaza de boca cuadrada.

CUMBRE f. Cima o parte superior de un monte. • fig. La mayor elevación de una cosa, o último grado a que puede llegar.

CUMBRE, *Paso de la* El paso más bajo de los Andes, en la frontera de Chile y Argentina, por donde pasa el ferrocarril de Buenos Aires a Valparaíso; supera los 3 800 m. También llamado *Bermejo*.

CUMBRERA f. Hilera, parhilera. • Dintel. • Caballete del tejado. • Cumbre de un monte.

CUMBRIA Nombre de un ant. reino celta de Gran Bretaña, en la actual región de Cumberland. Desapareció en el s. VII.

CÚMEL m. Bebida alcohólica al. y rusa, que tiene por base el comino.

CUMENO m. *Quím.* Hidrocarburo aromático (isopropilbenceno), buen disolvente de resinas y barnices. Es un componente de las gasolinas para aviación.

CUMICHE m. *Amér. Centr.* El más joven de los hijos de una familia.

CUMÍNICO adj. Díc. del ácido que se obtiene del comino.

CUMINOL m. *Quím.* Aceite esencial que se extrae del comino.

CUMMINGS, *Edward Estlin* (1894-1962) Poeta y pintor norteam. Su obra presenta una cuidada estética. *The Big Room.*

CUMPA m. fam. *Amér.* Camarada.

CÚMPLASE m. Decreto que se pone en el título de los funcionarios públicos para que puedan tomar posesión de su destino. • Fórmula que ponen los presid. de algunas rep. amer. al pie de las leyes cuando se publican.

CUMPLEAÑOS m. Aniversario del nacimiento de una persona.

CUMPLIDERO, RA adj. Díc. de los plazos que se han de cumplir a cierto tiempo. • Que conviene e importa para alguna cosa.

CUMPLIDO, DA adj. Lleno, cabal. • Acabado, perfecto. • Hablando de ciertas cosas, largo o abundante. • Exacto en todos los cumplimientos, atenciones y muestras de urbanidad para con los otros. • m. Acción obsequiosa o muestra de urbanidad.

CUMPLIMENTAR tr. Dar parabién o hacer visita de cumplimiento a uno, con motivo de algún acaecimiento próspero o adverso. • *Der.* Poner en ejecución los despachos u órdenes superiores.

CUMPLIMENTERO, RA adj. y s. fam. Que hace demasiados cumplimientos.

CUMPLIMIENTO m. Acción y efecto de cumplir o cumplirse. • Cumplido, obsequio. • Oferta que se hace por pura urbanidad o ceremonia. • Perfección en el modo de obrar o de hacer alguna cosa. • Complemento, colmo o perfección.

CUMPLIR tr. Ejecutar, llevar a efecto. • Remediar a uno y proveerle de lo que le falta. • Dicho de la edad, llegar a tener aquella que se indica, o un número cabal de años o meses. • intr. Hacer uno aquello que debe o a que está obligado. • Terminar uno en la milicia el tiempo de servicio a que está obligado. • intr. y prnl. Ser el tiempo o día en que termina una obligación, empeño o plazo. • intr. Convenir, importar. • prnl. Verificarse, realizarse. ■ CUMPLIDOR, RA.

CUMQUIBUS m. fam. Dinero, moneda, caudal.

CUMULAR tr. Acumular. ■ CUMULATIVO, VA.

CÚMULO m. Montón, junta de muchas cosas puestas unas sobre otras. • fig. Junta, unión o suma de muchas cosas, aunque no sean materiales. • *Meteor.* Nube densa de desarrollo vertical, de base plana y cima en forma de cúpula. • **estelar.** *Astr.* Agrupación de estrellas de un origen común, como la Vía Láctea.

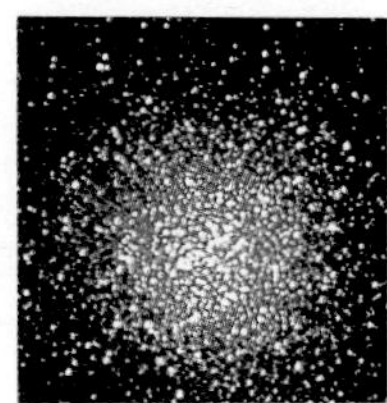

Cúmulo estelar

CUMULONIMBO m. *Meteor.* Nube densa de desarrollo vertical que presenta un aspecto como de montaña.

CUNA f. Camita para niños, con bordes altos y dispuesta para poderla mecer. • En algunas partes, inclusa. • Puente rústico formado por dos maromas paralelas y listones de madera atravesados sobre ellas. • fig. Patria o lugar de nacimiento de alguno. • fig. Estirpe, familia o linaje. • fig. Origen o principio de una cosa. • fig. Espacio comprendido entre los cuernos de una res bovina. • *Mar.* Basada. • com. Miembro de cierto pueblo amerindio de la familia lingüística chibcha.

CUNAGUARO m. *Ven.* Animal carnicero muy feroz, de cerca de 1 m de largo y piel roja con manchas sobre el lomo y los costados.

CUNCHO m. *Col.* Concho.

CUNCUNA f. *Col.* Paloma silvestre. • *Chile.* Larva de algunos lepidópteros cubierta de pelos, cuyo contacto produce escozor.

Vista del Capitolio de Bogotá, en **Cundinamarca**

CUNDA com. *Cuba* y *Perú.* Persona alegre y bromista.

CUNDIAMOR m. *Amér.* Planta trepadora convolvulácea, de flores en forma de jazmines y frutos amarillos, con semillas muy rojas.

CUNDIDO m. Aceite, vinagre y sal u otra cosa, con que se come el pan.

CUNDINAMARCA Dpto. del centro de Colombia; 24 210 km^2, 7 359 581 hab. Cap., Bogotá. C. imp.: Facatativá, Girardot, La Palma, Utica, Zipaquirá y Nemocón. Regado por los ríos Magdalena, Bogotá y Negro. Lo atraviesa en dirección Sur-Nordeste la cord. Oriental Andina (páramo de Sumapaz, 4 300 m). Posee un clima benigno (15 °C de temperatura media anual y 1 000 mm de lluvias) y desde el punto de vista agropecuario, en él alternan los sembrados de trigo, cebada, maíz y patatas, con extensas dehesas de ganado. Agricultura (café, caña de azúcar, cacao); ganadería (vacuna y ovina); sal (Zipaquirá, Nemocón y Sesquilé), hierro (Pacho y Subachoque), carbón, plomo y esmeraldas (Zipaquirá); ind. textil, del calzado, química, etc.

CUNDINAMARQUÉS, SA adj. y s. De Cundinamarca.

CUNDIR intr. Extenderse hacia todas partes una cosa. • Propagarse o multiplicarse una cosa. • Dar mucho de sí una cosa. • fig. Hablando de cosas inmateriales, extenderse, propagarse. • fig. Hablando de trabajos materiales o intelectuales, adelantar, progresar.

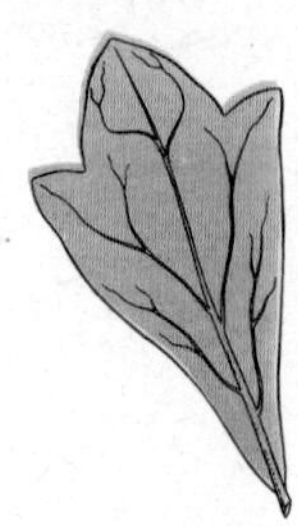

Hoja **cuneiforme**

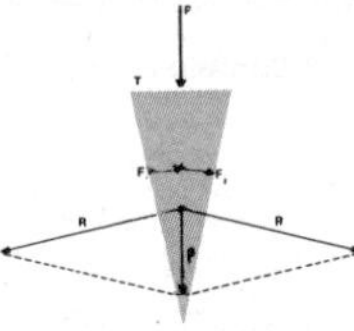

La fuerza P, aplicada sobre la **cuña,** se descompone en dos fuerzas R normales a los planos inclinados de la cuña

Cupones en un documento antiguo de deuda pública

CUNDUACÁN Mun. de México, en el est., de Tabasco; 44 500 hab. Agricultura. Petróleo.

CUNEAR tr. Mecer la cuna. • prnl. fig. y fam. Moverse a derecha e izquierda, como la cuna cuando la mecen. ■ CUNEO.

CUNECO, CA adj. *Ven.* Hijo menor.

CUNEIFORME adj. Que tiene forma de cuña. • Díc. de ciertas partes de la planta que tienen esta forma. • Díc. de la escritura realizada mediante signos en forma de cuña para la representación de las lenguas sumeria y acadia. Parece que fue inventada en el S de Mesopotamia, de donde se extendió a los asirios y babilonios y fue la base de varias culturas del Oriente Medio.

CUNENE Río de Angola; 1 000 Km. Nace en la meseta angoleña y desemboca en el Atlántico.

CÚNEO m. Cada uno de los espacios comprendidos entre los vomitorios de los teatros o anfiteatros antiguos.

CÚNEO, ***José*** (1882-1977) Pintor ur. de paisajes rurales. • **Dardo,** ***Enrique*** (nacido 1914) Ensayista y político socialista arg. *La batalla de América Latina, Breve historia de América Latina.*

CUNERO, RA adj. y s. En algunas partes, expósito. • adj. fig. *Taur.* Díc. del toro que se corre o lidia en la plaza, sin saberse o designarse la ganadería a que pertenece. • fig. Aplícase al candidato o diputado extraño al distrito y patrocinado por el Gobierno.

CUNETA f. Zanja de desagüe que se hace en medio de los fosos secos de las fortificaciones. • Zanja en cada uno de los lados de un camino o carretera, para recibir las aguas llovedizas.

CUNHA, ***Euclides da*** (1865-1909) Poeta e ingeniero militar bras. *Los sertones, Al margen de la historia, Martín García.* • ***José Anastácio*** (1744-1787) Matemático y poeta port. Precursor del romanticismo, fue condenado por la Inquisición. *El abrazo.* • ***Tristao da*** (1460-1540) Navegante y explorador port. Compañero de Alburquerque, descubrió el arch. que lleva su nombre, en el Atlántico Sur, y las costas de Somalia.

CUNHAL, ***Álvaro*** (nacido 1915) Político port. En 1935 fue elegido secretario general del Partido Comunista. Formó parte de los primeros gobiernos tras el golpe militar de abril de 1974.

CUNICULTURA f. Arte de criar conejos para aprovechar su carne y sus productos. ■ CUNICULICULTOR, RA.

CUNILINGO o **CUNNILINGUS** m. Actividad erótica que consiste en aplicar la boca o la lengua al clítoris o a la vulva.

CUNQUEIRO, ***Álvaro*** (1912-1981) Escritor esp., en cast. y gallego, modernizador de leyendas. *Un hombre que se parecía a Orestes, La otra gente.*

CUÑA f. Pieza de madera o metal terminada en ángulo diedro, muy agudo. Sirve para hender o dividir cuerpos sólidos, para ajustar o apretar uno con otro, para calzarlos o para llenar alguna raja o hueco. • Piedra de empedrar labrada en forma de pirámide truncada. • fig. y fam. Influencia y valimiento que se pone a favor de alguien y la misma persona que lo pone. • *Anat.* Cada uno de los tres huesos del tarso.

CUÑADÍA f. Afinidad, parentesco de un cónyuge con los deudos del otro.

CUÑADO, DA m. y f. Hermano o hermana del marido respecto de la mujer, y hermano o hermana de la mujer respecto del marido.

CUÑETE m. Cubeto o barril pequeño para líquidos. • Barril pequeño y basto que se emplea para envasar aceitunas y otras cosas preparadas.

CUÑO m. Troquel, para sellar moneda, medallas, etc. • *Mil.* Cúneo.

CUOCIENTE m. *Álg.* y *Arit.* Cociente.

CUODLIBETO m. Discusión sobre un punto científico elegido al arbitrio del autor. • Dicho mordaz, agudo o trivial, con que se entretiene.

CUOTA f. Parte o porción fija y determinada o para determinarse. • Cantidad asignada a cada contribuyente en el reparto o lista cobratoria. • Pago en metálico mediante el cual se permitía a los reclutas gozar de ciertas ventajas y reducción de plazo en el servicio militar. • Cantidad que paga el miembro de una sociedad.

CUOTEAR tr. *Chile.* Repartir algo entre varios.

CUPANA f. *Ven.* Árbol de la familia sapindáceas, con cuyo fruto hacen los indígenas tortas alimenticias y una bebida estomacal.

CUPAY m. *Cuba* y *Ven.* Árbol del Paraíso.

CUPÉ m. Berlina, coche. • En las ant. diligencias, compartimiento situado delante de la baca.

CUPIDO m. fig. Hombre enamoradizo y galanteador. • *Cuba.* Arbusto de hojas finas y flores moradas de cinco pétalos.

CUPIDO *Mit.* Dios rom. del amor, hijo de Venus. Es el Eros de la mitología griega.

CUPILCA f. *Chile.* Mazamorra suelta, preparada con harina tostada de trigo, mezclada con chacolí o chicha de uvas o de manzanas.

CUPLÉ m. Copla, canción, tonadilla. ■ CUPLETISTA.

CUPO m. Cuota, parte asignada o repartida a un pueblo o a un particular en cualquier impuesto, empréstito o servicio. • *Col., Méx.* y *Pan.* Cabida. • *Col., Méx.* y *Pan.* Plaza en un vehículo.

CUPÓN m. *Econ.* Cada una de las partes de un documento de la deuda pública o de una sociedad de crédito, que periódicamente se van cortando para presentarlas al cobro de los intereses vencidos. • Parte que se corta de un anuncio, invitación, etc., y que da derecho a algo.

CUPRESÁCEO, A adj. y f. *Bot.* Díc. de plantas de la familia cupresáceas. • f. pl. *Bot.* Familia de plantas gimnospermas, coníferas, leñosas. Presentan hojas escamosas o aciculares dispuestas en verticilos u opuestas, y flores monoicas en estróbilos leñosos.

CUPRESINO, NA adj. poét. Relativo al ciprés. • De madera de ciprés.

CÚPRICO, CA adj. *Quím.* Díc. de los compuestos de cobre en los que este elemento actúa con valencia tres.

CUPRÍFERO, RA adj. Que tiene venas de cobre o que lleva o contiene cobre.

CUPRISMO m. Intoxicación por sales de cobre.

CUPRITA f. *Miner.* Óxido cuproso natural, que es una importante mena de cobre.

CUPROALUMINIO m. *Metal.* Aleación de cobre que contiene de un 5 a un 12 % de aluminio y eventualmente otros elementos, como hierro, níquel o manganeso.

CUPRONÍQUEL m. Moneda esp. ant. • *Metal.* Aleación de cobre, níquel y plomo.

CUPROSO, SA adj. *Quím.* Díc. de los compuestos de cobre en los que este elemento actúa con valencia dos.

CUPUASSÚ m. *Amér. Merid.* Árbol esterculiáceo de frutos comestibles.

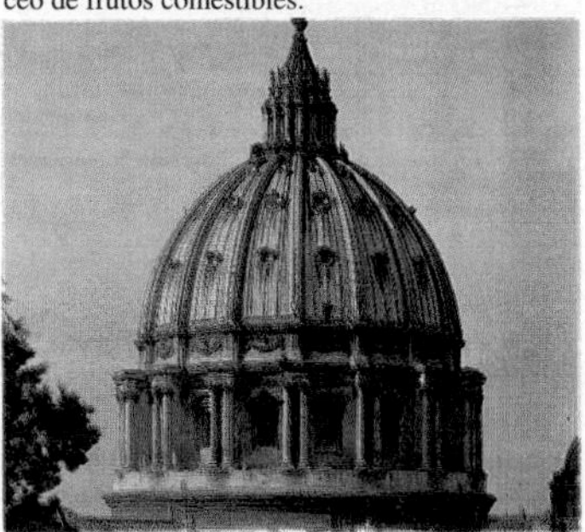

Cúpula de la basílica de San Pedro de Roma, obra de Miguel Ángel

CÚPULA f. *Arq.* Bóveda en forma de media esfera que cubre un edificio o parte de él. • *Bot.* Involucro que cubre el fruto en la encina, el avellano, el castaño y otras plantas. • *Mar.* Torre de hierro que tienen algunos buques, que contiene cañones.

CUPULÍFERO, RA adj. y f. *Bot.* Fagáceo.

CUQUEAR tr. *Col.* y *Cuba.* Azuzar.

CUQUERÍA f. Cualidad de cuco. • Taimería.

CUQUERO m. Pícaro, astuto.

CUQUILLO m. Cuclillo, ave.

CURA m. Sacerdote encargado del cuidado e instrucción espiritual de una feligresía. • fam. Sacerdote católico. • f. Curación. • Tratamiento específico

a que se somete un enfermo, prescindiendo del éxito que pueda tener. • Utilización de varias sustancias y materiales en el tratamiento de una herida o lesión; estas mismas sustancias o materiales. • fam. *Chile.* Borrachera, embriaguez. • **párroco.** El de una feligresía.
CURACA m. *Amér. Merid.* Cacique, potentado o gobernador.

Curaçao. Vista del puerto de Willemstad

CURAÇAO Isla neerlandesa en el mar Caribe, al N de Venezuela; 444 km², 164 800 hab. Cap., Willemstad. Plantaciones de agrios, explotación de fosfatos. Refinado de petróleo. Incorporada a España en 1499; ocupada por los holandeses en 1634. Pasó a Francia en 1795, y a Gran Bretaña en 1800. Dos años más tarde volvió a poder de Holanda.
CURADILLO m. Bacalao.
CURADO, DA adj. Endurecido, seco, fortalecido o curtido. • fam. *Amér.* Ebrio.
CURADOR, RA adj. y s. Que tiene cuidado de alguna cosa. • Que cura. • m. y f. Persona elegida o nombrada para cuidar de los bienes y negocios del menor, o del que no estaba en estado de administrarlos por sí. • Persona que cura alguna cosa; como lienzos, pescados, carnes, etc. ■ CURADURÍA o CURATELA.
CURAGUA f. *Amér. Merid.* Maíz de grano muy duro y hojas dentadas.
CURALINA f. Planta leñosa, de valor ornamental, que vive en la región comprendida entre Costa Rica y el Amazonas.
CURAMAGÜEY m. *Cuba.* Enredadera de tallo y pedúnculos peludos y flores grandes. Sus partes leñosas son muy venenosas, pero las hojas las come sin peligro el ganado vacuno.
CURANDERO, RA m. y f. Persona que hace de médico sin serlo. ■ CURANDERÍA; CURANDERIL; CURANDERISMO.
CURAR intr. y prnl. Sanar, recobrar la salud. • Con la prep. *de*, cuidar de, poner cuidado. • tr. y prnl. Aplicar al enfermo los remedios correspondientes a su enfermedad. • tr. Disponer o costear lo necesario para la curación de un enfermo. • Hablando de las carnes y pescados, prepararlos por medio de la sal, el humo, etc., para que, perdiendo la humedad, se conserven por mucho tiempo. • Curtir y preparar las pieles para usos industriales. • Tener las maderas cortadas mucho tiempo antes de su empleo, conservándolas o entre cieno y agua o al aire libre, según el uso para que estén destinadas. • Tratar hilos y lienzos para que se blanqueen. • Secar o preparar convenientemente una cosa para su conservación. • fig. Sanar las dolencias o pasiones del alma. • fig. Remediar un mal. • prnl. fam. *Chile.* Embriagarse, emborracharse. ■ CURACIÓN; CURATIVA; CURATIVO, VA.
CURARAY Río del Ecuador y Perú, afl. del Napo; 600 km.
CURARE m. Extracto vegetal, resinoso y amargo, obtenido especialmente del maracure, usado como veneno de flechas por los indígenas amazónicos. Actualmente se le da un empleo médico-quirúrgico.
CURARÉN Mun. de Honduras, en el dpto. de Francisco Morazán; 13 000 hab. Centro comercial.

CURASAO o **CURAÇAO** o **CURAZAO** m. Licor fabricado con corteza de naranja y otros ingredientes.
CURATELLA Manes, *Pablo* (1891-1962) Escultor arg. Su obra se alinea al abstraccionismo. *Escultura madre, Rugby.*
CURATO m. Cargo espiritual del cura de almas. • Parroquia, territorio que comprende.
CURAZOLEÑO, ÑA adj. y s. De Curaçao.
CÚRBANA f. Arbusto del que se obtiene una especie de canela.
CURBARIL m. *Bot.* Árbol de la familia cesalpineáceas, propio de la América tropical, de copa espesa, tronco rugoso, y madera dura y rojiza, usada en ebanistería. Su resina tiene propiedades antirreumáticas.
CURCIO Rufo, *Quinto* (s. I) Historiador latino influido por Séneca y Tito Livio. *Vida de Alejandro.*
CURCO, CA adj. *Amér.* Jorobado. • f. *Chile.* Joroba.
CURCULIÓNIDO, DA adj. y m. *Zool.* Díc. de los coleópteros conocidos también como gorgojos. Tienen la cabeza alargada en trompa. • m. pl. *Zool.* Familia de estos animales.
CÚRCUMA f. *Bot.* Planta herbácea de la familia zingiberáceas, de cuyos rizomas se obtienen la especia hom. y colorantes. Es propia del O de Asia. • Sustancia resinosa y amarilla que se extrae de esta raíz. Se utiliza como reactivo, en tintorería y como especia.
CURCUSÍ m. *Bol.* Especie de cocuyo menos luminoso.
CURCUSILLA f. Rabadilla de las aves.
CURDA f. fam. Borrachera, embriaguez.
CURDELA f. fam. Borrachera. • m. fam. Borracho.
CURDO, DA → Kurdo.
CUREÑA f. Armazón en el cual se monta el cañón de artillería. • En las fábricas de fusiles, pieza de nogal en basto, trazada para hacer la caja de un fusil. • Palo de la ballesta. ■ CUREÑAJE.
CURESCA f. Borra inútil que se queda en los palmares después de cardado el paño.
CURETÚÍ m. *R. de la Plata.* Pajarillo común, de color blanco y negro.
CURÍ m. *Amér. Merid.* Árbol de la familia coníferas, resinoso, de tronco recto y elevado, con ramas que se encorvan hacia arriba. Da una piña grande. • *Col.* Cobayo.
CURIA f. Tribunal donde se tratan los negocios contenciosos. • Conjunto de abogados, escribanos, procuradores y empleados en la administración de justicia. • Cuidado, esmero. • Una de las divisiones del ant. pueblo romano.
CURIACIOS Familia de la c. latina de Alba Longa, rival de Roma (→ Horacios.)
CURIAL adj. Relativo a la curia. • m. Empleado subalterno de los tribunales de justicia. • El que tiene correspondencia en Roma para hacer traer las bulas y rescriptos pontificios. • El que tiene empleo u oficio en la curia rom. ■ CURIALESCO, CA.

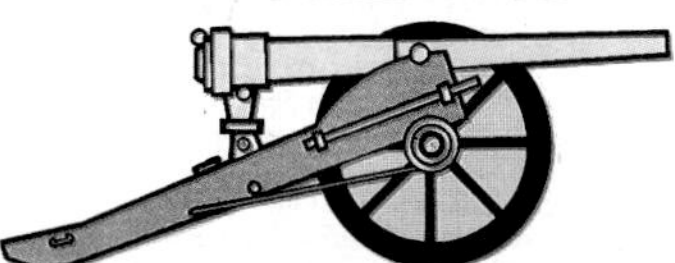

Dibujo de un cañón montado sobre su **cureña** (parte sombreada)

CURIANA f. Cucaracha, insecto ortóptero.
CURIARA f. *Amér. Merid.* Embarcación de vela y remo usada por los indígenas, menor que la canoa y más ligera, aunque más larga.
CURIBAY m. *R. de la Plata.* Cierta especie de pino, de fruto muy purgante.
CURICANO, NA adj. y s. De Curicó. • adj. Perteneciente a esta c. y prov. chilenas.
CURICHE m. *Bol.* Pantano o laguna. • *Chile.* Persona de color oscuro o negro.
CURICÓ Prov. de Chile, en la región de Maule, limítrofe con la región Libertador Bernardo O'Higgins y la prov. de Talca; 196 100 hab. Cap., Curicó. C. imp.: Llico, Licanten y Hualeñé. Accidentada por los Andes (volcán Peteroa; 4 090 m) y la cordillera de la Costa, que enmarcan el valle Central. Clima templado y lluvias escasas. Avenada por

Ramas, hojas y bayas de enebro, arbusto **cupresáceo**

Cura a un accidentado en una miniatura medieval

Marie **Curie**

Pierre **Curie**

los ríos Lontué, Mataquito y Teno. Cereales, vid, patatas; ganadería ovina y vacuna; bosques de robles; ind. derivadas de la agricultura y la ganadería. • C. de Chile, cap. de la prov. hom.; 90 500 hab. Centro agrícola y ganadero. Ind. derivadas. Fundada en 1743 al NO del actual emplazamiento, al que fue trasladada en 1747.

CURIE o **CURIO** m. *Fís.* Unidad de actividad de una muestra radiactiva. Corresponde a $3{,}7 \times 10^{10}$ desintegraciones/seg, que es aproximadamente la actividad de 1 g de radio.

CURIE, *Marie* *(Maria Sklodowska)* (1867-1934) Científica fr., de origen pol. Discípula y esposa de Pierre C. con quien descubrió el polonio y el radio (1898). También descubrió la radiactividad del torio. Premio Nobel de Física, compartido con su esposo y con Becquerel (1903), y de Química (1911). • ***Pierre*** (1859-1906) Físico fr. Investigó en cristalografía, magnetismo y piezoelectricidad. Tras su matrimonio con Marie Sklodowska, se ocupó de la radiactividad artificial. Premio Nobel de Física, compartido con su esposa y con Becquerel (1903).

CURIEL m. *Cuba.* Roedor con grandes uñas, casi rabón y parecido al conejillo de Indias.

CURIEL, *Gonzalo* (1904-1958) Músico mex. Canciones populares. *Vereda tropical, Tu partida.* • ***Juan*** (1690-1775) Administrador esp., ministro del Consejo de Castilla. Cooperó con el reformismo borbónico anteponiéndolo a la Inquisición.

CURIEPUNTURA f. *Med.* Tratamiento con agujas de radio.

CURIETERAPIA f. Radioterapia.

CURIO m. *Fís.* Curie. • *Quím.* Elemento químico altamente radiactivo, de símb. Cm y n. a. 96. Se conocen 8 isótopos del c.; el más estable, el de p. a. 246, tiene una vida media de 500 años.

CURIO Dentato (m. 270 a. C.) Cónsul rom. Estableció el servicio militar obligatorio. Venció a los samnitas y a Pirro en Benevento.

CURIOSEAR intr. Ocuparse en averiguar lo que otros hacen o dicen. • Procurar enterarse de alguna cosa, sin necesidad y a veces con impertinencia. • intr. y tr. Fisgonear. ■ CURIOSEO.

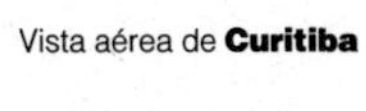

Vista aérea de **Curitiba**

CURIOSIDAD f. Deseo de saber y averiguar alguna cosa. • Vicio que lleva a inquirir lo que no debiera importar. • Aseo, limpieza. • Cuidado de hacer una cosa con primor. • Cosa curiosa o primorosa.

CURIOSO, SA adj. y s. Que tiene curiosidad. • adj. Que excita la curiosidad. • Limpio y aseado. • Que trata una cosa con particular cuidado o diligencia. • m. y f. *Amér.* Curandero.

CURIQUINGUE m. *Ecuad.* Ave falconiforme que se asemeja al buitre por su rostro desnudo. Era el ave sagrada de los incas.

CURITA f. *Miner.* Óxido de uranio y plomo. Cristaliza en el sistema rómbico; peso específico 7,9; dureza 4,5; color rojo anaranjado y brillo diamantino.

CURITIBA C. del S de Brasil, cap. del est. de Paraná; 1 290 000 hab. Sit. a 900 m de alt. Universidad. Ind. alimentaria, química y textil; fábricas de papel y cemento.

CURIYÚ m. *Argent.* Anaconda.

CURLANDIA (letón, *Kurzeme*) Región de Letonia, junto al Báltico. Prales. poblaciones: Liepaja y Ventspils. Avena, cebada, centeno, trigo; ganadería; productos lácteos; pesca.

Curruca

CURLING (voz ing.) m. Deporte de invierno sobre pista de hielo, que consiste en impulsar una piedra circular y colocarla lo más cerca posible de un punto meta.

CURRELAR o **CURRAR** tr. fam. Trabajar.

CURRENCY PRINCIPLE (ing., «principio de circulación») m. *Econ.* Principio contrario a la libre emisión de billetes por los bancos. Dio origen al bullionismo.

CURRICÁN m. Aparejo de pesca de un solo anzuelo, que se lanza por la popa del buque.

CURRÍCULO o **CURRÍCULUM** m. Plan de estudios. • Conjunto de estudios y prácticas destinados a que el alumno desarrolle plenamente sus posibilidades. • Currículum vitae. ■ CURRICULAR.

CURRÍCULUM VITAE m. Exp. latina que literalmente significa «la carrera de la vida». Es el conjunto de datos relativos a la situación personal, profesional o laboral del candidato a un trabajo.

CURRINCHE m. Entre periodistas, principiante, gacetillero.

CURRO, RRA adj. fam. Majo, afectado en su porte, acciones y vestido. • m. fam. Trabajo.

CURROS Enríquez, *Manuel* (1851-1908) Poeta esp., gallego. Romántico, revolucionario, fue, con Rosalía de Castro, la máx. figura de las letras gallegas en el s. XIX. *Cartas del Norte, Aires da miña terra.*

CURRUCA f. Pájaro canoro insectívoro, de plumaje pardo y blanco.

CURRUTACO, CA adj. y s. fam. Muy afectado en el uso riguroso de las modas. • fam. Pequeño.

CURRY m. Especia de la India compuesta de jengibre, clavo, azafrán, cilantro, etc.

CURSAR tr. Frecuentar un paraje o hacer con frecuencia alguna cosa. • Estudiar una materia, asistiendo a las explicaciones del profesor, en una universidad o en otro establecimiento de enseñanza. • Dar curso a una solicitud, instancia, expediente, etc.; enviarlos al tribunal o autoridad a que deben ir. ■ CURSADO, DA.

CURSI adj. y s. fam. Díc. de la persona que presume de fina y elegante sin serlo. • adj. Se aplica a lo que, con apariencia de elegancia o riqueza, es ridículo y de mal gusto. • Díc. de los artistas y escritores, o de sus obras, cuando en vano pretenden mostrar refinamiento expresivo o sentimientos elevados. ■ CURSILADA; CURSERÍA; CURSILERÍA.

CURSILLO m. Curso breve para completar la preparación, actualizar los conocimientos o facilitar la readaptación profesional. • Breve serie de conferencias acerca de determinada materia. ■ CURSILLISTA.

CURSIVO, VA adj. y s. Díc. de la letra manuscrita de trazado rápido, inclinada a la derecha, y del carácter tipográfico que imita dicha forma de letra manuscrita.

CURSO m. Dirección o carrera. • En las universidades y escuelas públicas, tiempo señalado en cada año para asistir a oír las lecciones. • Tiempo que se emplea en leer y en estudiar una facultad en las universidades y escuelas públicas. • Colección de los tratados prales. por donde se enseñaba una facultad en las universidades y escuelas públicas. • Serie de informes, consultas, etc., que precede a la resolución de un expediente. • Diarrea. Se usa más en pl. • Serie, continuación, evolución de un proceso. Se usa especialmente referido a enfermedades, acontecimientos, etc. • Circulación, difusión entre las gentes. • Movimiento, real o aparente, de los astros. • **de agua.** Corriente, movimiento de traslación de las aguas de un río, arroyo, etc. • **legal.** Régimen monetario de un Estado, en el cual los signos monetarios deben ser aceptados en pago.

CURSÓMETRO m. *Ferr.* Aparato para medir la velocidad de los trenes.

CURSOR m. *Mec. apl.* Pieza que se desliza a lo largo de otra mayor en algunos aparatos. • *Comp.* Raya o marca luminosa que indica el lugar que ocupará el carácter que se quiere visualizar en la pantalla de cualquier terminal de computadora. Tiene movilidad programada por toda la pantalla.

CURTACIÓN f. *Astr.* Acortamiento.

CURTIDO, DA p. p. de curtir. • m. *Ind.* Acción de someter la piel a un tratamiento adecuado para evitar su putrefacción y dotarla de flexibilidad y suavidad. • Cuero curtido. Se usa más en pl. • Casca, corteza de ciertos árboles. • Fruto encurtido.

CURTIEMBRE f. *Amér.* Tenería.
CURTIMBRE f. Acción y efecto de curtir.
CURTIMIENTO m. Acción y efecto de curtir o curtirse.
CURTIR tr. Adobar, aderezar las pieles. • tr. y prnl. fig. Endurecer o tostar, el sol o el aire, el cutis de las personas que andan a la intemperie. • fig. Acostumbrar a uno a la vida dura y a sufrir las inclemencias del tiempo. • tr. fig. *Argent.* y *Ur.* Castigar azotando. ■ CURTIDOR, RA; CURTIDURÍA; CURTIENTE.
CURTIUS, *Ernst* (1814-1896) Erudito y arqueólogo al. *Historia de Grecia.* • ***Ernst Robert*** (1886-1956) Filólogo y filósofo alsaciano. *Literatura europea y Edad Media latina, Ensayos críticos sobre literatura europea.*
CURUBO m. *Col.* Especie de enredadera, de fruto comestible.
CURUCÚ m. *Amér. Centr.* Ave trepadora de plumaje sedoso y de hermoso color y larga cola.
CURUGUÁ m. *Amér. Merid.* Enredadera de fruto amarillo y negro, semejante a la calabaza.
CURUL adj. Aplícase al edil patricio y a la silla en que se sentaba.
CURUNDA f. *Ecuad.* Raspa del maíz.
CURUPAY m. *R. de la Plata.* Árbol mimosáceo de corteza curtiente y de buena madera.
CURUPAYTI Pob. del Paraguay en la que se desarrolló una batalla entre este país y la Triple Alianza (Argentina, Brasil y Uruguay) en 1866; resultaron vencedoras las tropas par. al mando del general Díaz.
CURUPÍ m. *Argent.* Lecherón, árbol euforbiáceo.
CURURO m. *Chile.* Especie de rata campestre, de color negro y muy dañina.
CURUZÚ CUATIÁ Dpto. de Argentina, en la prov. de Corrientes; 38 300 hab. Cultivos de maíz, hortalizas y naranjas. Aeropuerto; nudo ferroviario.
CURVA f. *Geom.* Línea curva. • Tramo curvo de una carretera, camino, línea férrea, etc. • *Mar.* Pieza de madera, que se aparta de la figura recta y sirve para asegurar dos maderos en ángulo. • *Mat.* Conjunto de puntos que dependen de uno o dos parámetros, o, intuitivamente, trayectoria descrita por un punto móvil en el plano o en el espacio. • **abierta.** En las carreteras, la de escasa curvatura, que pueden tomar los vehículos sin moderar considerablemente su marcha. • **alabeada.** La que no está contenida en un plano. • **algebraica.** La que puede ser descrita por una ecuación algebraica. • **cerrada.** La que vuelve al punto de partida. • En las carreteras, la de gran curvatura que deben tomar lentamente los vehículos. • **continua.** La definida por funciones paramétricas continuas, o, intuitivamente, la que no presenta saltos en su trazado, aunque éste tenga cambios bruscos en su dirección. • **coral.** *Mar.* La que se emperna interiormente a la quilla y al codaste para consolidar su unión. • **cúbica.** La algebraica cuya ecuación es de tercer grado. • **de crecimiento.** En estadística, la que refleja los valores medios establecidos en función de la edad, durante el periodo de desarrollo, para la talla, peso o nivel mental. • **de frecuencia.** La definida por una ley de probabilidad que indica las variaciones de la frecuencia en función de los diferentes valores de la variable. • **de Gauss o normal.** Distribución simétrica de frecuencias que adquiere la forma de una campana. • **de la temperatura** o **térmica.** Línea quebrada que representa las variaciones de temperatura de un enfermo durante el curso de su enfermedad. • **de nivel.** Línea que une, en un mapa, los puntos situados a la misma altitud sobre el nivel diferenciable. ■ CURVILÍNEO, A.
CURVAR tr. y prnl. Encorvar, doblar y torcer una cosa poniéndola corva. ■ CURVADO, DA.
CURVATURA o **CURVIDAD** f. Calidad de curvo; desviación continua respecto de la dirección recta. • *Ind.* Operación que tiene por objeto curvar las piezas. • *Mat.* Número que se asocia a cada punto de una curva o una superficie y mide su desviación en dicho punto respecto a la recta o el plano tangentes.
CURVÍMETRO m. Instrumento para medir distancias sobre un plano.
CURVO, VA adj. y s. Díc. de todo límite entre dos superficies contiguas que constantemente se va apartando de la dirección recta sin formar ángulos.
CURZÓN, *George Nathaniel,* MARQUÉS DE CURZÓN DE KEDLESTON (1859-1925) Político brit. Virrey de la India en 1899. Participó en la conferencia de Paz de París al terminar la I Guerra Mundial.
CUSA, *Nicolás de* (1401-1464) Filósofo y humanista al. En su *De docta ignorantia* busca un procedimiento que le permita superar los límites del conocimiento racional. Sostuvo una teoría policentrista sobre el universo.
CUSCA f. *Col.* Borrachera. • *Méx.* Prostituta. • **Hacerle la c.** a alguien. Fastidiarle, molestarle.
CUSCATLÁN Dpto. de El Salvador, en el sector central; 756 km², 200 844 hab. Cap., Cojutepeque. C. prales.: Suchitoto, San Pedro Perulapán. En su relieve destaca el volcán Guazapa (1 410 m). Clima templado. Caña de azúcar, algodón, café; ganadería.
CUSCO o **CUZCO** Dpto. del S del Perú, en la Sierra; 71 891,97 km², 1 103 500 hab.; un 50 % indios quechuas. Cap., Cusco. C. prales: Acomayo, Calca, Paruro y Sicuani. Está atravesado por los Andes Centrales, que se dividen en tres cordilleras: la de Carabaya (nudo de Ausangate, 6 384 m), la de Vilcanota y la de Vilcabamba. Río pral.: el Urubamba. Clima continental con diferencias debidas a la altitud. Vegetación exuberante pero limitada igualmente por la altitud. Trigo, maíz, patatas, cebada, cacao; ganadería (ovina, llamas, alpacas); oro (Camanti, Quince Mil, Cusco), plomo, hierro, níquel, plata, petróleo. Ind. algodonera en Cusco. • C. de Perú, cap. del dpto. hom.; 255 568 hab. Sit. a 3 416 m de alt., sobre las márgenes del Huatanay, y rodeada de colinas y montañas. Es centro comercial y de comunicaciones. Ind. textil, alimentaria, de curtido de pieles y de fundición. Sede de la Universidad Nacional. Imp. centro turístico. Numerosos monumentos incaicos: plaza de Armas; Coricancha o Templo del Sol; fortaleza de Sacsahuamán, al N de la c.; templos de las Estrellas y de la Luna; restos de los templos del Trueno y del Rayo y del Arco Iris, y parte de las murallas que rodeaban la c. Edificios posteriores son el monasterio de Santa Catalina y la catedral.
CUSCUNGO m. *Ecuad.* Especie de búho.
CUSCURRO m. Cantero de pan, pequeño y muy cocido.
CUSCÚS m. *Zool.* Mamífero marsupial austr. de la familia falangéridos, de pelaje claro con manchas de color rojizo. • Alcuzcuz.
CUSCUTA f. Planta parásita de tallos filiformes, rojizos o amarillentos, sin hojas, con flores sonrosadas y simiente redonda.
CUSMA f. *Col., Ecuad.* y *Perú.* Cuzma.
CUSPA f. *Ven.* Arbusto semejante a la palmera y cuya corteza se emplea como la quina.
CÚSPIDE f. Cumbre puntiaguda de los montes. • Remate superior de alguna cosa, que tiende a formar punta. • *Geom.* Punto donde concurren los vértices de todos los triángulos que forman las caras de la pirámide, o las generatrices del cono. ■ CUSPIDAL.
CUSTER, *George Armstrong* (1839-1876) Militar norteam. Participó en la guerra de Secesión en las filas unionistas. Dirigió varias expediciones contra los cheyenes. En la batalla del río Little Big Horn fue vencido y muerto con sus hombres por los cheyenes y siux mandados por Toro Sentado.

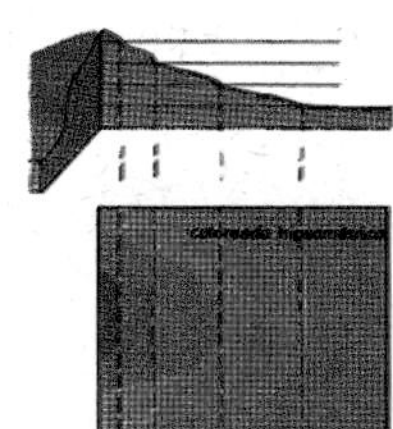

Curvas de nivel

Cusco. Baño de los incas en Tampumachay

Cúspide de la capilla funeraria del escribano Ramesi. Egipto, año 1300 a.C.

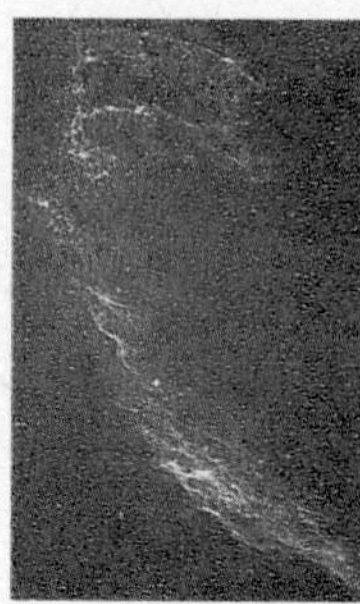
Nebulosa de la constelación de **Cygnus**

CUSTODIA f. Acción y efecto de custodiar. • Persona o escolta encargada de custodiar a un preso. • Pieza de oro, plata u otro metal, en que se expone el Santísimo Sacramento a la pública veneración. • Tabernáculo, sagrario.
CUSTODIAR tr. Guardar o proteger con cuidado y vigilancia. ■ CUSTODIO.
CUSUMBE m. *Ecuad.* Coatí.
CUSUSA f. *Amér. Centr.* Aguardiente de caña.
CUTACHA f. *Hond.* Cuchillo largo y recto.
CUTAMA f. *Chile.* Saco o costal lleno de cosas menudas. • fig. *Chile.* Persona torpe y pesada.
CUTARRA f. *Hond.* Zapato alto hasta la caña de la pierna, y con orejuelas.
CÚTER m. Embarcación con velas al tercio, una cangreja o mesana en un palo chico colocado hacia popa, y varios foques.
CUTERVO Prov. del N de Perú, en el dpto. de Cajamarca; 3 730 km^2, 119 200 hab. Cap., el mun. hom.; 38 900 hab. Explotaciones mineras y agropecuarias.
CUTÍ m. Tela de lienzo rayado o con otros dibujos usada para cubiertas de colchones.
CUTÍCULA f. Película, piel delgada y delicada. • *Anat.* Epidermis. • *Biol.* Membrana protectora de la célula, formada por sustancias segregadas por el protoplasma. • *Bot.* Película de cutina que cubre el polo externo de las células epidérmicas de los vegetales. Tiene funciones protectoras y antitranspirantes. • *Zool.* Capa externa de las tres que forman la concha de los moluscos, que da una coloración característica a cada especie. ■ CUTICULAR.
CUTINA f. Sustancia grasa, de tipo céreo, que recubre e impermeabiliza las células epidérmicas de las hojas y tallos verdes.
CUTINIZACIÓN f. Transformación de las membranas secundarias vegetales, que se realiza en el polo externo de las células epidérmicas, con el resultado de que éstas quedan recubiertas de cutina.
CUTIR tr. Golpear una cosa con otra.
CUTIRREACCIÓN f. *Med.* Reacción cutánea que se aprovecha como indicador de ciertas enfermedades.
CUTIS m. Piel que cubre el cuerpo humano. Díc. pralm. de la del rostro. • Dermis. ■ CUTÁNEO, A.
CUTO, TA adj. *Salv.* Manco, o falto de un miembro.
CUTTACK *(Kutaka)* C. del NE de la India, en el est. de Orissa; 269 100 hab. Puerto fluvial sobre el Mahanadi. Centro comercial e industrial. Universidad.
CUTUSA f. *Col.* Especie de tórtola.
CUVIER, *Georges* (1769-1832) Naturalista fr. Fundador de la anatomía comparada (*Lecciones de anatomía comparada*) y de la paleontología (*Investigaciones sobre esqueletos fósiles*). Su hermano ***Fréderic*** (1773-1838) fue asimismo un eminente naturalista.
CUY m. *Amér. Merid.* Conejillo de Indias.
CUYÁ m. *Cuba.* Árbol de madera dura, elástica y casi incorruptible.
CUYABRA f. *Col.* Vasija de calabaza o güira.
CUYAMEL m. *Hond.* Pez acantopterigio de río; su carne es muy estimada.
CUYANO, NA adj. y s. De Cuyo.
CUYO, YA pron. relativo que hace el pl. *cuyos, cuyas.* Además del carácter relativo, tiene este pron. el de posesivo y concierta no con su antecedente, que es el nombre del poseedor, sino con el nombre de la persona o cosa poseída. • m. fam. Galán o amante de una mujer.
CUYO Región del centro-oeste de Argentina, que comprende las prov. de Mendoza, San Luis y San Juan.
CUYUNÍ Río de América del Sur, que nace en la vertiente oriental de la parte ven. del escudo guayanés y desemboca con el Mazaruni en el estuario del Esequibo (Guyana); 900 km.
CUZA, *Alejandro Juan* (1820-1873) Primer soberano de Rumanía con el nombre de Alejandro Juan I. En 1861 fundó el Principado de Rumanía, tributario de Turquía. Derrocado en 1866.
CUZCO m. Perro pequeño, gozque.
CUZCO → Cusco.
CUZCUZ m. Alcuzcuz.
CUZMA f. *Amér.* Sayo de lana que cubre hasta los muslos, usado por algunos indígenas.
CUZQUEÑO, ÑA adj. y s. De Cusco o Cuzco.
CUZZANI, *Agustín* (nacido 1924) Dramaturgo arg. Alcanzó popularidad con la farsa satírica *Sempronio.*
CV Abrev. de caballo de vapor.
CYGNUS *Astr.* Constelación del hemisferio boreal, de la familia de Hércules. Su nombre cast. es *Cisne.*
CYRANKIEWICZ, *Józef* (nacido 1911) Estadista pol. Jefe de Estado de 1947 a 1972, exceptuando el bienio 1952-1954.
CYRANO de Bergerac, *Savinien* (1619-1655) Escritor fr. Autor de comedias, la más conocida de las cuales es *El pedante burlado*, y de la tragedia *La muerte de Agripina.* Rostand le eligió como héroe de la más célebre de sus obras.
CZARDA f. Danza popular húngara.
CZERNY, *Karl* (1791-1857) Pianista y compositor austr., alumno de Beethoven y maestro de Liszt.
CZESTOCHOWA C. del S de Polonia; 246 600 hab. Sit. a orillas del alto Warta. Centro industrial. Monasterio de la Virgen Negra.

D

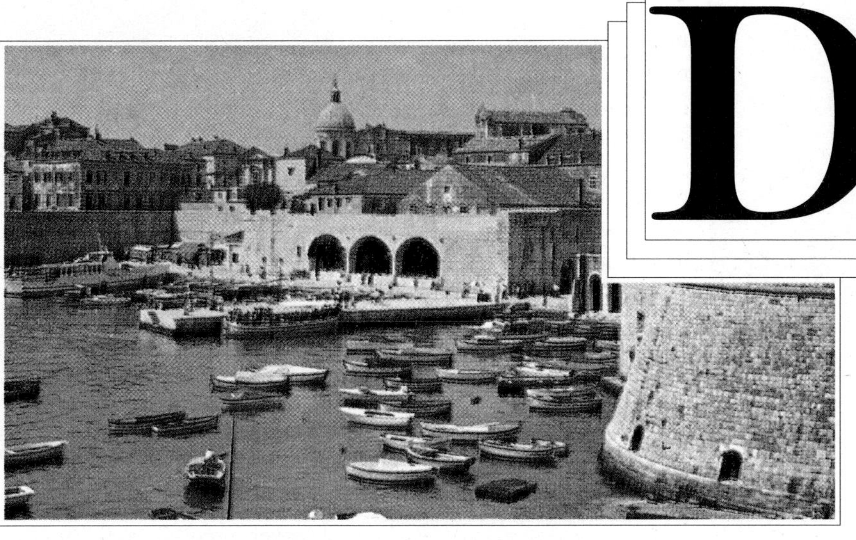

El puerto de **Dubrovnik** en Dalmacia (Croacia)

D f. Cuarta letra del abecedario español, y tercera de sus consonantes. Su nombre es *de.* • Sexta letra de la numeración rom., que tiene el valor de quinientos. En la notación musical ing. y al., nombre de la nota *re.* • *Mat.* Símb. (d) de diferencial. • *Quím.* Símb. del deuterio.

DA CAPO (exp. it.) m. adv. *Mús.*Volver al principio cuando se llega a cierta parte de la obra.

DA NANG (ant. *Tourane*) C. y puerto de Vietnam, en la bahía hom.; 492 194 hab. Base militar. Centro industrial.

DA ROSA, *Julio C.* (nacido 1920) Escritor ur. Dramaturgo *(Más allá de las sierras)*, novelista *(Tiempos de negros)* y cuentista *(De sol a sol).*

DABIT, *Eugène* (1898-1936) Escritor y pintor fr. *El hotel del Norte, Petit-Louis, Los maestros de la pintura española.*

DABLE adj. Hacedero, posible.

DABROWSKA, *Marja* (1889-1965) Novelista pol. *La gente de allá, Las noches y los días.*

DABROWSKI, *Jan* (1838-1871) Revolucionario pol., combatió junto a Garibaldi y murió en el levantamiento de la Comuna de París.

DABROWA GÓRMICZCA o **DOMBROWA** C. de Polonia, en el voivodato de Katowice; 136 800 hab. Centro minero e industrial.

DACA adv. lugar. Da, o dame, acá.

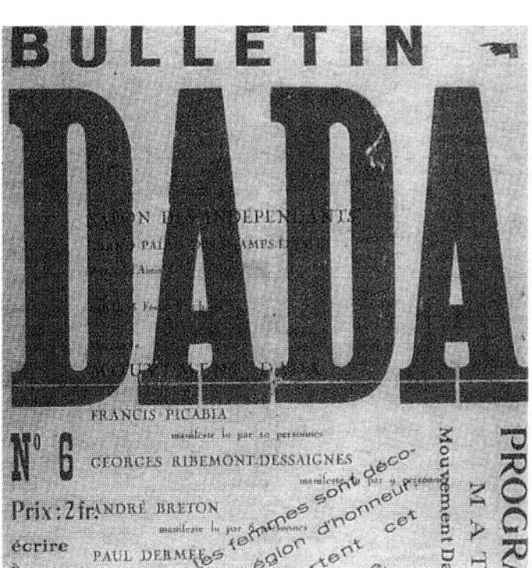

Dadaísmo. Portada del *Boletín Dada*

DACCA Cap. de Bangla Desh, en el delta del Ganges; 3 458 602 hab. (agl. urb.) Centro comercial, agrícola e industrial. Universidad.

DACHA f. Finca de recreo en Rusia.

DACHAU C. de Alemania, al NO de Munich; 30 200 hab. Campo de exterminio del III Reich.

DACIA Ant. prov. rom., que corresponde aprox. a la actual Rumania.

DACIO, CIA adj. y s. De Dacia.

DACIÓN f. *Der.* Acción y efecto de dar.

DACITA f. *Geol.* Roca eruptiva constituida por plagioclasa, cuarzo y minerales ferromagnésicos.

DACKO, *David* (nacido 1930) Presid. de la Rep. Centroafricana desde su indep. Derrocado en 1966, recuperó el poder de 1979 a 1981.

DACRIOCISTITIS f. *Pat.* Inflamación del saco lagrimal.

DACTILAR adj. Digital.

DÁCTILO m. Pie de las poesías gr. y latina, compuesto de tres sílabas.

DACTILOGRAFÍA f. Mecanografía. • Estudio de las impresiones digitales. ■ DACTILÓGRAFO, FA.

DACTILOLOGÍA f. Lenguaje digital que emplean los sordomudos.

DACTILOSCOPIA f. Estudio de las impresiones digitales, usadas para identificación de las personas.

DADAÍSMO m. Mov. artístico que entre 1915 y 1922 se desarrolló en Europa y EE UU, promovido por un grupo de poetas y pintores refugiados de la I Guerra Mundial. Representó una fase de transición hacia el surrealismo. ■ DADAÍSTA.

DADDAH, *Moktar Ould* (nacido 1924) Presid. de Mauritania a su indep., fue reelegido en 1966, 1971 y 1976. Derrocado en 1978.

DÁDIVA f. Cosa que se da graciosamente. ■ DADIVAR; DADIVOSIDAD; DADIVOSO, SA.

DADO m. Pieza cúbica de hueso, marfil, etc., en cuyas caras hay puntos desde uno hasta seis, y que sirve para varios juegos de azar. • Pieza cúbica de metal que se usa en las máquinas como apoyo de los tornillos, ejes, etc. • En las banderas, paralelogramo de distinto color que su fondo. • *Arq.* Neto, pedestal. • *Mar.*Travesaño de hierro que refuerza los eslabones de las cadenas. • *Mil.* Pedacito de hierro que se introducía en la ant. carga de metralla. • **D. que.** conj. condicional. Siempre que.

DADOR, RA adj. y s. Que da. • m. Portador de una carta. • El que libra la letra de cambio.

DADRA Y NAGAR HAVELI Terr. de la India; 491 km^2, 101 400 hab. Cap., Silvassa.

DAFNE *Mit. gr.* Hija del río Peneo y de Gea.

Dos tipos de **dado** o pedestal

Jugadores de **dados,** en una miniatura del *Libro de ajedrez, dados y tablas* de Alfonso X el Sabio

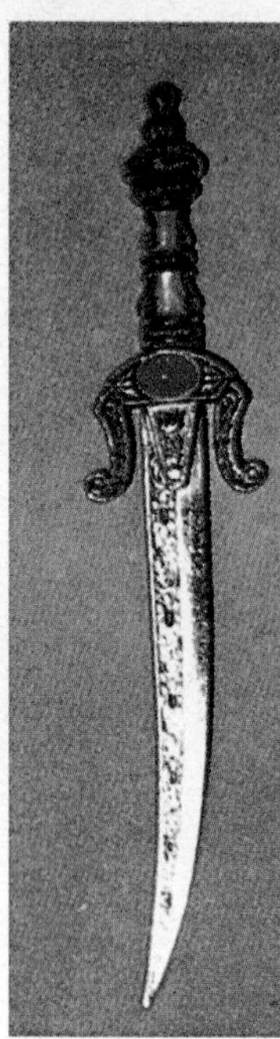
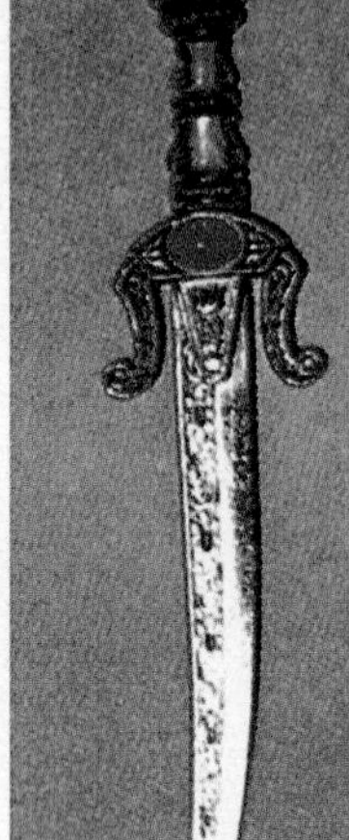
Daga

DAGA f. Arma blanca ant., de hoja corta. • Cada una de las tongas o hileras horizontales de ladrillos que se forman en el horno.
DAGAME m. *Cuba.* Árbol rubiáceo, de tronco elevado, liso, copa pequeña y flores blancas.
DAGGET C. de EE UU, en el est. de California. Sede de Solar One, el mayor centro solar del mundo.
DAGOBERTO I (m. 639) Rey de Austrasia [623-639]. Hijo y sucesor de Clotario II.
DAGUERRE, ***Louis-Jacques*** (1787-1851) Pintor, decorador e inventor fr. Ideó un procedimiento para impresionar imágenes.
DAGUERROTIPIA f. Primer procedimiento fotográfico. Consiste en fijar imágenes sobre una placa sensibilizada mediante vapores de yodo. ■ DAGUERROTIPAR.
DAGUERROTIPO m. Daguerrotipia. • Aparato que se empleaba en este método. • Imagen obtenida con él.
DAGUESTÁN Rep. autónoma del estado de Rusia, en la orilla occidental del mar Caspio; 50 300 km^2; 1 792 000 hab. Cap., Majachkala. Agricultura, ganadería y pesca. Petróleo y gas natural.
DAGUILLA m. *Cuba.* Árbol cuya corteza se usa en cordelería y tejidos.
DAHLMANN, ***Friedrich Christoph*** (1785-1860) Historiador y político liberal al., uno de los dirigentes intelectuales de la rev. de 1848.
DAHOMEY Ant. nombre de → Benin.
DAIFA f. Concubina.
DAIMIO m. Gran señor feudal del Japón.
DAIMLER, ***Gottlieb*** (1834-1900) Ingeniero al. Patentó un motor que funcionaba con gas de petróleo. Asociado con Panhard y Levassor, su producción automovilística se situó entre las más imp. del mundo.
DAINZU Yacimiento arqueológico mex., en Oaxaca. En él se han descubierto losas con dibujos semejantes a los de Monte Albán, y las ruinas de un juego de pelota.
DAJABÓN Prov. de la República Dominicana, junto a Haití; 890 km^2; 63 700 hab. Clima cálido. Agricultura y ganadería. Ind. maderera. • C. de la Rep. Dominicana, cap. de la prov. hom.; 8 187 hab.
DAJAO m. *Cuba* y *P. Rico.* Pez de río apreciado por su exquisita carne.
DAKAR Cap. de Senegal en la pen. de Cabo Verde; 1 608 700 hab. (agl. urb.). Universidad. Astilleros. Fundiciones. Puerto. Centro financiero.
DAKOTA adj. y s. Díc. de individuos de un pueblo amerindio (EE UU) de la familia sioux. Subsisten más de 40 000 individuos en reservas.
DAKOTA del Norte ***(North Dakota)*** Est. de EE UU, en el centro-norte del país; 183 119 km^2; 639 000 hab. Cap., Bismarck. Río Misuri. Clima continental. Agricultura y ganadería. Lignito, petróleo y gas natural. Ind. alimentaria. • **Del Sur** (*South Dakota*) Est. de EE UU, en el centro-norte del país; 19 730 km^2; 696 000 hab. Cap., Pierre. Región llana, excepto en los Black Hills al SO. Clima continental. Cereales, ganadería, minas. Ind. lechera y conservera.

Dalia

DALA f. *Mar.* Canal de tablas por donde salía al mar el agua que achicaba la bomba.
DALADIER, ***Édouard*** (1884-1970) Político radical fr.; presid. del gobierno (1933-1934 y 1938). Firmó como representante fr. los acuerdos de Munich (1938).
DALAI-LAMA m. Título del jefe supremo del est. y del budismo tib. Considerado como la reencarnación de una divinidad. En 1959, tras dirigir una insurrección contra el poder comunista chino, se refugió en la India. Desde donde alentó las revueltas de 1987 y 1988. Fue Premio Nobel de la Paz en 1989.
DALCROZE, ***Émile Jacques*** (1865-1950) Compositor y pedagogo suizo. Iniciador de la gimnasia rítmica.
DALE m. *Cuba.* Juego infantil.
DALE, SIR ***Henry Hallett*** (1875-1968) Fisiólogo brit., descubridor de la acetilcolina. Premio Nobel de Fisiología y Medicina en 1936, junto a O. Loewi, por sus estudios sobre la transmisión química de los impulsos nerviosos.
D'ALEMBERT → Alembert.
DALEN, ***Gustav*** (1869-1937) Ingeniero sueco. Inventó el encendido automático de los faros de acetileno. Premio Nobel de Física en 1912.

Perro **dálmata**

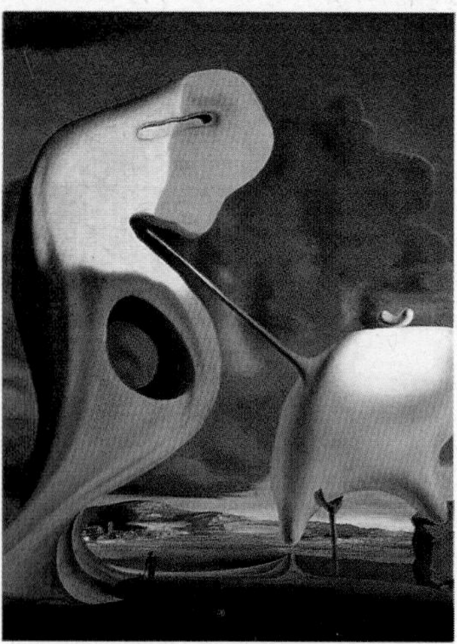
Detalle de *El Ángelus arquitectónico de Millet*, obra de Salvador **Dalí**

DALENCE, ***José María*** (1785-1852) Historiador y político bol. Ministro de Hacienda. *Bosquejo estadístico de Bolivia.*
DALHOUSIE, ***James Ramsay*** (1812-1860) Político brit. Siendo gobernador de la India (1848-1856), tuvo que afrontar la rebelión de los cipayos.
DALÍ, ***Salvador*** (1904-1989) Pintor esp. De tendencia surrealista, recrea un mundo de fantasía onírica. Fundó el museo de su nombre en Figueras (1974). *La cesta de pan, Última Cena, Cristo de San Juan de la Cruz, El Ángelus arquitectónico de Millet.*
DALIA f. *Bot.* Planta anual de la familia de las compuestas, de tallo herbáceo, hojas opuestas, ovaladas y dentadas, y flores de botón central amarillo y coro la grande con muchos pétalos.
DALILA Mujer de Soreq, de la que se enamoró Sansón.
DALLA-COSTA, ***Juan Bautista*** (1823-1894) Político ven. Presid. del est. de Guayana en 1869, y post., al ocupar la presidencia del país Guzmán Blanco.
DALLAPICCOLA, ***Luigi*** (1904-1975) Compositor it. En su primera época estuvo influenciado por Mahler: *Seis coros según Miguel Ángel Buonarotti el Joven.* Con *Vuelo de noche*, ópera en un acto, inició una etapa musical próxima a Berg. Finalmente, compuso obras dodecafónicas. *Despiadada.*
DALLAR tr. Segar la hierba con el dalle.
DALLAS C. de EE UU, en el est. de Texas; 3 655 000 hab. (agl. urb.). Centro financiero del petróleo y actividades terciarias. Ind. electrónicas, automovilísticas, aeroespaciales, confección. C. donde fue asesinado J. F. Kennedy (22-11-1963).
DALMACIA ***(Dalmacija)*** Región de la rep. de Croacia, junto al Adriático. Prales. c.: Split, Dubrovnik y Zadar. Clima y cultivos mediterráneos. Ganadería y pesca. Turismo. Estuvo incorporada a Yugoslavia de 1947 a 1991.
DÁLMATA adj. y s. De Dalmacia. • Raza de perro de compañía, de pelaje blanco manchado de negro. • m. Lengua románica que se habló en el litoral dálmata.
DÁLMATA, ***archipiélago*** Islas (Pag, Dugi, Otok, Brac, Mljet, etc.), pertenecientes a Croacia, que se extienden frente al litoral de dicho país. Agricultura y pesca.
DALMÁTICO, CA adj. Dálmata. • m. Lengua dálmata. • f. Túnica que tomaron de los dálmatas los ant. rom. • Ornamento litúrgico de los diáconos. • Túnica que llevan los reyes de armas y los maceros.
DALMAU, ***Andrés S.*** (1880-1955) Violinista y compositor arg. Concertista en Europa y América. *Rapsodia de los Andes, Nocturno al río Paraná.*
DALTON, ***John*** (1766-1844) Físico y químico ing.

Estudió la ceguera para los colores (daltonismo), defecto que padecía. • **Ley de D. de las proporciones múltiples.** *Quím.* Cuando dos elementos pueden combinarse entre sí formando compuestos, las cantidades de uno de ellos que se combinan con una cantidad fija del otro guardan una relación sencilla. • **Ley de D. para las mezclas gaseosas.** *Fís.* La presión total de una mezcla de gases es igual a la suma de las presiones parciales.
DALTONISMO m. Anomalía en la visión de los colores (discromatopsia) que comporta la confusión o la ceguera del rojo y el verde. ■ DALTONIANO,NA.
DAM, *Henrik* (1895-1976) Fisiólogo danés. Premio Nobel de Fisiología y Medicina en 1943, junto a E. A. Doisy, por su descubrimiento de la vitamina K.
DAMA f. Mujer distinguida. • Mujer pretendida de un hombre. • En palacio, señora que acompañaba a la reina. • Criada primera que servía a su ama. • Actriz que hace los papeles prales. • Manceba. • En el juego de damas, pieza que se corona con otra pieza y puede correr toda la línea. • Reina, en el juego de ajedrez. • Losa que cierra el crisol de un horno. • pl. Juego que se ejecuta en un tablero de 64 escaques y con 24 piezas.
DAMACENO, NA adj. Damasceno.
DAMAJUANA f. Botellón de cuerpo abultado y cuello estrecho, cubierto de mimbre.
DAMÁN m. Mamífero plantígrado, de tronco alargado y cuerpo rechoncho.
DAMAN Y DIU Terr. de la India, integrado por las dependencias hom.; 112 km^2, 101 400 hab. Cap., Daman (26 500 hab.).
DAMANHUR C. del N de Egipto, en el O del delta del Nilo; 170 633 hab. Centro industrial y de comunicaciones.
DAMARA adj. y s. Díc. de los individuos de un pueblo melanoafricano de lengua hotentote que habita los montes del centro de Namibia. • pl. Este mismo pueblo.
DAMARALAND Región de Namibia, entre el desierto de Namib, Ovamboland, el desierto de Kalahari y Namaland. C . pral.: Windhoek.
DAMASANA f. *Amér.* Damajuana.
DAMASCADO, DA adj. Adamascado.
DAMASCENO, NA adj. y s. De Damasco.
DAMASCO m. Tela fuerte con dibujos formados con el tejido. • Árbol, variedad del albaricoquero. • Fruto de este árbol.
DAMASCO *(Ech Cham* o *Dimachq)* Cap. de Siria; 1 251 028 hab. Sit. al bor de del desierto de Siria, junto al Antilíbano. Cemento, cristales y textiles; seda, tapices, armas, etc. Centro com. Nudo de comunicaciones. Universidad. Restos rom. Gran mezquita omeya (s. VIII). Cap. del imp. omeya desde 660 hasta los abasidas.
DAMASINA f. Damasquillo.
DAMASQUILLO m. Tejido parecido al damasco, pero no tan recio.
DAMASQUINADO m. Embutido de metales finos sobre hierro, cobre o acero. ■ DAMASQUINAR.
DAMASQUINO, NA adj. Damasceno, relativo a Damasco. • Díc. de la ropa u otro objeto hecho con damasco. • f. *Méx.* Planta anual, de la familia compuestas, con tallos ramosos y flores purpúreas.
DAMBURA m. Laúd ár. de tres cuerdas.
DAMERO m. Tablero del juego de damas. • Planta de urbanizaciones, ciudades, etc., constituida por cuadrados o rectángulos.
DAMIRÓN, *Rafael* (1882-1956) Escritor dom. Cultivó los más variados géneros. *La cacica* (novela), *Mientras los otros ríen* (teatro).
DAMISELA f. Moza que presume de dama.
DAMNACIÓN f. Condenación.
DAMNIFICAR tr. Dañar. ■ DAMNIFICADO, DA.
DAMOCLES (s. IV a. C.) Allegado de Dionisio, tirano de Siracusa. Invitado por el rey a ocupar su puesto por un día, pudo juzgar por sí mismo cuál era la vida de un monarca. • **Espada de D.** Exp. que simboliza el peligro permanente y constante.
DAMODAR Río de la India; 545 km. Cruza los est. de Bihar y Bengala occidental.
DAMONTO Taborda, *Raúl* (nacido 1909) Escritor y político arg. Diputado nacional (1938-1942). *Problemas vitales de América, El peligro nazi en Argentina.*
DÁMPER (voz ing.) m. *Mec. apl.* Pequeño amortiguador en el extremo del cigüeñal de un motor, que anula las vibraciones de torsión a que puede estar sometida dicha pieza.
DAMPIER, *William* (1650-1715) Navegante ing. Dirigió una expedición a los mares del S, descubriendo el arch. de su nombre.
DAN (heb., «Dios juzga») Hijo de Jacob y de Bilhah, sierva de Raquel. Fundó la c. de Dan.
DANA, *Richard Henry* (1815-1882) Novelista norteam. *Dos años al pie del mástil.*
DÁNAE *Mit. gr.* Hija de Acrisio, rey de Argos. De su unión con Zeus nació Perseo.
DANAKIL adj. y s. Díc. de los individuos de un pueblo cuseítico, musulmán, que habita en el litoral S de Etiopía. Comprende aprox. 150 000 individuos. • m. *Ling.* Lengua hablada por este pueblo.
DANBY, *Thomas Osborne*, CONDE DE (1632-1712) Político ing. Primer ministro en 1674-1679 y 1689-1696. Apoyó la subida al trono de Guillermo de Orange.

Mujer **damara**

Damasco. Vista de la mezquita del sultán Solimán

DANCALIA Región del NE de Etiopía, formada por una vasta depresión árida que se hunde hasta 116 m bajo el nivel del mar.
DANCHADO, DA adj. *Her.* Dentado.
DANCING (voz ing.) m. Sala de baile.
DANDI o **DANDY** m. Hombre elegante. ■ DANDISMO.
DANDOLO Familia de Venecia, extinguida en 1866. Dio varios dux a la rep., entre ellos ***Enrico*** (1107-1205), que participó en la cuarta cruzada.
DANERI, *Eugenio* (1881-1970) Pintor arg. Premio Nacional en 1943, 1946 y 1965. *El Puente, La costura.*
DANÉS, SA adj. y s. De Dinamarca. • Raza de perros de gran corpulencia. • m. *Ling.* Lengua hablada en Dinamarca.
DANGO m. Ave pelicaniforme de mares cálidos, que interviene en la formación del guano.
DANIEL (heb., *Dios es mi juez)* Príncipe de Judá desterrado a Babilonia. • **Libro de D.** Escrito del A. T. Abarca de 605 a 163 a. C.
DANIEL-ROPS Seud. de *Henri Petiot* (1901-1965) Escritor fr. *Muerte, ¿dónde está tu victoria?, La espada de fuego.*
DANIELL, *John Frederic* (1790-1845) Físico y químico brit., inventor de la pila eléctrica que lleva su nombre.
DANINOS, *Pierre* (1913-1991) Escritor fr. *Sonia, los otros y yo, Los carnets del mayor Thompson.*
DANLI Mun. de Honduras, en el dpto. de El Paraíso; 43 703 hab. Tabaco, café, frutas. Ind. lácteas.
D'ANNUNZIO → Annunzio.
DANTA f. Anta. • Tapir.
DANTAS, *Julio* (1877-1962) Poeta y dramaturgo port. *Auto de la reina Claudia, Nada, Viriato trágico, La cena de los cardenales.*
DANTE Alighieri (1265-1321) Poeta it., uno de los más imp. de la literatura universal. N. en Florencia, intervino en las luchas entre güelfos y gibelinos, por las que sufrió exilio. Formó parte del grupo de poetas del *dolce stil nuovo* y, en sintonía con éstos, tomó como musa inspiradora a su gran amor, Beatriz Portinari. Inició su producción con *Vita nuova*, prosiguió con su *Canzoniere* y culminó su obra en la genial *Divina Comedia*, poema de carácter alegórico. Escribió además un tratado político *De Monarchia*, el *Convivio* y *De vulgari eloquentia*, en la que reivindicó la lengua vulgar.
DANTEC, Félix-Alexandre Le (1869-1917) Na-

William **Dampier**

Dante Alighieri. Pintura sobre tabla de Domenico di Michelino, procedente del Duomo de Florencia

Dos ejemplos de **danza:** arriba, bailarinas tailandesas ejecutando una danza religiosa; a la derecha, bailarín de ballet realizando un salto espectacular

Darío III Codomano

Rubén **Darío**

turalista fr. Desarrolló misiones científicas en Laos y en Brasil. *La crisis del transformismo.*

DANTELLADO, DA adj. *Her.* Dentellado.

DANTESCO, CA adj. Propio de Dante. • Que inspira terror.

DANTI, ***Vicenzo*** (1530-1576) Escultor manierista it. *La degollación del Bautista,* en la catedral de Florencia.

DANTO m. *Amér. Merid.* Pájaro de plumaje negro azulado, provisto de un penacho.

DANTON, ***Georges-Jacques*** (1759-1794) Político y orador fr., una de las figuras más destacadas de la rev. Acusado de moderado, fue guillotinado en 1794.

DANUBIANO, NA adj. Díc. de los terr. sit. a orillas del r. Danubio.

DANUBIO (al., *Donau*; checo y eslovaco, *Duna*; serviocroata y búlg., *Dunav*; rum., *Dunarea;* ruso, *Dunai*) Río de Europa central y sudoriental. Nace en la Selva Negra (Alemania), y desemboca en el mar Negro. Constituye una imp. vía internacional de tráfico; 2 850 km.

DANZA f. Conjunto de movimientos que forman una pieza completa de baile. • **de la muerte.** Representación simbólica del poder de la muerte.

* *Hist.* En los pueblos ant. y en las culturas actuales no industriales, la d. tiene un significado má-

gicorreligioso, en íntima conexión con los más imp. aspectos de la vida de la comunidad como elemento de cohesión. Aparece en diversas grandes culturas: egipcios, etruscos, fenicios, gr., y rom., así como en las culturas mesoamericanas y andinas, y en Oriente. En la E. Med. tenía un significado casi siempre popular, mientras que en la E. Mod. quedó confinada en los salones de la aristocracia y en las cortes de los monarcas absolutos. En la actualidad, la d. se cultiva en su aspecto artístico como espectáculo → ballet; además, se ha producido una imp. revitalización de los → bailes de salón (*vals, polca, minué, mazurca*), de los bailes de origen esp. (*pasodoble, bolero*), pero sobre todo de los ritmos afroamericanos de EE UU (*jazz, swing, boogie-boogie, charlestón, twist*, etc.) y afrocubanos, afrobrasileños (*samba*) o de otros países latinoamericanos (*marinera* per., *bambuco* col., *cueca* chil.). Otras danzas populares de Latinoamérica, como el *tango* argentino, o las esp. adaptadas regionalmente (*corrido* y *ranchera* mex., *vidala* ur., *pasillo* ecuat., *rumba, guaracha, conga* y *mambo* cub.), han experimentado un fuerte impulso. Destaca asimismo el renacimiento de las danzas populares, de rica tradición folclórica, en muchos países.

DANZADO m. Danza, baile y bailadores.

DANZANTE, TA m. y f. Persona que danza. • fig. y fam. Persona que en su negocio obra con maña. • fig. y fam. Persona ligera de juicio, petulante y entrometida.

DANZAR tr. Bailar. • intr. Moverse una cosa con aceleración. • fig. y fam. Mezclarse en un negocio. ■ DANZADOR, RA.

DANZARÍN, NA m. y f. Persona que danza con destreza. • adj. y s. fig. y fam. Danzante, persona ligera de juicio.

DANZIG → Gdansk.

DANZÓN m. *Cuba.* Baile semejante a la habanera. • Música de este baile.

DAÑABLE adj. Perjudicial. • Digno de ser condenado.

DAÑADO, DA adj. Malo. • adj. y s. Condenado. • adj. Díc. de la fruta corroída por un insecto.

DAÑAR tr. y prnl. Causar detrimento, menoscabo, dolor o molestia. • Maltratar o echar a perder una cosa. ■ DAÑINO, NA; DAÑO; DAÑOSO, SA.

DAOÍZ, ***Luis*** (1767-1808) Militar esp. Se puso al frente del levantamiento de Madrid contra la ocupación francesa.

DAR tr. Donar. • Entregar. • Proponer. • Conferir, proveer en alguno un empleo u oficio. • Ordenar. • Conceder. • Convenir en una proposición. • Suponer. • Dar fruto la tierra; rentar un interés. • Someter uno alguna cosa a la obediencia de otro. • Declarar, tener o tratar. • En el juego de naipes, repartir las cartas a los jugadores. • Untar alguna cosa. • Soltar una cosa. • Tratándose de enhorabuenas, pésames, etc., comunicarlos. • Junto con algunos sustantivos, hacer, practicar, ejecutar la acción que éstos significan. • Con voces expresivas de daño causado en alguna parte del cuerpo, ejecutar la acción significada por estas voces. • Con algunos sustantivos, causar, mover. • tr. e intr. Sonar en el reloj sucesivamente las campanadas correspondientes a la hora que sea. • tr. Se junta con varias partículas que explican el modo como se transfiere el dominio. • Declarar, descubrir. • Importar, tener más o menos valor. • En el juego de pelota y otros, declarar buena o mala una jugada. • Tratándose de bailes, banquetes, etc., obsequiar con ellos una o varias personas a otras. • intr. Junto con algunos nombres y verbos, regidos de la prep. *en*, empeñarse en ejecutar una cosa. • Sobrevenir una cosa, y empezar a sentirla físicamente. • Junto con algunas voces, acertar. • Junto con la prep. *de* y algunos sustantivos, caer del modo que éstos indican. • Estar sit. una cosa, mirar, hacia esta o la otra parte. • fig. Caer, incurrir. • fig. Presagiar. • prnl. Ceder en la resistencia que se hacía. • Suceder, determinar alguna cosa. • Tratándose de frutos de la tierra, producirlos. • Seguido de la prep. *a* y de un nombre o un verbo en infinitivo, entregarse con ahínco o por vicio a lo que este nombre o verbo signifique, o ejecutar viva o reiteradamente la acción del verbo. • Con los infinitivos de los verbos *creer, imaginar*, ejecutar la acción significada por ellos. • Seguido de la prep. *por*, juzgarse en algún estado, o en peligro o con inmediación a él.

DAR ES SALAAM C. de Tanzania, sit. en la entrada S del canal de Zanzíbar; 851 500 hab. (agl. urb.). Centro industrial. Refinerías de petróleo. Puerto. Cap. del país hasta 1983.

DARBISMO m. Secta protestante, calvinista, fundada por John Darby.

DARDANELOS *(Çanakkale bogazi)* Estr. entre Europa y Asia, que comunica el mar Egeo con el de Mármara.

DARDANISMO m. *Econ.* Destrucción de excedentes agrícolas, para evitar el hundimiento de precios.

DÁRDANO *Mit. gr.* Hijo de Zeus y de Electra. Fundó la c. de Dardania (Troya).

DARDO m. Arma arrojadiza semejante a una lanza. • fig. Dicho satírico y molesto.

DARFUR Región de Sudán occidental conformada por mesetas volcánicas; 496 371 km², 3 093 699 hab. Clima subtropical seco. Agricultura y ganadería.

DARGOMIJSKY, ***Alexander*** (1813-1869) Compositor ruso, uno de los fundadores de la escuela musical rusa. *El convidado de piedra.*

DARGUINIO, NIA adj. y s. Díc. del individuo de un pueblo de Ciscaucasia (Rusia) que habita en la parte central de la rep. de Daguestán. • pl. Este mismo pueblo.

DARIÉ, ***Sandú*** (nacido 1908) Pintor y escultor cub. de origen rum. Perteneciente al Grupo de Diez Pintores Concretos Cubanos. *Construcción espacial.*

DARIÉN Prov. del E de Panamá, la más extensa y la menos poblada; 16 671 km², 63 436 hab. Cap., La Palma. Limita al S y SE con Colombia y al O con el golfo de Panamá. Terreno accidentado. Clima tropical. Ganadería. Explotación forestal. Explorada por los esp. desde principios del s. XVI. Vasco Núñez de Balboa fundó la primera c. esp. en el continente: Santa María la Antigua (1510). • **Golfo de D.** Entrante del mar Caribe, entre Panamá y Colombia. Su parte más profunda forma el golfo de Urabá, en el límite con Colombia. • **Serranía de D.** Sist. montañoso que separa Panamá y Colombia. Alt. máx.: monte Tacaracuna, 2 280 m.

DARIENITA adj. y s. De Darién.

DARÍO Nombre de varios reyes persas. • **I** ***el Grande*** (m. 486 a. C.) Rey de los persas [521-486 a. C.]. Organizó expediciones para engrandecer su reino. Tras la batalla de Maratón, tuvo que renunciar a la conquista de Grecia. • **II** ***Ocos*** (m. 404 a. C.) Rey de los persas [422-406 a. C.], hijo de Artajerjes. Recuperó las c. gr. de Anatolia. • **III** ***Codomano*** (m. 330 a. C.) Rey de los persas [335-330 a. C.]. Perdió su imperio al ser derrotado por Alejandro Magno.

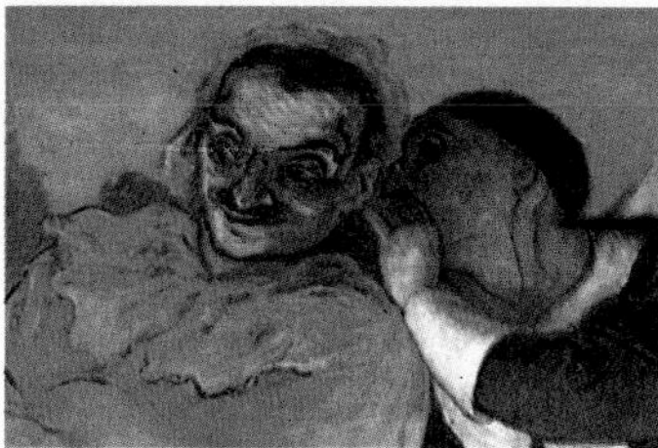

Crispín y Scapín, obra de Honoré **Daumier.** Museo del Louvre, París

DARÍO, ***Rubén*** Seud. de *Félix Rubén García Sarmiento* (1867-1916) Poeta nic. Como representante diplomático residió en diversas naciones latinoamericanas y europeas, entre ellas España y Francia. Vinculado a la generación del 98, con su obra fecunda e innovadora llegó a ser el más genuino representante de la escuela modernista en lengua castellana. Se distingue por el sentido musical del lenguaje, el ritmo, la métrica libre y su riqueza expresiva. *Azul* puede considerarse su primera obra de plenitud. *Prosas profanas, Cantos de vida y esperanza, Letanía de nuestro señor don Quijote, Los motivos del lobo, Responso a Verlaine.*

DARLAN, ***François*** (1881-1942) Almirante fr. Ministro del Ejército y vicepresid. del gobierno de Pétain. Murió asesinado.

DARLING Río de Australia, afluente del Murray; 2 450 km.

DARLINGTON C. de Gran Bretaña, en Inglaterra; 85 400 hab. Metalurgia.

DARMOIS, ***Georges*** (1888-1960) Matemático fr. Investigó sobre el cálculo de probabilidades y la estadística con aplicaciones a la biología y la economía.

DARMSTADT C. de Alemania, en el est. de Hesse; 134 800 hab. Centro industrial.

DÁRSENA f. Parte más resguardada de un puerto, en la que fondean las embarcaciones.

DARTOS m. *Anat.* Fina capa de fibras musculares que recubre interiormente la bolsa escrotal.

DARTHES, ***Juan Fernando Camilo*** (1889-1949) Dramaturgo arg. *La última escena, los que van al infierno, La hermana Josefina.*

DARVINISMO o **DARWINISMO** m. *Biol.* Teoría de la evolución de las especies formulada originalmente por el naturalista Charles R. Darwin, según la cual los seres que poseen características más beneficiosas que otros, tienen más probabilidades de sobrevivir en la lucha por la existencia al transmitir a sus descendientes sus características particulares. En generaciones sucesivas, las particularidades tenderán a generalizarse a toda la población, originándose una nueva especie por diferenciación progresiva. ■ DARVINIANO, NA; DARVINISTA O DARWINISTA.

DARWIN, ***Charles Robert*** (1809-1882) Naturalista brit., padre del evolucionismo. Recogió un enorme caudal de observaciones en su viaje por las costas de América del Sur y del Pacífico a bordo del *Beagle. El origen de las especies.*

DASÍMETRO m. *Fís.* Baroscopio.

DASIPÓDIDO, DA adj. y m. *Zool.* Díc. de los mamíferos de la familia dasipódidos. • m. pl. Familia de mamíferos desdentados americanos de cola cilindrocónica, que pueden arrollarse en una bola.

DASIURO m. Marsupial de pelaje negro.

DASOCRACIA f. Parte de la dasonomía que trata de los montes. ■ DASOCRÁTICO, CA.

DASONOMÍA f. Ciencia que trata del cuidado y aprovechamiento de los montes. ■ DASONÓMICO, CA.

DASSAULT, ***Marcel*** (1892-1986) Ingeniero aeronáutico fr. Construyó los aviones *Caravelle* y *Mirage.*

DASSIN, ***Jules*** (nacido 1911) Director cinematográfico norteam. Se instaló en Europa a causa de la represión de McCarthy. *Noche en la ciudad, Rififí.*

DATA f. Indicación del lugar y tiempo en que sucede una cosa. • Partidas que en una cuenta componen el descargo de lo recibido. • Abertura en los depósitos de agua.

DATAR tr. Poner la data. • tr. y prnl. Poner en las cuentas lo correspondiente a la data. • Determinar la data de un documento, suceso, etc. intr. • Haber tenido principio un a cosa en el tiempo que se determina. ■ DATACIÓN.

DATARÍA f. Tribunal de la curia rom.

DÁTIL m. Fruto comestible de la palmera. • *Zool.* Molusco bivalvo parecido al dátil. • pl. fig. y fam. Los dedos de la mano. ■ DATILADO,DA; DATILERO, RA.

DATISMO m. Empleo de vocablos sinónimos.

DATIVO m. *Gram.* Uno de los casos de la declinación. Hace en la oración función de complemento indirecto.

DATO m. Antecedente necesario para llegar al conocimiento exacto de una cosa. • Documento, testimonio, fundamento. • Título de alta dignidad de algunos países de Oriente. • *Comp.* Unidad lógica de información que se suministra a la computadora.

DATO Iradier, ***Eduardo*** (1856-1921) Político esp. Jefe del partido conservador, fue tres veces jefe del gobierno entre 1913 y 1920. Murió en un atentado anarquista.

DATURA f. *Bot.* Gén. de plantas al que pertenece el estramonio.

DATURINA f. Alcaloide del estramonio.

DAUD Jan, ***Sardar Muhammad*** (1909-1978) Militar y político afgano. En 1973 destronó al rey Zahir y proclamó la rep.

DAUDÁ f. *Chile.* Contrahierba, planta.

DAUDET, ***Alphonse*** (1840-1897) Escritor fr. Aunque se le incluye en la escuela naturalista, su obras ecléctica. *Tartarín de Tarascón, Cartas desde mi molino.*

DAULE Río de la llanura costera de Ecuador; 320 km. Nace en la cordillera occidental de los Andes y desemboca cerca de Guayaquil.

DAUMAS, ***Louis Joseph*** (1801-1887) Escultor fr. Realizó estatuas ecuestres de San Martín en Buenos Aires y Santiago de Chile.

DAUMIER, ***Honoré*** (1808-1879) Dibujante y pintor fr. Caricaturas satíricas. *Gargantúa, Lavanderas del Sena.*

DAUSSET, ***Jean*** (nacido 1916) Médico fr. Premio Nobel de Medicina en 1980 por sus estudios sobre los antígenos.

DAVALAR intr. *Mar.* Ir a la deriva.

DÁVALOS, ***Balbino Adolfo*** (1866-1951) Escritor mex. Rector de la universidad Nacional. *Las ofrendas* (poesía), *De otros parnasos.* • ***Juan Carlos*** (1887-1959) Escritor arg. *Los gauchos, Salta, su alma y su paisaje.* • ***Marcelino*** (1871-1923) Dramaturgo mex., de tendencia naturalista y romántica. *El último cuadro, Guadalupe.* • **Hurtado,** ***Eusebio*** (1909-1968) Antropólogo mex. Trabajó en pro de la conservación y restauración de los monumentos coloniales. • **Y Lissón,** ***Pedro*** (1863-1942) Escritor per. *La minería del Perú en el siglo* XIX, *La ciudad de los Reyes, Historia republicana.*

DAVAO C. de Filipinas, en la isla de Mindanao; 610 400 hab. Puerto exportador de ananás, abacá, copra.

DAVID C. de Panamá, cap. de la prov. de Chiriquí; 113 527 hab. (en el distr.). Centro industrial.

DAVID Hijo de Isaí, segundo rey del pueblo de Israel.

DAVID, ***Gérard*** (1460-1523) Pintor flam., el último gran maestro de la escuela de Brujas. *Virgen*

Charles Robert **Darwin**

Palmera datilera, racimo de frutos y detalle de un **dátil**

David, por Miguel Ángel. Galería de la Academia, Florencia (Italia)

Miles Davis

Sir Humprey Davy

Moshe Dayan

con santas, El descendimiento de Cristo. • ***Juan*** (nacido 1911) Dibujante y caricaturista cub. Primer premio en el Salón de Humoristas de La Habana.• ***Louis*** (1748-1825) Pintor fr., fundador de la escuela neoclásica. Pintor de Napoleón I durante el imperio. *El juramento del Juego de Pelota, La coronación de Napoleón I, Marat asesinado en su bañera.*

DAVÍDICO, CA adj. Relativo al rey David o a su poesía y estilo.

DÁVILA, *Amparo* (nacida 1928) Escritora mex. *Perfil de soledades, Meditaciones a orilla del sueño* (poesía); *Tiempo destrozado* (cuentos). • ***Carlos Guillermo*** (1887-1955) Político chil. Participó en el derrocamiento de Montero. Presid. de la rep. en 1932. Secretario gral. de la OEA en 1954-1955. • ***José Antonio*** (1899-1941) Poeta puertorriq. *Vendimia* (obra póstuma). • ***Miguel R.*** (m. 1927) Político hond. Sucedió a Bonilla en la presidencia (1907). Derrocado en 1911. • **Andrade, *César*** (1918-1967) Poeta ecuat. Sobresale por su riqueza formal. *Materia real.* • **De Burbano, *Memé*** (1911-1980) Pianista ecuat. Gran pedagoga, fue directora del Conservatorio Nacional. • **Miranda, *Federico*** (nacido 1900) Violinista arg. Estudió en Praga y Berlín, y actuó con los mejores directores. Fundador de la Asociación Argentina de Música de Cámara. • **Silva, *Ricardo*** (1873-1959) Ensayista chil. *Apuntes para una biblioteca heleno-clásica, Apuntes para una biblioteca latino-clásica, Sucinta historia de la filosofía griega.*

DAVIS, *Angela* (nacida 1944) Política estadoun. De militancia comunista, es uno de los símbolos de la lucha contra la discriminación racial. *Autobiografía.* • ***Bette*** Seud. de *Ruth Elizabeth Davis* (1908-1989) Actriz teatral y cinematográfica estadoun. *Jezabel, La loba, ¿Qué fue de Baby Jane?* • ***Jefferson*** (1808-1889) Político estadoun. Durante la guerra de Secesión fue presid. de los Estados Confederados del Sur. • ***Miles*** (1926-1991) Trompetista estadoun. Uno de los creadores del *cool jazz.* • ***Stuart*** (1894-1964) Pintor estadoun. adscrito al abstraccionismo. Murales en el Radio City de Nueva York.

DAVIS, *Copa* Torneo de tenis que se disputa por países. Instituido por el estadoun. Dwight Filley Davis en 1900.

DAVISSON, *Clinton Joseph* (1881-1958) Físico norteam. Con L. H. Germer, descubrió la difracción de un haz de electrones al atravesar una estructura cristalina. Premio Nobel de Física, con G. P. Thomson, en 1937.

DAVY, SIR ***Humphrey*** (1778-1829) Químico brit. Inventor de una lámpara minera de seguridad que lleva su nombre.

DAWES, *Charles Gates* (1865-1951) Financiero y político norteam. Elaboró el Plan de regulación de las reparaciones económicas de Alemania a los aliados. Premio Nobel de la Paz en 1925.

DAYAKO adj. y s. Díc. de los individuos de los pueblos indígenas mongoloides de Borneo.

DAYAN, *Moshe* (1915-1981) Militar y político israelí. Jefe del Estado Mayor, dirigió la guerra de los Seis Días (1967).

DAYANANDA Saravasti (1824-1883) Religioso indio. Fundador del movimiento Arya Samaj.

DAYTON C. de EE UU, en el SO del est. de Ohio, sobre el río Great Miami; 850 266 (agl. urb.). Centro aeronáutico. Investigación atómica.

DAZA f. Zahína, planta.

DAZA, *Hilarión* (1840-1894) Político y militar bol. En 1876, dio un golpe de est. y asumió el poder. Su gobierno se caracterizó por la corrupción. Derrocado tras su fracaso en la guerra del Pacífico. Fue asesinado.

DDT m. *Quím.* Abrev. del *dicloro-difenil-tricloroetano,*insecticida que se presenta en forma de polvo blanco, soluble en muchos disolventes orgánicos. Altamente tóxico.

DE f. Nombre de la letra *d.* • prep. Denota posesión. • Explica el modo de hacer varias cosas, de suceder otras, etc. • Manifiesta de dónde son, vienen o salen las cosas o las personas. • Sirve para denotar la materia de que está hecha una cosa. • Demuestra lo contenido en una cosa. • Indica también el asunto de que se trata. • Expresa la naturaleza, condición o cualidad. • Sirve para determinar la aplicación de un nombre apelativo. • Desde. • Algunas veces se usa para regir infinitivos. • Con ciertos nombres sirve para determinar el tiempo en que sucede algo. • Se emplea también para esforzar un calificativo. • Algunas veces es nota de ilación. • Precediendo al numeral *uno, una,* denota la rápida ejecución de algunas cosas. • Colócase entre distintas partes de la oración con exp. de lástima, queja o amenaza. • Con. • Entre. • Para. • Por. • Tiene uso como pref. de vocablos compuestos. • Forma parte de modismos adverbiales.

DE FACTO loc. adv. latina. De hecho.

DE JURE loc. adv. latina. Conforme a derecho.

DE LA RÚA, *Fernando* (nacido 1937) Político arg. Miembro de la Unión Cívica Radical, en 1996 fue elegido Jefe de Gobierno (alcalde) de la ciudad de Buenos Aires, y en 1999 obtuvo la victoria en las elecciones presidenciales. La fuerte crisis económica y social forzaron su dimisión en diciembre de 2001.

DE PROFUNDIS m. Salmo penitencial.

DEA f. Diosa.

DEAMBULAR intr. Andar sin dirección determinada; pasear.

DEAMBULATORIO m. *Arq.* Espacio transitable en las iglesias detrás del altar mayor.

DEAMINACIÓN f. *Biol.* Eliminación de amoniaco por los aminoácidos.

DEAMINASA f. *Biol.* Enzima cuya misión es la deaminación de los sustratos biológicos aminados.

DEÁN m. El cabeza del cabildo después del prelado. B DEANATO O DEANAZGO.

DEAN, *James* (1931-1955) Actor de cine estadoun. *Rebelde sin causa, Al este del Edén, Gigante.*

DEATH VALLEY → Muerte, valle de la.

DEBACLE f. Catástrofe, desastre.

DEBAJERO m. *Ecuad.* Refajo.

DEBAJO adv. lugar. En lugar inferior. Pide la prep. *de* cuando antecede a un nombre y tiene conexión con él. • fig. Con sumisión a personas o cosas. Pide también la prep. *de* precediendo a un nombre.

DEBALI, *Francisco José* (1791-1859) Músico brit., instalado en Montevideo. Compuso el Himno Nacional de Uruguay (1845).

DEBATE m. Controversia sobre una cosa entre dos o más personas. • Contienda, lucha.

DEBATIR tr. Altercar, disputar sobre una cosa. • Combatir. • prnl. Agitarse, sacudirse.

DEBE m. *Cont.*Una de las dos partes, la de la izquierda, en que se dividen las cuentas corrientes. Incluye las cantidades que se cargan en la cuenta.

DEBELAR tr. Rendir a fuerza de armas al enemigo. B DEBELACIÓN.

DEBENEDETTI, *Salvador* (1884-1930) Arqueólogo y profesor arg. *Las ruinas del Pucará de Tilcara, La antigua civilización de Bancales.*

DEBER m. *Fil.*Conformidad de una acción a un orden racional o a una norma. • Deuda. • tr. Estar obligado a algo por la ley. • Tener obligación de satisfacer una cantidad. • Se usa con la prep. *de* para denotar que quizá ha sucedido, sucede o sucederá una cosa. • tr. y prnl. Tener por causa.

DEBILIDAD f. Falta de vigor. • fig. Carencia de energía en las cualidades del ánimo. • Afecto. B DÉBIL.

DEBILITACIÓN f. Debilidad.

DEBILITAR tr. y prnl. Disminuir la fuerza o el poder de una persona o cosa. B DEBILITAMIENTO.

DEBITAR tr. *Cont.* Anotar un registro contable en el debe de una cuenta.

DÉBITO m. Deuda. • Débito conyugal. • *Cont.* Conjunto de cantidades anotadas en el debe de una cuenta.

DEBOCAR intr. *Argent.* Vomitar.

DEBRAY, *Régis* (nacido 1940) Escritor y político fr. Teórico de la estrategia del «foco revolucionario», estuvo con «Che» Guevara en las guerrillas bolivianas. *Revolución en la revolución.*

DEBRÉ, *Michel* (1912-1996) Político fr. Defensor del gaullismo. Primer ministro de 1959 a 1962.

DEBRECEN C. del E de Hungría; 210 000 hab. Centro industrial. Universidad.

DEBREU, *Gerard* (nacido 1921) Economista estadoun. Premio Nobel de Economía en 1983 por su aportación a la teoría del equilibrio general.

DEBRUZAR intr. y prnl. Inclinar.

DEBS, *Eugène-Victor* (1855-1926) Político estadoun. Uno de los fundadores del Partido Socialista de EE UU.

DEBUSSY, *Claude* (1862-1918) Pianista y compositor fr. Una de las fig. musicales más originales a partir de influencias literarias vanguardistas. Obras para piano y orquesta, música de cámara, ballet y

ópera. *La doncella elegida, Preludio a la siesta de un fauno.*
DEBUT (voz fr.) m. Estreno de un espectáculo; presentación de un artista, escritor, etc. • Presentación de una señorita en sociedad. ■ DEBUTANTE; DEBUTAR.
DEBYE, *Peter Joseph Wilhelm* (1884-1966) Químico y físico hol. Premio Nobel de Química en 1936 por su contribución al conocimiento de la estructura de los compuestos moleculares por los rayos X.
DÉCADA f. Serie de diez. • Conjunto de diez hombres en el ejército gr. • Período de diez días o diez años. • División de diez libros o capítulos en una obra histórica. • Historia de diez personajes.
DECADENCIA f. Ruina de una cultura, imperio.
DECADENTISMO m. *Lit.* Estilo, hacia finales del s. XIX, de los que propenden a un refinamiento exagerado en el uso de las palabras. Wilde, Baudelaire fueron, entre otros, sus cultivadores. ■ DECADENTISTA.

*Antoine Laurent **Lavoisier** y su esposa,* óleo de Louis **David**

DECAEDRO m. *Geom.* Poliedro de diez caras.
DECAER intr. Ir a menos. • *Mar.* Separarse la embarcación del rumbo. ■ DECADENTE; DECAÍDO, DA.
DECÁGONO, NA adj. y m. *Geom.* Polígono de diez lados. ■ DECAGONAL.
DECAGRAMO m. Unidad de peso que equivale a diez gramos.
DECAIMIENTO m. Decadencia. • Desaliento, abatimiento.
DECALESCENCIA f. *Metal.* Fenómeno de enfriamiento sufrido por una masa férrea sometida a la acción del fuego.
DECALITRO m. Medida de capacidad que equivale a diez litros.
DECÁLOGO m. Conjunto de diez reglas necesarias para hacer bien una cosa. • n. p. m. Los diez mandamientos que Dios entregó a Moisés.
DECALVAR tr. Rasurar a una persona todo el cabello. ■ DECALVACIÓN.
DECÁMETRO m. Medida de longitud, que equivale a diez metros.
DECAMPAR intr. Levantar el campo un ejército.
DECAMPS, *Alexandre Gabriel* (1803-1860) Pintor fr., *Niños turcos junto a una fuente.*
DECÁN *(Dakshin Pathar)* Pen. sit. al S de la llanura indogangética, que forma la región meridional de la India. Clima monzónico. Sabanas y selvas. Cacahuete y maíz.
DECANIA f. Finca o iglesia rural propiedad de un monasterio.
DECANO, NA adj. y s. Miembro más ant. de una comunidad, junta, etc. • Persona nombrada para presidir una corporación o una facultad universitaria. • *Quím.* Hidrocarburo saturado de diez átomos de carbono. ■ DECANATO.
DECANTACIÓN f. Separación de un líquido y un sólido o de dos líquidos no miscibles aprovechando la gravedad.
DECANTAR tr. Propalar. • Inclinar una vasija sobre otra para que caiga el líquido sin que salga el poso.
DECAPADO, DA m. *Metal.* Eliminación de las capas de óxidos y de las sustancias grasas que recubren un cuerpo metálico.
DECAPAR intr. *Metal.* Quitar las impurezas que se forman sobre una superficie metálica. ■ DECAPANTE.
DECAPITAR tr. Cortar la cabeza. ■ DECAPITACIÓN.
DECÁPODO, DA adj. y m. *Zool.* Díc. de los crustáceos o moluscos del orden decápodos. • m. pl. Orden de crustáceos con cinco pares de patas locomotoras en el cefalotórax. Tienen las branquias en la base de las patas locomotoras, y el primer par de patas gralte. provisto de pinzas. Existen especies nadadoras, bentónicas y otras adaptadas a la vida terrestre. • Orden de moluscos cefalópodos con diez tentáculos, dos de los cuales son más largos y a menudo retráctiles. Poseen celoma bien desarrollado y concha interna o parcialmente externa, algo atrofiada. Pertenecen a este orden el calamar y la sepia.
DECARBOXILACIÓN f. *Biol.* Pérdida de anhídrido carbónico de los ácidos orgánicos.
DECARBOXILASA f. *Biol.* Enzima cuya acción específica es la decarboxilación de los aminoácidos y de los cetoácidos.
DECÁREA f. Medida de superficie que equivale a diez áreas.
DECASÍLABO, BA adj. y s. De diez sílabas.
DECATHLON m. Competición atlética que consta de diez pruebas. Se incorporó como prueba olímpica en 1912.
DECATIR tr. Quitar el brillo a los paños.
DECATLÓN m. Decathlon.
DECCA m. Sistema radioeléctrico de navegación en condiciones de falta de visibilidad.
DECELERACIÓN f. Aceleración negativa.
DECELERAR tr. Reducir la velocidad.
DECEMBRISTA adj. y s. Miembros de una soc. secreta rusa que en 1825 intentaron instaurar el sist. constitucional.
DECENA f. Conjunto de diez unidades. • *Mús.* Octava de la tercera.
DECENAL adj. Que sucede o se repite cada decenio. • Que dura un decenio.
DECENARIO, RIA adj. Relativo al núm. 10. • m. Decenio. • Rosario pequeño de diez cuentas.
DECENCIA f. Aseo y adorno correspondiente a cada persona o cosa. • Recato, modestia. • fig. Dignidad en los actos y en las palabras.
DECENIO m. Periodo de diez años.
DECENO, NA adj. Décimo.
DECENTAR tr. Empezar a cortar el pan, queso, etc. • fig. Empezar a hacer perder lo que se había conservado sano. • prnl. Ulcerarse una pared del cuerpo del enfermo, por estar echado mucho tiempo en la cama.
DECENTE adj. Honesto, debido. • Conforme a la moral sexual. • Conforme al estado de la persona. • Adornado sin lujo, con aseo. • Digno. • Bien portado. • De buena calidad o en cantidad suficiente.
DECENVIR o **DECENVIRO** m. Cada uno de los diez magistrados rom. que gobernaron algún tiempo la rep. • Magistrado menor rom. ■ DECENVIRAL; DECENVIRATO.

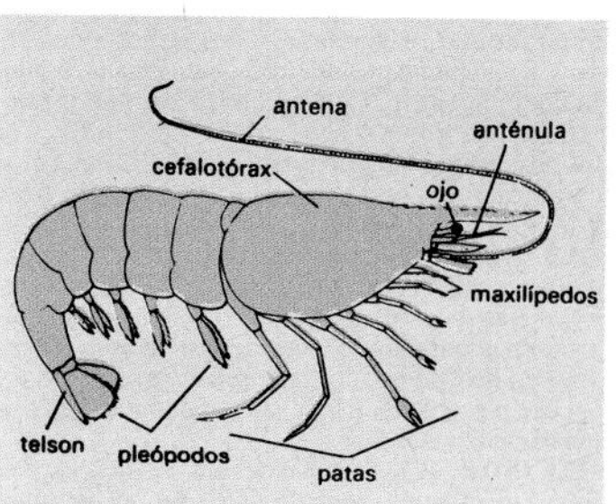

Anatomía externa de un crustáceo **decápodo**

DECEPCIÓN f. Engaño. • Pesar causado por un desengaño.
DECEPCIONAR tr. Desilusionar.
DECESO m. Muerte natural o civil.
DECHADO m. Muestra que se tiene presente pa-

Moisés recibe el **Decálogo.** Biblioteca de Grandual, Museo Británico, Londres

Santuario budista en la meseta de Chota-Nagpur, **Decán**

Decio

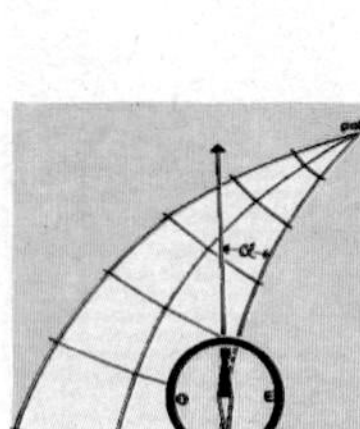
El ángulo α corresponde a la **declinación magnética**

ra imitar. • Labor ejecutada en lienzo, imitando la muestra. • fig. Modelo de virtudes o de vicios.

DECIÁREA f. Medida de superficie que equivale a la décima parte de una área.

DECIBEL o **DECIBELIO** m. *Fís*. Décima parte del bel, unidad de medida para expresar la intensidad de un sonido.

DECIDIR tr. Formar juicio sobre algo dudoso. • tr. y prnl. Tomar determinación de algo. • Ayudar a otro a que tome cierta determinación. ■ DECIDIDO, DA; DECISIVO, VA O DECISORIO, RIA.

DECIDUO, A adj. *Bot*. Caduco. • f. Placenta.

DECIGRAMO m. Peso que equivale a la décima parte de un gramo.

DECILITRO m. Medida de capacidad, que equivale a la décima parte de un litro.

DECIMACUARTA adj. Decimocuarta.

DECIMAL adj. Aplícase a cada una de las diez partes en que se divide una cantidad. • Perteneciente al diezmo. • Díc. del sistema métrico, cuyas unidades son múltiplos o divisores de 10 con respecto a la pral. de cada clase. • Aplícase al sistema cuya base es 10.

DECÍMETRO m. Medida de longitud, que equivale a la décima parte de 1 m. • **cuadrado**. Medida de superficie que corresponde al área de un cuadrado cuyo lado mide 1 dm. • **cúbico.** Medida de volumen representada por un cubo cuya arista es de un 1 dm.

DÉCIMO, MA adj. Que sigue inmediatamente en orden al o a lo noveno. • adj. y s. Cada una de las diez partes iguales en que se divide un todo. • m. Décima parte del billete de lotería. • Moneda de plata de Colombia, México y Ecuador. • f. Cada una de las diez partes iguales en que se divide un todo. • Diezmo. • *Métr*. Combinación de diez versos octosílabos, de los cuales rima el primero con el cuarto y el quinto; el segundo, con el tercero; el sexto, con el séptimo y el último, y el octavo, con el noveno. • Ant. moneda de cobre. • Aludiendo a la temperatura, décima parte de un grado del termómetro clínico.

DECIMOCTAVO, VA adj. Que sigue inmediatamente en orden al o a lo decimoséptimo.

DECIMOCUARTO, TA adj. Que sigue inmediatamente en orden al o a lo decimotercio.

DECIMONÓNICO, CA adj. Relativo al s. XIX.

DECIMONONO, NA o **DECIMONOVENO, NA** adj. Que sigue inmediatamente en orden al o a lo decimoctavo.

DECIMOQUINTO, TA adj. Que sigue inmediatamente en orden al o a lo decimocuarto.

DECIMOSÉPTIMO, MA adj. Que sigue inmediatamente en orden al o a lo decimosexto.

DECIMOSEXTO, TA adj. Que sigue inmediatamente en orden al o a lo decimoquinto.

DECIMOTERCERO, RA o **DECIMOTERCIO, CIA** adj. Que sigue inmediatamente en orden al o a lo duodécimo.

DECIO (201-251) Emperador rom. [248-251]. Inició la séptima persecución contra los cristianos.

DECIR m. Dicho, palabra. • Dicho notable por la sentencia, por la oportunidad, etc. Se usa más en pl. • tr. y prnl. Manifestar el pensamiento. • tr. Asegurar, opinar. • Nombrar. • fig. Denotar una cosa. • fig. Aplícase a los libros, por lo que en ellos se contiene. • fig. Con los adv. *bien, mal* u otros semejantes, ser o no favorable la suerte. • fig. Con los adv. *bien* o *mal*, convenir, armonizar una cosa con otra, o al contrario. ■ DECIDERO, RA; DECIDOR, RA.

DECISIÓN f. Resolución que se toma o se da en una cosa ante la que existen dos o más alternativas. • Firmeza de carácter. • *Der*. Resolución judicial. • *Comp*. Operación de una computadora que consiste en determinar si existe relación entre los datos de un problema y las eventualidades que han de tenerse en cuenta.

DECISOR, RA adj. Que decide. • adj. y m. Persona, organismo o parte de una máquina que toma decisiones.

DECLAMACIÓN f. Oración escrita o dicha con el fin de ejercitarse en las reglas de la retórica. • P. ext., oración o discurso. • Discurso pronunciado contra personas o cosas. • Arte de representar en el teatro.

DECLAMAR intr. Orar en público. • Orar con el fin de ejercitarse en las reglas de la retórica. • Orar con demasiada vehemencia. • intr. y tr. Recitar con la entonación y el gesto convenientes.

DECLAMATORIO, RIA adj. Aplícase al estilo empleado para suplir la falta de afectos capaces de acalorar el ánimo.

DECLARACIÓN f. Acción y efecto de declarar. • Manifestación de lo que otros dudan o ignoran. • *Der*. Deposición que hace el testigo o perito en causas criminales o pleitos civiles.

DECLARACIÓN de los derechos del hombre y del ciudadano Aprobada en Francia en 1789, reconocía la libertad individual, la propiedad, etc. • **Universal de los derechos humanos.** Aprobada por la ONU en 1948, define los derechos básicos del hombre, sin distinción de raza, sexo, lengua, religión o política.

Declaración de los derechos del hombre y del ciudadano

DECLARAR tr. Manifestar lo que está oculto o no se entiende. • *Der*. Determinar, decidir los juzgadores. • intr. *Der*. Manifestar los testigos o el reo ante el juez lo que saben acerca de la contienda en causas criminales o pleitos civiles. • prnl. Manifestar el ánimo, los sentimientos. • Producirse. • *Mar*. Hablando del viento, fijarse en dirección, carácter e intensidad. • Manifestarse abiertamente. ■ DECLARANTE; DECLARATIVO, VA.

DECLARATORIO, RIA adj. Díc. de lo que declara lo que no se sabía. • *Der*. Díc. del pronunciamiento que define una calidad o un derecho sin contener mandamiento ejecutivo.

DECLINACIÓN f. Caída o bajada. • fig. Decadencia o menoscabo. • *Astr*.Distancia de un astro al ecuador. • *Gram*. En las lenguas con flexión casual, serie ordenada de las formas que presenta una palabra para desempeñar funciones. • *Gram*. Paradigma de declinación de una palabra que sirve de modelo para otras. • Ángulo que forma un plano vertical con el meridiano del lugar que se considere. • **de la aguja** o **magnética**. Ángulo variable que forma la dirección de la brújula con la línea meridiana de cada lugar. ■ DECLINABLE.

DECLINAR intr. Inclinarse. • fig. Decaer, ir perdiendo en salud, inteligencia, riqueza, etc. • fig. Caminar una cosa a su fin. • tr. *Astr*. Acercarse un astro al horizonte después de su culminación. • *Gram*. Poner las palabras declinables en los casos gramaticales. • Renunciar.

DECLINATORIO m. Brújula de aguja larga para orientar instrumentos topográficos en dirección N.

DECLINÓMETRO m. Instrumento, compuesto por una aguja imantada en posición vertical, usado para medir la componente horizontal del campo magnético terrestre.

DECLIVE m. o **DECLIVIDAD** f. Pendiente, cuesta o inclinación de una superficie.

DECOCCIÓN f. Producto que se obtiene por el cocimiento en agua de sustancias vegetales o minerales. • *Cir*. Amputación de una parte del cuerpo.

DECOLORANTE adj. y s. Que decolora. • m. Agente que elimina los colores.
DECOLORAR tr. y prnl. Descolorar. ■ DECOLORACIÓN.
DECOMISO m. Pena en que incurre el que comercia en géneros prohibidos, consistente en la pérdida de los mismos. • Pérdida del que contraviene a algún contrato en que se estipuló esta pena. • Cosa decomisada. • Pena de privación de los instrumentos o efectos del delito. • En la enfiteusis, derecho del dueño directo para recobrar la finca por falta de pago u otros abusos graves. ■ DECOMISAR.
DECORACIÓN f. Acción y efecto de decorar. • Cosa que decora. • Conjunto de telones, bambalinas y trastos con que se figura un lugar en una representación teatral. • Actividad artística que tiene por objeto la conjunción de distintos elementos destinados a embellecer y dar comodidad a la vivienda. ■ DECORATIVO,VA.
DECORADO, DA m. Decoración, conjunto de elementos que componen la escenografía de un espectáculo.
DECORAR tr. Adornar una cosa o un sitio. • Aprender de memoria una lección, oración, etc. • Recitar de memoria. • Silabear. ■ DECORADOR, RA.
DECORO m. Honor, respeto que se debe a una persona. • Circunspección. • Pureza, recato. • Honra, estimación. ■ DECOROSO, SA.
DECORTICACIÓN f. Pérdida de la corteza.
DECOUD, *José Segundo* (1848-1908) Escritor par. Fundador de la universidad Nacional. *La educación, La literatura en el Paraguay.*
DECRECER intr. Menguar, disminuir. ■ DECRECIMIENTO O DECREMENTO.
DECREPITAR intr. Crepitar por la acción del fuego. ■ DECREPITACIÓN.
DECRÉPITO, TA adj. y s. Aplícase a la edad muy avanzada o persona que por su vejez tiene disminuidas sus facultades. • fig. Díc. de las cosas que han llegado a su última decadencia.
DECREPITUD f. Última fase de la vejez, caracterizada por una decadencia general. • Chochez, debilidad de las facultades mentales por efecto de la edad. • fig. Decadencia de las cosas.
DECRESCENDO m. y adv. modo. *Mús.* Debilitación gradual de la intensidad del sonido. • m. *Mús.* Signo musical que representa esta disminución de intensidad. • *Mús.* Pasaje de una composición musical que se ejecuta de esta manera.
DECRETAL adj. Relativo a las decretales. • f. Epístola en la cual el Sumo Pontífice declara alguna duda. • pl. Libro en que están recopiladas las epístolas.
DECRETAR tr. Resolver, decidir la persona que tiene autoridad para ello. • Anotar marginalmente el curso que se ha de dar a un escrito. • *Der.* Determinar el juez acerca de las peticiones de las partes.
DECRETO m. Resolución o determinación de una autoridad sobre cualquier materia. • Constitución que ordena el papa.
DECÚBITO m. Posición que toman las personas o los animales cuando se echan. • **prono**. Aquel en que el cuerpo yace sobre el pecho y vientre. • **supino**. Aquel en que el cuerpo descansa sobre la espalda.
DECUPLAR o **DECUPLICAR** tr. Hacer décupla una cosa. • Multiplicar por 10 una cantidad.
DÉCUPLO, PLA adj. y m. Que contiene un número diez veces exactamente.
DECURIA f. Cada una de las diez porciones en que se dividía la curia rom. • En la ant. milicia rom., escuadra de diez soldados gobernada por un cabo.
DECURIÓN m. Jefe de una decuria. • En las colonias o mun. rom., individuo de la corporación que los gobernaba. ■ DECURIONATO.
DECURRENTE adj. *Bot.* Se aplica a las hojas cuyo limbo se extiende a lo largo del tallo.
DECURSO m. Sucesión del tiempo.
DECUSO, SA adj. *Bot.* Que posee forma de aspa.
DEDADA f. Porción que con el dedo se puede tomar de una cosa que no es del todo líquida.
DEDAL m. Utensilio usado para empujar la aguja cuando se cose. • Dedil.
DEDALERA f. Digital, planta.
DÉDALO m. Laberinto.
DÉDALO *Mit.* Arquitecto que construyó el Laberinto para Minos, rey de Creta.

DEDEKIND, *Julius Wilhelm Richard* (1831-1916) Matemático al. Formuló una teoría del núm. real y sentó las bases del álgebra conmutativa.
DEDEO m. *Mús.* Agilidad de los dedos.
DEDICACIÓN f. Fiesta en que se hace memoria de haberse consagrado un templo. • Inscripción que se coloca en la fachada de un edificio, e indica su destino. ■ DEDICATIVO,VA; DEDICATORIO, RIA.
DEDICAR tr. Consagrar, destinar una cosa a un fin o uso. • Dirigir a una persona, un objeto y una obra de entendimiento. • tr. y prnl. Emplear.
DEDICATORIA f. Carta o nota dirigida a la persona a quien se dedica una obra.
DEDIGNAR tr. y prnl. Desdeñar, desestimar.
DEDIL m. Cada una de las fundas que se ponen en los dedos.
DEDILLO *(Al)* m. adv. fam. que indica que algo se ha aprendido o se sabe a la perfección.
DEDO m. *Anat.* y *Fisiol.* Cada una de las cinco partes en que terminan la mano y el pie del hombre y, en el mismo o menor número, en muchos animales. • Medida de longitud, que equivale a unos 18 mm. • Porción de una cosa, del ancho de un dedo. • **anular.** El cuarto de la mano. • **auricular**, o **meñique**. El quinto y más pequeño de la mano . • **cordial, de en medio**, o **del corazón**. El tercero de la mano y más largo de los cinco. • **gordo**. Dedo pulgar. • **índice**. El segundo de la mano. • **pulgar.** El primero y más gordo de la mano, y, p. ext., también el primero del pie.
DEDUCCIÓN f. Acción y efecto de deducir. • Derivación, acción de sacar una cosa de otra o parte de ella. • *Fil.* Método por el cual se procede lógicamente de lo universal a lo particular. • *Mús.* Serie de notas que ascienden o descienden diatónicamente o de tono en tono sucesivos. ■ DEDUCTIVO,VA.
DEDUCIR tr. Sacar consecuencias. • Rebajar, descontar alguna partida de una cantidad. • *Der.* Presentar las partes sus defensas o derechos.
DEFASAJE m. *Fís.* Diferencia de fase entre dos oscilaciones de la misma frecuencia.
DEFATIGANTE adj. y m. Que suprime o reduce la fatiga.
DEFECACIÓN f. Acción y efecto de defecar. • *Fisiol.* Expulsión, a través del orificio anal, de las heces estacionadas en el bajo intestino.
DEFECAR tr. Quitar las heces o impurezas. • tr. e intr. Expeler los excrementos.
DEFECCIÓN f. Acción de separarse uno o más individuos de la causa a que pertenecían.
DEFECTIBLE adj. Díc. de lo que puede faltar. ■ DEFECTIBILIDAD.
DEFECTIVO, VA adj. Defectuoso. • adj. y s. *Gram.*Verbo cuya conjugación no es completa. • *Gram.* Díc. de las palabras declinables que no tienen todos su casos, géneros o números.
DEFECTO m. Carencia de las cualidades de una cosa. • Imperfección natural o moral. • **de masa**. *Fís.* Diferencia entre la masa del núcleo atómico y la suma de las masas de las partículas que lo forman. • **En d. de** loc. adv. A falta de. ■ DEFECTUOSO, SA.
DEFEMINACIÓN f. Trastorno psicosexual de la mujer que adquiere características masculinas.
DEFENDER tr. y prnl. Amparar, librar. • tr. Conservar, sostener una cosa contra el dictamen ajeno. • Vedar, prohibir. • Impedir, estorbar. • Abogar.

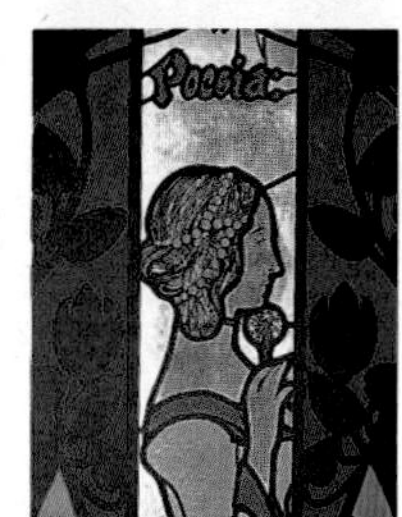

Decoración. De arriba abajo: interior decorado en estilo Luis XVI; vitrina rústica italiana; vidriera del Palacio Güell de Barcelona (España)

Firma del **decreto** de libre comercio de los puertos españoles con América por Carlos III

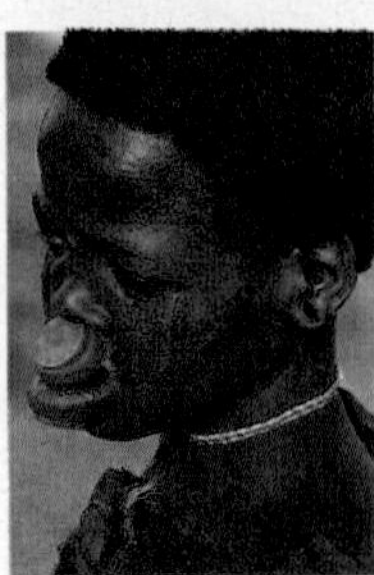

Deformación del labio, utilizado como signo de identidad étnica

Edgar **Degas**

DEFENDIDO, DA adj. y s. Persona a quien defiende un abogado.
DEFENESTRAR tr. Arrojar por la ventana. ■ DEFENESTRACIÓN.
DEFENSA f. Arma, instrumento, etc. con que uno se defiende en un peligro. • Amparo, socorro. • Obra de fortificación para defender una plaza, etc. Se usa más en pl. • *Biol.* Mecanismo de protección de los seres vivos. • *Der.* Razón que se alega en juicio para desvirtuar la acción del demandante. • *Der.* Abogado defensor del litigante o del reo. • *Med.* Conjunto de medios por los que el organismo humano resiste la acción de los agentes que tienden a destruirlo. • **Legítima d.** *Der.* La que, según el código penal, exime de responsabilidad al que se defiende.
DEFENSIÓN f. Resguardo, defensa.
DEFENSIVA f. Situación o estado del que sólo trata de defenderse.
DEFENSOR, RA adj. y s. Que defiende. • m. *Der.* Persona que en juicio está encargada de la defensa del acusado.
DEFENSORIO m. Escrito apologético en defensa o satisfacción de una persona o cosa.
DEFERENCIA f. Adhesión al dictamen o proceder ajeno, por respeto o por moderación. • fig. Muestra de respeto.
DEFERENTE adj. Que defiere al dictamen ajeno. • *Anat.* Que conduce hacia el exterior. • fig. Respetuoso.
DEFERIR intr. Adherirse al dictamen de uno. • tr. Comunicar, dar parte de la jurisdicción o poder.
DEFICIENCIA f. Defecto. • Escasez de algo. • *Biol.* Pérdida de una porción de la secuencia de bases químicas del ADN en un cromosoma o en los dos homólogos. ■ DEFICIENTE.
DÉFICIT m. En el com., lo que falta a las ganancias para que se equilibren con los gastos. • Falta o escasez de algo que se juzga necesario. • **presupuestario.** Exceso de los gastos del Est. sobre los ingresos. ■ DEFICITARIO, RIA.
DEFINICIÓN f. Proposición que expone los caracteres de una cosa. • Decisión de una duda, pleito o contienda, por autoridad legítima. • Declaración de cada uno de los vocablos, modos y frases de un diccionario. • Medida de fidelidad de un sistema televisivo para retransmitir una imagen. • pl. En las órdenes militares, excepto la de Santiago, conjunto de estatutos y ordenanzas.
DEFINIDO m. Cosa sobre la que versa toda definición.

Aparato eléctrico para dar fuego a los barrenos.
DEFLAGLAR intr. Arder una sustancia súbitamente con llama y sin explosión.
DEFLECTOR, RA adj. y m. Que produce deflexión. • m. *Mar.* Aparato que corrige la desviación de la brújula, causada por las partes metálicas de los buques. • *Mec.* Órgano para modificar la dirección de una corriente.
DEFLEGMAR tr. Separar de un cuerpo su parte acuosa.
DEFLEXIÓN f. Cambio de dirección.
DEFOE, *Daniel* (1660-1731) Escritor ing., autor de *Robinson Crusoe*, narración que encierra un credo filosófico característico de la mentalidad del s. XVIII. *El capitán Singleton, Moll Flanders.*
DEFOLIACIÓN f. Caída prematura de las hojas. ■ DEFOLIAR.
DEFORESTAR tr. Eliminar las plantas forestales. ■ DEFORESTACIÓN.
DEFORMACIÓN f. Efecto causado por una fuerza al actuar sobre un cuerpo elástico.
DEFORMAR tr. Hacer deforme una cosa. • tr. y prnl. Alterar la forma de algo. ■ DEFORMATORIO, RIA.
DEFORME adj. Desproporcionado o irregular en la forma.
DEFORMIDAD f. Calidad de deforme. • Cosa deforme. • fig. Error grosero. • Alteración morfológica de una cosa. • Anormalidad en la forma de un ser vivo.
DEFOSFORACIÓN f. *Metal.* Eliminación del fósforo en el acero, al que torna frágil.
DEFRAUDAR tr. Privar a uno de lo que le toca de derecho. • Eludir el pago de los impuestos. • fig. Frustrar o dejar sin efecto una cosa en que se confiaba. • fig. Turbar, quitar. ■ DEFRAUDACIÓN.
DEFUERA adv. lugar. Exteriormente.
DEFUNCIÓN f. Muerte.
DEGAS, *Edgar* Seud. de *Hilaire Germain de Gas* (1834-1917) Pintor fr. Influido por el linealismo de Ingres, fue uno de los primeros impresionistas. *La familia Bellelli.* Se especializó en temas de danza y en caballos.
DEGENERACIÓN f. Acción y efecto de degenerar. • Descaecimiento. • *Biol.* Alteración de la estructura de un cuerpo. • *Med.* Desviación o absorción de la norma media humana psicosomática. • *Pat.* Modificación estructural fisicoquímica de los tejidos. • *Psiq.* Envilecimiento moral que afecta a las sucesivas generaciones hasta la desaparición total de la capacidad mental.

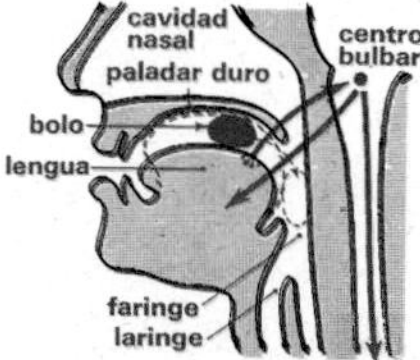

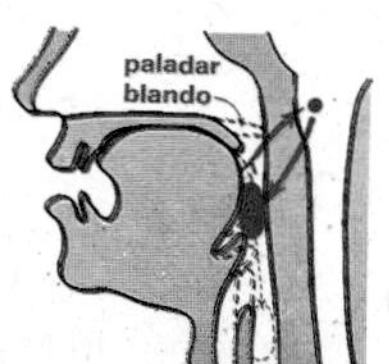

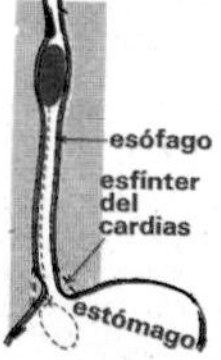

Deglutir. Esquema del proceso de la deglución

Degradación del capitán Alfred Dreyfus

DEFINIDOR, RA adj. y s. Que define. • m. En algunas órdenes religiosas, cada uno de los profesos que forman el definitorio.
DEFINIR tr. Fijar con precisión la significación de una palabra o la naturaleza de una cosa. • Decidir, resolver una cosa. • *Pint.* Concluir una obra. ■ DEFINITIVO, VA.
DEFINITORIO, RIA adj. Que define. • m. Cuerpo que componen para regir una orden los religiosos definidores. • Junta o congregación que celebran los definidores. • Pieza destinada para estas juntas.
DEFLACIÓN f. *Econ.* Exceso de la oferta sobre la demanda, que provoca una disminución de los precios y un aumento del valor del dinero. ■ DEFLACIONARIO, RIA; DEFLACIONISTA.
DEFLAGRACIÓN f. Combustión rápida que se propaga desde la superficie hacia el interior de la masa.
DEFLAGRADOR, RA adj. Que deflagra. • m.

DEGENERADO, DA adj. y s. Díc. del individuo de condición mental y moral anormal o depravada, acompañada de estigmas físicos.
DEGENERAR intr. Decaer, no corresponder una persona o cosa a su primera calidad. • fig. Decaer uno de la nobleza de sus antepasados. • *Pint.* Desfigurarse una cosa hasta parecer otra. ■ DEGENERATIVO, VA.
DEGLUTIR tr. e intr. *Fisiol.* Tragar los alimentos y, en general, hacer pasar de la boca al estómago cualquier sustancia sólida o líquida. ■ DEGLUCIÓN.
DEGOLLADERO m. Parte del cuello por donde se degüella al animal. • Sitio destinado para degollar las reses. • Tablado o cadalso donde se degollaba a los delincuentes • Tablón o viga robusta que separaba en los teatros la luneta del patio. • Degollado.
DEGOLLADO m. Degolladura en los vestidos.

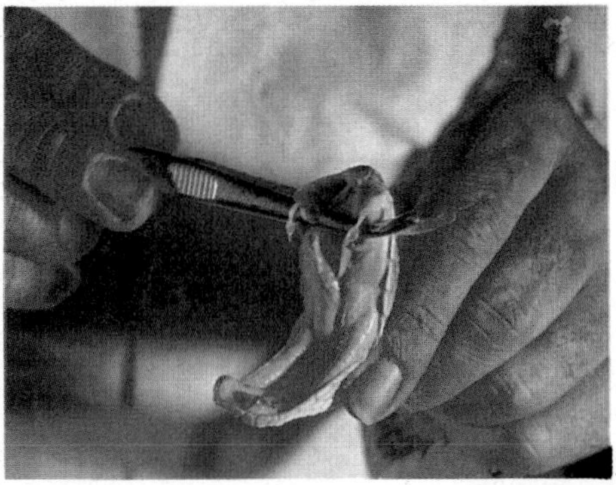

DEFENSA ANIMAL

1. Las serpientes venenosas parecen haber hecho suyo el aforismo «la mejor defensa es el ataque»: poseen dientes huecos capaces de inyectar veneno almacenado en unas glándulas secretoras.
2. Muchos mamíferos de distintos órdenes tienen en sus afilados colmillos su principal arma de ataque y defensa. Tal es el caso de este papión sagrado.
3. Por su morfología y su coloración, este insecto palo se mimetiza con los tallos sobre los que reposa.
4. Un caso de mimetismo aún más sofisticado es el de esta inerme mariposa tropical americana, que mimetiza a una temible avispa.
5. Estructuras de ataque y de defensa de especies de distintos grupos taxonómicos: garra de oso, caparazón de tortuga, púas de erizo y pico de águila.

DEGOLLADO, ***Santos*** (1811-1861) Militar y político mex. Se incorporó en 1855 a la rev. de Ayutla. Ministro de la Guerra en el gobierno de Benito Juárez. Durante la guerra de Reforma pactó con los conservadores excluyendo a Juárez, por lo que fue apartado de sus cargos. Murió luchando contra las guerrillas conservadoras.

DEGOLLADURA f. Herida en la garganta o el cuello. • Escote de un vestido. • Garganta, parte más estrecha de los balaustres, etc. • Espacio entre los ladrillos.

DEGOLLAR tr. Cortar el cuello a una persona o a un animal. • Escotar el cuello de un vestido. • fig. Destruir. • fig. Representar los actores mal una obra dramática. • fig. Matar el espada al toro con estocadas mal dirigidas. • fig. y fam. Ser o hacerse antipática una persona a otra. ■ DEGOLLACIÓN; DEGOLLADOR, RA.

DEGOLLINA f. fam. Matanza. • fam. Abundancia de suspensos en un examen.

DEGRADACIÓN f. Acción y efecto de degradar o degradarse. • Humillación. • Pérdida ignominiosa de un grado o de una dignidad, impuesta a militares, funcionarios o eclesiásticos. • Disminución del tamaño y viveza de color de las figuras de un cuadro, con arreglo a la perspectiva. • *Quím.* Descomposición de la molécula de un compuesto.

DEGRADADOR m. Desvanecedor fotográfico.

DEGRADAR tr. Deponer a una persona de dignidades, honores, empleo y privilegios. • tr. y prnl. Humillar, rebajar. • tr. Disminuir el tamaño y viveza del color de las figuras de un cuadro, según la distancia. • Disminución, en general progresiva, de las características de alguna cosa. ■ DEGRADANTE.

DEGREDO m. *Ven.* Hospital de contagiosos.

DEGRELLE, ***Léon*** (1906-1994) Político belga, fundador del mov. rexista y colaborador de los nazis en 1940-1945.

DEGÜELLO m. Operación de forja para producir un cambio brusco de sección en una pieza. • Parte más delgada del dardo.

DEGUSTAR tr. Probar alimentos o bebidas. ■ DEGUSTACIÓN.

DEHESA f. Tierra acotada destinada a pastos.

DEHIDROGENACIÓN f. *Biol.* Acción y efecto de dehidrogenar. En el metabolismo, las enzimas que realizan la d. quedan reducidas, y en su reoxidación aeróbica en la cadena respiratoria generan energía química.

DEHIDROGENAR tr. *Quím.* Hacer perder hidrógeno a un compuesto.

DEHIDROGENASA f. *Biol.* Enzima cuya función es el transporte de hidrógeno en la célula.

DEHISCENCIA f. *Biol.* En embriología, formación de una cavidad por disminución o lisis de algunas células parenquimáticas. • *Bot.* Proceso de abertura de ciertos frutos mediante la aparición de fisuras. ■ DEHISCENTE.

DEHMEL, ***Richard*** (1863-1920) Poeta, novelista y dramaturgo al. *Redenciones, La mujer y el mundo, Las metamorfosis de Venus.*

DEICIDA adj. y s. Díc. de los que dieron muerte a Jesucristo. ■ DEICIDIO.

DEIDAD f. Ser divino o esencia divina. • Dios de la antigüedad o de los pueblos politeístas.

Maat, **deidad** egipcia, que simboliza la Justicia

Eugène **Delacroix**

Delfín

Ruinas del templo de Apolo, en **Delfos**

DEIFICAR tr. Divinizar o suponer divina una persona o cosa. • Divinizar una cosa por medio de la participación de la gracia. • fig. Ensalzar excesivamente a una persona. • prnl. *Teol.* Unirse el alma con Dios en el éxtasis, y transformarse en él. ■ DEIFICACIÓN; DEÍFICO, CA.

DEIFORME adj. poét. Que se parece a las deidades.

DEIMOS *Astr.* El satélite más alejado de Marte, de cuyo centro dista 23 500 km.

DEÍSMO m. Doctrina que niega toda religión revelada. Concibe a Dios como un ente de razón. ■ DEÍSTA.

DEIXIS f. *Ling.* Función que desempeñan ciertos elem. lingüísticos o paralingüísticos designando lo que está pres. en la comunicación. ■ DEÍCTICO, CA

DEJA f. Parte que queda entre dos muescas.

DEJACIÓN f. *Der.* Cesión, desistimiento, abandono de bienes, acciones, etc.

DEJADA f. *Dep.* En ciertos juegos de pelota, suerte de devolverla con poca fuerza junto a la red o pared.

DEJADEZ f. Pereza, abandono de sí mismo o de sus cosas propias.

DEJAMIENTO m. Dejación. • Flojedad. • Descaecimiento de fuerzas o flojedad de ánimo. • Desasimiento,desapego de una cosa. ■ DEJADO, DA.

DEJAR tr. Soltar una cosa; retirarse o apartarse de ella. • Omitir. • Consentir. • Valer, producir ganancia. • Desamparar. • Encargar. • Faltar. • Disponer uno alguna cosa al ausentarse. • Como verbo auxiliar, unido a algunos participios pasivos, explica una prevención acerca de lo que el participio significa. • Como verbo auxiliar, unido a algunos infinitivos, indica el modo especial de suceder o ejecutarse lo que significa el verbo que se le une, y entonces se usa regularmente como prnl. • No inquietar ni molestar. • Nombrar. • Dar una cosa a otro el que se ausenta o hace testamento. • Faltar al cariño y estimación de una persona. • tr. y prnl. Cesar. • tr. fam. Prestar. • prnl. Descuidarse de sí mismo. • Entregarse. • Abandonarse. • Seguido de la prep. *para*, diferir para cuando se indica la realización de algo. • Seguido de la prep. *por* y algunos adj., considerar a uno como lo que éstos indican.

DEJATIVO, VA adj. Perezoso, flojo.

DEJE m. Dejo, en las acepciones: modo particular de acentuar, acento peculiar, y gusto o sabor.

DEJILLO m. Dejo. • Gustillo de la comida.

DEJO m. Fin de una cosa, término o paradero de ella. • Modo de pronunciación y de inflexión de la voz que denota emoción. • Acento peculiar del habla de determinada región. • Inflexión descendente con que termina cada periodo de emisión de voz. • Gusto que queda de la comida o bebida. • Dejamiento. • fig. Placer o disgusto que queda después de una acción.

DEKKER, *Thomas* (h. 1572-h. 1632) Escritor ing., de un vigoroso realismo. *Cartilla del perfecto galán, La puta honesta, La fiesta del zapatero.*

DEL Contr. de la prep. *de* y el art. *el.*

DELACIÓN f. Acusación, denuncia.

DELACROIX, *Eugène* (1798-1863) Pintor fr. Evolucionó hacia el romanticismo, influido por los paisajistas brit. y los barrocos esp. y flam. *Las matanzas de Quíos, La libertad guiando al pueblo.*

DÉLANO, *Luis Enrique* (1907-1985) Escritor chil., de temática social. *Cuatro meses de guerra civil en Madrid, El viento del rencor.* • ***Poli*** (nacido 1936) Escritor chil. Autor de *Cambio de máscara* (premio Casa de las Américas 1973), *Dos lagartos en una botella.*

DELANTAL m. Prenda de vestir que se ata a la cintura. • Mandil de trabajo.

DELANTE adv. lugar. Con prioridad de lugar, en sitio detrás del cual está una persona o cosa. • Enfrente. • adv. modo. A la vista.

DELANTERO, RA adj. Que está o va delante. • m. Postillón que gobierna las caballerías delanteras o de guías. • *Dep.* Jugador atacante. • f. Parte anterior de una cosa. • En las plazas de toros, teatros, etc., primera fila de cierta clase de asientos. • Cuarto delantero de una prenda de vestir. • Frontera de una pob., casa, etc. • Espacio con que uno se adelanta a otro en el camino. • Canal del libro encuadernado. • *Dep.* Conjunto de los jugadores atacantes de un equipo. • *Dep.* Posición teórica que ocupan. • pl. Zahones.

DELAROCHE, *Paul* (1797-1856) Pintor fr. *El asesinato del duque de Guisa, Los hijos de Eduardo IV.*

DELATAR tr. Revelar a la autoridad el autor de un delito. • Poner de manifiesto algo oculto y reprochable. • prnl. Dar a conocer involuntariamente la intención. ■ DELATOR, RA.

DELAUNAY, *Robert* (1904-1941) Pintor fr. Influenciado por Cézanne, evolucionó hacia un precubismo. *Saint-Severin, Torre Eiffel.*

DELAWARE adj. y s. Díc. de individuos de un pueblo amerindio (EE UU) que vivía en la cuenca del río hom. • pl. Este mismo pueblo.

DELAWARE Est. de EE UU; 5 295 km^2, 666 000 hab. Cap., Dover. C. pral.: Wilmington. Terr. llano, con marismas y lagunas. Clima templado-frío y húmedo. Trigo, maíz y legumbres. Avicultura. Pesca. Ind. quím. y alimentaria. Astilleros. • Río de EE UU. Nace en los montes Catskill, en los Apalaches, discurre en dirección N-S y desemboca en la bahía hom.; 600 km.

DELCO m. En los motores de explosión, dispositivo de encendido eléctrico que distribuye la corriente a las bujías.

DELE o **DELEÁTUR** m. *Art. Gráf.* Signo con el que el corrector indica que ha de quitarse una palabra, letra o nota.

DELEBLE adj. Que puede borrarse.

DELECCIÓN f. *Biol.* Deficiencia genética que sucede en un segmento intermedio de un cromosoma y no en una región terminal.

DELECTACIÓN f. Deleitación. • **morosa**. Complacencia en un objeto o pensamiento prohibido.

DELEDDA, *Grazia* (1871-1936) Escritora it., representante del verismo it. *Flor de Cerdeña, La justicia.* Premio Nobel de Literatura en 1926.

DELEGACIÓN f. Acción y efecto de delegar. • Cargo de delegado. • Oficina del delegado. • Conjunto de delegados o de personas que asumen una representación.

DELEGADO, DA adj. y s. Persona en quien se delega una facultad o jurisdicción.

DELEGAR tr. Dar una persona a otra la jurisdicción que tiene por su dignidad u oficio. ■ DELEGATORIO, RIA.

DELEITAMIENTO m. Delectación.

DELEITACION o **DELEITE** m. Placer del ánimo. • Placer sensual. ■ DELEITABLE; DELEITAR; DELEITOSO, SA.

DELESCLUZE, *Charles* (1809-1871) Político fr. Participó en las rev. de 1830 y 1848. En 1870 fue elegido miembro de la Comuna.

DELETÉREO, A adj. Mortífero, venenoso.

DELETREAR intr. Pronunciar separadamente las letras de cada sílaba. • fig. Adivinar.

DELETREO m. Acción de deletrear. • Procedimiento para enseñar a leer deletreando.

DELEUZE, *Gilles* (1925-1995) Filósofo fr. *Nietzsche y la filosofía, La filosofía crítica de Kant, El Antiedipo.*

DELEZNABLE adj. Que se rompe o deshace fácilmente. • Que se desliza y resbala con mucha facilidad. • fig. Poco durable, de poca resistencia.

DELEZNARSE prnl. Deslizarse, resbalarse.

DÉLFICO, CA adj. Relativo a Delfos, o al oráculo de Apolo en Delfos.

DELFIM Netto, *Antonio* (nacido 1928) Economista y político bras. Ministro de Finanzas (1967-1974), es uno de los inspiradores del llamado «milagro bras.». Ocupó la cartera de Planificación en 1979.

DELFÍN m. *Zool.* Cetáceo, negro por encima y blanquecino por debajo, de cabeza voluminosa, boca grande, hocico agudo, y provisto de una abertura nasal por la que expulsa el agua que traga. • *Astr.* Constelación boreal. • Título que recibía el primogénito del rey de Francia. • Persona que sucederá en el cargo a otra.

DELFINADO *(Dauphiné)* Región histórica del SE de Francia, entre Saboya y Provenza. Unida a Francia en 1349.

DELFINIAS f. pl. Fiestas que se celebraban en Egina en honor de Apolo Délfico.

DELFINO, *Augusto Mario* (1906-1961) Escritor arg., autor de cuentos. *Fin de siglo, Para olvidarse de otras guerras.*

DELFOS Ant. c. gr., al SO del Parnaso. Destruida por Constantino. Templo de Apolo.

Plaza Connaught, en Nueva **Delhi,** India

DELFT C. de Países Bajos, en Holanda Meridional; 85 000 hab. Centro industrial.
DELGA f. En las máquinas eléctricas, cada una de las láminas trapezoidales de cobre que constituyen el colector.
DELGADILLO, ***Luis A.*** (1887-1961) Compositor nic. Fue dir. general de Cultura Musical y de la rev.*Armonía. Sinfonía indígena, Sinfonía incaica.*
DELGADO, DA adj. Flaco. • Tenue. • Delicado. • fig. Aplicado a terreno o tierra, endeble. • fig. Agudo, sutil. • m. pl. En los cuadrúpedos, partes inferiores del vientre, hacia las ijadas. • Falda de las canales o reses muertas. ■ DELGADEZ; DELGADUCHO, CHA.
DELGADO, ***Honorio*** (1892-1969) Psicólogo y escritor per. Discípulo de Freud. *El psicoanálisis, Psicología, La formación espiritual del individuo.* • ***José Matías*** (1768-1833) Político y eclesiástico centroamericano. Participó en el levantamiento nacionalista de El Salvador y en la proclamación de la indep. de Guatemala. En 1823 presidió la asamblea constituyente de las Provincias Unidas del Centro de América. • ***Miguel María*** (nacido 1904) Director de cine mex. *El analfabeto, El padrecito.* • ***Osiris*** (nacido 1920) Pintor y escritor puertorriq. Seguidor de Vlaminck. *Homenaje a Cristóbal Ruiz, Cristo de la buena muerte, Viandas y arenques.* • ***Rafael*** (1853-1914) Novelista mex., entre el realismo y el romanticismo. *Los parientes ricos, Historia vulgar.* • ***Washington*** (nacido 1927) Poeta y ensayista per. Canta a la soledad, la incomunicación y el fracaso. *Un mundo dividido, Para vivir mañana.*
DELHI *(Dilli)* Terr. de la India; 1 485 km^2, 9 370 500 hab. Cap. la c. hom. • C. del N de la India; 7 174 800 hab. Su sector moderno (Nueva Delhi) es la cap. del país. Ind. textil, quím. y farmacéutica. Artesanía. Universidad. Fundada en el s. XI, fue conquistada por Tamerlán (1398), los persas (1739), los afganos (1756) y los brit. (1803). Cap. de la India brit. (1912-1932), sustituida luego por Nueva Delhi.
DELIBERACIÓN f. Acción y efecto de deliberar. • Fase del proceso voluntario en que se consideran los medios para alcanzar un fin. ■ DELIBERATIVO,VA.
DELIBERANTE adj. Que delibera. • Díc. de las juntas cuyos acuerdos trascienden a la vida de la colectividad con eficacia ejecutiva.
DELIBERAR intr. Considerar el pro y el contra de las decisiones, antes de realizarlas. • tr. Resolver una cosa con premeditación. ■ DELIBERADO, DA.
DELIBES, ***Léo*** (1836-1891) Compositor fr., autor de obras románticas: *Lakmé,* ópera; *Sylvia, Copelia,* ballets. • ***Miguel*** (nacido 1920) Escritor y periodista esp. En sus novelas, la constante es la crónica de la vida provinciana. Premio Cervantes 1994. *Cinco horas con Mario, Los santos inocentes, La hoja roja, El hereje.*
DELICADEZ f. Debilidad, falta de vigor. • Escrupulosidad de genio, que se ofende o altera de poco. • Flojedad, condescendencia. • Delicadeza.
DELICADEZA f. Finura. • Atención y miramiento con las personas o las cosas. • Ternura. • Escrupulosidad.
DELICADO, DA adj. Fino, atento, tierno. • Débil, delgado, enfermizo. • Quebradizo, fácil de deteriorarse. • Sabroso, regalado. • Difícil, expuesto a contingencias. • Primoroso, fino, exquisito. • Bien parecido. • Sutil, ingenioso. • Suspicaz, fácil de resentirse o enojarse. • Difícil de contentar. • Que procede con escrupulosidad. ■ DELICADUCHO, CHA.
DELICADO, ***Francisco*** (s. XVI) Escritor y eclesiástico esp. *En Retrato de la lozana andaluza,* describe el ambiente celestinesco de la Roma renacentista.
DELICIA f. Placer muy intenso del ánimo. • Placer sensual muy vivo. • Aquello que causa delicia. ■ DELICIOSO, SA.
DELICIAS C. de México, en el est. de Chihuahua; 82 215 hab. Cereales, ganadería, avicultura. Centro comercial.
DELICUESCENCIA f. *Fís.* Propiedad de algunas sustancias sólidas de absorber la humedad del aire y de disolverse en ella. ■ DELICUESCENTE.
DELIGNE, ***Rafael Alfredo*** (1863-1902) Escritor dom. Cultivó todos los géneros. *La justicia y el azar* (teatro), *En prosa y en verso* (crítica y poesía).
DELIMITAR tr. Fijar los límites de una cosa. ■ DELIMITACIÓN.
DELINCUENCIA f. Calidad de delincuente. • Comisión de un delito. • Conjunto de infracciones de normas jurídicas.
DELINEAR tr. Trazar las líneas de una figura. ■ DELINEACIÓN; DELINEAMIENTO; DELINEANTE.
DELINQUIR intr. Quebrantar una ley o mandato, cometer delito. ■ DELINCUENTE; DELINQUIMIENTO.
DELIQUIO m. Desmayo.
DELIRAR intr. Desvariar, tener perturbada la razón. • fig. Decir o hacer despropósitos.
DELIRIO m. Acción y efecto de delirar. • Desorden o perturbación de la razón o de la fantasía. • Estado de sobreexcitación psíquica caracterizado por la agitación, la incoherencia, la confusión de la conciencia y la presencia de alucinaciones. • fig. Despropósito.
DELIRIUM tremens m. *Psiq.* Forma delirante grave de los alcohólicos crónicos.
DELITESCENCIA f. Desaparición de los síntomas de una enfermedad. • *Quím.* Pérdida del agua en partículas menudas que experimenta un cuerpo al cristalizarse.
DELITO m. Culpa, crimen, quebrantamiento de la ley. • Acción u omisión voluntaria, castigada por la ley con pena grave. • **común.** El que está penado en el código ordinario. • **de lesa majestad.** El que se comete contra la vida del monarca, su sucesor, o del regente o regentes del reino. • **flagrante** o **in fraganti.** Aquel en cuya comisión se sorprende al reo o se le persigue y aprehende en inmediata persecución o bien acompañado de objetos que infundan vehementes sospechas. • **notorio.** El que se comete en forma que conste públicamente. • **político.** El que va contra la seguridad o el orden del Est. ■ DELICTIVO, VA.
DELLA, LLO Contr. de *de ella* y de *de ello.*
DELLEPIANE, ***Antonio*** (1864-1939) Sociólogo y escritor arg. *Dorrego y el federalismo argentino, Estudios de filosofía jurídica y social.*
DELLUC, ***Louis*** (1890-1924) Crítico y director cinematográfico fr. *Fiebre* y *La mujer de ningún lugar.*
DELON, ***Alain*** (nacido 1935) Actor y productor cinematográfico fr. *A pleno sol, Rocco y sus hermanos, Borsalino, El gatopardo.*
DELONEY, ***Thomas*** (h. 1543-h. 1607) Poeta y novelista ing. *Narraciones curiosas.*
DELORME, ***Philibert*** (h. 1515-1570) Arquitecto renacentista fr. Arquitecto de Francisco I y Enrique II. Palacio de las Tullerías; castillo de Diana de Poitiers, en Anet.
DELOS Isla de Grecia, en las Cícladas. Templos a Artemisa y Apolo.
DELPHINUS *Astr.* Constelación que se encuentra al E de Altair (de la constelación *Aquila*). Su nombre castellano es Delfín.
DELTA f. Cuarta letra del alfabeto gr., que corresponde a nuestra *d.* • m. *Geog.* Depósito de aluviones fluviales formado en la desembocadura de ríos o en mares. • *Aer.* Tipo de ala triangular de elevada estabilidad a altas velocidades. ■ DELTAICO, CA.
DELTA AMACURO Estado de Venezuela; 40 200 km^2; 128 201 hab. Cap., Tucupita, 27 300 hab. Bañado al N por el Atlántico, limita al SE con Gu-

Miguel **Delibes**

Alain **Delon**

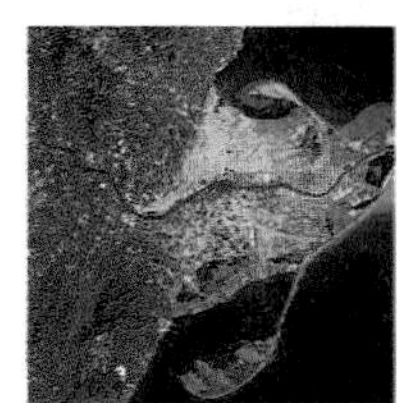

Imagen satélite del **delta** del Ebro, Tarragona (España)

Ala **delta**

La diosa **Deméter,** escultura de la escuela de Praxíteles

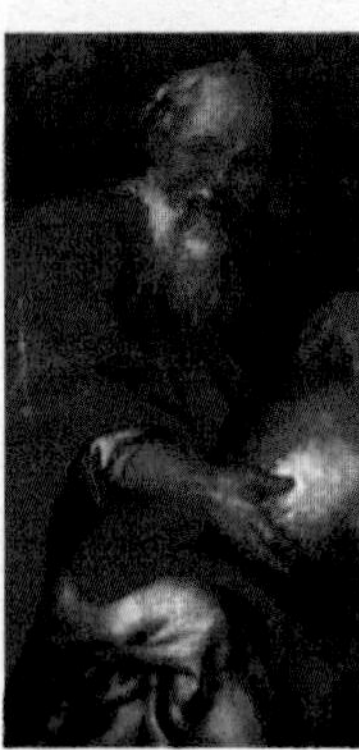
Demócrito, por Rubens

Busto de **Demóstenes**

yana. Se extiende sobre el delta del Orinoco, al cual afluye el Amacuro. Pob. formada por pueblos guaraunos. Cereales, legumbres, frutos tropicales. Explotación forestal. Pesca.

DELTOIDES adj. De figura de delta mayúscula. • adj. y m. *Anat.* Músculo del hombro.

DELUC, ***Jean-André*** (1727-1817) Físico y meteorólogo suizo. Inventor de la pila seca.

DELUDIR tr. Engañar, burlar. ■ DELUSIVO,VA; DELUSOR,RA; DELUSORIO, RIA.

DELVALLE, ***Eric Arturo*** (nacido 1937) Político pan. De ideología socialdemócrata y militante del Partido Revolucionario Democrático, fue elegido presid. de la rep. en 1985, tras la dimisión de Nicolás Ardito Barletta. En 1988, fue destituido del cargo por el jefe de las fuerzas armadas, el general Manuel Antonio Noriega, abriendo una grave crisis en el país.

DEMACRACIÓN f. Pérdida de carnes por falta de nutrición, por enfermedades, etc. ■ DEMACRADO,DA; DEMACRARSE.

DEMAGOGIA f. Actitud política oportunista del que ofrece soluciones utópicas, irreales y engañosas al pueblo. ■ DEMAGÓGICO,CA.

DEMAGOGO, GA m. y f. Cabeza o caudillo de una facción popular. • adj. y s. Orador que expone ideas en las que no cree o planes que no piensa llevar a término.

DEMANDA f. Súplica, solicitud. • Limosna que se pide para una iglesia. • Tablilla con que se pide esta limosna. • Persona que la pide. • Pregunta. • Busca. • Empresa o intento. • Empeño. • Pedido de mercancías. • Petición que un litigante sustenta en el juicio. • Escrito en que se ejercitan en juicio acciones civiles. • *Econ.* Para un precio dado, cantidad de un bien que los sujetos económicos están dispuestos a adquirir.

DEMANDADERO, RA m. y f. Persona que hace los encargos de las monjas o de los presos.

DEMANDAR tr. Pedir. • Apetecer. • Preguntar. • Hacer cargo de una cosa. • *Der.* Entablar demanda judicial. ■ DEMANDADO, DA; DEMANDADOR, RA; DEMANDANTE.

DEMARCACIÓN f. Terreno demarcado. • En una división territorial, parte comprendida en cada jurisdicción.

DEMARCAR tr. Señalar los límites o confines de un terreno. • *Mar.* Determinar una marcación.

DEMARÍA, ***Bernabé*** (1827-1910) Pintor y escritor arg. *Las revelaciones de un manuscrito, Poesías líricas, América libre.* • ***Isidro*** (1815-1906) Historiador y político ur. *Compendio de la historia de Uruguay, Rasgos biográficos de los hombres más ilustres de Uruguay.* • ***Pablo*** (1850-1932) Jurista y político ur. Rector de la universidad Nacional. *Lecciones de procedimiento civil.*

DEMARRAGE (voz fr.) m. Arrancada, aceleración.

DEMÁS adj. Precedido de los art. *lo, la, los, las,* lo otro, la otra, los otros, o los restantes, las otras. En pl. se usa muchas veces sin art. También se dice solamente ... y *demás,* con el significado de etc. • adv. cantidad. Además. • **Por d.** m. adv. En vano. • **Por lo d.** m. adv. Por lo que hace relación a otras consideraciones.

DEMASÍA f. Exceso. • Atrevimiento. • Insolencia, desafuero. • Maldad, delito. • *Min.* Terreno no adecuado para concesión independiente y libre.

DEMASIADO, DA adj. Que es en demasía, o tiene demasía. • adv. cantidad. En demasía.

DEMASIARSE prnl. Excederse.

DEMAVEND *(Qolleh ye-Damavand)* Volcán. Alt. máx. del macizo del Elburz y del Irán; 5 604 m.

DEMEDIAR tr. e intr. Partir. • Cumplir la mitad del tiempo, edad o carrera. • Gastar una cosa, haciéndole perder la mitad de su valor.

DEMENCIA f. *Psiq.* Pérdida de las funciones y actividades de la vida psíquica.

DEMENTAR tr. y prnl. Hacer perder el juicio.

DEMERGIDO, DA adj. Abatido.

DEMÉRITO m. Falta de mérito. • Acción por la cual se desmerece. ■ DEMERITORIO, RIA.

DEMÉTER *Mit. gr.* Gran diosa, personificación de la tierra. Hija de Cronos y de Rea.

DEMETRIAS f. pl. Fiestas en honor de Deméter.

DEMETRIO I ***Poliorcetes*** (336-283 a. C.) Rey de Macedonia [306-287 a. C.]. Conquistó Atenas y restableció la Liga de Corinto. • **I** ***Soter*** (h. 187-150 a. C.) Rey de Siria [162-150 a. C.] después de vencer a su rival Tinarco. • **Ivanovitch** (1583-1591) Zarevich de Rusia, segundo hijo de Iván el Terrible. Boris Godunov le hizo asesinar.

DEMICHELLI, ***Pedro Alberto*** (1896-1982) Político ur. Ministro y vicepresid. del dictador G. Terra (1933-1938). Presid. de junio a septiembre de 1976.

DEMIREL, ***Suleymán*** (nacido 1924) Político turco. Varias veces primer ministro, fue derribado en 1980. En 1993 accedió a la presid. de la república.

DEMISIÓN f. Sumisión, abatimiento.

DEMIURGO m. *Fil.* En la escuela platónica, el divino creador del mundo. • *Fil.* En el gnosticismo, principio activo del universo.

DEMO m. División adm. de las ant. c. gr. que gozaban de autonomía.

DEMOCRACIA f. *Pol.* Sist. de gobierno en el que la soberanía pertenece al pueblo, que ejerce el poder bien directamente, bien por medio de representantes. • Nación gobernada de esa manera.

* *Pol.* El fundamento esencial de todos los sist. democráticos radica en que el origen de la soberanía es la voluntad popular. Sin embargo, los regímenes que se declaran democráticos articulan la participación ciudadana de modos muy distintos. Gralte., se distingue entre dos tipos de intervención: *d. directa,* en la que los ciudadanos participan directamente por medio de asambleas decisorias, cuyos delegados son simples mandatarios de los acuerdos colectivos; o *d. representativa, formal* o *delegada,* sist. en el que los ciudadanos sólo intervienen en la elección de sus representantes —gralte. a través del mecanismo de los partidos políticos— que quedan automáticamente investidos de la autoridad legislativa y ejecutiva, no respondiendo de su gestión más que ante el proceso de una nueva elección. Esta última, expresión actual de la mayoría de sist. políticos occidentales, se basa en el principio de igualdad ante la ley, el sufragio universal, la aceptación de la voluntad de la mayoría, aunque respetando la opinión de la minoría, y un conjunto de derechos en torno a las libertades de expresión, asociación, residencia, *habeas corpus,* etc., además de combinar formas de participación directa, como los referéndums. ■ DEMÓCRATA; DEMOCRÁTICO, CA.

DEMOCRATIZAR tr. y prnl. Hacer demócratas a las personas, o democráticas las cosas. ■ DEMOCRATIZACIÓN.

DEMÓCRITO (460-370 a. C.) Filófoso gr. Discípulo de Leucipo, se le considera junto a éste fundador de la teoría atomista.

DEMODÉ (voz fr.) adj. Anticuado.

DEMÓDEX m. *Zool.* Gén. de ácaros de pequeño tamaño y de forma de saco.

DEMODULADOR m. *Electr.* Dispositivo que separa la onda portadora de la moduladora.

DEMODULAR tr. *El.* y *Electr.* Realizar la operación inversa de la modulación.

DEMOFOBIA f. *Pat.* Temor a las muchedumbres y a las aglomeraciones.

DEMOGRAFÍA f. Ciencia cuyo objeto de estudio es la pob. La d. se divide en dos grandes disciplinas: *d. cuantitativa* o *analítica* y *d. cualitativa* o *social.* La primera, basada en fuentes factuales (censos, registros, sondeos, encuestas), ofrece la radiografía de determinados aspectos de la pob. mediante el empleo de métodos estadísticos (pirámides de pob., índices de natalidad, mortalidad, fertilidad, etc., crecimiento vegetativo, movimientos de pob., pob. activa, etc.) que permiten conocer la estructura poblacional en un momento dado. La segunda se orienta al conocimiento de las características biológicas, sociales, económicas y culturales de los individuos y grupos de un país con métodos cualitativos y diacrónicos. ■ DEMOGRÁFICO, CA.

DEMOLER tr. Deshacer, derribar, arruinar, degradar. ■ DEMOLEDOR, RA; DEMOLICIÓN.

DEMONIO, DEMONCHE o **DEMONTRE** m. *Rel.* Diablo. • Espíritu intermediario entre los dioses y los hombres, propio de varias religiones. • **¡Demonio!** o **¡Demonios!** interj. fam. ¡Diablo! ■ DEMONIACO, CA O DEMONÍACO, CA.

DEMONIOMANÍA f. Demonomanía.

DEMONOLATRÍA f. Culto al diablo. ■ DEMONÓLATRA.

año	Población total en millones	América del Norte	América C. y del Sur	África	Europa	Oceanía	Asia
1940	2.295	145	130	190	575	11	1.244
1950	2.500	168	165	220	590	12	1.345
1960	2.990	200	215	275	670	15	1.615
1970	3.765	225	285	355	730	20	2.150
1985	4.841	264	407	554	767	25	2.824
2000	6.175	290	600	830	835	30	3.590
%	100%	4,7%	9,7%	13,4%	13,5%	0,5%	58,2%
Superficie total en Km²	135,8	21,5	20,6	30,3	27,3	8,5	27,6
%	100%	15,8%	15,2%	22,3%	20,1%	6,2%	20,3%

1

2

DEMOGRAFÍA

1. La tabla superpuesta al mapa refleja la evolución de la población mundial por continentes, en cifras absolutas y en porcentajes.
2. Una visión maltusiana de la explosión demográfica: la Tierra, constantemente embarazada, sin leche para alimentar a un número excesivo de hijos.
3. Estas pirámides de población correspondientes a tres tipos distintos de sociedad permiten ser algo más optimista: con el desarrollo económico disminuye la natalidad y la población tiende a estabilizarse.

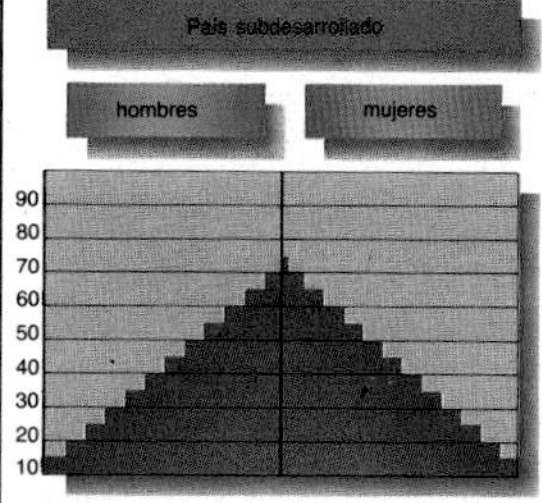

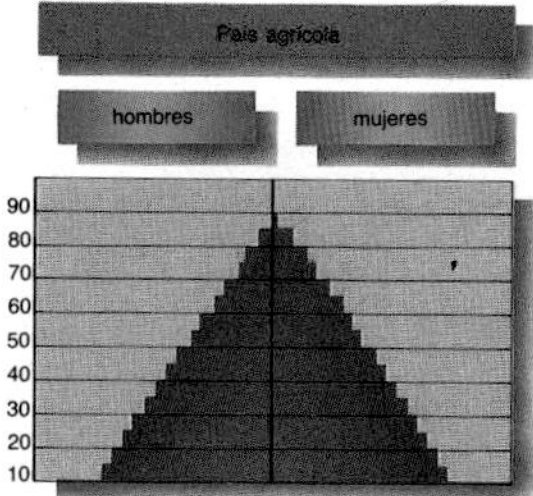

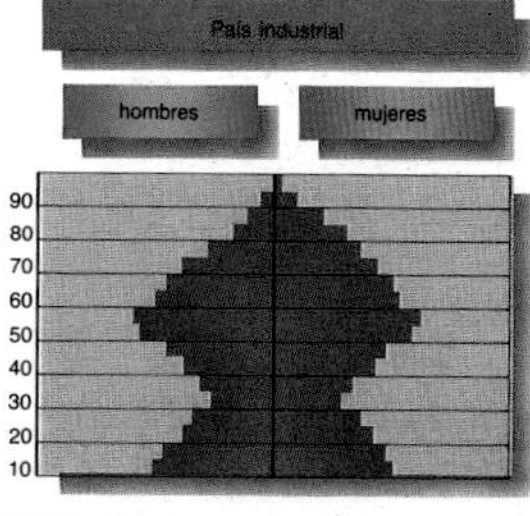

3

DEMONOLOGÍA f. Estudio sobre los demonios. ■ DEMONOLÓGICO, CA.
DEMONOMANCIA o **DEMONOMANCÍA** f. Arte supersticiosa de adivinar el porvenir mediante la inspiración de los demonios.
DEMONOMANÍA f. Manía que padece el que se cree poseído del demonio.
DEMORA f. Tardanza. • *Amér.* Temporada de ocho meses que debían trabajar los indios en las minas. • *Der.* Tardanza en el cumplimiento de una obligación. • *Mar.* Rumbo en que se halla un objeto con relación al de otro. • Pago efectuado por el fletador que mantiene el buque en el puerto más tiempo del fijado. • Pago ferroviario que se efectúa por detener el material rodante.
DEMORAR tr. Retardar. • intr. Detenerse en una parte. • *Mar.* Corresponder un objeto a un rumbo determinado, respecto a otro lugar.
DEMOSCOPIA f. Técnica que tiene por objeto conocer la opinión pública mediante el método de los sondeos.
DEMOSOFÍA f. Folclore.
DEMÓSTENES (384-322 a. C.) Político ateniense, el más grande orador de la antigüedad. Su estilo es modelo de simplicidad y concisión. Combatió a Filipo de Macedonia, contra quien pronunció sus famosas *Filípicas*.
DEMOSTRACIÓN f. Acción y efecto de demostrar. • Señalamiento, manifestación. • Comprobación de un principio o teoría. • Ostentación de fuerza, poder, habilidad, etc. • Razonamiento mediante el que se prueba una proposición. • **absoluta**. La que se basta a sí misma para establecer la verdad de una tesis. • **directa.** La que deriva de principios o causas reales. • **indirecta** o **por el absurdo**. *Geom.* Consiste en demostrar la inconveniencia de la proposición contradictoria de la que se trata de demostrar.
DEMOSTRAR tr. Manifestar. • Probar. • Enseñar. • *Lóg.* Mostrar que una verdad particular está comprendida en otra universal. ■ DEMOSTRADOR, RA.
DEMOSTRATIVO, VA adj. Dícese de lo que demuestra. • adj. y s. *Gram.* Adj. que determina el nombre. • adj. y s. *Gram.* Pron. que sustituye al nombre.
DEMÓTICO, CA adj. Aplícase a un género de escritura cursiva empleado por los ant. egipcios.
DEMUDAR tr. Mudar. • Alterar. • prnl. Cambiarse el color o la exp. del semblante. • Alterarse. ■ DEMUDACIÓN.
DEMULCENTE adj. y m. *Med.* Emoliente.
DENANTES adv. tiempo. Antes.
DENARIO, RIA adj. y m. Que se refiere al número diez o lo contiene. • m. Ant. moneda rom. de plata, equivalente a diez ases o cuatro sestercios. • Ant. moneda rom. de oro, que valía cien sestercios.
DENDRIFORME adj. De figura de árbol.
DENDRITA f. *Miner.* Concreción mineral en forma de ramas de árbol que aparece en las fisuras y juntas de las rocas. • Árbol fósil. • *Biol.* Prolongación protoplasmática arborizada del cuerpo de las neuronas. ■ DENDRÍTICO, CA.
DENDROCRONOLOGÍA f. Método de datación paleontológica que se basa en el análisis de los anillos de los troncos.
DENDROGRAFÍA f. Tratado de los árboles. ■ DENDROGRÁFICO, CA; DENDROIDE O DENDROIDEO, A.
DENDRÓMETRO m. Instrumento para medir los árboles.
DENDROTRÁQUEA f. *Anat.* Conductos por

Denario

donde penetra en el cuerpo de los insectos miriápodos el aire que utilizan para su respiración.

DENEB *Astr.* Estrella pral. de la constelación del Cisne.

DENEBOLA *Astr.* Estrella azulada de segunda magnitud, situada en la cola de Leo.

Bañistas, óleo de Maurice **Denis**

DENEGACIÓN f. Acción y efecto de denegar. • **de auxilio.** *Der.* Delito que se comete desobedeciendo un requerimiento de la autoridad o eludiendo una función o un cargo públicos. ■ DENEGATORIO, RIA.

DENEGAR tr. No conceder lo que se pide.

DENEGRECER o **DENEGRIR** tr. y prnl. Ennegrecer. ■ DENEGRIDO, DA.

DENEUVE, ***Catherine*** (nacida 1943) Nombre artístico de *Catherine Dorléac,* actriz cinematográfica fr. *Los paraguas de Cherburgo, Repulsión, Belle de jour, Tristana, Touche pas la femme blanche, El lugar del crimen.*

DENEVI, ***Marco*** (1922-1998) Narrador, dramaturgo y ensayista arg. *Rosaura a las diez, Un pequeño café, Ceremonia secreta.*

DENGUE m. Melindre, delicadeza afectada. • Esclavina de paño. • *Pat.* Enfermedad febril, epidémica y contagiosa. • *Chile.* Planta herbácea, ramosa, de hojas opuestas y flores rojas, amarillas o blancas. • *Chile.* Flor de esta planta. ■ DENGOSO, SA; DENGUEAR; DENGUERO, RA.

DENIER m. Unidad utilizada en la ind. textil para determinar la finura de la seda.

DENIGRAR tr. Deslustrar, ofender la opinión o fama de una persona. • Injuriar. ■ DENIGRACIÓN; DENIGRATIVO, VA O DENIGRATORIO, RIA.

DENIKIN, ***Anton Ivanovich*** (1872-1947) Militar ruso que en octubre de 1918 organizó un ejército que se enfrentó a los bolcheviques.

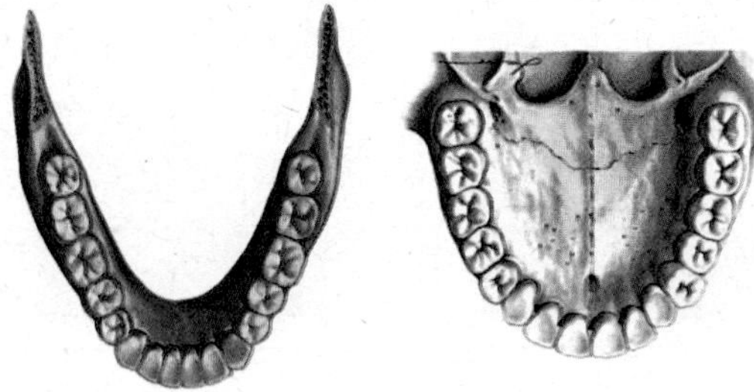

Maxilares inferior y superior de la **dentadura** humana

DENIS, ***Maurice*** (1870-1943) Pintor fr., del grupo de los nabis. *Las musas, Homenaje a Cézanne.*

DENITRIFICACIÓN f. Disminución de la cantidad de nitratos en el suelo.

DENIZLI C. de Turquía, cap. de la prov. homónima; 171 400 hab.

DENNER, ***Johann Christoph*** (1655-1707) Fabricante al. de instrumentos músicos. En colaboración con su hijo, inventó el clarinete.

DENODARSE prnl. Atreverse, mostrarse osado y feroz. ■ DENODADO, DA.

DENOMINACIÓN f. Nombre, título o renombre con que se distinguen personas y cosas.

DENOMINADO, DA adj. *Arit.* Díc. del número complejo.

DENOMINADOR, RA adj. y s. Que denomina. • m. *Arit.* Elemento de una fracción que indica en cuantas partes iguales se divide la unidad. • **común.** El de varias fracciones a la vez.

DENOMINAR tr. y prnl. Nombrar o distinguir con un título a algunas personas o cosas.

DENOMINATIVO, VA adj. Que implica denominación. • Díc. de la palabra derivada de un nombre.

DENOSTAR tr. Injuriar gravemente, infamar de palabra. ■ DENOSTADOR, RA.

DENOTACIÓN f. Acción y efecto de denotar. • Propiedad que tiene un concepto de poder ser aplicado a otros.

DENOTAR tr. Indicar, anunciar, significar. ■ DENOTATIVO, VA.

Dentellado

DENSIDAD f. Calidad de denso. • *Fís.* Masa por unidad de volumen de un cuerpo. • **de población.** Núm. de habitantes por unidad de superficie. • **de probabilidad.** *Mat.* Función derivada de una función de distribución estadística. • **eléctrica.** *Fís.* Relación entre la carga de un cuerpo y su volumen, su superficie o su longitud. • **relativa.** *Fís.* Relación entre la masa de un volumen dado de una sustancia a la temperatura t y la masa de un volumen igual de agua a 40 °C. Para los gases, relación entre la masa de un volumen dado de un gas y la del mismo volumen de otro gas elegido como patrón, ambos en las mismas condiciones de presión y temperatura.

DENSIFICAR tr. y prnl. Aumentar la densidad.

DENSIMETRÍA f. Medida de las densidades.

DENSÍMETRO m. *Fís.* Areómetro graduado en unidades de densidad.

DENSO, SA adj. Compacto, en contraposición a ralo. • Craso, espeso. • *Fís.* Díc. del cuerpo cuya densidad es elevada. • fig. Apiñado, cerrado. • fig. Oscuro, confuso.

DENTADO, DA adj. Que tiene dientes o puntas parecidas a ellos. • *Her.* Díc. del escudo cuyas particiones están guarnecidas de puntas, y también del animal con dientes de esmalte distinto que el cuerpo.

DENTADURA f. *Anat.* Conjunto de dientes, muelas y colmillos de una persona o animal. • Prótesis dentaria. • **de leche** o **primera d.** La que empieza a sobresalir en el segundo semestre de la vida. • **permanente** o **segunda d.** La que reemplaza a la de leche.

DENTAL adj. *Fon.* Díc. de la consonante cuya articulación requiere que la lengua toque en los dientes. • adj. y f. Díc. de la letra que representa este sonido. • m. Palo donde se encaja la reja del arado. • Piedra o hierro del trillo, que sirve para cortar la paja.

DENTAR tr. Formar dientes a una cosa. • intr. Endentecer, echar dientes.

DENTARIO, RIA adj. Dental, relativo a los dientes.

DENTEJÓN m. Yugo.

DENTELLADO, DA adj. Que tiene dientes. • f. Herida hecha con los dientes.

DENTELLAR intr. Dar diente con diente.

DENTELLEAR tr. Clavar los dientes.

DENTELLÓN m. Pieza, a modo de un diente grande, de las cerraduras maestras. • *Arq.* Dentículo • *Arq.* Parte de la adaraja que está entre dos vacíos.

DENTERA f. Sensación desagradable que se experimenta en los dientes y encías. • fig. y fam. Envidia. • fig. y fam. Ansia vehemente.

DENTICIÓN f. Tiempo en que se echa la dentadura. • Clase y núm. de dientes que caracterizan a un animal mamífero, según la especie a que pertenece. • **completa**. La del animal que tiene las tres clases de dientes, incisivos, caninos y molares.

DENTICULADO, DA adj. *Bot.* Que tiene dientes muy pequeños. • *Arq.* Que tiene dentículos.

DENTICULAR adj. De figura de dientes.

DENTÍCULO m. *Arq.* Adorno de figura de paralelepípedo. • **dérmico**. *Zool.* Protuberancia de las escamas de los peces cartilaginosos.

DENTÍFRICO, CA adj. y s. m. Díc. de los polvos, pastas, aguas, etc., para limpiar la dentadura.

DENTINA f. *Anat.* Sustancia dura que forma la capa más interna de los dientes de los vertebrados.

DENTIRROSTRO, TRA adj. *Zool.* Díc. de las aves que tienen puntas y escotaduras a los lados del pico. • m. pl. *Zool.* Suborden de estos animales.

DENTISTA adj. y s. Médico dedicado a conservar la dentadura, curar sus enfermedades y reponer sus faltas. ■ *Amér. Merid.* DENTISTERÍA.

DENTIVANO, NA adj. Díc. de la caballería que tiene los dientes muy largos, anchos y ralos.

DENTÓN, NA adj. y s. fam. Dentudo. • m. *Zool.* Pez marino acantopterigio de dientes fuertes, cuerpo comprimido y cola horquillada.

DENTRERA f. *Col.* Doncella, criada.

DENTRO adv. lugar y tiempo. A o en la parte interior de un espacio o término.

DENTUDO, DA adj y s. Que tiene dientes desproporcionados. • m. *Cuba.* Tiburón muy voraz.

DENUDAR tr. y prnl. Desnudar, despojar. ■ DENUDACIÓN.

DENUEDO m. Brío, valor, intrepidez.

DENUESTO m. Injuria grave.

DENUNCIA f. Acción y efecto de denunciar. •

Der. Noticia que de palabra o por escrito se da a la autoridad competente de haberse cometido algún delito o falta. • Escrito en que consta esta noticia.
DENUNCIAR tr. Noticiar, avisar. • Pronosticar. • Publicar solemnemente. • Declarar oficialmente el estado ilegal, o inconveniente de una cosa. • fig. Delatar. • *Der.* Dar a la autoridad parte o noticia de un daño hecho. ■ DENUNCIANTE; DENUNCIATORIO, RIA.
DENUNCIO m. Concesión minera solicitada y aún no obtenida.
DENVER C. de EE UU, cap. del est. de Colorado; 467 600 hab. (1 848 300 la agl. urb.). Con Salt Lake City, pral. centro com., financiero y de comunicaciones de las Rocosas. Ind. Refinerías de petróleo.
DEO GRACIAS Exp. de saludo que solía usarse al entrar en una casa. • m. fig. y fam. Semblante y ademán sumiso para ganar la confianza de uno.
DEODARA f. Cedro del Himalaya.
DEONTOLOGÍA f. Ciencia de los deberes.
DEPARAR tr. Suministrar, conceder. • Poner delante, presentar.
DEPARTAMENTO m. Cada una de las partes en que se divide un territorio, un vehículo, etc. • División administrativa mayor de Francia y de diversos países de América. • Ministerio o ramo de la administración pública. • En las universidades, unidad de docencia e investigación. • *Mil.* Distrito a que se extiende la jurisdicción de un capitán general de marina. • *Amér. Merid.* Apartamento. • **de ultramar.** División administrativa fr. ■ DEPARTAMENTAL; DEPARTAMENTALIZAR.
DEPARTIR intr. Hablar, conversar.
DEPAUPERACIÓN f. *Med.* Debilitación del organismo, extenuación.
DEPAUPERAR tr. Empobrecer. • tr. y prnl. Debilitar, extenuar.
DEPENDENCIA f. Subordinación. • Oficina dependiente de otra superior. • Relación de parentesco o amistad. • Conjunto de dependientes. • Espacio dedicado a los servicios de una casa. • *Pat.* Impulso que induce a la búsqueda de droga. • pl. Cosas accesorias a otra principal. • **económica.** Situación de un país cuya economía se halla sometida a otra u otras. • **Relaciones de d.** Característica común a organizaciones sociales primitivas o poco estructuradas.
DEPENDER intr. Estar subordinado a una persona o cosa. • Necesitar una persona del auxilio de otra.
DEPENDIENTA f. Empleada que atiende a los clientes.
DEPENDIENTE adj. Que depende. • m. El que sirve a uno. • Empleado que atiende a los clientes.
DEPILAR tr. Arrancar el pelo o vello. ■ DEPILACIÓN.
DEPILATORIO, RIA adj. y m. Untura u otro medio que se emplea para hacer caer el pelo o vello.
DEPLORABLE adj. Lamentable, infeliz.
DEPLORAR tr. Sentir vivamente un suceso.
DEPONENTE adj. Que depone. • En las lenguas clásicas, decíase de los verbos que tenían forma de una voz y significado de otra.
DEPONER tr. Dejar, apartar de sí. • Privar a una persona de su empleo, o degradarla de los honores. • Afirmar. • Quitar una cosa del lugar en que está. • Evacuar el vientre. • *Der.* Declarar ante una autoridad judicial.
DEPORTACIÓN f. Pena impuesta a un delincuente, que consiste en expulsarlo del país, fijándole una residencia en lugar apartado. ■ DEPORTAR.
DEPORTE m. Recreo, pasatiempo, diversión. Ejercicio físico, gralte. al aire libre, practicado para superar una marca o vencer al adversario con sujeción a ciertas reglas.
* *Hist.* Si bien se sabe de varias culturas que practicaban juegos, como el de la pelota en Mesoamérica en época muy ant., el d. en su concepto moderno nació en Grecia. Los JJ OO eran la manifestación deportiva más importante, pero no la única. Desde la decadencia de Grecia hasta el s. XIX no se puede hablar de deporte en el sentido estricto. En Gran Bretaña, en el s. XIX, se comenzó a valorar el ejercicio físico y se produjo un renacimiento de las prácticas deportivas. A fin de siglo, estaban reglamentadas la mayoría de las disciplinas actuales. En 1898, se restauraron los JJ OO. Durante el s. XX las actividades deportivas han alcanzado gran desarrollo y difusión, y muchas de ellas se han convertido en espectáculo público, realizado por profesionales. ■ DEPORTISMO; DEPORTISTA; DEPORTIVO, VA.

Deporte. A la izquierda, fútbol americano; abajo, windsurf

DEPORTIVIDAD f. Proceder deportivo que se ajusta a las normas de corrección.
DEPOSICIÓN f. Exposición de una cosa. • Privación de empleo o dignidad. • Evacuación de vientre.
DEPOSITAR tr. Poner bienes bajo la custodia que queda obligada a responder de ellos. • Confiar a uno una cosa amigablemente. • Poner a una persona en lugar donde pueda manifestar su voluntad, habiéndola sacado el juez de donde se teme que le hagan violencia. • Encerrar. • Hablando de un cadáver, colocarlo interinamente en lugar apropiado. • Colocar algo en sitio determinado y por tiempo indefinido. • Sedimentar. • fig. Encomendar a uno alguna cosa. • prnl. Separarse de un líquido una materia en suspensión, cayendo al fondo.
DEPOSITARIO, RIA adj. Relativo al depósito. • fig. Que contiene una cosa. • m. y f. Persona o entidad en quien se deposita una cosa. • La que tiene a su cargo los caudales de una depositaría. • El que anualmente se nombra en todos los lugares donde hay pósito. ■ DEPOSITARÍA.
DEPÓSITO m. Cosa depositada. • Lugar donde se deposita. • Derecho por el que una persona entrega a otra una cosa mueble bajo la condición de que ésta la conserve y la devuelva cuando la primera lo pida. • Organismo en el cual quedan concentrados los reclutas que no pueden ir inmediatamente al servicio activo. • En las instalaciones de abastecimiento de agua de las c., recipiente estanco que contiene agua potable. • **bancario.** Asiento en un banco, que señala la tenencia, por parte de un cliente, de un título contra dicho banco. • **de cadáveres.** Lugar donde se depositan los cadáveres que no pueden ser enterrados en el tiempo habitual. • **de títulos.** Custodia de títulos y valores por los bancos, que asumen todas las operaciones relacionadas con su cartera de títulos. • **franco.** Conjunto de mercancías importadas y almacenadas sin pagar derechos de aduana si son reexportadas.
DEPRAVAR tr. y prnl. Viciar, adulterar, corromper. ■ DEPRAVACIÓN; DEPRAVADO, DA.
DEPRECACIÓN f. Ruego, petición. • *Ret.* Figura que consiste en dirigir un ruego ferviente. ■ DEPRECAR; DEPRECATIVO, VA; DEPRECATORIO, RIA.
DEPRECIACIÓN f. Disminución del valor de una cosa. • *Econ.* Disminución del valor, la cantidad o la calidad de un activo. • **de la moneda.** *Econ.* Pérdida de valor de la moneda. ■ DEPRECIAR.
DEPREDACIÓN f. Acción y efecto de depredar. • Pillaje, robo con violencia, devastación. • Malversación o exacción injusta por abuso de autoridad o de confianza. • *Ecol.* Modo normal de transmisión de la energía del ecosistema desde los animales presa a los animales depredadores.
DEPREDAR tr. Robar, saquear con violencia y destrozo. • *Zool.* Cazar para subsistir algunos animales a otros. ■ DEPREDADOR.
DEPRESIÓN f. Acción y efecto de deprimir o deprimirse. • Zona hundida de la corteza terrestre. • Zona atmosférica de bajas presiones. • Estado psíquico de abatimiento. • *Econ.* Descenso de la producción total, la tasa de empleo y otros indicadores de la actividad ecónomica.

Depredación. Águila con su presa

DEPRESOR, RA adj. y s. Que deprime o humilla. • m. Instrumento para deprimir o apartar.
DEPRETIS, *Agostino* (1813-1887) Estadista it. En 1860, Garibaldi le encargó el mando de Sicilia. Jefe de la «izquierda» a la muerte de Ratazzi (1873). Primer ministro (1876-1878, 1878-1879, 1881-1887).
DEPRIMIR tr. Disminuir el volumen de un cuerpo por medio de la presión. • Hundir alguna parte de un cuerpo. • tr. y prnl. fig. Humillar, rebajar las cualidades de una persona. • Producir decaimiento del ánimo. • prnl. Disminuir el volumen de un cuerpo o cambiar la forma por un hundimiento. • Aparecer baja una superficie o una línea. • Padecer un síndrome de depresión. ■ DEPRESIVO, VA; DEPRIMENTE; DEPRIMIDO, DA.
DEPRISA adv. modo. Con celeridad.
DEPRIVACIÓN f. Privación de un estímulo.
DEPURACIÓN f. Acción y efecto de depurar. • Eliminación de los integrantes de una empresa, sociedad, etc.
DEPURAR tr. y prnl. Limpiar. • tr. Rehabilitar a alguien en el ejercicio de un cargo. • Someter a un funcionario a expediente. ■ DEPURATORIO, RIA.
DEPURATIVO, VA adj. y s. Díc. del remedio que elimina del organismo las sustancias tóxicas.
DEQUE adv. tiempo fam. Después que.
DÉRAIN, *André* (1880-1954) Pintor fr. Colorista violento e instintivo, realizó algunas de las telas fauvistas más importantes (*El puente de Westminster*). Más tarde se interesó por los renacentistas it. y los primitivos fr.
DERBY (voz ing.) m. Carrera de caballos que se celebra anualmente en Epsom (Gran Bretaña). • P. ext., cualquier competición hípica o deportiva que entraña rivalidad y emoción.
DERBY C. de Gran Bretaña (Inglaterra), junto al r. Derwent; 215 700 hab. Porcelanas. Centro industrial y ferroviario.
DERBY, *Edward Stanley*, DECIMOCUARTO CONDE DE (1799-1869) Político brit. Secretario de Irlanda y de colonias, firmó el decreto de abolición de la esclavitud (1833). Primer ministro con el partido conservador en tres ocasiones.

Edward Stanley, decimocuarto conde de **Derby**

DERECHAZO m. En boxeo, golpe dado con la mano derecha.
DERECHERO, RA adj. Justo, recto, arreglado. • m. Oficial destinado a cobrar los derechos. • f. Vía o senda derecha.
DERECHO, CHA adj. Recto. • Erguido. • Que mira hacia la mano derecha, o está al lado de ella. • Aplícase a lo que desde el eje de un río cae a la mano derecha de quien se coloca mirando hacia su desembocadura. • Justo, legítimo. • adv. modo. En derechura. • m. Facultad de hacer o exigir lo que la ley establece en nuestro favor. • Consecuencias naturales del estado de una persona o sus relaciones con respecto a otras. • Acción que se tiene sobre una persona o cosa. • Justicia. • Conjunto de principios y reglas a que están sometidas las relaciones humanas. • Exención, privilegio. • Lado de una tela, papel, etc., en la cual aparecen la labor y el color con más perfección. • Facultad que abraza el estudio del derecho en sus diferentes órdenes. • f. Mano derecha. • *Pol.* Hablando de colectividades políticas, la parte más conservadora. • Conjunto de personas conservadoras. • m. pl. Tanto que se paga por la introducción de mercancía. • Cantidades que se cobran en ciertas profesiones. • **administrativo.** Conjunto de normas reguladoras de la actividad de la admón. pública. • **canónico.** Conjunto de disposiciones estatuidas por la Iglesia. • **civil.** El que regula las relaciones de los ciudadanos entre sí. • **consuetudinario.** El introducido por la costumbre. • **criminal.** Derecho penal. • de aduana. Impuesto sobre mercancías que entran o salen de un país. • **de autor.** El que la ley reconoce al autor de una obra. • **espacial.** El que regula las relaciones entre los est. en su dominio del espacio cósmico. • **internacional.** El que regula las relaciones entre los est. • **mercantil.** El que regula los contratos y actos de com. • **natural.** Principios que inspiran la naturaleza acerca del bien y el mal. • **penal.** El que impone penas o castigos a los crímenes o delitos. • **político.** El que estudia los principios fundamentales de la org. pol. de los grupos sociales. • **positivo.** El establecido por leyes. • **público.** El que regula el orden gral. del estado. ■ DERECHISTA.

Ceremonia de transmisión de **derechos** feudales por matrimonio, según el *Liber Feodorum Maior*

DERECHOHABIENTE adj. y com. Díc. de la persona que deriva de su derecho de otra.
DERECHURA f. Calidad de derecho. • **En d.** m. adv. Por el camino recto. • Sin detenerse.
DERISI, *Octavio Nicolás* (nacido 1907) Sacerdote y teólogo arg. *Concepto de la filosofía cristiana, Lo eterno y lo temporal en el arte, Tratado de existencialismo y tomismo.*
DERIVA f. *Mar.* Abatimiento o desvío de la nave de su rumbo. • Error producido en un mecanismo. • *Aer.* Ángulo formado entre el eje de un avión y su trayectoria real. • *Mil.* Valor que se marca en el goniómetro de una pieza de artillería para ajustar la puntería en dirección. • **continental.** *Geol.* Teoría según la cual los continentes se originaron por fragmentación de una gran masa continental con d. de los fragmentos resultantes hasta alcanzar su disposición actual. Fue propuesta por A. Wegener apoyándose en la semejanza en el trazado de las costas de África y de América del Sur y en evidencias paleontológicas. • **genética.** *Biol.* Fenómeno evolutivo de modificación de las frecuencias de los genes que se observa en sucesivas generaciones en poblaciones ideales de limitado número de individuos. • **A la d.** m. adv. Embarcación a merced de la corriente o viento. • fig. Sin dirección o propósito fijo.
DERIVABLE adj. *Mat.* Díc. de aquellas funciones que admiten derivada.
DERIVACIÓN f. Descendencia, deducción. • Pérdida de fluido en una línea eléctrica. • *El.* Enlace de varios generadores eléctricos que une los polos de igual signo. • *Gram.* Procedimiento por el cual se forman vocablos ampliando o alterando la estructura o significación de otros. • *Mat.* Técnica de obtención de derivadas.

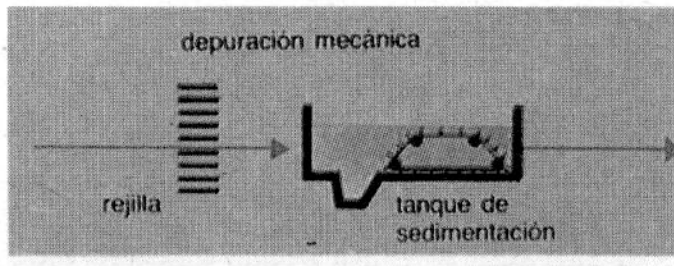

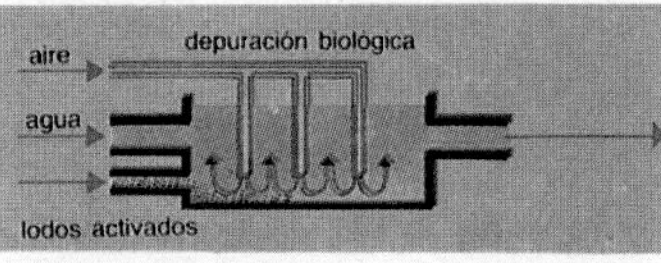

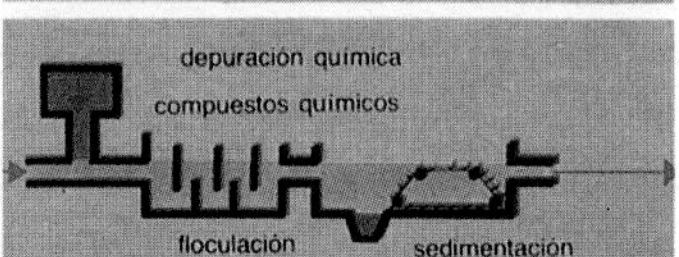

Esquema de las tres fases de la **depuración** del agua: mecánica, biológica y química

DERIVADO, DA adj. y m. Vocablo formado por derivación. • *Quím.* Producto obtenido de otro. • f. *Mat.* Límite al que tiende la razón entre el incremento de la función y el correspondiente a la variable, cuando este último tiende a cero. • **parcial.** *Mat.* Derivada de una función de varias variables respecto a una de ellas, considerando las demás como constantes. • **Función d. de otra función.** *Mat.* Dada una función derivable $f(x)$, su función derivada $f'(x)$ es otra función cuyo valor en cada punto es el de la derivada de la primera función en ese punto.
DERIVAR intr. y prnl. Traer su origen de alguna cosa. • intr. Abatir, desviarse el buque de su rumbo. • tr. Encaminar, conducir una cosa de una parte a otra. • Traer una palabra de cierta raíz. • *Mat.* Obtener la derivada de una función.
DERIVATIVO, VA adj. Que implica derivación. • adj. y m. Medicamento que atrae hacia un punto los humores acumulados en otro.
DERIVO m. Origen, procedencia.
DERIVÓMETRO m. Aparato para medir el ángulo de deriva de un avión.
DERKES, *Eleuterio* (1836-1883) Escritor puertorriq. Poeta, periodista y dramaturgo. *Tío Fele.*

DERMALGIA f. Dolor nervioso propio de la piel.
DERMATITIS f. *Pat.* Inflamación de la piel.
DERMATOESQUELETO m. Piel engrosada y endurecida, sea por la acumulación de materias quitinosas o calcáreas sobre la epidermis, o bien por haberse producido en la dermis piezas calcificadas.
DERMATÓFONO m. Instrumento para auscultar los sonidos de la corriente sanguínea de la piel y los de los músculos y los tendones.
DERMATOGRAFÍA f. *Pat.* Fenómeno vascular debido a una irritabilidad de los capilares cutáneos.
DERMATOLOGÍA f. *Med.* Tratado de las enfermedades de la piel. ■ DERMATOLÓGICO, CA.
DERMATÓLOGO, GA m. y f. Médico especialista en las enfermedades de la piel.
DERMATOSIS f. Enfermedad de la piel, que se manifiesta por costras, manchas, etc.
DERMESTO o **DERMÉSTIDO** m. Insecto coleóptero dañino para las pieles.
DERMIS f. *Anat.* Capa intermedia de la piel, entre la epidermis y la hipodermis. ■ DÉRMICO, CA.
DERMITIS f. Dermatitis.
DEROGAR tr. Abolir, anular una cosa establecida. • Destruir, reformar. ■ DEROGACIÓN; DEROGATORIO, RIA.
DÉROULÈDE, *Paul* (1846-1914) Político y escritor fr., autor de *Cantos del soldado*, profundamente antialemanes.
DERQUI, *Santiago* (1810-1867) Político arg., presid. de la Confederación (1860-1862). Tras la derrota de las tropas confederadas ante las porteñas del general Mitre (batalla de Pavón), renunció a su cargo.
DERRABAR tr. Cortar, arrancar, quitar la cola a un animal.
DERRAMA f. Repartimiento de un gasto eventual. • Contribución.
DERRAMADERO m. Vertedero.
DERRAMAMIENTO m. Dispersión de un pueblo o de una familia.
DERRAMAR tr. y prnl. Esparcir cosas líquidas o menudas. • Repartir entre los vecinos de un pueblo los impuestos u otros gastos. • fig. Publicar, divulgar una noticia. • prnl. Esparcirse, desmandarse con desorden. • Desembocar un arroyo o corriente de agua.
DERRAME o **DERRAMO** m. Derramamiento. • Porción de líquido o de semilla que se desperdicia al tiempo de medirlos. • Lo que se sale y pierde de los líquidos, por defecto de los vasos. • Sesgo o corte oblicuo en los muros para que las puertas y ventanas abran más sus hojas. • Declive de la tierra por el cual corre el agua. • Subdivisión de una cañada o valle en salidas más angostas. • Plano inferior de las cañoneras, aspilleras y troneras. • *Mar.* Corriente de aire que se escapa por las relingas de una vela. • *Med.* Acumulación anormal de un líquido en una cavidad.
DERRAPAR intr. Patinar, resbalar las ruedas de un vehículo. ■ DERRAPAJE.
DERREDOR m. Circuito de una cosa.
DERRELICTO m. Buque u objeto abandonado en el mar.
DERRELINQUIR tr. Abandonar.
DERRENEGAR intr. fam. Aborrecer, abominar de una persona o cosa.
DERRENGAR tr. y prnl. Descaderar. • Torcer, inclinar a un lado. ■ DERRENGADURA.
DERRENIEGO m. fam. Reniego.
DERRETIR tr. y prnl. Liquidar, disolver por medio del calor una cosa sólida, congelada o pastosa. • tr. fig. Consumir, disipar la hacienda, el dinero, los muebles. • fam. Trocar la moneda. • prnl. fig. Enardecerse en el amor. • fig. y fam. Enamorarse con facilidad. • fig. y fam. Deshacerse, estar lleno de impaciencia. ■ DERRETIDO, DA; DERRETIMIENTO.
DERRIBADO, DA adj. Díc. de las ancas de una caballería cuando por el extremo son más bajas de lo regular.
DERRIBADOR m. El que derriba reses.
DERRIBAR tr. Arruinar, demoler, echar a tierra casas, muros, etc. • Hacer dar en el suelo a una persona, animal o cosa. • Trastornar, echar a rodar lo que está levantado. • Tirar al suelo las reses empujándolas con la garrocha. • Postrar. • fig. Hacer perder a uno la privanza, poder o dignidad adquirida. • fig. Sujetar los afectos desordenados del ánimo. • *Eq.* Hacer que el caballo ponga los pies lo más cerca posible de las manos, para que encoja las ancas. • prnl. Echarse al suelo.
DERRIBO m. Conjunto de materiales que se sacan de la demolición. • Lugar donde se derriba.
DERRICK (voz ing.) m. Torre metálica elevadora del petróleo. • *Constr.* Grúa.
DERRISCADERO m. *Cuba.* Barranco.
DERROCADERO m. Sitio peñascoso, de donde hay peligro de caer y precipitarse.
DERROCAR tr. Despeñar, precipitar desde una peña. • fig. Echar por tierra un edificio. • fig. Derribar a una persona, grupo, cuerpo, etc., de su estado o posición. ■ DERROCAMIENTO.
DERROCHAR tr. Malgastar el dinero, los bienes, etc. • fig. y fam. Tener algo bueno en gran cantidad.
DERROCHE m. *Econ.* Mal uso de los recursos para producir bienes o servicios que satisfacen necesidades en condiciones no óptimas, en función de la demanda, el coste, el valor y el precio.
DERROTA f. Camino o senda de tierra. • Permiso para que entren los ganados a pastar en las heredades. • *Mar.* Rumbo que llevan las embarcaciones. • Resultado desfavorable de una batalla, competición deportiva, etc.
DERROTADO, DA adj. Que anda con vestidos deteriorados o raídos.
DERROTAR tr. Disipar, destrozar hacienda, muebles o vestidos. • Arruinar a uno en la salud o en los bienes. • Vencer el ejército, bando o equipo contrario. • prnl. *Mar.* Apartarse la embarcación del rumbo que lleva.
DERROTE m. *Taur.* Cornada que da el toro levantando la cabeza.
DERROTERO m. Rumbo de un barco. • fig. Camino, medio que uno toma para llegar a un fin. • *Méx.* Dirección determinada por la historia o la tradición.
DERROTISMO m. Tendencia a propagar el desaliento con noticias o ideas pesimistas. ■ DERROTISTA.
DERRUBIAR tr. Desgastar las aguas la tierra de las riberas.
DERRUBIO m. *Geol.* Déposito rocoso detrítico originado por erosión de los relieves.
DERRUIR tr. Derribar un edificio.
DERRUMBADERO m. Despeñadero. • fig. Riesgo.
DERRUMBAR tr. y prnl. Precipitar. • *Méx.* prnl. Fracasar una empresa.
DERRUMBE m. Derrumbadero. • *Min.* Derrumbamiento.
DERRUMBO m. Derrumbadero.
DERVICHE m. Especie de monje mahometano. • m. pl. Secta de musulmanes negros que dominaron Sudán de 1881 a 1885.
DES prep. insep. que denota negación, oposición, privación, exceso o fuera de.
DES MOINES C. de EE UU., cap. del est. de Iowa; 193 200 hab. Centro industrial, comercial y agrícola.
DESABARRANCAR tr. Sacar de un barranco o pantano lo que está atascado. • fig. Sacar a uno de una dificultad.
DESABASTECER tr. Dejar de surtir a una persona o a un pueblo de provisiones, o impedir que lleguen donde las necesitan.
DESABEJAR tr. Sacar las abejas del vaso o colmena en que se hallan.
DESABILLÉ m. Deshabillé.
DESABONO m. Perjuicio que se hace a uno hablando contra su reputación.
DESABOR m. Insipidez en el paladar o en la cosa que se come o bebe.
DESABORDARSE prnl. *Mar.* Separarse una embarcación después de haber abordado con otra.
DESABORIDO, DA adj. Sin sabor. • Sin sustancia. • adj. y s. fig. y fam. Persona indiferente o sosa.
DESABOTONAR tr. y prnl. Sacar los botones de los ojales. • intr. fig. Abrirse las flores.
DESABRIDO, DA adj. Desagradable por falta de sabor. • Díc. de la ballesta que da un culatazo al disparar. • Tratándose del tiempo, destemplado. • fig. Díc. de la persona de trato áspero.
DESABRIGAR tr. y prnl. Descubrir, desarropar. • fig. Desamparar. ■ DESABRIGADO, DA; DESABRIGO.
DESABRIMIENTO m. Falta de sabor, sazón o

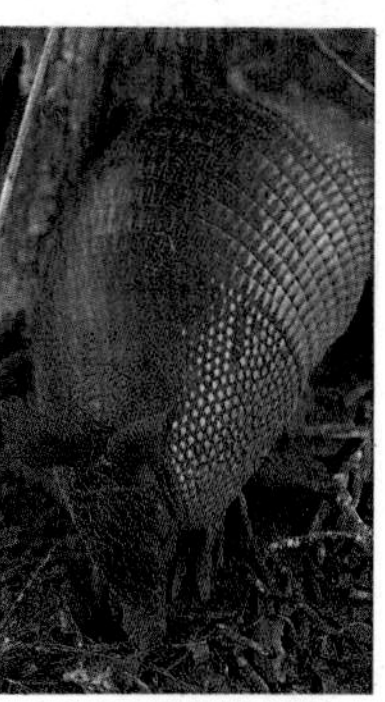
Armadillo, mamífero provisto de **dermatoesqueleto**

Derricks en una plataforma petrolífera sobre el mar

Derviche en una miniatura del s. XV. Museo Topkapi, Istanbul

Desagües de una presa

Instalación para **desalinizar** agua de mar

buen gusto en un manjar. • En la ballesta, escopeta, etc., dureza de su empuje al dispararse. • fig. Dureza de genio. • fig. Desazón interior.
DESABRIR tr. Dar mal gusto a la comida. • tr. y prnl. fig. Desazonar el ánimo a uno.
DESABROCHAR tr. y prnl. Desasir los broches, botones, etc. • fig. Abrir o desplegar una cosa. • prnl. fig. y fam. Manifestar en confianza un suceso o sentimiento.
DESACATAR tr. Desobedecer las órdenes de la autoridad. • Insultar, faltar al respeto.
DESACATO o **DESACATAMIENTO** m. *Der.* Delito contra la autoridad, que consiste en proferir injurias contra ella. • Irreverencia para con las cosas sagradas. • Falta de respeto a los superiores.
DESACEDAR tr. Quitar la acidez.
DESACEITAR tr. Quitar el aceite a los tejidos. ■ DESACEITADO, DA.
DESACELERAR tr. Retardar, quitar celeridad. ■ DESACELERACIÓN.
DESACERACIÓN f. *Metal.* Eliminación superficial de la aceración. ■ DESACERAR.
DESACERBAR tr. Endulzar una cosa.
DESACERTAR intr. No tener acierto, errar.
DESACIERTO m. Dicho o hecho desacertado.
DESACLIMATAR tr. Cambiar el clima.
DESACOMODADO, DA adj. Aplícase al que no tiene medios para mantener su estado. • Díc. del criado sin acomodo. • Que causa incomodidad.
DESACOMODAR tr. Privar de la comodidad. • tr. y prnl. Quitar la conveniencia u ocupación. ■ DESACOMODO.
DESACONSEJADO, DA adj. y s. Que obra sin consejo ni prudencia.
DESACONSEJAR tr. Persuadir a uno lo contrario de lo que tiene resuelto.
DESACORDADO, DA adj. *Pint.* Aplícase a la obra sin armonía.
DESACORDAR tr. Destemplar un instrumento musical.
DESACORDE adj. Díc. de lo que no iguala, conforma o concuerda con otra cosa.
DESACOSTUMBRAR tr. y prnl. Hacer perder la costumbre que uno tiene. ■ DESACOSTUMBRADO, DA.
DESACOTAR tr. Levantar el coto. • Apartarse del concierto o cosa que se está tratando. • Entre muchachos, levantar las leyes que ponen en sus juegos. • Rechazar una cosa. ■ DESACOTO.
DESACRALIZAR tr. Quitar el carácter sacro a algo que lo tenía.
DESACREDITAR tr. Disminuir la reputación de una persona, o la estimación de una cosa. ■ DESACREDITADO, DA.
DESACTIVAR tr. Eliminar la actividad propia de una sustancia, un artefacto, etc.
DESACUARTELAR tr. Sacar las tropas de los cuarteles.
DESACUERDO m. Disconformidad en los dictámenes o acciones. • Error. • Olvido. • Privación del sentido.
DESAFECCIÓN f. Desafecto.
DESAFECTO, TA adj. Que no siente estima por una cosa. • Opuesto. • m. Malquerencia.
DESAFERRAR tr. y prnl. Desasir. • fig. Sacar, apartar a uno del dictamen que defiende. • tr. *Mar.* Levantar las áncoras para que pueda navegar la embarcación.
DESAFIAR tr. Retar a combate, batalla o pelea. • Contender con uno en cosas que requieren fuerza o destreza. • fig. Competir.
DESAFICIÓN f. Falta de afición; desafecto.
DESAFILAR tr. y prnl. Embotar el filo de un arma o herramienta.
DESAFINAR intr. y prnl. *Mús.* Desviarse la voz o el instrumento del punto de la perfecta entonación. • intr. fig. y fam. Decir una cosa indiscreta. ■ DESAFINACIÓN.
DESAFÍO m. Rivalidad.
DESAFORADO, DA adj. Que obra sin ley ni fuero. • Que es o se expide contra fuero o privilegio. • fig. Grande con exceso, desmedido.
DESAFORAR tr. Quebrantar los fueros que corresponden a uno. • Privar a uno del fuero que goza. • prnl. Descomponerse, descomedirse.
DESAFORTUNADO, DA adj. Sin fortuna. • Inoportuno, no acertado.
DESAFUERO m. Acto violento contra la ley. • P. ext., acción contraria a las buenas costumbres o a la razón. • *Der.* Hecho que priva de fuero.
DESAGRADAR intr. y rec. Disgustar, fastidiar, causar desagrado. ■ DESAGRADABLE.
DESAGRADECER tr. No corresponder al beneficio recibido. • Desconocer el beneficio que se recibe. ■ DESAGRADECIDO, DA; DESAGRADECIMIENTO.
DESAGRADO m. Disgusto. • Expresión del disgusto que nos causa una persona o cosa.
DESAGRAVIAR tr. y prnl. Reparar el agravio hecho, dando al ofendido satisfacción cumplida. • Resarcir el perjuicio causado. ■ DESAGRAVIO.
DESAGREGAR tr. y prnl. Separar una cosa de otra. ■ DESAGREGACIÓN.
DESAGUADERO o **DESAGUADOR** m. Conducto por donde se da salida a las aguas. • fig. Motivo continuo de gastar, que consume el caudal.
DESAGUADERO Río de Bolivia; nace en el lago Titicaca, atraviesa en dirección NO-SE parte de los dptos. de la Paz y Oruro, y desemboca en el lago Poopó; 325 km.
DESAGUAR tr. Extraer, echar el agua de un lugar. • fig. Disipar. • intr. Entrar los ríos en el mar. • prnl. fig. Evacuar el estómago o intestino.
DESAGUAZAR tr. Quitar el agua.
DESAGÜE m. Desaguadero. • Cloaca. • *Agr.* Acción de sanear los suelos, eliminando la humedad por medio de canales.
DESAGUISADO, DA adj. Hecho contra la ley o la razón. • m. Agravio, denuesto.
DESAHERROJAR tr. y prnl. Quitar los hierros.
DESAHIJAR tr. Apartar en el ganado las crías de las madres. • prnl. Enjambrar las abejas.
DESAHITARSE prnl. Quitarse el ahíto.
DESAHOGAR tr. Dilatar el ánimo a uno; aliviarle. • tr. y prnl. Aliviar el ánimo de la pasión o cuidado que le oprime. • prnl. Recobrarse del calor y fatiga. • Desempeñarse. • Decir una persona a otra el sentimiento o queja que tiene de ella. • Hacer uno confianza de otro, refiriéndole lo que le da pena. ■ DESAHOGADO, DA.
DESAHOGO m. Alivio. • Ensanche, esparcimiento. • Desembarazo, libertad.
DESAHUCIAR tr. y prnl. Quitar a uno toda esperanza de conseguir algo. • tr. Desesperar los médicos de la salud de un enfermo. • Despedir al inquilino.
DESAHUCIO m. Derecho por el cual el poseedor de un inmueble puede despedir al inquilino.
DESAHUMADO, DA adj. fig. Aplícase al licor que ha perdido fuerza por haberse evaporado.
DESAI, ***Shri Morarji Ranchodji*** (1896-1995) Político indio. Formó parte de los gobiernos de Nehru e I. Gandhi. Primer ministro (1977-1979).
DESAINADURA f. Enfermedad de las mulas y los caballos.
DESAINAR tr. y prnl. Quitar el saín a un animal o la sustancia a una cosa. • tr. Debilitar al azor cuando muda.
DESAIRADO, DA adj. Que carece de gala y donaire. • fig. Que no queda airoso en lo que pretende.
DESAIRAR tr. Humillar, desatender a una persona. • Desestimar una cosa.
DESAIRE m. Falta de garbo o de gentileza.
DESAJUSTAR tr. Desconcertar una cosa de otra. • prnl. No ajustarse a lo convenido. ■ DESAJUSTE.
DESALABEAR tr. *Carp.* Quitar el alabeo a una pieza de madera. ■ DESALABEO.
DESALAR tr. Quitar la sal a una cosa. • Quitar las alas. • intr. fig. Andar o correr con aceleración. • fig. Sentir anhelo por conseguir algo. ■ DESALADO, DA; DESALADURA.
DESALBARDAR tr. Desenalbardar.
DESALENTAR tr. Dificultar el aliento la fatiga o el cansancio. • tr. y prnl. fig. Quitar el ánimo.
DESALHAJAR tr. Quitar de una habitación las alhajas o muebles.
DESALIENTO m. Descaecimiento del ánimo.
DESALINIZAR tr. Eliminar el carácter salino de una cosa. • Producir agua dulce a partir de agua salada o salobre, eliminando las sales que contiene.
DESALIÑAR tr. y prnl. Descomponer.
DESALIÑO m. Desaseo, descompostura, falta de aliño. • fig. Negligencia, descuido. ■ DESALIÑADO, DA.
DESALIVAR intr. y prnl. Arrojar saliva.

DESALMADO, DA adj. Falto de conciencia. • Cruel, inhumano.
DESALMAMIENTO m. Inhumanidad.
DESALMAR tr. y prnl. fig. Quitar la virtud a una cosa. • Desasosegar. • prnl. fig. Desalar.
DESALOJAR tr. Sacar de un lugar a una persona o cosa. • Abandonar un lugar. • Desplazar. • intr. Dejar el sitio o morada voluntariamente. ■ DESALOJAMIENTO; DESALOJO.
DESAMAR tr. Dejar de amar. • Aborrecer.
DESAMARRAR tr. y prnl. Quitar las amarras. • fig. Desasir, apartar. • tr. *Mar.* Dejar un buque sobre una sola ancla.
DESAMARTELAR tr. y prnl. Desenamorar.
DESAMIGAR tr. Enemistar.
DESAMINACIÓN f. *Quím.* Eliminación del amoniaco. • *Quím.* Eliminación de aminas.
DESAMOBLAR tr. Desamueblar.
DESAMOLDAR tr. Hacer perder a una cosa la figura que tomó del molde. • fig. Descomponer la proporción de una cosa.
DESAMOR m. Mala correspondencia de uno al afecto de otro. • Falta de afecto. • Enemistad. ■ DESAMORADO, DA; DESAMOROSO, SA.
DESAMORAR tr. y prnl. Hacer perder el amor.
DESAMORRAR tr. fam. Hacer que uno levante la cabeza o que, dejando el silencio, responda a los presentes.
DESAMORTIZACIÓN f. Proceso mediante el cual, durante el s. XIX e incluso a principios del XX, se intentó en España y en América Latina acabar con la inmovilización de la propiedad agrícola.
DESAMORTIZAR tr. Dejar libres los bienes amortizados. • Poner en estado de venta los bienes de manos muertas.
DESAMPARAR tr. Abandonar a la persona o cosa que lo pide o necesita. • Abandonar un lugar. • *Der.* Dejar una cosa, con renuncia de todo derecho a ella. ■ DESAMPARO.
DESAMUEBLAR tr. Dejar sin muebles un edificio o parte de él.
DESAMURAR tr. Levantar las amuras de las velas.
DESANCLAR o **DESANCORAR** tr. *Mar.* Levantar las anclas.
DESANDAR tr. Retroceder.
DESANGELADO, DA adj. Sin gracia.
DESANGLES, *Luis* (1861-1940) Pintor dom. En sus cuadros, plasmó motivos nacionalistas y costumbristas, con clara influencia del impresionismo.
DESANGRAR tr. Sacar sangre a una persona o animal. • fig. Agotar un lago. • fig. Arruinar, desplumar. • prnl. Perder mucha sangre. ■ DESANGRAMIENTO.
DESANIDAR intr. Dejar las aves el nido. • tr. fig. Sacar o echar de un sitio a los que tienen costumbre de ocultarse en él.
DESANIMACIÓN f. Acción y efecto de desanimar o desanimarse. • Falta de animación de afluencia de gente.
DESÁNIMO m. Desaliento, falta de ánimo. ■ DESANIMADO, DA; DESANIMAR.
DESANUBLAR tr. y prnl. fig. Despejar.
DESANUDAR tr. Deshacer el nudo. • fig. Aclarar lo que está enredado.
DESAOJAR tr. Curar el aojo. ■ DESAOJADERA.
DESAPACIBLE adj. Que causa disgusto o enfado, o es desagradable. ■ DESAPACIBILIDAD.
DESAPADRINAR tr. fig. Desaprobar.
DESAPAÑAR tr. Descomponer.
DESAPAREAR tr. Separar una de dos cosas que hacían par.
DESAPARECER tr. y prnl. Ocultar una cosa. • intr. Ocultarse una persona o cosa. ■ DESAPARECIMIENTO; DESAPARICIÓN.
DESAPAREJAR tr. y prnl. Quitar el aparejo a una caballería. • tr. *Mar.* Quitar a un buque el velamen, jarcias, masteleros y vergas.
DESAPARROQUIAR prnl. y tr. Separar a uno de su parroquia. • Quitar los parroquianos a las tiendas.
DESAPARTAR tr. y prnl. *Amér.* Apartar.
DESAPASIONAR tr. y prnl. Quitar la pasión que se tiene a una persona o cosa. ■ DESAPASIONADO, DA.
DESAPEGAR tr. y prnl. Desasir una cosa de otra a la que estaba pegada. • prnl. fig. Apartarse del afecto o afición a una persona o cosa. ■ DESAPEGO; DESPEGADO, DA; DESPEGADURA; DESPEGAMIENTO; DESPEGO.
DESAPERCIBIMIENTO m. Desprevención, falta de apresto de lo necesario. ■ DESAPERCIBIDO, DA.
DESAPESTAR tr. Desinfectar.
DESAPIADADO, DA adj. Despiadado.
DESAPIOLAR tr. Quitar el lazo con que los cazadores ligan la caza menor y las aves.
DESAPLACIBLE adj. Desagradable.
DESAPLICAR tr. y prnl. Quitar o hacer perder la aplicación en el estudio. ■ DESAPLICACIÓN; DESAPLICADO, DA.
DESAPLOMAR tr. y prnl. *Const.* Desplomar.
DESAPODERADO, DA adj. Precipitado. • fig. Furioso, desenfrenado.
DESAPODERAMIENTO m. Desenfreno.
DESAPODERAR tr. y prnl. Desposeer a uno de lo que tenía. • tr. Quitar a uno el poder.
DESAPOLILLAR tr. Quitar la polilla. • prnl. fig. y fam. Salir de casa cuando, por enfermedad u otra causa, ha transcurrido mucho tiempo sin salir de ella.
DESAPORCAR tr. Quitar la tierra con que están aporcadas las plantas.
DESAPOSENTAR tr. Privar del aposentamiento al que lo tenía. • fig. Apartar.
DESAPOSESIONAR tr. Desposeer.
DESAPRENSAR tr. Quitar el lustre, aguas o asiento que las telas adquieren en la prensa. • fig. Sacar el cuerpo, un miembro, etc. de una apretura.
DESAPRENSIÓN f. Falta de aprensión o de escrúpulos. ■ DESAPRENSIVO, VA.
DESAPROBAR tr. Reprobar. ■ DESAPROBACIÓN.
DESAPROPIARSE prnl. Desposeerse uno del dominio sobre lo propio. ■ DESAPROPIACIÓN o DESAPROPIAMIENTO.
DESAPROVECHAR tr. Desperdiciar una cosa. • intr. Perder lo que se había adelantado. ■ DESAPROVECHADO, DA; DESAPROVECHAMIENTO.
DESAPUNTAR tr. Cortar las puntadas a lo que está cosido con ellas. • Hacer perder la puntería.
DESARBOLAR tr. *Mar.* Destruir, derribar los palos de la embarcación.
DESARENADO m. *Metal.* Operación que se lleva a cabo en las piezas obtenidas por fundición en molde de arena, consistente en la eliminación de las tierras adheridas al metal.
DESARENAR tr. Quitar la arena.
DESARGUES, *Girard* (1593-1661) Ingeniero y arquitecto fr. Uno de los iniciadores de la geometría proyectiva.
DESARMADOR m. Disparador de un arma de fuego. • *Amér. Central* y *Méx.* Destornillador.

DESARMADURA f. Desarme.
DESARMAR tr. Quitar o hacer entregar las armas. • tr. y prnl. Desceñir a una persona las armas que lleva. • tr. Separar las piezas de que se compone una cosa. • Reducir las fuerzas militares de un Est. o su armamento. • Hacer dar un golpe a un animal de asta, de modo que no pueda repetirlo sin cambiar de posición. • Quitar la ballesta del punto en que se ponía para dispararla. • fig. Templar, desvanecer. • Quitar al buque la artillería y el aparejo y amarrar el casco en la dársena. • intr. Reducir las naciones su armamento y fuerzas militares. ■ DESARMADO, DA.
DESARME m. Reducción de armamento que las naciones proponen para evitar la guerra.
* *Hist.* Desde fines de la I Guerra Mundial, el d.

Juan Álvarez Mendizábal, que coronó el proceso de **desamortización** en España

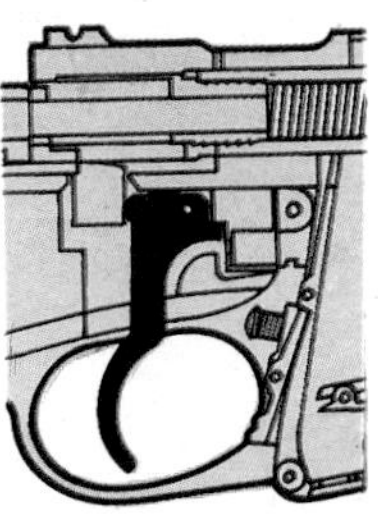

Desarmador

Encuentro Reagan-Gorbachov en Washington, en diciembre de 1987, que sentó las bases para los acuerdos ulteriores de **desarme**

ha sido la inspiración pral. de cuantos luchan en favor de la paz. Sus resultados, empero, han sido más bien escasos. Como hitos fundamentales hay que destacar el acuerdo de 1963 para la prohibición parcial de las pruebas nucleares, el tratado de no proliferación de armas nucleares (1967), las negociaciones SALT I y II y la firma en Washington del acuerdo entre EE UU y la URSS para la eliminación de los misiles europeos de alcance intermedio (diciembre 1987), que abre el camino para el d. nuclear total y la reducción de los arsenales convencionales.

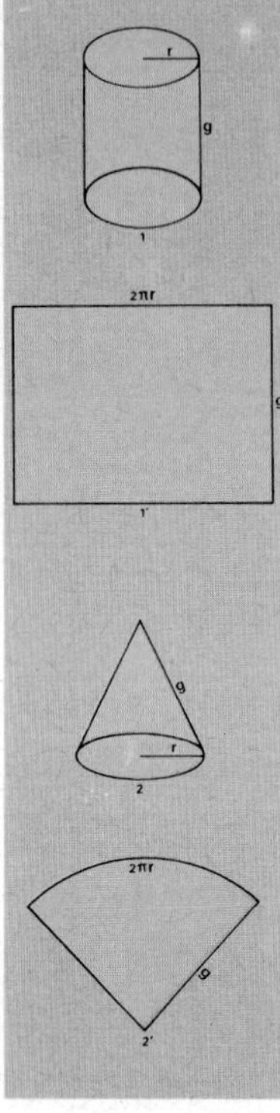

El cilindro (1) y el cono (2) son superficies **desarrollables.** Su desarrollo lateral (1' y 2') se realiza mediante corte a lo largo de una generatriz (g)

DESARRAIGADO, DA adj. y s. El que vive sin adaptarse a las leyes o costumbres del lugar.
DESARRAIGAR tr. y prnl. Arrancar de raíz un árbol o una planta. • fig. Extirpar una pasión, una costumbre o un vicio. • tr. fig. Apartar a uno de su opinión. • tr. y prnl. fig. Echar a uno de donde vive. ■ DESARRAIGO.
DESARRAJAR tr. *Amér.* Descerrajar.
DESARRANCARSE prnl. Separarse de un cuerpo los individuos que lo componen.
DESARRAPADO, DA adj. Desharrapado.
DESARREBOZAR tr. y prnl. Quitar el rebozo.
DESARREBUJAR tr. Desenmarañar lo que está revuelto. • tr. y prnl. Desenvolver la ropa en que está uno arrebujado. • fig. Explicar lo que está confuso.
DESARREGLADO, DA adj. Que se excede en el uso de la comida, bebida, etc. • Desordenado.
DESARREGLAR tr. y prnl. Trastornar, desordenar. ■ DESARREGLO.
DESARRENDAR tr. y prnl. Quitar la rienda al caballo. • tr. Dejar una finca arrendada.
DESARREVOLVER tr. Desenvolver, desembarazar.
DESARRIMAR tr. Quitar lo que está arrimado. • fig. Apartar a uno de su opinión.
DESARRIMO m. Falta de apoyo.
DESARROLLABLE adj. Que puede desarrollarse. • *Geom.* Díc. de aquella superficie que puede transformarse en una porción de plano.
DESARROLLAR tr. Desenvolver una cosa que estaba arrollada. • tr. y prnl. Hacer que crezca un organismo. fig. Dar incremento a una cosa. • tr. fig. Explicar una teoría, plan, etc., y llevarla a sus últimas consecuencias. • *Mat.* Efectuar operaciones de cálculo, para cambiar la forma de una exp. analítica. • prnl. Suceder una cosa de la manera o en el lugar que se expresa.
DESARROLLISMO m. Tendencia al desarrollo económico, aun a costa de sacrificar otros objetivos sociales.
DESARROLLO m. En una composición musical, relato, etc., parte que sigue a la introducción. • **económico.** Fase de la evolución de un país, caracterizada por el aumento de la renta nacional por hab.
* *Econ.* Proceso caracterizado por una rápida acumulación de capital, elevación de la productividad, mejora de las técnicas, aumento de pob. y creación o perfeccionamiento de la infraestructura.
DESARTICULAR tr. y prnl. Separar dos o más huesos articulados entre sí. • fig. Separar las piezas de una máquina. • fig. Desorganizar. • fig. Desorganizar la autoridad una conspiración, etc., deteniendo a los individuos que la forman. ■ DESARTICULADO, DA; DESARTICULACIÓN.
DESARTILLAR tr. Quitar la artillería a un buque o a una fortaleza.
DESARZONAR tr. Hacer que el jinete salga violentamente de la silla.
DESASADO, DA adj. Que tiene rotas las asas.
DESASEAR tr. Ensuciar.
DESASEGURAR tr. Hacer perder la seguridad. • Extinguir un contrato de seguro.
DESASENTAR tr. Remover una cosa de su lugar. • intr. fig. Desagradar una cosa. • prnl. Levantarse del asiento.
DESASIMILACIÓN f. Catabolismo.
DESASIR tr. y prnl. Soltar. • prnl. fig. Desprenderse de una cosa.
DESASISTIR tr. Desamparar.
DESASNAR tr. y prnl. fig. y fam. Librar a alguien de su rudeza o ignorancia.
DESASOCIABLE adj. Insociable.
DESASOCIAR tr. Disolver una asociación.
DESASOSEGAR tr. y prnl. Privar de sosiego. ■ DESASOSIEGO.
DESASTAR tr. Romper las astas.

Ya no hay tiempo, aguafuerte de Goya de la serie *Los* ***desastres*** *de la guerra*

DESASTRADO, DA adj. Infausto. • adj. y s. Persona desaseada.
DESASTRE m. Desgracia grande. • fig. De calidad deficiente, mala organización, falta de habilidad, etc. ■ DESASTROSO, SA.
DESATACAR tr. Sacar los tacos de las armas de fuego. • prnl. Desabrocharse los pantalones.
DESATANCAR tr. Limpiar un conducto obstruido. • prnl. Desatascarse.
DESATAR tr. y prnl. Desenlazar una cosa de otra. • tr. fig. Desleír, derretir. • fig. Deshacer. • prnl. fig. Excederse en hablar. • fig. Proceder desordenadamente. • fig. Perder el encogimiento. • fig. Desencadenarse alguna fuerza. ■ DESATADURA; DESATE.
DESATASCAR tr. y prnl. Sacar del atascadero. • tr. Desatancar. • fig. Sacar a uno de una dificultad. ■ DESATASCO.
DESATAVÍO m. Desaliño.
DESATENCIÓN f. Falta de atención. • Descortesía, falta de respeto.
DESATENDER tr. No prestar atención. • No corresponder. ■ DESATENTO, TA.
DESATENTAR tr. y prnl. Turbar el sentido o hacer perder el tiento. ■ DESATENTADO, DA.
DESATERRAR tr. *Amér.* Escombrar.
DESATESORAMIENTO m. Tendencia a disponer de pocos activos en forma de caja.
DESATIENTO m. Falta de tiento. • Desasosiego.
DESATIERRE m. *Amér.* Escombrera.
DESATINAR tr. Desatentar. • intr. Decir o hacer desatinos. • Perder el tino. ■ DESATINADO, DA.
DESATINO m. Falta de tino. • Locura.
DESATORAR tr. *Min.* Quitar los escombros que atoran una excavación.
DESATORNILLAR tr. Destornillar. ■ DESATORNILLADOR.
DESATRACAR tr. y prnl. Separar una embarcación de otra. • intr. Separarse la nave de la costa cuando ofrece peligro.
DESATRAILLAR tr. Quitar la traílla.
DESATRAMPAR tr. Limpiar de un impedimento un caño.
DESATRANCAR tr. Quitar a la puerta la tranca. • Desatrampar un pozo, una fuente, etc.
DESATUFARSE prnl. Desintoxicarse del tufo. • fig. Desenfadarse.
DESAUTORIZAR tr. y prnl. Quitar autoridad, crédito o estimación. ■ DESAUTORIZACIÓN; DESAUTORIZADO, DA.
DESAVAHAR tr. Dejar enfriar una cosa hasta que no eche vaho. • Orear. • prnl. Desahogarse, espaciarse.
DESAVECINDARSE prnl. Ausentarse de un lugar. ■ DESAVECINDADO, DA.
DESAVENENCIA f. Oposición, discordia.
DESAVENIR tr. y prnl. Faltar la armonía entre dos personas. ■ DESAVENIDO, DA.
DESAVENTURA f. Desventura.
DESAVIAR tr. y prnl. Apartar a alguien del camino que debe seguir. • Privar a uno de lo necesario para algún fin. ■ DESAVÍO.
DESAVISAR tr. Dar noticia contraria a la que se había dado. ■ DESAVISADO, DA.
DESAYUNAR tr., intr. y prnl. Tomar el desayuno. • prnl. fig. Hablando de un suceso, tener la primera noticia sobre él.
DESAYUNO m. Alimento ligero que se toma por la mañana.
DESAZOGAR tr. Quitar el azogue.
DESAZÓN f. Insipidez. • Falta de sazón y tempero en las tierras que se cultivan. • fig. Disgusto. • fig. Molestia.
DESAZONAR tr. Quitar el sabor a un manjar. • tr. y prnl. fig. Disgustar. • prnl. fig. Sentirse indispuesto. ■ DESAZONADO, DA.
DESBABAR intr. y prnl. Expeler las babas. • tr. Hacer que el caracol suelte su baba.
DESBAGAR tr. y prnl. Sacar de la baga la linaza.
DESBALAGAR intr. *Méx.* Desbaratar. • *Hond.* Malbaratar.
DESBANCAR tr. Ganar al banquero, los que paran o apuntan, todo el fondo de dinero que puso de contado para jugar con ellos. • fig. Hacer perder a uno la amistad o cariño de otra persona, ganándola para sí.
DESBANDARSE prnl. Desparramarse. • Apar-

tarse de la compañía de otros. • Desertar. ■ DESBANDADA.
DESBARAJUSTE m. Desorden. ■ DESBARAJUSTAR.
DESBARATAMIENTO m. Descomposición.
DESBARATAR tr. Deshacer una cosa. • Disipar los bienes. • fig. Hablando de las cosas inmateriales, cortar, estorbar. • *Mil.* Desconcertar a los contrarios. • intr. Disparatar. • prnl. fig. Hablar u obrar fuera de razón. ■ DESBARATADO, DA; DESBARATE.
DESBARBADO, DA adj. Que carece de barba. • *Metal.* Operación de eliminar de las piezas fundidas la arena adherida, las rebabas, etc. ■ DESBARBADORA.
DESBARBAR tr. Cortar las hilachas o pelos. • *Metal.* En las piezas fundidas, eliminar las entradas de colada, aletas y bebederos. • tr. y prnl. fam. Afeitar la barba.
DESBARBILLAR tr. Cortar las raíces que arrojan los troncos de las vides nuevas.
DESBARDAR tr. Quitar la barda a una tapia.
DESBARRADA f. Desorden con alboroto.
DESBARRANCADERO m. *Amér.* Despeñadero.
DESBARRANCAR tr. y prnl. *Col.*, *Perú* y *P. Rico.* Arruinar.
DESBARRAR intr. Tirar con la barra a cuanto alcance la fuerza. • Deslizarse. • fig. Discurrir fuera de razón. ■ DESBARRO.
DESBARRETAR tr. Quitar las barretas.
DESBARRIGAR tr. fam. Abrir el vientre. • Suprimir barriga. ■ DESBARRIGADO, DA.
DESBASTAR tr. Quitar las partes más bastas a una cosa que se haya de labrar. • Dar a un bloque de pieza, etc., la forma aproximada que ha de tener. • Gastar, debilitar. • tr. y prnl. fig. Quitar rusticidad a una persona. ■ DESBASTADOR; DESBASTADURA.
DESBASTE m. Estado de cualquier materia que se destina a labrarse, despojada de las partes bastas. • *Ind.* Operación en la mecanización de una pieza para llevarla a dimensiones próximas a las definitivas.
DESBASTECIDO, DA adj. Sin bastimentos.
DESBAUTIZARSE prnl. fam. Irritarse.
DESBAZADERO m. Sitio húmedo y resbaladizo.
DESBEBER intr. fam. Orinar.
DESBECERRAR tr. Destetar los becerros.
DESBENZOLAR tr. Extraer el benzol del gas.
DESBLOQUEAR tr. Levantar el bloqueo.
DESBLOQUEO m. Supresión de las inhibiciones emocionales que se oponen a la exteriorización de conflictos inconscientes o de delirios.
DESBOCADO, DA adj. *Mil.* Díc. del cañón o pieza de artillería que tiene la boca ancha. • Aplícase a cualquier instrumento que tiene gastada la boca. • adj. y s. fig. y fam. Acostumbrado a decir palabrotas.
DESBOCAR tr. Quitar la boca a una cosa. • intr. Desembocar. • prnl. Hacerse una caballería insensible a la acción del freno y dispararse. • fig. Desvergonzarse. • Abrirse el cuello de un vestido. ■ DESBOCAMIENTO.
DESBORDAMIENTO m. Acción y efecto de desbordar o desbordarse. • *Comp.* Hecho que indica que en una operación se ha generado una cantidad que sobrepasa la capacidad del registro.
DESBORDAR intr. y prnl. Salir de los bordes. • prnl. Exaltarse las pasiones, sentimientos, etc. • tr. Sobrepasar. ■ DESBORDANTE.
DESBORDE m. Desbordamiento.
DESBORDES-VALMORE, *Marceline* (1786-1859) Poetisa fr. *Los llantos, Pobres flores, Ramilletes y plegarias.*
DESBORNIZAR tr. Arrancar el corcho virgen de los alcornoques.
DESBORONAR tr. y prnl. Desmoronar.
DESBORRADO m. *Text.* Operación que consiste en eliminar de la carda las fibras cortas y las impurezas acumuladas entre las púas.
DESBORRAR tr. Quitar la borra a los paños. ■ DESBORRADOR, RA.
DESBOTONAR tr. *Ant.* y *Perú.* Quitar los botones y la guía a la planta del tabaco.
DESBRAGADO adj. fam. Sin bragas. • adj. y s. fig. y despect. Descamisado, muy pobre.
DESBRAGUETADO adj. fam. Que lleva abierta la bragueta.
DESBRAVAR tr. Amansar. • intr. y prnl. Perder parte de la bravura. • fig. Desahogar el ímpetu de la cólera. • Disminuir la violencia de una corriente de agua. • Perder su fuerza un licor. ■ DESBRAVADOR.
DESBRAVECER intr. y prnl. Desbravar.
DESBRAZARSE prnl. Extender violentamente los brazos.
DESBREVARSE prnl. Perder una cosa su fuerza.
DESBRIDAR tr. Quitar la brida a un caballo. • *Cir.* Cortar ciertos tejidos para evitar infecciones. ■ DESBRIDAMIENTO.
DESBRIZNAR tr. Reducir a briznas. • Sacar los estigmas a la flor del azafrán. • Quitar la brizna a las legumbres.

Lanzatorpedos de cañones **desbocados**

DESBROCE m. Desbrozo.
DESBROZAR tr. Quitar la broza.
DESBROZO m. Cantidad de broza que produce la monda de los árboles y la limpieza de las tierras.
DESBRUAR tr. *Text.* Quitar la grasa a los paños.
DESBRUJAR tr. Desmoronar.
DESBUCHAR tr. Desembuchar. • Desainar. • *Cet.* Aliviar el buche de las aves de rapiña.
DESBULLA f. Despojo que queda de la ostra.
DESBULLAR tr. Quitar la cáscara de algunas cosas. • Abrir las ostras. ■ DESBULLADOR.
DESCABALAR tr. y prnl. Quitar algunas de las partes precisas para constituir una cosa. ■ DESCABALAMIENTO.
DESCABALGAR intr. Desmontar de una caballería. • tr. y prnl. Desmontar de la cureña el cañón. ■ DESCABALGADURA.
DESCABELLAR tr. y prnl. Despeinar. • tr. *Taur.* Matar al toro, hiriéndole en la cerviz con la punta de la espada de cruceta. ■ DESCABELLADO, DA; DESCABELLAMIENTO; DESCABELLO.
DESCABESTRAR tr. Desencabestrar.
DESCABEZADO, DA adj. y s. No razonable.
DESCABEZAR tr. Quitar la cabeza. • Deshacer el padrón que han hecho los pueblos. • fig. Cortar la parte superior a algunas cosas. • fig. y fam. Empezar a vencer una dificultad. • *Mil.* Ordenar las primeras hileras, al preparar una marcha de flanco. • *Mil.*Vencer un obstáculo, rebasándolo la cabeza de la columna. • intr. Terminar una tierra o haza en otra. • prnl. fig. y fam. Descalabazarse. • Desgranarse las espigas de las mieses. ■ DESCABEZAMIENTO.
DESCABRITAR tr. Destetar los cabritos.
DESCABULLIRSE prnl. Escabullirse. • fig. Huir de una dificultad con sutileza. • fig. Eludir la fuerza de las razones contrarias.
DESCACHALANDRADO, DA adj. *Amér.* Descuidado, desaliñado.
DESCACHAR tr. *Amér.* Descornar.
DESCACHAZAR tr. *Amér.* Quitar la cachaza.
DESCADERAR tr. y prnl. Causar daño en las caderas.
DESCADILLAR tr. Quitar a la lana los cadillos, pajillas y motas.
DESCAECER intr. Perder poco a poco la salud, autoridad, caudal, etc.
DESCAECIMIENTO m. Flaqueza.
DESCAER intr. Decaer.
DESCAFEINAR tr. Eliminar la cafeína del café.
DESCAFILAR tr. Quitar las desigualdades de los cantos de los ladrillos.
DESCAIMIENTO m. Decaimiento.
DESCALABAZARSE prnl. fig. y fam. Esforzarse en averiguar una cosa sin lograrlo.
DESCALABRADURA f. Herida en la cabeza. • Cicatriz de esta herida.
DESCALABRAR tr. y prnl. Herir a uno en la ca-

Marceline **Desbordes-Valmore**

Descabello

Campesinos durante un **descanso** en un detalle de *Los segadores*, óleo sobre tabla de Brueghel el Viejo. Museo Metropolitano, Nueva York

Automóvil Rolls-Royce **descapotable** antiguo

Descarga

René **Descartes**, por Frans Hals. Museo del Louvre, París

beza. • P. ext., herir aunque no sea en la cabeza. • fig. Causar daño. ■ DESCALABRADO, DA.
DESCALABRO m. Contratiempo, daño.
DESCALANDRAJAR tr. Romper un vestido.
DESCALCE m. Socava.
DESCALCEZ f. Calidad de descalzo. • Orden religiosa en que se llevan los pies descalzos.
DESCALCIFICACIÓN f. Acción y efecto de descalcificar. • Disminución de las sales cálcicas de un hueso. • Operación de disolver el carbonato de calcio de los tejidos para obtener preparaciones microscópicas más claras. • *Ind.* Eliminación de las sales alcalinotérreas contenidas en el agua. Se realiza bien por precipitación en forma de carbonatos, adicionando cantidades de sal y sosa, bien filtrando el agua dura a través de ceolitas naturales o sintéticas (→ permutita).
DESCALCIFICAR tr. y prnl. Eliminar las sales cálcicas contenidas en el agua, en los huesos u otros tejidos orgánicos.
DESCALIFICAR tr. Desconceptuar. • Excluir a uno de una prueba. ■ DESCALIFICACIÓN.
DESCALOSTRADO, DA adj. Díc. del niño que ha pasado ya los días del calostro.
DESCALZAPERROS m. Contienda, revuelta.
DESCALZAR tr. y prnl. Quitar el calzado. • Quitar calzos. • Socavar. • prnl. Perder herraduras las caballerías. • fig. Pasar un fraile calzado a descalzo.
DESCALZO, ZA adj. Que lleva los pies desnudos. • Díc. del fraile o de la monja de órdenes reformadas.
DESCAMACIÓN f. *Fisiol.* Desprendimiento de la epidermis seca en forma de escamillas.
DESCAMAR tr. Quitar las escamas a los peces. • prnl. Caerse la piel en forma de escamillas.
DESCAMBIAR tr. Deshacer el cambio.
DESCAMINAR tr. y prnl. Apartar a uno del camino que debe seguir. • fig. Apartar a uno de un buen propósito.
DESCAMINO m. Cosa que se quiere introducir de contrabando. • fig. Desatino.
DESCAMISADO, DA adj. fam. Sin camisa. • adj. y s. fig. y despect. Muy pobre. • m. Individuo perteneciente a un mov. popular argentino, partidario de Perón. • m. pl. Ese mismo mov.
DESCAMISAR tr. *Col.*, *Guat.* y *Perú.* Arruinar.
DESCAMPADO, DA adj. y m. Terreno libre de tropiezos y espesuras. • **En d.** m. adv. A campo raso.
DESCAMPAR tr. Escampar.
DESCANSADERO m. Sitio donde se descansa.
DESCANSAR intr. Cesar en el trabajo, reposar. • fig. Tener algún alivio; dar los males alguna tregua. • Desahogarse comunicando a alguien los males. • Dormir. • Confiar en los oficios o el favor de otro. • Estar una cosa asentada sobre otra. • Estar sin cultivo la tierra de labor. • Estar enterrado. • tr. Ayudar a uno en el trabajo. • Asentar una cosa sobre otra. ■ DESCANSADO, DA.
DESCANSILLO m. Espacio llano entre dos tramos de escalera.
DESCANSO m. Pausa en el trabajo o fatiga. • Causa de alivio. • Descansillo. • Asiento sobre el que se apoya una cosa.
DESCANTAR tr. Limpiar de cantos o piedras.
DESCANTEAR tr. Quitar los cantos.
DESCANTERAR tr. Quitar los canteros.
DESCANTILLAR o **DESCANTONAR** tr. y prnl. Romper las aristas de alguna cosa. • fig. Rebajar algo de una cantidad.
DESCAÑAR tr. Romper la caña a las mieses.
DESCAÑONAR tr. Quitar los cañones a las aves. • Afeitar el barbero por segunda vez, a contrapelo. • fig. y fam. Dejar a uno sin dinero.
DESCAPITALIZAR tr. Provocar la pérdida de activos de una empresa. • tr. fig. Hacer perder la riqueza histórica o cultural acumulada por un país o grupo social.
DESCAPOTABLE adj. y m. Automóvil cerrado que se transforma en coche descubierto.
DESCAPOTAR tr. Plegar la capota.
DESCAPULLAR tr. Quitar el capullo. • fig. y fam. Dejar al descubierto el glande.
DESCARARSE prnl. Hablar u obrar con descaro. ■ DESCARADO, DA.
DESCARBONATAR tr. *Quím.* Eliminar el anhídrido carbónico de un compuesto químico. ■ DESCARBONATACIÓN.
DESCARBOXILACIÓN f. *Quím.* Descarbonatación en que se eliminan grupos carboxílicos.
DESCARBOXILASA f. *Biol.* Decarboxilasa.
DESCARBURACIÓN f. *Metal.* Acción y efecto de descarburar. Es el paso inicial de la operación de afino de la fundición de hierro, y puede realizarse por combustión del carbono, por inyección de oxígeno a presión o por adición de mineral oxidado.
DESCARBURAR tr. *Metal.* Separar el carbono que interviene en la composición de los carburos de hierro.
DESCARCAÑALAR tr. y prnl. Doblar hacia abajo la parte del zapato que cubre el carcañal.
DESCARGA f. Aligeramiento de un cuerpo de construcción. • *El.* Paso de corriente de un conductor a otro. • *Fís.* Volumen de fluido que pasa por una conducción. • **cerrada.** *Mil.* Fuego que se hace de una vez. • **electrónica.** *Fís.* Producción de corriente en un gas.
DESCARGADURA f. Porción de hueso que se quita de la carne al venderla.
DESCARGAR tr. Quitar la carga. • Quitar a la carne la falda y parte del hueso. • Disparar las armas de fuego. • Extraer la carga a un arma de fuego. • *El.* Anular la tensión eléctrica de un cuerpo. • *Electr.* Producir corriente eléctrica en un gas. • tr. e intr. Dar golpes con violencia. • tr. fig. Exonerar a uno de un cargo. • intr. Desembocar los ríos en el mar o en un lago. • Deshacerse una nube y caer en lluvia o granizo. • prnl. Dejar el cargo o puesto. • Eximirse uno de las obligaciones de su cargo, encargando a otro de ellas. • *Der.* Rechazar alguien los cargos que se le hacen. ■ DESCARGADERO; DESCARGADOR, RA; DESCARGAMIENTO.
DESCARGO m. Data o salida que en las cuentas se contrapone al cargo o entrada. • Satisfacción o excusa del cargo que se hace a uno. • Cumplimiento de las obligaciones de justicia.
DESCARGUE m. Descarga de un peso.
DESCARIÑARSE prnl. Perder el cariño a una persona o cosa.
DESCARIÑO m. Tibieza en la voluntad.
DESCARNADO, DA adj. fig. Díc. de los asuntos crudos expuestos sin paliativos.
DESCARNADOR, RA adj. Que descarna. • m. Instrumento para despegar la encía de la muela.
DESCARNAR tr. y prnl. Quitar al hueso la carne. • fig. Quitar parte de una cosa. • fig. Apartar a uno de las cosas terrenas. ■ DESCARNADURA.
DESCARO m. Desvergüenza, atrevimiento.
DESCAROZAR tr. *Amér.* Quitar el hueso a las frutas.
DESCARRIAR tr. Apartar a uno del carril. • tr. y prnl. Apartar reses del rebaño. • prnl. Separarse una persona de las demás. • fig. Apartarse de la conducta recta. ■ DESCARRÍO.
DESCARRILAR intr. Salir fuera del carril. ■ DESCARRILADURA O DESCARRILAMIENTO.
DESCARRILLAR tr. Quitar los carrillos.
DESCARTAR tr. Desechar una cosa. • prnl. Dejar las cartas que se tienen en la mano. • fig. Excusarse una persona de hacer alguna cosa.
DESCARTE m. Cartas que se desechan o que quedan sin repartir. • fig. Excusa.
DESCARTELIZACIÓN f. Proceso de eliminación de las grandes agrupaciones industriales que tuvo lugar en Alemania a partir de 1945.
DESCARTES, *René* (1596-1650) Filósofo y matemático fr., fundador de la filosofía moderna y la máx. figura del racionalismo. El punto de partida de su filosofía es la duda universal y metódica que prescinde de todo conocimiento no empírico, para llegar a la única certeza interior: *pienso, luego existo. Discurso del método, Correspondencia, Tratado de las pasiones del alma.* Como científico, se le debe la creación de la geometría analítica.
DESCARTUCHAR tr. *Chile.* Quitar la virginidad a una mujer. • prnl. *Chile.* Realizar el acto sexual el hombre por primera vez.
DESCASAR tr. y prnl. Separar a los que, no estando legítimamente casados, viven como tales. • tr. Declarar nulo el matrimonio. • tr. y prnl. fig. Turbar la disposición de cosas que casaban bien. • tr. *Art. Gráf.* Alterar la colocación de las planas que componen una forma para ordenarlas.
DESCASCAR tr. Descascarar. • prnl. Romperse una cosa. • fig. Hablar mucho fanfarroneando.

DESCASCARAR tr. Quitar la cáscara. • prnl. fig. Levantarse y caerse la superficie de algunas cosas.
DESCASCARILLAR tr. y prnl. Quitar la cascarilla.
DESCASTADO, DA adj. y s. Que manifiesta poco cariño. • P. ext., díc. del que no corresponde al cariño que le han demostrado.
DESCASTAR tr. Acabar con una casta de animales.
DESCEBAR tr. Quitar el cebo. • Vaciar el agua de una bomba.
DESCENDENCIA f. Conjunto de hijos, nietos y demás generaciones sucesivas. • Casta.
DESCENDER intr. Bajar, pasando de un lugar alto a otro bajo. • Caer, fluir, correr una cosa líquida. • Proceder de un mismo principio o persona común, que es la cabeza de la familia. • Proceder una cosa de otra. • tr. Bajar, poner bajo. ■ DESCENDENTE.
DESCENDIENTE adj. Descendente. • com. Hijo, nieto o cualquier persona que desciende de otra.
DESCENDIMIENTO m. Acción de descender uno, o de bajarlo. • P. ant., el que se hizo del cuerpo de Cristo, bajándole de la cruz. • *Arte.* Representación de este hecho.
DESCENSIÓN f. Descenso, bajada.
DESCENSO m. Bajada. • Acción de descender esquiando. • fig. Caída de un estado a otro inferior.
DESCENTRADO, DA adj. Díc. del instrumento cuyo centro se halla fuera de la posición que debe ocupar. • Fuera de su ambiente.
DESCENTRALIZACIÓN f. Acción y efecto de descentralizar. • Sistema político que propende a descentralizar.
DESCENTRALIZAR tr. Transferir a diversas corporaciones parte de la autoridad que ejercía el Estado.
DESCENTRAR tr. y prnl. Sacar una cosa de su centro. • Sacar a uno de su ambiente. ■ DESCENTRACIÓN; DESCENTRAMIENTO.
DESCEÑIR tr. y prnl. Desatar, quitar el ceñidor, faja, etc.
DESCEPAR tr. Arrancar de raíz los árboles o plantas que tienen cepa. • fig. Extirpar.
DESCERCAR tr. Derribar una cerca. • Levantar el cerco. ■ DESCERCO.
DESCEREZAR tr. Quitar a la semilla del café la carne de la baya en que está contenida.
DESCERRAJAR tr. Violentar una cerradura. • fig. y fam. Disparar tiros con arma de fuego. ■ DESCERRAJADURA.
DESCERVIGAR tr. Torcer la cerviz.
DESCHAVETARSE prnl. *Amér.* Perder el juicio.
DESCIFRAR tr. Averiguar el sentido de lo que está escrito en caracteres desconocidos. • fig. Penetrar lo de difícil comprensión. ■ DESCIFRAMIENTO.
DESCIMBRAR tr. *Const.* Quitar las cimbras de una obra.
DESCIMENTAR tr. Deshacer los cimientos.
DESCLAVAR tr. Arrancar los clavos. • Quitar una cosa del clavo con que está asegurada. • fig. Desengastar las piedras preciosas de la guarnición de metal. ■ DESCLAVADOR.
DESCOBAJAR tr. Quitar el escobajo de la uva.
DESCOCAR tr. Quitar a los árboles los cocos o insectos. • prnl. fam. Manifestar demasiada libertad.
DESCOCER tr. Digerir la comida.
DESCOCO m. fam. Descaro. ■ DESCOCADO, DA.
DESCODIFICAR tr. Aplicar inversamente a un mensaje codificado las reglas de su código.
DESCOGER tr. Desplegar lo que está plegado.
DESCOGOTADO, DA adj. fam. Que lleva pelado el cogote.
DESCOGOTAR tr. Quitar las astas al venado.
DESCOLAR tr. Quitar la cola. • Quitar a la pieza de paño el extremo opuesto a aquel en que está la marca del fabricante. • intr. *Méx.* Despreciar.
DESCOLGAR tr. Bajar lo que está colgado. • Dejar caer lo que está pendiente de una cadena, cinta, etc. • Quitar las colgaduras de adorno de una casa, iglesia, etc. • prnl. Escurrirse por una cuerda. • fig. y fam. Salir, decir o hacer una cosa inesperada. • fig. y fam. Aparecer inesperadamente una persona. • *Dep.* En ciclismo, dejar atrás un corredor a sus competidores.

Descendimiento, óleo sobre tabla de Duccio di Buoninsegna. Museo de la Obra de la catedral, Siena, Italia

DESCOLIGADO, DA adj. Apartado de la liga.
DESCOLLAR intr. y prnl. Sobresalir.
DESCOLONIZACIÓN f. Proceso que lleva a la indep. política de los pueblos colonizados. ■ DESCOLONIZAR.
* *Hist.* Sus raíces hay que buscarlas en el s. XIX (en 1825 el continente americano era casi por completo indep.) y afectó esencialmente al continente afr. y a las colonias fr. de Asia (pen. Indochina), Holanda (Indonesia) e Inglaterra (Yemen). El proceso de d. se inició como tal al finalizar la II Guerra Mundial, debido al desprestigio de las potencias europeas durante el conflicto y a las promesas reformistas que éstas se habían visto obligadas a hacer en tal sentido. El hito pral. del proceso de d. fue la conferencia de Bandung (1955), en la que se condenó cualquier forma de colonialismo y se reafirmó el derecho de autodeterminación de los pueblos.
DESCOLORAR tr. y prnl. Quitar o amortiguar el color. ■ DESCOLORAMIENTO.
DESCOLORIR tr. y prnl. Descolorar. ■ DESCOLORIDO, DA; DESCOLORIMIENTO.
DESCOMBRAR tr. Desembarazar un lugar de cosas que estorban. • fig. Despejar un lugar u otra cosa. ■ DESCOMBRO.
DESCOMEDIDO, DA adj. Excesivo, fuera de lo regular. • adj. y s. Descortés.
DESCOMEDIMIENTO m. Falta de respeto.
DESCOMEDIRSE prnl. Faltar al respeto.
DESCOMER tr. fam. Defecar.
DESCOMPADRAR tr., intr. y prnl. fam. Enemistar a las personas que eran amigas.
DESCOMPAGINAR tr. Descomponer.
DESCOMPÁS m. Exceso, falta de proporción.
DESCOMPASARSE prnl. Descomedirse.
DESCOMPENSACIÓN f. Acción y efecto de descompensar. • *Pat.* Estado funcional de un órgano en que éste no puede cumplir sus funciones.
DESCOMPENSAR tr. y prnl. Hacer perder la compensación. • prnl. Llegar un órgano enfermo a un estado de descompensación.
DESCOMPONER tr. y prnl. Desordenar. • tr. Separar las partes que forman un compuesto. • tr. y prnl. Estropear un mecanismo. • tr. fig. Indisponer los ánimos. • prnl. Corromperse un cuerpo. • Desazonarse el cuerpo. • fig. Perder uno la serenidad. ■ DESCOMPUESTO, TA.
DESCOMPOSICIÓN f. Proceso por el que un conjunto se divide en partes más simples. • fam. Diarrea.
DESCOMPOSTURA f. Descomposición. • Desaseo en las personas o cosas. • fig. Descaro, falta de moderación, de modestia.
DESCOMPRESIÓN f. Acción de descomprimir. • **Cámara de d.** Dispositivo para socorrer a los buzos afectados por emersiones excesivamente rápidas.
DESCOMPRESOR, RA adj. Que descomprime. • adj. y m. Aparato para disminuir la presión de un fluido.
DESCOMPRIMIR tr. Disminuir la compresión.
DESCOMULGAR tr. Excomulgar.

Descenso, prueba de esquí alpino

720	2
360	2
180	2
90	2
45	3
15	3
5	5
1	

$$720 = 2^4 \cdot 3^2 \cdot 5$$

Descomposición de un número natural en factores primos

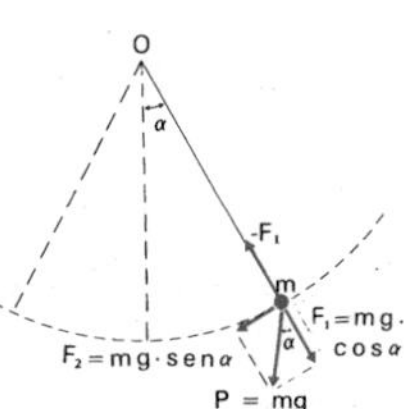

Descomposición de fuerzas en un péndulo simple. El peso (p) se descompone en (F_1) y en (F_2)

Desconsuelo, escultura de Josep Llimona

DESCOMUNAL adj. Extraordinario, enorme.
DESCONCENTRAR tr. y prnl. Perder concen tración. • tr. Descongestionar la administración de una organización delegando funciones a ciertas entidades. ■ DESCONCENTRACIÓN.
DESCONCEPTUAR tr. y prnl. Desacreditar.
DESCONCERTADO, DA adj. fig. Desbaratado, sin gobierno.
DESCONCERTAR tr. y prnl. Pervertir, descomponer el orden y composición de una cosa. • Tratándose de huesos del cuerpo, dislocar. • fig. Sorprender, suspender el ánimo. • prnl. Desavenirse las personas o cosas que estaban acordes. • fig. Hacer o decir las cosas sin serenidad, miramiento y orden.
DESCONCHABAR tr. *Chile, Guat.* y *Méx.* Descoyuntar.
DESCONCHADO m. Parte en que una pared o muro ha perdido su enlucido. • Parte en que una pieza de loza ha perdido el vidriado.
DESCONCHAR tr. y prnl. Quitar a una pared parte de su enlucido.
DESCONCHINFLADO, DA adj. *Chile, Guat.* y *Méx.* Desarreglado, descuajaringado.
DESCONCHÓN m. Caída de un trozo del enlucido o de la pintura de una superficie.
DESCONCIERTO m. Descomposición de las partes de un cuerpo o de una máquina. • fig. Desorden, descomposición. • fig. Falta de modo y medida. • fig. Falta de gobierno. • fig. Diarrea.
DESCONECTAR tr. Suprimir una conexión. • *Mar.* Dejar independiente el propulsor de los demás órganos de una máquina de vapor. • Interrumpir el enlace eléctrico entre dos aparatos o con la línea general.
DESCONFIANZA f. Falta de confianza.
DESCONFIAR intr. No confiar, tener poca seguridad. ■ DESCONFIADO, DA.
DESCONFORMAR intr. Disentir. • prnl. Discordar. ■ DESCONFORME.
DESCONFORMIDAD f. Disconformidad.
DESCONGELAR tr. Hacer que cese la congelación de una cosa. • fig. Hacer que cese el bloqueo a un sueldo, etc., que estaba congelado. ■ DESCONGELACIÓN.
DESCONGESTIONAR tr. Disminuir la congestión. ■ DESCONGESTIÓN.
DESCONOCER tr. No recordar la idea que se tuvo de una cosa. • No conocer. • Negar uno ser suya alguna cosa. • Darse por desentendido de una cosa. • fig. No advertir correspondencia entre un acto y la idea que se tiene de una persona o cosa. • fig. Reconocer el cambio experimentado en una persona o cosa. ■ DESCONOCEDOR, RA.
DESCONOCIDO, DA adj. y s. Ingrato, falto de reconocimiento. • Ignorado.
DESCONOCIMIENTO m. Ingratitud.
DESCONSIDERAR tr. No guardar la consideración debida. ■ DESCONSIDERACIÓN; DESCONSIDERADO, DA.
DESCONSOLAR tr. y prnl. Privar de consuelo, afligir. ■ DESCONSOLADO, DA.
DESCONSUELO m. Angustia profunda por falta de consuelo. • Tratándose del estómago, desfallecimiento.
DESCONTAR tr. Rebajar una cantidad al tiempo de pagar una cuenta, etc. • fig. Rebajar algo del mérito que se atribuye a una persona. • fig. Dar por cierto o por acaecido. • Abonar al contado una letra de cambio, rebajando los intereses del dinero que se anticipa.
DESCONTENTAMIENTO m. Falta de contento. • Desavenencia.
DESCONTENTAR tr. y prnl. Disgustar. ■ DESCONTENTADIZO, ZA; DESCONTENTO, TA.
DESCONTINUO, NUA adj. Discontinuo.
DESCONTROL m. Falta de control.
DESCONTROLAR tr. y prnl. Perder el control.
DESCONVENIENCIA f. Incomodidad.
DESCONVENIR tr. y prnl. No convenir en las opiniones. • tr. No convenir entre sí dos objetos visibles. ■ DESCONVENIENTE.
DESCORAZONAMIENTO m. Decaimiento de ánimo.
DESCORAZONAR tr. Arrancar el corazón. • tr. y prnl. fig. Desanimar.
DESCORCHAR tr. Quitar el corcho al alcornoque. • Romper el corcho de la colmena para sacar la miel. • Sacar el corcho que cierra una botella. • fig. Romper un cepo, caja, etc., para robar lo que hay dentro. ■ DESCORCHADOR, RA; DESCORCHE.
DESCORDAR tr. Desencordar. • *Taur.* Descabellar.
DESCORDERAR tr. Entre ganaderos, separar los corderos de las madres.
DESCORITAR tr. y prnl. Desnudar.
DESCORNAR tr. y prnl. Quitar los cuernos a un animal. • prnl. fig. y fam. Descalabazarse.
DESCORONAR tr. Quitar la corona. • En las bodegas, bajar las botas vacías de la andana.
DESCORREAR intr. y prnl. Soltar el ciervo la piel que cubre sus astas.
DESCORRER tr. Volver uno a correr el espacio que antes había corrido. • Plegar lo que estaba estirado. • intr. y prnl. Escurrir una cosa líquida.
DESCORRIMIENTO m. Efecto de correr un líquido.
DESCORTESÍA f. Falta de cortesía. ■ DESCORTÉS.
DESCORTEZADO m. Fase de la fabricación de papel, que consiste en separar la corteza del alma del tronco.
DESCORTEZADURA f. Parte de corteza que se quita a una cosa. • Parte descortezada.
DESCORTEZAR tr. y prnl. Quitar la corteza. • fig. y fam. Desbastar, pulir a una persona. ■ DESCORTEZADOR, RA; DESCORTEZAMIENTO.
DESCOSER tr. y prnl. Soltar, desprender las puntadas de las cosas que estaban cosidas. • prnl. fig. Descubrir lo que convenía callar. • fig. y fam. Ventosear.
DESCOSIDO, DA adj. Díc. del que habla lo que convenía tener oculto. • fig. Desordenado. • m. Parte descosida en una prenda de vestir.
DESCOSTILLAR tr. Dar golpes en las costillas. • prnl. Caerse violentamente de espaldas.
DESCOTORRAR tr. *Cuba.* Descomponer algo.
DESCOYUNTAMIENTO o **DESCOYUNTO** m. fig. Desazón grande que se siente en el cuerpo.
DESCOYUNTAR tr. y prnl. Desencajar los huesos de su lugar. • tr. fig. Molestar. • tr. y prnl. fig. Deformar un relato o hecho.
DESCRÉDITO m. Disminución de la reputación de las personas, o del valor de las cosas.
DESCREENCIA f. Descreimiento.
DESCREER tr. Faltar a la fe. • Negar el crédito a una persona. ■ DESCREÍDO, DA.
DESCREIMIENTO m. Falta de fe.
DESCREMAR tr. Desnatar. ■ DESCREMADORA.
DESCRESTAR tr. Quitar o cortar la cresta. • *Col.* Engañar a una persona.
DESCRIARSE prnl. Desmejorarse.
DESCRIBIR tr. Figurar una cosa, representándola de modo que dé cabal idea de ella. • Representar personas o cosas por medio del lenguaje. • Definir una cosa, dando una idea general de sus partes o propiedades. • Con el nombre de una línea, moverse a lo largo de ella. ■ DESCRIPTIVO, VA.
DESCRIPCIÓN f. *Der.* Inventario.
DESCRISMAR tr. Quitar el crisma. • tr. y prnl. fig. y fam. Dar a uno un golpe en la cabeza. • prnl. fig. y fam. Enfadarse. • fig. y fam. Descalabazarse.
DESCRISTIANAR tr. y prnl. Descrismar.
DESCRUZAR tr. Deshacer la forma de cruz.
DESCUADERNAR tr. y prnl. Desencuadernar. • fig. Desbaratar.

Descortezado de troncos

DESCUADRILLARSE prnl. Derrengarse la bestia por el cuadril.
DESCUAJAR tr. y prnl. Liquidar, desunir las partes de un líquido que estaban condensadas. • fig. y fam. Hacer a uno desesperanzar. • Arrancar de raíz. ■ DESCUAJE O DESCUAJO.
DESCUAJARINGAR o **DESCUAJERINGAR** tr. y prnl. Desvencijar, desconcertar alguna cosa. • prnl. fam. Relajarse las partes del cuerpo por el cansancio.
DESCUARTIZAR tr. Dividir un cuerpo haciéndolo cuartos. • fam. Hacer pedazos alguna cosa. ■ DESCUARTIZAMIENTO.
DESCUBIERTO, TA adj. Con los verbos *andar, estar,* llevar la cabeza destocada. • Con los verbos *estar, quedar,* expuesto uno a graves cargos o reconvenciones. • f. *Mar.* Inspección del estado del aparejo del buque. • *Mil.* Reconocimiento del horizonte. • *Mil.* Reconocimiento para observar si hay enemigos. • m. Déficit.
DESCUBRIDERO m. Lugar desde donde se descubre mucho terreno.
DESCUBRIDOR, RA adj. y s. Que descubre una cosa oculta. • Que indaga. • P. ant., díc. del que ha descubierto tierras ignoradas o desconocidas. • adj. *Mar.* Díc. de las embarcaciones que se emplean para hacer la descubierta. • m. *Mil.* Explorador.
DESCUBRIMIENTO m. Hallazgo, manifestación de lo que estaba oculto o secreto. • Hallazgo de una tierra o un mar ignorado. P. ant., el primer viaje de Cristóbal Colón en que avistó tierras americanas.
* *Hist.* Muchos pueblos han sido grandes descubridores desde los fenicios, pero ha sido el s. XV el conocido como el de los descubrimientos. El deseo de una nueva ruta a la India en busca de especias motivó el viaje de Colón, que en 1492 descubrió América. El s. XVI es el de los grandes d. americanos y el del primer viaje de cincunvalación (1520- 1521). El s. XIX vio la aparición de los viajes y exploraciones científicas (Bouganville, Cook, Bering, Livingstone). Con las expediciones a los polos del s. XX finalizan los d. del suelo de nuestro globo, para iniciarse la era de los d. del espacio.

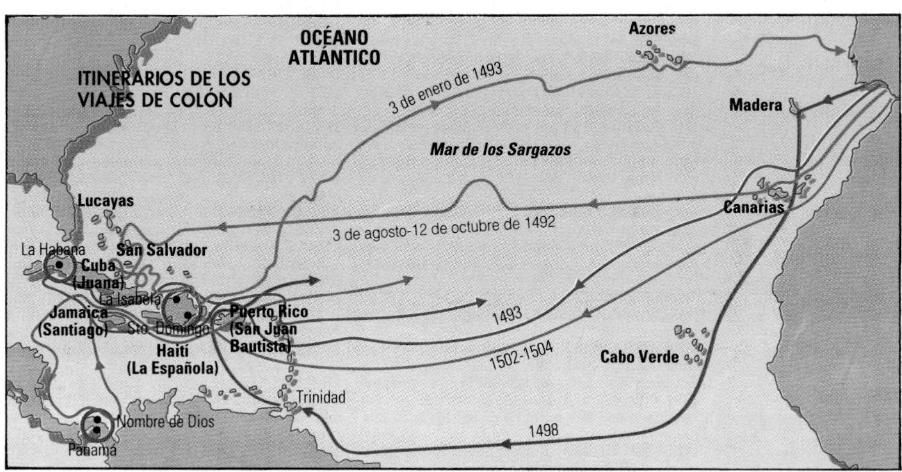

DESCUBRIR tr. Manifestar. • Destapar lo que está tapado. • Hallar lo que estaba ignorado. • Alcanzar a ver. • Venir en conocimiento de una cosa que se ignoraba. • Inventar un producto, etc. • prnl. Quitarse de la cabeza el sombrero.
DESCUELLO m. Exceso en la estatura. • fig. Superioridad en talento. • fig. Altanería.
DESCUENTO m. Rebaja, compensación de una parte de la deuda. • Cantidad que se sustrae al importe de un efecto por pago de su valor antes del vencimiento. • En política económica, medida anticíclica basada en la tasa de redescuento.
DESCUERAR tr. Desollar, quitar la piel.
DESCUERNACABRAS m. Viento del Norte.
DESCUIDADO, DA adj. y s. Que falta al cuidado que debe poner en las cosas. • Desaliñado. • adj. Desprevenido.
DESCUIDAR tr. e intr. Descargar a uno del cuidado que debía tener. • tr. Distraer la atención de uno. • intr. y prnl. No cuidar de las cosas.
DESCUIDERO, RA adj. y s. Ratero que hurta aprovechándose del descuido ajeno.
DESCUIDO m. Omisión, falta de cuidado. • Olvido. • Acción reparable que desdice de aquel que la ejecuta. • Desliz.
DESCUITADO, DA adj. Que vive sin pesadumbres ni cuidados.
DESCULAR tr. Desfondar una caja o vaso.
DESCULATAR tr. Quitar la culata al arma.
DESCUNCHAR intr. fam. *Col.* Perder en el juego hasta la última moneda.
DESCURTIR tr. Blanquear la piel curtida.
DESDAR tr. Dar vueltas, en sentido inverso, a un manubrio, carrete o cuerda.
DESDE prep. que denota el punto de que procede, se origina o ha de empezar a contarse una cosa, un hecho o una distancia.
DESDECIR intr. fig. Degenerar una cosa o persona de su origen o clase. • fig. No conformarse una cosa con otra. • Venir a menos. • Cambiar de aspecto una cosa. • prnl. Retractarse de lo dicho.
DESDÉN m. Indiferencia que denota menosprecio. ■ DESDEÑOSO, SA.
DESDENTADO, DA adj. Que carece de dientes. • adj. y m. *Zool.* Díc. de los animales mamíferos exclusivos del continente americano, sin dientes incisivos, como el armadillo o el oso hormiguero. • m. pl. *Zool.* Orden de estos animales.
DESDENTAR tr. Quitar los dientes.
DESDEÑAR tr. Tratar con desdén a una persona o cosa. • prnl. Tener a menos el hacer o decir una cosa. ■ DESDEÑABLE.
DESDIBUJARSE prnl. Perder una cosa la precisión de sus perfiles. ■ DESDIBUJADO, DA.
DESDICHA f. Desgracia, motivo de aflicción. • Pobreza suma, miseria. ■ DESDICHADO, DA.
DESDOBLAMIENTO m. Separación de un compuesto en sus elementos. • **de la personalidad**. Coexistencia en una misma persona de una conducta normal y otra patológica.
DESDOBLAR tr. y prnl. Extender una cosa que estaba doblada. • fig. Formar dos o más cosas por separación de los elementos que suelen estar juntos en otra.
DESDORAR tr. y prnl. Quitar el oro. • fig. Mancillar la virtud o fama. ■ DESDORO.
DESEADA, *La* (*La Désirade*) Isla de las Antillas perteneciente a Francia; 20 km^2, 1 600 hab. La descubrió Colón en 1493.
DESEADO Río del S de Argentina; 610 km. Nace

Descubrimiento. Colón desembarcando en América, según un grabado de Thierry de Bry

Oso hormiguero, mamífero del orden **desdentados**

en el lago Buenos Aires y desemboca en el Atlántico, formando un estuario.

DESEAR tr. Aspirar al conocimiento o disfrute de una cosa. • Anhelar que acontezca o deje de acontecer algún suceso. • Querer sexualmente a alguien. ■ DESEOSO, SA.

DESEBAR tr. *Méx.* Desensebar un animal.

DESECACIÓN f. Eliminación del agua de una sustancia. • *Quím.* Eliminación del disolvente de una disolución.

Secadero para **desecar** pescado

DESECAR tr. y prnl. Secar. ■ DESECADOR, RA; DESECATIVO, VA.

DESECHAR tr. Excluir, reprobar. • Menospreciar. • Renunciar, no admitir una cosa. • Expeler. • Apartar de sí un pesar, temor, etc. • Hablando del vestido, dejarlo para no volver a servirse de él. • Tratándose de llaves, cerrojos, etc., darles el movimiento necesario para abrir. • intr. *Amér.* Atajar.

DESECHO m. Lo que queda después de haber escogido lo mejor de una cosa. • Cosa que no sirve. • fig. Desprecio.

DESEDIFICAR tr. Dar mal ejemplo. ■ DESEDIFICACIÓN.

DESELECTRIZAR tr. Descargar de electricidad un cuerpo.

DESELLAR tr. Quitar el sello a las cartas.

DESEMBALAR tr. Desenfardar, deshacer los fardos. ■ DESEMBALAJE.

DESEMBALSAR tr. Dar salida al agua contenida en un embalse. ■ DESEMBALSE.

DESEMBANASTAR tr. Sacar de la banasta lo que estaba en ella. • fig. Hablar mucho. • fig. y fam. Desenvainar un arma. • prnl. fig. y fam. Soltarse el animal que estaba sujeto. • fig. y fam. Salir de un carruaje.

DESEMBARAZAR tr. y prnl. Quitar el impedimento que se opone a una cosa. • tr. Evacuar. • prnl. fig. Apartar uno de sí lo que le estorba para conseguir un fin. • *Amér.* Parir. ■ DESEMBARAZADO, DA.

DESEMBARAZO m. Despejo.

DESEMBARCADERO m. Lugar para desembarcar.

DESEMBARCAR tr. Sacar de la nave lo embarcado. • intr. y prnl. Salir de una embarcación. • Terminar la escalera en la entrada de una habitación. • fig. y fam. Apearse de un carruaje. • Dejar de pertenecer a la dotación de un buque. ■ DESEMBARQUE.

Desembalsar. Bocas de desembalse en un pantano

DESEMBARCO m. Rellano donde termina la escalera. • *Mil.* Operación que realiza en tierra la dotación de un buque. • **aéreo**. *Mil.* Descenso en tierra de tropas y material bélico con medios aéreos.

DESEMBARGAR tr. Quitar el impedimento. • *Der.* Alzar el embargo. ■ DESEMBARGO.

DESEMBARRANCAR tr. e intr. Sacar a flote la nave que está varada.

DESEMBARRAR tr. Limpiar el barro.

DESEMBAULAR tr. Sacar lo que está en un baúl. • fig. y fam. Desahogarse uno comunicando a otro lo que le causa pena.

DESEMBEBECERSE prnl. Recobrarse de la suspensión de los sentidos.

DESEMBLANTADO, DA adj. Que tiene demudado el semblante.

DESEMBOCADERO m. Abertura por donde se sale de un punto a otro. • Desembocadura.

DESEMBOCADURA f. Paraje por donde un río, canal, etc., desemboca. • Desembarcadero.

DESEMBOCAR intr. Salir por un sitio estrecho. • Desaguar un río, canal, etc. • Tener una calle salida a otra, a una plaza, etc. • fig. Terminar.

DESEMBOJAR tr. Quitar de las bojas los capullos de seda.

DESEMBOLSAR tr. Sacar lo que está en la bolsa. • fig. Pagar una cantidad de dinero.

DESEMBOLSO m. Dinero que se desembolsa. • Dispendio.

DESEMBOQUE m. Desembocadero.

DESEMBOSCARSE prnl. Salir del bosque.

DESEMBOTAR tr. y prnl. fig. Hacer que lo que estaba embotado deje de estarlo.

DESEMBOZAR tr. y prnl. Quitar el embozo.

DESEMBRAGAR tr. *Mec. apl.* Eliminar el contacto entre las partes móviles de un embrague. ■ DESEMBRAGUE.

DESEMBRAVECER tr. y prnl. Amansar.

DESEMBRAZAR tr. Quitar del brazo una cosa. • Arrojar una cosa con fuerza.

DESEMBROLLAR tr. fam. Desenredar.

DESEMBUCHAR tr. Echar las aves lo que tienen en el buche. • fig. y fam. Decir uno todo cuanto sabe.

DESEMEJAR intr. No parecerse una cosa a otra de su especie. • tr. Desfigurar. ■ DESEMEJANZA; DESEMEJANTE.

DESEMPACAR tr. Sacar las mercancías de las pacas. • *Amér.* Deshacer el equipaje. ■ DESEMPACADO, DA.

DESEMPACHAR tr. y prnl. Quitar el empacho del estómago. • prnl. fig. Perder la timidez.

DESEMPACHO m. fig. Desahogo.

DESEMPAJAR tr. *Chile*, *Col.* y *P. Rico.* Despajar. • *Col.* y *Guat.* Quitar el techo de paja.

DESEMPALAGAR tr. y prnl. Quitar el hastío que se ha tenido a la comida o bebida. • Desembarazar el molino del agua estancada.

DESEMPALMAR tr. Deshacer una conexión.

DESEMPAÑAR tr. Limpiar el cristal empañado. • tr. y prnl. Quitar los pañales a un niño.

DESEMPAQUETAR tr. Desenvolver lo que estaba empaquetado.

DESEMPAREJAR tr. y prnl. Desigualar lo que estaba parejo.

DESEMPATAR tr. Deshacer un empate.

DESEMPATE m. *Dep.* Encuentro entre dos participantes que han obtenido la misma puntuación.

DESEMPEDRAR tr. Desencajar las piedras de un empedrado. • fig. Correr desenfrenadamente. • fig. Pasear con frecuencia una calle.

DESEMPEGAR tr. Quitar el baño de pez a una tinaja, etc.

DESEMPEÑAR tr. Sacar lo que estaba en poder de otro en prenda de una deuda. • tr. y prnl. Libertar a uno de los empeños contraídos. • tr. Cumplir. • tr. y prnl. Sacar a uno airoso de un empeño. • Ejecutar lo ideado para una obra literaria o artística. • prnl. *Taur.* En el toreo a caballo, apearse el lidiador para herir al animal con la espada. ■ DESEMPEÑO.

DESEMPEREZAR intr. y prnl. Desechar la pereza.

DESEMPLEO m. Ocio involuntario de cualquiera de los recursos económicos necesarios para la producción. • P. ant., paro, falta de trabajo. ■ DESEMPLEADO, DA.

DESEMPOLVAR tr. y prnl. Quitar el polvo. • Traer a la memoria algo olvidado.

DESEMPONZOÑAR tr. Libertar a uno del daño causado por la ponzoña.

DESEMPOTRAR tr. Sacar una cosa de donde estaba empotrada.

DESENALBARDAR tr. Quitar la albarda.

DESENASTAR tr. Quitar el asta a un arma.

DESENCABALGAR tr. *Mil.* Desmontar una pieza de artillería.

DESENCABESTRAR tr. Sacar la mano o el pie de la bestia que se ha enredado en el cabestro.

DESENCADENAR tr. Quitar la cadena al que está amarrado con ella. • fig. Romper el vínculo de las cosas inmateriales. • prnl. fig. Originar movimientos impetuosos de fuerzas naturales. • Dar suelta a movimientos de ánimo, hechos o series de hechos. • prnl. Producirse con ímpetu un fenómeno natural. • Actuar sin freno pasiones o violencias. ■ DESENCADENAMIENTO.

DESENCAJAR tr. y prnl. Sacar de su lugar una

cosa. • prnl. Desfigurarse el semblante. ■ DESENCAJAMIENTO; DESENCAJE.
DESENCAJONAR tr. Sacar lo que está dentro de un cajón. ■ DESENCAJONAMIENTO.
DESENCALCAR tr. Aflojar lo que estaba recalcado o apretado.
DESENCALLAR tr. e intr. Poner a flote una embarcación encallada.
DESENCAMINAR tr. Descaminar. • Sacarle de un propósito.
DESENCANTAR tr. y prnl. Deshacer el encanto. ■ DESENCANTO.
DESENCAPOTAR tr. y prnl. Quitar el capote. • tr. fig. y fam. Descubrir. • *Eq.* Hacer que levante la cabeza el caballo. • prnl. fig. Tratándose del cielo, del horizonte, etc., despejarse. • fig. Desenojarse.
DESENCARCELAR tr. Excarcelar.
DESENCARGAR tr. Revocar un encargo.
DESENCARNAR tr. En montería, quitar a los perros el cebo de las reses muertas. • fig. Perder la afición a una cosa.
DESENCASQUILLAR tr. *Amér.* Desherrar.
DESENCASTILLAR tr. Echar de un castillo. • fig. Aclarar lo oculto.
DESENCERRAR tr. Sacar del encierro. • Abrir lo que estaba cerrado. • fig. Descubrir lo que estaba escondido.
DESENCHUFAR tr. Desacoplar lo que está enchufado.
DESENCINTAR tr. Quitar las cintas con que estaba atada una cosa. • Quitar el encintado a un pavimento.
DESENCLAVAR tr. Desclavar. • fig. Sacar a uno con violencia del sitio en que está.
DESENCLAVIJAR tr. Quitar las clavijas. • fig. Desasir.
DESENCOFRAR tr. *Const.* Quitar el encofrado. ■ DESENCOFRADO.
DESENCOGER tr. Extender lo que estaba doblado. • prnl. fig. Esparcirse. ■ DESENCOGIMIENTO.
DESENCOLAR tr. y prnl. Despegar lo que estaba pegado con cola.
DESENCONAR tr. y prnl. Quitar la inflamación o encendimiento. • fig. Desahogar el ánimo enconado. • fig. Moderar el encono. • prnl. Hacerse suave una cosa. ■ DESENCONO.
DESENCORDAR tr. Quitar las cuerdas a un instrumento de música.
DESENCOVAR tr. Sacar una cosa o hacer salir a un animal de una cueva.
DESENCUADERNAR tr. y prnl. Deshacer la encuadernación de un libro, cuaderno, etc.
DESENDEMONIAR o **DESENDIABLAR** tr. Lanzar los demonios.
DESENDIOSAR tr. fig. Abatir la vanidad de una persona.
DESENFADADERAS f. pl. fam. Recursos para salir de dificultades.
DESENFADADO, DA adj. Libre. • Tratándose de un sitio o lugar, ancho, capaz.
DESENFADAR tr. prnl. Desenojar.
DESENFADO m. Desenvoltura. • Desahogo del ánimo.
DESENFALDAR tr. y prnl. Bajar el enfaldo.
DESENFARDAR o **DESENFARDELAR** tr. Abrir y desatar los fardos.
DESENFILAR tr. y prnl. *Mil.* Poner las tropas o buques a cubierto de los tiros del enemigo.
DESENFOCAR tr. y prnl. Enfocar imperfectamente. • tr. fig. Desviarse del tema.
DESENFOQUE m. Enfoque defectuoso.
DESENFRAILAR intr. Dejar de ser fraile.
DESENFRENAR tr. Quitar el freno a las caballerías. • prnl. Entregarse a un vicio. • fig. Desencadenarse una fuerza bruta. ■ DESENFRENAMIENTO; DESENFRENO.
DESENFUNDAR tr. Quitar la funda.
DESENFURRUÑAR tr. Desenfadar.
DESENGANCHAR tr. y prnl. Soltar una cosa que está enganchada. • tr. Quitar las caballerías de tiro de un carruaje.
DESENGAÑAR tr. y prnl. Hacer reconocer el engaño. • tr. Quitar esperanzas. ■ DESENGAÑADO, DA.
DESENGAÑO m. Conocimiento de la verdad. • Verdad que se dice a uno echándole en cara alguna falta. • pl. Lecciones recibidas por una amarga experiencia.

Desembarco aliado en Normandía, durante la II Guerra Mundial

DESENGARGOLAR tr. *Col.* Desenredar.
DESENGARZAR tr. y prnl. Deshacer el engarce.
DESENGASTAR tr. Sacar una cosa de su engaste.
DESENGAVETAR tr. *Guat.* Sacar algo que estaba guardado en una gaveta.
DESENGOMAR tr. Desgomar.
DESENGOZNAR tr. y prnl. Desgoznar.
DESENGRANAR tr. Quitar el engranaje de alguna cosa con otra.
DESENGRASAR tr. Quitar la grasa. • Limpiar de materias grasas la superficie de una pieza metálica. • intr. fam. Enflaquecer. • fig. Desensebar. ■ DESENGRASADO, DA; DESENGRASE.
DESENGROSAR tr. e intr. Adelgazar.
DESENGRUDAR tr. Quitar el engrudo. • Eliminar los grumos de un líquido.
DESENGUANTARSE prnl. Quitarse los guantes.
DESENGUARACAR tr. *Chile.* Desenrollar.
DESENHEBRAR tr. Sacar la hebra de la aguja.
DESENHORNAR tr. Sacar del horno una cosa.
DESENLACE m. Acción y efecto de desenlazar o desenlazarse. • Final de un suceso, narración, etc., en que se resuelve su trama.
DESENLAZAR tr. y prnl. Desatar los lazos. • fig. Desatar el nudo del poema. • tr. fig. Dar solución a un asunto.
DESENMALLAR tr. Sacar de la malla el pescado.
DESENMARAÑAR tr. Desenredar. • fig. Poner en claro una cosa.
DESENMASCARAR tr. y prnl. Quitar la máscara. • Descubrir los verdaderos sentimientos.
DESENMOHECER tr. Limpiar el moho.
DESENMUDECER intr. y tr. Liberarse del impedimento que tenía uno para hablar. • fig. Romper el silencio guardado durante mucho tiempo.
DESENOJAR tr. y prnl. Quitar a alguien el enojo. • prnl. fig. Distraerse.
DESENOJO m. Deposición del enojo.
DESENREDAR tr. Deshacer el enredo. • fig. Poner en orden cosas desordenadas. • prnl. fig. Salir de una dificultad. ■ DESENREDO.
DESENROSCAR tr. y prnl. Deshacer lo enroscado. • tr. Sacar dando vueltas una pieza introducida en una rosca.
DESENSAÑAR tr. y prnl. Quitar la saña.
DESENSARTAR tr. Deshacer la sarta.
DESENSEBAR tr. Quitar el sebo a ciertos animales. • intr. fig. Variar de ocupación para hacer más llevadero el trabajo. • fig. Quitar el sabor de grasa de algunos alimentos, tomando aceitunas, fruta, etc. • fig. Desengrasar.
DESENSEÑAR tr. Corregir una mala enseñanza por medio de otra más adecuada.
DESENSILLAR tr. Quitar la silla a una caballería.
DESENSOBERBECER tr. y prnl. Hacer deponer la soberbia, humillar.
DESENSORTIJADO, DA adj. Díc. de los rizos del pelo cuando se deshacen. • Aplícase al hueso que está fuera de su lugar.
DESENTABLAR tr. Arrancar las tablas del lugar donde están clavadas. • fig. Descomponer el orden de una cosa. • Deshacer un negocio, trato o amistad.
DESENTEJAR tr. *Amér.* Destejar.
DESENTENDENCIA f. *Perú.* Despego.
DESENTENDERSE prnl. Fingir que no se entiende una cosa. • Prescindir de un asunto.

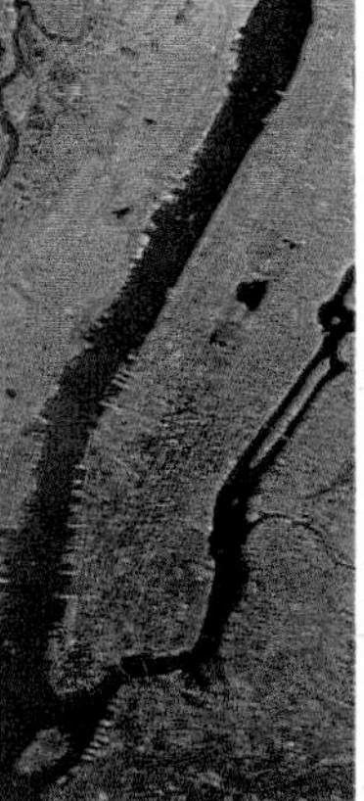

La isla de Manhattan (Nueva York), en la **desembocadura** del río Hudson

Asentamiento nuba en Kordofán (Sudán), región amenazada por la **desertización**

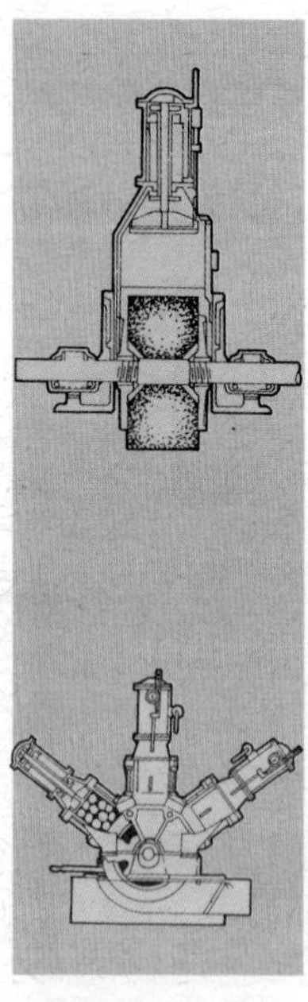
Desfibrado. Máquina desfibradora de troncos para la fabricación de papel

DESENTERRAR tr. Exhumar, descubrir, sacar lo que está debajo de tierra. • fig. Tratar de algún asunto que se tenía olvidado. ■ DESENTERRAMIENTO.

DESENTIERRAMUERTOS com. fam. Persona que infama la memoria de los muertos.

DESENTOLDAR tr. Quitar los toldos. • fig. Despojar a una cosa de su adorno.

DESENTONACIÓN f. o **DESENTONAMIENTO** m. Desentono.

DESENTONAR tr. Abatir el entono de uno. • intr. y prnl. Salir del tono que compete. • tr. *Mús.* Subir o bajar demasiado la entonación de la voz de un instrumento. • prnl. fig. Levantar la voz, faltando al respeto.

DESENTONO m. Desproporción en el tono de la voz. • fig. Descompostura en el modo de hablar.

DESENTORNILLAR tr. Destornillar.

DESENTORPECER tr. y prnl. Sacudir la torpeza. • Hacer capaz al que antes era torpe.

DESENTRAMPAR tr. y prnl. fam. Desempeñar.

DESENTRAÑAR tr. Sacar las entrañas. • fig. Averiguar lo más dificultoso de una materia. • prnl. fig. Desapropiarse uno de cuanto tiene en provecho de otro. ■ DESENTRAÑAMIENTO.

DESENTRENAMIENTO o **DESENTRENO** m. Falta de entrenamiento.

DESENTRENAR tr. y prnl. Perder el entrenamiento o práctica adquiridos.

DESENTRONIZAR tr. Destronar. • fig. Deponer a uno de la autoridad que tenía.

DESENTUMECER o **DESENTUMIR** tr. y prnl. Hacer que un miembro entorpecido recobre su agilidad. ■ DESENTUMECIMIENTO.

DESENVAINAR tr. Sacar de la vaina la espada. • fig. Sacar las uñas el animal. • fig. y fam. Sacar lo que está oculto.

DESENVERGAR tr. *Mar.* Desatar las velas que están envergadas.

DESENVOLTURA f. Garbo en los movimientos. • fig. Desvergüenza. • fig. Despejo, facilidad en el decir. ■ DESENVUELTO, TA.

DESENVOLVER tr. y prnl. Deshacer lo envuelto. • tr. fig. Descifrar una cosa que estaba oscura. • tr. y prnl. fig. Desarrollar alguna cosa. • Explicar una teoría. • prnl. fig. Desempachar, desembarazarse. • fig. Desenredarse, salir de una dificultad. • fig. Obrar con habilidad. ■ DESENVOLVEDOR, RA; DESENVOLVIMIENTO.

DESENYUGAR tr. *Amér.* Quitar el yugo.

DESENZARZAR tr. y prnl. Sacar de las zarzas una cosa. • fig. y fam. Separar a los que riñen.

DESEO m. Acción y efecto de desear. • *Fil.* Movimiento enérgico de la voluntad hacia el conocimiento, posesión o disfrute de una persona o cosa.

DESEQUIDO, DA adj. Reseco.

DESEQUILIBRAR tr. y prnl. Hacer perder el equilibrio. ■ DESEQUILIBRADO, DA.

DESEQUILIBRIO m. Falta de equilibrio. • **psíquico.** *Psiq.* Incapacidad patológica de adaptación social.

DESERCIÓN f. Acción y efecto de desertar. • *Der.* Desamparo que se hace de la apelación que se tenía interpuesta.

DESERTAR tr. y prnl. Abandonar un soldado sus obligaciones. • tr. fig. y fam. Abandonar las compañías que se solían frecuentar o el partido, causa, etc., que se defendía. • *Der.* Abandonar la causa. ■ DESERTOR.

DESÉRTICO, CA adj. Desierto. • Relativo al desierto.

DESERTIZACIÓN f. Depauperación progresiva de un terreno, por pérdida del horizonte superior a causa de la erosión.

DESERVIR tr. Faltar a la obligación que se tiene de obedecer a uno y servirle.

DESESCOMBRAR tr. Escombrar.

DESESPALDAR tr. y prnl. Herir la espalda.

DESESPERACIÓN o **DESESPERANZA** f. *Fil.* Pérdida total de la esperanza. • fig. Cólera, enojo. ■ DESESPERADO, DA.

DESESPERANZAR tr. Quitar la esperanza. • prnl. Quedarse sin esperanza.

DESESPERAR tr., intr. y prnl. Desesperanzar. • tr. y prnl. fam. Impacientar. • prnl. Despecharse, intentando quitarse la vida. ■ DESESPERANTE.

DESESPERO m. Desesperación.

DESESTABILIZADOR, RA adj. Que desestabiliza. Díc. especialmente de lo que compromete o perturba una situación económica o política.

DESESTALINIZACIÓN f. Conjunto de medidas que se tomaron a partir del XX Congreso del PCUS en 1956 en la URSS y en otros países del E de Europa contra Stalin y su política.

DESESTANCAR tr. Dejar libre lo que está estancado.

DESESTAÑAR tr. y prnl. Quitar a una cosa el estaño con que está soldada.

DESESTIBAR tr. Sacar el cargamento de la bodega de un barco.

DESESTIMAR tr. Tener en poco. • Denegar. ■ DESESTIMA O DESESTIMACIÓN.

DESFACHATEZ f. fam. Descaro, desvergüenza. ■ DESFACHATADO, DA.

DESFAJAR tr. y prnl. Quitar a una persona o cosa la faja con que estaba ceñida.

DESFALCAR tr. Quitar parte de una cosa. • Tomar para sí un caudal que se custodia. ■ DESFALCO.

DESFALLECER tr. Causar desfallecimiento. • intr. Decaer perdiendo el aliento. ■ DESFALLECIDO, DA.

DESFALLECIMIENTO m. Disminución de ánimo, decaimiento.

DESFAMAR tr. Difamar.

DESFANGADOR, RA adj. y m. Que quita el fango. • m. Dispositivo usado para separar la masa arcillosa que acompaña a un mineral.

DESFASAR tr. *Fís.* Establecer una diferencia de fase. • intr. Moverse una pieza con diferencia de fase respecto a otra. • tr. y prnl. fig. No ajustarse una persona a un ambiente.

DESFASE m. Diferencia de la fase. • fig. Falta de correspondencia respecto a las corrientes o circunstancias del momento.

DESFAVORABLE adj. Poco favorable.

DESFAVORECER tr. Dejar de favorecer a uno. • Contradecir.

DESFECHA f. Composición cast. en versos de seis u ocho sílabas.

DESFIBRADO m. Operación que, por roce con una muela de eje horizontal, reduce la madera a fibras.

DESFIBRAR tr. Quitar las fibras a las materias que las contienen. ■ DESFIBRADOR, RA.

DESFIBRINACIÓN f. Destrucción de la fibrina de la sangre.

DESFIGURAR tr. Cambiar el aspecto de una persona o cosa. • Disfrazar el semblante, la intención, etc. • Oscurecer e impedir que se perciban las cosas. • fig. Referir una cosa alterando sus circunstancias. • prnl. Inmutarse por un accidente o por alguna pasión del ánimo. ■ DESFIGURACIÓN; DESFIGURAMIENTO.

DESFIJAR tr. Arrancar una cosa del sitio donde está fijada.

DESFILADERO m. *Mil.* Paso por donde la tropa tiene que desfilar. • Paso estrecho entre montañas.

DESFILAR intr. Marchar gente en fila. • fam. Salir varios, uno tras otro. • *Mil.* Marchar en formación reducida. • *Mil.* Pasar las tropas ante una autoridad. ■ DESFILE.

DESFLECAR tr. Sacar flecos.

DESFLECHARSE prnl. *Ecuad.* Dispararse.

DESFLEMAR intr. Echar las flemas. • tr. *Quím.* Quitar la flema de un líquido alcohólico.

DESFLORAR tr. Ajar. • Desvirgar. • fig. Hablando de un asunto, tratarlo superficialmente. ■ DESFLORACIÓN O DESFLORAMIENTO.

DESFLORECER intr. y prnl. Perder la flor una planta. ■ DESFLORECIMIENTO.

DESFOGAR tr. Dar salida al fuego. • Hablando de la cal, apagarla. • tr. y prnl. fig. Manifestar una pasión. • intr. *Mar.* Resolverse una tempestad, un chubasco, etc., en viento o en agua. ■ DESFOGUE.

DESFOGONAR tr. y prnl. Quitar el fogón a las piezas de artillería.

DESFOLLONAR tr. Quitar a las plantas las hojas inútiles.

DESFONDAR tr. y prnl. Quitar el fondo a un vaso o caja. • tr. Arar profundamente la tierra. • tr. y prnl. Agujerear el fondo de una nave. • tr. *Dep.* Perder el fondo. ■ DESFONDE.

DESFORMAR tr. Deformar.

DESFORTALECER tr. Demoler una fortaleza.

DESFORTIFICAR tr. Quitar la fortificación.
DESFOSFORACIÓN f. Defosforación.
DESFRENAR tr. y prnl. Desenfrenar.
DESFRUNCIR tr. Desplegar, descoger.
DESFRUTAR tr. e intr. Privar de fruto a una planta antes de que llegue a sazón.
DESGAIRE m. Desaliño en el vestir, andar, etc. • Ademán con que se desestima a una persona o cosa.
DESGAJADURA f. Rotura de la rama cuando lleva consigo parte de la corteza.
DESGAJAR tr. y prnl. Separar la rama del tronco de donde nace. • tr. Despedazar una cosa unida. • prnl. fig. Apartarse una cosa inmoble de otra a que está unida. ■ DESGAJE.
DESGALGADERO m. Pedregal en pendiente. • Despeñadero, precipicio.
DESGALGAR tr. y prnl. Despeñar, precipitar.
DESGALICHADO, DA adj. fam. Desaliñado.
DESGALILLARSE prnl. *Amér.* Desgañitarse.
DESGALONAR tr. Quitar los galones.
DESGANA f. o **DESGANO** m. Inapetencia. • fig. Falta de aplicación.
DESGANAR tr. Quitar el deseo de hacer una cosa. • prnl. Perder el apetito a la comida. • fig. Cansarse de lo que antes se hacía con gusto. ■ DESGANADO, DA.
DESGANCHAR tr. y prnl. Quitar las ramas de los árboles.
DESGAÑITARSE prnl. fam. Esforzarse uno gritando o voceando. • Enronquecer.
DESGAÑOTAR tr. *Amér.* Cortar el gaznate.
DESGARBADO, DA adj. Falto de garbo.
DESGARGANTARSE prnl. fam. Desgañitarse.
DESGARGOLAR tr. Sacudir el lino para que despida la linaza. • Sacar de los gárgoles una pieza de madera.
DESGARITAR intr. y prnl. Perder el rumbo. • tr. y prnl. Separarse la res del sitio donde está recogida. • intr. fig. No seguir la idea que se había empezado.
DESGARRADURA f. Desgarrón.
DESGARRAR tr. y prnl. Rasgar. • tr. fig. Esgarrar. • prnl. fig. Apartarse de la compañía de otros. ■ DESGARRAMIENTO.
DESGARRIATE m. *Méx.* Desastre.
DESGARRO m. Rotura. • fig. Arrojo, descaro. • fig. Afectación de valentía. • *Amér.* Esputo.
DESGARRÓN m. Rasgón grande del vestido. • Jirón del vestido.
DESGASEAR o **DESGASIFICAR** tr. Eliminar los gases.
DESGASIFICACIÓN f. Acción y efecto de desgasificar. • *Metal.* Proceso de eliminación del hidrógeno de un acero.
DESGASTAR tr. y prnl. Consumir poco a poco parte de una cosa. • tr. fig. Pervertir. • prnl. fig. Perder fuerza o poder.
DESGASTE m. Acción y efecto de desgastar o desgastarse. • *Mil.* Estrategia bélica cuyo objetivo es quebrantar la voluntad de lucha del adversario.
DESGAZNATARSE prnl. fam. Desgargantarse.
DESGERMINAR tr. Quitar el germen a la cebada.
DESGLOSAR tr. Quitar la glosa a un escrito. • Separar un escrito de otros. • Examinar un asunto separando cada una de sus partes. ■ DESGLOSE.
DESGOBERNAR tr. Perturbar el buen orden del gobierno. • Desencajar los huesos. • *Mar.* Descuidarse en el gobierno del timón. • *Vet.* Hacer a las caballerías una operación consistente en ligar las venas cubital y radial en dos puntos. • prnl. fig. Afectar movimientos de miembros descompuestos. ■ DESGOBERNADO, DA.
DESGOBIERNO m. Desorden, falta de gobierno.
DESGOLLETAR tr. Quitar el gollete a una vasija. • tr. y prnl. Aflojar o quitar la ropa que cubre el cuello.
DESGOMAR tr. Quitar la goma a los tejidos para que tomen mejor el tinte.
DESGONZAR tr. Desgoznar. • tr. y prnl. fig. Desencajar, desquiciar.
DESGOZNAR tr. Quitar los goznes. • prnl. fig. Desgobernarse.
DESGRACIA f. Suerte adversa. • Caso adverso. • Motivo de aflicción originado por un acontecimiento contrario a lo que se deseaba. • Pérdida de gracia o valimiento. • Desabrimiento en la condición o en el trato. • Falta de gracia. ■ DESGRACIADO, DA.
DESGRACIAR tr. Desazonar, disgustar. • tr. y prnl. Echar a perder a una persona o cosa, o impedir su desarrollo. • prnl. Desviarse uno del amigo; perder la gracia de alguno. • Malograrse.
DESGRAMAR tr. Arrancar la grama.
DESGRANAR tr. y prnl. Sacar el grano de una cosa. • prnl. Desgastarse el oído o el grano en las armas de fuego. • Soltarse las piezas ensartadas. ■ DESGRANADOR, RA; DESGRANE.
DESGRANZAR tr. Quitar las granzas. • *Pint.* Hacer la primera trituración de los colores.
DESGRASAR tr. Quitar la grasa a las lanas. ■ DESGRASE.
DESGRAVAR tr. Rebajar los derechos arancelarios o los impuestos. ■ DESGRAVACIÓN.
DESGREÑAR tr. y prnl. Descomponer, desordenar los cabellos. ■ DESGREÑADO, DA.
DESGREÑO m. *Argent.* y *Chile.* Despeluzamiento. • *Argent.* y *Col.* Desorden.
DESGUANZARSE prnl. *Amér. Centr.* y *Méx.* Cansarse mucho, desfallecer.
DESGUAÑANGADO, DA adj. *Chile.* Desarreglado, desgalichado.
DESGUAÑANGAR tr. *Amér.* Desvencijar.
DESGUARNECER tr. Quitar la guarnición que servía de adorno. • Quitar la fuerza a una cosa. • Quitar todo aquello que es necesario para el uso de un instrumento mecánico. • Quitar las guarniciones a los animales de tiro.
DESGUAZAR tr. Desbastar con el hacha un madero. • Desbaratar un buque. • Desmontar cualquier estructura. ■ DESGUACE.
DESGUINCE m. Cuchillo con que se corta el trapo en el molino de papel. • Esguince.

Desfiladero de los Gaitanes (Málaga, España), abierto por el río Guadalhorce

Desfilar. Desfile de tropas en el antiguo Berlín Este, celebrando los cuarenta años de la República Democrática Alemana (1989)

DESGUINDAR tr. *Mar.* Bajar lo que está guindado. • prnl. Descolgarse de lo alto.
DESGUINZAR tr. Cortar el trapo con el desguince.
DESHABILLÉ (voz fr.) m. Salto de cama.
DESHABITAR tr. Dejar la habitación. • Dejar sin habitantes una pob. o un terr. ■ DESHABITADO, DA.
DESHABITUAR tr. y prnl. Hacer perder a uno el hábito que tenía. ■ DESHABITUACIÓN.
DESHACER tr. y prnl. Quitar la forma a una cosa. • Desgastar. • tr. Derrotar, poner en fuga un ejército. • tr. y prnl. Derretir. • tr. Dividir. • Desleír en cosa líquida la que no lo es. • fig. Alterar un tratado. • prnl. Desbaratarse una cosa. • fig. Afligirse mucho, estar impaciente. • fig. Desaparecerse de la vista. • fig. Trabajar con ahínco. • fig. Estropearse. • fig. Enflaquecerse. ■ DESHACEDOR, RA.
DESHALDO m. Marceo.
DESHARRAPADO, DA adj. y s. Andrajoso.
DESHARRAPAMIENTO m. Miseria.
DESHEBILLAR tr. Soltar la hebilla.
DESHEBRAR tr. Sacar las hebras, destejiendo una tela. • fig. Deshacer una cosa en partes muy delgadas.
DESHECHIZAR tr. Deshacer el hechizo.

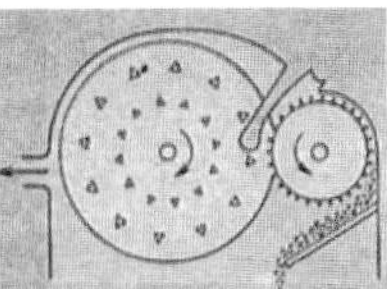

Desgranar. Esquema de funcionamiento de una desgranadora de maíz

DESHECHO, CHA adj. Hablando de lluvias, temporales, etc., impetuoso, violento. • m. y f. *Col.* Salida precisa de un camino. • f. Disimulo con que se pretende ocultar una cosa o desvanecer una sospecha. • Despedida cortés.
DESHELAR tr. y prnl. Liquidar lo que está helado.
DESHERBAR tr. Quitar las hierbas perjudiciales.
DESHEREDADO, DA adj. y s. Díc. de la persona desprovista de dones naturales o de las ventajas que casi todo el mundo posee.
DESHEREDAR tr. Excluir a uno de la herencia forzosa. • prnl. fig. Apartarse uno de su familia, obrando bajamente. ■ DESHEREDACIÓN.
DESHERMANAR tr. Quitar la igualdad entre dos cosas. • prnl. Faltar al deber fraternal.
DESHERRADURA f. Daño que padece en la palma una caballería.
DESHERRAR tr. y prnl. Quitar los hierros al que está aprisionado. • Quitar las herraduras a una caballería.
DESHIDRATACIÓN f. Acción de deshidratar. • *Pat.* Disminución del agua del organismo.
DESHIDRATAR tr. y prnl. Privar a un cuerpo o a un organismo del agua que contiene. ■ DESHIDRATANTE.
DESHIDROGENAR tr. Eliminar el hidrógeno contenido en una sustancia. ■ DESHIDROGENACIÓN.

Imagen aérea del inicio del **deshielo** en Alaska

DESHIELO m. Época en que se produce la fusión de la nieve o el hielo. • fig. *Pol.* Denominación que se aplicó a las transformaciones que se dieron en la URSS tras la muerte de Stalin.
DESHIERBA f. Desyerba.
DESHIJAR tr. *Amér.* Quitar los chupones a las plantas.
DESHIJUELAR tr. Quitar los hijuelos o renuevos que nacen en una planta.
DESHILACHAR tr. y prnl. Sacar hilachas.
DESHILADO, DA adj. Aplícase a los que van desfilando unos después de otros. • m. Labor que se hace en las telas, sacando de ellas hilos y formando huecos que se labran después con la aguja.
DESHILAR tr. Sacar hilos de un tejido. • Cortar la fila de las abejas. • fig. Reducir a hilos una cosa. • intr. Ahilar. ■ DESHILADURA.
DESHILVANAR tr. y prnl. Quitar los hilvanes. • Expresar un pensamiento sin orden.
DESHINCHAR tr. Quitar la hinchazón. • fig. Desahogar la cólera. • prnl. Deshacerse la hinchazón. • fig. y fam. Deponer la presunción.
DESHOJAR tr. y prnl. Quitar las hojas. ■ DESHOJADURA; DESHOJE.
DESHOLLEJAR tr. Quitar el hollejo.

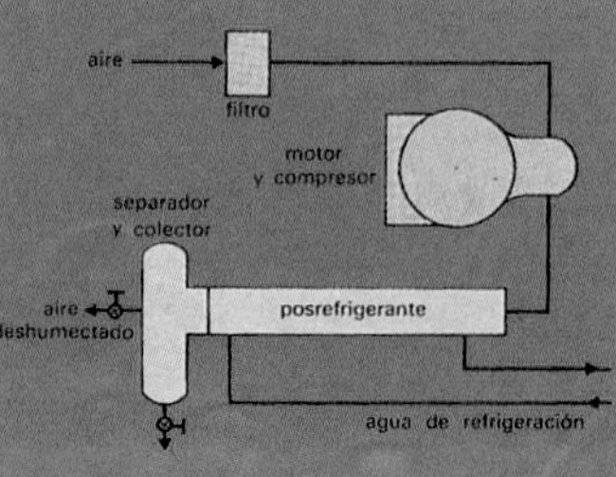

Esquema de un **deshumectador,** por compresión y refrigeración

DESHOLLINAR tr. Limpiar las chimeneas, quitándoles el hollín. • P. ext., limpiar con el deshollinador techos y paredes. • fig. y fam. Mirar con atención, registrando todo lo que se alcanza a ver. ■ DESHOLLINADERA; DESHOLLINADOR, RA.
DESHONESTO, TA adj. Indecente, falto de honestidad. ■ DESHONESTIDAD.
DESHONOR m. Pérdida del honor. • Afrenta.
DESHONRA f. Pérdida de la honra. • Cosa deshonrosa.
DESHONRABUENOS com. fam. Persona que murmura de otros.
DESHONRAR tr. y prnl. Quitar la honra. • tr. Injuriar. • Escarnecer a uno. • Desflorar a una mujer. ■ DESHONROSO, SA.
DESHORA f. Tiempo importuno.
DESHORNAR tr. Desenhornar.
DESHUESAR tr. Quitar los huesos a un animal o a la fruta. ■ DESHUESADOR, RA.
DESHUMANIZAR tr. Privar de carácter humano alguna cosa. ■ DESHUMANO, NA.
DESHUMECTADOR, RA adj. Que deshumedece. • adj. y m. Aparato para reducir la humedad ambiental.
DESHUMEDECER tr. y prnl. Desecar. ■ DESHUMIDIFICACIÓN; DESHUMIDIFICADOR, RA.
DESIDERABLE adj. Digno de ser apetecido.
DESIDERATA f. Relación de cosas deseadas.
DESIDERATIVO, VA adj. Que expresa deseo.
DESIDERÁTUM m. Objeto de deseo. • Lo más digno de ser apetecido.
DESIDERIO da Settignano (1430-1464) Escultor florentino. Tumba de Carlo Marsupini en Santa Croce, *Busto de joven, Cabeza de San Juanito.*
DESIDIA f. Negligencia. ■ DESIDIOSO, SA.
DESIERTO, TA adj. Despoblado. • Aplícase a la subasta o certamen en que nadie toma parte o en que ningún concursante obtiene la adjudicación. • m. Lugar despoblado de edificios y gentes. • *Geog.* Región de escasas precipitaciones atmosféricas, gran permeabilidad del suelo y activa evaporación.
DESIGNACIÓN f. *Ling.* Aplicación de un signo lingüístico a un objeto concreto.
DESIGNAR tr. Formar designio. • Señalar una persona o cosa para determinado fin. • Denominar. ■ DESIGNATIVO, VA.
DESIGNIO m. Pensamiento aceptado por la voluntad.
DESIGUAL adj. Que no es igual. • Barrancoso. • Cubierto de asperezas. • fig. Arduo. • fig. Inconstante.
DESIGUALAR tr. Hacer a una persona o cosa desigual a otra. • prnl. Adelantarse.
DESIGUALDAD f. Calidad de desigual. • Eminencia o depresión de un terreno o de la superficie de un cuerpo. • *Mat.* Exp. de la falta de igualdad entre dos cantidades. Se expresa con los signos > y <, con la cantidad mayor frente a la abertura del ángulo y la menor junto al vértice.
DESILUSIÓN f. Pérdida de las ilusiones. • Desengaño, conocimiento de la verdad.
DESILUSIONAR tr. Hacer perder a uno las ilusiones. • prnl. Perder ilusiones. • Desengañarse.
DESIMANACIÓN f. *Fís.* Pérdida de las propiedades magnéticas de un material.
DESIMANAR o **DESIMANTAR** tr. y prnl. Hacer perder la imantación a un imán. ■ DESIMANTACIÓN.
DESIMPRESIONAR tr. y prnl. Desengañar.
DESINCRUSTANTE adj. Que desincrusta. • adj. y m. Sustancias usadas para eliminar el depósito de sales que se forma en las calderas de vapor, radiadores, etc.
DESINCRUSTAR tr. Eliminar incrustaciones.
DESINENCIA f. *Gram.* Terminación. • *Gram.* Manera de terminar las cláusulas. ■ DESINENCIAL.
DESINFECCIÓN f. Destrucción de los gérmenes patógenos.
DESINFECTAR tr. y prnl. Destruir los agentes que pueden causar infección. ■ DESINFECTANTE.
DESINFESTACIÓN f. Eliminación de seres pluricelulares parásitos.
DESINFESTAR tr. Destruir los organismos nocivos o no deseados.
DESINFICIONAR tr. y prnl. Desinfectar.
DESINFLAR tr. y prnl. Sacar el aire al cuerpo que lo contenía. • fig. Desanimar.

DESIERTO

El suelo del desierto
1. arena; 2. sales; 3. suelo mineral; 4. roca madre

1. Mapa de zonas desérticas del mundo, en las que imperan condiciones de sequía permanente.
2. Estructura de un típico suelo de desierto arenoso.
3. En los desiertos de arena, ésta forma dunas que se deplazan empujadas por el viento.
4. En los desiertos rocosos, la erosión eólica moldea la roca según formas caprichosas.
5. Los pueblos que viven en el desierto son nómadas que se trasladan continuamente de un lugar a otro llevando consigo sus escasas pertenencias. Tal es el caso de los tuareg del Sahara.
6. Los animales y las plantas que logran sobrevivir en el desierto presentan adaptaciones que les permiten soportar la escasez de agua y los cambios de temperatura. Las plantas tienen raíces profundas y pueden acumular agua en sus tejidos. También los dromedarios y los camellos poseen capacidad para acumular reservas. Otros animales se protegen del calor guareciéndose durante el día en sus madrigueras y muchos son capaces de entrar en un estado de letargo.

DESINFORMAR intr. Dar información manipulada al servicio de ciertos fines.
DESINQUIETUD f. *Cuba* y *R. Dom.* Inquietud.
DESINSACULAR tr. Sacar del saco las bolillas en que se hallan los nombres de las personas insaculadas para ejercer un oficio. ■ DESINSACULACIÓN.
DESINSECTACIÓN tr. Limpiar de insectos. ■ DESINSECTACIÓN.

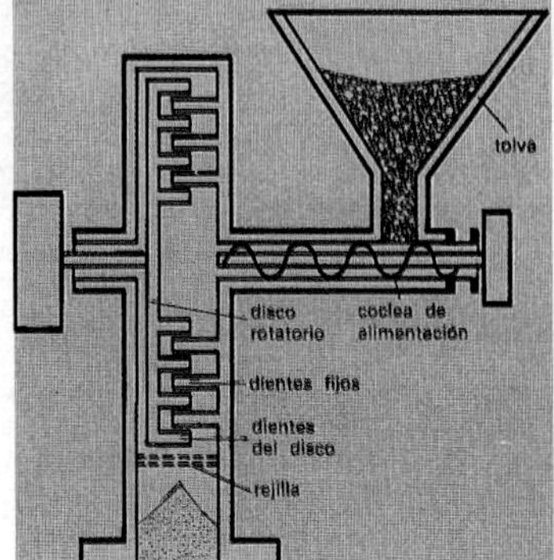

Corte esquemático de un **desintegrador** de minerales

DESINTEGRACIÓN f. Acción y efecto de desintegrar. • *Fís.* Propiedad de los elementos radiactivos, según la cual la masa del elemento se va transformando en energía radiante y en otros elementos de menor masa.
* *Fís.* La d. se inicia en el núcleo, y prosigue hasta que el átomo se convierte en inestable. De acuerdo con la fórmula de Einstein $E = m \times c^2$, la energía radiada en el proceso es igual al producto de la masa perdida por la velocidad de la luz al cuadrado. La mayoría de los cuerpos experimentan una d. muy atenuada; sólo los pertenecientes a las familias radiactivas se desintegran de forma apreciable, emitiendo espontáneamente partículas alfa y beta, y radiación gamma.
DESINTEGRADOR, RA adj. y s. Que desintegra. • Díc. del aparato usado para romper un material en fragmentos.• m. Aparato giratorio que produce el quebrantado de los minerales.
DESINTEGRAR tr. y prnl. Descomponer un todo por separación de los elementos.
DESINTERÉS m. Desapego de todo provecho personal. ■ DESINTERESADO, DA.
DESINTERESARSE prnl. Perder uno el interés.
DESINTOXICAR tr. y prnl. Combatir la intoxicación o sus efectos. ■ DESINTOXICACIÓN.
DESINVERNAR intr. y tr. *Mil.* Salir las tropas de los cuarteles de invierno.
DESINVERSIÓN f. *Econ.* Disminución de la cantidad de bienes de capital en un periodo determinado.
DESIRÉE, *Eugenia Bernardina Desirée Clary*, conocida por (1777-1860) Reina de Suecia. Nacida en Francia y cuñada de José Bonaparte, casó con el mariscal Bernadotte y compartió con él la corona sueca a partir de 1818.
DESISTIR intr. Apartarse de un intento. • *Der.* Hablando de un derecho, abdicarlo. ■ DESISTIMIENTO.

Desmán

DESJARDINS, *Martin van den Bogaert*, llamado (1640-1694) Escultor hol. radicado en Francia, donde llegó a director de la Academia Real. *Diana cazadora.*
DESJARRETAR tr. Cortar las piernas por el jarrete. • fig. y fam. Debilitar a uno. ■ DESJARRETADERA; DESJARRETE.
DESJUGAR tr. y prnl. Sacar el jugo.
DESJUICIADO, DA adj. Falto de juicio.
DESJUNTAR tr. y prnl. Dividir.
DESLABONAR tr. y prnl. Soltar un eslabón de otro. • fig. Desunir una cosa. • prnl. fig. Apartarse de la compañía de una persona.
DESLATAR tr. Quitar las latas a una casa, embarcación, etc.
DESLATERALIZAR tr. y prnl. *Fon.*Transformar una consonante lateral en otra que no lo es.
DESLAVAR o **DESLAVAZAR** tr. Limpiar una cosa muy por encima. • Quitar fuerza, color y vigor. ■ DESLAVADURA.
DESLAVE m. *Amér.* Derrubio.
DESLAZAR tr. Desenlazar.
DESLEALTAD f. Falta de lealtad. ■ DESLEAL.
DESLECHAR tr. *Col.* Ordeñar. ■ DESLECHO.
DESLECHUGAR tr. Limpiar las viñas de hierbas. • Desfollonar. • Chapodar las puntas de los sarmientos que llevan fruto.
DESLECHUGUILLAR tr. Deslechugar.
DESLEÍR tr. y prnl. Disolver las partes de algunos cuerpos por medio de un líquido. • tr. Tratándose de ideas, etc., expresarlas de modo que resulten frías. ■ DESLEIDURA; DESLEIMIENTO.
DESLENDRAR tr. Quitar las liendres.
DESLENGUAR tr. Quitar la lengua. • prnl. fig. y fam. Desbocarse, desvergonzarse. ■ DESLENGUADO, DA; DESLENGUAMIENTO.
DESLIAR tr. y prnl. Deshacer el lío. • tr. Separar las lías del mosto. ■ DESLÍO.
DESLIGAR tr. y prnl. Desatar. • fig. Desenmarañar una cosa no material. • fig. Absolver de las censuras eclesiásticas. • fig. Dispensar de una obligación. • *Mús.* Hacer sonar las notas con una pausa entre ellas. ■ DESLIGADURA.
DESLINDAR tr. Señalar los términos de un lugar. • fig. Aclarar una cosa. ■ DESLINDAMIENTO; DESLINDE.
DESLIÑAR tr. Quitar al paño cualquier hilacha.
DESLIZ m. Falta que se comete por flaqueza o inadvertencia. • Porción de azogue que se desliza al tiempo que se limpia la plata. • fig. Equivocación, indiscreción voluntaria.
DESLIZAMIENTO m. Acción y efecto de deslizar o deslizarse. • *Geol.* Movimiento de rocas por las laderas montañosas.
DESLIZAR tr. Incluir en un escrito, como al descuido, palabras intencionadas. • intr. y prnl. Irse los pies por encima de una superficie. • fig. Decir o hacer una cosa indeliberadamente. • prnl. fig. Escaparse. • fig. Caer en una flaqueza o error. ■ DESLIZADERO, RA; DESLIZADIZO, ZA.
DESLOAR tr. Vituperar, denostar.
DESLOMAR tr. y prnl. Quebrantar los lomos. • prnl. fig. Trabajar mucho. ■ DESLOMADURA.
DESLUCIR tr. y prnl. Quitar la gracia a una cosa. • fig. Desacreditar. ■ DESLUCIDO, DA; DESLUCIMIENTO.
DESLUMBRAMIENTO m. Perturbación de la visión causada por un estímulo luminoso intenso. • fig. Preocupación del entendimiento.
DESLUMBRAR tr. y prnl. Ofuscar la vista con excesiva luz. • fig. Dejar a uno dudoso, de suerte que no conozca el verdadero designio de otro. • tr. fig. Producir impresión con estudiado lujo. ■ DESLUMBRANTE.
DESLUSTRAR tr. Quitar el lustre. • Hablando del cristal o del vidrio, quitarle la transparencia.
DESLUSTRE m. Deslucimiento. • fig. Descrédito que causa una acción indecorosa. ■ DESLUSTROSO, SA.
DESMADEJAMIENTO m. Flojedad, cansancio del cuerpo. ■ DESMADEJADO, DA; DESMADEJAR.
DESMADRAR tr. Separar de la madre las crías del ganado. • prnl. fig. y fam. Salirse de madre. • fig. y fam. Perder el control de sí mismo. ■ DESMADRADO, DA; DESMADRE.
DESMADRINARSE prnl. *Argent.* Desenamorarse.
DESMAJOLAR tr. Arrancar los majuelos. • Aflojar las majuelas con que está ajustado el zapato.
DESMALAZADO, DA o **DESMAZALADO, DA** adj. Flojo, caído.
DESMALEZAR tr. Limpiar de maleza.
DESMALLAR tr. y prnl. Deshacer, cortar las mallas. ■ DESMALLADOR, RA; DESMALLADURA.
DESMAMAR tr. Destetar.
DESMAMONAR tr. Quitar los mamones a las vides.
DESMAMPARAR tr. Desamparar. • Mamparar.
DESMÁN m. Exceso, demasía en obras o palabras; tropelía. • Desgracia. • *Zool.* Mamífero insectívoro de hocico en forma de trompa, pelaje pardusco y cola escamosa. Despide olor a almizcle.
DESMANARSE prnl. Apartarse el ganado de la manada.

DESMANCHAR tr. *Amér.* Quitar las manchas. • prnl. *Amér.* Apartarse de la gente.
DESMANDAR tr. Revocar la orden. • Revocar la manda. • prnl. Descomedirse. • Apartarse de la compañía con que se va. • Desmanarse. ■ DESMANDADO, DA; DESMANDAMIENTO.
DESMANEAR tr. y prnl. Quitar a las bestias las maneas, maniotas o trabas.
DESMANGAR tr. y prnl. Quitar el mango a una herramienta.
DESMANOTADO, DA adj. y s. fam. Torpe.
DESMANTELAR tr. Echar por tierra los muros de una plaza. • fig. Desamparar una casa. • *Mar.* Desarbolar. • *Mar.* Desarmar y desaparejar una embarcación. ■ DESMANTELADO, DA; DESMANTELAMIENTO.
DESMAÑA f. Falta de maña. ■ DESMAÑADO, DA.
DESMAÑO m. Desaliño.
DESMARAÑAR tr. Desenmarañar.
DESMAQUILLAR tr. y prnl. Quitar el maquillaje de rostro y cuello. ■ DESMAQUILLADOR, RA.
DESMARCAR tr. Eliminar una marca. • prnl. *Dep.* Burlar la vigilancia del adversario.
DESMARETS de Saint-Sorlin, ***Jean*** (1595-1676) Escritor fr. *Ariane, Escipión el Africano, Comparación de la lengua y la literatura francesa con la griega y la latina.*
DESMAROJAR tr. Quitar a los árboles el marojo.
DESMARRIDO, DA adj. Desfallecido, mustio.
DESMATAR tr. Descuajar las matas.
DESMATONAR tr. Arrancar las matas.
DESMAYADO, DA adj. Aplícase al color apagado.
DESMAYAR tr. Causar desmayo. • intr. fig. Perder el valor. • prnl. Perder el sentido.
DESMAYO m. Desaliento, privación de sentido. • *Bot.* Sauce de Babilonia.
DESMECHAR tr. y prnl. *Méx.* Arrancar, mesar los cabellos.
DESMEDIRSE prnl. Desmandarse, descomedirse o excederse. ■ DESMEDIDO, DA.
DESMEDRAR tr. y prnl. Deteriorar. • intr. Empeorar. ■ DESMEDRO.
DESMEJORA f. Deterioro, menoscabo.
DESMEJORAR tr. y prnl. Hacer perder el lustre y perfección. • intr. y prnl. Ir perdiendo la salud. ■ DESMEJORAMIENTO.
DESMELAR tr. Quitar la miel a la colmena.
DESMELENAR tr. y prnl. Descomponer y desordenar el cabello. • prnl. fig. Enardecerse. ■ DESMELENADURA; DESMELENAMIENTO.
DESMEMBRAR tr. Dividir y apartar los miembros del cuerpo. • tr. y prnl. fig. Separar una cosa de otra. ■ DESMEMBRACIÓN.
DESMEMORIA f. Falta de memoria.
DESMEMORIADO, DA adj. y s. Torpe de memoria. • Díc. de la persona que cae en imbecilidad y pierde la conciencia y la memoria.
DESMEMORIARSE prnl. Olvidarse.
DESMENGUAR tr. Amenguar. • fig. Desfalcar y disminuir una cosa no material.
DESMENTIR tr. Decir a uno que miente. • Sostener la falsedad de un dicho o hecho. • fig. Disimular una cosa para que no se conozca. • fig. Proceder contrariamente a lo que cabía esperar. • intr. fig. Perder una cosa la línea respecto de otra. ■ DESMENTIDA O DESMENTIDO.
DESMENUDEAR tr. *Col.* Vender al por menor.
DESMENUZAR tr. y prnl. Deshacer una cosa dividiéndola en partes menudas. • fig. Examinar una cosa detalladamente. ■ DESMENUZAMIENTO.
DESMEOLLAR tr. Sacar el meollo. ■ DESMEOLLAMIENTO.
DESMERECER tr. Hacerse indigno de favor o alabanza. • intr. Perder una cosa parte de su valor. • Ser una cosa inferior a otra. ■ DESMERECEDOR, RA.
DESMERECIMIENTO m. Demérito.
DESMESURA f. Descomedimiento.
DESMESURAR tr. Desarreglar. • prnl. Descomedirse. ■ DESMESURADO, DA.
DESMIGAJAR tr. y prnl. Hacer migajas una cosa, dividirla y desmenuzarla.
DESMIGAR tr. Desmigajar.
DESMILITARIZAR tr. Suprimir la organización militar de una colectividad, etc. • Desguarnecer de instalaciones militares un territorio. ■ DESMILITARIZACIÓN.
DESMINERALIZACIÓN f. *Pat.* Disminución de principios minerales, como fósforo, potasa, cal, etc.
DESMIRRIADO, DA adj. fam. Flaco.
DESMITIFICAR tr. Eliminar el sentido mítico. ■ DESMITIFICACIÓN.
DESMOCHA f. Desmoche.
DESMOCHADOR, RA adj. Que desmocha. • f. Máquina para desgranar panochas de maíz.
DESMOCHAR tr. Quitar, cortar o desgajar la parte superior de una cosa. • fig. Eliminar parte de una obra.
DESMOCHE m. fig. y fam. Serie de cesantías, suspensos, etc.
DESMOCHO m. Conjunto de las partes que se quitan de lo que se desmocha.
DESMOGAR intr. Mudar los cuernos el venado. ■ DESMOGUE.
DESMOLADO, DA adj. Que ha perdido las muelas.
DESMOLAR tr. *Argent.* Derrengar.
DESMOLDAR tr. Sacar una cosa del molde.
DESMOLDEO m. *Metal.* Operación consistente en sacar la arena y la pieza fundida de las cajas de moldeo.
DESMOLER tr. Desgastar, corromper.
DESMOND, ***Paul*** (nacido 1924) Saxofonista norteam., uno de los más grandes saxos altos de raza blanca.
DESMONETIZAR tr. Abolir el empleo de un metal para la acuñación de moneda.
DESMONTABLE adj. Que se puede desmontar. • m. *Mec.* Palanca de hierro para desmontar las llantas de los neumáticos.
DESMONTAR • tr. Cortar en un monte los árboles. • Deshacer un montón de tierra, etc. • Rebajar un terreno. • Separar las piezas de una cosa. • Deshacer un edificio. • Quitar la cabalgadura. • En algunas armas de fuego, poner el mecanismo de disparar en posición de que no funcione. • tr., intr. y prnl. Bajar a uno de una caballería. • Inutilizar las piezas de artillería del enemigo. ■ DESMONTADURA; DESMONTAJE.
DESMONTE m. Fragmentos de lo desmontado. • Paraje de terreno desmontado.
DESMOÑAR tr. y prnl. fam. Quitar el moño.
DESMORALIZAR tr. y prnl. Hacer perder la moral. • Hacer perder el valor. ■ DESMORALIZACIÓN.
DESMORECERSE prnl. Sentir con violencia una pasión. • Perturbarse la respiración por el llanto o la risa.
DESMORONAR tr. y prnl. Deshacer o disgregarse poco a poco una materia. Aplícase comúnmente a los edificios en ruinas. • prnl. fig. Venir a menos. ■ DESMORONADIZO, ZA; DESMORONAMIENTO; *Col.* DESMORONO.
DESMOSTARSE prnl. Perder mosto la uva.
DESMOSTEROL m. *Quím.* Alcohol derivado del escualeno, que, por saturación del doble enlace de la cadena lateral, pasa a colesterol.
DESMOTAR tr. Quitar las motas a la lana o a la semilla de algodón. ■ DESMOTADERA; DESMOTADO, DA; DESMOTADOR, RA; DESMOTE.
DESMOTROPÍA f. Tautomería. ■ DESMÓTROPO, PA.
DESMOULINS, ***Camille*** (1760-1794) Político fr. Destacado publicista revolucionario, atacó el régimen de Terror. Fue guillotinado. *El discurso de la «La Lanterne» a los parisienses, Las revoluciones de Francia y de Bravante.*
DESMOVILIZAR tr. Licenciar a personas o tropas movilizadas. ■ DESMOVILIZACIÓN.
DESMULTIPLICAR tr. *Mec. apl.* Disminuir la velocidad o amplitud de un movimiento. ■ DESMULTIPLICACIÓN.
DESNACIONALIZACIÓN f. Reversión a la propiedad privada de empresas estatales. ■ DESNACIONALIZAR.
DESNARIGAR tr. Quitar a uno las narices. ■ DESNARIGADO, DA.
DESNATAR tr. Quitar la nata. ■ DESNATADORA.
DESNATURALIZAR tr. y prnl. En la antigüedad, desterrar a alguien. • Variar la forma o condiciones de una cosa; desfigurarla, pervertirla. ■ DESNATURALIZACIÓN; DESNATURALIZADO, DA.
DESNEBULIZAR tr. Eliminar la niebla, gralte. de los aeródromos. ■ DESNEBULIZACIÓN.
DESNERVAR tr. Enervar.

Uso de las servilletas de celulosa para **desmaquillar**

Desmayo

Desmonte de un bosque.

Desnudo. Arriba, *La maja desnuda*, óleo de Goya. Museo del Prado, Madrid; abajo, *Adán*, escultura de A. Rodin. Metropolitan Museum, Nueva York

DESNEVAR intr. Derretirse la nieve. ■ DESNEVADO, DA; DESNIEVE.

DESNITRIFICAR tr. Extraer el nitrógeno.

DESNIVEL m. Falta de nivel. • Diferencia de altura entre varios puntos.

DESNIVELAR tr. y prnl. Hacer que varias cosas dejen de estar niveladas. ■ DESNIVELACIÓN.

DESNORTARSE prnl. Desorientarse.

DESNOS, *Robert* (1900-1945) Poeta fr. *Cuerpos y bienes, Luto por el luto, La libertad o el amor.*

DESNUCAR tr. y prnl. Desarticular los huesos de la nuca. • Causar la muerte por un golpe en la nuca. ■ DESNUCAMIENTO.

DESNUDAR tr. y prnl. Quitar el vestido. • tr. fig. Despojar una cosa de lo que la cubre. • prnl. fig. Desapropiarse y apartarse de una cosa. ■ DESNUDAMIENTO.

DESNUDISMO m. Práctica de las personas que en ocasiones exponen el cuerpo desnudo a la acción de los agentes naturales. ■ DESNUDISTA.

DESNUDO, DA adj. Sin vestido. • fig. Muy mal vestido. • fig. Falto de lo que cubre. • fig. Patente, sin doblez. • m. *Arte.* Figura humana desnuda. ■ DESNUDEZ.

DESNUTRICIÓN f. Depauperación fisiológica, consecuencia de la aportación insuficiente de materias nutritivas al organismo. ■ DESNUTRIRSE.

DESOBEDECER tr. No hacer uno lo que le ordenan. ■ DESOBEDIENCIA; DESOBEDIENTE.

DESOBLIGAR tr. y prnl. Liberar de una obligación.

DESOBLIGO m. *Ecuad.* Desengaño.

DESOBSTRUIR tr. Quitar las obstruciones. • Desembarazar ■ DESOBSTRUCCIÓN.

DESOCASIONADO, DA adj. Que está fuera o apartado de la ocasión.

DESOCUPACIÓN f. Falta de ocupación. ■ DESOCUPADO, DA.

DESOCUPAR tr. Desembarazar un lugar. • Sacar lo que hay dentro de alguna cosa. • Parir. • fam. Hacer de vientre. • prnl. Desembarazarse de un asunto.

DESODORIZAR tr. Eliminar el olor. ■ DESODORANTE.

DESOÍR tr. Desatender, dejar de oír.

DESOJAR tr. y prnl. Quebrar o romper el ojo de un instrumento, como la aguja, la azada, etc. • prnl. fig. Mirar con ahínco para ver una cosa.

DESOLAR tr. Asolar. • prnl. fig. Afligirse. ■ DESOLACIÓN; DESOLADOR, RA.

DESOLAZAR tr. Quitar el solaz.

DESOLDAR tr. y prnl. Quitar la soldadura.

DESOLLADOR, RA adj. y s. Que desuella. • m. Alcaudón, ave.

DESOLLAR tr. Quitar la piel de un animal. • fig. Causar a uno grave daño. ■ DESOLLADERO; DESOLLADO, DA; DESOLLADURA; DESOLLÓN.

DESONZAR tr. Descontar onzas de una libra. • Injuriar. ■ DESONCE.

DESOPILAR tr. y prnl. Curar la opilación. ■ DESOPILACIÓN; DESOPILATIVO, VA.

DESOPINAR tr. Quitar la buena opinión.

DESORBITAR tr. y prnl. Sacar de la órbita.

DESORCIÓN f. Separación de un gas o un líquido volátil de una mezcla por evaporación.

DESORDEN o **DESORDENAMIENTO** m. o **DESORDENACIÓN** f. Confusión. • Malas costumbres. • Disturbio.

DESORDENAR tr. y prnl. Alterar el orden de una cosa. • prnl. Salir de regla. ■ DESORDENADO, DA.

DESOREJADO, DA adj. y s. fig. y fam. Infame. • adj. fam. *Bol.* y *Perú.* Que tiene mal oído. • *Chile.* Desasado. • *Argent.* y *Chile.* Irresponsable. • *Argent.* y *Ur.* Derrochador.

DESOREJAR tr. Cortar las orejas. ■ DESOREJAMIENTO.

DESORGANIZAR tr. y prnl. Desordenar. ■ DESORGANIZACIÓN.

DESORIENTAR tr. y prnl. Hacer perder la orientación. • fig. Confundir. ■ DESORIENTACIÓN.

DESORILLAR tr. Quitar las orillas.

DESORTIJAR tr. Dar la primera labor a las plantas. • prnl. Chile. Dislocársele a una caballería el nudillo de las patas traseras. ■ DESORTIJADO, DA.

DESOSAR. tr. Deshuesar.

DESOVAR intr. Soltar las hembras de los peces y anfibios sus huevos o huevas.

DESOVE m. Época en que desovan las hembras de los peces y los anfibios.

DESOVILLAR tr. Deshacer los ovillos. • tr. y prnl. fig. Desenredar una cosa enmarañada. • tr. fig. Dar ánimo.

DESOXIADENOSINA f. *Biol.* Nucleósido formado por la desoxirribosa y la adenina.

DESOXICITIDINA f. *Biol.* Nucleósido formado por la desoxirribosa y la citosina.

DESOXIDAR tr. y prnl. *Quím.* Quitar el oxígeno. • tr. Limpiar un metal de óxido. ■ DESOXIDACIÓN.

DESOXIGENAR tr. y prnl. Desoxidar, quitar el oxígeno. ■ DESOXIGENACIÓN.

DESOXIGUANOSINA f. *Biol.* Nucleósido formado por la desoxirribosa y la guanina.

DESOXIRRIBONUCLEASA f. *Biol.* Enzima celular que cataliza las reacciones de degeneración de la molécula de ácido desoxirribonucleico.

DESOXIRRIBOSA f. *Biol.* Monosacárido de cinco átomos de carbono que presenta un grupo reductor aldehídico y tres grupos alcohólicos.

DESOXITIMIDINA f. *Biol.* Nucleósido formado por la desoxirribosa y la timina. Forma parte de las cadenas del ADN.

DESPABILADERAS f. pl. Tijeras con que se corta el pabilo ya quemado para avivar la llama.

Desove artificial de una trucha

DESPABILADOR, RA adj. y s. Que despabila. • m. pl. Despabiladeras.

DESPABILADURA f. Extremidad del pabilo que se quita de una luz cuando se despabila.

DESPABILAR tr. Quitar la parte ya quemada del pabilo. • fig. Despachar brevemente, o acabar con presteza. • fig. Robar, quitar ocultamente. • tr. y prnl. fig. Avivar el entendimiento o el ingenio. • fig. y fam. Matar. • prnl. fig. Sacudir el sueño. ■ DESPABILADO, DA.

DESPACHADERAS f. pl. fam. Modo áspero de responder. • Facilidad en la ejecución de asuntos.

DESPACHAR tr. Abreviar un negocio. • Resolver las causas y negocios. • Enviar. • Vender los géne-

ros. • Despedir a una persona. • fig. y fam. Matar. • intr. y prnl. Darse prisa. • fam. Parir la mujer. • prnl. Desembarazarse de una cosa. ■ *Amér.* DESPACHADOR, RA; *Argent.* DESPACHANTE; DESPACHO.
DESPACHO m. Acción y efecto de despachar. • Aposento para despachar los negocios o para el estudio. • Comunicación escrita entre el gobierno de una nación y sus representantes en las potencias extranjeras. • Expediente, determinación. • Cédula, título o comisión que se da a uno para algún empleo. • Comunicación transmitida por telégrafo o por teléfono. • *Amér.* En las minas, el ensanche contiguo a las cortaduras.
DESPACHURRAR tr. y prnl. fam. Aplastar una cosa apretándola. • tr. fig. y fam. Desconcertar uno lo que va hablando, por su mala explicación. ■ DESPACHURRAMIENTO.
DESPACIO adv. modo. Poco a poco. • adv. tiempo. Por tiempo dilatado. • *Amér.* En voz baja. • m. *Amér.* Dilación. ■ DESPACIOSO, SA.
DESPAJAR tr. Apartar la paja del grano. • fig. Cribar tierras y desechos. ■ DESPAJADOR, RA; DESPAJADURA; DESPAJO.
DESPALDAR tr. y prnl. Desespaldar.
DESPALDILLAR tr. y prnl. Romper la espaldilla a un animal. ■ DESPALDILLADURA.
DESPALETILLAR tr. y prnl. Despaldillar. • fig. y fam. Magullar la espalda.
DESPALILLAR tr. Quitar los palillos de la hoja del tabaco. • Quitar los palillos a las pasas, o el escobajo a la uva. ■ DESPALILLADO, DA.
DESPALMAR tr. Separar la palma córnea de la carnosa en los animales. • Arrancar el césped. ■ DESPALMADOR; DESPALMADURA.
DESPALME m. Corte dado en el tronco de un árbol para derribarlo.
DESPAMPANAR tr. Quitar los pámpanos a las vides. • Despimpollar. • fig. y fam. Desconcertar. • intr. fig. y fam. Desahogarse uno diciendo lo que siente. ■ DESPAMPANADURA; DESPAMPANANTE.
DESPAMPANILLAR tr. Despampanar.
DESPAMPLONAR tr. Separar los vástagos de las plantas. • prnl. fig. Dislocarse la mano.
DESPANCIJAR o **DESPANZURRAR** tr. y prnl. fam. Romper la panza, despachurrar.
DESPANZURRO m. *Chile.* Disparate.
DESPAPUCHO m. *Perú.* Disparate.
DESPAREJAR tr. y prnl. Deshacer una pareja. ■ DESPAREJO, JA.
DESPARPAJAR tr. Deshacer una cosa con desaliño. • intr. Hablar mucho.
DESPARPAJO m. fam. Facilidad en hablar u obrar. • fam. *Amér.* Desorden. ■ DESPARPAJADO, DA.
DESPARRAMAR tr. y prnl. Esparcir por muchas partes lo que estaba junto. • tr. fig. Disipar la hacienda. • prnl. Distraerse. ■ DESPARRAMADO, DA.
DESPARRAMO m. *Amér.* Acción y efecto de desparramar. • fig. *Chile.* Desbarajuste.
DESPARRANCARSE prnl. Esparrancarse. ■ DESPARRANCADO, DA.
DESPARTIR tr. Separar. • Poner paz. ■ DESPARTIMIENTO.
DESPARVAR tr. Levantar la parva.
DESPASAR tr. y prnl. Sacar una cinta, cordón, etc., que se había pasado por algún sitio.
DESPATARRADA f. fam. Paso de baile que se ejecuta abriendo las piernas.
DESPATARRAR tr. y prnl. fam. Abrir las piernas. • fam. Llenar de miedo o asombro. • prnl. Caerse al suelo, abierto de piernas.
DESPATILLAR tr. Cortar en los maderos los rebajos para que puedan entrar en las muescas. • tr. y prnl. Cortar las patillas. • tr. Quitar las patas a una pieza de hierro. ■ DESPATILLADO, DA.
DESPATURRAR tr. y prnl. *Chile, Col.* y *Ven.* Despatarrar.
DESPAVESADERAS f. pl. Despabiladeras.
DESPAVESAR tr. Despabilar una luz. • Quitar, soplando, la ceniza de las brasas. ■ DESPAVESADURA.
DESPAVONAR tr. Quitar el pavón de una superficie de hierro o acero.
DESPAVORIR intr. y prnl. Llenar de pavor. ■ DESPAVORIDO, DA.
DESPEARSE prnl. Maltratarse los pies por haber caminado mucho. ■ DESPEADURA; DESPEAMIENTO.
DESPECHAR tr. y prnl. Dar pesar. • tr. fam. Destetar a los niños.
DESPECHO m. Disgusto causado por un desprecio. • Desesperación. • fam. Destete. ■ DESPECHADO, DA.
DESPECHUGAR tr. Quitar la pechuga a un ave. • prnl. fig. y fam. Llevar el pecho descubierto. ■ DESPECHUGADURA.
DESPECTIVO, VA adj. Despreciativo.
DESPEDAZAR tr. y prnl. Hacer pedazos un cuerpo. ■ DESPEDAZAMIENTO.
DESPEDIR tr. Arrojar una cosa. • Hablando de costas, cabos y puntas, extender éstos hacia el mar algún arrecife, etc. • Quitar a uno la ocupación.• tr. Acompañar por cortesía al que sale de un lugar. • fig. Apartar una cosa no material. • fig. Difundir. • Apartar a la persona que es gravosa. • prnl. Emplear una expresión de afecto para separarse una persona de otra. ■ DESPEDIDA.
DESPEDRAR o **DESPEDREGAR** tr. Limpiar de piedras la tierra.
DESPEGAR tr. y prnl. Apartar dos cosas que están pegadas. • intr. Separarse del suelo, mar, etc.,el avión, cohete, etc. • prnl. fig. Apartarse del afecto que se profesa. • fig. No corresponder una cosa con otra. • *C. Rica* y *Méx.* Desenganchar la caballería de un carruaje.
DESPEGUE m. *Aer.* Acción y efecto de despegar el avión. La operación debe realizarse de cara al viento, y se inicia cuando el avión alcanza la velocidad «de despegue». • *Econ.* Etapa en que se produce el impulso inicial de crecimiento de una economía.

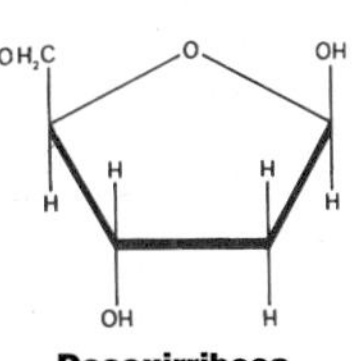

Desoxirribosa

Avión supersónico *Concorde* en fase de **despegue**

DESPEINAR tr. y prnl. Deshacer el peinado.
DESPEJAR tr. Desembarazar un sitio. • tr. y prnl. fig. Aclarar. • tr. *Álg.* Separar por medio de cálculo una incógnita de una ecuación. • En algunos deportes, resolver una situación alejando la pelota de la meta propia. • prnl. Adquirir soltura en el trato. • Divertirse. • Aclararse el tiempo. • Bajar la calentura de un enfermo. ■ DESPEJADO, DA.
DESPEJE o **DESPEJO** m. Acción y efecto de despejar. • *Taur.* Acto simbólico de despejar de gente la arena antes de comenzar la corrida de toros. • Desembarazo en el trato. • Claro entendimiento.
DESPELLEJADURA f. Desolladura.
DESPELLEJAR tr. Quitar el pellejo. • fig. Murmurar mal de uno. • tr. y prnl. fig. y fam. Robarle a alguien o dejarle sin dinero.
DESPELOTAR tr. Desgreñar el pelo. • prnl. fam. Robustecerse. • fam. Desnudarse.
DESPELUCAR tr. y prnl. Despeluzar.
DESPELUZAR o **DESPELUZNAR** tr. y prnl. Desordenar el pelo. • Erizar el cabello. ■ DESPELUZAMIENTO; DESPELUZNANTE.
DESPENAR tr. Sacar a uno de pena.
DESPENDER tr. Gastar. ■ DESPENDEDOR, RA.
DESPENSA f. Lugar de la casa, donde se guardan las cosas comestibles. • Provisión de comestibles. • Oficio de despensero. • *Méx.* Lugar en las minas para guardar los minerales ricos. ■ DESPENSERÍA; DESPENSERO, RA.

Despiece de una res: 1) cabeza; 2) pescuezo; 3) diezmillo; 4) pecho; 5) entrecot; 6) roastbeef; 7) agujas; 8) filete; 9) falda; 10) aguayón; 11) tapa; 12) bola; 13) culete; 14) cola; 15) chambretes

Vieja ***despiojando*** *a un niño,* óleo de Murillo. Pinacoteca Antigua, Munich

Desposorios *de la Virgen.* Detalle de una tabla del Maestro de Flémalle. Museo del Prado, Madrid.

DESPEÑAR tr. y prnl. Arrojar a una persona o cosa desde un lugar alto. • prnl. fig. Entregarse una persona a sus pasiones o maldades. ■ DESPEÑADERO, RA; DESPEÑADIZO, ZA; DESPEÑAMIENTO.

DESPEÑO m. Diarrea. • fig. Caída precipitada. • fig. Ruina.

DESPEO m. Despeadura.

DESPEPITAR tr. Quitar las pepitas de algún fruto. • prnl. Hablar o gritar con enojo. • fig. Desvivirse por una cosa.

DESPERCUDIR tr. Limpiar lo que está percudido. • tr. y prnl. *Argent.*, *Chile* y *Méx.* Despabilar a uno. ■ *Chile.* DESPERCUDIDO, DA.

DESPERDICIAR tr. Malbaratar una cosa. • No aprovechar una cosa.

DESPERDICIO m. Derroche. • Residuo de lo que no se aprovecha.

DESPERDIGAR tr. y prnl. Separar. ■ DESPERDIGAMIENTO.

DESPERECERSE prnl. Consumirse por el logro de una cosa.

DESPEREZARSE prnl. Estirar los miembros. ■ DESPEREZO.

DESPERFECTO m. Leve deterioro.

DESPERFILAR tr. *Pint.* Suavizar los contornos. • prnl. Perder una cosa la postura de perfil.

DESPERNADO, DA adj. Harto de andar.

DESPERNANCARSE prnl. Esparrancarse.

DESPERNAR tr. y prnl. Cortar las piernas a un animal.

DESPERSONALIZAR tr. Separar un problema de las características del hablante. • *Psiq.* Sentir extrañeza ante el propio yo. ■ DESPERSONALIZACIÓN.

DESPERTAR tr. y prnl. Cortar el sueño al que está durmiendo. • tr. fig. Traer a la memoria una cosa. • fig. Hacer que uno recapacite. • fig. Mover. • intr. Dejar de dormir. • fig. Espabilarse. ■ DESPERTADOR, RA; DESPERTAMIENTO; DESPIERTO, TA.

DESPESCAR tr. Recoger los peces en las almadrabas y en los cuarteles y esteros de las salinas. ■ DEPESCA.

DESPESTAÑAR tr. Arrancar las pestañas. • prnl. fig. Desojarse por hallar algo.

DESPEZAR tr. Adelgazar por un extremo un tubo. • *Arq.* Dividir los muros, arcos o bóvedas de un edificio, en diferentes piezas. ■ DESPEZO.

DESPEZONAR tr. Quitar el pezón • fig. Separar una cosa de otra. • prnl. Quebrarse el pezón o la pezonera.

DESPEZUÑARSE prnl. Inutilizársele a un animal la pezuña. • fig. *Amér.* Caminar deprisa. • fig. *Amér.* Desvivirse.

DESPIADADO, DA adj. Cruel.

DESPICAR tr. Desahogar • prnl. Satisfacerse. • Quebrarse el pico de un ave.

DESPICHAR tr. Despedir de sí el humor. • *Chile, Col.* y *Ven.* Despachurrar. • intr. fam. Espichar.

DESPIDO m. Acción y efecto de despedir o despedirse. • *Der.* Rescisión unilateral del contrato de trabajo por parte del empresario antes de la fecha prevista para su expiración. • **colectivo.** *Der.* El que afecta a todo un colectivo de trabajadores de una empresa como consecuencia de crisis económica o tecnológica o por represalia patronal ante el ejercicio de una huelga. • **improcedente.** *Der.* El justificado, pero que no se ajusta a los procedimientos previstos por la ley o no respeta el plazo de preaviso. • **injustificado.** *Der.* El que no se ajusta a alguna de las causas legales establecidas por la ley. • **justificado.** El realizado en atención a alguna de las causas taxativamente establecidas por la ley. • **procedente.** *Der.* El justificado que cumple además con los requisitos procesales y de preaviso contenidos en la legislación laboral del país.

DESPIECE m. Acción y efecto de despedazar un animal. • Acción y efecto de despiezar.

DESPIEZAR tr. Despezar. • Descomponer un todo en sus piezas. ■ DESPIEZO.

DESPIGMENTACIÓN f. Eliminación del pigmento.

DESPILARAR tr. *Amér.* Derribar pilares.

DESPILFARRAR tr. Malgastar. • prnl. fam. Gastar profusamente.

DESPILFARRO m. Destrozo de la ropa por desidia. • Gasto superfluo. ■ DESPILFARRADO, DA.

DESPIMPOLLAR tr. Quitar a la vid los brotes viciosos o excesivos.

DESPINOCHAR tr. Quitar las hojas a las mazorcas de maíz.

DESPINTAR tr. y prnl. Borrar lo pintado. • tr. fig. Desfigurar un asunto. • fig. y fam. *Chile.* Apartar, tratándose de la mirada. • in tr. fig. Desdecir. • prnl. Borrarse los colores de las cosas.

DESPINTE m. *Chile.* Porción de mineral de ley inferior a la que se espera.

DESPINZAR tr. Quitar con pinzas las motas y pelos a los paños, pieles, etc. ■ DESPINZADERA; DESPINZADO, DA.

DESPINZAS f. pl. Pinzas para despinzar.

DESPIOJAR tr. y prnl. Quitar los piojos. • fig. y fam. Sacar a uno de miseria. ■ DESPIOJE.

DESPIPORREN ***(El)*** exp. fam. Úsase cuando algo llega al máximo de divertido, escandaloso o insólito.

DESPIQUE m. Satisfacción que se toma de una ofensa recibida.

DESPISTAR tr. y prnl. Hacer perder la pista. • prnl. Desorientar. • fam. Fingir. ■ DESPISTADO, DA.

DESPISTE m. Calidad de despistado. • fam. Desorientación. • fam. Error.

DESPITORRADO adj. Díc. del toro de lidia que tiene rota una o dos astas.

DESPIZCAR tr. y prnl. Hacer pizcas una cosa. • prnl. fig. Afanarse en una cosa.

DESPLACER m. Pena. • tr. Disgustar.

DESPLANTACIÓN f. Desarraigo.

DESPLANTAR tr. Desarraigar un árbol o planta. • tr. y prnl. Desviar una cosa de la línea de la plomada. • prnl. En danza y esgrima, perder la postura recta. ■ DESPLANTADOR, RA.

DESPLANTE m. En danza y esgrima, postura irregular. • fig. Dicho o acto lleno de arrogancia.

DESPLATAR tr. Separar la plata que se halla mezclada con otro metal. ■ DESPLATE.

DESPLATEAR tr. Quitar la plata que cubre un objeto.

DESPLAYADO m. *Argent.* Playa de arena. • *Argent.* Descampado en un bosque.

DESPLAYAR intr. Retirarse el mar de la playa.

DESPLAZADO, DA adj. y s. Inadaptado, descentrado. • adj. Díc. de los emigrantes forzados a salir de su país.

DESPLAZAMIENTO m. Acción y efecto de desplazar. • *Comp.* Distancia en bytes desde una posición de referencia en la memoria hasta la posición que se quiere direccionar. • *Geom.* Transformación del espacio en la que se conserva la distancia entre cualquier par de puntos. Los únicos d. de la recta son las traslaciones y las simetrías respecto a un punto; los d. del plano son los giros, las traslaciones y las simetrías respecto a una recta; en el espacio ordinario se cuentan las traslaciones, los giros alrededor de un eje, los movimientos helicoidales y las simetrías especulares. • *Mar.* Empuje de una nave. • Espacio que ocupa en el agua el casco de un buque hasta su línea de flotación. • **de las rayas espectrales.** *Fís.* Fenómeno debido al efecto Doppler, por el cual las rayas espectrales de un cuerpo en mov. aparecen desplazadas de su posición característica. En astronomía, este efecto se usa para medir la velocidad de los cuerpos celestes.

DESPLAZAR tr. Quitar a una persona o cosa de un lugar para ponerla en otro. • *Fís.* Para un cuerpo sumergido en un líquido, desalojar un volumen de este líquido igual al de la parte sumergida. • prnl. Trasladarse.

DESPLEGAR tr. y prnl. Descoger. • tr. fig. Aclarar y hacer patente lo poco inteligible. • fig. Ejercitar una actividad. • tr. y prnl. Hacer pasar las tropas del orden compacto al abierto. ■ DESPLEGADURA; DESPLIEGUE.

DESPLEGUETEAR tr. Quitar los pleguetes a los sarmientos.

DESPLOMAR tr. Hacer que una cosa pierda la posición vertical. • *Ven.* Regañar. • prnl. Perder la posición vertical. • Caerse una pared. • Caerse sin vida o sin conocimiento una persona. • fig. Arruinarse. ■ DESPLOME.

DESPLOMO m. Desviación de la posición vertical. • *Ven.* Regaño.

DESPLUMAR tr. y prnl. Quitar las plumas al ave. • tr. fig. Dejar a uno sin dinero. ■ DESPLUMADURA; DESPLUME.

DESPOBLACIÓN f. o **DESPOBLAMIENTO** m. Falta de la gente que poblaba un lugar. • Descenso de la pob. de un país.
DESPOBLADO m. Sitio no poblado.
DESPOBLAR tr. y prnl. Reducir a yermo lo que estaba habitado. • tr. fig. Despojar un sitio. • Dejar una mina sin el número de trabajadores que exigían las leyes. • prnl. Dicho de un lugar, ausentarse gran parte del vecindario. ■ DESPUEBLE o DESPUEBLO.
DESPOJAR tr. Privar a uno de lo que tiene. • Quitar jurídicamente la posesión de los bienes que uno tenía, para dársela a su legítimo dueño. • prnl. Desnudarse. • Desposeerse de una cosa voluntariamente.
DESPOJO m. Presa. • Vientre, asadura, cabeza y manos de las reses muertas. • Alones, molleja, patas, pescuezo y cabeza de las aves muertas. • *Col.* Extracción de los minerales. • pl. Sobras. • Minerales pobres que se venden a los lavaderos. Materiales que se aprovechan de un edificio que se derriba. • Restos mortales.
DESPOLARIZACIÓN f. Acción y efecto de despolarizar. • *Biol.* Proceso de inversión de potencial en la membrana celular.
DESPOLARIZAR tr. Interrumpir el estado de polarización.
DESPOLIMERIZACIÓN f. *Quím.* Descomposición de un polímero dejando libres las moléculas que lo forman.
DESPOLITIZAR tr. Quitar a una persona o cosa su carácter político. ■ DESPOLITIZACIÓN.
DESPOLVAR tr. y prnl. Desempolvar.
DESPOLVORACIÓN f. Extracción del polvo contenido en gases o en la atmósfera.
DESPOLVOREAR tr. Quitar el polvo.
DESPOPULARIZACIÓN f. Pérdida de popularidad.
DESPOPULARIZAR tr. y prnl. Privar de popularidad.
DESPORRONDINGARSE prnl. fam. *Amér.* Echar la casa por la ventana.
DESPORTILLADURA f. Fragmento que se separa del borde de una cosa.
DESPORTILLAR tr. y prnl. Romper el borde de una cosa, haciendo en él una mella o portillo.
DESPOSAR tr. Unir en matrimonio. • prnl. Contraer esponsales. ■ DESPOSADO, DA; DESPOSANDO, DA.
DESPOSEER tr. Privar a uno de lo que posee. • prnl. Renunciar alguno a lo que posee. • Desapropiarse. ■ DESPOSEÍDO, DA; DESPOSEIMIENTO.
DESPOSORIO m. Promesa que el hombre y la mujer se hacen de contraer matrimonio. • Casamiento.
DESPOSTAR tr. *Amér.* Descuartizar una res.
DESPOSTILLAR tr. *Méx.* Desportillar.
DÉSPOTA m. El que ejercía mando supremo en algunos pueblos ant. • com. Persona que gobierna sin sujeción a ley. • fig. Persona que abusa de su poder.
DESPOTISMO m. Autoridad absoluta no limitada por las leyes. • Abuso de superioridad, poder o fuerza en el trato con las demás personas. • **ilustrado**. Sistema de gobierno autoritario de algunas monarquías del s. XVIII, que persiguió la racionalización del aparato del Estado mediante un conjunto de reformas de carácter paternalista, que reforzaban la autoridad absoluta del monarca, sintetizadas en la divisa «Todo para el pueblo, pero sin el pueblo», destinatario pasivo de las reformas. El d. ilustrado pretendió conciliar las doctrinas de los filósofos de la Ilustración fr. en boga con el poder absoluto del monarca. ■ DESPÓTICO, CA.
DESPOTIZAR tr. *Amér. Merid.* Tiranizar.
DESPOTRICAR intr. y prnl. fam. Hablar sin reparo. ■ DESPOTRIQUE.
DESPRECIABLE adj. Digno de desprecio. • *Mat.* Díc. de una cantidad de pequeño valor.
DESPRECIAR tr. Desestimar. • Desairar. • prnl. Desdeñarse.
DESPRECIO m. Desestimación. • Desaire. ■ DESPRECIATIVO, VA.
DESPREJUICIARSE prnl. *Amér.* Librarse de prejuicios.
DESPRENDER tr. y prnl. Desunir. • prnl. fig. Desapropiarse de una cosa. • fig. Deducirse.
DESPRENDIMIENTO m. Desapego de las cosas. • fig. Largueza. • *Pint.* y *Esc.* Representación del descendimiento del cuerpo de Cristo. • **de retina**. Enfermedad producida al separarse parte de la retina.
DESPREOCUPACIÓN f. Estado del ánimo cuando nada hay en él que le impida juzgar las cosas. • Descuido.
DESPREOCUPARSE prnl. Salir de una preocupación. • Apartar de una persona o cosa la atención. ■ DESPREOCUPADO, DA.
DESPRESAR tr. *Chile.* Despedazar un ave.
DESPRESTIGIAR tr. y prnl. Quitar el prestigio. ■ DESPRESTIGIO.
DESPREVENCIÓN f. Falta de prevención o de lo necesario. ■ DESPREVENIDO, DA.
DESPROPORCIÓN f. Falta de proporción.
DESPROPORCIONACIÓN f. *Quím.* Disgregación de un grado de oxidación en uno superior y otro inferior.
DESPROPORCIONAR tr. Quitar la proporción a una cosa. ■ DESPROPORCIONADO, DA.
DESPROPÓSITO m. Dicho o hecho fuera de sentido o conveniencia. ■ DESPROPOSITADO, DA.
DESPROVEER tr. Despojar a uno de lo necesario. ■ DESPROVISTO, TA.
DESPUÉS adv. de tiempo y lugar que denota posterioridad. • Hablando del tiempo, suele emplearse como adjetivo.
DESPULLA f. Inclinación que hay que dejar en un modelo para permitirle salir del molde.
DESPULMONARSE prnl. fam. Desgañitarse.
DESPULSAR tr. y prnl. Dejar sin pulso por algún accidente. • prnl. fig. Desvivirse. ■ DESPULSAMIENTO.
DESPUMAR tr. Espumar. ■ DESPUMACIÓN.
DESPUNTADOR m. *Méx.* Aparato para separar minerales. • *Méx.* Martillo para romper minerales al separarlos.
DESPUNTAR tr. y prnl. Quitar la punta. • tr. Cortar las ceras vanas de la colmena. • intr. Empezar a brotar las plantas. • fig. Manifestar agudeza. • fig. Adelantarse. • Empezar a amanecer. ■ DESPUNTADURA; DESPUNTE.
DESQUEBRAJAR prnl. y tr. Resquebrajar.
DESQUEJAR tr. Formar esquejes de las plantas. ■ DESQUEJE.
DESQUERER tr. Dejar de querer.
DESQUICIAR tr. y prnl. Desencajar una cosa. • Descomponer una cosa quitándole la firmeza. • fig. Quitar a una persona la seguridad que debía tener. • tr. fig. Derribar a uno de la privanza. ■ DESQUICIAMIENTO: DESQUICIO.
DESQUIJARAR tr. y prnl. Rasgar la boca dislocando las quijadas.
DESQUIJERAR tr. Serrar un madero hasta el sitio donde se ha de sacar la espiga.
DESQUILATAR tr. Bajar de quilates el oro.
DESQUITAR tr. y prnl. Restaurar la pérdida. • fig. Tomar satisfacción o vengarse de un pesar. ■ DESQUITE.
DESRABAR o **DESRABOTAR** tr. Cortar el rabo a las crías de las ovejas.
DESRAIZAR tr. *Amér.* Desenraizar.
DESRAMAR tr. Quitar las ramas a un árbol.
DESRANCHARSE prnl. Desalojar el rancho.
DESRASPAR tr. Quitar las rapas de la uva.
DESRASTROJAR tr. Eliminar el rastrojo.
DESRATIZAR tr. Eliminar las ratas. ■ DESRATIZACIÓN.
DESREPUTACIÓN f. fam. Deshonor.
DESRIELAR intr. *Amér.* Descarrilar.
DESRIÑONAR tr. y prnl. Lastimar el espinazo. • prnl. fig. Trabajar esforzadamente.
DESRISCAR tr. y prnl. Precipitar algo desde un risco.
DESRIZAR tr. y prnl. Deshacer los rizos.
DESROBLAR tr. Quitar la robladura.
DESRODRIGAR tr. Quitar los rodrigones.
DESSALINES, *Jean-Jacques* (1758-1806) Político haitiano. Antiguo esclavo de raza negra, dirigió una importante partida guerrillera en la gran insurrección antiesclavista de 1789-1791. Expulsó a los brit. y, tras la deportación de Toussaint Louverture, se levantó de nuevo contra los fr. y se adueñó de la isla. Se proclamó emperador, organizó grandes campañas de exterminio de blancos y mulatos, pero fue asesinado por Christophe y Pétion.

Arriba, el rey Luis XIV de Francia y, abajo, la emperatriz María Teresa de Austria, dos monarcas representantes del **despotismo ilustrado**

Torres desmetilizadoras en una planta de **destilación** de alcohol

DESSAU C. de Alemania, junto al r. Mulde; 103 800 hab. Centro industrial.
DESSAUER, ***Friedrich*** (1881-1963) Físico y biólogo suizo. Precursor de la aplicación de los métodos cuánticos en biología.
DESTACAMENTO m. *Mil.* Tropa destacada.
DESTACAR tr. y prnl. Separar del cuerpo pral. una porción de tropa. • Hacer resaltar los objetos de un cuadro. • Sobresalir. • tr., intr. y prnl. Poner de relieve los méritos de uno.
DESTAJADOR m. Martillo del que se sirven los herreros para forjar el hierro.
DESTAJAR tr. Ajustar las condiciones con que se ha de hacer una cosa. • Cortar la baraja en el juego de naipes. • *Ecuad.* y *Méx.* Cortar.
DESTAJO m. Obra que se ajusta por un tanto alzado. • fig. Obra que uno toma por su cuenta. • **A d.** m. adv. Por un tanto. • fig. Con empeño. • *Chile.* A bulto. ■ DESTAJERO, RA; DESTAJISTA.
DESTALLAR tr. Quitar tallos a las plantas.
DESTALONAR tr. y prnl. Quitar el talón al calzado. • Cortar las libranzas, recibos y demás documentos contenidos en libros talonarios. • Rebajar el casco de una caballería. ■ DESTALONADO, DA.
DESTANTEO m. *Méx.* Desorientación.
DESTAPADA f. Descubierta, especie de pastel sin cubierta de hojaldre.
DESTAPAR tr. Quitar la tapa. • tr. y prnl. fig. Descubrir lo tapado. • intr. *Méx.* Huir a caballo. ■ DESTAPADURA.
DESTAPE m. fam. Desnudo en obras teatrales o cinematográficas.
DESTAPIAR tr. Derribar las tapias. ■ DESTAPIADO, DA.
DESTAPONAR tr. Quitar el tapón.
DESTARAR tr. Rebajar la tara de lo que se ha pesado con ella. ■ DESTARA.

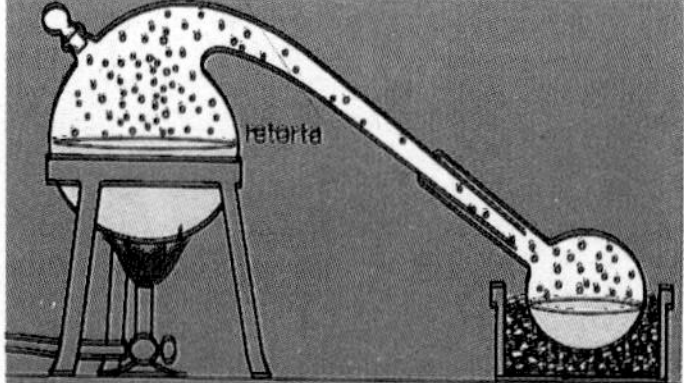

Destilación. Arriba, a la derecha, esquema de un proceso de destilación mediante retorta; abajo, diagrama de evolución del proceso a presión constante

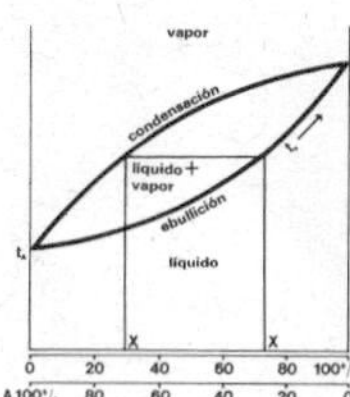

DESTARTALO m. Falta de orden. ■ DESTARTALADO, DA.
DESTAZADOR m. El que destaza las reses.
DESTAZAR tr. Hacer piezas. • Descuartizar un animal.
DESTECHAR tr. Quitar el techo a un edificio. ■ DESTECHADURA.
DESTEJAR tr. Quitar las tejas a los tejados. • fig. Dejar sin defensa una cosa.
DESTEJER tr. y prnl. Deshacer lo tejido. • fig. Desbaratar lo que estaba dispuesto.
DESTELLAR tr. Despedir destellos.
DESTELLO m. Resplandor vivo y efímero.
DESTEMPLANZA f. Desigualdad del tiempo. • Intemperancia en los afectos o en el uso de algunas cosas. • Alteración en el pulso, que no llega a calentura. ■ DESTEMPLADO, DA.
DESTEMPLAR tr. Alterar la armonía de una cosa. • Poner en infusión. • tr. y prnl. Destruir la concordancia con que están templados los instrumentos musicales. • prnl. Alterarse el pulso. • tr. y prnl. Perder el temple. • prnl. fig. Perder la moderación en acciones o palabras. • *Amér.* Sentir dentera.
DESTEMPLE m. Disonancia de las cuerdas de un instrumento. • Indisposición ligera de la salud. • fig. Desconcierto de algunas cosas.
DESTENTAR tr. Quitar la tentación a uno.
DESTEÑIR tr., intr. y prnl. Quitar el tinte.
DESTERNERAR tr. *Amér.* Desbecerrar.
DESTERNILLARSE prnl. Romperse las ternillas.
DESTERRADERO m. fig. Lugar distante del centro.
DESTERRAR tr. Echar a uno de un lugar. • Quitar la tierra. • fig. Deponer. • prnl. Expatriarse.
DESTERRONAR tr. y prnl. Quebrantar o deshacer los terrones. ■ DESTERRONAMIENTO.
DESTETADERA f. Instrumento para destetar las crías de algunos animales.
DESTETAR tr. y prnl. Hacer que dejen de mamar el niño o las crías de los animales. ■ DESTETE.
DESTETO m. Conjunto de cabezas de ganado destetadas. • Lugar en que se recogen los machos y mulaslechuzas recién destetadas.
DESTIEMPO *(A)* m. adv. Fuera de tiempo.
DESTIENTO m. Sobresalto, alteración.
DESTIERRE m. Acción de quitar la tierra a los minerales.
DESTIERRO m. Pena que consiste en expulsar a una persona de un lugar. • Lugar en que vive el desterrado. • fig. Lugar distante del centro.
DESTILACIÓN f. *Quím.* Acción y efecto de destilar. • Flujo de humores serosos o mucosos. • **seca.** *Quím.* Operación que se realiza calentando cuerpos sólidos, y recogiendo los gases y vapores que se desprenden.
* *Quím.* La d. se efectúa calentando la mezcla en un recipiente (retorta) para provocar la ebullición del componente más volátil, y obligando a los vapores a pasar por un refrigerante, donde se enfrían y condensan. Progresivamente se modifican tanto la composición de la mezcla contenida en el recipiente, como la del vapor que está en equilibrio con ella. Es, pues, posible recoger el destilado en fracciones de diferente composición *(d. fraccionada)*; la más volátil y la menos volátil se recogen separadamente y las fracciones intermedias se destilan de nuevo, hasta lograr la separación en los diversos componentes de la mezcla.
DESTILAR tr. e intr. Separar por medio de calor una sustancia volátil de otras más fijas, enfriando su vapor para reducirla a líquido. • tr y prnl. Filtrar. • intr. y tr. Correr lo líquido gota a gota. ■ DESTILADERA; DESTILADOR, RA; DESTILATORIO, RIA; DESTILERÍA.
DESTINAR tr. Ordenar una cosa para algún fin. • Designar el punto o establecimiento en que un individuo ha de servir el empleo que se le ha conferido. • Designar la ocupación en que ha de servir una persona. ■ DESTINACIÓN; DESTINATARIO, RIA.
DESTINO m. Hado. • *Fil.* Encadenamiento de los sucesos considerado como necesario. • Circunstancia de serles favorable o adversa esta manera de ocurrir los sucesos a personas o cosas. • Consignación de una cosa o de un sitio para un fin. • Empleo. • Lugar en que un individuo sirve su empleo. • Lugar al que se dirige una persona o cosa. • **manifiesto.** Denominación que adoptó, a mediados del s. XIX, la política expansionista estadounidense.
DESTIÑO m. Parte del panal de las abejas, algo negruzco, que carece de miel.
DESTITUIR tr. Separar a uno de su cargo como castigo. ■ DESTITUCIÓN.
DESTOCAR tr. y prnl. Quitar el tocado. • prnl. Descubrirse la cabeza.
DESTOCONAR tr. *Ven.* Recortar los cuernos a los toros o vacas.
DESTORCER tr. y prnl. Deshacer lo retorcido. • prnl. Perder la embarcación el rumbo.
DESTORGAR tr. Romper el torgo.
DESTORLONGO m. *Méx.* Despilfarro. ■ DESTORLONGADO, DA.
DESTORNILLAR tr. Sacar un tornillo dándole vueltas. • tr. y prnl. fig. Perder el juicio. ■ DESTORNILLADOR; DESTORNILLAMIENTO.
DESTORRENTARSE prnl. *Guat., Hond.* y *Méx.* Perder el tino.
DESTOSERSE prnl. Toser sin necesidad.
DESTRABAR tr. y prnl. Quitar las trabas. • Apartar una cosa de otra. ■ DESTRABAZÓN.
DESTRAL m. Hacha pequeña. ■ DESTRALERO.
DESTRAMAR tr. Sacar la trama de la tela.
DESTRATAR tr. *Chile, Col.* y *Ven.* Deshacer un trato.
DESTRENZAR tr. y prnl. Deshacer la trenza.
DESTREZA f. Habilidad con que se hace una cosa.
DESTRINCAR tr. y prnl. *Mar.* Desamarrar.
DESTRIPACUENTOS com. fam. Persona que interrumpe la relación del que habla.
DESTRIPAR tr. Quitar las tripas. • fig. Sacar el interior de una cosa. • fig. Despachurrar. • intr. fam. *Méx.* Abandonar los estudios. ■ DESTRIPAMIENTO.
DESTRIPATERRONES m. fam. Gañán.

DESTRIUNFAR tr. En algunos juegos de naipes, sacar los triunfos un jugador a los otros.
DESTRIZAR tr. Hacer trizas. • prnl. fig. Consumirse por un enfado.
DESTROCAR tr. Deshacer el trueque. ■ DESTRUECO O DESTRUEQUE.
DESTRÓN m. Lazarillo de ciego.
DESTRONAR tr. Deponer del reino a uno. • fig. Quitar a uno su preponderancia. ■ DESTRONAMIENTO.
DESTRONCAR tr. Cortar un árbol por el tronco. • fig. Cortar el cuerpo. • fig. Arruinar a uno. • prnl. y tr. fig. Rendir de fatiga. • fig. Truncar cosas no materiales. • *Chile* y *Méx.* Descuajar plantas. ■ DESTRONCAMIENTO.
DESTRONQUE m. *Chile* y *Méx.* Descuaje.
DESTRÓYER (voz ing.) m. *Mar.* Destructor.
DESTROZAR tr. y prnl. Despedazar una cosa. • tr. fig. Estropear. • fig. Gastar mucho. • Derrotar al enemigo. ■ DESTROZO; DESTROZÓN, NA.
DESTRUCCIÓN f. Ruina, pérdida casi irreparable.
DESTRUCTOR, RA adj. y s. Que destruye. • m. Buque de guerra, de tonelaje medio, preparado para misiones de escolta y de tipo ofensivo.
DESTRUIR tr. y prnl. Arruinar una cosa. • fig. Quitar a uno los medios con que se mantenía. • fig. Malgastar la hacienda. ■ DESTRUCTIBILIDAD; DESTRUCTIVIDAD; DESTRUCTIVO, VA; DESTRUCTOR, RA.
DESTUSAR tr. *Amér. Centr.* Despinochar el maíz, quitarle la hoja o tusa.
DESUBSTANCIAR tr. Desustanciar.
DESUCAR tr. *Quím.* Desjugar.
DESUDAR tr. y prnl. Quitar el sudor. ■ DESUDACIÓN.
DESUELLACARAS m. fam. Barbero que afeita mal. • com. fig. y fam. Desvergonzado.
DESUELLO m. fig. Desvergüenza.
DESUERAR tr. Quitar el suero. ■ DESUERO.
DESULFURACIÓN f. *Metal.* Acción de desulfurar. La d. de hierro puede efectuarse en el horno alto por reacción química entre el sulfuro de hierro y la escoria en presencia de carbono reductor, o fuera del horno por adición de carbonato sódico o de cal.
DESULFURAR tr. Eliminar el azufre.
DESUNCIR tr. Quitar del yugo las bestias.
DESUNIÓN f. Separación de las partes que componen un todo. • fig. Discordia.
DESUNIR tr. y prnl. Apartar una cosa de otra. • fig. Introducir discordia.
DESUÑAR tr. Quitar las uñas. • Arrancar las raíces viejas de las plantas. • prnl. fig. y fam. Ocuparse en un trabajo de manos difícil.
DESURDIR tr. Deshacer una tela. • fig. Desbaratar una trama.
DESURTIDO, DA adj. *Amér.* Sin surtido.
DESUSAR tr. y prnl. Desacostumbrar, perder o dejar el uso. ■ DESUSADO, DA.
DESUSO m. Falta de uso de una cosa.
DESUSTANCIAR tr. y prnl. Quitar la fuerza a una cosa.
DESVAHAR tr. Quitar lo marchito de una planta.
DESVAÍDO, DA adj. Aplícase a la persona alta y desgarbada. • Díc. del color disipado.
DESVAINAR tr. Sacar los granos de las vainas.
DESVALIDO, DA adj. y s. Desamparado.
DESVALIJAR tr. Quitar el contenido de una maleta. • fig. Despojar a uno del dinero o bienes. ■ DESVALIJAMIENTO.
DESVALIMIENTO m. Desamparo.
DESVALORAR tr. Quitar valor a una cosa. • Desacreditar.
DESVALORIZACIÓN f. *Cont.* Disminución de valor de los elementos patrimoniales del activo. • *Econ.* Pérdida de valor de una moneda fiduciaria.
DESVALORIZAR tr. Desvalorar. • tr. y prnl. *Econ.* Perder valor una moneda fiduciaria.
DESVALUACIÓN f. Desvalorización.
DESVÁN m. Parte más alta de la casa.
DESVANECER tr. y prnl. Disgregar las partículas de un cuerpo en otro. • Inducir a presunción. • fig. Deshacer. • tr. Quitar de la mente una idea. • prnl. Evaporarse la parte espiritosa de una cosa. • tr. y prnl. Turbarse la cabeza por un vahído. ■ DESVANECIDO, DA; DESVANECEDOR, RA.
DESVANECIMIENTO m. Presunción. • Pérdida transitoria del sentido.
DESVARAR tr. y prnl. Resbalar. • tr. Poner a flote la nave varada.
DESVARETAR tr. Quitar los chupones a los árboles.
DESVARIAR intr. Delirar.
DESVARÍO m. Dicho o hecho fuera de concierto. • Pérdida de razón. • fig. Cosa que sale del orden común de la naturaleza. • fig. Inconstancia. ■ DESVARIADO, DA.
DESVEDAR tr. Alzar una prohibición.
DESVELAR tr. Descubrir. • tr. y prnl. Quitar el sueño. • prnl. fig. Poner cuidado en lo que uno desea hacer. ■ DESVELAMIENTO; DESVELO.
DESVENAR tr. Quitar las venas a la carne. • Sacar de la vena el mineral. • Quitar las fibras a las hojas de las plantas.
DESVENCIJAR tr. y prnl. Aflojar las partes de una cosa que estaban unidas.
DESVENDAR tr. y prnl. Quitar la venda con que estaba atada una cosa.
DESVENO m. Arco que en el freno forma hueco para que se aloje en él la lengua del caballo.
DESVENTAJA f. Mengua que se nota por comparación. ■ DESVENTAJOSO, SA.
DESVENTAR tr. Sacar el aire de donde está encerrado.
DESVENTURA f. Desgracia, suerte adversa. ■ DESVENTURADO, DA.
DESVERGONZARSE prnl. Hablar u obrar con desvergüenza. ■ DESVERGONZADO, DA.
DESVERGÜENZA f. Falta de vergüenza. • Dicho o hecho impúdico.
DESVERNINE, *Pablo* (1823-1910) Pianista y compositor cub. Director de la *Revista Musical Artístico-literaria.* Profesor en Nueva York desde 1869.
DESVESTIR tr. y prnl. Desnudar.
DESVIACIÓN f. Acción y efecto de desviar o desviarse. • Separación lateral de un cuerpo de su posición media. • Separación de la aguja imantada del plano del meridiano magnético. • Separación de un móvil de su trayectoria ordinaria. • *Ópt.* Cambio de dirección de la luz al incidir sobre un dioptrio. • Tramo de una carretera que se aparta de la general para volver a unirse después con ella. • Camino provisional por el que han de circular los vehículos. • *Med.* Paso de los humores por fuera de sus conductos naturales. • *Med.* Cambio de la posición natural de los órganos, y en especial de huesos.
DESVIACIONISMO m. *Pol.* Tendencia del que se aparta de la línea política de su partido. ■ DESVIACIONISTA.
DESVIAR tr. y prnl. Alejar de su lugar una cosa. • fig. Disuadir a uno de la intención en que estaba. • tr. *Esg.* Separar la espada del contrario.
DESVIEJAR tr. Entre ganaderos, separar del rebaño las ovejas o carneros viejos.
DESVINCULACIÓN f. Acción y efecto de desvincular. • **de patrimonios.** *Hist.* Proceso de liberación de bienes vinculados, que tuvo lugar durante el s. XIX.
DESVINCULAR tr. Anular un vínculo. • *Argent.* y *Chile.* Desamortizar.
DESVÍO m. fig. Despego. • Vía que se aparta de otra principal. • *Argent.* y *Chile.* Apartadero de una línea férrea. • Cada uno de los listones de madera que se sujetan horizontalmente en los andamios para evitar el vaivén.
DESVIRAR tr. Recortar lo superfluo de la suela del zapato. • Recortar el libro el encuadernador. • Dar vueltas al cilindro de los tornos y cabrestantes en sentido contrario a las que se dieron para virar.
DESVIRGAR tr. Quitar la virginidad.
DESVIRTUAR tr. y prnl. Quitar la virtud.
DESVITRIFICACIÓN f. Acción y efecto de desvitrificar. • *Geol.* Proceso por el que un vidrio volcánico adquiere estructura cristalina.
DESVITRIFICAR tr. Hacer que el vidrio pierda su transparencia por la acción del calor.
DESVIVIRSE prnl. Mostrar vivo interés por una persona o cosa.
DESVOLCANARSE prnl. *Col.* Derrumbarse.
DESVOLVEDOR m. Instrumento para apretar o aflojar las tuercas.
DESVOLVER tr. y prnl. Alterar una cosa. • Arar la tierra, mullirla y trabajarla.

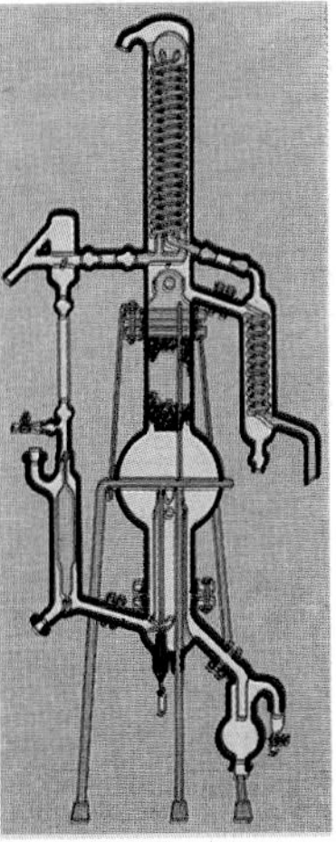

Destilación. Sección esquemática de un destilador de agua

Vista aérea de un **destructor** de la marina estadounidense

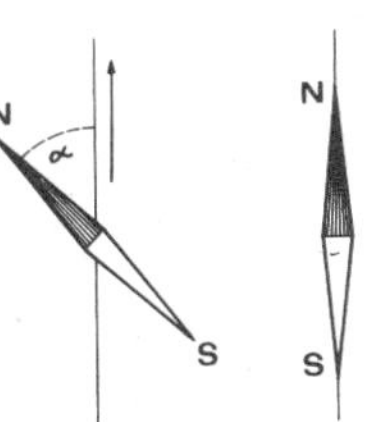

Desviación de una aguja imantada

Contador Geiger, **detector** de radiaciones ionizantes

DESYEMAR tr. Quitar las yemas a las plantas.
DESYERBA f. Escarda.
DESYERBAR tr. Desherbar.
DESYUGAR tr. Desuncir.
DESZOCAR tr. y prnl. Herir el pie o la mano, de modo que quede impedido su uso.
DETALL ***(Al)*** m. adv. Al por menor.
DETALLAR tr. Referir una cosa con detalles. • Vender al detall.
DETALLE m. Pormenor. • Cosa que completa un todo, pero que no le es indispensable. • Factura o lista detallada. • Cortesía.
DETALLISTA com. Persona que se cuida mucho de los detalles. • Comerciante que vende al por menor.
DETASA f. Disminución en una tasa.
DETECTAR tr. Poner de manifiesto lo que no puede ser observado directamente. ▪ DETECCIÓN; DETECTOR, RA.

Fachada de la fábrica de automóviles Ford en **Detroit**

DETECTIVE com. Agente de policía secreta. • Persona que realiza investigaciones reservadas.
DETECTOR, RA adj. Que detecta. • m. Aparato o sist. que detecta las ondas electromagnéticas, las radiaciones eléctricas, etc. • **de partículas.** *Fís.* Dispositivo que detecta la emisión de partículas subatómicas de alta energía.
DETENCIÓN f. Dilación. • Privación de la libertad.
DETENER tr. y prnl. Suspender una cosa. • Arrestar. • Retener. • prnl. Retardarse. • fig. Pararse a considerar una cosa. ▪ DETENIDO, DA, DETENTOR, RA.
DETENIMIENTO m. Detención. • Dilación.
DETENTAR tr. *Der.* Retener uno lo que no le pertenece. ▪ DETENTACIÓN; DETENTADOR, RA.
DETERGENTE adj. Que deterge. • adj. y m. *Med.* Detersorio. • m. *Quím.* Sustancia que disminuye la tensión superficial del agua y limpia como el jabón. • **biodegradable**. El que, por ser degradable por microorganismos, no se acumula en las aguas residuales.
DETERGER tr. Limpiar una herida. • Limpiar un objeto sin producir abrasión. ▪ DETERSIÓN; DETERSIVO, VA; DETERSORIO, RIA.
DETERIORAR tr. y prnl. Estropear. ▪ DETERIORACIÓN; DETERIORO.
DETERMINACIÓN f. Osadía. • En glosemática, relación de dependencia unilateral entre dos términos.
DETERMINADO, DA adj. y s. Osado. • adj. *Gram.* Díc. del artículo que determina el nombre: *el, la, lo, los, las.*
DETERMINANTE adj. Que determina. • m. *Biol.* Elemento esencial para la transmisión de los caracteres hereditarios. • *Ling.* Elemento sintáctico que complementa a otro término, en especial sintagma nominal o verbal. • *Mat.* Para una matriz cuadrada de dimensión *n*, suma de todos los productos que se pueden formar tomando un elemento por cada fila y cada columna de la matriz, en un total de *n* factores, afectado cada producto de un signo que depende de la posición de los factores en la matriz. El d. se indica sustituyendo los paréntesis de la matriz por dos líneas verticales.

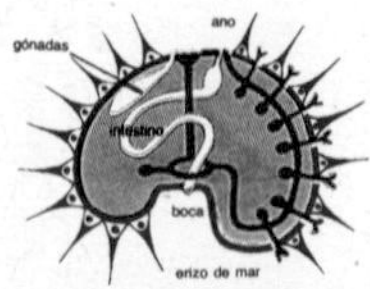

Estructuras anatómicas de un erizo de mar, metazoo celomado del grupo **deuterostomas**

DETERMINAR tr. Fijar los términos de una cosa. • Distinguir. • Señalar una cosa para algún efecto. • tr. y prnl. Tomar resolución. • tr. Hacer tomar una resolución. • *Der.* Sentenciar.
DETERMINATIVO, VA adj. Díc. de lo que determina. • adj. y m. Adjetivo, o nombre precedido de la prep. *de*, que determina la extensión en que se toma un sustantivo.
DETERMINISMO m. *Fil.* Doctrina que somete los acontecimientos del universo a leyes naturales necesarias. ▪ DETERMINISTA.
DETESTAR tr. Maldecir tomando al cielo por testigo. • Aborrecer. ▪ DETESTABLE; DETESTACIÓN.
DETIENEBUEY m. Gatuña, planta.
DETONACIÓN f. Combustión excesivamente rápida de la mezcla de gasolina y aire que produce un golpeteo.
DETONAR intr. Dar estampido o trueno. ▪ DETONADOR, RA; DETONANTE.
DETORSIÓN f. Extensión violenta.
DETRACTAR tr. Detraer. ▪ DETRACTOR, RA.
DETRAER tr. y prnl. Restar o desviar. • fig. Infamar la honra ajena. ▪ DETRACCIÓN.
DETRÁS adv. lugar. En la parte posterior, o con posterioridad de lugar. • fig. En ausencia.
DETRIMENTO m. Destrucción. • Pérdida de la salud o de los intereses. • fig. Daño moral.
DETRITO o **DETRITUS** m. *Geol.* Resultado de la descomposición de una masa sólida en partículas. ▪ DETRÍTICO, CA.
DETROIT C. de los EE UU, en el est. de Michigan; 1 204 000 hab. (4 354 000 el á. metr.). Sit. a orillas del río hom. Centro mundial de producción de automóviles. Universidades.
DEUCALIÓN *Mit. gr.* Rey de Tesalia, hijo de Prometeo.
DEUCHER, ***Adolphe*** (1831-1912) Político suizo. Presid. de la Confederación (1886, 1897-1903 y 1909).
DEUDA f. Obligación que uno tiene de pagar o reintegrar a otro una cosa, o de cumplir un deber. • Pecado.
DEUDO, DA m. y f. Pariente.
DEUDOR, RA adj. y s. Que debe.
DEULOFEU, ***Venancio*** (nacido 1902) Químico y profesor arg. Premio Nacional de Química (1930). *Curso de química biológica.*
DEUS ex machina exp. que alude al personaje divino que en las tragedias grecorromanas aparecía en la escena final. • P. ext., aplícase a la introducción, de modo forzado, de algún elemento extraño para resolver una cuestión.
DEUSTUA, ***Alejandro Octavio*** (1849-1945) Filósofo per. *Estética general, Estética aplicada.*
DEUTERAGONISTA com. Personaje que sigue en importancia al protagonista.
DEUTERIO m. *Quím.* Isótopo del hidrógeno, de símb. D, constituido por un protón y un neutrón. También se llama *hidrógeno pesado.*
DEUTEROCANÓNICOS adj. Díc. de los libros santos cuya autenticidad ha sido admitida con posterioridad a otros libros canónicos.
DEUTERÓN m. *Quím.* Núcleo del deuterio.
DEUTERONOMIO n. p. m. Quinto libro del Pentateuco.
DEUTEROSTOMA adj. y s. *Zool.* Animales caracterizados por su desarrollo a partir de huevos de segmentación radial o bilateral.
DEUTOPLASMA m. *Biol.* Conjunto de sustancias inertes del interior de la célula.
DEUTÓXIDO m. Combinación del oxígeno con un cuerpo en su segundo grado de oxidación.
DEUTSCHER, ***Isaac*** (1906-1967) Historiador y político pol. Expulsado en 1932 del partido comunista pol. Dirigió la oposición trotskista. *Rusia después de Stalin; Stalin, una biografía política.*

DEUTSCHER Werkbund Asociación fundada por el arquitecto al. Hermann Muthesius. Reunió a los prales. artistas y arquitectos de la época, quienes se proponían crear un arte ligado a la industria.
DEVALAR intr. *Mar.* Derivar.
DEVALUACIÓN f. Medida politicoeconómica que consiste en disminuir el valor de la moneda en el mercado de los cambios.
DEVALUAR tr. y prnl. Disminuir el valor de una cosa, en especial una moneda.
DEVANADERA f. Instrumento para devanar madejas. • Instrumento para hacer mutaciones rápidas en los teatros.
DEVANADO m. *El.* Hilo de cobre aislado.
DEVANAR tr. Arrollar hilo en ovillo. • prnl. *Cuba* y *Méx.* Retorcerse de risa, dolor, etc. ■ DEVANADOR, RA.
DEVANEAR intr. Decir o hacer devaneos.
DEVANEO m. Delirio. • Pasatiempo vano o reprensible. • Amorío pasajero.
DEVASTAR tr. Destruir. ■ DEVASTACIÓN.
DEVELAR tr. Quitar el velo. • Revelar lo oculto.
DEVELIZAR tr. *Nic.* Descorrer el velo.

Deuteronomio. Detalle de una miniatura del *Pentateuco de Tours* (s. VII)

DEVENGAR tr. Adquirir derecho o retribución.
DEVENGO m. Cantidad devengada.
DEVENIR intr. Sobrevenir. • *Fil.* Llegar a ser. • m. Cambio.
DEVERBAL adj. y s. *Gram.* Palabra derivada de un verbo.
DEVIACIÓN f. Desviación
DEVISA f. Señorío solariego.
DEVOCIÓN f. Amor y fervor religiosos. • fig. Inclinación. • fig. Costumbre devota. • *Teol.* Prontitud con que uno está dispuesto a hacer la voluntad de Dios. ■ DEVOTO, TA.
DEVOCIONARIO m. Libro que contiene oraciones.
DEVOLUCIÓN, *guerra de* Guerra entre Francia y España (1667-1668), por diversos terr. de los Países Bajos esp. Francia reclamó varios terr. pero, rechazadas sus pretensiones, se apoderó de varias plazas en Flandes y el Hainaut, y del Franco-Condado. Alarmadas Inglaterra, Provincias Unidas y Austria, se aliaron y consiguieron la firma de la paz de Aquisgrán (1668). En ella, España cedía las plazas conquistadas por Francia en el Hainaut y en Flandes, pero recuperaba el Franco-Condado.
DEVOLVER tr. Volver una cosa al estado o situación que tenía. • Restituirla a la persona que la poseía. • Corresponder a un favor o a un agravio. • fam. Vomitar. • prnl. *Amér.* Volverse, regresar. ■ DEVOLUCIÓN; DEVOLUTIVO, VA; DEVUELTO, TA.
DEVONIANO, NA o **DEVÓNICO, CA** adj. Relativo al devoniano o devónico. • m. Tercer periodo de la era primaria.

DEVONSHIRE, *Spencer Cavendish*, OCTAVO DUQUE DE (1833-1908) Político brit. Dirigió el partido liberal en los Comunes hasta 1880; a partir de 1886 entró en contacto con los conservadores.
DEVORAR tr. Tragar con ansia. • fig. Consumir. • fig. Consagrar atención a una cosa.
DEVOTERÍA f. Beatería.
DEVOTO, *Daniel* (nacido 1916) Musicólogo arg. Discípulo de J. C. Paz y cofundador de la «Agrupación Nueva Música».
DEWAR, SIR ***James*** (1842-1923) Químico y físico escocés. Inventó la botella que lleva su nombre, para la conservación de gases licuados.
DEWEY, *George* (1837-1917) Marino norteam. Participó en la guerra de Secesión con la escuadra nordista. Al mando de la flota estadounidense en el Pacífico (1898), destruyó la flota esp. en Cavite. • ***John*** (1859-1952) Filósofo y pedagogo norteam. *Estudios de teoría lógica, Democracia y educación, Experiencia y naturaleza.* • ***Thomas Edmund*** (1902-1971) Político republicano norteam. Gobernador del est. de Nueva York. Candidato a la presidencia en 1944 y en 1948.
DEXIOCARDIA f. *Pat.* Desviación del corazón hacia la derecha.
DEXTERIDAD f. Destreza.
DEXTRANO m. *Quím.* Polisacárido formado por la polimerización de la glucosa. Se obtiene de la fermentación bacteriana de la sacarosa y se usa como sucedáneo del plasma sanguíneo.
DEXTRINA f. *Quím.* Sustancia sólida amorfa de composición análoga a la del almidón. Se usa en la ind. para la producción de adhesivos.
DEXTRISMO m. Empleo de la mano derecha.
DEXTRO m. Espacio de terreno alrededor de una iglesia, donde se gozaba del derecho de asilo.
DEXTRÓGIRO, RA adj. y m. *Quím.* Cuerpo o sustancia que desvía a la derecha la luz polarizada.
DEXTRORSO, SA adj. *Fís.* Díc. del mov. con giro hacia la derecha, como las manecillas del reloj.
DEXTRÓRSUM adv. lugar. Hacia la derecha.
DEXTROSA f. Glucosa natural dextrógira.
DEY m. Título dado al jefe del gobierno de Argel durante las regencias berberiscas (ss. XVII-XIX).
DEYECCIÓN f. Conjunto de materias arrojadas por un volcán. • Defecación de los excrementos. ■ DEYECTOR, RA.
DEYECTAR intr. Defecar.
DEZA, *Diego de* (1443-1523) Teólogo y prelado esp. Obispo de Zamora, Jaén, Palencia y Sevilla. Gran inquisidor. • ***Lope de*** (1546-1625) Economista esp. *Gobierno político de agricultura.*
DEZMAR tr. Diezmar. ■ DEZMABLE; DEZMERÍA.
D'HALMAR, *Augusto Goemine Thomson*, llamado ***Augusto*** (1882-1950) Escritor chil., perteneciente a la generación del 1900. *Los alucinados, Pasión y muerte del cura Deusto.*
DHARMA (voz sánscrita) m. *Rel.* Verdad eterna que Buda predicó de la vida humana.
DHAULAGIRI Pico del Himalaya central, en territorio nepalés; 8 172 m.
DI Stéfano, *Alfredo* (nacido 1926) Futbolista arg., nacionalizado español. Figura del River Plate, Millonarios de Colombia y Real Madrid. Actualmente, ejerce como entrenador.
DÍA m. Tiempo que emplea la Tierra en dar una vuelta sobre sí misma. • Tiempo que dura la claridad del Sol sobre el horizonte. • Tiempo que hace durante el día. • Con respecto a una persona, y en la Iglesia Católica, festividad del santo. • Cumpleaños. • pl. fig. Vida. • **artificial**. Tiempo que media desde que sale el Sol hasta que se pone. • **astronómico**. Tiempo comprendido entre dos pasos consecutivos del Sol por el meridiano superior. • **civil**. Tiempo comprendido entre dos medias noches consecutivas. • **del juicio**. Según el dogma católico, último día de los tiempos.
DIABASA f. *Geol.* Roca eruptiva efusiva, constituida por una plagioclasa y piroxenos.
DIABETES f. *Pat.* Grupo de enfermedades metabólicas, la más importante de las cuales afecta al metabolismo de los hidratos de carbono y, en fase avanzada, también al de los lípidos, proteínas y agua. Se caracteriza por un aumento permanente de glucosa en la sangre (hiperglucemia) y en la orina (glucosuria), y se debe a un déficit de la secreción de

Fabricación de géneros de punto a partir de hilo **devanado** en ovillos

Trilobites, artrópodo fósil del periodo **devoniano**

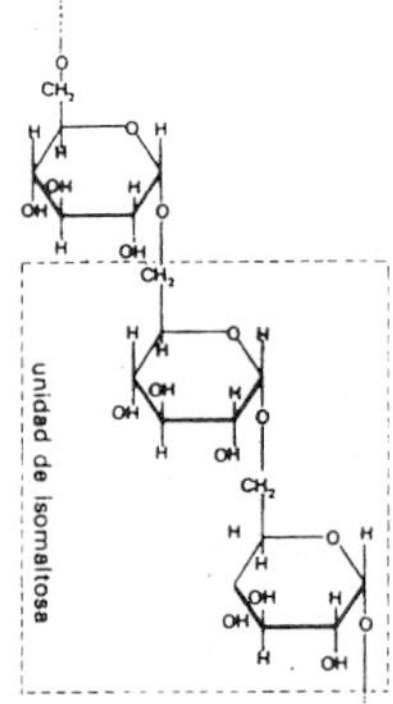

Dextrano

insulina, que es la sustancia encargada de controlar el recambio orgánico de la glucosa y mantener su proporción en la sangre. ■ DIABÉTICO, CA.

DIABETO m. Aparato hidráulico, dispuesto de modo que, cuando se llena, vuelve a vaciarse.

DIABLA f. fam. y festivo. Diablo hembra. • Máquina para cardar la lana o el algodón. • Vehículo de dos ruedas, con toldo, tirado por caballerías. • En los teatros, batería de luces que cuelga en los escenarios.

Diablo de Tasmania

DIABLEAR intr. fam. Hacer diabluras.

DIABLESA f. fam. Diabla, diablo hembra.

DIABLILLO m. El que se disfraza de diablo. • fig. y fam. Persona traviesa.

DIABLO m. *Rel.* En el cristianismo, ángel arrojado por Dios al infierno. • fig . Persona de mal genio, o muy traviesa y temeraria. • fig. Persona muy fea. • fig. Persona astuta. • Instrumento de madera en que el jugador de billar apoya el taco. • **de Tasmania**. *Zool.* Marsupial dasiúrido, de cabeza grande, dentadura sólida y fuertes garras. Habita en Tasmania y debe su nombre a sus hábitos carniceros y su pelaje negro. • **Pobre d**. fig. y fam. Hombre bonachón e infeliz. ■ DIABLESCO, CA; DIABÓLICO, CA.

DIABLO Isla de la Guayana Francesa, que fue sede de una penitenciaría.

DIABLURA f. Travesura extraordinaria.

DIABOLÍN m. Pastilla de chocolate.

DIÁBOLO m. Juguete al cual se imprime un movimiento de rotación por medio de una cuerda.

DIACINESIS f. *Biol.* En la meiosis y mitosis, separación de los centrómeros de los cromosomas a través de los filamentos del huso acromático.

DIACLASA f. *Geol.* Superficie de ruptura en una roca, a lo largo de la cual no se ha producido desplazamiento entre los bloques originados.

DIACODIÓN m. Jarabe de adormidera.

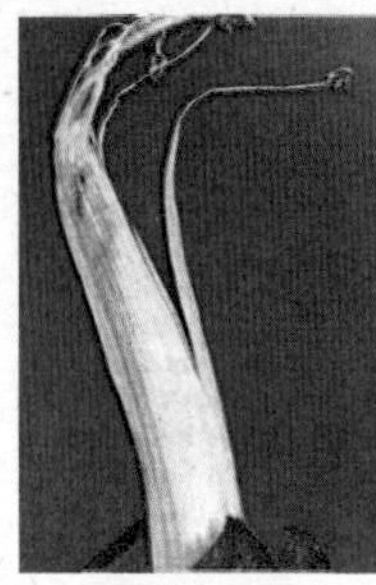

Estambres **diadelfos** de una robinia

DIACONADO o **DIACONATO** m. *Rel.* Orden sacra inmediata al sacerdocio.

DIACONÍA f. Distrito eclesiástico al cuidado de un diácono. • Casa del diácono.

DIACONISA f. En los primeros siglos del cristianismo, mujer que prestaba servicios en la iglesia.

DIÁCONO m. Ministro eclesiástico que ha recibido la orden inmediata inferior al sacerdocio. ■ DIACONAL.

DIACRÍTICO, CA adj. Aplícase a los signos ortográficos que sirven para dar a una letra algún valor especial. • *Med.* Díc. de los síntomas con que una enfermedad se distingue de otra.

DIACRONÍA f. Desarrollo o sucesión de hechos a través del tiempo. ■ DIACRÓNICO, CA.

DIACÚSTICA f. *Fís.* Parte de la acústica que estudia la refracción de los sonidos.

DÍADA f. Pareja de dos seres o cosas vinculados entre sí. • *Biol.* Estado cromosómico, en el que el cromonema se halla desenrollado en dos filamentos.

DIADELFOS adj. pl. *Bot.* Díc. de los estambres de una flor cuando están soldados entre sí.

DIADEMA f. Faja que antiguamente ceñía la cabeza de los reyes. • Arco que cierra por la parte superior algunas coronas. • Corona. • Adorno de cabeza, en forma de media corona. ■ DIADEMADO, DA.

DIAFANIZAR tr. Hacer diáfana una cosa.

DIÁFANO, NA adj. Díc. del cuerpo a través del cual pasa la luz casi en su totalidad. • fig. Claro. ■ DIAFANIDAD.

DIÁFISIS f. *Anat.* Parte media de un hueso largo.

DIAFONÍA f. *Electrón.* Interferencia en las comunicaciones por un canal, debida a los efectos capacitativo y de inducción mutua producidos por otro canal próximo.

DIAFORESIS f. *Med.* Fenómeno de la sudoración. La d. puede ser fisiológica, debida al esfuerzo físico o al calor; patológica, debida a trastornos glandulares o estados febriles y provocada con fines terapéuticos. ■ DIAFORÉTICO, CA.

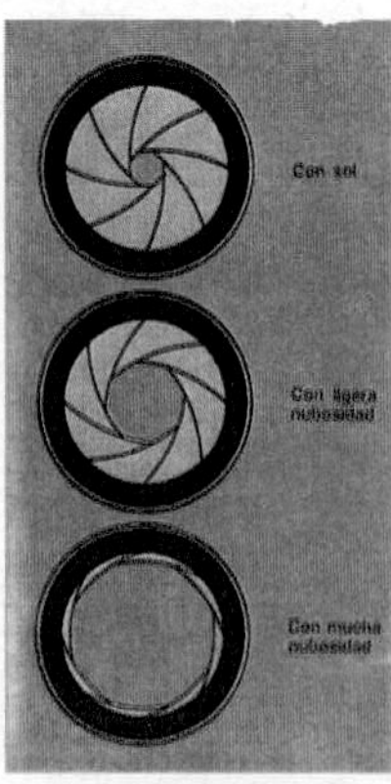

Diversas aperturas del **diafragma** de una cámara fotográfica

DIAFRAGMA m. *Anat.* Tabique músculo-membranoso que separa la cavidad torácica de la del abdomen. • Separación que intercepta la comunicación entre dos partes de un aparato. • Lámina flexible del fonógrafo. • *Bot.* Membrana que establece separaciones en algunos frutos. • *Fot.* Disco horadado que sirve para regular la cantidad de luz que se ha de dejar pasar. ■ DIAFRAGMÁTICO, CA.

DIAFRAGMAR tr. *Fot.* Regular el diafragma.

DIAGÉNESIS f. *Geol.* Conjunto de transformaciones sufridas por un sedimento.

DIAGHILEV, *Serge de* (1872-1929) Coreógrafo ruso, creador de un estilo que revolucionó la estética coreográfica.

DIAGNOSIS f. *Med.* Conocimiento de los signos de las enfermedades.

DIAGNOSTICAR tr. *Med.* Determinar una enfermedad mediante el examen de sus signos.

DIAGNÓSTICO, CA adj. *Med.* Relativo a la diagnosis. • m. *Med.* Conjunto de signos que sirven para fijar el carácter de una enfermedad. • Resultado de diagnosticar algo.

DIAGO, *Roberto* (1920-1957) Pintor cub. Autor de xilografías y plumillas abstractas. *Cabeza, Figura.*

El **diablo** arrastra a los pescadores al infierno. Mural del monasterio rumano de Sucevitsa

DIAGONAL adj. y f. *Geom.* En un polígono, segmento de recta que une dos vértices no consecutivos. En un poliedro, segmento de recta que une dos vértices de distintas caras.

DIÁGRAFO m. Instrumento para seguir los contornos de un objeto o dibujo y transmitirlos sobre papel.

DIAGRAMA m. Representación gráfica de las relaciones entre varias magnitudes. • Representación gráfica de la disposición de los elementos de alguna cosa. • **de bloques**. *Comp.* Esquema gráfico de los elementos físicos que configuran un equipo, una organización o un proceso, en el que cada elemento o actividad está significado en un símbolo y relacionado por diversas líneas con otros. • **de flujo**. *Comp.* Esquema gráfico que detalla los pasos sucesivos en un proceso de tratamiento de datos, las relaciones entre los diferentes pasos, y los componentes del sistema empleados en cada uno de ellos. • **de Hertzsprung-Russell (HR)**. *Astr.* Representación gráfica de las estrellas según un eje de abcisas y un eje de ordenadas. • **floral.** *Bot.* Representación esquemática de los órganos de la flor y sus elementos de simetría.

DIAL adj. Relativo a un día. • m. Superficie graduada sobre la que se mueve un indicador que señala una magnitud. • pl. Efemérides.

DIÁLAGA f. *Miner.* Silicato de aluminio, calcio, hierro y magnesio.

DIALECTALISMO o **DIALECTISMO** m. Voz dialectal. • Carácter dialectal.

DIALÉCTICA f. *Fil.* En sentido gral., arte de razonar o de analizar la realidad. ■ DIALÉCTICO, CA.

* *Fil.* La d. ha sido concebida de forma distinta a lo largo de la hist. de la Fil. Para Platón, fue el método de alcanzar la unidad de lo inteligible a partir de la multiplicidad de lo sensible. Para Aristóteles, la d. sólo hace referencia a la parte del saber que no es susceptible de certidumbre, sino sólo de probabilidad basada en la apariencia. Santo Tomás la situó como parte de la lógica y Kant retornó a la posición aristotélica. Hegel fue el gran filósofo de la d. a la que consideró como expresión del desarrollo mismo del pensamiento. Marx adoptó de Hegel las tres grandes leyes de la d.: negación de la negación, paso de la cantidad a la cualidad y unidad de los opuestos. Sartre dedicó parte importante de su obra a la *Crítica de la razón dialéctica.*

DIALECTO m. Variedad regional de una lengua.

• *Ling*. Lengua en cuanto se la considera con relación al grupo de las varias derivadas de un tronco común. ■ DIALECTAL.

DIALECTOLOGÍA f. Parte de la lingüística que estudia los dialectos.

DIALEFA f. Hiato o azeuxis.

DIALELO m. Círculo vicioso en el que se incurre al introducir en una explicación el mismo elemento que se trata de aclarar.

DIALIPÉTALO, LA adj. y f. *Bot*. Díc. de la planta angiosperma cuyas flores presentan los pétalos totalmente separados.

DIALISÉPALO, LA adj. y f. *Bot*. Díc. de la planta angiosperma cuyas flores presentan los sépalos totalmente separados.

DIÁLISIS f. Proceso de separación de partículas coloidales o de elevado peso molecular que se hallan en disoluciones cuyo disolvente es de menores dimensiones moleculares.

DIALIZAR tr. Analizar por medio de la diálisis. • Efectuar una diálisis. ■ DIALIZADOR.

DIALOGAR o **DIALOGIZAR** intr. Hablar en diálogo. • tr. Escribir una cosa en forma de diálogo.

DIALOGISMO m. *Ret*. Figura consistente en fingir un diálogo.

DIÁLOGO m. Conversación entre dos o más personas. • Obra literaria en que se finge una plática. • Discusión en busca de avenencia. ■ DIALOGADO, DA; DIALOGAL; DIALOGÍSTICO, CA; DIALOGUISTA.

DIALTEA f. *Farm*. Ungüento de raíz de altea.

DIAMAGNETISMO m. *Fís*. Propiedad de determinadas sustancias por la cual, al penetrar en la región de máx. intensidad de un campo magnético, son obligadas a dirigirse a la zona en que el campo es más débil. ■ DIAMAGNÉTICO, CA.

DIAMANTAR tr. Dar a una cosa el brillo del diamante. ■ DIAMANTADO, DA.

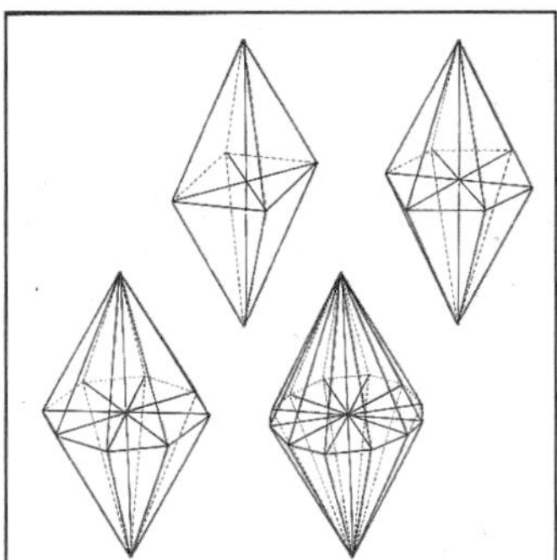

Diagonales (líneas en rojo) de algunas bipirámides

DIAMANTE m. *Miner*. Carbono puro cristalizado en el sistema cúbico, incoloro o con diversas coloraciones, y brillo característico. Es frágil, pese a ser el mineral más duro que se conoce, buen conductor del calor y mal conductor de la electricidad. • **artificial**. El obtenido con fines industriales, partiendo del carbono, mediante un proceso en el que se alcanzan presiones de miles de atmósferas y temperaturas de varios miles de grados. • **bruto** o **en bruto**. El que está sin labrar. • fig. Que no tiene educación o experiencia. • **rosa**. El labrado por el haz y plano por el envés. • **tabla**. El que tiene una superficie plana por el haz y alrededor cuatro biseles.

* *Miner*. El d. se utiliza en la ind. con diversas finalidades y como gema en joyería. Para ser utilizado en joyería, el d. bruto ha de sufrir un complejo proceso que culmina con el tallado, que aprovecha sólo un 50 % del d. bruto. Los prales. productores del mundo son la República Sudafricana y el Zaire. ■ DIAMANTÍFERO, RA; DIAMANTINO, NA; DIAMANTISTA.

DIAMANTE, *Juan Bautista* (1625-1687) Autor dramático esp. *El defensor del Peñón, Amor es sangre y no puede engañarse*. • **Negro** (nacido 1927) Apodo de *Luis Sánchez Olivares*. Matador de toros ven. Tomó la alternativa en Granada (1948) y la confirmó en Madrid (1950).

DIAMELA f. Jazmín, planta.

DIÁMETRO m. *Geom*. La mayor de las cuerdas de una circunferencia. • *Geom*. En otras curvas, línea que pasa por el centro, y divide en dos partes un sistema de cuerdas paralelas. ■ DIAMETRAL.

DIANA f. Toque militar al amanecer. • Punto central de un blanco de tiro.

DIANA *Mit*. Diosa rom. de la Luna, los bosques y la caza, hija de Júpiter y Latona.

DIANA de Poitiers (1499-1566) Dama fr., amante de Enrique II de Francia, quien le concedió el título de DUQUESA DE VALENTINOIS.

DIANCHE m. fam. Diantre.

DIANDRO, DRA adj. Díc. de la flor que posee dos estambres.

DIANTRE m. fam. Eufemismo por diablo.

DIAPALMA f. Emplasto desecativo.

DIAPASÓN m. *Mús*. Frecuencia patrón de un sonido. • *Fís*. En acústica, instrumento empleado para generar un sonido de longitud de onda determinada. • *Mús*. Trozo de madera que cubre el mástil. • *Mús*. Regulador.

DIAPÉDESIS f. *Pat*. Paso de los glóbulos blancos de la sangre fuera de los vasos sanguíneos, a través de los intersticios de la pared vascular.

DIAPENTE m. *Mús*. Intervalo de quinta.

DIAPIRO m. *Geol*. Pliegue anticlinal originado por la extrusión de una masa de rocas plásticas.

DIAPOSITIVA f. Fotografía positiva, sobre cristal o película, destinada a la proyección.

DIAPREA f. Ciruela redonda, pequeña.

DIAQUILÓN m. Ungüento, a base de óxido de plomo y aceite.

DIARIERO m. *Amér*. Vendedor de diarios.

DIARIO, RIA adj. Correspondiente a todos los días. • m. Libro en que se recogen día a día reflexiones, sucesos, etc. • *Cont*. Libro de contabilidad en que se registran, día a día, las operaciones comerciales. • Relación histórica de lo que ha ido sucediendo día por día. • Periódico que se publica todos los días. • adv. *Amér*. Diariamente. ■ DIARISTA.

DIARISMO m. *Amér*. Periodismo.

DIARQUÍA f. Sistema de gobierno en el cual dos personas ejercen el poder.

Diana *cazadora*. Óleo de autor anónimo de la escuela de Fontainebleau. Museo del Louvre, París

DIARREA f. *Pat*. Desarreglo intestinal que consiste en evacuaciones frecuentes, líquidas o muy fluidas. Puede ser debida a toxinas bacterianas, alimentos alterados, insuficiencia de la digestión gástrica, obstrucción biliar, inflamación de la pared intestinal, distonía vegetativa y otros trastornos endocrinos. Existen además d. psicógenas, que aparecen en momentos de emoción o angustia. ■ DIARREICO, CA.

DIARTROSIS f. *Anat*. Forma de articulación entre dos huesos contiguos, en la que ha desapareci-

Frederich Hegel, representante de la filosofía **dialéctica**

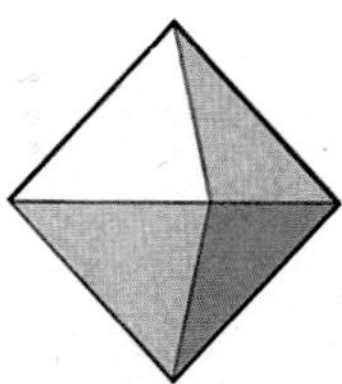

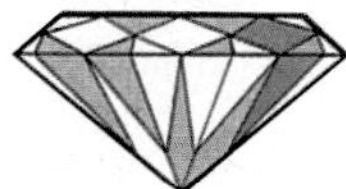

Diamante. Arriba, cristal octogonal; abajo, talla *en rosa*

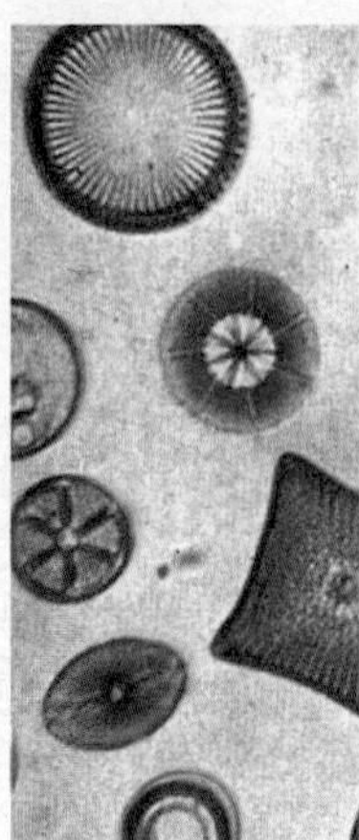
Diatomeas

Porfirio **Díaz**

Longchamp, **dibujo** a tinta china y pincel de Toulouse-Lautrec

do el disco intermediario central. Permite el más amplio juego de la articulación (hombro, muñeca, rodilla, etc.).

DIAS de Novaes, *Bartolomeu* (1450-1500) Navegante port. Descubrió el cabo de Buena Esperanza.

DIASCORDIO m. *Farm.* Medicamento tónico y astringente.

DIÁSPERO o **DIASPRO** m. Variedad de jaspe.

DIASÉN m. *Farm.* Electuario purgante.

DIÁSPORA f. Dispersión de los judíos. • *Bot.* Órgano sexual que se puede separar del vegetal y engendrar otra planta.

DIÁSPORO m. *Miner.* Óxido alumínico hidratado.

DIASTASA f. Enzima soluble que cataliza la transformación del almidón en maltosa.

DIÁSTOLE f. Licencia poética que consiste en usar como larga una sílaba breve. • *Fisiol.* Movimiento de dilatación del corazón y de las arterias. • Fisiol. Movimiento de dilatación de la duramater y de los senos del cerebro. B DIASTÓLICO, CA.

DIASTROFIA f. Dislocación de un hueso.

DIASTROFISMO m. *Geol.* Término que designa los procesos que deforman la corteza terrestre. Existen dos tipos de d.: la **orogénesis** o conjunto de procesos de plegamiento, y la **epirogénesis**, que engloba los procesos de elevación y descenso.

DIATÉRMANO adj. *Fís.* Díc. del cuerpo que es buen conductor del calor.

DIATERMIA f. *Med.* Producción de calor en los tejidos mediante una corriente de alta frecuencia.

DIÁTESIS f. Predisposición orgánica a contraer una enfermedad.

DIATOMEA f. *Bot.* Planta del orden diatomeas. • f. pl. Orden de algas unicelulares, microscópicas. B DIATOMÁCEO, A.

DIATOMITA f. Roca sedimentaria silícea formada por caparazones de diatomeas.

DIATÓNICO, CA adj. *Mús.* Díc. de la escala llamada natural, sin alteraciones.

DIATRIBA f. Escrito violento e injurioso.

DIATROPISMO m. Tendencia de ciertos seres vivos a orientarse transversalmente.

DIÁVOLO m. Diábolo.

DIAZ, *Armando* (1861-1928) Militar it. Ministro del Ejército en el primer gabinete de Mussolini.

DÍAZ, *Adolfo* (1874-1964) Político nic. Participó en el derrocamiento de Santos Zelaya. Presid. (1911-1916 y 1926-1928). • ***César*** (1812-1857) Militar y político ur. Dirigió la insurrección conservadora contra Pereira (1857), pero fue derrotado y fusilado. • ***José Eduvigis*** (1833-1867) Héroe nacional par., por su actuación en la campaña de la Humaitá, en la guerra de la Triple Alianza (1866). • ***Leopoldo*** (1862-1947) Poeta y diplomático arg. *Los fuegos fatuos, Las sombras de Hellas.* • ***Porfirio*** (1830-1915) Militar y político mex., uno de los prales. grales. de Suárez en la lucha contra Maximiliano. Presid. de la rep. en 1876, ocupó este cargo anticonstitucionalmente durante treinta años. En 1911, ante la rev. de Madero, abandonó México. Durante su gobierno, los campesinos fueron despojados de sus tierras en favor de los terratenientes y el capital norteamericano logró una posición preeminente en el país; pero, por otra parte, el «porfiriato» impulsó el desarrollo de la minería y de las comunicaciones. • **Arosemena, *Domingo*** (1875-1949) Político pan. Presid. interino en 1933 y presid. constitucional en 1948-1949. • **Arrieta, *Hernán*** (1891-1983) Escritor chil., conocido con el seudónimo de ALONE. *La sombra inquieta, Historia personal de la literatura chilena.* • **Casanueva, *Humberto*** (1908-1992) Poeta y filósofo chil. *Poemas para niños, El blasfemo coronado, Réquiem.* • **Castro, *Eugenio*** (1804-1865) Novelista col. Fundador de la revista *El Mosaico. La Manuela, Cuadro de costumbres.* • **Covarrubias, *Juan*** (1837-1859) Novelista mex. *Gil Gómez el insurgente, El diablo en México.* • **De Guzmán , *Ruy*** (1558-1629) Conquistador esp. con diversos cargos en la admón. colonial. *Historia argentina del descubrimiento, población y conquista del Río de la Plata*, obra conocida como *Argentina manuscrita.* • **De Solís, *Juan*** (m. 1516) Navegante esp. Descubridor del Río de la Plata. • **De Vivar, *Rodrigo*** → Cid. • **Del Castillo, *Bernal*** (1492-1584) Cronista y conquistador esp. Participó en la expedición de Hernán Cortés a México. Regidor perpetuo de la c. de Guatemala. *Historia verdadera de la conquista de Nueva España.* • **Dufoo, *Carlos*** (1861-1941) Escritor y economista mex. Fundador de la *Revista Azul*. Director de *El Economista Mexicano.* • **Mirón, *Salvador*** (1853-1928) Poeta mex. De gran influencia en los líricos modernistas, busca una valoración de lo sucio y lo pobre. *Lascas.* • **Ordaz, *Gustavo*** (1911-1979) Político mex., presid. de la rep. (1964-1970). Tuvo que enfrentarse a graves luchas sociales, que culminaron con los sucesos de la plaza de las Tres Culturas (1968). • **Pérez, *Nicolás*** (1841-1889) Escritor y político republicano esp. *De la instrucción pública, Estudios sobre Camoens y la literatura portuguesa, En alta mar.* • **Rodríguez, *Manuel*** (1869-1927) Escritor modernista ven. *Sangre patricia, Camino de perfección, Motivos de meditación* • **Sánchez, *Ramón*** (1903-1968) Escritor ven. *Men, Cumboto.* • **Villamil, *Antonio*** (1897-1948) Escritor y pedagogo bol. Renovador del teatro de su país. *La hoguera.*

La Pantera Rosa, popular personaje de los **dibujos animados**

DÍAZ-PLAJA, *Guillermo* (1909-1984) Erudito y poeta esp. *Introducción al romanticismo español, Historia de las literaturas hispánicas.*

DIBRANQUIO, A adj. y m. *Zool.* Díc. de los moluscos de la subclase dibranquios. • m. pl. *Zool.* Subclase de moluscos cefalópodos que se caracterizan por estar provistos de dos branquias, poseer bolsa de tinta, concha interna o atrofiada y un aparato circulatorio cerrado.

DIBUJAR tr. y prnl. Delinear en una superficie, y sombrear imitando la figura de un cuerpo. • prnl. Indicarse lo que estaba oculto. B DIBUJANTE.

DIBUJO m. Arte de enseñar a dibujar. • Figura o tema dibujado. • Delineación, figura o imagen ejecutada en claro y oscuro, que toma nombre del material con que se hace. • En los bordados, tejidos, etc., figura y disposición de las labores que los adornan. • **Dibujos animados**. *Cin.* Dibujos filmados que producen la sensación de movimiento.

**Cin.* El pionero del gén. fue el fr. Émile Cohl. Max Fleischer y Walt Disney han sido sus más notables cultivadores.

* *Hist.* El d. alcanza en el s. XV el valor de arte autónomo, gracias a la acción de los pintores it. En el s. XVI destaca, por su perfecto dominio de la técnica, Durero. Quizás el mejor dibujante del s. XVII sea Rembrandt y en el XVIII domina la personalidad de Goya.

DICACIDAD f. Agudeza. B DICAZ.

DICASIO m. *Bot.* Ramificación o inflorescencia cimosa en la que existen dos ramas del mismo orden encargadas de continuar la ramificación.

DICCIÓN f. Palabra. • Manera de hablar o escribir. • Manera de pronunciar.

DICCIONARIO m. Libro en que, por orden gralte. alfabético, se explican las palabras de uno o más idiomas, o las de una materia determinada. • Catálogo alfabético de noticias de un mismo gén. B DICCIONARISTA.

DICENTA, *Joaquín* (1863-1917) Escritor esp., *Juan José, El lobo.*

DÍCERES m. pl. Murmuraciones.

DICHA f. Felicidad. • Suerte feliz. B DICHOSO, SA.

DICHARACHO m. fam. Dicho vulgar, o poco decente. B DICHARACHERO, RA.

DICHO, CHA m. Palabra con que se expresa oralmente un concepto cabal. • Máxima. • Ocurrencia chistosa. • Declaración de la voluntad de los contrayentes, cuando el juez eclesiástico los examina para contraer matrimonio. Se usa más en plural. •

fam. Expresión insultante. • *Der.* Deposición del testigo.
DICIEMBRE m. Duodécimo mes del año.
DICKENS, *Charles* (1812-1870) Novelista brit., el más grande escritor de la época victoriana. De una gran humanidad, denuncia en sus novelas las desventuras e injusticias de las clases más humildes y las duras condiciones del nacimiento del capitalismo en Inglaterra, especialmente la explotación de los niños. *Oliver Twist, La pequeña Dorrit, David Copperfield, Los papeles póstumos del Club Pickwick.*
DICKINSON, *Emily* (1830-1886) Poetisa norteam., considerada una de las representantes eminentes de la poesía ochocentista en su país.
DICKSONIÁCEO, A adj. y f. *Bot.* Díc. de las plantas de la familia dicksoniáceas. • f. pl. *Bot.* Familia de helechos del orden filicales.
DICOTILEDÓNEO, A adj. y s. *Bot.* Plantas cuyo embrión tiene dos cotiledones. • f. pl. Clase de plantas angiospermas con dos cotiledones en la semilla, raíz primaria y persistente, tallo con haces concéntricos y flores pentámeras. ■ DICOTILEDÓN.
DICOTOMÍA f. *Bot.* Bifurcación de un tallo o de una rama. • *Lóg.* Método de clasificación en que las divisiones y subdivisiones sólo tienen dos partes. • División en dos partes. ■ DICÓTOMO, MA.
DICROÍSMO m. *Fís.* Propiedad de algunos cuerpos de presentar dos coloraciones. ■ DICROICO, CA.
DICROMÁTICO, CA adj. De dos colores.
DICTADO m. Título de dignidad, honor o señorío. • Texto que se escribe al dictado. • pl. fig. Inspiraciones de la razón.
DICTADOR, RA adj. y s. Que da la pauta a seguir. • m. Magistrado supremo rom., que los cónsules nombraban para que mandase como soberano. • El que asume todos los poderes de un est. moderno. ■ DICTATORIAL; DICTATORIO, RIA
DICTADURA f. Dignidad y cargo de dictador. • Tiempo que dura. • *Pol.* Sist. político en el que una persona, o un pequeño grupo de ellas, ejercen el poder sin limitaciones constitucionales. • **del proletariado**. Principio marxista del ejercicio del poder del Est. por la mayoría (proletariado) sobre la minoría (burguesía), como forma de gobierno que debería conducir a una sociedad sin clases.
* *Pol.* Gralte., las d. acceden al poder mediante golpe de estado o fraude electoral. La d. se caracteriza por la ausencia o la ineficacia de una constitución que garantice los derechos de los ciudadanos y las libertades democráticas de reunión, asociación, expresión, etc., prohibiendo explícitamente la pluralidad de partidos políticos, sindicatos, etc., aunque corrientemente, y con fines de legitimación o propaganda, el régimen dictatorial adopte un edificio constitucional que enmascara la ausencia de estos derechos fundamentales.

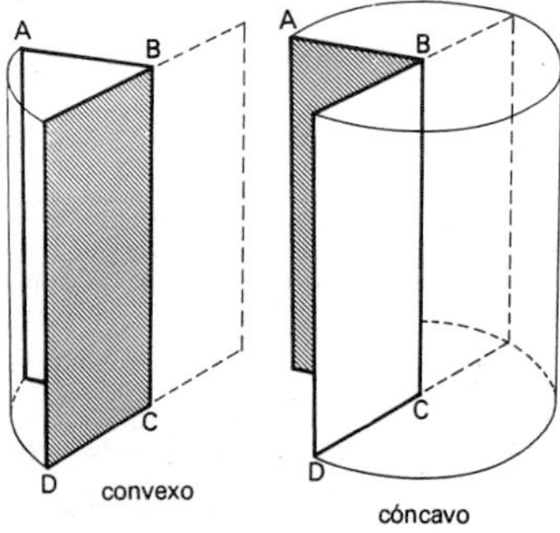

Ángulos **diedros**

DICTÁFONO m. Aparato que graba y reproduce la voz.
DICTAMEN m. Opinión que se forma sobre una cosa. ■ DICTAMINAR.
DÍCTAMO m. Arbusto de la familia labiadas, con flores moradas. • *Cuba.* Planta euforbiácea con flores de color rojo y amarillo.
DICTAR tr. Decir algo para que otro lo vaya escribiendo. • Tratándose de leyes, preceptos, etc., darlos, expedirlos. • fig. Inspirar.
DICTERIO m. Dicho denigrativo que insulta.
DIDÁCTICO, CA adj. Relativo a la enseñanza. • adj. y s. Relativo a la didáctica. • f. Ciencia que estudia la metodología de la enseñanza.
DIDÁCTILO, LA adj. Que tiene dos dedos.
DIDASCALIA n.p.f. En la ant. Grecia, informes sobre los concursos trágicos y cómicos. • **de los Apóstoles**. Obra anónima, que versa sobre materias morales, litúrgicas y canónicas.
DIDASCÁLICO, CA adj. Didáctico.
DIDÉLFIDO, DA o **DIDELFO, FA** adj. y m. *Zool.* Díc. de los mamíferos caracterizados por tener las hembras un marsupio que contiene las mamas y donde permanecen las crías. • m. pl. Familia de estos mamíferos.
DIDEROT, *Denis* (1713-1784) Escritor fr., director y colaborador asiduo de la Enciclopedia. Propagador de la ideología ilustrada. *Santiago el fatalista, El sobrino de Rameau, La religiosa* (nov.) y *El hijo natural, El padre de familia* (dramas).
DIDIMIO m. *Quím.* Mezcla de óxidos de elementos lantánidos.
DÍDIMO, MA adj. *Bot.* Órgano formado por dos lóbulos iguales y simétricos. • m. *Anat.* Testículo.
DIDO *Mit.* Fundadora y reina de Cartago, hija de Belo, rey de Tiro.
DIDOT Familia de libreros e impresores parisienses. ***François Ambroise*** (1730-1804) fue el creador del carácter tipográfico Didot; ***Pierre*** (1760-1853), editor de la colección llamada del *Louvre*; ***Firmin*** (1764-1836), inventor de la estereotipia.
DIDRACMA m. Moneda hebrea.
DIECINUEVE adj. y s. Diez y nueve. • m. Cifra y signo con que se representa.
DIECINUEVEAVO, VA adj. y m. Cada una de las 19 partes iguales en que se divide un todo.
DIECIOCHAVO, VA adj. y m. Cada una de las 18 partes iguales en que se divide un todo.
DIECIOCHENO, NA adj. Decimoctavo.
DIECIOCHESCO, CA adj. Relativo al s. XVIII.
DIECIOCHISTA adj. Relativo al s. XVIII.
DIECIOCHO adj. y s. Diez y ocho. • m. Cifra o signo con que se representa.
DIECISÉIS adj. y s. Diez y seis. • m. Cifra o signo con que se representa.
DIECISEISAVO, VA adj. y m. Cada una de las 16 partes iguales en que se divide un todo.
DIECISEISENO, NA adj. Decimosexto.
DIECISIETE adj. y s. Diez y siete. • m. Cifra o signo con que se representa.
DIECISIETEAVO, VA adj. y m. Cada una de las 17 partes iguales en que se divide un todo.
DIEDRO adj. y m. *Geom.* Díc. del ángulo formado por dos planos que se cortan.
DIEGO m. Dondiego, flor.
DIEGO, *Eliseo* (1920-1994) Poeta cub. del grupo de la revista *Orígenes. En la calzada de Jesús del Monte, Versiones, El libro de las maravillas de Boloña.* • ***Gerardo*** (1896-1987) Poeta esp. Ha cultivado todos los gén. poéticos, desde las formas clásicas hasta la más libérrima composición. *Poemas adrede, Amor solo.* • ***José de Cádiz*** (1743-1801) Predicador esp., el orador sagrado más popular del s. XVIII. Defendió la fe tradicional y se opuso a los científicos modernos. • **Padró, *José I. de*** (1899-1974) Escritor puertorriq. *La última lámpara de los dioses* (poesía). *El hombrecito que veía en grande* (novela).
DIELÉCTRICO, CA adj. *Fís.* Díc. de cualquier material que ofrece resistencia elevada al paso de la corriente eléctrica.
DIELS, *Otto* (1876-1954) Químico al. Investigó la estructura de los esteroles. Juntamente con K. Alder, premio Nobel de Química en 1950.
DIEN BIEN FU Localidad de Vietnam del N, próxima a la frontera de Laos. La derrota de los fr. en este lugar en 1954 fue decisiva para la indep. de Vietnam y consagró la división hasta 1975 entre Vietnam del Norte y del Sur.
DIENCÉFALO m. *Anat.* Estructura situada entre los dos hemisferios cerebrales, formada por el epitálamo, el tálamo óptico y el hipotálamo.
DIENTE m. *Anat.* Cada uno de los huesos que, encajados en las mandíbulas del hombre y de muchos animales, sirven como órgano de masticación o de

Detalle de *El sueño de* **Dickens,** cuadro de Buss

Denis **Diderot,** retrato de Carte Von Loo. Museo del Louvre, París

Diente de león

Marlene **Dietrich**

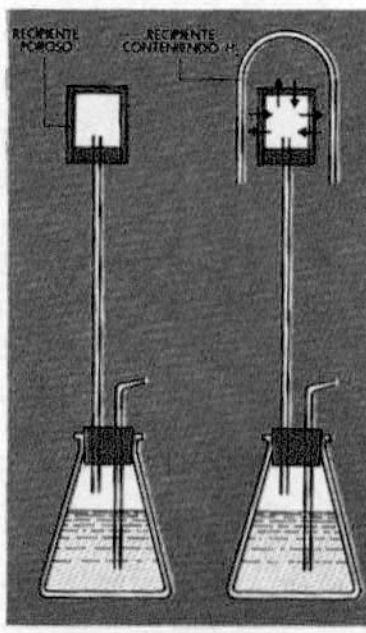
Esquema de un experimento para demostrar la **difusión** del hidrógeno

defensa. • Cada una de las puntas que a los lados de una escotadura tienen en el pico ciertos pájaros. • Parte que se deja sobresaliente en un edificio para que, al continuar la obra, quede todo bien enlazado. • *Mec. apl.* Puntas o resaltos que presentan algunas herramientas o máquinas. • **de ajo.** Cada una de las partes en que se divide la cabeza del ajo. • **de león.** Hierba de la familia compuestas, con flores amarillas.

DIENTIMELLADO, DA adj. Que tiene mella en los dientes.

DIENTZENHOFER Familia de arquitectos barrocos al. • ***Cristoph*** (1655-1722) Trabajó en Praga. • ***Johann Leonhard*** (h. 1655-1707) Autor del palacio episcopal de Bamberg. • ***Johann*** (1655-1726) Intervino en las obras de la catedral de Fuldas.

DIÉRESIS f. Figura de dicción y licencia poética, que consiste en pronunciar separadamente las vocales que forman un diptongo. • Signo ortográfico (¨) que se pone sobre la *u* de las sílabas *gue, gui,* para indicar que esta letra debe pronunciarse.

DIERX, *León* (1838-1912) Poeta fr., de la escuela parnasiana. *Los labios cerrados.*

DIES IRAE m. Prosa o secuencia que se recita en las misas de difuntos.

DIESEL, *Rudolf* (1858-1913) Ingeniero al., inventor del motor de combustión interna que lleva su nombre.

DIESI f. *Mús.* Sostenido.

DIESTE, *Eduardo* (1893-1954) Escritor ur. *Los místicos, Comedia africana, Los problemas literarios.*

DIESTRO, TRA adj. Aplícase a lo que cae o mira a mano derecha. • Hábil en un arte. • Sagaz para manejar los negocios. • Favorable. • m. El que sabe jugar la espada o las armas. • Torero de a pie. • Matador de toros. • Ronzal que se pone a las bestias. • f. Mano derecha.

DIETA f. *Med.* Régimen de alimentación de un individuo. • Nombre dado a las asambleas o congresos deliberativos de algunos est. confederados. • Retribución que percibe diriamente un trabajador por la prestación de servicios extraordinarios o en razón de su desplazamiento por motivos laborales. Se usa más en pl. • Retribución fijada para los representantes en cortes o cámaras legislativas.

DIETARIO m. Libro en el que se anotan los ingresos y gastos diarios de una casa.

DIETÉTICO, CA adj. Relativo a la dieta. • f. *Med.* Ciencia que estudia los regímenes alimenticios.

DIETISTA com. Médico especialista en dietética.

DIETRICH, *Joseph* (1892-1966) General al. Estuvo al mando de la guardia personal de Hitler. Fue condenado a cadena perpetua en 1946, pero en 1955 se le liberó. • ***Marlene*** Seud. de *Magdalene von Losch* (1902-1992) Actriz cinematográfica y cantante al., naturalizada en EE UU. *El ángel azul, La Venus rubia, Deseo.*

DIEZ adj. Nueve y uno. • adj. y s. Décimo. • m. Signo con que se representa el núm. diez. En números rom. se cifra con una X. • Carta o naipe de la baraja que tiene diez señales.

DIEZ, *Friedrich* (1794-1876) Filólogo al. *La poesía de los trovadores, Diccionario etimológico de las lenguas románicas.*

DÍEZ Canedo, *Enrique* (1879-1944) Poeta esp. *Versos de las horas, La visita del sol, Imágenes, Epigramas americanos.* • **Canseco, *José*** (1905-1949) Escritor per., de temática criollista. *El gaviota, El kilómetro 83.* • **Canseco, *Pedro*** (1815-1893) Político per. Presid. de la rep. (1863), dirigió la rev. contra Pezet (1865) y Prado (1867). En 1868 entregó el poder al presid. electo, J. Baltá. • **De Games, *Gutierre*** (h. 1378-1450) Conquistador esp. *El Victorial.* • **De Medina, *Eduardo*** (1881-1955) Escritor y político bol. Ministro de Asuntos Exteriores. *De un siglo a otro, Delirios de un loco, Paisajes criollos, Mallcu-Kaphaj.* • **De Medina, *Fernando*** (nacido 1908) Escritor bol. *Pachakutti, El arte nocturno de Víctor Delhez.* • **De Rivera, *Ildefonso*** (1777-1846) Militar y político liberal esp. Ministro de la Guerra (1835 y 1836) y de Estado (1842-1842).

DIEZ AÑOS, *guerra de los* Episodio de la indep. cubana de España (1868-1878), resuelto con el triunfo del gral. Martínez Campos sobre los indep., que debieron firmar la paz del Zanjón (1878).

DIEZMAR tr. Sacar de diez uno. • Pagar el diezmo. • fig. Causar gran mortandad en un país una calamidad.

DIEZMESINO, NA adj. Que es de diez meses. • Relativo a este tiempo.

DIEZMILÉSIMO, MA adj. y s. Cada una de las diez mil partes en que se divide un todo.

DIEZMILÍMETRO m. Décima parte de un mm.

DIEZMILMILLONÉSIMO, MA adj. y s. Cada una de las partes iguales de un todo dividido en diez mil millones de ellas.

DIEZMILLO m. *Méx.* Solomillo, solomo.

DIEZMILLONÉSIMO, MA adj. y s. Cada una de las partes iguales de un todo dividido en diez millones de ellas.

DIEZMO m. Antiguo tributo equivalente a la décima parte de una cosecha. • **eclesiástico.** Parte de los frutos que pagaban los fieles a la Iglesia. ▪ DIEZMERO, RA.

DIFAMAR tr. Desacreditar a uno propagando cosas contra su buena fama. • Poner una cosa en bajo concepto. ▪ DIFAMACIÓN; DIFAMATORIO, RIA.

DIFÁSICO adj. Que tiene dos fases.

DIFERENCIA f. Cualidad o accidente por el cual una cosa se distingue de otra. • Variedad entre cosas de una misma especie. • Controversia de dos o más personas entre sí. • *Álg.* y *Arit.* Resultado de efectuar una sustracción. • **A d. de** m. adv. Sirve para denotar la discrepancia que hay entre dos cosas semejantes, o comparadas entre sí.

DIFERENCIACIÓN f. Acción y efecto de diferenciar o diferenciarse. • *Mat.* Operación por la cual se determina la diferencial de una función. • *Biol.* Conjunto de procesos de división del cigoto que dan origen a células diferenciadas.

DIFERENCIADOR, RA adj. Que diferencia. • adj. y m. *Electr.* Díc. de un circuito formado por un condensador y una resistencia en serie, que sirve para modificar la forma de ondas alternas no sinusoidales.

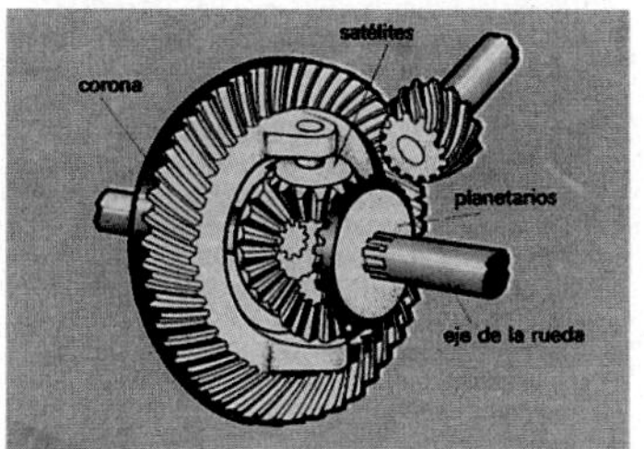

Diferencial de un automóvil

DIFERENCIAL adj. Relativo a la diferencia de las cosas. • f. *Mat.* Para una función, producto de su derivada por el incremento de la variable independiente. • Mecanismo que enlaza tres móviles, imponiendo entre sus velocidades la condición de que cada una de ellas sea proporcional a la suma o diferencia de las otras dos. • En un vehículo automóvil, mecanismo de transmisión del par motor a las ruedas motrices, que permite a éstas girar a distintas revoluciones. • **Ecuación d.** *Mat.* La que posee una función desconocida junto con algunas de sus derivadas. ▪ DIFERENCIABLE.

DIFERENCIAR tr. Conocer la diversidad de las cosas. • Variar el uso que se hace de las cosas. • *Mat.* Hallar la diferencial de una función. • intr. Discordar. • prnl. Diferir una cosa de otra. • Hacerse notable un sujeto. ▪ DIFERENCIADOR, RA.

DIFERENDO m. *Amér. Merid.* Diferencia.

DIFERENTE adj. Diverso. • adv. modo. De modo distinto.

DIFERIDO, DA adj. Díc. de los programas de radio o televisión que se emiten cierto tiempo después de haber sido grabados.

DIFERIR tr. Dilatar o suspender la ejecución de una cosa. • intr. Distinguirse una cosa de otra.

DIFICULTAD f. Inconveniente que impide conseguir o entender una cosa. • Réplica propuesta contra una opinión. ▪ DIFÍCIL; DIFICULTADOR, RA.

DIFICULTAR tr. Hacer difícil una cosa, intro-

duciendo complicaciones. • tr. e intr. Tener una cosa por difícil. ■ DIFICULTOSO, SA.
DIFIDENCIA f. Desconfianza. • Falta de fe.
DIFLUENTE adj. Que se esparce por todas partes. ■ DIFLUENCIA.
DIFLUIR intr. Difundirse.
DIFRACCIÓN f. *Fís.* Fenómeno que se produce cuando un tren de ondas encuentra un obstáculo de dimensiones del orden de su longitud de onda. ■ DIFRANGENTE.

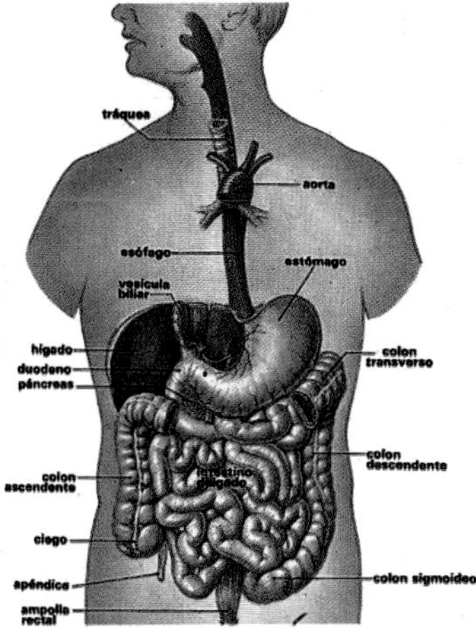

Aparato **digestivo** humano

DIFRACTAR tr. y prnl. *Fís.* Experimentar difracción.
DIFTERIA f. *Pat.* Enfermedad infecciosa, causada por el bacilo de Klebs-Löffler, que afecta gralte. a niños de corta edad. ■ DIFTÉRICO, CA.
DIFTERITIS f. Inflamación diftérica.
DIFUMAR tr. Esfumar.
DIFUMINAR tr. Esfuminar, disfumar.
DIFUMINO m. Esfumino.
DIFUNDIR tr. y prnl. Extender. • tr. Transformar los rayos de un foco luminoso en luz que se propaga en todas direcciones. • Introducir en un cuerpo corpúsculos extraños con tendencia a formar una mezcla homogénea. • tr. y prnl. fig. Divulgar noticias, etc. ■ DIFUSIBLE; DIFUSIVO, VA; DIFUSOR, RA.
DIFUNTO, TA adj. y s. Persona muerta. • m. Cadáver.
DIFUSIÓN f. Calidad de difuso. • *Fís.* Fenómeno mediante el cual las moléculas de varios fluidos situados en un mismo recinto tienden a formar una mezcla homogénea. • Reflexión o refracción de la luz o el calor por las superficies sin pulimentar o por partículas en suspensión.
DIFUSO, SA adj. Ancho. • Poco preciso.
DIGAMMA f. Letra del primitivo alfabeto gr.
DIGERIR tr. Convertir en el aparato digestivo los alimentos en sustancia propia para la nutrición. • fig. Sufrir una desgracia o una ofensa. • fig. Meditar una cosa. • *Quím.* Cocer alguna cosa al fuego lento.
DIGESTIÓN f. *Biol.* Función de un ser vivo mediante la cual asegura su nutrición. • *Quím.* Infusión, en un líquido, de aquel cuerpo del que se quiere extraer alguna sustancia.
DIGESTIVO, VA adj. Díc. de las operaciones y de las partes del organismo que atañen a la digestión. • adj. y m. Sustancia que facilita la digestión. • m. *Farm.* Medicamento para sostener la supuración de úlceras y heridas. • **Aparato d.** *Anat.* Conjunto de órganos de los animales, cuya función es preparar los alimentos ingeridos para que puedan ser asimilados por las células. ■ DIGESTIVO, VA.
DIGESTO *(Digesta sive Pandecta iuris)* n. p. m. Corpus de derecho rom. que forma parte del *Corpus Iuris Civilis.*
DIGESTÓLOGO, GA adj. y s. Especialista en enfermedades del aparato digestivo.

DIGESTOR m. Vasija metálica en la que se obtienen derivados de ciertos alimentos.
DIGITACIÓN f. *Mús.* Técnica de los dedos para la ejecución de los instrumentos musicales.
DIGITADO, DA adj. *Bot.* Díc. de los órganos que terminan a modo de dedos. • *Zool.* Aplícase a los mamíferos cuyos dedos son libres.
DIGITAL adj. Relativo a los dedos. • *Comp.* Díc. de un sistema en el que la información no tiene una variación continua en el tiempo y se codifica tomando valores de un conjunto cerrado, en oposición a analógico.• f. *Bot.* Planta escrofulariácea, de flores en racimo terminal, con corola purpúrea. Usada en medicina. • Flor de esta planta.
DIGITALINA f. Alcaloide extraído de la digital.
DIGITALISMO m. Intoxicación provocada por dosis excesivas de digital.
DIGITIFORME adj. Que tiene la forma de un dedo.
DIGITÍGRADO, DA adj. *Zool.* Díc. del animal que al andar apoya sólo los dedos.
DÍGITO adj. y m. Número que puede expresarse con un guarismo. • m. Cada una de las doce partes iguales del diámetro aparente del Sol y el de la Luna en los cómputos de los eclipses. • *Comp.* Cifra.
DIGLOSIA f. Utilización de dos idiomas.
DIGNACIÓN f. Condescendencia con lo que desea o pretende el inferior.
DIGNARSE prnl. Consentir en hacer una cosa.
DIGNIDAD f. Calidad de digno. • Excelencia. • Decoro de las personas en la manera de comportarse. • Cargo honorífico y de autoridad. • Prebenda eclesiástica honorífica. ■ DIGNATARIO.
DIGNIFICAR tr. y prnl. Hacer digna o presentar como tal a una persona o cosa. ■ DIGNIFICACIÓN.
DIGNO, NA adj. Que merece algo. • Correspondiente al mérito y condición de una persona o cosa. • Decoroso.
DIGRESIÓN f. Efecto de romper el hilo del discurso. • Relato hecho aparte de un tema. ■ DIGRESIVO, VA.
DIHIBRIDISMO m. Caso de cruzamiento entre líneas puras que difieren en dos caracteres.
DIHUEÑE o **DIHUEÑI** m. *Chile.* Nombre vulgar de varios hongos comestibles.
DIJE m. Cada una de las joyas que suelen llevarse pendientes del cuello.
DIJON C. de Francia, cap. del dpto. de Côte-d'Or y de la región de Borgoña; 146 700 hab. (230 500 la agl. urb.) Centro ferroviario. Mercado vinícola.
DIKTAT (voz al.) m. Tratado impuesto con violencia o intimidación.
DIKTONIUS, *Elmer* (1896-1961) Poeta vanguardista finlandés, en lengua sueca. *Mi poesía, Cantos duros, Carbón fósil.*
DILACERAR tr. y prnl. Desgarrar la carne. • tr. fig. Lastimar la honra, el orgullo, etc. ■ DILACERACIÓN.
DILACIÓN f. Retardación de una cosa.
DILAPIDAR tr. Malgastar. ■ DILAPIDACIÓN.
DILATACIÓN f. Acción y efecto de dilatar. • fig. Desahogo. • *Fís.* Aumento de volumen de un cuerpo cuando se eleva su temperatura. • *Cir.* Procedimiento para aumentar el calibre de un conducto, de una cavidad o de un orificio. • **aparente**. *Fís.* Incremento de volumen de un líquido al ser calentado en un dilatómetro. • **real**. *Fís.* Suma del valor de la d. aparente y la de la vasija.
DILATAR tr. y prnl. Extender una cosa, o hacer que ocupe más lugar o tiempo. • tr. Aumentar las dimensiones lineales de un cuerpo sin que se produzca variación de su masa. • tr. y prnl. Diferir. • fig. Propagar. • prnl. Extenderse mucho en un discurso. • intr. y prnl. Tardar. ■ DILATADO, DA; DILATATIVO, VA; DILATORIO, RIA.
DILATÓMETRO m. *Fís.* Instrumento para medir la dilatación térmica.
DILATORIO, RIA adj. Que sirve para prorrogar y extender un término judicial o la tramitación de un asunto. • f. Dilación. Se usa más en pl.
DILECCIÓN f. Voluntad honesta, amor reflexivo. ■ DILECTO, TA.
DILEMA m. Argumento formado de dos proposiciones contrarias, de forma que, negada o concedida cualquiera de las dos, queda demostrado lo que se intenta probar.
DILETANTE (voz it.) adj. y com. Aficionado al arte. • despect. El que cultiva un arte o una ciencia sin estar preparado. ■ DILETANTISMO.

Hoja **digitada**

Flores de **digital**

Perro, carnívoro **digitígrado**

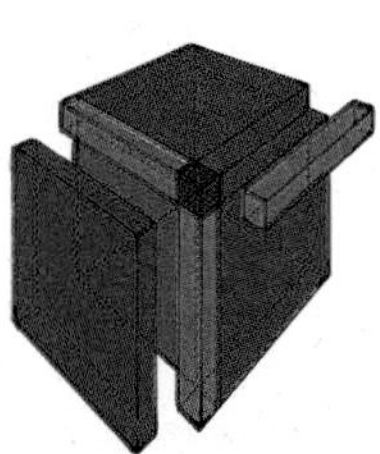
Esquema de la **dilatación** térmica de un paralelepípedo trirrectángulo

El ***Diluvio,*** fresco de Miguel Ángel en la Capilla Sixtina

Dos ejemplos de **dimorfismo sexual** (el macho, a la izquierda; la hembra a la derecha)

Mapa de situación y bandera de **Dinamarca**

DILIGENCIA f. Cuidado en ejecutar una cosa. • Prontitud. • Coche arrastrado por caballerías. • fam. Negocio. • Actuación del secretario judicial en un procedimiento.

DILIGENCIAR tr. Poner medios para el logro de una solicitud. • *Der.* Despachar un asunto mediante las oportunas diligencias. ■ DILIGENTE.

DILLON, ***John*** (1851-1927) Político irl. Diputado en 1880. Apoyó al gobierno brit. durante la I Guerra Mundial.

DILOGÍA f. Ambigüedad, doble sentido.

DILTHEY, ***Wilhelm*** (1833-1911) Filósofo e historiador al. Elaboró la noción de «ciencias del espíritu». *Ideas sobre una psicología descriptiva y analítica.*

DILUCIDAR tr. Aclarar un asunto. ■ DILUCIDACIÓN.

DILÚCULO m. Última de las seis partes en que se dividía la noche.

DILUIR tr. y prnl. Desleír. • *Quím.* Añadir líquido en las disoluciones. ■ DILUCIÓN; DILUENTE; DILUYENTE.

DILUVIAL adj. Relativo al diluvio. • adj. y s. *Geol.* Terreno constituido por depósitos de materias sabulosas que fueron arrastradas por corrientes de agua. • adj. *Geol.* Relativo a este terreno.

DILUVIAR intr. Llover copiosamente.

DILUVIO m. Inundación precedida de copiosas lluvias. • Inundación universal en tiempos de Noé, de la que habla la Biblia. • fig. y fam. Lluvia copiosa. • fig. y fam. Abundancia de una cosa. ■ DILUVIANO, NA.

DIMANAR intr. Proceder el agua de sus manantiales. ■ DIMANACIÓN.

DIMAS Ladrón que, en el Calvario, crucificado a la diestra de Jesús, se convirtió.

DIMENSIÓN m. *Mat.* Número que indica los grados de libertad en el movimiento de un punto en un espacio. • *Fís.* Cada una de las magnitudes físicas fundamentales (espacio, masa, tiempo). • Expresión de cualquier magnitud física en función de las magnitudes fundamentales. • *Mús.* Medida de los compases. • **de un espacio vectorial.** *Mat.* Núm. máx. de vectores linealmente independientes que puede considerarse en el espacio.

DIMENSIONAL adj. Relativo a la dimensión. • *Fís.* Díc. del método de análisis de las ecuaciones físicas que permite determinar la expresión de sus soluciones en función de las magnitudes fundamentales.

DÍMERO, RA adj. Formado por dos partes. • adj. y m. *Zool.* Díc. del insecto que sólo posee dos artejos en los tarsos. • *Quím.* Molécula formada por otras dos idénticas.

DIMES Y DIRETES loc. fam. Habladurías.

DÍMETRO m. Verso de dos metros o pies.

DIMIARIO adj. Díc. de los moluscos bivalvos que tienen dos músculos para cerrar la concha.

DIMICADO m. *Argent.* Calado que se hace en las telas blancas.

DIMINUENDO (voz it.) *Mús.* Disminuyendo o decreciendo gradualmente.

DIMINUTIVO, VA adj. Que tiene cualidad de disminuir o reducir a menos una cosa. • adj. y m. *Gram.* Aplícase a los vocablos a los que se ha añadido un sufijo que denota disminución o afectividad.

DIMINUTO, TA adj. Defectuoso. • Excesivamente pequeño.

DIMISORIAS f. pl. Cartas que dan los prelados a sus súbditos para que puedan ir a recibir de un obispo extraño las sagradas órdenes.

DIMITIR tr. Renunciar a un cargo o empleo. ■ DIMISIÓN; DIMISIONARIO, RIA; DIMITENTE.

DIMITROV, ***Georgi*** (1882-1949) Político búlg., fundador del partido comunista en su país.

DIMORFISMO m. *Biol.* Carácter que presentan algunas especies vegetales o animales y según el cual individuos de una misma especie presentan rasgos morfológicos diferenciados. • *Crist.* Carácter que presentan algunas sustancias y según el cual pueden cristalizar en dos sistemas distintos. • **sexual.** *Biol.* Posesión de distinta morfología por parte de los individuos de los dos sexos. Siempre existe en los atributos sexuales primarios, pero también se da en los secundarios; p. ej., en la especie humana, el tamaño, el tono de voz, etc., y en algunos animales, el colorido, la presencia o ausencia de cuernos, etc. ■ DIMORFO, FA.

DIN m. fam. Dinero.

DIN (siglas de *Deutsche Industrie Normen*) Conjunto de normas de origen al. para unificar medidas y criterios de calificación industriales.

DINA f. *Fís.* Unidad de fuerza en el sistema cegesimal.

DINACHO m. *Chile.* Hierba araliácea de tallos comestibles.

DINAMARCA *(Kongeriget Danmark)* Est. del N de Europa; monarquía; perteneciente al área escandinava. Abarca la pen. de Jutlandia y el arch. danés. Cap., Copenhague. C. prales.:Aarhus, Odense y Aalborg. Lenguas: danés (of.), alemán. *Rel.:* protestantismo (mayoritaria), catolicismo, judaísmo. U.M.: corona danesa. Terreno llano. Ríos cortos. Clima oceánico. Precipitaciones moderadas. Agricultura, ganadería y pesca. Ind. transformadoras de productos agropecuarios.

* *Hist.* Hacia el año 500, los vikingos se instalaron en D. Durante el reinado de Canuto el Grande (s. XI), los daneses se constituyeron en reino, sometiendo a Inglaterra y Noruega. En 1397, por la unión de Kalmar, se creó una Federación Escandinava bajo un solo monarca hasta la indep. de Suecia (1448). En el s. XVI tuvo lugar la adhesión al luteranismo. En los ss. XVI-XVII, D. se vio envuelta en muchos conflictos por la hegemonía del Báltico. Corona electiva hasta 1852, en que se vinculó al príncipe Cristian

DINAMARCA

Superficie	43 093 km²
Población	5 284 000 hab. (123 hab./km²)
Recursos económicos	
Cebada	3 870 000 t
Centeno	518 000 t
Colza	400 000 t
Remolacha azucarera	2 942 000 t
Trigo	4 420 000 t
Ganadería y derivados	
Cabaña bovina	2 060 000 cabezas
Cabaña ovina	82 000 cabezas
Cabaña porcina	11 190 000 cabezas
Riqueza forestal	2 361 000 m³
Pesca	1 886 851 t
Producción minera	
Energía eléctrica	41 086 millones de kwh
Gas natural	4 935 millones de m³
Petróleo	9 118 000 t
Sal	634 000 t
Producción industrial	
Acero	654 000 t
Cemento	2 427 000 t
Cerveza	9 410 000 hl
Naval	1 003 032 000 t
Indicadores sociológicos	
PNB	156 027 millones de dólares
Renta per cápita	29 890 dólares
Esperanza de vida	75 años
Alfabetismo	100 %

Dinamarca. Vista de un canal en Copenhague

de Schleswig-Holstein. Fue ocupada por los nazis en 1940. Concluida la II Guerra Mundial se incorporó a la CEE en 1973. La mayoría socialdemócrata, desplazada en los comicios del mismo año, recuperó el poder en 1975. Las elecciones de 1987 dieron paso a un gobierno de coalición presidido por el conservador P. Schlüter. En 1993 se aprobó por referéndum el tratado de Maastricht de unión europea. Este mismo año accedió al poder una coalición de centroizquierda con el socialdemócrata Poul Nyrup Rasmussen al frente, quien dirigió el gobierno hasta las elecciones de noviembre de 2001 en las que venció el conservador Anders Fogh Rasmussen.

* *Lit.* Se conservan ant. escrituras rúnicas y poesías vikingas transmitidas oralmente. Primer libro en lengua danesa en 1245. La lit. nac. surgió con Holberg (s. XVIII), floreció en la etapa romántica (Andersen, Kierkegaard) y, a partir de 1870, Georg Brandes impulsó el mov. realista. En el s. XX se desarrollan todas las tendencias: Jacobsen, Gjellerup, Pontoppidan (novela); Rode (poesía satírica); Lange (crítica y teatro) y el gran prosista Jensen.

DINÁMICA f. *Fís.* Parte de la mecánica que estudia las fuerzas en relación con los efectos que producen en los cuerpos. • **de poblaciones.** Rama de la ecología que estudia los mecanismos que regulan la población de una determinada especie.

* *Fís.* La d. se basa en los tres principios de Newton (el de inercia, el de proporcionalidad entre fuerza y aceleración, y el de acción y reacción) y su ecuación fundamental es $F= m \times a$, expresión del segundo principio, que relaciona la fuerza aplicada con la masa del cuerpo y la aceleración que éste adquiere. Actualmente, la d. se formula en términos de teoremas de conservación.

DINÁMICO, CA adj. Relativo a la fuerza cuando produce mov. • fig. y fam. Díc. de la persona notable por su energía y actividad.

DINAMISMO m. Energía, cualidad o actividad de la persona dinámica. • *Fil.* Sistema que considera el mundo como formado por agrupaciones de elementos simples, cuya esencia es la fuerza.

DINAMITA f. Explosivo compuesto de un 75 % de nitroglicerina y un 25 % de tierra de infusorios. Inventada por A. Nobel en 1866. ■ DINAMITAZO.

DINAMITAR tr. Volar con dinamita alguna cosa. ■ DINAMITERO, RA.

DINAMO o **DÍNAMO** f. *El.* Máquina para transformar la energía mecánica en eléctrica por inducción electromagnética, debida gralte. a la rotación de cuerpos conductores en un campo magnético.

* *El.* La d. es un generador de corriente continua consistente en un devanado inducido con gran número de espiras, que gira dentro de un campo magnético, y un elemento rectificador o conmutador mecánico llamado *colector*. Cada espira tiene su propio par de segmentos de conmutación, de manera que al invertirse en ella la fuerza electromotriz se intercambian las conexiones al circuito exterior.

DINAMÓMETRO m. *Fís.* Aparato para medir las fuerzas mecánicas. ■ DINAMOMÉTRICO, CA.

DINAR m. Unidad del sistema monetario de Argelia, Bahrein, Kuwait, Libia, Jordania, Irak, Tunicia y de la mayoría de países indep. surgidos de la desintegración de la antigua Yugoslavia.

DINASTA m. Príncipe o señor que reinaba con el consentimiento de otro soberano.

DINASTÍA f. Serie de príncipes soberanos en un país, pertenecientes a una familia. • Familia en cuyos individuos se perpetúa el poder o la influencia política, cultural, etc. ■ DINÁSTICO, CA.

DINERADA f. Cantidad grande de dinero. • Moneda ant. que equivalía a un maravedí.

DINERAL m. Cantidad grande de dinero.

DINERILLO m. Moneda que valía un ochavo.

DINERO m. Moneda. • Ant. moneda de plata y cobre de Castilla. • fig. y fam. Caudal. • Nombre de varias monedas antiguas. • *Econ.* Mercancía aceptada como medio de pago y medida de valor. ■ DINERARIO, RIA; DINEROSO, SA.

DINGO m. Perro salvaje, de color castaño. Llamado *perro mudo*, habita en Australia.

DINGOLONDANGO m. fam. Exp. cariñosa.

DINIZ (1261-1325) Monarca y poeta port., llamado el «REY LABRADOR» (1279-1325). Fundó la universidad de Lisboa. *Cancionero de dom Diniz.* • ***Julio*** (1839-1871) Seud. de *Joaquim Guilherme Gomes Coelho.* Escritor port. *Las pupilas del señor rector.*

DINKA adj. y s. Díc. del individuo de un pueblo melanoafricano que vive en el S de Sudán.

DINOFÍCEO, A adj. y f. *Bot.* Algas de la clase dinofíceas. • f. pl. Clase de algas que forman parte del plancton.

DINÓMIDO, DA adj. y m. *Zool.* Animales de la familia hom. • m. pl. Familia de mamíferos roedores.

DINOSAURIO adj. y m. *Pal.* Reptiles fósiles de la era secundaria, gigantescos, de cabeza pequeña, cuello largo, cola robusta y larga y extremidades posteriores más largas que las anteriores.

DINOTERIO m. *Pal.* Mamífero proboscídeo del mioceno, parecido al elefante.

DINTEL m. Parte superior de las puertas, ventanas y otros huecos.

DINTELAR tr. Hacer dinteles.

DINTORNO m. *Arq.* y *Pint.* Delineación de las partes de una figura, contenidas dentro de su contorno.

DIÓCESI o **DIÓCESIS** f. Distrito en que tiene jurisdicción un prelado. ■ DIOCESANO, NA.

DIOCLECIANO (245-313) Emp. rom. [285-305]. Proclamado emp. por sus soldados en 284. Su nombre ha quedado asociado al sist. de gobierno llamado tetrarquía.

DIOCLES (s. V a. C.) Político siracusano. Se hizo con el poder tras imponerse al grupo espartano. Promulgó un código.

DIODO m. *Electr.* Componente que consiste en dos electrodos de polaridad opuesta y cuya función es dejar pasar la corriente en un sentido. • **de unión**. Constituido por dos semiconductores de naturaleza eléctrica opuesta. La conducción unilateral se realiza por causa de los efectos de polaridad en la barrera de potencial de la unión. • **de vacío**. Consiste en un cátodo de emisión termoiónica y un ánodo de níquel cerrados herméticamente en una ampolla donde se ha hecho el vacío.

DIODORO Crono (ss. IV-III a. C.) Filósofo nacido en Asia Menor, que vivió en Grecia. Dialéctico hábil, contó entre sus discípulos a Zenón de Citio. • **de Sicilia** Historiador gr., romanizado.

DIOECIA f. *Bot.* Estado de las plantas que tienen ejemplares masculinos y femeninos.

DIOFÁNTICO, CA adj. *Mat.* Díc. de la ecuación cuyas soluciones deben obtenerse en el conjunto de los números enteros.

DIOFANTO (¿s. II?) Matemático gr., de Alejandría. *Aritmética.*

DIÓGENES de Apolonia (s. V. a. C.) Filósofo jónico. Hacia el 460 a. C. se hallaba en Atenas. Ridiculizado por Aristófanes en *Las nubes*. • **El Cínico** (h. 412-h. 323 a. C.) Filósofo ateniense de la escuela cínica, n. en Sínope. Para él la virtud consistía en el esfuerzo para superar lo adverso y lo favorable. • **Laercio** (s. III) Filósofo e historiador gr., n. en Laercia. *Vidas de los filósofos.*

DIOICO, CA adj. *Bot.* Díc. de las especies vegetales que tienen los órganos reproductores masculino y femenino en distintos individuos.

DIOLA adj. y s. Individuo de un pueblo melanoafricano sudanés que vive en Senegal y Gambia.

DIOMEDEIDO, DA adj. y m. *Zool.* Aves de la familia diomedeidos. • m. pl. *Zool.* Familia de aves procelariformes.

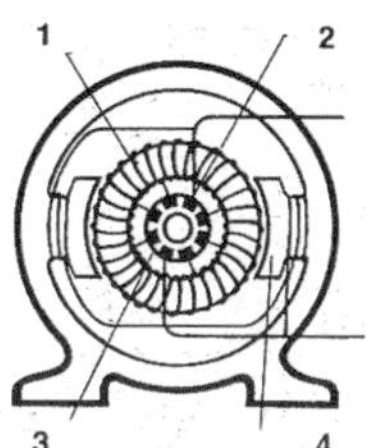

Esquema de una **dinamo:** 1. inducido; 2. escobilla; 3. colector; 4. inductor

Dinero. Anverso de un florín valenciano de Juan II

Dingo

Dinosaurio

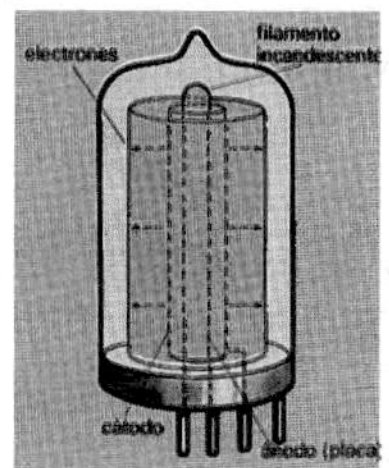

Esquema de un **diodo de vacío**

Imagen de **Dioniso** en una ánfora griega

Diorita vista al microscopio con luz polarizada

Dioscórides en un detalle de una miniatura árabe del s. XIII. Biblioteca del Museo Topkapi, Istanbul

DIOMEDES Rey de Etolia y héroe de la guerra troyana.
DIÓN *Mit.* Rey lacedemonio. Brindó en su palacio hospitalidad a Apolo. • **Casio** (155-235) Historiador gr. *Historia romana.* • **Crisóstomo** (h. 40-120) Retórico gr. Defendió las teorías del cinismo. *Ochenta discursos.* • **De Siracusa** (409-354 a. C.) Tirano de Siracusa (357-354 a. C.) Amigo de Platón.
DIONE *Mit.* Hija de Océano y Tetis o, según otra tradición, de Urano y Gea.
DIONEA f. Planta insectívora.
DIONISIACO, CA o **DIONISÍACO, CA** adj. Relativo a Dioniso. • adj. y s. *Fil.* Para Nietzsche, principio irracional del hombre.
DIONISO *Mit. gr.* Dios de la vegetación y de los campos, en especial de la vid y los vinos, así como del terror y el éxtasis; es el Baco de los rom.
DIONISO I, ***el Viejo*** (470-367 a. C.) Tirano de Siracusa. Dio a Siracusa un rango de primer orden dentro del mundo gr. • **II, *el Joven*** (367-344 a. C.) Hijo de D. I, el Viejo. Dejó el poder en manos de su cuñado Dión, que le obligó a exiliarse. • **Areopagita** (s. I) Obispo y mártir. Primer obispo de Atenas. Se le atribuyen una serie de escritos, llamados del Pseudo-D., de gran influencia en la E. Med. • **De Halicarnaso** (m. 8 a. C.) Historiador y retórico gr. *Las antigüedades romanas.* • **De Tracia** (170-90 a. C.) Gramático y retórico gr. Fijó la terminología gramatical.
DIÓPSIDO m. *Miner.* Silicato de calcio y magnesio, del grupo de los piroxenos, monoclínico, blanquecino y de brillo vítreo.
DIOPTRÍA f. *Ópt.* Unidad de potencia de las lentes, equivalente al inverso de la distancia focal expresada en metros.
DIÓPTRICO, CA adj. Relativo a la dióptrica. • f. Parte de la óptica que trata de los fenómenos de propagación de la luz.
DIOPTRIO m. *Ópt.* Sistema que posee una sola superficie refringente. • **esférico.** Esfera que separa dos medios de distinta refringencia.
DIOR, *Christian* (1905-1957) Modista fr. Fundó su propia casa, una de las más famosas de la moda actual.
DIORAMA m. Panorama que se hace con lienzos o papeles pintados. • Local destinado a este espectáculo.
DIORITA f. *Geol.* Roca eruptiva constituida por plagioclasas y minerales máficos.
DIOS m. En la mayor parte de las religiones, ser supremo, creador del mundo. • Deidad pagana. • fig. Persona o cosa que se venera por encima de todo. • **Hombre**. Jesucristo. • **Padre**. Primera pers. de la Santísima Trinidad. • **¡A Dios!** Adiós. • **A la buena de Dios**. exp. fam. Sin artificio ni preparación. • **Anda con D.** exp. de despedida. • **Con D.** exp. de salutación. • **¡D. mío!** exp. de admiración, dolor o sobresalto.
* *Rel.* La concepción de un ser superior está ligada al nacimiento y evolución de las diversas religiones y al desarrollo de la soc. humana. El hombre primitivo atribuye a «fuerzas ocultas» la explicación de los fenómenos que no comprende; el desarrollo de las civilizaciones lleva a una personalización de ídolos y fetiches, en seres parecidos al hombre. El politeísmo evoluciona a medida que la soc. eleva su dominio de la naturaleza y concentra las cualidades y las fuerzas superiores en un solo ser que las sintetiza (monoteísmo). Según las diversas concepciones teológicas, la rel. surge de la idea de D. y es consecuencia de su existencia *a priori*.
DIOSA f. Deidad femenina. • **madre**. Deidad que dominó en Oriente y en la cuenca del Mediterráneo.
DIOSCOREÁCEO, A o **DIOSCÓREO, A** adj. y f. *Bot.* Díc. de las plantas monocotiledóneas, herbáceas o leñosas, trepadoras, con fruto en baya o cápsula. • f. pl. *Bot.* Familia de estas plantas.
DIOSCÓRIDES (s. I) Botánico gr. Escribió un tratado de farmacología.
DIOSMA f. *Argent.* Planta rutácea, de hojas lanceoladas y flores blancas.
DIOSTEDÉ m. *Col., Ecuad.* y *Ven.* Tucán.
DIOUF, *Abdou* (nacido 1935) Político senegalés. Presid. de la república. en 1981, fue reelegido en 1983, 1988 y 1993. Finalizó su mandato en 2000.
DIÓXIDO m. *Quím.* Compuesto formado por dos átomos de oxígeno y uno de otro elemento.
DIPILÓN Necrópolis de Atenas que ha dado nombre a un estilo de cerámica.
DIPLASIOCELO, LA adj. y m. *Zool.* Díc. de los animales del subdorden diplasiocelos. • m. pl. Suborden de anfibios anuros que tienen los huesos de la cintura pectoral de cada lado fusionados con los del lado opuesto.
DIPLOBLÁSTICO adj. *Zool.* Díc. de los animales en cuyo desarrollo embrionario aparecen solamente dos hojas blastodérmicas.
DIPLOCOCO m. *Biol.* Bacterias de forma redondeada, que se agrupan de dos en dos.
DIPLODOCO o **DIPLODOCUS** m. *Pal.* Reptil fósil, dinosaurio, de gran tamaño, cabeza pequeña, cuello muy largo y cola robusta.
DIPLOIDE adj. y m. *Biol.* Dotación cromosómica de los núcleos o células que poseen dos cromosomas de cada tipo.
DIPLOMA m. Documento con sello y armas de un soberano, cuyo original queda archivado. • Título que expide una corporación para acreditar un grado académico, un premio, etc.
DIPLOMACIA f. Ciencia de los intereses y relaciones oficiales entre naciones. • Conjunto de personas que intervienen en las relaciones internacionales de los estados.
DIPLOMAR tr. Conceder a uno un diploma. • prnl. Obtenerlo, graduarse. B DIPLOMADO, DA.
DIPLOMÁTICA f. Arte que enseña las reglas para conocer y distinguir los diplomas. • Diplomacia.
DIPLOMÁTICO, CA adj. Relativo al diploma. • Relativo a la diplomacia. • Aplícase a los negocios de est. y a las personas que intervienen en ellos. • fig. y fam. Circunspecto. • m. y f. Funcionario de un gobierno que interviene en las relaciones internacionales.
DIPLONTE adj. y m. *Biol.* Ciclos de los seres que pasan toda su vida en estado diploide.

Barramunda, pez del orden **dipnoos**

DIPLOPÍA f. Defecto de la visión, en el que se percibe una imagen visual doble.
DIPLÓPODO, DA adj. y m. *Zool.* Díc. de los animales de la clase diplópodos. • m. *Zool.* Clase de artrópodos antenados, cuyo cuerpo consta de numerosos segmentos, provistos de patas. Llamados *milpiés*.
DIPNEO, A adj. y m. *Zool.* Díc. del animal dotado de respiración branquial y pulmonar.
DIPNOO, A adj. y m. *Zool.* Díc. de los peces del orden dipnoos. • m. pl. Orden de peces sarcopterigeos, que se distinguen por poseer los huesos del paladar fusionados con los del cráneo, y por presentar en la boca tres pares de placas duras, formadas por dientes fusionados. Se encuentran en Sudamérica, África y Australia.
DIPÓPIDO, DA adj. y m. *Zool.* Díc. de los animales de la familia dipópidos. • m. pl. Familia de mamíferos roedores de pequeño tamaño.
DIPOLO adj. Que posee dos polos. • m. *El.* Conjunto de dos cargas iguales y opuestas.
DIPSACÁCEO, A o **DIPSÁCEO, A** adj. y f. *Bot.* Díc. de las plantas dicotiledóneas, de flores en espiga o cabezuela y frutos indehiscentes y coriáceos. • f. pl. *Bot.* Familia de estas plantas.
DIPSOMANÍA f. Tendencia al abuso de la bebida. B DIPSOMANIACO, CA O DIPSOMANÍACO, CA; DIPSÓMANO, NA.
DÍPTERO, RA adj. Díc. del edificio que tiene dos costados salientes. • adj. y m. *Zool.* Díc. de los insectos del orden dípteros. • m. pl. Orden de insectos que posee un solo par de alas.
DIPTEROCARPÁCEO, A o **DIPTEROCÁRPEO, A** adj. y f. *Bot.* Díc. de las plantas de la familia dipterocarpáceas. • f. pl. Familia de plantas leñosas, de hojas esparcidas, flores pentámeras y fruto capsular.

DÍPTICO, CA m. Cuadro o bajorrelieve formado con dos tableros plegables. • f. Tablas plegables en las que la primitiva Iglesia cristiana anotaba los nombres de los vivos y los muertos. • Catálogo de nombres de personas.
DIPTONGAR tr. Unir dos vocales, formando en la pronunciación una sola sílaba. • tr. e intr. Desdoblar el sonido de una vocal en dos que formen diptongo. ■ DIPTONGACIÓN.
DIPTONGO m. Conjunto de dos vocales que forman una sola sílaba.
DIPUTACIÓN f. Conjunto de diputados. • Edificio donde se reúnen los diputados. • Ejercicio del cargo de diputado. • Duración de este cargo.
DIPUTADO, DA m. y f. Persona nombrada por un cuerpo para representarle. • Cada una de las personas nombradas directamente por los electores para representarlas en el Parlamento.
DIPUTAR tr. Destinar una persona o cosa para algún fin. • Elegir un cuerpo a uno o más de sus individuos para que lo representen. • Conceptuar.
DIQUE m. Muro artificial para contener las aguas. • Cavidad revestida de fábrica en la cual entran los buques para limpiar o carenar, y que puede quedar en seco. • *Geol.* Masa tubular de roca ígnea que atraviesa la estructura de rocas.
DIRAC, *Paul* (1902-1984) Físico ing. Desarrolló la teoría cuántica del electrón. Premio Nobel de Física, con Schrödinger, en 1933.
DIRCEO, A adj. Tebano.
DIRECCIÓN f. Acción y efecto de dirigir. • Camino o rumbo que un cuerpo sigue en su movimiento. • Consejo y preceptos con que se encamina a uno. • Conjunto de personas encargadas de dirigir una sociedad, establecimiento, etc. • Cargo de director. • Despacho del director. • Señas de una persona o entidad. • *Comp.* Posición de una información en una memoria o en un soporte magnético. • *Mec. apl.* Mecanismo gobernado con el volante que sirve para orientar las ruedas directrices. • *Mat.* Orientación común de un conjunto de rectas paralelas. • **absoluta.** *Comp.* Localización de una información, tomando como origen de direcciones el origen físico del soporte. • **base**. *Comp.* Dirección absoluta del origen de la sección de soporte que se utiliza. • **de tiro**. Sistema que obtiene los datos para la ejecución del tiro y los transmite a las piezas. • **relativa**. *Comp.* Dirección expresada tomando como origen la dirección base. Aplícase a aquella en que la cúspide de la jerarquía ejecutiva de un organismo está integrada por varias personas. ■ DIRECCIONAL.
DIRECTIVIDAD f. *Electr.* Propiedad de las antenas bipolares por la que presentan una mayor sensibilidad al campo electromagnético en función de su ángulo de orientación.
DIRECTO, TA adj. Derecho o en línea recta. • Díc. de lo que va de una parte a otra sin detenerse en los puntos intermedios. • adj. Aplícase a lo que se encamina derechamente a una mira. • Sin intermediarios. • *Astr.* Díc. del movimiento de un astro alrededor de otro, en sentido contrario al de las agujas del reloj. • m. *Dep.* En boxeo, golpe rápido. • **En d**. loc. adj. En radio y televisión, retransmisión de un acontecimiento en el momento en que se produce.
DIRECTOR, RA adj. y s. Que dirige. • *Geom.* Línea, figura o superficie que determina las condiciones de generación de otra línea, figura o superficie. • m. y f. Persona que dirige una administración, compañía, película, orquesta, etc. ■ DIRECTORADO; DIRECTORAL.
DIRECTORIO, RIA adj. Díc. de lo que es a propósito para dirigir. • m. Lo que sirve de norma. • Junta directiva.
DIRECTORIO n.p.m. Gobierno de Francia durante la Rev. (1795-1799). Sucedió a la Convención y dio paso al Consulado.
DIRECTRIZ adj. Forma femenina de director. • f. Conjunto de instrucciones para la ejecución de alguna cosa. Se usa más en pl.
DIRHAM o **DIRHEM** m. Unidad monetaria de Marruecos.
DIRICHLET, *Peter Gustav Lejeune* (1805-1859) Matemático al., continuador de los trabajos de Gauss en teoría de números.
DIRIGIR tr. y prnl. Enderezar una cosa. • Guiar hacia un determinado lugar. • tr. Poner a una carta, fardo, caja, etc., las señas que indiquen a dónde se ha de enviar. • tr. y prnl. Decir o escribir algo a una o más personas. • tr. fig. Encaminar la intención y las operaciones a determinado fin. • Gobernar, regir. • Orientar la conciencia de una persona. • Dedicar una obra de ingenio. • Aplicar a determinada persona un dicho o un hecho. ■ DIRECTIVO, VA; DIRIGENTE; DIRIGIBILIDAD; DIRIGIBLE.
DIRIGISMO m. *Econ.* Intervención del Est. en la actividad económica.
DIRIMIR tr. Deshacer. • Acabar una controversia. ■ DIRIMENTE.
DISACÁRIDO m. *Biol.* Glúcido compuesto por la combinación de dos monosacáridos, con eliminación de una molécula de agua.
DISANTO m. Día de fiesta religiosa.
DISARTRIA f. Defecto del habla que consiste en la pronunciación defectuosa de la palabra por parte de los órganos periféricos.
DISCAL adj. *Anat.* Relativo a los discos intervertebrales.
DISCALCULIA f. Dificultad para realizar operaciones aritméticas.
DISCANTAR tr. Cantar. • Componer o recitar versos. • fig. Glosar cualquier materia. ■ *Perú.* DISCANTADO, DA.
DISCANTE m. Tiple. • Concierto de instrumentos de cuerda. • fam. *Perú.* Extravagancia.
DISCANTO m. *Mús.* En el s. XII, parte escrita por debajo del canto firme. A partir del s. XIII, toda composición polifónica.
DISCAR tr. *Argent.* Marcar un número en el disco del teléfono.
DISCENTE adj. Díc. de la persona que recibe enseñanza, estudiante.
DISCÉPOLO, *Armando* (1887-1971) Escritor dramático arg. *Mateo, Relojero.*
DISCERNIMIENTO m. *Der.* Apoderamiento judicial que habilita a una persona para ejercer un cargo.
DISCERNIR tr. Distinguir una cosa de otra. • *Der.* Encargar de oficio el juez a uno la tutela de un menor, u otro cargo.
DISCIPLINA f. Conjunto de reglamentos que rigen cuerpos, instituciones o profesiones. • Observancia de estos reglamentos. • Doctrina. • Asignatura. • Azote. • *Cuba.* Planta parásita de tallos articulados, sin hojas. ■ DISCIPLINADO, DA; DISCIPLINAL; DISCIPLINARIO, RIA; DISCIPLINAZO.
DISCIPLINAR tr. Instruir, enseñar a uno su profesión. • tr. y prnl. Azotar. • tr. Hacer guardar la disciplina. ■ DISCIPLINANTE.
DISCÍPULO, LA m. y f. Persona que aprende una doctrina de un maestro. • Persona que sigue la opinión de una escuela.

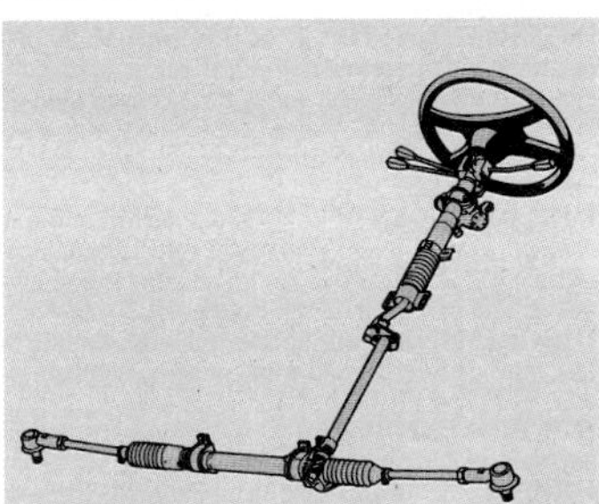

Esquema de la **dirección** de un automóvil, basada en un mecanismo de piñón y cremallera

DISCO m. Lámina circular. • *Dep.* La usada en atletismo. • Placa circular de materia plástica en la que se graba el sonido para que luego pueda reproducirse. • Señal luminosa para el tráfico. • Aspecto bajo el que aparecen el Sol, la Luna y los planetas. • Parte de la hoja comprendida entre sus bordes. • *Anat.* Lámina en forma de lente biconvexa entre dos cuerpos que se vertebran. • **de Newton**. El dividido en sectores, cada uno de los cuales corresponde a un color del espectro visible, y que al girar aparece blanco. • **magnético.** *Comp.* Soporte de almacenamiento en forma de lámina

De arriba abajo, diversos ejemplos de insectos **dípteros:** quironómido, mosca del grupo de los sírfidos y típula

Discóbolo de Mirón (s. V a.C.)

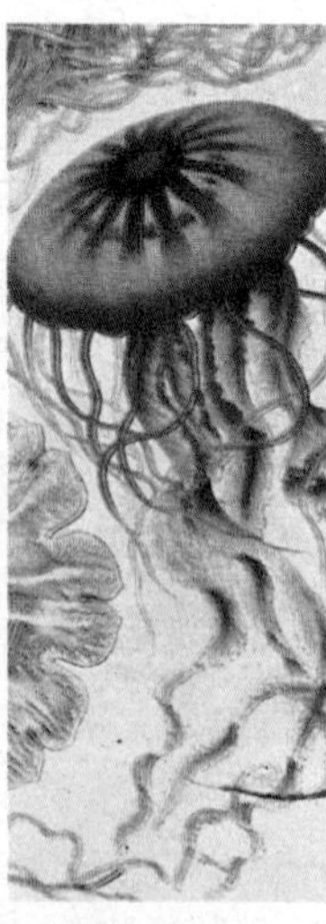

Discomedusa en una ilustración de *Formas artísticas en la Naturaleza* de Haekel. Museo de Historia Natural, Madrid

circular, recubierto de una capa de óxido metálico magnetizable. • **óptico**. *Comp*. Soporte de almacenamiento en que la información se lee con un rayo láser. ■ DISCOIDAL.

DISCÓBOLO m. Atleta que arrojaba el disco.

DISCOGLÓSIDO, DA adj. y m. *Zool*. Díc. de los animales de la familia discoglósidos. • m. pl. *Zool*. Familia de anfibios anuros cuyos miembros se caracterizan por poseer una lengua discoidal.

DISCOGRAFÍA f. Arte de impresionar discos fonográficos. • Enumeración de las obras grabadas de un autor, tema u obra. ■ DISCOGRÁFICO, CA.

DÍSCOLO, LA adj. y s. Avieso, indócil.

DISCOLORO, RA adj. *Bot*. Díc. de la hoja cuyas dos caras son de diferente color.

DISCOMEDUSA f. *Zool*. Celentéreo del grupo discomedusas. • pl. *Zool*. Grupo de celentéreos de cuerpo plano, con ocho pares de lóbulos oculares.

DISCONFORMIDAD f. Diferencia de unas cosas con otras. • Oposición en los dictámenes o en las voluntades. ■ DISCONFORME.

DISCONTINUAR tr. Romper la continuación de una cosa.

DISCONTINUIDAD f. Calidad de discontinuo. • *Econ*. Relación espacio temporal entre cantidades que cambian en función de los precios o de la demanda. • *Geol*. Superficie del interior del globo terrestre que marca un cambio en los materiales del interior de la Tierra. ■ DISCONTINUO, NUA.

DISCONVENIR intr. Desconvenir.

DISCORDANCIA f. Contrariedad, desconformidad.

DISCORDAR intr. Ser opuestas entre sí dos o más cosas. • *Mús*. No estar acordes las voces o los instrumentos. ■ DISCORDANTE; DISCORDE.

DISCORDIA f. Oposición.

DISCOTECA f. Colección de discos fonográficos. • Mueble donde se guardan. • Local público donde se puede escuchar música y bailar.

DISCOVERER *Astron*. Serie de satélites artificiales norteam.

DISCRECIÓN f. Don de expresarse con agudeza y oportunidad. • Dicho o expresión discreta. ■ DISCRECIONAL.

DISCREPANCIA f. Diferencia que resulta al comparar las cosas entre sí. • Disentimiento personal.

DISCREPAR intr. Desdecir una cosa de otra. • Disentir una persona de otra.

DISCRETEAR intr. Ostentar discreción. • fam. Cuchichear. ■ DISCRETEO.

DISCRETO, TA adj. y s. Dotado de discreción. • Que no sobresale en ningún aspecto. • *Fís*. Antónimo de continuo. • m. y f. Persona elegida para asistir al superior como consiliario en el gobierno de una comunidad religiosa. ■ DISCRETORIO.

DISCRIMINACIÓN f. Acción y efecto de discriminar. • **de precios**. *Econ*. Variación de los precios en diferentes mercados según la elasticidad de la demanda. • **racial**. *Pol*. Sistema que tiende a separar las razas de un país, en detrimento de una de ellas.

DISCRIMINANTE adj. Que discrimina o que sirve para discriminar. • m. *Álg*. Expresión que aparece en el radical de la fórmula que da las soluciones de una ecuación de segundo grado.

DISCRIMINAR tr. Separar una cosa de otra. • Dar trato de inferioridad a una persona o colectividad.

DISCROMATOPSIA f. *Pat*. Trastorno de la capacidad ocular para recibir los colores.

DISCULPA f. Razón que se da para excusarse de una culpa. ■ DISCULPABLE.

DISCULPAR tr. y prnl. Dar razones que descarguen de una culpa. • tr. fam. No tomar en cuenta las faltas y omisiones que otro comete.

DISCURRIR intr. Andar por diversas partes. • Correr. • Correr un líquido. • fig. Reflexionar. • tr. Inventar una cosa. • Inferir. ■ DISCURSIVO, VA.

DISCURSEAR intr. fam. Pronunciar discursos. ■ DISCURSISTA.

DISCURSO m. Facultad racional con que se infieren unas cosas de otras. • Acto de la facultad discursiva. • Uso de razón. • Reflexión sobre algunos antecedentes o principios. • Serie de las palabras y frases empleadas para manifestar lo que se piensa o siente. • Razonamiento dirigido por una persona a otra u otras. • Pieza oratoria. • Escrito en que se discurre sobre una materia para enseñar. • Espacio de tiempo. • *Ling*. Serie lineal de signos susceptibles de ser reconocidos como una forma significativa.

DISCUSIVO, VA adj. *Med*. Que disuelve, que resuelve.

DISCUTIR tr. Examinar particularmente una materia. • tr. e intr. Alegar razones contra el parecer de otro. • tr. Poner objeciones a lo ordenado por otro. ■ DISCUSIÓN; DISCUTIBLE; DISCUTIDOR, RA.

DISECADOR m. Disector.

DISECAR tr. Dividir en partes un vegetal o un animal para su examen. • Preparar los animales muertos para que conserven la apariencia de vivos. • Preparar una planta para que se conserve después de seca. ■ DISECACIÓN; DISECCIÓN; DISECTOR, RA.

DISECEA f. Torpeza del oído.

DISEMINAR tr. y prnl. Sembrar, esparcir. ■ DISEMINACIÓN.

DISENSIÓN f. Oposición de varios sujetos en los pareceres. • fig. Contienda.

DISENTERÍA f. *Pat*. Enfermedad infecciosa caracterizada por lesiones del intestino grueso, con evacuaciones de materias sanguinolentas. ■ DISENTÉRICO, CA.

DISENTIR intr. No ajustarse al sentir de otro. ■ DISENSO; DISENTIMIENTO.

DISEÑAR tr. Hacer un diseño. ■ DISEÑADOR, RA.

DISEÑO m. Trazo, dibujo, delineación de un objeto, edificio, etc. • Descripción hecha con palabras. • **asistido por computadora** → Cad/Cam. • **industrial**. *Ind*. Actividad cuyo fin es la delineación artística de productos destinados a ser producidos en serie.

* *Ind*. El d. industrial nació con el advenimiento de la máquina; William Morris, dentro del movimiento ing. *Art & Crafts*, luchó por introducir el elemento estético en los objetos producidos en serie. El *Art Nouveau*, con Van de Velde a la cabeza, y el racionalismo aceptaron incondicionalmente la máquina en la arquitectura y en las artes aplicadas; sin embargo debe considerarse a Behrens como el primer consultor artístico y, por tanto, diseñador. A partir de 1920 la Bauhaus diseñó objetos de gran calidad estética. Posteriormente destacaron los diseñadores norteam. (Teague, Dreyfuss, Andy Warhol, Ch. Fames y G. Nelson), los ing . (Robin Day, A. Bednall, M. Haynes y el grupo Rentagram), los nórdicos, en especial en el campo de los muebles (Jacobsen, Aalto, Searinen, Ostergaurd), los fr. (R. Tallon, M. Dufour, el estudio Tèchnes y el grupo Totem), los it. (Asti, Bellini, M. Mari, G. Ponti y el grupo Menphis de Milán) y los esp. (G.A.T.F.P.A.C., ADI-FAD, Ricard, Alemany, etc.). El cambio imp. en el d. actual ha sido la evolución operada desde una estética industrial embellecedora de los objetos al d. marketing, impulsor del consumo, para enlazar con el d. biónico y el d. posmoderno, que recupera estéticamente los objetos banales.

DISÉPALO, LA adj. *Bot*. Díc. del cáliz o la flor que tiene dos sépalos.

DISERTACIÓN f. Escrito en que se diserta.

DISERTAR intr. Razonar detenida y metódicamente sobre alguna materia. ■ DISERTO, TA.

DISESTESIA f. *Pat*. Alteración de la sensibilidad que se observa en el histerismo.

DISFAGIA f. *Pat*. Dificultad de deglutir.

DISFASIA f. Anomalía en el lenguaje.

DISFAVOR m. Desaire o desatención.

DISFEMIA f. Cualquier trastorno del lenguaje.

DISFONÍA f. Modificación de la voz.

DISFORME adj. Que carece de forma regular. • Feo. • Extraordinariamente grande.

DISFORMIDAD f. Deformidad. • Calidad de disforme.

DISFRAZ m. Artificio que se usa para desfigurar una cosa. • Traje de máscara.

DISFRAZAR tr. y prnl. Desfigurar la forma de personas o cosas. • fig. Disimular lo que se siente.

DISFRUTAR tr. Percibir los productos y utilidades de una cosa. • tr. e intr. Gozar de bienestar. • intr. Gozar. ■ DISFRUTE.

DISFUERZO m. *Perú*. Melindre, remilgo.

DISFUMAR tr. Esfumar.

DISFUMINO m. Esfumino.
DISFUNCIÓN f. Alteración de una función orgánica.
DISGREGAR tr. y prnl. Separar, desunir. ■ DISGREGACIÓN; DISGREGATIVO, VA.
DISGUSTAR tr. y prnl. Causar disgusto. • prnl. Enfadarse uno con otro, o perder la amistad. ■ DISGUSTADO, DA.
DISGUSTO m. Desazón causada en el paladar por una comida o bebida. • fig. Encuentro enfadoso con uno. • fig. Pesadumbre e inquietud. • fig. Fastidio que causa una persona o cosa. ■ DISGUSTOSO, SA.
DISIDIR intr. Separarse de una creencia u opinión. ■ DISIDENCIA; DISIDENTE.
DISÍLABO, BA adj. y m. Bisílabo.
DISIMETRÍA f. *Quím.* Defecto de simetría. ■ DISIMÉTRICO, CA.
DISIMILAR tr., intr. y prnl. Alterar la articulación de un sonido del habla diferenciándolo de otro. ■ DISIMILACIÓN.
DISIMILITUD f. Desemejanza. ■ DISÍMIL.
DISIMULACIÓN f. Disimulo. • Tolerancia afectada de una incomodidad.
DISIMULAR tr. Encubrir con astucia la intención. • Fingir desconocimiento de una cosa. • Ocultar algo que uno padece. • Tolerar un desorden, afectando ignorarlo. • Disfrazar las cosas, representándolas distintas de lo que son. • Dispensar. ■ DISIMULADO, DA.
DISIMULO m. Arte con que se oculta lo que se siente o se sabe. • Indulgencia.
DISIPACIÓN f. Conducta de una persona entregada a las diversiones.
DISIPAR tr. y prnl. Esparcir las partes que forman por aglomeración un cuerpo. • tr. Desperdiciar. • prnl. Evaporarse. • fig. Desvanecerse. ■ DISIPADO, DA; DISIPADOR, RA.
DISJUNCIÓN f. Separación. ■ DISJUNTO, TA.
DISJUNTOS adj. pl. *Mat.* Díc. de dos o más conjuntos que carecen de elementos comunes.
DISLALIA f. Dificultad de articular palabras.
DISLATE m. Disparate.
DISLEXIA f. Incapacidad de leer comprendiendo lo que se lee. • Estado patológico en el cual la lectura resulta penosa. ■ DISLÉXICO, CA.
DISLOCACIÓN f. Acción y efecto de dislocar o dislocarse. • Desencajamiento de una cosa. • *Geol.* Fractura a lo largo de la cual se desplaza una parte del terreno. • *Miner.* Irregularidad cristalina, base de la mayoría de las imperfecciones de un cristal metálico.
DISLOCADURA f. Dislocación.
DISLOCAR tr. y prnl. Sacar una cosa de su lugar. • tr. Torcer un argumento. • fig. Provocar entusiasmo.
DISLOQUE m. fam. El colmo.
DISMEMBRACIÓN f. Desmembración.
DISMENORREA f. *Pat.* Menstruación dolorosa o difícil.
DISMINUCIÓN f. Acción y efecto de disminuir. • Enfermedad que padecen las bestias en los cascos.
DISMINUIR tr., intr. y prnl. Hacer menor la extensión, la intensidad o número de alguna cosa.
DISMNESIA f. Debilidad de la memoria.
DISNEA f. Dificultad en la respiración. ■ DISNEICO, CA.
DISNEY, *Walt* (1901-1966) Productor cinematográfico norteam., creador de personajes infantiles (Mickey, Donald, Dumbo, Bambi), popularizados por películas de dibujos animados. *Blancanieves y los siete enanitos, Pinocho, Bambi, Dumbo, La Cenicienta, Fantasía.*
DISOCIACIÓN f. Acción y efecto de disociar. • *Quím.* Descomposición limitada por la tendencia a combinarse de los cuerpos separados. • *Psiq.* Síntoma esquizofrénico con discordancia entre pensamiento y expresión.
DISOCIAR tr. y prnl. Separar una cosa de otra a la que estaba unida. • Separar los componentes de una sustancia.
DISOLUCIÓN f. *Quím.* Acción y efecto de disolver. • Compuesto que resulta de disolver una sustancia en un líquido. La fase dispersa se llama soluto y la dispersante, *disolvente.* Las d. pueden ser sólidas (bronce), líquidas (agua salada) o gaseosas (aire). • Medida de gobierno que pone fin al funcionamiento de un cuerpo legislativo. • fig. Relajación de vida y costumbres. • fig. Relajación y rompimiento de los vínculos existentes entre personas.
DISOLUTO, TA adj. y s. Licencioso.
DISOLVENTE adj. y s. Que disuelve. • m. *Quím.* Componente que en una disolución se halla en mayor proporción. • adj. fig. Que corrompe o trastorna.
DISOLVER tr. y prnl. Desunir las partículas o moléculas de un cuerpo por medio de un líquido. • Separar las cosas que estaban unidas. • Deshacer. ■ DISOLUBLE; DISOLUBILIDAD; DISOLUTIVO, VA.
DISÓN m. Disonancia.
DISONANCIA f. Sonido desagradable. • fig. Falta de la conformidad o proporción que deben tener algunas cosas. • *Mús.* Acorde no consonante que se debe resolver en otro consonante, según las reglas de la armonía.
DISONAR intr. Sonar desapaciblemente. • fig. Discrepar. • fig. Parecer mal una cosa. ■ DISONANTE; DÍSONO, NA.
DISOSMIA f. *Med.* Dificultad en la percepción de los olores.
DISPAR adj. Desigual, diferente.
DISPARADA f. *Amér.* Acción de echar a correr de repente.
DISPARAR tr. Hacer que una máquina despida el cuerpo arrojadizo. • tr. y prnl. Arrojar una cosa. • Hacer funcionar un disparador. • prnl. e intr. Partir sin dirección y precipitadamente lo que tiene movimiento. • Hablar u obrar con violencia y sin razón. ■ DISPARADERO; DISPARADOR, RA.
DISPARATAR intr. Decir o hacer una cosa fuera de razón. ■ DISPARATADO, DA ; *Amér.* DISPARATADOR; RA; DISPARATERO, RA.
DISPARATE m. Hecho o dicho disparatado.
DISPARATORIO m. Conversación, discurso o escrito lleno de disparates.
DISPAREJO, JA adj. Dispar.
DISPAREUNIA f. *Med.* Cópula sexual (coito) dolorosa y difícil para la mujer.
DISPARIDAD f. Desemejanza de unas cosas respecto de otras.
DISPARO m. Acción y efecto de disparar. • *Dep.* En algunos juegos de pelota, tiro dirigido hacia la portería. • fig. Disparate.
DISPENDIO m. Gasto excesivo. • fig. Uso excesivo de hacienda, tiempo o cualquier caudal. ■ DISPENDIOSO, SA.
DISPENSACIÓN f. Dispensa.
DISPENSAR tr. Dar, conceder, otorgar. • tr. y prnl. Eximir de una obligación. • tr. Absolver de falta leve. ■ DISPENSA; DISPENSADOR, RA.
DISPENSARÍA f. *Chile* y *Perú.* Dispensario.
DISPENSARIO m. Establecimiento destinado a prestar asistencia médica y farmacéutica.
DISPEPSIA f. *Pat.* Alteración de la digestión. ■ DISPÉPTICO, CA.
DISPERSAR tr. y prnl. Separar lo que estaba reunido. • *Mil.* Romper, desbaratar al enemigo. • *Mil.* Desplegar en orden abierto de guerrilla una fuerza. ■ DISPERSIVO, VA; DISPERSO, SA.
DISPERSIÓN f. Acción y efecto de dispersar. • *Fís.* Separación de los colores espectrales de un rayo de luz por medio de un prisma u otro medio adecuado. Se produce cuando un rayo de luz blanca llega a un dioptrio que separa dos medios con distinto índice de refracción. • **óptica.** Fenómeno por el que el índice de refracción de un medio refringente varía en función de la longitud de onda que lo atraviesa.
DISPLASIA f. *Pat.* Anomalía en el desarrollo de una parte del cuerpo.
DISPLAY (voz ing.) m. *Comp.* Terminal de salida de información en una computadora.
DISPLICENCIA f. Desagrado e indiferencia en el trato. ■ DISPLICENTE.
DISPONDEO m. Pie de las poesías gr. y latina, que consta de dos espondeos.
DISPONER tr. y prnl. Colocar las cosas convenientemente. • Deliberar lo que ha de hacerse. • Preparar. • intr. Ejercitar en las cosas facultades de dominio, enajenarlas o gravarlas. • Valerse de una persona o cosa. • prnl. Prepararse a morir. ■ DISPUESTO.
DISPONIBILIDAD f. Cualidad de disponible. •

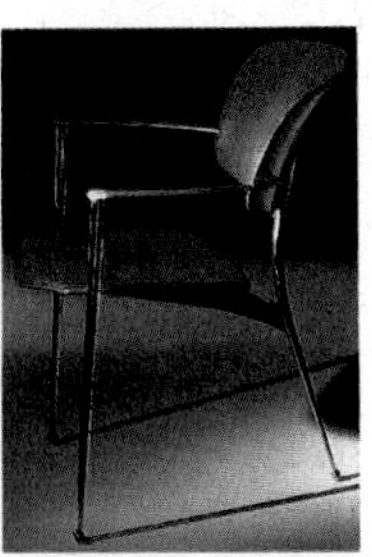

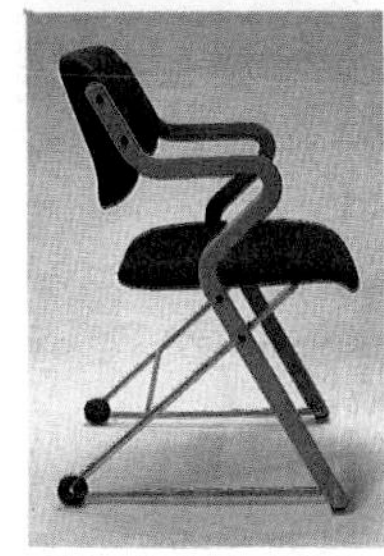

Diseño industrial. Dos sillas de diseño contemporáneo

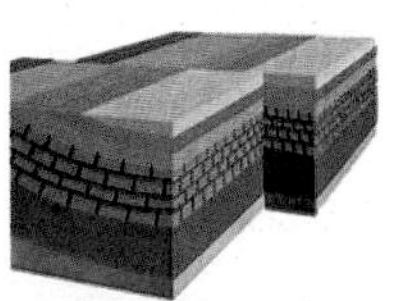

Esquema de una **dislocación** en la que el terreno se ha desplazado horizontalmente

Walt **Disney** con su personaje Mickey Mouse

Benjamin **Disraeli**

Disyuntores eléctricos

Miniatura persa del **diván** de Hafiz. Biblioteca Nacional, Viena

Econ. Conjunto de fondos o bienes disponibles. ■ DISPONIBLE.

DISPOSICIÓN f. Acción y efecto de disponer. • Aptitud para algún fin. • Estado de salud. • Constitución o gallardía. • Desembarazo en preparar y despachar las cosas. • Deliberación. • Cualquiera de los medios que se emplean para ejecutar un propósito. • *Arq.* Distribución de todas las partes del edificio. • **Última d.** Testamento.

DISPOSITIVO, VA adj. Díc. de lo que dispone. • m. Mecanismo dispuesto para obtener un resultado automático. • Orden en que se encuentran las tropas para cumplir una misión.

DISPRAXIA f. *Pat.* Trastorno en la ejecución y coordinación de movimientos tendentes a un fin.

DISPROSIO m. *Quím.* Elemento químico de símb. Dy, n. a. 66 y p. a. 162,5.

DISPUR C. de la India, cap. del est. de Assam.

DISPUTA f. Altercado.

DISPUTAR tr. Debatir. • tr. e intr. Porfiar y altercar. • Ejercitarse los estudiantes discutiendo. • tr. Contender con otro para alcanzar alguna cosa. ■ DISPUTABLE; DISPUTADOR, RA.

DISQUETE m. *Comp.* Disco magnético portátil, de capacidad reducida, usado para guardar información.

DISQUISICIÓN f. Examen riguroso que se hace de alguna cosa.

DISRAELI, *Benjamin,* CONDE DE BEACONSFIELD (1804-1881) Político conservador brit. de origen judío. Primer ministro (1868 y 1874-1880). Su gestión marca el apogeo del imperialismo británico.

DISRITMIA f. *Med.* Modificación anómala del ritmo en un electroencefalograma, gralte. asociada a estados epilépticos.

DISRUPCIÓN f. Interrupción de un flujo. ■ DISRUPTIVO, VA; DISRUPTOR, RA.

DISTAL adj. *Anat.* Díc. de la parte de un miembro más separada de la línea media del organismo.

DISTANCIA f. Espacio o intervalo de lugar o de tiempo que media entre dos cosas o sucesos. • fig. Alejamiento, desafecto entre personas.

DISTANCIACIÓN f. Efecto de distanciar. • Técnica teatral en la que el actor se sitúa fuera del personaje para adoptar una actitud crítica respecto a aquél. Muy utilizada en el teatro japonés, se introdujo en Europa con la *commedia dell'arte* y fue teorizada por B. Brecht y E. Piscator. ■ DISTANCIAMIENTO.

DISTANCIAR tr. y prnl. Separar, poner a distancia. • prnl. Desunir moralmente a las personas el desafecto, las ideas, etc.

DISTAR intr. Estar apartada una cosa de otra. ■ DISTANTE.

DISTELEOLOGÍA f. Ciencia que estudia la evolución de organismos que no realizan una función útil.

DISTENA f. *Miner.* Silicato de aluminio, de color azul y brillo vítreo.

DISTENDER tr. Aflojar. • tr. y prnl. *Med.* Causar una tensión en tejidos, membranas, etc.

DISTENSIÓN f. Acción y efecto de distender. • Tensión que sufren los tejidos, órganos, músculos y tendones.

DISTERMIA f. *Med.* Temperatura anormal del organismo.

DÍSTICO, CA adj. *Bot.* Díc. de las hojas, flores y demás partes de las plantas, cuando unas miran a un lado y otras al opuesto. • m. Composición poética de dos versos.

DISTINCIÓN f. Acción y efecto de distinguir o distinguirse. • Diferencia en virtud de la cual una cosa no es otra. • Prerrogativa. • Buen orden en las cosas. • Elevación sobre lo vulgar. • Miramiento hacia una persona.

DISTINGO m. Distinción lógica en una proposición de dos sentidos, uno de los cuales se concede y otro se niega. • Reparo que se pone con sutileza.

DISTINGUIR tr. Conocer la diferencia que hay de unas cosas a otras. • tr. y prnl. Hacer que una cosa se diferencie de otra por medio de alguna particularidad, señal, etc. • tr. Manifestar la diferencia que hay entre una cosa y otra con la cual se puede confundir. • Ver un objeto, a pesar de que algo dificulte la visión. • En las escuelas, declarar una proposición por medio de una distinción. • prnl. Descollar entre otros. ■ DISTINGUIDO, DA; DISTINTIVO, VA; DISTINTO, TA.

DISTOCIA f. Parto difícil. ■ DISTÓCICO, CA.

DISTOMATOSIS f. *Pat.* Fasciolosis laríngea producida por parásitos del gen. *Distoma.*

DISTOMIASIS f. Distomatosis.

DÍSTOMO, MA adj. *Zool.* Que tiene dos bocas.

DISTONÍA f. *Pat.* Alteración de la tonicidad o tensión de un tejido u órgano.

DISTORSIÓN f. *Electr.* Alteración que un circuito provoca en una señal que lo atraviesa. • *Med.* Esguince. • *Ópt.* Aberración.

DISTORSIONAR tr. Tergiversar algo.

DISTRACCIÓN f. Diversión. • Falta de atención.

DISTRAER tr. y prnl. Divertir. • Apartar la atención de una persona del objeto a que la aplicaba. • Apartar a uno de la vida virtuosa. • tr. Tratándose de fondos, malversarlos. ■ DISTRAÍDO, DA.

DISTRIBUCIÓN f. Acción y efecto de distribuir. • *Econ.* Reparto del producto entre los distintos factores que participan en la producción. • *Mec . apl.* Sistema que permite el accionamiento del árbol de levas de un automóvil desde el cigüeñal, de forma que la apertura y cierre de las válvulas de admisión y escape conserven la secuencia adecuada respecto a la posición que ocupa el pistón. • *Mat.* Función que describe un comportamiento estadístico asociando a cada número real x la probabilidad de que el valor de un parámetro que define un suceso sea menor que x. • **binomial**. *Mat.* Distribución discreta que se obtiene al considerar el núm. de veces que ocurre un suceso al repetir una experiencia.

DISTRIBUIR tr. Dividir una cosa entre varios. • tr. y prnl. Dar a cada cosa su oportuna colocación. ■ DISTRIBUIDOR, RA; DISTRIBUTOR, RA.

DISTRIBUTIVO, VA adj. Que toca o atañe a la distribución. • *Gram.* Díc. de un tipo de oración compuesta. • *Mat.* Díc. de una de las propiedades que cumple la suma respecto al producto y viceversa.

DISTRITO m. Cada una de las partes en que se divide una prov., pob. o territorio. • **censal.** Cada una de las partes en que se divide un municipio para la inscripción censal. • **electoral**. Cada una de las partes en que se divide un territorio a efectos electorales. • **federal**. En algunos est. federales, unidad administrativa donde se encuentra la cap. del est.

DISTROFIA f. Estado morboso que afecta a la nutrición y al crecimiento. ■ DISTRÓFICO , CA.

DISTURBAR tr. Perturbar.

DISTURBIO m. Alteración de la paz.

DISUADIR tr. Inducir a uno a mudar de dictamen. ■ DISUASIVO, VA; DISUASORIO, RIA.

DISUASIÓN f. Acción y efecto de disuadir. • *Mil.* Estrategia cuyo fin es impedir que una potencia enemiga inicie una guerra por temor a las represalias.

DISYUNCIÓN f. Acción y efecto de separar o desunir. • *Lóg.* Se llama así a la conectiva binaria «o», también llamada *alternación.* • *Ret.* Figura que consiste en que cada oración lleve todas sus partes, sin que necesite valerse de ninguna otra oración.

DISYUNTIVO, VA adj. Díc. de lo que tiene la cualidad de desunir. • *Gram.* Díc. de la conjunción que uniendo palabras o frases separa las ideas, como *o, ni.* • f. Alternativa entre dos cosas por una de las cuales hay que optar.

DISYUNTO, TA adj. Separado.

DISYUNTOR, RA adj. Que separa. • m. *El.* Aparato que abre o cierra el paso de corriente en un circuito en determinadas condiciones.

DITA f. Persona o efecto que se señala como garantía de un pago. • *Amér.* Deuda.

DITAÍNA f. Alcaloide usado como febrífugo.

DITEÍSMO m. *Rel.* Sistema religioso que admite dos dioses. ■ DITEÍSTA.

DITIRAMBO m. Canto en honor de Dioniso. • Composición poética inspirada en un arrebatado entusiasmo. • fig. Alabanza exagerada. • Discurso que contiene un elogio hiperbólico. ■ DITIRÁMBICO, CA.

DÍTONO m. *Mús.* Intervalo de dos tonos.

DIUCA f. *Argent.* y *Chile.* Pájaro conirrostro, de color gris apizarrado. • com. fig. y fam. *Argent.* y *Chile.* Alumno preferido por el profesor.

DIULA adj. y s. Individuo de un pueblo melanoafricano (N de Costa de Marfil y Burkina Faso).

DIURESIS f. *Med.* Cantidad de la secreción urinaria. ■ DIURÉTICO, CA.

DIURNO, NA adj. Relativo al día.

DIUTURNIDAD f. Espacio dilatado de tiempo. ■ DIUTURNO, NA.

DIVAGAR intr. Vagar. • Separarse del asunto de que se trata; hablar o escribir sin concierto. ■ DIVAGACIÓN.

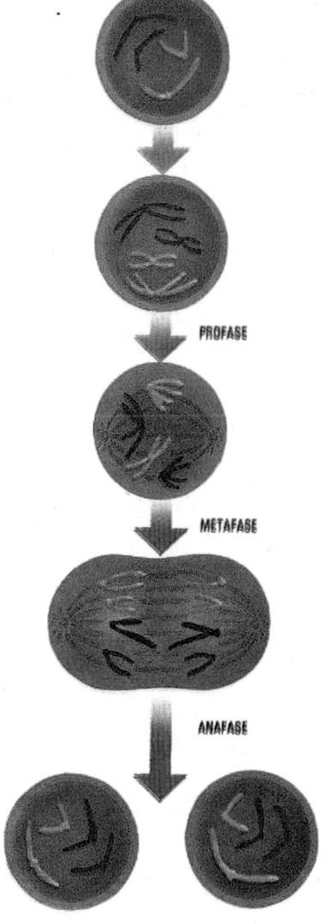

PROFASE

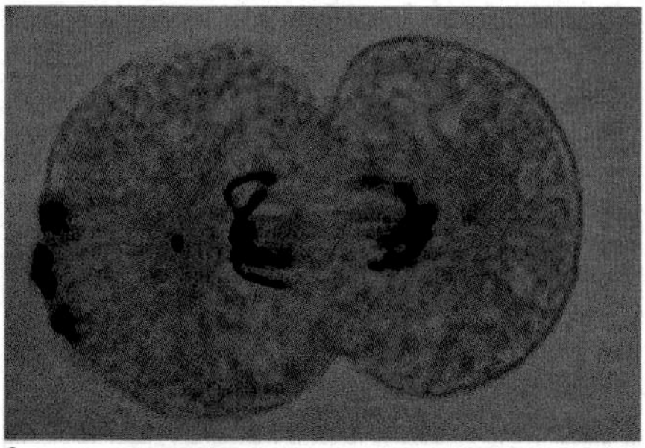

METAFASE

ANAFASE

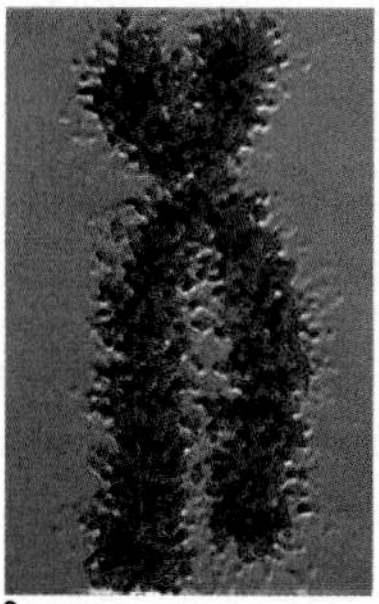

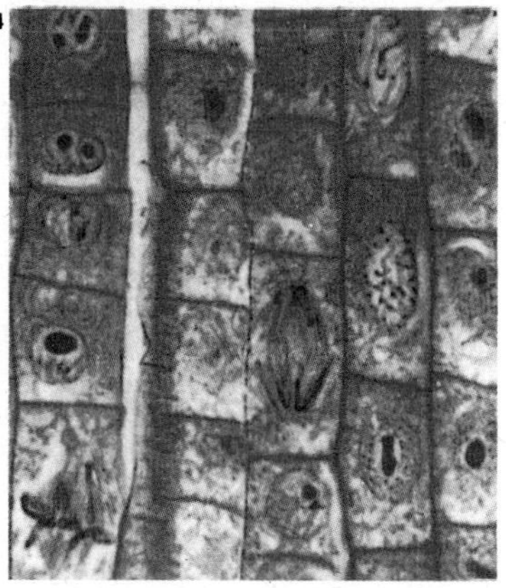

DIVISIÓN CELULAR

1. El proceso de división celular que da origen a las células somáticas se denomina mitosis. Otro tipo de división celular, la meiosis, en la que se reduce el número de cromosomas, da origen a las células germinales. El diagrama esquematiza las fases de la mitosis: en la *profase*, la cromatina se condensa, la membrana nuclear desaparece y se forma el áster; en la *metafase*, los cromosomas se reúnen a igual distancia de los dos polos celulares, formando la placa ecuatorial; en la *anafase*, cada cromosoma se escinde en dos cromosomas hijos, que se dirigen hacia los polos del huso; en la *telofase* se forma una nueva membrana alrededor de cada grupo de cromosomas y se divide el citoplasma, formándose dos células hijas.
2. Imagen de un cromosoma.
3. Microfotografía de una célula durante la anafase.
4. Células de tejido merismático en diversos estadios del proceso de división celular.

DIVÁN m. Supremo consejo del sultán, entre los turcos. • Sala en que se reunía este consejo. • Banco sin respaldo, con almohadones. • Colección de poesías en alguna lengua oriental.
DIVERGENCIA fig. Diversidad de opiniones. • Característica de los coches de tracción delantera, cuyo objeto es lograr el paralelismo entre las ruedas durante la marcha.
DIVERGENTE adj. Que diverge. • *Mat.* Díc. de una sucesión que carece de límite o de una serie no convergente.
DIVERGIR intr. Irse apartando unas de otras, dos o más líneas o superficies. • fig. Discordar.
DIVERSIDAD f. Variedad, desemejanza. • Abundancia de cosas distintas.
DIVERSIFICAR tr. y prnl. Hacer diversa una cosa de otra. ■ DIVERSIFICACIÓN.
DIVERSIFORME adj. Que presenta diversidad de formas.
DIVERSIÓN f. Recreo, solaz.
DIVERSIVO, VA adj. y s. *Farm.* Medicamento que se administra para apartar los humores de la zona en que causan dolor.
DIVERSO, SA adj. De distinta naturaleza, especie, etc. • Desemejante. • pl. Varios.
DIVERTÍCULO m. *Anat.* Apéndice que aparece en el trayecto del esófago o del intestino.
DIVERTIMENTO m. *Mús.* Composición ligera.
DIVERTIMIENTO m. Diversión. • Distracción momentánea de la atención.
DIVERTIR tr. y prnl. Apartar. • Entretener. • tr. *Med.* Atraer un humor hacia otra parte. ■ DIVERTIDO, DA.
DIVIDENDO m. *Álg.* y *Arit.* Cantidad que ha de dividirse por otra. • *Econ.* Parte de los beneficios de una sociedad anónima que se reparte entre sus socios. • *Chile.* Plazo.
DIVIDIR tr. y prnl. Partir. • tr. y fig. Distribuir entre varios. • fig. Desunir los ánimos y voluntades. • *Álg.* y *Arit.* Averiguar cuántas veces una cantidad (divisor) está contenida en otra (dividendo). • prnl. Separarse uno de la compañía o confianza de otro. ■ DIVISORIO, RIA; DIVIDUO, DUA.
DIVIDIVI m. *Amér.* Árbol leguminoso cuyo fruto se usa para teñir pieles.
DIVIERTA f. *Guat.* Baile de gente sencilla.
DIVIESO m. Tumor que se forma en el espesor de la piel.
DIVINATIVO, VA o **DIVINATORIO, RIA** adj. Relativo al arte de adivinar.
DIVINIDAD f. Naturaleza divina y esencia del ser de Dios. • fig. Persona o cosa de gran hermosura. ■ DIVINO, NA.
DIVINIZAR tr. Hacer o suponer divina a una persona o cosa. • fig. Santificar una cosa. • fig. Ensalzar desmedidamente. ■ DIVINIZACIÓN.
DIVISA f. Señal para distinguir personas, grados, etc. • Lazo de cintas con que se distinguen los toros de cada ganadero. • Título de crédito expresado en moneda extranjera y que se paga en el extranjero. • P. ext., la propia moneda extranjera.
DIVISAR tr. Ver confusamente un objeto. • *Her.* Distinguir las armas de familia, añadiendo blasones.
DIVISIBILIDAD f. Calidad de divisible. • *Fís.* Una de las propiedades generales de la materia.
DIVISIBLE adj. Que puede dividirse. • *Álg.* y *Arit.* Aplícase a la cantidad entera que puede dividirse exactamente por otra entera.
DIVISIÓN f. Acción y efecto de dividir, separar o repartir. • fig. Discordia. • *Álg.* y *Arit.* Operación de dividir. • *Mil.* Parte de un ejército capacitada para actuar independientemente o en operaciones de conjunto. Comprende entre diez y veinte mil soldados. • **acorazada o blindada**. *Mil.* La constituida por carros de combate o fuerzas transportadas en vehículos blindados. • **celular**. Proceso de multiplicación celular en el que la célula madre se escinde en dos células hijas. • **de poderes**. Separación entre los diversos poderes del Est.: legislativo, ejecutivo y judicial. • **del trabajo**. Especialización de los trabajadores en cada una de las fases de producción de un bien. • **heterotípica**. La primera de la meiosis. • **homotípica**. La segunda de la meiosis. • **motorizada**. Aquella en que las tropas son transportadas en camiones. ■ DIVISIONAL; DIVISIONARIO, RIA; DIVISO.

Diosa de las serpientes de Cnosos, antigua **divinidad** cretense

DIVISIONISMO m. *Pint.* Técnica que consiste en yuxtaponer los colores.
DIVISMO m. Calidad de divo.
DIVISOR, RA adj. Que divide. • adj. y s. *Álg.* y *Arit.* Submúltiplo. • m. *Álg.* y *Arit.* Cantidad por la cual ha de dividirse otra. • **Máximo común d.** *Arit.* El mayor de los divisores comunes de dos o más números enteros.
DIVO, VA adj. poét. Divino. • adj. y s. Cantante de ópera o de zarzuela. • Persona afamada.
DIVORCIAR tr. y prnl. Separar por sentencia legal a dos casados. • fig. Separar personas o cosas que debían estar juntas.
DIVORCIO m. Acción y efecto de divorciar o divorciarse. • *Col.* Cárcel de mujeres.
DIVULGAR tr. y prnl. Publicar una cosa. ■ DIVULGACIÓN.
DIXIELAND adj. y m. Estilo de jazz originado en los estados sureños de EE UU. Combinación de *ragtimes*, aires de marcha y *blues*.
DIYAMBO m. Pie de las poesías gr. y latina compuesto de dos yambos.
DIYARBAKIR C. de Turquía, cap. de la prov. hom., en la Anatolia Oriental; 305 300 hab. Centro industrial, agrícola y comercial.
DIZ Apócope de dice, o de dícese.
DIZQUE m. Dicho, murmuración.
DJAKARTA → Yakarta.
DJERBA Isla de Tunicia, en el golfo de Gabes; 60 000 hab. Coral y esponjas.

DJIBUTI

Superficie 23 200 km²	
Población 622 000 hab. (27 hab./km²)	
Recursos económicos	
Cabaña bovina	190 000 cabezas
Cabaña caprina	507 000 cabezas
Cabaña ovina	470 000 cabezas
Camellos	62 000 cabezas
Energía eléctrica	185 000 000 kwh
Indicadores sociológicos	
PNB	495 millones de dólares
Renta per cápita	850 dólares
Esperanza de vida	50 años
Alfabetismo	46 %

Djibuti. Arriba, mapa de situación y bandera; a la derecha, vista de la capital

DJIBUTI (*Jumhùrìya Jìbùtì, Djibouti*) Est. del NE de África, sit. en el golfo de Adén, entre Eritrea, Etiopía y Somalia. Clima árido. Territorio desértico y montañoso. Ganadería. Nudo de comunicaciones. Lenguas: ár. y fr. (of.). *Rel.*: islamismo (mayoritaria) y catolicismo. U. M.: el franco de D. Cap., Djibuti. * *Hist.* La dominación fr. se remonta a 1862. En 1967 D. obtuvo autonomía interna y en 1977 se le concedió la indep. Hassan Gouled Aptidon gobernó desde entonces hasta 1999, año en que Ismail O. Guelleh ganó las elecciones pres. y le sustituyó.

DJIBUTI Cap. de la rep. hom.; 200 000 hab. Puerto de escala. Estación terminal del ferr. de Addis Abeba (Etiopía).
DJILAS, *Milovan* (1911-1995) Político yug. Participó en la resistencia. Presidió la Asamblea Nacional (1953), pero fue desposeído de sus cargos por sus críticas al nuevo poder dictatorial comunista. *La nueva clase.*
DMOWSKI, *Roman* (1864-1939) Político pol., uno de los fundadores de la Liga Nacional, que él mismo, en 1897, convirtió en Partido Nacional Demócrata. Ministro de Asuntos Exteriores (1923).
DMYTRYK, *Edward* (nacido 1908) Director cinematográfico norteam., de origen canadiense. *Encrucijada de odios, Hombres olvidados.*
DNA → ADN.
DNIÉPER Río de Europa Central. Nace en Rusia y pasa por Bielorrusia y Ucrania; 2 200 km. Comunica los mares Báltico y Negro.
DNIEPRODZERZHINSK C. de Ucrania; 271 000 hab. Sit. en la orilla del Dniéper. Centro industrial.
DNIEPROPETROVSK C. de Ucrania; 1 153 000 hab. Sit. en la orilla del Dniéper. Centro industrial.
DNIÉSTER (moldavo, *Nistru*) Río de Ucrania y Moldavia; 1 400 km. Nace cerca de la frontera pol. y desemboca en el mar Negro.
DO m. Primera voz de la escala musical, que sustituyó al antiguo *ut*. • adv. lugar. poét. Donde. • **de pecho**. Una de las notas más agudas que alcanza la voz de tenor.
DOBB, *Maurice H.* (1900-1976) Economista brit. Primer teórico occidental de la economía soviética. *Salarios, Crecimiento económico y planificación.*
DOBERMANN adj. y s. Díc. de una raza de perros de labor, de cuerpo grácil y de gran inteligencia y resistencia .
DOBLA f. Ant. moneda castellana de oro. • *Chile.* Beneficio para sacar durante un día mineral de una mina. • fig. y fam. *Chile.* Participación que saca un extraño en un beneficio sin haber contribuido en nada.
DOBLADAS f. pl. *Cuba.* Toque de ánimas.
DOBLADILLAR tr. Hacer dobladillos.
DOBLADILLO m. Pliegue que como remate se hace a la ropa en los bordes. • Hilo usado para hacer calcetas.
DOBLADO, *Manuel* (1818-1865) Político liberal mex. Diputado en el congreso reunido en Querétaro (1847). Juárez le nombró ministro de Relaciones Exteriores.
DOBLADOR, RA adj. y m. Que dobla. • adj. *Guat.* Tusa, espata del maíz, en que se envuelve el tabaco para hacer un cigarrillo.
DOBLADURA f. Parte por donde se ha doblado una cosa. • Señal que queda por donde se dobló. • Caballo de reserva. • Cierto guisado de carnero.
DOBLAR tr. Aumentar una cosa, haciéndola otro tanto más de lo que era. • Endoblar. • Aplicar una sobre otra dos partes de una cosa flexible. • tr., intr. y prnl. Volver una cosa sobre otra. • tr. y prnl. Torcer una cosa encorvándola. • fig. Inclinar a uno a que piense o haga lo contrario a su primer intento. • En términos de bolsa, prorrogar una operación a plazo. • Tratándose de un cabo, punta, etc., pasar la embarcación por delante y ponerse al otro lado. • tr. e intr. Pasar a otro lado de una esquina, cerro, etc., cambiando de dirección en el camino. • tr. *Cin.* Sustituir las palabras del actor que aparece en la pantalla por las de otra persona que no se ve. • En el juego de ajedrez, colocar un peón, por tomar una pieza o peón contrario, en columna donde existe ya otro peón del mismo jugador. • fig. y fam. Causarle a uno gran quebranto. • *Taur.* Caer el toro agonizante al final de la lidia. • intr. Tocar a muerto. • Hacer un actor dos papeles en una obra. • prnl. e intr. fig. Ceder a la persuasión o al interés. • prnl. Hacerse el terreno más desigual. ■ DOBLADO, DA; DOBLAJE; DOBLAMIENTO.
DOBLE adj. y m. Duplo. • adj. Díc. de la cosa acompañada de otra semejante y que juntas sirven para el mismo fin. • En los tejidos, de más cuerpo que lo sencillo. • En las flores, de más hojas que las sencillas. • En el juego del dominó, díc. de la ficha que en los cuadrados de su anverso lleva igual número de puntos, o no lleva ninguno. • Fornido de miembros. • fig. Simulado. • adj. y f. Díc. de ciertas estrellas. • m. Doblez, parte que se dobla y señal que queda. • Toque de campanas por los difuntos. • Operación de Bolsa que consiste en comprar o vender un valor y revenderlo o volverlo a comprar a corto plazo. • Diferencia que se compra o paga en la operación bursátil de este nombre. • *Cin.* Actor secundario que sustituye al protagonista de la película. • Sosia, persona parecida a otra.
DOBLEGAR tr. y prnl. Doblar o torcer encorvando. • Blandear. • fig. Hacer a uno que desista de un propósito y se preste a otro. ■ DOBLEGABLE; DOBLEGADIZO, ZA.

DOBLES, *Fabián* (nacido 1918) Escritor cost. Adscrito al naturalismo. Entres sus obras destacan *Yerbamar* (poesía) ; *Ese que llaman pueblo, En el San Juan hay tiburón* (novela). • ***Luis*** (1891-1956) Escritor cost. Sus obras principales son *El clamor de la tierra, Caña Brava, Fadrique Gutiérrez.*
DOBLESCUDO m. Hierba crucífera, áspera y vellosa, con flores amarillas en racimo.
DOBLETE adj. Entre doble y sencillo. • m. Piedra falsa que se hace con dos pedazos de cristal pegados. • Suerte del juego de billar, que consiste en hacer que la bola, después de tocar en una sola banda, vaya al lado opuesto de aquel en que se hallaba. • En filología, cada una de dos palabras que tienen un mismo origen etimológico. • Antena de telecomunicación formada por dos conductores. • *Ópt.* Sistema formado por dos lentes, que se utiliza para reducir aberraciones. • *Quím.* Orbital.
DOBLEZ m. Parte que se dobla en una cosa. • Señal que queda en la parte por donde se dobló. • amb. fig. Astucia con que uno obra, dando a entender lo contrario de lo que siente.
DOBLÓN m. Moneda ant. de oro.
DOBLONADA f. Dinerada.
DOBRUDJA (rum., *Dobrogea*) Región de Rumania y Bulgaria; 23 500 km^2, 1 150 000 hab. Constanza es la cap. del sector rum. y Tolbujin la del búlg. Clima continental. Agricultura.
DOCA f. *Chile.* Planta de hojas carnosas, flores rosadas y fruto comestible.
DOCE adj. Diez y dos. • Duodécimo, que sigue en orden al undécimo. Aplicado a los días del mes, se usa también como s. • m. Conjunto de signos con que se representa el núm. doce.
DOCE Río de Brasil. Nace en la Serra do Espinhaço, est. de Minas Gerais, y desemboca en el Atlántico; 977 km.
DOCENA f. Conjunto de 12 cosas iguales. • **de fraile**. Conjunto de 13 cosas. ■ DOCENAL; DOCENARIO, RIA.
DOCENCIA f. Enseñanza. ■ DOCENTE.
DOCENO, NA adj. Duodécimo.
DOCETISMO m. Doctrina heterodoxa de los ss. I-II, de naturaleza gnóstica.
DÓCIL adj. Suave, que recibe fácilmente la enseñanza. • Obediente. • Díc. del metal, piedra, etc., que se labra con facilidad. ■ DOCILIDAD.
DOCILITAR tr. y prnl. Reducir a uno a la docilidad, o hacer flexible alguna cosa.
DÓCIMA f. Comprobación.
DOCIMASIA f. Técnica de efectuar comprobaciones mediante ensayos. • *Metal.* Determinación del contenido de metal en un mineral. ■ DOCIMÁSTICO, CA.
DOCK (voz ing.) m. Puerto. • Depósito comercial de mercancías.
DOCTO, TA adj. y s. Que a fuerza de estudios ha adquirido muchos conocimientos.
DOCTOR, RA m. y f. Persona que ha recibido el último grado académico que confiere una universidad. • Persona muy sabia. • Teólogo de gran autoridad. • En lenguaje usual, médico. • **honoris causa**. Título honorífico que conceden las universidades.
DOCTOR ARROYO C. de México, en el est. de Nuevo León; 43 000 hab. Agricultura, ganadería, avicultura.
DOCTORADO m. Grado de doctor. • Estudios necesarios para obtener este grado. • fig. Conocimiento en alguna materia. ■ DOCTORAL.
DOCTORAR tr. y prnl. Graduar de doctor. ■ DOCTORAMIENTO; DOCTORANDO, DA.
DOCTRINA f. Conjunto de opiniones de una escuela o de una religión. • Libro que la contiene. • *Amér.* Pueblo de indios convertidos, cuando todavía no se había establecido parroquialidad. ■ DOCTRINAL; DOCTRINERO.
DOCTRINAR tr. Enseñar, dar instrucción.
DOCTRINARISMO m. Mov. surgido en Francia durante la Restauración. Representó los intereses de la burguesía liberal. ■ DOCTRINARIO, RIA.
DOCTRINO m. Huérfano que se recoge en un colegio para educarlo. • fig. y fam. Persona de aspecto y modales tímidos y apocados.
DOCUMENTACIÓN f. Acción y efecto de documentar. • Conjunto de documentos que sirven para este fin. • Documento oficial.
DOCUMENTAL adj. Que se funda en documentos, o se refiere a ellos. • adj. y s. *Cin.* Díc. de las películas que representan hechos tomados de la realidad. ■ DOCUMENTALISTA.
* *Cin.* El nacimiento del d. coincide con el del cine: los primeros filmes de los hermanos Lumière eran d. *(La salida de los obreros de las fábricas Lumière).* En 1922 Dziga Vertov formuló la teoría del cine-ojo y Robert Flaherty filmó *Nanuk el esquimal.* Las teorías de Vertov cristalizaron en la escuela documentalista brit.: John Grierso *(Drifters)*, Paul Rotha, Basil Wright, Alberto Cavalcanti y el mismo Flaherty *(Hombres de Aran)*. La guerra de España y la II Guerra Mundial ofrecieron un amplio campo al d. (Joris Ivens, Humphrey Jennings). Después de la guerra, el d. conoció una extraordinaria expansión (Lindsay Anderson, Karel Reisz, Resnais, Franju, Chris Marker). A veces se ha buscado el interés científico (Cousteau), y en ocasiones el mero sensacionalismo (Giacopetti).
DOCUMENTAR tr. Probar la verdad de algo con documentos. • tr. y prnl. Instruir a uno acerca de las noticias sobre un asunto. ■ DOCUMENTADO, DA.
DOCUMENTO m. Diploma, carta u otro escrito que ilustra acerca de algún hecho. • Escrito donde se prueba una cosa. • **público.** Escrito autorizado por notario, donde constan la fecha y los hechos a que se refiere. • **privado.** Escrito autorizado por las partes interesadas para hacer constar un hecho, pero sin valor de prueba legal o de fe pública.
DODDS, *Johnny* (1892-1940) Músico norteam., de raza negra. Fue el mejor clarinetista del estilo Nueva Orleans.
DODECAEDRO m. *Geom.* Poliedro de 12 caras.
DODECAFONÍA f. *Mús.* Sistema atonal en que se usan los 12 intervalos cromáticos de la escala. ■ DODECAFÓNICO, CA.
DODECAFONISMO m. *Mús.* Método de composición iniciado por A. Schönberg en 1908, que elimina la jerarquía del valor tonal y considera los doce tonos iguales (siete notas más cinco semitonos).
DODECÁGONO, NA adj. y m. *Geom.* Polígono de doce ángulos y doce lados.
DODECANESO Arch. de Grecia, al SE del mar Egeo. Constituye el nomo hom.; 2 714 km^2, 145 100 hab. Cap., Rodas, 41 500 hab. Esponjas.

Perro de raza **dobermann**

Anverso de un **doblón** de oro de cuatro escudos, acuñado en Lima en tiempos de Fernando VI

Dodecaneso. Las columnas del puerto de Rodas

DODECASÍLABO, BA adj. De doce sílabas. • m. Verso de doce sílabas.
DODECÁSTILO adj. y m. *Arq.* Díc. de la fachada que tiene doce columnas en el pórtico.
DODOMA Cap. de Tanzania y de la región hom.; 203 000 hab., sit. en la vía férrera de Dar es Salam.
DOE, *Samuel* (1952-1990) Militar y político liberiano. Accedió a la jefatura del estado mediante un golpe militar en 1980. Confirmado en las elecciones de 1985, fue derrotado y ejecutado por las guerrillas que asediaban el país (1990).
DOELLO-JURADO, *Martín* (1884-1948) Naturalista arg. Director del Museo Argentino de Historia Natural. *Estudios sobre biología.*
DOGAL m. Cuerda con la cual se forma un lazo para atar las caballerías. • Cuerda para ahorcar.

DOGARESA f. Mujer del dux.
DOGMA m. Punto fundamental de una doctrina. • Conjunto de dogmas.
DOGMATISMO m. Conjunto de todo lo que es dogmático en religión. • Conjunto de las proposiciones que se tienen por principios innegables de una ciencia. • Actitud de aceptar como incontestables los propios puntos de vista. • *Fil.* Escuela opuesta al escepticismo. ■ DOGMÁTICO, CA.
DOGMATIZAR tr. Enseñar dogmas. • Afirmar como innegables principios sujetos a contradicción.
DOGO, GA adj. y s. Díc. del perro alano. • m. Perro grande, de pelo corto y hocico chato.
DOGÓN adj. y s. Díc. del individuo de un pueblo melanoafricano del África occidental (Malí y Burkina Faso), cuyo arte (máscaras y utensilios de metal) son de una extraordinaria belleza y expresividad, así como sus viviendas.
DOISY, ***Edward*** (1893-1986) Médico norteam. Aisló la vitamina K. Premio Nobel de Medicina en 1943.
DOLABELA, ***Publio Cornelio*** (70-43 a. C.) Cónsul rom. (44 a. C.). Sucedió a César y fue declarado enemigo público.
DOLAJE m. Vino absorbido por la madera de las cubas en que se guarda.
DOLAMAS f. pl. o **DOLAMES** m. pl. Enfermedades.
DOLAME m. Aje o enfermedad oculta de las caballerías.
DOLAR tr. Desbastar, labrar madera o piedra con la doladera o el dolobre. ■ DOLADERA; DOLADOR; DOLADURA.

Dolmen llamado Piedra Caballera, en Montejaque, Málaga (España)

Uno de los tres picos Lavaredo, en los **Dolomitas** o Alpes Dolomíticos

DÓLAR m. U. M. de EE UU. • Moneda oficial de algunos países vinculados a la economía norteam.
DOLCINO, FRA (mediados s. XIII-1307) Fraile it., jefe de una secta que rechazaba toda autoridad. Murió en el suplicio.
DOLDRUMS (voz ing.) m. pl. *Meteor.* Zona de bajas presiones ecuatoriales.
DOLE m. Mamífero asiático de la familia cánidos.
DOLENCIA f. Indisposición, achaque.
DOLER intr. Padecer. • Causar repugnancia el hacer una cosa. • prnl. Arrepentirse de haber hecho una cosa. • Pesarle a uno de no poder hacer lo que quisiera, o de un defecto natural. • Compadecerse del mal de otro. • Quejarse.
DOLERITA f. *Geol.* Roca eruptiva de grano grueso constituida por plagioclasa y piroxeno.
DOLICOCÉFALO, LA adj. *Antr.* Díc. de la persona cuyo cráneo es muy oval. ■ DOLICOCEFALIA.
DOLICOSÓMIDO m. *Pal.* Anfibio fósil que tenía forma de serpiente.
DOLIENTE adj. Que duele o se duele. • adj. y s. Enfermo. • Dolorido. • com. En un duelo, pariente del difunto.
DOLINA f. Depresión de forma ovalada y contorno sinuoso, de pequeñas dimensiones.
DOLIO m. Vasija rom. de barro.
DOLLÉANS, ***Édouard*** (1877-1954) Economista e historiador fr. *Historia del movimiento obrero.*
DOLLFUS, ***Engelbert*** (1892-1934) Estadista austr. Canciller federal (1932). Suspendió (1933) el régimen parlamentario y fundó el Frente Patriótico, ultraconservador.
DOLLINGER, ***Ignaz*** (1799-1890) Escritor y sacerdote al. Al rechazar la infalibilidad del papa, fue excomulgado. *La Reforma, su desarrollo interno y sus efectos.*
DOLLY (voz ing.) f. *Cin.* Grúa que se utiliza durante un rodaje.
DOLMEN m. Monumento megalítico formado por grandes piedras verticales que sostienen una o varias en posición horizontal.
DOLO m. Engaño. • *Der.* En los delitos, plena deliberación; en los contratos y otras acciones, intención astuta.
DOLOBRE m. Pico para labrar piedras.
DOLOMÍA f. *Geol.* Roca sedimentaria calcárea, constituida por carbonato de magnesio (dolomita). Aparece a menudo interestratificado con las calizas. ■ DOLOMÍTICO, CA.
DOLOMITA f. *Miner.* Carbonato de calcio y magnesio, trigonal, incoloro o coloreado, muy difundido en la naturaleza.
DOLOMITAS o **ALPES DOLOMÍTICOS** *(Dolomiti)* Sector SO de los Alpes Orientales it. Alt. máx.: Marmolada (3 342 m).
DOLOMITIZACIÓN f. *Geol.* Proceso de formación de dolomías a partir de calizas.
DOLOR m. *Med.* Sensación molesta de una parte del cuerpo. • Sentimiento, pena. • Arrepentimiento de haber hecho algo. ■ DOLORIDO, DA; DOLOROSO, SA.
DOLORA f. Composición poética de espíritu dramático.
DOLORES HIDALGO C. de México, en el est. de Guanajuato; 102 200 hab. Agricultura. Ganadería. Estaño, oro y plata. • **Grito de D.** Primer acto de rebelión de la indep. mex., dirigido por Miguel Hidalgo, párroco de la población.
DOLORIMIENTO m. Sensación de dolor.
DOLOROSA f. Imagen de la Virgen de los Dolores.
DOLOSO, SA adj. Engañoso, fraudulento.
DOM m. Título que se da a algunos religiosos.
DOMA f. Domadura. • fig. Represión de las pasiones.
DOMAGK, ***Gerhard*** (1895-1964) Patólogo y bacteriólogo al. Descubrió el prontosil. Premio Nobel de Medicina en 1939.
DOMAR tr. Amansar al animal. • fig. Sujetar. ■ DOMADOR, RA; DOMADURA.
DOMBO m. Arq. Domo.
DOMENCHINA, ***Juan José*** (1898-1959) Escritor esp. *Crónica de Gerardo Rivera, Corporeidad de lo abstracto, Margen.*
DOMENICHINO, ***Domenico Zampieri*** (1581-1641) Pintor barroco it. *La caza de Diana.*
DOMENICO Veneziano (h. 1400-1461) Pintor it. *Vida de san Francisco, San Juan Bautista.*
DOMEÑAR tr. Someter, sujetar y rendir.
DOMESTICACIÓN f. Proceso mediante el cual el hombre adapta animales salvajes a vivir con él.
DOMESTICAR tr. Acostumbrar a la compañía del hombre al animal salvaje. • tr. y prnl. fig. Hacer tratable a una persona que no lo es.
DOMÉSTICO, CA adj. Relativo a la casa u hogar. • Díc. del animal que se cría junto al hombre. • adj. y s. Criado que sirve en una casa. • Ciclista cuya misión es ayudar al corredor principal. ■ DOMESTICIDAD.

Miguel Hidalgo con la antorcha simbólica de la proclama del **Grito de Dolores.** Mural de Juan O'Gorman. Museo Nacional de Historia, México

DOMEYKO Alineación montañosa del N de Chile paralela a los Andes. Alt. superiores a los 5 000 m.
DOMEYKO, *Ignacio* (1802-1889) Naturalista chil., de origen pol. Rector de la Universidad Nacional. *Elementos de mineralogía.*
DOMICIANO, *Tito Flavio* (51-96) Emp. rom. (81-96). Culminó la conquista de Britania.
DOMICILIAR tr. Dar domicilio. • *Méx.* Escribir en un sobre la dirección. • prnl. Establecer, fijar su domicilio en un lugar.
DOMICILIO m. Morada fija. • Lugar en que legalmente se considera establecida una persona o entidad. • Casa en que uno habita. ■ DOMICILIARIO, RIA.
DOMINACIÓN f. Señorío o imperio que tiene sobre un territorio el que ejerce la soberanía.
DOMINANCIA f. En genética, situación de herencia en la que uno de los dos alelos para un carácter tiene una acción predominante.
DOMINAR tr. Tener dominio. • Sujetar. • Divisar una extensión considerable de terreno. • tr. e intr. Sobresalir un monte, edificio, etc., entre otros. • prnl. Reprimirse. ■ DOMINADOR, RA; DOMINANTE; DOMINATIVO, VA.
DÓMINE m. fam. Maestro de latín. • despect. Persona que adopta el tono de maestro.
DOMINGO m. Séptimo día de la semana civil y primero de la litúrgica. • **sangriento** o **rojo**. Matanza de San Petersburgo (1905). ■ DOMINGADA; DOMINGUERO, RA; DOMINICAL.
DOMINGO, *Plácido* (nacido 1941) Tenor esp., artísticamente formado en México. Mundialmente famoso, destacan sobre todo sus interpretaciones de Verdi y Puccini. • **De Guzmán** (1170-1221) Santo. Religioso esp. Fundador de la orden de Predicadores. • **Gundisalvo** (s. XII) Filósofo esp., conocido como DOMINICUS GUNDISSALVUS. Traductor de obras de filósofos ár. *De processione mundi, De Unitate.*
DOMINGUEJO m. Dominguillo. • *Chile, Perú* y *Ven.* Persona insignificante, pobre diablo.
DOMÍNGUEZ, *Lorenzo* (1901-1963) Escultor chil. Premio Palanza 1958. Monumentos a San Martín y a O'Higgins en Mendoza. • ***Luis*** (1819-1898) Escritor y político arg. Se opuso a Rosas. *El ombú, A Montevideo, Historia de Argentina.* • ***María Alicia*** (nacida 1908) Poeta y narradora arg., influenciada por el posmodernismo. *Campo de luna.* • ***Miguel*** (1756-1830) Patriota mex. Corregidor de Querétaro. Activo conspirador contra el dominio esp. • ***Ramiro*** (nacido 1929) Poeta par. *Zumos, Ditirambo para coro y flauta, Las cuatro fases del Luisón.* • **Alba, *Bernardo*** → Sinán. • **Camargo, *Hernando*** (1601-1656) Poeta col., influido por Góngora. *Poema heroico de San Ignacio de Loyola, La muerte de Adonis.* • **Ortiz, *Antonio*** (nacido 1909) Historiador esp., *Política y hacienda de Felipe IV, Hechos y figuras del s. XVIII.*
DOMINGUILLO m. Muñeco que, movido en cualquier dirección, vuelve a quedar derecho.
DOMINICA o **DOMÍNICA** f. En lenguaje eclesiástico, domingo. • Textos de la Escritura, que en el oficio divino corresponden a cada domingo.
DOMINICA Isla de las Pequeñas Antillas, en el arch. de las Windward. Sit. entre las islas Guadalupe, al N, y Martinica, al S. Clima cálido y húmedo.

Dominica. Vista de Roseau

Naturaleza volcánica. Pesca y frutos tropicales. Pob.: negros y mulatos. Lenguas: ing. (of.) y créole. *Rel.*: Protestantismo y catolicismo. Cap., Roseau.
* *Hist.* Descubierta por Colón en 1493. Ocupada por Inglaterra (1759), se la anexionó en 1763. En 1963 fue declarado est. asociado y en 1978 accedió a la indep.

DOMINICA

Superficie 751 km²	
Población 71 000 hab. (94 hab./km²)	
Recursos económicos	
Bananas	67 000 t
Nuez de coco	12 000 t
Copra	2 000 t
Limones	5 000 t
Pesca	700 t
Turismo	29 100 visitantes
Indicadores sociológicos	
PNB	175 millones de dólares
Renta per cápita	2 440 dólares
Esperanza de vida	72 años

Mapa de situación y bandera de **Dominica**

DOMINICANA, *República* Estado americano que ocupa la parte oriental de la isla de La Española (Grandes Antillas). Bañado por el océano Atlántico, al N, y el mar Caribe, al S; el canal de Mona lo separa de Puerto Rico.
* *Geog. fís.* Relieve formado por varias cadenas montañosas paralelas: al N la cord. Septentrional o de Monte Cristi y de NO a SE la cord. de Cibao o Central. Ríos: los dos Yaques, del N y del S, el Yuma, el Ozama y el Macorís. Costas coralígenas. Clima tropical cálido y húmedo.
* *Geog. econ.* Economía agrícola. Las tierras cultivables ocupan el 21 % del terr. Los prales. cultivos son: caña de azúcar, arroz, tabaco y bananas. Gran reserva de caoba. Ganadería. Bauxita y sal. Ind. derivadas de la agr. y ganadería vacuna y porcina. Exportaciones de azúcar, café y tabaco.
* *Geog. humana.* Grupos étnicos o nacionales: mulatos (60 %), blancos (28 %), negros (11,5 %). Lengua: esp. (of.). *Rel.*: mayoría católica. U.M.: el peso. Cap.: Santo Domingo. C. prales.: Santiago de los Caballeros, San Pedro de Macorís, San Francisco de Macorís, La Vega, San Juan.
* *Hist.* La parte oriental de La Española, que había caído bajo dominio fr. en 1795, no se liberó hasta 1809, después de la derrota fr. en Palo Hincado. Tras esta batalla se restableció voluntariamente la soberanía española. En 1821 José Núñez de Cáceres proclamó la independencia, integrando al nuevo Estado en la Federación de la Gran Colombia. En 1822 se produjo la ocupación haitiana, que duró hasta 1844, cuando fueron expulsados por Juan Pablo Duarte. De 1861 a 1865 permaneció anexionada a España. A finales del s. XIX se inició la tutela norteam. en la política y en la economía, que culminó con la ocupación militar (1916-1924). La inestabilidad política favoreció la instalación, en 1930, de la dictadura de los hermanos Trujillo, Rafael Leónidas y Héctor Bienvenido, que terminó con el asesinato del primero en 1961. En las elecc. de 1962 triunfó el liberal Juan Bosch, que inició un programa reformista, truncado por un golpe militar. Contra el régimen se alzaron los constitucionalistas, dirigidos por el coronel Caamaño (1965). Cuando éstos dominaban la situación, se produjo la intervención militar de EE UU. En las elecc. de 1966 Juan Bosch fue vencido por Joaquín Balaguer, que conservó el poder en las elecc. de 1970 y 1974. En 1978 triunfó el líder de la oposición Antonio Guzmán, que emprendió una política de reformas. Fallecido en 1982, fue elegido presid. Jorge Blanco, a quien sucedió en 1986 Joaquín Balaguer, reelegido en 1990 y 1994. Ya octogenario, Balaguer fue sustituido en 1996 por Leonel Fernández, líder del Partido de la Liberación Dominicana, quien ganó las elecc. presid. de ese año. En 1998 el huracán *Georges* devastó gran parte del territorio. En mayo de 2000 se celebraron nuevas elecciones presidenciales en las que venció el socialdemócrata Hipólito Mejía.
* *Arte.* Importantes restos arqueológicos del pueblo ciboney y abundantes yacimientos taino. Tras

República Dominicana. Arriba, Hipólito Mejía; abajo, mapa de situación y bandera

República Dominicana. Monumento a Francisco Billini, en Santo Domingo

División administrativa de la **República Dominicana**

Provincias	*Km²*	*Habitantes*	*Densidad*	*Capital*	*Habitantes*
Distrito Nacional	1 477	2 313 100	1 566	Santo Domingo	1 313 177
La Altagracia	3 085	110 400	36	Higüey	35 500
Azúa	2 430	189 700	78	Azua	31 481
Bahoruco	1 376	86 700	63	Neiba	13 359
Barahona	2 528	151 300	60	Barahona	49 334
Dajabón	890	63 700	71	Dajabón	8 187
Duarte	1 292	259 800	201	San Francisco de Macorís	64 906
Elías Piña	1 788	23 000	13	Comendador	6 000
Espaillat	974	180 900	186	Moca	32 926
Hato Mayor	1 330	77 300	58	Hato Mayor del Rey	12 654
Independencia	1 861	42 800	23	Jimaní	2 315
María Trinidad Sánchez	1 310	124 200	94	Nagua	19 961
Monseñor Nouel	1 004	124 000	123	Bonao	30 400
Monte Cristi	1 989	92 000	46	Monte Cristi	9 300
Monte Plata	2 613	173 500	66	Monte Plata	6 500
Pedernales	1 011	18 800	18	Pedernales	7 880
Peravia	1 622	185 400	114	Baní	36 705
Puerto Plata	1 881	228 100	121	Puerto Plata	45 300
La Romana	558	162 400	291	La Romana	91 571
Salcedo	494	109 400	221	Salcedo	10 316
Samaná	989	72 500	73	Sta. Bárbara de Samaná	5 000
San Cristóbal	1 243	368 600	296	San Cristóbal	58 520
San Juan	3 561	264 700	74	San Juan	49 800
San Pedro de Macorís	1 166	193 200	166	San Pedro de Macorís	78 562
Sánchez Ramírez	1 174	139 600	119	Cotuí	9 619
Santiago	3 112	688 800	221	Santiago de los Caballeros	316 041
Santiago Rodríguez	1 020	61 100	60	Sabaneta	9 200
El Seibo	1 659	96 900	58	El Seibo	13 500
Valverde	580	110 700	191	Mao	33 527
La Vega	2 425	300 700	124	Concepción de la Vega	52 432
REP. DOMINICANA	48 442	7 012 500*	145	Santo Domingo	1 313 177

* Última estimación: 7 313 000 hab.

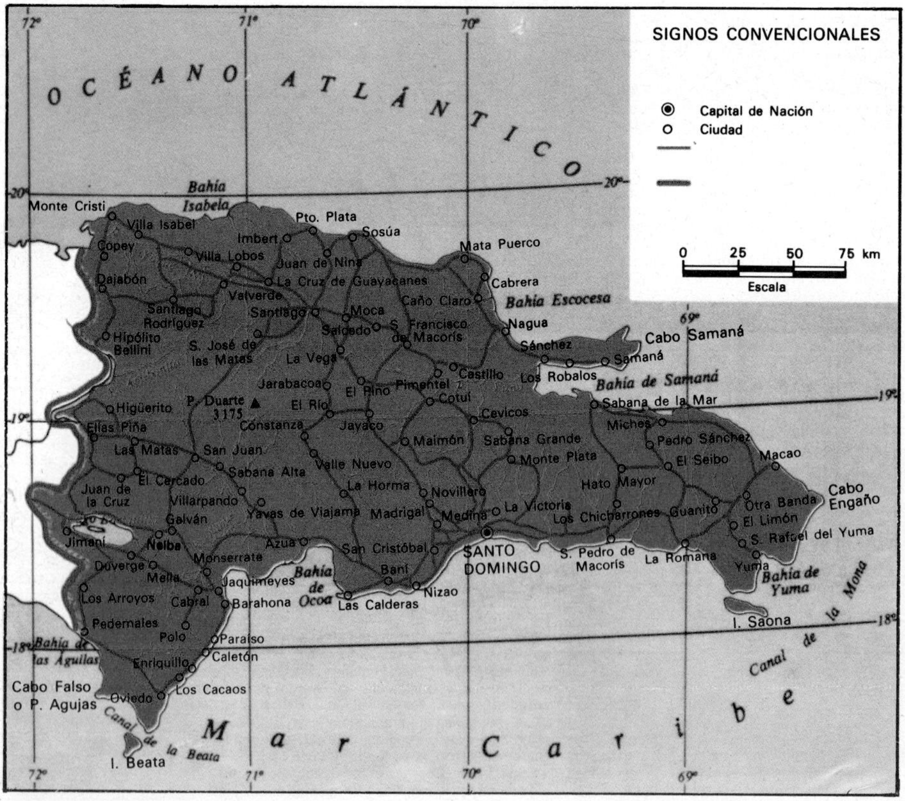

REPÚBLICA DOMINICANA

Recursos económicos		
Cacao	50 000	t
Cacahuetes	35 000	t
Café	46 000	t
Caña	210 000	ha
Copra	27 000	t
Tabaco	25 000	t
Ganadería y derivados		
Cabaña bovina	2 250 000	cabezas
Cabaña caballar	320 000	cabezas
Cabaña caprina	555 000	cabezas
Cabaña porcina	435 000	cabezas
Riqueza forestal	982 000	m³
Pesca	20 000	t
Producción minera		
Bauxita	7 000	t
Níquel	29 100	t
Oro	4	t
Plata	22	t
Sal gema	30 000	t
Producción industrial		
Azúcar	656 000	t
Cemento	1 189 000	t
Cerveza	1 269 000	hl
Energía eléctrica	2 965	millones de kwh
Indicadores sociológicos		
PNB	6 807	millones de dólares
Renta per cápita	950	dólares
Esperanza de vida	67	años
Alfabetismo	83	%

la conquista esp., tuvo lugar un nuevo florecimiento artístico: catedral, casa del Almirante, etc. Del s. XVIII datan las iglesias barrocas.

* *Lit.* En poesía, al romanticismo le sigue, a fines del s. XIX, el modernismo. Hacia 1921 apareció el «postumismo». En prosa sobresale la novela histórica y la narración costumbrista: Manuel Jesús Galván *(Enriquillo)*, Joaquín Pérez *(Fantasías indígenas)*, Américo Lugo *(Heliotropo)*. Manuel Luis Troncoso ha recogido episodios de la tradición oral *(Narraciones dominicanas)*.

DOMINICANISMO m. Locución, giro o modo de hablar propio de los dominicanos.

DOMINICANO, NA adj. y s. Dominico. • De la República Dominicana o de Santo Domingo.

DOMINICI, *Pedro César* (1872-1954) Escritor ven. Influido por D'Annunzio. *La tristeza voluptuosa, Dionysos.*

DOMINICIS, *Romano de* (nacido 1896) Escultor y pintor chil. Profesor de bellas artes en la universidad de Chile.

DOMINICO, CA adj. y s. Religioso de la Orden de Santo Domingo. • adj. Relativo a esa orden. • *Cuba* y *Amér. Centr.* Especie de plátano.

DOMINIO m. Poder que uno tiene de usar libremente de lo suyo. • Poder o ascendiente que se tiene sobre otra persona. • Territorio sujeto a un est. • Nombre que reciben los países indep. políticamente, pero vinculados a la Corona brit. (Commonwealth). • **De d. público.** loc. adj.Que sabe todo el mundo. • El que pertenece al est. en bienes que están destinados a un servicio público. • **De d. público.** loc. adj. Lo que todo el mundo sabe o conoce.

DOMINÓ m. Juego de mesa que se hace con 28 fichas rectangulares, blancas con puntos por la cara y negras por el revés.

DOMO m. *Arq.* Cúpula • *Geol.* Construcción volcánica que consiste en intrusiones de lava viscosa que han provocado relieves.

DOMPEDRO m. Dondiego. • fam. Bacín.

DON m. Dádiva. • Cualquiera de los bienes que tenemos. • Gracia para hacer una cosa. • Tratamiento de respeto que se antepone a los nombres propios masculinos. • **de gentes.** Conjunto de gracias que permiten a alguien ganarse la voluntad de las personas. • **nadie.** Hombre mediocre, poco conocido.

DON Río en la parte europea de Rusia; 1 870 km. Nace en la llanura rusa y desemboca en el mar de Azov.

DON Juan Personaje legendario de origen esp., famoso por su vida disoluta y sus aventuras amorosas como conquistador y embaucador de mujeres ingenuas. Ha dado origen a numerosas obras literarias, dramáticas y musicales.

DONA f. *Chile.* Don, legado testamentario. • pl. Regalos de boda que el novio hace a la novia.

DONACIÓN f. *Der.* Acto por el que una persona transmite la propiedad una cosa que le pertenece a favor de otra.

DONADÍO m. Hacienda cuyo origen es una donación real.

DONADO, DA m. y f. Lego de una orden monástica.

DONAIRE m. Discreción y gracia en lo que se dice. • Chiste o dicho gracioso. • Gallardía y agilidad para andar, bailar, etc. ■ DONAIROSO, SA.

DONAIRE, *Bartolomé* (1790-1860) Músico bol. Autor del melodrama *La coqueta.*

DONAR tr. Traspasar una persona a otra el dominio de una cosa. ■ DONADOR, RA; DONANTE; DONATARIO.

DONATELLO, *Donato di Nicolo di Betto Bardi,* llamado (1386-1466) Escultor florentino. Dominó el arte del relieve, asimilando en Roma los motivos del arte rom. tardío. Realizó la primera fig. desnuda del Renacimiento, el *David,* en bronce y el primer gran retrato ecuestre escultórico renacentista: la estatua del condotiero Gattamelata.

DONATISMO m. Herejía afr. de los ss. IV-V. Defendía la superioridad del Padre sobre el Hijo, y de éste sobre el Espíritu Santo.

DONATIVO m. Dádiva, regalo, cesión.

DONBÁSS Cuenca carbonífera en el extremo oriental de Ucrania; 25 000 km^2.

DONCEL m. Joven noble que aún no estaba armado caballero. • Adolescente. • adj. Dicho de ciertos frutos, dulce.

DONCELLA f. Mujer que no ha tenido relación sexual. • Muchacha. • Criada. • Budión, pez.

DONCELLERÍA f. fam. Doncellez.

DONCELLEZ f. Virginidad.

DONDE adv. lugar. En un lugar. Cuando es interrogativo o dubitativo se escribe con tilde. • A veces toma carácter de pron. relativo, y equivale a *en que* o *en el, la, lo que* o *cual.* • Lo cual. • Adonde.

DONDEQUIERA adv. lugar. En cualquier parte.

DONDIEGO m. Planta herbácea de la familia nictagináceas, de flores de color rojo, amarillo, blanco o manchado, que se abren de noche y se cierran al ponerse el sol. • **de día.** Planta convolvulácea de flores azules que se abren por el día y cierran por la noche. • **de noche.** Dondiego.

DONEN, *Stanley* (nacido 1924) Director de cine norteam. *Un día en Nueva York, Cantando bajo la lluvia.*

DONETSK C. del SE de Ucrania; 1 073 000 hab.; sit. en el Donbáss. Centro industrial y ferroviario.

DONGUINDO m. Variedad de peral.

DONILLERO m. Fullero que convida a aquellos a quienes quiere inducir a jugar.

DÖNITZ, *Karl* (1891-1981) Almirante al. Dirigió la guerra submarina contra Gran Bretaña en la II Guerra Mundial. Sucedió a Hitler en mayo de 1945.

DONIZETTI, *Gaetano* (1797-1848) Compositor de óperas it. *Elisir d'amore, Don Pasquale, Ana Bolena, La Favorita.*

DONJUÁN m. Dondiego, planta. • Tenorio.

DONJUANISMO m. Concierto de caracteres y cualidades propias de don Juan Tenorio. ■ DONJUANESCO, CA.

DONNE, *John* (1572-1631) Poeta barroco ing. *La corona, Himno a Dios Padre.*

DONOSIDAD f. Gracia, chiste. ■ DONOSO, SA.

DONOSO, *Armando* (1886-1946) Crítico literario chil., del Grupo de los Diez. Posmodernista. *La otra América, Recuerdos de 50 años.* • ***José*** (1924-1996) Escritor chil. Crítico de la burguesía y de las grandes familias. *El obsceno pájaro de la noche, Tres novelitas burguesas, Taratua, Adonde van los elefantes.* • **Cortés, *Juan*** (1809-1853) Político y literato esp. Evolucionó del liberalismo a un tradicionalismo exacerbado. *Ensayo sobre el catolicismo, el liberalismo y el socialismo.*

Privilegio de **donación** de Alfonso XI a la orden de Santiago

San Jorge, obra de **Donatello.** Museo Nacional del Bargello, Florencia (Italia)

Dondiego de noche

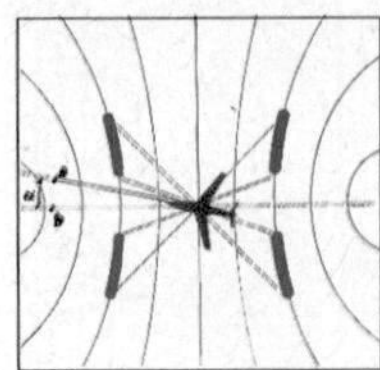

Esquema del funcionamiento de una moderna instalación para la medida de la velocidad de un avión mediante el **efecto Doppler**, en la que se emplean cuatro haces de radioondas emitidas por una antena orientable

Dorífora

Detalle de la plaza de la Hansa en **Dortmund**

DONOSTIA, *José Antonio de* (1886-1956) Compositor esp. *La vida profunda de San Francisco de Asís, Misa de Réquiem.*

DONOSTIARRA adj. y s. De la c. vasca de San Sebastián.

DONOSURA f. Donaire, gracia.

DONQUIJOTESCO, CA adj. Quijotesco.

DOÑA f. Tratamiento de respeto que se aplica a las mujeres y que precede a su nombre propio.

DOÑEAR tr. Cortejar a una mujer. • intr. fam. Andar entre mujeres y tener trato con ellas.

DOÑEGAL o **DOÑIGAL** adj. y s. Díc. del higo colorado por dentro.

DOOLITLE, *Hilda* (1886-1961) Escritora dramática norteam. *Hymen, Heliodora.*

DOPA f. Aminoácido aromático con dos grupos oxidrilo, estado intermedio en la biosíntesis de la adrenalina y de la melanina.

DOPAR intr. y prnl. Drogar.

DOPING (voz ing.) m. Administración de sustancias químicas a un atleta con el fin de aumentar su rendimiento en competición

DOPPLER, *Christian* (1803-1853) Matemático y físico austr. que describió el fenómeno hom. • **Efecto D.** o **D.-Fizeau.** Cuando un foco emisor de ondas se mueve respecto a un observador, para éste la longitud de onda se contrae.

DOQUIER o **DOQUIERA** adv. lugar. Dondequiera.

DORADA, *La* Mun. de Colombia, en el dpto. de Caldas; 32 000 hab. Agricultura. Ganadería. Centro comercial e industrial.

DORADILLA f. Dorada, pez. • Helecho de hojas, cubiertas de escamillas doradas por el envés.

DORADILLO, LLA adj. *Argent.* y *C. Rica.* Aplícase a la caballería de color melado brillante. • m. Hilo delgado de latón. • Aguzanieves, ave.

DORADO, DA adj. De color de oro. • fig. Esplendoroso. • *Chile* y *Cuba.* Aplícase a la caballería de color melado. • m. *Zool.* Pez acantopterigio, con el cuerpo muy deprimido, cola bifurcada y colores vivos con reflejos dorados. • pl. Conjunto de adornos metálicos • f. *Zool.* Pez teleósteo marino, acantopterigio, de color negro azulado y una mancha dorada entre los ojos. • *Cuba.* Mosca venenosa. • Dor adura. • *Astr.* Doradus, constelación austral. • **Los D.** *Hist.* Sección de la caballería del general Pancho Villa, que formó parte de la División del Norte, famosa por su audacia y temible por su agresividad, como partida guerrillera, durante los diversos avatares de la rev. mexicana.

DORADUS *Astr.* Constelación descubierta por el astrónomo Bayer en el s. XVII.

DORAL m. Pájaro, variedad de papamoscas, de color amarillo rojizo.

DORAR tr. Cubrir con oro una superficie. • Dar el color del oro a una cosa. • tr. y prnl. fig. Tostar ligeramente una cosa de comer. • prnl. Tomar color dorado. ■ DORADOR, RA; DORADURA.

DORDRECHT C. y puerto de los Países Bajos, en Holanda Meridional; 108 000 hab. Centro industrial. Astilleros.

DORÉ, *Gustave* (1833-1883) Dibujante y litógrafo fr. Ilustró los *Cuentos droláticos,* de Balzac, la *Divina Comedia,* de Dante, *El Quijote,* etc.

DORIA *(D'Oria)* Ilustre familia genovesa que dirigió el movimiento gibelino durante la E.Med. Varios de sus miembros fueron marinos: ***Zamba*** (s. XIII), ***Antonio*** (s. XIV), ***Andrea,*** el más ilustre dela familia, y ***Juan Andrea*** (1539-1606).

DORIA, *Andrea* (1466-1560) Almirante genovés al servicio de Carlos V. Obtuvo el reconocimiento de la indep. de Génova.

DÓRICO, CA adj. y m. El más ant. de los órdenes arquitectónicos gr. • m. *Ling.* Dialecto de los dorios.

DÓRIDA *(Doris)* Ant. región de Grecia central, avenada por el río Cefiso. • Ant. región de Asia Menor.

DORÍFORA f. Escarabajo de la patata.

DORÍFORO Estatua de Policleto (s. V a. C.), el canon dórico de la belleza masculina.

DORIO, RIA adj. y s. Díc. del individuo de un pueblo de la ant. Grecia. • m. pl. Pueblo indoeuropeo que penetró en Grecia a partir del s. XII a. C.

DORMAN m. Chaqueta de uniforme, usada por los húsares.

DORMICIÓN f. Representación de la muerte o tránsito de la Virgen.

DORMIDA f. Estado por el que pasa cuatro veces el gusano de seda. • Paraje donde las reses y las aves silvestres pasan la noche • *C. Rica* y *Chile.* Lugar donde se pernocta.

DORMIDERA f. Adormidera. • *Cuba.* Sensitiva, planta. • pl. fam. Facilidad de dormirse.

DORMILÓN, NA adj. y s. fam. Muy inclinado a dormir. • m. *Chile.* Pajarillo de color ceniciento oscuro y cola larga.

DORMILONA f. Arete, pendiente. Se usa más en pl. • Butaca para dormir la siesta. • *Amér. Centr.* y *Cuba.* Sensitiva, planta. • *Ven.* Camisa femenina de dormir.

DORMIR intr., tr., prnl. Permanecer el hombre o el animal en estado de reposo con suspensión de la actividad de los sentidos. • intr. Pernoctar. • prnl. e intr. fig. Obrar en un negocio con poca solicitud. • fig. Sosegarse lo que estaba inquieto. • fig. Con la prep. *sobre,* y tratándose de cosas que den qué pensar, tomarse tiempo para meditar sobre ellas. • prnl. fig. Adormecerse un miembro. ■ DORMIDERO, RA; DORMITIVO, VA.

DORMITAR intr. Estar medio dormido.

DORMITORIO m. Pieza acondicionada para dormir en ella. • Conjunto de los muebles de esta pieza.

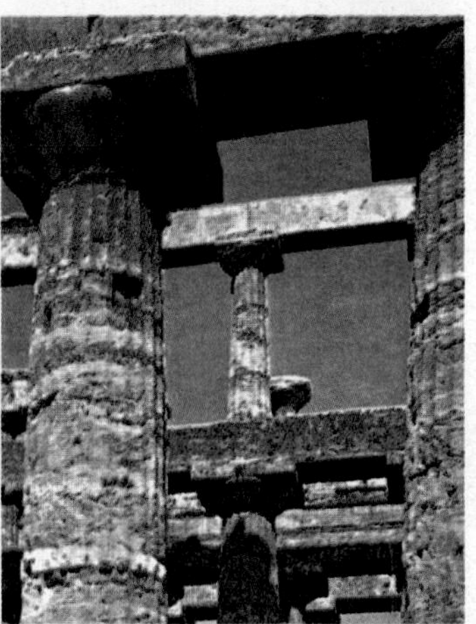

Templo **dórico** de la Concordia, Agrigento (Sicilia, Italia)

DORMIVELA m. fam. Duermevela.

DORNAJO m. Artesa pequeña y redonda.

DORNIER, *Claudius* (1884-1969) Industrial al. Construyó varios prototipos de aviones.

DORNILLO m. Dornajo.

DORREGO, *Manuel* (1787-1828) Militar y político arg. Participó en la guerra de indep. Gobernador de la prov. autónoma de Buenos Aires cuando estalló la sublevación de Lavalle (1828). Éste le derrotó e hizo fusilar.

DORSAL adj. Relativo al dorso, espalda o lomo. • adj. y f. *Fon.* Consonante que se articula con el dorso de la lengua. • m. Número que se cose en la camiseta de los deportistas para distinguirlos. • **mediooceánica** o **submarina.** *Geog.* Elevación del fondo de los océanos en forma de cordillera de montañas.

DORSEY, *Thomas,* llamado TOMMY (1905-1956) Arreglista, director de orquesta e intérprete norteam. de música de jazz.

DORSO m. Revés o espalda de una cosa.

DORTICÓS, *Osvaldo* (1919-1983) Político cub. Presid. tras el triunfo de la rev. (1959-1976). Vicepresid. del consejo de ministros (1976). Ministro de Justicia (1980-1983).

DORTMUND C. de Alemania, en la cuenca del Ruhr (Renania Septentrional-Westfalia); 579 700 hab. Centro industrial.

DOS adj. Uno y uno. • Segundo, que sigue en orden al primero. • m. Signo con que se representa el núm. dos. • Carta que tiene dos señales.
DOS HERMANAS Mun. esp., en la com. autón. de Andalucía (prov. de Sevilla); 91 138 hab. Centro industrial.
DOS PASSOS, *John* (1896-1970) Novelista norteam. Crítico corrosivo de la soc. norteam., fue evolucionando hacia posiciones conservadoras y escépticas. Representa a la llamada «generación perdida». *USA (Paralelo 42, 1919, La gran moneda),* trilogía, *Tres soldados, Manhattan Transfer.*
DOS ROSAS, *guerra de las* Conflicto civil ing. (s. XV), que enfrentó por el trono a las casas de York y de Lancaster, cuyos emblemas eran una rosa blanca y una roja, respectivamente. La guerra terminó definitivamente con un descendiente de los Lancaster, Enrique Tudor, coronado rey como Enrique VII y que casó con Isabel de York.
DOS SICILIAS Hasta 1861, est. formado por los reinos de Sicilia y Nápoles.
DOSAMANTES, *Francisco* (nacido 1911) Pintor, grabador e ilustrador mex. Es notable su colección de grabados en color.
DOSCIENTOS, TAS adj. pl. Dos veces ciento. • Ducentésimo. • m. Conjunto de signos con que se representa el núm. doscientos.
DOSEL m. Mueble de adorno que resguarda el sitial o el altar. • Antepuerta.
DOSIFICAR tr. Dividir las dosis de un medicamento. • Graduar la cantidad de otras cosas.
DOSÍMETRO m. *Ing.* Aparato para medir la radiación.
DOSIS f. Toma de medicina que se da al enfermo cada vez. • Cantidad de una cosa.
DOSSIER (voz fr.) m. Expediente.
DOSTOIEVSKI, *Fiódor Mijailovich* (1821-1881) Novelista ruso. Su obra demuestra gran penetración psicológica de los personajes. *Pobres gentes, Noches blancas, Crimen y castigo, El jugador, Los hermanos Karamazov.*
DOTACIÓN f. Acción y efecto de dotar. • Aquello con que se dota. • Conjunto de personas que tripulan un buque, especialmente el de guerra. • Conjunto de individuos asignados a una unidad militar, un establecimiento público, etc. • **cromosómica.** *Biol.* Conjunto de cromosomas de los núcleos de las células de un individuo. En el hombre es de 23 pares (22 pares de autosomas y un par de cromosomas sexuales).
DOTAR tr. Señalar dote a la mujer que va a contraer matrimonio o a profesar en alguna orden religiosa. • Señalar bienes para una fundación o instituto benéfico. • Asignar a una oficina, a un buque, etc., el número de empleados conveniente para el buen servicio. • Asignar sueldo a un empleo. • Dar a una cosa alguna propiedad ventajosa.
DOTE amb. Conjunto de bienes que lleva la mujer al matrimonio. • Conjunto de bienes que entrega al convento la religiosa que profesa. • m. En el juego de naipes, número de tantos que toma cada uno para saber después lo que pierde o gana. • f. Excelencia apreciable de una persona. Se usa más en pl. ■ DOTAL.
DOUGLAS, *Kirk* (nacido 1916) Actor cinematográfico norteam., de origen ruso (su verdadero nombre es *Yssur D. Demsky*). *Espartaco, Siete días de mayo, El loco del pelo rojo, El compromiso.*
DOUGLAS-HOME, SIR ***Alexander Frederick*** (1903-1995) Político conservador brit. Primer ministro (1963-1964). Jefe del partido conservador hasta 1965.
DOVELA f. *Arq.* Piedra labrada en figura de cuña, para formar arcos, etc. • Cada una de las superficies de intradós o de trasdós de las piedras de un arco.
DOVELAJE m. Conjunto de dovelas.
DOVELAR tr. Labrar la piedra dándole forma de dovela.
DOVER C. de EE UU, cap. del est. de Delaware; 27 600 hab.
DOVJENKO, *Aleksandr P.* (1894-1956) Director cinematográfico ruso. *Arsenal, La tierra.*
DOXOLOGÍA f. Fórmula de alabanza a la divinidad, especialmente a la Santísima Trinidad.
DOXOMETRÍA f. Estudio de la opinión pública mediante encuestas.
DOYLE, SIR ***Arthur Conan*** (1859-1930) Escritor brit., creador del personaje Sherlock Holmes.
DOZAVO, VA adj. y s. Duodécimo. • **En d.** Díc. del libro, folleto, etc., cuyo tamaño es de doce hojas por pliego.
DRABA f. Planta herbácea, crucífera.
DRAC m. *Argent.* Draque.
DRACMA f. Moneda gr. de plata. • Ant. unidad monetaria de Grecia. • *Farm.* Octava parte de una onza.
DRACO *Astr.* Constelación que se halla entre la Osa Mayor y la Osa Menor.
DRACÓN (s. VII a. C.) Legislador ateniense. Redactó un severo código de leyes.
DRACONIANO, NA adj. Concerniente a Dracón. • Aplícase a las leyes excesivamente severas.
DRÁCULA Vampiro humano. Personaje pral. de la novela del mismo nombre, escrita en 1897 por B. Stoker.
DRAGA f. Máquina excavadora destinada a extraer materiales diversos que se hallan bajo las aguas.
DRAGAMINAS m. *Mil.* Buque destinado a anular la acción de las minas.
DRAGAR tr. Ahondar y limpiar con draga los puertos de mar, ríos, etc. ■ DRAGADO, DA.
DRAGO m. Árbol de la familia liliáceas, del cual se obtiene la resina llamada *sangre de drago.*
DRAGO, *Gonzalo* (nacido 1907) Escritor chil. Autor de *Cobre* (cuentos), *Una casa junto al río* (relatos), *El purgatorio* (novela). • ***Luis María*** (1859-1921) Político arg. Fue ministro de Relaciones Exteriores. Desarrolló la doctrina D., según la cual la deuda contraída por un Est. soberano no podía dar lugar a intervención armada extranjera.
DRAGOMÁN m. Intérprete, trujamán.
DRAGÓN m. *Mit.* Animal parecido a una serpiente con pies y alas. • Especie de lagarto caracterizado por las expansiones de su piel, que forman a los lados del abdomen una especie de paracaídas. • Planta de la familia escrofulariáceas, con flores encarnadas o amarillas en espigas terminales. • Mancha opaca que se forma a veces en las niñas de los ojos de los cuadrúpedos. • Soldado de un cuerpo que se creó para servir lo mismo a pie que a caballo. • En los hornos de reverbero, la abertura y canal inclinado por donde se cargan y ceban aquéllos con más metal. • *Astr.* Draco, constelación boreal. • **marino.** Pez teleósteo, del suborden acantopterigios, rojizo por el lomo y blanco amarillento en los costados.
DRAGÓN, *Oswaldo* (nacido 1929) Dramaturgo arg. Temas históricos y sociales. *La peste viene de Melos, Historia de mi esquina.*
DRAGONA f. Hembra del dragón. • *Mil.* Especie de charretera. • *Chile* y *Méx.* Fiador de la espada. • *Méx.* Capa con esclavina y capucha.
DRAGONCILLO m. Arma de fuego. • Estragón, planta. • pl. Dragón, planta.
DRAGONEAR intr. *Amér.* Ejercer un cargo sin tener títulos para ello. • *Amér.* Alardear. • tr. *Argent.* y *Ur.* Enamorar, cortejar.
DRAGONTEA f. Planta herbácea vivaz de la familia aráceas, de rizoma feculento.
DRAKE, SIR ***Francis*** (1545-1596) Corsario ing. Realizó numerosas expediciones contra los galeones esp. que transportaban la plata americana y llegó a devastar pob. americanas, con el beneplácito de la corona británica.
DRAKKAR m. Nave normanda.

Dovelas (en naranja)

Dracma cartaginesa, acuñada en España (finales s. III a. C.)

Sir Francis **Drake**

Drakkares vikingos del s. IX

Dromedario

Dronte

Drosófila. Mosca del vinagre

José Napoleón **Duarte**

María Eva **Duarte**

DRAMA m. Pieza de teatro cuyo tema puede ser a la vez cómico y trágico. • Gén. literario que comprende las obras escritas para ser representadas. • fig. Suceso en la vida real en que ocurren desgracias. ■ DRAMÁTICO, CA; DRAMATISMO.
DRAMÁTICA f. Arte que enseña a componer obras dramáticas. • Poesía dramática.
DRAMATIZAR tr. Dar forma y condiciones dramáticas. • Exagerar con apariencias dramáticas. ■ DRAMATIZACIÓN.
DRAMATURGIA f. Dramática. ■ DRAMATURGO.
DRAMÓN m. Drama terrorífico y malo.
DRANGIANA Ant. región histórica, sit. en el E de la meseta irania y en el SO del actual Afganistán.
DRAPEAR tr. y prnl. Colocar o plegar los paños de la vestidura. ■ DRAPEADO, DA.
DRANGOSCH, *Ernesto* (1882-1925) Pianista y compositor arg. *Carnaval* (ópera), *Sinfonía argentina, Obertura criolla.*
DRAQUE m. *Amér. Merid.* Bebida compuesta de agua, aguardiente, azúcar y nuez moscada.
DRÁSTICO, CA adj. y m. Díc. del medicamento que purga con gran eficacia. • adj. fig. Riguroso.
DRÁVIDA adj. y s. Díc. del individuo de uno de los pueblos del SE de la India.
DRAVÍDICO, CA adj. Drávida. • **Lenguas d.** Grupo de lenguas indias habladas en el Decán.
DRAWBACK (voz. ing. *reintegro*) m. Devolución del arancel pagado por materias primas importadas que se reexportan como producto acabado.
DREISER, *Theodore* (1871-1945) Escritor norteam., de origen al. *Jennie Gerhardt; El financiero, El titán, Una tragedia americana.*
DRENAJE m. Operación para eliminar el agua contenida en el suelo. • *Cir.* Operación para eliminar y absorber los líquidos patológicos.
DRENAR tr. Avenar, desaguar un terreno. • *Cir.* Asegurar la salida de líquidos de alguna parte del cuerpo.
DREPANOCITOSIS f. *Pat.* Enfermedad hereditaria, caracterizada por la disminución de glóbulos rojos.
DRESDE *(Dresden)* C. de Alemania, cap. del distr. hom.; 519 700 hab. Centro artístico e industrial.
DREYFUS, *Alfred* (1859-1935) *Mil.* fr. de origen judío. Condenado injustamente por espionaje en favor de los al. El «caso Dreyfus», con su trasfondo antijudío, sacudió a la Francia de 1894.
DRÍA, DRÍADA o **DRÍADE** f. *Mit.* Ninfa de los bosques.
DRIBLING (voz ing.) m. En fútbol, acción de sortear a un contrario mediante un quiebro con el cuerpo y pasando el balón de uno a otro pie.
DRIESCH, *Hans* (1867-1904) Biólogo y pensador al. que representa una reacción del vitalismo contra las teorías mecanicistas.
DRIEU la Rochelle, *Pierre* (1893-1945) Escritor fr. *Interrogación, Medida de Francia.*
DRIFT m. Depósitos de origen glaciar.
DRIL m. Tela fuerte de hilo o de algodón.
DRINO m. Reptil ofidio de color verde.
DRIZA f. *Mar.* Cabo con el que se izan y arrían las velas, banderas, etc.
DRIZAR tr. *Mar.* Arriar o izar las vergas.
DROG m. *Ecuad.* Cualquier bebida alcohólica.
DROGA f. Nombre genérico de ciertas sustancias que se emplean en medicina, en la ind. o en las bellas artes. • Medicamento. • Sustancia de efecto estimulante, deprimente, narcótico o alucinógeno, que puede producir hábito. • fig. Embuste. • fig. Trampa. • fig. Cosa que desagrada. • *Chile, Méx.* y *Perú.* Deuda. ■ DROGUERÍA; DROGUERO, RA; DROGUISTA.
DROGADICCIÓN f. Dependencia psicológica y fisiológica de un individuo respecto a la droga. ■ DROGADICTO, TA.
DROGAR tr. Administrar una droga. • prnl. Hacer uno uso de drogas en su persona. ■ DROGADO, DA.
DROGMÁN m. Intérprete, trujamán.
DROGUETE m. Tela listada de varios colores y con flores entre las listas.
DROGUETT, *Carlos* (1912-1992) Escritor y periodista chil. *Sesenta muertos en la escalera, Supay el cristiano, Después del diluvio, Escrito en el aire.*
DROMEDARIO m. Camello de una sola giba.
DROMOMANÍA f. *Psiq.* Impulso patológico de caminar, correr o moverse sin razón.
DROMOS m. En la ant. Grecia, pista para carreras. • Avenida o pasadizo.
DROMOTERAPIA f. *Med.* Empleo de la marcha con fines curativos.
DROMOTROPISMO m. *Fisiol.* Propiedad de las fibras nerviosas de conducir impulsos.
DROMUNDO, *Baltasar* (nacido 1906) Jurista y escritor mex. *Emiliano Zapata, Vida de Simón Bolívar, Elogio de la política.*
DRONTE o **DODO** m. *Zool.* Ave columbiforme de la fam. ráfidos, actualmente extinguida.
DROPACISMO m. Cierta untura depilatoria.
DROSERA f. Planta cuyas flores aprisionan a los insectos y los digieren.
DROSERÁCEO, A adj. *Bot.* Díc. de las plantas fanerógamas, herbáceas, capaces de digerir las sustancias albuminoideas. • f. pl. *Bot.* Familia de estas plantas.
DROSÓFILA adj. y f. Díc. de los insectos dípteros del género *Drosophila,* que se utilizan ampliamente en la investigación genética por su elevado potencial de reproducción, la frecuencia con que presentan mutaciones transmisibles por herencia y su escaso núm. de cromosomas (cuatro pares).
DROSOFÍLIDO, DA adj. *Zool.* Díc. de los insectos de la familia drosofílidos. • m. pl. *Zool.* Familia de insectos dípteros.
DRUGSTORE (voz ing.) m. Establecimiento comercial en el que se venden diversos artículos y cuyo horario es más amplio de lo normal.
DRUIDA m. Sacerdote de la rel. celta.
DRUMOND de Andrade, *Carlos* (1902-1987) Poeta y novelista bras. *Brezo de almas, La rosa del pueblo.*
DRUPA f. *Bot.* Pericarpio carnoso de ciertos frutos, sin valvas o ventallas y con una nuez.
DRUSA f. *Miner.* Agregado cristalino constituido por numerosos cristales implantados en una cavidad rocosa.
DRUSO, SA adj. Díc. del habitante de las cercanías del Líbano, que profesa una religión derivada de la mahometana.
DRUSO, *Nerón Claudio* (38-9 a. C.), llamado GERMÁNICO por las campañas que le permitieron conquistar la Germania inferior.
DRYDEN, *John* (1631-1700) Poeta y dramaturgo ing. *Absalón y Aquitofel, La conquista de Granada.*
D'SOLA, *Otto* (nacido 1912) Poeta ven. *De la soledad y las visiones, El viajero mortal, Antología de la moderna poesía venezolana.*
DU VIGNEAUD, *Vincent* (1901-1978) Bioquímico norteam. Premio Nobel de Química en 1955.
DUAL adj. Díc. de lo que consta de dos partes. • adj. y s. *Gram.* Díc. del número gramatical que tienen algunas lenguas para indicar que la palabra se refiere a dos personas o cosas.
DUALA adj. y s. Díc. del individuo de un pueblo melanoafricano de lengua bantú, que habita en el Camerún.
DUALA *(Douala)* C. y puerto de Camerún, en la parte N del litoral; 841 456 hab. Centro comercial e industrial.
DUALIDAD f. Condición de reunir dos caracteres distintos una misma persona o cosa.
DUALISMO m. Dualidad. • Creencia religiosa de ciertos pueblos ant. que consideraba el universo mantenido por dos principios. • *Fil.* Doctrina filosófica que explica el origen del universo por la acción de dos principios opuestos.
DUARTE m. Nombre con que se designa popularmente el peso dom.
DUARTE Prov. del N de la República Dominicana; 1 292 km^2, 259 800 hab. Cap., San Francisco de Macorís. Terreno accidentado al N por la cord. Septentrional. El resto forma parte del valle de Cibao o de la Vega Real. Cacao, tabaco, café, caña de azúcar y arroz. Ganadería e ind. alimentarias, textiles y madereras.
DUARTE, *José Napoleón* (1925-1990) Político salv. De tendencia democristiana, fue Presid. electo desde 1984. Su gobierno se caracterizó por la búsqueda activa de la pacificación del país, aunque con resultados escasamente positivos. • ***Juan Pablo*** (1813-1876) Patriota dom. liberal; en 1838 inició la lucha contra Haití, que llevó a su país a la indep. •

María Eva (1919-1952) Política arg., esposa del gral. Perón. Promovió una amplia campaña de agitación laboral que dio origen al mov. de los *descamisados,* que llevó al poder a su esposo (1946) y fue la base del justicialismo. Murió de leucemia y su muerte fue un duro golpe para el peronismo. *La razón de mi vida.*

DUBA f. Muro o cerca de tierra.

DUBAI Uno de los Emiratos Árabes Unidos, sit. al NE de dicho est., junto al golfo Pérsico; 3 750 km², 265 702 hab. Clima árido. Petróleo.

DUBCEK, ***Alexander*** (1921-1992) Político chec., promotor de reformas de signo liberal en 1968 («primavera de Praga»). Expulsado del partido, fue rehabilitado y elegido pres. del Parlamento en 1990.

DUBITACIÓN f. Duda. ■ DUBITABLE; DUBITATIVO, VA.

DUBLÁN y Fernández Varela, ***Manuel*** (1828-1891) Político y abogado mex. Partidario de Juárez. Ministro de Hacienda y Estado con Porfirio Díaz.

DUBLÍN *(Baile Átha Cliath)* C. y cap. de la Rep. de Irlanda, en la costa oriental; 526 000 hab. (861 000 la agl. urb.). Primer puerto irl. Ind. químicas, textiles, alimentarias, papeleras. Fabricación de material ferroviario, maquinaria, zapatos, etc. Construcciones navales. Elaboración de cerveza. Centro comercial. Catedral de San Patricio. Universidad, museos y galerías de arte. Fundada en 841 por los noruegos.

DUBOIS, ***Guillaume*** (1656-1723) Cardenal y estadista fr. Miembro del Consejo de Est. desde 1715. Primer ministro en 1722.

DUBROVNIK C. de Croacia; 32 000 h. Ant. Ragusa. Obispado católico. Puerto al Adriático. Declarada c. monumental y patrimonio artístico por la UNESCO. Destruida en buena parte por el ejército serbio en la guerra civil de 1991.

DUBUFFET, ***Jean*** (1901-1985) Pintor y escultor fr. Promotor de *L'art brut. Paisajes grotescos, Topografías, Texturas.*

DUBY, ***Georges*** (1919-1996) Historiador fr. Investigó sobre aspectos de la vida cotidiana. *La Europa de las catedrales, Guillermo el mariscal, El caballero, la mujer y el cura, El matrimonio medieval.*

DUCADO m. Título o dignidad de duque. • Terr. sobre el que recaía este título o en el que ejercía jurisdicción un duque. • Est. gobernado por un duque. • Moneda de oro usada en España hasta el s. XVI. • Nombre de otras monedas antiguas.

DUCAS Familia bizantina que, a partir del s. IX, tuvo un destacado papel en el imperio de Oriente.

DUCCIO de Buoninsegna (h. 1255-1319) Pintor it., creador de la escuela sienesa. *Maestà* de la catedral de Siena.

DUCE (voz it.) m. Conductor, jefe. • Nombre que dieron los fascistas italianos a Mussolini.

DUCHA f. Chorro de agua que se hace caer sobre el cuerpo. • Aparato que sirve para ello. • Lista que se forma en los tejidos.

DUCHAMP, ***Marcel*** (1887-1968) Pintor cubista fr., nacionalizado estadounidense. Se adhirió al cubismo. *Desnudo bajando la escalera.* Sus *collages* sobre la Gioconda son precursores del dadaísmo.

DUCHAR tr. y prnl. Dar una ducha.

DUCHESNE, ***André*** (1584-1640) Historiador fr. *Historia de Inglaterra, de Escocia y de Irlanda.*

DUCHO, CHA adj. Experimentado, diestro.

DUCOMMUN, ***Elie*** (1833-1906) Pacifista suizo. Organizó la Oficina Internacional de la Paz, con sede en Berna. Premio Nobel de la Paz en 1902.

DÚCTIL adj. Díc. de los metales que admiten deformaciones en frío sin llegar a romperse. • Aplícase a los metales que se pueden extender en alambres o hilos. ■ DUCTILIDAD.

DUCTILÍMETRO m. Aparato para medir la ductilidad de los materiales.

DUCTIVO, VA adj. Conducente.

DUDA f. Incertidumbre. • *Fil.* Suspensión del juicio ante dos proposiciones.

DUDAR intr. No saber si una cosa es cierta. • tr. Dar poco crédito a una cosa. ■ DUDOSO, SA.

DUDLEY C. de Gran Bretaña (Inglaterra), en el condado de Stafford; 187 300 hab. Forma parte del a. metr. de Birmingham. Centro industrial.

DUDLEY, ***John*** (1502-1553) CONDE DE WARWICK Y DUQUE DE NORTHUMBERLAND. Ejerció gran influencia en la política ing. durante la minoría de edad de Eduardo VI como partidario del absolutismo y representante de la nobleza feudal.

DUELA f. Cada una de las tablas que forman las paredes curvas de las pipas, cubas, etc. • *Zool.* Gusano plano de forma ovalada, con ventosas, que sufre grandes metamorfosis.

DUELO m. Combate o pelea entre dos, precediendo desafío o reto. • Dolor, lástima o sentimiento. • Demostración para manifestar el sentimiento por la muerte de alguien. • Reunión de parientes o invitados que asisten a la casa mortuoria. • Fatiga. ■ DUELISTA.

DUENDE m. Diablillo que según se cree causa trastornos en las casas. • Restaño, tela. • fig. Encanto. ■ DUENDESCO, CA.

DUENDO, DA adj. Manso, doméstico.

DUEÑAS, ***Francisco*** (1811-1884) Político salv. Asumió el poder al estallar la guerra con Guatemala (1852). En 1863 volvió al poder, instaurando un régimen dictatorial. Derrocado por los liberales en 1871. • ***Guadalupe*** (nacida 1920) Escritora mex. *Las ratas y otros cuentos, Tiene la noche un árbol.* • ***Juan de*** (s. XV) Poeta esp. *Nao de amor.* Sus poesías se encuentran recogidas en los cancioneros de San Román y de Estúñiga.

DUEÑO, ÑA s. Propietario o propietaria de una cosa. • f. Monja o beata que vivía en comunidad y solía ser mujer pral. • Ama de llaves. • ant., señora o mujer pral. casada. • **de sí mismo.**Díc. del que sabe dominarse y no se deja arrastrar por los impulsos. • **Hacerse** uno **d. de** una cosa. Adquirir cabal conocimiento de un asunto. • **Ser** uno **d.,** o **muy d., de hacer** una cosa. fam. Tener libertad para hacerla.

DUEÑO Colón, ***Braulio*** (1854-1934) Compositor puertorriq. *Misa en do mayor, Patria* (danzas), *Noche de otoño* (obertura).

DUERMEVELA m. fam. Sueño ligero. • fam. Sueño fatigoso y frecuentemente interrumpido.

DUERNA f. Artesa. • Tronco hueco en forma de canal, cerrado por sus dos extremos.

DUERO (port., *Douro*) Río de la pen. Ibérica; 913 km. Desagua en el Atlántico, en un amplio estuario.

DUGO m. *Amér. Centr.* Ayuda, auxilio. • **De d.,** loc. adv. *Hond.* De balde.

DUGÓNGIDO, DA adj. *Zool.* Díc. de ciertos mamíferos sirenios • m. pl. *Zool.* Familia de estos animales.

DUHALDE, ***Eduardo*** (nacido 1941) Político arg. Miembro del Partido Justicialista. Vicepresid. con C. Menem (1989-1990), en 1991 fue elegido gobernador de la prov. de Buenos Aires. Derrotado por De la Rúa en las presidenciales de 1999, fue nombrado presid. por la Asamblea Legislativa en enero de 2002.

DUHAMEL, ***Georges*** (1884-1966) Escritor fr. Autor de poemas, ensayos y novelas. *Vida y aventuras de Salavin, La crónica de los Pasquier.*

DUHEM, ***Pierre*** (1861-1916) Físico y filósofo fr. Defendió una concepción positivista de la teoría física. *El sistema del mundo, Historia de las doctrinas cosmológicas de Platón a Copérnico.*

DÚHO m. Asiento bajo usado por los indios.

DÜHRING, ***Eugen Karl*** (1833-1901) Economista y filósofo al. Positivista de tendencia materialista. *La filosofía, concepción rigurosamente científica del mundo, Economía política y socialismo.* Duramente atacado por Engels en su *AntiDühring.*

DUIKER m. Pequeño antílope afr., conocido como *antílope de copete.*

Virgen con el niño, tabla de Duccio de Buoninsegna. Pinacoteca de Perugia (Italia)

Desnudo bajando la escalera, óleo de Marcel Duchamp

Duiker

Alexandre **Dumas**, hijo, caricatura de S. Giraud

DUISBURGO C. de Alemania, en la confluencia del Rin y el Ruhr; 522 700 hab. Primer puerto fluvial de Europa. Centro comercial, financiero y de comunicaciones.
DUITAMA Mun. de Colombia, en el dpto. de Boyacá; 48 500 hab. Agricultura, ganadería. Plata y cobre. Ind. harinera.
DUKAKIS, Michael (nacido 1933) Político norteam. Gobernador de Massachusetts en 1975-1979 y 1983-1988, año en que concurrió a las elecciones presidenciales como candidato del Partido Demócrata. Fue derrotado por el republicano G. Bush.
DUKAS, *Paul* (1865-1935) Compositor fr. *Polyeucte, Sinfonía en do, Ariane et Barbe-Bleu*.
DUKKHA f. Verdad sagrada del budismo.
DULA f. Cada una de las porciones de tierra que reciben riego de una misma acequia. • Cada una de las porciones del terreno comunal o en rastrojera, donde pacen los ganados de los vecinos de un pueblo. ■ DULAR; DULERO.
DULBECCO, *Renato* (nacido 1914) Biólogo norteam., de origen it. Premio Nobel de Medicina en 1975, junto a H. M. Temin y D. Baltimore, por su trabajo sobre la relación entre los virus y el cáncer.
DULCAMARA f. Planta solanácea, con tallos ramosos, hojas acorazonadas, flores violadas y bayas rojas.

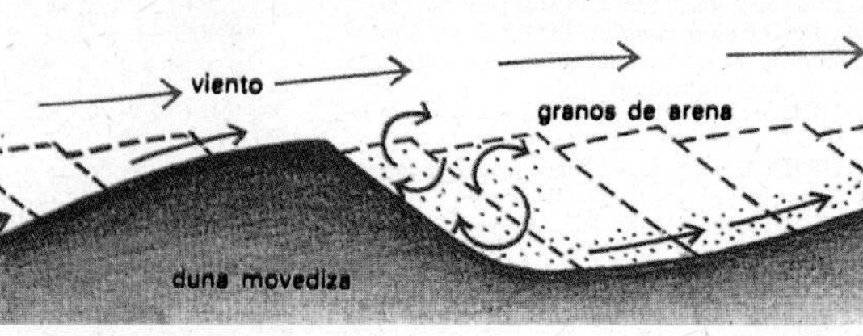

Esquema de la formación de una **duna**

DULCE adj. Que causa cierta sensación suave y agradable al paladar. • Que no es agrio o salobre. • Díc. del hierro libre de impurezas que se trabaja con facilidad. • fig. Grato. • fig. Naturalmente afable. • adv. modo. Dulcemente. • m. Manjar compuesto con azúcar. • Fruta o cualquier otra cosa cocida o compuesta con azúcar. • *Amér. Centr.* Papelón, azúcar morena. ■ DULCERA; DULCERÍA; DULCERO, RA; DULCÍSONO; DULZAINO, NA; DULZARRÓN, NA O DULZÓN, NA; DULZOR O DULZURA.
DULCE Río del N de Argentina; 630-670 km. Nace en las sierras del O de Tucumán con el nombre de Sali. Después de penetrar en Santiago del Estero, recibe la denominación de Dulce. Desemboca en la laguna de Mar Chiquita.
DULCEACUÍCOLA adj. Díc. del animal o de la planta que vive en el agua dulce.
DULCIFICAR tr. y prnl. Volver dulce una cosa. • tr. fig. Mitigar la acerbidad, acrimonia, etc., de una cosa. ■ DULCIFICACIÓN.
DULCINA f. *Quím.* Sustancia sintética empleada como edulcorante.
DULCINO (s. XIII) Heresiarca it. Defendía la comunidad de bienes y mujeres, y sólo admitía la autoridad del Espíritu Santo.
DULÍA f. Culto que se tributa a los ángeles y santos.
DULLES, *John Foster* (1888-1959) Político republicano norteam. Secretario de Est. con Eisenhower. Impulsó la política de «guerra fría».
DULLETA f. Bata entretelada que se usaba en tiempo frío. • Prenda que usaban los eclesiásticos a modo de gabán.
DULONG, *Pierre-Louis* (1785-1858) Químico y físico fr. En 1815 descubrió el cloruro de nitrógeno. • **Ley de D.-Petit.** Para todos los elementos en estado sólido, el producto del calor específico por el p. a. es aproximadamente constante.
DULZAINA f. Instrumento musical de viento. • f. despect. Cantidad abundante de dulce malo.
DUMA f. Asamblea consultiva rusa en tiempo de los zares y parlamento legislativo ruso a partir de la constitución de 1993.

Isadora **Duncan,** según un dibujo de J. Clarà

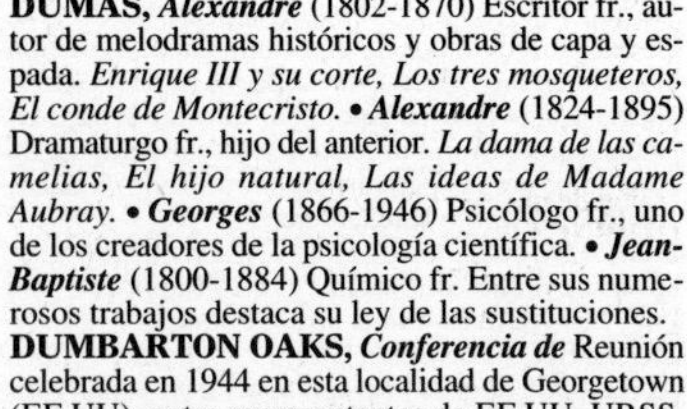

DUMAS, *Alexandre* (1802-1870) Escritor fr., autor de melodramas históricos y obras de capa y espada. *Enrique III y su corte, Los tres mosqueteros, El conde de Montecristo.* • ***Alexandre*** (1824-1895) Dramaturgo fr., hijo del anterior. *La dama de las camelias, El hijo natural, Las ideas de Madame Aubray.* • ***Georges*** (1866-1946) Psicólogo fr., uno de los creadores de la psicología científica. • ***Jean-Baptiste*** (1800-1884) Químico fr. Entre sus numerosos trabajos destaca su ley de las sustituciones.
DUMBARTON OAKS, *Conferencia de* Reunión celebrada en 1944 en esta localidad de Georgetown (EE UU), entre representantes de EE UU, URSS, Gran Bretaña y China, para establecer las bases de la ONU.
DUMEZIL, *Georges* (1898-1986) Antropólogo fr., renovador de los estudios sobre la civilización indoeuropea, a los que aplicó el método estructuralista. *Los dioses de los indoeuropeos, Mito y epopeya.*
DUMOURIEZ, *Charles François du Périer*, llamado (1739-1823) General fr. Ministro de Asuntos Exteriores en 1792. Derrotó a los austr. en Jemappes; ocupó Bélgica y Holanda, pero fue derrotado en Neerwinden.
DUMP m. *Comp.* Acción de transferir total o parcialmente el contenido de una sección de la memoria de la computadora a otra parte de la misma.
DUMPING (voz ing.) m. Venta de un producto al extranjero a precios inferiores de los del mercado nacional.
DUNA f. *Geol.* Colina de arena movediza que forma y empuja el viento.
DUNANT, *Henri* (1828-1910) Filántropo suizo, fundador de la Cruz Roja. Premio Nobel de la Paz en 1901.
DUNBAR, *William* (h. 1460-1520) Poeta escocés. Embajador en Londres y París y poeta de la corte de Jacobo IV de Escocia. *El cardo y la rosa.*
DUNCAN I (m. 1040) Rey de Escocia (1034-1040). Asesinado por Macbeth, conde de Moray.
DUNCAN, *Isadora* (1878-1927) Bailarina norteam. Su estilo influyó en el *ballet* moderno.
DUNDEE C. de Gran Bretaña (Escocia), en el condado de Angus; 174 800 hab. Puerto. Construcciones navales. Centro comercial e industrial.
DUNDERA f. *Amér.* Tontería. ■ DUNDO, DA.
DUNEDIN C. y puerto de Nueva Zelanda, cap. de la prov. de Otago, en la isla del Sur; 112 800 hab. Ind. alimentaria.
DUNGANO, NA adj. y s. Denominación rusa de los chinos musulmanes (hui) que en el s. XIX se instalaron en el Turquestán.
DUNITA f. *Geol.* Roca eruptiva básica, compuesta por olivino.
DUNKERQUE (flam. *Duinkerke*) C. de Francia, junto a la frontera belga; 186 400 hab. En 1940, tras la derrota del frente, las tropas francobritánicas reembarcaron en sus playas bajo el bombardeo al.
DUNLOP, *John Boyd* (1840-1921) Veterinario escocés. Inventó la cámara de aire.
DUNNING m. *Cin.* Trucaje consistente en fundir dos películas en una sola.
DUNS SCOT → Escoto.
DÚO m. *Mús.* Composición que se canta o toca entre dos. • Conjunto de dos intérpretes que cantan o actúan juntos.
DUODECIMAL adj. Duodécimo. • *Arit.* Díc. de todo sistema aritmético cuya base es el núm. doce.
DUODÉCIMO, MA adj. Que sigue inmediatamente en orden al o a lo undécimo. • adj. y s. Díc. de cada una de las doce partes iguales en que se divide un todo.
DUODÉCUPLO, PLA adj. y m. Que contiene un número doce veces exactamente.
DUODENITIS f. *Pat.* Inflamación de la mucosa duodenal.
DUODENO, NA adj. Duodécimo. • m. *Anat.* Porción inicial del intestino delgado situada en la parte superior y posterior de la cavidad abdominal. ■ DUODENAL.
DUOMESINO, NA adj. De dos meses.
DUPIN, *Aurore* → Sand, George.
DÚPLEX adj. y s. Que consta de dos elementos, que hace doble función, etc. • En comunicaciones, díc. de una transmisión indep. en dos direcciones que tiene lugar en ambos sentidos simultáneamen-

te. • m. Piso cuyas habitaciones se disponen en dos niveles. • *Metal.* Procedimiento de colada que permite obtener lingotes dobles con distinta composición.
DUPLICACIÓN f. Acción y efecto de duplicar. • Aberración cromosómica que consiste en la posesión de un genoma duplicado.
DUPLICAR tr. y prnl. Hacer doble una cosa. • tr. Multiplicar por dos una cantidad. • *Der.* Contestar el demandado a la réplica del actor. ■ DUPLICADO, DA; DUPLICATIVO, VA.
DUPLICATA m. Duplicado, doble.
DUPLICATRIZ adj. y f. *Geom.* Díc. de toda curva que permite la duplicación del cubo utilizando sólo regla y compás.
DÚPLICE adj. Doble. • Díc. de los conventos y monasterios en que había una comunidad de religiosos y otra de religiosas.
DUPLICIDAD f. Doblez. • Calidad de dúplice.
DUPLICIDENTADO adj. *Zool.* Díc. de los mamíferos roedores caracterizados por un segundo par de incisivos en la mandíbula superior.
DUPLO, PLA adj. y m. Que contiene un número dos veces exactamente.
DUPONT de Nemours, *Éleuthère Irénée* (1771-1834) Químico industrial fr. Estudió con Lavoisier la fabricación de la pólvora. Fundó en EE UU una de las más importantes compañías de productos químicos del mundo. • **de Nemours, *Pierre Samuel*** (1739-1817) Político y economista fr. Consejero de Est. durante la restauración. Con Quesnay, autor de *La fisiocracia.*
DUPOY, *Walter* (nacido 1906) Escritor ven. Fundador del Museo de Ciencias Naturales de Caracas. *Tomasote, Catalina de Miranda, primera cortesana de la conquista.*
DUQUE m. Título nobiliario inferior al de príncipe y superior al de marqués.
DUQUE, *Antonio José* (1871-1902) Ingeniero y arquitecto col. Autor del edificio Duque y del Banco de Colombia.

Reembarque anglofrancés en **Dunkerque**

DUQUE DE CAXIAS C. del SE de Brasil, en el est. de Río de Janeiro; 575 600 hab. Ind. metalúrgica, refinería de petróleo.
DURADERO, RA adj. Que dura o puede durar mucho.
DURALUMINIO m. Aleación de aluminio y cobre con pequeñas cantidades de magnesio, manganeso y silicio, de gran dureza, ligereza y resistencia.
DURAMADRE o **DURAMÁTER** f. *Anat.* La más externa y gruesa de las tres meninges que envuelven el encéfalo y la médula espinal.
DURAMEN m. *Bot.* Parte más seca y compacta del tronco y ramas gruesas de un árbol.
DURÁN, *Carlos* (s. XIX) Político cost. Perteneciente al partido constitucional. Presid. de la rep. desde 1889 hasta 1890. • ***Fernando*** (nacido 1921) Escritor y político chil. Prales. obras: *De la propiedad de las obras literarias, Velamen.* • ***Miguel Custodio*** (s. XVIII) Arquitecto mex. Autor de las iglesias de San Lázaro y San Juan, en Ciudad de México. • ***Roberto*** (nacido 1951) Boxeador pan. Campeón del mundo de los *ligeros* (1972), *welters* (1980) y *superwelters* (1983). • **Ballén, *Sixto*** (nacido 1921). Pol. conservador ecuat. Hijo de diplomático. Con maestría en arquitectura e ingeniería, dedicó más de 40 años de su vida a la política ecuat., como diputado, en varias ocasiones, ministro de Obras Públicas, presid. de la Junta de la Vivienda y alcalde de Quito. Fundador del partido de Unidad Republicana, ocupó la presidencia de su país entre 1992 y 1996. • **Böger, *Luciano*** (nacido 1904) Escritor bol. *Geografía en la sangre* (poesía); *Sequía, En las tierras de Enín* (novela). • **Y Bas, *Manuel*** (1823-1907) Jurisconsulto y político esp., cat. *Escritos sociales, morales y económicos.* • **Y Reynals, *Francisco*** (1899-1958) Bacteriólogo esp., descubridor del factor de difusión de las bacterias.
DURAND, *Luis* (1895-1954) Novelista chil. Temática criolla. *Mercedes Urizar, Frontera.*
DURANDO m. Especie de paño que se usaba en Castilla en tiempo de Felipe II.
DURANGO Est. del N de México; 119 648 km^2, 1 445 922 hab. Cap., la c. hom. C. prales.: Gómez Palacio y Ciudad Lerdo. Terreno montañoso y elevado al S y O (Sierra Madre Occidental). Los sectores N y NE son predominantemente llanos y desérticos, excepto en los valles fluviales. Ríos prales.: el Nazas (580 km) y el Aguanaval (500 km). El clima varía con la altitud. Maíz, fríjol, trigo, árboles frutales. Explotación forestal. Ganado bovino, caballar y ovino. Ind. cárnicas. Hierro, oro y plata. La población comprende unos 12 000 indios tepehuanes, asentados al NO. El actual terr. del est. fue habitado en la etapa precolombina por los chalchihuitas, aunque a la llegada de los esp. las prales. tribus eran los acaxés y los tepehuanes. En 1563, Francisco de Ibarra fundó la actual c. de D. La indep. fue proclamada en 1821 y se separó de Chihuahua en 1824 al no reconocer a Iturbide. • C. de México, cap. del est. hom.; 490 524 hab. Sit. a orillas del Tunal, en plena Sierra Madre, a unos 1900 m de alt. Centro agrícola (cereales, algodón, caña de azúcar) y minero. Ganadería. Industrias. Universidad. Fundada en 1563.
DURANGUENSE o **DURANGUEÑO, ÑA** adj. y s. De Durango.
DURANTE adj. Que dura. • adv. tiempo. Se usa con significación semejante a la de *mientras.*
DURÃO, *José de Santa Rita* (h. 1718-1784) Poeta bras. *Caramurú.*
DURAR intr. Continuar siendo. • Subsistir. ■ DURACIÓN; DURATIVO.
DURAS, *Marguerite* (1914-1996) Novelista fr., encuadrada en el «nouveau roman». *Los caballitos de Tarquinia, La siesta de Monsieur Andesmas, El amante.* Premio Goncourt 1984.
DURAZNENSE adj. y s. De Durazno.
DURAZNERO m. Variedad de melocotón.
DURAZNILLO m. Planta poligonácea, con hojas lanceoladas, flores en espigas y fruto lenticular. • *Argent.* Planta solanácea usada como febrífuga.
DURAZNO m. Duraznero. • Fruto de este árbol. • *Argent.* y *Chile.* Nombre genérico del melocotonero, el pérsico y el durazno.
DURAZNO Dpto. del centro de Uruguay; 11 643 km^2, 55 716 hab. Delimitado por ríos, se le llama la Mesopotamia ur. Terreno llano en general y accidentado en el centro. Ganado ovino y vacuno. Cap., Durazno; 30 609 hab. Centro comercial.
DURBAN C. y puerto de la República Sudafricana, en Natal; 843 400 hab. Centro turístico e industrial. Astilleros. Refinería de petróleo.
DURDO m. Pez teleósteo de gran tamaño.
DURERO, *Alberto* (*Albrecht Dürer,* 1471-1528) Pintor y grabador al. Representa el Renacimiento en el N de Europa. Trabajó en Venecia, donde su pintura evolucionó hacia una mayor plasticidad. Pasó luego a los Países Bajos, donde, influenciado por la Reforma luterana, realizó gran número de retratos.
DUREZA f. Calidad de duro. • Callosidad que se hace en algunas partes del cuerpo. • *Miner.* Resistencia que oponen los minerales a ser rayados. • **de oído.** Sordera leve. • **de una radiación.** Penetración de una radiación electromagnética en un medio metálico en función de la longitud de onda de aquélla.
DURHAM C. de Gran Bretaña, cap. del condado hom.; 26 442 hab. Ind. siderúrgica.
DURILLO m. Arbusto de la familia caprifoliáceas, de corteza pardusca, hojas coriáceas, flores blancas y drupas azucaradas. • Cornejo, arbusto.
DURINA f. Enfermedad contagiosa de las caballerías.

Sixto **Durán Ballén**

Autorretrato de Alberto **Durero.** Museo del Prado, Madrid

Vista parcial del castillo de **Durham**

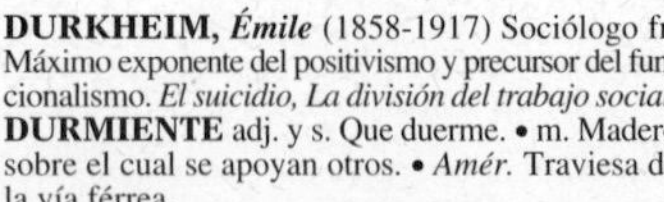

Anton **Dvorak**

Bob **Dylan**

DURKHEIM, ***Émile*** (1858-1917) Sociólogo fr. Máximo exponente del positivismo y precursor del funcionalismo. *El suicidio, La división del trabajo social.*

DURMIENTE adj. y s. Que duerme. • m. Madero sobre el cual se apoyan otros. • *Amér.* Traviesa de la vía férrea.

DURO, RA adj. Díc. del cuerpo que se resiste a ser labrado, cortado, comprimido o desfigurado. • Díc. del agua con un alto contenido de sales solubles de calcio, magnesio y otros metales pesados. • fig. Fuerte, que resiste bien la fatiga. • fig. Áspero. • fig. Ofensivo y malo de tolerar. • fig. Violento. • fig. Terco. • fig. Tratándose del estilo, áspero, falto de armonía. • *Méx.* Borracho. • m. Moneda de plata antigua. • Moneda que vale cinco pesetas. • adv. modo. Con fuerza.

DURÓMETRO m. Instrumento para medir la dureza de un material.

DURÓN, ***Rómulo E.*** (1865-1942) Abogado hond. Profesor en la facultad de derecho de Tegucigalpa. Autor de *La provincia de Tegucigalpa bajo el gobierno de Mallol, Bosquejo histórico de Honduras.*

DURRELL, ***Lawrence*** (1912-1990) Escritor brit., n. en la India. Ha cultivado la poesía *(País privado)* y el drama en verso *(Safo),*pero su obra maestra es la tetralogía *El cuarteto de Alejandría.*

DÜRRENMATT, ***Friedrich*** (1921-1990) Dramaturgo, novelista y ensayista suizo; feroz crítico de la sociedad contemporánea. *Un ángel marcha a Babilonia, Meteoro.*

DURRUTI, ***Buenaventura*** (1896-1936) Anarquista esp. Impulsor de la CNT y dirigente de la FAI.

DUSHANBE Cap. de la república de Tadjikistán; 595 000 hab. Centro industrial.

DÜSSELDORF C. y puerto de Alemania, cap. del est. de Renania Septentrional-Westfalia, a orillas del Rin; 565 900 hab. Principal centro del área industrial Rin-Ruhr. Centro ferroviario.

DUSTER m. Desempolvado del esparto que se realiza en un tronco de cono en cuyo interior gira un tronco de pirámide.

DUTILLEUX, ***Henry*** (nacido 1916) Compositor fr. *El lobo, Sonetos de Jean Cassou, Sonata para piano.*

DUTRA, ***Enrico Gaspar*** (1885-1974) Militar y estadista bras. Sucedió en la presid. a Vargas (1936-1942).

DUUNVIR o **DUUNVIRO** m. Nombre de diferentes magistrados de la ant. Roma. • Cada uno de los dos presid. de los decuriones en las colonias y mun. rom. ■ DUUNVIRAL; DUUNVIRATO.

DUVALIER, ***François*** (1909-1971) Político haitiano, conocido como PAPA DOC. Elegido presid. de la rep. en 1957, en 1964 se proclamó presid. vitalicio. Desarrolló una política despótica. • **Jean Claude** (nacido 1951) Político haitiano, hijo de François D. Presid. vitalicio desde 1971. Derrocado en 1986 por una revuelta que llevó al ejército al poder.

DUVE, ***Christian René de*** (nacido 1917) Bioquímico belga, especializado en citología bioquímica. Premio Nobel de Medicina en 1974, junto a A. Claude y G. E. Palade.

DUVERGER, ***Maurice*** (nacido 1917) Sociólogo neopositivista fr. *Los partidos politicos, Introducción a la política.*

DUVIVIER, ***Julien*** (1896-1967) Director cinematográfico fr. *Pelirrojo, La bandera, Pépé- le-Moko.*

DUX m. Príncipe o magistrado supremo en las rep. de Venecia y Génova.

DVD m. Abrev. de *Digital Video Disc.* Sistema multimedia de grabación de datos que permite grabar información de vídeo en un CD.

DVINA Occidental (ruso, *Zapadnaia Dviná;* letón, *Daugava;* al., *Düna*) Río del N de Europa, nace en Rusia y atraviesa Bielorrusia y Letonia; 1 020 km. Desemboca en el Báltico. • **Septentrional** *(Siévernaia Dviná)* Río de Rusia; 1 300 km. Desemboca en el mar Blanco.

DVORAK, ***Anton*** (1841-1904) Organista, violinista y compositor chec. Su obra contiene elementos de la cultura popular checa. Sinfonía del *Nuevo Mundo, Rusalka* (ópera).

Dy *Quím.* Símb. del disprosio.

DYK, ***Viktor*** (1877-1931) Escritor chec. *Sátiras y sarcasmos, Fábulas de nuestra aldea, Pasos leves y pesados.*

DYLAN, ***Bob*** Nombre artístico de *Robert Zimmerman* (nacido 1941) Compositor y cantante norteam. de temas populares o de carácter inconformista y crítico.

Düsseldorf. El palacio Berath

E

El río **Ebro,** que recorre el nordeste de España, a su paso por Tudela

E f. Quinta letra del abecedario esp., y segunda de las vocales. • conj. copulativa. Se usa en vez de la y, para evitar el hiato, antes de las palabras que empiezan por *i* o *hi*. Pero no reemplaza a la *y* en principio de interrogación o admiración, ni cuando la palabra siguiente empieza por *y* o por la sílaba *hie*. • prep. inseparable que denota origen o procedencia, extensión o dilatación. • En minúscula, número real, irracional y trascendente, cuyo valor aproximado es 2,718281 y que se toma como base de los logaritmos neperianos o naturales. • *Quím.* Símb. del einstenio.

¡EA! interj. que se emplea para denotar alguna resolución de la voluntad, o para animar, estimular o excitar. Se usa también repetida.

ÉACO *Mit. gr.* Rey de Egina, hijo de Zeus. Uno de los tres jueces del Infierno.

EAKINS, *Thomas* (1844-1916) Pintor y escultor norteam., de estilo realista. *Max Schmitt en su piragua, La clínica Gross.*

EANES, *Antonio Ramalho* (nacido 1935) Militar y político port. Presid. de la rep. (1976-1986). Colaboró en el derrocamiento de Salazar.

EARHART, *Amelia* (1898-1937) Aviadora norteam. Primera mujer que sobrevoló el Atlántico (1928) y el Pacífico (1931).

EARL, *James* (1761-1796) Pintor y miniaturista norteam. • ***Ralph*** (1751-1801) Pintor norteam., hermano del anterior. Uno de los principales retratistas del país al final del s. XVIII. *Retrato de Roger Sherman, Retrato de William Carpenter, Leicester Hills.*

EASTANGLIA Ant. reino de Gran Bretaña, fundado en el s. V. Unido a Mercia (s. VIII) y post. a Dinamarca. En el s. X pasó a ser un condado ing.

EAST LONDON *(Oos Londen)* C. y puerto de la República Sudafricana; 118 300 hab. Centro agrícola e industrial. Astilleros.

EASTMAN, *George* (1854-1932) Industrial norteam., inventor de la película fotográfica de rollo (1889) y de la cámara instantánea. Fundó la casa Eastman Kodak (1880).

EB En la religión de los mayas, signo del duodécimo día ritual.

EBANISTA m. El que tiene por oficio trabajar en ébano y otras maderas finas. ■ EBANISTERÍA.

ÉBANO m. Árbol exótico de la familia ebenáceas, de tronco grueso, madera maciza, negra por el centro y blanquecina hacia la corteza. • Madera de este árbol.

EBENÁCEAS adj. y f. Díc. de las plantas de la familia ebenáceas. • f. pl. *Bot.* Familia de plantas tropicales arbustivas o arbóreas, de madera dura, densa y oscura, como el ébano.

EBERHARD, *Johann August* (1739-1809) Filósofo al., contrario al pensamiento kantiano. *Teoría general del pensamiento y la sensación.*

EBERT, *Friedrich* (1871-1925) Político socialdemócrata al., presid. desde 1919 a 1925. Durante su mandato tuvo lugar el *putsch* de Munich (1923).

EBERTH, *Karl* (1835-1926) Médico y bacteriólogo al., descubridor del bacilo del tifus.

EBIONITA adj. *Rel.* Miembro de una secta del cristianismo primitivo que negaba la naturaleza divina de Cristo.

EBONITA f. Caucho vulcanizado. Materia negra y dura de propiedades aislantes, obtenida por la adición, en caliente, de azufre al caucho.

EBRIEDAD f. Embriaguez. ■ EBRIO, BRIA; EBRIOSO, SA.

EBRO o **EBRE** Río de España. Nace en la prov. de Santander y desemboca en el Mediterráneo, formando delta; 928 km. Se aprovecha para instalaciones hidroeléctricas y para regadío.• **Batalla del E.** *Hist.* Nombre con el que se conoce una decisiva acción bélica de la guerra civil esp. (julio-noviembre 1938). La victoria de las tropas franquistas supuso la caída de Cataluña y, prácticamente, el fin de la guerra.

EBULLICIÓN f. Vaporización de la masa de un líquido que se produce al igualarse su presión de vapor con la presión exterior que actúa sobre la superficie libre del líquido. fig. Agitación pasajera. • **Punto de e.** Temperatura a la que hierve un líquido a la presión de 1 atmósfera.

EBULLÓMETRO o **EBULLOSCOPIO** m. *Fís.* Aparato para medir el punto de ebullición de un líquido.

EBULLOSCOPIA f. Estudio de la elevación del punto de ebullición de un líquido cuando se disuelve en él alguna sustancia.

EBÚRNEO, A adj. De marfil, o parecido a él.

EÇA de Queirós, *José María* (1845-1900) Novelista port. adscrito al naturalismo. *Prosas bárbaras, El crimen del padre Amáro, El primo Basilio, El mandarín, La reliquia.*

ECARTÉ m. Juego de cartas realizado entre dos personas, cada una con cinco cartas que se pueden combinar.

ECATEPEC Mun. de México, en el est. de México; 216 400 hab. Sit. en la vertiente E de la sierra de Guadalupe. Centro industrial.

ECBATANA Ant. ciudad de Persia (hoy Hamadan), cap. del imperio medo (s. VII a. C.). Imp. res-

Estatuillas funerarias egipcias talladas en madera de **ébano**

Caqui, árbol frutal de la familia **ebenáceas**

Eccehomo. Talla policromada por Gregorio Fernández. Museo Diocesano, Valladolid, España

tos arqueológicos: ricos mausoleos y el León de piedra.

ECCEHOMO m. Imagen de Jesucristo, coronado de espinas. • fig. Persona lacerada, rota, de lastimoso aspecto.

ECCLES, SIR ***John Carew*** (1903-1997) Fisiólogo austr. Estudió la transmisión sináptica entre las células del sistema nervioso. Premio Nobel de Medicina, junto a A. L. Hodgkin y A. F. Huxley, en 1963.

ECCLESIA f. En la ant. Atenas y algunas otras ciudades gr., asamblea de ciudadanos.

ECDISIS f. Cambio de cutícula que se produce periódicamente en los artrópodos. Se inicia por la secreción de una hormona, la ecdisona.

ECDISONA f. Hormona del crecimiento de los artrópodos segregada por la glándula protorácica.

ECEVIT, ***Bülent*** (nacido 1925) Político turco, presid. del Partido Republicano del Pueblo. Primer ministro en 1974, 1977 y 1978-1979. Encarcelado por los militares (1980-1982). En 1999 asumió de nuevo la jefatura del gobierno.

ECHACANTOS m. fam. Hombre despreciable.

ECHACORVEAR intr. fam. Hacer o tener el oficio de alcahuete.

ECHACUERVOS m. fam. Alcahuete, encubridor. • fam. Hombre embustero y despreciable.

ECHADIZO, ZA adj. y s. Enviado con disimulo para rastrear alguna cosa. • adj. Esparcido con disimulo y arte. • Que se desecha por inútil.

ECHADO, DA adj. *C. Rica.* Indolente, perezoso. • m. *Min.* Buzamiento de un filón. • f. Acción y efecto de echar o echarse. • Espacio que ocupa el cuerpo de un hombre tendido en el suelo. • *Argent.* y *Méx.* Fanfarronada, bola, mentira.

ECHADOR, RA adj. y s. Que echa o arroja. • adj. *Méx.* Fanfarrón.

ECHAGÜE, ***Juan Pablo*** (1877-1950) Escritor arg. Premio Nacional de Literatura en 1938. *Prosa de combate*, *Seis figuras del Plata.* • ***Pascual*** (1797-1867) General federalista arg. Gobernador de Entre Ríos. Invadió Uruguay. Vencido por Rivera en Cagancha y por Paz en Caaguazú. • ***Pedro*** (1821-1889) Dramaturgo arg. *Memorias de un coronel*, *Padre, hermano y tío*. • ***Rafael*** (1813-1887) Militar esp. Capitán general de Puerto Rico y Filipinas.

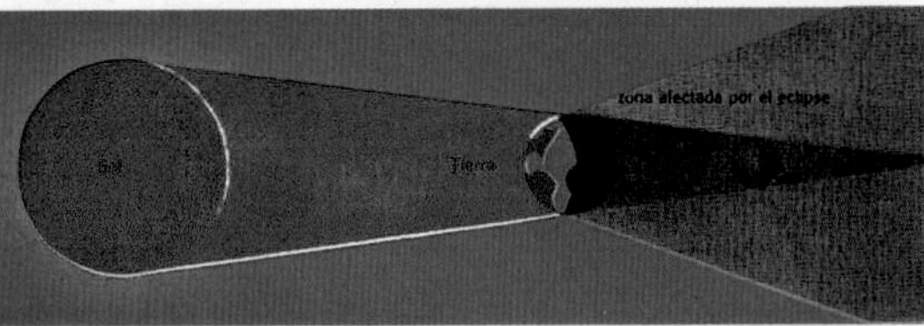

Esquema de un **eclipse** lunar

ECHANDI Jiménez, ***Mario*** (1915-1996) Político cost. Abogado y secretario del Partido Unión Nacional (1947). Embajador en EE UU (1950-1951 y 1966-1968) y presid. de la rep. (1958-1962). Creador del Servicio Nacional de Acueductos y Alcantarillados.

ECHANDÍA, ***Darío*** (1900-1981) Político col. Dirigente del Partido Liberal, ocupó diversas carteras y el poder ejecutivo en ausencia del presid. López (1943-1944).

ECHÁNOVE Trujillo, ***Carlos Alberto*** (nacido 1907) Escritor y sociólogo mex. *Yucatán*, *Diccionario de sociología.*

ECHAPELLAS m. Persona encargada en los lavaderos de lanas de tomarlas del tablero para echarlas en el pozo.

ECHAR tr. Hacer que una cosa vaya a parar a alguna parte, dándole impulso. • Despedir de sí una cosa. • Hacer que una cosa caiga en sitio determinado. • Hacer salir a uno de algún lugar; apartarle con violencia, por desprecio, castigo, etc. • Deponer a uno de su empleo o dignidad, impidiéndole el ejercicio de ella. • tr. e intr. Brotar y arrojar las plantas sus raíces, hojas, flores y frutos. • tr. Salir una cosa. • Juntar los animales machos con las hembras para la reproducción. • Poner, aplicar. • Tratándose de llaves, cerrojos, pestillos, etc., darles el movimiento necesario para cerrar. • Imponer o cargar. • Atribuir una acción a cierto fin. • Inclinar, reclinar o recostar. • Remitir una cosa a la suerte. • Dar, repartir. • Suponer o conjeturar el precio, edad, etc., que nos son desconocidos. • Publicar, prevenir, dar aviso de lo que se ha de ejecutar. • Tratándose de comedias u otros espectáculos, representar o ejecutar. • Pronunciar, decir. • Junto con la prep. *por* y algunos nombres que significan carrera o profesión, seguirla. • Junto con la misma prep., ir por una u otra parte. • prnl. Arrojarse, tirarse. • Arrojarse o precipitarse hacia una persona o cosa. • Tenderse a lo largo del cuerpo en un lecho o en otra parte. • Tenderse uno vestido por un rato más o menos largo. • Ponerse las aves sobre los huevos. • Tratándose del viento, calmarse, sosegarse. • Dedicarse, aplicarse uno a una cosa. ■ ECHADERO; ECHADURA; ECHAMIENTO.

ECHARPE m. Chal, mantón.

ECHÁVARRI, ***José Antonio*** (m. h. 1829) General mex. de origen esp. Apoyó a Iturbide. Acusado de haber intervenido en la conspiración del padre Arenas, fue desterrado.

ECHAVE Ibía, ***Baltasar de*** (1580-1660) Miembro de una familia de pintores mex. Realizó obras religiosas. *San Mateo.* • **Orio,** ***Baltasar de*** (1548-1620) Padre y maestro del anterior. Influido por el manierismo florentino, destaca en su obra el retablo de Xochimilco. • **Rioja,** ***Baltasar de*** (1632-1682) Nieto del anterior, de inspiración barroca. *Adoración de los reyes.*

ECHEGARAY, ***Domingo*** (m. 1854) General mex. Apoyó la dictadura de Santa Anna. Murió mientras defendía Morelia. • ***José*** (1832-1916) Ingeniero, político y dramaturgo esp. Premio Nobel de Literatura (1904) por su obra *El gran galeoto.* Introdujo en España el cálculo de variaciones y la geometría de Chasles.

ECHEMENDÍA, ***Arturo*** (1880-1934) Pedagogo cub. *La educación secundaria en los institutos*, *Poder de la educación*, *Los ideales y la historia.*

ECHENIQUE, ***José Rufino*** (1808-1887) Militar y político per. En 1851 resultó elegido presid. Su gobierno se caracterizó por la corrupción y la inmoralidad; fue derribado por un movimiento insurreccional (1854-1855).

ECHEVERRI, ***Camilo Antonio*** (1828-1887) Político y escritor col. *El perdón*, *Autobiografía moral.*

ECHEVERRÍA, ***Alfonso*** (nacido 1922) Escritor chil. *La vacilación del tiempo*, *Nausicas.* • **Aquileo** (1866-1909) Poeta cost. *Romances*, *Concherías*, *Crónicas y cuentos míos.* • ***Esteban*** (1805-1851) Escritor y pensador arg. *Rimas*, *El matadero.* • Francisco Javier (1797-1852) Político mex. Ministro de Hacienda con Santa Anna. Presid. de la rep. desde septiembre hasta octubre de 1841. • ***José Antonio*** (1815-1885) Escritor ven. Vivió en Cuba gran parte de su vida. *Antonelli*, *Oda al nacimiento de la Infanta doña María Isabel.* • **Álvarez, Luis** (nacido 1922) Político mex. Miembro del Partido Revolucionario Institucional, desempeñó en él importantes cargos (presid. del comité central ejecutivo en 1957) y en el gobierno (en 1958 subsecretario y en 1964, ministro de Gobernación), antes de ser elegido presid. de la rep. (1970-1976).

ECHONA f. *Argent.* y *Chile.* Hoz para segar.

ECHONERÍA f. Ven. Jactancia, fanfarronada. ■ ECHÓN.

ECK, ***Johann Maier*** (1486-1543) Teólogo católico al. Solicitó de Roma la excomunión de Lutero. Colaboró en la encíclica *Exsurge Domine* del papa León X. *De primatu Petri adversus Lutherum*, *De sacrificio Missae.*

ECKENER, ***Hugo*** (1868-1954) Ingeniero aeronáutico al. Construyó y pilotó el *Graf Zeppelin,* que dio la vuelta al mundo en 1929.

ECKERMANN, ***Johann Peter*** (1791-1854) Escritor y poeta al., amigo íntimo y protegido de Goethe. *Conversaciones con Goethe.*

ECKHART, MEISTER ***Johann*** (1260-1327) Místico y teólogo al. Uno de los forjadores del idioma al. como lenguaje filosófico y teológico. Recoge las síntesis doctrinales de Tomás de Aquino y de Alberto Magno, así como la tradición neoplatónica y dionisiaca.

ECLAMPSIA f. *Pat.* Estado de crisis convulsivas, seguidas de coma, que se presenta en los últimos meses del embarazo o en el parto; suele provocar la muerte del feto.

ECLECTICISMO m. *Fil.* Escuela filosófica que procura conciliar las doctrinas que parecen mejores, o más verosímiles, de diversos sistemas. • fig. Modo de juzgar u obrar que adopta un temperamento intermedio, en vez de seguir soluciones extremas o bien definidas. ■ ECLÉCTICO, CA.
ECLESIAL adj. Relativo a la Iglesia.
ECLESIASTÉS, *Libro del* (heb., *Qohélet*, «miembro de la asamblea») Escrito sapiencial del A. T., uno de los más discutidos de la Biblia. Se compuso en hebreo, en Jerusalén, h. el s. III a. C.
ECLESIÁSTICO, CA adj. Relativo a la Iglesia. • m. Clérigo, sacerdote.
ECLESIÁSTICO, *Libro del* Escrito del A. T. Lo compuso en hebreo Yeshúa ben Elazar ben Sirá entre los ss. III y II a. C., y se conserva en gr., con fragmentos en lengua hebraica.
ECLESIASTIZAR tr. Espiritualizar los bienes temporales.
ECLÍMETRO m. *Top.* Instrumento con que se mide la inclinación de las pendientes.
ECLIPSAR tr. *Astr.* Causar un astro el eclipse de otro. • tr. y prnl. fig. Oscurecer, deslucir. • prnl. *Astr.* Ocurrir el eclipse de un astro. • fig. Evadirse, desaparecer una persona o cosa.
ECLIPSE m. *Astr.* Ocultación transitoria y total, parcial o anular de un astro, o pérdida de su luz prestada, por interposición de otro cuerpo celeste. • fig. Ausencia, evasión, desaparición transitoria de una persona o cosa. • **lunar.** *Astr.* El que ocurre por interposición de la Tierra entre la Luna y el Sol. • **solar.** *Astr.* El que ocurre por interposición de la Luna entre el Sol y la Tierra.
ECLIPSIS f. *Gram.* Elipsis.
ECLÍPTICA f. *Astr.* Círculo máx. que resulta de la intersección del plano de la órbita aparente del Sol. El plano de la e. y el del ecuador terrestre forman un ángulo de 23° 27'.
ECLISA f. Plancha metálica que une dos rieles seguidos de una vía férrea.
ECLOSIÓN f. Brote, nacimiento, aparición.
ECO m. Percepción repetida de un sonido debida a su reflexión en superficies separadas del foco emisor. • *Electr.* Señal captada por el radar tras la reflexión en el blanco. • En telecomunicaciones, recepción parásita de una señal adicional a la deseada, que alcanza el receptor después de ésta, por haber seguido un camino más largo. • Sonido que se percibe débil y confusamente. • Composición poética en que se repite dentro o fuera del verso parte de un vocablo, o un vocablo entero, especialmente si es monosílabo, para formar nueva palabra significativa y que sea como e. de la anterior. • Repetición de las últimas sílabas o palabras que se cantan a media voz por distinto coro de músicos. • fig. El que, o lo que, imita o repite servilmente aquello que otro dice o que se dice en otra parte. • fig. Lo que está notablemente influido por un antecedente o procede de él. • **múltiple.** El que se repite varias veces, reflejado recíproca y alternativamente por dos cuerpos. • **Tener e.** una cosa. fr. fig. Propagarse con aceptación.
ECO *Astron.* Satélites norteam. lanzados en 1960 y 1964. Tenían forma esférica, con una gran superficie reflectante a las ondas radioeléctricas.
ECO Ninfa, hija del aire y de Gea, que se enamoró de Narciso. Languideció de pena amorosa y de ella sólo quedó la voz o eco.
ECO, *Umberto* (nacido 1932) Semiótico y escritor it. Su obra abarca estudios de estética medieval y contemporánea, de la cultura de masas y de la teoría de la comunicación. *El problema estético en santo Tomás, Obra abierta, Apocalípticos e integrados, La estructura ausente, El nombre de la rosa* (novela).
ECOENCEFALOGRAFÍA f. Método de exploración cerebral que utiliza el registro de ondas sonoras de alta frecuencia (ultrasonidos), las cuales se hacen pasar a través del encéfalo.
ECOGRAFÍA f. *Med.* Técnica de exploración corporal mediante ultrasonidos que, reflejados en los órganos, se visualizan en un monitor. • *Psiq.* Estado afásico en el cual el enfermo puede transcribir una copia, pero no escribir ideas propias.
ECOLALIA f. *Pat.* Perturbación del lenguaje, que consiste en repetir el enfermo involuntariamente una palabra o frase que acaba de pronunciar él mismo, u otra persona en su presencia.
ECOLAMPADIO, *Johann Husschin*, llamado (1482-1531) Teólogo y reformador religioso al. Colaboró con Erasmo en la traducción latina del N. T. Fue uno de los primeros seguidores de Lutero.
ECOLOGÍA f. *Biol.* Ciencia que estudia las relaciones entre los seres vivos y el medio en que viven. Depende de la física y de la química para el estudio de los ambientes, de la biología para el de los seres vivos y de las matemáticas para el tratamiento de las relaciones comunes. ■ ECOLÓGICO, CA; ECÓLOGO, GA.
ECOLOGISMO m. *Soc.* y *Pol.* Denominación de los movimientos, a veces de carácter político, que defienden la naturaleza, su utilización racional y el pacifismo. ■ ECOLOGISTA.
ECONOMATO m. Cargo de ecónomo. • Almacén de mercancías creado por un establecimiento privado para que su personal pueda comprar en él en condiciones ventajosas.
ECONOMETRÍA f. Rama auxiliar de la ciencia económica que, mediante el empleo de métodos matemáticos, estudia las relaciones que aparecen en los fenómenos económicos.
ECONOMÍA f. Administración ordenada y prudente de los bienes. • Actividades de una colectividad humana en lo que concierne a la producción y consumo. • Estructura o régimen de una organización o institución. • Escasez o miseria. • Ahorro y buena distribución del trabajo, tiempo, dinero, etc. • pl. Ahorros. • Reducción de gastos en un presupuesto. • **dirigida.** La intervenida por el estado. • **libre o de mercado.** Aquella basada en la libre empresa, la propiedad privada de los medios de producción y el libre juego de la oferta y la demanda. • **mixta.** Aquella con medios de producción privados y públicos. • **política.** Ciencia que trata de la producción y distribución de la riqueza. • **sumergida.** Actividad económica desarrollada al margen de las normas legales. • **Economías de escala.** Ganancias obtenidas al aumentar la producción de una empresa. • **Economías externas.** E. de escala que resultan de una acción fuera de la empresa. • **Economías internas.** E. de escala que resultan de la reorganización de la producción. ■ ECONÓMICO, CA; ECONOMISTA.
* *Econ.* Originariamente, la e. es la ciencia de la adquisición de la riqueza. Su base es la escasez de bienes y la multiplicidad de necesidades. Actualmente se define como la ciencia que estudia e indica los medios que una colectividad ha de emplear para aumentar su propia riqueza, analizando las leyes que regulan el empleo de los medios y la aplicación de los fines: qué y cuánto hay que producir, dados unos recursos; cómo debe producirse; cómo han de distribuirse los productos entre los individuos de la colectividad. En relación con estos problemas surgen los grandes sectores de la e.: la producción, la distribución, el intercambio y el consumo, más, actualmente, el desarrollo en sí. El análisis de las tendencias generales de estos problemas y de su correlación dará lugar a la *teoría económica.* La *política económica* tratará de ordenar el funcionamiento de los diversos sectores de una e. El estudio del nivel de los medios con que cuenta una zona, región o país dará lugar a la *estructura económica.*
ECONOMISMO o **ECONOMICISMO** m. Interpretación mecanicista de los hechos, opuesta al materialismo histórico. • *Pol.* Tendencia dentro del partido socialdemócrata ruso que primaba la lucha económica frente a la acción política.
ECONOMIZAR tr. Ahorrar, guardar para más adelante. • fig. Evitar o excusar un trabajo, riesgo, etc. ■ ECONOMIZADOR, RA.
ECÓNOMO adj. Díc. del cura que hace las veces del párroco. • m. El que está encargado de la administración y el gasto de una casa.
ECOSISTEMA m. *Biol.* Conjunto de seres vivos y sustancias inertes que actúan recíprocamente intercambiando materiales. Funciona como un sistema cerrado por lo que respecta a la materia y como un sistema abierto para la energía que procede del Sol. En un e. se distinguen elementos bióticos productores (vegetales y bacterias quimicosintéticas), bióticos consumidores (herbívoros y carnívoros) y factores abióticos (agua, oxígeno, sustancias orgánicas, etc.).
ECOSONDA m. Aparato para medir las profundidades del mar y detectar bancos de peces.

eclipse solar

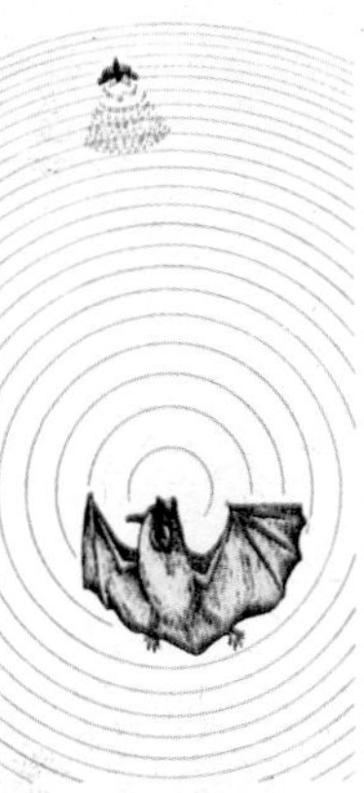

Murciélago localizando una presa mediante el **eco**

Ecosistema marino

ECOLOGÍA

1. La pirámide trófica o alimentaria refleja las relaciones de dependencia que existen entre diversos tipos de organismos. El primer nivel de esta pirámide lo constituyen los organismos productores: vegetales capaces de obtener su energía de la radiación solar. El segundo nivel está constituido por los fitófagos, es decir por los animales que se alimentan de plantas. Los predadores, que obtienen su energía alimentándose de fitófagos, constituyen el tercer nivel. El último nivel es el de los necrófagos, que se alimentan de cadáveres.

2. y 3. Un estanque es un ejemplo ideal de ecosistema. Sus elementos característicos, situados en un espacio delimitado, son el Sol, la masa de agua y los distintos grupos de seres vivos animales y vegetales presentes, desde las bacterias hasta los peces. A la derecha, perca, especie muy común en este tipo de ecosistema.

4. y 5. Una flor que crece en un prado constituye un ecosistema de reducidas dimensiones. Numerosos insectos tienen su hábitat en las diversas partes de la planta, alimentándose de ella. A nivel del suelo pueden encontrarse hormigas (a la izquierda), escarabajos y diversos insectos depredadores, y en la superficie viven microorganismos y gusanos que degradan toda la materia orgánica.

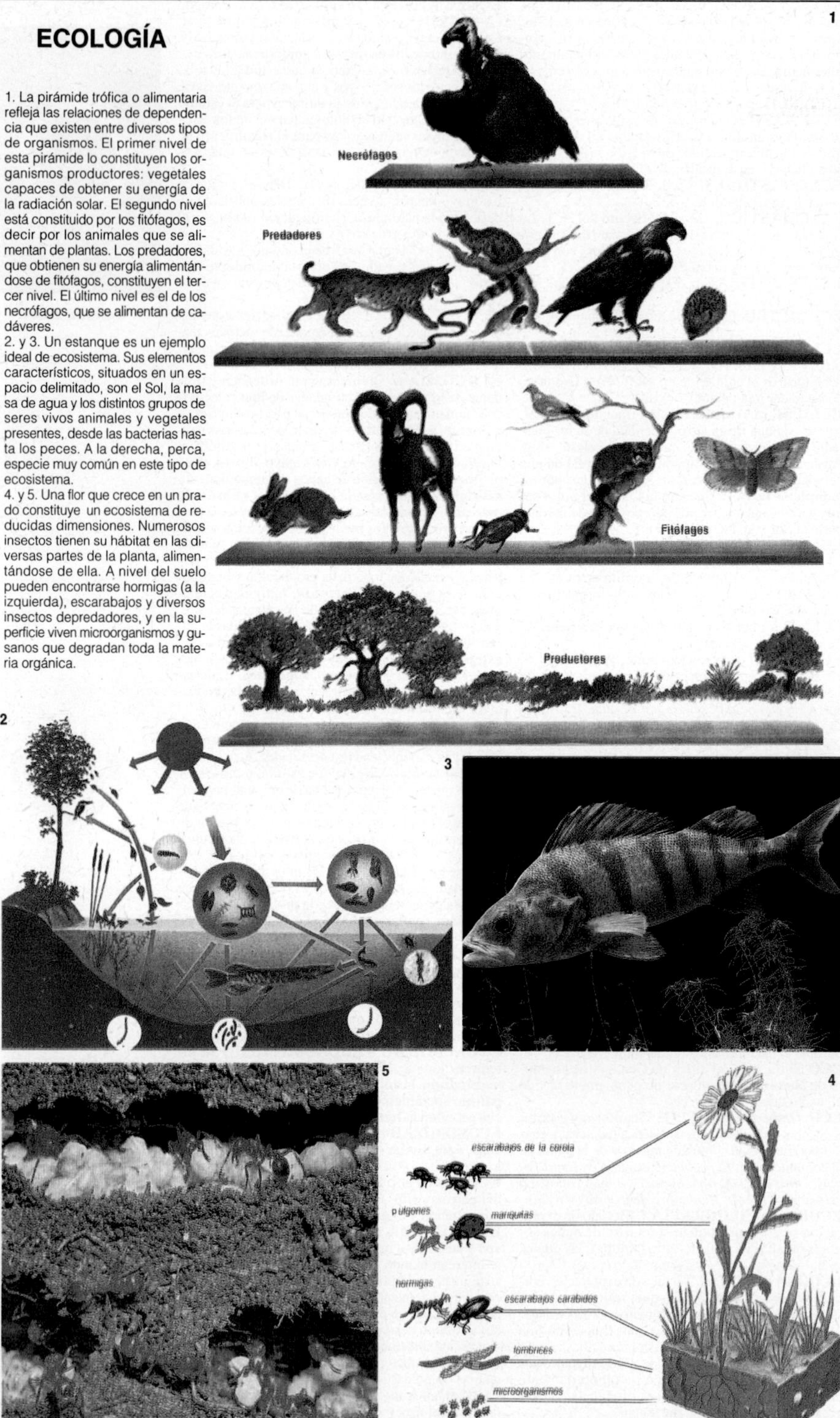

ECUADOR	
Producción agrícola	
Arroz	867 000 t
Banano	2 576 000 t
Café	110 000 t
Caña de azúcar	2 914 000 t
Maíz duro	385 000 t
Papa	362 000 t
Población ganadera por especies	
Bovino	3 997 cabezas
Ovino y caprino	1 500 cabezas
Porcino	1 992 cabezas
Principales productos de exportación (millones de dólares)	
Banano	468
Camarón	340
Cacao	136
Café	93
Petróleo	1 471
Población económicamente activa	
Sector primario	30,8 %
Sector secundario	17,9 %
Sector terciario	45,5 %
Indicadores sociológicos	
PIB total (sucres 1975)	219 335 millones
PIB por hab. (sucres 1975)	18 749 millones
Exportaciones	4 900 millones de dólares
Importaciones	3 571 millones de dólares
Índice de precios (base 1978/79=100)	6 604
Deuda externa	12 379 millones de dólares
Capacidad eléctrica instalada	2 295 MW
Red de caminos	37 600 km
Red ferroviaria	965 km
Médicos por 10 mil hab.	11,2
Camas por mil hab.	1,7
Desocupación abierta	14,7 %
Esperanza de vida	67 años
Alfabetismo	89,8 %

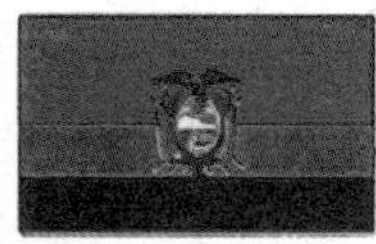

Ecuador. Arriba, mapa de situación y bandera; abajo, vista del conjunto histórico-artístico de la ciudad de Quito

ECOTIPO m. *Biol.* Cada una de las razas o variedades de una especie que difiere en sus condiciones de vida o ambientales.
ECTASIA f. *Pat.* Estado de dilatación de un órgano hueco.
ÉCTASIS f. Licencia poética que consiste en alargar la sílaba breve para la cabal medida del verso.
ECTODERMO m. *Anat.* Hoja embrionaria más externa, que da origen al sistema nervioso.
ECTOPARÁSITO adj. y m. Díc. de los parásitos que viven en el exterior del huésped.
ECTOPIA f. *Anat.* Situación anómala de un órgano, y en particular de las vísceras.
ECTOPLASMA m. *Biol.* Parte del citoplasma más próxima a la membrana.
ECTROPIÓN m. *Pat.* Inversión permanente y anormal del párpado hacia fuera.
ECUABLE adj. *Mec.* Movimiento con que los cuerpos recorren en el mismo intervalo de tiempo espacios iguales.
ECUACIÓN f. *Mat.* Igualdad en la que intervienen una o más incógnitas (términos no determinados).
* *Mat.* Cada determinación de las incógnitas es una solución de la e. Varias e. de un mismo tipo forman un sistema de e. Según la naturaleza de los términos pueden ser: *e . algebraicas*, cuando toman la forma $P(X_1, ..., X_n)=O$; *e. trascendentes,* en las que figura una función trascendente de alguna de las incógnitas, como el logaritmo, la exponencial o cualquier función trigonométrica; *e. diferenciales*, en las que aparecen algunas de las derivadas de las funciones incógnita; *e. integrales,* cuando alguna de las funciones incógnita aparece bajo el signo integral; *e. vectoriales*, que habitualmente se reducen a e. numéricas que tiene como incógnitas las componentes de los vectores incógnita de las e. iniciales.
ECUADOR m. *Astr.* Nombre que se da a determinados círculos imaginarios. • **celeste.** El correspondiente a la proyección del e. terrestre sobre la bóveda celeste. • **magnético.** Lugar geométrico de los puntos cuya inclinación magnética es nula. • **terrestre.** Círculo imaginario que pasa por el centro de la Tierra y es perpendicular a la línea de los polos.
ECUADOR *(República del Ecuador)* Est. sit. en el NO de Amér. Merid; república. A su terr. se añaden el arch. de Galápagos o Colón y varias islas dispersas en el océano Pacífico. Limita al O con este mar, al N con Colombia y al S y E con Perú.
* *Geog. fís.* Se distinguen en la parte continental del país tres regiones: la Costa, la zona interandina o Sierra y la zona oriental o amazónica. La llanura costera, interrumpida por suaves relieves, tiene numerosas bahías y el golfo de Guayaquil. La Sierra está formada por las cordilleras Occidental (alt. máx.: Chimborazo, 6310 m) y Oriental (alt. máx.: Cotopaxi, 5 790 m). En el país existen dos sistemas fluviales cuyos r. prales. son: Esmeraldas, Guayas (sistema hidrográfico del Pacífico), y Napo, Paute, Curaray, Pastaza y Zamora (cuenca del Amazonas). En E. se distinguen una estación húmeda (invierno) y otra seca (verano), pero presenta una gran diversidad de zonas climáticas, según la alt., la latitud y la influencia de las corrientes del Niño y Humboldt. Como consecuencia de esta diversidad climática, la vegetación también es variadísima, desde el páramo, los valles interandinos, las llanuras costeras y la selva amazónica (en la que destaca la presencia de maderas preciosas) hasta los diferentes pisos de vegetación en la Sierra.
* *Geog. econ.* La agricultura ocupa el 80 % de la superficie cultivable y absorbe un tercio de la pob. activa. Los prales. productos de la Costa son: banano, cacao y café; de la Sierra: cereales, leguminosas y tubérculos. La ganadería ha crecido notablemente. Destacan la pesca de atún y el cultivo de camarón. Los recursos minerales más imp. son: petróleo, oro, plata, azufre, sal, hierro. Ind, prales.: alimentaria, textil, química, del cemento y maderera.
* *Geog. humana.* El grupo blanco-mestizo abarca el 75 % de la población ecuatoriana. Las nacionalidades indígenas constituyen un 20 % y los grupos afroamericanos representan un 5 %. Lenguas: castellano (of.), quichua, shuar y otras lenguas aborígenes. *Rel.*: catolicismo (90 %), y minorías protestantes y animistas. U. M.: sucre. Rep. unitaria. Cap., Quito. C. prales.: Guayaquil, Cuenca, Portoviejo.
* *Hist.* **Periodo aborigen.** La evidencia arqueológica establece que los más antiguos vestigios del hombre en el actual E. datan de 10 000 años a. C. Su etapa agro-alfarera se ubica en Valdivia, h. 3 400 a. C. Post. se desarrolló la organización de curacazgos (caras, quitos, puruhaes, cañaris), con la que terminó de estructurarse el «reino de Quito». Los incas, acaudillados por Túpac Yupanqui, iniciaron la anexión de Quito, prolongada por su sucesor, Huayna Cápac, quien la concluyó en 1478. **Periodo colonial.** Sebastián de Benalcázar conquistó el reino de Quito, defendido por Rumiñahui. En los terr. conquistados se implantó el dominio colonial y la dependencia estructural de la metrópoli. En la sociedad colonial tomó cuerpo el conflicto entre criollos terratenientes y el poder esp. **Independencia y república.** El movimiento independentista, activo desde 1809, no cristalizó hasta 1822, tras la batalla de Pichincha. E. se constituyó en rep. después de separarse de la gran Colombia en 1830. J. J. Flores asumió la primera magistratura (1830-1834; 1839-1845). Le sucedieron conservadores y liberales has-

División Político-administrativa de **Ecuador**

Provincias	*Km²*	*Población*	*Densidad*	*Capital*	*Habitantes*
Azuay	8 124,7	506 090	62,3	Cuenca	194 981
Bolívar	3 939,9	155 088	39,4	Guaranda	15 730
Cañar	3 122,1	189 347	60,6	Azogues	21 060
Carchi	3 605,1	141 482	39,2	Tulcán	37 069
Chimborazo	6 569,3	364 682	55,5	Riobamba	94 505
Cotopaxi	6 071,9	276 324	45,5	Latacunga	39 882
Imbabura	4 559,3	265 499	58,2	Ibarra	80 991
Loja	11 026,5	384 698	34,9	Loja	94 305
Pichincha	12 914,7	1 756 228	136	Quito	1 100 847
Tungurahua	3 334,8	361 980	108,5	Ambato	124 166
REGIÓN SIERRA					
El Oro	5 850,1	412 572	70,5	Machala	144 197
Esmeraldas	15 239,1	306 628	20,1	Esmeraldas	98 558
Guayas	20 502,5	2 515 146	122,7	Guayaquil	1 508 444
Los Ríos	7 175	527 559	73,5	Babahoyo	50 285
Manabí	18 878,8	1 031 927	54,7	Portoviejo	132 927
REGIÓN COSTA					
Morona Santiago	25 690	84 216	3,3	Macas	8 246
Napo*	13 572	57 897	4,3	Tena	7 873
Orellana*	20 358	45 490	2,2	Puerto Francisco de Orellana	-
Pastaza	29 773,7	41 811	1,4	Puyo	14 438
Sucumbíos	18 327,5	76 952	4,2	Nueva Loja	13 165
Zamora Chinchipe	23 110,8	66 167	3,1	Zamora	8 048
REGIÓN AMAZÓNICA					
Galápagos	8 010	9 785	1,2	Puerto Baquerizo Moreno	3 023
REGIÓN INSULAR					
ECUADOR	(**)	9 648 189	35,5	Quito	1 100 847

Datos suministrados por el INEC. V Censo de Población y IV de Vivienda 1990. * Datos provisionales, no oficiales. ** Tras la aplicación del acuerdo firmado entre Ecuador y Perú (Acta de Brasilia,1998), la extensión territorial del Ecuador es, según informe del IGM, de 256 370 km^2

ta 1859, año en que Gabriel García Moreno inició su gestión clerical y antiliberal, que duró, con intervalos, hasta 1875. En 1895 se inició la Rev. Liberal liderada por Eloy Alfaro, asesinado en 1912, tras lo cual se instauró un periodo de dominación oligárquica-bancaria que concluyó en 1925, con la Rev. Juliana. El *crac* de 1929 agravó la crisis económica y acentuó la tendencia al caudillismo. José María Velasco Ibarra asumió el poder en 1934-1935 y 1944-1946. En los años siguientes se revitalizó la balanza comercial y se vivió un periodo de estabilidad. En 1960 volvió al poder Velasco Ibarra. Incapaz de solucionar la grave crisis económica, fue sustituido por Carlos Julio Arosemena (1961-1963), depuesto a su vez por los militares. Tras varios gobiernos civiles, tuvo lugar un nuevo golpe de Est. militar en 1972. En 1979 se produjo el retorno al régimen democrático: accedió a la presidencia del país Jaime Roldós que fue sustituido por el demócrata-cristiano Osvaldo Hurtado. Las elecciones de 1984 dieron el poder al conservador León Febres Cordero. Tuvo que enfrentar dos intentos golpistas en 1986, y sufrió un breve secuestro en 1987, a manos de militares partidarios del general Frank Vargas. En agosto de 1988 asumió la presidencia el socialdemócrata Rodrigo Borja y entre 1992 y 1996 desempeñó el

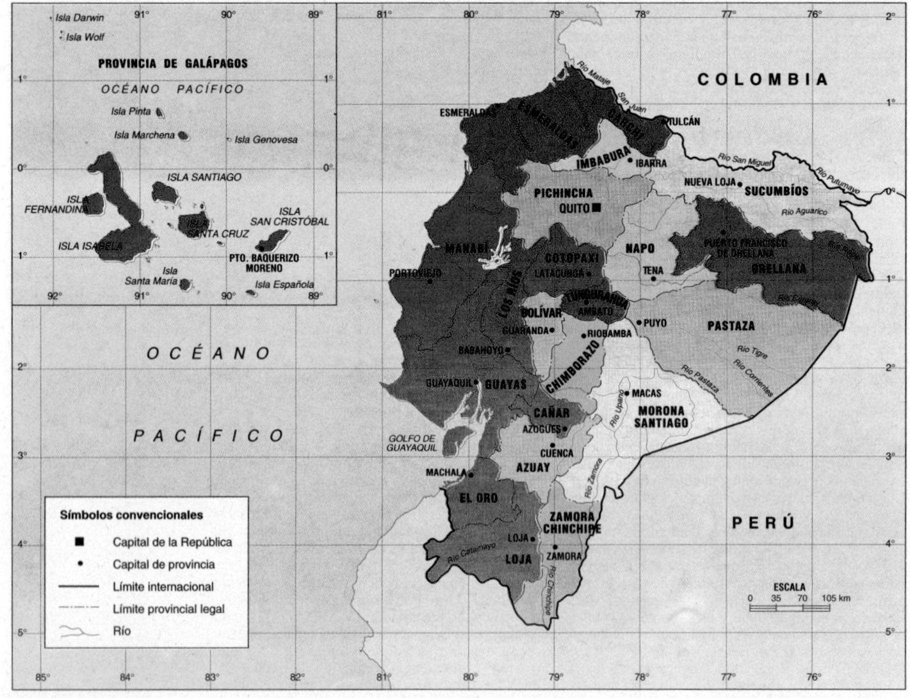

Ecuador. Arriba a la izquierda, el volcán Chimborazo; sobre estas líneas, panorámica de Guayaquil

cargo el conservador Sixto Durán, de Unión Republicana. En 1996, fue elegido presid. Abdalá Bucaram, del Partido Rodolsista Ecuatoriano, pero en 1997 fue cesado por el Congreso, que nombró presid. a Fabián Alarcón. En 1998 se celebraron nuevas elecciones presid. en las que venció el candidato de Democracia Popular, Jamil Mahuad Witt. Sin embargo, la grave crisis económica y social desembocó a principios de 2000 en un relevo anticipado en la presidencia, y el vicepresidente Gustavo Noboa pasó a ocupar la jefatura de la república.

* *Lit.* Período Colonial: Gaspar de Villarroel, Pedro V. Maldonado, Juan de Velasco y Eugenio Espejo. Luego brilla el neoclásico José Joaquín Olmedo. El romanticismo influyó en Juan León Mera y en el ensayista Juan Montalvo. Modernistas fueron Medardo Angel Silva, Ernesto Noboa y Caamaño, Arturo Borja y Humberto Fierro; naturalista Luis A. Martínez y costumbrista José Antonio Campos. Vanguardismo: Hugo Mayo, Pablo Palacio, Alfredo Gangotena, Jorge Carrera Andrade y Gonzalo Escudero. Realismo social: Grupo de Guayaquil (José de la Cuadra, Alfredo Pareja, Demetrio Aguilera, Joaquín Gallegos y Enrique Gil) e indigenismo (Jorge Icaza). A éstos se agregan Adalberto Ortiz, Angel F. Rojas y Pedro J. Vera. Ensayo: Benjamín Carrión. Hoy en día destacan, entre otros escritores, Abdón Ubidia, Iván Egüez, Alicia Yáñez, Jorge Dávila Vásquez, Javier Vásconez, Raúl Pérez Torres, etc.

* *Arte.* Existen imp. restos incas en la región Azuay-Cañar. Las obras más destacadas de la época colonial son el templo de San Francisco, el de la Compañía de Jesús y la catedral, y entre sus artistas más representativos cabe mencionar a Diego de Robles, Fray Pedro de Bedón, Miguel de Santiago, Goribar, Caspicara y B. Legarda. En el s. XIX sobresalieron Antonio Salas, Rafael Troya y Joaquín Pinto. En el s. XX descuellan Camilo Egas, Eduardo Kingman, Osvaldo Guayasamín, Galo Galecio, Enrique Tabara, Ramiro Jácome, Gonzalo Endara, etc.

ECUALIZADOR m. *Electr.* Circuito que atenúa selectivamente la señal de entrada de un receptor.

ECUANIMIDAD f. Igualdad y constancia de ánimo. • Imparcialidad. ■ ECUÁNIME.

ECUATORIAL adj. Relativo al ecuador. • *Astr.* Díc. del instrumento óptico o radioelectrónico con su eje vertical paralelo al de la Tierra y que gira alrededor de un eje perpendicular al anterior.

ECUATORIANISMO m. Vocablo o giro propio y privativo del lenguaje de los ecuat.

ECUATORIANO, NA adj. y s. De Ecuador.

ECUESTRE adj. Relativo al caballero, o a la orden y ejercicio de la caballería. • Relativo al caballo. • *Arte.* Que representa un personaje a caballo.

ECUMÉNICO, CA adj. Universal, que se extiende a todo el mundo. • Díc. de los concilios generales a los que se convocan todos los obispos del mundo. ■ ECUMENICIDAD.

ECUMENISMO m. *Rel.* Movimiento tendente a unificar a todos los cristianos con el objetivo de restaurar la Iglesia universal.

ECÚMENO (gr. *oikumene*, tierra habitada) m. Zona de la Tierra apta para la vida humana.

ECUO, CUA adj. y s. Díc. del individuo de un ant. pueblo del Lacio. • Relativo a este pueblo.

ECUÓREO, A adj. poét. Relativo al mar.

ECZEMA o **ECCEMA** m. *Pat.* Afección cutánea inflamatoria con aparición de vesículas, infiltración, exudación de un líquido seroso y desarrollo de escamas y costras. ■ ECZEMATOSO, SA.

ECZEMATIZACIÓN f. Conjunto de lesiones cutáneas debidas a rascaduras, traumatismos, etc., que recuerdan las lesiones características del eczema.

EDAD f. Tiempo que una persona ha vivido, a contar desde que nació. • Duración de las cosas materiales, a contar desde que empezaron a existir. • Cada uno de los periodos en que se considera dividida la vida humana. • *Hist.* Gran periodo de tiempo en que se considera dividida la historia. • Espacio de años que han corrido de tanto a tanto tiempo. • Edad madura. • **adulta.** Aquella en que el organismo humano alcanza su completo desarrollo. • **avanzada.** Ancianidad. • **del pavo.** Adolescencia. • **de oro.** Tiempo en que las letras, las artes, la política, han tenido mayor incremento y esplendor en un pueblo. • **madura.** La anterior a la ancianidad. • **mental.** Grado de inteligencia. Se determina por medio de tests especiales. • **temprana.** Juventud. • **tierna.** Niñez, periodo que se extiende hasta la juventud. • **viril.** Aquella en que el hombre ha adquirido ya todo el vigor de que es susceptible; comprende, en general, desde los treinta a los cincuenta años. • **Mayor de e.** loc. adj. Díc. de la persona que ha llegado a la mayor e. legal. • **Menor de e.** loc. adj. Díc. de la persona que todavía se halla en la menor edad.

* *Hist.* **E. Ant.** (4000 a. C.-476 d. C). Primera e. de la historia. Abarca desde el descubrimiento de la escritura, en Oriente, hasta la invasión de los bárbaros y la caída del imperio rom. • **E. Cont.** Actual e. de la historia, que parte de la Rev. fr. • **E. del Bronce.** Periodo que empieza a finales del neolítico y se caracteriza por el descubrimiento y empleo del bronce para la fabricación de útiles. Desde el Próximo Oriente, donde se inicia entre el 3000 y el 2500 a. C., se extiende por el Cáucaso, Anatolia, Egipto, el Egeo y Creta. Entre el 2000 y el 800 a. C. los prales. núcleos de expansión en Europa fueron las zonas montañosas de Transilvania, Eslovaquia, los Alpes, Alemania central, N de España, Inglaterra e Irlanda. Las culturas que se desarrollan en este período son agrícolas, ganaderas, comerciantes, industriales y artesanas. • **E. del Cobre.** Periodo inicial de la E. de los metales, antes de que se tratase el cobre con estaño o arsénico para forjar armas y útiles de bronce. • **E. del Hierro.** Periodo (1200-50 a. C.) en que el hierro sustituyó al bronce en la fabricación de objetos metálicos. • **E. de los Metales.** Nombre que se da al periodo prehistórico que siguió al neolítico; abarca la E. del Bronce y la E. del Hierro. • **E. de Piedra.** Paleolítico. • **E. Med.** (476-1453). Segunda e. de la historia, desde la caída de Roma en poder de los bárbaros hasta la toma de Constantinopla por los turcos y el fin del imperio bizantino. • **E. Mod.** (1453-1789). Tercera e. de la historia, que comienza con el Renacimiento, comprende la era de los descubrimientos geográficos y la Reforma, y termina con la Rev. fr.

EDÁFICO, CA adj. Relativo al suelo, especialmente en lo que respecta a la vida de las plantas.

Ecuador. Gustavo Noboa Bejarano

Edad del Bronce. Estatuilla de Ba'al, de bronce y oro, procedente de Ugarit

Flores de **edelweiss**

Castillo de Holyroodhouse, en **Edimburgo**

Thomas Alva **Edison**

Edómetro de tres células

EDAFOGÉNESIS f. *Geol.* Proceso de formación y evolución de los suelos.

EDAFOLOGÍA f. *Geol.* Ciencia que estudia la capa de la corteza terrestre que sirve de soporte a la vegetación. ▪ EDAFÓLOGO, GA.

* *Geol.* El espesor del suelo, desde la superficie hasta la roca subyacente (roca madre) es muy variable y se distinguen diferentes zonas llamadas horizontes, que están en relación con su evolución y desarrollo. En un suelo desarrollado se distinguen tres horizontes: horizonte A o superior, en el que predominan los procesos de lavado; horizonte B o medio, con predominio de procesos de acumulación, y horizonte C o inferior, constituido por la roca madre en vías de alteración. El suelo necesita elementos sólidos, líquidos y gaseosos: la parte sólida es una mezcla de partículas minerales procedentes de la desintegración de la roca madre y otras partículas orgánicas procedentes de restos de seres vivos; la parte líquida está representada por el agua y la parte gaseosa por el aire. La circulación del agua y la aireación dependen de la estructura y textura del suelo, que se considera equilibrado si tiene la debida proporción de limos, arcillas y arenas. Para el análisis del suelo se tienen en cuenta además las sales de sodio, la caliza, la sílice, el humus, la dinámica del perfil en relación con la circulación de las aguas y la acidez (pH). Para la clasificación de los suelos se atiende a distintos criterios. Por su formación pueden ser suelos autóctonos (como los calcáreos, excesivamente permeables y por tanto pobres, y los arcillosos, compactos y poco permeables, los más empleados para la agricultura) o suelos alóctonos, de composición variada. Por su evolución se distinguen los suelos jóvenes (poco evolucionados) de los suelos maduros en los que han intervenido más el clima y la vegetación; y en relación con el clima los suelos zonales (en los que el factor de formación pral. es el clima) de los azonales, en los que predominan los factores locales sobre los climáticos.

EDDAS Conjunto de poemas mitológicos y heroicos islandeses, escritos en los ss. IX al XIII.

EDDINGTON, *Arthur Stanley* (1882-1944) Astrónomo y físico brit. Desarrolló métodos para la determinación de la masa, la temperatura y la constitución interna de las estrellas. *Espacio, tiempo y gravitación*, *La naturaleza del mundo físico*, *Teoría matemática de la relatividad*.

EDDY, *Mary Baker* (1821-1910) Reformadora norteam., fundadora y organizadora de la *Ciencia cristiana* (*Christian Science*). Sus doctrinas están contenidas en diversos libros en los que anima a restaurar la cristiandad primitiva.

EDECÁN m. *Mil.* Ayudante de campo. • fig. y fam. Auxiliar, acompañante, correveidile.

EDELMAN, *Gerald* (nacido 1929) Fisiólogo norteam. Investigó las estructuras de las inmunoglobulinas y la genética de la respuesta inmunitaria. Premio Nobel de Medicina en 1972, junto a R. R. Porter. • **Y Pintó, *Federico*** (1869-1926) Pintor cub. Fundador de la Asociación de Pintores y Escultores. *José Martí*, *Descubrimiento del Pacífico*.

EDELWEISS f. Planta herbácea de la familia compuestas, de inflorescencia lanosa, con hojuelas dispuestas en estrella, característica de las altas montañas de Europa y Asia.

EDEMA m. *Med.* Tumefacción de la piel, ocasionada por la serosidad infiltrada en el tejido celular. ▪ EDEMATOSO, SA.

EDÉN m. Paraíso terrestre. • fig. Lugar muy ameno y delicioso. ▪ EDÉNICO, CA.

EDEN, SIR ***Anthony*** (1897-1977) Político conservador brit. Sucedió a Churchill en el cargo de primer ministro, en 1955. En la crisis de Suez (1956) decidió la intervención armada del Reino Unido contra Egipto.

EDESA Ant. ciudad de Mesopotamia, centro de la civilización siriaca de los ss. II al X. Es la actual Urfa.

EDGEWORTH, *Francis Isidro* (1845-1926) Economista brit., uno de los primeros en emplear la estadística y aplicar las matemáticas a la teoría económica. *Escritos sobre economía política*, *Psíquica matemática*.

EDICIÓN f. Impresión o estampación de una obra o escrito para su publicación. • Conjunto de ejemplares de una obra impresos de una sola vez sobre el mismo molde. • Texto de una obra preparado con criterios filológicos. • **crítica.** La establecida a base de diversas fuentes (manuscritas o impresas) y que consigna las variantes existentes entre ellas. • **príncipe.** La primera, cuando se han hecho varias de una misma obra.

EDICTO m. Mandato, ordenanza, decreto.

EDÍCULO m. Edificio pequeño. • Templete que sirve de tabernáculo, relicario, etc.

EDIFICAR tr. Fabricar, hacer un edificio o mandarlo construir. • fig. Incitar a la virtud con el ejemplo. ▪ EDIFICACIÓN; EDIFICADOR, RA; EDIFICANTE EDIFICATIVO, VA; EDIFICATORIO, RIA.

EDIFICIO m. Construcción generalmente grande para vivienda u otros usos.

EDIL m. Magistrado rom. a cuyo cargo estaban las obras públicas. • Concejal, miembro de un ayuntamiento. ▪ EDILICIO, CIA; EDILIDAD.

EDIMBURGO (ing., *Edinburgh*; gaélico, *Dunedin*) C. de Gran Bretaña, cap. de Escocia; 420 200 hab. Sit. en la orilla S del estuario del Forth. Centro administrativo, cultural e industrial.

EDIPO Hijo legendario de Layo y Yocasta, reyes de Tebas. Tal como se le anunció, mató a su padre y casó con su madre.

EDISON, *Thomas Alva* (1847-1931) Físico norteam. Inventó el fonógrafo (1877), el mimeógrafo, la lámpara eléctrica incandescente y el cinetoscopio (1894); construyó la primera central eléctrica.

* **Efecto E.** Emisión de electrones por los metales incandescentes; fue descubierto por E. en 1884.

EDITAR tr. Publicar por medio de la imprenta, o por cualquier medio de reproducción gráfica, una obra, periódico, folleto, mapa, etc. ▪ EDITOR, RA.

EDITORIAL adj. Relativo a editores o ediciones. • m. Artículo de fondo no firmado. • f. Empresa editora. ▪ EDITORIALISTA.

EDMONTON C. de Canadá, cap. de la prov. de Alberta; 574 000 hab. (840 000 la agl. urb.). Universidad. Centro industrial.

EDOMETRÍA f. Técnica dedicada al estudio del asentamiento del terreno por efecto de los cimientos de una estructura.

EDÓMETRO m. Aparato para analizar la capacidad de un terreno frente al esfuerzo a que ha de estar sometido.

EDRAR tr. *Agr.* Binar, dar la segunda reja a las tierras de labor o hacer la segunda cava en las viñas.

EDREDÓN m. Plumón muy fino que producen ciertas aves. • Almohadón que se emplea como cobertor.

EDUARDO I (1239-1307) Rey de Inglaterra [1272-1307]. Conquistó Galés y Escocia y restableció la autoridad real. • **II** (1248-1327) Rey de Inglaterra [1307-1327], hijo y sucesor del anterior. La rivalidad e insurrección de la nobleza permitieron la independencia galesa y provocaron su abdicación. • **III** (1312-1377) Rey de Inglaterra [1327-1377], hijo del anterior. Inició la guerra de los Cien Años, en la que fue derrotado por los escoceses. • **IV** (1442-1483) Rey de Inglaterra [1461-1483]. Dirigió el partido de la «Rosa Blanca» contra los partidarios de la casa de Lancaster, a los que derrotó. Puso fin a las guerras con Francia. • **VII** (1841-1910) Rey de Gran Bretaña e Irlanda [1901-1910], hijo de la reina Victoria. Artífice de la «Entente Cordiale» (1904) con Francia. • **VIII** (1894-1972) Rey de Gran Bretaña [1936]. Abdicó el mismo año de su coronación, tomando el nombre de duque de Windsor. • **I** (1391-1438) Rey de Portugal [1433-1438]. Intervino en la toma de Ceuta. Notable legislador y literato. • ***El Príncipe Negro*** (1330-1376) Hijo de Eduardo III. Fue administrador de Aquitania y participó en las batallas de Poitiers y Nájera.

EDUCACIÓN f. Acción y efecto de educar. • Cortesía, urbanidad. • Proceso por el cual una persona desarrolla sus capacidades, para enfrentarse positivamente a un medio social determinado e integrarse a él. • **física.** Gimnasia. ▪ EDUCACIONAL.

EDUCAR tr. Dirigir, enseñar, encaminar. • Desarrollar las facultades intelectuales y morales del niño. • Desarrollar las facultades físicas. • Perfeccionar los sentidos. • Enseñar urbanidad y cortesía. ▪ EDUCABLE; EDUCADO, DA; EDUCADOR, RA; EDUCANDO; EDUCATIVO, VA.

EDUCIR tr. Sacar consecuencias a partir de algo, deducir. ▪ EDUCCIÓN.

EDULCORAR tr. *Farm.* Endulzar. ■ EDULCORACIÓN; EDULCORANTE.
EDUO, A adj. y s. Díc. de individuos de un ant. pueblo de la Galia. Se unieron a la insurrección de los galos contra César, pero finalmente se sometieron a la dominación rom.

Ruinas romanas en **Éfeso**

EDWARDS, *Agustín* (1852-1897) Político chil. Varias veces diputado, senador y ministro. • ***Alberto*** (1873-1932) Historiador, escritor y político chil. En sus narraciones policiales usó el seud. de MIGUEL DE FUENZALIDA. *Bosquejo histórico de los partidos políticos chilenos*, *La fronda aristocrática en Chile*. • ***Jorge*** (1931) Escritor y diplomático chil. Desde 1957 cumplió funciones diplomáticas en París, Lima y La Habana. Al caer Allende se refugió en España. *Persona non grata*, *Los convidados de piedra*. Premio Cervantes en 1999. • ***Richard*** (1523-1566) Poeta y dramaturgo ing. Su obra *Damón y Pitias* fue la primera tragicomedia ing. de tema clásico. • **Bello, *Joaquín*** (1887-1968) Escritor chil., autor de novelas realistas sobre cuestiones sociales. *El roto*, *Criollos en París*. • **Macclure, *Agustín*** (1878-1941) Político, economista y escritor chil. Hijo de Agustín E. Presid. del Consejo de la Sociedad Naciones, director de *El Mercurio*.
EDZNÁ Antigua c. maya, en Yucatán (México), cerca de Campeche. Su periodo de mayor desarrollo se produjo durante los ss. VII-VIII. En ella se hallan el templo llamado «pirámide de los cinco pisos» y el juego de pelota.
EEKHOUD, *Georges* (1854-1927) Escritor belga en lengua fr. *La nueva Cartago*, *Escal Vigor*.
EFABLE adj. Cualidad de lo que puede decirse o manifestarse con palabras.
EFE f. Nombre de la letra *f*.
EFE Agencia informativa esp. Distribuye información internacional, nacional, deportiva y gráfica a sus abonados. Tiene contratos de distribución de noticias con las prales. agencias internacionales.
EFEBO m. Mancebo, adolescente.
EFECTISMO m. Afán de producir, ante todo, gran efecto en el público. ■ EFECTISTA.
EFECTIVO, VA adj. Real y verdadero, en oposición a lo quimérico, dudoso o nominal. • Díc. del empleo o cargo de planta, en contraposición al interino o supernumerario, o al honorífico. • m. Dinero contante o efectivo. • m. pl. *Mil.* Número de hombres que componen una unidad táctica. ■ EFECTIVIDAD.
EFECTO m. Resultado de la acción de una causa. • En ciencias experimentales, fenómeno en el curso del cual se produce una transformación energética o, en general, una modificación de las propiedades de un sistema, ligada siempre a una causa. • Impresión hecha en el ánimo. • Fin para que se hace una cosa. • Nombre genérico de los diversos títulos a la orden en los cuales consta la obligación de pagar en una fecha determinada una cantidad de dinero. • Movimiento giratorio que se da a una bola, pelota, etc., al impulsarla, y que la hace desviarse de su trayectoria normal. • pl. Bienes, muebles, enseres. • **Efectos especiales.** Artificios a que se recurre en el rodaje de las películas para dar apariencia de realidad a ciertas escenas. • **Efectos públicos.** Documentos de crédito emitidos por una corporación pública. • **Con,** o **en e.** m. adv. Efectivamente, en realidad, de verdad. • En conclusión, así que. • **Hacer e.** fr. Dar el resultado que se deseaba. • Parecer muy bien, deslumbrar con su aspecto o presentación.
EFECTOR adj. y m. *Biol.* Díc. de todo sistema, órgano o célula mediante el cual un animal efectúa una acción determinada.
EFECTUAR tr. Ejecutar una cosa. • prnl. Cumplirse, hacerse efectiva una cosa.
EFEDRÁCEO, A adj. Díc. de plantas de la familia efedráceas. • f. pl. Familia de gimnospermas leñosas, como el belcho, que comprende un único género, *Ephedra*.
EFEDRINA f. Alcaloide de acción simpaticomimética, tanto a nivel periférico como a nivel central, que actúa como estimulante del cerebro.
EFÉLIDE f. Peca producida por el sol y el aire.
EFEMÉRIDES f. pl. Libro o comentario en que se refieren los hechos de cada día. • Sucesos notables ocurridos en diferentes épocas, pero un número exacto de años antes de un día determinado. • **astronómicas.** Libro que contiene, para cada día del año, las coordenadas de los astros y otros datos concernientes al firmamento.
EFÉMERO m. Lirio hediondo.
EFEMERÓPTERO, RA adj. y m. *Zool.* Díc. de insectos del orden efemeróptero. • m. pl. *Zool.* Orden de insectos hemimetábolos que viven en el agua o cerca de ella. La fase larvaria puede durar de dos semanas a tres años y tras dos mudas se transforma en efémera (fase adulta) con una vida que raras veces alcanza las 48 horas.
EFENDI m. Título honorífico turco.
EFERENTE adj. Que conduce fuera de. • Díc. de los órganos, vasos sanguíneos o nervios que conducen líquidos o corrientes nerviosas desde el centro del cuerpo a su periferia.
EFERVESCENCIA f. Aparición tumultuosa de burbujas en un líquido por el brusco desprendimiento del gas disuelto en él o formado por una reacción química. • fig. Agitación, acaloramiento de los ánimos. ■ EFERVESCENTE.
EFESINO, NA o **EFESIO, SIA** adj. y s. De Éfeso.
ÉFESO C. sit. en el O de Asia Menor. Gran centro financiero. Contaba con un templo consagrado a Artemisa que era una de las siete maravillas del mundo. • **Concilio de É.** (431-433) Convocado por Teodosio II, condenó el nestorianismo.
EFETA m. Cada uno de los jueces que formaban parte de un ant. tribunal ateniense.
EFFNER, *Joseph* (1687-1745) Arquitecto y decorador al. Dirigió los trabajos del castillo de Schleissheim, en cuya decoración desarrolló un estilo próximo al rococó.
EFIALTES (s. V a. C.) Político ateniense. Jefe del partido democrático, despojó al areópago de sus atribuciones políticas (462-461). Fue asesinado.
EFICACIA f. Virtud, actividad y poder para obrar. ■ EFICAZ.
EFICIENCIA f. Virtud y facultad para lograr un efecto determinado. • Acción con que se logra este efecto. • *Econ.* Utilización racional de los recursos productivos, adecuándolos con la tecnología existente. ■ EFICIENTE.
EFIGIAR tr. Reproducir en efigie.
EFIGIE f. Imagen, representación de una persona real y verdadera. • fig. Personificación, representación viva de cosa ideal.
EFÍMERO, RA adj. Que tiene la duración de un solo día. • Pasajero, de corta duración. • adj. y s. Díc. de la fiebre que dura un día natural. • f. Cachipolla, insecto.
EFLORECERSE prnl. *Quím.* Ponerse en eflorescencia un cuerpo. ■ EFLORESCENTE.
EFLORESCENCIA f. *Med.* Erupción en la piel. • *Quím.* Conversión espontánea en polvo de diversas sales al perder el agua de cristalización.
EFLUIR intr. Fluir o correr un líquido o un gas hacia el exterior.
EFLUVIO m. Emanación que se exhala del cuerpo de los animales. • Emanación, irradiación. • Descarga eléctrica casi imperceptible entre dos electrodos, cuando la tensión no basta para producir una descarga disruptiva.
EFOD m. Vestidura de lino fino, que usaban los ant. sacerdotes israelitas.
ÉFORO m. Cada uno de los cinco magistrados que elegía el pueblo todos los años en Esparta.

Eduardo VII

El **efebo** de Maratón

Medalla con la **efigie** de Isabel II de España

Egipto. De arriba a abajo: mapa de situación y bandera; fragmento de una pintura mural de la tumba de Nakht; figura de madera representando a un alto funcionario de la V dinastía

ÉFORO (h. 400-h 300 a. C.) Historiador gr. *Historia universal.*
EFRAÍM Segundo hijo del patriarca José. Tuvo tres hijos: Ézer, Elad y Beríah. Su tribu, situada en la región central de Palestina, gozó de enorme importancia en la historia del pueblo hebreo.
EFRAIMITA adj. y s. Díc. de los israelitas de la tribu de Efraím.
EFRATEO, A adj. y s. Natural de Efrata. • Perteneciente a esta ant. ciudad de Judea, llamada posteriormente Belén.
EFRÉN (hacia 306-373) Santo. Escritor y místico cristiano. Instituyó la práctica de los cantos en los oficios litúrgicos. Doctor de la Iglesia.
EFTA Siglas de la Asociación Europea de Libre Comercio.
EFUGIO m. Recurso para sortear una dificultad.
EFUSIÓMETRO m. Aparato para la determinación de las densidades relativas de los gases.
EFUSIÓN f. Derramamiento de un líquido. • fig. Expansión e intensidad en los efectos generosos o alegres del ánimo. • Paso de un gas a través de los poros de una membrana debido a su presión. • Salida de gases a través de aberturas pequeñas. ■ EFUSIVIDAD; EFUSIVO, VA.
EGAÑA, *Juan* (1769-1836) Político y escritor chil. Luchó por la indep. de su país e intervino en la redacción de la constitución de 1823. Autor teatral. *El amor vence al desdén, Poliforonte.* • ***Mariano*** (1793-1846) Político chil. Secretario de la junta de gobierno en 1813, apoyó la lucha por la emancipación. Deportado por los realistas (1814), fue de nuevo secretario de la junta en 1823. Miembro de la comisión redactora de la constitución de 1833.
EGAS Familia de escultores y arquitectos flam. que trabajaron en España entre los ss. XIV y XV. Destacaron **Hanequín, Enrique,** uno de los mejores representantes del estilo isabelino, y **Egas Cueman.**
EGAS, *Camilo* (1897-1962) Pintor, escultor y aguafuertista ecuat. Autor de notables frescos. Premio de la Exposición Internacional de Quito. Dirigió en Nueva York el Art Department de la New School for Social Research.
EGATES *(Egadi)* Arch. de Italia, frente a las costas del O de Sicilia. Pesca. En 241 a. C fue escenario de la victoria del cónsul romano Lutacio Catalo frente a los cartagineses.
EGBERTO, *el Grande* (755-839) Rey de Wessex [802-839]. Con él se origina la dinastía anglosajona occidental; logró dominar los reinos de East-Anglia, Mercia y Northumbria.
EGEO, A adj. Relativo al mar Egeo o a los pueblos que dan a este mar.
EGEO *(Egueon)* Mar sit. entre Grecia, Creta y la costa O de Asia Menor. En él se hallan los arch. de las Cícladas y las Espóradas.
EGEO Rey mítico de Atenas, padre de Teseo. Creyendo que el Minotauro había matado a su hijo, se arrojó al mar, que tomó su nombre.
EGGE, *Peter* (1869-1959) Escritor nor. *Pueblo, Los cabellos grises, En los fiordos.*
ÉGIDA o **EGIDA** f. Piel de la cabra Amaltea, adornada de la cabeza de Medusa, que es atributo con que se representa a los dioses Júpiter y Minerva. • P. ext., escudo, arma defensiva. • fig. Protección, defensa.
EGIDIO Romano (1247-1316) Filósofo y teólogo it. Autor de comentarios a las obras de Aristóteles y al Libro de las Sentencias. *De ecclesiastica potestate.*
EGÍLOPE f. Especie de avena, muy parecida a la ballueca.
EGINA Isla de Grecia, en el mar Egeo, en el golfo hom.; 85 km²; 9 500 hab. Cap., Egina; 6 200 hab. Centro comercial y financiero durante la época clásica.
EGIPÁN m. Ser fabuloso, mitad cabra, mitad hombre.
EGIPCIACO, CA o **EGIPCIANO, NA** adj. y s. Egipcio, a. • *Med.* Díc. del ungüento compuesto de miel, cardenillo y vinagre, que se usaba en la curación de llagas.
EGIPCIO, CIA o **EGIPTANO, NA** adj. y s. De Egipto. • m. Lengua de la familia camitosemítica hablada en el ant. Egipto hasta la época helenística. • Lengua actual de Egipto, dialecto ár. hablado en Egipto y Sudán.
EGIPTO *Mit. gr.* Hijo de Belos, nieto de Poseidón y hermano gemelo de Dánao. Gobernó en Egipto, al que dio su nombre.
EGIPTO *(al-Jumhuriya-Misr al-Arabiya)* Estado del NE de África; rep. Limita al O con Libia, al N con el Mediterráneo, al NE con Israel, al E con el mar Rojo y al S con Sudán.

* *Geog.* Su territorio se divide en dos zonas desérticas que enmarcan el valle del Nilo, el río que da riqueza y carácter al país. La banda oriental (desierto arábigo) es montañosa (alt. máx., Gebel Oda; 2 260 m). La occidental es la continuación del desierto de Libia y está bordeada por grandes oasis. La zona más meridional del valle del Nilo está invadida por las aguas de la presa de Asuán, y la más septentrional constituye un delta de 300 km de ancho. Con excepción de este valle, el clima es desértico. Con sólo un 2 % de tierra cultivable, su economía es básicamente agrícola. Algodón, maíz, arroz, caña de azúcar, agrios. Petróleo, manganeso, fosfato. Ind. química, de productos alimentarios, siderúrgica. República unitaria. Cap. , El Cairo. C. prales.: Alejandría, Gizeh, Imbaba, Port Said, Suez. Lenguas: ár. (of.), nubio y copto. *Rel.*: Musulmana (93 %), copta ortodoxa y católica. U.M.: libra egipcia.

* *Hist.* En el III milenio a. C., la unificación de E., bajo la soberanía del faraón, dio origen a una gran civilización. Se divide en varias épocas, que engloban las treinta dinastías conocidas. La época tinita sentó las bases de la estructura autocrática, y durante ella se construyeron las primeras pirámides. Durante la VI dinastía se iniciaron los ataques de los nómadas asiáticos, que no concluyeron hasta que en 2050 tomaron el poder los príncipes de Tebas. La economía tuvo un gran desarrollo durante la XII dinastía, frenado por la conquista de E. por los hicsos. Con la XVIII (h. 1570 a. C.), llegó a la cumbre de su esplendor y el país extendió sus fronteras. Siguieron periodos de crisis y de recuperación (Amenhotep IV, Tutankamón, Ramsés III) , hasta que los faraones de la XXVI dinastía tuvieron que someterse a los persas. En 332, Alejandro Magno se apoderaba de E., y los rom. impusieron su dominación tras la batalla de Accio (31 a. C.). En el s. VII, el califa Omar conquistó E. Saladino depuso al último califa fatimí (1169). Los mamelucos trasladaron el califato de Bagdad a El Cairo y sucumbieron ante los turcos en 1517. E. estuvo en poder de los turcos hasta 1882 (excepto en 1798-1801 en que fue ocupado por Napoleón). Con la construcción del canal de Suez empezó la dependencia de Gran Bretaña, que en 1936 concedió la indep. a E., bajo el reinado del rey Faruk I. En los años cincuenta, el general Nasser se enfrentó con Gran Bretaña, nacionalizando el canal y los bienes extranjeros. En la guerra de los Seis Días con Israel (1967) E. perdió la pen. del Sinaí y Gaza. En 1970 murió Nasser. Le sucedió el vicepresid. de la rep., Anwar al-Sadat. En 1973 E. e Israel volvieron a enfrentarse militarmente. En 1979 firmaron la paz y E. recuperó la pen. del Sinaí. Asesinado Sadat (1981), le sustituyó Hosni Mubarak, quien fue reelegido en 1987 y 1993.

Egipto. El río Nilo a su paso por Asuán

EGIPTO

Superficie 1 001 449 km²

Población 62 110 000 hab. (66 hab./km²)

Recursos económicos	
Algodón	315 000 t
Arroz	4 822 000 t
Dátiles	650 000 t
Maíz	5 500 000 t
Sorgo	750 000 t
Trigo	5 722 000 t
Ganadería y derivados	
Cabaña bovina	3 100 000 cabezas
Cabaña ovina	3 382 000 cabezas
Camellos	133 000 cabezas
Pesca	305 727 t
Producción minera	
Fosfatos	864 000 t
Gas natural	12 233 millones de m³
Hierro	1 352 000 t
Petróleo	44 608 000 t
Sal	1 125 000 t
Producción industrial	
Acero	2 622 000 t
Azúcar	1 320 000 t
Energía eléctrica	47 920 millones de kwh
Indicadores sociológicos	
PNB	45 507 millones de dólares
Renta per cápita	790 dólares
Esperanza de vida	68 años
Alfabetismo	52 %

* *Arte.* Los monumentos más característicos del ant. E. fueron las pirámides, cuyos máximos exponentes son las de Keops, Kefrén y Micerinos. En ellas se distinguen: el túmulo con su cámara funeraria, el sepulcro exterior y el templo dedicado al faraón divinizado, separado del túmulo por una avenida. En el reino nuevo, el templo adquiere mayor importancia que la tumba. Dos grandes pilones flanquean la puerta que se abre a un pórtico rodeado por una galería. Otras dependencias conducen al santuario donde se halla la estatua del dios. Destacan los templos de Karnak y Luxor. En la época de Amenhotep IV aparecen esculturas basadas en el estudio de las formas vivas. Además, es famoso el busto policromado de Nefertiti. La pintura hierática mostraba figuras de perfil, dispuestas en franjas. En la era cristiana cabe señalar el arte copto y el mameluco.

EGIPTOLOGÍA f. Ciencia que estudia las antigüedades de Egipto. Iniciada en el s. XVI, alcanzó su pleno desarrollo en el s. XIX cuando sobre la «piedra de Roseta» Champollion logró la interpretación de algunos jeroglíficos. ■ EGIPTÓLOGO, GA.

EGISTO Personaje legendario gr. Sedujo a la reina Clitemnestra, esposa de Agamenón, al que asesinaron entre ambos.

EGK, ***Werner*** (1901-1983) Compositor al. Director de la orquesta de la Ópera de Berlín (1935-1941).

EGLEFINO m. Pez de la familia gádidos, semejante al bacalao.

ÉGLOGA f. Composición poética del gén. bucólico. En la é. intervienen pastores que dialogan sobre las cosas de la vida campestre. ■ EGLÓGICO, CA.

EGO m. *Fil.* El ser individual. • Parte consciente de la persona.

EGOCENTRISMO m. Exagerada exaltación de la propia personalidad, hasta considerarla como centro de toda atención y actividad. ■ EGOCÉNTRICO, CA.

EGOFONÍA f. *Med.* Resonancia de la voz que se percibe en los enfermos con derrame de pleura al ser auscultados.

EGOÍSMO m. Inmoderado y excesivo amor que uno tiene a sí mismo y que le hace atender desmedidamente a su propio interés. • Acto sugerido por esta condición personal. ■ EGOÍSTA.

EGOLATRÍA f. Culto, adoración, amor excesivo de sí mismo. ■ EGÓLATRA; EGOLÁTRICO, CA.

EGOTISMO m. Afán de hablar uno de sí mismo o de afirmar su personalidad. ■ EGOTISTA.

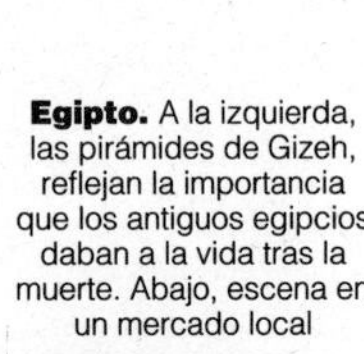

Egipto. A la izquierda, las pirámides de Gizeh, reflejan la importancia que los antiguos egipcios daban a la vida tras la muerte. Abajo, escena en un mercado local

EGREGIO, GIA adj. Insigne, ilustre.

EGRESADO, DA adj. y s. *Amér.* Universitario.

EGRESAR intr. *Amér.* Salir de un establecimiento de educación después de haber terminado los estudios correspondientes.

EGRESIVO, VA adj. Díc. de la consonante que se produce por salida del aire pulmonar al exterior.

EGRESO m. Salida. • *Amér.* Acción de egresar.

EGUÍA, ***Francisco Ramón de*** (1750-1827) Militar esp. Jefe del ejército de Extremadura en la guerra de Independencia. Se caracterizó por su férreo absolutismo. • ***Miguel de*** (primera mitad del s. XVI) Impresor esp. Vinculado a un grupo erasmista, fue procesado por la Inquisición. Editó la traducción del *Enquiridion.* • ***Nazario*** (1777-1865) Militar esp. Fernando VII le nombró capitán general de Galicia (1823). Jefe supremo de las fuerzas carlistas del norte. Recibió el título de conde de Casa-Eguía.

EGUIGUREN, ***Luis Antonio*** (1887-1962) Escritor y político per. Fundador del Partido Social Demócrata y del periódico *Ahora.* Elegido presid. en las elecciones anuladas de 1936. *Alma mater, Orígenes de la Universidad, La holgazanería en el Perú.*

EGUREN, ***José María*** (1882-1942) Poeta per., iniciador de la moderna poesía per. *Simbólicos, La canción de las figuras.*

EGUSQUIZA, ***Juan Bautista*** (1845-1898) Político par. Miembro del partido conservador, fue presid. de la rep. (1894-1898).

¡EH! interj. que se emplea para preguntar, llamar, despreciar, reprender o advertir.

EHIME Prefectura de Japón, en la isla de Honshu; 5 673 km², 1 515 000 hab. Cap. Matsuyama.

EHINGER Familia de comerciantes al. Los hermanos ***Enrique, Jorge*** y ***Antonio,*** que habían realizado negocios en América con los Welser, suscribieron en 1528 un contrato con Carlos I de España en virtud del cual se les reconocía el derecho a la conquista y colonización de casi toda la costa venezolana.

EHRENBURG, ***Ilya Grigórievich*** (1891-1967) Escritor ruso. Premio Stalin de literatura en 1942. *La caída de París* y, en 1947, *La tempestad.*

EHRLICH, ***Paul*** (1854-1915) Biólogo al., discípulo de Koch. Premio Nobel de Medicina y Fisiología en 1908. Estudió la composición de la sangre. Descubrió el salvarsán, inaugurando la quimioterapia contra la sífilis.

EICHELBAUM, ***Samuel*** (1894-1967) Dramaturgo arg. *La mala sed, Pájaro de barro y Subsuelo.* Autor de cuentos y relatos.

EICHENDORFF, ***Joseph von*** (1788-1857) Escritor al., autor de canciones muy populares, novelas *(Presentimiento y presente)* y obras teatrales.

EICHMANN, ***Adolf*** (1906-1962) Uno de los prales. responsables nazis del exterminio y deportación de judíos durante la II Guerra Mundial. Capturado en 1960 en Argentina, fue trasladado a Israel donde fue juzgado y condenado a muerte.

EIDER m. Ave palmípeda cuyo plumón se usa para rellenar almohadones.

EIDETISMO m. Tendencia a proyectar visualmente las imágenes de impresiones recientes; es característica de la infancia. ■ EIDÉTICO, CA.

EIELSON, ***Jorge Eduardo*** (nacido 1921) Escritor per. Integrado en la generación del 50. *Poesía escrita, El cuerpo de Giuliano* (novela), *Maquillaje* (teatro).

Eider macho

La torre **Eiffel**, símbolo de París

Dwight David **Eisenhower**

Ejecución *de Luis XVI,* óleo de P. Demachy. Museo Carnavalet, París

EIFFEL, *Gustave* (1832-1923) Ingeniero fr., precursor de la arquitectura actual por sus trabajos con hierro laminado y acero y su racionalismo constructivo. Conocido por la torre parisina que lleva su nombre.

EIGEN, *Manfred* (nacido 1927) Químico al. Determinó el mecanismo de las reacciones químicas extraordinariamente rápidas. Premio Nobel de Química en 1967, junto a R. G. W. Norrish y G. Porter.

EIJKMAN, *Christiaan* (1858-1930) Médico neerlandés. Director del Instituto de Patología de Batavia (Yakarta), descubrió que el beriberi es consecuencia de una carencia alimenticia. Premio Nobel de Medicina y Fisiología en 1929.

EIMERICH, *Nicolau* (1321-1399) Teólogo y dominico cat. Inquisidor general de Aragón, se opuso a las doctrinas de Llull y persiguió a los valdenses. *Directorium inquisitorum.*

EINAUDI, *Luigi* (1874-1961) Político y economista it. Se opuso al fascismo, por lo que tuvo que emigrar. Después de la guerra fue director del Banco de Italia, vicepresid. del gobierno, ministro de Hacienda y presid. de la rep. (1948-1955). *Principios científicos de la hacienda pública.*

EINDHOVEN C. del SE de Países Bajos, en Brabante Septentrional; 374 100 hab. (agl. urb.). Centro industrial .

EINSTEIN, *Albert* (1879-1955) Físico al., de ascendencia judía, nacionalizado suizo en 1901 y norteam . en 1940. En 1905 publicó su teoría de la relatividad restringida. En 1916 vio la luz su nueva teoría de la relatividad generalizada. En 1921 obtuvo el Premio Nobel de Física por su descubrimiento de la ley del efecto fotoeléctrico y sus trabajos en el campo de la física teórica. En 1933, debido al triunfo del partido nacionalsocialista, dimitió de todos sus cargos y abandonó Alemania dirigiéndose a EE UU. En 1939, al tener noticia de que los físicos Otto Hahn y Lise Meitner habían conseguido la fisión del uranio, y previendo sus grandes implicaciones militares, dirigió una famosa carta a Roosevelt, cuyo efecto fue la realización acelerada del proyecto Manhattan, que produjo la primera bomba atómica. En sus últimos años trabajó sobre la teoría unitaria de campos.

EINSTENIO m. Elemento transuránido de símb. E. n. a. 99. Descubierto en 1952.

EINTHOVEN, *Willem* (1860-1927) Fisiólogo neerlandés, descubridor de las corrientes de acción del corazón. Premio Nobel de Medicina en 1924.

EIRÁ m. *Argent.* y *Par.* Especie de aguará.

EIRE Nombre gaélico de Irlanda, usado para designar la República de Irlanda.

EIRIZ, *Antonia* (nacida 1931) Pintora cub. Influida por el expresionismo. *Naturaleza muerta, La piraña humana, Muñones habladores.*

EISAI (1141-1215) Monje budista japonés, fundador de la secta o escuela *rinzai* del zen.

EISENHOWER, *Dwight David* (1890-1969) Militar y político republicano norteam. Dirigió el desembarco de Normandía y comandó la OTAN desde 1950 a 1952. En este año fue elegido presid. de su país y reelegido en 1956. Rompió las relaciones diplomáticas con Cuba poco antes de finalizar su mandato.

EISENSTEIN, *Serge* (1898-1948) Director cinematográfico ruso, considerado uno de los grandes cineastas de la historia. Perfeccionó la técnica del montaje en su película *Octubre* y dio valor al primer plano en *El acorazado Potemkin, La huelga, Iván el Terrible, Tempestad sobre México.*

EISLER, *Hans* (1898-1962) Compositor al. Realizó numerosas obras corales, entre ellas las cantatas sobre textos de Brecht; música escénica para obras teatrales del mismo autor, la ópera *Goliat* y bandas de filmes. Compuso el himno de la RDA.

EISNER, *Kurt* (1867-1919) Político al. Organizó el movimiento revolucionario que proclamó la república bávara (1918). Jefe del gobierno y ministro de Asuntos Exteriores.

EJE m. Varilla que atraviesa un cuerpo giratorio y le sirve de sostén en el mov. • Barra horizontal de unión entre dos ruedas de un vehículo. • Línea que divide por la mitad el ancho de una calle, camino u otra cosa semejante. • fig. Punto esencial de una obra o de una empresa. • fig. Idea, tema u objetivo fundamental de un discurso, razonamiento o conducta. • *Geom.* Recta alrededor de la cual se considera que gira una línea o una superficie. • *Geom.* Diámetro pral. de una curva. • **de coordenadas.** *Geom.* Cada una de las dos o más líneas que sirven para determinar la posición de los puntos de un espacio. • **de la esfera terrestre** o **del mundo.** *Astr.* y *Geog.* Aquél alrededor del cual gira la Tierra y que, prolongado hasta la esfera celeste, determina en ella dos puntos que se llaman polos. • **de simetría.** *Geom.* Línea que divide una figura en dos partes simétricas.

EJE Roma-Berlín Alianza entre Alemania e Italia (1936-1945) firmada por Hitler y Mussolini. A él se adhirieron Japón, Hungría, Rumania y Bulgaria.

EJECUCIÓN f. Acción y efecto de ejecutar. • Manera de ejecutar o hacer alguna cosa. • *Der.* Procedimiento judicial con embargo y venta de bienes para pago de deudas.

EJECUTABLE adj. Que se puede hacer o ejecutar. • *Der.* Díc. de un deudor que puede ser demandado por la vía ejecutiva.

EJECUTANTE p. a. de ejecutar. • adj. y s. Que ejecuta. • *Der.* Que ejecuta judicialmente a otro por la paga de un débito. • com. Persona que ejecuta una obra musical.

EJECUTAR tr. Realizar una obra o cosa. • Ajusticiar. • Desempeñar con arte alguna cosa. • *Der.* Utilizar el procedimiento ejecutivo. • *C. Rica.* Tocar una pieza musical con un instrumento.

EJECUTIVO, VA adj. Que no da espera ni permite que se difiera a otro tiempo la ejecución. • m. y f. Persona que tiene cargo directivo en una empresa. • Miembro de una comisión ejecutiva. • f. Comisión ejecutiva. • Junta directiva de una asociación.

EJECUTOR, RA adj. Que ejecuta o hace una cosa. • **de la justicia.** Verdugo. ■ EJECUTORÍA.

EJECUTORIA f. Título en que consta legalmente la nobleza de una persona o familia. • fig. Timbre, acción que ennoblece. • *Der.* Sentencia que alcanzó la firmeza de cosa juzgada. ■ EJECUTORIAL.

EJECUTORIAR tr. y prnl. Dar firmeza de cosa juzgada a un fallo judicial. • fig. Comprobar hasta hacerla indudable la certeza de una cosa.

EJECUTORIO, RIA adj. *Der.* Firme, invariable.

¡EJEM! interj. con que se llama la atención o se deja en suspenso el discurso.

EJEMPLAR adj. Que sirve de ejemplo. • m. Original, prototipo, norma representativa. • Cada uno de los escritos impresos, grabados, etc., sacados de un mismo original. • Cada uno de los individuos de una especie o de un género. • Cada uno de los objetos de diverso género que forman una colección científica. • Lo que se ha hecho en igual caso otras veces. • Caso que sirve o debe servir de escarmiento. ■ EJEMPLARIDAD.

EJEMPLARIZAR o **EJEMPLIFICAR** tr. Demostrar o autorizar con ejemplos lo que se dice. ■ EJEMPLIFICACIÓN.

EJEMPLO m. Caso o hecho sucedido en otro tiempo, propuesto como modelo para su imitación cuando es positivo o para su omisión cuando es negativo. • Hecho o texto que se cita para comprobar, ilustrar o autorizar un aserto, doctrina u opinión. • **Dar e.** Incitar con las propias obras la imitación de los demás. • **Por e.** exp. de que se usa para demostrar, ilustrar o apoyar alguna cosa.

EJERCER tr. e intr. Practicar los actos propios de un oficio, facultad, virtud, etc.

EJERCICIO m. Acción de ejercitarse u ocuparse en una cosa. • Acción y efecto de ejercer. • Paseo u otro esfuerzo corporal para conservar la salud. • Tiempo durante el cual rige una ley de presupuestos. • Cada una de las pruebas a que se somete el opositor. • *Cont.* Periodo, gralte. un año, al final del cual se afectúan el inventario, la regularización del libro de cuentas y el balance. • *Mil.* Movimientos y evoluciones militares con que los soldados se ejercitan y adiestran.

EJERCITAR tr. Dedicarse al ejercicio de un arte, oficio o profesión. • Hacer que uno aprenda una cosa mediante la práctica de ella. • prnl. Repetir muchos actos para adiestrarse en la ejecución de una cosa. ■ EJERCITACIÓN; EJERCITANTE.

EJÉRCITO m. Fuerzas militares unidas en un cuerpo a las órdenes de un general. • Conjunto de las fuerzas aéreas o terrestres de una nación. • Gran unidad integrada por varios cuerpos de ejército, así como por unidades homogéneas y servicios auxiliares. • fig. Colectividad numerosa organizada para la realización de un fin.

EJÉRCITO de Salvación Institución filantrópica brit., fundada en 1865 por William Booth, de tendencias metodistas y organizada según el modelo del ejército británico.

EJIDO m. Campo comunal, lindante con un asentamiento de población, en el que se recogen los ganados o se establecen las eras. En México constituye la base de la reforma agraria que se inició en 1917.

EJIÓN m. *Arq.* Zoquete de madera que sirve de apoyo a la piezas horizontales de la armazón.

EJOTE m. *Amér. Centr.* y *Méx.* Vaina del fríjol cuando está tierna.

EK Ahau En la religión maya, auxiliar de Hunahau, dios de la muerte. Era el pájaro de las quejas o halcón, guerrero que anunciaba las desgracias.

EKATERINODAR → Yekaterinodar.

EKELÖF, *Gunnar* (1907-1968) Poeta sueco. De influencia surrealista, se le considera el máx. poeta sueco contemporáneo. *Dedicatoria, Canto del barquero, El otoño.*

EL art. deter. en gén. m. y núm. singular.

ÉL pron. personal de 3ª pers. en gén. masculino y núm. singular.

EL Entre los pueblos semíticos, nombre primitivo de la divinidad. Los hebreos lo aplicaron también a las deidades falsas.

EL SALVADOR Estado del istmo centroamericano. Limita al NO con Guatemala, al N y NE con Honduras y en toda su vertiente meridional con el océano Pacífico. República. Etnias: mestizos (70 %), amerindios (20 %), criollos (10 %). Lenguas: cast. (of.), nahua, dialectos mayas. *Rel.*: catolicismo (mayoritaria). U.M.: el colón. Cap.: San Salvador. C. prales.: Santa Ana, San Miguel.

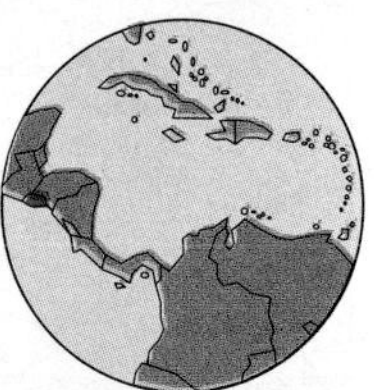

El Salvador. A la izquierda, alineación de volcanes en la cordillera centroamericana; abajo, mapa de situación y bandera.

EL SALVADOR

Recursos económicos	
Ananás	16 000 t
Arroz	79 000 t
Bananas	71 000 t
Caña de azúcar	48 000 ha
Café	149 000 t
Frijoles	67 000 t
Limones	24 000 t
Maíz	681 000 t
Mandioca	44 000 t
Naranjas	126 000 t
Nuez de coco	80 000 t
Sorgo	184 000 t
Tabaco	1 000 t
Ganadería	
Aves de corral	5 000 000 cabezas
Cabaña bovina	1 256 000 cabezas
Cabaña porcina	325 000 cabezas
Riqueza forestal	
Bálsamo de El Salvador	
Madera	6 493 000 m³
Pesca	13 171 t
Producción minera	
Oro	31 kg
Plata	700 kg
Sal	7 000 t
Producción industrial	
Azúcar	345 000 t
Cemento	448 000 t
Cerveza	344 000 hl
Fertilizantes	3 000 t
Hilados de algodón	4 300 t
Tabaco	1 620 millones de cigarrillos
Indicaciones sociológicos	
PNB	7 233 millones de dólares
PIB per cápita	1 828 dólares
Esperanza de vida	69,4 años
Alfabetismo	83 %

* *Geog. física.* En su relieve se distinguen, al N la sierra Madre salv. (o Andes centroamericanos) y al S, la cordillera Costera, que forma parte del Eje volcánico guatemalteco-salvadoreño, en el que existen volcanes en actividad (Santa Ana, 2 365 m; San Vicente, 2 181 m; San Miguel, 2 153 m). Entre ambas cadenas se extiende la depresión Central. La costa está ocupada por una llanura aluvial. Clima tropical. El pral. río es el Lempa. Abundan los lagos de origen volcánico o tectónico (Coatepeque, Guija, Ilopango). Vegetación de coníferas y encinas en las zonas elevadas, y selva tropical en el resto.

* *Geog. económica.* La pral. actividad es la agricultura, dedicada sobre todo a los productos de plantación (café, algodón, caña de azúcar) y a los cultivos de subsistencia (maíz, frijoles). Las prales. cabañas son la bovina y la porcina. La extracción minera está poco desarrollada. Los prales. sectores industriales son los dedicados a la transformación de productos agrícolas (manufacturas de tabaco, refino de azúcar, ind. cervecera, etc.). La actividad textil gira en torno a los tejidos e hilados de algodón. También son imp. la ind. química, las maquilas, y la producción de energía eléctrica.

* *Hist.* **Época precolonial.** Una civilización anterior a los mayas habitó el terr. que h. el s. III pasó a formar parte del imperio maya. Posiblemente, Copán fue la cap. Al producirse la decadencia maya, se mezclaron con ellos los pipiles, pueblo procedente de México. Las luchas internas facilitaron la conquista esp. **Época colonial.** En 1524, Pedro de Alvarado organizó desde México la conquista de la región centroamericana, masacró a los indígenas y dio muerte a su jefe Atlacatl. Hacia 1550 la conquista había terminado, y la pob. indígena había descendido en un 50 %. En 1576, la región de El S., que pertenecía a la capitanía general de Guatemala, fue dividida en tres provincias. Una de ellas, El S., fue promovida a intendencia en 1778. **Independencia.** El primer intento independentista fue encabezado por el cura J. Matías Delgado y fracasó por falta de apoyo de otras prov. En 1821 se proclamó la indep. Cuando la junta de Guatemala aceptó la incorporación al imperio mex. de Iturbide, San Salvador se opuso, creó su propia junta de gobierno, se separó de Guatemala y designó a M. J. de Arce comandante general de la prov. Tras un fracasado intento salvadoreño de «federarse» con EE UU y una breve ocupación del terr. por Iturbide, se proclamó la indep. (1823), tanto de España como de México, y el reino de Guatemala pasó a llamarse Provincias Unidas de Centroamérica. **Época contemporánea.** Este mismo congreso convocó una asamblea destinada a crear una rep. federal en Centroamérica. La idea fue ejecutada por F. de Morazán. Disuelta la Rep. Federal de Centroamérica (1838), en 1841 se proclamó la Rep. de El S., siendo presid. provisional J. Lindo. En 1895 el presid. R. A. Gutiérrez suscribió el pacto de Amapala, por el que surgió la Unión Centroamericana, formada por Honduras, Nicaragua y El S. En los últimos años del s. XIX se impulsó el cultivo del café, lo que

El Salvador. Arriba, central hidroeléctrica de Cinco de Noviembre sobre el río Lempa; abajo, estructura piramidal B1-1 de las ruinas de Tazumal (Ahuachapán).

El Salvador. La plaza Barrios y el Palacio Nacional en San Salvador

El Salvador. Francisco Flores

convirtió a El S. en un país de grandes latifundios. En 1906 estalló la última guerra con Guatemala. Entre 1913 y 1927 se instauró un periodo llamado de «la oligarquía de familia» (la de Meléndez), que coincidió con el control de la economía por las compañías norteam. La «aristocracia del café» y los gobiernos militares marcaron la historia de El S. en aquellos años. En 1969, un partido de fútbol entre los equipos de Honduras y El S. derivó en graves incidentes, por los que fueron expulsados 7 000 campesinos salvadoreños de Honduras («guerra del fútbol»). En 1972, se impuso en la presidencia el candidato oficialista, coronel A. A. Molina, a quien sucedió en 1977 el general C. H. Romero. Éste, desbordado por la violencia guerrillera y contraguerrillera, fue desplazado en 1979 por una Junta militar encabezada por los coroneles Majano y A. Gutiérrez. Pese a las medidas reformistas, la Junta no logró restablecer la paz, al mismo tiempo que el conflicto amenazaba con internacionalizarse en 1980, año en que es asesinado el arzobispo Óscar Arnulfo Romero y es nombrado presid. el democristiano Napoleón Duarte. Las elecciones de 1982 sirvieron para instalar diputados en la Asamblea Constituyente, que nombró presid. al conservador A. Magaña. Los comicios de 1984 dieron de nuevo el poder a Duarte, quien intentó llevar a cabo una política de apaciguamiento (conversaciones con las guerrillas del FMLN-FDR), hostigada por sectores del ejército y la extrema derecha. Ésta, representada por ARENA (Alianza Republicana Nacional), obtuvo la mayoría en el parlamento en las elecciones celebradas en 1988. ARENA también triunfó en las presidenciales que tuvieron lugar en 1989 con su candidato Alfredo Cristiani. Fecha importante para la nación fue la del 16 de enero de 1992, en la que se firmó el fin de la guerra civil, tras 12 años de lucha. El frente Farabundo Martí para la Liberación Nacional (FMLN), convertido en partido político legal, concurrió a las elecciones presidenciales de 1994, en las que obtuvo la victoria Armando Calderón, de ARENA. Este último partido repitió su éxito en las elecciones de 1999, tras las cuales accedió a la presidencia Francisco Flores. En enero de 2001, un

División administrativa de **El Salvador**

Departamentos	*Km²*	*Población* [1]	*Densidad*	*Cabecera*
Ahuachapán	1 239,6	313 327	252,7	Ahuachapán
Cabañas	1 103,51	151 968	137,7	Sensuntepeque
Chalatenango	2 016,58	195 245	96,8	Chalatenango
Cuscatlán	756,19	200 844	265,6	Cojutepeque
La Libertad	1 652,88	662 096	400	Nueva San Salvador
La Paz	1 223,61	288 022	235,4	Zacatecoluca
La Unión	2 074,34	286 173	138	La Unión
Morazán	1 447,43	172 569	119,2	San Francisco (Gotera)
San Miguel	2 077,1	471 341	226,9	San Miguel
San Salvador	886,15	1 936 290	2 185	San Salvador
San Vicente	1 184,02	159 165	134,4	San Vicente
Santa Ana	2 023,17	541 197	267,5	Santa Ana
Sonsonate	1 225,77	439 533	358,5	Sonsonate
Usulután	2 130,44	334 795	158	Usulután
EL SALVADOR	21 040,79 [3]	6 154 311	292,5	San Salvador

[1] Datos según estimaciones recientes. [2] Hab. en el municipio que contiene la capital. [3] No contempla la redistribución territorial derivada del fallo emitido por la Corte Internacional de Justicia de La Haya el 11 de septiembre de 1992.

seísmo de 7,6 grados de intensidad ocasionó numerosas víctimas y elevados daños materiales.

* *Arte.* Quedan interesantes restos de la cultura olmeca (Chalchuapa) y de la influencia maya en la región (Tazumal, Joya de Cerén). En la época de la conquista esp., parte del país estaba ocupado por los pipiles, cuyo legado es muy notable: túmulos, sepulturas y construcciones ceremoniales; yacimientos de La Campana de San Andrés y Tazumal (estela de *La Virgen de Tazumal*). La cerámica llamada plombífera constituye un estilo propio de El S.: arcilla dura con decoración polícroma. Del periodo colonial quedan pocos edificios, a causa de los repetidos terremotos sufridos por la cap. Entre los edificados post. a la independencia destacan la catedral de San Salvador, el teatro nacional, la ant. universidad y el palacio nacional. El arte contemporáneo salv. cuenta con notables pintores (Pascasio González, Pedro Ángel Espinoza, Carlos Alberto Imery, Salarrué, Carlos Cañas, Julia Díaz, Armando Solís, Benjamín Cañas, Roberto Galicia, César Menéndez) y escultores (Valentín Estrada, Benjamín Saúl, Leónidas Astorga).

* *Lit.* En la época de la indep. imperaba todavía el neoclasicismo. La pral. figura de la poesía romántica es F. Gavidia. El modernismo está representado por J. Valdés, R. Contreras, Guerra Trigueros, V. Rosales. En la siguiente generación destacan C. Lars, A. Espino y Serafín Quiteño. Aparece un grupo de poetas comprometidos con la lucha política: Lovato, Geoffroy Rivas, Chávez Velasco. Otro grupo cultiva una poesía de tipo lírico e intimista: C. Alegría, D. Guerra, A. Morales Martínez Orantes, Menéndez Leal. En prosa se inicia el s. XIX con narraciones costumbristas: J. M. Lagos, A. Bonilla. La denuncia social no tardó en asociarse al costumbrismo: R. González Montalvo, Rodríguez Ruiz, H. Lindo. R. Triguero cultivó una prosa artística. Entre las más recientes figuras de la literatura salv. cabe destacar a Álvaro Menén Desleal, Manlio Argueta, David Escobar y José Roberto Cea.

ELABORAR tr. Preparar un producto por medio de un trabajo adecuado. ■ ELABORACIÓN.

ELACIÓN f. Elevación, grandeza de ánimo. • Hinchazón de estilo y lenguaje.

ELAM Ant. país sit. al SO de Irán, junto al golfo Pérsico. Se ignora el origen de los elamitas que fueron conquistados por Asurbanipal en el s. VI a. C.

ELAMITA adj. y s. De Elam. • m. Lengua que se habló en Elam.

ELAND m. Antílope de gran tamaño, que vive en África, al S del Sáhara, en las zonas de sabana.

ELÁPIDOS m. pl. *Zool.* Familia de serpientes venenosas de las regiones tropicales y subtropicales, como las mambas, las cobras y las serpientes coral.

ELAS Siglas de *Ethnikó Laikó Apeleftherotikó Soma.* Organización militar gr. creada en 1943 para luchar contra la ocupación alemana.

ELASMOBRANQUIO adj. y s. Díc. de los peces de esqueleto cartilaginoso con hendiduras branquiales al descubierto.

ELÁSTICA f. Prenda interior de punto.

ELASTICIDAD f. Calidad de elástico. • *Fís.* Propiedad de los cuerpos en virtud de la cual recuperan su ext. y figura primitivas al cesar la fuerza que los alteraba. • **de la demanda.** *Econ.* Variación relativa en la demanda de una mercancía como consecuencia de la variación del precio. • **Límite de e.** *Fís.* Punto límite de la deformación de un cuerpo, a partir del cual se produce una deformación permanente, aun cuando cese la fuerza aplicada.

ELÁSTICO, CA adj. Díc. del cuerpo que puede recobrar más o menos completamente su figura y extensión luego que cesa la acción de la causa que las modificaba. • fig. Acomodaticio. • m. Tejido que tiene elasticidad.

ELASTINA f. Proteína del tejido conjuntivo de los vertebrados.

ELASTÓMERO m. Materia con propiedades elásticas semejantes a las del caucho.

ELATÉRIDOS m. pl. *Zool.* Familia de insectos coleópteros de pequeño tamaño y cuerpo alargado, alguno de los cuales muestra luminiscencia.

ELATERIO m. *Bot.* Cohombrillo amargo.

ELATIVO adj. y m. *Ling.* Superlativo absoluto.

ELATO, TA adj. Altivo, presuntuoso, soberbio.

ELAYÓMETRO m. Instrumento para medir la cantidad de aceite que contiene una sustancia oleaginosa.

ELBA (al., *Elbe*; checo. *Labe*) Río de Europa central. Nace en los montes Gigantes (Rep. Checa) y desemboca en el mar del Norte al NO de Hamburgo (Alemania); 1 165 km.

ELBA Isla it. en el mar Tirreno; 223 km^2, 30 000 hab. Cap., Portoferraio. Turismo, hierro, agricultura. En ella estuvo confinado Napoleón.

ELBRÚS La más alta cumbre del Cáucaso (5 633 m); es un volcán extinguido.

ELBURZ *(Alborz)* Cord. del N de Irán; alt. máx., pico Demavend (5 604 m).

ELCANO, *Juan Sebastián* (1476-1526) Navegante esp.; el primer marino que dio la vuelta al mundo. Tras la muerte de Magallanes, tomó el mando de la flotilla, regresando a España. Murió en una expedición a las Molucas.

ELCHE o **ELX** C. esp., en la Comunidad Valenciana, prov. de Alicante; 191 660 hab. Dátiles. Caucho. Ind. del calzado. • **Dama de E.** Busto ibérico de composición frontal y geométrica, con numerosos adornos, datado hacia el s. III a. C. Se conserva en el museo del Prado.

ELDA C. esp., en la prov. de Alicante; 52 751 hab. Ind. del calzado y alimentarias.

ELDORADO País fabuloso de grandes riquezas que la leyenda ubica en Sudamérica. Entre quienes lo buscaron figuran: Jiménez de Quesada, Francisco de Orellana, Pedro de Ursúa y Lope de Aguirre, quien se autoproclamó rey del Perú en su itinerario por el Amazonas y declaró la guerra a Felipe II.

ELDRIDGE, *David Roy,* llamado también LITTLE JAZZ (1911-1989) Trompetista, cantor y director de orquesta norteam.

ELE f. Nombre de la letra *l*.

ELEA Ant. c. de Italia, en la Magna Grecia, a orillas del mar Tirreno. • **Escuela de E.** Escuela filosófica gr. que contó con Parménides, Zenón y Meliso.

ELEAGNÁCEAS f. pl. *Bot.* Familia de árboles o arbustos angiospermos dicotiledóneos, con hojas alternas y cubiertas de escamas, y frutos con semilla de albumen carnoso.

ELEATA adj. y s. Relativo a la escuela filosófica de Elea o filósofo de dicha escuela.

ELEÁTICO, CA adj. y s. De la c. de Elea. • Eleata.

ELEAZAR (s. II a. C.) Uno de los prales. doctores de la ley judaica; martirizado h. 107 a. C. por negarse a obedecer a Antioco IV.

ELÉBORO m. Gén. de plantas de la familia ranunculáceas. • **blanco.** Vedegambre, planta. • **negro.** Planta ranunculácea, de raíz fétida y muy purgante.

ELECCIÓN f. Acción y efecto de elegir. • *Pol.* Nombramiento que se hace por votos. • Deliberación, libertad para obrar. ■ ELECTIVO, VA; ELECTORAL.

* *Pol.* La e. constituye el medio utilizado por los regímenes democráticos para designar representantes en los diversos poderes que constituyen el Est., y se basa en el sufragio universal.

ELECCIONARIO adj. *Amér.* Electoral.

ELECTO m. El elegido o nombrado para una dignidad, empleo, etc., mientras no toma posesión.

ELECTOR, RA adj. y s. Que elige o tiene derecho de elegir. • m. Cada uno de los príncipes al. a quienes correspondía la elección y nombramiento del emperador.

ELECTORADO m. Conjunto de electores. • Estado soberano de Alemania cuyo príncipe era elector.

ELECTORERO, RA adj. Relativo a las maniobras electorales. • m. y f. Persona que intriga para amañar unas elecciones.

ELECTRA Personaje legendario de la ant. Grecia, hija de Agamenón y de Clitemnestra. Junto con su hermano Orestes vengó el asesinato de su padre.

ELECTRICIDAD f. *Fís.* Una de las formas de la energía, debida al movimiento de electrones. ■ ELÉCTRICO, CA.

* *Hist.* En 1551 Cardan observó las diferencias existentes entre las propiedades magnéticas de la magnetita y las propiedades eléctricas del ámbar. En 1747 Franklin distinguió entre electrización positiva y negativa. Los primeros estudios cuantitativos de la electrización se deben a Priestley y Coulomb, quienes independientemente descubrieron la ley de atracción y repulsión de cargas eléctricas. Volta resolvió el problema del almacenamiento de la energía construyendo la primera pila eléctrica. En 1820, Oersted descubrió el efecto de una corriente eléctrica sobre una

Eland

Juan Sebastián **Elcano**

La *Dama de* **Elche**

Electroencefalógrafo

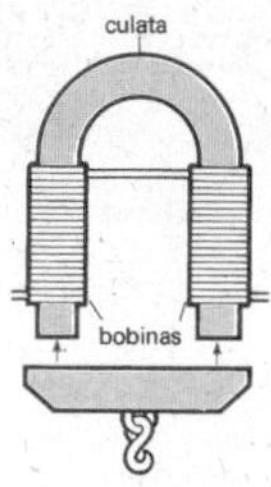

Electroimán

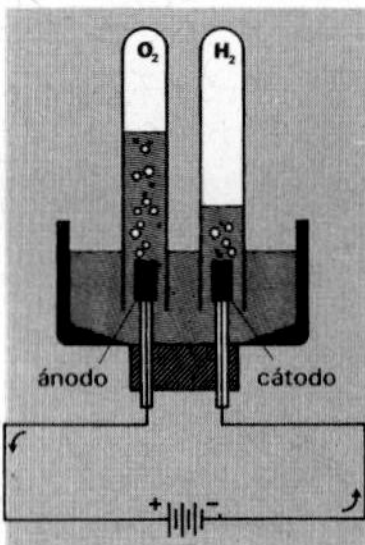

Esquema de la **electrólisis** del agua

Cuba **electrolítica** de aplicación industrial

Producción mundial de **electricidad** (en millones de kwh)

Prales. productores	
Estados Unidos	3 268 200
Japón	964 300
China	928 100
Rusia	875 900
Canadá	554 200
Alemania	528 200
Francia	475 600
India	384 400
Gran Bretaña	325 400
Brasil	260 700
Italia	220 200
Ucrania	209 100
Corea del Sur	186 000
Sudafricana, Rep.	183 800
Australia	167 200
España	161 500
México	144 300
Suecia	142 900
Polonia	135 300
Taiwan	124 635
Noruega	113 400
Países Bajos	79 700
Irán	79 100
Turquía	78 300
Tailandia	74 500
Venezuela	73 100
Bélgica	72 200
Arabia Saudita	66 800
Kazakistán	66 800
Argentina	66 200
Suiza	65 600
Finlandia	65 500
Indonesia	61 400
Checa, Rep.	58 700
Rumania	55 100
Total mundial	12 680 800

aguja imantada, poniendo de manifiesto la existencia de un campo magnético alrededor del hilo conductor, y en 1831 Faraday consiguió la producción de corrientes eléctricas inducidas mediante un campo magnético variable. Las ecuaciones del campo electromagnético de Maxwell, en 1865, supusieron el establecimiento del electromagnetismo clásico que, salvo algunas restricciones, está todavía vigente, a pesar de la teoría cuántica y de la relatividad.

ELECTRICISTA adj. y s. Perito en aplicaciones científicas y mecánicas de la electricidad. • com. Obrero especializado en instalaciones eléctricas.

ELECTRIFICAR tr. Sustituir cualquier forma de energía, empleada en máquinas o instalaciones, por la energía eléctrica. • Proveer de electricidad a un país, una zona, etc. ■ ELECTRIFICACIÓN.

ELECTRIZAR tr. y prnl. Comunicar o producir la electricidad en un cuerpo. • fig. Exaltar, avivar el ánimo. ■ ELECTRIZACIÓN.

ELECTRO m. Ámbar. • Aleación de cuatro partes de oro y una de plata, cuyo color es parecido al del ámbar.

ELECTROACÚSTICA f. Rama de la electrotecnia que trata de aquellas corrientes eléctricas alternas cuya frecuencia está comprendida dentro de la escala de las vibraciones audibles.

ELECTROBOMBA f. Máquina hidráulica rotativa, accionada eléctricamente, que se utiliza en sistemas de riego, pozos, etc.

ELECTROCARDIOGRAFÍA f. Parte de la medicina que estudia la obtención e interpretación de los electrocardiogramas.

ELECTROCARDIÓGRAFO m. Aparato que registra las corrientes eléctricas emanadas del músculo cardíaco.

ELECTROCARDIOGRAMA m. Gráfico de la actividad eléctrica del corazón.

ELECTROCHOQUE m. Electroshock.

ELECTROCINÉTICA f. Parte de la electricidad que estudia el movimiento de las cargas eléctricas en los conductores.

ELECTROCUTAR tr. y prnl. Matar por medio de una corriente o descarga eléctrica. ■ ELECTROCUCIÓN.

ELECTRODEPOSICIÓN f. Procedimiento basado en la electrólisis y mediante el cual se deposita una finísima capa de metal sobre una pieza.

ELECTRODINÁMICA f. Parte de la física que estudia los fenómenos y leyes de la electricidad en movimiento. ■ ELECTRODINÁMICO, CA.

ELECTRODINAMÓMETRO m. Dispositivo para medir la intensidad de una corriente alterna.

ELECTRODO m. Cada uno de los dos conductores utilizados en una electrólisis. • Elemento pral. de la soldadura eléctrica por arco.

ELECTRODOMÉSTICO adj. y m. Díc. de cualquier aparato eléctrico o electrónico que se utiliza en el hogar.

ELECTROENCEFALOGRAFÍA f. Parte de la medicina que trata de la obtención e interpretación de los electroencefalogramas.

ELECTROENCEFALÓGRAFO m. Aparato que registra las corrientes eléctricas producidas por la actividad del encéfalo.

ELECTROENCEFALOGRAMA m. Gráfico obtenido con un electroencefalógrafo.

ELECTROFORESIS f. Fenómeno consistente en el movimiento de las partículas coloidales en una solución sometida a un campo eléctrico.

ELECTRÓFORO m. *Fís.* Aparato para la producción de cargas eléctricas por inducción.

ELECTRÓGENO, NA adj. Que engendra electricidad. • m. Generador eléctrico.

ELECTROIMÁN m. *Fís.* Pieza de hierro dulce imantada por una corriente eléctrica.

ELECTRÓLISIS f. *Quím.* Descomposición de una sustancia por medio de la corriente eléctrica. Cuando a la disolución de un electrólito se le aplica una corriente eléctrica continua, se establece una migración iónica entre el ánodo que atrae los iones negativos y el cátodo que lo hace con los positivos. ■ ELECTROLÍTICO, CA.

ELECTRÓLITO m. Sustancia que, disuelta en agua, hace que la disolución sea conductora de la electricidad.

ELECTROLIZAR tr. Descomponer un cuerpo por electrólisis. ■ ELECTROLIZACIÓN.

ELECTROMAGNETISMO m. Parte de la electricidad que trata de las cargas y corrientes eléctricas y sus interacciones a través de los campos eléctricos y magnéticos. • **Constante del e.** o **constante electromagnética.** Velocidad de propagación de las ondas electromagnéticas en el vacío. ■ ELECTROMAGNÉTICO, CA.

ELECTROMECÁNICO, CA adj. Díc. de la instalación industrial en la que se usa la electricidad para producir trabajo mecánico.

ELECTROMETALURGIA f. Conjunto de procedimientos metalúrgicos que utilizan la corriente eléctrica como fuente de energía térmica. Para ello se emplean los hornos eléctricos de resistencia, de arco o de inducción. ■ ELECTROMETALÚRGICO, CA.

ELECTROMETRÍA f. Parte de la electricidad que estudia la medida de la intensidad de las corrientes.

ELECTRÓMETRO m. *Fís.* Aparato para medir la cantidad de electricidad de un cuerpo.

ELECTROMIOGRAFÍA f. Registro gráfico de la actividad eléctrica de un músculo.

ELECTROMOTOR, RA adj, y m. *Fís.* Díc. de toda máquina en que se transforma la energía eléctrica en trabajo mecánico.

ELECTROMOTRIZ adj. Díc. de la fuerza que origina la corriente eléctrica producida por un generador.

ELECTRÓN m. Partícula elemental, eléctricamente negativa, de los átomos, de masa $9{,}11 \cdot 10^{-31}$ kg y carga $1{,}602 \cdot 10^{-19}$ culombios.

ELECTRONEGATIVIDAD f. *Quím.* Propiedad de los átomos que captan electrones libres. ■ ELECTRONEGATIVO, VA.

ELECTRONEUMÁTICO, CA adj. Díc. de los dispositivos neumáticos de válvulas impulsadas por electroimanes.

ELECTRÓNICA f. Parte de la física que estudia los haces de electrones libres.

* *Hist.* En 1883 Edison observó que, al colocar una placa metálica junto al filamento de una lámpara de incandescencia, aparecía corriente eléctrica cuando

la placa estaba a potencial positivo y cesaba al invertir la polaridad (efecto Edison). En 1907 Forest inventó el triodo insertando una rejilla de control entre el filamento y la placa del diodo. Las investigaciones sobre semiconductores llevaron a la invención del transistor en 1948, que desempeñó un papel esencial en la técnica de la radio, la televisión y las grandes computadoras de la primera generación. Actualmente los grandes avances de la e. se dan en la microelectrónica. ■ ELECTRÓNICO, CA.

ELECTRONVOLTIO m. Cantidad de energía que adquiere un electrón cuando es acelerado al someterlo a la diferencia de potencial de un voltio. Un e. (símbolo eV) equivale a $1{,}60 \cdot 10^{-19}$ julios.

ELECTROÓPTICA f. Parte de la física que estudia la acción ejercida por un campo eléctrico sobre la emisión, propagación y absorción de la luz.

ELECTROPOSITIVO, VA adj. *Quím.* Díc. de los elementos cuyos átomos tienden a transformarse en iones positivos por la facilidad con que pierden uno o varios electrones.

ELECTROQUÍMICO, CA adj. Relat. a la electroquímica. • f. Parte de la física que trata de las leyes referentes a la producción de la electricidad por combinaciones químicas.

ELECTRORRADIOLOGÍA f. Rama de la medicina que estudia las aplicaciones de la electricidad y de las radiaciones con fines terapéuticos.

ELECTROSCOPIO m. Aparato para poner de manifiesto la presencia de cargas eléctricas.

ELECTROSHOCK m. *Psiq.* Método terapéutico consistente en la aplicación al cerebro de una corriente eléctrica que produce pérdida de conciencia seguida de convulsiones.

ELECTROSTÁTICA f. Parte de la electricidad que se ocupa del estudio de las acciones entre cargas eléctricas en reposo.

ELECTROSTRICCIÓN f. *Fís.* Deformación a la que está sometido un cuerpo en un campo eléctrico.

ELECTROTECNIA f. Estudio de las aplicaciones técnicas de la electricidad.

ELECTROTERAPIA f. *Med.* Empleo de la electricidad en el tratamiento de enfermedades.

ELECTROTIPIA o **ELECTROGRAFÍA** f. Proceso electrolítico para la obtención de planchas para la impresión.

ELECTUARIO m. Díc. de los medicamentos de consistencia líquida, pastosa o sólida, compuestos por varios ingredientes, casi siempre vegetales, y cierta cantidad de miel, jarabe o azúcar.

ELEFANTA f. Hembra del elefante.

ELEFANTE m. *Zool.* Mamífero proboscidio, el mayor animal terrestre actual y del que existen dos especies, la índica y la africana, que se distinguen por el mayor tamaño de las orejas, la frente abombada y mayores dimensiones del e. africano. ■ ELEFANTINO, NA.

ELEFANTIASIS f. *Med.* Síndrome caracterizado por el aumento patológico de algunas partes del cuerpo. ■ ELEFANTIÁSICO, CA.

ELEFANTINA Isla situada junto a la primera catarata del Nilo. Importante centro mercantil y estratégico del imperio faraónico.

ELEGANCIA f. Calidad de elegante. • Forma bella de expresar los pensamientos.

ELEGANTE adj. Dotado de gracia, nobleza y sencillez; airoso, bien proporcionado, de buen gusto. • adj. y s. Díc. de la persona que viste con entera sujeción a la moda.

ELEGÍA *Lit.* Composición poética del gén. lírico, en que se lamenta la muerte de una persona o un acontecimiento desgraciado. Es de origen gr. ■ ELEGIACO, CA O ELEGÍACO, CA O ÉLEGO, GA.

ELEGIBLE adj. Que tiene capacidad legal para ser elegido.

ELEGIDO m. P. ant., predestinado, escogido por Dios para lograr la gloria.

ELEGIR tr. Escoger, preferir a una persona o cosa para un fin. • Nombrar por elección para un cargo o dignidad. ■ ELEGIBILIDAD.

ELEMENTADO, DA adj. *Chile* y *Col.* Alelado, distraído.

ELEMENTAL adj. Relat. al elemento. • fig. Fundamental, primordial. • Referente a los elementos o principios de una ciencia o arte. • Obvio, evidente. ■ ELEMENTALIDAD.

ELEMENTALISMO m. Tendencia pictórica que, como reacción al dogmatismo del neoplasticismo de Mondrian, propugnaba, dentro de la simplicidad formal, una mayor libertad compositiva.

ELEMENTO m. *Quím.* Sustancia constituida por átomos de iguales propiedades químicas, imposible de descomponer en otras más sencillas por métodos químicos. Se conocen 109 e., que se reúnen en la tabla periódica de Mendeléiev. • *El.* Cada una de las partes de que consta un acumulador eléctrico. • *Fil.* Cada uno de los principios inmediatos fundamentales que se consideraban en la constitución de los cuerpos. • Principio de una ciencia o un sistema. • Término de un proceso de análisis o división. • Fundamento, móvil o parte integrante de una cosa. • En la construcción, cualquier pieza o parte de una estructura. • Componente de una agrupación humana. • Individuo valorado positiva o negativamente para una acción conjunta. • fig. y fam. Persona de cortos alcances. • pl. Fundamentos y primeros principios de las ciencias y artes. • fig. Medios, recursos. • **compositivo.** *Gram.* Morfema no flexivo que interviene en la formación de palabras compuestas, anteponiéndose o posponiéndose a otros.

ELEMÍ m. *Bot.* Resina sólida que se saca de un árbol terebintáceo y se usa en la composición de barnices.

ELENA de Troya → Helena.

ELENCO m. Catálogo, índice. • Nómina de una compañía de teatro o de circo.

ELEOTECNIA f. Fabricación de aceites vegetales.

ELEPHANTA Isla de la India, en las proximidades de Bombay. Templo rupestre del s. VII.

ELEQUEME m. *Amér.* Bucare, árbol.

ELETO adj. Pasmado, espantado.

ELEUSINO, NA adj. Relativo a Eleusis. Díc. gralte. de los misterios que se celebraban en aquella ciudad en honor de Deméter y Coré.

ELEUSIS Ant. c. de Ática, frente a la isla de Salamina. En ella se encontraba el *telesterion,* templo donde se celebraban los misterios eleusinos.

ELEUTERIAS f. pl. En la antigüedad gr., fiestas que se celebraban en conmemoración de la liberación de una ciudad.

ELEVACIÓN f. Acción y efecto de elevar o elevarse. • Altura, encumbramiento en lo material o en lo moral. • Acción de alzar el sacerdote en la misa la hostia o el cáliz. • fig. Suspensión, enajenamiento de los sentidos. • fig. Exaltación a un puesto, empleo o dignidad. ■ ELEVAMIENTO.

ELEVADO, DA adj. fig. Sublime. • Alto.

ELEVADOR, RA adj. Que eleva. • m. *Fís.* Aparato eléctrico cuya fuerza electromotriz se suma a la tensión de otra fuerza de energía eléctrica. • *Amér.* Ascensor o montacargas.

ELEVAR tr. y prnl. Alzar o levantar una cosa. • tr. fig. Levantar, impulsar hacia cosas altas; esforzar. • tr. y prnl. fig. Colocar a uno en un puesto honorífico. • prnl. fig. Transportarse, enajenarse, quedar fuera de sí. • prnl. fig. Envanecerse, engreírse.

ELEVÓN m. Aleta móvil de control de aeronaves, situada en el borde del ala de los aviones sin cola.

ELGAR, *Edward* (1857-1934) Organista y compositor brit. influido por Wagner y Brahms. Oratorio *El sueño de Geronte*, las variaciones *Enigma*, para orquesta, y el poema sinfónico *Falstaff*.

ELHÚYAR, *Fausto de* (1755-1833) Químico y minerólogo esp. Con su hermano ***Juan José*** (1754-1804) aisló por vez primera el tungsteno. Autor de la teoría de la amalgamación.

ELÍ Penúltimo juez de Israel y sacerdote de Shiloh. Contribuyó a la educación de Samuel. En el último tiempo de su judicatura (ss. XII-XI a. C.), los filisteos se apoderaron del Arca de la Alianza.

ELIADE, *Mircea* (1907-1986) Escritor rum. Estudioso de las religiones primitivas. *El mito del eterno retorno*, *Lo sagrado y lo profano*, *Imágenes y símbolos*.

ELIANO, *Claudio* (170-235) Escritor rom. *Historia de los animales e Historias varias*, *Cartas rústicas*.

ELÍAS Profeta del pueblo judío que apareció en el s. IX a. C. y ascendió al cielo en un carro. Se le atribuye un *Apocalipsis* que lleva su nombre.

ELÍAS, *Domingo* (1805-1867) Político per. Promotor del pronunciamiento civilista en la lucha entre Vivanco y Castilla. Accedió al poder en 1844.

Electrónica. Placa de una computadora, que integra diversos chips encapsulados (pastillas negras) conectados por pistas

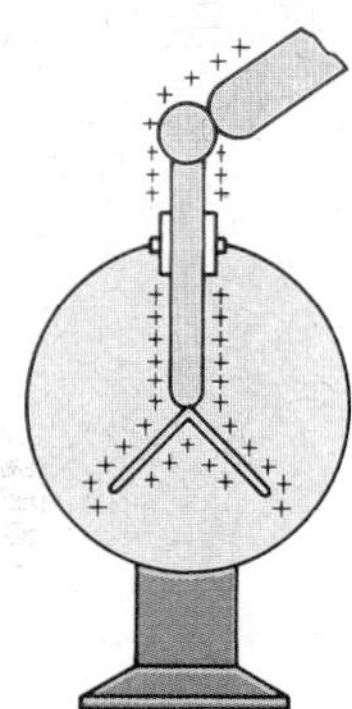

Electroscopio

Elefante africano

George **Eliot**

Thomas Stearns **Eliot**

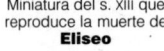

Miniatura del s. XIII que reproduce la muerte de **Eliseo**

Coleóptero con los **élitros** cerrados

En 1853 encabezó la oposición contra Echenique. • **Y Aparicio, *Ricardo*** (nacido 1906) Político per. Ministro de Trabajo y de Gobierno. *Sociología criminal*, *Apuntes de criminología*.

ELÍAS PIÑA Prov. de la Rep. Dominicana; 1 788 km^2, 23 000 hab. Cap., Comendador. Accidentada por la cord. Central al N y sierra Neiba al S, está avenada por los ríos Artibonito, Macasia y Veragua. Caña de azúcar, algodón, maíz y frutas tropicales. Ganadería.

ÉLIDE *(Elis)* Ant. región de Grecia, en el NO del Peloponeso; sus c. más importantes eran Elis y Olimpia.

ELIDIR tr. Frustrar, debilitar, desvanecer una cosa. • *Gram.* Suprimir la vocal con que acaba una palabra cuando la que sigue empieza con otra vocal. ■ ELISIÓN.

ÉLIE de Beaumont, *Léonce* (1798-1874) Geólogo fr. *Mapa geológico de Francia.*

ELIJAR tr. *Farm.* Cocer los simples de un líquido para extraer su sustancia, purificar sus zumos y separar las partes más gruesas. ■ ELIJABLE; ELIJACIÓN.

ELIMINACIÓN f. Acción y efecto de eliminar. • *Mat.* Uno de los métodos de resolución de un sistema de ecuaciones.

ELIMINAR tr. Quitar, separar una cosa; prescindir de ella. • tr. y prnl. Alejar, excluir a una o a muchas personas de una agrupación o de un asunto. • tr. *Mat.* Hacer que, por medio del cálculo, desaparezca de un conjunto de ecuaciones con varias incógnitas una de éstas. • *Med.* Expeler una sustancia nociva al organismo.

ELIMINATORIO, RIA adj. Que elimina.

ELÍO, *Francisco Javier* (1767-1822) General esp. Gobernador de Montevideo, se enfrentó al virrey del Río de la Plata, Liniers, lo que provocó la separación definitiva de la actual cap. de Uruguay de la dependencia política de Buenos Aires. En España se distinguió por su absolutismo y sus crueldades. Murió ejecutado en el Trienio Liberal. • **Y Ezpeleta, *Joaquín*** (1805-1876) Militar y político esp. Participó en el fracasado pronunciamiento carlista de San Carlos de la Rápita, por lo que fue condenado a muerte, pero Isabel II le concedió el indulto (1860). Asumió el mando de las tropas carlistas en 1873.

ELIOT, *George* (1819-1880) Seud. de *Mary Ann Evans*. Escritora brit., sus novelas se caracterizan por el realismo y la penetración psicológica. *El molino junto al Floss*, *Escenas de la vida clerical*, *Silas Marner*. • ***Thomas Stearns*** (1888-1965) Escritor norteam., nacionalizado brit. Poeta, ensayista y dramaturgo, en una primera etapa cultivó el imaginismo, hasta llegar a un lenguaje propio. *Tierra yerma*, *Canto de amor*, *Miércoles de ceniza*, *Cuatro cuartetos*, *Gerontion* son títulos representativos de esta evolución. Ensayos: *La función de la poesía*, *Ideas sobre una sociedad cristiana*, *Poesía y teatro*. Teatro: *Reunión de familia*, *Cocktail party*, *El secretario de confianza*, *Asesinato en la catedral*. Premio Nobel de Literatura en 1948.

ELIPSE f. *Geom.* Curva cerrada definida como el lugar geométrico de los puntos cuya suma de distancias a dos puntos, llamados focos, es una constante dada. Posee centro y dos ejes de simetría. ■ ELÍPTICO, CA.

ELIPSIS f. *Gram.* Figura de construcción en la que se omiten palabras en la oración, sin que ésta deje de tener sentido. ■ ELÍPTICO, CA.

ELIPSÓGRAFO m. Instrumento para trazar elipses.

ELIPSOIDE m. *Geom.* Sólido limitado en todos sentidos, cuyas secciones planas son todas elipses o círculos. Posee centro y tres ejes de simetría. ■ ELIPSOIDAL.

ELÍSEO, A o **ELISIO, SIA** adj. Relat. al Elíseo.

ELÍSEO n.p. m. *Mit.* Lugar al que eran conducidos los muertos elegidos de los dioses, llamado también Campos Elíseos.

ELISEO (s. IX a. C.) Profeta del reino de Israel o del Norte, discípulo y sucesor de Elías. Buena parte de su vida se narra en los *Libros de los Reyes*.

ELITE f. Minoría que ejerce su poder o influencia incluso fuera de su entorno, debido a razones económicas, de fuerza, de linaje o de reconocimiento social. ■ ELITISTA.

ÉLITRO m. *Zool.* Cada una de las dos piezas córneas que cubren las alas de los coleópteros y los ortópteros.

ELIXIR o **ELÍXIR** m. Piedra filosofal. • Licor compuesto de diferentes sustancias medicinales, disueltas, por lo regular, en alcohol. • fig. Remedio maravilloso. • Para los alquimistas, sustancia esencial de un cuerpo.

ELIZAGA, *Mariano* (1786-1842) Compositor y musicólogo mex. Contribuyó a la organización de varias asociaciones musicales y publicó diferentes trabajos teóricos, entre ellos, *Elementos de música*.

ELIZALDE, *Antonio* (m. 1862) General y político ecuat. Se distinguió en la campaña de la indep. y cooperó en la fundación de Ecuador, separado ya de la Gran Colombia. • ***Federico*** (1907-1979) Músico esp., n. en Manila. Discípulo de Ernst Bloch. Ballet *El corazón de un negro*; ópera *Paul Gauguin*; poemas sinfónicos *Jota*, *Spiritual*, *Moods*.

ELIZONDO, *José* (1880-1943) Poeta y comediógrafo mex. Director de varias revistas y autor de comedias y zarzuelas. • ***Salvador*** (nacido 1932) Escritor mex. *Poemas*, *El hipogeo secreto*, *El retrato de Zoe y otras mentiras*.

ELLA pron. personal de tercera persona, en gén. femenino y núm. sing.

ELLAURI, *José Eugenio* (1834-1894) Abogado y político ur. Dos veces presid. de la rep. Creó el Registro Nacional y firmó con Inglaterra el tratado sobre la abolición de la esclavitud.

ELLESMERE Isla del Canadá, en el océano Glacial Ártico, al NO de Groenlandia; 200 000 km^2. Glaciares. Alt. máx. 2 000 m. Costas recortadas con abundantes fiordos.

ELLINGTON, *Edward Kennedy* llamado DUKE (1899-1974) Pianista, director de orquesta y compositor negro norteam. Gran músico de jazz, que lo hizo evolucionar al imprimirle un nuevo estilo en el que destacó la melodía sobre la armonía.

ELLIS, *Henry Havelock* (1859-1939) Médico y escritor brit. Estudios sobre psicología y sexología. *El mundo de los sueños*, *El alma de España*.

ELLO pron. personal de tercera persona en gén. neutro.

ELLORA (*Elura*) Ant. c. de la India (est. de Maharashtra). Templos budistas, brahmánicos y jainíes.

ELLOS, ELLAS pron. personal de tercera persona en gén. masculino y femenino y número plural.

ELLSWORTH, *Lincoln* (1880-1951) Explorador norteam. Intentó llegar al polo Norte a bordo de un globo. Realizó expediciones a los Andes, al Amazonas y a la Antártida.

ELOAH Nombre de Dios en el A. T.

ELOCUCIÓN f. Manera de hacer uso de la palabra para expresar los conceptos. • Modo de elegir y distribuir las palabras y los pensamientos en el discurso.

ELOCUENCIA f. Facultad de hablar o escribir de modo eficaz para deleitar y persuadir. • Eficacia para persuadir y conmover que tienen las palabras, los gestos o los ademanes. ■ ELOCUENTE.

ELOGIO m. Alabanza de las buenas cualidades y mérito de una persona o cosa. ■ ELOGIAR.

ELOGIOSO, SA adj. Laudatorio, encomiástico.

ELOHIM Nombre de Dios, en hebreo, cuando se trata del Ser Supremo del A. T.

ELOÍSA (1101-1164) Dama fr., famosa por sus amores secretos con Abelardo. Se encerró en un convento tras la castración de éste. Ha sido tema de numerosas obras literarias.

ELONGACIÓN f. *Astr.* Diferencia de longitud entre un planeta y el Sol. • *Med.* Alargamiento accidental de un miembro o de un nervio. • *Fís.* En un movimiento oscilatorio, distancia que en cada momento separa el móvil vibrante del punto de equilibrio.

ELORDUY, *Ernesto* (s. XIX) Compositor mex.

Alumno de Clara Schumann. Autor de obras para piano y de música religiosa.

ELOTE m. Mazorca de maíz tierno o choclo que se prepara asada o cocida en México y América Central. • **Coger a uno asando e.** *Amér. Centr.* Atraparle con las manos en la masa. • **Estar en su mero e.** *Guat.* Díc. de la muchacha casadera o de algo que está en su sazón.

ELOY (h. 588-660) Santo fr. Orfebre de profesión. Obispo de Noyon. Patrono de los orfebres y de cuantos trabajan el hierro.

ELPHINSTONE, *George Keith* (1746-1823) Almirante brit. Participó en la guerra de indep. norteam., y en las guerras de la Convención. Comandante de la flota que arrebató a los holandeses sus colonias de El Cabo y la India.

ELQUI R. de Chile en la región de Coquimbo; 240 km. Se forma con la confluencia de los r. Turbio y Claro y desemboca en el Pacífico, en la bahía de Coquimbo.

ELTSIN *Boris* → Yeltsin, Boris.

ÉLUARD, *Paul* (1895-1952) Seud. de *Eugène Grindel.* Poeta fr. Uno de los máx. representantes, con Aragon y Breton, del movimiento surrealista. *Morir de no morir, La rosa pública, Poesía y verdad, Poesía ininterrumpida, La señorita elegida.*

ELUCIDAR tr. Poner en claro, dilucidar. ■ ELUCIDACIÓN

ELUCIDARIO m. Libro que esclarece o explica cosas difíciles de entender.

ELUCIÓN f. Desplazamiento, por medio de un eluyente, de una sustancia fijada en una interfase. Es el proceso inverso a la adsorción.

ELUCTABLE adj. Que se puede vencer luchando.

ELUCUBRAR tr. Lucubrar. ■ ELUCUBRACIÓN.

ELUDIR tr. Huir la dificultad, o salir de ella con algún artificio. • Hacer vana, o hacer que no tenga efecto, una cosa por medio de algún artificio. ■ ELUSIÓN; ELUSIVO, VA.

ELUVIÓN m. *Geol.* Conjunto de fragmentos de roca, disgregados por los agentes atmosféricos, que permanecen en el lugar de su formación.

ELUYENTE m. Sustancia que, al ser fijada en una interfase, desplaza a otra previamente adsorbida.

ELYTIS, *Odysseus Alepoudhelfis* (1911-1996) Poeta gr. Premio Nobel de Literatura en 1979. *Seis y un remordimiento para el cielo, María Nefeli.*

ELZABURU y Vizcarrondo, *Manuel* (1851-h. 1889) Poeta puertorriq. Notable periodista, fue también gran traductor de poetas franceses, en especial de Gautier.

ELZEVIR o **ELZEVIER** Familia hol. de libreros e impresores de los ss. XVI-XVII. Trabajaron en Leyden, La Haya, Amsterdam y Copenhague.

E-MAIL m. *Comp.* Correo electrónico.

EMACIACIÓN f. *Pat.* Adelgazamiento morboso.

EMANANTISMO m. Doctrina panteísta según la cual todas las cosas proceden de Dios por emanación. Se opone, por tanto, al acto de creación y al creacionismo. ■ EMANANTISTA.

EMANAR intr. Proceder, traer origen y principio una cosa de otra. • Desprenderse de los cuerpos las sustancias volátiles.

EMANCIPACIÓN f. Acción y efecto de emancipar o emanciparse. • *Der.* Uno de los procedimientos para poner término a la patria potestad. Tiene lugar por mayoría de edad, matrimonio, concesión paterna o concesión del est. • Proceso por el que un territorio colonial toma conciencia de sí mismo y se lanza a la lucha por la indep. • **de la mujer.** Mov. de reivindicación de la mujer que lucha por la abolición de la discriminación en razón del sexo y exige la plena igualdad de derechos políticos, judiciales y sociales. • **de los esclavos.** Acción de libertar a los esclavos, manumisión. Tomó cuerpo de ley en Gran Bretaña en 1833. En EE UU la proclamó Lincoln en 1863. En los años siguientes, diversos est. americanos pusieron fin a la esclavitud.

EMANCIPAR tr. y prnl. Libertar de la patria potestad, de la tutela o de la servidumbre. • prnl. fig. Salir de la sujeción en que se estaba.

EMASCULACIÓN f. Castración masculina, en especial la extirpación completa de testículos y pene.

EMASCULAR tr. Castrar, capar.

EMBABIAMIENTO m. fam. Embobamiento, distracción.

EMBABUCAR tr. Embaucar.

EMBADURNAR tr. y prnl. Untar, embarrar, manchar, pintarrajear.

EMBAÍR tr. Embaucar, hacer creer lo que no es. ■ EMBAICIÓN; EMBAIDOR, RA; EMBAIMIENTO.

EMBAJADA f. Mensaje para tratar algún asunto de importancia. • Cargo de embajador. • Casa en que reside el embajador. • Conjunto de los empleados que tiene a sus órdenes, y otras personas de su comitiva oficial. • fam. Proposición o exigencia impertinente.

EMBAJADOR, RA m. y f. Agente diplomático con carácter de ministro público, a quien se considera como representante de la persona misma del jefe que le envía • fig. Emisario, mensajero. • f. Mujer del embajador.

EMBALAJE m. Acción y efecto de embalar una cosa. • Caja o cubierta con que se resguardan los objetos que han de transportarse a puntos distantes. • Coste de este embalaje.

EMBALAR tr. Hacer balas o colocar convenientemente dentro de cubiertas los objetos que han de transportarse. • Espantar los peces para que se enmallen, golpeando el fondo de la barca o la superficie del mar. • intr. Golpear con tal propósito el fondo de la barca o la superficie del agua. • tr. y prnl. Hacer que adquiera gran velocidad un motor desprovisto de regulación automática, cuando se suprime la carga. • intr. y prnl. Hablando de un corredor o un móvil, lanzarse a gran velocidad, gralte. con dificultad para refrenarla. • prnl. fig. Dejarse llevar por un afán, deseo, sentimiento, etc.

EMBALDOSADO m. Pavimento solado con baldosas. • Operación de embaldosar.

EMBALDOSAR tr. Solar con baldosas. ■ EMBALDOSADURA.

EMBALLENAR tr. Construir o fortalecer con barbas de ballena; se emplea sobre todo en los corsés u otras prendas de vestir. ■ EMBALLENADO, DA; EMBALLENADOR, RA.

EMBALLESTADO, DA adj. *Vet.* Díc. de la caballería que tiene encorvado hacia adelante el menudillo de las manos. • m. *Vet.* Este defecto.

EMBALO m. En la pesca, acción y efecto de embalar. • Cada uno de los objetos empleados en este modo de pesca.

EMBALSADERO m. Lugar donde se rebalsan las aguas.

EMBALSAMAR tr. Llenar de sustancias balsámicas u olorosas las cavidades de los cadáveres, como se hacía ant., o inyectar en los vasos orgánicos ciertos líquidos cuya composición varía, o bien emplear otros medios para preservar de la corrupción o putrefacción los cuerpos muertos. • tr. y prnl. Perfumar, aromatizar. ■ EMBALSAMAMIENTO.

EMBALSAR tr. *Mar.* Colocar en un balso a una persona o cosa para izarla a un sitio alto donde deba prestar servicio. • tr. y prnl. Meter en balsa. • Rebalsar.

EMBALSE m. Acción y efecto de embalsar o embalsarse. • Balsa artificial donde se almacenan las

Duke **Ellington**

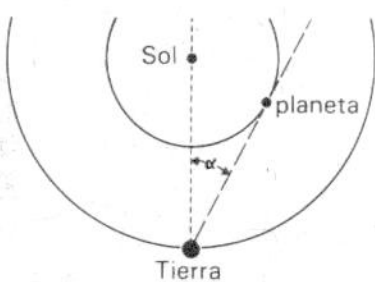

La **elongación** del planeta viene dada por el ángulo α

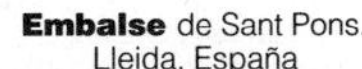

Embalse de Sant Pons. Lleida, España

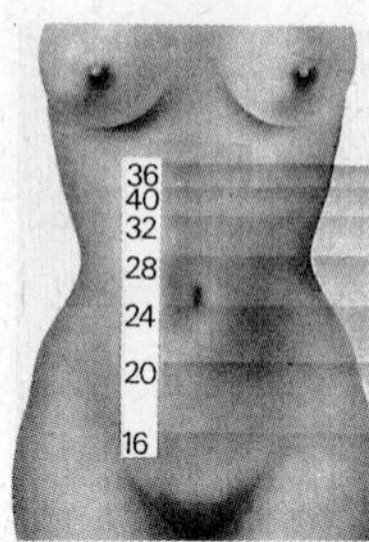

Esquema de la altura del fondo uterino en distintas fases del **embarazo**

Embarcaciones pesqueras en Kirkenes (Noruega)

Embarcar. Operación de embarque de aluminio en el puerto de Duala (Camerún)

aguas de un río o arroyo. • Cantidad de aguas así acopiadas.

EMBALUMAR tr. Cargar u ocupar algo con cosas de mucho bulto y embarazosas. • prnl. fig. Cargarse o llenarse de negocios y asuntos de gravedad, y hallarse embarazado para su despacho.

EMBANASTAR tr. Meter una cosa en la banasta. • tr. y prnl. fig. Meter en un espacio cerrado más gente de la que cabe normalmente.

EMBANCARSE prnl. *Méx.* Entre fundidores de metales, pegarse a las paredes del horno los materiales escoriados. • *Chile* y *Ecuad.* Cegarse un r., lago, etc., por los terrenos de aluvión. • *Mar.* Varar la embarcación en un banco.

EMBANDERAR tr. y prnl. Adornar con banderas.

EMBARAZAR tr. Impedir, estorbar, retardar una cosa. • tr. y prnl. Poner encinta a una mujer. • prnl. Hallarse impedido con cualquier embarazo. ■ EMBARAZADO, DA.

EMBARAZO m. Dificultad, obstrucción. • *Fisiol.* Estado de la mujer, que comprende desde la fecundación del óvulo hasta el parto. • Tiempo que dura este estado. • **extrauterino.** *Fisiol.* Anidación del huevo fuera de la cavidad uterina. ■ EMBARAZOSO, SA.

* *Fisiol.* El huevo fecundado por la fusión de los dos gametos, masculino y femenino, empieza inmediatamente a segmentarse y llega a la cavidad uterina en el estadio de blástula. De la superficie del huevo proliferan unas vellosidades que lo fijan a las paredes del tejido materno, y que le proporcionarán la nutrición. El embarazo humano dura de 270 a 280 días, es decir, 40 semanas. Se caracteriza por amenorrea, mareos matinales, aumento del tamaño de las mamas y pigmentación de los pezones y areolas, y aumento del volumen del abdomen.

EMBARBAR tr. *Taur.* Sujetar al toro por las astas.

EMBARBASCARSE prnl. y tr. Enredarse el arado en las raíces fuertes de las plantas. • fig. Confundirse, embarazarse.

EMBARBECER intr. Barbar el hombre.

EMBARBILLAR tr. e intr. Ensamblar en un madero la extremidad de otro inclinado. ■ EMBARBILLADO, DA.

EMBARCACIÓN f. Barco. • Embarco. • Tiempo que dura la navegación de una parte a otra.

EMBARCADERO m. Muelle. • Lugar o artefacto fijo, destinado para embarcar.

EMBARCAR tr. Meter personas, mercancías, o cualquier otra cosa en un barco, tren o avión. • *Mar.* Destinar a alguien a un buque. • tr. y prnl. fig. Hacer que uno intervenga en una empresa difícil o arriesgada. ■ EMBARQUE.

EMBARCO m. Acción de embarcar personas o de embarcarse. • *Mil.* Ingreso de tropas en un barco o tren, para ser transportadas. • Embarque de provisiones o mercancías.

EMBARDAR tr. Bardar.

EMBARGAR tr. Embarazar, impedir, detener. • fig. Suspender, paralizarse los sentidos y las facultades anímicas. • *Der.* Retener bienes de una persona, por mandamiento judicial, para que pueda responder de deudas u otras responsabilidades pecuniarias. ■ EMBARGABLE.

EMBARGO m. Indigestión, empacho del estómago. • *Der.* Retención, traba o secuestro de bienes por mandamiento de juez competente. • Prohibición del comercio o transporte de armas u otros efectos útiles para la guerra, decretada por un gobierno. • **preventivo.** El que se ordena como medida previa para asegurar los resultados de un juicio declarativo o de responsabilidad civil derivada de un delito. • **Sin e.** loc. conj. No obstante, sin que sirva de impedimento.

EMBARNECER intr. Engrosar, engordar.

EMBARNIZAR tr. Barnizar.

EMBARRADILLA f. *Méx.* Especie de empanadilla de dulce.

EMBARRADO, DA m. Revoco de barro o tierra en paredes y muros • f. fig. *Amér.* Patochada.

EMBARRADOR, RA adj. Que embarra o unta de barro. • adj. y s. fig. Enredador, embrollón, embustero.

EMBARRANCAR intr. y tr. *Mar.* Varar con violencia, encallándose el buque en el fondo. • prnl. e intr. Atascarse en un barranco o atolladero.

EMBARRAR tr. Untar y cubrir con barro. • tr. y prnl. Manchar con barro. • tr. Embadurnar, manchar con cualquier sustancia viscosa. • Enjalbegar las paredes. • tr. Introducir el extremo de una barra entre un objeto firme y otro que se quiere mover. • prnl. y tr. Acogerse las perdices a los árboles, subiéndose a ellos cuando se ven muy perseguidas y hostigadas.

EMBARRILAR tr. Meter y guardar algo en barriles. ■ EMBARRILADOR, RA.

EMBARULLAR tr. fam. Confundir, mezclar desordenadamente unas cosas con otras. • fam. Confundir a uno. • fam. Hacer las cosas atropelladamente, sin orden ni cuidado.

EMBASAMIENTO m. *Arq.* Basa larga y continuada sobre la que estriba el edificio o parte de él.

EMBASTAR tr. Asegurar al bastidor la tela que se ha de bordar. • Poner bastas a los colchones. • Hilvanar una tela.

EMBASTE m. Acción y efecto de embastar. • Costura a puntadas largas, hilván.

EMBASTECER intr. Engrosar, engordar. • prnl. Ponerse basto o tosco.

EMBATE m. Golpe impetuoso de mar. • Acometida impetuosa. Se dice también de lo inmaterial. • *Mar.* Viento fresco y suave que reina en el verano a la orilla del mar.

EMBAUCAR o **EMBABUCAR** tr. Engañar, alucinar. ■ EMBAUCAMIENTO.

EMBAULADO, DA adj. fig. Apretado, metido en un espacio estrecho y cerrado.

EMBAULAR tr. Meter dentro de un baúl. • fig. y fam. Comer con ansia, engullir.

EMBAUSAMIENTO m. Abstracción.

EMBAZADURA f. Tintura y colorido de pardo o bazo. • Acción y efecto de embazar o embazarse. • Asombro, pasmo, admiración.

EMBAZAR tr. Teñir de color pardo o bazo. • tr. y prnl. Detener el fango u otra cosa blanda a una dura. • Atascar o detener una cosa en su acción. • tr. Dejar a uno sin acción, sin sentido y sin espíritu; pasmar, confundir. • prnl. En los juegos de naipes, meterse en bazas. ■ EMBAZADOR, RA.

EMBEBECER tr. Entretener, divertir, embelesar. • prnl. Quedar embelesado o pasmado. ■ EMBEBECIMIENTO.

EMBEBER tr. Absorber un cuerpo sólido otro en estado líquido. • Empapar, impregnar de líquido una cosa porosa o esponjosa. • Encerrar una cosa dentro de sí a otra. • Encajar, meter una cosa dentro de otra. • fig. Incorporar, agregar una cosa a otra. • intr. Encogerse, apretarse, tupirse. • prnl. fig. Embebecerse. • fig. Instruirse radicalmente y con fundamento en una materia o negocio. ■ EMBEBIDO, DA.

EMBECADURA f. *Arq.* Enjuta o triángulo que queda entre un cuadro y un círculo en él circunscrito.

EMBELECAR tr. Engañar con artificios y falsas apariencias. ■ EMBELECO; EMBELEQUERO, RA.

EMBELEÑAR tr. Adormecer con beleño. • Embelesar.
EMBELESAR tr. y prnl. Suspender, arrebatar, cautivar los sentidos. ■ EMBELESAMIENTO; EMBELESO.
EMBELLAQUECERSE prnl. Hacerse bellaco.
EMBELLECER tr. y prnl. Hacer o poner bella a una persona o cosa. ■ EMBELLECEDOR, RA; EMBELLECIMIENTO.
EMBEODAR tr. y prnl. Emborrachar.
EMBERMEJECER o **EMBERMEJAR** tr. Teñir o dar color bermejo. • tr. y prnl. Poner colorado, avergonzar a uno. • intr. Ponerse una cosa de color bermejo o tirar a él.
EMBERO m. *Bot.* Árbol meliáceo afr. apreciado por su madera. • Madera de este árbol.
EMBERRINCHARSE o **EMBERRENCHINARSE** prnl. fam. Encolerizarse. Díc. comúnmente de los niños.
EMBESTIR tr. Venir con ímpetu sobre una persona o cosa para apoderarse de ella o causarle daño. • fig. y fam. Acometer a uno pidiéndole dinero, o bien para inducirle a alguna cosa. • intr. fig. y fam. Arremeter, chocar a la vista alguna cosa. ■ EMBESTIDA; EMBESTIDOR, RA; EMBESTIDURA.
EMBETUNAR tr. Cubrir una cosa con betún.
EMBICAR intr. *Mar.* Embestir derecho a tierra con la nave. • tr. *Cuba.* Embocar, acertar a introducir una cosa en un hoyo o cavidad. • *Mar.* Poner una verga en dirección oblicua como señal de luto. • *Mar.* Orzar. ■ EMBICADURA.
EMBIJADO, DA adj. *Méx.* Dispar, formado de piezas desiguales.
EMBIJAR tr. y prnl. Pintar o teñir con bija o con bermellón. • tr. *Hond.* y *Méx.* Ensuciar, manchar, embarrar. ■ EMBIJE.
EMBIODEO, A adj. *Zool.* Embióptero.
EMBIÓPTERO, RA adj. Díc. de los insectos del orden embiópteros. • m. pl. *Zool.* Orden de insectos tropicales, de cuerpo alargado, gralte. de menos de 1 cm. Presentan metamorfosis incompleta y viven bajo las piedras o cortezas.
EMBIZCAR intr. y prnl. Quedar uno bizco.
EMBLANDECER tr y prnl. Ablandar. • prnl. fig. Condescender, compadecerse.
EMBLANQUECER tr. Blanquear, poner blanca una cosa. • prnl. Ponerse blanco lo que antes era de otro color. ■ EMBLANQUECIMIENTO.
EMBLEMA m. Jeroglífico, símbolo o empresa con un lema que declara el concepto que encierra. • Cualquier cosa que es representación simbólica de otra. ■ EMBLEMÁTICO, CA.
EMBOBAR tr. Entretener a uno; tenerle suspenso y admirado. • prnl. Quedarse uno suspenso, absorto y admirado. ■ EMBOBAMIENTO.
EMBOBECER tr., intr. y prnl. Volver bobo, entontecer a uno. ■ EMBOBECIMIENTO.
EMBOBINAR tr. *Col.* Bobinar.
EMBOCADERO m. Portillo hecho a manera de canal angosto.
EMBOCADO, DA adj. Dicho del vino, abocado.
EMBOCADURA f. Acción y efecto de embocar una cosa por una parte estrecha. • *Mús.* Boquilla de un instrumento. • Bocado del freno. • Hablando de vinos, gusto o sabor. • Paraje por donde los buques pueden penetrar en los ríos que desaguan en el mar. • Boca del escenario de un teatro. • fig. *Col.* y *Nic.* Madera, buena disposición.
EMBOCAR tr. Meter por la boca una cosa. • tr. y prnl. Entrar por una parte estrecha. • tr. fig. Hacer creer a uno lo que no es cierto. • fam. Comer mucho y de prisa, engullir. • fam. Echar, dirigir a uno algo que no ha de recibir con gusto. • Comenzar un empeño o negocio. • *Mús.* Aplicar los labios a la boquilla de un instrumento de viento.
EMBOCHINCHAR tr. y prnl. *Amér. Merid.* Promover un bochinche, alborotar.
EMBOCINADO, DA adj. Abocinado, de figura de bocina. • f. *Col.* En el juego del tejo, acierto máx., que consiste en que el tejo quede dentro del bocín tras haber hecho explotar el petardo colocado en los bordes de éste. • fig. *Col.* Objetivo plenamente alcanzado.
EMBODEGAR tr. Guardar en la bodega una cosa, como vino, aceite, etc.
EMBOJAR tr. Colocar ramas, gralte. de boj, para que los gusanos de seda se suban a hilar los capullos. ■ EMBOJO.
EMBOLADO, DA m. fig. En el teatro, papel corto y desairado, y por extensión cualquier caso de deslucimiento. Toro embolado. • fig. y fam. Artificio engañoso. • f. *Mec. apl.* Cada uno de los movimientos de vaivén que hace el émbolo cuando está funcionando dentro del cilindro. • *Mec. apl.* Volumen máx. que el émbolo deja libre en el cilindro durante la fase de admisión.
EMBOLADOR m. *Col.* Limpiabotas.
EMBOLAR tr. Poner bolas de madera en las puntas de los cuernos del toro para que no pueda herir con ellos. • Dar bola o betún al calzado.
EMBOLATAR tr. *Col.* Engañar con mentiras o falsas promesas. • *Col.* Dilatar, demorar. • *Col.* Enredar, enmarañar, embrollar. • prnl. *Col.* Estar absorbido por un asunto, entretenerse, engolfarse en él. • *Col.* Perderse, extraviarse. • *Col.* Alborotarse. • *Pan.* Entregarse al jolgorio.
EMBOLECTOMÍA f. *Cir.* Operación que consiste en extraer de un vaso o vena un cuerpo que obstruye la circulación de la sangre.
EMBOLIA f. *Pat.* Obstrucción de una arteria o vena por un émbolo.
EMBOLISMAR tr. fig. y fam. Meter chismes y enredos para indisponer los ánimos.
EMBOLISMÁTICO, CA adj. Confuso, ininteligible. Se aplica pralm. al lenguaje.

Emblema de la Revolución Francesa

Sección de un motor Diesel. Se aprecian los **émbolos** dentro de los cilindros

EMBOLISMO m. Añadidura de ciertos días para igualar el año de una especie con el de otra; como el lunar y el civil con el solar. • Embolia. • fig. Confusión y dificultad en un negocio. • fig. Mezcla y confusión de muchas cosas. • fig. y fam. Embuste, chisme.
ÉMBOLO m. *Mec. apl.* Pieza que se desliza por el interior de un cilindro con movimiento oscilatorio. • *Med.* Coágulo, burbuja de aire u otro cuerpo extraño productor de la embolia.
EMBOLSAR tr. Guardar una cosa en la bolsa. • tr. y prnl. Cobrar. ■ EMBOLSO.
EMBONAR tr. Mejorar o hacer buena una cosa. • *Cuba, Ecuad.* y *Méx.* Empalmar, unir una cosa a otra. • *Mar.* Forrar exteriormente con tablones el casco de un buque. ■ EMBONADO, DA; EMBONO.
EMBOÑIGAR tr. Untar o bañar con boñiga.
EMBOQUE m. Paso de la bola por el aro, o de otra cosa por una parte estrecha. • fig. y fam. Engaño. • *Chile.* Boliche, juguete.
EMBOQUILLAR tr. Poner boquillas a los cigarrillos de papel. • Labrar la boca de un barreno, o preparar la entrada de una galería o de un túnel. ■ EMBOQUILLADO.
EMBORIADO, DA adj. Neblinoso.
EMBORNAL m. *Mar.* Imbornal.
EMBORRACHACABRAS f. *Bot.* Mata coriácea, cuyas hojas, ricas en tanino, se usan para curtir.
EMBORRACHAR tr. Causar embriaguez. • tr. y prnl. Atontar, perturbar, adormecer. • prnl. Beber vino u otro licor hasta perder el uso de la razón. • Mezclarse y confundirse los varios colores de una tela por efecto del agua o de la humedad. ■ EMBORRACHAMIENTO.

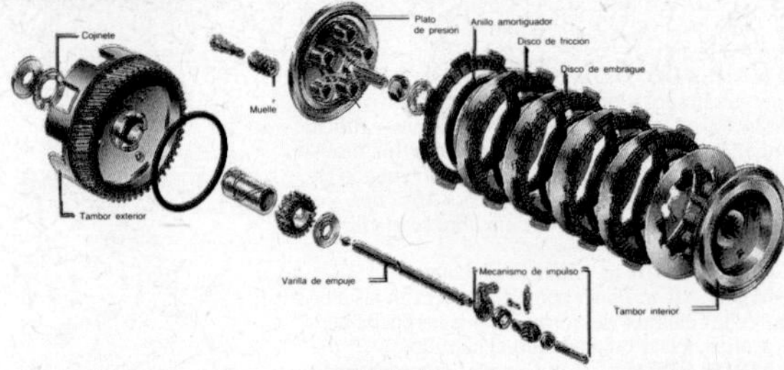

Despiece de un **embrague** multidisco

EMBORRAR tr. Llenar de borra una cosa. • Dar la segunda carda a la lana. • fig. y fam. Embocar, engullir.

EMBORRASCAR tr. y prnl. Irritar, alterar. • prnl. Hacerse borrascoso, dicho del tiempo. • fig. Echarse a perder un negocio. • *Argent.*, *Hond.* y *Méx.* Tratándose de minas, empobrecerse o perderse la veta.

EMBORRAZAR tr. Poner albardilla al ave para asarla. ■ EMBORRAZAMIENTO.

EMBORRICARSE prnl. fam. Quedarse como aturdido, sin saber ir ni atrás ni adelante. • fam. Enamorarse perdidamente.

EMBORRIZAR tr. Dar la primera carda a la lana para hilarla.

EMBORRONAR tr. Llenar de borrones un papel. • fig. Escribir de prisa, desaliñadamente o con poca premeditación.

EMBORRULLARSE prnl. fam. Disputar, reñir con vocería y alboroto.

EMBOSCADA f. Ocultación de una o varias personas en parte retirada para atacar por sorpresa. • fig. Maquinación en daño de alguno.

EMBOSCAR tr. y prnl. *Mil.* Poner encubierta una partida de gente para una operación militar. • prnl. Entrarse u ocultarse entre el ramaje. • fig. Escudarse con una ocupación cómoda para dejar de cumplir otra. • Mantenerse a cubierto sin hacer frente a una obligación. ■ EMBOSCADURA.

EMBOSQUECER intr. Hacerse bosque.

EMBOSTAR tr. *Agr.* Abonar una tierra con bosta.

EMBOTAR tr. y prnl. Engrosar los filos y puntas de las armas y otros instrumentos cortantes. • fig. Debilitar, hacer menos activa y eficaz una cosa. • prnl. fam. Ponerse botas. ■ EMBOTADOR, RA; EMBOTADURA; EMBOTAMIENTO.

EMBOTELLAR tr. Echar líquido en botellas. • fig. *Mil.* Detener en el surgidero naves enemigas, obstruyendo o impidiendo su salida al mar. • fig. Acorralar a una persona; inmovilizar un negocio, una mercancía, etc. ■ EMBOTELLADO, DA; EMBOTELLADOR, RA; EMBOTELLAMIENTO.

EMBOTICAR tr. y prnl. Medicinar.

EMBOTIJAR tr. Echar y guardar algo en botijos o botijas. • Colocar en el suelo una tongada de botijas antes de embaldosar una habitación para evitar la humedad. •prnl. fig. y fam. Hincharse, inflarse. • fig. y fam. Enojarse.

EMBOVEDAR tr. Abovedar. • Poner o encerrar alguna cosa en una bóveda.

EMBOZALAR tr. Embozar, poner bozal.

EMBOZAR tr. y prnl. Cubrir el rostro por la parte inferior hasta las narices o los ojos. • tr. fig. Disfrazar, ocultar con palabras o con acciones una cosa para que no se entienda fácilmente. • Poner el bozal a las caballerías o a los perros.

EMBOZO m. Parte de la capa, manto u otra cosa, con que uno se cubre el rostro. • Cada una de las tiras de lana, terciopelo u otra tela con que se guarnecen interiormente, desde el cuello abajo, los lados de la capa. Se usa más en pl. • Doblez de la sábana por la parte que toca al rostro. • fig. Recato artificioso con que se dice o hace alguna cosa.

EMBRAGAR tr. Abrazar un fardo, piedra, etc., con bragas o briagas. • *Mec. apl.* Hacer que un eje participe del movimiento de otro por medio de un mecanismo adecuado.

EMBRAGUE m. Acción de embragar. • *Mec. apl.* Mecanismo dispuesto para que un eje participe o no, a voluntad, del movimiento de otro. Consta de un elemento fijo unido al árbol motor y otro desplazable en el conducido, separados por la acción de uno o varios muelles o resortes cuyo efecto hay que vencer para completar la transmisión entre ambos ejes.

EMBRAVECER tr. y prnl. Irritar, enfurecer. • intr. fig. Rehacerse y robustecerse las plantas. ■ EMBRAVECIMIENTO.

EMBRAZURA f. Asa del escudo.

EMBRAZAR tr. Meter el brazo izquierdo por la embrazadura del escudo. ■ EMBRAZADURA.

EMBREAR tr. Untar con brea. ■ EMBREADO, DA; EMBREADURA.

EMBREGARSE prnl. Meterse en riñas.

EMBREÑARSE prnl. Meterse entre breñas.

EMBRIAGAR tr. Causar embriaguez. • tr. y prnl. Atontar, perturbar, adormecer. • fig. Enajenar, producir mucho placer o felicidad. • prnl. Perder el dominio de sí mismo por beber en exceso vino o licor.

EMBRIAGUEZ f. *Med.* Intoxicación aguda producida por la ingestión de alcohol etílico. • fig. Enajenamiento del ánimo.

EMBRIDAR tr. Poner la brida a las caballerías. • Hacer que los caballos lleven y muevan bien la cabeza. • fig. Sujetar, someter, refrenar. • Poner brida o bridas a los tubos.

EMBRIÓFITO, TA adj. y s. *Bot.* Díc. de los vegetales formadores de embrión.

EMBRIOGENIA o **EMBRIOGÉNESIS** f. *Biol.* Formación y desarrollo del embrión. ■ EMBRIOGÉNICO, CA.

EMBRIOLOGÍA f. *Biol.* Ciencia que estudia el desarrollo de los seres vivos durante el periodo embrionario, en el que se distinguen las siguientes fases: 1) fase de preparación del cigoto y de organización de su citoplasma; 2) segmentación; 3) formación de la blástula; 4) formación de la gástrula; 5) formación del celoma, de los esbozos de los órganos y de los anexos embrionarios. ■ EMBRIOLÓGICO, CA.

EMBRIÓN m. *Biol.* Primeras fases de un ser vivo después de la fecundación del óvulo. • En la especie humana, producto de la concepción hasta el final del tercer mes. • fig. Principio, informe todavía, de una cosa. ■ EMBRIONARIO, RIA.

EMBRIOPATÍA f. *Pat.* Afección del embrión o del feto causada por ciertas enfermedades maternas, que origina malformaciones congénitas y alteraciones nerviosas.

EMBROCA f. Cataplasma.

EMBROCACIÓN f. Embroca. • Aplicación local de un medicamento líquido.

EMBROCADO, DA adj. fam. Borracho.

EMBROCAR tr. Vaciar una vasija en otra. • tr. y prnl. *Hond.* y *Méx.* Poner boca abajo una vasija o un plato, y p. ext., cualquier otra cosa. • tr. Devanar en la broca los hilos y torzales para bordar. • Asegurar con brocas las suelas para hacer zapatos. • *Taur.* Coger el toro al lidiador entre las astas.

EMBROCHALAR tr. *Arq.* Sostener por medio de un brochal las vigas que no pueden cargar en la pared.

EMBROLLAR tr. y prnl. Enredar, confundir las cosas. ■ EMBROLLÓN, NA; EMBROLLOSO, SA.

EMBROLLO m. Enredo, confusión, maraña. • Embuste, mentira. • fig. Situación embarazosa.

EMBROMAR tr. Meter broma y gresca. • Engañar a uno con trapacerías. • Usar de chanzas con uno por diversión. • tr., intr. y prnl. *Chile* y *Méx.* Detener, hacer perder el tiempo. • tr. *Argent.*, *Chile*, *Col.*, *Cuba* y *P. Rico.* Fastidiar, molestar. • tr. y prnl. *Argent.*, *Chile* y *P. Rico.* Perjudicar, ocasionar un daño moral o material.

EMBRONCARSE prnl. *Argent.* Enojarse.

EMBROQUELARSE prnl. Abroquelarse.

EMBROQUETAR prnl. Sujetar con broquetas las piernas de las aves para asarlas.

EMBRUJAR tr. Hechizar, trastornar a uno el juicio o la salud con prácticas supersticiosas. • Ejercer sobre alguien gran ascendiente gracias al atractivo personal. ■ EMBRUJAMIENTO; EMBRUJO.

EMBRUTECER tr. y prnl. Entorpecer y casi privar a uno del uso de la razón. ■ EMBRUTECIMIENTO.

EMBUCHADO, DA m. Tripa rellena con carne de cerdo picada, y que, según su tamaño y los condimentos que lleva, recibe varios nombres que la particularizan; como morcilla, longaniza, salchicha, etc. • Tripa con otra clase de relleno, y especialmente de lomo de cerdo. • fig. y fam. Moneda o monedas que se ocultan entre otras de menos valor

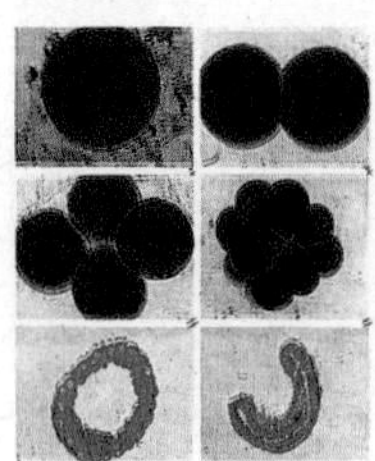

Embriología. Representación esquemática de los primeros estadios del desarrollo del huevo de los mamíferos

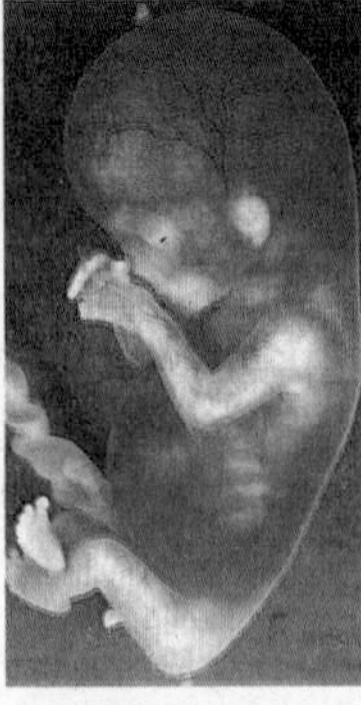

Embrión humano de tres meses

cuando se hacen posturas al juego. • fig. Asunto o negocio revestido de una apariencia engañosa para ocultar algo de más gravedad e importancia que se quiere hacer pasar inadvertido. • fig. y fam. Entripado o enojo disimulado. • fig. Introducción fraudulenta de votos en una urna electoral, para favorecer determinada candidatura. • fig. Morcilla que introduce un cómico en su papel. • *Cuba*. Enfermedad de las aves producida por haber comido mucho, o malos alimentos.

EMBUCHAR tr. Embutir carne picada en un buche o tripa de animal. • Introducir comida en el buche de un ave. • fam. Comer mucho y casi sin mascar, engullir. • *Encuad*. Introducir hojas o cuadernillos impresos unos dentro de otros. ■ EMBUCHADOR, RA.

EMBUDAR tr. Poner el embudo en la boca de una vasija para introducir con facilidad un líquido. • fig. Hacer embudos y enredos. • En montería, hacer entrar la caza en paraje cercado que se estrecha gradualmente. ■ EMBUDISTA.

EMBUDO m. Instrumento hueco en figura de cono y rematado en un canuto, que sirve para trasvasar líquidos. • Depresión, excavación o agujero cuya forma se asemeja, más o menos, al utensilio hom. o a su corte longitudinal. • fig. Engaño, enredo.

EMBULLAR tr. Animar a alguien para que participe en un jolgorio. • intr. *Col.* y *C. Rica*. Armar bulla, alborotar.

EMBURUJAR tr. y prnl. fam. Aborujar, hacer que en una cosa se formen burujos. • tr. fig. Amontonar y mezclar confusamente unas cosas con otras. • prnl. *Col.*, *Méx.*, *P. Rico* y *Ven.* Arrebujarse, cubrirse bien el cuerpo.

EMBUSTE m. Mentira disfrazada con artificio. • pl. Alhajas de poco valor. ■ EMBUSTEAR; EMBUSTERÍA; EMBUSTERO, RA.

EMBUTAR tr. Empujar.

EMBUTICIÓN f. *Ind.* Operación de estampación en la que se parte de una chapa plana y se llega a superficies cóncavas o huecas.

EMBUTIDERA f. Instrumento que consiste en un hierro con un hueco en una de sus caras, donde entran las cabezas de los clavos cuando los remachan los caldereros.

EMBUTIDO m. Acción y efecto de embutir. • Obra de taracea o de mosaico. • Embuchado de cerdo. • Tripa con otra clase de relleno. • *Amér.* Entredós de bordado o de encaje. • *Ind.* Procedimiento para fabricar por presión o percusión objetos de metal con matriz o molde apropiados.

EMBUTIR tr. Hacer embutidos. • Llenar, meter una cosa dentro de otra y apretarla. • Dar a una chapa metálica la forma de un molde o matriz prensándola o golpeándola sobre ellos. • tr. y prnl. fig. Incluir, colocar una cosa dentro de otra. • tr. fig. Instruir. • tr. y prnl. fig. y fam. Embocar, engullir. ■ EMBUTIDOR, RA.

EME f. Nombre de la letra *m*. • fam. Eufemismo por mierda.

EMELGA f. Amelga.

EMENAGOGO adj. y s. *Farm.* Díc. del remedio que provoca la evacuación menstrual de las mujeres.

EMERGENCIA f. Acción y efecto de emerger. • Ocurrencia, accidente que sobreviene. • **Estado de e.** Estado de sitio o excepción declarado por un gobierno en caso de necesidad y que limita los derechos individuales y colectivos.

EMERGER intr. Brotar, salir del agua u otro líquido. ■ EMERGENTE.

EMERITENSE adj. y s. De Mérida.

EMÉRITO, TA adj. Se aplica a la persona que ha cesado en un empleo o cargo, pero que sigue recibiendo alguna remuneración. • Jubilado.

EMERSIÓN f. Aparición de un cuerpo que estaba sumergido en un fluido. • Salida de un astro después de un eclipse u ocultación.

EMERSON, *Ralph Waldo* (1803-1882) Ensayista y filósofo norteam. Sus obras (*Sociedad y soledad*; *Ensayos*; *Hombres representativos*) inspiraron en su país un nuevo sentido humanista de la existencia.

EMÉTICO, CA adj. y m. *Farm.* Díc. de la sustancia que provoca o determina el vómito. • m. Tartrato de potasa y de antimonio.

EMETINA f. *Farm.* Pral. alcaloide aislado de la ipecacuana, a la que comunica su acción vomitiva.

EMÍDIDO, DA adj. y m. *Zool.* Díc. de reptiles quelonios que viven en las aguas dulces, con el espaldar deprimido, cabeza y extremidades retráctiles, dedos terminados en uña y unidos entre sí por una membrana. • m. pl. *Zool.* Familia de estos animales.

EMIDOSAURIO adj. y s. *Zool.* Díc. de los reptiles que por su aspecto se parecen mucho a los saurios, de los que se distinguen por su mayor tamaño. • m. pl. *Zool.* Orden de estos animales.

EMIGRACIÓN f. Acción de emigrar. • Conjunto de emigrantes. • *Soc.* Desplazamiento de pob. desde el lugar de origen a otro distinto, por diversas causas: búsqueda de trabajo, cambio brusco y desfavorable de las condiciones ecológicas, persecuciones, guerras, etc. ■ EMIGRATORIO, RIA.

EMIGRAR intr. Dejar una persona su propio país con ánimo de establecerse en otro extranjero. • Ausentarse temporalmente del propio país para hacer en otro determinadas faenas. • P. ext., abandonar la residencia habitual, trasladándose a otra dentro del propio país, en busca de mejores medios de vida. • Cambiar periódicamente de clima o localidad algunas especies animales. ■ EMIGRADO, DA; EMIGRANTE.

EMILIA-ROMAÑA *(Emilia-Romagna)* Región del N de Italia; 22 125 km^2, 3 909 500 hab. Cap., Bolonia. Agricultura. Ganadería. Gas natural; refinería de azúcar e ind. láctea.

EMINENCIA f. Altura o elevación del terreno. • fig. Excelencia o sublimidad de ingenio, virtud u otra dote del alma. • Título de honor que se da a los cardenales. • Persona eminente en su línea. • **gris.** Persona de quien se supone que, de manera poco ostensible, inspira las decisiones de otro.

Embudo

Lavado de **embutidos**

EMINENCIAL adj. *Fil.* Díc. de la virtud o poder que puede producir un efecto, no por conexión formal con él, sino por una virtud superior que le abraza con excelencia.

EMINENTE adj. Alto, elevado. • fig. Que sobresale entre los de su clase.

EMINENTÍSIMO, MA adj. Título de los cardenales de la Iglesia católica y del gran maestre de la orden de San Juan.

EMINESCU, *Mihail* (1850-1889) Escritor rum., el mejor lírico de su país y uno de los más importantes posrománticos europeos. *Venus y la madona*, *Emperador y proletario*, *La plegaria de un dacio*, *Glosas*, *Epígonos*, *El pobre Dionisio*.

EMIR m. Príncipe o jefe árabe. • Título adoptado por los herederos de Mahoma.

EMIRATO m. Dignidad de emir. • Tiempo que dura el gobierno de un emir. • Territorio gobernado por un emir.

EMIRATOS ÁRABES UNIDOS *(Ittihad al-Amirat al-Arabiya)* Est. del E de Arabia. Limita con Qatar, Omán, Arabia Saudita y los golfos Pérsico y de Omán.

EMIRATOS ÁRABES UNIDOS

Superficie	83 600 km^2
Población	2 580 000 hab. (31 hab./km^2)
Recursos económicos	
Pesca	108 000 t
Petróleo	104 050 000 t
Indicadores sociológicos	
PNB	42 806 millones de dólares
Renta per cápita	17 400 dólares
Esperanza de vida	75 años
Alfabetismo	79 %

Mapa de situación y bandera de **Emiratos Árabes Unidos**

Sala de mandos del centro **emisor** de una estación radiodifusora

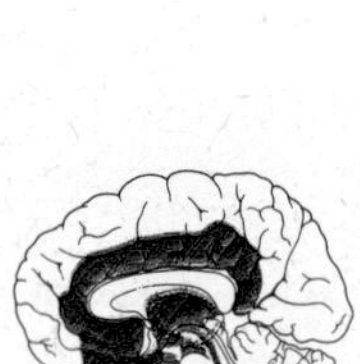
Dibujo esquemático que muestra las áreas corticales y los centros subcorticales (área roja) del cerebro humano que participan activamente en la formación de las **emociones**

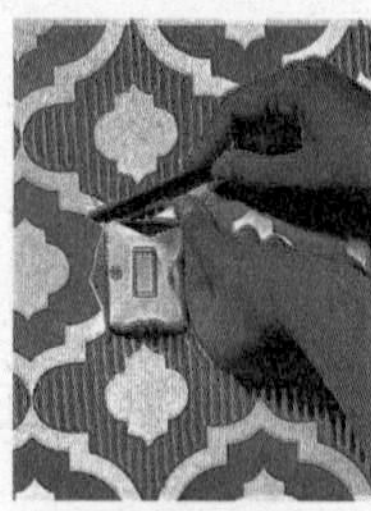
Empapelar

* *Geog.* El terreno es, por lo general, llano y arenoso (desierto de Rub al-Jali); h. el E lo accidentan las estribaciones de los relieves del N de Omán. Clima árido y muy caluroso. Litoral muy recortado en el golfo Pérsico, con abundantes islas. La pral. riqueza es el petróleo. Dátiles, legumbres. Ganadería. Pesca (ostras perlíferas). Ind. artesanal (tapices, curtidos). Es una federación de siete monarquías. Cap., Abu Dhabi. C. prales.: Dubai, Sharjah. Lengua: ár. (of.). *Rel.:*musulmana. U. M.: el dirham.

* *Hist.* Este territorio fue organizado políticamente por Gran Bretaña en 1853, que implantó un protectorado en 1892. Alcanzada la indep. en 1971, los sucesivos gobiernos han estado en manos de los jeques de Abu Dhabi y Dubai. En la guerra del Golfo combatieron a Irak.

EMISARIO, RIA m. y f. Mensajero que se envía para indagar lo que se desea saber, para comunicar a alguien una cosa o para establecer contactos secretos. • m. Curso de agua que nace en un lago o que da salida a sus aguas.

EMISIÓN f. Acción y efecto de emitir. • Conjunto de títulos o efectos públicos que de una vez se crean para ponerlos en circulación. • *Fís.* Producción de átomos, corpúsculos o radiaciones electromagnéticas (térmicas, luminosas, rayos gamma) por un determinado medio físico. • Transmisión a distancia de señales, sonidos o imágenes, por medio de ondas hertzianas.

EMISIVIDAD f. *Fís.* Relación entre la radiación emitida por una superficie y la del cuerpo negro en iguales condiciones.

EMISOR, RA adj. y s. Que emite. • m. *Fís.* Aparato productor de las ondas hertzianas en la estación de origen. • f. Esta misma estación.

EMITIR tr. Arrojar, exhalar o echar hacia fuera una cosa. • Poner en circulación papel moneda, efectos públicos, etc. • Dar, manifestar, hacer público. • Lanzar ondas hertzianas para transmitir señales.

EMMANUEL (heb., «Dios está con nosotros») Nombre simbólico del Mesías, que los cristianos asimilan con Jesucristo.

EMOCIÓN f. Estado de ánimo caracterizado por una conmoción orgánica consiguiente a impresiones de los sentidos, ideas o recuerdos. Las e. fundamentales son: alegría, pena, miedo, cólera, amor y repulsión. ■ EMOCIONAL.

EMOCIONAR tr. y prnl. Conmover el ánimo, causar emoción.

EMOLIENTE adj. y s. *Farm.* Díc. de la sustancia usada para ablandar la piel y las mucosas.

EMOLUMENTO m. Gaje, utilidad o propina que corresponde a un cargo o empleo. Se usa más en pl.

EMOTIVO, VA adj. Relativo a la emoción. • Que produce emoción. • Sensible a las emociones. ■ EMOTIVIDAD.

EMPACADOR, RA adj. Que empaca. • f. Máquina destinada a comprimir materiales (algodón, paja, etc.) para su transporte.

EMPACAR tr. Empaquetar, encajonar. • prnl. Emperrarse. • Obstinarse. • fig. Turbarse, retrayéndose de seguir haciendo aquello que se estaba ejecutando. • *Amér.* Plantarse una bestia.

EMPACHAR tr. y prnl. Estorbar, embarazar. • Indigestar. • tr. Disfrazar, encubrir. • prnl. Avergonzarse, cortarse, turbarse. ■ EMPACHADO, DA; EMPACHOSO, SA.

EMPACHO m. Vergüenza, turbación. • Embarazo, estorbo. • Indigestión de la comida.

EMPACÓN, NA adj. *Argent.* y *Perú.* Aplícase al caballo o yegua que se empaca.

EMPADRARSE prnl. Encariñarse con exceso el niño con su padre o sus padres.

EMPADRONAR tr. y prnl. Inscribir en un padrón. ■ EMPADRONADOR; EMPADRONAMIENTO.

EMPAJADA f. Paja revuelta con salvado que se da a comer a las caballerías.

EMPAJAR tr. Cubrir o rellenar con paja. • *Chile* y *Col.* Techar de paja. • *Chile.* Mezclar con paja. • prnl. *Chile.* Echar los cereales mucha paja y poco fruto. • *Cuba* y *P. Rico.* Hartarse, llenarse de cosas sin sustancia.

EMPAJOLAR tr. Ahumar con paja las botas y tinajas de vino después de lavadas.

EMPALAGAR tr. Encharcar, embalsar. • Embarazar el molino el agua estancada que impide el movimiento del rodezno. • tr. y prnl. Causar hastío un manjar, especialmente si es dulce. • fig. Enfadar, fastidiar. ■ EMPALAGAMIENTO; EMPALAGO; EMPALAGOSO, SA.

EMPALAR tr. Espetar a uno en un palo como se espeta un ave en el asador. • En el juego de pelota, dar a ésta acertadamente con la pala, y p. ext., golpear de igual forma una bola o pelota en otros deportes. • prnl. *Chile.* Obstinarse, encapricharse. • *Chile.* Envararse, arrecirse. ■ EMPALAMIENTO.

EMPALICAR tr. *Chile.* Ganar la voluntad de uno con palabras y promesas. • Engatusar, enlabiar.

EMPALIDECER intr. Palidecer.

EMPALIZADA f. Estacada, obra hecha de estacas.

EMPALIZAR tr. Rodear de empalizadas.

EMPALMAR tr. Juntar dos cosas, ingiriéndolas o entrelazándolas de modo que queden a continuación una de otra. • fig. Ligar o combinar planes, ideas, acciones, etc. • intr. Unirse o combinarse un tren, coche, carretera, etc., con otro. • Seguir o suceder una cosa a continuación de otra sin interrupción; como una conversación o una diversión tras otra. • prnl. Llevar la navaja oculta en la manga y la palma de la mano, para acometer de improviso. ■ EMPALMADOR, RA; EMPALMADURA.

EMPALME m. Conexión eléctrica.

EMPALME Mun. de México, en el est. de Sonora; 34 100 hab. Puerto a orillas del golfo de California. Agricultura.

EMPALOMADO m. Murallón de piedra para represar el agua de un r.

EMPAMPARSE prnl. *Amér. Merid.* Extraviarse en la pampa.

EMPAMPIROLADO, DA adj. fam. Presuntuoso, jactancioso.

EMPANADILLA f. Pastel pequeño, aplastado, que se hace doblando la masa sobre sí misma para cubrir con ella el relleno de dulce, de carne picada o de otro manjar.

EMPANADO, DA adj. y s. Díc. del aposento de una casa rodeado de otras piezas y que no tiene luz ni ventilación directas. • f. Carne, pescado u otro manjar cubierto con pan o masa, y cocido después en el horno o frito. • fig. Acción y efecto de ocultar o enredar fraudulentamente alguna cosa.

EMPANAR tr. Encerrar una cosa en masa o pan, para cocerla en el horno. • Rebozar con pan rallado un manjar para freírlo. • *Agr.* Sembrar de trigo las tierras. • prnl. *Agr.* Sofocarse los sembrados por haber echado en ellos demasiada simiente.

EMPANDAR tr. Torcer o doblar una cosa, gralte. por la mitad.

EMPANDILLAR tr. fam. Poner uno o varios naipes juntos con otro u otros para hacer alguna trampa. • Oscurecer, ofuscar la vista o el entendimiento de alguien para engañarle.

EMPANTANAR tr. y prnl. Llenar de agua un terreno, dejándolo hecho un pantano. • Detener el curso de un asunto. • fig. Detener, embarazar o impedir el curso de un negocio.

EMPANTURRARSE prnl. *Perú.* Repantigarse.

EMPANZARSE prnl. Darse un hartazgo de comida o bebida.

EMPAÑADURA f. Acción y efecto de empañar. • Envoltura de los niños en su primera infancia.

EMPAÑAR tr. Envolver a las criaturas en pañales. • tr. y prnl. Quitar la tersura, brillo o diafanidad. • fig. Oscurecer o manchar el mérito, el honor o la fama de una persona. ■ EMPAÑADO, DA; EMPAÑADURA; EMPAÑAMIENTO.

EMPAÑETAR tr. *Col., C. Rica, Ecuad.* y *Ven.* Enlucir las paredes.

EMPAÑICAR tr. *Mar.* Recoger las velas para sujetarlas.

EMPAPAR tr. y prnl. Humedecer una cosa de modo que quede enteramente penetrada de un líquido. • Absorber una cosa dentro de sus poros o huecos algún líquido. • tr. Absorber un líquido con un cuerpo esponjoso o poroso. • tr. y prnl. Penetrar un líquido los poros o huecos de un cuerpo. • prnl. fig. Imbuirse de un afecto, idea o doctrina. • fam. Empapuzarse, empacharse de comida. ■ EMPAPAMIENTO.

EMPAPELAR tr. Envolver en papel. • Forrar de

papel una superficie. • fig. y fam. Formar causa criminal a uno. ■ EMPAPELADO, DA.
EMPAPIROTAR tr. y prnl. fam. Emperejilar.
EMPAPUZAR o **EMPAPUJAR** tr. y prnl. fam. Hacer comer demasiado a uno.
EMPAQUE m. Acción y efecto de empacar. • Materiales que forman la envoltura de los paquetes. • fam. Catadura, aire de una persona. • Seriedad con algo de afectación. • *Chile, Perú* y *P. Rico.* Descaro, desfachatez. • *Amér.* Acción y efecto de empacarse un animal.
EMPAQUETADURA f. Guarnición que se coloca en los órganos de algunas máquinas para impedir el escape de un fluido.
EMPAQUETAMIENTO m. *Comp.* Técnica de almacenamiento que permite combinar varios campos de longitud reducida en un solo campo de mayor longitud.
EMPAQUETAR tr. Formar paquetes. • Colocar convenientemente los paquetes dentro de bultos mayores, como fardos, cajas, etc. • fig. Acomodar o acomodarse en un recinto un número excesivo de personas. • tr. y prnl. Emperejilar, acicalar una persona o cosa. ■ EMPAQUETADO, DA.
EMPARAMAR tr. y prnl. *Col.* y *Ven.* Aterir, helar. • *Col.* y *Ven.* Mojar.
EMPARAMENTAR tr. Engalanar las caballerías con gualdrapas. • Adornar las paredes con colgaduras.
EMPARÁN, *Vicente* (h. 1750-h. 1815) Administrador esp. Gobernador de Panamá y de Cumaná. En 1809 fue nombrado capitán general de Venezuela. Tuvo que renunciar ante el cabildo en 1810, con lo que se inició el proceso emancipador de Venezuela.
EMPARCHAR tr. y prnl. Poner parches.
EMPARDAR tr. Empatar, igualar.
EMPAREDADO, DA adj. y s. Recluso por castigo, penitencia o propia voluntad. • m. fig. Porción pequeña de jamón u otra vianda, entre dos rebanadas de pan.
EMPAREDAR tr. y prnl. Encerrar a una persona entre paredes, sin comunicación alguna. • tr. Ocultar alguna cosa entre paredes. ■ EMPAREDAMIENTO.
EMPAREJAR tr. y prnl. Formar una pareja. • tr. Poner una cosa a nivel con otra. • Tratándose de puertas, ventanas, etc., juntarlas de modo que ajusten, pero sin cerrarlas. • *Agr.* Igualar la tierra, nivelándola. • intr. Alcanzar, llegar en un camino al lado de una persona o cosa. • Ser igual o pareja una cosa con otra. • fig. Ponerse al nivel de otro más avanzado en un estudio o tarea. ■ EMPAREJADURA; EMPAREJAMIENTO.
EMPARENTAR intr. Contraer parentesco por vía de casamiento. • Tener una cosa relación de afinidad o semejanza con otra. • tr. Señalar o descubrir relaciones de parentesco, origen común o afinidad.
EMPARRADO m. Conjunto de los vástagos y hojas de una o más parras que, sostenidas con una armazón, forman cubierta. • Armazón que sostiene la parra u otra planta trepadora. ■ EMPARRAR.
EMPARRILLADO m. Conjunto de barras cruzadas y trabadas horizontalmente para afirmar los cimientos en terrenos flojos. • *Arq.* Zampeado.
EMPARRILLAR tr. Asar en parrillas. • *Arq.* Zampear.
EMPARVAR tr. Poner en parva las mieses.
EMPASTAR tr. Cubrir de pasta una cosa. • Encuadernar en pasta los libros. • Rellenar con pasta el hueco producido por la caries en los dientes. • *Pint.* Poner el color en bastante cantidad para que no deje ver la imprimación ni el primer dibujo. • tr. y prnl. *Amér.* Empradizar un terreno. • *Argent.* y *Chile.* Padecer meteorismo el animal por haber comido el pasto en malas condiciones. • prnl. *Chile.* Llenarse de maleza un sembrado. ■ EMPASTADOR, RA; EMPASTE.
EMPASTELAR tr. fig. y fam. Transigir un negocio de cualquier modo para salir del paso. • tr. y prnl. *Art. Gráf.* Mezclar las letras de un molde de modo que no formen sentido; mezclar suertes o fundiciones distintas. ■ EMPASTELAMIENTO.
EMPATAR tr., intr. y prnl. Tratándose de una votación, hacer que en ella sean tantos los votos en pro como en contra. • tr. Obtener dos o más contrincantes el mismo número de votos o de puntos en un concurso, oposición o competición de cualquier tipo. • Suspender el curso de una resolución. • *Amér.* Empalmar, juntar una cosa a otra. Díc. especialmente por añadir un cabo a otro o por atar el anzuelo a la cuerda. ■ EMPATE.
EMPATÍA f. *Psic.* Capacidad de sentir y comprender las emociones ajenas como propias.
EMPAVAR tr. y prnl. *Perú.* Correr, confundir, avergonzar. • *Ecuad.* Irritar, enojar.
EMPAVESADO, DA adj. Armado o provisto de pavés. • m. Soldado que llevaba arma defensiva. • *Mar.* Conjunto de banderas y gallardetes con que se empavesan los buques. • f. Reparo que se hacía con los paveses para cubrirse la tropa. • *Mar.* Faja de lona o paño azul o encarnado, con franjas blancas, para adornar las bordas y las colas de los buques.
EMPAVESAR tr. Formar empavesadas. • Rodear las obras de algún monumento público en construcción con telas para ocultarlo a la vista hasta que llegue el momento de su inauguración. • *Mar.* Engalanar una embarcación con empavesadas.
EMPAVONAR tr. Pavonar. • *Col.* y *P. Rico.* Untar, pringar.
EMPECATADO, DA adj. De extremada travesura, incorregible. • Dejado de la mano de Dios.
EMPECINADO, *Juan Martín Díaz,* llamado El (1775-1825) Guerrillero esp. de la guerra de la Independencia.
EMPECINAR tr. Untar de pecina o de pez alguna cosa. • prnl. Obstinarse, aferrarse, encapricharse. ■ EMPECINADO, DA; EMPECINAMIENTO.
EMPEDARSE prnl. *R. de la Plata.* Emborracharse.
EMPEDERNIR tr. y prnl. Endurecer mucho. • prnl. fig. Hacerse insensible, duro de corazón. ■ EMPEDERNIDO, DA.
EMPÉDOCLES de Agrigento (490-430 a. C.) Filósofo gr. Ante la imposibilidad de explicar con un solo principio la formación de la variedad del universo, establece una pluralidad cuantitativa de los elementos que constituyen el ser (teoría de los cuatro elementos).
EMPEDRAR tr. Cubrir el suelo con piedras ajustadas unas con otras. • fig. Llenar de desigualdades una superficie con objetos extraños a ella. • P. ext., díc. de otras cosas que se ponen en abundancia. ■ EMPEDRADO, DA; EMPEDRAMIENTO.
EMPEGAR tr. Bañar o cubrir con pez derretida u otra cosa semejante lo interior o lo exterior de los pellejos, barriles y otras vasijas. • Marcar o señalar con pez el ganado lanar. ■ EMPEGA; EMPEGADO, DA; EMPEGADURA; EMPEGO; EMPEGUNTAR.
EMPEINE m. Parte inferior del vientre entre las ingles. • Parte superior del pie. • Parte de la bota desde la caña a la pala. • Enfermedad del cutis, que lo pone áspero y encarnado, causando picazón. • *Bot.* Hepática de las fuentes. ■ EMPEINOSO, SA.
EMPELAR intr. Echar o criar pelo. • Asemejarse mucho en el pelo dos o más caballerías.
EMPELAZGARSE prnl. fam. Meterse en discusiones o pendencias.
EMPELECHAR tr. Unir, juntar o aplicar chapas de mármol. • Chapear de mármol una superficie.
EMPELLA f. Pala, parte del zapato que cubre el pie desde la punta hasta la mitad. • En algunas partes, pella o anteca del cerdo.
EMPELLAR o **EMPELLER** tr. Empujar, dar empellones.
EMPELLEJAR tr. Cubrir con pellejos una cosa.
EMPELLÓN m. Empujón recio que se da con el cuerpo. • **A empellones.** m. adv. fig. y fam. Con violencia, bruscamente.
EMPELOTARSE prnl. fam. Enredarse, confundirse, reñir. • Desnudarse, quedarse en pelota.
EMPELTRE m. Injerto de escudete.
EMPENACHAR tr. Adornar con penachos.
EMPENAJE m. *Aer.* Superficie plana que está situada detrás de las alas sustentadoras de los aviones y que sirve para darles estabilidad en profundidad y dirección. • Extremo de la flecha guarnecido con plumas.
EMPENTA f. Punto para sotener una cosa.
EMPENTAR tr. Empujar, empellar. • Unir las excavaciones o las obras de fortificación de modo que queden bien seguidas.
EMPEÑAR tr. Dar o dejar una cosa en prenda para seguridad de la satisfacción o pago. • tr. y prnl.

Sala de **empaquetado** de café en una factoría de Campinas (Brasil)

Focas durante el periodo de **emparejamiento**

Emparrado

Juan Martín Díaz, el **Empecinado**

Precisar, obligar • tr. Poner a uno por empeño o medianero para conseguir alguna cosa. • prnl. Endeudarse, entramparse. • Insistir con tesón en una cosa. • Interceder, hacer uno el oficio de mediador para que otro consiga lo que pretende. • tr. y prnl. Empezar, trabarse una lucha. • *Mar.* Aventurarse o exponerse un buque a riesgos y averías sobre la costa. ■ EMPEÑADO, DA.

Emperador. *Coronación de Napoleón y Josefina, óleo de L. David. Museo del Louvre, París*

EMPEÑO m. Acción y efecto de empeñar o empeñarse. • Obligación de pagar en que se constituye el que empeña una cosa, o se empeña. • Obligación en que uno se halla constituido por su honra, por su conciencia o por otro motivo. • Deseo vehemente de hacer o conseguir una cosa. • Objeto a que se dirige. • Tesón y constancia en conseguir una cosa o un intento. • Persona que se ha empeñado por alguno. • Recomendación, súplica en favor de una persona o cosa.

EMPEORAR tr. Poner o volver peor. • intr. y prnl. Ponerse peor. ■ EMPEORAMIENTO.

EMPEQUEÑECER tr. Minorar una cosa o amenguar su importancia. ■ EMPEQUEÑECIMIENTO.

EMPERADOR m. Título de dignidad dado al jefe supremo del ant. imperio rom. • Título de mayor dignidad dado a ciertos soberanos. • *Zool.* Pez espada. Es catalanismo usado en Cuba.

EMPERATRIZ f. Mujer del emperador. • Soberana de un imperio.

EMPERCUDIR tr. Percudir, penetrar la suciedad en alguna cosa.

EMPERCHADO m. Cerca formada por enrejados de maderas verdes, para impedir la entrada en alguna parte.

EMPERCHAR tr. Colgar en la percha. • prnl. Prenderse la caza en la percha.

EMPERDIGAR tr. Perdigar.

EMPEREJILAR o **EMPERIFOLLAR** tr. y prnl. fam. Adornar a una persona con profusión y esmero.

EMPEREZAR tr. y prnl. Dejarse dominar por la pereza. • tr. fig. Retardar, dilatar, entorpecer la expedición o movimiento de una cosa.

EMPERGAMINAR tr. Cubrir con pergamino.

EMPERNADO, DA m. Acción y efecto de empernar. • *Min.* Sistema utilizado para dar una mayor consistencia al techo de la excavación. Consiste en comprimir entre sí las capas estratificadas del techo mediante pernos reforzados con placas de apoyo sobre las que ejercen su acción las tuercas.

EMPERNAR tr. Clavar una cosa con pernos.

EMPERO conj. adversativa. Pero. • Sin embargo.

EMPERRARSE prnl. fam. Obstinarse, empeñarse en no ceder. ■ EMPERRAMIENTO.

EMPERRO m. Perra, rabieta.

EMPERTIGAR tr. *Chile.* Atar al yugo el pértigo de un carro; uncir.

EMPESADOR m. Manojo de raíces de juncos para atusar la urdimbre.

EMPESGAR tr. Prensar, oprimir con un peso. ■ EMPESGUE.

EMPETETAR tr. *Guat, Méx.* y *Perú.* Esterar, colocar en el suelo las esteras o petates con objeto de defenderse del frío.

Empetro

Thomas Hobbes, uno de los principales exponentes del **empirismo**

Cúpula **empizarrada**

EMPETRO m. Hinojo marino.

EMPEZAR tr. Comenzar, dar principio a una cosa. • Iniciar el uso o consumo de ella. • intr. Tener principio una cosa.

EMPICARSE prnl. Aficionarse demasiado.

EMPICOTAR tr. Poner a uno en la picota. ■ EMPICOTADURA.

EMPICHARSE prnl. *Ven.* Pudrirse.

EMPIECE m. fam. Comienzo.

EMPIEMA m. *Med.* Acumulación serosa en la cavidad de las pleuras.

EMPIERNARSE rec. fam. *Salv.* Tener cópula carnal.

EMPIEZO m. *Argent.* Comienzo.

EMPIGÜELAR tr. Atar un pie con otro al animal muerto para colgarlo. • Prender a uno.

EMPILAR tr. Apilar.

EMPILCHARSE prnl. *Argent.* y *Ur.* Vestirse.

EMPILONAR. *Cuba.* Hacer montones de tabaco seco.

EMPINADO, DA adj. Muy alto. • fig. Estirado, orgulloso.

EMPINAR tr. Enderezar y levantar en alto. • Inclinar mucho una vasija para beber. • tr. e intr., fig. y fam. Beber mucho. • prnl. Ponerse uno sobre las puntas de los pies. • Ponerse un cuadrúpedo sobre los dos pies levantando las manos. • fig. Dicho de las plantas, torres, montañas, etc., alcanzar gran altura. ■ EMPINADURA; EMPINAMIENTO.

EMPINGOROTADO, DA adj. Díc. de la persona engreída por su elevada posición social.

EMPINGOROTAR tr. y prnl. fam. Levantar una cosa poniéndola sobre otra.

EMPINO m. *Arq.* Parte de la bóveda por arista, que está más alta que el plano horizontal que pasa por las claves de los arcos en que se apoya.

EMPIÑONADO m. Piñonate, pasta de piñones y azúcar.

EMPIOLAR tr. Prender, apresar a uno.

EMPIPARSE prnl. *Chile, Ecuad.* y *P. Rico.* Apiparse, ahitarse. ■ EMPIPADA.

EMPÍREO, A adj. Díc. del cielo o paraíso. • Perteneciente al cielo espiritual. • fig. Celestial.

EMPIREUMA m. Olor y sabor particulares que toman las sustancias animales orgánicas sometidas a fuego violento. ■ EMPIREUMÁTICO, CA.

EMPIRIOCRITICISMO m. Doctrina filosófica de Ricardo Avenarius (s. XIX), según la cual sólo la experiencia pura lleva al conocimiento natural del mundo.

EMPIRISMO m. Sistema o procedimiento fundado en una mera práctica o rutina. • *Fil.* Sistema que propugna la experiencia como exclusivo origen de todo conocimiento humano. El e. considera al sujeto cognoscente semejante a una tabla rasa donde quedan impresas las expresiones del mundo exterior. Sus prales. exponentes fueron Bacon, Hobbes, Locke y Hume. ■ EMPÍRICO, CA.

EMPITONAR tr. *Taur.* Alcanzar la res al lidiador cogiéndolo con los pitones.

EMPIZARRAR tr. Cubrir un techo con pizarras. ■ EMPIZARRADO, DA.

EMPLANTILLAR tr. *Chile.* Macizar, rellenar con cascote las zanjas de cimentación.

EMPLASTAR tr. Poner emplastos. • tr. y prnl. fig. Componer con afeites y adornos postizos. • fam. Empantanar, embarazar el curso de un negocio. • prnl. Ensuciarse con alguna porquería. ■ EMPLASTADURA; EMPLASTAMIENTO.

EMPLASTECER tr. Igualar y llenar con el aparejo las desigualdades de una superficie para poder pintar sobre ella.

EMPLASTO m. *Farm.* Preparado a base de una sustancia reblandecida por el calor y esparcida sobre un paño, con fines terapéuticos. Su empleo ha caído en desuso. • fig. y fam. Componenda, arreglo desmañado y poco satisfactorio. • fig. y fam. Parche, pegote. ■ EMPLÁSTICO, CA.

EMPLAZAR tr. Colocar, situar. • Citar a una persona en determinado tiempo y lugar y especialmente para que dé razón de algo. • *Der.* Citar al demandado con señalamiento del plazo dentro del cual necesitará comparecer en el juicio. • Concertar, dicho de la caza. ■ EMPLAZAMIENTO.

EMPLEADO, DA m. y f. Persona que realiza funciones de cualquier tipo para una empresa o el gobierno.

EMPLEAR tr. y prnl. Ocupar a uno encargándole un negocio, comisión o puesto. • tr. Destinar a uno al servicio público. • Gastar el dinero en una compra. • Gastar, consumir, ocupar. • Usar. ■ *Amér.* EMPLEADOR, RA.

EMPLENTA f. Pedazo de tapia que se hace de una vez.

EMPLEO m. Acción y efecto de emplear. • Destino, ocupación, oficio. • *Mil.* Jerarquía o categoría personal • **Pleno e.** *Econ.* Ocupación económica de toda la pob. activa del país.

EMPLEOMANÍA f. Afán con que se codicia un empleo público retribuido.

EMPLOMAR tr. Cubrir, asegurar o soldar una cosa con plomo. • Poner sellos de plomo a una cosa. • *Argent.* y *Ur.* Empastar un diente o muela. ■ EMPLOMADO, DA; EMPLOMADURA.

EMPLUMAR tr. Poner plumas a algo. • *Ecuad.* y *Ven.* Enviar a uno a algún sitio de castigo. • intr. Emplumecer. • *Amér. Merid.* Fugarse, huir, alzar el vuelo.

EMPLUMECER intr. Echar plumas las aves.

EMPOBRECER tr. Hacer que uno venga al estado de pobreza. • *Quím.* Disminuir la proporción de un elemento activo en una mezcla, en un mineral o en una reacción. • intr. y prnl. Venir a estado de pobreza una persona. • Decaer, venir a menos una cosa material o inmaterial. ■ EMPOBRECIMIENTO.

EMPODRECER intr. y prnl. Pudrir, corromper una materia orgánica.

EMPOLLAR tr. y prnl. Calentar el ave los huevos, poniéndose sobre ellos para sacar pollos. También se dice de algunos insectos cuando se avivan. • tr. fig. y fam. Meditar o estudiar un asunto con mucha más detención de la necesaria. • Entre estudiantes, preparar mucho las lecciones. • Ampollar, hacer ampollas. • intr. Producir las abejas pollo o cría. ■ EMPOLLADURA; EMPOLLÓN, NA.

EMPOLVAR o **EMPOLVORAR** o **EMPOLVORIZAR** tr. Echar polvo. • tr. y prnl. Echar polvos de tocador en los cabellos o en el rostro. • prnl. Cubrirse de polvo. ■ EMPOLVORAMIENTO.

EMPONCHADO, DA adj. *Argent., Ecuad.* y *Perú.* Díc. del que está cubierto con el poncho. • adj. y s. fig. *Argent.* y *Perú.* Sospechoso.

EMPONCHARSE prnl. Ponerse el poncho.

EMPONZOÑAR tr. y prnl. Dar ponzoña a uno o inficionar una cosa con ponzoña. •fig. Inficionar, echar a perder, dañar. ■ EMPONZOÑADOR, RA; EMPONZOÑAMIENTO.

EMPOPAR intr. *Mar.* Calar mucho de popa un buque. • intr. y prnl. *Mar.* Volver la popa al viento, a la marea o a cualquier objeto. ■ EMPOPADA.

EMPORCAR tr. y prnl. Ensuciar.

EMPORIO m. En la ant. Grecia, lugar donde se ejercía el comercio en gran escala. • Centro comercial donde concurre gente de diversos países. • Lugar famoso por su actividad.

EMPORRAR intr. fam. *Ur.* Tener cópula carnal.

EMPOTRAR tr. Meter una cosa en la pared o en el suelo, asegurándola con fábrica. • Poner en el potro las colmenas. ■ EMPOTRAMIENTO.

EMPOTRERAR tr. *Amér.* Herbajar, meter el ganado en el potrero.

EMPOZAR tr. y prnl. Meter o echar en un pozo. • tr. Poner el cáñamo o el lino en pozas o charcas para su maceración. • intr. *Amér.* Quedar el agua detenida en el terreno formando pozas o charcos. • prnl. fig. y fam. Quedar sin curso un expediente.

EMPRADIZAR tr. y prnl. Convertir en prado un terreno.

EMPRENDER tr. Acometer y comenzar una obra o empresa. • fam. Con nombres de personas regidos de las prep. *a* o *con*, acometer a uno para importunarle, reprenderle, suplicarle o reñir con él. ■ EMPRENDEDOR, RA.

EMPREÑAR tr. Hacer concebir a la hembra. • fig. y fam. Causar molestias a una persona. • prnl. Hacerse preñada la hembra.

EMPRESA f. Acción dificultosa que valerosamente se comienza. • Cierto símb. o figura enigmática,que alude a lo que se intenta conseguir o denota alguna prenda de que se hace alarde. • Intento de hacer una cosa. • *Econ.* Sociedad mercantil o industrial. • Obra llevada a efecto.

* *Econ.* Se define la e. como una entidad integrada por el capital y el trabajo, como factores de la producción, y dedicada a actividades industriales, mercantiles o de prestación de servicios. Pueden ser públicas, privadas, multinacionales, sociedades anónimas, etc. ■ EMPRESARIADO; EMPRESARIAL.

EMPRESARIO, RIA m. y f. Pers. que por concesión o por contrata ejecuta una obra o explota un servicio público. • Pers. que explota un espectáculo o diversión. • Patrono, persona que contrata obreros o empleados.

EMPRÉSTITO m. Préstamo que toma el Est. o una corporación. • Cantidad así prestada.

EMPRIMAR tr. Pasar la lana a una segunda carda. • fig. y fam. Abusar de la inexperiencia de uno para que pague algo indebidamente, o para divertirse a sus expensas. • *Pint.* Imprimar. ■ EMPRIMADO, DA.

EMPRINGAR tr. y prnl. Pringar.

EMPUJADA f. *Ven.* Empujón.

EMPUJAR tr. Hacer fuerza contra una cosa para moverla, sostenerla o rechazarla. • fig. Hacer que uno salga del puesto u oficio en que se halla. • fig. Hacer presión, influir, intrigar para conseguir una cosa.

EMPUJE m. Acción y efecto de empujar. • Esfuerzo producido por el peso de una bóveda o por el de las tierras de un muelle o malecón, sobre las paredes que las sostienen. • fig. Brío, arranque, resolución con que se acomete una empresa. • fig. Fuerza o valimiento eficaces para empujar. • *Aer.* y *Astron.* Acción propulsora debida a una variación de la cantidad de movimiento. • **hidrostático.** *Fís.* Fuerza de sentido opuesto al peso a que están sometidos todos los cuerpos total o parcialmente sumergidos en un fluido.

EMPUJÓN m. Impulso que se da con fuerza para apartar o mover a una persona o cosa. • Avance rápido que se da a una obra. • **A empujones.** m. ad v. fig. y fam. Con intermitencias o con desigual intensidad en los impulsos o avances.

EMPULGAR tr. Armar la ballesta. ■ EMPULGADURA.

EMPULGUERA f. Cada una de las extremidades de la verga de la ballesta. • pl. Instrumento que servía para dar tormento apretando los dedos pulgares.

EMPUNTAR tr. *Col., Ecuad.* y *Salv.* Dirigir o enderezar a alguien para que siga un camino trazado. • *Taur.* Empitonar. • intr. *Col.* y *Ecuad.* Irse, marcharse . • prnl. *Ven.* Obstinarse. • **Empuntarlas** fr. fam. *Col.* Huir, desaparecer.

EMPUÑADURA f. Guarnición o puño de la espada. • Puño del bastón o del paraguas. • fig. y fam. Principio muy conocido de un discurso o cuento.

EMPUÑAR tr. Asir por el puño una cosa. • Asir una cosa abarcándola estrechamente con la mano. • fig. Lograr un empleo o puesto. • *Chile.* Cerrar la mano para presentar el puño.

EMPURPURADO, DA adj. Vestido de púrpura.

EMPURRARSE prnl. *C. Rica, Guat.* y *Hond.* Enfurruñarse, emberrincharse.

EMPUTECER tr. y prnl. Prostituir a una mujer.

EMS Río del N de Alemania; 320-335 km. Nace en la selva de Teutoburgo y desemboca en el mar del Norte. • **Telegrama de E.** Mensaje publicado por Bismarck en julio de 1870, que dio pretexto a Napoleón III de Francia para declarar la guerra a Prusia. El despacho denunciaba el contenido de una entrevista entre el embajador fr. y el rey Guillermo I de Prusia celebrada en la c. alemana de Ems.

EMÚ m. Ave corredora de gran tamaño, plumaje marrón y cabeza casi desnuda.

EMULAR tr. y prnl. Imitar las acciones de otro procurando igualarle y aun excederle. ■ EMULACIÓN; ÉMULO, LA.

EMULGENTE adj. Emulsivo. • *Anat.* Díc. de las arterias y de las venas que conducen la sangre que va a los riñones.

EMULSINA f. Enzima contenida en las almendras dulces, que desdobla los glucósidos presentes en los cotiledones de las semillas.

EMULSIÓN f. Líquido integrado por dos sustancias no miscibles, una de las cuales se halla dispersada en la otra en forma de gotas pequeñísimas. • **nuclear.** *Fís.* Placa fotográfica empleada para la observación y estudio de las trayectorias de las partículas subatómicas. • **sensible.** *Fot.* Compuesto sensible a la luz, que se extiende en forma de capas

Empuñadura de una espada vikinga

Emú

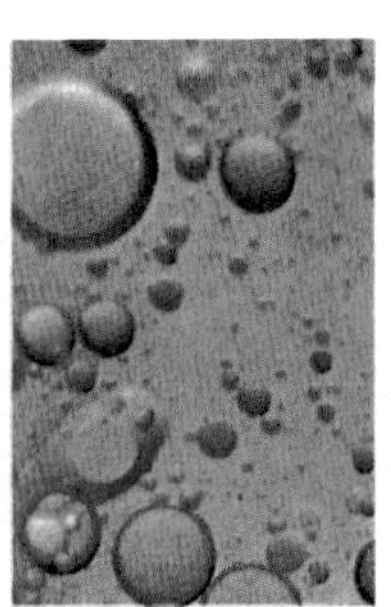

Microfotografía de una **emulsión** de aceite en agua

El ***enano*** *del cardenal Granvela*, tabla de Antonio Moro. Museo del Louvre, París

sobre un soporte y sirve para impresionar fotografías y sacar copias.

EMULSIONAR tr. Hacer que una sustancia, por lo general grasa, adquiera el estado de emulsión. • *Fot.* Aplicar la emulsión sobre su soporte. ■ EMULSÍGENO; EMULSIONANTE; EMULSIVO, VA; EMULSOR.

EMUNCIÓN f. *Fisiol.* Evacuación de los humores y materias superfluas o nocivas.

EMUNTORIO m. *Anat.* Cualquier conducto canal u órgano del cuerpo de los animales que sirve para evacuar los humores superfluos. • pl. *Anat.* Glándulas de los sobacos, ingles y de detrás de las orejas.

EN prep. que indica en qué lugar, tiempo o modo se determinan las acciones de los verbos a que se refiere. • Algunas veces, *sobre.*• Seguida de un infinitivo, *por.* • Unida a un gerundio, *luego que, después que.* • prep. insep. que equivale a *in.* • prep. insep. que significa *dentro de.*

ENACEITAR tr. Untar con aceite. • prnl. Ponerse aceitosa o rancia una cosa.

ENACERAR tr. Hacer alguna cosa como de acero. • fig. Endurecer, vigorizar.

ENACIADO m. Súbdito de los reyes cristianos esp. unido estrechamente a los sarracenos.

ENAGUA f. Prenda de vestir de la mujer, especie de saya que se usaba debajo de la falda exterior. Se usa más en pl.

ENAGUACHAR o **ENAGUAR** tr. Llenar de agua con exceso. • tr. y prnl. Causar en el estómago estorbo o pesadez el beber mucho o el comer mucha fruta.

ENAGUAZAR tr. y prnl. Encharcar, llenar de agua con exceso las tierras.

ENAGÜILLAS f. pl. Especie de falda corta que ponen a algunas imágenes de Cristo crucificado, o que se usa en algunos trajes de hombres, como el escocés o el gr.

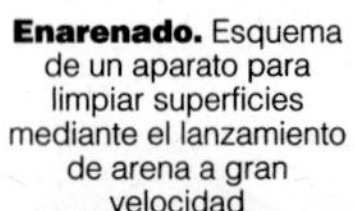

Enarenado. Esquema de un aparato para limpiar superficies mediante el lanzamiento de arena a gran velocidad

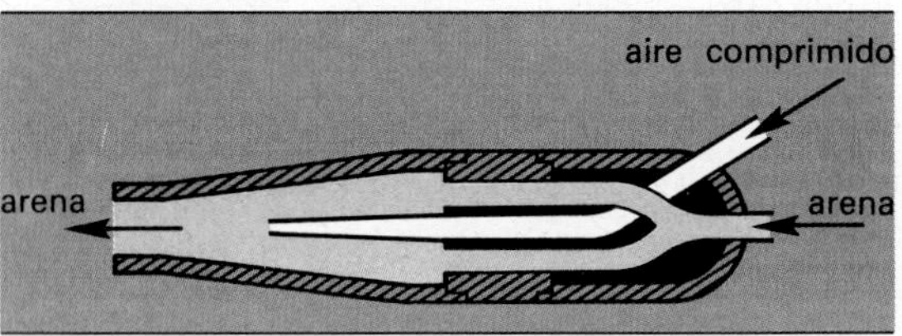

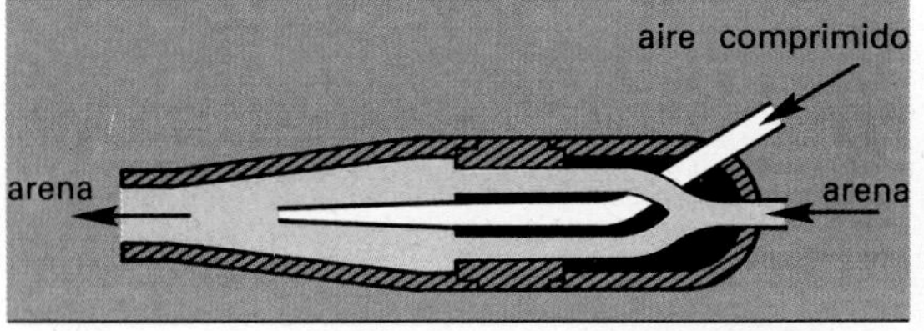

ENAJENACIÓN o **ENAJENAMIENTO** f. Acción y efecto de enajenar o enajenarse. • fig. Distracción, falta de atención. • **mental.** Locura, desvarío.

ENAJENAR tr. y prnl. Pasar o transmitir a otro el dominio de una cosa. • tr. fig. Sacar a uno fuera de sí. • prnl. Desposeerse, privarse de algo. • prnl. y tr. Apartarse del trato con alguna persona. ■ ENAJENADO, DA.

ENÁLAGE f. *Gram.* Figura que consiste en mudar las partes de la oración o sus accidentes.

ENALBAR tr. Caldear el hierro en la fragua hasta que parezca blanco.

ENALBARDAR tr. Echar o poner la albarda. • fig. Rebozar o cubrir con huevo, harina, etc., lo que se ha de freír. • fig. Emborrazar un ave.

ENALMAGRADO, DA adj. fig. Persona ruin.

ENALMAGRAR tr. Almagrar, teñir de almagre.

ENALTECER tr. y prnl. Ensalzar. ■ ENALTECIMIENTO.

ENAMARILLECER intr. y prnl. Amarillecer.

ENAMORAR tr. Excitar en uno la pasión del amor. • Decir requiebros. • prnl. Prendarse de amor de una persona. • Aficionarse a una cosa. ■ ENAMORADIZO, ZA; ENAMORADO, DA; ENAMORADOR, RA; ENAMORAMIENTO.

ENAMORICARSE o **ENAMORISCARSE** prnl. fam. Prendarse de una persona levemente.

ENANCARSE prnl. *Amér.* Montar a las ancas. • *Amér.* Meterse uno donde no le llaman.

ENANCHAR tr. fam. Ensanchar.

ENANGOSTAR tr. y prnl. Angostar, estrechar.

ENANISMO m. *Med.* Trastorno del crecimiento del que resulta una talla inferior a la media de la especie.

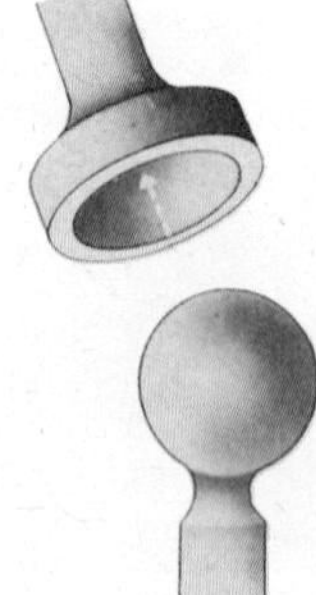

Esquema de una **enartrosis**

ENANO, NA adj. fig. Díc. de lo que es diminuto en su especie. • m. y f. Persona de extraordinaria pequeñez. • f. *Astr.* Díc. de ciertas estrellas. • En la mitología escandinava, cada uno de los genios que representaban las fuerzas de la naturaleza.

ENANTE f. Hierba umbelífera, venenosa.

ENANTEMA m. Eritema en una mucosa.

ENANTIOMORFO, FA adj. *Quím.* Díc. de las sustancias isómeras con idénticas características fisicoquímicas, pero que hacen girar en sentidos opuestos el plano de la luz polarizada.

ENANTIÓTROPO, PA adj. *Quím.* Díc. de las sustancias cuyo aspecto físico puede aparecer distinto según la temperatura y la presión.

ENARBOLADO m. Armazón de la linterna de una torre o bóveda.

ENARBOLAR tr. Levantar en alto. • prnl. Encabritarse. • Enfadarse, enfurecerse.

ENARCAR tr. y prnl. Arquear, poner en arco. • tr. Echar cercos o arcos a las cubas, toneles, etc. • prnl. Encogerse, achicarse. • *Méx.* Encabritarse el caballo.

ENARDECER tr. y prnl. fig. Excitar o avivar una pasión del ánimo, una pugna o disputa, etc. • prnl. Encenderse, requemarse una parte del cuerpo del animal por congestión o inflamación. ■ ENARDECIMIENTO.

ENARENACIÓN f. Mezcla de cal y arena con que se preparan las paredes que se han de pintar.

ENARENADO m. *Agr.* Adición de arena para la mejora de los suelos de cultivo. • *Ind.* Pulido a base de la proyección de arena cuarzosa.

ENARENAR tr. y prnl. Echar arena o cubrir con ella. • tr. *Min.* Mezclar cierta cantidad de arena fina con las lamas argentíferas. • prnl. Encallar o varar las embarcaciones.

ENARGITA f. *Miner.* Sulfoarseniuro de cobre; se presenta en cristales alargados del sistema rómbico, de color gris o negro y brillo metálico.

ENARMONAR tr. Levantar o poner en pie una cosa. • prnl. Empinarse un caballo.

ENARMONÍA f. *Mús.* Relación de dos sonidos distintos que, por la convención del sistema temperado, se consideran iguales.

ENARMÓNICO, CA adj. *Mús.* Aplícase a uno de los tres gén. del sistema músico que procede por dos semitonos menores y una tercera mayor.

ENARTAR tr. Encantar, hechizar.

ENARTROSIS f. *Anat.* Articulación movible de una parte esférica de un hueso que encaja en una cavidad.

ENASTAR tr. Poner el mango o asta a un arma o instrumento. ■ ENASTADO, DA.

ENASTILAR tr. Poner astil a una herramienta.

ENCABALGAMIENTO m. Cureña, carro u otra cosa en que se montaba la artillería. • Armazón de maderos cruzados donde se apoya alguna cosa. • Desacuerdo que a veces se produce en el verso entre la unidad sintáctica y la unidad métrica cuando aquélla se excede en los límites del verso y continúa en el siguiente.

ENCABALGAR intr. Descansar, apoyarse una cosa sobre otra. • tr. Proveer de caballos. • tr. y prnl. Distribuir en versos o hemistiquios contiguos partes de una palabra o frase que de ordinario constituyen una unidad fonética y léxica o sintáctica.

ENCABALLAR tr. Colocar una pieza de modo que se sostenga sobre la extremidad de otra. • intr. Encabalgar. • tr. y prnl. *Art. Gráf.* Desarreglar un molde tipográfico de modo que las letras de unas líneas pasen a otras. ■ ENCABALLADO, DA.

ENCABAR tr. Poner cabo o mango a una herramienta.

ENCABELLECERSE prnl. Criar cabello.

ENCABESTRADURA f. *Vet.* Herida producida a una caballería en la parte posterior de la cuartilla por el frote del cabestro o ronzal.

ENCABESTRAR tr. Poner el cabestro a los animales. • Hacer que las reses bravas sigan a los cabestros. • fig. Seducir a uno. • prnl. Enredar la bestia una mano en el cabestro.

ENCABEZAMIENTO m. Acción de encabezar o empadronar. • Registro o padrón de vecinos para la imposición de los tributos. • Ajuste de la cuota que deben pagar los vecinos por toda la contribución. • Tanto alzado con que un grupo de contribu-

yentes paga colectivamente cierto tributo. • Fórmula con que comienzan algunos escritos.
ENCABEZAR tr. Registrar, poner en matrícula a uno. • Iniciar una suscripción o lista. • Poner el encabezamiento de un escrito. • Aumentar la parte espiritosa de un vino con otro más fuerte o con alcohol. • *Carp.* Unir dos tablones o vigas por sus extremos. • prnl. Convenirse y ajustarse en cierta cantidad para un pago.
ENCABRIAR tr. *Arq.* Colocar los cabrios para formar la cubierta de un edificio.
ENCABRILLAR tr. Hacer cabrillas en el agua del mar.
ENCABRITARSE prnl. Empinarse el caballo, levantando las manos. • fig. Tratándose de embarcaciones, aeroplanos, automóviles, etc., levantarse la parte anterior o delantera súbitamente hacia arriba.
ENCABRONAR tr. y prnl. *Argent.* y *Cuba.* Encolerizar.
ENCABULLAR o **ENCABUYAR** tr. *Cuba, P. Rico* y *Ven.* Liar, forrar una cosa con cabulla.
ENCACHADO, DA adj. *Chile.* Bien presentado. • m. *Const.* Revestimiento de piedra u hormigón con que se fortalece el cauce de una corriente de agua.
ENCACHAR tr. Hacer un encachado. • Poner las cachas a un cuchillo, navaja, etc. • prnl. *Chile.* Agachar la cabeza el animal vacuno para acometer.
ENCADENADO, DA adj. Díc. de la estrofa cuyo primer verso repite en todo o en parte las palabras del último verso de la estrofa precedente, y también del verso que comienza con la última palabra del anterior. • m. *Arq.* Cadena. • *Min.* Serie de estemples y tornapuntas ligadas entre sí en una entibación. • **Fundido e.** *Cin.* Trucaje usado para empalmar dos secuencias cinematográficas; con él se hace desaparecer gradualmente la última imagen de la primera secuencia mientras va apareciendo la primera imagen de la secuencia siguiente.
ENCADENAR tr. Ligar y atar con cadena. • tr. y prnl. fig. Trabar y unir unas cosas con otras. • tr. fig. Dejar a uno sin movimiento y sin acción. ■ ENCADENACIÓN; ENCADENAMIENTO.
ENCAJAR tr. Meter una cosa dentro de otra ajustadamente. • Hacer entrar ajustada y con fuerza una cosa en otra, apretándola para que no se salga o caiga fácilmente. • tr. e intr. Unir ajustadamente una cosa con otra; como la tapa con la caja, o una hoja de la puerta con la otra. • Encerrar y meter en alguna parte una cosa. • fig. y fam. Decir una cosa ya sea con oportunidad, ya extemporánea o inoportunamente. • fig. y fam. Disparar, dar o arrojar. • fig. y fam. Hacer oír a uno alguna cosa, causándole molestia o enfado. • fig. y fam. Hacer tomar o recibir una cosa, engañando o causando molestia al que la toma o recibe. • fig. y fam. Venir al caso. Se usa frecuentemente con el adv. *bien.* • prnl. Meterse uno en parte estrecha; como en un concurso grande de gente, en un hueco de pared, etc. • fig. y fam. Vestirse una prenda. • fig. y fam. Introducirse uno en alguna parte extemporánea o inopinadamente; meterse donde no es llamado. ■ ENCAJADOR, RA; ENCAJADURA.
ENCAJE m. Acción de encajar una cosa en otra. • Sitio o hueco en que se encaja una cosa. • Ajuste de dos piezas que cierran o se adaptan entre sí. • Medida de una cosa para que venga justa con otra. • Cierto tejido de mallas, lazadas o calados con labores que se hace con bolillos, aguja de coser o de gancho, etc., o bien a máquina. • Labor de taracea. • Dinero que los bancos tienen en caja. • pl. *Her.* Particiones del escudo en formas triangulares alternantes, de color y metal, y encajadas unas en otras. ■ ENCAJERO, RA.
ENCAJETILLAR tr. Colocar el tabaco en los paquetes denominados cajetillas.
ENCAJONADO m. Ataguía. • *Arq.* Obra de tapia de tierra, que se hace encajonando la tierra y apisonándola dentro de tapiales.
ENCAJONAR tr. Meter y guardar una cosa dentro de uno o más cajones. • tr. y prnl. Meter en un sitio angosto. • tr. Construir cimientos en cajones o zanjas abiertas. • Reforzar un muro a trechos con machones, formando encajonados. • Acción de encerrar a los toros en cajones para su traslado, en especial a las plazas donde han de ser lidiados. • prnl. Ahocinarse, correr el río, o el arroyo, por una angostura. ■ ENCAJONAMIENTO.
ENCALABERNARSE prnl. fam. *Cuba.* Obstinarse, emperrarse.
ENCALABOZAR tr. fam. Meter a uno en calabozo.
ENCALABRINAR tr. y prnl. Llenar la cabeza de un vapor o hálito que la turbe. • tr. Excitar, irritar. • prnl. fam. Enamorarse perdidamente. • fam. Empeñarse en una cosa sin darse a razones. ■ ENCALABRINAMIENTO.
ENCALADA f. Pieza de metal en el jaez del caballo.
ENCALAMBRARSE prnl. *Chile, Col., Méx.* y *P. Rico.* Aterirse.
ENCALAMOCAR tr. y prnl. *Col.* y *Ven.* Embobar, poner a alguien lelo o chocho.
ENCALAR tr. Dar de cal o blanquear una cosa. Díc. pralm. de las paredes. • Meter en cal alguna cosa. • *Agr.* Añadir cal a un terreno para disminuir su acidez, o para suplir una carencia de cal. ■ ENCALADO; ENCALADOR, RA; ENCALADURA.
ENCALILLARSE prnl. *Chile.* Entramparse.
ENCALLAR intr. Dar la embarcación en arena o piedras, quedando en ellas sin movimiento. • fig. No poder salir adelante en un negocio o empresa. • prnl. Endurecerse algunos alimentos por quedar interrumpida su cocción. ■ ENCALLADERO; ENCALLADURA.

Caballo **encabritado**

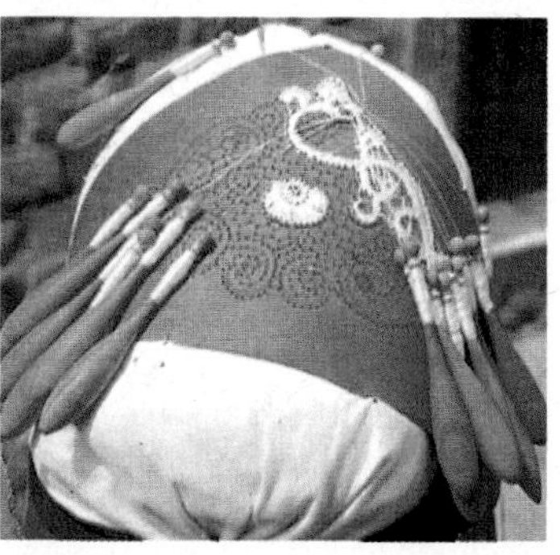

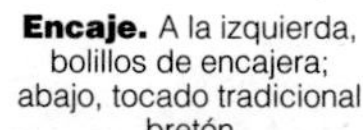

Encaje. A la izquierda, bolillos de encajera; abajo, tocado tradicional bretón

ENCALLECER intr. y prnl. Criar callos o endurecerse la carne a manera de callo. • prnl. fig. Endurecerse con la costumbre en los trabajos o en los vicios.
ENCALLEJONAR tr. y prnl. Hacer entrar una cosa por un callejón.
ENCALMADURA f. *Vet.* Acción y efecto de encalmarse las caballerías.
ENCALMAR tr. y prnl. Tranquilizar, serenar. • prnl. Tratándose del tiempo o del viento, quedar en calma. • Hablando de negocios o transacciones, tener poca actividad. • Sofocarse o enfermar por exceso de calor o de trabajo.
ENCALOSTRARSE prnl. Enfermar el niño que ha mamado los calostros.
ENCALVECER intr. Perder el pelo.
ENCAMACIÓN f. *Min.* Entibación hecha con ademes delgados.
ENCAMAR tr. Tender o echar una cosa en el suelo. • prnl. Echarse o meterse en la cama por enfermedad. • Agazaparse o echarse la caza en los sitios que busca para su descanso. • *Agr.* Echarse o abatirse las mieses. • fam. *Argent.* y *Ur.* Tener cópula carnal. ■ ENCAMADO, DA.
ENCAMARAR tr. Poner y guardar en la cámara los granos y frutas.
ENCAMBIJAR tr. Acopiar agua y distribuirla por medio de arcas o cambijas.
ENCAMBRONAR tr. Cercar con cambrones una tierra o heredad. • Fortificar y guarnecer con hierros una cosa.
ENCAMINAR tr. Poner en camino, enseñar el camino. • tr. y prnl. Dirigir hacia un punto determinado. • tr. fig. Enderezar la intención a un fin determinado.
ENCAMISADO m. *Mec. apl.* Revestimiento que se aplica a ciertos objetos a fin de aumentar su re-

sistencia a la corrosión. • *Mec. apl.* En los motores de explosión, operación de encamisar.

ENCAMISAR tr. y prnl. Poner la camisa. • tr. Enfundar. • fig. Encubrir, disfrazar. • *Mec. apl.* En los motores de explosión, poner camisas a los cilindros.

ENCAMONADO, DA adj. *Arq.* Hecho con camones, armazones de cañas o listones.

Encantador de serpientes

ENCAMOTARSE prnl. fam. *Argent.*, *Chile*, *C. Rica* y *Ecuad.* Enamorarse, amartelarse.

ENCAMPANADO, DA adj. Acampanado, en forma de campana. • Díc. de las piezas de artillería cuya ánima se va estrechando hacia el fondo de la recámara. • **Dejar** a uno **e.** fam. *Méx.* y *P. Rico.* Dejarle en la estacada, abandonarle en un apuro después de haberle metido en él.

ENCAMPANAR tr. *P. Rico* y *Ven.* Elevar, encumbrar. • *Taur.* Levantar el toro parado la cabeza como desafiando.

ENCANALAR o **ENCANALIZAR** tr. y prnl. Conducir el agua u otro líquido por un canal.

ENCANALLAR tr. y prnl. Corromper, envilecer.

ENCANAR tr. *Argent.* y *Col.* Meter a alguien en la cárcel. • prnl. Paralizarse a causa de un llanto o risa fuerte.

ENCANASTAR tr. Poner algo en una o más canastas.

ENCANCERARSE prnl. Cancerarse.

ENCANDECER tr. Hacer ascua una cosa hasta que quede como blanca.

ENCANDELAR intr. *Agr.* Echar algunos árboles flores en amento o candelillas.

ENCANDELILLAR tr. *Chile.* Sobrehilar una tela. • tr. y prnl. *Chile* y *Hond.* Encandilar.

ENCANDILADERA f. fam. Encandiladora.

ENCANDILAR tr. y prnl. Deslumbrar acercando mucho a los ojos el candil u otra luz. • fig. Deslumbrar, alucinar con apariencias. • fig. Encender o avivar los ojos la bebida o la pasión. • Despertar o excitar el sentimiento o deseo amoroso. • prnl. *P. Rico.* Enfadarse. ■ ENCANDILADO, DA; ENCANDILADOR, RA.

Terraza cerrada por un **encañado**

ENCANECER intr. Ponerse cano. • intr. y prnl. fig. Ponerse mohoso. • intr. fig. Envejecer una persona.

ENCANIJADO, DA adj. *Ecuad.* Aterido, arrecido.

ENCANIJAR tr. y prnl. Poner flaco y enfermizo. ■ ENCANIJAMIENTO.

ENCANILLAR tr. Devanar el hilo en las canillas.

ENCANTAR tr. Obrar maravillas por medio de fórmulas y conjuros mágicos. • fig. Cautivar la atención con la hermosura o el talento. ■ ENCANTACIÓN; ENCANTADO, DA; ENCANTADOR, RA; ENCANTAMIENTO; ENCANTO; ENCANTORIO.

ENCANTARAR tr. Poner en un cántaro. Díc. de las bolas o números para un sorteo, aunque se metan en otro recipiente.

ENCANTE m. Subasta judicial de bienes procedentes de un embargo o sucesión intestada. • Lugar donde se realizan esas subastas. • P. ext., lugar donde se venden y se compran objetos usados.

ENCANTUSAR tr. fam. Engatusar.

ENCANUTAR tr. y prnl. Poner una cosa en forma de canuto. • Meter algo en un canuto. • Emboquillar los cigarrillos.

ENCAÑADA f. Cañada, garganta o paso.

ENCAÑADO, DA m. Conducto hecho de caños, o de otro modo, para conducir el agua. • Enrejado o celosía de cañas que se pone en jardines, dependencias, etc., para enredar y defender las plantas o para hacer divisiones.

ENCAÑADURA f. Caña de centeno que sirve para llenar jergones y albardas.

ENCAÑAMAR tr. *Pint.* Unir las puntas de la tabla sobre la que se pinta con fibras de cáñamo.

ENCAÑAR tr. Hacer pasar el agua por encañados o conductos. • Sanear de humedad las tierras por medio de encañados. • Poner cañas para sostener las plantas. • Encanillar. • Colocar unas encima de otras las rajas de leña o los palos que han de formar la pila para el carboneo. • intr. y prnl. *Agr.* Empezar a formar caña los tallos tiernos de los cereales. Díc. también de otras plantas, como la del tabaco.

ENCAÑIZADA f. Atajadizo que se hace con cañas en las aguas. • Encañado, enrejado de cañas.

ENCAÑIZADO m. Entramado de cañas que se clava a las vigas de los techos para servir de soporte al enyesado de los mismos.

ENCAÑIZAR tr. Poner cañizos a los gusanos de seda. • Cubrir con cañizos una bovedilla u otra cosa cualquiera.

ENCAÑONAR tr. Dirigir o encaminar una cosa para que entre por un cañón. • Hacer correr las aguas de un río por un cauce cerrado con bóveda o por una tubería. • Entre tejedores, encañar o encanillar. • Asestar o dirigir un arma de fuego contra una persona o cosa. • *Enc.* Encajar un pliego dentro de otro. • intr. Echar cañones las aves cuando crían o mudan la pluma. ■ ENCAÑONADO, DA.

ENCAPACHAR o **ENCAPAZAR** tr. Meter alguna cosa en un capacho. Díc. especialmente de la aceituna que, después de molida, se pone en capachos para exprimirla. ■ ENCAPACHADURA.

ENCAPADO, DA adj. *Min.* Aplícase a la mina cuando el criadero no asoma a la superficie.

ENCAPAR tr. y prnl. Poner la capa.

ENCAPILLAR tr. *Cet.* Encapirotar. • *Mar.* Enganchar un cabo por medio de una gaza hecha en uno de sus extremos. • *Min.* Formar en una labor un ensanche para arrancar de él otra labor nueva. • *Mar.* Alcanzar un golpe de mar a una embarcación e inundar su cubierta. • prnl. *Mar.* Montar, engancharse o ponerse una cosa por encima de otra. ■ ENCAPILLADURA.

ENCAPIROTAR tr. y prnl. Poner el capirote.

ENCAPOTADURA o **ENCAPOTAMIENTO** f. Ceño del rostro airado.

ENCAPOTAR tr. y prnl. Cubrir con el capote. • prnl. fig. Poner el rostro ceñudo y con sobrecejo. • Cubrirse el cielo de nubes oscuras. • Bajar el caballo la cabeza demasiado, arrimando al pecho la boca. • Cubrir un coche con la capota.

ENCAPRICHARSE prnl. Empeñarse uno en conseguir su capricho. • Cobrar o tener capricho por una persona o cosa.

ENCAPSULAR tr. Meter o encerrar en una cápsula o cápsulas.

ENCAPUCHAR tr. y prnl. Cubrir o tapar con capucha. Díc. especialmente de los cofrades en las procesiones de Semana Santa. ■ ENCAPUCHADO, DA.

ENCAPULLADO, DA adj. Encerrado como la flor en el capullo.

ENCAPUZAR tr. y prnl. Cubrir con capuz.

ENCARADO, DA adj. Con los adv. *bien* o *mal*, de buena o mala cara, de bellas o feas facciones.

ENCARAMAR tr. y prnl. Levantar o subir a una persona o cosa a lugar dificultoso de alcanzar. • Alabar, encarecer con extremo. • fig. y fam. Colocar en puestos honoríficos.

ENCARAR intr. y prnl. Ponerse uno cara a cara, enfrente y cerca de otro. • tr. Apuntar un arma, dirigir a alguna parte la puntería. • tr. y prnl. fig. Hacer frente a un problema o dificultad. ■ ENCARAMIENTO.

ENCARATULARSE prnl. Cubrirse la cara con carátula.

ENCARCAVINAR tr. Meter o poner a uno en la carcavina. • Atafagar con algún mal olor, como el que sale de las cárcavas. • Sofocar, asfixiar.

ENCARCELAR tr. Poner a uno preso en la cárcel. • *Carp.* Sujetar dos piezas de madera recién encoladas en la cárcel de carpintero, para que se peguen bien. • *Const.* Asegurar con yeso o cal una pieza de madera o hierro. ■ ENCARCELACIÓN; ENCARCELAMIENTO.

ENCARGADO, DA adj. Que ha recibido un encargo. • m. y f. Persona que tiene a su cargo una casa, un establecimiento, un negocio, etc., en representación del dueño o interesado. • **de negocios.** Agente diplomático, inferior en categoría al ministro residente.

ENCARGAR tr. y prnl. Encomendar, poner una cosa al cuidado de uno. • tr. Recomendar, aconsejar, prevenir. • Pedir que se traiga o envíe de otro lugar alguna cosa.

ENCARGO m. Acción y efecto de encargar o encargarse. • Cosa encargada. • **Como hecho de e.** m. adv. para indicar que algo reúne las condiciones apetecibles.

ENCARIÑAR tr. y prnl. Aficionar, despertar o excitar cariño.

ENCARNACIÓN f. Acción de encarnar. Díc. especialmente del acto de encarnarse Jesús en las entrañas de María. • fig. Personificación o símb. de una idea, doctrina, etc.

ENCARNACIÓN C. de Paraguay, cap. del dpto. de Itapúa; 27 600 hab. Agricultura e ind. derivadas. Puerto muy importante a orillas del Paraná.

ENCARNACIÓN DE DÍAZ C. de México, en el est. de Jalisco; 29 700 hab. Cereales. Ind. alimenticias. Avicultura y apicultura.

ENCARNADINO, NA adj. Encarnado bajo.

ENCARNADO, DA adj. y s. De color de carne. • Colorado, rojo. • m. Color de carne que se da a las estatuas.

ENCARNADURA f. Disposición de los tejidos del cuerpo para cicatrizar o reparar sus lesiones. • Acción de encarnarse el perro en la caza.

ENCARNAR intr. Revestir una sustancia espiritual, una idea, etc., de un cuerpo de carne. Díc. pralm. del acto de hacerse hombre el Verbo divino. • Criar carne cuando se va mejorando y sanando una herida. • Introducirse por la carne la saeta, espada u otra arma. • fig. Hacer fuerte impresión en el ánimo una cosa o especie. • *Art. Gráf.* Estampar bien una tinta sobre el papel, o una tinta sobre otra. • intr. y prnl. Cebarse el perro en la caza que coge, sin dejarla hasta que la mata. • tr. fig. Personificar, representar alguna idea, doctrina, etc. • fig. Representar un personaje de una obra dramática. • Dar color de carne a las esculturas. • prnl. Introducirse una uña, al crecer, en las partes blandas que la rodean, produciendo alguna molestia. • fig. Mezclarse, unirse, incorporarse una cosa con otra.

ENCARNATIVO, VA adj. y s. Aplícase al medicamento que facilita la cicatrización de las heridas.

ENCARNE m. Primer cebo que, de la res muerta en montería, se da a los perros.

ENCARNECER intr. Tomar carnes.

ENCARNIZAR tr. Cebar un perro en la carne de otro animal para que se haga fiero. • tr. y prnl. fig. Encruelecer, irritar, enfurecer. • prnl. Cebarse con ansia los animales hambrientos cuando matan una res. • fig. Mostrarse cruel contra una persona. • *Mil.* Batirse con furor dos cuerpos de tropas enemigas. ■ ENCARNIZADO, DA; ENCARNIZAMIENTO.

ENCARO m. Acción de mirar a uno cara a cara con atención. • Acción de encarar o apuntar un arma. • Puntería. • Parte de la culata de la escopeta donde se apoya la mejilla al hacer la puntería.

ENCARPETAR tr. Guardar papeles en carpetas. • *Argent., Chile, Ecuad.* y *Perú.* Dar carpetazo, dejar detenido un expediente.

ENCARRETADORA f. Máquina textil que sirve para encarretar.

ENCARRETAR tr. Traspasar el hilo desde los husos de continua o madejas a carretes. ■ ENCARRETADO, DA.

ENCARRILAR tr. Encaminar, dirigir y enderezar una cosa. • Colocar sobre los carriles o rieles un vehículo descarrilado. • fig. Dirigir por el rumbo acertado una pretensión o expediente que iba por mal camino. • prnl. Encarrillarse. ■ ENCARRILADERA.

ENCARRILLAR tr. Encarrilar. • prnl. Salirse la cuerda o soga del carrillo o garrucha, hacia las asas, de modo que se imposibilita el movimiento.

ENCARROÑAR tr. y prnl. Inficionar y pudrir una cosa.

ENCARRUJADO, DA adj. Rizado, ensortijado o plegado con arrugas menudas. • *Méx.* Díc. del terreno quebrado. • m. Especie de labor de arrugas menudas que se usaba en algunos tejidos de seda; como terciopelos, etc.

ENCARRUJARSE prnl. Ensortijarse.

ENCARTACIÓN f. Empadronamiento en virtud de carta de privilegio. • Reconocimiento de vasallaje que hacían al señor los pueblos, pagándole tributo. • Pueblo que reconocía este vasallaje. • Terr. al cual se hacen extensivos los fueros de una comarca limítrofe.

ENCARTAR tr. Proscribir a un reo constituido en rebeldía. • Llamar a juicio por edictos y pregones. • Incluir a uno en una dependencia, compañía o negociado. • Incluir a uno en los padrones. • En los juegos de naipes, jugar al contrario o al compañero carta a la cual pueda servir del palo. • prnl. En los juegos de naipes, tomar uno cartas, o quedarse con ellas, del mismo palo que otro, de modo que tenga que servir a él. ■ ENCARTADO, DA; ENCARTAMIENTO.

ENCARTE m. Acción y efecto de encartar o encartarse en los juegos de naipes. • *Art. Gráf.* Hoja que se incluye, pegándola, en un libro o revista ya impresos.

ENCARTONAR tr. Poner cartones o resguardar con cartones una cosa. • Encuadernar con cartones cubiertos de papel. ■ ENCARTONADOR, RA.

ENCARTUCHAR tr. y prnl. *Chile, Col., Ecuad.* y *P. Rico.* Enrollar en forma de cucurucho.

ENCARTUJADO m. Encarrujado, labor de arrugas menudas.

ENCASAMENTO m. Adorno de fajas y molduras en una pared o bóveda.

ENCASAR tr. *Cir.* Volver a encajar un hueso que se ha salido de su sitio.

ENCASCABELAR tr. Colocar cascabeles o adornar con ellos.

ENCASCAR tr. Teñir o dar casca a los artes y aparejos de pesca.

ENCASCOTAR tr. Rellenar con cascote una cavidad. • *Const.* Introducir cascotes en la mezcla después de tendida, para reforzarla.

ENCASILLADO m. Conjunto de casillas. • Lista de candidatos adeptos al gobierno, a quienes éste señalaba distrito para las elecciones de diputados.

ENCASILLAR tr. Poner en casillas. • Clasificar personas o cosas distribuyéndolas en sus sitios correspondientes. • Señalar el gobierno a un candidato adepto el distrito en el cual le presentará para las elecciones de diputados.

ENCASQUETAR tr. y prnl. Encajar bien en la cabeza el sombrero. • fig. Meter a uno algo en la cabeza. • tr. fig. Encajar. • prnl. Metérsele a uno algo en la cabeza, arraigada y obstinadamente.

ENCASQUILLAR tr. Poner casquillos. • *Amér.* Herrar caballerías o bueyes. • prnl. Dicho de las armas automáticas, dejar de funcionar por haber quedado fuera de su sitio la vaina de un cartucho o el cartucho mismo. • fig. y fam. *Cuba.* Acobardarse, acoquinarse. ■ *Amér.* ENCASQUILLADOR.

ENCASTAR tr. Mejorar una raza o casta de animales. • intr. Procrear, hacer casta.

ENCASTILLADO, DA adj. fig. Altivo y soberbio.

ENCASTILLAR tr. Fortificar con castillos un pueblo o paraje. • Apilar. • prnl. Encerrarse en un castillo y hacerse allí fuerte para defenderse. • fig. Acogerse a parajes altos, ásperos y fuertes, para guarecerse. • fig. Obstinarse uno en su parecer.

ENCASTRAR tr. Encajar, empotrar. • *Mec. apl.* Endentar dos piezas.

ENCATRADO m. *Chile.* Tarima con cuatro patas y un tablado.

ENCATUSAR tr. Engatusar.

ENCAUCHADO, DA adj. *Amér.* Díc. de la tela impermeabilizada con caucho. • m. *Col., Ecuad.* y *Ven.* Poncho impermeabilizado con caucho.

ENCAUCHAR tr. Cubrir con caucho.

ENCAUSAR tr. Formar causa a uno.

ENCÁUSTICO, CA adj. *Pint.* Díc. de la pintura hecha al encausto. • m. Preparado de cera para preservar de la humedad la piedra, la madera o las paredes, y darles brillo.

Encapuchado en una procesión de Semana Santa, en Lorca, Murcia, España

Encasillado del juego de la ruleta

ENCAUSTO o **ENCAUSTE** m. Tinta roja con que escribían los emp. • *Pint.* Adustión o combustión. • **Pintar al e.** Pintar por medio del fuego, ya con ceras coloridas y desleídas aplicadas por medio de un hierrecillo caliente, ya en marfil con punzón o buril encendido, o con esmalte sobre vidrio, barro o porcelana.
ENCAUZAR tr. Abrir cauce. • fig. Encaminar, dirigir por buen camino. ■ ENCAUZAMIENTO.
ENCAVARSE prnl. Ocultarse los animales en una cueva o agujero. • fig. Meterse uno en su casa.
ENCEBADAMIENTO m. *Vet.* Enfermedad que contraen las caballerías por beber mucha agua después de haber comido buenos piensos.
ENCEBADAR tr. Dar a las bestias tanta cebada, que les haga daño. • prnl. *Vet.* Enfermar una caballería de encebadamiento.
ENCEBOLLADO m. Guisado de carne, partida en trozos, mezclada con cebolla abundante.
ENCEBOLLAR tr. Echar cebolla en abundancia a un manjar.
ENCEFALITIS f. *Pat.* Inflamación del encéfalo. • **letárgica.** *Pat.*Variedad infecciosa de la encefalitis, caracterizada por la tendencia prolongada a la somnolencia.

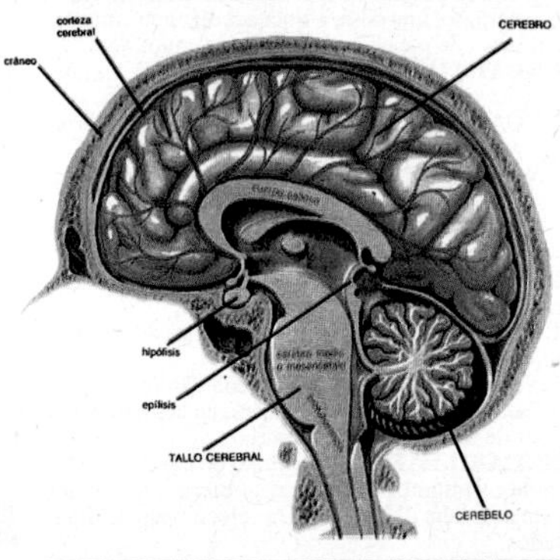

Sección sagital del **encéfalo** humano

ENCÉFALO m. *Anat.* Parte del sistema nervioso central de los vertebrados, contenida en la cavidad craneal, encargada de la regulación, coordinación y control de todos los procesos orgánicos y de la dirección de las relaciones con el mundo exterior. Se compone del cerebro, con sus dos hemisferios, el cerebelo y el tronco cerebral. ■ ENCEFÁLICO, CA.
ENCEFALOGRAFÍA f. Radiografía del cráneo.
ENCEFALOGRAMA m. Percepción radiográfica de las cavidades ventriculares del encéfalo.
ENCEFALOMIELITIS f. *Pat.* Inflamación simultánea del encéfalo y de la médula espinal.
ENCEFALOPATÍA f. *Pat.* Trastorno propio del encéfalo. • **espongiforme.** *Pat.* Enfermedad neurológica progresiva y fatal, nueva variante de la enfermedad de Creutzfeldt-Jakob en humanos, derivada de la encefalopatía espongiforme bovina.
ENCEGUECER tr. Cegar, privar de la visión. • tr. y prnl. fig. Cegar, ofuscar el entendimiento. • intr. y prnl. Sufrir ceguera, perder la vista.
ENCELAJARSE impers. Cubrirse de celajes.
ENCELAR tr. Dar celos. • prnl. Concebir celos de una persona. • Estar en celo un animal. ■ ENCELAMIENTO.
ENCELDAR tr. y prnl. Encerrar en una celda.
ENCELLA f. Molde para quesos y requesones.
ENCELLAR tr. Dar forma al queso o al requesón en la encella.
ENCENAGARSE prnl. Meterse en el cieno. • Ensuciarse, mancharse con cieno. • fig. Entregarse a los vicios. ■ ENCENAGADO, DA.
ENCENCERRADO, DA adj. Que trae cencerro.
ENCENDAJA f. Ramas, hierba seca u otra cosa propia para encender el fuego. Se usa más en pl.
ENCENDEDOR, RA adj. y s. Que enciende. • m. Aparato que sirve para encender.
ENCENDER tr. Hacer que una cosa arda para que dé luz o calor. • Pegar fuego, incendiar. • tr. y prnl. Causar ardor y encendimiento. • tr. En ciertos casos, conectar un circuito eléctrico. • fig. Tratándose de guerras, suscitar, ocasionar. • fig. Incitar, inflamar, enardecer. • prnl. fig. Ponerse colorado, ruborizarse.

Obtención de un **encefalograma**

ENCENDIDO, DA adj. De color rojo muy subido. • m. *Aut.* Conjunto de la instalación eléctrica y aparatos destinados a producir la chispa en motores de explosión. • *Aut.* La misma inflamación del carburante.
ENCENDIMIENTO m. Acto de estar ardiendo y abrasándose una cosa. • fig. Ardor, alteración vehemente. • fig. Viveza y ardor de las pasiones.
ENCENIZAR tr. y prnl. Echar cenizas sobre una cosa.
ENCENTAR o **ENCETAR** tr. Decentar, empezar a cortar o gastar una cosa. • prnl. Decentarse, ulcerarse una parte del cuerpo por estar uno echado mucho tiempo. ■ ENCENTADOR, RA.
ENCEPAR tr. Meter en el cepo. • Echar la caja al cañón de un arma de fuego. • *Carp.* Asegurar piezas por medio de cepos. • intr. y prnl. Echar las plantas raíces que penetren bien en la tierra. ■ ENCEPADURA; ENCEPE.
ENCERADO, DA adj. De color de cera. • m. Lienzo impermeabilizado con cera u otra materia. • Emplasto compuesto de cera y otros ingredientes. • Cuadro de una sustancia apropiada, que se usa en las escuelas para escribir en él con clarión. • Capa tenue de cera con que se cubren los entarimados y muebles.
ENCERADOR, RA m. y f. Persona que se dedica a encerar pavimentos. • f. Máquina eléctrica que hace girar uno o varios cepillos para dar cera y lustre a los pavimentos.
ENCERAR tr. Aderezar con cera alguna cosa. • Manchar con cera. • *Const.* Espesar la cal. • intr. y prnl. Tomar color de cera o amarillear las mieses; madurar.
ENCEROTAR tr. Dar con cerote al hilo que usan los zapateros, boteros, etc.
ENCERRADERO m. Sitio donde se recogen los rebaños. • Encierro, toril.
ENCERRAR tr. Meter a una persona o cosa en lugar de donde no pueda salir. • fig. Incluir, contener. • En el juego del revesino, dejar a uno con las cartas mayores. • En el juego de damas y en otros de tablero, poner al contrario en estado de que no pueda mover pieza. • prnl. fig. Recogerse en una clausura o religión. • Encastillarse, obstinarse uno en su parecer. ■ ENCERRADOR, RA; ENCERRADURA O ENCERRAMIENTO.
ENCERRIZARSE prnl. Obstinarse en algo.
ENCERRONA f. fam. Retiro voluntario. • Situación, preparada de antemano, en que se coloca a una persona para obligarla a que haga algo.
ENCESPEDAR tr. Cubrir con césped.
ENCESTAR tr. Poner, recoger algo en una cesta. • *Dep.* En baloncesto, introducir el balón en el cesto contrario. ■ ENCESTADOR, RA; ENCESTE.
ENCHANCHARSE prnl. *Argent.* Emborracharse.
ENCHANCLETAR tr. y prnl. Poner las chancletas, o llevar zapatos a modo de chancletas.
ENCHAPAR tr. Chapear, cubrir con chapas. ■ ENCHAPADO, DA.
ENCHAPINADO, DA adj. *Const.* Levantado y fundado sobre bóveda.
ENCHARCADA f. Charco o charca.
ENCHARCAR tr. y prnl. Cubrir de agua una parte de terreno que queda como si fuera un charco. • Enaguachar el estómago. ■ ENCHARCAMIENTO.
ENCHAVETADO m. Operación de ajuste de las chavetas en sus alojamientos correspondientes.
ENCHAVETAR tr. *Mar.* Asegurar con chavetas.
ENCHICAR tr. Humillar, acobardar a uno.
ENCHILADA f. *Guat.* y *Méx.* Torta de maíz aderezada con chile y rellena de diversos manjares.
ENCHILADO m. *Cuba.* Guiso de mariscos con salsa de chile.
ENCHILAR tr. *C. Rica, Hond.* y *Méx.* Untar, aderezar con chile. • tr. y prnl. fig. *Méx.* Picar, molestar, irritar. • tr. fig. *C. Rica.* Dar o recibir un chasco.
ENCHINAR tr. Empedrar con chinas o guijarros. • *Méx.* Formar rizos en el cabello.
ENCHINARRAR tr. Empedrar con chinarros.
ENCHIPAR tr. *Col.* Arrollar, enrollar.
ENCHIQUERAR tr. Meter o encerrar el toro en el chiquero. • fig. y fam. Meter a uno en la cárcel. ■ ENCHIQUERAMIENTO.

ENCHIRONAR tr. fam. Meter a uno en chirona, encarcelar.
ENCHISTERADO, DA adj. Díc. de la persona que lleva puesta una chistera.
ENCHIVARSE prnl. *Col., Ecuad.* y *P. Rico.* Emberrincharse, encolerizarse.
ENCHUECAR tr. y prnl. fam. *Chile* y *Méx.* Torcer, encorvar.
ENCHUFAR tr. e intr. Ajustar la boca de un caño en la de otro. • fig. Combinar, enlazar un negocio con otro. • *Const.* Acoplar las partes salientes de una pieza en otra. • *El.* Establecer una conexión eléctrica mediante un enchufe. • fam. despect. Proporcionar un cargo, empleo o situación ventajosos atendiendo a recomendaciones o influencias. • prnl. fam. despect. Obtenerlos. ■ ENCHUFADO, DA.
ENCHUFE m. Acción y efecto de enchufar. • *El.* Aparato que consta de dos piezas que se encajan una en otra cuando se quiere establecer una conexión eléctrica.
ENCHUFISMO m. despect. Corruptela que favorece a los enchufistas.
ENCHUFISTA com. fam. despect. Persona que disfruta de varios enchufes o sinecuras.
ENCHULARSE prnl. Hacer vida de chulo o rufián. • Encapricharse una puta de un chulo.
ENCHULETAR tr. *Carp.* Rellenar un hueco con chuletas.
ENCHUMBAR tr. *Amér.* Empapar en agua.
ENCHUTE m. *Hond.* Juego de boliche.
ENCÍA f. *Anat.* Tejido fibroso denso recubierto por mucosa que cubre los arcos dentarios y se adhiere al cuello de los dientes.
ENCÍCLICA f. Carta que el Papa dirige a todos los obispos del orbe católico. Suele tomar el nombre de las palabras iniciales.
ENCICLOPEDIA f. Conjunto de todas las ciencias. • Obra en que se trata de muchas ciencias. • Conjunto de tratados pertenecientes a diversas ciencias o artes. • Enciclopedismo. • Diccionario enciclopédico. ■ ENCICLOPÉDICO, CA.
* *Hist.* Los antecedentes de la e. se remontan a las *Etimologías* de san Isidoro de Sevilla (s. VII) y al Diccionario Universal de Salomón, obispo de Constanza, aunque la e. por ant. es la → *Enciclopedia* de los ilustrados fr. A partir de aquélla, han aparecido e. nac. en muchos países en las lenguas autóctonas. En ellas tiende a desempeñar un papel más imp. la ilustración, aunque persiste el objetivo de compendiar la universalidad de los saberes, ordenados alfabéticamente. Han proliferado también las e. y los diccionarios por materias.
ENCICLOPEDIA o **Diccionario razonado de las Ciencias, las Artes y los Oficios** *(Encyclopédie)* Vasta obra (17 tomos) que logró reunir todo el saber de la época, presentado en artículos razonados, ordenados alfabéticamente y desarrollados de forma polémica y crítica, y con un enfoque progresista. Dirigida por Diderot, reunió en su torno a los más destacados representantes de la intelectualidad fr. del s. XVIII: D'Alembert, Montesquieu, Voltaire, Rousseau, Buffon, Turgot, Quesnay, Holbach, etc. Prohibida varias veces, su publicación finalizó en 1772, veintiún años después de la aparición del primer volumen.
ENCICLOPEDISMO m. Conjunto de doctrinas profesadas por los autores de la Enciclopedia, publicada en Francia a mediados del s. XVIII. ■ ENCICLOPEDISTA.
ENCIELAR tr. *Chile.* Poner a una cosa cielo o cubierta.
ENCIERRA f. *Chile.* Acto de encerrar las reses en el matadero. • *Chile.* Invernadero, lugar reservado en un potrero para que pasten las reses en el invierno.
ENCIERRO m. Acción y efecto de encerrar o encerrarse. • Lugar donde se encierra. • Clausura, recogimient o. • Prisión muy estrecha. • Acto de traer los toros a encerrar en el toril. • Toril.
ENCIMA adv. lugar. En lugar o puesto superior respecto de otro inferior. • Sobre sí, sobre la propia persona. • adv. cantidad. Además, sobre otra cosa. • **Por e.** m. adv. Superficialmente, de pasada, a bulto. • **Por e.de** una persona o cosa. A pesar de ella, contra su voluntad. ■ ENCIMERO, RA.
ENCIMAR tr. e intr. Poner en alto una cosa; ponerla sobre otra. • tr. En el juego del tresillo, añadir una puesta a la que ya había en el plato. • *Col.* y *Perú.* Dar encima de lo estipulado, añadir. • prnl. Elevarse, levantarse una cosa a mayor alt. que otra del mismo género.
ENCINA f. o **ENCINO** m. *Bot.* Árbol de la familia fagáceas; tiene por fruto bellotas, y su madera es muy dura y compacta. • Madera de este árbol. ■ ENCINAL; ENCINAR.
ENCINA, *Carlos* (1840-1882) Ingeniero y poeta arg. *La Atlántida, El poema del infinito, Canto al arte.* • ***Juan del*** (1468-1529) Músico, poeta y dramaturgo esp. Considerado el fundador del teatro español. En el *Cancionero* se halla recogida la mayor parte de su producción literaria. • **Y Armanet, *Francisco Antonio*** (1874-1965) Historiador y político chil. *Historia de Chile desde la prehistoria hasta 1891, Resumen de la Historia de Chile, La primera República de Venezuela, Emancipación de la Presidencia de Quito.*
ENCINAS, *Enrique* (1885-1971) Médico per. *La enfermedad de los Andes, Contribución a la histopatología de la parálisis juvenil.* • ***José Antonio*** (1886-1958) Pedagogo y escritor per. *Educación del indio, Psicopedagogía, Higiene mental.*

El trabajo en una fábrica, ilustración aparecida en la primera edición de la **Enciclopedia** francesa

ENCINTA adj. Embarazada.
ENCINTADO m. Acción y efecto de encintar. • Fajo o cinta de piedra que forma el borde de una acera, de un andén, etc.
ENCINTAR tr. Adornar, engalanar con cintas. • Poner el cintero a los novillos. • Poner las cintas de un solado o de una acera.
ENCISMAR tr. Poner cisma o discordia.
ENCISO m. Terreno adonde salen a pacer las ovejas luego que paren.
ENCISO, *Martín Fernández de* (s. XVI) Navegante esp. Fundó, en Darién, Santa María de la Antigua, con Vasco Núñez de Balboa. Autor de la primera obra sobre América: *Suma de geografía.*
ENCIZAÑAR tr. Cizañar. ■ ENCIZAÑADOR, RA.
ENCLAUSTRAR tr. y prnl. Encerrar en un claustro. • fig. Meter, esconder en un paraje oculto.
ENCLAVADO, DA adj. y s. Díc. del sitio encerrado dentro del área de otro. • Díc. del objeto encajado en otro. • *Pat.* Se denominan así las estructuras que han quedado bloqueadas en un conducto.
ENCLAVADURA f. Muesca por donde se unen dos maderos o tablas.
ENCLAVAR tr. Asegurar con clavos. • Producir una herida a la caballería por introducir mucho el clavo al herrarla. • fig. Traspasar, atravesar de parte a parte. • fig. y fam. Engañar a uno. ■ ENCLAVACIÓN; ENCLAVAMIENTO.
ENCLAVE m. Terr. incluido en otro mayor y de distintas características. • Grupo étnico o político que convive o se encuentra inserto dentro de uno más extenso y de características diferentes. • Terr. en que se habla una lengua distinta a la del área circundante.
ENCLAVIJAR tr. Trabar una cosa con otra enlazándolas. • Poner las clavijas a un instrumento.
ENCLENQUE adj. y s. Falto de salud, débil. • *Argent., Méx.* y *Amér. Central.* Muy flaco.
ÉNCLISIS f. *Gram.* Unión de una palabra enclítica a la que la precede.
ENCLÍTICO, CA adj. y s. Díc. de la partícula o parte de la oración que se liga con el vocablo precedente, formando con él una sola palabra.
ENCLOCAR o **ENCLUECAR** intr. y prnl. o **ENCLOQUECER** intr. Ponerse clueca un ave.
ENCOBAR intr. y prnl. Permanecer las aves y

Encina. Árbol, hojas y frutos

animales ovíparos encima de los huevos para empollarlos.

ENCOBERTADO, DA adj. fam. Tapado con un cobertor.

ENCOBIJAR tr. Cobijar.

ENCOBRAR tr. Cubrir con una capa de cobre. • *Chile.* Sujetar un extremo del lazo en un tronco, piedra, etc., para sujetar mejor al animal enlazado con el otro extremo. ■ ENCOBRADO, DA.

ENCOCHADO, DA adj. Díc. del que anda mucho en coche.

Indígenas trabajando bajo la dirección de un **encomendero.** Ilustración de un manuscrito de 1565

ENCOCHAR intr. Recoger pasajeros un vehículo, gralte. un taxi.

ENCOCORAR tr. y prnl. fam. Fastidiar.

ENCODILLARSE prnl. Detenerse el hurón o el conejo en un recodo de la madriguera.

ENCOFRADO m. *Const.* Molde hecho con tableros o chapas de metal en el que se vacía el hormi gón hasta que fragua. • Tapial. • *Min.* Revestimiento de madera para sostener las tierras en las galerías de las minas.

ENCOFRAR tr. Colocar bastidores para mantener las tierras en las galerías de las minas, o para hacer el vaciado de una moldura.

ENCOGER tr. y prnl. Retirar contrayendo. Díc. del cuerpo y de sus miembros. • fig. Apocar el ánimo. • intr. Disminuir de tamaño algunas cosas al secarse. • prnl. fig. Tener cortedad.

ENCOGIDO, DA adj. y s. fig. Corto de ánimo, apocado.

ENCOGIMIENTO m. Acción y efecto de encoger o encogerse. • fig. Cortedad de ánimo.

ENCOHETAR tr. Fustigar mediante cohetes a un animal. • *C. Rica.* Enfurecerse, encolerizarse.

ENCOJAR tr. y prnl. Poner cojo a uno. • prnl. fig. y fam. Caer enfermo, fingirse enfermo.

ENCOLADO, DA adj. fig. *Chile* y *Méx.* Gomoso, pisaverde, vanidoso. • m. Clarificación de los vinos turbios mediante una solución de gelatina. • Tratamiento con cola que se da a la urdimbre para aumentar la resistencia de los hilos.

ENCOLADORA f. Máquina con la que se efectúa el encolado de los hilados.

ENCOLADURA f. Aplicación de una o más capas de cola caliente a una superficie que ha de pintarse al temple.

ENCOLAR tr. Pegar con cola una cosa. • tr. y prnl. Tirar una pelota a un sitio donde se queda detenida, sin que se pueda alcanzar fácilmente. • tr. Clarificar vinos. • Dar la encoladura a las superficies que han de pintarse al temple. ■ ENCOLAMIENTO.

ENCOLERIZAR tr. y prnl. Hacer que uno se ponga colérico.

ENCOMENDADO m. En las órdenes militares, dependiente del comendador.

ENCOMENDAR tr. Encargar a uno que haga alguna cosa o que cuide de ella o de una persona. • Dar encomienda, hacer comendador a uno. • intr. Llegar a tener encomienda de orden. • prnl. Entregarse, confiarse al amparo de uno. • Enviar recados o memorias. ■ ENCOMENDAMIENTO.

Encorchadura de una red de pesca

ENCOMENDERO m. El que lleva encargos de otros, y se obliga a dar cuenta y razón de lo que se le encarga y encomienda. • Durante la colonización española en América, el que por concesión de autoridad competente tenía indios encomendados.

ENCOMIAR tr. Alabar con encarecimiento a una persona o cosa. ■ ENCOMIABLE; ENCOMIÁSTICO, CA; ENCOMIO.

ENCOMIASTA m. Panegirista.

ENCOMIENDA f. Acción y efecto de encomendar. • Encargo. • Dignidad de algunos caballeros de las órdenes militares y cruz que llevan en las capas. • Pueblo o asentamiento indígena que en América se señalaba a un encomendero para que cobrara sus tributos. • Recomendación, elogio. • Amparo, patrocinio, custodia. • *Amér.* Paquete postal. • pl. Recados, memorias.

* *Hist.* La e. fue una institución del derecho cast. medieval que, trasladada a América, adquirió perfiles propios. Junto con el → *repartimiento de indios* —con el que a veces se confunde— constituyeron los pilares básicos de la dominación colonial esp. en América. Consistía en la cesión que el monarca efectuaba del derecho a percibir tributos de los indígenas de un terr. (*e. de tributo*) que se asignaba a un súbdito esp. como premio de su labor conquistadora y colonizadora, o en forma de servicios personales (*e. de servicios*), a cambio de que el encomendero se encargara de la instrucción y evangelización de los indígenas. Concebida inicialmente en las Antillas como *e. de servicios* para obligar a los indígenas a adquirir hábitos de trabajo, al pasar al continente se transformó de hecho en *e. de tributo*, acostumbrados como estaban los pueblos mesoamericanos y andinos a pagar tributos al imperio azteca o incaico. Los gravísimos abusos a que dio lugar la e. y las denuncias efectuadas por fray Antonio de Montesinos y el padre Bartolomé de las Casas, entre otros, motivaron la redacción de las leyes de Burgos (1512) y las leyes Nuevas (1542), que pretendían reglamentar la institución e incluso suprimirla. La e. siguió, no obstante, vigente hasta el s.XVIII, aunque solapada con otras instituciones de trabajo obligatorio prehispánicas, como la → mita, el → cuatequil mex., etc.

ENCOMPADRAR intr. fam. Contraer compadrazgo; crear una profunda amistad.

ENCONADURA f. Enconamiento, inflamación de una herida.

ENCONAMIENTO m. Inflamación de una herida o llaga. • fig. Encono.

ENCONAR tr. y prnl. Inflamar, empeorar la llaga o parte lastimada del cuerpo. • fig. Irritar, exasperar el ánimo contra uno. • Cargar la conciencia con alguna mala acción. • prnl. Obtener interés o lucro indebido en el caudal, hacienda o negocio que se maneja. ■ ENCONOSO, SA.

ENCONCHARSE prnl. *Col.* y *P. Rico.* Meterse en su concha, retraerse.

ENCONO m. Animadversión, rencor.

ENCONREAR tr. Conrear.

ENCONTRADIZO, ZA adj. Que se encuentra con otra cosa o persona. • **Hacerse** uno **e.** o **el e.** Buscar a otro para encontrarle sin que parezca que se hace de intento.

ENCONTRADO, DA adj. Puesto enfrente. • Opuesto, contrario, antitético.

ENCONTRAR tr. Dar con una persona o cosa que se busca. • Dar con una persona o cosa sin buscarla. • intr. Tropezar uno con otro. • prnl. Oponerse, enemistarse uno con o tro. • Hallarse y concurrir juntas a un mismo lugar dos o más personas. • Hallarse, estar. • Hablando de las opiniones, dictámenes, etc., opinar diferentemente, discordar unos de otros. • Hablando de los afectos, las voluntades, los genios, etc., conformar, convenir, coincidir.

ENCONTRÓN o **ENCONTRONAZO** m. Golpe que da una cosa con otra cuando una de ellas, o las dos, van impelidas y se encuentran.

ENCOPETAR tr. y prnl. Elevar en alto o formar copete. • prnl. Engreírse, presumir demasiado. ■ ENCOPETADO, DA.

ENCOPRESIS f. *Pat.* Incontinencia de las heces.

ENCORAJAR tr. Dar valor, ánimo y coraje. • prnl. Encenderse en coraje.

ENCORAJINAR tr. y prnl. Encolerizar a alguien, hacer que tome una corajina.

ENCORAR tr. Cubrir con cuero una cosa. • Meter y encerrar una cosa dentro de un cuero. • intr. y prnl. Formar piel una llaga. ■ ENCORIACIÓN.
ENCORAZADO, DA adj. Cubierto y vestido de coraza. • Cubierto de cuero.
ENCORCHADOR, RA adj. y s. Que encorcha. • f. Máquina para poner tapones de corcho a las botellas.
ENCORCHADURA f. Conjunto de corchos que se emplean para mantener flotantes las redes de pesca.
ENCORCHAR tr. Coger los enjambres de las abejas y cebarlas para que entren en las colmenas. • Poner taponesde corcho a las botellas.
ENCORCHETAR tr. Poner corchetes. • Sujetar con ellos la ropa u otra cosa. • *Const.* Engrapar piedras.
ENCORDAR tr. Poner cuerdas a los intrumentos de música. • Apretar un cuerpo con una cuerda, haciendo que ésta dé muchas vueltas alrededor de aquél. • prnl. *Dep.* En escalada, unirse con la cuerda de seguridad los escaladores. ■ ENCORDADURA.
ENCORDELAR tr. Poner cordeles a una cosa, proveer de cordeles. • Atar algo con cordeles. • Forrar con cordel en espiral.
ENCORDONAR tr. Poner cordones a una cosa.
ENCORECER tr. e intr. Encorar una llaga.
ENCORNADURA f. Forma o disposición de los cuernos en el toro, ciervo, etc. • Cornamenta. ■ ENCORNADO, DA.
ENCORNUDAR tr. fig. Hacer cornudo a uno. • intr. Echar o criar cuernos.
ENCOROZAR tr. Cubrir con coraza. • *Chile.* Emparejar una pared.
ENCORRALAR tr. Meter y guardar en el corral. Díc. especialmente de los ganados.
ENCORREAR tr. Ceñir una cosa con correas.
ENCORSELAR o **ENCORSETAR** tr. y prnl. Poner corsé, especialmente cuando se ciñe mucho.
ENCORTINAR tr. Adornar con cortinas un cuarto, un edificio, etc.
ENCORUJARSE prnl. Encogerse, hacerse un ovillo.
ENCORVADA f. Acción de encorvar el cuerpo. • *Bot.* Planta anual papilionácea de flores amarillas, fruto en legumbre y semilla rojiza.
ENCORVAR tr. y prnl. Doblar una cosa poniéndola curva. • prnl. fig. Inclinarse, ladearse. • *Eq.* Bajar el caballo la cabeza, arqueando el cuello, lomo y espinazo, con objeto de lanzar al jinete. ■ ENCORVADURA; ENCORVAMIENTO.
ENCOSTALAR tr. Meter en costales.
ENCOSTILLADO m. *Min.* Conjunto de las costillas que se colocan en los pozos y galerías para dar más solidez a la entibación.
ENCOSTRADURA f. Revestimiento de tablas de piedra, mármol, etc. • Encaladura.
ENCOSTRAR tr. Cubrir con costra una cosa. • tr. y prnl. Echar una costra o capa a una cosa para su resguardo o conservación. • intr. y prnl. Formar costra una cosa.
ENCOVAR tr. y prnl. Meter o encerrar una cosa en una cueva o hueco. • tr. fig. Guardar, encerrar, contener. • tr. y prnl. fig. Encerrar, obligar a uno a ocultarse. ■ ENCOVADO; ENCOVADURA.
ENCRASAR tr. y prnl. Poner craso un líquido. • Fertilizar las tierras con abonos.
ENCRESPAR tr. y prnl. Ensortijar, rizar; díc. más especialmente del cabello. • Erizar el pelo, plumaje, etc., por alguna impresión fuerte, como el miedo. • Enfurecer, irritar y agitar, dicho de personas y animales. • Producir grandes olas en el mar. • prnl. fig. Enredarse y dificultarse el asunto o cuestión que se trata. ■ ENCRESPADO, DA; ENCRESPADOR, RA; ENCRESPADURA; ENCRESPAMIENTO.
ENCRESTADO, DA adj. fig. Ensoberbecido, levantado, altivo.
ENCRESTARSE prnl. Poner las aves tiesa la cresta.
ENCRISTALAR tr. Acristalar.
ENCRUCIJADA f. Paraje en donde se cruzan dos o más calles o caminos. • fig. Alternativa, opción. • fig. Ocasión que se aprovecha para hacer daño a uno; asechanza.
ENCRUDECER tr. y prnl. Hacer que una cosa tenga apariencia u otra condición de cruda. • fig. Exasperar, irritar.
ENCRUELECER tr. Instigar a uno a que piense y obre con crueldad. • prnl. Hacerse cruel.
ENCUADERNACIÓN f. Acción y efecto de encuadernar. • Forro o cubierta de cartón, pergamino u otra cosa, que se pone a los libros para resguardo de sus hojas. • Taller donde se encuaderna.

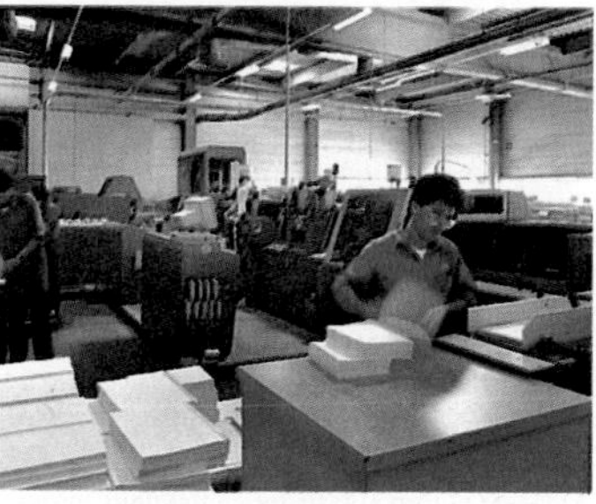

A la izquierda taller de **encuadernación.** Abajo, proceso de encuadernación de un libro: 1. pliego o cuadernillo impreso con las páginas en orden; 2. alzado; 3. cosido y encolado; 4. corte de los pliegos y redondeado del lomo; 5. montaje de las cubiertas

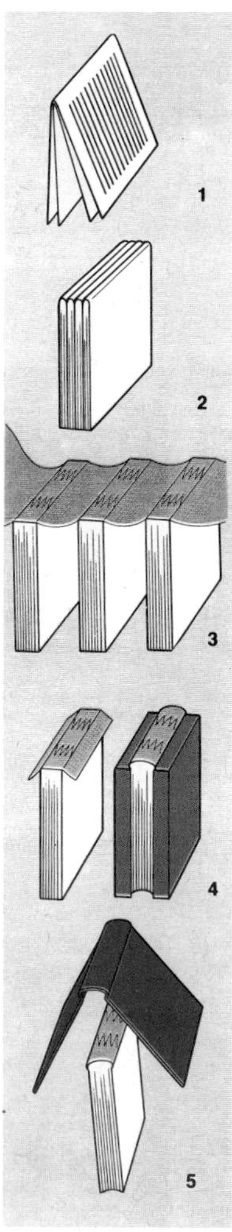

ENCUADERNAR tr. Juntar y coser varios pliegos o cuadernos y ponerles cubiertas. ■ ENCUADERNADOR, RA.
ENCUADRAR tr. Encerrar en un marco. • fig. Encajar, ajustar una cosa dentro de otra. • fig. Encerrar o incluir dentro de sí una cosa; bordearla, determinar sus límites. • *Cin., Fot.* y *TV.* Realizar el encuadre de las imágenes. • Colocar a alguien en alguna organización.
ENCUADRE m. *Cin., Fot.* y *TV.* Acción de orientar la cámara de manera que el visor delimite exactamente el campo que se desea abarcar. • Este mismo campo.
ENCUARTARSE tr. Calcular el encuarte de las piezas de madera o piedra, cuando exceden de las dimensiones convenidas. • Enganchar a un vehículo para ayuda otra yunta o caballería. • prnl. *Méx.* Encabestrarse una bestia. • fig. *Méx.* Enredarse en un negocio; no saber encontrar salida. ■ ENCUARTERO.
ENCUARTE m. Yunta de refuerzo que se agrega a la de tiro en los tramos difíciles. • Sobreprecio que se da en ciertos lugares a la unidad de medida de la madera y la piedra, cuando éstas sobrepasan ciertas dimensiones.
ENCUBAR tr. Echar un líquido en las cubas. • *Min.* Entibar en redondo el interior de un pozo.
ENCUBERTAR tr. Cubrir con paños o con sedas una cosa. • prnl. Vestirse y armarse con alguna defensa que resguarde el cuerpo de los golpes del enemigo.
ENCUBIERTO, TA f. Fraude, ocultación dolosa.
ENCUBRIDOR, RA adj. y s. Que encubre. • m. y f. Tapadera, alcahuete o alcahueta.
ENCUBRIMIENTO m. Acción y efecto de encubrir. • *Der.* Participación en las responsabilidades de un delito por aprovechar los efectos de él, impedir que se descubra, etc.
ENCUBRIR tr. y prnl. Ocultar una cosa o no manifestarla. • Impedir que llegue a saberse una cosa. • Hacerse responsable de encubrimiento de un delito. ■ ENCUBRIDIZO, ZA.
ENCUENTRO m. Acto de coincidir en un punto dos o más cosas. • Acto de encontrarse o hallarse dos o más personas. • Oposición, contradicción. • Ajuste de estampaciones de colores distintos. • Competición deportiva, especialmente entre dos equipos. • *Arq.* Macizo comprendido entre un ángulo de un edificio y el vano más inmediato. • *Mil.* Choque, por lo general inesperado, de las tropas combatientes. • Axila, sobaco. • pl. En las aves, parte del ala pegada a los pechos. • En los cuadrúpedos mayores, puntas de las espaldillas que por delante se unen al cuello. • *Art. Gráf.* Claros que se dejan al imprimir para después estampar allí letras con tinta de otro color. • **Ir al e.** de uno. Ir en su busca concurriendo en un mismo sitio con él. • **Salirle** a uno **al e.** Salir a recibirle. • fig. Hacerle frente o cara; oponérsele. • fig. Prevenir, adelantarse a uno en lo que quiere decir o ejecutar.
ENCUERAR tr. y prnl. Desnudar a una persona.
ENCUESTA f. Averiguación o pesquisa. • Aco-

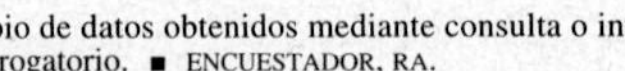

pio de datos obtenidos mediante consulta o interrogatorio. ■ ENCUESTADOR, RA.

Guillermo **Endara**

ENCUESTAR tr. Someter cualquier cuestión a encuesta. • Interrogar a las personas con ese fin. • intr. Hacer encuestas.
ENCUEVAR tr. y prnl. Encovar, meter una cosa en una cueva.
ENCUITARSE prnl. Afligirse, apesadumbrarse.
ENCULATAR tr. Cubrir con sobrepuesto la colmena.
ENCULTURACIÓN f. *Antr.* Proceso de aprendizaje de las normas de conducta y los valores de una cultura por el individuo con vistas a su socialización.
ENCUMBRAMIENTO m. Acción y efecto de encumbrar o encumbrarse. • Altura, elevación. • fig. Ensalzamiento, exaltación.
ENCUMBRAR tr. y prnl. Levantar en alto. • fig. Ensalzar, engrandecer a uno colocándolo en puestos o empleos honoríficos. • tr. Subir la cumbre, pasarla. • prnl. Envanecerse, ensoberbecerse. ■ ENCUMBRADO, DA.
ENCUNAR tr. Poner al niño en la cuna. • *Taur.* Alcanzar el toro al lidiador cogiéndolo entre las astas.
ENCURDARSE prnl. fam. Emborracharse.
ENCUREÑAR tr. Poner en la cureña.
ENCURRUCARSE prnl. *Amér.* Acurrucarse.
ENCURTIR tr. Conservar en vinagre ciertos frutos o legumbres. ■ ENCURTIDO, DA.
ENDARA Galimany, *Guillermo* (nacido 1936) Abogado pan. Venció en las elecciones de mayo de 1989 que fueron anuladas por el Tribunal Electoral. Reconocido presid. en diciembre. Cesó en 1994.
ENDE (***Por***) m. adv. Por tanto.
ENDEBLE adj. Débil, de poca resistencia. • fig. De escaso mérito. ■ ENDEBLEZ; ENDEBLUCHO, CHA.

Endibia

ENDÉCADA f. Periodo de once años.
ENDECÁGONO, NA adj. y m. *Geom.* Aplícase al polígono de once ángulos y once lados.
ENDECASÍLABO, BA adj. y s. De once sílabas. • m. Verso de once sílabas, muy usado entre los clásicos it. • **anapéstico** o **de flauta gallega.** El que lleva acento en las sílabas cuarta y séptima. ■ ENDECASILÁBICO, CA.
ENDECHA f. Canción triste. Se usa más en pl. • Combinación métrica de cuatro versos de seis o siete sílabas, asonantados.
ENDECHAR tr. Cantar endechas, y más especialmente en loor de los difuntos. • prnl. Afligirse, lamentarse. ■ ENDECHADERA.
ENDEHESAR tr. Meter el ganado en la dehesa para que engorde.
ENDEJAS f. pl. *Const.* Adarajas, dientes.
ENDEMIA f. Enfermedad que reina habitualmente, o en épocas fijas, en un país o región.
ENDÉMICO, CA adj. fig. Díc. de actos o sucesos que se repiten frecuentemente en un país. • *Med.* Relativo a la endemia. • En ecología, díc. de cualquier planta o animal confinado en un determinado país o región.
ENDEMOEPIDÉMICO, CA adj. y s. Díc. de una enfermedad que, en determinadas ocasiones, presenta brotes epidémicos.
ENDEMONIADO, DA adj. y s. Poseído del demonio. • adj. fig. y fam. Muy perverso. • *Méx.* Alborotador, muy travieso. • Muchacho inquieto.
ENDEMONIAR tr. Introducir los demonios en el cuerpo de una persona. • tr. y prnl. fig. y fam. Irritar, encolerizar a uno.
ENDENANTES adv. tiempo fam. Antes, en tiempo anterior. • *Amér.* Hace poco.
ENDENTAR tr. Encajar una cosa en otra, como los dientes y los piñones de las ruedas. • Poner dientes a una rueda. ■ ENDENTADO, DA.
ENDENTECER intr. Empezar los niños a echar los dientes.
ENDEÑARSE prnl. Infectarse una herida.
ENDEREZAR o **ENDERECHAR** tr. y prnl. Poner derecho lo que está torcido. • Poner derecho o vertical lo que está inclinado o tendido. • tr. Remitir, dirigir, dedicar. • tr. y prnl. fig. Gobernar bien. • tr. Enmendar, corregir, castigar. • prnl. fig. Disponerse, encaminarse a lograr un intento. ■ ENDEREZADOR, RA.
ENDERGÓNICO, CA adj. Endotérmico.
ENDESPUÉS adv. tiempo fam. *Amér.* Después.

Corte transversal de un volcán en erupción, una de las manifestaciones de las **fuerzas endógenas**

ENDEUDARSE prnl. Llenarse de deudas. • Reconocerse obligado.
ENDEVOTADO, DA adj. Muy dado a la devoción. • Muy prendado de una persona.
ENDIABLADO, DA adj. fig. Muy feo, desproporcionado. • fig. y fam. Endemoniado, perverso. • f. Fiesta bulliciosa, en que muchos se disfrazan de diablos.
ENDIABLAR tr. Introducir los diablos en el cuerpo de uno. • tr. y prnl. fig. y fam. Dañar, pervertir. • prnl. Encolerizarse uno demasiado.
ENDÍADIS f. *Ret.* Figura por la cual se expresa un solo concepto con dos nombres coordinados.
ENDIBIA f. Escarola, especie de achicoria muy apreciada en la preparación de ensaladas.
ENDILGAR tr. fam. Encaminar, dirigir, acomodar, facilitar. • Encajar, endosar a otro algo desagradable o impertinente.
ENDINO, NA adj. fam. Indigno, perverso.
ENDIOSAMIENTO m. fig. Erguimiento, desvanecimiento, altivez extremada. • fig. Suspensión o abstracción de los sentidos.
ENDIOSAR tr. Elevar a uno a la divinidad. • prnl. fig. Erguirse, entonarse, ensoberbecerse. • fig. Suspenderse, embebecerse.
ENDOBLAR tr. Conseguir que dos ovejas críen a la vez un cordero. ■ ENDOBLADO, DA.
ENDOBLASTO m. *Biol.* Hoja interna del blastodermo.
ENDOBLE m. Jornada de doble tiempo que hacen los mineros para cambiar cada semana las horas de trabajo de las cuadrillas.
ENDOCARDIO m. *Anat.* Membrana serosa que tapiza las cavidades del corazón.
ENDOCARDITIS f. *Pat.* Inflamación aguda o crónica del endocardio.
ENDOCARPIO o **ENDOCARPO** m. *Bot.* Capa interna de las tres que forman el pericarpio de los frutos.
ENDOCRINO, NA adj. *Fisiol.* Relativo a las hormonas o a las secreciones internas. • *Fisiol.* Díc. de la glándula que vierte directamente sus secreciones en la sangre. • **Sistema e.** *Fisiol.* Conjunto de agrupaciones celulares cuyos productos de secreción se vierten en la sangre.
ENDOCRINOLOGÍA f. Ciencia biológica que estudia la formación, función y efecto de las glándulas endocrinas. ■ ENDOCRINOLÓGICO, CA; ENDOCRINÓLOGO, GA.
ENDODERMIS f. *Bot.* Tejido, formado gralte. por una capa de células, que en los vegetales se halla separando diversos tejidos internos.
ENDODERMO m. *Embriol.* Hoja interna del blastodermo, de la que deriva el epitelio de los aparatos respiratorio y urinario, y el aparato digestivo. ■ ENDODÉRMICO, CA.
ENDOENZIMA adj. y s. *Biol.* Díc. de las enzimas del interior de las células.
ENDOESQUELETO m. Esqueleto interno de los animales.
ENDOGAMIA f. Matrimonio entre individuos de una misma tribu, casta, linaje o grupo social. • P. ext., se aplica a la regla o práctica de contraer matrimonio personas de ascendencia común. • *Biol.* Fecundación mediante la unión de células de igual origen. ■ ENDOGÁMICO, CA.
ENDOGÉNESIS f. *Biol.* División de una célula envuelta por una membrana resistente que impide la separación de las células hijas.
ENDÓGENO, NA adj. Que se origina o nace en el interior. • Que se origina por causas internas. • **Fuerzas e.** *Geol.* Las que actúan en el interior de la corteza terrestre y producen los fenómenos endógenos, como vulcanismo, seísmos, plegamientos, etc. • **Rocas e.** *Geol.* Rocas eruptivas.
ENDOGENOTE m. *Biol.* Dotación nuclear de una bacteria receptora en el proceso de recombinación genética.
ENDOLINFA f. *Fisiol.* Líquido del caracol del oído interno, que tiene por objeto recibir las vibraciones.
ENDOMETAMORFISMO m. *Geol.* Proceso de modificación de la composición química de una roca plutónica por asimilación de rocas metamórficas en su interior.
ENDOMETRIO m. *Anat.* Mucosa que reviste la cavidad interna del útero, que se desprende en la

menstruación y de la que se forma la placenta cuando hay fecundación.
ENDOMETRIOMA m. *Pat.* Tumoración que se forma en el abdomen y cuyos elementos tienen una estructura que recuerda la mucosa uterina.
ENDOMETRITIS f. *Pat.* Inflamación del endometrio, gralte. por infección gonocócica.
ENDOMICETALES m. pl. *Bot.* Orden de hongos ascomicetos, de micelio poco desarrollado, entre los que se encuentran las levaduras y los fermentos.
ENDOMICOSIS f. *Pat.* Infección producida por hongos del género endomicetos.
ENDOMINGARSE prnl. Vestirse con la ropa de fiesta. ■ ENDOMINGADO, DA.
ENDOMITOSIS f. *Biol.* Duplicación cromosómica sin división del núcleo, que conduce a la poliploidía.
ENDOMORFISMO m. *Geol.* Endometamorfismo. • *Mat.* Aplicación homomórfica de una estructura algebraica en sí misma.
ENDONAR tr. Donar, traspasar una persona a otra el dominio sobre una cosa.
ENDOPARÁSITO, TA adj. y m. *Biol.* Parásito que vive en el interior de un animal o planta.
ENDOPATÍA (al. *Einfühlung*) f. Participación afectiva de un sujeto humano en una realidad ajena a él.
ENDOPEPTIDASA f. *Quím.* Peptidasa que cataliza la hidrólisis de los enlaces peptídicos situados en el interior de las cadenas polipeptídicas.
ENDOPLASMA m. *Biol.* Zona del citoplasma más próxima al núcleo, que contiene la mayoría de los orgánulos citoplasmáticos.
ENDOPROCTOS m. pl. *Zool.* Grupo de invertebrados de pequeñas dimensiones, casi todos marinos, de aspecto similar a los pólipos.
ENDORREÍSMO m. *Geog.* Carácter de las regiones con red hidrográfica de cursos permanentes sin salida al mar. ■ ENDORREICO, CA.
ENDOSAR o **ENDORSAR** tr. Ceder a favor de otro un documento de crédito expedido a la orden, haciéndolo así constar al dorso. • fig. Trasladar a uno una carga, trabajo o cosa no apetecible. ■ ENDOSATARIO, RIA; ENDOSE.
ENDOSCOPIA f. *Med.* Técnica de diagnosis basada en la exploración directa del cuerpo humano mediante el endoscopio.
ENDOSCOPIO m. Nombre de varios aparatos para explorar cavidades internas del organismo.
ENDOSELAR tr. Formar dosel.
ENDOSFERA f. Parte central del globo terráqueo. Su temperatura se estima entre 1 500 y 3 000 °C.
ENDOSMÓMETRO m. *Fís.* Aparato para apreciar la endósmosis.
ENDÓSMOSIS o **ENDOSMOSIS** f. *Fís.* Corriente de fuera adentro, que se establece cuando dos líquidos de distinta densidad están separados por una membrana.
ENDOSO o **ENDORSO** m. Acción y efecto de endosar. • Lo que se escribe al dorso de un documento para endosarlo.
ENDOSPERMA m. *Bot.* Tejido de reserva de las semillas, procedente del gametófito femenino.
ENDÓSPORA f. *Bot.* Célula de la reproducción asexual, formada en el interior de los esporangios.
ENDÓSTILO m. *Zool.* Surco de la parte inferior de la faringe de los procordados, y del cual deriva la glándula tiroides de los vertebrados.
ENDOTELIO m. *Anat.* Tejido epitelial de células planas que recubre el interior de los vasos y de las cavidades serosas y articulares.
ENDOTELIOMA m. *Pat.* Tumor originado en el revestimiento celular de los vasos o de las cavidades serosas.
ENDOTÉRMICO, CA adj. *Quím.* Díc. del compuesto que se ha formado a partir de cuerpos simples con absorción de calor, y de la reacción que absorbe calor.
ENDOTOXINA f. *Pat.* Toxina bacteriana termoestable que se libera difícilmente de los medios de cultivo porque se suele hallar en el interior de las bacterias.
ENDOVENOSO, SA adj. Intravenoso.
ENDRIAGO m. Monstruo fabuloso, con mezcla de facciones humanas y de varias fieras.
ENDRINO, NA adj. De color negro azulado, parecido al de la endrina. • m. Ciruelo silvestre con espinas en las ramas, las hojas lanceadas y lampiñas, y el fruto pequeño, negro azulado y áspero al gusto. • f. Fruto del endrino. ■ ENDRINAL.

Flores de **endrino**

ENDROGARSE prnl. *P. Rico.* Drogarse, usar estupefacientes. • *Chile, Méx.* y *Perú.* Entramparse, contraer deudas o drogas.
ENDULZAR tr. y prnl. Poner dulce una cosa. • tr. Quitar a las aceitunas el amargor, haciéndolas comestibles. • tr. y prnl. fig. Suavizar, hacer llevadero un trabajo, disgusto o incomodidad. ■ ENDULCE.
ENDURAR tr. y prnl. Endurecer. • tr. Sufrir, tolerar. • Diferir o dilatar una cosa. • Economizar, escasear el gasto. ■ ENDURADOR, RA.
ENDURECER tr. y prnl. Poner dura una cosa. • fig. Robustecer los cuerpos; hacerlos más aptos para el trabajo y la fatiga. • tr. fig. Hacer a uno áspero, severo, exigente. • prnl. Negarse a la piedad, obstinarse en el rigor.
ENDURECIMIENTO m. Acción y efecto de endurecer o endurecerse. • fig. Obstinación, tenacidad.
ENE f. Nombre de la letra *n* y del signo potencial indeterminado en álgebra. • adj. Denota cantidad indeterminada.
ENEA f. Anea, planta. ■ ENEAL.
ENEÁGONO adj. y m. *Geom.* Díc. del polígono de nueve ángulos y nueve lados.
ENEAS Personaje legendario, hijo de Anquises y Afrodita. Fundó la Troya renaciente, o sea, Roma.

Eneas

ENEASÍLABO, BA adj. y s. De nueve sílabas.
ENEBRINA f. Fruto del enebro.
ENEBRO m. *Bot.* Arbusto cupresáceo de flores escamosas, de color pardo rojizo, y fruto en bayas esféricas de color negro azulado. La madera es rojiza, fuerte y olorosa. • Madera de esta planta. ■ ENEBRAL.
ENEJAR tr. Echar eje a un carro. • Poner una cosa en el eje.
ENELDO m. Hierba umbelífera, con hojas divididas en lacinias y flores amarillas en círculo.
ENEMA f. *Med.* Inyección de un líquido en el recto, con fines terapéuticos.
ENEMIGO, GA adj. Contrario, opuesto. • m. y f. El que tiene mala voluntad a otro y le desea o hace mal. • m. El contrario en la guerra. • Diablo, demonio. • f. Enemistad, odio, oposición.
ENEMISTAR tr. y prnl. Hacer a uno enemigo de otro, o hacer perder la amistad. ■ ENEMISTAD.
ÉNEO, A adj. poét. De cobre o bronce.
ENEOLÍTICO, CA adj. Relativo al periodo de transición entre la edad de piedra pulimentada y la del bronce. Datado en el Próximo Oriente hacia 5 000 a. C.
ENERGÉTICO, CA adj. Relativo a la energía. • *Fil.* Díc. de la teoría positivista que admite la energía como única realidad, fuente de todos los fenómenos. • f. *Fís.* Ciencia que trata de la energía.
ENERGÍA f. Eficacia, poder, virtud para obrar. • Fuerza de voluntad, vigor y tesón en la actividad. • *Fís.* Capacidad de un sistema para realizar un trabajo, con las propiedades de la conservación y la interconvertibilidad. • **atómica.** *Fís.* La requerida para mantener la estructura del núcleo atómico. • **calorífica.** *Fís.* La desarrollada en forma de calor. • **cinética.** *Fís.* La que posee un cuerpo libre sobre el que actúa un sistema de fuerzas. • **de enlace.** *Quím.* La necesaria para separar dos átomos unidos por un enlace químico. • **eléctrica.** *Fís.* La que poseen los electrones que circulan por un conductor. • **interna.** *Fís.* La almacenada en un sistema. Su valor absoluto no se puede medir y só-

Enebro. Arbusto y bayas

1. El dibujo representa los distintos tipos de energía utilizados por el hombre. La parte superior corresponde a las renovables; la energía solar, la eólica, la geotérmica, la hidráulica y la de las mareas y la biomasa son en principio inagotables, ya que se regeneran constantemente. En cambio, las fuentes de energía representadas en la parte inferior están destinadas a agotarse, dado que no se renuevan al ritmo que se utilizan.

ENERGÍA

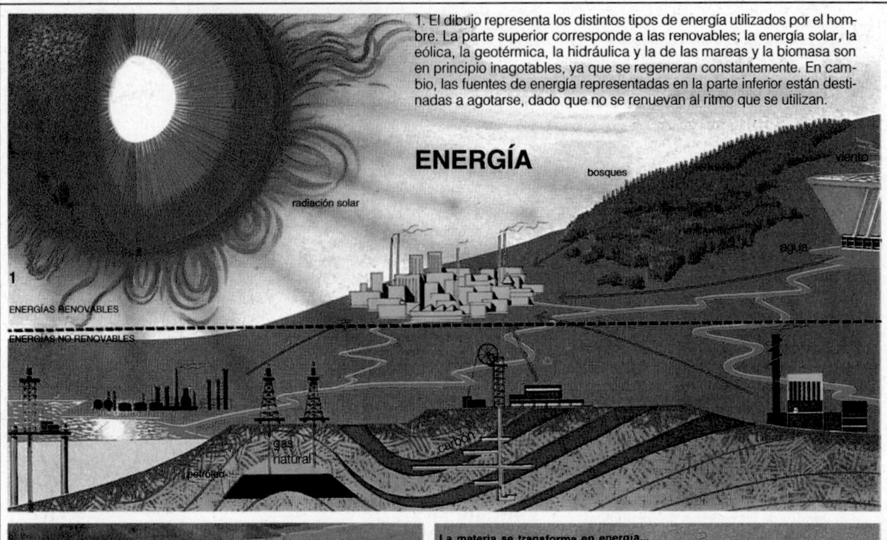

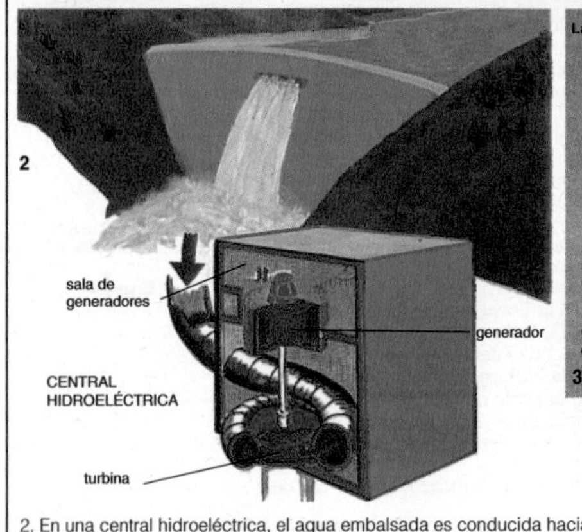

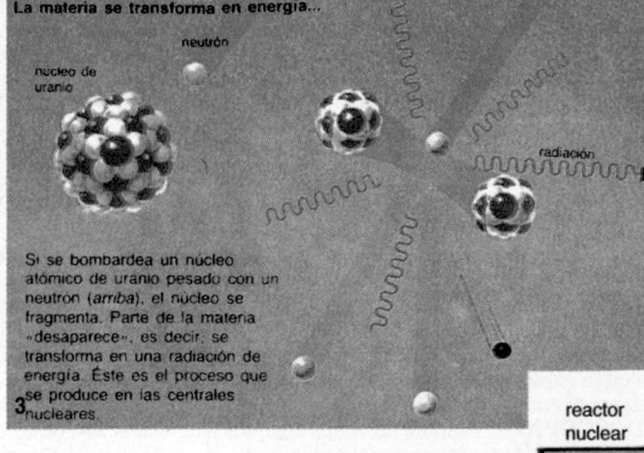

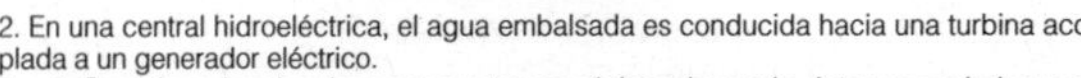

2. En una central hidroeléctrica, el agua embalsada es conducida hacia una turbina acoplada a un generador eléctrico.
3. y 4. Cuando se bombardean con neutrones núcleos de uranio, éstos se escinden emitiendo radiación y nuevos neutrones, los cuales golpean a otros núcleos, produciéndose una reacción en cadena. En los reactores nucleares se modera esta reacción y se utiliza la energía cinética de los productos de fisión.
5. Entre las llamadas energías limpias, la eólica es a corto plazo la que está destinada a conocer mayor expansión.
6. Quizás en el futuro se satelicen en órbitas geostacionarias gigantescos paneles de células solares que radiarán a la Tierra en forma de microondas la energía captada.

lo se puede conocer la variación de e. interna sufrida en una transformación, que, por otra parte, no depende del camino seguido, sino sólo de los estados inicial y final. • **libre.** *Fís.* Cantidad máx. de e. de un sistema que puede convertirse en trabajo útil cuando éste experimenta una transformación a presión y temperatura constantes. • **potencial.** *Fís.* La que posee un cuerpo cuando se halla en un campo de fuerzas. • **radiante.** *Fís.* La asociada a las ondas electromagnéticas. • **solar.** La procedente del Sol, que nos llega en forma de radiaciones electromagnéticas. • **química.** La liberada o absorbida por un sistema en el transcurso de una reacción química. • **E. alternativas.** Fuentes primarias de e. renovables y exentas de contaminación ambiental propuestas por los mov. ecologistas como sustitutorias de las e. duras y contaminantes (nuclear, térmica, hidrocarburos). Las más imp. son: biomasa, mareas, geotérmica, solar, eólica, etc. ■ ENÉRGICO, CA.

ENERGIZAR intr. y prnl. *Col.* Obrar con energía, actuar con vigor o vehemencia. • tr. *Col.* Estimular, dar energía. • *Fís.* Poner en actividad un electroimán. • *El.* Mandar a las bobinas la corriente para que imanen el núcleo. • Suministrar corriente eléctrica.

ENERGOL m. Propergol.

ENERGÚMENO, NA m. y f. Persona poseída del demonio. • fig. La que está furiosa.

ENERO m. Primer mes del año. Tiene 31 días. De creación rom., su nombre *(ianuarius)* proviene del dios Jano, al que estaba dedicado.

ENERVACIÓN f. Acción y efecto de enervar o enervarse. • Afeminación. • *Cir.* Sección de un nervio, neuroctomía. • *Med.* Agotamiento de la energía nerviosa.

ENERVAR tr. y prnl. Debilitar, quitar las fuerzas. • fig. Debilitar la fuerza de las razones o argumentos. • tr. Excitar, poner nervioso. ■ ENERVAMIENTO.

ENESCO, *George* (1881-1955) Violinista, pianista y compositor rum., fundador de la escuela nacional rum. de música.

ENÉSIMO, MA adj. Díc. del número indeterminado de veces que se repite una cosa. • *Mat.* Díc. del lugar indeterminado en una serie.

ENFADO o **ENFADAMIENTO** m. Impresión desagradable y molesta que hacen en el ánimo algunas cosas. • Afán, trabajo. • Enojo, disgusto. ■ ENFADADIZO, ZA; ENFADAR; ENFADOSO, SA.

ENFAENADO, DA adj. Metido en faena.

ENFALCADO m. *Col.* Instrumento de madera colocado sobre los fondos de las hornillas de los molinos.

ENFALDADO adj. Díc. del varón, sobre todo del niño, demasiado apegado a la madre o a las mujeres de la casa.

ENFALDADOR m. Alfiler grueso que usaban las mujeres para sujetarse las faldas.

ENFALDAR tr. y prnl. Recoger las faldas o las sayas. • tr. Cortar las ramas bajas para que crezcan y formen copa las superiores.

ENFALDO m. Falda o cualquier ropa talar enfaldada. • Sitio, seno o cavidad que hacen las ropas enfaldadas para llevar algunas cosas.

ENFANGAR tr. y prnl. Cubrir de fango una cosa o meterla en él. • prnl. fig. y fam. Mezclarse en negocios innobles y vergonzosos. • fig. Entregarse con excesivo afán a placeres sensuales.

ENFANTIN, *Barthélemy Prosper* (1796-1864) Economista e ingeniero fr., sansimonista. En 1833 marchó a Egipto, donde realizó estudios para la realización de un canal interoceánico en Suez.

ENFARDAR tr. Hacer o arreglar fardos. • Empaquetar mercaderías.

ENFARDELADOR, RA m. y f. Persona que enfardela o enfarda.

ENFARDELAR tr. Hacer fardeles. • Enfardar. ■ ENFARDELADURA.

ÉNFASIS m. Fuerza de expresión o de entonación con que se quiere realzar la importancia de lo que se dice o se lee. • Afectación en la expresión, en el tono de la voz o en el gesto. • *Ret.* Figura que consiste en dar a entender más de lo que realmente se expresa. ■ ENFÁTICO, CA.

ENFATIZAR intr. Expresarse con énfasis. • tr. Poner énfasis en la expresión de alguna cosa.

ENFERMAR intr. y prnl. Contraer enfermedad el hombre o el animal. • fig. Enfermar los vegetales. • tr. Causar enfermedad. • fig. Debilitar, quitar firmeza, menoscabar, invalidar.

ENFERMEDAD f. *Med.* Alteración más o menos grave de la salud. • fig. Alteración más o menos grave en la fisiología del cuerpo vegetal. • fig. Pasión o alteración en lo moral o espiritual. • fig. Anormalidad en el funcionamiento de una institución, colectividad, etc. • **profesional.** La que es consecuencia de un determinado trabajo.

* *Med.* La e. es un trastorno morboso definido que puede afectar, total o parcialmente, al organismo o a la psique. El estado de e. es siempre reacción o respuesta a una situación causal de orden microbiano, traumático, familiar, religioso o social.

ENFERMERÍA f. Local o dependencia para enfermos o heridos. • Conjunto de los enfermos de determinado lugar o tiempo.

ENFERMIZO, ZA adj. Que tiene poca salud; que enferma con frecuencia. • Capaz de ocasionar enfermedades. • Propio de un enfermo.

ENFERMO, MA adj. y s. Que padece enfermedad. • adj. Enfermizo. ■ ENFERMERO, RA; ENFERMUCHO, CHA.

ENFERMOSO, SA adj. *Col.*, *Ecuad.*, *Hond.*, y *Méx.* Enfermizo.

ENFERVORIZAR tr. y prnl. Infundir buen ánimo, fervor, celo ardiente.

ENFEUDAR tr. Dar en feudo un reino, territorio, ciudad, etc. ■ ENFEUDACIÓN.

ENFIELAR tr. Poner en fiel.

ENFIELD C. de Gran Bretaña, al N de Londres; 263 100 hab. Ind. de armas y electrónica.

ENFIESTARSE prnl. *Chile*, *Col.*, *Hond.*, *Méx.* y *Ven.* Estar de fiesta, divertirse.

ENFILAR tr. Pasar por un hilo, cuerda o alambre, ensartándolas, cosas como perlas, cuentas o anillos. • Enhebrar la aguja. • tr. Dirigir la vista, ver o divisar en determinada dirección. • tr., intr. y prnl. Tomar una determinada dirección. • tr. Dirigir la visual a dos objetos distantes entre sí, desde un punto que esté en el mismo plano vertical que ellos. • tr. *Mil.* Colocar la artillería al flanco de un frente fortificado, de un puesto o de una tropa, para batirlo con fuego directo. ■ ENFILACIÓN; ENFILADO, DA.

ENFISEMA m. *Pat.* Tumefacción producida por aire o gas en el tejido pulmonar, en el celular o en la piel. ■ ENFISEMATOSO, SA.

ENFISTOLARSE prnl. y tr. Pasar una llaga al estado de fístula.

ENFITEUSIS amb. Cesión perpetua o por largo tiempo del dominio útil de un inmueble, mediante el pago anual de un canon y de laudemio por cada enajenación de dicho dominio. • Contrato enfitéutico. ■ ENFITEUTA; ENFITÉUTICO, CA.

ENFLACAR intr. Adelgazar, enflaquecer.

ENFLAQUECER tr. Poner flaco a uno, minorando su corpulencia o fuerzas. • fig. Debilitar, enervar. • intr . y prnl. Ponerse flaco. • fig. Desmayar, perder ánimo. ■ ENFLAQUECIMIENTO.

Talla alegórica del mes de **enero.** Catedral de Parma, Italia

Enfermedad. Detalle de una miniatura de la *Miscelánea médica* de Roger de Salerno

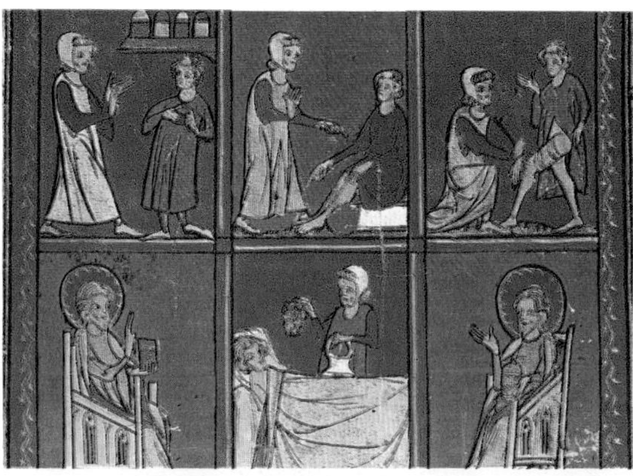

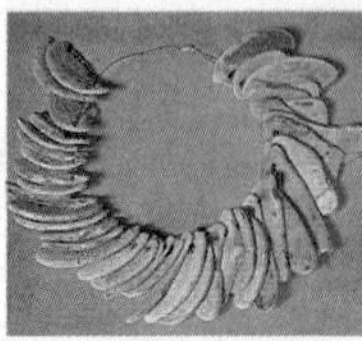

Collar de valvas **engarzadas** procedentes de una sepultura prehistórica de Santa Coloma de Queralt. Barcelona, España

Engaste. Arriba, de pestaña; abajo, de garras

ENFLAUTADO, DA adj. fam. Persona presuntuosa, rimbombante. • f. *Hond.* y *Perú.* Majadería.
ENFLAUTADOR, RA adj. fam. Que enflauta. • m. y f. fam. Alcahuete, encubridor.
ENFLAUTAR tr. Hinchar, soplar. • fam. Alcahuetear. • fam. Alucinar, engañar. • *Col.*, *Guat.* y *Méx.* Encajar algo inoportuno o molesto.
ENFLORAR tr. Florear, engalanar con flores.
ENFOCAR tr. Hacer que la imagen de un objeto producida en el foco de una lente se recoja con claridad sobre un plano u objeto determinado. • fig. Descubrir y comprender los puntos esenciales de un problema, para tratarlo acertadamente. ■ ENFOQUE.
ENFOSCAR tr. *Const.* Tapar los agujeros que quedan en una pared después de labrada. • *Const.* Guarnecer con mortero un muro. • prnl. Ponerse hosco y ceñudo. • Enfrascarse, engollarse en un negocio. • Encapotarse, cubrirse el cielo de nubes. ■ ENFOSCADO, DA.
ENFRAILAR tr. Hacer fraile a uno. • intr. y prnl. Meterse fraile.
ENFRANQUE m. Parte más estrecha de la suela del calzado, entre la planta y el tacón.
ENFRANQUECER tr. Hacer franco o libre.
ENFRASCAR tr. Echar o meter en frascos algunas cosas. • prnl. Enzarzarse, meterse en una espesura. • Entregarse alguien a una cosa con gran interés y atención. ■ ENFRASCADO, DA; ENFRASCAMIENTO.
ENFRENAR tr. Poner el freno al caballo. • Enseñarle a que obedezca. • Contenerlo y sujetarlo. • tr. y prnl. fig. Refrenar, reprimir.
ENFRENTAR tr., intr. y prnl. Afrontar, poner frente a frente. • tr. y prnl. Afrontar, hacer frente, oponer. ■ ENFRENTAMIENTO.
ENFRENTE adv. lugar. A la parte opuesta, en punto que mira a otro, o que está delante de otro. • adv. modo. En contra, en pugna.
ENFRIAMIENTO m. Acción y efecto de enfriar. • Indisposición que se caracteriza por síntomas catarrales, resultado de la acción del frío atmosférico sobre el cuerpo. • En física nuclear, disminución de la actividad radiactiva de un material a causa de su desintegración.
ENFRIAR tr., intr. y prnl. Poner o hacer que se ponga fría una cosa. • tr. y prnl. fig. Entibiar los afectos, templar la fuerza y el ardor de las pasiones; amortiguar la eficacia en las obras. • tr. *Méx.* y *P. Rico.* Matar. • prnl. Quedarse fría una persona. ■ ENFRIADERA; ENFRIADERO; ENFRIADOR, RA.
ENFRONTAR tr. e intr. Llegar al frente de alguna cosa. • Afrontar, hacer frente.
ENFROSCARSE prnl. Enfrascarse.
ENFULLAR tr. fam. Hacer trampas en el juego.
ENFULLINARSE prnl. *Chile* y *Méx.* Atufarse.
ENFUNCHAR tr. y prnl. *Cuba* y *P. Rico.* Enojar, enfadar.
ENFUNDAR tr. Poner una cosa dentro de su funda. • Llenar, henchir. ■ ENFUNDADURA.
ENFUÑARSE prnl. *Cuba.* Enfurruñarse.
ENFURECER tr. y prnl. Irritar a uno, o ponerle furioso. • tr. Ensoberbecer. • prnl. fig. Alborotarse, alterarse. ■ ENFURECIMIENTO.
ENFURRUÑARSE o **ENFURRUSCARSE** prnl. fam. Ponerse enfadado. • fam. Enfoscarse, encapotarse el cielo. ■ ENFURRUÑAMIENTO.
ENFURTIR tr. y prnl. Dar en el batán a los paños y otros tejidos de lana el cuerpo correspondiente. • Apelmazar el pelo. ■ ENFURTIDO, DA.
ENGABANADO, DA adj. Cubierto con gabán.
ENGACE m. Engarce. • fig. Dependencia y conexión que tienen unas cosas con otras.
ENGAFAR tr. Armar la ballesta con la gafa. • Poner la escopeta en el seguro. • Enganchar con gafas.
ENGAITAR tr. fam. Engañar con promesas y con palabras artificiosas y deslumbradoras.
ENGALABERNAR tr. *Col.* Embarbillar.
ENGALANAR tr. y prnl. Poner galana una cosa, adornar.
ENGALGAR tr. Apretar la galga contra el cubo de la rueda de un carruaje para impedir que gire. • Calzar las ruedas de los carruajes con la plancha para impedir que giren. • *Mar.* Afirmar a la cruz de un ancla el cable de un anclote para mayor sujeción del buque.
ENGALLADURA f. Galladura.
ENGALLAR tr. Levantar el cuello. • prnl. Erguirse, estirarse. • *Eq.* Levantar la cabeza y recoger el cuello el caballo, obligado por el freno o engallador. • fig. Comportarse con arrogancia, adoptar una actitud retadora. ■ ENGALLADO, DA; ENGALLADOR; ENGALLAMIENTO; ENGALLE.
ENGANCHAR tr., intr. y prnl. Agarrar una cosa con gancho o colgarla de él. • tr. e intr. Poner las caballerías en los carruajes de manera que puedan tirar de ellos. • tr. fig. y fam. Atraer a uno con arte, captar su afecto o su voluntad. • Atraer a uno a que siente plaza de soldado, ofreciéndole dinero. • Coger el toro al bulto y levantarlo con los pitones. • prnl. Sentar plaza de soldado.
ENGANCHE o **ENGANCHAMIENTO** m. Acción y efecto de enganchar o engancharse. • Pieza o aparato dispuesto para enganchar.
ENGANCHÓN m. Acción y efecto de engancharse la ropa o la cabellera en un objeto punzante.
ENGAÑABOBOS com. fam. Persona que pretende embaucar o deslumbrar. • Cosa que engaña o defrauda con su apariencia.
ENGAÑADOR, RA adj. Que engaña. • adj. y s. fig. Que atrae dulcemente el cariño.
ENGAÑANECIOS m. Engañabobos, persona que pretende embaucar o deslumbrar.
ENGAÑAPASTORES m. Chotacabras.
ENGAÑAR tr. Dar a la mentira apariencia de verdad. • Inducir a otro a creer y tener por cierto lo que no es. • Producir ilusión, como acontece con algunos fenómenos naturales. • Entretener, distraer. • Hacer más apetitoso un manjar. • Engatusar. • prnl. Cerrar los ojos a la verdad, por ser más grato el error. • Equivocarse. • Faltar a la fidelidad conyugal. ■ ENGAÑOSO, SA.
ENGAÑIFA f. fam. Engaño artificioso con apariencia de utilidad.
ENGAÑO m. Falta de verdad, falsedad. • Cualquier arte o armadijo para pescar. • *Taur.* Muleta o capa de que se sirve el torero para engañar al toro. • **Llamarse** uno **a e.** fam. Retraerse de lo pactado, por haber reconocido engaño en el contrato.
ENGARABATAR tr. fam. Agarrar con garabato. • tr. y prnl. Poner una cosa en forma de garabato.
ENGARABITAR intr. y prnl. Trepar, subir a lo alto. • tr. y prnl. Engarabatar, dicho especialmente de los dedos que se encogen entumecidos por el frío.
ENGARBADO, DA adj. Díc. del árbol que al ser derribado queda sostenido por la copa de otro.
ENGARBARSE prnl. Encaramarse las aves a lo más alto de un árbol o de otra cosa.
ENGARBULLAR tr. fam. Confundir, enredar una cosa con otras.
ENGARCE m. o **ENGARZADURA** f. o **ENGARZAMIENTO** m. Acción y efecto de engarzar. • Metal en que se engarza alguna cosa.
ENGARGANTADURA f. Engargante.
ENGARGANTAR tr. Meter una cosa por la garganta o tragadero, como se hace con las aves cuando se ceban a mano. • intr. Engranar. • intr. y prnl. Meter el pie en el estribo hasta la garganta.
ENGARGANTE m. Encaje de los dientes de una rueda o barra dentada en los intersticios de otra.
ENGARGOLADO, DA m. Ranura por la cual se desliza una puerta corredera. • *Carp.* Ensambladura, trabazón de lengüeta y ranura que une dos piezas de madera.
ENGARGOLAR tr. Ajustar las piezas que tienen gárgoles.
ENGARITAR tr. Fortificar o adornar con garitas una fortaleza. • fam. Engañar con astucia.
ENGARNIO m. fam. Plepa, persona o cosa que no vale para nada.
ENGARRAFAR tr. fam. Agarrar fuertemente una cosa.
ENGARRAR tr. Agarrar. ■ ENGARRO.
ENGARRIAR intr. y prnl. Trepar, encaramar.
ENGARRONAR tr. Apiolar un animal muerto.
ENGARROTAR tr. y prnl. Causar entumecimiento de los miembros el frío.
ENGARZAR tr. Trabar una cosa con otra u otras, formando cadena, por medio de hilo de metal. • Rizar el pelo. • Engastar. • prnl. En algunas partes, enzarzarse, enredarse unos con otros.
ENGASGARSE prnl. Atragantarse.
ENGASTAR tr. Encajar una cosa en otra.
ENGASTE m. o **ENGASTADURA** f. Acción y

efecto de engastar. • Guarnición de metal que abraza y asegura lo que se engasta. • Perla desigual que por un lado es llana o chata y por el otro redonda.
ENGATADO, DA adj. Habituado a hurtar, como el gato; ratero.
ENGATAR tr. fam. Engañar halagando.
ENGATILLADO, DA adj. Díc. del caballo y el toro que tienen el pescuezo grueso y levantado por la parte superior. • m. *Ind.* Procedimiento de unión de dos chapas metálicas consistente en doblar el borde de cada una, enlazarlas y machacarlas. • Obra de madera, gralte. para techar los edificios, en la cual unas piezas están trabadas con otras por medio de gatillos de hierro.
ENGATILLAR tr. Unir dos chapas metálicas por el procedimiento del engatillado. • *Arq.* Sujetar con gatillo. • *Arq.* Encajar los extremos de los maderos de piso en las muescas de una viga. • *Pint.* Reforzar la tabla de una pintura con gatillo. • prnl. Hablando de armas de fuego, fallar el mecanismo de disparar.
ENGATUSAR tr. fam. Ganar la voluntad de uno con halagos.
ENGAVETAR tr. *Guat.* Guardar algo en una gaveta por tiempo indefinido.
ENGAVIAR tr. y prnl. Subir a lo alto.
ENGAVILLAR tr. Agavillar.
ENGAZAR tr. Engarzar. • En el obraje de paños, teñirlos después de tejidos. • *Mar.* Poner gazas a los motones, cuadernales y vigotas.
ENGELS C. de Rusia, junto al Volga; 177 000 hab. Centro industrial.
ENGELS, *Friedrich* (1820-1895) Filósofo y economista al. En 1845 publicó *La situación de las clases trabajadoras en Inglaterra.* Tras su encuentro con Marx en 1844, nació una íntima amistad que les hizo inseparables. Juntos propusieron una nueva concepción del mundo, basada en el materialismo histórico-dialéctico, que sintetizaba tres corrientes: la dialéctica hegeliana, el socialismo utópico fr. y el materialismo mecanicista. Con Marx colaboró en *La sagrada familia, La ideología alemana* y *El manifiesto comunista,* realizado por mandato de la Liga de los comunistas (1848). Realizó aportaciones esenciales al marxismo en otras áreas científicas: *Dialéctica de la naturaleza, El origen de la familia, La propiedad privada y el estado, Del socialismo utópico al socialismo científico, Ludwig Feuerbach y el fin de la filosofía clásica alemana. El Anti-Dühring,* constituyó el primer intento de sistematización filosófico-científica del cuerpo teórico del marxismo.
ENGENDRAR tr. Procrear, propagar la propia especie. • tr. y prnl. fig. Causar, ocasionar, formar. • tr. *Geom.* Formar una línea, superficie o cuerpo por desplazamiento o rotación de otro punto, línea o superficie. ■ ENGENDRAMIENTO.
ENGENDRO m. Feto. • Criatura informe que nace sin la proporción debida. • fig. Plan, designio u obra intelectual mal concebidos.
ENGERIDOR m. Instrumento de jardinería para hacer injertos.
ENGERIR tr. Introducir por la boca alimentos y bebidas.
ENGHIEN, *Henri,* DUQUE DE (1772-1804) Príncipe fr. de la casa de Borbón. Emigró al estallar la Revolución fr. y formó parte del ejército realista que combatió a los rev. Acusado de traición, fue fusilado después de un juicio sumarísimo.
ENGIBAR tr. y prnl. Hacer corcovado a uno.
ENGLOBAR tr. Incluir o considerar reunidas varias cosas en una sola.
ENGOLADO, DA adj. Díc. de la voz, articulación o acento que tiene resonancia en el fondo de la boca o en la garganta. • fig. Díc. del hablar afectadamente grave y enfático. • Fatuo.
ENGOLAR tr. Dar resonancia gutural a la voz. ■ ENGOLAMIENTO.
ENGOLFAR tr. *Mar.* Meter una embarcación en el golfo. • intr. y prnl. *Mar.* Entrar una embarcación muy adentro del mar, de manera que ya no se divise desde tierra. • prnl. y tr. fig. Meterse mucho en el asunto, dejarse llevar, arrebatarse de un pensamiento o afecto.
ENGOLILLADO, DA adj. fam. Que andaba siempre con la golilla puesta. • fig. y fam. Díc. de la persona que se precia de observar con rigor los estilos antiguos.
ENGOLLAMIENTO m. fig. Presunción.
ENGOLLETARSE prnl. fam. Engreírse, envanecerse. ■ ENGOLLETADO, DA.
ENGOLLIPARSE prnl. Atragantarse. • Atiborrarse, llenarse hasta el gaznate.
ENGOLONDRINAR tr. y prnl. Engreír, envanecer. • prnl. fam. Enamoricarse.
ENGOLOSINAR tr. Excitar el deseo de uno con algún atractivo. • prnl. Aficionarse, tomar gusto a una cosa.
ENGOMADO, DA adj. *Chile.* Peripuesto, acicalado.
ENGOMADURA f. Acción y efecto de engomar. • Primer baño que las abejas dan a las colmenas antes de fabricar la cera.
ENGOMAR tr. Impregnar y untar de goma.
ENGOMINAR prnl. Untarse de gomina. • fig. *Chile.* Acicalarse, emperifollarse.
ENGONZAR tr. Unir con gonces.
ENGORDA f. *Chile* y *Méx.* Engorde, ceba. • *Chile* y *Méx.* Conjunto de animales que se ceban para la matanza.
ENGORDADERO m. Sitio o paraje en que se tienen los cerdos para engordarlos. • Tiempo en que se engordan. • Alimento con que se engordan.
ENGORDAR tr. Cebar, dar mucho de comer para poner gordo. • intr. y prnl. Ponerse gordo, crecer en gordura. • intr. fig. y fam. Hacerse rico. ■ ENGORDE.
ENGORRAR tr. *Ven.* Fastidiar, molestar. • prnl. Quedarse prendido o sujeto en un gancho. • Entrar una espina o púa en la carne de modo que no se pueda sacar fácilmente.
ENGORRO m. Embarazo, impedimento. ■ ENGORROSO, SA.
ENGOZNAR tr. Clavar o fijar goznes. • Encajar en un gozne.
ENGRANAJE m. Efecto de engranar. • *Mec. apl.* Conjunto de dientes de una máquina que transmite el movimiento entre dos ejes sin pérdida de potencia. • fig. Enlace, trabazón de ideas, circunstancias o hechos. • **tren de e.** Cuando en la transmisión intervienen más de dos ruedas.
* *Mec. apl.* Según sea la disposición relativa de los ejes de las respectivas ruedas y la forma de los dientes de ambas, los e. se clasifican en: rectos, que transmiten, mediante ruedas cilíndricas de dientes rectos, el movimiento entre ejes paralelos; helicoidales, o e. de ruedas cilíndricas con dientes en hélice, que se emplean para transmitir el movimiento entre ejes que se cruzan en el espacio; de tornillo sin fin, variedad del anterior, que se utiliza para transmitir el movimiento entre ejes que se cruzan en ángulo recto. Si en la transmisión intervienen más de dos rue-

Friedrich **Engels.** Escultura en bronce de Walter Howard

Engranaje. Arriba, ruedas dentadas de un reloj; abajo, diversos tipos de engranajes: a. cilíndrico recto; b. cilíndrico helicoidal; c. piñón y cremallera; d. par cónico recto; e. par cónico helicoidal; f. par helicoidal cruzado; g. par hipoide; h. dentado en ángulo; i. tornillo sin fin

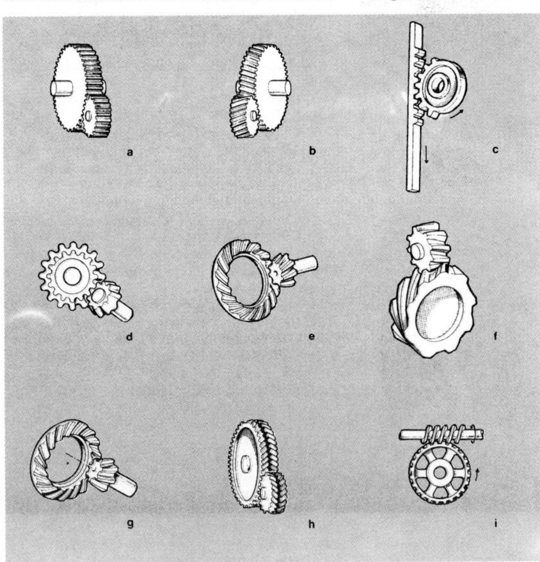

das, el conjunto constituye un tren de engranajes.
ENGRANAR intr. Encajar los dientes de una rueda. • fig. Enlazar, trabar.
ENGRANDAR tr. Agrandar.
ENGRANDECER tr. Aumentar, hacer grande una cosa. • Alabar, exagerar. • tr. y prnl. fig. Elevar a uno a grado o dignidad superior.
ENGRANDECIMIENTO m. Dilatación, aumento. • Ponderación, exageración. • Acción de elevar a uno a dignidad superior.
ENGRANE m. Movimiento simultáneo de deslizamiento y rodadura en que las partes salientes de una rueda dentada encajan en los entrantes de otra.
ENGRANERAR tr. Encerrar el grano; ponerlo en el granero o panera.
ENGRANUJARSE prnl. Llenarse de granos. • Hacerse granuja, apicararse.
ENGRAPAR tr. Enlazar o unir con grapas. ■ ENGRAPADORA.
ENGRASAR tr. Dar sustancia y crasitud a una cosa. • Encrasar las tierras. • tr. y prnl. Untar, manchar con pringue o grasa. • tr. Adobar con algún aderezo las manufacturas o tejidos. • Untar ciertas partes de una máquina con aceites u otras sustancias lubricantes para disminuir el rozamiento. • prnl. *Méx.* Contraer la enfermedad del saturnismo. ■ ENGRASACIÓN; ENGRASADOR, RA; ENGRASE.
ENGREÍR tr. y prnl. Envanecer. • *Amér.* Encariñar, aficionar. ■ ENGREIMIENTO.
ENGREÑADO, DA adj. Desgreñado.
ENGRESCAR tr. y prnl. Incitar a riña. • Meter a otros en broma, o en una diversión.
ENGRIFAR tr. y prnl. Encrespar, erizar. • prnl. Enamorarse, empinarse una caballería.
ENGRILLAR tr. Meter en grillos. • *P. Rico* y *Ven.* Encapotarse el caballo. • prnl. Echar grillos o tallos las patatas.
ENGRILLETAR tr. *Mar.* Unir por medio de grillete dos trozos de cadena.
ENGRINGARSE prnl. *Amér.* Seguir uno las costumbres de los gringos o extranjeros.
ENGROSAR o **ENGRUESAR** tr. y prnl. Hacer gruesa y más corpulenta una cosa. • tr. fig. Aumentar el número de una colectividad. • intr. Tomar carnes y hacerse más grueso y corpulento. ■ ENGROSAMIENTO.
ENGRUDO m. Suspensión turbia de los granos de almidón tratados previamente con agua caliente (así se hinchan de modo considerable). El e. posee baja concentración, alta viscosidad y, por enfriamiento, forma una jalea consistente. ■ ENGRUDAR.
ENGRUMECERSE prnl. Hacerse grumos.
ENGRUÑAR tr. Arrugar, encoger.
ENGUACHINAR tr. y prnl. Enaguachar, enaguazar.
ENGUALDRAPAR tr. Poner la gualdrapa a una bestia.
ENGUALICHAR tr. *Argent.* y *Ur.* Hechizar, embrujar.
ENGUANTAR tr. y prnl. Cubrir la mano con el guante.
ENGUARAPARSE prnl. *Amér.* Adquirir un líquido el sabor y la calidad del guarapo.
ENGUATAR tr. Entretelar con manta de algodón en rama.
ENGUEDEJADO, DA adj. Aplícase al pelo que está hecho guedejas. • Díc. también de la persona que lleva el cabello de este modo. • fam. Que cuida demasiado de sus guedejas.
ENGUIJARRAR tr. Empedrar con guijarros. ■ ENGUIJARRADO.
ENGUILLOTARSE prnl. fam. Enfrascarse, tener absorbida la atención por algo.
ENGUIRNALDAR tr. Adornar con guirnalda.
ENGUITARRARSE prnl. *Ven.* Vestirse de levita u otro traje de ceremonia.
ENGULLIR tr. e intr. Tragar la comida atropelladamente y sin masticarla.
ENGURRA m. Arruga, encogimiento.
ENGURRIO m. Tristeza, melancolía.
ENGURRUMIR tr. y prnl. Arrugar, encoger.
ENGURRUÑAR tr. y prnl. Encoger, arrugar. • prnl. Encogerse uno, entristecerse.
ENGUSGARSE prnl. Aterirse de frío.
ENHACINAR tr. Hacinar.
ENHARINAR tr. y prnl. Manchar de harina; cubrir con ella la superficie de una cosa.

Casas **enjalbegadas** en Baena, Córdoba (España)

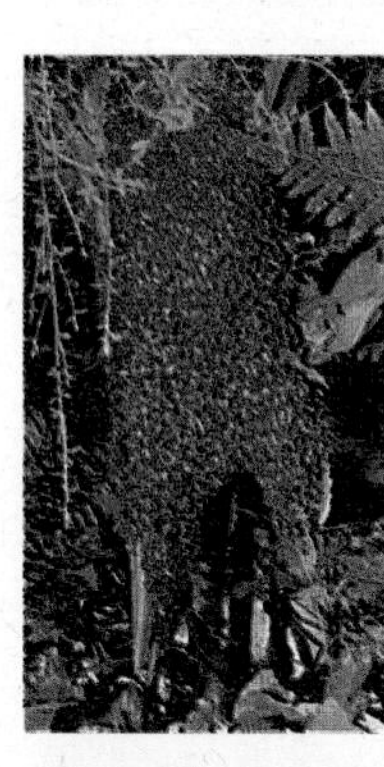

Enjambre de abejas

ENHASTIAR tr. y prnl. Causar hastío, fastidio.
ENHASTILLAR tr. Poner o colocar las saetas en el carcaj.
ENHATIJAR tr. Tapar las bocas de las colmenas con cribas de esparto para transportarlas.
ENHEBILLAR tr. Sujetar las correas a las hebillas.
ENHEBRAR tr. Pasar la hebra por el ojo de la aguja o por el agujero de las cuentas, perlas, etc. • fig. y fam. Decir seguidas muchas cosas sin orden ni concierto.
ENHENAR tr. Cubrir o tapar con heno.
ENHESTAR tr. y prnl. Levantar en alto, poner derecha y levantada una cosa. ■ ENHIESTO, TA.
ENHIELAR tr. Mezclar una cosa con hiel.
ENHILAR tr. Enhebrar. • fig. Ordenar, colocar en su debido lugar las ideas de un escrito o discurso. • fig. Dirigir, guiar o encaminar con orden una cosa. • Enfilar. • intr. Encaminarse a un fin.
ENHOLLINARSE prnl. Mancharse de hollín.
ENHORABUENA f. Felicitación. • adv. modo. Con bien, con felicidad.
ENHORAMALA adv. modo que se emplea para denotar disgusto, enfado o desaprobación.
ENHORCAR tr. Formar horcos, de ajos o cebollas.
ENHORNADORA f. *Ind.* Máquina para cargar por simple gravedad el carbón en las cámaras de destilación de los hornos de obtención de gas.
ENHORNAR tr. Meter una cosa en el horno para asarla o cocerla.
ENHORQUETAR tr. y prnl. *Amér.* Poner a horcajadas.
ENHUERAR o **ENGÜERAR** tr. Volver huero. • intr. y prnl. Volverse huero.
ENIGMA m. Dicho o conjunto de palabras de sentido encubierto para que sea difícil entenderlo. • P. ext., dicho o cosa que difícilmente puede entenderse o interpretarse. ■ ENIGMÁTICO, CA; ENIGMATISTA.
ENIWETOK Atolón de las Marshall, en Micronesia, en el que se probó la primera bomba de hidrógeno (1952).
ENJABEGARSE prnl. Engancharse o enredarse un cabo, cadena, calabrote, etc., con otro o con cualquier objeto, en el fondo del mar.
ENJABONADO, DA adj. *Cuba.* Díc. de la caballería que tiene el pelo oscuro sobre fondo blanco. • m. Acción y efecto de enjabonar.
ENJABONADURA f. Jabonadura.
ENJABONAR tr. Jabonar. • fig. y fam. Dar jabón, adular. • fig. Reprender a uno, increparle.
ENJAEZAR tr. Poner los jaeces a las caballerías.
ENJAGUAR tr. Enjuagar.
ENJALBEGAR tr. Blanquear las paredes. • tr. y prnl. fig. Afeitar, componer el rostro con afeites. ■ ENJALBEGADO, DA; ENJALBEGADURA.
ENJALMA f. Especie de aparejo de bestia de carga, a modo de albardilla. ■ ENJALMAR.
ENJAMBRADERA f. Casquilla. • Abeja maestra. • Abeja que, por el zumbido que produce dentro de la colmena, denota estar en agitación para salir a enjambrar en otra parte o vaso.
ENJAMBRAR tr. Coger las abejas que andan esparcidas, o los enjambres que están fuera de las colmenas. • Sacar un enjambre de una colmena • intr. Separarse de la colmena alguna porción de abejas con su reina. • fig. Multiplicar o producir en abundancia. ■ ENJAMBRADERO; ENJAMBRAZÓN.
ENJAMBRE m. Conjunto de abejas que, con su reina, salen juntas de una colmena. • fig. Muchedumbre de personas o cosas juntas. • *Astr.* Grupo numeroso de pequeños cuerpos celestes, gralte. meteoritos. • En física nuclear, haz de trayectorias de partículas procedentes de una desintegración.
ENJAQUIMAR tr. Poner la jáquima a una bestia.
ENJARCIAR tr. Poner la jarcia a una embarcación.
ENJARDINAR tr. Poner y arreglar los árboles como están los jardines. • Convertir un terreno en jardín. • *Cet.* Poner al ave de rapiña en un prado o paraje verde.
ENJARETADO m. Tablero formado de tabloncillos a modo de enrejado. • *Mar.* Conjunto de barrotes y listones cruzados que constituye el pavimento de ciertas partes del buque por donde se pasa con frecuencia.
ENJARETAR tr. Hacer pasar por una jareta una

cinta. • fig. y fam. Hacer o decir algo sin intermisión y atropelladamente. • Hacer deprisa ciertas cosas. • fig. y fam. Endilgar, encajar algo molesto o inoportuno. • *Argent.*, *Méx.* y *Ven.* fam. Intercalar, incluir.

ENJARJE m. *Arq.* Unión de varios nervios de una bóveda en el punto de arranque.

ENJAULAR tr. Poner dentro de la jaula. • fig. y fam. Meter en la cárcel.

ENJEBAR tr. Meter los paños en alumbre antes de teñirlos. • Blanquear un muro con yeso.

ENJERIR tr. Injertar, meter una cosa en otra. • Introducir en un escrito una palabra, nota, texto, etc.

ENJERTAL m. Plantío de injertos de árboles frutales.

ENJOYAR tr. Adornar con joyas. • fig. Adornar, hermosear, enriquecer. • Engastar piedras preciosas en una joya.

Operaria **enhornando** una pieza de bollería

ENJOYELADO, DA adj. Aplícase al oro o plata convertido en joyas o joyeles. • Adornado de joyeles.

ENJUAGADIENTES m. Porción de licor que se toma en la boca para enjuagar la dentadura.

ENJUAGAR tr. y prnl. Limpiar la boca y dentadura con agua u otro licor. • tr. Aclarar y limpiar con agua lo que se ha jabonado o fregado. ▪ ENJUAGADURA.

ENJUAGUE o **ENJAGÜE** o **ENJUAGATORIO** m. Acción de enjuagar. • Agua u otro licor que sirve para enjuagar. • Vaso con su platillo, destinado a enjuagarse. • fig. Negociación oculta y artificiosa para conseguirlo que no se espera lograr por los medios regulares.

ENJUGADOR, RA adj. Que enjuga. • m. Utensilio que sirve para enjugar o poner a escurrir objetos mojados. • Especie de camilla redonda que sirve para enjugar y calentar la ropa.

ENJUGAR tr. Quitar la humedad a una cosa, secarla. • tr. y prnl. Limpiar la humedad que echa de sí el cuerpo. • fig. Cancelar, extinguir una deuda o un déficit. • prnl. Enmagrecer.

ENJUICIAR tr. fig. Someter una cuestión a examen o juicio. • *Der.* Instruir una causa. • *Der.* Juzgar o sentenciar una causa. • *Der.* Sujetar a uno a juicio. ▪ ENJUICIAMIENTO.

ENJULIO o **ENJULLO** m. Madero colocado horizontalmente en los telares, en el cual se va arrollando la urdimbre; plegador.

ENJUNCAR tr. y prnl. Cubrir de juncos. • *Mar.* Atar con juncos una vela.

ENJUNDIA f. Gordura que las aves tienen en la overa. • Unto y gordura de cualquier animal. • fig. Lo más sustancioso e importante de alguna cosa no material. • fig. Fuerza, vigor, arrestos. • fig. Constitución connatural de una persona. ▪ ENJUNDIOSO, SA.

ENJUNQUE m. *Mar.* Lastre que se coloca en el fondo de la bodega.

ENJUTA f. *Arq.* Cada uno de los triángulos que deja en un cuadrado el círculo inscrito en él. • *Arq.* Pechina.

ENJUTAR tr. y prnl. *Const.* Enjugar, secar la cal u otra cosa. • tr. y prnl. *Const.* Rellenar las enjutas de las bóvedas.

ENJUTEZ f. Sequedad o falta de humedad.

ENJUTO, TA adj. Delgado, seco. • m. pl. Tascos y palos secos para encender lumbre. • Bocados ligeros que excitan la gana de beber.

ENKI Uno de los tres dioses supremos del panteón sumerio, señor de los infiernos, también llamado Ea.

ENLABIAR tr. Acercar, aplicar los labios. • Seducir, engatusar con palabras y promesas.

ENLACE m. o **ENLAZADURA** f. o **ENLAZAMIENTO** m. Acción de enlazar. Unión, conexión de una cosa con otra. • Dicho de los trenes, empalme. • fig. Parentesco. • Persona que sirve para que se comuniquen otras entre sí. • *Quím.* Unión entre los átomos de un compuesto.

* *Quím.* El e. se debe a la estructura electrónica de los átomos y a su tendencia a adquirir la configuración de gas noble, mediante la unión con otros átomos. Hay tres tipos de e. químico: iónico o electrovalente, covalente y metálico. El e. es covalente cuando dos átomos comparten simétricamente pares de electrones. El e. iónico tiene lugar cuando un átomo cede uno o más electrones, transformándose en ión positivo, y otro los acepta, corvirtiéndose en negativo; los átomos cargados eléctricamente (iones) se atraen por fuerza electrostática. Los metales están formados por una red de iones positivos sumergidos en una nube de electrones (e. metálico).

ENLACIAR tr., intr. y prnl. Poner lacia una cosa.

ENLADRILLAR tr. Solar, formar de ladrillos el pavimento. ▪ ENLADRILLADO, DA.

ENLAGUNAR tr. y prnl. Cubrir de agua un terreno y transformarlo en laguna.

ENLAMAR tr. Cubrir de lama los campos.

ENLANADO, DA adj. Cubierto o lleno de lana.

ENLARDAR tr. Lardar o lardear.

ENLATAR tr. Meter alguna cosa en cajas o botes de hojalata. • Cubrir un techo o formar una cerca con latas. ▪ ENLATADO, DA.

ENLAZAR tr. Coger o juntar una cosa con lazos. • tr. y prnl. Dar enlace o trabazón a unas cosas con otras. • tr. Aprisionar un animal arrojándole el lazo. • prnl. fig. Casar, contraer matrimonio. • fig. Unirse las familias por medio de casamientos. • Combinar el horario de diferentes medios de transporte, de forma que un viajero, para continuar su viaje, pueda cambiar de uno a otro sin esperar demasiado.

ENLECHAR tr. Cubrir con una lechada.

ENLEGAJAR tr. Reunir papeles en un legajo.

ENLEGAMAR tr. Entarquinar.

ENLEJIAR tr. Meter en lejía. • *Quím.* Disolver en agua una sustancia alcalina.

ENLIGAR tr. Untar con liga, enviscar. • prnl. Enredarse el pájaro en la liga.

ENLIL Una de las tres grandes divinidades sumerias, señor del viento.

ENLISTONAR tr. Listonar. ▪ ENLISTONADO, DA.

ENLLANTAR tr. Guarnecer con llantas las ruedas de un vehículo.

ENLLENTECER tr. y prnl. Reblandecer.

ENLOBREGUECER tr. y prnl. Oscurecer, poner lóbrego. • tr. Dar con lodo a una tapia.

ENLODAR o **ENLODAZAR** tr. y prnl. Manchar con lodo. • fig. Manchar, infamar. • tr. Dar de lodo a una tapia, embarrar. • *Min.* Tapar con arcilla las grietas de un barreno.

ENLOQUECER tr. Hacer perder el juicio a uno. • intr. Volverse loco. • *Agr.* Dejar los árboles de dar fruto o darlo con irregularidad. • fam. Chiflar. ▪ ENLOQUECEDOR, RA; ENLOQUECIMIENTO.

ENLOSAR tr. Cubrir el suelo con losas unidas y ordenadas. ▪ ENLOSADO, DA.

ENLOZANARSE prnl. Lozanear, mostrar lozanía.

ENLOZAR tr. *Amér.* Cubrir con un baño de loza o de esmalte vítreo.

ENLUCIR tr. Poner una capa de yeso o mezcla a

Enjuta

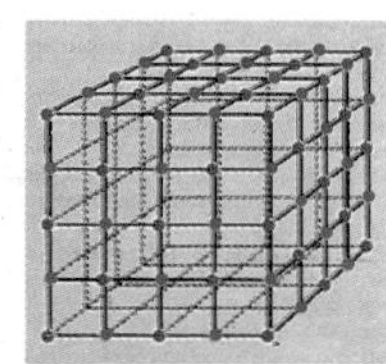

Estructura reticular de un cristal de sal común, en la que los átomos están unidos por **enlaces** iónicos

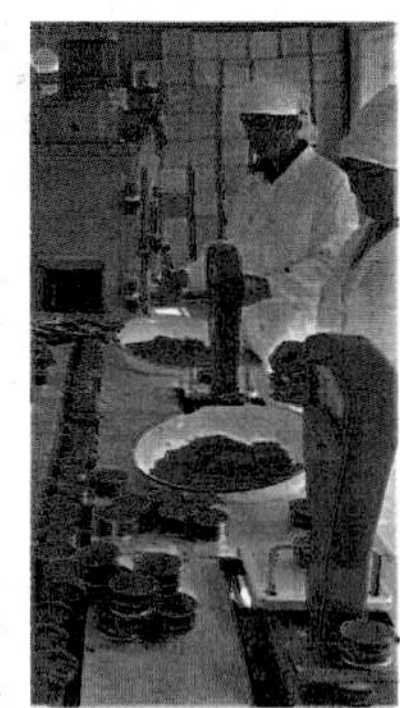

Enlatado de caviar en una factoría de Rusia

las paredes, techos o fachadas de los edificios. • Limpiar, poner tersa y brillante una superficie. ■ ENLUCIDO, DA.

ENLUSTRECER tr. Limpiar y lustrar una cosa.

ENLUTAR tr. y prnl. Cubrir de luto. • fig. Oscurecer, privar de luz. • tr. fig. Entristecer.

ENMADEJAR tr. *Chile.* Aspar, hacer madeja.

ENMADERAR tr. Cubrir con madera. • Construir el maderamen de un edificio. ■ ENMADERACIÓN; ENMADERADO, DA; ENMADERAMIENTO.

ENMADRARSE prnl. Encariñarse excesivamente el hijo con la madre.

ENMAGRECER tr., intr. y prnl. Enflaquecer.

ENMALECER tr. Dañar o echar a perder algo. • prnl. Cubrirse de maleza un campo.

ENMALLARSE prnl. Quedarse un pez sujeto entre las mallas de la red.

ENMALLE m. Arte de pesca que consiste en redes que se colocan en posición vertical de tal modo que al pasar los peces quedan enmallados.

ENMANGAR tr. Poner mango a un instrumento.

ENMANIGUARSE prnl. *Cuba.* Convertirse un terreno en manigua. • *Cuba.* fig. Acostumbrarse a la vida del campo.

ENMARAÑAR tr. y prnl. Enredar una cosa. • fig. Enredar un asunto haciendo más difícil su buen éxito. • prnl. Cubrirse de celajes el cielo.

ENMARARSE prnl. *Mar.* Entrar la nave en alta mar.

ENMARCAR tr. Encerrar en un marco.

ENMARIDAR tr. y prnl. Casarse la mujer.

ENMAROMAR tr. Atar o sujetar con maroma.

ENMASCARAR tr. y prnl. Cubrir el rostro con máscara. • fig. Encubrir, disfrazar. ■ ENMASCARADO, DA; ENMASCARAMIENTO.

ENMASILLAR tr. Cubrir con masilla los repelos o grietas de la madera. • Sujetar con masilla los cristales a los bastidores de las vidrieras.

ENMELAR tr. Untar con miel. • Hacer miel las abejas. • fig. Endulzar una cosa.

ENMENDAR tr. y prnl. Corregir, quitar defectos. • tr. Proponer una alternativa, total o parcial, a un texto ya redactado. • Resarcir, subsanar los daños. • *Der.* Rectificar un tribunal superior la sentencia dada por él mismo, y que suplicó alguna de las partes. • *Mar.* Variar el rumbo. ■ ENMENDADURA; ENMENDANTE.

ENMIENDA f. Expurgo o eliminación de un error. • Satisfacción y pago del daño hecho. • Propuesta de variante, de un proyecto, informe, etc. • *Der.* En los escritos, rectificación perceptible de errores materiales, la cual debe salvarse al final. • pl. *Agr.* Sustancias que se mezclan con las tierras para hacerlas más productivas.

ENMOHECER tr. y prnl. Cubrir de moho una cosa. • prnl. fig. Inutilizarse, caer en desuso. ■ ENMOHECIMIENTO.

ENMOLLECER tr. y prnl. Ablandar.

ENMONARSE prnl. Pillar una mona, emborracharse.

ENMONTARSE prnl. *Amér. Centr.* Cubrirse un campo de maleza.

ENMORDAR tr. Amordazar, poner mordaza.

ENMOSTAZAR tr. y prnl. Ensuciar con mosto.

ENMUDECER tr. Hacer callar. • intr. Quedar mudo, perder el habla. • fig. Guardar uno silencio, callarse. ■ ENMUDECIMIENTO.

ENMUGRAR tr. y prnl. *Chile* y *Col.* Enmugrecer, cubrir de mugre.

ENNEDI Región mesetaria del NE de la República de Chad, en el Sáhara. Alcanza una alt. máx. de unos 1 450 m. El pral. centro habitable es Fada.

ENNEGRECER tr. y prnl. Teñir de negro, poner negro. • prnl. fig. Nublarse.

ENNEGRECIMIENTO m. Acción y efecto de ennegrecer o ennegrecerse. • *Fot.* Fenómeno por el cual se hace visible una imagen latente durante la operación del revelado.

ENNIO, *Quinto* (239-169 a. C.) Escritor latino. *Los anales.*

ENNIS, *Humberto María* (nacido 1903) Jurista arg. *Derecho internacional privado, Los códigos.*

ENNOBLECER tr. fig. Adornar, enriquecer una c., un templo, etc. • fig. Ilustrar, dignificar, realzar y dar esplendor.

ENNUDECER intr. Detenerse el crecimiento de una persona o planta.

Museo **enológico** de Jerez de la Frontera. Cádiz, España

Enredadera de campanillas

ENOC Primer hijo de Caín. Construyó una c. no identificada, llamada como él. • Séptimo patriarca, hijo de Yéred y padre de Matusalén. Vivió 365 años. La lit. pseudoepigráfica le transformó en autor de obras de índole apocalíptica: *Libros primero, segundo y tercero de Enoc, Libro eslavo de Enoc.*

ENODIO m. Ciervo de tres a cinco años de edad.

ENOJAR tr. y prnl. Causar enojo. • tr. Molestar, desazonar. • prnl. fig. Irritarse, enfurecerse. ■ ENOJADIZO, ZA; *Chile* y *Méx.* ENOJÓN, NA; ENOJOSO, SA.

ENOJO m. Ira, cólera. • Molestia, pesar, trabajo. Se usa más en plural.

ENOL m. *Quím.* Alcohol no saturado de la serie etilénica, que contiene un oxhidrilo próximo a un doble enlace, —C(OH)=.

ENOLOGÍA f. Conjunto de conocimientos relativos a los vinos. ■ ENOLÓGICO, CA; ENÓLOGO.

ENÓMANO *Mit. gr.* Rey de Pisa, en la Elida, hijo de Ares y de Arpina, y padre de Hipodamia.

ENORGULLECER tr. y prnl. Llenar de orgullo.

ENORMIDAD f. Exceso, tamaño desmedido. • fig. Gravedad. • Despropósito, desatino. ■ ENORME.

ENOSIS (gr., unión) f. Doctrina política que propugna la unión de Chipre a Grecia.

ENOTECNIA f. Arte de elaborar los vinos.

ENOTERÁCEO, A adj. y f. *Bot.* Díc. de los individuos de una familia de plantas, herbáceas en su mayoría, que viven en las regiones cálidas de América. • adj. *Bot.* Relativo a estas plantas. • f. pl. *Bot.* Familia de dichas plantas.

ENQUICIAR tr. y prnl. Poner la puerta, ventana u otra cosa en su quicio. • tr. Poner en orden, afirmar.

ENQUILLOTRAR tr. y prnl. Engreír, desvanecer. • prnl. fam. Enamorarse.

ENQUIRIDIÓN m. Libro manual, aquel que constituye una colección resumida de preceptos y enseñanzas.

ENQUISTAMIENTO m. *Biol.* Forma de defensa de algunos microorganismos consistente en la secreción de una cápsula de tejido laminar, dentro de la cual permanecen en estado latente.

ENQUISTARSE prnl. *Med.* Formarse un quiste. ■ ENQUISTADO, DA.

ENRABAR tr. Arrimar un carro por su parte posterior para la carga y descarga. • Sujetar con cuerdas la carga trasera de un carro.

ENRABIAR tr. y prnl. Encolerizar.

ENRAGÉS Voz fr. que significa «rabiosos» y que se aplicaba al ala radical de los revolucionarios, dirigida por el abate Roux, durante la Rev. fr.

ENRAIZAR intr. Arraigar, echar raíces.

ENRALECER intr. Ponerse ralo.

ENRAMADO, DA m. *Mar.* Conjunto de cuadernas de un buque. • f. Conjunto de ramas espesas y entrelazadas. • Adorno formado de ramas de árboles. • Cobertizo hecho de ramas.

ENRAMAR tr. Enlazar y entretejer varios ramos. • *Mar.* Arbolar y afirmar las cuadernas del buque en construcción. • intr. Echar ramas un árbol. • prnl. Ocultarse entre ramas. ■ ENRAME.

ENRAMBLAR tr. Poner los paños en la rambla.

ENRANCIAR tr. y prnl. Poner o hacer rancia una cosa.

ENRARECER tr. y prnl. Dilatar un cuerpo gaseoso haciéndolo menos denso. • tr., intr. y prnl. Hacer que escasee, que sea rara una cosa. ■ ENRARECIMIENTO.

ENRASAR tr. en intr. *Const.* Igualar una obra con otra, de suerte que tengan una misma altura. • *Const.* Hacer que quede plana y lisa la superficie de una obra. ■ ENRASADO, DA; ENRASE.

ENRASILLAR tr. *Const.* Colocar la rasilla entre las barras de hierro que forman el armazón de los pisos.

ENRATONARSE prnl. fam. Ratonarse.

ENRAYAR tr. Fijar los rayos en las ruedas de los carruajes. • Engalgar una rueda por uno de sus rayos.

ENRAZAR tr. *Col.* Cruzar animales o mezclarse personas. ■ ENRAZADO, DA.

ENREDADERA adj. y s. Díc. de las plantas de tallo voluble o trepador. • f. *Bot.* Planta convolvulácea, de tallos trepadores y flores en campanillas róseas, con cinco radios más oscuros. • **de campanillas.** *Bot.* Planta trepadora, convolvulácea, hojas acorazonadas, anchas, y flores campanudas, moradas, azules o abigarradas.

ENREDAR tr. Prender con red. • Tender las redes o armarlas para cazar. • tr. y prnl. Enlazar, entretejer , enmarañar una cosa con otra. • tr. Meter discordia o cizaña. • fig. Meter en un mal asunto. • intr. Travesear, revolver. • prnl. Sobrevenir dificultades y complicaciones en un asunto. • fam. Amancebarse. ■ ENREDADOR, RA; *Argent, Chile, Ecuad.* y *Perú.* ENREDISTA.

ENREDIJO m. fam. Enredo, lío.

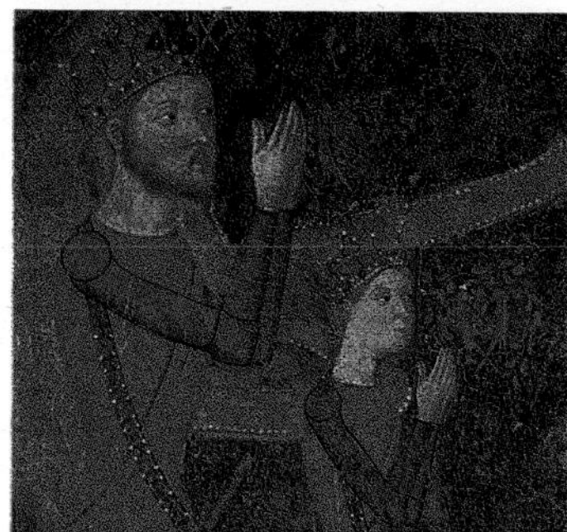

Enrique II de Castilla y León y su hijo en actitud orante. Detalle de una tabla del s. XIV

ENREDO m. Maraña que resulta de trabarse entre sí desordenadamente los hilos u otras cosas flexibles. • fig . Travesura o inquietud. • fig. Engaño, mentira que ocasiona disturbios. • fig. Complicación difícil de salvar. • fig. En los poemas épico y dramático y la novela, conjunto de los sucesos, enlazados unos con otros, que preceden al desenlace. • pl. fam. Trebejos, trastos. ■ ENREDOSO, SA.

ENREHOJAR tr. Revolver en hojas la cera que está en los pilones.

ENREJADO m. Conjunto de rejas. • Especie de celosía, hecha de cañas o varas entretejidas. • Emparrillado. • Labor de manos que se hace entretejiendo y anudando hilos.

ENREJADURA f. *Vet.* Herida producida por la reja del arado en las patas de los animales que tiran de él.

ENREJAR tr. Poner, fijar la reja en el arado. • Herir con la reja del arado los pies de los bueyes, caballerías, etc. • Cercar con rejas, cañas o varas los huertos, jardines, etc.; poner rejas en los huecos de un edificio. • Colocar en pila ladrillos, tablas u otras piezas iguales, cruzándolas ordenadamente de modo que entre ellos queden varios espacios vacíos a modo de enrejado. • *Méx.* Zurcir la ropa. • *Amér.* Poner el rejo o soga a un animal, manearlo.

ENREVESADO, DA adj. Revesado.

ENRIAR tr. Meter en el agua por algunos días el lino, cáñamo o esparto para su maceración. ■ ENRIAMIENTO.

ENRIELAR tr. Hacer rieles. • Echar los metales en la rielera. • tr. y prnl. *Chile* y *Méx.* Meter en el riel, encarrilar. • tr. fig. *Chile.* Encarrilar.

ENRIENDAR tr. *Argent.* Poner la rienda.

ENRIPIAR tr. *Const.* Poner ripio en un hueco.

ENRIQUE m. Moneda de oro mandada acuñar por Enrique IV de Castilla.

ENRIQUE Nombre de diversos reyes y emperadores de varios países.

ALEMANIA

ENRIQUE II, *el Santo* (973-1024) Emp. de Alemania [1002-1024]. Fue proclamado rey de Italia, y emp. en Roma (1014). • **III, *el Negro*** (1017-1056) Emp. de Alemania [1039-1056]. Hijo y sucesor de Conrado II. Pacificó Italia y Alemania, e impuso su soberanía a eslavos, bohemios y polacos. • **IV, *el Grande*** (h. 1050-1106) Emp. de Alemania [1056-1106], hijo y sucesor del anterior. Se enfrentó con el papa Gregorio VII, y se hizo coronar emp. en Roma (1084). • **V** (1081-1125) Emp. de Alemania [1106-1125], hijo y sucesor del anterior. Siguió el enfrentamiento con la Iglesia. Firmó con el Papado el concordato de Worms. • **VI** (1165-1197) Emp. de Alemania [1190-1197], hijo y sucesor de Federico I Barbarroja. Intentó unir al imperio el reino de Sicilia. • **VII** → Enrique de Hohenstaufen. • **VII de Luxemburgo** (1269-1313) Emp. de Alemania, hijo de Enrique III de Luxemburgo. Intentó pacificar Italia.

Enrique IV, emperador de Alemania

CASTILLA

ENRIQUE I (1203-1217) Rey de Castilla [1214-1217], hijo de Alfonso VIII. • **II de Trastámara** (1333-1379) Rey de Castilla y de León [1369-1379], hijo bastardo de Alfonso XI. Se apoyó en la nobleza en su lucha por el trono, estabilizó la dinastía y pacificó el país. • **III, *el Doliente*** (1379-1406) Rey de Castilla y de León [1390-1406]. Hijo y sucesor de Juan I. Combatió a la nobleza y anuló el poder de las cortes. • **IV, *el Impotente*** (1423-1474) Rey de Castilla y de León [1454-1474], hijo y sucesor de Juan II. Destituido por una coalición nobiliaria (farsa de Ávila).

FRANCIA

ENRIQUE II (1519-1559) Rey de Francia [1547-1559], hijo y sucesor de Francisco I. Luchó contra Carlos V y Felipe II de España, quien le derrotó en San Quintín. • **III** (1551-1589) Rey de Francia [1574-1589]. Sucesor de Carlos IX. Concedió la libertad de cultos en la paz de Beaulieu (1576). • **IV** (1533-1610) Rey de Francia [1589-1610] y de Navarra [1562-1610]. Aseguró la pacificación religiosa con el edicto de Nantes (1598).

Enrique III de Francia presidiendo una ceremonia de la orden del Espíritu Santo

INGLATERRA

ENRIQUE I (1068-1135) Rey de Inglaterra [1100-1135] y duque de Normandía [1106-1135], hijo de Guillermo el Conquistador. Tomó el poder tras un golpe de est. y conquistó Normandía. • **II *Plantagenet*** (1133-1189) Rey de Inglaterra [1154-1189], nieto del anterior. Por las constituciones de Clarendon (1164) se enfrentó a la Iglesia y a Thomas Becket, al que mandó matar. Le sucedió Ricardo Corazón de León. • **III** (1207-1272) Rey de Inglaterra [1216-1272], hijo y sucesor de Juan Sin Tierra. Perdió a manos de Francia la Auvernia y otras regiones. • **IV de Lancaster** (1367-1413) Rey de Inglaterra [1399-1413], fundador de la dinastía de los Lancaster. Usurpó el poder a Ricardo II. • **V** (1387-1422) Rey de Inglaterra [1413-1422] Hijo de Enrique IV. Invadió Normandía y derrotó a los fr. en Azincourt (1415). • **VI** (1421-1471) Rey de Inglaterra [1422-1461 y 1470-1471]. Hijo de Enrique V. Durante su agitado reinado se levantó la familia York (guerra de las Dos Rosas). • **VII** (1457-1509) Rey de Inglaterra [1485-1509]. Jefe de la familia de Lancaster, se emparentó con los York, y puso fin a la guerra de las Dos Rosas. • **VIII** (1491-1547). Rey de Inglaterra e Irlanda [1509-1547]. Segundo hijo de Enrique VII Tudor. Casó con Catalina de Aragón, de la cual quiso divorciarse al no tener descendencia. Al oponerse León X, se hizo reconocer como jefe

Enrique VIII de Inglaterra

supremo de la iglesia de su país. Contrajo matrimonio en cinco ocasiones.

PORTUGAL

ENRIQUE ***el Navegante*** (1384-1460) Príncipe port., hijo de Juan I. Impulsó el descubrimiento de tierras afr. • **I,** ***el Cardenal*** (1512-1580) Rey de Portugal [1578-1580]. Sucedió a don Sebastián, y a su muerte la corona pasó al rey de España, Felipe II.

SICILIA

ENRIQUE de Hohenstaufen (1211-1242) Rey de Sicilia [1212-1242] y de los rom. [1220], por lo que se le conoce también como Enrique VII. Hijo de Federico II, se rebeló contra él y se suicidó en prisión.

ENRIQUE y Tarancón, ***Vicente*** → Tarancón, Vicente Enrique y.

ENRIQUECER tr. Hacer rica a una persona, comarca, etc. • fig. Adornar, engrandecer. • intr. y prnl. Hacerse uno rico. • tr. Prosperar notablemente un país, una empresa, etc.

El príncipe **Enrique** el Navegante de Portugal

ENRIQUECIMIENTO m. Acción y efecto de enriquecer o enriquecerse. • *Min.* Operación destinada a aumentar la proporción de material útil en una mena, eliminando parte de la ganga. • En tecnología nuclear, proceso por medio del cual se varía la relación isotópica de un elemento.

ENRIQUES, ***Federico*** (1871-1946) Geómetra it. Autor de una teoría de las superficies algebraicas, de estudios epistemológicos y de historia de la ciencia. *Problemas de la ciencia, Lecciones sobre la teoría de las superficies algebraicas.*

ENRÍQUEZ Familia cast., una de las más poderosas del reino durante la Baja E. Med. y principios de la E. Mod. Sus miembros ostentaron los títulos de almirantes de Castilla, condes de Melgar y duques de Medina de Rioseco, con grandeza de España. El fundador de la familia fue **Alfonso** (1354-1429), hijo bastardo de Enrique II y primer almirante de Castilla. • ***Alberto*** (1894-1962) Militar y político ecuat. Derrocó al presid. Páez (1937) y lo reemplazó hasta su renuncia al año siguiente. Dictó importantes leyes. • ***Carlos*** (1901-1957) Pintor cub. Influido por el surrealismo. *Desnudo, El rapto de las mulatas, Retrato de Marta.* • **de Almansa,** ***Martín*** (s. XVI) Virrey de Nueva España (1568-1580); estableció la Inquisición en América. De 1581 a 1583 fue virrey de Perú. • **de Guzmán,** ***Luis*** (s. XVII) Virrey de Nueva España (1650-1653) y de Perú (1655-1667). Durante su virreinato, Jamaica cayó en poder de los ing. • **de Ribera,** ***Payo*** (m. 1684) Eclesiástico y virrey esp. Obispo de Guatemala (1657-1667), arzobispo de México (1668-1680) y virrey de Nueva España (1673-1680).

ENRIQUILLO Lago salado del SO de la República Dominicana, entre las provs. de Independencia y Bahoruco; 400-550 km^2. • Mun. de la República Dominicana en la prov. de Barahona; 16 400 hab. Café. Ind. maderera.

ENRIQUILLO (s. XVI) Cacique amerindio dom. Durante 13 años dirigió una sublevación contra la dominación española. En 1533 Carlos V le garantizó una amnistía.

Esclerómetro para la realización del **ensayo** de dureza por el método de la esfera rebotante

ENRISCAR tr. fig. Levantar, elevar. • prnl. Guarecerse, meterse entre riscos y peñascos. ■ ENRISCADO, DA; ENRISCAMIENTO; ENRISTRE.

ENRISTRAR tr. Poner la lanza en el ristre. • Poner la lanza horizontal bajo el brazo derecho, bien afianzada para acometer. • fig. Ir derecho hacia una parte, o acertar finalmente una cosa en que había dificultad. • Hacer ristras.

ENRIZAR tr. y prnl. Rizar.

ENROCAR tr. En el juego del ajedrez, mover simultáneamente el rey y la torre del mismo bando, trasladándose el rey dos casillas hacia la torre y colocándose ésta a su lado, saltando por encima del mismo. • Revolver en la rueca el copo que ha de hilarse. • prnl. Trabarse algo en las rocas del fondo del mar. ■ ENROQUE.

ENRODRIGAR o **ENRODRIGONAR** tr. Rodrigar.

ENROJAR tr. y prnl. Enrojecer. • tr. Calentar el horno.

ENROJECER tr. y prnl. Poner roja una cosa con el calor o el fuego. • tr. Dar color rojo. • prnl. y tr. Encenderse el rostro. • intr. Ruborizarse. ■ ENROJECIMIENTO.

ENROLAR tr. y prnl. Inscribir un individuo en el rol o lista de tripulantes de un barco mercante. • prnl. Alistarse, inscribirse en el ejército, en un partido político u otra organización.

ENROLLAR tr. Arrollar, poner en forma de rollo. • Empedrar con rollos o cantos. • tr. y pron. *Argent.* Agradar, estar ocupado, conversar, molestar. ■ ENROLLADOR, RA.

ENROMAR tr. y prnl. Poner roma una cosa.

ENRONQUECER tr. y prnl. Poner ronco a uno. ■ ENRONQUECIMIENTO.

ENROÑAR tr. Llenar de roña, pegarla. • tr. y prnl. Cubrir de orín un objeto de hierro.

ENROSCAR tr. y prnl. Torcer, doblar en redondo; poner en forma de rosca una cosa. • tr. Introducir una cosa vuelta de rosca. ■ ENROSCADURA.

Los dos tipos de **enroque:** 1. corto, del lado del rey; 2. largo, del lado de la dama

ENROSTRAR tr. *Amér.* Echar en cara, reprochar.

ENRUBIAR tr. y prnl. Poner rubia una cosa. Díc. más comúnmente de los cabellos.

ENRUBIO m. Acción y efecto de enrubiar. • Ingrediente con que se enrubia. • *P. Rico.* Árbol de madera muy dura, de albura blanca y corazón rojizo.

ENRUDECER tr. y prnl. Hacer rudo a uno.

ENRULAR tr. *Amér.* Hacer rulos con el pelo.

ENSABANADO, DA adj. *Taur.* Aplícase al toro que tiene negras u oscuras la cabeza y las extremidades, y blanco el resto del cuerpo. • m. Capa primera de yeso blanco con que se cubren las paredes que van a blanquearse. • f. Encamisada.

ENSABANAR tr. y prnl. Cubrir con sábanas. • tr. *Const.* Dar a una pared una mano de yeso blanco.

Dispositivo para **enrollar** el papel tras el proceso de estucado

ENSACADO m. *Agr.* Sistema de protección de los cultivos mediante pequeñas bolsas de papel.

ENSACADOR, RA adj. y s. El que ensaca. • f. Máquina para ensacar productos en polvo. • Parte de las máquinas segadoras-trilladoras destinada a ensacar el grano.

ENSACAR tr. Meter algo en un saco.

ENSAIMADA f. Bollo formado por una tira de pasta hojaldrada revuelta en espiral.

ENSALADA f. Hortaliza aderezada con sal, aceite, vinagre, etc. • fig. Mezcla confusa de cosas sin conexión. • Composición literaria de carácter humorístico en la que se mezclaban textos diversos. Es propia de la España del s. XVI. • *Cuba.* Refresco preparado con agua de limón, hierbabuena y piña. • **de frutas.** Mezcla de trozos de distintas frutas, gralte. con su propio zumo o en almíbar. • **rusa.** La compuesta de patata, zanahoria, remolacha, guisantes y otras viandas, y aderezada con salsa mayonesa.

ENSALADERA f. Fuente honda en que se sirve la ensalada.

ENSALADILLA f. Ensalada rusa. • Cualquier manjar frío semejante a la ensalada rusa. • Bocados de dulce de diferentes géneros. • fig. Conjunto de piedras preciosas de diferentes colores engastadas en una joya. • Conjunto de diversas cosas menudas.

ENSALIVAR tr. y prnl. Llenar de saliva.

ENSALMAR tr. Componer los huesos dislocados o rotos. • Curar con ensalmos. ■ ENSALMADOR, RA.

ENSALMO m. Modo supersticioso de curar con palabras mágicas. • **Por e.** m. adv. Con extraordinaria rapidez.

ENSALOBRARSE prnl. Hacerse el agua amarga y salobre.

ENSALZAR tr. Engrandecer, exaltar. • tr. y prnl. Alabar, elogiar. ■ ENSALZAMIENTO.

ENSAMBENITAR tr. Poner a uno el sambenito.

ENSAMBLADOR (ing. *Assembler*) m. Software o programa que traduce programas escritos en lenguaje simbólico de bajo nivel a lenguaje máquina, que es el único asimilable por la computadora.

ENSAMBLADURA f. o **ENSAMBLAJE** o **ENSAMBLE** m. Acción y efecto de ensamblar. • Unión o acoplamiento de dos piezas que no requieren ser reforzadas por tornillos o clavos para permitir su desmontaje.

Vista panorámica de **Ensenada** (México)

ENSAMBLAR tr. Unir, juntar.

ENSANCHA f. Ensanche, dilatación.

ENSANCHADOR, RA adj. Que ensancha. • m. Instrumento para ensanchar los guantes. • *Metal.* Herramienta para ensanchar los orificios de las piezas metálicas. • f. En la ind. textil, máquina para dar a los tejidos la anchura preestablecida.

ENSANCHAR tr. Extender, dilatar la anchura de una cosa. • intr. y prnl. fig. Desvanecerse, engreírse. ■ ENSANCHAMIENTO.

ENSANCHE m. Dilatación, extensión. • Parte de tela que se remete en la costura del vestido para poderlo ensanchar. • Terreno dedicado a nuevas edificaciones en las afueras de una población, y conjunto de los edificios que en este terreno se han construido.

ENSANDECER intr. Volverse sandio, enloquecer.

ENSANGOSTAR tr. Angostar.

ENSANGRENTAR tr. y prnl. Manchar con sangre. • prnl. fig. Irritarse mucho en una disputa.

ENSAÑAR tr. Irritar, enfurecer. • prnl. Deleitarse en causar el mayor daño posible a quien ya no está en condiciones de defenderse. ■ ENSAÑAMIENTO.

ENSARMENTAR tr. Amugronar.

ENSARNECER intr. Llenarse de sarna.

ENSARTAR tr. Pasar por un hilo, alambre, etc., varias cosas. • Enhebrar. • Espetar, atravesar, introducir. • fig. Decir muchas cosas sin orden ni conexión.

ENSAYAR tr. Probar, reconocer una cosa antes de usar de ella. • Amaestrar, adiestrar. • Hacer la prueba de un espectáculo antes de ejecutarlo en público. • Probar la calidad de los minerales o la ley de los metales preciosos. • prnl. Probar a hacer una cosa para ejecutarla después con más perfección. ■ ENSAYADOR, RA; ENSAYE.

ENSAYISMO m. Género literario constituido por los ensayos. ■ ENSAYISTA.

ENSAYO m. Acción y efecto de ensayar. • Escrito en prosa, de carácter didáctico, que trata de temas filosóficos, artísticos, históricos, políticos, etc. Tiene un carácter eminentemente subjetivo, sin pretensiones doctrinales; su exposición es normalmente asistemática, el lenguaje vivo y el tratamiento personal. • Análisis de la moneda para descubrir su ley. • Pruebas que se realizan con un avión para conocer su comportamiento y prestaciones. • *Mec. apl.* Técnica para conocer la resistencia de los metales, proporcionando una idea comparativa de su comportamiento con respecto a diversas formas de trabajo. • **general.** Representación completa de una obra dramática, antes de presentarla al público. • **mineralógico.** Operación, por medio de la llama o disolventes, para conocer la composición química de los minerales, sin hacer un análisis completo. • **tecnológico.** El que se utiliza para conocer el comportamiento del material ante un caso concreto, como puede ser el e. de chispa, el de plegado, etc.

ENSCHEDE C. del E de Países Bajos, en la prov. de Overijssel; 144 600 hab. Con Hengelo forma una conurbación de 221 300 hab. Ind. textil, mecánica, química.

ENSEBAR tr. Untar con sebo.

ENSEGUIDA m. adv. En seguida.

ENSELVADO, DA adj. Lleno de selvas o árboles.

ENSELVAR tr. y prnl. Emboscar.

ENSENADA Partido de Argentina, en la prov. de Buenos Aires; 41 300 hab. Puerto pesquero. • Mun. del NO de México, en el est. de Baja California; 115 400 hab. Minas de hierro. Centro pesquero y turístico.

ENSENADA, ***Zenón de Somodevilla,*** MARQUÉS DE LA (1702-1781) Político esp. Ocupó varios ministerios con Felipe V y con Carlos III. Acusado de participar en el motín de Esquilache, fue desterrado.

El marqués de la **Ensenada,** por Amiconi. Museo del Prado, Madrid

ENSENADO, DA adj. Dispuesto a manera o en forma de seno. • f. Entrada del mar en la tierra formando seno.

ENSENAR tr. Esconder una cosa en el seno. • *Mar.* Introducir en una ensenada una embarcación.

ENSEÑA f. Insignia o estandarte.

ENSEÑANZA f. Acción y efecto de enseñar. • Sistema y método de dar instrucción. • Ejemplo o suceso que nos sirve de experiencia o de escarmiento. • **audiovisual.** Técnica de e. basada en el empleo de filmes, fotocopias, fotos, grabados, cintas magnetofónicas, etc. • **especial.** Instrucción de los inadaptados y retrasados escolares de todas las categorías, deficientes intelectuales, sensoriales o motores, y niños con dificultades específicas (dislexia, disgrafía, disortografía, discalculalia). • **superior.** La que comprende los estudios especiales que requiere cada profesión o carrera. • **Primera e.** La de las nociones más elementales que se aprenden en la escuela. • **Segunda e.** La intermedia entre la primaria y la superior, y que comprende los estudios de cultura general.

Enseñanza en una escuela monacal de la Edad Media

Las Máscaras y la Muerte, óleo de J. **Ensor**

ENSEÑAR tr. Instruir. • Dar advertencia, ejemplo o escarmiento. • Indicar, dar señas de una cosa. • Mostrar o exponer una cosa, para que sea vista y apreciada. • Dejar ver una cosa involuntariamente. • prnl. Acostumbrarse, habituarse a una cosa. ■ ENSEÑADO, DA.

ENSEÑOREARSE tr. y prnl. Hacerse señor y dueño de una cosa. ■ ENSEÑORAMIENTO.

ENSERAR tr. Cubrir con sera de esparto.

ENSERENAR tr. *Ecuad.* Dejar alimentos o ropas al aire fresco de la noche, con el objeto de conservarlos fríos o serenarlos. • prnl. *Ecuad.* Quedarse al sereno una persona.

ENSERES m. pl. Muebles, instrumentos necesarios en una casa o para el ejercicio de una profesión.

ENSERIARSE prnl. *Cuba, Perú, P. Rico* y *Ven.* Ponerse serio.

ENSIFORME adj. En forma de espada.

ENSILAR tr. Encerrar en el silo los granos, semillas y forraje. ■ ENSILAJE.

ENSILLADO, DA adj. Díc. del caballo o de la yegua que tiene el lomo hundido. • f. Collado o depresión suave en el lomo de una montaña.

ENSILLADURA f. Acción y efecto de ensillar. • Parte en que se pone la silla a la caballería. • Encorvadura entrante que tiene la columna vertebral en la región lumbar.

Entalladura realizada para la extracción del caucho

ENSILLAR tr. Poner la silla a la caballería.

ENSILVECERSE prnl. Convertirse en selva un campo antes cultivado.

ENSIMISMARSE prnl. Abstraerse. • *Chile, Col.* y *Ecuad.* Envanecerse, engreírse. ■ ENSIMISMADO, DA; ENSIMISMAMIENTO.

ENSOBERBECER tr. y prnl. Causar o excitar soberbia en alguno. • prnl. fig. Agitarse el mar; alterarse, encresparse las olas.

ENSOBRAR tr. Meter en un sobre.

ENSOGAR tr. Atar con soga. • Forrar una cosa con soga.

ENSOLERAR tr. Echar o poner soleras a las colmenas.

ENSOLVER tr. Incluir una cosa en otra. • Contraer, sincopar. • *Med.* Resolver, disipar.

ENSOMBRECER tr. Oscurecer, cubrir de sombras. • prnl. fig. Entristecerse.

ENSOPAR tr. Hacer sopa con el pan, empapándolo. • tr. y prnl. *Argent., Cuba, Hond., P. Rico* y *Ven.* Empapar, poner hecho una sopa.

ENSOR, *James* (1860-1949) Pintor belga, el artista contemporáneo más importante de su país. Expresionismo vinculado a la tradición flam. *Entrada de Cristo en Bruselas, Las Máscaras y la Muerte.*

ENSORDECER tr. Causar sordera. • *Fon.* Convertir una consonante sonora en sorda. • intr. Contraer sordera, quedarse sordo. • Callar. ■ ENSORDECIMIENTO.

ENSORTIJAR tr. y prnl. Rizar, encrespar el cabello, hilo, etc. • tr. Poner un aro de hierro atravesando la nariz de un animal. ■ ENSORTIJAMIENTO.

ENSOTARSE prnl. Meterse en un soto.

ENSTATITA f. *Miner.* Silicato de magnesio con indicios de hierro; es un mineral del grupo de los piroxenos, de color verde, frecuente en las rocas básicas.

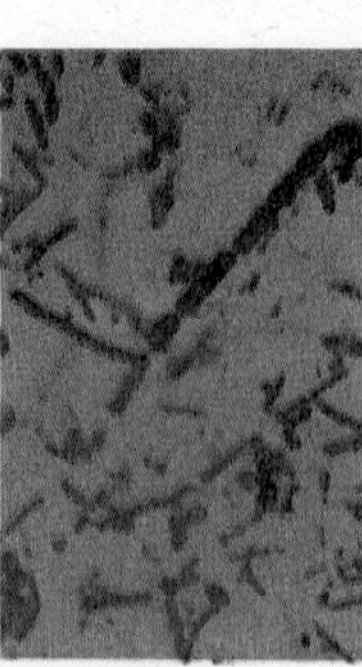

Colonia de **enterococos**

ENSUCIAR tr. y prnl. Manchar, poner sucia una cosa. • tr. fig. Manchar, deslustrar. • intr. fam. Evacuar el vientre. • prnl. Hacer las necesidades corporales en la cama o en los vestidos. • fig. y fam. Dejarse sobornar con dádivas. ■ ENSUCIAMIENTO.

ENSUEÑO m. Sueño, cosa que se sueña. • Ilusión, fantasía. ■ ENSOÑADOR, RA.

ENSULLO m. Enjullo.

ENTABACARSE prnl. Abusar del tabaco.

ENTABLACIÓN f. Acción y efecto de entablar. • Registro de las memorias, fundaciones y capellanías de una iglesia.

ENTABLAMENTO m. *Arq.* Cornisamento.

ENTABLAR tr. Cubrir, cercar o asegurar con tablas una cosa. • Entablillar. • Colocar las piezas del ajedrez, de las damas, etc., en sus respectivos lugares para empezar el juego. • En ajedrez, resultar empate o tablas una partida. • Disponer, preparar, emprender. • Dar comienzo a alguna cosa. • tr. y prnl. *Argent.* Acostumbrar al ganado mayor a que ande en manada. • prnl. Resistirse el caballo a volverse a una u otra mano. • Fijarse el viento en determinada dirección. ■ ENTABLADO, DA; ENTABLADURA; ENTABLE.

ENTABLERARSE prnl. *Taur.* Aquerenciarse el toro a los tableros del redondel, aconchándose sobre ellos.

ENTABLILLAR tr. *Cir.* Sujetar con tablillas y vendaje. ■ ENTABLILLADURA.

ENTABLÓN, NA adj. *Perú.* Díc. de quien pretende imponer sus caprichos a los demás.

ENTABLONADA f. *Amér.* Bravata.

ENTALAMADURA f. Zarzo de cañas forrado con que se entoldan los carros.

ENTALEGAR tr. Meter una cosa en talegos. • Atesorar dinero.

ENTALINGAR tr. *Mar.* Asegurar el chicote del cable o cadena al arganeo del ancla.

ENTALLAR tr. Esculpir o grabar en madera, piedra, bronce, mármol, etc. • Hacer una incisión en el tronco de algunos árboles para extraer la resina. • Hacer cortes en una pieza de madera para ensamblarla con otra. • tr., intr. y prnl. Formar el talle. • intr. Venir bien o mal el vestido al talle. ■ ENTALLADO, DA; ENTALLADURA; ENTALLAMIENTO.

ENTALLECER intr. y prnl. Echar tallos las plantas y árboles.

ENTALONAR intr. Hechar renuevos los árboles de hoja perenne.

ENTALPÍA f. *Fís.* Función de estado cuya variación mide la cantidad de calor suministrada o cedida por un sistema cuando evoluciona a presión constante.

ENTAPAR tr. *Chile.* Encuadernar, empastar o forrar un libro.

ENTAPARADO m. *Ven.* Asunto oculto.

ENTAPIZAR tr. Cubrir con tapices o forrar con telas. • tr. y prnl. fig. Cubrir o revestir una superficie con alguna cosa.

ENTAPUJAR tr. y prnl. fam. Tapar, cubrir. • tr. fig. Andar con tapujos, ocultar la verdad.

ENTARASCAR tr. y prnl. fam. Cargar de demasiados adornos a una persona.

ENTARIMAR tr. Cubrir el suelo con tablas o tarimas. ■ ENTARIMADO, DA.

ENTARUGAR tr. Pavimentar con tarugos de madera. ■ ENTARUGADO, DA.

ÉNTASIS f. *Arq.* Parte más abultada del fuste de algunas columnas.

ENTE m. Lo que es, existe o puede existir. • fam. Sujeto ridículo. • **de razón.** *Fil.* El que sólo existe en el entendimiento y no tiene ser verdadero.

ENTEBBE C. de Uganda, ant. cap. administrativa; 21 100 hab. Sit. a orillas del lago Victoria, a 1 175 m. Jardín botánico. Fundada en 1893.

ENTECARSE prnl. *Chile.* Obstinarse, empeñarse. • fam. Debilitarse, enfermarse.

ENTECHAR tr. *Chile.* Techar, hacer un techo.

ENTECO, CA adj. Enfermizo, débil, flaco.

ENTEJAR tr. *Col.* Tejar, cubrir con tejas.

ENTELARAÑADO, DA adj. Lleno de telarañas.

ENTELEQUIA f. *Fil.* Cosa real que lleva en sí el principio de su acción y que tiende por sí misma a su fin propio. • Cosa irreal.

ENTELERIDO, DA adj. Sobrecogido de frío o de pavor. • *Amér.* Enteco, flaco.

ENTENA f. *Mar.* Verga muy larga a la cual se asegura la vela latina. • Madero redondo o en rollo, de gran longitud y diámetro variable.

ENTENADO, DA m. y f. Alnado, hijastro.

ENTENÇA, *Berenguer d'* (m. 1307) Noble cat. Lugarteniente de Roger de Flor y, a la muerte de éste, jefe de los almogávares. Dirigió las represalias conocidas como «venganza catalana».

ENTENDEDERAS f. pl. fam. Entendimiento.

ENTENDER tr. Tener idea clara de las cosas; comprenderlas. • Saber con perfección una cosa. • Conocer, penetrar. • Discurrir, inferir, deducir. • Tener intención o mostrar voluntad de hacer una cosa. • Creer, pensar, juzgar. • prnl. Conocerse, comprenderse a sí mismo. • Tener un motivo o razón oculto para obrar de cierto modo. • rec. Ir dos o más de conformidad en un negocio. • Tener hombre y mujer alguna relación de carácter amoroso oculto. • **A mi, tu, su,** e.m. adv. Según el juicio o modo de pensar de uno. • **E. en** una cosa. Ocuparse en ella. • Tener uno autoridad, facultad o jurisdicción para conocer sobre una materia determinada. ■ ENTENDEDOR, RA; ENTENDIDO, DA.

ENTENDIMIENTO m. Facultad de comprender. • Juicio, sentido lógico. • Razón humana. • Buen acuerdo, relación amistosa entre los pueblos o sus gobiernos.

ENTENEBRECER tr. y prnl. Oscurecer.

ENTENTE (voz fr.) f. Inteligencia, trato secreto, convenio, pacto, concierto.

ENTENTE Cordial Exp. utilizada para designar el acercamiento entre Gran Bretaña y Francia a partir de 1904. Este acercamiento posibilitó la entrada brit. en la Triple e. • **Pequeña e.** Alianza firmada entre Checoslovaquia, Rumania y Yugoslavia, después de la I Guerra Mundial, para cooperar en el mantenimiento de la paz. Se disolvió en 1939. • **Triple e.** Alianza firmada entre Francia y Rusia, en 1893, a la que se sumó Gran Bretaña en 1907. Acuerdo militar, de carácter defensivo, que constituyó la base del bloque aliado de la I Guerra Mundial.

ENTEQUE m. *Argent.* Diarrea del ganado.

ENTERADO, DA adj. Sabelotodo. • *Chile.* Orgulloso, engreído, entonado. • m. Señal, firma o anagrama, que se pone al pie o al margen de un documento, circular, etc., con el fin de constatar que uno se ha enterado de su contenido.

ENTERALGIA f. *Pat.* Dolor intestinal agudo.

ENTERAR tr. Informar, instruir, notificar. • *Argent.* y *Chile.* Completar, integrar una cantidad. • *Col., C. Rica, Hond.* y *Méx.* Pagar, entregar dinero.

ENTERCARSE prnl. Obstinarse, emperrarse.

ENTERCIAR tr. *Cuba* y *Méx.* Empacar, formar tercios con una mercancía.

ENTEREZA f. Integridad, perfección. • fig. Integridad, rectitud en la administración de justicia. • fig. Fortaleza, firmeza de ánimo. • fig. Severa observancia de la disciplina.

ENTÉRICO, CA adj. *Med.* Relativo a los intestinos.

ENTERITIS f. *Pat.* Inflamación de la membrana mucosa de los intestinos.

ENTERNECER tr. y prnl. Ablandar, poner tierna y blanda una cosa. • fig. Inspirar ternura, por compasión u otro motivo. ■ ENTERNECIMIENTO.

ENTERO, RA adj. Cabal, cumplido, sin falta alguna. • Aplícase al animal no castrado. • fig. y fam. Díc. del que tiene entereza o firmeza de ánimo. • fig. Robusto, sano. • fig. Recto, justo. • fig. Constante, firme. • fig. Díc. de la mujer virgen. • *Guat.* y *Perú.* Idéntico, parecidísimo. • *Bot.* Díc. de la hoja cuyo borde no presenta senos ni fisuras. • m. Unidad de medida de las variaciones de los cambios bursátiles de los valores mobiliarios; un entero equivale al uno por ciento del nominal del valor mueble. • *Chile, Col., C. Rica* y *Méx.* Entrega de dinero. • adj. y m. *Arit.* Díc. de todo número que pertenece al conjunto $Z = 0, \pm 1, \pm 2, ... \pm n, ...$ ■ ENTERIZO, ZA; *Hond.* ENTEROSO, SA.

ENTEROCELE m. *Zool.* Cavidad general del cuerpo de los animales radiados, en los que la pared del cuerpo consta sólo de dos capas celulares.

ENTEROCOCO adj. y m. Díc. de los estreptococos fecales que habitan gralte. en el intestino humano o en el de otros mamíferos.

ENTEROCOLITIS f. *Pat.* Inflamación del intestino delgado, del ciego y del colon.

ENTEROPNEUSTO, TA adj. y m. Díc. de los animales de la clase enteropneustos. • m. pl. *Zool.* Clase de estomocordados marinos, que viven en las playas fangosas de casi todos los mares. Comprende unas 90 especies solitarias, vermiformes, de unos 20 cm de largo.

ENTERORRAGIA f. *Pat.* Hemorragia del intestino, que produce heces negras y brillantes o rojas, según procedan del tramo anterior al ciego o del inferior respectivamente.

ENTERRADOR, RA adj. Que entierra. • m. Sepulturero. • *Zool.* Nombre de una especie de coleópteros que hace la puesta en cadáveres de animales pequeños que cubre luego de tierra.

ENTERRAMIENTO m. Entierro. • Sepulcro. • Sepultura.

ENTERRAR tr. Poner debajo de tierra. • Dar sepultura a un cadáver. • fig. Sobrevivir a alguno. • fig. Hacer desaparecer una cosa debajo de otra. • fig. Arrinconar, relegar al olvido. • tr. y prnl. *Chile, Hond.* y *P. Rico.* Clavar un instrumento punzante. • prnl. fig. Retirarse uno del trato de los demás, como si hubiera muerto.

ENTERRATORIO m. *Argent.* y *Chile.* Cementerio.

ENTESAR tr. Dar mayor fuerza, vigor o tensión a una cosa. • Poner tirante una cosa.

ENTESTADO, DA adj. Testarudo.

ENTESTAR tr. Unir por sus cabezas dos piezas. • Encajar, empotrar. • intr. Lograr que dos cosas queden contiguas.

ENTIBAR intr. Estribar. • tr. *Min.* Apuntalar con maderas las excavaciones. ■ ENTIBACIÓN; ENTIBADOR.

ENTIBIAR tr. y prnl. Poner tibio un líquido, darle un grado de calor moderado. • tr. fig. Templar, quitar fuerza a los afectos y pasiones. ■ ENTIBIADERO.

ENTIBO m. fig. Fundamento, apoyo. • *Arq.* Estribo. • *Min.* Madero para apuntalar.

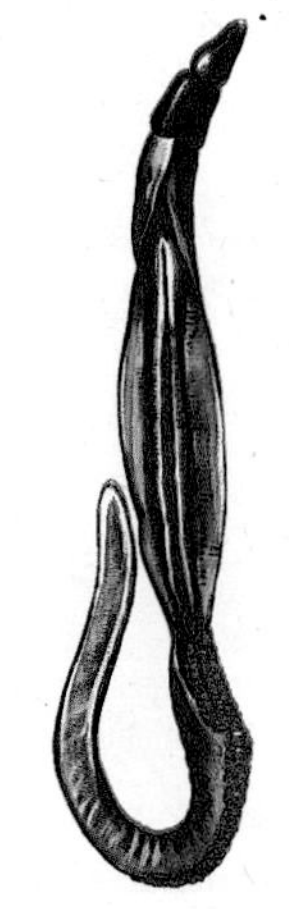

Balanogloso, invertebrado de la clase **enteropneusto**

Enterramiento en covacha. Cultura de El Argar, España

ENTIDAD f. *Fil.* Lo que constituye la esencia o la forma de una cosa. • Ente o ser. • Valor o importancia de una cosa. • Colectividad considerada como unidad. • Conjunto de personas que forman una sociedad con fines comerciales, médicos, etc.

ENTIERRO m. Acción y efecto de enterrar. • Sitio en que se entierran los difuntos. • El cadáver que se lleva a enterrar y su acompañamiento. • Tesoro enterrado. • fig. Estafa que se comete a pretexto de desenterrar un tesoro.

ENTIESAR tr. Atiesar.

ENTIGRECERSE prnl. fig. Enojarse.

ENTILAR tr. *Hond.* Tiznar.

ENTIMEMA m. *Lóg.* Silogismo incompleto que, por sobrentenderse una de las premisas, sólo consta de dos proposiciones.

ENTINAR tr. Poner en tina.

ENTINTAR tr. Untar o teñir con tinta. • fig. Teñir, dar color.

ENTISAR tr. *Cuba.* Forrar una vasija con una red.

ENTISE m. *Cuba.* Cinta para atarse el calzado las mujeres.

ENTIZAR tr. *Amér.* Dar tiza al taco de billar.

ENTIZNAR tr. Tiznar.

ENTOLDAR tr. Cubrir con toldos. • Cubrir con tapices, sedas o paños las paredes. • prnl. Nublarse. • fig. Engreírse, desvanecerse. ■ ENTOLDADO, DA; ENTOLDAMIENTO.

ENTOMATADO, DA adj. Guisado con tomate.

ENTOMIZAR tr. *Const.* Liar con tomizas los maderos para que se pegue el yeso.

ENTOMÓFAGO, GA adj. y m. *Zool.* Díc. del animal que se alimenta de insectos.

ENTOMÓFILO, LA adj. Aficionado a los insectos. • *Bot.* Díc. de las plantas en las que la polinización se verifica por medio de los insectos.

Entomófilo. Coleóptero sobre un cardo

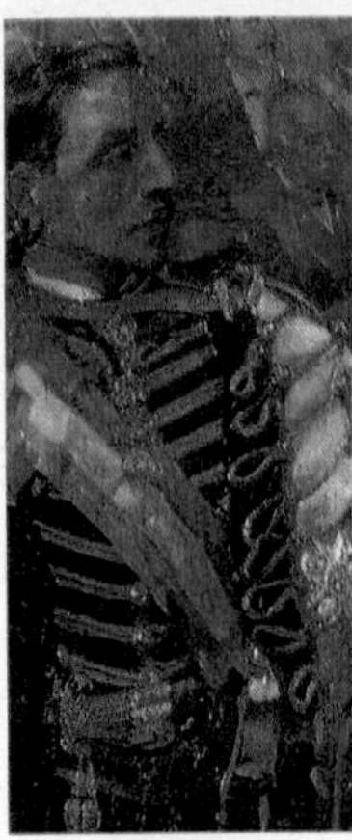
Entorchado

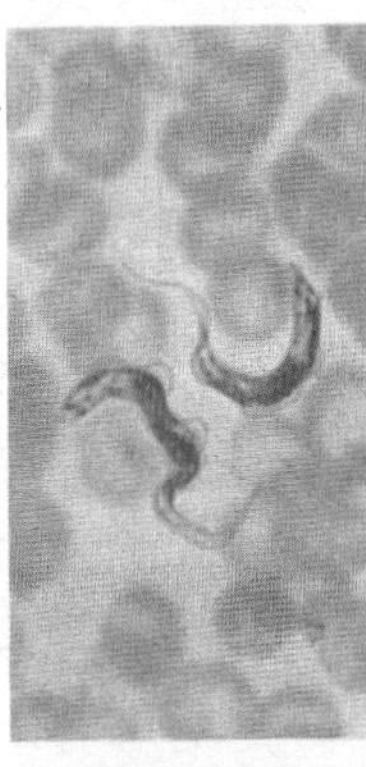
Entozoario. *Tripanosoma gambiensis,* causante de la enfermedad del sueño

ENTOMOGAMIA f. *Bot.* Polinización por insectos. ■ ENTOMÓGAMO, MA.
ENTOMOLOGÍA f. *Zool.* Parte de la zoología que trata del estudio de los insectos. ■ ENTOMOLÓGICO, CA; ENTOMÓLOGO, GA.
ENTOMPEATAR tr. *Méx.* fam. Engañar.
ENTONACIÓN f. o **ENTONAMIENTO** m. Acción y efecto de entonar. • Inflexión de la voz según el sentido de lo que se dice, la emoción que se expresa y el estilo o acento en que se habla. • fig. Entono.
ENTONADERA f. Palanca con que se mueven los fuelles del órgano.
ENTONAR tr. e intr. Cantar ajustado al tono. • tr. Dar determinado tono a la voz. • Dar viento a los órganos levantando los fuelles. • Empezar uno a cantar una cosa para que los demás continúen en el mismo tono. • *Med.* Dar tensión y vigor al organismo. • *Pint.* Armonizar los colores. • prnl. Desvanecerse, engreírse. ■ ENTONADOR, RA.
ENTONCES adv. tiempo. En aquel tiempo u ocasión. • adv. modo. En tal caso, siendo así. • **En aquel e.** loc. adv. Entonces, en aquel tiempo.
ENTONELAR tr. Introducir algo en toneles.
ENTONGAR tr. Apilar, formar tongadas.
ENTONO m. Entonación. • fig. Arrogancia.
ENTONTAR tr. y prnl. *Amér.* Entontecer.
ENTONTECER tr. Poner a uno tonto. • intr. y prnl. Volverse tonto. ■ ENTONTECIMIENTO.
ENTORCHADO m. Cuerda o hilo de seda, cubierto con otro de seda, o de metal, retorcido alrededor. • Bordado en oro o plata, que como distintivo llevan en el uniforme los ministros, generales y otros altos funcionarios.
ENTORCHAR tr. Retorcer varias velas y formar de ellas antorchas. • Cubrir un hilo o cuerda enroscándole otro de metal.
ENTORILAR tr. Meter al toro en el toril.
ENTORNAR tr. Volver la puerta o la ventana hacia donde se cierra. • Díc. también de los ojos cuando no se cierran por completo. • tr. y prnl. Inclinar, ladear, trastornar.
ENTORNO m. Contorno. • Ambiente, lo que rodea a alguien o algo. • **de un punto.** *Mat.* Para un punto x perteneciente a un conjunto C, todo subconjunto de E que conteng a un conjunto abierto A al cual pertenezca x.
ENTORPECER tr. y prnl. Poner torpe. • fig. Turbar, oscurecer el entendimiento, el espíritu, el ingenio. • fig. Retardar, dificultar. ■ ENTORPECIMIENTO.
ENTORTAR tr. y prnl. Poner tuerto lo que estaba derecho. • Hacer tuerto a uno, sacándole o cegándole un ojo. ■ ENTORTADURA.
ENTORTIJARSE prnl. Retorcerse.
ENTOSIGAR tr. Atosigar, envenenar.
ENTOZOARIO m. Parásito que vive en el interior del cuerpo de un animal.
ENTRABAR tr. *Chile* y *Col.* Trabar, estorbar.
ENTRADA f. Espacio por donde se entra a alguna parte. • Acción de entrar en alguna parte. • En un diccionario, cada uno de los términos que se definen. • Acto de ser uno recibido en un consejo, comunidad, etc., o de empezar a gozar de una dignidad, empleo, etc. • fig. Arbitrio, facultad para hacer alguna cosa. • En los teatros y otros lugares donde se dan espectáculos, concurso o personas que asisten. • Producto de cada función. • Billete que sirve para entrar en una sala de espectáculos. • Principio de oración, libro, etc. • Amistad o familiaridad en una casa o con una persona. • Cada uno de los platos que se sirven antes del plato principal. • Cada uno de los ángulos entrantes que forma el pelo en la parte superior de la frente. • Caudal que entra en una caja o en poder de uno. • Invasión que hace el enemigo en un país, ciudad, etc. • Primeros días del año, del mes, de una estación, etc. • Información o datos que se introducen en un ordenador. • *Cuba* y *Méx.* Arremetida, zurra. • *Arq.* Punta de un madero que está metido en un muro o sentado sobre una solera. • *Art. Gráf.* Renglón que empieza más adentro que los restantes. • *Comp.* Introducción de datos en una computadora. • *Dep.* En fútbol, baloncesto, etc., acción de entrar a un contrario. • *Min.* Periodo de tiempo que en cada día dura el trabajo de una tanda de operarios. • *Mús.* Momento preciso en que cada voz o instrumento ha de entrar a tomar parte en la ejecución de una pieza musical. • **general.** Asientos de la galería alta de un teatro, cine, etc.
ENTRADO, DA adj. *Chile.* Entremetido.
ENTRADOR, RA adj. *Amér.*Que acomete fácilmente empresas arriesgadas. • *Chile.* Entrometido, intruso.
ENTRALGO Morán, *José Elías* (1871-1928) Patriota y escritor cub. *Tarde o temprano se paga, Contribución a la historia de la Tercera Orden Franciscana.*• **Vallina, *Elías*** (nacido 1903) Escritor cub. *Domingo del Monte y su época, Perfiles, Imperialismo y nacionalismo en el s.* XIX.
ENTRAMADO m. Armazón de madera o hierro que sirve para dar forma y trabazón a las paredes y techos de un edificio en construcción. ■ ENTRAMAR.
ENTRAMBOS, BAS adj. pl. Ambos.
ENTRAMPAR tr. y prnl. Hacer a un animal caer en la trampa. • tr. fig. Engañar artificiosamente. • fig. y fam. Enredar un negocio. • fig. y fam. Gravar con deudas la hacienda. • prnl. Meterse en un trampal o atolladero. • fig. y fam. Empeñarse, endeudarse tomando empréstitos.
ENTRANTE adj. y s. Que entra. • m. Manjar, o conjunto de ellos, que se toma antes del plato pral. de una comida.
ENTRAÑA f. Cada uno de los órganos contenidos en las prales. cavidades del cuerpo. • Lo más íntimo o esencial de una cosa o asunto. • pl. fig. Lo más oculto y escondido. • fig. El centro, lo que está en medio. • fig. Voluntad, afecto del ánimo. • fig. Índole y genio de una persona.
ENTRAÑABLE adj. Íntimo, muy afectuoso.
ENTRAÑAR tr. y prnl. Introducir en lo más hondo. • tr. Contener, llevar dentro de sí. • prnl. Unirse de todo corazón con uno.
ENTRAPADA f. Especie de paño carmesí.
ENTRAPAJAR tr. y prnl. Envolver con trapos alguna parte del cuerpo. • prnl. Entraparse de polvo.
ENTRAPAR tr. Echarse polvos en el cabello. • Echar trapos viejos en la raíz de cada cepa. • prnl. Llenarse de polvo y mugre una tela o el pelo de modo que no se pueda limpiar. • Embotarse con polvo u otros materiales menudos el filo de una herramienta.
ENTRAPAZAR intr. Trapacear.
ENTRAR intr. Ir o pasar de fuera adentro. • Pasar por una parte para introducirse en otra. • Encajar o poderse meter una cosa en otra, o dentro de otra. • Desaguar, desembocar los ríos en otros o en la mar. • Penetrar o introducirse. • Acometer, arremeter. • fig. Ser admitido o tener entrada en alguna parte. • fig. Empezar a formar parte de una corporación. • fig. Tratándose de carreras, profesiones, etc., dedicarse a ellas. • fig. Tratándose de estaciones o de cualquier otra parte del año, empezar o tener principio. • fig. Dicho de escritos o discursos, empezar. • fig. Tratándose de usos o costumbres, seguirlos, adoptarlos. • fig. En el juego de naipes, tomar sobre sí el empeño de ganar la puesta, disputándola según las leyes de los juegos. • *Dep.* En fútbol, baloncesto, etc., ir un jugador al encuentro de un contrario para arrebatarle la pelota. • fig. Tratándose de afectos, estados de ánimo, enfermedades, etc., empezar a dejarse sentir. • fig. Ser contado con otros en alguna línea o clase. • fig. Emplearse o caber cierta porción o número de cosas para algún fin. • fig. Estar incluida una cosa en otra que se expresa. • fig. Formar parte de ciertas cosas. • fig. Junto con la prep. *a* y el infinitivo de otros verbos, dar principio a la acción de ellos. • fig. Seguido de la prep. *en* y de un nombre, empezar a sentir lo que este nombre signifique. • fig. Seguido de la prep. *en* y de un nombre, intervenir o tomar parte en lo que este nombre signifique. • fig. Seguido de la prep. *en* y de voces significativas de edad, empezar a estar en la que se mencione. • *Mús.* Empezar a cantar, tocar o bailar en el momento preciso. • tr. Meter, introducir o hacer entrar. • Invadir. • fig. Acometer o influir en el ánimo de uno. • Ir alcanzando una embarcación a otra en cuyo seguimiento va. • prnl. Meterse o introducirse en alguna parte.
ENTRAZADO, DA adj. *Argent.* y *Chile.* Trazado; con los adv. *bien* o *mal*, se aplica a la persona de buena o mala traza.
ENTRE prep. que denota situación o estado en me-

dio de dos o más cosas o acciones. • Dentro de, en lo interior. • Expresa estado intermedio. • En el número de. • Significa cooperación de dos o más personas o cosas. • En composición con otro vocablo, limita o atenúa su significación. • Expresa también situación o calidad intermedia.

ENTRE DOURO E MINHO Ant. región de Portugal, limitada al N por el río Miño y al S por el río Duero.

ENTRE RÍOS Prov. de Argentina, en el S de la región denominada Mesopotamia; 78 781 km², 1 022 865 hab. Cap., Paraná. C. prales.: Concordia, Concepción del Uruguay, Gualeguaychú, Gualeguay, Villaguay, etc. Sit. entre los ríos Paraná y Uruguay. Está accidentada por las cordilleras de Montiel al O y la Grande al E. La avenan los r. Feliciano, Gualeguaychú y Gualeguay. Clima templado. Bosques-galería junto a los ríos y estepa herbácea en el centro. Maíz, trigo, avena, lino, girasol, alfalfa, tártago, agrios. Ganadería. Ind. de transformación de productos agropecuarios. Su colonización empezó en 1580 y recibió un nuevo impulso a partir de 1635, gracias a los esfuerzos del gobernador Hernando Arias de Saavedra.

ENTREABRIR tr. y prnl. Abrir un poco.

ENTREACTO m. Intermedio en una representación dramática. • Cigarro puro cilíndrico y pequeño.

ENTREANCHO, CHA adj. Aplícase a aquello que ni es ancho ni angosto.

ENTREBARRERA f. Espacio que media en las plazas de toros entre la barrera y la contrabarrera. Se usa más en pl.

ENTRECALLE f. *Arq.* Separación entre dos molduras.

ENTRECANAL f. *Arq.* Espacio que hay entre las estrías o canales de una columna.

ENTRECANO, NA adj. Díc. del cabello o barba a medio encanecer. • Aplícase al sujeto que tiene así el cabello.

ENTRECASTEAUX Islas de Oceanía, entre Nueva Guinea y las Salomón, administradas por Australia hasta 1975; 3 750 km², 36 000 hab., melanesios. Forman parte de Papua-Nueva Guinea.

ENTRECAVAR tr. Cavar ligeramente. ▪ ENTRECAVA.

ENTRECEJO m. Espacio que hay entre las cejas. • fig. Ceño, sobrecejo.

ENTRECERRAR tr. Entornar una puerta o una ventana.

ENTRECHOCAR tr. y prnl. Chocar dos cosas.

ENTRECINTA f. *Arq.* Madero que se coloca entre dos pares de una armadura.

ENTRECLARO, RA adj. Que tiene alguna claridad.

ENTRECOGER tr. Coger a una persona o cosa de manera que no se pueda escapar. • fig. Estrechar, apremiar a uno con argumentos o amenazas. ▪ ENTRECOGEDURA.

ENTRECOMILLAR tr. Poner entre comillas. ▪ ENTRECOMILLADO, DA.

ENTRECORO m. Espacio que hay desde el coro a la capilla mayor en las catedrales.

ENTRECORTAR tr. Cortar una cosa sin acabar de dividirla. ▪ ENTRECORTADO, DA; ENTRECORTADURA.

ENTRECORTEZA f. Defecto de las maderas que consiste en tener en su interior un trozo de corteza.

ENTRECOT m. Voz de origen fr. que se utiliza para designar un filete de carne de bovino extraído de entre las costillas; solomillo, chuleta.

ENTRECRIARSE prnl. Criarse unas plantas entre otras.

ENTRECRUZAR tr. y prnl. Cruzar dos o más cosas entre sí, entrelazar.

ENTRECUBIERTAS f. pl. *Mar.* Espacio que hay entre las cubiertas de una embarcación.

ENTRECUESTO m. Espinazo de un animal; solomillo.

ENTREDECIR tr. Poner entredicho.

ENTREDÍA m. *Ecuad.* Piscolabis.

ENTREDICHO, CHA m. Prohibición de hacer o decir alguna cosa. • Censura eclesiástica que prohíbe el uso de los divinos oficios o de algunos sacramentos. • fig. Duda acerca del honor, virtud, etc., de alguien.

ENTREDOBLE adj. Aplícase a los géneros que son entre dobles y sencillos.

ENTREDÓS m. Tira bordada o de encaje que se cose entre dos telas. • Armario de madera fina y de poca alt. que suele colocarse entre dos balcones de una sala.• *Art. Gráf.* Grado de letra mayor que el breviario y menor que el de lectura.

ENTREFILETE m. Suelto en un periódico.

ENTREFINO, NA adj. De calidad media entre lo fino y lo basto.

ENTREFORRO m. Entretela.

ENTREGA f. Acción y efecto de entregar o entregarse. • Cada uno de los cuadernos impresos en que se divide y expende un libro que se publica por partes. • *Arq.* Parte de un sillar o madero que se introduce e n la pared.

ENTREGAR tr. Poner en poder de otro. • Introducir el extremo de una pieza de construcción en el asiento donde ha de fijarse. • prnl. Ponerse en manos de uno, sometiéndose a su dirección o arbitrio. • Recibir uno realmente una cosa o encargarse de ella. • Dedicarse enteramente a una cosa. • fig. Abandonarse, dejarse dominar. • Declararse vencido o sin fuerzas para continuar un empeño o trabajo. ▪ ENTREGADO, DA; ENTREGAMIENTO.

ENTREGUERRAS (*De*) loc. prepositiva aplicada al intervalo entre dos guerras consecutivas. Se utiliza pralm. para designar al periodo comprendido entre las dos guerras mundiales.

ENTREHIERRO m. Trayecto de aire que forma parte del circuito magnético de un electroimán.

ENTREJUNTAR tr. Enlazar los entrepaños de las puertas, ventanas, etc., con los travesaños.

ENTRELARGO, GA adj. Díc. de cualquier objeto más largo que ancho.

ENTRELAZAR tr. y prnl. Enlazar, entretejer una cosa con otra. ▪ ENTRELAZAMIENTO.

ENTRELINEAR tr. Escribir algo que se intercala entre dos líneas. ▪ ENTRELÍNEA.

ENTRELIÑO m. Espacio de tierra que en las viñas u olivares se deja entre liño y liño.

ENTRELISTADO, DA adj. Trabajado a listas de diferente color.

ENTRELUCIR intr. Dejarse ver una cosa entremedias de otra.

ENTREMEDIAS adv. tiempo y lugar. Entre uno y otro tiempo, espacio, lugar o cosa.

ENTREMEDIO, DIA adj. Intermedio, que está en medio de los extremos. • m. adv. En medio.

ENTREMÉS m. Cualquiera de los manjares que se ponen en las mesas para picar de ellos mientras se sirven los platos. Usado más en pl. • *Lit.* Obra teatral breve de tema jocoso o burlesco. En sus inicios, el e. se intercalaba en la obra pral. durante los entreactos. Su florecimiento y culminación coincide con el Siglo de Oro. ▪ ENTREMESISTA.

ENTREMESEAR tr. Hacer papel en un entremés. • fig. Mezclar cosas graciosas y festivas en una conversación o discurso.

ENTREMETER o **ENTROMETER** tr. Meter una cosa entre otras. • Doblar los pañales que un niño tiene puestos, de modo que la parte enjuta y limpia quede en contacto con el cuerpo de la criatura. • prnl. Meterse uno donde no le llaman. • Ponerse en medio o entre otros ▪ ENTREMETIMIENTO; ENTROMETIMIENTO.

ENTREMEZCLAR tr. Mezclar una cosa con otra sin confundirlas.

ENTREMORIR intr. Estarse apagando o acabando una cosa.

ENTRENADOR m. *Dep.* Persona que cuida la forma física de los deportistas y los adiestra técnicamente. • Persona que entrena animales. • **de pilotaje.** *Aer.* Artificio en forma de cabina que, sin cambiar de lugar, sirve para que se entrenen en tierra pilotos aeronáuticos.

ENTRENAR tr. y prnl. Adiestrar, preparar o prepararse para algo. ▪ ENTRENAMIENTO.

ENTRENCAR tr. Poner las trencas en las colmenas.

ENTRENUDO m. Parte del tallo de algunas plantas comprendida entre dos nudos consecutivos.

ENTRENZAR tr. Trenzar.

ENTREOÍR tr. Oír una cosa sin percibirla bien o entenderla del todo.

ENTREORDINARIO, RIA adj. Que no es del todo ordinario y basto.

ENTREOSCURO, RA adj. Que tiene alguna oscuridad.

Entramado

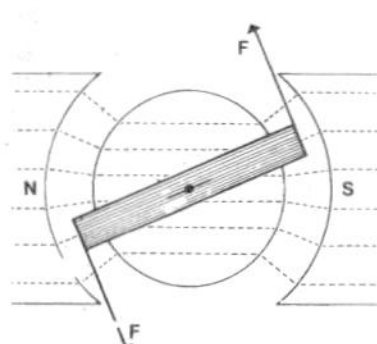

Entrehierro del electroimán de un galvanómetro: FF, par de fuerzas que actúan sobre el bastidor; N y S, polos norte y sur del imán

Portada de una edición de los ***Entremeses,*** de Miguel de Cervantes

El juego del *go*, **entretenimiento** muy difundido en el Extremo Oriente

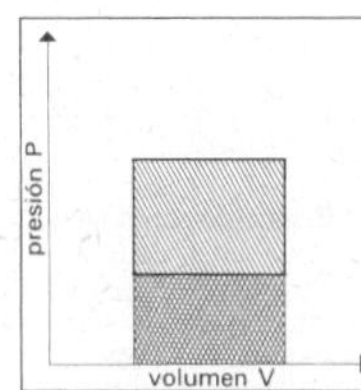

Entropía. Diagrama entrópico del ciclo de Carnot

Envase. Sección de envasado de una cooperativa agrícola

ENTREPALMADURA f. Enfermedad de las caballerías en la cara palmar del casco.
ENTREPANES m. pl. Tierras no sembradas, entre otras que lo están.
ENTREPAÑO m. Parte de pared comprendida entre dos columnas o dos huecos. • Anaquel del estante o de la alacena. • Cualquiera de las tablas pequeñas o cuarterones que se meten entre los peinazos de las puertas y ventanas.
ENTREPARECERSE prnl. Traslucirse, divisarse una cosa.
ENTREPASO m. Modo de marchar el caballo, parecido al portante o de andadura.
ENTREPECHUGA f. Pequeña porción de carne que tienen las aves entre la pechuga y el caballete.
ENTREPEINES m. pl. Lana que queda en los peines después de haber sacado el estambre.
ENTREPELAR intr. y prnl. Estar mezclado el pelo de un color con el de otro distinto, especialmente en los caballos. ■ ENTREPELADO, DA.
ENTREPERNAR intr. Meter uno sus piernas entre las de otro.
ENTREPIERNAS f. pl. Parte interior de los muslos. Se usa también en sing. • Piezas cosidas entre las hojas de los calzones y pantalones, a la parte interior de los muslos, hacia la horcajadura. Se usa también en sing. • *Chile*. Taparrabos, traje de baño.
ENTREPISO m. *Min.* Espacio entre las galerías de una mina. • Piso construido quitando parte de la alt. de otro.
ENTRÉPITO, TA adj. *Ven.* Entremetido.
ENTREPLANTA f. Entrepiso de tiendas, oficinas, etc.
ENTREPRETADO, DA adj. Díc. de la caballería lastimada de los pechos o brazuelos.
ENTREPUENTES m. pl. *Mar.* Entrecubiertas. Se usa también en sing.
ENTREPUNZAR tr. Punzar una cosa, o doler con intermisión. ■ ENTREPUNZADURA.
ENTRERRENGLONAR tr. Escribir en el espacio que media de un renglón a otro.
ENTRESACA o **ENTRESACADURA** f. Acción y efecto de entresacar.
ENTRESACAR tr. Sacar unas cosas de entre otras. • Aclarar un monte, cortando algunos árboles, o espaciar las plantas que han nacido muy juntas. • Cortar parte del cabello cuando éste es demasiado espeso.
ENTRESIJO m. Mesenterio. • fig. Cosa oculta, escondida. • **Tener muchos entresijos.** fr. fig. Tener una cosa muchas dificultades. • fig. Tener uno mucha reserva o cautela.
ENTRESUELO m. Piso entre el bajo y el principal de una casa. • Piso bajo levantado más de un metro sobre el nivel de la calle.
ENTRESUEÑO m. Estado anímico situado entre la vigilia y el sueño, caracterizado por una disminución de las facultades conscientes.
ENTRESURCO m. Espacio que queda entre surco y surco.
ENTRETALLAR tr. Trabajar una cosa a media talla o bajo relieve. • Grabar, esculpir. • Hacer en una tela calados o recortados. • fig. Coger y estrechar a una persona o cosa estorbándole el paso. • prnl. Encajarse unas cosas con otras. ■ ENTRETALLA O ENTRETALLADURA.
ENTRETANTO adv. tiempo. Entre tanto. Se usa también como s. precedido del art. *el* o de un demostrativo.
ENTRETECHO m. *Chile*. Desván, sobrado.
ENTRETEJER tr. Meter en la tela que se teje hilos diferentes para que hagan distinta labor. • Trabar y enlazar una cosa con otra. • fig. Incluir palabras, periodos o versos ajenos en un libro o escrito. ■ ENTRETEJEDURA; ENTRETEJIMIENTO.
ENTRETELA f. Lienzo que como refuerzo se pone entre la tela y el forro de una prenda de vestir. • pl. fig. y fam. Lo íntimo del corazón.
ENTRETELAR tr. Poner entretela en una prenda de vestir. • *Art. Gráf.* Satinar un pliego impreso.
ENTRETENCIÓN f. *Amér.* Entretenimiento.
ENTRETENER tr. y prnl. Tener a uno detenido y en espera. • tr. Hacer menos molesta y más llevadera una cosa. • Divertir, recrear el ánimo de uno. • Dar largas, con pretextos, al despacho de un asunto. • Mantener, conservar. • prnl. Divertirse. ■ ENTRETENIMIENTO.
ENTRETENIDO, DA adj. Chistoso, divertido, de genio y humor festivo y alegre. • *Her.* Díc. de dos cosas que se tienen una a otra. • f. fam. Querida, mujer amancebada.
ENTRETIEMPO m. Tiempo de primavera y otoño.
ENTREVENARSE prnl. Introducirse un humor o licor por las venas.
ENTREVENTANA f. Espacio macizo de pared que hay entre dos ventanas.
ENTREVER tr. Ver confusamente una cosa. • Conjeturarla, sospecharla, adivinarla.
ENTREVERADO, DA adj. Que tiene interpoladas cosas varias o vetas. • m. *Ven.* Asadura de cordero o de cabrito.
ENTREVERAR tr. Mezclar, introducir una cosa entre otras. • prnl. *Argent.* Mezclarse desordenadamente personas, animales o cosas. • tr. y prnl. *Argent.* Chocar dos masas de caballería y luchar cuerpo a cuerpo.
ENTREVERO m. *Argent.*, *Chile* y *Ur.* Acción y efecto de entreverarse. • *Argent.* y *Chile*. Confusión, desorden.
ENTREVÍA f. o **ENTRERRIELES** m. pl. *Ferr.* Espacio libre que queda entre dos rieles o vías.
ENTREVIGAR tr. *Const.* Rellenar los espacios o huecos comprendidos entre las vigas de un piso.
ENTREVISTA f. Encuentro convenido entre dos o más personas para tratar de un asunto, informar al público, etc. ■ ENTREVISTADOR, RA.
ENTREVISTAR tr. Mantener una conversación, con una o varias personas, acerca de varios extremos, para informar al público de sus respuestas. • prnl. Tener una entrevista con una persona.
ENTREVUELTA f. *Agr.* Surco corto que se da por un lado de la besana para enderezarla.
ENTRIPADO, DA adj. y m. Que está o molesta en las tripas. • adj. Díc. del animal muerto al que no se han sacado las tripas. • m. fig. y fam. Enojo o sentimiento disimulado.
ENTRIPAR tr. y prnl. *Amér.* Enfadar, enojar.
ENTRISTECER tr. Causar tristeza. • Poner aspecto triste. • prnl. Ponerse triste y melancólico. ■ ENTRISTECIMIENTO.
ENTROJAR tr. Guardar en la troje.
ENTROMPAR prnl. fam. Embriagarse. • *Amér.* Enfadarse.
ENTROMPETAR tr. *Méx.* Embriagarse.
ENTRONCAMIENTO m. Acción y efecto de entroncar
ENTRONCAR tr. Afirmar el parentesco de una persona con el tronco o linaje de otra. • En algunas partes, aparear dos caballos o yeguas del mismo pelo. • intr. Tener, o contraer, parentesco con un linaje o persona. • tr. y prnl. *Cuba*, *Méx.* y *P. Rico*. Empalmar dos líneas de transporte.
ENTRONERAR tr. y prnl. Meter una bola en las troneras de la mesa de trucos.
ENTRONIZAR o **ENTRONAR** tr. Colocar en el trono. • fig. Ensalzar a uno; colocarle en alto estado. • prnl. fig. Engreírse, envanecerse. ■ ENTRONIZACIÓN.
ENTRONQUE m. Relación de parentesco entre personas con un tronco común. • *Cuba* y *P. Rico*. Acción y efecto de entroncar o empalmar. • *Aer.* Parte del ala de un avión que se une con el fuselaje.
ENTROPÍA f. *Fís.* Magnitud que determina el grado de desorden molecular que existe en los sistemas termodinámicos.
ENTROPILLAR tr. *Argent.* Acostumbrar a los caballos a vivir en tropilla.
ENTROPIÓN m. Inversión del borde libre del párpado hacia el globo ocular.
ENTRUCHAR tr. fam. Atraer a uno con disimulo y engaño. ■ ENTRUCHADO, DA; ENTRUCHÓN, NA.
ENTRUJAR tr. Guardar en la truja la aceituna. • Entrojar. • fig. y fam. Embolsar.
ENTUBAR tr. Poner tubos en alguna cosa. ■ ENTUBACIÓN; ENTUBAMIENTO.
ENTUERTO m. Tuerto o agravio. • pl. Dolores de vientre que suelen sobrevenir a las mujeres poco después del parto.
ENTULLECER tr. Suspender, detener el movimiento de una cosa. • intr. y prnl. Tullirse.
ENTUMECER tr. y prnl. Impedir, entorpecer el movimiento de un miembro o nervio. • prnl. fig. Alterarse, hincharse. ■ ENTUMECIMIENTO.

ENTUNARSE prnl. *Col.*, *Guat.* y *Hond.* Pincharse, punzarse.
ENTUNICAR tr. Dar dos capas de cal y arena a la pared que se ha de pintar al fresco. • Cubrir o vestir con túnica.
ENTUPIR tr. y prnl. Obstruir o cerrar un conducto. • tr. Comprimir y apretar una cosa.
ENTURBIAR tr. y prnl. Hacer o poner turbia una cosa. • fig. Turbar, alterar el orden.
ENTUSARSE prnl. *Ecuad.* Acongojarse.
ENTUSIASMAR tr. y prnl. Infundir entusiasmo. • Gustar mucho.
ENTUSIASMO m. Exaltación de las sibilas. • Inspiración fogosa y arrebatada del escritor o del artista. •Exaltación y fogosidad del ánimo, excitado por cosa que le admire o cautive. • Adhesión fervorosa que mueve a favorecer una causa o empeño. ■ ENTUSIASTA; ENTUSIÁSTICO, CA.
ENTUTUMARSE prnl. *Col.* Confundirse.
ENUCLEAR tr. *Cir.* Extirpar un órgano, glándula, quiste, etc., previa liberación de sus envolturas. ■ ENUCLEACIÓN.
ENUGU C. del SE de Nigeria, cap. del est. Anambra; 187 000 hab. Minas de hulla. Ind. metalúrgica y alimentaria. Fue cap. de la efímera República de Biafra.
ENUMERACIÓN f. Expresión sucesiva y ordenada de las partes de que consta un todo, de las especies que comprende un género, etc. • Cómputo o cuenta numeral de las cosas. • Figura que consiste en resumir varias ideas o discursos. ■ ENUMERAR; ENUMERATIVO, VA.
ENUNCIADO m. Oración o secuencia de oraciones gramaticales. • Palabras con que se enuncia el teorema que se va a demostrar, el problema que se va a resolver, etc.
ENUNCIAR tr. Expresar uno breve y sencillamente una idea. • Indicar los datos y condiciones de un problema. ■ ENUNCIACIÓN; ENUNCIATIVO.
ENURESIS f. Incontinencia en la emisión de orina.
ENVAGUECER tr. Difuminar una cosa.
ENVAINAR tr. Meter en la vaina una arma blanca. • Envolver una cosa a otra ciñéndola a manera de vaina.
ENVALENTAR tr. *Chile* y *Col.* Envalentonar.
ENVALENTONAR tr. Infundir valentía o más bien arrogancia. • prnl. Cobrar valentía o echárselas de valiente. ■ ENVALENTONAMIENTO.
ENVANECER tr. y prnl. Infundir soberbia o vanagloria a uno. • *Chile.* Quedarse vano el fruto de una planta por haberse secado o podrido su meollo. ■ ENVANECIMIENTO.
ENVARADO, DA adj. Orgulloso, estirado. • m. *Perú.* En las comunidades indígenas, autoridad municipal, una de cuyas funciones es la de arbitrar en las querellas.
ENVARAR tr. y prnl. Entorpecer, impedir el movimiento de un miembro. ■ ENVARAMIENTO.
ENVARBASCAR tr. Inficionar el agua con verbasco para atontar a los peces.
ENVASAR tr. Echar un líquido en una vasija. • Echar el trigo en los costales, o cualquier otro género en su envase. • fig. Beber con exceso. • fig. Introducir en el cuerpo de uno la espada u otra arma punzante. ■ ENVASADOR, RA.
ENVASE m. Acción y efecto de envasar. • Recipiente o vasija en que se conservan y transportan ciertos géneros. • Todo lo que envuelve o contiene artículos de comercio para conservarlos o transportarlos.
ENVEDIJARSE prnl. Enredarse o hacerse vedijas el pelo, la lana, etc. • fig. y fam. Enzarzarse unos con otros riñendo.
ENVEGARSE prnl. *Chile.* Empantanarse, tener exceso de humedad un terreno.
ENVEJECER tr. Hacer vieja a una persona o cosa. • intr. y prnl. Hacerse vieja o ant. una persona o cosa. • intr. Durar, permanecer por mucho tiempo. ■ ENVEJECIDO, DA.
ENVEJECIMIENTO m. Acción y efecto de envejecer. • *Metal.* Cambio en las propiedades, pralm. con aumento de dureza, de un metal o una aleación al mantenerla a una determinada temperatura.
ENVELAR intr. y prnl. *Chile.* Huir.
ENVELOPE m. *Amér.* Sobre de cartas.
ENVENADO m. *Argent.* y *Bol.* Puñal.
ENVENENAR tr. y prnl. Emponzoñar, inficionar con veneno. • tr. fig. Acriminar; interpretar en mal sentido las palabras o acciones. • fig. Emponzoñar, dañar. ■ ENVENENAMIENTO.
ENVER Pachá (1881-1922) General y político turco. Forzó la entrada de Turquía en la I Guerra Mundial.
ENVERAR intr. Empezar las uvas y otras frutas a tomar color de maduras.
ENVERDECER intr. Reverdecer el campo, las plantas, etc.

Envergadura de las alas de un cóndor

ENVERGADURA f. *Mar.* Ancho de una vela contado en el grátil. • Distancia entre las puntas de las alas de las aves cuando están completamente abiertas. • Longitud de las alas de un avión, de un extremo a otro de las mismas. • fig. Importancia, fuste, prestigio.
ENVERGAR tr. *Mar.* Sujetar las velas a las vergas. ■ ENVERGUE.
ENVERO m. Color que toman las uvas y otras frutas cuando empiezan a madurar. • Uva que tiene este color.
ENVÉS m. Revés. • *Bot.* Cara inferior de una hoja. • fam. Espalda de una persona. ■ ENVESADO, DA.
ENVESTIR tr. Investir.
ENVETARSE prnl. *Perú.* Comenzar a asfixiarse por las emanaciones de las vetas de una mina.
ENVIADO, DA m. y f. Persona que va por mandato de otro con un mensaje o comisión. • **extraordinario.** Agente diplomático cuya categoría equivale a la de los ministros plenipotenciarios. • f. Acción y efecto de enviar.
ENVIAR tr. Hacer que una persona vaya a alguna parte. • Hacer que una cosa se dirija o sea llevada a alguna parte. ■ ENVIADIZO, ZA.
ENVICIAR tr. Corromper con un vicio. • intr. Echar las plantas muchas hojas y poco fruto. • prnl. Aficionarse demasiadamente a una cosa. ■ ENVICIAMIENTO.
ENVIDAR tr. Hacer envite a uno en el juego. • fig. Convidar a uno con una cosa, deseando que no la acepte.
ENVIDIA f. Tristeza o pesar del bien ajeno. • Emulación, deseo honesto.
ENVIDIAR tr. Tener envidia, sentir el bien ajeno. • fig. Desear, apeceter lo lícito. ■ ENVIDIABLE; ENVIDIOSO, SA.
ENVIGADO m. Viguería de un edificio.
ENVIGADO C. de Colombia, en el dpto. de Antioquía; 69 900 hab. Ganadería, agricultura e ind. derivadas.
ENVIGAR tr. e intr. Asentar las vigas de un edificio.
ENVILECER tr. Hacer vil y despreciable una cosa. • Hacer que descienda el valor, ley o peso de una moneda. • prnl. Perder uno la estimación que tenía. ■ ENVILECIMIENTO.

Envés de una hoja gigante de *Victoria regia*

La **envidia,** detalle de una tabla de H. Bosch. Museo del Prado, Madrid

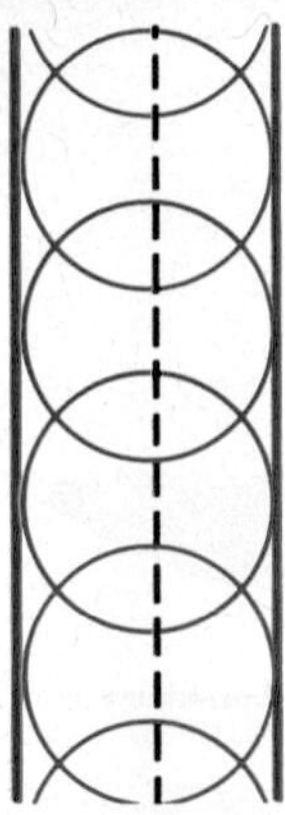
Envolvente de una familia de circunferencias cuyos centros están alineados

Capitel **eolio.** Museo Arqueológico, Istanbul

Epeira

ENVINADO, DA adj. *Méx.* De color de vino.
ENVINAGRAR tr. Echar vinagre en una cosa.
ENVINAR tr. Echar vino en el agua.
ENVÍO m. Acción y efecto de enviar. • Remesa. • Estrofa final de una composición poética en la lírica medieval.
ENVIÓN m. Empujón.
ENVIRAR tr. Clavar con estaquillas de madera los corchos de las colmenas.
ENVISCAR tr. Untar con liga las ramas de las plantas para cazar pájaros. • Azuzar, enguizgar. • fig. Enconar los ánimos. • prnl. Pegarse los pájaros y los insectos con la liga.
ENVITE m. Apuesta que se hace en algunos juegos, parando, además de los tantos ordinarios, cierta cantidad a un lance o suerte. • fig. Ofrecimiento de una cosa. • Envión, empujón. • **Al primer e.** m. adv. De buenas a primeras, al principio.
ENVIUDAR intr. Quedar viudo o viuda.
ENVOLTIJO m. Cosa que envuelve a otra.
ENVOLTORIO m. Lío. • Defecto en el paño, por haberse mezclado alguna especie de lana diferente. • Envoltijo.
ENVOLTURA f. Capa exterior que cubre una cosa. • Conjunto de pañales con que se envuelve a los niños recién nacidos. Se usa más en pl.
ENVOLVENTE adj. Que envuelve. • *Geom.* Para una familia de curvas o de superficies, díc., respectivamente, de la curva o superficie que es tangente a cada una de las de la familia.
ENVOLVER tr. Cubrir una cosa parcial o totalmente, rodeándola y ciñéndola con algo. • Vestir al niño con los pañales y mantillas. • Arrollar o devanar un hilo, cinta, etc., en alguna cosa. • fig. En una disputa, dejar a uno cortado sin salida. • *Mil.* Rebasar por uno de sus extremos la línea de combate del enemigo y acometerle por todos lados. • tr. y prnl. fig. Mezclar o complicar a uno en un asunto. • prnl. fig. Amancebarse. • fig. Mezclarse y meterse entre otros, como sucede en las acciones de guerra. ■ ENVOLVEDERO; ENVOLVEDOR, RA; ENVOLVIMIENTO.
ENVUELTO m. *Méx.* Tortilla de maíz en forma de rollo y guisada.
ENYERBARSE prnl. *Amér.* Cubrirse de yerba un terreno. • *Guat.* y *Méx.* Envenenarse.
ENYESADO m. Acción y efecto de enyesar. • Adición de sulfato de cal al vino para facilitar su fermentación.• Adición de yeso a un terreno para reducir su acidez.
ENYESAR tr. Tapar o acomodar con yeso. • Igualar o allanar una cosa con yeso. • Agregar yeso a alguna cosa. • Escayolar.
ENYUGAR tr. Uncir y poner el yugo.
ENZACATARSE prnl. *Amér.* Llenarse los campos de zacate y de otras malezas.
ENZAPATAR tr. *Amér.* Calzar.
ENZARZAR tr. Poner zarzas en una cosa o cubrirla de ellas. • tr. y prnl. fig. Sembrar discordias. • tr. Poner zarzos en los lugares donde se crían los gusanos de seda. • prnl. Enredarse en las zarzas, matorrales, etc. • fig. Meterse en negocios arduos. • fig. Reñir, pelearse.
ENZIMA amb. *Biol.* Biocatalizador proteico que actúa sobre el metabolismo celular. Las e. se clasifican en hidrolasas, isomerasas, oxidorreductasas, transferasas, y liasas y ligasas.
ENZIMOLOGÍA f. Rama de la bioquímica que trata del estudio de las enzimas, sus características, funcionalismos y cinética, y aplicaciones.
ENZINAS, *Francisco de* (1520-1552) Humanista esp., traductor de Plutarco, Luciano y Tito Livio. Defensor de la Reforma protestante.
ENZO (h. 1220-1272) Rey de Cerdeña, nombrado por Federico II, del que era hijo natural. Derrotado y apresado por los güelfos después de la batalla de Fossalta (1249), vivió cautivo en Bolonia hasta su muerte.
ENZOCAR tr. *Chile.* Encajar, meter.
ENZOLVAR tr. y prnl. *Méx.* Cegar un conducto.
ENZOOTIA f. Enfermedad que acomete a una o más especies de animales en determinado territorio.
ENZOQUETAR tr. Poner zoquetes o tacos de madera en un entramado para evitar que se muevan los maderos o que haya pandeo.
ENZUNCHAR tr. Asegurar con zunchos.
ENZURDECER intr. Hacerse o volverse zurdo.
ENZURIZAR tr. Incitar o sembrar discordia.
ENZURRONAR tr. Meter en zurrón. • fig. y fam. Incluir o encerrar una cosa en otra.
EÑE f. Nombre de la letra *ñ.*
EOCÁMBRICO, CA adj. y m. *Prehist.* Díc. del período comprendido entre el precámbrico y el cámbrico. Durante el e. se produjo una importante glaciación que afectó a grandes zonas de la superficie terrestre.
EOCENO adj. y m. *Geol.*y *Pal.* Díc. del periodo geológico de la era terciaria que sigue al cretácico, durante el que aparecieron prácticamente todos los grupos de mamíferos actuales. ■ EOCÉNICO, CA.
EOKA Siglas de la Organización Nacional Chipriota de Resistencia.
EOLIA (*Aiolis*) Ant. región gr. de Asia Menor, entre Tróade y Jonia. Anexionada al imperio rom. en el año 133 a. C.
EOLIAS, *Islas* → Lípari.
EÓLICO, CA adj. y s. Eolio. • *Ling.* Díc. de uno de los cuatro prales. dialectos de la lengua gr., hablado en Eolia. • adj. Relativo a este dialecto. • Relativo a Eolo. • Relativo al viento. • Producido o accionado por el viento. • **Erosión e.** Proceso erosivo en que el agente pral. es el viento cargado de partículas rocosas en suspensión.
EOLIO, LIA adj. y s. De Eolia. • Relativo a Eolo, dios del viento.
EOLITO m. Piedra de sílex, cuya forma natural se asemeja a la de algunos utensilios prehistóricos. Procede de la era terciaria.
EOLIZACIÓN f. Acción del viento sobre la superficie terrestre, y en especial la erosión eólica.
EOLO *Mit. gr.* Dios de los vientos. Según una tradición, hijo de Zeus y de la ninfa Menalipa, y según otra, descendiente de Poseidón.

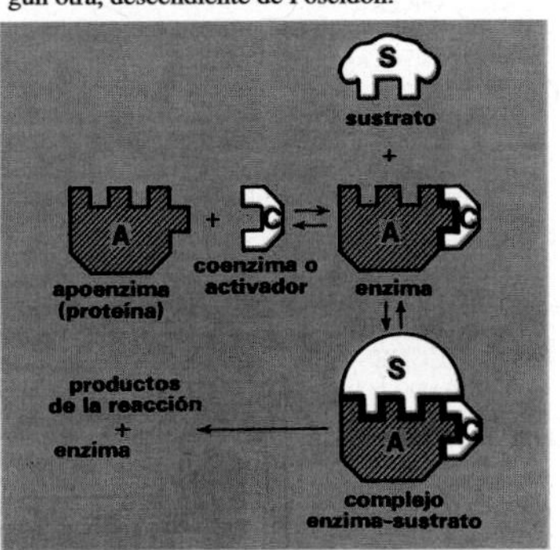

Desarrollo de una reacción bioquímica catalizada por una **enzima**

EÓN m. En el gnosticismo, cada una de las inteligencias eternas emanadas de la divinidad suprema.
EOS *Mit.* Divinidad gr., la Aurora de los rom., hija de Hiperión. Madre de los vientos.
EOSANDER, *Johann Friedrich,* BARÓN VON GOETHE (1670-1729) Arquitecto al., de origen sueco. Federico III, el futuro Federico I de Prusia, le nombró arquitecto de su corte. Dirigió la construcción del palacio de Berlín.
EÖTVÖS, *József* (1813-1871) Escritor húng., autor de ensayos, poemas, comedias y novelas. *El cartujo, Hungría, Las ideas dominantes del siglo XIX.* • ***Loránd,*** BARÓN DE (1848-1919) Físico húng., hijo del anterior. Se le debe una ley sobre las variaciones de energía superficial de los líquidos, en función de la temperatura. Fue ministro de Instrucción Pública.
¡EPA! interj. *Hond., Méx.*y *Ven.* ¡Hola! • *Chile.* interj. Usada para animar. ¡Ea! ¡Upa!
EPACTA f. Número de días transcurridos entre el último novilunio y el día 1 de enero. • Añalejo.
EPACTILLA f. Añalejo.
EPAMINONDAS (418-368 a. C.) General y político beocio. Invadió el Peloponeso para afianzar la hegemonía tebana.
EPANADIPLOSIS f. *Ret.* Figura que consiste en repetir al fin de una cláusula o frase el mismo vocablo con que empieza.

EPANÁFORA f. *Ret.* Anáfora.
EPANALEPSIS f. *Ret.* Epanadiplosis.
EPANÁSTROFE f. *Ret.* Concatenación. • *Ret.* Conduplicación.
EPANORTOSIS f. *Ret.* Corrección.
EPATAR tr. Suscitar la admiración o el asombro de alguien. Es galicismo.
EPAZOTE m. *Méx.* Pazote, planta.
EPECUÉN Lago salado de Argentina, en la prov. de Buenos Aires; 400 km^2. Balnearios.
EPEIRA f. Araña de cuerpo grande y oblongo, abdomen voluminoso, oval y giboso.
EPÉNDIMO m. *Anat.* Membrana fina que tapiza la superficie interna de los ventrículos cerebrales y del conducto central de la médula espinal.
EPÉNTESIS f. Metaplasmo que consiste en añadir una letra en medio de un vocablo. ■ EPENTÉTICO, CA.
EPERLANO m. Pez de los grandes ríos del N de Europa, muy parecido a la trucha.
EPEXÉGESIS f. Grupo de palabras en aposición respecto a otra palabra o frase.
ÉPICA f. Gén. literario, en verso, cuyas obras reciben el nombre de epopeyas. ■ ÉPICO, CA.
EPICARMO (525-450 a. C.) Comediógrafo gr. Considerado creador de la comedia. *El campesino, Ulises náufrago.*
EPICARPIO o **EPICARPO** m. *Bot.* Capa tegumentaria que, a modo de protección, rodea los frutos de muchas plantas.
EPICEDIO m. Composición poética que antiguamente se recitaba delante del cadáver de una persona. • Cualquier composición poética en homenaje a una persona muerta.
EPICENO adj. Díc. de los nombres de animales cuando una misma terminación y artículo sirve para designar el macho y la hembra.
EPICENTRO m. Centro del área de perturbación de un fenómeno sísmico que cae sobre el hipocentro.
EPICICLO m. Circunferencia que se suponía describía un planeta con velocidad angular constante, en el sistema de Tolomeo.
EPICICLOIDE f. *Geom.* Línea curva que describe un punto de una circunferencia que rueda sin deslizar sobre otra fija, siendo ambas tangentes exteriormente. ■ EPICICLOIDAL.
EPICTETO (s. I-II) Filósofo estoico de origen gr. Profesor de filosofía en Roma. Expuso una doctrina próxima al cristianismo.
EPICUREÍSMO m. *Fil.* Sistema basado en las doctrinas de Epicuro de Samos. El e. busca la realización de la felicidad humana, el placer espiritual y la erradicación del temor y el dolor.
EPICÚREO, A adj. y s. Que sigue la secta de Epicuro. • adj. Relativo a este filósofo. • fig. Sensual, voluptuoso.
EPICURO (342-270 a. C.) Filósofo gr. Nació en Samos. Para E. la felicidad es el bien en la vida, y la ética, el fundamento de toda filosofía, debe orientarse hacia su consecución.
EPIDAURO Ant. c. de Grecia, en la Argólida, junto al mar Egeo. Santuario de Esculapio.
EPIDEMIA f. Enfermedad infecciosa que ataca a un tiempo a gran número de personas. ■ *Amér.* EPIDEMIADO, DA; EPIDEMIAL; EPIDEMICIDAD; EPIDÉMICO, CA.
EPIDEMIOLOGÍA f. *Med.* Tratado de las epidemias.
EPIDERMIS f. *Anat.* Tejido epitelial tegumentario de origen ectodérmico, constituido por células poliédricas o aplanadas, unidas en varias capas, que forma la parte externa de la piel. • *Bot.* Membrana formada por una sola capa de células que cubre el tallo y las hojas de las pteridofitas y de las fanerógamas herbáceas. ■ EPIDÉRMICO, CA.
EPIDIASCOPIO o **EPIDIÁSCOPO** m. Aparato de proyección por reflexión o por transparencia, que sirve para recoger en una pantalla las imágenes de cuerpos opacos o de diapositivas, respectivamente.
EPIDÍDIMO m. *Anat.* Primera porción de la vía seminal, que conduce el líquido seminal desde el testículo hacia la vesícula seminal.
EPIDOTA f. *Miner.* Mineral del grupo de los silicatos de aluminio, calcio y hierro.
EPIFANÍA f. Festividad que celebra la Iglesia el 6 de enero, y que también se llama de la Adoración de los Reyes. • Manifestación, aparición.
EPIFENÓMENO m. Fenómeno o síntoma accidental que acompaña a otro principal.
EPÍFISIS f. *Anat.* Glándula endocrina del interior del cerebro que regula el desarrollo de los caracteres sexuales. • Parte terminal de los huesos largos.
EPÍFITO, TA adj. y s. *Bot.* Díc. del vegetal que, sin ser parásito, vive sobre otros.
EPIFONEMA f. *Ret.* Exclamación o reflexión que resume lo que anteriormente se ha dicho.
EPIGASTRIO m. *Anat.* Región del abdomen, desde el esternón hasta cerca del ombligo. ■ EPIGÁSTRICO, CA.
EPIGÉNESIS f. *Biol.* Teoría embriológica según la cual el huevo es una masa indiferenciada que, por divisiones y cambios sucesivos, forma el embrión. • *Geol.* Fenómeno por el que un curso fluvial no se adapta a las líneas generales de la estructura tectónica de la región por la que discurre.
EPIGENIA f. *Miner.* Propiedad de algunos cristales, por la que cambian su naturaleza química sin cambiar de forma.
EPIGEO, A adj. *Bot.* Díc. de la planta o de la parte de ella que aparece sobre la tierra, por oposición a la parte subterránea.
EPIGLOSIS f. *Zool.* Parte de la boca de los insectos himenópteros.
EPIGLOTIS f. *Anat.* Cartílago sujeto a la parte posterior de la lengua, el cual tapa la glotis al tiempo de la deglución.
EPÍGONO m. El que sigue las huellas de otro; especialmente díc. del que sigue una escuela o un estilo de una generación anterior.
EPÍGONOS *Mit. gr.* Nombre que se da a los hijos de los siete jefes que se apoderaron de Tebas.
EPÍGRAFE m. Resumen, cita o sentencia que suele ponerse a la cabeza de una obra científica o literaria, o de cada uno de sus capítulos o divisiones. • Inscripción en piedra, metal, etc. • Título, rótulo.
EPIGRAFÍA f. Ciencia cuyo objeto es conocer e interpretar las inscripciones. ■ EPIGRÁFICO, CA; EPIGRAFISTA.
EPIGRAMA m. Inscripción en piedra o metal. • *Lit.* Composición poética breve, por lo común festiva o satírica. • fig. Pensamiento mordaz o satírico expresado con brevedad y agudeza. ■ EPIGRAMÁTICO, CA.
EPILEPSIA f. *Pat.* Síndrome cerebral crónico que se manifiesta con crisis de convulsiones acompañadas de pérdida de conciencia. ■ EPILÉPTICO, CA; EPILEPTIFORME.
EPILIMNION m. Masa de agua superficial de los lagos, gralte. con escasos nutrientes, separada del agua profunda por una capa de discontinuidad o termoclina.
EPILITORAL adj. Zona del litoral que recibe la influencia de las aguas arrastradas por el viento. • Fauna y flora de esta zona.
EPILOGAR tr. Resumir una obra o escrito.
EPILOGISMO m. *Astr.* Cálculo o cómputo.
EPÍLOGO m. Recapitulación de todo lo dicho en una composición literaria. • fig. Conjunto o compendio. • Última parte de algunas obras dramáticas y novelas, que es consecuencia de la acción pral. o está relacionada con ella, dando así al poema nuevo y definitivo remate. • *Ret.* Peroración.
EPIMETEO *Mit. gr.*Hermano de Prometeo, de quien era la antítesis.
EPÍMONE f. *Ret.*Figura que consiste en repetir una misma palabra, o exp., para dar mayor énfasis.
EPIMORFISMO m. *Mat.* Morfismo que es una aplicación epiyectiva.
EPIMORFOSIS f. *Zool.* Tipo de desarrollo indirecto que poseen ciertos animales segmentados,en los que los individuos llegan al estado adulto por aumento del número de segmentos o anillos y, por consiguiente, de patas. • *Zool.* Reconstitución de la parte amputada de un órgano o parte del cuerpo, que se da en algunos animales.
EPINEURO, RA adj. y m. *Zool.* Díc. de los animales que poseen el sistema nervioso en posición dorsal respecto al sistema digestivo.
EPINICIO m. Canto de victoria; himno triunfal.
EPIPALEOLÍTICO adj. y m. *Prehist.* Díc. del período llamado también mesolítico, que se extiende entre el paleolítico y el neolítico.
EPIPLÓN m. *Anat.* Repliegue del peritoneo que une varias vísceras abdominales. • Omento.

Teatro de **Epidauro**

Epifanía. Detalle *de la Taula del Esperit Sant* pintada entre 1393 y 1394 por Pere Serra

Helecho **epífito**

Epitafio en una lápida paleocristiana

Epopeya. Escena de la *Odisea* (Ulises y las sirenas) en una cerámica ática

Equidna

EPIQUEREMA m. *Lóg*. Silogismo en que una o varias premisas van acompañadas de una prueba.
EPIQUEYA f. Interpretación de una norma jurídica o ley, teniendo en cuenta las circunstancias de tiempo, lugar y persona.
EPIRO (*Epeiros* o *Ipiros*) Ant. región histórica gr., ribereña del mar Jónico. • Región hom. que ocupa la mayor parte del territorio de la ant. E. (9 203 km², 324 500 hab.). Fue dominio de los rom., de Bizancio y de los turcos, antes de ser incorporada a Grecia. En 1940 y 1941 fue ocupada por it. y al. Terminada la II Guerra Mundial, las fronteras volvieron a sus antiguas delimitaciones.
EPIROGÉNESIS f. Movimiento tectónico de gran radio de curvatura que afecta a extensas zonas de la corteza terrestre.
EPISCOPADO m. Dignidad de obispo. • Época y duración del gobierno de un obispo. • Conjunto de obispos. ■ EPISCOPAL.
EPISCOPALISMO m. *Rel*. Sistema o doctrina de los canonistas favorables a la potestad episcopal y adversarios de la supremacía pontificia. • Doctrina de ciertas iglesias protestantes, entre ellas la anglicana y la protestante episcopaliana de los EE UU. ■ EPISCOPALIANO, NA.
EPISCOPIO m. Aparato para la proyección de objetos opacos, fotografías e impresos.
EPISCOPOLOGIO m. Lista de los obispos de una iglesia o diócesis.
EPISEMA m. *Mús*. Signo auxiliar en forma de guión o raya vertical que se coloca sobre los neumas.
EPISINALEFA f. Sinéresis.
EPISIOTOMÍA f. En ciertos partos, sección en la vagina para facilitar la salida del feto.
EPISODIO m. Acción secundaria de la pral., pero enlazada con ella en un poema épico o dramático, o en una novela. • Cada una de las acciones parciales o partes integrantes de la acción principal. • Digresión en obras de otro género o en el discurso. • Incidente, suceso enlazado con otros que forman un todo o conjunto. ■ EPISÓDICO, CA.
EPISPÁSTICO, CA adj. *Farm*. Díc. de los medicamentos que irritan la piel.
EPISTAXIS f. Hemorragia nasal.
EPISTEMOLOGÍA f. *Fil*. Estudio crítico del conocimiento científico. A veces se emplea esta expresión para designar la teoría del conocimiento. ■ EPISTEMOLÓGICO, CA.
EPÍSTOLA f. Carta misiva que se escribe a los ausentes. • Cada uno de los escritos de un apóstol, pertenecientes al gén. epistolar. • Parte de la misa en que se lee una e. • Orden sacro del subdiácono. • *Lit*. Composición poética dirigida a una persona cuyo fin es moralizar, instruir o satirizar. Las e. pueden estar escritas en prosa o en verso. Por excelencia, se conocen con este nombre las 14 escritas por san Pablo y las del Nuevo Testamento. • **de los Apóstoles.** Obra apócrifa del s. II que los once apóstoles dirigieron a las iglesias anunciando el juicio final . ■ EPISTOLAR; EPISTOLARIO; EPISTOLERO; EPISTOLÓGRAFO, FA.
EPÍSTROFE f. *Ret*. Conversión, forma de dicción que se comete empleando una misma palabra al final de dos o más cláusulas.
EPITAFIO m. Inscripción sobre un sepulcro o en la lápida o lámina colocada junto al enterramiento. • Poema elegiaco breve.
EPITALAMIO m. Composición lírica en celebridad de una boda. ■ EPITALÁMICO, CA.
EPÍTASIS f. Parte del poema dramático, que sigue a la prótasis y precede a la catástrofe.
EPITELIO m. *Anat*. Tejido tenue que cubre exteriormente las mucosas y glándulas del cuerpo. ■ EPITELIAL.
EPITELIOMA m. *Pat*. Cáncer de la piel.
EPÍTEMA o **EPÍTIMA** f. *Farm*. Medicamento tópico que se aplica en forma de fomento, cataplasma o polvo.
EPÍTESIS f. Adición de un fonema no etimológico al final de una palabra.
EPÍTETO m. Adj. o p. cuyo fin pral. es caracterizar el nombre.
EPÍTIMO m. *Bot*. Planta parásita con tallos filiformes, encarnados y sin hojas; flores rojizas y simiente menuda y redonda.
EPITOMAR tr. Reducir a epítome una obra extensa.
EPÍTOME m. Resumen o compendio de una obra extensa. • *Ret*. Figura que consiste, después de dichas muchas palabras, en repetir las primeras para mayor claridad.
EPÍTROPE f. *Ret*. Concesión. • *Ret*. Permisión.
EPIYECTIVO, VA adj. *Mat*. Exhaustivo.
EPIZOARIO m. *Zool*. Animal que vive como parásito sobre el cuerpo de otro.
EPIZOOTIA f. Enfermedad que ataca a una o más especies animales de un territorio determinado. • *Chile*. Glosopeda. ■ EPIZOÓTICO, CA.
EPIZOOTIOLOGÍA f. Estudio científico de las epizootias.
ÉPOCA f. Era, fecha histórica que se utiliza para cómputos cronológicos. • Periodo de tiempo que se señala por los hechos históricos durante él acaecidos. • P. ext., cualquier espacio de tiempo. • Temporada de considerable duración. • **Formar,** o **hacer e.** fr. que se usa para denotar que un hecho dejará larga memoria.
EPODA f. o **EPODO** m. Último verso de la estancia, repetido muchas veces. • En la poesía gr., tercera parte del canto lírico compuesto de estrofa, antistrofa y epodo. • En la poesía gr., y latina, combinación de un verso largo y otro corto.
EPÓNIMO, MA adj. Que da nombre a un pueblo, a una tribu, a un periodo, etc.
EPOPEYA f. *Lit*. Poema narrativo, extenso, gralte. de fuerte carácter nacional, protagonizado por un héroe. • fig. Conjunto de hechos gloriosos.
* *Lit*. La e. recoge sucesos históricos transformados por la leyenda. Es una formulación de los mitos colectivos ancestrales, y de los ideales de una época y una sociedad concretas encarnados en el héroe. De ahí que suela surgir en la etapa constitutiva de la conciencia nacional: el *Ramayana* y el *Mahabharata* en la India, la *Iliada* y la *Odisea* en la ant. Grecia, la *Eneida* en Roma, el *Cantar de Mio Cid* en Castilla, la *Canción de Roland* en Francia. En la E. Mod. se cultivaron también las e. de carácter bufo, satírico político y religioso.
ÉPSILON f. Nombre de la *e* breve del alfabeto griego (ϵ).
EPSOMITA f. *Miner*. Sulfato de magnesio hidratado.
EPSTEIN, SIR ***Jacob*** (1880-1959) Escultor norteam., nacionalizado brit. Realizó 18 estatuas para el edificio de la *British Medical Association* de Londres. Bustos de Einstein, de Nehru, de la tumba de Oscar Wilde. • ***Jean*** (1897-1953) Director de cine fr. Miembro de la escuela impresionista. *La caída de la casa Usher.*
EPTÁGONO m. *Geom*. Polígono de siete lados.
ÉPULIS f. Pequeño tumor que aparece en las encías.
EPULÓN m. Comilón.
EQ (ing. *equal*, «igual a») *Comp*. Operador lógico usado en la mayoría de lenguajes.
EQUENEIFORME adj. y m. *Zool*. Díc. de peces del orden equeneiformes. • m. pl. *Zool*. Orden de peces actinopterigios, con una peculiar ventosa dorsal.
EQUIANGULAR adj. *Geom*. Díc. de la figura cuyos ángulos son iguales.
EQUÍCOLA, *Mario* (1470-1525) Escritor it. *El nuevo cortesano, El libro de materia de amor*.
EQUIDAD f. Igualdad de ánimo. • Propensión a dejarse guiar por el sentimiento del deber. • Justicia natural por oposición a la letra de la ley positiva. • Moderación en el precio de las cosas o en las condiciones de los contratos. ■ EQUITATIVO, VA.
EQUIDIFERENCIA f. *Mat*. Igualdad de dos razones por diferencia.
EQUIDISTAR tr. Hallarse una o más cosas a igual distancia de otra determinada, o entre sí. ■ EQUIDISTANCIA; EQUIDISTANTE.
EQUIDNA f. Mamífero monotrema de forma globoide y dorso cubierto de espinas, de Australia y Nueva Guinea.
ÉQUIDO adj. *Zool*. Díc. de animales de la familia équidos. • m. pl. *Zool*. Familia de mamíferos perisodáctilos a la que pertenecen los asnos, caballos y cebras.
EQUILÁTERO, RA adj. *Geom*. Aplícase a las figuras, en particular al triángulo, cuyos lados son iguales entre sí.

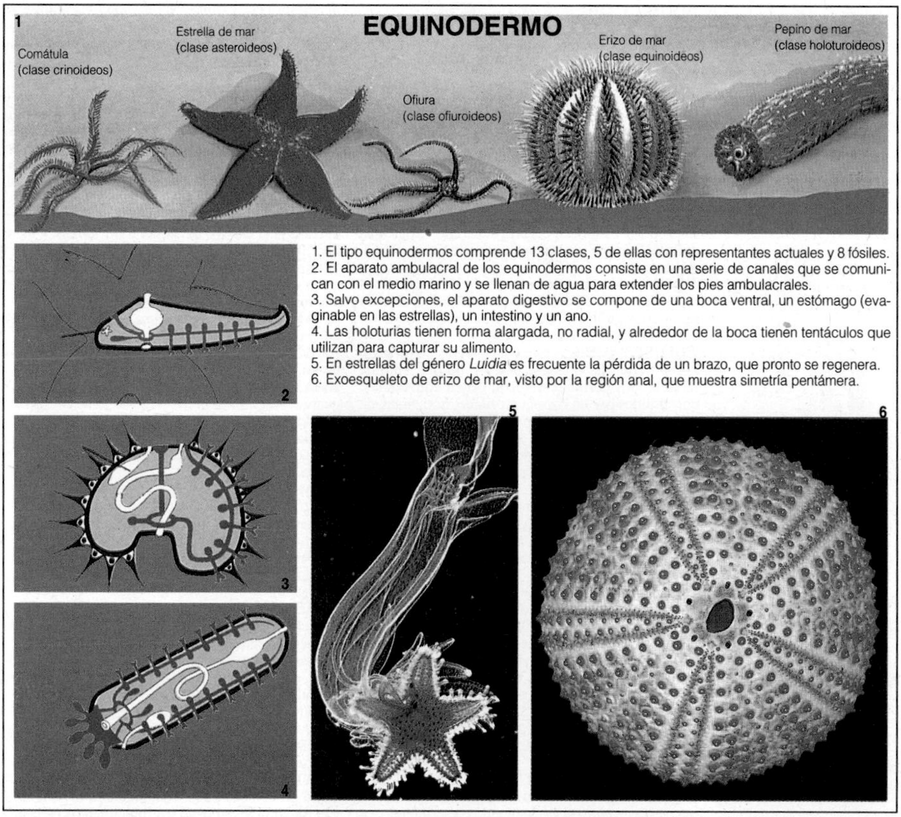

EQUINODERMO

Comátula (clase crinoideos)
Estrella de mar (clase asteroideos)
Ofiura (clase ofiuroideos)
Erizo de mar (clase equinoideos)
Pepino de mar (clase holoturoideos)

1. El tipo equinodermos comprende 13 clases, 5 de ellas con representantes actuales y 8 fósiles.
2. El aparato ambulacral de los equinodermos consiste en una serie de canales que se comunican con el medio marino y se llenan de agua para extender los pies ambulacrales.
3. Salvo excepciones, el aparato digestivo se compone de una boca ventral, un estómago (evaginable en las estrellas), un intestino y un ano.
4. Las holoturias tienen forma alargada, no radial, y alrededor de la boca tienen tentáculos que utilizan para capturar su alimento.
5. En estrellas del género *Luidia* es frecuente la pérdida de un brazo, que pronto se regenera.
6. Exoesqueleto de erizo de mar, visto por la región anal, que muestra simetría pentámera.

EQUILIBRADO, DA adj. fig. Ecuánime, sensato, prudente. • m. *Mec. apl.* Proceso con el que se logra un funcionamiento suave y regular en los mecanismos y elimina en lo posible las vibraciones que produce su marcha rotativa o alternativa. Puede ser de dos clases: estático y dinámico.

EQUILIBRAR tr. y prnl. Hacer que una cosa se ponga o quede en equilibrio. • tr. fig. Hacer que una cosa no exceda a otra, manteniéndolas proporcionalmente iguales.

EQUILIBRIO m. Estado de un cuerpo o sistema cuando la resultante de las fuerzas que actúan sobre él es nula. • Peso que es igual a otro y le contrarresta. • Mantenimientode objetos o del cuerpo en postura difícil por el equilibrista. • fig. Contrapeso, contrarresto, armonía entre cosas diversas. • fig. Ecuanimidad, mesura. • pl. fig. Actos de contemporización encaminados a sostener una situación dificultosa. • **estable.** El del cuerpo que, al moverse de su posición de e., tiende a volver a ella. • **indiferente.** El del cuerpo que permanece en e., cualquiera que sea la posición en que se coloque. • **inestable.** El del cuerpo que, al apartarse de su posición de e., ya no la recupera. • **presupuestario.** *Econ.* Situación en la que el presupuesto del Est. cubre los gastos ordinarios con los ingresos fiscales. • **químico.** Estado que se alcanza en las reacciones químicas reversibles cuando las velocidades de reacción en ambos sentidos son iguales. • **térmico.** El que se establece entre dos o más cuerpos cuando tienen igual temperatura. ■ EQUILIBRISMO; EQUILIBRISTA.

EQUÍMIDO, DA adj. y m. *Zool.* Díc. de los animales de la familia de los equímidos. • m.pl. *Zool.* Familia de mamíferos roedores de *Amér. Centr.* y de la parte tropical de *Amér. Merid.*

EQUIMOSIS f. *Med.* Mancha más o menos extensa que aparece en la piel de una extravasación sanguínea.

EQUINO, NA adj. poét. Relativo al caballo. • m. *Arq.* Moldura convexa, más ancha por su terminación que en su arranque. • *Zool.* Erizo marino.

EQUINOCCIO m. *Astr.* Cada uno de los dos puntos de intersección de la eclíptica con el ecuador celeste. A lo largo del año se presentan dos e.: el e. de primavera (el 21 de marzo) y el e. de otoño (el 22 de septiembre). ■ EQUINOCCIAL.

EQUINOCOCO m. *Zool.* Pequeño gusano parásito de los carnívoros. En el hombre da lugar a quistes hidatídicos.

EQUINOCOCOSIS f. *Med.* Enfermedad parasitaria producida por el cisticerco de la tenia equinococo.

EQUINODERMO, MA adj. y m. *Zool.* Díc. de los animales del tipo equinodermos. • m. pl. *Zool.* Tipo de celomados, deuterostomas, exclusivamente marinos, con simetría bilateral en las primeras fases de su desarrollo y radial cuando adultos. Presenta un esqueleto dérmico de caliza, gralte. provisto de espinas.

EQUIPAJE m. Conjunto de cosas que se llevan en los viajes. • *Mar.* Tripulación.

EQUIPAL m. *Méx.* Silla de varas entretejidas, con el asiento y el respaldo de cuero o de palma tejida.

EQUIPAR tr. y prnl. Proveer a uno de las cosas necesarias para su uso particular. • *Mar.* Proveer a una nave de gente, víveres, municiones y todo lo necesario para su avío y defensa.

EQUIPARAR tr. Comparar una cosa con otra considerándolas iguales o equivalentes.

EQUIPO o **EQUIPAMIENTO** m. Acción y efecto de equipar. • Grupo de operarios organizado para un servicio determinado. • Cada uno de los grupos que se disputan el triunfo en ciertos deportes, bando. • Conjunto de ropas y otras cosas para uso particular de una persona. • Colección de utensilios, instrumentos y aparatos especiales para su trabajo.

Cebras, mamíferos de la familia **équidos**

Rama y tallos de equiseto, pteridófita de la familia **equisetáceas**

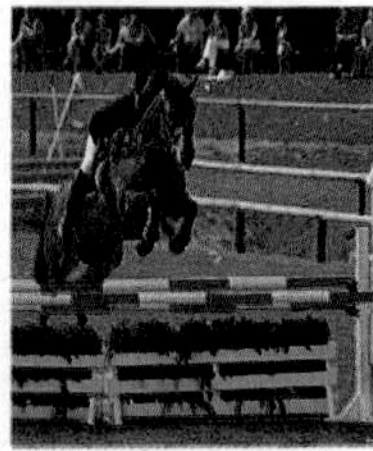

Equitación. Salto sobre seto y barras

EQUIPOLADO adj. *Her.* Escaqueado.
EQUIPOLENCIA f. *Lóg.* Equivalencia. • *Mat.* Equivalencia entre vectores libres.
EQUIPOLENTE adj. *Lóg.* Equivalente, que equivale a otra cosa. • *Mat.* Díc. de dos o más vectores que tienen igual magnitud, dirección y sentido. Se trata, por consiguiente, de vectores que se superponen por una traslación.
EQUIPONDERAR intr. Ser una cosa de igual peso que otra.
EQUIPOTENCIAL adj. *Fís.* Del mismo potencial.
EQUIPOTENTE adj. De igual potencia. • pl. *Mat.* Díc. de dos conjuntos cuando entre ellos existe una aplicación biyectiva, es decir, cuando tienen el mismo cardinal.
EQUIS f. Nombre de la letra *x*, y del signo de la incógnita en los cálculos. • Acompañando a algunos nombres, significa un número desconocido o indiferente. • Víbora amer.
EQUISETÁCEO, A adj. y f. *Bot.* Díc. de las plantas de la familia equisetáceas. • f. pl. *Bot.* Familia de helechos pertenecientes al orden equisetales, constituidos por un rizoma profundo, horizontal, de gran longitud, del cual parten dos tallos aéreos. Comprende el único gén. *Equisetum.*
EQUITACIÓN f. Arte de montar y manejar bien el caballo. • Acción y deporte de montar a caballo. ▪ *Amér.* EQUITADOR.
ÉQUITE m. Ciudadano rom. de una clase intermedia entre los patricios y los plebeyos.
EQUIVALENCIA f. Calidad de equivalente. • Igualdad en el valor, potencia o eficacia de dos o más cosas.
EQUIVALENTE adj. Que equivale a otra cosa. • *Mat.* Díc. de los elementos de un conjunto que se corresponden por una relación de equivalencia. • **electroquímico de un elemento.** *Quím.* Cociente entre un e. gramo del elemento y un faraday de electricidad. • **gramo.** *Quím.* Cantidad de un elemento capaz de reaccionar con un átomo gramo de hidrógeno.
EQUIVALER intr. Ser igual una cosa a otra en el valor, potencia o eficacia. • Significar, ser consecuencia una cosa de otra.
EQUIVOCAR tr. y prnl. Tener o tomar una cosa por otra, juzgando u obrando desacertadamente. • intr. Usar de equívocos, hablando o escribiendo. ▪ EQUIVOCACIÓN.
EQUÍVOCO, CA adj. Que puede entenderse en varios sentidos o dar ocasión a juicios diversos. • m. Palabra cuya significación conviene a diferentes cosas. • *Ret.* Figura que consiste en emplear adrede en el discurso palabras equívocas en dos o más acepciones distintas. • Equivocación, error. ▪ EQUIVOQUISTA.
Er *Quím.* Símb. del erbio.
ERA f. Punto fijo y fecha determinada de un suceso, desde el cual se empiezan a contar los años. • *Geol.* Unidad cronogeológica de primer orden en que se distinguen los tiempos geológicos. Se distinguen cinco e.: precámbrica, paleozoica, mesozoica, cenozoica y antropozoica. • Espacio de tierra donde se trillan las mieses. • Cuadro pequeño de tierra destinado al cultivo de flores u hortalizas. • *Min.* Sitio llano cerca de las mismas, donde se machacan y limpian los minerales. • **cristiana.** Cómputo de tiempo que empieza a contarse por años desde el nacimiento de Jesucristo.
ERAL, LA m. y f. Res vacuna de más de un año y que no pasa de dos.
ERAR tr. Formar y disponer eras para poner plantas en ellas.
ERARIO m. Tesoro público. • Lugar donde se guarda.
ERASMIANO, NA adj. y s. Que sigue la pronunciación gr. atribuida erróneamente a Erasmo en las escuelas y fundada pralm. en la traslación fonética literal.
ERASMISMO m. *Fil.* Movimiento ideológico del s. XVI, derivado de las doctrinas de Erasmo de Rotterdam. Fue un movimiento de renovación intelectual dentro de la ortodoxia católica; incorporó los valores del humanismo a la tradición cristiana e influyó en el nuevo concepto de religiosidad. ▪ ERASMISTA.
ERASMO de Rotterdam, ***Desiderio*** (h. 1466-1536) Sacerdote y filósofo humanista hol. Ejerció una gran influencia en el pensamiento de la Europa de su tiempo. Su obra más conocida es el *Elogio de la locura*, en la que critica a la jerarquía eclesiástica y ridiculiza las convenciones sociales.
ERASO, ***Francisco Benito*** (1793-1835) Militar esp. Absolutista, se levantó en Navarra en apoyo de los derechos del pretendiente Carlos (1833). Derrotó a Espartero en Descarga (1835).
ERATÓSTENES de Cirene (h. 275-h. 194 a. C.) Sabio gr. dedicado a las matemáticas, la geografía y la filosofía. Estableció los fundamentos de la geografía matemática.
ERAUSO, ***Catalina de,*** llamada LA MONJA ALFÉREZ (15 92-1635) Aventurera esp.; religiosa

Eras geológicas

Eras	*Períodos*	*Mill. años*	*Geología*	*Fauna*	*Flora*
Arqueozoica	Arcaico Algonquino	2400-2500	Aparecen los primeros mares. Plegamiento huroniano	Protozoos	Algas
Primaria o paleozoica	Cámbrico Silúrico Devónico Carbonífero Pérmico	500-600	Se forman los continentes N y S. Plegamiento huroniano y herciniano. Formación de hulla. Vulcanismo intenso.	Aparecen los ammonitetes e insectos. Desarrollo coralífero. Aparecen los primeros vertebrados, anfibios y reptiles.	Aparecen plantas terrestres; gran desarrollo de los vegetales. Aparición de las gimnospermas y de las primeras coníferas.
Secundaria o mesozoica	Triásico Jurásico Cretáceo	120-200	Empiezan los plegamientos alpinos. Grandes fenómenos volcánicos en Sudamérica.	Decrecen los animales marítimos. Desarrollo gigantesco de los reptiles. Aparecen los primeros mamíferos y aves.	Gran desarrollo de las coníferas. Aparecen las monocotiledóneas y más tarde las dicotiledóneas.
Terciaria o cenozoica	Eoceno Oligoceno Mioceno Plioceno	60-70	Actividad volcánica. Formación de los Alpes, Apeninos, Pirineos, Cárpatos, Cáucaso e Himalaya.	Desarrollo de los mamíferos y aves. Desaparición paulatina de los reptiles. Surgen los primeros simios.	Desarrollo de las fanerógamas.
Cuaternaria o antropozoica	Pleistoceno o glacial (actual)	1-2	Formaciones glaciares. Intensa actividad volcánica. Formación de ríos y turberas.	Mamut. Origen y desarrollo del hombre.	Actual

dominica, huyó del convento en 1607; en América se alistó en el ejército para luchar contra los indios chilenos.
ERB, *Wilhelm Hendrik* (1840-1921) Neurólogo al. Estudió la relación de la sífilis con la tabes dorsal y perfeccionó la técnica del electrodiagnóstico.
ERBEN, *Karel Jaromir* (1811-1870) Escritor y filólogo checo. *La guirnalda, Antología de la literatura checa antigua.*
ERBIO m. *Quím.* Elemento de símb. Er, n. a. 68 y p. a. 167,27. Es un metal de la familia de los lantánidos.
ERCILLA, *Alonso de* (1533-1594) Poeta esp. En 1555 marchó a las Indias y tomó parte en la lucha por la conquista de Chile. *La Araucana.*
ERCKMANN-CHATRIAN Nombre de dos escritores fr.: **Émile Erckmann** (1822-1899) y **Alexandre Chatrian** (1826-1890). *El amigo Fritz, Los cuentos populares, El judío polaco.*
ERE f. Nombre de la letra *r* en su sonido suave.
EREBO m. poét. Infierno.
EREBUS Volcán de la Antártida, en la isla de Ross: 4 023 m de alt.
ERECCIÓN f. Acción y efecto de levantar, enderezarse o ponerse rígida una cosa. • Enderezamiento del pene o clítoris producida por el aflujo de sangre. • Fundación o institución. • Tensión. ■ ERÉCTIL; ERECTILIDAD; ERECTO, TA; ERECTOR.
EREMITA m. Ermitaño de los primeros tiempos del cristianismo. ■ EREMÍTICO, CA; EREMITISMO.
EREMITORIO o **ERMITORIO** m. Lugar donde hay una o más ermitas.
ERETISMO m. *Psic.* Estado de gran irritabilidad neuropsíquica que se manifiesta por respuestas excesivas en relación a la cuantía del estímulo que las provoca.
ERETIZÓNTIDO, DA adj. y m. *Zool.* Díc. de los animales de la familia eretizóntidos. • m. pl. *Zool.* Familia de mamíferos roedores arborícolas del continente americano. Son de hábitos nocturnos. Se alimentan de hojas y cortezas.
EREVÁN → Yereván.
ERÉZCANO, *Francisco* (1796-1856) Marino arg. Combatió por la indep. alistándose en la expedición de San Martín a Perú (1820). Dirigió las escuadras de Chile y Argentina.
ERFURT C. de Alemania, cap. del distrito hom. Sit. a orillas del r. Gera; 214 600 hab. Centro comercial e industrial. Cap. histórica de Turingia.
ERG m. Suelo desértico y arenoso de relieve ondulado. • *Fís.* Nombre del ergio en la nomenclatura internacional.
ERGASTOPLASMA m. *Biol.* Orgánulo citoplasmático que contiene ribosomas y participa en la síntesis de proteínas y sustancias de tipo graso.
ERGÁSTULA f. o **ERGÁSTULO** m. Cárcel destinada a esclavos.
ERGIO m. *Fís.* Unidad de trabajo del sistema CGS, definida como el trabajo requerido para desplazar 1 cm el punto de aplicación de una fuerza de 1 dina en la dirección de ésta.
ERGO conj. latina. Por tanto, luego, pues. Se usa en silogismos y también festivamente.
ERGONÓMICO, CA adj. *Comp.* Díc. del dispositivo especialmente diseñado para hacer agradable su manejo.
ERGOTINA f. Principio activo del cornezuelo del centeno.
ERGOTISMO m. Intoxicación aguda o crónica producida por el cornezuelo del centeno. • Argumentación en que se abusa de silogismos.
ERGOTIZAR tr. Abusar del sistema de argumentación silogística. ■ ERGOTISTA.
ERGUIR tr. Levantar y poner derecha una cosa. Díc. más ordinariamente del cuello, la cabeza, etc. • prnl. Levantarse o ponerse derecho. • fig. Engreírse, ensoberbecerse. ■ ERGUIMIENTO.
ERHARD, *Ludwig* (1897-1977) Político cristianodemócrata y economista al. Ministro de Economía, sucedió a Adenauer como canciller (1963-1966).
ERHART, *Gregor* (ss. XV-XVI) Escultor al. Se le atribuye la estatua en madera de la Magdalena del Louvre.
ERIAL o **ERIAZO** adj. y m. Aplícase a la tierra o campo sin cultivar.
ERICÁCEO, A adj. y f. *Bot.* Díc. de las plantas de la familia ericáceas. • f. pl. *Bot.* Familia de plantas angiospermas dicotiledóneas, de hojas alternas, flores vistosas y frutos en baya, a la que pertenecen el madroño, el brezo y el arándano.
ERICE C. de Italia, en Sicilia. Es la ant. Erix. Fundada por los fenicios, los rom. se apoderaron de ella durante la primera guerra púnica (247 a. C.). Estuvo bajo dominación ár. y normanda.
ERÍDANO Denominación castellana de la constelación *Eridanus.*
ERIDANUS *Astr.* Constelación que se encuentra al O de Orion y que contiene una nebulosa típica con galaxia espiral, la NGC 1 300.
ERIDU Ant. c. sumeria, junto al Éufrates, en la Baja Mesopotamia. Se conserva un zigurat de finales del III milenio a. C.
ERIE Lago de Norteamérica de origen glaciar, en la frontera entre EE UU y Canadá; 25 612 km².
ERIGIR tr. Fundar, instituir o levantar. • tr. y prnl. Constituir a una persona o cosa con un carácter que antes no tenía.
ERIK Nombre de varios reyes escandinavos.

DINAMARCA

ERIK V Glipping, *el Bizco* (h. 1249-1286) Rey de Dinamarca [1259-1286], hijo y sucesor de Cristóbal I. Puso las bases de la constitución danesa. • **VI,** Menved [1274-1319] Rey de Dinamarca [1286-1319], hijo y sucesor del anterior, se enfrentó al clero.

NORUEGA

ERIK de Pomerania (1382-1459) Rey de Noruega [1389-1442], de Dinamarca y de Suecia [1396-1439]. Fue coronado en la dieta de Kalmar (1397) y post. destituido.

SUECIA

ERIK XI, *Eriksson* (h. 1216-1250) Rey de Suecia [1222-1250]. Hijo de Erik X, a su muerte se inició la dinastía Folkung. • **XIV** (1533-1577) Rey de Suecia [1560-1568]. Hijo y sucesor de Gustavo I Vasa.
ERIK, *el Rojo* (940-1010) Explorador nor. Descubrió Groenlandia h. 985.
ERÍN Nombre gaélico de Irlanda.
ERINA f. *Cir.* Instrumento para mantener separados los tejidos en una operación.
ERINACEIDO, DA adj. y m. *Zool.* Díc. de los animales de la familia erinaceidos. • m. pl. *Zool.* Familia de mamíferos insectívoros que comprende los erizos y los gimnuros o ratas lunares.
ERINGE f. Cardo corredor.
ERIOTECNIA f. Estudio de la lana, en especial en lo concerniente a sus aplicaciones industriales.
ERISIPELA f. *Pat.* Inflamación superficial de la piel que se manifiesta por su color encendido y va comúnmente acompañada de fiebre. ■ ERISIPELAR; ERISIPELATOSO, SA.
ERÍSTICO, CA adj. *Fil.* Díc. de la escuela socrática de Megara. • *Fil.* Aplícase también a la escuela que abusa del procedimiento dialéctico.
ERITEMA m. *Pat.* Enrojecimiento congestivo y temporal de la piel que se presenta en los procesos inflamatorios locales y en quemaduras de primer grado.

ERITREA

Superficie 121 143 km²

Población 3 590 000 hab. (30 hab./km²)

Recursos económicos

Pesca	2 961 t
Riqueza forestal	39 640 000 m³
Sal	110 000 t

Indicadores sociológicos

PNB	1 900 millones de dólares
Renta per cápita	570 dólares

ERITREA (*Ertira*) Est. de África, nordoriental. Limita al N con Sudán, al O con Etiopía, al S con Djibuti y al NE y E con el mar Rojo. Incluye las is-

Desiderio **Erasmo de Rotterdam,** por Quentin Metsys

Erik XIV de Suecia

Eritrea. Arriba, mapa de situación y bandera; abajo, puerto de Massawa

Cangrejo **ermitaño**

las de Dahlak. Relieve dominado por una altiplanicie de más de 3 000 m. Avenada por el Barka, el Gash y el Satit. Cereales, café, tabaco, algodón. Ganadería. Salinas. Lenguas: tigré, tigriña, it. *Rel.*: cristianismo copto, islamismo. U. M.: birr. Cap.: Asmara. C. prales.: Massawa, Keren, Assab.

* *Hist.* Colonia it. desde 1890 a 1941, fue luego administrada por Gran Bretaña entre 1941-1952. Éste año la ONU la convirtió en est. federado de Etiopía. Desde la segunda mitad de la década de 1950 no cesó la lucha entre la guerrilla nacionalista y las tropas etíopes. En 1962 fue anexionada por Etiopía. En abril de 1993, se celebró un referéndum en el que aprobada la indep. del terr. El ejército inició en 1998 una ofensiva contra Etiopía para reclamar el terr. del Tigré, hasta que la mediación internacional posibilitó la firma de la paz en junio de 2000.

ERITRITA f. *Miner.* Arseniato hidratado de cobalto, monoclínico, de color rojo brillante. • *Quím.* Alcohol tetravalente de sabor dulce, que se encuentra en las algas y en los líquenes.

ERITROBLASTO m. *Biol.* Célula nucleada incolora de la médula ósea, precursora del hematie.

ERITROCITO o **HEMATÍE** m. *Biol.* Glóbulo rojo de la sangre, encargado de transportar gases entre los órganos respiratorios y los tejidos, gracias a la hemoglobina que contiene.

ERITROPOYESIS f. *Biol.* Proceso de formación de los hematíes o eritrocitos.

ERITROSINA f. Sustancia colorante orgánica, roja, que se usa en la coloración de los alimentos.

ERITROXILÁCEO, A adj. y f. *Bot.* Díc. de las plantas de la familia eritroxiláceas. • f. pl. *Bot.* Familia de plantas angiospermas dicotiledóneas, árboles o arbustos, de hojas sencillas, flores blan-

El elefante de Célebes, óleo de Max **Ernst.** Galería Tate, Londres

quecinas y fruto en drupa, a la que pertenecen el arabo y la coca del Perú.

ERIVÁN → Yereván.

ERIZAR tr. y prnl. Levantar, poner rígida y tiesa una cosa, como las púas del erizo; díc. especialmente del pelo. • tr. fig. Llenar o rodear una cosa de obstáculos, asperezas, etc. ■ ERIZADO, DA.

ERIZO m. *Zool.* Mamífero insectívoro, con el dorso y los costados cubiertos de púas agudas, la cabeza pequeña, las patas y la cola muy cortas. • *Bot.* Planta papilionácea con ramas entrecruzadas y espinosas y flores azules o violadas. • Involucro espinoso de la castaña y otros frutos. • *Zool.* Pez del orden de los plectognatos; tiene el cuerpo erizado de púas. Es propio de los mares intertropicales. • fig. y fam. Persona de carácter áspero. • Conjunto de puntas de hierro que sirve para coronar y defender lo alto de un parapeto o muralla. • **de mar,** o **marino.** *Zool.* Equinodermo, de figura de esfera aplanada, cubierto con una concha llena de púas.

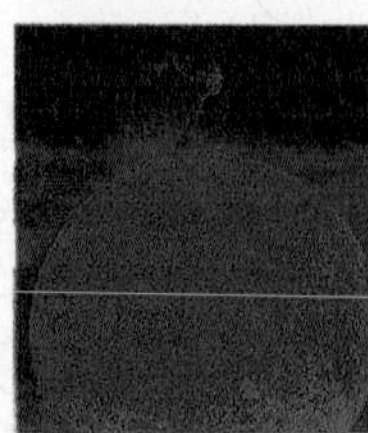

ERLANGER, *Joseph* (1874-1965) Neurofisiólogo norteam. Autor de imp. estudios sobre las respuestas eléctricas nerviosas. Premio Nobel de Medicina, junto a H. S. Gasser, en 1944.

ERLENMEYER m. *Quím.* Recipiente de vidrio de fondo plano y forma troncocónica, muy usado en los laboratorios. Su base grande le proporciona gran estabilidad y mucha superficie de calefacción.

ERMITA f. Capilla o santuario situado por lo común en despoblado.

ERMITAGE Museo de San Petersburgo, sit. en el palacio de Invierno. Se abrió al público en 1852.

ERMITAÑO, ÑA m. y f. Persona que vive en la ermita y cuida de ella. • m. El que vive en soledad. • *Zool.* Crustáceo de abdomen desprovisto de caparazón. El animal protege el abdomen alojándolo en una concha vacía de caracol.

ERMUNIO m. El que estaba libre de todo gén. de servicio o tributo ordinario.

ERNST, *Max* (1891-1976) Pintor y escultor al., nacionalizado fr. Se inició en el grupo dadaísta de Colonia. En 1922 se instaló en París, en donde se adhirió al surrealismo. Entre 1941 y 1949, residió en EE UU, experimentando el *dripping* (goteo casual de los colores sobre la tela). *Pareja zoomorfa, Sueño de revolución.* • ***Paul*** (1866-1933) Escritor neoclásico al. *Demetrios, Credo, El derrumbamiento del idealismo alemán.*

EROGAR tr. Adjudicar, repartir bienes. • *Amér.* Desembolsar dinero, pagar, gastar. ■ EROGACIÓN.

ERÓGENO, NA adj. Díc. de las zonas y partes del cuerpo más sensibles a la excitación sexual.

EROS m. Conjunto de tendencias y deseos sexuales.

EROS *Mit. gr.* Dios del amor, correspondiente al Cupido y al Amor rom. Según Hesiodo, nació del Caos. Fuentes posteriores le presentan como hijo de Afrodita y de Zeus, Ares o Hermes.

EROSIÓN f. Desgaste producido en la superficie de un cuerpo por la fricción continua de otros. • *Geol.* Conjunto de procesos que causan variaciones en el relieve de la superficie terrestre. • *Med.* Proceso de destrucción lenta de un tejido. • fig. Desgaste de prestigio o influencia que pueden sufrir una persona, una institución, etc. ■ EROSIVO, VA.

EROSIONAR tr. Producir erosión. • tr. y prnl. fig. Desgastar el prestigio o influencia de una persona, una institución, etc.

EROSTRATISMO m. *Psic.* Tendencia a cometer actos delictivos para conseguir renombre.

EROTEMA f. Interrogación retórica.

EROTISMO m. Amor sensual, gusto por las satisfacciones sexuales. • Cualidad de erótico. • *Pat.* Estado de hiperexaltación del instinto sexual. Se denomina *satiriasis* en el hombre y *ninfomanía* o *furor uterino* en la mujer. ■ ERÓTICO, CA.

EROTOMANÍA f. *Psiq.* Trastorno mental centrado en una obsesión sexual. ■ EROTÓMANO, NA.

ERRADICACIÓN f. Acción de erradicar. • Supresión total de una enfermedad infecciosa en un territorio.

ERRADICAR tr. Arrancar de raíz.

ERRAJ m. Cisco hecho con huesos de aceituna quebrantados.

ERRAR tr. e intr. No acertar; equivocarse. • tr. Faltar, no cumplir con lo que se debe. • intr. Andar vagando de una parte a otra. • Divagar el pensamiento, la imaginación, la atención. • prnl. Equivocarse. ■ ERRABUNDO, DA; ERRADIZO, ZA; ERRADO, DA; ERRANTE; ERRÁTICO, CA; ERRÁTIL.

ERRATA f. Equivocación material cometida en lo impreso o manuscrito.

ERRÁZURIZ, *Fernando* (1777-1841) Político chil. Apoyó la lucha por la ind. de Chile. Miembro de la Junta que sustituyó a O'Higgins. Presid. del congreso en 1833, año en que se promulgó una constitución autoritaria. • **Echaurren, *Isidoro*** (1835-1898) Escritor y político chil. *Hombres y cosas durante la guerra, Los enojos de un liberal.* • **Echaurren, *Federico*** (1850-1901) Político chil. Participó en la rev. de 1891, apoyando al congreso en su enfrentamiento con el presidente Balmaceda. Sucedió a Montt en la presidencia de la rep. (1896). • **Zañartu, *Federico*** (1825-1877) Político chil. Tras el triunfo en las elecciones de 1851 del conservador Montt, apoyó una intentona liberal que fracasó, al igual que la de 1859. Presid. de la rep. (1871-1876).

ERRE f. Nombre de la letra *r* en su sonido fuerte. • **Erre que e.** m. adv. fam. Con porfía y terquedad.

ERRO, *Carlos Alberto* (1899-1968) Escritor y político arg. Director general de Agricultura y Ganadería. Vicepresid. del Instituto Argentino de Filosofía Jurídica y Social. *Diálogo existencial, Medida del criollismo.*

ERRONA f. *Chile.* Suerte en que no acierta el jugador.

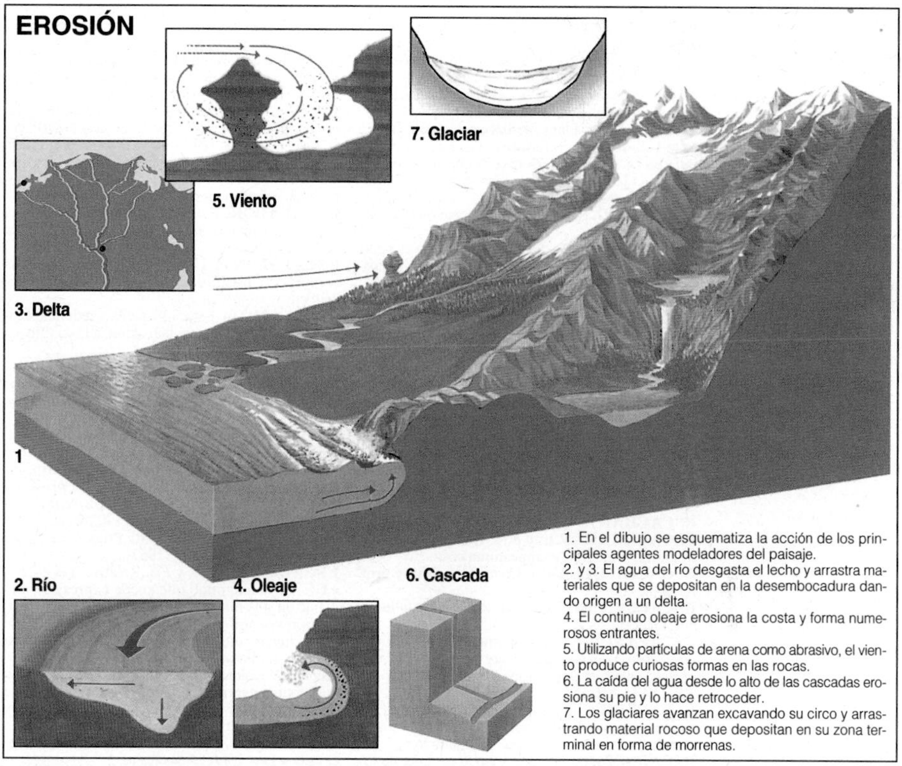

EROSIÓN

5. Viento

7. Glaciar

3. Delta

1

2. Río

4. Oleaje

6. Cascada

1. En el dibujo se esquematiza la acción de los principales agentes modeladores del paisaje.
2. y 3. El agua del río desgasta el lecho y arrastra materiales que se depositan en la desembocadura dando origen a un delta.
4. El continuo oleaje erosiona la costa y forma numerosos entrantes.
5. Utilizando partículas de arena como abrasivo, el viento produce curiosas formas en las rocas.
6. La caída del agua desde lo alto de las cascadas erosiona su pie y lo hace retroceder.
7. Los glaciares avanzan excavando su circo y arrastrando material rocoso que depositan en su zona terminal en forma de morrenas.

ERROR m. Concepto equivocado o juicio falso. • Acción desacertada o equivocada. • Cosa hecha erradamente. • Diferencia en el peso, medida, etc., con respecto a lo que se pesa o mide. • *Der.* Vicio del consentimiento causado por equivocación de buena fe, que anula el acto jurídico si afecta a lo esencial del mismo o de su objeto. • **absoluto.** Diferencia entre el valor verdadero de una magnitud y el valor medido. • **relativo.** Cociente entre el e. absoluto y el valor de la magnitud medida. ■ ERRÓNEO, A.

ERSE adj. Relativo a los habitantes de los Highlands escoceses. • m. *Ling.*Variedad del gaélico hablado en Escocia.

ERTOGRUL (h. 1190-1281) Emir turco. Fundador de la dinastía osmanlí.

ERUBESCENCIA f. Rubor, vergüenza. ■ ERUBESCENTE.

ERUCTAR intr. Expeler con ruido por la boca los gases del estómago. ■ ERUCTACIÓN; ERUCTO.

ERUDICIÓN f. Conocimiento profundo adquirido mediante el estudio sobre una o varias materias. ■ ERUDITO, TA.

ERUGINOSO, SA adj. Ruginoso, herrumbroso.

ERUPCIÓN f. Aparición en la piel o las mucosas de granos, manchas o vesículas. • Emisión repentina y violenta de lavas, gases, etc., a través de un cráter volcánico. • Fase de máx. actividad de la atmósfera solar.

ERUPTIVO, VA adj. Relativo a la erupción o procedente de ella. • *Geol.* Díc. de las rocas formadas por enfriamiento y consolidación de magmas.

ERVIGIO (m. 687) Rey de los visigodos [680-687]. Destronó a Wamba y legitimó su subida al trono en 681, en el XII concilio de Toledo. Revisó el *Código* de Recesvinto.

ERZELL, *Catalina d'* (1897-1950) Escritora mex. *La Inmaculada*, *Esos hombres*, *La razón de la culpa*, *Maternidad*.

ERZGEBIRGE → Metálicos, montes.

ERZURUM C. del E de Turquía (ant. Garin o Karin); 252 600 hab. Centro comercial. Ocupada varias veces por Rusia en los ss. XIX y XX.

Es prep. insep. que, lo mismo que *ex,* denota fuera o más allá; privación; atenuación del significado del simple. A veces no es más que partícula expletiva.

Es *Quím.* Símb. del einstenio.

ESAA Tablante, *Prudencio* (nacido 1900) Pianista y compositor ven. *Siete estampas venezolanas*, *Cantos llaneros, Miranda*, etc.

ESAKI, *Leo* (nacido 1925) Físico japonés, establecido en EE UU. Descubridor de una nueva característica de la resistencia negativa, utilizada en la construcción del diodo que lleva su nombre. Premio Nobel de Física en 1973, junto con I. Giaever y B. D. Josephson.

ESAÚ Hijo primogénito de Isaac y Rebeca, y hermano de Jacob, al cual vendió su primogenitura por un plato de lentejas.

ESBARAR intr. Resbalar.

ESBATIMENTAR tr. *Pint.* Hacer o delinear un esbatimento. • intr. Causar sombra un cuerpo en otro.

ESBATIMENTO m. *Pint.* Sombra que hace un cuerpo sobre otro.

ESBELTO, TA adj. Gallardo, delgado, alto y de elegante figura. ■ ESBELTEZ.

ESBIRRO m. Alguacil, policía. • El que tiene por oficio prender a las personas. • El que sirve a otro para ejecutar violencias y desafueros.

ESBOZAR tr. Bosquejar.

ESBOZO m. Bosquejo, boceto. • *Biol.* Formación embrionaria que no ha alcanzado aún su forma y estructura definitivas.

ESCABECHAR tr. Echar en escabeche. • tr. y prnl. fig. Teñir las canas. • tr. fig. y fam. Matar violentamente, por lo común con arma blanca. • fig. y fam. Suspender o reprobar en un examen. ■ ESCABECHADO, DA.

ESCABECHE m. Salsa o adobo con vinagre, hojas de laurel y otros ingredientes, para conservar los pescados y otros manjares. • Manjar escabechado. • fig. Líquido para teñir las canas. • *Chile.* Encurtido.

Gabro, roca **eruptiva**

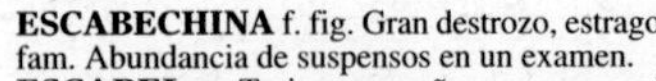

ESCABECHINA f. fig. Gran destrozo, estrago. • fam. Abundancia de suspensos en un examen.

ESCABEL m. Tarima pequeña que se pone delante de la silla para que descansen los pies del que se sienta en ésta. • Asiento pequeño hecho de tablas, sin respaldo. • fig. Persona o circunstancias de que uno se aprovecha para medrar.

Flores de **escabiosa**

ESCABIOSA f. Planta herbácea, dipsacácea, con tallo velloso, hojas inferiores ovaladas y muy lobuladas las superiores; flores en cabezuela con corola azulada. • *Cuba*. Planta silvestre, escrofulariácea, con florecillas blancas.

ESCABIOSO, SA adj. Perteneciente o relativo a la sarna.

ESCABRO m. Roña de las ovejas que echa a perder la lana. • Enfermedad que padecen en la corteza los árboles y las vides.

ESCABROSO, SA adj. Desigual, lleno de embarazos. • fig. Áspero, duro, de mala condición. • fig. Que está al borde de lo incoveniente o de lo inmoral. ■ ESCABROSIDAD.

ESCABUCHE f. Azada pequeña que se usa para escardar.

ESCABULLARSE prnl. *Amér.* Escabullirse.

ESCABULLIRSE prnl. Irse o escaparse de entre las manos. • fig. Salirse uno de la compañía en que estaba sin que lo echen de ver.

ESCACADO, DA adj. y s. *Her.* Escaqueado.

ESCACHALANDRADO, DA adj. *Amér.* Descuidado, desgarbado.

ESCACHAR tr. Cascar, aplastar, despachurrar.

ESCACHARRAR tr. y prnl. Romper un cacharro. • fig. Malograr, estropear una cosa.

ESCACHIFOLLAR tr. Cachifollar. • tr. y prnl. Escacharrar.

ESCAECER intr. Decaer, descaecer, desfallecer, enflaquecer.

ESCAFANDRA f. Traje hermético que garantiza la supervivencia en un ambiente distinto del normal (grandes alturas, agua o espacio cósmico).

ESCAFILAR tr. *Const.* Descafilar.

ESCAFOIDES adj. *Anat.* Díc. del hueso más externo y grueso de la fila primera del carpo y del hueso del pie situado delante del astrágalo.

ESCAFÓPODO, DA adj. y m. *Zool.* Díc. de los animales de la clase escafópodos. • m. pl. *Zool.* Clase de moluscos de cuerpo alargado y cubiertos por una concha cónica.

ESCAJO m. Tierra yerma que se pone en cultivo.

ESCAJOCOTE m. *Amér. Centr.* Árbol corpulento, de madera compacta, que produce una fruta agridulce menor que una ciruela.

Escalada libre

ESCALA f. Escalera de mano. • Sucesión ordenada de cosas distintas, pero de la misma especie. • Relación entre una longitud y su representación sobre un mapa, plano o fotografía. • fig. Importancia mayor o menor de un asunto, negocio, etc. • En los dispositivos de medida, subdivisión del intervalo dentro del cual se realizan los desplazamientos de un indicador. • Graduación de dicha subdivisión. • Cualquier sistema que, por comparación con una unidad, permita medir una determinada magnitud. • *Mar.* Lugar o puerto adonde tocan de ordinario las embarcaciones. • *Mil.* Escalafón. • *Mús.* Sucesión diatónica de las siete notas musicales. • **de valores.** *Soc.* Jerarquización de los valores de un grupo humano, que se establece a través de la conducta y la reacción de éste ante aquéllos. • **franca.** Puerto libre y franco donde los buques de todas las naciones pueden llegar con seguridad para comerciar. • **móvil.** Sistema de pagar los salarios en función de los precios. • **pitagórica.** *Mús.* La primera utilizada en música. Está formada, a partir de un tono cualquiera, de quintas ascendentes y de cuartas descendentes. • **solfeica.** *Mús.* Es la resultante de la sistematización de la pitagórica; en ella la octava está dividida en 53 grados-comas y un tono vale 9 comas. • **temperada.** *Mús.* La que se fundó a partir del s. XVIII sobre el concepto del temperamento igual; está formada por la superposición de dos diferentes: la e. fundamental o diatónica y una e. accesoria, constituida por semitonos de la sucesión cromática. • **termométrica.** La utilizada para la medición de temperaturas. • **En gran e.** loc. adv. Por mayor, en montón, en grueso.

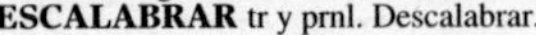

ESCALABRAR tr y prnl. Descalabrar.

ESCALADA f. Acción y efecto de escalar una fortaleza. • Deporte que consiste en trepar por pronunciadas pendientes de roca o hielo. • fig. Intensificación progresiva de una acción política o militar. • fig. Incremento de un acto, esfuerzo, etc., para conseguir un fin.

ESCALADA, *Antonio José de* (1753-1821) Político arg. Canciller de la real audiencia (1810), colaboró en la lucha por la indep. Formó parte de la Junta de abril (1815) precedente de la convocatoria del congreso de Tucumán, en el que se proclamaría la independencia (1816).

ESCALADOR, RA adj. y s. Que escala. • m. y f. Deportista que practica la escalada. • m. Estibador dedicado a la descarga de los buques de pesca.

ESCALAFÓN m. Lista de los individuos de una corporación, clasificados según su grado, antigüedad, etc.

ESCÁLAMO m. Estaca pequeña y redonda, fijada en el borde de una embarcación, a la cual se ata el remo.

ESCALANTE, *Amós de* (1831-1902) Poeta y novelista esp. Publicó la novela histórica *Ave Maris Stella* y algunos relatos de viajes. • ***Constantino*** (1836-1868) Dibujante mex. Gran parte de su producción se publicó en el periódico satírico *La Orquesta*, opuesto al emp. Maximiliano. • ***Juan Antonio de Frías*** y (1630-1670) Pintor esp. influenciado por Ricci y Tintoretto. *La prudente Abigail*, *El triunfo de la fe sobre los sentidos*. • **Durán, *Carlos Manuel*** (nacido 1902) Ingeniero y político cost. Diputado en 1940. Primer embajador de Costa Rica en EE UU (1943).

ESCALAR adj. *Mat.* y *Fís.* Relativo a la escala. • Díc. de la magnitud que puede expresarse mediante un solo núm., sin que sea preciso fijar su dirección y sentido. • tr. Entrar en una plaza fuerte u otro lugar valiéndose de escalas. • Subir, trepar por una pendiente o una altura. • P. ext., entrar subrepticia o violentamente en un lugar cerrado, rompiendo una pared, un tejado, etc. • fig. Subir, no siempre por buenas artes, a elevadas dignidades. ■ ESCALADO, DA; ESCALAMIENTO.

ESCALDADO, DA adj. fam. Escarmentado, receloso. • fam. Libre, deshonesto.

ESCALDAR tr. Bañar con agua hirviendo una cosa. • Abrasar con fuego una cosa poniéndola al rojo. • prnl. Escocerse la piel. ■ ESCALDADURA.

ESCALENO adj. y m. *Geom.* Díc. del triángulo de tres lados desiguales. • *Anat.* Díc. de cada uno de los tres músculos de la región lateral del cuello.

ESCALENOEDRO m. *Geom.* Poliedro cuyas caras son triángulos escalenos. • *Miner.* Forma cristalográfica constituida por ocho (e. tetragonal) o doce (e. trigonal) triángulos escalenos.

ESCALENTAMIENTO m. Enfermedad que sufren los animales en los pies y en las manos por falta de limpieza.

ESCALERA f. Serie de escalones que sirve para subir y bajar. • Armazón de dos largueros y varios travesaños con que se prolonga por su parte trasera la carreta o el carro. • Reunión de naipes de valor correlativo. • fig. Trasquilón recto o línea de desigual nivel que las tijeras dejan en el pelo mal cortado. • **automática o mecánica.** La de movimiento continuo, que marcha sobre vías. • **de caracol.** La de forma espiral, seguida y sin ningún descanso. • **de mano.** La portátil, compuesta de dos largueros en que están encajados transversalmente y a iguales distancias unos travesaños que sirven de escalones. • **de servicio.** La accesoria que tienen algunas casas para dar paso por ella a la servidumbre y a los abastecedores.

ESCALERA, *José de la* (s. XVIII) Pintor cub. De su obra sobresalen los frescos que se conservan en la iglesia colonial de Santa María del Rosario.

ESCALERILLA f. Escalera de corto número de escalones. • En los juegos de naipes, tres cartas en una mano, de números consecutivos. • Instrumento de hierro, semejante a una escalera de mano, para abrir y explorar la boca de las caballerías.

ESCALETA f. Aparato para suspender el eje de cualquier vehículo y poder limpiar o componer las ruedas.

ESCALFADO, DA adj. Aplícase a la pared que no está bien lisa y forma algunas vejigas.

ESCALFADOR m. Jarro de metal para calentar

agua. • Pequeño brasero que se ponía en la mesa para calentar la comida.

ESCALFAR tr. Cocer en un líquido hirviendo los huevos sin la cáscara. • tr. y prnl. Cocer el pan con demasiado fuego.

ESCALFAROTE m. Bota con pala y caña doble para ser rellenada con borra o heno, de forma que se conserven calientes los pies.

ESCALINATA f. Escalera exterior de un solo tramo y hecha de fábrica.

ESCALMO m. Escálamo. • Cuña gruesa de madera que sirve para calzar o apretar algunas piezas de una máquina.

ESCALO m. Acción de escalar. • Trabajo de zapa o boquete practicado para salir de un lugar cerrado o penetrar en él.

ESCALOFRÍO m. Indisposición del cuerpo con estremecimiento y sensación de frío y calor. Se usa más en pl. • Sensación semejante producida por una emoción intensa, generalmente de terror. Se usa más en pl.

ESCALÓN m. Peldaño. • fig. Grado a que se asciende en dignidad. • fig. Paso o medio con que uno adelanta sus pretensiones. • **En escalones.** m. adv. Cortado o hecho con desigualdad.

ESCALÓN, *José* (nacido 1905) Escritor salv. *Ensayos psicosociológicos, La sinventura* (teatro). • ***Pedro José*** (1857-1912) Estadista salv. Presid. de la rep. (1903-1907). Progresista. Tuvo una actuación destacada en la guerra desatada con el dictador de Guatemala, Manuel Estrada Cabrera.

ESCALONA, *Juan* (1768-1834) Militar y político ven. Miembro de la Junta Suprema que declaró la indep. de Venezuela en 1811. Reanudada la lucha, fue gobernador de Valencia, que defendió frente a Boves (1814). Participó en el congreso de Angostura, que decretó la creación de la república de Colombia (1819). • **Ramos, *Alberto*** (nacido 1908) Ingeniero mex. Profesor de la Universidad Nacional. *Cronología y astronomía maya.*

ESCALONAR tr. y prnl. Situar ordenadamente personas o cosas de trecho en trecho. • tr. Distribuir en tiempos sucesivos las diversas partes de una serie. ▪ ESCALONAMIENTO.

ESCALONIA f. Especie de cebolla.

ESCALOPA o **ESCALOPE** m. Loncha delgada de vaca o de ternera empanada y frita.

ESCALPAR tr. Cortar la piel del cráneo.

ESCALPELO m. *Cir.* Bisturí de mango fijo usado pralm. en las disecciones anatómicas.

ESCALPIO m. Cuchilla con dos mangos, utilizada por los curtidores.

ESCAMA f. *Zool.* Membrana córnea, delgada y en forma de escudete, que suele cubrir la piel de peces y reptiles. • *Med.* Laminilla formada de células epidérmicas adheridas que se desprenden de la piel, frecuente en las enfermedades cutáneas. • fig. Lo que tiene forma de escama. • fig. Recelo, desconfianza. ▪ ESCAMIFORME.

ESCAMADO, DA m. Obra labrada en figura de escamas. • Conjunto de ellas. • f. Bordado cuya labor está hecha en figura de escamas.

ESCAMAR tr. Quitar las escamas a los peces. • Labrar en figura de escamas. • tr. y prnl. fig. y fam. Hacer que uno entre en cuidado, recelo o desconfianza. ▪ ESCAMADURA.

ESCAMOCHO m. Sobras de la comida o bebida.

ESCAMÓN, NA adj. Receloso, que se escama.

ESCAMONDAR tr. Limpiar los árboles quitándoles las ramas inútiles. • fig. Quitar a una cosa lo superfluo y dañoso. ▪ ESCAMONDA; ESCAMONDADURA; ESCAMONDO.

ESCAMONEA f. Gomorresina muy purgante que se extrae de una hierba convolvulácea de Siria.

ESCAMONEARSE prnl. fam. Escamarse, recelar.

ESCAMOSO, SA o **ESCAMUDO, DA** adj. Que tiene escamas. • adj. y m. *Zool.* Díc. del orden de los reptiles de cuerpo alargado y cubierto de escamas al que pertenecen los lagartos y las serpientes.

ESCAMOTEAR o **ESCAMOTAR** tr. Hacer un juego de manos por el que desaparezcan a ojos vistas las cosas que el jugador maneja. • fig. Robar una cosa con agilidad y astucia. • fig. Hacer desaparecer de un modo arbitrario algún asunto o dificultad. ▪ ESCAMOTEO.

ESCAMPAR tr. Despejar, desembarazar un sitio. • intr. Cesar de llover. • fig. Suspender el empeño con que se intenta hacer una cosa. • *Amér.* Guarecerse de la lluvia. ▪ ESCAMPADA; ESCAMPADO, DA.

ESCAMPAVÍA f. *Mar.* Barco pequeño y velero que acompaña como explorador a una embarcación más grande.

ESCAMUJAR tr. Cortar o entresacar las ramas de un árbol.

ESCAMUJO m. Rama o vara de olivo quitada del árbol. • Tiempo en que se escamuja.

ESCANCIAR tr. Echar el vino; servirlo en las mesas y convites. • intr. Beber vino. ▪ ESCANCIA.

ESCANDA o **ESCAÑA** f. Trigo de paja dura y corta, y cuyo grano se separa difícilmente del cascabillo.

ESCANDALERA f. fam. Escándalo grande.

ESCANDALIZAR tr. y prnl. Causar escándalo. • prnl. Excandecerse, enojarse.

ESCANDALLAR tr. Sondearel fondo del mar con el escandallo. • *Econ.* Efectuar un escandallo.

ESCANDALLO m. Parte de la sonda que sirve para reconocer la profundidad del mar y para recoger muestras del fondo. • Procedimiento para determinar el valor, peso o calidad de un conjunto de cosas tomando al azar una muestra de ellas. • fig. *Econ.* Determinación del precio estimado de coste de una mercancía, que se utiliza como base para el cálculo del precio de venta.

ESCÁNDALO m. Modo de comportamiento que, por su carácter anticonvencional, provoca un desajuste funcional o un movimiento de repulsa. • Alboroto, tumulto, inquietud, ruido. • Desenfreno, desvergüenza, mal ejemplo. • fig. Asombro, pasmo, admiración. • *Teol.* Conducta que puede ser para el prójimo ocasión de pecado. • **público.** *Der.* Delito contra la moral pública, el pudor y las buenas costumbres. ▪ ESCANDALOSO, SA.

ESCANDIA f. Trigo parecido a la escanda, con dobles carreras de granos en la espiga.

ESCANDINAVIA Conjunto de países formado, en esencia, por Dinamarca, Suecia y Noruega. Además suelen incluirse Finlandia, las islas Feroe e Islandia. • ***Península de E.*** La formada por Suecia y Noruega (774 000 km^2) y bañada por el océano Glaciar Ártico, el Atlántico, el Mar del Norte y el Báltico. Sus costas son muy recortadas (fiordos). Importantes lagos y riqueza forestal.

ESCANDINAVO, VA adj. y s. De Escandinavia. • *Ling.* Díc. de las lenguas germánicas del grupo septentrional.

ESCANDIO m. *Quím.* Elemento de símb. Sc, n.a. 21 y p. a. 44,96. Es un metal cuyas prales. menas son la gadolinita y la zuxenita.

ESCANDIR tr. Medir el verso.

ESCÁNER o **SCANNER** m. *Art. Gráf.* Dispositivo de exploración óptica que se utiliza para elaborar negativos de selección de color a partir de transparencias en color, para obtener el cliché o el fotolito de una ilustración o de un texto con trama. • *Med.* Dispositivo para explorar el cuerpo humano mediante rayos X, con el fin de obtener, gracias a exposiciones realizadas desde distintos ángulos, diferentes imágenes de una misma región corporal.

* *Med.* El e. precisa de una computadora que, conectada al aparato, combina las imágenes y elabora finalmente la imagen resultante de la región estudiada, técnica radiológica llamada → radiografía axial computerizada. El e. consta esencialmente de un generador de rayos X y un detector, no fotográfico, colocados en posiciones diametralmente opuestas, de modo que éste registre el barrido lineal de la «cinta» o haz de rayos de una porción del órgano estudiado hasta realizar un recorrido de 180°.

Escalera de caracol

Escamas de un ofidio

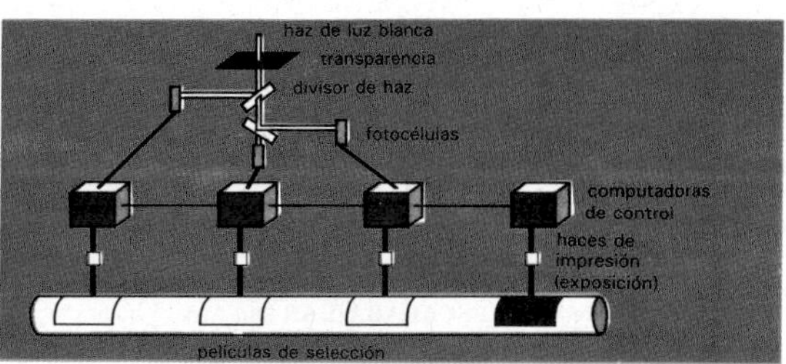

Escáner.
Esquema del dispositivo electro-óptico utilizado en artes gráficas

La computadora procesará todas estas cintas y ofrecerá la tomografía axial. El e. aventaja a los restantes sistemas de exploración y diagnóstico en que cumple su cometido sin necesidad de utilizar sustancias de contraste, siempre perjudiciales para el cuerpo humano.

ESCANIA (*Skane*) Región del S de Suecia. Comprende las prov. de Malmö y Kristianstad; 11 028 km^2 (325 de lagos), 1 027 500 hab. Cap., Malmö. Agricultura. Ganadería. Ind. alimentaria.

Escarabajo sagrado de Jopri. Detalle de un sarcófago del Imperio Medio egipcio. Museo Británico, Londres

ESCANSIÓN f. Medida de los versos.

ESCANTILLAR tr. *Arq.* Tomar una medida a contar desde una línea fija.

ESCANTILLÓN m. Regla o patrón para trazar las líneas y fijar las dimensiones según las cuales se han de labrar las piezas. • Escuadría de la madera.

ESCAÑERO m. Criado que cuida de los asientos y escaños en los edificios del Parlamento y en los Ayuntamientos.

ESCAÑO m. Banco con respaldo y capaz para sentarse tres o más personas. • Puesto y asiento de cada diputado en el Congreso, de cada senador en el Senado, etc.

ESCAÑUELO m. Banquillo para poner los pies.

Escarapela

ESCAPAR tr. Tratándose del caballo, hacerle correr con extraordinaria violencia. • Librar, sacar de un trabajo, mal o peligro. • intr. y prnl. Salir de un encierro o un peligro; como de una prisión, una enfermedad, etc. • Salir uno deprisa y ocultamente. • prnl. Salirse un líquido o un gas de un depósito, cañería, canal, etc., por algún resquicio. • prnl. e intr. Quedar fuera del dominio o influencia de alguna persona o cosa. ■ ESCAPADA O ESCAPAMIENTO.

ESCAPARATE m. Especie de estante con vidrieras. • Hueco que hay en la fachada de algunas tiendas, resguardado con cristales en la parte exterior, y que sirve para colocar en él muestras de los géneros. • *Amér.* Armario.

ESCAPARATISTA com. Persona especializada en exponer géneros en los escaparates, de modo que faciliten su venta o exposición.

ESCAPATORIA f. Acción y efecto de evadirse y escaparse. • fam. Excusa y modo de evadirse uno del aprieto en que se halla.

ESCAPE m. Acción de escapar. • Fuga de un gas o de un líquido. • En los motores de explosión, salida de los gases quemados dentro del cilindro. • En algunas máquinas, pieza que separándose deja obrar a un muelle, rueda u otra cosa que sujetaba. • **A e.** m. adv. A todo correr, a toda prisa.

ESCAPO m. *Arq.* Fuste de la columna. • *Bot.* Bohordo.

ESCÁPULA f. *Anat.* Omóplato.

ESCAPULAR adj. Referente a la escápula. • tr. *Mar.* Doblar o montar un bajío, cabo u otro peligro.

ESCAPULARIO m. Distintivo de algunas órdenes religiosas, usado también por los seglares como signo de devoción, que consiste en una tira de tela que cuelga sobre el pecho y la espalda.

ESCAQUE m. Cada una de las casillas cuadradas e iguales, blancas y negras alternadamente, en que se divide el tablero del ajedrez y el del juego de damas. • Juego del ajedrez. ■ ESCAQUEADO, DA.

ESCARA f. Costra oscura que resulta de la necrosis de la piel y tejidos subdérmicos.

Escarcha sobre arbustos

ESCARABAJEAR intr. Andar y bullir desordenadamente. • fig. Escribir mal, haciendo escarabajos. • fig. y fam. Punzar y molestar un cuidado o disgusto. ■ ESCARABAJEO.

ESCARABAJO m. *Zool.* Cualquiera de las especies de insectos que componen el orden coleópteros. • P. ext., aunque erróneamente, se aplica a insectos de otros órdenes, como cucarachas, chinches, etc. • fig. y fam. Persona pequeña de cuerpo y de mala figura. • pl. fig. y fam. Letras y rasgos mal formados y confusos. • **pelotero.** *Zool.* Coleóptero coprófago que construye bolas de estiércol en cuyo interior pone los huevos.

ESCARABAJUELO m. Insecto coleóptero, de color verde azulado brillante, que roe las hojas y otras partes tiernas de la vid.

ESCARAMUJO m. *Bot.* Arbusto caducifolio de la familia rosáceas, que tiene por fruto una baya de color rojo cuando está madura. • *Bot.* Fruto de este arbusto. • *Zool.* Percebe.

ESCARAMUZA f. Pelea entre soldados de a caballo. • Refriega de poca importancia sostenida especialmente por las avanzadas de los ejércitos. • fig. Riña o discusión de poca importancia.

ESCARAMUZAR o **ESCARAMUCEAR** intr. Sostener una escaramuza. • Revolver el caballo a un lado y otro como en la escaramuza.

ESCARAPELA f. Divisa compuesta de cintas, gralte. de varios colores, fruncidas o formando lazadas alrededor de un punto. • Riña o quimera. • En el tresillo, tres cartas falsas, cada cual de palo distinto de aquel a que se juega.

ESCARAPELAR intr. Reñir, trabar disputas unos con otros. • intr. y prnl. *Amér.* Descascarar, desconchar. • intr. *Col.* Ajar, manosear. • prnl. *Méx.* y *Perú.* Ponérsele a uno carne de gallina.

ESCARBADERO m. Sitio donde tienen costumbre de escarbar los animales.

ESCARBADIENTES m. Mondadientes.

ESCARBAOREJAS m. Instrumento en forma de cucharilla para limpiar los oídos.

ESCARBAR tr. Rayar o remover repetidamente la superficie de la tierra. • Limpiar los dientes o los oídos. • Avivar la lumbre, moviéndola con la badila. • fig. Inquirir curiosamente lo que está algo encubierto y oculto. ■ ESCARBADURA; ESCARBO.

ESCARBILLOS m. pl. Trozos pequeños de carbón que salen de un hogar mezclados con la ceniza por combustión incompleta.

ESCARCEADOR, RA adj. *Amér.* Díc. del caballo brioso que suele hacer muchos escarceos.

ESCARCEAR intr. *Amér.* Hacer escarceos el caballo.

ESCARCELA f. Especie de bolsa pendiente de la cintura. • Mochila del cazador, hecha de red. • Especie de cofia de mujer. • Parte de la armadura que caía desde la cintura al muslo.

ESCARCEO m. Movimiento en la superficie del mar, con pequeñas olas ampolladas. • pl. Tornos y vueltas que dan los caballos. • fig. Rodeo, divagación.

ESCARCHA f. Conjunto de diminutos cristales de hielo que se forman por sublimación del vapor de agua atmosférico.

ESCARCHADO, DA adj. Cubierto de escarcha. • m. Cierta labor de oro o plata, sobrepuesta en la tela. ■ ESCARCHE.

ESCARCHAR tr. Preparar confituras de modo que el azúcar cristalice en lo exterior como si fuese escarcha. • Hacer que en una botella que contiene aguardiente cristalice azúcar sobre un ramo de anís que en ella se introduce. • En la alfarería del barro blanco, desleír la tierra en el agua. • intr. Congelarse el rocío que cae en las noches frías.

ESCARCHO m. Rubio, pez.

ESCARCINA f. Espada corta y corva.

ESCARDA f. Acción y efecto de escardar. • Época del año a propósito para esta labor. • Azada pequeña con que se arrancan las hierbas que nacen entre los sembrados.

ESCARDADERA f. Almocafre.

ESCARDAR o **ESCARDILLAR** tr. Entresacar y arrancar las hierbas malas de los sembrados. • fig. Apartar lo malo de lo bueno para que no se confunda. ■ ESCARDADURA.

ESCARDILLA f. Almocafre.

ESCARDILLO m. Almocafre. • En algunas partes, vilano del cardo. • Luz que un cuerpo brillante, al moverse, refleja en la sombra.

ESCARDÓ, *Florencio* (nacido 1904) Humorista, poeta y ensayista arg. *Poemas de la noche y el silencio, ¡Oh!, Cosas de argentinos.*
ESCARIADO m. Acción y efecto de escariar. • *Ind.* Operación mecánica que tiene por objeto repasar agujeros taladrados con broca para pasarlos a las medidas convenientes y con la lisura adecuada.
ESCARIAR tr. Agrandar o redondear un agujero abierto en metal. ■ ESCARIADOR.
ESCARIFICADOR m. Instrumento armado de cuchillos de acero para cortar verticalmente la tierra y las raíces. • *Cir.* Instrumento con varias puntas aceradas que se emplea para escarificar.
ESCARIFICAR tr. Labrar la tierra con el escarificador. • *Antr.* Práctica corriente en algunas culturas afr. de realizarse incisiones en la cara con fines rituales o mágicos. • *Cir.* Hacer en alguna parte del cuerpo cortaduras o incisiones muy poco profundas para facilitar la salida de ciertos líquidos o humores. • *Cir.* Escarizar. ■ ESCARIFICACIÓN.
ESCARIOSO, SA adj. Aplícase a los órganos de los vegetales que tienen color de hojas secas.
ESCARIZAR tr. *Cir.* Quitar la escara que se cría alrededor de las llagas.
ESCARLADOR m. Navaja de los peineros para pulir las guardillas de los peines.
ESCARLATA f. Color carmesí fino, menos subido que el de la grana. • Tela de este color. • Grana fina. • Escarlatina, enfermedad.
ESCARLATINA f. Tela de lana de color carmesí. • *Pat.* Enfermedad infecciosa que produce fiebre y extensa erupción cutánea. Afecta pralm. a los niños. Causada por un estreptococo hemolítico, el estado patológico se inicia bruscamente con dolores de cabeza, vómitos y fiebre elevada con escalofríos; al cabo de uno o dos días aparece la erupción característica.
ESCARMANEAR tr. Desenredar y limpiar la lana o la seda. • fig. Castigar a uno quitándole aquello de lo que pueda hacer un mal uso. • *Min.* Escoger y separar el mineral de entre las tierras o escombros.
ESCARMENTAR tr. Corregir con rigor al que ha errado, para que se enmiende. • intr. Tomar enseñanza de lo que uno ha visto y experimentado.
ESCARMIENTO m. Desengaño, aviso y cautela, adquiridos con la experiencia del daño, error o perjuicio que uno ha reconocido en sus acciones o en las ajenas. • Castigo, multa, pena.
ESCARNAR tr. Dejar a un hueso sin carne.
ESCARNECER tr. Hacer mofa y burla de otro. ■ ESCARNECIMIENTO.
ESCARNIR tr. *Ant.* Escarnecer.
ESCAROLA f. *Bot.* Planta herbácea de hojas rizadas dispuestas en roseta. • Cuello alechugado que se usó ant. ■ ESCAROLADO, DA.
ESCAROLAR tr. Alechugar.
ESCARÓTICO, CA adj. *Cir.* Caterético, que cauteriza.
ESCARPA f. Declive áspero de cualquier terreno. • Cincel. • *Mil.* Plano inclinado que forma la muralla del cuerpo pral. de una plaza.
ESCARPADO, DA adj. Que tiene escarpa o gran pendiente. • Díc. de las alt. que no tienen subida ni bajada transitables o las tienen muy peligrosas.
ESCARPADURA f. Escarpa, declive.
ESCARPAR tr. Limpiar por medio del escarpelo. • Cortar una montaña o terreno, poniéndolo en plano inclinado.
ESCARPE m. Escarpa. • Pieza de la armadura que cubría el pie.
ESCARPELO m. Escalpelo. • Instrumento de hierro, sembrado de dientecillos, que usan los carpinteros, entalladores y escultores para limpiar y raspar las piezas de labor.
ESCARPIA f. Clavo con cabeza acodillada.
ESCARPIADOR m. Horquilla de hierro con que se afianza una tubería a la pared.
ESCARPIDOR m. Peine cuyas púas son más largas, gruesas y ralas que en los comunes, y que sirve para desenredar el cabello.
ESCARPÍN m. Zapato de una suela y de una costura. • Calzado interior, para abrigo del pie, que se coloca encima de la media o del calcetín. • *Argent.* y *Ur.* Zapatito de lana que usan los niños de corta edad y los adultos para dormir.
ESCARPION *(En)* m. adv. En forma de escarpia.
ESCARRANCHARSE prnl. Esparrancarse.
ESCARTIVANA f. Cartivana, tira de papel o tela usada para encuadernar láminas.
ESCARZA f. Herida en las patas de las caballerías causada por una china o cosa semejante.
ESCARZADOR m. Catador de colmenas.
ESCARZANO adj. *Arq.* Díc. del arco menor que el semicírculo del mismo radio.
ESCARZAR tr. Doblar un palo por medio de cuerdas para que forme un arco. • Quitar de las colmenas los panales delgados o sucios.
ESCARZO m. Panal con borra o suciedad • Operación o tiempo de escarzar las colmenas. • Hongo yesquero. • Borra o desperdicio de la seda.
ESCÁS m. *Dep.* En el juego de pelota vasca, cada una de las líneas que delimitan las zonas donde tiene que tocar la pelota.
ESCASEAR tr. Dar poco y de mala gana. • Ahorrar, excusar. • Cortar un sillar o un madero por un plano oblicuo a sus caras. • intr. Faltar, estar escaso. ■ ESCASERO, RA.
ESCASEZ f. Cortedad, mezquindad con que se hace una cosa. • Poquedad, mengua de una cosa. • Pobreza o falta de lo necesario para subsistir. • *Econ.* Característica del bien que tiene un precio.
ESCASO, SA adj. Corto, poco, limitado. • Falto, corto, no cabal. • Mezquino, nada liberal ni dadivoso. • Demasiado económico.
ESCATIMAR tr. Cercenar, escasear lo que se ha de dar.
ESCATIMOSO, SA adj. Malicioso, astuto.
ESCATOFAGIA f. Inclinación a comer excrementos. ■ ESCATÓFAGO, GA.
ESCATÓFILO, LA adj. Díc. de los insectos cuyas larvas se desarrollan entre excrementos.
ESCATOL m. Sustancia derivada del indol (metilindol), que se encuentra en las heces fecales contribuyendo a darles su olor característico.
ESCATOLOGÍA f. Parte de la teología que estudia el destino final del hombre y del universo. • Teorías referentes a dicho destino. • Tratado de los excrementos. ■ ESCATOLÓGICO, CA.
ESCAUPIL m. Sayo de armas acolchado con algodón, que usaban los indígenas mex. • *C. Rica.* Morral de cazador.
ESCAVANAR tr. Entrecavar los sembrados para ahuecar la tierra y quitar las malas hierbas.
ESCAVAR tr. Cavar ligeramente la tierra para ahuecarla y quitar la maleza.
ESCAYOLA f. Yeso calcinado, amasado en agua; se emplea para sacar moldes, reforzar vendas y gasas, etc. • Estuco.
ESCAYOLAR tr. Endurecer las vendas con escayola a fin de que mantengan en una misma posición los huesos rotos o dislocados.
ESCAYOLISTA m. Escultor que hace obras de escayola para la decoración de los edificios.

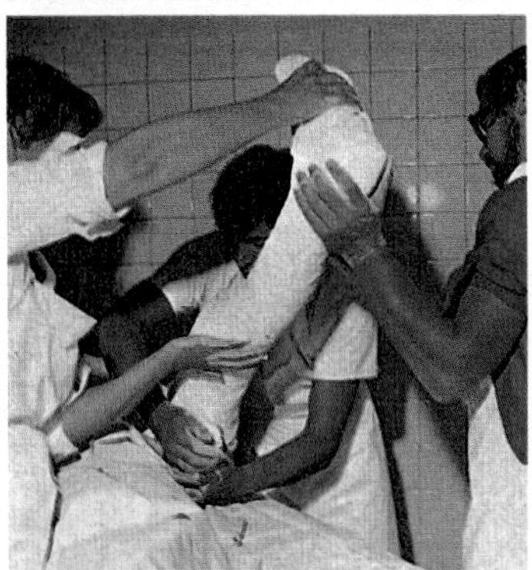

Vendaje tratado con **escayola** para reducir una fractura

ESCENA f. Parte del teatro en que se hacen las representaciones. Tiene su origen en la *skené* gr. • Lo que la escena representa. • Cada una de las divisiones del acto de la obra dramática. • fig. Arte de la declamación. • fig. Teatro, literatura dramática. • fig. Manifestación de la vida real digna de atención. • fig. Acto en el que se descubre algo teatral

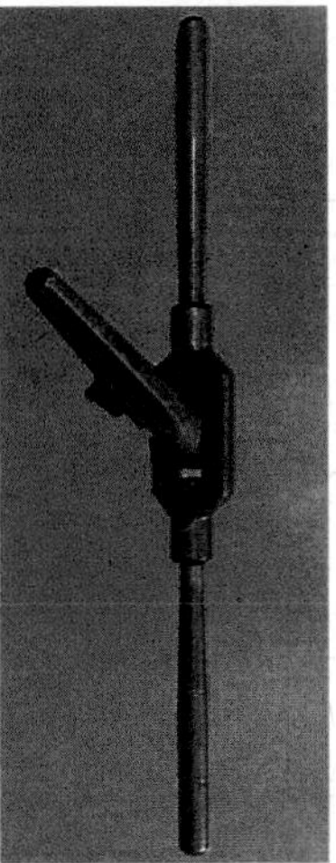

Escariador

Escarzano

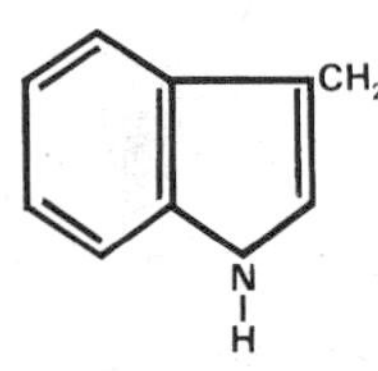

Escatol

Escena de *El enfermo imaginario,* de Molière

y fingido para impresionar el ánimo. • **Hacer una e.** Armar un escándalo. • **Poner en e.** Representar una obra. • Determinar la manera en que debe ser representada. ■ ESCÉNICO, CA.

Eslizón ocelado, reptil de la familia **escíncidos**

ESCENARIO m. Parte del teatro dispuesta convenientemente para que en ella se puedan colocar las decoraciones y representar. • fig. Conjunto de circunstancias que se consideran en torno de una persona o suceso. • fig. Lugar en que ocurre un suceso.

ESCENIFICAR tr. Dar forma dramática a una obra literaria para ponerla en escena. • Poner en escena una obra, suceso, chiste, etc. ■ ESCENIFICACIÓN.

ESCENOGRAFÍA f. Total y perfecta delineación en perspectiva de un objeto. • Arte y técnica de disponer los elementos decorativos de la escena para apoyar y subrayar la acción teatral. • Conjunto de decorados de una obra teatral. ■ ESCENOGRAFÍA; ESCANOGRÁFICO, CA.

ESCEPTICISMO m. *Fil.* Doctrina filosófica que afirma la posibilidad de poseer con certeza una verdad de carácter general, o que el hombre es incapaz de conocerla, caso de que exista. • Incredulidad o duda acerca de la verdad o eficacia de alguna cosa. ■ ESCÉPTICO, CA.

ESCÉVOLA, *Quinto Mucio* (140-82 a. C.) Cónsul de Roma (95 a. C.). Fue el primer jurisconsulto que recogió el derecho civil. *Liber singularis*.

ESCHENBACH, *Wolfram von* (s. XII-XIII) Poeta al., autor de poesías líricas y epopeyas. Autor del poema *Parzival*, imitación del *Perceval*, de Chrétien de Troyes.

ESCÍBALO m. Masa fecal dura y seca en el intestino.

ESCIÉNIDO, DA adj. y s. *Zool.* Díc. de los peces perciformes, de cuerpo alargado y cubierto de escamas ctenoideas. • m. pl. *Zool.* Familia de estos peces.

ESCIENTE adj. Que sabe.

ESCIFOZOOS m. pl. *Zool.* Clase de animales celenterados, marinos y pelágicos, conocidos vulgarmente como medusas. Su tamaño puede llegar a más de 1 m de diámetro y a muchos metros de largo. De colores pálidos y transparentes debido al gran contenido de agua, su aspecto es el de una sombrilla con su borde provisto de numerosos tentáculos y con un apéndice en su centro, el manubrio. Carecen de velo y poseen cápsulas urticantes. El desarrollo de los e. incluye una fecundación externa, una fase larvaria libre (plánula), y una fase pólipo, gralte. poco notoria y de pequeño tamaño.

ESCILA f. Cebolla albarrana.

Escipión en un tapiz renacentista flamenco

ESCILA *Mit.* Monstruo que personificaba un escollo del estrecho de Messina; tenía figura de perro con seis cabezas.

ESCÍNCIDOS m. pl. *Zool.* Familia de reptiles saurios de patas o dedos reducidos, a veces ausentes, y escamas lisas. Comprende más de mil especies, distribuidas por las zonas tropicales de todo el mundo.

ESCINDIR tr. Cortar, dividir, separar.

ESCINTILOGRAFÍA f. Estudio gráfico de la emisiones radiactivas de un órgano.

ESCIPARIDAD f. *Biol.* Reproducción asexual por gemación, propia de los cnidarios, anélidos, etc.

ESCIPIÓN el Africano (*Publio Cornelio Escipión*; 235-183 a. C.) General rom. Expulsó a los cartagineses de la pen. Ibérica y puso fin a la segunda guerra púnica. Fue nombrado censor, princeps del Senado y cónsul. Participó en la campaña contra Antíoco III de Siria. • **El Asiático** (*Lucio Cornelio Escipión*; m. h. 184 a. C.) Cónsul rom. Participó en España en la lucha contra los cartagineses. Pretor en Sicilia y cónsul, dirigió la guerra contra Antíoco III de Siria. • **Emiliano** (*Publio Cornelio Escipión*; 185-129 a. C.) General rom. Cónsul en 147. Dirigió el ejército durante la tercera guerra púnica y la guerra de Numancia. • **Nasica** (*Publio Cornelio Escipión Nasica Corculum*; s. II a. C.) Cónsul rom. Participó en las guerras contra Macedonia y los dálmatas.

ESCIROS *(Skiros)* Isla gr. del mar Egeo; 200 km^2, 3 200 hab. Cap., Esciros.

ESCIRRO m. *Pat.* Tumor epitelial maligno con abundante tejido conectivo y consistencia dura. ■ ESCIRROSO, SA.

ESCISIÓN f. Rompimiento, desavenencia. • *Biol.* Proceso de división celular muy general en los microorganismos. • **nuclear.** *Fís.* Rotura de un núcleo atómico en dos porciones aproximadamente iguales. El proceso va acompañado de una liberación de energía.

ESCISIPARIDAD f. *Biol.* Tipo de gemación en la que los nuevos individuos se originan en una serie lineal.

ESCITA adj. y s. Díc. del individuo de un pueblo de origen iranio, procedente de Asia central. Se instalaron en Armenia, S de Rusia, el Danubio y los Cárpatos. Fueron destruidos por los sármatas.

ESCITAMÍNEAS f. pl. *Bot.* Orden de plantas monocotiledóneas propias de países tropicales, de flores vistosas, androceo reducido y hojas de nerviación pinnada, al que pertenecen el jengibre y el banano.

ESCIÚRIDOS m. pl. *Zool.* Familia de mamíferos roedores. Gralte. arborícolas, construyen nidos para almacenar alimentos, como la ardilla.

ESCLAREA f. Amaro, planta.

ESCLARECER tr. Iluminar, poner clara y luciente una cosa. • fig. Ennoblecer, ilustrar, hacer claro y famoso a uno. • fig. Iluminar, ilustrar el entendimiento. • fig. Poner en claro; dilucidar un asunto o doctrina. • intr. Apuntar la luz y claridad del día; empezar a amanecer. ■ ESCLARECIMIENTO.

ESCLARECIDO, DA adj. Claro, ilustre, insigne.

ESCLAVATURA f. *Argent.* y *Perú.* Conjunto de esclavos que poseía cada hacienda.

ESCLAVINA f. Capa corta que cubre los hombros. A veces va unida a otra prenda.

ESCLAVISMO m. Modo de producción basado en el trabajo forzado de una mano de obra que sólo percibe lo esencial para subsistir.

* *Hist.* A pesar de que los esclavos fueron moneda corriente en todas las grandes civilizaciones clásicas, desde el Próximo Oriente y Egipto hasta las grandes culturas prehispánicas, pasando por Grecia y Roma, sólo puede hablarse en propiedad de modo de producción esclavista en la E. Mod., con el descubrimiento de América y la puesta en marcha de la economía de plantación azucarera, basada en el tráfico negrero (importación masiva de esclavos de África) y el comercio triangular. Los esp. fueron los primeros en poner en marcha el sistema, pero éste adquirió carta de naturaleza y se extendió a toda la economía mundial a partir de la creación de las Compañías ing. y fr., y más tarde los hol., que, con sus bases en las Antillas, y el dominio absoluto de los ing. del mercado y el tráfico de esclavos arrinconaron al desvencijado imp. esp. A finales del s. XVIII el sistema se encontraba agotado y la revolución haitiana y la revolución industrial brit. hicieron más

rentable la explotación salarial. Coincidiendo con los procesos de independencia y el auge de los mov. abolicionistas, el modo de producción esclavista dejó de existir en el continente americano después de la guerra civil norteam. y la victoria nordista. Sólo en los restos del imp. esp., Cuba y Puerto Rico, se mantuvo hasta finales de siglo.
ESCLAVITUD f. Estado de esclavo. • fig. Congregación en que varias personas se ejercitan en actos de devoción. • fig. Sujeción excesiva por la cual se ve sometida una persona. ■ ESCLAVISTA.
* *Hist.* La e. es una de las instituciones más ant. que conoce la historia; la base agraria del trabajo, el nivel cultural y la concepción de la libertad como

Esclavitud. Venta de esclavos en Estados Unidos, según un grabado de G. Doré

privilegio de una minoría justificó su existencia en sociedades como la gr. y la rom. Con el hundimiento del Imperio romano y la consiguiente desorganización de la ant. sociedad, además de la aparición del cristianismo, la e. quedó restringida y suavizada bajo la forma de servidumbre. No reapareció con fuerza hasta los albores de la E. Mod., cuando el descubrimiento de América dio un nuevo impulso a la e., desarrollándose un extenso mercado de esclavos negros que eran trasladados desde sus tierras africanas al Nuevo Mundo para surtir las necesidades de las grandes propiedades agrícolas. Los prales. puntos de destino fueron las Antillas, el Brasil port. y el sur de los EE UU. Gran Bretaña abolió definitivamente la e. en 1833, y Francia en 1848. El intento de suprimirla en EE UU provocó la guerra civil (1863). Las colonias esp. y port. tardaron aún algunos años: en Puerto Rico se abolió la e. en 1873; en Cuba, en 1866; dos años más tarde se promulgaba en Brasil la «ley áurea» que liberaba a los esclavos sin indemnización a sus propietarios.
ESCLAVIZAR tr. Hacer esclavo a uno. • fig. Tener a uno muy sujeto y dominado.
ESCLAVO, VA adj. y s. Díc. del hombre o la mujer que por estar bajo el dominio de otro carece de libertad. • fig. Sometido rigurosa o fuertemente a deber, pasión, afecto, vicio, etc., que priva de libertad. • fig. Rendido, obediente, enamorado. • m. y f. Persona alistada en alguna cofradía de esclavitud. • f. Pulsera sin adornos y que no se abre.
ESCLAVÓN, NA adj. y s. Que está bajo el dominio absoluto de otro. • adj. y s. En España, esclavo de procedencia nórdica adquirido por los califas omeyas de Córdoba en los mercados europeos.
ESCLAVOS, Costa de los (*Slave Coast*) Ant. nombre del litoral del golfo de Benin, en el golfo de Guinea.
ESCLAVOS, Gran Lago de los (*Great Slave Lake*) Lago de Canadá, en los territorios del Noroeste; 28 438 km^2.
ESCLAVOS, *guerra de los* Insurrección de los gladiadores rom. (73-72), dirigidos por Espartaco
ESCLEREIDA f. *Bot.* Célula muerta, con gran contenido de lignina, componente del esclerénquima.
ESCLERÉNQUIMA m. *Bot.* Tejido vegetal de sostén, formado a partir del colénquima.
ESCLERITIS f. *Pat.* Inflamación de la esclerótica.
ESCLERODACTILIA f. *Pat.* Forma de esclerodermia que afecta a los dedos de la mano o del pie.
ESCLERODERMIA f. *Pat.* Enfermedad crónica caracterizada por esclerosis de la piel y del tejido subcutáneo.
ESCLERÓFILO, LA adj. *Bot.* Díc. de los vegetales adaptados a la vida en zonas desérticas.
ESCLERÓLISIS f. Resolución terapéutica por electrólisis de producciones escleróticas o fibrosas.
ESCLERÓMETRO m. *Miner.* Instrumento para medir la dureza de un cuerpo.
ESCLEROPROTEÍNA f. *Biol.* Proteína muy estable, insoluble en agua y en soluciones alcalinas, que se halla en los tejidos de revestimiento de los animales (colágeno, queratina).
ESCLEROSIS f. *Pat.* Endurecimiento de un órgano o tejido por proliferación de elementos conjuntivos; se produce como fase final de un proceso inflamatorio crónico o en órganos que han perdido su función. ■ ESCLEROSADO, DA; ESCLEROSAR; ESCLERÓSICO, CA; ESCLEROSO, SA; ESCLERÓTICO, CA.
ESCLERÓTICA f. *Anat.* Capa externa del globo ocular. Es de color blanco nacarado, gruesa, resistente y fibrosa. ■ ESCLERAL.
ESCLEROTOMO m. Región que en el embrión origina los esbozos de las vértebras, en torno al notocordio.
ESCLUSA f. Recinto de fábrica, con puertas de entrada y salida, que se construye en un canal de navegación para que los barcos puedan pasar de un tramo a otro de diferente nivel, llenando de agua o vaciando el espacio comprendido entre dichas puertas.
ESCLUSADA f. Cantidad de agua que fluye entre la apertura y el cierre de una esclusa.
ESCOA f. *Mar.* Punto de mayor curvatura de cada cuaderna de un buque.
ESCOBA f. Utensilio utilizado para barrer y que está compuesto por un palo o caña, que lleva atado un haz de ramas flexibles u otros filamentos. • *Bot.* Mata de la familia de las papilionáceas de flores amarillas. • fig. Juego de naipes que se realiza entre dos o cuatro pesonas, y cuya finalidad es alcanzar quince puntos ateniéndose a ciertas reglas. • **amagosa.** *Hond.* Canchalagua. • **babosa.** *Hond.* y *Col.* Malvácea cuyas hojas se utilizan como cataplasmas. • **negra.** *C. Rica* y *Nic.* Arbusto pequeño de la familia borragináceas, de flor pequeña y blanquecina y punto rojo una vez maduro. ■ ESCOBAZO.

Ardilla, mamífero de la familia **esciúridos**

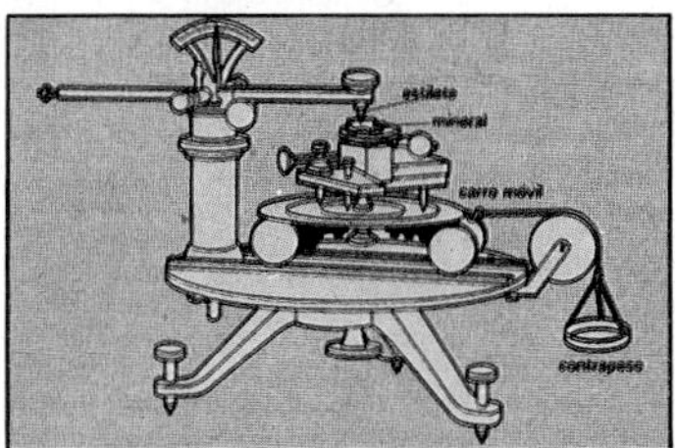

Esclerómetro

ESCOBADA f. Cada uno de los movimientos que se hacen con la escoba para barrer. • Barredura ligera.
ESCOBADERA f. Mujer que limpia y barre con la escoba.
ESCOBAJO m. Escoba vieja. • Raspa que queda del racimo después de quitarle las uvas.
ESCOBAR m. Sitio donde abunda la planta llamada escoba. • tr. Barrer con escoba.
ESCOBAR, *Federico* (1861-1912) Poeta pan. *Hojas secas*, *Instantáneas*, *La ley marcial*, *La hija natural* (teatro). • ***José Bernardo*** (s. XIX) Abogado y político guat. Presid. de la rep. en 1848, decretó una amnistía. Obligado a dimitir por la insurrección de Vicente Cruz. • ***José Gonzalo*** (1892-1969) General y político mex. Se sublevó contra Carranza (1920) y fue jefe militar de varios est. con Obregón. Se rebeló contra Gil Portes (1929), pero fracasó. • ***Julio*** (1892-1957) Escritor y director teatral arg. Director de los periódicos *Fantasio* y *Última hora*. *Una chica por la calle* y *Un escándalo en Mar del Plata* son sus obras más destacadas. • ***Luis Antonio*** (nacido 1925) Compositor col. Estudió en su país y en el extranjero, y fue profesor del conservatorio de Bogotá. Su obra comprende música de cámara, sinfónica y para piano, piezas corales y ba-

Esclusa del canal de Moscú

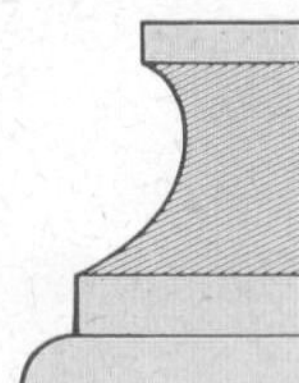

Escocia (moldura)

Escocia. Casas típicas de Oban, al noroeste de Glasgow

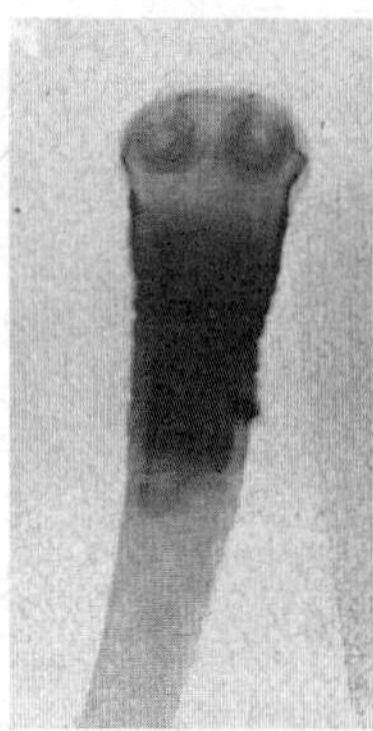

Escólex de solitaria

llets. • ***Patricio*** (m. 1912) Militar y político par. Participó en la guerra contra la Triple Alianza (1865-1870), y obtuvo el grado de general. Presid. de la Rep. (1886-1890); a poco de fundarse el partido liberal por miembros de la oposición (1887), auspició desde el gobierno la constitución del partido colorado. Bajo su mandato se fundó la universidad nacional (1889) • ***Vicente*** (1762-1834) Pintor cub. Gran retratista. Retratos de Doña Aquilina Bermúdez y Don Lorenzo Albo y Bermúdez. • **Y Mendoza, *Antonio de*** (1589-1669) Escritor y jesuita esp. *San Ignacio, Liber Thelogiae moralis.*

ESCOBAZAR tr. Rociar con escoba o ramas mojadas.

ESCOBEDO, *Jesús* (nacido 1917) Pintor mex. Sus obras se caracterizan por la carga social que las anima. *Vendedoras, Papeleros.* • ***José*** (1898-1916) Pintor mex. Fundador del Círculo de Artistas Independientes. *Atardecer, Impresión.* • ***Mariano*** (1820-1907) General y político méx. Combatió la invasión de EE UU y defendió el plan de Ayutla, contribuyendo al triunfo de la Reforma, al lado de los Liberales. En la guerra contra la intervención fr., tomó Monterrey. Al frente de las tropas republicanas capturó a Maximiliano y firmó la orden de su ejecución (1867). Ministro de la Guerra, preparó una infructuosa insurrección contra Porfirio Díaz.

ESCOBÉN m. *Mar.* Cualquiera de los agujeros a uno y otro lado de la roda de un buque, por donde pasan los cables y cadenas.

ESCOBERO, RA m. y f. Persona que hace escobas o las vende. • f. Retama común.

ESCOBETA f. Escobilla, cepillo. • *Méx.* Escobilla de raíz de zacatón, corta y recia. • *Méx.* Mechón de cerda que sale en el papo a los pavos viejos.

ESCOBILLA f. Cepillo para limpiar. • Escobita formada de cerdas o de alambres de que se usa para limpiar. • Tierra y polvo que se barre en las oficinas donde se trabaja la plata y el oro, y que contiene algunas partículas de estos metales. • Especie de brezo, de que se hacen escobas. • Cardencha, planta. • Mazorca de cardo silvestre que sirve para cardar la seda. • *Cuba.* Escobeta del pavo. • *El.* Pieza conductora destinada a establecer contacto eléctrico con una superficie en movimiento.

ESCOBILLAR tr. Limpiar con la escobilla, cepillar. • *Amér.* En algunos bailes, batir el suelo con los pies con movimientos rápidos. ■ *Amér.* ESCOBILLEO.

ESCOBILLÓN m. Instrumento compuesto de un palo largo, que tiene en uno de sus extremos un cilindro con cerdas puestas alrededor. • Cepillo unido al extremo de un astil, que se usa para barrer el suelo.

ESCOBINA f. Serrín que hace la barrena cuando se agujerea con ella. • Limadura de un metal cualquiera.

ESCOBO m. Matorral espeso.

ESCOBÓN m. Escoba que se pone en un palo largo, para barrer y deshollinar. • Escoba de mango muy corto. • Escoba, mata de las leguminosas.

ESCOCEDURA f. Acción y efecto de escocerse.

ESCOCER intr. Producirse una sensación muy desagradable, parecida a la quemadura. • fig. Producirse en el ánimo una impresión molesta o amarga. • prnl. Sentirse o dolerse. • Ponerse irritadas y rubicundas algunas partes del cuerpo.

Escolopendra

ESCOCÉS, SA adj. y s. De Escocia. • adj. y s. Aplícase a telas de rayas perpendiculares que forman cuadros de varios colores. • *Ling.* Forma dialectal del ing. hablada en Escocia.

ESCOCHERAR tr. *Amér.* Escacharrar.

ESCOCIA f. Moldura de perfil cóncavo, cuya sección se compone de dos arcos de circunferencia de distinto radio, tangentes entre sí.

ESCOCIA (ing., *Scotland*; gaélico, *Alba*) País sit. al N de Gran Bretaña; 78 783 km^2, 4 957 000 hab. Cap., Edimburgo. Relieve y costas muy accidentados. Clima oceánico. Ganadería. Cereales, patatas, yute. Pesca. Carbón, petróleo. Ind. siderúrgica, metalúrgica, whisky. En el s. IX se creó el reino de E. que, dominado en diversos períodos por Inglaterra, fue unido a ésta en 1603.

ESCOCIMIENTO m. Sensación dolorosa por irritación o quemadura de la piel.

ESCODA f. Instrumento de hierro, a manera de martillo, con corte en ambos lados, enastado en un mango, para labrar piedras y picar paredes.

ESCODADERO m. Sitio donde los venados y gamos dan con la cuerna para descorrearla.

ESCODAR tr. Labrar las piedras con la escoda. • Sacudir la cuerna, los animales que la tienen, para descorrearla.

ESCOFIA f. Cofia.

ESCOFIAR tr. y prnl. Poner la cofia en la cabeza.

ESCOFIETA f. Tocado de gasa de que usaron las mujeres. • Cofia o redecilla. • *Cuba.* Gorro de los niños pequeños.

ESCOFINA f. Herramienta a modo de lima, de dientes gruesos y triangulares, muy usada para desbastar. • **de ajustar.** *Carp.* Pieza de hierro o acero para trabajar e igualar las piezas en el cepo de ajustar.

ESCOFINAR tr. Limar con escofina.

ESCOFIÓN m. Garvín, cofia de red.

ESCOGER tr. Tomar o elegir una o más personas o cosas entre otras.

ESCOGIDA f. *Cuba.* Tarea de separar las distintas clases de tabaco. • *Cuba.* Local donde se hace esa tarea y reunión de operarios a ella dedicados. ■ ESCOGIDO, DA; ESCOGIMIENTO.

ESCOIQUIZ, *Juan de* (1747-1820) Eclesiástico y político esp. Fue preceptor y consejero de Fernando VII.

ESCOLAPIO, PIA adj. De la orden de las Escuelas Pías. • m. Clérigo regular de la orden de las Escuelas Pías, fundada en Roma (1597) por san José de Calasanz y dedicada a la enseñanza. • f. Religiosa que sigue la regla de las Escuelas Pías.

ESCOLAR adj. Relativo al estudiante o a la escuela. • m. Alumno que asiste a alguna escuela, pralm. si es de enseñanza elemental. • intr. y prnl. Pasar por un sitio estrecho.

ESCOLARIDAD f. Conjunto de cursos que un estudiante sigue en un establecimiento docente.

ESCOLARIEGO, GA adj. Propio de escolares o estudiantes.

ESCOLÁSTICA f. *Fil.* Escolasticismo.

* La e. constituyó el sistema teológico-filosófico característico de la E. Med. Representó un intento de hacer compatibles la razón natural y el conocimiento revelado; especialmente necesario desde que los pensadores ár., como Averroes y Avicena, herederos de la tradición aristotélica y platónica, hicieron aparecer la razón incompatible con la fe. Fueron los escolásticos próximos al s. XIII (Alberto Magno, santo Tomás), quienes distinguieron y concordaron fe y razón. La e. acabó dividiéndose y especializándose y esto, que significaba su desintegración de hecho, inició el nacimiento del espíritu científico.

ESCOLASTICISMO m. Conjunto de sistemas teológico-filosóficos de la Ed. Med., en que dominan los preceptos de Aristóteles.

ESCOLÁSTICO, CA adj. Perteneciente a las escuelas o a los que estudian en ellas. • adj. y s. Perteneciente al escolasticismo, al maestro que lo enseña o al que lo profesa.

ESCOLERO, RA m. y f. *Perú.* Escolar.

ESCÓLEX m. *Zool.* Primer segmento de los cestodos, provisto de ventosas y, a veces, de ganchos, con los que se fija al cuerpo del huésped.

ESCOLIO m. Nota que se pone a un texto para explicarlo. ■ ESCOLIADOR; ESCOLIAR; ESCOLIASTA.

ESCOLIOSIS f. Desviación lateral y permanente de la columna vertebral.

ESCOLLAR intr. *Argent.* Tropezar en un escollo la embarcación. • fig. *Argent.* y *Chile.* Malograrse un propósito por haber tropezado con algún inconveniente.

ESCOLLERA f. Dique formado por piedras tiradas al agua, para proteger una obra de la acción de las olas o de las corrientes.

ESCOLLO m. Peñasco que está a flor de agua o que no se descubre bien. • fig. Peligro, riesgo. • fig. Dificultad, obstáculo.

ESCOLOPENDRA f. Lengua de ciervo, helecho. • *Zool.* Miriápodo, de unos 10 cm, tropical y venenoso. • **de agua.** *Zool.* Anélido marino, de unos 30 cm, casi cilíndrico y color verde irisado.

ESCOLTA f. Partida de soldados o embarcación destinada a escoltar. • Acompañamiento en señal de reverencia.

ESCOLTAR tr. Resguardar, conducir a una persona o cosa para que llegue con seguridad a su destino. • Acompañar a una persona, a modo de escolta, en señal de honra.

ESCOMBRAR tr. Desembarazar de escombros o de estorbos. • Quitar de los racimos de pasas las muy pequeñas y desmedradas. • fig. Desembarazar, limpiar. ■ ESCOMBRA.

ESCOMBRERA f. Conjunto de escombros o desechos. • *Min.* sitio donde se echan los escombros.

ESCÓMBRIDOS m. pl. *Zool.* Familia de peces osteíctios, carnívoros y de carne apreciada, a la que pertenecen el bonito y la caballa.

ESCOMBRO m. Desecho, broza y cascote que queda de una obra de albañilería o de un edificio derribado. • Desechos de la explotación de una mina, o ripio de la saca y labra de las piedras de una cantera. • Pasa menuda y desmedrada que se separa de la buena. • Caballa, pez.

ESCOMENDRIJO m. Criatura ruin y desmadrada.

ESCOMERSE prnl. Irse desgastando una cosa sólida.

ESCONCE m. Ángulo, rincón o punta que interrumpe la dirección que lleva una superficie cualquiera. ■ ESCONZADO, DA; ESCONZAR.

ESCONDER tr y prnl. Encubrir, ocultar, retirar una cosa a un sitio secreto. • fig. Encerrar, incluir y contener en sí una cosa que no es manifiesta a todos. • m. Juego del escondite. ■ ESCONDEDERO; ESCONDIMIENTO.

ESCONDIDAS o **ESCONDIDILLAS** *(A)* m. adv. Ocultamente, sin ser visto.

ESCONDITE m. Escondrijo. • Juego de muchachos en el que unos se esconden y otros buscan a los escondidos.

ESCONDRIJO m. Lugar oculto y retirado, propio para esconder alguna cosa.

ESCOPAS (s. IV a. C.) Escultor gr. Autor de las esculturas que adornaban el friso del mausoleo de

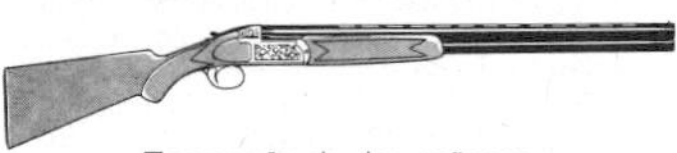

Escopeta de dos cañones

Halicarnaso y las del frontón O del templo de Tegea.

ESCOPETA f. Arma de fuego portátil con uno o dos cañones, con los mecanismos de carga y descarga montados en una caja de madera. • Persona que caza o tira con escopeta.

ESCOPETAR tr. Cavar y sacar la tierra de las minas de oro.

ESCOPETAZO m. Tiro que sale de la escopeta. • Herida hecha con este tiro. • fig. Noticia o hecho desagradable, súbito e inesperado.

ESCOPETEAR tr. Hacer repetidos disparos de escopeta. • prnl. fig. y fam. Dirigirse dos o más personas a porfía cumplimientos o insultos. ■ ESCOPETEO.

ESCOPETERÍA f. Gente armada de escopetas. • Multitud de escopetazos.

ESCOPETERO m. El que va armado con escopeta. • El que fabrica escopetas o las vende. • *Zool.* Coleóptero zoófago, de cuerpo rojizo y élitros azulados, que vive debajo de piedras. Lanza una sustancia que se volatiliza en contacto con el aire y produce una pequeña detonación.

ESCOPLO m. *Carp.* Herramienta de hierro acerado, con mango de madera y boca formada por un bisel. ■ ESCOPLADURA; ESCOPLETAR.

ESCOPOLAMINA f. Alcaloide de algunas solanáceas, anticolinérgico. Se emplea en el delirio alcohólico y en los trastornos parkinsonianos.

ESCOR m. *Amér.* Resultado o tanteo en un encuentro deportivo.

ESCORA f. *Mar.* Línea que une los puntos de mayor anchura de las cuadernas de un buque. • *Mar.* Inclinación que toma un buque al ceder al esfuerzo de sus velas.

ESCORAR tr. *Mar.* Apuntalar con escoras. • intr. *Mar.* Inclinarse un buque por la fuerza del viento. • *Mar.* Llegar la marea a su nivel más bajo. • *Cuba.* Apuntalar. • prnl. *Cuba* y *Hond.* Arrimarse a un paraje que resguarde bien el cuerpo para esconderse. ■ ESCORAJE.

ESCORBUTO m. *Pat.* Enfermedad producida por la falta de vitamina C, caracterizada por debilidad muscular, ulceraciones de encías y hemorragias. El tratamiento consiste en administrar vitamina C, mediante la ingestión de verduras frescas y agrios (limón y naranja) o preparados farmacéuticos con vitamina C. ■ ESCORBÚTICO, CA.

ESCORCHAPÍN m. Ant. embarcación de vela.

ESCORCHAR tr. Quitar la piel de uno o de un animal.

ESCORDIO m. *Bot.* Hierba labiada, con flores de corolas azules o purpúreas, en verticilos poco cuajados.

ESCORIA f. *Metal.* Sustancia vítrea, constituida por silicatos cálcicos, que sobrenada en el crisol de los hornos de fundir metales. • Materia que a los martillazos suelta el hierro candente. • Lava esponjosa de los volcanes. • fig. Cosa vil, desechada.

ESCORIACIÓN f. Excoriación.

ESCORIAL m. Sitio donde se echan las escorias de las fábricas metalúrgicas. • Montón de escorias.

ESCORIAL, *El* Mun. esp., en la com. autón. uniprovincial de Madrid; 9 500 hab. • **San Lorenzo del E.** Monasterio esp., sit. en El Escorial, construido por orden de Felipe II para conmemorar el triunfo en la batalla de San Quintín.

ESCORIAR tr. Excoriar.

ESCORPENA o **ESCORPINA** f. Pez osteíctio perciforme, de cabeza gruesa y espinosa y vientre grande, que abunda en el Mediterráneo y en el Atlántico.

ESCORPIO m. *Astr.* Escorpión.

ESCORPIOIDE f. Alacranera, planta.

ESCORPIÓN m. Cualquiera de los miembros del orden escorpiones. • *Zool.* Pez muy parecido a la escorpina, de mayor tamaño. • Máquina de guerra, de figura de ballesta, que usaron los ant. para arrojar piedras. • *Astr.* Octavo signo del Zodíaco, que el Sol recorre aparentemente al mediar el otoño. • *Astr.* Constelación zodiacal que se halla delante del mismo signo y un poco hacia el oriente.

ESCORRENTÍA f. Corriente de agua que se vierte al rebasar un depósito o cauce. • Aliviadero. • Libre circulación, sobre un terreno, del agua de la lluvia.

ESCORROCHO m. *C. Rica.* Trasto, adefesio.

ESCORROZO m. fam. Regodeo.

ESCORZAR tr. Representar, acortándolas según las reglas de la perspectiva, las cosas que se extienden en sentido perpendicular u oblicuo al plano del papel o lienzo sobre que se pinta. ■ ESCORZADO; ESCORZO.

ESCORZONERA f. Hierba de la familia de las compuestas, de flores amarillas, raíz carnosa, y corteza negra que cocida se usa como diurético y como alimento.

ESCOSCAR tr. Quitar la caspa. • prnl. Agitarse por una molestia.

ESCOSURA, *Patricio de la* (1807-1878) Escritor romántico esp. Cultivó el drama. *Las mocedades de Hernán Cortés, El amante universal y la novela histórica Ni Rey, ni Roque*; *El patriarca del valle.* En poesía, imitó a Espronceda.

ESCOT Pref. que significa *oscuridad.*

ESCOTA f. *Mar.* Cabo que sirve para cazar las velas.

ESCOTA, *Nazario* (s. XIX) Político nic. Presid. interino de la rep. en 1855, al morir el licenciado Francisco Castellón.

ESCOTADO m. o **ESCOTADURA** f. Corte hecho en una prenda de vestir por la parte del cuello. • En los petos de armas, sisa debajo de los brazos para poderlos mover. • En los teatros, abertura grande que se hace en el tablado para las tramoyas. •

Escopetero en un grabado dieciochesco. Archivo Histórico Militar, Madrid

Perspectiva del monasterio de San Lorenzo de **El Escorial** en un óleo anónimo

Escorpión

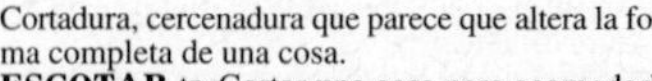

Cortadura, cercenadura que parece que altera la forma completa de una cosa.
ESCOTAR tr. Cortar una cosa para acomodarla a la medida que se necesita. • Extraer agua de un río, arroyo o laguna, sangrándolos. • Pagar la parte que toca a cada uno de todo el coste hecho en común por varias personas.
ESCOTE m. Escotadura de un vestido. • Parte del busto que queda descubierto por estar escotado el vestido. • Adorno de encajes que guarnece el cuello de una vestidura. • Parte o cuota que cabe a cada uno por razón del gasto hecho en común por varias personas.
ESCOTERO, RA adj. y s. Que camina ligero, sin carga. • adj. *Mar.* Aplícase al barco que navega solo. • f. *Mar.* Abertura en el costado de una embarcación con una roldana por la que pasa la escota mayor o de trinquete.
ESCOTILLA f. *Mar.* Cada una de las aberturas que hay en las diversas cubiertas, para el servicio del buque.
ESCOTILLÓN m. Trampa cerradiza en el suelo, especialmente la que hay en los escenarios.
ESCOTÍN m. *Mar.* Escota de vela de cruz de un buque.
ESCOTISMO m. Doctrina filosófica de Escoto y sus discípulos en los ss. XIII-XIV. ■ ESCOTISTA.
ESCOTO, TA adj. y s. Díc. del individuo perteneciente al grupo de colonos irlandeses que, procedentes del Ulster, se instalaron en el litoral e islas vecinas del E de Escocia, a principios del s. VI.
ESCOTO, *John Duns* (1266-1308) Filósofo y teólogo esc. Aunque agustiniano, aceptó en parte a Aristóteles.
ESCOTOMA m. *Pat.* Síntoma de varias lesiones oculares, caracterizado por una mancha oscura o centelleante que cubre parte del campo visual. • **negativo.** *Pat.* El que se manifiesta con la falta de visión de una zona de dicho campo, por insensibilidad de la parte correspondiente a la retina.
ESCOZOR m. Sensación dolorosa como la que produce una quemadura. • fig. Sentimiento causado en el ánimo por una pena o desazón.
ESCRAGNOLLE Taunay, *Alfredo d'* (1843-1899) Escritor bras. *Inocencia, A retirada da Laguna, Narraçoes militares.*

El ***escriba*** *sentado,* escultura egipcia. Museo del Louvre, París

ESCRIBA m. Doctor e intérprete de la ley entre los hebreos. • En la Antigüedad, escribano, notario.
* *Hist.* En Egipto, los e. pertenecían a una organización sacerdotal o de funcionarios del Estado. Existían incluso escuelas especiales para preparar a los e. de modo adecuado. El e. hebreo (*sofer*) se encargaba de redactar las órdenes y los edictos de los soberanos, los del jefe supremo del ejército y los destinados a la percepción de tributos.
ESCRIBANA f. Mujer del escribano. • *Argent., Par.* y *Ur.* Mujer que ejerce la escribanía.
ESCRIBANÍA f. Oficio que ejercen los escribanos públicos. • Oficina del escribano. Papelera o escritorio. • Recado de escribir.
ESCRIBANO m. Nombre ant. del notario, vigente en algunos países de América. • Secretario. • Pendolista. • *Zool.* Ave paseriforme de la familia fringílidos, de plumaje pardo y pico cónico. • **del agua.** Araña pulmonada pequeña que en los estanques y remansos suele andar en continuo movimiento sobre el agua. ■ ESCRIBANIL.

Escribano

ESCRIBIR tr. Representar las palabras o las ideas con letras u otros signos. • Trazar las notas y demás signos de la música. • Componer libros, discursos, etc. • Comunicar a uno por escrito alguna cosa. • prnl. Inscribirse. • Alistarse en algún cuerpo. ■ ESCRIBIDOR; ESCRIBIENTE.
ESCRIÑO m. Cesta de paja, cosida con mimbres o cáñamo, que se usa para recoger el salvado y las granzas de los granos. • Cofrecito o caja para guardar algún objeto precioso.
ESCRIPIA f. Cesta que lleva el pescador de caña.
ESCRITA f. *Zool.* Especie de raya, con el vientre blanco y el lomo gris rojizo, sembrado de manchas blancas, pardas y negras.
ESCRITILLA f. Criadilla de carnero. Se usa más en pl.
ESCRITO, TA adj. fig. Díc. de lo que tiene manchas o rayas que semejan letras o rasgos de pluma. • m. Carta o cualquier papel manuscrito. • Obra o composición científica o literaria. • *Der.* Pedimento o alegato en pleito o causa.

Escritura. Jeroglífico hitita (siglos X-VIII a. C.). Museo Hitita de Ankara, Turquía

ESCRITOR, RA m. y f. Persona que escribe. • Autor de obras escritas o impresas.
ESCRITORIO m. Mueble cerrado, con divisiones en su parte interior para guardar papeles. • Aposento donde tienen su despacho los hombres de negocios. • Mueble de madera con cajoncillos para guardar joyas.
ESCRITORZUELO, LA m. y f. Mal escritor.
ESCRITURA f. Acción y efecto de escribir. • Arte de escribir. • Documento escrito. • Documento otorgado por una persona ante testigos y notario. • Obra escrita. • Por ant., la Biblia. Se usa también en pl. • **privada.** La que se otorga sin notario. • **pública.** La que se otorga ante notario y testigos.
* *Hist.* La e. se inició con la representación gráfica de los objetos. Post., se aplicó un signo a cada sílaba y a cada letra, dando origen a la e. fonética alfabética.
ESCRITURAR tr. Hacer constar con escritura pública y en forma legal un otorgamiento o un hecho. ■ ESCRITURACIÓN.
ESCRITURARIO, RIA adj. Que consta por escritura pública o que a ésta pertenece. • m. El que hace profesión de declarar y enseñar la Sagrada Escritura.
ESCRIVÁ, *Juan,* llamado EL COMENDADOR (s. XV) Poeta esp. Su obra se halla recopilada en el *Cancionero general.* • **De Balaguer, *Josemaría*** (1902-1975) Sacerdote esp. Fundador del Opus Dei, del que fue hasta su muerte presid. general. Autor de *Camino.* Beatificado en 1992.
ESCRÓFULA f. *Pat.* Tumefacción fría de los ganglios linfáticos, pralm. cervicales, acompañada normalmente de un estado de debilidad general que predispone a las enfermedades infecciosas y sobre todo a la tuberculosis. ■ ESCROFULOSO, SA.
ESCROFULARIA f. Planta escrofulariácea, con tallo lampiño y nudoso, hojas acorazonadas y flores en panoja, de corola pardusca.
ESCROFULARIÁCEAS f. pl. *Bot.* Familia de plantas herbáceas de hojas alternas y flores en racimo.
ESCROFULISMO m. o **ESCROFULOSIS** f. Enfermedad que se caracteriza por la aparición de escrófulas.
ESCROTO m. *Anat.* Bolsa formada por la evaginación de una pequeña porción de la pared abdominal anterior y destinada a albergar y proteger el testículo.
ESCRUPULEAR intr. *Méx.* Escrupulizar.
ESCRUPULILLO m. Grano que se pone dentro del cascabel para que suene.
ESCRUPULIZAR intr. Formar escrúpulo o duda.
ESCRÚPULO m. Duda o recelo que trae inquieto y desasosegado el ánimo. • Escrupulosidad. • China que se mete en el zapato y lastima el pie. • *Astr.* Minuto, fracción sexagesimal de un grado de círculo. • *Farm.* Peso ant., equivalente a 1 198 miligramos. • **de monja.** fig. y fam. Escrúpulo nimio y pueril.
ESCRUPULOSIDAD f. Exactitud en el examen y averiguación de las cosas y en el estricto cumplimiento de lo que uno emprende o toma a su cargo.
ESCRUPULOSO, SA adj. y s. Que padece o tiene escrúpulos. • adj. Díc. de lo que causa escrúpulos. • fig. Exacto, minucioso y delicado en su trabajo o deberes.
ESCRUTADOR, RA adj. Escudriñador o examinador cuidadoso de una cosa. • adj. y s. Díc. del que en elecciones y otros actos análogos cuenta y computa los votos.
ESCRUTAR tr. Escudriñar, indagar, examinar cuidadosamente, explorar. • Reconocer y computar los votos que para elecciones se han dado secretamente.
ESCRUTINIO m. Examen minucioso y diligente que se hace sobre una cosa. • Comprobación de los votos emitidos en una elección u otro acto análogo. • Conjunto de operaciones que comprende una votación o una elección.
ESCRUTIÑADOR, RA m. y f. Examinador de una cosa haciendo escrutinio de ella.
ESCUADRA f. Instrumento de figura de triángulo rectángulo, o compuesto solamente de dos reglas que forman ángulo recto. • Pieza de hierro u otro metal, con dos ramas en ángulo recto, con que se aseguran las ensambladuras de las maderas. • *Mil.*

Cierto número de soldados con su cabo. • Cada una de las cuadrillas que se forman de algún concurso de gente. • Conjunto de buques mercantes o de guerra. • *Astr.* Constelación austral situada al sur del Ara o Altar. • **A escuadra**. m. adv. En forma de escuadra o en ángulo recto.

ESCUADRAR tr. Labrar o disponer un objeto de modo que sus caras planas formen entre sí ángulos rectos.

ESCUADREO m. Acción y efecto de medir la extensión de un área en unidades cuadradas.

ESCUADRÍA f. Las dos dimensiones de la sección transversal de una pieza de madera labrada a escuadra.

ESCUADRILLA f. Escuadra compuesta de buques de pequeño porte. • Determinado número de aviones que realizan un mismo vuelo dirigidos por un jefe.

ESCUADRO m. Escrita, pez.

ESCUADRÓN m. *Mil.* Unidad de caballería mandada gralte. por un capitán. • *Mil.* Unidad aérea equiparable al batallón.

ENCUADRONAR tr. Formar a la tropa en escuadrón o escuadrones.

ESCUADRONISTA m. *Mil.* Oficial práctico en la táctica y en las maniobras de la caballería.

ESCUALENO m. Sustancia descubierta en el hígado del tiburón y que tiene importancia teórica, ya que se trata del terpeno que da origen a las esterinas o esteroides.

ESCUÁLIDO, DA adj. Sucio, asqueroso. • Flaco, macilento. • m. pl. *Zool.* Familia de peces condroíctios que carecen de aleta anal. ■ ESCUALIDEZ.

ESCUALIFORME adj. y m. *Zool.* Selacio.

ESCUALO m. *Zool.* Pez de aletas cartilaginosas, cuerpo fusiforme, boca grande en la parte inferior de la cabeza y dientes triangulares.

ESCUCHA f. Acción de escuchar. • *Mil.* Centinela que se adelanta de noche para observar de cerca los movimientos del enemigo. • En los conventos y colegios de religiosas, la que tiene por oficio acompañar en el locutorio a las que reciben visitas de personas de fuera. • pl. Galerías pequeñas, radiales, que se hacen al frente del glacis de las fortificaciones de una plaza.

ESCUCHAR tr. Aplicar el oído para oír. • Prestar atención a lo que se oye. • Dar oídos, atender a un aviso, consejo o sugestión. • prnl. Hablar o recitar con pausas afectadas. ■ ESCUCHÓN, NA.

ESCUCHIMIZADO, DA adj. Muy flaco y débil.

ESCUDAR tr. y prnl. Amparar y resguardar con el escudo, oponiéndose al golpe del contrario. • tr. fig. Resguardar y defender a una persona del peligro que le está amenazando. • prnl. fig. Valerse uno de algún medio, favor y amparo para justificarse, salir de un riesgo o evitar el peligro.

ESCUDER Núñez, ***Pedro*** (1886-1962) Médico ur. Organizador del primer Congreso Médico ur. Inventor de un aparato para la aplicación del neumotórax artificial a tuberculosos. *La parálisis periódica familiar, Ensayo psicológico sobre el charlatanismo.*

ESCUDERÍA f. Servicio y ministerio del escudero. • Peña, organización, etc., que posee automóviles y motocicletas de carreras y cuenta con pilotos y técnicos a su servicio.

ESCUDERO, RA adj. Relativo al empleo de escudero. • m. Paje o sirviente que llevaba el escudo al caballero en tanto que no usaba de él. • Hidalgo. • El que asistía a una persona de distinción a cambio de un estipendio. • En la E. Med., grado preparatorio para acceder a la caballería. • Criado que servía a una señora. ■ ESCUDERAJE; ESCUDERAR; ESCUDERIL.

ESCUDERO, ***Vicente*** (1892-1980) Bailarín esp. Estudioso de la danza flamenca, aportó nuevos ritmos que supo interpretar sin efectismos. • **y Echanove,** ***Pedro*** (m. en 1897) Político mex. Miembro del Congreso Constituyente y de la Junta de Notables. Ministro de Maximiliano.

ESCUDERÓN m. despect. El que intenta hacer más figura de la que le corresponde.

ESCUDETE m. Objeto semejante a un escudo pequeño. • Escudo de una cerradura. • Pedacito de lienzo en forma de escudo o corazón, que sirve de fuerza en los cortes de la ropa blanca. • Mancha redonda que las gotas de lluvia suelen producir en las aceitunas verdes. • Nenúfar, planta.

ESCUDILLA f. Vasija ancha y de forma de media esfera.

ESCUDILLAR tr. Distribuir en escudillas o platos, caldos o manjares. •Echar el caldo hirviendo sobre el pan con que se hace la sopa. • fig. Disponer uno las cosas a su arbitrio.

ESCUDO m. Arma defensiva para cubrirse y resguardarse de las ofensivas, que se llevaba en el brazo izquierdo. • *Mil.* Chapa de acero que llevan las piezas de artillería de montaña para que sirva de defensa. • Moneda ant. de oro. • Peso duro, ant. moneda de plata. • Moneda de plata que valía diez reales de vellón. • Ant. unidad monetaria de Portugal. • Escudo de armas. • Cabezal de la sangría. • fig. Amparo, defensa, patrocinio. • *Astr.* Scutum, constelación. • *Fís.* Bólido. • *Geog.* Región continental formada por materiales precámbricos y que casi nunca ha sido recubierta por el mar. Constituyen los núcleos alrededor de los cuales han ido creciendo los actuales continentes por formación de nuevas cordilleras. • **de armas.** Campo, superficie o espacio de distintas figuras en que se pintan los blasones de un reino, c. o familia. • *Mar.* Tabla vertical que en los botes forma el respaldo del asiento de popa. • Espaldilla del jabalí. ■ ESCUTIFORME.

ESCUDRIÑAR tr. Examinar, inquirir y averiguar cuidadosamente una cosa y sus circunstancias. ■ ESCUDRIÑADOR, RA; ESCUDRIÑAMIENTO.

ESCUELA f. Establecimiento público donde se imparte la enseñanza primaria o cualquier género de instrucción. • Conjunto de profesores y alumnos de una misma enseñanza. • Doctrina, principio y sistema de cada autor y maestro. • Características comunes que en literatura y en arte distinguen a un grupo, una época, región, etc. • fig. Lo que da ejemplo y experiencia. • **activa.** La que potencia el interés, la responsabilidad y la personalidad del alumno en relación con sus necesidades globales. • **normal.** Aquella en que se obtiene el título de maestro de primera enseñanza.

ESCUELA Austriaca. Grupo de economistas vieneses (Menger, Wieser) del s. XIX, que estudiaron la teoría subjetiva del valor y el marginalismo. • **de Frankfurt.** Grupo al. que intentó renovar el marxismo desde una posición crítica y agregándole aportes freudianos. Prales. exponentes: Max Horkheimer, T. W. Adorno y Jürgen Habermas. • **de Traductores.** Grupo de traductores reunido en Toledo por Alfonso X el Sabio en el s. XIII, que tradujo los prales. textos orientales al latín, lo cual difundió las culturas gr. y heb. por Europa. • **Moderna.** Institución pedagógica fundada por Francisco Ferrer en Barcelona (1901), que propugnaba una educación racional y laica.

ESCUELANTE m. *Col., Méx.* y *Ven.* Escolar.

ESCUELERO, RA adj. y s. *Argent.* Escolar. • m. y f. fam. *Amér.* Maestro de escuela.

ESCUERZO m. Sapo. • fig. y fam. Persona flaca y desmedrada.

ESCUETO, TA adj. Descubierto, libre, desembarazado. • Sin adornos o sin ambages, estricto.

ESCUINAPA Mun. de México, en el est. de Sinaloa; 30 800 hab. Agricultura, ganadería y pesca. Centro comercial.

ESCUINTLA Dpto. del S de Guatemala, ribereño del Pacífico; 4 384 km^2, 386 534 hab. Cap., la c. hom. Sit. en las estribaciones meridionales del Eje Volcánico (volcán Pacaya, 2 544 m). Lo avenan pequeños ríos orientados de N a S. Clima húmedo. Bosques tropicales y sabanas. Caña de azúcar, algodón, frutas, maíz, frijol. Ganadería. Refinerías de azúcar. Ind. papelera. Su pral. puerto es San José. • C. de Guatemala, cap. del dpto. hom.; 49 026 hab. Emplazada en el valle de Guacalate, al N del dpto. Es el centro económico de la región.

ESCUINTLE m. *Méx.* Perro callejero.

ESCULAPIO *Mit. gr.* Dios de la medicina que llegó a resucitar muertos y fue fulminado por Zeus con su rayo.

ESCULCAR tr. Espiar, averiguar con diligencia. • *Amér.* Registrar para buscar algo oculto.

ESCULLIRSE prnl. Escabullirse, escaparse.

ESCULPIR tr. Labrar a mano una obra de escultura. • Grabar algo en hueco o en relieve sobre una superficie.

ESCULTISMO m. Movimiento juvenil internacional (boy-scout), fundado en Gran Bretaña por

Flores de boca de dragón, planta de la familia **escrofulariáceas**

Diversos tipos de **escuadra**

Estatua de **Esculapio** hallada en Ampurias. Museo Arqueológico de Barcelona, España

1

Escultura. 1. Korai arcaica del siglo VI a. C. 2. *Apolo y las ninfas de Tetis*, de Girardon. 3. Grupo escultórico de Carpeaux. 4. Monolitos de la isla de Pascua. 5. *Esclavo*, de Miguel Ángel

4

5

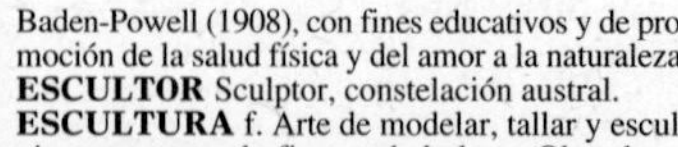

Baden-Powell (1908), con fines educativos y de promoción de la salud física y del amor a la naturaleza.

ESCULTOR Sculptor, constelación austral.

ESCULTURA f. Arte de modelar, tallar y esculpir, representando figuras de bulto. • Obra de un escultor. • Fundición o vaciado que se forma en los moldes de las esculturas hechas a mano. ■ ESCULTOR, RA; ESCULTÓRICO, CA; ESCULTURAL.

2

3

* *Hist.* En la Prehistoria fueron frecuentes las e. de mujeres y animales. En la antigüedad y en la América precolombina la e. se caracterizó por su monumentalidad y perfección. En la E. Med. europea fue casi exclusivamente religiosa. En el Renacimiento gustaron los temas mitológicos y profanos (Miguel Ángel, Donatello). La tradición religiosa pervivió en las tallas del barroco esp. En África y Oceanía su aparición es relativamente reciente y constituye un arte popular muy expresivo.

ESCUNA f. *Mar.* Goleta.

ESCUPIDO, DA adj. Díc. del sujeto que tiene mucho parecido con alguno de sus ascendientes directos. • m. Esputo.

ESCUPIDOR, RA adj. y s. Que escupe con mucha frecuencia. • m. *Ecuad.* y *P. Rico.* Escupidera • *Col.* Ruedo, baleo.

ESCUPIDURA f. Saliva, o flema escupida. • Excoriación que suele presentarse en los labios por con secuencias de una calentura.

ESCUPIR intr. Arrojar saliva por la boca. • tr. Arrojar por la boca algo como escupiendo. • fig. Salir y brotar en el cutis postillas u otras señales después de una calentura. • fig. Echar de sí con desprecio una cosa. • fig. Despedir un cuerpo a la superficie otra sustancia que estaba mezclada o unida con él. • fig. Despedir o arrojar con violencia una cosa. • e. a uno. fig. Hacer escarnio de él. ■ ESCUPIDERA; ESCUPIDERO.

ESCUPITAJO m., **ESCUPITINA** f. o **ESCUPITINAJO,** m. fam. Escupidura, salivazo.

ESCUPO m. Escupido, esputo.

ESCURANA f. *Amér.* Oscuridad, cerrazón.

ESCURRA m. Truhán.

ESCURRAJA f. Últimos restos de un líquido, desecho, desperdicio.

ESCURREPLATOS m. Utensilio de cocina para escurrir los platos, vasos, etc., recién lavados.

ESCURRIBANDA f. fam. Escapatoria, salida. • fam. Flujo de vientre. • fam. Fluxión de un humor. • fam. Zurribanda, zurra.

ESCURRIDERAS f. pl. *Méx.* Escurriduras, aguas sobrantes que escurren de un riego.

ESCURRIDO, DA adj. Estrecho de caderas. • *Méx.* y *P. Rico.* Corrido, avergonzado. • m. Acción y efecto de escurrir o escurrirse.

ESCURRIDOR m. Colador de agujeros grandes en donde se echan los alimentos para que escurran el líquido en que están empapados. • Escurreplatos, mueble usado junto a los fregaderos para poner a escurrir las vasijas fregadas. • Dispositivo que tienen algunas máquinas lavadoras para escurrir o exprimir la ropa una vez lavada.

ESCURRIDURAS o **ESCURRIMBRES** f. pl. Últimas gotas de un licor que quedan en la vasija.

ESCURRIR tr. Apurar las últimas gotas de un licor que han quedado en una vasija. • tr. y prnl. Hacer que una cosa empapada en un líquido despida la parte que quedaba detenida. • intr. Destilar y caer gota a gota. • intr. y prnl. Deslizar y correr una cosa por encima de otra. • prnl. Escapar, salir huyendo. • fam. Correrse a ofrecer o dar por una cosa más de lo debido. • Correrse, decir más de lo que se debe o quiere decir. ■ ESCURRIDERO; ESCURRIDIZO, ZA.

ESCUSA f. Derecho que el dueño de una finca o de una ganadería concede a sus empleados para que puedan apacentar un corto núm. de cabezas de ganado propias.

ESCUSADO, DA adj. Reservado, o separado del uso común. • m. Retrete.

ESCUSALÍ m. Delantal pequeño.

ESCUSÓN m. Reverso de una moneda que tiene representado un escudo.

ESCUTARI (albanés, *Shkodrës*; serbocroata, *Skadarsko*) Lago de la península Balcánica dividido entre Montenegro y Albania; 391 km^2.

ESDRAS (s. V a. C.) Sacerdote y escriba judío nacido en Mesopotamia. Artajerjes le envió desde Babilonia a Jerusalén para que reconstruyese la ciudad.

ESDRUJULIZAR tr. Dar acentuación esdrújula a una voz.

ESDRÚJULO, LA adj. y s. Aplícase al vocablo cuya acentuación prosódica carga en la antepenúltima sílaba.

ESE f. Nombre de la letra *s*. • Eslabón de cadena que tiene la figura de una ese. • Cada una de las aberturas que los instrumentos de arco tienen a los lados del puente. • **Andar** o **ir** uno **haciendo eses.** fig. y fam. Andar o ir hacia uno y otro lado por estar bebido.

ESE, ESA, ESO, ESOS, ESAS Formas del pron. demostrativo en los tres gén. m., y f. y n., y en ambos núm. sing. y pl. Hacen oficio de adjetivos cuando van unidos al nombre. Cuando hacen oficio de sustantivos, el m. y f. se escriben con acento. • *Esa* designa la ciudad en que está la persona a quien nos dirigimos por escrito. • *Eso* equivale a veces a *lo mismo*. • **Eso mismo.** m. ad v. Así mismo, también o igualmente. • **Ni por ésas.** m. adv. De ninguna manera; de algún modo.

ESECILLA f. Alacrán, enganche.

ESENCIA f. *Fil.* Naturaleza de las cosas. • Lo permanente e invariable en ellas. • *Quím.* Sustancia volátil de olor intenso. • Extracto concentrado de cierta sustancia. • **Quinta e.** Quinto elemento que componía el universo según la filosofía ant. • Entre los alquimistas, principio fundamental de la composición de los cuerpos. • fig. Lo más puro, importante y característico de una cosa. ■ ESENCIAL.

* *Fil.* Se considera e. aquello que la mente concibe como principio de una realidad individual y que es la raíz de sus propiedades. En la filosofía moderna se distingue entre e. nominal y e. real.

ESENCIERO m. Frasco para esencia.

ESENIN, ***Sergei Alexandrovich*** (1895-1925) Poeta ruso. *Fiesta*, *Moscú tabernario*, *Las confesiones de un desalmado*, *Pugachev*.

ESENIO, NIA adj. y s. Díc. del individuo de una secta judía que rechazaba la doctrina de la resurrección. • adj. Relativo a esta secta. ■ ESENISMO.

ESERINA f. Alcaloide estimulante del parasimpático y sedante de la médula espinal.

ESFACELARSE prnl. Gangrenarse un tejido.

ESFACELO m. Parte de tejido gangrenado que se desprende.

ESFALERITA f. Blenda.

ESFENISCIFORME adj. y m. *Zool.* Díc. de las aves del orden esfenisciformes. • m. pl. *Zool.* Orden de aves con quilla en el esternón, pero que no pueden volar porque sus alas se han transformado en aletas para la natación. Se distribuyen por las costas antárticas y meridionales de África y Sudámerica. Com-

prenden una única familia, compuesta por 15 especies, llamadas pingüinos antárticos o pájaros bobos.
ESFENOIDES adj. y m. *Anat.* Díc. del hueso de la parte anterior y media de la base del cráneo, encajado entre los temporales, por detrás del etmoides y del frontal, y por delante del occipital. ■ ESFENOIDAL.
ESFERA f. *Geom.* Lugar geométrico de los puntos del espacio que equidistan de otro interior llamado centro. • Plano en el que giran las manecillas del reloj. • poét. Cielo que rodea la Tierra. • fig. Clase o condición de una persona. • fig. Espacio a que se extiende o alcanza la acción o el influjo de algo. • **armilar.** Aparato compuesto de varios círculos que representan los de la esfera celeste, y en cuyo centro se coloca un pequeño globo que figura la Tierra. • **celeste.** Esfera ideal, concéntrica con la terráquea, y en la cual se mueven aparentemente los astros. • **de actividad.** Espacio a que se extiende o alcanza la virtud de cualquier agente. • **terráquea o terrestre.** Globo terráqueo o terrestre. ■ ESFERICIDAD; ESFÉRICO, CA.

La gran **esfinge** de Gizeh, Egipto

ESFEROGRÁFICA f. *Argent.* Bolígrafo.
ESFEROIDE m. *Geom.* Cuerpo de forma parecida a la esfera.
ESFERÓMETRO m. Instrumento para medir pequeños espesores y determinar el radio de curvatura de superficies esféricas.
ESFEROPLASTO m. *Biol.* Protoplasto originado por la acción de la lisocima sobre la pared celular de las bacterias gramnegativas.
ESFEROPROTEÍNA m. *Biol.* Proteína de peso molecular mayor de 200 000 y cuyas moléculas son esféricas.
ESFEROSIDERITA f. *Miner.* Variedad de siderita que se presenta en forma de masas esferoidales o reniformes con estructura radial.
ESFIGMÓGRAFO o **ESFIGMÓMETRO** m. *Med.* Instrumento para registrar la forma e intensidad de las pulsaciones arteriales.
ESFIGMOMANÓMETRO m. *Med.* Aparato para medir la presión arterial.
ESFINGE f. *Mit.* Animal fabuloso, parte mujer y parte león. En Grecia, en el camino de Tebas, proponía acertijos a los viandantes, a quienes devoraba si no los resolvían. • Mariposa crepuscular. • **ser,** o **parecer, una e.** fig. Adoptar una actitud reservada o enigmática.
ESFÍNGIDO, DA adj. y m. *Zool.* Díc. de los insectos de la familia esfíngidos. • m. pl. *Zool.* Familia de insectos lepidópteros crepusculares con antenas prismáticas.
ESFINGOSINA f. *Quím.* Sustancia orgánica de 18 átomos de carbono, con dos grupos alcohólicos y una función amina, que se origina de un ácido graso y de la serina.
ESFÍNTER m. *Anat.* Músculo en forma de anillo con que se abre y cierra el orificio de una cavidad del cuerpo.
ESFORROCINO m. Sarmiento bastardo que sale del tronco de las vides o de las parras. ■ ESFORROCINAR.
ESFORZAR tr. Dar o comunicar fuerza o vigor. • Infundir ánimo o valor. • intr. Tomar ánimo. • prnl. Hacer esfuerzos física o moralmente con algún fin. ■ ESFORZADO, DA.
ESFUERZO m. Empleo enérgico de la fuerza física, del vigor o actividad del ánimo. • Ánimo, vigor, brío, valor. • Empleo de elementos costosos en la consecución de algún fin.
ESFUMAR tr. Esfuminar. • *Pint.* Rebajar los tonos de una composición, logrando cierto aspecto de vaguedad y lejanía. • prnl. fig. Disiparse, desvanecerse. • Irse de un lugar con rapidez y disimulo.
ESFUMINAR tr. Extender los trazos del lápiz frotando con el esfumino.
ESFUMINO m. Rollito de papel o de piel que sirve para esfumar.
ESGARRAR tr. e intr. Hacer esfuerzo para arrancar la flema. • tr. Desgarrar.
ESGARRO m. Esputo.
ESGRAFIAR tr. Dibujar sobre una superficie que tiene dos capas o colores sobrepuestos, de manera que al rascar la capa exterior aparezca el color que está debajo.
ESGRIMA f. Arte de jugar y manejar la espada, sable y otras armas blancas. • *Dep.* Deporte basado en este arte.
ESGRIMIR tr. Practicar la esgrima. • fig. Usar de una cosa como arma para lograr algún intento. ■ ESGRIMIDOR, RA; ESGRIMIDURA; *Amér.* ESGRIMISTA.
ESGUAZAR tr. Vadear un río o brazo de mar bajo. ■ ESGUAZO.
ESGUCIO m. *Arq.* Moldura cóncava cuyo perfil es la cuarta parte de un círculo.
ESGUÍN m. Cría del salmón cuando aún no ha salido al mar.
ESGUINCE m. Ademán hecho con el cuerpo, hurtándolo para evitar un golpe. • Movimiento o gesto conque se demuestra disgusto o desdén. • Distensión o rotura de un ligamento o de las fibras musculares próximas a una articulación.
ESGUÍZARO, RA adj. y s. Suizo.
ESGUNFIAR tr. *Argent.* Cansar.
ESHKOL, *Levi* (1895-1969) Político israelí. Secretario del partido socialista Mapai (1944-1948), fue ministro de Agricultura (1951-1952) y de Finanzas (1952-1963) del gobierno de Ben Gurión. Sucedió a éste como primer ministro y ministro de Defensa (1963).
ESKISEHIR C. del NO de Turquía; 367 300 hab. Sit. junto al r. Porsuk. Centro ferroviario e industrial. Cap. del primer imperio otomano (s. XIV).
ESLABÓN m. Pieza en forma de anillo o de otra curva cerrada que, enlazada con otras, forma cadena. • Hierro acerado con que se saca fuego de un pedernal. • Chaira para afilar. • Alacrán negro que al atacar se pone en forma de eslabón. • Tumor duro que sale a las caballerías debajo del corvejón y de la rodilla.
ESLABONAR tr. Unir unos eslabones con otros formando cadena. • tr. y prnl. fig. Enlazar o encadenar las partes de un discurso o unas cosas con otras. ■ ESLABONAMIENTO.
ESLAVA, *Miguel Hilarión* (1807-1878) Compositor, pedagogo y musicólogo esp. Exhumó gran cantidad de música religiosa de autores esp. Publicó una vasta antología de composiciones religiosas del s. XVI al XIX (*Lira sacrohispana*). • ***Sebastián de*** (1684-1759) Militar y político esp. Virrey de Nueva Granada (1740), dirigió con éxito la defensa de Cartagena de Indias frente a las fuerzas del almirante brit. Vernon (1741), por lo que obtuvo el título de marqués de la Real Defensa.
ESLAVISMO m. Estudio de lo eslavo. ■ ESLAVISTA.
ESLAVIZAR tr. y prnl. Volver eslavo.
ESLAVO, VA adj. Díc. de un pueblo ant. que se extendió pralm. por el nordeste de Europa y que actualmente forma diversas nacionalidades, entre las que destacan en número los rusos, los ucranianos, los polacos, los checos, etc. • Relativo a este pueblo. • *Ling.* Aplícase a su lengua y a cada una de las que de ella se derivan (esloveno, serbocroata, búl-

Pájaro bobo, ave del orden **esfenisciformes**

Esfera armilar

Clase de **esgrima,** óleo de Adolphe Ladurner

garo, checoslovaco, polaco, lekhito, ruso, bielorruso y ucraniano). • m. Lengua eslava. • m. pl. Pueblo eslavo.

ESLAVÓFILO, LA adj. Díc de los miembros de la intelectualidad rusa que en el s. XIX se oponían a los occidentalistas.

ESLAVÓN, NA adj. Relativo a Eslavonia. • adj. y s. Habitante u originario de Eslavonia.

ESLAVONIA *(Slavonija)* Región de Croacia, entre los ríos Drave, Danubio y Save. Accidentada por macizos aislados de alt. inferior a 1 000 m. Zonas llanas pantanosas, cubiertas de praderas y bosques. Cereales y ganadería intensiva. C. prales.: Osijek, Slavonska Pozhega, Vinkovci. La pob., alrededor de 2 000 000 de hab., es en su mayoría croata. Durante la E. Med. formó parte del reino de Croacia; conquistada por los turcos (s. XVI), fue liberada por los Habsburgo en 1699. Incorporada a Yugoslavia después de la II Guerra Mundial, pasó a formar parte del nuevo est. de Croacia en 1992.

ESLINGA f. Maroma provista de ganchos para levantar grandes pesos.

ESLIZÓN m. Saurio de cuerpo largo y pies muy cortos, con cuatro rayas pardas en el lomo.

ESLOGAN m. Fórmula publicitaria para anunciar un producto. • Lema, consigna.

ESLORA f. *Mar.* Longitud de la nave desde el codaste a la roda por la parte de adentro. • pl. Maderos endentados en los baos para reforzar el asiento de las cubiertas.

Mapa de situación y bandera de **Eslovaquia**

ESLOVAQUIA

Superficie 49 036 km²

Población 5 404 000 hab. (110 hab./km²)

Recursos económicos	
Carbón	2 810 000 t
Energía eléctrica	27 740 millones de kwh
Patatas	442 000 t
Remolacha	1 176 000 t
Riqueza forestal	6 118 000 m³
Trigo	1 938 000 t
Indicadores sociológicos	
PNB	15 848 millones de dólares
Renta per cápita	2 950 dólares
Esperanza de vida	73 años
Alfabetismo	100 %

ESLOVAQUIA o **REPÚBLICA ESLOVACA** *(Slovenská Republika)* Est. de Europa central. Limita al O con la Rep. Checa, al N con Polonia, al E con Ucrania y al S con Hungría y Austria. Región montañosa, accidentada por ramificaciones de los Cárpatos, excepto el S, donde abarca parte de la llanura de Panonia. Regada por el r. Danubio. Clima continental. Cereales, patatas, remolacha, tabaco, vid. Ganadería, avicultura. Explotación forestal. Ind. siderúrgica, metalúrgica, papelera, textil, alimentaria. Grupos étnicos: eslovacos, húng., ucranianos, polacos, gitanos. Lenguas: eslovaco (of.), húng., ucraniano, ruso. *Rel.*: catolicismo (mayoritario), cristianismo ortodoxo. U. M.: corona. Cap., Bratislava. C. prales.: Kosice, Nitra, Presov, Banská Bystrica.

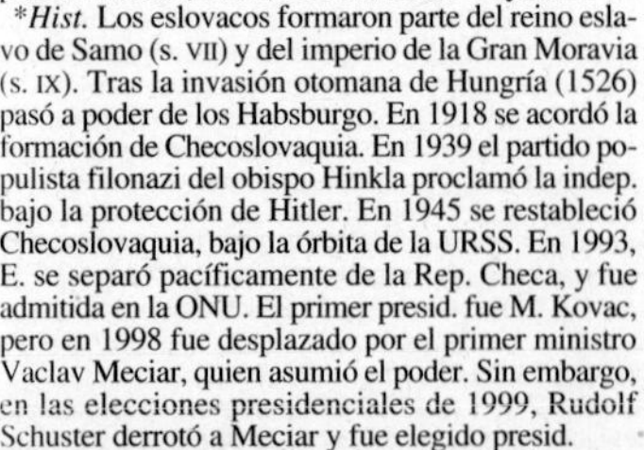

**Hist.* Los eslovacos formaron parte del reino eslavo de Samo (s. VII) y del imperio de la Gran Moravia (s. IX). Tras la invasión otomana de Hungría (1526) pasó a poder de los Habsburgo. En 1918 se acordó la formación de Checoslovaquia. En 1939 el partido populista filonazi del obispo Hinkla proclamó la indep. bajo la protección de Hitler. En 1945 se restableció Checoslovaquia, bajo la órbita de la URSS. En 1993, E. se separó pacíficamente de la Rep. Checa, y fue admitida en la ONU. El primer presid. fue M. Kovac, pero en 1998 fue desplazado por el primer ministro Vaclav Meciar, quien asumió el poder. Sin embargo, en las elecciones presidenciales de 1999, Rudolf Schuster derrotó a Meciar y fue elegido presid.

ESLOVENIA *(Republika Slovenija)* Est. de la pen. Balcánica. Limita al N con Austria, al NE con Hungría, al S y SE con Croacia y al O con Italia. Se abre al mar, a través del puerto de Kiper, en la pen. de Istria. Región montañosa, accidentada por los Alpes eslovenos; alt. media elevada. Región de colinas al NE, y mesetas calcáreas y poljés del Karst, de Notranjsko y de Dolenjsko, al centro y S. Avenada por los r. Drave, Save y Mur. Clima continental. Bosques caducifolios y praderas. Cereales, vid, patatas. Ganadería. Explotación forestal. Lignito, plomo, cinc, mercurio, pirita, gas, petróleo. Ind. siderúrgica, metalúrgica, electromecánica, química, textil. Grupos étnicos: eslovenos (90,5 %), croatas (2,9 %), serbios (2,2 %), sudeslavos musulmanes, húng., it. Lenguas: esloveno (of.), croata, serbio, húng., it. *Rel.*: catolicismo. U. M.: tolar. Cap., Liubliana. C. prales.: Maribor, Celje, Jesenice.

* *Hist.* Los eslovenos se asentaron en el terr. actual en el siglo VI y se integraron en el imperio de Samo hasta 658. E. estuvo bajo la soberanía de Baviera, hasta que Carlomagno lo conquistó. Bajo dominio de los Habsburgo desde el s. XIII, en 1866-1867 E. quedó dividida entre Italia, Hungría y Austria. El congreso nacional de Zagreb (1918) votó la unión con Serbia y Montenegro, transformados en 1945, junto con las otras rep. sudeslavas, en Yugoslavia. En 1991 declaró su indep., provocando la intervención del ejército federal. La CE reconoció a E. como est. en 1992, con Milan Kucan como primer presid. Desde entonces, E. ha mantenido la estabilidad política y económica. En las elecciones de 1996 ganó el partido Liberales Demócratas, que formó gobierno de coalición.

Mapa de situación y bandera de **Eslovenia**

ESLOVENIA

Superficie 20 251 km²

Población 1 855 000 hab. (96,5 hab./km²)

Recursos económicos	
Cabaña bovina	504 000 cabezas
Carbón	5 583 000 t
Cemento	1 667 000 t
Energía eléctrica	12 630 millones de kwh
Maíz	330 000 t
Papel	480 000 t
Riqueza forestal	2 081 000 m³
Indicadores sociológicos	
PNB	16 328 millones de dólares
Renta per cápita	8 200 dólares
Esperanza de vida	74 años
Alfabetismo	100 %

ESLOVENO, NA adj. y s. Díc. del pueblo eslavo que habita en Eslovenia y Carintia. • adj. Relativo a este pueblo. • m. *Ling.* Lengua eslava de este pueblo.

ESMALCALDA, *Liga de* Coalición formada en 1531 por los príncipes al. y Francia para defender el protestantismo en Alemania. Fue derrotada por Carlos V en la batalla de Mühlberg (1547).

ESMALTAR tr. Cubrir con esmalte. • fig. Adornar de varios colores, hermosear, ilustrar.

ESMALTE m. Barniz vítreo que mediante la fusión se adhiere a la porcelana, loza, metales, etc. • Objeto cubierto o adornado de esmalte. • Labor que se hace con el esmalte sobre un metal. • Color azul que se hace fundiendo vidrio con óxido de cobalto. • fig. Lustre, esplendor o adorno. • *Anat.* Materia dura y blanca que cubre la parte de los dientes que está fuera de las encías. • *Her.* Cualquiera de los metales o colores conocidos en el arte heráldico. ■ ESMALTADO, DA.

ESMERALDA f. *Miner.* Piedra fina, silicato de aluminio y berilio teñida de verde por el óxido de cromo. • *Cuba.* Pez parecido a la anguila. ■ ESMERALDINO, NA.

ESMERALDA Mun. de Cuba, en la prov. de Camagüey; 29 700 hab. Frutos tropicales, tabaco, caña de azúcar. Ganadería.

ESMERALDAS Prov. del NO de Ecuador, en la Costa, junto a Colombia; 15 239,1 km², 306 628 hab. Cap., la c. hom. Terreno llano formado por depósitos de piedemonte andino. La avenan numerosos ríos, entre los que destacan el Esmeraldas, el Cayapas y el Santiago. Clima tropical semihúmedo en el litoral y húmedo en el interior. Economía predominantemente agrícola. Cacao, café, caña de azúcar, bananas. Riqueza forestal. Refinería de petróleo. En la isla Tolita se halla un imp. yacimiento arqueológico (550 a. C.-500 d. C.). • C. de Ecuador, cap. de la prov. hom.; 98 558 hab. Sit. en la orilla izquier-

da de la desembocadura del Esmeraldas. Puerto. Centro agrícola e industrial. Pesca. Ind. maderera. Universidad pública. • Río del NO de Ecuador, formado por la unión del Quinindé con el Guayllabamba; unos 80 km. Desemboca en el Pacífico. Navegable en buena parte de su curso.
ESMERALDEÑO, ÑA adj. y s. De Esmeraldas.
ESMERAR tr. Pulir, limpiar. • prnl. Poner sumo cuidado en ser cabal y perfecto. • Obrar con acierto y lucimiento. ■ ESMERADO, DA; ESMERADOR, RA.
ESMERDIS Nombre dado por Herodoto a Bardiya, hijo del monarca persa Ciro el Grande y hermano de Cambises II.
ESMEREJÓN m. Azor, ave de rapiña. • *Mil.* Pieza de artillería de calibre pequeño.
ESMERIL m. *Geol.* Roca negruzca compuesta de corindón, mica y óxido de hierro. Raya todos los cuerpos, excepto el diamante.
ESMERILAR tr. Pulir algo o deslustrar el vidrio con esmeril o con otra sustancia. ■ ESMERILADO.
ESMERO m. Sumo cuidado y atención diligente en hacer cosas.
ESMILÁCEO, A adj. y f. Díc. de plantas de la familia esmiláceas. • f. pl. *Bot.* Familia de plantas monocotiledóneas de hojas alternas, fruto en baya y rizoma rastrero, a la que pertenece el espárrago.
ESMIRNA Ant. c. gr. del Asia Menor, la actual c. turca de Izmir. Fundada por los eolios en el s. VII a. C., gracias a su situación geográfica alcanzó gran prosperidad.
ESMIRNIO m. Apio caballar.
ESMIRRIADO, DA adj. Flaco, raquítico.
ESMOLAREDA f. Afiladora preparada para amolar.
ESMOQUIN m. Prenda masculina de etiqueta, a modo de chaqueta sin faldones.
ESMORECER intr. y prnl. Desfallecer.
ESNAOLA, *Juan Pedro* (1808-1878) Pianista y compositor arg. Primer director de la Academia Nacional de Música. Autor de la versión actual del Himno nacional argentino, *Minué Federal*, *Gran Sinfonía*, *Miserere a cuatro voces*.
ESNOBISMO m. Exagerada admiración por todo lo que es de moda. ■ ESNOB.
ESÓFAGO m. *Anat.* Conducto del aparato digestivo, de unos 25 cm, que une la faringe con el estómago. ■ ESOFÁGICO, CA.
ESÓPICO, CA Relativo al fabulista Esopo.
ESOPO (ss. VII-VI a. C.) Fabulista gr. Sus *Fábulas* fueron reunidas por vez primera por Demetrio Faleria (s. IV a. C.) y en la E. Med. por el monje Planudio.
ESOTÉRICO, CA adj. Oculto, reservado. ■ ESOTERISMO.
ESOTRO, TRA pron. demostrativo y adj. Ese otro, esa otra.
ESPABILADERAS f. pl. Despabiladeras.
ESPABILAR tr. Despabilar.
ESPACHURRAR tr. Despachurrar.
ESPACIADOR, RA adj. Que espacia. • m. En una máquina de escribir, tecla que, al pulsarla, deja un espacio en blanco.
ESPACIAR tr. Poner espacio entre las cosas. •Esparcirse, divulgar. • *Art. Gráf.* Separar las dicciones, las letras o los renglones con espacios o con reglas. •prnl. fig. Dilatarse en el discurso o en lo que se escribe. • fig. Esparcirse.
ESPACIO m. *Fil.* Continente de todos los objetos sensibles que coexisten. • Parte de este continente que ocupa cada objeto sensible. • Capacidad de terreno o lugar. • Transcurso de tiempo. • Distancia entre dos o más cuerpos. • Tardanza, lentitud. • Cada una de las partes que componen un programa de radio, televisión, etc. • *Art. Gráf.* Pieza de metal que sirve para separar las dicciones o poner mayor distancia entre las letras. • *Mús.* Separación que hay entre las rayas del pentagrama. • **afín.** E. euclídeo en el que se prescinde de la distancia y de todas las nociones que dependen de ella. • **completo.** E. métrico en el que toda sucesión de Cauchy es convergente. • **cósmico.** E. que se extiende fuera de los límites de la Tierra, a partir de 100 km de la superficie. • **económico.** E. abstracto en el que se extiende un sistema económico. Puede ser desde una empresa hasta una nación, incluidos sus mercados exteriores. • **euclídeo.** Producto cartesiano R^n en el que R es el conjunto de los números reales y *n* la dimensión del e., en el que se ha definido una distancia *d* entre dos puntos *x, y* del mismo mediante la expresión $d(x,y) = \sqrt{(x_1-y_1)^2} + \ldots + \sqrt{(x_n-y_n)^2}$ • **métrico.** Conjunto en el que se ha definido una aplicación que a cada par de elementos les hace corresponder un número real no negativo, con las mismas propiedades que la distancia definida en el e. euclídeo. • **proyectivo.** E. afín al que se le añade un nuevo punto por cada dirección (puntos del infinito). • **topológico.** Conjunto en el que para cada punto se define axiomáticamente la noción de entorno y a partir de ella se desarrollan las de conjunto abierto, cerrado, etc. • **vectorial.** Estructura algebraica definida axiomáticamente. Sean *k* un cuerpo conmutativo y *E* un grupo abeliano dotado de una operación de sus elementos con los de k, tal que para todo *a*, $b \in k$ y *v*, $w \in E$ se cumplan las siguientes condiciones: $(a+b) = av+bv$; $a(v+w) = av+aw$; $a(bv) = (ab)v$; $1.v = v$; siendo *l* la unidad de *k*. Los elementos de *E* se llaman vectores y los de *k* escalares. ■ ESPACIAL.

* *Fil.* El problema del concepto científico y filosófico del espacio aparece ya en la antigüedad gr. Para los atomistas (Leucipo, Demócrito, Epicuro, etc.) el e. es el vacío, mientras que los átomos constituyen lo lleno. En el sistema de Platón, el e. es el habitáculo de las cosas creadas. Aristóteles y posteriormente su escuela medieval hablan de un e. «implicado» por los cuerpos, siend o el e. «total» una suma de los lugares donde se sitúan los cuerpos. La visión prerrenacentista del e. se fundamenta en la percepción espontánea del hombre, de forma que resulta ser un recinto sobre ciertos puntos fijos; la Tierra es el centro del cosmos y los planetas giran en torno a ella. Copérnico y Galileo cimentan una nueva concepción del e. y sus implicaciones astronómicas, de manera que el Sol es el centro de nuestro sistema y la Tierra gira en torno a aquél, y Bruno atribuye al e. carácter infinito. Newton y Clarke asientan la teoría del e. absoluto mediante la cual es posible fijar la posición de los sistemas de ejes inerciales; los cuerpos quedan situados matemáticamente en el e. absoluto, pudiéndoseles atribuir dimensiones absolutas. Oponiéndose a Newton y a Clarke, Leibniz afirma que el e. es una relación (entre fenómenos coexistentes). Kant considera el e. y el tiempo como «formas *a priori* de sensibilidad», esto es, tanto el e. como el tiempo son formas de la facultad de conocer y no realidades «entre sí»; el mundo exterior envía al sujeto lo que Kant llama un «caos de sensaciones» que nuestra sensibilidad ordena espacial y temporalmente. El desarrollo de geometrías no euclídeas durante el s. XIX por parte de Riemann y Lobachevski supondrá la distinción entre el e. físico empírico y la geometría propiamente dicha (e. euclídeo). Einstein, en su teoría de la relatividad generalizada adopta una geometría riemaniana con e. de curvatura variable; a partir de esta teoría carece de sentido hablar de e. tan sólo, apareciendo el nuevo término de *espacio-tiempo*. Esto es, el e. es, en rigor, cuatridimensional —tres coordenadas de posición y una temporal (Minkowski)— adquiriendo tanto el tiempo como la longitud carácter relativo, dependiendo del estado cinético del observador. El e. no es ni absoluto ni infinito, sino finito y curvo.
ESPACIOSIDAD f. Anchura, capacidad.
ESPACIOSO, SA adj. Ancho, dilatado, vasto. • Lento, pausado, flemático.
ESPADA f. Arma blanca larga, recta, aguda y cortante, con guarnición y empuñadura. • Persona diestra en su manejo. • En el juego de naipes, cualquiera de las cartas del palo de espadas. • As de espadas. • Pez espada. • *Geom.* Sagita. • pl. Uno de los cuatro palos de la baraja española. • m. Torero que hace profesión de matar toros; matador. • **de Damocles.** fig. Amenaza persistente de un peligro. • **de dos filos.** fig. Díc. del procedimiento, medio, etc., que puede producir a la vez efectos contrarios. • **Primer,** o **primera, e.** Entre toreros, el pral. en esta clase. • fig. y fam. Persona sobresaliente en alguna disciplina, arte o destreza. • **Entre la e. y la pared.** loc. fig. y fam. En trance de tener que decidirse por una cosa o por otra, sin escapatoria. ■ ESPADERÍA; ESPADERO.
ESPADACHÍN m. El que maneja bien la espada. • El que se cree valiente y es amigo de pendencias.
ESPADAÑA f. *Bot.* Hierba de tallo largo con una

La crucifixión, **esmalte** de Jean Pénicaud. Museo del Louvre, París

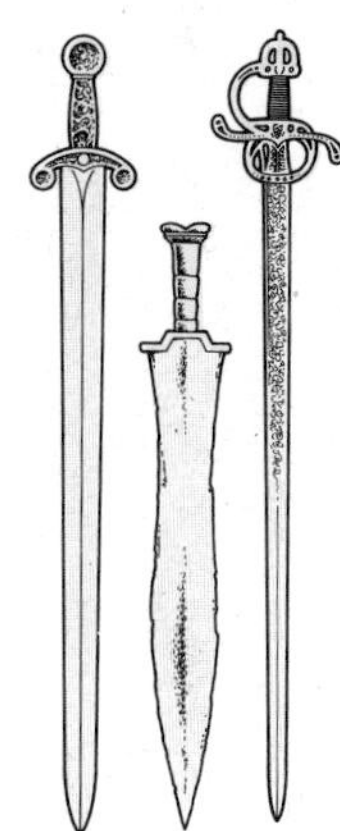

Diversos tipos de **espada**

Pez **espada**

España. El valle de Pineta, en el Pirineo de Huesca

España. Vista aérea de la Plaza Mayor de Madrid

mazorca que después de seca suelta una especie de pelusa. Sus hojas se emplean en cestería. • Campanario de una sola pared en la que están abiertos los huecos para las campanas. ■ ESPADAÑAL.

ESPADAÑADA f. Golpe de sangre, agua u otra cosa, que a manera de vómito sale repentinamente por la boca. • fig. Copia, abundancia.

ESPADAÑAR tr. Abrir el ave las plumas de la cola.

ESPADAR o **ESPADILLAR** tr. Quebrantar con la espadilla el lino o el cáñamo para sacarle el tamo. ■ ESPADILLADO, DA.

ESPADERO, *Nicolás* (1832-1890) Pianista y compositor cub. Uno de los prales. representantes del romanticismo. *Canto del alma, Ossian, Gran sonata, Gran vals satánico.*

ESPÁDICE m. Receptáculo común de varias flores, encerrado en la espata.

ESPADILLA f. Especie de machete, de madera, que se usa para espadar. • Remo grande que hace oficio de timón en algunas embarcaciones menores. • As de espadas. • Especie de taco usado en el juego de trucos. •Aguja grande de marfil o metal con que se sujetaban el pelo las mujeres.

ESPADILLAZO m. En algunos juegos de naipes, lance en que viene la espadilla con tan malas cartas, que se pierde por fuerza.

ESPADÍN m. Espada de hoja muy estrecha que se usa como prenda de ciertos uniformes.

ESPADISTA m. Delincuente que utiliza una ganzúa para penetrar en las casas y robar en ellas.

ESPADÓN m. fam. Personaje de elevada jerarquía. • Hombre castrado.

ESPAGÍRICA f. Arte de depurar los metales.

ESPAGUETI m. Pasta alimenticia de harina de trigo en forma de cilindros largos.

ESPAHÍ m. Soldado de caballería turca. • Soldado de caballería del ant. ejército fr. en Argelia.

ESPAILLAT Prov. del N de la República Dominicana, ribereña del Atlántico; 974 km^2, 180 900 hab. Cap., Moca. Accidentada por la cordillera Septentrional, que por el N enlaza con la costa, y por el S se precipita sobre el valle de Vega Real. Clima tropical húmedo. Café, cacao, tabaco, arroz, maíz.

ESPAILLAT, *Ulises* (1823-1878) Político y escritor dom. Elegido presid. en 1876. Fracasó en la pacificación del país y dimitió el mismo año.

ESPALÁCIDO, DA adj. y m. *Zool.* Díc. de animales de la familia espalácidos. • m. pl. *Zool.* Familia de mamíferos roedores que cuenta con un gén. y tres especies de espálax. Viven en Europa oriental y en Asia Menor.

ESPALAR tr. e intr. Apartar con la pala la nieve que cubre el suelo.

ESPÁLAX m. Roedor espalácido. Excavador. Posee ojos atrofiados bajo la piel. Vive en zonas esteparias.

ESPALDA f. Parte posterior del cuerpo humano, desde los hombros hasta la cintura. Se usa más en pl. • Parte del vestido que corresponde a la espalda. • *Dep.* Modalidad de natación. • pl. Envés o parte posterior de una cosa. • **Echarse** uno **a las espaldas** una cosa. fig. Olvidar voluntariamente o abandonar un encargo, negocio o preocupación. • **Tener** uno **buenas espaldas.** fig. y fam. Tener resistencia y aguante para soportar cualquier trabajo o molestia. • **Tener** uno **guardadas las espaldas.** fig. y fam. Tener protección superior a la fuerza de los enemigos. ■ ESPALDUDO, DA.

ESPALDAR m. Parte de la coraza que sirve para cubrir y defender la espalda. • Respaldo de una silla o banco. • Espalda, parte posterior del cuerpo. • Enrejado sobrepuesto a una pared para que por él trepen y se extiendan ciertas plantas. • *Zool.* Parte dorsal de la coraza de los quelonios, formada con placas dérmicas soldadas con las vértebras dorsales y lumbares y con las costillas. • pl. Colgaduras de tapicería, largas y angostas, que se colocan en las paredes para arrimar a ellas las espaldas.

ESPALDARAZO m. Golpe dado en la espalda con la espada o la mano, de plano. • fig. Reconocimiento de la competencia o habilidad suficientes a que ha llegado alguno en una profesión o actividad.

ESPALDEAR tr. *Mar.* Romper las olas con demasiado ímpetu contra la popa de la embarcación.

ESPALDER m. Remero que en la galera iba de espaldas a la popa y con su remo gobernaba y marcaba el compás de la boga. • *Dep.* En los deportes de remo, remero que boga en proa y gobierna a los demás.

ESPALDERA f. Espaldar para plantas. • Pared con que se resguardan y protegen las plantas arrimadas a ella. • *Dep.* Serie de barras paralelas adosadas a la pared para ejecutar ejercicios gimnásticos.

ESPALDERO m. *Ven.* El que sigue a otro. • *Ven.* Asistente de un militar.

ESPALDILLA f. Omoplato. • Cuartos traseros del jubón o almilla que cubren la espalda. • Cuarto delantero de algunas reses.

ESPALDITENDIDO, DA adj. fam. Tendido de espaldas.

ESPALDÓN, NA adj. *Col.* Espaldudo. • m. Parte maciza y saliente que queda de un madero después de abierta una entalladura. • Barrera para resistir el empuje de las tierras o de las aguas. • *Mil.* Valla artificial.

ESPALERA f. Espaldar para plantas.

ESPALTO m. *Pint.* Color oscuro, transparente y dulce para veladuras.

ESPANTAGUSTOS m. Persona de mal carácter que turba la alegría de los demás.

ESPANTAJO m. Lo que se pone en un lugar para espantar. • fig. Cualquier cosa que por su representación o figura infunde vano temor. • fig. y fam. Persona molesta y despreciable.

ESPANTALOBOS m. Arbusto papilionáceo, con flores amarillas en grupos axilares y fruto en vainas infladas, que producen ruido al chocar unas con otras.

ESPANTAMOSCAS m. Mosquero.

ESPANTAPÁJAROS m. Espantajo que se pone en los sembrados y en los árboles para ahuyentar los pájaros.

ESPANTAR tr. e intr. Causar espanto, dar susto. • tr. Ojear, echar de un lugar a una persona o animal. • prnl. Admirarse, maravillarse. • Sentir espanto, asustarse. ■ ESPANTADA; ESPANTADIZO, ZA; ESPANTADOR, RA.

ESPANTAVILLANOS m. fam. Cosa de poco valor y mucho brillo.

ESPANTE m. Confusión producida cuando el ganado se desmanda.

ESPANTO m. Terror, asombro, consternación. • Amenaza o demostración con que se infunde miedo. • Enfermedad causada por el espanto. • *Amér.* Fantasma, aparecido. Se usa más en pl.

ESPANTOSO, SA adj. Que causa espanto. • Maravilloso, asombroso. • Enorme.

ESPAÑA Estado de la Europa meridional. Junto con Portugal ocupa la pen. Ibérica. Limita al N con el Atlántico y Francia, al E y SE con el Mediterráneo, al SO y NO con el Atlántico, y al O con Portugal.

* *Geog. fís.* El relieve está centrado por la Meseta, que está dividida por el sistema Central. Al N se extiende la cordillera Cantábrica, que se alarga al O por los montes galaicoleoneses; al E el sistema Ibérico; finalmente, al S., Sierra Morena separa la Meseta del valle del Guadalquivir. Al NE se encuentra la depresión del Ebro, limitada al N por los Pirineos (alt. máx., Aneto, 3 404 m). Al S se extiende la depresión del Guadalquivir. Al SE, la cordillera Penibética, con Sierra Nevada que presenta el pico más elevado de la pen. (Mulhacén, 3 481 m), la depresión penibética y la cordillera Subbética. Los montes vascos, al N, y el sistema litoral catalán al NE, completan el relieve. Las costas son a menudo acantiladas, excepto en las zonas aluviales. Los ríos se reparten en tres vertientes: la cantábrica (Nalón,

Nervión y Bidasoa), la atlántica (Duero, Tajo, Guadiana, Miño, Guadalquivir), y la mediterránea (Ter, Llobregat, Turia, Júcar, Segura). Clima oceánico en el N y valle del Guadalquivir, continental en el interior y mediterráneo en el E y SE.

* *Geog. econ.* En las regiones húmedas del N se cultiva maíz, patatas y legumbres. En la E seca hay que distinguir entre la agricultura de secano y la de regadío. El secano, particularmente extendido en la Meseta, se dedica al cultivo extensivo de cereales; algunas zonas se han especializado en la viticultura y el olivo. Las zonas regadas de las llanuras andaluzas y las costas de levante han sustituido los cultivos tradicionales por otros más rentables como la remolacha azucarera, el lino, el cáñamo, los cítricos, las frutas, las hortalizas y el algodón. La ganadería ovina está muy extendida, mientras que el ganado vacuno sólo se asienta en el N. La pesca es importante en el Cantábrico, en Huelva y en Canarias. La minería produce pralm. hierro, plomo, cobre, cinc, mercurio, sales potásicas y carbón. Es considerable la producción hidroeléctrica. La ind. se concentra en el País Vasco, Cataluña y la zona centro. Destacan la siderúrgica, la metalúrgica, la química, la del cemento, la textil y el turismo. El comercio exterior es crónicamente deficitario.

* *Geog. humana.* Las migraciones han determinado un desequilibrio en la distribución de la población, que se ha desplazado a las zonas industriales, sit. en la periferia y en Madrid, hallándose en el interior zonas semidesiertas. Lengua: castellano (of); el catalán, euskera y el gallego son cooficiales en sus respectivas com. autón. *Rel.*: el catolicismo es predominante; existen minorías protestantes, judías e islámicas. U.M.: euro. Cap., Madrid. C. prales.: Barcelona, Valencia, Sevilla, Zaragoza, Bilbao.

* *Org. pol.* El Reino de España es una monarquía constitucional. El rey es el jefe del Estado. Entre sus atribuciones figura la de nombrar al presid. del gobierno, titular del ejecutivo. El poder legislativo recae en las Cortes, integradas por la cámara de diputados y el Senado.

* *Hist.* **Prehistoria e Hist. antigua.** Los primeros pobladores aparecieron en la pen. Ibérica h. el 600 000 a. C. En el paleolítico superior se realizaron las pinturas de Altamira. Los primeros cultivos de cereales datan del neolítico. A mediados del III milenio surgieron las primeras colonias, formadas por grupos de procedencia egea. En el milenio si-

España. Arriba, papelera en la ría de Navia (Asturias)

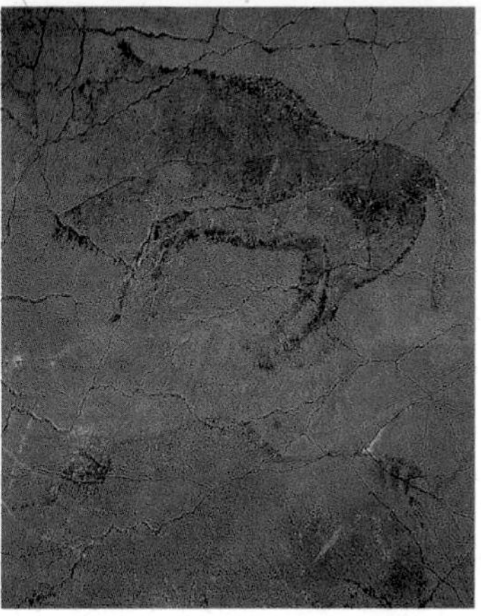

España. Izquierda, cueva de Altamira (Cantabria)

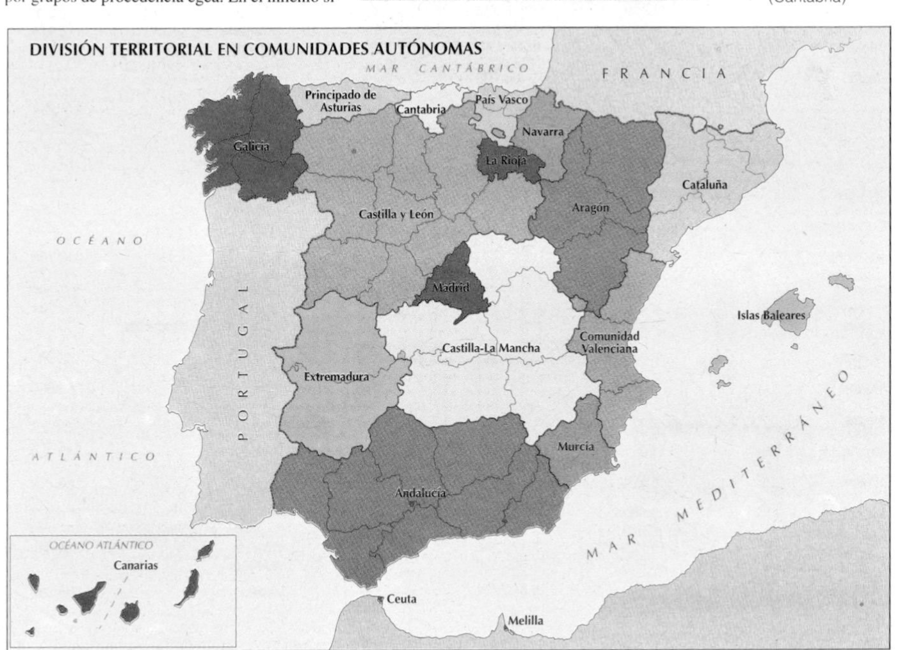

División administrativa de **España**

Com. autónomas y provincias	*Km²*	*Población*	*Densidad*	*Capital*	*Habitantes*
Almería	8 774	501 761	57	Almería	170 503
Cádiz	7 385	1 105 762	150	Cádiz	145 595
Córdoba	13 718	761 401	60	Córdoba	306 248
Granada	12 531	808 053	64	Granada	245 640
Huelva	10 085	454 735	45	Huelva	140 675
Jaén	13 498	648 551	48	Jaén	104 776
Málaga	7 276	1 249 290	171	Málaga	549 135
Sevilla	14 001	1 705 320	122	Sevilla	697 487
Andalucía	87 268	7 234 873	83	*Sevilla*	
Huesca	15 613	206 916	13	Huesca	45 607
Teruel	14 785	138 211	9	Teruel	28 994
Zaragoza	17 252	842 419	49	Zaragoza	601 674
Aragón	47 650	1 189 546	25	*Zaragoza*	
Asturias	10 565	1 087 885	103	*Oviedo*	200 049
Baleares	5 014	760 379	152	*Palma de Mallorca*	304 250
Las Palmas	4 072	834 085	205	Las Palmas de Gran Canaria	355 563
Sta. Cruz de Tenerife	3 170	772 449	229	Sta. Cruz de Tenerife	203 787
Canarias	7 242	1 606 534	222	*Las Palmas de Gran Canaria/ Sta. Cruz de Tenerife*	
Cantabria	5 298	527 437	100	*Santander*	185 410
Albacete	14 862	359 010	24	Albacete	143 799
Ciudad Real	19 749	478 672	24	Ciudad Real	59 392
Cuenca	17 061	201 712	12	Cuenca	43 733
Guadalajara	12 190	157 255	13	Guadalajara	67 108
Toledo	15 368	515 880	34	Toledo	66 066
Castilla-La Mancha	79 230	1 712 529	22	*Toledo*	
Ávila	8 048	169 342	21	Ávila	47 187
Burgos	14 309	350 074	24	Burgos	163 156
León	15 468	517 191	33	León	145 242
Palencia	8 035	180 571	22	Palencia	78 831
Salamanca	12 336	353 020	29	Salamanca	159 225
Segovia	6 949	147 770	21	Segovia	54 287
Soria	10 287	92 848	9	Soria	33 597
Valladolid	8 202	490 205	60	Valladolid	319 805
Zamora	10 559	207 475	20	Zamora	63 783
Castilla y León	94 193	2 508 496	27	*Valladolid*	
Barcelona	7 733	4 628 277	600	Barcelona	1 508 805
Girona	5 886	530 631	90	Girona	70 576
Lleida	12 028	356 456	30	Lleida	112 035
Tarragona	6 283	574 676	91	Tarragona	112 176
Cataluña	31 930	6 090 040	191	*Barcelona*	
Ceuta[1]	20	68 796	3 440		
Álava	3 047	281 821	92	Vitoria-Gasteiz	214 234
Guipúzcoa	1 997	676 208	339	San Sebastián	176 908
Vizcaya	2 217	1 140 026	514	Bilbao	358 875
País Vasco o Euskadi	7 261	2 098 055	289	*Vitoria-Gasteiz*	
Badajoz	21 657	656 848	30	Badajoz	122 510
Cáceres	19 945	413 396	21	Cáceres	77 768
Extremadura	41 602	1 070 244	26	*Mérida*	51 830
A Coruña	7 876	1 110 302	141	A Coruña	243 785
Lugo	9 803	370 303	38	Lugo	85 174
Ourense	7 278	346 913	48	Ourense	107 060
Pontevedra	4 477	915 104	204	Pontevedra	74 287
Galicia	29 434	2 742 622	93	*Santiago de Compostela*	93 672
La Rioja	5 034	264 941	53	*Logroño*	123 841
Madrid	7 995	5 022 289	628	*Madrid*	2 866 850
Melilla[1]	12	59 576	4 965		
Murcia	11 317	1 097 249	97	*Murcia*	345 750
Navarra	10 421	520 574	50	*Pamplona*	166 279
Alicante	5 863	1 379 762	235	Alicante	274 577
Castellón	6 679	456 727	68	Castellón de la Plana	135 729
Valencia	10 763	2 172 840	202	Valencia	746 683
Comunidad Valenciana	23 305	4 009 329	172	*Valencia*	
ESPAÑA	504 790	39 669 394	79	Madrid	2 866 850

[1] Ciudad autónoma.

ESPAÑA

Recursos económicos	
Aceite de oliva	839 000 t
Aceitunas	3 840 000 t
Arroz	735 000 t
Avena	533 000 t
Azúcar	1 158 000 t
Maíz	4 440 000 t
Naranjas	2 602 000 t
Tomates	2 984 000 t
Trigo	4 630 000 t
Uva	5 244 000 t
Vino	34 430 000 hl
Ganadería y derivados	
Cabaña bovina	5 914 000 cabezas
Cabaña caprina	2 136 000 cabezas
Cabaña ovina	21 827 000 cabezas
Cabaña porcina	18 652 000 cabezas
Riqueza forestal	16 021 000 m^3
Pesca	1 055 314 t
Producción minera	
Azufre	950 000 t
Bauxita	1 000 t
Carbón	17 465 000 t
Cinc	140 100 t
Cobre	37 500 t
Estaño	200 t
Hierro	1 070 000 t
Lignito	14 813 000 t
Mercurio	1 500 t
Oro	6 t
Plomo	23 800 t
Potasa	600 000 t
Sal	3 662 000 t
Uranio	281 t
Producción industrial	
Automóviles	2 010 000 unidades
Caucho sintético	133 700 t
Cemento	26 339 000 t
Energía eléctrica	166 380 millones kwh
Fertilizantes	2 523 000 t
Hierro colado	5 404 000 t
Neumáticos	28 159 000 unidades
Papel	3 968 000 t
Plásticos y resinas	2 078 000 t
Tejidos de algodón	689 000 t
Indicadores sociológicos	
PNB	563 249 millones de dólares
Renta per cápita	14 350 dólares
Esperanza de vida	78 años
Alfabetismo	97 %

España. Fragmento del mural de la batalla de Gravelinas (El Escorial, Madrid)

guiente aparecieron las culturas del Argar y de Tartesos. Durante el I milenio penetraron en la Península diversos pueblos indoeuropeos. Los fenicios se instalaron en el litoral mediterráneo a partir del 1100 a. C. La colonización gr. se inició a comienzos del s. VIII a. C. Los romanos se impusieron a los cartagineses (s. III a. C.) y convirtieron a E. en una provincia del Imperio. • **E. Med.** Después de la caída de Roma, la Península fue invadida por suevos, vándalos, alanos y visigodos. Estos últimos consiguieron establecer un reino con cap. en Toledo. En 587 Recaredo impuso la unidad religiosa en torno al catolicismo. Tras la batalla de Guadalete (771), los musulmanes se apoderaron de la península. Fundaron el califato de Córdoba (929) y alcanzaron su mayor esplendor militar con Almanzor. Después de su muerte (1002), el califato se fragmentó en reinos de taifas. A partir del s. X, los reinos y condados cristianos del N de la Península desarrollaron campañas contra los musulmanes (→ Reconquista). En el s. XI el feudalismo penetró en Navarra y Castilla. En el s. XIII los cristianos reconquistaron el reino de Murcia, y gran parte de Andalucía. En este mismo siglo la Corona de Aragón inició su dominio del Mediterráneo (Valencia, Mallorca, Sicilia). El s. XIV vio el enfrentamiento entre la nobleza y la monarquía y los problemas sucesorios de los distintos reinos cristianos. • **E. Mod.** La unión dinástica de las coronas de Castilla y Aragón se realizó con el matrimonio de los Reyes Católicos (1469). Durante su reinado se consolidó la unidad territorial de E. (conquista de Granada) y se inició la expansión colonial (Descubrimiento de América, 1492). Durante el reinado de Carlos I (1517-1556) tuvieron lugar las revueltas de las comunidades y de las Germanías, la guerra con Francia por la posesión del Milanesado y la conquista de los imperios azteca e inca. Con Felipe II, Portugal quedó incorporado al imperio esp., la guerra con Francia se saldó a favor de España (batalla de San Quintín), tuvo lugar el fracaso de la Armada Invencible frente a Inglaterra y se contuvo la expansión turca en Lepanto (1571). El s. XVII estuvo marcado por la decadencia política y económica. Portugal consiguió la indep. y se perdió el Rosellón, después del levantamiento de Cataluña. El s. XVIII se inauguró con la instauración de la dinastía borbónica y la guerra de Sucesión (1701-1714). El conflicto terminó con la unificación interior y la pérdida de la mayoría de las posesiones europeas. El reinado de Carlos III representó un periodo reformista, con un renacimiento económico y cultural. • **Siglo XIX.** El desacertado gobierno de Carlos IV y de su ministro Godoy terminó con la abdicación en favor de Fernando VII y la invasión fr., que provocó la Guerra de la Indep. esp. (1808-1814) que finalizó con la derrota de los franceses, la eclosión del liberalismo con la Constitución de Cádiz (1812) y el regreso de Fernando VII que abrió un período de reacción absolutista y presión liberal. En estos años se independizaron la mayoría de las colonias amer. Los oponentes a la sucesión de Isabel II crearon el carlismo, fuente de enfrentamientos bélicos durante todo el siglo. Los problemas del erario público motivaron la desamortización de Mendizábal. Isabel II fue destronada en 1868. Le siguieron el breve reinado de Amadeo de Saboya (1871-1873) y la I República (1873-1874). La Restauración borbónica, con Alfonso XII, se caracterizó por el bipartidismo. En 1898 se independizaron Cuba y Filipinas. • **Siglo XX.** Durante el reinado de Alfonso XIII (1902-1931) se agudizaron los conflictos sociales y el general Primo de Rivera ejerció una dictadura entre 1923 y 1929. En las elecciones de 1931,

España. De arriba a abajo: Juan Carlos I; Felipe González; José María Aznar

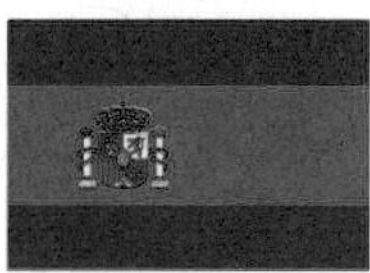

España. Arriba, mapa de situación y bandera; a la izquierda, Torcuato Fernández Miranda, Luis Carrero Blanco y Francisco Franco Bahamonde

España. *La maja y los embozados,* cartón para tapiz de Francisco de Goya y Lucientes. Museo del Prado, Madrid

España. Arriba, miniatura de las *Cantigas de Santa María,* de Alfonso X el Sabio. Abajo, *Las hilanderas,* óleo de Velázquez. Museo del Prado, Madrid

la mayoría republicana obligó a Alfonso XIII a abandonar el país. Con la II República se inició una etapa de reformas y de enfrentamientos políticos que desembocó en la Guerra Civil (1936-1939), y en la post. dictadura del general Franco. A su muerte, en 1975, el príncipe Juan Carlos de Borbón fue proclamado rey, se abrió el proceso democrático (celebración de elecciones en 1977, ganadas por la Unión de Centro Democrático [UCD], liderada por Adolfo Suárez, presid. del gobierno desde 1976) y se configuró la España de las autonomías (Constitución de 1978). En 1979 la UCD volvió a ganar las elecciones y Adolfo Suárez siguió al frente del gobierno. Tras su dimisión, a principios de 1981, se produjo un intento de golpe de Estado. Días después Leopoldo Calvo Sotelo era elegido presid. del gobierno. Bajo su mandato España ingresó en la OTAN. En las elecciones de 1982, 1986, 1989 y 1993 venció el Partido Socialista Obrero Español (PSOE) y Felipe González asumió la jefatura del gobierno. En 1986 España ingresó en la Comunidad Económica Europea. Desde entonces, considerada como modelo de transición pacífica a la democracia, ha ido adquiriendo relieve internacional, siendo sede de importantes acontecimientos: la Exposición Universal de Sevilla, y la celebración de los XXV Juegos Olímpicos en Barcelona, en 1992. En las elecciones de 1996 resultó triunfador el Partido Popular. La jefatura del gobierno recayó en José María Aznar, quien obtuvo sus principales logros en la política económica (Unión Económica y Monetaria, 1998), mientras que en la política estuvo marcada por la tregua de ETA (1998-1999) y el proceso de paz en el País Vasco. En marzo de 2000 se celebraron elecciones generales en las que el Partido Popular obtuvo la mayoría absoluta y J. Mª Aznar fue reelegido jefe del gobierno.

* *Arte.* En la época prehistórica se desarrolló el arte rupestre (Altamira, Cogull). Vestigios imp. de la ant. cultura ibérica son los Toros de Guisando y la Dama de Elche. De la dominación rom. perduran numerosas obras públicas (acueductos, anfiteatros, etc.). En la E. Med. florecieron el arte asturiano, el hispanomusulmán (Alhambra de Granada, mezquita de Córdoba), el románico (Jaca, Santiago, Ripoll) y el gótico (catedrales de Burgos, León, Toledo). El Renacimiento culminó con la construcción del Escorial y la obra pictórica de El Greco. El s. XVII es el siglo de oro del arte esp. En la pintura destacaron Velázquez, Zurbarán y Murillo, y en la escultura Martínez Montañés, Alonso Cano y Pedro de Mena. En el s. XVIII se introdujo el gusto clasicista y oficial fr. (construcciones de Aranjuez, Palacio Real de Madrid). A finales de este siglo y principios del XIX inició su obra el gran pintor Francisco de Goya. Hacia finales del siglo irrumpió el modernismo, con arquitectos como Antonio Gaudí y pintores como Ramón Casas. Entre los pintores más imp. del siglo XX destacan Joaquín Sorolla, Ignacio Zuloaga, Juan Gris, Joan Miró, Pablo Picasso, Salvador Dalí, Antoni Tàpies, Rafael Canogar, Antonio Saura, Josep Guinovart y Miquel Barceló. En la escultura contemporánea son representativos Pablo Gargallo, Manolo Hugué, Josep Clará, Pablo Serrano, Eduardo Chillida, Jorge de Oteiza y Josep M. Subirachs. En la arquitectura destacan el funcionalismo (J. L. Sert, Bergamín), el monumentalismo de la posguerra y las nuevas tendencias desde 1950 (Bohigas, Bofill, Moneo, Calatrava).

* *Mús.* La mús. popular medieval (villancicos, romances) se halla recopilada en *Cancioneros.* Durante la E. Med. se cultivó la mús. sacra (polifonías, dramas litúrgicos) y cortesana, influenciada por la trovadoresca provenzal *Cantigas de Santa María*, de Alfonso X el Sabio. El s. XVI fue el siglo de oro de la polifonía esp. Durante los ss. XVII-XVIII fue tomando auge la incorporación de fragmentos musicales a las representaciones teatrales, que darían origen a un género lírico específicamente esp., la zarzuela, que alcanzó su máx. esplendor en el s. XIX (Tomás Bretón, Ruperto Chapí, Federico Chueca). El s. XX se inició bajo la influencia de Isaac Albéniz y Enrique Granados, a los que siguieron Manuel de Falla y Joaquín Turina. En época más reciente destacan J. Rodrigo, X. Montsalvatge y C. Halffter.

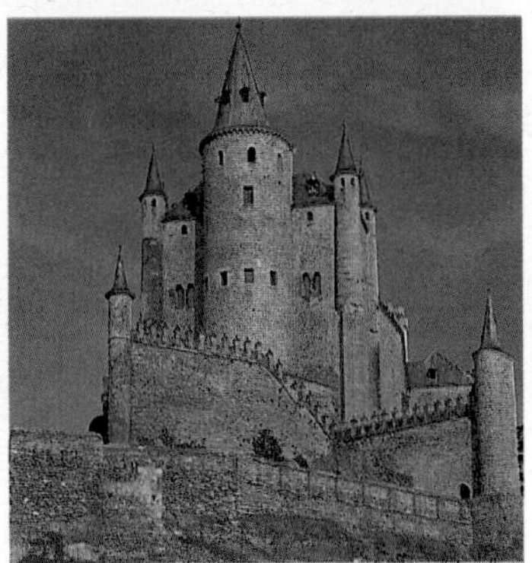

España. El alcázar de Segovia

* *Cin.* En 1896 se realizó, en Zaragoza, el primer film *Salida de la misa de doce en el Pilar.* Tras la irrupción del sonoro se constituyó la productora y distribuidora CIFESA. El autor más imp. de la preguerra fue Florián Rey. Después de la guerra civil se promocionó un cine oficialista y grandilocuente (J. L. Sáenz de Heredia). En los años cincuenta realizaron sus primeras obras J.A. Bardem (*Cómicos, Muerte de un ciclista*) y L. García Berlanga (*¡Bienvenido, Mr. Marshall!, El verdugo).* El realizador de mayor prestigio, Luis Buñuel, llevó a cabo casi toda su obra en el exilio. Tras la incipiente liberalización de los años sesenta apareció una nueva generación de autores (C. Saura, V. Erice, M. Gutiérrez Aragón). La administración socialista intentó paliar las deficiencias de esta ind. con una política de subvenciones. En los últimos años el cine esp. ha logrado una mayor presencia internacional con la concesión de los Oscar a *Volver a empezar,* de J.L. Garci, y *Belle Époque*, de F. Trueba. Destacan también las producciones de P. Almodóvar, V. Aranda y G. Suárez, entre otros.

* *Lit.* Lit. en lengua cast. (→ castellano), cat. (→ catalán), gallega (→ gallego) y vasca (→ euskera).

ESPAÑA, ***Conde de*** Sobrenombre de *Carlos d'Espignac* (1775-1839) Militar y político esp. que se unió a los carlistas. → ***José María*** (1760-1799) Patriota ven. Conspiró en pro de la indep. de su país, pero, descubierto el plan revolucionario, huyó a Trinidad. Cuando intentaba rehacer el proyecto, fue detenido y ejecutado.

ESPAÑOL, LA adj. y s. De España. • m. *Ling*. Lengua románica (castellano), of. de España, de dieciocho rep. hispanoamericanas, así como de Puerto Rico, junto con el ing.; de Filipinas, también con el ing. y con el tagalo, y de los ant. territorios esp. en África. Es además idioma nativo de algunas zonas de los EE UU, y de algunas islas de las Antillas. Lo emplean, también, colonias judías de África, Balcanes y Próximo Oriente.

* *Ling*. El e. tuvo su cuna en Cantabria y en los pequeños condados dependientes del reino de León, entre ellos Castilla. Desde un punto de vista diacrónico, el e. presenta unos rasgos muy peculiares con respecto a otras lenguas románicas vecinas: la diptongación y la pérdida de las sibilantes sonoras. La imp. del sustrato árabe, manifiesto en muchas denominaciones de uso material, es también un hecho diferenciador imp. Las prales. características fonéticas y morfosintácticas del e. son: existencia de cinco vocales fonológicas únicamente, imp. decisiva del acento en la palabra, triple gradación de los demostrativos, utilización de la preposición *a* para introducir el objeto directo (sobre todo cuando se trata de una persona), existencia de dos verbos atributivos (*ser* y *estar*), distinción de gén. en los pronombres personales de la primera y segunda persona del pl., uso ambiguo del posesivo *su, sus* y preferencia de la construcción reflexiva en detrimento de la forma pasiva. En la formación de la lengua e. se dintingue: un periodo de formación que concluye en el s. XII; otro de afirmación, imponiéndose sobre el mozárabe, el leonés y el aragonés (ss. XIII-XV); un periodo de esplendor y expansión por tierras ultramarinas (ss. XVI-XVII) y un último periodo que se inicia con la creación de la Academia Española (1713). En la América hispánica, el e. ha conservado una relativa uniformidad. Aunque presenta caracteres propios, éstos no provienen de una zona o región, sino del hecho de la presencia esp. en el continente. No se han podido descubrir influencias decisivas del sustrato amerindio en el sistema fonológico, aunque éstas han penetrado profundamente en el léxico, sobre todo del guaraní, el quechua y el aimará. Tanto el *voseo*, como el *seseo* y el *yeísmo* se encuentran también en la península Ibérica.

ESPAÑOLA, ***La*** Isla del grupo de las Grandes Antillas. Sit. entre Cuba y Puerto Rico; 75 842 km², 11 601 000 hab. Políticamente está dividida en dos naciones: Haití y la República Dominicana. Destacan en su relieve una serie de cordilleras paralelas de dirección O-E. Ríos prales.: Yaque del Norte, Artibonite y Yuma. Clima tropical. Caña de azúcar, café, plátanos, tabaco. Ganadería. Ind. alimentaria. Bauxita. Descubierta por Colón en 1492. Por el tratado de Ryswick (1697), la porción occidental pasó a dominio fr.; en 1795 este dominio se extendió a toda la isla. En 1834, la parte oriental se secesionó para formar el Est. de Haití esp., más tarde República Dominicana.

ESPAÑOLIZAR tr. Dar carácter español. • Dar forma esp. a un vocablo o expresión de otro idioma. • prnl. Tomar carácter esp. ■ ESPAÑOLIZACIÓN.

ESPARADRAPO m. Tira de tela cubierta por una cara de un emplasto adherente usado para sujetar vendajes, cubrir una herida, etc.

ESPARAVÁN m. Gavilán, ave de rapiña. • Tumor en la parte interna e inferior del corvejón de los solípedos.

ESPARAVEL m. Red redonda para pescar en los ríos y parajes de poco fondo. • *Const*. Tablita de madera que sirve para tener la mezcla que se ha de aplicar con la llana o la paleta.

ESPARCETA f. Pipirigallo, planta.

ESPARCIDO, DA adj. *Bot*. Díc. de las hojas, flores, ramas, etc., alternas, cuando es difícil averiguar el orden en el cual se suceden las líneas generatrices del tallo. • adj. fig. Festivo, franco en el trato, alegre, divertido.

ESPARCIMIENTO f. Acción y efecto de esparcir o esparcirse. • Desembarazo, franqueza en el trato, alegría. • Diversión, recreo, desahogo. • Actividades con que se llena el tiempo que las ocupaciones dejan libre.

ESPARCIR tr. y prnl. Separar, extender lo que está junto o amontonado; derramar extendiendo. • fig. Divulgar, publicar, extender una noticia. • Divertir, desahogar, recrear.

La Española. Ayuntamiento de Puerto Príncipe, Haití

Esparceta

Espárrago. Planta y yemas

Baldomero **Espartero,** por Casado de Alisal

ESPARRAGADO m. Guisado hecho con espárragos.

ESPARRAGAR tr. Cuidar o coger espárragos.

ESPÁRRAGO m. *Bot*. Planta liliácea que en primavera produce abundantes yemas de tallo recto y blanco, y cabezuelas comestibles de color verde. • Yema comestible que produce la raíz de la esparraguera. • Palo largo y derecho para asegurar con otros un entoldado. • Madero atravesado por estacas pequeñas a distancias iguales, para que sirva de escalera. ■ ESPARRAGADOR, RA; ESPARRAGAL.

ESPARRAGÓN m. Tejido de seda que forma un cordoncillo fuerte.

ESPARRAGUERO, RA m. y f. Persona que cultiva espárragos. • Persona que vende espárragos. • f. Espárrago, planta liliácea. • Era o haza de tierra que está destinada a criar espárragos. • Plato de forma adecuada en que se sirven los espárragos.

ESPARRAGUINA f. Fosfato de cal cristalizado de color verdoso.

ESPARRANCARSE prnl. fam. Abrirse de piernas, separarlas. ■ ESPARRANCADO, DA.

ESPARTA (*Lacedemonia, Laconia*) C. de Grecia, cap. del nomo de Laconia; 13 000 hab. • *Hist*. Ciudad estado de la ant. Grecia, en el Peloponeso. Nació delpacto entre cuatro aldeas dorias, en el s. IX a. C. La lucha por la hegemonía la enfrentó con Atenas en la guerra del Peloponeso (s. V a. C.). Fue aniquilada por la Liga Aquea, en Selasia (222 a. C.).

ESPARTA Mun. de Honduras, en el dpto. de Atlántida; 21 500 hab. Ferrocarril.

ESPARTACO (m. 71 a. C.) Gladiador rom. Se escapó de la prisión y decretó la libertad de los esclavos. Durante dos años venció a los ejércitos rom. que se le enfrentaron; murió en Lucania, derrotado por las legiones de Craso.

ESPARTANO, NA o **ESPARCIATA** adj. y s. De Esparta.

ESPARTAQUISMO m. Mov. surgido en el partido socialdemócrata al. en 1916 y cuyos fundadores, Karl Liebknecht y Rosa Luxemburg, lo transformaron en partido comunista en 1918. En 1919 dirigió una insurreción armada que fue fácilmente sofocada, y Liebknecht y Luxemburg fueron asesinados. ■ ESPARTAQUISTA.

ESPARTEÍNA f. *Farm*. Alcaloide oleoso y tóxico que se obtiene de la retama y se usa como tónico cardiaco.

ESPARTEÑA f. Alborga, alpargata.

ESPARTERO, ***Baldomero***, DUQUE DE LA VICTORIA (1793-1879) General y político esp., jefe del partido progresista. Puso fin a la guerra carlista con la firma del Convenio de Vergara (1839), y actuó de regente de Isabel II.

ESPARTILLA f. Rollito manual de estera o esparto para limpiar las caballerías.

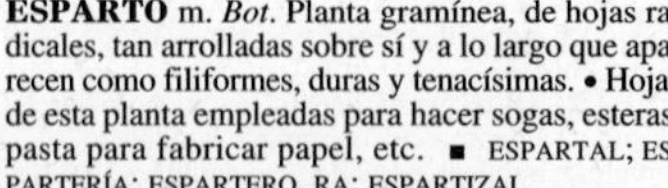

ESPARTO m. *Bot.* Planta gramínea, de hojas radicales, tan arrolladas sobre sí y a lo largo que aparecen como filiformes, duras y tenacísimas. • Hojas de esta planta empleadas para hacer sogas, esteras, pasta para fabricar papel, etc. ■ ESPARTAL; ESPARTERÍA; ESPARTERO, RA; ESPARTIZAL.

Espato de Islandia

ESPARVER m. Esparaván, gavilán.

ESPARVERO m. Ave falconiforme de la familia accipítridos, muy común en América del Sur, especialmente en Argentina.

ESPARZA f. Composición poética de una sola estrofa, de arte mayor o menor, que se utilizó en las canciones cast. de los ss. XIV-XV.

ESPARZA Oteo, ***Alfonso*** (1897-1950) Compositor mex. Su música se basa en motivos populares. *Un viejo amor, Ojos gitanos, Mentirosa, Rondalla.*

ESPASMO m. Enfriamiento. • *Fisiol.* Contracción muscular involuntaria, exagerada y persistente de los músculos estriados voluntarios. ■ ESPASMÓDICO, CA; ESPASMÓGENO, NA.

ESPASMOFILIA f. Estado constitucional de la infancia caracterizado por la hiperexcitabilidad de los nervios motores periféricos.

ESPASMOLÍTICO m. Fármaco para combatir los espasmos de los músculos de fibra lisa.

ESPATA f. Hoja protectora, grande y de colores vivos, que rodea las inflorescencias de las plantas aráceas.

ESPATARRADA f. fam. Despatarrada.

ESPATARRARSE prnl. fam. Despatarrarse.

ESPATO m. *Miner.* Cualquier mineral de estructura laminar. • **calizo.** Caliza cristalizada en romboedros. • **de Islandia.** Espato calizo muy transparente. • **flúor.** Fluorita. • **pesado.** Baritina. ■ ESPÁTICO, CA.

Espátula

ESPÁTULA f. Paleta gralte. pequeña, con bordes afilados y mango largo. • *Zool.* Ave ciconiforme de pico deprimido y ensanchado en la punta. ■ ESPATULADO, DA.

ESPATULOMANCIA o **ESPATULOMANCÍA** f. Adivinación por los huesos de los animales, sobre todo por la espaldilla.

ESPAVIENTO m. Aspaviento.

ESPAVORIDO, DA adj. Lleno de pavor.

ESPAVORIZARSE prnl. Despejarse y esparcirse.

ESPECIA f. Cualquiera de las sustancias aromáticas de origen vegetal con que se sazonan los guisos. • pl. Postres de la comida que se servían para beber vino. ■ ESPECERÍA; ESPECIERÍA; ESPECIERO, RA.

* *Hist.* El tráfico de e. fue desde la antigüedad una partida muy imp. en el comercio. Las e. constituyeron una unidad de intercambio, antes de la aparición de la moneda.

ESPECIACIÓN f. *Biol.* Evolución entre especies. • **geográfica.** Modalidad de segregación que se da frecuentemente en los animales de reproducción sexual, sobre todo en los vertebrados. • **filética.** E. en la que la variación se produce en una sola dirección, en general como consecuencia de un ambiente que se va transformando progresivamente.

ESPECIAL adj. Singular o particular, que se diferencia de lo común, ordinario o general. • Muy adecuado o propio para algún efecto.

ESPECIALIDAD f. Particularidad, singularidad. • Rama de una ciencia, arte o actividad a la cual se dedica una persona. • Confección o producto en cuya elaboración sobresale una persona, establecimiento, región, etc. • Medicamento preparado en un laboratorio, y autorizado oficialmente para ser despachado en las farmacias con un nombre comercial registrado.

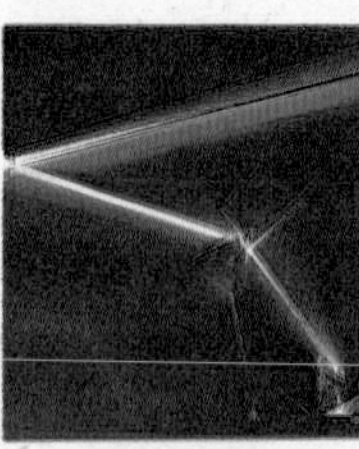

Espectro óptico obtenido mediante prismas

ESPECIALIZACIÓN f. Acción y efecto de especializar o especializarse • *Biol.* Conjunto de fenómenos que conducen, por medio de la diferenciación celular, a la obtención de células distintas en su fisiología.

ESPECIALIZAR intr. y prnl. Cultivar con especialidad una rama determinada de una ciencia o de un arte. • intr. Limitar una cosa a un uso o fin determinado. ■ ESPECIALISTA.

ESPECIE f. Conjunto de cosas semejantes entre sí por tener uno o varios caracteres comunes. • Idea de un objeto representada en el intelecto. • Caso, asunto. • Tema, proposición. • *Biol.* Categoría taxonómica que agrupa al conjunto de seres que presentan las mismas características. Genéticamente, conjunto de individuos que se pueden cruzar entre sí y cuyos descendientes son también fértiles. • *Mat.* Magnitud de igual naturaleza que otra. • *Mús.* Cada una de las vocales en la composición. • *Quím.* Sustancia de una determinada composición química.

ESPECIFICACIÓN f. Acción y efecto de especificar. • *Der.* Confección de una obra nueva usando, en todo o en parte, materia ajena. • En informática, definición precisa y ordenada que describe la lógica y la finalidad de las funciones de proceso que efectúa un programa.

ESPECIFICAR tr. Explicar, declarar con individualidad una cosa. • Fijar o determinar de modo preciso.

ESPECIFICATIVO, VA adj. Que tiene virtud para precisar, determinar o declarar con individualidad una cosa o noción. • *Gram.* Díc. de la oración subordinada adjetiva especificativa.

ESPECÍFICO, CA adj. Que caracteriza y distingue una especie o una sustancia de otra. • m. Medicamento especialmente apropiado para tratar una enfermedad determinada. • Medicamento de propiedades generales, fabricado por mayor, y no para cada caso clínico determinado. ■ ESPECIFICIDAD.

ESPÉCIMEN m. Muestra, modelo, señal.

ESPECIOSO, SA adj. Hermoso, precioso, perfecto. • fig. Aparente, engañoso.

ESPECIOTA f. fam. Proposición extravagante, noticia falsa o exagerada.

ESPECTÁCULO m. Función o diversión pública celebrada en un lugar en que se congrega la gente para presenciarla. • Aquello que se ofrece a la vista o a la contemplación intelectual, y es capaz de atraer la atención. • Acción que causa escándalo o gran extrañeza. ■ ESPECTACULAR; ESPECTACULARIDAD; ESPECTADOR, RA.

ESPECTRO m. Imagen fantasmagórica que se presenta a los ojos o a la fantasía. • *Fís.* Resultado obtenido al desdoblar un haz heterogéneo de radiación electromagnética en sus distintos componentes de diferente longitud de onda. • *Med.* Amplitud de la serie de especies microbianas sobre las que es terapéuticamente activo un medicamento. • **de una estrella.** *Astr.* El obtenido desdoblando la radiación electromagnética de una estrella ■ ESPECTRAL.

* *Astr.* Según el tipo de e. a que dan lugar las estrellas se clasifican en tipo W, O, B, A, F, G, K, M, N, R, S, P o Q, a los que se añaden prefijos y subíndices para determinar características como tamaño, líneas de absorción y de emisión y peculiaridades químicas.

* *Fís.* El desdoblamiento del haz se consigue haciéndolo pasar por un prisma o por una red de difracción. Los aparatos utilizados para realizar la descomposición se denominan espectroscopios y espectrógrafos. El e. electromagnético conocido actualmente se extiende desde varias decenas de km hasta 10^{14} m para los valores de longitud de onda. Los e. ópticos de los cuerpos proporcionan una valiosa información acerca de la estructura de la materia; pueden obtenerse directamente de la luz procedente de la fuente luminosa (e. de emisión), o bien la radiación puede pasar previamente a través de una sustancia absorbente (e. de absorción). Los e. pueden ser continuos, los emitidos por los sólidos y líquidos en incandescencia; de rayas, característicos de los átomos y que permiten identificarlos; y de bandas, que dependen de la estructura molecular de la sustancia que los origina.

ESPECTROFOTOMETRÍA f. *Fís.* Técnica de análisis basada en el empleo del espectrofotómetro. ■ ESPECTROFOTOMÉTRICO, CA.

ESPECTROFOTÓMETRO m. *Fís.* Instrumento para desdoblar un haz heterogéneo de radiación electromagnética en sus distintos componentes y dar una indicación de la transferencia de energía entre cada uno de ellos y una sustancia en estudio. Consta de tres partes: fuente de emisión, sistema de dispersión y detector, que mide la intensidad de cada uno de los haces, transformándola en una señal eléctrica que se registra gráficamente en el registrador.

ESPECTROGRAFÍA f. Técnica que estudia los espectros mediante el uso del espectrógrafo.

ESPECTRÓGRAFO m. *Fís.* Espectroscopio o espectrómetro dispuesto para la obtención de espectrogramas. • *Fís.* Aparato capaz de analizar un sonido y descomponerlo en otros, con lo que

proporciona su espectro. • **de masas.** *Fís.* El utilizado para separar y determinar las masas de los isótopos de un átomo.
ESPECTROGRAMA m. *Fís.* Fotografía o distribución de los elementos componentes de un espectro.
ESPECTROHELIÓGRAFO m. *Ast.* y *Fís.* Espectroscopio para fotografiar monocromáticamente las protuberancias solares o el disco del Sol.
ESPECTROHELIOGRAMA m. Registro realizado por un espectroheliógrafo.
ESPECTROHELIOSCOPIO m. *Astr.* y *Fís.* Espectroheliógrafo que permite la visión directa del Sol.
ESPECTROMETRÍA f. *Fís.* Estudio de las intensidades de radiación electromagnéticas de diversa longitud de onda emitidas o absorbidas por las sustancias. • **de masas.** *Fís.* Determinación cuantitativa de partículas iónicas según su relación masa/carga. ■ ESPECTROMÉTRICO, CA.
ESPECTRÓMETRO m. *Fís.* Espectroscopio graduado que determina y mide las características correspondientes a las componentes de un espectro. • **de masas.** *Fís.* Aparato que permite conocer el peso molecular de una sustancia gaseosa o gasificada y ayuda a conocer su estructura molecular, mediante la ionización por bombardeo de electrones y su separación según la relación masa/carga.
ESPECTROSCOPIA m. *Fís.* y *Quím.* Técnica que estudia la producción y observación de los espectros visibles. • Conjunto de conocimientos referentes al análisis espectroscópico. ■ ESPECTROSCÓPICO, CA.
ESPECTROSCOPIO m. *Fís.* y *Quím.* Instrumento para obtener y observar espectros visibles.
ESPECULAR tr. Registrar, mirar con atención una cosa. • fig. Meditar, contemplar, reflexionar. • intr. Comerciar, traficar. • Procurar provecho o ganancia fuera del tráfico mercantil. ■ ESPECULACIÓN; ESPECULATIVO, VA.

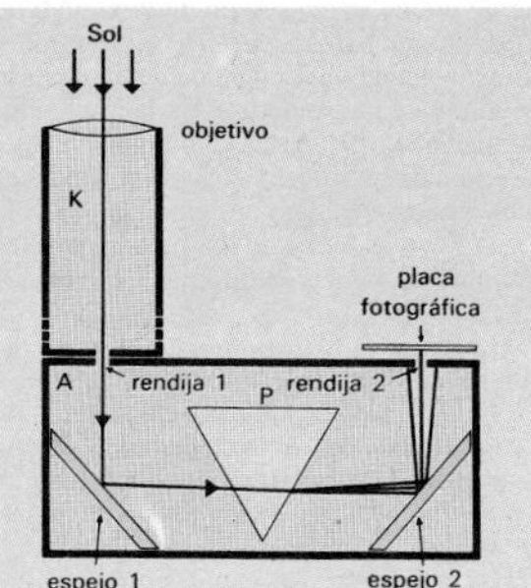

Esquema de un **espectroheliógrafo**

ESPÉCULO m. *Med.* Instrumento para dilatar y mantener abierta la entrada de ciertas cavidades orgánicas, permitiendo el examen de éstas.
ESPEJAR tr. vulg. Despejar. • prnl. fig. Reflejarse como la imagen en un espejo.
ESPEJEAR intr. Relucir o resplandecer.
ESPEJERA f. *Cuba.* Llaga de las caballerías producida por los arreos o la espuela.
ESPEJERÍA f. Tienda donde se venden espejos y otros muebles de decoración.
ESPEJISMO o **ESPEJEO** m. *Ópt.* Ilusión debida a la reflexión total de la luz cuando atraviesa capas de aire de densidad distinta. • fig. Ilusión de la imaginación.
ESPEJO m. *Ópt.* Superficie lisa y pulimentada, gralte. de vidrio o cristal, en la que se reflejan los rayos luminosos. • fig. Aquello en que se ve una cosa como retratada. • fig. Modelo o dechado digno de estudio e imitación. • *Arq.* Adorno aovado que se entalla en las molduras huecas. • pl. Remolino de pelos en la parte anterior del pecho del caballo. • **de los Incas.** Obsidiana. • **ustorio.** E. esférico o parabólico, cóncavo, que tiene la propiedad de concentrar las ondas luminosas o caloríficas, produciendo una temperatura suficiente para quemar los combustibles que se coloquen en su foco. ■ ESPEJADO, DA.

Espectrómetro

ESPEJO, *Francisco* (1758-1814) Patriota ven. Se unió al movimiento revolucionario (1810) y fue nombrado presid. de la alta corte de justicia. Boves le hizo fusilar. • ***Francisco Eugenio de Santa Cruz*** (1747-1795) Patriota ecuat. Fundó el periódico *Primicias de la cultura de Quito.* Partidario de reformas económicas y sociales, fue detenido y falleció poco después. *Nuevo Luciano o despertador de ingenios.* • ***Jerónimo*** (1801-1889) Militar y escritor arg. Luchó por la indep. y luego contra Rosas. *Entrevistas en Guayaquil entre Bolívar y San Martín, Apuntes históricos sobre la expedición libertadora del Perú.*
ESPEJUELA f. *Eq.* Arco que suele tener algunos bocados y que une los extremos de los dos cañones.
ESPEJUELO m. Yeso cristalizado en láminas brillantes. • Ventana, rosetón o claraboya por lo general con calados de cantería y cerrada con placas de yeso transparente. • Hoja de talco. • Trozo curvo de madera con pedacitos de espejo que se hace girar para que acudan las alondras y poderlas cazar. • Reflejo que se produce en ciertas maderas cuando se cortan a lo largo de los radios medulares. • Conserva de cidra o calabaza. • Borra o suciedad que se cría en los panales de las colmenas durante el invierno. • Callosidad que contrae el feto del animal en el vientre de la madre. • Excrecencia córnea que tienen las caballerías en la parte interna de las patas. • pl. Cristales que se ponen en los anteojos y los anteojos mismos.
ESPELEOLOGÍA f. Disciplina que estudia las cavidades naturales subterráneas (cavernas o grutas). ■ ESPELEOLÓGICO, CA; ESPELEÓLOGO, GA.
ESPELTA f. Variedad del trigo. Se cultiva en Alemania y en Suiza.
ESPELUCAR tr. y prnl. *Amér.* Despeluzar, desordenar el pelo.
ESPELUNCA f. Cueva, gruta tenebrosa.
ESPELUZAR tr. y prnl. Despeluzar el pelo.
ESPELUZNAR tr. y prnl. Despeluzar el pelo. ■ ESPELUZNANTE.
ESPELUZNO m. fam. Escalofrío.
ESPEQUE m. Palanca de madera, redonda por una extremidad y cuadrada por la otra, de que se sirven los artilleros. • Puntal para sostener una pared. • Palanca recta de madera resistente.
ESPERA f. Acción y efecto de esperar. • Plazo señalado por el juez para ejecutar una cosa. • Calma, facultad de saberse contener. • Puesto para cazar esperando en él hasta que la caza acuda espontáneamente. • Escopladura que empieza desde una de las aristas de la cara del madero y no llega a la opuesta. •Aplazamiento que los acreedores conceden al deudor en quiebra, concurso o suspensión de pagos.
ESPERANTO m. Idioma creado en 1887 por el médico Zamenhof, con idea de que pudiese servir internacionalmente como lengua auxiliar. ■ ESPERANTISTA.
ESPERANZA f. Estado de ánimo en el cual se nos presenta como posible lo que deseamos. • *Mat.* Se define como la suma de los productos de los valores de una función aleatoria por la probabilidad asociada a cada uno de ellos: $E[f(X)] = \sum (X_i)\, p(X_i)$. • *Rel.* Entre los católicos, virtud teologal por la que los creyentes esperan conseguir de Dios los bienes prometidos. ■ ESPERANZAR.
ESPERANZA Mun. de la República Dominicana, en la prov. de Valverde; 23 500 hab. Cacao, café, tabaco. Apicultura. Curtidos.
ESPERANZA *La* C. de Honduras, cap. del dpto. de Intibucá; 4 017 hab.
ESPERAR tr. Tener esperanza de conseguir lo que se desea. • tr. e intr. Creer que ha de suceder alguna cosa, especialmente si es favorable. • tr. Per-

Espejo de bronce. Museo Romano de Mérida, España

Espeleología

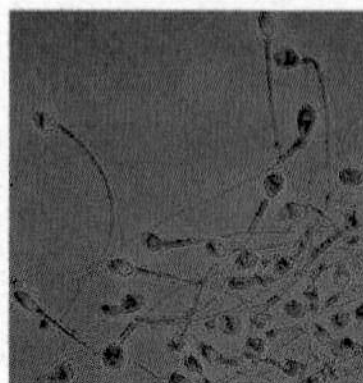
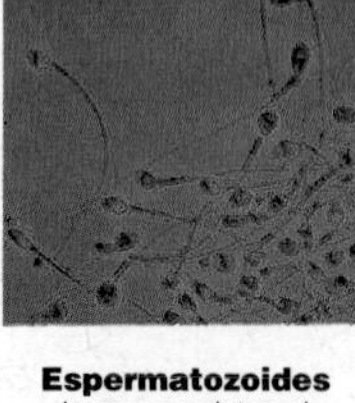

Espermatozoides humanos vistos al microscopio

Espigas de cebada

Espinas de cactus

manecer en sitio a donde se cree que ha de ir alguna persona o en donde se presume que ha de ocurrir alguna cosa. • Detenerse en el obrar hasta que suceda algo. • Ser inminente o estar inmediata alguna cosa.• prnl. Prever, ver probable una cosa.
ESPEREZARSE prnl. Desperezarse.
ESPEREZO m. Desperezo.
ESPERIEGO, GA adj. y s. Asperiego.
ESPERMA amb. Semen, líquido blanquecino de los animales machos que contiene, además de los espermatozoides, el líquido de las vesículas seminales, el líquido prostático y la secreción de las glándulas de Cooper, y que es eyaculado durante el acto sexual. • **de ballena.** Sustancia grasa que se extrae del cráneo del cachalote. Se emplea para hacer velas y también en algunos medicamentos. ■ ESPERMÁTICO, CA.
ESPERMACETI m. Esperma de ballena.
ESPERMATICIDA adj. y m. Que destruye los espermatozoides.
ESPERMÁTIDA f. *Biol.* Cada una de las células de los testículos de los animales machos que dan origen a los espermatozoides.
ESPERMATOCITO m. *Biol.* Cada una de las células de los testículos de los animales machos, que inician el periodo de crecimiento y maduración que dará lugar a las espermátidas.
ESPERMATÓFITO, TA adj. y s. *Bot.* Díc. del vegetal que se reproduce por semillas.
ESPERMATOGÉNESIS f. *Biol.* Proceso durante el cual tiene lugar la maduración y desarrollo de la célula sexual masculina o espermatozoide.
ESPERMATOGONIA f. *Biol.* Cada una de las células de los testículos de los animales machos que dan lugar a los espermatocitos.
ESPERMATORREA f. *Med.* Pérdida involuntaria de la esperma sin mediar el acto sexual.
ESPERMATOZOIDE o **ESPERMIO** m. *Fisiol.* Célula sexual masculina, provista de un largo y único flagelo, capaz de fecundar el óvulo para dar lugar al huevo, del que surgirá un nuevo ser. • *Bot.* Gameto masculino de las plantas criptógamas.
ESPERMATOZOO m. Espermatozoide de los animales.
ESPERMIDUCTO m. *Anat.* Nombre genérico de cualquier tipo de conducto genital masculino.
ESPERNADA f. Remate de la cadena, que suele consistir en un eslabón abierto, para engancharlo en una argolla.
ESPERNANCARSE prnl. *Amér.* Esparrancarse.
ESPERÓN m. *Mar.* Espolón.
ESPERÓN, *Manuel* Compositor contemporáneo mex., famoso por sus temas populares. *¡Ay Jalisco no te rajes!*, *Allá en el rancho grande*, *Cantaclaro.*
ESPERPENTO m. fam. Persona o cosa notable por su fealdad, desaliño o mala traza. • Desatino, absurdo. • *Lit.* Gén. creado por Ramón del Valle-Inclán, en el que se deforma sistemáticamente la realidad, recargando sus rasgos grotescos y absurdos. ■ ESPERPÉNTICO, CA.
ESPERT, *Núria* (nacida 1933) Actriz esp. Intérprete de obras de García Lorca (*Yerma*), Valle-Inclán (*Divinas palabras*), Genet (*Las criadas*), que ha representado en casi todo el mundo. Premio Margarita Xirgu en 1978.
ESPESAR tr. Condensar lo líquido. • Unir, apretar una cosa con otra haciéndola más tupida. • prnl. Juntarse, unirse y apretarse las cosas unas con otras. • m. Parte de monte más poblado de matas o árboles que el resto. ■ ESPESO, SA.
ESPESOR m. Grueso de un sólido. • Densidad o condensación de un fluido.
ESPESURA f. Calidad de espeso. • fig. Cabellera muy espesa. • fig. Lugar muy poblado de árboles y matorrales. • fig. Desaseo y suciedad.
ESPETAPERRO *(A)* m. adv. A escape, con mucha precipitación.
ESPETAR tr. Atravesar con el asador. • Atravesar, clavar un instrumento puntiagudo. • fig. y fam. Decir a uno de palabra o por escrito alguna cosa, causándole sorpresa o molestia. • prnl. Ponerse tieso, afectando gravedad. • fig. y fam. Encajarse, asegurarse, afianzarse. ■ ESPETADO, DA.
ESPETERA f. Tabla con garfios en que se cuelgan carnes, aves y utensilios de cocina. • Conjunto de los utensilios de cocina que son de metal y se cuelgan en la espetera. • fig. Pechos de mujer.
ESPETÓN m. Hierro largo y delgado. • Hurgonero de horno. • Alfiler grande. • Golpe dado con el espetón. • Aguja, pez. • *Zool.* Pez osteíctio de carne muy estimada, que es propio del Mediterráneo, del mar Negro y del Atlántico.
ESPÍA com. Persona que, al servicio de una organización o gobierno, obtiene información secreta de carácter industrial, militar, etc., relativa a otra organización o gobierno. • *Mar.* Acción de espiar. • *Mar.* Cabo o calabrote que sirve para espiar. • **doble.** Persona que sirve a las dos partes contrarias por el interés que de ambas le resulta. • **Satélite e.** Satélite artificial lanzado por un país, capaz de proporcionar información secreta de otra nación. ■ ESPIAR; ESPIONAJE.
ESPIBIA f., **ESPIBIO** o **ESPIBIÓN** m. Torcedura del cuello de una caballería en sentido lateral.
ESPICANARDI f. o **ESPICANARDO** m. Hierba valerianácea que se cría en la India y tiene la raíz perenne y aromática. • Raíz de esta planta. • Planta gramínea de la India con rizoma acompañado de numerosas raicillas fibrosas, de olor agradable. • Raíz de esta planta.
ESPICHAR tr. Pinchar. • intr. fam. Morir. • Espitar. • *Amér.* Discursear, arengar.
ESPICHE m. Arma o instrumento puntiagudos. • Estaquilla que sirve para cerrar un agujero. • *Amér.* Discurso, arenga.
ESPICHÓN m. Herida causada con el espiche o con otra arma puntiaguda.
ESPÍCULA f. Espiga de pequeño tamaño. • *Bot.* Espiguilla, inflorescencia de las gramíneas. • *Zool.* Cada uno de los elementos de naturaleza inorgánica que forman el esqueleto de ciertas esponjas.
ESPIGA f. Conjunto de flores o frutos dispuestos a lo largo de un tallo común, como en el trigo y el espliego. • Parte de una herramienta o de otro objeto, adelgazada para introducirla en el mango. • Parte superior de la espada, en donde se asegura la guarnición. • Extremo de un madero cuyo espesor se ha disminuido para que encaje en un hueco. • Parte más estrecha de un escalón de caracol por la cual se une al eje de la escalera. • Cada uno de los clavos de madera con que se aseguran las tablas o maderos. • Púa de un injerto • Clavo de hierro pequeño y sin cabeza. • Badajo de campana • Espoleta de bomba. • *Mar.* Cabeza de los palos y masteleros. • *Mar.* Una de las velas de la galera. ■ ESPECIFORME.
ESPIGADILLA f. *Bot.* Planta herbácea de tallo ascendente, semejante a la cebada silvestre.
ESPIGADO, DA adj. Aplícase a algunas plantas anuales cuando se las deja crecer hasta la completa madurez de la semilla. • Díc. del árbol nuevo de tronco muy elevado. • En forma de espiga. • fig. Alto, crecido de cuerpo.
ESPIGAR tr. Coger las espigas que han quedado en el rastrojo. • tr. e intr. fig. Tomar de uno o más libros, rebuscando acá y allá, ciertos datos. • tr. Hacer la espiga en las maderas que han de entrar en otras. • prnl. Crecer algunas hortalizas más de lo debido para servir de alimento. • Crecer notablemente una persona. ■ ESPIGADERA; ESPIGADORA; ESPIGUEO.
ESPIGÓN m. Aguijón, palo aguzado para aguijar. • Espiga o punta de un instrumento puntiagudo, o del clavo con que se asegura una cosa. • Espiga áspera y espinosa. • Mazorca o panoja. • Cerro alto, pelado y puntiagudo. • Macizo saliente que se construye a la orilla de un río o en la costa del mar.
ESPIGUEAR intr. *Méx.* Mover el caballo la cola sacudiéndola de arriba abajo.
ESPIGUILLA f. Cinta angosta o fleco con picos. • Cada una de las espigas pequeñas que forman la pral. en algunas plantas. • Planta gramínea con el tallo comprimido, hojas lampiñas y flores en panoja sin aristas. • Flor del álamo.
ESPÍN m. Puerco espín. • *Fís.* Momento cinético intrínseco de las partículas elementales. Sus valores se cuantifican como múltiplos enteros o semienteros de $h/2\pi$, siendo h la constante de Planck.
ESPINA f. *Bot.* Formación, gralte. dura por la presencia de esclerénquima, originada por la transformación de hojas o de alguna de sus partes, que suele encontrarse en número variable en las plantas adaptadas a los lugares secos, con misiones protectoras contra el ataque de los animales. • Astilla

pequeña y puntiaguda de la madera, esparto u otra cosa áspera. • *Zool.* Cada una de las piezas óseas largas, delgadas y puntiagudas que forman parte del esqueleto de muchos peces. • Muro bajo y aislado en medio del circo romano, alrededor del cual corrían los carros y caballos. • fig. Escrúpulo, recelo, sospecha. • fig. Pesar íntimo y duradero. • Apófisis ósea larga y delgada. • **blanca.** Cardo borriquero. • **de Cristo.** Planta sufruticosa de la familia ramnáceas, denominada también e. vera, con hojas ovales, aguijones estipulares, flores amarillas y frutos en drupa seca. Se halla difundida en la región mediterránea. • **de cruz.** *Argent.* y *Perú.* Arbusto de la familia ramnáceas. La corteza de las raíces produce espuma en el agua y sirve para lavar tejidos de lana. • **dorsal.** Espinazo. ■ ESPINAL; ESPÍNEO, A.

ESPINA, *Concha* (1877-1955) Novelista y poetisa esp. *La niña de Luzmela, La esfinge maragata, El metal de los muertos.* Premio Nacional de Literatura en 1927.

ESPINACA f. Planta quenopodiácea, con hojas radicales, estrechas y suaves, que, hervida, se consume como verdura.

ESPINAL, *El* Mun. de Colombia, en el dpto. de Tolima; 43 900 hab. Tabaco, caña, ajonjolí, maíz. Ganadería. Material ferroviario.

ESPINAPEZ m. Labor que se hace en los solados y entarimados con rectángulos colocados oblicuamente a las cintas.

ESPINAR tr. intr. y prnl. Punzar, herir con espina. • tr. Proteger con tallos espinosos los árboles recién plantados. • tr. y prnl. fig. Herir y ofender con palabras picantes. • tr. *Mil.* Dicho de un escuadrón, formar el espín. • m. Sitio poblado de espinos. • fig. Dificultad, embarazo, enredo. ■ ESPINADURA.

ESPINAZO m. *Anat.* Eje del neuroesqueleto de los animales vertebrados, situado a lo largo de la línea media dorsal del cuerpo y formado por una serie de huesos cortos o vértebras, dispuestos en fila y articulados entre sí. • *Arq.* Clave de una bóveda o de un arco.

ESPINEL m. Especie de palangre.

ESPINEL, *Vicente* (1550-1624) Poeta y novelista esp. Autor de la novela picaresca *Vida del escudero Marcos de Obregón.* Inventó la décima espinela.

ESPINELA f. *Métr.* Décima. • *Geol.* Mineral frecuente en calizas y dolomías cuyo color varía según su composición química e impurezas.

ESPINETA f. Clavicordio pequeño de una sola cuerda en cada orden.

ESPINGARDA f. *Mil.* Cañón de artillería mayor que el falconete. • Escopeta muy larga que usaban los ár. • Mujer alta, delgada.

ESPINHAÇO, *Serra do* Cordillera de Brasil, en el est. de Minas Gerais. Alt. máx. Itambé, de 2 034 m. Minerales de hierro.

ESPINILLA f. Parte anterior de la tibia. • Especie de barrillo que aparece en la piel y que proviene de la obstrucción del conducto secretor de las glándulas sebáceas.

ESPINILLERA f. Pieza de la armadura ant. que cubría la espinilla. • Pieza que preserva la espinilla de los operarios o deportistas.

ESPINILLO m. *Amér. Merid.* Árbol mimosáceo del que se aprovecha su madera. • *C. Rica.* Planta ruderal de la familia compuestas. • *Cuba.* Arbusto cesalpiniáceo, de flores amarillas.

ESPINO m. Planta arbustiva caracterizada por la posesión de espinas. • *Argent.* y *Chile.* Arbusto de la familia mimosáceas, de flores muy olorosas, del que se benefician la madera, sus frutos y la corteza. • *Cuba.* Arbusto de la familia rubiáceas, de madera muy dura con vetas retorcidas. • **albar.** Rosácea de ramas espinosas, hojas partidas, flores blancas o rojizas y frutos carnosos y comestibles, de color rojo. Se denomina también e. blanco. • **amarillo.** Eleagnácea de ramas espinosas, hojas lanceoladas, rojizas, blanquecinas o verduscas, flores amarillentas y fruto rojoamarillento. Se denomina también e. falso. • **artificial.** Alambrada con pinchos. • **cerval.** Arbusto de la familia ramnáceas; tiene por fruto drupas negras, cuya semilla se emplea como purgante. • **negro.** Mata de la familia ramnáceas, con flores pequeñas, sin corola. • Endrino.

ESPINO, *Alfredo* (1900-1928) Poeta salv. *Vientos de octubre, Las manos de mi madre, Jícaras tristes.*

ESPINOCHAR tr. Quitar las hojas que cubren la panocha del maíz.

ESPÍNOLA, *Ambrosio* (1569-1630) General esp., de origen genovés. Intervino en la guerra de los Treinta Años y conquistó parte del Palatinado (1620). Gobernador del Milanesado (1629). • ***Francisco*** (1901-1973) Escritor ur. *Sombras sobre la tierra, La fuga en el espejo, El rapto y otros cuentos.* • ***Sofía*** (nacida 1904) Poetisa arg. *Sombra en llamas, Almas dolientes, Luces y sombras del camino.*

ESPINOSA, *Diego* (1502-1572) Eclesiástico y político esp. Presid. del consejo de Castilla (1565) e inquisidor general (1566). Con su actitud represora contribuyó a la rebelión de los moriscos (1568-1570). • ***Gaspar*** (m. 1537) Conquistador esp. Fue uno de los fundadores de la c. de Panamá. Instruyó proceso contra Núñez de Balboa. • ***Guillermo*** (nacido 1905) Director de orquesta col. Fundador de la Orquesta Sinfónica Nacional de Bogotá. Director, en Washington, de la División de Música de la Unión Panamericana. • ***Javier*** (1815-1870) Político ecuat. Presid. de la rep. al presentar la renuncia Jerónimo Carrión (1867), intentó gobernar constitucionalmente. Derrocado por el golpe militar de García Moreno (1869). • ***Jerónimo*** (1600-1667) Pintor esp., la pral. figura del barroco valenciano. *Aparición de la Virgen a san Pedro Nolasco.* • ***Nicolás*** (s. XIX) Político salv. «Benemérito de la patria» por el congreso (1834), fue elegido jefe del Est. (1835). Dimitió en 1836. • ***Pedro de*** (1578-1650) Escritor esp. Lírico de brillante imaginación *La fábula de Genil.* Recopiló una antología poética *Las flores de poetas ilustres.* • **Medrano, *Juan de*** (1632-1688) Sacerdote y escritor per. representante del culteranismo y del conceptismo en Hispanoamérica. *Apologética en favor de don Luis de Góngora.* • **Prieto, *José María*** (1796-1883) Pintor col. Famoso retratista y miniaturista: retrato de Bolívar, miniaturas de los héroes de la independencia.

ESPINOSISMO f. *Fil.* Doctrina filosófica creada por Spinoza que consiste en afirmar la realidad y unidad de la sustancia única.

ESPINOSO, SA adj. Que tiene espinas. • fig. Arduo, difícil, intrincado. • m. *Zool.* Pez gasterosteriforme de agua dulce, también conocido como espinocha. Ha servido de base a numerosos estudios sobre comportamiento animal.

ESPINOZA de los Monteros, *Juan* (s. XVII) Pintor per. Máximo representante de la escuela cuzqueña. *Las glorias de la Orden de San Francisco*; 28 lienzos sobre la vida de santa Catalina. • **Dueñas, *Francisco*** (nacido 1926) Pintor per. Sus óleos, de acentuado expresionismo, tratan la problemática del hombre actual con fuerte contraste de colores.

ESPINUDO, DA adj. *Amér.* Espinoso.

ESPIRA f. *Arq.* Parte de la basa de la columna, que está encima del plinto. • *Geom.* Línea en espiral. • Cada una de las vueltas de una hélice o de una espiral. • *Zool.* Hélice formada alrededor del eje de la concha de los moluscos.

ESPIRACIÓN f. Acción y efecto de espirar. • Segundo tiempo de la respiración que consiste en expeler el aire de los pulmones.

ESPIRAL adj. Relativo a la espira. • f. *Geom.* Curva engendrada por un punto que gira alrededor de otro mientras se acerca o se aleja de él en una dirección determinada. • Muelle espiral del volante de un reloj. • *Biol.* Tipo de segmentación del huevo de ciertos animales que ocasiona la formación de las células dispuestas en series helicoidales en torno al eje del cuerpo. ■ ESPIROIDAL O ESPIROIDE.

ESPIRAR tr. Exhalar buen o mal olor. • Infundir espíritu, animar. • intr. Tomar aliento, alentar. • tr. e. intr. Expeler el aire aspirado. • poét. Soplar el viento blandamente. ■ ESPIRADOR, RA.

ESPIRILO m. Bacteria en forma de filamento alargado y arrollado en hélice.

ESPIRITADO, DA adj. fam. Díc. de la persona excesivamente flaca.

ESPIRITAR tr. y prnl. Endemoniar. • fig. y fam. Agitar, conmover.

ESPIRITISMO m. Creencia que afirma la posibilidad de comunicar con los espíritus de los muertos. ■ ESPIRITISTA.

ESPIRITOSO, SA adj. Vivo, animoso. • Que contiene mucho espíritu y es fácil de exhalarse; como algunos licores.

Espinaca

Espino albar. Rama con flores y frutos

Ambrosio **Espínola** recibe las llaves de Breda. Detalle de *Las lanzas,* de Velázquez. Museo del Prado, Madrid

Espita en una conducción de gas

Espliego

ESPIRITROMPA f. Aparato bucal chupador de los insectos lepidópteros.
ESPÍRITU m. *Teol.* Ser inmaterial y dotado de razón. • Alma racional. Don sobrenatural. • Virtud, ciencia mística. • Vigor natural y virtud que alienta y fortifica el cuerpo para obrar. • Ánimo, valor. • Vivacidad, ingenio. • Demonio. • Vapor sutilísimo que exhala un licor o un cuerpo. • Parte o porción más pura y sutil que se extrae de algunos cuerpos por medio de operaciones químicas. • fig. Principio generador, carácter íntimo, esencia de una cosa. • **de contradicción.** Individuo inclinado a contradecir siempre. • **de vino.** Al cohol etílico. • **santo.** *Teol.* Tercera persona de la Santísima Trinidad, que procede igualmente del Padre y del Hijo. • **Pobre de e.** Apocado, tímido.
ESPÍRITU SANTO Bahía de México, en el E de la península de Yucatán. Terreno pantanoso.
ESPÍRITU SANTO *(Espírito Santo)* Est. de Brasil, en la costa central del país; 45 737 km², 2 499 000 hab. Cap., Vitória. Terr. montañoso (sierras Chibata, Aimorés, etc.). Zonas llanas en el litoral y en el valle del r . Doce, que lo atraviesa aprox. por su sector central. Selvas en el interior. Café, cacao. Hierro, carbón, bauxita. Ind. textil.
ESPIRITUAL adj. y s. Relativo al espíritu. • No apegado a lo mundano. • m. *Mús.* Canto religioso nacido entre los negros del S de los EE UU que post. influyó en el origen del *jazz.* ■ ESPIRITUALIDAD.
ESPIRITUALISMO m. *Fil.* Doctrina que supone la existencia de otros seres, además de los materiales. • *Fil.* Sistema que defiende la esencia espiritual y la inmortalidad del alma. ■ ESPIRITUALISTA.
ESPIRITUALIZAR tr. Hacer espiritual a una persona por medio de la gracia. • Figurarse o considerar como espiritual lo que de suyo es corpóreo. • Reducir algunos bienes por autoridad legítima a la condición de eclesiásticos.
ESPIRITUSANTO m. *C. Rica* y *Nic.* Flor blanca de gran tamaño de una especie determinada de cacto. *Amer. Centr.* y *Méx.* Especie de orquídea.
ESPIRÓMETRO m. Aparato para medir la capacidad respiratoria pulmonar.
ESPIROQUETA f. Bacilo en espiral de muchas vueltas, apretadas. Es causa de algunas enfermedades, como la sífilis y la fiebre recurrente.
ESPIROQUETALES f. pl. *Zool.* Orden de bacterias que se caracterizan por su forma alargada y sinuosa y por su motilidad, al que pertenece la *Treponema*, que es el agente causal de la sífilis.
ESPIROQUETOSIS f. *Pat.* Infección producida por espiroquetas.
ESPITA f. Medida lineal de un palmo. • Canuto que se mete en el agujero de una vasija para que salga por él su contenido. • fig. y fam. Persona que bebe mucho vino. ■ ESPITAR.

Diversos tipos de **espoleta**

ESPITO m. Palo largo atravesado por una tabla en su extremo, que sirve para colgar y descolgar el papel puesto a secar en las imprentas o fábricas.
ESPLÁ, *Óscar* (1886-1976) Compositor esp. de inspiración popular. *La nochebuena del diablo, Don Quijote velando las armas, Canciones playeras.*
ESPLACNOCRÁNEO m. *Zool.* Porción del cráneo formada por huesos derivados de los que sostienen el aparato branquial en los peces primitivos.
ESPLENDER intr. Resplandecer. ■ ESPLENDENTE; ESPLENDEROSO, SA.
ESPLENDIDEZ f. Abundancia, largueza.
ESPLÉNDIDO, DA adj. Magnífico, ostentoso. • Resplandeciente. • Generoso, que gasta con abundancia.
ESPLENDOR m. Resplandor. • fig. Lustre, nobleza. • fig. Auge, apogeo.
ESPLÉNICO, CA adj. Perteneciente o relativo al bazo. • m. Esplenio.
ESPLENIO m. *Anat.* Músculo par que une las vértebras cervicales con la cabeza.
ESPLENITIS f. *Med.* Inflamación del bazo.
ESPLENOMEGALIA f. *Pat.* Aumento del volumen del bazo.
ESPLIEGO m. Mata muy aromática de la familia labiadas, con flores azules en espiga, de pedúnculo muy largo. • Semilla de esta planta, que se emplea como sahumerio.
ESPLÍN m. Humor sombrío, melancolía.
ESPLUGAS o **ESPLUGUES DE LLOBREGAT** Mun. esp., en la com. autón. de Cataluña (prov. de Barcelona); 46 810 hab. Forma parte del área industrial de Barcelona.
ESPODUMENA f. *Miner.* Silicato de litio y aluminio, que cristaliza en el sistema monoclínico; color gris o blanquecino.
ESPOILE, *Raúl* (1881-1958) Compositor arg. *Frenos, La ciudad roja, En la paz de los campos.*
ESPOLEAR tr. Picar con la espuela a la cabalgadura. • Avivar, estimular a uno. ■ ESPOLADA o ESPOLAZO; ESPOLEADURA; ESPOLEO.
ESPOLETA f. Dispositivo que se coloca en la boquilla de las bombas, granadas y torpedos, para dar fuego a su carga. • Horquilla que forman las clavículas del ave.
ESPOLIAR tr. Expoliar.
ESPOLÍN m. Espuela fija en el tacón de la bota. • *Bot.* Planta gramínea, con flores en panoja, llenas de pelo largo y blanco. • Lanzadera pequeña con que se tejen aparte las flores que se mezclan y entretejen en las telas de seda, oro o plata. • Tela de seda con flores esparcidas. ■ ESPOLINAR.
ESPOLIO m. Bienes derivados de rentas eclesiásticas que deja al morir un prelado.
ESPOLÓN m. Apófisis ósea que tienen en el tarso varias gallináceas. • Tajamar de un puente. • Malecón que suele hacerse a orillas de los ríos o del mar para contener las aguas. En algunas pob. sitio de paseo. • *Mar.* Punta en que remata la proa de la nave. • *Mar.* Pieza de hierro aguda, afilada y saliente en la proa de las ant. galeras y de algunos modernos acorazados, para embestir y echar a pique el buque enemigo. • Ramal corto y escarpado que parte de una sierra, en dirección próximamente perpendicular a ella. • fig. Sabañón que sale en el calcañar. • Contrafuerte de un muro. • Prominencia córnea que tienen las caballerías en la parte posterior de los menudillos. ■ ESPOLONADA; ESPOLONAZO.
ESPOLVOREAR tr. y prnl. Despolvorear. • tr. Esparcir sobre una cosa otra hecha polvo.
ESPOLVORIZAR tr. Espolvorear, esparcir polvo.
ESPÓNDIL o **ESPÓNDILO** m. Vértebra.
ESPONDILOSIS f. *Pat.* Grupo de enfermedades caracterizadas por la inflamación y fusión de las vértebras, con rigidez de la columna vertebral.
ESPONGIARIO m. Esponja. • adj. Relativo a la esponja.
ESPONGINA f. Sustancia proteica que constituye el esqueleto de las esponjas córneas.
ESPONJA f. *Zool.* Cualquiera de los animales pluricelulares pertenecientes al grupo de los poríferos. • Todo cuerpo que sirve como utensilio de limpieza similar a las e. auténticas. • fig. El que con maña atrae y chupa la sustancia o bienes de otro. • **de hierro.** *Metal.* Hierro metálico obtenido cuando un pedazo de mineral de hierro sufre reducción química sin un reblandecimiento de sus partículas de óxido. ■ ESPONJOSIDAD; ESPONJOSO, SA.
* *Zool.* Las e. son asimétricas y de formas diversas. Gralte. son coloniales. Las formas solitarias, o los elementos de las colonias, presentan casi siempre forma de saco. Casi todas las e. son marinas y viven fijas al fondo. El grupo se divide en tres clases: las calcáreas, las hexactinélidas y las córneas.
ESPONJADO m. Azucarillo.

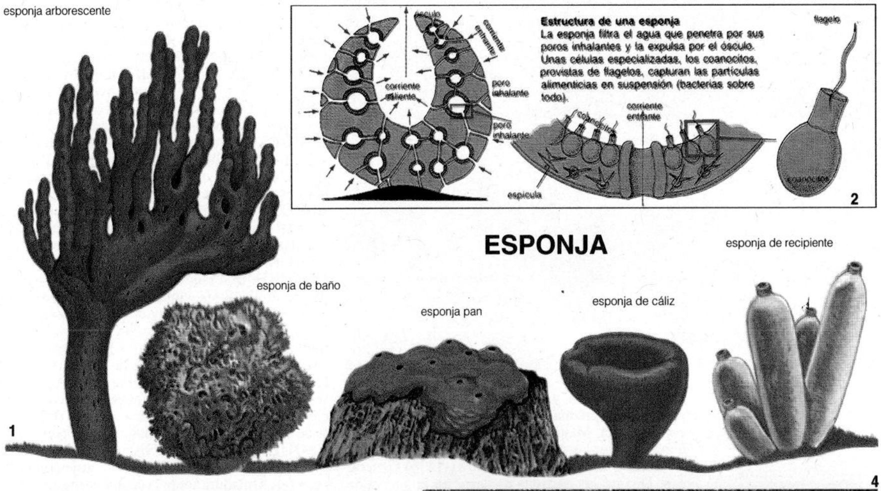

esponja arborescente

Estructura de una esponja
La esponja filtra el agua que penetra por sus poros inhalantes y la expulsa por el ósculo. Unas células especializadas, los coanocitos, provistas de flagelos, capturan las partículas alimenticias en suspensión (bacterias sobre todo).

ósculo · corriente entrante · corriente saliente · poro inhalante · espícula · coanocitos · flagelo · 2

ESPONJA

esponja de recipiente · esponja de baño · esponja pan · esponja de cáliz · 1

1. La mayoría de las especies de esponjas viven en el mar, fijas sobre las rocas o los fondos arenosos. Presentan gran variedad de formas, algunas de las cuales se reproducen en el dibujo.
2. El cuerpo de las esponjas posee sólamente dos capas de células, una externa, que tapiza el exterior del animal, y una interna, constituida por células provistas de flagelos.
3. Detalle de una esponja en el que se aprecian los poros de entrada del agua y los ósculos de salida.
4. Colonia de esponjas de distintos tipos.

3

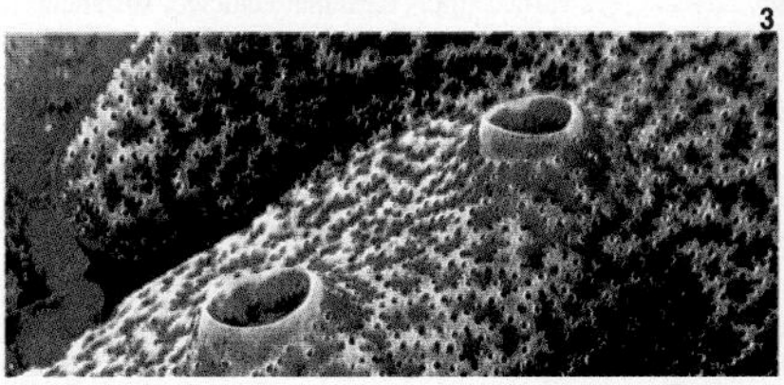

4

ESPONJADURA f. Acción y efecto de esponjar. • Defecto de fundición que se halla dentro del alma de los cañones.
ESPONJAR tr. Ahuecar, hacer más poroso un cuerpo. • prnl. fig. Engreírse, envanecerse. • fam. Adquirir una persona cierta lozanía, que indica salud y bienestar.
ESPONJERA f. Recipiente para colocar la esponja que se usa para el aseo personal.
ESPONSALES m. pl. Mutua promesa de casarse que se hacen y aceptan el varón y la mujer. • *Der.* Promesa pública de matrimonio. ■ ESPONSALICIO, CIA.
ESPONTANEARSE prnl. Descubrir a otro voluntariamente cualquier hecho o pensamiento propio, secreto o ignorado.
ESPONTANEIDAD f. Calidad de espontáneo. • Expresión natural y fácil del pensamiento.
ESPONTANEÍSMO m. *Pol.* Tendencia que propugna y defiende los movimientos espontáneos de las masas, con independencia de teorías preestablecidas y partidos estructurados.
ESPONTÁNEO, A adj. Voluntario y de propio movimiento. • Que se produce sin cultivo y sin cuidados del hombre. • m. y f. Espectador que interviene por propia iniciativa en un espectáculo, especialmente en una corrida de toros.
ESPORA f. o **ESPORO** m. *Biol.* Célula asexuada de las plantas criptógamas que es capaz de formar un individuo adulto, sin necesidad de unirse a otra.
ESPÓRADAS *(Sporádes)* Arch. de Grecia, en el mar Egeo. Se divide en dos grupos: E. Septentrionales y E. Meridionales.
ESPORÁDICO, CA adj. Díc. de las enfermedades que no tienen carácter epidémico ni endémico. • fig. Díc. de lo que es ocasional, sin ostensible enlace con antecedentes ni consiguientes.
ESPORANGIO m. *Biol.* Órgano vegetal de la reproducción asexual que contiene las esporas, que son expulsadas al llegar a la madurez.
ESPORANGIÓSPORA f. Endóspora.
ESPOROCARPIO o **ESPOROCARPO** m. Fruto o cápsula que contiene sujetas las esporas por filamentos o cordoncillos.
ESPORÓFITO m. *Bot.* En una planta con alternancia de generaciones, generación que presenta esporas asexuales.
ESPOROGONIA f. *Biol.* Proceso de formación de las esporas.
ESPOROZOARIOS o **ESPOROZOOS** m. pl. *Zool.* Clase de protozoos, cuyos miembros comparten características secundarias, como el ser parásitos, reproducirse por esporas y carecer de apéndices locomotores.
ESPORRONDINGARSE prnl. *Amér.* Tirar la casa por la ventana.
ESPORTADA f. Lo que cabe en una espuerta.
ESPORTEAR tr. Echar, llevar con espuertas una cosa de un paraje a otro.
ESPORTILLA f. Espuerta pequeña.
ESPORTILLERO m. Mozo que estaba ordinariamente en lugares públicos para llevar en su espuerta lo que se le mandaba. • Operario que acarrea con espuerta los materiales.
ESPORTILLO m. Capacho de esparto o de palma.
ESPORTIVO, VA adj. *Pan.* Generoso.
ESPORULACIÓN f. *Biol.* Formación de esporas.
ESPOSADO, DA adj. y s. Desposado.
ESPOSAR tr. Sujetar a uno con esposas.
ESPÓSITO, *Armando d'* (1897-1945) Compositor arg. *Lin-Cael, Rapsodia del tango y cuento de abril, Quinteto.*

Esporófitos de un musgo

Esquí

Busto de **Esquilo.** Museo Capitolino, Roma

Figurilla de hueso **esquimal**

ESPOSO, SA m. y f. Persona que ha contraído esponsales. • Persona casada. • f. *Amér.* Anillo episcopal. • f. pl. Manillas de hierro con que se sujeta a los reos por las muñecas.

ESPOZ y Mina, *Francisco* (1781-1836) General esp. Dirigió las partidas navarras en la guerra de la Indep. Apoyó el levantamiento liberal de Riego y luchó contra los carlistas.

ESPRIELLA, *Ricardo de la* (nacido 1934) Político pan. Vicepresid. de la Rep. en 1978. Tras la dimisión de Arroyo, en 1982, ocupó la presidencia y dimitió en 1984.

ESPRIU, *Salvador* (1913-1985) Poeta y dramaturgo esp., cat. *Cementerio de Sinera, Mrs. Death, El caminante y el muro, Final del laberinto, La piel de toro.*

ESPRONCEDA, *José de* (1808-1842) Poeta esp. En su obra se aprecia la influencia de Byron. *Canción del pirata, Himno al Sol, Pelayo, El diablo mundo, El estudiante de Salamanca.*

ESPRUE f. *Pat.* Enfermedad tropical, caracterizada por lesiones ulcerosas bucales, catarros gastrointestinales con una grave diarrea de tipo disentérico, y de curso crónico.

ESPUELA f. Espiga de metal terminada en una rodajita con puntas que se ajusta al calcañar para picar a la cabalgadura. • fig. Aviso, estímulo. • *Amér.* Garrón o espolón de las aves. • *Argent.* y *Chile.* Espoleta de las aves. **de caballero.** Hierba ranunculácea, con flores azules, róseas o blancas y cáliz prolongado en una punta cual si fuera una espuela.

ESPUELAZO m. *Amér.* Espolazo.

ESPUELEAR tr. *Amér.* Espolear.

ESPUERTA f. Especie de cesta de esparto, palma u otra materia, con dos asas pequeñas. • **A espuertas.** m. adv. A montones.

ESPULGABUEYES m. Ave ciconiforme de plumaje blanco. Recibe también el nombre de garcilla bueyera.

ESPULGAR tr. y prnl. Limpiar de pulgas o piojos. • fig. Examinar una cosa con cuidado. ■ ESPULGO.

ESPUMA f. Conjunto de burbujas que se forman en la superficie de los líquidos, y se adhieren entre sí. • Parte del jugo y de impurezas que sobrenadan al cocer ciertas sustancias. • fig. y fam. Nata, lo más estimado. • **de mar.** *Miner.* Silicato de magnesio hidratado, de color blanco, ligero y suave. • **Crecer como e.** o **como la e.** fig. y fam. Medrar rápidamente una persona. ■ ESPUMAJE; ESPUMAJOSO, SA; ESPUMOSO, SA.

ESPUMADERA f. Paleta circular llena de agujeros, con que se saca la espuma del caldo.

ESPUMANTE adj. Que hace espuma. • m. Reactivo utilizado en el proceso mineralógico de flotación, para mantener la persistencia de una espuma y facilitar así la separación de las partículas metálicas.

ESPUMAR tr. Quitar la espuma de un líquido. • intr. Hacer espuma. • fig. Crecer, aumentar rápidamente.

ESPUMARAJO o **ESPUMAJO** m. Saliva arrojada en gran abundancia por la boca. ■ ESPUMAJEAR.

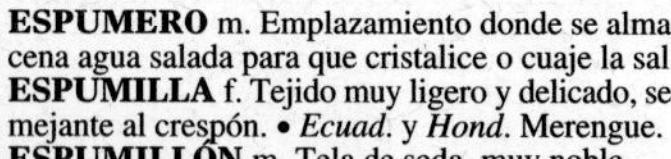

ESPUMERO m. Emplazamiento donde se almacena agua salada para que cristalice o cuaje la sal.

ESPUMILLA f. Tejido muy ligero y delicado, semejante al crespón. • *Ecuad.* y *Hond.* Merengue.

ESPUMILLÓN m. Tela de seda, muy noble.

ESPUMUY f. *Guat.* Paloma silvestre.

ESPUNDIA f. Úlcera de las caballerías, que forma raíces que penetran hasta el hueso.

ESPÚREO, A o **ESPURIO, RIA** adj. Bastardo. • fig. Falso, adulterado.

ESPURREAR o **ESPURRIAR** tr. Rociar una cosa con un líquido expelido por la boca.

ESPUTO m. Conjunto de secreciones mucosas y exudativas de la mucosa bronquial inflamada; se expulsa mediante el golpe de tos. ■ ESPUTAR.

ESQUEBRAJAR tr. Resquebrajar.

ESQUEJE m. Fragmento de raíz, tallo u hoja, con yemas adventicias, capaz de reproducir asexualmente toda la planta. Muy empleado en agricultura y jardinería para mantener las características genéticas de las variedades que, por reproducción sexual, se irían modificando. ■ ESQUEJAR.

ESQUELA f. Carta breve. • Papel impreso en que se dan citas, se hacen invitaciones o se comunican ciertas noticias a varias personas. • Aviso de la muerte de una persona que se publica en un periódico.

ESQUELETO m. *Anat.* Sistema orgánico de soporte de los animales. • fig. y fam. Sujeto muy flaco. • fig. Armadura sobre la cual se arma algo. • fig. *Amér.* Modelo o patrón impreso en que se dejan blancos que se rellenan a mano. • fig. *Chile.* Bosquejo de una obra literaria. • Planta disecada. ■ ESQUELETADO, DA; ESQUELÉTICO, CA.

* *Anat.* El e. puede ser externo (exoesqueleto) o interno (endoesqueleto), o siendo interno estar sólo recubierto por la epidermis (dermatoesqueleto). Las sustancias constitutivas del esqueleto pueden ser varias: sílice, carbonato cálcico, sustancias semejantes a la celulosa, etc. Los grupos animales que poseen un e. característico son las esponjas, los cnidarios fijos, los moluscos, los artrópodos, los equinodermos y los cordados. En los artrópodos el e. es exoesqueleto de quitina. El e. de los vertebrados es un endoesqueleto formado por numerosas piezas, llamadas huesos, que pueden soldarse o articularse entre sí. Puede considerarse dividido en cuatro partes: el e. axial, o columna vertebral; el e. cefálico, que protege el encéfalo y los órganos sensoriales de la cabeza; el e. visceral, que en las formas primitivas sostiene el aparato branquial, y el e. apendicular, que forma el soporte de los miembros. El e. humano se compone de la columna vertebral, que sostiene el cráneo, el sacro y el cóccix, y las costillas, que vienen a articularse en la parte anterior con el esternón para formar el tórax, y de los dos pares de miembros superiores e inferiores.

ESQUEMA m. Representación gráfica y simbólica de algo. • Representación de una cosa atendiendo sólo a sus líneas o caracteres más significativos. • Conjunto de temas o puntos que se van a tratar, de actos previstos, etc., sin entrar en detalles. ■ ESQUEMÁTICO, CA.

ESQUEMATISMO m. Procedimiento esquemático para la exposición de doctrinas. • Serie o conjunto de esquemas empleados por un autor para hacer más perceptibles sus ideas.

ESQUEMATIZAR tr. Representar una cosa en forma esquemática.

ESQUENA f. Espinazo de un animal. • Espina pral. de los pescados.

ESQUENANTO m. Planta gramínea de raíz blanca, aromática y medicinal.

ESQUERO m. Bolsa de cuero que solía llevarse atada al cinto.

ESQUÍ m. Especie de patín alargado y curvado hacia arriba en su parte delantera, que se usa para deslizarse sobre la nieve o el agua. • Deporte practicado sobre estos patines. ■ ESQUIADOR, RA ; ESQUIAR.

* *Dep.* El e., como práctica deportiva, nació en el s. XIX, en Noruega. Sus dos modalidades, nórdica y alpina, forman parte del programa olímpico de invierno. El e. alpino, lo mismo para hombres que para mujeres, consta de las siguientes pruebas olímpicas: descenso libre y *slalom.* El *slalom* puede ser «gigante» o «especial», según la longitud del recorrido, el número de «puertas» y el desnivel, más o menos pronunciado, de la pista. El e. acuático se

puso de moda después de la II Guerra Mundial. Se practica en aguas tranquilas y requiere la acción de un remolque.

ESQUICIO m. Apunte, esbozo.

ESQUIFAR tr. *Mar.* Abastecer de marineros y de pertrechos una embarcación.

ESQUIFE m. *Mar.* Embarcación pequeña que se arría desde un buque para saltar a tierra. • *Arq.* Cañón de bóveda en forma cilíndrica. • Dep. Embarcación muy larga y estrecha, propia para regatas, y de un solo tripulante, que va sentado en banqueta de corredera. ■ ESQUIFADA.

ESQUILA f. Cencerro en forma de campana. • Campana pequeña. • Esquileo del ganado. • Camarón, crustáceo. • Insecto coleóptero que anda trazando curvas sobre las aguas estancadas.

ESQUILACHE, *Leopoldo de Gregorio,* MARQUÉS DE (h. 1700-1785) Político siciliano al servicio de España. Fue ministro de Carlos III. En marzo de 1766 tuvo que hacer frente al motín de E., por el que fue sustituido.

ESQUILAR tr. Cortar con las tijeras el pelo, vellón o lana de los ganados y otros animales. ■ ESQUILADOR, RA; ESQUILEO.

ESQUILERO f. *Mar.* Red en forma de saco, de malla muy tupida y con un aro de madera o hierro, para pescar camarones o esquilas.

ESQUILMAR tr. Coger el fruto de las haciendas, heredades y ganados. • Chupar con exceso las plantas el jugo de la tierra. • fig. Empobrecer.

ESQUILMO m. Frutos y provechos que se sacan de las haciendas y ganados. • *Chile.* Escobajo de la uva. • *Méx.* Provechos accesorios de menor cuantía que se obtienen del cultivo o de la ganadería.

ESQUILO (525-456 a. C.) Dramaturgo gr., de profundo sentimiento religioso y solemne grandiosidad, uno de los tres grandes clásicos de la lit. helénica. De sus numerosas obras sólo se conservan siete tragedias: *Las suplicantes*, *Los siete contra Tebas*, *Los persas*, *Prometeo encadenado*, y la trilogía *La Orestíada* (*Agamenón*, *Las coéforas* y *Las Euménides*).

ESQUIMAL *(Inuit)* adj. y s. Díc. del individuo de un pueblo mongoloide que vive en las costas S y SO de Groenlandia, el N de Canadá, Alaska y el extremo SE de Siberia. Suman entre 62 000 y 77 000 individuos. Cazadores y pescadores, están viviendo un acelerado proceso de mestizaje y aculturación. Viven en iglús y hablan una lengua emparentada con las aleutianas.

ESQUINA f. Ángulo exterior formado por el encuentro de dos superficies, pralm. la que resulta del encuentro de las paredes de un edificio.

ESQUINAR tr. e intr. Hacer o formar esquina. • tr. Poner en esquina alguna cosa. • Escuadrar un madero. • tr. y prnl. fig. Poner a mal, indisponer. ■ ESQUINADO, DA.

ESQUINAZO m. fam. Esquina. • *Argent.* y *Chile.* Serenata. • **Dar e.** fig. y fam. Dejar a uno plantado, abandonarle.

ESQUINERA f. *Amér.* Rinconera, mueble.

ESQUINES (390-314 a. C.) Orador ateniense, que mantuvo varios enfrentamientos con Demóstenes. Se conservan tres de sus discursos: *De la embajada, Contra Timarco, Contra Ctesifonte.*

ESQUINZAR tr. Desguinzar, cortar el trapo.

ESQUIPULAS Mun. de Guatemala, en el dpto. de Chiquimula; 19 300 hab. Ind. del calzado y de la construcción. Aguas sulfurosas. Santuario de peregrinación (Santuario del Señor de Esquipulas), el más famoso de Centroamérica. • **Acuerdos de E.** En mayo de 1986 tuvo lugar la primera reunión de los cinco presid. centroamericanos (Costa Rica, Guatemala, Honduras, Nicaragua, El Salvador) en E. con vistas a poner en marcha un proceso de concertación regional para la creación de un Parlamento centroamericano y hacer frente a los problemas de la paz, la estabilidad democrática y el desarrollo. Ha sido a raíz del plan de paz del presid. cost. O. Arias cuando el espíritu de E. y Contadora se han materializado en lo que se conoce como *Acuerdos de E. II.* Entre los días 7 y 8 de agosto de 1987 fueron firmados por los cinco presid. centroamericanos, sobre la base del plan de paz del presid. Arias, unos acuerdos que contienen un llamamiento a la reconciliación nacional, con amnistía general y completa democratización de la vida política; el pluralismo político y la celebración de elecciones generales libres en los cinco países, controladas por observadores internacionales; la creación de una Comisión Nacional de Reconciliación y el proyecto de Parlamento centroamericano; cese de la ayuda a las fuerzas irregulares y a los mov. insurreccionales; la eliminación del tráfico de armas intrarregional o de fuera de la región, y un plazo de 90 días para establecer el alto el fuego en los distintos conflictos. Todo ello supervisado por una Comisión de verificación.

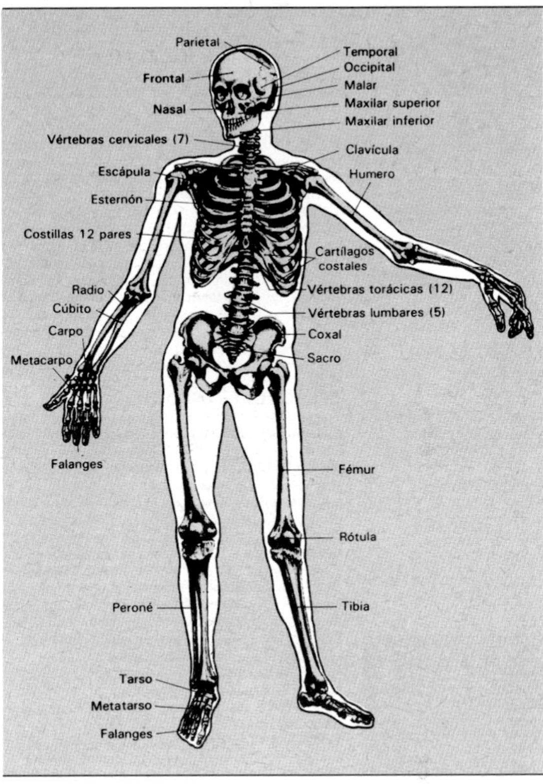

Esqueleto humano

ESQUIRLA f. Astilla desprendida de un hueso, piedra, cristal, etc.

ESQUIROL m. Obrero que sustituye a un huelguista o que no sigue las consignas de la huelga.

ESQUIROL, *Jean Étienne Dominique* (1772-1840) Médico fr. Autor de *Los enfermos mentales,* se le considera uno de los fundadores de la psiquiatría científica.

ESQUISTO m. *Geol.* Roca metamórfica de composición diversa que se separa en superficies casi paralelas. • **bituminoso.** *Geol.* Roca arcillosa de alto contenido en materia orgánica.

ESQUISTOSIDAD f. Propiedad de ciertas rocas debido a la cual se fracturan con facilidad según fragmentos hojosos de superficies casi paralelas. ■ ESQUISTOSO, SA.

ESQUITE m. *Amér. Centr.* y *Méx.* Rosetas de maíz.

ESQUIÚ, *Mamerto de la Asunción* (1826-1883) Eclesiástico y político arg. Fue el «orador de la Constitución». Vicepresid. de la Convención Provincial (1855). Obispo de Córdoba (1880).

ESQUIVAR tr. Evitar, rehusar. • prnl. Retraerse, retirarse, excusarse.

ESQUIVEL, *Aniceto* (s. XIX) Político cost. Presid. de la rep. en 1876, al suceder a Tomás Guardia. Destituido en 1876 por los militares. • ***Antonio M.ª*** (1806-1857) Pintor esp. Uno de los fundadores del Liceo artístico y literario de Madrid. *Una lectura de Zorrilla en el estudio del pintor, Julián Romea.* • ***Juan de*** (m. hacia 1513) Conquistador esp. Sofocó

Antonio M.ª **Esquivel**

Misil provisto de aletas **estabilizadoras**

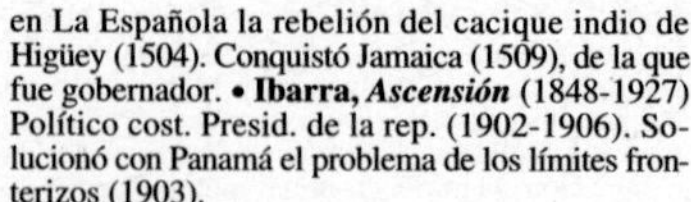

en La Española la rebelión del cacique indio de Higüey (1504). Conquistó Jamaica (1509), de la que fue gobernador. • **Ibarra, *Ascensión*** (1848-1927) Político cost. Presid. de la rep. (1902-1906). Solucionó con Panamá el problema de los límites fronterizos (1903).

ESQUIVEZ f. Despego, aspereza, desagrado. ■ ESQUIVO, VA.

ESQUIZADO, DA adj. Díc. del mármol salpicado de pintas.

ESQUIZOFÍCEO, A adj. y f. Cianofíceo.

ESQUIZÓFITO, TA adj. y s. Díc. de todo vegetal que se reproduce por división.

ESQUIZOFRENIA f. *Psiq.* Trastorno de la personalidad caracterizado por la escisión de las funciones afectivas e intelectivas. ■ ESQUIZOFRÉNICO, CA.

ESQUIZOTIMIA f. *Psic.* Conjunto de caracteres psicotípicos propios de la persona tímida y retraída, replegada sobre sí misma, y ordinariamente de intensa actividad mental endógena.

ESSAD Bajá (1863-1920) General y político albanés. Luchó por la indep. de su país. Fue dictador en 1914-1916. Murió asesinado.

ESSEN C. de Alemania, en Renania Septentrional-Westfalia; 625 700 hab. Sit. en el Ruhr. Ind. siderúrgica, automovilística, química, construcciones mecánicas. Sufrió grandes bombardeos durante la II Guerra Mundial.

ESSEN, *Hans Henrik,* CONDE VON (1755-1824) Militar y político sueco. Gobernador de Pomerania (1800). Gobernador de Noruega (1814-1816).

ESSEQUIBO o **ESEQUIBO** Río de Guyana. Nace en la frontera con Brasil y desemboca en el Atlántico, al O de Georgetown; 750 a 1 000 km.

ESTABILIDAD f. Cualidad de estable y firme en el espacio; permanencia, duración en el tiempo. • Propiedad por la cual un vehículo tiende a recuperar su posición de equilibrio. Se distinguen: e. de vuelco y e. de dirección. • En un sistema cibernético, tendencia a recuperar una magnitud, un valor considerado normal. • *Econ.* Situación en la que el volumen de empleo, producción e índice de precios tiene escasas oscilaciones y permite un ritmo de progreso mantenido. • ***atmosférica.*** *Meteor.* Superposición de las capas en orden de densidad decreciente hacia arriba. ■ ESTABLE.

ESTABILIZACIÓN f. Acción y efecto de estabilizar. • *Econ.* Política económica de control de la inflación o la deflación, con medidas fiscales, monetarias y de control del gasto público.

ESTABILIZADOR, RA adj. y s. Que estabiliza. • adj. y m. Díc. del mecanismo que se añade a un aeroplano, nave, etc., para aumentar su estabilidad. • *Quím.* Díc. de la sustancia que por catálisis negativa se opone a la descomposición de una combinación poco estable.

ESTABILIZAR tr. Dar a alguna cosa estabilidad. • Fijar y garantizar oficialmente el valor de una moneda circulante en relación con el patrón oro o con otra moneda canjeable por el mismo metal, a fin de evitar las oscilaciones del cambio.

ESTABLEAR tr. y prnl. Acostumbrar una res al establo.

ESTABLECER tr. Fundar, instituir. • Formular un principio, pensamiento, etc., de carácter general. • Ordenar, mandar, decretar. • prnl. Avecindarse. • Abrir por su cuenta un establecimiento mercantil o industrial. • Empezar a desempeñar una profesión u oficio.

ESTABLECIMIENTO m. Ley, ordenanza, estatuto. • Fundación, institución. • Cosa fundada o establecida. • Colocación o suerte estable de una persona • Lugar donde habitualmente se ejerce una industria o profesión.

ESTABLERO m. El que cuida del establo.

ESTABLO m. Lugar cubierto en que se encierra ganado. • fig. y fam. Lugar muy sucio. • *Cuba.* Cochera.

ESTABULAR tr. Criar y mantener el ganado en establos. ■ ESTABULACIÓN.

ESTACA f. Palo con una punta en un extremo para fijarlo en tierra, pared u otra parte. • Rama o palo verde sin raíces, que se planta para que se haga árbol. • Garrote, palo grueso. • Clavo de hierro que sirve para clavar vigas y maderos. • *Amér. Merid.* Pertenencia de una mina que se concede a los peticionarios mediante ciertos trámites. • *Amér. Merid.* Espolón, garrón.

ESTACADA f. Cualquier obra hecha de estacas clavadas en la tierra. • Palenque o campo de batalla. • Lugar señalado para un desafío. • **Dejar a uno en la e.** fig. Abandonarlo. • **Quedar en la e.** Ser vencido, morir o salir mal librado de una situación comprometida.

ESTACADURA f. Conjunto de estacas que sujetan la caja y los varales de un carro.

ESTACAR tr. Fijar en la tierra una estaca y atar a ella una bestia. • Señalar en el terreno con estacas una línea. • *Amér.* Sujetar, clavar o delimitar con estacas. • prnl. fig. Quedarse inmóvil y tieso a manera de estaca. • *Amér.* Clavarse uno una astilla. • *Ecuad.* Plantarse, repropiarse la caballería.

ESTACAZO m. Golpe dado con estaca o garrote. • fig. Varapalo, daño.

ESTACHA f. Cuerda o cable atado al arpón que se clava a las ballenas para matarlas. • *Mar.* Cabo que desde un buque se tiende a cualquier objeto fijo.

ESTACIÓN f. *Astr.* Cada uno de los cuatro periodos en que se divide el año. • Tiempo, temporada. • Visita que se hace por devoción a las iglesias o altares, deteniéndose allí algún tiempo a orar delante del Santísimo Sacramento. • Cierto número de padrenuestros y avemarías que se rezan visitando al Santísimo Sacramento. • Estancia, morada, asiento. • Sitio donde habitualmente hacen parada los trenes y el edificio en que están las oficinas y dependencias. • Punto y oficina donde se expiden y reciben despachos de telecomunicación. • Conjunto de instalaciones de una emisora de radio o televisión. • Centro que recoge, analiza y observa fenómenos naturales o artificiales. • fig. Partida de gente apostada. • Detención aparente de los planetas en sus órbitas. • Sitio que cada especie vegetal o animal prefiere. • **espacial.** *Astron.* Vehículo espacial destinado a permanecer en órbita en torno a la Tierra durante un largo periodo de tiempo, pudiendo recibir la visita de astronautas llegados a bordo de lanzaderas o cápsulas espaciales. ■ ESTACIONERO, RA.

* *Astr.* Las e. corresponden a los periodos de tiempo que tarda la Tierra en recorrer los arcos de eclíptica determinados por los equinoccios y los solsticios. En las zonas templadas se distinguen claramente cuatro e.: primavera, verano, otoño e invierno. En las zonas tropicales únicamente se distinguen una estación seca y cálida y otra fría y húmeda. En las zonas ecuatoriales no hay diferencias estacionales.

ESTACIONAL adj. Propio y peculiar de cualquiera de las estaciones del año. • Estacionario.

ESTACIONAR tr. y prnl. Situar en un lugar, colocar. • prnl. Quedarse estacionario, estancarse. ■ ESTACIONAMIENTO.

ESTACIONARIO, RIA adj. fig. Díc. de lo que permanece en el mismo estado o situación, sin adelanto ni retroceso. • Díc. de todo fenómeno físico-químico cuyos parámetros son independientes del tiempo, es decir, sólo varían en función de unas coordenadas espaciales. • *Astr.* y *Astron.* Aplícase al astro o a la astronave cuya velocidad relativa es totalmente nula.

ESTADA f. Demora que se hace en un lugar.

ESTADAL m. Medida de longitud equivalente a 3,334 m. • Medida longitudinal tomada de la estatura regular de un hombre. • **cuadrado.** Medida superficial o agraria que equivale a 11,1756 m^2.

ESTADÍA f. Detención, estancia. • Tiempo que permanece el modelo ante el artista. • *Top.* Regla graduada que sirve para la medición indirecta de distancias. • Cada uno de los días que transcurren después del plazo e stipulado para la carga o descarga de un buque mercante, por los cuales se ha de pagar un tanto de indemnización. Se usa más en pl. • Por ext., la misma indemnización.

ESTADIDAD f. *P. Rico.* Condición de estado federal.

ESTADIO m. Recinto con graderías para distintas competiciones deportivas. • Distancia o longitud que viene a ser la octava parte de una milla. • Fase, periodo relativamente corto.

ESTADÍSTICA f. Censo o recuento de la pob., de los recursos naturales e industriales o de cual-

Secuencia fotográfica de las **estaciones** del año en un clima templado

quier otra manifestación de un Estado, prov., clase, etc. • Resultado de este recuento o censo. • Presentación ordenada de los resultados númericos de un suceso, por medio de gráficos, tablas, etc. • Rama de las matemáticas que se ocupa de establecer leyes generales a partir de los datos correspondientes a muestras, mediante la aplicación del cálculo de probabilidades. ■ ESTADÍSTICO, CA.

ESTADO m. Situación en que está una persona o cosa, en relación con los cambios que influyen en su condición. • *Soc.* Orden, jerarquía y calidad de las personas que componían un pueblo. • Clase o condición a la cual está sujeto cada uno. • *Pol.* Unidad política organizada. • **civil.** Condición de cada persona en relación con los derechos y obligaciones civiles. • **de agregación.** Cada uno de aquellos e. de la materia (sólido, líquido, gaseoso y plasma). • **de excepción.** Supresión de derechos del ciudadano para conservar el orden establecido. • **de guerra.** El de una pob. en tiempo de guerra, y el que a éste se equipara por motivos de orden público. • **de sitio.** Suspensión de las garantías constitucionales. • **federal.** El compuesto por E. que tienen autonomía y soberanía para su gobierno interior. • **interesante.** El de la mujer que está encinta. • **mayor.** *Mil.* Cuerpo de oficiales encargado de informar técnicamente a los superiores y procurar el cumplimiento de las órdenes. • **mayor central.** *Mil.* Organismo superior en el ejército y la marina. • **metastable.** *Fís.* y *Quím.* E. inestable que pasa al e. estable por una acción mínima. • **Primer e.** En el ant. Régimen, el formado por nobles y militares. • **Segundo e.** En el ant. Régimen, el formado por el clero. • **Tercer e.** o **e. llano.** El formado por artesanos, campesinos y burgueses. ■ ESTADISTA; ESTATAL.

* *Antr.* e *Hist.* No hay acuerdo entre los antropólogos para señalar el paso de la sociedad acéfala a las sociedades con E. Posiblemente la aparición del E. fue un largo proceso de transición, surgido a partir de focos distintos, pero en el que se encuentran unas características comunes: consolidación de la sociedad política por oposición a la sociedad gentilicia; existencia de un terr. determinado sobre el que se ejerce el poder; independencia; aparición de un centro urbano como núcleo vertebrador; estratificación social y división del trabajo; el soberano como garante del orden social y cósmico, y existencia de una burocracia de funcionarios que ejercen el monopolio de la coacción en las diversas esferas de la vida social.

* *Pol.* Los E. modernos fueron las formas de organización política surgidas con el Renacimiento. Maquiavelo y Bodin proclamaban la soberanía del E. por encima de la tutela religiosa imperante en la E. Med. El E. moderno se inició con la monarquía autoritaria, pronto convertida en absoluta. Con el E. absoluto se abrió pasó al capitalismo y se reforzó la unidad nacional. El desarrollo capitalista y la filosofía de Montesquieu y Locke derivaron, en el s. XIX, hacia el E. liberal o de derecho, basado en la separación de poderes. En el s. XX, con la eclosión del fascismo y el triunfo del estalinismo en los países del Este, se consolidaron varios E. totalitarios. La victoria de los aliados en la II Guerra Mundial barrió los E. fascistas y autoritarios de Europa y Asia, salvo el régimen esp. del general Franco. En América Latina las tentaciones totalitarias han sido corrientes en muchos países, pero a partir de la década de los ochenta se observa una tendencia general a la consolidación de E. democráticos.

ESTADOS, *Isla de los* Isla subantártica arg., perteneciente al Territorio Nacional de la Tierra del Fuego , Antártida e Islas del Atlántico Sur; 541 km^2.

ESTADOS PONTIFICIOS Territorios de Italia central, que fueron posesión del papa. Su origen es del s. XVIII. En 1870 fueron anexionados al reino de Italia.

ESTADOS UNIDOS DE AMÉRICA *(United States of America)* Estado de América cuyo núcleo territorial forma un gran rectángulo por el centro del subcontinente norteam.; Rep. federal; sit. entre Canadá y México. Incluye Alaska y las islas Hawai. Dependencias suyas son las islas Vírgenes, Puerto Rico, la parte oriental de Samoa y las islas y atolones de Micronesia. Bañado por los océanos Atlántico y Pacífico.

* *Geog. física.* De E a O se encuentran: a) una llanura costera que termina hacia el S en la pen. de Florida; b) el macizo de los Apalaches; c) una zona de llanuras que se extiende desde los Grandes Lagos hasta el golfo de México; d) las montañas Rocosas, que alcanzan alt. de más de 4 000 m; más al O se encuentra la Gran Cuenca, y mesetas como la Columbia, al N, y la del Colorado, al S, cortada por el río hom.; el límite occidental de las Rocosas lo constituye la cadena de las Cascadas y sierra Nevada; sobre la costa del Pacífico se levanta la cadena de la Costa. Los ríos más imp. que desaguan en el Pacífico son: Columbia, San Joaquín, Sacramento y Colorado; en el Atlántico, el Misisipí y sus afl. (Misuri, Ohio, Tennessee, Arkansas, Rojo). A las aguas continentales se añade la existencia de los Grandes Lagos (Superior, Michigan, Hurón, Erie y Ontario), unidos entre sí por rápidos o cataratas (Niágara). Climáticamente existe una diferencia muy marcada entre E y O. El sector occi-

ESTADOS UNIDOS

Recursos económicos	
Aceitunas	54 000 t
Algodón	6 132 000 t
Arroz	7 006 000 t
Avena	3 520 000 t
Cacahuetes	2 242 000 t
Caña de azúcar	364 000 ha
Cebada	10 113 000 t
Centeno	248 000 t
Maíz	189 867 000 t
Naranjas	7 258 000 t
Remolacha azucarera	25 263 000 t
Soja	54 039 000 t
Sorgo	14 720 000 t
Tabaco	753 000 t
Trigo	53 915 000 t
Ganadería y derivados	
Cabaña bovina	98 896 000 cabezas
Cabaña ovina	11 200 000 cabezas
Cabaña porcina	524 427 000 cabezas
Carne	29 720 000 t
Leche	67 373 000 t
Riqueza forestal	501 000 000 m^3
Pesca	5 856 000 t
Producción minera	
Bauxita	50 000 t
Carbón	861 434 000 t
Cobre	1 631 000 t
Fosfatos	46 343 000 t
Gas natural	502 260 millones de m^3
Hierro	34 942 000 t
Lignito	82 606 000 t
Oro	290 kg
Petróleo	369 679 000 t
Plata	1 848 t
Plomo	476 700 t
Uranio	3 420 t
Producción industrial	
Acero	79 206 000 t
Ácido sulfúrico	37 198 000 t
Aluminio	4 121 200 t
Automóviles	5 439 866 unidades
Azúcar	6 531 000 t
Cemento	70 944 000 t
Energía eléctrica	3 031 058 millones de kwh
Fertilizantes	12 291 000 t
Fibras sintéticas	1 260 000 t
Gasolina	298 814 000 t
Naval	21 980 000 t
Neumáticos	210 660 000 t
Tabaco	701 272 000 000 cigarrillos
Televisores	15 168 000 unidades
Indicadores sociológicos	
PNB	5 686 038 millones de dólares
Renta per cápita	22 560 dólares
Esperanza de vida	76 años
Alfabetismo	99 %

Estados Unidos. De arriba abajo: mapa de situación y bandera; el Capitolio, sede del Congreso, en Washington; el parque nacional de Bryce Canyon, en Utah, arduamente labrado por la erosión

Estados Unidos. La Estatua de la Libertad, en la isla de Manhattan, Nueva York

dental va del clima estepario al mediterráneo. En el E el clima es templado-frío, continental y tropical.

* *Geog. económica.* Al O la agricultura se desarrolla en California y en los valles de las Rocosas. Al E las regiones agrícolas se disponen en una serie de «cinturones» o *belts:* de la región de los Grandes Lagos a Nueva Inglaterra se halla el Cinturón Lechero, zona ganadera y hortícola; el Cinturón del Trigo ocupa las grandes llanuras centrales; más al S de los Grandes Lagos, el cultivo de maíz asociado a la cría de ganado porcino comprende el Cinturón del Maíz; en las zonas más cálidas se encuentra el Cinturón del Algodón; hacia el S los cultivos se diversifican: en la costa del golfo de México se obtienen arroz y caña de azúcar, mientras que en Florida y California prospera la producción de cítricos. El 31,6 % de la superficie está ocupada por bosques. La pesca es imp. en Nueva Inglaterra. La solidez de su economía se apoya en la extraordinaria riqueza mineral y energética, basada en el hierro y el cobre, el cinc, el plomo, el azufre y el manganeso. También posee imp. yacimientos de fosfatos, oro, plata, bauxita y carbón. A pesar de que posee una gran riqueza petrolífera, EE UU importa grandes cantidades de petróleo, así como de materias primas. Los dólares así invertidos revierten en el país como pago de las exportaciones industriales. Esta política ha llevado a la creación de una ind. potente y diversificada, tradicionalmente emplazada en las c. del NE. Últimamente se han creado nuevos focos en Arizona, Texas y en la fachada del Pacífico.

* *Geog. humana.* EE UU es un auténtico mosaico de razas. En la actualidad, el 87 % de sus hab. son caucasoides, el 11 % negroides, el 0,6 % amerindios, y el 0,6 % mongoloides asiáticos. Esta fuerte mezcla de razas da origen a graves problemas raciales. Afroamericanos, mexicanos, puertorriqueños, cubanos, polacos e italianos se hacinan en los enormes *ghettos* de los barrios suburbanos, formando un subproletariado. La emigración se vio frenada desde las leyes restrictivas de 1924 y el crecimiento natural de la población es lento.

* *Org. pol.* Según la Constitución de 1787 el presid. es elegido para un mandato de cuatro años, y ejerce el poder ejecutivo. La Corte Suprema dirime los conflictos entre los Estados, o entre éstos y la Unión. El poder legislativo corresponde al Congreso, elegido por sufragio universal y formado por la Cámara de Representantes y el Senado. El juego democrático se apoya en los partidos Demócrata y Republicano.

* *Hist.* Su territorio fue colonizado por tres naciones europeas: España ocupó Florida, California y parte del O. Los fr. se instalaron en Misisipí y Luisiana. La costa atlántica fue colonizada por los ing. con tres distintos grupos de colonias: las del N,

División administrativa de **Estados Unidos**

Estados	*Km²*	*Población*[1]	*Densidad*	*Capital*	*Habitantes*
Alabama	133 915	4 041 000	30	Montgomery	187 100
Alaska	1 530 700	550 000	0,3	Juneau	26 800
Arizona	295 260	3 665 000	12	Phoenix	2 122 100[3]
Arkansas	137 755	2 351 000	17	Little Rock	175 800
California	411 049	29 760 000	72	Sacramento	1 481 100[3]
Carolina del Norte	136 413	6 629 000	48	Raleigh	208 000
Carolina del Sur	80 582	3.487.000	43	Columbia	98 000
Colorado	269 596	3 294 000	12	Denver	1 848 300[3]
Connecticut	12 997	3 287 000	253	Hartford	139 700
Dakota del Norte	183 119	639 000	3	Bismarck	49 300
Dakota del Sur	199 730	696 000	3	Pierre	12 900
Delaware	5 295	666 000	126	Dover	27 600
Distrito de Columbia	178	607 000	3 409	Washington	3 923 900[3]
Florida	151 939	12 938 000	85	Tallahassee	124 800
Georgia	152 576	6 478 000	42	Atlanta	2 833 500[3]
Hawai	16 759	1 135 000	66	Honolulú	836 200[3]
Idaho	216 432	1 007 000	4	Boise City	125 700
Illinois	145 934	11 431 000	78	Springfield	105 200
Indiana	93 719	5 544 000	59	Indianápolis	731 300
Iowa	145 753	2 777 000	19	Des Moines	193 200
Kansas	213 098	2 478 000	12	Topeka	119 900
Kentucky	104 661	3 685 000	35	Frankfort	26 000
Luisiana	123 667	4 220 000	34	Baton Rouge	219 500
Maine	86 156	1 228 000	14	Augusta	21 300
Maryland	27 092	4 781 000	176	Annapolis	27 100
Massachusetts	21 456	6 016 000	280	Boston	4 171 600[3]
Michigan	151 586	9 295 000	61	Lansing	127 300
Minnesota	218 600	4 375 000	20	Saint Paul	272 200
Misisipí	123 514	2 573 000	21	Jackson	196 600
Misuri	180 516	5 117 000	28	Jefferson City	35 500
Montana	380 848	799 000	2	Helena	24 600
Nebraska	200 350	1 578 000	8	Lincoln	192 000
Nevada	286 352	1 202 000	4	Carson City	40 410
Nueva Hampshire	24 032	1 109 000	46	Concord	36 000
Nueva Jersey	20 169	7 730 000	383	Trenton	88 700
Nueva York	127 190	17 990 000	141	Albany	101 000
Nuevo México	314 925	1 515 000	5	Santa Fe	55 900
Ohio	107 044	10 847 000	101	Columbus	1 377 400[3]
Oklahoma	181 186	3 146 000	17	Oklahoma City	444 700
Oregón	251 419	2 842 000	11	Salem	107 800
Pensilvania	117 348	11 882 000	101	Harrisburg	52 400
Rhode Island	3 140	1 003 000	304	Providence	160 700
Tennessee	109 152	4 877 000	45	Nashville-Davidson	488 400
Texas	691 027	16 987 000	24	Austin	465 600
Utah	219 889	1 723 000	8	Salt Lake City	160 000
Vermont	24 900	563 000	23	Montpelier	8 200
Virginia	105 586	6 187 000	59	Richmond	203 000
Virginia Occidental	62 759	1 793 000	28	Charleston	57 300
Washington	176 479	4 867 000	27	Olympia	33 800
Wisconsin	145 436	4 892 000	34	Madison	191 300
Wyoming	253 326	454 000	2	Cheyenne	50 000
ESTADOS UNIDOS	9 372 614	252 063 000[2]	27	Washington	3 923 900[3]

[1] Datos último censo. [2] Última estimación. [3] Pob. de la aglomeración urbana.

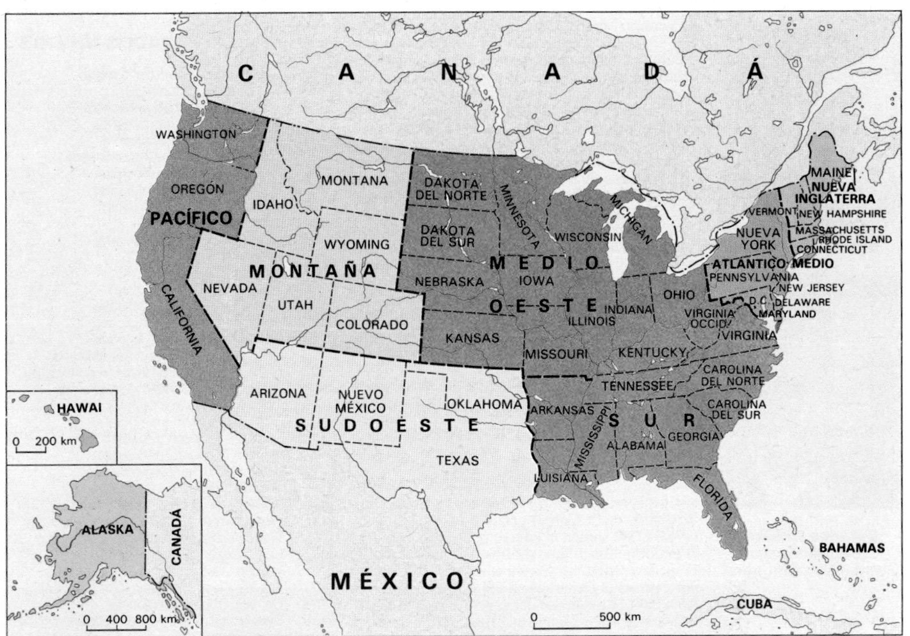

de origen puritano, desarrollaron una sociedad burguesa. Las del S eran pralm. agrícolas, con muchos esclavos. Las del centro se fundaron más tarde y eran un intermedio entre las anteriores. En 1776, en plena guerra, tuvo lugar la declaración de Independencia, reconocida por Inglaterra en el tratado de Versalles (1783). En 1787 se redactó la Constitución. En 1803 se compró Luisiana a Francia. En 1824 Monroe anunció su famosa doctrina de «América para los americanos». Tras dos años de guerra con México, en 1848, se anexionaron Texas, California y Utah. Las diferencias entre el N y el S, y la polémica sobre la esclavitud, desembocaron en la guerra de Secesión (1860-1865), que terminó con la victoria unionista. Los EE UU se convirtieron en veinte años en la primera potencia industrial del mundo. En la I Guerra Mundial intervinieron en favor de los aliados. El *crac* económico de 1929 fue superado gracias al programa de Roosevelt, conocido como *New Deal*. Ante el ataque japonés a Pearl Harbor, los EE UU entraron en la II Guerra Mundial. Truman puso fin a la resistencia japonesa al lanzar la bomba atómica sobre Hiroshima y Nagasaki. La tensión posterior entre EE UU y la URSS desembocó en la «guerra fría» y en la creación de los bloques. La ayuda a Europa se concretó en el Plan Marshall. El intervencionismo de EE UU en Oriente provocó la guerra de Corea (1950). En 1961 la elección de John F. Kennedy supuso la intervención en Vietnam y un programa de ayuda a América Latina: la Alianza para el Progreso. Durante la administración Nixon, iniciada en 1968, se produjeron graves tensiones sociales, ocasionadas por la guerra de Vietnam y la cuestión racial. Nixon tuvo que dimitir en su segundo mandato, al verse implicado en el escándalo Watergate, sucediéndole el vicepresidente Gerald Ford. En 1977, ascendió a la presidencia James Carter, que hizo una política vacilante e ineficaz económicamente. Ronald Reagan ganó en las elecciones de 1980. Su política económica, que llevaría a un grave déficit, se basó en un liberalismo a ultranza, en la reducción de impuestos y en el aumento del presupuesto de defensa. El envío de tropas a Honduras, El Salvador y Líbano, la invasión de Granada, la ayuda a la Contra nicaragüense y el ataque a Libia, son muestras de la agresividad de su política exterior. En su segundo mandato, Reagan firmó acuerdos sobre reducción armamentística con el líder sov. Gorbachov. En las elecciones de 1988 venció el republicano George Bush. Durante su mandato tuvo lugar la intervención estadoun. en Panamá, para derrocar y juzgar bajo la acusación de narcotraficante al general Noriega, que ocupaba la presid. Su gobierno protagonizó el progresivo desarme de ciertas armas nucleares; la intervención de las fuerzas aliadas de la ONU en la guerra del Golfo frente a Irak, en cuya operación EE UU desempeñó un papel protagonista y el trascendental hecho de la disolución de la URSS (1991), convertida en repúblicas independientes. Candidato a un nuevo mandato, Bush tuvo que responder de la difícil situación económica. Ésta fue la baza que dio el triunfo al demócrata Bill Clinton en las elecciones de 1992, quien fue reelegido en 1996. Durante el primer mandato de Clinton se produjo una cierta recuperación económica y, en el plano internacional destacó la participación de EE UU en la firma de la paz en la antigua Yugoslavia (acuerdo de Dayton, 1995). Durante su segundo mandato se reabrió el conflicto en el Golfo y se desató la guerra en Yugoslavia en torno a la cuestión de Kosovo (1999). En noviembre de 2000 se celebraron elecciones presidenciales, en las que venció el republicano George W. Bush. El 11 de septiembre de 2001 el país se vio sacudido por una sucesión de atentados suicidas con aviones contra Nueva York y Washington que ocasionaron miles de víctimas.

* *Arte. Arq.* En el s. XVIII y parte del XIX predominaron el georgiano, el neoclásico (Capitolio de Washington y la Casa Blanca) y el neogótico, por este orden. En el *Shingle Style* destacaron Emerson, Eyre, Price y Richardson. Las grandes construcciones metálicas aparecieron a mediados del s. XIX. Entre los arquitectos de la escuela de Chicago (último cuarto de s. XIX) sobresalen Adler, Sullivan, Richardson y Wright. El *International Style*, del primer cuarto de s. XX, contó con Le Corbusier, Gropius, Mies Van der Rohe, Lescaze, R. Neutra. En esta época se construyeron el centro Rockefeller, la casa Kaufmann y el museo Guggenheim. En el campo del urbanismo cabe señalar a Maeklye y Lescaze. De la escuela experimental de Los Ángeles cabe citar a Neutra. La arquitectura norteam. post. a la II Guerra Mundial contó con la aportación de europeos como Gropius, Van der Rohe, etc. En los últimos tiempos han aparecido el movimiento moderno y el posmoderno. Al primero pertenecen Goldsberg, Murphy y R. y N. Meier, del *Five Architects*. Al posmodernismo pertenecen Ph. Johnson, Burges,

Estados Unidos. Refinería de petróleo en Corpus Christi, Texas

Estados Unidos.
De arriba a abajo:
George Bush; Bill Clinton.

R. Venturi, Moore, Stern, O. Chry y M. Graves. • *Esc.* En el s. XIX destacaron Frazee y Rush. En la escultura monumental sobresalen las estatuas de cuatro presid. esculpidas en monte Rushmore, de Borglum. Del primer tercio del s. XX son P. Manship y J. Davidson. Tras la II Guerra Mundial aparecieron el expresionismo abstracto (T. Roszak, D. Have), el trascendentalismo (Smith, Noguchi, Calder) y el arte minimal (Judd, Bell, Morris, Flavin y Hunt). Las esculturas de R. Serra destacan dentro del urbanismo. • *Pint.* A principios del s. XIX la escuela de Hudson rompía con la influencia brit. En 1908 se fundó en Nueva York el Grupo de los Ocho. La pintura abstracta y el dadaísmo conformaron las tendencias de vanguardia. Después de la II Guerra Mundial, Nueva York se convirtió en el centro mundial del arte; y aparecieron imp. movimientos como el *Action Painting* (J. Pollock), el *pop-art*, el hiperrealismo, el arte animal, el *body-art*, el *land art*, el *funk-art* y el arte conceptual. Ya en la década de los ochenta nació el *pattern art* (Kusher, MacConnel, Pipps, etc.). Los pintores más destacados de esta década son A. Bialobroda, H. Buchwald, L. Chase, E. Fischl, N. Graves, S. Guilliam, K. Haring, B. Jensen, R. Moskowitz, S. Rothenberg, D. Salle, J. Schnabel y D. Sultan.

* *Lit.* El primer gran escritor fue John Smith. En Massachusetts, el puritanismo impulsó una literatura testifical (W. Bradford, J. Winhtrop, J. Cotton, R. Williams, etc.). Con el periodo revolucionario (1765-1789) surgen el ensayo político, la sátira y la oratoria. Los prales. autores fueron Trumbull, Freneau y Odell. La tercera etapa de la literatura norteam. es el romaticismo (Washington Irving, Alan Poe). A mediados del s. XIX surge la escuela de los «clásicos» (Emerson, Thoreau, Hawtorne, Russel, etc.) que dio gran prestigio a la literatura de Nueva Inglaterra. Junto a ellos preparan el realismo H. Melville, W. Whitman, M. Twain, Bret Harte y O. Wister. El pseudorromaticismo de L. Wallace y de E. P. Roe tuvo como continuadores a Z. Grey, J. O. Curwood y P. B. Kyne. En la primera mitad del s. XIX surge el realismo costumbrista (R. H. Davis, E. Eggleston, W. S. Porter y Ed Howe), el realismo (Howeels, Garland, H. James y E. Wharton), el naturalismo (S. Crane, F. Norris, Th. Dreiser, J. London), la novela de evasión (Lorimer, Atherton, Tarkington, M. Mitchell, P. S. Buck, J. Hergesheimer) y la novela social (S. Fitzgerald, S. Lewis, J.Dos Passos, G. Stein, W. Faulkner, J. Steinbeck, T. Wolfe, E. Hemingway, A. Miller, etc.). La poesía se renueva con la aparición del movimiento «Nueva Poesía» (1890), que cuenta con Dickinson, Grane, Hovoy, Moody, etc... Hacia 1913, Ezra Pound reunió un grupo de poetas bajo el nombre de «imaginistas» (Jeffers, Behet, T. S. Eliot, C. Aiken, A. McLeish). El renacimiento teatral se sitúa hacia 1910. Después de la I Guerra Mundial se inicia el teatro experimental (E. O'Neill). Dramaturgos de la posguerra son, entre otros, Tennessee Williams, Arthur Miller, E. Albee. Entre los novelistas de la década de los setenta, muy influidos por las consecuencias de la guerra del Vietnam, destacan W. Styron, J. Hawkes, I. B. Singer, J. Updike (premio Pulitzer 1982), Truman Capote, S. Bellow (premio Nobel de Literatura 1976) y N. Mailer J. Baldwih sobresalió por su radical denuncia de la discriminación racial. B. Malamud y K. Vonnegut han mostrado en sus obras la preocupación por la amenaza de una guerra nuclear. E. Jong y M. French han abordado las vivencias femeninas. K. Follett, R. Ludlum, J. Michener y S. King, son populares autores de best-sellers. En poesía destacan R. Lowell (máximo representante de la poesía confesional), E. Bishop, S. Plath (premio Pulitzer 1981), R. Penn Warren, J. Ashbery y J. Rich. Del grupo poético de Nueva York cabe citar a R. Mazocco, K. Koch, J. Schuyler y F. Seidel. Otros poetas imp. son G. Sorrentino, P. Levine, G. Stern, M. Van Duyn y C. Forché. El teatro en los últimos años se centra en la labor de los grupos independientes. Notables ensayistas son E. Hardwich y S. Sontag.

* *Mús.* En el s. XVII continuaba todavía la tradición de los cantos de salmos y del canto polifónico. La primera ópera (*Flora*) fue estrenada en Carolina, en 1735. Los primeros compositores norteam. fueron F. Hopkinson y W. Billings. Gran impulsor de la música en EE UU fue A. Dvorák. El primer gran compositor fue E. Mc Dowell, que utilizó elementos de música india. En el s. XIX apareció

Presidentes de **ESTADOS UNIDOS**

1789	George Washington (federalista)
1797	John Adams (federalista)
1801	Thomas Jefferson (republicano)
1809	James Madison (republicano)
1817	James Monroe (republicano)
1825	John Quincy Adams (republicano)
1829	Andrew Jackson (demócrata)
1837	Martin Van Buren (demócrata)
1841	William Henry Harrison (whig)
1841	John Tyler (demócrata)
1845	James Knox Polk (demócrata)
1849	Zachary Taylor (whig)
1850	Millard Filmore (whig)
1853	Franklin Pierce (demócrata)
1857	James Buchanan (demócrata)
1861	Abraham Lincoln (republicano)
1865	Andrew Johnson (republicano)
1869	Ulysses Simpson Grant (republicano)
1877	Rutherford Birchard Hayes (republicano)
1881	James Abram Garfield (republicano)
1881	Chester Alan Arthur (republicano)
1885	Grover Cleveland (demócrata)
1889	Benjamin Harrison (republicano)
1893	Grover Cleveland (demócrata)
1897	William McKinley (demócrata)
1901	Theodore Roosevelt (republicano)
1909	William Howard Taft (republicano)
1913	Woodrow Wilson (demócrata)
1921	Warren Gamaliel Harding (republicano)
1923	Calvin Coolidge (republicano)
1929	Herbert Clark Hoover (republicano)
1933	Franklin Delano Roosevelt (demócrata)
1945	Harry S. Truman (demócata)
1953	Dwight David Eisenhower (republicano)
1961	John Fitzgerald Kennedy (demócrata)
1963	Lyndon B. Johnson (demócrata)
1968	Richard Nixon (republicano)
1974	Gerald Ford (republicano)
1977	James Carter (demócrata)
1981	Ronald Reagan (republicano)
1989	George Bush (republicano)
1993	Bill Clinton (demócrata)
2001	George W. Bush (republicano)

Estados Unidos.
Abajo: el presidente George W. Bush.
Abajo a la derecha: panorámica de Manhattan (Nueva York) después del ataque terrorista que derribó las Torres Gemelas del World Trade Center el 11 de septiembre de 2001.

una escuela propiamente norteam. y nacieron el *negro spiritual* en las plantaciones de esclavos, el *minstrell show,* el *gospel,* el *ragtime* y, en la última década, el *jazz*. Entre los que iniciaron su actividad a principios del s. XX cabe destacar a G. Gershwin, Blitzstein, Barlow, Weiss, Piston, V. Thomson, Harris, Copland, Finney, E. Bloch, Antheil, R. Thompson y R. Sessions. Los representantes más destacados de la generación posterior a la II Guerra Mundial fueron Barber, L. Bernstein, V. Thomson, W. Schumann, G. Schuller y el compositor de origen italiano, G. C. Menotti. Los compositores que más se han dedicado al estudio y a la búsqueda de nuevos sonidos han sido: Charles Ives (precursor del movimiento experimental), E. Varèsse, H. Cowell, J. Cage, M. Feldman y E. Brown. El panorama musical norteam. se vio enriquecido por grandes músicos europeos que se trasladaron a EE UU, como Varèsse, Stravinski, Hindemith, Bartók, Milhaud, Kreneck; y por las enseñanzas de Messiaen, Boulez, Dallapicolla, etc. En los últimos años EE UU es un país con una intensa actividad musical, con gran número de cátedras de musicología y gran cantidad de orquestas.

* *Cine.* T. A. Edison contribuyó al invento del cinematógrafo y controló el mercado norteam. Para escapar de este monopolio, algunos exhibidores se hicieron productores y se trasladaron de Nueva York a Los Ángeles. Así, a partir de 1907, nacería Hollywood. Los primeros realizadores fueron E. S. Porter, T. H. Ince, D. W. Griffith y M. Sennett. En los años de la I Guerra Mundial apareció el *star-system* y alcanzó gran fama el cine cómico (Chaplin, B. Keaton, H. Langdon, H. Lloyd, B. Turpin, R. Arbuckle). Los realizadores más imp. de los años veinte en el cine mudo, que triunfaron luego en el sonoro, fueron: C. B. De Mille, J. Ford, King Vidor, F. Borzage, H. Hawks, Chaplin, V. Sjöström, M. Stiller, E. Lubitsch, F. W. Murnau, J. von Sternberg y E. von Stroheim. El éxito de *El cantor de jazz* (1927), de A. Crosland, impuso el sonoro y las películas musicales. Con la crisis de 1929 aparecieron filmes de temática social y política (L. Milestone, F. Lang, J. Ford). En la década de 1930 los gén. más apreciados eran la comedia (Lubitsch, F. Capra), el cine romántico (von Sternberg), la comedia musical (B. Berkeley), el cine de gángsters (Le Roy, H. Hawks), las películas de terror y las de aventuras. F. Capra, J. Ford, W. Wyler, R. Mamoulian fueron los directores más famosos del cine de entreguerras. Durante la II Guerra Mundial se dio a conocer O. Welles y el cine norteam. se reforzó con la inmigración de directores europeos como Renoir, M. Ophuls. En la posguerra se introdujeron el cine esteroscópico, el cinerama y el cinemascope. Directores de este momento fueron N. Ray, L. Mankiewicz, J. Losey, J. Huston, E. Kazan,F. Zinnemann y B. Wilder. Realizadores que venían de la televisión alcanzaron fama en el cine: D. Mann, M. Ritt, S. Lumet, S. Fuller, R. Aldrich, R. Brooks y S. Kubrick. Con la persecución del macartismo, muchos directores huyeron de nuevo a Europa. Un carácter independiente tuvo la producción de la escuela de Nueva York. Desde los años setenta el cine norteam. ha conocido grandes éxitos de la mano de directores como S. Spielberg, G. Lucas o W. Friedkin, que han realizado películas de gran espectacularidad (*La guerra de las galaxias*) y de tema bélico (*Apocalypse Now).* Los directores más imp. son: J. Schlesinger, S. Peckinpah, F. F. Coppola, R. Altman, S. Pollack, M. Nichols, P. Bogdanovich, B. Fosse, R. Polanski, M. Cimino, Woody Allen, O. Stone, etc.

ESTADOUNIDENSE adj. y s. De Estados Unidos de América.

ESTAFAR tr. Pedir o sacar dinero o cosas de valor con artificios y engaños, y con ánimo de no pagar. • Cometer alguno de los delitos que se caracterizan por el lucro como fin y el engaño o abuso de confianza como medio. ■ ESTAFA; ESTAFADOR, RA.

ESTAFERMO m. Muñeco giratorio al que los corredores, hiriéndole con una lanza, hacían dar vuelta. • fig. Persona que está parada y como embobada y sin acción. • fig. y fam. Persona de aspecto ridículo.

ESTAFETA f. Correo ordinario que iba de un lugar a otro. • Postillón que en cada una de las casas de postas aguardaba que llegase otro con el fardillo de despachos, para salir con ellos en seguida y entregarlos al postillón de la casa inmediata. • Casa u oficina del correo. • Correo especial para el servicio diplomático. ■ ESTAFETERO, RA.

ESTAFILOCOCIA f. *Pat.* Infección producida por estafilococos.

ESTAFILOCOCO m. *Pat.* Nombre dado a ciertas bacterias de forma redondeada, que se agrupan como en racimo.

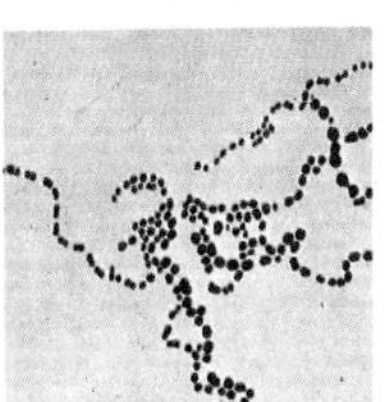

Colonia de **estafilococos**

ESTAFILOMA m. Tumor prominente del globo del ojo.

ESTAFISAGRIA f. Planta ranunculácea, venenosa, con flores azules de cuatro hojas en espiga terminal.

ESTAGIRITA Sobrenombre con que se conoce a Aristóteles.

ESTAING, *Jean-Baptiste,* CONDE D' (1729-1794) Militar fr. Sitió Nueva York (1778) en favor de los revolucionarios norteam. Apoyó el mov. revolucionario fr., pero fue guillotinado.

ESTAJANOVISMO m. En los países del Este, método de organización del trabajo destinado a incrementar la productividad mediante una serie de estímulos y privilegios de promoción social y personal. Deriva del minero ruso Stajanov, que batió varias veces el récord de producción, en 1935, en las minas del Donetz.

ESTAJEAR tr. *Amér. Centr.* Ajustar una obra.

ESTAJO m. Destajo.

ESTALA f. Establo o caballeriza. • Escala de un barco.

ESTALACIÓN f. Cada una de las categorías o clases en que se dividen los individuos de una comunidad o cuerpo. Se emplea sobre todo en las catedrales para referirse a sus clases componentes.

ESTALACTITA f. Concreción calcárea que suele hallarse pendiente del techo de las cavernas.

ESTALAGMITA f. Concreción calcárea del suelo de numerosas cavidades subterráneas.

Estalactita. A la derecha de la fotografía, estalactita unida a una estalagmita formando una columna

ESTALINISMO m. Sistema político basado en las teorías de Stalin y sus partidarios. El punto pral. de las mismas se basó en la tesis de la construcción del socialismo en un solo país, a fin de edificar la sociedad socialista en la URSS y defender el Estado soviético de las agresiones del mundo capitalista. Ello comportó la subordinación de los partidos comunistas a los intereses de la URSS en política exterior y el desarrollo de un formidable aparato de poder interior que reprimió duramente cualquier disidencia política o social, dando lugar a un sistema de poder burocrático y policíaco, centrado en el culto a la personalidad de Stalin. ■ ESTALINISTA.

ESTALLAR intr. Henderse o reventar de golpe una cosa, con chasquido. • Restallar. • fig. Sobrevenir, ocurrir violentamente alguna cosa. • fig. Sentir y manifestar repentina y violentamente una pasión o afecto del ánimo. ■ ESTALLIDO.

ESTAMBRAR tr. Torcer la lana y hacerla estambre.

ESTAMBRE m. Parte del vellón de lana que se compone de hebras largas. • Hilo formado de estas hebras. • Tela tejida con este hilo. • *Bot.* Órgano sexual masculino de las plantas fanerógamas. ■ ESTAMINAL; ESTAMÍNEO, A; ESTAMINÍFERO, RA.

ESTAMBUL → Istanbul.

ESTAMENTO m. *Soc.* Grupo social integrado por las personas que tienen una misma situación jurídica y gozan de unos mismos privilegios.

* *Soc.* La sociedad del Antiguo Régimen estuvo conformada por tres e. sociales: el clero, la nobleza y el estado llano. Los dos primeros estaban exentos de tributos, no se les podía aplicar determinados castigos considerados como infamantes y tenían en monopolio el acceso a determinados cargos. El estado llano debía sostener a los otros e. con su trabajo y con el pago de pechos o tributos personales. No existía movilidad social entre ellos. Las revoluciones liberal-burguesas acabaron con esta organización social. ■ ESTAMENTAL.

ESTAMEÑA f. Tejido de lana ordinaria que tiene la urdimbre y la trama de estambre.

ESTAMINODIO m. *Bot.* Estambre estéril.

ESTAMPA f. Efigie o figura impresa. • fig. Figura total de una persona o animal. • fig. Imprenta o impresión. • Huella del pie. • Molde hueco utilizado para el forjado de piezas. ■ ESTAMPERÍA; ESTAMPERO, RA.

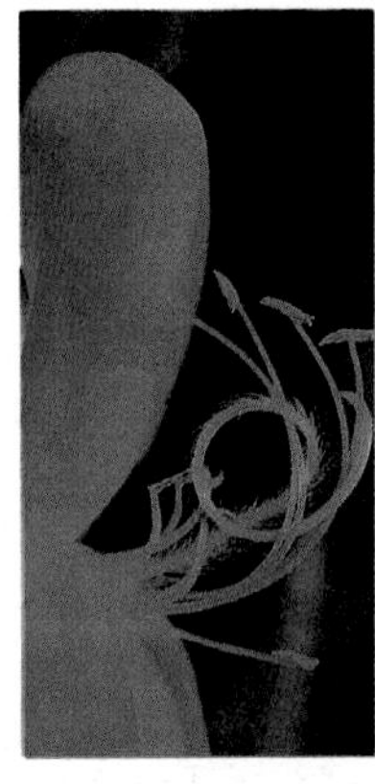

Estambre

Estanciero

Estandartes en la abadía de Westminster, Londres

ESTAMPADO, DA adj. y s. Aplícase a varios tejidos en que se forman y estampan diferentes labores o dibujos. Díc. del objeto que por presión o percusión se fabrica con matriz o molde apropiado. • m. Acción y efecto de estampar. • *Ind.* Proceso textil en el que, sobre tejidos previamente preparados, se imprimen dibujos con variados colores.

ESTAMPAR tr. Imprimir, sacar en estampa. • *Ind.* Prensar una chapa metálica sobre un molde de acero, grabado en hueco, de manera que en ella se forme relieve por un lado, quedando hundido por el opuesto. • Señalar o imprimir una cosa en otra. • fam. Arrojar a una persona o cosa o hacerla chocar contra algo. • fig. Imprimir algo en el ánimo. ■ ESTAMPACIÓN.

ESTAMPÍA *(De)* loc. Con precipitación.

ESTAMPIDA f. Estampido. • Carrera rápida e impetuosa que emprende una persona, animal o conjunto de animales.

ESTAMPIDO m. Ruido fuerte y seco producido por una detonación.

ESTAMPILLA f. Sello que contiene en facsímil la firma y rúbrica de una persona. • Especie de sello con un letrero para estampar en ciertos documentos. • *Amér.* Sello de correos o fiscal.

ESTAMPILLAR tr. Marcar con estampilla. • Señalar con cajetín o sello ciertos títulos de Deuda pública, que han de recibir un trato especial. ■ ESTAMPILLADOR, RA.

ESTANCAMIENTO m. o **ESTANCACIÓN** f. Acción y efecto de estancar o estancarse. • *Econ.* Tendencia de un sistema económico a un estado estacionario, como consecuencia de la creciente divergencia entre el ahorro de capital invertible y la posibilidad efectiva de la inversión privada.

ESTANCAR tr. y prnl. Detener el curso de una cosa. • tr. Prohibir el curso libre de determinada mercancía, concediendo su venta a determinadas personas o entidades. • tr. y prnl. fig. Suspender la marcha de un negocio, asunto, etc.

ESTANCIA f. Mansión, habitación y asiento en un lugar. • Aposento o cuarto donde se habita ordinariamente. • Permanencia durante cierto tiempo en un lugar determinado. • Cada uno de los días que está el enfermo en el hospital, y cantidad diaria que devenga. • Estrofa. • *Amér.* Hacienda de campo destinada al cultivo, y especialmente a la ganadería. • *Cuba* y *Ven.* Casa de campo con huerta y próxima a la ciudad; quinta. ■ ESTANCIERO, RA.

ESTANCO, CA adj. *Mar.* Que no hace agua por sus costuras. • Aplícase a los elementos o partes de un todo que no están relacionados entre sí. • m. Prohibición de la venta libre de algunas cosas. • *Der.* Sitio donde se venden géneros estancados, especialmente sellos, tabaco y cerillas. • *Ecuad.* Aguardentería. ■ ESTANQUEIDAD; ESTANQUIDAD.

ESTÁNDAR m. Tipo, modelo, patrón, nivel.

ESTANDARIZACIÓN f. Acción y efecto de estandarizar. • *Ind.* Normalización y fijación de las características y composición de los productos, lo que suele ir acompañado de una reducción del número de modelos de fabricación. • *Psic.* Proceso mediante el cual las opciones del individuo, sus ideas y modos de comportamiento son simplificados según un patrón común creado por los actuales medios propagandísticos e informativos.

ESTANDARIZAR o **ESTANDARDIZAR** tr. Tipificar, ajustar a un tipo, modelo o norma.

ESTANDARTE m. Insignia o bandera que usan los cuerpos montados y algunas corporaciones civiles o religiosas.

ESTANGURRIA f. Micción dolorosa, gota a gota. • Cañoncito o vejiga que suele ponerse para recoger las gotas de orina el que padece esta enfermedad.

ESTANQUE m. Receptáculo de agua construido para proveer el riego, criar peces, etc.

ESTANQUERO, RA o **ESTANQUILLERO, RA** m. y f. Persona que tiene a su cargo la venta pública del tabaco y otros géneros estancados. • m. El que tiene por oficio cuidar de los estanques.

ESTANQUILLO m. Estanco donde se venden géneros estancados. • *Méx.* Tenducho. • *Ecuad.* Taberna donde se venden licores y aguardiente.

ESTANTAL m. Estribo de pared.

ESTANTALAR tr. Apuntalar, sostener con estantales.

ESTANTE adj. Que está presente o permanentemente en un lugar. • Fijo y permanente en un lugar. • m. Armario con anaqueles y sin puertas, que sirve para colocar libros, papeles u otras cosas. • Cada uno de estos anaqueles, ya formen parte de un mueble, ya vayan sueltos. • Cada uno de los cuatro pies derechos que sostienen la armadura de algunas máquinas. • *Amér.* Madero incorruptible que hincado en el suelo da sostén al armazón de las casas en las ciudades tropicales.

ESTANTERÍA f. Juego de estantes o de anaqueles. • Mueble formado por ellos.

ESTANTIGUA f. Procesión de fantasmas, o fantasma que se ofrece a la vista por la noche, causando pavor y espanto. • fig. y fam. Persona muy alta y seca, mal vestida.

ESTANTÍO, A adj. Parado, que se ha detenido o estancado. • fig. Persona floja, pusilánime.

ESTAÑAR tr. *Metal.* Recubrir con estaño ciertas piezas metálicas para evitar su corrosión superficial. • Soldar una cosa con estaño. ■ ESTAÑADO, DA; ESTAÑADOR, RA; ESTAÑADURA.

Producción mundial de estaño (en t)

Prales. productores	
China	33 700
Indonesia	30 100
Brasil	29 300
Malaysia	20 700
Bolivia	16 800
CEI	11 000
Thailandia	10 900
Perú	6 600
Australia	5 700
Total mundial	179 300

ESTAÑO m. *Quím.* Elemento de símb. Sn, n.a. 50 y p.a. 118,70. Se obtiene por reducción de la casiterita con carbón. ■ ESTANNÍFERO, RA; ESTAÑERO, RA.
* *Quím.* El e. es un metal blanco, más blando que el cinc, pero más duro que el plomo, dúctil y maleable a 100 °C, quebradizo a 200 °C y que, por debajo de −18 °C, se transforma en un polvo gris. El e. se alea fácilmente con el cobre, formando los bronces. Se usa como recubrimiento protector del hierro en la hojalata y en la fabricación de múltiples aleaciones.

ESTAQUEADA f. Acción y efecto de estaquear. • *Amér.* Paliza.

ESTAQUEAR tr. Golpear con una estaca. • Clavar estacas para cercar. • Estirar un cuerpo entre estacas.

ESTAQUILLA f. Espiga de madera o caña que sirve para asegurar los tacones del calzado. • Clavo pequeño de hierro, de figura piramidal y sin cabeza. • Estaca, clavo largo.

ESTAQUILLADOR m. Lezna gruesa y corta con que los zapateros hacen taladros en los tacones para poner las estaquillas.

ESTAQUILLAR tr. Asegurar con estaquillas una cosa. • Hacer una plantación por estacas.

ESTAR intr. y prnl. Existir, hallarse con cierta permanencia en un lugar, situación, condición, etc. • intr. Con ciertos verbos reflexivos toma esta forma quitándosela a ellos, y denota gran aproximación a lo que los tales verbos significan. • Tocar o atañer. • Tratándose de prendas de vestir, sentar o caer bien o mal. • prnl. Detenerse o tardarse en alguna cosa o en alguna parte. • intr. Junto con algunos adj., sentir o tener actualmente la calidad que ellos significan. • Junto con la partícula *a* y algunos nombres, obligarse o estar dispuesto o ejecutar lo que el nombre significa. • Junto con la prep. *con* seguida de un nombre de persona, vivir en compañía de esta persona. • Con la prep. *con*, avistarse con otra persona. • Con la prep. *con*, realizar el acto sexual. • Junto con la prep. *de*, estar ejecutando una cosa o entendiendo de ella. • Junto con la prep. *de* y algunos nombres s., ejecutar lo que ellos significan. • Junto con la prep. *para* y el infinitivo de algunos verbos, o seguida de algunos s., denota la disposición próxima o determinada de hacer lo que significa el verbo o el sustantivo. • Junto con la prep. *por* y el infinitivo de algunos verbos, no haberse ejecutado aún, o haberse dejado de ejecutar, lo que los verbos significan. • Junto con la prep. *por* y el infinitivo de algunos verbos, hallarse uno casi determinado a hacer alguna cosa. • Junto con la prep. *por*, estar a favor de una persona o cosa. • **¿Estamos?** fig. y fam. Interrogación que equivale a *¿Lo has entendido?*. **E. a la que salta.** fam. Estar siempre dispuesto a aprovechar las ocasiones. • **E. al caer.** Tratándose de horas, estar a punto de sonar aquella que se indique. Tratándose de sucesos, estar a punto de sobrevenir o suceder. • **E. a oscuras.** fig. y fam. Estar completamente ignorante. • **E. bien** una cosa a uno. Convenir, ser útil, ser acomodada. • **E. con** uno. Estar de acuerdo con él. • **E. de más.** fam. Estar de sobra; ser inútil. • **E.** uno **en todo.** Atender a un tiempo a muchas cosas. • **Estarle** a uno **bien empleada** alguna cosa. fam. Merecer la desgracia o infortunio que le sucede. • **E. mal con** uno. Estar mal conceptuado con él, estar desavenido con él.

ESTARCIR tr. Estampar dibujos pasando una brocha por una chapa en que están previamente recortados. ■ ESTARCIDO, DA.

ESTARNA f. Perdiz pardilla.

ESTASIOLOGÍA f. *Soc.* Estudio de los partidos políticos en su estructura organizativa, su doctrina, su radio de influencia y su práctica política.

ESTASIS f. *Med.* Cualquier detención o acúmulo de las materias líquidas que se desplazan a lo largo de los diversos conductos del organismo.

ESTÁTICO, CA adj. Perteneciente o relativo a la estática. • Que permanece en un mismo estado, sin mudanza en él. • fig. Díc. del que se queda parado de asombro o de emoción. • f. *Fís.* Parte de la mecánica que estudia el equilibrio de los cuerpos y las condiciones bajo las que se produce. • *Econ.* Método de análisis que estudia las variables o relaciones cambiantes de modelos existentes en un momento dado.

ESTATALIZAR tr. Poner bajo la administración o intervención del Estado.

ESTATIFICAR tr. Convertir en estático.

ESTATISMO m. Tendencia que exalta la plenitud del poder y la preeminencia del Estado sobre los diferentes órdenes y entidades. • Inmovilidad de lo estático, que permanece en un mismo estado.

ESTATOCISTO m. Órgano sensorial de muchos animales que registra los cambios de posición.

ESTÁTOR m. Parte fija de la máquina en los motores y generadores eléctricos, en cuyo interior gira el rotor.

ESTATORREACTOR m. *Aer.* Motor de reacción sin órganos móviles. Está constituido por una tobera en la que el aire se introduce y se comprime.

ESTATOSCOPIO m. *Aer.* Instrumento para medir las variaciones de altura.

ESTATUA f. Figura de bulto que puede estar labrada sobre materiales muy diversos. • **ecuestre.** La que representa a una persona a caballo.

ESTATUAR tr. Adornar con estatuas.

ESTATUARIA f. Arte de hacer estatuas.

ESTATUARIO, RIA adj. Relativo a la estatuaria. • Adecuado para una estatua. • m. El que hace estatuas.

ESTATÚDER m. Jefe o magistrado supremo de la ant. Rep. de Países Bajos.

ESTATUIR tr. Establecer, ordenar, determinar. • Demostrar, asentar como verdad una doctrina o un hecho.

ESTATURA f. Alt. de una persona desde los pies a la cabeza.

ESTATUTO m. Establecimiento, regla que tiene fuerza de ley. • P. ext., cualquier ordenamiento eficaz para obligar (contrato, testamento). • Régimen jurídico al cual se está sometido en relación con la nacionalidad. • **de autonomía.** *Pol.* En España, ordenamiento jurídico especial otorgado a una nacionalidad o región. ■ ESTATUTARIO, RIA.

ESTE m. Oriente, levante. • Viento que viene de la parte de oriente.

ESTE, ESTA, ESTO, ESTOS, ESTAS Formas del pron. demostrativo en los tres gén. m., f. y n., y en sing. y pl. Hacen oficio de adjetivos cuando van unidos al nombre. Cuando hacen oficio de s., el m. y el f. se escriben con tilde si dan lugar a anfibología. • *Ésta* designa la pob. en que está la persona que se dirige a otra por escrito. • **En esto** o **en estas.** m. adv. Estando en esto, durante esto, en este tiempo.

ESTEARATO m. *Quím.* Sal o éster del ácido esteárico.

ESTEÁRICO, CA adj. De estearina. • *Quím.* Díc. de un ácido orgánico que posee 18 átomos de carbono y se usa en las ind. de pinturas, jabones y cosméticos.

ESTEARINA f. *Quím.* Compuesto que, junto con la palmitina, se encuentra en las grasas vegetales y animales y en la llamada cera de Japón. • Mezcla de ácidos palmítico y esteárico que se emplea para fabricar bujías, y también en cosmética y farmacia.

ESTEATITA f. Variedad de talco que se presenta en masas compactas o escamosas, de color gris o verde. • Material cerámico que se emplea como aislante eléctrico.

ESTEATOPIGIA f. Notable exuberancia de panículo adiposo subcutáneo en las nalgas.

ESTEATORNÍTIDO, DA adj. y m. *Zool.* Díc. de las aves pertenecientes a la familia esteatornítidos. • m. pl. *Zool.* Familia de aves caprimulgiformes que comprende una sola especie, el guácharo, localizada en Venezuela y Colombia.

ESTEBA f. *Bot.* Planta gramínea que sirve de pasto. • Pértiga gruesa.

ESTEBAN (m. hacia 36) Santo. Primer mártir cristiano. Festividad: 26 diciembre.

ESTEBAN Nombre propio de varios reyes, emperadores y papas, entre ellos:

Estatua ecuestre del emperador Carlomagno

HUNGRÍA

ESTEBAN I, *El Santo* (m. 1038) Rey de Hungría [1000-1038]. Incorporó Transilvania y parte de Eslovaquia al Est. húng.

INGLATERRA

ESTEBAN de Blois (h. 1097-1154]. Rey de Inglaterra [1135-1154]. Provocó una guerra civil al suceder a Enrique I.

MOLDAVIA

ESTEBAN III, *El Grande* (1433-1504) Príncipe de Moldavia [1457-1504]. Derrotó a húngaros y turcos.

SERVIA

ESTEBAN IV, *Uros, El Grande* (m. 1280) Rey de Servia [1243-1276]. Respetó la libertad religiosa. • **VIII *Uros Decanski*** (1271-1334) Rey de Servia [1321-1331]. Derrotó a los búlgaros en Kjustendil (1330). • **IX *Uros Dusan*** (1308-1355) Rey de Servia [1331-1346] y emp. [1346-1355]. Conquistó Macedonia y Albania.

San **Esteban,** tabla de Giotto. Museo Horne, Florencia (Italia)

PAPADO

ESTEBAN III (m. 772) Papa it. [768-772]. Privó a los laicos de intervenir en la elección papal. • **V** (m. 891) Papa it. [885-891]. Se opuso a Focio.

ESTÉBANEZ Calderón, *Serafín* (1799-1867) Escritor esp.; *Cristianos y moriscos, Escenas andaluzas.*

ESTEBANILLO González (s. XVII) Novelista esp. Bufón picaresco del duque de Amalfi. *Vida y hechos de Estebanillo González, hombre de buen humor.*

ESTEBAR m. Sitio donde se cría mucha esteba. • tr. Acomodar en la caldera y apretar en ella el paño para teñirlo.

ESTEFANITA f. *Miner.* Sulfoantimoniuro de plata que cristaliza en el sistema rómbico; es una importante mena de plata.

ESTEFANOTE m. *Col., P. Rico* y *Ven.* Planta asclepiadácea de hermosas flores blancas.

ESTEGOCÉFALO, LA adj. y s. *Pal.* Díc. de los animales anfibios prehistóricos de gran tamaño que aparecieron en el devónico y se extinguieron en el triásico. Se caracterizaban por tener el cráneo recubierto de placas córneas. • m. pl. *Pal.* Grupo de estos anfibios.

ESTEGOMÍA f. Mosquito transmisor de la fiebre amarilla.

Reptiles del grupo **estegocéfalos**

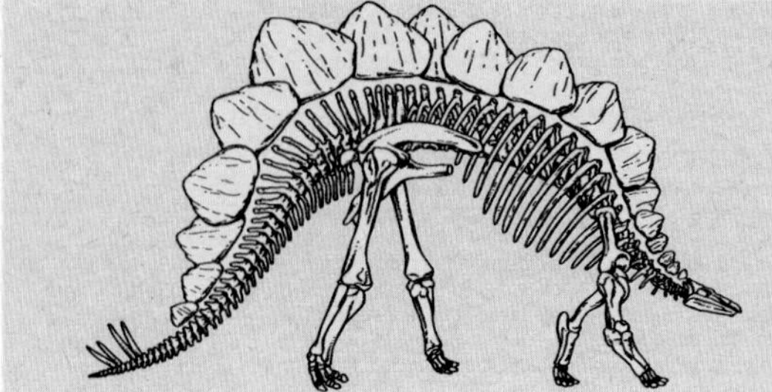

Esqueleto de un **estegosaurio**

Paisaje de la **estepa** rusa

Detalle de ***Ester** y Asuero,* óleo de Veronés. Galería de los Uffizi, Florencia (Italia)

ESTEGOSAURIO m. *Pal.* Reptil del periodo cretácico, caracterizado por poseer una cresta de grandes placas óseas sobre la línea media del dorso.
ESTELA f. Señal o rastro que deja tras sí en la superficie del agua una embarcación u otro cuerpo en movimiento, o el que deja en el aire un cuerpo luminoso en movimiento. • *Arte.* Monumento conmemorativo que se erige sobre el suelo en forma de lápida, pedestal o cipo.
ESTELAR adj. Relativo a las estrellas.
ESTELÍ Dpto. del NO de Nicaragua; 2 173 km^2, 169 100 hab. Cap., c. hom. Relieve conformado por mesetas. Clima subtropical. Café, frijoles, algodón. Explotación maderera. Antimonio. • C. de Nicaragua, cap. del dpto. hom.; 30 600 hab. Centro de comunicaciones y de producción y exportación de café.
ESTELÍFERO, RA adj. poét. Estrellado o lleno de estrellas.
ESTELIÓN m. Salamanquesa, reptil. • Piedra que decían se hallaba en la cabeza de los sapos viejos, y que tenía virtud contra el veneno.
ESTELIONATO m. Fraude que comete el que encubre en el contrato la obligación o gravamen que pesa sobre una propiedad.
ESTELITA f. Aleación metálica con aproximadamente un 50 % de cobalto, de gran dureza y resistencia al calor. Úsase para recubrir piezas que han de soportar elevadas temperaturas.
ESTELLA, FRAY ***Diego de*** (1524-1578) Escritor asceticomístico esp. *Vanidad del mundo, Cien meditaciones del amor de Dios.*
ESTEMA m. En la crítica textual, esquema de la filiación y transmisión de manuscritos o versiones procedentes del original de una obra.
ESTEMPLE m. *Min.* Ademe.
ESTENOCARDIA f. *Med.* Angina de pecho.
ESTENODACTILOGRAFÍA f. Taquimecanografía.
ESTENOGRAFÍA f. Taquigrafía.
ESTENOHALINO, NA adj. *Biol.* Díc. de los organismos incapaces de soportar cambios de salinidad en el medio donde habitan.
ESTENORDESTE m. Punto del horizonte entre el E y el NE, a igual distancia de ambos. • Viento que sopla de esta parte.
ESTENOSIS f. *Pat.* Estrechez, estrechamiento de un conducto u orificio anatómico.
ESTENOTÉRMICO, CA adj. *Biol.* Díc. del organismo incapaz de soportar cambios de temperatura en el medio donde habita.
ESTENOTIPIA f. Estenografía mecánica.
ESTENOTIROIDEO adj. *Anat.* Díc. del músculo del cuello sit. en la parte anterior y que se inserta en el esternón, primer cartílago costal y cartílago tiroides.
ESTENOZ, *Evaristo* (m. 1912) Político cub. Con Pedro Ivonet, encabezó una rebelión armada contra la proscripción de las sociedades racistas. Murió en la lucha.
ESTÉNTOR Guerrero gr. que combatió en Troya a las órdenes de Agamenón. Era célebre por la potencia de su voz.
ESTENTÓREO, A adj. Muy fuerte, ruidoso o retumbante, aplicado al acento o a la voz.
ESTEPA f. *Geog.* Llanura muy extensa caracterizada por la rareza y discontinuidad de la vegetación. Se encuentra en regiones de clima extremado, con escasas precipitaciones. • *Bot.* Mata resinosa de la familia cistáceas, de ramas leñosas y erguidas, hojas elípticas, de color verde oscuro por la haz y blanquecinas por el envés; flores de corola grande y blanca y fruto capsular aovado. ■ ESTEPAR; ESTEPARIO, RIA.
ESTEPAL m. *Méx.* Especie de jaspe rojo.
ESTEPILLA f. Mata de la familia cistáceas, con ramas leñosas y blanquecinas, hojas elípticas, flores grandes y fruto capsular.
ESTEQUIOMETRÍA f. *Quím.* Estudio de las proporciones ponderales o volumétricas de las sustancias reaccionantes. ■ ESTEQUIOMÉTRICO,CA.
ESTER Mujer heb., esposa del rey persa Asuero, ante quien intervino para salvar a los judíos establecidos en Persia. • **Libro de E.** Libro histórico de la Biblia. Narra en conjunto los hechos expuestos en la biografía de la protagonista.
ÉSTER m. *Quím.* Resultado de la combinación de un ácido y un alcohol. Los é. de ácidos orgánicos son líquidos incoloros, de reacción neutra y olor afrutado, y se emplean como esencias y disolventes. Los é. de ácidos inorgánicos más importantes son los del nítrico, fosfórico y sulfúrico.
ESTERA f. Tejido grueso de esparto, juncos, palma, etc., o formado por varias pleitas cosidas, que sirve para cubrir el suelo de las habitaciones y otros usos. ■ ESTERAR; ESTERERÍA; ESTERERO, RA.
ESTERCOLAR m. Estercolero, lugar donde se recoge el estiércol. • tr. Echar estiércol en las tierras. • intr. Echar de sí la bestia el excremento. ■ ESTERCOLADURA O ESTERCOLAMIENTO.
ESTERCOLERO m. Mozo que recoge el estiércol. • Lugar donde se recoge el estiércol.
ESTERCÓREO, A adj. Relativo a los excrementos.
ESTERCULIÁCEO, A adj. y f. *Bot.* Díc. de las plantas de la familia esterculiáceas. • f. pl. *Bot.* Familia de plantas dicotiledóneas, leñosas o herbáceas, que comprende el gén. *Theobroma*, que produce el cacao.
ESTÉREO m. Unidad de medida para leña, equivalente a 1 m^3. • Apócope de estereofónico.
ESTEREÓBATO m. Basa sin molduras.
ESTEREOCOMPARADOR m. Aparato para medir el desplazamiento relativo de los cuerpos por medio de la sensación estereoscópica.
ESTEREOCROMÍA f. Procedimiento para fijar los colores en las pinturas murales mediante una solución de silicato potásico.
ESTEREOFONÍA f. Técnica de grabación y reproducción de sonidos, a los que se proporciona relieve acústico, perspectiva auditiva o sensación de profundidad. ■ ESTEREOFÓNICO, CA.
ESTEREOFOTOGRAFÍA f. Fotografía estereoscópica.
ESTEREOGRAFÍA f. Representación de los sólidos en un plano.
ESTEREOGRÁFICO, CA adj. Relativo a la estereografía. • *Geom.* Díc. de la proyección perspectiva de un sólido en un plano.
ESTEREOISOMERÍA f. *Quím.* Isomería en la que los isómeros se diferencian por la distinta distribución espacial de los átomos en la molécula.
ESTEREOMETRÍA f. Parte de la geometría que estudia la medida de los sólidos.
ESTEREOQUÍMICA f. *Quím.* Estudio de la estructura de las moléculas teniendo en cuenta la disposición espacial de sus átomos.
ESTEREORRADIÁN m. Unidad de medida de ángulos sólidos, igual a 1/4 π del ángulo que abarca todo el espacio.
ESTEREOSCOPIA f. Conjunto de principios que regulan la observación binocular y sus medios de obtención. • Visión en relieve obtenida mediante el estereoscopio. ■ ESTEREOSCÓPICO, CA.
ESTEREOSCOPIO m. Aparato que, por medio de dos fotografías de un mismo objeto tomadas desde distintos puntos de vista, permite ver el objeto en relieve.
ESTEREOTIPAR tr. *Art. Gráf.* Fundir en una plancha por medio del vaciado la composición de un molde formado con caracteres movibles. • *Art. Gráf.* Imprimir con esas planchas. ■ ESTEREOTIPADO, DA.
ESTEREOTIPIA f. *Art. Gráf.* Sistema de impresión que, en vez de moldes compuestos de letras sueltas, usa planchas, curvadas y en relieve, donde cada página está fundida en una pieza. • Taller donde se estereotipa. • Máquina de estereo-

tipar. • Repetición involuntaria e intempestiva de un gesto, acción o palabra. Ocurre pralm. en ciertos dementes.
ESTEREOTIPO m. Cliché de imprenta. • fig. Opinión o concepción muy simplificada de algo o alguien. • *Soc.* Díc. del prejuicio, aceptado por un grupo, acerca de un personaje o de un aspecto de la estructura social.
ESTEREOTOMÍA f. Arte de cortar materiales para la construcción y ornamentación.
ESTERIFICACIÓN f. *Quím.* Reacción entre un alcohol y un ácido, mediante la cual se obtiene un éster y agua.
ESTERIGMA f. *Bot.* Divertículo que une la basidióspora al basidio.
ESTÉRIL adj. Que no da fruto, o no produce nada. • fig. Díc. del año en que la cosecha es muy escasa. • m. *Min.* Parte inútil del subsuelo que se halla interpuesta en el criadero.
ESTERILIDAD f. Calidad de estéril. • Falta o ausencia de cosecha; carestía de frutos. • Imposibilidad de generar individuos hijos por parte de las hembras, o de originar gametos por parte de los machos.
ESTERILIZACIÓN f. Acción y efecto de esterilizar. • Conjunto de procedimientos físicos o químicos por los cuales se eliminan todos los organismos vivos de un objeto. • *Econ.* Retención del oro fuera del mercado para impedir que haga subir los precios.
ESTERILIZAR tr. y prnl. Hacer infecundo y estéril lo que antes no lo era. • tr. Destruir los gérmenes patógenos del agua, material quirúrgico, heridas, etc. • Extirpar las glándulas reproductoras o aplicarles radiaciones o sustancias que inhiban su función. ■ ESTERILIZADOR, RA.
ESTERILLA f. Trencilla de hilo de oro o plata. • Pleita estrecha de paja. • Tejido ralo con ligamento derivado del tafetán. • *Argent.* Rejilla para construir asientos.
ESTERLÍN m. Tela de hilo, de color, más basta y gruesa que la holandilla.
ESTERLINA adj. → Libra esterlina.
ESTERNOCLEIDOMASTOIDEO adj. y m. *Anat.* Músculo de la región anterolateral del cuello.
ESTERNÓN m. *Anat.* Hueso plano, impar y medio, de la parte anterior del tórax, con escotaduras articulares para las costillas. ■ ESTERNAL.
ESTERO m. Acto de esterar. • Temporada en que se estera. • Terreno inmediato a la orilla de una ría, por el cual se extienden las aguas de las mareas. • *Argent.* Terreno bajo pantanoso, intransitable, que suele llenarse de agua y que abunda en plantas acuáticas. • *Chile.* Arroyo, riachuelo. • *Ven.* Aguazal, charca.
ESTEROCEPTOR, RA adj. y m. *Fisiol.* Díc. del órgano receptor de estímulos procedentes del medio ambiente.
ESTEROIDE adj. y m. Díc. de ciertas sustancias orgánicas de naturaleza lipídica.
ESTEROL m. o **ESTERINA** f. *Fisiol.* Sustancia esteroide de elevado peso molecular que se halla en los tejidos vegetales y animales. En los vertebrados, se denomina colesterol.
ESTERQUILINIO m. Muladar, lugar donde se amontonan desperdicios o estiércol.
ESTERTOR m. Ruido que en los moribundos produce el paso del aire a través de las mucosidades acumuladas en la laringe, tráquea y bronquios gruesos. • Ruido anormal percibido por la auscultación torácica, producido por el paso del aire por el árbol respiratorio alterado.
ESTESIOLOGÍA f. *Med.* Estudio de los órganos de los sentidos.
ESTESIÓMETRO m. Instrumento para medir la sensibilidad táctil.
ESTESUDESTE m. Punto del horizonte entre el E y el SE, a igual distancia entre ambos. • Viento que sopla de esta parte.
ESTETA com. Persona entendida en estética. • Persona de gustos refinados en arte. • m. fam. Hombre afeminado.
ESTÉTICA f. Ciencia que trata de la belleza y de la teoría fundamental y filosófica del arte. ■ ESTÉTICO, CA.
ESTETICIÉN com. Especialista en cosmética.
ESTETICISMO m. Valoración de los estilos artísticos, exclusivamente desde el ángulo estético. • Reducción del conjunto de los valores humanos a la categoría estética.
ESTETOSCOPIA f. *Med.* Exploración de los órganos contenidos en la cavidad del pecho, por medio del estetoscopio.

Esterilización. Elaboración de antibióticos en condiciones asépticas

ESTETOSCOPIO m. Aparato para la auscultación de los latidos del corazón, los ruidos respiratorios y los de otros órganos del cuerpo.
ESTEVA f. Pieza corva y trasera del arado, sobre la cual lleva la mano el que ara.
ESTEVA, *José María* (1818-1904) Político y escritor mex. Ministro de Maximiliano. *La mujer blanca*, *Tipos veracruzanos*.
ESTEVADO, DA adj. y s. Que tiene las piernas torcidas en arco.
ESTEVE, *Agustín* (1753-h. 1820) Pintor esp. Protegido de Godoy, fue nombrado pintor de cámara. • ***Pablo*** (h. 1730-1794) Compositor esp. *Los jardines de Aranjuez*, *El puerto de Flandes*.
ESTÉVEZ, *Antonio* (1916-1988) Compositor y director de orquesta ven. *Suite orquestal*, *Cantata criolla*, *Concierto*.• ***Horacio*** (nacido 1939) Atleta ven. Especialista en los 100 m. lisos. Semifinalista olímpico en Roma (1960).
ESTEZADO m. Correal.
ESTEZAR tr. Curtir las pieles en seco.
ESTIAJE m. Nivel más bajo o caudal mínimo que en ciertas épocas del año tienen las aguas de un río, estero, laguna, etc., por causa de la sequía. • Periodo que dura este nivel bajo.
ESTIBAR tr. Apretar materiales o cosas sueltas para que ocupen el menor espacio posible. • Distribuir convenientemente todos los pesos del buque. ■ ESTIBA; ESTIBADOR.
ESTIBIA f. *Vet.* Espibia.
ESTIBINA f. *Miner.* Sulfuro de antimonio que cristaliza en el sistema rómbico. Es la pral. mena de antimonio.
ESTIBIO m. Antimonio.
ESTIÉRCOL m. Excremento de cualquier animal. • Materias orgánicas podridas que se destinan al abono de las tierras.
ESTIGARRIBIA, *José Félix* (1888-1940) Militar y político par. Presid. de la rep. en 1939. Promulgó una constitución presidencialista. Murió en accidente aéreo.
ESTIGIA *Mit. gr.* Laguna o río de los infiernos. Sus aguas convertían en invulnerable a quien se sumergía en ellas. Tetis lo hizo con su hijo Aquiles; pero no pudo evitar su muerte porque el talón, por el que le sujetaba, no tocó el agua.
ESTIGIO, GIA adj. Relativo a la laguna Estigia. • fig. Infernal, relativo al infierno.
ESTIGMA m. Marca o señal en el cuerpo. • Marca impuesta con hierro candente. • fig. Desdoro, afrenta, mala fama. • *Bot.* Cuerpo glanduloso, colocado en la parte superior del pistilo. • *Pat.* Lesión orgánica o trastorno funcional que indica enfermedad constitucional y hereditaria. • *Teol.* Huella

San Francisco recibiendo los ***estigmas,*** tabla de Giotto. Museo del Louvre, París

Estiletes

Estilicón

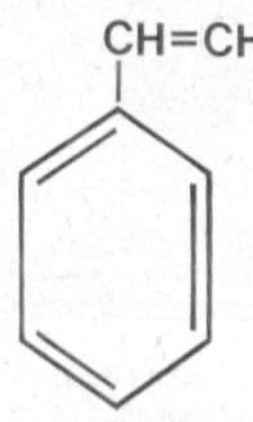

Estireno

impresa sobrenaturalmente en el cuerpo de algunos santos. • *Zool.* Cada una de las pequeñas aberturas que tienen en el abdomen los insectos para respirar.

ESTIGMATISMO m. *Ópt.* Propiedad de ciertos sistemas, consistente en que a cada punto objeto corresponde un único punto imagen. ■ ESTIGMÁTICO, CA.

ESTIGMATIZAR tr. Marcar a uno con hierro candente. • *Teol.* Imprimir milagrosamente a una persona las llagas de Cristo. • fig. Afrentar, infamar. ■ ESTIGMATIZACIÓN.

ESTILAR tr. e intr. Usar, acostumbrar, estar de moda. También se usa con el pron. *se*.• tr. Extender una escritura, despacho, etc., conforme al estilo y formulario que corresponde.

ESTILETE m. Estilo pequeño. • Púa o punzón. • Puñal de hoja muy estrecha y aguda. • Tienta que sirve para reconocer ciertas heridas.

ESTILIANO, NA adj. y s. De Estelí.

ESTILICIDIO m. Destilación que se efectúa gota a gota.

ESTILICÓN, *Flavio* (h. 360-408) General rom. Venció a Alarico (402) y derrotó a los ostrogodos (406). Murió decapitado por conspirar contra el emperador.

ESTILISMO m. *Lit.* Tendencia a valorar el estilo de forma exagerada. ■ ESTILISTA.

ESTILÍSTICA f. *Ling.* Estudio del estilo o de la expresión lingüística en general.

ESTILITA adj. y s. Díc. del anacoreta que vivía en lo alto de un pórtico o de una columna en ruinas.

ESTILIZAR tr. Interpretar o describir convencionalmente la forma de un objeto haciendo resaltar tan sólo sus rasgos más característicos. ■ ESTILIZACIÓN.

ESTILO m. Punzón con el cual escribían los antiguos en tablas enceradas. • Gnomon del reloj de sol. • Modo, manera, forma. • Uso, práctica, costumbre, moda. • Manera de escribir o de hablar, en cuanto a lo accidental y característico del modo de formar y enlazar los giros o periodos para expresar los conceptos. • Manera de escribir o de hablar peculiar y privativa de un escritor o de un orador. • Carácter propio que da a sus obras el artista. • *Bot.* Parte del pistilo, por lo común encima del ovario, que sostiene el estigma. • Fórmula de proceder jurídicamente, y orden y método de actuar. • *Mar.* Púa sobre la cual está montada la aguja magnética. ■ ESTILÍSTICO, CA.

ESTILÓBATO m. *Arq.* Macizo corrido sobre el cual se apoya una columnata.

ESTILOGRÁFICO, CA adj. Díc. de la pluma cuyo mango hueco va lleno de tinta, la cual, al escribir, baja automáticamente a los puntos en la cantidad necesaria. • f. Pluma estilográfica.

ESTILÓGRAFO m. *Col.* y *Nic.* Pluma estilográfica con su portaplumas.

ESTILOMASTOIDEO adj. Díc. del orificio sit. en la cara inferior del temporal por el que sale del cráneo el nervio facial.

ESTILPÓN de Mégara (ss. IV-III a. C.) Filósofo gr. Afirmó y defendió la unidad, inmovilidad e inmutabilidad del ser.

ESTIMA f. Consideración y aprecio que se hace de una persona o cosa por su calidad o circunstancias. • *Mar.* Concepto aproximado que se forma de la situación del buque por los rumbos y las distancias corridas en cada uno de ellos.

ESTIMABLE adj. Que admite estimación o aprecio. • Digno de aprecio y estima. ■ ESTIMABILIDAD.

ESTIMACIÓN f. Aprecio y valor que se da y en que se tasa o considera una cosa. • Aprecio, consideración, afecto. • Acción y efecto de estimar, evaluar. • Valoración numérica total de una unidad social a partir de datos incompletos.

ESTIMAR tr. Apreciar, poner precio, evaluar las cosas. • Juzgar, creer. • tr. y prnl. Hacer aprecio y estimación de una persona o cosa. ■ ESTIMADOR, RA; ESTIMATIVO, VA; ESTIMATORIO, RIA.

ESTIMATIVA f. Facultad del espíritu con que hace juicio del aprecio que merecen las cosas. • Instinto de los animales.

ESTIMULAR tr. Aguijonear, picar, punzar. • fig. Incitar, excitar con viveza a la ejecución de una cosa, o avivar una actividad, operación o función. ■ ESTIMULANTE.

ESTÍMULO m. Incitación a obrar. • *Fisiol.* Todo cambio producido en el medio ambiente situado alrededor de un organismo, de tal modo que éste lo capte y, consecuentemente, sus acciones se modifiquen en cierto grado.

ESTINCO m. Lagarto amarillento plateado, con bandas negras, de los arenales del norte de África.

ESTÍO m. poét. Verano. ■ ESTIVAL.

ESTIOMENAR tr. Ulcerar una parte carnosa del cuerpo los humores que afluyen a ella.

ESTIÓMENO m. Ulceración de la vulva con esclerosis e hipertrofia de diversa naturaleza.

ESTIPENDIO m. Remuneración que se da a una persona por su trabajo y servicio. ■ ESTIPENDIAR.

ESTÍPITE m. Pilastra en forma de pirámide truncada, con la base menor hacia abajo. • *Bot.* Tallo largo y no ramificado, característico de las palmáceas.

ESTIPSIS f. Aplicación o uso de astringentes.

ESTIPTICAR tr. Apretar los tejidos orgánicos, astringir.

ESTÍPTICO, CA o **ESTÍTICO, CA** adj. Que tiene sabor metálico astringente. • Que padece estreñimiento de vientre. • fig. Estreñido, avaro, mezquino. • *Med.* Que tiene virtud de estipticar. ■ ESTIPTICIDAD; *Amér.* ESTIPTIQUEZ o ESTITIQUEZ.

ESTÍPULA f. *Bot.* Apéndice foliáceo colocado en los lados del pecíolo y que suele tener una función protectora. ■ ESTIPULADO, DA.

ESTIPULACIÓN f. Convenio verbal. • *Der.* Cada una de las disposiciones de un documento público o particular. • *Der.* Promesa que se hacía y aceptaba verbalmente, según las fórmulas prevenidas por el Derecho rom., declarando eficaces todos los pactos lícitos una vez consentidos.

ESTIPULAR tr. *Der.* Hacer contrato verbal. • Convenir, concertar, acordar. ■ ESTIPULANTE.

ESTIQUE m. Cincel de boca dentellada.

ESTIQUIRÍN m. *Hond.* Búho, ave.

ESTIRA f. Especie de cuchilla de cobre con que los zurradores raen el cuero.

ESTIRACÁCEO, A adj. y f. Díc. de las plantas de la familia estiracáceas. • f. pl. *Bot.* Familia de árboles y arbustos angiospermos dicotiledóneos, de hojas simples, frutos en baya y semillas con albumen carnoso, a la que pertenecen el estoraque y el aceitunillo.

ESTIRADO, DA adj. fig. Que afecta gravedad o esmero en su traje • fig. Entonado y orgulloso en su trato con los demás. • fig. Nimiamente económico. • m. *Ind.* Operación textil consistente en aumentar la longitud de la masa de fibras con que se alimenta una máquina. • *Mec. apl.* Operación de forja que, mediante golpes o presión, aumenta la longitud de una pieza a expensas de una disminución de la sección.

ESTIRAJAR tr. fam. Estirar.

ESTIRAJE m. Preparación de la hilatura de una fibra para aumentar la longitud de una piel en detrimento de su anchura. • Relación existente entre la velocidad periférica del cilindro estirador y la del cilindro alimentador de un proceso de estirado textil.

ESTIRAR tr. y prnl. Alargar, dilatar una cosa, extendiéndola con fuerza para que dé de sí. • tr. Planchar ligeramente la ropa blanca para quitarle las arrugas. • fig. Hablando del dinero, gastarlo con cuidado para atender con él al mayor número posible de necesidades. • fig. Alargar, ensanchar el dictamen, la opinión, la jurisdicción más de lo que se debe. • intr. y prnl. Crecer una persona. • prnl. Desplegar o mover brazos o piernas para desentumeceros. ■ ESTIRAMIENTO.

ESTIRENO m. *Quím.* Hidrocarburo bencénico, líquido, que hierve a 140 °C. Se polimeriza fácilmente dando un vidrio orgánico incoloro (poliestireno). Se utiliza para la fabricación del caucho.

ESTIRIA *(Steiermark)* Est. federado de Austria; 16 387 km^2, 1 184 200 hab. Cap., Graz. Accidentado por los Tauern. R. prales.: Enns y Mur. Cereales, remolacha. Ganadería. Lignito, hierro. Ind. siderúrgica y metalúrgica.

ESTIRÓN m. Acción con que uno estira o arranca con fuerza una cosa. • Crecimiento rápido en altura.

ESTIRPE f. Raíz y tronco de una familia o linaje. • *Der.* En una sucesión hereditaria, conjunto formado por la descendencia de un sujeto a quien ella representa y cuyo lugar toma.
ESTIVACIÓN f. Periodo de vida latente que tiene lugar en ciertos animales en la época más calurosa del año.
ESTIVADA f. Monte o terreno inculto cuya broza se cava y quema para meterlo en cultivo.
ESTOBEO, *Juan* (s.v.) Escritor gr. Su *Colección de trozos selectos, apotegmas y preceptos* reúne fragmentos de más de 500 autores griegos.
ESTOCADA f. Golpe que se tira de punta con la espada o estoque. • Herida que resulta de él.
ESTOCAFÍS m. Pejepalo, abadejo curado al humo.
ESTOCÁSTICO, CA adj. Relativo al azar.
ESTOCOLMO *(Stockholm)* Cap. de Suecia; puerto junto al Báltico, en la desembocadura del lago Mälaren; 653 500 hab. Ind. mecánica, química, refinerías de petróleo. Centro comercial, cultural y turístico.
ESTOFA f. Tela o tejido labrado, gralte. de seda. • fig. Calidad, clase.
ESTOFADO, DA adj. Aliñado, engalanado, bien dispuesto. • m. Acción de estofar. • Adorno que resulta de estofar un dorado. • Guiso que consiste en condimentar un manjar con aceite, vino o vinagre, ajo, cebolla y varias especias, y ponerlo todo en crudo en una vasija bien tapada para que cueza a fuego lento sin que pierda vapor ni aroma.
ESTOFAR tr. Labrar a manera de bordado, rellenando de algodón el hueco entre dos telas, fomando encima algunas labores, pespunteándolas para que hagan relieve. • Raer con la punta del garfio el color dado sobre el dorado de la madera, para que se descubra el oro y haga visos. • Pintar sobre el oro bruñido algunos relieves al temple. • Dar de blanco a las esculturas en madera que se han de dorar. • Hacer el guiso llamado estofado. ■ ESTOFO.
ESTOICISMO m. *Fil.* Escuela filosófica fundada por Zenón en Atenas, que se desarrolló entre el 300 a. C. y el 200 d. C. Sostenía que la virtud y la aceptación de la adversidad eran el medio de lograr la felicidad. • Doctrina o secta de los estoicos. • fig. Dominio sobre la propia sensibilidad y la desgracia. ■ ESTOICO, CA.
ESTOLA f. Vestidura amplia y larga de los gr. y rom., adornada con una franja que ceñía la cintura y caía por detrás hasta el suelo. • Ornamento sagrado que consiste en una banda larga de tela. • Banda larga de piel que usan las señoras para abrigarse el cuello.
ESTÓLIDO, DA adj. y s. Bobo, estúpido, que no comprende ni discurre. ■ ESTOLIDEZ.
ESTOLÓN m. Estola muy grande que usa el diácono. • *Bot.* Vástago rastrero que echa a trechos raíces que producen nuevas plantas, que al principio se nutren de la savia del vegetal adulto. Posteriormente el e. que los une suele destruirse. Existen también e. aéreos en plantas epífitas.
ESTOMA m. *Bot.* Cada una de las pequeñísimas aberturas que hay en la epidermis de las hojas de los vegetales.
ESTOMAGAR tr. Empachar, afectar. • fam. Causar fastidio o enfado.
ESTÓMAGO m. *Anat.* y *Fisiol.* Víscera hueca, que es una dilatación del aparato digestivo, en la que se hace la quimificación de los alimentos. Se comunica con el esófago a través del cardias y con el intestino delgado a través del píloro. ■ ESTOMACAL; ESTOMÁQUICO, CA; ESTOMÁTICO, CA.
* *Fisiol.* El e. tiene unos movimientos peristálticos que mezclan los alimentos con el jugo gástrico, que contiene ClH, pepsina (de acción proteolítica) y moco.
ESTOMAGUERO m. Pedazo de bayeta que se pone a los niños sobre el vientre.
ESTOMATICÓN m. Emplasto compuesto de varios ingredientes aromáticos, que se pone sobre la boca del estómago.
ESTOMATITIS f. *Med.* Inflamación de la mucosa bucal.
ESTOMATOLALIA f. Variedad de voz nasal por obturación de los orificios posteriores de las fosas nasales.
ESTOMATOLOGÍA f. Rama de la medicina que estudia la boca y sus enfermedades. ■ ESTOMATÓLOGO, GA.
ESTOMATÓPODO adj. y m. Crustáceo marino del orden malacostráceos, grupo de los hoplocáridos, y cuyo caparazón cubre únicamente los segmentos torácicos anteriores.
ESTONIA *(Eesti Vabariik)* Est. del N de Europa. Limita al E con Rusia, al S con Letonia y al N y O con el mar Báltico. Incluye 1 500 islas (las mayores: Hiiumaa y Saaremaa). Relieve muy uniforme con

ESTONIA

Superficie	45 100 km²
Población	1 475 000 hab. (35 hab./km²)
Recursos económicos	
Cabaña bovina	435 000 cabezas
Cabaña ovina	62 000 cabezas
Cabaña porcina	460 000 cabezas
Energía eléctrica	9 151 millones de kwh
Esquistos bituminosos	14 530 000 t
Papel	42 000 t
Patatas	700 000 t
Pesca	125 000 t
Riqueza forestal	2 439 000 m³
Trigo	90 000 t
Indicadores sociológicos	
PNB	4 252 millones de dólares
Renta per cápita	2 820 dólares
Esperanza de vida	69 años

algunos lagos (Peipus, Pskov). R. prales.: Pärnu, Keila, Kasari, Narva. Clima frío. Patatas, cereales, lino. Ganadería. Esquistos bituminosos. Ind. petroquímica, química, mecánica. Grupos étnicos: estonios (65 %), rusos (30,3 %), ucranianos (3,1 %), bielorrusos (1,6 %), fineses, hebreos. Lenguas: estonio (of.), ruso. *Rel.*: luteranismo (mayoría), cristianismo ortodoxo y uniato. U. M.: corona. Cap., Tallinn. C. prasles.: Tartu, Narva, Kohtla-Järve, Pärnu.
**Hist.* Hacia el s. IX los estonios entraron en contacto con los vikingos y durante los s. XI y XII con los rusos de Kiev. Entre 1208-1227 cayó en manos al. En 1561 el S de E. pasó a Polonia y tres años más tarde el NE a Suecia. En 1721, por el tratado de Nystad, pasó a depender de Rusia. En 1918, E. se declaró indep.. Invadida por la URSS (1940), que la anexionó (pacto Ribbentrop-Molotov). Ocupada por los al. en 1941, en 1944 retornó a manos sov. Proclamó su independencia de la URSS en 1991; fue reconocida por la ONU. Desde 1992 el presidente es Lennart Meri.
ESTONIO, NIA adj. y s. Díc. de los individuos de un pueblo de estirpe finesa, que habita pralm. en Estonia. • m. Lengua ugrofinesa hablada por este pueblo. • De Estonia.
ESTOPA f. Parte basta o gruesa del lino o del cáñamo que queda en el rastrillo cuando se peina. • Tela gruesa tejida con la hilaza de la estopa. • Pelo que aparece al trabajar algunas maderas. • *Mar.* Jarcia deshilada usada para calafatear. ■ ESTOPADA; ESTOPEÑO, ÑA; ESTOPOSO, SA.
ESTOPEROL m. Clavo corto, de cabeza grande y redonda. • Tachón, tachuela grande dorada o plateada. • *Mar.* Especie de mecha formada de filástica vieja. • *Col.* Perol.
ESTOPILLA f. Parte más fina que la estopa, que queda en el rastrillo al pasar por él por segunda vez el lino o el cáñamo. • Hilado y tela que se hacen con esa estopilla. • Lienzo o tela muy sutil semejante a la gasa. • Tela ordinaria de algodón.
ESTOPÍN m. Artificio para dar fuego a las cargas de los proyectiles de artillería.
ESTOPÓN m. Lo más grueso y áspero de la estopa, que, hilándose, sirve para arpilleras y otros usos. • Tejido que se fabrica de este hilado.
ESTOPOR m. *Mar.* Aparato de hierro para detener cuando se quiere la cadena del ancla.
ESTOQUE m. Espada angosta, que sólo puede herir de punta. • Arma blanca formada por una varilla de acero aguzada que suele llevarse metida en un bastón. • Espada para matar toros en la lidia.

Vista de la ciudad vieja de **Estocolmo**

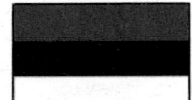

Estonia. Arriba, mapa de situación y bandera; abajo, vista de Tallinn

Estornino

Estragón

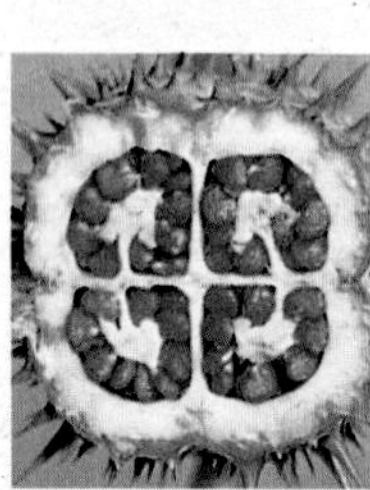
Fruto de **estramonio** seccionado transversalmente

Estrasburgo. Puente sobre el río Ill

ESTOQUEAR tr. Herir de punta con espada o estoque. ■ ESTOQUEADOR; ESTOQUEO.
ESTOQUILLO m. *Argent.* y *Chile.* Planta ciperácea de tallo triangular y cortante.
ESTOR m. Cortina transparente que cubre el hueco de una puerta o balcón.
ESTORAQUE m. Árbol de cuyo tronco se obtiene una gomorresina muy olorosa. • Esta gomorresina. • **líquido.** *Amér.* Bálsamo de consistencia pastosa, del cual se extrae el ácido cinámico.
ESTORBAR tr. Poner obstáculo a la ejecución de una cosa. • fig. Molestar, incomodar. ■ ESTORBADOR, RA; ESTORBO.
ESTORDIR tr. Aturdir, atontar.
ESTORNIJA f. Anillo de hierro que se pone en el pezón del eje de los carruajes, entre la rueda y el clavo o clavijas que la detiene, para que no se salga. • Tala, juego de muchachos.
ESTORNINO m. Ave paseriforme de cabeza pequeña, de plumaje negro con reflejos y pintas blancas.
ESTORNUDAR intr. Arrojar con estrépito por la nariz y la boca el aire de los pulmones. ■ ESTORNUDO; ESTORNUTATORIO, RIA.
ESTOTRO, TRA pron. demostrativo, contr. de este, esta, o esto, y otro u otra.
ESTOVAÍNA f. Anestésico local muy empleado en oftalmología.
ESTOVAR tr. Rehogar, cocer una vianda a fuego lento sin agua y con aceite o manteca.
ESTRABISMO m. Deformidad ocular de los bizcos. Entre sus múltiples causas figuran la parálisis de uno o varios músculos del ojo, tumor, contractura persistente de los músculos del ojo, etc. ■ ESTRÁBICO, CA.
ESTRABÓN (h. 63 a. C.-h. 21 d. C.) Geógrafo gr. Tras recorrer gran parte del imperio rom., compuso su *Geografía.*
ESTRACILLA f. Pedazo pequeño y tosco de algún tejido. • Papel algo más fino y consistente que el de estraza.
ESTRADA f. Camino.
ESTRADA, *Alonso de* (s. XVI) Funcionario esp. Tesorero real (1524) y gobernador de Nueva España (1527), cesó en el cargo para pasar a la Audiencia de Nueva España (1528). • ***Ángel de*** (1872-1923) Escritor arg. Como poeta escribió *Ensayos, Alma nómada*; como prosista, las novelas *Redención* y *La ilusión* y los dramas *Las tres gracias* y *El triunfo de las rosas*. • ***Carlos*** (1909-1970) Compositor ur. Fundó la Orquesta de Cámara de Montevideo. *Series antiguas, Cuarteto de cuerdas, Temas con variaciones, Concierto para piano y orquesta.* • ***Emilio*** (1855-1911) Político ecuat. Luchó contra Veintimilla. Con el apoyo de Alfaro, presid. de la Rep. en 1911. Murió cuatro meses después, en el ejercicio del poder. • ***Genaro*** (1887-1937) Escritor y político mex. Autor de *Visionario de la Nueva España y Genio* y *figura de Picasso.* Elaboró la doctrina Estrada, por la cual se oponía a la política de EE UU de reconocimiento condicionado de los regímenes surgidos de movimientos revolucionarios. • ***José Manuel*** (1842-1897) Político y escritor arg. Encabezó la reacción católica contra las reformas liberales del presid. Roca (1880), apoyando la educación religiosa en la escuela y el matrimonio canónico. Fue uno de los fundadores del partido radical. *Génesis de nuestra raza, El catolicismo y la democracia.*• ***Juan José*** (1865-1947) Militar nic. Derrocó al presid. Santos Zelaya con el apoyo de EE UU y asumió la presidencia. Fue derrocado, a su vez, por Adolfo Díaz. • ***Santiago*** (1841-1891). Escritor, periodista y orador arg. *Santuario de Luján.* • **Cabrera, *Manuel*** (1857-1924) Político guat. Ministro de Gobernación y Justicia en el gabinete de Reina Barrios, al morir éste asesinado le sucedió en la presidencia (1898) en la que se mantuvo, mediante elecciones amañadas, hasta 1920, en que fue derrocado. Modificó la Constitución a fin de implantar procedimientos dictatoriales y estableció una fuerte censura. • **Palma, *Tomás*** (1835-1906) Político cub. Primer presid. de la Rep. (1902-1906), después de ser reconocida la indep. de Cuba. En 1906 obtuvo de modo fraudulento la reelección, y solicitó la intervención norteam. para hacer frente a sus adversarios. El enviado del presid. Th. Roosevelt, Taft, se proclamó gobernador general de Cuba, bajo la autoridad del presid. de EE UU, y Estrada Palma presentó su dimisión ante las autoridades norteam.
ESTRADIOL m. Hormona sexual femenina segregada en el cuerpo lúteo de los folículos ováricos.
ESTRADIOTA f. Lanza de los estradiotes.
ESTRADIOTE m. Soldado mercenario de a caballo, procedente de Albania.
ESTRADO m. Conjunto de muebles que servía para adornar la sala en que las señoras recibían las visitas. • Esta misma sala. • Tarima cubierta con alfombra sobre la cual se pone el trono real o la mesa presidencial en actos solemnes. • Sitio de honor, algo elevado, en un salón de actos. • Entablado en que se ponen los panes amasados antes de cocerlos. • pl. Salas de tribunales, donde los jueces oyen y sentencian los pleitos. • *Der.* Lugar del edificio en que se administra la justicia, donde se fijan los edictos.
ESTRAFALARIO, RIA adj. y s. fam. Desaliñado en el vestido o en el porte. • fig. y fam. Extravagante en el modo de pensar o en las acciones.
ESTRAGAR tr. y prnl. Viciar, corromper. • tr. Causar estrago. ■ ESTRAGADOR, RA; ESTRAGAMIENTO.
ESTRAGO m. Daño hecho en guerra; matanza de gente; destrucción de la campaña, del país o del ejército. • Daño, ruina, asolamiento.
ESTRAGÓN m. Hierba de la familia compuestas, cuyas hojas se usan como condimento.
ESTRAMBOTE m. Conjunto de versos que suele añadirse al fin de una combinación métrica.
ESTRAMBÓTICO, CA adj. fam. Extravagante, irregular y sin orden.
ESTRAMONIO m. Hierba solanácea, con hojas grandes, anchas y dentadas, usadas como medicamento para las afecciones asmáticas.
ESTRAMPES, *Francisco* (1827-1855) Patriota cub. Desde EE UU organizó una expedición a Cuba. Tras caer en manos de los esp., fue ejecutado.
ESTRANGOL m. Compresión que impide en la lengua de una caballería la libre circulación de los fluidos, causada por el bocado o el ramal que se le mete en la boca.
ESTRANGUL m. Pipa o lengüeta que se pone en algunos instrumentos músicos de viento.
ESTRANGULADOR, RA adj. y s. Que estrangula. • m. Dispositivo necesario para enriquecer la mezcla de gasolina y aire suministrada por el carburador, reduciendo el paso de aire y aumentando el paso de gasolina. Se utiliza pralm. para el arranque en frío de los motores.
ESTRANGULAR tr. y prnl. Ahogar oprimiendo el cuello hasta impedir la respiración. • tr. fig. Dificultar o impedir el paso por una vía o conducto. • fig. Impedir la realización de un proyecto, la consumación de un intento, etc. • tr. y prnl. *Cir.* Interceptar la comunicación de una parte del cuerpo por medio de presión o ligadura. ■ ESTRANGULACIÓN; ESTRANGULADO, DA; ESTRANGULAMIENTO.
ESTRANGURIA f. Micción dolorosa, gota a gota, con tenesmo de la vejiga.
ESTRAPALUCIO m. fam. Estropicio.
ESTRAPERLO m. fam. Sobreprecio con que se obtienen ilícitamente artículos o servicios sujetos a tasa. • fam. Chanchullo. • **De e.** m. adv. fam. Clandestinamente y con sobreprecio. ■ ESTRAPERLEAR; ESTRAPERLISTA.
ESTRAPONTÍN m. Traspontín, asiento supletorio en los vehículos.
ESTRÁS m. Cristal muy denso que se usa para imitar piedras preciosas.
ESTRASBURGO (fr., *Strasbourg*; al. *Strassburg*) C. del NE de Francia, cap. de la región de Alsacia y del dpto. de Bas-Rhin, a orillas del r. Ill, 388 500 hab. Activo puerto fluvial. Centro industrial. Incorporada a Alemania entre 1870 y 1918. Sede del Consejo de Europa desde 1949.
ESTRATAGEMA f. Ardid de guerra, engaño. • fig. Astucia, engaño artificioso.
ESTRATEGA com. o **ESTRATEGO** m. Persona versada en estrategia. • Ant. jefe del ejército gr. • Pral. magistrado de Atenas a partir del s. V a. C. • Persona versada en la estrategia.
ESTRATEGIA f. Arte de dirigir las operaciones militares. • Arte de coordinar todo tipo de acciones para la conducción de una guerra o la defensa de un país. • fig. Arte, traza para dirigir un asunto. ■ ESTRATÉGICO,CA.

Principales **estrechos** del mundo

Nombre	*Amplitud mínima (km)*	*Longitud (km)*	*Mares que une*	*Tierras que separa*
Bósforo	0,30	30	Mármara-Negro	Turquía europea-Turquía asiática
Pequeño Belt	0,60	180	Kattegat-Báltico	Fionia-Jutlandia (Dinamarca)
Dardanelos	1,30	71	Mármara-Egeo	Turquía europea-Turquía asiática
Mesina	3,5	42	Tirreno-Jónico	Calabria-Sicilia (Italia)
Magallanes	4,0	600	Atlántico-Pacífico	Patagonia-Tierra de Fuego (Chile)
Sund	4,0	110	Báltico-Kattegat	Sjaelland (Dinamarca)-Suecia
Belle Isle	20,0	130	G.º San Lorenzo-Atlántico	Labrador-Terranova (Canadá)
Ormuz	13,0	85	G.º Omán-G.º Pérsico	Irán-Omán
Gibraltar	14,0	90	Mediterráneo-Atlántico	España-Marruecos
Gran Belt	16,0	120	Kattegat-Báltico	Fionia-Sjaelland (Dinamarca)

ESTRATIFICACIÓN f. *Geol.* Acción y efecto de estratificar. • *Geol.* Disposición en estratos de una masa de material rocoso. • *Soc.* Disposición de los individuos y grupos de una sociedad en capas o estratos jerárquicamente institucionalizados.
ESTRATIGRAFÍA f. *Geol.* Parte de la geología que estudia la disposición y caracteres de las rocas estratificadas. • Estudio de los estratos arqueológicos, históricos, lingüísticos, sociales, etc.
ESTRATO m. *Geol.* Capa rocosa de espesor variable, que constituye los terrenos sedimentarios, formando series separadas entre sí por superficies de discontinuidad, denominadas planos de estratificación. • *Meteor.* Capa de nubes, baja y uniforme, semejante a la niebla. • Cada una de las capas de un tejido orgánico que se sobreponen a otras o se extienden por debajo de ellas. • Capa o nivel de una sociedad. • **cristalino.** *Geol.* Terreno formado por rocas pizarreñas de elementos cristalinos, que constituye la base de los sedimentarios. • **Estrato E.** Capa de la ionosfera sit. a unos 100 km de alt., de densidad electrónica variable en función de la actividad solar, y que permite las telecomunicaciones en ondas medias y largas. • **Estrato F.** Región más elevada de la ionosfera, formada por dos e.: uno a 200 km de alt. y el otro por encima de los 250 km, que permite las telecomunicaciones de onda corta. ■ ESTRATIFICAR; ESTRATIFORME.
ESTRATOCÚMULO m. Capa de nubes a poca altitud y de mucha extensión, que cubren gran parte del cielo.
ESTRATOPAUSA f. Límite superior de la estratosfera.
ESTRATOSFERA f. *Meteor.* Región de la atmósfera desde los 10 hasta los 80 km de altura. Contiene una capa de ozono de gran importancia para las condiciones de habitabilidad de nuestro planeta, ya que absorbe la casi totalidad de los rayos ultravioleta procedentes del Sol. ■ ESTRATOSFÉRICO, CA.
ESTRAVE m. *Mar.* Remate de la quilla del navío, que va en línea curva hacia la proa.
ESTRAZA f. Trapo, pedazo o desecho de ropa basta. • → Papel.
ESTRECHAR tr. Reducir a menor ancho o espacio una cosa. • fig. Apretar, reducir a estrechez. • fig. Precisar a uno, contra su voluntad, a que haga o diga alguna cosa. • prnl. Ceñirse, recogerse, apretarse. • fig. Cercenar uno el gasto, la familia, la habitación. • fig. Unirse y enlazarse una persona a otra con mayor intimidad. ■ ESTRECHAMIENTO.
ESTRECHEZ f. Escasez de anchura. • Escasez de tiempo. • Enlace estrecho de una cosa con otra. • fig. Amistad íntima. • fig. Aprieto. • fig. Recogimiento y austeridad de vida. • fig. Escasez notable; falta de lo necesario para subsistir. • *Biol.* Disminución anormal del calibre de un conducto natural o de una abertura.
ESTRECHO, CHA adj. Que tiene poca anchura. • Ajustado, apretado. • fig. Se dice del parentesco cercano y de la amistad íntima. • fig. Rígido, austero. • fig. Apocado, miserable, tacaño. • fig. Estrechez, aprieto. • *Geog.* Paso angosto comprendido entre dos tierras y por el cual se comunica un mar con otro.
ESTRECHÓN m. *Mar.* Socollada.
ESTRECHURA f. Estrechez o angostura de un terreno o paso. • Estrechez.
ESTREGAR tr. y prnl. Frotar con fuerza una cosa sobre otra para dar a ésta calor, limpieza, tersura, etc. ■ ESTREGADERA; ESTREGADERO; ESTREGADURA; ESTREGAMIENTO.
ESTREGÓN m. Roce fuerte, refregón.
ESTRELLA f. *Astr.* Cuerpo celeste que brilla con luz propia. • Especie de lienzo. • En el torno de la seda, cualquier rueda, grande o pequeña, cuya figura es de rayos o puntas, y que sirve para hacer andar a otra o para ser movida por otra. • Lunar de pelos blancos que tienen algunas caballerías en medio de la frente. • Objeto de figura de estrella. • fig. Signo, hado o destino. • fig. Persona que sobresale en su profesión por sus dotes excepcionales. • *Mil.* Fuerte de campaña que, por sus ángulos entrantes y salientes, imita en su figura a una estrella. • pl. Especie de pasta, en figura de estrellas,

Principales **estrellas**

	Distancia (en años luz)	*Magnitud*	*Luminosidad (Sol/1)*
alfa-Centauro	4,3	-0,3	1,86
Barnard	6,0	9,5	0,0004
Wolf 359	7,7	13,5	0,000017
Luyten 726 -8	7,9	12,5	0,00006
Lalande 21 185	8,2	7,5	0,0048
Sirio	8,7	-1,42	0,00036
Ross 154	9,3	10,6	24
Ross 248	10,3	12,2	0,0001
epsilon Eridano	10,8	3,8	0,25
Ross 128	10,9	11,1	0,00036
61 Cisne	11,1	5,6	0,052
Luyten 789 -6	11,2	12,2	0,00012
Procion	11,3	0,37	7,5
epsilon-Hydrus	11,4	4,7	0,12
Sigma 2 398	11,6	8,9	0,004
Groombridge 34	11,7	8,1	0,0058
tau-Ceti	11,8	3,6	0,36
Lacaille 9 352	11,9	7,2	0,013
BD + 5° 1 668	12,4	10,1	0,001
Lacaille 8 760	12,8	6,6	0,028
Kapteyn	13,0	9,2	0,0025
Krüger 60	13,1	9,9	0,0013
Ross 614	13,1	10,9	0,00052
BD -12° 4 523	13,4	10,0	0,0013
Van Maanen	13,8	12,3	0,00016
Wolf 424	14,6	12,6	0,00014
Groombridge 1 618	14,7	6,8	0,03
CD -37° 15 492	14,9	8,6	0,0058
CD -46° 11 540	15,3	9,7	0,0058
BD -20° 2 465	15,4	9,5	0,0028
CD -44° 11 909	15,6	11,2	0,00058
CD -49° 13 515	15,6	9,0	0,0044
AOE -17 415-6	15,8	9,1	0,004
Ross 780	15,8	10,2	0,0014
Lalande 25 372	15,9	8,6	0,0063
CC 658	16,0	11,0	0,0008
omicron-Eridano	16,3	4,5	0,3
70 Ophiuchi	16,4	4,2	0,4
Altair	16,5	0,77	13,5
BD + 43° 4 305	16,5	10,2	0,0016
AC + 79° 3 888	16,6	11,0	0,0008

Estratos puestos verticales por fuerzas tectónicas

Estrecho de Gibraltar

Clasificación de las **estrellas**

Clase espectral	Temperatura	Color	Características del espectro	Ejemplos notables
O	30 000-35 000 °C	azul oscuro	gases fuertemente ionizados	iota-Orion, Wolf-Rayet
B	15 000-30 000 °C	blanco o azul claro	predominio de helio (estrellas de helio)	Rigel, Regulus, Achernar, Alcion, beta-Centauro
A	11 000 °C	blanco	predominio de hidrógeno (estrellas de hidrógeno)	Sirio, Vega, Altair, Fomalhaut, Deneb
F	7 500 °C	amarillo claro	predominan hidrógeno y metales; destacan las rayas espectrales del calcio (estrellas de calcio)	Canopus, Procyon, Polar, alfa-Perseo
G	6 000 °C	amarillo	predominio de metales	Sol, Capella
K	≈ 4 000 °C	naranja	predominio absoluto de metales	Arcturus, Aldebaran, Pollux
M	≈ 3 000 °C	rojo o rojo anaranjado	presencia de óxido de titanio	Betelgeuse, Antares, Mira

Estrella de mar

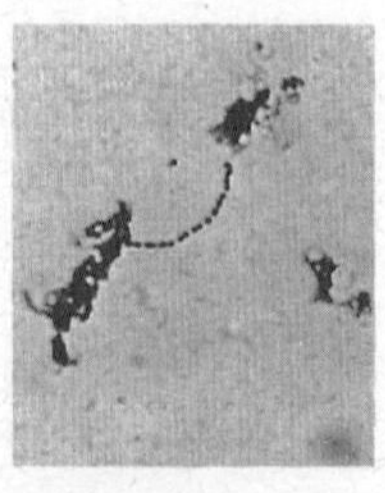

Colonia de **estreptococos**

que sirve para sopa. • **binaria.** Sistema de dos e. que se mueven en torno al baricentro de dicho sistema, obedeciendo a las leyes de la gravitación. • **circumpolar.** La que se halla siempre por encima del horizonte. • **de mar.** *Biol.* Equinodermo de cuerpo comprimido, en forma de e. de cinco puntas y totalmente cubierto por una concha caliza. • **doble.** *Astr.* E. binaria. • **enana.** E. de la secuencia principal. El Sol es una e. enana típica. • **enana blanca.** E. de pequeño tamaño y extraordinaria densidad (1 cm^3 de su materia pesa varios miles de kilos). Constituyen un estado final de la evolución estelar. • **enana roja.** E. enana de baja luminosidad. Las enanas rojas constituyen la clase más numerosa de e. • **fugaz.** Cuerpo luminoso que suele verse repentinamente en la atmósfera y se mueve con gran velocidad. • **gigante.** E. de brillo entre 20 y 200 veces el del Sol. • **matutina.** Planeta visible a ojo desnudo cuando sale antes que el Sol. • **múltiple.** Sistema de dos o más e. que ópticamente aparecen como una sola. • **polar.** La que está en el extremo de la lanza de la Osa Menor. • **subgigante.** E. de la familia intermedia entre las gigantes y la secuencia principal en el diafragma HR. • **supergigante.** E. de brillo entre 10^4 y 10^6 veces el del Sol, cuya densidad es reducidísima; gralte. se trata de e. jóvenes en rápida evolución. • **variable.** E. cuyo brillo no es constante. Su estudio permite determinar las distancias y dimensiones de las galaxias. • **vespertina.** Planeta visible a ojo desnudo cuando se pone depués que el Sol. ■ ESTRELLADO, DA.

* *Astr.* Una e. está compuesta por una masa gaseosa incandescente, cuya temperatura y presión aumentan rápidamente hacia el centro. La vida de las e. varía desde un millón hasta diez billones de años. Para la identificación de las e. se utilizan su brillo y su situación; los parámetros fundamentales son ascensión recta y declinación, y brillo o magnitud aparente. En nuestra galaxia existen unos cien mil millones de e., de las que se ven a ojo desnudo unas seis mil.

ESTRELLA Gutiérrez, ***Fermín*** (1900-1990) Escritor arg., n. en España. Ha cultivado el verso y la prosa en obras de carácter realista e intimista. *El cántaro de plata*, *Sonetos del cielo y de la tierra.* • **Y Ureña,** ***Rafael*** (m. 1945) Político dom. Cabecilla del golpe que derrocó al presid. Horacio Vázquez. Presid. provisional (1930) y vicepresid. (1930-1934).

ESTRELLADERO m. Especie de sartén con varias divisiones en las que pueden caber dos huevos, que usan los reposteros para hacer los huevos dobles quemados.

ESTRELLAMAR f. → Estrella de mar. • Hierba plantaginácea, especie de llantén.

ESTRELLAR tr. y prnl. Sembrar o llenar de estrellas. • fam. Arrojar con violencia una cosa contra otra haciéndola pedazos. • tr. Dicho de los huevos, freírlos. • prnl. Quedar malparado o matarse por efecto de un choque violento contra una superficie dura. • fig. Fracasar en una pretensión por tropezar contra un obstáculo insuperable. • adj. Relativo a las estrellas.

ESTRELLATO m. Condición de la persona que ha conseguido ser estrella del espectáculo.

ESTRELLERO, RA adj. Díc. del caballo o yegua que levanta mucho la cabeza. • f. *Mar.* Cada uno de los grandes aparejos que sirven para la sujeción de los palos.

ESTRELLÓN m. Fuego artificial que al tiempo de quemarse forma la figura de una estrella grande. • Figura de estrella, muy grande, que se pinta para colocarla en lo alto de un altar o lugar destacado. • *Chile* y *Hond.* Choque, encontrón.

ESTREMADURA Región y ant. prov. del litoral Centro-Sur de Portugal. Sit. entre Beira Litoral, Ribatejo y Alentejo. Bastante llana, la accidentan algunos relieves al N (sierra de Candeeiros) y en el centro (sierra de Cintra). Agricultura (cereales, olivo, vid) y pesca. Turismo. Los prales. centros urbanos son Lisboa y Setúbal. Reconquistada a los musulmanes en 1147 por Alfonso Henriques.

ESTREMECER tr. Conmover, hacer temblar. • fig. Ocasionar alteración o sobresalto en el ánimo una causa extraordinaria o imprevista. • prnl. Temblar con movimiento agitado y repentino. • fig. Sentir una repentina sacudida nerviosa o sobresalto en el ánimo. ■ ESTREMECEDOR, RA; ESTREMECIMIENTO; *Col.* ESTREMEZÓN.

ESTRENA f. Dádiva, regalo que se hace en señal de felicidad o beneficio recibido. También se usa en plural.

ESTRENAR tr. Hacer uso por primera vez de una cosa. • Tratándose de ciertos espectáculos públicos, representarlos o ejecutarlos por primera vez. • prnl. Empezar uno a desempeñar un empleo, oficio, encargo, etc., o darse a conocer por vez primera en el ejercicio de un arte, facultad o profesión. • Hacer un vendedor la primera transacción de cada día. ■ ESTRENO; ESTRENISTA.

ESTRENQUE m. Maroma gruesa hecha de esparto. • Cadena de hierro que enganchan los carreteros a las ruedas para que tiren de ella las caballerías cuando el carro está atascado.

ESTRENUO, NUA adj. Fuerte, ágil, esforzado. ■ ESTRENUIDAD.

ESTREÑIR tr. y prnl. Retrasar el curso del contenido intestinal y dificultar su evacuación. ■ ESTREÑIDO, DA; ESTREÑIMIENTO.

ESTREPA f. Estepa.

ESTREPADA f. Esfuerzo que se hace cada vez que se tira de un cabo, cadena, etc., y en especial el esfuerzo reunido de diversos operarios, etc. • *Mar.* Esfuerzo que para bogar hace cada remero, y todos a la vez. • *Mar.* Arrancada, aumento repentino en la velocidad de un buque.

ESTRÉPITO m. Ruido considerable, estruendo. • fig. Ostentación en la realización de algo. ■ ESTREPITOSO, SA.

ESTREPSÍPTERO, RA adj. y m. Díc. de insectos del orden estrepsípteros. • m. pl. Orden de insectos holometábolos de reducido tamaño, que viven como parásitos internos de cucarachas, avispas y otros insectos. Las hembras carecen de alas.

ESTREPTOCOCIA f. *Pat.* Infección producida por estreptococos.

ESTREPTOCOCO m. *Med.* Nombre dado a microbios de forma redondeada que se agrupan en forma de cadenita. Existen tres tipos: los e. lácticos, que viven en la leche acidificándola; los e. fecales, que viven en el tubo digestivo; y los e. respiratorios, que viven en el tracto respiratorio y en la boca. ■ ESTREPTOCÓCICO, CA.

ESTREPTOMICINA f. *Med.* Antibiótico que posee acción contra la tuberculosis y contra otras enfemedades. La e. resulta activa frente a bacterias, cocos gramnegativos y algunos grampositivos, pero su característica más importante es su actividad

ESTRELLA

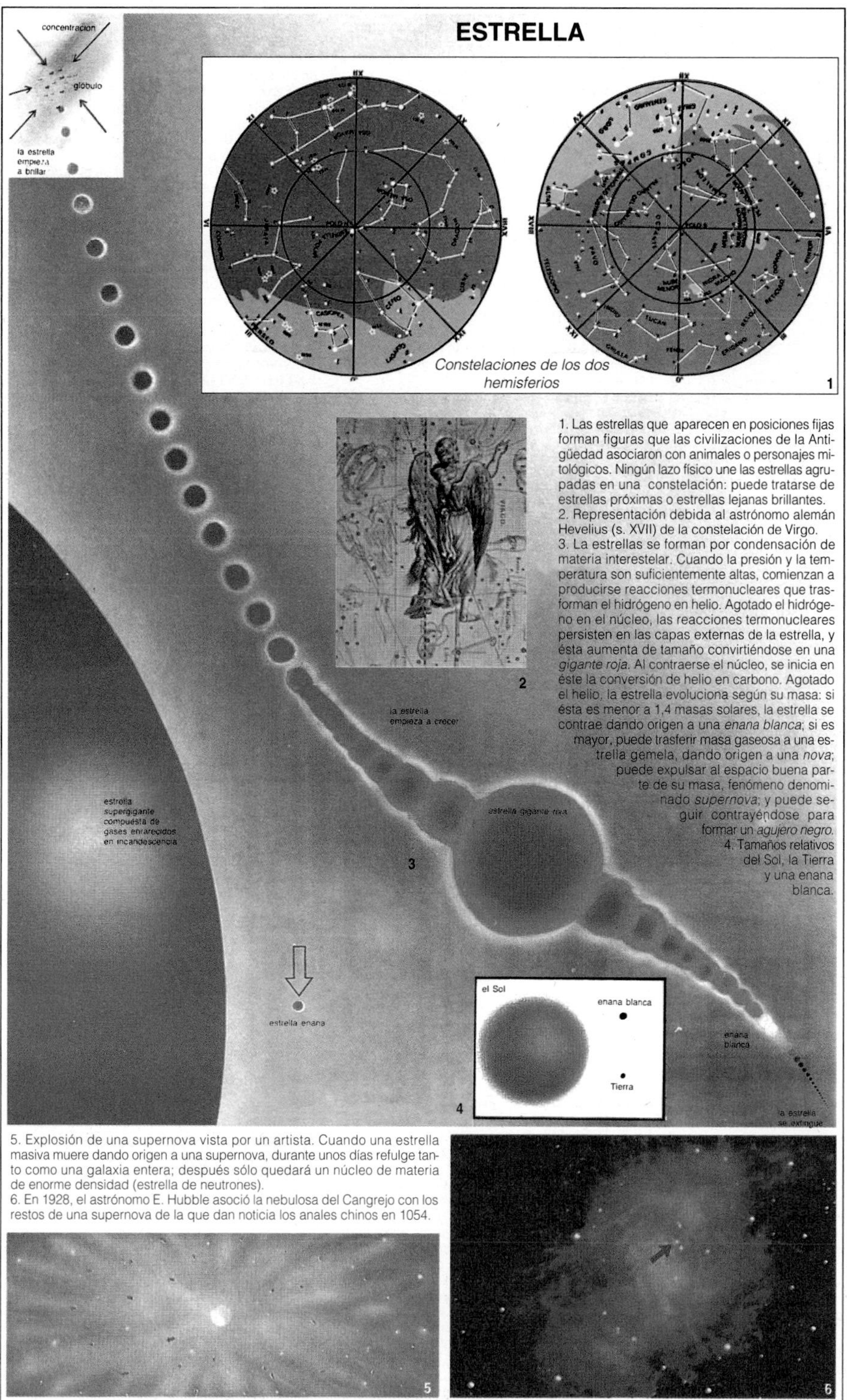

Constelaciones de los dos hemisferios 1

2

3

4

1. Las estrellas que aparecen en posiciones fijas forman figuras que las civilizaciones de la Antigüedad asociaron con animales o personajes mitológicos. Ningún lazo físico une las estrellas agrupadas en una constelación: puede tratarse de estrellas próximas o estrellas lejanas brillantes.
2. Representación debida al astrónomo alemán Hevelius (s. XVII) de la constelación de Virgo.
3. La estrellas se forman por condensación de materia interestelar. Cuando la presión y la temperatura son suficientemente altas, comienzan a producirse reacciones termonucleares que trasforman el hidrógeno en helio. Agotado el hidrógeno en el núcleo, las reacciones termonucleares persisten en las capas externas de la estrella, y ésta aumenta de tamaño convirtiéndose en una *gigante roja*. Al contraerse el núcleo, se inicia en éste la conversión de helio en carbono. Agotado el helio, la estrella evoluciona según su masa: si ésta es menor a 1,4 masas solares, la estrella se contrae dando origen a una *enana blanca*; si es mayor, puede trasferir masa gaseosa a una estrella gemela, dando origen a una *nova*; puede expulsar al espacio buena parte de su masa, fenómeno denominado *supernova*; y puede seguir contrayéndose para formar un *agujero negro*.
4. Tamaños relativos del Sol, la Tierra y una enana blanca.

5. Explosión de una supernova vista por un artista. Cuando una estrella masiva muere dando origen a una supernova, durante unos días refulge tanto como una galaxia entera; después sólo quedará un núcleo de materia de enorme densidad (estrella de neutrones).
6. En 1928, el astrónomo E. Hubble asoció la nebulosa del Cangrejo con los restos de una supernova de la que dan noticia los anales chinos en 1054.

5

6

frente al bacilo de la tuberculosis. La e. está indicada para infecciones resistentes a la penicilina.

ESTRÉS m. *Psic.* Situación de agotamiento físico general de un individuo, producida por un estado nervioso.

ESTRÍA f. *Arq.* Mediacaña en hueco, que se suele labrar en algunas columnas o pilastras de arriba abajo. • P. ext., cada una de las rayas en hueco que suelen tener algunos cuerpos.

Columnas con **estrías** de la puerta de Jerjes (Persépolis)

ESTRIACIÓN f. Conjunto de rayas transversales de las fibras musculares de los artrópodos y las del miocardio y de los músculos de contracción voluntaria de los vertebrados.

ESTRIAR tr. *Arq.* Formar estrías. • prnl. Formar una cosa en sí surcos o canales, o salir acanalada. ■ ESTRIADO, DA.

ESTRIASIS f. Enfermedad de los équidos y algunos rumiantes, caracterizada por la aparición de úlceras en el estómago.

ESTRIBACIÓN f. *Geog.* Estribo o ramal de montañas que se desprende de una cordillera.

ESTRIBAR intr. Descansar el peso de una cosa en otra sólida y firme. • fig. Fundarse, apoyarse. ■ ESTRIBADERO.

ESTRIBERA f. Estribo de la montura. • Estribo de un carruaje. • *Argent.* Correa del estribo.

ESTRIBERÓN m. Resalto colocado a trechos sobre el suelo en un paso difícil. • *Mil.* Paso firme hecho con piedras, zarzas o armazón de madera.

ESTRIBILLO m. Expresión en verso, que se repite después de cada estrofa en algunas composiciones líricas. •Bordón, muletilla.

ESTRIBO m. Pieza de metal, madera o cuero en que el jinete apoya los pies cuando va montado. • Especie de escalón que sirve para subir o bajar de los carruajes. • En las plazas de toros, especie de escalón en todo el círculo de la barrera para facilitar el salto de los toreros. • Hierro pequeño en figura de sortija, que se fija en la cabeza de la ballesta. • Chapa de hierro doblada en ángulo recto por sus dos extremos, que se emplea para asegurar la unión de ciertas piezas. • fig. Apoyo, fundamento. • *Arq.* Macizo de fábrica, que sirve para sostener una bóveda y contrarrestar su empuje. • *Arq.* Contrafuerte. • *Carp.* Madero en que se apoyan los pares de una armadura. • *Geog.* Estribación. • *Fisiol.* Uno de los huesecillos del oído medio. • **Perder** uno **los estribos.** fr. fig. Desbarrar; hablar u obrar fuera de razón. ■ ESTRIBERÍA.

ESTRIBOR m. *Mar.* Costado derecho del navío mirando de popa a proa.

ESTRIBOTE m. Composición poética ant. en estrofas con estribillo.

ESTRICADO m. Operación textil consistente en realizar el secado con el género tenso por medio de bastidores fijos.

ESTRICCIÓN f. Reducción de la sección de un cuerpo cuando está sometido a una tracción suficiente. • *Biol.* Constricción.

ESTRICNINA f. *Quím.* Alcaloide que se extrae de algunos vegetales, y es un veneno muy activo. Se usa en medicina como analéptico.

ESTRICNISMO m. Intoxicación por estricnina.

ESTRICOTE m. *Ven.* Vida desordenada o licenciosa. • **Al e.** m. adv. A mal traer.

ESTRICTO, TA adj. Estrecho, ajustado enteramente a la necesidad o a la ley. ■ *Argent.*, *Chile* y *Perú.* ESTRICTEZ.

ESTRIDENCIA f. Sonido estridente. • Violencia de la expresión o de la acción.

ESTRIDENTE adj. Aplícase al sonido agudo, desapacible y chirriante. • poét. Que causa ruido y estruendo.

ESTRIDOR m. Sonido agudo, desapacible y chirriante. ■ ESTRIDULAR; ESTRIDULOSO, SA.

ESTRIGE f. Lechuza.

ESTRÍGIDO, DA adj. Díc. de aves de la familia estrígidos. • m. pl. *Zool.* Familia de aves rapaces nocturnas, de tamaño variable, plumaje de color apagado, con una gran cabeza, ojos redondos y grandes, cuello muy flexible y excelente oído, a la que pertenecen el búho, la lechuza y el mochuelo.

ESTRILAR intr. *Argent.* Rabiar.

ESTRILO m. *Argent.* Enojo, enfado.

ESTRINA f. *Fisiol.* Cualquiera de las sustancias estrogénicas del ovario.

ESTRINQUE m. *Mar.* Estrenque, maroma.

ESTRO m. Ardoroso y eficaz estímulo con que se inflaman, al componer sus obras, los poetas y artistas. • Periodo de celo o ardor sexual de los mamíferos. • *Zool.* Moscardón. • *Zool.* Rezno, larva de un díptero.

ESTROBILACIÓN m. *Biol.* Proceso de gemación, en el que un individuo origina un conjunto apiñado de otros.

ESTRÓBILO m. *Biol.* Conjunto de órganos o de segmentos que adoptan forma de piña.

ESTROBOSCOPIA f. Método de observación de ciertos fenómenos ópticos, que se funda en la persistencia de las impresiones visuales en la retina.

ESTROBOSCOPIO m. Dispositivo óptico que permite observar cuerpos dotados de elevada velocidad angular, como si estuvieran inmóviles o poseyendo un movimiento lento.

ESTROFA f. Cualquiera de las partes compuestas del mismo número de versos y ordenadas de modo igual, de que constan algunas composiciones poéticas. • Cualquiera de estas mismas partes, aunque no estén ajustadas con simetría totalmente exacta. ■ ESTRÓFICO, CA.

ESTROFANTINA f. Sustancia cristalina que se extrae del estrofanto, y se utiliza en medicina por sus propiedades cardiotónicas.

ESTROFANTO m. Planta apocinácea de cuyas semillas se extrae la estrofantina.

ESTRÓFULO m. Dermatosis de la infancia, que se caracteriza por la erupción de pequeñas pápulas pruriginosas.

ESTRÓGENO m. *Fisiol.* Hormona sexual femenina que estimula el crecimiento y desarrollo de las peculiaridades corporales de la mujer. Los e. a nivel del útero promueven el desarrollo del miometrio y del endometrio, que entra en fase de proliferación. Sobre la mama provocan un desarrollo de los canalículos glandulares.

ESTROMA f. *Anat.* Tejido que sirve para el sostenimiento entre sus mallas de los elementos celulares, o de las sustancias activas contenidas en algunas células.

ESTROMANÍA f. Exacerbación del apetito sexual.

ESTROMBOLIANO, NA adj. Díc. de la erupción volcánica caracterizada por emisión de lavas fluidas y fenómenos explosivos, con lanzamiento de gases, lapilli y bombas volcánicas.

ESTRONA f. Estradiol.

ESTRONCIANA f. Óxido de estroncio que en la naturaleza se halla combinado con los ácidos carbónico y sulfúrico. Se obtiene artificialmente en forma de polvo gris.

ESTRONCIANITA f. Mineral formado por un carbonato de estroncio; es incoloro o verde, de brillo cristalino, y se emplea en pirotecnia por el color rojo que comunica a la llama.

Buhos, aves de la familia **estrígidos**

ESTRONCIO m. *Quím.* Elemento de símb. Sr, n. a. 38 y p. a. 87,63. Es un metal blanco muy oxidable. El nitrato de e. se emplea en pirotecnia.

ESTROPAJEAR tr. Limpiar en seco las paredes enlucidas, o con estropajo mojado cuando tienen polvo, para que queden tersas y blancas. ■ ESTROPAJEO.

ESTROPAJO m. Planta cucurbitácea, cuyo fruto desecado se usa como cepillo de aseo para fricciones. • Porción de esparto machacado, que sirve para fregar. • P. ext., trapo, paño o material similar

que sirve para fregar. • fig. Desecho, persona o cosa inútil o despreciable.
ESTROPAJOSO, SA adj. fig. y fam. Aplícase a la lengua o persona que pronuncia las palabras de manera confusa. • fig. y fam. Díc. de la persona muy desaseada y andrajosa. • fig. y fam. Aplícase a las cosas que son fibrosas y ásperas.
ESTROPEAR tr. y prnl. Maltratar a uno, dejándole lisiado. • Maltratar o deteriorar una cosa. • tr. Echar a perder, malograr cualquier asunto o proyecto. • Volver a batir el mortero o mezcla de cal.
ESTROPICIO m. fam. Destrozo, rotura estrepitosa, por lo común impremeditada. • P. ext., trastorno ruidoso de escasas consecuencias.
ESTRUCTURA f. Organización tal de las partes por la que el todo resultante posee cohesión y permanencia. • *Fil.* Conjunto de elementos interrelacionados que forman un todo. • Distribución de las partes de un edificio, del cuerpo o de otra cosa. • Armadura de un edificio. • fig. Orden con que está compuesta una obra de ingenio. • *Quím.* Disposición de los átomos en las moléculas. • **económica.** Situación de los recursos físicos y humanos de un terr., y sus relaciones de interdependencia. ■ ESTRUCTURAL.
* *Fil.* El concepto de e. tiene hoy tres acepciones: la psicológica, de la escuela de la *Gestalt*; la lógica, que aplica la noción de e. únicamente a relaciones, y la del estructuralismo, para el que la e. es el eje de una teoría de la realidad.
ESTRUCTURALISMO m. Método de investigación que aprehende la realidad a través de la estructura. • **lingüístico.** Actitud que, partiendo de las ideas de F. de Saussure, acepta el supuesto de que las lenguas constituyen estructuras en las que los elementos ejercen una función precisa en armonía con la totalidad de la lengua o alguno de sus aspectos. • *Fil.* El método estructuralista se contrapone a los métodos analítico, sintético y dialéctico. ■ ESTRUCTURALISTA.
ESTRUCTURAR tr. Distribuir, ordenar las partes de una obra o de un cuerpo. ■ ESTRUCTURACIÓN.
ESTRUENDO m. Ruido grande. • fig. Confusión, bullicio. • fig. Aparato, pompa. ■ ESTRUENDOSO, SA.
ESTRUJAR tr. Apretar una cosa para sacarle el zumo. • Apretar a uno y comprimirle fuerte y violentamente. • fig. y fam. Agotar; sacar todo el partido posible. ■ ESTRUJADOR, RA; ESTRUJADURA; ESTRUJAMIENTO.
ESTRUJÓN m. Acción y efecto de estrujar. • Vuelta dada al pie de la uva ya exprimida, apretándolo bien para sacar el aguapié. • fam. Estrujadura.
ESTRUMA m. *Med.* Bocio, lamparón, escrófula en el cuello.
ESTUACIÓN f. Flujo o creciente del mar.
ESTUANTE adj. Demasiadamente caliente y encendido.
ESTUARDO o **STUART** Nombre de la ant. familia escocesa de los Stewart (llamados Stuart desde 1542). De ella provinieron los reyes de Escocia a partir de 1371 y hasta 1688, y los de Inglaterra de 1603 a 1688.
ESTUARIO m. Desembocadura fluvial caracterizada por la considerable penetración o invasión de las aguas marinas.
ESTUCAR tr. Dar a una cosa con estuco o blanquearla con él. • Colocar sobre una superficie las piezas de estuco previamente moldeadas. ■ ESTUCADO; ESTUCADOR; ESTUQUERÍA; ESTUQUISTA.
ESTUCHAR tr. Recubrir con estuche de papel los terrones de azúcar u otro producto industrial.
ESTUCHE m. Caja o envoltura para guardar y proteger algún objeto, gralte. delicado. ■ ESTUCHISTA.
ESTUCO m. Masa de yeso blanco y agua de cola. • Revestimiento con cal apagada, mármol pulverizado, yeso y creta, que se usa para labores en relieve imitando el mármol.
ESTUCURÚ m. *C. Rica.* Búho grande.
ESTUDIADO, DA adj. Fingido, afectado.
ESTUDIANTADO m. Conjunto de alumnos o estudiantes como sector social. • Conjunto de alumnos de un centro docente.
ESTUDIANTE adj. y s. Que estudia. • com. Persona que cursa estudios, particularmente de grado medio o superior. • m. El que tenía por ejercicio estudiar los papeles a los actores dramáticos. ■ ESTUDIANTIL; ESTUDIANTINO, NA.
ESTUDIANTINA f. Grupo de estudiantes que salen tocando varios instrumentos por las calles.
ESTUDIANTÓN, NA m. y f. despect. Estudiante aplicado, pero poco inteligente.
ESTUDIAR tr. Ejercitar el entendimiento para comprender o aprender algo. • Cursar en las universidades o en otros centros de enseñanza. • Aprender o tomar de memoria. • Leer a otra persona lo que ha de aprender, ayudándola a estudiarlo. • *Pint.* Dibujar con modelo o del natural.
ESTUDIO m. Esfuerzo que pone el entendimiento aplicándose a conocer y comprender alguna cosa. • Obra en que un autor estudia una cuestión. • Pieza donde estudian y trabajan los que profesan las letras o las artes. • Apartamento, en general no muy grande, utilizado como lugar de estudio, trabajos de tipo creativo, etc., que a veces se utiliza como vivienda. • fig. Aplicación, maña, habilidad. • *Mús.* Composición destinada a que el ejecutante se ejercite en determinada dificultad. • *Pint.* Dibujo o pintura que se hace como preparación o tanteo para otra obra principal. ■ ESTUDIOSIDAD; ESTUDIOSO, SA.
ESTUFA f. Aparato o dispositivo que sirve para calentar las habitaciones. • Aposento recogido y abrigado, al cual se le da calor artificialmente. • Invernáculo. • Aparato que se utiliza para secar o desinfectar por medio del calor. • Aposento destinado en los baños termales a producir en los enfermos un sudor copioso. ■ ESTUFISTA.
ESTUFADOR m. Olla o recipiente donde se estofa la carne.
ESTUFILLA f. Manguito para abrigar las manos. • Rejuela o braserillo para calentar los pies. • Chofeta.
ESTULTICIA f. Necedad, tontería. ■ ESTULTO, TA.
ESTUOSIDAD f. Excesivo calor o ardor, como el producido por la calentura, insolación, etc.
ESTUPEFACCIÓN f. Pasmo o estupor. ■ ESTUPEFACTIVO, VA; ESTUPEFACTO, TA.
ESTUPEFACIENTE m. *Med.* Sustancia narcótica que produce sopor y puede crear hábito, como los opiáceos (opio y morfina) y derivados (heroína, metadona). También se consideran e. otras sustancias, como la cocaína, la marihuana, las anfetaminas (estimulantes psíquicos y vegetativos), el LSD, etc.
ESTUPENDO, DA adj. Admirable, asombroso, pasmoso.
ESTUPIDEZ f. Torpeza notable en comprender las cosas. • adj. y s. Díc. de los dichos o hechos propios de un estúpido.
ESTÚPIDO, DA adj. y s. Necio, falto de inteligencia. • Díc. de los dichos o hechos propios de un estúpido. • Estupefacto, poseído de estupor.
ESTUPIÑÁN, ***Nelson*** (nacido 1915) Escritor ecuat. *Cuando los guacayanes florecían*, *El paraíso*.
ESTUPOR m. *Med.* Disminución o paralización de las funciones intelectuales, gralte. acompañada de rigidez muscular. • fig. Asombro, pasmo.
ESTUPRO m. *Der.* Violación de una doncella menor, logrado con abuso de confianza o engaño.
ESTUQUE m. Estuco, masa de yeso blanco y agua de cola.
ESTURGAR tr. Perfeccionar el alfarero las piezas de barro por medio de la alaria.

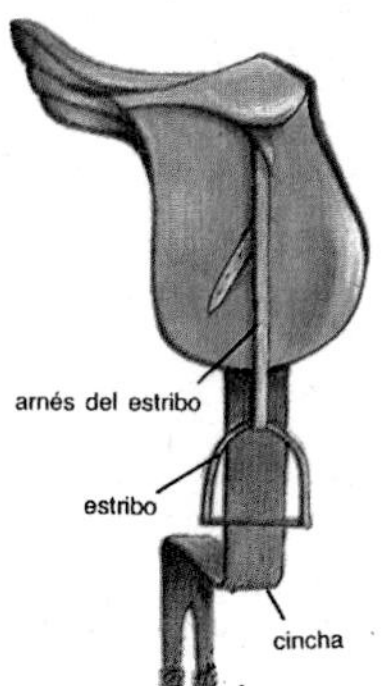

Estribo

Cristales de celestina, carbonato de **estroncio**

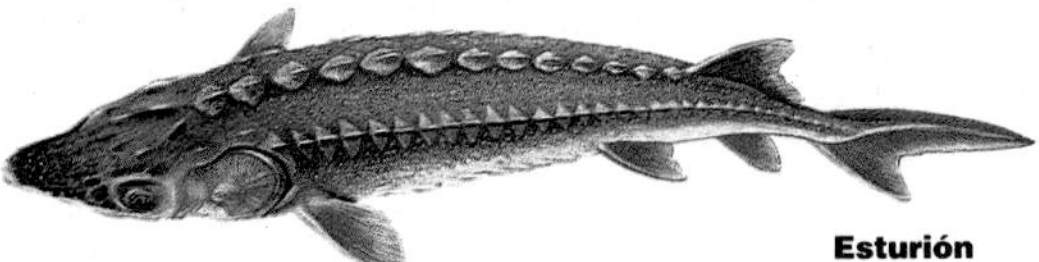
Esturión

ESTURIÓN m. Pez de mar, de carne comestible; con sus huevas se prepara el caviar, y con la vejiga seca se obtiene una gelatina llamada cola de pescado.
ESTÚRNIDO, DA adj. Díc. de los individuos de una familia de aves de plumaje brillante y voz potente, capaces de emitir sonidos articulados. • Re-

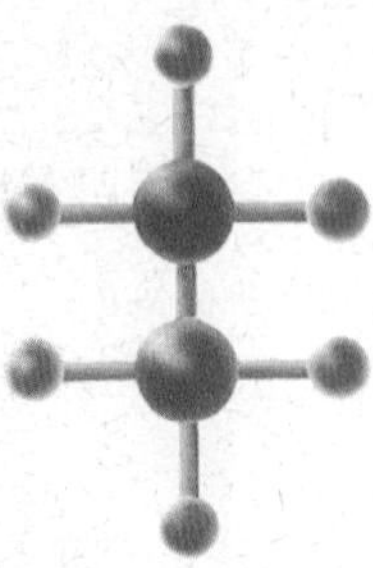

Estructura molecular del **etano** (en rojo, los átomos de carbono; en azul, los de hidrógeno)

Página de un códice del siglo XIV que contiene la ***Ética*** *a Nicómaco,* de Aristóteles. Biblioteca Nacional, Madrid

lativo a estos animales. • m. pl. Familia de estos animales.

ESVÁSTICA f. Cruz gamada.

ESVIAJE m. *Arq.* Oblicuidad de la superficie de un muro o del eje de una bóveda.

ETA f. Nombre de la *e* larga del alfabeto griego.

ETA Siglas de Euskadi ta Askatasuna.

ETALAJE m. Parte de la cavidad de la cuba de los hornos altos, inferior al vientre y encima de la obra, donde se completa la reducción de la mena por los gases del combustible.

ETAMÍN m. o **ETAMINA** f. Tela rala y flexible que sirve para trajes de señora.

ETANAL m. Aldehído acético.

ETANO m. *Quím.* Hidrocarburo saturado, de dos átomos de carbono. Se obtiene a partir del gas natural y posee un importante interés industrial.

ETANOL m. Alcohol etílico. Se obtiene en fase de vapor, pasando etileno y vapor de agua a presión sobre un catalizador de ácido fosfórico.

ETAPA f. Cada uno de los lugares en que se hace un alto en un viaje o marcha. • Trecho de camino entre un alto y otro. • *Mil.* Ración de comida que se da a la tropa en campaña o marcha. • fig. Época o avance parcial en el desarrollo de una acción u obra.

ETCÉTERA f. Voz con que se sustituye la parte final de una exposición o enumeración.

ETCHEBARNE, *Miguel D.* (nacido 1915) Escritor arg. *Lejanía, El arroyo perdido, La pampa.*

ETCHOJOA Mun. de México, en el est. de Sonora; 55 600 hab. Agricultura. Ganadería.

ETENO m. Denominación química oficial del etileno.

ETEOCLES Rey tebano, hijo de Edipo y Yocasta. Murió al enfrentarse con su hermano Polinices para gobernar Tebas.

ÉTER m. poét. Cielo, bóveda celeste. • *Fís.* Fluido hipotético, invisible, imponderable y elástico que se suponía llenaba todo el espacio. • *Quím.* Compuesto que resulta de la combinación de un ácido con un alcohol o de un alcohol con otro o consigo mismo. • *Quím.* Nombre aplicado a una serie de compuestos alcohólicos y volátiles. El más conocido es el é. dietílico, é. etílico o simplemente é. Es un líquido incoloro de olor dulzaino, cuyo vapor forma con el aire una mezcla detonante. Se usa como disolvente y como anestésico. ■ ETÉREO.

ETERISMO m. Pérdida de toda sensibilidad por la acción del éter.

ETERIZAR tr. *Med.* Administrar éter por las vías respiratorias. • *Quím.* Combinar con éter una sustancia. ■ ETERIZACIÓN.

ETERNIDAD f. Cualidad de eterno. • El tiempo considerado como extensión sin principio ni fin. • Espacio de tiempo muy largo. • El tiempo que sigue a la muerte.

ETERNIZAR tr. y prnl. Hacer durar o prolongar demasiado una cosa. • tr. Perpetuar la duración de una cosa.

ETERNO, NA o **ETERNAL** adj. Díc. de lo que está fuera de la acción del tiempo, de lo que no tiene principio ni fin, lo cual sólo es aplicable propiamente al Ser divino. • Que no tiene fin.

ETEROMANÍA f. Hábito morboso de aspirar vapores de éter. ■ ETERÓMANO, NA.

ETESIO m. Viento del N que sopla periódicamente, durante el verano, sobre el Mediterráneo oriental.

ÉTICA f. Parte de la filosofía que trata de la moral. ■ ÉTICO, CA.

* *Fil.* La é. estudia los actos morales, sus fundamentos y cómo se vinculan en la determinación de la conducta humana. Fue el centro de la especulación filosófica entre gr. y rom. El cristianismo basó en Dios los principios é. A partir del Renacimiento se formularon diversas teorías, como las de Maquiavelo, Hobbes y Spinoza. Kant fundamentó la e. en el imperativo categórico. Hegel identificó moral con política. En el s. XX se han analizado el lenguaje y los valores morales, y se estudia la conducta desde una óptica existencial.

ETILENO m. *Quím.* Gas incoloro, de sabor dulce y olor agradable, que con el aire forma una mezcla explosiva. Es un compuesto esencial en la ind. química orgánica. ■ ETILÉNICO, CA.

ETÍLICO, CA adj. *Quím.* Díc. de los compuestos derivados del etano. • fig. Alcohólico.

ETILISMO m. Alcoholismo.

ETILO m. *Quím.* Radical del etano, compuesto por dos átomos de carbono y cinco de hidrógeno.

ÉTIMO m. Palabra de la que procede etimológicamente un término.

ETIMOLOGÍA f. Origen de las palabras, razón de su existencia, de su significación y de su forma. • Parte de la gramática que estudia aisladamente estos aspectos de las palabras. ■ ETIMOLÓGICO, CA; ETIMOLOGISTA; ETIMOLOGIZAR; ETIMÓLOGO.

ETINO m. Denominación química oficial del acetileno.

ETIOLOGÍA f. *Fil.* Estudio sobre las causas de las cosas. • *Med.* Parte de la medicina que estudia las causas de las enfermedades. ■ ETIOLÓGICO, CA.

ETÍOPE adj. y s. De Etiopía. • Etiópico. • m. Combinación artificial de azufre y azogue, que sirve para fabricar bermellón.

Aparato de purificación y recuperación industrial del **éter** etílico

ETIOPÍA *(Yatyiopya)* Est. de África Oriental. Limita al N con el mar Rojo, al S con Kenia y Somalia, al E con Eritrea, Djibuti y Somalia y al O con Sudán.

* *Geog.* En el conjunto destacan la meseta etiópica al O, el macizo de Harar al E y la meseta somalí en la vertiente extremo oriental. La red hidrográfica comprende el Nilo, el Azul, el Omo, el Awash, el Webbe Shibeli y el Genale. El más imp. de sus lagos es el Tana. El clima, tropical por su latitud, varía sensiblemente por la alt. Cereales, café, plantas oleaginosas, caña de azúcar. Explotación forestal. Ganadería, plata, oro, hierro, cobre, cinc, sal. Ind. textil, del cemento, alimentaria, tabaquera, refinado de petróleo. Grupos étnicos o nac.: Amharas, gallas, somalíes, tigrés, tigriñas, danakiles y otros. Lenguas: amhárico, galla, somalí, tigriña y otras. Religiones: cristianismo copto (50 %), islamismo (30 %), animismo (14 %), catolicismo (0,7 %), y otras. U. M.: birr. Cap.: Addis Abeba. C. prales.: Gondar, Dessié, Debra Markos.

* *Hist.* Los orígenes históricos de E. hay que buscarlos en el reino de Axum, que existía ya en el s. II a. C. En el s. IV se introdujo el cristianismo. El poderoso reino empezó a decaer tras la derrota de La

Meca (570) frente a los musulmanes. Entre los ss. XV-XVI se reconquistó el terr. En 1855 Kassa unificó el país y se coronó emp. Desde finales del s. XIX se hizo efectiva la penetración it. en E. En 1952 la ONU aprobó la federación de E. y Eritrea, convertida en prov. post. En 1974 los militares derrocaron a H. Selassie. En 1977 un nuevo golpe de estado llevó al poder a Mengistu Haile Mariam, que implantó un régimen marxista con el apoyo de la URSS y Cuba. La situación política y económica se deterioró y los movimientos guerrilleros democráticos y secesionistas (Frente Popular de Liberación de Eritrea, Frente Popular de Liberación del Tigré) aumentaron su actividad, logrando finalmente, en 1991, imponer al gobierno un acuerdo de alto el fuego y la dimisión de Mengistu, que huyó. En abril de 1993, Eritrea aprobó mediante referéndum el acceso a la independencia. Pero en 1998 estalló una guerra entre ambos países por la región del Tigré que se prolongó hasta la firma de la paz en junio de 2000.

* *Arte.* El arte alcanzó su plenitud en el s. XII, cuando se excavaron en la piedra las doce iglesias de Lalibela. A partir del s. XVII se edificó la nueva cap. en Godar; sus edificios recuerdan a los renacentistas europeos. En escultura, además de los monolitos de Axum, destacan las esfinges de leones de piedra. De los ss. XVII-XVIII son los magníficos iconos pintados y dorados.

ETIÓPICO, CA adj. Relativo a Etiopía. • adj. y s. Díc. de quienes viven pralm. en Etiopía, Djibuti y Somalia. • m. Lenguas habladas en Etiopía.

ETIQUETA f. Ceremonial que se debe observar en las casas reales y en actos públicos solemnes. • P. ext., ceremonia en la manera de tratarse. • Marbete, rótulo. • *Comp.* Carácter o grupo de caracteres que identifican una sentencia de un programa a la cual se accederá a través de otra sentencia. • Cada uno de los nombres de todos los ficheros almacenados en una unidad de almacenamiento externo.

ETIQUETAR tr. e intr. Poner etiqueta o marbete a una cosa. ■ ETIQUETADOR, RA.

ETIQUETERO, RA adj. Que gasta muchos cumplimientos.

ETIQUEZ f. *Med.* Hetiquez, tisis.

ETITES f. *Min.* Concreción de óxido de hierro en bolas informes, formada de varias capas concéntricas de color amarillo y pardo rojizo.

ETMOIDES m. Hueso impar y medio de la base del cráneo, de las órbitas y de las fosas nasales. ■ ETMOIDAL.

ETMOIDITIS f. Inflamación del hueso etmoides, que puede provocar hinchazón de los párpados, congestión conjuntival y lagrimeo.

ETNA Volcán activo de Italia, en el NE de Sicilia; 3 340 m. Sus mayores erupciones se produjeron en 1669, 1879 y 1950.

ETNARCA m. Jefe de una prov. rom. • Jefe y juez supremo de una comunidad judía cuando la diáspora. ■ ETNARQUÍA.

ETNIA f. Agrupación natural de individuos de igual cultura que admite grupos raciales y organizaciones sociales varias. ■ ÉTNICO, CA.

ETNOBIOLOGÍA f. Ciencia que estudia la biología de las comunidades humanas.

ETNOCENTRISMO m. Tendencia a absolutizar los patrones culturales propios del grupo al que se pertenece.

ETNOGRAFÍA f. Ciencia que tiene por objeto el estudio y descripción de las razas o los pueblos. ■ ETNOGRÁFICO, CA; ETNÓGRAFO.

ETNOLINGÜÍSTICA f. Rama de la lingüística que estudia las lenguas desde el punto de vista etnográfico y en especial el lenguaje de los pueblos sin escritura.

ETNOLOGÍA f. Ciencia que estudia las razas y los pueblos.

* *Etn.* La e. pretende la explicación de la cultura de un determinado pueblo y las constantes universales que pueden servir para explicar otras culturas. Las prales. escuelas son: el evolucionismo, el difusionismo, el paralelismo, el funcionalismo, la escuela de cultura y personalidad norteam., la escuela social anglosajona y el estructuralismo. ■ ETNOLÓGICO, CA; ETNÓLOGO.

ETNOMUSICOLOGÍA f. Rama de la musicología que estudia la música de las sociedades llamadas primitivas, la música popular y folclórica de las sociedades industriales y la música culta de las altas civilizaciones no europeas.

ETOLIA *(Aitolía)* Ant. región de Grecia central, al N del golfo de Patrás (golfo de Corinto) y al E del r. Ajeloos.

ETIOPÍA

Superficie	1 130 139 km²
Población	58 733 000 hab. (44 hab./km²)
Recursos económicos	
Azúcar	139 000 t
Cabaña bovina	29 825 000 cabezas
Cabaña ovina	21 700 000 cabezas
Camellos	1 000 000 cabezas
Cemento	47 000 t
Maíz	2 189 000 t
Mijo	240 000 t
Oro	3 404 kg
Pesca	5 315 t
Sal	118 000 t
Sorgo	123 000 t
Tejidos de algodón	61 000 m
Trigo	157 000 t
Indicadores sociológicos	
PNB	5 722 millones de dólares
Renta per cápita	100 dólares
Esperanza de vida	50 años
Alfabetismo	36 %

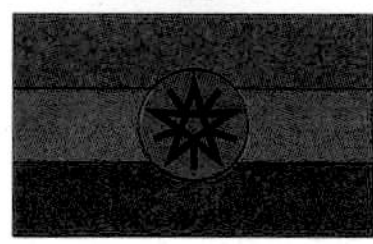

Etiopía. Arriba, mapa de situación y bandera; abajo, sede del banco nacional en Addis Abeba

ETOLOGÍA f. *Biol.* Ciencia que estudia el comportamiento animal en relación con el medio ambiente.

* *Biol.* La e., fundada por Konrad Lorenz a finales de la década de 1920, postula que las acciones instintivas de los animales se desencadenan a causa de la confluencia de factores internos, que mantienen un determinado nivel de motivación, y externos, que constituyen un estímulo que levanta las barreras que impiden la manifestación del comportamiento.

ETOPEYA f. *Ret.* Descripción del carácter, acciones y costumbres de una persona.

ETOS (voz gr.) m. Conjunto de rasgos culturales típicos que diferencian e individualizan a un grupo de otros.

ETRURIA Región de la ant. Italia; aprox. ocupaba la actual Toscana.

ETRUSCO, CA adj. y s. De Etruria. • m. Lengua de los etruscos.

* *Arte.* Los e. utilizaron el arco y la bóveda en sus construcciones. Las obras más características son los sarcófagos con las estatuas de los esposos recostados en el lecho, hallados en Cerveteri.

ETRUSCOLOGÍA f. Ciencia que estudia la historia, lengua, arte y cultura de los etruscos.

ETUSA f. Cicuta menor.

Eu *Quím.* Símb. del europio.

EUBACTERIA f. Bacteria del orden eubacteriales.

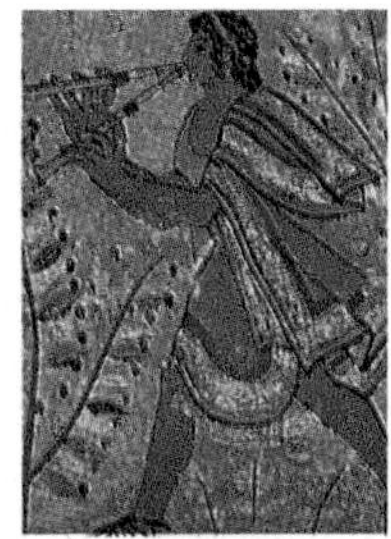

Arte **etrusco.** Fresco de la Tumba de los Leopardos en Tarquinia

Eucalipto. Árbol, hojas y fruto

Ángel portador de la ***Eucaristía,*** óleo de Tiépolo. Museo del Prado, Madrid

Crotón, planta de la familia **euforbiáceas**

EUBACTERIALES f. pl. *Biol.* Orden de bacterias esquizomicetes en forma de coco y de bacilo, que comprende la mayor parte de agentes patógenos tanto animales como vegetales.

EUBEA (*Evvia* o *Euboia*) Isla de Grecia en el mar Egeo. Cap., Calcis o Jalki.

EUBOLIA f. Virtud que ayuda a hablar con prudencia.

EUBULIDES de Mileto (s. IV a. C.) Filósofo gr. de la escuela megárica, pral. opositor de Aristóteles.

EUCALIPTO m. Árbol mirtáceo de rápido crecimiento, cuya madera se utiliza para la construcción y para obtener celulosa.

EUCARIOTA adj. y m. Díc. de los seres vivos cuyas células son completas. Animales y vegetales, excepto los virus, las bacterias y las algas azules.

EUCARISTÍA f. *Rel.* Sacramento mediante el cual, según la doctrina católica, el pan y el vino se convierten en el cuerpo y la sangre de Cristo por las palabras del sacerdote durante la misa. ■ EUCARÍSTICO, CA.

EUCKEN, *Rudolf* (1846-1926) Filósofo y escritor al. La base de su pensamiento era la «vida espiritual», y combatió el naturalismo. Premio Nobel de Literatura en 1908.

EUCLIDES (ss. IV-III a. C.) Matemático alejandrino. Publicó numerosas obras, entre las que destacan los *Elementos*. Divididos en trece libros, constituyen una recopilación de gran parte de las matemáticas conocidas en tiempo de E., y su gran valor reside en el uso riguroso del método deductivo, distinguiendo entre principios y teoremas. Los principios geométricos de los *Elementos* toman el nombre de postulados, y son cinco: tres de ellos aseguran la unicidad de la recta, determinada por dos puntos; el cuarto, la existencia de una circunferencia y radio dados, y el quinto proporciona condiciones que aseguran que dos rectas se cortan en un punto. A lo largo de la historia se ha mantenido la sospecha de que el quinto postulado era demostrable a partir de los anteriores y, en el s. XIX, condujo a la construcción de geometrías no euclídeas.

EUCLIDES de Mégara (ss. V-IV a. C.) Filósofo gr. Uno de los primeros discípulos de Sócrates. Fundó la escuela megárica. Combinó la doctrina y la dialéctica de los eleáticos con el socratismo.

EUCLIDIANO, NA adj. Relativo a Euclides.

EUCOLOGIO m. Devocionario que contiene los oficios del domingo y prales. fiestas del año.

EUCRASIA f. *Med.* Buena constitución. ■ EUCRÁTICO, CA.

EUCROMATINA f. Sustancia que en los cromosomas presenta la coloración normal de los núcleos tras una tinción adecuada.

EUDEMONISMO m. Doctrina moral que identifica la virtud con la alegría de realizar el bien.

EUDIOMETRÍA f. Técnica de análisis volumétrico de mezclas gaseosas en la que se emplea el eudiómetro.

EUDIÓMETRO m. *Fís.* y *Quím.* Tubo de vidrio muy resistente destinado a contener gases que han de reaccionar químicamente mediante la chispa eléctrica.

EUDOXIA Fedorovna (1669-1731) Zarina de Rusia. Casó con Pedro I el Grande, de cuyo matrimonio nació el príncipe Alejo (1690). Se opuso a las reformas políticas de su esposo y éste la encerró en un monasterio (1698).

EUDOXO de Cnido (408-355 a. C.) Matemático y astrónomo gr. Inventó el método de exhaustión, para medir el volumen de las esferas, pirámides y conos, y fijó la duración del año solar en 365 días y 6 horas.

EUFEMISMO m. Modo de evitar una palabra desagradable para el hablante, sustituyéndola por otra o por una perífrasis que alude indirectamente al mismo significado. ■ EUFEMÍSTICO, CA.

EUFONÍA f. Sonoridad agradable que resulta de la acertada combinación de los elementos acústicos de la palabra. ■ EUFÓNICO, CA.

EUFORBIÁCEO, A adj. y f. *Bot.* Aplícase a las plantas dicotiledóneas que tienen jugos gralte. lechosos y flores unisexuales. • Relativo a estas plantas. • f. pl. *Bot.* Familia de estas plantas.

EUFORBIO m. Planta afr., de tallo carnoso, con espinas muy duras, sin hojas, y de la cual se saca un zumo usado en medicina como purgante. • Resina de esta planta.

EUFORIA f. Facilidad para resistir una enfermedad. • *Med.* Estado normal de las funciones orgánicas; estado de salud. • Exaltación del estado de ánimo que se traduce en alegría y optimismo expansivos. ■ EUFÓRICO, CA.

EUFÓTICO, CA adj. Díc. de la zona superficial de los mares y océanos en la que penetra la suficiente luz para que se pueda verificar la fotosíntesis.

EUFÓTIDA f. Roca compuesta de diálaga y feldespato.

EUFRASIA f. Hierba escrofulariácea de flores pequeñas, axilares, blancas, con rayas purpúreas y una mancha amarilla.

ÉUFRATES (turco, *Firat*; ár., *al-Furat*) Río de Asia. Nace al NE de Turquía. En Bassora se une al Tigris, formando el Chat-el-Arab; 2 700-2 800 km.

EUFROSINA *Mit. gr.* Una de las tres Gracias; es la que expresa la serenidad.

EUFUISMO m. Forma típicamente ing. del preciosismo literario del s. XVI.

EUGENESIA f. Aplicación de las leyes biológicas de la herencia al perfeccionamiento de la especie humana. ■ EUGENÉSICO, CA.

EUGENIA María de Montijo (1826-1920) Dama esp. Casó con Napoleón III en 1853 y fue emperatriz de Francia hasta 1870.

EUGENIO III (m. 1553) Papa [1145-1153]. Presidió el concilio de Reims y firmó el tratado de Constanza. • **IV** (1383-1447) Papa [1431-1447]. Quiso unir las iglesias de Oriente y Occidente.

EUGENIO, *Flavio* (m. 394) Proclamado emp. de Roma por Arbogasto.

EUGENIO de Saboya (1663-1736) General fr. al servicio de Austria. Luchó en la guerra de Sucesión española.

EUGLENA f. Organismo unicelular de características vegetales y animales. Vive en las aguas dulces y posee clorofila, que puede perder para alimentarse de manera heterotrófica.

EULALIA de Mérida (m. h. 304) Santa. Doncella de Hispania, mártir en las persecuciones de Diocleciano y Maximiano.

EULER, *Leonhard* (1707-1783) Matemático suizo. Sus contribuciones más importantes las llevó a cabo en la teoría de números, y en el análisis matemático, en la parte relativa a funciones de variable compleja. • **Función de E.** Función que a cada núm. natural hace corresponder el núm. de naturales inferiores a él y primos con él. • **Teorema de E.** En cualquier poliedro que sea deformable en la superficie esférica, la suma del núm. de caras con el de vértices es igual al núm. de aristas más dos unidades.

EULER-CHELPIN, *Hans Karl von* (1873-1964) Químico al. Premio Nobel de Química en 1929. • *Ulf Svante* (1905-1983). Fisiólogo sueco, hijo de Hans. Estudió los compuestos biológicamente activos que llevaron al descubrimiento posterior de las prostaglandinas. Premio Nobel de Medicina y Fisiología en 1970, junto a J. Axelrod y B. Katz.

EUMENES (h. 360-316 a C.) General y estadista gr. Jefe de la cancillería de Alejandro Magno. A la muerte de Alejandro (323), fue partidario de mantener la unidad del imperio, pero fue derrotado y muerto por Antígono. • **I** (s. III a. C.) Soberano de Pérgamo [263-241]. Aliado a Tolomeo II de Egipto, derrotó en Sardes a Antíoco I de Siria. Creó el Estado de Pérgamo. • **II** (h. 197-159 a. C.) Rey de Pérgamo. Aliado de los rom. en la lucha contra Antíoco III de Siria.

EUMETAZOO adj. y m. Díc. de los animales pluricelulares con tejidos y órganos bien diferenciados.

EUNUCO m. Hombre completamente privado de glándulas genitales por ausencia congénita de las mismas (agenesia) o por su extirpación quirúrgica (castración). • *Hist.* En el Oriente ant., ministro o empleado favorito de un rey. • Nombre de los servidores de los reyes judíos que custodiaban las habitaciones del palacio. ■ EUNUQUISMO.

EUNUCOIDISMO m. Deficiencia del desarrollo de las glándulas endocrinas de los órganos sexuales.

EUPATORIO m. Planta herbácea de la familia compuestas, con flores blancas y róseas, olorosas, en corimbos apretados, y raíz fusiforme usada como purgante.

EUPÁTRIDA m. En la ant. Grecia, miembro de la nobleza hereditaria, descendiente de los conquistadores del Ática.
EUPEN-MALMÉDY Terr. del E de Bélgica; 1 000 km^2; 70 000 hab., de habla al. la mayoría. Abarca los cantones de Eupen, Malmédy y St. Vith.
EUPEPSIA *Med.* Digestión normal.■EUPÉPTICO, CA.
EUPLOIDE adj. y m. Díc. de los organismos o de las células de los mismos cuya dotación genética posee un número completo de genomas.
EUPLOIDÍA f. Situación genética caracterizada por la posesión de genomas completos en los núcleos.
EUPNEA f. *Med.* Respiración normal.
EURASIA Conjunto formado por Asia y Europa. ■ EURASIÁTICO, CA.
EURATOM Siglas de Comunidad Europea de Energía Atómica.
EUREKA Voz gr. usada como interjección de alegría cuando se halla algo que se busca con afán.
EURICO (h. 420-484) Rey visigodo [446-484]. Subió al trono tras asesinar a su hermano Teodorico II. Extendió sus dominios por las Galias y la pen. Ibérica. Compiló las leyes visigóticas en el código que lleva su nombre.
EURÍDICE *Mit. gr.* Esposa de Orfeo; éste no pudo rescatarla del Hades porque se volvió a mirarla, contra la prohibición de Perséfone, antes de haber salido al mundo exterior.
EURIHALINO adj. Díc. de los organismos capaces de soportar los cambios de salinidad del medio.
EURIMÉTRICO, CA adj. Díc. de organismos capaces de soportar grandes cambios de temperatura.
EURÍPIDES (480-405 a. C.) Poeta dramático gr., nacido en Salamina; es el gran renovador del teatro helénico y trágico gr. más cercano a la sensibilidad actual. *Medea, Fedra, Electra, Hécuba, Alcestes, Ifigenia en Áulida, Ifigenia en Táurida, Orestes.*
EURITÉRMICO, CA adj. Díc. de los organismos capaces de soportar grandes cambios de temperatura en el medio donde habitan.
EURITMIA f. Buena disposición y correspondencia de las partes de una obra de arte. ■ EURÍTMICO, CA.
EURITÓPO, PA adj. Díc. de las especies que viven en una área geográfica muy extensa.
EURO m. poét. Uno de los cuatro vientos cardinales, que sopla de oriente.
EURO m. Unidad monetaria de doce de los estados miembros de la Unión Europea: Alemania, Austria, Bélgica, España, Finlandia, Francia, Grecia, Irlanda, Italia, Luxemburgo, Países Bajos y Portugal.
EUROAFRICANO, NA adj. Relativo a la vez a Europa y África.
EUROCOMUNISMO m. Corriente del mov. comunista caracterizada por la aceptación del juego democrático y el abandono de las tesis leninistas.
EUROMISILES *Pol.* Armamento nuclear de corto y medio alcance (cohetes Pershing y Cruise norteam. y SS-20 sov.), establecidos en terr. europeo a raíz de la aplicación de la política de doble decisión. Reagan y Gorbachov han acordado la supresión de los misiles de corto y medio alcance, y los dos grandes negocian acuerdos más amplios que podrían suponer la desnuclearización de Europa y la reducción de las fuerzas convencionales.
EUROPA Uno de los cinco continentes del mundo (unos 10,5 millones de km^2). Constituye una pen., la más occidental de la masa emergida eurasiática. Se halla sit. en el hemisferio boreal, casi por completo en la zona templada N, a excepción del pequeño sector situado más alla del círculo polar ártico. Está limitada al N por el océano Glaciar Ártico, al O por el Atlántico, al S por los mares Mediterráneo y Negro, el Cáucaso y el mar Caspio, y el E por los Urales, el río Ural y el mar Caspio.
 * *Geog. fís.* Se distinguen dos grandes conjuntos montañosos, uno ant. al N y otro de cadenas jóvenes al S, y entre ambos una serie de llanuras. En el conjunto ant. se encuentran los Alpes de Escandinavia, los montes Grampianos, los Peninos, los Cambrianos, el macizo Galaico, los montes de To-

Orfeo y **Eurídice.** Escultura en marfil, s. XVIII

Eurípides. Museo del Louvre, París

Europa, estados y territorios

Estados	Km^2	Habitantes	Densidad	Capital
Albania	28 748	2 393 000	83	Tirana
Alemania	357 022	82 143 000	230	Berlín
Andorra	453	64 000	138	Andorra la Vella
Austria	83 859	8 087 000	96	Viena
Bélgica	30 528	10 189 000	334	Bruselas
Bielorrusia	207 600	10 360 000	50	Minsk
Bosnia-Herzegovina	51 129	3 124 000	61	Sarajevo
Bulgaria	110 994	8 329 000	75	Sofía
Checa, Rep.	78 864	10 307 000	131	Praga
Croacia	56 538	4 774 000	84	Zagreb
Dinamarca	43 094	5 284 000	123	Copenhague
Islas Feroe	1 399	44 000	31	Thorshavn
Eslovaquia	49 035	5 404 000	110	Bratislava
Eslovenia	20 251	1 955 000	97	Liubliana
España*	504 750	39 669 000	78	Madrid
Estonia	45 227	1 463 000	32	Tallinn
Finlandia	338 145	5 145 000	15	Helsinki
Francia	543 965	56 616 000	104	París
Gran Bretaña	244 110	58 919 000	241	Londres
Isla de Man	588	70 000	122	Douglas
Islas del Canal	195	148 000	759	St. Peter Port
Grecia	131 957	10 541 000	80	Atenas
Hungría	93 030	10 157 000	109	Budapest
Irlanda	70 285	3 644 000	52	Dublín
Islandia	102 819	271 000	3	Reykjavik
Italia	301 308	57 511 000	191	Roma
Letonia	64 610	2 472 000	38	Riga
Liechtenstein	160	31 000	196	Vaduz
Lituania	65 300	3 706 000	57	Vilnius o Vilna
Luxemburgo	2 586	420 000	162	Luxemburgo
Macedonia	25 713	1 984 000	77	Skopje
Malta	316	375 000	1 187	La Valetta
Moldavia	33 700	4 363 000	130	Kishiniov
Mónaco	1,95	32 000	15 950	Mónaco
Noruega	323 752	4 405 000	14	Oslo
Dep. árticas	63 080	3 000	-	
Países Bajos	41 526	15 619 000	376	Amsterdam
Polonia	312 685	38 802 000	124	Varsovia
Portugal	91 037	9 943 000	108	Lisboa
Rumania	238 391	22 572 000	95	Bucarest
Rusia (terr. europeo)	4 238 500	115 141 000	27	Moscú
San Marino	60,57	26 000	420	San Marino
Suecia	449 964	8 827 000	20	Estocolmo
Suiza	41 285	8 863 000	20	Berna
Turquía (terr. europeo)	23 764	6 511 000	274	Ankara
Ucrania	603 700	51 150 000	85	Kiev
Vaticano	0,44	1 000	-	Ciudad del Vaticano
Yugoslavia (Serbia y Montenegro)	102 173	10 632 000	104	Belgrado
EUROPA	10 218 197,96	702 489 000	68	

* Territorio continental europeo.

ledo, el macizo Armoricano, el Central fr., los Vosgos, el macizo de las Ardenas, el Renano, la Selva Negra, el Harz, el Cuadrilátero de Bohemia y la cadena de los Urales. Pertenecen al grupo del S, el sistema Bético, los Pirineos, los Alpes, los Alpes Dináricos, la cadena del Pindo, los Cárpatos, los Alpes de Transilvania, los Balcanes y la cordillera del Cáucaso. La llanura se extiende desde el golfo de Vizcaya por Francia, Bélgica, Países Bajos, N de Alemania, Rusia, y se prolonga en la cuenca del Támesis. Algunos volcanes permanecen en actividad (Vesubio, Etna, Hekla). Las costas son muy articuladas; el 27 % del territorio está formado por pen. (Escandinava, Ibérica, Itálica, Balcánica) y el 8 % por islas (Gran Bretaña, Irlanda, Islandia, Baleares, Sicilia, Córcega, Cerdeña, Malta, Creta). En el litoral atlántico se forman los fiordos noruegos, los *firths* escoceses y las rías gallegas. En el sector del océano Glaciar Ártico y el Atlántico se forman varios mares (Barents, Blanco, Báltico, de Irlanda, Cantábrico). Los mares Adriático, Jónico y Egeo se comunican con los del sector oriental (Mármara,

1

2

Europa. 1. Vista parcial del Ponte Vecchio, en Florencia (Italia). 2. Suiza, país entre montañas, posee bellas zonas lacustres. 3. Catedral de Constanza, en Alemania

3

Negro y Azov). El Volga es el río más imp. Destacan también: el Rin, el Vístula, el Elba, el Tajo, el Loire, el Ebro, el Ródano, el Po, el Danubio, el Ural y el Dniéper. Los lagos están en los países bálticos y en la región alpina. El clima es templado, aunque varía con la altitud. La flora está representada por el bosque caducifolio, el de hoja perenne, la estepa, la tundra, las praderas y las coníferas. La fauna marítima es muy variada. Los animales terrestres más abundantes son los mamíferos roedores y carnívoros.

* *Geog. econ.* La economía europea está basada pralm. en una moderna ind., en las actividades marítimas, en una explotación intensiva de la agricultura y la ganadería, y en el comercio. Solamente el 27 % de la superficie es cultivable. La mayor producción se da en cerales, forrajes, hortalizas, frutas, vid, olivo, patatas y remolacha azucarera. Cada vez menos población activa se dedica a este sector. La riqueza forestal ha retrocedido frente a la agricultura y la ganadería, excepto en los países del N. El ganado vacuno abunda en el área atlántica, el lanar en la mediterránea, y el de cerda y el caballar tienen un reparto equilibrado. La pesca alcanza la tercera parte de la producción mundial. Los recursos mineros se centran en el hierro y la hulla, y es deficitaria en petróleo, aunque sus recursos han experimentado un gran crecimiento con la explotación de la plataforma submarina del mar del Norte. Otros productos imp. son el mercurio, el uranio, el cobre, el cinc y el plomo. La disponibilidad de fuentes de energía ha posibilitado el desarrollo industrial a pesar de la necesidad de importar materias primas. Las ind. de mayor producción son la siderúrgica, la siderometalúrgica, la automovilística, la textil, la química, la de artículos de precisión y bienes de consumo, la forestal y la alimentaria. Europa ha emprendido en el último decenio una profunda reconversión ind., que la ha llevado a disminuir el peso del sector secundario clásico, especialmente metalúrgico y siderometalúrgico, en beneficio de una formidable expansión de las nuevas tecnologías informáticas y de telecomunicaciones, así como el sector servicios y las ind. del ocio y la cultura.

EUROPA *Mit. gr.* Hija de Fénix (o de Agenor) y de Telefasa. Zeus se enamoró de ella, la transportó a Creta y tuvo de ella a Minos, Sapedón y Radamanto.

EUROPA, *Picos de* Macizo montañoso del N de España. Alt. máx. Peña Cerredo (2 648 m) y Peña Vieja (2 613 m).

EUROPEIDAD f. Calidad o condición de europeo. • Carácter genérico de los pueblos que componen Europa.

EUROPEÍSMO m. Doctrina de los europeístas. • Tendencia que propugna la unidad económica, política y cultural de las naciones europeas.

EUROPEO, A adj. y s. De Europa.

EUROPIO m. *Quím.* Elmento de símb. Eu y n. a. 63. Metal gris, maleable y parecido al hierro.

EUROVISIÓN Asociación europea encargada de coordinar los intercambios de emisiones radiodifundidas y televisadas entre los países de Europa Occidental.

EUSCALDUNA m. y f. Persona que habla euskara. • adj. Vasco.

ÉUSCARO, RA adj. Relativo al euskara. • m. Lengua vasca.

EUSEBIO (265-340) Obispo de Cesarea en 313. *Historia eclesiástica, Vida de Constantino.*• **De Nicomedia** (h. 280-341) Obispo de Constantinopla. Perdió la sede de Nicomedia por ser partidario de Arriano.

EUSKADI o EUZKADI Denominación nacionalista del País Vasco. Desde 1979, nombre of. de la comunidad autónoma esp. que comprende las prov. de Álava *(Araba)*, Guipúzcoa *(Gipuzkoa)* y Vizcaya *(Bizcaia)*.

EUSKADI ta Askatasuna (País Vasco y Libertad) ETA. Organización político-militar vasca creada en 1959. Sus postulados son la reunificación e independencia del País Vasco bajo el socialismo (alternativa KAS).

EUSKARA o **EUSKERA** o **EUSQUERA** m. Lengua de origen remoto e impreciso, tal vez caucásico, que se habla en el N de España y el SO de Francia, en parte del País Vasco. • Vascuence, lengua de los vascos. • adj. Relativo a dicha lengua.

* *Ling.* y *Lit.* El e. actual presenta varios dialectos en territorio esp. y fr., pero se ha realizado un esfuerzo de unificación normativa a partir del batúa (Koldo Mitxelena), hoy consagrado como vehículo of. y literario.

* *Lit.* Se conservan oralmente fragmentos de poesía épica medieval. El libro más ant. conocido es *Linguae Vasconum Primitiae* (1545). A partir del Romanticismo se suceden diversos poetas, entre los que cabe citar a José Maria Iparraguirre *(Gernikako arbola)*; Orixe (seudónimo de Nicolás de Ormaechea), autor de *Euskaldunak* (1950), auténtica epopeya del pueblo vasco; Xavier de Lizardi. La aparición de las *ikastolas* (escuelas euskeras) y la recuperación de la autonomía han dado lugar a la aparición de una pléyade de nuevos escritores (Aerasola, Mendiguren, Urkizu, Unzueta, Muxika, Lasa), junto con una gran eclosión del cine vasco (Imanol, Uribe) y de la música.

EUSTACHI, *Bartolomeo* (1510-1574) Médico it., autor de varios estudios de anatomía. • **Trompa de E.** Conducto osteofibrocartilaginoso que comunica la caja del tímpano con la rinofaringe.

EUSTACIO (s. XII) Escritor y prelado bizantino. Obispo de Tesalónica, se distinguió en la defensa de la ciudad ante los normandos (1185). *Comentarios a los poemas de Homero.*

EUSTATISMO m. Teoría que explica las variaciones de nivel de los océanos por causas geológicas diversas.

EUSTILO adj. y m. *Arq.* Díc. del monumento o edificio adornado con columnatas que ofrecen una agradable distribución de sus columnas, por tener las centrales seis módulos de intercolumnio y las demás cuatro módulos y medio.

EUTANASIA f. Muerte sin sufrimiento físico. • Teoría que defiende la licitud de acortar la vida de un enfermo incurable, para poner fin a sus sufrimientos físicos. ■ EUTANÁSICO, CA.

EUTÉCTICO, CA adj. Díc. de la mezcla cristalina que funde a una temperatura menor que la de sus componentes.

EUTECTOIDE adj. y m. Aleación metálica que no altera la proporción de sus elementos a bajas temperaturas.

EUTERIO, RIA adj. y m. *Zool.* Placentario.

EUTERPE *Mit. gr.* Musa de la música.

EUTEXIA f. Fenómeno por el que se separan los componentes de una disolución al enfriarla.

EUTIMIA f. Estado de ánimo equilibrado y tranquilo.

EUTIQUES (378-454) Heresiarca bizantino. Afirmó que sólo existe una naturaleza en Jesucristo, pues la divina ha absorbido a la humana. Los concilios de Constantinopla (448) y de Calcedonia (451) condenaron esta doctrina.

Creación de **Eva.** Mosaico de la Basílica de San Marcos, Venecia, Italia

Miniatura del **Evangeliario** Cuzon (siglo XVIII).Museo Británico, Londres

EUTIQUIANO, NA adj. y s. Sectario de Eutiques. • Relativo a la doctrina y secta de Eutiques. ■ EUTIQUIANISMO.

EUTOCIA f. Parto que se desarrolla sin complicaciones.

EUTRAPELIA o **EUTROPELIA** f. Virtud que modera el exceso de las diversiones. • Donaire o jocosidad inofensiva. • Recreo inocente y moderado.

EUTROFIA f. Estado normal de nutrición de un tejido, órgano o ser vivo.

EUTRÓFICO, CA adj. Relativo a la eutrofia. • Díc. de las aguas en general, y específicamente de lagos y aguas potámicas, ricas en materia orgánica y en nutrientes, normalmente templadas, que pueden sustentar una amplia población de organismos planctónicos.

EUTROPIO (s. IV) Historiador latino. *Breviario de la historia romana.*

EUZONE m. Soldado de infantería ligera del ejército griego.

EVA Primera mujer y madre de la humanidad, según la Biblia. Aparece como la primera víctima del espíritu del mal.

EVACUAR tr. Desocupar alguna cosa. • Expeler un ser orgánico humores o excrementos. • Desempeñar un encargo, informe o cosa semejante. • *Der.* Cumplir un trámite. • *Med.* Sacar, extraer los humores viciados del cuerpo humano. • *Mil.* Dejar una plaza o un lugar las tropas que había allí. ■ EVACUACIÓN; EVACUANTE; EVACUATIVO, VA; EVACUATORIO, RIA.

EVADIR tr. y prnl. Evitar un daño o peligro inminente; eludir con arte o astucia una dificultad prevista. prnl. Fugarse, escaparse.

EVALUACIÓN f. Valuación.

EVALUAR tr. Señalar el valor de una cosa. • Estimar, apreciar, calcular el valor de una cosa. • Comprobar el rendimiento escolar de un alumno mediante una reunión a la que asisten todos los profesores del mismo.

EVANESCENTE adj. Que se desvanece o esfuma. ■ EVANESCENCIA.

EVANGELIARIO m. Libro que contiene los evangelios de cada día del año.

EVANGELICALISMO m. *Rel.* Postura de las iglesias reformadas que recurren a los *Evangelios* para atacar a la Iglesia Católica.

EVANGÉLICO, CA adj. Relativo al Evangelio. • adj. y s. Relativo a las iglesias surgidas de la Reforma protestante. • Miembro de las mismas. • adj. Díc. particularmente de una secta formada por la fusión del culto luterano y del calvinista.

EVANGELIO m. *Rel.* Doctrina de Jesucristo. • Libro que la contiene. • Capítulo tomado de uno de los cuatro libros de los evangelios que se lee durante la misa. • fig. y fam. Verdad indiscutible. • **Evangelios apócrifos.** Escritos anónimos atribuidos a personajes del N.T. que la Iglesia Católica no admite en su canon.

* *Rel.* Etimológicamente la voz E. se aplicó a la predicación de Cristo y de los apóstoles. La iglesia cristiana reconoce sólo cuatro e.: los de Mateo, Marcos, Lucas y Juan. Fueron escritos en los ss. I-II d. C.

EVANGELISMO m. Movimiento reformador del s. XVI. • Doctrina de las iglesias reformadas evangelistas.

EVANGELISTA m. Cada uno de los cuatro escritores sagrados que escribieron el Evangelio. • Persona destinada para cantar el Evangelio en las iglesias. • *Méx.* Memorialista.

EVANGELISTERO m. Sacerdote que en algunas iglesias está encargado de cantar el Evangelio en las misas solemnes.

EVANGELIZAR tr. Predicar el Evangelio. ■ EVANGELIZACIÓN; EVANGELIZADOR, RA.

EVANS, *Arthur* (1851-1941) Arqueólogo brit. Descubrió el palacio de Cnosos en Creta (1900-1908). Escribió diversas obras sobre arqueología, como *Palacio de Minos*. • ***George de Lacy,*** SIR (1787-1870) Militar brit. Combatió en la guerra de indep. esp. y en la de Crimea.

EVANS-PRITCHARD, *Edward* (1903-1973) Antropólogo brit. Gran renovador de los estudios de antropología política, publicó con M. Fortes una obra que, desde planteamientos estructural-funcionalistas, *Sistemas políticos africanos*, se considera la pionera de la antr. política. Realizó numerosos estudios de campo en África, *Los nuer*, y sobre las religiones afr., *Teorías de la religión primitiva*.

EVAPORACIÓN f. Transformación de un líquido al estado gaseoso a cualquier temperatura.

EVAPORADOR, RA adj. Que evapora o sirve para evaporar. • m. En la industria alimentaria, aparato que sirve para deshidratar frutas y legumbres; • **rotatorio.** Aparato empleado en los laboratorios químicos para concentrar disoluciones evaporando los disolventes.

EVAPORAR tr. y prnl. Convertir en vapor un líquido. • fig. Disipar, desvanecer. • prnl. fig. Fugarse, desaparecer sin ser notado. ■ EVAPORABLE.

EVAPORATORIO, RIA adj. y m. Aplícase al medicamento que tiene virtud y eficacia para hacer evaporar.

EVAPORITA f. Roca o depósito mineral originado por precipitación de las sales disueltas en las aguas de una cuenca marina cerrada o laguna, debido a la evaporación parcial o total de dichas aguas.

EVAPORIZAR tr., intr. y prnl. Vaporizar. ■ EVAPORIZACIÓN.

EVAPOTRANSPIRACIÓN f. Evaporación del agua en un terreno, originada por la transpiración de las plantas.

EVASIÓN f. Recurso para evadir una dificultad. • Acción y efecto de evadirse de un lugar. • **de capitales.** Exportación fraudulenta de dinero a otro país a fin de obtener una mayor rentabilidad y seguridad. • **fiscal.** Acción del contribuyente para eludir un determinado impuesto.

EVASIVA f. Efugio para eludir una dificultad. ■ EVASIVO, VA; EVASOR, RA.

EVECCIÓN f. *Astr.* Perturbación periódica en el movimiento de la Luna, producida por la atracción solar. El periodo de e. es de 31,5 días.

EVENEPOEL, *Henri* (1872-1899) Pintor belga, uno de los iniciadores del fauvismo. *Retrato del pintor Paul Baignières*, *El español en París*.

EVENTO m. Acontecimiento imprevisto.

EVENTRACIÓN f. *Med.* Hernia ventral.

EVENTUAL adj. Sujeto a cualquier evento o contingencia. • Aplícase a los emolumentos anejos a un empleo fuera de su dotación fija. • Díc. de ciertos fondos destinados en algunas oficinas a gastos accidentales. • Aplícase al trabajador que no goza de situación fija en la plantilla de una empresa. ■ EVENTUALIDAD.

EVEREST *(Chomolungma, Jomokangkar* o *Zhumulangmafeng)* Monte más alto del mundo, en el Himalaya, entre Nepal y Tibet; 8 848 m.

EVERGLADES Región pantanosa del S de Florida (EE UU), sit. alrededor del lago Okeechobee. Ha sido drenada y cultivada en parte, mientras que el resto forma un parque nacional.

EVERSIÓN f. Destrucción, ruina, desolación. • Desviación de una cosa hacia el exterior de otra en cuyo interior se halla.

EVERTSZ, *Juancho* (nacido 1913) Político antillano neerlandés. Jefe del Partido Nacional Popular (socialcristiano), fue primer ministro de las Antillas Neerlandesas entre 1973 y 1977.

EVICCIÓN f. *Der.* Despojo que sufre el poseedor, y en especial el comprador de una cosa.

EVIDENCIA f. Certeza manifiesta y tan perceptible de una cosa, que nadie puede racionalmente dudar de ella. • **En e.** m. adv. Con los verbos *poner*, *estar*, *quedar*, etc., en ridículo, en situación desairada.

EVIDENCIAR tr. Hacer patente y manifiesta la certeza de una cosa. ■ EVIDENTE.

EVIRACIÓN f. Castración, emasculación.

EVISCERACIÓN f. Extirpación quirúrgica de una o varias vísceras del organismo, y en especial las torácicas y abdominales del feto para facilitar el parto. ■ EVISCERAR.

EVITAR tr. Apartar algún daño; precaver, impedir que suceda. • Excusar, huir de incurrir en algo. • Huir de tratar a uno; apartarse de su comunicación. ■ EVITABLE; EVITACIÓN.

EVITERNO, NA adj. Que habiendo tenido principio, se considera que no tendrá fin.

EVO m. *Teol.* Duración de las cosas eternas. • poét. Duración de tiempo sin término.

EVOCAR tr. Llamar, hacer aparecer. • fig. Traer alguna cosa a la memoria. ■ EVOCABLE; EVOCACIÓN; EVOCADOR, RA; EVOCATIVO, VA.

EVOLUCIÓN f. Acción y efecto de evolucionar. • Desarrollo de las cosas o de los organismos, por

EVOLUCIÓN

1

1. La vida se inició en el medio acuático hace unos 3 500 millones de años. Los primeros organismos eran bacterias procariotas. Después apareció la célula eucariota, hace unos 1 500 o 2 000 millones de años, y surgieron organismos unicelulares que podrían parecerse a la euglena de la fotografía. A partir de aquí, la evolución condujo a la aparición de los primeros seres pluricelulares, ya en el período cámbrico, hace unos 500 millones de años.

2

2. La escala temporal representada a la izquierda comienza en el cámbrico, y permite reseguir la línea evolutiva que lleva desde los primeros peces teleósteos a las aves actuales.
3. Para Lamarck, fue la necesidad de alcanzar las ramas más altas lo que determinó que el cuello de las jirafas se alargase. Darwin, en cambio, ve en la selección natural el mecanismo explicativo: en todo momento, existen jirafas con el cuello largo y con el cuello menos largo, las primeras tienen una ventaja para alimentarse, que les permite reproducirse más, por lo que esta característica estará cada vez más presente en la población.
4. En muchos casos, especies distintas utilizan un mismo recurso a distinto nivel, de forma que pueden compartirlo sin interferirse.

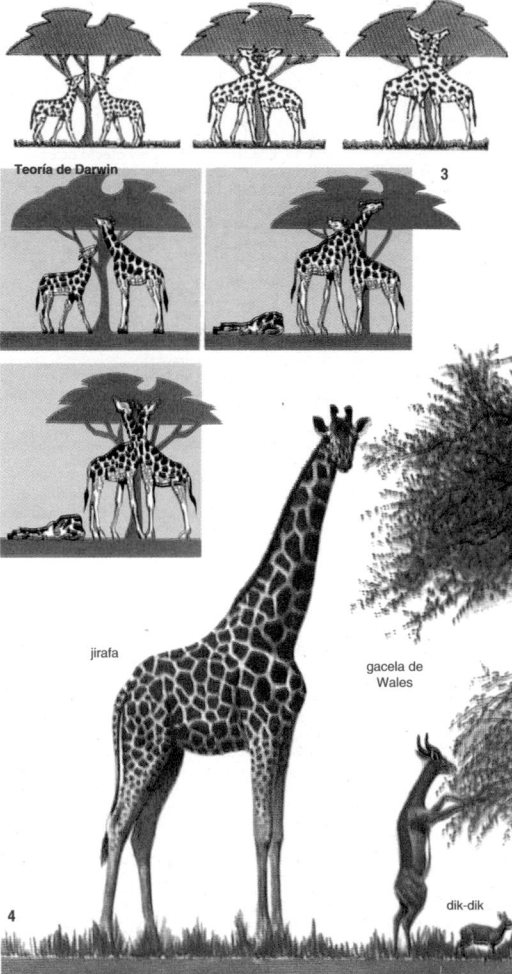

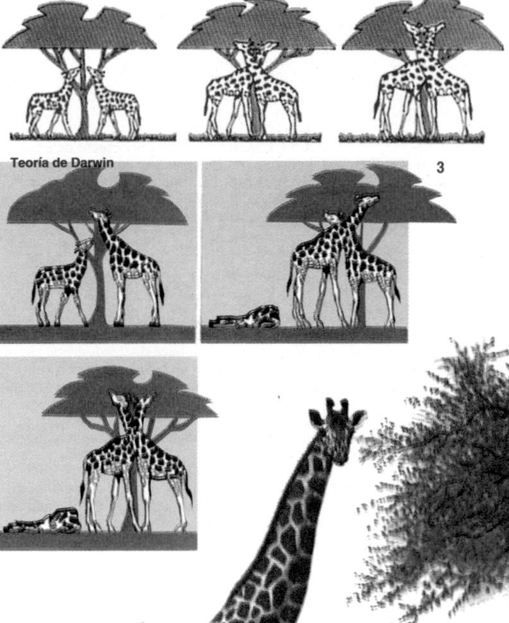

Millones de años de evolución: de los peces a las aves

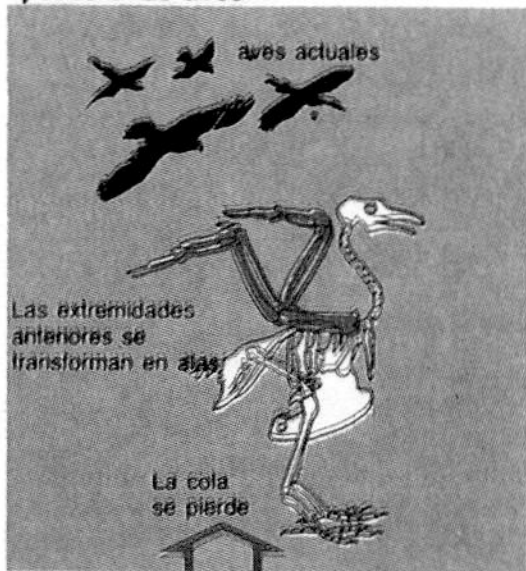

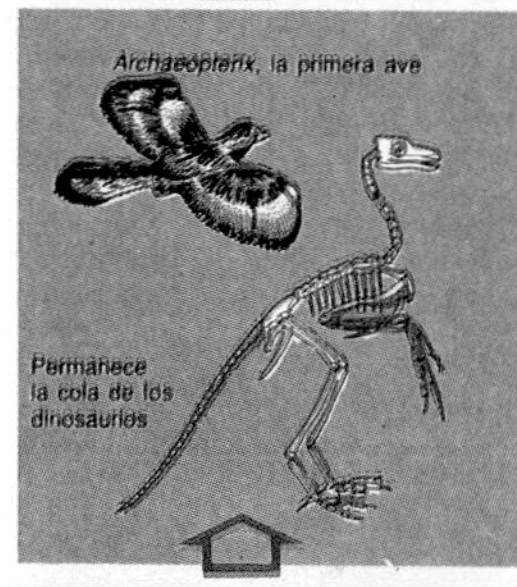

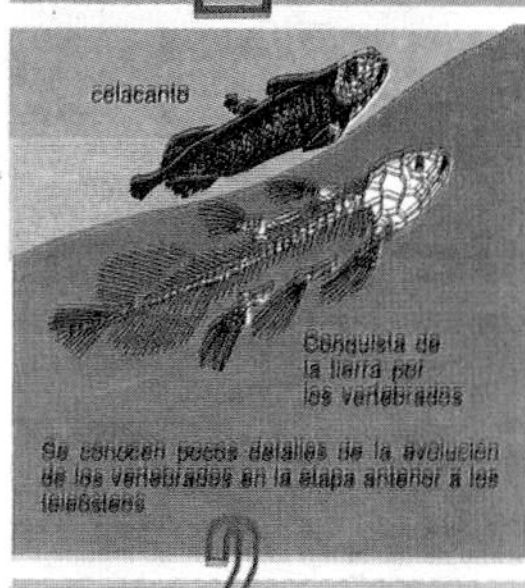

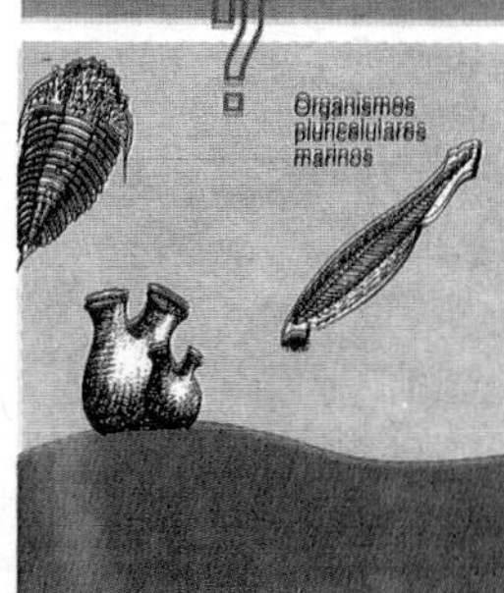

medio del cual pasan gradualmente de un estado a otro. • *Biol.* Proceso de cambio de las especies vivientes, que desemboca en la aparición de otras distintas a través de la adaptación al medio y la llamada selección natural en la lucha por la existencia. • Movimiento que hacen las tropas o los buques, pasando de unas formaciones a otras. • fig. Mudanza de conducta o de actitud. • fig. Desarrollo o transformación de las ideas o de las teorías. • *Fil.* Hipótesis que pretende explicar todos los fenómenos, cósmicos, físicos y mentales, por transformaciones sucesivas de una sola realidad primera, sometida a perpetuo movimiento intrínseco. ■ EVOLUTIVO, VA.

* *Biol.* La e. se contrapone al fijismo y supera al evolucionismo lamarkiano, que consideraba las transformaciones adaptativas al medio como el mecanismo evolutivo. La e., en el sentido darwiniano del término, se produce por la selección natural basada en la variabilidad intraespecífica de las especies (mutaciones), de modo que los más eficaces tienen mayor probabilidad de supervivencia y en consecuencia serán los que transmitirán los caracteres a la descendencia.

EVOLUCIONAR intr. Desenvolverse los organismos o las cosas, pasando de un estado a otro. • Hacer evoluciones la tropa o los buques. • Mudar de conducta o de actitud.

EVOLUCIONISMO m. Doctrina que aplica a todo orden de conocimientos la ley universal de la transformación de lo simple a lo complejo. ■ EVOLUCIONISTA.

EVOLUTA f. Curva que es el lugar geométrico de los centros de curvatura de otra curva plana dada.

EVOLVENTE f. *Geom.* Curva plana engendrada por un punto de un hilo inextensible, inicialmente arrollado sobre un cilindro y desenrrollado bajo tracción.

Evolucionismo. Caricatura de Charles Darwin

EVÓNIMO m. Bonetero, arbusto.

EVREN, *Kenan* (nacido 1918) Militar y político turco. Tras el golpe de Est. de septiembre de 1980 asumió la presidencia del país hasta 1988.

ÉVREUX C. de Francia, cap. del dpto. de Eure; 45 000 hab. Centro industrial.

EVREUX Dinastía de origen fr. que reinó en Navarra de 1328 a 1425. Felipe III, Carlos II, Carlos III, entre otros.

EVTUSHENKO, *Yevgueni* (nacido 1933) Poeta ruso. *Baby Yar*, *Los herederos de Stalin.*

EWALD, *Johannes* (1743-1781) Escritor danés. Obras dramáticas: *Adán y Eva*, *Rolf Krage*, *Los solteros*, *Arlequín patriota*, *La muerte de Balder*, *Los pescadores*. Obra poética: *Penitente*, *Recibiendo la comunión*, *Oda al alma.*

EX prep. inseparable que denota más ordinariamente fuera o más allá. • Antepuesta a nombres de dignidades o cargos, y a nombres o adjetivos de persona, indica que ésta ha dejado de ser lo que aquéllos significan. En este caso se escribe separada. • Forma parte de locuciones latinas usadas en nuestro idioma.

EX ABRUPTO m. adv. que explica la viveza y calor con que uno prorrumpe a hablar cuando o como no se esperaba. • *Der.* Arrebatadamente, sin guardar el orden establecido.

EX AEQUO m. adv. latino que significa con igual mérito o en circunstancias iguales.

Ramas y flor de **evónimo**

EX ANTE m. adv. latino que se emplea para indicar magnitudes o fenómenos económicos aún no realizados, pero en proceso de realización.

EX CÁTEDRA m. adv. latino. Se aplica al Papa cuando éste enseña a toda la Iglesia o define dogmas pertenecientes a la fe o a las costumbres. • **Hablar ex c.** fig. Hablar en tono magistral y determinante.

EX LIBRIS m. Viñeta o pequeño grabado que se pega en el reverso de la tapa de los libros, en el cual consta el nombre del dueño o el de la biblioteca a que pertenece el libro.

EX PROFESO m. adv. latino. De propósito, con particular intención.

EXA m. Prefijo utilizado en los nombres que significan el trillón de veces (10) de sus respectivas unidades. Su símbolo es E.

EXABRUPTO m. Salida de tono; dicho o ademán inconveniente e inesperado, que se manifiesta con rudeza.

EXACCIÓN f. Acción y efecto de exigir impuestos, multas, deudas, etc. • Cobro injusto y violento.

Ex libris modernista

EXACERBAR tr. y prnl. Irritar, causar muy grave enfado o enojo. • Agravar o avivar una enfermedad, una pasión, una molestia, etc. ■ EXACERBACIÓN.

EXACTITUD f. Puntualidad y fidelidad en la ejecución de una cosa. ■ EXACTO, TA.

EXACTOR m. Cobrador de los tributos, impuestos o emolumentos.

EXAEDRO m. Hexaedro.

EXAGERACIÓN f. Acción y efecto de exagerar. • Cosa que traspasa los límites de lo justo, verdadero o razonable.

EXAGERADO, DA adj. Exagerador. • Excesivo, que incluye en sí exageración.

EXAGERAR tr. Encarecer, dar proporciones excesivas a una cosa. ■ EXAGERADO, DA; EXAGERADOR, RA; EXAGERATIVO, VA.

EXÁGONO m. Hexágono.

EXALTACIÓN f. Acción y efecto de exaltar. • Gloria que resulta de una acción muy notable.

EXALTAR tr. Elevar a una persona o cosa a mayor auge o dignidad. • fig. Realzar el mérito o circunstancias de uno con demasiado encarecimiento. • prnl. Dejarse arrebatar de una pasión, perdiendo la moderación y la calma. ■ EXALTADO, DA; EXALTADOR, RA.

EXAMEN m. Indagación que se hace acerca de las cualidades y circunstancias de una cosa o de un hecho. • Prueba a que se somete el candidato a un grado o empleo. • **Libre e.** El que desde el punto de vista cristiano se hace de los dogmas, sin otro criterio que el texto de la Biblia interpretado conforme al juicio personal y descartando la autoridad de la Iglesia docente.

EXAMINAR tr. Inquirir, investigar, escudriñar con diligencia y cuidado una cosa. • Reconocer la calidad de una cosa, viendo si contiene algún defecto o error. • tr. y prnl. Juzgar la suficiencia, aptitud o conocimientos de una persona, gralte. en los estudios, por medio de unas pruebas determinadas. ■ EXAMINADOR, RA; EXAMINANDO, DA.

EXANGÜE adj. Desangrado, falto de sangre. • fig. Sin ningunas fuerzas, aniquilado. • fig. Muerto.

EXANGUINOTRANSFUSIÓN f. *Med.* Sustitución total o parcial de la sangre de un paciente por la de un individuo sano.

EXANIMACIÓN f. Privación de las funciones vitales.

EXÁNIME adj. Sin señales de vida. • fig. Sumamente debilitado, desmayado.

EXANTEMA m. *Med.* Erupción de la piel, de color rojo. ■ EXANTEMÁTICO, CA.

EXARCA m. Gobernador de las prov. que en Italia pertenecían al imperio de Oriente. • En la Iglesia gr., dignidad inmediatamente inferior a la de patriarca. ■ EXARCADO.

EXASPERAR tr. y prnl. Lastimar, irritar una parte dolorida o delicada. • fig. Irritar, enfurecer, dar gran motivo de enojo. ■ EXASPERACIÓN; EXASPERADOR, RA.

EXCANDECER tr. y prnl. Encender en cólera a uno, irritarle. ■ EXCANDECENCIA.

EXCARCELAR tr. y prnl. Poner en libertad al preso, por mandamiento judicial, bajo fianza o sin ella. ■ EXCARCELABLE; EXCARCELACIÓN.

EXCAUTIVO, VA adj. y s. Que ha padecido cautiverio.

EXCAVACIÓN f. Acción y efecto de excavar. • Operación de abrir zanjas, pozos o galerías en un terreno a fin de exhumar monumentos u objetos de interés arqueológico.
EXCAVADOR, RA adj. y s. Que excava. • f. Máquina para excavar.
EXCAVAR tr. Hacer hoyo o cavidad. • Descubrir y quitar la tierra de alrededor de las plantas para beneficiarlas. ■ EXCAVA.
EXCEDENCIA f. Condición de excedente. • Haber que percibe el empleado público que está excedente.
EXCEDENTE adj. Que excede. • Excesivo. • adj. y m. Sobrante. • Díc. del empleado público que temporalmente deja su cargo. • **económico.** *Econ.* Diferencia entre la producción social de bienes y el consumo. Marx analiza su empleo clasista. Otros lo reducen a la renta neta de una inversión.
EXCEDER tr. Ser una persona o cosa más grande o aventajada que otra con que se compara en alguna línea. • intr. y prnl. Propasarse, ir más allá de lo lícito o razonable.
EXCELENCIA f. Superior calidad o bondad. • Tratamiento de respeto que se da a algunas personas. • **Por e.** m. adv. Excelentemente. • Por antonomasia.
EXCELENTE adj. Que sobresale en bondad, mérito o estimación. • Tratamiento honorífico usado antiguamente. • m. Moneda de oro esp. acuñada por los Reyes Católicos, equivalente a la dobla.
EXCELENTÍSIMO, MA adj. Tratamiento de respeto y cortesía con que se habla a la persona a quien corresponde este honor.
EXCELSIOR adv. latino. Más alto.
EXCELSITUD f. Suma alteza.
EXCELSO, SA adj. Muy elevado, alto, eminente. • fig. De singular excelencia.
EXCENTRICIDAD f. Rareza o extravagancia de carácter. • Dicho o hecho raro o extravagante. • *Geom.* En una elipse o hipérbola, cociente entre la semidistancia focal y el semieje mayor (elipse) o real (hipérbola).
EXCÉNTRICO, CA adj. De carácter raro, extravagante. • *Geom.* Que tiene un centro diferente. • f. *Mec.* Pieza que gira alrededor de un punto que no es su centro de figura. ■ EXCENTRICISMO.
EXCEPCIÓN o **EXCEPTUACIÓN** f. Acción y efecto de exceptuar. • Cosa que se aparta de la regla o condición general de las demás de su especie. • *Der.* Título motivo jurídico que el demandado alega para hacer ineficaz la acción del demandante.
EXCEPCIONAL adj. Que forma excepción de la regla común. • Que se aparta de lo ordinario o que ocurre rara vez.
EXCEPCIONAR tr. Alegar excepción en el juicio.
EXCEPTO adv. modo. A excepción de, fuera de, menos.
EXCEPTUAR tr. y prnl. Excluir a una persona o cosa de la generalidad de lo que se trata o de la regla común. ■ EXCEPTIVO, VA.
EXCERPTA f. Colección, recopilación.
EXCESIVO, VA adj. Que excede y sale de regla.
EXCESO m. Parte que excede y pasa más allá de la medida o regla. • Lo que sale en cualquier línea de los límites de lo ordinario o de lo lícito. • Aquello en que una cosa excede a otra. • Abuso, delito o crimen. Se usa mucho en pl. • Exceso de peso.
EXCIPIENTE m. Sustancia biológicamente inactiva que se añade a los fármacos para darles la forma.
EXCISIÓN f. *Cir.* Amputación de una parte pequeña.
EXCITABILIDAD f. Calidad de excitable. • *Biol.* Capacidad de los organismos vivos de responder a un estímulo.
EXCITACIÓN f. Acción y efecto de excitar. • Efecto que produce un excitante al actuar sobre una célula, un órgano o un organismo. • *Fís.* Fuerza producida por el flujo magnético de una máquina eléctrica.
EXCITADO, DA adj. Díc. de una molécula, átomo o núcleo que no posee mayor energía que en su estado fundamental.
EXCITADOR, RA adj. Que produce excitación. • m. *Fís.* Aparato formado por dos arcos metálicos, aislado cada uno en uno de sus extremos y sujetos a girar alrededor de un eje; sirve para producir la descarga eléctrica entre dos puntos que tengan potenciales muy diferentes.
EXCITANTE adj. y m. Que excita. • m. Agente que produce una excitación de las funciones vitales o de las del cerebro.

Excavaciones arqueológicas en Kasi (antiguo nombre budista de Varanasi o Benarés)

EXCITAR tr. Mover, estimular. • prnl. Animarse por el enojo, el entusiasmo, la alegría, etc. ■ EXCITABLE; EXCITATIVO, VA.
EXCLAMACIÓN f. Voz, grito o frase en que se refleja una emoción del ánimo, o para dar vigor y eficacia a lo que se dice. ■ EXCLAMATIVO, VA; EXCLAMATORIO, RIA.
EXCLAMAR intr. y tr. Emitir palabras con fuerza o vehemencia para expresar un vivo afecto o movimiento del ánimo, o para dar vigor y eficacia a lo que se dice.
EXCLAUSTRAR tr. Permitir u ordenar a un religioso que abandone el claustro. ■ EXCLAUSTRACIÓN; EXCLAUSTRADO, DA.
EXCLUIR tr. Echar a una persona o cosa fuera del lugar que ocupaba. • Descartar, rechazar o negar la posibilidad de alguna cosa. ■ EXCLUIBLE; EXCLUIDOR, RA.
EXCLUSIÓN f. Acción y efecto de excluir. • Operación que consiste en separar una porción de un órgano, especialmente del intestino, sin extirparla del cuerpo.

Excavadora

EXCLUSIVA f. Repulsa para no admitir a uno en un empleo, comunidad o cargo. • Privilegio de hacer algo que no está permitido a los demás.
EXCLUSIVE adv. modo. Con exclusión. • Significa, en todo género de cálculos y recuentos, que el último número o la última cosa de que se hizo mención no se toma en cuenta.
EXCLUSIVISMO m. Obstinada adhesión a una cosa, sin prestar atención a las demás que deben ser tenidas en cuenta. ■ EXCLUSIVISTA.
EXCLUSIVO, VA adj. Que excluye o tiene fuerza y virtud para excluir. • Único, solo, excluyendo a cualquier otro. ■ EXCLUSIVIDAD.
EXCOGITAR tr. Hallar o encontrar una cosa con el discurso y la meditación.
EXCOMBATIENTE adj. y s. Que peleó bajo alguna bandera militar o por alguna causa política. • El que, después de actuar en alguna de las últimas guerras, integró con sus compañeros de armas agrupaciones sociales o políticas en varios países.
EXCOMULGADO, DA m. y f. Persona excomulgada. • fig. y fam. Indino, endiablado.
EXCOMULGAR tr. Apartar la autoridad eclesiástica competente a alguien de la comunión de los fieles y del uso de los sacramentos. • fig. y fam. Declarar a una persona fuera de la comunión o trato con otra u otras, casi siempre con violencia de expresión. ■ EXCOMULGADOR.
EXCOMUNIÓN f. Acción y efecto de excomulgar. • Carta o edicto con que se intima y publica la censura.
EXCORIAR tr. y prnl. Gastar o arrancar el cutis o el epitelio, quedando la carne descubierta. ■ EXCORIACIÓN.

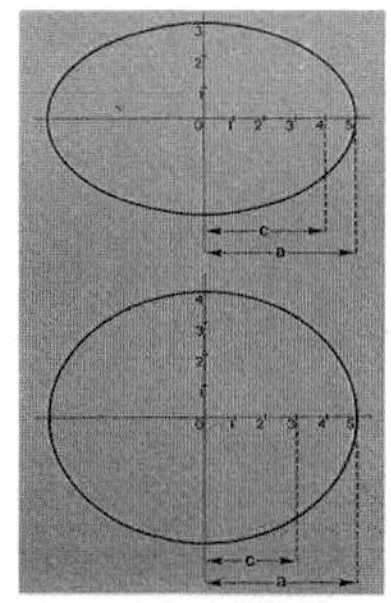

Excentricidad. La elipse superior es más excéntrica, ya que su cociente c/a=0,8 mientras que en la inferior el cociente c/a=0,6

EXCRECENCIA f. *Biol.* Crecimiento parcial y externo de un órgano de un vegetal o de un animal. • *Pat.* Tumor o callosidad que aparece en la superficie de un órgano o, especialmente, en la piel o mucosas.
EXCRECIÓN f. Acción y efecto de excretar. • Proceso de eliminación de las sustancias de dese-

Evolución del aparato **excretor** en relación al medio ambiente o hábitat en que se desarrolla el animal

cho de los animales, tras la reabsorción selectiva de las que no deben eliminarse.

EXCREMENTO m. Residuos del alimento que, después de hecha la digestión, despide el cuerpo. • Cualquier materia asquerosa que despiden de sí la boca, nariz u otras vías del cuerpo. • El que se produce en las plantas por putrefacción. ■ EXCREMENTAL; EXCREMENTICIO, CIA; EXCREMENTOSO, SA.

EXCRETAR intr. Expeler el excremento. • Expeler las sustancias elaboradoras por las glándulas. ■ EXCRETO, TA.

EXCRETOR, RA adj. Excretorio. • Díc. del conducto por el que salen de las glándulas los productos que éstas han elaborado. • **Aparato e.** *Anat.* Conjunto de órganos cuya misión es eliminar las sustancias de desecho producidas por los procesos metabólicos.

EXCRETORIO, RIA adj. *Anat.* Aplícase a los órganos que sirven para excretar.

EXCULPACIÓN f. Acción y efecto de exculpar. • Circunstancia que sirve para exonerar de culpa.

EXCULPAR tr. y prnl. Descargar a uno de culpa.

EXCURSIÓN f. Recorrido breve con fin recreativo fuera del lugar donde se vive habitualmente. • Excursión.

EXCURSIONISMO m. Ejercicio y práctica de las excursiones como deporte o con fin científico o artístico. ■ EXCURSIONISTA.

EXCUSABARAJA f. Especie de cesta de mimbre con tapadera.

EXCUSADO, DA adj. Que por privilegio está libre de pagar tributos. • Superfluo e inútil. • Reservado o separado del uso común. • Lo que no hay precisión de hacer o decir. • m. Retrete.

EXCUSADOR, RA adj. Que excusa. • m. El que exime y excusa a otro de una carga. • Teniente de un beneficiado, que sirve el beneficio por él.

EXCUSALÍ m. Delantal pequeño.

EXCUSAR tr. y prnl. Exponer y alegar causas o razones para sacar libre a uno de la culpa que se le imputa. • tr. Evitar, impedir, precaver que una cosa perjudicial se ejecute o suceda. • tr. y prnl. Rehusar hacer una cosa. • tr. Eximir y libertar del pago de tributos o de un servicio personal. • Junto con infinitivo, poder evitar, poder dejar de hacer lo que éste significa. ■ EXCUSA; EXCUSABLE; EXCUSO.

EXCUSIÓN f. *Der.* Procedimiento judicial para obtener el pago a expensas de un deudor principal.

EXECRACIÓN f. Acción y efecto de execrar. • Pérdida del carácter sagrado de un lugar, por profanación o accidente.

EXECRAR tr. Condenar y maldecir. • Aborrecer, detestar. • Vituperar o reprobar severamente. ■ EXECRABLE; EXECRADO, DA; EXECRATORIO, RIA.

EXEDRA f. *Arq.* Construcción descubierta, de planta semicircular, con asientos fijos en la parte interior de la curva y respaldos permanentes.

EXÉGESIS o **EXEGESIS** f. Explicación, interpretación, especialmente de los libros de la Sagrada Escritura. ■ EXÉGETA O EXEGETA.

EXEGÉTICO, CA adj. Relativo a la exégesis. • *Der.* Díc. del método expositivo que sigue el orden de las leyes positivas y atiende sobre todo a su interpretación.

EXEMIA f. Sangre excluida de la circulación por quedar estancada en alguna parte del sistema cardiovascular.

Exeter

EXENCIÓN f. Efecto de eximir. • Libertad que uno goza para eximirse de alguna obligación.

EXENTAR tr. y prnl. Eximir.

EXENTO, TA adj. Libre, desembarazado de una cosa. • Aplícase al sitio o edificio que está descubierto por todas partes.

EXEQUÁTUR m. Pase que da la autoridad civil de un Est. a las bulas pontificias para su observancia. • Autorización que otorga el jefe de un Est. a los agentes extranjeros para que en su terr. puedan ejercer las funciones propias de sus cargos.

EXEQUIAS f. pl. Honras funerales.

EXEQUIBLE adj. Que se puede conseguir o llevar a efecto.

EXERGO m. Parte de una medalla o de una moneda donde se pone la leyenda.

EXETER C. de Gran Bretaña, cerca del canal de la Mancha; 95 600 hab. Monumentos, restos medievales.

EXFOLIACIÓN f. *Geol.* Propiedad que tienen ciertos minerales de fracturarse, al ser golpeados, según determinadas superficies planas. • *Med.* Pérdida o caída de la epidermis en forma de escamas.

EXFOLIADOR, RA adj. *Chile.* Taco de hojas de papel ligeramente pegadas.

EXFOLIAR tr. y prnl. Dividir una cosa en láminas o escamas.

EXHALACIÓN f. Acción y efecto de exhalar o exhalarse. • Estrella fugaz. • Rayo, centella. • Vapor o vaho que un cuerpo desprende por evaporación.

EXHALAR tr. Despedir gases, vapores u olores. • fig. Lanzar suspiros, quejas, etc. • prnl. fig. Afanarse con anhelo por conseguir algo.

EXHAUSTIÓN f. Ant. método de resolver problemas de matemáticas por aproximaciones sucesivas.

EXHAUSTIVO, VA adj. Que agota o apura por completo. • *Mat.* Díc. de la aplicación $f: A \rightarrow B$, tal que cualquier elemento de B es imagen, por la aplicación, de algún elemento de A.

EXHAUSTO, TA adj. Enteramente apurado y agotado.

EXHEREDAR tr. Desheredar.

EXHIBICIÓN f. Acción y efecto de exhibir. • Manifestación sexual o agresiva de algunos animales consistente en mostrar determinadas partes del cuerpo a un congénere.

EXHIBICIONISMO m. Deseo de exhibirse o llamar la atención. • *Psic.* Impulso irresistible de exhibirse, de colocarse como modelo en cualquier ocasión. Existe además el e. sexual, que consiste en el deseo obsesivo de mostrar los órganos genitales propios a personas del otro sexo o en público. ■ EXHIBICIONISTA.

EXHIBIDOR, RA adj. Que exhibe. • adj. y s. Díc. de la persona, o de la empresa, dedicada a la proyección pública de películas cinematográficas.

EXHIBIR tr. y prnl. Manifestar, mostrar en público. • tr. Lucir, mostrar con orgullo. • *Méx.* Pagar una cantidad. • *Der.* Presentar documentos ante quien corresponda.

EXHORTAR tr. Inducir a uno con palabras, razones y ruegos a que haga o deje de hacer alguna cosa. ■ EXHORTACIÓN; EXHORTATIVO, VA; EXHORTATORIO, RIA.

EXHORTO m. *Der.* Despacho que libra un juez a otro para que lleve a cabo alguna acción.

EXHUMAR tr. Desenterrar un cadáver o restos humanos. • fig. Desenterrar, sacar a luz lo perdido u olvidado. ■ EXHUMACIÓN.

EXICIAL adj. Se aplica a todo aquello que es letal, mortífero.

EXIGIBLE o **EXIGIDERO, RA** adj. Que puede o debe exigirse. • f. pl. *Cont.* Díc. de aquellas partidas del pasivo que constituyen la financiación ajena de una unidad económica.

EXIGIR tr. Cobrar, sacar de uno por autoridad pública dinero u otra cosa. • fig. Pedir una cosa algún requisito necesario para que se haga. • fig. Demandar imperiosamente. ■ EXIGENCIA; EXIGENTE; EXIGIBILIDAD.

EXIGUO, GUA adj. Insuficiente, escaso. ■ EXIGÜIDAD.

EXILARCA m. Jefe de las comunidades judías establecidas en Babilonia después de la diáspora.

EXILIAR o **EXILAR** tr. Expulsar a uno de un territorio. • prnl. Expatriarse, gralte. por motivos políticos. ■ EXILADO, DA; EXILIADO, DA.

EXILIO m. Alejamiento de una persona de la tierra en que vive. • Expatriación, gralte. por motivos políticos. • Efecto de estar exiliada una persona. • Lugar en que vive el exiliado.

EXIMIO, MIA adj. Muy excelente.

EXIMIR tr. y prnl. Libertar de cargas, cuidados, culpas, etc.

EXINA f. Capa externa de los granos de polen formada por sustancias resistentes y, a menudo, provista de espinas, ganchos, repliegues y orificios para permitir el paso del núcleo fecundador.

EXINANICIÓN f. Notable falta de vigor y fuerza. ■ EXINANIDO, DA.

EXISTENCIA f. *Fil.* Acto de existir. Se define como la concreción del ser en su actualidad, en su efectividad o en cualquier modo definido de ser. • Vida del hombre. • pl. Cosas que no han tenido aún el uso a que se las destina.

EXISTENCIALISMO m. *Fil.* Tendencia filosófica contemporánea, defendida por M. Heidegger y J. P. Sartre, entre otros, que parte del principio de que la descripción de la existencia del hombre es prioritaria a cualquier consideración sobre su esencia. Su objeto es describir la propia existencia interrogante. ▪ EXISTENCIALISTA.

EXISTIMAR tr. Formar opinión de una cosa; tenerla por cierta, aunque no lo sea.

EXISTIMATIVO, VA adj. Putativo.

EXISTIR intr. Tener realidad algo. • Tener vida. • Haber, estar, hallarse. ▪ EXISTENCIAL.

ÉXITO m. Fin o terminación de un negocio o dependencia. • Resultado feliz de un negocio, actuación, etc. ▪ EXITOSO, SA.

EXLIBRIS m. Ex libris.

EXOBIOLOGÍA f. *Biol.* Estudio de los fenómenos vitales que se manifiestan fuera de la Tierra.

EXOCARPIO o **EXOCARPO** m. Capa más externa del pericarpio de los frutos; puede estar rodeada por una especie de «piel» protectora llamada epicarpio.

EXOCÉTIDO m. Pez teleósteo con aletas dorsales desarrolladas que le permiten planear fuera del agua. Llamado también pez volador.

EXOCRANEANO, NA adj. Perteneciente o relativo al pericráneo.

EXOCRINO, NA adj. *Biol.* Díc. de las glándulas cuyas secreciones se vierten al exterior o al aparato digestivo, como las sudoríparas, gástricas, etc.

ÉXODO m. Salida de los israelitas de Egipto. • fig. Emigración de un pueblo.

ÉXODO, *Libro* del Segundo libro del Pentateuco. Contiene una parte histórica y otra referente a la Ley y la liturgia.

EXOENZIMA adj. y f. *Biol.* Díc. de las enzimas metabólicas que algunos organismos segregan al medio.

EXOESQUELETO o **EXOSQUELETO** m. Esqueleto externo de algunos animales, como anélidos, artrópodos, etc.

EXOFTALMÍA f. *Pat.* Propulsión del globo ocular hacia el exterior de la órbita. ▪ EXOFTÁLMICO, CA.

EXOGAMIA f. Práctica de contraer matrimonio con cónyuge de distinta tribu o ascendencia. • Cruzamiento de individuos no unidos por ningún tipo de parentesco. • *Biol.* Cubrimiento de una hembra por un macho perteneciente a una especie distinta. ▪ EXOGÁMICO, CA.

EXÓGENO, NA adj. Que se origina en el exterior de una cosa. • *Geol.* Díc. de las rocas formadas en la corteza terrestre, en contraposición con las formadas en el interior de la Tierra o endógenas.

EXOGENOTE m. *Biol.* En la recombinación genética bacteriana, porción de material nuclear del individuo donador que es transferida a la bacteria receptora.

EXONERAR tr. y prnl. Aliviar, descargar de peso u obligación. • tr. Privar o destituir a alguno de un empleo. ▪ EXONERACIÓN.

EXOPEPTIDASA f. Peptidasa que cataliza la hidrólisis de los enlaces peptídicos próximos a los extremos de las cadenas de aminoácidos.

EXOPTERIGOTA m. Hemimetábolo.

EXORABLE adj. Díc. del que se deja vencer fácilmente por los ruegos y condesciende con las súplicas que le hacen.

EXORAR tr. Pedir con empeño.

EXORBITAR tr. Exagerar. ▪ EXORBITANCIA; EXORBITANTE.

EXORCISMO m. Conjuro contra el espíritu maligno. ▪ EXORCISTA.

EXORCISTADO m. Tercera de las órdenes menores; confiere capacidad para hacer exorcismos.

EXORCIZAR tr. Usar de exorcismos contra el espíritu maligno.

EXORDIO m. Introducción, preámbulo de una obra o discurso.

EXORNAR tr. y prnl. Adornar, hermosear. • tr. Tratándose del lenguaje escrito o hablado, amenizarlo o embellecerlo con galas retóricas. ▪ EXORNACIÓN.

EXORREICO, CA adj. *Geog.* Díc. de las regiones cuya circulación superficial de agua desemboca en los mares.

EXOSFERA f. Última capa de la atmósfera terrestre, que se extiende por encima de la termopausa hasta alturas en las que la densidad atmosférica es equiparable a la del gas interespacial que la rodea.

EXÓSMOSIS f. *Fís.* En el fenómeno de la ósmosis, flujo de disolvente dirigido en el sentido de la fase más concentrada a la menos.

EXÓSPORA f. Espora que se forma en el exterior de la conidióforos.

EXÓSTOSIS o **EXOSTOSIS** f. Excreción ósea.

EXOTÉRICO, CA adj. Común, accesible para el vulgo.

EXOTÉRMICO, CA adj. *Fís.* y *Quím.* Díc. de todo proceso físico o reacción química que tiene lugar con desprendimiento de calor, es decir, cuando la variación de la entalpía es negativa.

EXÓTICO, CA adj. Extranjero. Se aplica comúnmente a las voces, plantas y drogas. • Extraño, chocante, extravagante. ▪ EXOTICIDAD; EXOTIQUEZ.

EXOTISMO m. Carácter de lo exótico. • Tendencia a exaltar o imitar costumbres e ideas extranjeras.

EXOTOXINA f. Sustancia proteica de alto peso molecular, elaborada por ciertos gérmenes, y que ejerce su acción fuera o independientemente del germen productor.

EXPANDIR tr. y prnl. Extender, dilatar, ensanchar, difundir.

EXPANSIBILIDAD f. *Fís.* Propiedad que tiene un cuerpo de poder ocupar mayor espacio que el que ocupa.

EXPANSIÓN f. Acción y efecto de extenderse o dilatarse. • fig. Acción de desahogar al exterior de un modo efusivo cualquier afecto o pensamiento. • Recreo, ocio, diversión. • *Econ.* Fase del ciclo económico que se caracteriza por una utilización intensiva de las fuerzas productivas, aumento de la producción y una sensación de prosperidad general que suele ir acompañada de un cierto grado de inflación. • *Mec. apl.* Movimiento del émbolo de un motor de explosión que corresponde a la fase de combustión de la mezcla de combustible y aire. • **del universo.** Teoría formulada por Sitter en 1917 según la cual el universo se encuentra en un estado de evolución continua debido al movimiento de dispersión de las galaxias. • **de un gas.** *Fís.* Aumento de volumen de un gas mediante disminución de la presión o por aumento de la temperatura.

EXPANSIONARSE prnl. Desahogarse. • Divertirse, distraerse. • Dilatarse un vapor o gas.

EXPANSIONISMO m. Tendencia que preconiza la expansión voluntaria y consciente de un área, actividad o ideología.

EXPANSIVO, VA adj. Que puede o que tiende a extenderse o dilatarse, ocupando mayor espacio. • fig. Comunicativo, abierto.

EXPATRIARSE prnl. Abandonar uno su patria. ▪ EXPATRIACIÓN; EXPATRIADO, DA.

EXPECTACIÓN f. Intensidad con que se espera una cosa. • Contemplación de lo que se expone o muestra al público. ▪ EXPECTABLE.

EXPECTANTE adj. Que espera observando, o está a la mira de una cosa. • *Der.* Díc. del hecho, la cosa, la obligación o el derecho de que se tiene conocimiento como venidero.

EXPECTATIVA f. Esperanza de conseguir una cosa, si se depara la oportunidad que se desea. • Posibilidad de conseguir un derecho, herencia, empleo u otra cosa, al ocurrir un suceso que se prevé. • *Econ.* Actitud que hacia el futuro muestran los consumidores o los empresarios al hacer sus planes. • *Soc.* Conjunto de actitudes o comportamientos esperados por un grupo social de cada uno de sus miembros.

EXPECTORAR tr. Arrancar y arrojar por la boca las flemas y secreciones que se depositan en los órganos respiratorios. ▪ EXPECTORACIÓN; EXPECTORANTE.

EXPEDICIÓN f. Acción y efecto de expedir. • Desembarazo y prontitud en decir o hacer. • Despacho, bula y otros gén. de indultos de la curia rom. • Viaje o marcha de un grupo de personas para realizar una empresa en punto distante. • Conjunto de personas que realizan dicho viaje o marcha. ▪ EXPEDICIONARIO, RIA; EXPEDICIONERO.

EXPEDIENTE m. Negocio que se sigue sin juicio contradictorio en los tribunales. • Conjunto de todos los papeles correspondientes a un asunto o

Éxodo. El paso del mar Rojo en una miniatura de Belbello di Pavia

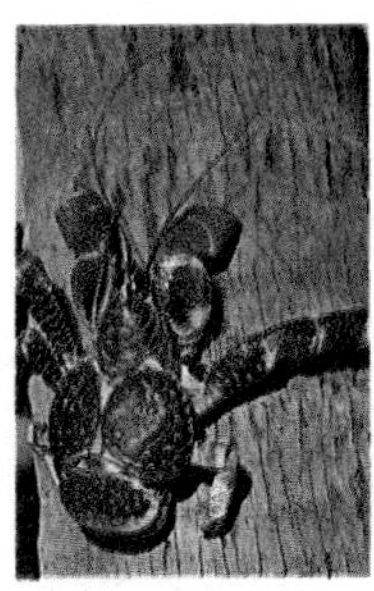

Cangrejo de los cocoteros, crustáceo que posee **exoesqueleto**

Tablilla asiria de bronce en la que se representa un **exorcismo.** Museo del Louvre, París

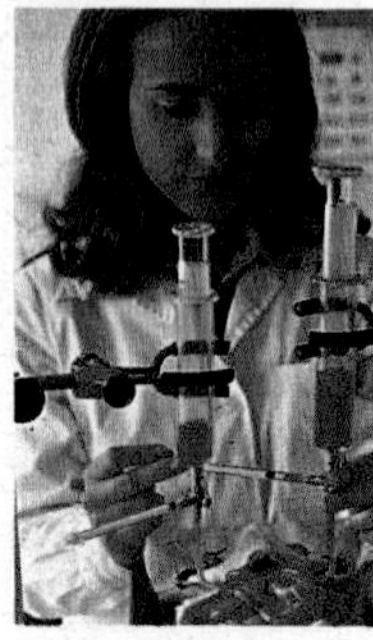

Experimentación en un laboratorio

Exploración del polo Norte por el norteamericano Robert E. Peary, en 1909

$$NH_4NO_3 \longrightarrow 4\,H_2O + 2\,N_2 + O_2$$

$$2\,KNO_3 \longrightarrow K_2O + N_2 + \frac{5}{2}O_2$$

$$KClO_3 \longrightarrow KCl + \frac{3}{2}O_2$$

$$KClO_4 \longrightarrow KCl + 2O_2$$

$$NH_4ClO_4 \longrightarrow N_2 + Cl_2 + H_2O + 2O_2$$

Explosivos

negocio. • Arbitrio o pretexto para dar salida a una dificultad. • Despacho, curso de los negocios y causas. • Desembarazo y prontitud en el manejo de los negocios. • Título, razón, motivo o pretexto. • Avío, surtimiento, provisión. ■ EXPEDIENTAR.

EXPEDIENTEO m. Tendencia exagerada a formar expedientes, o a prolongar o complicar la instrucción de ellos. • Tramitación de los expedientes.

EXPEDIR tr. Dar curso a las causas y negocios. • Despachar, extender por escrito un documento. • Pronunciar un auto. • Remitir, enviar.

EXPEDITIVO, VA adj. Que tiene facilidad en dar expediente o salida en un negocio.

EXPÉDITO, TA adj. Desembarazado, pronto a obrar.

EXPELER tr. Arrojar, echar de alguna parte a una persona o cosa.

EXPENDEDOR, RA adj. y s. Que gasta o expende. • m. y f. Persona que vende efectos de otro. • **de moneda falsa.** *Der.* El que secreta y cautelosamente va distribuyendo e introduciendo en el comercio moneda falsa.

EXPENDEDURÍA f. Tienda en que se vende por menor tabaco y otros efectos.

EXPENDER tr. Gastar, hacer expensas. • Vender efectos de propiedad ajena por encargo de su dueño. • Vender al menudeo. • *Der.* Dar salida por menor a la moneda falsa.

EXPENDIO m. *Argent.*, *Méx.* y *Perú.* Expendición, venta al menudeo. • *Méx.* Expendeduría.

EXPENSAR tr. *Guat.* y *Méx.* Costear.

EXPENSAS f. pl. Gastos, costas. • **A expensas.** m. adv. A costa, por cuenta, a cargo.

EXPERIENCIA f. Enseñanza que se adquiere con el uso de la práctica. • Experimento. • *Fil.* Proceso de adaptación que el contacto con la realidad impone al sujeto. Se refiere, en términos generales, a todo conocimiento que se adquiere mediante la práctica o la acción.

EXPERIMENTACIÓN f. Acción y efecto de experimentar, experiencia. • Método científico de investigación, fundado en la realización voluntaria de fenómenos.

EXPERIMENTALISMO m. Método experimental.

EXPERIMENTAR tr. Probar y examinar prácticamente una cosa. • Hacer operaciones destinadas a descubrir, comprobar o demostrar determinados fenómenos o principios científicos. • Notar, echar de ver en sí una cosa. • Recibir las cosas modificación, cambio o mudanza. • Sufrir, padecer. ■ EXPERIMENTADO, DA; EXPERIMENTADOR, RA; EXPERIMENTAL; EXPERIMENTO.

EXPERTICIA f. *Ven.* Prueba pericial.

EXPERTO, TA adj. Práctico, hábil, experimentado. • m. Perito.

EXPIAR tr. Borrar las culpas por medio de algún sacrificio. • Sufrir el delincuente la pena impuesta por los tribunales. • fig. Padecer las consecuencias de desaciertos o de malos procederes. • fig. Purificar una cosa profanada; como un templo, etc. ■ EXPIACIÓN; EXPIATIVO, VA; EXPIATORIO, RIA.

EXPILAR tr. Robar, despojar.

EXPIRAR intr. Morir, acabar la vida. • Acabarse, fenecer una cosa. ■ EXPIRACIÓN.

EXPLANADA f. Espacio de terreno allanado. • *Mil.* Parte más elevada de la muralla, sobre la cual se levantan las almenas. • *Mil.* Pavimento de fábrica o armazón de fuertes largueros, sobre los cuales se monta y resbala la cureña en una batería.

EXPLANAR tr. Allanar, poner llana una superficie. • Dar al terreno la nivelación o el declive que se desea. • fig. Declarar, explicar. ■ EXPLANACIÓN.

EXPLAYAR tr. y prnl. Ensanchar, extender. • prnl. fig. Difundirse, dilatarse, extenderse. • fig. Esparcirse, irse a divertir al campo. • fig . Confiarse de una persona comunicándole algún secreto o intimidad.

EXPLETIVO, VA adj. Aplícase a las voces que se emplean para hacer más llena o armoniosa la locución.

EXPLICACIÓN f. Declaración o exposición de cualquier materia para que se haga más perceptible. • Satisfacción que se da a una persona o colectividad declarando que las palabras o actos que puede tomar a ofensa carecieron de intención de agravio. • Manifestación o revelación de la causa o motivo de alguna cosa.

EXPLICAR tr. y prnl. Hablar sobre una cosa para hacerla conprender o conocer a otros. • tr. Enseñar, dar clases. • Justificar, exculpar palabras o acciones, declarando que no hubo en ellas intención de agravio para otra persona. • prnl. Llegar a comprender la razón de alguna cosa; darse cuenta de ella. ■ EXPLICADERAS; EXPLICADOR, RA; EXPLICATIVO, VA.

ÉXPLICIT m. Vocablo utilizado en bibliografía para designar las últimas palabras de un escrito o de un impreso antiguo.

EXPLÍCITO, TA adj. Que expresa clara y determinantemente una cosa. • *Mat.* Díc. de una función cuya variable dependiente aparece despejada. ■ EXPLICITAR; EXPLICITUD.

EXPLICOTEAR intr. y prnl. fam. Explicar.

EXPLORACIÓN f. Acción y efecto de reconocer, examinar o registrar una cosa o un lugar. • *Med.* Conjunto de técnicas empleadas para determinar la naturaleza de una enfermedad, mediante palpación, percusión, auscultación y diversas técnicas complementarias. • *Mil.* Misión para informarse acerca de la situación e intenciones del enemigo. • *Electr.* En televisión, descomposición de una imagen en puntos que se transforman en señales eléctricas que permiten reconstruir la imagen.

EXPLORADOR, RA adj. y s. Que explora. • m. y f. Muchacho afiliado a una institución cuya finalidad es combinar el excursionismo con el cultivo del compañerismo y de otras virtudes.

EXPLORAR tr. Reconocer o averiguar con diligencia una cosa. • *Electr.* En televisión, descomponer una imagen en puntos que se transmiten separadamente y que, trasformados en señales eléctricas adecuadas, se reproducen en el mismo orden en el televisor, dando lugar a la imagen en la pantalla del mismo. ■ EXPLORATORIO, RIA.

EXPLOSÍMETRO m. Aparato destinado a medir la concentración de gases explosivos en un determinado ambiente.

EXPLOSIÓN f. Reacción química violenta, con gran desprendimiento de energía calorífica y emisión de gases, que se desarrolla en un brevísimo lapso de tiempo. • Estallido. • Dilatación repentina de un gas en el interior de un cuerpo hueco, sin que éste estalle ni se rompa. • fig. Manifestación violenta de ciertos afectos del ánimo. • *Fon.* En la articulación de ciertas consonantes, como la *t* y la *d* inicial, expulsión repentina del aire por cesar la oclusión de los órganos de la boca con que aquéllas se articulan. ■ EXPLOSIONAR.

EXPLOSIVO, VA adj. Que hace o puede hacer explosión. • adj. y f. *Fon.* Que se articula con explosión. • adj. y m. *Quím.* Díc. de la sustancia o mezcla de sustancias capaces de sufrir una oxidación muy rápida en la que se libera gran cantidad de energía.

* *Quím.* Los e. pueden estallar por golpe, por calentamiento o mediante otra e. menor (detonador). El e. más ant. es la *pólvora negra*, conocida desde el s. I d. C. El *algodón de pólvora* arde rápidamente al aire sin producir explosión, pero explota de forma violenta cuando, comprimido, se le golpea. La *nitroglicerina* es un éter del ácido nítrico con la glicerina, de extremada peligrosidad. La *dinamita*, inventada por Alfred Nobel, es una masa pastosa compuesta por un 75 % de nitroglicerina y un 25 % de tierra de infusorios, de manejo más seguro. La *trilita* (TNT) es uno de los e. más potentes que se conocen. La *goma 2* es un e. plástico de ciclonita, impermeable e insensible al fuego y a los golpes.

EXPLOSOR m. *El.* Generador portátil que se usa para el teleencendido de cargas explosivas. • *El.* Conjunto formado por dos electrodos entre los cuales se hace saltar una chispa eléctrica.

EXPLOTACIÓN f. Acción y efecto de explotar. • Conjunto de unidades de producción de un bien. • Diferencia (plusvalía) entre el valor social del trabajo y su valor como mercancía. • Rentabilización máx. de los recursos naturales.

EXPLOTAR tr. Extraer de las minas la riqueza que contienen. • fig. Sacar utilidad de un negocio o ind. en provecho propio. • fig. Aplicar en provecho propio, por lo general de un modo abusivo, las cualidades o sentimientos de una persona, o un suceso o circunstancia cualquiera. • Estallar, reventar, hacer explosión. ■ EXPLOTABLE.

EXPOLIAR tr. Despojar con violencia o con iniquidad. ■ EXPOLIACIÓN; EXPOLIADOR, RA.

EXPOLICIÓN f. *Ret.* Figura que consiste en repetir un mismo pensamiento con distintas formas.

EXPOLIO m. Acción y efecto de expoliar. • Botín del vencedor. • Bienes derivados de rentas eclesiásticas que dejaban los obispos a su muerte.

EXPONENCIAL adj. *Mat.* Relativo al exponente. • **Curva e.** Representación gráfica de una función e. en un sistema de coordenadas cartesianas. • **Función e.** Función que a cada número real x hace corresponder a^x siendo a real y positivo.

EXPONENTE adj. y s. Que expone. • m. *Mat.* Número o expresión que denota la potencia a que se ha de elevar otro número u otra expresión.

EXPONER tr. Poner de manifiesto. • Presentar una cosa, exhibirla. • Colocar una cosa para que reciba la acción de un agente o influencia. • Declarar, interpretar el sentido genuino de una palabra, texto o doctrina difícil de entender. • tr. y prnl. Arriesgar, poner una cosa en contingencia de perderse o dañarse. • tr. Dejar abandonado a un niño recién nacido en un paraje público. ■ EXPOSITIVO, VA; EXPÓSITO, TA.

EXPORTACIÓN f. *Econ.* Acción y efecto de exportar. • Conjunto de mercancías que se exportan.

* *Econ.* La e. comenzó con el desarrollo del capital comercial. Fue el mercantilismo, en el s. XVII, su pral. impulsor, al considerar las e. como el único medio de atraer metales preciosos a un país y de tener una balanza comercial favorable.

EXPORTAR tr. Enviar géneros del propio país a otro.

EXPOSICIÓN f. Acción y efecto de exponer. • Representación que se hace por escrito, pidiendo o reclamando una cosa. • Manifestación pública de artículos de ind. o de artes y ciencias, para estimular la producción, el comercio o la cultura. • Conjunto de las noticias dadas en las obras épicas, dramáticas y novelescas, acerca de los antecedentes o causas de la acción. • Situación de un objeto con relación a los puntos cardinales del horizonte. • *Fot.* Tiempo durante el cual se expone a la luz una placa fotográfica o un papel sensible para que se impresione.

EXPOSÍMETRO m. *Fot.* Aparato que mide la intensidad de luz que ilumina el objeto a fin de determinar el tiempo de exposición.

EXPOSITOR, RA adj. y s. Que interpreta, expone y declara una cosa. • m. y f. Persona que concurre a una exposición pública con objetos de su propiedad o industria.

EXPREMIJO m. Mesa baja y larga utilizada en la fabricación de quesos.

EXPRÉS adj. y s. Díc. del tren expreso. • Díc. de ciertos aparatos como cafeteras, ollas, etc., que funcionan a presión. • Café obtenido con la cafetera.

EXPRESAR tr. Manifestar con palabras lo que uno quiere dar a entender. • Dar indicio al exterior del estado o los movimientos del ánimo por medios distintos de la palabra. • Manifestar el artista con viveza y exactitud los afectos propios del caso. • prnl. Darse a entender por medio de la palabra o de otra manera.

EXPRESIÓN f. Declaración de una cosa para darla a entender. • *Ling.* Palabra o locución; todo lo que manifiesta los sentimientos del hablante. • Serie de signos de cualquier tipo pertenecientes a un código transcribible, independientemente de que tenga o no significación el fragmento dado. • Efecto de expresar algo sin palabras. • Aspecto de la fisonomía de una persona o de algún rasgo de ella por el que se expresa cierto modo de ser. • Viveza y propiedad con que se manifiestan los afectos en la oración o en la representación artística. • Cosa que se regala en demostración de afecto a quien se quiere obsequiar. • Acción de exprimir. • *Álg.* Conjunto de términos que representa una cantidad. • *Farm.* Zumo o sustancia exprimida. • pl. Memorias, recuerdos, saludos. • **Reducir** una cosa **a la mínima e.** fig. Mermarla, disminuirla todo lo posible.

EXPRESIONISMO m. *Arte.* Movimiento estético que se caracteriza por la expresión anímica del arte frente a la sensorialidad del impresionismo. • **abstracto.** *Pint.* Movimiento pictórico informalista surgido en EE UU a partir de 1951, en contraposición al *Action Painting.* ■ EXPRESIONISTA.

* *Arte.* Van Gogh es considerado el iniciador del e. moderno. Las máx. personalidades fueron Munch, Nolde, Kokoschka, Dix, Grosz, Rouault, Ensor, Soutine y Solana; y el mejor escultor, Barlach. El cine al. lo adoptó tras la Gran Guerra (R. Wiene, F. W. Murnau, G. W. Pabst, F. Lang) y sus elementos y técnicas fueron post. utilizados por muchos directores (O. Welles, I. Bergman, etc.).

EXPRESIVO, VA adj. Díc. de la persona que manifiesta con gran viveza lo que siente o piensa. • Dicho de cualquier manifestación mímica, oral, escrita, musical o plástica, que muestra con viveza los sentimientos de la persona que se manifiesta por aquellos medios. • Característico, típico. • Que constituye un inicio de algo. • Cariñoso, afectuoso. • Perteneciente o relativo a la expresión. ■ EXPRESIVIDAD.

EXPRESO, SA adj. Claro, patente, especificado. • adj. y s. Tren expreso. • m. Correo extraordinario, despachado con una noticia o aviso determinado. • adv. modo. Ex profeso, con particular intento.

EXPRIMIDERA f. o **EXPRIMIDOR** m. Aparato para exprimir y obtener zumos.

EXPRIMIR tr. Extraer el zumo o líquido de una cosa que lo tenga o esté empapada en él, apretándola o retorciéndola. • fig. Estrujar, agotar una cosa. • fig. Expresar, manifestar. ■ EXPRIMIDOR, RA.

EXPROPIACIÓN f. Acción y efecto de expropiar. • Cosa expropiada. Se emplea más en pl. • *Econ.* Procedimiento por el cual el Est. adquiere una propiedad privada, previa indemnización, para utilizarla con fines públicos.

EXPROPIAR tr. Desposeer legalmente de una cosa a su propietario, dándole a cambio, por lo común, una indemnización.

EXPUESTO, TA adj. Peligroso.

EXPUGNAR tr. Tomar por asalto una c., plaza, castillo, etc. ■ EXPUGNACIÓN.

EXPULSAR tr. Echar a alguien de un sitio. • Hacer que salga una cosa de algún sitio. ■ EXPULSIVO, VA; EXPULSO, SA.

EXPULSIÓN f. Acción y efecto de expeler o expulsar. • *Esg.* Golpe que da el diestro a la espada del contrario para desarmarlo.

EXPULSOR, RA adj. Que expulsa. • m. Mecanismo de algunas máquinas que expulsa la pieza obtenida. • Mecanismo de las armas de fuego para expulsar los cartuchos vacíos. • Mecanismo que, en determinados aviones, permite lanzar al exterior al piloto con su asiento o con su cabina.

EXPURGAR tr. Limpiar o purificar una cosa. • fig. Tachar algún pasaje de un libro o impreso por orden de la autoridad competente. ■ EXPURGACIÓN; EXPURGATIVO, VA; EXPURGO.

EXQUISITO, TA adj. De singular y extraordinaria invención, calidad, belleza, gusto, sabor, etc. ■ EXQUISITEZ.

EXTASIARSE prnl. Arrobarse, enajenarse, quedarse absorto.

ÉXTASIS m. Estado de un individuo que se halla como fuera del mundo sensible. • P. ext., estado de suma admiración por alguien o algo. • Droga sintética alucinógena a base de anfetaminas, que se consume en forma de píldoras. • *Teol.* Estado del alma, caracterizado interiormente por cierta unión mística con Dios, y exteriormente por una suspensión mayor o menor del ejercicio de los sentidos. ■ EXTÁTICO, CA; EXTATISMO.

EXTEMPORÁNEO, A o **EXTEMPORAL** adj. Impropio del tiempo en que sucede o se hace. • Inoportuno, inadecuado. ■ EXTEMPORANEIDAD.

EXTENDER tr. y prnl. Abrir, desdoblar, desarrugar una cosa para que se muestre en toda su extensión. • Esparcir, desparramar lo que está amontonado o junto. • Hacer llegar una cosa a muchos sitios. • Ampliar una explicación, texto, etc. • prnl. Ocupar cierta porción de terreno. Díc. de los montes, llanuras, etc. • Ocupar cierta cantidad de tiempo, durar. • Escribir un documento, escritura, recibo. • fig. Propagarse, irse difundiendo una raza, una especie animal o vegetal, una prefesión, uso, opinión o costumbre donde antes no la había. • fig. Alcanzar la fuerza, virtud o eficacia de una cosa a influir u obrar en otras. ■ EXTENSIBILIDAD; EXTENSIBLE; EXTENSIVO, VA; EXTENSO, SA; EXTENSOR, RA.

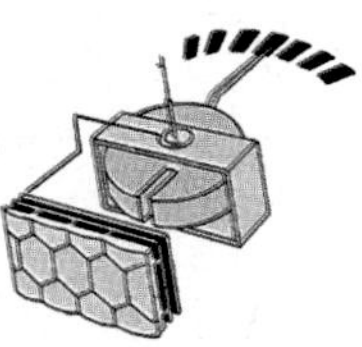

Exposímetro

Expresionismo. *El séptimo sello,* película del director sueco Ingmar Bergman

***Éxtasis** y transfixión de Santa Teresa,* escultura de Bernini

EXTENSIÓN f. Acción y efecto de extender. • Espacio ocupado por un cuerpo. • *Lóg.* Propiedad de concepto que expresa el conjunto de objetos a los que aquél puede atribuirse. • *Gram.* Tratando del significado de las palabras, ampliación del mismo a otro concepto relacionado con el originario. • *Mat.* En álgebra abstracta, un cuerpo *K* es una e. de otro *k*, si todo elemento de *k* lo es también de *K* y si además las operaciones de *k* son restricción de las de *K*. El cuerpo de los números reales, por ej., es una e. del de los números racionales. • **En toda la e.** de **la palabra.** fig. Por completo, enteramente.

EXTENSÓMETRO m. Instrumento de precisión para medir las deformaciones de un sólido sometido a esfuerzos de tracción o de compresión.

EXTENUAR tr. y prnl. Enflaquecer, debilitar. ■ EXTENUACIÓN; EXTENUATIVO, VA.

EXTERIOR adj. Que está por la parte de afuera. • Relativo a otros países. • m. Superficie externa de los cuerpos. • Traza, porte de una persona. • pl. *Cin.* Escenas de una película rodadas al aire libre.

EXTERIORIDAD f. Cosa exterior o externa. • Apariencia de las cosas, o porte de una persona. • Demostración con que se aparenta un afecto del ánimo.

EXTERIORIZAR tr. y prnl. Hacer patente, revelar o mostrar algo al exterior. ■ EXTERIORIZACIÓN.

EXTERMINAR tr. fig. Destruir totalmente una especie de cosas. Aplícase corrientemente a especies animales y vegetales. • fig. Desolar, devastar por fuerza de armas. ■ EXTERMINACIÓN; EXTERMINADOR, RA; EXTERMINIO.

EXTERNADO m. Establecimiento de enseñanza donde se reciben alumnos externos. • Régimen que siguen los alumnos externos.

EXTERNO, NA adj. Díc. de lo que obra o se manifiesta al exterior. • Díc. de la persona que no come ni duerme en el lugar de estudio o trabajo. • *Anat.* Relativo a la parte más exterior o superficial del organismo.

Extintor

EXTINGUIR tr. y prnl. Apagar, hacer que cese el fuego o la luz. • Hacer que cesen o se acaben del todo ciertas cosas. • **A e.** Díc. de las plazas o cuerpos de funcionarios estatales, que no se cubrirán una vez vacantes. ■ EXTINCIÓN; EXTINTIVO, VA; EXTINTO, TA.

EXTINTOR, RA adj. Que extingue. • m. Aparato para extinguir incendios, que por lo común arroja sobre el fuego un chorro de agua o de una mezcla que dificulta la combustión.

EXTIRPAR tr. Arrancar de cuajo o de raíz. • fig. Acabar del todo con una cosa. • *Cir.* Erradicar o separar quirúrgicamente una parte del organismo. ■ EXTIRPACIÓN; EXTIRPADOR, RA.

EXTORNAR tr. *Méx.* Pasar en los libros de comercio una partida del debe al haber, o viceversa.

EXTORNO m. Parte de prima que el asegurador devuelve al asegurado a consecuencia de alguna modificación en las condiciones de la póliza contratada.

EXTORSIONAR tr. Usurpar, arrebatar. • Causar extorsión o daño. ■ EXTORSIÓN.

EXTRA prep. insep. que significa *fuera de*. • En estilo familiar suele emplearse aislada, significando además. • adj. fam. Extraordinario, óptimo. • m. fam. Gaje, plus. • Plato extraordinario que no figura en el cubierto ordinario. • *Cin.* Comparsa, persona que presta un servicio accidental.

Extracción de sal en una mina de Australia

EXTRACCIÓN f. Acción y efecto de extraer. • Operación para retirar las vainas de la recámara del arma de fuego, una vez disparada ésta. • Operación consistente en separar de una materia prima productos con ciertas propiedades análogas. • *Min.* Acción de sacar a la superficie los materiales arrancados en la mina. • Todo lo relacionado con dicha operación. • P. ext., la producción de una mina, cantera o yacimiento. • En el juego de la lotería, acto de sacar algunos números con sus respectivas suertes • Origen, linaje. • *Cir.* Intervención para extraer cuerpos extraños o partes orgánicas.

EXTRACORRIENTE f. *El.* Corriente producida por autoinducción en un circuito cerrado al variar la intensidad de la corriente que lo recorre.

EXTRACTO m. Resumen de un escrito. • *Der.* Apuntamiento o resumen de un expediente o de pleito contencioso administrativo. • *Quím.* Sustancia resultante de la evaporación de ciertas disoluciones. ■ EXTRACTAR.

EXTRACTOR, RA m. y f. Persona que extrae. • Aparato o pieza de un mecanismo que sirve para extraer. • Aparato o dispositivo que expulsa el aire contenido en un recipiente o habitación. • Aparato que sirve para sacar la miel de los panales.

EXTRADICIÓN f. Procedimiento por el que un Est. hace entrega a otro de una persona acusada o condenada para que se cumpla la ley del Est. que la reclama.

EXTRADÓS m. *Arq.* Superficie convexa o exterior de una bóveda.

EXTRADURO adj. Díc. del acero de alto contenido en carbono y gran resistencia mecánica.

EXTRAECONÓMICO, CA adj. Ajeno a la economía.

EXTRAER tr. Sacar. • *Álg.* y *Arit.* Tratándose de raíces, averiguar cuáles son las de una cantidad dada. • *Quím.* Separar algunas de las partes de que se componen los cuerpos.

EXTRAHUMANO, NA adj. Ajeno a la humanidad.

EXTRAJUDICIAL adj. Que se hace o trata fuera de la vía judicial.

EXTRALEGAL adj. Fuera de la ley.

EXTRALIMITARSE tr. y prnl. fig. Excederse en el uso de facultades o atribuciones; abusar de la benevolencia ajena.

EXTRAMUROS adj. lugar. Fuera del recinto de una c., villa o lugar.

EXTRANJERÍA f. Calidad y condición del extranjero residente en un país. • Sistema o conjunto de normas reguladoras de la condición y los intereses de los extranjeros en un país.

EXTRANJERISMO m. Afición desmedida a costumbres extranjeras. • Voz, frase o giro de un idioma empleados en otro.

EXTRANJERIZAR tr. y prnl. Introducir en un país las constumbres extranjeras.

EXTRANJERO, RA adj. y s. Natural de una nación con respecto a los naturales de cualquiera otra. • m. Toda nación que no es la propia.

EXTRANJÍA f. fam. Extranjería. • **De e.** loc. fam. Extranjero. • fig. y fam. Extraño o inesperado.

EXTRANJIS (De) loc. fam. De extranjía. • De tapadillo, ocultamente.

EXTRAÑAMIENTO m. Acción y efecto de extrañar o extrañarse. • *Der.* Pena que consiste en la expulsión del territorio nacional durante el tiempo que dura la condena.

EXTRAÑAR tr. y prnl. Desterrar a un país extranjero. • Apartar, privar a uno del trato y comunicación que se tenía con él. • Sorprender, producir extrañeza. • tr. Sentir la novedad de alguna cosa que usamos, echando de menos la que nos es habitual. • Encontrar extraña una cosa o sentir su falta. • Afear, reprender. • prnl. Negarse a hacer una cosa. ■ EXTRAÑACIÓN.

EXTRAÑEZA f. Efecto causado por una cosa extraña. • Anormalidad, rareza. • Desavenencia entre los que eran amigos. • Admiración, novedad.

EXTRAÑO, ÑA adj. y s. De nación, familia o profesión distinta de la que se nombra o sobrentiende. • adj. Raro, singular, extravagante. • Díc. de lo que es ajeno a la naturaleza o condición de una cosa de la cual forma parte. • Que no tiene parte en una cosa. • m. Movimiento de sorpresa o susto. • f. *Bot.* Planta herbácea de la familia compuestas, con tallo velloso y revestido de hojas alternas, con flores grandes y de colores variados.

EXTRAOFICIAL adj. Oficioso, no oficial.

EXTRAORDINARIO, RIA adj. Fuera del orden o regla natural o común. • m. Correo especial que se despacha con urgencia. • Plato o manjar que se añade a la comida diaria. • Número de un periódico que se publica por algún motivo especial.

EXTRAPARLAMENTARIO, RIA adj. y s. Díc. del partido, minoría, etc., que no tiene representación en el parlamento.

EXTRAPOLACIÓN f. Acción y efecto de extrapolar.

EXTRAPOLAR tr. *Mat.* Determinar el valor de una función en un punto exterior a un intervalo del que se conocen sus valores. • Generalizar.

EXTRARRADIO m. Parte o zona, la más exterior del término municipal, que rodea el casco urbano de una pob., constituyendo una transición al ámbito rural próximo.

EXTRASÍSTOLE f. *Med.* Trastorno de la excitabilidad de los restos embrionarios del corazón.

EXTRATÉMPORA f. Dispensa para que un clérigo reciba las órdenes mayores fuera de los tiempos señalados por la Iglesia.

EXTRATERRESTRE o **EXTRATERRENO, NA** adj. Ajeno a la tierra, a la vida terrestre.

EXTRATERRITORIAL adj. Díc. de lo que está o se considera fuera del territorio de la propia jurisdicción.

EXTRATERRITORIALIDAD f. Privilegio por el cual determinadas personas y lugares se sustraen a la jurisdicción del Est. donde se encuentran.

EXTRAUTERINO, NA adj. Que está situado u ocurre fuera del útero, referido a lo que normalmente se halla u ocurre dentro de él.

EXTRAVAGANTE adj. y s. Raro, extraño, desacostumbrado, excesivamente peculiar u original. • Comportamiento basado en lo anterior. ■ EXTRAVAGANCIA.

EXTRAVASARSE prnl. Salirse un líquido de su vaso. Particularmente, la sangre de los vasos sanguíneos. ■ EXTRAVASACIÓN.

EXTRAVENAR tr. y prnl. Hacer salir la sangre de las venas. • tr. fig. Desviar, sacar de su lugar.

EXTRAVERSIÓN o **EXTROVERSIÓN** f. *Med.* Vicio de conformación de un órgano que se vuelve hacia la parte exterior. • *Psic.* Propensión a salir hacia afuera, a interesarse por lo exterior, que caracteriza un cierto tipo de personalidad. ■ EXTRAVERTIDO, DA O EXTROVERTIDO, DA.

EXTRAVIADO, DA adj. De costumbres desordenadas. • Tratando de lugares, poco transitado, apartado. • Díc. de la persona que anda perdida.

EXTRAVIAR tr. y prnl. Hacer perder el camino. • tr. Poner una cosa en otro lugar que el que debía ocupar. • Hablando de la vista o de la mirada, no fijarla en objeto determinado. • prnl. No encontrarse una cosa en su sitio e ignorarse su paradero. • fig. Dejar la carrera y el gén. de vida, gralte. empeorando con el cambio. ■ EXTRAVÍO.

EXTREMA f. fam. Extremaunción.

EXTREMADAS f. pl. Tiempo dedicado a la fabricación del queso.

EXTREMADO, DA adj. Sumamente bueno o malo en su género. • Exagerado, que sale de lo normal. • pl. Entre ganaderos, tiempo en que están ocupados en hacer el queso.

EXTREMADURA Com. autón. de España, en el sector O de la Meseta Meridional; 41 602 km^2, 1 061 852 hab. Integrada por la prov. de Cáceres y Badajoz. Cap., Mérida. Penillanura regada por el Tajo y sus afl. Clima continental. Agricultura, ganadería, minería e ind. Ocupada por los rom. y por los ár., fue reconquistada en el s. XIII. En el s. XVIII se intentó frenar la despoblación. Los ss. XIX y XX se señalan por la fuerte presencia del caciquismo. Com. autón. desde 1983.

EXTREMAR tr. Llevar una cosa al extremo. • Entre ganaderos, apartar la crías de sus madres. • prnl. Emplear uno todo esmero en la ejecución de una cosa.

EXTREMAUNCIÓN f. Uno de los sacramentos de la Iglesia que consiste en la unción con óleo sagrado hecha a los fieles que se hallan en peligro inminente de morir.

EXTREMEÑO, ÑA adj. y s. De Extremadura. • m. Habla cast. propia de Extremadura.

EXTREMIDAD f. Parte extrema o última de una cosa. • *Anat.* Cualquiera de los miembros pares de los vertebrados, compuestos de: un conjunto de tres huesos que forman la cintura (escápula, coracoides y escápula para la escapular; ilion, isquion y pubis para la pelviana); un hueso largo que corresponde al brazo (húmero) o al muslo (fémur); dos huesos paralelos que forman el esqueleto del antebrazo (ulna o cúbito y radio) o pierna (tibia y peroné), y un esqueleto de la parte basal de la mano o del pie. • pl. *Zool.* Parte distal de un organismo. En los peces, las aletas pares, pectorales y abdominales.En los vertebrados terrestres, las patas. En las aves, las e. anteriores se transforman en alas.

Extremadura. Teatro romano de Mérida

EXTREMISMO m. Tendencia a adoptar ideas extremas, especialmente en política. ■ EXTREMISTA.

EXTREMO, MA adj. Último. • Aplícase a lo más intenso, elevado o activo de cualquier cosa. • Excesivo, sumo, mucho. • Distante. • Desemejante. • m. Parte primera o parte última de una cosa. • Punto último a que puede llegar una cosa. • Esmero sumo en una operación. • Invernadero de los ganados trashumantes, y pastos en que se apacientan en el invierno. • Punto, materia, parte. • *Dep.* Jugador, en especial de fútbol, que dentro del equipo ocupa, en la línea de ataque, la posición teórica más próxima a la banda. • f. *Meteor.* El valor más alto o más bajo de un elemento del tiempo. • pl. Manifestaciones exageradas y vehementes.

EXTREMO ORIENTE Exp. geográfica para designar los países de Asia oriental, que estrictamente comprende China, Corea, Taiwan y Japón. Usualmente a estos países se añade Mongolia, el litoral de Rusia en el Pacífico y el SE de Asia.

EXTREMOSO, SA adj. Extremado en actitudes, reacciones, etc. • Muy expresivo en demostraciones cariñosas.

EXTRÍNSECO, CA adj. Externo, no esencial a la naturaleza de una cosa, sino adquirido o superpuesto a ella.

EXTROFIA f. *Med.* Malformación congénita de un órgano hueco al dejar la superficie interna del mismo al descubierto.

EXTROVERSIÓN f. → Extraversión.

EXTRUDIR tr. Dar forma por extrusión. ■ EXTRUSOR, RA.

EXTRUSIÓN f. Acción y efecto de extrudir. • *Geol.* Aparición de materia volcánica por subida y salida. • *Ind.* Paso a presión de un metal fundido o de una masa plástica a través de una hilera.

EXTRUSIVO, VA adj. Que se ha formado por extrusión. • *Geol.* Díc. de la roca formada por consolidación de la lava en la superficie del terreno.

EXUBERANCIA f. Abundancia grande, plenitud y riqueza excesiva. ■ EXUBERANTE.

EXUDACIÓN f. Acción y efecto de exudar. • Concentración anormal, en la superficie de una pieza, de uno de sus componentes.

EXUDADO, DA m. *Med.* Producto de la exudación, gralte. por extravasación de la sangre en las

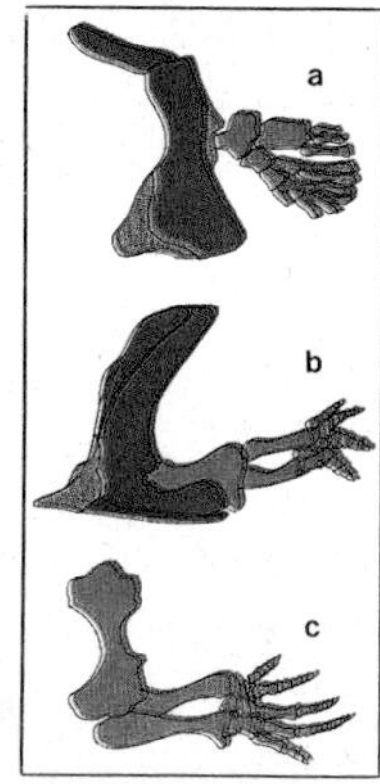

Evolución de la **extremidad** anterior de los vertebrados: a. aleta de un crosopterigio; b. pata de un anfibio primitivo; c. de un reptil moderno

inflamaciones. • Líquido que rezuma de los órganos de las plantas al ser lesionados, o por otras causas patológicas.

EXUDAR intr. y tr. Salir un líquido fuera de sus vasos o continentes propios.

EXULCERAR tr. y prnl. *Med.* Corroer el cutis de modo que empiece a formarse llaga. ■ EXULCERACIÓN.

EXULTAR intr. Mostrar alegría con gran excitación. ■ EXULTACIÓN.

EXUTORIO m. *Farm.* Medicamento que arrastra o extrae. • *Med.* Úlcera practicada y mantenida con objeto de determinar una supuración con fines derivativos.

EXUVIA f. *Zool.* Conjunto de la exocutícula y la endocutícula de los artrópodos que se desprende en la muda, para ser regenerada de nuevo.

EXVOTO m. Don u ofrenda dedicada a la divinidad en agradecimiento por un beneficio recibido.

Exvoto ibérico de Castellar de Santiesteban. Jaén, España

EYACULACIÓN f. Acción y efecto de eyacular. • Emisión durante el orgasmo masculino de líquido seminal a través de la uretra, provocada por las contracciones rítmicas de las paredes musculares de las vesículas seminales. ■ EYACULATORIO, RIA.

EYACULAR tr. Expeler, evacuar. • Lanzar con rapidez y fuerza el contenido de un órgano, cavidad o depósito, en particular el semen secretado por los testículos.

EYADEMA, *Gnassingbé,* antes *Étienne* (nacido 1935) Militar y político togolés. De 1953 hasta la indep. de Togo (1961) fue miembro del ejército fr. Desde entonces ocupó diversos cargos, hasta que en 1967 llegó a la presid. mediante un golpe de Est. Sufrió atentados en 1974 y 1977, que deterioraron sus relaciones con Francia. Reelegido en 1979, proclamó la III República de Togo en 1980.

EYECCIÓN f. *Fisiol.* Expulsión de una materia destinada a ser eliminada. • *Mec. apl.* Expulsión de gases al exterior de una caldera, máquina o motor. La velocidad de e. de los gases es de gran importancia en astronáutica.

EYECTAR tr. Proyectar al exterior. • fam. Expulsar, reenviar.

EYECTOR m. Aparato destinado a evacuar un fluido por arrastre con otro de mayor velocidad, mediante dos toberas concéntricas.

EYRE Lago salado del S de Australia; 8 900 km^2. Sit. a 11 m. bajo el nivel del mar. • Pen. del S de Australia, sit. entre el golfo de Spencer y la Gran Bahía australiana.

EYSKENS, *Gaston* (1905-1988) Político belga. Profesor universitario y diputado democristiano, fue ministro de Finanzas en el gobierno de Paul Henri Spaak (1947-1949) y primer ministro (1949, 1958-1961, 1968-1972).

EYZAGUIRRE, *Agustín* (1768-1837) Político chil. Vicepresid. del Congreso (1811) y vocal de la Junta de gobierno (1813), fue desterrado a la isla de Juan Fernández por los realistas (1814-1818). Post., y ya declarada la indep., fue vicepresid. (1826) y presid. interino de Chile (1826-1827). • ***G. Jaime*** (1908-1968) Historiador chil. *Privilegios diplomáticos, Ventura de Pedro Valdivia, Eyzaguirre, generaciones y semblanzas, Soberanía de Chile en las tierras australes.*

EZCURRA, *Juan Antonio* (1859-1905) Militar y político par. Participó en el golpe de Est. que depuso al presid. Aceval, tras el cual fue elegido presid. (1902). Promulgó la ley de Colonización y Hogar, a fin de modificar las leyes de «venta de las tierras públicas» que habían asegurado el surgimiento de los grandes latifundios (1903). Intentó reestructurar el partido Colorado, pero la rev. liberal le obligó a abandonar la presidencia (1904).

EZEIZA Aeropuerto de la c. de Buenos Aires. • **Matanza de E.** Sangrientos enfrentamientos entre sindicalistas e izquierdistas ocurridos en E., al regreso de Perón al país (20 junio, 1973).

EZEQUÍAS (h. 715-h. 686 a. C.) Rey de Judá. Hizo una reforma religiosa. Fue atacado por el rey asirio Senaquerib.

EZEQUIEL (s. VI a. C.) Uno de los profetas mayores del A. T. Actuó en Babilonia como profeta de la salvación. • **Libro de E.** El tercer de los grandes escritos del A. T., fechado entre 593 y 571 a. C. Trata de la responsabilidad individual.

EZETA, *Carlos* (1855-1903) Militar y político salv. Comandante militar del dpto. de Santa Ana, dirigió un golpe de Est. que depuso a Francisco Menéndez, y se proclamó presid. (1890). Guatemala le declaró la guerra y apoyó la oposición a su régimen. Fue derrocado por un movimiento insurreccional (1894).

EZNAB En la religión de los mayas, signo del decimonono día ritual.

EZPELETA, *José de* (1742-1823) Militar y político esp. Gobernador de Pensacola (1781), fue nombrado capitán general de Cuba (1785-1789). Fomentó la agricultura mediante la introducción de negros e intentó acabar con el contrabando. Virrey de Nueva Granada (1789-1796) • **Eurile, *Joaquín de*** (1786-1863) Militar esp. Capitán general de Cuba (1838) y ministro de Marina en el gobierno de Bravo Murillo (1852).

EZQUERDEAR intr. Torcerse a la izquierda de la visual una hilada de sillares, un muro, etc.

EZRA de Tudela, *Abraham* IBN (h. 1093-h. 1167) Pensador heb., n. en España. Su filosofía tiene un carácter predominantemente teológico y apologético. El *Yesod Mora*, sobre el conocimiento de Dios, y el *Shaar ha Shamayyin* presentan influjos neoplatónicos. Contribuyó al desarrollo de los conocimientos de astronomía. *Tratado del astrolabio, Fundamentos de las tablas astronómicas.*

F

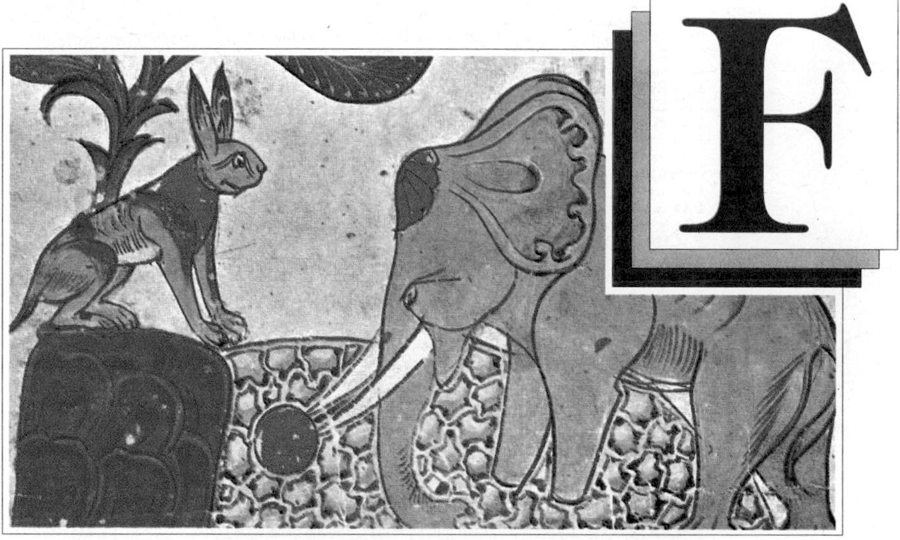

Fábula del elefante y la liebre. Miniatura de *Calila y Dimna* de Bidpai. Arte árabe del s. XIV

F f. Sexta letra del alfabeto esp. y cuarta de sus consonantes; su nombre es *efe*. Labiodental, fricativa, sorda. • *Fís.* Símb. de faradio y de Fahrenheit (°F). • *Mús.* En la nomenclatura ing. y al., *fe.* • *Mús.* Indicación de *forte* (f) o *fortissimo* (ff). • *Quím.* Símb. del flúor.

FA m. *Mús.* Cuarta nota de la escala fundamental.

FABBIANI, ***Juan Vicente*** (nacido 1910) Pintor ven. Director de la Academia de Bellas Artes de Caracas. Especializado en naturalezas muertas. • **Ruiz, *José*** (1911-1975) Escritor ven. *Agua salada, A orillas del sueño, Valle hondo, Mar de leva, La dura tierra.*

FABELA, ***Isidro*** (1882-1964) Político mex. Fue ministro de Asuntos Exteriores (1913-1914) y gobernador del est. de México (1943).

FABER Familia de industriales al., fabricantes de lápices.

FABIAN Society (Sociedad Fabiana) Movimiento socialista brit., fundado en 1884. Contribuyó a la creación del Partido Laborista (1900).

FABIANA f. *Amér. Merid.* Arbusto solanáceo medicinal.

FABINI, ***Eduardo*** (1882-1950) Compositor ur. Fundó el conservatorio de Música de Uruguay (1904) y la Asociación de Música de Cámara. *Campo.*

FABIO MÁXIMO, ***Quinto*** (275-203 a.C.) Dictador rom. (217), llamado ***Cunctator*** (Contemporizador) por su táctica de guerrilla. Por ello se le relevó del mando frente a Aníbal. Pero por la derrota romana en Cannas (216) se le repuso en el cargo y venció a los cartagineses. • **Pictor, *Quinto*** (h. 354 a. C.) Historiador rom. *Anales.*

FABIOLA DE MORA Y ARAGÓN (nacida 1928) Reina de Bélgica (1960-1993) por su matrimonio con el rey Balduino.

FABIUS, ***Laurent*** (nacido 1946) Político fr. Militante desde 1974 del Partido Socialista Francés (PSF). Ministro de Industria e Investigación (1983-1984) y primer ministro (1984-1986).

FABLA f. Imitación convencional del esp. ant. hecha en algunas composiciones literarias. • Denominación del aragonés, lengua hablada en los valles pirenaicos de Aragón, en el N. de España.

FABORDON m. *Mús.* Contrapunto sobre canto llano, usado pralm. para la música religiosa.

FABRA, ***Pompeu*** (1868-1948) Filólogo esp., cat. Renovó y actualizó la lengua cat. *Diccionari ortogràfic, Gramàtica catalana y Diccionari general de la llengua catalana.*

FABRE, ***Jean-Henri*** (1823-1915). Entomólogo fr., especialista en insectos. *Recuerdos entomológicos.*

FÁBRICA f. Fabricación. • Lugar donde se fabrica una cosa. • Edificio. • Cualquier construcción o parte de ella hecha con piedra o ladrillo y argamasa. • Renta o fondo de las iglesias, para repararlas y costear el culto. • Invención, artificio de algo no material. ■ FABRIL.

FABRICAR tr. Transformar materias primas en productos más aptos para satisfacer necesidades humanas, por medio de una tecnología adecuada. • Construir un edificio, un dique, un muro o cosa análoga. • P. ext., elaborar. • fig. Hacer o disponer una cosa no material. ■ FABRICANTE.

FABRICIO, ***Girolamo*** (1537-1619) Médico y cirujano it. Sus mayores éxitos fueron el desarrollo de un nuevo método investigador de la embriología y sus estudios sobre las válvulas venosas. *Pentateuchos chirurgicum* y *Opera chirurgica in duas partes divisa.*

FABRIQUERO m. Fabricante. • Persona encargada en las iglesias de los fondos dedicados a los edificios y a los utensilios del culto. • Trabajador dedicado al carboneo.

FABRY, ***Charles*** (1867-1945) Físico fr. Inventó un interferómetro, estableció un sistema internacional de longitudes de onda y descubrió la existencia del ozono en la alta atmósfera.

FABUCO m. Hayuco.

FÁBULA f. Rumor, habladuría. • Relación falsa, sin ningún fundamento. • Suceso o acción ficticia que se narra o se representa para deleitar. • *Lit.* Composición alegórica, gralte. protagonizada por animales, que contiene una enseñanza. • *Mit.* Cualquiera de las ficciones de la mitología.
* *Lit.* Género surgido en Oriente, fue cultivado en Grecia por Esopo, y en Roma por Fedro. Las f. más conocidas son las del fr. La Fontaine y las de Iriarte y Samaniego (s. XVIII). ■ FABULARIO; FABULESCO, CA; FABULISTA.

FABULOSO, SA adj. Falso, de pura invención. • fig. Excesivo, increíble. • fig. y fam. Extraordinario, magnífico.

FACA f. Cuchillo corto. • Cualquier cuchillo de grandes dimensiones y con punta, que suele llevarse envainado. ■ FACÓN.

FACATATIVA Mun. de Colombia, en el dpto. de Cundinamarca; 33 500 hab. Cereales, patatas. Ganadería. Carbón. Ind. harineras.

FACCIÓN f. Conjunto de gente amotinada o rebelada. • Bando o grupo que apoya o sigue el partido de alguno • Cualquiera de las partes del rostro humano. Se usa más en pl. ■ FACCIONARIO, RIA; FACCIOSO, SA.

Interior de una **fábrica** de detergentes

Facetas de un ojo compuesto de tábano

FACETA f. Cada una de las caras de un cuerpo poliédrico, cuando son pequeñas. • *Zool*. Cada una de las córneas de los ojos compuestos de los artrópodos. • fig. Cada uno de los aspectos que se pueden considerar en un asunto.
FACETADA f. *Méx*. Chiste sin gracia.
FACETO, TA adj. *Méx*. Chistoso.
FACHA f. fam. Traza, aspecto. • m. y f. fam. Mamarracho, adefesio. • *Chile*. Jactancia. • fam. Fascista. • **Ponerse en f.** *Mar*. Parar el curso de una embarcación por medio de las velas. ■ *Mar*. FACHEAR.
FACHADA f. Parte exterior y pral. de un edificio. • fig. y fam. Presencia, aspecto.
FACHADO, DA adj. fam. Con los adv. *bien* o *mal*, que tiene buena o mala traza o aspecto.
FACHENDEAR intr. fam. Hacer ostentación vanidosa. ■ FACHENDA; FACHENDISTA; FACHENDOSO, SA.
FACHINAL m. *Argent*. Estero o lugar anegadizo cubierto de paja brava, junco y otra vegetación.
FACHOSO, SA adj. fam. De mala facha, de figura ridícula. • *Chile* y *Méx*. Jactancioso, ostentoso. ■ FACHUDO.
FACIAL adj. Perteneciente al rostro.
FACIES f. Aspecto que a primera vista ofrece cualquier cosa. • *Geol*. Conjunto de características litológicas y paleontológicas de una roca sedimentaria. • *Med*. Aspecto de la cara que, por sus especiales características, permite orientar el diagnóstico hacia una determinada enfermedad.
FÁCIL adj. Que se puede hacer sin mucho trabajo. • Que puede suceder con mucha probabilidad.
FACILIDAD f. Disposición para hacer una cosa sin gran trabajo. • Oportunidad para hacer algo. • **Dar facilidades.** Facilitar, hacer fácil.
FACILILLO, LLA adj. Díc. en sentido irónico para indicar lo que es difícil.
FACILITAR tr. Hacer fácil o posible la ejecución de una cosa o la consecución de un fin. • Proporcionar o entregar. ■ FACILITACIÓN.
FACILITÓN, NA adj. y s. fam. Que todo lo cree fácil, o presume de facilitar la ejecución de las cosas.
FACINEROSO, SA adj. y s. Delincuente habitual. • m. Hombre malvado.
FACIO, *Justo B.* (1860-1932) Escritor cost. *Mis versos, La cultura literaria*.
FACISTOL m. Atril grande de las iglesias. • adj. *Cuba* y *Ven*. Engreído, pedante.
FACÓQUERO m. Jabalí originario del África oriental, de grandes colmillos y larga melena dorsal.
FACSÍMIL o **FACSÍMILE** m. y adj. Perfecta imitación o reproducción de una forma, escrito, dibujo, etc.
FACTIBLE adj. Que se puede hacer.
FACTICIO, CIA adj. Que no es natural y se hace por arte.
FÁCTICO, CA o **FACTUAL** adj. Relativo a los hechos. • Basado en hechos o limitado a ellos.
FACTITIVO, VA adj. *Ling*. Díc. del verbo o paráfrasis verbal cuyo sujeto no ejecuta por sí mismo la acción, sino que la hace ejecutar por otro u otros.
FACTO *(De)* loc. adv. latina. De hecho.
FACTOR m. Entre comerciantes, apoderado para traficar en nombre y por cuenta del poderdante. • Empleado que en las estaciones de ferrocarriles cuida de la recepción, expedición y entrega de los equipajes, mercancías, etc. • *Mat*. Cada uno de los elementos que forman un producto. • fig. Elemento, concausa. • **de producción.** *Econ*. Elemento que interviene en el proceso de producción de un bien.
FACTORÍA f. Empleo y oficina del factor. • Establecimiento de comercio, pralm. el sit. en país colonial. • Fábrica o complejo industrial.
FACTORIAL adj. Relativo a los factores. • m. *Mat*. Producto formado por todos los números naturales consecutivos desde la unidad hasta otro dado.
FACTORING (voz ing.) m. Transferencia de un crédito comercial a un intermediario, que garantiza al titular su cobro a cambio de una comisión.
FACTORIZAR tr. *Mat*. Descomponer un número o una expresión en factores. ■ FACTORIZACIÓN.
FACTÓTUM m. fam. Sujeto que desempeña en una casa o dependencia todos los ministerios. • Persona de plena confianza de otra en cuyo nombre despacha sus prales. negocios.

Faetón

Hayas, árboles de la familia **fagáceas**

FACTURA f. Hechura. • Cuenta que los factores dan del coste y costas de las mercancías compradas y que remiten a sus corresponsales. • Relación de artículos u objetos comprendidos en una venta, o cualquier operación de comercio. • Cuenta detallada de cada una de estas operaciones. • *Argent*. Nombre que se da a toda clase de bollos que suelen fabricarse y venderse en las panaderías. • *Pint*. y *Esc*. Ejecución. • **conformada.** La que se envía duplicada al comprador, antes de realizar la entrega de la mercancía y el pago, y de la que se devuelve un ejemplar con la conformidad y la firma.
FACTURAR tr. Extender las facturas. • Registrar en las estaciones de ferrocarriles equipajes o mercancías para que sean remitidos a su destino. ■ FACTURACIÓN.
FÁCULA f. *Astr*. Zona brillante de la fotosfera, fácilmente observable cerca del borde del Sol.
FACULTAD f. Aptitud, potencia física o moral. • Poder, derecho para hacer alguna cosa. • Ciencia o arte. • En las universidades, cuerpo de doctores o maestros de una ciencia. • Cada una de las grandes divisiones de una universidad, correspondiente a una rama del saber. • Local en que funciona dicha división de una universidad. • Licencia o permiso.
FACULTAR tr. Conceder facultades a uno para hacer alguna cosa.
FACULTATIVO, VA adj. Perteneciente a una facultad. • Perteneciente a la facultad o poder que uno tiene para hacer alguna cosa. • Díc. del que profesa una facultad. • Potestativo. • m. y f. Médico o cirujano.
FACUNDIA f. Afluencia, facilidad en el hablar. ■ FACUNDO, DA.
FADA f. Hada, maga, hechicera. • *Bot*. Variedad de camuesa pequeña.
FADÉIEV, *Alexandr Alexandrovich* (1901-1956) Novelista sov. *La joven guardia*, la trilogía *El último de los uhdegs*.
FADING m. *Fís*. Desvanecimiento en la intensidad de las señales captadas por un radiorreceptor.
FADO m. Canción popular portuguesa de tema sentimental y melancólico.
FAELLDIN, *Thorbjorn* (nacido 1926) Político sueco. Fue primer ministro (1976-1978 y desde 1979 hasta 1982).
FAENA f. Trabajo corporal. • fig. Trabajo mental. • *Ecuad*. En la jornada de los trabajos agrícolas, la parte que corresponde a la mañana. • *Guat*. y *Méx*. Trabajo que se hace en una hacienda en horas extraordinarias. • Mala pasada. • Servicio que se hace a una persona. • *Taur*. Cada una de las operaciones que, en el campo, se efectúan con el toro. En la plaza, las que efectúa el diestro durante la lidia, y pralm. la brega con la muleta, preliminar de la estocada.
FAENAR tr. *Argent*. Matar reses y descuartizarlas o prepararlas para el consumo. • tr. e intr. Pescar.
FAETÓN m. Carruaje descubierto, de cuatro ruedas, alto y ligero.
FAETÓNTIDO, DA adj. y m. *Zool*. Díc. de aves de la familia faetóntidos. • m. pl. *Zool*. Familia de aves pelecaniformes. Los f. se encuentran en los océanos Atlántico, Pacífico e Índico. Reciben el nombre vulgar de rabijuncos.
FAFARACHERO, RA adj. *Col*. Díc. de la persona fachendosa.
FÁFILA (m. 739) Rey de Asturias, hijo y sucesor de Pelayo.

Facóquero

FAGÁCEO, A adj. y f. Díc. de las plantas de la familia fagáceas. • f. pl. *Bot.* Familia de plantas dicotiledóneas, arbustivas o arbóreas, a la que pertenecen el roble, la encina, el castaño y el haya.
FAGNANO Lago de Argentina, de origen glaciar, sit. en la Isla Grande de Tierra del Fuego; 550 km^2. También se le denomina Camí. El extremo occidental pertenece a Chile.
FAGO Afijo que significa comer. • m. *Biol.* Nombre común de los virus parásitos de las bacterias.
FAGOCITAR tr. *Biol.* Englobar una célula a otros microorganismos mediante la emisión de prolongaciones llamadas pseudópodos. ■ FAGOCITO; FAGOCITOSIS.
FAGOT m. Instrumento músico de viento que se toca con una boquilla de caña. ■ FAGOTISTA.
FAHD Ibn Abd-el Aziz al-Sa'ud (nacido 1922) Monarca saudí. Al ser asesinado el rey Faysal, su hermano, en el año 1975, fue designado príncipe heredero.
FAHRENHEIT, *Daniel Gabriel* (1686-1736) Físico al. Destacó en la construcción de aparatos de medida. En 1724 estableció la escala de temperaturas que lleva su nombre. En ella el punto de fusión del hielo se toma a un equivalente de 32 °C y el punto de ebullición del agua a 212 °C. Al dividir este intervalo en 180 partes iguales se obtiene el grado Fahrenheit (°F).
FAI Siglas de Federación Anarquista Ibérica.
FAIDA f. Forma primitiva y recíproca de venganza privada. Tiene cierta semejanza con la *vendetta*.
FAIQUE m. *Ecuad.* y *Perú.* Árbol de la familia de las mimosáceas.
FAIR Play (voz ing.) m. Juego limpio.
FAIRBANKS, *Douglas* (1883-1939) Actor norteam, del cine mudo. *El signo del Zorro, Robín de los bosques, El ladrón de Bagdad.*
FAIRFAX, Thomas (1611-1671) General ing. Jefe de las tropas parlamentarias en la guerra civil, obtuvo la victoria de Naseby (1645).
FAISAL → Faysal.
FAISÁN m. Ave galliforme de la familia fasiánidos. ■ FAISANA; FAISANERÍA.
FAISANES, *Isla de los* Isla de la ría del Bidasoa que pertenece por mitad a España y Francia. En ella se firmó (1659) la paz de los Pirineos, entre Francia y España.
FAJA f. Tira de tela con que se rodea el cuerpo por la cintura, dándole varias vueltas. • Cualquier lista mucho más larga que ancha. • Tira de papel que en vez de sobre se pone a los impresos que se han de enviar de una parte a otra. • Insignia propia de algunos cargos. • *Arq.* Moldura ancha y de poco vuelo.
FAJADO, DA adj. Díc. de la persona azotada. • m. *Min.* Madero o tablón usado para formar piso, y también madero en rollo que sirve para entibar los pozos. • *Cuba* y *P. Rico.* Acometida, embestida.
FAJADURA f. Fajamiento. • *Mar.* Tira de lona alquitranada con que se forran algunos cabos.
FAJAR tr. y prnl. Rodear o envolver con faja. • tr. Envolver al niño y ponerle el fajero. • *P. Rico.* Pedir dinero prestado. • *Cuba.* Cortejar a una mujer con propósitos deshonestos. • prnl. *P. Rico.* Trabajar intensamente. • rec. *Cuba.* Pegarse dos personas. ■ FAJAMIENTO.
FAJARDO m. Pastel de hojaldre relleno de carne.
FAJARDO Mun. de Puerto Rico, en el distr. de Humacao; 23 000 hab. Centro comercial. Ind. azucarera y del tabaco.
FAJARDO, *Francisco* (hacia 1530-1564) Conquistador mestizo. Intentó someter las tribus del E del Tacarigua, en Venezuela. Fue ahorcado.
FAJEADO, DA adj. Que tiene fajas o listas.
FAJERO m. Faja que se pone a los niños de teta.
FAJILLA f. *Amér. Centr.* y *Méx.* Faja que se pone a los impresos.
FAJÍN m. Ceñidor de seda que usan los generales y ciertos funcionarios.
FAJINA f. Conjunto de haces de mies que se pone en las eras. • Leña ligera para encender. • Faena. • *Mil.* Toque de formación para las comidas.
FAJO m. Haz o atado.
FAJOL m. Alforfón, planta.
FAJÓN m. *Ar.* Recuadro ancho de yeso alrededor de los huecos de las puertas y ventanas. • *Arq.* Arco adherente a una bóveda.

FALACIA f. Engaño para dañar a otro. • Hábito de emplear falsedades en daño ajeno.
FALACROCORÁCIDO, A adj. y m. *Zool.* Díc. de aves de la familia falacrocorácidos. • m. pl. *Zool.* Familia de aves pelicaniformes de pelaje oscuro, gralte. marinas, a la que pertenecen los cormoranes.

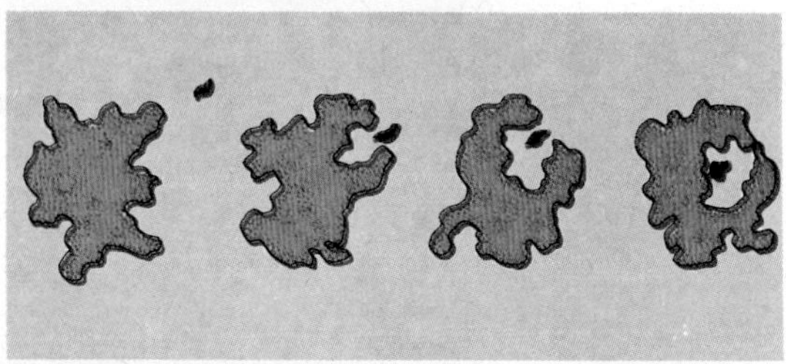

Fagocitar. Fenómeno de fagocitosis en una ameba

FALANGE f. Cuerpo de infantería de los gr., pesadamente armado. • Cuerpo de tropas numeroso. • *Anat.* Cada uno de los huesos de los dedos. • Denominación de varias organizaciones políticas de características paramilitares e ideología fascista; F. Española (→ FET y de las JONS), F. Libanesa. ■ FALANGISTA.
FALANGÉRIDO, A adj. y m. *Zool.* Díc. de animales de la familia falangéridos. • m. pl. *Zool.* Familia de marsupiales del SE asiático y Australia, a la que pertenecen el cuscús y el coala.
FALANGETA f. *Anat.* Falange tercera o ungular de cada dedo.
FALANGIA f. Falangio, arácnido.
FALANGIANO, NA adj. *Anat.* Relativo a la falange.
FALANGINA f. *Anat.* Falange segunda de cada dedo.
FALANGIO m. *Zool.* Segador, arácnido. • *Bot.* Planta liliácea de flores blancas.
FALANSTERIO m. Edificio en que, según el sistema de Fourier, habitaba cada una de las falanges en que dividía la sociedad.
FALARIS f. Foja, ave.
FALASHA adj. y s. Díc. del individuo perteneciente a un pueblo etiópico (50 000 personas), de lengua agau y religión judía, que habitaban en las cercanías del lago Tana. En su mayoría emigrados a Israel en 1990-1991.
FALAZ adj. Díc. de la persona que tiene el vicio de la falacia. • Aplícase a todo lo que halaga y atrae con falsas apariencias.
FALCA f. Defecto de una tabla o madero que les impide ser perfectamente lisos o rectos. • *Mar.* Tabla que se coloca de canto sobre la borda para que no entre el agua. • *Col.* Cerco que se pone como suplemento a las pailas. Se usa más en plural.
FALCADO, DA adj. Que forma una curvatura semejante a la de la hoz.
FALCAR tr. Asegurar con cuñas.
FALCATA f. Espada curva y de un solo filo.
FALCE f. Hoz o cuchillo corvo.
FALCIFORME adj. Que tiene forma de hoz.
FALCINELO m. Ave ciconiforme, de pico muy largo, corvo, comprimido y grueso en la punta.
FALCINI, *Luis* (1889-1973) Escultor arg. Influido por el impresionismo. *Mujer del éxodo, Mujer frente al mar, Racimos.*
FALCIRROSTRO, TRA adj. Díc. de las aves que tienen el pico en forma de hoz.
FALCO, *Líber* (1906-1955) Poeta ur. *Cometas sobre los muros, Equis andacalles, Días y noches.*
FALCÓN m. Especie de cañón de la artillería antigua.
FALCÓN Est. del NO de Venezuela, en la costa del Caribe; 24 800 km^2, 729 151 hab. Cap., Coro. Puertos de Amuay y Punta Cardón. Comprende la península de Paraguaná, separada del continente por el istmo de Médanos. Terreno llano al N y montañoso al S. R. prales.: Mitare, Güeque y Tocuyo. Clima cálido y seco en las zonas litorales. Maíz, caña de azúcar, yuca, plátanos, arroz, tabaco. Petróleo, carbón, salinas, canteras de piedra caliza. Refinerías de petróleo en Amuay y Punta Cardón. Explotación forestal. Pesca.
FALCÓN, *Juan Crisóstomo* (1820-1870) Militar

Faisán

Falanges de la mano

Coala, marsupial de la familia de los **falangéridos**

y político ven. De ideas liberales, fue presid. en 1863. Promulgó la constitución federal (1864); derrocado en 1868.

FALCONET, *Étienne* (1716-1791) Escultor fr., discípulo de J. B. Lemoyne. *Milón de Crotona, Pigmalión y Galatea*, estatua ecuestre de Pedro I el Grande.

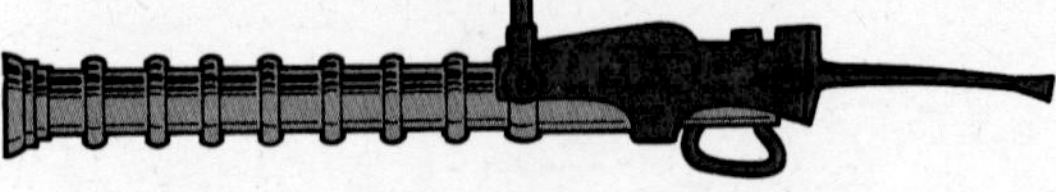

Falconete

FALCONETE m. Pieza artillera de pequeño calibre, especie de culebrina.

FALCÓNIDO, A adj. y m. *Zool.* Díc. de aves de la familia falcónidos. • m. pl. *Zool.* Familia de aves rapaces falconiformes, de tamaño mediano y distribución cosmopolita; cernícalos, gerifaltes, halcones, etc.

FALDA f. Parte de toda ropa talar desde la cintura abajo. Se usa más en pl. • Vestidura o parte del vestido de mujer que con más o menos vuelo cae desde la cintura abajo. • Cada una de las partes de una prenda de vestir que cae suelta. • Hierro del guardabrazo, pendiente del hombro. • En la armadura, parte que cuelga desde la cintura abajo. • Carne de la res que cuelga de las agujas. • Regazo. • Ala del sombrero, que rodea la copa. • fig. Parte baja o inferior de los montes o sierras. • pl. fam. Mujer o mujeres, en oposición al hombre. • **Pegado a las faldas.** loc. que se aplica al muchacho que se muestra menos independiente de lo que corresponde a su edad.

FALDAMENTA f. o **FALDAMENTO** m. Falda del vestido. • fam. Falda larga y desgarbada.

FALDAR m. Parte de la armadura que caía desde el extremo inferior del peto.

FALDEAR tr. Caminar por la falda de un monte u otra eminencia del terreno.

Halcón peregrino, ave de la familia **falcónidos**

FALDELLÍN m. Falda corta. • Refajo.

FALDEO m. *Argent., Chile* y *Cuba*. Faldas de un monte.

FALDERO, RA adj. Relativo a la falda. • fig. Aficionado a estar entre mujeres. • f. Mujer que hace faldas.

FALDETA f. En la maquinaria teatral, lienzo con que se cubre lo que ha de aparecer a su tiempo.

FALDICORTO, TA adj. Corto de faldas.

Falena

FALDILLAS f. pl. En ciertos trajes, partes que cuelgan de la cintura abajo.

FALDINEGRO, GRA adj. Aplícase al ganado vacuno bermejo por encima y negro por debajo.

FALDISTORIO m. Asiento especial usado por los obispos en algunas funciones pontificales.

FALDÓN m. Falda suelta al aire. • Parte inferior de alguna ropa, colgadura, etc. • *Arq.* Vertiente triangular de un tejado.

FALDULARIO m. Ropa que pende desproporcionadamente sobre el suelo.

FALENA f. Mariposa de la familia lepidópteros, de cuerpo delgado y alas anchas y débiles.

FALENCIA f. Error que se padece en asegurar una cosa. • *Argent., Chile, Col.* y *Hond.* Quiebra de un comerciante.

FALERNO m. Vino famoso en la ant. Roma. • Vino que actualmente se produce en la región de Nápoles.

FALIBILIDAD f. Calidad de falible. • Riesgo de incurrir en algún error.

FALIBLE adj. Que puede engañarse o engañar. • Que puede faltar o fallar.

FALISCO, CA adj. y s. Individuo de un ant. pueblo de Italia. • m. pl. Pueblo establecido en el S de Etruria.

FALKLAND → Malvinas.

FALLA f. Defecto, falta. • Defecto material de una cosa que merma su resistencia. • Incumplimiento de una obligación • *Geol.* Fractura en una masa rocosa, a lo largo de la cual se producen desplazamientos de los bloques originados. • En Valencia, hoguera que los vecinos encienden en las calles la víspera de San José.

FALLA, *Manuel de* (1876-1946) Compositor esp. *La vida breve, El amor brujo, El sombrero de tres picos, Noches en los jardines de España.*

FALLADA f. Acción de fallar, en el juego de cartas.

FALLADA, *Hans* (1893-1947) Seud. del novelista al. ***Rudolf Ditzen.*** En su obra ha escrito las penalidades del pueblo al. durante el nazismo. *Campesinos, bonzos y bombas, Cada uno muere solo.*

FALLANCA f. Vierteaguas de una puerta o ventana.

FALLAR tr. *Der.* Decidir un litigio o proceso. • intr. Frustrarse o salir fallida una cosa.

FALLAS, *Carlos Luis* (1909-1966) Escritor cost. Su obra denuncia las duras condiciones de trabajo de los obreros y las actividades de la United Fruit Company. *Mamita Yunai, Gentes y gentecillas.*

FALLEBA f. Varilla de hierro acodillada en sus dos extremos para cerrar las ventanas o puertas de dos hojas.

FALLECER intr. Morir. • Acabarse una cosa. ■ FALLECIMIENTO.

FALLERO, RA adj. y s. Díc. del trabajador que falta con frecuencia a su trabajo. • m. y f. Persona que toma parte en las fallas de Valencia.

FALLIDO, DA adj. Frustrado. • adj. y s. Quebrado o sin crédito. • Díc. de la cantidad, crédito, etc., que se considera incobrable.

FALLIR intr. Faltar o acabarse una cosa. • Errar. • Engañar.

FALLO, LLA adj. En algunos juegos de naipes, falto de un palo. Se usa con el verbo *estar*. • m. Falta o error. • Acción y efecto de salir fallida una cosa. • Frustración, resultado de lo que falla. • Sentencia definitiva del juez.

FALLÓN, *Diego* (1834-1905) Poeta y músico col. *Las rocas de Suesca* y *La Luna*.

FALO m. Miembro viril, pene. • *Bot.* Hongo basidiomiceto. Presenta seta con sombrerillo alveolado, pedicelo recto, grueso y blanco, y emana un olor nauseabundo. ■ FÁLICO, CA.

FALOIDINA f. Veneno que contienen las setas de la especie amanita.

FALONDRES *(De)* m. adv. *Cuba* y *Ven.* De golpe, de repente.

FALSABRAGA f. *Mil.* Muro bajo que se levanta delante del muro principal.

FALSADA f. Vuelo rápido del ave de rapiña.

FALSARIO, RIA adj. y s. Que falsea una cosa. • Que acostumbra a mentir o hacer falsedades.

FALSARREGLA f. Falsa escuadra, instrumento que se compone de dos reglas movibles alrededor de un eje y con el cual se trazan ángulos de diferentes aberturas. • *Perú.* y *Ven.* Falsilla.

FALSEAR tr. Adulterar una cosa. • Romper o penetrar la armadura. • *Arq.* Desviar un corte ligeramente de la dirección perpendicular. • intr. Perder una cosa su resistencia. • Disonar una cuerda de un instrumento. ■ FALSEAMIENTO.

FALSEDAD o **FALSÍA** f. Falta de verdad. • Falta de conformidad entre las palabras, las ideas y las cosas. • *Der.* Cualquiera de las mutaciones u ocultaciones de la verdad.

FALSEO m. *Arq.* Acción y efecto de falsear. • *Arq.* Corte o cara de una piedra o madero falseados.

FALSETA f. *Mús.* En la música popular de guitarra, frase melódica o floreo.
FALSETE m. Corcho para tapar una cuba cuando se quita la canilla. • *Mús.* Voz más aguda que la natural.
FALSIFICACIÓN f. *Der.* Alteración que se comete en una cosa o en sus cualidades fundamentales con objeto de engañar o perjudicar a un tercero. ■ FALSIFICAR.

Manuel de **Falla**, por Vázquez Díaz

FALSILLA f. Hoja de papel con líneas muy señaladas, que se pone debajo de otra, para que aquéllas sirvan de guía.
FALSO, SA adj. Engañoso, fingido. • Contrario a la verdad. • Falsario. • Díc de la moneda que se hace imitando la legítima. • *Chile.* Cobarde. • m. Pieza de la misma tela, que se pone interiormente en la parte del vestido donde la costura hace más fuerza. • *Méx.* Falso testimonio. • **En f.** m. adv. Falsamente o con intención contraria a la que se quiere dar a entender. • Sin la debida seguridad y resistencia.
FALSTER Isla de Dinamarca, en el Báltico, al E de Lolland, con la que forma la división administrativa de Lolland-Falster. Unos 645 km^2 y 50 000 habitantes.
FALTA f. Privación de algo necesario o útil. • Defecto en el obrar. • Ausencia de una persona del sitio en que hubiera debido estar. • Supresión de la regla en la mujer, pralm. durante el embarazo. • En el juego de la pelota, cualquier acción contra lo que establece el reglamento. • *Der.* Infracción voluntaria de la ley a la cual está señalada sanción leve. • **Hacer f.** una cosa o persona. Ser precisa para algún fin. • **Sin f.** m. adv. Puntualmente, con seguridad.
FALTAR intr. No existir una cosa que debiera haber. • Consumirse, fallecer. • No corresponder una cosa al efecto que se esperaba de ella. • No acudir a una cita u obligación. • Hallarse ausente una persona del sitio en que suele estar. • No cumplir uno con lo que debe. • Dejar de asistir a otro, o no tratarle con la consideración debida. • **Faltar poco para** algo. Estar a punto de suceder una cosa o de acabar una acción. • **¡No faltaba más!** exp. usada para rechazar una proposición por absurda o inadmisible.
FALTE m. *Chile.* Buhonero.
FALTO, TA adj. Defectuoso o necesitado de alguna cosa. • Escaso, mezquino.
FALTÓN, NA adj. fam. Que falta con frecuencia a sus obligaciones o citas. • *Cuba.* Que falta al respeto.
FALTRERO, RA m. y f. Ladrón, usurero.
FALTRIQUERA o **FÁLDRIQUERA** f. Bolsillo de las prendas de vestir. • Bolsillo que se atan las mujeres a la cintura.
FALÚ, ***Eduardo*** (nacido 1920) Compositor y concertista arg. Ha creado infinidad de obras basadas en el folclore argentino. *Romance a la muerte de Juan Lavalle, Variaciones de milonga.*
FALÚA f. Embarcación menor con carroza.
FALUCHO m. Embarcación costanera con una vela latina. • *Argent.* Sombrero de dos picos y ala abarquillada.
FAMA f. Noticia o voz común de una cosa. • Opinión que las gentes tienen de una persona. • Opinión común de la excelencia de un sujeto en su profesión o arte.
FAMAGUSTA *(Ammojostos, Magosa)* C. de Chipre, en la costa E de la isla; 42 000 h. Importante puerto pesquero y comercial.
FAMATINA Sierra de Argentina, perteneciente al grupo de las pampeanas. Se extiende, de N a S, por la prov. de la Rioja. Pico más alto Co. Manuel Belgrano (6 250 m).
FAMÉLICO, CA adj. Hambriento.
FAMILIA f. Personas emparentadas entre sí que viven juntas. • Conjunto de ascendientes, descendientes, colaterales y afines de un linaje. • Parentela inmediata de uno. • Prole. • Conjunto de individuos que tienen algo en común. • fam. Grupo numeroso de personas. • Categoría taxonómica, usada en botánica y zoología, que agrupa todos los gén. que presentan características comunes. • *Chile.* Enjambre de abejas. • **de palabras.** Grupo de palabras que tienen una misma raíz. • **radiactiva.** *Quím.* Conjunto de elementos que derivan unos de otros por desintegración radiactiva. • **De buena f.** loc. adj. Díc. de las personas cuyos antecesores gozan de estimación social.
* *Antr.* y *Soc.* El grupo social constituido por el padre, la madre y los hijos es universal. La forma más corriente de f. es la monógama, con sus variantes de matriarcado o patriarcado, según que la autoridad resida en la madre o en el padre. Esta última forma se consolidó en las soc. industriales con el desarrollo de la división social del trabajo.
FAMILIAR adj. Perteneciente a la familia. • Díc. de aquello que uno tiene muy sabido o en que es muy experto. • Aplicado al trato, llano y sin ceremonia. • Aplicado al lenguaje, estilo, etc., natural, sencillo. • Díc. de cada uno de los caracteres normales o patológicos, orgánicos o psíquicos, que presentan varios individuos por herencia. • m. Deudo o pariente de una persona, y especialmente el que forma parte de su familia. • El que tiene trato frecuente y de confianza con uno. • Eclesiástico o paje dependiente y comensal de un obispo.
FAMOSO, SA adj. Que tiene fama. • fam. Excelente en su especie. • fam. Que llama la atención.
FAMULATO m. Oficio del criado. • Servidumbre, conjunto de los criados de una casa.
FÁMULO m. Sirviente de la comunidad de un colegio. • fam. Criado, doméstico.
FAN (voz ing.) com. Abreviatura de *fanatic*; admirador entusiasta de una persona o gran aficionado a una cosa. Su pl. *es fans.*
FANAL m. Farol grande que sirve de señal nocturna en puertos, naves, etc. • Campana de cristal para resguardar del polvo o del aire lo que se cubre con ella.
FANÁTICO, CA adj. y s. Que defiende algo apasionadamente. • adj. Entusiasmado ciegamente por una cosa. • Intolerante. ■ FANATISMO; FANATIZAR.

La imagen de la **familia** ha ido variando con el tiempo y las culturas

La ***Fama,*** grabado italiano del s. XVII

Falúas a orillas del Nilo

FANCELLI, ***Domenico*** (1469-1519) Escultor renacentista florentino. Sepulcros de los Reyes Católicos para la Capilla Real de Granada. • ***Luca*** (1430-1495) Arquitecto y escultor florentino. Autor del palacio de Mantua.

FANDANGO m. Baile esp., de movimiento vivo y tres tiempos. • Música y coplas con que se acompaña. • fig. y fam. Bullicio, trapatiesta. ■ FANDANGUERO, RA.

FANDANGUILLO m. Baile popular parecido al fandango, y copla con que se acompaña.

Sepulcro de los Reyes Católicos, en la Capilla Real de Granada, obra de Domenico **Fancelli**

FANDIÑO, ***Roberto*** (nacido 1929) Director de cine cub. *Miami: encuentro de dos culturas, La espuela, María la Santa.*

FANÉ adj. Lacio, ajado. • Pasado de moda.

FANECA f. Pez teleósteo marino de la familia gádidos, de 20 a 30 cm de largo y cabeza terminada en punta.

FANEGA f. Medida de capacidad para áridos que equivale a unos 55 litros y medio. • **de tierra.** Medida de superficie equivalente en algunos sitios a 6 600 metros cuadrados.

FANEGADA f. Fanega de tierra. • **A fanegadas.** m. adv. fig. y fam. Con mucha abundancia.

FANELLI, ***Giuseppe*** (1826-1877) Anarquista it., seguidor de Bakunin e introductor de sus ideas en España.

FANERA f. Producción externa de la epidermis de los vertebrados, que constituye el rasgo más aparente de estos animales. Las f. son las escamas, plumas, pelos, cuernos, uñas, etc.

FANERÓFITO m. *Bot.* Forma etológica que agrupa a todas las plantas que durante la estación desfavorable, gralte. el invierno, mantienen sus yemas perdurantes a considerable alt. sobre el nivel del suelo.

FANERÓGAMO, MA adj. y f. *Bot.* Díc. de la planta perteneciente a las fanerógamas. • f. pl. *Bot.* División vegetal que agrupa a los espermatofitos, es decir, a las plantas con semillas. Se caracterizan por poseer flores, raíces, tallos y hojas.

Flor de canarina, planta **fanerógama**

FANFANI, ***Amintore*** (1908-1999) Político y economista it. Dirigente del partido democratacristiano (secretario gral, en 1954-1959 y 1973-1975). Diputado y senador vitalicio. Ocupó diversas carteras ministeriales. Primer ministro (1954, 1958-1959, 1960-1963, 1982-1983 y 1987).

FANFARREAR intr. Hablar con jactancia y altivez.

FANFARRIA f. fam. Jactancia, baladronada, bravata. • Conjunto musical formado pralm. de instrumentos de metal. • Música ruidosa interpretada por esos instrumentos.

FANFARRÓN, NA adj. y s. Que alardea de lo que no es, y en particular de valiente. • Bravucón, chulo. ■ FANFARRONADA; FANFARRONEAR; FANFARRONERÍA.

FANFURRIÑA f. fam. Enfado leve y momentáneo.

FANG adj. y s. Díc. del individuo de una etnia bantú que habita en el centro-norte de Gabón, en Guinea Ecuatorial y en el S de Camerún.

FANGAL o **FANGAR** m. Sitio lleno de fango.

FANGIO, ***Juan Manuel*** (1911-1995) Automovilista deportivo arg. Fue campeón del mundo de Fórmula 1 en 1951, 1954, 1955, 1956 y 1957.

FANGO m. Lodo que se forma con los sedimentos térreos en los sitios donde hay agua detenida. • fig. Vilipendio, degradación que cae sobre alguien. ■ FANGOSO.

FANO C. de Italia, en las Marcas, junto al mar Adriático; 52 300 hab. Puerto pesquero. Estación balnearia Ind. textil.

FANON, ***Frantz*** (1925-1961) Político, escritor y psiquiatra argelino, de origen martiniqués. Formó parte del FLN. *¡Escucha, blanco!, Los condenados de la tierra.*

FANTASEAR intr. Dejar correr la fantasía o imaginación. • Preciarse vanamente.

FANTASÍA f. Facultad que tiene la mente de reproducir por medio de imágenes las cosas. • Imagen formada por la fantasía. • *Mús.* Composición que suele versar sobre un modelo o motivo dado, interpretándolo libremente. • **De f.** loc. que, en términos de modas, se aplica a las prendas de vestir y adornos que no son de forma y gusto corrientes. ■ FANTASIOSO, SA; FANTÁSTICO, CA.

FANTASMA m. Visión quimérica, ser no real que alguien cree ver. • fig. Persona presuntuosa. • Espantajo o persona disfrazada para asustar a la gente. ■ FANTASMÓN, NA.

FANTASMAGORÍA f. Arte de representar figuras por medio de una ilusión óptica. • fig. Ilusión de los sentidos, desprovista de realidad. ■ FANTASMAGÓRICO, CA.

FANTI adj. y s. Díc. del individuo de un pueblo melanoafricano que vive en el litoral de Ghana, perteneciente al grupo lingüístico akan.

FANTIN-LATOUR, ***Henri*** (1836-1904) Pintor fr. *Homenaje a Delacroix, El taller de Batignolles, La familia Doboure.*

FANTINO Mun. de la República Dominicana, en la prov. de Sánchez Ramírez; 15 100 hab. Maíz, arroz, cacao.

FANTOCHE m. Títere, muñeco. • fig. Persona ridículamente presumida de poco juicio o de aspecto grotesco.

FANTOMAS Personaje de una serie de novelas policíacas creado por los escritores Marcel Allain y Pierre Souvestre en 1911. Sus aventuras fueron llevadas al cine.

FAÑADO adj. Díc. del animal que tiene un año.

FAÑAR tr. *Taur.* Marcar las orejas de las reses mediante un corte.

FAÑOSO, SA adj. *Amér.* Gangoso, que habla con una pronunciación nasal oscura.

FAO Siglas de *Food and Agriculture Organization.* Organismo internacional constituido por la ONU en 1945 para elevar el nivel de vida de la población rural y mejorar la producción agrícola, forestal y pesquera. Tiene su sede, desde 1951, en Roma.

FAQUÍ m. Alfaquí, sabio de la ley.

FAQUÍN m. Ganapán, mozo de cuerda.

FAQUIR m. Santón mahometano que vive de limosna y practica ciertos ejercicios ascéticos. • En la India, mendigo musulmán o asceta de otras sectas hindúes. • Artista de circo cuyo espectáculo consiste en mortificaciones de apariencia extraordinaria.

FAR WEST (ing., «Lejano Oeste») Nombre con que se denominaba, durante la época de la colonización, la vasta región de EE UU sit. al O del Mississippi.

FARA f. Especie de culebra africana.

FARABÍ o **al-FARABÍ** (s. x) Filósofo, matemático, médico y músico ár. Fue el primer divulgador de la filosofía de Aristóteles entre los árabes.

FARAD m. *Fís.* Nombre del faradio, en la nomenclatura internacional.

FARADAY m. Unidad electrolítica de cantidad de carga. Equivale a unos 96 500 culombios.

FARADAY, ***Michael*** (1791-1867) Químico y físico ing. Sentó las bases para las aplicaciones de la electricidad. Introdujo el concepto de campo eléctrico, así como el de líneas de fuerza para representarlo. • **Efecto Faraday.** *Fís.* Fenómeno que se presenta en el vidrio y otras sustancias, y que consiste en la rotación del plano de polarización de una onda luminosa que se propaga por su interior, al someter aquellas sustancias a un campo magnético.

FARADIO m. *Fís.* Unidad de capacidad eléctrica en el sistema Giorgi; su símbolo es F. Es la capacidad que posee un condensador en el que, al aplicarle la carga de un culombio, aparece una diferencia de potencial igual a un voltio.

FARADIZAR tr. Aplicar, con fines terapéuticos o diagnósticos, una corriente eléctrica de inducción.

FARALÁ o **FALBALÁ** m. Volante que adorna los vestidos. • fam. Adorno de mal gusto.

Monumento a los fundadores de las Iglesias Reformadas: Calvino, Knox, **Farel** y Teza, en Ginebra (Suiza)

FARALLÓN m. Roca alta y cortada a pico que sobresale en el mar o en tierra firme. • *Min.* Crestón, parte de un filón que sobresale del suelo.
FARAMALLA f. fam. Charla encaminada a engañar. • fam. Farfolla, cosa que sólo tiene apariencia. ■ FARAMALLERO, RA; FARAMALLÓN, NA.
FARÁNDULA f. Profesión de los cómicos. • Una de las compañías que antiguamente formaban los cómicos. • fig. y fam. Faramalla, charla.
FARANDULEAR intr. Farolear, presumir.
FARANDULERO, RA m. y f. Persona que recitaba comedias. • adj. y s. fig. y fam. Charlatán, trapacero. • *Méx.* Farolero.
FARAÓN m. Soberano del ant. Egipto. El f. era considerado como un dios; a sus atributos (corona, diadema, cetro) se atribuían propiedades mágicas.
FARASAN Arch. perteneciente a Arabia Saudita, sit. en el mar Rojo.
FARAUTE m. Mensajero. • El que al principio de la comedia recitaba o representaba el prólogo o loa.
FARDA f. Alfarda, tributo. • Bulto o lío de ropa.
FARDACHO m. Lagarto.
FARDAJE m. Conjunto de fardos que componen una carga.
FARDAR tr. y prnl. Surtir y abastecer a uno.
FARDEL m. Saco o talega que llevan los caminantes. • fig. y fam. Persona desaliñada.
FARDO m. Paquete, bulto, lío de ropa u otra cosa. ■ FARDERÍA.
FARDÓN, NA adj. fam. Díc. de la persona o cosa elegante. • fam. Díc. de la persona presumida.
FAREL, *Guillaume* (1489-1565) Reformador fr. En Ginebra fundó la primera iglesia protestante (1535).
FARELLÓN m. Farallón.
FARERO, RA m. y f. Empleado que se encarga de vigilar un faro.
FARFA Monasterio benedictino de Italia, cerca de Roma. Fundado en 680, adoptó la regla de Cluny en 1001.
FARFALÁ m. Faralá.
FARFALLÓN, NA adj. y s. fam. Farfullero, chapucero.
FARFANTE o **FARFANTÓN** adj. y m. fam. Díc. del hombre hablador y jactancioso.
FARFANTONADA o **FARFANTONERÍA** f. fam. Hecho o dicho del farfantón.
FÁRFARA f. *Bot.* Planta herbácea de la familia compuestas, de hojas tomentosas por el envés y flores amarillas. • Membrana interior de la cáscara del huevo.
FARFOLLA f. Espata o envoltura de las panojas del maíz. • fig. Cosa de mucha apariencia y de poca entidad.
FARFULLA f. fam. Defecto del que habla balbuciente y de prisa. • adj. y s. fam. Díc. de la persona farfulladora. • *Amér.* Fanfarronería. FARFULLAR; FARFULLERO, RA.
FARGALLÓN, NA adj. fam. Que hace las cosas atropelladamente. • adj. y s. Chapucero.
FARGUE, *León-Paul* (1876-1947) Poeta fr., influido por el expresionismo y el surrealismo. *Poemas, Bajo la lámpara, Banalidad.*
FARIA m. y f. Cigarro ordinario hecho con tripa de hebra larga.
FARIA, *Octavio* (1908-1980) Escritor bras. Sus novelas *(Mundos muertos, El ángel de piedra, El pájaro oculto*, etc.) constituyen un ciclo titulado *Tragedia burguesa.*
FARILLÓN m. Farallón.
FARINÁCEO, A adj. De aspecto de harina o propio de ella.
FARINACCI, *Roberto* (1892-1945) Político it. del período fascista. Ministro de Est. (1938). Fue fusilado por los partisanos.
FARINGE f. *Anat.* Porción del tubo digestivo de los animales comprendida entre la cavidad bucal y el esófago. ■ FARÍNGEO, A.
* *Anat.* En muchos animales la f. tiene estructuras especializadas para la succión, trituración, filtración o prensión de los alimentos. En el hombre es un conducto musculomembranoso común para el paso de alimentos y aire, que desempeña un importante papel en la deglución.
FARINGITIS f. *Pat.* Inflamación de la mucosa de la faringe.
FARINOSO, SA adj. y f. *Bot.* Díc. de plantas del orden farinosas. • f. pl. *Bot.* Orden de plantas monocotiledóneas, herbáceas o arborícolas, de tallos cortos y frutos carnosos, algunos comestibles.
FARIÑA f. *Argent.* Harina gruesa de mandioca.
FARIÑA Núñez, *Eloy* (1885-1929) Escritor par. Influido por el modernismo. *Canto secular, Mitos guaraníes, Cármenes.*
FARIÑERA f. *Argent.* y *Ur.* Cuchillo de gran tamaño.
FARISEO m. Miembro de una secta del judaísmo caracterizado por una observancia rigurosa y formal de la Ley mosaica. • fig. Hombre hipócrita. ■ FARISAICO, CA; FARISAÍSMO; FARISEÍSMO.
FARMACIA f. Ciencia que reconoce, recoge y conserva las drogas simples, y prepara los medicamentos compuestos. • Botica, laboratorio y despacho del farmacéutico. ■ FARMACÉUTICO, CA.
FÁRMACO m. Medicamento.
FARMACOGNOSIA f. Estudio de los aspectos fisicoquímico, estructural, etc., de los fármacos.
FARMACOLOGÍA f. Estudio de la acción dinámica y fisiológica de los fármacos. ■ FARMACOLÓGICO, CA.

Michael **Faraday**

Máscara funeraria del **faraón** Tutankamón

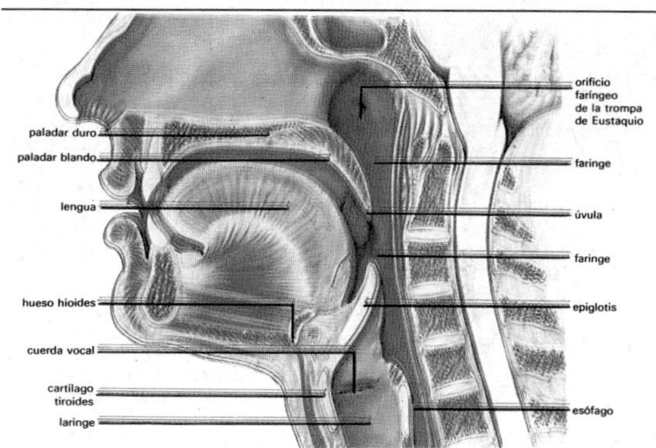

Vista lateral de la **faringe** humana

FARMACOPEA f. Libro oficial de cada país que regula la preparación de medicamentos. • Arte de preparar los medicamentos.
FARNACES I (h. 184-157 a.C.) Rey del Ponto. • **II** (63-47 a. C.) Rey del Bósforo Cimerio, hijo de Mitrídates Eupator el Grande.
FARNESIO *(Farnese)* Familia rom. que poseyó el ducado de Parma de 1545 a 1731. • ***Alessandro*** (1468-1549), papa en 1534 con el nombre de Paulo III. Incorporó a su linaje Parma y Piacenza. • ***Octavio*** (1524-1586) Contrajo matrimonio con Margarita de Parma, hija natural de Carlos V. • ***Antonio*** (1679-1731) Al morir sin descendencia, Parma y Piacenza pasaron a Isabel F., esposa de Felipe V de España. • ***Alejandro*** (1545-1592) General de Felipe II de España. De origen it., se distinguió en la batalla de Lepanto y luchó contra los rebeldes de los Países Bajos, donde sucedió a Juan de Austria en el cargo de gobernador.
FARO m. Torre alta en las costas, con luz en su parte superior, para que sirva de señal a los navegantes. • Farol potente. • **radar.** Sistema que com-

Faro

Mia **Farrow**

Fascismo. La galería Vittorio Emmanuele de Milán en los momentos del plebiscito fascista de 1934

Uombat sedoso, marsupial de la familia **fascolómidos**

bina un dispositivo de radar y con receptores que captan sus impulsos y emiten respuestas con una codificación determinada.

FAROL m. Caja formada de vidrios o de otra materia transparente, y dentro de la cual se pone luz para que alumbre. • Cazoleta formada de arcos de hierro, en que se ponen las teas para encenderlas. • Funda o cubierta de papel para paquetes de picadura de tabaco. • fig. y fam. Fachenda, papelón. • fig. En el juego, jugada falsa hecha para desorientar. • fig. Acción o rasgo con el que alguien se luce mucho. • fig. *Taur.* Cierto lance del toreo que termina colocándose el diestro la capa en los hombros. • **de situación.** *Mar.* Cada uno de los faroles que se encienden de noche en los buques que navegan, y que sirven de guía para evitar los abordajes. ■ FAROLERÍA; FAROLERO, RA.

FAROLA f. Farol grande, propio para iluminar las calles. • Fanal de los puertos.

FAROLAZO m. Golpe dado con un farol. • *Amér. Centr.* y *Méx.* Trago de licor.

FAROLEAR intr. fam. Presumir o fanfarronear. ■ FAROLEO.

FAROLILLO m. Farol hecho con papeles de colores, que sirve de adorno en verbenas o fiestas. • *Bot.* Planta sapindácea, trepadora, con flores de color blanco amarillento. • Planta campanulácea, con flores grandes y campanudas.

FAROLÓN adj. fam. Fanfarrón, engreído, arrogante.

FAROS Ant. isla de Egipto. Sede del famoso faro de Alejandría (s. III a. C.).

FAROTA f. fam. Mujer descarada y ligera. ■ FAROTÓN, NA.

FARPA f. Cada una de las puntas agudas que quedan al hacer una escotadura en el borde de algunas cosas. ■ FARPADO, DA.

FARQUITRAR, *George* (1678-1707) Dramaturgo ing. Representante del período de la Restauración. *El oficial de reclutamiento.*

FARRA f. Pez de agua dulce. • Juerga. ■ FARREAR; *Amér. Merid.* FARRISTA.

FÁRRAGO m. Conjunto de cosas superfluas y mal ordenadas. ■ FARRAGOSO, SA.

FARRAGUISTA com. Persona de ideas confusas y mal ordenadas.

FARRAGUT, *David Glasgow* (1801-1870) Marino norteam. Destacó durante la guerra de Secesión, en el bando nordista, en la toma de Nueva Orleans.

FARRELL, *Edelmiro Julián* (1887-1982) Militar y político arg. Ocupó la presidencia en 1944. En 1946 entregó el poder a Perón. • ***James Thomas*** (1904-1979) Novelista norteam. Su mayor éxito lo obtuvo con la trilogía naturalista *Studs Lonigan.*

FARRO m. Cebada a medio moler, después de remojada. • Semilla parecida a la escanda.

FARROW, *Mia* (nacida 1945) Actriz de cine norteam. *La semilla del diablo, John y Mary, El gran Gatsby, La rosa púrpura de El Cairo.*

FARRUCO, CA adj. fam. Valiente, impávido. • Terco, obstinado.

FARS Prov. del SO de Irán, en el golfo Pérsico; 148 669 km^2, 1 700 000 hab. Cap., Shiraz. Clima cálido y húmedo. Palma datilera, algodón, vid, azafrán. Ruinas de Persépolis.

FARSA f. Pieza cómica breve. • fig. Enredo, tramoya para engañar. ■ FARSANTE; *Chile.* FARSANTEAR; FARSANTERÍA; FARSISTA.

FARSALIA Ant. c. de Grecia, en Tesalia (hoy Farsala), en la que tuvo lugar la victoria final de César sobre Pompeyo (48 a. C.).

FARUK I (1920-1965) Rey de Egipto [1936-1952], hijo de Fuad I. Depuesto por el general Naguib.

FARVEL *(Umanarsuak)* Cabo en el extremo S de Groenlandia.

FAS o **POR NEFAS** *(Por)* m. adv. fam. Justa o injustamente; por una cosa o por otra.

FASCES f. pl. Insignia del cónsul rom., que se componía de un haz de varas sosteniendo una hacha. • Emblema del fascismo it.

FASCICULACIÓN f. Contracción repetida de un grupo de fibras musculares en reposo.

FASCICULADO, DA adj. *Bot.* Díc. de los aparatos radicales de las plantas en las que todas las raíces tienen el mismo desarrollo.

FASCÍCULO m. Cada una de las entregas que sucesivamente se van publicando de un libro • *Anat.* Haz de fibras musculares.

FASCINACIÓN f. Embrujo. • fig. Engaño.

FASCINAR tr. Embrujar. • fig. Engañar, alucinar, deslumbrar. ■ FASCINANTE.

FASCIO m. Agrupación it. político-sindical que se extendió a finales del s. XIX. Base del fascismo.

FASCISMO m. Movimiento político it., fundado por Mussolini, que es defensor de un Est. totalitario, corporativo e imperialista, y represor de los derechos individuales y públicos. • Doctrina de este partido político. • Doctrinas semejantes de otros países.

* *Hist.* El f. fue fundado en 1919 y su doctrina constituyó el fundamento del Estado it. entre 1922-1945. En 1921, Mussolini organizó el *Partido Nazionale Fascista* y la «Marcha sobre Roma». Al año siguiente, Víctor Manuel II le llamó al poder, lo que le permitió establecer la dictadura fascista (disolución de todos los partidos políticos y concentración de poderes en la persona del *duce*). Aunque el resultado de la II Guerra Mundial supuso el fin de la experiencia fascista, los movimientos políticos que la reivindican no han desaparecido: el Movimiento Social Italiano, el Partido Nacional de la República Federal de Alemania y diversos grupos europeos no cejan en su empeño de instaurar regímenes fascistas. Por otra parte, el término ha sido integrado por la sociología para significar toda postura totalitaria, contraria a las libertades democráticas. ■ FASCISTA.

FASCOLÓMIDO, DA adj. y m. *Zool.* Díc. de animales de la familia fascolómidos. • m. pl. *Zool.* Familia de marsupiales de tamaño medio que viven en Australia y Tasmania.

FASE f. Cada uno de los distintos estados sucesivos de un fenómeno, teoría, doctrina, etc. • *Astr.* Cada uno de los distintos aspectos que presentan la Luna, Marte y los planetas interiores según la variación de la iluminación solar que reciben. • *Astron.* Etapa de un cohete compuesto. • *Biol.* Cada uno de los estados en la metamorfosis, multiplicación celular, etc. • *El.* Cada una de las componentes primarias de una corriente alterna.

FASIÁNIDO, DA adj. y m. *Zool.* Díc. de aves de la familia fasiánidos. • m. pl. *Zool.* Familia de aves galliformes, a la que pertenecen la codorniz, el faisán, el gallo, el pavo real, etc.

FÁSOL m. Frijol o judía. Se utiliza más en pl.

FASSBINDER, *Rainer Werner* (1946-1982) Director de cine al. *Las amargas lágrimas de Petra von Kant, El matrimonio de María Braun, Lili Marlen, Lola.*

FASTIAL m. *Arq.* Piedra más alta de un edificio.

FASTIDIAR tr. y prnl. Causar un disgusto o un perjuicio no graves.

FASTIDIO m. Desazón por una comida mal digerida o un olor desagradable. • fig. Enfado, cansancio, hastío, repugnancia.

FASTIGIO m. Lo más alto de alguna cosa que remata en punta.

FASTO, TA adj. y s. Díc. del día, año, etc., venturoso. • m. Fausto, lujo. • m. pl. Entre los rom., calendario en que se anotaban por meses y días sus fiestas, juegos y cosas memorables.

FASTUOSO, SA adj. Ostentoso, amigo del lujo.

FATA MORGANA f. Por alusión a un hada del ciclo de Artús, especie de espejismo que suele observarse en el estrecho de Mesina.

al-FATAH *(Haraka li-tahrir Filastin)* Organización nacionalista palestina que comenzó a actuar en 1965 como movimiento de resistencia a la ocupación israelí. Integrada en la Organización para la Liberación de Palestina, su pral. dirigente es Yaser Arafat.

FATAL adj. Determinado por el hecho o destino. • Desgraciado, infeliz. • Malo.

FATALIDAD f. Infelicidad, desgracia. • Destino.

FATALISMO m. *Fil.* Teoría según la cual todo sucede por las determinaciones ineludibles del destino. ■ FATALISTA.

FATÍDICO, CA adj. Que anuncia o pronostica el porvenir, por lo general desgraciado.

FATIGA f. Agitación, cansancio. • Molestia ocasionada por la respiración frecuente o difícil. • Náusea. Se usa más en pl. • *Fís.* Término que expresa los cambios en las propiedades de una sustancia que ha sido sometida a un esfuerzo molecular estructural • fig. Molestia, penalidad. Se usa más

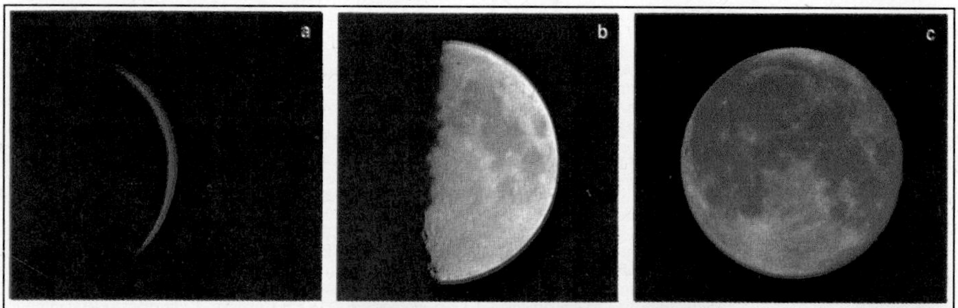

FASES DE LA LUNA

1. Serie de fotografías de la Luna entre dos fases sucesivas de luna nueva o novilunio: a) luna nueva; b) cuarto creciente; c) luna llena o plenilunio; d) cuarto menguante; e) nuevo novilunio.
2. La órbita lunar está algo inclinada (5°) respecto a la del Sol; si no fuese así, en cada novilunio, la Luna eclipsaría al Sol y, en cada plenilunio, quedaría ella misma oculta por la sombra de la Tierra.
3. En su órbita elíptica alrededor de la Tierra, la Luna sigue el movimiento de traslación de la Tierra en torno al Sol, por lo que su órbitra toma la forma de una sinusoide circular. Los movimientos recíprocos de la Tierra y de la Luna en el espacio explican las diferentes fases lunares.

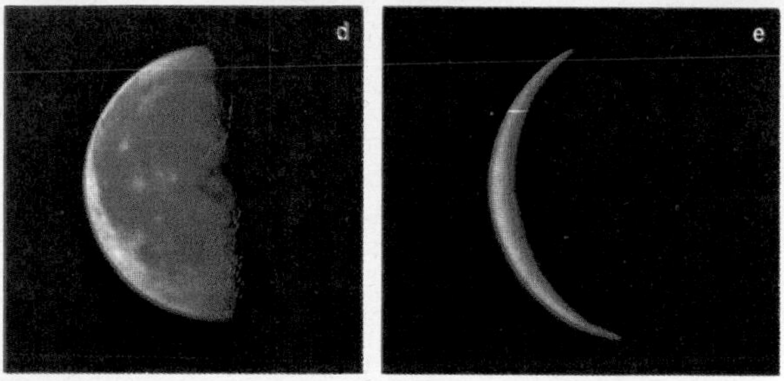

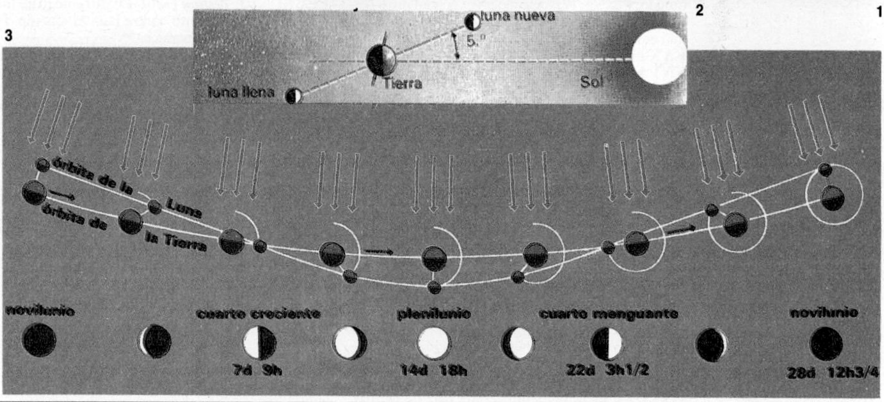

en pl. • *Méc. apl.* Desgaste de los metales que los expone a rotura debido a la reducción gradual de sus propiedades. • **muscular.** Pérdida del poder de contracción de un músculo por actuación repetida del mismo. ■ FATIGAR; FATIGOSO, SA.

FÁTIMA C. de Portugal, en el distr. de Santarém: 1 200 h. Santuario de la Virgen, lugar de peregrinación.

FÁTIMA (m. hacia 633) Hija de Mahoma y esposa de Alí, el cuarto califa islámico. Divinizada por los chiítas.

FATIMÍ o **FATIMITA** adj. y s. Díc. del individuo perteneciente a una dinastía ár. descendiente de Fátima, hija de Mahoma, y que reinó en África del N y Egipto entre los ss. X-XII.

FATO m. Olfato. • Olor, especialmente desagradable.

FATUIDAD f. Falta de entendimiento. • Dicho o hecho necio. • Presunción, vanidad ridícula. ■ FATUO, A.

FATULA f. *P. Rico.* Cucaracha grande, de color leonado.

FATULO, LA adj. *P. Rico* y *R. Dom.* Díc. del gallo que no sirve para la pelea. • Falso. • *P. Rico.* Cobarde, necio.

FAUCES f. pl. Parte posterior de la boca de los mamíferos. ■ FAUCAL.

FAUCHER, ***Julius*** (1820-1878) Economista al., uno de los máx. teorizadores del librecambismo.

FAULKNER, ***Brian*** (1921-1977) Político de Irlanda del N. Líder del Partido Unionista Oficial, del que se separó para formar un partido moderado y probritánico. Primer ministro en 1971-1972. • ***William*** (1897-1962) Novelista norteam. Creador de un universo propio, donde sus personajes se hallan atormentados por violentas pasiones: *Santuario, El ruido y la furia, ¡Absalón, Absalón!* Premio Nobel de Literatura en 1948.

FAUNA f. Conjunto de especies animales que habitan en determinados ambientes y territorios.

FAUNO m. *Mit.* Divinidad rom., correspondiente al sátiro gr. Tenía el cuerpo velludo, y cuernos y patas de cabra.

FAURE, ***Edgar*** (nacido 1908) Político fr. Ministro con De Gaulle y presid. de la Asamblea Nacional (1973-1978). • ***Félix*** (1841-1899) Político fr. Presid. de la rep. (1895-1899), durante su mandato se conquistó Madagascar.

FAURÉ, ***Gabriel*** (1845-1924) Compositor fr. Su música corresponde al periodo posromántico y simbolista. *Claro de luna, Espejismos, Réquiem.*

FAURESTINA f. *Bot. Cuba.* Árbol de la familia mimosáceas, de flores olorosas.

FÁUSTICO, CA adj. Díc. de las personas que se asemejan espiritualmente al Fausto de Goethe. • Relativo a este personaje.

FAUSTO, TA adj. Feliz, afortunado. • m. Suntuosidad y lujo extraordinario.

Codorniz, ave de la familia **fasiánidos**

Marqués de **La Fayette**

Esquema y fases del proceso de **fecundación in vitro.** De arriba abajo: después de la perforación de la zona pelúcida; inyección de espermatozoides bajo la zona pelúcida; inyección intracitoplasmática de núcleos o de cabezas espermáticas

FAUSTO Héroe de una leyenda de origen al., que vendió su alma al diablo a cambio del secreto de la ciencia, el poder y los placeres.

FAUTOR, RA m. y f. El que favorece y ayuda a otros, especialmente en la realización de un delito. ■ FAUTORÍA.

FAUVE m. Voz fr. que designa a los pintores fauvistas.

FAUVISMO m. *Pint.* Movimiento formado en París a principios del siglo XX y centrado en la preocupación por exaltar los colores puros.

* *Pint.* El f., encabezado por Henri Matisse, se dio a conocer en el Salón de Otoño de 1905. Con Matisse se situaron pintores como Marquet, Derain, Vlaminck y Dufy. En 1906 se incorporaron Braque y Van Dongen. Sus principios esenciales son: expresión de la luz y la construcción del espacio por el color; uso de la superficie plana sin modelado ni claroscuro; pureza y simplificación de los medios.

FAVELA f. *Amér.* Tugurio o chabola.

FAVO m. *Med.* Enfermedad cutánea parecida a la tiña.

FAVONIO m. Céfiro, viento.

FAVOR m. Ayuda que se concede a uno. • Honra, beneficio. • **A f. de.** m. adv. En beneficio y utilidad de uno.

FAVORABLE adj. Conveniente. • Propicio.

FAVORECER tr. Ayudar a uno. • Apoyar un intento, empresa u opinión. • Sentar bien a alguien un vestido, peinado, color, etc.

FAVORITISMO m. Preferencia dada al favor sobre el mérito o la equidad.

FAVORITO, TA adj. Que es con preferencia estimado. • m. y f. Persona que priva con un rey o personaje • El considerado como posible ganador en una competición o similar.

FAX m. Telefax.

FAYA f. Cierto tejido grueso de seda, que forma canutillo.

FAYALITA f. *Miner.* Silicato de hierro.

FAYETTE, *Marie-Joseph Paul Yves Roch Gilbert Motier,* MARQUÉS DE ***La*** (1757-1834) General y político fr. Luchó en Norteamérica en favor de los colonos insurrectos. Como revolucionario liberal, fue nombrado jefe de la Guardia Nacional, pero post. apoyó la monarquía. • *Marie-Madeleine Pioche de la Vergne*, CONDESA DE ***La*** (1634-1693) Escritora fr. Precursora de la novela psicológica.

FAYSAL I (1883-1933) primer rey de Irak [1921-1933]. Logró la supresión del protectorado británico. • **II** (1935-1958) Rey de Irak desde 1939. Fue asesinado en Bagdad durante la insurrección que dio origen a la república. • **Ibn Abdelaziz** (1906-1975) Rey de Arabia Saudita [1964-1975]. Su reinado fue conservador y autocrático. Fue asesinado por su sobrino.

FAYUM, ***El*** C. del Alto Egipto, cap. de la prov. hom.; 133 600 hab. Ind. textil y manufacturera del tabaco. Importantes ruinas grecorromanas.

FAZ f. Rostro o cara. • Vista o lado de una cosa. • Anverso de las monedas.

FBI *(Federal Bureau of Investigation)* Policía federal en EE UU. Fundado en 1908, depende del Departamento de Justicia. Lleva a cabo investigaciones sobre delitos contra las leyes federales, espionaje y seguridad interior.

FE f. *Teol.* La primera de las tres virtudes teologales. • Confianza, buen concepto que se tiene de una persona o cosa. • Creencia que se da a las cosas por la autoridad del que las dice o por la fama pública. • Palabra que se da o promesa que se hace a uno con cierta solemnidad. • Seguridad de que una cosa sea cierta. • Documento que certifica la verdad de una cosa o la existencia de una persna. • **de erratas.** *Art. Gráf.* Lista de las erratas que hay en un libro, inserta en el mismo. • **de vida.** Certificación negativa de defunción y afirmativa de presencia. • **pública.** Autoridad atribuida a notarios y otros funcionarios para que los documentos que autorizan sean considerados como auténticos. • **Buena f.** Rectitud, honradez. • *Der.* Convicción en que se halla una persona de que hace o posee alguna cosa con derecho legítimo. • **Mala f.** Con mala intención.

* *Teol.* La f. es una virtud sobrenatural por la que el hombre establece una relación con Dios, que se revela mediata o inmediatamente. Santo Tomás de Aquino la definió como consecuencia de la gracia divina. Tiene dos aspectos fundamentales: el de adhesión a la verdad revelada (intelectual) y el de confianza en el Ser supremo (voluntarista). Lutero la concibió como la confianza ciega en la misericordia divina que permite prescindir de las obras.

Fe *Quím.* Símbolo del hierro.

FEALDAD f. Calidad de feo.

FEBLE adj. Débil, flaco. • Hablando de monedas o de aleaciones de metales, falto en peso o en ley.

FEBO m. Epíteto dado a Apolo, dios que personificaba el Sol y la luz diurna.

FEBRERA f. Zanja para el riego.

FEBRERO m. Segundo mes del año, que en los comunes tiene veintiocho días y en los bisiestos veintinueve.

FEBRES Cordero, ***León*** (nacido 1931) Político de Ecuador. Estudió ingeniería mecánica en EE UU. Afiliado al Partido Social Cristiano, fue elegido diputado (1979). Presid. de la rep. (1984-1988) por la coalición conservadora Frente de Reconstrucción Nacional. Durante su mandato se acentuó la crisis económica. Afrontó insurrecciones militares. En la de 1987 fue secuestrado varias horas y obligado a acatar una disposición del congreso.

FEBRICITANTE adj. Díc. de quien tiene fiebre o calentura.

FEBRÍCULA F. *Med.* Hipertermia prolongada, de origen infeccioso o nervioso.

FEBRÍFUGO, GA adj. y m. *Farm.* Díc. de los fármacos que eliminan o reducen la fiebre.

FEBRIL adj. Relativo a la fiebre. • fig. Ardoroso, desasosegado. • Intenso. • Vehemente.

FEBRONIO, ***Justino*** (1701-1790) Teólogo al. Impulsor del movimiento contra la intervención del papa en asuntos temporales.

FEBVRE, ***Lucien*** (1878-1956) Historiador fr. Relacionó la historia con otras ciencias. Fundador, con March Bloch, de los *Anales de historia económica y social. La tierra y la evolución humana, Combates para la historia.*

FECAL adj. Relativo al excremento intestinal.

FECHA f. Data, indicación de tiempo. • Cada día transcurrido. • Tiempo o momento actual.

FECHADOR m. Matasellos u otra estampilla de tipos movibles para marcar la fecha.

FECHAR tr. Poner fecha a un escrito. ■ Determinar la fecha de un documento, obra de arte, suceso histórico, etc.

FECHNER, ***Gustav Theodor*** (1801-1887) Filósofo, físico y matemático, al., fundador de la psicofísica y precursor de la psicología experimental.

FECHO, CHA adj. y s. Díc. de los expedientes cuyas resoluciones han sido cumplimentadas. • m. Nota que acompaña a ciertos documentos oficiales al pie de los acuerdos, para dar fe de que han sido cumplimentados.

FECHORÍA f. Mala acción.

FECHURÍA f. Fechoría.

FECIAL m. El que entre los rom. decidía sobre la conveniencia de la guerra.

FÉCULA f. Tejido nutritivo de reserva, o sustancia que lo forma, de las formaciones destinadas al almacenamiento de principios inmediatos energéticos. Se halla pralm. en los tubérculos.

FECUNDACIÓN f. Acción de fecundar. • *Biol.* Unión de los gametos masculino y femenino para formar el cigoto. • **artificial.** La que se realiza sin acto sexual, por medio de inseminación. • **in vitro.** Extracción del óvulo del cuerpo de la madre, para su f. en una probeta y post. reimplantación en el útero. Se emplea en casos de esterilidad femenina por bloqueo de las trompas de Falopio.

FECUNDAR tr. Hacer fecunda o productiva una cosa. • *Biol.* Unirse el elemento reproductor masculino al femenino para dar origen a un nuevo ser.

FECUNDIZAR tr. Actuar sobre una cosa para hacerla susceptible de producir o de admitir fecundación.

FECUNDO, DA adj. Que produce o se reproduce por medios naturales. • Fértil, abundante, copioso.

FEDATARIO m. Notario u otro funcionario que goza de fe pública.

FEDAYIN (árabe, «redentor») adj. y s. Díc. de los guerrilleros palestinos que, desde 1949, combaten contra Israel para recuperar el territorio de su país y formar un Estado soberano.

FEDERACIÓN f. Acción de federar. • Organismo, entidad o Estado, formado a partir de otros preexistentes, que mantienen ciertas formas de autonomía. • Estado federal. • Poder central del mismo. • Organismo oficial a cuyo cargo está un deporte o el deporte en general.

FEDERACIÓN Americana del Trabajo *(American Federation of Labor, AFL)* Organización de sindicatos obreros norteam., de carácter apolítico, creada en 1868 por Samuel Gompers. En 1955 se fusionó con la CIO *(Congress for Industrial Organizations)*. • **Anarquista Ibérica** *(FAI)* Organización anarquista esp., fundada en Valencia en 1927. Durante la guerra civil extendió su influencia sobre la CNT, con la que se fusionó, organizó columnas de milicianos y colectivizó fábricas y tierras en Cataluña, Aragón y Andalucía. Peirats, Durruti, Ascaso y García Oliver fueron sus más destacados dirigentes. • **Obrera Regional Argentina** *(FORA)* Organización anarcosindicalista arg. fundada en 1904. Alcanzó su máxima influencia en 1918, cuando aglutinaba 200 sindicatos y 150 000 afiliados. En 1922, participó, en Berlín, en la creación de una nueva AIT. Su oposición a la integración en la CGT le restó preponderancia. El auge, y la persecución, del peronismo hicieron disminuir su actividad hasta casi desaparecer. Publicó el periódico *La Protesta*. • **Obrera Regional Uruguaya** *(FORU)* Organización anarcosindicalista ur. fundada en 1905. Durante dos décadas mantuvo la hegemonía sindical. El fracaso de la huelga marítima de 1919 conjuntamente a la revisión ideológica, producto del triunfo de la revolución de Octubre en la URSS, iniciaron su declive; en 1929 sólo contaba con 1 500 afiliados. • **Sindical Mundial** *(FSM)* Organización creada en 1945 por iniciativa de los sindicatos soviéticos, que agrupó a trabajadores de 54 países. La guerra fría provocó la retirada de la CIO norteam., de las *trade unions* brit. y de otros sindicatos, que constituyeron la CIOSL (Confederación Internacional de Organizaciones Sindicales Libres). La FSM cuenta en la actualidad con más de 140 millones de afiliados, y su sede se halla en Praga.

FEDERAL adj. Federativo. • adj. y s. Federalista.

FEDERALISMO m. *Pol.* Sistema basado en el reparto de poder y competencias entre una entidad estatal y central y otras voluntariamente subordinadas a ésta. • *Pol.* Doctrina que propugna este sistema, inspirada en P.-J. Proudhon.

* *Pol.* La esencia del f. radica en el reconocimiento del derecho de los pueblos que componen un Estado a la autodeterminación. El Estado federal se articula conjugando los principios de autonomía, libre asociación, descentralización política y administrativa, interdependencia y solidaridad. En la práctica, se organiza sobre la base de una constitución común, aunque cada Estado posea la suya propia, en la que el Estado central asume la política exterior, la defensa, el orden público y el diseño general de la política económica.

FEDERALISTA adj. y s. Partidario del federalismo.

FEDERAR tr. y prnl. Hacer alianza o pacto entre varios al objeto de formar federación.

FEDERATIVO, VA adj. Relativo a la federación. • Aplícase al sist. de varios Est. que, rigiéndose por sus propias leyes, están sujetos a las decisiones de un gobierno central.

FEDERICO Nombre de los siguientes emperadores y reyes:

ALEMANIA

FEDERICO I, *Barbarroja* (h. 1122-1190) Emperador germánico de la dinastía Hohenstaufen [1152-1190]. Derrotado en Legnano (1176) por la liga lombarda, por la paz de Constanza se sometió al papa. • **II** (1194-1250) Emperador germánico [1212-1250], nieto de Federico I, Barbarroja. Se enfrentó al papado, y fue excomulgado por Gregorio IX.

PRUSIA

FEDERICO I (1657-1713) Elector de Brandeburgo desde 1688 y rey de Prusia [1701-1713]. Aliado con Austria, luchó contra Francia. • **II, *el Grande*** (1712-1786) Rey de Prusia [1740-1786]. Vencedor en la guerra de los Siete Años. • **Guillermo** (1620-1688) Duque de Prusia y gran elector de Brandeburgo [1640-1688]. Se unió a España y Holanda en contra de Luis XIV de Francia. • **Guillermo I, *el Rey Sargento*** (1688-1740) Rey de Prusia [1713-1740]. Se anexionó la Pomerania occidental y Stettin. • **Guillermo II** (1744-1797) Rey de Prusia [1786-1797], sucesor del anterior. Vencido por Francia. • **Guillermo III** (1770-1840) Rey de Prusia [1797-1840], sucesor del anterior. Derrotado por Napoleón en Jena y Auerstedt. • **Guillermo IV** (1795-1861) Rey de Prusia [1840-1861], sucesor del anterior. La locura le obligó a ceder el trono a su hermano Guillermo I.

SICILIA

FEDERICO II (1272-1337) Rey de Sicilia [1296-1337], hijo de Pedro III de Aragón. Firmó, con los Anjou, la paz de Caltabellotta (1302).

FEDERMANN, *Nicolás* (hacia 1510-1542) Explorador al. Por cuenta de la Compañía de los Welser recorrió Venezuela. *Historia indiana.*

FEDIN, *Konstantin Alexandrovich* (1892-1977) Novelista soviético perteneciente al grupo de «Los hermanos Serapión». *Las ciudades y los años* y *Los hermanos*.

FEDÓN de Elis (s. V a. C.) Filósofo gr., discípulo de Sócrates y fundador de la escuela «élico-erétrica».

FEDOR I, *Ivanovich* (1557-1598) Zar de Rusia [1584-1598]. Hijo de Ivan IV el Terrible. Debido a sus trastornos mentales, su cuñado Boris Gudonov actuó de regente.

FEDRA *Mit. gr.* Hija de Minos y Pasifae y esposa de Teseo. Se enamoró de su hijastro Hipólito y, rechazada por él, le calumnió y obtuvo de los dioses su muerte.

FEDRO (hacia 15 a. C.-50 d. C.) Escritor lat. Ha pasado a la posteridad gracias a sus *Fábulas*.

FEDUCHI Ruiz, *Luis Martínez* (1901-1975) Arquitecto y decorador esp. Impulsó varias manifestaciones culturales: Bienal Hispanoamericana del Arte (1953). Construyó el Instituto de Cooperación Iberoamericana y el *Castellana Hilton*, ambos en Madrid.

FEED-BACK (voz. ing.) *f. Electr.* → Realimentación, retroacción.

FEÉRICO, CA adj. Maravilloso, mágico, ideal.

FÉFERES m. pl. *Amér. Centr.* Bártulos, baratijas.

FEHACIENTE adj. *Der.* Que da fe en juicio. • Que prueba de manera cierta.

FEHLING, *Hermann* (1812-1885) Químico al. Creador del *licor de F.*, reactivo para la determinación de azúcares reductores.

FEIJOO, *Benito Jerónimo*, FRAY (1676-1764) Escritor y pensador esp., el mejor representante de la Ilustración en España por la variedad de temas tratados (biología, agronomía, física) y su enfoque crítico-constructivo. *Teatro crítico universal, Cartas eruditas y curiosas*. • ***Samuel*** (nacido 1914) Poeta cub., neorromántico e intimista, ha evocado los paisajes de su tierra. Director de la revista *Isla. Camarada celeste, Diario de viajes, Sabiduría guajira.*

FEIRA DE SANTANA C. de Brasil, en el est. de Bahía; 289 500 hab. Textiles, ferias de ganado.

FEÍSMO m. Tendencia artística o literaria que valora estéticamente lo feo.

FEITO, *Luis* (nacido 1929) Pintor esp. Fundador del grupo El Paso. Ha realizado exposiciones de arte abstracto en Madrid y París.

FELACIÓN f. Succión del pene, que constituye una de las formas de sexualidad oral.

FELDESPATO m. *Miner.* Aluminiosilicato de potasio, sodio o calcio, que forma parte de muchas rocas. Se usa en la fabricación de cristales y cerámicas. ■ FELDESPÁTICO.

FELDESPATOIDE adj. y s. *Miner.* Díc. de los minerales cuya composición es similar a la del feldespato.

FELGUEREZ, *José Luis* (nacido 1928) Pintor y escultor mex. Experimentador e innovador, utiliza computadoras en la búsqueda de nuevas alternativas artísticas.

Federico I Barbarroja, detalle de una miniatura medieval

Federico II el Grande, de Prusia

Roca con cristales de analcima, mineral **feldespatoide**

Tigre, mamífero de la familia **félidos**

FELIBRE m. Poeta o prosista moderno en lengua provenzal u occitana.
FELIBRISMO m. Movimiento literario de Occitania (Provenza), centrado alrededor de la figura del poeta F. Mistral.
FELICIDAD f. *Fil.* Estado del ánimo que se complace en la posesión de un bien. • Satisfacción, contento. • Suerte feliz.
FELICITACIÓN f. Acción de felicitar. • Escrito o exp. con que se felicita.
FELICITAR tr. y prnl. Manifestar a una persona la satisfacción que se experimenta con motivo de algún suceso, favorable para ella.
FÉLIDOS m. pl. *Zool.* Familia de mamíferos carnívoros de cabeza redondeada, orejas cortas y puntiagudas, vibrisas táctiles en el hocico y garras retráctiles. Son f. los gatos, linces, ocelotes, leones, jaguares, tigres, etc.
FELIGRÉS, SA m. y f. Persona que pertenece a determinada parroquia. • fam. Parroquiano, cliente.
FELIGRESÍA f. Conjunto de feligreses de una parroquia. • Parroquia, territorio bajo la jurisdicción de un cura párroco.
FELINO, NA adj. Relativo al gato. • adj. y m. Díc. de los animales que pertenecen a la familia félidos.
FELIPE Nombre de diversos duques y reyes:

Felipe II y **Felipe IV**, reyes de España

ALEMANIA

FELIPE de Suabia (h. 1177-1208) Emp. germánico [1198-1208]. Hijo de Federico I, Barbarroja, fue elegido emp. por los gibelinos. Enfrentado al candidato de los güelfos, Oton IV, murió asesinado.

NVEVA PLANTA DE LA REAL AVDIENCIA DEL PRINCIPADO DE CATALVÑA. ... SV MAGESTAD.

Felipe V y, a la derecha, portada del Decreto de Nueva Planta promulgado por este rey

BORGOÑA

FELIPE II, *el Atrevido* (1342-1404) Duque de Borgoña [1363-1404], hijo de Juan II el Bueno de Francia. Se destacó en la batalla de Poitiers. • **III, *el Bueno*** (1396-1467) Duque de Borgoña [1416-1467], hijo de Juan sin Miedo. Aliado con Inglaterra, luchó contra el delfín francés.

ESPAÑA

FELIPE I, *el Hermoso* (1478-1506) Soberano de Países Bajos y rey de Castilla [1504-1506], hijo de Maximiliano de Austria y de María de Borgoña. Casó con Juana, hija de los Reyes Católicos. • **II** (1527-1598) Rey de España [1556-1598], hijo de Carlos I y de Isabel de Portugal. Derrotó a los fr. en San Quintín. Se apoderó de Portugal, y luchó contra los turcos (victoria de Lepanto) y los protestantes (Países Bajos). La *Armada Invencible*, expedición que envió contra Inglaterra para cortar la ayuda que los ing. proporcionaban a los rebeldes de Países Bajos, fracasó. Mandó construir el monasterio de El Escorial. Amplió de tal modo la burocracia que dilapidó en guerras y funcionarios las ingentes cantidades de plata americana. A finales de su reinado empieza la decadencia esp. • **III** (1578-1621) Rey de España [1598-1621], hijo de Felipe II. Firmó la paz con Inglaterra, y la tregua de los Doce Años con las Provincias Unidas. Intervino en la guerra de los Treinta Años y consumó la expulsión de los moriscos. Los escándalos financieros, la inflación monetaria y la bancarrota económica dejaron a España y a las colonias amer. exhaustas. • **IV** (1605-1665) Rey de España [1621-1665], hijo del anterior. Confió el gobierno a su valido el conde-duque de Olivares. Reconoció la indep. de Países Bajos por el tratado de Münster (1648) y, por la paz de los Pirineos (1659), cedió a Francia el Rosellón, la Cerdaña y el Artois. El centralismo desarrollado por el valido provocó las sublevaciones de Cataluña y Portugal, que obtuvo su indep. • **V** (1683-1746) Rey de España [1700-1746], sucesor del último Austria, Carlos II, y primero de la dinastía borbónica, era nieto del rey fr. Luis XIV. En los primeros años de su reinado tuvo que hacer frente a las pretensiones del archiduque Carlos de Austria al trono esp., que desembocó en la guerra de Sucesión esp. y la supresión de los fueros y libertades de Cataluña, que había apoyado al archiduque. Por el Decreto de Nueva Planta reformó la estructura estatal en sentido centralista tras la victoria y el tratado de Utrecht. Intervino en la guerra de Sucesión austr., con lo que consiguió asegurar los derechos de su hijo Carlos en Nápoles y Sicilia, pero hubo de renunciar a Parma y el Milanesado. • **de Borbón y de Grecia** (nacido 1968) Hijo de Juan Carlos I de Borbón y de Sofía de Grecia. Príncipe de Asturias y heredero de la corona española.

Felipe de Borbón, príncipe de Asturias

FRANCIA

FELIPE I (1052-1108) Rey de Francia [1060-1108], hijo de Enrique I, excomulgado por el papa Urbano II. • **II, *Augusto*** (1165-1223) Rey de Francia [1180-1223], hijo de Luis VII. Dirigió con Ricardo Corazón de León la III Cruzada. • **III, *el Atrevido*** (1245-1285) Rey de Francia [1270-1285], hijo de Luis IX. Incorporó Tolosa, Poitou y Auvernia. • **IV, *el Hermoso*** (1286-1314) Rey de Francia [1285-1314], hijo del anterior. Unió Navarra a Francia por su matrimonio con Juana de Navarra. Excomulgado por el papa Bonifacio VIII, nombró un papa al morir éste que provocó el cisma de Aviñón. • **VI *de Valois*** (1293-1350) Rey de Francia [1328-1350]. Primero de la dinastía de los Valois. En su reinado dio comienzo la guerra de los Cien Años.

INGLATERRA

FELIPE de Grecia, DUQUE DE EDIMBURGO (nacido 1921) Príncipe consorte de Gran Bretaña, casado con Isabel II.
FELIPE Santo. Uno de los doce apóstoles. Asistió a las bodas de Caná. Murió clavado en una cruz invertida. • **Neri** (1515-1595) Santo. Fundador de la sociedad secular llamada *Oratorio Italiano.*
FELIPE, León → León Felipe.
FELIPILLO (s. XVI) Indígena per. Bautizado e instruido en la lengua española, sirvió como intérprete a los conquistadores Pizarro, Diego de Soto y Almagro. Éste último le llevó a Chile, donde desertó. Hecho prisionero, murió ahorcado.
FELIU Cruz, *Ramón* (s. XVIII-XIX) Político esp. Ministro de Ultramar (1821-1822) y ministro interino de la Gobernación en diversas ocasiones. • **y Codina, *José*** (1847-1897) Escritor esp. Autor de obras dramáticas en catalán (*La filla del marxant, La dona d'aigua*) y en castellano: *La Dolores* (libreto de zarzuela musicado por Bretón), *Miel de la Alcarria, María del Carmen.*
FÉLIX, *María* Seud. de la actriz cinematográfica mex. *María de los Ángeles F. Güereña* (nacida 1914). *Enamorada, La cucaracha, Río escondido.*
FÉLIX DE VALOIS (1127-1212) Santo. Eremita fundador, con san Juan de Mata, de la orden de los trinitarios.
FELIZ adj. Que tiene o goza felicidad. • Que oca-

siona felicidad. • Aplicado a obras de entendimiento, oportuno, acertado.
FELLAGA m. Combatiente del N de África contra la ocupación francesa.
FELLINI, *Federico* (1920-1993). Director cinematográfico it. Del neorrealismo evolucionó hacia un cine imaginativo y poético: *La strada, Las noches de Cabiria, La dolce vita, Ocho y medio, Julieta de los espíritus, Roma, Amarcord, Casanova, La ciudad de las mujeres, E la nave va, Ginger y Fred, La entrevista.*
FELODERMIS f. *Bot.* Tejido vegetal formado por una fina capa de células corticales, que se halla a lo largo de todo el eje del vegetal.
FELÓGENO m. *Bot.* Meristema secundario que genera células suberificadas y células de la felodermis.
FELONÍA f. Deslealtad, traición. ■ FELÓN, NA.
FELPA f. Tejido que tiene pelo por la haz. • fig. y fam. Zurra de golpes. ■ FELPAR; FELPOSO, SA.
FELPEAR tr. *Argent.* y *Ur.* Regañar con aspereza a una persona.
FELPILLA f. Cordón de seda con pelo.
FELPO m. Felpudo, ruedo.
FELPUDO, DA adj. Tejido afelpado. • m. Esterilla afelpada que se coloca ordinariamente a la entrada de las casas.
FEMENIL adj. Relativo a la mujer.
FEMENINO, NA adj. Propio de la mujer. • Díc. del ser dotado de órganos para ser fecundado. • fig. Débil, endeble. • *Gram.* Relativo al gén. femenino.
FÉMICO, CA adj. Díc. de los minerales ferromagnésicos y de las rocas constituidas por los mismos.
FÉMINA f. Mujer, persona del sexo femenino.
FEMINEIDAD f. Feminidad. • *Der.* Calidad que tienen ciertos bienes de ser pertenecientes a la mujer.
FEMINIDAD f. Cualidad de femenino. • *Med.* Estado anormal del varón en que aparecen uno o varios caracteres sexuales femeninos.
FEMINISMO m. Mov. que busca la emancipación de la mujer luchando por la igualdad de derechos entre los sexos y la abolición de todo tipo de discriminaciones por razón de sexo.
* *Hist.* El mov. feminista arranca de la Rev. Francesa, la extensión de la ideología liberal y la presencia progresiva de la mujer en la producción a partir de la revolución ind. Hitos imp. son el sufragio universal, conseguido a raíz de la lucha de las sufragistas, y a la aparición del mov. de liberación de la mujer a partir de los años sesenta. El nuevo f. no persigue sólo la igualdad de derechos, sino que plantea como objetivo final la abolición de la sociedad patriarcal, base de todas las discriminaciones. Entre las muchas opciones de f. destacan: la moderada, que impulsa la conquista de nuevos espacios para la mujer sin poner en causa el orden social masculino; la revolucionaria, la opresión de la mujer va más allá del capitalismo; f. de la diferencia, que defiende la necesidad de potenciar las diferencias psicológicas, culturales y de comportamiento, para abolir las discriminaciones y alcanzar una cultura de la igualdad real; f. clasista, que sostiene que las mujeres son un grupo o clase explotada por el hombre, potenciando una estrategia sexista. El f. ha conseguido modificar costumbres y comportamientos familiares, sociales y sexuales en la sociedad actual.
FEMINISTA adj. Relativo al feminismo. • adj. y s. Partidario del feminismo.
FEMINIZACIÓN f. Acción de dar gén. femenino a un nombre originariamente masculino o neutro. • *Biol.* Desarrollo de las características femeninas.
FEMINOIDE adj. Díc. del varón que tiene ciertos rasgos femeninos.
FEMORAL adj. Relativo al fémur. • *Zool.* Fémur, segmento de las patas de los arácnidos e insectos.
FÉMUR m. *Anat.* Hueso del muslo, el más largo y de mayor peso del cuerpo. • *Zool.* Segmento de las patas de insectos y arácnidos.
FENACETINA f. *Farm.* Antipirético muy activo y también eficaz analgésico.
FENANTRENO m. *Quím.* Hidrocarburo aromático presente en el alquitrán de la hulla.
FENDA f. Raja o hendidura abierta en la madera.
FENECER tr. Poner fin a una cosa, terminarla. • intr. Morir o fallecer. • Acabarse una cosa. ■ FENECIMIENTO.
FÉNELON, *François Salignac de la Mothe* (1651-1715) Prelado y escritor fr. Preceptor del duque de Borgoña, para cuya educación escribió *Diálogos de los muertos y Aventuras de Telémaco.*
FEN-HO Río del N de China, afl. izquierdo del Hoang-ho. Unos 800 km.
FENIANISMO m. Movimiento nacionalista que propugna la independencia de Irlanda frente a la dominación inglesa. ■ FENIANO, NA.
FENICADO, DA adj. Que tiene ácido fénico.
FENICIA Ant. región del Mediterráneo oriental, que ocupa el Líbano y una parte de Siria e Israel.
* *Hist.* Las prales. c. de F. fueron Tiro, Sidón y Biblos. Comerciantes, los fenicios fundaron numerosas c. (en España, Gadir, Cartago, etc.). También inventaron el primer alfabeto conocido.
FENICIO, CIA adj. y s. De Fenicia.
FÉNICO adj. *Quím.* Aplícase a un ácido que se extrae de la hulla y que se emplea como desinfectante enérgico. También se llama *fenol común.*
FENICOPTÉRIDO, DA adj. y m. *Zool.* Díc. de los individuos de una familia de aves de patas y cuello muy largos. • m. pl. *Zool.* Familia de aves ciconiformes que comprende las cuatro especies conocidas de flamencos.
FENILANINA f. Aminoácido que forma parte de gran número de proteínas.
FENILO m. *Quím.* Radical monovalente que resulta de quitar un átomo de hidrógeno al benceno.
FÉNIX m. Ave fabulosa, que se dice es única y que renace de sus cenizas. • fig. Persona que destaca sobre las demás por sus cualidades. • *Astr.* Phoenix, constelación.
FENOCOPIA f. *Biol.* Fenotipo normal que por condiciones ambientales se parece a uno de sus mutantes.
FENOCRISTAL adj. *Miner.* Díc. de los cristales de gran tamaño y bien cristalizados, fácilmente reconocibles en una masa rocosa.
FENOGENÉTICA f. *Biol.* Parte de la genética que estudia los procesos bioquímicos que se desencadenan desde la acción primaria del gen en el genotipo hasta la aparición del carácter fenotípico externo.
FENOGRECO m. Alholva, planta leguminosa.
FENOL m. *Quím.* Compuesto orgánico en el que uno o más átomos de H del núcleo bencénico han sido sustituidos por grupos OH. Se emplea en la fabricación de colorantes, medicamentos, plásticos, etc. ■ FENÓLICO, CA.
FENOLOGÍA f. Estudio de la influencia de los cambios climáticos en los fenómenos vitales.
FENOMENAL adj. Relativo al fenómeno. • fam. Muy bueno, estupendo.

Bajorrelieve de una nave **fenicia**

FENÓMENO m. *Fil.* Toda apariencia o manifestación, tanto del orden material como del espiritual. • Cosa extraordinaria y sorprendente. • fam. Persona o animal monstruoso. ■ FENOMÉNICO, CA.
* *Fil.* Platón oponía el f. a la existencia fija, esencial, y a lo que prevé el razonamiento. Aristóteles lo hizo objeto del conocimiento sensible. Kant lo definió como lo que es objeto de experiencia posible. Para Husserl no es ya el f. un estado psíquico, como venía diciéndose desde Locke y Hume, sino que f. es lo manifiesto en tanto que tal.
FENOMENOLOGÍA f. Descripción de un fenómeno o grupo de fenómenos. • *Fil.* Corriente del pensamiento que se basa en el estudio de los fenó-

Felipe IV de Francia

Fotograma de *Giulietta de los espíritus*, filme de Federico **Fellini**

menos sociales y naturales. Su pral. representante es Husserl.

FENOPLASTO m. *Quím.* Material plástico que resulta de la condensación del fenol con el formaldehído.

FENOTIPO m. *Biol.* Conjunto de caracteres hereditarios que se manifiestan a nivel externo y que vienen condicionados por el genotipo o conjunto de genes. ■ FENOTÍPICO.

FEO, A adj. Que carece de belleza y hermosura. • fig. Que causa desagrado o aversión. • fig. De mal aspecto. • m. fam. Desaire.

FEOFÍCEAS pl. *Bot.* Clase de algas pluricelulares de color amarillo pardusco, también llamadas algas pardas. Habitan en aguas marinas templadas y frías a mayor profundidad que las algas verdes, porque absorben la luz en longitudes de onda más corta.

FEÓFITOS m. pl. Feofíceas.

FEOPLASTO m. *Bot.* Plasto de las feofíceas con gran cantidad de carotinoides pardos.

FERACIDAD f. Fertilidad, fecundidad. ■ FERAZ.

FERAL adj. Cruel, sangriento.

FERENCZI, *Sandor* (1873-1933) Psicoanalista húng. Colaborador de Freud y primer presid. de la Asociación Psicoanalítica Internacional.

FÉRETRO m. Caja o andas en que se llevan a enterrar los difuntos.

FERGANÁ o **FERGHANÁ** Región de Asia central, en Uzbekistán; 7 100 km², 1 900 000 hab. Algodón, frutales, vid. Yacimientos de petróleo. Ind. textil. • Cap. de la región de Uzb.; 191 000 hab. Textiles, refinería de petróleo, petroquímicas.

FERGUSON, *Adam* (1723-1816) Filósofo e historiador brit., que enunció la primera teoría de la división del trabajo. *Ensayo sobre la historia de la sociedad civil.* • ***William*** (m. 1828). Revolucionario irl. Participó en el proceso de indep. latinoamericana. Murió por salvar a Bolívar de un atentado.

Detalle de *La flagelación*, óleo de A. **Fernández.** Museo del Prado, Madrid

FERIA f. Cualquiera de los días de la semana, excepto el sábado y domingo. • Descanso y suspensión del trabajo. • Mercado que se celebra al aire libre en fechas señaladas. • Recinto o paraje público en que están expuestos los enseres para aquel mercado. • fig. Convenio, trato. • Conjunto de instalaciones de diversión. • *Méx.* Dinero menudo, cambio. • *C. Rica* y *Salv.* Propina. ■ FERIAL; FERIANTE.

FERIAR tr. y prnl. Comprar en la feria. • Regalar. • tr. Vender, comprar o permutar una cosa por otra. • Suspender el trabajo por uno o varios días.

FERINO, NA adj. Propio de la fiera.

FERMAT, *Pierre de* (1601-1665) Matemático fr. Conocido por la ecuación que lleva su nombre, se le deben también contribuciones a la teoría de probabilidades y a la geometría. • **Ecuación de F.** *Mat.* Escrita en el margen de una copia de la *Aritmética* de Diofanto, afirma que la ecuación $x^n + y^n = z^n$ carece de soluciones enteras positivas si $n > 2$. Se instituyó un premio para quien hallara una demostración general y los fracasos fueron más fecundos que la posible demostración, pues dieron lugar al inicio de varias importantísimas ramas de la matemática actual. En 1993, el matemático brit. Andrew Wiles presentó una solución al último teorema de F.

FERMENTACIÓN f. *Biol.* Degradación anaeróbica de los compuestos orgánicos realizada por las enzimas de ciertos microorganismos, llamados fermentos.

FERMENTAR intr. Producirse un proceso químico por la acción de un fermento. • fig. Alterarse los ánimos. • tr. Producir la fermentación. ■ FERMENTATIVO.

FERMENTO m. *Biol.* Enzima. • *Biol.* Microorganismo capaz de producir fermentaciones en condiciones anaerobias. • fig. Causa o motivo de agitación.

FERMI, *Enrico* (1901-1955) Físico it. Premio Nobel de Física en 1938 por haber identificado nuevos elementos radiactivos obtenidos por bombardeo con neutrones.

FERMIO m. *Quím.* Elemento radiactivo. Símb. Fm. Se obtiene bombardeando el U 238 con iones de O.

FERNÁN Caballero Seud. de *Cecilia Böhl de Faber* (1796-1877) Novelista esp. Su novela *La gaviota* (1849) inaugura el realismo en España. *Cuentos populares andaluces* y *La familia de Albareda.* • **Gómez, Fernando** (nacido 1921). Escritor, actor y director de cine y teatro esp. *Crimen imperfecto, El viaje a ninguna parte.* En 2000 ingresó en la Real

Estatua orante de Gonzalo **Fernández de Córdoba.** Iglesia de San Jerónimo. Granada, España

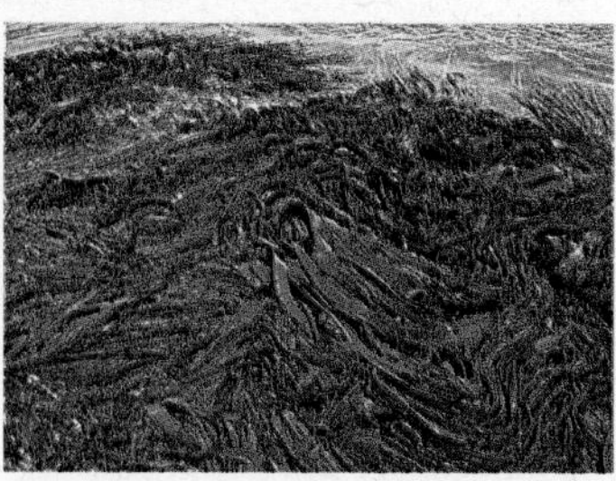

Algas de la clase **feofíceas**

Academia Española de la Lengua. • **González** (h. 930-970) Primer conde indep. de Castilla [950-970] • **Poema de Fernán González** *Lit.* Obra anónima del mester de clerecía (s. XIII), que narra las luchas de Fernán González y la indep. de Castilla.

FERNANDEL Seud. del actor cinematográfico fr. *Fernand Joseph Désiré Contandin* (1903-1971). Su interpretación de *Don Camilo* le hizo popular.

FERNANDES, *Florestan* (nacido 1920) Sociólogo bras., ha investigado las relaciones interraciales y sus influencias en la cultura. *Relaciones sociales entre blancos y negros en São Paulo, Aspectos del desarrollo de la sociedad brasileña.*

FERNÁNDEZ, *Alejo* (h. 1470-1543) Pintor esp., de probable origen al. *Tríptico de la Cena*, en el Pilar de Zaragoza. • ***Arístides*** (1904-1934) Pintor cub., de tendencia nacionalista. *Autorretrato, Las lavanderas, Retrato de la madre del artista.* • ***Carmelo*** (1810-1887) Dibujante ven. Colaboró en el *Atlas físico y político de la República de Venezuela* • ***Carmen Pilar*** (nacida 1925) Ensayista y dramaturga puertorriq. que sintetiza lo tradicional con elementos vanguardistas. *De tanto caminar.* • ***Emilio*** (1904-1986) Director y actor cinematográfico mex., llamado el *Indio Fernández.* Intervino en la revolución mex. y hubo de exiliarse por su participación en una sublevación militar en 1922. De regreso a México intervino como actor en *Janitzio* (1934) y como guionista en varias películas. Su consagración como director se produjo en 1943 con *María Candelaria, Flor silvestre, La perla, Enamorada, Pueblito*, melodramas de hondo contenido lírico y social y en los que se refleja la influencia de Einstein. Como actor intervino posteriormente en la película de S. Peckinpah *Grupo salvaje* (1968). • ***Guillermo León*** (nacido 1928) Pintor y decorador ur. Vanguardista. *Retrato de José Batlle y Ordóñez*, relieve en madera para la Rose Fried Gallery (Nueva York). • ***Jorge*** (nacido 1912) Político y escritor ecuat., de tendencia realista. *Antonio ha sido una hipérbole, Agua, Los que viven por sus manos.* • ***Juan*** (h. 1530-1599) Navegante esp. Descubrió las islas que llevan su nombre, cerca de Chile, a la alt. de Valparaíso. Parece que descubrió así mismo la isla de Pascua. • ***Justino*** (1904-1972) Historiador y crítico de arte mex. que dio a conocer el arte moderno y contemporáneo de México por todo el mundo. *El arte moderno en México. Siglos XIX y XX, Arte moderno y contemporáneo de México.* • ***Leonel*** (nacido 1945) Político dom. Líder del Partido de la Liberación Dominicana. Presidente de la república entre 1996 y 2000. • ***Lucas*** (h. 1474-1542) Escritor esp., discípulo de Juan del Encina, *Farsas y églogas al modo pastoril.* • ***Macedonio*** (1874-1952) Escritor arg. De tendencia modernista y anarquizante, influyó notablemente en las letras de su país. *Poemas, No toda es vigilia la de los ojos abiertos, Papeles de Recienvenido.* • ***Miguel Ángel*** (nacido 1938) Poeta ur. Fundador de la revista *Diálogo. Oscuros días, A destiempo* (poesía), *Rafael Barret* (ensayo). • ***Pablo Armando*** (nacido 1930) Escritor cub. *Toda la poesía, El libro de los héroes* (premio Casa de las Américas), *Los niños se despiden* (novela). • ***Próspero*** (1834-1885) Político y militar cost. Presid. de la rep. de 1882 a 1885, estableció la enseñanza laica obligatoria y se enfrentó a la invasión de Guatemala. • ***Sergio*** (nacido 1926) Escritor mex. *Los signos perdidos, Los peces.* • ***Wifredo*** (1946-1977) Poeta cub. *Palabras de hombre, Amanecer de la ceniza.* • **Albor, *Gerardo*** (nacido 1917) Político esp., de tendencia nacionalista gallega. Presid. de la Xunta de Galicia de 1982 a 1987. • **Almagro,** ***Melchor*** (1893-1966) Historiador esp., dedicado a la investigación y a la crítica lit. *Historia política de la España contemporánea, Cánovas, su vida y su política*. • **Alonso,** ***Severo*** (1859-1925) Político bol. Presid. de la rep. de 1896 a 1899, fue derrocado por su defensa de la capitalidad de Sucre y sustituido por una junta de gobierno. • **De Andrada,** ***Andrés*** (s. XVII) Poeta esp. Autor de la célebre *Epístola moral a Fabio*. • **De Avellaneda,** ***Alonso*** → Avellaneda. • **De Cabrera,** ***Luis Jerónimo,*** CONDE DE CHINCHÓN (1589-1647) Administrador esp. Virrey del Perú (1628-1639), su gobierno estuvo plagado de malestar y descontentos por las subidas de impuestos, los procesos inquisitoriales y las ejecuciones. • **De Castro,** ***José Antonio*** (1897-1951) Ensayista y periodista cub. *Medio siglo de historia colonial de Cuba, Esquema histórico de las letras cubanas*. • **De Cevallos Ramos,** ***Diego*** (nacido 1941) Político méx. Catedrático de Derecho Penal y Mercantil en la Universidad Iberoamericana. Miembro del Partido de Acción Nacional, ha sido diputado en diversas ocasiones. Candidato del PAN a las presidenciales de agosto 1994. • **De Córdoba,** ***Diego,*** MARQUÉS DE GUADALCÁZAR (1578-1630) Administrador esp. Virrey de Nueva España (1612-1620) y Perú (1622-1629). Fundó las c. mex. de Córdoba y San Pedro de Guadalcázar. • **De Córdoba,** ***Gonzalo,*** llamado EL GRAN CAPITÁN (1453-1515) Militar esp. Actuó al servicio de Fernando el Católico, que le nombró virrey de Nápoles por sus victorias sobre los fr., aunque, descontento con su administración, le revocó del cargo y le obligó a regresar a España. • **De Córdoba,** ***Luis*** (ss. XVI-XVII) Administrador esp. Rechazó la invasión de Acapulco por los hol. Gobernador de Tlaxcala y capitán gral. De El Callao, reprimió severamente la rebelión de los mapuches. • **De la Cueva Enríquez,** ***Francisco*** (ss. XVII-XVIII) Administrador esp. Virrey de Nueva España (1702-1711), instituyó el Tribunal de la Acordada para hacer frente al bandolerismo. • **De Lizardi,** ***José Joaquín*** (1776-1827) Novelista y pensador mex. Liberal, racionalista ilustrado e independentista. *El periquillo Sarniento, Vida y hechos del famoso caballero don Catrín de la Fachenda*. • **De Oviedo,** ***Gonzalo*** (1478-1557) Escritor y cronista esp., uno de los más destacados historiadores de Indias. *Historia general y natural de las Indias* (obra en veinte vols.) es una de las prales, fuentes sobre la flora y fauna amer., la condición y organización social de los indígenas y los episodios de la conquista. • **De Palencia,** ***Diego*** (1520-1581) Militar y cronista esp. Cronista del Perú. *Primera y segunda parte de la historia del Perú*. **De Quirós,** ***Pedro*** (1560-1615) Navegante port. al servicio de España. Descubrió la isla Espíritu Santo (Nuevas Hébridas) y participó en la expedición que descubrió las islas Salomón. • **Enciso,** ***Martín*** (ss. XV-XVI) Administrador y geográfo esp. Con Ojeda exploró las costas de Colombia y con Núñez de Balboa participó en la fundación de Santa María de la Antigua. *Suma de geografía*. • **Flórez,** ***Darío*** (1909-1978) Escritor esp., costumbrista. *Lola, espejo oscuro*. • **Flórez,** ***Wenceslao*** (1879-1964) Escritor esp. Novelista y periodista de un humor teñido de melancólico escepticismo. *Volvoreta, El secreto de Barba Azul, El malvado Carabel*. • **García,** ***Alejandro*** (1876-1939) Escritor ven., de tendencia modernista. *Oro de alquimia, La bandera, Bucares en flor*. • **Madrid,** ***José*** (1789-1930) Político y escritor col. Exiliado por haber firmado la declaración de indep. de la prov. de Cartagena. Su obra es de hondo contenido nacionalista. *Elegías nacionales peruanas*. • **Maldonado,** ***Jorge*** (nacido 1922) Político y militar per. Participó en la revolución militar de 1968. Ministro de Energía y Minas (1968-1975), primer ministro, ministro de la Guerra y jefe del Ejército (1976). Fundador del Partido Socialista Revolucionario. • **Moreno,** ***Baldomero*** (1886-1950) Poeta arg. Tradicionalista, su obra está basada en temas de la vida cotidiana. *Seguidillas. Parva, La patria desconocida, Memorias, vida y desaparición de un médico*. • **Ochoa,** ***Blanca*** (nacida 1963) Esquiadora esp. • **Ochoa,** ***Francisco*** (nacido 1950) Esquiador esp. Medalla de oro en el slalom especial de los Juegos Olímpicos de Invierno de Saporo (1972). • **Retamar,** ***Roberto*** (nacido 1930) Poeta y ensayista cub. Ha ocupado cargos culturales tras la revolución cub. *Patrias, Vueltas de la antigua esperanza, Que veremos arder, Papelería, Calibán*. • **Santos,** ***Jesús*** (1926-1988) Novelista esp., influido por Baroja. *Los bravos, El hombre de los santos, Las catedrales, Paraíso encerrado, Jaque a la dama* (premio Planeta 1982). • **Shaw,** ***Carlos*** (1865-1911) Comediógrafo y poeta esp. Autor de libretos para zarzuela: *Margarita la tornera, La revoltosa* (con música de Chapí). • **Shaw,** ***Guillermo*** (1893-1965) Sainetero y libretista de zarzuelas esp., hermano del anterior. *Doña Francisquita, Luisa Fernanda*. • **Spencer,** ***Antonio*** (nacido 1923) Poeta dom. *Vendaval interior, Bajo la luz del día, El camino y la vida, Diario del mundo*. • **Y González,** ***Manuel*** (1821-1888) Novelista esp. *María, El pastelero de Madrigal*.

FERNANDINO, NA adj. Relativo a Fernando VII. • adj. y s. Partidario de este rey. • f. Cierta tela de hilo.

FERNANDO Nombre de diversos emperadores y reyes:

IMPERIO ROMANO GERMÁNICO

FERNANDO I (1503-1564) Rey de Bohemia y Hungría [1527], rey de romanos [1531] y emperador germánico [1558-1564]. Hermano de Carlos V. • **II** (1578-1637) Emperador de Alemania [1619-1637]. Rey de Bohemia [1617] y Hungría [1618]. Paladín de la Contrarreforma, provocó la guerra de los Treinta Años. • **III** (1608-1657) Emperador de Alemania [1637-1657]. Rey de Bohemia [1625] y de Hungría [1627]. Intervino en la guerra de los Treinta Años, pero tuvo que aceptar la paz de Westfalia (1648).

ARAGÓN

FERNANDO I de Antequera (1380-1416) Rey de Aragón y Sicilia [1412-1416] Hijo segundo de Juan I de Castilla y Leonor de Aragón. Tomó Antequera a los ár. Al morir sin sucesión Martín el Humano, fue elegido rey de Aragón en el compromiso de Caspe, iniciando la dinastía cast. de los Trastámara en Aragón. • **II,** ***el Católico*** (1452-1516) Rey de Aragón [1479] y de Sicilia [1468]. Casó con Isabel de Castilla, uniéndose dinásticamente ambos reinos. Concluyó la reconquista de España con la toma de Granada (1492), se anexionó Navarra (1512) y expulsó de España a judíos y moriscos. Creó la Santa Hermandad y la Inquisición, y durante su reinado se produjo el descubrimiento de América por Cristóbal Colón (1492). A la muerte de Isabel, contrajo segundas nupcias con Germana de Foix, y en dos ocasiones asumió la regencia de Castilla.

Fernando II el Católico. Detalle de la tabla de la *Virgen de los Reyes Católicos*, atribuida al Maestro Bartolomé. Museo del Prado, Madrid

AUSTRIA

FERNANDO I (1703-1875) Emperador de Austria [1835-1848], rey de Bohemia y Hungría [1830-1848]. Dejó el poder en manos de Metternich.

Portada de la *Historia general y natural de las Indias*, de Gonzalo **Fernández de Oviedo**

CASTILLA Y LEÓN

FERNANDO I, *el Grande* (1016-1065) Rey de Castilla [1035-1065] y de León [1037-1065]. Conquistó parte de Navarra. • **III, *el Santo*** (1201-1252) Rey de Castilla [1217-1252] y de León [1230-1252]. Conquistó Córdoba (1236), Jaén (1246), Sevilla (1248) y Cádiz (1250). Amplió su reino hasta alcanzar el mar por el S. • **IV, *el Emplazado*** (1285-1312) Rey de Castilla y de León [1295-1312]. Conquistó Gibraltar. • **V, *el Católico*** → Fernando II de Aragón.

ESPAÑA

FERNANDO VI (1713-1759) Rey de España [1746-1759], hijo de Felipe V. Dejó el gobierno en manos de sus ministros, Carvajal y Ensenada. Su gobierno se caracterizó por la neutralidad y la paz. • **VII, *el Deseado*** (1784-1833) Rey de España [1808-1833] hijo de Carlos IV. Subió al trono al abdicar su padre a raíz del motín de Aranjuez. Obligado por Napoleón a recluirse en Bayona, abdicó en favor de José I Bonaparte. De regreso a España, abolió la Constitución de 1812 y restauró el absolutismo. Con el levantamiento de Diego tuvo que aceptar de nuevo la Constitución en el llamado trienio liberal (1820-1823), que se cerró con la intervención de la Santa Alianza y la expedición de los Cien Mil Hijos de San Luis, restableciendo el absolutismo y la represión en la «década ominosa». Provocó las guerras carlistas, al abolir la ley Sálica y nombrar heredera a su hija Isabel. Durante su reinado se produjo la lucha de los países americanos por su independencia, ciclo que cerró la batalla de Ayacucho, punto final de la dominación colonial en el continente americano.

Fernando VI, por G. A. Pellegrini

LEÓN

FERNANDO II (1137-1188) Rey de León [1157-1188], hijo de Alfonso VII de Castilla. Impulsó la reconquista por Extremadura, donde se apoderó de Cáceres, Trujillo y Santa Cruz.
FERNANDO de Noronha Arch. y territorio de Brasil, en el océano Atlántico; 26 km^2, 1 300 hab. Cap., Remedios, Aeropuerto. Penitenciaría.
FERNANDO Poo Ant. nombre de → Bioko.
FEROCIDAD f. Fiereza, crueldad. • Atrocidad, dicho o hecho insensato.
FERODO m. *Mec. apl.* Material formado con hilos metálicos y fibras de amiantos, utilizado pralm. en las zapatas de los frenos.
FEROE *(Faeröerne, Föroyar)* Arch. de Dinamarca, entre Islandia y Gran Bretaña; 1 398 km^2, 45 000 hab. Cap., Thorshavn. Pesca (merluza); caza de la ballena.
FEROMONA f. *Biol.* Sustancia activa de correlación hormonal entre los individuos de la misma especie.

Fernando VII el Deseado, por V. López

Pentecostés, fresco de J. **Ferrer Bassa**

FERÓSTICO, CA adj. fam. Irritable y díscolo. • fam. Muy feroz.
FEROZ adj. Que obra con ferocidad y dureza. • fam. Tremendo; aplicado a sensaciones, molesto.
FERRA f. Farra, pez de agua dulce.
FERRADA f. Maza armada de hierro.
FERRADO, DA adj. Férreo, de hierro.
FERRALLISTA m. Operario que realiza el doblado y montado de las armaduras en obras de hormigón armado.
FERRÁN y Clúa, *Jaime* (1852-1929) Médico esp. Inventor del procedimiento de la vacuna anticolérica e introductor de un método intensivo de vacuna antirrábica.
FERRAR tr. Guarnecer con hierro.
FERRARA Prov. de Italia, en Emilia Romagna; 2 632 km^2, 374 500 hab.; cap. la c. hom. Hortalizas, agrios y frutales. Fábricas de plásticos, químicas y fertilizantes. • Cap. de la prov. hom., 145 000 hab. Centro ind. y com. Catedral, palacio de los Este y Communale.
FERRARA, *Orestes* (1876-1972) Político y ensayista cub. Intervino en las luchas por la indep. Secretario de Estado con Gerardo Manchado.
FERRATER, *Gabriel* (1922-1972) Poeta y lingüista esp., catalán. Su obra poética se recoge en *Les dones i els dies.* Muerto por suicidio. • **Mora, *José*** (1912-1991). Filósofo esp. catalán, afincado en Latinoamérica después de 1939. Regresó a España en 1976. *Diccionario de filosofía, La filosofía actual.*
FERRÉ, *Léo* (1916-1993) Cantante y compositor fr. Cantautor anarquista de tono satírico, ha puesto música a poemas de Verlaine, Baudelaire, Apollinaire, Aragon. • ***Luis*** (nacido 1904) Político puertorriq. Fundador del Partido Nuevo Progresista en 1968.
FERREDOXINA f. *Biol.* Proteína transportadora de electrones que interviene en la fotosíntesis.
FERRERA, *Benigno* (1846-1920) Militar y político ur. Jefe de la guardia nacional y ministro de Guerra y Marina. Presid. del país entre 1906 y 1908. • ***Ramón*** (nacido 1921) Cuentista cub., residente en Puerto Rico. *Ceremonia secreta y otros cuentos de América Latina, Los malos olores de este mundo.*• **Aldunate, *Wilson*** (1919-1988) Político ur. Miembro del Partido Nacional. Ministro de Agricultura y senador. Se exilió en 1973. Activo luchador por las libertades políticas, a su regreso al país en 1984 fue detenido y liberado tras las nuevas elecciones democráticas.
FERREIRO, *Alfredo Mario* (1899-1959) Escritor ur. Influido por el futurismo y el dadaísmo. *El hombre que se comió un autobús, Se ruega no dar la mano.* • ***Celso Emilio*** (1914-1979). Poeta esp. Realizó su obra en lengua gall.; *Cartafol de poesía y Longa noite de pedra.* • ***Óscar*** (nacido 1921) Escritor y antropólogo par. Miembro de la Academia Paraguaya de la Lengua. *Poemoides, Explosión demográfica, El cielo guaraní.*
FÉRREO, A adj. De hierro o que tiene sus propiedades. • fig. Duro, tenaz.

Ferrocarril
Barcelona-Mataró, primera línea de España (1848)

FERRER, *José* (1912-1992) Actor y director cinematográfico puertorriq. Óscar en 1950 por su interpretación en *Cyrano de Bergerac*. • ***Rafael*** (nacido 1933) Escultor puertorriq. Trabaja el hierro *(San Sebastián)* y el acero *(Buenas costumbres)*. Notable fotógrafo. • **Bassa, *Jaume*** (1290-1348) Pintor y miniaturista cat. Autor de la serie mural que decora la capilla de San Miguel en el monasterio de Pedralbes, en Barcelona (1346-1348). • **Y Guardia, *Francisco*** (1859-1909) Pedagogo esp., creador de la *Escuela Moderna*. Acusado de los sucesos de la Semana Trágica, fue fusilado tras un proceso que causó grandes protestas internacionales al ser manifiesta su inocencia.
FERRERA, *Francisco* (1794-1851) Militar y político hond. Presid. de la rep. en 1834. Luchó contra El Salvador, pero fue vencido por Morazán. De nuevo presid. en 1840, reelegido en 1843. En 1845 le sucedió Coronado Chávez.
FERRERI, *Marco* (1928-1997) Director de cine it. *El pisito, Los chicos, La grande bouffe, La última mujer, Adiós al macho, Ordinaria locura, Historia de Piera*.
FERRERÍA f. Herrería.
FERRERUELO m. Capa corta con sólo cuello sin capilla.
FERRES, *Antonio* (nacido 1924) Novelista esp. *La piqueta, Los vencidos, Los años triunfales, El gran gozo*.
FERRETE m. Sulfato de cobre que se emplea en tintorería. • Instrumento de hierro que sirve para marcar y poner señal a las cosas.
FERRETEAR tr. Guarnecer una cosa con hierro. • Labrar con hierro.
FERRETERÍA f. Comercio de hierro. • Conjunto de objetos de hierro que se venden en las ferreterías. • *Amér.* Quincallería. ■ FERRETERO, RA.
FERREYRA Basso, *Juan G.* (nacido 1910) Poeta arg. *Rosa de arcilla, El mineral. El árbol. El caballo. El niño, Paisano muerto en el río*.
FERRICIANURO m. *Quím.* Sal del ácido ferricianhídrico, usada como indicador químico en las reacciones de oxidación-reducción.
FÉRRICO, CA adj. *Metal.* y *Quím.* Aplícase a los compuestos o a las mezclas o aleaciones del hierro.
FERRÍFERO, RA adj. Que contiene hierro.
FERRIFICARSE prnl. Reunirse las partes ferruginosas de una sustancia, formando hierro.
FERRIGNO, *Óscar* (nacido 1929) Actor y director de teatro arg. Fundador del Teatro Independiente Fray Mocho. Han sido muy celebrados sus montajes de Brecht y Shakespeare.
FERRITA f. *Metal.* Forma alotrópica del hierro que aparece en ciertas aleaciones. • Sustancia semiconductora y ferromagnética, que posee numerosas aplicaciones en electrónica y en computación.
FERRO m. *Mar.* Ancla.
FERROCARRIL m. Medio de transporte terrestre consistente en un convoy o vehículo, en gral. compuesto de locomotora y varios vagones, que circulan sobre dos vías paralelas de hierro.
* *Ferr.* Los f. pueden ser: interurbanos, arrastrados por una locomotora inicialmente de vapor y actualmente de motor diesel, o eléctricos, que obtienen la energía necesaria de cables aéreos; o suburbanos, siempre eléctricos con la fuente situada a la altura de las vías. La tecnología actual se dirige pralte, hacia los trenes de alta velocidad: el TGV fr., el Tokaido jap., el AVE esp. y otros; o bien a los monorraíles con sustitución de las ruedas por un colchón neumático o magnético.
FERROCARRILERO, RA adj. *Amér.* Ferroviario.
FERROCART m. Conjunto de materiales aptos para soportar altas frecuencias.
FERROCERIO m. *Metal.* Aleación de hierro y cerio que produce chispas por fricción.
FERROCIANHÍDRICO adj. *Quím.* Relativo al ácido conseguido mediante la combinación de una molécula de cianuro ferroso con cuatro de ácido cianhídrico.
FERROCIANURO m. *Quím.* Sal del ácido ferrocianhídrico. Se usa para fabricar pigmentos y tintes; el f. férrico es el azul de Prusia.
FERROCINO m. Sarmiento bastardo.
FERROCROMO m. *Metal.* Aleación de hierro y cromo empleada en la fabricación de aceros inoxidables especiales.
FERROL, *El* C. y puerto esp., en Galicia (prov. de La Coruña); 83 048 hab. Astilleros, ind. textiles, confección, muebles, pesquera y salazón de pescado.
FERROMAGNÉTICO, CA adj. Díc. de la sustancia que presenta ferromagnetismo, como el hierro, cobalto, níquel y algunos compuestos de éstos.
FERROMAGNETISMO m. *Fís.* Propiedad de algunas sustancias, como el hierro, cobalto y níquel, de presentar grandes intensidades de imanación.

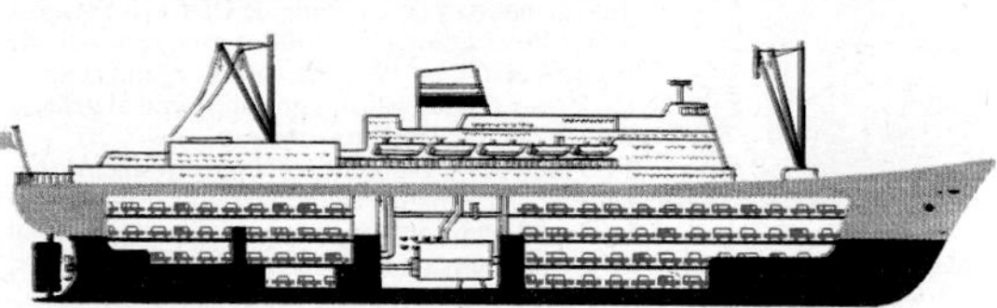

Ferry para automóviles

FERRÓN m. El que trabaja en una ferrería.
FERROPRUSIATO m. *Quím.* Ferrocianuro. • Copia fotográfica obtenida en papel sensibilizado con f. de potasa, utilizado para la reproducción de dibujos.
FERROSO, SA adj. *Quím.* Aplícase a las combinaciones del hierro en las que este metal es divalente.
FERROVIAL adj. Ferroviario.
FERROVIARIO, RIA adj. Relativo a las vías férreas. • m. y f. Empleado de ferrocarriles.
FERRUGIENTO, TA adj. De hierro o con alguna de sus cualidades.
FERRUGINOSO, SA adj. Díc. del mineral, agua o medicamento que contiene hierro.
FERRY o **FERRY-BOAT** (voces ing.) m. Barco destinado al transporte de trenes y automóviles.
FERRY, *Jules* (1823-1893) Político fr. Jefe de gobierno (1880-1883). Implantó la escuela primaria laica y gratuita.
FÉRTIL adj. Feraz, productivo, rico. • fig. Díc. del año en que la tierra produce en abundancia, y, p. ext., del ingenio. • *Fís.* Díc. del material no autofisionable, pero que un reactor puede ser transformado en fisionable por medio de un proceso nuclear.
FERTILICINA f. Sustancia que produce el óvulo y que sirve para atraer a los espermatozoides.
FERTILIDAD f. Cualidad de lo que produce fruto, especialmente de la tierra.
FERTILIZANTE m. *Agr.* Sustancia que se adiciona al terreno para mejorar sus condiciones.
FERTILIZAR tr. Fecundizar la tierra. ■ FERTILIZACIÓN.
FÉRULA f. Cañaheja, planta • Palmeta para castigar a los alumnos, usada en las escuelas tradicionales. • *Cir.* Tablilla flexible y resistente que se em-

Relieve que representa a la diosa de la **fertilidad** procedente de la zona de Ugarit, 1300 a. C. Museo del Louvre, París

Hoja **festoneada**

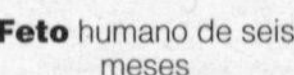

Fetiche bamileké, del tesoro real, en Camerún

plea en el tratamiento de las fracturas. • fig. Autoridad o poder despóticos. • **Estar** uno **bajo la f.** de otro. fig. Estar sujeto a él. ■ FERULÁCEO, A.

FERVENCIA f. Hervencia.

FÉRVIDO, DA adj. Que arde. • Que causa ardor. • Que hierve.

FERVOR m. Calor intenso. • fig. Celo ardiente. ■ FERVIENTE; FERVOROSO, SA.

FERVORAR tr. Infundir fervor.

FERVORÍN m. Jaculatoria breve. Se usa más en plural.

FESTEJADA f. fam. *Méx.* Zurra, paliza.

FESTEJAR tr. Conmemorar, celebrar algo con fiestas. • Obsequiar, agasajar a alguien. • Cortejar. • *Méx.* Golpear, azotar.

FESTEJO m. Acción y efecto de festejar. • pl. Actos públicos que se realizan en las fiestas populares.

FESTERO, RA m. y f. Fiestero.

FESTÍN m. Banquete espléndido.

FESTINACIÓN f. Celeridad, prisa. • *Med.* Tendencia involuntaria a andar deprisa para evitar la caída hacia adelante. ■ *Amér.* FESTINAR.

FESTIVAL m. Fiesta, especialmente musical.

FESTIVIDAD f. Fiesta con que se celebra una cosa. • Día festivo en que la Iglesia católica celebra algún misterio a un santo. • Agudeza, donaire, ingenio.

FESTIVO, VA adj. Chistoso, agudo. • Alegre, humorístico. • Solemne, digno de celebrarse.

FESTÓN m. Guirnalda de flores, frutas y hojas. • Bordado que adorna el borde de una cosa.

FESTONEADO, DA adj. Que tiene el borde en forma de festón o de onda, • *Bot.* Díc. de las hojas cuyo contorno contiene muescas o hendiduras.

FESTONEAR tr. Adornar con festón. • Bordar festones.

FESTUCA f. Planta graminácea que constituye una excelente hierba forrajera.

FET y de las JONS Siglas de Falange Española Tradicionalista y de las Juntas de Ofensiva Nacional Sindicalista, agrupación política esp., resultado de la unificación, en 1937, de varias organizaciones fascistas y tradicionalistas que apoyaron al general Franco durante la guerra civil esp.

FETACIÓN f. Desarrollo del feto, gestación.

FETAL adj. Relativo al feto. • Díc. de la etapa evolutiva del embrión humano que comienza al final de la sexta semana de la gestación.

FETÉN adj. Estupendo. • f. La verdad.

FETICHE m. Ídolo u objeto de culto en pueblos no industrializados. • Talismán. • Objeto en el que se fijan obsesiones o fantasías eróticas.

FETICHISMO m. Culto de los fetiches. • *Psic.* Estado en que un objeto inanimado queda asociado a situaciones emocionales relacionadas con el impulso sexual. ■ FETICHISTA.

FETICIDIO m. Muerte dada violentamente a un feto. ■ FETICIDA.

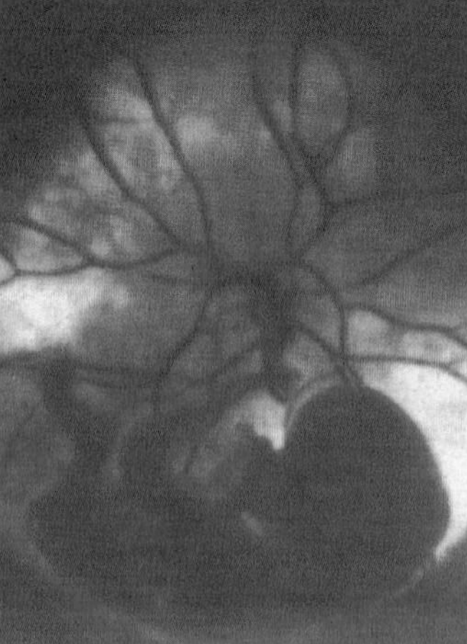
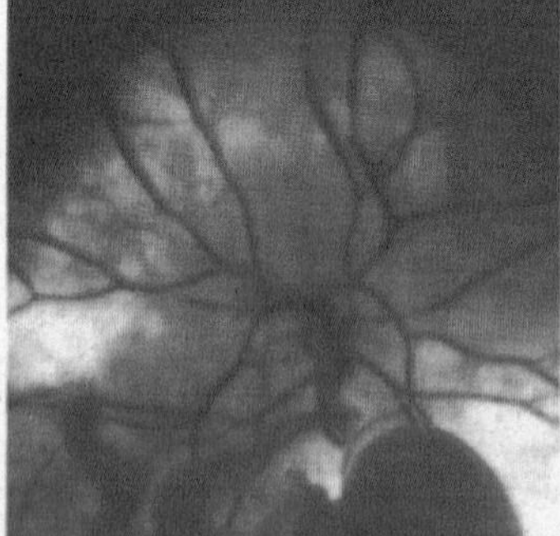

Feto humano de seis meses

FETIDEZ f. Hediondez, pestilencia, mal olor. ■ FÉTIDO, DA.

FETO m. Producto de la concepción de una hembra vivípara. • Este mismo producto abortado. • fig. y fam. Ser feo o deforme.

FETOR m. Hedor.

FEUDAL adj. Relativo al feudo y a la organización política y social fundada en él y al tiempo de la E. Med. en que aquél estuvo en vigor. ■ FEUDALIDAD.

FEUDALISMO m. Sistema feudal de gobierno y de organización de la propiedad.

* *Hist.* El f. arraigó en Europa occidental en los ss. IX a XIII, y se prolongó hasta el triunfo de las revoluciones burguesas: s. XVII (Inglaterra), XVIII (Francia) y XIX (Alemania y otros). La parálisis comercial y el aislamiento cultural y político hicieron de la tierra, la única fuente real de riqueza y de poder, y de sus poseedores, los señores feudales (vasallos del rey), los árbitros de la situación histórica.

Feudalismo. Acto de vasallaje en una miniatura del *Liber Feudorum Maior.* Archivo de la Corona de Aragón, Barcelona, España

La ausencia de un poder centralizado hizo que la defensa se organizara en torno al señor y a su castillo, y que los hombres libres y los pequeños propietarios se pusieran bajo la protección del gran terrateniente a título de subvasallos o de siervos. La sociedad se estratificó (los tres órdenes: caballeros, clérigos y campesinos) y los estratos se estabilizaron oficialmente. El modo de producción feudal se basaba, así, en el cultivo de la tierra por una capa social sujeta a su trabajo (siervos de la gleba) y dependiente de un señor que se apoderaba, a cambio de su protección, de los excedentes agrícolas. Paralelamente a esta estructura, ya en el s. IX comenzó a desarrollarse una burguesía mercantil que aceleró el flujo de bienes y rompió el bloqueo de capitales hasta desembocar en la revolución comercial.

FEUDAR tr. Pagar tributo.

FEUDATARIO, RIA adj. y s. El que estaba investido de un feudo y obligado a pagar por el mismo.

FEUDO m. Contrato por el cual el señor cedía una tierra a su vasallo, obligándose éste a guardar fidelidad. • Territorio dado en feudo. • Reconocimiento o tributo con cuya condición se concede el feudo.

FEUERBACH, ***Anselm von*** (1829-1880) Pintor al. Representante del clacisismo tardío en Alemania. *Ifigenia, Medea.* • ***Ludwig*** (1804-1872) Filósofo al., perteneciente a la izquierda hegeliana. Su *Esencia del cristianismo* influyó en Marx y Engels.

FEUILLET, ***Octave*** (1821-1890) Escritor y académico fr., romántico decadente. *Un burgués de Roma, Jaque y mate.*

FEULGEN, ***coloración de*** *Biol.* Técnica de coloración específica de la desoxirribosa que sirve para poner de manifiesto la presencia de ADN.

FEYDEAU, ***Georges*** (1862-1921) Comediógrafo vodevilesco fr. *Champignol a su pesar.*

FEYNMAN, ***Richard*** (1919-1988) físico norteam. Colaboró en el desarrollo de la bomba atómica de Hiroshima. Premio Nobel de Física en 1965 con Julian Schwinger y Sinitiro Tomonaga por sus trabajos en la electrodinámica del *quantum.*

FEZ m. Gorro de fieltro rojo, en forma de cono truncado, usado por los moros y los turcos.

FEZ *(Fes)* C. de Marruecos, cap. de la prov. hom.; 448 800 hab. Universidad, central hidroeléctrica, industria textil.

FEZZÁN Región del SO de Libia; 600 000 km^2, 55 000 hab. (ár., tuareg, negros). Zona desértica. Petróleo.

FIA Siglas de Federación Internacional de Astronáutica.

FIABILIDAD f. Calidad de fiable. • En teoría de la comunicación, grado de fidelidad de una información con respecto a la de origen.

FIABLE adj. Díc. de la persona a quien se puede fiar. • Díc. de los datos, previsiones, piezas, instrumentos, etc., que merecen confianza.

FIACRE m. Coche de alquiler.

FIADO, DA *(Al)* m. adv. Indica que uno compra o vende sin dar o tomar de presente lo que debe pagar o recibir. • **En f.** m. adv. Bajo fianza.

FIADOR, RA m. y f. Persona que fía a otra para la seguridad de aquello a que está obligada. • m. Pasador de hierro que sirve para afianzar las puertas por el lado de adentro. • Pieza con que se afirma una cosa para que no se mueva. • *Chile y Ecuad.* Barboquejo. • f. Mujer que realiza una venta ambulante de ropa y alhajas al fiado, y que por lo general cobra a plazos.

FIALHO Almeida, ***José Valentín*** (1857-1911) Escritor port. *Lisboa galante, La ciudad del vicio.*

FIALLO, ***Fabio*** (1866-1942) Poeta dom. Influido por el modernismo. *Primavera sentimental, Canciones de la tarde, El balcón de Psiquis.*

FIAMBALÁ Sierra del NO de Argentina, en la prov. de Catamarca. Alt. superiores a los 4 000 metros.

FIAMBRAR tr. Preparar los alimentos que han de comerse fiambres.

FIAMBRE adj. y m. Que después de asado o cocido se ha dejado enfriar para no comerlo caliente. • m. fig. y fam. Cadáver.

FIAMBRERA f. Cacerola con tapa bien ajustada, que sirve para llevar la comida fuera de casa. • *Argent.* Fresquera.

FIAMBRERÍA f. *Argent.* Tienda donde se venden o preparan fiambres.

FIANNA Fail (gaélico, «soldados del destino») Partido nacionalista irlandés, fundado en 1927.

FIANZA f. Obligación que uno contrae de hacer aquello a que otro se ha obligado si éste no lo cumple. • Prenda que da el contratante en seguridad del buen cumplimiento de su obligación.

FIAR tr. Asegurar uno que otro cumplirá lo que promete, o pagará lo que debe, obligándose, en caso de que no lo haga, a satisfacer por él. • Vender sin tomar el precio de contado. • tr. y prnl. Dar o comunicar una cosa en confianza. • intr. Esperar con firmeza algo grato.

FIASCO m. Fracaso, chasco.

FIAT (voz latina) m. Consentimiento o mandato para que una cosa tenga efecto.

FIBRA f. *Biol.* Células alargadas o de morfología filiforme. • *Fís.* y *Quím.* Cuerpo dotado de una estructura molecular de carácter unidimensional. • Filamento natural u obtenido por procedimiento químico en la ind. textil. • Raíces pequeñas y delicadas de las plantas. • fig. Vigor, energía. • **artificial.** Cuerpo logrado por síntesis en el laboratorio o en la ind. cuya estructura molecular adopta una disposición en fibras. • **muscular.** *Anat.* Cada una de las células que constituyen la parte pral. de los músculos. Pueden ser estriadas de contracción voluntaria, o lisas independientes de la voluntad. • **nerviosa.** *Anat.* Cuerpo filiforme formado por una neurita y por la envoltura que la rodea. • **óptica.** Cuerpo sintético, gralte. flexible, por cuyo interior se propagan los rayos luminosos, y con un coeficiente de absorción muy pequeño.

FIBRANA f. Materia textil artificial celulósica que reúne propiedades del algodón y la lana.

Tintado de pieles artesanal en **Fez**

FIBRILACIÓN f. *Pat.* Afección del corazón caracterizada por contracciones muy rápidas, pero ineficaces para el impulso sanguíneo.

FIBRINA f. Proteína plasmática insoluble formada en la sangre por polimerización del fibrinógeno, que constituye la red filamentosa de la coagulación.

FIBRINÓGENO m. Sustancia del plasma sanguíneo de los vertebrados superiores, que por acción de la trombina se polimeriza a fibrina en la coagulación.

FIBRINÓLISIS f. Disolución del coágulo sanguíneo por los fermentos proteolíticos del plasma.

FIBROBLASTO o **FIBROCITO** m. Cada una de las células del tejido conjuntivo.

FIBROCARTÍLAGO m. *Anat.* Tejido fibroso muy resistente que entre sus fibras contiene materia cartilaginosa. ■ FIBROCARTILAGINOSO, SA.

FIBROCEMENTO m. Cemento mezclado con polvo de amianto. Es un material muy ligero, impermeable e incombustible. Se utiliza en forma de planchas planas u onduladas y en tubos.

FIBROMA m. *Med.* Tumor benigno del tejido conjuntivo. Es nodular y puede alcanzar gran tamaño.

FIBROSIS f. Formación de tejido conjuntivo fibroso en el seno de un tejido o víscera.

FIBROSO, SA adj. Que tiene muchas fibras.

FÍBULA f. Hebilla a manera de imperdible.

FICCIÓN f. Acción y efecto de fingir. • Invención. • *Fil.* Según algunos filósofos medievales es un producto de la facultad imaginativa que, en forma de construcción conceptual auxiliar, se utiliza para descubrir realidades.

FICE m. Pez marino acantopterigio, comestible.

FICHA f. Hoja de papel o cartulina para anotar datos de manera ordenada. • Pieza pequeña de marfil, madera, etc., que representa un valor o se utiliza para algo. • **perforada.** En informática, soporte de almacenamiento de información. Consiste en una cartulina perforada según un código alfanumérico.

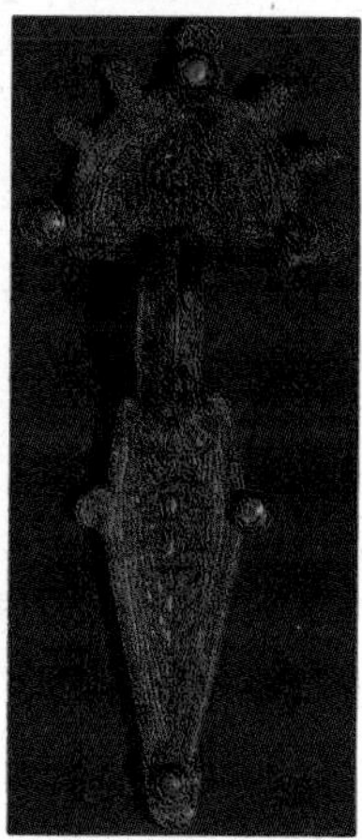
Fíbula visigótica

FICHAR tr. En algunos juegos de mesa, mover la ficha. • Hacer la ficha antropométrica de un individuo. • fig. y fam. Refiriéndose a una persona, clasificarla entre aquellas que se miran con desconfianza. • Contratar un club deportivo a un jugador. • Marcar la hora de entrada o salida en el trabajo, generalmente por un medio mecánico. ■ FICHAJE.

FICHER, ***Jacobo*** (1896-1978) Compositor arg. Miembro, desde 1929, del Grupo Renovación. En 1969 entró en la Academia Nacional de Bellas Artes. Seis sinfonías, *Salmo de alegría, Quinteto para piano y cuerdas.*

FICHERO m. Caja o mueble donde se guardan, ordenadas, las fichas. • Colección de fichas referentes a un mismo tema.

FICHTE, ***Johann Gottlieb*** (1762-1814) Filósofo al. Idealista, intentó reunir bajo un principio supremo la teoría del conocimiento, la filosofía práctica y la teoría de la religión: *Fundamentos de toda doctrina de la ciencia. Fundamentos de derecho natural según los principios de la teoría de la ciencia, El destino del hombre.*

FICOCIANINA f. Pigmento fotosintético de color azul, de naturaleza cromoproteica.

Ficus

FICOERITRINA f. Pigmento fotosintético de color rojo, parecido a la clorofila.
FICOIDEO, A adj. *Bot.* Díc. de plantas semejantes morfológicamente a las algas.
FICOLOGÍA f. *Bot.* Estudio de las algas.
FICOMICETE adj. y m. *Bot.* Díc. de hongos de la clase ficomecetes. • m. pl. *Bot.* Clase de hongos acuáticos, saprófitos o parásitos, con micelio ramificado carente de tabiques transversales.
FICOXANTINA f. Pigmento de color pardoamarillento, soluble en el agua hirviente. Químicamente es un carotinoide.
FICTICIO, CIA adj. Fingido o fabuloso. • Aparente, convencional.
FICUS m. *Bot.* Género de plantas arbustivas o arbóreas de la familia moráceas. Presentan un tallo del que, por incisión, mana un látex blanco. Pertenecen a él la higuera, el f. de las pagodas, del que se extrae la goma loca, y el sicomoro.
FIDEDIGNO, NA adj. Digno de fe y crédito.
FIDEICOMISO o **FIDECOMISO** m. *Der.* Donación de una herencia a una persona para que haga con ella lo que se le encarga. • Territorio colocado temporalmente por la ONU bajo la administración de una potencia. ■ FIDEICOMISARIO, RIA; FIDEICOMITENTE.

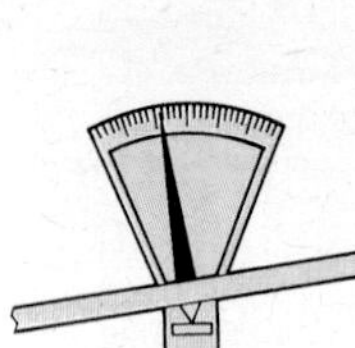
Fiel de balanza

FIDEÍSMO m. Doctrina que sostiene que ciertas verdades, por ser inaccesibles para la razón, sólo pueden alcanzarse con la fe.
FIDELIDAD f. Lealtad. • Exactitud en la ejecución de una cosa.
FIDEO m. Pasta de harina de trigo, en forma de cuerda delgada, que sirve para sopa. Se usa más en pl. • fig. y fam. Persona muy delgada.
FIDES *Mit.* Diosa romana de la lealtad y la buena fe.
FIDIAS (h. 490-431 a. C.) Escultor ateniense. Encargado por Pericles de las obras del Partenón, ejecutó la *Atenea Parthenos* e intervino en las esculturas del frontón y de las metopas. De su *Zeus de Olimpia* sólo queda la descripción de Pausanias y pequeñas reproducciones.
FIDJI → Fiji.

José María **Figueres**

FIDUCIARIO, RIA adj. y s. *Der.* Persona que recibe una herencia con encargo de darle determinado destino. • adj. Cosa que no tiene un valor real sino de crédito.
FIEBRE f. Síntoma de enfermedad, que consiste en elevación de la temperatura del cuerpo y frecuencia del pulso y de la respiración. • fig. Viva agitación producida por una causa moral. • **aftosa.** Glosopeda. • **amarilla.** Enfermedad endémica de los países tropicales de América y África. • **de Malta** o **mediterránea.** Brucelosis. • **intermitente.** La que aparece y desaparece por intervalos más o menos largos. • **palúdica.** La producida por la picadura de una especie de mosquito que abunda en los terrenos pantanosos. • **tifoidea.** Infección intestinal, causada por el bacilo de Eberth.
FIEL adj. Persona que corresponde a la confianza puesta en ella. • Exacto, conforme a la verdad. • adj. y s. Creyente de alguna religión, y que cumple con sus normas. • m. Aguja de las balanzas romanas, que se sitúa verticalmente cuando hay igualdad en los pesos comparados.
FIELATO m. Oficina que se situaba a la entrada de las pob. para recaudar el impuesto de consumos.
FIELD, *John* (1782-1837) Pianista y compositor irl. Autor de conciertos, sonatas y obras de música de cámara.
FIELDAD f. Oficio de recaudador de impuestos. • Seguridad.
FIELDING, *Henry* (1707-1754) Escritor satírico ing. *Historias de las aventuras de Joseph Andrews y de su amigo el señor Abraham Adams, La historia del expósito Tom Jones.*
FIELTRAR tr. Dar a la lana la consistencia del fieltro.
FIELTRO m. Especie de paño no tejido que resulta de conglomerar borra, lana o pelo. • Sombrero, capote o alfombra hechos de fieltro.
FIERA f. Animal indómito y carnicero. • fig. Persona cruel o de carácter violento. • **corrupia.** Forma de designar ciertas figuras de animales que se presentan en las fiestas populares y deben su fama a su deformidad o aspecto espantable.
FIERABRÁS m. fig. y fam. Persona mala, ingobernable. Díc. casi siempre de los niños revoltosos.

Fachada del palacio de San Telmo en Sevilla, obra de Leonardo **Figueroa**

Detalle del friso de las Panateneas, en el Partenón, obra de **Fidias**

FIEREZA f. Inhumanidad, crueldad de ánimo; y en los brutos, saña y braveza.
FIERO, RA adj. Relativo a las fieras. • Duro, intratable. • Feo. • fig. Horroroso, terrible.
FIERRO m. Hierro. • *Amér.* Marca para el ganado.
FIERRO, *Francisco* (1809-1879) Acuarelista per. Pintó las costumbres y los ambientes característicos de Lima. Bien representado en el Museo de Arte de Lima.
FIESCO Familia aristocrática genovesa del partido güelfo. • ***Gian Luigi,*** EL JOVEN (1522-1547) Dirigió una fracasada conjura contra Andrea Doria.
FIESTA f. Alegría, diversión. • Reunión de gente para divertirse. • Conjunto de actos extraordinarios con que se celebra un acontecimiento. • fam. Chanza, broma. • Día en que se celebra alguna solemnidad. • Agasajo que se hace para ganar la voluntad de uno, o como expresión de cariño. Se usa más en pl. • **de guardar,** o **de precepto.** Día en que los católicos tienen la obligación de oír misa. • **movible.** La que la Iglesia no celebra todos los años en el mismo día. • **Aguar la f.** fig. y fam. Estropear cualquier regocijo. • **Hacer f.** Dejar el trabajo un día, como si fuera de fiesta. • **No estar** uno **para fiestas.** fig. y fam. Estar enfadado. • **Se acabó la f.** fr. fig. y fam. con que se interrumpe un asunto cualquiera, manifestando hastío y saciedad.
FIESTERO, RA adj. Amigo de fiestas.
FIFIRICHE adj. *Amér. Centr.* Raquítico, flaco, enclenque. • Petimetre.
FIGANA f. *Ven.* Ave del orden de las gallináceas, de unos 25 cm. de long., de cuello largo, color pardo rayado de negro y patas amarillas. Fácil de domesticar.
FIGARI, *Pedro* (1861-1938) Abogado, pedagogo y pintor ur. *Arte, estética, ideal, Educación y arte, La raza kyria.*
FÍGARO m. Barbero de oficio. • Torera, chaquetilla.
FÍGARO Seud. de Mariano José de → Larra.
FIGLE m. Instrumento músico de viento, que consiste en un tubo largo de latón, doblado y con llaves o pistones.
FIGNOLÉ, *Pierre E. Daniel* (nacido 1915) Político haitiano. Líder sindicalista, alcanzó el poder después de una corta guerra civil (1957), pero fue derrocado, un mes más tarde, por el general Kebrau.
FIGÓN m. Casa de poca categoría donde se guisa y vende comida. ■ FIGONERO, RA.
FIGUEIREDO, *João Baptista de Oliveira* (1918-1999) Militar y político bras. Participó en el golpe de Est. de 1964. En 1978 accedió a la presidencia de la rep., y con su programa de reformas intentó democratizar el régimen. En 1985 convocó elecciones presidenciales por sufragio directo, a las que no concurrió.
FIGUERAS o **FIGUERES** Mun. esp., en la com. autón. de Cataluña; 33 157 hab. Cap. del Alto Ampurdán. Cuna de Narciso Monturiol y Salvador Dalí. Museo Dalí.
FIGUERAS y Moragas, *Estanislao* (1819-1882) Político esp. Jefe del poder ejecutivo al ser proclamada la I República (1873), dimitió a los cuatro meses.
FIGUEREAR intr. *R. Dom.* Intentar encarnar el papel de protagonista o el de una de las personas más importantes.

FIGUEREDO, ***Pedro*** (1819-1870) Político cub. Intervino en la lucha por la indep. Con Céspedes, tomó Bayamo, donde compuso el himno nacional cubano. Fue ejecutado por los españoles.

FIGUERES, ***José*** (1907-1990) Máximo líder político de Costa Rica. Presid. de la junta fundadora de la Segunda República (1948-1949); presid. de la República (1953-1957 y 1970-1974). Abolió el ejército, posibilitó el voto femenino y reforzó el sistema educativo • **Olsen,** ***José María*** (nacido 1954) Político cost., hijo del anterior. Ministro de Comercio Exterior y luego de Agricultura con Óscar Arias (1986-1990). Candidato del Partido Liberación Nacional (PLA), ocupó el cargo de presid. de la República entre 1994 y 1998.

FIGUEROA Familia de arquitectos esp. de los ss. XVII y XVIII. • ***Leonardo*** (1650-1730) Construyó en Sevilla notables edificios del periodo de transición del barroco al rococó. • ***Matías José*** (1698-h. 1765) Hijo del anterior, reconstruyó la iglesia de San Jacinto. • ***Antonio Matías*** (h. 1734-1796). Nieto de Leonardo, adopta ya formas clasicistas.

FIGUEROA, ***Edwin*** (nacido 1925) Escritor puertorriq. Autor de un volumen de cuentos, *Sobre este suelo*, que figura entre lo más destacado de su obra. • ***Fernando*** (1849-1912) Militar y político salv. Luchó contra Guatemala y Honduras. Presid. de la rep. de 1907 a 1911. • ***Gabriel*** (1907-1997) Fotógrafo de cine mex. Trabajó con Emilio Fernández y con Luis Buñuel. *María Candelaria, Enamorada, Los olvidados, El ángel exterminador*. • **Alcorta,** ***José*** (1860-1931) Político y abogado arg. Vicepresid. con Quintana. Presid. de 1906 a 1910. Realizó grandes reformas económicas. • **Larraín,** ***Emiliano*** (1866-1931) Político chil. Presid. interino en 1910, al morir Fernández Albano. Volvió a ocupar la presidencia de la rep. de 1925 a 1927, en que los militares le forzaron a abandonarla.

FIGUEROLA, ***Laureano*** (1810-1903) Economista y político esp. Estableció la peseta como unidad monetaria.

FIGURA f. Forma exterior de un cuerpo por la cual se diferencia de otro. • Cara, rostro. • Estatua o pintura que representa el cuerpo de un hombre o animal. • Personaje, celebridad. • Cosa que representa o significa otra. • Nota musical. • Cambio de colocación de los bailarines en una danza. • Figurería, mueca. • *Geom.* Espacio cerrado por líneas o superficies. • *Ret.* Modo de hablar para hacer el lenguaje más original y atractivo. • **de construcción.** *Gram.* Cada uno de los varios modos de construcción gramatical con que se quebrantan las leyes de la sintaxis regular. • **decorativa.** fig. Persona que ocupa un puesto sin ejercer las funciones esenciales del mismo. • **de delito.** *Der.* Definición legal específica de cada delito que señala los elementos o caracteres típicos de éste y garantiza la aplicación estricta de la ley penal. • **de dicción.** *Gram.* Cada una de las varias alteraciones que experimentan los vocablos en su estructura habitual. • **del silogismo.** Cada una de las disposiciones posibles de los términos en las premisas.

FIGURADO, DA adj. Aplícase al canto o música cuyas notas tienen diferente valor según su diversa figura. • Que usa figuras retóricas. • Díc. del sentido en que se toman las palabras o frases para que denoten idea diversa de la que realmente significan.

FIGURANTE, TA m. y f. Comparsa de teatro.

FIGURAR tr. Formar la figura de una cosa. • Aparentar, fingir. • intr. Formar parte de un número determinado de personas o cosas. • Tener autoridad y representación. • prnl. Imaginarse. ■ FIGURABLE; FIGURACIÓN.

FIGURATIVO, VA adj. Que es o sirve de representación o figura de otra cosa. • Díc. del arte y de los artistas que representan figuras de la realidad externa y concreta, en oposición al arte abstracto.

FIGURERÍA f. Ademán ridículo o afectado.

FIGURERO, RA adj. y s. Que tiene costumbre de hacer figurerías o muecas. • m. y f. Persona que hace o vende figuras de barro o yeso.

FIGURILLA com. fam. Persona pequeña y ridícula.

FIGURÍN m. Dibujo o modelo pequeño para los trajes y adornos de moda. • fig. Persona vestida con elegancia afectada. • Revista de modas.

FIGURÓN m. fig. y fam. Hombre que aparenta más de lo que es. • **de proa.** *Mar.* Mascarón de proa.

FIJA f. *Const.* Paleta larga y estrecha que sirve para introducir la mezcla en las juntas de las piedras.

FIJACIÓN f. Acción de fijar. • *Psiq.* Persistencia anormal en la vida adulta de un fuerte lazo afectivo hacia alguien o algo que apareció durante la niñez. • *Quím.* Estado de reposo a que se reducen las materias después de agitadas. • **del nitrógeno.** Incorporación del nitrógeno atmosférico, con posterior reducción a amoniaco, y paso (en forma de sulfhídrilo) a las sustancias orgánicas del tipo de las proteínas. • **de un texto.** Determinación de un texto original a partir de diferentes copias que conocemos.

FIJADO, DA adj. *Her.* Díc. de las partes del blasón que acaban en punta hacia abajo. • m. Operación que tiene por objeto eliminar, de una placa o película fotográfica, el bromuro de plata no atacado por la luz, para dejar sólo el precipitado de plata que forma la imagen visible.

FIJADOR, RA adj. Que fija. • m. *Carp.* Operario que fija las puertas y ventanas en sus cercos. • *Const.* Operario que se emplea en introducir el mortero entre las piedras y en retundir las juntas. • *Fot.* Líquido que sirve para fijar. • *Pint.* Líquido que, pulverizado, fija dibujos hechos con carbón o con lápiz.

FIJAR tr. Clavar, asegurar un cuerpo en otro. • Pegar con engrudo, etc., especialmente los carteles. • tr. y prnl. Hacer fija o estable alguna cosa. • Determinar, precisar de un modo cierto. • Dirigir o aplicar intensamente. • Introducir el mortero en las juntas de piedras cuando están calzadas. • *Fot.* Hacer que la imagen impresionada quede inalterable a la acción de la luz. • prnl. Atender, reparar, notar.

FIJATIVO m. Fijador, líquido para fijar.

FIJEZA f. Firmeza, seguridad de opinión. • Persistencia, continuidad.

FIJI o **FIDJI** *(Viti)* Estado de Oceanía, en Polinesia; est. de la Commonwealth; integrado por el arch. hom. y la isla de Rotuma. Viti Levu y Vanua Levu son las más importantes. Relieve accidentado

Arte **figurativo.** Detalle de *El niño del trompo* de J. B. Chardin. Museo del Louvre, París

Mapa de situación y bandera de **Fiji**

Fiji. Vista del puerto de la isla de Suva

FIJI

Superficie 18 272 km²

Población 778 000 hab. (43 hab./km²)

Recursos económicos	
Azúcar	450 000 t
Caña de azúcar	74 000 ha
Cemento	94 000 t
Energía eléctrica	520 000 000 kwh
Mandioca	18 000 t
Oro	3 440 kg
Nuez de coco	210 000 t
Pesca	32 000 t
Plata	1 000 kg
Riqueza forestal	282 000 m³
Tabaco	483 000 cigarrillos

Indicadores sociológicos	
PNB	1 985 millones de dólares
Renta per cápita	2 440 dólares
Esperanza de vida	72 años
Alfabetismo	91 %

(1 324 m en el Tomaniivi o monte Victoria). Zonas llanas en el litoral. R. prales.: Singatoka y Rewa, en Viti Levu. Clima tropical. Caña de azúcar, plátanos, palmera de coco, arroz, batatas, mandioca. Riqueza forestal. Oro, manganeso. Lenguas: ing. y fijiano (of.), hindi. *Rel.*: metodismo (40 %), catolicismo (8 %), anglicanismo, confucianismo. U. M.: el dólar fijiano. Cap., Suva.

* *Hist.* El arch. fue descubierto en 1643 por el hol. Tasman. En 1874 fue anexionado por Gran Bretaña. Alcanzó la indep. en 1970, dentro de la Commonwealth, con Kamisese Mara como primer ministro; fue reelegido en 1977 y 1982. Tras las elecciones de 1987 se sucedieron dos golpes de Estado que lle-

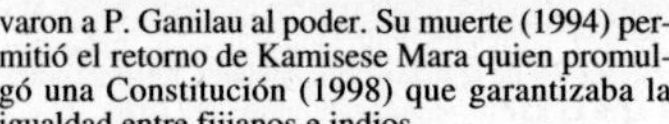

Vista del centro de la ciudad de **Filadelfia**

varon a P. Ganilau al poder. Su muerte (1994) permitió el retorno de Kamisese Mara quien promulgó una Constitución (1998) que garantizaba la igualdad entre fijianos e indios.

FIJIANO, NA o **FIDJIANO, NA** adj. y s. Díc. del individuo de un pueblo oceánico de origen melanesio y polinesio que habita en las islas Fiji (301 000 personas en 1983). • m. *Ling.* Lengua hablada por este pueblo.

FIJISMO m. *Biol.* Teoría opuesta a la de la evolución, según la cual las especies biológicas permanecen inmutables en sus características.

FIJO, JA adj. Firme, asegurado. • Permanente y no expuesto a movimiento o alteración.

Filamento

FILA f. Orden que guardan varias personas o cosas colocadas en línea. • Unidad de medida que sirve para apreciar la cantidad de agua que llevan las acequias. • fam. Antipatía, ojeriza. • *Mil.* Línea que los soldados forman de frente, hombro con hombro. • pl. fig. Bando, facción. • **india.** Uno detrás de otro. • **En f.** m. adv. Indica la disposición de estar algunas cosas en línea recta o puestas en ala. • **En filas.** m. adv. En servicio activo en el ejército.

FILABRES, ***Sierra de los*** Alineación montañosa del S de España (prov. de Almería), en la cordillera Penibética. Alt. máx. pico Tetica: 2 083 m.

FILACTERIA f. Talismán que usaban los antiguos. • Objeto ritual del judaísmo ortodoxo. • Cinta con inscripciones o leyendas en pinturas, esculturas.

FILADELFIA *(Philadelphia)* C. y puerto fluvial de EE UU, en el est. De Pensilvania; 4 716 800 hab. (agl. urb.). Sit. en la confluencia de los ríos Schuylkill y Delaware. Ind. pesada, textil y alimentaria. En ella se firmó la Declaración de Independencia (1776). Cap. de EE UU de 1790 a 1800.

FILADELFO, FA adj. y f. *Bot.* Díc. de arbustos de la familia saxifragáceas, originarios de América, de tallos fistulosos, hojas opuestas y flores regulares.

FILADIZ m. Seda que se saca del capullo roto.

FILAMENTO m. Hilo delgado, de cualquier sustancia. • Hilo metálico destinado a soportar altas temperaturas en las válvulas electrónicas y lámparas de incandescencia. ■ FILAMENTOSO, SA.

FILANDRIA f. Lombriz filiforme que vive parásita en el aparato digestivo de algunas aves.

FILANTROPÍA f. Amor al género humano. ■ FILANTRÓPICO, CA.

Filatelia. Sello de interés para coleccionistas

FILÁNTROPO m. El que se distingue por el amor a sus semejantes, el que emplea una actividad o un dinero en beneficio de los demás.

FILAR tr. *Mar.* Arriar progresivamente un cable o cabo que está trabajando.

FILARIA f. *Zool.* Nemátodo parásito del hombre y de otros vertebrados. Provoca distintas enfermedades, entre ellas, la elefantiasis.

FILARIOSIS f. *Pat.* Enfermedad producida por la filaria y que se transmite por picadura de mosquitos.

FILARMONÍA f. Pasión por la música.

FILARMÓNICO, CA adj. y s. Apasionado por la música. • adj. y f. Díc. de algunas sociedades musicales y de ciertos conjuntos orquestales.

FILÁSTICA f. *Mar.* Hilos de que se forman los cabos y jarcias.

FILATELIA f. Conjunto de conocimientos sobre los sellos. ■ FILATÉLICO, CA; FILATELISTA.

FILATERÍA f. Palabrería con que intenta engañar. • Exceso de palabras.

FILDERRETOR m. Tejido de lana, semejante a la lanilla.

FILÉ *(Philae)* Isla de Egipto, en el Alto Nilo. Célebre por sus templos dedicados a Isis.

FILEMÓN m. Pájaro de pico largo, algo ganchudo, perteneciente a la familia melifágidos.

FILEMÓN (361-262 a. C.) Comediógrafo gr. Perteneció a la época de la «comedia nueva».

FILERA f. Arte de pesca, que consiste en varias filas de redes que tienen al extremo unas nasas pequeñas.

FILETA f. Bastidor que en las máquinas empleadas en la ind. textil sirve de soporte a las bobinas de alimentación.

FILETE m. Solomillo. • Pequeña lonja de carne magra o de pescado limpio de raspas. • Miembro de moldura, a modo de lista larga y angosta. • Línea fina que sirve de adorno en un dibujo. • Espiral saliente del tornillo. • *Art. Gráf.* Pieza de metal cuya superficie termina en una o más rayas de diferentes gruesos. • **nervioso.** *Anat.* Ramificación tenue de los nervios.

FILETEADO m. Operación mecánica en la que se abren ranuras en una superficie de revolución. ■ FILETEADOR.

FILETEAR tr. Adornar con filetes.

FILETÓN m. Entre bordadores, entorchado más grueso y retorcido que el ordinario.

FILFA f. fam. Mentira, noticia falsa.

FILIA Sufijo que significa *afición.* • f. Simpatía apasionada por alguna cosa.

FILIACIÓN f. Documento en que constan los datos personales de un individuo. • Procedencia de los hijos respecto a los padres. • Dependencia que tienen algunas personas o cosas respecto a otra principal. • Señas personales de cualquier individuo. • *Mil.* Registro que en los regimientos se hace del que sienta plaza de soldado. • Circunstancia de pertenecer a un partido político. ■ FILIAR.

Pabellón de Nectanebo, en la isla de **Filé**

FILIAL adj. Perteneciente al hijo. • adj. y f. Aplícase al establecimiento o empresa que depende de otro.

FILIBOTE m. Embarcación que era semejante a la urca, de dos palos y de popa redonda.

FILIBUSTERISMO m. Partido de los filibusteros de ultramar, opuesto a la dominación esp. en América. • Piratería, pillaje en el mar.

FILIBUSTERO m. Pirata del s. XVII que operaba en las Antillas. • El que trabajaba por la emancipación de las que fueron prov. ultramarinas esp.

* *Hist.* Numerosos aventureros fr., ing. y neerlandeses se instalaron en las islas de Santo Domingo, Jamaica y Tortuga, dedicándose a la piratería. Los más famosos fueron los ing. Dracke y Morgan, y los fr. Pierre le Grand de Dieppe y Nau L'Olonnais.
FILICIDIO m. Muerte dada por una persona a un hijo suyo. ■ FILICIDA.
FILIFORME adj. Que tiene forma o apariencia de hilo.
FILIGRANA f. Trabajo de orfebrería realizado con hilos de oro o plata unidos y soldados con gran perfección y delicadeza. • fig. Cosa fina y delicada. • Marca transparente hecha en el papel al tiempo de fabricarlo.
FILILÍ m. fam. Delicadeza, primor.
FILIPÉNDULA f. Planta herbácea de la familia rosáceas, con flores en corimbos y raíces de mucha fécula astringente.
FILÍPICA f. Invectiva, reprensión violenta, por alusión a los discursos o arengas de Demóstenes contra Filipo, rey de Macedonia.
FILIPICHÍN m. Tejido de lana estampado.
FILIPINA f. *Cuba.* Chaqueta de dril.
FILIPINAS *(Pilipinas)* Estado insular del SE de Asia que agrupa más de 7 000 islas, de las que once ocupan el 95 % de su superficie (Luzón, Mindanao, Samar, Negros, Panay, Palawan, Mindoro, Leyte, Cebú, Bohol y Masbate). Relieve montañoso, de origen volcánico. La cord. de Diuata, en Mindanao, con el monte Apo (2 953 m), y la cord. Central, en Luzón, con el monte Pulog (2 298 m), son los núcleos más imp. R. prales.: Cagayán, en Luzón; Agusán y Pulangi, en Mindanao. Clima tropical con influencia monzónica. Arroz, maíz, plátanos, mandioca, batata, ananás, caña de azúcar, tabaco, palmera de coco. Pesca. Madera. Refinería de azúcar, hilaturas de algodón, manufactura de tabaco. Lenguas: tagalo (of.), ing., esp. *Rel.*: catolicismo (84 %), Iglesia filipina indep. (6,2 %), islamismo (4,3 %), protestantismo (3,5 %). U. M.: el peso filipino, Cap., Manila. C. prales.: Quezón City, Davao, Cebú.
* *Hist.* Descubiertas en 1521 por Magallanes. Llamadas así en honor de Felipe II, fueron conquistadas por Miguel López de Legazpi y fray Andrés de Urdaneta. El sistema colonial impuesto por España fue semejante al de América. A finales del s. XIX aparecieron los primeros brotes independentistas. Al producirse la guerra hispano-norteam., los nacionalistas, acaudillados por Emilio Aguinaldo, proclamaron la indep. (1898), pero las islas se convirtieron en un dominio de EEUU gracias al Tratado de París. Ocupadas por los japoneses durante la II Guerra Mundial. En 1946 consiguió la total indep. En 1965 fue elegido presid. Fernando Marcos, que gobernó dictatorialmente hasta 1986, en que accedió a la presidencia Corazón Aquino, tras un alzamiento popular que obligó a Marcos a abandonar el país. Presionada por la guerrilla comunista y los militares, el gobierno de C. Aquino fue muy inestable, debido a numerosos intentos de golpe de estado. En las elecciones de 1992 resultó vencedor Fidel Ramos, ministro de defensa en el anterior gobierno, quien fue reelegido en 1995. La oposición, liderada por Joseph Estrada, ganó los comicios en 1998. Sin embargo, las acusaciones de corrupción contra Estrada forzaron su dimisión en enero de 2001, y fue sustituido por Gloria Macapagal Arroyo.
FILIPINAS, ***fosa de las*** Máx. depresión del mar de las Filipinas y una de las mayores del globo; profundidad: 10 541 m. • ***Mar de las*** Parte del océano Pacífico, limitada por las islas Filipinas y Taiwan al O, las islas Bonin u Ogasawara al E, las Carolinas al S y las Ryukyu al N.
FILIPINO, NA adj. y s. De Filipinas. • Relativo a Felipe II, rey de España, o a la época de su reinado.
FILIPO II (h. 382-336 a. C.) Rey de Macedonia [h. 238-336 a. C.], padre de Alejandro Magno. Derrotó a los atenienses en Queronea (338 a. C.). • **V** (h. 238-179 a. C.) Rey de Macedonia [221-179 a. C.]. Vencido por los rom. en Cinoscéfalos (197 a. C.).
FILIPÓPOLIS → Plovdiv.
FILIPOS Ant. c. al N del Egeo. Conquistada por Filipo a los tracios en 358 a. C.
FILISTEA Región que habitaban los filisteos. Ocupaba la llanura costera de Palestina.
FILISTEO, A adj. y s. Díc. del individuo de una nación enemiga de los israelitas, que existió al N de Egipto y se estableció en las costas de Palestina h. 1200 a. C. • m. y f. fig. Persona vulgar o despreciable. • m. Hombre alto y de gran corpulencia.
FILISTRÍN m. *Ven.* Pisaverde, currutaco.
FILITA f. *Geol.* Roca formada por cuarzo, feldespato, plaquitas de mica y clorita.
FILLMORE, ***Millard*** (1800-1874) Político estadoun. Vicepresidente de EE UU (1848), a la muerte del presid. Taylor accedió a la presidencia (1850-1852).
FILLÓ m. Comida que se prepara friendo con manteca una mezcla de masa de harina, yemas de huevo batidas y leche.
FILM (voz ing.) m. Filme.
FILMAR tr. Tomar o impresionar escenas, paisajes, personas o cosas en movimiento en una película. ■ FILMACIÓN; FILMADOR, RA.
FILME m. Película cinematográfica.
FILMINA f. Diapositiva.
FILMLET (voz ing.) m. Cortometraje publicitario.
FILMOGRAFÍA f. Descripción o conocimiento de filmes o microfilmes. • Relación de películas de un mismo director, productor o actor, o relacionadas con un determinado tema.
FILMOTECA f. Lugar donde se guardan ordenados los filmes para su estudio.
FILO m. Arista o borde agudo de un instrumento cortante. • Punto o línea que divide una cosa en dos partes iguales. • **del viento**. *Mar.* Línea de dirección que éste lleva. • **Dar f.** Amolar, afilar.
FILÓCLADO m. *Bot.* Órgano aplanado y con desarrollo foliar, originado por transformación adaptativa del tallo. Asume funciones propias de las hojas.
FILOCTETES *Mit. gr.* Héroe; compañero de Heracles, quien le legó su arco y sus flechas. Un flechazo de F. mató a Paris en Troya.

Filipinas. Vista del río Pagsanjan

FILIPINAS

Superficie	300 000 km²	
Población	62 000 000 hab. (207 hab./km²)	
Recursos económicos		
Arroz	11 002 000	t
Búfalos	2 710 000	cabezas
Cabaña bovina	2 021 000	cabezas
Cabaña porcina	8 941 000	cabezas
Cacahuetes	37 000	t
Café	135 000	t
Carbón	1 170 000	t
Caucho natural	182 000	t
Copra	2 100 000	t
Níquel	13 800	t
Oro	27 100	kg
Pesca	2 276 197	t
Plátanos	3 200 000	t
Riqueza forestal	38 990 000	m³
Tabaco	75 400	cigarrillos
Indicadores sociológicos		
PNB	46 138	millones de dólares
Renta per cápita	740	dólares
Esperanza de vida	65	años
Alfabetismo	90	%

Mapa de situación y bandera de **Filipinas**

Millard **Fillmore**

Lección de **filosofía** según una miniatura boloñesa de principios del s. XV

Despiece de la cuba de un carburador en que se observa el **filtro**

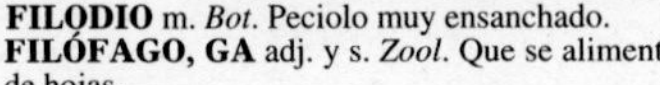

FILODIO m. *Bot.* Peciolo muy ensanchado.

FILÓFAGO, GA adj. y s. *Zool.* Que se alimenta de hojas.

FILOGÉNESIS o **FILOGENIA** f. *Biol.* Desarrollo evolutivo del grupo al que pertenece una determinada especie.

FILOIDE m. *Bot.* Órgano laminar, gralte. dicotómico, a veces filamentoso, del talo de algunas plantas inferiores.

FILOLOGÍA f. Estudio científico de la lengua y literatura de un pueblo a través de la crítica de los textos escritos. ■ FILOLÓGICO, CA; FILÓLOGO, GA.

FILOMANÍA f. Superabundancia de hojas en un vegetal.

FILÓN m. *Geol.* Masa metalífera o pétrea que rellena una ant. quiebra de las rocas de un terreno. • fig. Negocio del que se espera un gran provecho.

FILÓN de Alejandría (h. 25 a. C.-50 d. C.) Filósofo gr. de origen heb. Pretendió conciliar la revelación heb. con la cultura griega.

FILONIANO, NA adj. *Geol.* Díc. de las rocas eruptivas que se forman en el interior de grietas y fracturas de la corteza terrestre.

FILONIO m. Electuario compuesto de miel, opio y otros ingredientes calmantes y aromáticos.

FILOPOS m. pl. Vallas de lienzo y cuerda para encaminar las reses al paraje en que se deben montear.

FILOSEDA f. Tela de lana y seda. • Tejido de seda y algodón.

FILOSILICATO m. *Miner.* Silicato cuyo retículo cristalino está formado por una superposición de estratos de tetraedros de SiO_4, dispuestos en mallas hexagonales.

FILOSO, SA adj. *Amér.* Afilado, que tiene filo.

FILOSOFAR intr. Discurrir acerca de una cosa con razones filosóficas. • fam. En sentido irónico, meditar o exponer ideas sin valor sobre cosas trascendentales.

FILOSOFASTRO m. despect. Falso filósofo.

FILOSOFÍA f. Conjunto de concepciones sobre los principios y las causas del ser de las cosas, del universo y del hombre. • Sistema filosófico. • Cualquier conjunto sistemático de pensamientos de esta clase. • fig. Serenidad, conformidad. ■ FILOSÓFICO, CA; FILÓSOFO, FA.

* *Hist.* La f. occidental apareció en Grecia. Los prales. filósofos gr. fueron Sócrates, Platón y Aristóteles. Los gr. incluían en la f. todo lo que era conocimiento racional: lógica, metafísica, ética, estética, cosmología, psicología, política, etc. En la E. Med. constituyó una disciplina auxiliar de la teología. A partir del Renacimiento, el hombre volvió a ser el centro de la especulación filosófica. Con Descartes (s. XVII), la f. puso en cuestión el conocimiento en cuanto tal. En el s. XIX, la f., al quedar separada de la ciencia, adquirió un nuevo planteamiento, y así, frente a la lógica, metafísica y ética, aparecieron nuevas disciplinas: teoría del conocimiento, f. de la ciencia, de la religión, del derecho, de la historia, de la cultura, del lenguaje, etc. Durante el s. XX filósofos, físicos y matemáticos han investigado las proposiciones y métodos científicos (epistemología). Otras corrientes se centran en una actitud de compromiso con el hombre y la sociedad (marxismo, existencialismo). Desde ambas perspectivas la f. se considera como una actividad crítica y transformadora.

FILOSOFISMO m. Falsa filosofía. • Extralimitación y abuso en argumentaciones filosóficas.

FILOTAXIA f. *Bot.* Disposición de las hojas y yemas en el eje caulinar del cormo.

FILOTRÁQUEA f. *Zool.* Órgano respiratorio de muchos arácnidos que funciona a manera de pulmón.

FILOXERA f. *Zool.* Insecto homóptero de la familia filoxéridos, que vive como parásito en las hojas y raíces de la vid. • Enfermedad producida en la vid por este insecto.

FILTRACIÓN f. Separación de las partículas sólidas que se hallan en un medio líquido, o de las sólidas o líquidas que se hallan en un medio gaseoso.

FILTRAR tr. Hacer pasar un líquido por un filtro. • intr. y prnl. Penetrar un líquido a través de otro cuerpo sólido. • intr. Dejar un cuerpo sólido pasar un líquido a través de sus poros o resquicios. • prnl. fig. Trascender una noticia o información. ■ FILTRADOR, RA.

FILTRO m. Aparato a través del cual se hace pasar un líquido que se pretende clarificar. • Bebida que se suponía que podía conciliar el amor de una persona. • Manantial de agua dulce en la costa del mar. • *Electr.* aparato para eliminar determinadas frecuencias en la corriente que los atraviesa. • *Ópt.* Pantalla que se interpone al paso de la luz para excluir ciertos rayos.

FILUDO, DA adj. *Amér.* Que tiene el filo muy agudo.

FILUSTRE m. fam. Finura, elegancia.

FILVÁN m. Rebaba sutil que queda en una herramienta recién afilada.

FIMBRIA f. Borde inferior de la vestidura talar. • Orla o franja de adorno.

FIMI Río de Zaire, afl. derecho del Kwa, curso bajo del Kasai; unos 1 000 km.

FIMO m. Estiércol.

FIMOSIS f. Estrechez congénita de la abertura del prepucio, que le impide deslizarse hacia atrás sobre el pene y dejar el glande descubierto.

FIN m. Término o consumación de una cosa. • Objeto o motivo con que se ejecuta una cosa. • *Fil.* Término, finalidad. • **de fiesta.** Composición literaria corta con la cual se terminaba un espectáculo teatral. • **último.** Aquel a cuya consecución se dirigen la intención y los medios del que obra. • **A f. de** m. conj. final. Con objeto de; para. • **Alf.** m. adv. Por último. • **Dar f.** Acabar una cosa. • Morir. • **En,** o **por f.** m. adv. Finalmente. • En suma, en resumidas cuentas. • **Sin f.** loc. fig. Sin número, innumerables.

FINAL adj. Que remata o perfecciona una cosa. • f. Última y decisiva competición en un concurso.

FINALIDAD f. fig. Fin con que o por que se hace una cosa.

FINALISMO m. *Fil.* Doctrina que asegura que las cosas ocurren con un fin predeterminado, previsto.

FINALISTA com. Cada uno de los que llegan a la prueba final en una competición, elección. • Partidario de la doctrina de las causas finales.

FINALIZAR tr. Concluir una obra. • intr. Extinguirse o acabarse una cosa.

FINANCIACIÓN f. Acción y efecto de financiar. • **Fuentes de f.** *Econ.* Recursos líquidos o medios de pago a disposición de una unidad económica para hacer frente a sus necesidades dinerarias.

FINANCIAR tr. Aportar dinero para una empresa. • Sufragar los gastos de una actividad, obra, etc. ■ FINANCIERO, RA.

FINANZAS f. pl. Conjunto de actividades económicas relacionadas con los negocios y la banca.

FINAR intr. Fallecer, morir. ■ FINADO, DA.

FINCA f. Propiedad inmueble.

FINCABILIDAD f. Caudal inmueble.

FINCAR intr. y prnl. Comprar o adquirir fincas.

FINCHARSE prnl. fam. Engreírse, envanecerse. ■ FINCHADO, DA.

FINÉS, SA adj. y s. Finlandés. • adj. De Finlandia.

FINETA f. Tela de algodón de tejido diagonal compacto y fino.

FINEZA f. Delicadeza y primor. • Acción o dicho con que uno da a entender el amor que tiene a otro.

FINLANDIA

Superficie 338 145 km²

Población 5 145 000 hab. (15 hab./km²)

Recursos económicos	
Avena	1 097 000 t
Cebada	1 764 000 t
Patatas	798 000 t
Remolacha azucarera	1 110 000 t
Trigo	380 000 t
Ganadería y derivados	
Cabaña bovina	1 185 000 cabezas
Cabaña caballar	49 000 cabezas
Cabaña ovina	80 000 cabezas
Cabaña porcina	1 394 000 cabezas
Renos	214 900 cabezas
Riqueza forestal	47 928 000 m³
Pesca	167 229 t
Producción minera	
Cinc	3 700 t
Cobalto	121 t
Cromita	160 000 t
Oro	963 kg
Producción industrial	
Energía eléctrica	65 546 000 000 kwh
Papel	9 463 000 t
Indicadores sociológicos	
PNB	105 174 millones de dólares
Renta per cápita	20 580 dólares
Esperanza de vida	76 años
Alfabetismo	100 %

FINGAL, *Gruta de* Caverna basáltica de Escocia, en Argyllshire, en la isla de Staffa (Hébridas).

FINGERMANN, *Gregorio* (1890-1977) Psicólogo arg. *Psicología aplicada a la educación, Fundamentos de psicotécnica, Lecciones de psicología, Lecciones de lógica.*

FINGIR tr. y prnl. Dar a entender lo que no es cierto. • tr. Simular, aparentar. ■ FINGIMIENTO.

FINIBLE adj. Que se puede acabar.

FINIQUITAR tr. Saldar una cuenta. • fig. y fam. Acabar, concluir, rematar. ■ FINIQUITO.

FINISECULAR adj. Relativo al fin de siglo.

FINISTERRE Cabo del NO de España, en la costa atlántica de Galicia.

FINITO, TA adj. Que tiene fin o límite. • *Mat.* Díc. de un conjunto cuyos elementos pueden contarse. ■ FINITUD.

FINLANDÉS, SA adj. y s. De Finlandia.

FINLANDIA (fines, *Suomi*; sueco, *Finland*) Estado del N de Europa; bañado por el mar Báltico y lindante con Noruega, Suecia y Rusia. Gran número de lagos. La costa, salpicada de islas, es el núcleo vital del país. Al N se halla Laponia, avenada por el río Kemi. Los Alpes Escandinavos accidentan el extremo N-NO. Clima muy frío. La explotación forestal es el pral. recurso. Producción de pasta de papel y papel. Avena, trigo, patatas, remolacha azucarera. Ganado bovino, porcino, ovino y de renos. Pesca. Minas de piritas de hierro, cobre, azufre, hierro. Lenguas: finés (93,5 %) y sueco (6,3 %). *Rel.*: protestante, en absoluta mayoría, cristianismo ortodoxo, catolicismo, judaísmo. U. M.: euro. Cap., Helsinki. C. prales.: Tampera, Turku.

* *Hist.* Los lapones fueron los primeros pobladores conocidos. En el s. II, fineses, tavastes y carelios se instalaron en el S y rechazaron a los lapones h. la región polar. Conquistada y cristianizada por Suecia en los ss. XII y XIII. En 1581 se constituyó en Gran Ducado. Durante el s. XVI se introdujo el luteranismo en el país. En 1721, F. cedió a Rusia el itsmo de Carelia. Por los acuerdos de Tilsit, Napoleón permitió que el zar Alejandro I se apoderase de F. Después de la rev. rusa, F. proclamó la indep. (6 diciembre 1917). Durante la II Guerra Mundial fue invadida por la URSS, que se anexionó el istmo de Carelia, la base de Hanko y una parte del E de Laponia. Transcurridos los difíciles años de la posguerra, siguió una etapa de afirmación de la indep. nacional, se estabilizó el país y se emprendió una política de amistad con la URSS, a la vez que de equilibrio con los grandes bloques (Helsinki fue sede de la Conferencia para la Seguridad y Cooperación en Europa en 1972-1973). Urho Kekkonen, presid. de la rep. desde 1945, renunció al cargo en 1981. En 1982 le sucedió Mauno Koivisto. Desde 1983 socialdemócratas y conservadores alternaron la presidencia del Gobierno. En 1994, con un gobierno encabezado por Esko Ahlo, Finlandia se adhirió a la Unión Europea. En 1995 se formó un Gobierno de coalición de centro presidido por Paavo Liponen, y en 2000 Tarja Halonen fue elegida presidenta de la rep.

Finlandia. Vista del lago Koitere

FINLANDIA, *golfo de* Profundo entrante del mar Báltico, entre Finlandia, Estonia y la costa de Rusia. Recibe las aguas del río Neva, que lo une con el lago Ladoga.

FINLAY, *Carlos Juan* (1833-1915) Médico y científico cub. Descubrió que el agente transmisor de la fiebre amarilla era un mosquito.

FINNBOGADÓTTIR, *Vigdis* (nacida 1930) Política isl. en 1980 accedió a la presidencia de la rep. Fue reelegida en 1984, 1988 y 1992. En 1996 le sucedió O. R. Grimsson.

FINNMARK Región del N de Noruega, a orillas del mar de Noruega; 50 000 km², 77 000 hab. Costa con amplios fiordos.

FINO, NA adj. Delicado y de buena calidad en su especie. • Delgado, sutil. • Díc. de la persona delgada y de facciones delicadas. • Educado, cortés. • Astuto, sagaz. • Tratándose de metales, muy depurado o acendrado.

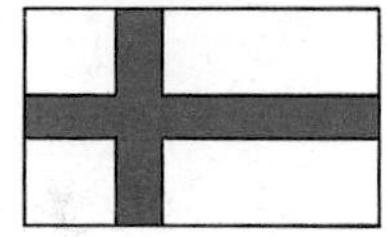

Mapa de situación y bandera de **Finlandia**

FINOCHIETTO, *Enrique* (1880-1940) Cirujano arg. Ideó diversos aparatos y equipos que revolucionaron las técnicas quirúrgicas.

FINOT, *Enrique* (1891-1952) Escritor y político bol. *La cuna de Monteagudo, El cholo Portales, Tierra adentro.*

FINOUGRIO, GRIA adj. Díc. del conjunto de pueblos euroasiáticos de la familia urálica y de las lenguas habladas por ellos.

FINSEN, *Niels* (1860-1904) Médico danés. Inventor del método que lleva su nombre, tratamiento terapéutico por la acción de la luz (fototerapia).

FINSTERAARHORN Monte del macizo del Oberland, en los Alpes Berneses (Suiza); 4 275 m.

FINTA f. Ademán o amago que se hace con intención de engañar a uno. • *Esg.* Amago de golpe para tocar con otro. ■ FINTEAR.

FINURA f. Primor, delicadeza.

FIOFÍO m. *Chile.* Pajarillo insectívoro, de plumaje verde aceitunado, blanquecino en el vientre y la garganta, y con una cresta blanca.

FIONIA *(Fyn)* Isla de Dinamarca, separada de Jutlandia por el Pequeño Belt; 3 486 km², 453 900 hab. Cap., Odense. Agricultura. Ganadería.

FIORAVANTI, *José* (1896-1977) Escultor arg. Realista. *Mi hermana María, Mujer con libro,* monumento a Simón Bolívar. • ***Octavio*** (1894-1970) Escultor arg., hermano del anterior. Influido por el impresionismo. Bajorrelieves en Santiago de Chile y en Lima (monumento a J. de San Martín).

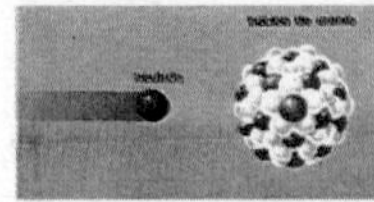

a

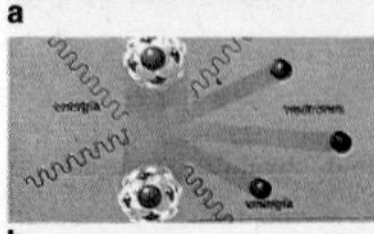

b

c

Fisión. Cuando se bombardea con un neutrón un núcleo de uranio (a), éste se escinde en 2 nuevos núcleos, al tiempo que se desprenden 2 ó 3 neutrones (b). La suma de las masas de los nuevos núcleos y los neutrones emitidos es menor que la del núcleo de uranio y el neutrón primitivos, correspondiendo la diferencia a la energía liberada en el proceso (c)

FIORDO m. Golfo estrecho y profundo, entre montañas de laderas abruptas, formado por los glaciares durante el periodo cuaternario.

FIQUE m. *Amér.* Fibra de la pita.

FIRMA f. Nombre y apellido, o título de una persona, que ésta pone con rubrica o sin ella al pie de un escrito. • Conjunto de documentos que se presentan a un jefe para que los firme. • Acto de firmarlos. • Empresa o casa comercial. • **en blanco.** La que se da a uno, dejando hueco en el papel, para que pueda escribir lo convenido o lo que quiera. • **Dar** uno **f. en blanco** a otro. fig. Darle facultades para que obre con toda libertad en un negocio.

FIRMAL m. Joya en forma de broche.

FIRMAMENTO m. La bóveda celeste.

FIRMAR tr. Poner uno su firma. • prnl. Usar de tal o cual nombre o título en la firma.

FIRME adj. Estable, fuerte. • fig. Entero, constante, que no se deja dominar. • Capa sólida de terreno, sobre la que se puede cimentar. • adv. de modo. Con firmeza. • **De f.** m. adv. Con constancia y ardor. • **En f.** m. adv. *Econ.* Díc. de las operaciones comerciales que se contratan definitivamente a plazo fijo. • **¡Firmes!** *Mil.* Voz de mando.

FIRMEZA f. Estabilidad, fortaleza. • fig. Entereza, constancia.

FIRMÓN adj. Aplícase al que por interés firma escritos o trabajos facultativos ajenos.

FIRTH (voz ing.) m. En Escocia, estuario, profundo y angosto, de uno o varios ríos.

FIRTH, *Raymond W.* (nacido 1901) Antropólogo neozelandés. Especializado en antropología económica y parentesco. *Los pescadores malayos: su economía campesina, Elementos de organización social.*

FIRULETE m. *Amér. Merid.* Adorno superfluo.

FISCAL adj. Perteneciente al fisco o al oficio de fiscal. • m. Funcionario que representa y ejerce el ministerio público en los tribunales y promueve la administración de justicia en lo criminal. • fig. Persona que juzga severamente las acciones de alguien. • **civil.** Magistrado que, representando el interés público, intervenía cuando era necesario en los negocios civiles. • **togado.** Funcionario del cuerpo jurídico militar que representa al ministerio público ante los tribunales superiores militares. • **Política f.** Conjunto de medidas tomadas para conseguir los fines generales de la política económica, y en especial las relacionadas con los ingresos y gastos públicos. ■ FISCALÍA; FISCALIZACIÓN; FISCALIZAR.

FISCHART, *Johann* (1546-1590) Escritor satírico al. *La nave aventurera de Zurich, La caza de las pulgas.*

FISCHER, *Emil* (1851-1919) Químico al. Realizó estudios sobre estereoquímica. Premio Nobel de Química en 1902. • ***Ernst*** (1899-1971) Filósofo marxista austr. Especialista en sociología artística y literaria. *De Grillparzer a Kafka, La necesidad del arte.* • ***Franz*** (1877-1947) Químico al. En colaboración con Tropsch ideó el método para la obtención de gasolinas sintéticas. • ***Hans*** (1881-1945) Químico al. Realizó la síntesis de la hemina. Premio Nobel de Química en 1930. • ***Kuno*** (1824-1907) Filósofo al. Destacó como historiador de la filosofía. *Sistema de la lógica y de la metafísica, Crítica de la filosofía kantiana.* • ***Robert James*** (nacido 1943) Ajedrecista norteam. Campeón del mundo entre 1972 y 1975. Despojado del título al negarse a defenderlo ante A. Kárpov.

Emil **Fischer**

FISCO m. Tesoro público. • Entidad encargada de recaudar los impuestos. • *Ven.* Moneda de cobre equivalente a la cuarta parte de un centavo.

FISCORNO m. Instrumento músico de metal, parecido al bugle.

FISETÉRIDO, DA adj. y m. *Zool.* Díc. de animales de la familia fisitéridos. • m. pl. *Zool.* Familia de cetáceos odontocetos, de hocico prominente. Comprende dos especies de cachalotes.

FISGA f. Arpón de uno o de tres dientes para pescar. • Burla que se hace de una persona.

FISGAR tr. Indagar sin discreción cosas ajenas. • Pescar con fisga. ■ FISGÓN, NA; FISGONEAR.

FISHER, *Ernst Otto* (nacido 1918) Químico al. Premio Nobel de Química en 1973, junto con G. Wilkinson, por sus trabajos sobre la relación de átomos metálicos con moléculas orgánicas. • ***Irving*** (1867-1947) Matemático y economista norteam. Fue uno de los primeros en aplicar métodos matemáticos en economía.

FISIATRÍA f. Naturismo médico. ■ FISIATRA.

FISIBLE adj. *Fís.* Fisil.

FÍSICA f. Ciencia cuyo objetivo es explicar los fenómenos naturales relativos a la materia y a la energía, y situarlos en una concepción unitaria de validez universal.

* *Hist.* La f. se inicia con las primeras concepciones de los preáticos, y no se producen aportaciones de interés hasta Galileo (1564-1642), quien construye sobre verdades objetivamente demostrables un sistema riguroso de pensamiento científico. Vino más tarde sir Isaac Newton, quien formuló las tres leyes fundamentales de la mecánica. La f. de los ss. XVIII y XIX es la de un Newton omnipresente. En el s. XIX aparecen la termodinámica y el electromagnetismo, paralelamente a la reelaboración por los químicos de la teoría atomista. En 1825 Carnot sentó las bases de la termodinámica y, en pocos años, una serie de físicos (Boltzman, Clasius y Helmholtz) desarrollaron un cuerpo de doctrina que desembocaría en la mecánica estadística. La óptica reemprende el camino ondulatorio, llegando a resultados que permiten explicar muchos hechos experimentales en los que la teoría corpuscular fracasa. Al final del s. XIX Maxwell reduce a cuatro ecuaciones el complejo mundo del electromagnetismo y la óptica. Se descubre la radiactividad y la estructura atómica pasa a ser uno de los prales, objetos de investigación (Bohr, Rutherford). En 1901 Planck arriesga la hipótesis de que la energía no es continua. En 1905 Einstein explica el fenómeno fotoeléctrico, presentando cuatro años más tarde la teoría de la relatividad restringida, que ampliaría diez años después. En la década de los veinte, Broglie aporta la hipótesis de que la materia lleva asociada una onda y Schrödinger calcula su ecuación. De aquí en adelante, todo va muy rápido: Heisenberg y Dirac son los otros dos nombres decisivos de la mecánica cuántica, ciencia con la que se totaliza el universo en fórmulas. Los progresos de la f. en la segunda mitad del s. XX han tenido una influencia decisiva en el impulso de la astronáutica, la electrónica, la informática y las nuevas cosmologías.

FÍSICO, CA adj. Relativo a la física. • Aplicado a lo material. • *Amér. Centr.* Delicado, melindroso. • m. El que profesa la física. • Aspecto de una persona.

FÍSIL adj. *Fís.* Que es susceptible de experimentar fisión.

FISIOCRACIA f. Doctrina económica surgida en Francia en el s. XVIII, opuesta al mercantilismo, que atribuía exclusivamente a la agricultura y a la tierra el origen de la riqueza. ■ FISIÓCRATA.

FISIÓCRATA com. Partidario de la fisiocracia.

FISIOGNOMÍA f. Estudio de la conducta y carácter de los seres humanos mediante las características corporales, la expresión y los gestos.

FISIOGRAFÍA f. Geografía física.

FISIOLOGÍA f. Ciencia que estudia el funcionamiento de los seres vivos, en lo que respecta a sus funciones vitales, ocupándose de las actividades de órganos y tejidos. ■ FISIOLÓGICO, CA, FISIÓLOGO, GA.

FISIÓN f. *Fís.* Escisión del núcleo de un átomo pesado al ser bombardeado con neutrones, que produce núcleos radiactivos y la liberación de gran cantidad de energía. Es el fundamento de los reactores nucleares y bombas atómicas.

FISIOPATOLOGÍA f. Estudio de la fisiología de un organismo en estado de enfermedad.

FISIOTERAPIA f. Tratamiento de determinadas enfermedades o incapacidades utilizando medios físicos. ■ FISIOTERAPEUTA; FISIOTERAPISTA.

FISÍPEDOS m. pl. *Zool.* Suborden de mamíferos carnívoros, cuyos miembros poseen patas con garras.

FISIRROSTRO, TRA adj. *Zool.* Díc. del pájaro que tiene el pico corto, aplastado y hendido.

FISONOMÍA o **FISIONOMÍA** f. Aspecto particular del rostro de una persona. • fig. Aspecto exterior de las cosas. ■ FISONÓMICO, CA; FISONOMISTA.

FISOSTIGMINA f. Alcaloide empleado en medicina para contraer la pupila, y como antiespasmódico en el tétanos y la intoxicación por la estricnina.

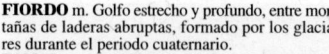

1. Aunque existen fiordos en diversas partes del mundo, los más conocidos son los de Noruega. En la fotografía, el fiordo de Geiranger, que constituye un brazo del de Stor. 2., 3., 4. y 5. En la formación de un fiordo, la primera etapa fue la fractura del lecho rocoso de una costa (2); posteriormente el agua ahondó la fractura y formó un valle en forma de V (3); así, antes de iniciarse el período glacial, ya existía un profundo valle (4); durante el período glacial, el hielo profundizó este valle y le confirió su característica forma en U (5). 6. Debido a la presión del hielo sobre la parte central del lecho interior, la profundidad es mayor en esa zona que en la boca de entrada, que puede hallarse semiobstruida por las morrenas terminales.

FISÓSTOMO adj. y s. *Zool.* Díc. de peces teleósteos cuya vejiga natatoria está unida al esófago y se comunica con la boca. • m. pl. *Zool.* Grupo de estos mismos peces.
FISTOL m. Hombre ladino y sagaz. • *Méx.* Alfiler de corbata.
FISTRA f. Ameos, planta.
FÍSTULA f. Cañón o arcaduz por donde cuela el agua. • Instrumento musical de aire a manera de flauta. • *Pat.* Conducto anormal, ulcerado y estrecho que se abre en la piel o en las membranas mucosas. ■ FISTULAR.
FISTULINA f. Hongo de la familia poliporáceos.
FISURA f. Fractura longitudinal de un hueso. • Cualquier hendidura en un organismo o en una cosa.
FITINAS f. pl. Compuestos orgánicos fosforados que constituyen material de reserva de los vegetales.
FITOCROMO m. *Bot.* Sustancia pigmentaria de los vegetales que absorbe la luz.
FITÓFAGO adj. y m. Díc. del organismo heterótrofo que se alimenta de sustancias vegetales.
FITOFTIRIO adj. y s. *Zool.* Díc. de insectos del suborden fitoftirios. • m. pl. *Zool.* Suborden de insectos homópteros parásitos de los vegetales al que pertenecen los pulgones.
FITOGEOGRAFÍA f. Geobotánica.
FITOGRAFÍA f. Parte de la botánica dedicada la descripción de las plantas. ■ FITÓGRAFO, FA.
FITOHORMONA f. Hormona vegetal.
FITOL m. *Quím.* Compuesto que esterifica los anillos de las clorofilas, dándoles naturaleza ligeramente lipófila.
FITOLACÁCEO, A adj. y f. pl. *Bot.* Díc. de plantas de la familia fitolacáceas. • f. *Bot.* Familia de plantas dicotiledóneas, de semilla de albumen harinoso, como la hierba común y el ombú.
FITOLOGÍA f. Botánica.
FITONOMÍA f. Ciencia que estudia las leyes generales acerca del origen y evolución de los vegetales.
FITOPATOLOGÍA f. Parte de la botánica que estudia las anormalidades vegetales, así como la etiología y el desarrollo de las enfermedades de las plantas y remedios para combatirlas.
FITOPLANCTON m. Conjunto de algas microscópicas que viven en la superficie de las aguas.
FITOSOCIOLOGÍA f. Estudio de las formaciones vegetales y de las relaciones entre las especies que viven en un determinado medio ambiente.
FITOTOMÍA f. Parte de la botánica que trata de los tejidos vegetales.
FITTIPALDI, *Emerson* (nacido 1946) Corredor automovilista bras. Campeón del mundo de Fórmula 1 en 1972 y 1974.
FITZ ROY Monte granítico de los Andes patagónicos en el límite chileno-argentino. 3 405 m.
FITZGERALD, *Ella* (1918-1996) Cantante norteam. Gran intérprete de temas de *jazz* y de *blues*. • ***Francis Scott*** (1896-1940) Novelista norteam. *Los malditos y los bellos, El gran Gatsby, A este lado del paraíso, Suave es la noche*. Perteneció a la llamada «generación perdida».
FIUME Ant. nombre de la c. de → Rijeca, perteneciente hoy a Croacia. Estuvo en poder de Italia de 1919 a 1947.

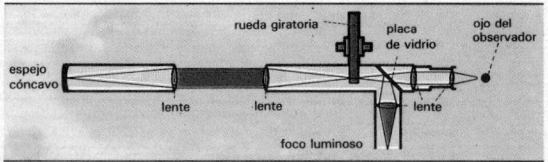

rueda giratoria
placa de vidrio
ojo del observador
espejo cóncavo
lente
lente
lente
foco luminoso

FIZEAU, *Armand Hippolyte Louis* (1819-1896) Físico fr. Determinó la velocidad de la luz en el aire y en el agua. • **Experimento de F.** *Fís.* Método para medir la velocidad de la luz a través de un medio determinado.

Método de **Fizeau** para la determinación experimental de la velocidad de la luz

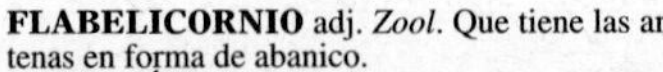

FLABELICORNIO adj. *Zool.* Que tiene las antenas en forma de abanico.

FLABELÍFERO, RA adj. El que tiene por oficio llevar un abanico grande en ciertas ceremonias.

FLABELO m. Abanico grande con mango largo. • *Bot.* Tipo de inflorescencia en la que la ramificación prosigue por una rama lateral y cuyo aspecto final recuerda un abanico. ■ FLABELIFORME.

FLÁCCIDO, DA adj. Flojo, sin consistencia. ■ FLACCIDEZ.

FLACO, CA adj. Díc. de la persona o animal de pocas carnes. • fig. Flojo, sin fuerzas para resistir. • fig. Endeble. • m. Defecto moral o afición predominante de las personas. ■ FLACUCHO, CHA; FLACURA.

Arte **flamenco.** *La Virgen con el Niño,* tabla de Rogier van der Weyden

FLAGELADO, DA adj. y m. *Zool.* Díc. de los animales de la clase flagelados. • m. pl. *Zool.* Clase de protozoos, de forma alargada, con uno o varios flagelos como órgano locomotor. Son animales muy primitivos, algunos de los cuales comparten características vegetales y animales. Viven en medios diversos, casi siempre en el agua.

FLAGELANTE adj. Que flagela. • m. Miembro de una secta it. del s. XIII que se azotaba en público para purificarse.

FLAGELAR tr. y prnl. Maltratar con azotes. • fig. Vituperar, censurar acremente. ■ FLAGELACIÓN.

FLAGELO m. *Zool.* Cada una de las prolongaciones finas y móviles que tienen algunos microorganismos y que les sirven para cambiar de posición y de lugar. • Azote o instrumento destinado para azotar. • Calamidad.

FLAGRANTE adj. Que flagra. • Que se está ejecutando actualmente, o es de tal evidencia que no necesita pruebas.

FLAGRAR intr. Arder o resplandecer como fuego o llama.

FLAGSTAD, *Kirsten* (1895-1962) Cantante soprano nor. Fue titular del *Metropolitan Opera* de Nueva York (1935-1941; 1951-1952)

FLAHERTY, *Robert* (1884-1951) Director cinematográfico norteam. Cultivó el cine documental. *Nanuk el esquimal, Hombres de Aran, Guernica.*

FLAMA f. Llama. • Reflejo o reverberación de la llama. ■ FLÁMEO, A.

FLAMANTE adj. Resplandeciente. • Acabado de hacer o de estrenar.

FLAMEAR intr. Despedir llamas. • Someter algo a la acción de una llama. • fig. Ondear las grímpolas y flámulas, o la vela del buque. ■ FLAMEO.

Flamenco

FLAMENCO, CA adj. y s. De Flandes. • Robusto y coloradote. • *Hond.* y *P. Rico.* Delgado, flaco. • Díc. de lo andaluz. • *Arte.* Díc. de las corrientes artísticas que se desarrollaron en Flandes (act. Bélgica). • m. *Ling.* Idioma flamenco, emparentado con el neerlandés. • Valentón o achulado. • Ave ciconiforme de patas y cuello muy largos, pico curvado hacia abajo y plumaje blanco y rosado. • Expresión musical andaluza, gralte. cantada. ■ FLAMENCOLOGÍA; FLAMENQUERÍA; FLAMENQUISMO.

* *Arte.* En arq., la creación más original fue la torre-atalaya o *beffroi* (Gante, Brujas) y los edificios civiles. Sluter marca la evolución hacia el realismo en escultura. Jan van Eyck, Roger van der Weyden, Hugo van der Goes y H. Memling son los máximos representantes de la pintura f., que significó la ruptura con el gótico tradicional y ejerció una gran influencia en la pintura europea de los ss. XV-XVII. En la segunda mitad del s. XVI sobresale Brueghel el Viejo. El barroco dio figuras tan sobresalientes como Rubens, Jordaens, C. de Vos, Brouwer y Teniers. Los tapices f. se exportaron a toda Europa. El arte del vidrio alcanzó gran perfección.

* *Mús.* Los orígenes del f. no son bien conocidos, si bien presenta analogías con las músicas hindúes, árabes y gitanas. El cante f. se caracteriza por su ritmo, primitivismo, tradicionalismo y libertad. Las formas más puras son las seguidillas, los tangos y las tonás o tonadas, que dan lugar a un vasto repertorio. El baile f., de gran belleza plástica, tiene variedades que no proceden del canto, como el olé, la zambra, el zapateado, el panadero, el jaleo, etc.

FLAMENQUILLA f. Fuente pequeña para servir la comida. • Maravilla, planta.

FLAMERO m. Candelabro de gran llama.

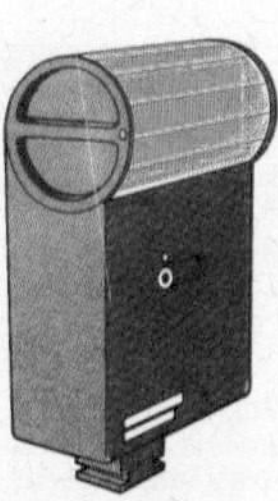

Flash electrónico

FLAMÍGERO, RA adj. Que arroja o despide llamas, o imita su figura. • adj. y m. Último periodo del arte gótico que se caracteriza por su decoración en forma de llamas o lenguas de fuego.

FLAMMARION, *Camille* (1842-1925) Astrónomo fr. Autor de un estudio sobre la rotación de los cuerpos celestes. *Astronomía popular, La atmósfera.*

FLAMSTEED, *John* (1646-1719) Astrónomo ing. En su *Atlas Caelestis* empleó por vez primera la proyección cónica.

FLÁMULA f. Especie de grímpola.

FLAN m. Plato que se hace mezclando yemas de huevo, leche y azúcar, en un molde de forma troncocónica. • Cualquier guiso confeccionado en un molde de esa forma. ■ FLANERA.

FLANCO m. Cada una de las dos partes laterales de un cuerpo considerado de frente. • Costado, lado de un buque o de un cuerpo de tropa. • Costado, lado, cadera de un animal. • *Mil.* Cada uno de los muros que unen al recinto fortificado las caras de un baluarte.

FLANDES *(Vlaanderen)* Región del NO de Europa, ribereña del mar del Norte; 8 500 km^2. Se extiende por Francia, Bélgica y Países Bajos, desde las colinas del Artois hasta la desembocadura del Escalda. La zona marítima presenta una economía agrícola y ganadera. El F. interior está muy industrializado. C. imp.: Amberes, Gante, Brujas, Ostende. Incorporado a la dinastía de los Habsburgo en 1477, bajo el reinado de Carlos I entró a formar parte del imperio esp. hasta 1713. En 1830 pasó a formar parte del reino de Bélgica.

Flandes. Vista de Brujas

FLANQUEADO, DA adj. Díc. del objeto que tiene a sus flancos o costados otras cosas que le acompañan o completan. • Defendido o protegido por los flancos.

FLANQUEAR tr. Estar colocado al flanco o lado de una cosa. • *Mil.* Proteger los propios flancos o amenazar los flancos del adversario. ■ FLANQUEO.

FLAQUEAR intr. Estar a punto de fallar la resistencia física o moral de algo o de alguien. • fig. Decaer de ánimo, aflojar en una acción.

FLAQUEZA f. Mengua de carnes. • fig. Debilidad, falta de vigor. • Acción reprensible cometida por debilidad, especialmente de la carne.

FLASH (voz ing.) m. *Fot.* Aparato que permite obtener destellos de luz muy intensa, empleado para efectuar fotografías de noche o en lugares escasamente iluminados.

FLASH-BACK (voz ing.) m. *Cin.* Acción retrospectiva intercalada en la acción pral. de una película.

FLATO m. Acumulación molesta de gases en el tubo digestivo. • *Amér.* Melancolía, murria.

FLATULENCIA f. Indisposición del flatulento. ■ FLATULENTO, TA.

FLAUBERT, *Gustave* (1821-1880) Novelista fr. Perteneciente a la corriente realista; para él la belleza formal, el estilo, constituye la esencia de la obra literaria. En 1857 publicó *Madame Bovary.* Post., *Salammbó, La educación sentimental, La tentación de san Antonio* y *Tres cuentos.*

FLAUTA f. Instrumento musical de viento, en forma de tubo, con embocadura y agujeros circulares,

Músico tocando una **flauta** de doble tubo en una pintura mural etrusca

que producen diversos sonidos según se tapan o destapan. • m. Flautista. • **travesera.** La que se coloca de través, y de izquierda a derecha, para tocarla. • **Y sonó la f. por casualidad.** fr. que indica que un acierto ha sido casual. ■ FLAUTADO; FLAUTEADO, DA; FLAUTERO; FLAUTISTA.

FLAUTILLO m. Caramillo de sonido muy agudo.

FLAUTÍN m. Flauta pequeña, de tono agudo y penetrante. • Persona que toca este instrumento.

FLAVINA f. Pigmento hidrosoluble de color amarillo e intensa fluorescencia verde que interviene en la composición de algunas coenzimas y vitaminas.

FLAVIO Nombre familiar de dos dinastías imperiales rom., a las que pertenecieron, entre otros, Vespasiano, Tito, Domiciano y Constantino el Grande.

FLAVO, VA adj. De color entre amarillo y rojo.

FLAVONA f. *Bot.* Sustancia pigmentaria de la membrana de las células vegetales.

FLEBECTASIA f. *Pat.* Dilatación de la luz de las venas.

FLÉBIL adj. Digno de ser llorado. • poét. Lamentable, triste.

FLEBITIS f. *Pat.* Inflamación de las venas.

FLEBOGRAFÍA f. Radiografía de las venas.

FLEBOGRAMA m. Registro gráfico del pulso venoso.

FLEBOLITO m. *Med.* Coágulo de fibrina, calcificado, formado ocasionalmente en una vena.

FLEBOTOMÍA f. Abertura de una vena para practicar una sangría. • Acción y efecto de sangrar abriendo una vena. ■ FLEBOTOMIANO.

FLEBOTROMBOSIS f. *Pat.* Formación de un coágulo en una vena.

FLECHA f. Arma arrojadiza que se dispara con un arco. • Indicador de dirección • *Astr.* Sagitta, constelación boreal. • *Geom.* Sagita.

FLECHAR tr. Estirar la cuerda del arco, colocando en él la flecha para arrojarla. • Disparar flechas. • Herir o matar a uno con flechas. • fig. y fam. Enamorar súbitamente a alguien. ■ FLECHAZO.

FLECHASTE m. *Mar.* Cada uno de los cordeles horizontales que sirven de escalones a la marinería para subir a lo alto de los palos.

FLECHERA f. Embarcación ligera usada por los indígenas ven. como barco de guerra.

FLECHERÍA f. Conjunto de flechas disparadas. • Provisión de flechas.

FLECHILLA f. *Amér. Merid.* Semilla de una gramínea, cuyo tegumento está provisto de un enganche en forma de arpón o flecha, útil para su dispersión.

FLECO m. Adorno compuesto por una serie de hilos o cordoncillos colgantes. • fig. Borde de una tela deshilachada por el uso.

FLEGMASÍA f. *Pat.* Enfermedad que presenta todas las características de la inflamación.

FLEISCHER, ***Max*** (1889-1972) Dibujante norteam., creador, junto con su hermano Dave (1894-1979), de personajes mundialmente famosos, como *Popeye* y *Betty Boop.*

FLEJE m. Tira de chapa de hierro para asegurar las duelas de toneles y las balas de ciertas mercancías.

FLEMA f. fig. Cachaza, tranquilidad. • Mucosidad que se arroja por la boca. • *Quím.* Producto acuoso obtenido de las sustancias orgánicas al ser descompuestas por el calor en aparato destilatorio. ■ FLEMÁTICO, CA; FLEMOSO, SA; FLEMUDO.

FLEME m. Instrumento de hierro con una laminita acerada que sirve para sangrar las bestias.

FLEMING, SIR ***Alexander*** (1881-1955) Bacteriólogo brit. En 1927 descubrió la penicilina. Premio Nobel de Medicina en 1945.

FLEMÓN m. Inflamación purulenta del tejido conjuntivo laxo, con poca formación de pus y escasa reacción limitante del organismo.

FLEO m. Especie de gramínea con glumillas fructíferas tiernas.

FLEQUILLO m. Porción de cabello cortado que a manera de fleco se deja caer sobre la frente.

FLETA, ***Miguel*** (1897-1938) Tenor esp. Actuó en los más importantes teatros de Europa y América.

FLETAMENTO m. Acción de fletar. • Contrato mercantil en el que se estipula el flete.

FLETÁN m. Pez de la familia de los pleuronéctidos, de cuerpo plano y piel grisácea, también conocido como *halibut,* cuya carne es comestible.

FLETANTE adj. Que fleta. • m. *Amér. Merid.* El que da en alquiler una nave o una bestia de transporte. • En el contrato de fletamento, el naviero o la persona que le representa.

FLETAR tr. Alquilar la nave o alguna parte de ella para conducir personas o mercaderías. • tr. y prnl. Embarcar mercaderías o personas en una nave para su transporte. • tr. *Amér.* Alquilar una bestia de carga, carro o carruaje. • fig. *Amér. Merdi.* Soltar, espetar, dicho de acciones o palabras inconvenientes o agresivas. • prnl. *Cuba* y *Méx.* Largarse, marcharse de pronto. • *Argent.* Colarse en una reunión sin ser invitado. ■ FLETADOR, RA.

FLETE m. Precio estipulado por el alquiler de la nave o de una parte de ella. • Carga de un buque. • *Amér.* Precio del alquiler de una nave o de otro medio de transporte. • *Amér.* Carga que se transporta por mar o por tierra. • *Argent.* Caballo ligero.

FLETEAR tr. *Nic.* Transportar carga de un sitio a otro. • intr. *Cuba.* Pasearse una prostituta por la calle buscando clientes. ■ FLETEO.

FLETERO, RA adj. *Amér.* Díc. de la embarcación u otro vehículo que se alquila para el transporte. • m. *Amér.* El que cobra el precio del transporte.

FLEURY, ***André-Hercule de*** (1653-1743) Cardenal y político fr. Preceptor de Luis XV, ejerció hasta su muerte la dirección del país.

FLEXIBILIDAD f. Disposición que tienen algunas cosas para doblarse fácilmente sin romperse. • fig. Disposición del ánimo a ceder y acomodarse fácilmente a un dictamen.

FLEXIBLE adj. Que tiene disposición para doblarse fácilmente. • fig. Que tiene disposición a ceder o acomodarse al dictamen o resolución de otro. • m. *El.* Conductor eléctrico de hilos finos de cobre, recubierto de una capa aisladora, que se emplea para la transmisión de la energía eléctrica en el interior de los edificios. ■ FLEXIBILIZAR.

FLEXIÓN f. Acción y efecto de flexionar. • *Fís.* Deformación transversal producida en un cuerpo elástico al ser sometido a una fuerza capaz de superar su resistencia. • *Gram.* Alteración que experimentan las voces conjugables y las declinaciones con el cambio de desinencias. ■ FLEXIONAL

FLEXIVO, VA adj. Relativo a la flexión gramatical. • Que tiene flexión gramatical.

FLEXO m. Lámpara de mesa con brazo flexible.

FLEXOR, RA adj. Que dobla o hace que una cosa se doble con movimiento de flexión.

FLEXUOSO, SA adj. Que forma ondas.

FLEXURA f. Pliegue, curva, doblez.

FLICTENA f. *Med.* Acumulación de líquido debajo de la epidermis, causada por una quemadura.

FLINT m. Determinada clase de vidrio óptico de alta potencia dispersiva.

FLINT C. de EE UU, en el est. de Michigan al NO de Detroit; 181 700 hab. (496 700 la agl. urb.). Ind. del automóvil.

FLIP-FLOP (voz ing.) m. *Electr.* Circuito que presenta dos estados estables de operación, separados por un punto inestable. De gran aplicación como memoria electrónica.

Puntas de **flecha** paleolíticas

Betty Boop, personaje de cómic de Max **Fleischer**

Sir A. **Fleming**

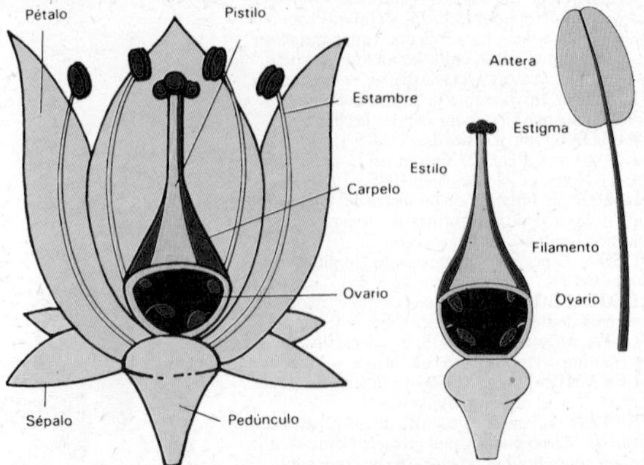

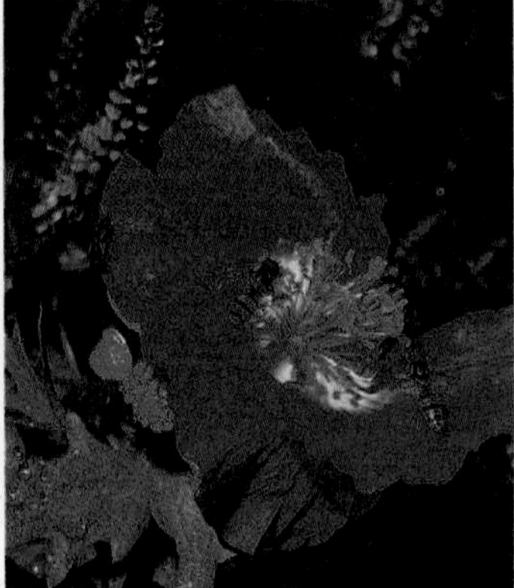

1. Esquema de una **flor** hermafrodita y de sus órganos de reproducción masculino y femenino.
2. Insectos libando una flor de amapola

FLIPAR (voz ing.) tr. Fascinar, cautivar, embelesar. • prnl. Drogarse, alucinar por ingestión de estupefacientes.
FLIPPER (voz. ing.) m. Dispositivo que, a modo de palanca, impulsa la bola hacia la parte superior de ciertas máquinas de juego. • P. ext., esta misma máquina.
FLIRT m. Coqueteo o relación amorosa superficial y pasajera. • Persona con la que se establece una relación ■ FLIRTEO.
FLOCADURA f. Guarnición hecha de flecos.
FLOCULACIÓN f. Fenómeno presentado por las disoluciones coloidales, consistente en la precipitación en forma de pequeños copos.
FLÓCULO m. Nube de calcio e hidrógeno de las regiones elevadas de la atmósfera solar.
FLOEMA m. *Bot.* Tejido vegetal compuesto por fibras liberianas, conductor de la savia elaborada.
FLOGISTO m. *Quím.* Principio que se suponía formaba parte de todos los cuerpos, desprendiéndose durante la combustión. ■ FLOGÍSTICO, CA.
FLOGOSIS f. *Med.* Inflamación patológica.
FLOJEAR intr. Obrar con pereza y descuido. • Flaquear.
FLOJEDAD o **FLOJERA** f. Debilidad y flaqueza en alguna cosa. • fig. Pereza, negligencia, descuido.
FLOJEL m. Tamo o pelillo del paño. • Especie de pelillo o plumón de las aves.
FLOJO, JA adj. Poco apretado o poco tirante. • Que no tiene mucha actividad o vigor. • adj. y s. fig. Perezoso, negligente y descuidado en las operaciones.
FLOQUEADO, DA adj. Guarnecido con fleco.
FLOR f. *Bot.* Conjunto de los órganos de reproducción de las plantas fanerógamas, por lo general de formas y colores vistosos y con aroma. Tras la fecundación, cada saco embrional se convierte en una semilla, y el ovario y algunos órganos anejos evolucionan para dar fruto. • Lo más escogido de una cosa. • Nata del vino. • Parte más sutil y ligera de los minerales, que se pega en lo más alto del alambique. • Virginidad. • Piropo, requiebro. • **completa.** *Bot.* La que consta de cáliz, corola, estambres y pistilos. • **de amor.** *Bot.* Amaranto. • **de la edad.** Juventud. • **de lis.** *Her.* Flor de lirio estilizada. *Bot.* Planta amer. de la familia amarilidáceas cuyas flores son de color rojo púrpura y aterciopeladas. • **de maíz.** pl. Rosetas de maíz. • **y nata.** Lo más selecto • **A f. de tierra.** m. adv. Sobre o cerca de la superficie de la tierra. • **En f.** m. adv. fig. En el momento de mayor pujanza y belleza. ■ FLORAR; FLORÍFERO, RA.
FLOR, *Roger de,* llamado *Roger Blum* (h. 1265-1305) Aventurero cat., de origen germánico. Al mando del cuerpo expedicionario de mercenarios cat., los → almogávares, enviados por Federico II de Sicilia, en apoyo del emp. bizantino Andrónico II Paleólogo, consiguió brillantes victorias. Nombrado césar y desposado con la sobrina del emp., fue asesinado a instancias del nuevo emp. Miguel IX por los desmanes cometidos por sus tropas, que reclamaban el pago de sus haberes. • **Valle, *Miguel Ángel de la*** (nacido 1924) Militar y político per. Apoyó la rev. militar de 1968. Restableció las relaciones con Cuba e integró a Perú en el mov. de países no alineados.
FLORA f. *Ecol.* Conjunto de especies vegetales que pueblan determinados territorios y ambientes.
FLORACIÓN f. *Bot.* Florescencia. • Proceso de desarrollo de las flores.
FLORAL adj. Relativo a la flor. • pl. Díc. de las fiestas o juegos que celebraban los gentiles en honor de la diosa Flora.
FLOREAL m. Octavo mes del calendario republicano fr. Del 20 de abril al 19 de mayo.
FLOREAR tr. Adornar con flores. • Escoger lo mejor. • intr. Vibrar, mover la punta de la espada. • Tocar dos o tres cuerdas de la guitarra con tres dedos sucesivamente sin parar, formando así un sonido continuado. • fam. Echar flores, piropos. • *Amér.* Florecer, brotar las flores.
FLORECER tr. e intr. Echar flores las plantas. • fig. Prosperar, crecer en riqueza o reputación. Díc. también de los entes morales; como la justicia, las ciencias, etc. • fig. Existir una persona o cosa insigne en una época determinada. • prnl. Hablando de algunas cosas, como el queso, pan, etc., ponerse mohosas. ■ FLORECIMIENTO.
FLORECIENTE adj. Que florece. • fig. Favorable, próspero, venturoso.
FLORENCIA C. de Colombia, cap. del dpto. de Caquetá; 101 274 hab. Cultivos de arroz, caña de azúcar, bananas y maíz.
FLORENCIA *(Firenze)* C. de Italia, cap. de Toscana y de la prov. hom. (3 514 km², 967 437 hab.) junto al Arno; 403 300 hab. Centro industrial, artístico, cultural y turístico. Universidad.
* *Hist.* C. etrusca, en la E. Med. fue escenario de la rivalidad entre güelfos y gibelinos. Centro de la cultura con Lorenzo el Magnífico. Patria del Dante, Boccaccio y Maquiavelo. Palacio Viejo y galería de los Uffizi en la plaza de la Signoria (gravemente dañados por un acto terrorista en 1993); catedral de Santa Maria dei Fiori; basílicas de Santa Maria Novella y Santa Croce. Palacios de los Médicis, Strozzi, Rucellai y Pitti (museo).
FLORENCIO VARELA Partido de Argentina, en la prov. de Buenos Aires; 173 500 hab.
FLOREO m. Acción de florear. • fig. Charla superficial, de entretenimiento. • fig. Dicho vano utilizado con el fin de lisonjear o alardear de ingenio.
FLORERO, RA adj. y s. fig. Persona que utiliza palabras ocurrentes y lisonjeras. • El que vende flores. • Vaso usado para poner flores. • Maceta con flores.
FLORES Isla de Indonesia, perteneciente al grupo de las Sonda Menores. 14 157 km², 700 000 hab. Cap., Ende. Pobl. malaya en el O y predominio papú en el E. Cultivos de arroz. Pesca. Comercio de café y copra.
FLORES, *Mar de* Sector del océano Pacífico comprendido entre la isla hom., la isla Célebes y los mares de Bali y de Banda.
FLORES Dpto. del SO de Uruguay; 5 144 km², 25 030 hab. Cap. Trinidad. Terr. avenado por el Yi

El palacio Viejo, de **Florencia,** obra de Arnolfo di Cambio (s. XIII)

y sus afl. Accidentado al SE por la Cuchilla Grande Inferior. La actividad pral. es la ganadería.

FLORES C. de Guatemala, cap. del dpto. de El Petén; 9 330 hab. Extracción de chicle y manufacturas de la madera.

FLORES, *Carlos Roberto* (nacido 1950) Político hond. Ministro de la Presidencia (1982-1986) y Presid. del Congreso Nacional. Presid. de la rep. entre 1998 y 2002. • ***Celedonio*** (1896-1947) Poeta y musicólogo arg., autor de letras de tangos famosos, como *Carta brava, Tengo miedo*, en las que, al igual que en sus poemas, emplea el lunfardo. • ***Cirilo*** (1779-1826) Político guat. Prócer de la indep. Presid. de la Asamblea Constituyente y vicepresid. de Estado, asumió la presidencia al ser detenido Barruntia. Murió en una revuelta instigada por los franciscanos. • ***Francisco*** (nacido 1959) Político salv. Miembro de ARENA, fue elegido presidente de El Salvador en las elecciones celebradas en marzo de 1999. • ***José Asunción*** (1904-1972) Compositor par. Fundador de la Agrupación Folclórica Guaraní y autor de numerosas obras basadas en el folclore guaraní. • ***Juan José*** (1800-1864) General y político ecuat., prócer de la indep. latinoamericana. Combatió junto a Bolívar. Al producirse la desmembración de la Gran Colombia, proclamó la autonomía de Ecuador. Primer presid. de Ecuador (1830-1835), reelegido en 1839 y 1843. Derrocado en 1845. • ***Lola*** (1925-1995) Actriz, bailarina y cantante esp. Especializada en el cante esp. y flamenco. Protagonizó algunas películas *(Morena Clara, El balcón de la luna)*. • ***Manuel Antonio*** (1723-1799) Administrador esp. Virrey de Nueva Granada (1776-1782), su mandato destacó por su excelente administración. La desacertada actuación del visitador Piñeres malogró su gobierno, que tuvo que hacer frente a la sublevación de los comuneros (1781). Ante la ejecución de los cabecillas y la brutalidad de la represión, dimitió en 1782. Virrey de Nueva España en 1787, dimitió en 1789. • ***Manuel M.*** (1840-1885) Poeta y político mex. Combatió contra la intervención fr. de Maximiliano y ocupó varias veces el cargo de diputado. *Rosas caídas.* • ***Venancio*** (1803-1868) Militar y político ur. Intervino en la guerra Grande. Presid. del país en 1854, tuvo que dimitir en 1854 presionado por el Partido Blanco. Ayudado por Argentina y Brasil, se hizo con la jefatura del Estado en 1865 y gobernó dictatorialmente. Asesinado por elementos del Partido Blanco. • **De Lemus, *Antonio*** (1876-1941) Economista esp. Ocupó diversos cargos públicos desde los que acometió la reforma de la política fiscal y tributaria. *Sobre una dirección fundamental de la producción rural española, Dictamen para el estudio de la implantación del patrón oro.* • **Jijón, *Antonio*** (1833-1912) Político y escritor ecuat., hijo de Juan José. Presid. de la rep. (1888-1892), firmó el tratado García-Herrera de límites con Perú. *El gran mariscal de Ayacucho, Para la historia del Ecuador.* • **Magón, *Ricardo*** (1873-1922) Político y periodista mex. En 1900 fundó en El Paso (EE UU) el periódico *Regeneración*, que sería el núcleo vertebrador del Partido Liberal Mexicano, creado junto con su hermano Enrique, Librado Rivera, Sarabia y otros en 1906. Su actividad antiporfirista culminó en las huelgas de la Cananea y Río Blanco y en sucesivos levantamientos armados contra la dictadura de Díaz. Su evolución hacia el anarquismo le hizo romper con Madero. Combatió a Carranza, pero llegó a establecer acuerdos con E. Zapata. Tras la victoria del carrancismo, reafirmó sus posiciones internacionalistas y anarquistas y fue condenado por L. Rivera a veinte años de prisión en EE UU por un llamamiento insurreccional dirigido a todos los trabajadores del mundo en 1918. Presumiblemente asesinado en la prisión norteam. de Leavenworth.

FLORESCENCIA f. Eflorescencia. • Acción de florecer. • Época en que las plantas florecen.

FLORESTA f. Terreno frondoso y poblado de árboles.

FLORETE m. Esgrima con espadín. • Espadín destinado al ejercicio de este juego. • Tela entrefina de algodón. ■ FLORETAZO; FLORETISTA.

FLORETEAR tr. Adornar con flores una cosa. • intr. Manejar el florete.

FLOREY, SIR ***Howard Walter*** (1898-1968) Médico brit., de origen australiano. Hicieron posible la utilización terapéutica de la penicilina. Premio Nobel de Medicina con Fleming y Chain (1945).

FLÓREZ, *Enrique* (1702-1773) Historiador y teólogo esp. Fue miembro del Consejo de la Inquisición. Autor de *España sagrada.* • ***Julio*** (1867-1923) Poeta col., de tendencia posromántica. *Cardos y lirios, Fronda lírica.* • **Estrada, *Álvaro*** (1766-1853) Economista esp. Sus ideas liberales le llevaron a participar en gobiernos del trienio constitucional y de la década moderada. *Curso de economía política.*

FLORIAN, *Jean-Pierre Claris de* (1755-1794) Escritor fr., sobrino de Voltaire. *Galatea, novela pastoril imitada de Cervantes; Numa Pompilio.*

FLORIÁN Díaz, *Mario Alberto* (nacido 1917) Escritor per., de temática regionalista y popular. *Tono de fauna, Tierras del sol, El juglar andinista.*

FLORIANI, *Carlos* (1901-1958) Médico, escritor y músico arg. Autor de *Tríptico* (violonchelo y piano), *Campanas* (suite para piano).

FLORIANÓPOLIS C. del S del Brasil, cap. del est. de Santa Catarina; 255 000 hab. Centro comercial. Ind. alimentarias.

Lola **Flores**

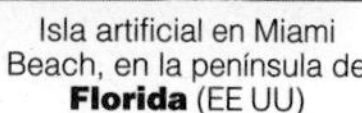

Isla artificial en Miami Beach, en la península de **Florida** (EE UU)

FLORICULTURA f. Cultivo de las flores. • Arte que lo enseña. ■ FLORICULTOR, RA.

FLORICUNDIO m. *Méx.* Floripondio, flor grande en los tejidos.

FLORIDA Estado del S de EE UU, en la pen. hom.; 151 939 km^2, 12 938 000 hab. Cap., Tallahassee. Zonas pantanosas en el S. Clima cálido. Algodón, frutas, legumbres, arroz. Pesca. Fosfatos.
* *Hist.* Descubierta por V. Yáñez Pinzón y A. Vespucio en 1498; en 1513, Juan Ponce de León llegó a la pen. el día de Pascua florida (de ahí su nombre). España cedió el territorio a Inglaterra en 1763, y lo recuperó en 1783 por la paz de Versalles. Comprada por los norteam, en 1818, fue est. de la unión en 1845.

FLORIDA Mun. de Colombia, en el dpto. del Valle del Cauca; 33 300 hab. Maíz, algodón, caña de azúcar, plátano, ganado vacuno. • Mun. de Cuba, en la prov. de Camagüey; 66 100 hab. Ingenios azucareros. • Mun. de Honduras, en el dpto. de Copán; 15 500 hab. Caña de azúcar, ganadería, cerámica.

FLORIDA Dpto. del S de Uruguay; 10 417 km^2, 66 503 hab. Cap., la c. hom. Zona predominantemente llana, cubierta de praderas aprovechadas para el pastoreo de ganado vacuno y lanar. Lo atraviesa de E a O la Cuchilla Grande Inferior. Cereales y frutales. • C. de Uruguay, cap. del dpto. hom.; 31 595 hab.

FLORIDABLANCA Mun. de Colombia, en el dpto. de Santander; 44 000 hab. Agricultura, ganadería vacuna y equina, fábrica de curtidos.

FLORIDABLANCA, *José Moñino y Redondo,* CONDE DE (1728-1808) Estadista esp., uno de los prales. representantes de los ilustrados esp. Primer ministro de Carlos III y de Carlos IV, fue uno de los inspiradores de la expulsión de los jesuitas. Artífice de numerosas reformas, dimitió acosado por Godoy. Evolucionó hacia el conservadurismo con la Revolución fr. Presid. de la Junta Central al comenzar la guerra de la Independencia. *Representación fiscal sobre el monitorio de Parma, Instrucción reservada para la Junta de Estado.*

Conde de **Floridablanca**

FLORIDANO, NA adj. y s. De Florida (Uruguay).

FLORÍDEO, A adj. y f. *Bot.* Díc. de algas de la clase florídeas. • f. pl. *Bot.* Clase de algas que comprende a las rodofíceas, pluricelulares, con talo for-

Anverso de un **florín** valenciano de Juan II

Cristales de **fluorita**

Foca

Fogaril

mado por filamentos o láminas, con reproducción asexual por tetrásporas y sexual por gametos.
FLORIDEZ f. Abundancia de flores. • fig. Calidad de florido en el estilo.
FLORIDO, DA adj. Que tiene flores. • fig. Díc. de lo más escogido de alguna cosa. • fig. Díc. del lenguaje o estilo adornado con galas retóricas.
FLORILEGIO m. fig. Colección de trozos selectos de materias literarias.
FLORÍN m. Ant. unidad monetaria de Países Bajos.
FLORIPONDIO m. Arbusto del Perú, de la familia solanáceas, de flores en forma de embudo. • fig. Adorno de mal gusto en forma de flor.
FLORISTA com. Persona que fabrica flores artificiales. • Persona que vende flores.
FLORISTERÍA f. Tienda donde se venden flores.
FLORÍSTICA f. Parte de la botánica que estudia la distribución de cada una de las unidades taxonómicas de un territorio.
FLORIT, *Eugenio* (1903-1999) Poeta cub. Vanguardista. *Antología penúltima, De tiempo y agonía.*
FLORITURA f. Adorno en el canto, en varios otros ejercicios y en otras cosas diversas.
FLORO, *Lucio Anneo* (s. I) Historiador latino. Autor de un *Epítome de historia romana.*
FLORÓN m. Adorno hecho a manera de flor muy grande, que se pone en el centro de los techos de las habitaciones, etc. • fig. Hecho que honra.
FLOTA f. Conjunto que forman los barcos mercantes de un país, compañía naviera o línea marítima. • Conjunto de diversas embarcaciones con el mismo destino. • Conjunto de aviones para un servicio determinado. • Grupo de vehículos de una empresa. • *Col.* Autobús de servicio intermunicipal o interdepartamental • fig. *Chile* y *Ecuad.* Caterva, multitud.
FLOTACIÓN f. Acción y efecto de flotar. • *Ind.* Método empleado para separar los minerales, antes de utilizarlos, de los detritos de rocas y de otros minerales que llevan mezclados.
FLOTADOR, RA adj. Que flota en un líquido. • m. Aparato que sirve para determinar el nivel de un líquido o para regular la salida del mismo. • Salvavidas.
FLOTANTE adj. Que flota. • *Econ.* Díc. del valor no consolidado cuyo tenedor puede exigir su inmediata amortización.
FLOTAR intr. Mantenerse en la superficie de un líquido sin sumergirse. • Sostenerse en el seno de un fluido aeriforme. • Ondear en el aire. ■ FLOTABILIDAD; FLOTABLE.
FLOTE m. Flotación. • **A f.** m. adv. Manteniéndose sobre el agua. • fig. Con recursos para salir de apuros.
FLOTILLA f. Flota compuesta de buques pequeños o de aviones.
FLOTOW, *Friedrich von* (1812-1873) Compositor al., autor de óperas. *Martha.*
FLUCTUACIÓN f. Acción y efecto de fluctuar. • Diferencia entre el valor instantáneo de una cantidad fluctuante y su valor normal. • fig. Irresolución o duda con que vacila uno, sin acertar a resolverse.
FLUCTUAR intr. Vacilar un cuerpo sobre las aguas por el movimiento agitado de ellas. • fig. Vacilar o dudar en la resolución de una cosa.
FLUENCIA f. Acción y efecto de fluir. • Lugar donde mana o comienza a fluir un líquido.
FLUIDEZ f. Calidad de fluido. • *Fís.* Magnitud inversa a la viscosidad de un cuerpo. • Facilidad de movimiento y operación de los factores económicos.
FLUIDO, A adj. y m. Díc. de los cuerpos cuyas moléculas tienen una débil fuerza de unión, de modo que pueden deslizarse unas sobre otras (líquidos), o desplazarse libremente (gases), adoptando la forma del recipiente que las contiene. • fig. Referido al lenguaje y estilo, el que es espontáneo y fácil.
FLUIR intr. Correr un líquido. • Salir las palabras o ideas de la boca o de la mente de alguien.
FLUJO m. Acción y efecto de fluir. • *Econ.* Mov. de las magnitudes macroeconómicas en función de su volumen y unidad de tiempo. • *Med.* Derrame abundante de un líquido o secreción orgánica. • **calorífico.** Cantidad de calor que atraviesa una superficie por unidad de tiempo. • **magnético.** Número total de líneas de inducción magnética que atraviesa una superficie. • **radiante.** *Fís.* Energía radiante que atraviesa una superficie por unidad de tiempo.
FLUMINENSE adj. y s. De Río de Janeiro.
FLÚOR m. *Quím.* Elemento químico de símb. F, n. a. 0 y p. a 19,00. Es un no metal gaseoso del grupo de los halógenos, de color amarillo pálido. Reacciona con todos los elementos excepto con el nitrógeno y los gases nobles, por lo que no se encuentra libre en la naturaleza. Existe en los huesos, en el esmalte dental y en el agua del mar.
FLUORESCENCIA f. Propiedad que tienen algunos cuerpos de mostrarse luminosos, mientras reciben la excitación de ciertas radiaciones.
FLUORESCENTE adj. Relativo a la fluorescencia. • Que está dotado de fluorescencia. • adj. y m. *El.* Tubo de vidrio recubierto en su interior de materiales f. que emiten luz.
FLUORHÍDRICO adj. *Quím.* Díc. de un ácido muy deletéreo, compuesto de flúor e hidrógeno.
FLUORITA o **FLUORINA** f. *Miner.* Fluoruro de calcio, que cristaliza en el sistema cúbico.
FLUOROSIS f. Envenenamiento crónico por flúor.
FLUORURO m. *Quím.* Sal del ácido fluorhídrico.
FLURY, *Lázaro* (nacido 1909) Folclorista arg. *Danzas folclóricas argentinas, Motivos argentinos.*
FLUVIAL adj. Relativo a los ríos.
FLUVIOGLACIAR adj. y m. *Geol.* Díc. del depósito rocoso originado por corrientes fluviales alimentadas por aguas resultantes de la fusión de glaciares.
FLUVIÓGRAFO m. Aparato automático que registra las variaciones de nivel de un caudal de agua.
FLUX m. *Ant., Col.* y *Méx.* Traje de hombre completo. • **Hacer** uno **f.** fig. y fam. y fig. Derrochar un caudal dejando deudores.
FLUXIÓN f. Acumulación de humores en cualquier órgano.
FLUXÓMETRO m. Galvanómetro de cuadro móvil utilizado para determinar las variaciones de flujo magnético.
FLY Río de Paupa-Nueva Guinea: 1 050 km.
FLYNN, *Errol* (1909-1959) Actor de cine norteam. *La carga de la brigada ligera, Robín de los bosques.*
Fm *Quím.* Símb. del fermio.
FMI Siglas de → Fondo Monetario Internacional.
FO, *Darío* (nacido 1926) Autor y director teatral it. Satiriza la sociedad capitalista. *Muerte accidental de un anarquista, Claxon, trompetas y pedorretas.* Premio Nobel de Literatura en 1997.
FOB Cláusula que en el comercio internacional establece para el vendedor una serie de obligaciones que incluyen, entre otras, pagar los gastos de transporte hasta el buque y la carga de las mercancías.
FOBIA Sufijo que indica repulsión, aversión, etc. • f. *Psic.* Temor patológico ante la presencia de un ser o de un objeto, o ante cierta situación, que no justifica tal emoción.
FOBOS *Astr.* Uno de los satélites de Marte.
FOCA f. Mamífero pinnípedo carnívoro de pelo gris y extremidades adaptadas a un régimen de vida marino. • fig. Mujer muy gorda.
FOCAL adj. Referente a un foco de una lente, de un espejo o de una cónica.
FOCEA *(Phokaia)* Ant. c. de Asia Menor, cerca de Esmirna. Estableció diversas colonias en el Mediterráneo occidental.
FOCEIFIZA f. Gén. de mosaico que hacían los artífices ár. con trocitos de vidrio de color.
FOCENSE adj. y s. De Fócida o de Focea.
FOCH, *Ferdinand* (1851-1929) Mariscal fr. Dirigió con éxito la Entente en la ofensiva contra los al. en la I Guerra Mundial.
FOCHA f. Foja, ave.
FÓCIDA *(Phokis)* Ant. región de Grecia, al N del golfo de Corinto; forma un nomo (2 120 km², 44 200 hab.). Cap. Anfisa o Amfissa.
FÓCIDOS m. pl. *Zool.* Familia de mamíferos carnívoros, distribuidos por todos los mares, pero particularmente abundantes en las zonas circumpolares.
FOCINO m. Aguijada con que se gobierna al elefante.
FOCIO (h. 815-h. 899) Patriarca de Constantinopla. Rompió con Roma, tras negar la unidad de la Trinidad.
FOCO m. Punto en donde convergen cosas de distintas procedencias. • *Fís.* Punto donde vienen a reunirse los rayos luminosos reflejados por un espejo cóncavo o refractado por una lente. • Punto de don-

de irradia algo no material. • Lámpara que tiene una luz muy potente. • *Geom.* Punto cuya distancia a cualquiera de los de una curva se puede expresar en función racional y entera de las coordenadas de dichos puntos. • **emisor.** Punto de donde sale algo dispersándose en varias direcciones.
FOCOMETRÍA f. *Ópt.* Determinación de los focos de un sistema.
FOCÓMETRO m. *Ópt.* Aparato para medir la distancia focal de las lentes.
FÓCULO m. Hogar pequeño.
FOEHN m. Viento cálido y seco que sopla con violencia en la ladera de sotavento de ciertas montañas.
FOFADAL m. *Argent.* Tremedal, sitio cenagoso que tiembla al menor movimiento.
FOFO, FA adj. Esponjoso y de poca consistencia.
FOGAJE m. *Argent* y *Méx.* Fuego, erupción de la piel. • *Amér.* Bochorno, calor. • *Ecuad.* Fogata, llamarada.
FOGARADA f. Fogata.
FOGARATA f. Fam. Fogata.
FOGARIL m. Jaula de aros de hierro, dentro de la cual se enciende lumbre para iluminar.
FOGARIZAR tr. Hacer fuego con hogueras.
FOGATA f. Fuego que levanta llama.
FOGGIA C. de Italia, cap. de la prov. hom. (7 185 km^2, 697 500 hab.). Fábricas de harina y pastas, metalurgia.
FOGÓN m. Sitio adecuado en las cocinas para hacer fuego y guisar. • En las calderas de las máquinas de vapor, lugar destinado a contener el combustible. • *Amér.* Fuego, fogata u hornillo rústico. ■ FOGONERO.
FOGONAZO m. Llama momentánea que acompaña a un disparo o explosión.
FOGOSIDAD f. Entusiasmo e ímpetu. ■ FOGOSO, SA; FOGUEO.
FOGUEAR tr. Limpiar una arma cargándola con poca pólvora y disparándola. • prnl. fig. Acostumbrar a alguien a las penalidades de un estado u ocupación. • *Vet.* Cauterizar.
FÖHN m. Foehn.
FOIE-GRAS (voz fr.) m. Pasta hecha de hígado de ganso cebado.

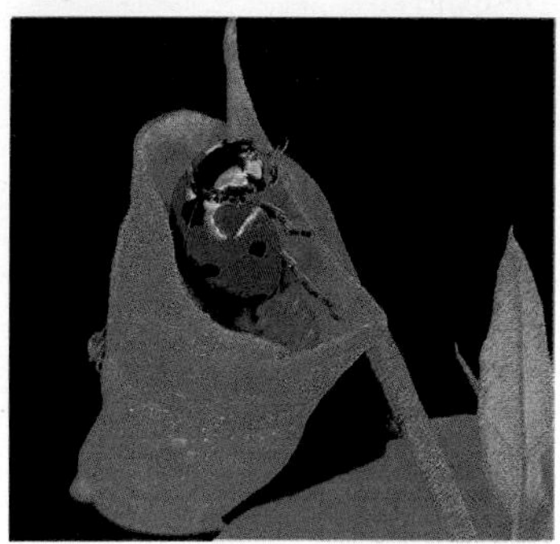

Mariquita, insecto **folícola**

FOIX, ***Josep Vicenç*** (1894-1987) Poeta esp., cat. vanguardista. *Sol i del dol, Les irreals omegues.*
FOJA f. Ave zancuda, nadadora, de plumaje negro con reflejos grises.
FOKIN, ***Mijail Mijailovich*** (1880-1942) Bailarín y coreógrafo ruso. Está considerado como el iniciador del *ballet* moderno.
FOKKER, ***Anthony*** (1890-1939) Aviador e ingeniero aeronáutico neerl. Construyó aviones utilizados con fines militares y comerciales.
FOLCH de Cardona, ***Ramón*** (1467-1522) General esp. Virrey de Sicilia y de Nápoles.
FOLCLOR o **FOLKLORE** m. Conjunto de creencias, artesanías, costumbres, etc., que forman parte de la tradición de un pueblo. • Ciencia que estudia estas materias. ■ FOLCLÓRICO, CA; FOLCLORISTA.
FOLGO m. Bolsa cerrada de pieles para abrigar los pies cuando se está sentado.
FOLIÁCEO, A adj. *Bot.* Perteneciente a las hojas de las plantas. • Que tiene estructura laminar.
FOLIACIÓN f. Acción y efecto de foliar. • Serie numerada de los folios de un escrito. • *Bot.* Acción de echar hojas las plantas. • *Geol.* Exfoliación. ■ FOLIAR.
FOLIADOR, RA adj. y s. Díc. de las máquinas y aparatos que sirven para enumerar correlativamente los folios.
FOLÍCOLA adj. *Zool.* Díc. de los animales, como los insectos, que viven en las hojas.
FOLICULINA f. Hormona femenina de naturaleza esteroide y función directa en la manifestación de los caracteres sexuales secundarios.
FOLÍCULO m. Formación con morfología y funciones variables, que rodea o protege distintos órganos (f. piloso, f. dentario, f. sebáceo, etc.). • **De Graaf.** Pequeña vesícula de la corteza de los ovarios, que contiene en su interior el óvulo. ■ FOLICULAR.
FOLÍFAGO, GA adj. y m. *Zool.* Díc. del fitófago que se alimenta casi exclusivamente de hojas.
FOLIO m. Hoja del libro o cuaderno. • Tamaño de papel igual a la mitad de un pliego. • Titulillo o encabezamiento en las páginas de un libro. • Hierba euforbiácea, que tiene las hojas cubiertas de una especie de tomento blanco.
FOLÍOLO m. *Bot.* Cada una de las hojuelas de una hoja compuesta.
FOLIÓN m. Música popular ligera.
FÓLIUM m. Curva algebraica plana de grado tres dotada de un punto doble.
FOLK (voz ing.) adj. y m. Díc. de la música de raíz popular, revitalizada en la época actual.
FOLLA f. Mezcla de muchas cosas diversas sin orden ni sentido. • Espectáculo teatral consistente en la mezcla de varios trozos de comedia inconexos con otros de música.
FOLLADA f. Empanadilla hueca y hojaldrada. • fam. Acto sexual.
FOLLADOR, RA adj. Díc. de la persona muy aficionada a follar, copular. • El que mueve el fuelle en una fragua.
FOLLAJE m. Conjunto de hojas de los árboles y otras plantas. • fig. Adorno complicado y de mal gusto.
FOLLAR tr. Soplar con fuelle. • Formar o componer en hojas algo. • tr., intr. y prnl. Realizar el acto sexual. • fig. Perjudicar. • prnl. Soltar una ventosidad sin ruido.
FOLLETÍN m. Novela de intriga con sucesos dramáticos que se publicaba por entregas. • Suceso increíble o exagerado. • Escrito que se insertaba en la parte inferior de las planas de los periódicos. ■ FOLLETINESCO, CA; FOLLETINISTA O FOLLETISTA.
FOLLETO m. Publicación impresa, no periódica y de corta extensión. • Cualquier impreso de propaganda.
FOLLISCA f. *Amér. Centr., Col., Pan., P. Rico., R. Dom.,* y *Ven.* Riña, pendencia, gresca.
FOLLÓN, NA adj. y s. Negligente. • Canalla, cobarde. • m. Alboroto, discusión tumultuosa. • Asunto pesado o enjoso. • Cohete que se dispara sin trueno.
FOMBONA Pachano, ***Jacinto*** (1901-1951) Escritor ven. *El canto del hijo, Las torres desprevenidas, Evolución de la poesía moderna venezolana.*
FOMENTAR tr. Aumentar la actividad de una cosa. • fig. Excitar o proteger una cosa. • *Med.* Aplicar a una parte enferma paños empapados en un líquido. ■ FOMENTACIÓN.
FOMENTO m. Acción y efecto de fomentar. • Materia con que se alimenta un fenómeno. • Auxilio, protección.
FOMENTO Mun. de Cuba, en la prov. de Sancti Spíritus; 35 600 hab. Tabaco, caña.
FOMES m. Causa que excita y promueve una cosa.
FON adj. y s. Díc. del individuo de un pueblo melanoafricano de Benín que habla una lengua sudanesa. • *Fís.* Unidad de medida de la intensidad de sensación sonora. • m. pl. Pueblo fon.
FONACIÓN f. Emisión de sonidos por los seres vivos. El hombre puede, además, articular el sonido (palabra).
FONADOR adj. Se aplica a los órganos usados en la emisión del lenguaje hablado.
FONDA f. Establecimiento público donde se da hospedaje y se sirven comidas. • *Chile.* Puesto o cantina en que se despachan comidas y bebidas. • *Mar.*

Foja

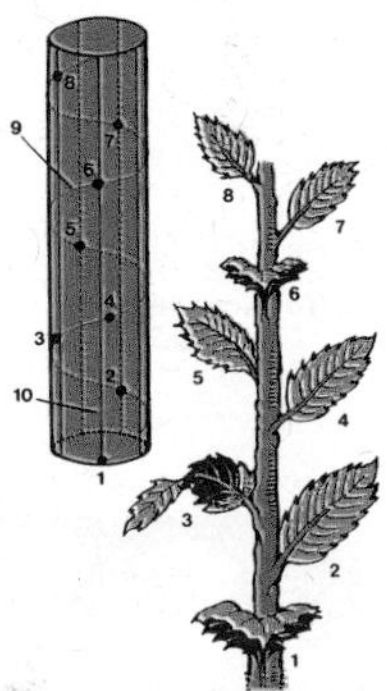

Esquema del proceso de **foliación**

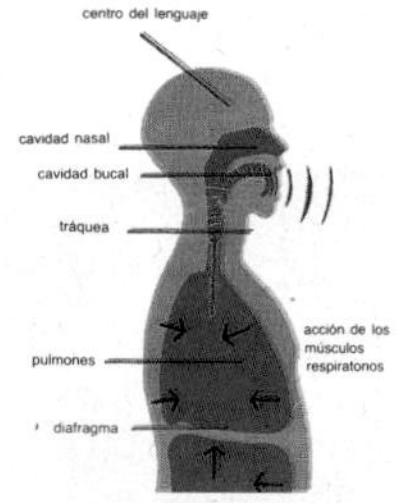

Órganos que intervienen en la **fonación**

Fonendoscopio

El servicio y conjunto de cámara, comedor y cocina de un buque mercante. ■ FONDISTA.

FONDA, ***Henry*** (1905-1982) Actor cinematográfico y teatral norteam. *Sólo se vive una vez, Pasión de los fuertes, Falso culpable, El estanque dorado.* • **Jane** (nacida 1937) Actriz cinematográfica norteam. Hija de H. Fonda. *La jauría humana, El regreso.*

FONDABLE adj. Aplícase a los parajes de la mar donde pueden dar fondo los barcos.

FONDAC m. En Marruecos, hospedería y almacén donde se negocia con mercancías.

FONDEADERO m. Paraje de profundidad suficiente para que la embarcación pueda dar fondo.

FONDEADO, DA adj. *Amér.* Acaudalado, adinerado, que está en fondos.

FONDEAR tr. Reconocer el fondo del agua. • Registrar los individuos del fisco una embarcación para ver si trae géneros de contrabando. • fig. Examinar con cuidado una cosa hasta llegar a sus principios. • tr. e intr. *Mar.* Asegurar una embarcación por medio de anclas o grandes pesos. • prnl. *Amér.* Enriquecerse.

FONDERO, RA m. y f. *Amér.* Fondista.

FONDÍ f. Fondue.

FONDILLÓN m. Asiento y madre de la cuba cuando, después de mediada, se vuelve a llenar.

FONDILLOS m. pl. Parte trasera de los pantalones.

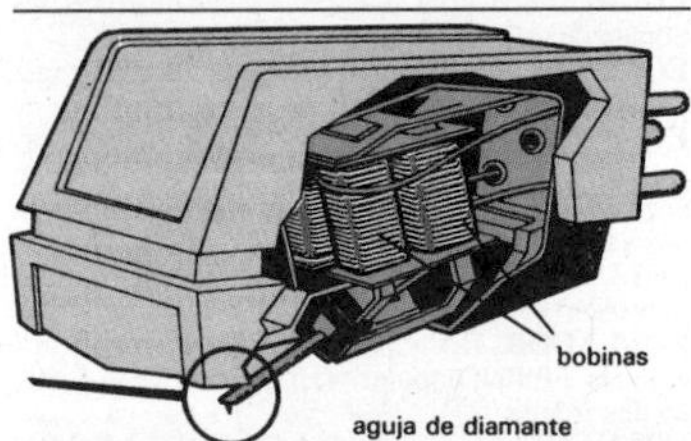

Esquema de un **fonocaptador** de tocadiscos

FONDO m. Parte inferior de una cosa hueca. • Hablando del mar, de los ríos o estanques, superficie sólida sobre la cual está el agua. • Profundidad. • Color o dibujo que cubre una superfice y sobre el cual resaltan los adornos, dibujos o manchas de otros colores. • Grueso que tienen los diamantes. • Caudal o conjunto de bienes que posee una persona o comunidad. • Conjunto de libros que posee una librería o una biblioteca. • Conjunto de las publicaciones de una editorial de libros o discografica. • Cantidad de dinero. • *Cont* y *Econ.* Partida económica que representa una disponibilidad destinada a afrontar un determinado gasto. • Artículo de fondo. • fig. Lo pral. de una cosa, en oposición a la forma • *Dep.* Resistencia física para la práctica deportiva. • *Dep.* Prueba de resistencia. • *Mar.* Parte de un buque que va debajo del agua. • pl. Caudales. • **A f.** adv. Entera y perfectamente. • **Dar f.** *Mar.* Fondear la nave. • fig. Terminar, agotarse.

Thomas A. Edison, inventor del **fonógrafo**

FONDO MONETARIO INTERNACIONAL *(FMI)* Organismo internacional creado en 1944 por los acuerdos de Bretton Woods, para fomentar la cooperación económica y estabilizar los tipos de cambio.

FONDÓN, NA adj. fam. y despect. Díc, de la persona que está gorda. • m. Madre del vino de la cuba. • Parte baja de los brocados.

FONDUE (voz fr.) f. Plato a base de queso fundido • Aparato para hacer este plato. • **bourguignonne** o **falsa.** Plato parecido a la fondue, pero a base de carne cortada en tacos.

FONEMA m. *Ling.* En fonética, cada uno de los sonidos articulados de una lengua. • *Ling.* La más pequeña unidad fonológica de una lengua.

FONEMÁTICA f. *Ling.* Parte de la fonología que estudia los fonemas. ■ FONEMÁTICO, CA.

FONENDOSCOPIO m. Aparato para la práctica de la auscultación.

FONÉTICO, CA adj. y s. Perteneciente a la voz humana o al sonido en general. • Aplícase a todo alfabeto o escritura cuyos elementos o letras representan sonidos. • f. Parte de la lingüística que estudia los sonidos del lenguaje hablado. ■ FONETISTA.

Fonolita

FONETISMO m. Conjunto de caracteres fonéticos de un idioma. • Adaptación de la escritura a la más exacta representación de los sonidos de un idioma.

FONFRÍAS Rivero, ***Ernesto Juan*** (nacido 1909) Escritor y político puertorriq. Fundador del Partido Popular Democrático. *Hebras de sol, Al calor de la lumbre, Raíz y espiga.*

FONIATRÍA f. *Med.* Parte de la medicina que se dedica a las enfermedades de los órganos de la fonación.

FÓNICO, CA adj. Perteneciente a los sonidos del lenguaje.

FONIL m. Embudo con que se envasan líquidos en las pipas.

FONIO m. *Fís.* Unidad de isofonía. Su valor es equivalente a un decibelio del sonido cuya frecuencia sea de 1 000 Hz.

FONO Afijo que significa *sonido.* • m. *Argent., Bol.* y *Chile.* Auricular telefónico.

FONOCAPTADOR m. Elemento captador de sonidos que funciona como transformador de señales mecánicas en eléctricas.

FONOCARDIOGRAFÍA f. *Med.* Registro gráfico de los ruidos cardiacos.

FONOCARDIOGRAMA m. *Med.* Curva del registro de las variaciones en el tono cardiaco obtenido mediante la fonocardiografía.

FONOGRAFÍA f. Manera de inscribir sonidos para reproducirlos por medio del fonógrafo.

FONÓGRAFO m. Aparato que registra y reproduce cualquier sonido mediante un procedimiento mecánico. ■ FONOGRÁFICO, CA.

FONOGRAMA m. Signo gráfico que representa un sonido. • Cada una de las letras del alfabeto.

FONOLITA f. *Geol.* Roca volcánica formada por feldespato alcalino, plagioclasa sódica, feldespatoides y elementos máficos.

FONOLOGÍA f. Rama de la lingüística que estudia los elementos fónicos, atendiendo a su respectivo valor funcional dentro del sistema propio de cada lengua. ■ FONOLÓGICO, CA; FONÓLOGO.

FONOMETRÍA f. Rama de la lingüística que trata de analizar los fonemas distintivos por medios fonéticos.

FONÓMETRO m. Aparato para medir la intensidad de los sonidos.

FONÓN m. En la física del estado sólido, *paquete* de ondas sonoras —cuanto de sonido—, análogo al cuanto de radiación o fotón.

FONÓPTICO, CA adj. Díc. de los aparatos que además del sonido registran imágenes ópticas por medio de impresiones auditivas.

FONOTECA f. Colección o archivo de documentos sonoros de todo tipo.

FONOTECNIA f. Técnica de obtención, transmisión, registro y reproducción del sonido.

FONSECA Golfo de Centroamérica, en el Pacífico, entre El Salvador, Honduras y Nicaragua.

FONSECA, ***Alonso de*** (1418-1473) Capellán mayor de Enrique IV y arzobispo de Sevilla. • ***Alonso de*** (1476-1534) Arzobispo de Toledo y primado de España • ***Cristóbal de*** (h. 1550-1621) Teólogo y escritor esp. *Tratado del amor de Dios.* • ***Gonzalo*** (nacido 1922) Pintor y escultor ur. Constructivista y superrealista. Entre sus obras sobresale la torre habitable de cemento para los Juegos Olímpicos de México en 1968. • ***Julio*** (1885-1950) Compositor cost. Fundador de la Academia Euterpe. *Suite tropical, Gran fantasía sinfónica,* misas, música vocal. • ***Manuel Deodoro da*** (1827-1892) General y político bras. Proclamó la República de la que fue presid. en 1891. • ***Pedro*** (1528-1599) Filósofo y teólogo port. *Comentarios a la metafísica de Aristóteles.*

FONTAINE, ***Henri la*** (1854-1943) Jurista y político belga. Creador del Tribunal permanente de justicia internacional. Premio Nobel de la Paz en 1913. • ***Jean de la*** (1621-1695) Escritor fr. Debe su fama a los *Cuentos* y *Fábulas,* en los que aborda los temas tradicionales del gén. con humor irónico y un estilo aparentemente fácil. • ***Pierre François Léonard*** (1762-1853) Arquitecto fr. Junto con Percier realizó, los decorados de la Ópera y restauró el Louvre, las Tullerías, arco de triunfo del Carrusel (1806).

FONTAINEBLEAU C. de Francia, en el dpto. de Seine-et-Marne; 23 000 hab. Turismo. En F. se concertó el tratado entre Godoy y Napoleón para el reparto de Portugal; también tuvo lugar la primera abdicación de Napoleón (1814). • **Escuelas de F.** *Arte.* Nombre de dos mov. artísticos desarrollados por pintores it. en Francia, traídos por Francisco I (1530) y Enrique IV (1560), de carácter manierista el primero y flamenco el segundo.

FONTAL adj. Perteneciente a la fuente.

FONTANA f. poét. Fuente. • Aparato por el que sale el agua de la cañería. • Construcción por la que sale o se hace salir agua.

FONTANA, ***Carlo*** (1634-1714) Arquitecto it. Representante del barroco romano. • ***Domenico*** (1543-1607) Arquitecto y urbanista it. Representa la transición del manierismo al barroco. • ***Josep*** (nacido 1931) Historiador esp., catalán. *La quiebra de la monarquía absoluta 1814-1820, Cambio económico y actitudes políticas en la España del siglo XIX* y *La historia.* • ***Lucio*** (1899-1968) Pintor y escultor arg., de origen italiano. Su obra nace de la concepción del espacio como vacío. En *Espacialismo* (1947) definió su teoría artística. • ***Luis Jorge*** (1848-1920) Político y ensayista arg. Fundador de la ciudad de Formosa. *El Gran Chaco, Los caudrúpedos y aves de la región andina.*

FONTANAL o **FONTANAR** adj. Perteneciente a la fuente. • m. Manantial de agua. • Sitio que abunda en manantiales.

FONTANE, ***Theodor*** (1819-1898) Escritor al. *Effi Briest* es su obra maestra.

FONTANELA f. Cada uno de los espacios membranosos que hay en el cráneo humano y de muchos animales antes de su completa osificación.

FONTELA, ***Jorge*** (nacido 1927) Pianista y compositor arg. *Madrigal* (soprano y flauta), *Pastoral* (piano), *Tres piezas para orquesta.*

FONTENELLE, ***Bernard Le Bovier de*** (1657-1757) Escritor fr. Representante de la literatura de la Ilustración. *Querella entre los Antiguos y los Modernos, Conversaciones sobre la pluralidad de los mundos.*

FONTANERÍA f. Técnica del fontanero. • Conjunto de conductos por donde se dirige el agua.

FONTANERO, RA adj. Perteneciente a las fuentes. • m. Persona que instala y arregla conducciones de agua, grifos, etc.

FONTEYN, ***Margot*** (1919-1991) Seud. de *Margaret Hookham.* Bailarina brit., una de las más destacadas del s. XX.

FONTÍCULO m. *Cir.* Exutorio, úlcera abierta y sostenida artificialmente para producir una supuración.

FOOTING (voz ing.) m. *Dep.* Forma de entrenamiento atlético consistente en carreras cortas a paso moderado y ejercicios de relajación.

Gerald **Ford** en el Congreso de EE UU

FOPPA, ***Alaide*** (nacida 1914) Escritora guat. *Poesías, Los dedos de mi mano, Guirnalda de primavera.* • ***Vincenzo*** (h. 1427-1515) Pintor it. Representante de la pintura lombarda. *La epifanía.*

FOQUE m. *Mar.* Nombre común a todas las velas triangulares que se orientan y amuran sobre el bauprés.

FORADO m. *Amér. Merid.* Agujero.

FORAIN, ***Jean-Louis*** (1852-1931) Dibujante y pintor costumbrista fr. Publicó sus ilustraciones en *Le courrier français, Le chat noir,* etc., y fundó las revistas *Le fifre* (1889) y el *Psst.*

FORAJIDO, DA adj. y s. Díc. del malhechor que anda habitualmente fuera de poblado, huyendo de la justicia.

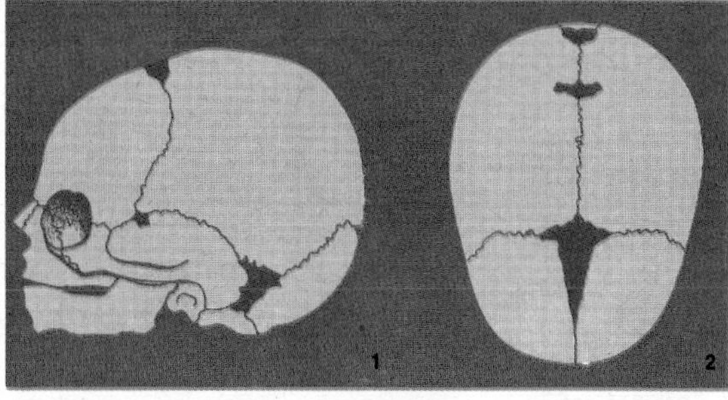

Representación lateral (1) y superior (2) de la caja craneal de un recién nacido. En ellas se aprecian las suturas y **fontanelas**

FORAL adj. Perteneciente al fuero.

FORAMEN m. Agujero o taladro. • Taladro de piedra baja de la tahona, por donde entra el palahierro.

FORAMINÍFERO m. *Zool.* Orden de protozoos marinos provistos de caparazón y seudópodos. De importancia geológica por su contribución a la formación de depósitos calcáreos mediante la sedimentación de sus caparazones (nummulites), y como indicadores para caracterizar la fauna y las condiciones climáticas de una determinada época geológica.

FORÁNEO, A adj. Forastero, extraño.

FORASTERO, RA adj. y s. Díc. de la persona que vive o está en un lugar de donde no es vecina y en donde no ha nacido. • fig. Extraño, ajeno.

FORCAZ adj. Díc. del carromato de dos varas.

FORCEJAR o **FORCEJEAR** intr. Hacer fuerza para vencer alguna resistencia. • fig. Resistir, contradecir tenazmente. ■ FORCEJEO O FORCEJO.

FÓRCEPS m. Instrumento utilizado para extraer el feto de las vías genitales, en partos dificultosos.

FORCÍPULA f. Aparato que sirve para medir el diámetro de los troncos de los árboles.

FORD, ***Gerald*** (nacido 1913) Político norteam. En 1974 se hizo cargo de la presidencia para reemplazar a Nixon, dimitido a causa del escándalo de Watergate. Fue derrotado por el demócrata J. Carter en las elecciones de 1976. • ***Henry*** (1863-1947) Industrial norteam. Fundó la *Ford Motor Company* e implantó la producción en serie. • ***John*** (1586-hacia 1639) Poeta y dramaturgo ing. *El corazón roto, La bruja de Edmonton.* Es el último de los grandes dramaturgos del periodo isabelino. • ***John*** (1895-1973) Seud. de Sean O'Fearna. Director cinematográfico norteam. Trató preferentemente temas del Oeste, dándoles dimensiones de epopeya e introduciendo la trama psicológica en el género. *El caballo de hierro, El delator, La diligencia, La conquista del Oeste.*

FOREIGN OFFICE Nombre del ministerio brit. de Asuntos Exteriores.

FORENSE adj. Perteneciente al foro, al derecho o a la administración de justicia. • m. Médico.

FORERO Benavides, ***Abelardo*** (nacido 1912) Político col. Ministro de Trabajo, Higiene y Previsión Social. *La victoria de los vencidos.*

FORESIS f. Transporte de partículas a través de un medio físico o químico.

FOREST, ***Lee de*** (1873-1961) Ingeniero norteam. Inventó la lámpara de triodo.

FORESTAL adj. Relativo a los bosques.

FORESTAR tr. Poblar un terreno con plantas forestales.

FORFAIT (voz fr.) m. Contrato en el que se fija por anticipado el precio de una o más prestaciones. • Multa convenida de antemano para casos de incumplimiento de un contrato de tipo anterior.

FORFÍCULA f. *Zool.* Cortapicos, tijereta, insecto.

FORILLO m. Telón pequeño del teatro que se pone detrás del telón de foro en que hay alguna abertura.

FORINT m. Unidad monetaria húngara, vigente desde 1946.

Foque de un velero (vela en rojo)

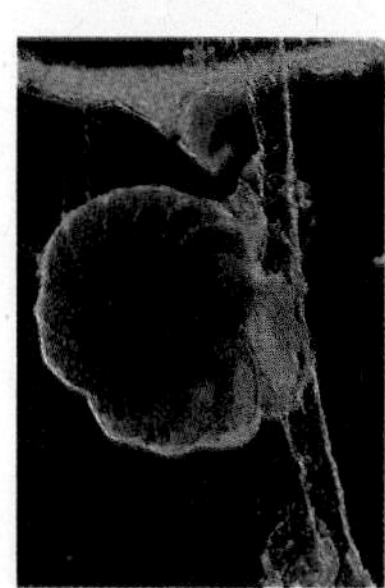

Foraminífero

Modelo Ford T, con el que Henry **Ford** introdujo el montaje en cadena

FORJA f. Fragua del platero. • Ferrería. • Mezcla, argamasa. • **catalana.** La usada antiguamente para la fabricación del hierro, compuesta de un hogar bajo y abierto, una trompa y un martinete. • *Metal.* En la f. se procede por esfuerzos de presión o choque a temperaturas elevadas.
FORJAR tr. *Ind.* Dar la primera forma con el martillo a cualquier pieza de metal. • Fabricar y formar. • fig. Inventar, fingir, fabricar. • fig. Crear algo con esfuerzo. ■ FORJADO, DA; FORJADURA.
FORMA f. Apariencia externa de una cosa. • Manera y modo de proceder en una cosa. • Molde en que se vacía y forma alguna cosa. • Formato de un libro en orden a sus dimensiones de largo y ancho, como folio, cuarto, octavo, etc. • Aptitud, modo y disposición de hacer una cosa. • Calidades de estilo o modo de expresar las ideas. • Especial configuración que tiene la letra o escritura. • Pan ázimo que sirve para la comunión de los legos. • *Arq.* Formero. • *Art. Gráf.* Molde que se pone en la prensa para imprimir una cara de todo el pliego. • *Der.* Requisitos externos o aspectos de expresión en los actos jurídicos. • *Der.* Cuestiones procesales en contraposición al fondo del pleito o causa. • pl. Configuración del cuerpo humano, especialmente los pechos y caderas de la mujer. • **Dar f.** Arreglar lo que estaba desordenado. • Cumplir o ejecutar lo que en principio está acordado hacer. • **De f. que.** fr. conjuntiva que indica consecuencia o resultado. • **En f.** m. adv. Estar en buenas condiciones físicas o de ánimo. ■ FORMATIVO, VA.

Formones

FORMACIÓN f. Educación. • Adiestramiento. • Conjunto de rocas o masas minerales con caracteres geológicos comunes. • Reunión ordenada de un cuerpo de tropas. • **social.** *Econ.* y *Pol.* Término utilizado para designar una totalidad social concreta, entendida como conjunto de articulaciones sociales, políticas y económicas.
FORMAJE m. Molde para hacer quesos.
FORMAL adj. Perteneciente a la forma. • Que tiene formalidad. • Aplícase a la persona seria. • Expreso, preciso, determinado.
FORMALDEHÍDO m. *Quím.* Aldehído de la oxidación del alcohol metílico. Su disolución acuosa al 35-40 % (formol) se emplea como desinfectante y para endurecer y conservar piezas anatómicas.
FORMALETE m. *Arq.* Arco de medio punto.
FORMALIDAD f. Exactitud, puntualidad y consecuencia en las acciones. • Ceremonial en un acto público. • Seriedad, compostura.
FORMALISMO m. Rigurosa observancia de la forma, procedimiento o método. • *Fil.* Tendencia a ocuparse de los caracteres formales de lo real. • *Fil.* Sistema que explica la inteligibilidad de la naturaleza por la forma o leyes del pensamiento. • *Mat.* Tendencia a destacar la estructura con indep. de los significados.
FORMALISTA adj. y s. Díc. del que para cualquier asunto observa con exceso de celo las formas. • Relativo o partidario del formalismo.
FORMALIZACIÓN f. *Lóg.* Reducción de cualquier exp. de un lenguaje a fórmulas mediante unos símb. y unas normas acordadas previamente.
FORMALIZAR tr. Dar la última forma a una cosa. • Revestir una cosa de los requisitos legales. • Dar carácter de seriedad a lo que hasta entonces no lo tenía. • prnl. Ponerse serio.
FORMAR tr. Dar forma. • Juntar y congregar diferentes personas o cosas. • *Mil.* Poner en orden las tropas o soldados. • Criar, educar, adiestrar. • prnl. Adquirir una persona desarrollo y aptitud en lo físico o en lo moral. ■ FORMADOR, RA; FORMATIVO, VA.

La Fornarina, por Rafael y J. Romano. Galería nacional del palacio Barberini, Roma

FORMATEAR tr. *Comp.* Dar un formato o presentación a un documento. • Adaptar un disquete a un formato para que pueda ser grabado y leído.
FORMATO m. Tamaño de un libro, un impreso, una fotografía, etc. • *Comp.* Aspecto que presenta un documento informático. • Descripción estructural de una secuencia de datos donde se especifica el tipo, el largo y la disposición de cada elemento.
FORMENT, ***Damián*** (hacia 1480-1540) Escultor esp. Uno de los prales. artistas del Renacimiento aragonés. Autor de numerosos retablos, como el mayor del Pilar (1509-1515) y el del monasterio de Poblet (1527-1529).
FORMENTERA Isla de las Baleares, al S de Ibiza; 76,9 km², 4 700 hab. Centro turístico.
FORMENTOR, ***Cabo*** Extremidad septentrional de la isla española de Mallorca (prov. de Baleares).
FORMERO m. *Arq.* Cada uno de los arcos en que descansa una bóveda vaída.
FORMIATO m. *Quím.* Sal que se obtiene de la combinación del ácido fórmico con una base.
FORMICA f. Nombre de una marca registrada que ha pasado a designar cierto tipo de material plástico empleado para revestimiento de maderas.
FORMICANTE adj. Propio de hormiga. • Lento.
FORMICÁRIDO, DA adj. y s. *Zool.* Díc. de aves de la familia formicáridos. • m. pl. *Zool.* Familia de aves paseriformes de pequeño tamaño y plumaje no muy vistoso, distribuidas por las zonas de selva y maleza desde el S de México hasta el N de Argentina.
FORMÍCIDO, DA adj. y m. *Zool.* Díc de los himenópteros de la familia formícidos. • m. pl. Familia de himenópteros aculeados a la que pertenecen las hormigas.
FORMICÍVORO, RA adj. y s. Díc. de los animales que se alimentan de hormigas.
FÓRMICO adj. *Quím.* Díc. del ácido metanoico. Es un líquido incoloro, de olor irritante, presente en abejas, hormigas, ortigas, etc., siendo la causa de la acción alergénica de estos organismos. Se emplea en la ind. del caucho y en tintorería.
FORMIDABLE adj. Muy temible y que infunde asombro. • Excesivamente grande. • Muy bueno.
FORMIDOLOSO, SA adj. Que tiene mucho miedo. • Espantoso, que impone miedo.
FORMILO m. *Quím.* Radical orgánico, derivado del ácido fórmico por separación del grupo oxhidrilo.
FORMOL m. *Quím.* Disolución acuosa de formaldehído, aproximadamente al 40 %.
FORMÓN m. *Carp.* Instrumento semejante al escoplo, pero más ancho de boca y menos grueso. • Sacabocados con que se cortan las hostias y otras cosas de figura circular.
FORMOSA Nombre de origen port. difundido en Occidente para designar a la isla china de Taiwan.
FORMOSA Prov. del N de Argentina, en la región del Chaco, entre los r. Pilcomayo, Bermejo y Paraguay; 72 066 km², 404 367 hab. Cap., Formosa. C. prales.: Clorinda y San Francisco del Laishi. El r. Paraguay constituye su pral. vía de comunicación. Terreno llano y boscoso. Clima cálido. La pob. comprende un reducido núm. de indígenas (tobas, mocovíes). Ind. maderera y cultivos de algodón. • C. de Argentina, cap. de la prov. hom.; 165 700 hab. Ganadería . Ind. maderera y alimentaria. Aeropuerto y puerto fluvial del r. Paraguay, que comunica con Buenos Aires y Asunción. Fundada en 1878.
FÓRMULA f. Medio práctico propuesto para resolver un asunto controvertido o ejecutar una cosa difícil. • Resultado de tipo general expresado por medio de símb. matemáticos. • Receta para confeccionar algún producto. • *Aut.* Categoría de automóviles monoplaza de competición. • *Quím.* Representación simbólica de la molécula de una sustancia.
* *Quím.* Las *f. de composición* constan de los símb. de los elementos, afectados de subíndices que indican el número de átomos de los mismos que componen la molécula, sin expresar nada respecto al modo de agrupación. Las *f. de constitución* expresan además, los enlaces por medio de puntos o trazos, pero sin indicar su disposición espacial, cosa que hacen las *f. estereoquímicas*, diferenciando, por medio de trazos continuos, los enlaces de las partes situadas sobre el plano del papel, y líneas de puntos los que quedan por debajo.
FORMULACIÓN f. Conjunto de normas que sirven para escribir correctamente las fórmulas químicas. • Exp. de distintas reacciones químicas que pueden tener lugar simultáneamente y en estrecha dependencia entre sí.
FORMULAR adj. Relativo a la fórmula: que tiene cualidades de fórmula. • tr. Reducir a términos claros y precisos un mandato, una proposición o un cargo. • Recetar. • Expresar, manifestar.
FORMULARIO, RIA adj. Relativo a las fórmulas o al formulismo. • Díc. de lo que se hace por fórmula, cubriendo las apariencias. • m. Libro o escrito en que se contienen fórmulas que se han de observar para la petición, expedición o ejecución de algunas cosas.
FORMULISMO m. Excesivo apego a las fórmulas. • Tendencia a preferir la apariencia de las cosas a su esencia. ■ FORMULISTA.

FORNARINA, *Margherita Luti*, llamada LA. Joven romana. Fue modelo y amante de Rafael de 1509 a 1511.
FÓRNAX *Astr.* Constelación austral, de una región pobre en estrellas brillantes, que contiene un vasto sistema de galaxias, sólo visible en fotografías.
FORNELO m. Chofeta manual de hierro que sirve para hacer el chocolate.
FORNER, ***Juan Pablo*** (1756-1798) Erudito y escritor esp. Su tradicionalismo extremo se manifiesta en *Exequias de la lengua castellana* y *Oración apologética por España y su mérito literario.* • ***Raquel*** (nacida 1902) Pintora arg. Medalla de Oro en la Exposición Internacional de Bellas Artes de París (1937). *Ritmos, Tarot, Transmutación.*
FORNÉS, ***Rosita*** (nacida 1923) Actriz cub. Protagonista de zarzuelas, revistas, películas y obras de teatro. En 1983 interpretó la película *La permuta.*
FORNICAR intr. y tr. Tener ayuntamiento o cópula carnal fuera del matrimonio. ■ FORNICACIÓN; FORNICARIO, RIA; FORNICIO.
FORNIDO, DA adj. Robusto y de mucho hueso.
FORNITURA f. Piezas de repuesto de un reloj o de otro mecanismo de precisión. • Conjunto de botones, adornos, etc., usados en la confección de prendas de vestir. • *Mil.* Correaje y cartuchera que usan los soldados. Se usa más en pl.
FÓRNIX m. *Anat.* Espacio en forma de bóveda o arco.
FORO m. Plaza donde se trataban en Roma los negocios públicos y donde el pretor celebraba los juicios. • P. ext., sitio en que los tribunales oyen y determinan las causas. • Ejercicio de la abogacía y práctica de los tribunales. • Parte del escenario opuesta a la embocadura.
FOROFO, FA adj. y s. fam. Fanático, hincha incondicional.
FORONÍDEO, A adj. y m. *Zool.* Díc. de animales de la familia foronídeos. • m. pl. *Zool.* Clase de invertebrados marinos del tipo lofoforados, de long. entre 1 y 15 cm. Viven alojados en tubos de sustancia quitinoide, segregados por ellos mismos, por los que asoma el extremo anterior, provisto de tentáculos, formando una doble corona de brazos espirales.
FORRACIÓN f. Procedimiento para reforzar y hacer flexibles las pinturas sobre lienzo.
FORRAJE m. Verde que se da al ganado. • Pienso de cualquier clase. ■ FORRAJEADOR, RA; FORRAJEAR; FORRAJERO, RA.
FORRAJERA f. Red y cuerda que los soldados de caballería ligera llevaban cuando iban a forrajear. • Cinturón o faja que usan ciertos regimientos montados con el uniforme de gala.
FORRAR tr. Poner forro a una cosa. • prnl. fam. Enriquecerse.
FORRO m. Abrigo, defensa o cubierta con que se reviste una cosa por la parte interior o exterior. • Cubierta de libro. • *Cuba.* Trampa, engaño. • *Chile.* Disposición, aptitud. • *Mar.* Conjunto de tablones con que se cubre el esqueleto del buque. • **Ni por el f.** exp. fig. y fam. con que se denota que alguno desconoce completamente una cosa.
FORSTER, ***Edward Morgan*** (1879-1970) Escritor ing. *El viaje más largo, Una habitación con vistas, Pasaje para la India.*
FORT, ***Paul*** (1872-1960) Poeta y dramaturgo simbolista fr. Fundó el Teatro de Arte (1890) y la revista *Verso y prosa* (1905). *Baladas francesas.*
FORT Wayne C. y puerto fluvial de EE UU, en el est. de Indiana, junto al r. Maumee, tributario del lago Erie; 178 000 hab. Refinería de petróleo. • **Worth** C. de EE UU, en el est. de Texas; 393 500 hab. Ind. automovilística, aeronáutica y refinerías de petróleo. Junto con Dallas constituye una conurbación.
FORTACHÓN, NA adj. fam. Recio y fornido.
FORTALECIMIENTO m. Lo que hace fuerte un sitio o pob., como muros, torres, etc.
FORTALEZA f. Fuerza y vigor. • Virtud cardinal que consiste en vencer el temor y huir de la temeridad. • Recinto fortificado. ■ FORTALECER.
FORTALEZA C. y puerto de Brasil, cap. del est. de Ceará; 1 758 000 hab. Ind. textil, alimentaria y química. Refinería de petróleo y pesca de langosta.
FORT-DE-FRANCE Cap. de la Martinica (Antillas francesas); 100 700 hab. Puerto. Ind. ligeras.
FORTE (voz it.) adv. modo y m. *Mús.* Indicación que señala una ejecución fuerte en el sonido.
¡FORTE! Voz de mando con que se manda hacer alto en las faenas marineras.
FORTEPIANO m. *Mús.* Piano.
FORTH Río de Escocia; 106 km. Nace en los montes Grampianos y desemboca en el mar del Norte (estuario de *Firth of Forth*).
FORTIFICACIÓN f. Conjunto de obras con que se fortifica un sitio. • Arquitectura militar.
FORTIFICAR tr. Dar vigor y fuerza material o moral. • tr. y prnl. Hacer fuerte con obras de defensa un lugar para resistir los ataques del enemigo.
FORTÍN m. Una de las obras que se levantan en los atrincheramientos de un ejército. • Fuerte pequeño.
FORTÍN Magaña, ***Romeo*** (1890-1966) Abogado y escritor salv. *La democracia, Inquietudes de un año memorable, Elevación.*
FORTISSIMO (voz it.) adv. modo y m. *Mús.* Indicación que señala una ejecución lo más intensa posible.
FORT-LAMY Nombre hasta septiembre 1973 de la cap. de Chad, → N'Djamena.
FORTRAN m. Lenguaje de proceso de datos que guarda una estrecha semejanza con el lenguaje aritmético.
FORTUITO, TA adj. Que sucede accidental y casualmente.
FORTUNA f. Suerte favorable. • Encadenamiento de los sucesos, considerado como fortuito. • Circunstancia casual de personas y cosas. • Hacienda, capital.
FORTUNA *Mit.* Diosa romana de la felicidad y del azar identificada con la Tique griega.
FORTUNY i Marsal, ***Marià*** (1838-1874) Pintor esp. De depurada técnica, su obra maestra es *La Vicaría. Batalla de Wad-Ras, Odalisca.*
FORÚNCULO m. *Pat.* Infección y necrosis del conjunto formado por el folículo piloso, glándula sebácea y tejido conjuntivo circundante. Muy doloroso.
FORUNCULOSIS f. *Pat.* Estado caracterizado por la aparición de forúnculos.
FORZADO, DA adj. Ocupado o retenido por fuerza. • No espontáneo. • m. Galeote condenado a servir al remo en las galeras. • **Oscilación f.** *Electr.* Oscilación inducida en un circuito ajustado a una frecuencia distinta de la frecuencia de la oscilación.
FORZAL m. Banda maciza de donde arrancan las púas de un peine.
FORZAR tr. Hacer fuerza o violencia. • Violar a alguien. • Tomar u ocupar por fuerza. • Deformar, exagerar un relato, una explicación, etc. • tr. y prnl. fig. Obligar a que se ejecute una cosa. ■ FORZADOR; FORZAMIENTO.
FORZOSO, SA adj. Inevitable, necesario.
FORZUDO, DA adj. Que tiene grandes fuerzas.
FOSA f. Sepultura, enterramiento. • Excavación profunda. • Cada una de ciertas cavidades del cuerpo humano (f. nasal, f. navicular, etc.). • **abisal.** *Geog.* Depresión alargada y estrecha de los océanos de varios miles de metros de profundidad. • **séptica.** Depósito destinado a la desintegración de las materias orgánicas contenidas en las aguas negras. • **tectónica.** *Geog.* Depresión de la corteza terrestre limitada por dos fallas importantes o dos sistemas de fallas en escaleras.
FOSAL m. Cementerio.
FOSAR tr. Hacer foso alrededor de una cosa.
FOSCO, CA adj. Hosco. • De color oscuro.
FOSCOLO, ***Ugo*** (1778-1827) Poeta it., autor de odas vibrantes. Su novela *Las últimas cartas de Jacobo Ortis* influyó en los movimientos revolucionarios y románticos del s. XIX.
FOSFAMINA f. *Quím.* Combinación hidrogenada del fósforo. Gas incoloro, su inflamación espontánea en el aire constituye los fuegos fatuos.
FOSFATADO, DA adj. Que tiene fosfato.
FOSFATAR tr. *Agr.* Abonar con fosfato las tierras de labranza. • *Metal.* Cubrir la superficie de un metal con una capa de fosfatos para protegerlo de los agentes externos.
FOSFATASA f. *Biol.* Enzima que degrada los monoésteres del ácido fosfórico.
FOSFÁTIDO m. Combinación química relacionada con las grasas.

Vista parcial del **foro** de Roma

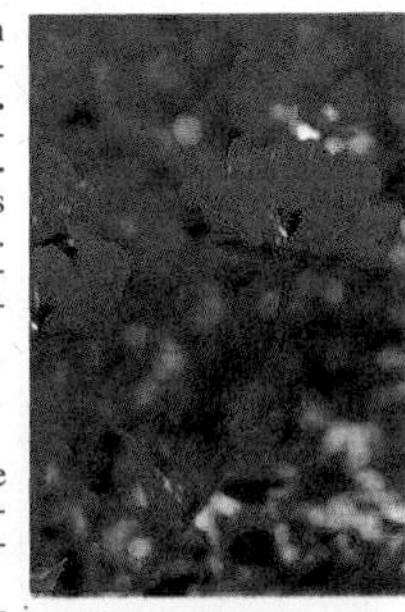

Flores de cuernecillo, planta leguminosa cultivada como **forraje**

Seudomalaquita o fósforocalcita, **fosfato** hidratado de cobre

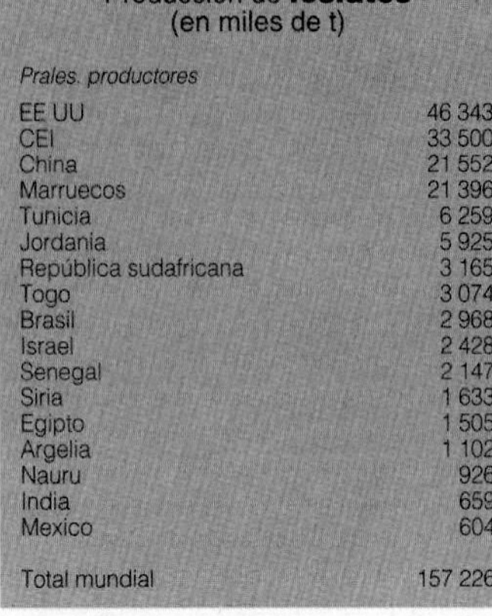
Producción de **fosfatos** (en miles de t)

Prales. productores	
EE UU	46 343
CEI	33 500
China	21 552
Marruecos	21 396
Tunicia	6 259
Jordania	5 925
República sudafricana	3 165
Togo	3 074
Brasil	2 968
Israel	2 428
Senegal	2 147
Siria	1 633
Egipto	1 505
Argelia	1 102
Nauru	926
India	659
Mexico	604
Total mundial	157 226

FOSFATO m. *Quím.* Sal o éster de un ácido fosfórico, especialmente del ortofosfórico. Los f. de origen mineral y los producidos industrialmente son importantes como abonos. ■ FOSFÁTICO, CA.

FOSFATURIA f. *Med.* Pérdida abundante de fosfatos por la orina.

FOSFENO m. Sensación visual producida por la excitación mecánica de la retina o por una presión sobre el globo ocular.

FOSFITO m. *Quím.* Sal formada por el ácido fosforoso y una base.

FOSFOLÍPIDO m. En bioquímica, grasa que contiene nitrógeno, ácido fosfórico y una base nitrogenada (por ej., la lecitina).

FOSFOPROTEIDO m. Albuminoide cuyo grupo prostético es el ácido fosfórico. Los f. son insolubles en el agua y solubles en los álcalis.

FOSFORAR tr. Añadir o mezclar una sustancia con fósforo.

FOSFORECER intr. Manifestar fosforescencia o luminiscencia. ■ FOSFORESCENTE.

FOSFORESCENCIA f. Propiedad que tienen algunas sustancias de mostrarse luminosas, incluso varias horas después de cesar la excitación.

FOSFORESCER intr. Fosforecer.

FOSFORILACIÓN f. Reacción bioquímica que conduce a la formación de energía química que se acumula en los enlaces de las moléculas de ATP.

FOSFORISMO m. Intoxicación por el fósforo, que provoca trastornos digestivos seguidos de alteraciones hepáticas.

FOSFORITA f. *Geol.* Roca sedimentaria de color blanco amarillento, formada por fosfatos, que se emplea como abono.

FÓSFORO m *Quím.* Elemento químico de símb. P, n. a. 15 y p. a. 30,975. Es un no metal de la familia del nitrógeno. Se encuentra en abundancia en minerales, de los cuales la fosforita y los distintos tipos de apatito son los más comunes, así como en todas las materias vivas. • **blanco.** Sólido blanco translúcido, fosforescente, que puede inflamarse a 30 °C. Sus vapores son venenosos. ■ FOSFORERO, RA; FOSFÓRICO, CA; FOSFOROSO, SA.

FOSFOROSCOPIO m. *Fís.* Instrumento que se utiliza para saber si un cuerpo es fosforescente.

FOSFURO m. *Quím.* Compuesto resultante de la unión de fósforo con el hidrógeno o con un metal.

FOSGENO m. *Quím.* Producto resultante de la combinación, a la luz solar, de cloro y monóxido de carbono. Gas incoloro de olor sofocante.

FÓSIL m. Restos mineralizados de un organismo de épocas geológicas pasadas, que se encuentran en la corteza terrestre. Su estudio ha aportado pruebas consistentes a la teoría de la evolución. • fig. y fam. Viejo, anticuado. ■ FOSILÍFERO, RA.

FOSILIZACIÓN f. Acción y efecto de fosilizarse. • *Geol.* Sustitución de la materia orgánica por materia mineral, conservándose la mayor parte de las características anatómicas y morfológicas del primitivo organismo.

FOSILIZARSE prnl. Convertirse en fósil un cuerpo orgánico. • fig. y fam. Encasillarse en una situación, trabajo, etc., sin evolucionar.

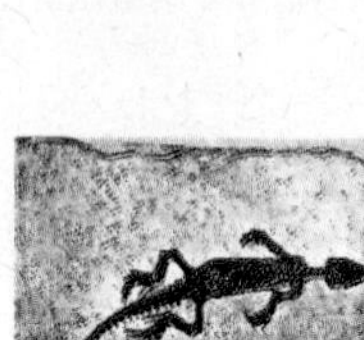

Fósiles. Arriba, saurio *Kallimodon pulchellus*; abajo, pez *Dapedius punctatus*

Torre de Collserola (Barcelona) obra de Norman **Foster**

FOSO m. Hoyo. • En los teatros, piso inferior del escenario. • En los garajes y talleres mecánicos, excavación que permite arreglar cómodamente desde abajo la máquina colocada encima. • Excavación profunda que circunda una fortaleza.

FOSTER, *Norman* (nacido 1935) Arquitecto brit. Centro de la Radio (Londres), torre de Collserola (Barcelona), metro de Bilbao, edificio del Reichstag (Berlín). Premio Pritzker (1999).

FOTINO de Sirmio (s. IV) Hereje griego. Afirmó que Cristo era de naturaleza humana y que la divinidad le fue dada por Dios.

FOTO Afijo que significa *luz.* • f. Apócope de fotografía.

FOTOBIOGÉNESIS f. Emisión de luz por algunos seres vivos.

FOTOCÁTODO m. Cátodo que emite electrones mediante la incidencia de un haz de luz.

FOTOCÉLULA f. *Ing.* Aparato consistente en una superficie fotosensible emisora de electrones y un colector, mantenido a un potencial positivo respecto del emisor, que los recoge.

FOTOCINESIS f. Movimiento de algunos organismos en respuesta a estímulos luminosos.

FOTOCOMPOSICIÓN f. *Art. Gráf.* Sistema de composición de tipos de imprenta mediante la proyección de imágenes luminosas de las letras.

FOTOCONDUCTIVIDAD f. Conductividad variable propia de los cuerpos fotoconductores.

FOTOCONDUCTOR, RA adj. y m. Díc. de los cuerpos cuya conductibilidad eléctrica varía según la intensidad de la luz que los ilumina.

FOTOCOPIA f. Fotografía obtenida directamente sobre el papel. ■ FOTOCOPIADOR, RA; FOTOCOPIAR.

FOTOCROMÍA f. *Art. Gráf.* Procedimiento de impresión en colores.

FOTOCROMO *Art. Gráf.* Película impresa en colores → fotocromía.

FOTOELECTRICIDAD f. Electricidad producida por la acción de la luz u otras radiaciones electromagnéticas sobre ciertas sustancias.

FOTOELÉCTRICO, CA adj. *Fís.* Relativo a la fotoelectricidad. • Díc. de los aparatos en que se utiliza dicha acción. • **Efecto f.** *Fís.* Flujo de electrones que emiten ciertas sustancias por acción de una radiación electromagnética.

FOTOELECTRÓN m. *Fís.* Electrón emitido por efecto fotoeléctrico.

FOTOEMISOR, RA adj. y m. *Fís.* Que emite electrones por la acción de flujos luminosos.

FOTOFIJA f. Fotografía de alguna escena de un filme, que se toma durante el rodaje para su difusión publicitaria.

FOTÓFILO, LA adj. Relativo a las plantas que habitan lugares soleados.

FOTOFOBIA f. Imposibilidad de tolerar la luz. ■ FOTÓFOBO, BA.

FOTÓFONO m. *Fís.* Instrumento que sirve para transmitir el sonido por medio de la luz.

FOTOFORESIS f. Migración de partículas suspendidas bajo la influencia de la luz.

FOTOFOSFORILACIÓN f. Proceso de formación de enlaces de alta energía (moléculas de ATP) como resultado del paso de energía luminosa radiante (fotones) a energía química.

FOTOGENIA f. Propiedad de las personas, objetos o ambientes, adecuados para proporcionar imágenes de calidad estética.

FOTOGÉNICO, CA adj. Que favorece la acción química de la luz. • Díc. de lo que tiene buenas condiciones para ser reproducido por la fotografía.

FOTÓGENO, NA adj. Relativo al objeto u organismo emisor de luz.

FOTOGEOLOGÍA f. Método de investigación geológica basado en el estudio de fotografías aéreas.

FOTOGRABADO m. *Art. Gráf.* Procedimiento fotográfico para reproducir letras o imágenes sobre planchas metálicas. • *Art. Gráf.* Plancha grabada con este procedimiento, y lámina impresa con ella.

FOTOGRAFÍA f. Procedimiento de reproducción de las imágenes que se forman en una cámara oscura, basado en la propiedad fotoquímica que tiene la luz de ennegrecer las sales de plata. • Imagen obtenida por este medio. ■ FOTOGRAFIAR; FOTOGRÁFICO, CA; FOTÓGRAFO, FA.

FOTOGRAFÍA

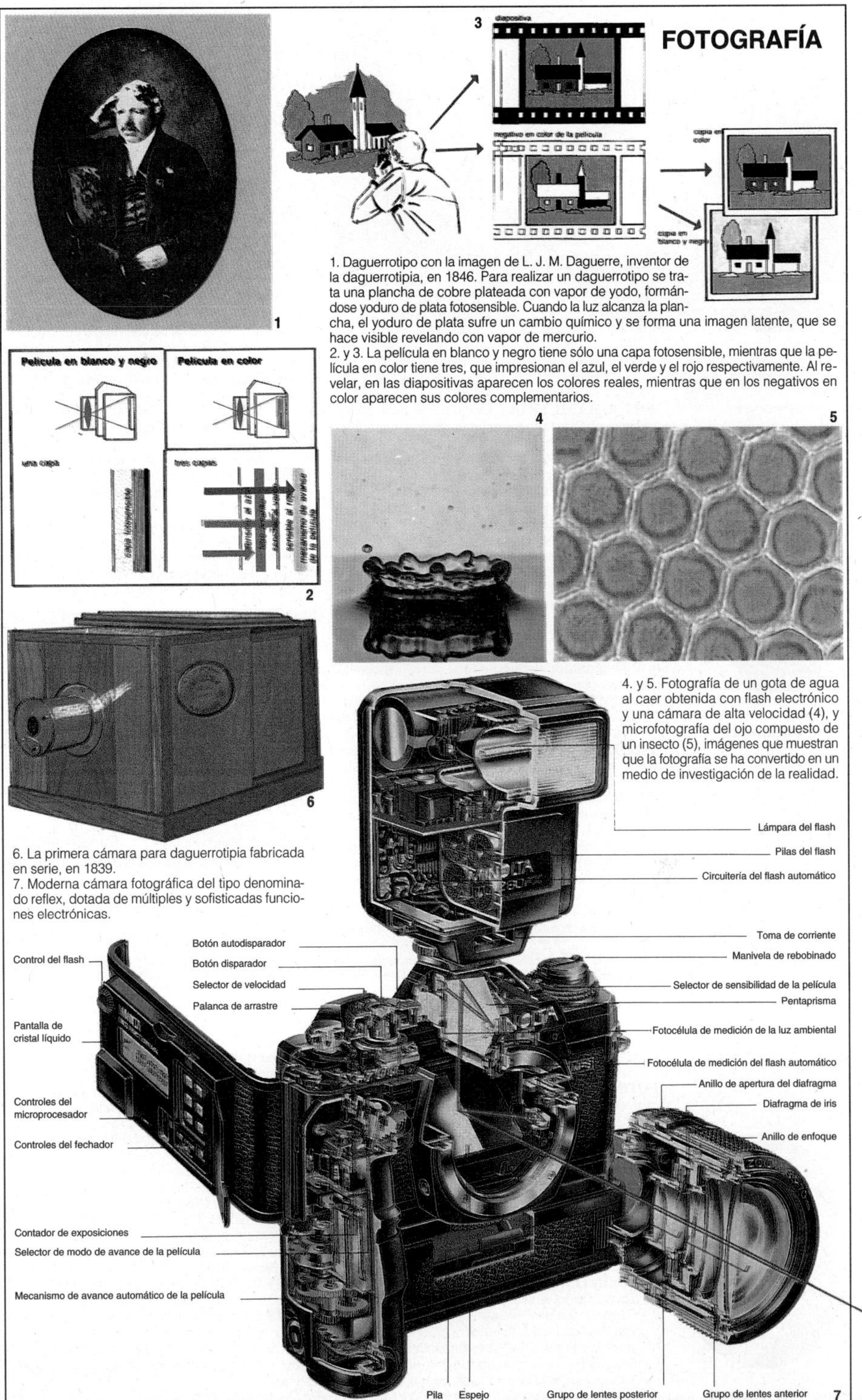

1. Daguerrotipo con la imagen de L. J. M. Daguerre, inventor de la daguerrotipia, en 1846. Para realizar un daguerrotipo se trata una plancha de cobre plateada con vapor de yodo, formándose yoduro de plata fotosensible. Cuando la luz alcanza la plancha, el yoduro de plata sufre un cambio químico y se forma una imagen latente, que se hace visible revelando con vapor de mercurio.

2. y 3. La película en blanco y negro tiene sólo una capa fotosensible, mientras que la película en color tiene tres, que impresionan el azul, el verde y el rojo respectivamente. Al revelar, en las diapositivas aparecen los colores reales, mientras que en los negativos en color aparecen sus colores complementarios.

4. y 5. Fotografía de un gota de agua al caer obtenida con flash electrónico y una cámara de alta velocidad (4), y microfotografía del ojo compuesto de un insecto (5), imágenes que muestran que la fotografía se ha convertido en un medio de investigación de la realidad.

6. La primera cámara para daguerrotipia fabricada en serie, en 1839.

7. Moderna cámara fotográfica del tipo denominado reflex, dotada de múltiples y sofisticadas funciones electrónicas.

Fotograma del filme *Único testigo*, del realizador australiano Peter Weir

Fotómetro

Representación esquemática del proceso de **fotosíntesis** clorofílica

Joseph **Fouché**

FOTOGRAMA m. Cualquiera de las imágenes que constituyen una película cinematográfica. • Fotografía obtenida mediante un aparato de toma fotométrica.
FOTOGRAMETRÍA f. Conjunto de técnicas que permiten hallar las dimensiones reales de un objeto utilizando fotografías del mismo.
FOTÓLISIS f. Proceso de rompimiento de las moléculas por la acción de la luz.
FOTOLITO m. Cliché fotográfico que reproduce el original sobre película o soporte transparente.
FOTOLITOGRAFÍA f. *Art. gráf.* Procedimiento para fijar imágenes en una plancha mediante la acción química de la luz. ■ FOTOLITOGRAFIAR; FOTOLITOGRÁFICO, CA.
FOTOLUMINISCENCIA f. *Fís.* Emisión de luz como consecuencia de la absorción previa de una radiación.
FOTOMECÁNICO, CA adj. *Art. Gráf.* Díc. de los procesos que se desarrollan en el fotograbado, y de la impresión tipográfica que se realiza con las planchas obtenidas con ellos.
FOTOMETRÍA f. Parte de la óptica, que trata de las leyes relativas a la intensidad de la luz y de los métodos para medirla.
FOTÓMETRO m. Instrumento utilizado para medir la intensidad de un foco luminoso. ■ FOTOMÉTRICO, CA.
FOTOMONTAJE m. Procedimiento consistente en yuxtaponer fotografías para obtener un conjunto armónico.
FOTÓN m. *Fís.* Cuanto de energía electromagnética. Es una partícula sin masa cuya energía depende de la frecuencia de la onda de la que el f. es el cuanto. ■ FOTÓNICO, CA.
FOTONASTIA f. Movimiento de crecimiento de los vegetales producido como respuesta a un estímulo luminoso.
FOTONOVELA f. Narración constituida por una sucesión de fotografías con textos explicativos o diálogos, a la manera de los cómics.
FOTOPERIODICIDAD f. Respuesta de las plantas a la duración relativa del día y de la noche.
FOTOPERIODO m. Número de horas de luz que ha de recibir diariamente una planta para que se produzca la floración.
FOTOQUÍMICA f. Estudio de los efectos químicos causados por las relaciones entre la materia y la luz.
FOTORREACTIVACIÓN f. *Biol.* Fenómeno de regeneración de las colonias bacterianas, destruidas por radiaciones ultravioleta, al ser expuestas a la luz.
FOTORRECEPTOR adj. y m. Díc. del órgano de los sentidos receptores de estímulos luminosos.
FOTOSENSIBLE adj. Sensible a las radiaciones luminosas.
FOTOSFERA f. Capa solar de la que procede la casi totalidad de la radiación electromagnética visible en luz blanca.
FOTOSÍNTESIS f. *Biofís.* Proceso mediante el cual las plantas verdes sintetizan sustancias complejas, ricas en energía, a partir de dióxido de carbono, agua y pequeñas cantidades de minerales, aprovechando la energía de la luz solar, absorbida por la clorofila. Gracias a la f. se sintetizan anualmente unas 3×10^{11} t de glucosa sobre la tierra a partir de unas 4×10^{11} t de dióxido de carbono. ■ FOTOSINTÉTICO, CA.
FOTOTAXIA f. *Biol.* Movimiento de los seres vivos como respuesta a un estímulo luminoso.
FOTOTECA f. Archivo de fotografías.
FOTOTELEGRAFÍA f. Transmisión a distancia de imágenes fijas mediante teléfono o telégrafo.
FOTOTERAPIA f. *Med.* Método de curación de las enfermedades por la acción de la luz.
FOTOTIPIA f. *Art. Gráf.* Procedimiento de reproducir clichés fotográficos sobre una capa de gelatina, con bicromato, extendida sobre cristal o cobre, y arte de estampar esas reproducciones. • *Art. Gráf.* Lámina estampada por este procedimiento. ■ FOTOTÍPICO, CA.
FOTOTIPOGRAFÍA f. *Art. Gráf.* Método de preparación de planchas de imprenta mediante el fotograbado. ■ FOTOTIPOGRÁFICO, CA.
FOTOTROPISMO m. *Bot.* Tropismo producido por estímulo de la luz.
FOTOVOLTAICO, CA adj. *Fís.* Que genera energía eléctrica bajo la acción de un flujo luminoso. • **Efecto f.** *Fís.* Aparición de una fuerza electromotriz cuando se establece un contacto entre un electrodo y un electrólito o entre un metal y un semiconductor.
FOUCAULT, ***Léon*** (1819-1868) Físico fr. Inventó el giroscopio y el telescopio con prisma de reflexión total. Descubrió las corrientes eléctricas parásitas de los cuerpos conductores sometidos a campos magnéticos variables y demostró el mov. de rotación de la Tierra. • ***Michel*** (1926-1984) Filósofo fr., representante del estructuralismo. Expuso que la cultura occidental ha aislado, históricamente, todo lo que la diferencia de sí misma. *Las palabras y las cosas, Vigilar y castigar. Nacimiento de la prisión.*
FOUCHÉ, ***Joseph*** (1759-1820) Político fr. Dirigió la conspiración contra Robespierre. Fue ministro de Policía en el Directorio, con Napoleón y con Luis XVIII, a cuya restauración en el trono contribuyó.

Paneles de células **fotovoltaicas** en un avión ultraligero experimental

FOULARD (voz fr.) m. Fular.
FOUQUET, ***Jean*** (h. 1420-h. 1477) Pintor y miniaturista fr. Autor de una obra maestra de la miniatura, el *Libro de Horas* de Étienne Chevalier.
FOURIER, ***Charles*** (1772-1837) Teórico fr. del socialismo utópico. Crítico severo de la economía contemporánea, de la industrialización y de la civilización urbana, propuso la creación de unas unidades de producción y consumo, las *falanges*, que habitarían en un gran recinto, el *falansterio*, y estarían basadas en un cooperativismo integral y autosuficiente. • ***Jean-Baptiste-Joseph*** (1768-1830) Físico y matemático fr. Introdujo las series trigonométricas, hoy llamadas series de F., de gran aplicación a los movimientos vibratorios y ondulatorios.
FOX m. Abrev. de → *fox trot*.
FOX Quesada, ***Vicente*** (nacido 1942) Político mex. Líder del Partido de Acción Nacional (PAN), en 1995 fue elegido gobernador del estado de Guanajuato y en 2000 obtuvo la victoria en las elecciones presidenciales.
FOX-TERRIER (voz ingl.) m. Perro de caza ing., tamaño mediano y pelo corto; útil para la caza.
FOX-TROT (voz ing.) m. Baile de origen anglosajón de ritmo binario.
FPLP Siglas de Frente Popular de Liberación de Palestina. → Organización para la Liberación de Palestina.
Fr *Quím.* Símb. del francio.

FRA Angelico → Angelico. • **Diavolo** Seud. de *Michele Pezza* (1771-1806) Jefe de bandidos it. Luchó al servicio de los Borbones. Murió ahorcado en Nápoles.
FRAC m. Chaqueta masculina de ceremonia que por delante llega a la cintura y por detrás tiene dos faldones largos.
FRACASADO, DA adj. y s. Díc. de la persona que no ha conseguido realizar sus aspiraciones.
FRACASAR intr. Romperse una cosa. • fig. Frustrarse. • Tener un resultado adverso en un negocio.
FRACASO m. Caída o ruina de una cosa con estrépito y rompimiento. • fig. Suceso lastimoso. • Resultado adverso de una empresa.
FRACASTORO, *Girolamo* (1478-1533) Médico y humanista it. Célebre por su poema didáctico *Syphilis sive de morbo gallico*, que dio nombre a esta enfermedad. *De contagione et contagiosis morbis*.
FRACATÁN m. *P. Rico.* y *Rep. Dom.* Acumulación de personas, cosas, ideas, etc.
FRACCIÓN f. División de una cosa en partes. • Cada una de las partes con relación al todo. • *Mat.* Número quebrado. • **decimal.** *Mat.* Aquella cuyo denominador es la unidad seguida de ceros.
FRACCIONAR tr. y prnl. Dividir una cosa en partes o fracciones.
FRACCIONARIO, RIA adj. Relativo a la fracción de un todo. • adj. y s. No entero. Se emplea especialmente en matemáticas. • **Número f.** *Mat.* Número quebrado.
FRACTURA f. Lugar por donde se rompe un cuerpo. • Falla. • *Med.* Rotura de un hueso. Las f. se manifiestan con dolor, impotencia funcional y equimosis. Su tratamiento consta de tres fases: reducción, con colocación de los fragmentos en su posición correcta; inmovilización con vendaje de yeso, colocación de clavos, etc., y la recuperación funcional.

La invención de la Santa Cruz. Detalle de los frescos de Piero della **Francesca** en la Iglesia de San Francisco, Arezzo, Italia

FRACTURAR tr. y prnl. Romper o quebrantar con esfuerzo una cosa. Se aplica corrientemente a huesos o miembros del cuerpo.
FRAGA f. Frambuesa. • Breñal. • Madera que se corta de las piezas en la primera labra.
FRAGA Iribarne, *Manuel* (nacido 1922) Político esp. Ministro de Información y Turismo (1962-1969). A la muerte de Franco fue nombrado ministro de Gobernación (1975-1976). Fundador y secretario general del partido conservador Alianza Popular, posteriormente Partido Popular. En 1990 fue nombrado presidente de la Xunta de Galicia tras ganar las elecciones gallegas de 1989.
FRAGANCIA f. Olor suave y delicioso. ■ FRAGANTE.
FRAGATA f. Ant. velero de guerra. • Actualmente, pequeño buque de guerra con misiones de patrulla y escolta. • *Zool.* Rabihorcado.
FRÁGIL adj. Quebradizo. • fig. De naturaleza débil.
FRAGILIDAD f. Propiedad que poseen los cuerpos cuando al ser sometidos a un choque se rompen sin deformación plástica previa.
FRAGMENTAR tr. y prnl. Fraccionar, reducir a fragmentos.
FRAGMENTO m. Parte de algunas cosas quebradas o partidas. • fig. Escrito incompleto. ■ FRAGMENTARIO, RIA.
FRAGOR m. Ruido, estruendo.
FRAGOSIDAD o **FRAGURA** f. Aspereza y espesura de los montes. • Camino o terreno lleno de asperezas y breñas.
FRAGOSO, SA adj. Áspero, intrincado. • Ruidoso, estrepitoso.

Fox-terrier

Fragata

FRAGRANTE adj. Fragante.
FRAGUAf. *Metal.* Hogar para calentar las piezas antes del forjado. • Taller donde está el horno y se trabaja el hierro a golpes de martillo.
FRAGUADO, DA adj. Díc. del conglomerante endurecido. • Díc. del metal que ha sido sometido a la fragua. • m. Fenómeno químico que consiste en el endurecimiento de los aglomerantes sin que puedan ablandarse nuevamente.
FRAGUAR tr. Forjar metales. • intr. Endurecerse un conglomerante, como cal, yeso o cemento, debido a ciertos fenómenos físicos y químicos entre sus componentes. • fig. Maquinar un lío, embuste, etc. ■ FRAGUADOR, RA.
FRAILADA f. fam. Acción grosera cometida por un fraile.
FRAILE m. Nombre que se da a los religiosos de ciertas órdenes. • fam. Monje de cualquier orden. • *Art. Gráf.* Parte del papel donde no se señala el molde al hacer la impresión. ■ FRAILERÍA.
FRAILECILLO m. Avefría. • Ave caradriforme, característica por su pico triangular. • *Cuba.* Arbusto euforbiáceo de flores olorosas, pequeñas y blancas.
FRAILECITO m. *Amér. Centr.* y *Merid.* Nombre genérico de una familia de aves caradriformes. • *Amér. Merid.* Nombre genérico de ciertos mamíferos primates de pequeñas dimensiones.
FRAILEJÓN m. *Amér.* Planta que crece en los páramos y que produce una resina muy apreciada.
FRAILÍA f. Estado de clérigo regular.
FRAILILLOS m. pl. Arisaro, planta.
FRAMBESIA f. *Pat.* Enfermedad tropical producida por el *Treponema pertenue*.
FRAMBUESA f. Fruto del frambueso, de sabor agridulce muy agradable.
FRAMBUESO m. Planta de la familia rosáceas cuyo fruto es la frambuesa.
FRANCA C. de Brasil, en el est. de São Paulo; 86 900 hab. Ind. alimentaria.
FRANCACHELA f. fam. Comida a la que concurren varias personas con ánimo de divertirse. • Juerga, reunión alegre y desordenada.
FRANCALETE m. Correa con hebilla en un extremo.
FRANCE, *Anatole*, seud. de *François-Anatole Thibault* (1844-1924) Novelista fr. Satirizó la sociedad de su época. *El crimen de Silvestre Bonnard, La isla de los pingüinos, La rebelión de los ángeles.* Premio Nobel de Literatura (1921).
FRANCE-PRESSE Agencia informativa fr., una de las prales. del mundo (siglas AFP).
FRANCÉS, SA adj. y s. De Francia. • m. *Ling.* Lengua que se habla en Francia y en otros países. • **Despedirse a la f.** Irse sin despedida, marcharse con brusquedad.
FRANCESCA, *Piero di Benedetto*, llamado ***Pie-***

Frailecillo

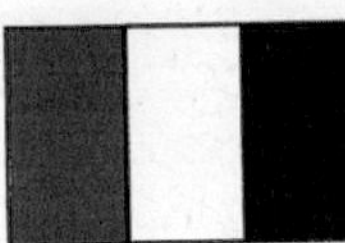

Mapa de situación y bandera de **Francia**

ro della (h. 1420-1492) Pintor it. del Renacimiento. Su arte alcanzó su plenitud en los frescos de la iglesia de San Francisco (Arezzo), sobre la *Leyenda de la Santa Cruz, Madona de la Senigallia, Díptico de Urbino.*

FRANCESILLA f. Planta ranunculácea de jardín, con flores terminales, grandes, muy variadas de color. • Ciruela parecida a la damascena. • Panecillo de masa muy esponjosa, de figura alargada.

FRANCFORT del Main *(Frankfurt am Main)* C. de Alemania, en el est. de Hesse; 599 600 hab. Sit. a orillas del Main. Centro industrial y comercial. Importante feria del libro. Aeropuerto. Catedral (ss. XIII-XIV).

FRANCHOTE, TA o **FRANCHUTE, TA** m. y f. despect. Francés.

FRANCIA *(France; Republique Française)* Est. de Europa occidental, limitado al NO por el canal de la Mancha, al O por el Atlántico, al S por los Pirineos y el Mediterráneo, y al E por los Alpes, el Jura y el Rin, que lo separan de Italia, Suiza y Alemania.

* *Geog. fís.* Formado por una serie de planicies (cuencas de Aquitania e Île-de-France al O y al NO), rodeadas al E por el Jura y la cord. de los Alpes (alt. máx., Mont-Blanc, 4 810 m) y al S por los Pirineos (Vignemale, 3 298 m). Accidentado también por el macizo de las Ardenas al N, el de los Vosgos al NE, el Armoricano al O (Bretaña) y el macizo Central (Puy de Dôme, 1 886 m) en el centro-sudeste. R. prales.: en la cuenca atlántica, el Sena, el Loira y el Garona; al N, parte del Rin, el Mosa y el Mosela. El Ródano comunica la región NE con el Mediterráneo. Clima templado.

* *Geog. econ.* Próspera agricultura. Los mayores cultivos son el trigo y el maíz, seguidos de los demás cereales. Arroz en el delta del Ródano. Sobresale la vid, que coloca a F. entre los primeros productores mundiales de vino. Produce también remolacha, lino y tabaco. Horticultura, fruticultura y floricultura. Ganado bovino. Pesca. Yacimientos de hierro, hulla, potasa y bauxita. A pesar del recurso a la hidroelectricidad, la ind. fr. es muy dependiente de la import. de petróleo. Ind. siderúrgica, de construcción naval, metalúrgica, automovilística, aeronáutica y ferroviaria, textil, química. Refinerías de petróleo en la desembocadura de los prales. ríos, en Lorena y en Lyon. Otras ind.: del vidrio, de la cerámica, de la perfumería, del papel y del cuero. F. importa materias primas y productos alimenticios, y exporta bienes de equipo, productos químicos y metalúrgicos, así como vehículos y cereales.

* *Org. pol.* F. es una rep. unitaria. El presid. es elegido por sufragio universal cada 7 años. El poder legislativo reside en el parlamento, bicameral. Len-

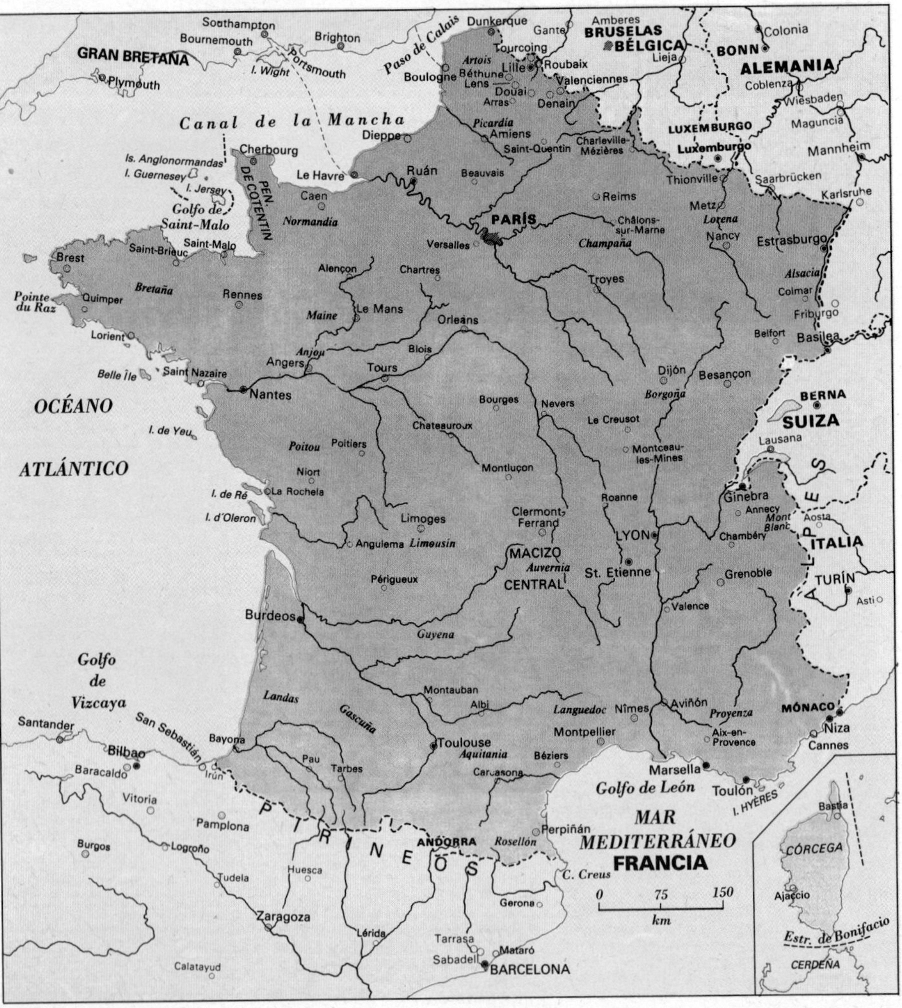

guas: francés (of.), occitano, bretón, corso, vasco, catalán, etc. *Rel.*: catolicismo (87,8 %), minorías protestante e islámica. U. M.: euro. Cap. París. C. prales.: Lyon, Marsella, Burdeos, Toulouse.

* *Hist.* Los celtas (galos) fueron los primeros hab. históricamente conocidos. Julio César, en el 49 a. C., completó la conquista de la Galia. El rey franco Clodoveo inició, en el s. V, la dinastía merovingia. Carlos Martel detuvo a los ár. en Poitiers (732). Su nieto, Carlomagno, fue coronado emp. de Occidente en 800. Sus nietos se repartieron su reino por el tratado de Verdún (843), y el poder de los señores feudales se hizo cada vez más fuerte. Hugo Capeto puso fin a la época carolingia. Felipe IV el Hermoso [1285-1314] afianzó la fuerza del Est. y provocó el cisma de Aviñón. La muerte de sus tres hijos sin descendencia masculina dio origen a la guerra de los Cien Años entre F. e Inglaterra. Luis XI fue el primero en establecer la monarquía absoluta. En el s. XVI estallaron las guerras de religión. Las guerras de Italia terminaron con el tratado de Cateau-Cambrésis (1559) entre Enrique II y Felipe II de España. El hugonote Enrique de Borbón ocupó el trono y, tras una guerra civil, se convirtió al catolicismo, promulgó el Edicto de Nantes (1589), por el que concedía una amplia tolerancia a los protestantes e impulsó la economía y la política. Su hijo, Luis XIII, a través de Richelieu, se enfrentó a los Austria (guerra de los Treinta Años) y sometió a la nobleza. Con Luis XIV, el absolutismo alcanzó el máx. desarrollo. La decadencia empezó con Luis XV y culminó con Luis XVI, lo que propició la Revolución fr. (1785). En 1792 se proclamó la I República, que fue combatida por diversas coaliciones europeas y desembocó en el Terror (1792-1794). El sector burgués moderado estableció el Directorio (1795-1799) que, tras un golpe de est., dio paso al Consulado de Napoleón Bonaparte. Coronado emp., Napoleón emprendió una gran reforma adm. y se hizo dueño de Europa. Su derrota en Waterloo (1815) supuso la restauración monárquica de Luis XVIII. La monarquía burguesa de Luis Felipe de Orleáns, con su inmovilismo político, condujo a las jornadas revolucionarias de 1848 y la proclamación de la II República. Luis Napoleón Bonaparte fue elegido presid., pero dio un golpe de est. y proclamó el II Imperio en 1852. El nuevo régimen llevó a cabo una expansiva política exterior. Intervino en África (Argelia, Egipto, Madagascar), en México y en Asia (Cochinchina). La guerra contra Prusia fue un fracaso: el emp. fue hecho prisionero en la batalla

1

2

3

Francia. 1. Castillo de Chenonceaux sobre el río Cher; 2. Plaza de la Concordia en París; 3. Típica cabaña normanda

División administrativa de **Francia**

Circunscripciones regionales

Regiones	*Km²*	*Población*	*Densidad*	*Capital*	*Habitantes* [1]
Alsacia	8 280	1 689 707	204	Estrasburgo	388 500
Alta Normandía	12 317	1 776 980	144	Ruán	380 200
Aquitania	41 308	2 866 600	69	Burdeos	696 400
Auvernia	26 013	1 315 215	51	Clermont-Ferrand	254 400
Baja Normandía	17 589	1 412 064	80	Caen	191 500
Borgoña	31 582	1 623 383	51	Dijon	230 500
Bretaña	27 208	2 845 618	104	Rennes	245 100
Centro	39 151	2 433 211	62	Orleans	243 200
Champaña-Ardenas	25 606	1 352 407	53	Reims	206 400
Córcega	8 680	259 682	30	Ajaccio	58 300
Franco Condado	16 202	1 113 240	69	Besançon	113 800
Île-de-France	12 012	10 981 819	914	París	9 318 800
Languedoc-Rosellón	27 376	2 221 405	81	Montpellier	248 300
Lemosín	16 942	718 731	42	Limoges	170 100
Lorena	23 547	2 311 262	98	Nancy	329 400
Midi-Pyrénées	45 348	2 493 926	55	Toulouse	650 300
Norte-Pas-de-Calais	12 414	3 994 379	322	Lille	959 200
Países del Loira	32 082	3 138 678	98	Nantes	496 100
Picardía	19 400	1 855 474	96	Amiens	156 100
Poitou-Charentes	25 810	1 618 152	63	Poitiers	78 900
Provenza-Alpes-Costa Azul	31 400	4 425 261	141	Marsella	1 230 900
Ródano-Alpes	43 698	5 571 895	128	Lyon	1 262 200
FRANCIA	543 965	58 020 079	104,5	París	9 318 800

[1] Aglomeración urbana.

Francia. 1. Napoleón durante la campaña de Siria en *Los apestados de Jaffa* (detalle), óleo de Antoine-Jean Gros. Museo del Louvre, París. 2. El presidente François Mitterrand en su visita a Sarajevo sitiado por las fuerzas servias (1992)

de Sedán (1870) y se proclamó la III República. En 1871 se produjo la sublevación de la Comuna de París, contra el gobierno de Thiers. La República estableció la enseñanza laica, gratuita y obligatoria, autorizó los sindicatos y convirtió a F. en la segunda potencia colonial del mundo. La división de Europa en bloques (Triple Entente —F., Gran Bretaña, Rusia— y Triple Alianza —Alemania, Austria-Hungría, Italia—) trajo consigo la I Guerra Mundial (1914-1918). En 1936, el Frente Popular (coalición de los partidos de izquierda) ganó las elecciones. Tras su caída, los gobiernos ulteriores no supieron frenar el ascenso de Hitler. F. fue ocupada por los ejércitos al. Después de la derrota del nazismo, el general Charles De Gaulle presidió el primer gobierno provisional e instauró la IV República. Los conflictos coloniales presidieron esta época. Tras la retirada de Indochina (1954), la guerra con Argelia desató una crisis que hizo que De Gaulle ocupara de nuevo el poder en 1958 (proclamación de la V República). Una vez acordada la indep. de la colonia, impulsó una reestructuración de la economía. La revuelta de mayo de 1968 supuso el final de la era gaullista. En 1969, De Gaulle dejó la presidencia, y le sucedió Georges Pompidou, seguidor de su política. En las elecciones de 1974 venció el candidato conservador Valéry Giscard d'Estaing. Sus tímidas reformas no impidieron el avance de las izquierdas. En 1981, el socialista François Mitterrand accedió a la presidencia, e impuso una política de nacionalización y cambios. En las legislativas de 1986 resultó vencedora una coalición de liberales y neogaullistas, lo que inauguró un periodo de «cohabitación» entre un presid. socialista y un gobierno de derechas, presidido por Jacques Chirac, situación que se prolongó tras la reelección de Miterrand en 1988 por un nuevo mandato de siete años tras derrotar a su oponente J. Chirac. Mitterrand encargó la formación del gobierno al socialista Michel Rocard, que ofreció ministerios a personalidades de centro. Tras la celebración de elecciones para la asamblea nacional, M. Rocard adoptó una política de centro izquierda. Pero el desprestigio del PSF a partir de 1991 motivó, en las elecciones de 1993, el triunfo de la derecha, liderada por J. Chirac y V. Giscard d'Estaing, con el 85 % de los escaños de la asamblea. Como presid. siguió Mitterrand. En 1995 fue elegido presid. J. Chirac, quien a partir de 1997 tuvo que «cohabitar» con un gobierno socialista dirigido por Lionel Jospin, vencedor en las elecciones celebradas ese mismo año.

* *Arte*. Del periodo galorromano se conservan templos y anfiteatros (Arles, Nîmes). En el s. X aparece el románico (Cluny, Vézelay, Moissac, etc.) y se desarrolla el arte de la vidriera, del fresco y de la miniatura. En el s. XII surge el gótico (Chartres, Reims, Amiens, París). Durante el s. XVI se difunde el renacimiento it. En el s. XVII, con Luis XIV, se impone un arte monumental y académico (Versalles). En el s. XVIII sobresalen los pintores Watteau, Chardin y Boucher. En el arte decorativo florece el rococó (muebles, porcelanas). A principios del s. XIX se vuelve a la severidad académica: arquitectura neoclásica y pintura monumental de David. A mediados del siglo triunfa el romanticismo (Delacroix, Géricault). A finales del siglo nace el impresionismo (Manet, Monet, Pissarro, Degas, Renoir, Van Gogh, Gauguin, Cézanne, Toulouse-Lautrec). En escultura se destaca la figura de Rodin. París se convierte en centro de las vanguardias: fauvismo, cubismo, surrealismo, etc. En arquitectura, Le Corbusier, creador del funcionalismo, llena una larga etapa. En los últimos años se han realizado imp. e innovadores proyectos arquitectónicos en la cap. fr.: el barrio de la Villette, el Centro Pompidou. Éste, junto con el Museo de arte moderno, es un centro de promoción de las nuevas tendencias.

FRANCIA

Recursos económicos		
Avena	733 000	t
Cebada	10 651 000	t
Lino	79 000	t
Maíz	12 787 000	t
Patatas	6 300 000	t
Remolacha azucarera	29 280 000	t
Tabaco	27 000	t
Trigo	34 483 000	t
Uva	7 020 000	t
Vino	62 000 000	hl
Ganadería y derivados		
Cabaña bovina	21 446 000	cabezas
Cabaña caballar	322 000	cabezas
Cabaña ovina	11 490 000	cabezas
Cabaña porcina	12 239 000	cabezas
Carne	5 764 000	t
Queso	1 425 000	t
Riqueza forestal	44 718 000	m^3
Pesca	896 841	t
Producción minera		
Bauxita	183 000	t
Carbón	11 000 000	t
Gas natural	3 400 000 000	m^3
Petróleo	3 024 000	t
Oro	4 326	kg
Plata	23 600	t
Plomo	1 700	t
Potasa	1 404 000	t
Magnesio	14 000	t
Uranio	2 841	t
Producción industrial		
Acero	18 434 000	t
Aluminio	286 000	t
Automovilística	3 187 634	unidades
Calzado	194 700 000	pares
Caucho sintético	515 00	t
Cemento	26 497 000	t
Energía eléctrica	419 584	millones de kwh
Energía nuclear	314 081	millones de kwh
Fertilizantes	2 002 000	t
Fibras artificiales	59 000	t
Naval	80 774	t
Neumáticos	54 536 000	unidades
Indicadores sociológicos		
PNB	1 167 749	millones de dólares
Renta per cápita	20 600	dólares
Esperanza de vida	77	años
Alfabetismo	99	%

Francia. Arriba, palacio de Versalles; abajo, catedral de Nôtre Dame, en París

* *Lit.* El uso del fr. se generalizó en el s. x. En el s. XII surgen los cantares de gesta *(El cantar de Roldán)* y la «novela de corte» (Chrétien de Troyes). En los ss. XIV y XV, las figuras más sobresalientes son Rutebeuf y Villon. El Renacimiento da origen a la Pléyade (Du Bellay y Ronsard). Rabelais es el primer gran escritor en prosa. En filosofía destaca Montaigne *(Ensayos)*. El clasicismo define el s. XVII. En filosofía, Pascal y Descartes, y en teatro, Corneille, Racine y, sobre todo, Molière, son las figuras más descollantes. La Fontaine *(Fábulas)* y Bossuet *(Sermones)* amplían las posibilidades de la lengua. El s. XVIII da lugar al movimiento enciclopédico (Diderot, D'Alembert, Voltaire). Rousseau anuncia el romanticismo del s. XIX, que se afirma con Victor Hugo y Musset. Balzac cultiva el realismo y Flaubert el naturalismo. Baudelaire, Verlaine, Rimbaud y Mallarmé revolucionan la poesía, y Marcel Proust, la novela. Con la I Guerra Mundial aparecen los movimientos vanguardistas (surrealismo: Breton, Éluard, Aragon) y una corriente cristiana (Claudel, Valéry, Maurois, Mauriac). En el teatro triunfan Giraudoux y Anouilh y en la narrativa Gide y Saint-Exupéry. Tras el existencialismo (Sartre, Camus) y el *nouveau roman* (Robbe-Grillet), las grandes figuras del momento son Michel Simon (premio Nobel 1985), Marguerite Duras, Marguerite Yourcenar, Nathalie Sarraute, Michel Tournier y el checo, nacionalizado fr., Milan Kundera. En el ámbito ensayístico y filosófico cabe destacar las aportaciones de Michel Foucault, Jacques Lacan, Roland Barthes, Jean Baudrillard y Jean-François Lyotard.

* *Mús.* Durante la E. Med. sobresalieron la música religiosa y la trovadoresca. A partir del s. XV tuvo su auge la polifonía. El periodo clásico (ss. XVI-XVIII) abarca la obra de J. B. Lully, J. Ph. Rameau, F. Couperin, y culmina en la obra operística de C. W. Gluck. La figura clave del romanticismo musical fr., Hector Berlioz, dio paso, a finales del s. XIX, a G. Bizet, C. Saint-Saëns, J. Massenet y L. Delibes que llevaron la música escénica (ópera, ballet) a su apogeo. El cambio de siglo está dominado por tres originales compositores: Claude Debussy, Erik Satie y Maurice Ravel. Después de la I Guerra Mundial surgen una serie de autores vanguardistas, entre los que destacan F. Poulenc, D. Milhaud, I. Xenakis y P. Boulez.

* *Cine.* F. está considerada la cuna del cine. En 1895 los hermanos Lumière realizan la primera proyección pública. G. Méliès construye el primer estudio (1897) y crea los primeros filmes de ficción *(Viaje a la Luna)*. Durante el periodo del cine mudo se fundan las primeras empresas (Pathé, Gaumont) y se imponen los llamados *films d'art*, adaptaciones de obras literarias. Después de la I Guerra Mundial florecen el cine de vanguardia (A. Gance, J. Cocteau) y el realismo poético de J. Renoir, R. Clair y J. Duvivier, a los que se añaden, después de la II Guerra, R. Bresson, H. G. Clouzot y el humorista J. Tati. En la década de los sesenta se produce el renovador movimiento de la *Nouvelle vague* (Nueva ola), que produce los nombres más significativos del reciente cine fr.: François Truffaut, Jean-Luc Godard, Claude Chabrol, Alain Resnais, Louis Malle, Eric Rohmer, a los que se suman, en los últimos años, Bertrand Tavernier, C. Costa-Gavras y Jean Eustache, entre otros.

FRANCIA, *José Gaspar Rodríguez* (1766-1840) Político par. Gobernó dictatorialmente su país desde 1814 hasta su muerte. Afirmó la nacionalidad par. ante los intentos integradores de Argentina.

FRANCIO m. *Quím.* Elemento radiactivo del grupo de los actínidos, de símb. Fr., n. a. 87 y p. a. del isótopo más estable 223.

FRANCISCANO, NA adj. y s. Díc. del religioso de la orden fundada por san Francisco de Asís en 1210. • Relativo a esta orden. • fam. Que participa de algunas de las virtudes de san Francisco.

FRANCISCO Nombre de reyes y emperadores:

IMPERIO ROMANO GERMÁNICO

FRANCISCO I de Habsburgo Lorena (1708-1765) Emp. de Alemania [1745-1765]. Fundador de la rama Habsburgo Lorena. Casó con la emperatriz María Teresa. • **II** (1768-1836). Último emperador del Sacro Imperio [1792-1806] y primer emp. hereditario de Austria [1804-1835]. En las guerras con Francia perdió numerosos terr.

AUSTRIA

FRANCISCO José I (1830-1916) Emp. de Austria [1848-1916] y rey de Hungría [1867-1916]. Tras la rev. de 1848 se vio obligado a formar un est. federal, y en 1867 reconoció la división del imperio. El asesinato de su sobrino **Francisco Fernando** (1914) propició la I Guerra Mundial.

ESPAÑA

FRANCISCO de Asís Borbón (1822-1902) Rey consorte de España [1846-1868]. Casado con Isabel II.

FRANCIA

FRANCISCO I (1494-1547) Rey de Francia [1515-1547]. Disputó la corona imperial a Carlos V, y fue vencido en Pavía (1525). Por la paz de Cambrai o de las Damas (1529) renunció a sus pretensiones sobre Italia.

FRANCISCO de Asís (h. 1182-1226) Santo. Fundador de los franciscanos. Su ideal era: pureza total, pobreza total y alegría total en la paz. *Cántico al sol.* • **De Borja** (1510-1572) Santo. Duque de Gandía, virrey de Cataluña. Tercer general de los jesuitas. • **De Paula** (1416-1507) Santo. Religioso it., de la orden de San Francisco. Fundó los frailes mínimos. • **De Sales** (1567-1622) Santo. Obispo de ginebra (1602). En 1612, con Juana de Chantal, fundó la orden de la Visitación (salesas). • **Javier** (1506-1552) Santo. Jesuita esp. Nuncio del Papa en la India port.

FRANCISCO I. MADERO Mun. de México, en el est. de Coahuila; 37 300 hab. Cultivos de algodón.

FRANCISCO José, *Tierra de* *(Zemliá Frantsalósifa)* Arch. ruso, en el océano Ártico, al N del mar de Barents. Comprende unas 60 islas.

FRANCISCO MORAZÁN Dpto. del centro sudeste de Honduras; 8 619 km², 1 087 110 hab. Cap., Tegucigalpa. Se extiende sobre la altiplanicie central, accidentada por la sierra de Comayagua al O y la de Chile en el centro-este. El principal río es el Choluteca. Cultivos de tabaco y café. Ganadería.

FRANCK, *César-Auguste* (1822-1890) Pianista y compositor belga, nacionalizado fr. Utilizó un lenguaje nuevo, de rica armonía. *Variaciones sinfónicas, Sinfonía en Re menor, Preludio, coral y fuga, Las eólides.*

FRANCMASONERÍA f. → Masonería.

FRANCO, CA adj. y s. Generoso. • Simpático. • Sincero. • Sencillo de trato. • Libre, exento, que no paga. • En la costa de África, europeo. • Francés. Úsase en palabras compuestas que indiquen nacionalidad. • m. Unidad monetaria de Suiza y otros est. Ant. unidad monetaria de Francia, Bélgica y Luxemburgo • **de servicio.** *Argent.* y *Ur.* Libre de obligación o trabajo. • *Chile.* Libre de obligaciones militares.

Francisco José, emperador de Austria

Francisco I de Francia, por Jean Clouet

San **Francisco de Asís** predicando a los pájaros en un fresco de la iglesia de Asís (Umbría, Italia) que lleva su nombre

Itamar **Franco**

Francisco **Franco Bahamonde,** por J. Aguilar

Benjamin **Franklin**

Frasco de Dewar

FRANCO, ***Itamar*** (nacido 1930) Político bras. Militó contra el régimen militar (1964-1985). Fue vicepresid. con Collor de Mello (1989) y presid. (1992-1994) al ser destituido éste por presunta corrupción. • ***Luis Leopoldo*** (nacido 1898) Escritor argentino. Temática social. *La flauta de caña, Los hijos de Llastay, El general Paz y los dos caudillajes.* • ***Rafael*** (1900-1972) Militar y político par. Presid. del país de 1936 a 1937, tras derrocar a Eusebio Ayala. Fundador, en el exilio, del Partido Revolucionario Febrerista. • **Bahamonde,** ***Francisco*** (1892-1975) Militar esp. En 1936 se sumó a la sublevación contra la República. Tras la guerra civil (1939), adoptó el título de *Caudillo* y gobernó dictatorialmente hasta su muerte. • ***Ramón*** (1896-1938) Aviador y político esp., hermano del anterior. En 1926 cruzó el Atlántico a bordo del hidroavión *Plus Ultra.* • **Sodi,** ***Carlos*** (1904-1962) Jurista mex. Ministro de la Suprema Corte de Justicia. Gran especialista en derecho penal.

FRANCO-CONDADO *(Franche-Comté)* Ant. región y prov. del E de Francia. Corresponde al condado de Borgoña. Sus cap. Fueron Dôle y Besançon. Desde 1556 hasta 1688 formó parte de la monarquía española. • Circunscripción regional fr.; 16 202 km^2; 1 097 300 hab. Cap., Besançon.

FRANCO-PRUSIANA, ***Guerra*** Conflicto entre Francia y Prusia, por la negativa de Napoleón III a aceptar a Leopoldo de Hohenzollern para el trono vacante de España (1870-1871). La derrota fr. supuso la pérdida de Alsacia y Lorena.

FRANCÓFILO, LA adj. Que simpatiza con Francia o con los franceses.

FRANCOLÍN m. Ave fasiánida semejante a la perdiz cuya carne es muy estimada.

FRANCOLINO, NA adj. *Chile* y *Ecuad.* Reculo, díc. de la gallina o pollo sin cola.

FRANCONIA *(Franken)* Ant. región de Alemania, englobada en Baviera. Cap., Nuremberg. Sit. en la cuenca del Main. • ***selva de*** *(Frankenwald)* Región mesetaria de Alemania, constituida por las estribaciones del macizo de Bohemia.

FRANCOTIRADOR, RA m. y f. Tirador aislado; combatiente que no pertenece al ejército regular. • fig. Persona que actúa aisladamente en cualquier actividad.

FRANELA f. Tejido de lana o algodón, ligeramente batanado.

FRANGENTE m. Acontecimiento fortuito y desgraciado.

FRANGIBLE adj. Capaz de quebrarse o partirse.

FRANGIÉ, ***Suleimán*** (1910-1992) Político libanés. Miembro del sector cristianomaronita, fue ministro en varias ocasiones y presid. (1970-1976).

FRANGLE m. *Her.* Faja estrecha.

FRANGOLLAR tr. fig. y fam. Farfullar, hacer una cosa deprisa y mal. ■ FRANGOLLERO, RA; FRANGOLLÓN, NA.

FRANGOLLO m. Trigo machacado y cocido. • Pienso de legumbres o granos triturados para el ganado. • *Cuba* y *P. Rico.* Dulce seco hecho de plátano verde triturado. • fig. Cosa hecha deprisa y mal.

FRANHUESO m. *Zool.* Quebrantahuesos, ave rapaz.

FRANJA f. Guarnición tejida, que sirve para adornar los vestidos u otras cosas. • Faja, lista o tira en general. ■ FRANJAR O FRANJEAR.

FRANK, ***Anna*** (1929-1945) Joven hol., de origen judío. Víctima del nazismo, es autora de un famoso *Diario.*

FRANKFORT C. de EE UU, cap. del est. de Kentucky; 26 000 hab.

FRANKFURT m. Bocadillo caliente de salchicha de Francfort, con mostaza.

FRANKFURT → Francfort.

FRANKLIN m. *Fís.* Unidad cegesimal de carga electrostática. Es la que situada en el vacío a 1 cm de otra igual, la repele con la fuerza de 1 dina.

FRANKLIN, ***Aretha*** (nacida 1942) Pianista y cantante norteam. de gran fuerza expresiva: su repertorio se compone de temas *gospel, blues* y canciones populares. • ***Benjamin*** (1706-1790) Filósofo, físico y político norteam. Descubrió la naturaleza eléctrica del relámpago e inventó el pararrayos. Redactó con Jefferson y John Adams (1776) el manifiesto de la declaración de indep. En 1783 firmó la paz de Versalles, que puso fin a la guerra de la Independencia norteamericana.

FRANQUEAR tr. Libertar, exceptuar a uno de una contribución. • Desembarazar, quitar los impedimentos que estorban; abrir camino. • Pagar en sellos el porte por el correo. • Dar libertad al esclavo. • prnl. Descubrir uno su interior a otro. ■ FRANQUEAMIENTO; FRANQUEO.

FRANQUENIÁCEO, A adj. y f. *Bot.* Díc. de matas y arbustos dicotiledóneos, muy ramosos, con hojas opuestas o verticiladas sin estípulas, flores sentadas y frutos capsulares. • f. pl. *Bot.* Familia de estas plantas.

FRANQUEZA f. Libertad, exención. • Generosidad. • fig. Sinceridad. • Confianza o familiaridad en el trato.

FRANQUÍA f. Situación en la cual un buque tiene paso franco para hacerse a la mar o tomar determinado rumbo. • **En f.** m. adv. fig. y fam. Tratándose de personas, en disposición de poder hacer lo que quieran.

FRANQUICIA f. Exención que se concede para no pagar derechos de correo o de aduanas.

FRAP Siglas del Frente Revolucionario Antifascista Patriótico.

FRAQUE m. Frac.

FRASCA f. Hojarasca y ramas pequeñas y delgadas de los árboles. • *Méx.* Fiesta, reunión animada o bulliciosa.

FRASCO m. Vaso de cuello recogido que sirve para contener líquidos, sustancias en polvo, comprimidos, etc. • **de Dewar.** F. de vidrio de dobles paredes entre las que se ha hecho el vacío, con la superficie interna de la pared exterior plateada, para evitar la acción de los rayos caloríficos; termo.

FRASE f. *Ling.* Unidad mínima de comunicación, con autonomía sintáctica. • *Gram.* Conjunto de palabras con sentido, pero que no forman una oración. • Locución. ■ FRASEAR.

FRASEOLOGÍA f. Modo de ordenar las frases, peculiar a cada escritor. • Excesivo recargamiento de palabras. • Conjunto de frases hechas, locuciones, etc., de una lengua.

FRASER Río del oeste de Canadá; 1 200 km. Nace en las monañas Rocosas, atraviesa Columbia Británica y desemboca en el Pacífico.

FRASER, ***Malcolm*** (nacido 1930) Político australiano. Primer ministro de Australia y líder del partido liberal desde 1975. En 1983 fue derrotado por el laborista Bob Hawke.

FRASQUERA f. Caja que contiene en su interior diferentes divisiones, apropiadas para guardar frascos y poder transportarlos sin que se dañen.

FRASQUETA f. *Art. Gráf.* Cuadro con que en las prensas de mano se sujeta al tímpano la hoja de papel.

FRATÁS m. *Const.* Instrumento compuesto de una tablita lisa con un asa en medio para agarrarla. Sirve para alisar el enlucido. ■ FRATASAR.

FRATERNIDAD f. Unión entre hermanos o entre los que se tratan como tales. ■ FRATERNAL; FRATERNO, A.

FRATERNIZAR intr. Iniciar o sostener entre sí una relación muy afectuosa personas que no son hermanos.

FRATICELO adj. y s. Díc. de un movimiento herético it. (ss. XIV-XV) que negaba la autoridad de la Iglesia y practicaba la ascesis.

FRATRÍA f. Entre los ant. gr., agrupación familiar y gentilicia que tenía sacrificios y ritos propios. • Sociedad íntima, hermandad, cofradía. • En los pueblos primitivos, unidad social que agrupaba a varios clanes que practicaban la ayuda mutua.

FRATRICIDIO m. Muerte de una persona, ejecutada por su propio hermano. ■ FRATRICIDA.

FRAUDE m. Engaño mediante el cual alguien perjudica a otro y se beneficia a sí mismo. • *Der.* Delito que comete el encargado de vigilar la ejecución de contratos confabulándose con la representación de los intereses opuestos. • Acto realizado para usurpar derechos o eludir obligaciones legales. ■ FRAUDULENCIA; FRAUDULENTO, TA.

FRAUENLOB, Heinrich von Meissen, llamado (S. XIII-XIV) Poeta lírico al., fundador de la escuela de los *meistersinger.*

FRAUNHOFER, ***Joseph von*** (1787-1826) Óptico al. Analizó los fenómenos de difracción, mejoró el microscopio y realizó investigaciones sobre el espectro solar.

FRAY m. Apócope de fraile, que se usa precediendo al nombre de los religiosos de ciertas órdenes. • Frey.

FRAY BENTOS C. de Uruguay, cap. del dpto. de Río negro; 21 960 hab. Centro comercial.

FRAY MOCHO → Álvarez, José Sixto.

FRAZADA f. Manta peluda que se echa sobre la cama. ■ FRAZADERO.

FRAZER, SIR ***James George*** (1854-1941) Antropólogo brit. En *La rama dorada* aplicó los conceptos de magia imitativa y simpática al estudio de la religión.

FREÁTICO, CA adj. Relativo a las aguas acumuladas en el subsuelo. Díc. de la capa del subsuelo que contiene estas aguas.

FRECUENCIA f. Repetición a menudo de un acto o suceso. • Cantidad de veces que se repite. En estadística, número de veces que tiene lugar un suceso. • *Fís.* En un mov. periódico, número de vibraciones por unidad de tiempo. Se mide en hertz.

FRECUENCÍMETRO m. Aparato utilizado para medir la frecuencia de un fenómeno periódico. Por ant. el utilizado para determinar la frecuencia de una corriente eléctrica alterna.

FRECUENTAR tr. Repetir un acto a menudo. Concurrir con frecuencia a un lugar o tratar con frecuencia a alguien. ■ FRECUENTACIÓN; FRECUENTE.

FRECUENTATIVO adj. y s. *Gram.*Verbo que denota acción reiterada, como *golpear, hojear.*

FREDERICTON C. de Canadá, cap. de la prov. de Nueva Brunswick; 44 400 hab.

FREE cinema (ing. «cine libre») Movimiento brit. de renovación cinematográfica cuyas premisas eran el realismo en la forma y el contenido social. Sus prales. exponentes fueron Lindsay Anderson, Karel Reisz y Tony Richardson.

FREEDOM 7 Nombre de la cápsula *Mercury* con la cual el astronauta norteam. Allan B. Sheppard efectuó un vuelo balístico de 185 km y de 16 minutos de duración, que constituyó el primer vuelo tripulado de EE UU en un cohete.

FREETOWN C. y cap. de Sierra Leona; 214 400 hab. Base naval, exportación.

FREG Castro, *Luis* (1890-1934) Matador de toros mex. Tomó la alternativa en Alcalá de Henares en 1911, y la confirmó en Madrid el mismo año. Se destacó sobre todo con la espada.

FREGADERO m. Recipiente que se halla en la cocina para fregar los cacharros.

FREGADO, DA adj. *Argent.* y *Chile.* Majadero, enfadoso. • *Col.* Tenaz, terco. • *Méx.* Bellaco, perverso. fig. y fam. Enredo. • Discusión o contienda.

FREGAMIENTO m. Fricación, restregadura.

FREGAR tr. Restregar con fuerza una cosa con otra. • Lavar las vasijas restregándolas con el estropajo. • tr. y prnl. fig. y fam. *Amér.* Fastidiar, molestar, jorobar. ■ FREGADOR, RA.

FREGATRIZ f. despect. Fregona.

FREGE, *Gottlob* (1848-1925) Lógico y matemático al. Sus estudios sobre el análisis lógico de los conceptos matemáticos tuvieron gran influencia en Russell, Whitehead y en todos los lógicos contemporáneos.

FREGONA f. Utensilio doméstico para fregar el suelo, que consta de un palo, en uno de cuyos extremos hay un dispositivo para fregar, y un cubo con un escurridor en su interior. • Criada que sirve en la cocina y friega. Se usa gralte. en sentido despectivo. ■ FREGONIL.

FREGOTEAR tr. fam. Fregar deprisa y mal. ■ FREGOTEO.

FREI Montalva, *Eduardo* (1911-1982) Político chileno. Dirigente cristianodemócrata, ganó las elecciones presidenciales de 1964 con su programa de revolución en la libertad. Durante su mandato llevó a cabo moderadas reformas económicas y sociales. • **Ruiz-Tagle, *Eduardo*** (nacido 1942) Político chileno, hijo del anterior. Ingeniero de profesión, abandonó la industria privada y se dedicó a la política. Optó a la presidencia por la Democracia Cristiana en 1989, pero se le pospuso a P. Aylwin. Las elecciones de 1993 le otorgaron la presidencia de la nación, cargo que ocupó hasta 2000.

FREILIGRATH, *Ferdinand* (1810-1876) Poeta al. Rebelde frente a la situación política y social de su país, exaltó la libertad. Dirigió, con Karl Marx, la revista *Nueva Gaceta del Rin.*

FREINET, *Célestin* (1896-1960) Pedagogo fr. Propulsor de una escuela popular al servicio de las necesidades sociales, intelectuales e individuales del niño. *La educación del trabajo, Ensayo de psicología sensible, Para una escuela del pueblo.*

FREÍR tr. y prnl. Guisar un alimento poniéndolo al fuego en una sartén con aceite o grasa. • fig. Mortificar, exasperar. ■ FREIDURA; FREIDURÍA.

FREIRE, *Paulo* (1921-1997) Pedagogo bras. Dirigió en Brasil un movimiento de alfabetización hasta el golpe de est. de 1964. Para F. la educación debe dar al hombre capacidad de reflexión y de acción sobre el mundo para transformarlo. *Pedagogía del oprimido, La educación como práctica de la libertad.* • ***Ramón*** (1787-1851) Militar y político chileno. Intervino en la lucha por la indep. Ostentó el poder supremo durante varios periodos entre 1823 y 1827.

FREITAS, *Luis de* (1890-1955) Compositor port. Fundó la *Gaceta musical* (1950) e introdujo en Portugal la estética impresionista y la música dodecafónica.

FRÉJOL m. Judía, planta y legumbre.

FRELIMO Siglas de → Frente de Liberación de Mozambique.

FRENAR tr. Moderar o parar con el freno el movimiento de un vehículo o máquina. • fig. Contener, moderar el ímpetu o la actividad. ■ FRENAZO.

FRENESÍ m. Delirio. • fig. Violenta exaltación del ánimo. ■ FRENÉTICO, CA.

FRÉNICO, CA adj. *Anat.* Perteneciente o relativo al diafragma. ■ FRENAL.

FRENILLO m. *Anat.* Membrana que sujeta la lengua por la línea media de la parte inferior. • *Anat.* Ligamento que sujeta el prepucio al glande.• *Amér. Centr.* Cada uno de los tirantes que lleva la cometa, y que convergen en la cuerda que la sujeta.

FRENO m. *Mec. apl.* Aparato que sirve en las máquinas y vehículos para moderar o detener el movimiento. La acción mecánica del frenado consiste en el contacto de una superficie fija contra el elemento giratorio. • Instrumento de hierro que se ajusta a la boca de las caballerías para gobernarlas. • fig. Sujeción que se pone uno para moderar sus acciones.

FRENOLOGÍA f. Estudio de las facultades mentales y del carácter partiendo de la conformación anatómica del cerebro. Se basa en la suposición de que las facultades mentales del hombre se encuentran localizadas en zonas específicas del cerebro. Esta doctrina, desarrollada por Gall hacia 1796, está actualmente superada. ■ FRENOLÓGICO, CA; FRENÓLOGO, GA.

FRENOPATÍA f. Psiquiatría, parte de la medicina que estudia las enfermedades mentales. ■ FRENÓPATA.

FRENTAL adj. Frontal, relativo a la frente.

Eduardo **Frei Ruiz-Tagle**

Ramón **Freire**

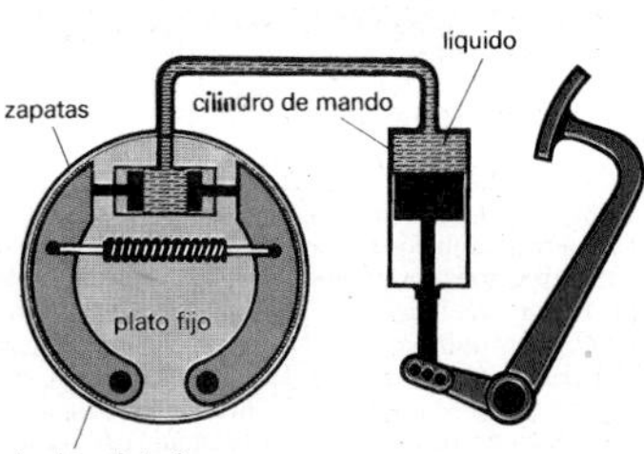

Esquema de un **freno** de tambor con mando hidráulico

FRENTE f. Parte superior de la cara entre las sienes, comprendida desde encima de los ojos hasta que empieza la vuelta del cráneo. • Parte delantera de una cosa, a diferencia de sus lados. • m. *Mil.* Extensión o línea de territorio continuo en que combaten los ejércitos con cierta permanencia o duración. • Coalición entre partidos políticos y organizaciones sindicales. • *Meteor.* Intersección de la superficie terrestre con la discontinuidad que separa dos masas de aire de diferentes características. •

Fresa

adv. lugar. En lugar opuesto. • adv. modo. En contra, en pugna. • **cálido.** *Meteor.* F. que separa una masa de aire frío de otra de aire cálido que asciende sobre ella. • **de ondas.** *Fís.* Superficie, lugar geométrico de todas las moléculas cuyo movimiento presenta concordancia de fase con el de la onda que se propaga. • **frío.** *Meteor.* F. que separa una masa de aire cálido de otra de aire frío que se introduce por debajo de ella, haciéndola ascender. • **único.** Coalición de fuerzas distintas con una dirección común para fines sociales o políticos. • **De f.** m. adv. Con los verbos *llevar*, *acometer* y otros, significa con gran resolución y actividad. ■ FRENTÓN, NA.

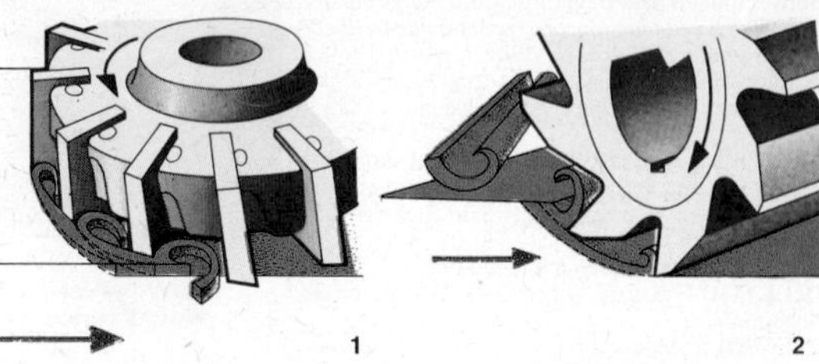

Tipos de **fresado:**
1. mediante herramienta de corte periférico;
2. mediante herramienta de corte frontal

FRENTE Amplio Coalición ur. de izquierdas constituida para las elecciones de 1971. Convertida en eje de la oposición al régimen de Bordaberry, fue proscrita y perseguida tras el golpe de est. de 1973. Restaurada la legalidad democrática, concurrió a las elecciones de 1984, a partir de las cuales rompió con el tradicional bipartidismo. • **De Liberación de Eritrea** *(FLE).* Organización politicomilitar nacionalista constituida en 1958 para independizar a Eritrea de Etiopía. • **De Liberación de Mozambique** *(FRELIMO).* Movimiento politicomilitar creado por la fusión de tres grupos nacionalistas en 1962 para conseguir la indep. de este país. Materializada ésta en 1975, asumió el gobierno con carácter de partido único. • **De Liberación Nacional** *(FLN).* Movimiento de liberación fundado en Argelia en 1954. Estuvo en guerra con Francia hasta conseguir la indep. (1962). Se transformó en partido político único. • **Democrático Revolucionario** *(FDR).* Movimiento salv., creado en 1980, que engloba fuerzas democratacristianas, socialdemócratas y radicales. • **Farabundo Martí de Liberación Nacional** *(FFMLN).* Movimiento politicomilitar salv., formado por cinco organizaciones guerrilleras de diverso signo. • **Nacional de Liberación de Angola** *(FNLA).* Movimiento politicomilitar angoleño constituido en 1962. Opuesto al izquierdista MPLA. Tras la indep. y toma del poder por éste (1975), sus fuerzas continuaron la lucha de guerrillas, con el apoyo de EE UU. • **Nacional de Liberación de Vietnam del Sur** o **Vietcong** *(FNL).* Movimiento de liberación de Vietnam del sur fundado en 1960. Dirigió la lucha contra las fuerzas de Saigón y las fuerzas norteam. Consiguió la victoria total tras la toma de Saigón (1975) y participó en el proceso de unificación de Vietnam. • **País Solidario** (Frepaso). Partido político arg. nacido en 1994. En 1997 formó con UCR la Alianza, coalición electoral que obtuvo la victoria en las elecciones presidenciales de 1999. • **Polisario** *(F. Popular de Liberación de Saguía el-Hamra y Río de Oro).* Movimiento independentista del Sahara Occidental, creado en 1973. Tras la cesión por España de este terr. a Marruecos y Mauritania, proclamó la República Árabe Democrática Saharaui (1976) e inició la lucha armada contra las fuerzas ocupantes. Mauritania renunció a sus pretensiones en 1979. • **Popular.** Nombre de varias coaliciones electorales de la izquierda y el centro izquierda constituidas para impedir el avance del fascismo, en España (1936-1939), Francia (1936-1938) y Chile (1938-1948). • **Popular para la Liberación de Palestina** *(FPLP).* Organización guerrillera palestina (marxista), creada en 1967 por G. Habash. • **Revolucionario Antifascista Patriótico** *(FRAP).* Sector armado del Partido Comunista de España (marxista-leninista), surgido en 1971. Realizó atentados; tres de sus miembros fueron fusilados en 1975. • **Sandinista de Liberación Nacional** *(FSLN).* Movimiento politicomilitar nic. creado en 1961. Consiguió derrocar al dictador Somoza en 1979, y asumió el gobierno del país. • **Sindical Democrático.** Movimiento sindical per. fundado en 1980. Agrupa los prales. sindicatos del país.

Fresno. Árbol, hojas y frutos

FREO m. Canal estrecho entre dos tierras.

FREÓN m. *Quím.* Compuesto fluorado alifático, usado como líquido refrigerante para máquinas frigoríficas y acondicionadores.

FREPASO → Frente País Solidario.

FRESA f. *Bot.* Fruto del fresal. • *Mec. apl.* Herramienta rotatoria de corte múltiple usada en las máquinas fresadoras.

FRESAL m. o **FRESERA** f. Planta herbácea de la familia rosáceas, con hojas grandes, trifolioladas; flores blancas y frutos pequeños que reciben el nombre de fresa, de color rojo, muy aromático. • Terreno poblado de fresales.

FRESAR tr. Mecanizar metales por medio de la herramienta llamada fresa o de la máquina fresadora. ■ FRESADO; FRESADOR, RA.

FRESCACHÓN, NA adj. Muy robusto y de color sano.

FRESCAL adj. Díc. de algunos pescados conservados con poca sal.

FRESCALES com. fam. Fresco, persona que no tiene empacho.

FRESCO, CA adj. Moderadamente frío. • Reciente, acabado de hacer, coger, etc. • fig. De aspecto sano y de buen color. • adj. y s. fig. Sereno. • fig. y fam. Desvergonzado. • adj. fig. Díc. de las telas delgadas y ligeras. • m. Frío moderado. • Frescura, calidad de frío. • Fresco, aire fresco. • *Arte.* Técnica pictórica que consiste en aplicar colores minerales disueltos en agua, sobre un muro debidamente preparado. • *Amér.* Refresco. • **Al f.** m. adv. Al sereno. • **Dejar f.** a uno. Chasquearle. • **Estar,** o **quedar,** uno **f.** fig. y fam. Estar, o quedar, mal en un negocio o pretensión. ■ FRESCOR, FRESCOTE, TA; FRESCURA.
* *Arte.* El f. es un procedimiento exclusivamente mural que exige una ejecución rápida y un gran dominio técnico, por la imposibilidad de retoque en seco. Conocido desde la antigüedad, alcanzó su perfección en Italia (SS. XIII-XIV): Massaccio, Piero della Francesca, Miguel Ángel, etc. Modernamente, los muralistas mex. (Siqueiros, Rivera, Orozco) han revalorizado la técnica del fresco.

FRESCOBALDI, ***Girolamo*** (1583-1643) Organista y compositor it. Influyó en Bach.

FRESISON m. *Lóg.* Palabra convencional de la lógica, usada para indicar un modo de silogismo de la cuarta figura.

FRESNEL, ***Augustin-Jean*** (1788-1827) Físico, matemático e ingeniero fr. Sus investigaciones matemáticas fundamentaron la teoría ondulatoria de la luz.

FRESNILLO m. Díctamo blanco, arbusto.

FRESNILLO de González Echevarría Mun. de México, en el est. de Zacatecas; 103 500 hab. Centro minero, agrícola y ganadero.

FRESNO m. *Bot.* Nombre común de las especies del gén. *Fraxinus*, árboles o arbustos caducifolios. Viven en zonas templadas del hemisferio N. ■ FRESNAL; FRESNEDA.

FRESNO C. de EE UU, en el est. de California; 166 000 hab. Núcleo comercial.

FRESÓN m. Fruto de un fresal oriundo de Chile, semejante a la fresa pero de tamaño mucho mayor y sabor más ácido.

FRESQUEDAL m. Porción de terreno que por tener humedad mantiene su verdor en la época de agostamiento.

FRESQUERA f. Especie de jaula, que se coloca en sitio ventilado para conservar frescos algunos comestibles. • *Argent.* Fiambrera.

FRESQUERÍA f. *Amér.* Botillería, despacho de refrescos.

FRESQUERO, RA m. y f. Persona que trafica en pescado fresco.

FRESQUILLA f. Especie de melocotón o prisco.

FRESQUISTA com. El que pinta al fresco.

FRETE m. *Her.* Enrejado compuesto de bandas y barras muy estrechas.

FREUD, ***Sigmund*** (1856-1939) Médico austr. Creador del psicoanálisis, distinguió en la actividad anímica un fondo inconsciente, atávico, que se rige por el principio del placer; un «super yo», represor del inconsciente, y un «yo», que define la personalidad del sujeto. *La interpretación de los sueños, Tótem y tabú, Tres ensayos sobre la vida sexual, Más allá del principio del placer.* • ***Anna*** (1895-1982) Psicoanalista, hija de Sigmund F. *El yo y los mecanismos de defensa, El tratamiento psicoanalítico de los niños.* ■ FREUDIANO, NA.

FREY m. Tratamiento que se usa entre los religiosos de las órdenes militares.

FREZA f. Desove. • Surco que dejan ciertos peces cuando se restriegan contra la tierra del fondo para desovar. • Huevos de los peces, y pescado menudo recién nacido de ellos. • Tiempo en que durante cada una de las mudas come el gusano de seda.

FREZADA f. Frazada, manta.

FREZAR intr. Desovar. • Restregarse el pez contra el fondo del agua para desovar. • Comer las hojas los gusanos de seda después que han despertado. • Arrojar o despedir el excremento los animales. • tr. Limpiar las colmenas de las inmundicias producidas en su interior.

FRIABLE adj. Que se desmenuza fácilmente. ■ FRIABILIDAD.

FRIALDAD f. Sensación que proviene de la falta de calor. • Frigidez. • Indiferencia al placer sexual. • fig. Indiferencia, poco interés.

FRÍAS, *Antonio Esteban* (1868-1944) Pintor ven. Estudió en París. Realista. Su obra más conocida es *El borracho*, en el Museo de Bellas Artes de Caracas. • ***Tomás*** (1805-1884) Político bol. Presid. provisional del país de 1872 a 1873 y de 1874 a 1876, en que fue derrocado por el ministro de Guerra, Hilarión Daza.

FRIBURGO de Brisgovia *(Freiburg im Breisgau)* C. de Alemania, en el est. de Baden-Wurtemberg; 181 300 hab. Universidad.

FRICA f. *Chile.* Frisca, funda.

FRICANDÓ m. Guiso de carne, gralte. con setas, condimentado a base de cebolla, tomate y hierbas finas.

FRICAR tr. Restregar, rozar, frotar con fuerza. ■ FRICACIÓN.

FRICASÉ m. Guiso de carne cortada en pequeños trozos, cuya salsa se bate con huevos.

FRICATIVO, VA adj. *Fon.* Díc. de las consonantes (*f, s, z, j*) cuya articulación hace salir el aire con un roce.

FRICCIÓN f. Rozamiento entre superficies de dos cuerpos en contacto. • pl. fig. Desavenencias.

FRICCIONAR tr. Dar fricciones o friegas.

FRIEDMAN, *Milton* (nacido 1912) Economista norteam. Pral. representante de la escuela monetarista de Chicago, propugna las virtudes de la economía de mercado liberal. Premio Nobel de Economía en 1976.

FRIEDMANN, *Georges* (1902-1977) Sociólogo fr. Estudios sobre la sociología del trabajo. *Problemas humanos del maquinismo industrial, El trabajo en migajas.*

FRIEDRICH, *Caspar David* (1774-1840) Pintor y grabador romántico al. *Mujer en la ventana, Escollera, Dos hombres contemplando la luna.*

FRIEGA f. Remedio que se hace restregando alguna parte del cuerpo. • *Col.* y *C. Rica.* Molestia, fastidio. • *Chile.* Tunda, zurra.

FRIERA f. Sabañón en la piel humana.

FRIES, *Jakob Friedrich* (1773-1843) Filósofo al. *Sistema de la filosofía como ciencia evidente y Nueva crítica de la razón.*

FRIGIA *(Phrygia)* Ant. región de Asia Menor. Su núcleo central comprendía la meseta entre el río Sangario y la cuenca superior del Meandro.

FRIGIDARIUM (voz latina) m. Habitación espaciosa de las termas romanas, donde se tomaban los baños fríos.

FRIGIDEZ f. Frialdad sexual, especialmente la femenina. ■ FRÍGIDO, DA.

FRIGIO, A adj. y s. De Frigia. Los f., procedentes de Tracia, contribuyeron al fin del imperio hitita (h. 1 200 a. C.). En el s. VIII a. C. alcanzaron la hegemonía en Asia Menor. Post. fueron dominados por persas, gr. y romanos.

FRIGORÍA f. Unidad utilizada en la ind. frigorífica. Consiste en la cantidad de calor que es necesario sustraer a un kg. de agua para que su temperatura descienda 1 °C.

FRIGORÍFICO, CA adj. Que produce frío. • adj. y m. Díc. de las cámaras o espacios enfriados artificialmente para conservar frutas, carnes, etc. • m. Nevera, cámara con refrigeración eléctrica o química para guardar alimentos.

FRIGOTERAPIA f. *Med.* Empleo terapéutico del frío.

FRÍJOL o **FRIJOL** m. Fréjol, judía. • pl. fam. Sustento, comida. ■ FRIJOLAR.

FRIJOLILLO m. *Cuba.* Árbol silvestre, de la familia papilionáceas, cuyo fruto sirve de alimento al ganado.

FRIMARIO m. Tercer mes del calendario republicano francés. Abarcaba desde el 21 noviembre al 20 diciembre.

FRINGA f. *Hond.* Manta, capote de monte.

FRINGILAGO m. Paro carbonero, pájaro.

FRINGÍLIDO, DA adj. y m. *Zool.* Díc. de aves de la familia fringílidos. • m. pl. *Zool.* Familia de aves paseriformes, de pequeño tamaño y régimen granívoro. Distribución muy amplia, pero pralm. en América.

FRÍO, A adj. Se aplica a los cuerpos cuya temperatura es apreciablemente inferior a la ordinaria del ambiente. • Díc. de los colores que producen un efecto sedante, como el azul, verde, etc. • fig. Impotente o indiferente al placer sexual. • fig. Indiferente, poco afectivo. • Sensación producida por la pérdida de calor o bien por la falta del mismo. • adj. Nada acogedor, poco íntimo. • Tranquilo, calculador, inmutable. • **industrial.** *Ing.* Conjunto de operaciones y medios necesarios para hacer descender la temperatura de un local o de un cuerpo. • **En f.** m. adv. Sin estar bajo la impresión inmediata de las circunstancias del caso. • **Quedarse** uno **f.** fig. Quedar aturdido por algún suceso inesperado.

FRIOLERO, RA adj. Muy sensible al frío. • f. fam. irónico. Gran cantidad de una cosa, especialmente dinero. ■ FRIOLENTO, TA.

FRISA f. Pañete, paño de inferior calidad. • *Amér. Merid.* Pelo de algunas telas, como el de la felpa. • *Mar.* Tira o arandela de cuero, paño, goma, etc., con que se hace perfecto el ajuste de dos piezas en contacto.

FRISAR tr. Levantar y retorcer los pelillos de algún tejido. • Colocar frisas de cuero, paño, goma, etc., para hacer perfecto el ajuste de dos piezas en contacto. • fig. Aproximarse a la cantidad núm. o edad expresada. ■ FRISADO, DA; FRISADOR, RA; FRISADURA.

FRISCA f. *Chile.* Soba, tunda, zurra.

FRISCH, *Max* (1911-1991) Novelista y dramaturgo suizo, de lengua al. *Santa Cruz, Stiller, Homo faber, La muralla china.* • ***Ragnar*** (1895-1973) Economista norteam., uno de los precursores de la econometría. Premio Nobel de Economía en 1969, compartido con Tinbergen.

FRISIA (al., *Friesland*; neerlandés, *Vriesland*) Región a orillas del mar del Norte, repartida entre los Países Bajos y Alemania.

FRISIAS, *islas* Arch. del mar del Norte, repartido entre Países Bajos, Alemania y Dinamarca.

FRISO m. *Arq.* Parte del cornisamento que media entre el arquitrabe y la cornisa. • Faja más o menos ancha que suele pintarse o ponerse de otro material en la parte superior o inferior de las paredes.

FRÍSOL m. Judía, legumbre.

FRISÓN, NA adj. y s. De Frisia. • Díc. de una casta de caballos de pies muy fuertes y anchos. • m. *Ling.* Lengua germánica hablada por los frisones. ■ FRISIO, SIA.

FRISUELO m. Frísol. • Especie de fruta de sartén.

FRITADA f. Conjunto de cosas fritas. • Guiso parecido al pisto.

FRITANGA f. Fritada, especialmente la abundante en grasa. • *Amér.* Fritada de carne y asadura.

FRITAR tr. *Argent.* y *Col.* Freír alimentos.

FRITO, TA adj. fam. Exasperado, fastidiado. • m. Fritada. • Cualquier manjar frito. • *Ven.* La comida, el pan de cada día.

FRITURA f. Conjunto de cosas fritas.

FRIUL *(Friuli)* Región histórica del NE de Italia, que se extiende entre el río Livenza, los Alpes Cárnicos, el río Isonzo y los Alpes Julianos.

FRIUL-VENECIA JULIA *(Friuli-Venezia Giulia)* Región autónoma del NE de Italia; 7 844 km^2, 1 197 700 hab. Cap. Trieste. Ribereña del Adriático. Accidentada al N por los Alpes Cárnicos. Prales. r.: el Tagliamento y el Isonzo. Cereales, pata-

Dos hombres contemplando la luna, óleo de Caspar David **Friedrich**

Picogordo, pájaro de la familia **fringílidos**

Frisos decorativos en el ábside de la iglesia de Santa María. Quintanilla de las Viñas, Burgos (España)

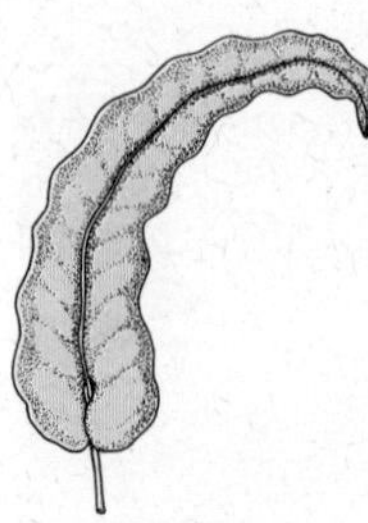
Fronde

Frontón

Fruela II hace entrega de su testamento al obispo Placino, según una miniatura medieval

tas, hortalizas, vid. Ganado bovino y porcino. Siderurgia, astilleros.

FRIULANO, NA adj. y s. De Friul. • m. *Ling.* Lengua retorromániса hablada en Friul.

FRIURA f. En algunas partes, temperatura fría. • Costra producida por el frío.

FRIVOLITÉ (voz fr.) f. Labor de encaje hecha con ayuda de una pequeña lanzadera.

FRÍVOLO, LA adj. Insustancial, ligero, veleidoso. • Irresponsable, tornadizo, voluble. • Díc. de los espectáculos ligeros y sensuales, de sus canciones, textos y bailes. • Publicaciones de contenido ligero con predominio de lo sensual. ■ FRIVOLIDAD.

FRIZ f. Flor del haya.

FRÖBEL, *Friedrich* (1782-1852) Pedagogo al. Discípulo de Pestalozzi, fue precursor de la escuela nueva. Creador de los jardines de infancia *(Kindergarten)*, utilizó el juego como medio de educación.

FROBEN, *Johannes* (1460-1527) Impresor al. Fue uno de los más notables humanistas de la época, asesor literario y editor de Erasmo.

FROBENIUS, *Leo* (1873-1938) Etnólogo al. Investigador de las culturas africanas; contribuyó a crear el método historicocultural en etnología. *Hadschra Maktuba, Atlas africanus.*

FROBISHER, SIR ***Martin*** (1535-1594) Navegante inglés. Intentó sin éxito encontrar un paso hacia China, participó en la lucha contra la Armada Invencible y apoyó a Enrique IV de Francia en su lucha contra la Liga católica.

FROGAR intr. *Const.* Fraguar, endurecer la masa de cal y yeso. • tr. Construir la fábrica o pared de albañilería.

FROISSART, *Jean* (hacia 1337-1410) Historiador fr. Famoso por sus *Crónicas*, en las que relata los sucesos de la Europa occidental desde 1326 a 1400.

FROMM, *Erich* (1900-1980) Psiquiatra y sociólogo norteam. de origen al. Destacó la importancia de los factores culturales en la motivación de la conducta. *El miedo a la libertad, El arte de amar, La crisis del psicoanálisis.*

FRONDA f. Vendaje que se utiliza en el tratamiento de fracturas y heridas. • Fronde.

FRONDA, *La* Insurrección de la nobleza fr. y del parlamento de París, durante la minoría de Luis XIV, para limitar el poder del regente Mazarino. Se inició en 1648 y fue aplastada en 1653, tras la toma de Burdeos por las tropas reales.

FRONDE m. *Bot.* Cada una de las hojas grandes de los pteridófitos. Pecioladas, con nerviación evidente y gruesa, suelen poseer esporangios en su envés.

FRONDÍO, DÍA adj. *Col.* Malhumorado, discíplente. • *Col.* y *Méx.* Sucio, desaseado.

FRONDIZI, *Arturo* (1908-1995) Político arg. Presid. de 1958 a 1962, en que fue derrocado por un golpe de est. militar. Post. formó el Movimiento de Integración y Desarrollo, que en 1973 se unió al peronismo. • ***Risieri*** (1910-1982) Filósofo arg. Preconizó un empirismo integral. *El punto de partida del filosofar, Introducción a los problemas fundamentales del hombre.*

FRONDOSIDAD f. Abundancia de hojas y ramas.

FRONDOSO, SA adj. Abundante de hojas y ramas. • Abundante en árboles que forman espesura.

FRONTAL adj. Perteneciente o relativo a la frente. • Que viene de frente. • adj. y m. *Anat.* Hueso impar, plano, simétrico, en forma de concha, que forma el esqueleto de la frente. • *Amér.* Frontalera de la cabezada. • *Arq.* Carrera, viga horizontal de enlace o sostén.

FRONTALERA f. Correa o cuerda de la cabezada del caballo, que le ciñe la frente. • Fajas y adornos que guarnecen el frontal por lo alto y por los lados. • Frontil que se pone a los bueyes.

FRONTALIDAD f. Posición de estar situado de frente con respecto a alguien o algo.

FRONTERA f. Confín de un estado. • Fachada. • *Const.* Tablero fortificado con barrotes que sirve para sostener los tapiales. • fig. Barrera, límite. Se usa más en pl. • **natural.** La que coincide con un accidente geográfico (río, montaña, etc.). • **política.** Línea divisoria entre el territorio de dos estados. ■ FRONTERIZO, ZA.

FRONTERA del Noroeste División administrativa del NO de Pakistán; 74 522 km², 10 885 000 hab. Cap., Peshawar. Economía agrícola y ganadera.

FRONTERO, RA adj. Puesto y colocado enfrente. • m. Frentero. • adv. lugar. Enfrente.

FRONTIL m. Pieza acolchada que se pone a los bueyes entre su frente y la coyunda. • *Ant.* y *Méx.* Parte de la cabezada que cubre la frente de una caballería.

FRONTINO, NA adj. Díc. de la bestia que tiene alguna señal en la frente.

FRONTIS m. *Arq.* Fachada o frontispicio. • Muro del frontón o trinquete contra el que se lanza la pelota.

FRONTISPICIO m. Fachada o delantera de un edificio, libro, etc. • fig. y fam. Cara, rostro. • *Arq.* Frontón, remate de una fachada.

FRONTÓN m. Pared contra la cual se lanza la pelota en algunos juegos. • Edificio o sitio dispuesto para jugar a la pelota vasca. • *Arq.* Remate triangular de una fachada o de un pórtico; se coloca también encima de puertas y ventanas.

FRONTUDO, DA adj. Díc. del animal que tiene mucha frente.

FROST, *Robert Lee* (1874-1963) Poeta norteam. Sus obras cantan la vida sencilla, el sentido común y las virtudes clásicas. *Un árbol testigo, Nueva Hampshire, La máscara de la razón.*

FROTAR tr. y prnl. Pasar muchas veces una cosa sobre otra con fuerza. ■ FROTACIÓN; FROTADOR, RA; FROTADURA; FROTAMIENTO.

FROTE m. Frotamiento. • *Med.* Ruido percibido por la auscultación y a veces por la palpitación al ludir dos superficies serosas alteradas: pleura, pericardio, peritoneo, etc.

FROTIS m. *Med.* Preparación microscópica de un líquido espeso o tejido pastoso.

FROUDE, *James Anthony* (1818-1894) Historiador brit. *Historia de Inglaterra hasta la derrota de la Armada Española.*

FRUCHEL (s. XII) Arquitecto fr., activo en Castilla en el último cuarto del s. XII. Concluyó la catedral de Ávila y la basílica románica de San Vicente, en la misma ciudad.

FRUCTIDOR m. Duodécimo mes del calendario republicano fr., comprendido entre el 18 agosto y el 16 septiembre.

FRUCTIFICACIÓN f. *Bot.* Proceso de formación de los frutos de las fanerógamas angiospermas. Es un conjunto de reacciones hormonales desencadenadas tras la fecundación de las células sexuales femeninas por los núcleos germinativos de los granos de polen.

FRUCTIFICAR intr. Dar fruto. • fig. Producir utilidad una cosa. • FRUCTÍFERO, RA; FRUCTUOSO, SA.

FRUCTOSA f. *Quím.* Monosacárido que se descubrió como producto de hidrólisis del azúcar de caña. Está muy extendido en el reino vegetal.

FRUCTUARIO, RIA adj. Usufructuario. • Díc. de la renta, pensión, etc., que consiste en frutos.

FRUELA I (m. 768) Rey de Asturias [757-768]. Hijo y sucesor de Alfonso I. Redujo a los vascones y gallegos sublevados y venció a los musulmanes en Pontuvio (Galicia). Murió asesinado. • **II** (m. 925) Rey de León [924-925]. Hijo de Alfonso III, gobernó Asturias y ocupó el trono de León.

FRUGAL adj. Parco en comer y beber. • Aplícase también a las cosas en que se manifiesta esa parquedad.

FRUGALIDAD f. Templanza en la comida y la bebida.

FRUGÍFERO, RA adj. poét. Que lleva muchos frutos.

FRUGÍVORO, RA o **FRUCTÍVORO, RA** adj. y s. Aplícase al animal que se alimenta de frutos.
FRUGONI, ***Emilio*** (1880-1969) Poeta y político ur. Fundador del Partido Socialista del Uruguay. *Los himnos, Sonetos míos, Los caballos.*
FRUI f. Fruto del haya.
FRUICIÓN f. Goce muy vivo en el bien que uno posee. • Complacencia, goce en general.
FRUIR intr. Gozar, sentir un placer intenso y consciente. ■ FRUENTE.
FRUMENTARIO, RIA adj. Relativo al trigo y otros cereales. • m. Oficial que de Roma se enviaba a las prov. para remitir convoyes de trigo al ejército.
FRUMENTICIO, CIA adj. Frumentario.
FRUNCE m. Adorno que resultaba de fruncir una tela. • Pliegue que se hace en el papel, piel, etc.
FRUNCIR tr. Arrugar la frente y las cejas en señal de disgusto o de ira. • Recoger una tela haciendo en ella unas arrugas pequeñas. • prnl. Simular modestia y recogimiento. ■ FRUNCIDO, DA; FRUNCIMIENTO.
FRUNDSBERG, ***Georg von*** (1473-1528) General al., al servicio de Carlos V. Dirigió a los lansquenetes (mercenarios al.) en las guerras de Italia y los Países Bajos. Obtuvo grandes éxitos, especialmente en Bicoca (1522) y Pavía (1525).
FRUNZE Nombre que recibía en la URSS, antes de su disolución, la actual Pishpek, c. y cap. de Kirguisistán.
FRUNZE, ***Mijaíl Vasílievich*** (1885-1925) Militar sov. Uno de los prales. jefes del ejército rojo durante la guerra civil. Post., presid. del Consejo militar revolucionario.
FRUSLERA f. Raeduras que salen de las piezas de latón cuando se tornean.
FRUSLERÍA f. Cosa de poco valor o entidad. • fig. y fam. Dicho o hecho de poca sustancia.
FRUSLERO, RA adj. Fútil o frívolo. • m. Cilindro de madera que se usa en las cocinas para trabajar y extender la masa.
FRUSTRAR tr. Privar a uno de lo que esperaba. • tr. y prnl. Dejar sin efecto, malograr un intento. • *Der.* Dejar sin efecto un propósito contra la intención del que procura realizarlo. ■ FRUSTRACIÓN; FRUSTRATORIO, RIA.
FRÚSTULO m. Cada una de las dos valvas o caparazones que rodea y protege el cuerpo de las algas diatomeas.
FRUTA f. Fruto de ciertos vegetales, comestible, de sabor agradable y apariencia, en general, vistosa. • **de sartén.** Masa frita de varios nombres y figuras. • **prohibida.** fig. Todo aquello que no nos es permitido tomar o hacer. • **seca.** La de cáscara dura, como la nuez, o la que se guarda pasa. ■ FRUTERÍA; FRUTERO, RA.
FRUTAJE m. Pintura de frutas y flores.
FRUTAL adj. Relativo a las frutas o a los frutos. • adj. y s. Díc. de los vegetales en general y de los árboles en particular que producen frutos comestibles, así como de aquellas plantas cuyos elementos germinativos se consumen como frutas.
FRUTAR intr. Dar fruto los árboles y otras plantas.
FRUTECER intr. poét. Empezar a echar fruto las plantas.
FRUTERÍO m. *Amér.* Conjunto de frutos.
FRUTESCENTE adj. Aplícase a las plantas herbáceas parecidas a un arbusto.
FRÚTICE m. Cualquier planta casi leñosa y de aspecto semejante al de los arbustos.
FRUTICOSO, SA adj. Que tiene la naturaleza o calidades del frútice.
FRUTICULTURA f. *Bot.* Estudio de las condiciones y técnicas de mejoramiento genético y cultivo de los frutales para conseguir nuevas y mejores variedades, su estabilización y producción óptimas.
FRUTILLA f. dim. de fruta. • Coco, cuentecilla de los rosarios. • *Amér. Merid.* Fresón. • *C. Rica.* Triquinosis.
FRUTILLAR m. *Amér. Merid.* Sitio donde crían las frutillas. ■ FRUTILLERO, RA.
FRUTO m. *Bot.* Órgano propio de las plantas fanerógamas, producto de la fecundación del ovario, y que contiene las semillas. El f. protege y nutre a la semilla que se desarrolla tras la fecundación, y, con frecuencia, participa en la diseminación. Consta de pericarpio y semilla. • P. ext., el hijo que se está formando en el seno de una mujer. • Cualquier producción de provecho que dé la tierra. • La del ingenio o del trabajo humano. • fig. Utilidad, provecho.
FRY, ***Chistopher*** (nacido 1907) Dramaturgo brit. *Venus contemplada* y *No quemen a la dama.*
FSH *Biol.* Siglas anglosajonas con las que se representa la foliculina.
FSM Siglas de la → Federación Sindical Mundial, fundada en 1945.
FTÁLICO *Quím.* Ácido ortodicarboxílico, que se origina en la oxidación catalítica de la naftalina.
FTIÓTIDE *(Phthiotis)* Ant. región de Grecia al S de Tesalia. En la Grecia actual existe un nomo hom. 4 441 km^2; 162 000 hab. Cap., Lamía.
FTIRIASIS f. Infestación por piojos.
FU adj. Bufido del gato. • interj. de desprecio. • **Ni fu ni fa.** loc. fam. con que se indica que algo es indiferente, que no es ni bueno ni malo.
FUAD I, ***Ahmed*** (1868-1936) Rey de Egipto [1922-1936]. Promovió la creación de universidades y la vida intelectual y artística de su país.
FUCÁCEO, A adj. y f. *Bot.* Díc. de plantas de la familia fucáceas. • f. pl. *Bot.* Familia de algas pardas, marinas, provistas de tallo ramificado, a la que pertenecen los sargazos.
FÚCAR m. Castellanización de Fugger, familia de banqueros al. • P. ext., el nombre se aplica al hombre rico y hacendado.
FUCHOU *(Fuzhou)* C. del SE de China, cap. de la prov. de Fukien; 1 120 000 hab. Puerto en la desembocadura del río Min. Importante centro comercial e industrial.
FUCILAZO m. Relámpago sin ruido que ilumina la atmósfera en el horizonte por la noche. ■ FUCILAR.
FUCÍVORO, RA adj. Aplícase al animal que se alimenta de algas.
FUCOSA f. Monosacárido derivado de la galactosa, que se halla en la leche, en las sustancias responsables de los grupos sanguíneos y en las membranas celulares de ciertas algas pardas.
FUCOXANTINA f. Pigmento fotosintético de color pardo de las diatomeas y algas feofíceas.
FUCSIA f. *Bot.* Arbusto de la familia de las enoteráceas, con flores colgantes de color rojo oscuro. Originario de América Central y Merid., se cultiva con fines ornamentales. • adj. y f. Díc. del color rojo o rosa subido.
FUCSINA f. Materia colorante sólida que se emplea para teñir de rojo oscuro.
FUCÚ m. *Amér.* Mala suerte.
FUEGO m. Calor y luz producidos por combustión. • Materia encendida en brasa o llama. • Incendio. • Efecto de disparar las armas de fuego. • fig. Ardor con que se lucha, disiente o siente. • *Vet.* Cauterio. • **de Santelmo.** Meteoro ígneo que aparece en los mástiles de las embarcaciones por efecto de la electricidad atmosférica. • **fatuo.** Inflamación de ciertas materias que se elevan de las sustancias orgánicas en putrefacción. • **graneado.** El hecho a la vez por todos los soldados. • **Fuegos artificiales.** Cohetes y otros artificios de pólvora, que se hacen para diversión.

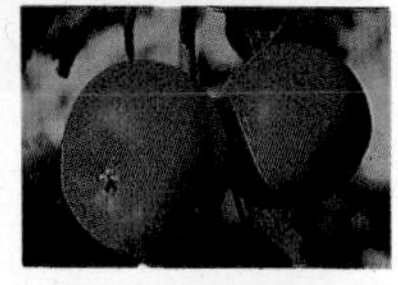

Diversos tipos de **frutos.** De arriba abajo: cerezas, fresas, manzanas y avellanas

Flores de **fucsia**

Fuegos artificiales

Fuerteventura. Vista de un pequeño municipio en la costa oriental de la isla

FUEGO, ***Montañas del*** Región volcánica de la isla de Lanzarote (Canarias).

FUEGUINO, NA adj. y s. Nombre dado a los primitivos hab. amerindios, hoy casi extinguidos, de la isla Grande de Tierra de Fuego y de los arch. adyacentes. • adj. Relativo a la Tierra del Fuego.

FUEL-OIL (voz ing.) m. Combustible líquido, residuo en la destilación del petróleo bruto.

FUELLAR m. Talco de colores con que se adornan las velas rizadas.

FUELLE m. Instrumento para recoger aire y lanzarlo con dirección determinada. • Bolsa de cuero de la gaita gallega. • Arruga del vestido. • En los carruajes, cubierta que se extiende para guarecerse del sol o de la lluvia. • Pieza plegable en los lados de bolsos, carteras, etc., para regular su capacidad.

FUENGIROLA Mun. de España, en la prov. de Málaga (Andalucía); 41 713 hab. Turismo.

FUENLABRADA Mun. de España, en la prov. de Madrid; 163 567 hab.

FUENTE f. Manantial de agua, que brota de la tierra. • Aparato o artificio con que se hace salir el agua, trayéndola encañada. • Construcción que sirve para que salga el agua por uno o muchos caños dispuestos en él. • Pila bautismal. • Plato grande que se usa para servir la comida. • fig. Principio o fundamento de una cosa. • fig. Aquello de que fluye un líquido. • *Fís.* Sistema emisor de un flujo material o energético.

FUENTE y Benavides, ***Rafael de la*** llamado MARTÍN ADAN (1908-1985) Poeta per. Adscrito a los movimientos de la vanguardia experimentalista. Premio Nacional de Literatura en 1975. *La rosa de la espinela, La mano desasida, Diario de poeta.*

FUENTES, ***Carlos*** (nacido 1928) Escritor mex., uno de los más destacados cultivadores del realismo fantástico, en la línea de Juan Rulfo. *La muerte de Artemio Cruz, Aura, Cambio de piel, Tierra nuestra, Agua quemada, Cristóbal Nonato.* Premio Cervantes 1987 y premio Príncipe de Asturias de las Letras 1994. • ***Pedro Enríquez de Acevedo*** CONDE DE (1525-1610) General esp. Capitán general de Portugal en 1589. En Flandes llevó a cabo una brillante campaña que culminó en la toma de Cambrai. • **Del Arco,** ***Antonio*** (s. XVIII) Dramaturgo arg. Barroco. Su obra *Loa* se considera la primera pieza teatral argentina. • **Marés,** ***José*** (1924-1986) Escritor y diplomático mex. Miembro de las academias de la Lengua y de la Historia. Fundó y dirigió el diario *Novedades. Las mil una noches mexicanas. Historia ilustrada de México.* • **Matons,** ***Laureano*** (1825-1898) Compositor y violinista cub. Autor del poema sinfónico *América*, de la ópera *Seila*, de música religiosa, sonatas, etc. • **Y Guzmán,** ***Francisco A. de*** (1643-1699) Historiador y militar guat. *Recordación florida, Discurso historial y demostración natural, militar y política del Reino de Guatemala.*

FUER Apócope de fuero. • **A f. de.** m. adv. A modo de, en virtud de.

FUERA adv. lugar y tiempo. A o en la parte exterior de cualquier espacio o término real o imaginario. • **Estar** uno **f. de sí.** fig. Estar enajenado y turbado. • **¡Fuera!** interj. que denota desaprobación. • **Fuera de.** m. adv. Excepto, aparte de.

FUERABORDA f. Pequeña embarcación propulsada por un motor sit. fuera del casco. • m. y adj. Motor que va fuera del casco.

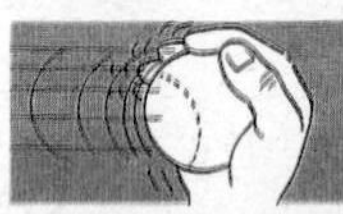

Efectos que produce la **fuerza** sobre un cuerpo. De arriba abajo: aceleración, deceleración, cambio de dirección y deformación

FUERO m. Jurisdicción, poder. • Nombre de algunas compilaciones de leyes. • Cada uno de los privilegios y exenciones que se conceden a una prov., c. o persona. • fig. y fam. Arrogancia, presunción. Se usa más en pl. • *Der.* Competencia a la que legalmente las partes están sometidas y por derecho les corresponde. ■ FUERISMO; FUERISTA.

FUERTE adj. Que tiene fuerza y resistencia. • Duro, que no se deja fácilmente labrar. • Díc. de la moneda, piedra preciosa, etc., que excede en peso o ley. • Aplícase a una unidad monetaria que no sufre fluctuaciones en los cambios. • fig. Grave, excesivo. • fig. Que impresiona el gusto, olfato, etcétera. • fig. Versado en una ciencia o arte. • *Gram.* Díc. de la forma que tiene el acento en el radical. • m. Recinto fortificado. • fig. Aquello a que una persona tiene más afición o en que más sobresale. • adv. modo. Fuertemente. • Con exceso.

FUERTE, ***El*** Mun. de México, en el est. de Sinaola; 61 600 hab. Agricultura.

FUERTE OLIMPO C. de Paraguay, cap. del dpto. de Alto Paraguay; 1 900 hab.

FUERTES, ***Gloria*** (1918-1998) Poetisa esp. Ganadora del premio Andersen, de cuentos infantiles. *Cangura para todo, Aconsejo beber hilo, Pirulí, versos para párvulos,... que estás en la tierra.*

FUERTEVENTURA Isla esp. de la prov. de Las Palmas (Canarias); 1 722 km^2; 18 200 hab. Cap., Puerto del Rosario.

FUERZA f. Vigor y capacidad para mover una cosa que tenga peso o haga resistencia. • Eficacia que tiene algo para realizar un trabajo o esfuerzo, o producir un efecto. • Resistencia, capacidad de soportar un peso o de oponerse a un impulso. • Virtud y eficacia natural que las cosas tienen en sí. • Acto de obligar a uno a que dé asenso a una cosa, o a que la haga. • Violencia que se hace a una mujer para gozarla. • Plaza murada y guarnecida de gente para defensa. • Fortificaciones de esta plaza. • *Mec.* Magnitud vectorial que al actuar sobre un cuerpo produce una aceleración. • Corriente eléctrica para uso industrial o doméstico. • pl. Tropa o gente de guerra y demás aprestos militares. • **aérea.** Conjunto de unidades de la aviación militar que integran el ejército de aire. • **animal.** La del ser viviente cuando se emplea como motriz. • **armada.** Conjunto de los ejércitos de tierra, mar y aire de un país o de una organización supranacional. • **ascensional.** La que orientada en sentido inverso a la gravedad actúa sobre un cuerpo total o parcialmente sumergido en un fluido, cuando el peso total del cuerpo es menor que el peso del fluido desplazado. • **bruta.** La material, en oposición a la que da el derecho o la razón. • **centrífuga.** Fuerza de igual dirección y módulo que la centrípeta, pero cuyo sentido es opuesto. • **centrípeta.** Fuerza de dirección normal a la trayectoria del cuerpo. • **de choque.** Unidades militares que por su instrucción y armamento suelen emplearse en la ofensiva. • **de cohesión.** La ejercida entre las moléculas de un mismo cuerpo, a las cuales mantiene unidas. • **de inercia.** La que la masa de un cuerpo opone a las fuerzas externas, de acuerdo con el principio de acción y reacción. • **electromotriz** *(f.e.m.).* Magnitud que mide la capacidad de un sistema para convertir la energía eléctrica en cualquier otra forma de energía, siendo el proceso reversible. • **electrostática.** La que se ejerce entre dos cuerpos que poseen una carga eléctrica. • **gravitatoria.** La que se desarrolla entre dos cuerpos cuando se hallan en un campo gravitatorio. • **magnetomotriz.** La que produce un flujo magnético en un circuito magnético. • **mayor.** La que por no poderse prever o resistir, exime del cumplimiento de alguna obligación. • **pública.** Agentes de la autoridad encargados de mantener el orden. • **productivas.** pl. Conjunto de elementos materiales y sociales que intervienen en el proceso productivo. • **sociales.** Grandes conjuntos organizados que actúan sobre la vida social, dominando, modificando o conservando su estructura: la Iglesia, los sindicatos, los partidos políticos, el ejército, etc. • **vivas.** Las clases y los grupos impulsores de la actividad y la prosperidad, señaladamente del orden económico, en una pobl., una comarca o una nación. • **A f. de.** m. adv. Seguido de un sustantivo o de un verbo indica el modo de obrar, empleando con intensidad o abun-

dancia el objeto designado por el sustantivo, o reiterando mucho la acción expresada por el verbo. • **A la f.** m. adv. Por necesidad, forzosamente, contra la propia voluntad. • **A viva f.** m. adv. Violentamente, con todo el vigor posible. • **Por f.** m. adv. A la fuerza. • **Ser f.** loc. Ser necesario o forzoso.
FUETAZO o **FUETE** m. *Amér.* Latigazo.
FUFAR intr. Dar bufidos el gato.
FUFÚ m. *Col., Cuba* y *P. Rico.* Comida hecha de plátano, ñame o calabaza. • *P. Rico.* Mal de ojo.
FUGA f. Huida. • Salida accidental de un fluido. • *Mús.* Composición que gira sobre un tema y su contrapunto, repetidos por diferentes tonos.
* *Mús.* Nacida a fines del s. XV, pertenece tanto al arte instrumental como al vocal. Alcanzó su mayor esplendor con Juan Sebastián Bach.
FUGADA f. Ráfaga de aire.
FUGARSE prnl. Escaparse, huir.
FUGAZ adj. Que con velocidad huye y desaparece. • fig. De muy corta duración. ■ FUGACIDAD.
FUGGER Familia de comerciantes de Augsburgo. Su fundador, **Johannes** (m. 1409), empezó como tejedor. **Jakob II, *el Rico*** (1459-1525), inició las actividades bancarias y los grandes préstamos a los emperadores. Financió la elección de Carlos V como sucesor de Maximiliano de Austria. Con **Ralmund** (1489-1535) y **Anton** (1493-1560), la sociedad alcanzó su máx. riqueza y poderío.
FUGITIVO, VA adj. y s. Que anda huyendo y escondiéndose. • adj. Que pasa muy aprisa.
FUGUILLAS m. fam. Hombre de genio vivo.
FÜHRER (voz al.) m. Caudillo, título que adoptó Adolf Hitler en 1934.
FUINA f. Garduña, mamífero.
FUJI YAMA *(Fuji San)* Volcán del Japón, cerca de Yokohama, en la isla de Honshu, máx. altitud del país (3 776 m). Actualmente apagado, ha experimentado terribles erupciones (la última en 1707). Santuario de peregrinación.
FUJIMORI, *Alberto Kenyo* (nacido 1938) Político per. De ascendencia japonesa. Entró en la política fundando CAMBIO 90. Candidato a las elecciones presidenciales de 1990, tras la segunda vuelta, venció al escritor Mario Vargas Llosa. En abril de 1992, con el apoyo de las Fuerzas Armadas, disolvió el Parlamento y, en 1993, ganó un plebiscito para reformar la Constitución y permitir la reelección presidencial. Fue reelegido presid. en 1995 y en mayo de 2000. Sin embargo, seis meses después de su elección, en un marco de grave crisis política, viajó a Japón, desde donde anunció su dimisión.
FUJISAWA C. de Japón, en la isla de Honshu; 328 400 hab. Automóviles, electrónica.
FUJITA, *Tsuguharu* (1886-1968) Pintor japonés. Establecido en París desde 1913, combinó lo occidental con la tradición japonesa. *Mi interior, Café.*
FUJIWARA Ant. familia noble jap. El fundador, **Nakatomi no Kamatari** (m. 669), introdujo el sistema adm. chino. Protegieron el budismo y las artes.
FUKIEN *(Fujian)* Prov. del SE de China; 120 000 km², 30 048 224 hab. Cap., Fuchou. Sit. en la costa del estr. de Taiwan. Clima templado y húmedo. Bosques de bambú. Té, caña de azúcar, arroz.
FUKUDA, *Takeo* (1905-1995) Político japonés. Líder del partido Liberal. Primer ministro (1976-1978), firmó el tratado de paz y amistad con China.
FUKUI Prefectura de Japón, en la isla de Honshu; 4 192 km², 824 000 hab. Cap., la c. hom. (252 800 hab.)
FUKUOKAPrefectura de Japón, en la isla de Kyushu; 4 963 km², 4 811 000 hab. Cap., la c. hom. (1 237 000 hab.).
FUKUSHIMA Prefectura de Japón, en la isla de Honshu; 13 784 km², 2 104 000 hab. Cap., la c. hom. (277 500 hab.).
FUKUZAWA, *Yurichi* (1834-1901) Escritor jap. Fundó la universidad de Keiogikuju. Su obra contribuyó a occidentalizar la cultura nipona. *Consejos a los estudiantes, Hechos de los países occidentales.*
FULANO, NA m. y f. Voz con que se suple el nombre de una persona, cuando se ignora o no se quiere expresar. • Con referencia a una persona determinada, úsase como despect. • f. Prostituta.
FULAR m. Tela fina de seda. • Pañuelo para el cuello o bufanda de esa tela u otra semejante.

El volcán **Fuji Yama**

FULBE adj. y s. Díc. del individuo de un pueblo de África occidental, extendido entre Senegal y el E del lago Chad. Comprende unos 7 millones de personas. ■ FULA, FULANI.
FULCRO m. Punto de apoyo de la palanca.
FULERO, RA adj. fam. Chapucero, inaceptable, poco útil. • Díc. de la persona falsa o simplemente charlatana y sin seso.
FULGIR intr. Brillar, resplandecer. ■ FULGIDO.
FULGOR m. Resplandor y brillantez propios.
FULGURACIÓN f. *Astr.* Aumento brusco de brillo en regiones solares cercanas a grupos de manchas. Las f. se siguen de un aumento de la radiación ultravioleta solar, perturbaciones en la radio y, tras pocos días, tormentas magnéticas y auroras.
FULGURANTE adj. Que fulgura. • *Med.* Díc. del dolor muy vivo. • fig. Rápido, oportuno.
FULGURAR intr. Brillar, resplandecer. ■ FULGUROSO.
FULGURITA f. Tubo vitrificado producido por la caída de un rayo en tierras silíceas; alcanza hasta tres m de profundidad.
FULIGINOSO, SA adj. Oscurecido, tiznado. ■ FULIGINOSIDAD.
FULL (voz ing.) m. En el juego de póquer, tener un jugador una pareja y un trío.
FULLER, *Richard Buckminster* (1895-1983) Arquitecto norteam. Innovador en el cubrimiento de grandes espacios. Pabellón norteam. de la Expo de Montreal (1967).
FULLERÍA f. Trampa y engaño en el juego. • fig. Astucia con que se pretende engañar. ■ FULLEAR; FULLERESCO, CA; FULLERO, RA.
FULLONA f. fam. Pendencia, riña con gritos.
FULL-TIME (voz ing.) adv. modo. Con plena dedicación.
FULMICOTÓN m. Algodón pólvora.
FULMINANTE adj. Que fulmina. • Aplícase a las enfermedades muy graves y repentinas. • Súbito, muy rápido y de efecto inmediato. • adj. y m. Explosivo muy sensible a la percusión y a la temperatura, empleado como generador de la explosión. Detonante.
FULMINAR tr. Arrojar rayos. • fig. Arrojar bombas y balas. • Herir o aniquilar a alguien o algo un rayo o una corriente eléctrica. • fig. Amenazar, dirigir a alguien una mirada colérica. • intr. Explotar. ■ FULMINACIÓN.
FULMINATO m. *Quím.* Sal explosiva del ácido fulmínico con bases de plata, cinc, cadmio o mercurio (el más corriente).
FULMÍNEO, A adj. Que participa de las propiedades del rayo.
FULO, LA adj. *Amér.* Loco de rabia.
FULTON, *Robert* (1765-1815) Ingeniero e inventor norteam. Aplicó la máquina de vapor, por primera vez, al buque *Clermont*, e ideó el submarino de hélices *Nautilus*.
FUMADA f. Porción de humo que se toma de una vez fumando un cigarro.
FUMAGO m. *Bot.* Hongo de micelio filamentoso que forma capas negras en hojas de árboles y arbustos.
FUMAR tr. e intr. Aspirar y despedir el humo del tabaco, opio, anís, etc. • fig. y fam. Dejar de acudir a una obligación. • intr. fig. y fam. *Amér.* Dominar a uno, chafarle, sobrepujarle. ■ FUMABLE; FUMADERO; FUMADOR, RA.

Alberto **Fujimori**

Fumar. *Fumador de pipa*, autorretrato de Brouwer

Fumaria. Planta y flores

Fundamentalismo islámico. Manifestación de partidarios del *ayatollah* Khomeiny

Típico **funicular** de San Francisco, EE UU

FUMARADA f. Porción de humo que sale de una vez. • Porción de tabaco que cabe en la pipa.

FUMARIA f. Hierba papaverácea, con flores pequeñas en espigas, de color purpúreo.

FUMAROLA f. *Geol.* Emisión de gases a elevada temperatura a través de la fisura y grietas de una zona relacionada con un aparato volcánico.

FUMÍFERO, RA adj. poét. Que echa o despide humo.

FUMIGAR tr. Desinfectar por medio de humo, gas o vapores adecuados. • Combatir las plagas de insectos y otros organismos nocivos por este medio. ■ FUMIGACIÓN; FUMIGADOR, RA; FUMIGANTE; FUMIGATORIO.

FUMÍGENO, NA adj. Que produce humo.

FUMISTA m. El que hace, vende o arregla cocinas, chimeneas o estufas. ■ FUMISTERÍA.

FUMÍVORO, RA adj. Aplícase a los hornos y chimeneas de disposiciones especiales para disminuir la salida del humo. • m. Aparato instalado en el tubo de la chimenea con tal finalidad.

FUMOROLA f. Fumarola.

FUMOSO, SA adj. Que abunda en humo, o lo despide en gran cantidad.

FUMVIHANE, ***Kaysone*** (1919-1992) Político laosiano. Secretario general del Partido Revolucionario del Pueblo (desde 1955), fue nombrado primer ministro en 1975, al proclamarse la república. Reelegido en 1982.

FUNABASHI C. de Japón, en la isla de Honshu; 507 000 hab. Ind. maderera.

FUNÁMBULO, LA m. y f. Acróbata que realiza ejercicios en la cuerda o el alambre.

FU-NAN Ant. reino khmer de Indochina (h. s. II-s. IX) que abarcó las regiones del lago Tonle Sap y de Mekong meridional.

FUNCHAL C. de Portugal, cap. del arch. de Madera, sit. al S de la isla Madera; 48 600 hab. Centro turístico. Puerto exportador y pesquero. Aeropuerto.

FUNCHE m. *Amér.* Especie de gachas de harina de maíz.

FUNCIÓN f. Capacidad de acción de un ser apropiada a su condición natural o al destino dado por el hombre. • Actividad de un órgano o aparato de los seres vivos, máquinas o instrumentos. • Acción y ejercicio de un empleo, facultad u oficio. • Acto público al que concurre mucha gente. • Representación de un espectáculo. • *Gram.* Papel que desempeña un término. • *Mat.* Cantidad cuyo valor depende de otras cantidades variables. • *Soc.* Papel desempeñado por una parte del cuerpo social. • **trigonométrica**. *Mat.* La determinada al establecer una correspondencia entre el conjunto de valores de un ángulo y el conjunto de valores posibles de una razón trigonométrica.

FUNCIONAL adj. Relativo a las funciones. • Díc. de construcciones, muebles, utensilios, etc., cuya disposición busca la mayor eficacia en las funciones que les son propias y pospone o elimina lo ornamental. • *Med.* Díc. de los síntomas y trastornos en los cuales la alteración morbosa de los órganos no va acompañada de lesiones visibles.

FUNCIONALISMO m. *Soc.* Método que explica los fenómenos sociales a partir de la función que ejercen en el conjunto de las instituciones existentes. • *Arte.* Movimiento arquitectónico basado en el principio de que la forma debe reflejar una función. Surgido h. 1920 contra el abuso de elem. decorativos, ha influido mucho en el desarrollo del diseño industrial.

FUNCIONAR intr. Ejecutar una persona, máquina, etc., las funciones que le son propias. ■ FUNCIONAMIENTO.

FUNCIONARIO, RIA m. y f. Empleado del est. que desempeña funciones públicas.

FUNDA f. Cubierta con que se envuelve una cosa para resguardarla.

FUNDACIÓN f. Principio y origen de una cosa. • Documento en que constan las cláusulas de una institución de mayorazgo, etc. • *Der.* Entidad benéfica o cultural constituida y sostenida con los bienes de un particular cuya voluntad continúa y cumple. ■ FUNDACIONAL; FUNDADOR, RA.

FUNDACIÓN C. de Colombia, en el dpto. del Magdalena; 40 000 hab. Agricultura. Ganadería.

FUNDAMENTAL adj. Que sirve de fundamento o es lo pral. en una cosa.

FUNDAMENTALISMO m. *Rel.* Movimiento basado en la interpretación literal de la Biblia. Surgió en EE UU en 1895. • **islámico**. *Rel.* Movimiento religioso-político musulmán fundado en la estricta observancia del Corán en la soc. civil, el rechazo de la cultura occidental y la práctica de la «guerra santa» contra los enemigos del Islam. Tras la rev. islámica de Irán (1979), adquirió vigor en muchos países árabes, especialmente en el Líbano.

FUNDAMENTO m. Cimiento en que se funda un edificio u otra cosa. • Hablándose de personas, seriedad, formalidad. • Razón pral. o motivo con que se pretende afianzar y asegurar una cosa. • fig. Raíz y origen en que estriba una cosa no material. • pl. Primeras nociones de alguna ciencia, arte o técnica. ■ FUNDAMENTAR; FUNDAMENTACIÓN.

FUNDAR tr. Edificar materialmente. • tr. y prnl. Estribar, armar alguna cosa material sobre otra. • Erigir, instituir un mayorazgo, entidad benéfica o cultural. • tr. prnl. Establecer, crear. • fig. Apoyar con motivos y razones eficaces o con discursos una cosa.

Colada de una **fundición**

FUNDENTE adj. Que facilita la fundición o la fusión. • *Fís.* Que está fundiéndose. • adj. y m. *Med.* Díc. de la sustancia que resuelve una inflamación.

FUNDIBULARIO m. Soldado romano que peleaba con honda.

FUNDÍBULO m. Máquina de madera que servía para disparar piedras de gran peso.

FUNDICIÓN f. Fábrica en que se funden metales. • Hierro colado. • *Art. Gráf.* Conjunto de los moldes o letras para imprimir. • *Metal.* Conjunto de operaciones ligadas a la técnica de licuación de ciertos metales y de su colada en moldes adecuados para obtener determinadas piezas tras su solidificación.

FUNDILLOS m. pl. *Chile.* Calzón.

FUNDIR tr. y prnl. Hacer pasar del estado sólido al líquido. • Dejar de funcionar un artefacto eléctrico por haberse soltado o quemado el hilo de resistencia. • Dar forma en moldes al metal en fusión. • prnl. fig. Unirse intereses, ideas o partidos que antes estaban en pugna. • tr. y prnl. fig. y fam. *Amér.* Arruinarse, hundirse. ■ FUNDIDO, DA; FUNDIDOR, RA.

FUNDO m. *Der.* Finca rústica.

FUNDY, ***Bahía*** Golfo del litoral del E de Canadá, en el Atlántico Norte, entre Nueva Brunswick y Nueva Escocia.

FÚNEBRE adj. Relativo a los difuntos. • fig. Muy triste, luctuoso, funesto.

FUNERAL m. Pompa y solemnidad con que se hace un entierro. • Exequias. Se usa también en plural.

FUNERALA ***(A la)*** m. adv. que expresa la manera de llevar las armas los militares en señal de duelo, con las bocas o las puntas hacia abajo. • Díc. del ojo amoratado a causa de un golpe.

FUNERARIO, RIA adj. Funeral. • f. Empresa que se encarga de proveer los ataúdes, coches fúnebres y demás objetos usados en los entierros.

FUNES, ***Gregorio*** (1749-1829) Eclesiástico y político arg. Unido al movimiento indep., fue uno de los miembros de la Junta Grande. Post. se inclinó hacia la monarquía y el sistema unitario de gobierno y fue diputado en el Congreso de 1818. *Ensayo de la historia civil de Paraguay, Buenos Aires y Tucumán.*

FUNESTAR tr. Mancillar, profanar.

FUNESTO, TA adj. Aciago; que es origen de pesares. • Triste y desgraciado.

FUNGIBLE adj. Que se consume con el uso.

FUNGICIDA adj. y m. Díc. del producto que destruye los hongos.

FUNGIR intr. Desempeñar un empleo o cargo. • *Cuba, Méx.* y *P. Rico.* Dárselas, presumir de algo.

FUNGOSIDAD f. Excrecencia carnosa que se desarrolla a menudo en la superficie de las heridas y que constituye un tejido morboso de granulación.

FUNGOSO, SA adj. Esponjoso, fofo.

FUNICULAR m. *Ing.* Vehículo para salvar grandes pendientes, propulsado por un cable accionado por un motor eléctrico.

FUNÍCULO m. *Bot.* Filamento que relaciona los primordios seminales de los vegetales con las plantas de las hojas carpelares, o las semillas con la pared del fruto tras la fecundación.

FUÑICAR intr. fam. Hacer una labor con torpeza o ñoñería.

FUÑINGUE adj. *Cuba* y *Chile.* Díc. de la persona débil, tímida o enclenque.

FUÑIQUE adj. y s. Díc. de la persona inhábil y embarazada en sus acciones. • Meticuloso, chinche.

FURCIA f. Prostituta.

FURFURÁCEO, A adj. Parecido al salvado.

FURGÓN m. Carro largo y fuerte de cuatro ruedas y cubierto, usado para transporte. • Vagón de ferrocarril en que se transportan los equipajes.

FURGONETA f. Automóvil cubierto, más pequeño que el camión, destinado al reparto de mercancías.

FURIA f. Ira exaltada. • Acceso de demencia. • fig. Persona muy colérica. • fig. Actividad violenta de las cosas insensibles. ■ FURIOSO, SA.

FURIERISMO m. Socialismo utópico de Fourier. ■ FURIERISTA.

FURLÓN m. Tipo de coche antiguo.

FURNÁRIDO, DA adj. y m. *Zool.* Díc. de aves de la familia furnáridos. • m. pl. *Zool.* Familia de aves paseriformes, extendidas desde el S de México hasta Patagonia, en la que se integran 215 especies. Se conocen con el nombre de horneros.

FURO, RA adj. Díc. de la persona huraña. • m. Orificio que en su parte inferior tienen las hormas cónicas para lavar los panes de azúcar.

FUROR m. Cólera, ira exaltada. • fig. Furia, agitación violenta. • fig. Frenesí, locura, afición extraordinaria. • Momento de mayor intensidad de una moda o costumbre. • **uterino**. Ninfomanía. ■ FURIBUNDO, DA.

FURRIEL o **FURRIER** m. *Mil.* Soldado que en una compañía, nombra los servicios, reparte la correspondencia, distribuye el pan, etc.

FURRIS adj. fam. Malo o mal hecho.

FURRUCO m. *Ven.* Especie de zambomba.

FURTADO, ***Celso*** (nacido 1920) Economista bras. Ministro para el Desarrollo (1962-1963), se exilió en 1964. Ha escrito *Desarrollo y subdesarrollo, Crecimiento económico de Brasil y Teoría y política del desarrollo económico.*

FURTIVO, VA adj. Que se hace a escondidas y como a hurto. • adj. y m. Que caza, pesca o hace leña sin permiso.

FUSA f. *Mús.* Nota cuyo valor es la mitad de la semicorchea.

FUSADO, DA o **FUSELADO, DA** adj. *Her.* Díc. del escudo o pieza cargada de husos.

FUSAGASUGÁ Mun. de Colombia, en el dpto. de Cundinamarca; 40 000 hab. Ganadería, minas, fábricas de chocolate.

FUSCA f. Pato negro.

FUSCO, CA adj. Oscuro.

FUSELAJE m. En los aviones y planeadores, conjunto de elementos portantes.

FUSHUN C. del NE de China, en la prov. de Liaoning; 1 241 000 hab. Sit. a orillas del r. Hun, en la cuenca carbonífera del país. Siderurgia. Refinería de petróleo. Ind. química.

FUSIBLE adj. Que puede fundirse. • m. *El.* Hilo o chapa metálica, fácil de fundirse, que se coloca en algunas partes de las instalaciones eléctricas para que, cuando la corriente sea excesiva, la interrumpa fundiéndose. • *El.* Dispositivo en que ese hilo va colocado. ■ FUSIBILIDAD.

FUSIFORME adj. De figura de huso.

FÚSIL adj. Que puede fundirse.

FUSIL m. Arma de fuego portátil que constituye el armamento básico del combatiente convencional y por excelencia de la infantería. • **ametrallador.** Arma automática portátil, que realiza, a voluntad, el disparo tiro a tiro o a ráfagas. • **automático.** El que se recarga y se dispara por sí solo con auxilio de la fuerza originada por el disparo previo. • **de repetición.** El que utiliza un cargador con varios cartuchos que se disparan sucesivamente. • **subacuático.** Arma utilizada en la pesca submarina, que lanza arpones. ■ FUSILAZO; FUSILERÍA; FUSILERO, RA.

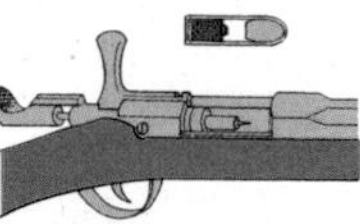

Carga de un **fusil**

Los ***fusilamientos*** *del 3 de mayo,* cuadro de Goya. Museo del Prado, Madrid

FUSILAR tr. Ejecutar a una persona con una descarga de fusilería. • fig. y fam. Copiar trozos o ideas de un original sin citar el nombre del autor. ■ FUSILAMIENTO.

FUSIÓN f. Fenómeno que consiste en la transformación de un sólido en líquido por acción del calor. • fig. Unión de intereses, ideas, partidos o empresas que antes estaban en pugna. • **nuclear.** *Fís.* Proceso de combinación de dos núcleos ligeros para formar uno más pesado, con gran desprendimiento de energía.

FUSIONAR tr. y prnl. Producir una fusión, unir intereses encontrados, o partidos separados. ■ FUSIONISTA.

FUSLINA f. Sitio destinado a la fundición de minerales.

FUSOR m. Vaso o instrumento que sirve para fundir.

FUSTA f. Leña delgada. • Cierto tejido de lana. • Vara flexible o látigo largo y delgado. • Ant. buque ligero de remos y con uno o dos palos.

FUSTAL, FUSTÁN o **FUSTAÑO** m. Tela gruesa de algodón con pelo por una de sus caras.

FUSTE m. Madera de los árboles. • Vara, palo largo. • Cada una de las dos piezas de madera que tiene la silla del caballo. • fig. Fundamento de un discurso, negocio, etc. • fig. Nervio, sustancia o entidad. • *Arq.* Parte de la columna que media entre el capitel y la basa. • *Bot.* Vástago, conjunto de tallo y las hojas.

FUSTER, ***Joan*** (1922-1992) Escritor esp. en lengua cata. Pral. representante del nacionalismo cultural y político cat. en el País Valenciano. *El descrédito de la realidad. Nosotros los valencianos. La decadencia en el País Valenciano. El azul de la bandera. País Valenciano ¿Por qué?* Premio de honor de las Letras Catalanas en 1975.

FUSTELETE m. Arbusto terebintáceo, con hojas de olor aromático, y cuya madera y corteza sirve para teñir de amarillo las pieles.

FUSTIGAR tr. Dar azotes. • fig. Censurar con dureza. ■ FUSTIGACIÓN.

FUTA YALÓN *(Fouta Djallon)* Macizo montañoso al O de la Rep. de Guinea. En él nacen los ríos Gambia, Níger, Bafing y Falémé. Ganadería. Arroz y maíz.

Fustes estriados en la *Maison carrée* de Nímes (Francia)

FÚTBOL o **FUTBOL** m. Juego de pelota que se realiza entre dos equipos de once jugadores cada uno. Cada equipo tiene que introducir el balón en la portería contraria ateniéndose a ciertas reglas, entre ellas la más característica es que ningún jugador, excepto uno por equipo denominado portero, puede tocar la pelota con las manos. ▪ FUTBOLISTA; FUTBOLÍSTICO, CA.

Campeonatos mundiales de **fútbol**

Año	*Lugar*	*Finalista*	*Campeón*
1930	Uruguay	Argentina	Uruguay
1934	Italia	Checoslovaquia	Italia
1938	Francia	Hungría	Italia
1950	Brasil	Brasil	Uruguay
1954	Suiza	Hungría	Alemania (RF)
1958	Suecia	Suecia	Brasil
1962	Chile	Checoslovaquia	Brasil
1966	Gran Bretaña	Alemania (RF)	Gran Bretaña
1970	México	Italia	Brasil
1974	RFA	Países Bajos	Alemania (RF)
1978	Argentina	Países Bajos	Argentina
1982	España	Alemania (RF)	Italia
1986	México	Alemania (RF)	Argentina
1990	Italia	Argentina	Alemania
1994	Estados Unidos	Italia	Brasil
1998	Francia	Brasil	Francia

Jugada de un partido de **fútbol**

* *Hist.* En su forma actual, el f. se comenzó a practicar en Gran Bretaña a lo largo del s. XIX. En 1930 se celebró el primer Campeonato del mundo de selecciones nacionales, que fue ganado por Uruguay. Otros torneos internacionales de importancia son la Copa de Europa de campeones de liga, la Copa de Europa de campeones de copa, también llamada Recopa, la Copa de la UEFA y, en América, la Copa Libertadores.

FUTBOLÍN m. Juego de salón en el que figurillas accionadas mecánicamente remedan un partido de fútbol.

FUTESA f. Fruslería, nadería.

FUTILIDAD f. Poca o ninguna importancia de una cosa. ▪ FÚTIL.

FUTRE m. *Amér.* Lechuguino o petimetre.

FUTUNA Isla de Melanesia, perteneciente al territorio fr. de Wallis y Futuna.

FUTURA f. Derecho a la sucesión de un empleo o beneficio antes de estar vacante. • fam. Novia que tiene con su novio compromiso formal.

FUTURARIO, RIA adj. Díc. de aquello que pertenece a futura sucesión.

FUTURIBLE adj. y m. Díc. del futuro condicionado o contingente.

FUTURICIÓN f. Condición de estar orientado o proyectado hacia el futuro.

FUTURISMO m. Actividad orientada h. el futuro. • *Arte y Lit.* Movimiento literario y artístico surgido en Italia en 1909. ▪ FUTURISTA.

* *Arte y Lit.* El f., promovido por el poeta F.T. Marinetti y algunos artistas, exaltaba la ciencia y consideraba la máquina como el máx. exponente de la belleza.

FUTURO, RA adj. Que está por venir. • m. fam. Novio que tiene con su novia compromiso formal. • *Gram.* Tiempo del verbo con que se expresa una acción que ha de realizarse en un tiempo que aún no ha llegado. • **contingente**. Lo que puede suceder o no. ▪ FUTURIDAD.

FUTUROLOGÍA f. Conjunto de los estudios que se proponen predecir científicamente el futuro del hombre. ▪ FUTURÓLOGO, GA.

FUTUTO m. *Pan.* Fotuto, instrumento de viento.

G

Galería de Apolo del Museo del Louvre, París

G f. Séptima letra y quinta consonante del alfabeto esp. En su grafía, este fonema se presenta de dos maneras, según la vocal que le siga. Ante *e, i,* se representa por *gu* (guerra). Ante *a, o, u,* se escribe *g* (gallo). • Símb. del gramo. • Símb. de la aceleración de la gravedad.

Ga *Quím.* Símb. del galio.

GABACHO, CHA adj. y s. Natural de algunos pueblos de los Pirineos. • fam. despect. Francés. • adj. Palomo o paloma de casta grande y calzado de plumas. • m. fam. Lenguaje español plagado de galicismos. ■ GABACHADA.

GABALDÓN, ***Arnoldo*** (nacido 1909) Médico ven. Investigaciones sobre la malaria. Director del Instituto de la fiebre aftosa.

GABÁN m. Abrigo, sobretodo.

GABAÓN Ant. c. de Palestina, sit. al NO de Jerusalén. Fue sometida por Josué.

GABAONITA adj. y s. De Gabaón.

GABARDINA f. Sobretodo de tela impermeable. • Tela de tejido diagonal.

GABARRA f. Barcaza utilizada para transporte, carga y descarga en los puertos y en navegación fluvial. ■ GABARRERO.

GABARRO m. Nódulo pétreo de composición distinta de la masa rocosa que lo contiene. • Defecto de las telas o tejidos. • Pepita de las gallinas. • fig. Obligación con que se recibe una cosa, o incomodidad que resulta de tenerla. • fig. Error en las cuentas. • *Vet.* Enfermedad de los miembros inferiores del caballo y el buey.

GABELA f. Tributo, impuesto. • fig. Carga.

GABES, ***golfo*** Profundo entrante del litoral S de Tunicia, en el Mediterráneo.

GABIN, ***Jean*** Seud. de *Jean Alexis Moncorgé* (1904-1976) Actor cinematográfico fr. *La bandera, La gran ilusión, El aire de París, French Can-Can.*

GABINETE m. Habitación menor que la sala. • Conjunto de muebles para un gabinete. • Colección de objetos curiosos. • Ministerio. • Consejo de ministros.

GABLE, ***Clark*** (1901-1960) Actor cinematográfico norteam. *Sucedió una noche, Rebelión a bordo, Lo que el viento se llevó.*

GABLETE m. *Arq.* Elemento ornamental.

GABO, ***Naum*** (1890-1977) Escultor ruso. Pasó del cubismo a la abstracción y al constructivismo (*Manifiesto constructivista*, en 1920 con A. Pevsner). Desarrolló el arte cinético.

GABÓN *(République Gabonaise)* Est. del África ecuatorial; rep. presidencialista; sit. a orillas del Atlántico, entre Guinea Ecuatorial, Camerún y la Rep. del Congo. El valle del Ogooué, río pral., prolonga la llanura litoral hacia el int., accidentado por los montes Cristal y ocupado por una altiplanicie. Clima ecuatorial. Maderas preciadas; hierro, manganeso, petróleo, gas natural, uranio, oro, diamantes. Cultivos de subsistencia (mandioca, maíz, batata) y de export. (cacao, cacahuetes, plátanos, café). Lenguas: fr. (of.) y lenguas bantúes. *Rel.*: catolicismo (65,2 %) y protestantismo (18,8 %), rel. animistas (15 %) e islamismo (1 %). U.M.: franco C.F.A. Cap.: Libreville. C. imp.: Port-Gentil.

* *Hist.* Visitado por los port. desde el s. XV, que iniciaron la trata esclavista. Francia emprendió su colonización en 1839: fue incluido en el Congo fr. (1890), luego convertido en colonia separada (1910). Indep. desde 1960. Su primer presid., León M'Ba, necesitó la ayuda fr. para afianzarse en el poder hasta su muerte (1967). Le sucedió Bernard-Albert Bongo (Omar Bongo), quien estableció el partido único y promovió la islamización del país. Tras dos intentos de golpe de Estado (1985 y 1989) y obligado por la presión popular, inició la democratización del país, ganando las primeras elecciones en 1990 y siendo reelegido en 1993 y 1996.

Gablete

GABÓN

Superficie 267 667 km²

Población 1 190 000 hab. (4 hab./km²)

Recursos económicos	
Bananas	9 000 t
Cacahuetes	15 000 t
Cacao	2 000 t
Gas natural	102 000 000 m³
Maíz	27 000 t
Mandioca	210 000 t
Manganeso	663 000 t
Petróleo	15 823 000 t
Riqueza forestal	4 445 000 m³
Uranio	650 t
Indicadores sociológicos	
PNB	3 759 millones de dólares
Renta per cápita	3 490 dólares
Esperanza de vida	55 años
Alfabetismo	63 %

Mapa de situación y bandera de **Gabón**

Gacela

Detalle de
Mr. and Mrs. Andrews,
óleo de Thomas
Gainsborough.
National Gallery, Londres

Gala Placidia. Díptico del tesoro de la catedral de Monza (Italia)

GABOR, ***Dennis*** (1909-1979) Físico húng., nacionalizado brit. Inventor de la holografía (1958). Premio Nobel de Física en 1971. • ***Pál*** (nacido 1932) Director cinematográfico húng. *Epidemia, La educación de Vera.*

GABORONE Cap. de Botswana; 79 100 hab. Sit. a orillas del río Notwani, cerca de la frontera con la Rep. Sudafricana.

GABRIEL, ***San*** Arcángel que anunció a la Virgen María que sería la madre del Salvador.

GABRIEL, ***Jacques-Ange*** (1698-1782) Arquitecto fr. neoclásico, autor de la plaza de Luis XV (hoy de la Concordia), La Escuela Militar, y la Ópera y el Pequeño Trianón en Versalles. • **Aguilera Valádez,** ***Alberto*** llamado JUAN. Cantante y compositor mex. *Del otro lado del puente, Es mi vida.* • **Y Galán,** ***José María*** (1870-1905) Poeta esp. Cantor entusiasta de las tradiciones rurales: *Extremeñas, Castellanas.*

GABRIEL ZAMORA Mun. de México, en el est. de Michoacán; 11 295 hab. Ganadería.

GABRIELES m. pl. fam. Garbanzos del cocido.

GABRIELI, ***Andrea*** (1520-1586) Compositor y organista it., padre de la orquestación moderna. • ***Giovanni*** (1557-1612) Compositor it., sobrino del anterior.

GABRO m. Roca eruptiva formada de augita, olivino, hornblenda y plagioclasas cálcicas.

GABROVO C. de Bulgaria, cap. del distr. hom; 75 000 hab. Fruticultura, hierro.

GACELA f. Mamífero rumiante de la familia bóvidos, que vive en las sabanas del S de Asia y del N, E y centro de África. Es un antílope no muy grande, cuerpo y patas gráciles, y cuernos de forma variable. ■ GACEL.

GACETA f. Periódico en que se dan noticias literarias, administrativas, etc. • fam. Correveidile. • Caja refractaria que sirve para colocar en el horno las piezas de loza o porcelana que han de cocerse ■ GACETERO, RA.

GACETILLA f. Parte de un periódico destinada a la inserción de noticias cortas. • fig. y fam. Persona que lleva noticias de una parte a otra. ■ GACETILLERO, RA.

GACETISTA m. Persona aficionada a leer gacetas. • Persona que habla de novedades.

GACHA f. Masa muy blanda. • *Col. y Ven.* Cuenco de loza. • pl. Comida compuesta de harina cocida con agua y sal, y aderezada con leche, miel, etc. • fig. y fam. Lodo, barro.

GACHETA f. Masa de harina o almidón cocidos en agua. • Palanquita que sujeta el pestillo de algunas cerraduras.

GACHETÁ Mun. de Colombia en el dpto. de Cundinamarca; 13 112 hab.

GACHÍ f. Mujer, muchacha.

GACHO, CHA adj. Encorvado hacia la tierra. • Díc. del buey de cuernos inclinados hacia abajo. • **A gachas.** modo adv. fam. A gatas.

GACHÓ m. Hombre, muchacho.

GACHONERÍA f. fam. Gracia, donaire, atractivo. ■ GACHONADA.

GACHUMBO m. *Amér. Merid.* Cubierta leñosa de varios frutos, de los cuales se hacen vasijas.

GACHUPÍN m. Español que iba a establecerse a América.

GAD Séptimo hijo de Jacob, cuya madre fue la esclava Zilpah, o epónimo de la tribu de su nombre.

GADAMER, ***Hans Georg*** (nacido 1900) Filósofo al., discípulo de Heidegger. *La ética dialéctica de Platón, Pueblo e historia en el pensamiento de Herder, La dialéctica de Heggel.*

GADDA, ***Carlo Emilio*** (1893-1973) Escritor it. *La Virgen de los filósofos, La canción del dolor.*

al-GADDAFI, ***Muammar*** (nacido 1942) Militar y político libio. En 1969 derrocó al rey Idris I e instauró una república socialista de marcado carácter islámico.

GADE, ***Nicolás Guillermo*** (1817-1890) Compositor y director de orquesta danés. Destacado representante del folklore y la música popular escandinava. Obras corales, sinfonías y oberturas. *Ecos de Ossián.*

GADES o **GADIR** Ant. nombre de Cádiz (España).

GADES, ***Antonio*** (nacido 1936) Bailarín y coreógrafo esp. *Bodas de sangre, Carmen* (filmes).

GÁDIDO, DA adj. Díc. de los peces osteíctios, pralm. marinos, de cuerpo cubierto de escamas cicloideas.

GADITANO, NA adj. y s. De Cádiz.

GADOLINIO m. Metal del grupo de tierras raras en la clasificación periódica. Símb. Gd, peso atómico 156,9, núm. atómico 64, valencia 3.

GAÉLICO, CA adj. y s. *Ling.* Idioma céltico de Irlanda y Escocia.

GAFA f. Gancho para sujetar o agarrar. • Grapa de metal. • *Mar.* Tenaza para suspender objetos pesados. • pl. Instrumento óptico de dos cristales montados en armadura que se sujeta a las orejas. ■ GAFETE; GAFOTE.

GAFAR tr. Arrebatar una cosa con las uñas o con un instrumento corvo. • Componer con gafas o grapas los objetos rotos. • tr. e intr. fam. Dar mala suerte.

GAFE m. fam. Aguafiestas.

GAFEDAD f. Contracción permanente de los dedos. • Lepra que producía este trastorno.

GAFETE m. Corchete, broche metálico.

GAFO, FA adj. y s. Que tiene encorvados y sin movimiento los dedos. • adj. *Amér.* Despeado.

GAG m. Situación cómica e inesperada en cine, variedades, etc.

GAGÁ adj. Caduco, antiguo, achacoso.

GAGARIN, ***Yuri Alekséevich*** (1934-1968) Cosmonauta sov., el primero que realizó un vuelo cósmico.

Gádido

GAGE, ***Irwin*** (nacido 1939) Pianista norteam. Debutó como solista en 1973 con la Orquesta Filarmónica de Viena.

GAGINI, Carlos (1865-1925) Filósofo y literato costarric. *Diccionario de barbarismos.*

GAGUEAR intr. *Amér.*Tartamudear. ■ GAGO, GA; GAGUEO; GAGUERA.

GAHNITA f. *Miner.* Aluminato de cinc, de color verde oscuro y brillo vítreo; dureza 8.

GAIAC m. *Amér.* Madera dura y pesada, de color pardo, que se obtiene de una serie de plantas del gén. *Guaiacum.*

GAICANO m. Rémora, pez.

GAINSBOROUGH, ***Thomas*** (1727-1788) Pintor romántico brit., retratista y paisajista. *Mr. and Mrs. Andrews; The Watering Place.*

GAÍNZA, ***Gabino*** (h. 1750-h. 1825) Militar esp. Participó en el sofocamiento de la sublevación de Túpac Amaru. Firmó el tratado de Lircay (1814) con los independentistas chil. Enviado a Guatemala como gobernador y capitán general (1820), se unió a los rebeldes y proclamó la independencia del país (1821). • **Paz,** ***Alberto*** (1899-1977) Periodista arg. Director y propietario del diario *La Prensa.* Presid. de la Sociedad Interamericana de Prensa.

GAIRY, ***Eric*** Político de Granada (Antillas). Fue derrocado por un golpe de est. en 1979.

GAITA f. Instrumento musical de viento formado por un odre y tres tubos con agujeros como la flauta. • Instrumento musical de cuerdas y teclas. • Especie de chirimía. • fig. y fam. Pescuezo. • fig. y fam. Cosa ardua o engorrosa. • fig. y fam. Cosa desagradable y molesta. ■ GAITERO, RA.

GAITÁN, ***Jorge Eliecer*** (1903-1948) Político col. Destacado dirigente del partido liberal y del movimiento popular de oposición contra el caciquismo, fue asesinado durante la IX Conferencia Interamericana de Bogotá. • ***José María*** (1800-1868). Militar col. que destacó en la Independencia. • **Durán,** ***Jorge*** (1924-1964) Escritor col., fundador de la revista literaria *Mito. El libertino, La revolución invisible, Si mañana despierto, Sade.*

GAITANA, ***La*** (s. XVI) Heroína col. que, siendo cacica de la tribu de los yalcones, dirigió la revuelta contra el conquistador Añasco, culpable de la muerte en la hoguera de su hijo, al que derrotó y mandó ejecutar en suplicio lento.

GAITERÍA f. Vestido de colores fuertes.

GAITO, ***Constantino*** (1878-1945) Compositor, pianista y director de orquesta arg., fundó el conservatorio que lleva su nombre. Poemas sinfónicos, ballets y óperas. *Ollantay, Lázaro o La sangre de las guitarras.*

GAITSKELL, *Hugh* (1906-1963) Político brit. Diputado laborista, canciller del Exchequer (1950-1951) y líder del partido hasta su muerte.

GAJDUSEK, *Daniel Carleton* (nacido 1923) Médico y fisiólogo norteam. Ha investigado las enfermedades del sistema nervioso. Premio Nobel de Medicina en 1976.

GAJE m. Salario que corresponde a un destino o empleo. Se usa más en pl. • **Gajes del oficio, empleo,** etc., loc. irónica. Molestias o perjuicios que causan.

GAJO m. Rama de árbol. • Racimo apiñado de cualquier fruta. • División interior de ciertas frutas. • Punta de los instrumentos de labranza. • Ramal de montes que deriva de una cordillera. • *Amér.* Barbilla. • *Bot.* Lóbulo. ■ GAJOSO, SA.

GAL m. Unidad de aceleración en el sistema cegesimal. Equivale a 1 cm/seg^2.

GALA f. Vestido suntuoso y lucido. • Gracia, garbo. • Lo más selecto de una cosa. • *Cuba* y *Méx.* Propina, premio. • pl. Trajes, joyas y demás artículos de lujo que se poseen y ostentan.

GALA, *Antonio* (nacido 1937) Escritor y dramaturgo esp. *Los verdes campos del Edén, Anillos para una dama, Petra regalada, El cementerio de los pájaros.*

GALA Placidia (h. 386-450) Emperatriz romana, hija de Teodosio I. Gobernó el Imperio durante la minoridad de su hijo Valentiniano III.

GALABARDERA f. Rosal silvestre y su fruto.

GALACETOFENONA f. *Quím.* Derivado de la acetofenona, soluble en agua caliente, utilizado como mordiente.

GALACTANA o **GALACTOSANA** f. Homopolisacárido formado por galactosa. Constituye el material de reserva principal de algunos animales.

GALÁCTICO, CA adj. Relativo a las galaxias.

GALACTITA o **GALACTITES** f. Arcilla detersoria que se deshace en el agua, poniéndola de color de leche.

GALACTOCELE m. *Pat.* Quiste que contiene leche modificada y que se forma en el curso de la lactancia.

GALACTÓFAGO, GA adj. y s. Que se alimenta de leche.

GALACTÓFORO, RA adj. Que transporta leche, como los conductos excretores de las glándulas mamarias.

GALACTOGOGO, GA adj. Que aumenta la secreción de la leche. ■ GALACTÓGENO, NA.

GALACTÓMETRO m. Instrumento para medir la densidad de la leche.

GALACTORREA f. Secreción excesiva de leche.

GALACTOSA f. Monosacárido de seis átomos de carbono, de tipo aldehídico (aldosa), que forma parte de la lactosa.

GALACTOSEMIA f. Presencia de galactosa en la sangre. • **congénita.** *Pat.* Afección hereditaria, transmitida de modo autosómico recesivo, que aparece en el recién nacido, debida a una alteración del metabolismo de la galactosa.

GALACTOSURIA f. Presencia de galactosa en la orina.

GALAFATE m. Ladrón sagaz.

GALAICO, CA adj. y s. Gallego.

GALAICO, *macizo* Conjunto montañoso del NO de España.

GALAICOPORTUGUÉS, SA adj. y m. Díc. de la lengua hablada en Galicia y Portugal. • adj. *Lit.* Díc. de la escuela literaria que, durante la E. Med., floreció en ambos territorios.

GALÁN adj. Apócope de galano. • m. Hombre de buen semblante, bien proporcionado y airoso. • El que galantea a una mujer. • Actor que representa un papel pral. • **de noche.** *Bot.* Planta arbustiva de flores blancas muy olorosas, que se abren por la noche. ■ GALANTERÍA; GALANURA.

GALANGA f. Planta cingiberácea, de flores blanquecinas, en espiga, y rizoma aromático. • Orinal de cama.

GALANO, NA adj. Vestido, adornado o dispuesto con gusto. • fig. Elegante, gallardo. • *Chile* y *Cuba.* Res de pelo de varios colores.

GALANTEAR tr. Ser galante con una mujer. • Pretender algo de una persona y ser amable con ella. ■ GALANTE; GALANTEADOR, RA; GALANTEO.

GALAPA Mun. de Colombia; en el dpto. Atlántico; 9 203 hab. Agricultura, ganadería.

GALÁPAGO m. Reptil acuático del orden de los quelonios, parecido a la tortuga. • Dental del arado. • Polea chata por un lado. • Aparato que sirve para sujetar fuertemente una pieza que se trabaja. • Molde en que se hace la teja. • Lingote corto de plomo, estaño o cobre. • *Const.* Armazón pequeño. • *Const.* Tortada de yeso que se echa en los ángulos salientes de un tejado. • *Cir.* Tipo de vendaje. • *Eq.* Silla de montar. • *Vet.* Enfermedad del rodete del casco de las caballerías. ■ GALAPAGAR; GALAPAGUERA.

GALÁPAGOS Prov. de Ecuador constituida por el arch. de Colón, sit. en el océano Pacífico, a unos 900 km de la costa ecuat. Región insular de 8 010 km^2, 9 785 hab. Cap., Puerto Baquerizo Moreno, → Colón, archipiélago de.

GALARDÓN m. Recompensa por los méritos o servicios. ■ GALARDONAR.

GALARZA, *Carlos* (nacido 1897) Escultor per. Premio Nacional Baltasar Gavilán en 1954 y 1961.

GALATEA *Mit.* gr. Ninfa, hija de Nereo y de Doris, enamorada de Acis.

GALATI C. del E de Rumania, en la orilla izquierda del Danubio; 285 000 hab. Puerto exportador. Centro pesquero. Astilleros. Ind. Metalúrgica, química, textil, alimentaria. Nudo ferroviario.

GALAXIA f. *Astr.* Sistema estelar en forma de disco, que comprende de 100 000 a 150 000 millones de estrellas y nebulosas. • **Grupo de galaxias,** *Astr.* Aglomeración de galaxias en número no superior a mil.

* *Astr.* El universo contiene un número elevadísimo de g. (nebulosas espirales o extragalácticas), más de 70 000 000. La clasificación más empleada es la de Hubble, basada en la forma: g. elípticas, espirales e irregulares. En los últimos años se han descubierto diversos tipos de g., como las **g. compactas**

Escuela **galaicoportuguesa.** Miniatura de las *Cantigas de Santa María* (s. XIII). El Escorial, Madrid

Flor de **galanga**

Las principales **galaxias** del Grupo Local

Galaxia	*Distancia (años luz)*
Nube Mayor de Magallanes	146 000
Nube Menor de Magallanes	146 000
Escultor	460 000
Horno	920 000
NGC 6822	1 040 000
NGC 147	1 320 000
NGC 185	1 320 000
M 31 (Andrómeda)	2 200 000
M 32	2 200 000
NGC 205	2 200 000

Galaxia espiral M101

Gálbulas de ciprés

Miniatura de una traducción francesa de las obras de Claudio **Galeno** (s. XIV). Biblioteca Municipal de Reims, Francia

Galeón

azules, las **g. Seyfert** (con un núcleo muy brillante que emite radiación X), los quasares, las **g. N** (con núcleo azul muy brillante sobre fondo rojo), los *objetos BL Lacertae*, las **g. Haro** y las **g. Markarian.**

GALAXIA o **VÍA LÁCTEA** *Astr.* Sistema galáctico al que pertenece el Sol.

* *Astr.* La G. está formada por un disco de unos 100 000 años luz de diámetro, cuya parte central es una especie de corona, menos densa, de unos 16 000 años luz. El espesor del disco es de unos 2 500 años luz en las proximidades del Sol. La masa total de la G. se estima igual a 100 000 millones la del Sol; el 80 % concentrada en el núcleo, y el resto en los brazos.

GALAXIAS, ***guerra de las*** Hipotética guerra espacial basada en el proyecto de defensa estratégica de EE UU contra misiles balísticos, conocido por las siglas SDI (Iniciativa de Defensa Estratégica).

GALAXITA f. Óxido de aluminio y manganeso, espinela manganesífera que se encuentra formando cristales del sistema cúbico de color pardorrojizo; dureza 7,5.

GALAYO m. Prominencia de roca pelada que se eleva en algún monte.

GALBA, ***Servio Sulpicio*** (h. 5 a. C.-69 d. C.) Emperador rom. [68-69]. Proclamado emperador por sus tropas, fue asesinado por los pretorianos.

GALBANA f. fam. Pereza, desidia. ■ GALBANOSO, SA.

GÁLBANO m. Gomorresina obtenida de las especies del gén. Ferula del N de Persia.

GALBRAITH, ***John Kenneth*** (nacido 1908) Economista norteam. de tendencia liberal. *La sociedad opulenta, La anatomía del poder.*

GÁLBULA f. o **GÁLBULO** m. Fruto del ciprés en forma de cono corto.

GALDIANO, ***José María*** (1780-1863) Político per. Presid. de la Cámara (1824-1825), alcalde de Lima (1825) y ministro (1828).

GALDÓS RIVAS, ***Enrique*** (nacido 1933). Pintor y grabador per. Premio Nacional de Pintura.

GALDOSIANO, NA adj. De Pérez Galdós o de su estilo literario.

GÁLEA f. Casco de los soldados romanos.

GALEANA, ***Hermenegildo*** (1762-1814) Patriota mex. Luchó en las filas de los independentistas como lugarteniente de Morelos. Dirigió la toma del castillo de Acapulco y de Oaxaca y murió en una emboscada de los realistas.

GALEANA Mun. de Méx; en el est. Nuevo León; 40 069 hab. Ganadería, madera.

GALEANO, ***Eduardo*** (nacido 1940) Escritor ur. Analiza críticamente la realidad latinoamericana. *Las venas abiertas de América Latina, Vagamundo.*

GALEATO adj. Aplícase al prólogo de una obra, en que se la defiende de reparos u objeciones.

GALEAZA f. Navío de vela y remo mayor que una galera.

GALEGA f.Planta papilionácea de jardín, con flores blancas, azuladas o rojizas, en panojas axilares.

GALEÍNA f. Materia colorante usada para teñir mordientes metálicos.

GALENA f. Mineral de sulfuro de plomo natural de color gris plúmbeo y brillo metálico que se explota para la obtención de plomo y para beneficiar la plata, el oro, etc. • Material empleado para la detección de señales radioeléctricas.

GALENISMO m. Doctrina de Galeno. ■ GALÉNICO, CA; GALENISTA.

GALENO, NA adj. *Mar.* Díc. del viento o brisa suave. • m. fam. Médico.

GALENO, ***Claudio*** (h. 131-h. 200) Médico gr. Su obra tuvo gran influencia en la medicina hasta el s. XVII.

GÁLEO m. Pez marino, del orden de los selacios, muy voraz. • Pez espada.

GALEÓN m. Bajel grande de vela, parecido a la galera, usado antiguamente. • **de Manila.** Navío que, entre 1571 y 1737, viajó una vez cada año desde Acapulco (Nueva España) hasta Filipinas.

GALEOTA f. Galera ligera.

GALEOTE m. Remero forzado de las galeras.

GALEOTTI Torres, ***Rodolfo*** (nacido 1912) Escultor guat., autor del monumento al general Rufino Barrios y del Obelisco de la Victoria.

GALERA f. Embarcación de vela latina y remo. • Carro grande, para transportar personas. • *Amér. Centr.* y *Méx.* Cobertizo, tinglado. • *Amér. Merid.* Sombrero de copa. • *Arit.* Separación que se hace al escribir los factores de una división, mediante dos líneas en ángulo recto. • *Art. Gráf.* Tabla rectangular para poner las líneas de letras que va componiendo el cajista. • *Min.* Fila de hornos de reverbero. • pl. Pena de remar en las galeras reales.

GALERADA f. *Art. gráf.* Trozo de composición que se pone en una galera. • Prueba de la composición.

GALERAS Volcán de Colombia, en la cordillera de los Andes, cerca de Pasto; 4 276 m.

GALERÍA f. Habitación espaciosa y cubierta, con muchas ventanas. • Corredor descubierto o con vidrieras, que da luz a las piezas interiores en las casas. • Tienda o almacén grandes. • Colección de obras artísticas. • Camino en las minas y otras obras subterráneas. • Bastidor del que cuelgan cortinas. • Paraíso o gallinero del teatro.

Gales. Castillo de Glamorgan en Cardiff

GALERIO (m. 311) Emperador rom., junto a Constancio Cloro [305-311].

GALERITA f. Cogujada, ave.

GALERNA f. o **GALERNO** m. Viento del NO, súbito y borrascoso, en el Cantábrico.

GALERÓN m. *Amér. Merid.* Romance vulgar recitado.

GALES (galés, *Cymru;* ing., *Wales*) País del O de Gran Bretaña, ribereño del mar de Irlanda, el canal de San Jorge y el canal de Bristol; 20 768 km^2, 2 798 500 hab. Recursos agropecuarios y mineros (carbón, hierro, estaño, cinc, cobre), que han sustentado una ind. siderometalúrgica y naval de gran tradición. Cap., Cardiff. Poblado por los celtas, fue sometido por Eduardo I de Inglaterra, aunque su anexión no pudo considerarse definitiva hasta Enrique VIII.

GALES, PRÍNCIPE DE Título del primogénito del monarca inglés, heredero de la corona desde Eduardo I (1301).

GALÉS, SA adj. y s. De Gales. • m. Idioma galés, lengua céltica, hablada en el país de Gales por un 26 % de sus habitantes.

GALGA f. Piedra grande que, desde una cuesta, baja rodando. • Piedra giratoria de un molino de aceite. • Erupción cutánea. • Palo que sirve de freno en el carro. • *Ing.* Instrumento de precisión para efectuar mediciones. • pl. *Min.* Maderos que sirven para sostener el huso de un torno de mano.

GALGO adj. y m. Díc. del perro lebreloide, de cuerpo esbelto y grácil, y patas largas. ■ GALGUEÑO, ÑA.

GALGUEAR intr. *Amér.* Ir de un sitio a otro buscando qué comer.

GALGUERO m. Cuerda con que se templa la galga del carro. • El que cuida los galgos.

GÁLGULO m. Rabilargo, ave.

GALÍ, ***Francisco*** (1539-1591) Marino esp. Dirigió la expedición que, partiendo de Acapulco, visitó Manila y Macao descubriendo algunas islas del arch. de Hawaii. Exploró así mismo las costas de California.

GALIA Nombre dado por los rom. a los países habitados por los celtas.

* *Hist.* Los romanos distinguían la G. Cisalpina y la G. Transalpina. La Transalpina comprendía el territorio limitado por los Alpes, el Rin, el Atlán-

tico, los Pirineos y el Mediterráneo. Tras la conquista total por César, la G. quedó dividida administrativamente en las prov. Narbonense, Bélgica, Aquitania y Lugdunense o Lionense. Los francos terminaron con los últimos restos de la dominación rom. en 486.

GALIANA f. Cañada de ganados.

GALIANI, *Ferdinando* (1728-1787) Eclesiástico, diplomático y economista it. *Sobre la moneda, Diálogos sobre el comercio de trigo.*

GALIANOS m. pl. Torta cocida a las brasas.

GALIAS, *Guerra de las* Campañas realizadas por Julio César, tras ser nombrado gobernador de la Galia meridional (58 a.C.), que culminaron con la rendición del jefe galo Vercigéntorix (52 a.C.).

GÁLIBO m. Arco de hierro que sirve para probar si los vagones cargados pueden pasar por túneles y puentes. • fig. Elegancia. • Sección máxima perpendicular a la marcha de un vehículo que circula por carretera. • Unidad estructural de características técnicas o estéticas ideales. ■ GALIBAR.

GALICADO, DA adj. Díc. del lenguaje en que se advierte la influencia de la lengua francesa.

GALICANISMO m. Doctrina del s. XVII, según la cual el Papa carecía de jurisdicción sobre Francia y su autoridad se hallaba limitada por los concilios.

GALICANO, NA adj. De las Galias. • adj. y s. Partidario del galicanismo.

GALICIA o **GALIZA** Com. autón. de España, sit. en el ángulo NO de la pen. Ibérica, a orillas del Atlántico; 29 434 km², 2 731 669 hab. El relieve está configurado por el macizo Galaico. Ríos cortos, pero caudalosos: el Miño y su afl. el Sil son los más imp. Clima muy húmedo, templado por la influencia oceánica en el litoral y continental en el int. Agricultura (minifundismo). Centros industriales (construcciones navales, automóviles, derivados de la pesca) El Ferrol y Vigo, grandes puertos, y La Coruña. Cap., Santiago de Compostela. Región histórica que comprende los límites de la com. autón. En el reparto de la pen. Ibérica entre los pueblos germ. que pusieron fin al imperio rom., G. fue adjudicada a los suevos: su reino pervivió hasta finales del s. VI, en que fue absorbido por el visigodo. El terr. fue arrebatado tempranamente a los ár. desde el s. VIII por la Reconquista cristiana, y el efímero reino de Galicia (1065-1071), reintegrado por la fuerza a la Corona de Castilla. Bajo la II República obtuvo un estatuto de autonomía en junio de 1936. La guerra civil y la derrota republicana impidieron su entrada en vigor. La recuperación de la autonomía hubo de aguardar a 1980. Los poderes autonómicos son detentados por la *Xunta*.

GALICIANO, NA adj. Gallego.

GALICISMO m. Giro propio de la lengua francesa. • Vocablo o giro de esta lengua empleado en otra. ■ GALICISTA.

GÁLICO, CA adj. De las Galias. • m. Sífilis. • **Ácido gálico.** Sustancia blanca, cristalina, soluble en agua, reductora y que produce reacción coloreada con el ion férrico. Se utiliza en la fabricación de tintas azules.

GALIENO, *Publio Licinio* (h. 218-268) Emperador rom. [260-268]. Hijo de Valeriano, con quien compartió el poder desde 253.

GALILEA f. Pórtico o atrio de las iglesias, especialmente la parte ocupada con tumbas de próceres o reyes.

GALILEA *(Galil)* Región del N de Palestina, bañada por el Mediterráneo y el río Jordán. Desde 1948 Israel se arrogó militarmente su pertenencia. Cereales, frutales, tabaco. C. prales.: Haifa y Nazaret. Pob. compuesta de israelíes y ár. Tierra de hondas resonancias bíblicas, su arabización comenzó en el s. VII.

GALILEO, A adj. y s. De Galilea. • P. ext. Cristo, cristiano.

GALILEO Galilei (1564-1642) Físico, matemático y astrónomo it. Llevó a la práctica el concepto de método científico propugnado por Bacon, extensible a toda ciencia experimental. Construyó un termoscopio (1597), inventó el anteojo binocular (1617), descubrió la ley del isocronismo del péndulo (1583), describió y construyó la balanza hidrostática (1586), etc. Demostró que la caída libre de los graves se produce según un movimiento uniformemente acelerado y perfeccionó el telescopio, lo que le permitió descubrir las irregularidades de la superficie lunar, los satélites de Júpiter, las fases de Venus y la composición de la Vía Láctea: *Sidereus Nuncius* (1610). En 1613 publicó su *Historia y demostraciones relativas a las manchas solares y a sus accidentes,* obra abiertamente pro copernicana que le valió graves acusaciones. En 1615 sufrió su primer proceso inquisitorial que le obligó a abandonar sus opiniones. A raíz de su libro *Diálogos acerca de los Sistemas Máximos* (1632) fue llamado de nuevo ante la Inquisición y tuvo que abjurar de sus ideas. En 1992, el papa Juan Pablo II, en nombre de la Iglesia católica, proclamó su desagravio a Galileo.

GALILEO *Astr.* Proyecto espacial de la NASA para la observación de los alrededores de Júpiter. La sonda espacial y el satélite, lanzados en 1985, alcanzaron Júpiter en 1988.

GALILLO m. Úvula. • fam. Gaznate, garganta.

GALIMATÍAS m. fam. Lenguaje oscuro. • fig. y fam. Confusión, enredo.

GALINÁCEO, A adj. y f. *Zool.* Gallináceo.

GALÍNDEZ de Carvajal, *Lorenzo* (1472-1528) Cronista y jurista esp. de los Reyes Católicos y de Carlos V. *Anales breves.*

GALINDO, *Alejandro* (nacido 1911) Cineasta mex. Films de denuncia y crítica social. *México duerme, Hay lugar para dos, Espaldas mojadas.* • ***Beatriz,*** llamada LA LATINA (1475-1535) Humanista esp., profesora de latín de Isabel la Católica. • ***Blas*** (nacido 1910) Compositor mex. Fue alumno de Chávez y de Copland, y profesor en el conservatorio de México. Sus obras están influidas por el folklore indígena.• ***Sergio*** (nacido 1926) Escritor mex. Miembro de la Academia Mexicana de la Lengua y director de la revista *La palabra y el hombre. Polvos de arroz, La comparsa, Nudo.*

GALIO m. Hierba de la familia rubiáceas, empleada como cuajo de la leche. • Elemento químico de símb. Ga, peso atómico 69,72, núm. atómico 31. Metal de color blanco argentino, que se obtiene por electrólisis de los productos del refino del cinc, o de la bauxita.

GALITZIA (polaco, *Galicja*) Región de Europa central, sit. al N de los Cárpatos; 78 000 km². Repartida, desde la II Guerra Mundial hasta 1991, entre Polonia (c. pral., Cracovia) y la URSS (c. pral., Lvov, en Ucrania).

Galicia. Puerto pesquero de La Coruña

GALL, *Franz Josep* (1758-1828) Médico al., fundador de la frenología.

GALLA f. Remolino de pelo del caballo. • Agalla del pez. • Agalla del roble.

GALLA u **OROMO** adj. y s. Individuos de un pueblo etiópico de lengua cuscítica que viven en el O y SO de Etiopía y en el N de Kenia. • m. Lengua cuscítica hablada por dicho pueblo.

GALLADURA f. Pinta como de sangre que se halla en la yema del huevo fecundado.

GALLAGHER, *Manuel C.* (1885-1953). Político y diplomático per. Ministro de Justicia y Trabajo (1943-44). Director del Banco Central de Reservas y del Banco Internacional de Perú. • **De Parks, *Mercedes*** (1883-1950). Escritora y crítica de arte per. *Introducción a Keyserling, Sombras en la calle, La Realidad y el Arte, Mentira azul.*

GALLANO m. Budión.

Galgo

Galia. Estela de Marco Coello (época romana)

Publio Licinio **Galieno**

Gallardetes y banderas en el mástil de un barco

Rómulo **Gallegos**

Gallo y gallina, aves pertenecientes al orden **galliformes**

GALLAR tr. Gallear. Cubrir el gallo a las gallinas.
GALLARDA f. Danza de la escuela esp. • Tañido de esta danza.
GALLARDETE m. Banderín que sirve como adorno o señal.
GALLARDETÓN m. *Mar.* Gallardete rematado en dos puntas.
GALLARDÍA f. Buena presencia. • Resolución para acometer las empresas. ■ GALLARDEAR; GALLARDO, DA.
GALLARDO, *Ángel* (1867-1934) Biólogo y naturalista arg. Director del Museo de Ciencias Naturales, rector de la Universidad de Buenos Aires, embajador en Roma y ministro de Relaciones Exteriores. • ***Antonio*** llamado TONY (1929-1996) Escultor esp., residió en Venezuela durante tres años. *Magmas, Área rectangular.* • ***José León*** (1871-1924) Sacerdote y músico arg., discípulo de D'Indy en París. *Sonata Pascual* para órgano, *Suite Argentina.* • ***Lino*** Compositor ven. del s. XIX. Fundó en Caracas la Academia de Música (1818). *Canción patriótica a Bolívar.*
GALLARETA f. Foja, ave.
GALLARÓN m. Sisón, ave.
GALLARUZA f. Vestido con capucha, propio de gente montañesa. • *Amér.* Mujer varonil.
GALLE, *Johann Gottfried* (1812-1910) Astrónomo al., descubridor del planeta Neptuno (1846) y autor de un método para la determinación de la paralaje solar.
GALLEAR tr. Cubrir el gallo a las gallinas. • intr. fig. y fam. Presumir. • *Metal.* Producirse un galleo.
GALLEGADA f. Cosa propia de gallegos. • Baile de los gallegos. • Música con que se acompaña.
GALLEGO, GA ajd. y s. De Galicia, región histórica de España. • adj. y s. Díc. de individuos de un pueblo del NO de la pen. Ibérica. • m. Este mismo pueblo. • adj. y s. *Amér.* Inmigrante esp. • m. Lengua románica occidental, hablada en la com. autón. de Galicia (España) y en sectores occidentales de las vecinas León, Zamora y Asturias.
* *Lit.* La primera y floreciente etapa de las letras g. se halla inmersa en la lit. galaicoportuguesa de la E. Med., hasta su progresivo arrinconamiento por las escuelas cast. El renacer vino preparado por el Romanticismo, con Rosalía de Castro *(Cantares gallegos, Follas novas)* y Noriega, Cabanillas y Taibo. Esta rica herencia y la labor de galleguistas eminentes como Castelao han fructificado tanto en las diversificadas escuelas poéticas de hoy (de Amado Carballo y Blanco Amor a Álvaro Cunqueiro y Cuña Novás) como en la novela (E. Correa Calderón, E. Montes), el ensayo, la crítica y un teatro renovado.
GALLEGO, *Fernando* (h. 1440-1507) Pintor gótico esp. Infuenciado por los pintores flamencos, realizó casi toda su obra en Salamanca, donde destaca la bóveda de la biblioteca de la universidad. • ***Juan Nicasio*** (1777-1853) Poeta esp. neoclásico y prerromántico. *A la defensa de Buenos Aires, Oda al Dos de Mayo, A la duquesa de Frías.*
GALLEGOS Río del S de Argent., en la prov. de Santa Cruz; unos 300 km. Desemboca en el Atlántico junto a Río Gallegos, en un gran estuario.
GALLEGOS, *José Rafael de* (1784-1850) Político costarric. Jefe del est. [1833-1835 y 1845-1846]. • ***Rómulo*** (1884-1969) Escritor y político ven. *Doña Bárbara, Cantaclaro y Canaima.* Presid. de la Rep. de 1947 a 1948.
GALLEGUISMO m. Palabra o expresión propia del idioma gallego. • *Hist.* Movimiento y doctrina política que propugnan la obtención de autogobierno para la región gallega.
GALLEO m. Jactancia, presunción. • *Metal.* Rugosidad del metal al enfriarse rápidamente después de fundido.
GALLERA f. Gallinero donde se crían gallos de pelea. • Edificio para riñas de gallos. • Jaula donde se transportan gallos de pelea.
GALLERO adj. y s. *Amér.* Aficionado a las riñas de gallos. • m. Criador de gallos de pelea.
GALLET, *Luciano* (1893-1931) Musicólogo y compositor bras. Gran conocedor del folklore de su país. Bailes y canciones autóctonas: *Estudios del folklore, Suite bucólica, Danza brasileira.*
GALLETA f. Bizcocho. • Pasta compuesta de harina, azúcar y otras sustancias, cocida al horno. • fam. Cachete, bofetada. • Carbón, variedad de antracita. • Vasija pequeña con caño torcido para verter el licor. • fig. y fam. *Amér.* Represión de una conducta. • Chasco, burla. • *Argent.* Vasija sin asa para el mate. • Desorden, confusión.
GALLETERÍA f. Tienda en que se venden galletas.
GALLETERO m. Vasija en que se conservan y sirven galletas. • El que fabrica galletas. • f. Máquina para moldear y cortar ladrillos.
GALLIFORME adj. Díc. de los individuos de un orden de aves con escasa capacidad de vuelo, patas adaptadas a escarbar en el suelo y crías nidífugas, al que pertenecen la mayoría de las especies avícolas domesticadas, como la gallina y el pavo. • Perteneciente o relativo a estas aves.
GALLI Mainini, *Carlos Tulio* (1914-1961) Médico arg. Creador de un método de determinación precoz del embarazo.
GALLIGATO, TA adj. *Amér.* Listo, astuto.
GALLIMARD, *Gaston* (1881-1975) Editor fr. Creador de la famosa editorial Librairie Gallimard.
GALLINA f. Hembra del gallo, ave galliforme. • com. fig. y fam. Persona cobarde. • **ciega.** Juego de muchachos. • **de Guinea.** Ave de cabeza pelada y plumaje negro azulado, con manchas blancas. • **de río.** Fúlica. ■ GALLINÁCEO, A: GALLINERÍA; GALLINERO, RA.
GALLINACERA f. *Ecuad.* y *Perú.* Conjunto de gallinazos.
GALLINACITO m. *Amér.* Mancha de suciedad en la ropa interior.

Martirio de Santa Catalina, obra de Fernando **Gallego.** Museo del Prado, Madrid

GALLINAZA f. Ave de rapiña. • Excremento de gallina.
GALLINAZO m. Aura, ave.
GALLINEJAS f. pl. Tripas fritas de aves.
GALLINERO m. Paraíso de los cines y teatros.
GALLINETA f. Fúlica. • Chocha. • *Amér.* Gallina de Guinea.
GALLINETO, TA adj. *Col.* Valiente, referido a personas; fuerte, aplicado a herramientas.
GALLINO adj. *Col.* Cierto color de gallo.
GALLIPATO m. Anfibio urodelo que vive en estanques y posee hábitos nocturnos.
GALLIPAVA f. Gallina de una variedad mayor que las comunes.
GALLIPAVO m. Pavo. • fig. y fam. Gallo.
GALLITO m. fig. El que sobresale en alguna parte. • fig. Matón. • *C. Rica.* Caballito del diablo. • *Col.* Flechita con una púa. • *Cuba.* Ave con cresta, espolones en las alas y plumaje rojo y negro; ojos pardos, pies verdosos. • *Argent.* Cierto pájaro dentirrostro. • **de rey.** Budión. • *R. Dom.* Trago de ron con una aceituna dentro.
GALLIZACIÓN f. *Ind.* Procedimiento enológico para reducir la acidez del mosto.
GALLO m. Ave galliforme de cabeza con una cresta roja y carnosa, y tarsos con espolones largos y agudos. • Pez osteíctio marino, comestible. • fig. El que todo lo quiere mandar. • En el juego del mon-

te, las dos segundas cartas que se echan por el banquero. • Molinete, juguete.• fig. y fam. Nota falsa que emite el que canta o habla. • fig. y fam. Esputo. • *Col.* Rehilete; volante. • m. y adj. *Amér.* Hombre fuerte, valiente. • **de roca.** *Col., Ven.* y *Perú.* Pájaro dentirrostro. • **silvestre.** Urogallo. • **Alzar** uno el **gallo.** fr. fig. y fam. Manifestar soberbia. • *C. Rica.* Pequeña cantidad de comida. • *Méx.* Lo obtenido de segunda mano. • *Mex.* Serenata callejera. • *Perú.* Botella para recoger la orina del hombre encamado. ■ GALLÍSTICO, CA.

GALLO Sobrenombre de la dinastía de toreros formada por ***Fernando Gómez*** (1847-1897) y sobre todo sus hijos, ***Rafael*** (1882-1960) [GALLITO] y ***José Gómez Ortega*** (1895-1920) [JOSELITO].

GALLO, *Max* (nacido 1932) Historiador, político y periodista fr. *Historia de la España franquista, La noche de los cuchillos largos.*• ***Vicente Carmelo*** (1873-1942) Jurista y político arg. *Evocaciones históricas.* • **Goyenechea, *Pedro León*** (1830-1877) Político y militar chil., fundador del Partido Radical.

GALLOCRESTA f. Cresta de gallo, planta.

GALLOFA f. Verdura. Chisme. • Añalejo.

GALLOFAR o **GALLOFEAR** intr. Vivir de limosna y vagabundeo. ■ GALLOFERO, RA; GALLOFO, FA.

GALLÓN m. Tepe, césped. • *Arq.* Labor que adorna algunos boceles. • Adorno de los cabos de los cubiertos de plata.

GALLONADA f. Tapia fabricada de gallones.

GALLOTE, TA adj. y s. *C. Rica* y *Méx.* Desenvuelto, de rompe y rasga.

GALLUDO m. Especie de tiburón.

GALLUP, *George Horace* (1901-1981) Experto norteam. en estadística, fundador del Instituto hom.

GALO, LA adj. y s. De la Galia. • m. Ant. lengua céltica de las Galias.

GALOCHA f. Calzado de madera o de hierro para andar por la nieve y el lodo.

GALOCIANINA f. *Quím.* Materia colorante que tiñe sobre mordiente metálico.

GALOFLAVINA f. *Quím.* Derivado del ácido gálico utilizado como colorante de la lana.

GALOFRE, *Baldomero* (1854-1902) Pintor esp., notable paisajista de la escuela de Fortuny.

GALOIS, *Evariste* (1811-1832) Matemático fr. Iniciador de la teoría de grupos. • **Cuerpos de Galois.** *Mat.* Cuerpos intermedios entre el de los números racionales y el de los números complejos, que se obtienen adjuntando al cuerpo racional las raíces de un polinomio.

GALÓN m. Tejido a manera de cinta. • *Mar.* Listón que guarnece los costados de las embarcaciones. • *Mil.* Distintivo que llevan en el brazo o en la bocamanga diferentes clases del ejército. • Medida ing. de capacidad, para los líquidos; equivale a unos cuatro litros y medio.

GALONEAR tr. Guarnecer o adornar con galones. ■ GALONEADURA.

GALONISTA m. fam. Alumno distinguido de un colegio o academia militar.

GALOPADA f. Carrera o galope.

GALOPANTE adj. fig. Aplícase a las enfermedades que causan la muerte rápidamente.

GALOPE m. *Eq.* Paso más veloz del caballo. ■ GALOPAR.

GALOPEADO, DA adj. fam. Hecho de prisa y mal. • m. fam. Castigo dado con bofetadas o a puñadas.

GALOPÍN m. Muchacho desharrapado y desvergonzado. • Granuja.

GALORROMANO, NA adj. y s. Díc. de los habitantes de la Galia con cultura rom.

GALPITO m. Pollo débil y de pocas medras.

GALPÓN m. *Amér. Merid.* Cobertizo grande.

GALSWORTHY, *John* (1864-1933) Novelista y dramaturgo ing. *La saga de los Forsyte, Flor sombría, La casa de campo, La caja de plata, Justicia.* Premio Nobel de Literatura en 1932.

GALTIERI, *Leopoldo Fortunato* (nacido 1926) Militar y político arg. Presid. por designación de la Junta Militar en 1981. Condenado a doce años de prisión (1986) por el fracaso en la guerra de las Malvinas, fue condenado posteriormente a cadena perpetua por su responsabilidad al frente del gobierno militar. Liberado en 1989.

GALTON, SIR ***Francis*** (1822-1911) Antropólogo y naturalista ing. Inició la eugenesia e introdujo el concepto de correlación de los caracteres cuantitativos y la representación gráfica de las series integrales (ojiva de G.). *Genio hereditario, Herencia natural, Ensayos sobre eugenesia.*

Galope

GALÚA f. Pez osteíctio, de carne bastante estimada.

GALUCHA f. *Amér.* Galope. ■ *Amér.* GALUCHAR.

GALUPE m. Lisa dorada.

GALUPPI, *Baldassare* (1706-1785) Clavecinista y compositor it., autor de más de 100 óperas. Óperas bufas, *El filósofo del campo, El mundo de la luna.*

GALVÁN, *Manuel de Jesús* (1834-1911) Político y escritor dom. *Enriquillo.*

GALVANI, *Luigi* (1737-1798) Físico y médico it. Descubrió la contracción de los músculos por medio de un estímulo eléctrico.

GALVANISMO m. *Fís.* Electricidad desarrollada por contacto de dos metales sumergidos en un líquido. • Uso terapéutico de corrientes eléctricas. ■ GALVÁNICO, CA.

GALVANIZACIÓN f. Tratamiento aplicado a las superficies metálicas consistente en cubrirlas con un revestimiento de otro metal resistente a la corrosión. ■ GALVANIZADO; GALVANIZAR.

GALVANOCAUTERIO m. Instrumento que se emplea para realizar cauterizaciones. ■ GALVANOCAUSTIA.

GALVANOCERÁMICA f. *Tecnol.* Técnica de fabricación de objetos de porcelana basada en su revestimiento con una capa de cobre por galvanización.

GALVANOFARADIZACIÓN f. *Terap.* Aplicación simultánea de corrientes continuas y de corrientes de inducción.

GALVANÓMETRO m. Aparato destinado a detectar o medir corrientes eléctricas de poca intensidad, mediante la interacción entre un conductor por el que circula una corriente, y un campo magnético.

GALVANOPLASTIA f. *Fís.* Técnica de reproducción de objetos, por electrodeposición, a partir de moldes. ■ GALVANO; GALVANOPLÁSTICO, CA.

GALVANOPUNTURA f. *Terap.* Operación que consiste en implantar en un tejido agujas por las cuales se hace pasar una corriente eléctrica continua.

GALVANOSCOPIO m. Galvanómetro que señala el paso de una corriente, pero que no mide su intensidad.

GALVANOSTEGIA f. Técnica de recubrimiento de objetos metálicos por una capa metálica, por procedimientos electroquímicos.

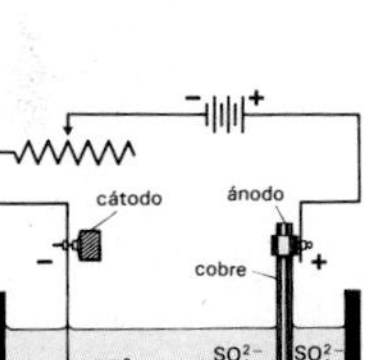

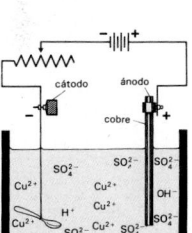

La **galvanostegia** se realiza gracias a una deposición electrolítica, según el esquema que muestra la figura

GALVANOTECNIA f. Parte de la electroquímica que comprende la galvanostegia, la galvanoplastia y los procedimientos de corrosión electrolítica.

GALVANOTERAPIA f. Utilización de corrientes galvánicas con fines terapéuticos.

GÁLVEZ, *Bernardo de,* CONDE DE (1756-1794) *Mil.* esp., virrey de Nueva España [1785-1786]. Gobernador de Luisiana en 1777, apoyó la independencia de las colonias ing. de América del Norte. • ***Cristina*** (1919-1982) Escritora, dibujante y grabadora per. Figurativa y con características expresionistas. • ***José*** (1885-1957) Diplomático y escritor per. *Cuestiones iberoamericanas, La boda, Estampas limeñas.* • ***José de,*** MARQUÉS DE LA SONORA (1720-1787) Político esp. Visitador del virreinato de Nueva España, destituyó al virrey Cruilles (1766), llevó a cabo reformas, expulsó a los jesuitas y sofocó varias rebeliones indígenas. Nombrado secretario de Indias (1775), creó el virreinato del Río de la Plata y suprimió el monopolio comercial de Cádiz. • ***Juan Manuel*** (1887-1955) Político hond. Ministro de Gobernación (1928) y de Guerra (1933-1948), fue nombrado presid. de la República [1949-1955]. • ***Manuel*** (1882-1962) Escritor arg. *Nacha Regules, Historia del arrabal* y la trilogía histórica sobre la guerra del

Gamba

León **Gambetta**

Mapa de situación y bandera de **Gambia**

Paraguay *Humaitá, Los caminos de la muerte y Jornadas de agonía.* • ***Mariano*** (1792-1862) Político guat. Diputado en el Congreso que proclamó la independencia de las Provincias Unidas del Centro de América y jefe de est. en 1831, fue derrocado en 1838. • ***Matías de*** (1717-1784) Administrador esp. y gobernador de Guatemala [1779-1783], desempeñó el cargo de virrey de Nueva España entre 1783 y 1784. • **Eguskiza, *José*** (1819-1966) Político y poeta per. Símbolo de la independencia continental, murió en el combate del Callao. • **Suárez, *Alfredo*** (1899-1946) Pintor guat. de temas regionales y folklóricos. • **Y Alfonso, *José María*** (1834-1906) Político cub. Destacó en la guerra de los Diez Años (1868-1878). Fundó el Partido Liberal Autonomista y fue presid. del gobierno autónomo [1898-1899].

GAMA f. Hembra del gamo. • Escala musical. • fig. Gradación. • *Fís.* Serie ordenada por el valor creciente de una magnitud.

GAMA, *José Basilio da* (1740-1795) Poeta bras. Criticó a los jesuitas. *Uruguay,* poema épico. • **Vasco de** (1469-1524) Navegante port. Descubrió la ruta a la India por el cabo de Buena Esperanza. Virrey de la India, impuso el dominio port. desde Goa a Cochin.

GAMADA adj. y f. Cruz con los brazos en forma de gamma mayúscula, emblema del partido nazi.

GAMALIEL Churata, Seud. de *Arturo Peralta.* (1897-1969) Escritor per. Fundador del grupo *Orkopata,* mov. literario vanguardista de gran influencia en los años 20. *El pez de oro, Antología.*

GAMARILLA f. *Ecuad.* Serreta para caballerías.

GAMARRA f. Correa usada para impedir que el caballo despape o picotee.

GAMARRA, *Abelardo* EL TUNANTE (1857-1924) Escritor, crítico y poeta per. de estilo costumbrista. *El Tunante en camisa de once varas, Detrás de la cruz, el diablo, Escenas del carnaval en Lima, Lima al comenzar el siglo XX, El Yaraví, Manco Cápac.* • ***Agustín*** (1785-1841) Militar y político per. Abandonó las filas realistas en 1820. Mandó el ejército que derrotó a Sucre e invadió Bolivia, pero fue derrotado por el ejército col. en Portete de Tarqui (1829). Derrocó al presid. La Mar y firmó la paz con Colombia. Elegido presid. aquel año, fue destituido en 1833. Ayudado por los chil. derrotó en Yungai (1839) a la confederación Perú-boliviana y se autonombró presid. Invadió Bolivia, pero fue derrotado en la batalla de Ingavi en la que murió. • **Dulanto, *Luis*** (nacido 1904) Ingeniero agrónomo per. *La producción de semilla de alfalfa en Perú, Ensayo sobre la zoonomía de las aves guaneras del Perú.* • **Y Dávalos, *Juan Bautista*** (1745-1783) Escritor y filósofo mex. *Errores del entendimiento humano.*

GAMARRÓN m. *Amér. Centr.* Jáquima del caballo.

GAMARZA f. Alharma, planta.

GAMBA f. Crustáceo decápodo. • *Col.* Bamba, o parte saliente de la raíz de un árbol. • pl. *Col.* Harapos.

GAMBADO, DA adj. *Cuba.* Que tiene las piernas torcidas.

GAMBAJ m. fam. Gambax.

GAMBALÚA m. fam. Hombre alto, desgarbado y dejado; inútil para el trabajo.

GAMBARO, *Griselda* (nacida 1928) Escritora arg. *El desatino* (narración), *El campo* (teatro).

GÁMBARO m. Camarón, crustáceo.

GAMBAX m. Jubón acolchado que se ponía debajo de la coraza.

GAMBERRO, RRA adj. y s. Grosero, incivil. B GAMBERRADA; GAMBERRISMO.

GAMBETA f. Movimiento hecho con las piernas al danzar. • Corveta. • *Argent.* y *Bol.* Esguince, ademán. • fig. *Argent.* y *Ur.* Evasiva.

GAMBETEAR intr. Hacer gambetas. • Hacer corvetas el caballo. • *Col.* Correr en zigzag. •*Méx.* Flamear la falda de un vestido.

GAMBETO m. Capote que llegaba hasta media pierna. • adj. *Amér. Centr.* De cuernos gachos.

GAMBETTA, *León* (1838-1882) Político fr. Formuló en 1869 el programa de Belleville, que hasta 1905 sería el del radicalismo francés. Presid. del gobierno en 1881. • ***Néstor*** (1894-1968) Escritor per. De estilo costumbrista, fue un ardiente promotor del chalaquismo. *Cosas del Callao, Genio y figura del Callao.*

GAMBI, *Lucio* (nacido 1920) Geógrafo it. Miembro del consejo de redacción de la revista *Storia urbana. Una geografía para la historia, Comprender Italia: la ciudad.*

GAMBIA f. *Amér.* Gancho para atajar la leña en los ríos. • Bichero.

GAMBIA Río de África occidental; 750 km. Nace en el Futa Yalón, recorre en dirección O el Senegal y atraviesa Gambia, desembocando junto a Banjul en un estuario.

GAMBIA *(Republic of Gambia)* Est. del África occidental; rep., unida con Senegal en la Confederación de Senegambia; la totalidad de su frontera terrestre linda con aquel país y su costa es ribereña del Atlántico. Se extiende a lo largo del curso medio e inferior del río Gambia. Sólo algunas colinas en el E y el O alteran su llana morfología. Clima tropical. Economía agrícola (cacahuetes, nuez de palma, arroz, mandioca, maíz, algodón), pecuaria y forestal. No falta la ind. alimentaria. Grupos étnicos: mandingo, fulbe, uolof, jola y serahuli. Lenguas: ing. (of.) y los varios dialectos de las etnias locales. *Rel.*: islamismo (80 %), animistas (11 %), minorías cristianas. U.M.: el dalasi. Cap. y única c. imp.: Banjul, que es también la entrada portuaria en el río Gambia.

* *Hist.* Los primeros establecimientos europeos en su costa los fundaron los port., a partir del s. XV. En el s. XVIII fueron suplantados por la colonización brit. Indep. desde 1965, en el seno de la Commonwealth, al proclamarse la rep. en 1970 su primer ministro David K. Jawara pasó a ser presid. El apoyo senegalés le permitió yugular en 1981 un golpe de Estado izquierdista, tras lo cual se operó la confederación con el Senegal (1982), disuelta en 1989. Se logró mejorar la economía, lo que favoreció la reelección de Jawara (1992). En 1994, un golpe de Estado colocó en el poder aYahya Jameh, quien salió vencedor en las elecciones de 1997 y 2001.

GAMBIA

Superficie	11 295 km²
Población	1 248 000 hab. (110 hab./km²)
Recursos económicos	
Aceite de palma	2 500 t
Algodón	4 000 t (fibra)
Arroz	20 000 t
Cabaña bovina	400 000 cabezas
Cabaña caprina	150 000 cabezas
Cabaña ovina	121 000 cabezas
Cacahuetes	84 000 t
Maíz	22 000 t
Mandioca	6 000 t
Mijo	53 000 t
Nuez de palma	2 000 t
Riqueza forestal	1 209 000 m³
Indicadores sociológicos	
PNB	350 millones de dólares
Renta per cápita	320 dólares
Esperanza de vida	47 años
Alfabetismo	39 %

GAMBOA, *Federico* (1864-1939) Escritor y político mex. Seguidor de Zola y uno de los prales. representantes del naturalismo mex. *Esbozos contemporáneos, Santa.* • ***Fernando*** (nacido 1911) Museógrafo mex. Coordinador de la ayuda mex. al gobierno republicano durante la guerra civil y Director de la Galería Nacional. • ***José Joaquín*** (1878-1931) Dramaturgo mex. Pasó del costumbrismo al naturalismo y al simbolismo. *El hogar, Alucinaciones.*

GAMBOTA f. *Mar.* Madero que forma el esqueleto de la popa de un buque.

GAMBRONA f. *Amér.* Tela basta para ropas de trabajo.

GAMBUSIA f. Pez ciprinodontiforme, originario de América, usado como agente eficaz en la lucha contra los insectos acuáticos.

GAMBUSINA f. *C. Rica.* Juerga. • *Cuba* y *R. Dom.* Chasco.

GAMELLA f. Arco que se forma en cada extremo del yugo. • Artesa para dar de comer a los animales. • Camellón, tejido.

Ganadería: principales cabañas del mundo (en miles de cabezas)

Países	*Bovina*	*Caballar*	*Caprina*	*Ovina*	*Porcina*
Afganistán	1 650	400	2 150	13 500	
Alemania	14 541	406	70	1 784	22 036
Argentina	50 080	3 400	3 320	27 522	4 464
Australia	23 430	310		162 774	2 530
Bangla Desh	23 500		22 000	900	
Bolivia	5 600	320	2 450	12 300	2 340
Brasil	152 000	6 200	12 500	210 300	35 000
CEI	115 600	5 900	6 600	134 000	75 600
China	81 407	10 174	97 378	112 820	363 975
Colombia	24 875	1 980	1 055	2 700	2 700
EE UU	98 896	5 650	1 780	11 200	524 427
España	5 126	241	3 700	24 500	16 100
Etiopía	30 000	2 700	18 000	23 000	20
Francia	21 446	322	1 236	11 490	12 239
Gran Bretaña	11 846	170		29 954	7 379
India	198 400	965	112 000	55 700	10 450
Irán	6 800	270	23 500	45 000	
México	29 847	6 175	10 772	6 003	15 902
Mongolia	2 849	2 255	5 126	15 083	185
Nigeria	14 500	206	36 000	24 000	4 000
Nueva Zelanda	8 200	100	910	57 000	400
Pakistán	17 785	461	36 673	30 160	
Perú	3 630	660	1 600	11 250	2 250
Polonia	8 844	939	10	3 234	21 868
Rumania	5 381	670	1 005	14 062	12 003
Sudafricana, Rep.	13 512	230	5 900	32 580	1 490
Sudán	21 028	22	15 277	20 700	
Turquía	11 377	513	10 977	40 553	12
Uruguay	8 889	470	14	25 986	215
Venezuela	13 368	495	1 530	525	1 971

GAMELLÓN m. Pila donde se pisan las uvas.
GAMETANGIO m. Célula o agrupación celular que, en los vegetales, da origen a los gametos.
GAMETO m. *Biol.* Cada una de las dos células que, en la reproducción sexual, se fusionan originando el cigoto.
GAMETÓCIDA m. *Farm.* Sustancia que destruye los gametos. En particular, medicamento antipalúdico utilizado en la profilaxis colectiva.
GAMETÓFITO m. En los vegetales que presentan alternancia de generaciones, planta que corresponde a la generación sexuada, originada por reproducción asexual (espora).
GAMETOGÉNESIS f. *Biol.* Proceso de formación de los gametos a partir de las células primordiales de las gónadas.
GÁMEZ, *Rodrigo* (nacido 1936) Científico costarric., descubridor del «virus rayado fino» del maíz. Premio Interamericano de Ciencias y Tecnología «Bernardo Housay», 1983.
GAMEZNO m. Gamo pequeño.
GAMIO, *Manuel* (1893-1960) Antropólogo y arqueólogo mex. Director de la Escuela Internacional de Arqueología y Etnología americanas y del Instituto Indigenista Interamericano. Descubrió el templo de Quetzacoátl, la pirámide de Cuicuilco y los restos del Templo Mayor de Tenochtitlán. *Forjando patria, Hacia un México nuevo, Problemas sociales.*
GAMITIDO m. Balido del gamo. ■ GAMITAR.
GAMMA f. Tercera letra del alfabeto gr. que corresponde a la ge castellana. • Unidad de peso, equivalente a una millonésima de gramo. • **Rayos gamma.** *Fís.* Radiación. ■ GAMUNO, NA.
GAMMAENCEFALOGRAFÍA f. *Med.* Exploración del encéfalo mediante radioisótopos inyectados por vía venosa.
GAMMAGLOBULINA f. Tipo especial de globulina de la sangre.
GAMMAGRAFÍA f. *Tecnol.* Procedimiento de estudio de la estructura interna de los cuerpos por radiación gamma. • *Med.* Técnica de diagnóstico que permite visualizar directamente un órgano interno del cuerpo que contiene una cierta cantidad de un isótopo emisor de radiaciones gamma.
GAMMAPATÍA f. *Pat.* Enfermedad caracterizada por una anomalía de las gammaglobulinas séricas. • **monoclonal.** Enfermedad caracterizada por el depósito de una inmunoglobulina anómala en los tejidos.
GAMO m. Mamífero rumiante de la familia córvidos. Presenta cuernos ramificados que, a partir de los cuatro años, adoptan la forma de pala. ■ GAMUNO, NA.

Gamo

GAMÓN m. *Bot.* Planta liliácea, con hojas en figura de espada y flores blancas en espiga apretada. Se emplea en medicina. ■ GAMONOSO, SA.
GAMONA f. Sustancia de acción hormonal que los gametos liberan para atraer al del sexo contrario.
GAMONAL m. Tierra en que se crían gamones. • *Amér.* Cacique de pueblo. • adj. y s. *Guat.* y *Salv.* Dadivoso, gastador.
GAMONALISMO m. *Amér.* Caciquismo.
GAMONITA f. Gamón.
GAMONITO m. Retoño de algunos árboles y plantas.
GAMONTE m. Células que en los procesos de sexualidad sin reproducción intervienen para el intercambio de cromatina.
GAMOPÉTALO, LA adj. Díc. de las flores o las corolas formadas por pétalos parcial o totalmente soldados.
GAMOSÉPALO, LA adj. Relativo a flores cuyos cálices están formados por sépalos total o parcialmente soldados.
GAMUSINO m. Animal imaginario cuyo nombre se usa para gastar bromas.
GAMUZA f. Especie de antílope del tamaño de una cabra grande. • Piel de la gamuza. • Piel de aspecto semejante al de la gamuza. • Tejido que la imita ■ GAMUCERÍA; GAMUZADO, DA.
GANA f. Deseo, apetito, propensión natural. • **De mala gana.** m. adv. Con repugnancia y fastidio. ■ GANOSO, SA.
GANADA f. *Argent.* Ganancia.
GANADERÍA f. Conjunto de ganados de un país, una región o una hacienda. • Raza especial de ganado. • *Econ.* Crianza y tráfico de ganados. De carácter trashumante, ha ido evolucionando hasta convertirse en una actividad sedentaria y estrechamente vinculada con la agricultura. Su aspecto científico es la zootecnia.
GANADERO, RA adj. Animales que acompañan al ganado. • m. y f. Dueño de ganados, que trata en ellos. • El que cuida del ganado.
GANADO, DA m. Conjunto de animales domésticos que se apacientan y andan juntos. • Conjunto de abejas de una colmena. • fig. y fam. Conjunto de personas. • **de cerda.** Los cerdos. • **mayor.** Los

Campanilla, flor **gamopétala**

Ganchillo

Mahatma **Gandhi**

Rajiv **Gandhi**

Shrimati Indira **Gandhi**

bueyes, vacas, etc. • **menor.** Las ovejas, cabras, etc. ■ *Guat.* GANADEAR.
GANANCIA f. • Diferencia positiva entre el precio de venta y el de coste. • *Fís.* Cociente entre el valor de una magnitud obtenido a la salida de un sistema y el que poseía a la entrada. • *Guat.* y *Méx.* Adehala, propina. ■ GANANCIOSO, SA.
GANANCIAL adj. Propio de la ganancia o perteneciente a ella. • pl. Bienes gananciales.
GANAPÁN m. Hombre que lleva cargas o recados. • fig. y fam. Hombre rudo y tosco.
GANAPIERDE amb. Manera de jugar a las damas o a otros juegos en que gana el que pierde todas las piezas.
GANAR tr. Adquirir caudal o aumentarlo. • tr. e intr. Lograr la victoria. • tr. Tomar una plaza, ciudad, etc. • Llegar al sitio que se pretende. • Captarse la voluntad de alguien. • tr. y prnl. Lograr algo. • tr. e intr. fig. Aventajar, exceder a uno de algo. • intr. Mejorar, medrar, prosperar. ■ GANADOR, RA.
GANCE, *Abel* (1889-1981) Director de cine fr. Perteneciente a la escuela impresionista. *La locura del doctor Tube, Yo acuso, La rueda.* Su obra más espectacular fue *Napoleón,* en la que utilizó la pantalla triple y para cuya posterior versión sonora ensayó un sistema de sonido estereofónico.
GANCHERO, RA adj. y s. *Amér.* Individuo que presta ayuda. • El que realiza trabajos esporádicos. • f. Caballería para amazonas.
GANCHETE Voz que aparece en diversas loc. • **A medio ganchete.** m. adv. y fam. A medias, a medio hacer. • **De ganchete.** loc. adv. Del brazo.
GANCHILLO m. Aguja de gancho. • Labor o acción de trabajar con aguja de gancho.
GANCHO m. Instrumento corvo y puntiagudo que sirve para prender, agarrar o colgar una cosa. • Pedazo que queda en el árbol cuando se rompe una rama. • Cayado, bastón. • Sacadilla. • fig. y fam. El que tiene facilidad para atraer clientes. • fig. y fam. Rufián. • fig. y fam. Garabato hecho con la pluma. • *Amér.* Horquilla para sujetar el pelo. • *Ecuad.* Silla de montar para señora. • fig. Cierto tipo de puñetazo. ■ GANCHOSO, SA; GANCHUDO, DA.
GÁNDARA f. Tierra baja, inculta y con maleza.
GANDAYA f. Tuna, vida holgazana. • Redecilla, tejido de mallas.
GANDHARVA m. *Mit. india.* Espíritu semidivino, de atractivo aspecto pero gran fuerza y crueldad.
GANDHI, *Mohandas Karamchand*, llamado MAHATMA («alma grande») (1869-1948) Filósofo y político indio. Adalid del nacionalismo indio. Predicó la resistencia pasiva contra el colonialismo inglés y dirigió la lucha por la indep. Murió asesinado. • ***Rajiv*** (1944-1991) Político indio. Primer ministro tras el asesinato de su madre, Indira, en 1984. Murió en un atentado durante una campaña electoral. • ***Shrimati Indira*** (1917-1984). Estadista india. Hija de Nehru. En 1966 accedió a la jefatura del gobierno de su país, fue reelegida en 1967. Derrotada en las elecciones de 1977, fue expulsada del parlamento en 1978 y encarcelada. En las elecciones de 1980 volvió a obtener la victoria. Asesinada por un nacionalista sij.
GANDHINAGAR C. de la India, cap. del est. de Sikkim; 121 700 hab.
GANDÍA C. esp., en la Comunidad Valenciana (prov. de Valencia); 56 555 hab. Hortalizas, frutas.
GANDÍA, *Enrique de* (nacido 1906) Historiador arg. *Nueva historia de América, Historia de las ideas políticas en la Argentina.*
GANDICIÓN f. *Col.* y *Cuba.* Gula. ■ GANDIDO, DA.
GANDINGA f. Mineral menudo y lavado. • *Argent.* Indolencia, pereza. • *Cuba* y *P. Rico.* Chanfaina con salsa espesa.
GANDINI, *Gerardo* (nacido 1936) Compositor y pianista arg., discípulo de Yvonne Loriod en París y de G. Petrassi en Roma. *Variaciones orquestales, Hecha sombra y altura, Fases.*
GANDUJADO m. Adorno de pliegues o fruncidos que se hace en los vestidos.
GANDUJAR tr. Encoger, fruncir, plegar.
GANDUL, LA adj. y s. fam. Vagabundo, holgazán. ■ GANDULEAR, GANDULERÍA; GANDULITIS.
GANDUMBAS adj. y s. fam. Haragán, apático. • f. pl. *Ven.* Testículos.
GANESA Deidad hindú, hijo primogénito de Siva y de Parvati, señor de las artes y las letras.
GANETA f. Jineta, mamífero.
GANFORRO, RRA adj. y s. fam. Bribón, persona de mal vivir.
GANG (voz ing.) m. Grupo de delincuentes.
GANGA f. Ave columbiforme con patas robustas cubiertas de plumas. • *Cuba* y *Méx.* Ave zancuda de la familia de los zarapitos, que vive en los cultivos. • Mineral que no es útil para la explotación industrial y que acompaña a otro de valor económico. • fig. Cosa apreciable que se adquiere a poca costa o con poco trabajo. ■ GANGUERO, RA.
GANGA Diosa hindú, encarnación del Ganges.
GANGES (*Ganga*) Río de la India y de Bangla Desh; 2 700 km. Nace en la vertiente meridional del Himalaya y desemboca en el golfo de Bengala, formando el mayor delta del mundo (7 700 km^2). Es el río sagrado de los hindúes.
GANGLIO m. *Anat.* Abultamiento que se halla en los nervios o en los vasos linfáticos. • Tumor en los tendones y en las aponeurosis. ■ GANGLIONAR.
GANGLIÓN m. *Pat.* Tumor de origen articular en el dorso de la mano o pie.
GANGLIONEUROMA m. Tumor formado por células ganglionares.
GANGLIORRADICULITIS f. *Pat.* Inflamación de los ganglios posteriores medulares y de las raíces espinales posteriores.
GANGLIÓSIDO m. *Bioq.* Glicolípido constituido por ácidos grasos, carbohidratos, glucosamina, galactosamina, ácido neurámico y esfingosina, que se localiza particularmente en las membranas de las células nerviosas.
GANGOCHO m. *Amér.* Guangoche.
GANGRENA f. Muerte local de un tejido, acompañada de putrefacción. • Enfermedad de los árboles que corroe los tejidos. ■ GANGRENARSE; GANGRENOSO, SA.
GÁNGSTER (voz ing.) m. Miembro de una banda criminal. • fig. Estafador, pistolero, malhechor. ■ GANGSTERISMO.
GANGTOK C. de la India, cap. del est. de Sikkim; 25 000 hab.
GANGUEAR intr. Hablar con resonancia nasal. ■ GANGOSO.
GÁNGUIL m. Barco de pesca, con dos proas y una vela latina. • Arte de arrastre. • Barco destinado a recibir, conducir y verter en alta mar el fango, arena, etc. que extrae la draga.
GANIMEDES *Mit. gr.* Príncipe troyano hijo de Tros o de Laomedonte y de Calirroe.
GANIMEDES *Astr.* Satélite de Júpiter, primero por su tamaño y cuarto por su distancia al planeta.
GANISTER m. *Metal.* Refractario de sílice formado por cuarcita casi pura, utilizado para el revestimiento interior de los hornos metalúrgicos.
GANIVET, *Ángel* (1865-1898) Ensayista y pensador esp. Precursor de la generación del 98. *El porvenir de España.*
GANOIDEO, A adj. y m. *Zool.* Díc. de peces osteíctios, con esqueleto cartilaginoso u óseo, cola heterocerca, boca ventral y escamas con brillo de esmalte. • Escamas de dichos peces.
GANOMATITA f. *Miner.* Arseniato de hierro que se encuentra en estado natural amorfo.
GANSARÓN m. Ganso, ave. • fig. Hombre alto y desgarbado.
GANSO, SA m. y f. Ave anseriforme, de pico anaranjado, de la cual se obtiene el *foie-gras.* • Ánsar, ave palmípeda. • adj. y s. fig. Persona perezosa o indolente. • m. Persona patosa, que presume de chistosa, sin serlo. ■ GANSADA; GANSEAR.
GANTA f. Medida de capacidad usada en Filipinas, equivalente a 3 l.
GANTE m. Especie de lienzo crudo.
GANTE (fr., *Gand;* flamenco, *Gent*) C. y puerto de Bélgica; 237 687 hab. Imp. centro industrial, cuyo ramo textil remonta su tradición a la Baja E. Med. Escenario del tratado de su nombre que en 1814 zanjó la guerra mantenida desde 1812 por Gran Bretaña y EE UU.
GANTÉS, SA adj. y s. De Gante.
GANZ, *Bruno* (nacido 1941) Actor suizo. Trabajó primero en teatro para luego pasar al cine. *El amigo americano,* de W. Wenders, *Una mujer italiana,* de G. Bertolucci, *En la ciudad blanca,* de A. Tanner, *Cielo sobre Berlín,* de W. Wenders.
GANZÚA f. Alambre fuerte y doblado por una

punta, para abrir las cerraduras. • fig. y fam. Ladrón muy hábil. • fig. y fam. Persona que tiene arte para sonsacar a otra su secreto. ■ GANZUAR.
GAÑÁN m. Mozo de labranza. • fig. Hombre fuerte y tosco. ■ *Amér.* GAÑANÍA.
GAÑILES m. pl. Partes cartilaginosas del animal, en que se forma el gañido. • Agallas de los peces.
GAÑIR intr. Aullar algunos animales con gritos agudos cuando les maltratan. • Graznar las aves. • fig. y fam. Respirar con ruido las personas. ■ GAÑIDO.
GAÑÓN o **GAÑOTE** m. fam. Gaznate, interior de la garganta.
GAÓN m. *Mar.* Remo que se usa en algunas embarcaciones pequeñas de la India.
GAONA, *Juan Bautista* (1846-1912) Político per. de tendencia liberal. Presid. de la rep. [1904-1912]. • **Y Jiménez, *Rodolfo*** (1888-1975) Torero mex. Obtuvo grandes éxitos a ambos lados del Atlántico, y se retiró en 1942.
GAOS, *José* (1900-1970) Filósofo esp., residente en México desde 1938 hasta su muerte. *Sobre Ortega y Gasset, Confesiones profesionales, Orígenes de la filosofía y de su historia.*
GAP m. *Comp.* Intervalo entre dos palabras, bloques o registros.
GARABATO m. Gancho, instrumento. • Almocafre. • Soguilla para asir la maña de lino crudo y tenerlo firme a los golpes del mazo. • Trazo dibujado sin tratar de representar nada. • Arado para una sola caballería. • Palabrota. • pl. fig. Acciones desacompasadas con dedos y manos. • Garfios de hierro que sirven para sacar objetos de un pozo. • *Amér.* Horca, instrumento de labranza. • pl. Escritura mal trazada. • *Argent.* Nombre de varios arbustos espinosos. • *Chile.* Dicho grosero. ■ GARABATEAR.
GARABITO m. Asiento y casilla de madera que usan las vendedoras en la plaza. • Gancho, garabato.
GARAFATEAR tr. *Col.* Abofetear.
GARAIKOETXEA, *Carlos* (nacido 1939) Político esp., vasco. Presid. del Gobierno Vasco autonómico [1980-1984].
GARAJE m. Local destinado a guardar automóviles. • *Amér.* Prostíbulo.
GARAMBAINA f. Adorno de mal gusto. • pl. fam. Visajes o ademanes ridículos.
GARAMBULLO m. *Méx.* Cacto que tiene por fruto una tuna pequeña roja, comestible.
GARAMOND, *Claude* (m. 1561) Editor y tipógrafo fr., creador de caracteres tipográficos.
GARANDUMBA f. *Amér. Merid.* Embarcación.
GARANTÍA f. Fianza, prenda. • Cosa que asegura y protege contra algún riesgo. • **Garantías constitucionales.** Derechos que la constitución de un est. reconoce a los ciudadanos. ■ GARANTE; GARANTIZADOR, RA.

Gante. Casas gremiales de los armadores y los salchicheros

GARANTIR o **GARANTIZAR** tr. Dar garantía.
GARAÑÓN m. Asno, caballo o camello macho destinado a la reproducción. • *Amér.* Hombre mujeriego.
GARAPACHO m. Carapacho. • Especie de cazuela de madera o corcho.
GARAPIÑA f. Estado del líquido que se solidifica formando grumos. • Galón adornado en un borde con andas de realce. • *Amér.* Bebida refrescante hecha de corteza de piña o con jugo de naranja. ■ GARAPIÑAR.
GARAPITA f. Red espesa y pequeña.
GARAPITO m. Insecto hemíptero que vive en las aguas estancadas.
GARAPULLO m. Rehilete. • Banderilla.
GARATA f. *P. Rico y R. Dom.* Pelea. ■ GARATEAR; GARATERO, RA.
GARATURA f. Instrumento con dos manijas que usa el curtidor para raer las pieles.
GARATUSA f. fam. Caricia, halago. • adj. y s. *Amér.* Mujer coqueta. • *Esg.* Treta para herir de estocada en el pecho.
GARAUDY, *Roger* (nacido 1913) Filósofo y político fr. *La alternativa, Una nueva civilización.*
GARAY, *Blas* (1873-1899) Historiador par., fundador del periódico *La Prensa. La revolución de la independencia del Paraguay, El comunismo de las misiones de la Compañía de Jesús en Paraguay.* • ***Francisco de*** (?-1523) Conquistador esp., gobernador de Jamaica en 1514. • ***Juan de*** (h. 1528-1583) Explorador y colonizador esp. Fundó, en 1573, la ciudad de Santa Fe y, en 1580, la actual Buenos Aires. • ***Martín de*** (1760-1822) Político esp. Formó parte de la Junta Central durante la guerra de la Independencia y fue ministro de Hacienda con Fernando VII.
GARBANCEO m. fam. Comida normal diaria.
GARBANCERO, RA m. y f. Persona que trata en garbanzos. • Persona que vende torrados. • fig. y fam. Persona tosca, grosera. • despect. *Méx.* Sirviente.
GARBANCILLO m. *Ven.* Arbusto espinoso, de flores moradas y fruto parecido al garbanzo.
GARBANZA f. Garbanzo mayor, más blanco y de mejor calidad que el corriente.
GARBANZO m. Planta herbácea papilionácea con fruto en vaina y semillas comestibles. • Semilla de esta planta. ■ GARBANZAL.
GARBANZUELO m. *Ven.* Esparaván, tumor.
GARBEAR intr. y prnl. fam. Trampear. • tr. Robar. • int. Mostrar garbo.
GARBEO m. Paseo, acción de pasearse.
GARBERA f. Tresnal, montón de gavillas.
GARBI, *Antonello* (nacido 1904) Historiador y economista it. Ha realizado numerosas investigaciones en Perú. *El Perú en marcha: ensayos de geografía económica.*
GARBÍAS m. pl. Guisado de diversos ingredientes cocidos, hecho tortilla y frito.
GARBILLO m. Criba de esparto con que se garbilla el grano. • Granzas que sirven de alimento al ganado. • *Min.* Criba con que se apartan de los minerales la tierra y las gangas. • *Min.* Mineral menudo tamizado con el garbillo. ■ GARBILLAR.
GARBINO m. Viento del Sudoeste.
GARBO m. Desenvoltura en los movimientos del cuerpo. • fig. Gracia y perfección que se da a las cosas. ■ GARBOSO, SA.
GARBO, *Greta* (1905-1990) Seud. de la actriz cinematográfica sueca *G. Louisa Gustaffson. La leyenda de Gösta Berling, El demonio y la carne, Cristina de Suecia, Ninotchka.*
GARBOLI m. *Cuba.* Juego del escondite.
GARBÓN m. *Zool.* Macho de la perdiz.
GARBULLO m. Aglomeración, confusión.
GARCETA f. Ave circoniforme de plumaje blanco y cabeza con penacho corto. • Pelo de la sien, que cae a la mejilla. • Cada una de las puntas inferiores de las astas del venado.
GARCI, *José Luis* (nacido 1944) Crítico y realizador cinematográfico esp. *Asignatura pendiente, Solos en la madrugada, El crack, Canción de cuna.* Oscar de Hollywood 1982 por *Volver a empezar.*
GARCÍA Nombre de diversos condes y reyes de la pen. Ibérica.

CASTILLA

GARCÍA Fernández (935-995) Conde de Castilla [970-995]. Hijo y sucesor de Fernán González. Derrotado por Almanzor, perdió San Esteban de Gormaz debido a la sublevación de su esposa e hijo. • **Sánchez** (h. 1010-1029) Conde de Castilla [1017-1029]. Hijo y sucesor de Sancho García. M. en León asesinado.

GALICIA

GARCÍA I (1042-1090). Rey de Galicia [1065-1071 y 1072-1073]. Hijo de Fernando I de Castilla, fue destronado por sus hermanos Sancho II y Alfonso VI.

Peregrinos hindúes practicando sus abluciones rituales en el **Ganges,** en Benarés

El **ganso** doméstico (izquierda) desciende del ánsar común (derecha)

Garceta

LEÓN

GARCÍA I (muerto 914) Rey de León [910-914]. Derrotó a los musulmanes en Arnedo y repobló la Rioja y el valle del Duero.

NAVARRA

GARCÍA Sánchez I (915-970) Rey de Navarra [926-970]. Participó en la coalición cristiana que derrotó a Abd al-Rahman III en Simancas (939). • **Sánchez II,** ***El Trémulo*** (muerto 1005) Rey de Navarra [994-1005]. Sufrió los ataques de Almanzor, que saqueó su reino en el año 1000. • **Sánchez III** (muerto 1054) Rey de Navarra [1035-1054]. Derrotó a su hermano Ramiro I de Aragón en Tafalla (1043), conquistó Calahorra a los musulmanes y fue derrotado y muerto por su hermano Fernando I de Castilla en la batalla de Atapuerca (1054). • **Ramírez,** ***El Restaurador*** (m. 1150) Rey de Navarra [1134-1150]. Sucedió a Alfonso I de Aragón por elección de la nobleza y el clero. Para defender la corona navarra, tejió y destejió alianzas con los reyes de Aragón, Castilla y Portugal. Derrotó a Berenguer IV en Gallur (1137) y apoyó a Alfonso VII de Castilla en la reconquista de Almería.

Federico **García Lorca**

GARCÍA, ***Aleixo*** (? h. 1525) Conquistador port. En sus expediciones llegó hasta los Andes y conoció a los incas. • ***Carlos Alberto*** (1872-1947) Médico y químico per. Destacó por sus trabajos de higiene alimentaria. • ***Carlos Poléstico*** (1896-1971) Político filipino, gobernador de Bohol y presid. de 1857 a 1961. • ***Eduardo Augusto*** (1898-1976) Escritor, jurista y diplomático arg. Subsecretario de Relaciones Exteriores, embajador en la OEA y presid. del Consejo. *Lo que vendrá, Administración Nacional de los derechos de autor.* • ***Enrique León*** (1870-1951) Médico per. Primer director de la Asistencia Pública de Lima, destacó por sus trabajos en pediatría y medicina social. *Mi bebé, Crianza, cuidados y asistencia del niño.* • ***Genaro*** (1867-1920) Historiador y escritor mex. Dirigió el Museo Nacional de Arqueología, Historia y Etnografía. *Leona Vicario, Carácter de la conquista española en América, Documentos históricos mexicanos.* • ***Lisardo*** (1842-1937) Político ecuat. Elegido presid. en 1905, fue derrocado por Alfaro al año siguiente. • ***Manuel Adolfo*** (1830-1883) Poeta per. Romántico. *Composiciones poéticas.* • ***Víctor*** (nacido 1934) Actor y director teatral arg. Estudió su profesión en Brasil, y desde 1965 se ha destacado por puestas en escena que buscan una violenta comunicación con el espectador. • **Abril,** ***Antón*** (nacido en 1933) Compositor esp., discípulo de G. Petrassi en Roma. Profesor del conservatorio de Madrid desde 1957. *Tres villancicos, Diez canciones infantiles, Celibidachiana.* • **Álvarez** ***Enrique*** (1873-1931). Escritor esp., autor de comedias y sainetes de costumbres. *El pollo Tejada, La carne flaca, La escala de Milán.* • **Bacca,** ***Juan David*** (1901-1992) Filósofo esp. Profesor desde 1939 en varias universidades latinoamericanas. *Introducción a la lógica moderna, Introducción literaria a la filosofía, Metafísica natural, estabilizada y problemática.* • **Bárcena,** ***Rafael*** (1907-1961) Poeta, escritor y profesor cub. *Sed* (Premio Nacional de Poesía), *Redescubrimiento de Dios.* • **Bedoya,** ***Carlos*** (1925-1980). Diplomático per. Canciller de la Rep. (1979-1980). *La política exterior peruana.* • **Calderón,** ***Francisco*** (1834-1905) Jurista y político per. Elegido presid., negoció la paz con Chile (1881), pero al no avenirse a la desmembración del territorio, fue hecho prisionero y conducido a Valparaíso. Liberado en 1884, se trasladó a Buenos Aires y Europa y volvió al Perú en 1886. *Diccionario de legislación.* • **Calderón,** ***Francisco*** (1883-1953) Diplomático y escritor per. *Las democracias latinas de América, Hombres e ideas* y *Europa inquieta.* • **Calderón,** ***José*** (1888-1916) Escritor per. *Reliquias.* • **Calderón,** ***Ventura*** (1886-1959) Narrador per. Sus cuentos, de cuidada prosa, reflejan con realismo la vida de los indígenas. *La venganza del cóndor.* • **Calderón Rey,** ***Francisco*** (1882-1953) Diplomático y escritor per., hijo del presid. Francisco. Ministro plenipotenciario en París en 1919-1920 y en el periodo 1930-1940, en que también fue delegado per. ante la Sociedad de Naciones. *Hombres e ideas de nuestro tiempo, Las democracias latinas de América, En torno al Perú y América.* • **Calvo,** ***Agustín*** (nacido 1932) Filósofo esp. de ideología libertaria. *El sermón del ser y no ser, Ensayos de estudio lingüístico de la sociedad.* • **De la Huerta,** ***Vicente*** (1734-1787) Autor dramático esp. *Raquel*, la mejor tragedia neoclásica esp. • **De Quevedo,** ***José Heriberto*** (1819-1871) Escritor ven. *Coriolano, Isabel de Médicis* (teatro). • **De Quiñones,** ***Andrés*** (s. XVIII) Arquitecto esp. Obras de un posbarroquismo churrigueresco. Fachada del ayuntamiento de Salamanca (1750-1755). • **De Santa Olalla,** ***Juan*** (h. 1506-1548) Conquistador esp. Concurrió al asalto de Cajamarca en Perú y fue nombrado encomendero en el Cuzco. Participó en la insurrección de Gonzalo Pizarro y murió en el desastre de Jaquijaguana. • **De Zurita,** ***Andrés*** (1574-1652) Sacerdote esp. Obispo coadjutor de Huamanga y titular de Trujillo. • **Del Río,** ***Juan*** (1794-1856) Político y escritor col. Fundador de la Biblioteca Americana. Estuvo con San Martín en Perú y trabajó con Bolívar en la creación de la Gran Colombia. • **García,** ***José*** (nacido 1942) Ingeniero per. *Evaluación de inversiones mineras tomando en consideración el riesgo.* • **Godoy,** ***Federico*** (1857-1924) Escritor dom. Autor de la trilogía *Rufinito, Alma dominicana* y *Guanuma*, una de las obras maestras de su país. • **Godoy,** ***Héctor*** (1921-1970) Político dom. Presid. provisional en 1965-1966. • **Gómez,** ***Emilio*** (1905-1995) Arabista esp. Obras de creación *Cinco poetas musulmanes,* traducciones *El libro de las banderas de los campeones* y *El collar de la paloma* de Ibn Hazm. Premio *Príncipe de Asturias* (1992). • **González,** ***Vicente*** (1833-1886) Patriota y militar cub. Presid. de la Rep. en 1877-1888. • **Granados,** ***Miguel*** (1807-1878) Militar y político guat. de tendencia liberal. Presid. de la Rep. en 1871-1873. • **Hortelano,** ***Juan*** (1928-1992) Escritor esp. Máximo representante, junto a Sánchez Ferlosio, del "behaviorismo" de posguerra. *Nuevas amistades, Gente de Madrid, El gran momento de Mary Tribune.* • **Icazbalceta,** ***Joaquín*** (1825-1894) Historiador y bibliógrafo mex., especialista de la cultura colonial mex. *Bibliografía mexicana del s.* XVI, *Vocabulario de mexicanismos.* • **Iñíguez,** ***Calixto*** (1832-1898) General cub. Tomó parte en la insurrección de 1868-1878 y organizó la "guerra Chiquita" (1879). Al iniciarse la guerra de independencia escapó de España, donde se encontraba desterrado, y desde EE UU preparó una expedición que desembarcó en Oriente. • **Irigoyen,** ***Carlos*** (1857-1937) Sacerdote per. Cofundador del Instituto Histórico del Perú. *Santo Toribio, Monografía histórica de la diócesis de Trujillo.* • **Lorca,** ***Federico*** (1898-1936) Poeta y autor dramático esp. Fundador del teatro ambulante *La Barraca*, accedió a la fama con su *Romancero gitano*. El prodigioso cromatismo, la plasticidad, la gracia y originalidad de sus metáforas, han hecho de G. Lorca un poeta que no conoce fronteras *(Canciones, Poema del cante jondo, Llanto por Ignacio Sánchez Mejías).* Lorca es así mismo un gran poeta surrealista (*Poeta en Nueva York*) y un excelente dramaturgo (*Bodas de sangre, Yerma, La casa de Bernarda Alba*). También deben recordarse el drama *Mariana Pineda* y comedias poéticas como *Doña Rosita o el lenguaje de las flores* y *La zapatera prodigiosa.* • **Márquez,** ***Gabriel*** (nacido 1928) Escritor col. Sus primeros relatos (*La hojarasca, El coronel no tiene quien le escriba, La mala hora)* tantean la impresionante creación realista y mítica del pueblo y la historia de Macondo en *Cien años de soledad* (1967), novela que presenta la historia, los problemas y las vivencias centrales de Latinoamérica. *La increíble y triste historia de la cándida Eréndira y de su abuela desalmada, El otoño del patriarca, Crónica de una muerte anunciada, El amor en los tiempos del cólera, El general en su laberinto, Doce cuentos peregrinos* y *Del amor y otros demonios, Noticia de un secuestro.* Premio Nobel de Literatura en 1982. • **Menocal,** ***Mario*** (1866-1941) Político cub. Presid. de la Rep. en 1913 y en 1917. • **Meza,** ***Luis*** (nacido 1930) Militar y político bol. Tomó el poder en 1980 mediante golpe de estado. Renunció en 1981. • **Moreno,** ***Gabriel*** (1821-1875) Político ecuat. Presid. de la Rep. (1861-1865 y 1869-1875). Ejerció una dictadura teocrática de total intransigencia religiosa. Estimuló las obras públicas y la enseñanza. M. asesinado. • **Morente,** ***Manuel*** (1888-1942) Filósofo esp. *Lecciones pre-*

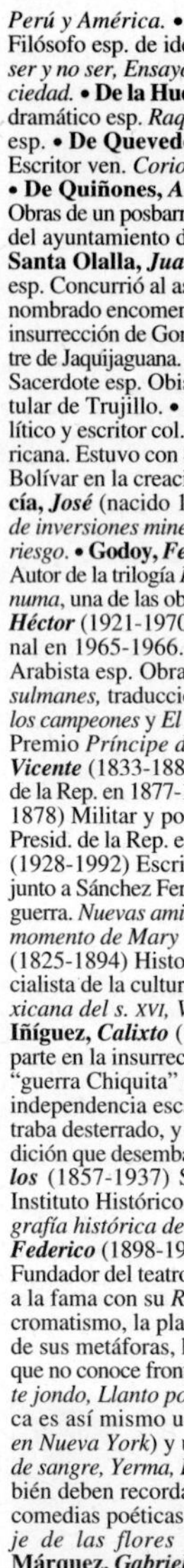

Gabriel **García Márquez**

Garcilaso de la Vega, por el Pontormo

liminares de filosofía. • **Morillo, *Roberto*** (nacido 1911) Compositor arg. autor de ópera y cantatas. Crítico de *La Nación* desde 1938. • **Nieto, *José*** (1914-2001) Poeta esp. Fundador de la revista *Garcilaso,*que congregó a gran número de poetas, después de la guerra civil. *Víspera hacia ti, Tregua, Sonetos por mi hija, La hora undécima.* Premio Cervantes 1996. • **Oliver, *Juan*** (1901-1980) Político esp. de ideología anarquista. Ministro de Justicia en 1936-1937 y miembro del Comité Central de Milicias Antifascistas tras el alzamiento militar de 1936. • **Pavón, *Francisco*** (1919-1989) Escritor, ensayista y crítico literario esp., creador del personaje Plinio. *El rapto de las Sabinas, Las hermanas Coloradas.* • **Pérez, *Alan*** (nacido 1949) Abogado y político per. En octubre de 1982 fue elegido secretario general del APRA y, en 1983, designado candidato del partido para las elecciones presidenciales. Obtuvo la victoria en los comicios para la presidencia de 1985. Su política se caracterizó por nuevas directrices en relación a la deuda externa y a la forma de afrontar los problemas internos. En 2001 concurrió a las elecciones presidenciales, siendo derrotado por A. Toledo. • **Ponce, *Juan*** (nacido 1932) Escritor mex. Relatos y novelas que describen, pralm., a la clase media de Ciudad de México. *La noche, Imagen primera, La invitación, La vida perdurable.* • **Prieto, *Manuel*** MARQUÉS DE ALHUCEMAS (1859-1938) Político esp. Negoció el tratado hispanomarroquí por el que se establecía el protectorado esp. y el tratado hispanofrancés sobre Marruecos (1912). Presid. en 1912, 1917 y 1922. • **Sanchiz, *Federico*** (1884-1964) Escritor esp. Cultivó la novela y el cuento. El género oratorio —"charla"— le dio fama, especialmente en Latinoamérica. • **Robles, *Alfonso*** (1911-1991) Diplomático y jurista mex. Representante permanente en la ONU (1971-1975), director gral. de Política Exterior (1941-1946), subsecretario y secretario de Relaciones Exteriores, presid. del Comité para la Desnuclearización de Latinoamérica y representante permanente de Méx. en la conferencia de desarme de Ginebra. Premio Nobel de la Paz, junto con Alvar Myrdal, en 1982. *De la carta del Atlántico a la conferencia de San Francisco, La Asamblea general del desarme.*• **Rovira, *Custodio*** (1780-1816) Patriota col., comandó el ejército del Norte. Fusilado por Morillo en 1816.

GARCÍA DE HEVIA Mun. de Venezuela; en el est. Táchira; 18 827 hab. Café y caña.

GARCILASO de la Vega (h. 1501-1536) Poeta esp. Autor de églogas, canciones (*A la flor de Cnido*), elegías, epístolas y sonetos de temas renacentistas. • ***El Inca*** (1539-1616) Cronista de Indias. Hijo de un noble esp. y de una princesa inca. *Comentarios reales que tratan del origen de los Incas, Historia general del Perú, La Florida.*

GARCITA f. Ave ciconiforme propia de las Antillas y de América del Norte.

GARDA El mayor lago de Italia, situado entre el Véneto, la Lombardía y el Trentino-Alto Adigio; 370 km^2. Pesca. Turismo.

GARDEL, *Carlos* (1887-1935) Cantante y actor cinematográfico arg. de origen francés. Alcanzó fama universal por su personal interpretación del tango. Intervino en las películas *Flor de durazno, Luces de Buenos Aires, Tango bar.*

GARDENIA f. Planta arbustiva de la familia rubiáceas, con hojas elípticas y flores solitarias, grandes, blancas, de olor agradable. • Flor de este arbusto.

GARDINER, *Stephen* (h. 1490-1555) Prelado y político brit. Canciller de María Tudor.

GARDNER, *Ava* (1922-1990) Actriz de cine norteam. *Mogambo, La noche de la Iguana.* • ***Erle Stanley*** (1889-1970) Abogado y escritor norteam., creador del personaje *Perry Mason.* • ***John*** (1933-1982) Escritor norteam. *Diálogos a luz del sol, Luz de octubre* (novela), *Jasón y Medea* (poema épico).

GARDUÑA f. Mamífero carnívoro nocturno de la familia de los mustélidos. • m. y f. fam. Ratero que hurta con maña y disimulo.

GARETA f. *P. Rico.* Alboroto, pendencia.

GARETAS m. *Col.*Patizambo.

GARETE (Ir,o irse, al) fr. *Mar.* Díc. de la embarcación que va a la deriva. ■ *Ven.* GARETEAR.

GARFIELD, *James Abram* (1831-1881) Político estadoun. Presid. de EE UU en 1881. Incapacitado por un atentado, se planteó el problema de la sucesión presidencial.

GARFIO m. Gancho para agarrar objetos. ■ GARFEAR.

GARGAJO m. Flema, mucosidad que se expele por la garganta. ■ GARGAJEADA; GARGAJEAR; GARGAJEO; GARGAJOSO, SA.

GARGAL m. *Chile.* Agalla de roble.

GARGALLO, *Pablo* (1881-1934) Escultor esp. Su producción va del realismo a la abstracción. Su arte alcanzó su máxima expresión en *Profeta* (1933).

GARGANTA f. Parte anterior del cuello. • Espacio interno entre el velo del paladar y la entrada del esófago. • Voz del cantante. • fig. Parte del pie, por donde está unido con la pierna. • fig. Estrechura de montes u otros parajes. • fig. Parte más estrecha y delgada de un cuerpo. • *Arq.*Parte más delgada y estrecha de las columnas, balaustres, etc. • Hendidura de algunas cosas. ■ GARGANTADA.

GARGANTEAR intr. Cantar haciendo gorgoritos con la garganta. • *Mar.* Ligar la gaza de un cuadernal o motón. ■ GARGANTEO.

GARGANTIL m. Escotadura que tiene la bacía del barbero para ajustarla al cuello.

GARGANTILLA f. Collar corto. • Cuenta de collar.

GARGANTÓN m. *Méx.* Cabestro del caballo. • *Col.* Actinomicosis.

GÁRGARA f. Acción de mantener un líquido en la garganta, como enjuagatorio. Se usa más en pl. • pl. *Amér.* Gargarismo. ■ GARGARIZAR.

GARGARISMO m. Acción de gargarizar. • Fármaco o licor utilizado para hacer gárgaras.

GÁRGARO m. *Ven.* Juego del escondite.

GARGAVERO m. Garguero. • Instrumento musical de viento, compuesto de dos flautas con una sola embocadura.

GÁRGOL adj. Hablando de los huevos, huero. • m. Ranura hecha en una madera para encajarla con otra.

GÁRGOLA f. Caño de desagüe decorativo de los tejados para verter el agua pluvial. • Baga, cápsula de la semilla de lino.

GARGOLISMO m. *Pat.* Enfermedad congénita, que aparece en la primera infancia, caracterizada por trastornos en el desarrollo del esqueleto.

GARGUERO m. Parte superior de la tráquea o toda ella.

GARIBALDI, *Giuseppe* (1807-1882) Militar y político it. Apoyó en Brasil a los grupos republicanos y en Uruguay se puso al servicio de Brasil y Gran Bretaña, en contra de los movimientos nacionalistas rioplatenses. De regreso a Italia combatió a los austriacos. Diputado en 1849, apoyó a la Rep. romana. Posteriormente se hizo monárquico, aliándose con Víctor Manuel II. Al frente de sus "camisas rojas" conquistó Sicilia y Nápoles e intentó tomar Roma.

GARIBALDINA f. Blusa roja, como la que usaba Garibaldi.

GARIBAY, *Ángel María* (1892-1967) Erudito y sacerdote mex., estudió las culturas hebrea, clásica y náhuatl. *Historia de la literatura náhuatl.* • ***Esteban de*** (1525-1599) Historiador y humanista esp. *Compendio historial de las crónicas y universal historia de todos los reinos de España.* • ***Pedro de*** (1729-1815) Militar esp., virrey de *Méx.* [1808-1809]. • ***Ricardo*** (nacido 1923) Periodista y escritor mex. *Beber un cáliz, Diálogos mexicanos, Acapulco.*

GARIFO, FA adj. Jarifo, adornado. • *Argent.* Persona de buen humor. • *Perú, C. Rica* y *Ecuad.* Hambriento. • *Perú.* Mendigo.

GARIOFILEA f. Especie de clavel silvestre.

GARITA f. Torrecilla o casilla para abrigo de centinelas, vigilantes, etc. • Pequeña portería.

GARITEA f. *Bol.* y *Ecuad.* Embarcación de casco plano, similar a la chalupa.

GARITO m. Lugar clandestino de juegos de azar. • Ganancia que se saca de la casa del juego. ■ GARITERO.

GALACHÍN f. *Amér.* Pala pequeña.

GARLAND, *Hamlin* (1860-1940) Escritor norteam. realista. *Vida de un muchacho en la pradera, Un hijo de la frontera.* • ***Judy*** (1922-1969) Cantante y actriz cinematográfica norteam. *El mago de Oz, Ha nacido una estrella.*

GARLAR intr. fam. Hablar mucho y sin discreción. ■ GARLA; GARLADOR, RA; GARLERO, RA.

GARLITO m. Especie de nasa. • fig. y fam. Trampa, celada.

Gardenia. Arbusto y flor

Gárgola de la catedral de Nôtre-Dame, París

Giuseppe **Garibaldi**

GARLOCHA f. Garrocha.
GARLOPA f. *Carp.* Cepillo largo y con puño.
GARMENDIA, *Salvador* (nacido 1928) Escritor ven. *Los pequeños seres, Los habitantes, Los pies de barro, Memorias de Altagracia.* • **Puértolas, *Francisco*** (1821-1873) Político per. Prefecto de Cuzco en 1859, 1863 y 1864. Segundo vicepresid. de la Rep. en 1872.

La Ópera de París, obra de Charles **Garnier**

GARNACHA f. Vestidura talar de los togados. • Persona que viste la garnacha. • *Hond.* Violencia material. • Variedad de uva negra. • Vino de esta uva. • Bebida similar a la carraspada.
GARNATADA f. *Col., P. Rico* y *R. Dom.* Bofetada.
GARNATÓN m. *Col., Cuba* y *P. Rico.* Manotada en el gaznate.
GARNICA f. *Bol.* Ají muy picante.
GARNIEL m. Guarniel, bolsa de cuero. • *Ecuad.* y *Méx.* Maletín o estuche de cuero.
GARNIER, *Charles* (1825-1898) Arquitecto fr., uno de los máximos representantes de la arquitectura del Segundo Imperio. Realizó el nuevo edificio de la Ópera parisina. • ***Tony*** (1869-1948) Arquitecto y urbanista fr. En Lyon construyó el estadio olímpico, el hospital Grange Blanche y el matadero.
GARNUCHO m. *Méx.* Capirotazo, papirote.
GARÓ m. Condimento usado por los romanos. Se hacía poniendo en salmuera intestinos, hígado, etc., de pescado.
GARONA *(Garonne)* Río del S de Francia; unos 575 km. Nace en los Pirineos centrales y desemboca por el estuario de la Gironda, en el Atlántico.
GAROSINA f. *Col.* Glotonería.
GAROSO, SA adj. *Col.* y *Ven.* Hambriento.
GARPA f. Carpa, gajo de uvas.
GARRA f. Mano o pie de animal armada de uñas corvas, fuertes y agudas. • fig. Mano del hombre. • *Mar.* Ganchos del arpeo. • *Amér.* Cuero endurecido y arrugado. • *Argent.* y *Méx.* Extremidad por donde se afianza el cuero en las estacas para estirarlo. • *Col.* Coracha. • pl. *Amér.* Desgarrones, harapos. • **Tener garra** fr. fig. y fam. Disponer de cualidades de convicción, captación o persuasión.

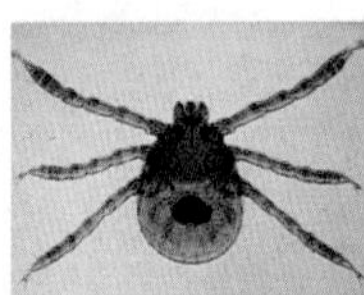
Garrapata

GARRAFA f. Vasija ancha y redonda, con un cuello largo y angosto. • *Argent.* Bombona metálica para gases o líquidos volátiles.
GARRAFAL adj. Díc. de cierta especie de guindas y cerezas gordas, y de los árboles que las producen. • adj. fig. Exorbitante, muy grande.
GARRAFINA f. Juego del dominó a cuatro.
GARRAFIÑAR tr. fam. Quitar algo agarrándolo.
GARRAFÓN m. Garrafa grande. • Damajuana o castaña. • *Amér.* Medida de capacidad para líquidos, equivalente a 25 botellas.
GARRAMAR tr. fam. Hurtar y agarrar con astucia. ▪ GARRAMA.
GARRANCHA f. fam. Espada. • *Col.* Gancho. • *Bot.* Espata.
GARRANCHO m. Gancho, parte dura y saliente del tronco o rama de una planta.
GARRANCHUELO m. Planta gramínea de tallo tendido y acodado, con espigas verdosas y violáceas.
GARRAÑAR tr. Arrebatar.
GARRAPATA f. Arácnido traqueal del orden de los ácaros; vive parásito sobre ciertos animales.
GARRAPATEA f. Nota musical, mitad de la semifusa.
GARRAPATERO m. *Col.* y *Ecuad.* Ave de pico corvo, pecho blanco y alas negras.
GARRAPATO m. Rasgo caprichoso hecho con la pluma. • pl. Escarabajos, letras y rasgos mal formados. ▪ GARRAPATEAR.
GARRAPIÑA f. Garapiña.
GARRAPO, PA adj. y s. fam. Avaricioso.
GARRAR intr. *Mar.* Ir hacia atrás un buque arrastrando el ancla.

Garza

GARRASÍ m. *Ven.* Calzón de los llaneros.
GARRASPERA f. Carraspera.
GARRASTAZU Médici, *Emilio* (1905-1985) Militar y político bras. Agregado militar en EE UU (1964-1966) y jefe de los servicios de inteligencia (1967). Presid. de 1969 a 1974.
GARRAY Mun. de España, en la prov. de Soria, en Castilla y León. Lugar de las ruinas de Numancia.
GARREAR intr. *Mar.* Garrar. • *Argent.* Vivir a expensas de otros. • tr. *Argent.* Robar.
GARREAUD, *Gastón* (nacido 1932) Artista plástico per. Collages. Módulos tridimensionales.
GARRIDO, DA adj. Apuesto. ▪ GARRIDEZA.
GARRIDO y Tortosa, *Fernando* (1821-1883) Escritor y político republicano esp. *La república democrática federal universal, Historia de las asociaciones obreras en Europa, Historia del reinado del último Borbón de España.*
GARRIGA f. Formación vegetal mediterránea.
GARRIR intr. Gritar el loro.
GARROBA f. Algarroba, fruto.
GARROBAL m. Sitio poblado de algarrobos.
GARROBILLA f. Astillas de algarrobo.
GARROBO m. *Amér. Centr.* Saurio de fuerte piel escamosa.
GARROCHA f. Vara con un arponcillo. • Vara para picar toros. • *Chile.* Rehilete. • *Méx.* Vara de los boyeros para picar a la yunta. ▪ GARRUCHADOR; GARROCHAR; GARROCHAZO; GARROCHEAR.
GARROCHÓN m. Rejón para la lidia.
GARROFA f. Algarroba, fruto. ▪ GARROFAL.
GARRÓN m. Espolón de ave. • Extremo de la pata de algunos animales. • Gancho que queda al romperse una rama de árbol. • *Argent.* Corvejón. ▪ *Argent.* GARRONEAR; *P. Rico.* GARRONEO.
GARRONUDA f. *Bol.* Palmera notable por sus raíces.
GARROTA f. Garrote.
GARROTAL m. Plantío de olivar, hecho con estacas o garrotes.
GARROTE m. Palo utilizado como bastón, arma, etc. • Estaca. • Procedimiento de ejecutar a los condenados. • Defecto de un dibujo por la interrupción de alguna línea. • *Méx.* Freno del coche. • *Mar.* Palanca con que se da vuelta a la trinca de un cabo. ▪ GARROTAZO; GARROTEAR.
GARROTERO, RA adj. fig. y fam. *Chile* y *Cuba.* Tacaño. • *Chile* y *Ecuad.* Valentón. • *Méx.* Guardafrenos. • f. *Col.* Paliza a garrotazos.
GARROTILLO m. Difteria del aparato respiratorio.
GARROTÍN m. Baile gitano de fines del s. XIX. • *Ven.* Sombrero de mujer.
GARROTIZA f. *Ecuad.* y *Méx.* Paliza.
GARRUCHA f. Utensilio para elevar pesos.
GARRUCHO m. *Mar.* Anillo.
GARRUDO, DA adj. Que tiene mucha garra. • *Méx.* Forzudo, vigoroso.
GARRUFIO m. *Ven.* Especie de juguete.
GÁRRULO, LA adj. Aplícase al ave que canta o chirría mucho. • fig. Díc. de la persona charlatana. • Díc. de cosas que hacen ruido continuado. ▪ GARRULADOR, RA; GARRULAR; GARRULERÍA; GARRULIDAD.
GARÚA f. Llovizna. • *P. Rico.* Pelea.
GARUAR intr. *Amér.* Lloviznar.
GARUDA Pájaro mítico en la religión hinduista.
GARUFA f. *Argent.* Fiesta, parranda, jolgorio.
GARUJO m. Mezcla de grava y mortero.
GARULLA f. Uva desgranada. • fig. y fam. Aglomeración de gente. ▪ GARULLADA.
GARVEY, *Marcus* (1887-1940) Político jamaicano. Defendió la idea de África como patria legítima de los negros.
GARY C. de EE UU en el est. de Indiana; 175 415 hab. Petróleo.
GARZA f. Ave ciconiforme de la familia ardeidos; posee patas y pico algo largos, y silueta esbelta. En Europa existen dos especies: g. real y g. imperial.
GARZA GARCÍA Mun. de México en el est. Nuevo León; 45 983 hab. Cebada.
GARZO, ZA adj. De color azulado. • m. Agárico, hongo.
GARZÓN m. Joven bien dispuesto. • *Ven.* Ave ciconiforme parecida a la garza real, sin plumas en la cabeza.
GARZÓN Mun. de Colombia en el dpto. de Huila; 28 642 hab. Carbón.
GARZÓN Gral, *Eugenio* (1796-1851) Militar ur. Luchó con Artigas (1811) y después con Rondeau en el Alto Perú. Marchó con San Martín en las guerras de liberación de Perú y Chile.
GARZOTA f. Ave ciconiforme con tres plumas largas en la nuca. • Penacho que se usa para adorno.
GAS m. *Fís.* Estado de agregación de la materia caracterizada por una débil fuerza de cohesión entre sus moléculas. • *Quím.* Carburo de hidrógeno con mezcla de otros gases, obtenido por la destilación del carbón de piedra. • *Amér. Centr.* Petróleo. • m. pl. Los del estómago o intestinos, producidos por fer-

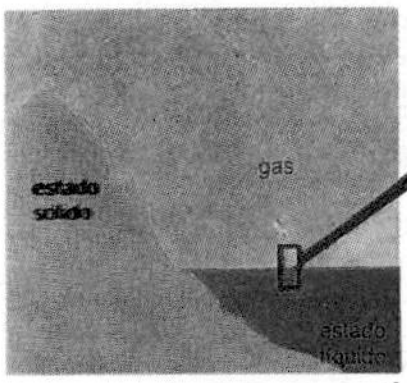

GAS

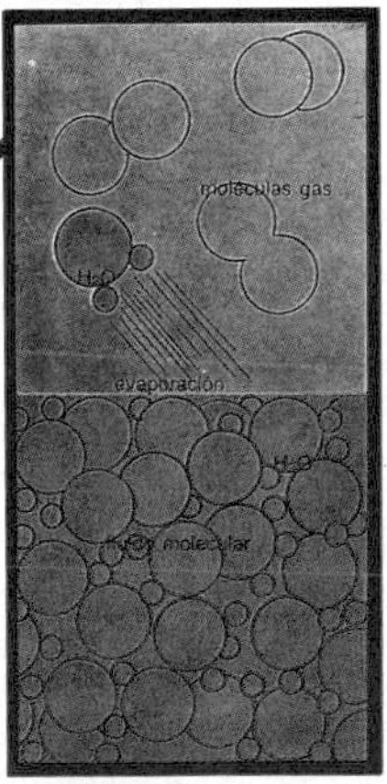

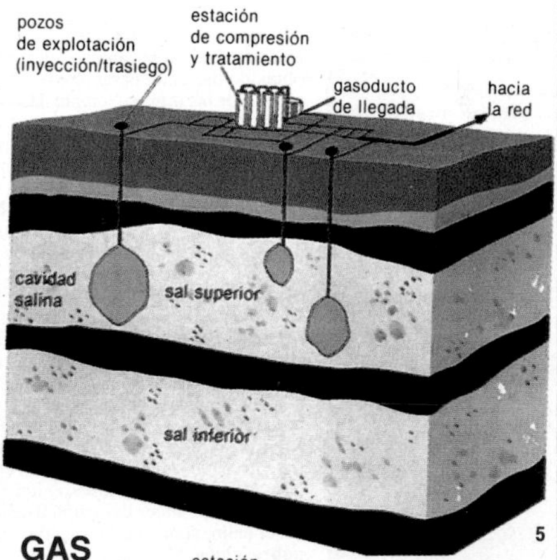

1. y 2. La materia puede encontrarse en diferentes estados de agregación: sólido, líquido y gaseoso. A temperatura ordinaria, algunas moléculas de un líquido pueden escapar de las demás pasando a la fase vapor (evaporación).
3. Las propiedades de los gases se explican como resultado de la suma de las acciones de las moléculas individuales. Así, la presión es consecuencia de los choques de las moléculas del gas contra las paredes del recipiente que lo contiene.

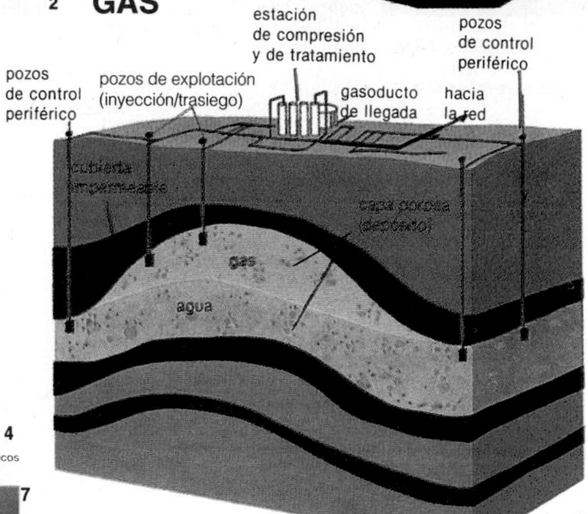

4. Las fábricas de gas producen y mezclan gases destinados a usos domésticos e industriales. Las materias primas que utilizan son el petróleo, la hulla, el coque y el gas natural. La mezcla denominada gas ciudad se obtiene principalmente a partir del petróleo y la hulla.
5.y 6. El gas natural es una mezcla de hidrocarburos saturados gaseosos que se encuentra en yacimientos subterráneos encerrado en estratos geológicos impermeables. Su poder calorífico es superior al del gas ciudad y su combustión es más limpia. Se han desarrollado sistemas para su almacenamiento en bolsas creadas en depósitos de sal inyectando agua a presión (5) o bien en estructuras geológicas análogas a los yacimientos naturales (6).

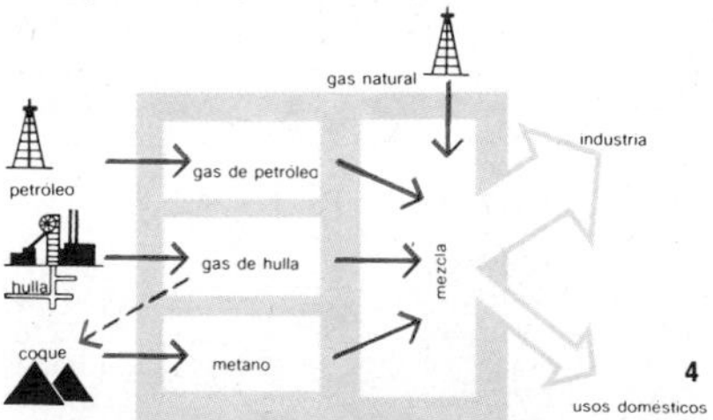

8

7. y 8. La producción de gas natural exige la construcción de grandes gasómetros para su almacenamiento (7) y de plantas para su tratamiento y licuefacción (8).

Coprino cabelludo, hongo del orden **gasteromicetes**

mentación. • **de agua**. *Quím.* Mezcla gaseosa obtenida conduciendo vapor de agua a través de carbón incandescente. • **de aire**. *Quím.* Mezcla de monóxido y dióxido de carbono, nitrógeno e hidrógeno, obtenido haciendo pasar aire por carbón incandescente. • **de las minas.** Nombre dado al metano de las minas de carbón. Forma con el aire una mezcla explosiva llamada g. grisú. • **de los pantanos**. Mezcla de g., en la que predomina el metano, formada por putrefacción de la materia vegetal acumulada en las aguas encharcadas. • **de petróleo licuado.** *Petroq.* Mezcla hecha a base de propano y butano, que constituye un combustible universal, de uso doméstico e industrial. • **del alumbrado.** *Quím.* El obtenido por destilación seca de la hulla; contiene hidrógeno, metano, monóxido de carbono, etc. • **hilarante.** Nombre que se da al óxido nitroso. Si se respira en abundancia produce embriaguez. • **lacrimógeno.** Líquido volátil que al ponerse en contacto con los ojos irrita la conjuntiva, provocando vivo escozor y lagrimeo. • **natural.** *Quím.* G. inflamable que se encuentra bajo la corteza terrestre junto a los yacimientos de petróleo. Contiene metano y también etano, propano y otros hidrocarburos. • **noble.** *Quím.* Cada uno de los elementos químicos del grupo 0 de la tabla periódica: el helio, neón, argón, criptón, xenón y radón. • **pobre.** *Quím.* Mezcla de g., de agua y de aire obtenida haciendo pasar aire y vapor de agua por carbón incandescente.

Mezcla de bencina y alcohol, usada para el alumbrado y para quitar manchas.

GASOIL o **GAS-OIL** m. Mezcla de hidrocarburos obtenida por destilación de crudos de petróleo. Su punto de inflamación es de 76 °C. Se emplea como combustible para motores Diesel y para calefacción.

GASOLENO m. Gasolina.

GASÓLEO m. Gasoil.

GASOLINA f. Líquido incoloro, volátil e inflamable, procedente de la mezcla de hidrocarburos. Se emplea como combustible en los motores de explosión.

GASOLINERA f. Establecimiento donde se vende gasolina. • Lancha automóvil con motor de gasolina.

GASOMETRÍA f. Determinación del volumen, densidad, etc. de los gases, o de los componentes de una mezcla gaseosa.

GASÓMETRO m. Recipiente destinado a almacenar gas industrial a presión constante.

GASÓN m. Cascote de yeso.

GASPALEAR intr. *P. Rico.* Hacer movimientos precipitados con brazos y piernas.

GASPAR HERNÁNDEZ Mun. de la Rep. Dom., en la prov. de Espaillat; 28 824 hab. Agricultura.

GASPERI, ***Alcide de*** (1881-1954) Político it. Jefe del gobierno de 1945 a 1953. Primer secretario general de la democracia cristiana en 1943. Uno de los prales. promotores de la unidad europea.

Producción mundial de **gas natural**
(en millones de m³)

Prales. productores	*1981*		*1995*
EE UU	555 000	Rusia	582 988
URSS	458 000	EE UU	559 261
Países Bajos	86 500	Canadá	175 897
Canadá	74 300	Países Bajos	78 778
Gran Bretaña	40 400	Gran Bretaña	71 144
Rumania	37 000	Indonesia	61 864
México	32 800	Argelia	51 817
Noruega	26 100	Uzbekistán	45 300
Indonesia	19 600	México	38 454
Alemania (RF)	18 000	Arabia Saudita	37 718
Venezuela	16 000	Irán	31 857
Argelia	13 200	Noruega	31 298
Italia	14 000	Turkmenistán	30 100
Australia	11 300	Australia	29 554
Argentina	9 800	Malaysia	26 190
Total mundial	1 558 000	Total mundial	2 174 000

Babosa, molusco de la clase **gasterópodos**

GASA f. Tela muy suave y transparente. • Tira de paño negro con que se rodeaba el sombrero en señal de luto. • Banda de tejido muy ralo, usada en cirugía.

GASCA, ***Pedro de la*** (1485-1567) Prelado esp. Presid. de la Audiencia del Perú. Autor de una Historia del Perú.

GASCÓN, NA adj. y s. De Gascuña. • *Ling.* Lengua hablada en Gascuña. ■ GASCONÉS, SA.

GASCUÑA *(Gascogne)* Región histórica del SO de Francia.. • Área de las hablas gasconas.

GASEAR tr. Someter un organismo o una sustancia a la acción de gases. • En ind. textil, chamuscar.

GASEIDAD f. Estado de gas. ■ GASEIFORME.

GASEODUCTO m. Gasoducto.

GASEOSO, SA adj. Que se halla en estado de gas. • f. Bebida que se prepara disolviendo en agua ácido carbónico y un jarabe.

GASIFICAR tr. Hacer que un combustible sólido o líquido pase al estado de gas. • Instalar una red fija de distribución de gas. ■ GASIFICABLE; GASIFICACIÓN.

GASISTA com. Persona que coloca y repara aparatos a gas.

GASQUELL, ***Elizabeth Cleghorn*** (1810-1865) Escritora brit. en cuya obra está presente la crítica social. *Mary Barton.*

GASODUCTO m. Conducto para transportar combustible gaseoso.

GASÓGENO m. *Ing.* Aparato productor de gases combustibles partiendo de combustibles sólidos. •

GASSENDI, ***Pierre*** (1592-1655), Matemático, físico y filósofo fr., partidario del atomismo materialista de Epícuro y Lucrecio.

GASSER, ***Herbert Spencer*** (1888-1963) Fisiólogo norteam. Investigó las diferenciaciones funcionales de las fibras nerviosas. Premio Nobel de Medicina en 1944.

GASSMAN, ***Vittorio*** (1922-2000) Actor teatral y cinematográfico it. *Arroz amargo, La Gran Guerra, La escapada, Perfume de mujer, La familia, El largo invierno.* Galardonado con el Premio Príncipe de Asturias de las Artes en 1997.

GASTA f. *Méx.* Fragmento de jabón desgastado; raja de queso muy fina.

GASTADO, DA adj. Debilitado, borrado con el uso. • Díc. de la persona decaída de su vigor físico o de su prestigio moral. • Díc. de un asunto manido.

GASTADOR, RA adj. y s. Que gasta mucho dinero. • m. En los presidios, el que va condenado a los trabajos públicos. • *Mil.* Soldado que abre trincheras. • *Mil.* Soldado que en un batallón está destinado pralm. a franquear el paso en las marchas.

GASTAR tr. Expender o emplear el dinero en una cosa. • tr. y prnl. Destruir, consumir, acabar. • tr. Destruir, asolar un territorio. • Digerir los alimentos. • tr. y prnl. Deteriorar una cosa. • tr. Usar, poseer, llevar. ■ GASTADERO; GASTADURA; GASTAMIENTO.

GASTEROMICETE adj. y m. *Bot.* Hongos basidiomicetes con un aparato esporífero que, maduro, encierra una masa de esporas pulverulenta.

GASTERÓPODO, DA adj. y m. *Zool.* Aplícase

a los moluscos que tienen en el vientre un pie carnoso mediante el cual se arrastran; su boca está rodeada de tentáculos y su cuerpo está gralte. protegido por una concha. • m. pl. *Zool.* Clase de estos moluscos.
GASTERÓSTEO m. Pez teleósteo carnívoro.
GASTO m. Lo que se ha gastado o se gasta. • *Fís.* Cantidad de líquido o de gas que pasa por un orificio cada unidad de tiempo. • **público.** El que realiza la administración.
GASTRALGIA f. *Pat.* Dolor de estómago. ■ GASTRÁLGICO, CA.
GASTRECTASIA f. *Pat.* Dilatación patológica del estómago por relajación de la musculatura gástrica.
GASTRECTOMÍA f. *Cir.* Extirpación, total o parcial, del estómago.
GÁSTRICO, CA adj. *Med.* Perteneciente al estómago.
GASTRINA f. *Bioq.* Hormona sintetizada por la mucosa del estómago.
GASTRINOMA m. *Pat.* Tumor de los islotes de Langerhans del páncreas, que segregan gastrina.
GASTRITIS f. *Pat.* Inflamación de la mucosa gástrica.
GASTROCELE m. *Pat.* Hernia del estómago.
GASTRODUODENAL adj. *Med.* Relativo al estómago y al duodeno.
GASTROENTERITIS f. *Pat.* Inflamación de la mucosa gástrica y del intestino delgado.
GASTROENTEROLOGÍA f. Rama de la medicina que estudia la morfología y funciones del estómago e intestino. ■ GASTROENTERÓLOGO, GA.
GASTROENTEROPATÍA f. *Med.* Término general para designar enfermedades del estómago e intestino.
GASTROENTEROSTOMÍA f. *Cir.* Operación que consiste en comunicar el estómago con un asa intestinal.
GASTRÓFILO m. Insecto díptero caracterizado por depositar sus puestas en la piel de los caballos, en cuyo estómago se desarrollan posteriormente.
GASTROINTESTINAL adj. Relativo al estómago y a los intestinos.
GASTRÓLOGO m. Especialista en enfermedades del estómago.
GASTROMIXORREA f. *Pat.* Exageración de la secreción de moco gástrico.
GASTRONOMÍA f. Conjunto de conocimientos y actividades relacionados con el buen comer. ■ GASTRONÓMICO, CA; GASTRÓNOMO, MA.
GASTROPATÍA f. Enfermedad del estómago.
GASTROPTOSIS f. *Med.* Desplazamiento del estómago por relajamiento de sus ligamentos suspensorios.
GASTRORRAGIA f. *Pat.* Hemorragia del estómago, producida por úlcera o por neoplasia.
GASTROSCOPIA f. *Med.* Exploración del estómago, mediante endoscopios introducidos por la boca y que permiten visualizar la cavidad gástrica. ■ GASTROSCOPIO.
GASTROSTOMÍA f. *Med.* Comunicación quirúrgica entre el estómago y la pared abdominal, que se practica gralte. en las obstrucciones altas del tubo digestivo, para alimentar al paciente.
GASTROVASCULAR adj. Aplícase a la única cavidad del cuerpo de los animales celentéreos, en la cual se efectúa la digestión.
GASTROZOIDE m. En las colonias polimorfas de algunos animales, cada uno de los individuos poco diferenciados que tienen a su cargo la digestión de los alimentos para el conjunto colonial.
GÁSTRULA f. *Biol.* Estadio embrional del desarrollo, caracterizado por la aparición del endodermo.
GASTRULACIÓN f. Proceso de formación de la gástrula.
GATA f. Hembra del gato. • Gatuña, planta. • fig. Nubecilla que se pega a los montes. • *Cuba.* Pez de figura de tiburón. • *Chile.* Cigüeña, manubrio. • *Méx.* Sirvienta.
GATADA f. Acción propia de gato. • Regate que hace la liebre en la carrera cuando la siguen los perros. • fig. y fam. Gatuperio.
GATALLÓN, NA adj. y s. fam. Pillastrón.
GATAS *(A)* m. adv. Con pies y manos en el suelo. • *Argent.* Apenas, casi.
GATATUMBA f. fam. Simulación engañosa.
GATAZO m. fam. Engaño para sacar a alguien dinero u otra cosa de valor. • fam. Chasco.
GATE m. *Electr.* Circuito electrónico que permite el paso de la señal principal solamente cuando está presente una segunda señal, o señal de apertura.
GATEADO, DA adj. Semejante al gato. • Con vetas como las de los gatos de algalia. • *Argent.* Caballo o yegua de pelo rubio con rayas negruzcas. • m. Madera americana veteada.
GATEAR intr. Trepar como los gatos. • fam. Andar a gatas. • tr. fam. Arañar el gato. • fam. Hurtar. intr. *Amér.* Andar en amoríos clandestinos. ■ GATEAMIENTO.
GATERA f. Agujero para pasar los gatos. • *Amér.* Revendedora de hortalizas. • *Mar.* Agujero por el cual sale la cadena. • com. Gatillo, ratero.
GATERÍA f. fam. Junta de muchos gatos. • fig. y fam. Simulación, con halago, con que se pretende lograr una cosa.
GATES *(Ghats)* Conjuntos montañosos que limitan el Decán (India).
GATES, *Bill* (nacido 1955) Empresario estadoun. Fundador y presid. de la empresa informática Microsoft. • ***Horatio*** (1728-1806) General norteam. Participó en la guerra de Independencia.
GATESCO, CA adj. fam. Gatuno.
GATILLAZO m. Golpe que da el gatillo en las armas de fuego, especialmente cuando no sale el tiro.
GATILLO m. Tenazas para extraer muelas. • Disparador de las armas de fuego. • Parte superior del pescuezo de algunos animales cuadrúpedos. • fig. y fam. Muchacho ratero. • Pieza con que se une y traba lo que se quiere asegurar. • *Chile.* Crines largas de las caballerías, de las cuales se asen los jinetes para montar.
GATISMO m. *Pat.* Incontinencia de orina y heces.
GATO m. *Zool.* Mamífero carnívoro doméstico, de la familia de los félidos. • Máquina con un engranaje de piñón y cremallera, que sirve para levantar grandes pesos a poca altura. • Bolso para guardar dinero. • Instrumento de hierro que sirve para agarrar la madera. • fig. y fam. Ladrón, ratero. • fig. y fam. Hombre sagaz, astuto. • *Argent.* Danza popular. • *Argent.* Música que acompaña ese baile. • *Hond.* Molledo del brazo. • *Méx.* Propina. • *Carp.* Instrumento compuesto de dos planchas con un tornillo para sujetar piezas de madera. • *Méx.* Sirviente. • *Perú.* Mercado al aire libre. • *Ven.* Sífilis. • **de Angora**. Gato de pelo muy largo, procedente de Angora, en el Asia Menor. • **montés.** Especie de gato salvaje. • **pampeano.** *Argent.* y *Ur.* Gato de pelaje gris con manchas rojizas. • **Cuatro gatos**. exp. despect. para indicar poca gente y sin importancia. ■ GATERO, RA. GATUNO, NA.
GATOPARDO m. Onza, mamífero carnívoro.
GATÚN Embalse de la zona del canal de Panamá, formado por el río Chagres; 420 km^2 y 38 km de long.
GATUNA f. Gatuña, planta.
GATUÑA f. Planta herbácea papilionácea, con tallos ramosos, delgados, duros y espinosos.
GATUPERIO m. Mezcla de diversas sustancias incoherentes. • fig. y fam. Embrollo, intriga.
GAUCHADA f. *Amér.* Acción propia de un gaucho. • fig. *Amér.* Servicio o favor desinteresado. • *Amér.* Cuento, chisme. • *Amér.* Improvisación versificada.
GAUCHAJE m. *Amér.* Conjunto o reunión de gauchos. • *Argent.* y *Chile.* La plebe.
GAUCHEAR intr. *Argent.* Practicar el gaucho sus costumbres. • *Argent.* Andar errante.
GAUCHESCO, CA adj. Relativo al gaucho. • *Lit.* Dic. de las obras literarias que tienen al gaucho y sus costumbres por tema.
* *Lit.* El estilo g. constituyó un movimiento posromántico y costumbrista que en Argentina y Uruguay buscó la creación de una literatura nacional en el entronque con la poesía popular, de tradición oral, en el lenguaje de la gente del campo. Se inició con Bartolomé Hidalgo, Hilario Ascasubi y Estanislao del Campo (*Fausto*, 1866) y culminó con la publicación del poema *Martín Fierro,* en dos partes (1872-1879), de José Hernández.
GAUCHISMO m. Movimiento artístico rioplatense relacionado con los gauchos.
GAUCHO, CHA adj. y s. Natural de las pampas del Río de la Plata en la Argentina, Uruguay y Río

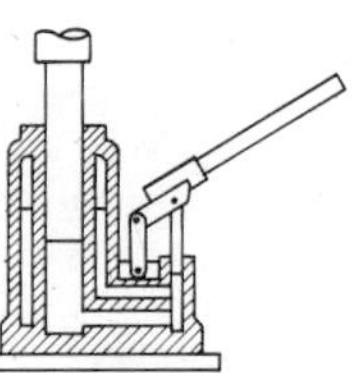
Esquema de un **gato** hidráulico

Gato montés

Gaucho

Grande do Sul. • *Argent.* y *Chile.* Buen jinete. • fig. *Argent.* Grosero, zafio. • fig. *Argent.* y *Chile.* Astuto. • m. *Ecuad.* Sombrero de paja con ala muy grande. • f. *Argent.* Mujer servicial, solidaria.

GAUDEAMUS m. fam. Fiesta, regocijo, comida y bebida abundante.

GAUDÍ, *Antoni* (1852-1926) Arquitecto modernista esp., catalán. Trabajó principalmente en Barcelona. Sus obras más importantes son: el palacio Güell (1885-1889), la casa Batlló (1905-1907), el parque Güell y *la Pedrera* (1905-1910). Su obra más monumental es la inacabada Sagrada Familia.

Antoni **Gaudí.** Arriba, fachada del Nacimiento de la Sagrada Familia; sobre estas líneas, detalle del tejado de la casa Batlló

GAUGUIN, *Paul* (1848-1903) Pintor fr. Pasó del impresionismo a un misticismo naturalista. Alcanzó su madurez pictórica en las islas de Oceanía, donde pintó obsesivamente el cuerpo de la mujer maorí. Sus obras más importantes son: *Visión después del sermón, Nevermone, El oro de sus cuerpos.*

GAULLE, *Charles de* (1890-1970) General y político fr. Jefe de la Resistencia a la ocupación al. y presid. del primer gobierno tras la liberación (1944-1946). En 1958 instauró la V República y alcanzó la presidencia. Concedió la independencia a Argelia en 1961 y ganó las elecciones en 1965.

GAULLISMO m. Movimiento político fr. creado a partir del RPF (*Rassemblement du peuple français*) de De Gaulle y fundamentado en las líneas de la política de éste.

GAURISANKAR Monte de Nepal, en la cordillera del Himalaya; 7 144 m.

GAUSS m. *Fís.* Unidad de inducción magnética.

GAUSS, *Karl Friedrich* (1777-1855) Matemático al. Hizo la primera demostración del teorema fundamental del álgebra, según el cual todo polinomio admite una raíz, real o imaginaria. • **Teorema de Gauss.** *Fís.* El flujo que sale de una superficie cualquiera, en cuyo interior existen cargas eléctricas, es igual al cociente entre la suma algebraica de dichas cargas y la constante dieléctrica del medio.

GAUTIER, *Manuel María* (1830-1897) Político dom. Presid. provisional como sustituto de Heureaux (1882). • ***Théophile*** (1811-1872) Poeta, novelista y crítico fr. *Esmaltes y camafeos, El capitán Fracasse, Viaje a España.*

GAVANZO m. Escaramujo, rosal silvestre. • Fruto de este arbusto. ■ GAVANZA.

GAVERA f. *Col., Méx.* y *Ven.* Gradilla o galápago para fabricar tejas o ladrillos. • *Perú.* Tapial. • *Col.* Aparato donde se enfría y espesa la miel de cañas.

GAVETA f. Cajón corredizo de los escritorios.

GAVIA f. Zanja que se abre en la tierra para desagüe o linde de propiedades. • Gaviota. • *Mar.* Vela que se coloca en el mastelero mayor. • *Min.* Cuadrilla de operarios que se emplea en el trecheo.

GAVIAL m. Reptil parecido al cocodrilo.

GAVIAR intr. *Cuba.* Brotar la espiga del maíz y otras plantas semejantes.

GAVIDIA, *Francisco Antonio* (1864-1955) Poeta salv. considerado como el patriarca de las letras de su país. *Pensamientos.*

GAVIERO m. *Mar.* Marinero que cuida de la gavia.

GAVIETA f. *Mar.* Gavia, a modo de garita.

GAVIETE m. *Mar.* Madero que se coloca en la popa de la lancha para levar un ancla, halando del cable o del orinque.

Gavilán

GAVILÁN m. *Zool.* Ave falconiforme de la familia accipítridos, de color gris oscuro por encima y rojizo o blancuzco por debajo, y de 30 a 40 cm de largo. • Cualquiera de los dos lados del pico de la pluma de escribir. • Cada uno de los dos hierros que salen de la guarnición de la espada y forman la cruz. • Hierro cortante de la aguijada, con el que se limpia el arado. • Flor del cardo. • *Chile, Cuba, Méx.* y *P. Rico.* Uñero que se introduce en la carne. • *Argent.* Ramilla del caballo. • *Ven.* Aire popular.

GAVILANA f. *C. Rica.* Planta herbácea, de la familia compuestas, usada como tónico y febrífugo.

GAVILANCILLO m. Punta corva de la hoja de la alcachofa.

GAVILLA f. Fajo, haz de sarmientos, cañas, mieses, etc. • fig. Cuadrilla de gente poco recomendable. • *Cuba.* La cuarta parte del manojo ■ GAVILLAR.

GAVILLERO m. Lugar en que se amontonan las gavillas. • *Chile.* Jornalero que con el bieldo echa las gavillas al carro. • *Amér.* Sublevado contra la autoridad.

Gaviota

GAVINA f. Gaviota. ■ GAVINOTE.

GAVIÓN m. *Const.* Cestón relleno de tierra o piedra usado en obras de defensa e hidráulicas. • *Zool.* Ave parecida a la gaviota, de unos 70 cm de long. • fig. y fam. Sombrero grande de copa y ala.

GAVIOTA f. Ave marina de la familia láridos, de plumaje gralte. blanco y dorso ceniciento, que se alimenta de peces. Anida en acantilados de las costas atlánticas, en inmensas colonias.

Mujer con fruta, óleo de Paul **Gauguin**

GAVIRIA, *César* (nacido 1947). Economista col. Ocupó diversos cargos antes de presentarse y vencer como candidato del Partido Liberal Colombiano (PLC) en las elec. de 1990. Cesó en 1994.

GAVOTA f. Antiguo baile de origen fr., que se danzaba por parejas.

GAY adj. y s. Homosexual, que lucha por la supresión de las discriminaciones por razón de sexo. • adj. Perteneciente o relativo a la homosexualidad.

GAY, *John* (1685-1732) Poeta y dramaturgo brit. de estilo satírico. *La semana del pastor, La ópera del mendigo.*

GAYA f. Lista de diverso color que el fondo. • *Ant.* insignia de victoria. • Urraca, picaza.

GAYA C. del NE de la India, en el est. de Bihar; 247 100 hab. C. santa del hinduismo.

GAYA CIENCIA o **GAY SABER** m. *Lit.* Maestría en el arte poético trovadoresco.

GAYADURA f. Guarnición y adorno del vestido, hecho con listas de otro color.

GAYANGOS y Arce, *Pascual* (1809-1897) Historiador y bibliófilo arabista esp. *Historia de las dinastías mahometanas en España.*

GAYAR tr. Adornar con gayas.

GAYARRE, *Julián* (1844-1890) Tenor esp., que destacó en la interpretación de Wagner.

GAY-LUSSAC, *Joseph Louis* (1778-1850) Físico y químico fr. Formuló la ley de la dilatación de los gases, estudió las propiedades de los ácidos clorhídrico y clórico e investigó sobre el yodo y el ácido yodhídrico. Formuló la ley de los volúmenes de combinación y la ley de la dilatación de los gases.

GAYO, YA adj. Alegre, vistoso.

GAYO o **GAIUS** (s. II) Jurisconsulto rom. Se conservan fragmentos de sus obras en el *Digesto* y las *Instituciones.*

GAYOLA f. Jaula. • fig. y fam. Cárcel, prisión.

GAYOMBA f. Arbusto de flores amarillas, aromáticas y purgantes.

GAYUBA f. Mata ericácea, verde y ramosa, con flores de corola blanca o sonrosada. • *Chile.* Arbusto medicinal de bayas rojas, comestibles.

GAZA f. Lazo que se forma y se asegura en el extremo de un cabo.

GAZA Terr. de Palestina, en su litoral meridional; 363 km^2, 493 700 hab. Su forma es estrecha y alargada (40 km de long. y 5-13 km de anchura); clima cálido y seco. Cereales, horticultura. Cap., la c. hom. (40 000 hab.). Administrado por Israel, que lo conquistó en 1948 y con carácter más duradero en 1967,

en mayo 1994 las tropas israelíes abandonaron el terr., al que se concedió auton. política cara a la indep., con Yasser Arafat como jefe del ejecutivo.
GAZAPA f. fam. Mentira, embuste.
GAZAPATÓN m. fam. Disparate o yerro en el hablar. • Exp. malsonante en que se incurre por mala pronunciación. ■ GAZAFATÓN.
GAZAPEAR intr. *Taur.* Embestir el toro con poco brío.
GAZAPERA f. Madriguera de conejos. • fig. y fam. Madriguera de gente del hampa. • fig. y fam. Riña o pendencia.
GAZAPINA f. fam. Junta de gente ordinaria. • fam. Pendencia. • fig. Conjunto de gazapos.
GAZAPO m. Cría de conejo. • fig. y fam. Hombre astuto. • fig. y fam. Gazapa, mentira.
GAZAPÓN m. Garito. • *Taur.* Toro que embiste con un cierto trote, poco decidido.
GAZIANTEP C. de Turquía; 466 302 hab. Ant. Aintab. Centro comercial y manufacturero.
GAZMIAR tr. Golosinear. • prnl. fam. Quejarse.
GAZMOL m. Granillo que sale a las aves de rapiña en la lengua y en el paladar.
GAZMOÑERO, RA o **GAZMOÑO, ÑA** adj. y s. Mojigato, escrupuloso sincera o simuladamente en cosas de moral. ■ GAZMOÑADA O GAZMOÑERÍA.
GAZNÁPIRO, RA adj. y s. Palurdo, simplón.
GAZNAR intr. Graznar.
GAZNATE m. Garganta. • Fruta de sartén en forma de g. • *Méx.* Dulce de piña o coco.
GAZNATEAR intr. *Col.* Abofetear. ■ GAZNATADA.
GAZNATÓN m. Gaznatada. • Gaznate, fruta. • adj. *Méx.* Gritón.
GAZOFIA f. Bazofia.
GAZPACHO m. Sopa, gralte. fría, hecha con pedacitos de pan, tomate, aceite, vinagre, sal, ajo y cebolla. • *Hond.* Heces, residuos.
GAZUZA f. fam. Hambre. • com. *Hond.* Que no se deja engañar. • f. *Amér. Centr.* Manchita, juego. • *C. Rica.* Algazara. • *Guat.* Plebe.
GAZUZO, ZA adj. *Chile.* Hambriento.
GAZZARA, ***Ben*** (nacido 1930) Actor norteam. *Anatomía de un asesinato, Ordinaria locura.*
Gd *Quím.* Símb. del gadolinio.
GDANSK C. de Polonia, cap. del voivodato hom.; 467 200 hab. Importante puerto junto al Báltico. Centro comercial e industrial. Fábricas. Astilleros. Ant. Danzig.
GDYNIA C. y puerto de Polonia, en el voivodato de Gdansk; 243 100 hab. Sit. junto al Báltico. Pral. base naval del país.
GE f. Nombre de la letra g. • adj. y s. *Etn.* Individuo perteneciente a una familia de pueblos de cultura primitiva, que habitan en el O de la meseta bras. • m. pl. Esos mismos pueblos. • m. *Ling.* Familia lingüística, también llamada tapuya, que comprende de gran variedad de dialectos.
Ge *Quím.* Símb. del germanio.
GEA *Mit. gr.* Diosa de la Tierra, llamada también Ge. Considerada madre universal.
GEA f. Conjunto del reino inorgánico de un país o región. • Obra que lo describe.
GEARING (voz ing.) m. Proporción del ingreso anual de una empresa, que se asigna a cargas prioritarias.
GEB *Mit.* Dios egipcio que personificaba la Tierra.
GECO m. Animal de hábitos arborícolas, con capacidad para realizar cortos vuelos.
GECÓNIDO, DA adj. y m. *Zool.* Díc. de los individuos de una familia de reptiles saurios. Sus representantes son el geco y la salamanquesa.
GEDEÓN Quinto juez de Israel. Libró a su pueblo de los ataques de los nómadas, le concedió cuarenta años de paz y rechazó ser nombrado rey.
GEDRITA f. *Miner.* Inosilicato de magnesio, hierro y aluminio, de color pardo amarillento y dureza de 5 a 6.
GEFFRARD, ***Nicholas-Fabre*** (1806-1879) Militar y político haitiano. Instauró la Rep. Derrocado por Salnave en 1867.
GEHLENITA f. *Miner.* Aluminosilicato de calcio.
GEHENNA f. Lugar en el que, según la Biblia, permanecerán los impíos hasta la resurrección.
GEHRY, ***Frank Owen*** (nacido 1929) Arquitecto y diseñador estadoun. Museo del Aire y del Espacio, Los Ángeles; Museo Guggenheim, Bilbao. Premio Pritzker 1989.
GEIGER, ***Hans*** (1882-1945) Físico al. Determinó la carga de las partículas alfa y demostró que el núm. atómico representa el núm. de protones del núcleo e inventó el detector de partículas que lleva su nombre (*contador G.*).
GEIKELITA f. *Miner.* Titanato de hierro y magnesio, de color negro, brillo metálico y dureza 6, que cristaliza en el sistema trigonal.
GEISEL, ***Ernesto*** (1908-1996) Militar y político bras. Presid. en 1974-1978, debió hacer frente al crecimiento de la deuda exterior y a una crisis política.
GÉISER m. Fuente termal volcánica en forma de surtidor, que emite agua y vapor.
GEISERITA f. *Miner.* Variedad de ópalo. Se encuentra en géiseres y fuentes termales.
GEISHA f. Joven japonesa dedicada al entretenimiento de los hombres mediante la conversación, la danza y el canto.
GEL m. Sistema coloidal de dos fases, una sólida y otra líquida, como la gelatina. ■ GELIFICACIÓN.
GELASIO I (muerto 496) Santo. Papa desde el año 492. Sentó los principios de la doctrina sobre las dos potestades, la sacerdotal y la temporal. • **II** (muerto 1119) Papa desde el año 1118. Se opuso a Enrique V de Alemania en la querella de las investiduras.
GELATINA f. *Quím.* Sustancia coloidal, sólida, incolora y transparente cuando es pura, inodora, insípida y de gran coherencia. ■ GELATINAR; GELATINIZAR; GELATINOSO, SA.
GELDRE m. Mundillo, plata y flor.
GELENITA f. Dinamita gelatinizada, hecha de una mezcla de pulpa de madera, nitrocelulosa, nitroglicerina y nitrato potásico.
GÉLIDO, DA adj. Helado o muy frío.
GELIFRACCIÓN f. Gelivación.
GELIVACIÓN f. Fragmentación de una roca debido a las fuertes presiones originadas al helarse el agua que contiene.
GELL-MANN, ***Murray*** (nacido 1929) Físico norteam. Son notables sus trabajos con partículas elementales. Premio Nobel de Física en 1969.
GELMÍREZ, ***Diego*** (h. 1065-h. 1140) Prelado gall. Obispo y poseedor del señorío de Compostela. Dio auge a la entonces naciente marina gall.
GELÓN (muerto h. 478 a. C.) Tirano de Gela y Siracusa.
GELSENKIRCHEN C. de Alemania, en el est. de Renania Septentrional-Westfalia; 287 956 hab. Centro carbonífero. Ind. siderúrgica. Fabricación de maquinaria, productos químicos, cristal.
GEMA f. Roca u otra sustancia natural que se utiliza para ornamentación. Puede alcanzar un gran valor, como en el caso del diamante, esmeralda, zafiro, rubí, topacio, turquesa, etc. • *Bot.* Yema o botón en los vegetales. ■ GEMOSO, SA.
GEMACIÓN f. *Bot.* Primer desarrollo de la gema. • *Zool.* Reproducción asexual de algunos vertebrados por yemas que se desarrollan sobre el individuo madre, hasta independizarse.
GEMAYEL, ***Amin*** (nacido 1942) Político libanés. Diputado en 1970. Presid. tras el asesinato de su hermano Bechir en 1982.
GEMELLI, ***Agostino*** (1878-1959) Filósofo it., fundador de la universidad Católica de Milán. Entre sus obras cabe citar *El enigma de la vida, Religión y ciencia.*
GEMELO, LA adj. y s. *Zool.* Díc. de los hermanos nacidos de un mismo parto. • **bivitelinos.** Los que proceden de la fecundación de dos óvulos por dos espermatozoides. Son de dos placentas distintas y sus caracteres genéticos son diferentes. • **univitelinos.** Aquellos que proceden de la fecundación de un solo óvulo. Comparten la misma placenta y sus caracteres genéticos son idénticos. • Aplícase a los elementos iguales de diversos órdenes que, apareados, cooperan a un mismo fin. • adj y m. *Anat.* Músculo de la parte posterior de la pierna, constituido por dos haces. Se usa más en pl. • m. pl. Juego de dos botones iguales. Anteojos. • *Astr.* Géminis, constelación.
GEMIDO m. Acción y efecto de gemir. • Exclamación o sonido de pena o lástima.
GEMINACIÓN f. *Ret.* Figura que consiste en repetir inmediatamente una o más palabras. ■ GEMINAR.

César **Gaviria**

Gdansk. Casas típicas del s. XVII

Géiser del Parque Nacional de Yellowstone (EE UU)

Frank Owen **Gehry**

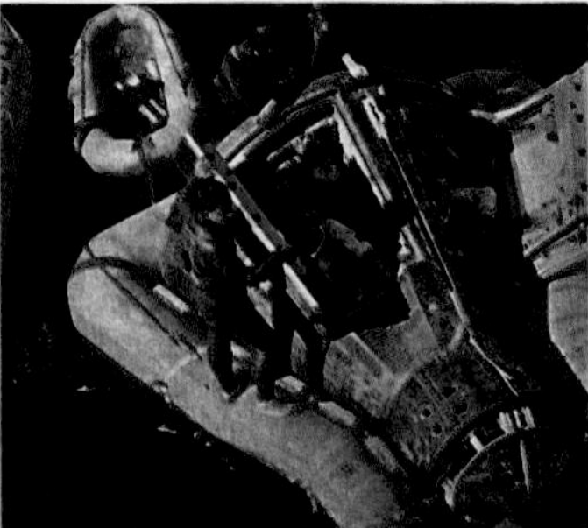
Los astronautas Scott y Amstrong en la cápsula **Gemini 8**

GEMINADO, DA adj. Partido, dividido. • *Fon.* Díc. del sonido que se pronuncia en dos momentos sucesivos.
GEMINI Serie de cápsulas espaciales estadounidenses destinadas a la realización de vuelos orbitales alrededor de la Tierra. El programa G. se desarrolló entre 1964 y 1966.
GEMÍNIDAS f. pl. *Astr.* Estrellas fugaces cuyo punto radiante está en la constelación Geminis.
GÉMINIS o **GEMELOS** m. *Astr.* Tercer signo y constelación del Zodíaco. Sus estrellas más brillantes son Cástor y Pólux. • *Farm.* Emplasto de albayalde y cera.
GEMIPARIDAD f. *Biol.* Tipo de reproducción asexual por medio de yemas. ■ GEMÍPARO, RA.
GEMIQUEAR intr. *Chile.* Gimotear. ■ *Chile.* GEMIQUEO.
GEMIR intr. Expresar con sonido y voz lastimera pena y dolor. • fig. Aullar algunos animales. ■ GEMIDOR, RA.
GEMISTHOS, *Georgios* llamado PLETHON (1389-1464) Filósofo y humanista bizantino. *Sobre las diferencias entre Aristóteles y Platón.*
GEMOLOGÍA f. Ciencia que estudia las propiedades y características de las gemas. ■ GEMOLÓGICO, CA; GEMÓLOGO, GA.

Flores de **genciana**

GÉMULA f. *Biol.* Cada uno de los gérmenes de la reproducción asexual que se forman en el interior de los seres vivos.
GEN m. Gene.
GENCIANA f. Planta gencianácea, usada en medicina como tónica y febrífuga. ■ GENCIANINA.
GENCIANÁCEO, A adj. y f. *Bot.* Díc. de hierbas dicotiledóneas, gralte. lampiñas, amargas, con hojas opuestas, envainadoras y sin estípulas; flores terminales o axilares, frutos capsulares y semillas con albumen carnoso.
GENDARME m. Agente de policía.
GENDARMERÍA f. Cuerpo de tropa de los gendarmes. • Cuartel o puesto de gendarmes.
GENE m. *Génet.* Unidad de acción, mutación y recombinación del material genético presente en los cromosomas y formada por un segmento de ADN, que es responsable de los caracteres hereditarios. • **artificial.** El producido en un laboratorio y que puede funcionar como un g. normal. • **estructural.** El que colabora en la formación de una proteína. • **regulador.** El que controla la síntesis de otros g. • **supresor.** Aquel que puede modificar el efecto fenotípico de otros g. ■ GÉNICO, CA.
GENEALOGÍA f. Serie de progenitores y ascendientes de cada individuo. • Escrito que la contiene. • Ciencia auxiliar de la historia y la antropología que estudia el parentesco, origen y descendencia de familias y personas. ■ GENEALOGISTA.
GENEÁTICO, CA adj. y s. Que pretende adivinar por el nacimiento de los hombres.

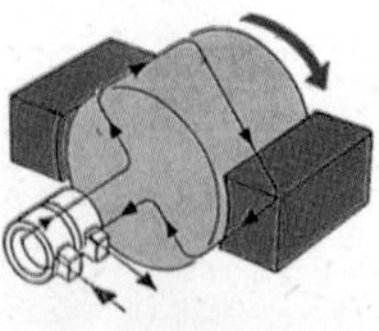
Esquema de una dinamo, **generador** eléctrico de corriente continua

GENERACIÓN f. Acción y efecto de engendrar, procrear. • Sucesión de descendientes en línea recta. • Conjunto de personas de similar edad. • Conjunto de artistas o escritores con caracteres comunes. • Casta, género, especie. • *Comp.* Conjunto de computadoras de características tecnológicas parecidas. • **Generación del 98.** *Lit.* Término acuñado por Azorín en 1914, que designa a un grupo de escritores de lengua castellana: Valle-Inclán, Unamuno, Benavente, Baroja, Manuel Bueno, Maeztu, Rubén Darío y el propio Azorín. • **espontánea.** *Biol.* Formación de individuos vivos a partir de sustratos inanimados. ■ GENERABLE.
GENERADOR, RA adj. y s. Que engendra o genera. • adj. *Geom.* Díc. de las líneas o de las figuras que por su movimiento engendran, respectivamente, una figura o un sólido geométrico. • m. En las máquinas, aquella parte que produce la fuerza o energía. • *Comp.* Procedimiento para la preparación de programas procesables por computadora que permite el empleo del equipo computacional por personal no especializado en programación. • *Ing.* Máquina que proporciona energía eléctrica.
GENERAL adj. Común a todos los individuos que constituyen un todo, o a muchos objetos. • Común, frecuente, usual. • Vago, impreciso. • Vasto, amplio. • m. *Mil.* Jefe perteneciente a jerarquías superiores del ejército. • Superior de algunas órdenes religiosas. • **en jefe.** *Mil.* El que tiene el mando superior de un ejército. • **En general, o por lo general.** m. adv. En común, con generalidad.
GENERAL ALVEAR Mun. de la Argentina, en la prov. de Mendoza; 21 951 hab. Agricultura y ganadería.
GENERAL CARRERA Prov. del S de Chile, en la región Aisén del General Carlos Ibáñez del Campo (región XI); 12 406 km², 7 611 hab. Cap. Chile Chico.
GENERAL EUGENIO A. GARAY C. de Paraguay, cap. del dpto. de Nueva Asunción.
GENERAL HELIODORO CASTILLO Mun. de México, en el est. de Guerrero; 28 000 hab. Agricultura.
GENERAL PEDRO ANTONIO DE LOS SANTOS Mun. de México, en el est. de San Luis Potosí. Café, tabaco, petróleo.
GENERAL PICO C. de Argentina, en la prov. de La Pampa; 30 173 hab. Agricultura y ganadería.
GENERAL ROCA C. de Argentina, en la prov. de Río Negro; 38 419 hab. Conservas cárnicas, vinos, maderas. Aeropuerto.
GENERAL SIMÓN BOLÍVAR Mun. de Venezuela, en el est. de Bolívar; 16 000 hab. Agricultura.
GENERAL TERÁN Mun. de México, en el est. de Nuevo León; 20 000 hab. Maíz.
GENERALA f. Mujer del general. • *Mil.* Toque para que las fuerzas de una guarnición se pongan sobre las armas.
GENERALATO m. Oficio o ministerio del general de las órdenes religiosas. • *Mil.* Empleo o grado de general.
GENERALIDAD f. Mayoría de los individuos u objetos que componen una clase o todo. • Vaguedad en lo que se dice o escribe.
GENERALÍSIMO m. General con el mando supremo de los ejércitos de un Estado.
GENERALITAT En la Corona de Aragón, pral. órgano político catalán, surgido como delegación permanente de las Cortes. • Nombre del Gobierno autón. de Cataluña en 1931-1939 y desde 1977, en que recuperó el de la institución medieval. Nacida en el s. XIV, fue suprimida por Felipe V al principiar el s. XVIII. La primera Generalitat autonómica, durante la segunda rep. esp., estuvo presidida por F. Macià y L. Companys. Tras el paréntesis del franquismo, fue restaurada la Generalitat provisional regida por J. Tarradellas, hasta la aprobación del Estatuto de autonomía en 1979.
GENERALIZAR tr. y prnl. Hacer público o común algo. • tr. Considerar y tratar en común cualquier cuestión, sin contraerla a caso determinado. • Abstraer lo que es común a muchas cosas para formar un concepto general que comprenda todas.
GENERAR tr. Producir. • Procrear. ■ GENERATIVO, VA.
GENERATRIZ adj. y f. *Geom.* Díc. de la línea o figura generadora. • Díc. de la máquina que convierte la energía mecánica en eléctrica.
GENÉRICO, CA adj. Común a muchas especies. • *Gram.* Perteneciente al género. • m. *Cin.* Conjunto de los títulos de crédito.
GÉNERO m. Especie, conjunto de cosas, animales o plantas que tienen caracteres comunes. • Modo de hacer una cosa. • Clase o manera. • En bellas artes, variedades que se distinguen en las creaciones respectivas según el fin a que obedecen, la índole del asunto, el modo de tratarlo, etc. • Mercancía. • *Gram.* Accidente que clasifica a los sustantivos

en categorías. • **chico.** Género teatral constituido por obras líricas menores. • **común de dos.** *Gram.* El de los nombres de personas de una sola terminación para el masculino y el femenino. • **epiceno.** *Gram.* El del nombre de animales de una misma terminación y artículo que designan el macho y la hembra. • **femenino.** *Gram.* El del nombre que puede ser acompañado por atributos femeninos y que no es ni común ni epiceno. • *Lit.* Cada uno de los apartados (g. literarios) en que puede clasificarse una obra. • **masculino.** *Gram.* El del nombre que puede ser acompañado por atributos masculinos y que no es ni común ni epiceno. • **neutro.** *Gram.* El de la palabra que puede ser acompañada por el artículo neutro *lo.*

GENEROSO, SA adj. De ilustre linaje. • Magnánimo, de buenos sentimientos. • Desprendido, desinteresado. ■ GENEROSIDAD.

GENÉSICO, CA adj. Perteneciente o relativo a la generación.

GÉNESIS n. p. m. *Rel.* Primer libro de la Biblia. • f. Origen o principio de una cosa. ■ GENESÍACO, CA. GENESIACO, CA.

GENET, *Jean* (1910-1986) Novelista, poeta y autor teatral fr. Autor de polémicas obras (*Nuestra Señora de las Flores*), fue protegido por Cocteau. Alcanzó también el éxito en teatro: *Las criadas, El balcón, Los negros.*

GENETA f. Mamífero carnívoro de la familia vivérridos, abundante en la Europa meridional. De pelaje pardo con manchas negras, alcanza unos 70 cm de long., sin contar la cola.

GENÉTICA f. *Biol.* Ciencia biológica que estudia la variabilidad y la herencia de los seres vivos. • *Psic.* Estudio del desarrollo, las transformaciones y etapas que atraviesa el psiquismo del niño en su crecimiento. • *Soc.* Estudio de los orígenes de la sociedad humana. ■ GENÉTICO, CA; GENETISTA.

GENETLÍACA f. Práctica supersticiosa de pronosticar la buena o mala fortuna por el día de nacimiento.

GENGIS JAN o **GENGIS KAN** (h. 1167-1227) Fundador del imp. mongol, su verdadero nombre era *Temudjin.* Elegido rey mongol [1196] y, tras dominar toda Mongolia (1205), jan supremo de los mongoles o rey universal (Gengis Jan). Su poderoso ejército conquistó el reino de Tangut (1205-1209) y tomó Pekín (1215). En 1218 inició una campaña por Asia central y llegó hasta el Volga.

GENIAL adj. Propio del genio. • Placentero, que causa alegría. • Aplicado a personas, dotada de genio creador. • Gracioso, ocurrente. ■ GENIALIDAD.

GENIAZO m. fam. Mal genio.

GENIL R. de España, afl. del Guadalquivir; 358 km.

GENIO m. Índole o inclinación según la cual dirige uno comúnmente sus acciones. • Facultad para crear o inventar. • fig. Sujeto dotado de esta facultad. • *Mit.* Deidad que los ant. gentiles suponían engendradora de cuanto hay en la naturaleza. • Espíritu, manera de ser de un país.

GENIOSO, SA adj. *Amér.* De mal genio.

GENIPA f. *Amér.* Jagua, árbol.

GENISTA f. Retama, planta.

GENITAL adj. Que sirve para la generación. • Relativo a los órganos reproductores. • *Anat.* **Aparato genital.** Conjunto de los órganos de la reproducción. En el macho de la especie humana consta de los testículos, contenidos en el escroto, la vía espermática (epidídimo, conducto deferente, conducto eyaculador), la próstata y el pene (órgano copulador). En la hembra, los ovarios, el oviducto o trompa de Falopio, el útero, la vagina y la vulva. • m. pl. *Anat.* Órganos de la reproducción.

GENITIVO, VA adj. Que puede engendrar y producir una cosa. • m. *Gram.* Uno de los casos de la declinación que denota relación de propiedad, posesión o pertenencia; su equivalente en cast. lleva antepuesta la preposición *de.*

GENITOR m. El que engendra.

GENITOURINARIO adj. *Anat.* Díc. del conjunto del aparato reproductor y excretor de los animales superiores y del hombre.

GENÍZARO, RA adj. Jenízaro.

GENNES, *Pierre-Gilles de* (nacido 1932) Físico fr. Profesor en la universidad de París y luego del Collège de France, en 1976 pasó a dirigir la Escuela de Física y Química de París. Premio Nobel de Física en 1991, por sus descubrimientos sobre cristales líquidos y polímeros.

GENOCIDIO m. Exterminio de un grupo social.

GENOCITO m. *Biol.* Célula de origen germinal, sin capacidad para la fecundación.

GENODERMATOSIS f. *Pat.* Enfermedad cutánea.

GENOL m. *Mar.* Pieza que se amadrina a las varengas para formar las cuadernas.

GENOMA m. *Biol.* Conjunto de cromosomas de un núcleo, célula o individuo.

GENOTIPO m. *Biol.* Conjunto de los factores hereditarios que los organismos reciben de sus padres por medio de los gametos. ■ GENOTÍPICO, CA.

GÉNOVA C. y puerto del N de Italia, cap. de la región de Liguria y de la prov. hom., a orillas del golfo hom.; 735 600 hab. Es un gran centro com. y exportador, así como industrial (siderometalurgia, electrotecnia y astilleros pralm.). Catedral (s. XII). Fundada en el s. V a.C., su período de mayor grandeza fue el medieval. Fue una de las potencias hegemónicas en el Mediterráneo. Desde 1815 se integró en el reino del Piamonte. • Mun. de Colombia en el dpto. de Quindío; 12 000 hab. Plátanos. • Mun. de Guatemala en el dpto. de Quezaltenango; 16 000 hab. Café y caña. • ***golfo de*** Golfo del mar Ligur, en el N de Italia. Sus puertos prales. son Génova, La Spezia, Imperia y Savona.

GENOVÉS, SA adj. y s. De Génova.

GENOVÉS, *Juan* (nacido 1930) Pintor esp. relacionado con el pop y el neofigurativismo. *La puerta, El preso, La calle.*

GENOVESI, *Antonio* (1713-1769) Filósofo y economista it. Recibió la influencia del empirismo ing. de su época. *Elementos de metafísica, Lecciones de comercio y economía civil.*

GENOVEVA (h. 420-h. 512) Santa. Patrona de París; según la leyenda, predijo la derrota de los hunos.

GENS f. *Etn.* Grupo compuesto por varias familias que llevan el mismo nombre y descienden de antepasados comunes.

GENSCHER, *Hans Dietrich* (nacido 1927) Político al., ministro de Asuntos Exteriores desde 1974.

GENSERICO (muerto 477) Rey de los vándalos que conquistó el N de África.

GENTAMICINA f. *Farm.* Antibiótico obtenido de la fermentación de dos especies de actinomicetáceas del gén. *Micromonospora*, activo frente a los gérmenes grampositivos y gramnegativos.

GENTE f. Conjunto de personas. • Tropa de soldados. • fam. Familia, parentela. • *Amér.* Persona decente. • fam. Vulgo, gente popular. • *Mar.* Conjunto de soldados y marineros de un buque. • Nación.

GENTIL adj. y s. Idólatra o pagano. • Brioso, galán, gracioso. • m. Miembro de la gens. • m. pl. Para los judíos y primeros cristianos, los que profesaban la religión grecorromana. ■ GENTÍLICO, CA; GENTILIDAD; GENTILISMO; GENTILIZAR.

GENTILARES m. pl. ant. *Perú.* Cementerio.

GENTILE, *Giovanni* (1875-1944) Filósofo it., representante del moderno hegelianismo en Italia. *Teoría del espíritu, La reforma de la educación, Educación y escuela laica.*

GENTILEZA f. Gallardía, buen aire y disposición de cuerpo; garbo y bizarría. • Desembarazo. • Ostentación, bizarría y gala. • Urbanidad, cortesía.

Génova. Vista parcial de la zona portuaria

GENTILHOMBRE m. Título ant. de algunos servidores del rey. • Caballero.

GENTILICIO, CIA adj. y s. Que expresa la nacionalidad o naturaleza.

GENTISINA f. *Quím.* Materia colorante que se extrae de la raíz de la genciana.

Genio alado. Relieve asirio del s. VII a. C., procedente de Khorsabad. Museo del Louvre, París

Pierre-Gilles de **Gennes**

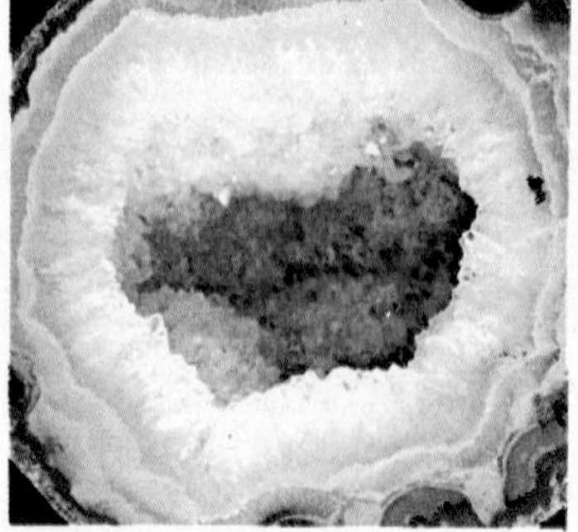

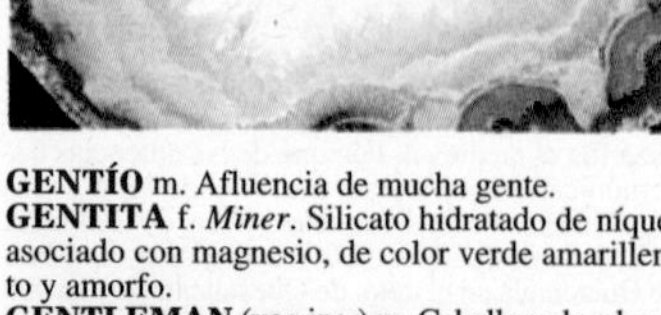

Geoda de ágata y cuarzo

Medidor de distancias de rayos infrarrojos utilizado en **geodesia**

Geografía. Fotografía, tomada por un satélite artificial, que muestra la península del Sinaí y el nordeste de África separados por el mar Rojo

GENTÍO m. Afluencia de mucha gente.
GENTITA f. *Miner.* Silicato hidratado de níquel asociado con magnesio, de color verde amarillento y amorfo.
GENTLEMAN (voz ing.) m. Caballero de educación distinguida.
GENTRY (voz ing.) f. En Inglaterra, nombre con que se designó, desde fines de la E. Med. hasta el s. XIX, a la pequeña nobleza.
GENTÚ m. *Zool.* Ave esfenisciforme, con una estría blanca en la frente y la parte terminal del pico anaranjada.
GENTUZA f. despect. Gente despreciable.
GENUFLEXIÓN f. Inclinación hecha doblando la rodilla, como señal de reverencia.
GENUINO, NA adj. Auténtico, propio, legítimo.
GEOANTICLINAL adj. y m. Zona que separa las cuencas parciales de un geosinclinal.
GEOBIOLOGÍA f. Ciencia que estudia la evolución geológica de la Tierra en relación con la evolución de la materia viva y de los organismos vivientes.
GEOBIONTE m. *Zool.* Organismo que vive permanentemente en el suelo.
GEOBOTÁNICA f. Parte de la botánica que estudia la distribución de las especies vegetales y sus relaciones con el medio ambiente.
GEOCARPIA f. *Bot.* Maduración del fruto bajo tierra. Fenómeno propio de plantas en las que, tras la fertilización, el tallo se encurva enterrando los frutos jóvenes.
GEOCÉNTRICO, CA Relativo al centro de la Tierra. • Díc. de los sistemas cosmológicos que suponían a la Tierra como centro del Universo. • *Astr.* Aplícase a la lat. y long. de un planeta consideradas desde la Tierra.
GEOCÍCLICO, CA adj. Que representa el movimiento de la Tierra alrededor del Sol.
GEOCINESIS f. *Biol.* Reacción locomotora inducida en los animales a causa de la gravedad.
GEOCLINA m. *Ecol.* Cambio gradual y continuo de un carácter dentro de una zona o área como resultado de su adaptación a las condiciones geográficas cambiantes.
GEOCORONA f. *Astr.* Capa situada en el límite superior de la atmósfera terrestre compuesta principalmente de hidrógeno.
GEOCRÁTICO, CA adj. *Geol.* Período de la historia geológica de la Tierra en el que los continentes tuvieron mayor extensión que los océanos.
GEOCRONITA f. *Miner.* Antimoniosulfuro de plomo, que cristaliza en el sistema monoclínico.
GEOCRONOLOGÍA f. Ciencia que estudia la edad y las relaciones de sucesión temporal de las formaciones rocosas.
GEODA f. Asociación de minerales cristalizados que tapizan una cavidad rocosa.
GEODESIA f. *Geol.* Ciencia que estudia la forma geométrica y las dimensiones de la Tierra. • **astronómica.** La que se ocupa de determinar las coordenadas geográficas de los puntos de la superficie terrestre. • **cartográfica.** La que trata de la representación de regiones de la superficie terrestre sobre el plano. • **espacial.** Conjunto de técnicas de medición, realizadas mediante satélites artificiales, que utiliza la reflexión de un haz de rayos láser sobre un sistema de catafotos incorporado al satélite. • **mecánica y gravimétrica.** La que estudia la intensidad del campo gravitatorio terrestre y las variaciones de la densidad de la Tierra. • **operativa.** La que trata de los instrumentos capaces de hallar las posiciones relativas entre los puntos de la superficie de la Tierra.
GEODÉSICO, CA adj. *Astron.* Díc. de los satélites artificiales de investigación geodésica. • *Geom.* Díc. de la línea que une dos puntos de una superficie esférica, según la trayectoria de mínima longitud.
GEODESTA com. Especialista en geodesia.
GEODÍMETRO m. *Top.* Instrumento para medir las distancias geodésicas, determinando el tiempo que tarda un haz luminoso modulado en recorrer el camino de ida y vuelta entre dos puntos.
GEODINÁMICA f. Ciencia geológica que estudia los procesos que modifican la corteza terrestre, determinando el relieve de nuestro planeta. • **externa.** Estudia los procesos que se desarrollan en la superficie del globo (erosión, transporte y sedimentación). • **interna.** Trata de los procesos que tienen su origen en el interior de la Tierra (vulcanismo, sismología, orogénesis, etc.).
GEOELECTRICIDAD f. *Geof.* Disciplina geofísica que estudia la naturaleza y distribución de los campos eléctricos naturales o artificiales, con objeto de conocer la estructura y la composición del subsuelo.
GEOFAGIA f. *Biol.* Facultad de ciertos animales para tragar tierra para alimentarse. ▪ GEÓFAGO, GA.
GEOFFROY Saint-Hilaire, ***Étienne*** (1772-1844) Naturalista fr., precursor del evolucionismo. *Curso de historia natural de los mamíferos, Nociones sintéticas de filosofía natural.*
GEOFÍSICA f. *Geol.* Parte de la geología que aplica los principios y métodos de la física al estudio de la Tierra. ▪ GEOFÍSICO, CA.
GEÓFITO m. *Bot.* Planta con partes durmientes enterradas, como defensa contra condiciones climáticas adversas durante la estación desfavorable.
GEÓFONO m. Sismógrafo utilizado en las prospecciones sísmicas petroleras.
GEOGENIA f. Parte de la geología que trata del origen y formación de la Tierra. ▪ GEOGÉNICO, CA.
GEOGNOSIA f. Parte de la geología que estudia la estructura y composición de las rocas que forman la Tierra. ▪ GEOGNOSTA; GEOGNÓSTICO, CA.
GEOGRAFÍA f. Ciencia que estudia la ubicación y distribución en el espacio de cuantos fenómenos y elementos se manifiestan en la superficie terrestre. • **botánica.** La que estudia la distribución de la humana que trata del hombre en su calidad de agente modificador del medio. • **económica.** Parte de la g. humana que estudia la producción y distribución de la riqueza, de los medios de transporte, las fuentes de energía y la organización del trabajo. • **física.** Rama de la g. regional que estudia el clima, el relieve, la hidrografía y los mares. • **general.** La que analiza el espacio genéricamente. • **histórica.** Rama de la g. general que trata de determinar los diferentes aspectos de un lugar determinado en un

momento dado. • **humana.** La que trata de los hechos en que interviene el hombre. • **política.** La que se interesa en los fenómenos del poder y de las organizaciones políticas como el estado. • **regional.** Aquella cuyo objeto es un espacio o región determinados. ■ GEOGRÁFICO, CA; GEÓGRAFO, FA.

GEOIDE m. Superficie de referencia ideal de la Tierra, que se puede definir como la superficie equipotencial del campo gravitatorio terrestre.

GEOLOGÍA f. Ciencia que estudia la composición, estructura y evolución de la Tierra. • **ambiental.** Disciplina que estudia las relaciones entre el terreno y el asentamiento humano en él. ■ GEOLÓGICO, CA; GEÓLOGO, GA.

* La gran diversidad de disciplinas que abarca la g. da lugar a un conjunto de *ciencias geológicas*. Las más importantes son: cristalografía, mineralogía, estratigrafía, paleontología, g. económica y geotécnica, oceanografía, tectónica, fotogeología, litografía, etc.

GEOMANCIA f. Adivinación supersticiosa mediante cuerpos terrestres, o con líneas, círculos o puntos hechos en la tierra. ■ GEOMÁNTICO, CA.

GEOMÁTICA f. *Comp.*Técnica que vincula los métodos de la computación a los sistemas de referencia relativos a la Tierra.

GEOMEDICINA f. Estudio de una región en relación con la distribución de las enfermedades.

GEOMETRÍA f. *Mat.* Estudio de las propiedades y relaciones formales de las figuras del plano y del espacio. Actualmente, la g. estudia también los espacios abstractos, lo que la pone en íntima relación con otras ramas de las matemáticas (álgebra, análisis matemático y topología). • **afín.** La que se construye sin utilizar nociones de distancia, longitud o ángulo, como la colineación de puntos o el paralelismo. • **analítica.** Parte de las matemáticas que estudia las propiedades de las líneas y superficies representadas mediante ecuaciones. • **descriptiva.** La que trata de la resolución de problemas en el espacio mediante diversas representaciones del mismo sobre un plano. • **diferencial.** La que enuncia las propiedades de las configuraciones geométricas en el ámbito de uno de sus elementos de carácter general. • **elíptica** o **de Riemann.** La g. no euclídea que toma como postulado la inexistencia de rectas paralelas. • **euclídea.** La que se deduce de los axiomas y postulados de Euclides, y trata cuestiones del plano y del espacio. • **hiperbólica** o **de Lobachewski.** La que toma como postulado el que por un punto exterior a una recta se puede trazar más de una paralela a la misma. • **no euclídea.** La construida prescindiendo del quinto postulado de Euclides • **proyectiva.** La que estudia las propiedades comunes a las diversas representaciones de una misma figura plana y que resulten invariantes mediante la proyección de la figura, desde un punto, sobre un nuevo plano. ■ GEÓMETRA; GEOMETRAL; GEOMÉTRICO, CA.

* La g. nace hacia el año 4000 a. C. con los egipcios y los babilonios. Los gr. le otorgaron un alto grado de formalización matemática que culminó en los *Elementos* de Euclides. En el Renacimiento, Descartes aunó la g. con el álgebra creando la g. analítica. A partir d el s. XIX desaparece la creencia en una sola g., al demostrarse que de sistemas de axiomas distintos nacen g. perfectamente coherentes. Gauss y Riemann sentaron las bases de la g. diferencial e impulsaron la g. proyectiva. Lobachewski y Riemann abrieron paso a las g. no euclídeas, que permitieron desarrollar la teoría de la relatividad general.

GEOMÉTRIDO, DA adj. y m. *Zool.* Díc. de insectos lepidópteros, que en estado de larvas y al desplazarse parecen medir el espacio que recorren.

GEOMORFÍA f. Parte de la geodesia que trata de la forma del globo terráqueo y de la determinación de las coordenadas terrestres.

GEOMORFOGÉNESIS f. *Geol.* Proceso geológico a través del cual se forma el relieve terrestre y en el que intervienen fuerzas endógenas y exógenas.

GEOMORFOLOGÍA f. Ciencia que estudia el relieve terrestre y su evolución. ■ GEOMORFOLÓGICO, CA.

GEONOMÍA f. Ciencia que estudia las propiedades de la tierra vegetal. ■ GEONÓMICO, CA.

GEOPOLÍTICA f. Teoría que considera la vida y el destino de los pueblos estrechamente condicionados por el terr., en relación con el cual trata de demostrar ineluctables fuerzas históricas y geográficas.

GEOPONÍA o **GEOPÓNICA** f. Agricultura. ■ GEOPÓNICO, CA.

GEOQUÍMICA f. Rama de la geología que estudia la distribución de los elementos químicos en la Tierra. ■ GEOQUÍMICO, CA.

GEORAMA m. Globo geográfico, grande y hueco, sobre cuya superficie interior está trazada la figura de la Tierra.

GEORGE, ***Henry*** (1839-1897) Economista norteam. Ejerció gran influencia sobre el socialismo brit. y, en especial, sobre la sociedad fabiana. *Progreso y pobreza*. • ***Stefan*** (1868-1933) Poeta al. Influido por los simbolistas, publicó *Hojas para el arte*, revista que contiene su actividad crítica y teórica de 1892 a 1919. *Himnos, Peregrinajes, Heliogábalo.*

GEORGETOWN Cap. de Guyana; 187 600 hab. Puerto en el Atlántico; exporta bauxita, caña de azúcar, frutos tropicales, etc. Pesca.

GEORGIA *(Sakartvelos Respublika)* Est. de Transcaucasia. Limita al N con Rusia, al O con el mar Negro, al S con Turquía, Armenia y al S y E con Azerbaiján. Incluye las rep. autónomas de Abjasia y Adjaristán o Adzharia y la región autónoma de Osetia del Sur. Relieve montañoso, con sus mayores alt. en el Gran Cáucaso (5 201 m). Clima continental en el int., cálido en la costa y semiárido en el E. Rica agricultura (cereales, vid, algodón, agrios, tabaco) y minería (carbón, petróleo, manganeso). Ind. siderúrgica, metalúrgica, construcciones mecánicas. Refinería de petróleo en el puerto de Batumi. Grupos étnicos: georgianos, armenios, rusos, azerbaijanos, etc. Lenguas: georgiano (of.), ruso, abjasio, asetio. *Rel.*: cristianismos ortodoxos georgiano y armenio, islamismo. U. M.: rublo. Cap., Tbilisi. C. prales.: Kutaisi, Batumi, Sujumi.

* *Hist.* Habitada por tribus dispersas, en el s. VI los kolchu fundaron el reino de Cólquida. Conquistada por Alejandro Magno, recobró la indep. el 323 a. C. con Farnabazo, que inició una serie de cuatro dinastías, entre las que destacan las de los Sasánidas (267-570) y Bagrátidas (570-1801). Sufrió el dominio de árabes, mongoles y turcos. En 1783 se acogió a la protección de Rusia, que la anexionó en 1802. El 26 mayo 1918 se declaró indep., pero en 1921 se convirtió en rep. sov., integrada luego en la RSFS de Transcaucasia. En 1936 pasó a ser rep. federada de la URSS, hasta que en 1991 se autoproclamó indep. y suprimió la autonomía de la región de Osetia del Sur. Inmersa en una guerra civil entre partidarios del presid. Gamsajurdia (suicidado en 1993) y la oposición que le derribó del poder, y luego con los nacionalistas de Osetia del Sur (acuerdo en enero 1992) y Abjasia. Edvard Shevardnadze fue elegido presid. en 1992, con el fin de pacificar el país e integrarlo en la CEI (1993). Reelegido en 1995, firmó una declaración de paz con los independentistas de Osetia en 1997. En 2000 Shevardnadze venció de nuevo en las elecciones presid.

GEORGIA

Superficie 69 700 km²

Población 5 377 000 hab. (77 hab./km²)

Recursos económicos	
Aves de corral	18 000 000 cabezas
Cabaña bovina	800 000 cabezas
Manganeso	150 000 t
Gas natural	12 000 000 m³

Indicadores sociológicos	
PNB	2 358 millones de dólares
Renta per cápita	440 dólares
Esperanza de vida	73 años

GEORGIA Est. del SE de EE UU junto al océano Atlántico; 152 576 km², 6 478 000 hab. Cap., Atlanta. En el N las estribaciones de las Blue Mountains (Montañas Azules) son superiores a los 1 400 m. Avenado, entre otros ríos, por el Savannah. Clima cálido y húmedo. Su ind. transforma los productos primarios (algodonera, maderera, conservera) y

La **geometría** con Euclides, detalle de *Las siete artes liberales*, tabla de Giovanni da Ponte

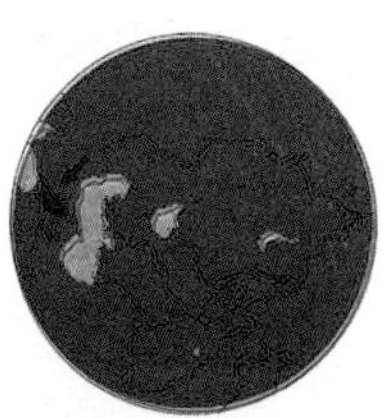

Mapa de situación y bandera de **Georgia**

Georgia. Edvard Shevardnadze

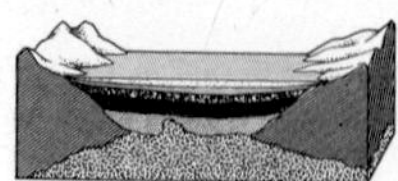

Esquema de un **geosinclinal**

Flor de **geranio**

Retrato de José Bonaparte, por François **Gérard**

La balsa de la Medusa, óleo de Théodore **Géricault**

mineros (bauxita). Son también c. imp. Augusta, Columbus y Savannah.

GEORGIANO, NA adj. y s. Individuo de un pueblo caucásico que vive en el estado de Georgia y áreas adyacentes de Turquía. Comprende unas 3 300 000 personas. • adj. y s. De la Rep. de Georgia o del est. hom. de los EE UU. • m. *Ling.* Lengua caucásica hablada por el pueblo georgiano.

GEORGIAS del Sur Arch. subantártico de Argentina, que está integrado en la prov. de Tierra del Fuego, Antártida e Islas del Atlántico Sur; 3 560 km^2, 25 hab. Bases balleneras.

GEÓRGICA f. Obra relacionada con la agricultura. Tratándose de obras literarias se usa más en pl. Por ant., se entienden las de Virgilio que llevan este nombre.

GEOS *Astron.* Denominación de dos satélites artificiales puestos en órbita por la ESA (Agencia espacial europea).

GEOSINCLINAL adj. y m. Depresión de la corteza terrestre que ha sufrido un continuo hundimiento y una importante sedimentación.

GEOTAXIS f. *Bot.* Tactismo por la acción de la gravedad, geotactismo.

GEOTECNIA f. Ciencia que estudia las estructuras tectónicas y los materiales de la corteza terrestre para su utilización en ingeniería. ■ GEOTÉCNICO, CA.

GEOTERMAL adj. *Geol.* Díc. de las aguas que se calientan al atravesar capas del suelo.

GEOTERMIA f. Rama de la geofísica que trata de los fenómenos térmicos internos de la Tierra.

GEOTRICOSIS f. *Pat.* Infección micótica.

GEOTROPISMO m. Tropismo motivado por la gravedad terrestre.

GÉRALDY, ***Paul*** Seud. de *Paul Le Fèvre* (1885-1983) Poeta fr. *Tú y yo, Cristina.*

GERANIÁCEO, A adj. y f. *Bot.* Díc. de hierbas dicotiledóneas, con ramos articulados y estípulas, hojas alternas u opuestas, y flores que dan tres o cinco frutillos membranosos e indehiscentes con una semilla.

GERANIO m. Planta geraniácea, muy cultivada en los jardines, con flores en umbela.

GERANIOL m. *Quím.* Alcohol primario no saturado, componente principal de las esencias de rosa, palmarrosa y citronela.

GÉRARD, ***François*** (1770-1837) Pintor fr., autor de los retratos de Mme. Récamier y de Napoleón. Cultivó los temas históricos y mitológicos. *Batalla de Austerlitz, Dafnis y Cloe.*

GERBER m. *Const.* Viga continua convertida en isostática por medio de la introducción de articulaciones en puntos distintos de los apoyos. Se emplea en los puentes.

GERBERTO de Aurillac (muerto 1003) Filósofo medieval. Obispo de Reims y Ravena. Fue papa con el nombre de Silvestre II. *Sobre lo racional y el uso de la razón.*

GERBO m. Jerbo.

GERENCIA f. Cargo de gerente. • Gestión que le incumbe. • Oficina del gerente.

GERENTE m. El que dirige los negocios en una sociedad o empresa mercantil.

GERHARD, ***Roberto*** (1896-1970) Compositor esp., de origen suizo. *Don Quijote, Collages.*

GERHARDSEN, ***Einar*** (1897-1987) Político nor. Desde 1945 ha sido en varias ocasiones primer ministro.

GERHARDT, ***Paul*** (1607-1676) Poeta al. y pastor luterano. *Todos los bosques en paz, Ordena tus caminos.*

GERIATRÍA f. Parte de la medicina que estudia la vejez y los medios para curar las enfermedades propias de ésta. ■ GERIATRA.

GÉRICAULT, ***Théodore*** (1791-1824) Pintor romántico fr. *La balsa de la Medusa.*

GERIFALTE m. Ave falconiforme, especie de halcón grande. Se utilizó en cetrería. • fig. Persona que sobresale en cualquier línea.

GERIÓN *Mit. gr.* Gigante monstruoso de tres cuerpos.

GERMÁN adj. Apócope de germano.

GERMANA de Foix (h. 1488-1537) Reina de Aragón (1506-1516), sobrina de Luis XII de Francia. Dirigió la represión contra la sublevación de las germanías.

GERMANÍA f. Argot del hampa, en España, usado en los s. XVI y XVII. • Caló, jerga de gitanos. • Amancebamiento. • *Hist.* Nombre que tomaron las hermandades formadas por los gremios de Valencia a principios del s. XVI, y levantadas en armas contra la oligarquía nobiliaria. La sublevación de las G. también se extendió a Mallorca. ■ GERMANESCO, CA.

GERMANIA Nombre que dieron los rom. a las vastas, aunque imprecisas, áreas al E del Rin, donde a partir del s. I se estabilizó la frontera de su imperio.

GERMÁNICO, CA adj. De Alemania o de sus habitantes. • adj. y m. *Ling.* Díc. de la lengua indoeuropea que hablaron los pueblos germanos.

GERMÁNICO, ***Julio César*** (15 a.C.-19 d.C.) General rom. En el año 13 fue nombrado procónsul y comandante en jefe de las prov. de Galia y Germania. Adquirió gran popularidad con las expediciones a territorio germano (años 14-16). Se supone que murió envenenado por Piso.

GERMANIO m. *Quím.* Elemento metálico, de símb. Ge, núm. atómico 32, peso atómico 72,6. Es un metal de color blanco grisáceo, de brillo metálico, cristalizado, y de densidad 5,46. Funde a 958 °C.

GERMANISMO m. Vocablo o giro de origen al. o propio de la lengua alemana. ■ GERMANISTA; GERMANÍSTICA.

GERMANITA f. *Miner.* Sulfuro de cobre, hierro y germanio, de color rojizo y brillo metálico, dureza 3 y que cristaliza en el sistema cúbico.

GERMANIZAR tr. y prnl. Hacer tomar el carácter germánico, o inclinación a las cosas germánicas. ■ GERMANIZACIÓN.

GERMANO, NA adj. y s. Díc. de los pueblos indoeuropeos que invadieron el imperio romano a partir del s. IV.

GERMANÓFILO, LA adj. y s. Que simpatiza con Alemania o con los alemanes.

GERMANO-SOVIÉTICO, ***Pacto*** Tratado de no agresión firmado en Moscú entre el III Reich y la URSS en 1939.

GERMEN m. Principio básico de un organismo. • Huevo fecundado. • Embrión de una planta, contenido en la semilla. • Microorganismo capaz de originar una enfermedad. • fig. Origen de una cosa.

GERMICIDA adj. y m. Bactericida.

GERMINADOR, RA m. *Ind.* Local donde se efectúa, en el proceso de fabricación de la cerveza, la germinación de la cebada. • Instrumento usado para ensayar el poder germinante de las semillas.

GERMINAL m. Séptimo mes del calendario republicano fr.

GERMINAR intr. Brotar y comenzar a crecer las plantas. • fig. Brotar, desarrollarse cosas morales o abstractas. ■ GERMINACIÓN; GERMINATIVO, VA.

GERÖ, ***Ernö*** (1898-1980) Político húng. Ministro del Interior (1953) y secretario general del partido comunista (1956). En 1956 fue apartado del poder y sustituido por Kadar.

GERONA → Girona.

GERÓNIMO (1829-1909) Jefe de los apaches chiricahua, que ofreció una tenaz resistencia a la penetración norteam.

GERONTOCRACIA f. Gobierno de los ancianos.

GERONTOFILIA f. Anormalidad sexual consistente en una inclinación hacia los viejos.
GERONTOLOGÍA f. Ciencia que estudia la vejez y los fenómenos que la acompañan. ■ GERONTÓLOGO, GA.
GERSDORFITA f. *Miner*. Sulfoarseniuro de níquel, de color blanco grisáceo y brillo metálico, dureza 5 y que cristaliza en el sistema cúbico.
GERSHWIN, *George* (1898-1937) Pianista y compositor norteam., célebre por sus operetas, música de películas, conciertos y sinfonías. Precursor del género llamado *jazz sinfónico. Rapsodia en azul, Un americano en París* y la ópera *Porgy and Bess.*
GERUNDENSE adj. y s. De Gerona.
GERUNDIO m. *Gram*. Forma verbal invariable del modo infinitivo, que denota la idea del verbo en abstracto y, gralte., tiene carácter adverbial. • fig. y fam. Persona que habla o escribe en estilo hinchado, simulando erudición. ■ GERUNDIADA; GERUNDIANO, NA.
GERUSIA f. En la ant. Grecia, especialmente en Esparta, consejo de ancianos *(gerontes).*
GESELL, *Arnold* (1880-1961) Psicólogo norteam., padre de la psicología infantil.
GESNER, *Konrad von* (1516-1565) Médico suizo, iniciador de la zoología. *Un catálogo de los animales.*
GESSNER, *Salomón* (1730-1788) Poeta y pintor suizo rococó. *Idilios.*
GESTA f. Conjunto de hechos memorables de algún personaje o pueblo. • **Cantar de gesta.** Poema épico tradicional.
GESTACIÓN f. *Fisiol*. Proceso durante el cual se desarrolla el embrión y el feto de los mamíferos vivíparos. • fig. Periodo en el cual se está preparando algo. ■ GESTAR.
GESTÁGENO, NA adj. y m. *Fisiol*. Díc. de la sustancia de tipo hormonal que se libera durante el embarazo y en el ciclo menstrual.
GESTALT (voz al.) f. *Psic*. Conjunto de experiencias y de conductas interdependientes que forman una totalidad estructural distinta a sus elementos componentes. • **Escuela de la G.** La que sostiene una teoría de la percepción según la cual el todo se percibe antes que sus partes.
GESTAPO Policía política al. bajo el régimen nazi. Fundada en 1933, fue uno de los grandes instrumentos del nazismo, en Alemania y en los países ocupados.
GESTATORIO, RIA adj. Que ha de llevarse a brazos.
GESTEAR intr. Gesticular.
GESTIDO, *Óscar* (1901-1967) Militar y político ur. Murió a los pocos meses de su toma de posesión como presid. de la nación.
GESTIONAR tr. Hacer diligencias para lograr un negocio o fin. ■ GESTIÓN.
GESTO m. Exp. con que se muestran los diversos estados de ánimo. • Movimiento exagerado del rostro por hábito o enfermedad. • Rasgo notable de carácter o de conducta de una persona. ■ GESTICULAR; GESTUDO, DA.
GESTOR, RA m. y f. Miembro de una sociedad mercantil que participa en la administración de ésta. • **de negocios.** *Der*. El que sin tener mandato para ello, cuida bienes o intereses ajenos, en pro de su dueño.
GESTOSIS f. Conjunto de enfermedades que aparecen durante el embarazo.
GESUALDO, *Carlo* (1560-1613) Compositor it., gran virtuoso del laúd. • ***Vicente*** (nacido 1922) Escritor e historiador arg. *Historia de la Música en la Argentina, El Arte en Estados Unidos, Historia Universal, Historia Argentina.*
GETA, *Publio Septimio* (189-212) Emperador rom. (211-212). Su hermano Caracalla ordenó su muerte.
GETAFE C. de España en la com. autón. de Madrid, prov. de Madrid; 143 153 hab. Ind. metalúrgicas y aeronáuticas, maquinaria y frigoríficos.
GETAPÚ m. *Bol*. Cuña.
GETTYSBURG C. de EE UU, en Pensilvania. Importante batalla durante la guerra de Secesión (julio 1863), en la cual los federales derrotaron a los sudistas.
GETTY, *Jean Paul* (1892-1976) Hombre de negocios y coleccionista de arte norteam., considerado uno de los más ricos de la historia.
GÉTULO, LA adj. Natural de Getulia, ant. país del África, al sur de Numidia. • Relativo a este país.
GETZ, *Stanley* llamado STAN (1927-1991) Saxofonista norteam. Ha adaptado la música popular bras., como la *bossa-nova*, al *jazz.*
GEULINCX, *Arnold* (1624-1669) Filósofo flamenco. Intentó resolver el conflicto de la dualidad de las sustancias. *Ética, Metaphisica vera.*
GÉYSER m. Géiser.
GHALI, *Butros Butros*→ Butros Ghali, Butros.
GHANA *(Republic of Ghana)* Est. de África occidental; Rep. unitaria; sit. en la costa N del golfo de Guinea, entre Burkina Faso, Togo y Costa de Marfil. Su llanura costera se va elevando hacia el int. hasta alcanzar la altiplanicie central; la depresión del Volta, que conforma la red hidrográfica con sus afl., preside el sector centro-O. Clima tropical. Cacao (tercer productor mundial), cereales, cacahuetes, nuez de coco, café. Explotación forestal (madera, caucho) y minera: oro, manganeso, diamantes, bauxita, petróleo. Lenguas: ing. (of.), lenguas indígenas como el kwa y el mossi. *Rel.*: cristianas (43 %), animistas (38 %) e islámica (12 %). U.M.: el cedi. Cap., Accra. C. imp.: Kumasi.
* *Hist*. Conocido por los port. desde 1471, su riqueza aurífera le valió el ant. nombre de Costa de Oro. La colonización brit. (1874) determinó la ruina de la poderosa civilización ashanti en el int. Indep. en 1957, su primer presid. K. Nkrumah encarnó las ilusiones de un socialismo africano y del neutralismo hasta su deposición en 1969 por un golpe militar. A partir de 1979 se instaló en el poder el teniente de aviación Jerry Rawlings. En 1991, el gobierno puso en marcha un proceso de democratización y en 1992 se adoptó una nueva constitución y se celebraron elecciones. Éstas dieron la victoria a Rawlings, quien fue reelegido, a su vez, en 1996. • ***Imperio de G.*** Ant. est. medieval de África occidental (s. III-XII), que dominó las rutas transaharianas del oro sudanés.

GHANA	
Superficie	238 538 km^2
Población	18 101 000 hab. (76 hab./km^2)
Recursos económicos	
Arroz	202 000 t
Cacao	325 000 t
Caucho	7 000 t
Maíz	1 420 000 t
Mandioca	6 899 000 t
Mijo	201 000 t
Sorgo	390 000 t
Ganadería y derivados	
Aves de corral	12 000 000 cabezas
Cabaña bovina	1 680 000 cabezas
Cabaña caprina	3 337 000 cabezas
Cabaña ovina	3 288 000 cabezas
Cabaña porcina	595 000 cabezas
Riqueza forestal	27 140 000 m^3
Pesca	336 269 t
Producción minera	
Bauxita	426 000 t
Diamantes	700 000 quilates
Manganeso	108 000 t
Oro	44 500 kg
Petróleo	25 000 t
Plata	2 000 t
Sal	50 000 t
Producción industrial	
Aluminio	140 700 t
Cemento	1 350 000 t
Cerveza	628 000 hl
Energía eléctrica	6 167 millones de kwh
Indicadores sociológicos	
PNB	6 179 millones de dólares
Renta per cápita	390 dólares
Esperanza de vida	58 años
Alfabetismo	64 %

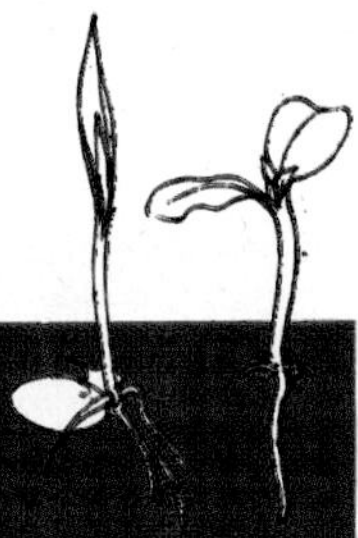

Proceso de **germinación** en una semilla

Publio Septimio **Geta**

Mapa de situación y bandera de **Ghana**

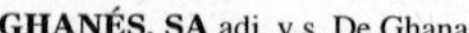

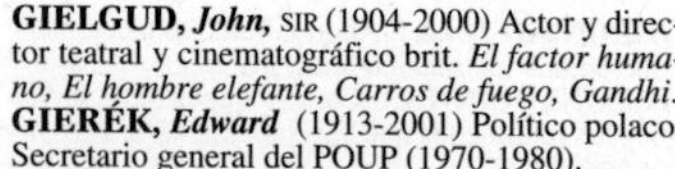

GHANÉS, SA adj. y s. De Ghana.
GHEORGHIU-DEJ, ***Gheorghe*** (1901-1965) Político comunista rum. Primer ministro de 1952 a 1955 y presid. del Consejo de Estado (1961-1965).
GHETTO (voz it.) m. Gueto.
GHIBERTI, ***Lorenzo*** (1378-1455) Escultor y arquitecto it. Su obra maestra, en la que colaboró Brunelleschi, es la cúpula de la catedral de Florencia. Escribió unos *Comentarios* sobre el arte.

Detalle de la puerta del Paraíso del baptisterio de Florencia (Italia), obra de Lorenzo **Ghiberti**

GHIRALDO, ***Alberto*** (1874-1946) Poeta y dramaturgo romántico arg. Su obra evoca la vida de la pampa. *Alma gaucha* (teatro), *Carne doliente*.
GHIRLANDAIO, ***Domenico di Tomaso Bigordi,*** llamado (1449-1494) Pintor it. que trabajó en Florencia. Participó en la decoración de la capilla Sixtina *(Vocación de los apóstoles)*.
GIACOMETTI, ***Alberto*** (1901-1966) Escultor suizo. Con *Objeto invisible,* que conserva la influencia de la escultura africana, empieza una evolución a partir del expresionismo formal. A partir de 1935 su obra se centra en la forma humana. *El bosque, Hombre en marcha*.
GIACOSA, ***Giuseppe*** (1847-1906) Dramaturgo it. Escribió libretos de Puccini: *La Bohème, Tosca, Madame Butterfly*.
GIAEVER, ***Ivar*** (nacido 1929) Físico norteam. Ha trabajado en los semiconductores y los superconductores. Premio Nobel de Física en 1973.
GIA-LONG (1762-1820) Emperador de Annam [1802-1820], gracias a la ayuda fr.
GIAP, ***Vô Nguyên*** (nacido 1912) Político y militar vietnamita. Artífice de la victoria de Dien Bien Fu y de la batalla final de la guerra del Vietnam (1975), dimitió de sus cargos militares en 1980 y de los del partido en 1982.
GIAQUINTO, ***Corrado*** (1703-1765) Pintor rococó it. Trabajó en Roma y en Madrid (frescos del palacio real).
GIARDIASIS f. *Pat.* Afección intestinal debida a la presencia en el intestino del protozoo parásito *Giardia intestinalis*.
GIAUQUE, ***William Francis*** (1895-1982) Químico norteam. Descubrió los isótopos de oxígeno. Premio Nobel de Química en 1949.
GIBA f. Corcova, joroba. • fig. y fam. Molestia, incomodidad. • fig. fam. Bulto, hinchazón. ʙ GIBAR; GIBOSIDAD.
GIBADO, DA adj. Jiboso.

Gibón

GIBBON, ***Edward*** (1737-1794) Historiador brit. *Historia de la decadencia y ruina del imperio romano, Ensayo sobre el estudio de la literatura.*
GIBBONS, ***John David*** (nacido 1927) Político conservador de Bermudas. Primer ministro y jefe del Partido Unido de Bermudas (1977-1982).
GIBBS, ***Josiah Willard*** (1839-1903) Físico norteam. especializado en aerodinámica y termodinámica.
GIBELINO, NA adj. y s. Partidario de los emperadores de Alemania, en la E. Media.
GIBERÉLICO adj. *Quím.* Ácido con varios enlaces dobles, que determina una acción hormonal de crecimiento en las plantas.
GIBERLINA f. Hormona vegetal que actúa sobre el crecimiento de las plantas.
GIBÓN m. Mamífero catarrino arborícola con largas extremidades anteriores.
GIBRALTAR Colonia brit., sit. en el extremo meridional de España. Consta de una única c., emplazada al pie del rocoso peñón de G.; 6 km^2, 29 073 hab. Imp. base naval y militar. Com. portuario. Turismo. Fue arrebatada a España en 1704. • **Campo de Gibraltar.** Comarca esp., en el SE de la prov. de Cádiz. C. pral., Algeciras. Economía agropecuaria. Turismo. • **Estrecho de Gibraltar.** Brazo de mar que comunica el Mediterráneo con el Atlántico y que separa el borde más meridional de Europa del continente africano. Su anchura mínima es de 14 km y su profundidad rebasa los 300 m.
GIBRALTAREÑO, ÑA adj. y s. De Gibraltar.
GIBSON, ***Carlos Diego*** (1886-1954) Jurista per. Vicepresid. de la Rep. en 1939.
GIDDINGS, ***Franklin Henry*** (1855-1931) Sociólogo estadoun. Precursor del neopositivismo sociológico. *El estudio científico de la sociedad humana*.
GIDE, ***André*** (1869-1951) Escritor fr. *Los alimentos terrestres, El inmoralista, La puerta estrecha, Las cuevas del Vaticano, Corydon.*

Detalle de la **gigantomaquia** del altar de Pérgamo. Pergamon Museum, Berlín

GIELGUD, ***John,*** SIR (1904-2000) Actor y director teatral y cinematográfico brit. *El factor humano, El hombre elefante, Carros de fuego, Gandhi.*
GIERÉK, ***Edward*** (1913-2001) Político polaco. Secretario general del POUP (1970-1980).
GIESSEN C. de la República Federal Alemana en el est. de Hesse; 79 000 hab.; Minas de hierro, lignito y manganeso. Acerías e ind. alimentarias.
GIFU Prefectura de Japón, en la isla de Honshu; 10 956 km^2; 2 067 000. Cap., la c. hom. (410 300 hab.). Centro ind., ferroviario y pesquero.
GIGABYTE m. *Comp.* Unidad de medida de memoria que equivale a 1 024 megabytes.
GIGANTA f. Mujer que excede mucho en estatura a las demás. • Girasol, planta.
GIGANTA, ***sierra de la*** Cadena montañosa del NO de México, en la pen. de Baja California. Se extiende paralela al litoral de la mitad meridional. Alt. máx. 1 776 m.
GIGANTE adj. De gran tamaño. • Díc. de las estrellas mayores que el Sol. • Gigantón, figura grotesca de algunas fiestas. • Ser mitológico de tamaño y aspecto monstruoso. ʙ GIGANTESCO, CA; GIGANTEZ.
GIGANTE Mun. de Colombia, en el dpto. de Huila; 14 976 hab. Cultivos tropicales.
GIGANTEA f. Girasol, planta.
GIGANTILLA f. Figura con cabeza y miembros desproporcionados. • Figura femenina de cabezudo. • pl. Juego infantil.
GIGANTISMO m. Anomalía caracterizada por un exceso de crecimiento.
GIGANTOMAQUIA f. *Mit.* gr. Lucha de los gigantes con los dioses del Olimpo.
GIGANTÓN, NA m. y f. Figura gigantesca que suele llevarse en algunas procesiones. • m. *Bot.* Planta compuesta, especie de dalia, de flores moradas.
GIGLI, ***Beniamino*** (1890-1957) Tenor it. Especialista en obras de Puccini y Verdi.
GIGOLO (voz fr.) m. Joven amante de una mujer rica y de edad madura que le da protección económica.
GIGOTE m. Guisado de carne picada rehogada en manteca.
GIJÓN C. de España, en el Principado de Asturias; 258 291 hab. Sit. a orillas del Cantábrico; la c. actual data del s. XVI. Fábricas metal., textiles, azucareras, conserveras, etc. Puertos comercial y pesquero.
GIJONENSE adj. y s. De Gijón.
GIL, ***Rafael*** (1913-1986) Director de cine esp. *Soldados campesinos, Don Quijote, La Señora de Fátima.* • **De Biedma,** ***Jaime*** (1929-1990) Poeta esp. *Compañeros de viaje, Moralidades, Diario de un poeta seriamente enfermo.* • **De Castro,** ***José*** (1785-1840) Pintor per. llamado EL MULATO GIL. Retrató al general San Martín y a Bolívar. • **De Hontañón,** ***Rodrigo*** (1500-1577) Arquitecto esp., uno de los máximos representantes del estilo plateresco. Fachada de la universidad de Alcalá de Henares. • **De Taboada y Lemos,** ***Francisco*** (h. 1736-1810) Marino esp. Virrey de Nueva Granada y del Perú. • **Fortoul,** ***José*** (1861-1942) Político e historiador ven. Presid. provisional de la Rep. (1913-1914). • **Polo,** ***Gaspar*** (1516-1591) Poeta lírico esp., de la escuela valenciana. *Diana enamorada.*• **Y Carrasco,** ***Enrique*** (1815-1846) Novelista y poeta esp. Narración costumbrista y novela histórica. *El señor de Bembibre.*• **Y Zárate,** ***Antonio*** (1793-1861) Dramaturgo esp. de influencia romántica. *Don Álvaro de Luna, Guillermo Tell, Guzmán el Bueno, Carlos II el Hechizado.*
GILA Río del SO de EE UU, afl. del Colorado; 1 048 km. Discurre por Nuevo México y Arizona.
GIL-ALBERT, ***Juan*** (1904-1994) Escritor esp. *Concierto en mi menor, La metafísica convaleciente, Cartas a un amigo.*
GILÁN Prov. del N de Irán, al borde del mar Caspio; 48 621 km^2, 1 581 872 hab. Cap., Rasht. Arroz, algodón y té. Gusanos de seda. Pesca. Pob. formada por iranios y turcos.
GILARDI, ***Gilardo*** (1889-1963) Compositor arg., discípulo de P. Berutti. Compuso música religiosa, la ópera *Ilse* y música de cámara, sinfónica, para piano, guitarra y canto, y piano.
GILBERT m. *Fís.*Unidad de diferencia de potencial magnético o de fuerza magnetomotriz en el sistema cegesimal. Debe su nombre al físico W. Gilbert.
GILBERT Arch. de Micronesia que forma parte de Kiribati; 259 km^2, 47 700 hab. Agricultura (nuez de coco, copra) y pesca.

GILBERT, ***Karl Grove*** (1843-1918) Geólogo norteam. Dio un gran impulso a la geomorfología. • ***Walter*** (nacido 1932) Biólogo norteam. Profesor de biofísica y de biología molecular. Premio Nobel de Química en 1980 con P. Berg y F. Sanger. • ***William*** (1544-1603) Físico brit. Estudió el magnetismo terrestre. Se la ha dado el nombre de gilbert a la unidad de fuerza magnetomotriz. • ***William Schwenck,*** SIR (1836-1911) Escritor ing. Cultivó la poesía burlesca: *Baladas de Bab, La tierra feliz, El hechicero;* o la paródica: *La princesa Ida.* Autor de ingeniosos libretos para operetas.
GILGAMESH, ***Epopeya de*** Poema en lengua acádica conservado en doce tablillas de arcilla, procedentes de la biblioteca de Asurbanipal en Nínive, que narra las hazañas de este rey-héroe mítico, fundador de la c. de Uruk.
GILÍ adj. fam. Tonto, lelo.
GILI GAYA, ***Samuel*** (1892-1976) Filólogo esp. *Curso superior de sintaxis española, Teatro lexicográfico.*
GILIPOLLA o **GILIPOLLAS** adj. y s. fam. Persona que hace o dice tonterías. ■ GILIPOLLEZ.
GIL-ROBLES y Quiñones, ***José María*** (1898-1980) Político esp., fundador de la CEDA. Ministro de la Guerra en 1934.
GILL m. *Tecnol.* Peine pequeño con agujas de acero muy finas, usado en hilatura.
GILL, ***Juan Bautista,*** (muerto 1877) Político par. Presid. de la Rep. en 1874. Su política económica provocó una revuelta en la que murió asesinado. • ***David*** (1843-1914) Astrónomo norteam. Determinó el paralaje solar.
GILLESPIE, ***John Birks,*** llamado DIZZY (1917-1993) Trompetista, arreglista y director de orquesta norteam. Uno de los creadores del *bop.*
GILLETTE, ***King Camp*** (1855-1932) Inventor norteam., creó la hoja de afeitar que lleva su nombre.
GILLOT, ***Claude*** (1673-1722) Pintor fr. Fue maestro de Watteau. *Dos carrozas, Los dos tozudos.*
GILSON, ***Étienne*** (1884-1978) Filósofo neotomista fr. e historiador de la filosofía. *La filosofía en la Edad Media, La libertad en Descartes y la teología.*
GILSONITA f. Asfalto natural que se forma por la oxidación del petróleo.
GIMBERNAT, ***Antonio de*** (1734-1816) Cirujano esp. Describió el ligamento de su nombre e ideó un método para la operación de la hernia crural.
GIMNASIA f. Técnica para desarrollar y dar flexibilidad al cuerpo por medio de ejercicios. ■ GIMNASTA; GIMNÁSTICO, CA.
GIMNASIO m. Lugar destinado a ejercicios gimnásticos. • Centro de enseñanza media.
GIMNÁSTICA f. Gimnasia.
GÍMNICO, CA adj. Perteneciente o relativo a la lucha de los atletas.
GIMNODERMO, MA adj. y s. Díc. de los animales de piel desnuda.
GIMNOFIONO m. *Zool.* Anfibio de cuerpo cilíndrico, ápodo, que habita en el humus y en pequeños encharcamientos del suelo de los bosques tropicales.
GIMNOSOFISTA m. Nombre con que gr. y rom. designaban a los brahmanes.
GIMNOSPERMO, MA adj. y f. *Bot.* Díc. de las plantas de una subdivisión de las fanerógamas, diferenciada de las angiospermas por tener la semilla sobre una hoja fértil.
GIMNOTO m. Pez malacopterigio, especie de anguila grande que produce descargas eléctricas.
GIMOTEAR intr. fam. o despect. de gemir; hacerlo sin gran causa y de modo ridículo. ■ GIMOTEO.
GINANDRA adj. y f. *Bot.* Díc. de las plantas con flores hermafroditas cuyos estambres están soldados con el pistilo.
GINANDRIA f. *Pat.* Seudohermafroditismo parcial en la mujer que presenta ciertos caracteres sexuales secundarios masculinos, hipertrofia del clítoris y soldadura de los labios mayores.
GINANDROMORFISMO m. *Biol.* Fenómeno genético que determina la aparición de caracteres masculinos y femeninos en un individuo.
GINASTERA, ***Alberto*** (1916-1983) Compositor arg. Autor de conciertos, ballets y óperas. *Concierto argentino, Impresiones de la puna, Panambí, Don Rodrigo, Bomarzo, Beatriz Cenci, Milena.*

GINEBRA f. Instrumento de percusión. • Juego de naipes. • fig. Confusión, desorden. • Bebida alcohólica aromatizada con enebro.
GINEBRA (fr. *Genève;* al., *Genf*) C. y cantón de Suiza, entre el lago Leman y la frontera fr.; 158 900 hab. (la agl. urb., 373 423 hab.). Centro industrial, financiero y turístico. Sede de numerosas conferencias y de algunos organismos internacionales. • **Conferencia de G.** La que puso fin en 1954 a la guerra colonial de Francia en Indochina y forzó su abandono de la pen. • **Convenciones de G.** Serie de acuerdos tomados en sucesivas conferencias internacionales sobre las condiciones de los soldados, heridos, enfermos, prisioneros de guerra y civiles. • **Negociaciones de G.** Las que desde 1981 mantuvieron la URSS y EE UU sobre el alcance estratégico y la posible reducción de armas nucleares intermedias, complementando otras reuniones.
GINEBRA Mun. de Colombia en el dpto. Valle del Cauca; 12 315 hab. Algodón.
GINEBRADA f. Torta pequeña de hojaldre.
GINEBRÉS, SA adj. y s. Ginebrino.
GINEBRINO, NA adj. y s. De Ginebra.
GINECEO m. Dependencia retirada que los gr. destinaban a habitación de sus mujeres. • *Bot.* Conjunto de carpelos y primordios seminales de la flor.
GINECOCRACIA f. Gobierno de las mujeres.
GINECOGRAFÍA f. *Med.* Radiografía del útero, de las trompas de Falopio y de los ovarios, mediante insuflación de aire en la cavidad peritoneal.
GINECOLOGÍA f. Parte de la medicina que trata de las enfermedades propias de la mujer. ■ GINECOLÓGICO, CA; GINECÓLOGO, GA.
GINECOMASTIA f. *Pat.* Hipertrofia de las mamas en el varón, gralte. debida a trastornos endocrinos.
GINECOPATÍA f. Nombre genérico de las afecciones de los órganos genitales de la mujer.
GINER de los Ríos, ***Francisco*** (1839-1915) Escritor y pedagogo esp. Fundó la Institución Libre de Enseñanza. *Principios de derecho natural, Estudios sobre educación.*
GINESTA f. Hiniesta, retama.
GINETA f. Jineta, mamífero.
GINGIDIO m. Biznaga, planta.
GINGIVITIS f. Inflamación de las encías. ■ GINGIVAL.
GINGIVORRAGIA f. *Pat.* Hemorragia de las encías.
GINODOECIA f. *Bot.* Situación de las plantas que poseen flores hermadroditas y femeninas, en pies diferentes.
GINOGÉNESIS f. *Embriol.* Desarrollo de un embrión a partir de un óvulo normal fecundado por un espermatozoide, sin que tenga lugar la unión de los cromosomas con los de la célula germinal femenina.

Gran surtidor del lago Leman, en **Ginebra**

GINSBERG, ***Allen*** (1926-1997) Poeta norteam. de la *beat generation. Aullido, Kaddish.*
GINSÉN m. Raíz de la planta china *Panax ginseng,* que posee propiedades tonificantes.
GINZBURG, ***Natalia*** (1916-1991) Escritora it. *Nunca debes preguntarme, Las pequeñas virtudes.*
GIOBERTI, ***Vincenzo*** (1810-1852) Filósofo y político it. En 1847 fue primer ministro de Carlos Al-

Gilgamesh, según un relieve asirio. Museo del Louvre, París

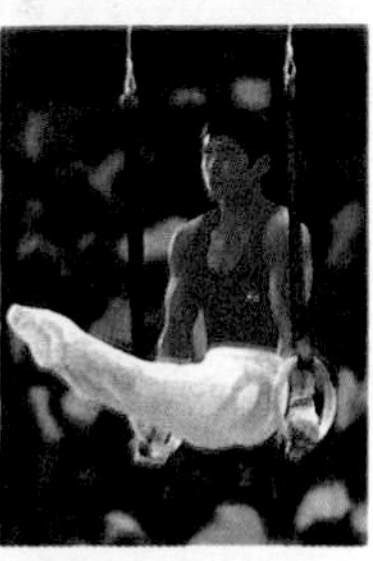

Realización de ejercicios de **gimnasia** con anillas

El beso en la Puerta Dorada, fresco de **Giotto.** Capilla Scrovegni, Padua (Italia)

La **Giralda** de Sevilla

Girona. Portada de la iglesia de San Martín Sacosta y escaleras de Santo Domingo

berto. *Introducción al estudio de la filosofía, Opúsculos políticos.*

GIOBERTITA f. *Miner.* Magnesita.

GIOIA, ***Melchiore*** (1767-1829) Economista y político it. Es uno de los fundadores de la estadística. *Nuevo panorama de las ciencias económicas, Filosofía de la estadística.*

GIOLITTI, ***Giovanni*** (1842-1928) Político it. Ministro de Finanzas (1889-1890) y jefe de gobierno (1892-1893). Desde 1903 hasta 1904 encabezó los sucesivos gobiernos en los que se ha dado en llamar «la dictadura de Giolitti». En 1920-1921 volvió a formar gobierno. Favoreció a los fascistas de Mussolini.

GIONO, ***Jean*** (1895-1970) Novelista fr. *Pan, El gran rebaño, El canto del mundo, Angelo, Viaje a Italia.*

GIORDANO, ***Luca*** (1632-1705) Pintor barroco it., llamado en España LUCAS JORDÁN. *Jesús entre los doctores, Juicio de Paris.*

GIORGI, ***Giovanni*** (1871-1950) Físico e ingeniero it. Ideó un sistema de unidades.

GIOTTO (hacia 1266-1337) Pintor y arquitecto it. de la escuela toscana. Autor de frescos y de pinturas sobre tabla. *Vida de san Francisco, Muerte del caballero Celano.* Como arquitecto, una de sus mejores obras es el *Campanile* de la catedral de Florencia.

GIRA f. Excursión o viaje, volviendo al punto de partida. • Serie de actuaciones de una compañía teatral o de un artista en diferentes localidades.

GIRADA f. Movimiento en la danza esp. que consiste en dar una vuelta sobre la punta de un pie llevando el otro en el aire.

GIRAL, ***José*** (1879-1962) Político esp. Presid. del gobierno al comienzo de la guerra civil (julio-septiembre 1936). Presid. del gobierno republicano en el exilio (1945-1947).

GIRALDA f. Veleta de torre, cuando tiene figura humana o de animal.

GIRALDA Torre de la catedral de Sevilla, construida en época almohade (1148-1189) como alminar de la mezquita.

GIRALDETE m. Roquete sin mangas.

GIRALDILLA f. Baile popular del N de España.

GIRÁNDULA f. Rueda llena de cohetes que gira despidiéndolos. • Artificio para arrojar el agua de las fuentes con variedad de juegos.

GIRAR intr. Moverse circularmente. • fig. Desarrollarse una conversación, negocio, etc., en torno a un tema dado. • Desviarse de la dirección inicial. • intr. y tr. Expedir una orden de pago, en especial una letra de cambio. • tr. Enviar dinero a través del servicio de correos o de telégrafos. ■ GIRADOR.

GIRARDIN, ***Émile de*** (1806-1881) Periodista y editor de periódicos fr. Abarató los periódicos aumentando su tirada y mejorando la difusión.

GIRARDON, ***François*** (1628-1715) Escultor fr. *Apolo servido por las ninfas, El baño de las ninfas, Invierno* y *Rapto de Proserpina.* Autor de bustos notables (*Boileau,* Louvre; *Lamoignon,* Versalles) y de la *Estatua ecuestre de Luis XIV.*

GIRARDOT Mun. de Colombia en el dpto. de Cundinamarca; 61 829 hab. Industria textil.

GIRARDOT, ***Atanasio*** (1791-1813) Militar col. Luchó junto a Bolívar en Venezuela, muriendo en la batalla de Bárbula.

GIRARDOTA Mun. de Colombia; en el dpto. de Antioquia; 17 000 hab. Yacimientos de oro.

GIRASOL m. *Bot. Perú.* Planta anual de la familia de las compuestas, con flores terminales, grandes, amarillas, y fruto con semillas negruzcas, comestibles. • fig. Adulador que procura granjearse el favor de un poderoso.

GIRATORIO, RIA adj. Que puede girar. • f. Mueble que gira alrededor de un eje y se usa para colocar libros y papeles.

GIRAUD, ***Henri*** (1879-1949) Militar fr. Presidió, con De Gaulle, el Comité Francés de Liberación.

GIRAUDOUX, ***Jean*** (1882-1944) Novelista, dramaturgo y ensayista fr. *Provinciales, Simón el patético, Judith, Intermezzo, Electra, Ondina, Sodoma y Gomorra, La loca de Chaillot.*

GIRAVIÓN m. *Aer.* Aeronave en que las alas de sustentación del aparato han sido sustituidas por hélices con eje de giro vertical.

GIRO, RA adj. *Amér.* Díc. del gallo que tiene las plumas del cuello y de las alas amarillas. • *Argent.* y *Chile.* Díc. del gallo matizado de blanco y negro. • m. Movimiento circular. • Dirección que se da a una conversación, a un negocio o asunto. • Tratándose del lenguaje, estructura especial de la frase o manera de estar ordenadas las palabras para expresar un concepto. • Amenaza, bravata o fanfarronada. • Chirlo. • Movimiento o transferencia de dinero por medio de letras, libranzas, etc. • **postal.** Envío de dinero a través de las oficinas de correos. • **telegráfico.** Envío de dinero por mediación de las oficinas de telégrafos.

GIRÓ, ***Juan Francisco*** (1791-1860) Político ur. Participó en la guerra de Independencia y ocupó diversos ministerios y cargos diplomáticos. Presid. de 1852 a 1853.

GIROCOMPÁS m. Compás, utilizado en los sistemas de navegación, en el cual la aguja magnética ha sido sustituida por un giróstato.

GIROFLÉ m. Clavero, árbol.

GIROLA f. *Arq.* Nave que rodea el ábside en la arquitectura románica y gótica.

GIRÓMETRO m. Aparato para medir la velocidad de rotación de una máquina.

GIRÓN m. *Amér.* Serie de cuadras o manzanas de casas. • adj. Toro bragado, en el cual el color blanco se prolonga hasta los ijares.

GIRONA Prov. de España, en el NE de Cataluña; 5 886 km^2, 530 631 hab. Cap., la c. hom. Accidentada por los Pirineos (Puigmal, 2 913 m), el Prepirineo y las cord. litorales, de alt. mucho menor, que han producido los pintorescos paisajes de la Costa Brava. Clima mediterráneo y húmedo en el int. montañoso. Cereales, forrajes; ind. alimenticia, textil y del corcho. Imp. turismo. • C. de España, cap. de la prov. hom.; 70 576 hab. Centro com. Notables monumentos medievales.

GIRONDINO, NA adj. y s. Miembro de un partido político formado en Francia durante la Revolución, y este mismo partido, que representaba los intereses de la gran burguesía. • De la Gironda.

GIRONDO, ***Oliverio*** (1891-1967) Poeta arg., integrado en el grupo vanguardista «Martín Fierro». *Calcomanías, La masmédula.*

GIRONELLA, ***Alberto*** (1929-1999) Pintor mex., realizó retratos de Luis Buñuel, Octavio Paz y José Bergamín, y la serie *El sueño del caballero.* • ***José María*** (nacido 1917) Novelista esp. Premio Nadal. *Un hombre, Los cipreses creen en Dios, Un millón de muertos, Ha estallado la paz.*

GIROPILOTO m. Piloto automático utilizado en aviones, cohetes, etc.

GIROSCOPIO m. Aparato que puede girar velozmente alrededor de su eje de simetría, conservando constantemente su orientación. ■ GIROSCÓPICO, CA.

GIRÓSTATO m. Nombre genérico que designa cualquier sólido capaz de girar rápidamente alrededor de su eje de rotación.

GIRÓVAGO, GA adj. Vagabundo. • adj. y m. Díc. del monje que vagaba de uno en otro monasterio.

GIRRI, ***Alberto*** (1919-1991) Poeta arg. *En la letra, Ambigua selva, Quien habla no está muerto, El motivo es el poema*; y el libro de cuentos *Prosas.*

GIS m. *Col.* Barrita para escribir en las pizarras. • *Méx.* Pulque, licor. • *Méx.* Borracho.

GISBERT, ***Antonio*** (1834-1901) Pintor romántico esp. Cultivó el gén. histórico. *Fusilamiento de Torrijos y sus compañeros.*

GISCARD d'Estaing, ***Valéry*** (nacido 1926) Político fr. Ministro de Finanzas y Asuntos Económicos (1962-1966 y 1969-1974) y presid. en 1974 hasta 1981.

GISH, ***Lillian*** (1896-1993) Actriz norteam. *El nacimiento de una nación, Intolerancia, La culpa ajena, Las dos tormentas, El viento.*

GISSING, ***George Robert*** (1857-1903) Novelista brit. *Los trabajadores del alba, La calle de los muertos de hambre, El desclasado.*

GITALINA f. *Farm.* Principio activo presente en la digital purpúrea.

GITANO, NA adj. y s. Individuo de ciertos pueblos nómadas que, procedentes de la India, se establecieron en el N de África, Europa y América. • fig. Que tiene arte para ganarse las voluntades de otros. • Díc. del comerciante que realiza negocios sucios o que estafa. • m. Caló, lengua hablada por los gitanos. ■ GITANADA; GITANEAR; GITANERÍA; GITANESCO, CA; GITANISMO.

GLACIACIÓN

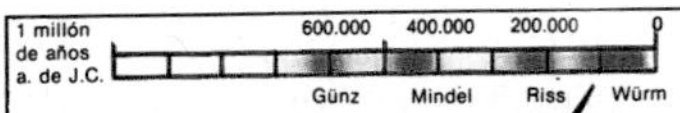

1 millón de años a. de J.C. 600.000 400.000 200.000 0
Günz Mindel Riss Würm

1. En la historia geológica de la Tierra han existido numerosos períodos glaciares, de los que el último fue el Würm, que terminó hace unos 10 000 años. A la derecha, máxima superficie cubierta por los hielos en el hemisferio norte.

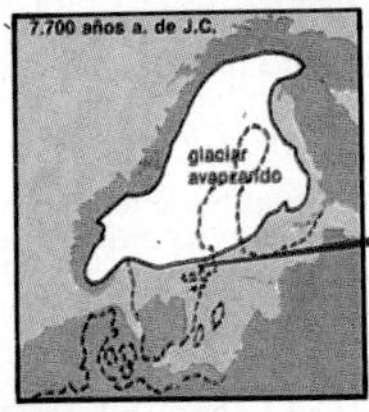

7.700 años a. de J.C.
glaciar avanzando

los icebergs se desprenden
iceberg

2. y 3. La útltima glaciación cubrió de hielo todo el norte de Europa; en las costas, los glaciares formaron enormes placas de hielo flotante de las que se desprendían grandes icebergs.
4. 5. y 6. El paisaje septentrional conserva huellas de la Edad de Hielo, por ejemplo, lechos de roca pulidos, morrenas y bloques erráticos.
7. Imagen de satélite de las costas de Laponia, labradas por los hielos del cuaternario.

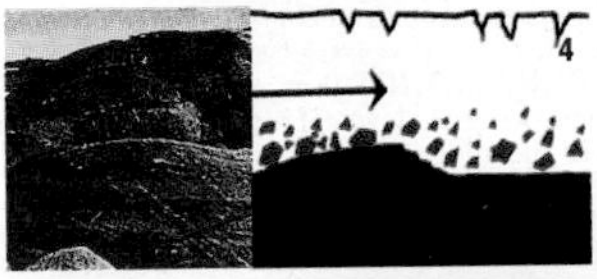

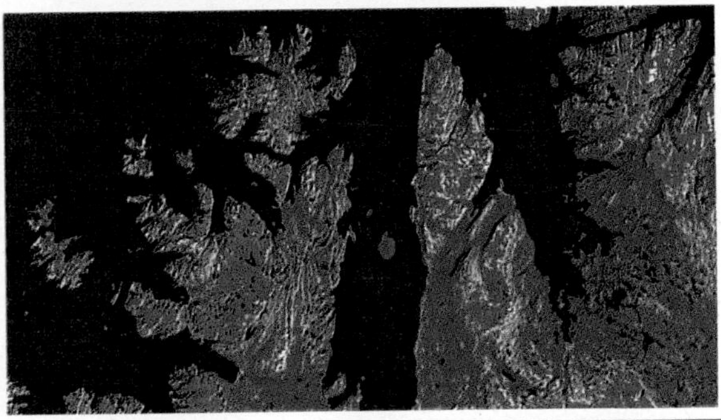

GIULIANO, ***Salvatore*** (1922-1950) Bandolero it. relacionado con la Mafia. Defendió la independencia de Sicilia y reprimió los mov. campesinos. Murió asesinado.
GIULINI, ***Carlo María*** (nacido 1914) Director de orquesta it. Ha dirigido las orquestas sinfónicas de Milán, de Chicago, de Viena y de Los Ángeles.
GIZEH, *(al-Giza)* C. del Bajo Egipto, en la orilla izquierda del Nilo, frente a El Cairo, de cuya aglomeración forma parte; 571 300 hab. Ind. textil. Pirámides. Esfinge hom. y ruinas de Menfis.
GJELLERUP, ***Karl*** (1857-1919) Escritor danés. *Un idealista, Joven danés, Antígona. Herencia y moral, Rómulo* y *Tono de sol mayor.* Premio Nobel de Literatura en 1917, compartido con Pontoppidan.
GLABRO, RA adj. Calvo, lampiño.
GLACIACIÓN f. *Geol.* Periodo durante el cual, debido al enfriamiento del clima, extensas zonas de la superficie terrestre quedan cubiertas por casquetes glaciares y por glaciares de montaña.
GLACIAL adj. Helado, muy frío. • Que hace helar o helarse. • *Geog.* Aplícase a las tierras y mares que están en las zonas glaciales. • Díc. del periodo que comprende el final de la era terciaria, durante el cual se manifiesta un gradual enfriamiento del clima. • **Antártico, *Océano*** → Antártico. • **Ártico, *Océano*** → Ártico.
GLACIALISMO m. *Geol.* Formación de glaciares por un descenso general de la temperatura de una zona o región.
GLACIAR m. *Geog.* Helero, masa considerable de hielo en las montañas. • **alpino** o **de montaña**. Masa de hielo, gralte. en movimiento, que ocupa pequeñas depresiones o valles de montaña. • **continental** o **inlandsis**. Casquete g. • **de meseta** o **escandinavo**. G. que ocupa superficies poco accidentadas.
GLACIARISMO m. Glaciología. • *Geol.* Modelación del relieve terrestre por los glaciares.
GLACIOEUSTATISMO m. *Geol.* Cambios en el nivel de las aguas marinas a consecuencia de las variaciones del volumen de agua convertida en hielo.
GLACIOLOGÍA f. Ciencia que estudia las diversas formas en que se presenta el hielo en la naturaleza.
GLACIS m. *Mil.* Explanada. • Superficie erosiva de un terreno, propia de regiones secas. Suele iniciarse en una montaña y terminar en una llanura de colmatación.
GLADIADOR m. El que en los juegos públicos rom. luchaba contra otro hombre o contra una fiera.
GLADIOLO o **GLADÍOLO** m. Planta herbácea ornamental de la familia iridáceas, con tubérculos bulbiformes, hojas largas y flores rojas.
GLÁDKOV, ***Fiódor Vasilievitch*** (1883-1958) Novelista ruso. *El cemento, La energía.*
GLADSTONE, ***John Hall*** (1827-1902) Físico y químico brit. Definió la ley de refractividad de los compuestos orgánicos. • ***William Ewart*** (1809-1898) Político brit. Primer ministro (1868-1874, 1880-1885, 1886 y 1892-1894).
GLAESER, ***Ernst*** (1902-1963) Escritor al. *El último civil.*
GLAMOUR (voz ing.) m. Encanto mágico e irresistible.
GLANDE m. *Anat.* Bálano, extremidad del pene constituida por una expansión del cuerpo esponjoso. • *Anat.* Pequeña elevación situada en la extremidad del clítoris, eréctil y muy sensible. • f. *Bot.* Bellota, fruto. ■ GLANDÍFERO, RA; GLANDÍGERO, RA.
GLÁNDULA f. *Bot.* Órgano uni o pluricelular que segrega sustancias inútiles o nocivas para una plan-

Flor de **gladiolo**

ta. • *Fisiol.* Órgano para la elaboración, secreción o excreción de sustancias del organismo humano. • **endocrina**. De secreción interna, que vierte su producto, las hormonas, en la sangre (suprarrenales, tiroides, hipófisis). • **exocrina**. De secreción externa, que vierte sus productos por un conducto al exterior o a una cavidad (lagrimales, mamarias, etc.). • **pineal**. Epífisis, órgano nervioso del encéfalo. • **pituitaria.** Hipófisis. • **sebácea.** Cualquiera de las que están situadas en la piel del cuerpo (salvo las de las palmas de la mano o de los pies). • **suprarrenal.** Cada uno de los dos órganos situados en contacto con el riñón de los batracios, reptiles, aves y mamíferos, que segregan la adrenalina y los corticoides. ■ GLANDULAR; GLANDULOSO, SA.

Globos aerostáticos
de propaganda comercial

GLASÉ m. Tafetán de mucho brillo. • *Amér.* Charol. ■ GLASEADO, DA.

GLASEAR tr. Dar brillo a la superficie de algunas cosas.

GLASER, *Donald Arthur* (nacido 1926) Físico estadounidense. Construyó la primera cámara de burbujas. Premio Nobel de Física en 1960. • ***Milton*** (nacido 1929) Diseñador gráfico norteam. *Si las manzanas tuvieran dientes, Peces en el cielo, El libro de carteles de Milton Glasser.*

GLASGOW C. y puerto de Gran Bretaña, en Escocia; 762 288 hab. (1 765 000 hab. la agl. urb.). Sit. a orillas del Clyde, en los Lowlands. Catedral de San Mungo (ss. XII-XIV). Universidad fundada en 1450. Centro carbonífero y siderúrgico. Astilleros. Fundiciones, acerías. Metal. Ind. textiles, químicas.

GLASHOW, *Sheldon Lee* (nacido 1932) Físico norteam. Profesor de la universidad de Harvard (1958) e investigador del Instituto de Tecnología de California (1960-1961). Premio Nobel de Física en 1979 con S. Weinberg y A. Salam.

GLASNOST (voz rusa) f. Término empleado para referirse a la transparencia informativa de un gobierno. Fue una de las principales consignas de la *perestroika* promovida por M. Gorbachov en la antigua URSS.

GLASS, *David* (1911-1978) Economista y demógrafo brit. *Políticas y movimientos de población en Europa, Población y cambio social.*

Globularia

GLASTO m. Planta bienal crucífera, de cuyas hojas se saca un color análogo al del añil.

GLAUBER, *Johann Rudolf* (1604-1670) Químico al. Obtuvo el ácido clorhídrico y el sulfato sódico o sal de G.

GLAUCIO m. Hierba papaverácea, de flores solitarias, de cuatro pétalos amarillos.

GLAUCO, CA adj. Verde claro. • m. *Zool.* Molusco gasterópodo marino, sin concha, de 5-6 cm de largo, con cuerpo fusiforme de color azul nacarado.

GLAUCOFANA f. *Miner.* Inosilicato de sodio, magnesio y aluminio, del grupo de los anfíboles monoclínicos, de color azulado y brillo vítreo; dureza 6.

GLAUCOMA m. *Pat.* Afección del ojo caracterizada por un aumento de la presión intraocular y la disminución del campo visual.

GLAUCONITA f. *Miner.* Silicato hidratado de aluminio y hierro, del grupo de las micas. Cristaliza en el sistema monoclínico; dureza 2.

GLAZUNOV, *Alexandr Constantinovitch* (1865-1936) Compositor ruso. Autor de sinfonías, ballets, poemas sinfónicos, cuartetos de cuerda, conciertos para piano.

GLEBA f. Terrón que se levanta con el arado. • **Siervo de la g.** *Hist.* El que dependía de la tierra que cultivaba y era vendido con ella.

GLEDISTSCHIA f. *Bot.* Planta arbórea de la familia cesalpináceas de ramas con espinas, hojas compuestas, flores verdes y fruto en legumbre. Originaria de Amér. boreal.

GLEIFICACIÓN f. *Edaf.* Formación de un gley.

GLEMP, *Józef* (nacido 1928) Prelado pol. Sustituyó al cardenal Wyszynski en 1981 como presid. de la conferencia episcopal polaca y ha desempeñado un papel crucial en las relaciones con el est. y el sindicato *Solidarnosc* (Solidaridad).

GLENA f. Superficie articular cóncava de un hueso, en la que encaja otro hueso.

GLENDALE C. de EE UU en el est. de California; 133 000 hab. Ind. aeronáutica.

GLEEN, *John* (nacido 1921) Astronauta norteam.; el primero de su país que realizó un vuelo alrededor de la Tierra (1962).

GLERA f. Cascajar. • Arenal.

GLEY m. *Edaf.* Suelo formado bajo condiciones de drenaje pobre y de encharcamiento, lo que provoca cierta concentración de arcilla y de hierro.

GLIADÍMETRO m. *Ind.* Aparato utilizado para valorar la calidad de una harina, que mide la densidad de gliadina.

GLIADINA f. *Quím.* Grupo de proteínas vegetales que se encuentran en el gluten de los cereales.

GLICEMIA f. *Fisiol.* Glucemia.

GLICERALDEHÍDO m. *Bioq.* Aldosa de tres átomos, material clave del metabolismo glucídico y de la glicerina.

GLICÉRIDO m. *Quím.* Éster de la glicerina.

GLICERINA f. Líquido que se encuentra en muchas grasas y aceites naturales. Aplicaciones industriales en la fabricación de explosivos y en perfumería.

GLICEROFOSFATO m. *Bioq.* Sal del ácido glicerofosfórico usada en medicina.

GLICINA f. *Bot.* Planta papilionácea, con flores azuladas en racimos. Originaria de Amér. del Sur y de China. • *Biol.* Glicocola.

GLICOCOLA f. *Biol.* Aminoácido constituyente de las proteínas.

GLICOESFINGOLÍPIDO m. *Bioq.* Lípido de estructura compleja cuya hidrólisis produce un azúcar, un ácido graso y esfingosina.

GLICOL m. *Quím.* Compuesto orgánico con dos grupos oxhidrilos unidos a diferentes átomos de carbono.

GLICONIO adj. y s. Verso de la poesía griega y latina.

GLIFO m. *Arq.* Motivo ornamental consistente en canalillos grabados sobre una superficie lisa. • Signo utilizado por los mayas para representar los días y las horas.

GLINKA, *Mijáil Ivánovich* (1804-1857) Compositor ruso. Su ópera, *Una vida por el azar* o *Iván Susanin* (1836), señala el nacimiento de la escuela musical rusa.

GLIOMA m. *Pat.* Tumor intracraneal maligno.

GLÍPTICA f. Arte de grabar las piedras finas y los cuños para imprimir monedas y medallas.

GLIPTODÓNTIDO, DA adj. y m. *Zool.* Díc. de grandes mamíferos fósiles de América del Sur.

GLIPTOGÉNESIS f. Acción y efecto de adquirir la superficie terrestre su relieve.

GLIPTOLOGÍA f. Parte de la arqueología que trata de las piedras ant. grabadas.

GLIPTOTECA f. Colección de piedras grabadas. • P. ext. Colección de esculturas de yeso. • **de Munich**. Museo fundado por Luis I de Baviera, que contiene esculturas de Asiria, Grecia, Egipto y Roma.

GLIRONIA f. *Perú.* Pequeño marsupial insectívoro.

GLISSANT, *Edouard* (nacido 1928) Poeta y narrador fr. *Espejos, La sal negra* (poesía), *La grieta, Mala muerte* (novela).

GLIWICE (al., *Gleiwitz*) C. del S de Polonia, Alta Silesia; 212 500 hab. Ind. siderúrgica y metal.

GLOBAL adj. Tomado en conjunto. • Díc. de un método de aprendizaje de lectura, ideado por Jacotot, que consiste en partir del conocimiento de una totalidad (la palabra) para descubrir después sus partes (sílabas, sonidos y letras). ■ GLOBALIZAR.

GLOBALIZACIÓN f. Método didáctico de educación que parte de la concepción de las materias de estudio como un conjunto, para pasar progresivamente a una diferenciación. Fue desarrollado por vez primera por Decroly.

GLOBINA f. *Biol.* Proteína básica.

GLOBO m. Cuerpo esférico. • Especie de fanal de cristal con que se cubre una luz. • **aerostático.** *Aér.* Recipiente esférico o cilíndrico que contiene un gas menos denso que el aire, lo que permite la elevación del aparato. El valor del empuje ascensional viene dado por el principio de Arquímedes. • cautivo. El que por estar destinado a la observación permanece sujeto a tierra por un cable. • **celeste.** Esfera en cuya superficie se represenan las constelaciones solares. • **dirigible.** Zepelín. • **sonda.** El que lleva aparatos registradores para estudios meteorológicos. • **terráqueo** o **terrestre.** Tierra, planeta. • Esfera con cuya superficie se figura la disposición de las tierras y mares de nuestro planeta. ■ GLOBOSO, SA.

GLOBULARIA f. Planta herbácea perenne de la familia globulariáceas, propia de lugares áridos y herbosos de Amér. Centr. y Merid. ■ GLOBURALIÁCEO, A.

GLOBULINA f. *Biol.* Proteína compuesta por veinte aminoácidos, insoluble o poco soluble en agua, soluble en soluciones salinas diluidas y que precipita con sulfato amónico.

GLÓBULO m. dim. de globo. • Corpúsculo esférico de algunos líquidos orgánicos. • **blanco.** *Fisiol.* Célula nucleada y ameboidea de la sangre, llamada también *leucocito*. • **galáctico.** *Astr.* Glóbulo, pequeña nebulosa. • **rojo.** *Fisiol.* Eritrocito. ■ GLOBULAR; GLOBULOSO, SA.

GLOMÉRULO m. *Fisiol.* Formación histológica originada por túbulos arrollados y protegidos por tejido conectivo. • **de Malpighi,** o **renal.** *Fisiol.* Corpúsculo sit. en el riñón, que sirve para filtrar la sangre y elaborar la orina.

GLOMERULONEFRITIS f. *Pat.* Glomerulopatía secundaria a una infección, que evoluciona de manera aguda o crónica.

GLOMERULOPATÍA f. *Pat.* Enfermedad de los riñones con afectación de los glomérulos.

GLOMO m. *Anat.* Estructura anatómica que abarca diversas formaciones neurales y musculares. • **carotídeo.** *Fisiol.* Corpúsculo situado en la región del cuello, en la bifurcación de la arteria carótida primitiva en carótida interna y externa, constituido por capilares sinusoidales con células receptoras especiales ricamente inervadas.

GLORIA f. Bienaventuranza. • Lo que ennoblece e ilustra. • Reputación, fama. • Cosa que produce gran placer. • Grandeza, esplendor, magnificencia. • Gén. de pastel abarquillado, hecho de hojaldre y relleno de dulce. • Aureola en una pintura o representación. • *Pint.* Rompimiento de cielo, en que se representan ángeles, etc. • m. Cántico o rezo de la misa.

GLORIADO, DA m. *Amér.* Ponche hecho con aguardiente. • *Amér.* Infusión con coñac o ron blanco.

GLORIAR tr. Glorificar. • *Amér.* Echar licor en el café o en refrescos. • prnl. Preciarse, jactarse. • Complacerse, alegrarse mucho.

GLORIETA f. Cenador de un jardín. • Plaza donde desembocan varias calles o alamedas.

GLORIFICAR tr. Ensalzar a Dios. • Alabar exageradamente a alguien. • prnl. Gloriarse. ■ GLORIFICACIÓN; GLORIFICADOR, RA.

GLORIOSO, SA adj. Digno de honor y alabanza. • *Rel.* Se aplica a cosas o seres celestiales. Merecedor de gloria y fama. • Que se alaba demasiado. • f. Por ant., la virgen María. • fig. Revolución esp. de 1868.

GLOSA f. Explicación o comentario de un texto. • Nota en un instrumento o libro de cuentas. • Composición poética en que se repiten unos versos al final de las estrofas. • *Mús.* Variación libre sobre un tema. • *Col.* Reprimenda.

GLOSALGIA f. *Pat.* Neuralgia lingual.

GLOSAR tr. Hacer, poner o escribir glosas. • fig. Dar una interpretación malévola. • Comentar palabras y dichos, ampliándolos. • *Col.* Reprender. ■ GLOSE.

GLOSARIO m. Catálogo o vocabulario de palabras, con su explicación.

GLOSEMA m. *Ling.* La unidad mínima capaz de transmitir un significado.

GLOSEMÁTICA f. *Ling.* Teoría del lenguaje desarrollada por el danés Hjelmslev.

GLOSITIS f. Inflamación de la lengua.

GLOSOFARÍNGEO, A adj. Relativo a la lengua y a la faringe. • m. *Anat.* Nervio craneal con función motora y sensitiva.

GLOSOLALIA f. Perturbación del lenguaje, por la que el enfermo crea palabras.

GLOSOPEDA f. Fiebre aftosa de los ganados.

GLOSOPTOSIS f. *Pat.* Desplazamiento hacia atrás de la lengua, que impide la alimentación del lactante.

GLOTIS f. *Anat.* Abertura triangular de la laringe situada entre las cuerdas vocales inferiores. ■ GLÓTICO, CA.

GLOTOLOGÍA f. Lingüística.

GLOTÓN adj. y s. Que come en exceso. • m. *Zool.* Mustélido carnívoro, propio de los países del N de Europa, parecido al tejón. ■ GLOTONEAR; GLOTONERÍA.

Glotón

GLOUCESTER, ***Humphrey***, DUQUE DE (1391-1447) Noble y mecenas brit. Hijo de Enrique IV, ejerció la regencia a la muerte de Enrique V y fue tutor de Enrique VI.

GLOXÍNEA f. Planta de jardín de la familia gesneriáceas, bulbosa, de flores acampanadas, originaria de Amér. del Sur.

GLUBOLA f. *Fís.* Partícula elemental compuesta de dos gluones, ligados de forma que se mantiene la estabilidad por intercambio de otros gluones. • **escalar.** La que tiene espín cero. • **tensorial.** La que posee espín dos.

GLUCAGÓN m. *Fisiol.* Hormona antagonista de la insulina, secretada por las células alfa de los islotes de Langerhans del páncreas.

Flores de **gloxínea**

GLUCEMIA f. *Fisiol.* Concentración de glucosa en la sangre. Si es permanente, reviste carácter patológico (diabetes).

GLÚCIDO m. *Quím.* Nombre genérico de los compuestos de carbono, hidrógeno y oxígeno a los que es común la fórmula general $C_nH_{2n}O_n$.

GLUCK, ***Cristoph Willibald*** (1714-1787) Compositor al. Introdujo en la corte de Viena la ópera cómica francesa. Compuso óperas (*Ifigenia en Áulida, Ifigenia en Táuride, Orfeo y Eurídice*), ballets y pantomimas, música religiosa (*De profundis*), sinfonías, sonatas, etc.

GLUCOCÁLIX m. *Biol.* Capa externa que recubre la membrana plasmática de muchas células vivas, formada por glucoproteínas.

GLUCOCORTICOIDE m. *Fisiol.* Hormona segregada por la corteza de la glándula adrenal (cortisona e hidrocortisona), que forma carbohidratos a partir de grasas y proteínas.

GLUCOGÉNESIS f. *Fisiol.* Formación de glúcidos complejos a partir de monosacáridos.

GLUCÓGENO m. *Biol.* Polisacárido de la glucosa, base de los glúcidos de reserva del metabolismo animal.

GLUCOLÍPIDO m. *Biol.* Sustancia lipoide constituida por lípidos y azúcares.

GLUCÓLISIS f. *Fisiol.* Conjunto de vías metabólicas que conducen a la degradación de los glúcidos por medio del oxígeno de la respiración y de las que se obtiene agua, anhídrido carbónico y energía.

GLUCÓMETRO m. Aparato para medir la cantidad de azúcar que tiene un líquido.

GLUCONATO m. *Farm.* Sal de ácido glucónico.

GLUCOPROTEÍNA f. *Bioq.* Proteido complejo resultante de la combinación de proteínas e hidratos de carbono.

GLUCOSA f. *Quím.* Monosacárido de color blanco, sabor dulce y soluble en agua. Se encuentran indicios en la orina de los diabéticos. Se utiliza como edulcorante y en farmacia.

GLUCÓSIDO m. *Quím.* Heterósido.

GLUCOSURIA f. *Pat.* Presencia de glucosa en orina. Es característica de la *diabetes mellitus.*

GLUGLÚ m. Onomat. con que se representa el ruido del agua y el glugluteo del pavo.

GLUGLUTEAR intr. Emitir el pavo su voz característica. ■ GLUGLUTEO.

GLUMA f. *Bot.* Cubierta de las plantas gramíneas, compuesta de dos valvas sit. debajo del ovario.

Detalle de una espiga de trigo, con las **glumas** y los estambres ya maduros

GLUMELA f. *Bot.* Cada una de las dos hojas protectoras de las flores de las gramíneas.

GLUON m. *Fís.* Cuanto que proporciona la fuerza que mantiene unidas las combinaciones de quarks en el campo cromodinámico.

GLUSBERG, ***Jorge*** (nacido 1934) Artista y crítico de arte arg. Crítico en las revistas *Ver y estimar* y *Análisis*. *Retórica del arte latinoamericano*.

GLUTAMATO m. *Quím.* Sal del ácido glutámico.

GLUTÁMICO, CA adj. Del ácido glutámico. • m. *Biol.* y *Quím.* Aminoácido base en la constitución de las proteínas.

GLUTAMINA f. *Biol.* Aminoácido derivado del ácido glutámico por reacción con el amoniaco.

GLUTATION m. *Biol.* Tripéptido natural constituido por ácido glutámico, cisteína y glicocola.

GLUTEN m. Sustancia de reserva proteica de los vegetales formada en su mayor parte por glutelinas.

GLÚTEO, A adj. Relativo a las nalgas. • adj. y m. *Anat.* Díc. de los tres músculos situados en la parte posterior de la pelvis ósea.

GLUTINOSO, SA adj. Que tiene virtud para pegar una cosa con otra. ■ GLUTINOSIDAD.

GLYPTAL *Quím.* Resina obtenida por condensación del ácido ftálico con glicerina y otros polialcoholes. De gran importancia en la industria de las lacas.

Detalle de un tapiz procedente de la fábrica de los **Gobelin,** realizado h. 1500

GNATÓSTOMO adj. y m. *Zool.* Díc. de los vertebrados provistos de mandíbula.

GNEIS m. *Geol.* Roca de estructura pizarrosa e igual composición que el granito.

GNÓMICO, CA adj. y s. Sentencioso. Se aplica a la poesía con preceptos morales o máximas.

GNOMO m. Ser fantástico de la mitología del N de Europa, de origen oriental, enano y barbudo, que habita en el interior de la tierra, en los bosques.

GNOMON m. *Astr. Ant.* instrumento con el cual se determinaban el acimut y la alt. del Sol.

GNOMÓNICA adj. *Top.* Díc. de un tipo de proyección que determina la perspectiva de la superficie terrestre desde el centro de la Tierra sobre un plano tangente a la misma.

GNOSEOLOGÍA f. *Fil.* Doctrina o teoría del conocimiento. ■ GNOSEOLÓGICO, CA.

GNOSIS f. *Rel.* Conocimiento absoluto e intuitivo, fruto de la iluminación espontánea, y reservado a los iniciados. • *Rel.* Doctrina de los gnósticos.

GNOSTICISMO m. *Rel.* Doctrina filosófico-religiosa de los primeros siglos de la Iglesia, que basa la salvación en la gnosis. Es una religión sincrética que mezcla elementos del misticismo oriental con tradiciones hebreas (la cábala) y helenísticas. ■ GNÓSTICO, CA.

GOA Est. de la India; 3 701 km^2, 1 168 600 hab. Cap., Panjim.

GOAGIRA Mun. de Venezuela, en el est. Zulia; 12 747 hab. Cocos, carbón.

GOASCOARÁN Mun. de Honduras, en el dpto. de Valle; 11 200 hab. Piedra caliza.

GOASCORÁN Río de América Central; 130 km. Nace en Honduras y desemboca en el Pacífico (golfo de Fonseca).

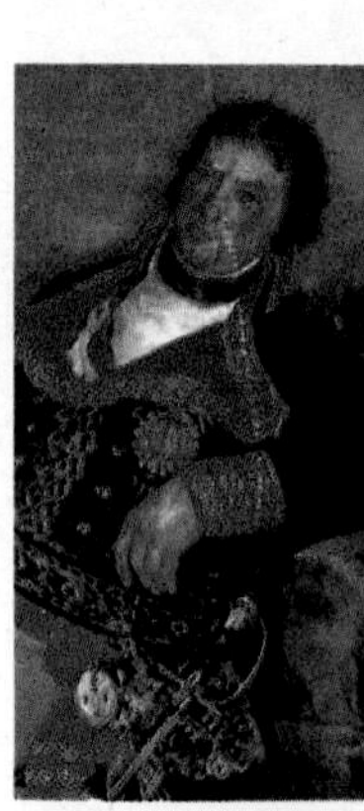

Manuel de **Godoy,** detalle de un cuadro de Goya

GOBAT, *Charles-Albert* (1843-1914) Abogado y pacifista suizo. Director de la Oficina Internacional de la Paz. Premio Nobel de la Paz junto a Ducommun en 1902.

GOBELIN Familia fr. de tintoreros y tapiceros, originaria de Flandes. Adquirieron considerable fama durante el s. XIX. ■ GOBELINO.

GOBERNADOR, RA adj. y s. Que gobierna. • s. Jefe superior de una prov., c. o terr. • Representante del gobierno en algún establecimiento público. • f. fam. Mujer del gobernador.

GOBERNALLE m. *Mar.* Timón.

GOBERNANTA f. Mujer encargada de la administración en una casa o institución. • *Argent.* Institutriz, aya.

GOBERNANTE adj. Que gobierna. • s. Persona que gobierna un país o forma parte de un gobierno.

GOBERNAR tr. e intr. Mandar con autoridad o regir una cosa. • tr. y prnl. Guiar y dirigir. • *Argent.* Castigar a los hijos. • intr. Obedecer el buque al timón.

GOBERNOSO, SA adj. fam. Aficionado a tener en buen orden la casa o los negocios.

GOBI (chino, *Shamo*; mongol, *Gov*) Desierto de Asia central, en el S de Mongolia y en el N de China, aprox. de 1 millón de km^2. Clima continental.

GOBIERNA f. Veleta.

GOBIERNISTA adj. *Amér.* Gubernamental.

GOBIERNO m. Acción y efecto de gobernar o gobernarse. • Forma política. • Conjunto de los ministros de un est. • Empleo, ministerio y dignidad de gobernador, o de otra autoridad pública que se encargue de regir una prov., etc. • Terr. en que tiene jurisdicción y su sede. • Tiempo que dura su ejercicio. • Gobernalle . • **absoluto**. Aquél en que todos los poderes se hallan concentrados en una sola mano o cuerpo, sin limitación. • **parlamentario**. Aquél sujeto al control de las Cámaras libremente elegidas. • **representativo**. Aquél en que concurre la nación, en diversas formas y por medio de representantes, a la formación de las leyes. ■ GOBERNACIÓN; GOBERNATIVO, VA.

Johann Wolfgang **Goethe**

GOBINEAU, *Joseph Arthur*, CONDE DE (1816-1882) Diplomático y escritor fr., precursor del nazismo. Ensayo sobre la desigualdad de las razas humanas.

GOBIO m. Pez de río, acantopterigio.

GOCE m. Placer, particularmente el sexual.

GOCHO, CHA m. y f. fam. Cochino, cerdo.

GODARD, *Jean-Luc* (nacido 1930) Director de cine fr., miembro de la *nouvelle vague*. *Al final de la escapada, El soldadito, Vivir su vida. El desprecio, Una mujer, Lemmy contra Alphaville, Pierrot el loco, Yo te saludo, María.*

GODAVARI Río de la India, en el centro del Decán; 1 450-1 500 km. Nace en los Gates Occidentales y desemboca en el golfo de Bengala.

GÖDEL, *Kurt* (1906-1978) Lógico y matemático checo. Demostró la consistencia de la hipótesis cantoriana del continuo y el teorema y la prueba de la incompletitud semántica (prueba de G.). *Sobre las proposiciones indecidibles de los sistemas de matemática formal.*

GODESCO, CA o **GODIBLE** adj. y s. Alegre, placentero.

GODO, DA adj. y s. Díc. de los individuos de un ant. pueblo germano que se estableció en la desembocadura del Vístula en el s. I a. C., y más tarde en los terr. al N del mar Negro. • fig. y fam. En Canarias, esp. peninsular. • adj. y s. *Argent.*, *Chile* y *Col.* Nombre con que se designaba a los esp. en la guerra de la independencia americana y que todavía se usa en algunos lugares.

* *Hist.* A partir del s. III, en que se asentaron en la cuenca del Danubio, se dividieron en dos grupos: *ostrogodos* (g. orientales) y *visigodos* (g. occidentales).

GODOFREDO de Bouillon (1061-1100) Noble fr., duque de la Baja Lorena. Fue uno de los jefes del ejército cristiano en el asalto a Jerusalén (1099). • **De Estrasburgo** (m. h. 1215) Poeta medieval al. *Tristán e Isolda.*

GODOY, *Lucila* → Mistral, Gabriela. • ***Manuel de*** (1767-1851) Político esp., privado de Carlos IV (1767-1808) y favorito de la reina M. Luisa. Primer ministro en 1792. Firmó con Napoleón el tratado de Fontainebleau (1807). Tras la invasión del terr. esp. por tropas fr., siguió a los reyes en su destierro.

GODOY CRUZ C. de Argentina, en la prov. de Mendoza; 80 000 hab. Ind. vinícolas, harineras, curtidurías, destilerías de alcohol, refinerías de aceite.

GODUNOV, *Boris* → Boris Godunov.

GODWIN AUSTEN → K-2.

GODWIN, *Francis* (1562-1633) Obispo y escritor ingl., precursor del género de temática espacial. *El hombre en la Luna o el viaje quimérico realizado al mundo de la Luna por Domingo Gonzales*.• **William** (1756-1836) Pastor protestante de origen brit. Teórico anarquista. *Informe sobre los principios de la justicia social y su influencia en la virtud y felicidad comunes.*

GOEBBELS, *Joseph Paul* (1897-1945) Político al. Ministro de Propaganda e Información durante el gobierno de Hitler (1933-1945).

GOERING, *Hermann* (1893-1946) Mariscal al. Ministro de Aviación y presid. del Reichstag (1932) en el régimen nazi.

GOETHE, *Johann Wolfgang* (1749-1832) Escritor al., el más representativo de la lit. clásica al. Su obra culmina en un idealismo naturalista. Cultivó todos los gén. literarios. En 1774 escribió la novela *Los sufrimientos del joven Werther*. Tras su viaje a Italia, el drama *Ifigenia* (1779-1786) y la genial tragedia *Torcuato Tasso* (1789). De su amistad con Schiller surgieron en 1797 *los Xenien*, colección de epigramas contra la pedantería literiaria de su época. *El enterrador de tesoros, El aprendiz de brujo, La novia de Corinto* (baladas), *Los*

años de aprendizaje de Wilhelm Meister (novela), y *Hermann y Dorotea* (poema épico) son de esta época. En 1808 apareció la primera parte de *Fausto*. En 1809 publicó *Las afinidades electivas*, en la que aborda el conflicto entre el instinto y la moral. Este año comenzó a publicar su autobiografía *De mi vida, Poesía y verdad*, que, después de interrumpida, continuó en *Viaje a Italia* (1816-1817).
GOETHITA f. *Miner*. Hidróxido de hierro que cristaliza en el sistema rómbico, de color pardo; se utiliza como mineral de hierro.
GOFIO m. Harina gruesa de maíz, trigo o cebada tostada. • *Nic.* y *Ven.* Alfajor hecho con harina de maíz o de cazabe y papelón. • *Cuba* y *P. Rico*. Comida hecha con harina de maíz tostado y azúcar.
GOFO, FA adj. Necio, ignorante y grosero. • *Pint.* Díc. de la figura enana o de baja estatura.
GOGÓ (A.) Loc. fr. En abundancia.
GOGÓ-GIRL (voz ing.) f. Muchacha que baila en salas de fiesta, sobre un lugar destacado del local.
GOGOL, *Nikolai Vasilievich* (1809-1852) Novelista ruso, creador del realismo crítico. *Arabescos, La perspectiva Nevski, El retrato, Almas muertas, Memorias de un loco* (cuentos); *El inspector* (teatro).
GOIÂNIA C. de Brasil, cap. del est. de Goiás; 921 000 hab. Centro comercial. Aeropuerto.
GOIÁS Est. de Brasil, sit. en las altiplanicies del int., entre el río Aragua y el interfluvio de los ríos Tocantins y São Francisco; 340 166 km^2, 4 082 000 hab. Cap. Goiania. Articula la cuenca del Amazonas, la del Paraná y la del São Francisco. Accidentado al S por la Serra dos Pirineus (1 380 m). Clima tropical. Arroz, algodón, café, ganado vacuno, extracción de níquel. Desde 1960 se halla dentro de los límites de este est. el Distrito Federal de Brasilia.
GOICOECHEA Omar, *Alejandro* (1895-1984) Ingeniero esp., autor del proyecto de los trenes articulados ligeros Talgo.
GOITIA, *Francisco* (1884-1960) Pintor mex. *Tata Jesucristo, El ahorcado*.
GOL m. En ciertos juegos, tanto que se obtiene al introducir la pelota en la meta contraria. ■ GOLEAR.
GOLA f. Garganta. • Insignia que llevan en el cuello los oficiales militares en algunos actos. • Gorguera, adorno alrededor del cuello. • *Arq.* Moldura cuyo perfil tiene la figura de una *s*. • *Mil.* Entrada desde la plaza al baluarte. • *Mil.* Línea recta que une los extremos de dos flancos en una obra defensiva.
GOLÁN, *altos de* Montes sit. en la frontera sirio-israelí, al S del monte Hermón. En 1967 la zona fue ocupada por Israel.
GOLDEN GATE Estrecho que comunica la bahía de San Francisco (EE UU) con el océano Pacífico. • Puente colgante del mismo nombre.
GOLDING, *William* (1911-1993) Escritor brit. Premio Nobel de Literatura en 1983. *El señor de las moscas. Ritos de paso, Un diario egipcio*.
GOLDMANN, *Lucien* (1913-1970) Sociólogo fr. nacido en Hungría. *Para una sociología de la novela*.
GOLDONI, *Carlo* (1707-1793) Comediógrafo it. Piezas cómicas realistas costumbristas. *La familia del anticuario, La posadera*.
GOLDRE m. Carcaj en que se llevan las saetas.
GOLDSMITH, *Oliver* (1728-1774) Escritor ing., de origen irlandés. *Vida de Richard Nash, Historia de Inglaterra, Ciudadano del mundo, El vicario de Wakefield*.
GOLDSTEIN, *Joseph L.* (nacido 1940) Médico norteam. Premio Nobel de Medicina, junto a Michael Brown en 1985, por sus estudios sobre el colesterol.
GOLDWYN, *Samuel* (1884-1974) Seud. de *Samuel Goldfisch*, productor cinematográfico norteam. Con Jesse Lasky y Cecil B. de Mille fundó en 1913 la *Lasky Feature Play Co.*, y en 1924 participó en la creación de *Metro-Goldwyn-Mayer*.
GOLEM m. Criatura formada por el hombre a su imagen y semejanza, que recibe vida por medio de fórmulas mágicas, según las leyes judías.
GOLETA f. Velero pequeño y ligero, de dos o tres palos y bordas poco elevadas.
GOLF m. Deporte de origen escocés, que consiste en impeler con palos una pelota para introducirla en unos agujeros con el menor número de golpes.
GOLFÁN m. Nenúfar, planta.
GOLFÍN m. Delfín, cetáceo.
GOLFO, FA m. y f. Pilluelo. • Sinvergüenza, de mal vivir. • f. Prostituta. • m. *Geog.* Gran porción de mar que se interna en la tierra entre dos cabos. • Extensión del mar sin una sola isla que dista mucho de tierra por todas partes. • Juego de baraja.
GOLFO, *corriente del* Corriente cálida del Atlántico que va del golfo de México a Noruega.
GOLFO, *Guerra del* Conflicto armado motivado por la invasión de Kuwait por parte de Irak (agosto 1990) y que estalló al no retirarse de aquel territorio en el plazo fijado por la ONU (15 enero 1991). El 17 comenzaron las hostilidades y el 28 de febrero se rindió Irak, aceptando las condiciones de la ONU.
GOLGI, *Camillo* (1844-1926) Médico e histólogo it. Creador de un método de tinción. Descubridor del aparato y las células que llevan su nombre. Premio Nobel de Medicina en 1906, con Ramón y Cajal.
GÓLGOTA Nombre heb. del Calvario.
GOLIARDO, DA adj. Dado a la gula y a la vida desordenada. • m. En la E. Med., clérigo o estudiante vagabundo que llevaba vida irregular. La poesía de los g., escrita en lengua latina y contenida, entre otras colecciones, en los *Carmina Burana* (s. XII), canta los placeres de la vida y el amor.
GOLIAT Gigante filisteo que fue m. por David.
GOLILLA f. Adorno del cuello de los ministros togados y demás curiales. • Rodete del extremo de las piezas de un cuerpo de bomba que sirve para asegurarlas por medio de tornillos. • Trozo de tubo que sirve para empalmar los caños de barro. • *Bol.* Chalina del gaucho. • *Amér.* Cerco de plumas que rodea el cuello del gallo y que éste eriza cuando se irrita. • *Cuba.* Deuda. • *Cuba.* Parte superior de la cola de una cometa. • *Chile.* Estornija que se pone en los carruajes para que no se salga la rueda.
GOLILLAR intr. *Hond.* Ganar un empleado su sueldo tan sólo aparentando trabajar.
GOLLERÍA f. Manjar exquisito y delicado. • fig. y fam. Delicadeza, superfluidad.
GOLLETAZO m. Golpe dado en el gollete de una botella, para abrirla. • fig. Término violento que se pone a un negocio. • *Taur.* Estocada que atraviesa los pulmones del toro.
GOLLETE m. Parte superior del cuello, por donde se une a la cabeza. • Cuello estrecho que tienen algunas vasijas.
GOLLETEAR tr. *Col.* y *Ven.* Asir por el gollete.
GOLLETERO, RA adj. *Méx.* Regateador.
GOLLIZNO o **GOLLIZO** m. Garganta de un río; desfiladero.
GOLONDRINA f. *Zool.* Ave paseriforme de la familia hirundínidos, de pico negro y corto, cuerpo negro azulado por encima y blanco por debajo, y cola larga y muy ahorquillada. • *Zool.* Pez marino, de cola ahorquillada, con aletas torácicas muy desarrolladas, llamado también *pez volador*. • Barca pequeña de motor para viajeros. • *C. Rica y Hond.* Hierba rastrera, euforbiácea. • *Chile.* Carro para mudanzas.
GOLONDRINERA f. Celidonia, planta.
GOLONDRINO m. Pollo de la golondrina. • Golondrina, pez. • fig. Soldado desertor. • Forúnculo en el sobaco.
GOLOSA f. *Col.* Juego del infernáculo.
GOLOSINA f. Manjar exquisito, gralte., dulce, de poco alimento. • Deseo o apetito de una cosa. • fig. Cosa más agradable que útil. ■ GOLOSINAR o GOLOSINEAR; GOLOSO, SA.
GOLOVIN, *Fedor Alexeievich*, CONDE (1650-1706) Político ruso, colaborador de Pedro I el Grande.
GOLPE m. Choque violento de dos cuerpos. • Multitud, copia o abundancia de una cosa. • Suceso repentino. • Ocurrencia. • Latido del corazón. • fig. Disgusto. • Desgracia, infortunio. • Pestillo de golpe, y puerta provista de este pestillo. • Entre jardineros, número de pies que se plantan en un hoyo. • Hoyo en que se pone la semilla o la planta. • En el juego de trucos y de billar, lance en que se hacen algunas rayas. • Cartera, trozo de tela que cubre el bolsillo. • Adorno de pasamanería en una pieza de vestir. • fig. Admiración, sorpresa. • fig. Postura al juego con la cual se acierta. • *Méx.* Mazo de hierro. • *Ven.* Aire popular. • *Ven.* Trago de licor. • **de Estado.** Acto violento por el que se toma el poder de un Estado. • **de fortuna.** Suceso extraordinario que sobreviene de repente. • **de gracia.** El que se da pa-

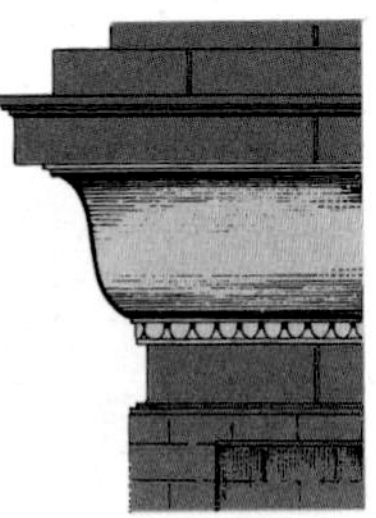
Gola

Golden Gate

Jugadores de **golf** en un grabado inglés del s. XVIII, París, colección particular

Golondrina

ra rematar al que está mortalmente herido. • **de mar.** Ola fuerte que quiebra en las embarcaciones, islas, peñascos y costas del mar. • **de tos.** Acceso de tos. • **de vista.** Galicismo por ojeada, mirada. • Apreciación rápida de una cosa. • **Dar el golpe.** Tratándose de delincuentes, ejecutar el delito que tenían proyectado. ■ GOLPAZO; GOLPEAR; GOLPETO; GOLPEADURA; GOLPEO; GOLPETEAR; GOLPETEO.

Góndola veneciana

GOLPEADERO m. Parte donde se golpea mucho. • Sitio en que choca el agua cuando cae desde alto. • Ruido que resulta de golpear.

GOLPEADOR, RA adj. y s. Que golpea. • m. *Argent., Chile y Col.* Aldaba de las puertas.

GOLPETE m. Palanca de metal para mantener abierta una hoja de puerta o ventana.

GOLPISMO m. Actitud favorable a los golpes de Estado. ■ GOLPISTA.

GOLPIZA f. *Amér.* Paliza, zurra.

GOMA f. Sustancia viscosa que fluye de diversos vegetales. • Tira de goma elástica a modo de cinta. • Tumor esférico, gralte. sifilítico. • Condón. • *Amér. Centr.* Malestar después de una borrachera. • **arábiga.** La que producen ciertas acacias muy abundantes en Arabia. • **de borrar.** La elástica, preparada para borrar el lápiz o la tinta. • **de mascar.** Chicle. • **elástica.** Caucho. ■ *Amér.* GOMAL.

GOMECILLO m. fam. Lazarillo.

GOMEL C. en la república de Bielorrusia. Sit. a orillas del río Sozh; 248 000 hab. Ind. del automóvil, de maquinaria textil, maderera.

GOMENSORO, *Tomás* (1810-1900) Político ur. Presid. provisional de la Rep. (1872-1873).

GOMERA f. *Amér.* Tirador para disparar pequeños proyectiles.

GOMERA, *La* Mun. de Guatemala, en el dpto. Escuintla; 28 868 hab. Ganadería.

GOMERA, *La* Isla esp. de las Canarias, prov. de Santa Cruz de Tenerife; 354 km^2, 19 340 hab. Cap., San Sebastián de la Gomera. Plátanos, tomates y patatas.

GOMERO, RA adj. y s. De La Gomera. • adj. Relativo a la goma. • s. *Argent.* Persona que explota la ind. de la goma.

GOMES, *Carlos* (1836-1896) Compositor bras. Su ópera *Il Guarany* se estrenó en la Scala de Milán en 1870 con gran éxito. • ***Diego*** (s. XV) Navegante port. Descubrió el río Gambia.

GÓMEZ, *José Miguel* (1858-1921) Político cub. Presid. de la Rep. (1909-1913). En 1917 intentó derrocar a García Menocal. • ***Juan Vicente*** (1859-1935) Político ven. Presid. de la Rep. desde 1910 hasta su muerte, salvo en los períodos 1914-1922 y 1929-1931. • ***Laureano*** (1889-1965) Político y periodista col. Presid. en 1950 y en 1953. • ***Máximo*** (1836-1905) Patriota cub., héroe de la independencia de su país. Dirigió la insurrección de Oriente en 1871 y fue nombrado jefe de las fuerzas revolucionarias (1876). Inició con Maceo, Martí y García la insurrección de 1895, que puso fin a la dominación esp. • **Carrillo, *Enrique*** (1873-1927) Escritor y periodista guat. Colaboró en el *Liberal* y en el *ABC* madrileño. *El Japón heroico y galante.* • **Carrillo, *Manuel*** (1883-1968) Escritor y folklorista arg. Recopiló danzas y canciones del norte de Argentina. • **De Avellaneda, *Gertrudis*** → Avellaneda, Gertrudis Gómez de. • **De Mora, *Juan*** (1580-1648) Arquitecto barroco esp. Autor de la Plaza Mayor de Madrid y del Alcázar de Madrid. • **De La Serna, *Ramón*** (1888-1963) Escritor esp., conocido también como RAMÓN. Cultivó, entre otros gén. literarios, uno de su invención, la *greguería,* que definió como síntesis de humorismo y metáfora. *El torero Caracho, La mujer de ámbar, La viuda blanca y negra, El Rastro, Ramonismo, Retratos contemporáneos, Greguerías.* • **Farias, *Valentín*** (1781-1858) Político mex. Vicepresid. con Santa Anna (1833-1834, 1846-1847), asumió la presid. durante las ausencias de éste. Se distinguió por su política liberal. • **Manrique** → Manrique, Gómez. • **Moreno, *Manuel*** (1870-1970) Arqueólogo e historiador del arte esp. *Arte mudéjar toledano, Iglesias mozárabes, La escultura del Renacimiento en España.* • **Pedraza, *Manuel*** (1789-1851) Militar y político mex. Combatió en el ejército realista hasta 1821. Elegido presid. en 1828 no pudo desempeñar su cargo a causa del motín de la Acordada. • **Restrepo, *Antonio*** (1869-1947) Poeta y crítico col. *Historia de la literatura colombiana.*

Luis de **Góngora y Argote**

GÓMEZ PALACIO C. de México, en el est. de Durango; 110 215 hab. Fundaciones, centro comercial.

GOMIA f. Tarasca. • fig. y fam. Persona que come con voracidad. • fig. y fam. Lo que consume y aniquila.

GOMINA f. Fijador del cabello.

GOMISTA com. Persona que trafica en objetos de goma.

GOMORRA → Sodoma.

GOMORRESINA f. Jugo lechoso que fluye de varias plantas.

GOMOSIS f. Enfermedad de ciertos frutales debida a condiciones desfavorables del ambiente. Se manifiesta por un exudado mucilaginoso en ramas y tronco.

GOMOSO, SA adj. Que tiene goma o se parece a ella. • adj. y s. Que padece gomas. • m. Petimetre. ■ GOMOSERÍA; GOMOSIDAD.

GOMRINGER, *Eugéne* (nacido 1925) Escritor suizo en lengua al. *Constelaciones, El libro de las horas, Palabras son sombras.*

GOMULKA, *Wladislaw* (1905-1982) Político pol. Secretario general del partido comunista polaco (1943-1948) y viceprimer ministro de 1945 a 1947. Acusado de nacionalismo y expulsado del partido en 1949. En 1956 se le rehabilitó y reasumió la secretaría general, que abandonó en 1970.

GÓNADA o **GONADA** f. Órgano del aparato reproductor de los animales en el que se forman y liberan los gametos. Las g. que producen óvulos reciben el nombre de *ovarios* y las que producen espermatozoides, el de *testículos.*

GONADOTROPINA f. *Fisiol.* Hormona gonadotrópica. Se distinguen las hipofisarias de las coriónicas, segregadas por las células coriónicas de la placenta y excretadas en la orina de las hembras embarazadas.

GONÇALVES, *Nuno* (s. XV) Pintor port. Probable autor del *Políptico de San Vicente,* en Lisboa. • ***Vasco*** (nacido 1921) Militar y político port. Uno de los prales. dirigentes del levantamiento militar contra M. Caetano (1974). Primer ministro en 1974. Dimitió en 1975. • **Dias, *Antonio*** (1832-1864) Poeta romántico bras. *Los timbiras, El que debe morir.*

GONCE m. Gozne o pernio. • Articulación de los huesos. ■ GONCEAR.

GONCOURT, *Edmond* (1822-1896) Novelista naturalista fr. Escribió en colaboración con su hermano **Jules** (1830-1870) parte de sus obras, entre ellas *Germinia Lacerteux* y la comedia *Henriette Maréchal.* Edmond escribió el *Journal* y fundó la Academia Goncourt, que otorga el premio hom.

GONDI m. *Ling.* Lengua dravídica hablada en Decán (India) por 2 000 000 de personas.

GÓNDOLA f. Embarcación veneciana, larga, esbelta y con la proa y la popa elevadas. • *Chile* y *Col.* Ómnibus. ■ GONDOLERO.

GONDRA, *Manuel* (1872-1927) Político y escritor par. Presid. de la rep. en 1910, fue derrocado por el coronel Jara, pero recuperó el poder y gobernó entre 1920 y 1921.

GONDWANA Región montañosa de la India, rica en hulla. Cap., Nagpur. Pertenece, según algunas teorías, a un continente que durante la era primaria habría reunido en un mismo bloque India, África, Madagascar, Australia, Amér. del Sur y la Antártida.

GONG o **GONGO** m. Instrumento de percusión formado por un disco rebordeado de una aleación metálica muy sonora. Se toca golpeándolo con una maza. • *Aeron.* Ruido que produce el vuelo de un avión cuando sobrepasa la velocidad del sonido.

GÓNGORA y Argote, *Luis de* (1561-1627) Poeta esp., nacido en Córdoba. En su obra se distinguen dos vertientes: la culta y la popular. A la primera corresponde la creación del culteranismo, representado por *Soledades, Fábula de Polifemo y Galatea* y el *Panegírico al duque de Lerma.* La vertiente popular fue la que le dio fama. *Dejadme llorar, orillas del mar, Ande yo caliente, Amarrado al duro banco, Servía en Orán al Rey, Hermana Marica.* Dentro del género caballeresco, *Angélica y Medoro* representa el equilibrio entre lo popular y lo clásico; la *Fábula de Píramo y Tisbe* es una incursión en el gén. burlesco. Sonetos: *Ilustre y hermosísima María.*

GONGORINO, NA adj. Relativo a la poesía de Góngora.

GONGORISMO m. Culteranismo.

GONIDIO m. *Bot.* Alga cianofícea o clorofícea que interviene en la constitución del talo de los líquenes.

GONIA f. *Zool.* Primera célula germinal que se encuentra antes de iniciarse la gametogénesis. • *Bot.* Cualquier célula reproductiva, sexuada o asexuada.

GONIOMETRÍA f. *Metrol.* Rama de la tecnología que se ocupa de la medición de los ángulos. • *Aeron.* Método radioeléctrico de navegación con ayuda del goniómetro y un compás magnético.

GONIÓMETRO m. Instrumento para medir ángulos.

GONOCOCO m. Bacteria productora de la gonorrea o blenorragia. ■ GONOCOCIA.

GONODUCTO m. Conducto que forma parte del aparato reproductor de los animales bilaterales y que comunica el celoma con el exterior.

GONÓFORO m. *Bot.* Prolongación del tálamo entre la corola y los estambres. • *Zool.* Pólipo reproductor de una colonia de hidrozoos.

GONORREA f. Flujo mucoso de la uretra.

GONZAGA, ***Tomás Antonio*** (1744-1810) Poeta romántico bras. *Marilia de Dircea.*

GONZÁLEZ, ***Joaquín Víctor*** (1863-1923) Jurista, escritor y estadista arg., destacado reformador de la educación y fundador de la universidad de La Plata (1905). Gobernador de la prov. de La Rioja, ministro del Interior, de Justicia y de Relaciones Exteriores. • ***Juan Francisco*** (1853-1933) Pintor chil., romántico. Pintó paisajes, flores y cabezas femeninas. • ***Julio*** (1876-1942) Escultor cubista esp. *Hombre cactus, La Montserrat.* • ***Manuel*** (1833-1893) Militar y político mex. Hombre de confianza de Porfirio Díaz, fue presid. de la Rep. entre 1880 y 1884. • ***Pablo*** (1879-1950) Militar y político mex. Participó en las insurrecciones de Madero y constitucionalista. Tras la Convención de Aguascalientes, se inclinó por los carrancistas, se sublevó en 1920 contra el presid. De la Huerta y fue desterrado. • **Anaya,** ***Salvador*** (1879-1955) Poeta y novelista costumbrista esp. *Sangre de Abel, Las brujas de la ilusión.* • **Blanco,** ***Andrés*** (1888-1924) Crítico esp. Dirigió una edición de las *Obras completas* de Rubén Darío. Autor de *Historia de la novela en España* y *Escritores representativos de América.* • **Bravo,** ***Luis*** (1811-1871) Político esp. Presid. del gobierno en 1843 y 1868. • **Casanova,** ***Pablo*** (nacido 1922) Sociólogo mex. Profesor y rector de la Universidad autónoma de México (1970-1972). *La ideología norteamericana sobre inversiones extranjeras.* • **Dávila,** ***Gil*** (h. 1480-h. 1526) Conquistador esp. Exploró Nicaragua y Honduras y se enfrentó a los intereses de Cortés, por lo que tuvo que regresar a España. • **De Amezúa,** ***Agustín*** (1881-1956) Erudito esp., autor de notables estudios sobre el Siglo de Oro y Lope de Vega. • **Gamarra,** ***Francisco*** (1890-1972) Pintor y músico per. Acuarelas y retratos. Medalla de oro en la exposición internacional de París, 1937. Premio Ignacio Merino. Premio Nacional de música, 1959. • **Garza,** ***Roque*** (1885-1962) Político y militar mex. Luchó junto a Madero y, tras el asesinato de éste, se unió a Villa. Presid. de la Rep. de enero a junio de 1915. • **León,** ***Adriano*** (nacido 1931) Escritor ven. Destaca los aspectos negativos de la sociedad venezolana: *Las hogueras más altas, Asfalto-Infierno, Hombre que daba sed y País portátil.* • **Macchi,** ***Luis Ángel*** (nacido 1947) Político par. Accedió a la presid. de la Rep. en marzo de 1999 tras la dimisión de Raúl Cubas. • **Márquez,** ***Felipe*** (nacido 1942) Político esp. Secretario general del PSOE (1976-1997) y presid. del gobierno en 1982, consiguió así mismo la victoria en 1986, 1989 y 1993, pero fue derrotado en 1996. • **Olaechea,** ***Max*** (1869-1946) Médico per. Impartió la enseñanza de la semiología del sistema nervioso. Autor de trabajos sobre patología y clínica del sistema nervioso, renal y cardiovascular. • **Prada,** ***Manuel*** (1848-1918) Escritor y político per. En 1886 fundó el Círculo literario de Lima. *Exóticas, Baladas peruanas, Libertarias.* • **Ruano,** ***César*** (1903-1966) Escritor y periodista esp., colaborador de *ABC. Siluetas de escritores contemporáneos.* • **Valencia,** ***Ramón*** (1851-1928) Militar y político col. Vicepresid. bajo el mandato de Rafael Reyes, al ser depuesto éste ocupó la presidencia interinamente (agosto 1909-agosto 1910). • **Videla,** ***Gabriel*** (1898-1980) Político chil. Presid. de la Rep. (1946-1952). En 1975 aceptó colaborar con el régimen de Pinochet. • **Vázquez,** ***Cleto*** (1858-1937) Político costarric. Presid. de la Rep. en dos legislaturas de 4 años (1906 y 1928).

GONZÁLEZ Mun. de México, en el est. Taumalipas; 24 351 hab. Cereales.

GONZALITO m. *Col.* y *Ven.* Cacique, pájaro de bello plumaje.

GONZALO de Córdoba → Fernández de Córdoba.

GOODMAN, ***Nelson*** (nacido 1906) Filósofo norteam. *Los lenguajes del arte, Formas de crear mundos.* • ***Benny*** (1909-1986) Músico y compositor norteam., virtuoso del clarinete. Lideró una de las *big-bands* más populares de los años 30.

GOODYEAR, ***Charles*** (1800-1860) Inventor norteam. Introdujo la vulcanización del caucho.

GORAKHPUR C. del N de la India, en el est. de Uttar Pradesh, a orillas del Rapti; 290 000 hab. Centro com. e ind. Universidad.

GORBACHOV, *Mijail* (nacido 1931) Político sov. Secretario general del Partido Comunista, en 1985. Su aperturismo *(perestroika)* permitió la democratización de la URSS y los países del Este, y supuso el fin de la guerra fría, por lo que le fue concedido el Premio Nobel de la Paz en 1990. Elegido presid. de la URSS, la eclosión de los nacionalistas en las rep. sov. debilitó su posición y, tras la creación de la CEI (1991), dimitió.

GORBETEAR intr. *Méx.* Picotear el caballo.

GORBIÓN m. Gurbión, tela de seda.

GORDAL adj. Que excede en gordura a las cosas de su especie.

GORDANA f. Grasa de res.

GORDIANO I, ***Marco Antonio*** (h. 157-238) Emperador rom. [238]. Se suicidó al ser vencido por el legado del emperador Maximino. • **II,** ***Marco Antonio*** (192-238) Emperador rom. Su padre Gordiano I le asoció al título imperial combatiendo contra el legado de Maximino. • **III,** ***Marco Antonio*** (h. 223-244) Emperador rom. [238-244], nieto de Gordiano I y sobrino de Gordiano II. Venció a los persas y los expulsó de Etiopía.

GORDIFLÓN, NA o **GORDINFLÓN, NA** adj. fam. De gordura fofa.

GORDIMER, ***Nadine*** (nacida 1923) Novelista sudafricana, en inglés. Refleja las difíciles relaciones de las etnias en la Rep. Sudafricana. *Hay algo, ahí fuera.* Premio Nobel de Literatura en 1991.

GORDO, DA adj. Que tiene muchas carnes. • Muy abultado y corpulento. • Basto. • Que excede del grosor corriente. • m. Sebo o manteca del animal. • *Perú.* Moneda de cobre de dos centavos. • f. *Méx.* Tortilla de maíz gruesa.

GORDOLOBO m. Planta vivaz escrofulariácea, con hojas blanquecinas, gruesas y oblongas.

GORDON, ***Charles George*** (1833-1885) General brit. Gobernador de Sudán al servicio del gobierno egipcio (1877-1879). Fue sitiado en Jartum (marzo 1884-enero 1885) y muerto por los rebeldes sudaneses. • ***Richard*** (nacido 1929) Astronauta norteam. Del 12 al 14 de septiembre de 1963 realizó, junto con Conrad, un vuelo en el *Gemini 11.*

GORDONITA f. *Miner.* Fosfato hidratado de aluminio y magnesio, que cristaliza en el sistema triclínico.

GORDURA f. Tejido adiposo que existe entre los órganos. • Abundancia de carnes y grasas en per-

Luis **González Bravo**

Felipe **González Márquez**

Reunión presidida por Mijail **Gorbachov** en la que las potencias aliadas renunciaron a la soberanía sobre Berlín (1990)

Nadine **Gordimer**

Gorgojo

Gorila

Máximo **Gorki**

Gorrión

sonas y animales. • *Argent.* y *P. Rico.* Crema de la leche.
GORE, *Albert*, llamado AL (nacido 1948) Político estadoun. Senador por Tennesse (1984-1992) y vicepresidente durante el mandato de Bill Clinton (1993-2000). Concurrió a las elecciones presidenciales de 2000 como candidato del Partido Demócrata.
GORGA f. *Cet.* Alimento para las aves.
GORGIAS (s. V-IV a. C.) Filósofo y retórico sofista gr., *De la naturaleza o del no ser.*
GORGOJO m. *Zool.* Insecto coleóptero, fitófago, de la familia curculiónidos. Se conocen casi 300 000 especies, muchas de las cuales atacan plantas útiles al hombre. • fig. y fam. Persona muy pequeña. ■ GORGOJARSE; GORGOJERA; GORGOJOSO, SA.
GORGOLO m. *Amér.* Guiso de albóndigas.
GORGÓN m. *Col.* Hormigón.
GORGONAS *Mit. gr.* Las tres hijas de Forco y de Ceto: Medusa, Esteno y Euríale. ■ GORGÓNEO, A.
GORGORÁN m. Tela de seda con cordoncillo.
GORGOREAR intr. Gorgoritear.
GORGORITA f. Burbuja pequeña. • fam. Gorgorito. Se usa más en pl.
GORGORITO m. fam. Quiebro que se hace con la voz en la garganta. Se usa más en pl. ■ GORGORITEAR.
GÓRGORO m. *Méx.* Burbuja, gorgorita.
GORGOROTADA f. Porción de cualquier licor, que se bebe de un golpe.
GORGOTEO m. Ruido producido por el movimiento de un líquido o un gas en el interior de alguna cavidad. ■ GORGOR; GORGOTEAR.
GORGOTERO m. Buhonero.
GORGUE m. *Méx.* Gorguz.
GORGUERA f. Adorno del cuello de lienzo plegado y alechugado. • Gorjal de la armadura. • *Bot.* Verticilo de brácteas de una flor.
GORGUZ m. Lanza corta. • Vara para coger piñas. • *Méx.* Puya de la garrocha.
GORIGORI m. fam. Voz con que vulgarmente se alude al canto lúgubre de los entierros.
GORILA m. Mamífero primate antropoide, de la familia póngidos, de gran tamaño, que habita en el África tropical.
GORJA f. Garganta.
GORJAL m. Parte de la vestidura del sacerdote que rodea el cuello.
GORJEAR intr. Hacer quiebros con la voz en la garganta, aplicado a la voz humana y a la de los pájaros. • prnl. *Amér.* Burlarse, bromear. • Empezar a hablar el niño. ■ GORJEO.
GORKI → Nizhnii Novgorod.
GORKI, *Máximo* Seud. de *Alexei Maximovitch Piechkov* (1868-1936) Escritor ruso. *Los bajos fondos, Los pequeños burgueses, La madre.* En *Los Artamonov* y *La vida de Klim Shanguin*, explica la revolución como consecuencia de la degeneración de la sociedad burguesa. *Mi infancia* y sus recuerdos autobiográficos *En el mundo* y *Mis universidades* constituyen obras capitales de la literatura rusa.
GORLOVKA C. de Ucrania, sit. en el E de esta rep.; 337 000 hab. Centro minero.
GORNO ALTÁI Rep. del estado de Rusia, en Siberia occidental; 92 600 km^2, 192 000 hab. Cap., Gorno-Altajsk. Constituye la parte SE del terr. de Altái, perteneciente a Rusia. Clima continental extremo. Densos bosques. Ganado ovino y vacuno. Minas de oro, mercurio, etc. Ind. maderera, textil.
GORNO BADAJSHÁN Prov. autónoma en el E de Tadjikistán; 63 700 km^2, 161 000 hab. Cap., Jorog. Región montañosa (7 495 m de alt. máx.). Clima continental. Ganadería, agricultura y minería. Anexionada a Rusia entre 1868 y 1895.
GOROBETO, TA adj. *Col.* Torcido, combado.
GOROSTIZA, *Carlos* (nacido 1920) Escritor arg. *El pan de la locura, Los prójimos.* • ***Celestino*** (1904-1967) Dramaturgo mex. *La escuela del amor, La Malinche.* • ***José*** (1901-1973) Poeta y diplomático mex. *Canciones para cantar en las barcas* y *Muerte sin fin.* • ***Manuel Eduardo de*** (1789-1851) Escritor mex. *Contigo, pan y cebolla, Don Dieguito.*
GORRA f. Prenda con visera para cubrir la cabeza. • m. fig. Gorrón. • **de g.** loc. adv. fam. A costa ajena. • **de plato.** La de visera que tiene una parte cilíndrica de poca alt. y, sobre ella, otra más ancha y plana. ■ GORRERÍA; GORRERO, RA; GORRETADA.
GORREAR intr. fam. Comer, vivir de gorra. • *Ecuad.* Chicolear. • *Ecuad.* Darse al ocio. • tr. *Chile.* Hacer cornudo a uno.
GORRÍN m. Gorrino, cerdo. ■ GORRINERA; GORRINERÍA.
GORRINO, NA m. y f. Cerdo pequeño. • Cerdo. • fig. Persona desaseada.
GORRIÓN m. Diversas aves paseriformes de la familia ploceidos. Son pequeñas, de forma rechoncha y pico cónico, adaptadas al régimen granívoro, aunque se alimentan también de insectos. • *Amér. Centr.* Pájaro mosca o colibrí.
GORRIONA f. Hembra del gorrión.
GORRIONERA f. fig. y fam. Guarida de gente maleante.
GORRISTA adj. y s. Gorrón.
GORRO m. Pieza para cubrir la cabeza. • **catalán.** Barretina. • **frigio.** El que usaban los ant. frigios, emblema de la libertad de los revolucionarios fr. de 1793 y luego de los republicanos esp.
GORRÓN, NA adj. y s. Que tiene por hábito comer, vivir o divertirse a costa ajena. • f. Ramera. • m. Hombre perdido y enviciado. • *Amér. Centr.* Egoísta. • Guijarro pelado y redondo. • Chicharrón de la grasa del cerdo. • *Mec. apl.* Espiga en que termina el extremo inferior de un árbol vertical para servirle de apoyo y facilitar su rotación.
GORRONAL m. Guijarral.
GORRONERÍA f. Cualidad o acción de gorrón. • Avaricia, egoísmo.
GORULLO m. Pella de lana, engrudo, etcétera.
GOSCINNY, *René* (1926-1977) Guionista de cómics fr. *Lucky Luke, Asterix el galo.*
GOSIPINO, NA adj. Díc. de lo que tiene algodón o se parece a él.
GOSPEL (voz ing.) m. Canto religioso de los negros de EE UU, desarrollado a partir de los años 30. Se remonta a los primeros tiempos de los esclavos negros en EE UU.
GOSSAERT, *Jan* (1480-h. 1525) Pintor flamenco, también llamado MABUSE. *Dánae, Pareja de ancianos.*
GOTA f. Partícula esferoidal desprendida de la masa de un líquido. • Enfermedad que causa hinchazón dolorosa en ciertas articulaciones. • *Arq.* Adorno en forma de lágrima, propio del entablamiento dórico. • **caduca.** Epilepsia. • **fría.** *Meteor.* Borrasca de pequeñas dimensiones originada en altura, entre 5 000 y 9 000 m, que se puede propagar hasta el suelo. • **serena.** Amaurosis. • **gota a gota.** m. adv. Poco a poco. • *Med.* Instilación continuada de un líquido en las venas o en el tejido subcutáneo.
GOTACIÓN f. *Ecol.* Exudación activa, propia de plantas higrófilas o acuáticas, realizada mediante unos estomas acuíferos, llamados hidatodos, situados gralte. en el borde de la hoja.
GOTEAR intr. Caer un líquido gota a gota. • Comenzar a llover a gotas espaciadas. • fig. Dar o recibir una cosa poco a poco. ■ GOTEO.
GÖTEBORG C. del SO de Suecia, cap. del län de Göteborg-Bohus; 431 900 hab. Sit. sobre el Kattegat, en la desembocadura del Göta. Primer puerto del país. Ind. textiles, metalúrgicas, de automóviles, refinería de petróleo. Astilleros. Centro financiero y comercial. Universidad.
GOTERA f. Filtración de agua de lluvia a través de un techo o pared. • Griseta, enfermedad de los árboles. • Cenefa que cuelga alrededor del dosel. • pl. *Amér.* Alrededores de una población.
GOTERERO m. *Amér.* Persona que va de mesa en mesa en los cafés.
GOTERO m. *Amér.* Cuentagotas.
GOTERÓN m. Gota grande de agua de lluvia. • *Arq.* Canal en la cara inferior de la corona de la cornisa.
GOTHA C. de Alemania; 57 573 hab. Esta c. fue cap. del ducado de Sajonia-Coburgo-Gotha hasta el año 1918. • **Almanaque de G.** Anuario publicado en G. por el Instituto Geográfico de Justus Perthes a partir de 1763.
GÓTICO, CA adj. Perteneciente a los godos. • Aplícase a lo escrito o impreso en letra gótica. • adj. y s. Arte que en la Europa occidental se desarrolla por evolución del románico desde el s. XII hasta el Renacimiento. El vocablo fue utilizado por vez primera por los humanistas del Renacimiento para designar el arte de la Baja E. Med. • adj. fig. Noble, ilustre. • m. *Ling.* Lengua germánica que hablaron los godos.

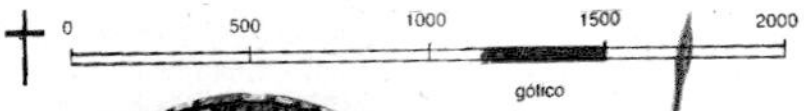

GÓTICO

1. El estilo gótico surgió en el siglo XII en Francia. Las catedrales, como la de Nôtre Dame de París, representan la más acabada expresión de su espíritu.
2. Peregrinos dirigiéndose a Canterbury en una vidriera del siglo XIII. Catedral de Canterbury, Inglaterra.
3. Aguamanil francés en forma de caballero. Museo Bargello, Florencia.
4. La estrecha y puntiaguda caligrafía gótica presenta la misma verticalidad que caracteriza a la arquitectura.
5. Campesinos, soldados y nobles constituían los pilares de la sociedad medieval.

* *Arq.* Sus inicios vienen señalados por el arco apuntado y la bóveda sobre crucería de ojivas. Fijadas las bases en las catedrales del N de Francia (Chartres, Amiens, Reims), el estilo g. evolucionó hasta llegar, en el s. XV, al *g. flamígero*, que presentaba una progresiva complicación en el trazado de los arcos de las aberturas, multiplicación de los nervios de la bóveda dando lugar a la bóveda estrellada, muy empleada en Alemania, y a la bóveda de abanico, cuyos mejores ejemplos se conservan en Inglaterra (catedral de Gloucester).

* *Esc.* Durante el s. XIII se observó una pérdida de la rigidez románica y una tendencia hacia un realismo idealizado. Los convencionalismos de lo curvilíneo fueron sustituidos en el s. XV por una fuerte corriente realista.

* *Pint. y artesanía.* En un primer momento se difundió desde Francia el g. lineal, inspirado en la técnica de las vidrieras: contornos redondeados y gruesos y colores planos, sin degradaciones tonales. En el s. XIV surgió una corriente italianizante, con un sentido mayor del volumen y de la proporción (Simone Martini, Giotto). La interpretación de las diversas tendencias desembocaría en el g. internacional. Al llegar el s. XV, la escuela flamenca dio a conocer la técnica del óleo (Van Eyck, Van der Weyden).

GOTINGA *(Göttingen)* C. de Alemania, sit. en la Baja Sajonia; 120 242 hab. Emplazada a orillas del Leine. Universidad (1737). Centro de investigación atómica.

GOTLAND Isla de Suecia, en el mar Báltico; 3 140 km^2, 56 840 hab. Cap., Visby. Clima suave. Cereales. Ovinos y vacunos. Pesca.

GOUACHE (voz fr.) m. Técnica de pintura.

GOULART, ***Joâo Belchior*** (1918-1976) Político bras. Vicepresid. en 1955 y 1960; al dimitir Quadros ocupó la presid. Fue derrocado en 1964.

GOULD, ***banda de*** Nombre de un conjunto de estrellas, polvo y gas, que forma un círculo con una inclinación de aproximadamente 18° en relación a la Galaxia.

GOULED APTIDON, ***Hassan*** (nacido 1916) Político de Djibuti. Desde 1977, presid. de la Rep. y jefe de las fuerzas armadas.

GOUNOD, ***Charles*** (1818-1893) Compositor romántico fr. *Fausto, Romeo y Julieta.*

GOURMET (voz fr.) com. Persona aficionada a comer bien y entendida en vinos y manjares.

GOYA Pob. de Argentina, en la prov. de Corrientes; 39 367 hab. Agricultura.

GOYA y Lucientes, ***Francisco José de*** (1746-1828) Pintor y grabador esp. Supo captar los rasgos esenciales de sus personajes con una sinceridad sorprendente. (*La maja desnuda, La condesa de Chinchón*). En 1789 fue nombrado pintor de cámara de Carlos IV; su creciente sordera le obligó a concentrarse en sí mismo (*Caprichos*). Desde 1799 hasta el inicio de la guerra de la Independencia, culminó su arte como retratista (*La familia de Carlos IV*). Su observación directa de la guerra (1808-1814) le llevó a representar episodios como *Los Fusilamien-*

La Virgen con el Niño, tabla de Jan **Gossaert.** Museo del Prado, Madrid

La nevada, cartón para tapiz de Francisco José de **Goya y Lucientes**

tos y *El Dos de Mayo*; grabó *Los Desastres de la Guerra* y la serie sobre la *Tauromaquia*. En los *Disparates* aparece su interés por lo fantástico. ■ GOYESCO, CA.

GOYENECHE, *José Manuel de* (1776-1846) Militar esp. Gobernador de Cuzco.

GOYORÍ m. *Cuba*. Rosetas de maíz.

GOYTISOLO, *José Agustín* (1928-1999) Poeta esp., autor de una obra de gran carga autobiográfica. *Años decisivos, Palabras para Julia, Final de un adiós, La noche le es propicia*. • ***Juan*** (nacido 1931) Novelista y ensayista esp. *Juegos de manos, La resaca, Fin de fiesta, El furgón de cola, Juan sin Tierra, Carajicomedia*. • ***Luis*** (nacido 1935) Novelista y ensayista esp. *Los verdes de mayo hasta el mar, Estela del fuego que se aleja, Fábulas, Estatua con palomas*. Premio Nacional de Narrativa 1992.

GOZAR intr. y prnl. Experimentar gozo. • tr. e intr. Tener alguna cosa útil o beneficiosa. • tr. Poseer sexualmente a alguien.

GOZNE m. Herraje con que se fijan puertas y ventanas al quicial para que giren. • Bisagra.

GOZO m. Sentimiento de alegría y placer. • fig. Llamarada que levanta la leña menuda y seca cuando se quema. • pl. Composición poética en loor de la Virgen o de los santos. ■ GOZOSO, SA.

GOZQUE adj. y s. Díc. del perro pequeño muy ladrador.

GOZZOLI, *Benozzo* (1420-1497) Pintor florentino. Autor de frescos. *Cortejo de los Reyes Magos* (palacio de los Médicis).

Triunfo de santo Tomás de Aquino, tabla atribuida a Benozzo **Gozzoli**

GPU Siglas de *Gosudarstvennoye Politickeskoye Upravlenie*, policía secreta rusa.

GRABADO m. Técnica artística para reproducir un dibujo, y cuya finalidad es la multiplicación gráfica. • Estampa producida por medio de la impresión de láminas grabadas. • **al agua fuerte**. Procedimiento en que se emplea la acción del ácido nítrico sobre una lámina de metal. • **al agua tinta**. El que se hace cubriendo la lámina con polvos de resina, que quedan después grabados mediante la acción del agua fuerte. • **a media tinta**. Grabado al agua tinta. • **a puntos,** o **punteado**. El que resulta de dibujar los objetos con puntos hechos a buril. • **de estampas,** o **en dulce**. El que se hace en planchas de acero, cobre o madera, o sobre otra materia que reciba la huella del buril con sólo el impulso de la mano del artista. • **en fondo,** o **en hueco**. El que se ejecuta sobre planchas metálicas en las que las partes rebajadas son las que se llenan de tinta y las que dan los trazos y sombras (agua fuerte, agua tinta, heliograbado, etc.). • **sobre madera** (o xilografía). El que se realiza sobre madera, en cuyo caso se entinta la superficie de la talla y se aplica sobre la misma un papel para obtener una calca del grabado.

GRABAR tr. Señalar con incisión o abrir y labrar en hueco o en relieve sobre una superficie, un letrero, figura, etc. • tr. y prnl. fig. Fijar una impresión profundamente en el ánimo. • tr. Registrar los sonidos por medio de un disco, cinta magnetofónica, etc., de manera que se puedan reproducir. • *Comp.* Copiar información de una unidad de almacenamiento a otra. ■ GRABACIÓN; GRABADOR, RA; GRABADURA.

GRABAZÓN f. Adorno sobrepuesto formado de piezas grabadas.

GRABBE, *Christian Dietrich* (1801-1836) Dramaturgo al., creador de un teatro popular y realista. *Mario y Sila, Napoleón o los Cien Días*.

GRACEJADA f. *Amér. Centr.* Payasada, bufonada.

GRACEJAR intr. Hablar o escribir con gracejo.

GRACEJO m. Gracia. • *Guat.* Payaso.

GRACIA f. Actitud amistosa o protectora hacia alguien. • *Rel.* Ayuda sobrenatural concedida por Dios a los hombres. • Don natural que hace agradable a la persona. • Atractivo que se advierte en la fisonomía de algunas personas. • Concesión gratuita. • Afabilidad en el trato con las personas. • Garbo en la ejecución de una cosa. • Chiste, dicho agudo. • Indulto que concede el rey. • Nombre de cada uno. • pl. *Mit.* Divinidades latinas, hijas de Venus. • **Caer en g.** Agradar, complacer. ■ GRACIABLE.

GRACIÁN, *Baltasar* (1601-1658) Escritor esp., de estilo conceptista. *Agudeza y arte de ingenio, El criticón*.

GRACIAS C. de Honduras, cap. del dpto. de Lempira; 3 854 hab. Cereales.

GRACIAS A DIOS Cabo de la costa E de América Central, entre Nicaragua y Honduras. • Dpto. del E de Honduras; 16 997 km², 51 410 hab. Cap., Puerto Lempira.Clima cálido y húmedo. Productos agrícolas tropicales. Oro, plata, plomo, níquel.

GRÁCIL adj. Sutil, delgado o menudo. ■ GRACILIDAD.

GRACIOLA f. Hierba vivaz escrofulariácea, con flores en forma de embudo, blancas o amarillentas.

GRACIOSIDAD f. Hermosura o perfección de una cosa. • Chiste, ocurrencia.

GRACIOSO, SA adj. Aplícase a la persona o cosa que tiene gracia o que es aguda. • Que se da de balde o de gracia. • Dictado de los reyes de Inglaterra.

GRACO, *Cayo Sempronio* (154-121 a. C.) Político romano. Restauró la ley agraria e implantó una política destinada a limitar los privilegios senatoriales en favor de los caballeros y la plebe. • ***Tiberio Sempronio*** (h. 162-133 a. C.) Político romano. Propuso la repartición de las tierras estatales.

GRADA f. Peldaño. • Asiento a manera de escalón corrido. • Tarima que se suele poner al pie de los altares. • Reja o locutorio de los monasterios de monjas. • Instrumento para allanar la tierra después de arada. • *Mar.* Plano inclinado hecho de cantería, sobre el cual se construyen o carenan los barcos. • pl. Escalinata delante de un edificio. • *Amér.* Atrio, espacio ante un edificio. • *Ecuad.* Escalera. ■ GRADADO, DA; GRADERÍO.

GRADACIÓN f. Serie de cosas ordenada gradualmente. • Periodo armónico musical que va subiendo de grado en grado. • Figura poética y retórica que ofrece una serie de ideas en progresión ascendente o descendente en su significación.

GRADAR tr. Allanar con la grada la tierra después de arada. ■ GRADEO.

GRADECILLA f. *Arq.* Ánulo, anillo de la columna.

GRADIENTE m. *Fís.* y *Mat.* Término que significa incremento de una magnitud cuando varía entre dos puntos según una dirección determinada. • f. *Amér.* Pendiente, declive, subida, repecho. • **geotérmico.** *Geof.* Núm. de grados centígrados que aumenta la temperatura en el interior de la Tierra por cada cien metros de profundidad.

GRADILLA f. Escalerilla portátil. • Marco para fabricar ladrillos. • Soporte en que se colocan los tubos de ensayo en los laboratorios.

GRADINA f. *Esc.* Cincel dentado.

GRADIOLO o **GRADÍOLO** m. Gladiolo, planta.

GRADO m. Peldaño. • Cada una de las generaciones que marcan el parentesco entre las personas. • fig. Cada uno de los diversos estados o calidades que puede tener una cosa. • Unidad de medida de ciertos valores físicos. • Voluntad, gusto. • *Alg.* Núm. de orden que expresa el de factores de la misma especie que entran en un término o en una parte de él. • *Alg.* En una ecuación o en un polinomio reducidos a forma racional y entera, el del término en que la variable tiene exponente mayor. • *Der.* Cada una de las diferentes instancias que puede tener un pleito. • *Gram.* Manera de significar la intensidad relativa de los calificativos. • pl. Órdenes menores que se dan después de la tonsura. • **centesimal.** *Geom.* Unidad de medida de ángulos, la centésima parte de un cuadrante de circunferencia. • **sexagesimal.** *Geom.* Unidad de medida de ángulos, la nonagésima parte de un cuadrante de circunferencia.

GRADUACIÓN f. Número de grados que tiene una cosa o la proporción de ciertos componentes. • *Mil.* Categoría de un militar.

GRADUADO, DA adj. Díc. del sistema de enseñanza que agrupa a los alumnos por grados. • adj. y s. Díc. del que ha alcanzado un grado universitario. • adj. Dividido en grados. • *Mil.* Se aplica al que tiene grado superior a su empleo.

GRADUAL adj. Que está por grados o va de grado en grado. • m. Parte de la misa, que se reza entre la epístola y el evangelio.

GRADUAR tr. Dar a una cosa el grado que le corresponde. • Apreciar en una cosa el grado que tiene. • Dividir y ordenar una cosa en estados correlativos. • *Mil.* Conceder grado. • tr. y prnl. En las universidades, otorgar el grado y título de bachiller, licenciado o doctor. ■ GRADUADOR, RA.

Jesús cura a los enfermos, **grabado** de Rembrandt. Museo del Louvre, París

GRAFFITI (voz it.) m. pl. Grafitos, letreros o dibujos.

GRAFÍA f. Conjunto de letras o signos que se emplea para representar sonidos.

GRÁFICO, CA adj. y s. Aplícase a las descripciones, operaciones y demostraciones representadas por medio de figuras o signos. • adj. fig. Aplícase al modo de hablar que expone las cosas con la misma claridad que si estuvieran dibujadas. • m. y f. Representación gráfica de una relación cuantitativa propia de un fenómeno cualquiera. • Dibujo esquemático y lineal de una máquina, edificio, etcétera.

GRÁFILA o **GRAFILA** f. Orlita, gralte. de puntos o de líneas, que tienen las monedas en su anverso o reverso.

GRAFILADO m. *Tecnol.* Operación de mecanizado que consiste en grabar sobre superficies cilíndricas o esféricas un relieve geométrico pronunciado.

GRAFIO m. Instrumento con que se dibujan y hacen las labores esgrafiadas.

GRAFIOLES m. pl. Especie de melindres en figura de *s*.

GRAFISMO m. Cada una de las particularidades de la letra de una persona, o el conjunto de todas ellas. • Conjunto de técnicas artísticas y tipográficas en el campo de la comunicación visual escrita o pictórica.

GRAFISTA com. Diseñador gráfico.

GRAFITIZACIÓN f. *Metal.* Tratamiento térmico de la fundición gris, cuya finalidad es la transformación de todo el carbono combinado en grafito.

GRAFITO m. *Miner.* Mineral de textura compacta, color negro agrisado, lustre metálico y compuesto por carbono cristalizado en el sistema hexagonal. • Letrero o dibujo trazado o grabado en paredes u otras superficies resistentes.

GRAFO m. *Mat.* Gráfico. • *Mat.* Conjunto de puntos unidos entre sí por arcos orientados.

GRAFOLOGÍA f. Técnica de interpretación del carácter de una persona a través de su escritura. ■ GRAFÓLOGO, GA.

GRAFOMANÍA f. Manía de escribir.

GRAFÓMETRO m. Semicírculo que sirve para medir ángulos en las operaciones topográficas.

GRAGEA f. Pequeña porción de materia medicamentosa recubierta de una sustancia azucarada.

GRAHAM, ***Martha*** (1894-1991) Bailarina y coreógrafa norteam. *Lucifer, Adoraciones* (coreografía), *Los cuadernos de Martha Graham* (ensayo). • ***Thomas*** (1805-1869) Químico escocés. Estudió la difusión de los gases y el ácido fosfórico.

GRAJA f. Ave paseriforme de la familia córvidos, de color negro brillante, con la cara y el pico claros. Unos 45 cm de largo. ■ GRAJUNO, NA.

GRAJEA f. *Col.* Mostacilla.

GRAJEAR intr. Chillar los grajos o los cuervos. • Formar sonidos el niño que no sabe aún hablar.

GRAJILLA f. Ave paseriforme de la familia córvidos. Menor que la graja y con tonos grises en su plumaje negro, se halla en casi toda Europa.

GRAJO m. Graja, ave. • *Amér.* Olor desagradable que se desprende del sudor. • *Cuba.* Planta mirtácea de olor fétido. • *Col.* Escarabajo hediondo y nausebundo. ■ GRAJERO, RA; GRAJIENTO, TA.

GRAMA f. *Bot.* Planta medicinal gramínea, con el tallo rastrero, que echa raicillas por los nudos. ■ GRAMAL; GRAMOSO, SA.

GRAMAJE m. Peso del papel o del cartón, expresado en gramos por metro cuadrado.

GRAMALLA f. Cota de malla.

GRAMALOTE m. *Amér.* Hierba forrajera de la familia de las gramíneas.

GRAMÁTICA f. Ciencia que describe sistemáticamente y en su totalidad el lenguaje o las lenguas. • En sentido más restringido, disciplina que atiende a los aspectos sintácticos y morfológicos del lenguaje o de las lenguas. • **comparada.** La que estudia las relaciones que pueden establecerse entre dos o más lenguas. • **descriptiva.** La que sólo describe, sin fijar normas, y atiende a criterios formalistas; su campo se limita al estudio sincrónico de una lengua. • **estructural.** La que concibe el lenguaje como una realidad autónoma y formal, describiéndolo mediante un sistema de oposiciones. • **parda.** fam. Habilidad para manejarse, picardía. ■ GRAMATICAL; GRAMÁTICO, CA; GRAMATIQUEAR; GRAMATIQUERÍA.

* *Hist.* Suele considerarse que la g. nació en la Grecia clásica como una parte de la filosofía. Hasta bien entrada la E. Mod., la doctrina gramatical se atuvo a principios constantes y universales para explicar los fenómenos del lenguaje, con sus modelos intangibles en el latín y el gr. La gran innovación llegaría en la primera mitad del s. XX con F. de Saussure, quien profundizó la distinción entre lingüística diacrónica (transformación de la histórica) y sincrónica (de cierta semejanza con la tradicional, aunque con métodos nuevos); y, así mismo, entre lenguaje y habla. Sus estudios fueron ampliados por el círculo de Praga, creador de la fonología, la escuela de Copenhague, que desarrolló la glosemática, y las escuelas norteam., representadas por Sapir, Bloomfield y, en la dirección de la g. generativa, Chomsky.

GRAMATOLOGÍA f. *Ling.* Estudio de la escritura como elemento significativo de la cultura.

GRAMIL m. *Carp.* Instrumento para trazar en la madera líneas paralelas al canto de la pieza labrada.

GRAMILLA f. Tabla donde se colocan los manojos de lino o cáñamo para agramarlos. • *Argent.* Planta de la familia de las gramíneas, utilizada para pasto. • *R. de la Plata.* Césped.

GRAMINÁCEO, A adj. y f. *Bot.* Aplícase a plantas monocotiledóneas que tienen tallos cilíndricos, flores dispuestas en espigas y grano cubierto por las escamas de la flor.

GRAMÍNEO, A adj. y f. Gramináceo.

GRAMO m. *Fís.* Unidad de masa en el sistema cegesimal, igual a la milésima parte del kilogramo masa patrón.

GRAMÓFONO m. Aparato que reproduce el sonido grabado sobre un disco.

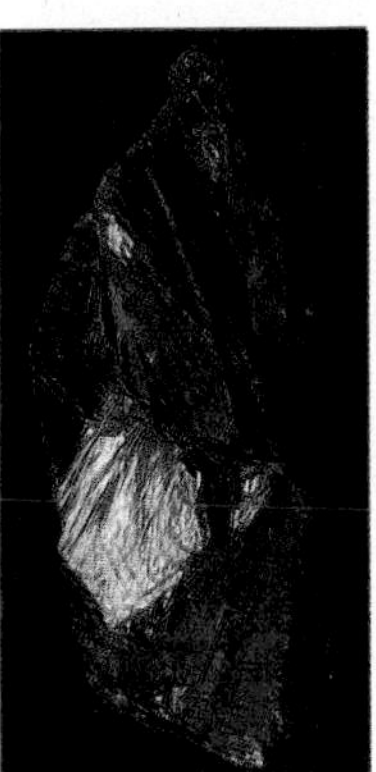

Grafito

Graja

Espigas de cebada, planta **gramínácea**

GRAMOLA f. Gramófono provisto de bocina interior, portátil o en forma de mueble.

GRAMPA f. Grapa.

GRAMPIN m. *Cuba.* Varios anzuelos atados.

GRAMSCI, ***Antonio*** (1891-1937) Pensador y político it. Fue uno de los fundadores del partido comunista italiano. *Cartas desde la cárcel, Introducción a la filosofía de la praxis, Los intelectuales y la organización de la cultura, El príncipe moderno, Cultura y literatura.*

GRAN adj. Apócope de grande. Sólo se usa antepuesto al nombre en singular. • Principal o primero en una clase.

GRAN ALIANZA, ***Guerra de la*** Lucha (1688-1697) entre Inglaterra, Holanda, España, Saboya, Suecia y el Sacro Imperio contra Francia, que había invadido Alemania. Derrotada Francia, en la paz de Ryswick tuvo que devolver los territorios ocupados y reconocer a Guillermo III como rey de Inglaterra.

GRAN BARRERA *(Great Barrier Reef)* Serie de arrecifes coralíferos de la costa E de Queensland (Australia); 260 000 km².

GRAN BRETAÑA E IRLANDA DEL NORTE, ***Reino Unido de*** *(United Kingdom of Great Britain and Northern Ireland)* Est. de Europa occidental; monarquía constitucional de carácter parlamentario; integrado por Inglaterra, Escocia, Gales e Irlanda del Norte o Ulster. Ocupa la totalidad del arch. brit., las pequeñas islas Anglonormandas y el sector NE de la isla de Irlanda.

* *Geog. fís.* Se diferencian dos grandes sectores en su terr.: el N y O, montañoso, aunque sus alineaciones no rebasen los 1 400 m; y el S y SE, de tierras llanas cuyos materiales sedimentarios originan relieves en cuesta. Los ríos, cortos y caudalosos, avenan grandes cuencas: en la vertiente oriental, destacan el Dee, el Trent, el Ouse y el Támesis; en la occidental, el Severn. La costa presenta numerosos y profundos estuarios al O. Clima oceánico, templado y húmedo; es muy frecuente la formación de nieblas. Vegetación de tipo atlántico.

* *Geog. econ.* El peso del sector primario recae más en la ganadería, favorecida por la abundancia y calidad de los pastos (47,6 % de la superficie), que en la agricultura, dedicada pralm. a la remolacha azucarera, el lúpulo, los cereales y las patatas. Pesca relevante. Las explotaciones hulleras se hallan hoy en regresión, compensada por las disponibilidades energéticas del petróleo submarino y del gas natural en Escocia y la plataforma continental del mar del Norte. También las ind. tradicionales (textil, siderometalúrgica, naval, automovilística) han sufrido una reconversión profunda, en tanto que se atiende al desarrollo de las modernas ramas químicas, aeronáutica y electrónica, alimentarias, etc. El com. exterior es primordial y está servido por una poderosa estructura bancaria y financiera.

* *Geog. humana.* Las corrientes migratorias de los países pobres de la Commonwealth han afincado en G.B. el mayor porcentaje de pob. no blanca del continente europeo. Otra fuerte proporción corresponde al grupo étnico irlandés. Lengua: ing. y gaélicas (escocesa y galesa). *Rel.*: anglicanismo y presbiterianismo (Escocia), fuerte minoría catól., islamismo entre los inmigrantes asiáticos y africanos. Cap., Londres. C. imp.: Birmingham, Manchester, Leeds, Glasgow y Liverpool.

* *Hist. El proceso de formación.* El sustrato más imp. de la Antigüedad lo aportaron las invasiones celtas del I milenio a. C. La dominación rom., iniciada en tiempos de César (55 a. C.), fue parcial. El cristianismo se introdujo en el s. III. A principios de la E. Med. fue conquistada por las tribus germ. de los jutos, sajones y anglos, que constituyeron diversos reinos (la heptarquía anglosajona), al cabo unificados (s. IX); en Gales subsistió un reducto céltico. El poder anglosajón periclitó ante las incursiones escandinavas. Eduardo III el Confesor restableció la autoridad anglosajona (1042), pero a su muerte el duque de Normandía, Guillermo I, desembarcó en la isla, derrotó en Hastings (1066) al nuevo rey Harold II y se hizo coronar soberano de

GRAN BRETAÑA

Recursos económicos	
Avena	600 000 t
Cebada	6 900 000 t
Lúpulo	4 400 t
Patatas	6 440 000 t
Remolacha azucarera	8 125 000 t
Tomates	132 000 t
Trigo	14 400 000 t
Ganadería y derivados	
Cabaña bovina	11 868 000 cabezas
Cabaña ovina	29 484 000 cabezas
Cabaña porcina	7 879 000 cabezas
Carne	3 453 000 t
Lana	47 227 t
Leche	14 668 000 t
Mantequilla	108 000 t
Queso	351 000 t
Riqueza forestal	11 285 000 m³
Pesca	953 948 t
Producción minera	
Carbón	47 717 000 t
Gas natural	71 114 millones de m³
Petróleo	119 030 000 t
Sal	4 009 000 t
Producción industrial	
Acero	17 600 000 t
Ácido sulfúrico	1 852 000 t
Aluminio	194 000 t
Automóviles	1 466 823 unidades
Azúcar	1 415 000 t
Caucho sintético	292 000 t
Cemento	11 916 000 t
Cerveza	58 300 000 hl
Cigarros	1 800 t
Cigarrillos	94 400 millones
Coque metalúrgico	8 329 000 t
Energía eléctrica	325 383 millones de kwh
Fertilizantes	803 000 t
Hierro (fundición)	12 062 000 t
Hilados de algodón	20 700 t
Hilados de lana	417 000 t
Materias plásticas	2 209 000 t
Plomo	176 000 t
Tractores	82 551 unidades
Indicadores sociológicos	
PNB	1 094 734 millones de dólares
Renta per cápita	18 700 dólares
Esperanza de vida	77 años
Alfabetismo	100 %

Gran Bretaña. Izquierda, edificio del Banco de Inglaterra, Londres; derecha, el río Clyde a su paso por Glasgow; abajo, mapa de situación y bandera

Gran Bretaña. Ayuntamiento de Cardiff, Gales

Gran Bretaña (División en países)

	Km²	*Población*	*Capital*	*Habitantes*
Inglaterra	130 439	48 708 000	Londres	6 966 800
Gales	20 768	2 913 500	Cardiff	260 600
Escocia	78 783	5 132 000	Edimburgo	420 200
Irlanda del Norte	14 120	1 642 000	Belfast	296 900
Isla de Man	588	73 000	Douglas	22 200
Islas del Canal	195	147 000	Saint Peter Port	16 100
GRAN BRETAÑA	244 883	54 700 000	Londres	6 966 800

Gran Bretaña. Derecha, escena de la guerra de los Cien Años. Abajo, Isabel I

Inglaterra. De este modo los reyes ing. pasaron a tener imp. posesiones en Francia, acrecentadas por los Plantagenet. Especial trascendencia tuvo el reinado de Juan sin Tierra, al cual los barones sublevados impusieron la *Carta Magna* (1215), pieza básica para la futura constitución del Parlamento. El conflicto latente con Francia se resolvió en la guerra de los Cien Años (ss. XIV y XV), que concluyó con la pérdida de las posesiones en suelo fr. excepto Calais. Le seguiría la guerra civil de las Dos Rosas entre las casas de York y de Lancaster, cuya beneficiaria fue la dinastía Tudor (1485).

* *La E. Mod. y el imperialismo brit.* La monarquía absoluta llegó con Enrique VIII, quien introdujo, además, la Reforma protestante; durante su reinado se remató la sujeción de Gales e Irlanda, iniciada en el Medievo. El protestantismo se consolidó con Isabel I. El s. XVII estuvo dominado por el conflicto entre el absolutismo monárquico y un naciente parlamentarismo sostenido por la burguesía y la pequeña nobleza. Los diversos episodios de la Revolución ing. (guerra civil y ejecución, en 1649, de Carlos I, dictadura de Cromwell, efímera restauración de los Estuardo) se saldaron con el triunfo del constitucionalismo, sancionado por la coronación de Guillermo III de Holanda (1688). En 1707, por el Acta de Unión, se fusionaron Inglatera y Escocia, constituyendo el Reino Unido de G.B. En 1714 fue entronizada la dinastía Hannover, bajo la cual la expansión económica y colonial compensó la pérdida de los terr. estadounidenses (indep. en 1776). Votada la unión con Irlanda en 1800, tras las guerras napoleónicas G.B. se convirtió en la primera potencia com. e industrial del mundo. Bajo la reina Victoria (1837-1901) culminó el imperialismo brit. Tras la I Guerra Mundial se reconoció el Estado libre de Irlanda (1921), pero reteniendo el Ulster. El estatuto de Westminster (1931) transformó el heterogéneo imperio en una asociación libre de países o Commonwealth. Tras la II Guerra Mundial, en que G.B. estuvo hábilmente conducida por W. Churchill, los EE UU tomaron el relevo en el predominio occidental.

* *Época contemporánea.* En 1952 subió al trono Isabel II. Durante su reinado prosiguió la alternancia en el gobierno de los partidos laborista (H. Wilson, J. Callaghan) y conservador (H. MacMillan, E. Heath), aunque en 1979 se inició un largo período de dominio de estos últimos, marcado por el mandato de Margaret Thatcher (hasta 1990), a la que siguió John Major. Finalmente, en 1997, los laboristas obtuvieron una amplia victoria electoral, y su líder, Tony Blair, fue nombrado Primer Ministro. Durante su mandato se concedió la autonomía a Gales y Escocia y se firmaron los acuerdos del Viernes Santo para la pacificación de Irlanda del N. La gestión de Blair fue refrendada en las elecciones generales de junio de 2001, en las que fue reelegido por amplia mayoría.

* *Arte.* Entre los s. VI y VIII, junto a la arquitectura religiosa, floreció el decorativismo en la orfebrería y la miniatura. Tras una etapa de influencias carolingias, arraigó el románico de raíz anglonormanda: catedrales de Lincoln y Durham. El gótico bajomedieval adoptó una serie de formas autóctonas que pueden seguirse en la catedral de Canterbury o en el *King's College* de Cambridge. En el período isabelino triunfó la simbiosis con las fórmulas renacentistas, pródigas en imágenes religiosas (sepulcro de Isabel I, 1606) y en la pintura retratista. En los siglos siguientes, las mejores realizaciones correspondieron a las escuelas pictóricas: Reynolds y Gainsborough en el s. XVIII, Turner y Constable en el s. XIX, a más de la eclosión del mov. prerrafaelita a fines de la misma centuria.

Monarcas de **Gran Bretaña** a partir de la dinastía Estuardo

Estuardos

1603-1625 Jacobo I de Inglaterra y VI de Escocia
1604 Unión personal de Inglaterra y Escocia
1625-1649 Carlos I
1649-1660 República (Oliverio Cromwell)
1660-1685 Carlos II
1685-1688 Jacobo II

Orange

1688-1702 Guillermo III
1702-1714 Ana
1707 Unión oficial de Inglaterra y Escocia bajo el nombre de Gran Bretaña

Hannover (Windsor desde 1917)

1714-1727 Jorge I
1727-1760 Jorge II
1760-1820 Jorge III
1801 Constitución del Reino Unido de Gran Bretaña e Irlanda
1820-1830 Jorge IV
1830-1837 Guillermo IV
1837-1901 Victoria
1901-1910 Eduardo VII
1910-1936 Jorge V
1922 Proclamación del Estado Libre de Irlanda (Eire)
1936 Eduardo VIII
1936-1952 Jorge VI
1952 Isabel II

El s. XX deparó la continua investigación de la plástica escultórica a cargo de Henry Moore, B. Hepworth, Paolozzi, Caro, etc. La pintura registró las experiencias poscubistas de B. Nicholson y P. Nash y las expresionistas de G. Sutherland y F. Bacon. Al mov. pop de los 50 sucedió el del arte conceptual, el llamado arte pobre y la nueva figuración.
* *Lit.* → inglés, sa, → galés, sa.

GRAN CANARIA Isla esp. del arch. canario, sit. entre las de Tenerife, al O, y Fuerteventura, al E; 1 533 km²; 520 000 hab. Cap., Las Palmas. De origen volcánico (alt. máx., Pozo de las Nieves, 1 949 m). Agricultura y ganadería. Turismo. Comercio.

GRAN CAÑÓN DEL COLORADO → Colorado, río.

GRAN CAPITÁN Sobrenombre de → Fernández de Córdoba, Gonzalo.

GRAN COLOMBIA, *República de la* Est. sudamericano constituido por Bolívar a raíz de su victoria en Boyacá (1819). Reunió a Venezuela, Ecuador y Colombia (1819-1830).

GRAN CORDILLERA DIVISORIA *(Great Dividing Range)* Alineación montañosa del E de Australia, desde la península del cabo York hasta la llanura litoral del estr. de Bass. Alt. máx.: Kosciusko (2 230 m).

GRAN CUENCA *(Great Basin)* Extensa región del O de EE UU, de más de 1 000 000 km², entre Sierra Nevada al O y los montes Wasatch al E. Clima semidesértico. Vegetación de tipo halófilo. Oro y plata.

GRAN LAGO SALADO Lago de EE UU, en el est. de Utah, sit. a 1 280 m, al pie de los montes Wasatch; 3 885 km².

GRANA f. Granazón. • Semilla menuda de varios vegetales. • Tiempo en que se cuaja el grano de trigo, lino, cáñamo, etc. • Cochinilla, insecto. • Quermes, insecto. • Excrecencia que el quermes forma en la coscoja y que produce color rojo. • Paño fino usado para trajes de fiesta. • *Bot.* Cada una de las zonas de los cloroplastos caracterizadas por su mayor contenido de clorofila.

GRANADA f. Fruto del granado. • Globo lleno de pólvora, con una espoleta que actúa de detonante, para arrojarla a mano. ■ GRANADERA.

GRANADA *(Grenada)* Est. insular americano, en el mar Caribe; asociado al Reino Unido, dentro de la Commonwealth; sit. en el arco de las Pequeñas Antillas, comprende la isla hom. y varias menores

GRANADA

Superficie	344 km²
Población	98 400 hab. (286 hab./km²)
Recursos económicos	
Bananas	9 000 t
Cacao	2 000 t
Nuez de coco	7 000 t
Pesca	1 635 t
Indicadores sociológicos	
PIB	271 millones de dólares
Renta per cápita	2 980 dólares
Esperanza de vida	71 años
Alfabetismo	85 %

del arch. de las Granadinas meridionales (Windward). Son de origen volcánico, con su punto más alto en el monte Sainte-Caterine (840 m). Clima tropical marítimo. Densa vegetación. Economía agrícola. Pob. negra (53 %), mulata y mestiza (ambos grupos, 43 %), contingentes asiáticos. Lengua: ing. (of.). *Rel.*: protestantismo y catolicismo. U.M.: el dólar del Caribe oriental. Cap., Saint George's.
* *Hist.* La isla de G. fue descubierta por Colón, que le dio el nombre de Concepción. Posesión fr. (desde 1650) y luego brit. (a partir de 1783) obtuvo la indep. en 1974. M. Bishop implantó en 1979 un gobierno izquierdista; depuesto y ejecutado por militares (1983), la intervención armada de EE UU pocos días después significó el fin de aquella tentativa. En 1984 fue nombrado primer ministro H. Blaise y en 1990, N. Braithwaite. Desde 1995 el primer ministro es Keith Mitchell.

GRANADA Prov. del S de España, en Andalucía, a orillas del Mediterráneo; 12 531 km², 808 053 hab. Cap., la c. hom. En su sector S se levanta Sierra Nevada con el pico más alto de la pen. Ibérica, el Mulhacén (3 478 m). Clima mediterráneo. Hortalizas, remolacha, caña de azúcar, olivo. Ind. alimentaria. Minas de hierro y plomo. • C. de España, cap. de la prov. hom.; 245 640 hab. Centro com. e industrial. De origen rom., conserva magníficos testimonios de su pasado ár.: jardines y palacios de la Alhambra y el Generalife. Entre los monumentos renacentistas sobresalen el palacio de Carlos V, la Capilla Real (panteón de los Reyes Católicos) y la catedral. • ***Reino de*** Último reino musulmán de España, con cap. en la c. hom. Comprendía las actuales prov. de Almería, Málaga y Granada. Regido por la dinastía nazarí entre los s s. XIII y XV, fue conquistado por los Reyes Católicos (1492). Su último rey fue Boabdil.

GRANADA Dpto. del O de Nicaragua; 992 km², 162 600 hab. Cap., la c. hom. (88 600 hab.) Sit. en la orilla NO del lago Nicaragua, comprende la isla Zapatera. Clima templado-cálido. Cultivos tropicales. Fundada en 1524. Arquitectura del s. XVIII.

GRANADA, *Luis de* FRAY (1504-1588) Predicador y escritor esp. Figura cumbre de la ascética esp. en el Siglo de Oro. *Guía de pecadores, Introducción al símbolo de la fe.*

GRANADERO m. Soldado de elevada estatura que arrojaba granadas de mano. • Soldado de elevada estatura perteneciente a una compañía que formaba a la cabeza del regimiento. • fig. y fam. Persona muy alta.

GRANADILLA f. Flor de la pasionaria. • *Amér. Mérid.* Planta de la familia pasifloráceas. • *Amér. Merid.* Fruto de esta planta.

GRANADILLO m. *Amér.* Árbol de madera dura muy apreciada en ebanistería.

GRANADINA f. Tejido calado de seda. • pl. Variedad del cante andaluz, de Granada. • Refresco de zumo de granada.

GRANADINAS o **GRANADILLAS** *(The Grenadines)* Conjunto de islotes de las Antillas, pertenecientes al grupo de las Windward.

GRANADINO, NA adj. y s. De Granada. • m. Flor del granado.

GRANADO, DA adj. fig. Notable, principal. • fig. Maduro, experto. • fig. y fam. Espigado.

GRANADO m. Árbol mirtáceo, con flores rojas y pétalos doblados. Su fruto es la granada. ■ GRANADAL.

GRANADOS Mun. de Guatemala, en el dpto. de Baja Verapaz; 7 237 hab. Fábricas de aguarrás y brea.

GRANADOS, *Enrique* (1867-1916) Pianista y compositor esp. *Danzas españolas* para piano y *Goyescas,* también para piano.

GRANALLA f. Metal reducido a granos.

GRANAR intr. Formarse y crecer el grano de algunos frutos. ■ GRANAZÓN.

GRANATE m. Mineral del grupo de los granates. • Color rojo oscuro. • m. pl. Grupo de minerales que químicamente corresponden a silicatos de metales divalentes y trivalentes y que cristalizan en el sistema cúbico.

GRANATITA f. *Petr.* Roca metamórfica, de color rojo, cuyo componente fundamental es el granate.

GRANCÉ adj. Díc. del color rojo que resulta de teñir los paños con la raíz de la rubia o granza.

GRANCERO m. Sitio en donde se recogen las granzas.

GRANCILLA f. Carbón mineral en trozos de tamaño comprendido entre 12 y 16 mm.

GRAND RAPIDS C. de EE UU, en el est. de Michigan; 194 000 hab. Industria.

GRANDE adj. Que excede a lo común y regular. Aplicado a cosas no corpóreas, fuerte, intenso. • Importante, famoso. • *Méx.* De cierta edad. • m. Prócer, magnate. • Persona de la nobleza. • **de España.** Título superior de la nobleza esp., otorgado por primera vez en 1520 por Carlos V.

GRANDE Boca del Orinoco (Venezuela), en el extremo meridional del delta. También se llama *de Navíos.* • Río de Brasil; 1 050 km. Nace en la sierra de Mantiqueira, en Minas Gerais, y se une al Paranaiba para formar el Paraná. • o **Bravo del Norte** Río de Norteamérica; 2 890 km. Nace en las montañas Rocosas (Colorado); atraviesa Nuevo Méxi-

Granadero de la guardia real de España de la época de Fernando VII

Mapa de situación y bandera de **Granada**

Granado. Árbol, flor y fruto

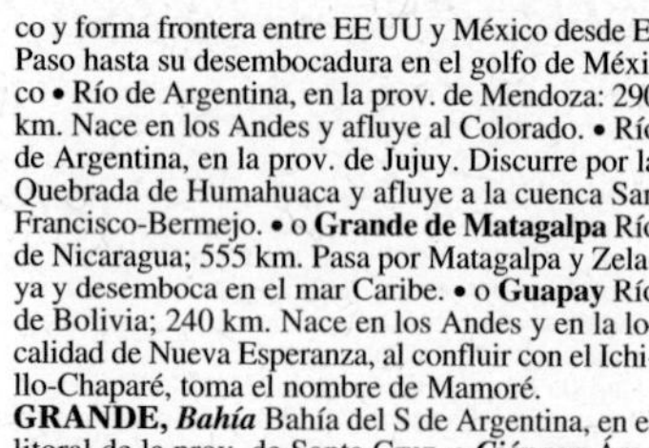

Mazorca y **grano** de maíz

Granza

co y forma frontera entre EE UU y México desde El Paso hasta su desembocadura en el golfo de México • Río de Argentina, en la prov. de Mendoza: 290 km. Nace en los Andes y afluye al Colorado. • Río de Argentina, en la prov. de Jujuy. Discurre por la Quebrada de Humahuaca y afluye a la cuenca San Francisco-Bermejo. • o **Grande de Matagalpa** Río de Nicaragua; 555 km. Pasa por Matagalpa y Zelaya y desemboca en el mar Caribe. • o **Guapay** Río de Bolivia; 240 km. Nace en los Andes y en la localidad de Nueva Esperanza, al confluir con el Ichillo-Chaparé, toma el nombre de Mamoré.

GRANDE, *Bahía* Bahía del S de Argentina, en el litoral de la prov. de Santa Cruz. • ***Ciénaga*** Área pantanosa e inundada del N de Colombia, en la parte septentrional del dpto. de Córdoba.

GRANDES LAGOS Región de *Amér.* del Norte, sit. entre Canadá y EE UU, en la que se encuentran los lagos Superior, Michigan, Hurón, Erie y Ontario.

GRANDEZA f. Tamaño excesivo de una cosa respecto de otra del mismo género. • Majestad y poder. • Dignidad de grande de España. • Tamaño, magnitud. • Excelencia moral.

GRANDILOCUENCIA f. Elocuencia muy elevada. • Estilo ampuloso. ■ GRANDILOCUENTE; GRANDÍLOCUO, CUA.

GRANDIOSIDAD f. Admirable grandeza, magnificencia. ■ GRANDIOSO, SA.

GRANDMONTAGNE, *Francisco* (1866-1936) Escritor y periodista esp., emigrado a Argentina. *Orígenes del progreso argentino, Teodoro Foronda, Los emigrantes prósperos.*

GRANDOR m. Tamaño de las cosas.

GRANDULLÓN, NA adj. y s. fam. Díc. del muchacho muy crecido para su edad.

GRANDULÓN, NA adj. *Amér.* Grandullón.

GRANEADO, DA adj. Reducido a grano. • Salpicado de pintas.

GRANEADOR, RA m. Criba de piel usada en las fábricas de pólvora para refinar el grano. • Instrumento de acero que usan los grabadores para granear las planchas.

GRANEAR tr. Esparcir el grano o semilla en un terreno. • Convertir en grano la masa de pólvora. • Llenar la superficie de una plancha de puntos para grabar al humo. • *Argent.* Sobar un cuero.

GRANEL *(A)* m. adv. Manera de vender una cosa, sin envasar ni empaquetar. • fig. De montón, en abundancia.

GRANERO m. Sitio en donde se guarda el grano. • fig. Territorio muy abundante en grano.

GRANÉVANO m. Planta leguminosa.

GRANGUARDIA f. *Mil.* Tropa de caballería, apostada a mucha distancia de un ejército acampado, para guardar las avenidas y dar avisos.

GRANÍFUGO, GA adj. Díc. de cualquier medio o dispositivo usado en el campo para esparcir las nubes tormentosas y evitar las granizadas.

GRANILLA f. Granillo del paño.

GRANILLO m. Tumorcillo que nace a canarios y jilgueros. • fig. Utilidad y provecho de una cosa usada y frecuentada. • Cierta labor en los tejidos. ■ GRANILLOSO, SA.

GRANIT, *Ragnar Arthur* (1900-1991) Neurofisiólogo finl. Premio Nobel de Medicina en 1967 por sus estudios sobre la visión.

GRANITIZACIÓN f. *Geol.* Proceso petrogenético por el cual diversos tipos de rocas se transforman en granito o rocas graníticas.

GRANITO m. Grano pequeño. • *Geol.* Roca compacta y dura, compuesta de feldespato, cuarzo y mica. Se utiliza básicamente en la construcción. ■ GRANÍTICO, CA.

GRANIZADA f. Precipitación abundante de granizo. • fig. Multitud de cosas que caen o se manifiestan continuada y abundantemente. • Bebida helada.

GRANIZADO m. Refresco hecho con hielo machacado y esencia o jugo de fruta.

GRANIZAL m. *Chile* y *Col.* Granizada.

GRANIZO m. Precipitación atmosférica constituida por agua congelada originada en nubes tormentosas. • Especie de nube que se forma en los ojos, entre las túnicas, la úvea y la córnea. • fig. Granizada. ■ GRANIZAR.

GRANJA f. Hacienda de campo, con caserío, huerta y establo. • Lugar destinado a la cría de aves y otros animales de corral. • Lugar donde se venden productos lácteos. • Quinta de recreo.

GRANJA, *La* C. de Chile en la región Metropolitana de Santiago; 130 274 hab.

GRANJA, *La* → San Ildefonso.

GRANJEAR tr. y prnl. Adquirir, conseguir, captar. • tr. *Chile.* Estafar, hurtar. • *Méx.* Ganar la voluntad de alguien. • intr. *Mar.* Avanzar. ■ GRANJEO.

GRANJERÍA f. Beneficio de las haciendas de campo. • fig. Ganancia obtenida negociando. • *Ecuad.* Industria poco digna.

GRANJERO, RA m. y f. Persona que cuida de una granja. • adj. *Ecuad.* Estafador.

GRANMA Prov. del E de Cuba; 8 400 km², 773 000 hab. Cap., Bayamo. Arroz, manganeso, astilleros.

GRANO m. Semilla de los cereales o de otras plantas. • Porción de otras cosas. • Cada una de las partecillas como de arena de la masa de algunos cuerpos. • Especie de tumorcillo. • Dozava parte del tomín equivalente a 48 mg. • En las piedras preciosas, cuarta parte de un quilate. • El mismo peso para designar la cantidad de fino de una liga de oro. • Cara pulida de una piel. • *Farm.* Peso que equivale a cerca de 5 cg. • **de arena.** fig. Pequeña contribución que uno hace para una obra. • **Granos de Bailey.** *Astr.* Fenómeno que se observa en torno a la Luna durante los eclipses totales de Sol. Consiste en una sucesión circular de puntos brillantes producidos por la luz solar. ■ GRANÍVORO, RA; GRANOSO, SA; GRANUJIENTO, TA.

GRANODIORITA f. *Petr.* Roca intrusiva, holocristalina.

GRANOLLERS C. esp., en Cataluña (prov. de Barcelona); 50 951 hab. Centro agrícola e industrial.

GRANOSO, SA adj. Que forma granos.

GRANT, *Cary* (1904-1986) Seud. de *Archibald Alexander Leach.* Actor cinematográfico norteam. *La fiera de mi niña, Me siento rejuvenecer, Charada, Sospecha, Encadenados.* • ***Ulysses Simpson*** (1822-1885) General y político norteam. Presid. en 1868 y 1872.

GRANUJA f. Uva desgranada y separada de los racimos. • Granillo interior de la uva y de otras frutas. • Persona que engaña, comete fraudes, etc. ■ GRANUJADO, DA; GRANUJERÍA.

GRANUJO m. fam. Grano o tumor.

GRANULACIÓN f. Acción y efecto de granular. • Aglomeración de gránulos. • *Pat.* Proliferación de tejido conjuntivo vascular, que adopta en las tuberculosis, la sífilis o la lepra una morfología específica. • **solar.** *Astr.* Aspecto granuloso que presenta la fotosfera solar observada con luz blanca.

GRANULAR adj. Que presenta granos. • tr. Reducir a granillos una masa. • prnl. Cubrirse de granos pequeños una parte del cuerpo.

GRANULITA f. *Geol.* Roca metamórfica compuesta por cuarzo, feldespato y granate.

GRÁNULO m. Bolita de azúcar y goma arábiga con muy corta dosis de algún medicamento. ■ GRANULOSO, SA.

GRANULOCITO m. *Biol.* Corpúsculo sanguíneo blanco (leucocito) que presenta granulaciones en su citoplasma y se forma en la médula ósea.

GRANULOMETRÍA f. *Petr.* Rama de la sedimentología que estudia la forma y el tamaño de los fragmentos detríticos de las rocas sedimentarias y los sedimentos.

GRANVELA, *Antonio Perrenot* (1517-1586) Cardenal y político esp., de origen fr. Consejero de Carlos V y colaborador de Felipe II. • ***Nicolás Perrenot*** (1486-1550) Político fr. al servicio de Carlos I de España. Asesor de la política internacional de los Austrias.

GRANZA f. Rubia, planta. • Residuo que queda de las semillas cuando se avientan y acriban. • Carbón mineral de características reglamentadas en cuanto a tamaño de sus trozos (15 a 25 mm). • pl. Desechos que salen del yeso cuando se cierne. ■ GRANZOSO, SA.

GRANZÓN m. *Min.* Pedazo de mineral que no pasa por la criba. • *Ven.* Arena gruesa.

GRAÑÓN m. Sémola hecha de trigo cocido en grano.

GRAO m. Playa que sirve de desembarcadero.

GRASA

1. En las plantas, el dióxido de carbono se combina con el agua para formar glucosa, carbohidrato a partir del cual se generan las grasas, que químicamente están constituidas por una mezcla de ésteres de la glicerina con los ácidos grasos saturados (mantecas) o insaturados (aceites). En cambio, los aceites o grasas minerales están constituidos por mezclas de hidrocarburos.
2. Los animales consumen carbohidratos de las plantas y los convierten en grasas. Los carbohidratos de los restos animales y vegetales, sometidos a grandes presiones y temperaturas, han dado origen a los aceites minerales.
3. Algunas de las plantas utilizadas por el hombre para la obtención de aceites vegetales.

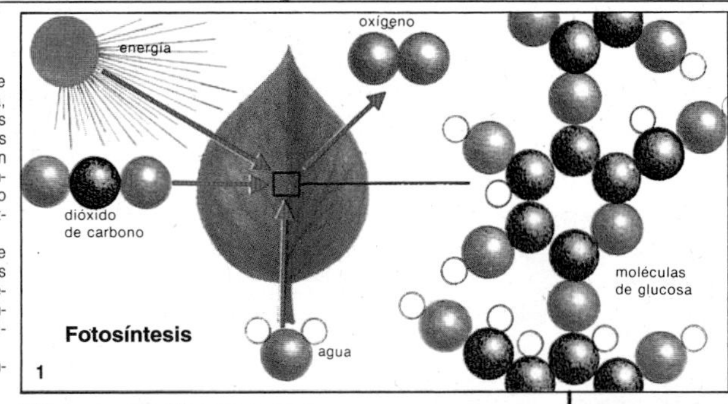

Fábricas naturales de grasas

2

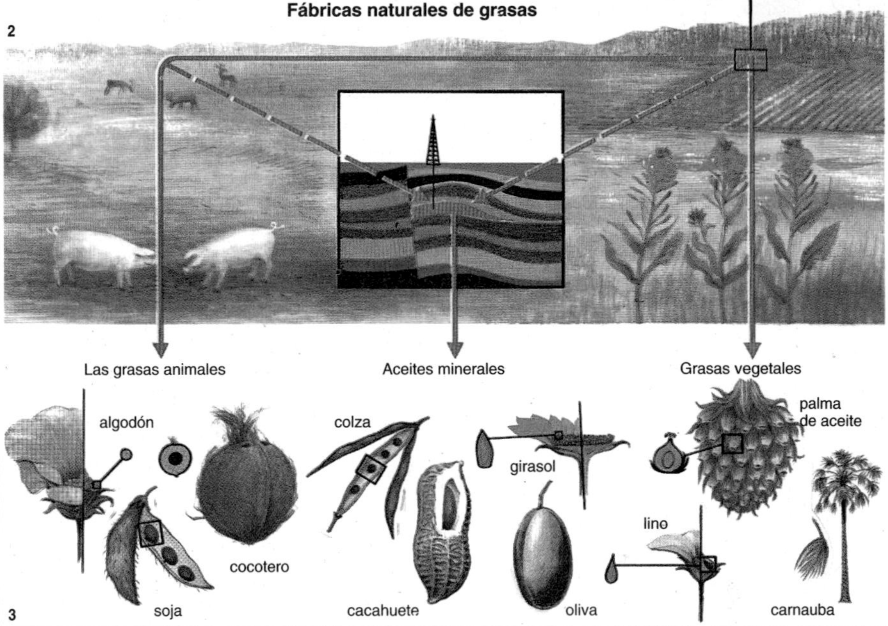

algodón
colza
palma
de aceite
girasol
lino
cocotero
soja
cacahuete
oliva
carnauba

3

GRAPA f. Pieza de metal, cuyos dos extremos se clavan para sujetar dos tablas, etc. • *Ven.* Llaga de las caballerías. • *Argent.* Especie de anisado o ginebra.
GRAPAR tr. Sujetar papeles con grapa de metal. ■ GRAPADOR, RA.
GRASA f. Manteca, unto o sebo de un animal • Goma del enebro. • Mugre o suciedad de la ropa. • Lubricante graso. • *Biol.* Sustancia elaborada por animales y vegetales que se encuentra, respectivamente, en el tejido adiposo y en las semillas de ciertas plantas. • pl. *Metal.* Escorias que produce el baño de metales antes de hacer la colada. ■ GRASEZA; GRASIENTO, TA; GRASO, SA; GRASOSO, SA; GRASURA.
GRASERA f. Vasija donde se echa la grasa. • Utensilio para la grasa de la carne que se asa.
GRASERÍA f. Taller donde se hacen velas de sebo.
GRASERO m. *Metal.* Sitio donde se echan las grasas de un metal.
GRASILLA f. Polvo de sandáraca. • *Chile.* Enfermedad parasitaria de algunas plantas.
GRASONES m. pl. Potaje de harina con leche de almendras, grañones, azúcar y canela.
GRASPO m. Especie de brezo.
GRASS, *Günther* (nacido 1929) Escritor al. *El tambor de hojalata, Gato y ratón, Mi siglo.* En 1999 obtuvo el Nobel de Literatura y el premio Príncipe de Asturias de las Letras.
GRATA f. Escobilla de metal que sirve para limpiar, raspar o bruñir. ■ GRATAR.
GRATIFICACIÓN f. Propina, recompensa pecuniaria. • Remuneración fija por el desempeño de un servicio, añadida al sueldo.
GRATIFICAR tr. Recompensar con una gratificación. • Dar gusto, complacer. • Compensar.
GRÁTIL o **GRATIL** m. *Mar.* Orilla de la vela por donde se une al palo. • *Mar.* Parte central de la verga, en la cual se afirma un cabo.
GRATINAR tr. Recubrir un alimento con una salsa y dorarlo en el horno. ■ GRATÉN O GRATÍN.
GRATIS adj. modo. De balde.
GRATISDATO, TA adj. Que se da de gracia.
GRATITUD f. Sentimiento por el cual nos consideramos obligados a agradecer un favor.
GRATO, TA adj. Gustoso, agradable. • *Bol.* y *Chile.* Agradecido, fórmula para dar las gracias.
GRATONADA f. Especie de guisado de pollo.
GRATONITA f. *Miner.* Sulfoarseniuro de plomo, de color gris oscuro, que cristaliza en formas romboédricas.
GRATUITO, TA adj. De balde, sin pagar. • Infundado. ■ GRATUIDAD.
GRATULAR tr. Dar el parabién a uno. • prnl. Alegrarse, complacerse. ■ GRATULATORIO, A.
GRAU, *Jacinto* (1877-1958) Dramaturgo esp. Se caracteriza por una búsqueda de la originalidad. *El señor de Pigmalión.* • ***Miguel*** (1834-1879) Almirante per. Mandó el cañonero Huáscar en la guerra contra Chile. Murió en el combate naval de Angamos.

Monumento al almirante Miguel **Grau** en Lima

La fuerza de la **gravedad** que experimenta un astronauta sobre la Luna es mucho menor que la que se experimenta sobre la Tierra

Mapa de situación y bandera de **Grecia**

Grecia.
Costas Simitis

• **San Martín, *Ramón*** (1889-1969) Político y médico cub. Enemigo de la dictadura de Machado. Presid. de la Rep. (1933-1934) y (1944-1948).

GRAUVACA f. *Geol.* Arenisca cuyas partículas son fragmentos de rocas preexistentes.

GRAVA f. Piedra machacada con que se cubre y allana el piso de los caminos. ■ GRAVERA.

GRAVAMEN m. Carga que pesa sobre alguien o sobre una finca o una renta.

GRAVAR tr. Cargar, pesar una persona o cosa. • Imponer un gravamen. ■ GRAVATIVO, VA.

GRAVE adj. y m. Díc. de lo que pesa. • adj. Grande. • Aplícase al que está enfermo de cuidado. • Serio; que causa respeto. • Díc. del estilo que se distingue por su decoro y nobleza. • Arduo, difícil. • Molesto, enfadoso. • Díc. del sonido hueco y bajo. • Aplícase a la palabra cuyo acento prosódico carga en su penúltima sílaba.

GRAVEAR intr. Gravitar.

GRAVEDAD f. *Fís.* Atracción manifestada entre un cuerpo celeste y los sit. en su superficie o cerca de ella. • Seriedad, dignidad, solemnidad. • Enormidad, exceso. • **terrestre.** Atracción manifestada entre la Tierra y los cuerpos sit. en su superficie o cerca de ella. • **Aceleración de la g.** Aceleración de caída de los cuerpos en la superficie terrestre; se designa con la letra *g* y su valor disminuye a medida que aumenta la altura.

GRAVEDOSO, SA adj. Serio con afectación.

GRAVELA f. *Pat.* Concreciones renales de tamaño mayor que la arenilla y menor que los cálculos, compuestas de sales minerales.

GRAVELINAS, *(Gravelines)* Mun. del N de Francia, en el dpto. de Nord; 6 000 hab. • **Batalla de G.** Victoria esp. (1558) frente a las tropas fr. que obligó a Enrique II a firmar la paz de Cateau-Cambrésis con Felipe II.

GRAVES, *Robert James* (1796-1853) Médico irlandés. Descubrió el bocio exoftálmico o *enfermedad de G.* • ***Robert Ranke*** (1895-1985) Escritor brit. *Yo, Claudio* y *Claudio el dios.*

GRAVIDEZ f. Preñez, gestación.

GRÁVIDO, DA adj. poét. Cargado, lleno, abundante. • Díc. de la mujer encinta.

GRAVILLA f. Fragmento de roca con un diámetro máximo de 10 mm.

GRAVIMETRÍA f. *Quím.* Método de análisis que consiste en aislar y pesar un elemento o un compuesto definido. • Parte de la geofísica que trata del estudio y medición de la gravedad terrestre.

GRAVÍMETRO m. *Fís.* Instrumento para determinar el peso específico de los cuerpos. • Instrumento para medir la aceleración de la gravedad.

GRAVITACIÓN f. Acción y efecto de gravitar. • *Fís.* Fenómeno que se manifiesta mediante la fuerza de atracción que existe entre dos masas. • **universal.** Principio formulado por Newton que establece que la fuerza de atracción entre dos masas es directamente proporcional al producto de los valores de las mismas e inversamente proporcional al cuadrado de la distancia que las separa.

GRAVITAR intr. Moverse un cuerpo por la atracción gravitatoria de otro. • Descansar o hacer fuerza un cuerpo sobre otro. • fig. Cargar, ser una carga. ■ GRAVITATORIO, RIA.

GRAVITÓN m. *Fís.* Partícula elemental relacionada con la propagación de los campos gravitatorios, de masa nula, espín 2 y velocidad de la luz.

GRAVOSO, SA adj. Molesto, pesado. • Que ocasiona gasto.

GRAY, *Thomas* (1716-1771) Poeta romántico, ing. *Elegía escrita en un cementerio rural.*

GRAZ C. de Austria, cap. del est. de Estiria; 243 166 hab. Sit. junto al Mur. Universidad. Catedral del s. XV. Centro industrial.

GRAZIANI, *Rodolfo* (1882-1955) Mariscal it. Virrey de Etiopía [1936-1937].

GRAZNIDO m. Voz de algunas aves; como el cuervo, el grajo, el ganso, etc. • fig. Canto o manera de hablar desagradable. ■ GRAZNAR.

GREBA f. Pieza de la armadura que cubría la pierna.

GRECA f. Faja de adorno en que se repite la misma combinación de elementos. • *Amér.* Cafetera de filtro.

GRECIA *(Hellas)* Est. de Europa meridional; Rep. parlamentaria; sit. entre Albania, Macedonia, Bulgaria y Turquía. Bañado por el mar Jónico al O, por el Mediterráneo al S y por el mar Egeo al E. Comprende un sector de la pen. Balcánica, la gran isla de Creta, las islas Jónicas (Corfú, Cefalonia, Zante) y las islas del mar Egeo (Cícladas y Espóradas).

* *Geog. fís.* Muy montañoso, destaca entre sus alineaciones la cord. del Pindo (alt. máx., Smolikas, 2 637 m), que se prolonga al S con las cadenas del Peloponeso. Ríos cortos y torrenciales. Clima mediterráneo. Costas muy recortadas.

* *Geog. econ.* País en vías de desarrollo, tiene un 34 % de su pob. activa empleada en la agricultura. El capítulo ganadero se resiente del desequilibrio entre el ganado vacuno y unas cabañas ovina y caprina mucho más nutridas. Un aprovechamiento forestal es el de la resina. La pesca constituye una riqueza imp. Del subsuelo se extrae una gama de productos variados (lignito, hierro y piritas, cinc, plomo, bauxita, etc.). La ind., poco desarrollada, se basa en los ramos textil, de cuero y alimentario. En los últimos años han surgido grandes plantas siderometalúrgicas, químicas y refinadoras del petróleo.

* *Geog. humana.* Hay minorías búlgaras, macedonias, turcas y armenias. Los gr. propiamente dichos representan alrededor del 97 %. Lengua: el griego. *Rel.:* cristiana ortodoxa, grupos musulmanes (la minoría búlgara). U. M.: euro. Cap., Atenas. C. imp.: Salónica, Patrás, Candia, Larisa.

GRECIA

Superficie	131 957 km²
Población	10 541 000 hab. (80 hab./km²)
Recursos económicos	
Aceite	315 000 t
Aceitunas	1 600 000 t
Azúcar	315 000 t
Bauxita	2 194 400 t
Cabaña bovina	600 000 cabezas
Cabaña ovina	9 559 000 cabezas
Cabaña porcina	1 121 000 cabezas
Cebada	448 000 t
Cemento	12 636 000 t
Lignito	56 741 000 t
Maíz	1 912 000 t
Naranjas	7 030 000 t
Patatas	898 000 t
Remolacha azucarera	2 690 000 t
Riqueza forestal	2 779 000 m³
Tabaco	133 000 t
Tomates	1 910 000 t
Trigo	2 000 000 t
Uva	1 150 000
Vino	3 050 000 hl
Indicadores sociológicos	
PNB	85 885 millones de dólares
Renta per cápita	8 210 dólares
Esperanza de vida	77 años
Alfabetismo	95,2 %

* *Hist. Antigüedad.* Los primeros vestigios prehistóricos remontan al paleolítico. La esplendorosa civilización helénica, que puso los cimientos de la occidental, estuvo precedida por la cicládica, en las islas del Egeo, la cretense o minoica en Creta y la micénica en la parte continental (invasión de los aqueos, s. XV a. C.). A mediados del s. XII a. C. tuvieron lugar las invasiones dorias. El país se fraccionó en ciudades-estado auton. e indep. *(polis)*, cuya evolución reflejó las cambiantes relaciones de fueza entre los grupos sociales. Pronto despuntaron Atenas, donde triunfó desde el s. VI a. C. la democracia, y Esparta, militarista y oligárquica. Estas *polis* gr. olvidaron sus diferencias para hacer frente en el s. V a.C. a un enemigo común, los persas, en las guerras médicas. Tras ellas, Atenas se convirtió bajo la dirección de Pericles en el centro intelectual y político del mundo helénico. El inevitable conflicto hegemónico con Esparta se dirimió en la guerra del Peloponeso (431-104 a. C.), resuelta a favor de los espartanos. Pero contra ellos se levantó poco después un mov. dirigido por Tebas, c. que pese a sus éxitos militares no supo consolidar tampoco su primacía. En el s. IV a. C. la *polis* clásica se derrum-

Grecia. Izquierda, vista de Atenas desde la Acrópolis; derecha, isla de Santorín, en las Cícladas

bó y G. cayó bajo la dominación de la monarquía macedónica. Las conquistas de Alejandro Magno expandieron el helenismo hasta los confines del ant. imperio persa (en el Indo) y en Egipto. En el año 146 a. C. el terr. gr. pasó a poder de Roma, y al dividirse este Imperio se incorporó a Bizancio.

* *La E. Med. y el dominio turco*. Dificultosamente retenida por un imperio bizantino en decadencia, al caer Constantinopla en manos de los cruzados (1204) y crearse el imperio latino de Oriente, se fragmentó en principados. Los turcos conquistaron el país entre los ss. XIV y XV. A partir del s. XVIII, e l nacionalismo gr. fue en aumento y encontró el amparo de las potencias europeas. Éstas proclamaron en el Protocolo de Londres (1830) la indep. y erigieron un régimen de monarquía absoluta en 1862. En 1875 se introdujo el sist. parlamentario.

* *Épocas moderna y contemporánea*. Las aspiraciones a reunir en el est. gr. todos los terr. habitados por helenos *(enosis)* orientaron la participación en las guerras balcánicas y en la I Guerra Mundial, al lado de los aliados. Tras la dura ocupación al. de la II Guerra Mundial, los grupos guerrilleros de la Resistencia desencadenaron la guerra civil; el concurso brit. fue decisivo para el triunfo gubernamental (1947). En 1959 el acuerdo de Londres garantizó la indep. de Chipre, a cubierto de la *enosis*. A la muerte de Pablo I (1947-1964) le sucedió su hijo Constantino II, quien en 1967 ratificó un golpe militar por oficiales de extrema derecha; sin embargo, pocos meses más tarde tuvo que abandonar el país al intentar librarse de la tutela de los coroneles. Éstos implantaron un régimen dictatorial (sucesivamente regido por Papadopoulos y Gizikis) y proclamaron la Rep., aprobada por un referéndum (1973) celebrado bajo la ley marcial. El conflicto chipriota de 1974 aparejó la caída del régimen militar. K. Karamanlis dirigió el proceso de normalización democrática, que incluyó una nueva Constitución (1975) y la definitiva eliminación de la monarquía (segundo referéndum de 1974). Las elecciones de 1981 y 1985 confirieron el gobierno al socialista Papandreu y las de 1990 a los conservadores, pero en las de 1993 venció de nuevo Papandreu. Éste, gravemente enfermo, dimitió a comienzos de 1996 y fue sustituido por Costas Simitis, reelegido en 2000.

* *Arte*. A las civilizaciones prehelénicas (cretense, micénica) siguió una decadencia artística larga de unos tres siglos, hasta la aparición del estilo geométrico (900-750 a. C.), considerado como el inicio del período arcaico (900-480 a. C.). La arquitectura se afianzó a partir del s. VII a. C. con el florecimiento

Grecia. Arriba, relieve jónico del s. V conocido como *La exaltación de la flor*. Museo del Louvre, París; abajo, cerámica (kylix) ática. Museo Arqueológico, Tarento (Italia)

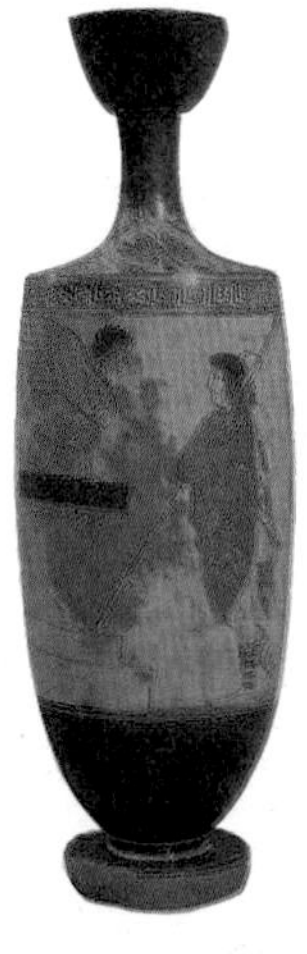

del estilo dórico y post. del jónico. Un tercer estilo, el corintio, se afirmó en el periodo llamado clásico (480-323 a. C.). Se levantaron entonces grandes edificios civiles (teatros, palestras), pero sobresaliendo ante todo la construcción del Partenón ateniense, célebre por su friso, y el *Pórtico de las Cariátides.* La escultura rompió el esquematismo anterior y alcanzó la armonía perfecta entre las distintas proporciones del cuerpo humano. En la pléyade de artistas descollaron Fidias, Mirón y Policleto, los dos exaltadores del desnudo femenino, Praxíteles y Escopas, y los pintores Apeles y Lisipo. El periodo helenístico (323-30 a. C.) representó la consolidación de las conquistas artísticas anteriores, con un denominador común de eclecticismo. Durante la E. Med., el arte bizantino presentó en G. ciertas peculiaridades locales, tanto en la arquitectura como en la decoración mural *(musivaria).*

Adoración de los pastores, óleo de **El Greco.** Museo del Prado, Madrid

* *Lit.* La primera obra maestra de la G. clásica es la de Homero (s. VIII a. C.), el cual suscitó numerosos epígonos con los poemas épicos de la *Ilíada* y la *Odisea.* En la poesía religiosa destacaron Hesíodo, Calímaco y Píndaro; en la lírica, Safo. El gran gén. literario fue la tragedia, llevada a sus cimas por Esquilo, Sófocles y Eurípides. La comedia culminó con Aristófanes y, ya en el período helenístico, con Menandro. El renacer literario tuvo lugar entre los ss. XV y XVIII con el auge de la literatura popular y regional, que se concretaría en las primeras décadas del s. XX en la afirmación de la literatura nacional. Palamas y Kavafis, que ya entroncan con el s. XX, y Kazantzakis, comprometido con la lucha social, son las figuras más relevantes.

GRECISMO m. Helenismo.

GRECIZAR tr. Helenizar. • Dar forma gr. a voces de otro idioma. • intr. Usar afectadamente en otro idioma voces o locuciones gr.

GRECO, CA adj. y s. Griego.

GRECO, *Doménicos Theotocópoulos* llamado ***El*** (h. 1541-1614) Pintor cretense activo en Italia y España. En el *Expolio* y en el *Martirio de san Mauricio* se advierten ya las peculiaridades de su arte, que culminarán en el *Entierro del conde de Orgaz.* Sus dotes fueron excepcionales en la captación psicológica de los personajes: *El caballero de la mano en el pecho* y el *Cardenal Juan de Tavera.*

Árbol genealógico de los ***gremios,*** por Joan d'Ivori. Museo de Historia de la Ciudad, Barcelona (España)

GRÉCO, ***Juliette*** (nacida 1927) Cantante y actriz fr., musa y símbolo del existencialismo.

GRECOLATINO, NA adj. Relativo a gr. y latinos.

GRECORROMANO, NA adj. Relativo a gr. y rom. o propio de los dos pueblos. • adj. y f. *Dep.* Díc. de un tipo de lucha.

GREDA f. Arcilla arenosa que se usa pralm. para quitar manchas. ■ GREDAL; GREDOSO, SA.

GREDOS, ***sierra de*** Cadena montañosa esp., en el sistema Central.

GREEN, ***Julien*** (1900-1998) Escritor fr. de origen norteam. *El peregrino en su tierra, Adrianne Mesurat, Leviathan, El visionario, Diario.*

GREENBERG, ***Joseph H.*** (nacido 1915) Lingüista norteam. *Estudios sobre la clasificación de las lenguas africanas, Antropología lingüística.*

GREENE, ***Graham*** (1904-1991) Novelista ing. *Orient express, Brighton, Parque de atracciones, El revés de la trama, Monseñor Quijote.* Sus novelas *El poder y la gloria, El tercer hombre, El ídolo caído, Nuestro agente en La Habana* y *Viajes con mi tía,* han sido llevadas a la pantalla.

GREENPEACE Organización ecologista, de ámbito internacional.

GREENWICH Distrito del SE de Londres, a la derecha del Támesis; 216 100 hab. Ind. química y textil.

GREGAL adj. Que anda junto con otros de su especie. • m. Viento del NE en el Mediterráneo.

GREGARIO, RIA adj. Díc. del que está en compañía de otros sin distinción. • fig. Díc. del que sigue servilmente las ideas o iniciativas ajenas. • Díc. de los seres que viven en grupo con los de su misma especie.

GREGARISMO m. Tendencia de ciertas especies de animales a vivir agrupados en unidades superiores.

GREGORIANO, NA adj. *Liturgia.* Díc. del canto litúrgico de la iglesia rom., según la forma del s. IX. • Díc. del año, calendario, cómputo y era que reformó Gregorio XIII en 1582.

GREGORIO I Magno (h. 540-h. 604) Santo. Papa [590-604]. Reformó la liturgia y la disciplina pastoral. • **II** (muerto 731) Santo. Papa [715-731]. Combatió la herejía de los iconoclastas. • **VII** (h. 1020-1085) Santo. Papa [1073-1085]. Sostuvo la *lucha de las investiduras* con Enrique IV de Alemania. • **IX** (h. 1145-1241) Papa [1227-1241]. Estableció la Inquisición. • **XIII** (1502-1585) Papa [1572-1585]. Reformó el calendario. • **XVI** (1765-1846) Papa [1831-1846]. Reprimió las sublevaciones autonomistas de los estados pontificios.

GREGORIO de Nacianzo o **Nacianceno** (329-389) Santo. Doctor de la Iglesia. Patriarca de Constantinopla. • **De Tours** (538-594) Santo. Teólogo e historiador fr., obispo de Tours. Autor de una *Historia de los francos.*

GREGORITO m. *Amér.* Burla, chasco.

GREGOROVIUS, ***Ferdinand*** (1821-1891) Historiador y poeta al. *Roma en la Edad Media, Atenas en la Edad Media.*

GREGORY, ***Isabella Augusta Persse*** LADY (1852-1932) Escritora y dramaturga irl. *Siete piezas cortas, Spreading the News.*

GREGUERÍA f. Algarabía, gritería confusa. • *Lit.* Término creado por Ramón Gómez de la Serna para designar un gén. de su invención que puede definirse como concepto personal, sublimado y agudo, de algo real.

GREGUIZAR intr. Grecizar.

GREISEN m. *Geol.* Roca originada por metamorfización ácida del granito.

GRELO m. Nabiza tierna y comestible.

GREMIAL m. Individuo de un gremio. • Paño que se ponen los obispos sobre las rodillas cuando celebran de pontifical. • Paño que llevan los clérigos del terno de la misa conventual de las iglesias catedrales en la procesión claustral.

GREMIALISMO m. Tendencia a formar gremios. • Doctrina que propugna esta tendencia. ■ GREMIALISTA.

GREMIO m. Corporación de personas del mismo oficio o profesión. • *Hist.* Corporación que formaban los maestros, artesanos y aprendices de un mismo oficio en la E. Med. Sujeto a una reglamentación minuciosa, garantizaba la calidad de la obra, fijaba su precio y evitaba la competencia. • fam. Clase de personas que hace un mismo tipo de vida y tiene otras afinidades. • Unión de los fieles con sus pastores legítimos.

GRENOBLE C. de Francia, cap. del dpto. de Isère, sit. a orillas del río hom. 169 740 hab. (400 000 hab. la agl. urb.). Energía hidroeléctrica. Metal., fabricación de productos quím., ind. alimentaria, textil. Estación deportiva de invierno. Universidad (1339). Catedral (ss. XII-XIII).

GRENVILLE, ***George*** (1712-1770) Político brit. Primer ministro (1763-1765). Hizo votar la ley del timbre, que provocó la rebelión de las colonias norteamericanas.

GREÑA f. Cabellera revuelta y desarreglada. Se usa más en pl. • Lo que está enredado sin poderse desenlazar fácilmente. • **En greña.** m. adv. *Méx.* En rama, sin purificar. ■ GRENCHUDO, DA.

GREÑUDO, DA adj. Que tiene greñas. • m. Caballo recelador en las paradas.

GRES m. *Geol.* Roca sedimentaria muy dura, formada por granos de cuarzo y un cemento silíceo o calcáreo. Utilizada en construcción, en el adoquinado y para fabricación de muelas.

GRESCA f. Ruido de personas que se divierten, discuten o riñen. • Riña, pendencia.

GRESHAM, ***Thomas*** SIR (1519-1579) Comerciante y financiero ing. Fundador de la *Royal Exchange* (Bolsa de Londres). Formuló la ley de G.

GRETA f. *Amér.* Residuo. • Grasa con la que vidrian el barro los alfareros. ■ GRETEADO, DA.

GREVILLO m. *C. Rica.* Árbol grande, de flores rojas o amarillas y semillas oblongas.

GREY f. Rebaño. • fig. Congregación de fieles cristianos bajo sus pastores. • fig. Conjunto de individuos con algún carácter común.

GREY, ***Jane*** LADY (1537-1554) Princesa ing., nieta de Enrique VII. Fue proclamada reina (1553) gracias a las intrigas del partido protestante. María Tudor hizo valer sus derechos a la sucesión y Lady Jane y su esposo murieron decapitados. • ***Zane*** (1875-1939) Novelista norteam. *Caravana de héroes, La heroína de Fort Henry, El espíritu de la frontera.*

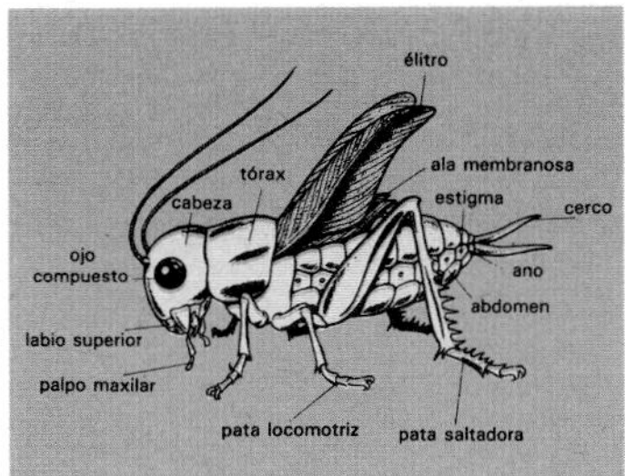

Esquema anatómico de un **grillo**

GRIAL m. Vaso sagrado identificado por la literatura medieval con el cáliz de la Última Cena.
GRIEG, *Edvard* (1843-1907) Pianista, director de orquesta y compositor noruego. *Olav Trygrasson, Sigurd Jorsalfar, Peer Gynt.* 10 vol. de *Piezas líricas.*
GRIEGO, GA adj. y s. De Grecia. • m. *Ling.* Lengua griega. • fig. y fam. Lenguaje ininteligible. • fam. Jugador, fullero. • f. *Cuba.* Tipo de cofia de mujer.
GRIETA f. Hendidura alargada y estrecha en una materia.
GRIETARSE o GRIETEARSE prnl. Agrietarse.
GRIFA f. *Amér.* Garra de un animal, cuyas uñas son fuertes y agudas.
GRIFA f. Marihuana.
GRIFADO, DA adj. Grifo, tipo de letra.
GRIFARSE prnl. Empinarse. • Fumar grifa.
GRIFFITH, *David Wark* (1875-1948) Director cinematográfico norteam. *El nacimiento de una nación, Intolerancia, Juventud triunfante, Abraham Lincoln.*
GRIFO, FA adj. Díc. de los cabellos crespos o enmarañados. • adj. *Col.* Entonado. • *Méx.* Díc. de la persona intoxicada con marihuana, y a veces del borracho. • *Méx.* Enojado. • m. Animal fabuloso, mitad águila y mitad león. • Llave para cerrar o dar salida a un líquido. ▪ GRIFERÍA.
GRIFÓN m. Grifo, llave. • Raza de perro de pelo áspero.
GRIGALLO m. Ave de pico negro, cuerpo pardo negruzco, cuatro plumas negras en las alas y las demás blancas por la base.
GRIGNARD, *Víctor* (1861-1935) Químico fr., autor de investigaciones sobre compuestos de alquilmagnesio. Premio Nobel de Física en 1912, junto con P. Sabatier.
GRIJALVA Río del SE de México; 100 km. Se forma con la unión de ramales procedentes de la meseta central de Chiapas, atraviesa el est. de Tabasco y se une al Usumacinta, cerca de la desembocadura en el golfo de México.
GRIJALVA, *Juan de* (1490-1527) Navegante y explorador esp. Acompañó a Diego Velázquez en la conquista de Cuba. Exploró Yucatán.
GRILL (voz ing.) m. Parrilla. • Fuego situado en la parte superior de los hornos de gas.
GRILLA f. Hembra del grillo. • *Electr.* Rejilla. • *Amér.* Molestia, contrariedad. • *Col.* Chamusquina, riña. • *Cuba.* Tabaco para mascar.
GRILLARSE prnl. Entallecer el trigo, las cebollas, etc. • fig. y fam. Alelarse, volverse chiflado. • *Cuba.* Huirse.
GRILLETA f. Rejilla de la celada.
GRILLETE m. Arco de hierro con dos agujeros, por los cuales se pasa un perno para asegurar una cadena. • *Mar.* Cada uno de los trozos de cadena que forman la del ancla de un buque.
GRILLO m. *Zool.* Insecto ortóptero, de color negro rojizo. El macho produce un sonido agudo y monótono. • Tallo que arrojan las semillas cuando empiezan a nacer. • m. pl. Conjunto de dos grilletes con un perno común, que se colocaba en los pies de los presos. • m. pl. Cosa que embaraza y detiene el movimiento. ▪ GRILLERA; GRILLERO.
GRILLOTALPA m. Cortón o grillo real, insecto.
GRILLPARZER, *Franz* (1791-1872) Dramaturgo y poeta austr. *Safo, El vellocino de oro, Tristia ex Ponto.*
GRIMA f. Desazón, disgusto, horror que causa una cosa. • *Chile.* Grisma. ▪ GRIMOSO, SA.
GRIMALDI, *Hombre de* m. *Antr.* Tipo de *Homo sapiens* fósil, de formas actuales, con caracteres antropológicos negroides.
GRIMILLÓN m. *Chile.* Muchedumbre, multitud, montón.
GRIMM, *Jakob* (1785-1863) Filólogo y escritor al. En colaboración con su hermano ***Wilhelm*** (1786-1859) publicó una colección de *Cuentos* infantiles. Destacados germanistas, ambos fueron fundadores, junto con Bopp, de la filología comparada.
GRIMMELSHAUSEN, *Johan Jakob Christoffel von* (1625-1676) Novelista al. Inspirándose en la novela picaresca española, escribió *Simplicissimus.*
GRÍMPOLA f. *Mar.* Gallardete muy corto.
GRINGO, GA adj. y s. fam. Extranjero, especialmente de habla ing. • m. Lenguaje ininteligible. • *Amér.* Norteam. ▪ *Amér.* GRINGADA.
GRINGUETE *Cuba.* Planta liliácea.
GRIÑOLERA f. Arbusto rosáceo, con flores rosadas en corimbo y frutos globulares.
GRIÑÓN m. Toca de monjas. • Variedad de melocotón pequeño.
GRIPA f. *Col.* y *Ur.* Gripe o catarro.
GRIPE f. *Pat.* Enfermedad de origen vírico, de carácter epidémico o pandémico, con manifestaciones especialmente catarrales. ▪ GRIPAL; GRIPOSO, SA.
GRIS adj. y s. Díc. del color que resulta de la mezcla del blanco y negro. • fig. Triste, lánguido, apagado. ▪ GRISÁCEO, A; GRISEAR; GRÍSEO, A.
GRIS, *Juan* Seud. de *José Victoriano González* (1887-1927) Pintor esp., uno de los máx. representantes del cubismo. En 1910 empezó a pintar (*Homenaje a Picasso*). En 1919 inició una nueva fase con el cubismo sintético.
GRISALLA f. Pintura en diferentes tonos de gris que puede imitar bajorrelieves. • Primer esbozo de un cuadro.
GISETA f. Tela de seda con dibujo menudo. • Enfermedad de los árboles, ocasionada por filtración de agua en el tronco.
GRISGRÍS m. Amuleto supersticioso de los moriscos.
GRISMA f. *Chile, Guat.* y *Hond.* Gota, pizca, brizna.
GRISÓN, NA adj. y s. Del cantón suizo de los Grisones. • m. *Ling.* Dialecto occidental del retorromániсо, constituido por el engadino, el habla del valle de Münster y el romanche. • *Zool.* Mamífero carnívoro de la familia mustélidos. Se defiende expulsando un olor pestilente.
GRISONES (retorrománico, *Grischun*; al., *Graubünden*; it., *Grigioni*) Cantón del E de Suiza, limítrofe con Austria e Italia; 7 109 km^2, 169 000 hab. Cap., Chur o Coira. Accidentado por los Alpes Orientales.
GRISÚ m. Mezcla explosiva de metano y aire que se desprende en las minas de carbón. ▪ GRISÚMETRO.
GRITA f. Confusión de voces altas y desentonadas. • Voz que el cazador da al azor cuando sale la perdiz.
GRITADERA f. *Amér.* Gritería, grita.
GRITAR intr. Levantar la voz más de lo acostumbrado. • tr. e intr. Manifestar el público desaprobación y desagrado en forma ruidosa. ▪ *Perú.* GRITONEAR.
GRITO m. Sonido inarticulado, palabra o exp. proferidos con fuerza y violencia. • Manifestación vehemente de un sentimiento. • Chirrido de los hielos de los mares glaciales. • **Al grito.** *Argent.* Al punto. ▪ GRITERÍA; GRITERÍO.
GRITÓN, NA adj. fam. Que grita mucho. • m. *Amér.* Quien da el grito o voz de partida en las carreras de caballos.
GRIVAS, *Georgios* (1898-1974) Militar y político grecochipriota. Opuesto a la independencia de Chipre.
GRIZZLY m. Oso de gran tamaño.
GRO m. Tela de seda sin brillo.
GROAR intr. Croar, cantar la rana.
GROCIO, *Hugo* (1583-1645) Teólogo, historiador y jurisconsulto holandés. *Sobre el derecho de guerra y paz.*
GROENLANDÉS, SA adj. y s. De Groenlandia.

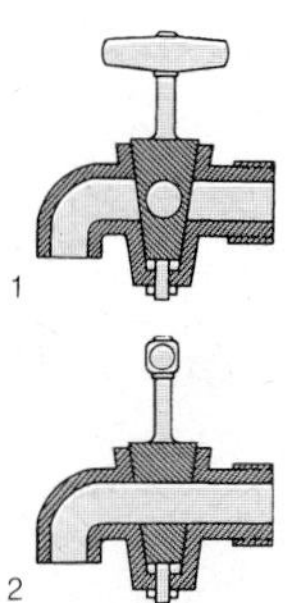

Grifo cerrado (1) y abierto (2)

Le journal, óleo de Juan **Gris.** Museo de Arte de Basilea, Suiza

Grizzly

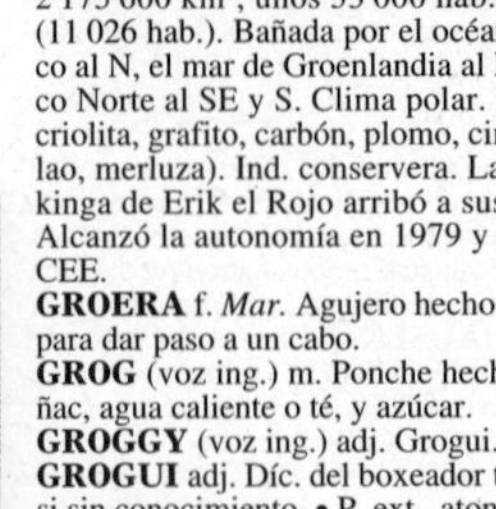

Detalle de *Napoleón en el puente de Arcole*, óleo de Antoine-Jean **Gros.** Museo del Louvre, París

Heartfield el mecánico, acuarela y collage de G. **Grosz**

Grúa portuaria

GROENLANDIA *(Gronland)* Isla del NE del continente americano, dependiente de Dinamarca; 2 175 600 km^2, unos 53 000 hab. Cap., Godthab (11 026 hab.). Bañada por el océano Glacial Ártico al N, el mar de Groenlandia al NE y el Atlántico Norte al SE y S. Clima polar. Yacimientos de criolita, grafito, carbón, plomo, cinc. Pesca (bacalao, merluza). Ind. conservera. La expedición vikinga de Erik el Rojo arribó a sus costas en 983. Alcanzó la autonomía en 1979 y en 1982 dejó la CEE.

GROERA f. *Mar.* Agujero hecho en una plancha, para dar paso a un cabo.

GROG (voz ing.) m. Ponche hecho con ron o coñac, agua caliente o té, y azúcar.

GROGGY (voz ing.) adj. Grogui.

GROGUI adj. Díc. del boxeador tambaleante, casi sin conocimiento. • P. ext., atontado.

GROMO m. Yema de los árboles.

GROMYKO, *Andrei* (1909-1989) Diplomático sov. Embajador en EE UU (1943) y delegado de la URSS en el Consejo de Seguridad de la ONU (1946-1948). Ministro de Asuntos Exteriores (1957-1985) y Jefe del Estado (1985).

GRONCHI, *Giovanni* (1887-1978) Político it. Colaboró con Mussolini, pero pasó a la oposición democratacristiana. Presid. de la Rep. (1955-1962).

GRONINGA *(Groningen)* Prov. del N de los Países Bajos; 2 326 km^2, 561 119 hab. Patatas, remolacha, cereales. Ganado vacuno. Gas natural. Ind. mecánica, alimentaria. Cap., la c. hom.; 168 119 hab. (206 200 la agl. urb.).

GROOM (voz ing.) m. Mozo o joven encargado de los recados en los hoteles, restaurantes, etc.

GROPIUS, *Walter* (1883-1969) Arquitecto al. En 1919 fundó la escuela de la Bauhaus. Fue el iniciador en los EE UU del TAC.

GROS m. *Amér.* Tejido de seda mate, con más cuerpo que el tafetán.

GROS, *Antoine-Jean* BARÓN DE (1771-1835) Pintor neoclásico fr. Uno de los precursores del romanticismo. *Los apestados de Jaffa, Campo de batalla de Eylau, Wagram.* • ***Michael*** (nacido 1964) Nadador al., recordman mundial de 200 m libres y de 100 m mariposa. Dos medallas de oro y dos de plata en los Juegos Olímpicos de Los Ángeles de 1984.

GROSELLA f. Fruto del grosellero.

GROSELLERO m. Arbusto de la familia saxifragáceas, cuyo fruto es la grosella.

GROSERÍA f. Descortesía, falta grande de atención y respeto. • Tosquedad en el trabajo de manos. ■ GROSERO, RA.

GROSO adj. Tabaco fabricado en forma de granos de mostaza.

GROSOR m. Espesor de un cuerpo.

GROSS GLOCKNER Pico de los Alpes austriacos, en el macizo del Hohe Tauern, 3 798 m.

GROSSO, *Alfonso* (1928-1995) Novelista esp. Cultivador del realismo social. *La zanja, Un cielo difícilmente azul, Guarnición de silla, Florido mayo, La buena muerte* y *Los invitados.*

GROSSO MODO loc. latina. En conjunto.

GROSULARIA f. *Miner.* Variedad de granate de color verdoso o amarillento.

GROSURA f. Sustancia mantecosa. • Extremidades y asadura de los animales.

GROSZ, *Georg* (1893-1959) Pintor y caricaturista al. de la escuela expresionista.

GROTE, *George* (1794-1871) Historiador ing. *Historia de Grecia.*

GROTESCO, CA adj. Extravagante. • Irregular, grosero y de mal gusto. • adj. y m. Grutesco.

GROTEWOHL, *Otto* (1894-1964) Político al. Fundó el Partido Socialista Unificado de Alemania Oriental. Jefe de Gobierno (1949-1964).

GROTOWSKI, *Jerzy* (1933-1999) Director teatral pol., discípulo de Stanislavski. Creador de una escuela de interpretación basada en la ética de la sinceridad absoluta.

GROUSSAC, *Paul* (1848-1929) Erudito y crítico arg., de origen fr. Cultivó diversos gén. literarios como la narrativa *(Fruto vedado)* y el teatro *(La divisa punzó).*

GROZNII C. y cap. de la Rep. autónoma de Chechenia (Federación Rusa); 341 300 hab. Centro industrial (refinerías de petróleo). En 1999 fue bombardeada por el ejército ruso.

GRÚA f. *Ing.* Aparato para elevar cargas. • Vehículo automóvil provisto de grúa.

GRÚA Talamanca, *Miguel de la* (?-h. 1750) Administrador colonial esp. Virrey de Nueva España.

GRUESO, SA adj. Corpulento y abultado. • fig. Aplícase al entendimiento poco agudo. • m. Corpulencia de una cosa. • Parte pral. de un todo. • Espesor de una cosa. • f. Número de doce docenas.

GRUIDO adj. y m. *Zool.* Díc. de las aves de la familia gruidos.

GRUIR intr. Gritar las grullas.

GRUJA f. Hormigón de piedras, arena y cemento.

GRUJIDOR m. Barreta de hierro cuadrada que usan los vidrieros. ■ GRUJIR.

GRULLA f. *Zool.* Ave gruiforme gralte. migradora, de distribución casi cosmopolita. • *Astr.* Constelación austral. • *Méx.* Persona lista, astuta. ■ GRULLERO, RA.

GRULLADA f. Conjunto de personas de baja condición. • Perogrullada, verdad muy clara.

GRULLO adj. *Méx.* Caballo ceniciento. • *Méx.* Pegote, gorrón. • m. *Amér.* Peso, moneda. • *Argent.* Potro o caballo grande y gordo. • *Bol.* Dinero.

GRUMETE m. Muchacho que aprende el oficio de marinero ayudando a la tripulación.

GRUMO m. Pequeña porción más compacta que se encuentra en una masa de una sustancia diluida en un líquido. • Conjunto de cosas apiñadas y apretadas. • Extremidad del alón del ave. ■ GRUMOSO, SA.

GRÜNEWALD, *Matthias* (h. 1470-1528) Pintor al., máximo representante del gótico germano en su última fase.

GRUÑIDO m. Voz del cerdo. • Voz del perro u otros animales. • fig. Sonidos roncos que emite una persona. • Ruido producido por el intestino.

GRUÑIR intr. Dar gruñidos. • fig. Murmurar entre dientes. • Chirriar, rechinar una cosa. ■ GRUÑIMIENTO; GRUÑÓN, NA.

GRUPA f. Parte posterior del dorso de una caballería, por delante del nacimiento de la cola.

GRUPADA f. Golpe de aire o agua violento.

GRUPERA f. Almohadilla que se pone detrás del borrén trasero en las sillas de montar.

GRUPO m. Conjunto de personas o cosas situadas en un mismo lugar o con características comunes. • Cada uno de los conjuntos de cosas en que se divide otro más grande. • Conjunto de figuras o personas pintadas, esculpidas o retratadas. • Unidad táctica de la artillería y del ejército del aire. • En una frase, conjunto de palabras con una unidad en el sentido, la sintaxis o el ritmo. • *Mat.* Estructura algebraica abstracta definida en un conjunto que posea una operación (ley de composición interna), cuyas propiedades son: 1) asociatividad; 2) existencia de elemento neutro; 3) existencia de elemento simétrico e inverso. • *Quím.* Cada una de las columnas del sistema periódico. • **de presión.** *Pol.* Conjunto de personas con intereses afines, pralm. económicos, que organizan acciones para obtener beneficios concretos. • **electrógeno.** *El.* Generador eléctrico portátil. • **funcional.** *Quím.* Parte de la molécula, común a un determinado número de combinaciones, a la que dicha molécula debe su función química. • **sanguíneo.** Cada uno de los tipos en que se clasifica la sangre de los mamíferos según contenga o no determinados aglutinógenos en sus hematíes, leucocitos o plaquetas. Los g. son cuatro: A, B, AB y O, y cada uno de ellos puede ser Rh positivo o Rh negativo.

GRUPÚSCULO m. Nombre con el que se designa a grupos políticos, especialmente de izquierda, activos pero de escasa fuerza numérica.

GRUTA f. Cavidad subterránea en riscos y peñas, sea natural o artificial.

GRUTESCO, CA adj. y m. *Arq.* y *Pint.* Díc. del adorno caprichoso de bichos, quimeras y follajes.

GRUYÈRE adj. y m. Queso con grandes ojos, originario de la comarca suiza de Gruyère.

GRYPHIUS, *Andreas* (1616-1664) Poeta y dramaturgo al. Pral. autor dramático al. del s. XVII de inspiración. *León el Armenio, Carlos Estuardo, Catalina de Georgia y Cardenio.*

GUA m. Hoyo que hacen los muchachos en el suelo para jugar con bolitas o canicas. • **¡Gua!** interj. *Bol., Col., Perú* y *Ven.* Se usa para expresar temor o admiración.

GUABAIRO m. Cuba. Ave insectívora nocturna, de plumaje rojo oscuro, veteado de negro.
GUABÁN m. *Cuba.* Árbol silvestre, de semilla venenosa, cuya madera es utilizada para mangos de herramientas.
GUABICO m. *Cuba.* Árbol anonáceo de madera dura y fina.
GUABINA f. *Amér.* Pez de río, de carne gustosa. • *Col.* Aire musical popular de la montaña.
GUABINEAR intr. *Cuba.* Procurar congraciarse con todo el mundo.
GUABINO, NA adj. *Col.* y *Ven.* Zopenco. • *Col.* y *Ven.* Díc. de la persona que nada entre dos aguas. • *Col.* Díc. del pez que no se usa por ser nocivo. • *P. Rico.* Díc. del hombre que rehúye el matrimonio.
GUABIRÁ m. *Argent.* Árbol grande, de fruto amarillo del tamaño de una guinda.
GUABIYÚ m. *Argent.* y *Par.* Árbol de la familia mirtáceas, usado en medicina y de fruto comestible, dulce y negro.
GUABO m. Guamo, árbol.
GUABUCHO m. *P. Rico.* Chichón.
GUABUL m. *Hond.* Bebida de plátano maduro.
GUACA f. *Bol.* y *Perú.* Sepulcro de los ant. indios. • *Amér.* Tesoro escondido. • *C. Rica* y *Cuba.* Hoyo donde se depositan frutas para que maduren. • *Amér.* Hucha. • *Cuba.* Reprimenda. • *Ven.* Úlcera grande.
GUACABINA f. *Cuba.* Provisión para el viaje.
GUACAL m. *Amér. Centr.* Árbol de frutos redondos de pericarpio leñoso. Los g. se utilizan como vasijas. • *Amér. Centr.* La vasija así formada. • *Amér.* Cesta o jaula de varillas de madera, utilizada para transportar loza, cristal, frutas, etc. ■ *Amér.* GUACALADA; *Guat.* GUACALEAR.
GUACALOTE m. *Cuba.* Planta trepadora.
GUACAMAYO m. Ave psitaciforme sudamericana, mayor que los restantes loros, de plumaje muy vistoso.
GUACAMOLE m. *Amér. Centr.* Ensalada de aguacate.
GUACAMOTE m. *Méx.* Yuca, especie de mandioca. ■ GUACAMOTERO, RA.
GUACANCO m. *Argent.* Garrote.
GUÁCANO m. *Col.* Garrote.
GUACANQUI m. *Bol.* Subidas y bajadas en las cuestas de una loma. • *Bol.* Amuleto.
GUÁCARA f. despect. *Col.* Gabán o levita.
GUACARA Mun. de Venezuela, en el est. Carabobo; 40 371 hab. Agricultura.
GUACARNACO, CA adj. *Amér.* Rudo, tonto. • *Cuba.* Zanquilargo.
GUÁCARO, RA m. y f. *Amér.* Campesino. • m. *Amér.* ant. Casaquilla.
GUACAY m. *Amér.* Canal por donde se conduce el agua de lluvia desde el tejado hasta una vasija.
GUACHA f. *Amér.* Rebenque usado por los domadores. • Rodaja de cualquier materia.
GUACHACAY m. Chile. Aguardiente.
GUACHACHEAR tr. *Bol.* Empujar.
GUACHADA f. *Col.* Vulgaridad.
GUACHAFITA f. *Ven.* Casa de juego, garito. • *Amér.* Desorden, algazara. • *P. Rico.* Burla.
GUACHAJE m. *Chile.* Hato de terneros separados de sus madres. • *Amér. Merid.* Conjunto de guachos.
GUACHAMARÓN m. *Ven.* Pendenciero.
GUACHAPA f. *Ven.* Bullicio, confusión.
GUACHAPEAR tr. fam. Golpear con los pies el agua. • fig. y fam. Hacer una cosa chapuceramente. • intr. Sonar una chapa de hierro por estar mal clavada. • *Chile.* Hurtar, arrebatar.
GUACHAPELÍ m. *Ecuad.* Árbol leguminoso, parecido a la acacia.
GUÁCHARA f. *Cuba.* Mentira, embuste.
GUACHARACA f. *Col.* y *Ven.* Ave. • *Col.* Aire popular. • *Col.* Instrumento musical. • *Ven.* Canción para serenata de enamorados.
GUÁCHARO, RA adj. Díc. de la persona enfermiza. • *Ecuad.* Huérfano. • m. Guacho. *Amér. Centr.* Pájaro dentirrostro nocturno, de plumaje rojizo, con manchas verdes y blancas.
GUACHARRO m. Guacho, pollo.
GUACHE m. Pintura a la aguada. *Col.* Tipo de instrumento musical. • *Col.* y *Ven.* Hombre villano, canalla. • *Méx.* Niño. • *Méx.* Persona del interior del país. ■ GUACHEAR.

GUACHI m. *Chile.* Trampa para cazar aves.
GUACHICOLA f. *Amér.* Aguardiente de caña.
GUACHICONGA f. *Amér.* Manceba, querida. • Baile popular.
GUACHIMÁN m. *Amér.* Vigilante, guardián. • *Nic.* Sirviente.
GUACHINANGO, GA adj. *Amér. Centr.* Astuto, zalamero. • *Cuba.* Mexicano. • m. *Cuba* y *Méx.* Pagro, pez.
GUACHINEAR intr. fig. *Cuba.* Nadar entre dos aguas, mostrarse dudoso o perplejo.
GUACHO, CHA adj. *Argent.* Díc. de la cría que ha perdido la madre. • adj. y s. *Amér.* Expósito. • *Amér.* Huérfano, desmadrado. • adj. *Chile.* Borde, dicho de planta y de personas. • *Chile.* Descabalado, desparejado. • m. Cría de un animal, especialmente pollo de un pájaro. • *Ecuad.* Surco. • *Amér.* Aguardientes del último orujo de la uva. ■ GUACHUCHERO, RA.
GUACHUCO m. *Amér.* Aguardiente corriente.
GUACIA f. Acacia, árbol.
GUÁCIMA f. *Ant.* Árbol silvestre, de madera muy resistente, usado para hormas, etc.
GUÁCIMO m. *Amér.* Guácima.
GUACO m. Planta de la familia de las compuestas, con flores blancas de olor nauseabundo. • *C. Rica.* Ave falconiforme de cuerpo negro y vientre blanco, pico negro y fuerte, alas cortas y cola larga. • *Amér.* Objeto de cerámica que se encuentra en las guacas. • *Méx.* Mellizo.
GUACÚ m. *Argent.* Tembladera, enfermedad.
GUADA f. *Amér.* Charco. • Agua depositada en un hoyo.
GUADAFIONES m. pl. Maniotas o trabas.
GUADAL m. *Argent.* Extensión de tierra arcillosa muy suelta y que cuando llueve se convierte en un barrizal.
GUADALAJARA Prov. esp., en Castilla-La Mancha; 12 190 km^2, 157 255 hab. Río pral. el Tajo. Clima continental. Vegetación esteparia. Agricultura y ganadería. • C. de España, cap. de la prov. hom.; 67 108 hab. C. de origen ibérico. Puente y murallas ár.
GUADALAJARA C. de México, cap. del est. de Jalisco; 1 647 720 hab. Sit. en el valle de Atemajac. Por pob. e importancia económica es la segunda c. de la rep. Ind. textil y alimentaria, fabricación de calzados y cerámica, montaje de automóviles. Universidad desde 1792. Aeropuerto. Cristóbal de Oñate la fundó en 1532. Notables edificios de época colonial: la catedral (1561-1618), las iglesias barrocas de San Francisco y Santa Mónica, las neoclásicas de Santa María de Gracia y Santo Domingo, el palacio de la Audiencia. La universidad autónoma está decorada con frescos de J. Clemente Orozco.
GUADALAJARENSE adj. y s. Tapatío. • De Guadalajara, cap. del estado mex. de Jalisco.
GUADALAJAREÑO, ÑA adj. y s. De la c. esp. de Guadalajara.
GUADALCÁZAR Mun. de México, en el est. de San Luis Potosí; 27 154 hab. Agricultura; minas de plata.

Grulla

Guacamayo

Vista de **Guadalajara,** México

Guadañadora mecánica

GUADALETE Río de España, en Andalucía (prov. de Cádiz). Escenario de la batalla hom. en la cual los musulmanes derrotaron a Don Rodrigo, último rey visigodo (711).

GUADALOSO, SA adj. *Argent.* Lleno de dunas.

GUADALQUIVIR Río de España, en Andalucía. 590 km. Nace en la sierra de Cazorla, atraviesa las prov. de Jaén, Córdoba y Sevilla, pasa por las c. de Córdoba y Sevilla y desemboca en el Atlántico.

GUADALUPE *(Guadeloupe)* Isla de las Pequeñas Antillas; 1 438 km^2, 299 000 hab., mulatos en su mayoría (65 %). Con las islas de Marie Galante, Les Saintes, La Désirade, Petite-Terre, Saint-Barthélemy y la parte fr. de Saint-Martin forma un dpto. fr. de ultramar (1 705 km^2). Cap., Basse-Terre (13 656 hab.). Economía agrícola.

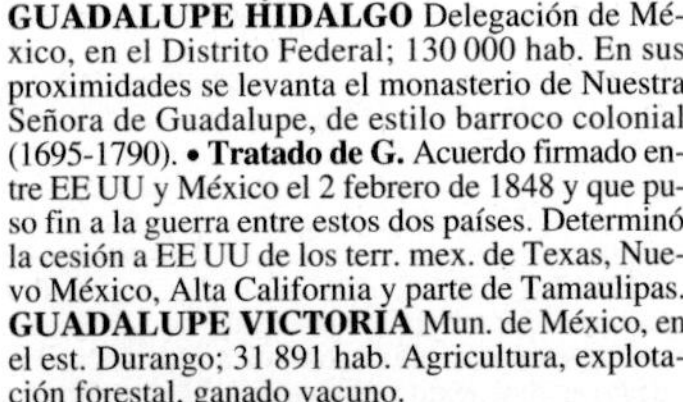

Instalaciones portuarias en **La Guaira,** Venezuela

GUADALUPE C. de Costa Rica en la prov. de San José, 61 600 hab. Café, cereales y hortalizas. Aves. Ganado vacuno. Ind. lechera. • C. de México, en el est. de Nuevo León; 159 930 hab., en el extrarradio de Monterrey.

GUADALUPE HIDALGO Delegación de México, en el Distrito Federal; 130 000 hab. En sus proximidades se levanta el monasterio de Nuestra Señora de Guadalupe, de estilo barroco colonial (1695-1790). • **Tratado de G.** Acuerdo firmado entre EE UU y México el 2 febrero de 1848 y que puso fin a la guerra entre estos dos países. Determinó la cesión a EE UU de los terr. mex. de Texas, Nuevo México, Alta California y parte de Tamaulipas.

GUADALUPE VICTORIA Mun. de México, en el est. Durango; 31 891 hab. Agricultura, explotación forestal, ganado vacuno.

GUADALUPE Y CALVO Mun. de México en el est. Chihuahua; 33 902 hab. Agricultura, ganadería, explotación forestal.

GUADAMECÍ o **GUADAMECIL** m. Cuero adobado y adornado con dibujos. ■ GUADAMACILERÍA; GUADAMECILERO, RA.

GUADAÑA f. Instrumento para segar a ras de tierra.

GUADAÑAR tr. Segar con la guadaña. ■ GUADAÑADOR, RA; GUADAÑERO O GUADAÑIL.

GUADAÑO m. *Cuba* y *Méx.* Bote pequeño con carroza usado en los puertos.

GUADAPERO m. Peral silvestre. • Mozo que lleva la comida a los segadores.

GUADARNÉS m. Lugar para guardar sillas y guarniciones y todo lo perteneciente a la caballeriza. • Armería, especie de museo de armas.

GUADARRAMA, ***sierra de*** Macizo montañoso de España, en el sistema Central. Pico culminante, Peñalara (2 430 m). Centro turístico.

Indígena **guajira** de Venezuela

GUADIANA Río de España y Portugal; 744 km.

GUADUA f. *Amér.* Especie de bambú muy grueso y alto. ■ GUADAL.

GUÁDUBA f. *Amér.* Guadua.

GUAFA f. *Ven.* Cerca hecha de bambúes.

GUAGUA f. Chuchería. • *Amér.* Niño de teta. • Ómnibus de servicio público. • *Col.* Roedor. • *Cuba.* Insecto hemíptero que ataca árboles frutales. • *Cuba.* Cierta enfermedad de la piel.

GUAGUÁ m. *Guat.* Fantasma, coco.

GUAGUALÓN, NA m. y f. *Chile.* Niño grandote; bobón.

GUAGUAREAR intr. fam. *Guat.* y *Méx.* Charlar.

GUAGUASÍ m. *Cuba.* Árbol silvestre; de su tronco fluye una resina aromática usada de purgante.

GUAGUATEAR tr. *Chile* y *Guat.* Amamantar, criar. • Llevar una criatura en brazos.

GUAICA f. *Argent.* Abalorio. • *Ven.* Caña.

GUAICAIPURO (muerto 1568) Cacique. Luchó contra los esp. conquistadores del valle de Caracas.

GUAICO m. *Amér.* Hondonada, barrizal.

GUÁIMARA f. *Ven.* Mujer varonil y descarada.

GUÁIMARO Mun. de Cuba. en la prov. de Camagüey; 50 104 hab. Caña de azúcar.

GUAIMEÑO m. *Amér.* Sombrero de palma.

GUAINA adj. y m. *Chile.* Joven, mozo.

GUAINÍA Dpto. de Colombia; 72 238 km^2, 28 478 hab. Cap., Puerto Inírida.

GUAIPE m. *Chile.* Filástica, estopa.

GUAIPÍN m. *Amér. Merid.* Capotillo.

GUAIRA f. *Perú.* Hornillo de barro en que los indios funden los minerales de plata. • *Mar.* Vela triangular. • *Amér. Centr.* Flauta de varios tubos que usan los indios.

GUAIRA, ***La*** C. del N de Venezuela , cap. del est. Vargas, en la costa del Caribe; 26 000 hab. Puerto de Caracas, a la que está unida por carretera y ferrocarril (50 km). Centro comercial. Fundada en 1588 por Diego de Osorio.

GUAIRÁ Dpto. del centro-E de Paraguay; 3 846 km^2, 179 800 hab. Cap., Villarrica. Accidentado en su sector oriental por la cord. de Caaguazú. Explotación forestal, ganado vacuno y productos tropicales.

GUAIRABO m. *Chile.* Ave zancuda nocturna, de plumaje blanco y cabeza y dorso negros.

GUAIRO m. Embarcación chica con dos velas.

GUAIRONA f. *Amér.* Habitación que sirve de dormitorio y despensa.

GUAIRURO m. *Amér.* Judía que los indios usan para fabricar collares y otros adornos.

GUAITA f. *Mil.* Soldado que estaba en acecho durante la noche.

GUAITECAS Arch. de Chile, sit. frente al litoral, al S de la isla de Chiloé.

GUAJA com. fam. Pillo, granuja.

GUAJACA f. *Cuba.* Planta bromeliácea usada para rellenar colchones.

GUAJACÓN m. *Cuba.* Pececillo de agua dulce.

GUAJADA f. *Méx.* Tontería, torpeza, sandez.

GUÁJAR amb. o **GUÁJARAS** f. pl. Fragosidad, lo más áspero de una sierra.

GUAJE m. *Méx.* Acacia. • *Hond.* y *Méx.* fig. Bobo, tonto. • m. *Amér. Centr.* fig. Trasto, persona o cosa inútil. • Niño, jovenzuelo.

GUAJEY m. *R. Dom.* Calabaza con guijarros en su interior, usada a modo de maracas.

GUAJILOTE m. *Méx.* Planta de la familia bignoniáceas, con frutos semejantes a pepinos.

GUAJIQUIRO Mun. de Honduras, en el dpto. de La Paz. 5 586 hab. Café.

GUAJIRA Dpto. de Colombia, sit. en la pen. hom.; 20 848 km^2, 433 361 hab. Cap., Riohacha. Sus sectores altos pertenecen a la sierra Nevada de Santa María y a la sierra de Perijá. Clima cálido y seco. Ríos prales., el Ranchería y el Calancala. Recursos sobre todo ganaderos. Ostras perlíferas. Salinas, yeso, cal, carbón.

GUAJIRO, RA m. y f. *R. Dom.* Campesino. • adj. *Cuba.* Rústico, campestre. • adj. y s. Individuo de un pueblo amerindio que habita la pen. de Guajira (Colombia y Venezuela). Suman unas cincuenta mil personas.

GUAJOLOTE m. *Méx.* Pavo. • adj. y m. Tonto.

GUAL, ***Pedro*** (1784-1862) Político ven. Colaboró con Miranda y Bolívar. Vicepresid. de la Rep. (1860), por renuncia del presid. Tovar, accedió a la presidencia (mayo 1861). Una sublevación militar puso fin a su mandato.

GUALA f. *Chile.* Ave guiforme, de plumaje rojo oscuro y blanco. • *Ven.* Aura, gallinazo.

GUALACO Mun. de Honduras en el dpto. de Olancho; 7 032 hab. Café, refinerías de azúcar.

GUALAMBEAR tr. *Col.* Arruinar a uno.

GUALÁN Mun. de Guatemala en el dpto. de Zacapa; 22 914 hab. Ganadería. Ind. del calzado.

GUALATINA f. Guiso compuesto de manzanas, leche de almendras desleída con caldo, especias remojadas en agua rosada y harina de arroz.

GUALATO m. *Chile.* Azadón de madera.

GUALCINCE Mun. de Honduras en el dpto. de Lempira; 6 678 hab. Agricultura.

GUALDA f. Planta resedácea que se emplea para teñir de amarillo. ■ GUALDADO, DA; GUALDO, DA.

GUALDERA f. Cada uno de los dos tablones laterales de algunos armazones.

GUALDRAPA f. Cobertura larga que cubre las

ancas de la cabalgadura. • fig. y fam. Calandrajo, andrajo. ■ GUALDRAPERO.

GUALDRAPAZO m. *Mar.* Golpe que dan las velas de un buque contra los árboles y las jarcias.

GUALDRAPEAR tr. Poner de vuelta encontrada una cosa sobre otra. • Dar gualdrapazos. • *Cuba.* Andar el caballo con movimiento suave. ■ GUALDRAPEO.

GUALEGUAY C. de Argentina, en la prov. de Entre Ríos; 25 075 hab. Agricultura y ganadería. • Dpto. de la prov. de Entre Ríos; 40 276 hab.

GUALEGUAYCHÚ C. de Argentina, en la prov. de Entre Ríos; 51 400 hab. Puerto fluvial sobre el río hom., cerca de su desembocadura en el Uruguay. Centro comercial. • Dpto. de la prov. de Entre Ríos; 91 658 hab.

GUALETA f. *Chile.* Atleta, orejera.

GUALHUE m. *Amér.* Terreno húmedo, gralte. a la orilla de un río.

GUALICHO m. *Amér.* Diablo o genio del mal. • *Amér.* Daño, maleficio. • *Argent.* Talismán.

GUALILLA f. *Ecuad.* Mamífero roedor, abundante en los bosques andinos.

GUALIQUEME m. *Hond.* Árbol papilionáceo que tiene propiedades narcóticas.

GUALLATIRI Volcán del N de Chile, en Tarapacá; 6 063 m.

GUALLIPÉN adj. *Chile.* Patituerto, estevado.

GUALPUTA f. *Chile.* Planta parecida al trébol.

GUALVE m. *Chile.* Terreno pantanoso.

GUAM La mayor y más meridional de las islas Marianas (Micronesia), en el Pacífico; 549 km^2, 106 000 hab. Cap., Agaña. Ant. posesión esp., pasó a EE UU en 1898. Entre 1941 y 1949 estuvo bajo control de Japón. Es un territorio de EE UU no incorporado.

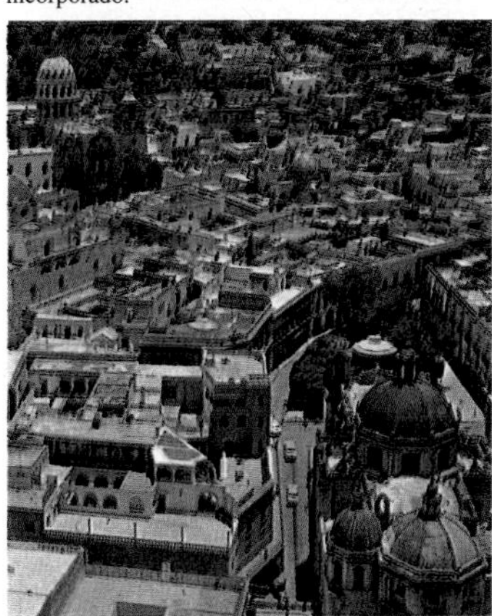

Vista de la ciudad de **Guanajuato**

GUAMA f. *Amér.* fig. Mentira. • *Col.* y *Ven.* Fruto del guamo. • *Col.* Guamo. • *Col.* Calamidad. • *Ven.* Chasco pesado.

GUAMÁ m. *Cuba.* Árbol de la familia papilionáceas, del que se hacen cuerdas.

GUAMÁ C. de Cuba en la prov. de Santiago; 28 946 hab. Parque Nacional.

GUAMACARO Mun. de Cuba en la prov. de Matanzas; 14 400 hab. Caña de azúcar.

GUAMAL Mun. de Colombia en el dpto. del Magdalena; 20 022 hab. Plátanos.

GUAMANGO m. *Argent.* Especie de halcón.

GUAMAZO m. *C. Rica* y *Méx.* Guantada.

GUAMBÍA f. *Col.* y *Ven.* Especie de mochila.

GUAMBIAR tr. *Salv.* Zurrar, castigar.

GUAMBO m. *Amér.* Machete pequeño. • Plátano verde.

GUAMBRA m. *Ecuad.* Muchacho indio o mestizo.

GUAMIL m. *Hond.* Planta que brota en tierras roturadas. • *Hond.* Terreno montañoso donde se repite una siembra.

GUAMO m. Árbol sudamericano de la familia de las mimosáceas que se planta para dar sombra en los cafetales. Su fruto es la guama.

GUAMO Mun. de Colombia en el dpto. del Tolima; 25 496 hab. Minas de carbón, refinería de petróleo.

GUAMPA f. o **GUAMPARO** m. *Argent.* y *Chile.* Aliara. • *Argent.* y *Ur.* Cuerno.

GUAMPARÁ f. *Amér.* Machete.

GUAN m. Ave galliforme de la familia crácidos, de hasta 90 cm de largo. Se agrupa en bandadas en las selvas sudamericanas.

GUANABÁ m. *Cuba.* Ave ciconiforme.

GUÁNABA m. *Amér.* Guanábana. • *Amér. Centr.* Papanatas.

GUANABACOA C. de Cuba en la prov. Ciudad de la Habana, 93 190 hab. Forma parte de la agl. urb. de La Habana.

GUANABANA f. *Amér.* Fruto del guanábano.

GUANABANADA f. *Amér.* Bebida refrescante.

GUANABANISMO m. *Col.* Majadería.

GUANÁBANO m. Árbol anonáceo, de fruto acorazonado de pulpa de sabor muy grato.

GUANABARA Ant. est. de Brasil. Fue Distrito Federal (1808-1960). Desde 1975 forma parte del est. de Río de Janeiro.

GUANABIMA f. *Cuba.* Fruto del corojo.

GUANACASTE m. *Amér. Centr.* Árbol gigantesco de la familia mimosáceas, de hojas que se cierran durante la noche.

GUANACASTE Cord. de Costa Rica, que forma parte de la Centroamericana y recibe también el nombre de Volcánica. Alcanza su máx. alt. en el volcán Miravalles (2 028 m). • Prov. del NO de Costa Rica, fronteriza con Nicaragua; 10 141 km^2, 242 681 hab. Cap., Liberia. Comprende la pen. de Nicoya. Accidentada por la cord. hom. Clima cálido. Cereales, ganado vacuno y porcino, algunas ind. derivadas.

GUANACIA f. fam. *Amér. Centr.* La región centroamericana, excepto Guatemala.

GUANACO, CA m. y f. Mamífero rumiante salvaje parecido a la llama. Habita en los Andes meridionales. Su carne y su piel son muy estimadas. • fig. *Amér.* Payo, rústico. • fig. *Amér. Centr.* y *Merid.* Tonto, simple. • *Guat.* El nacido en América Central fuera de Guatemala.

GUANAGAZAPA Mun. de Guatemala; en el dpto. de Escuintla; 6 635 hab. Café.

GUANAHANÍ Nombre que daban los indígenas a la primera isla americana descubierta por Colón (12 de octubre 1492). Posiblemente la actual Watling.

GUANAJAY Mun. de Cuba en la prov. de La Habana; 26 041 hab. Caña de azúcar.

GUANAJERÍA f. *Cuba.* Simpleza, necedad.

GUANAJUATO Est. de Méx., sit. en la parte central de la rep.; 30 589 km^2, 4 656 761 hab. El terr. es muy montañoso. En el centro hay una planicie de unos 1 600 m de alt., el Bajío. Al N lo accidentan las sierras de Guanajuato, Media Luna, Gorda, San Pedro, etc., mientras que por el S lo hacen derivaciones de la cord. Neovolcánica. Su río pral. es el Lerma, que lo atraviesa por el S. Tiene variación de climas debido a las diferentes alt., predominando el clima seco y estepario en el N y templado y lluvioso en el Bajío (790 mm). Los productos agrícolas más cultivados en la región del Bajío son el maíz, fríjol y frutales. Oro, plata, cobre y cinc. Ind. de hilados y tejidos, calzado, construcción, etc. Refinería de petróleo y fábrica de lubricantes. • C. de Méx., cap. del est. hom.; 141 215 hab. Minería (oro y plata), agricultura y ganadería. Vidrio, alfarería y tejidos. C. colonial, con edificios barrocos. Catedral. Universidad. Aeropuerto.

GUANANA f. *Cuba.* Ave palmípeda.

GUANARE Río de Venezuela, subafluente del Orinoco; 332 km. Nace en la cord. de Mérida, avena los Llanos occidentales y se une al Portuguesa. • C. de Venezuela, cap. del est. Portuguesa; 64 000 hab. Sit. en la cuenca del río Guanare. Centro agrícola. Ind. maderera. Basílica de la Virgen de Coromoto. Fundada en 1593 por Juan Fernández de León.

GUANAY m. *Amér.* Remero. • Trabajador del puerto.

GUANCHAQUEAR intr. *Perú.* Burlar la vigilancia y entrar en una sala de espectáculos.

GUANCHE adj. y s. *Etn.* Individuo de la etnia que

Rama y fruto de **guamo** según un dibujo antiguo

Guanaco

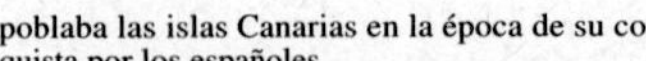

poblaba las islas Canarias en la época de su conquista por los españoles.

GUANCO, CA m. y f. *Hond.* Miembro de una agrupación que celebra fiestas en honor al patrono. • Campesino, inculto. ■ GUANCASCO, CA.

GUANDERO m. Persona que transporta enfermos o heridos en camilla.

GUANDO m. *Amér.* Andas, parihuela, camilla.

GUANDÚ m. *C. Rica, Cuba* y *Hond.* Arbusto de la familia papilionáceas; tiene por fruto unas vainas que encierran una legumbre.

GUANE Mun. de Cuba, en la prov. de Pinar del Río; 32 355 hab. Tabaco.

GUANEAR Intr. *Amér.* Refiriéndose a animales, defecar. • tr. *Amér.* Abonar un terreno con guano. • Ensuciar.

GUANGARA f. *Amér.* Algazara. • Vasija ancha y honda.

GUANGO m. *Col.* y *Ecuad.* Fajo, haz. • *Chile.* Especie de ratón. • adj. *Guat.* y *Méx.* Ancho.

GUANGOCHE m. *Méx.* Especie de arpillera. • *Guat.* Costal.

GUANGOCHO m. *Hond.* Guangoche. • *Hond.* Saco hecho de esta tela. • adj. *Méx.* Ancho.

GUANÍ m. *Cuba.* Pajarito, especie de colibrí.

GUÁNICA Mun. de P. Rico en el distr. Mayagüez; 19 984 hab. Pesca y exportación.

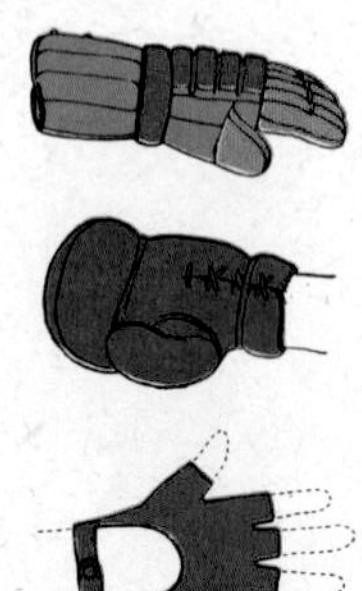

Guantes de hockey, de boxeo y de conducir

GUANÍN *Ant.* y *Col.* Oro de baja ley elaborado por los indios. • Joya de este metal.

GUANINA f. *Cuba.* Planta herbácea papilionácea. Sus semillas se emplean como sucedáneo del café. • *Biol.* Base nitrogenada de tipo púrico. Se descubrió en el guano.

GUANIPA Mun. de Venezuela en el est. Anzoátegui; 22 724 hab. Ganadería, petróleo. • Río del NE de Venezuela; 340 km. Nace en la mesa de Guanipa y desemboca en el golfo de Paria.

GUIANIQUÍ m. *Amér. Centr.* y *Ant.* Bejuco que crece en las sierras y se utiliza para hacer cestos.

GUANO m. Producto amarillento formado por compuestos de fósforo y nitrógeno, originado en climas áridos por la transformación de espesas capas de excrementos de aves marinas. Se usa como abono. • *Cuba.* Nombre genérico de varias palmeras. • Penca de la palma. ■ *Amér.* GUANAL; GUANERA; GUANERO, RA.

GUANOCO Lago de Venezuela; 4,50 km^2. Uno de los mayores depósitos de asfalto del mundo.

GUANQUÍ m. *Chile.* Planta dioscoreácea, especie de ñame, cuyos tubérculos son comestibles.

GUANTA f. *Ecuad.* Guatusa, mamífero.

GUANTADA f. Bofetada. ■ *Chile* y *Méx.* GUANTEAR; GUANTÓN.

GUANTANAMERO, RA adj. y s. De Guantánamo.

GUANTÁNAMO Prov. del SE de Cuba; 6 221 km^2, 485 000 hab. Cacao, café, madera. Base naval norteam. reclamada por Cuba. • C. de Cuba, cap. de la prov. hom.; 215 800 hab. Centro agrícola y comercial. Ind. alimentaria.

Jefe **guaraní**

GUANTAZO m. Bofetada.

GUANTE m. Prenda para la mano. • *Chile.* Disciplinas para azotar. • pl. Gratificación sobre el precio de una cosa. • **Arrojar el g.** a uno. Desafiarle. • **Echar el g.** fig. y fam. Detener, arrestar a un malhechor.

GUANTELETE m. Manopla.

GUANTERÍA f. Establecimiento donde se hacen o venden guantes.

GUANTERO, RA m. y f. Persona que hace o vende guantes. • f. Caja del salpicadero de los automóviles para guardar cosas. • f. *Amér.* Cajita para guardar los guantes.

GUAÑANGA f. *Amér.* Tristeza por la ausencia de alguien. • Harapo.

GUAÑIL m. *Chile.* Arbusto de la familia de las compuestas, con hojas lanceladas y flores en panoja.

Guardamalleta

GUAÑÍN m. Nombre que daban los indios al oro bajo y a objetos hechos con este metal.

GUAO m. *Méx., Cuba* y *Ecuad.* Árbol anacardiáceo; su semilla alimenta al ganado de cerda y la madera se usa para hacer carbón.

GUAPANGO m. *Méx.* Baile popular.

GUAPEAR intr. fam. Ostentar valor en los peligros. • fam. Hacer alarde de algo.

GUAPO, PA adj. y s. fam. Animoso, valiente. • adj. fam. Ostentoso en el vestir. • fam. Bien parecido. • fam. Bonito. • m. Fanfarrón, bravucón. • Galán que festeja a una mujer.

GUAPORÉ *(Iténez)* Río de Sudamérica; 1 600 km. Nace en Brasil (chapada dos Parecis), forma frontera entre dicho país y Bolivia y afluye al Mamoré.

GUAPOTE, TA adj. fam. Bonachón, de buen genio. • fam. De buen parecer.

GUAPUCHA f. *Amér.* Trampa.

GUAPURREAR tr. *Amér.* Ahuyentar el ganado. ■ GUAPURREO.

GUAQUEAR tr. *Amér. Centr.* Excavar en busca de objetos arqueológicos precolombinos. ■ *Amér.* GUAQUERÍA; GUAQUERO.

GUARA f. *Cuba.* Árbol sapindáceo parecido al castaño. • *Guat.* Loro. • *Guat.* Aguardiente. • *Hond.* Guacamayo. • pl. *Chile.* Donaire.

GUARÁ m. *Amér.* Lobo de las pampas.

GUARACA f. *Amér.* Honda, zurriago. ■ GUARACAZO.

GUARACARO m. *Ven.* Planta papilionácea de tallos retorcidos y semilla comestible.

GUARACHA f. Baile semejante al zapateado. • *Ant.* Canción festiva. • *Ant.* Bulla, diversión. • pl. *Guat.* Zapatos viejos.

GUARACHE m. *Méx.* Sandalia tosca de cuero.

GUARACHO m. *Hond.* Sombrero estropeado.

GUARACO m. *Amér.* Especie de basalto.

GUARAGUA f. *Amér.* Contoneo y rodeo. • *Hond.* Mentira.

GUARAGUAO m. *Cuba.* Especie de águila.

GUARAL m. *Col.* y *Ven.* Cordel.

GUÁRAMO m. *Ven.* Valor, pujanza o bajeza.

GUARANÁ f. Paulinia, planta. • Pasta medicinal hecha con semillas de paulinia, cacao y tapioca.

GUARANDA C. de Ecuador, cap. de la prov. de Bolívar; 15 730 hab. Cereales, frutales. Ganadería ovina. Centro comercial y vía de comunicación con la Costa.

GUARANDUL m. *Amér.* Tela muy fina.

GUARANGO, GA adj. *Amér. Merid.* Sucio, zarrapastroso. • *Argent.* y *Chile.* Incivil, mal educado. • m. *Ecuad.* y *Perú.* Especie de aromo silvestre. • *Ven.* Dividivi, árbol.

GUARANÍ adj. y s. *Etn.* Individuo de una etnia que se extiende desde el Orinoco al Río de la Plata. • m. *Ling.* Lengua guaraní. • Unidad monetaria del Paraguay. ■ GUARANISMO.

* *Etn.* Los supervivientes g. constituyen el elemento étnico básico en Paraguay y ocupan también zonas marginales de Brasil. Practican la pesca, la caza y el cultivo de maíz, mandioca y otros productos. Residen en casas comunales agrupadas en clanes totémicos. Respetan la supremacía de los chamanes y de los jefes militares. Son polígamos y animistas. Destacan, además, por la artesanía en cerámica. La colonización esp. (s.XVI) originó un considerable número de mestizos. Establecidos los jesuitas (1609) en el Paraguay, los g. fueron encuadrados (hasta 1767) en reducciones. A fines del s. XVIII, tras la expulsión de los jesuitas, los g. se dispersaron, fusionándose en gran medida con el resto de la pob. paraguaya.

* *Ling.* El g. procede del tupí ant. (abeñeenge). Comprende varios dialectos y fue estudiado y sistematizado por misioneros jesuitas (Velázquez, Ruiz, Aragón). Lengua of. en Paraguay.

GUARAÑA f. *Ven.* Baile popular. • Ruleta.

GUARAPALO m. *Amér.* Palo largo y redondo. • Hombre rústico.

GUARAPILLO m. *Amér.* Bebida fermentada de zarzaparrilla. • Botón con el que juegan los muchachos.

GUARAPO m. Jugo de la caña dulce exprimida que produce el azúcar. • adj. *Guat.* Díc. de la caña vieja que fermenta. ■ *Col.* GUARAPAZO; *Perú.* GUARAPEADO, DA; GUARAPEAR.

GUARAPÓN m. *Amér.* Sombrero de ala ancha.

GUARAPUAVA C. de Brasil en el est. de Paraná; 125 174 hab. Centro agrícola. Ind. alimentarias.
GUARAQUERO m. *Amér.* Ladrón.
GUARAREY m. *Amér.* Mal de amores. • Celos, envidia.
GUARATAZO m. *Ven.* Pedrada.
GUARATINGUETÁ C. de Brasil en el est. de São Paulo; 55 100 hab. Industria.
GUARAUNO, NA adj. y s. Individuo de ciertas tribus amerindias que habitan en Venezuela y Guyana, desde el delta del Orinoco hasta cerca de la desembocadura del Esequibo.
GUARDA com. Persona que tiene a su cargo la conservación de una cosa. • Tutela. • Observancia y cumplimiento de un mandato. • Cada una de las dos varillas grandes del abanico. Se usa más en pl. • Hojas de papel blanco que ponen los encuadernadores al principio y al fin de los libros. Se usa más en pl. • En las cerraduras, hierro que corresponde al hueco de las llaves. • Guarnición de la espada. • **jurado.** Aquel que vigila los intereses de particulares, corporaciones o empresas.
GUARDABANDERAS m. Marinero a cuyo cuidado está la bitácora.
GUARDABARRERA com. Persona que en las líneas de ferrocarriles custodia un paso a nivel.
GUARDABARROS m. Chapa que va sobre las ruedas de los vehículos para evitar las salpicaduras.
GUARDABOSQUE o **GUARDABOSQUES** m. Individuo que vigila los bosques.
GUARDABRISA m. Fanal de cristal donde se colocan las velas. • Parabrisas de automóvil. • *Méx.* Mampara.
GUARDACABO m. *Mar.* Anillo metálico que protege el cabo.
GUARDACABRAS com. Cabrero.
GUARDACAMISA f. *Ven.* Camiseta.
GUARCANTÓN m. Poste de piedra para resguardar de los carruajes las esquinas de los edificios. • Poste de piedra que se coloca al lado del camino.
GUARDACARTUCHOS m. *Mar.* Caja para conducir los cartuchos desde el pañol a la pieza.
GUARDACOSTAS m. Buque utilizado para defender las costas y perseguir el contrabando.
GUARDACUÑOS m. Empleado encargado en la casa de moneda de guardar los cuños.
GUARDADOR, RA adj. y s. Que observa las leyes y preceptos. • Miserable y apocado.
GUARDAESPALDA m. Persona que acompaña a otra con la misión de protegerla.
GUARDAFANGO m. Guardabarros.
GUARDAFRENOS m. Empleado que tiene a su cargo los frenos en los ferrocarriles.
GUARDAGANADO m. *Argent.* Foso cubierto por travesaños paralelos en la entrada de las estancias para impedir el paso del ganado, pero no el de los vehículos.
GUARDAGUAS m. *Mar.* Listón que se clava sobre las portas para que no entre el agua.
GUARDAGUJAS m. Empleado que en los ferrocarriles se cuida del manejo de las agujas.
GUARDAJOYAS m. Sujeto a cuyo cuidado está la custodia de las joyas de los reyes. • Lugar donde se guardan las joyas de los reyes.
GUARDALADO m. Pretil o antepecho.
GUARDALMACÉN com. Persona que tiene a su cargo la custodia de un almacén.
GUARDAMALLETA f. Pieza de adorno que pende sobre el cortinaje por la parte superior.
GUARDAMANO m. Guarnición de la espada.
GUARDAMATERIALES m. En las casas de moneda, sujeto a cuyo cargo está la compra de materiales para fundiciones.
GUARDAMETA m. Portero de un equipo de fútbol.
GUARDAMONTE m. En las armas de fuego, pieza de metal sobre el disparador para protegerlo. • Capote de monte. • *Méx.* Pedazo de piel que se pone sobre las ancas del caballo para evitar la mancha del sudor. • *Argent.* y *Bol.* Piezas de cuero que sirven para defender las piernas del jinete de la maleza del monte.
GUARDAMUEBLES m. Local para guardar muebles. • Empleado que cuida de los muebles.
GUARDAPELO m. Joya en forma de cajita plana en que se guarda un rizo de pelo, un retrato, etc.
GUARDAPESCA m. Buque de pequeño porte destinado a vigilar el cumplimiento de los reglamentos de pesca marítima.
GUARDAPOLVO m. Resguardo para preservar una cosa del polvo. • Sobretodo, tela para preservar el traje del polvo. • Tejadillo voladizo construido sobre un balcón. • Tapa interior de los relojes de bolsillo. • pl. En los coches, hierros que van desde la vara de guardia hasta el eje.
GUARDAPUERTA f. Antepuerta, cortina.
GUARDAPUNTAS m. Pieza que sirve para preservar la punta del lápiz.
GUARDAR tr. Cuidar, vigilar algo. • Observar y cumplir lo que cada uno debe por obligación. • tr. e intr. Conservar o retener una cosa. • No dejar que desaparezca o se altere algo, como una tradición. • Reservar algo para alguien. • No comunicar a otro un secreto. • Sentir uno insistentemente un afecto o sentimiento hacia alguien. • prnl. Recelarse y precaverse de un riesgo. • Poner cuidado en dejar de ejecutar una cosa que no es conveniente.
GUARDARRAYA f. *Cuba.* Linde de una heredad. • m. *Guat.* Hito o poste lineal que se fija entre los extremos de un lindero recto.
GUARDARRÍO m. Martín pescador.
GUARDARROPA m. Armario donde se guarda la ropa. • Abrótano.
GUARDARROPÍA f. En el teatro, conjunto de trajes y de efectos necesarios para las representaciones. • En un local público, lugar donde se guardan prendas de vestir y otros efectos.
GUARDARRUEDAS m. Guardacantón. • Pieza de hierro que se pone a los lados del umbral en las puertas para proteger los quicios del roce de las ruedas de los vehículos.
GUARDASELLOS m. Funcionario que custodia un sello oficial o de alguna corporación.
GUARDASILLA f. Moldura de madera que se clava en la pared para evitar el roce de las sillas.
GUARDATINAJO m. Mamífero roedor de la familia chinchíllidos. Propio de las Pampas.
GUARDAVACAS f. *Amér.* Zanja con estacas para evitar que los animales se acerquen a la vía férrea.
GUARDAVALLA m. *Amér.* Portero, guardameta, arquero.
GUARDAVELA m. *Mar.* Cabo con que se acaba de atar las velas de gavia a los palos.
GUARDAVÍA m. Empleado que tiene a su cargo la vigilancia de un trozo de línea férrea.
GUARDERÍA f. Ocupación del guarda. • **infantil.** Establecimiento donde se cuida y atiende a los niños de corta edad.
GUARDÉS, SA m. y f. Persona encargada de guardar o custodiar una cosa. • Guardabarrera.
GUARDI, *Francesco* (1712-1793) Pintor it. de la escuela veneciana. *Plaza de San Marcos, La Salute.*
GUARDIA f. Conjunto de gente armada que defiende un puesto. • Defensa, protección. • Nombre de ciertos cuerpos armados. • m. Individuo de uno de estos cuerpos. • **civil.** Cuerpo fundado en España en 1844 para mantener el orden público en la zona rural del país. • **de tráfico.** La destinada a regular el tráfico. • **marina.** El que se educa para ser oficial en la armada. • *Argent.* y *Par.* Oficial que, al terminar sus estudios en la Escuela naval, recibe el grado y empleo inferior de la carrera. • **municipal.** La que, dependiente de los ayuntamientos, mantiene en las ciudades el respeto a las ordenanzas municipales. • **urbano.** Guardia municipal dedicado a regular el tráfico. • **En guardia.** m. adv. *Esg.* En actitud de defensa.
GUARDIA, *Ernesto de la* (nacido 1904) Político pan. Presid. de la Rep. (1956-1960). • ***Ricardo Adolfo de la*** (1899-1969) Político pan. Presid. de la Rep. (1941-1945). • **Gutiérrez, *Tomás*** (1832-1882) Político costarric. Promovió la rebelión que derrocó a Jiménez en 1870. Presid. de la Rep. (1870-1882).
GUARDIÁN, NA m. y f. Persona que guarda una cosa. • m. En la orden de San Francisco, prelado ordinario. • Oficial encargado de las embarcaciones menores y de los cables o amarras. • *Mar.* Cable de poca calidad con el que se aseguran del temporal los barcos pequeños.
GUARDIERO m. *Cuba.* Guardián de una finca.
GUARDILLA f. Buhardilla. • Cierta labor para adornar y asegurar la costura. • Cada una de las dos púas gruesas del peine.

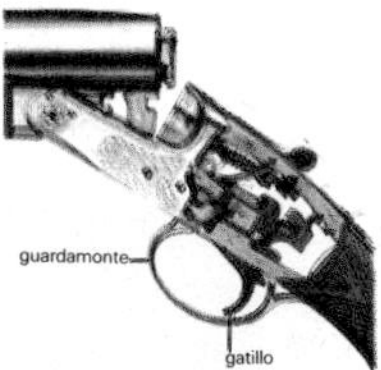

Guardamonte

Detalle de *Vista de Venecia el día de la festividad de la Ascensión*, óleo de Francesco **Guardi**

Uniformes antiguos de la **guardia civil** española. Litografía del Archivo Histórico Nacional, Madrid

GUARDILLÓN m. Desván sin divisiones que queda entre el techo del último piso y el tejado. • Guardilla pequeña y no habitable.
GUARDÍN m. *Mar.* Cabo con que se suspenden las portas de la artillería. • *Mar.* Cabos o cadenas que van sujetos a la caña del timón y por medio de los cuales se maneja.
GUARDINI, *Romano* (1885-1968) Teólogo al. de origen it. *El espíritu de la liturgia, El Señor.*
GUARDIOLA, *Santos* (h. 1812-1862) Militar y político hond. Presid. de la Rep. (1856-1862). Durante su mandato Gran Bretaña devolvió a Honduras la Mosquitia hondureña y las islas de la Bahía. Murió asesinado.
GUARDOSO, SA adj. Díc. del que tiene cuidado de no malgastar sus cosas. • Tacaño.
GUARE m. *Ecuad.* Timón para balsa de río.
GUAREAR tr. *Ven.* Atalayar. • prnl. *Amér. Centr.* Embriagarse.
GUARECER tr. Guardar y asegurar una cosa. • Curar. • prnl. Refugiarse en alguna parte.
GUARÉN m. *Chile.* Rata grande de dedos palmeados.
GUARENAS Mun. de Venezuela en el est. Miranda; 37 133 hab. Maíz, ganadería, ind. textil.
GUARERO, RA adj. *Guat.* Persona que gusta de tomar guaro. • *Ven.* Oteador en una sementera.
GUARESCHI, *Giovanni* (1908-1969) Escritor it. Creador de Don Camilo y Peppone, protagonistas de *El Pequeño mundo de don Camilo* y *La vuelta de don Camilo.*
GUARGUAR m. *Ecuad.* Tipo de bebida.
GUARGÜERO m. fam. *Amér.* Garguero, gaznate, garganta.
GUARI m. *Chile.* Garganta.
GUARIA f. *C. Rica.* Planta orquidácea que adorna tejados y tapias.
GUARIADO, DA adj. *Cuba.* Se aplica a lo que tiene colores chillones.
GUARIAO m. *Cuba.* Ave zancuda, de plumaje oscuro con manchas blancas. Carne blanca y gustosa.
GUARIBÁ m. *Amér.* Especie de mono aullador.
GUARICANDILLA com. *Cuba.* Mequetrefe.
GUARICHA f. *Amér.* Hembra, mujer. • despect. *Col., Ecuad.* y *Ven.* Ramera, mujerzuela.
GUÁRICO Est. del centro de Venezuela; 64 986 km^2, 616 988 hab. Cap., San Juan de los Morros. En su terr. se distinguen tres sectores: Montes, Llanos Altos y Llanos Bajos. Dos grandes sistemas hidrográficos: el del Unare y el del Orinoco-Apure. Clima cálido y lluvioso. Vegetación de sabanas y bosque galería. Arroz, maíz, tabaco, algodón. Notable riqueza ganadera en los Llanos. Petróleo, yeso, hulla y níquel. • Mun. de Venezuela, en el est. de Lara; 14 100 hab. Cereales, tabaco. • Río de Venezuela, subafl. del Orinoco; 362 km. Importante embalse en su curso medio. Nace en la serranía del Interior, avena los Llanos y se une al Apure.
GUARICONGO, GA m. *Amér.* Lazo para coger el ganado. • f. *Col.* Evacuación de vientre.
GUARIDA f. Cueva o espesura donde se guarecen los animales. • Refugio de gente, especialmente maleante.
GUARIMÁN m. Árbol americano, de la familia magnoliáceas, usado como condimento. • Fruto de este árbol.
GUARÍN m. El último lechoncillo nacido en una lechigada.
GUARINI, *Guarino* (1624-1663) Arquitecto it. En Turín realizó el palacio Carignano, la iglesia de San Lorenzo y la capilla del Santo Sudario.
GUARISAPO m. *Chile.* Renacuajo.
GUARISMO m. Cada uno de los signos o cifras arábigas que expresan una cantidad. • Expresión de cantidad, compuesta de dos o más cifras.
GUARITA Mun. de Honduras, en el dpto. de Lempira; 5 575 hab. Índigo.
GUARITOTO m. *Ven.* Arbusto de la familia euforbiáceas. Se emplea como hemostático.
GUARMIEL m. *Ecuad.* Guarniel, bolsa.
GUARMILLA m. *Ecuad.* Hombre afeminado.
GUARNECER tr. Poner en un sitio accesorios, complementos o adornos. • Dotar, proveer, equipar. • *Mil.* Colocar fuerzas en una plaza. • *Mil.* Estar de guarnición. • *Const.* Revocar o revestir las paredes de un edificio. • Poner lonja o cascabel al ave de rapiña. ■ GUARNECIDO, DA.

Escalera de honor del palacio ducal de Módena, Italia, obra de Guarino **Guarini**

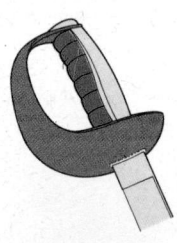

Guarnición de una espada

GUARNÉS m. Guadarnés.
GUARNICIÓN f. Adorno en los vestidos, colgaduras, etc. • Engaste, soporte de metal en que se sientan las piedras preciosas. • Parte de las espadas y armas similares que preserva la mano. • *Mil.* Tropa que defiende una plaza. • Acompañamiento de verdura que se sirve con un plato de carne o pescado. • pl. Conjunto de correajes de las caballerías.
GUARNIEL m. Bolsa de cuero sujeta al cinto.
GUARNIGÓN m. Pollo de la codorniz.
GUARNIMIENTO m. *Mar.* Conjunto de piezas con que se guarnece un aparejo, una vela o un cabo.
GUARNIR tr. Guarnecer. • *Mar.* Colocar convenientemente los cuadernales de un aparejo.
GUARO m. Loro pequeño. • *Amér. Centr.* Aguardiente de caña. • *Ecuad.* y *Perú.* Andarivel.
GUAROLO, LA adj. *Ven.* Imbécil.
GUAROSO, SA adj. *Chile.* Con garbo, gracioso en el andar. • *Chile.* Aplicado a vestidos, lujoso.
GUARRADA f. Acción sucia. • fig. Acción injusta de que se hace víctima a una persona.
GUARREAR intr. Gruñir el jabalí o aullar el lobo. • Berrear estruendosamente un niño.
GUARRO, RRA adj. y s. Puerco. • m. y f. *Ecuad.* Especie de águila pequeña. ■ GUARRERÍA; GUARRERO.
GUARRÚS m. *Ven.* Bebida extraída del arroz.
GUARRUSCA f. *Col.* Machete.
¡GUARTE! interj. ¡Guárdate! ¡Guarda!
GUARULHOS C. de Brasil en el est. de São Paulo; 237 000 hab. Ind. textil y cuero.
GUARURA f. *Ven.* Caracol usado como bocina.
GUASA f. fam. Falta de gracia. • fam. Chanza. • *Cuba.* Pez de color verde amarillento con manchas oscuras.
GUASÁBARA f. *Col.* y *P. Rico.* Motín, algarada. • *Ven.* Pelusa áspera d e algunos vegetales.
GUASADA f. *Argent.* Grosería.
GUASAMACO, CA adj. *Chile.* Tosco, grosero.
GUASANGA f. *Amér.* Bulla. • *Guat.* Pelotera.
GUASASA f. *Cuba.* Mosca pequeña que vive en enjambres en lugares húmedos y sombríos.
GUASAVE Mun. de México en el est. de Sinaloa; 149 663 hab. Agricultura, ganadería y pesca.
GUASCA f. *Amér. Merid.* Ramal que sirve de rienda o de látigo. ■ *Amér.* GUASCAZO.
GUASCOSO, SA adj. *Ecuad.* Flexible. • *Ecuad.* Se aplica al individuo flaco y alto.
GUASCUDO, DA adj. *Col.* Díc. de la madera fibrosa.
GUASEARSE prnl. Usar de guasas o chanzas.
GUASICAMA com. *Col.* y *Ecuad.* Criado indígena.
GUÁSIMA f. Árbol de la familia malváceas, propio de América. Tiene propiedades antisoporíferas.
GUASIPONGO m. *Amér.* Terreno que reciben los trabajadores de una hacienda.
GUASO, SA m. y f. *Chile.* Rústico, campesino. • adj. fig. *Amér.* Tosco, grosero. ■ *Argent.* y *Chile.* GUASERÍA.
GUASÓN, NA adj. y s. fam. Que tiene guasa. • fam. Burlón, bromista.
GUASQUE m. *Col.* Lazada corrediza.
GUASQUEADO, DA adj. *Ur.* Curtido.
GUASQUEAR tr. *Amér.* Pegar con guasca. • prnl. *Ur.* Incomodarse sin motivo. • *Argent.* Dar un salto hacia el lado.
GUASTATOYA C. de Guatemala, cap. del departamento de El Progreso; 5 145 hab.
GUASUSA f. *Cuba.* Hambre.
GUATA f. Algodón en rama laminado empleado con fines sanitarios y en sastrería. • fam. *Amér.* Barriga. • *Bol.* Cordel. • *Cuba.* Mentira. • *Ecuad.* Amigo. • *Guat.* Escopeta de doble cañón. • *Chile.* Alabeo.
GUATACA f. *Cuba.* Azada corta. • com. fig. *Cuba.* Persona aduladora. ■ GUATAQUEAR.
GUATACARE m. *Ven.* Árbol de la familia borragináceas, de madera resistente y flexible.
GUATACO, CA adj. *Hond.* Regordete, rechoncho. • *Cuba.* Sin cultura.
GUATAJIAGUA Mun. de El Salvador, en el dpto. de Morazán; 7 521 hab. Café, cerámica.
GUATAL m. Siembra de guate.
GUATÁN m. *Argent.* Bocado del caballo.
GUATAPIQUE m. *Chile.* Tipo de cohete.
GUATE m. *Amér. Centr.* Maíz tierno usado como forraje. • *Col.* Boato, lujo.

GUATEADO, DA adj. Acolchado con guata. • fig. Moderado.
GUATEARSE prnl. *Chile.* Formar barriga.
GUATEMALA Est. de Centroamérica, el más septentrional del istmo; Rep. unitaria presidencialista; entre México al N y O, el Caribe, Belice y Honduras al E y el Pacífico y El Salvador al S.

* *Geog. fís.* Relieve de predominio montañoso. La sierra Madre de Chiapas se prolonga en dos ramales: la sierra de los Cuchumatanes al N y la sierra Madre al S. La primera se bifurca a su vez en las sierras de Chamá y de Santa Cruz. La segunda cruza el país de O a E y comprende en su zona media la Altiplanicie Central (a unos 1 500 m de alt.). Sobre la llanura litoral del Pacífico se eleva la espina dorsal centroamericana, el Eje Volcánico, con cumbres superiores a los 4 000 m (Tajumulco, Tacaná). Al N, El Petén forma parte de la plataforma calcárea del Yucatán. Clima tropical. Los ríos prales. son los de la vertiente atlántica: Motagua, Usumacinta. Lagos a destacar: el Izabal, el Atitlán y el Petén Itzá. Vegetación de bosques y selvas.

* *Geog. econ.* El papel de la agricultura es preponderante, aunque se ve lastrada por el régimen de monocultivo y por el predominio del latifundismo. Los prales. cultivos son los plátanos, la caña de azúcar, el algodón, el cardamomo e, indispensable para la alimentación interna, el maíz. Bosques ricos en madera, quina y chicle. La cabaña ganadera más imp., la bovina, se concentra pralm. en la costa del Pacífico. Existen algunos depósitos minerales, pero su relevancia es escasa. La ind. se reduce a la transformación de productos agrícolas (tabaco, azúcar, cerveza, textiles) y a la fabricación del cemento. Refinerías de petróleo en Escuintla y Puerto Barrios.

* *Geog. humana.* La pob. se compone mayoritariamente de amerindios (43 %) y de mestizos (52 %), siendo el resto blancos criollos y europeos. Lengua: cast. (of.) e idiomas indígenas, especialmente el maya, el quiché y el cakchiquel. *Rel.*: Mayoría católica. U.M.: el quetzal. Cap., Guatemala. C. imp.; Quetzaltenango, Escuintla, Mazatenango, Retalhuleu, Puerto Barrios, Sto. Tomás de Castilla y Quetzal.

* *Hist.* **Época precolonial y colonial.** G. fue uno de los solares de la civilización maya, notable por su alto grado de desarrollo. A la llegada de los esp. el imperio maya se hallaba dividido en buen número de señoríos independientes que luchaban entre sí. Ello facilitó la conquista, emprendida en 1524 por Pedro de Alvarado y trabajosamente afianzada a lo largo del s. XVI. A partir de 1542 se constituyó la capitanía general de G., que comprendía América Central, excepto Panamá. El aislamiento del país fue roto por el auge económico de los ss. XVII y XVIII, propiciado por el cultivo y comercialización del añil y del cacao y una ind. textil que sólo halló un freno a su expansión en la ruda competencia de la colonia brit. de Belice. En 1821 se proclamó la independencia, a la que siguió una breve unión con México (hasta 1823). **Época independiente.** Igualmente efímera resultó la formación de una federación con los demás est. actuales del istmo (Provincias Unidas del Centro de América) menos Panamá. Al desintegrarse la federación, G. alcanzó de nuevo la independencia (1839), ratificada por la Constitución de 1847. En su historia política son cruciales cuatro periodos de gobiernos autoritarios: los de Rafael Carrera (1839-1865), Justo Rufino Barrios (1873-1885), Manuel Estrada Cabrera (1898-1920) y Jorge Ubico (1931-1944). Rufino Barrios secularizó los bienes de la Iglesia, sentó la libertad de cultos e impulsó la enseñanza y un cierto desarrollo económico; también se esforzó en rehacer la unidad centroamericana, empeño en el que halló la muerte (1885). En 1941 se declaró la guerra a las potencias del Eje. A la caída de Ubico (1944), el gobierno de Juan José Arévalo (hasta 1950) prefiguró nuevas orientaciones reformistas y nacionalistas. **Época contemporánea.** Esas orientaciones tuvieron su máx. exponente en el presid. Jacobo Arbenz (1950-1954), quien emprendió una moderada reforma agraria y distribuyó tierras entre la pob. Su programa no fue aceptado por los grandes propietarios y chocó con los intereses de los EE UU. El coronel Carlos Castillo Armas derrocó el régimen de Arbenz y abolió la reforma agraria. Sus sucesores Ydígoras Fuentes (1958-1963), Enrique Peralta (hasta 1966) y Julio César Montenegro (hasta 1970) mantuvieron la política conservadora. Se sucedió un período de inestabilidad política y social con regímenes militares, hasta que el general Oscar Humberto Mejía depuso en 1983 al general Efraín Ríos Montt y abrió un proceso constituyente. La nueva Constitución entró en vigor en 1986. El mismo año accedió a la presidencia el democristiano Vinicio Cerezo. De 1991 a 1993 fue presid. Jorge Serrano, quien, tras intentar un autogolpe, fue sustituido por Ramiro de León Carpio. En las elecciones de 1996 venció el Partido de Avanzada Nacional (PAN) y Álvaro Arzú ocupó la presid. A finales de ese mismo año, Arzú firmó un histórico acuerdo con la guerrilla. En 1999 se celebraron nuevas elecciones presidenciales en las que se impuso el candidato del Frente Republicano Guatemalteco (FRG), Alfonso Portillo.

GUATEMALA

Recursos económicos	
Agrios	126 000 t
Algodón	38 000 t (fibra)
Ananás	48 000 t
Arroz	42 000 t
Bananas	470 000 t
Cacao	1 000 t
Café	195 000 t
Caña de azúcar	123 000 ha
Frijoles	110 000 t
Maíz	1 150 000 t
Patatas	51 000 t
Sésamo	29 000 t
Sorgo	80 000 t
Tabaco	7 000 t
Tomates	128 000 t
Trigo	28 000 t
Ganadería y derivados	
Cabaña bovina	2 300 000 cabezas
Cabaña caballar	114 000 cabezas
Cabaña ovina	720 000 cabezas
Cabaña porcina	1 110 000 cabezas
Riqueza forestal	10 000 000 m³
Producción minera e industrial	
Antimonio	1 200 t
Azúcar	918 000 t
Cemento	611 000 t
Cerveza	869 000 hl
Cigarrillos	1 997 000 millones
Petróleo	175 000 t
Sal	60 000 t
Indicadores sociológicos	
PNB	8 816 millones de dólares
Renta per cápita	930 dólares
Esperanza de vida	64 años
Alfabetismo	64 %

Guatemala. Arriba, iglesia de San Andrés Xecul, en Totonicapán; abajo, Centro cultural Miguel Ángel Asturias o Teatro Nacional, en la capital.

Guatemala. Arriba, mapa de situación y bandera; abajo, Alfonso Portillo

Guatemala. Arriba, vista del lago Atitlán; abajo, palacio del Gobierno

División administrativa de **Guatemala**

Departamentos[1]	*Km²*	*Población*	*Densidad*	*Capital*
Alta Verapaz	8 686	543 777	63	Cobán
Baja Verapaz	3 124	155 480	50	Salamá
Chimaltenango	1979	314 813	159	Chimaltenango
Chiquimula	2 376	230 767	97	Chiquimula
Escuintla	4 384	386 534	88	Escuintla
Guatemala	2 126	1 813 825	853	Guatemala
Huehuetenango	7 400	634 374	86	Huehuetenango
Izabal	9 038	253 153	28	Puerto Barrios
Jalapa	2 063	196 940	96	Jalapa
Jutiapa	3 219	307 491	96	Jutiapa
Petén	35 854	224 884	6	Flores
El Progreso	1 922	108 400	56	Guastatoya
Quetzaltenango	1 951	503 857	258	Quetzaltenango
Quiché	8 378	437 669	52	Sta. Cruz del Quiché
Retalhuleu	1 856	188 764	102	Retalhuleu
Sacatepéquez	465	180 647	389	Antigua Guatemala
San Marcos	3 791	645 418	170	San Marcos
Santa Rosa	2 955	246 696	84	Cuilapa
Sololá	1 061	222 094	209	Sololá
Suchitepéquez	2 510	307 187	122	Mazatenango
Totonicapán	1 061	272 094	257	Totonicapán
Zacapa	2 690	157 008	58	Zacapa
GUATEMALA	108 889	8 331 874	77	Guatemala[2]

[1] Según último censo de población (1994). [2] 823 301 hab.

* *Arte.* Los restos más ant. e imp. de la cultura maya han aparecido en los yacimientos arqueológicos de Tikal y Uaxactún. Tras la conquista, la arquitectura adoptó los estilos esp., pero dotándolos de caracteres propios y originales, y de una ornamentación barroca en estuco y yeso. Los ej. más interesantes de edificios barrocos se hallan en la cap. y en los templos de Camotán, Jacotenango y Quezaltepeque. La estatuaria religiosa, ya altamente desarrollada en el s. XVI, dio figuras como Quirio Castaño, el autor del *Cristo negro* del santuario de Esquípulas. En el siglo siguiente destacaron los escultores Alonso de Paz, fray Cristóbal de Ochoa, fray Félix y, denotando la influencia de Zurbarán, los pintores Antonio de Montújar y Pedro de Liendo. Un mov. de retorno a las fuentes precolombinas (a partir de 1920) se concretó mayormente en la pintura: Carlos Valentí, Rafael Rodríguez Padilla, Alfredo Gálvez Suárez (murales del Palacio Nacional). Entre los artistas contemporáneos destacan Rodolfo Galeotti Torres, Roberto González, Goiry, Guillermo Grajeda Mena y Dagoberto Vásquez.

* *Lit.* Un libro capital y único en la literatura de toda la América precolombina es el *Popol Vuh*, relato cosmogónico y genealógico del hombre y de los reyes quiché. Las letras guatemaltecas en cast. fueron compartidas en la época colonial por los frailes dominicos y franciscanos (entre los cuales fray Francisco Jiménez, primer traductor del *Popol Vuh)* y los cronistas laicos, que nos han dejado un animado retablo de la conquista, vida, gobierno y costumbres de la capitanía general de G. Al s. XVIII pertenece el primer gran poeta, Rafael Landívar. En el s. XIX, la poesía narrativa tuvo su máx. figura en José Batres Montúfar; la novela histórica fue cultivada, entre otros, por José Milla y Vidaurre. Tras la renovación modernista (Gómez Carrillo, Rafael Arévalo Martínez) sobrevino la creación vanguardista de los años 30: Miguel Ángel Asturias, gran intérprete del mundo mágico del indio guatemalteco, y Luis Cardoza y Aragón. Entre las figuras actuales sobresale Mario Monteforte Toledo y Augusto Monterroso.

GUATEMALA Dpto. del centro-S de Guatemala; 2 126 km², 1 813 825 hab. Cap., la c. hom. Ocupa la altiplanicie Central. Accidentado por el Eje Neovolcánico al S, sector que encierra la cuenca lacustre de Amatitlán. Al N, avenado por el Motagua. Pertenece climáticamente a las tierras templadas. Café, caña de azúcar, tabaco, maíz, fríjoles. • C. de Guatemala, cap. del dpto. hom. y de la Rep.; 823 301 hab. Sit. a 1 500 m de alt., su actual emplazamiento data de 1776. Centro comercial del país. Es sede de escuelas técnicas y militares y de la universidad de San Carlos, fundada en 1768.

GUATEMALTECO, CA adj. De Guatemala.

GUATEQUE m. fam. Baile bullicioso, jolgorio. • Fiesta casera en que se baila.

GUATERO m. *Chile.* Bolsa de caucho con agua, de uso terapéutico. • *Amér.* Persona que vende o guisa mondongos.

GUATINÍ m. *Cuba.* Tocororo, ave.

GUATIRE Mun. de Venezuela en el est. de Miranda; 21 914 hab. Agricultura, ganadería, industria.

GUATÓN, NA adj. y s. *Chile.* Barrigudo.

GUATUSA f. *C. Rica., Ecuad.* y *Hond.* Roedor parecido a la paca, de carne muy gustosa.

GUATUSO, SA adj. *Amér. Centr.* Pelirrubio.

GUAU Onomat. Voz del perro.

GUAUCHO m. *Chile.* Arbusto resinoso de hoja menuda y gruesa.

GUAVIARE Río del E de Colombia, afl. izquierdo del Orinoco; 1 350 km. Nace en la cord. Oriental andina con el nombre de Guayabero, discurre hacia el S, entre los Andes y la serranía de la Macarena, y luego hacia el E; recibe al Inírida y desemboca en el Orinoco. • Dpto. de Colombia; 42 327 km², 97 602 hab. Cap., San José del Guaviare.

¡GUAY! Interj. poét. ¡Ay!

GUAYA f. Lloro o lamento.

GUAYABA f. Fruto del guayabo. • fig. y fam. *Amér.* Mentira, embuste. • *Amér.* Grano de café de mala calidad. • *Guat.* y *Salv.* La presidencia de la rep. • *Guat.* Beso.

GUAYABEAR intr. fam. Frecuentar muchachas jóvenes. • *Argent.* Mentir. • tr. *Guat.* Besar.

GUAYABEO m. fam. Grupo de muchachas.

GUAYABERA f. Chaquetilla de tela ligera.

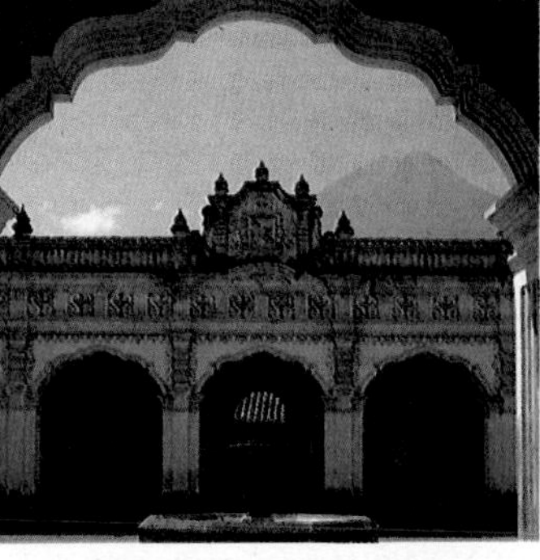

Guatemala. A la izquierda, Real y Pontificia Universidad de San Carlos, en Antigua Guatemala; abajo, estela maya de Quiriguá (Izabal)

GUAYABO m. *Amér.* Árbol de la familia mirtáceas. Su fruto es la guayaba. • fam. Muchacha joven y atractiva. • *Col.* Tristeza. • *Col.* Resaca después de una borrachera. ■ GUAYABAL.

GUAYACA f. *Amér. Merid.* Bolsa. • fig. Amuleto.

GUAYACÁN o **GUAYACO** m. Palo santo.

GUAYACOL m. Líquido oleoso, obtenido del guayaco o por destilación fraccionada de la creosota. Tiene aplicaciones terapéuticas.

GUAYAMA C. de Puerto Rico en el distr. hom.; 41 588 hab. Centro agrícola y ganadero.

GUAYANA Región natural de América del Sur, en el NE continental, entre el Orinoco, la cuenca del Amazonas y la llanura litoral atlántica. Está repartida entre Brasil, Venezuela, Surinam y Guyana, además de la G. fr. Poco habitada y explotada. • **Esequiba.** Extensa región de Guyana, sit. al O del río Esequibo, que comprende unos 150 000 km² del terr. de aquella Rep. Reivindicada por Venezuela, que hubo de renunciar a ella en 1899. • **Francesa.** *(Guyanne Française)* Dpto. fr. de ultramar que ocupa el terr. de Guayana comprendido entre los ríos Maroni y Oyapock; 91 000 km² y 73 012 hab. Limita con Surinam y Brasil y presenta un amplio litoral sobre el Atlántico. Clima tropical. Selvas. Caña de azúcar, plátanos y maíz. Bauxita. Lenguas: fr. (of.) y criollo. *Rel.*: católica. U.M.: franco fr. Cap. Cayena. Colonizada por Francia en 1604, se convirtió en penal. Desde 1946 es terr. de ultramar. • **Holandesa.** → Surinam.

GUAYANÉS, SA adj. y s. De Guayana.

GUAYANILLA Mun. de Puerto Rico en el distr. Mayagüez; 21 581 hab. Industria petroquímica.

GUAYAQUIL adj. De Guayaquil. • m. Cacao de Guayaquil.

GUAYAQUIL Golfo del Pacífico, entre la punta de Santa Elena (Ecuador) y el cabo Blanco. (Perú). La isla de Puna lo divide en los canales del Morro y del Jambeli. • C. y puerto de Ecuador, cap. de la prov. de Guayas; 1 508 444 hab. Sit. a la derecha del r. Guayas, cerca de su desembocadura en el golfo de G. Pral. puerto marítimo fluvial de la costa sudamericana del Pacífico. Ind. química y alimentaria, refino de petróleo. Imp. centro financiero y comercial. Aeropuerto. Universidad. La c. fue fundada en 1535 por Sebastián de Belalcázar. Reconstruida por Orellana en 1539. • **Entrevista de G.** La realizada en esta c. entre los libertadores Bolívar y San Martín, los días 26 y 27 julio de 1822, para dar término a las luchas por la indep. de Sudamérica. San Martín resolvió alejarse de la escena, dejando en libertad de acción a Bolívar.

GUAYAQUILEÑO, ÑA adj. y s. De Guayaquil.

GUAYAS Río de Ecuador, formado por la unión del Daule y el Babahoyo; 389 km. Desemboca formando un amplio delta en el Pacífico, en el golfo de Guayaquil. Riega una de las regiones más fértiles del país. Importante vía de comunicación. • Prov. del Ecuador, ribereña del Pacífico; 20 502,583 km², 2 515 146 hab. Cap., Guayaquil. Las cord. de Colonche y Changón, en el N, son la excepción a su terr. llano. R. pral., el Guayas. Clima tropical. Arroz, cacao, banano. Ganadería. Pesca. Los ingresos del petróleo potencian el desarrollo financiero, comercial e industrial de Guayaquil.

Céntrica calle de **Guayaquil**

Pintura para ensalzar a los pobres, de Oswaldo **Guayasamín**

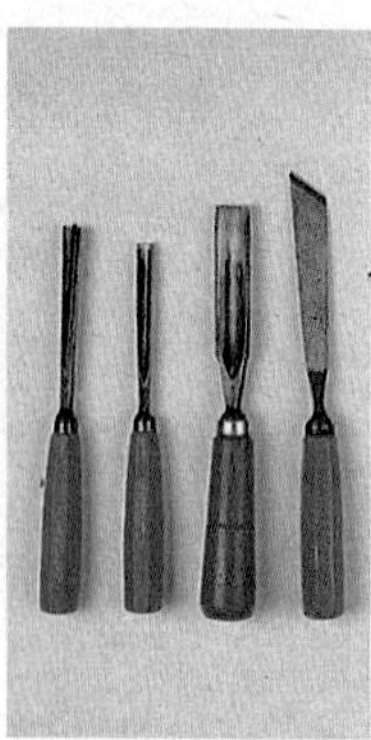

Diversos tipos de **gubia**

Guepardo

GUAYASAMÍN, *Oswaldo* (1919-1999) Pintor ecuat. Influido por el Greco, Goya y Orozco, sus cuadros representan los problemas indígenas. Expresionista cercano a la abstracción. Obras: *Pintura para ensalzar a los pobres, La iglesia*

GUAYCURÚ adj. y s. Individuo perteneciente a un grupo de pueblos amerindios emparentados lingüísticamente, que habitan en el Chaco.

GUAYERAS f. pl. *Col.* Achaques.

GUAYÍN m. *Méx.* Carruaje ligero.

GUAYLLABAMBA o **GUAILLABAMBA** Río del N del Ecuador; 230 km. Una de las ramas madre del Esmeraldas. Nace en la cord. andina, discurre primero hacia el N y luego hacia el NO. En su cuenca se halla la c. de Quito.

GUAYMANGO Mun. de El Salvador, en el dpto. de Ahuachapán; 7 718 hab. Ganadería.

GUAYMAS C. y puerto del NO de México, en el est. de Sonora, sit. en la costa del golfo de California; 86 900 hab. Pesca. Ind. conservera.

GUAYNABO Mun. de Puerto Rico, distr. de Bayamón; 92 886 hab. Caña de azúcar, ind. alimentaria.

GUAYO m. *Chile.* Árbol de la familia rosáceas, de madera dura y colorada. • *Cuba* y *P. Rico.* Borrachera. • *Cuba.* y *P. Rico.* Música ratonil.

GUAYUBÍN Mun. de la República Dominicana en la prov. de Monte Cristi; 10 043 hab. Tabaco, café, curtidurías.

GUAYUCO m. *Col.* y *Ven.* Taparrabo.

GUAYUSA f. *Ecuad.* Planta cuya infusión reemplaza al té, parecida al mate del Paraguay.

GUAZACAPÁN Mun. de Guatemala en el dpto. de Santa Rosa; 7 657 hab. Café y caña de azúcar.

GUAZAPA f. *Guat.* y *Hond.* Perinola, juguete.

GUAZAPA Mun. de El Salvador en el dpto. de San Salvador; 7 207 hab. Café.

GUAZUBIRÁ m. *Argent.* Venado del monte.

GUBERNATIVO, VA adj. Concerniente al gobierno.

GUBERNISTA adj. y s. *Amér.* Adicto a la política gubernamental.

GUBIA f. Formón de mediacaña.

GUDERIAN, *Heinz* (1888-1954) General al. Impulsó el uso de las fuerzas acorazadas. Participó en las invasiones de Polonia (1939), Francia (1940) y Rusia (1941). Jefe del est. mayor del ejército de tierra (1944-1945).

GÜECHO m. *Amér. Centr.* Bocio, tumor indoloro.

GUECHO o **GETXO** Mun. esp., en Euskadi, prov. de Vizcaya; 82 196 hab. Forma parte de la agl. urb. de Bilbao.

GUEDEJA f. Cabellera larga. • Melena del león.

GÜEGÜECHO adj. y s. Díc. del que padece bocio. • adj. fig. *Amér. Centr.* y *Col.* Tonto, estúpido. • m. *Amér. Centr.* Papera, bocio.

GUELDO o **GÜELDO** m. Cebo empleado por los pescadores.

GÜELFO, FA adj. y s. Partidario de los papas, en la E. Media.

GÜEMES, *Juan Francisco de* (1628-1768) Militar esp. Capitán general de Cuba y virrey de Nueva España. Creó la Real Compañía de Comercio de la Habana. • ***Juan Vicente*** (1740-1799) Militar y político esp. Virrey de Nueva España. • ***Martín*** (1758-1821) Militar arg. Se adhirió al mov. emancipador y encabezó las guerrillas de su país. Murió en la defensa de Salta.

GÜEMUL m. Huemul, rumiante americano.

GUEPARDO m. Carnívoro de la familia félidos que vive en Asia y África.

GUERICKE, *Otto von* (1602-1686) Físico al. Inventó una máquina neumática y experimentó los efectos del vacío.

GÜERMECES m. pl. Enfermedades de las aves de rapiña.

GUERNICA o **GERNIKA** Mun. esp., en Euskadi, en la prov. de Vizcaya; 16 042 hab. Cereales, hortalizas. Ganadería e ind. metalúrgicas y alimentarias. El *árbol de G.* simboliza las libertades vascas. Destruida en gran parte por la aviación alemana en 1937 *(Legión Cóndor).* Sede del Parlamento vasco tras la aprobación del *Estatuto de G.* • ***El.*** Cuadro de Picasso que simboliza los horrores de la guerra y la destrucción. Encargado por el gobierno de la II Rep. esp., regresó a España en 1986.

GÜERO, RA adj. *Méx.* Rubio. • *Méx.* Exp. de cariño.

GUERRA f. Lucha armada entre dos o más países. • Pugna, disidencia, entre dos o más personas. • Toda especie de lucha y combate. • fig. Lucha, ataque sin intermisión. • **civil.** La que entablan entre sí los habitantes de un mismo pueblo o nación. • **de posiciones** o **de trincheras.** La que se desarrolla desde frentes móviles o fijos, en los que se hace uso de trincheras u obras para proteger a los soldados del fuego contrario. • **fría.** Situación de hostilidad entre naciones sin llegar al empleo de las armas. La exp. designó el antagonismo entre los bloques occidental y soviético entre 1945 y 1962.

* **I Guerra Mundial** (1914-1918) Conflicto que tuvo su causa inmediata en el asesinato en Sarajevo (junio 1914) del archiduque Francisco Fernando, heredero del imperio austrohúngaro. Al declarar éste la guerra a Serbia, la concatenación de alianzas de la Triple Entente (Francia, Gran Bretaña y Rusia) y de las potencias centrales (Alemania, Austria-Hungría) generalizó en pocos días la extensión del conflicto. Japón se adhirió al bando aliado, lo mismo que Italia (en 1915) y Rumania (en 1916); Turquía se alineó con los imperios centrales, junto con Bulgaria (ésta en 1915). El rápido avance al. en el O fue detenido en el Marne; estabilizado el frente, comenzó la guerra de trincheras, que se mantendría casi hasta el final de la lucha. En el E, la presión rusa fue contenida en Tanneberg (1914), y al siguiente año los al. conquistaron Polonia y Serbia. En 1916 intentaron en vano la ruptura del frente occidental (batalla de Verdún). Los desastres militares de los aliados en 1917 y la defección de Rusia (revolución soviética) fueron compensados por la entrada de los EE UU en la guerra, que permitió derrotar la gran ofensiva al. de 1918. Los acontecimientos revolucionarios en Alemania y en la agotada Austria-Hungría precipitaron la firma de la paz en noviembre de 1918.

* **II Guerra Mundial** (1939-1945) Conflicto desencadenado por la invasión nazi de Polonia (1 septiembre 1939), una vez el pacto germanosoviético hubo asegurado la neutralidad de la URSS; pero el día 3 Francia y Gran Bretaña declaraban la guerra a Alemania. Al rápido aplastamiento de Polonia siguió la ocupación al. de Dinamarca, Noruega, los Países Bajos y Luxemburgo (1940). Constituyó el preludio de la gran ofensiva en terr. fr., que rompió el frente aliado en dos partes (una de las cuales pudo reembarcar en Dunkerque) y obligó a Francia a pedir el armisticio (22 junio 1940). Italia la había agredido pocos días antes (el 10 junio). Gran Bretaña, atacada desde el aire, resistió aisladamente a las potencias del Eje. Éste se aseguró el flanco balcánico (campañas igualmente rápidas de Grecia y Yugoslavia) y mediterráneo (desembarco del *Afrika Corps* de Rommel en el N de África), antes de que Hitler lanzara sus ejércitos sobre la URSS (junio 1941). En Oriente, los japoneses hundieron sin previa declaración de guerra la flota norteam. en Pearl Harbor (17 diciembre 1941), golpe que les permitió llevar a cabo en pocos meses su plan de conquista del SE asiático, desde Myanma (Birmania) a Indonesia y Filipinas. En adelante se desarrollaron tres guerras paralelas, con independencia casi total entre ellas. Los al. llegaron el mismo 1941 a las puertas de Moscú y Leningrado, siendo detenidos por el invierno ruso y la contraofensiva soviética. Nuevos avances por Ucrania en 1942 fueron yugulados en Stalingrado, punto de inflexión del conflicto, junto con los desembarcos aliados en el N de África (1942), en Sicilia (1943) y en Normandía (6 de junio de 1944). Ininterrumpidas ofensivas soviéticas forzaron la evacuación al. de la URSS, los Balcanes, Hungría y Polonia, hasta el definitivo repliegue en torno a Berlín; mientras, los angloamericanos invadían Alemania por el O. En mayo de 1945, tras el suicidio de Hitler, se firmó la capitulación; la paz sería acordada según los términos de la conferencia de Yalta. En el escenario asiático, los norteam. destrozaban la flota japonesa (1943) y avanzaban metódicamente de isla en isla. Las bombas atómicas lanzadas sobre Hiroshima y Nagasaki (6 y 9 de agosto de 1945) determinaron por fin la rendición del Japón (2 de septiembre).

GUERRA, ***Alfonso*** (nacido 1940) Político esp. Miembro de la ejecutiva del PSOE y vicepresid. del gobierno socialista (1982 y 1986 a 1991). • ***Rui*** (nacido 1931) Director y actor de cine bras. Una de las prales. figuras del *Cinema Novo. Os cafajestes, Los fusiles.* • **Junqueiro,** ***Abilio*** (1850-1923) Poeta port. *La muerte de Don Juan, La vejez del Padre Eterno.*

campaña contra Batista y tuvo diversos cargos en el nuevo gobierno revolucionario. Marchó a Bolivia para promover la guerrilla, donde murió en una emboscada. *La guerra de guerrillas, Diario de Bolivia, Recuerdos de la guerra revolucionaria.* • **Arce,** ***Walter*** (1911-1996) Político bol. Pres. interino de la rep. en 1979. Derrocado por A. Natush.

I Guerra Mundial. Arriba, ataque aéreo a las trincheras alemanas; izquierda, soldados ingleses en las trincheras

GUERREAR intr. Hacer guerra. • fig. Resistir, rebatir o contradecir.
GUERRERO, RA adj. Relativo a la guerra. • Que guerrea. • adj. y s. Marcial e inclinado a la guerra. • fig. y fam. Travieso, molesto. • m. Soldado. • f. Chaqueta de uniforme militar.
GUERRERO Est. del S de México, a orillas del Pacífico; 63 794 km^2, 3 075 083 hab. Cap., Chilpancingo. Configurado sobre todo por la sierra Madre del Sur, con su alt. máx. en el cerro de Teotepec (3 703 m); entre aquélla y la sierra de Taxco se extiende la depresión del Balsas. Al clima templado de las zonas montañosas se contrapone el tropical en las partes bajas y el litoral. Algodón, café, tabaco, cereales, caña de azúcar. Riqueza forestal (caucho, vainilla). La minera (plata, oro, mercurio, hierro, carbón, plomo) se complementa con ind. alimentaria, química, textil. Fundado en 1849. C. imp.: Acapulco, Iguala. • Mun. de México, en el est. de Chihuahua; 41 467 hab. Agricultura, ganadería y minería.
GUERRERO, ***Francisco*** (1528-1599) Compositor esp., autor de misas, motetes e himnos. • ***Jacinto*** (1895-1951) Compositor de zarzuelas esp. *El huésped del sevillano, La rosa del azafrán.* • ***María*** (1867-1928) Actriz teatral esp. Formó su propia compañía. • ***Vicente*** (1783-1831) Guerrillero y político mex. En 1810 se unió a la sublevación de Morelos. En 1821 se entrevistó con Iturbide en Acatempan; el plan de Iguala acordado por ambos caudillos llevó a la indep. de México. Intervino en el derrocamiento de Iturbide, autoproclamado emp., y en la constitución de la Rep. Derrotado en las elecciones de 1829, el motín de la Acordada le llevó a la presidencia del país; el mismo año fue derrocado por A. Bustamante y, vuelto al S, reemprendió la lucha. Apresado en 1831, fue fusilado en Oaxaca. • **Y Torres,** ***Francisco*** (s. XVIII) Arquitecto barroco mex. La capilla del Pocito es su obra más imp.
GUERRILLA f. Formación militar consistente en un grupo de tropa ligera, que va a la descubierta y rompe las primeras escaramuzas. • Táctica de combate que consiste en el hostigamiento del enemigo por pequeños grupos armados. • Partida de paisanos que acosa al enemigo. ■ GUERRILLEAR.
GUERRILLERO, RA m. y f. Persona que participa en una guerrilla o es jefe de ella.
GUESDE, ***Mathieu Basile,*** llamado JULES (1845-1922) Político fr. Ministro de Estado (1914-1916).
GUETO m. Barrio habitado por judíos o reservado para ellos obligatoriamente. • *Soc.* Por ext., barrio donde viven personas de cualquier minoría social.
GUEVARA, ***Antonio de*** (1480-1545) Escritor esp. *Reloj de príncipes, Menosprecio de corte y alabanza de aldea.* • ***Ernesto,*** llamado "CHE" (1928-1967) Revolucionario cub. de origen arg. Participó en la

GUEVARISMO m. Corriente política basada en las ideas de Ernesto «Che» Guevara.
GÜÉVIL m. *Chile.* Arbusto solanáceo.
GUGGIARI, ***José Patricio*** (1884-1957) Político per. Presid. de la Rep. (1928-1932).

II Guerra Mundial. Izquierda, la base de Pearl Harbor (Hawai, EE UU) tras ser atacada por los japoneses en 1941. Arriba, Churchill, Roosevelt y Stalin en la conferencia de Yalta (1945)

GUÍA com. Persona que conduce y enseña a otra el camino. • fig. Persona que enseña y dirige a otra. • m. *Mil.* Sargento o cabo que alinea la tropa. • f. Lo que en sentido figurado dirige o encamina. • Tratado en que se dan preceptos para orientar en cosas. • Lista de datos referentes a una materia. • Documento que lleva el que transporta algunos géneros para que no se los detengan. • Pieza o cuerda que en las máquinas y otros aparatos sirve para obligar a otra pieza a que siga en su mov. un camino determinado. • *Col.* Gamarra del arnés del caballo. • *Min.* Vetilla a que algunas veces se reducen los filones y que sirve para buscar la prolongación del criadero. • *Mús.* Voz que va delante en la fuga y a la cual siguen las demás. • pl. Riendas para gobernar los caballos de guías. • **de ondas.** *Electr.* En radiofonía, tubo metálico hueco utilizado para transmitir ondas electromagnéticas de radiofrecuencia.
GUIABARA f. *Cuba.* Uvero, planta.
GUIADERA f. Guía de las norias y otros ingenios. • Maderos o barrotes paralelos que dirigen el movimiento rectilíneo de un objeto.
GUIADO, DA adj. Que se lleva con guía acreditativa. • **de un cohete.** Control del vuelo de un cohete, o misil, teledirigido.
GUIAHILOS m. En las máquinas textiles, dispositivo que sujeta y tensa el hilo.
GUIAR tr. Ir delante mostrando el camino. • Hacer que una pieza de un aparato siga en su movi-

La actriz María **Guerrero,** por Federico Madrazo

Guillermo I de Nassau, el Taciturno, príncipe de Orange

Guillermo I el Conquistador, según el tapiz de Bayeaux

Ejecuciones en la **guillotina,** según un grabado de época. Biblioteca Nacional, París

miento un determinado camino. • Conducir un vehículo. • fig. Dirigir a uno en algún negocio. • intr. Comenzar a echar tallo una planta, tallecer. • prnl. Dejarse uno dirigir o llevar por otro, o por indicios, señales, etc. ■ GUIADOR, RA.

GUICCIARDINI, ***Francesco*** (1483-1540) Historiador florentino. *Historia de Italia.*

GÜICHICHÍ m. *Méx.* Colibrí.

GÜICOY m. *Guat.* y *Hond.* Especie de calabaza.

GUIDO, ***José María*** (1910-1975) Político arg. Presid. tras la deposición de Frondizi (marzo 1962-julio 1963). • **D'Arezzo** (h. 990-1050) Monje it. Teórico musical. *Micrologus de arte música.* • **Y Spano,** ***Carlos*** (1872-1918) Poeta arg. Mezcla el romanticismo con el clasicismo. *México, Ráfagas, Ecos lejanos.*

GUIENÉS, SA adj. s. Guineano.

GUIGUE m. *Argent.* y *Chile.* Bote flotador.

GUIGÜE Mun. de Venezuela en el est. Carabobo; 21 900 hab. Agricultura y pastos.

GUIJA f. Piedra pequeña y redonda de las orillas de ríos y arroyos. • Almorta, legumbre.

GUIJARREÑO, ÑA adj. Abundante en guijarros. • fig. Aplícase a la persona de complexión fuerte.

GUIJARRO m. Canto rodado, fragmento rocoso de unos 4 a 74 mm. ■ GUIJARRAL; GUIJARRAZO; GUIJARROSO, SA.

GUIJEÑO, ÑA adj. fig. Duro, empedernido.

GUIJO m. Conjunto de guijas para consolidar los caminos. • Extremo de un eje giratorio.

GUIJÓN m. Neguijón. • Fragmento rocoso de tamaño superior a 74 mm.

GUIJOSO, SA adj. Aplícase al terreno que abunda en guijo. • Guijeño, duro.

GUILARTE, ***Eusebio*** (1799-1849) Militar y político bol. Luchó junto a Bolívar. Presidente en 1847.

GUILDA f. En la E. Med., asociaciones de mercaderes.

GUILEÑA f. Aguileña, planta.

GÜILI m. *Argent.* Planta mirtácea.

GÜILICHE m. *C. Rica.* El hijo menor.

GÜILIGÜISTE m. *Amér. Centr.* Peso duro.

GUILINDUJES m. pl. *Hond.* Arreos con adornos colgantes.

GUILLA f. Cosecha abundante. • De guilla.loc. De buena granazón. • En abundancia.

GUILLADURA f. Chifladura.

GUILLAME m. Cepillo estrecho de carpintero.

GUILLARSE prnl. Irse o huirse. • Chiflarse.

GUILLAUME, ***Charles-Edouard*** (1861-1938) Físico suizo. Estableció la capacidad del litro. Premio Nobel de Física en 1920.

GUILLATÚN m. *Chile.* Ceremonia de los araucanos para pedir lluvia o bonanza.

GÜILLEGÜILLE m. *Ecuad.* Renacuajo.

GUILLEMIN, ***Roger-Louis*** (nacido 1927) Fisiólogo fr. Aisló y sintetizó la hormona neurotransmisora. Premio Nobel de Medicina en 1977.

GUILLÉN, ***Jorge*** (1893-1984) Poeta esp. Con Lorca y Alberti, el más importante de su generación. *Cántico, Clamor.* • ***Nicolás*** (1902-1989) Poeta cub. Creador de la poesía afrocubana; lo social y el ritmo se conjugan en su obra. *Sóngoro cosongo, Cuba libre.*

GUILLERMO Nombre de diversos monarcas y emperadores.

ALEMANIA

GUILLERMO I (1797-1888) Rey de Prusia [1861-1888] y emperador de Alemania [1871-1888], segundo hijo de Federico Guillermo III. Creador del II Reich. • **II** (1859-1941) Rey de Prusia y emperador de Alemania [1888-1918], hijo y sucesor de Federico III. Su agresiva política exterior contribuyó al estallido de la guerra en 1914.

HOLANDA Y PAÍSES BAJOS

GUILLERMO I de Nassau, ***el Taciturno*** (1533-1584) Príncipe de Orange y estatúder de las Provincias Unidas, encabezó la sublevación contra Felipe II. Murió asesinado. • **I** (1772-1843) Rey de los Países Bajos y gran duque de Luxemburgo [1815-1840], proclamado rey por el Congreso de Viena (1815), abdicó en 1840 en favor de su hijo. • **II** (1792-1849) Rey de los Países Bajos y gran duque de Luxemburgo [1840-1849]. • **III** (1817-1890), hijo del anterior y último representante de la casa de Orange. Con él terminó la unión personal entre Holanda y Luxemburgo.

INGLATERRA Y GRAN BRETAÑA

GUILLERMO I, ***el Conquistador*** (h. 1027-1087) Duque de Normandía [1035-1087] y rey de Inglaterra [1066-1087]. Rey de Inglaterra tras derrotar a Harold II en Hastings. • **II** ***el Rojo*** (h. 1056-1100) Rey de Inglaterra [1087-1100], hijo del anterior. • **III de Nassau** (1650-1702) Estatúder de las Provincias Unidas [1672-1702] y rey de Inglaterra, Escocia e Irlanda [1689-1702], hijo de G. II de Nassau. Dirigió la resistencia de las Provincias Unidas contra la invasión fr. • **IV** (1765-1837) Rey de Gran Bretaña, Irlanda y Hannover [1830-1837]. Hijo de Jorge III, sucedió a su hermano Jorge IV. Dejó el trono a su sobrina Victoria.

GUILLERMO de Aquitania, o **de Tolosa** (muerto 812) Santo. Noble franco, nieto de Carlos Martel. Participó en la conquista de Barcelona como gobernador de la Marca Hispánica. • **Tell** (s. XIV) Héroe legendario de la independencia suiza. Inspiró la obra dramática de Schiller (1804) y la ópera de Rossini (1829).

GÜILLÍN m. Huillín, especie de nutria.

GUILLOTE m. Cosechero o usufructuario. • adj. Holgazán, desaplicado.

GUILLOTINA f. Máquina para decapitar a los condenados a muerte. • Máquina de cortar papel. • **De guillotina.** loc. adj. Díc. de las vidrieras y persianas que se abren y cierran resbalando a lo largo de las ranuras. ■ GUILLOTINAR.

GÜILÓN, NA adj. *Amér.* Cobarde, huidizo.

GÜILOTA f. *Méx.* Especie de paloma.

GUIMARAES Rosa, ***João*** (1908-1976) Novelista bras. *Cuerpo de baile, El milagro, Gran sertao: veredas.*

GÜIMBA f. *Cuba.* Guabico, árbol.

GUIMBALETE m. Palanca de la bomba aspirante.

GUIMBARDA f. Cepillo de carpintero.

GÜÍN m. *Cuba.* Pendón de algunas cañas.

GUINCHAR tr. Picar con la punta de un palo.

GÜINCHEm. *Amér.* Guía, cabestrante. ■ GUINCHERO.

GUINCHO m. Pincho de palo. • *Cuba.* Ave de rapiña de la familia falcónidas.

GUINCHÓN m. Desgarrón.

GUINDA f. Fruto del guindo. • *Mar.* Alt. total de la arboladura de un buque. • *Col.* y *Cuba.* Pendiente del techo. ■ GUINDADO, DA; GUINDALERA.

GUINDAL m. Guindo.

GINDALETA f. Cuerda gruesa. • Pie derecho donde los plateros cuelgan el peso.

GUINDALEZA f. *Mar.* Cabo grueso y largo.

GUINDAMAINA f. *Mar.* Saludo que hacen los buques con su bandera, arriándola e izándola.

GUINDAR tr. y prnl. Subir una cosa y colocarla en alto. • fam. Colgar a uno en la horca. • fam. Robar. • prnl. Descolgarse de alguna parte por medio de una cuerda, soga, etc.

GUINDASTE m. *Mar.* Armazón de tres maderos en forma de horca.

GUINDILLA f. Fruto del guindillo de Indias. • Pimiento pequeño y encarnado, que pica mucho.

GUINDILLO DE INDIAS m. Planta solanácea, especie de pimiento, cultivada en jardines.

GUINDO m. Árbol de la familia de las rosáceas, especie de cerezo, de hojas más pequeñas y de fruto más redondo y ácido. • *Guat.* Cuesta.

GUINDOLA f. *Mar.* Andamio volante de tres tablas. • *Mar.* Boya salvavidas.

GUINEA f. Ant. moneda ing. de oro.

GUINEA, ***golfo de*** Amplia entrada de la costa atlántica africana, entre el cabo Palmas (Liberia) y el cabo López (Gabón). • Región costera del África occidental, bañada por el Atlántico, que se reparten políticamente diversos est. del área. Se extiende entre los cabos Verde y López. En su pob. negra predominan los grupos sudaneses y bantúes. Fue asolada desde el s.XV por la trata esclavista.

GUINEA *(République de Guinée)* Est. de África occidental; Rep.; en el Atlántico, entre Senegal, Guinea-Bissau, Malí, Costa de Marfil, Liberia y Sierra

GUINEA

Superficie 245 857 km²

Población 7 405 000 hab. (30 hab./km²)

Recursos económicos	
Agrios	163 000 t
Ananás	67 000 t
Arroz	532 000 t
Bananas	1 510 000 t
Bauxita	13 761 000 t
Cabaña bovina	1 780 000 cabezas
Cacahuetes	170 000 t
Café	30 000 t
Diamantes	95 000 quilates
Maíz	89 000 t
Mandioca	512 000 t
Pesca	44 000 t
Riqueza forestal	4 889 000 m³
Sorgo	14 000 t
Indicadores sociológicos	
PNB	3 593 millones de dólares
Renta per cápita	550 dólares
Esperanza de vida	46 años
Alfabetismo	36 %

Leona. La llanura litoral se eleva en forma de terrazas hasta alcanzar en el int. el macizo de Futa Yalón; en el S los montes Nimba (1 854 m). Regado pralm. por el Níger. Clima tropical. Cultivos de subsistencia (maíz, mandioca, sorgo) y de export. (arroz, agrios, ananás, plátanos, cacahuetes, café, etc.). Minería (bauxita, diamantes, hierro) y explotación forestal. Lengua: fr. (of.) e idiomas sudaneses. *Rel.*: islamismo (68 %), animismo (30 %) y pequeños grupos católicos. U.M.: el franco de G. Cap., Conakry. C. imp., Kindia.

* *Hist.* Inexplorada por los europeos hasta el s. XIX, fue colonizada por Francia a partir de 1837. Indep. en 1958. La vida política estuvo señoreada por Sékou Touré, quien impuso férreamente una variante de los socialismos africanos y diluyó los lazos con la ex metrópoli. A su muerte, en 1984, le sucedió en la presidencia L. Beavogui, depuesto por un golpe militar este año, que elevó a Lansana Conté, iniciador de la democratización del régimen con elecciones multipartidistas en diciembre de 1993.

GUINEA-BISSAU *(República da Guiné-Bissau)* Est. de África occidental; Rep.; a orillas del Atlántico, sit. entre Senegal y Guinea. Su llano terr. asciende hacia el int. en una sucesión de plataformas y mesetas que riegan los ríos Cacheu, Geba y Corubal. El archipiélago de las Bijagos bordea la costa. Clima tropical. Manglares litorales y sabanas; bosques en los valles fluviales. Economía agrícola (cereales, cacahuetes, aceite de palma, copra), complementada por la explotación forestal. Lengua: port. (of.) y las indígenas sudanesas, además de un criollo-port. *Rel.*: animismo (60 %), islamismo (30 %), núcleos católicos. U.M.: Franco CFA. Cap., Bissau.

* *Hist.* Descubierta en el s. XV por los port., fue centro de la trata de esclavos; hasta 1915 Portugal no sometió las tribus del int. La lucha independentista del PAIGC se inició en 1963, en estrecha relación con el nacionalismo homólogo de Cabo Verde. El fundador e impulsor de aquel partido, Amílcar Cabral, fue asesinado en 1973 y su hermano, Luis Cabral, accedió a la presidencia al ser reconocida la indep. (1974). La prevista fusión con Cabo Verde fracasó tras el golpe militar de 1980. Desde 1989 el régimen modificó la Constitución y acercó el país al FMI y el Banco Mundial. En 1994, J. Bernardo Vieira fue confirmado como presidente de la república. En 1998 se desencadenó una guerra civil que acabó, en mayo de 1999, con un golpe de Estado y la caída de Vieira quien fue sustituido por Malam Bacai Sanha.

GUINEA-BISSAU

Superficie 36 125 km²

Población 1 179 000 hab. (32,6 hab./km²)

Recursos económicos	
Aceite de palma	4 500 t
Arroz	133 000 t
Cabaña bovina	475 000 cabezas
Cabaña caprina	270 000 cabezas
Cabaña porcina	310 000 cabezas
Copra	5 000 t
Maíz	15 000 t
Mijo	35 000 t
Nuez de palma	8 000 t
Riqueza forestal	577 000 m³
Indicadores sociológicos	
PNB	265 millones de dólares
Renta per cápita	250 dólares
Esperanza de vida	44 años
Alfabetismo	55 %

GUINEA ECUATORIAL Est. del África ecuatorial; Rep. presidencialista; sit. en el golfo de Guinea, comprende el terr. continental de Mbini (ant. Río Muni) y las islas de Bioko (ant. Fernando Poo), Annobón, Corisco y las dos Elobey; entre Camerún y Gabón. La parte continental está formada por altiplanicies, accidentadas por algunos macizos que van descendiendo hacia la costa, baja y arenosa. Red hidrográfica constituida por el Campo, el Benito y el Muni. Clima ecuatorial, muy húmedo. Cacao, café, plátanos, palma oleífera. Imp. riqueza forestal (ébano, okumé). Lengua: esp. (of.), fang y bubi (bantúes). *Rel.*: católica (80 %) y animistas. U.M.: franco C.F.A. Cap., Malabo. C. y puerto imp., Bata.

* *Hist.* Portugal, en las islas desde el s. XV, las cedió a España en 1778. El dominio sobre la franja continental aguardó a 1901. Indep. en 1968, el régimen autocrático de F. Macías Nguema llevó a la emigración a gran parte de la pob. En 1979 fue derrocado y ejecutado por su pariente y colaborador Teodoro Obiang, quien estableció un régimen dictatorial. Las elecciones de 1993, calificadas de fraudulentas, y el intento de golpe de Estado de 1997 provocaron un clima de inestabilidad política, agravada por la represión contra el pueblo bubi (1998).

GUINEA ECUATORIAL

Superficie 28 051 km²

Población 443 000 hab. (15,8 hab./km²)

Recursos económicos	
Aceite de palma	5 000 t
Bananas	17 000 t
Cacao	4 000 t
Café	7 000 t
Nuez de coco	8 000 t
Nuez de palma	3 000 t
Indicadores sociológicos	
PNB	152 millones de dólares
Renta per cápita	380 dólares
Esperanza de vida	50 años
Alfabetismo	79 %

GUINEANO, NA adj. y s. De la región del África occidental llamada Guinea o de alguna de las rep. africanas del mismo nombre.

GÜINES Mun. de Cuba, en la prov. de La Habana; 41 552 hab. Manufacturas de tabaco.

GUINNESS, *Alec* (1914-2000) Actor teatral y cinematográfico brit. *Oro en barras, El puente sobre el río Kwai, La guerra de las galaxias.*

GUINOVART, *José* (nacido 1927) Pintor esp. Ha evolucionado del figurativismo a la abstracción.

GUIÑADA f. *Mar.* Desvío de la proa del buque del rumbo a que se navega.

GUIÑAPO m. Andrajo o trapo roto o deslucido. • *Chile.* Maíz molido que sirve para hacer chicha.

GUIÑAR tr. Cerrar un ojo momentáneamente quedando el otro abierto. • *Mar.* Dar guiñadas el buque. • tr. *Guat.* Tirar con fuerza. ■ GUIÑO.

GUIÑOL m. Representación teatral por medio de títeres. • Teatrillo donde se efectúa la representación. ■ GUIÑOLESCO, CA.

GUIÑOTE m. Juego de cartas, variante del tute.

GUÍO m. *Col.* Serpiente de agua.

GUIÓN m. Cruz que va delante del prelado o de la comunidad con insignia propia. • Estandarte del rey o de un jefe de hueste. • Pendón pequeño o ban-

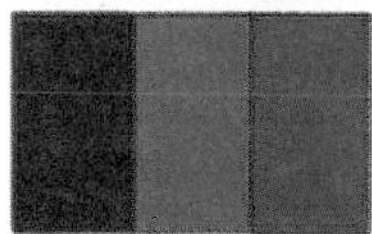

Mapa de situación y bandera de **Guinea**

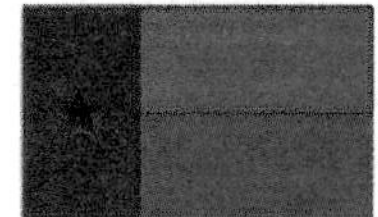

Mapa de situación y bandera de **Guinea-Bissau**

Mapa de situación y bandera de **Guinea Ecuatorial**

dera arrollada que se lleva en algunas procesiones. • El alférez del rey o el paje de guión. • Argumento de una obra cinematográfica, radiofónica o televisiva. • El que en las danzas guía la cuadrilla. • Ave delantera de las bandadas emigrantes. • fig. El que va delante, enseña y amaestra a alguno. • Signo ortográfico (-) que se pone al fin del renglón que termina con una palabra incompleta que continúa en la línea siguiente. Se usa para unir las dos partes de alguna palabra compuesta. Para separar las oraciones incidentales, que no se ligan con ninguno de los miembros del periodo, se usan guiones más largos; también para indicar en los diálogos cuándo habla cada interlocutor, y para suplir al principio de línea, en índices y otros escritos semejantes, el vocablo con que empieza otra línea anterior. • Parte más delgada del remo. • *Mús.* Nota o señal que se pone al fin de la escala cuando no se puede seguir; denota el punto en que se prosigue la solfa. ■ GUIONISTA.

Guipúzcoa. Vista de la plaza de Guipúzcoa, en San Sebastián

GUIONAJE m. Oficio del guía o conductor.
GUIPAR tr. fam. Ver, percibir, descubrir.
GÜIPIL m. *Méx.* Camisa de las indias.
GUIPUR m. Tejido de encaje de malla gruesa.
GUIPÚZCOA o **GIPUZKOA** Prov. de España, en Euskadi; 1 997 km^2 y 676 208 hab. Cap. San Sebastián; c. prales.: Irún, Eibar, etc. Relieve montañoso, clima oceánico y vegetación de tipo atlántico. Agricultura (forrajes), pesca e ind. metalúrgica y textil muy desarrolladas.
GUIPUZCOANO, NA adj. y s. De Guipúzcoa. • *Ling.* Uno de los ocho prales. dialectos del euskera.
GÜIQUILITE m. *Méx.* Añil.
GÜIRA f. Árbol tropical de la familia bignoniáceas. De su fruto se hacen tazas, platos, jofainas, etc. • Fruto de este árbol. • fam. *Amér.* Cabeza, calabaza. • *Chile.* Tira de corteza que se usa como soga. • adj. *Hond.* Cobarde.
GÜIRA DE MELENA Mun. de Cuba, en la prov. de La Habana; 30 829 hab. Tabaco.
GÜIRALDES, *Ricardo* (1886-1927) Escritor arg. Su novela *Don Segundo Sombra* es una excelente descripción de la Pampa.
GUIRI m. Cristiano o liberal, en las guerras carlistas.

Guisante

GÜIRICHE m. *Guat.* Ternerito.
GUIRIGAY m. fam. Lenguaje ininteligible.
GUIRINDOLA f. Chorrera de la camisola.
GUIRIOR, *Manuel de* (1708-1788) Militar y político esp. Virrey de Nueva Granada.
GÜIRÍS m. *Amér. Centr.* Persona práctica en minas.
GUIRIZAPA f. *Ven.* Algazara.
GUIRLACHE m. Turrón de almendras tostadas y caramelo.
GUIRNALDA f. Corona abierta, tejida de flores, papel, etc.
GÜIRO m. *Bol.* y *Perú.* Tallo del maíz verde. • *Ant.* Instrumento musical hecho con el güiro.
GUIROPA f. Guisado de carne con patatas.
GUISA f. Modo, manera. • **A, de,** o **en, tal guisa.** adv. A modo, de tal suerte, en tal manera.
GUISA Rama de la familia ducal de Lorena. Intervino en las luchas religiosas de Francia. El miembro más célebre fue Enrique (1550-1588), que dirigió la matanza de la noche de San Bartolomé.
GUISADO, DA m. Guiso preparado con salsa, después de rehogado el manjar.
GUISANDO Mun. esp., en Castilla-León (prov. de Ávila); 952 hab. • **Toros de G.** Esculturas zoomorfas del s. II a.C.
GUISANTE m. Planta leguminosa, con fruto en vaina. • Semilla de esta planta. ■ GUISANTAL.
GUISAR tr. Cocer los alimentos en una salsa después de rehogados. • fig. Ordenar, aderezar una cosa. ■ GUISO.
GÜISCLACUACHI m. *Méx.* El puerco espín.
GÜISCOLOTE m. *Méx.* Arácnido venenoso.
GÜISCOYOL m. *Hond.* Palma silvestre.
GUISOTE m. Guisado ordinario.
GÜISQUI m. Whisky.
GÜISQUIL m. *Guat.* Chayote, fruta.
GUITA f. Cuerda de cáñamo. • fam. Dinero.
GUITAR tr. Coser con guita.
GUITARRA f. Instrumento musical de seis cuerdas, que se pulsan con los dedos de la mano derecha, mientras las pisan los de la izquierda donde conviene al tono. • *Ven.* Traje de fiesta. • **eléctrica.** Guitarra en que las vibraciones, captadas por electromagnetos, son amplificadas y emitidas por un altavoz. ■ GUITARRAZO; GUITARREO; GUITARRERÍA; GUITARRERO, RA; GUITARRESCO, CA; GUITARRISTA.

Guitarra del s. XIX

GUITARRILLO m. Guitarra pequeña de cuatro cuerdas. • Tiple, guitarrita de voces agudas.
GUITARRO m. Guitarrillo.
GUITARRÓN m. fig. y fam. Hombre sagaz y picarón. • Pez rayiforme de 2 m de long. • *Chile.* Guitarra de unas 25 cuerdas. • *Hond.* Avispa venenosa.
GÜITO m. fam. Sombrero • Hueso de fruta con que juegan los muchachos.
GUITÓN, NA adj. y s. Pícaro pordiosero que mendiga vagando. • m. Moneda que servía para tantear. ■ GUITONEAR; GUITONERÍA.
GUITRY, *Sacha* (1885-1957) Escritor, actor y director cinematográfico y teatral fr., de origen ruso. *La palabra de Cambronne, Las dos palomas, Novela de un tramposo.*
GÜIZACHE m. *Guat.* Tinterillo, picapleitos.
GUIZADO, *José Ramón* (1899-1964) Político pan. Sucedió a Remón en la presid. de la Rep. tras su asesinato (1955). Acusado del crimen y absuelto (1957).
GUIZAZO m. *Cuba.* Pata de gallo, planta.
GUIZGAR tr. Enguizgar, incitar.
GUIZOT, *François* (1787-1874) Político e historiador fr. *Historia general de la civilización en Europa.*
GUIZQUE m. Palo con un gancho.
GUJARAT o **GUJERAT** Est. del O de la India; 195 984 km^2, 41 174 300 hab. Cap., Gandhinagar. C. pral., Ahmadabad. Clima cálido. Econ. agrícola y minera (petróleo, bauxita).
GUJARATI m. *Ling.* Lengua indoaria hablada en la India por 20 millones de personas del est. de Gujarat y del N del est. de Maharashtra.
GUJRANWALA C. de Pakistán, en la prov. de Punjab; 366 000 hab. Metalurgia.
GULA f. Apetito desordenado de comer y beber.
GULDA, *Friedrich* (1930-2000) Pianista austr. Creó el concurso internacional de jazz de Viena.
GULDEN m. Florín.
GULES m. pl. *Her.* Color rojo, que en pintura se expresa por el rojo vivo y en el grabado por líneas verticales muy espesas.
GULF STREAM → Golfo, corriente del.
GULLBERG, *Hjalmar* (1898-1961) Escritor sueco. *Ejercicios espirituales, Cinco panes y dos peces.*
GULLERÍA f. Gollería, manjar exquisito.
GULLORÍA f. Calandria, alondra. • Gollería.
GULLSTRAND, *Allvar* (1862-1930) Médico sueco, inventor del oftalmoscopio binocular. Premio Nobel de Medicina en 1911.
GULOSO, SA adj. y s. Glotón.
GULUSMEAR intr. Golosinear, andar oliendo lo que se guisa. ■ GULUSMERO, RA.
GÚMENA f. Maroma gruesa que sirve en las embarcaciones para atar las áncoras.
GUMÍA f. Arma blanca morisca.
GUMÍA Prefectura de Japón, en la isla de Honshu; 6 356 km^2, 1 966 000 hab. Cap., Maebashi.
GUNDER Frank, *André* (nacido 1929) Economista norteam. de origen al. *Capitalismo y subdesarrollo en América Latina, Latinoamérica: subdesarrollo o revolución, Lumpenburguesía: lumpendesarrollo.*
GUNELIO m. Pez osteíctio de cuerpo muy alargado y cabeza pequeña; mide de 20 a 25 cm y su coloración es v ariada.
GÜNEY, *Yilmaz* (1937-1984) Director, actor y guionista de cine turco. Palma de oro del festival de Cannes por *El camino (Yol)*
GUNNARSSON, *Gunnar* (1889-1975) Escritor isl. en lengua danesa. *La familia Borg.*
GUPTA Dinastía india que reinó en la cuenca del Ganges desde el s. IV al VI.
GURABO Mun. de Puerto Rico, en el distr. de Humacao; 26 093 hab. Caña de azúcar y tabaco.
GURAGE adj. y s. Individuo de un pueblo etiópico, integrado por unas 350 000 personas, que vive en Etiopía, al S del río Awash. • m. *Ling.* Lengua semítica, con influencias del cuscítico sidama.
GURAGE Región del S de Etiopía, al NO del lago Ziwai, habitada por el pueblo hom. Plátanos.
GURBIO, BIA adj. Díc. de los instrumentos de metal que tienen alguna curvatura.
GURBIÓN m. Goma del euforbio.

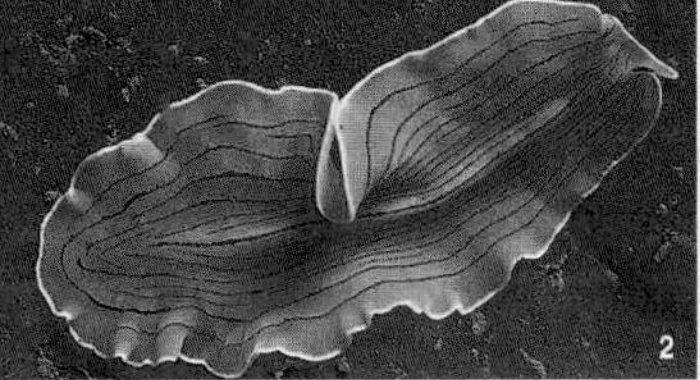

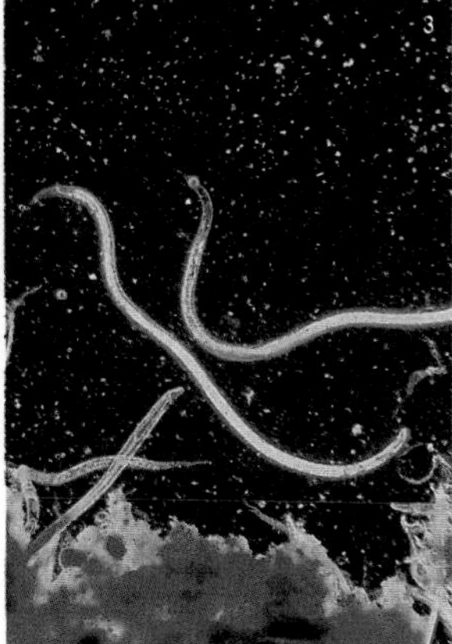

GUSANO

1. 2. y 3. El término gusano engloba un gran número de invertebrados de cuerpo alargado, cilíndrico o acintado que corresponden a especies de diversos grupos taxonómicos, especialmente anélidos, como las sabelarias (1), platelmintos, como las planarias (2), y nematodos, como las anguilulas (3).
4. Los gusanos viven en todos los tipos de hábitat: marinos, terrestres y dulceacuícolas. Algunos son parásitos del hombre, de otros animales y de diversas plantas.

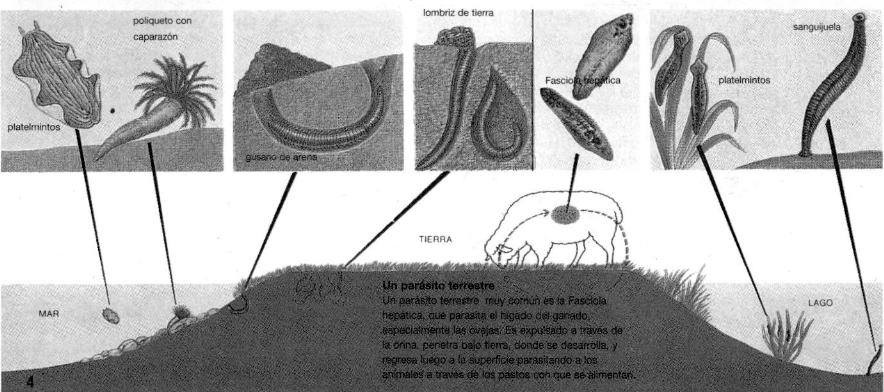

Un parásito terrestre muy común es la Fasciola hepática, que parasita el hígado del ganado, especialmente las ovejas. Es expulsado a través de la orina, penetra bajo tierra, donde se desarrolla, y regresa luego a la superficie parasitando a los animales a través de los pastos con que se alimentan.

GURDO, DA adj. Necio, simple. • m. *R. Dom.* Moneda nacional.
GURGUCIAR intr. fam. *Amér. Centr.* Averiguar.
GURGUNCHA f. *Hond.* Hucha. Ahorros.
GURÍ m. *Argent.* Muchacho indio.
GURIDI, *Jesús* (1886-1961) Compositor de óperas y zarzuelas esp. *Mirentxu, Amaya, El caserío, Diez melodías vascas.*
GURIPA m. fam. Golfo. • fam. Soldado.
GURISA f. *Argent.* Muchacha india.
GURKA o **GURKHA** adj. y s. Individuo de un pueblo de origen y lengua indoarios y religión hindú, que forma el grupo dominante en Nepal desde el s. XVIII.
GURO adj. y s. Individuo de un pueblo melanoafricano (unas 100 000 personas) de lengua mande, que habita la parte central de Costa de Marfil.
GURRIATO m. Pollo del gorrión.
GURRUFERO m. fam. Rocín malo, caballejo.
GURRUMINA f. fam. Condescendencia del marido con su mujer. • *Amér.* Pequeñez. • *Argent.* Persona enclenque y enfermiza. • *Ecuad., Guat.* y *Méx.* Cansera, molestia. • *Col.* Tristeza.
GURRUMINO, NA adj. fam. Ruin. • m. fam. Marido condescendiente con las infidelidades de la mujer. • m. y f. *Méx.* Chiquillo.
GURRUNERA f. *Ven.* Huronera, madriguera.
GURRUPIÉ m. *Amér.* Ayudante del banquero en las casas de juego.
GURU o **GURÚ** adj. y m. (voz sánscrita) Maestro espiritual que enseña los principios de la fe en la India y la ejecución de los actos rituales.
GURULLADA f. fam. Cuadrilla de gente sin importancia.
GURULLO m. Burujo, rebujo.
GURUPA f. Grupa, anca de caballería.
GURUPERA f. Grupera.
GURUPÍ m. *Argent.* Falso postor en las subastas.
GURUPI Río de Brasil; 480 km. Desemboca en el Atlántico.
GUSANEAR intr. Hormiguear.
GUSANERA f. Sitio donde se crían gusanos. • fig. y fam. Pasión que domina en el ánimo.
GUSANILLO m. Género de labor menuda que se hace en los tejidos de lienzo y otras telas. • **Matar el g.** fig. y fam. Beber aguardiente en ayunas. • fig. y fam. Saciar el apetito. • **El g. de la conciencia.** fig. y fam. Remordimiento ligero.
GUSANO m. Nombre genérico de animales invertebrados, bilaterales, de cuerpo alargado y desprovistos de esqueleto. El término tuvo vigencia taxonómica pero actualmente sólo se mantiene en el lenguaje vulgar, con un sentido más amplio, pues incluye también las fases larvarias de muchos insectos. • Lombriz. • Oruga, larva. • fig. Hombre humilde y abatido. • **de luz.** Luciérnaga. • **de seda.** Larva de la mariposa de la seda. ■ GUSANERÍA; GUSANIENTO, TA; GUSANOSO, SA.
GUSARAPIENTO, TA adj. Que tiene gusarapos. • fig. Muy inmundo o corrompido.
GUSARAPO, PA m. y f. Animalejos de forma de gusanos que se crían en los líquidos.
GUSGO, GA adj. *Méx.* Goloso, guzgo.
GUSTACIÓN f. Degustación.
GUSTAR tr. Sentir en el paladar el sabor de las cosas. • Experimentar. • intr. Agradar una cosa; parecer bien. • Desear, querer y gozar una cosa. ■ GUSTADURA.
GUSTAVO Nombre de algunos reyes de Suecia.
GUSTAVO I Vasa (1496-1560) Rey de Suecia [1523-1560]. Expulsó a los daneses. Fundó la dinastía de los Vasa. • **II Adolfo** (1594-1632) Rey de Suecia [1611-1632], nieto del anterior. Intervino en

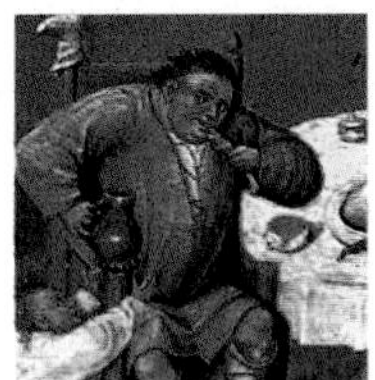

La **gula** representada por Hieronymus Bosch en *La rueda de los siete pecados capitales*

Johannes Gensfleisch **Gutenberg**

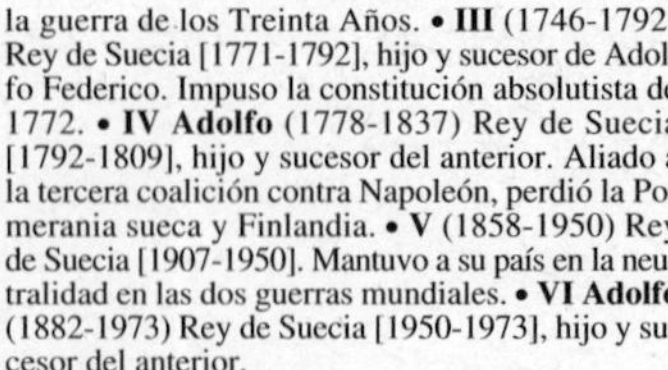

la guerra de los Treinta Años. • **III** (1746-1792) Rey de Suecia [1771-1792], hijo y sucesor de Adolfo Federico. Impuso la constitución absolutista de 1772. • **IV Adolfo** (1778-1837) Rey de Suecia [1792-1809], hijo y sucesor del anterior. Aliado a la tercera coalición contra Napoleón, perdió la Pomerania sueca y Finlandia. • **V** (1858-1950) Rey de Suecia [1907-1950]. Mantuvo a su país en la neutralidad en las dos guerras mundiales. • **VI Adolfo** (1882-1973) Rey de Suecia [1950-1973], hijo y sucesor del anterior.

GUSTO m. Sentido que permite distinguir el sabor de las cosas. • Sabor que tienen las cosas. • Placer o deleite. • Propia voluntad o determinación. • Facultad de sentir lo bello. • Cualidad, o manera que hace bella o fea algo. • Manera de sentirse o ejecutarse la obra artística o literaria en país o tiempo determinado. • Capricho, diversión. ■ GUSTABLE; GUSTATIVO, VA; GUSTAZO; GUSTILLO; GUSTOSO, SA.

GUTACIÓN f. Fenómeno frecuente en los vegetales sometidos a periodos nocturnos húmedos y calurosos, que consiste en la expulsión de agua a través de los estomas acuíferos.

GUTAGAMBA f. Árbol del SE asiático, de la familia gutíferas, del que fluye una gomorresina que se usa en acuarela.

GUTAPERCHA f. Goma translúcida insoluble en el agua, obtenida del tronco de un árbol sapotáceo de la India. Se emplea en farmacia, para aislamientos eléctricos y como cemento dentario.

GUTENBERG, *Johannes Gensfleisch* (h. 1394-1468) Impresor al., inventor del sistema de imprenta con caracteres móviles. Imprimió la *Biblia latina.*

GÜTERSLOH C. de Alemania, en el land de Westfalia; 81 000 hab. Ind. alimentaria y textil.

GUTI adj. y s. Invasores asiáticos que acabaron con el reino de Acad. Dominaron Mesopotamia de 2200 a 2116 a. C.

GUTIÁMBAR f. Goma de color amarillo.

GUTIÉRREZ, *Eduardo* (1851-1889) Novelista y periodista arg. *Juan Moreira* (novela gauchesca) y *Hormiga negra.* • ***Mario*** (nacido 1917) Político bol. Ministro de Asuntos Exteriores (1971-1974) y embajador ante las Naciones Unidas (1975). • ***Ricardo*** (1838-1896) Poeta arg. Representante del romanticismo en su país. *Lázaro, La fibra salvaje.* • ***Santos*** (1820-1872) Militar y político col. Presid. de la Rep. entre 1868 y 1870. • **Alea, *Tomás*** (1928-1996) Director de cine cub. *Para Elisa, Fresa y chocolate, Guantanamera.* • **Aragón, *Manuel*** (nacido 1942) Director de cine esp. *Maravillas, Demonios en el jardín, El Quijote* (para TV). • **Nájera, *Manuel*** (1859-1895) Poeta y periodista mex. Director de la *Revista Azul.* Precursor del modernismo. *Cuentos frágiles, Poesía.* • **Solana, *José*** → Solana.

GUTIÉRREZ ZAMORA Mun. de México, en el est. de Veracruz; 21 546 hab. Agricultura, pesca, ind. maderera.

GUTIFERAL adj. *Bot.* Díc. de las plantas dicotiledóneas, con flores hermafroditas, que gralte. poseen un látex gomoso, a veces llamado guta. • f. pl. *Bot.* Orden de estas plantas.

GUTÍFERO, RA adj. y f. *Bot.* Árboles y arbustos dicotiledóneos de la zona tórrida que segregan jugos resinosos, llamados gutas o gutagambas.

GUTURAL adj. Relativo a la garganta. • *Fon.* Díc. de las consonantes velares. • *Fon.* Se aplica al sonido articulado que se produce por estrechamiento y contracción de la garganta. • Letra que representa este sonido.

GUTZKOV, *Karl* (1811-1878) Novelista y dramaturgo al. *Wally la escéptica, Los caballeros del espíritu, El mago de Roma.*

GUYANA *(Republic of Guyana)* Est. sudamericano; Rep. presidencialista, autotitulada Rep. Cooperativa; entre el Atlántico, Brasil, Surinam y Venezuela. La llanura litoral se prolonga en el int. hasta enlazar con la depresión formada por la red hidrográfica del Esequibo. Recursos agrícolas, forestales y mineros. Gran mezcla étnica (oriundos de la India, 51 %; negros, 30,7 %; amerindios, 4,4 %). Lengua: ing. (of.), diversas lenguas hindúes, variantes del *créole. Rel.*: mayoría protestante, núcleos católicos, hinduistas e islámicos. U.M.: el dólar de G. Cap., Georgetown.

* *Hist.* Visitada por Colón (1498), fue disputada entre holandeses y brit. Éstos la ocuparon desde 1796 y la convirtieron en Colonia en 1831. Independiente en 1966, asistió a graves tensiones raciales entre negros e hindúes. En 1970 se proclamó la rep., con Arthur Chung como presid. y Forbes Burnham como primer ministro, nombrado presid. en 1980. A su muerte (1983) lo fue Desmond Hoyle, sustituido en 1992 por Cheddi Jagan.

GUYANA

Superficie 214 970 km²	
Población 800 000 hab. (4 hab./km²)	
Recursos económicos	
Arroz	250 000 t
Azúcar de caña	145 000 t
Bananas	20 000 t
Bauxita	2 204 000 t
Cerveza	134 000 hl
Copra	5 000 t
Diamantes	7 000 quilates
Naranjas	15 000 t
Nuez de coco	48 000 t
Oro	585 kg
Riqueza forestal	225 000 m³
Ron	183 000 hl
Indicadores sociológicos	
PNB	233 millones de dólares
Renta per cápita	290 dólares
Esperanza de vida	65 años
Alfabetismo	96 %

Guyana. Arriba, mapa de situación y bandera; abajo, cascadas de Kaieteur

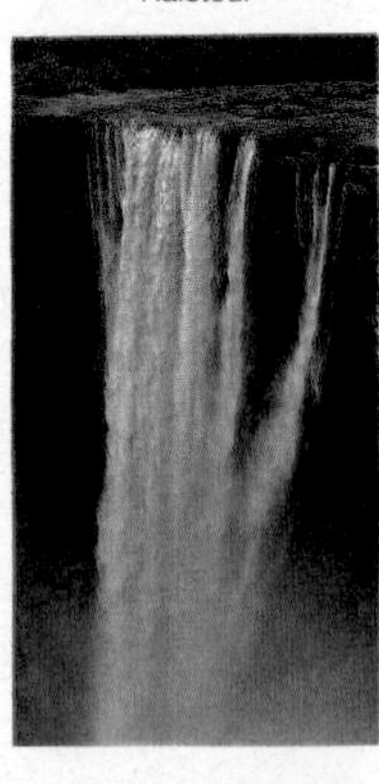

GUZLA f. Instrumento musical de una sola cuerda y en forma de guitarra.

GUZMÁN m. Noble que servía en la armada y en el ejército como soldado distinguido.

GUZMÁN, *Alberto* (nacido 1927) Escultor per. radicado en Europa. En sus obras, basadas en esferas y semiesferas unidas por varillas, la luz juega un papel importante y dinámico. • ***Antonio Leocadio*** (1801-1884) Político y escritor ven., entusiasta propagador de las ideas liberales. Fundó los diarios *El Argos* y *El Colombino.* • ***Gaspar de*** → Olivares. • ***Martín Luis*** (1887-1977) Escritor y político mex. Coronel del ejército revolucionario en 1914. *Memorias de Pancho Villa.* • **Blanco, *Antonio*** (1829-1898) Militar y político ven. Ejerció la presidencia de la Rep. en tres periodos (1870-1877, 1879-1884 y 1886-1888). • ***El Bueno*** llamado *Alonso Pérez de Guzmán* (1256-1309) Caballero cast. Encargado por Sancho IV de la defensa de Tarifa, sacrificó la vida de su hijo por no entregar la plaza a los benimerines. • **Fernández, *Antonio*** (1910-1982) Político dom. de ideología liberal. Derrotó a Balaguer en las elecciones de 1978.

GWALIOR *(Gwaliyar)* C. de la India, en el N del est. de Madhya Pradesh; 539 000 hab. Centro com. e industrial. Monumentos de la E. Media.

GYMKHANA (voz ing.) f. Competición deportiva de habilidad en automóvil, etc.

GYÖR (al., *Raab*) C. del NO de Hungría; 129 000 hab. Centro de comunicaciones y comercial. Puerto. Ind. siderometalúrgica, textil, alimentaria. Catedral gótica y barroca.

H

Holograma, fotografía en tres dimensiones realizada mediante láser

H f. Octava letra del abecedario esp. y sexta de sus consonantes. Su nombre es *hache*, y actualmente no tiene sonido. • **aspirada.** Sonido velar fricativo sordo, parecido al de la j. • Abrev. de hora. • Antepuesta a la abrev. de una unidad de medida, significa *hect* o *hecto*, es decir, 100 veces. • *Quím.* En mayúscula, símb. del hidrógeno. • *Fís.* En minúscula, símb. de la constante de Planck. • *Fís.* Una de las rayas de la parte visible del espectro solar sit. en la zona del violeta.

¡HA! interj. ¡Ah!

Ha *Quím.* Símb. del hahnio.

HAAKON I, *el Bueno* (h. 920-h. 961) Rey de Noruega. Consiguió el poder al derrotar a su hermanastro Erico (h. 935). Gobernó con acierto y abrazó el cristianismo. • **IV, *el Viejo*** (1204-1263) Rey de Noruega [1217-1263]. Fomentó el comercio y las obras públicas. Anexionó Islandia en 1262. • **VII** (1872-1957) Rey de Noruega [1905-1957]. Abandonó su país en 1940, al ser invadido por Alemania. Regresó en 1945.

HAARLEM C. de los Países Bajos; 217 200 hab. Ind. navales, químicas y mecánicas.

HAASE, *Hugo* (1863-1919) Político al. Presid. del partido socialdemócrata (1912), fue expulsado al imponerse las tesis de Ebert (1917). M. asesinado.

HABA f. Planta herbácea, anual, leguminosa, con flores amariposadas, olorosas y fruto en vaina. • Fruto y semilla de esta planta. • Simiente de ciertos frutos, como el café, cacao, etc. • Roncha, bultillo en la piel. • Bálano. • En algunos lugares, habichuela, judía. • *Min.* Trozo de mineral redondeado y envuelto por la ganga. • *Vet.* Tumor que se forma a las caballerías en el paladar. • **de Epipto.** Calocasia. • **de las Indias.** Guisante de olor. • **de san Ignacio.** Arbusto de la familia loganiáceas, que se cría en Filipinas, fruto en cápsula carnosa, con semillas duras, que se usa como purgante y emético. • Simiente de esta planta. • **En todas partes cuecen habas.** exp. fig. En todas partes ocurre lo mismo.

HABACHE, *Georges* (nacido 1926) Médico y político palestino, fundador del Frente Popular de Liberación de Palestina.

HABACUC El octavo de los doce profetas menores del A. T. • **Libro de H.** Escrito profético del A. T., notable por su perfección literaria.

HABADO, DA adj. Díc. del animal que tiene la enfermedad del haba. • Aplícase al que tiene en la piel manchas en figura de habas. • Díc. del ave cuyas plumas de varios colores se entremezclan, formando pintas.

HABANA, *Ciudad de La* Prov. de Cuba, formada pralm. por la c. hom.; 724 km², 2 119 000 hab. • **La H.** Prov. de Cuba, que rodea la prov. de C. de La H.; 5 745 km², 630 000 hab. Cap., la c. hom. • C. de Cuba cap. del estado y de las prov. de La H. y Ciudad de La H.; 2 119 000 hab. Sit. en el NO de la isla de Cuba, ha experimentado un gran crecimiento que ha dado lugar a la Gran Habana, núcleo que coincide con la prov. de Ciudad de La H. Puerto de gran tráfico. Cuenta con edificios notables, entre ellos la Catedral (1690) y la iglesia de San Agustín (1608). La ant. c. de La Habana estuvo sit. en la costa S de la isla y hasta 1519 no se construyó en su actual emplazamiento. Pronto experimentó un notable auge económico, consecuencia de su situación en la ruta entre Nueva España y la pen. Ibérica. Las ind. del tabaco y el azúcar hicieron de ella un importante centro comercial. • **Carta de La H.** Acta final de la conferencia sobre comercio internacional celebrada en La H. (1947-1948). • **Declaraciones de La H.** Textos políticos aprobados en La H., en los que se expone la política internacional a seguir por Cuba tras el triunfo de la rev. (1960 y 1961).

Planta, fruto y semillas de **haba**

Vista parcial de **Ciudad de La Habana**

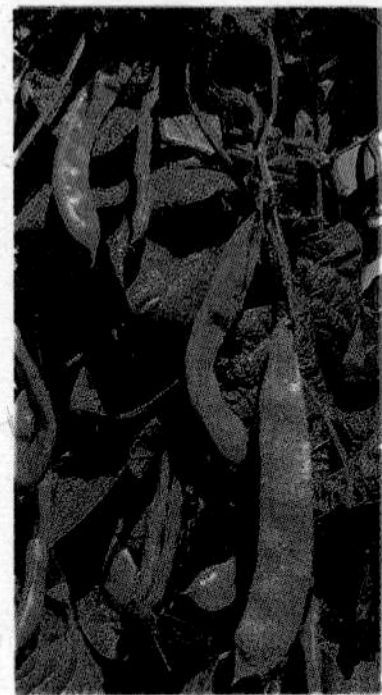
Habichuela

Hachas de la Edad del Bronce

HABANERO, RA adj. y s. De La Habana. • adj. Relativo a esta c. • f. Baile originario de La Habana. • Música de este baile. • Canción que se acompaña con esta música.

HABANO, NA adj. Relativo a La Habana y, p. ext., a la isla de Cuba. • Díc. del color del tabaco claro. • m. Cigarro puro elaborado en Cuba.

HABAR m. Terreno sembrado de habas.

HABASCÓN m. *Amér.* Especie de pastinaca, raíz.

HÁBEAS Corpus m. *Der.* Institución jurídica que garantiza la libertad personal del individuo a fin de evitar los arrestos y detenciones arbitrarias.

HÁBER m. Sabio o doctor entre los judíos. Título inferior al de rabino.

HABER m. Hacienda. • Conjunto de bienes y derechos de una persona natural o jurídica. • Cantidad que se devenga periódicamente en retribución de servicios personales. • *Cont.* Una de las dos partes en que se divide un libro contable y en la cual se registran las cantidades que se acreditan. • fig. Cualidades positivas en una persona o cosa. • tr. Poseer, tener una cosa. • Apoderarse uno de alguna persona o cosa. • Verbo auxiliar que sirve para conjugar otros verbos en los tiempos compuestos. • impers. Se usa sólo en tercera pers. del sing. y en el infinit. • Acaecer, ocurrir, sobrevenir. • Verificarse, efectuarse. • Estar realmente en alguna parte. • Hallarse o existir. • Denotando transcurso del tiempo, hacer. • prnl. Portarse, proceder bien o mal. • **Haber de.** Ser necesario que. • **Habérselas con** uno. fr. fam. Disputar o contender con él. ■ HABIENTE.

HABER, *Fritz* (1868-1934) Químico al. Realizó la síntesis del amoniaco. Premio Nobel de Química en 1918. • **Proceso de Haber-Bosch.** Aplicación a escala industrial de la síntesis del amoniaco.

HABERÍO m. Animal de carga o de labor. • Ganado o conjunto de animales domésticos.

HABERLER, *Gottfried von* (nacido 1900) Economista norteam., de origen austr. Profesor de las universidades de Viena (1928-1936) y Harvard (1936-1971). En *Prosperidad y depresión* expone los ciclos económicos y su teoría de la coyuntura.

HABERMAS, *Jürgen* (nacido 1929) Filósofo y sociólogo al. Representante de la Escuela de Frankfurt, se caracteriza por su crítica marxista del positivismo. *Teoría y práctica*, *Conocimiento e interés*, *Problemas de legitimación en el capitalismo avanzado*, *Texto y contexto*.

HABICHUELA f. Judía, planta leguminosa. • Fruto y semilla de esta planta.

HABILIDAD f. Capacidad y disposición para una cosa. • Cada una de las cosas que una persona ejecuta con destreza. • Enredo, ardid. ■ HÁBIL; HABILIDOSO, SA; *Chile.* HABILOSO, SA.

HABILITAR tr. Hacer a una persona o cosa hábil o apta. • Dar a uno el capital necesario para que pueda negociar por sí. • En los concursos a prebendas o curatos, declarar válidos para otra oposición los ejercicios que se le hayan aprobado al opositor. • tr. y prnl. Facilitar a uno lo que necesita. • tr. *Der.* Dar a las personas capacidad civil o de representación y a las cosas aptitud legal. • *Cuba.* Fastidiar. ■ HABILITACIÓN; HABILITADO, DA; HABILITADOR, RA.

HABILLA f. *Amér.* Jabillo, árbol euforbiáceo.

HABITACIÓN f. Edificio o parte de él que se destina para habitarlo. • Cualquiera de los aposentos de la casa, especialmente el dormitorio. • Acción y efecto de habitar. • *Der.* Facultad personal de ocupar en casa ajena las piezas necesarias para sí y para su familia. • Región donde se cría una especie vegetal o animal.

HABITÁCULO m. Habitación, edificio para ser habitado. • Lugar que reúne las condiciones apropiadas para que viva una especie animal o vegetal.

HABITAR tr. e intr. Vivir, morar. ■ HABITABILIDAD; HABITABLE; HABITADOR, RA; HABITANTE.

HÁBITAT m. Conjunto de factores ambientales en los que vive, de un modo natural, una determinada especie animal o vegetal.

HÁBITO m. Vestido o traje que cada uno usa según su estado o ministerio, y especialmente el de los religiosos. • Modo especial de proceder o conducirse, adquirido por repetición de actos iguales o semejantes u originados por tendencias instintivas. • *Med.* Habituación. • Insignia con que se distinguen las órdenes militares. • fig. Cada una de estas órdenes. • Vestido o traje que se lleva debido al cumplimiento de un voto. • En cristalografía, modo de disponerse los cristales. • *Zool.* Comportamiento normal que caracteriza a una especie animal. ■ HABITUAL.

HABITUAR tr. y prnl. Acostumbrar o hacer que uno se acostumbre a una cosa. • tr. Adquirir o hacer adquirir un hábito. • tr. Producir habituación un medicamento o una droga. ■ HABITUACIÓN.

HABITUD f. Relación que tiene una cosa con otra.

HABLA f. Facultad de hablar. • Acción de hablar. • *Ling.* Acto individual del ejercicio del lenguaje, en contraposición a lengua. • Idioma, lenguaje, dialecto. • Razonamiento, oración, arenga. • **Al h.** m. adv. En trato acerca de algún asunto. • Respuesta que se da a veces a una llamada telefónica.

HABLAR intr. Articular palabras para darse a entender. • Proferir palabras ciertas aves. • Conversar. Pronunciar un discurso. • intr. y prnl. Tratar, convenir, concertar. • intr. Expresarse de uno u otro modo. • Tratar de algo por escrito. • Dirigir la palabra a una persona. • fig. Murmurar o criticar. • Interceder por uno. • fig. Dar a entender algo de cualquier modo que sea. • fig. Sonar un instrumento con gran expresión. • tr. Conocer un idioma, emplearlo. • Decir. prnl. • Comunicarse, tratarse de palabra una persona con otra. ■ *Ven.* HABLACHENTO, TA; HABLADAS; *Chile.* HABLADERO; HABLADO, DA; HABLADOR, RA; HABLADURÍA; HABLANCHÍN, NA; HABLANTÍN, NA; HABLILLA; HABLISTA.

HABÓN m. Haba, roncha.

HABRÉ, Hissène (nacido 1940) Político chadiano. Líder de las Fuerzas Armadas del Norte (FAN) desde 1977. En 1982 asumió la jefatura del est. tras su victoria militar sobre el presid. Oueddei. En 1987 Habré y Oueddei acordaron la unificación de sus fuerzas y rechazaron la invasión libia.

HABSBURGO Familia de origen austr. que ciñó la corona imperial al. desde 1273 hasta el fin del Imperio, la esp. desde Carlos V hasta 1700, y la austr. hasta 1918.

HABYALIMANAM, *Juvenal* (1937-1994) Militar y político ruandés. En 1973 encabezó un golpe militar y se hizo con la presid. del país. Creó un partido único (Movimiento Nacional Revolucionario). Asesinado en atentado, junto al presid. de Burundi.

HACAMARI m. *Perú.* Cierto oso andino.

HACÁN m. Sabio o doctor entre los judíos.

HACECILLO m. *Bot.* Porción de flores unidas en cabezuela, de pedúnculos de igual altura.

HACENDERA f. Trabajo de utilidad común a que debe acudir todo el vecindario.

HACENDOSO, SA adj. Diligente en las faenas domésticas.

HACER tr. Producir una cosa material o intelectual; darle el primer ser. • Fabricar, formar. • tr. y prnl. Ejecutar, realizar. • tr. Caber, contener, ocasionar. • Disponer, arreglar, aderezar. • Juntar, convocar. • Habituar, acostumbrar. • Junto con algunos nombres, significa la acción que indican éstos. • Con nombre o pronombre personal en acusativo, creer o suponer. • tr. y prnl. Con las preps. *con* o *de*, proveer. • tr. e intr. Ejercer, representar, actuar. • tr. Obligar a algo. • tr. e intr. Expeler del cuerpo las aguas mayores y menores. • intr. Importar, convenir. • Corresponder, concordar. • Procurar, intentar. • intr. y prnl . Fingirse uno lo que no es. • intr. Aparentar. • prnl. Crecer, aumentarse. • Volverse, transformarse. • fam. Habituarse, acostumbrarse. • Hallarse, existir, situarse. • impers. Presentarse el tiempo o estado atmosférico. • Haber transcurrido cierto tiempo. • **H. buena** una cosa. fr. fig. y fam. Aprobarla o justificarla. • **H.** uno **de las suyas.** fr. fam. Obrar, proceder según su genio y costumbre. • **Hacerse a** una parte. fr. Apartarse. ■ HACEDERO, RA; HACEDOR, RA.

HACERA f. Acera.

HACHA f. Herramienta cortante compuesta por una pala unida a un mango. • Vela de cera, grande y gruesa, con varios pabilos. • Mecha de esparto y alquitrán. • Haz de paja atado como fajina. • *Chile.* Juego de canicas. • **Ser un h.** fr. fig. y fam. Ser una persona sobresaliente en algo. ■ HACHAR; HACHAZO; HACHEAR; HACHERO.

HACHA, *Emil* (1872-1945) Político y jurista checo. Tercer presid. de la República Checoslovaca, aceptó, después de la invasión germana en 1939, la presidencia del protectorado de Bohemia y Moravia. Murió en prisión.

HACHE f. Nombre de la letra *h*.

HACHEMITA adj. y s. Relativo a una dinastía ár. contemporánea. Subsiste en Jordania, con el rey Hussein.

HACHETTE, ***Louis*** (1800-1864) Editor fr. Fundó la *Librairie Hachette*, una de las empresas editoriales más importantes de Francia.

HACHINOHE C. de Japón, en el N de Honshu; 241 400 hab. Puerto pesquero y centro industrial.

HACHIOJI C. de Japón, próxima a la agl. de Tokio; 426 700 hab. Nudo ferroviario. Ind. textil.

HACHÍS m. Extracto obtenido del cáñamo índico, que contiene esencias, alcaloides y resinas.

HACHO m. Manojo de paja o esparto encendido, o leño bañado de materias resinosas para alumbrar. • *Geog*. Sitio elevado cerca de la costa, que sirve de atalaya.

HACHÓN m. Vela grande de cera. • Especie de brasero alto en que se encienden algunas materias que levantan llama. ▪ HACHOTE.

HACHUDO m. *Cuba*. Pez parecido a la sardina.

HACIA prep. que expresa dirección. • prep. temporal. Alrededor de, cerca de.

HACIENDA f. Finca agrícola. • Bienes que uno tiene. • Ministerio de Hacienda. • **pública.** *Econ.* Conjunto de haberes, rentas, impuestos, etc., del est. ▪ HACENDADO, DA; HACENDAR; HACENDERO, RA; HACENDISTA.

HACINAR tr. Poner los haces unos sobre otros formando hacina. • tr. y prnl. fig. Amontonar, acumular, juntar sin orden. ▪ HACINA; HACINACIÓN; HACINADOR, RA; HACINAMIENTO.

HADA f. Ser fantástico con forma de mujer y poderes sobrenaturales. ▪ HADADO, DA; HADAR.

HADES *Mit. gr.* Reino tenebroso al que iban las almas de los muertos. • Dios de los muertos.

HADO m. *Mit.* Dios que, según los ant. gr. y rom., disponía lo que había de suceder. • Destino.

HADRAMAUT Región a orillas del golfo de Adén, que forma parte de la República Popular Democrática del Yemen; 260 000 km², 619 000 hab.

HAECKEL, ***Ernst*** (1834-1919) Biólogo al. Seguidor de las teorías evolucionistas de Darwin. *Morfología general de los organismos, Historia natural de la creación.* • **Ley de H.** o **ley biogenética fundamental.** Principio formulado en 1866, según el cual el crecimiento del embrión reproduce en sí la línea evolutiva de sus antecesores.

HAECKER, ***Theodor*** (1879-1945) Filósofo al. de ideología catól. *Cristianismo y cultura, Sobre la idea de lo verdadero en Kierkegaard.*

HAEDO, ***cuchilla de*** Alineación orográfica del O de Uruguay, en dirección N-S. Divisoria de las cuencas de los r. Uruguay y Negro.

HAENDEL, ***Georg Friedrich*** (1685-1759) Clavecinista, organista y compositor al. Representante del barroco tardío, fue un gran maestro del contrapunto. En 1710 viajó a Gran Bretaña, donde obtuvo un gran éxito con sus óperas *Rinaldo* y *El pastor fiel. El Mesías, Música acuática, Música para los reales fuegos artificiales.*

HAENKE, ***Tadeas*** o ***Tadeo*** (1761-1817) Naturalista checo. Exploró el O de América, desde Santiago de Chile al estrecho de Bering, en la expedición de Malaspina.

HAFIZ, ***Amin*** (nacido 1911) Militar y político sirio. Primer ministro, fue presid. del Consejo Nacional de la Rev. en 1964. Derrocado en 1966. • **Sams Al-Din,** ***Muhammad*** (h. 1320-h. 1389) Poeta lírico persa. Temas tradicionales del sensualismo árabe.

HAFNIO m. Elemento químico de símb. Hf, n. a. 72, núm. de masa 178,50. Es un metal pesado de propiedades parecidas a las del circonio.

HAFSI adj. y s. Relativo a una dinastía beréber que gobernó en Túnez de 1228 a 1574.

HAGANAH (heb. «defensa») Organización paramilitar judía creada en Palestina en 1909. Al proclamarse el Estado de Israel (1948), se incorporó al ejército israelí.

HAGEN C. de Alemania, en el est. de Renania Septentrional-Westfalia; 207 600 hab. Centro productor de acero.

Georg Friedrich **Haendel** tocando el clavicémbalo en la corte inglesa

HAGGARD, ***Henry Rider*** (1856-1925) Escritor brit. de novelas de acción. *Las minas del rey Salomón, Ella.*

HAGIOGRAFÍA f. Historia de las vidas de los santos. ▪ HAGIOGRÁFICO, CA; HAGIÓGRAFO.

HAGONDANGE-BRIEY C. de Francia, en Lorena; 132 700 hab. Cuenca carbonífera. Ind. siderúrgica.

HAHN, ***Otto*** (1879-1968) Físico y químico al. Descubrió el radiotorio, el mesotorio y el protactinio. Realizó, con Fritz Strassmann, la fisión de los núcleos del uranio y del torio. Premio Nobel de Química en 1944.

HAHNEMAN, ***Samuel Friedrich*** (1755-1843) Terapeuta al., fundador de la homeopatía. Mediante la observación experimental de los efectos iniciales de ciertos fármacos, proclamó la célebre sentencia *similia similibus curantur.*

HAHNIO m. Elemento químico radiactivo, de n. a. 105, símb. Ha. Descubierto en 1970 por A. Ghiroso. No ha sido aislado físicamente, pues su periodo de semidesintegración es de 1,6 seg.

HAIDUK m. Miembro de las milicias húng. que se crearon en el s. XVI para defensa de las invasiones turcas.

HAIFA C. y puerto del N de Israel, al pie del Monte Carmelo; 229 000 hab. Cap. del distr. hom. Centro industrial y comercial. Refinería.

HAIFONG *(Haiphong)* C. y puerto de Vietnam, en el delta del río Rojo; 1 279 100 hab. Centro industrial.

HAIG, ***Alexander*** (nacido 1924) Político y militar norteam. Jefe del equipo ministerial de R. Nixon (1973-1974), comandante supremo de las fuerzas de la OTAN (1974-1979) y secretario de Estado de R. Reagan (1981-1982).

Haile Selassie

HAIGA m. fam. Automóvil grande y de aspecto lujoso.

HAI-KAI m. Pequeño poema japonés de 17 sílabas, repartidas en tres versos, dos pentasílabos que encuadran a un heptasílabo.

HAILE Selassie (1891-1975) Nombre regio del *ras Tafari Makonnen*, emp. de Etiopía [1930-1974]. Regente en 1916, tomó el título de NEGUS en 1928. En 1936 tuvo que abandonar el país ante la invasión it. En 1941 recuperó el trono, ayudado por los brit. Fue derrocado por los militares en 1974 y murió en prisión.

HAINÁN Isla del sur de China; 37 000 km², 3 000 000 hab. Depende de la prov. de Kuangtung. C. pral.: Haikou. Café, caña de azúcar, té, arroz, tabaco. Caucho. Copra. Minas de hierro.

HAINAUT (flamenco, *Henegouwen*) Región histórica, que actualmente está repartida entre Bélgica y Francia. C. prales.: Mons, Charleroi, Valenciennes, Tournai.

La ciudad de Mons, capital del **Hainaut**, en un grabado del s. XVI

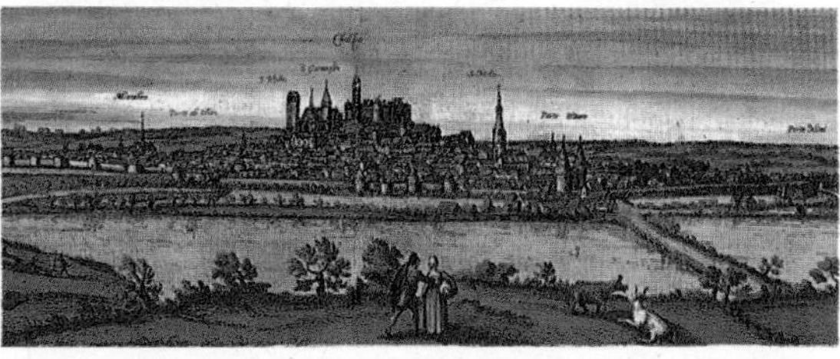

Haití. Arriba, mapa de situación y bandera; a la derecha, vista de Puerto Príncipe; abajo, Jean-Bertrand Aristide

HAITÍ

Superficie 27 400 km²

Población 6 625 000 hab. (242 hab./km²)

Recursos económicos	
Arroz	120 000 t
Azúcar	30 000 t
Bananas	220 000 t
Batatas	380 000 t
Bauxita	374 000 t
Cabaña bovina	1 400 000 cabezas
Cabaña caballar	435 000 cabezas
Cabaña caprina	1 200 000 cabezas
Cabaña porcina	930 000 cabezas
Cacahuetes	45 000t
Café	37 000 t
Maíz	145 000 t
Riqueza forestal	5 840 000 m³
Indicadores sociológicos	
PNB	2 471 millones de dólares
Renta per cápita	370 dólares
Esperanza de vida	56 años
Alfabetismo	53 %

HAITÍ *(République d'Haïti)* Estado amer. que comprende la parte occidental de la isla de La Española y las pequeñas islas de Gonaïves y Tortuga; 26 833 km², 5 053 800 hab. El relieve presenta tres cadenas montañosas más o menos paralelas. R. pral.: Artibonite. Clima cálido y húmedo. País pobre dependiente de EE UU, su pral. riqueza reside en la agricultura. Ind. muy reducida. Rep. unitaria. Lenguas: francés (of.), criollo, esp. *Rel.*: catolicismo (89 %), vudú, muy extendido. U. M.: el gourde. Cap., Puerto Príncipe. C. prales.: Cap-Haïtien, Gonaïves.

* *Hist.* En 1804, Dessalines proclamó la indep. y se erigió en emp. En 1822, las tropas haitianas se apoderaron de la parte oriental de La Española (actual República Dominicana), que no recobró su indep. hasta 1844. La gran inestabilidad política del país sirvió a EE UU de pretexto para invadirlo y ejercer un control absoluto hasta 1934. Los sucesos siguientes reflejaron la pugna entre la aristocracia mulata y las masas populares negras. En 1957 fue elegido presid. el dirigente negro, médico y etnólogo, François Duvalier *(Papá Doc)* que gobernó dictatorialmente con ayuda militar y financiera de EE UU. En 1964 se hizo proclamar presid. vitalicio. Su hijo Jean-Claude *(Baby-Doc)* le sucedió a su muerte en 1971. En enero de 1986 una insurrección popular le obligó a exiliarse y el ejército se hizo con el control del poder mediante la formación de un Consejo Nacional de Gobierno, presidido por el general Henri Namphy. En el mes de enero de 1988 se celebraron elecciones y fue elegido presid. Leslie François Manigat, depuesto en julio por Namphy, derrocado por P. Avril. Tras una presid. provisional de Ertha Pascal Trouillot, fue presid. electo Jean-Bertrand Aristide en febrero de 1991, siendo derrocado en septiembre del mismo año. Gracias al apoyo político y militar de EE UU, pudo retornar en 1994. Agotado su mandato un año después, se celebraron elecciones y René Préval, candidato de la Plataforma Lavalas, fue nombrado presidente. En las elecciones de 2000, J.-B. Aristide, único candidato que concurría a los comicios, fue elegido presidente.

al-HAKAM I (797-822) Emir de Córdoba. Combatió a sus tíos Sulayman y Abd Allah y sofocó varias sublevaciones. • **II** (m. 976) Califa omeya de Córdoba. Continuador de su padre, Abd al-Rahman III, extendió la influencia cordobesa al N de África.

al-HAKIM *(Abu Ali al-Mansur)* Sexto califa fatimí (996-1021). Favoreció la expansión de la cultura en el Islam. Los drusos le consideraban la encarnación de la divinidad. En su reinado se levantaron las tablas astronómicas que llevan su nombre.

HAKODATE C. de Japón, al S de Hokkaido; 319 200 hab. Centro comercial, pesquero e indust.

¡HALA! interj. que se emplea para infundir aliento o para meter prisa. • Sirve para llamar o para echar a alguien de un lugar.

HALACH-UINIC m. Nombre que recibía el gobernador supremo de las ciudades-estado mayas. Al parecer, era la principal autoridad civil y religiosa.

HALAGAR tr. Dar a uno muestras de afecto. • fig. Agradar, deleitar. • Dar motivo de satisfacción o envanecimiento. ■ HALAGO; HALAGÜEÑO, ÑA.

HALAKAH f. Conjunto de normas legales tradicionales hebreas, de origen oral. Se incorporaron a la *Mishnah* y, en fecha posterior, al *Talmud* babilónico y al palestino.

HALAR tr. *Mar.* Tirar de un cabo, de una lona o de un remo. • Poner en seco una embarcación pequeña haciéndola deslizar sobre gradas adecuadas, por lo general de poca pendiente, con tiro directo a mano o mediante cabrestantes. • *Aer.* Acercar un dirigible o un aeróstato a la torre de amarre mediante cables que se arrollan en cabrestantes. • *Cuba.* Tirar hacia sí de una cosa.

HÁLARA f. Telilla interior del huevo de las aves.

HALCÓN m. *Zool.* Ave falconiforme de la familia falcónidos. Los h. son rapaces de pequeño tamaño y plumaje pardo leonado. Cazan lanzándose en picado a gran velocidad. Su fuerza y precisión los han hecho muy valiosos en cetrería. ■ HALCONADO, DA; HALCONERÍA; HALCONERO, RA.

HALCONEAR intr. fig. Comportarse una mujer provocativamente con los hombres.

HALDA f. Falda. • Harpillera con que se envuelven géneros. ■ HALDADA; HALDEAR; HALDUDO.

HALDANE, ***John Burdon*** (1892-1964) Biólogo brit. *Mundos posibles*, *Desigualdad del hombre*, *Biología animal* (con J. Huxley), *La filosofía marxista y las ciencias*. • ***John Scott*** (1860-1936) Biólogo y fisiólogo brit. Sus investigaciones le condujeron a una actitud filosófica relacionada con el vitalismo. *Métodos de análisis del aire*, *Ciencia y filosofía*, *Bases filosóficas de la biología*.

HALDETA f. En el cuerpo de un traje, pieza que cuelga desde la cintura.

¡HALE! Interj. usada para animar o meter prisa.

HALE, ***George Ellery*** (1868-1938) Astrónomo norteam. Inventó el espectroheliógrafo. Localizó los polos magnéticos del Sol y formuló la teoría del mov. de las manchas solares.

HALECHE m. Boquerón, pez.

HALES, ***Alejandro de*** (h. 1185-1245) Teólogo franciscano ing. Intentó conciliar las doctrinas de san Agustín con las aristotélicas y platónicas. Se le atribuye la *Summa theologiae*, llamada también *Summa fratris Alexandri*.

HALÉVY, ***Jacques François Fromental*** (1799-1862) Compositor fr., autor de óperas. *La judía*, *El relámpago*. • ***Ludovic*** (1834-1908) Dramaturgo y libretista fr. Colaboró con Henri Meilhac en muchas operetas; *La bella Helena* y *La Perrichola*, con música de Offenbach, y la ópera *Carmen*, de Bizet.

HALFFTER, ***Cristóbal*** (nacido 1930) Director de orquesta y compositor esp. Su estilo se ha orientado hacia las formas postseriales. Destacan entre sus obras: *Concertino*, *Secuencias*. • ***Ernesto*** (1905-1989) Compositor y director de orquesta esp. Su estilo es muy ecléctico. *Sinfonietta*, *Rapsodia portuguesa*, *Fantasía galaica*. • ***Rodolfo*** (1900-1987) Compositor esp. Su lenguaje se ha orientado hacia el dodecafonismo de Schönberg. *Don Lindo de Almería*, *Obertura concertante*, *Concierto para violín y orquesta*.

HALIBUT m. Pez propio de los mares fríos. De su hígado se extrae el aceite de este nombre.

HALICARNASO Ant. c. doria, en Asia Menor. Destruida en 334 a. C. por Alejandro Magno.

HALÍCOLA adj. Díc. de los organismos que viven en medios salinos.

HALIETO m. Ave rapaz semejante al águila, que se alimenta básicamente de peces.

HALIÉUTICO, CA adj. Relativo a la pesca. • f. Arte de la pesca.

HALIFAX C. y puerto de Canadá, cap. de la prov. de Nueva Escocia; 113 600 hab (320 500 la

Halcón peregrino

agl. urb.). Astilleros. Refinería. • C. de Gran Bretaña, en Yorkshire; 87 400 hab. Industria textil.

HALIFAX, ***Edwar Frederick Lindley Wood,*** CONDE DE (1881-1959) Político conservador brit. Virrey de la India (1926-1931) y ministro de Asuntos Exteriores (1938-1940).

HALITA f. *Miner.* Cloruro de sodio, ClNa, también denominado sal gema o sal común. Cristaliza en el sistema cúbico; peso específico 2,1; dureza 2; incoloro o coloreado por impurezas; brillo vítreo y característico sabor salado.

HÁLITO m. Aliento que sale por la boca. • Vapor que una cosa arroja. • *Poét.* Soplo suave y apacible del aire.

HALITOSIS f. Fetidez del aliento.

HALL (voz ing.) m. Vestíbulo, recibimiento, zaguán.

HALL, ***Asaph*** (1829-1907) Astrónomo norteam. Descubrió los dos satélites de Marte: Deimos y Phobos. Realizó investigaciones sobre Júpiter, Saturno y su satélite Hiperión.

HALLAR tr. Dar con una persona o cosa sin buscarla. • Encontrar lo que se busca. • Inventar. • Ver, observar, notar. • Averiguar. • Dar con una tierra o país de que antes no había noticia. • prnl. Estar presente. • Estar alegre, enfermo, etcétera. ■ HALLADO, DA; HALLADOR, RA; HALLAZGO.

HALLE, ***Morris*** (nacido 1923) Lingüista norteam. Junto con N. Chomsky, preparó las bases morfológicas de la gramática generativa. *Fundamentos del lenguaje, El esquema fónico del ruso, El análisis formal de los lenguajes naturales.*

HALLE an der Saale C. de Alemania, cap. del distr. de Halle, a orillas del Saale; 236 900 hab. Centro industrial. Universidad.

HALLEY, ***Edmund*** (1656-1742) Astrónomo brit. Descubrió que el cometa observado en 1680 era el mismo que los de 1607 y 1531, y predijo su retorno para 1759. *Sinopsis de la astronomía de los cometas, Tablas astronómicas.* • **Cometa H.** *Astr.* Descrito por Edmund H. en 1682, tiene un periodo de 76 años y su observación, desde antiguo, había provocado los más diversos augurios y predicciones. Sus apariciones más recientes son las de 1910 y 1986.

HALLGRIMSON, ***Geir*** (nacido 1925) Político islandés. Alcalde de Reykjavik (1959-1971) y diputado desde 1970. Jefe del gobierno de 1974 a 1978.

HALLOYSITA f. Filosilicato de aluminio, que cristaliza en el sistema monoclínico. Se origina por alteración de silicatos de aluminio.

HALLSTATT C. de Austria; 2 100 hab. Da nombre a un yacimiento tipo de la primera E. del Hierro europea, que se desarrolla a partir del s. VIII a. C. (periodo H.) y que, en el s. V a. C., origina la cultura de La Tène.

HALLSTEIN, ***Walter*** (1901-1982) Político al. Secretario de Asuntos Exteriores de la RFA (1951-1958), elaboró la *doctrina H.*, por la que la RFA suspendería sus relaciones diplomáticas con los est. que reconocieran a la RDA.

HALLULLA f. o **HALLULLO** m. Pan que se cuece en rescoldo o en ladrillos o piedras muy calientes. • *Chile.* Pan hecho de masa más fina y de forma más delgada que el común.

HALMSTAD C. y puerto de Suecia, cap. del län de Halland; 77 000 hab. Granito. Centro industrial.

HALO m. Fenómeno óptico atmosférico consistente en un anillo luminoso, gralte. concéntrico, alrededor del Sol o de la Luna. • Círculo de luz difusa en torno de un cuerpo luminoso. • Aureola, resplandor alrededor de la cabeza o la figura entera de las imágenes de santos. • Aureola que rodea la imagen de un punto muy brillante y diluye los detalles del contorno. • Efecto óptico producido por ciertas afecciones patológicas del ojo. • Superficie brillante en forma de anillo, que se produce alrededor de un punto luminoso en la pantalla de un tubo de rayos catódicos. ■ HALÓN.

HALOBIO, BIA adj. y s. Díc. de los organismos que viven en medios con cierta concentración de cloruros.

HALOCROMÍA f. Propiedad de algunos productos químicos incoloros de formar sales coloreadas al combinarse con ácidos también incoloros. ■ HALOCRÓMICO, CA.

HALÓFILO, LA adj. *Bot.* Aplícase a las plantas que viven en terrenos salados.

HALÓFITO, TA adj. y s. Díc. de la planta halófila o acuática.

HALÓFOBO, BA adj. Díc. de los organismos que rehúyen los lugares salados.

HALÓGENO, NA adj. Aplícase a los metaloides que forman sales haloideas. • m. pl. *Quím.* Conjunto de elementos no metálicos que forman el VII grupo del sistema periódico, caracterizados por su fuerte electronegatividad. ■ HALOGENACIÓN; HALOGENURO.

* *Quím.* El grupo VII contiene los elementos: flúor (F), cloro (Cl), bromo (Br), yodo (I) y astato (At). Exceptuando el astato, que se obtiene artificialmente, son muy abundantes en la naturaleza en estado combinado. Sus moléculas son diatómicas, estando los dos átomos unidos por un enlace covalente. La solubilidad de los h. es prácticamente nula.

HALOGRAFÍA f. Estudio y descripción de las sales.

HALOIDE adj. Díc. del suelo cuya agua retenida posee más del 0,5 % de sales disueltas.

HALOIDEO, A adj. *Quím.* Díc. de las sales formadas por un metal y un metaloide.

HALOPLANCTON m. Plancton marino, cuya pral. característica reside en su agrupación en densas colonias flotantes.

HALOTECNIA f. *Quím.* Tratado sobre la extracción de las sales industriales.

HALOTROPISMO m. *Bot.* Movimiento de curvatura, torsión o plegado (tropismo), determinado por la salinidad.

HALOZA f. Galocha, calzado.

HALPERIN, ***Tulio*** (nacido 1926) Historiador arg. de tendencia liberal. *Historia contemporánea de la América Latina, Hispanoamérica después de la independencia.*

HALS, ***Frans*** (h. 1580-1666) Pintor hol. Destacan sus retratos y escenas al aire libre, llenas de vida y movilidad. *Gitana, Descartes, Retrato de los esposos, Oficiales de la guardia cívica de San Jorge.*

HÄLSINGBORG C. y puerto de Suecia, en el litoral del Sund; 104 700 hab. Centro industrial. Astilleros.

HALTERA f. Aparato gimnástico formado por una barra metálica con discos o bolas pesadas en sus extremos.

HALTEROFILIA f. Deporte del levantamiento de pesos y halteras. Los ejercicios se dividen en tres especialidades: fuerza, arrancada y dos tiempos. ■ HALTERÓFILO, LA.

HALYS Río de Asia Menor (Turquía), que sirvió de frontera al reino hitita y a otros Estados. Es el actual Kizil Irmak.

HAMA C. del O de Siria; 176 700 hab. Centro comercial e industrial.

HAMACA f. Tira ancha de lona, tejido fuerte o red que, colgada horizontalmente por sus extremos, sirve de cama y columpio. ■ *Amér.* HAMACAR; HAMAQUEAR; HAMAQUERO, RA.

HAMADÁN C. del Irán, sit. al pie de la vertiente NE del monte Alvand; 165 800 hab. Centro comercial e industrial. Es la ant. Ecbatana, cap. del imperio de los medos.

HAMADRÍADE m. Simio del NE de África, con la cabeza cubierta por una espesa melena.

HÁMAGO m. Sustancia correosa y amarilla de sabor amargo, que labran las abejas.

HAMAMATSU C. de Japón, en la isla Honshu; 514 100 hab. Ind. textil y alimentaria.

HAMAMELIDÁCEO, A adj. y f. *Bot.* Díc. de plantas de la familia hamamelidáceas. • f. pl. *Bot.* Familia de plantas arbustivas o arbóreas, que comprende unas cincuenta especies, preferentemente asiáticas y americanas.

HAMANN, ***Johann Georg*** (1730-1788) Filósofo al. Fue amigo de Kant y de Herder, con quienes polemizó. Estudió los aspectos mágicos de la religión y la tradición. *Metacrítica sobre el purismo de la razón pura.*

HAMBRE f. *Fisiol.* Sensación subjetiva originada por las contracciones del estómago y duodeno, y por la disminución de la tasa de ciertos constituyentes sanguíneos (glucosa, etc.). El elemento psíquico es igualmente importante. • *Soc.* Insatisfacción de la necesidad de comer. • Escasez de alimentos básicos que causa miseria generalizada. • fig. Apetito o deseo ardiente de una cosa.

Edmund **Halley**

La gitana, óleo de Frans **Hals.** Museo del Louvre, París

Halterofilia.
Levantamiento en dos tiempos:
1. flexión de piernas;
2. elevación de la barra

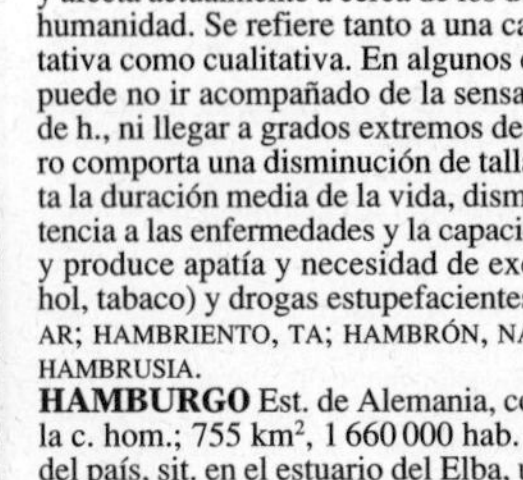

* *Soc.* Se da pralm. en los países subdesarrollados, y afecta actualmente a cerca de los dos tercios de la humanidad. Se refiere tanto a una carencia cuantitativa como cualitativa. En algunos casos, este est. puede no ir acompañado de la sensación subjetiva de h., ni llegar a grados extremos de inanición, pero comporta una disminución de talla y peso, acorta la duración media de la vida, disminuye la resistencia a las enfermedades y la capacidad de trabajo, y produce apatía y necesidad de excitantes (alcohol, tabaco) y drogas estupefacientes. ■ HAMBREAR; HAMBRIENTO, TA; HAMBRÓN, NA; HAMBRUNA; HAMBRUSIA.

Dag Hjalmar **Hammarskjöld**

HAMBURGO Est. de Alemania, conformado por la c. hom.; 755 km^2, 1 660 000 hab. Primer puerto del país, sit. en el estuario del Elba, uno de los más imp. de Europa. Centro industrial. Universidad. H. fue fundada por Carlomagno en 808; perteneció a la Liga Hanseática y al imperio al. Durante la II Guerra Mundial sufrió los bombardeos más duros del frente occidental.

HAMBURGUÉS, SA adj. y s. De Hamburgo. • f. Trozo de carne picada, aderezada y preparada en forma de bistec.

HAMELIN, ***Octave*** (1856-1907) Filósofo fr. En su obra *Ensayo sobre los elementos principales de la representación* llega a formulaciones muy parecidas a las de Bergson.

HAMEZ f. Especie de cortadura que se forma en las plumas a las aves de rapiña.

HAMIFORME adj. En forma de anzuelo.

HAMILTON C. de Canadá, junto al lago Ontario; 306 400 hab. Siderurgia. • C. de Nueva Zelanda; en la prov . de South Auckland-Bay of Plenty; 161 500 hab. Metalurgia.

HAMILTON, ***Alexander*** (1755-1804) Político y economista norteam. Colaborador de Washington, participó activamente en la guerra de la indep. y en la redacción de la Constitución de EE UU. • ***David*** (nacido 1933) Fotógrafo ing. Sus obras destacan por un frío sensualismo cercano al lenguaje pictórico. • ***Earl*** (nacido 1899) Historiador y economista norteam. Ha investigado sobre la historia de los precios esp. *El tesoro americano y el auge del capitalismo, Guerra y precios en España.* • ***Emma Lyon***, LADY (1761-1815) Dama brit. Amante del almirante Nelson, de quien tuvo un hijo. • ***William*** (1788-1856) Filósofo brit. *Lecciones de metafísica y lógica.*

Relieve superior de la estela de **Hammurabi**

HAMM C. de Alemania, en el est. de Renania Septentrional-Westfalia; 166 600 hab. Carbón.

HAMMA f. En las piraguas dobles, la más pequeña.

HAMMARSKJÖLD, ***Dag Hjalmar*** (1905-1961) Político y diplomático sueco. En 1953 fue nombrado secretario gral. de las Naciones Unidas. Premio Nobel de la Paz en 1961.

HAMMERFEST C. y puerto más septentrional del globo, en Finmark (Noruega), 480 km al N del círculo polar; 5 000 hab. Centro pesquero.

HAMMETT, ***Dashiell*** (1894-1961) Novelista norteam. Creador de la novela policíaca realista norteam., post. llamada «novela negra». *Cosecha roja, La maldición de los Dain, El halcón maltés, Las calles de la ciudad, La llave de cristal.*

HAMMURABI Sexto rey de la dinastía amorrita de Babilonia [1729-1686 a. C.]. Creó el primer imperio babilónico y sistematizó la legislación.

HAMPA f. Género de vida de gente maleante, pícaros y rufianes, que vivían antiguamente en España y que formaban una comunidad. • P. ext., gente que se dedica a negocios ilícitos. ■ HAMPÓN.

HAMPTON, ***Lionel*** (nacido 1913) Pianista, percusionista y vibrafonista de *jazz* norteam. Brillante solista e improvisador, en 1940 formó una gran orquesta.

HAMSTER m. Mamífero roedor europeo.

HAMSUN, ***Knut Pedersen*** (1859-1952) Novelista nor. Premio Nobel de Literatura en 1920. *Hambre, Pan, Victoria.*

HAMUDÍ adj. y s. Díc. de los descendientes de Alí ibn Hamud, que a la caída del califato de Córdoba fundaron reinos de taifas en Málaga y Algeciras durante la primera mitad del s. XI.

HAMZAH, ***Alí ibn Áhmad*** (ss. X-XI) Místico y fundador religioso heterodoxo del Islam, venerado por los drusos.

HAN Dinastía china, fundada por Lieu-Pang. Pasa por dos periodos; el primero comprende desde el fundador (206 a. C.) hasta el advenimiento del usurpador Wuang-Mang (9-25 d. C.) e incluye una época de esplendor durante el reinado de Wu-ti. El segundo periodo comienza con el triunfo de la rev. campesina de los Cejas Rojas.

HAN Yu (768-824) Escritor y filósofo chino. Sus escritos más famosos han sido recogidos en el *Han Ch'ang-Li Chi.*

HANDBALL m. *Dep.* Juego de pelota parecido al fútbol en el que sólo se emplean las manos, excepto el portero.

HANDICAP (voz ing.) m. En competiciones deportivas, compensación de las desigualdades de los participantes para nivelar sus posibilidades. • Desventaja de un equipo o participante. • fig. Condición o circunstancia desventajosa.

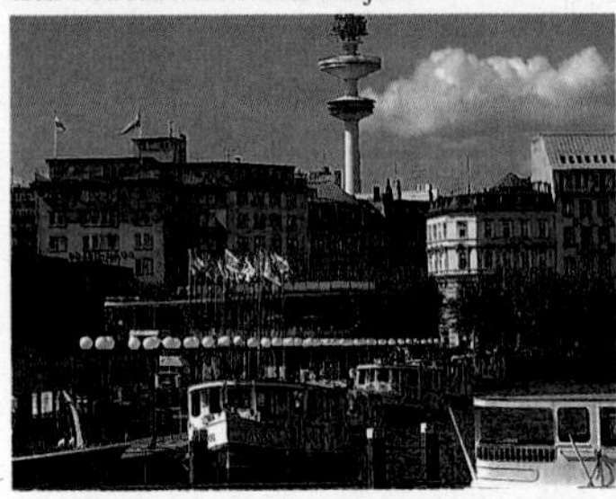

Vista de la zona portuaria de **Hamburgo**

HANGAR m. Estructura cubierta destinada a guarecer los aviones.

HANGCHOU o **HANG CHEU** C. y puerto costero de China, cap. de la prov. de Chekiang; 1 480 000 hab. Ind. sederas y del papel. Ant. cap. de la dinastía Sung (ss. XII-XIII).

HANNÓN (s. V a. C.) Navegante cartaginés que exploró las costas occidentales de África y fundó varias ciudades. • **El Grande** (s. III a. C.) General y político cartaginés. Propugnó una política de entendimiento con Roma.

HANNOVER Ant. est. del N de Alemania. Se extendía desde el mar del Norte hasta Hesse-Nassau, y de los Países Bajos al Elba. En 1945 pasó a formar parte del *land* de Baja Sajonia. • C. de Alemania, cap. de la Baja Sajonia; 514 000 hab. • **Casa de.** Familia noble al. que reinó en Gran Bretaña en virtud del Acta de Establecimiento de 1701. La dinastía empezó con Jorge I (1660-1727). En 1917, Jorge V cambió el nombre por el de casa de Windsor.

HANNOVERIANO, NA adj. y s. De Hannover.

HANOI C. de Vietnam, sit. en el delta del Tonkín. Centro de comunicaciones, administrativo, comercial e industrial; 2 570 900 hab. Cap. de la República Democrática del Vietnam (Vietnam del N) desde 1954, en 1976 se convirtió en la cap. del Vietnam unificado (República Socialista del Vietnam).

HANSA f. Antiguamente, asociación de comerciantes para protegerse mutuamente. • Asociación de mercaderes alemanes. • Asociación de ciudades comerciales surgida en 1260, llamada también Liga Hanseática. Monopolizó el comercio de los mares del Norte y Báltico. A finales del s. XIV llegó al apogeo de su poder, con Lübeck como centro pral. Desapareció en el s. XVII. ■ HANSEÁTICO, CA.

HANSEN, ***Alvin Harvey*** (1887-1975) Economista norteam. Continuador de las teorías keynesianas. *Teoría de los ciclos económicos, Teoría monetaria y política fiscal, El dólar y el sistema monetario internacional.* • ***Gerhard Armauer*** (1842-1912) Científico nor., descubridor del bacilo de la lepra.

HANSSON, ***Ola*** (1860-1925) Poeta y novelista sueco. *Poemas, Nocturno, Sensitiva amorosa, Camino hacia la vida, Regreso a casa.*

HANUKKAH f. Fiesta judía de la dedicación del templo de Jerusalén. Se celebra desde el 25 de kislew (noviembre-diciembre).

HAPÁLIDO, A adj. y m. Díc. de simios de la familia hapálidos. • m. pl. Familia de mamíferos primates. Se caracterizan por tener cuatro incisivos verticales, uñas comprimidas y puntiagudas, excepto

en el pulgar de las extremidades abdominales. Son los monos más pequeños que se conocen, y viven en la Amér. Merid.
HAPI *Mit.* Genio agrícola egipcio, identificado con el Nilo.
HAPLOBACTERIA f. Bacteria carente de filamentos.
HAPLODIPLONTE adj. y m. Díc. del ciclo biológico de los seres que presentan una alternancia de generaciones, de modo que a una generación diploide le sucede otra haploide. Es el caso general de los vegetales más organizados.
HAPLOGRAFÍA f. Error de escritura que consiste en suprimir una letra o un grupo de letras que deben repetirse.
HAPLOIDE o **HAPLOBIONTE** adj. y m. Díc. de los organismos, células o núcleos que presentan una sola dotación de cromosomas. ■ HAPLOIDÍA.
HAPLOLOGÍA f. Simplificación de palabras por síncopa de una o más sílabas.
HAPLOMA m. Dotación cromosómica de un gameto.
HAPLONTE adj. y m. Díc. de aquellos organismos que poseen una dotación haploide de cromosomas.
HAPPENING (voz ing.) m. Espectáculo teatral en el que el público interviene espontáneamente.
HAPTENO m. Molécula que cuando se une a una proteína determina su capacidad antigénica, pero es incapaz de crear anticuerpos por sí sola.
HARAGÁN, NA adj. y s. Gandul, holgazán. ■ HARAGANEAR; HARAGANERÍA.
HARALD Nombre de diversos reyes.

DINAMARCA

HARALD Hildetand (ss. VII-VIII) Rey legendario, creó el primer imperio danés. • **II Blatand** (h. 910-985) Fundador del est. Implantó el cristianismo.

NORUEGA

HARALD I Harfager (h. 850-933) Rey de Noruega [872-933]. Unificó el país y reorganizó el sistema fiscal. • **III Hardraade** (m. 1066) Rey de Noruega [1046-1066]. Intentó invadir Inglaterra, pero fue derrotado y muerto. • **V** (nacido 1937) Rey de Noruega, sucedió a Olav V, en 1991.
HARAM m. En el derecho musulmán, todo lo sacro e inviolable.
HARAMBEL m. Arambel, colgadura o colcha.
HARAPO m. Andrajo. • Aguardiente de poquísimos grados. ■ HARAPIENTO, TA; HARAPOSO, SA.

Hangar para avionetas deportivas

HARAQUIRI o **HARAKIRI** m. En Japón, suicidio ritual que consiste en abrirse el vientre con una espada.
HARAR o **HARER** C. de Etiopía, cap. de la prov. hom.; 62 900 hab. Café, ganado, pieles y marfil.
HARARE Cap. de Zimbabwe, en el altiplano de Mashonaland; 656 000 hab. Centro industrial.
HARAVICO m. *Perú.* Aravico, poeta de los antiguos per.
HARBAR intr. Acezar. • Hacer algo de prisa y de forma embarullada.
HARBIN C. de China, en Manchuria, cap. de la prov. de Heilungkiang, a orillas del río Sungari; 2 550 000 hab. Centro industrial y ferroviario.
HARBULLAR tr. Farfullar.
HARDEN, SIR *Arthur* (1865-1940) Químico brit. Realizó investigaciones sobre las fermentaciones de los azúcares. Premio Nobel de Química en 1929, con Euler-Chelpin.
HARDENBERG, *Karl August,* PRÍNCIPE DE (1750-1822) Estadista prusiano. Ministro desde 1804, tuvo que dejar el cargo por exigencia de Napoleón (1807). Volvió a la política en 1810, como primer ministro.
HARDING, *Warren Gamaliel* (1865-1923) Político norteam. Elegido presid. de EE UU (1920), restableció el proteccionismo, restringió la inmigración y se pronunció en favor de la «ley seca».
HARDWARE (voz ing.) m. *Comp.* Conjunto de componentes físicos (cables, tornillos, placas, etc.) que constituyen una computadora.
HARDY, *Oliver* (1892-1957) Actor cinematográfico norteam. Famoso a partir de 1929 por sus interpretaciones cómicas junto a Stan Laurel. *Estudiantes en Oxford, Fra Diávolo* • ***Thomas*** (1840-1928) Novelista y poeta brit. *Lejos del mundanal ruido, Retorno al país natal, Judas el Oscuro.*
HAREM o **HARÉN** m. Departamento de las casas de los musulmanes en que viven las mujeres. • Conjunto de todas las mujeres que viven bajo la dependencia de un jefe de familia entre los musulmanes.
HARIJA f. Polvillo que el aire levanta del grano cuando se muele, o de la harina cuando se cierne.
HARINA f. Producto alimenticio obtenido por la molturación y cernido de los granos de cereales, especialmente del trigo, o de las semillas de diversas leguminosas. Tiene gran importancia en la alimentación del hombre y de los animales. • Este mismo polvo despojado del salvado o la cascarilla. • Polvo procedente de algunos tubérculos secos y molidos. • fig. Polvo menudo a que se reducen algunas materias sólidas. • **abalada.** La que cae fuera de la artesa cuando se cierne con descuido. • **de carne.** Polvo de carne desecado y esterilizado, procedente del descuartizamiento de animales y que se utiliza como forraje. • **de pescado.** La que se obtiene pulverizando los residuos de las fábricas de conservas de pescado. ■ HARINERO, RA; HARINOSO, SA.
HARINADO m. Harina disuelta en agua.
HARINEAR intr. *Ven.* Llover con gotas muy menudas.
HARINILLA f. *Chile.* Soma, cabezuela.
HARI-RUD o **HERI-RUD** Río de Afganistán, 1 000 km. Hace de frontera con Irán y Turkmenistán.
HARLEM Barrio de Nueva York, habitado por unas 500 000 personas, en su mayoría de raza negra u origen puertorriq.
HARLOW, *Jean* (1911-1937) Actriz cinematográfica norteam. Rutilante mito erótico. *Ángeles del infierno, Jaula de oro, La indómita, Tierra de pasión, Mares de China.*
HARMA f. Alharma.
HARMONÍA f. Armonía. ■ HARMÓNICO, CA; HARMONIOSO, SA; HARMONIZABLE; HARMONIZACIÓN; HARMONIZAR.
HARMONIO m. *Mús.* Armonio.
HARNACK, *Adolf von* (1851-1930) Teólogo luterano e historiador eclesiástico al. *Manual de la historia de los dogmas, La esencia del cristianismo.*
HARNERO m. Criba. ■ *Chile* y *Col.* HARNEAR; HARNERERO.
HARNERUELO m. *Argent.* Paño horizontal del centro de los techos labrados o alfarjes.
HARO, *Mariano* (nacido 1940) Atleta esp. Sus mayores éxitos los ha conseguido en la especialidad de los 10 000 m. Cuarto en los Juegos Olímpicos de Munich, sexto en los de Montreal. • ***Y Guzmán, Luis Méndez de*** (1598-1661) Político esp., sobrino del CONDE-DUQUE DE OLIVARES. Negoció con Mazarino la paz de los Pirineos (1659).
HAROLD II (h. 1022-1066) Rey de Inglaterra [1066]. Sometió a los galeses y a su vez fue vencido por Guillermo el Conquistador en Hastings el mismo año de su coronación.
HARONEAR intr. Emperezarse. ■ HARÓN, NA; HARONÍA.
HARPA f. Arpa, instrumento musical.
HARPADO, DA adj. Arpado, que remata en dientecillos como sierra.

Hamster

Mercaderes en el puerto de Hamburgo, ciudad de la **Hansa** teutónica, según ilustración de un manuscrito de fines del s. XV

Warren Gamaliel **Harding**

HARPE, ***Jean-François de la*** (1738-1803) Autor, crítico e historiador fr. Su *Curso de literatura* es la primera historia crítica de las letras fr.
HARPÍA f. Arpía.
HARPILLERA f. Arpillera.
HARRADO m. El rincón o ángulo entrante que forma la bóveda esquifada. • Enjuta, triángulo que deja en un cuadrado el círculo inscrito en él.
¡HARRE! interj. y m. Arre. ■ HARREAR.
HARRIA f. Arria, recua.
HARRIERÍA f. Arriería.
HARRIERO m. Arriero. • *Cuba.* Ave trepadora.
HARRIMAN, ***William Averell*** (1891-1986) Político norteam. Embajador en la URSS (1943-1946), gobernador de Nueva York (1954-1958), consejero político del presid. Kennedy y embajador volante de EE UU en misiones delicadas, participó en las negociaciones de paz sobre Vietnam.
HARRIS, ***Howel*** (1714-1773) Religioso galés. Uno de los fundadores de la iglesia calvinista metodista galesa. • ***Joe Chandler*** (1848-1908) Escritor norteam. Autor de la serie de relatos *Tío Remus.*
HARRISBURG C. de EE UU, cap. del est. de Pensilvania; 52 400 hab. Centrales nucleares.
HARRISON ***Benjamín*** (1833-1901) Político norteam., presid. de EE UU en 1889-1893. Aplicó una política económica proteccionista.
HARSHA (h. 590-647) Emperador indio. Extendió su dominio por toda la India septentrional.
HARTAR tr., intr. y prnl. Saciar el apetito de comer o beber. • tr. y fig. Satisfacer el gusto o deseo de una cosa. • tr. y prnl. fig. Fastidiar, cansar. • fig. Junto con algunos nombres y la prep. *de*, dar, causar, etc., abundancia de lo que significan los nombres con que se junta. ■ HARTADA; HARTAZGO o HARTAZÓN; HARTO, TA; HARTÓN; HARTURA.
HARTE, ***Francis Brett*** (1836-1902) Escritor norteam. Sus relatos tienen como tema la colonización del Oeste amer. *La suerte de Campo Roaring.*
HARTFORD C. de EE UU, cap. del est. Connecticut; 139 700 hab. Puerto sobre el estuario del Connecticut. Centro comercial, financiero e industrial.
HARTMANN, ***Eduard von*** (1842-1906) Filósofo al., influido por Hegel y Schopenhauer. Propugnó el desarrollo cultural como salvación de la humanidad. *Filosofía del inconsciente, La religión del futuro, La moderna psicología.* • ***Karl Amadeus*** (1905-1963) Compositor al., próximo al expresionismo de A. Berg. Siete sinfonías, una ópera y dos cuartetos de cuerda. • ***Nicolai*** (1882-1950) Filósofo al. Influenciado inicialmente por el idealismo neokantiano, después se inclinó hacia la fenomenología. *Metafísica del conocimiento, Ética, Filosofía de la naturaleza.*
HARTUNG, ***Hans*** (1904-1989) Pintor fr. de origen al. Creador de la abstracción gestual o lírica. Gran Premio en la Bienal de Venecia de 1960.
HARTZENBUSCH, ***Juan Eugenio*** (1806-1880) Dramaturgo y crítico esp. *Los amantes de Teruel.*
HARUM al-Rashid (766-809) Quinto califa musulmán de Bagdad. Se le identifica como figura central de *Las mil y una noches.*
HARUNOBU, ***Suzuki*** (1718-1770) Pintor jap. Gran maestro del estampado en colores.
HARVARD University La más antigua universidad norteam., fundada en 1636 en Cambridge (Massachusetts).
HARVEY, ***William*** (1578-1657) Médico y fisiólogo brit. Descubridor de la circulación de la sangre. *Exercitatio anatomica de motu cordis et sanguinis in animalibus.*
HARVEYZACIÓN f. Tratamiento térmico para aumentar la tenacidad de los aceros consistente en una carburación superficial, seguida de un fuerte calentamiento y temple al agua.
HARYANA Est. del NO de la India; 44 222 km^2, 16 317 700 hab. Cap., Chandigarh. Corresponde a la mitad meridional del Punjab indio, dividido en 1966 según bases lingüísticas. Gran variedad de cultivos. Ind. mecánicas y farmacéuticas.
HARZ Macizo montañoso al., entre las cuencas del Weser y el Elba.
al-HASA o **AHSA** División adm. de Arabia Saudita, sit. junto al litoral del golfo Pérsico; 50 000 km^2, 770 000 hab. Cap., Ad Damman. Yacimientos de petróleo.
HASAN (624-669) Quinto califa, sucesor de Alí y Fátima. Vendió su califato a Muawiya y se retiró a Medina. Es el segundo imán de los chiíes.
HASÁN I (1839-1894) Sultán alawí de Marruecos [1873-1894]. Durante su reinado los rifeños atacaron a los esp. de Melilla. • **II** (1929-1999) Rey de Marruecos desde 1961. Salió ileso de varios atentados en la década de los setenta. Reclamó la soberanía marroquí sobre el Sáhara Occidental esp. Mediante el acuerdo de Madrid (noviembre 1975), el Sáhara fue dividido entre Marruecos y Mauritania. La resistencia del Frente Polisario saharaui, apoyado por Argelia, a la ocupación marroquí provocó graves problemas al gobierno de H., quien convocó elecciones generales en 1977 y 1984.
HASANÍ adj. Díc. de la moneda marroquí. • Relativo a una dinastía de jerifes que gobernó en Marruecos a partir de 1554 y una de cuyas ramas, la alawí, reina todavía en este país.
HASANIYA, ***Alí*** (nacido 1939) Político de la República Popular Democrática del Yemen. Presid. (1980-1986).
HASCHICH m. Hachís.
HASEK, ***Jaroslav*** (1883-1923) Periodista y novelista checo. *El buen soldado Shveik.*
HASID m. Nombre común que designa a tres grupos distintos en la historia religiosa del pueblo de Israel.
HASIDISMO m. Movimiento místico judaico que se propagó en el s. XVIII por la Europa oriental, EE UU e Israel.
HASSE, ***Johann Adolf*** (1699-1783) Compositor al. Autor de óperas. *Arminio, Atlanta, Hipermestra, Solimán.*
HASTA prep. para expresar el término o fin de una cosa. • Conj. copulativa, significando *también* o *aún.*
HASTIAL m. Fachada puntiaguda de un edificio formada por las dos vertientes del tejado. • fig. Hombrón rústico y grosero. • *Min.* Cara lateral de una excavación.
HASTINGS C. de Gran Bretaña, en el S de Inglaterra; 74 800 hab. • **Batalla de H.** La que en 1066 decidió la conquista de Inglaterra por Guillermo de Normandía.
HASTINGS, ***Warren*** (1732-1818) Político brit. Gobernador de Bengala (1772) y de la India (1773). Llevó adelante la administración y expansión coloniales. Dimitió en 1785.
HASTÍO m. Repugnancia a la comida. • fig. Disgusto, tedio. ■ HASTIAR.
HATAJADOR m. *Méx.* El que guía la recua.
HATAJO m. Pequeño grupo de ganado. • despect. Grupo de personas o cosas.
HATEAR intr. Recoger uno su ropa y objetos de uso personal. • Dar la hatería a los pastores. ■ HATERO, RA.
HATERÍA f. Provisión de víveres y ropa de los pastores, jornaleros y mineros.
HATHOR *Mit.* Diosa egipcia del amor, las mujeres, la danza, el canto y la bebida. Los gr. la identificaron con Afrodita.
HATILLO m. Cubierta de esparto o de otro material parecido, utilizada para tapar la boca de las colmenas o de otro vaso. • *Amér.* Sobrecarga pequeña que a veces se pone a los animales.
HATO m. Ropa y pequeño ajuar de uso personal. • Cierto número de ganado mayor o menor. • Hatería, provisión de víveres. • *Cuba* y *Ven.* Hacienda destinada a la cría de ganado. • fig. Conjunto de cosas, o de personas despreciables.
HATO MAYOR Prov. de la República Dominicana; 1 330 km^2; 77 300 hab. Cap., Hato Mayor del Rey (12 654 hab.). Caña de azúcar, café.
HATSHEPSUT (s. XV a. C.) Reina de la XVIII dinastía del ant. Egipto [h. 1490 a. C.-h. 1470]. Desplazó a su sobrino Tutmés III del poder. Renunció a las empresas militares de sus antecesores, intensificó las actividades artísticas e hizo construir en Tebas el templo de Deir el-Bahari.
HATTERAS Cabo de EE UU, en Carolina del Norte, muy peligroso para la navegación por las frecuentes tormentas que lo azotan.
HATTUSA Antigua c. de Asia Menor, en la Capadocia septentrional, cap. de la confederación hitita. Yacimiento arqueológico.
HATUEY (m. 1511) Cacique indígena de La Española. Dirigió en Cuba la resistencia contra Diego de Velázquez. Fue capturado y quemado vivo.

Detalle de *Mujer en la veranda*, de Suzuki **Harunobu**

Hathor

HAUGHEY, ***Charles James*** (nacido 1925) Político irl. Presid. del Fianna Fáil desde 1979 y primer ministro (1979-1981).
HAUPTMANN, ***Gerhart*** (1862-1946) Poeta, dramaturgo y novelista al. *Los tejedores, La campana sumergida, Antes de que el Sol se levante, El arco de Ulises, Till Eulenspiegel.* Premio Nobel de Literatura en 1912.
HAURIOU, ***Maurice*** (1856-1929) Jurista y sociólogo fr., uno de los primeros teóricos de la sociología jurídica. *La ciencia social tradicional, Principios de derecho público.*
HAUSA adj. y s. Díc. del individuo de un pueblo melanoafricano que vive al N de Nigeria, S de Níger y N de Camerún. • m. Lengua camitosemítica de la familia chadiana.
HAUSER, ***Arnold*** (1892-1978) Historiador y sociólogo húng. Su *Historia social de la literatura y el arte* abrió el camino para una nueva comprensión de los fenómenos artísticos.
HAUSSMANN, ***Georges*** (1809-1891) Político fr. Nombrado por Napoleón III prefecto del Sena. Hizo construir en París grandes avenidas, la Ópera Nueva y la red de alcantarillado.
HAUSTORIO m. Órgano chupador en forma de tubo o de pequeño tallo que poseen, sobre todo, las plantas parásitas.
HAÜY, ***René Just*** (1743-1822) Cristalógrafo fr. Fundador de la cristalografía. *Ensayo de una teoría sobre la estructura de los cristales, Tratado de mineralogía.*
HAUYNA f. Silicato de aluminio, sodio y calcio; componente esencial de algunas rocas eruptivas.
HAVEL, ***Vaclav*** (nacido 1936) Político y escritor chec. Designado presid. de Checoslovaquia en 1989. En 1993 fue elegido primer presid. de la Rep. Checa. *Las fiestas del jardín, Cartas a Olga.*
HAVELANGE, ***João*** (nacido 1916) Deportista bras. En la olimpiada de Berlín destacó como nadador. Presid. de la FIFA entre 1974 y 1998.
HAVILLAND, ***Olivia de*** (nacida 1916) Actriz de cine norteam. *Robín de los Bosques, Lo que el viento se llevó, Nido de víboras, La heredera.*
HAVO m. En algunas partes, favo o panal.
HAVRE, ***El*** C. de Francia, en la Alta Normandía; 264 000 hab. Puerto en el estuario del Sena. Centro industrial y comercial.
HAWAI o **HAWAII** (antes *islas Sandwich)* Arch. de Polinesia, al S del Trópico de Cáncer. Est. de EE UU; 16 759 km², 1 135 000 hab. Cap., Honolulú. Clima tropical. Caña de azúcar, piña amer. En el sector servicios, el turismo ocupa un imp. lugar. • Isla del arch. de las Hawai, la mayor y más meridional. Muy montañosa, comprende los volcanes Mauna Kea (4 205 m) y Mauna Loa (4 168 m), este último activo.
HAWAIANO, NA adj. y s. De las islas Hawai. • Díc. de un tipo de erupción volcánica, caracterizada por la emisión de lavas muy fluidas.
HAWKE, ***Robert*** (1929-1998) Político australiano. Líder laborista; primer ministro (1983-1993).
HAWKES, ***John*** (1925-1993) Escritor norteam. Su narrativa revela la angustia moderna desde una perspectiva surrealista. *El caníbal, Travesty.*
HAWKING, ***Stephen William*** (nacido 1942) Físico brit. Aunque padece una grave enfermedad ha realizado imp. trabajos al aplicar la teoría de la relatividad y la física cuántica al estudio del universo. *Historia del tiempo. Del big bang a los agujeros negros.* Premio Príncipe de Asturias (1989).
HAWKINS, ***Coleman*** (1904-1969) Músico norteam. Uno de los más grandes saxofonistas de la historia del *jazz.* • ***John*** (1532-1595) Pirata y almirante ing., el primero de su país en practicar la trata de esclavos negros de África a las Indias Occidentales. Dedicado al corso contra los galeones esp., entró al servicio de Drake y la reina Isabel I. Organizó una expedición contra las costas mex. (1567), pero fue rechazado. Almirante de una de las flotas que destruyeron la Invencible.
HAWKS, ***Howard*** (1896-1977) Director de cine norteam. *Scarface, el terror del hampa, El sargento York, Me siento rejuvenecer, Río Bravo, Hatari.*
HAWORTH, ***Walter Norman*** (1883-1950) Químico brit. Premio Nobel de Química en 1937, con P. Karrer, por haber realizado la primera síntesis de la vitamina C.

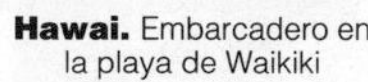

Hawai. Embarcadero en la playa de Waikiki

HAWTHORNE, ***Nathaniel*** (1804-1864) Novelista norteam. Imprimió a sus obras un tono alegórico de gran intensidad poética. *La carta escarlata, La casa de las siete torres.*
HAWTREY, ***Ralph George*** (1879-1971) Economista brit. Ha estudiado la influencia de los tipos de interés sobre los volúmenes variables de *stocks* de bienes. *Capital y empleo, La balanza de pagos y el nivel de vida.*
HAYA f. Árbol cupulífero que crece hasta 30 m de altura. • Madera de este árbol. ■ HAYAL O HAYEDO.
HAYA, ***La*** (neerlandés, *Den Haag*; ant.*'s Gravenhage*) C. de los Países Bajos, cap. de Holanda Meridional; 443 500 hab. (672 000 hab. la agl. urb.). Residencia de la familia real y del gobierno. Sede del Tribunal internacional de Justicia.
HAYA de la Torre, ***Víctor Raúl*** (1895-1979) Político per., organizador de la Alianza Popular Revolucionaria Americana (APRA), de gran influencia en la historia moderna del Perú. Su programa político se basaba en la nacionalización de la tierra y las prales. ind., la lucha contra el imperialismo norteam. y la unidad latinoamericana, todo ello impregnado de un profundo anticomunismo. Infatigable agitador, se presentó por primera vez a las elecciones presidenciales en 1931, pero resultó derrotado por Sánchez Cerro. Sufrió prisión y exilio en diversas ocasiones, hasta que regresó en 1956. En 1962 obtuvo la mayoría frente a Belaúnde Terry, pero un golpe militar anuló las elecciones. Al año siguiente, perdió ante Belaúnde por un escaso número de votos. Se opuso al gobierno de Velasco Alvarado. En 1978 el APRA obtuvo el mayor número de votos para la asamblea constituyente y, en 1985, su candidato, Alan García, fue elegido presid. *Por la emancipación de la América Latina, Ideario y acción aprista, Espacio-tiempo histórico, Treinta años de aprismo, Antiimperialismo y el Apra.*
HAYACA f. *Ven.* Pastel de harina de maíz relleno con pescado o carne y otros ingredientes, que suele prepararse por Navidad.
HAYDN, ***Franz Joseph*** (1732-1809) Compositor austr. Su estilo es original y de una invención melódica rica y espontánea. Fijó el esquema casi perfecto de la sinfonía y de la sonata clásicas, e impuso la formación privilegiada del cuarteto de cuerda. Su estilo arranca del barroco tardío de Austria y Alemania del Sur, al que se añade la ópera bufa italiana, y evoluciona hasta el advenimiento del romanticismo. Destacan las 14 misas, las sinfonías londinenses y los oratorios sinfónicos.
HAYEK, ***Friedrich August von*** (1899-1992) Economista austr. Especialista en materia monetaria y de ciclos económicos. Premio Nobel de Economía, compartido con G. Myrdal, en 1974.
HAYES, ***Rutherford*** (1822-1893) Político norteam. Republicano. Presid. de EE UU (1877-1881).
HAYO m. Coca, árbol. • Mezcla de hojas de coca y sales calizas que mascan los indígenas colombianos.
HAYUCO m. Fruto del haya.
HAYWORTH, ***Rita*** (1918-1987) Actriz cinematográfica norteam., cuyo nombre verdadero era *Margarita Cansino. Gilda, Sangre y arena, La dama de Shanghai, Mesas separadas, La ira de Dios.*

Stephen **Hawking**

Haya. Árbol, hojas y fruto

Hebe, escultura de B. Thorvaldsen. Museo Thorvaldsen, Copenhague

Hebreo. Arriba, el rey David, en un códice de 1460; abajo, el Muro de las Lamentaciones en Jerusalén

HAZ f. Cara o rostro. • fig. Cara exterior opuesta al envés. • *Bot.* Fascículo formado gralte. por elementos alargados, fibras, vasos, etc. • *Bot.* Cara superior de las hojas, gralte. más brillante que la inferior o envés. • m. Porción atada de mieses, lino, hierbas, leña u otras cosas semejantes. • *Anat.* Fascículo de fibras musculares o nerviosas. • Tropa ordenada o formada en trozos o divisiones. • Tropa formada en filas. • *Fís.* Conjunto de rayos que caracterizan la propagación de energía, especialmente la electromagnética, comprendidos en un ángulo sólido determinado por un parámetro angular llamado abertura. • *Geom.* Conjunto de líneas o superficies que tienen un punto o una línea común, respectivamente. • **de la Tierra.** fig. Superficie de ella. • **electrónico.** En televisión, el que forman los electrones en los tubos de rayos catódicos de toma o de reproducción. • **tubular.** Conjunto de tubos paralelos, por los cuales circula agua o una mezcla de agua y vapor, que constituyen el intercambiador térmico de un condensador o de una caldera tubular de vapor.

HAZA f. Porción de tierra labrantía.

HAZAÑA f. Acción de mucho valor o esfuerzo. ■ HAZAÑERÍA; HAZAÑERO, RA; HAZAÑOSO, SA.

HAZLITT, ***William*** (1778-1830) Ensayista y crítico brit. *Los personajes de las obras de Shakespeare, El espíritu del siglo.*

HAZMERREÍR m. fam. Persona ridícula y extravagante.

Hb *Quím.* Símb. de la molécula de hemoglobina.

He *Quím.* Símb. del helio.

HE Forma impersonal del verbo *haber*, que junto con los adverbios aquí y allí, o con los pronombres *me, te, la, le, lo, las, los*, sirve para señalar o mostrar una persona o cosa. • interj. Voz con que se llama a uno.

HEARST, ***William Randolph*** (1863-1951) Político y periodista norteam., propietario de una gran cadena de periódicos y agencias informativas, que utilizó como arma de propaganda.

HEATH, ***Edward*** (nacido 1916) Político brit. Miembro del partido conservador. Primer ministro de 1970 a 1974. Estableció relaciones diplomáticas con China, y consiguió el ingreso de Gran Bretaña en el Mercado Común (1973).

HEBBEL, ***Friedrich*** (1813-1863) Poeta y dramaturgo al. *Judit, Genoveva, María Magdalena* y la trilogía *Los Nibelungos.*

HEBDÓMADA f. Semana. • Periodo de siete años. ■ HEBDOMADARIO, RIA.

HEBE *Mit. gr.* Hija de Zeus y de Hera, diosa de la juventud. Escanciaba el néctar a los dioses antes de Ganimedes. Los rom. la llamaron Juventas.

HEBÉN adj. Díc. de una variedad de uva blanca, gorda y vellosa, y también de la vid que la produce. • fig. Cosa o persona sin gracia o sin interés.

HÉBERT, ***Georges*** (1875-1957) Educador fr. Desarrolló un método de educación física conocido como hebertismo, opuesto al formalismo de la gimnasia sueca. • ***Jacques-René*** (1757-1794) Político revolucionario fr. Conspiró contra Robespierre, por lo que fue ejecutado.

HEBIJÓN m. Clavo o púa de la hebilla.

HEBILLA f. Pieza de metal para ajustar y unir las orejas de los zapatos, las correas, etc. ■ HEBILLAJE; HEBILLERO, RA.

HEBRA f. Porción de hilo que se mete por el ojo de una aguja para coser. • Estigma de la flor del azafrán. • Cada partícula del tabaco cortado en filamentos. • Fibra de la carne. • Filamento de las materias textiles. • Vena o filón. • fig. Hilo del discurso. • **De una h.** adv. modo. fig. *Chile.* De un aliento • **Pegar la h.** fr. fig. y fam. Entablar conversación, o prolongarla más de la cuenta. ■ HEBROSO, SA O HEBRUDO, DA.

HEBRAÍSMO m. Profesión de la ley de Moisés. • Giro o modo de hablar propio de la lengua hebrea. ■ HEBRAÍSTA; HEBRAIZANTE; HEBRAIZAR.

HEBREO, A o **HEBRAICO, CA** adj. y s. Díc. del individuo de un pueblo semita que conquistó y habitó Palestina y que también se llama israelita y judío. • Díc. del que profesa la ley de Moisés. • *Ling.* Lengua de los hebreos.

* *Hist.* Hacia el s. XX a. C. los h. emigraron con Abraham, según relato bíblico, al país de Canaán o Palestina. Un grupo emigró a Egipto y permaneció allí hasta que, perseguidos, huyeron dirigidos por Moisés a Palestina, adonde llegaron tras vivir 40 años en el desierto. La dispersión del pueblo h. por todo el mundo, que se había iniciado en el s. VI a. C., se incrementó a causa de varias ocupaciones de su terr., consumándose tras la destrucción del templo de Jerusalén. La diáspora h. alcanzó difusión mundial, pero los h. conservaron siempre en cierto modo la conciencia racial, gracias a su rígida estructura sociofamiliar y a sus peculiares creencias religiosas. Desde la E. Med. sufrieron persecuciones que culminaron en el genocidio nazi de la II Guerra Mundial.

* *Ling.* El h. pertenece al grupo de lenguas semíticas. La diáspora la redujo al campo de la liturgia. Tras la creación del Est. de Israel en 1953, se creó la Academia de Lengua Hebrea.

* *Lit.* La historia de la literatura h. puede resumirse en una amplia división: 1º) literatura bíblica, en la que se incluyen los libros proto y deuterocanónicos del A. T., y todos los del N. T.; 2º) literatura judaica, que tiene sus principios hacia el s. I a. C. Pero, además, existe una copiosa literatura en lenguas no h.: la judeoaramea, la judeohelenística, la judeoárabe, la judeoespañola, con el ladino y la literatura sefardí, la judeoalemana, etc. La literatura bíblica abarca la historia de Israel desde el s. XV a. C., aproximadamente, hasta el llamado «postexilio» (537-63 a. C.). El ciclo rabínico (63 a. C.-950 d. C.) se origina a partir de una actividad intelectual de carácter eminentemente religioso. Hacia el 950 comienza un nuevo ciclo, que corresponde a la fértil literatura judeohispanoárabe. El contacto con todas las ramas del saber, profusamente tratadas por los ár., va a dar origen a una etapa de esplendor. El siguiente ciclo, el sionismo, es un gran movimiento politicosocial que procura llevar a cabo la reunión del pueblo judío en el solar de sus mayores y reconstruir en él su nacionalidad perdida.

HEBRERO m. Herbero o esófago del rumiante.

HÉBRIDAS o **WESTERN** *(The Hebrides)* Islas brit., al NO de Escocia; forman dos arch. *(Inner* y *Outer H.).* Cap., Stornoway; 2 898 km², 31 500 hab.

HEBRÓN (ár., *al-Khalil*) C. de Palestina, 30 km al S de Jerusalén; 42 600 hab. Curtidos. Fabricación de tejidos y vidrio. Dominio ár. desde 636. Ocupada por las tropas israelíes en 1967.

HECATEO de Mileto (s. VI a. C.) Historiador y geógrafo gr., *Viaje alrededor del mundo (Periégesis), Genealogías.*

HECATOMBE f. Sacrificio de cien bueyes u otras víctimas, que en la Antigüedad se hacía a los dioses. • Cualquier sacrificio solemne en que es grande el número de víctimas. • fig. Matanza, mortandad de personas. • fig. Desastre con muchas víctimas.

HECHICERÍA f. Conjunto de prácticas mágicas mediante las cuales se pretende dominar sucesos y acontecimientos, someter la voluntad ajena o influir en el destino. • Hechizo. • Acto mágico de hechizar. ■ HECHICERESCO, CA.

HECHICERO, RA adj. y s. Que practica el arte de hechizar. • fig. Que atrae o cautiva la voluntad.

HECHIZAR tr. Ejercer un maleficio sobre alguien por medio de la hechicería. • fig. Despertar admiración, afecto o deseo.

HECHIZO, ZA adj. Ficticio o postizo. • *Amér.* Fabricado en el país. • m. Cualquier práctica supersticiosa que usan los hechiceros para intentar el logro de sus fines. • Cosa u objeto que se emplea en tales prácticas. • fig. Atractivo o encanto intenso.

HECHO, CHA adj. Perfecto, maduro. • Con algunos nombres precedidos del artículo *un*, semejante a las cosas significadas por tales nombres. • Aplicado a nombres de cantidad con el adv. *bien*, denota que la cantidad es algo más de lo que se expresa. • Con los adv. *bien* o *mal*, y aplicado a personas o animales, significa conformado. • Aceptado, resuelto. • m. Acción u obra. • *Fil.* Suceso, acontecimiento. • Asunto o materia de que se trata. • **de armas.** Hazaña militar. • *Amér.* Hecho de sangre, muerte, herida.

HECHOR, RA m. y f. *Chile.* Malhechor. • m. *Argent.* y *Ven.* Garañón, caballo semental.

HECHOS de los apóstoles Último de los libros históricos de la Biblia, debido a Lucas. Es la historia de la fundación de la iglesia de Cristo y de las misiones de los apóstoles.

Palacio de Macpela, en **Hebrón**

HECHURA f. Acción y efecto de hacer. • Acción y efecto de confeccionar una prenda de vestir. Se usa más en pl. • Configuración del cuerpo. • Forma exterior o figura que se da a las cosas. • fig. Persona respecto de otra a quien debe su empleo, dignidad y fortuna. • *Chile*. Acción de invitar a uno a beber.

HECHUSGO m. *Hond*. Hechura o forma exterior de una cosa.

HECISTOTERMO, MA adj. Díc. de los organismos que viven a temperaturas inferiores a cero grados centígrados.

HECTÁREA f. Medida de superficie equivalente a 100 áreas y a 10 000 m^2.

HECTIQUEZ f. *Med*. Tísis. ■ HÉCTICO, CA.

HECTOGRAFÍA f. Técnica de reproducción de textos o dibujos a partir de un cliché entintado especial. ■ HECTOGRÁFICO, CA.

HECTÓGRAFO m. Aparato para obtener muchas copias de un escrito o dibujo.

HECTOGRAMO m. Medida de peso, que tiene 100 gramos.

HECTOLITRO m. Medida de capacidad, que tiene 100 litros.

HECTÓMETRO m. Medida de longitud, que tiene 100 metros.

HÉCTOR Héroe troyano, personaje de la *Ilíada*, hijo de Príamo y Hécuba y esposo de Andrómaca. Defendió Troya frente a los gr. y fue muerto por Aquiles.

HECTOVATIO m. Unidad de trabajo eléctrico equivalente a 100 vatios.

HÉCUBA Reina troyana, esposa de Príamo y madre de diecinueve hijos, entre los cuales sobresalieron Héctor y Paris.

HEDENTINA f. Hedor. • Sitio donde hiede.

HEDER intr. Despedir un olor muy malo y penetrante. • fig. Enfadar, cansar, ser intolerable.

HEDERILLA f. Planta herbácea anual, de la familia escrofulariáceas, de flores azules. Propia de los lugares templados.

HEDIENTO, TA adj. Hediondo.

HEDIN, *Sven* (1865-1952) Geógrafo y explorador sueco. Realizó expediciones al Turquestán chino, el Tíbet y a las fuentes del Indo. *Tres años de lucha en los desiertos de Asia*, *La continuación de los grandes viajes a través del Asia interior en 1928-30*.

HEDIONDEZ f. Hedor.

HEDIONDO, DA adj. Que despide hedor. • fig. Molesto, insufrible. • fig. Repugnante física o moralmente. • f. Planta herbácea de la familia rubiáceas, con flores tubulosas rojizas que, junto con las hojas, emanan un olor desagradable.

HEDJAZ, HEJAZ o **HIJAZ** Región de Arabia Saudita, ribereña del mar Rojo; 300 400 km^2, 3 000 000 hab. Cap., La Meca. Otras c. imp.: Medina y Jidda. Clima desértico. Minas de oro. Cuna del islamismo (s. VII).

HEDONISMO m. Doctrina ética que identifica el bien con el placer y que propugna evitar todo dolor. ■ HEDÓNICO, CA; HEDONISTA; HEDONÍSTICO, CA.

HEDOR m. Olor desagradable, que gralte. proviene de sustancias orgánicas en descomposición.

HEERLEN C. de Países Bajos, en Limburgo; 93 600 hab. (248 000 hab. la agl. urb., Heerlen-Kerkrade). Minas de hulla. Metalurgia. Ind. textiles. Fábricas de vidrio.

HEFESTO *Mit. gr.* Dios del fuego, de la fragua y de los metales.

HEGEL, *Georg Wilhelm Friedrich* (1770-1831) Filósofo al. Estudió filosofía y teología en Tubinga, donde conoció a Schelling y Hölderlin. En 1816 obtuvo una cátedra en Heidelberg. Dos años más tarde se trasladó a la universidad de Berlín y allí enseñó hasta su muerte. La obra de H. es el último intento de la filosofía occ. de construir un sistema completo y autosuficiente. Característico de su pensamiento es el método dialéctico en el que los conceptos evolucionan internamente en tres momentos o fases: tesis (afirmación), antítesis (negación) y síntesis, que reúne y supera la contradicción de los dos momentos precedentes. El sistema hegeliano se propone estudiar la realidad en su autodespliegue dialéctico hasta el Espíritu absoluto, esencia de todo lo real, que es el constante progreso de la humanidad, el Estado prusiano. *Fenomenología del espíritu*, *La ciencia de la lógica*, *Lecciones sobre filosofía del derecho*, *Filosofía de la historia*, *Lecciones sobre estética*, *Filosofía de la religión*.

HEGELIANISMO m. Sistema filosófico, fundado en la primera mitad del s. XIX por Hegel. Desde un principio se perfilaron dos tendencias antagónicas, la derecha de los «viejos hegelianos» (Erdman, Fischer, Prantl), que insistían en el arquetipo del espíritu absoluto; y la izquierda de los «jóvenes hegelianos» (Bauer, Strauss, F euerbach, el joven Marx, Stirner), ateos y revolucionarios. ■ HEGELIANO, NA.

HEGEMONÍA o **HEGUEMONÍA** f. Supremacía política, cultural, económica o militar de un Est. sobre otro u otros. Se aplica también a la clase o fracción de clase social cuya influencia es dominante en el conjunto del bloque en el poder. • P. ext., superioridad en cualquier línea. ■ HEGEMÓNICO, CA.

HÉGIRA o **HEGIRA** f. Era de los mahometanos, que se cuenta desde el 15 de julio de 622, día de la huida de Mahoma de La Meca a Medina.

HEGRILLA f. *Méx*. Barbarismo por higuerilla.

HEIDEGGER, *Martin* (1889-1976) Filósofo al. En su obra *El ser y el tiempo*, analiza la existencia humana, ya que el hombre es el único ser capaz de preguntar acerca de sí mismo. La idea de «ser para la muerte» es la base temática de sus obras. *Carta sobre el humanismo*.

El río Neckar a su paso por **Heidelberg**

HEIDELBERG C. de Alemania, en Baden-Württemberg, sobre el Neckar; 133 700 hab. Universidad, una de las más ant. de Alemania.

HEIDENSTAM, *Verner von* (1859-1940) Escritor y poeta sueco. Exaltó el nacionalismo de su patria. *Carolinos*, *Nuevos poemas*. Premio Nobel de Literatura en 1916.

HEILBRONN C. de Alemania, en Baden-Württemberg, a orillas del Neckar; 110 700 hab. Catedral gótica. Centro industrial.

HEILUNKIANG *(Heilongjiang)* Prov. del NE de China, en Manchuria, separada de Rusia por los r. Amur y Ussuri; 453 300 km^2, 35 214 873 hab. Cap., Harbin. Clima continental riguroso. Bosques. Cereales. Minas de oro y carbón.

HEINE, *Heinrich* (1797-1856) Escritor al. Discípulo de Hegel y amigo de Marx. Uno de los iniciadores del mov. de la «joven Alemania». *El regreso*, *El ocaso de los dioses*.

HEINEMANN, *Gustav* (1899-1976) Político al. Ministro de Justicia (1966) y presid. de la RFA (1969-1974).

HEINSIUS, *Anthonie* (1641-1720) Político neerlandés. Adversario de Francia, fue el pral. artífice de la Gran Alianza de La Haya (1701).

HEIREMANS, *Luis Alberto* (1928-1964) Escritor y médico chil. Influido por el simbolismo. *La hora robada*, *El abanderado* (teatro); *La jaula en el árbol* (relatos).

HEISENBERG, *Werner* (1901-1976) Físico al. Autor de un modelo estructural del núcleo atómico, actualmente admitido. Aplicó la mecánica cuántica al estudio del átomo y formuló el principio de indeterminación. Premio Nobel de Física en 1932.

HEKLA Volcán activo del S de Islandia, al E de Reykjavik; 1 447 m.

HELADA f. Congelación de los líquidos, producida por el descenso de la temperatura.

HÉLADE Nombre aplicado a las tierras habitadas por los ant. helenos. Actualmente, nombre del Est. gr. *(Hellas)*. ■ HELÁDICO, CA.

Heinrich **Heine**

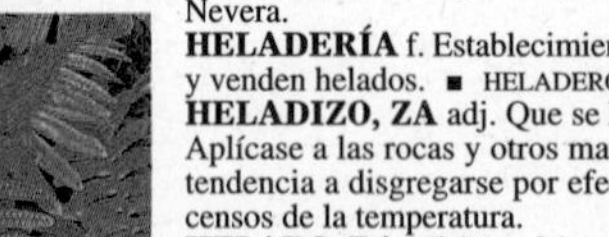

HELADERA f. Aparato para hacer helados. • Nevera.

HELADERÍA f. Establecimiento donde se hacen y venden helados. ▪ HELADERO, RA.

HELADIZO, ZA adj. Que se hiela fácilmente. • Aplícase a las rocas y otros materiales que tienen tendencia a disgregarse por efecto de fuertes descensos de la temperatura.

HELADO, DA adj. Muy frío. • fig. Suspenso, atónito, pasmado. • fig. Esquivo, desdeñoso. • m. Postre o refresco compuesto de productos lácteos, azúcar y otros ingredientes cuya mezcla y disolución se somete a un proceso de congelación de manera que adquiere el aspecto de una crema consistente. • adj. fig. *Ven.* Confitado, cubierto de azúcar.

HELADURA f. Atronadura producida por el frío. • Doble albura, defecto de las maderas.

HELAJE m. *Col.* Frío intenso.

HELAR tr., intr. y prnl. Congelar, cuajar, coagular o endurecer un líquido por la pérdida de calor. • tr. fig. Dejar a uno suspenso y pasmado; sobrecogerle. • fig. Hacer a uno caer de ánimo; desalentarlo, acobardarlo. • prnl. Ponerse una persona o cosa muy fría o yerta. • Secarse las plantas a causa del frío. ▪ HELABLE; HELADOR, RA; HELAMIENTO.

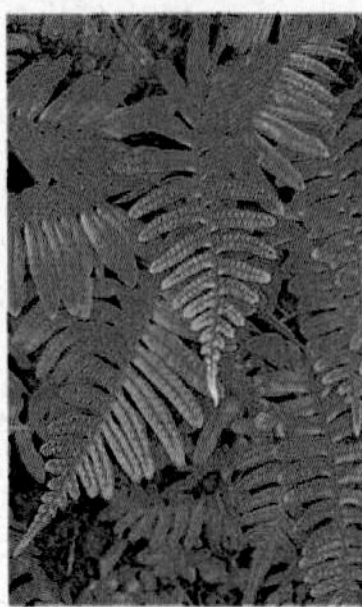

Helecho

HELEAR tr. Ahelear, poner una cosa amarga como hiel.

HELECHO m. Nombre común de las plantas pteridófitas. En general viven en lugares húmedos y sombríos. • pl. *Bot.* Familia de estas plantas. ▪ HELECHAL.

HELENA Heroína gr., una de las figuras prales. de la *Ilíada*. Esposa de Menelao, su fuga con el troyano Paris provocó la guerra de Troya.

HELENA C. de EE UU, cap. del est. de Montana; 24 600 hab.

HELÉNICO, CA adj. Griego, relativo a Grecia.

HELENIO m. Planta vivaz de la familia compuestas, con tallo velludo, hojas radicales, fruto capsular casi cilíndrico, y raíz usada en medicina.

HELENISMO m. Palabra o construcción procedente del idioma gr. • Empleo de tales giros en otro idioma. • Influencia ejercida por la civilización gr.

HELENISTA m. y f. Persona que se dedica al estudio de la cultura, la lengua y la civilización griegas.

HELENÍSTICO, CA adj. Relativo al helenismo. • *Hist.* Díc. del periodo histórico que se extiende desde la muerte de Alejandro Magno hasta la anexión de Egipto por Roma.

* *Hist.* El periodo helenístico (323 a. C.-30 a. C.) se caracteriza por las continuas luchas entre los sucesores de Alejandro por hacerse con el poder del imperio helenizado, y más tarde por la intervención de Roma y la derrota definitiva de los países griegos.

* *Arte.* La pral. aportación en arq. fue el desarrollo de la urbanística. En esc. predominan los personajes en actitudes dramáticas. La pint. es conocida por los frescos de Pompeya y Herculano.

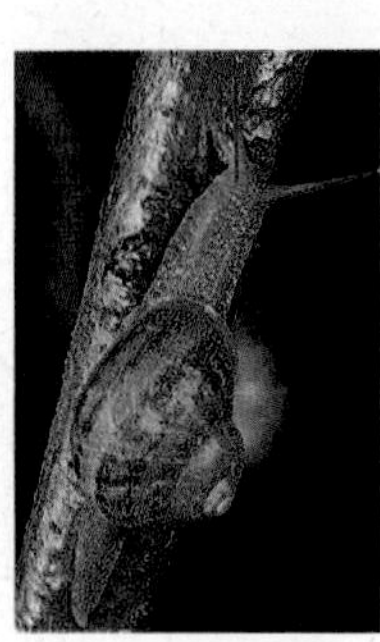

Caracol, molusco de la familia **helécidos**

HELENIZAR tr. Introducir la cultura gr. en otro país. • prnl. Adoptar la cultura griega. ▪ HELENIZACIÓN.

HELENO, NA adj. Relativo a Grecia. • adj. y s. De ese país. • Díc. del individuo de cualquiera de los pueblos que se instaló en Grecia (aqueos, dorios, jonios y eolios).

HELERA f. Granillo de las aves. • *Argent.* Nevera.

HELERO m. Masa de hielo que rodea las nieves perpetuas en las altas montañas. • Por ext., toda la mancha de nieve.

Helicóptero de rotor único

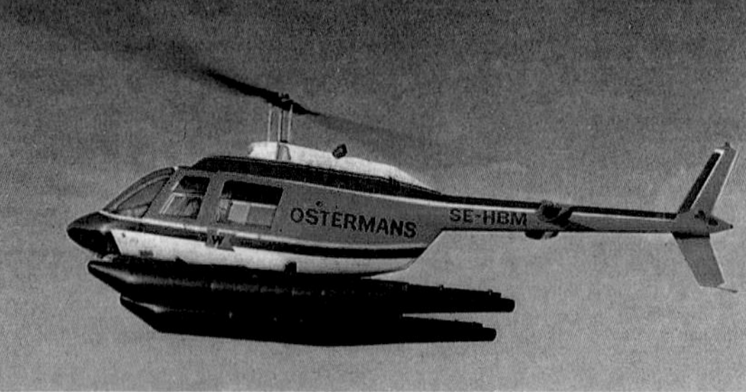

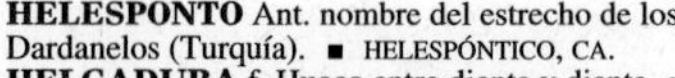

HELESPONTO Ant. nombre del estrecho de los Dardanelos (Turquía). ▪ HELESPÓNTICO, CA.

HELGADURA f. Hueco entre diente y diente. • Desigualdad de éstos, ▪ HELGADO, DA.

HELGOLAND o **HELIGOLAND** Pequeña isla de Alemania, en el mar del Norte frente a la desembocadura del Elba y el Weser.

HELÍACO, CA o **HELIACO, CA** adj. *Astr.* Díc. del orto u ocaso de los astros que salen o se ponen, cuando más, una hora antes o después que el Sol.

HELIANTINA f. Sustancia colorante anaranjada que se extrae del alquitrán de la hulla.

HÉLICE f. *Mec. apl.* Mecanismo constituido por un número variable de aspas o palas que, al girar alrededor de un eje, producen una fuerza propulsora. • Cebo helicoidal usado en la pesca de lanzado. • Parte más externa y periférica del pabellón de la oreja del hombre. • *Geom.* Curva de longitud indefinida que da vueltas en la superficie de un cilindro, formando ángulos iguales en todas las generatrices. • *Geom.* Espiral. • *Arq.* Voluta.

HELICICULTURA f. Cría de caracoles con fines comerciales y gastronómicos.

HELÍCIDO, DA adj. y m. Díc. del molusco gasterópodo pulmonado. • m. pl. Familia de estos moluscos. ▪ HELICÍNEO, A.

HELICIFORME adj. De forma semejante a la concha del caracol.

HELICOIDE m. *Geom.* Superficie alabeada engendrada por una recta que se mueve apoyándose en una hélice y en el eje del cilindro que la contiene. ▪ HELICOIDAL.

HELICÓMETRO m. Instrumento que sirve para medir la fuerza de la hélice en los buques de vapor.

HELICÓN m. fig. Instrumento musical de viento parecido a la tuba y de grandes dimensiones.

HELICÓPTERO m. *Aer.* Aeronave sustentada y propulsada por una gran hélice de plano horizontal. Su capacidad de aterrizar y despegar verticalmente, así como de mantenerse en vuelo en un punto fijo, lo hacen insustituible en gran número de aplicaciones.

HELICOTREMA f. Orificio situado en la cúpula del caracol del oído, que comunica las escaleras timpánica y vestibular.

HELIO m. Elemento químico de símb. He, n. a. 2 y p. a. 4,003. Gas noble de densidad 0,1784 que licua a −269 °C. Se emplea para llenar globos y dirigibles y en los tubos de neón.

HELIOCENTRISMO m. Sistema cosmológico copernicano, que postula al Sol como centro de los movimientos de los planetas. ▪ HELIOCÉNTRICO, CA.

HELIODORO m. Variedad de berilo noble, de color amarilloverdoso y con luminiscencia azul. Se aprecia mucho como gema en joyería.

HELIODORO (s. III) Escritor gr. Autor de la novela *Etiópicas o los amores de Teágenes y Cariclea.* En ella se inspiró Cervantes para escribir su *Persiles y Sigismunda.*

HELIÓFILO, LA adj. Díc. de las especies biológicas que requieren solo, por lo menos, iluminación intensa.

HELIOFÍSICA f. *Astr.* Ciencia que estudia la naturaleza física del Sol.

HELIÓFOBO, BA adj. Díc. de las plantas que rehúyen la luz y requieren ambientes sombríos.

HELIOGÁBALO m. fig. Hombre dominado por la gula y la crueldad.

HELIOGÁBALO (204-222) Emp. rom. [218-222]. Impuso al dios solar de su ciudad natal, Emesa, como dios supremo del Imperio. Los ritos extraños que realizaba y su afeminamiento le desacreditaron; los pretorianos le asesinaron.

HELIOGRABADO m. Procedimiento para obtener en planchas, y mediante la acción de la luz solar, grabados en relieve. • Estampa obtenida por este procedimiento.

HELIOGRAFÍA f. Descripción del Sol. • Fotografía de este astro. • Sistema de transmisión de señales por medio del heliógrafo. ▪ HELIOGRÁFICO, CA.

HELIÓGRAFO m. Instrumento destinado a hacer señales telegráficas por medio de la reflexión de un rayo de sol en un espejo plano. • *Meteor.* Aparato que se emplea para medir la duración de la insolación.

HELIOGRAMA m. Despacho telegráfico transmitido por medio del heliógrafo.

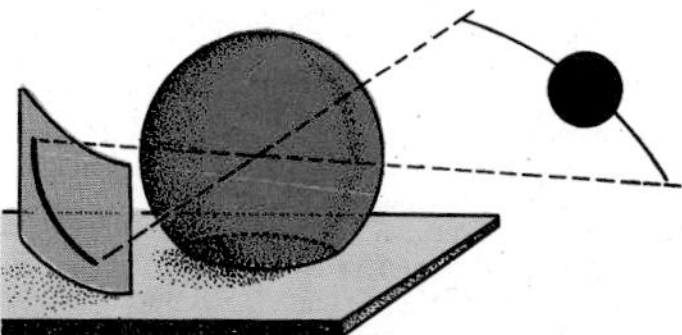

Esquema del funcionamiento del **heliógrafo**

HELIOLATRÍA f. Culto al Sol.
HELIÓMETRO m. Instrumento para medir distancias angulares entre dos astros, o su diámetro aparente.
HELIÓN m. Núcleo del helio, que constituye las partículas alfa.
HELIOPLASTIA f. Heliograbado, procedimiento para obtener grabados en relieve.
HELIÓPOLIS Nombre gr. de On, población del ant. Egipto, al S del delta del Nilo. Fue un imp. centro político y cultural del Imperio Nuevo.
HELIOS *Mit. gr.* Divinidad del Sol y de la luz solar.
HELIOSCOPIA f. Observación y estudio del Sol.
HELIOSCOPIO m. Instrumento para observar el Sol que reduce su energía para que no dañe el ojo.
HELIOSIS f. *Pat.* Insolación.
HELIÓSTATO m. Instrumento que refleja los rayos solares en una dirección determinada.
HELIOTELEGRAFÍA f. Telegrafía por medio del heliógrafo.
HELIOTERAPIA f. Tratamiento de enfermedades mediante baños de sol.
HELIOTROPISMO m. Fenómeno que ofrecen ciertas plantas de dirigir sus flores, sus tallos o sus hojas hacia el Sol.
HELIOTROPO o **HELIOTROPIO** m. Planta borraginácea, de flores pequeñas y azuladas, procedente de América del S. • Ágata de color verde oscuro con manchas rojizas.
HELIOZOO m. pl. Orden de protozoos de forma esférica u ovoide, con seudópodos radiales y eje rígido, que gralte. viven en aguas dulces.
HELIPUERTO m. Aeropuerto para uso exclusivo de helicópteros. • Zona destinada al despegue o aterrizaje de estas aeronaves.
HÉLIX m. Repliegue semicircular que forma el reborde del pabellón de la oreja.
HELLMAN, ***Lillian*** (1905-1948) Dramaturga norteam., famosa por sus guiones cinematográficos. Fue perseguida por el Comité de Actividades Antiamericanas del senador MacCarthy. *La loba, Juguetes en el desván, Mujer inacabada, Pentimento.*
HELMAND Río de Afganistán; 1 200 km. Nace al O de Kabul, y desemboca en la región fronteriza con Irán.
HELMHOLTZ, ***Hermann Ludwig Ferdinand von*** (1821-1894) Físico y fisiólogo al. Realizó investigaciones sobre electromagnetismo y mecánica de los fluidos, y enunció el principio de conservación de la energía.
HELMINTIASIS f. Nombre de las enfermedades causadas por la existencia de helmintos en el tubo digestivo.
HELMINTO m. Gusano intestinal que parasita al hombre y los animales. ■ HELMÍNTICO, CA.
HELMINTOIDE adj. Vermiforme.
HELMINTOLOGÍA f. Parte de la zoología que trata de la descripción y estudio de los gusanos. ■ HELMINTOLÓGICO, CA.
HELOBIO, BIA adj. Díc. de los organismos que viven en lagunas y pantanos.
HELSINGÖR C. de Dinamarca, sobre el Sund, al N de Copenhague; 56 200 hab. Astilleros.
HELSINKI (sueco, *Helsingfors*) Cap. de Finlandia, sit. sobre una pequeña pen. del golfo de Finlandia. 484 500 hab. (932 400 hab. la agl. urb.). Primer puerto del país. Centro industrial. Astilleros.
HELVECIA o **HELVETIA** Sector E de las Galias, que abarcaba aprox. la actual Suiza.
HELVECIO, CIA adj. y s. De Helvecia. • Relativo a la misma o a Suiza. • Díc. de los individuos de un ant. pueblo celta que habitó Helvecia entre los ss. III y II a. C. • m. pl. Este mismo pueblo.
HELVELÁCEO, A adj. y f. Díc. de hongos de la familia helveláceas. • f. pl. Familia de hongos ascomicetos con talo filamentoso, que producen setas de consistencia carnosa, con estructuras alveolares en el himenio parecidas a las celdillas de un panal, por lo que reciben el nombre de colmenillas.
HELVÉTICO, CA adj. y s. Helvecio. • adj. Relativo a Suiza.
HELVETIUS, ***Claude Adrien*** (1715-1771) Filósofo fr. Influido por Locke y Condillac, trató de aplicar el empirismo a la ciencia política. Su doctrina moral se basa en el concepto de interés. *Acerca del espíritu.*
HEMACRIMO adj. Díc. del animal cuyo cuerpo cambia de temperatura según las oscilaciones del ambiente.
HEMANGIOMA m. Tumor vascular benigno, formado por vasos sanguíneos neoformados unidos entre sí por tejido conjuntivo.
HEMATEMESIS f. Vómito de sangre procedente de una lesión de la mucosa digestiva.
HEMATERMO adj. Díc. de todo animal que mantiene constante la temperatura corporal con independencia de la ambiental.
HEMÁTICO, CA adj. Perteneciente a la sangre.
HEMATÍE m. Glóbulo rojo de la sangre.
HEMATIMETRÍA f. Determinación y recuento de las células sanguíneas.
HEMATINA f. Sustancia colorante y amorfa que entra en la composición de la hemoglobina.
HEMATITES f. Óxido de hierro, que cristaliza en el sistema hexagonal; peso específico 5,3; dureza 5 a 6; color oscuro y brillo metálico. Frecuente y abundante en la naturaleza. Se utiliza como mineral de hierro y como material colorante cuando se presenta en formas terrosas (ocre).
HEMATOBLASTO m. Plaqueta. • Eritroblasto.
HEMATOCELE m. Nombre genérico de los tumores sanguíneos.
HEMATOCITO m. Célula sanguínea.
HEMATOCRITO m. Aparato centrifugador que permite la separación de los glóbulos y plasma sanguíneo.
HEMATOCROMO m. Nombre común de los pigmentos intracelulares, gralte. de color rojo, que se encuentran fuera de los cromatóforos.
HEMATÓFAGO adj. *Zool.* Díc. de todo animal que se alimenta de sangre. Los h. presentan un aparato bucal adaptado para cortar la piel de las presas y para succionar su líquido hemático.
HEMATOLOGÍA f. Ciencia biológica que estudia la composición, estructura y función de la sangre. • Parte de la medicina que trata de las enfermedades de la sangre.
HEMATOMA m. Derrame de sangre en el interior de los tejidos orgánicos, producido por la rotura de uno o varios vasos.
HEMATOPÓDIDO, DA adj. y m. Díc. de aves de la familia hematopódidos. • m. pl. Familia de aves caradriformes, a la que pertenecen los ostreros. Se distribuyen por todo el mundo. Se caracterizan por su pico comprimido lateralmente y adaptado para abrir conchas de bivalvos.
HEMATOPOYESIS o **HEMOPOYESIS** f. Conjunto de fenómenos que conducen a la formación y maduración de los elementos que componen la sangre. ■ HEMATOPOYÉTICO, CA; HEMOPOYÉTICO, CA.
HEMATOSIS f. Conversión de la sangre venosa en arterial mediante su oxigenación.
HEMATOXILINA f. Materia colorante del palo campeche, muy utilizada en histología.
HEMATOZOARIO o **HEMATOZOO** m. Animal parásito de la sangre o que vive en ella.
HEMATURIA f. *Med.* Emisión de orina que contiene sangre.
HEMBRA f. Animal del sexo femenino. • Mujer. • En las plantas dioicas, la que da frutos. • fig. Pieza que tiene un hueco o agujero por donde otra se introduce y encaja. • El mismo agujero. • fig. Molde hueco. • fig. Cola de caballo poco poblada.
HEMBRAJE m. *Amér.* Conjunto de las hembras de un ganado.
HEMBREAR intr. Mostrar el macho inclinación por las hembras. • Engendrar sólo hembras, o más hembras que machos.
HEMBRILLA f. Piececita pequeña en que otra se introduce o asegura. • Armella, anillo. • *Ecuad.* Embrión, germen.

Colmenilla, hongo de la familia **helveláceas**

Busto de Claude Adrien **Helvetius,** por Jean Jacques Caffieri

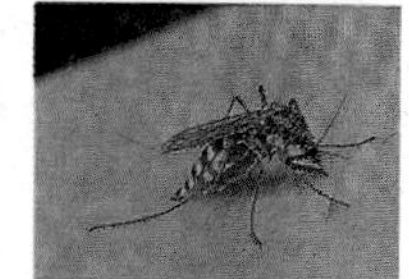

Hematófago. Mosquito hembra clavando su trompa chupadora (arriba) y durante la succión (abajo)

Cristales tabulares de **hemimorfita**

Ernest **Hemingway**

Microfotografía de un chinche común, insecto del orden **hemípteros**

HEMÉLITRO m. Ala de algunos insectos cuya parte basal es coriácea y el resto membranoso.
HEMERÁLOPE adj. Díc. de la persona que de noche pierde la facultad de ver. ■ HEMERALOPÍA.
HEMEROLOGÍA f. Arte de componer calendarios.
HEMEROTECA f. Biblioteca en que se guardan publicaciones periódicas. • Colección de diarios y revistas, y lugar donde se guardan.
HEMIANOPSIA f. Pérdida de la visión en la mitad del campo visual de uno o ambos ojos.
HEMICELULOSA f. Polisacárido que constituye el 15 % de las membranas lignificadas de los vegetales.
HEMICICLO m. Semicírculo. • Salón, aula, graderíos, etc., en forma de anfiteatro. • Espacio central del salón de sesiones del Congreso.
HEMICORDADO adj. y m. Estomocordado.
HEMICRÁNEA f. *Med.* Jaqueca.
HEMIEDRÍA f. Grupo de operaciones de simetría que engendra formas cristalográficas con la mitad de caras que las engendradas por la clase holoédrica de su sistema.
HEMIEDRO m. Cristal que presenta hemiedría.
HEMIMETÁBOLO, LA adj. y m. Díc. de los animales, gralte. insectos, que presentan metamorfosis incompletas, de modo que las larvas no se diferencian mucho de las formas adultas.
HEMIMORFITA f. Silicato de cinc, que cristaliza en el sistema rómbico; peso específico 3,4; dureza 4 a 5; incoloro o blanco. Se utiliza para extraer cinc y para fabricar aleaciones metálicas y galvanizados.
HEMINA f. Medida ant. para líquidos. • *Biol.* Grupo prostético de muchos proteidos que actúan como enzimas. Forma parte de la sangre, en la que el hierro es el agente transportador del oxígeno o del bióxido de carbono.
HEMINGWAY, *Ernest* (1899-1961) Novelista estadoun. Su estilo ha influido poderosamente en la literatura norteam. y ha creado escuela en el extranjero. *Fiesta*, *Adiós a las armas*, *Por quién doblan las campanas*, *El viejo y el mar*, son algunas de sus novelas más conocidas, con los relatos *Los asesinos*, *La vida feliz de Francis Macomber*, y los libros de tono autobiográfico, como *Las verdes colinas de África* y *París era una fiesta*. También ha escrito sobre temas taurinos: *Muerte en la tarde*, *El verano sangriento*. Premio Pulitzer en 1953 y Nobel de Literatura en 1954. Se suicidó víctima de una depresión.
HEMIPARÁSITO, TA adj. y m. Díc. de los vegetales sin raíces que toman de otras plantas el agua y las sustancias minerales necesarias para su fotosíntesis.
HEMIPLEJÍA o **HEMIPARÁLISIS** f. Parálisis de todo un lado del cuerpo. ■ HEMIPLÉJICO, CA.
HEMÍPTERO, RA adj. *Zool.* Díc. de los insectos con aparato bucal chupador y cuatro alas, las dos anteriores coriáceas. • m. pl. *Zool.* Orden de estos insectos.
HEMISAPRÓFITO, TA adj. Díc. de aquellas plantas que actúan sólo en parte de modo saprófito.
HEMISFERIO m. *Geom.* Cada una de las dos mitades de una esfera dividida por un plano que pase por su centro. • *Astr.* Cada una de las mitades del globo terráqueo divididas por el Ecuador (hemisferios austral y boreal) o por un meridiano (hemisferios oriental y occidental).
HEMISTIQUIO m. Mitad de un verso.
HEMO m. Complejo químico que interviene directamente en el proceso de transporte de oxígeno por la sangre y en otros fenómenos bioquímicos.
HEMOCATÉRESIS f. Destrucción de la sangre o de los glóbulos rojos.
HEMOCELE m. Laguna sanguínea del cuerpo de los animales, ocupada por la hemolinfa.
HEMOCIANINA f. Pigmento cromoproteido de la sangre de algunos moluscos y crustáceos, de color verde azulado, parecido a la hemoglobina y con la misma función, pero con un átomo de cobre en lugar del de hierro.
HEMOCITO m. Cualquier elemento celular figurado de la sangre o líquidos circulatorios de un animal.
HEMOCITÓLISIS f. Hemólisis.
HEMOCULTIVO m. Técnica bacteriológica que consiste en sembrar sangre de un enfermo en algún medio de cultivo adecuado.
HEMODIÁLISIS f. Método de depuración de la sangre por medio de un riñón artificial.
HEMOFILIA f. Hemopatía debida a la deficiencia de un factor de coagulación de la sangre. Es hereditaria y se transmite como carácter recesivo ligado al sexo (cromosoma X), de modo que las mujeres no la padecen, pero la transmiten a sus hijos varones. ■ HEMOFÍLICO, CA.
HEMOGÉNESIS f. Formación de la sangre en el embrión y el feto
HEMOGLOBINA f. Pigmento rojo de los hematíes. Constituida por la unión de un grupo prostético con una proteína, la globina. La h. se satura de oxígeno a altas presiones de éste en los pulmones y lo libera a bajas presiones en los tejidos.
HEMOGLOBINURIA f. Presencia de hemoglobina en la orina, debida a enfermedades o infecciones que provocan la destrucción de los hematíes.
HEMOGRAMA m. Relación del número, proporción y variaciones de los hematíes y leucocitos contenidos en la sangre.
HEMOLINFA f. Líquido que llena los espacios lagunares en los animales.
HEMOLISINA f. Sustancia producida en el organismo, capaz de destruir los hematíes.
HEMÓLISIS f. Proceso de degeneración, muerte y solubilización de los glóbulos rojos de la sangre. La h. fisiológica se debe al envejecimiento de los hematíes, los cuales viven unos 120 días, al cabo de los cuales son destruidos. ■ HEMOLÍTICO, CA.
HEMOPATÍA f. Enfermedad de la sangre.
HEMOPTISIS f. *Med.* Emisión por vía oral de sangre procedente de los pulmones. ■ HEMOPTÍSICO, CA.
HEMORRAGIA f. Flujo de sangre de cualquier parte del cuerpo. ■ HEMORRÁGICO, CA.
HEMORREA f. Hemorragia espontánea.
HEMORROIDE o **HEMORROIDA** f. *Med.* Almorrana, variz de las venas del ano. ■ HEMORROIDAL; HEMORROISA.
HEMOSTASIA o **HEMÓSTASIS** f. *Pat.* Conjunto de procesos que impiden la salida de sangre al exterior cuando existe una lesión vascular.
HEMOSTÁTICO, CA adj. y m. *Farm.* Díc. de todo medio físico o químico que favorece la hemostasia. Entre los h. químicos figuran la adrenalina, las vitaminas C y P, las sales cálcicas, ciertos venenos de cobra, naftionato sódico, etc. Actúa así mismo como h. la vitamina K, que facilita la producción hepática de protrombina. Entre los h. de aplicación local figura la trombina.
HEMOTECA f. Banco de sangre; centro de recogida y almacén de sangre destinada a transfusiones.
HENCH, *Philip Showalter* (1896-1965) Médico norteam., descubridor de la cortisona. Premio Nobel de Medicina en 1950, con Kendall y Reichstein.
HENCHIR tr. Ocupar con alguna cosa un espacio vacío. • fig. Ocupar uno dignamente un lugar o empleo. • fig. Colmar a uno de favores o de daños y ofensas. • prnl. Hartarse de comida. ■ HENCHIDOR, RA; HENCHIDURA; HENCHIMIENTO.
HENDER o **HENDIR** tr. y prnl. Abrir o rayar un cuerpo sólido sin dividirlo del todo. • fig. Atravesar o cortar un fluido. • fig. Abrirse paso entre una muchedumbre de gente o de otra cosa. ■ HENDEDOR, RA; HENDIBLE.
HENDERSON, *Arthur* (1863-1935) Político laborista brit., varias veces ministro. Presidió la conferencia del desarme en Ginebra (1932-1933). Premio Nobel de la Paz en 1934.
HENDIDURA o **HENDEDURA** f. Abertura o grieta larga y estrecha.
HENDIJA f. Hendidura pequeña.
HENDIMIENTO m. Acción y efecto de hender o henderse. • Operación que consiste en cortar los grandes maderos o troncos en cuarteles, por medio de hachas o cuñas.
HENDRIX, *Jimi* (1945-1970) Cantante y músico norteam. Renovó profundamente el rock y destacó por su virtuosismo con la guitarra eléctrica.
HENEQUÉN m. Pita, planta.
HENESTROSA, *Andrés* (nacido 1906) Escritor y ensayista mex. Su obra es una descripción del mundo indigenista de los zapotecas. *Los hombres que dispersó la danza*, *Retrato de mi madre*.

HENG, *Samrin* (nacido 1934) Político camboyano. Dirigente prosoviético, rompió con el régimen de Pol Pot y en 1979, apoyado por las tropas vietnamitas, se hizo con el poder. Elegido presid. del Consejo revolucionario del pueblo.
HENGYANG C. del S de China central, en la prov. de Hunan, junto al río Siang-Kiang; 300 000 hab. Centro de comunicaciones, comercial e industrial.
HÉNIDE f. poét. Ninfa de los prados.
HENIFICAR tr. Segar plantas forrajeras y secarlas al sol, para conservarlas como heno. ■ HENIFICADOR, RA.
HENIL o **HENAL** m. Lugar donde se guarda el heno.
HENO m. Nombre común de las especies de plantas, gralte. gramíneas, que forman la vegetación de prados y pastos naturales y artificiales. • Hierba segada, seca, para alimento del ganado. ■ HENAR.
HENOJIL m. Liga para asegurar las medias.
HENOTEÍSMO m. *Rel.* Religión que posee una divinidad suprema a la vez que otras inferiores a ella.
HENRIO m. Castellanización de henry, unidad de inductancia eléctrica.
HENRÍQUEZ, *Camilo* (1769-1825) Político y escritor chil. Destacó por su ideología liberal, luchó en favor de la indep. de Chile y en contra de la esclavitud. Fundó el periódico *La Aurora de Chile.* • **Ureña, *Max*** (1885-1968) Escritor dom. Hermano de Pedro. *Fosforescencia* (poesía), *Episodios nacionales* (relato histórico), *Breve historia del modernismo* (ensayo). • **Ureña, *Pedro*** (1884-1946) Escritor y filólogo dom. Poeta modernista *(El nacimiento de Dionisio)*, crítico literario y pensador de tendencias socialistas. • **Y Carvajal, *Federico*** (1849-1951) Educador dom. Rector de la Universidad de Santo Domingo, tuvo que dimitir, por su oposición a Trujillo. • **Y Carvajal, *Francisco*** (1859-1935) Político y médico dom. Presid. de la rep. en 1916, tuvo que renunciar tras un mes de mandato, obligado por la política intervencionista de EE UU.
HENRY m. Unidad de inductancia. La que presenta una bobina en la que aparece una fuerza electromotriz de 1 voltio para una variación de intensidad de 1 amperio por segundo.
HENRY, *Pierre* (nacido 1927) Compositor fr. Ha intentado una síntesis de la mús. concreta y la electrónica. *El viaje.* • ***William*** (1774-1836) Físico y químico brit. Determinó la composición química del amoniaco y formuló la ley de solubilidad de los gases.
HENZE, *Hans Werner* (nacido 1926) Compositor al. En 1952 estrenó en Hannover la primera ópera compuesta íntegramente en música dodecafónica, *Boulevard Solitude.*
HEÑIR tr. Amasar, sobar la masa del pan con los puños.
HENZADA C. de Myanma; 284 300 hab. Puerto fluvial. Madera.
HÉPAR m. Subproducto de color pardusco, que se obtiene con los compuestos de azufre mezclados con carbonato sódico y sometidos a la acción de la llama reductora sobre el carbón. • Nombre ant. de los sulfuros alcalinos. • **Reacción del h.** Reacción característica de los compuestos de azufre.
HEPARINA f. Sustancia anticoagulante utilizada en el tratamiento de las trombosis intravasculares y para prevenir su aparición.
HEPÁTICO, CA adj. y f. *Bot.* Díc. de las plantas criptógamas, con tallo muy corto o sin él, y que viven en los sitios húmedos y sombríos. Son parecidas a los musgos. • f. pl. Familia de estas plantas. • adj. y s. *Med.* Que padece del hígado. • adj. Relativo a esta víscera. • *Bot.* Planta ranunculácea, con hojas radicales, flores azuladas o rojizas, y fruto seco con muchas semillas. Usada en medicina.
HEPATITIS f. *Pat.* Inflamación del hígado.
HEPATIZACIÓN m. *Med.* Lesión de un tejido que le da el aspecto y la consistencia del hígado.
HEPATOCELE m. *Med.* Hernia del hígado.
HEPATOLOGÍA f. *Med.* Tratado acerca del hígado y sus enfermedades.
HEPATOPÁNCREAS m. Glándula digestiva de los moluscos y de diversos invertebrados.
HEPBURN, *Audrey* (1929-1993) Actriz cinematográfica brit. *Vacaciones en Roma* (Óscar en 1953), *My fair Lady, Sabrina, Desayuno con diamantes.* • ***Katharine*** (nacida 1909) Actriz cinematográfica norteam. *La estirpe del Dragón, La reina de África, Vacaciones en Venecia, El león en invierno, La loca de Chaillot, En el estanque dorado.*
HEPTACORDIO o **HEPTACORDO** m. *Mús.* Gama o escala usual compuesta de las siete notas *do, re, mi, fa, sol, la, si.* • *Mús.* Intervalo de séptima en la escala musical.
HEPTAEDRO m. Sólido terminado por siete caras.
HEPTÁGONO, NA adj. y s. *Geom.* Aplícase al polígono de siete lados. ■ HEPTAGONAL.
HEPTÁMETRO adj. y s. Verso que consta de siete pies.
HEPTANO m. Séptimo hidrocarburo saturado de la serie alifática.
HEPTARQUÍA f. Nombre del conjunto de reinos fundados por los anglosajones en Gran Bretaña (ss. VI-IX).
HEPTASÍLABO, BA adj. y s. Que consta de siete sílabas.
HEPTODO m. Válvula electrónica de vacío constituida por un ánodo, un cátodo y cinco rejillas.
HEPTOSA f. *Quím.* Monosacárido de siete átomos de carbono. Interviene en múltipes fases del metabolismo glucídico.
HEPWORTH, *Barbara* (1903-1975) Escultora brit. Sus obras, caracterizadas por una gran calidad de superficie, están inmersas en la tendencia abstraccionista y aparecen influidas por Moore, Arp y Brancusi.
HEQUET, *Diógenes* (1866-1902) Pintor ur. Destacan sus lienzos de temas históricos de la indep. Episodios nacionales. Realizó así mismo dibujos, retratos, paisajes y bodegones.
HERA *Mit. gr.* Hija de Cronos y Rea, hermana y esposa de Zeus. Reina del Olimpo.
HERACLES *Mit. gr.* Hijo de Zeus y de Alcmena, ilustre por su fuerza y valor sobrehumanos; identificado con el *Hércules* romano.
HERACLIDA adj. Descendiente de Heracles.
HERACLIO I (575-480 a. C.) Emp. de Oriente [610-641]. Fundador de la dinastía que reinó hasta 717.
HERÁCLITO (540-480 a. C.) Filósofo gr. nacido en Éfeso. Desarrolló los principios de la filosofía dialéctica en *Sobre la naturaleza.* Todo es devenir y el cambio es el resultado de la lucha de los contrarios y su síntesis. Influyó en Nietzsche y Hegel.
HERÁLDICA f. Ciencia del blasón, arte de interpretar y descubrir los escudos de armas de cada linaje, ciudad o persona. ■ HERÁLDICO, CA; HERALDISTA.
HERALDO m. Oficial medieval que transmitía mensajes, anunciaba decretos y ordenaba las ceremonias y los juegos públicos. • Mensajero. • fig. Anuncio de algo que está próximo.
HERAS, *Juan Gregorio de las* (1780-1866) General arg., destacado colaborador de San Martín y uno de los artífices de la victoria de Chacabuco.

Heráldica. Escudo de armas del imperio de Austria-Hungría

HERAT o **HARAT** C. del NO de Afganistán, en el valle de Hari-Rud; 140 300 hab. Punto estratégico. Ind. textil y alimentaria. Tapices.
HERAUD, *Javier* (1942-1963) Poeta per. Obra de gran contenido social. Muerto en un enfrentamiento armado. *El río, El viaje.*
HERBÁCEO, A adj. Que tiene la naturaleza o calidades de la hierba. • Relativo a la hierba. • Díc. de plantas cuyo tallo y ramas tienen la misma consistencia que las hojas; son gralte. verdes, no pro-

Flores de **hepática,** planta ranunculácea

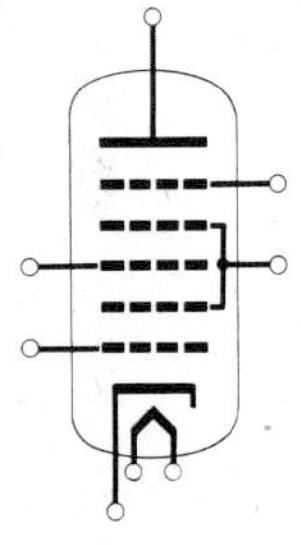

Esquema de un **heptodo**

ducen madera y mueren tras unos meses de vegetación.

HERBADA f. Jabonera, planta frecuente en los sembrados.

HERBAJAR o **HERBAJEAR** tr. Apacentar el ganado en prado o dehesa. • tr. e intr. Pacer o pastar el ganado. ■ HERBAJERO.

Télefo en presencia de Arcadia, fresco procedente de la basílica de **Herculano.** Museo Arqueológico Nacional, Nápoles

HERBAJE m. Conjunto de hierbas de los prados y dehesas. • Derecho que cobran los pueblos por arrendamiento de los pastos y dehesas. • Tela de lana, áspera e impermeable, usada por la gente de mar.

HERBAR tr. Preparar con hierbas las pieles o cueros.

HERBARIO, RIA adj. Relativo a las hierbas y plantas. • m. y f. Persona entendida en botánica. • Conjunto de plantas secadas y prensadas, clasificadas y determinadas en cuanto al momento, lugar, fecha, condiciones de recolección, etc., que permite a los botánicos poseer representantes típicos de la flora de una determinada zona o país. Es de gran interés en los estudios de tipo taxonómico. • Libro que explica las propiedades medicinales de las plantas. • Panza del estómago de los rumiantes.

Hércules *y Anteo*, bronce de Antonio del Pollaiolo. Museo Nacional del Bargello, Florencia (Italia)

HERBART, *Johann-Friedrich* (1776-1841) Filósofo y pedagogo al., discípulo de Kant y Pestalozzi. Se opuso al idealismo romántico y aplicó métodos matemáticos a la psicología. *Psicología como ciencia, Pedagogía general, Manual de psicología.*

HERBAZAL m. Sitio poblado de hierbas.

HERBECER intr. Empezar a nacer la hierba.

HERBERO m. Esófago del animal rumiante.

HERBICIDA adj. y s. Díc. del producto químico que combate el desarrollo de la maleza. • adj. Desherbador.

HERBÍVORO, RA adj. Díc. de aquellos animales que se alimentan de vegetales y en especial de los que pacen hierbas.

HERBOLAR tr. Untar algo con veneno. • Envenenar a uno.

HERBOLARIO, RIA adj. y s. fig. y fam. Botarate, alocado, sin seso. • m. y f. El que sin principios científicos se dedica a recoger hierbas y plantas medicinales para venderlas. • El que tiene tienda en que las vende. • m. Tienda donde se venden plantas medicinales.

HERBORISTERÍA f. Tienda donde se venden plantas medicinales.

HERBORIZAR intr. *Bot.* Recoger plantas para estudiarlas o coleccionarlas. ■ HERBORIZACIÓN; HERBORIZADOR, RA.

José María de **Heredia y Campuzano**

HERBOSO, SA adj. Poblado de hierba.

HERCINIANO adj. y m. Relativo al último plegamiento del periodo carbonífero; en él se formó la estructura de los yacimientos carboníferos más importantes de Europa.

HERCIO m. Castellanización de hertz.

HERCULANO Ant. ciudad de Italia, al E de Nápoles, sepultada por una erupción del Vesubio (79). Descubierta en 1709.

HERCULANO, *Alexandre* (1810-1877) Poeta, novelista e historiador port. Con sus *Leyendas y narraciones* creó la novela histórica port. moderna.

HERCÚLEO, A adj. Relativo a Hércules. • Que tiene mucha fuerza y robustez.

HÉRCULES m. fig. Hombre de mucha fuerza. • n. p. m. *Astr.* Constelación boreal situada al occidente de la Lira, N del Serpentario y oriente de la Corona boreal.

HÉRCULES Nombre latino de → Heracles.

HERCZEG, *Ferenc* (1863-1954) Escritor húng. Con un estilo irónico, narró la vida de la aristocracia húngara. *La familia Gyurkovics, La hija del nabab de Dolova.*

HERDER, *Johann Gottfried* (1744-1803) Filósofo y teólogo al. Discípulo de Kant, se opuso a la filosofía trascendental de éste. *Entendimiento y experiencia, razón y lenguaje, una metacrítica de la razón pura.*

HEREDAD f. Porción de terreno cultivado perteneciente a un mismo dueño. • Hacienda de campo, bienes raíces o posesiones.

HEREDAMIENTO m. Hacienda de campo. • *Der.* Capitulación o pacto en que se promete la herencia o parte de ella, o se dispone, por acto entre vivos, la sucesión.

HEREDAR tr. Suceder por disposición testamentaria o legal los bienes y acciones que tenía uno al tiempo de su muerte. • Darle a uno heredades o bienes raíces. • fig. Instituir uno a otro por heredero. • Recibir los seres vivos determinados caracteres biológicos que tienen sus progenitores. ■ HEREDADO, DA; HEREDERO, RA.

HEREDIA Prov. del N de Costa Rica, limítrofe con Nicaragua; 2 656 km^2, 243 679 hab. Abarca parte de la meseta Central. Clima cálido, suavizado por la alt., y muy húmedo. Densos bosques. Café, caña de azúcar, maíz. Ganadería. • C. de Costa Rica, cap. de la prov. hom.; 67 387 hab. Sit. al NO de San José. Centro agropecuario e industrial. Universidad.

HEREDIA, *José María de* (1842-1905) Poeta fr. de origen cub. destacado representante de la escuela parnasiana. Su pral. obra, *Los Trofeos*, le valió el ingreso en la Academia Francesa. • ***Pedro de*** (1504-1577) Conquistador esp.; fundó Cartagena de Indias y prosiguió hacia el interior del país, hasta alcanzar el río Magdalena. Continuó sus expediciones hasta el Atrato, y en el curso de ellas se enfrentó con Robledo y Belalcázar. Pereció en un naufragio. • **Y Campuzano, *José María de*** (1803-1839) Poeta cub. de formación clasicista e inspiración romántica. *Niágara, Al teocalli de Choluca, Los últimos romanos, Himno del desterrado.*

HEREDIANO, NA adj. y s. De Heredia.

HEREDÍPETA com. Persona que con astucias procura conseguir herencias o legados.

HEREDITARIO, RIA adj. Relativo a la herencia o que se adquiere por ella. • fig. Aplícase a las inclinaciones, virtudes, vicios o enfermedades que pasan de padres a hijos.

HEREJÍA f. Doctrina que la Iglesia considera contraria a la fe católica. • fig. Sentencia errónea contra los principios de una ciencia o arte. • fig. Palabra gravemente injuriosa contra uno. • fig. Daño grave que se infiere a personas o animales. • fig. Disparate, acto desacertado. ■ HEREJE; HERESIARCA; HERÉTICO, CA.

HERENCIA f. Derecho de heredar. • Bienes, derechos y obligaciones que se heredan. • Lo que se ha recibido de los antepasados. • *Biol.* Mecanismo por el que se transmiten de unas generaciones a otras los factores que determinan los caracteres genéticos. • *Biol.* Conjunto de estos caracteres.

HERERO adj. y s. Díc. del individuo de un pueblo melanoafricano bantú que vive en Botswana, Namibia y Angola. • adj. Relativo a ese pueblo. • m. Lengua bantú que habla dicho pueblo. • m. pl. Ese mismo pueblo.

HERES, *Tomás de* (1795-1842) Político y militar ven. Fue jefe del Estado Mayor del ejército libertador, secretario particular de Bolívar, secretario de Guerra y Marina de Perú y gobernador de la provincia de Guayana, donde murió asesinado.

HERGÉ, *Georges Rémi* llamado (1907-1983) Dibujante belga. Creador del personaje *Tintín.*

HERIDA f. Lesión traumática con solución de continuidad de la piel. • fig. Ofensa, agravio. • fig. Pena o sufrimiento. • *Cet.* Paraje donde se abate la caza de volatería, perseguida por un ave de rapiña. • **contusa.** La causada por contusión. • **punzante.** La producida por un instrumento o arma, agudos y delgados.

HERIL adj. Perteneciente o relativo al amo.

1

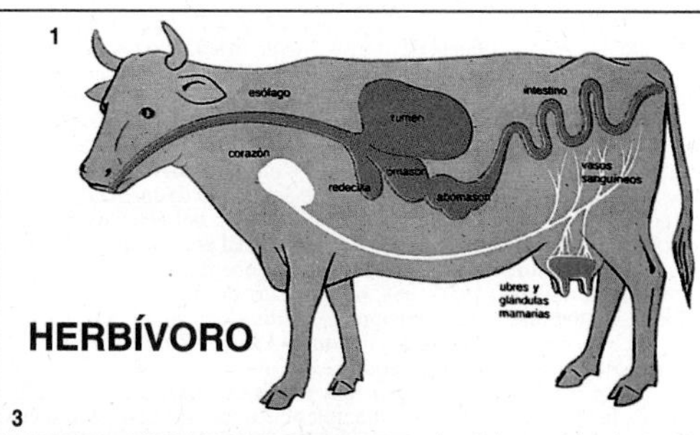

HERBÍVORO

2

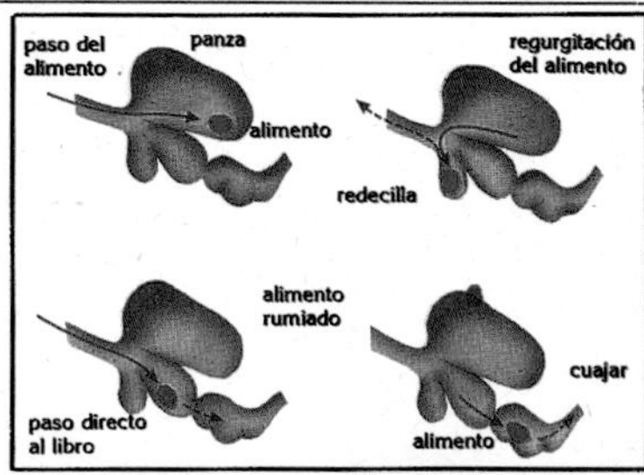

3

1. y 2. Los vertebrados herbívoros poseen un aparato digestivo mucho mayor que el de los carnívoros y a menudo albergan en él una flora bacteriana que les permite digerir la celulosa. Tal es el caso de los rumiantes, grupo de artiodáctilos al que pertenece, entre otras, la familia de los bóvidos. Los rumiantes poseen un estómago dividido en cuatro cámaras, y mastican y digieren el alimento después de haberlo engullido y regurgitado.
3. Para el hombre, el pastoreo de herbívoros constituye la mejor manera de asegurarse el suministro de proteínas animales, algo que esta pintura rupestre de Tassili (Sahara argelino) demuestra que ya conocía el hombre de la Edad de Piedra.
4. No todos los herbívoros son rumiantes. Los equidos tienen un estómago simple pero pueden digerir la celulosa merced a un voluminoso ciego que alberga bacterias y ciliados.
5. Los herbívoros tienen a menudo en la carrera su única defensa frente a los carnívoros depredadores.

4

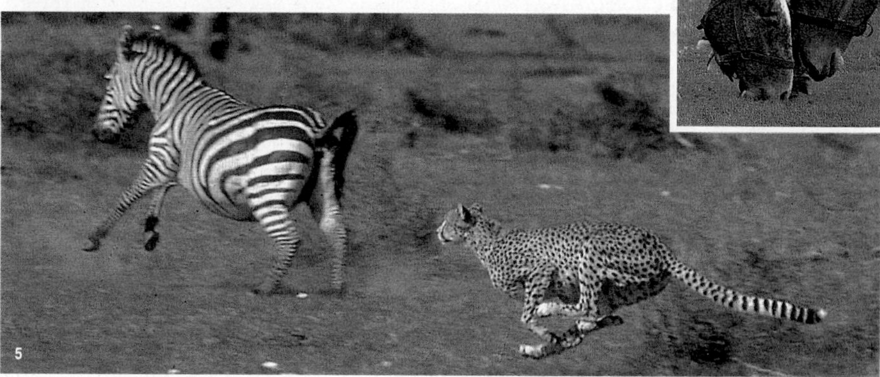

5

HERIR tr. Producir una herida a una persona o animal. • Romper un cuerpo vegetal. • Golpear, batir un cuerpo contra otro. • Alumbrar el Sol a alguien o algo. • Pulsar o tañer un instrumento musical. • Impresionar o excitar algún sentido, especialmente el del oído. • fig. Mover, excitar en el ánimo alguna pasión o sentimiento. • fig. Ofender, agraviar. • fig. Acertar, tocar el punto esencial de una cuestión. ■ HERIDO, DA.

HERMA m. Busto sin brazos colocado sobre un estípite.

HERMAFRODITA adj. y s. Individuo que presenta órganos reproductores masculinos y femeninos. • Vegetal cuyas flores tienen a la vez estambres y pistilos. ■ HERMAFRODITISMO.

HERMAFRODITO adj. y s. Hermafrodita. • n. p. m. *Mit. gr.* Deidad bisexual de probable origen oriental, hijo de Hermes y Afrodita.

HERMANAR tr. Unir, uniformar. • tr. y prnl. Hacer a uno hermano de otro en un sentido espiritual. ■ HERMANABLE; HERMANADO, DA; HERMANAMIENTO.

HERMANASTRO, TRA m. y f. Hijo de uno de los dos consortes con respecto al hijo del otro.

HERMANDAD f. o **HERMANAZGO** m. Relación de parentesco que hay entre hermanos. • fig. Amistad íntima. • fig. Correspondencia que guardan varias cosas entre sí. • fig. Cofradía, congregación de devotos. • fig. Asociación de personas unidas por los mismos propósitos, ideales, etc. • fig. Privilegio que a uno o varias personas concede una comunidad religiosa para hacerlas por este medio participantes de ciertos beneficios. • Liga o confederación. • **Santa H.** Asociación que se creó en España (1476) para la persecución de maleantes y el mantenimiento del orden público.

HERMANEAR intr. Dar el tratamiento de hermano a otra persona.

HERMANO, NA m. y f. Persona que con respecto a otra tiene los mismos padres, o sólo el mismo padre o la misma madre. • Lego de una comunidad regular. • fig. Una cosa respecto de otra a que es semejante. • **Iglesia de los Hermanos.** Confesión protestante pacifista de origen al. fundada por Alexander Mack para combatir a las iglesias que gozaban de protección estatal. • **Hermanos musulmanes.** Cofradía religiosa fundada en Egipto en 1930. Actualmente es un mov. político-religioso que pretende la estricta observancia del Corán, con cada vez mayor implantación en Líbano, Egipto, Palestina, Siria, etc.

HERMANT, ***Abel*** (1862-1950) Escritor fr. *Los trenes de lujo, La carrera.* Encarcelado en 1945 por colaborar con los al., fue liberado en 1948. Autor principal de la *Gramática de la Academia Francesa.*

HERMENEGILDO (m. 585) Santo. Príncipe visigodo, hijo de Leovigildo. Influido por su esposa

Hermafrodita. Sección de una flor de pasionaria que permite apreciar sus estambres y pistilos

Piedad, obra de Gregorio **Hernández.** Museo Nacional de Escultura, Valladolid (España)

Fragmento de *El festín de* **Herodes,** óleo de Lucas Cranach

Busto de **Herodoto.** Museo Arqueológico, Nápoles (Italia)

lgunda y por San Leandro, abjuró del arrianismo, por lo que fue perseguido y decapitado.

HERMENÉUTICO, CA adj. Relativo a la hermenéutica. • f. Método para la interpretación de textos. ■ HERMENEUTA.

HERMES *Mit. gr.* Hijo de Zeus y Maia. Conducía los muertos al Hades. Se le veneraba sobre todo en Beocia, Esparta, Arcadia, Argos y Atenas.

HERMES, *Georg* (1775-1831) Teólogo al. Influido por Kant y Fichte. El concilio Vaticano I (1870) condenó su semirracionalismo. • **Trimegisto.** Personaje legendario, a quien los neoplatónicos tuvieron por el ant. sabio iniciador de la literatura hermética.

HERMESIANISMO m. Doctrina teologicofilosófica inspirada en el pensamiento de Georg Hermes.

HERMÉTICO, CA adj. *Fil.* Díc. de las especulaciones, escritos y partidarios de ciertos libros de alquimia, astrología, medicina mágica, misticismo, etc., atribuidos a Hermes, legendario filósofo egipcio. • Díc. de lo que cierra una abertura sin dejar pasar ni el aire. • Impenetrable, cerrado. • Secreto. ■ HERMETICIDAD; HERMETISMO.

HERMITE Arch. de Chile, en el S de Tierra del Fuego, en la prov. de Magallanes. Las islas más importantes son Hermite y Hornos.

HERMITE, *Charles* (1822-1901) Matemático fr. Investigó sobre las teorías de las formas algebraicas. *Sobre la teoría de las funciones elípticas, Sobre la función exponencial.*

HERMLIN, *Stephan* (nacido 1915) Escritor al. Comunista, participó en la guerra civil esp. En 1947 se estableció en Alemania. *Las calles del miedo, La primera línea, Luz de la tarde.*

HERMÓN *(Jebel ech Cheij)* Macizo montañoso de Siria y Líbano. Alt. máx. 2 814 m., en el pico hom.

HERMOSEAR tr. y prnl. Hacer o poner hermosa a una persona o cosa.

HERMOSILLO C. del NO de México, cap. del est. de Sonora, cerca de la confluencia de los r. Sonora y San Miguel; 608 697 hab. Centro industrial, agrícola y minero. Universidad.

HERMOSURA f. Belleza de las cosas que pueden ser percibidas por el oído o por la vista. • Mujer hermosa. ■ HERMOSO, SA.

HERNANDARIAS de Saavedra, sobrenombre de *Hernando Arias de Saavedra* (1564-1634) Conquistador esp. Participó en expediciones de exploración y conquista. Como gobernador del Río de la Plata promulgó ordenanzas en defensa de los indios, favoreció la entrada de los jesuitas e intentó pacificar los territorios de Paraná, Chaco y Guayrá.

HERNÁNDEZ, *Daniel* (1856-1932) Pintor per. Influido por el impresionismo. *Retrato de Simón Bolívar, La perezosa.* • ***Efrén*** (1904-1958) Escritor mex. *Horas de horas* (poesía), *Cerrazón sobre Nicómaco* (cuentos), *Dichas y desdichas de Nicolás Méndez* (teatro). • ***Felisberto*** (1902-1964) Escritor ur. Sus obras, de gran calidad, surgen de los sueños y los recuerdos. *Por los tiempos de Clemente Colling, El caballo perdido, Nadie encendía las lámparas, La casa inundada.* • ***Gregorio*** (h. 1576-1636) Imaginero barroco esp. Imagen de *San Ignacio*, relieve del *Bautismo de Cristo.* Autor de imágenes destinadas a pasos procesionales: la *Dolorosa, Cristo yacente*, la *Piedad.* • ***José*** (1834-1886) Poeta arg. Autor del célebre *Martín Fierro*, epopeya gaucha que adquirió carácter de poema nacional y que constituye una exaltación del hombre y del lenguaje de la Pampa. • ***José Manuel***, llamado EL MOCHO (1884-1921) Militar ven. Candidato conservador a las elecciones presidenciales de 1897, fue derrotado por las maniobras electorales de Crespo, a quien derrotó militarmente aunque poco después él mismo fue vencido y hecho prisionero. Puesto en libertad tras el levantamiento de Cipriano Castro, no aceptó el nuevo gobierno, por lo que fue encarcelado nuevamente. • ***Luisa Josefina*** (nacida 1928) Escritora mex. *Los huéspedes reales, Los palacios desiertos, Nostalgia de Troya, Los trovadores.* • ***Miguel*** (1910-1942) poeta esp. Su poesía, de estilo barroco, alcanza la emoción y fuerza de un impulso popular y sentimental. *El rayo que no cesa, Cancionero y romancero de ausencias, Viento del pueblo.* Murió en la cárcel. • **Acevedo, *Juan*** (1862-1894) Compositor mex. Sinfonías, obras religiosas y música de cámara. • **Aquilino, *Luis*** (nacido 1907) Poeta puertorriq. *Niebla lírica, Isla para la angustia, Voz en el tiempo, Del tiempo cotidiano.* • **Catá, *Alfonso*** (1885-1940) Escritor cub. De actitud crítica, ensayística y es peculativa. *Los frutos ácidos, Los siete pecados, El ángel de Sodoma, La voluntad de Dios.* • **Colón, *Rafael*** (nacido 1936) Político puertorriq. Secretario de Justicia y presid. del Senado (1972). Líder del Partido Popular Democrático, partidario del estatuto de estado asociado, ha sido elegido gobernador en 1972-1976 y 1984-1988. • **Cruz, *Luis*** (nacido 1936) Pintor abstracto puertorriq. *Equilibrio de fuerzas en marrón, Centro de conjuros.* • **Franco, *Tomás*** (1904-1952) Escritor dom. *Yelidá, Rezos bohemios, Canciones del litoral alegre.* • **Gómez, *Manuel*** (nacido 1928) Pintor abstracto col. Pintura de gran efecto cromático y de notable equilibrio compositivo. • **Martínez, *Maximiliano*** (1882-1966) Político y militar salv. Presid. de la rep. en 1931, tras derrocar a Araujo. Ordenó la deuda pública y creó varios bancos. En 1944 fue derrocado y se exilió a Honduras. • **Tomás, *Jesús*** (1907-1971) Político esp. Miembro del Comité central del partido comunista, fue ministro de Instrucción Pública durante la guerra civil esp. En sus últimos años abandonó el partido. *Yo fui ministro de Stalin.* • **Y Hernández, *José Polonio*** (1892-1922) Poeta puertorriq. Influido por el modernismo. *Coplas de la vereda, Cantos de la sierra.*

HERNE C. de Alemania, en el *land* de Renania del Norte-Westfalia, en el Ruhr; 173 200 hab. Minas de carbón. Centro industrial.

HERNIA f. Salida de vísceras abdominales a través de algún orificio preexistente en la pared abdominal.

HERNIARSE prnl. Sufrir una hernia. • fig. y fam. Realizar un gran esfuerzo. ■ HERNIACIÓN; HERNIADO, DA; HERNIARIO, RIA; HERNIOSO, SA; HERNISTA.

HÉRNICO, CA adj. y s. Díc. del individuo de un ant. pueblo del Lacio, sit. al SE de Roma. En el s. III a. C., los h. aceptaron la ciudadanía rom. • adj. Relativo a dicho pueblo. • m. pl. Este mismo pueblo.

HERODES Agripa I (10 a. C.-44 d. C.) Rey de los judíos [41-44], nombrado por Calígula. Persiguió a los cristianos. • **II** (27-100) Rey de los judíos [50-h. 93], hijo del anterior. Combatió en las filas rom. en el sitio de Jerusalén. • **Antipas** (h. 20 a. C.-39 d. C.) Hijo de Herodes el Grande. Tetrarca de Galilea y de Perea [4 a. C.-39 d. C.]. Hizo decapitar a Juan Bautista. Pilato le envió a Jesús, pero Herodes no quiso tomar partido.Calígula le desposeyó de su tetrarquía. • **El Grande** (73 -4 a. C.) Rey de Judea [40-4 a. C.] nombrado por el Senado rom. Se le atribuye la matanza en Belén de niños varones, poco despues del nacimiento de Cristo.

HERODIANO, NA Relativo a Herodes.

HERODÍAS (7 a C.-30 d. C.) Nieta de Herodes el Grande. Casó con su tío Herodes Filipo, y luego se unió con el hermanastro de éste, Herodes Antipas. Fue la instigadora de la muerte de san Juan Bautista.

HERODOTO de Halicarnaso (480-425 a. C.) Historiador gr. Su *Historia* consta de nueve libros escritos en dialecto jónico, cuyo tema pral. son las guerras médicas. Es llamado «padre de la historia».

HÉROE m. *Mit.* Hijo de un dios o una diosa y un mortal. • Persona que ha realizado una acción que requería mucho valor. • Personaje pral. de una obra literaria o de una aventura. ■ HEROICIDAD; HEROÍSMO.

HEROICO, CA adj. Aplícase a las personas famosas por sus hazañas o virtudes y, p. ext., dícese también de las acciones. • Aplícase también a la poesía en que se narran o cantan hechos memorables. • Díc. de la resolución que se toma en un caso extremo.

HEROIDA f. Composición poética en que el autor hace hablar a algún héroe célebre.

HEROÍNA f. Mujer ilustre y famosa por sus grandes hechos. • La que lleva a cabo un hecho heroico. • Protagonista de una obra literaria. • Opiáceo semisintético derivado de la morfina y utilizado como analgésico. Se usa de modo muy restringido por su gran capacidad de provocar el hábito.

HEROINOMANÍA f. Toxicomanía debida a la

heroína, parecida a la morfinomanía pero de curso y desenlace más rápidos.

HERÓN el Viejo (s. II a. C.), llamado también *Herón de Alejandría*. Físico y matemático gr., autor de numerosos tratados de mecánica. *La neumática* y *Los autómatas*, *Catóptrica*.

HÉROULT, *Paul Louis Toussaint* (1863-1914) Químico e ingeniero fr. Inventó un procedimiento electrolítico para obtener aluminio y un horno eléctrico para la producción de acero.

HERPES o **HERPE** amb. Erupción cutánea acompañada de escozor y debida al agrupamiento de pequeñas ampollas. ■ HERPÉTICO, CA.

HERPETISMO m. *Med.* Predisposición constitucional para el padecimiento de herpes.

HERPETOLOGÍA f. Parte de la zoología que trata de los reptiles.

HERRADA f. Cubo de madera con grandes aros de hierro.

HERRADURA f. Hierro que se clava a las caballerías en los cascos. • Esparto o cáñamo que se pone a las caballerías cuando se deshierran. • Murciélago que tiene los orificios nasales rodeados por una membrana en forma de herradura.

HERRAJE m. Conjunto de piezas de hierro o acero con el que se guarnece algo. • Conjunto de herraduras y clavos con que éstas se aseguran. • *Argent.* Herradura.

HERRAMIENTA f. Cualquier instrumento empleado, manualmente o por medio de máquinas accionadoras, en trabajos artesanales o industriales. • Conjunto de estos instrumentos. • fig. y fam. Cornamenta. • fig. y fam. Dentadura. fam. Navaja, arma. ■ HERRAMENTAL.

HERRÁN, *Pedro Alcántara* (1800-1872) Militar y político col. Se distinguió en la batalla de Ayacucho. Presid. de la rep. en 1841-1845, adoptó numerosas medidas conservadoras. Al terminar su mandato fue ministro de Guerra. • ***Saturnino*** (1887-1918) Pintor mex. Se inspiró en temas del México precolombino y en las costumbres populares. *La criolla del mantón*, *La ofrenda*.

HERRAR tr. Ajustar y clavar las herraduras a las caballerías, o los callos a los bueyes. • Marcar con un hierro candente los ganados, artefactos, etc. • Marcar de igual modo a esclavos y delincuentes. Se hacía para señalar su condición social y también como castigo de estos últimos. • Guarnecer de hierro un artefacto. ■ HERRADERO; HERRADOR; *Col.* HERRANZA.

HERRÉN m. Forraje de avena, cebada, trigo, centeno y otras semillas que se da al ganado. • f. Terreno en que se siembra. ■ HERRENAL.

HERRERA Prov. del centro-S de Panamá, a orillas del Pacífico; 2 340,7 km^2, 103 496 hab. Cap., Chitré. Terreno llano. Clima cálido. Maíz, caña de azúcar y tabaco. Ganadería. Ind. alimentaria.

HERRERA, *Carlos* (1856-1930) Político guat. Se opuso a Estrada Cabrera. Presid. de 1920 a 1921. Derrocado por el general Orellana. • ***Carlos María*** (1875-1914) Pintor ur. Sobresalió sobre todo en el paisaje. *Artigas en la meseta del Hervidero*, *El cacharrero*, *Maternidad*. • ***Darío*** (1870-1914) Poeta pan. Modernista y parnasiano. *Eros*, *Lumen*, *Numen*, *Canción de otoño*. • ***Dionisio*** (1783-1850) Político centroamer. Al crearse en 1824 las Provincias Unidas de Centroamérica, fue elegido jefe del est. de Honduras. Derrocado en 1827 por el gobierno federal, contrario a sus reformas, fue enviado a Nicaragua, siendo allí elegido presid. en 1829. En 1833 fue elegido para el mismo cargo en El Salvador, aunque no llegó a tomar posesión. • ***Ernesto,*** llamado GINESILLO DE PASAMONTE (1877-1917) Dramaturgo ur., uno de los fundadores del teatro ur. moderno. De estilo naturalista, influenciado por Gorki. *La moral de Misiá Paca*, *El león ciego*, *El pan nuestro*. • ***Felipe*** (nacido 1922) Economista chil. Ministro de Finanzas (1953), director del Banco de Chile (1953-1958). Ha ocupado altos cargos en organismos internacionales (Banco Interamericano de Desarrollo, UNESCO). Preconiza la creación de un mercado común latinoamericano. *¿Desarrollo económico o estabilidad monetaria?* *América Latina integrada*, *Despertar de un continente: América Latina 1960-1980*. • ***Fernando de*** (1534-1597) Poeta esp. de la escuela sevillana, llamado EL DIVINO. Precursor del barroco. *A la batalla de Lepanto*, *A la expedición a Argel*, *Anotaciones a Garcilaso*. • ***Flavio*** (1899-1974) Novelista guat., de temática indigenista. *El Tigre*, *La tempestad*, *Caos*. • ***Juan de*** (1530-1597) Arquitecto esp. Intervino en la dirección de las obras del monasterio de El Escorial, en el alcázar de Toledo, en el palacio de Aranjuez, en el proyecto de la catedral de Valladolid. • FRAY ***Luis*** (1755-1811) Patriota mex. En 1810 se unió al ejército rebelde de Hidalgo. Fue fusilado por los realistas. • ***Luis Alberto*** (1873-1959) Político y escritor ur. Líder del Partido Blanco, fundó los diarios *La Democracia* y *El Debate*. Presid. del Consejo Administrativo Nacional (1925-1927) y senador desde 1934. • ***Nicolás*** (1775-1833) Político y patriota ur. Uno de los impulsores de la nacionalidad ur. Participó en la redacción de la constitución de la República Oriental del Uruguay (1838). • **Campíns, *Luis*** (nacido 1925) Político ven. Vencedor en las elecciones presidenciales de 1978 al frente del partido socialcristiano Comité de Organización Política Electoral Independiente (COPEI), ocupó la presidencia de la rep. entre 1979 y 1984. • **Oria, *Ángel*** (1886-1968) Eclesiástico y político esp. Fundó el periódico *El Debate*, la Editorial Católica y el diario *Ya*. Organizó la Acción Católica e influyó de forma decisiva en la CEDA que dirigía Gil Robles. • **Y Reissig, *Julio*** (1875-1910) Poeta ur. Representante de un modernismo simbolista e imaginativo. *Las pascuas del tiempo*, *La torre de las esfinges*. • **Y Tordesillas, *Antonio de*** (1559-1625) Historiado resp., cronista de Castilla y de Indias. *Historia general de los hechos de los castellanos en las islas y tierra firme del mar Océano*.

HERRERÍA f. Oficio de herrero. • Taller en que se funde y se labra el hierro en grueso. • Taller de herrero. • fig. Ruido acompañado de confusión y desorden.

HERRERIANO, NA adj. Propio del estilo arquitectónico de Juan de Herrera, o del estilo literario de Fernando de Herrera.

HERRERILLO m. Ave paseriforme de la familia páridos.

HERRERO m. Artesano que trabaja el hierro en un pequeño taller. • *Chile* y *P. Rico*. Herrador.

HERRERUELO m. Herrerillo, pájaro.

HERRETE m. Cabo de alambre que se pone a los cordones, cintas, etc., para que puedan entrar fácilmente por los ojetes. • *Amér.* Aparato para herrar.

HERREZUELO m. Pieza pequeña de hierro.

HERRÍN m. Herrumbre, óxido del hierro.

HERRIOT, *Édouard* (1872-1957) Político fr. Presid. del partido radical en 1919. Fue tres veces jefe de gobierno. Deportado a Alemania durante la II Guerra Mundial. Presid. de la Asamblea Nacional (1947-1955).

HERRIZA f. Terreno pedregoso, gralte. en lo alto de un cerro, que no se labra por no ser adecuado para el cultivo.

HERRÓN m. Tejo de hierro con un agujero en medio que se tiraba desde lejos para intentar meterlo en un clavo hincado en la tierra. • Arandela para evitar el rozamiento entre dos piezas. • Barra grande de hierro que suele usarse para plantar álamos, vides, etc. • *Col.* Hierro o púa de trompo o peón.

HERRONADA f. Golpe propinado con una barra de hierro. • fig. Golpe violento que dan algunas aves con el pico.

HERRUMBRE f. Capa de hidróxido férrico hidratado, formado por la acción del aire húmedo sobre el hierro. También se llama orín. • Gusto o sabor que toman del hierro algunas cosas, como las aguas. ■ HERRUMBRAR; HERRUMBROSO, SA.

HERSCHEL, *John* (1792-1871) Astrónomo brit. Estudió las nebulosas y estrellas dobles y confeccionó un catálogo que contenía unas 5 000 estrellas del cielo austral. • SIR ***William*** (1738-1822) Astrónomo brit., padre del anterior. Descubrió el planeta Urano, dos de sus satélites y otros dos satélites de Saturno. Fundó la astronomía estelar, implantó un sistema de clasificación de las nebulosas y formuló la hipótesis de que las nebulosas son universos-islas.

HERTOGENBOSCH (*'s-Hertogenbosch*) C. de Países Bajos, cap. de la prov. de Brabante Septentrional; sit. sobre el canal Zuid Willemsvaart; 89 200 hab. Centro comercial, agropecuario e industrial. Astilleros.

La eolípila de **Herón**, antecesora de la turbina de vapor

Herrerillo común

William **Herschel**

Lorenzo **Hervás y Panduro**

Hermann **Hesse,** retrato de Morgethaer

HERTZ m. *Fís.* Unidad de frecuencia correspondiente a un periodo de 1 segundo. Se denomina también ciclo/seg. Su símbolo es Hz.

HERTZ, *Heinrich* (1857-1894) Físico al. Descubrió las ondas hertzianas, demostrando que éstas presentan las mismas propiedades que la luz.

HERTZIANA o **HERTCIANA** adj. *Fís.* Díc. de la onda electromagnética.

HERTZOG, *Enrique* (1897-1980) Político bol. Miembro de la Unión Republicana Socialista. Presid. de la rep. de 1947 a 1949.

HÉRULO, LA adj. y s. Individuo de un pueblo que en el s. III habitó en la desembocadura del Rin y en las costas del mar Negro.

HERVÁS y Panduro, *Lorenzo* (1735-1809) Ensayista y filólogo esp., jesuita. Por su *Catálogo de las lenguas* es considerado el padre de la filología comparada. En 1787 empezó a publicar *Idea del universo,* algunos de cuyos capítulos le sirvieron de base para la *Historia de la vida del hombre.*

HERVENTAR tr. Dar un hervor a algo.

HERVIDERO m. Agitación de los líquidos cuando hierven. • fig. Manantial donde surge el agua con burbujas gaseosas. • fig. Ruido que al respirar producen los humores estancados en el pecho. • fig. Muchedumbre de personas o de animales.

HERVIDO m. *Amér.* Cocido u olla.

HERVIR o **HERVER** tr. e intr. Poner o ponerse un líquido en la fase de ebullición. • intr. fig. Hablando del mar, ponerse sumamente agitado, haciendo mucho ruido y espuma. • fig. Con la prep. *en* y ciertos nombres, abundar en las cosas significadas por ellos. • fig. Hablando de efectos y pasiones, indica su viveza, intensidad y vehemencia. ■ HERVIDOR; HERVOR; HERVOROSO, SA.

HERZEGOVINA *(Hercegovina* o *Ercegovina)* Región de la pen. de los Balcanes, al S de Bosnia, con la que forma la rep. federada de Bosnia-Herzegovina. C. pral. Mostar; 63 300 hab.

HERZEN, *Alexandr* (1812-1870) Escritor ruso. Influido por Hegel, se inclinó después hacia el socialismo utópico fr., que él creyó posible en su país. *El pueblo ruso y el socialismo. ¿De quién es la culpa?, Vivido y pensado.*

HERZL, *Theodor* (1860-1904) Escritor húng. de raza judía, promotor del sionismo. *El Estado judío.*

HERZOG, *Werner* (nacido 1942) Director de cine al. *Aguirre, la cólera de Dios, El enigma de Kaspar Hauser, Corazón de cristal, Nosferatu, el vampiro de la noche, Fitzcarraldo.*

HESIODO (s. VIII a. C.) El más ant. de los poetas gr. del que se tienen noticias. *Los trabajos y los días, Teogonía.*

HESITAR intr. Dudar, vacilar.

HESPERIA (Tierra del ocaso) Nombre gr. de Italia; posteriormente los rom. llamaron así a España.

HESPÉRICO, CA adj. Occidental. • Díc. de cada una de las dos pen. que forman España e Italia.

HESPÉRIDES *Mit. gr.* Ninfas del atardecer. Poseían un jardín con un árbol que daba manzanas de oro.

HESPERIDIO m. *Bot.* Fruto en baya propio de los cítricos, formado por diez carpelos cerrados con septos membranosos llenos de células filamentosas, todo ello rodeado por un epicarpio rico en aceites esenciales.

HÉSPERO n. p. m. El planeta Venus cuando a la tarde aparece en el Occidente.

HESS, *Germain Henry* (1802-1850) Químico ruso. Descubrió el ácido sacárico y realizó también imp. descubrimientos en termodinámica. • **Ley de H.** o **Ley de la suma de calores constantes.** *Fís.* Expresa que los incrementos de la energía total de un sistema son independientes del camino seguido para obtenerlos. • ***Rudolf*** (1894-1987) Político al. Secretario de Hitler, fue uno de los personajes más imp. del nazismo. En vísperas del ataque al. a la URSS (1941) se lanzó en paracaídas sobre Escocia, por razones que aún no han sido aclaradas. Detenido por los brit., fue condenado en Nuremberg. Murió en la prisión de Spandau. • ***Víctor*** (1883-1964) Físico austr. Premio Nobel de Física (1936) con Anderson por su descubrimiento de los rayos cósmicos.

HESSE *(Hessen)* Est. del centro de Alemania; 21 114 km², 5 770 000 hab. Cap., Wiesbaden. Relieve peniplanizado. Ríos: Rin, Main, Lahn, Fulda y Eder. Clima continental. Agricultura en los valles fluviales. Ind. automovilística, de maquinaria, de productos químicos y de material científico.

HESSE, *Hermann* (1877-1962) Novelista al. Aunque puede considerársele como un continuador del romanticismo al., su arte se caracteriza por una nitidez y un rigor clásicos. *Peter Kamenzind, Demian, El lobo estepario, El juego de abalorios.* Premio Nobel de Literatura en 1946.

HESTIA *Mit. gr.* Diosa del fuego y el hogar, y símb. de la vida doméstica. Hija de Cronos y Rea.

HESTON, *Charlton* (nacido 1921) Actor cinematográfico norteam. *Los diez mandamientos, Ben-Hur, 55 días en Pekín, Horizontes de grandeza, Sed de mal.*

HETEO, A adj. y m. Hitita.

HETERA o **HETAIRA** f. En la ant. Grecia, dama cortesana. • Mujer pública.

HETEROCARPO, PA adj. Díc. de los vegetales que producen más de un tipo de frutos.

HETEROCERCO, CA adj. Díc. de la aleta caudal que presenta un lóbulo dorsal mayor que el lóbulo ventral. • adj. y m. P. ext., se aplica a los peces cuya aleta caudal, o cola, es heterocerca.

HETEROCÍCLICO, CA adj. *Quím.* Díc. del compuesto orgánico de estructura cíclica, cuyo anillo contiene elementos distintos del carbono.

HETEROCLAMÍDEO, A adj. Díc. de las plantas con cáliz verde y corola de vivos colores.

HETERÓCLITO, TA adj. *Gram.* Que no sigue las reglas de la analogía gramatical. • fig. Irregular, extraño y fuera de orden.

HETERÓCTONO, NA adj. Díc. de los organismos que viven en zonas geográficas distintas de aquellas de las que son originarios.

HETERODINO adj. y m. Díc. de un dispositivo emisor de ondas que se instala en algunos radiorreceptores para obtener oscilaciones moduladas de las ondas que llegan a la antena.

HETERODOXO, XA adj. y s. Que es contrario o se aparta de lo admitido como válido en el aspecto doctrinal o moral. ■ HETERODOXIA.

HETEROGAMIA f. *Biol.* Proceso de reproducción sexual en el que los gametos femeninos son mayores que los masculinos. Es bastante general en los animales y en los vegetales. • Matrimonio basado en la elección del cónyuge en virtud de la divergencia de gustos e intereses.

HETEROGÉNEO, A adj. Compuesto de partes de diversa naturaleza. ■ HETEROGENEIDAD.

HETEROMANCÍA o **HETEROMANCIA** f. Adivinación supersticiosa por el vuelo de las aves.

HETERÓMIDO, DA adj. y m. *Zool.* Díc. de los animales de la familia heterómidos. • m. pl. *Zool.* Familia de roedores amer. que comprende unas 70 especies, conocidas como ratas canguro y ratones canguro. Viven desde el S de Canadá hasta Venezuela, en los ambientes más diversos, del desierto a la selva virgen. Su nombre vulgar se debe a su habilidad para el salto. Poseen así mismo grandes abazones.

HETEROMORFISMO m. *Geol.* y *Quím.* Propiedad por la que algunas sustancias con organización y estructura idénticas se presentan bajo forma distinta.

HETERONIMIA f. *Ling.* Procedencia de distintos étimos en palabras de significado muy próximo. ■ HETERÓNIMO.

HETERÓNOMO, MA adj. Díc. del que está sometido a un poder extraño que le impide el libre desarrollo de su naturaleza.

HETEROPLASTIA f. *Cir.* Implantación de injertos orgánicos procedentes de otro individuo de distinta especie.

HETERÓPOLAR adj. *Electr.* Que tiene polos diferentes. • Díc. del circuito magnético en el que se alternan sucesivamente dos polos de signo contrario. • m. *Quím.* Enlace químico covalente entre átomos de distinta electronegatividad.

HETERÓPSIDO, DA adj. Díc. de las sustancias metálicas que carecen del brillo propio del metal.

HETERÓPTERO, RA adj. *Zool.* Díc. de los insectos de cuerpo deprimido, con hemélitros y alas posteriores membranosas. • m. pl. *Zool.* Orden de esos insectos.

HETEROSEXUAL adj. y s. Por oposición a homosexual, díc. de la relación erótica entre indivi-

duos de diferente sexo. • *Bot.* Díc. de las plantas con flores masculinas y femeninas.
HETEROSINTAGMÁTICA f. *Ling.* Teoría del lenguaje desarrollada por el danés Hjelmslev, también denominada glosemática.
HETEROSPÓRICO, CA adj. *Bot.* Planta que presenta varios tipos de esporas.
HETEROTERMO, MA adj. y m. Díc. de los vertebrados cuya temperatura depende de la del ambiente.
HETERÓTROFO, FA adj. y m. *Biol.* Díc. del organismo viviente que para su alimentación necesita de las materias orgánicas sintetizadas por otros organismos. • adj. Díc. de ese tipo de alimentación.
HETICARSE prnl. *P. Rico* y *R. Dom.* Contraer tuberculosis.
HETIQUEZ f. *Med.* Tisis, tuberculosis pulmonar. ■ HÉTICO, CA.
HEUREAUX, *Ulises* (1845-1899) Militar y político dom. Presid. de la rep. (1882-1884 y 1887-1889), gobernó de forma dictatorial en su segundo mandato.
HEURÍSTICO, CA adj. Relativo a la heurística. • f. Arte de inventar. • Parte de la historia que se ocupa de la búsqueda e investigación de fuentes, especialmente documentos.
HEUSS, *Theodor* (1884-1963) Político y escritor al. Al terminar la guerra creó el partido liberal. Ministro de Educación (1945-1946). Presid. de la RFA (1949-1959). *En el camino de Hitler*.
HEVESY de Heves, *Joseph Georg* (1885-1966) Químico húng. En colaboración con Bohr descubrió el hafnio. Premio Nobel de Química en 1943.
HEXACORALARIO adj. y m. *Zool.* Díc. de los animales de la clase hexacoralarios. • m. pl. *Zool.* Subclase de celentéreos antozoos a la que pertenecen las actinias y las madréporas.
HEXACORDO m. *Mús.* Escala para canto llano compuesta de la seis primeras notas usuales. • *Mús.* Intervalo de sexta en la escala musical.
HEXADECIMAL adj. *Comp.* Díc. del sistema de numeración de base 16. Se utilizan las cifras del 0 al 9 seguidas de las seis primeras letras del alfabeto, para representar los números de 0 al 15. Las cifras h. se escriben con una H al final, para no confundirlas con una cifra decimal.
HEXAEDRO m. *Geom.* Sólido de seis caras. • **regular.** *Geom.* Cubo.
HEXÁGONO, NA adj. y m. *Geom.* Díc. del polígono de seis ángulos y seis lados. ■ HEXAGONAL.
HEXÁMETRO adj. y m. Verso de la poesía gr. y latina que consta de seis pies.
HEXANO m. *Quím.* Sexto hidrocarburo saturado de la serie alifática.
HEXAPÉTALO, LA adj. *Bot.* Que tiene seis pétalos.
HEXÁPODO, DA adj. y m. Que tiene seis pies. • m. Insecto hexaquisoctaedro. • Holoedro del sistema regular formado por 48 caras triangulares iguales.
HEXASÍLABO, BA adj. y s. De seis sílabas.
HEXÁSTILO m. Templo que presenta seis columnas en su frente.
HEXAVALENTE adj. *Quím.* Que tiene seis electrones de valencia.
HEXODO m. *Electr.* Válvula compuesta por seis electrodos: un ánodo, un cátodo y cuatro rejillas.
HEXOSA f. *Quím.* Monosacárido de seis átomos de carbono. Entre las más imp.: glucosa, galactosa, manosa, fructosa, etc. Intervienen en el metabolismo de los glúcidos y forman el almidón, el glucógeno y la celulosa.
HEYERDAHL, *Thor* (nacido 1914) Etnólogo y explorador nor. En 1947 realizó la travesía de Perú a Polinesia en balsa (Kon-Tiki). *La aventura de la Kon-Tiki, El hombre primitivo en el océano, Indios de América en el Pacífico*.
HEYROVSKY, *Jaroslav* (1890-1967) Químico chec. Inventó el polarógrafo. Premio Nobel de Química en 1959.
HEYSE, *Paul* (1830-1914) Escritor al. Cuentos con una marcada influencia italiana. *L'Arrabbiata, Cuentos de Milán*. Premio Nobel de Literatura en 1900.
HEZ f. Poso o sedimento de algunos líquidos. Se usa más en pl. • fig. Desecho, lo más despreciable. • pl. Excremento o residuos de la digestión.
Hf *Quím.* Símb. del hafnio.
Hg *Quím.* Símb. del mercurio.
HÍADAS o **HÍADES** n. p. f. pl. *Astr.* Grupo de estrellas en la cabeza de Tauro. • *Mit. gr.* Ninfas hijas de Atlante y Pleión (o Etra), que criaron y educaron a Dioniso. Zeus las premió transformándolas en estrellas.
HIALINO, NA o **HIALOIDEO, A** adj. Diáfano como el vidrio, o parecido a él.
HIALITA f. *Miner.* Variedad del ópalo de aspecto vítreo.
HIALOGRAFÍA f. Arte de grabar en vidrio.
HIALÓGRAFO m. Instrumento para copiar en perspectiva los objetos, utilizando la transparencia de un vidrio.
HIALOIDES f. *Anat.* Membrana del ojo que contiene el humor vítreo.
HIALOPLASMA m. *Biol.* Masa fundamental del citoplasma celular, formada en su mayor parte por agua, sales minerales, proteínas, polisacáridos y sustancias lipídicas.
HIALOTECNIA f. Arte de fabricar y de trabajar el vidrio.
HIALOTIPIA f. Procedimiento de grabado sobre una placa de cristal, por medio de ácido fluorhídrico.
HIATO m. Encuentro de dos vocales que se pronuncian en sílabas distintas. • Cacofonía que resulta del encuentro de vocales que no forman diptongo. ■ HIANTE.
HIBERNACIÓN f. *Biol.* Proceso de disminución de los fenómenos vitales para el ahorro de energía. • **artificial.** Disminución de las reacciones metabólicas y la temperatura corporal por agentes físicos o farmacológicos.
HIBERNAR intr. Ser tiempo de invierno. • Pasar el invierno en estado latente. • Pasar el invierno en algún lugar. ■ HIBERNAL; HIBERNANTE.
HIBERNÉS, SA adj. y s. De Hibernia, hoy Irlanda.
HIBERNIA Nombre latino de Irlanda.
HÍBRIDO, DA adj. Aplícase al animal o al vegetal que procede de dos individuos de distinta especie. • fig. Díc. de todo lo que es producto de elementos de distinta naturaleza. • Díc. de la palabra compuesta de elementos procedentes de lenguas distintas. ■ HIBRIDACIÓN; HIBRIDISMO.
HIBUERO m. Higüero o güira, árbol con fruto semejante a una calabaza.
HICACO m. *Ant.* Arbusto rosáceo de fruto en drupa, del tamaño, forma y color de la ciruela claudia.
HICKEN, *Cristóbal María* (1875-1933) Naturalista arg. Realizó numerosas expediciones por el terr. de su país, logrando reunir gran cantidad de material para sus estudios. Autor de una extensa serie de obras de su especialidad.
HICKS, *Elías* (1748-1830) Dirigente cuáquero brit., nacido en las colonias norteam. Jefe de la rama liberal de los cuáqueros o hicksitas en la controversia de 1820, de la que derivó un cisma. ■ HICKSITA.
HICO m. *Amér.* Cada uno de los cordeles que sostienen la hamaca en el aire. ■ *Cuba.* HICADURA.
HICOTEA f. *Amér.* Tortuga comestible de agua dulce.
HICSO adj. y s. Díc. de individuos de un ant. pueblo que invadió Egipto hacia 1650 a. C. Los h. dominaron el Alto Egipto y establecieron su cap. en Avaris. • adj. Relativo a ese pueblo. • m. pl. Ese mismo pueblo.
HIDALGO, GA m. y f. Persona noble, pero sin título. • adj. Relativo a un hidalgo. • fig. Díc. de la persona de ánimo generoso y noble. ■ HIDALGUEZ; HIDALGUÍA.
HIDALGO Est. del centro-E de México, limítrofe con San Luis de Potosí al N, Querétaro al O, México y Tlaxcala al S, y Puebla y Veracruz al E; 20 987 km², 2 231 392 hab. Cap., Pachuca. El terr. se extiende en su mayor parte por la altiplanicie meridional. Ríos: Moctezuma, Tula, Amajac y Metztitlán. Clima templado. Agricultura imp. en los valles. Maíz, trigo, cebada, alfalfa, maguey, tabaco, café, forrajes y caña de azúcar. Ganadería. Plata, plomo, oro, cobre y hierro. Fundiciones en Pachuca y Zimapán. Hasta 1869 formó parte del est. de México. Imp. restos arqueológicos en Tula, ant. cap. tolteca. • Mun. de México, en el est. de Michoacán; 94 040 hab. Ganadería. Explotación forestal. Curtidurías.

Charlton **Heston** interpretando a Moisés en *Los diez mandamientos,* de Cecil B. de Mille

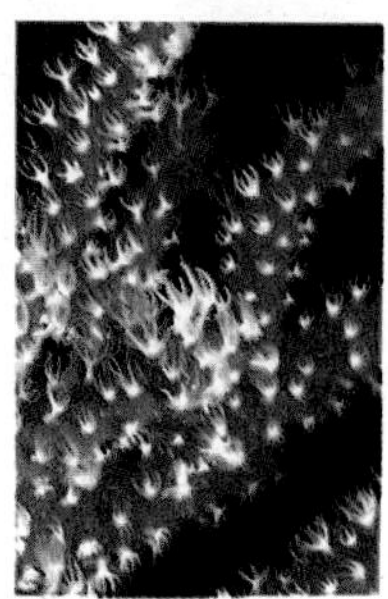

Madréporas, celentéreos de la clase **hexacoralarios**

Paul **Heyse**

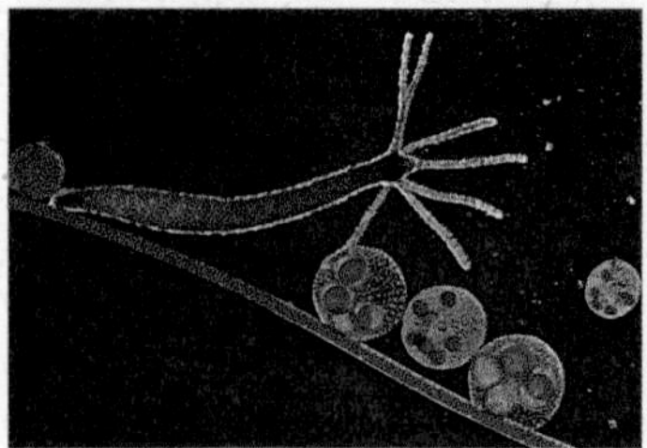

Hidra de agua dulce

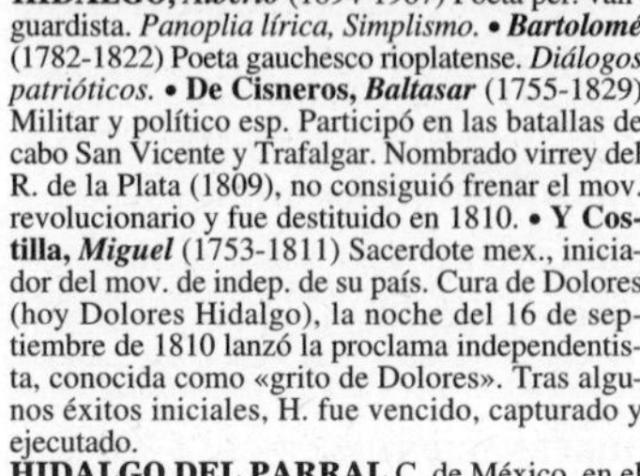

HIDALGO, ***Alberto*** (1894-1967) Poeta per. vanguardista. *Panoplia lírica, Simplismo.* • ***Bartolomé*** (1782-1822) Poeta gauchesco rioplatense. *Diálogos patrióticos.* • **De Cisneros, *Baltasar*** (1755-1829) Militar y político esp. Participó en las batallas de cabo San Vicente y Trafalgar. Nombrado virrey del R. de la Plata (1809), no consiguió frenar el mov. revolucionario y fue destituido en 1810. • **Y Costilla, *Miguel*** (1753-1811) Sacerdote mex., iniciador del mov. de indep. de su país. Cura de Dolores (hoy Dolores Hidalgo), la noche del 16 de septiembre de 1810 lanzó la proclama independentista, conocida como «grito de Dolores». Tras algunos éxitos iniciales, H. fue vencido, capturado y ejecutado.

HIDALGO DEL PARRAL C. de México, en el est. de Chihuahua; 90 703 hab. Fruticultura, cereales. Minería.

Hidrodeslizador

HIDÁTIDE f. Larva de un tenia intestinal del perro y de otros animales que en las vísceras humanas adquiere gran tamaño. • Vesícula que la contiene. • *Pat.* Quiste hidatídico. ■ HIDATÍDICO, CA.

HIDATIDOSIS f. *Pat.* Síndrome causado por la larva de la tenia del perro al desarrollarse en los órganos del hombre y de ciertos animales.

HIDATODO m. Cada uno de los órganos vegetales destinados a la secreción del agua.

HIDRA f. Culebra acuática, venenosa, de las costas del mar Pacífico. • Pólipo de agua dulce cuyo cuerpo consiste en un saco tubular cerrado por una extremidad y con varios tentáculos en la otra. • fig. Daño social difícil de extirpar.

HIDRA *Astr.* Constelación cuyo nombre latino es *Hydra.* • *Mit. gr.* Monstruo de siete cabezas, muerto por Hércules. • **Macho** *Astr.* Constelación cuya denominación latina es *Hydrus.*

HIDRÁCIDA o **HIDRACIDA** f. *Quím.* Compuesto que resulta de la combinación de un ácido orgánico con una amina, empleado en el tratamiento de la tuberculosis.

HIDRÁCIDO m. *Quím.* Ácido compuesto de hidrógeno y un halógeno o un anfígeno.

HIDRACINA f. *Quím.* Líquido incoloro, de olor parecido al del amoníaco, muy higroscópico. Se emplea como combustible de cohetes, para evitar la corrosión de las calderas, en la síntesis de productos farmacéuticos, etc.

Aparato de Kipp para la obtención de **hidrógeno** en el laboratorio

HIDRARGILITA f. Óxido hidratado de aluminio; es un mineral de color blanco.

HIDRARGIRIO o **HIDRARGIRO** m. Nombre ant. del mercurio.

HIDRARGIRISMO m. *Pat.* Intoxicación crónica originada por la absorción de mercurio.

HIDRARTROSIS f. *Med.* Acumulación de líquido seroso en una articulación.

HIDRATACIÓN f. Acción y efecto de hidratar. • *Quím.* Fijación de agua por las moléculas de un cuerpo.

HIDRATAR tr. y prnl. *Quím.* Combinar una sustancia con el agua.

HIDRATO m. *Quím.* Producto resultante de la combinación de una sustancia química con el agua. • **de carbono.** *Quím.* Glúcido.

HIDRÁULICO, CA adj. Relativo a la hidráulica. • Que se mueve por medio del agua. • m. Técnico en hidráulica. • f. *Fís.* Parte de la mecánica que estudia los líquidos. • Técnica de la conducción, contenido y elevamiento de las aguas.

HIDREMIA f. *Pat.* Aumento anormal de la cantidad de agua en la sangre.

HIDRIA f. Vasija para contener agua que usaban los gr.

HÍDRICO, CA adj. Relativo al agua. • *Quím.* Sufijo utilizado en la denominación de los hidrácidos. • **Dieta h.** *Terap.* Dieta en que sólo se puede tomar agua.

HIDROAVIÓN m. *Aer.* Aeroplano con características específicas que le permiten posarse y despegar en el agua. El primer aparato de este tipo fue construido en 1910 por Henri Fabre.

HIDROBASE f. Espacio de agua acondicionado para el amaraje y despegue de los hidroaviones.

HIDROBIOLOGÍA f. Estudio de los organismos acuáticos.

HIDROBÍOS m. Conjunto de la flora y fauna acuáticas.

HIDROCARBURO m. *Quím.* Compuesto orgánico que contiene carbono e hidrógeno únicamente. • **Hidrocarburos acetilénicos.** Compuestos orgánicos de fórmula general C_nH_{2n-2} con enlace triple. • **acíclicos.** Compuestos orgánicos en los que los átomos de carbono forman cadenas abiertas; pueden clasificarse en saturados e insaturados. • **alifáticos.** Los cíclicos. • **aromáticos.** Los que constan de una cadena cerrada no saturada y poseen unas propiedades especiales derivadas de su constitución. • **naturales.** Sustancias orgánicas naturales constituidas por una mezcla de h., que se encuentran almacenados en las rocas de la corteza terrestre.

HIDROCARPO, PA adj. Díc. de aquellas plantas acuáticas cuyos frutos maduran bajo el agua.

HIDROCEFALIA f. *Pat.* Dilatación de los ventrículos cerebrales por aumento de la cantidad de líquido cefalorraquídeo. Puede ser congénita o adquirida.

HIDROCELE m. *Pat.* Hidropesía de la túnica serosa del testículo.

HIDROCINCITA f. *Miner.* Carbonato hidratado de cinc. Cristaliza en el sist. monoclínico y tiene color blanco. Cuando aparece en cantidades imp., se explota para obtener cinc.

HIDROCORO, RA adj. Díc. de las especies vegetales en cuya diseminación interviene el agua como factor esencial.

HIDRODESLIZADOR m. Embarcación de base plana impulsada por una hélice aérea o por un motor de reacción.

HIDRODINÁMICA f. Parte de la física que estudia el movimiento de los fluidos sometidos a la acción de fuerzas.

HIDROELÉCTRICO, CA adj. Relativo a la energía eléctrica obtenida por fuerza hidráulica.

HIDROESQUÍ m. Dispositivo acoplable a los aviones para que puedan elevarse del agua sin poseer flotadores ni casco de hidroavión.

HIDRÓFANA f. Ópalo que adquiere transparencia dentro del agua.

HIDRÓFIDO, DA adj. y m. *Zool.* Díc. de serpientes de la familia hidrófidos. • m. pl. *Zool.* Familia de serpientes adaptadas a la vida marina, propias del océano Índico y caracterizadas por su bella coloración y su potente veneno.

HIDROFILACIO m. Concavidad subterránea y llena de agua, de que muchas veces se alimentan los manantiales.

HIDRÓFILO, LA adj. Díc. de la sustancia que absorbe el agua con gran facilidad. • adj. y m. *Biol.* Díc. de los organismos que habitan en ambientes húmedos. • m. pl. *Zool.* Gén. de coleópteros que viven en el agua.

HIDRÓFITO, TA adj. y s. Díc. de las plantas que viven en el agua y que tienen una estructura adaptada para este medio especial de vida.

HIDROFOBIA f. Aversión al agua y a los líquidos en general. • Rabia, enfermedad. ■ HIDRÓFOBO, BA.

HIDRÓFONO m. Aparato que recoge los sonidos producidos debajo del agua y que se empleaba para detectar la presencia de submarinos.

HIDROFTALMÍA f. *Pat.* Afección del globo ocular, caracterizada por la distensión y dureza del mismo, a causa de la hipersecreción y retención del líquido.

HIDRÓFUGO, GA adj. Díc. de las sustancias que evitan la humedad o las filtraciones.

HIDROGEL m. Gel en el que el disolvente es el agua.

HIDROGENACIÓN f. *Quím.* Reacción entre el hidrógeno y compuestos químicos, que se realiza a presión elevada y en presencia de catalizadores. Se emplea en la obtención de grasas sólidas, aceites lubricantes y gasolina a partir del carbón y de fracciones de petróleo de poco valor.

HIDROGENAR tr. Combinar una sustancia química con hidrógeno.

HIDROGENESIA f. Rama del saber que comprende la búsqueda, captación y uso de las fuentes y de los cursos de agua.

HIDROGENIÓN adj. Ion H^+ (protón).

HIDRÓGENO m. *Quím.* Elemento de símbolo H; n. a. 1; p. a. 1,0080.

* *Quím.* El h. es un gas, cuya densidad en condiciones normales es 0,08987 g/l. Se obtiene a partir del agua, por electrólisis o por desplazamiento por el sodio, potasio o calcio. Es un gas inodoro, incoloro e insípido, poco soluble en agua. Es la sustancia más ligera que se conoce, unas catorce veces menos pesado que el aire. Se emplea en metalurgia para la obtención de metales de alta pureza, como el volframio; en el soplete oxhídrico, y en la hidrogenación de aceites, que permite la obtención de grasas sólidas.

HIDROGENÓLISIS f. Reacción química que implica la rotura de la molécula al adicionarse hidrógeno.

HIDROGEOLOGÍA f. *Geol.* Ciencia que estudia las aguas subterráneas. De gran importancia para solucionar los problemas de abastecimiento de aguas.

HIDROGNOSIA f. Ciencia que estudia las calidades e historia de las aguas de la Tierra.

HIDROGOGÍA f. Arte de canalizar aguas.

HIDROGRAFÍA f. Parte de la geografía física que trata de la situación y características de las aguas sobre la superficie terrestre. • Conjunto de mares y aguas corrientes de una zona. ■ HIDROGRÁFICO, CA; HIDRÓGRAFO.

HIDRÓLISIS f. *Quím.* Descomposición de un compuesto químico por la acción del agua. ■ HIDROLIZAR.

HIDROLOGÍA f. *Geol.* Ciencia que estudia las aguas superficiales desde el punto de vista geológico. • **médica.** Parte de la medicina que estudia las propiedades terapéuticas de las aguas naturales. ■ HIDROLÓGICO, CA; HIDRÓLOGO, GA.

HIDROMA m. *Med.* Tumor o quiste seroso.

HIDROMANCIA o **HIDROMANCÍA** f. Arte supersticiosa de adivinar mediante la observación del agua. ■ HIDROMÁNTICO, CA.

HIDROMECÁNICO, CA adj. Díc. de los aparatos en los que se emplea la acción del agua u otro fluido para la transmisión de movimiento o potencia.

HIDROMEL o **HIDROMIEL** m. Aguamiel, agua mezclada con miel.

HIDROMETEORO m. *Meteor.* Meteoro acuoso producido por la condensación o congelación del vapor de agua presente en la atmósfera.

HIDROMETRÍA f. *Fís.* Parte de la hidrodinámica que trata del modo de medir el caudal, la velocidad o la presión de los líquidos en mov. ■ HIDROMÉTRICO, CA.

HIDRÓMETRO m. Instrumento para medir el caudal, la velocidad o la presión de un líquido en mov.

HIDRONIMIA f. Parte de la toponimia que estudia el origen y significación de los nombres de los ríos, arroyos, lagos, etc.

HIDRÓNIMO m. Nombre de los ríos, arroyos, lagos, etc.

HIDRONIO o **HIDROXONIO** adj. y m. Díc. del ion H_3O^+.

HIDROPATÍA f. *Med.* Hidroterapia, método curativo por medio del agua. • Afección morbosa producida por el agua o el sudor. ■ HIDRÓPATA.

HIDROPESÍA f. *Pat.* Acumulación de líquido seroso en una cavidad o en el tejido celular. ■ HIDRÓPICO, CA.

HIDROPLANO m. Embarcación provista de aletas inclinadas que, a medida que aumenta la velocidad de desplazamiento, sostienen una parte cada vez mayor del peso hasta que, finalmente, el casco sube y navega fuera del agua. El h. desarrolla una velocidad muy superior a la de los otros buques. • Hidroavión.

HIDROPLASTIA f. *Ind.* Recubrimiento de una pieza metálica con una capa de otro metal sin utilizar la electricidad. Gralte. se efectúa por simple inmersión de la pieza en un baño de sales del metal recubridor.

HIDROPONÍA f. Método científico de cultivar las plantas sin tierra, en medios artificiales. Se fundamenta en la aplicación práctica de la teoría de la nutrición mineral de los vegetales. ■ HIDROPÓNICO, CA.

HIDROQUINONA f. *Quím.* Polvo blanco formado por agujas incoloras que funden a 170 °C, soluble en agua. Es el *p*-dioxibenceno ($HO{-}C_6H_4{-}OH$), que se obtiene por reducción de la *p*-quinona. Por sus propiedades reductoras se utiliza como revelador fotográfico.

HIDROSCOPIA f. Arte de averiguar la existencia y condiciones de las aguas ocultas.

HIDROSFERA f. *Geog.* y *Geol.* Conjunto de aguas superficiales de la corteza terrestre: oceánicas ($1{,}4 \times 109$ km^3), lacustres ($2{,}5 \times 105$ km^3) y vapor de agua atmosférico ($1{,}3 \times 103$ km^3).

* *Geog.* y *Geol.* Los océanos son las grandes reservas de agua de la h., donde se inicia y cierra el ciclo hidrológico o ciclo del agua en la naturaleza. Las especiales características térmicas del agua determinan que la h. actúe como un termostato, que regula la temperatura de grandes superficies de la Tierra.

HIDROSOL m. Caso particular de sol (dispersión coloidal en un líquido) cuando el líquido en que está disperso el coloide es agua.

HIDROSOLUBLE adj. Que es soluble en el agua.

HIDROSTÁTICA f. *Fís.* Parte de la mecánica que estudia los fluidos en equilibrio. ■ HIDROSTÁTICO, CA.

HIDROTÉCNICA f. Arte de construir máquinas y aparatos hidráulicos.

HIDROTERAPIA f. Tratamiento de las enfermedades mediante la aplicación del agua. ■ HIDROTERÁPICO, CA.

HIDROTERMAL adj. *Geol.* Díc. del fenómeno en el que el agente pral. es el agua a elevada temperatura y con gran cantidad de sustancias en disolución.

HIDROTIMETRÍA f. *Quím.* Determinación mediante análisis químico de la dureza de las aguas.

HIDROTÓRAX m. *Pat.* Acumulación de líquido seroso no inflamatorio en la cavidad pleural.

HIDROTROPISMO m. Tropismo determinado por el agua.

HIDRÓXIDO m. *Quím.* Combinación que deriva del agua por sustitución de uno de sus átomos de hidrógeno por un metal.

HIDROXILO adj. y m. *Quím.* Díc. del grupo OH formado por un átomo de oxígeno y otro de hidrógeno, característico de los álcalis o bases.

HIDROXIPROLINA f. *Biol.* Aminoácido de cinco átomos de carbono, muy abundante en el colágeno.

HIDROZOO adj. y m. *Zool.* Díc. de animales de la clase hidrozoos. • m. pl. *Zool.* Clase de animales cnidarios, caracterizados por su simetría tetrámera o polímera, y sus ciclos biológicos, en los que predomina la fase pólipo, si bien en muchos grupos ésta alterna con la fase medusa. Casi todas las especies son marinas, gralte. propias del litoral. Suelen vivir fijadas sobre un sustrato rocoso, sobre hojas, algas, etc.

HIDRURO m. Combinación del hidrógeno con un metal.

HIEDRA f. Arbusto trepador de la familia araliáceas, con ramas estériles que se fijan a los sustratos y ramas fértiles que quedan libres; flores amarillentas y frutos de color negro.

HIEL f. Bilis. • fig. Amargura, aspereza. • pl. fig. Trabajos, adversidades, disgustos.

HIELO m. *Fís.* Estado sólido y cristalino que adquiere el agua cuando en condiciones normal es de presión la temperatura llega a 0 °C. La congelación del agua va acompañada de un aumento del volumen (un 8 %) y una disminución de densidad, difiriendo así de la mayoría de las sustancias. • fig. Frialdad. • **seco.** Bióxido de carbono en estado sólido.

HIEMACIÓN f. Propiedad que tienen algunas plantas de crecer durante el invierno. ■ HIEMAL.

Cultivo **hidropónico** de jacintos

Colonia de sifonóforos, cnidarios de la clase **hidrozoos**

Hiedra

Hiena

HIENA f. Mamífero carnívoro, que se alimenta de carroña. • fig. Persona cruel e inhumana.
HIENDA f. Estiércol.
HIERÁTICO, CA adj. Relativo a las cosas sagradas o a los sacerdotes. • Aplícase a cierta escritura de los ant. egipcios, que era una abreviación de la jeroglífica. • Díc. de la escultura y la pintura religiosas que reproducen formas tradicionales. • fig. Díc. también del estilo o ademán que tiene o afecta solemnidad extrema. ■ HIERATISMO.
HIERBA f. *Bot.* Cualquiera de las plantas de pequeño porte, anuales o perennes, cuyo cormo carece de elementos leñosos y que, normalmente, muere o queda en estado de latencia en cada periodo vegetativo. • Conjunto de muchas hierbas que nacen en un terreno. • Jardín, mancha en la esmeralda. • Veneno hecho con hierbas venenosas. Se usa más en pl. • Pastos que hay en las dehesas para los ganados. • Hablando de los animales que se crían en los pastos, años. • fig. y fam. Droga suave, especialmente marihuana. • **artética.** Pinillo, planta labiada. • **belida.** Ranúnculo. • **buena.** Hierbabuena. • **callera.** Planta crasulácea, cuyas hojas se emplean para cicatrizar heridas y ablandar callos. • **cana.** Planta con semillas coronadas de vilanos blancos, que semejan pelos canos. • **carmín.** Planta fitolocácea, que tiene algún empleo en medicina, y de las semillas se extrae una laca roja. • **de ballestero.** Eléboro. • **de Guinea.** Planta gramínea, muy apreciada para pasto del ganado caballar. • **del ala.** Helenio. • **de las coyunturas.** Belcho. • **de las golondrinas.** Celidonia. • **del ajo.** Aliaria. • **del maná.** Planta gramínea que sirve como forraje y como sustituto del esparto. • **del Paraguay.** *Amér. Merid.* Especie de acebo de fruto en drupa roja, con cuatro huesecillos de almendra venenosa. • **de punta.**

Hierba de San Juan

Espiguilla, planta gramínea. • **de San Juan.** Corazoncillo. • **Otras hierbas.** exp. jocosa que se añade después de una enumeración. ■ *Chile.* HIERBAL.
HIERBABUENA f. Planta labiada y de olor agradable que se emplea como condimento.
HIERO m. Yero.
HIERÓDULO, LA m. y f. Persona dedicada al servicio de un templo, en la ant. Grecia.
HIEROFANTA o **HIEROFANTE** m. Sacerdote que en la ant. Grecia dirigía las ceremonias de iniciación en los misterios sagrados. • P. ext., maestro de nociones recónditas.
HIEROGLÍFICO, CA adj. y s. Jeroglífico.
HIERÓN I ***el Viejo*** (m. h. 466 a. C.) Tirano de Siracusa [478-466 a C.]. Se apoderó de Catania y derrotó a los etruscos en Cumas. Reunió en su corte a Esquilo, Píndaro, Simónides y otros literatos gr. de su época. • **II** ***el Joven*** (306-h. 215 a. C.) Tirano de Siracusa [265-h. 215]. Se alió a los cartagineses contra los rom. en la primera guerra púnica. Pactó más tarde con los rom. y Siracusa conoció un periodo de esplendor. Su ordenamiento tributario fue adoptado por éstos.
HIEROSCOPIA f. Adivinación por las entrañas de los animales.
HIEROSOLIMITANO, NA adj. De Jerusalén.
HIERRA f. *Amér.* Acción y efecto de marcar los ganados con hierro.
HIERRO m. *Quím.* Elemento de símb. Fe, n. a. 26, p. a. 55,85. • Marca o señal hecha con hierro. • Instrumento de este metal con que se realiza la operación de marcar. • Punta de hierro de un arma o de un instrumento. • fig. Arma o pieza de hierro. • Varilla de acero que constituye la armadura de las obras de hormigón armado. • fig. *Cuba.* Reja o labor de arado. • pl. Prisiones de hierro; como cadenas, grillos, etc. • **colado.** *Metal.* El que sale fundido de los altos hornos. • **dulce.** *Metal.* El libre de impurezas que se trabaja con facilidad en frío. • **fundido.** *Metal.* Hierro colado.
* *Metal.* El h. de fundición contiene, además, carbono, silicio, fósforo, manganeso y azufre. El h. puro, obtenido por reducción del óxido con el hidrógeno, es un metal blanco, blando, dúctil y maleable. No es atacado apreciablemente por el agua pura, pero se oxida en agua que contenga oxígeno disuelto. El óxido formado, u orín, es poroso y no protege el metal de la posterior corrosión.

Producción mundial de **hierro** (en miles de t)

Mineral de hierro		*Hierro colado*	
Prales. productores		*Prales. productores*	
Brasil	150 000	CEI	91 000
CEI	133 578	Japón	79 124
EE UU	34 942	EE UU	49 668
Canadá	23 724	Alemania	28 861
Venezuela	13 034	Brasil	22 861
Chile	5 035	Gran Bretaña	12 218
México	3 902	Italia	11 634
Perú	2 181	Canadá	8 268
España	1 506	España	5 404
Argentina	414	México	2 962
Colombia	261	Argentina	1 883

HIERRO Isla de España, en las Canarias (prov. de Santa Cruz de Tenerife); 224 km^2, 5 500 hab. C. pral. Valverde. Agricultura y ganadería.
HIERRO, ***Edad del*** → Edad del Hierro.
HIERRO, ***José*** (nacido 1922) Poeta esp. *Alegría* (Premio Adonais en 1947), *Quinta del 42*, *Estatuas yacentes*, *Cuanto sé de mí.* Premio Cervantes 1998.
HIFA f. *Bot.* Cada uno de los filamentos aislados que forman el cuerpo vegetativo de los hongos.
HI-FI En radiotecnia, abrev. de la exp. ing. *high fidelity*, «alta fidelidad».
HIGA f. Amuleto en figura de puño que ponían a los niños, con la idea supersticiosa de librarlos del mal de ojo. • Gesto despreciativo con el puño. • fig. Burla o desprecio. • vulg. Vulva.
HIGADILLA f. Higadillo. • *Hond.* Riñonada o guisado de riñones e hígado de res.
HIGADILLO m. Hígado de los animales pequeños, particularmente de las aves. • *Amér.* Enfermedad de las aves domésticas causada por aglomeración de sangre en el hígado.
HÍGADO m. *Anat.* Glándula digestiva de gran tamaño y de funciones muy complejas, que se encuentra en todos los vertebrados. • fig. Ánimo, valentía. Se usa más en pl.
* *Anat.* El h. de los peces tiene gran contenido de grasas. El h. fresco de los mamíferos se emplea en medicina para el tratamiento de la anemia perniciosa, esprue, etc. Las funciones del h. son: secreción de bilis, formación de glucógenos, fijación de las grasas, síntesis de proteínas esenciales para el organismo, contribución a la formación y destrucción de los hematíes y a la desintoxicación del cuerpo.
HIGADOSO, SA adj. *Amér. Centr.* Majadero.
HIGEA *Mit. gr.* Diosa de la salud y la medicina Hija de Esculapio y Lampecia. Higia para los romanos.
HIGHLANDER (voz ing.) m. Habitante de las Tierras Altas *(Highlands)* de Escocia.
HIGHLANDS Tierras altas de Escocia. Clima muy húmedo. Extensos pastos. Ganadería. Pesca. Avena, cebada y forrajes.
HIGHSMITH, ***Patricia*** (1921-1995) Escritora norteam. *Extraños en un tren*, *A pleno sol*, *Tras los pasos de Ripley*, *La casa negra*, *Carol.*
HIGIENE f. Parte de la medicina que trata de las normas de conservación de la salud, estudiando las relaciones del ser humano con el medio ambiente a fin de mejorar las condiciones sanitarias. • fig. Limpieza, aseo de las viviendas y poblaciones. • **men-**

tal. Rama de la higiene destinada a mantener la salud psíquica y asegurar la profilaxis de las neurosis y la psicosis; se dirige a los factores nocivos (como los *surmenages*, choques emocionales, intoxicaciones, alcoholismo, etc.) para el descubrimiento precoz de las disposiciones. • **privada.** Aquella de cuya aplicación cuida el individuo. • **pública.** Aquella en cuya aplicación interviene la autoridad, prescribiendo reglas preventivas. ■ HIGIÉNICO, CA; HIGIENISTA.

HIGIENIZAR tr. Disponer o preparar una cosa conforme a las prescripciones de la higiene.

HIGO m. Infrutescencia en sicono de la higuera. Es comestible y en su constitución intervienen numerosas flores y órganos anexos. • **chumbo, de pala** o **de tuna.** Fruto del nopal o higuera de Indias. • **melar.** Variedad de higo blanco y muy dulce. • f. fam. Vulva. • **De higos a brevas.** loc. adv. fig. y fam. De tarde en tarde.

HIGRÓFILO o **HIGRÓFITO, TA** adj. y s. Díc. de las plantas que viven en lugares muy húmedos.

HIGROMETRÍA f. Parte de la meteorología que se ocupa de los métodos de determinación de la humedad atmosférica. ■ HIGROMÉTRICO, CA.

HIGRÓMETRO m. Instrumento para medir el grado de humedad relativa de un gas. En meteorología se emplea para medir la humedad relativa del aire.

HIGROSCOPIA f. Higrometría. • Capacidad de una sustancia para absorber agua de la atmósfera.

HIGROSCOPICIDAD f. *Fís.* Capacidad de una sustancia para absorber agua de la atmósfera. ■ HIGROSCÓPICO, CA.

HIGROSCOPIO m. Higrómetro de absorción que se funda en la variación que experimentan ciertas sustancias en contacto con el aire.

HIGROSTATO m. Aparato destinado a mantener un determinado grado de humedad en un ambiente.

HIGUANA f. Iguana.

HIGUERA f. Planta arbórea propia de la región mediterránea. Sus frutos son la breva y el higo. • **chumba.** Nopal. ■ HIGUERAL.

HIGÜERA f. Ant. Vasija que se hace del fruto del higüero.

HIGUERETA f. Ricino.

HIGUERILLA f. dim. de higuera. • Ricino.

HIGÜERO m. Güira, árbol tropical.

HIGUERÓN o **HIGUEROTE** m. *Amér.* Árbol tropical de la familia moráceas, cuya madera se emplea para la construcción de embarcaciones.

HIGUERUELA f. Planta herbácea de la familia papilionáceas, de hojas partidas y flores azuladas.

HIGÜEY C. de la República Dominicana, cap. de la prov. de La Altagracia; 35 500 hab.

HIJADALGO f. Hidalga.

HIJASTRO, TRA m. y f. Respecto de uno de los cónyuges, hijo o hija que el otro ha tenido de un matrimonio anterior.

HIJATO m. Retoño o renuevo de planta.

HIJEAR intr. *Amér.* Ahijar, retoñar.

HIJILLO m. *Hond.* Emanación de los cadáveres.

HIJO, JA m. y f. Persona o animal, respecto de su padre o de su madre. • fig. Cualquier persona con respecto a la localidad o país donde ha nacido. • fig. Obra hecha por alguien o producto de su inteligencia. • fig. Religioso con relación al patriarca fundador de su orden ya la casa donde tomó el hábito. • Nombre que se suele dar al yerno y a la nuera respecto de los suegros. • Expresión de cariño. • m. Tallo tierno o retoño de una planta. • Sustancia esponjosa y blanca del interior del asta de los animales. • m. pl. Descendientes. • **bastardo.** El nacido de unión ilícita y cuyos padres no podían contraer matrimonio al tiempo de la concepción ni al del nacimiento. • **de algo.** Hidalgo. • **de papá.** El de familia acomodada. • **de puta.** exp. injuriosa y de desprecio. • **espurio.** Hijo bastardo. • **ilegítimo.** El de padre y madre no unidos entre sí por matrimonio. • **legítimo.** El nacido de legítimo matrimonio. • **natural.** El nacido de padres solteros que podían casarse al tiempo de tenerle. • **político.** Yerno o nuera. • **sacrílego.** El procreado con quebrantamiento del voto de castidad.

HIJODALGO m. Hidalgo.

HIJUELA f. Cosa aneja o subordinada a otra principal. • Tira de tela que se pone en una pieza de vestir para ensancharla. • Colchón estrecho y delgado, que se pone en la cama debajo de los otros para levantar el hoyo producido por el peso del cuerpo. • Pedazo de lienzo circular que cubre la hostia sobre la patena hasta el momento del ofertorio. • Canal o reguero que conduce el agua desde una acequia al campo que se ha de regar. • Camino o vereda que se separa de otro principal. • Expedición postal que lleva las cartas a los pueblos que están fuera del camino principal. • Documento donde se reseñan los bienes que tocan en una participación a uno de los herederos. • Conjunto de los mismos bienes. • Simiente que tienen las palmas y palmitos. • *Chile.* Fundo rústico que se forma de la división de otro mayor.

Paisaje de las **Highlands**

HIJUELAR tr. *Chile.* Dividir un fundo en hijuelas. • *Chile.* Dar la legítima a un legitimario en vida del ascendiente. ■ HIJUELACIÓN.

HIJUELERO m. Peatón, cartero.

HIJUELO m. Retoño de planta.

HILA f. Formación en línea. • Tripa delgada. • Hebra que se saca de un lienzo usado, y sirve para curar llagas y heridas. Se usa más en pl. • Acción de hilar. • **de agua.** Cantidad de agua que se toma de una acequia por un boquete de un palmo cuadrado. • **real de agua.** Volumen doble del anterior. • **A la h.** m. adv. Uno tras otro.

HILACHA f. o **HILACHO** m. o **HILARACHA** f. Pedazo de hila que se desprende de una tela. • Porción insignificante de alguna cosa. • Resto, residuo. ■ HILACHENTO, TA; HILACHOSO, SA; HILACHUDO, DA.

Higos

HILADA f. Formación en línea. • Serie horizontal de ladrillos o piedras que se van poniendo en un edificio. • *Mar.* Serie horizontal de tablones u otros objetos puestos a tope, uno a continuación de otro.

HILADILLO m. Hilo que sale de la maraña de la seda. • Cinta estrecha de hilo o seda.

HILAR tr. Reducir a un hilo una fibra textil. • Sacar de sí algunos insectos la hebra para formar el capullo. • fig. Discurrir, trazar o inferir unas cosas de otras. ■ HILADIZO, ZA; HILADO, DA; HILADOR, RA; HILANDERÍA; HILANDERO, RA; HILANZA.

HILARIDAD f. Exp. tranquila de alegría y de satisfacción. • Risa ruidosa, gralte. en una reunión. ■ HILARANTE.

HILARIO de Poitiers (315-367) Santo. Obispo de Poitiers, y doctor de la Iglesia. Intentó incorporar la teología gr. al pensamiento occidental. *Sobre la Trinidad*, *Los sínodos.*

HILATURA f. *Ind.* Proceso de conversión de una masa de fibras textiles sueltas en hilos de longitud indefinida y de diámetro uniforme. • pl. Manufactura de hilados. El algodón, la lana, el yute y el cañámo son las prales. fibras naturales empleadas en la h.

HILAZA f. Hilado, fibra textil reducida a hilo. • Hilo gordo y desigual. • Hilo con que se teje cualquier tela.

HILBERT, *David* (1862-1943) Matemático al. En sus *Fundamentos de geometría* abordaba la imp. cuestión de la independencia y coherencia lógica de los diversos sist. de axiomas de la geometría.

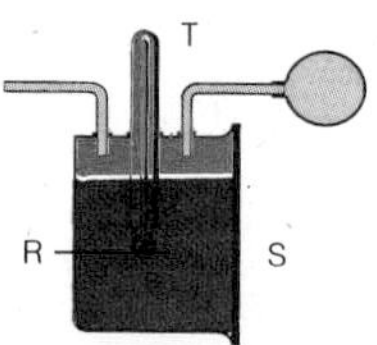

Higrómetro de condensación: al empañarse la pared *S*, las burbujas de aire pasan al recipiente *R* que contiene alcohol que se evapora, mientras se marca el descenso de la temperatura en el termómetro *T*

HILDEBRAND, *Bruno* (1812-1878) Economista al., uno de los fundadores de la escuela histórica. Creó el primer instituto de economía nacional y estadística. *La economía política del presente y del futuro.* • ***Dietrich von*** (1889-1977) Filósofo al. Discípulo de Husserl y de Scheler, empleó el método fenomenológico en sociología. *Liturgia y personalidad*, *Ética cristiana.*

Palacio de Belvedere (Viena), obra de J. L. von **Hildebrandt**

Rana ladradora, anfibio de la familia **hílidos**

HILDEBRANDSLIED *(Canto de Hildebrando)* Poema épico, el más ant. que se conoce en lengua al. (ss. VIII-IX).

HILDEBRANDT, ***Johann Lukas von*** (1668-1745) Arquitecto austr. Palacio del Belvedere en Viena y la residencia de Würzburg.

HILDESHEIM C. de Alemania, en Baja Sajonia; 99 500 hab. Centro ind. Antigua ciudad hanseática.

HILEMORFISMO o **HILOMORFISMO** m. Término del lenguaje filosófico que designa el sistema aristotélico que explica la composición de los cuerpos naturales, según el cual todo cuerpo natural consta de dos principios: materia prima y forma sustancial, relacionados entre sí como la potencia y el acto.

HILERA f. Orden o formación en línea de un número de personas o cosas. • Herramienta para producir alambre o hilo metálico partiendo de material laminado. • Hilo o hilaza fina. • *Arq.* Parhilera. • *Zool.* Abertura del cuerpo de algunos animales por la que sale al exterior la seda que segregan. Las h. son propias de algunos arácnidos (araneidos, escorpiones, etc.) y de muchos insectos, en especial de las fases larvarias de éstos (lepidópteros, embiópteros).

HILERO m. Señal que forma la dirección de las corrientes en las aguas del mar o de los ríos.

HILFERDING, ***Rudolf*** (1877-1941) Político socialdemócrata y economista al. Teórico del marxismo. *El capital financiero.*

HÍLIDO, DA adj. y m. *Zool.* Díc. de animales de la familia hílidos. • m. pl. *Zool.* Familia de anfibios anuros cuyos miembros se caracterizan por la posesión de discos adhesivos en los dedos. Comprenden numerosas especies de ranitas arborícolas, propias gralte. de los países tropicales.

HILIO m. *Anat.* Parte de un órgano parenquimatoso por donde entran y salen vasos, nervios linfáticos y canales excretores.

HILL, ***Archibald Vivian*** (1894-1967) Fisiólogo brit. Premio Nobel de Medicina en 1922, con Otto Meyerhof, por sus trabajos sobre la mecánica muscular. • ***Benjamín*** (1874-1920) Militar mex. Durante la rev. mex. combatió contra Huerta, se unió a Obregón y tomó la c. de México (1914). Carranza le nombró gobernador. Dirigió la guarnición de la cap. en 1916-1917 y 1920.

HILLA *(al-Hilla)* C. del centro del Irak, al S de Bagdad, cerca del emplazamiento de la ant. Babilonia; 84 800 hab. Mercado agrícola. Puerto fluvial sobre un ramal del Éufrates.

HILLARY, SIR ***Edmund Percival*** (nacido 1919) Alpinista y explorador neozelandés, que, junto con el *sherpa* Tensing, alcanzó la cima del Everest en 1953; dirigió una expedición a la Antártida en 1957 y, en 1958, llegó al polo Sur.

HILLERY, ***Patrick*** (nacido 1923) Político irl. Parlamentario desde 1951, fue miembro del consejo sanitario (1955-1957), y de 1959 a 1972 ocupó las carteras de Educación, Industria y Asuntos Exteriores. Elegido presid. en 1976 y reelegido en 1983.

HILO m. Hebra larga y delgada que se forma mediante la hilatura de materias textiles. • Ropa blanca de lino o cáñamo. • Alambre muy delgado que se saca de los metales con la hilera. • Filamento que segregan ciertos insectos y arácnidos. • Filo, arista, borde. • fig. Chorro muy delgado de un líquido. • fig. Continuación o serie del discurso y de otras cosas. • **bramante.** Hilo gordo de cáñamo. • **de empalomar.** Cordel delgado del cáñamo. • **de la muerte.** fig. Término de la vida. • **de la vida.** fig. Curso ordinario de ella. • **de perlas.** Cantidad de perlas enhebradas en un hilo. • **de pita.** El que se saca de esta planta. • **de velas.** *Mar.* Hilo de cáñamo. • **de voz.** Voz muy débil o apagada. • **A h.** m. adv. Sin interrupción. • Según la dirección de una cosa, en línea paralela con ella. • **Colgar de un h.** Estar en peligro. • **Perder el h.** fig. Olvidarse, en la conversación, de lo que se trata o se quiere decir. • **Por el h. se saca el ovillo.** Refrán. Por la muestra de una cosa se conoce lo demás de ella.

HILOBÁTIDO adj. y m. *Zool.* Díc. de los individuos de la familia hilobátidos. • m. pl. *Zool.* Familia de monos antropomorfos, caracterizada por la longitud que alcanzan sus extremidades anteriores. El grupo está constituido por siete especies de gibones.

HILOZOÍSMO m. *Fil.* Teoría de estoicos y epicúreos que considera a la materia dotada de vida.

HILVÁN m. Costura de puntadas largas con que se une y prepara lo que se ha de coser después. • *Chile.* Hilo que se emplea para hilvanar.

HILVANAR tr. Unir con hilvanes lo que se ha de coser después. • fig. y fam. Hacer algo con precipitación. • fig. Enlazar o coordinar ideas, frases, etc. • fam. y fig. Trazar, proyectar o preparar una cosa con precipitación. ■ HILVANADO, DA.

HILVERSUM C. de Países Bajos (prov. de Holanda Septentrional); 87 200 hab. Ind. textil y metalúrgica, talla de diamantes.

HIMACHAL Pradesh Estado del NO de la India, en el Himalaya occidental; 55 673 km², 5 111 100 hab. Cap., Simla. Clima continental condicionado por la alt. Agricultura. Ganadería. Industria textil.

HIMALAYA Cord. del S de Asia, de 2 800 km de long. y una anchura media de 300 km. Se extiende por Pakistán, India, Tíbet, Nepal, Sikkim y Bután. Dos alineaciones: Pequeño H. y Gran H., donde está el pico más alto del mundo, el Everest (8 848 metros).

HIMALAYO, YA adj. Relativo al Himalaya. • *Ling.* Díc. de las lenguas, de raíz tibetana o birmana, habladas en zonas próximas al Himalaya.

HIMEJI C. de Japón; 452 900 hab. Ind. siderúrgica, mecánica, química, textil. Castillo medieval (s. XIV). Templo budista.

HIMEN m. Fino diafragma densamente vascularizado, que se sitúa entre el conducto vaginal externo y el vestíbulo de la vagina, cerrando parcialmente aquél en la mujer virgen.

HIMENEO m. Boda o casamiento. • Epitalamio.

HIMENEO *Mit. gr.* Dios del desposorio, hijo de Apolo. También llamado Himen.

HIMENIO m. Conjunto de los esporangios de los cuerpos fructíferos de los hongos superiores.

HIMENÓPTERO, RA adj. y m. *Zool.* Díc. de insectos del orden himenópteros. • m . pl. *Zool.* Orden de insectos holometábolos, evolucionados, muchos de los cuales presentan extraordinario interés para el hombre.

* *Zool.* Los h. poseen grandes ojos compuestos, un ganglio cerebral complejo y un aparato bucal de tipo chupador o lamedor. El ciclo biológico de los h. tiene como rasgo común la existencia de una metamorfosis completa. El grupo comprende más de 100 000 especies, que se distribuyen en un centenar de familias.

HIMENOTOMÍA f. *Cir.* Incisión en el himen imperforado.

HIMMLER, ***Heinrich*** (1900-1945) Político al. Hitler le nombró jefe de la Gestapo (1934). Fue el pral. responsable del genocidio judío. Capturado, se suicidó antes de ser juzgado.

HIMNO m. Composición lírica destinada a expresar sentimientos inspirados en algo digno de alabanza. ■ HIMNARIO.

HIMPAR intr. Gemir con hipo.

HIMPLAR intr. Rugir la onza o la pantera. • Himpar.

HINAULT, ***Bernard*** (nacido 1954) Ciclista fr. Vencedor del *Tour* de Francia (1978, 1979, 1981, 1982 y 1985), el *Giro* de Italia (1980, 1982 y 1985), la Vuelta a España (1978 y 1983) y el campeonato del mundo de fondo en carretera (1980).

El **Himalaya** en Pumori, Nepal

HINAYANA m. Forma o tradición más ant. del budismo. Los hinayanistas predominan en Sri Lanka, Myanma, Camboya, Laos y Thailandia.
HINCAPIÉ m. Acción de hincar el pie para hacer fuerza. • **Hacer** uno **h.** fam. Insistir con tesón en una cosa.
HINCAR tr. Introducir o clavar una cosa en otra. • Apoyar una cosa en otra como para clavarla. • **Hincarse de rodillas.** Arrodillarse. ■ HINCADA; HINCADURA.
HINCHA f. fam. Odio o enemistad. • com. Partidario fanático de un equipo de fútbol. • P. ext., persona que demuestra excesivo entusiasmo por algo o por alguien.
HINCHAHUEVOS adj. y s. *Argent., Chile* y *Ur.* Persona cargante o molesta.
HINCHAR tr. y prnl. Hacer que aumente de volumen algún objeto, llenándolo de aire u otra cosa. • fig. Aumentar el agua de un río, arroyo, etc. • tr. fig. Exagerar, abultar una noticia o un suceso. • fig. y fam. Fastidiar, molestar. • prnl. Aumentar de volumen una parte del cuerpo, por herida o golpe o por causa patológica. • Hacer alguna cosa con exceso, como comer, beber, trabajar, etc. • fig. Envanecerse. ■ HINCHADO, DA; HINCHAMIENTO; HINCHAZÓN.
HINCO m. Puntal que se hinca en tierra.
HINCÓN m. Madero que se hinca en las márgenes de los ríos para amarrar las embarcaciones.
HINDEMITH, ***Paul*** (1895-1963) Violinista y compositor al. Es el autor más fecundo entre las dos guerras.
HINDENBURG, ***Paul von Beneckendorff*** (1847-1934) Militar y político prusiano. Presid. del Reich (1925 y 1932). En 1933 aceptó a Hitler como canciller.
HINDI m. *Ling.* Lengua hablada en la región central de la India y lengua federal of. de este país. Comprende un vasto conjunto de variantes, agrupadas como *h. occidental* e *h. oriental.*
HINDÚ adj. y s. Díc. de la persona que profesa el hinduismo. • De la India; indio.
HINDU KUSH Cadena montañosa de Asia, al NE de Afganistán; 900 km de long. Alt. máx. Tirich Mir (7 690 m).
HINDUISMO m. *Rel.* Conjunto de doctrinas, ritos y creencias que a partir del brahmanismo se han desarrollado en la India desde el s. IX. El cuerpo de doctrina se contiene en el *Ramayana*, el *Mahabharata* y los *Vedas*. El pral. principio moral consiste en no dañar a ningún ser vivo *(ahimsa).* ■ HINDUISTA.
HINIESTA f. Retama.
HINOJO m. Planta umbelífera, de flores pequeñas y amarillas, que desprende un olor agradable y se usa como condimento. • *Cuba.* Planta silvestre, compuesta. • Rodilla. Se usa más en pl. • **marino.** Hierba umbelífera, aromática, que abunda entre las rocas de la costa. • **De hinojos.** m. adv. De rodillas. ■ HINOJAL.
HINSHELWOOD SIR ***Cyril Norman*** (1879-1967) Químico brit. Premio Nobel de Química en 1956, con Semenov. Investigó sobre la cinética química y sobre las relaciones biológicas de las células desde el punto de vista fisicoquímico.
HINTERLAND (voz al.) m. Área o territorio que depende económica y culturalmente de un centro comercial próximo. • Terr. interior, por oposición a litoral.
HINTERO m. Mesa de panadero para amasar el pan.
HIOGLOSO, SA adj. *Anat.* Relativo al hioides y a la lengua. • *Anat.* Díc. de un músculo sit. en la porción lateroinferior de la lengua.
HIOIDES m. *Anat.* Hueso situado en la base de la lengua y encima de la laringe. ■ HIOIDEO, A.
HIOSCIAMINA f. Alcaloide que se extrae de un beleño empleado en la Antigüedad por su acción antiespasmódica y sedante.
HIPÁLAGE f. *Ret.* Figura que consiste en aplicar un complemento a una palabra distinta de aquella a la cual debería referirse lógicamente.
HIPAR intr. Tener hipo. • Resollar los perros cuando van siguiendo la caza. • Fatigarse mucho. • Gimotear. • fig. Desear con ansia una cosa. ■ HIPIDO.
HIPARCO de Nicea (s. II a. C.) Astrónomo gr. Descubrió la precesión de los equinoccios, compuso un catálogo de estrellas y utilizó por vez primera procedimientos trigonométricos de cálculo.
HIPÉRBATON m. *Gram.* Figura de construcción consistente en invertir el orden lógico en que deben colocarse las palabras.
HIPÉRBOLA f. *Geom.* Curva cónica, que es el lugar geométrico de los puntos del plano cuya diferencia de distancias a dos puntos fijos, llamados focos, es constante en valor absoluto.
HIPÉRBOLE f. *Ret.* Figura que consiste en aumentar o disminuir excesivamente la verdad de aquello de que se habla. ■ HIPERBÓLICO, CA; HIPERBOLIZAR.
HIPERBOLOIDE m. *Geom.* Superficie cuyas secciones planas son elipses, círculos o hipérbolas, y que se extiende indefinidamente en dos sentidos opuestos.
HIPERBÓREO, A adj. Aplícase a las regiones muy septentrionales y a los pueblos, animales y plantas que viven en ellas. • *Mit. gr.* Relativo a una raza bienaventurada que disfrutaba de eterna juventud.
HIPERCLORHIDRIA f. Exceso de ácido clorhídrico en el jugo gástrico.
HIPERCRISIS f. *Med.* Crisis violenta.
HIPERCRÍTICO, CA adj. Díc. de lo que contiene una crítica exagerada o excesivamente minuciosa y de quien la practica. • Censor inflexible. • f. Crítica exagerada.
HIPERÉMESIS f. Vómitos muy intensos y prolongados. Se aplica pralm. a los del embarazo.
HIPEREMIA f. *Med.* Congestión sanguínea en un órgano o parte del cuerpo.
HIPERESTESIA f. Sensibilidad excesiva y dolorosa. ■ HIPERESTESIAR; HIPERESTÉSICO, CA.
HIPERFOCAL adj. *Fot.* y *Ópt.* Díc. de la distancia existente entre un objetivo enfocado a infinito y el límite más cercano del campo nítido abarcado.
HIPERFUNCIÓN f. *Fisiol.* Aumento de la actividad normal de un órgano.
HIPERGOL m. → Propergol.
HIPERHIDROSIS f. Sudación exagerada.
HIPERICÁCEO, A adj. y f. *Bot.* Díc. de plantas de la familia gutíferas, que suelen tener jugo resinoso, con hojas por lo común enteras y opuestas; frutos capsulares o abayados y semillas sin albumen. • f. pl. *Bot.* Familia de estas plantas.
HIPÉRICO m. → Corazoncillo.
HIPERICÓN m. Planta herbácea que presenta hojas simples y enteras; flores agrupadas en cimas terminales corimbiformes, de pétalos amarillos, y frutos en cápsula.
HIPÉRIDES (389-322 a. C.) Orador ateniense, discípulo de Platón y de Isócrates. Discursos: *Contra Filípides, Discurso fúnebre.*
HIPERIÓN *Mit. gr.* Titán, hijo de Urano y Gea, y padre de Helios, Selene y Eos.
HIPERMERCADO m. Supermercado de grandes dimensiones.
HIPERMETAMORFOSIS f. Modo de desarrollo postembrionario de ciertos insectos, que pasan por más fases que los demás.
HIPERMETRÍA f. Figura poética que consiste en dividir una palabra para acabar con su primera parte un verso y empezar otro con la segunda.

Abeja metálica o dorada, insecto del orden **himenópteros**

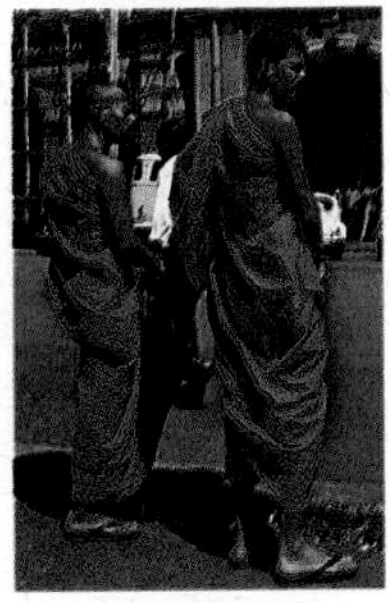
Monjes **hinayana** en Sri Lanka

Bulbo de **hinojo**

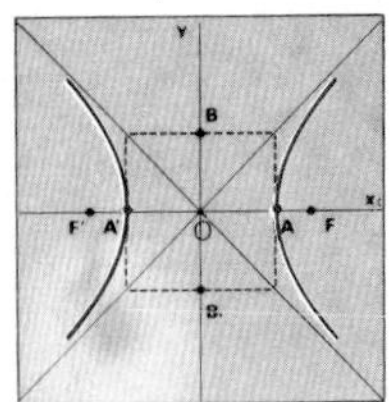

Hipérbola equilátera

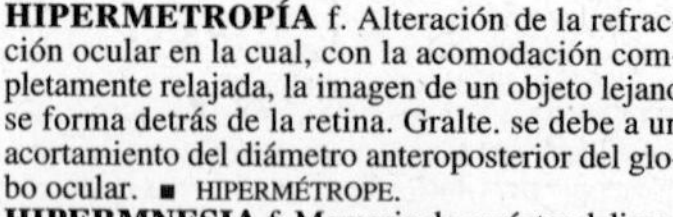

HIPERMETROPÍA f. Alteración de la refracción ocular en la cual, con la acomodación completamente relajada, la imagen de un objeto lejano se forma detrás de la retina. Gralte. se debe a un acortamiento del diámetro anteroposterior del globo ocular. ■ HIPERMÉTROPE.

HIPERMNESIA f. Memoria de carácter delirante, en la que se presentan numerosos recuerdos de hechos pasados.

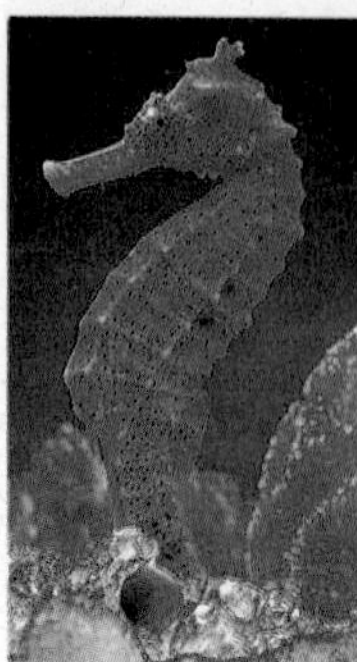

Hipocampo

HIPERÓN m. *Fís.* Partícula perteneciente a la componente dura de las radiaciones secundarias de origen cósmico. Su masa es 2 000 veces superior a la del electrón. Se denomina también barión y partícula Y.

HIPEROSMIA f. Aumento anormal de la sensibilidad olfativa.

HIPEROXIA f. Aumento de la presión parcial del oxígeno en el organismo.

HIPERPLANO m. *Mat.* Es un espacio euclídeo n-dimensional con $n > 3$, conjunto de puntos cuyas coordenadas verifican una ecuación lineal. Se trata de la generalización de la noción de plano en el espacio ordinario.

HIPERPLASIA f. Excesiva multiplicación de células normales en un órgano o tejido.

HIPERREALISMO m. *Arte.* Mov. artístico figurativo cuyo propósito es descubrir fríamente la realidad mediante la plasmación casi fotográfica y ampliada de lo ya existente.

HIPERSENSIBILIDAD f. Sensibilidad mayor que la normal. • *Pat.* Fenómeno que se manifiesta en los organismos tras haber sido sensibilizados por la inoculación o adquisición de cualquier antígeno. ■ HIPERSENSIBLE.

HIPERSÓNICO, CA adj. Velocidad varias veces superior a la del sonido. Díc. de los aviones que pueden volar a esas velocidades.

HIPERSTENA f. *Miner.* Silicato de hierro y magnesio, del grupo de los piroxenos, que cristaliza en el sistema rómbico. Se presenta en rocas intrusivas de tipo gabro y peridotita.

HIPERSUSTENTADOR m. *Aer.* Aleta suplementaria colocada en el dorso de las alas de los aeroplanos para aumentar la estabilidad del aparato.

HIPERTENSIÓN f. *Med.* Aumento del tono o tensión en general. Especialmente indica la h. arterial. ■ HIPERTENSO, SA.

HIPERTERMIA f. Aumento de la temperatura del cuerpo.

Hojas e inflorescencia de castaño de Indias, árbol de la familia **hipocastanáceas**

HIPERTIROIDISMO m. Exageración de las secreciones tiroideas. Se denomina también enfermedad de Basedow.

HIPERTONÍA f. Tono o tensión exagerados, especialmente el tono muscular.

HIPERTÓNICO, CA adj. Díc. de una solución cuya presión osmótica es mayor que la de otra. • Relativo a la hipertonía.

HIPERTROFIA f. *Med.* Aumento excesivo del volumen de un órgano. • fig. Desarrollo excesivo de cualquier cosa. ■ HIPERTROFIARSE; HIPERTRÓFICO, CA.

HIPERVITAMINOSIS f. *Pat.* Estado derivado de la administración excesiva de algunas vitaminas.

HIPIAS (m. 490 a. C.) Tirano de Atenas [527-510 a. C.], hijo y sucesor de Pisístrato. A partir del atentado de Harmodio y Aristogitón, endureció su régimen. Abdicó ante los ataques de los alcmeónidas y el descontento popular.

HÍPICA f. Deporte ecuestre. ■ HÍPICO, CA.

HIPISMO m. Conjunto de conocimientos relativos a la cría y educación de caballos.

HIPNOS *Mit. gr.* Dios del sueño, hijo de Nyx (Noche) y hermano gemelo de Thánatos (Muerte).

HIPNOSIS f. Estado de semiconsciencia, inducido artificialmente, en el que existe un aumento del automatismo y de las manifestaciones del inconsciente. ■ HIPNÓTICO, CA; HIPNOTISMO.

HIPNOTIZAR tr. Producir hipnosis. • fig. Fascinar a alguien. ■ HIPNOTIZACIÓN.

HIPO m. Ruido gutural explosivo provocado por contracciones del diafragma. ■ HIPOSO, SA.

HIPOACUSIA f. Disminución de la agudeza auditiva.

HIPOCAMPO m. *Zool.* Caballo marino, pez teleósteo.

HIPOCASTANÁCEO, A adj. y f. *Bot.* Díc. de plantas de la familia hipocastanáceas. • f. pl. *Bot.* Familia de plantas dicotiledóneas, leñosas, de hojas compuestas, flores vistosas y frutos en cápsula, con semillas solitarias y voluminosas.

HIPOCAUSTO m. Habitación que entre los gr. y los rom. se caldeaba por debajo de su pavimento.

HIPOCENTAURO m. *Mit.* Centauro, monstruo mitad hombre y mitad caballo.

HIPOCENTRO m. Punto del interior de la corteza terrestre en el que se origina un movimiento sísmico o terremoto.

HIPOCICLOIDAL adj. y f. *Geom.* Díc. de la curva descrita por un punto de una circunferencia cuando ésta rueda tangencialmente y sin deslizamiento por el interior de otra circunferencia.

HIPOCICLOIDE f. Curva hipocicloidal.

HIPOCINESIA f. Actividad muscular insuficiente. En un vuelo cósmico puede producirse debido a la ingravidez y a la estancia del astronauta en una cabina de pequeñas dimensiones.

HIPOCLORHIDRIA f. Disminución de la acidez (debida al ácido clorhídrico) normal del jugo gástrico.

HIPOCLORITO m. *Quím.* Sal del ácido hipocloroso. Los h. de sodio y de potasio son los más comunes, y se emplean para fabricar lejías y desinfectantes.

HIPOCONDRÍA f. *Pat.* Trastorno mental caracterizado por la preocupación injustificada del paciente por las funciones de su propio organismo y por los problemas de su salud. ■ HIPOCONDRIACO, CA.

HIPOCONDRIO m. *Anat.* Cada una de las dos partes laterales de la región epigástrica, situada debajo de las costillas falsas. Se usa más en pl.

HIPOCORÍSTICO, CA adj. Díc. de los nombres que en forma diminutiva, abreviada o infantil se usan como designaciones cariñosas, familiares o eufemísticas.

HIPOCRÁTES de Cos (460-377 a. C.) Médico gr. Con él comienza la superación de las prácticas religiosas y supersticiosas en el ámbito de la medicina, y la observación científica natural. Destacó la importancia de la dietética. Influyó de un modo decisivo en la medicina ant. y, a través de Galeno, en la medicina medieval.

HIPOCRÁTICO, CA adj. Relativo a Hipócrates o a su doctrina médica.

HIPOCRÉNIDES f. pl. Las musas.

HIPOCRESÍA f. Fingimiento de cualidades o sentimientos, y especialmente de devoción o virtud. ■ HIPÓCRITA.

HIPODERMIS f. Tejido celular subcutáneo. Su totalidad forma el llamado panículo adiposo, el cual es simultáneamente un depósito de grasa y de agua, y un cojinete captador de presiones. ■ HIPODÉRMICO, CA.

HIPÓDROMO m. Recinto para competiciones hípicas, especialmente carreras.

HIPÓFISIS f. *Anat.* Glándula de secreción interna, situada en la base del encéfalo, que regula el funcionamiento de otras glándulas con las hormonas que segrega.

HIPOFUNCIÓN f. Disminución de la función normal de un órgano.

HIPOGASTRIO m. *Anat.* Región inferior del abdomen, comprendida entre ambas fosas ilíacas. ■ HIPOGÁSTRICO, CA.

HIPOGÉNICO, CA adj. *Geol.* Díc. de los terrenos y rocas formados en el interior de la Tierra.

HIPOGEO adj. Díc. del animal que vive subterráneamente. • m. Cavidad subterránea que servía como habitación, lugar de culto o enterramiento. • Capilla o edificio subterráneo.

HIPOGLOBULIA m. *Pat.* Anemia.

HIPOGLOSO, SA adj. *Anat.* Que está debajo de la lengua. • m. *Zool.* Pez afín al lenguado, pero mucho mayor, pues llega a pesar hasta 300 kg. Vive en los fondos costeros y de aguas frías del Atlántico norte, y su carne es muy apreciada. • **mayor.** *Anat.* Duodécimo par craneal. Es un nervio motor que sale del sistema nervioso central. Después de un largo trayecto llega a la cara lateral de la lengua, cuyos músculos inerva. Su lesión produce parálisis de la lengua.

HIPOGLUCEMIA f. *Pat.* Disminución de la concentración de glucosa en la sangre por debajo de los límites normales.

HIPOGONADISMO m. Disminución de la fisiología de las glándulas sexuales.
HIPOGRIFO m. *Mit.* Animal mitad caballo y mitad grifo con alas.
HIPÓLITA *Mit. gr.* Reina de las amazonas, hija de Ares y Otrira.
HIPÓLITO *Mit. gr.* Hijo de Teseo e Hipólita o de Antíope, hermana de ésta.
HIPOLOGÍA f. Parte de la veterinaria que trata de los caballos. ■ HIPÓLOGO.
HIPÓMANES m. Secreción que se desprende de la vulva de la yegua cuando está en celo.
HIPÓMENES *Mit. gr.* Beocio que, enamorado de Atalanta, consiguió vencerla en la carrera que sostuvo con ella, obteniéndola en matrimonio.
HIPOPLASIA f. *Pat.* Reducción anormal del número de elementos constitutivos de un órgano o tejido.
HIPOPOTÁMIDO, DA adj. y m. *Zool.* Díc. de animales de la familia hipopotámidos. • m. pl. *Zool.* Familia de mamíferos artiodáctilos que cuenta con sólo dos especies afr. de gran tamaño, conocidas con el nombre de hipopótamos.
HIPOPÓTAMO m. Mamífero artiodáctilo de la familia hipopotámidos, de aspecto rechoncho y con un gran hocico redondo. Vive semisumergido en los ríos africanos, saliendo de noche del agua para forrajear.
HIPORQUEMA f. Canto acompañado de danza pantomímica; son famosos los compuestos por Píndaro y Baquílides.
HIPOSTASIS f. Acumulación de sangre en partes declives del cuerpo por debilidad de la circulación. • **cadavérica.** Manchas rojoazuladas que aparecen en las partes más declives del cuerpo después de la muerte.
HIPÓSTASIS f. *Fil.* El ser o la sustancia, de la cual los fenómenos son su manifestación. • *Gram.* Cambio de categoría que experimenta una palabra. • *Teol.* Supuesto o persona. Úsase más hablando de las tres personas de la Santísima Trinidad. ■ HIPOSTÁTICO, CA.
HIPÓSTILO, LA adj. *Arq.* Sostenido por columnas.
HIPOSULFÚRICO adj. *Quím.* Ácido inestable que se obtiene de la combinación de azufre y oxígeno, y cuyas sales son los *hiposulfatos*.
HIPOSULFUROSO adj. *Quím.* Díc. del ácido menos oxigenado de los hiposulfúricos. Sus sales son los *hiposulfitos*.
HIPOTÁLAMO m. *Anat.* Porción central del diencéfalo destinada a la regulación de las prales. funciones de la vida vegetativa.
HIPOTAXIS f. *Gram.* Subordinación de oraciones.
HIPOTECA f. Gravamen sobre bienes inmuebles por el que quedan adscritos como garantía de una obligación con que se garantiza el pago de un crédito. ■ HIPOTECAR; HIPOTECARIO, RIA.
HIPOTECNIA f. Estudio crítico de la cría, mejora y explotación del caballo.
HIPOTENSIÓN f. Tensión muy baja de la sangre en el aparato circulatorio. ■ HIPOTENSO, SA.
HIPOTENUSA f. *Geom.* Lado mayor de un triángulo rectángulo, opuesto al ángulo recto.
HIPOTERMIA f. *Fisiol.* Disminución de la temperatura corporal por debajo de lo normal.
HIPÓTESIS f. Suposición de una cosa para sacar de ella una consecuencia. • *Lóg.* Antecedente de toda proposición hipotética. • **de trabajo.** La que se formula para servir de guía en una investigación científica. ■ HIPOTÉTICO, CA.
HIPOTIPOSIS f. *Ret.* Descripción viva y eficaz de una persona o cosa.
HIPOTIROIDISMO m. Cuadro patológico causado por insuficiencia de la actividad del tiroides.
HIPOTONÍA f. *Pat.* Tonicidad disminuida, especialmente de los músculos. ■ HIPOTÓNICO, CA.
HIPOVITAMINOSIS f. Nombre genérico de los síndromes debidos a un déficit de vitaminas.
HIPOXIA f. Déficit de la concentración de oxígeno en la sangre.
HIPPARION m. *Pal.* Équido del mioceno y plioceno, en la era terciaria, muy similar al caballo actual.
HIPPY o **HIPPIE** adj. y s. Díc. del individuo perteneciente a un mov. juvenil nacido en la década de los años sesenta y caracterizado por el pacifismo y la práctica de una vida natural y al margen de la sociedad capitalista y de consumo. • fig. y fam. Díc. del individuo desaliñado, sucio, mal vestido.
HIPSÓFILO m. *Bot.* En la sucesión foliar de los tallos, cada una de las hojas superiores. Un ejemplo lo constituyen las brácteas.
HIPSOMETRÍA f. Parte de la topografía que se ocupa de la medición de las alturas. ■ HIPSOMÉTRICO, CA.
HIPSÓMETRO m. Instrumento para medir la altitud sobre el nivel del mar, a través del descenso del punto de ebullición del agua (1 °C por cada 297 m).
HIRACOIDEO, A adj. y m. *Zool.* Díc. de los mamíferos del orden hirocoideos. • m. pl. *Zool.* Orden de mamíferos ungulados, de tamaño pequeño y medio, que viven en zonas áridas de África y SO de Asia.
HIRAKATA C. de Japón, en la isla de Honshu; 382 300 hab. Metalurgia.
HIRCANIA *(Hyrkania)* Ant. región del Irán, sit. al SE del mar Caspio. Perteneció sucesivamente a los aqueménidas, seléucidas y partos. En 716 fue conquistada por los árabes.
HIRCO m. Cabra montés.
HIRCOCERVO m. Animal quimérico, compuesto de macho cabrío y ciervo.
HIRMA f. Orillo.
HIRMAR tr. Afirmar, poner firme.
HIROHITO (1901-1989) Emperador de Japón desde 1926. Impulsó el belicismo expansionista de su país. La derrota ante EE UU (1945) le obligó a establecer una monarquía constitucional.
HIROSHIGE, ***Ando*** (1797-1858) Grabador y pintor jap., gran paisajista que influyó en el impresionismo europeo. *Paisaje con arco iris, La carretera de Tokaido, Vistas de Kioto, Cien vistas de Edo.*
HIROSHIMA Prefectura de Japón, en la isla de Honshu; 8 467 km^2, 2 850 000 hab. Cap., la c. hom. (1 085 700 hab.). Puerto comercial y pesquero. El 6 de agosto de 1945 se lanzó sobre H. la primera bomba atómica, que causó 130 000 víctimas.
HIRSCH, ***Samson Raphael*** (1808-1888) Rabino al., fundador de la ortodoxia judía moderna.
HIRSUTISMO m. Síndrome que se da en algunas mujeres, que consiste en el desarrollo del sistema piloso en regiones normalmente carentes de pelo.
HIRSUTO, TA adj. Díc. del pelo disperso y duro y de lo que está cubierto de pelo de esta clase o de púas o espinas.
HIRUDÍNEO, A adj. y m. *Zool.* Díc. de animales de la clase hirudíneos. • m. pl. *Zool.* Clase de gusanos anélidos que se dividen en cuatro órdenes. Son hermafroditas y ovíparos.
HIRUNDINARIA f. Celidonia, hierba.
HIRUNDÍNIDO, DA adj. y m. *Zool.* Díc. de aves de la familia hirundínidos. • m. pl. *Zool.* Familia de aves paseriformes, llamadas vulgarmente golondrinas y aviones. Se conocen 79 especies, de pequeño tamaño y plumaje oscuro, extraordinariamente adaptadas al vuelo. La distribución de la familia es cosmopolita.
HIRVICIÓN f. *Ecuad.* Abundancia, hervidero.
HISAM I (757-796) Emir de Córdoba [788-796], hijo de Abd al-Rahman I. Organizó expediciones contra los reinos cristianos. • **II** (965-h. 1013) Califa de Córdoba [976-1013]. Hijo de al-Hakam II, era menor al morir su padre, por lo que Almanzor fue quien, de hecho, gobernó el califato. En 1010 tomó el poder, pero fue depuesto en 1013 por los beréberes.
HISCA f. Liga de cazar pájaros.
HISCAL m. Cuerda de esparto de tres ramales.
HISOPADA f. Rociada de agua echada con el hisopo. ■ HISOPAR; HISOPAZO ; HISOPEAR.
HISOPILLO m. Mata labiada, aromática, que se emplea como condimento y en medicina como tónico y estomacal.
HISOPO m. Mata muy olorosa de la familia de las labiadas, usada en medicina y perfumería. • Aspersorio para el agua bendita. Está formado por un bastón corto y redondo, en cuya extremidad se pone un manojito de cerdas o una bola de metal hueca con agujeros, y sirve para dar o esparcir agua bendita. • Manojo de ramitas que se usa con este mismo fin. • *Amér.* Brocha, escobón.
HISPALENSE adj. y s. De Sevilla.

Hipócrates de Cos en una miniatura medieval

Hipopótamo

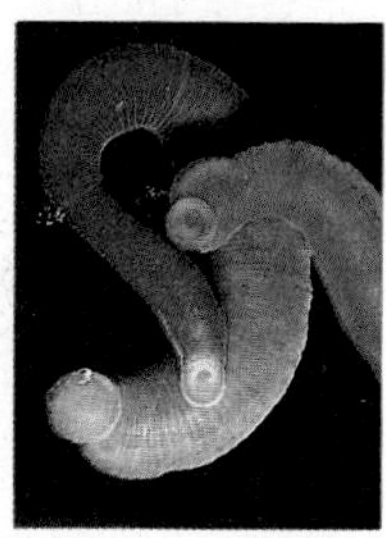
Sanguijuelas, anélidos de la clase **hirudíneos**

Golondrina, ave de la familia **hirundínidos**

HISPALIS Nombre latino de Sevilla.

HISPANIA Nombre latino de la pen. Ibérica. Tras varias divisiones territoriales, a finales del s. III se dividía en Bética, Lusitania, Tarraconense, Cartaginense y Gallaecia.

HISPÁNICO, CA adj. Español, relativo a España. • Relativo a la ant. Hispania.

HISPANIDAD f. Carácter genérico de los pueblos de lengua y cultura españolas. • Conjunto y comunidad de los pueblos hispanos.

HISPANIOLA Nombre con que Colón bautizó a la isla de La Española.

HISPANISMO m. *Ling.* Palabra esp. que ha llegado a formar parte del léxico de otro idioma. • Estudio que filólogos e historiadores realizan sobre aspectos culturales y sociales de España.

* *Ling.* El testimonio de escritores latinos como Varrón, Plinio, Quintiliano, y el de san Isidoro en el s. VII, hace suponer que nombres de ciertos productos que se obtenían en la península pasaron al vocabulario latino. No obstante, cuando la lengua y costumbres esp. alcanzaron mayor difusión y aceptación en Europa fue en los ss. XVI y XVII, especialmente en Francia e Italia. Consideración singular merecen los americanismos que a través de España entran en el continente europeo. ■ HISPANISTA.

HISPANIZAR tr. Españolizar.

HISPANO, NA adj. Hispánico. • adj. y s. Español. • Hispanoamericano.

HISPANOAMÉRICA f. Denominación del conjunto de países del continente americano nacidos de la colonización española.

HISPANOAMERICANISMO m. Doctrina que tiende a fomentar la solidaridad entre los pueblos hispanoamericanos.

HISPANOAMERICANO, NA adj. Relativo a los países de Hispanoamérica. • Díc. de los países de Amér. en que se habla esp. y de los individuos de habla esp. nacidos en ellos. • *Lit.* Lit. de esos países. → Latinoamericano, na • *Arte.* Díc. del arte realizado en esos países siguiendo los estilos en boga en España, especialmente durante los ss. XVI-XVIII.

* *Arte.* En el campo de la arq., el arte h. resultó ser la conjunción de modelos esp. con formas autóctonas. Por eso las zonas más ricas fueron aquellas donde se habían desarrollado las prales. culturas precolombinas. Se utilizaron los estilos gótico, mudéjar, renacimiento y barroco, siendo el churrigueresco el de mayor arraigo. La tipología característica de la arq. h. estaba concentrada en construcciones religiosas: iglesias, monasterios, ermitas, etc. Entre ellas destacan las de México, Quito, Lima y Cuzco.

* *Lit.* Aunque la lit. h. sólo alcanza a definirse como fenómeno específico a partir de la indep., no podemos referirnos a los escritores criollos fuera de la tradición literaria de España, que desde el momento de la conquista envió las últimas publicaciones de la pen. Ibérica. La primera noticia historiográfica de América es obra del descubridor, *Cartas* y *Diario*, a la que seguirán las de otros cronistas, como Hernán Cortés, Bartolomé de las Casas, Bernal Díaz del Castillo, Cieza de León, etc. Mención especial merece la crónica de Alonso Ercilla, la *Araucana*. Las crónicas alcanzan durante el s. XVII gran desarrollo gracias a las órdenes religiosas establecidas en el Nuevo Mundo. La implantación de la imprenta y la fundación de universidades facilitó el florecimiento de la lit. h. La implantación del teatro siguió un proceso parecido al de su nacimiento en la metrópoli: en sus inicios tuvo un carácter religioso. A mediados del s. XVIII casi todas las grandes cap. poseían teatros. La producción dramática h. alcanzó su madurez con las obras de Juan Ruiz de Alarcón y sor Juana Inés de la Cruz.

HISPANÓFILO, LA adj. y s. Díc. del extranjero aficionado a la cultura e historia de España.

HISPANOHABLANTE adj. y s. Díc. de la persona, comunidad o país que tiene como lengua materna el español.

HISPANOMUSULMÁN, NA o **HISPANOÁRABE** adj. y s. De la España musulmana. • adj. Relativo a ella. • *Arte.* Estilo artístico desarrollado en España durante la ocupación ár. Libre de tradiciones constructivas, el arte ár. esp. adoptó formas arquitectónicas nativas. Entre las obras más imp. destacan la gran mezquita de Córdoba, Medina al-Zahra y la Alhambra en el foco andaluz; la mezquita toledana, hoy ermita del Cristo de la Luz, en Toledo y la Aljafería en Zaragoza.

HISPANO-NORTEAMERICANA, ***Guerra*** Lucha armada entre España y EE UU (1898). La postura estadounidense de apoyo a los insurgentes cubanos se endureció cuando McKinley subió al poder. Los desastres de Cavite y Santiago obligaron a España a firmar la pérdida de sus últimas colonias.

HISPANORROMANO, NA adj. y s. De la España romana.

HÍSPIDO, DA adj. De pelo áspero y erizado.

HISPIR tr., intr. y prnl. Esponjar, ahuecar algo.

HISTADRUT Organización sindical de Israel, creada en 1920, que agrupa al 70 % de los trabajadores de dicho país.

HISTAMINA f. Sustancia orgánica, presente en el cornezuelo del centeno y en el organismo animal, que se libera en el *shock* traumático, en la inflamación y en los fenómenos anafilácticos e interviene así mismo en la secreción gástrica y en las reacciones alérgicas. ■ HISTAMÍNICO, CA.

HISTÉRESIS f. *Fís.* Fenómeno por el cual una sustancia depende no sólo de la causa excitadora, sino también de los estados anteriores; se manifiesta por el retraso del efecto sobre la causa que lo produce.

HISTERIA f. o **HISTERISMO** m. *Psiq.* Neurosis que provoca trastornos diversos: dolor de cabeza, pérdida de la voz, crisis de ansiedad, dolor abdominal, convulsiones, etc. El trastorno de la personalidad en la h. se caracteriza por la inmadurez e inestabilidad emocionales. ■ HISTÉRICO, CA.

HISTEROLOGÍA f. *Ret.* Figura que consiste en invertir el orden lógico de las ideas, diciendo antes lo que debiera decirse después.

HISTEROMANÍA f. Aumento anormal del apetito sexual de la mujer.

HISTEROTOMÍA f. *Cir.* Incisión del útero. • *Cir.* Cesárea.

HISTOGENIA f. Formación de los tejidos orgánicos.

HISTOGRAMA m. Gráfico utilizado para representaciones estadísticas, formado por rectángulos

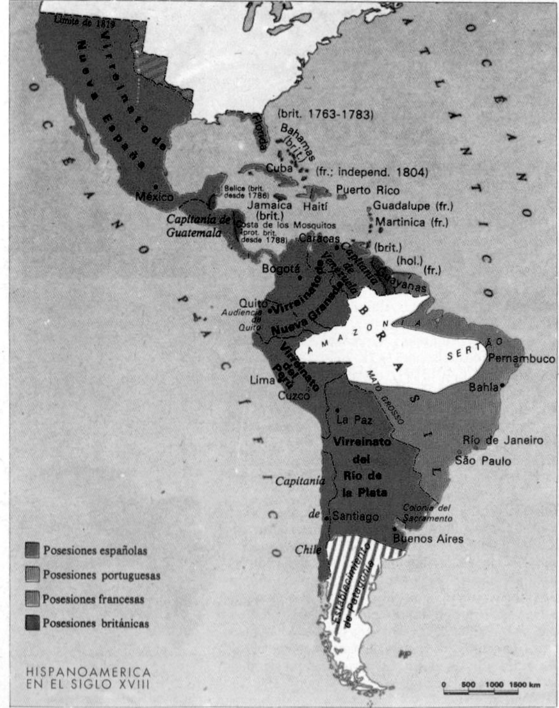

HISPANOAMERICA EN EL SIGLO XVIII

de igual anchura y alt. proporcional a las cantidades que representan.

HISTOLOGÍA f. Parte de la anatomía que trata del estudio microscópico de los tejidos orgánicos. ■ HISTOLÓGICO, CA; HISTÓLOGO, GA.

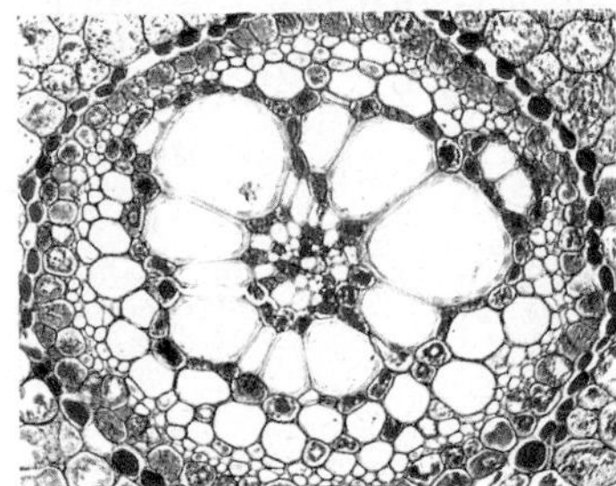

Histología. Haz vascular de un helecho rodeado de tejido parenquimático

HISTOQUIMIA f. Ciencia que estudia la composición química de las células y tejidos.

HISTORIA f. Conocimiento del pasado de la humanidad, desde la aparición del ser humano hasta nuestros días. • Obra histórica compuesta por un escritor. • Obra en la que se refieren los acontecimientos de un pueblo o personaje. • Conjunto de acontecimientos de carácter privado ocurridos a una persona. • fig. Narración inventada. • fig. y fam. Cuento, chisme. • **clínica.** Relación de datos que sirven para diagnosticar una enfermedad. • **natural.** Conjunto de ciencias que estudian los animales, vegetales y minerales. • **universal.** La de todos los tiempos y pueblos del mundo. ■ HISTORIADOR, RA; HISTORICIDAD; HISTÓRICO, CA.

* *Hist.* La necesidad que tiene el hombre de comprender su pasado justifica la búsqueda de los datos que permitan reconstruirlo y de las causas que han determinado las distintas etapas. El ant. método de «h. horizontal» (enumeración cronológica militar o política) hubo de esperar a los grandes cambios sociales, políticos y científicos de los ss. XVIII y XIX para ensamblarse con la «h. vertical», que relaciona distintos factores (cultural, social, económico), ahondando para ello en los factores determinantes de cada proceso, en estrecha colaboración con las otras ciencias sociales. El análisis, la comparación y la especialización forman parte de las grandes concepciones históricas (positivismo, materialismo histórico, *École des Annales*).

HISTORIADO, DA adj. fig. y fam. Recargado de adornos o de colores. • *Pint.* Aplícase al cuadro o dibujo que representa una escena en que toman parte los distintos personajes.

HISTORIAL adj. Relativo a la historia. • m. Reseña circunstanciada de los antecedentes de un negocio, o de los servicios o carrera de un funcionario o de cualquier otra persona.

HISTORIAR tr. Contar o escribir historias. • Exponer las vicisitudes por que ha pasado una persona o cosa. • fam. *Amér.* Complicar, confundir, enmarañar. • Pintar o representar un suceso histórico o fabuloso en cuadros, estampas o tapices.

HISTORICISMO m. *Fil.* Doctrina que subraya de modo especial el carácter histórico de la realidad, y más específicamente de la realidad humana. Hegel, Ranke, Dilthey y Croce fueron sus prales. representantes.

HISTORIETA f. Cuento breve y divertido, anécdota. • Cómic, historia breve ilustrada.

HISTORIOGRAFÍA f. Conjunto de libros de historia. • Estudio biográfico y crítico de los escritossobre historia y sus fuentes, y de los autores que han tratado de estas materias. ■ HISTORIOGRÁFICO, CA; HISTORIÓGRAFO, FA.

HISTORIOLOGÍA f. Teoría de la historia; en especial la que estudia la estructura, leyes o condiciones de la realidad histórica.

HISTRÍCIDO, DA adj. y m. *Zool.* Díc. de animales de la familia histrícidos. • m. pl. *Zool.* Familia de mamíferos roedores, localizada en el continente africano y en el sur de Asia. Cuenta con veinte especies de puercos espines.

HISTRIÓN m. El que representaba disfrazado en la comedia o tragedia antigua. • Actor teatral. • Persona que se conduce de manera teatral. ■ HISTRIÓNICO, CA.

HISTRIONISA f. Mujer que representaba o bailaba en el teatro.

HISTRIONISMO m. Oficio de histrión. • Conjunto de las personas dedicadas a este oficio.• Afectación o exageración expresiva propia del histrión.

HIT (voz ing.) m. Referido a grabaciones musicales, triunfo, éxito. • adj. Díc. tambiénde las obras o hechos que alcanzan rápidamente el aclamo popular. • **parade.** Clasificación de discos según su volumen de ventas u otros criterios, que aparece periódicamente en los medios de difusión.

HITA f. Clavo pequeño sin cabeza. • Hito o mojón.

HITA, *Arcipreste de* → Arcipreste de Hita.

HITACHI C. de Japón, sit. en el E de la isla de Honshu; 193 500 hab. Ind. metalúrgica.

HITAR tr. Separar las tierras con hitos. ■ HITACIÓN.

HITCHCOCK, *Alfred* (1899-1980) Director de cine brit., nacionalizado norteam. Gran maestro del suspense, que matizó de una fina ironía. *Rebeca* (Oscar en 1940), *El hombre que sabía demasiado, Alarma en el expreso, Recuerda, Extraños en un tren, Falso culpable, Vértigo, Psicosis, Los pájaros.*

HITITA adj. y s. Individuo de un pueblo indoeuropeo que apareció h. el 2000 a. C. en Asia Menor central, donde formó un poderoso est. El imperio h. se divide en dos etapas: Ant. imperio h. (1640-1380 a. C.) y Nuevo imperio h. (1380-1200 a. C.). • adj. Relativo a ese pueblo. • m. pl. Ese mismo pueblo.

HITLER, *Adolf* (1889-1945) Político al., de origen austr. Al fin de la I Guerra Mundial tomó contacto con el partido obrero alemán, que convirtió en el partido nacionalsocialista, cuya ideología resumió en su obra *Mein Kampf.* Nombrado canciller en 1933, disolvió el parlamento, abolió el sist. federal, prohibió partidos y sindicatos, creó los campos de concentración y procedió a la liquidación sistemática de comunistas y judíos. En 1939 desencadenó la II Guerra Mundial al invadir Polonia. Murió en 1945, se cree que por suicidio. ■ HITLERIANO, NA.

HITO, TA adj. Unido, inmediato. Sólo tiene uso en la loc. *calle*, o *casa, hita.* • Fijo, firme. • m. Mojón o poste de piedra. • Juego en el que se tiran herrones o tejos a un clavo fijo en tierra. • fig. Punto adonde se dirige la puntería para acertar el tiro. • **A h.** m. adv. Fijamente, con permanencia en su lugar. • **Mirar de h. en h.** Fijar con atención la vista en un objeto sin distraerla a otra parte.

HITÓN m. *Min.* Clavo grande cuadrado y sin cabeza.

HITTORF, *Johann Wilhelm* (1824-1914) Físico y químico al. Descubrió los rayos catódicos. También estudió el espectro solar e investigó las propiedades del selenio y del fósforo.

HJELMSLEV, *Louis Trolle* (1899-1965) Lingüista danés, fundador del Círculo Lingüístico de Copenhague. En *Principios fundamentales del lenguaje* expuso las bases de la → glosemática.

Ho *Quím.* Símb. del holmio.

HO Chi Minh (1890-1969) Político vietnamita. Fundó el partido comunista indochino en 1930 y, tras la indep., ostentó los cargos de secretario gral. del partido, presid. de la República Democrática (Vietnam del Norte) y jefe de gobierno. Impulsó la ayuda militar a las guerrillas de Vietnam del Sur. *Proceso de la colonización francesa, Carnet de prisión* (poemas).

HO Chi Minh, *Ciudad* (*Thanh-Phô Hô Chi Minh*; ant. *Saigón*) C. de Vietnam; 3 420 000 hab. Sit. a orillas del r. Saigón, en el delta del Mekong, a 80 km del mar de la China meridional. Constituye la mayor concentración urbana, comercial e industrial del país. Tras la reunificación de Vietnam (1975), recibió su actual denominación.

HOACÍN m. *Amér. Merid.* Ave galliforme de las selvas, que vive gralte. en las copas de los árboles.

HOANG-HO o **HUANG-HO** R. del N de China, llamado también *Amarillo;* 4 845 km. Desemboca en el golfo de Chihli formando un gran delta. • Prov. de China; 167 000 km^2, 85 509 535 hab. Cap., Chengchou.

Puerco espín, mamífero de la familia **histrícidos**

Arte **hitita.** Jarra de oro decorada con motivos geométricos repujados. Museo Arqueológico de Ankara, Turquía

Adolf **Hitler**

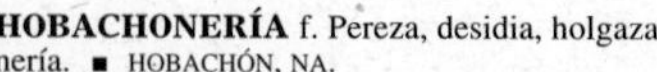

HOBACHONERÍA f. Pereza, desidia, holgazanería. ▪ HOBACHÓN, NA.
HOBART C. de Australia, cap. del est. de Tasmania; 174 000 hab. Puerto en la desembocadura de Derwent. Ind. metalúrgica.
HOBBEMA, ***Meindert*** (1638-1709) Pintor hol. Fue discípulo de Jacob van Ruysdael y se distinguió en la pintura de paisaje. *La avenida de Middelharnis.*
HOBBES, ***Thomas*** (1588-1679) Filósofo ing. H. define al hombre como ser antisocial en constante guerra de todos contra todos. El interés en subsistir sin temor a ser destruido conduce al «contrato social». *Elementos de la ley natural y política, Sobre el ciudadano, Leviathan.*
HOBBY (voz ing.) m. Afición o pasatiempo.
HOBO (voz caribe) m. *Bot.* Jobo, árbol amer. de la familia anacardiáceas.
HOBSON, ***John A.*** (1858-1940) Economista brit., autor de una teoría del subconsumo basada en el desequilibrio entre gastos de capital y de consumo, a causa del exceso de ahorro de una minoría opulenta. *Fisiología de la industria, El sistema industrial.*

Jugador de **hockey** sobre hielo

HOCHHUTH, ***Rolf*** (nacido 1931) Dramaturgo al., autor de obras de contenido histórico crítico. *El Vicario* es una requisitoria contra la inacción de Pío XII frente al genocidio de los judíos por los nazis. *Lisístrata y la OTAN.*
HOCICAR tr. Levantar la tierra con el hocico. • intr. Dar de hocicos en algo o contra algo. • fig. y fam. Tropezar con un obstáculo insuperable. • fig. y fam. Besar. • *Mar.* Hundir o calar la proa.
HOCICO m. Parte más o menos prolongada de la cabeza de algunos animales, en que se hallan la boca y la nariz. • Boca de persona cuando tiene los labios muy abultados. • fig. y fam. Cara de una persona. • fig. y fam. Gesto que denota enojo o desagrado. ▪ HOCICADA; HOCICÓN, NA.
HOCINO m. Instrumento corvo de hierro para cortar leña o para trasplantar. • Terreno que dejan las quebradas de las montañas cerca de los ríos. • Angostura de un río entre dos montañas.
HOCIQUERA f. *Perú.* Bozal de los animales.
HOCKETT, ***Charles F.*** (nacido 1916) Lingüista norteam. Creador de las cajas que llevan su nombre, para la representación gráfica de los instituyentes de la oración. *Manual de fonología, Curso de lingüística moderna.*
HOCKEY (voz ing.) m. Dep. Juego entre dos equipos que golpean una pelota con un palo de extremo curvo (*stick*), para introducirla en la portería contraria. Varias modalidades: h. sobre hierba, h. sobre hielo y h. sobre patines.
HOCO m. *Bol.* Calabacín. • *Amér. Centr.* Pauji, ave.
HODEIDA *(al-Hudaydah)* C. y puerto del Yemen, en el litoral del mar Rojo; 126 400 hab. Exportación de café y dátiles. Pral. puerto del país.
HODGKIN, ***Dorothy Mary*** (nacida 1910) Química brit. Realizó investigaciones cristalofísicas y cristaloquímicas, y determinó las estructuras de la penicilina y la vitamina B_{12}. Se le concedió el Premio Nobel de Química en 1964. • ***Thomas*** (1798-1866) Médico brit. Describió la enfermedad que lleva su nombre (linfogranuloma maligno), la cual ataca preferentemente los tejidos linfoadenoides y produce un aumento progresivo e indoloro de los ganglios linfáticos con afectación grave del estado general.
HODIERNO, NA adj. Relativo al día de hoy o al tiempo presente. • Moderno, actual. • Díc. del pan tierno.
HODJA, ***Enver*** → Hoxha.
HODÓGRAFA f. Lugar geométrico de los extremos de los vectores representativos de la velocidad de un punto que recorre una trayectoria cualquiera, trasladados a un origen común.
HODÓMETRO m. Odómetro.
HOFEI *(Hefei)* C. de la República Popular China, cap. de la prov. de Anhwei; 800 000 hab. Mercado agrícola. Ind. textil.
HOFF, ***Jacobus Henricus van't*** (1852-1911) Físico y químico hol. Premio Nobel de Química en 1901 por establecer los principios de la estereoquímica y de la cinética química.
HOFFMAN, ***Dustin*** (nacido 1937) Actor de cine norteam. *Cowboy de medianoche, El graduado, Pequeño gran hombre, Lenny, Marathon Man, Kramer contra Kramer* (Oscar al mejor actor en 1979), *Tootsie, Muerte de un viajante* (teatro). • ***Ernst Theodor Amadeus*** (1776-1822) Escritor, mú sico y pintor al. Dotado de una gran imaginación, es un penetrante observador del ambiente. *El elixir del diablo, Cascanueces.*

Diversos tipos de **hoja.** De arriba abajo: de borde aserrado; compuesta heptafoliada de borde aserrado; palminerviada; compuesta imparipinnada

HOFMANNSTHAL, ***Hugo von*** (1874-1929) Poeta y escritor dramático austr. *Cualquiera, El gran teatro del mundo de Salzburgo.*
HOGAÑO adv. tiempo. fam. En este año, en el año presente. • P. ext., en esta época.
HOGAR m. Sitio donde se coloca la lumbre en las cocinas, chimeneas, hornos de fundición, etc. • Hoguera. • fig. Casa o domicilio. • fig. Vida de familia. ▪ HOGAREÑO, ÑA.
HOGARTH, ***William*** (1697-1764) Pintor y grabador ing. Uno de los creadores de la sátira moralizadora. *Vida de una cortesana, Vida de un libertino.*
HOGAZA f. Pan grande de más de dos libras. • Pan de harina mal cernida, con algo de salvado.
HOGGAR → Ahaggar.
HOGUERA f. Porción de materias combustibles que, encendidas, levantan mucha llama. En especial, fuego encendido en el suelo y al aire libre.
HOHENSTAUFEN Dinastía al. que rigió el imperio germánico de 1138 a 1254. Mantuvo constantes luchas con los papas, por lo que toda la familia fue excomulgada.
HOHENZOLLERN Dinastía prusiana que reinó en Prusia y Alemania. A esta dinastía pertenecía Guillermo II, rey de Prusia y último emp. de Alemania (1918).
HOJA f. *Bot.* Órgano laminar que nace en la extremidad de los tallos y ramas de los vegetales, cuya función pral. es realizar la fotosíntesis. • Pétalo. • Lámina delgada de cualquier materia. • En los libros y cuadernos, cada una de las partes iguales que resultan al doblar el papel para formar el pliego. • Laminilla delgada, a manera de escama, que se levanta en los metales al tiempo de batirlos. • Cuchilla de las armas blancas y herramientas. • Cada una de las capas delgadas en que se suele dividir la masa, como sucede en los hojaldres. • Porción de dehesa, que se siembra o pasta un año y se deja descansar otro. • En las puertas, ventanas, etc., cada una de las partes que se abren y se cierran. • Mitad de cada una de las partes prales. de que se compone un vestido. • *Mec. apl.* Laminilla de acero que constituye un muelle simple de flexión o que forma parte del haz de hojas de los muelles compuestos de flexión. • fig. Espada. • **acicular.** *Bot.* La linear, puntiaguda y por lo común perenne, como las del pino. • **blastodérmica.** Cada una de las capas celulares que constituyen las primeras fases del embrión de los animales pluricelulares. • **compuesta.** *Bot.* La que está dividida en varias hojuelas separadamente articuladas. • **de afeitar.** Laminilla muy delgada de acero que, colocada en un instrumento especial, sirve para afeitar. • **de ruta.** Documento en que constan mercancías que contienen los bultos que transporta un tren, camión u otro medio de transporte. • **de servicios.** Documento en que constan los antecedentes personales de un funcionario público en el ejercicio de su profesión. • **digitada.** *Bot.* La compuesta cuyas hojuelas nacen del peciolo común, separándose a manera de los dedos de la mano abierta. • **entera.** *Bot.* La que no tiene ningún seno ni escotadura en sus bordes. • **envainadora.** *Bot.* La que envuelve el tallo. • **perfoliada.** *Bot.* La que por su base y nacimiento rodea enteramente el tallo, pero sin formar tubo. • **sentada.** *Bot.* La que carece de peciolo. ▪ HOJOSO, SA.
* *Bot.* Las h. poseen diversas partes: limbo o lámina foliar, peciolo y base foliar. Están formadas por: una epidermis, con o sin estomas; un parénquima en empalizada, de células prismáticas fotosintéticas; un parénquima lagunar, de células redondeadas por las que pasan los nervios conductores, y la epidermis inferior, gralte. con estomas.
HOJALATA f. *Metal.* Chapa de hierro o acero con revestimiento de estaño. Muy usada en la ind. del envase. ▪ HOJALATERÍA; HOJALATERO, RA.
HOJALDA f. *Amér.* Hojaldre.
HOJALDRA f. *Amér.* Hojaldre. • *C. Rica.* Rosca o torta.
HOJALDRE m. Pasta amasada con manteca que, cocida al horno, forma hojas delgadas superpues-

tas. ■ HOJALDRADO, DA; HOJALDRAR; HOJALDRERO, RA; HOJALDRISTA.

HOJARANZO m. Ojaranzo, variedad de jara. • Adelfa.

HOJARASCA f. Conjunto de las hojas que han caído de los árboles. • Excesiva frondosidad de algunos árboles o plantas. • fig. Cosa inútil y de poca sustancia.

HOJEAR tr. Mover o pasar ligeramente las hojas de un libro. • Pasar las hojas de un libro leyendo deprisa algunos pasajes. • intr. Tener hoja un metal. • Moverse las hojas de los árboles.

HOJEDA, *Diego de* (1570-1616) Poeta esp., sevillano, dominico. En *La Cristiada* narra la Pasión de Jesucristo.

HOJUELA f. dim. de hoja. • Masa frita muy extendida y delgada. • *Cuba.* Hojaldre. • Hoja pequeña que forma parte de otra compuesta.

HOKKAIDO Isla del Japón, la más septentrional del arch., y prefectura; 78 523 km², 5 644 000 hab. Cap., Sapporo. Pesca. Carbón y azufre. Industria papelera, siderúrgica y alimentaria.

HOKUSAI, *Katsushika* (1769-1849) Dibujante y grabador jap. Notable paisajista. *Treinta y seis vistas del Fuji. Ocho vistas de Edo.*

¡HOLA! interj. que se emplea para saludar familiarmente o denotar extrañeza.

HOLÁN m. Holanda, lienzo. • *Méx.* Faralá, volante del vestido.

HOLANCINA f. *Cuba.* Tela de algodón ligera y transparente.

HOLANDA f. Lienzo muy fino de origen holandés. • Aguardiente obtenido por destilación directa de vinos puros.

HOLANDA *(Holland)* Región del O de Países Bajos, dividida en dos prov., H. Septentrional y H. Meridional. C. prales. La Haya, Amsterdam y Rotterdam. Terreno llano, bajo el nivel del mar. Una línea de diques la protege de las aguas. Agricultura.

HOLANDÉS, SA adj. y s. De Holanda o de Países Bajos. • adj. Relativo a esa nación de Europa. • adj. y f. Hoja de papel de 28 por 22 cm. • m. Idioma hablado en Holanda.

HOLANDILLA u **HOLANDETA** f. Lienzo usado para forros de vestidos.

HOLÁRTICO, CA adj. Díc. de una vasta área zoogeográfica, que engloba el continente eurasiático, salvo en su parte S, y América del Norte.

HOLBACH, *Paul Heinrich Dietrich*, BARÓN DE (1723-1789) Filósofo materialista fr., de origen al. *El cristianismo al descubierto, Sistema de la naturaleza.*

HOLBEIN, *Hans*, llamado EL JOVEN (1497-1543) Pintor y grabador al., hijo de Hans Holbein el Viejo. Con la reforma se trasladó a Inglaterra, donde se quedó como retratista de la corte. Fueron sus modelos Enrique VIII y sus esposas, el duque de Norfolk, etc. • ***Hans*,** llamado EL VIEJO (1465-1524) Pintor al., influido por el realismo flamenco. Retratos, proyectos de obras de orfebrería.

HOLDEN Roberto, *José Gilmore,* llamado (nacido 1928) Político angoleño. En 1961 formó un gobierno en el exilio e impulsó la formación del Frente Nacional para la Liberación de Angola. Al lograr Angola la indep. (1975) dirigió, con J. Savimbi, las guerrillas contra el régimen socialista angoleño. Desde 1980 vive en París.

HÖLDERLIN, *Friedrich* (1770-1843) Poeta romántico al. Su temática es casi exclusivamente la Grecia clásica, pero en su obra palpita el romanticismo. *Cantos del destino.*

HOLDING (voz ing.) m. *Econ.* Monopolio en forma de sociedad anónima cuyo fines controlar o tras empresas por medio de acciones. Puede ser una sociedad financiera o un grupo bancario.

HOLGAR intr. Descansar, tomar aliento después de una fatiga. • Estar ocioso, no trabajar. • intr. y prnl. Alegrarse de una cosa. • intr. Dicho de las cosas inanimadas, estar sin ejercicio o sin uso. • prnl. Divertirse. ■ HOLGACHÓN, NA; HOLGADERO; HOLGADO, DA; HOLGANZA.

HOLGAZANEAR tr. Estar voluntariamente ocioso, o trabajando muy poco. ■ HOLGAZÁN, NA; HOLGAZANERÍA.

HOLGORIO m. fam. Regocijo, diversión bulliciosa.

HOLGUETA f. fam. Holgura, regocijo, diversión entre muchos.

HOLGUÍN Prov. del E de Cuba; 9 296 km², 972 000 hab. Cap., la c. hom. Ind. metalúrgicas. • C. de Cuba, cap. de la prov. hom.; 236 900 hab. Ind. agropecuarias.

HOLGUÍN, *Andrés* (nacido 1918) Escritor col. *Tierra humana, La poesía inconclusa y otros ensayos, Las mejores poesías colombianas.* • ***Carlos*** (1832-1894) Político y escritor col., presid. de la rep. en 1888-1890 y 1890-1892. *Cartas políticas.* • ***Jorge*** (1848-1928) Político col. Miembro del Partido Conservador. Presid. de la rep. en 1909, y de 1921 a 1922.

HOLGURA f. Anchura. • Anchura excesiva. • Huelgo, espacio vacío que queda entre dos piezas que han de encajar una en otra. • Regocijo, diversión entre muchos. • Desahogo, bienestar, disfrute de recursos suficientes para vivir sin estrechez.

HOLIDAY, *Billie* (1915-1959) Cantante norteam. Fue la cantante de *blues* más imp. de los años 30.

HOLLANDIA → Yayapura.

HOLLAR tr. Pisar con los pies. • fig. Abatir, humillar. ■ HOLLADERO, RA.

HOLLECA f. Herrerillo, pájaro.

HOLLEJO m. Piel delgada que cubre algunas frutas leguminosas. ■ HOLLEJUDO, DA.

HOLLÍN m. Sustancia negra formada por carbono impuro pulverizado. Se fabrica industrialmente con el nombre de negro de humo. ■ *Chile.* HOLLINAR; HOLLINIENTO, TA.

HOLLYWOOD C. de EE UU, en el est. de California; 185 000 hab. Antiguo barrio de Los Ángeles. Centro de la ind. cinematográfica norteam. y mundial. • C. de EE UU, en el est. de Florida; 106 900 hab. Industria electrónica.

HOLMBERG, *Eduardo Ladislao* (1852-1937) Naturalista arg. Notable entomólogo y botánico. *Flora y fauna de la República Argentina.*

HOLMIO m. *Quím.* Elemento de símb. Ho, n. a. 67, p. a. 164,97. Es un metal de color amarillo que pertenece al grupo de los lantánidos.

HOLOCAUSTO m. *Rel.* Entre los judíos, sacrificio en que se quemaba a la víctima. • fig. Acto de abnegación, sacrificio que se hace por amor.

HOLOCENO m. *Geol.* Último período del cuaternario, que comprende los tiempos posteriores a la última glaciación. Se inició hace unos diez mil años.

HOLOCRINO, NA adj. Díc. de las glándulas cuyas células se desintegran y forman parte de la secreción.

HOLOCRISTALINO, NA adj. *Geol.* Díc. de la estructura rocosa constituida por minerales completamente cristalizados.

HOLOEDRÍA m. *Miner.* Grupo de operaciones que engendra formas con el máx. núm. de elementos de simetría que permita el sistema cristalográfico. ■ HOLOHÉDRICO, CA; HOLOEDRO.

HOLOFERNES (m. 689 a. C.) General de Nabucodonosor, que invadió Judea y fue muerto por Judith.

HOLOGÉNESIS f. *Antr.* Teoría que intenta explicar el origen del hombre por desarrollos paralelos en diversos lugares, y no a partir de antepasados únicos.

HOLOGRAFÍA f. *Fot.* Procedimiento para conseguir una imagen con sensación de relieve, basado en las interferencias que producen la superposición de dos haces de rayos láser.

HOLOGRAMA f. *Fot.* Cliché obtenido por el método holográfico. • *Fot.* Imagen óptica obtenida mediante dicha técnica.

HOLOMETÁBOLO, LA adj. y m. *Zool.* Díc. de los insectos que experimentan metamorfosis completa durante su desarrollo. • m. pl. *Zool.* Grupo de estos animales. Sus prales. órdenes son los coleópteros, neurópteros, lepidópteros y dípteros.

HOLÓMETRO m. Instrumento para tomar la alt. angular de un punto sobre el horizonte.

HOLOMORFOSIS f. Regeneración de un órgano o tejido en ciertos animales capaces de reproducirlos cuando los han perdido.

HOLON C. de Israel, al SO de Tel Aviv; 124 500 hab. Ind. textil y metalúrgica.

HOLOTIPO m. Ejemplar zoológico que se toma como patrón para describir una especie determinada.

Vista de un típico paisaje de **Holanda,** al oeste de Rotterdam

Autoretrato de Hans **Holbein** el Joven

Holografía

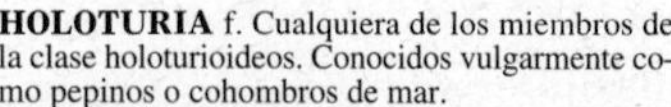

HOLOTURIA f. Cualquiera de los miembros de la clase holoturioideos. Conocidos vulgarmente como pepinos o cohombros de mar.

HOLOTURIOIDEO, A adj. y m. *Zool.* Díc. de animales de la clase holoturioideos. • m. pl. *Zool.* Clase de equinodermos, de cuerpo alargado y blando. Son animales bentónicos, presentes en todos los mares, gralte. a enormes profundidades.

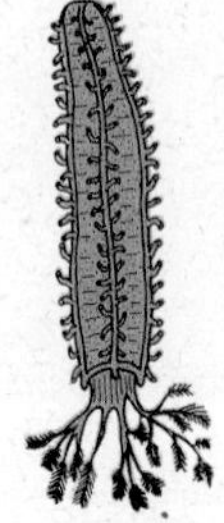

Holoturia

HOLZMANN, ***Rodolfo*** (nacido 1910) Compositor per. Estudioso del folclore per. Autor de música de cámara y sinfónica.

HOMARRACHE m. Persona disfrazada grotescamente.

HOMBRE m. *Antr.* y *Zool.* Animal racional clasificado desde el punto de vista zoológico como mamífero del orden de los primates, suborden de los antropoides y clase de los homínidos. • Especie humana, en general. • Varón. • El que ha llegado a la edad viril. • Marido, esposo. • Juego de cartas, del que hay varias especies. • **bueno.** *Der.* El mediador en actos de conciliación. • **de armas tomar.** El que tiene resolución o suficiencia. • **de bien.** El honrado. • **de ciencia.** El que se dedica a actividades científicas. • **de Estado.** Político, estadista. • **de letras.** Literato. • **de mundo.** El que tiene mucha experiencia en el trato social. • **de negocios.** El que tiene muchos a su cargo. • **de paja.** Aquel cuya intervención en un acto es simulada y tiene por objeto encubrir intereses ajenos. • **de pelo en pecho.** fig. y fam. El fuerte, valiente, entero. • **muerto.** *Mec.* Dispositivo de seguridad que se utiliza en algunos sistemas de mando ferroviarios, entrando en acción al cesar un pequeño esfuerzo que el maquinista debe efectuar de modo continuo. • **público.** El que interviene públicamente en los negocios políticos. • **rana.** Escafandrista. • **¡Hombre!** interj. que indica sorpresa o asombro. ■ HOMBRACHO; HOMBRADA; HOMBRADÍA; HOMBRUNO, NA; HOMINAL; HOMINICACO; HOMÚNCULO.

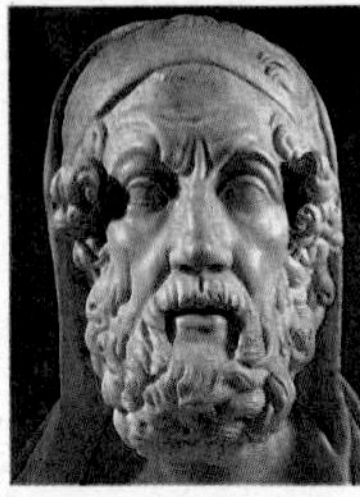

Busto de **Homero.** Museo Capitolino, Roma

HOMBREAR intr. Querer el joven parecer hombre hecho. • intr. y prnl. fig. Querer igualarse con otro u otros en saber o calidad. • intr. *Méx.* Díc. de la mujer a la que le gustan las ocupaciones u oficios de los hombres. • *Col.* y *Méx.* Proteger, ayudar.

HOMBRECILLO m. Lúpulo.

HOMBRERA f. Pieza de la armadura que cubría los hombros. • Adorno de algunos vestidos y uniformes en la parte correspondiente a los hombros.

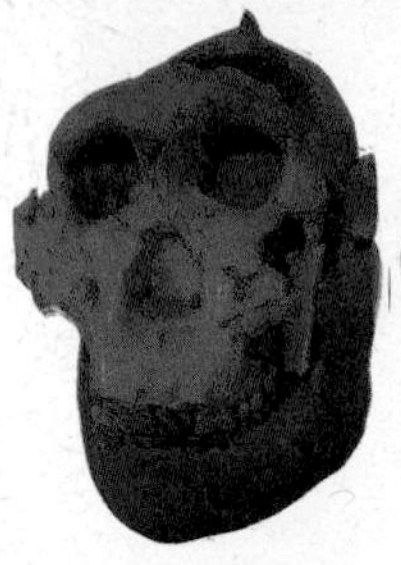

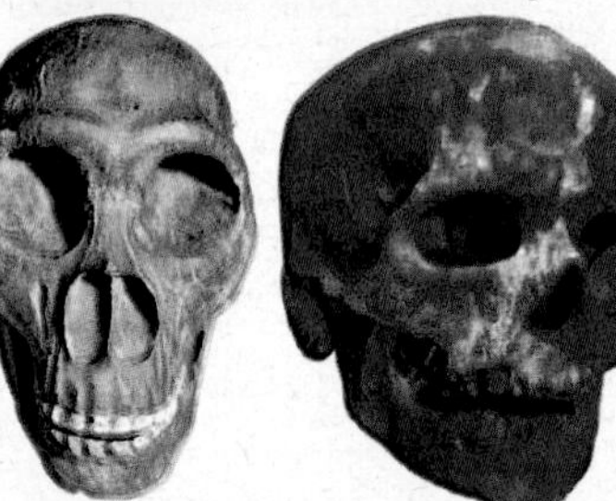

Cráneos de diversos **homínidos.** De izquierda a derecha: Austrolopithecus; hombre de Neanderthal; hombre de Cro-Magnon

HOMBRÍA f. Calidad de hombre. • Entereza, valor. • **de bien.** Honradez.

HOMBRILLO m. Lista de lienzo con que se refuerza la camisa por el hombro. • Pieza de adorno que se pone en los hombros.

HOMBRO m. *Anat.* Parte del cuerpo humano comprendida entre el cuello y la articulación del omóplato con el húmero. Está formado por el omóplato, la clavícula y la articulación escapulohumeral. • Parte superior y lateral del tronco de los cuadrumanos. • Parte del vestido que cubre la zona del hombro • Parte del carácter tipográfico comprendida entre el remate del árbol y la base del ojo. • **A hombros.** m. adv. A cuestas. • **Arrimar el h.** fr. fig. Trabajar con actividad; ayudar, cooperar. • **Encoger** uno **los hombros.** fig. Llevar con paciencia y gran resignación una cosa desagradable. • **Encogerse** uno **de hombros.** fig. No saber, o no querer, uno responder a lo que se le pregunta. • fig. Mostrarse o permanecer indiferente. • **Mirar a** uno **por encima del h.,** o **sobre el hombro.** fig. y fam. Desdeñarle, despreciarle.

HOME Rule Movimiento autonomista irl. (1870-1914) que propugnaba la creación de un parlamento en Dublín y la abrogación de la ley de la unión con Inglaterra.

HOMENAJE m. Juramento solemne de fidelidad que se hacía antiguamente a un rey o señor. • En época feudal, ceremonia en la que un hombre libre se declaraba vasallo de un señor. • Acto o serie de actos que se celebran en honor de una persona. • fig. Sumisión, veneración, respeto hacia una persona. ■ HOMENAJEADO, DA; HOMENAJEAR.

HOMEOMERÍA f. Nombre de cada uno de los elementos o gérmenes, diferenciados cualitativamente, cuya combinación origina las cosas visibles, según la teoría de Anaxágoras.

HOMEOMORFISMO m. *Mat.* Aplicación biyectiva y discontinua entre dos espacios topológicos. • *Miner.* Propiedad por la que algunos cuerpos de distinta composición cristalizan del mismo modo. ■ HOMEOMORFO, FA.

HOMEOPATÍA f. *Med.* Sistema terapéutico que consiste en curar las enfermedades mediante sustancias cuyos efectos son semejantes a los síntomas que se quieren combatir. ■ HOMEÓPATA; HOMEOPÁTICO, CA.

HOMEOSMÓTICO, CA adj. *Biol.* Díc. de los organismos que tienen mecanismos para mantener constantes su salinidad y su presión osmótica.

HOMEÓSTASIS u **HOMEOSTASIS** f. *Biol.* Tendencia de los seres vivos a presentar una constancia de condiciones ambientales en su medio interno.

HOMEOTERMO, MA adj. y m. *Biol.* Díc. de los animales con temperatura corporal constante y en un determinado nivel (entre 36 y 40 °C), que es el óptimo para el conjunto de todas sus reacciones bioquímicas. ■ HOMEOTERMIA.

HOMÉRICO, CA adj. Propio y característico de Homero como poeta, o que tiene semejanza con cualquiera de las dotes o calidades por que se distinguen sus producciones.

HOMERO (s. VIII a. C.) Poeta épico gr. Se le atribuyen la *Ilíada*, la *Odisea*, los *Himnos homéricos* y la *Batracomiomaquia*. Tanto la *Ilíada* como la *Odisea* abren las puertas de la creación poética occidental partiendo de unos criterios literarios que aún prevalecen.

HOMICIDIO m. Muerte causada a una persona por otra. ■ HOMICIDA.

HOMILÍA f. Explicación o discurso dirigido a los fieles sobre materias religiosas u otras que afectan a la comunidad. • pl. Lecciones de los maitines, sacadas de las homilías de los padres y doctores de la Iglesia. ■ HOMILIARIO.

HOMÍNIDO, DA adj. y m. *Zool.* Díc. de primates de la familia homínidos. • m. pl. *Zool.* Familia de mamíferos primates, que cuenta con una sola especie, el hombre *(Homo sapiens)*. Si se incluyen las formas fósiles cabe añadir las especies de las eras cuaternaria y terciaria: *Homo erectus*, *Homo habilis*, *Australopithecus africanus* y *Australopithecus boisei*, a las cuales añaden algunos autores el *Australopithecus robustus*.

HOMINIZACIÓN f. Conjunto de fenómenos evolutivos que condujeron a la aparición del hombre. Consiste en un proceso de cerebralización, de liberación de las manos, adquisición de la postura erecta, regresión de la cola y adquisición de caracteres sociales, teoréticos y prácticos.

HOMO m. En la clasificación zoológica, nombre del gén. humano. • adj. Apócope de homosexual.

HOMOCERCA adj. Díc. de la aleta caudal de los peces, que está formada por dos lóbulos iguales y simétricos.

HOMOCINÉTICO, CA adj. *Mec. apl.* Díc. de la junta utilizada en automoción, que permite unificar la velocidad de árboles transmisores aun en el caso de no estar alineados.

HOMOCLAMÍDEO, A adj. *Bot.* Díc. de la flor cuyos pétalos y sépalos son iguales.

HOMOCROMÍA f. Camuflaje consistente en la adquisición por parte de un animal de la coloración del entorno, sin variación de su forma.

HOMOFILIA f. Carácter morfológico que indica relación parental entre dos o más especies animales.

HOMOFONÍA f. Igualdad en la pronunciación de dos palabras de significación distinta. • *Mús.* Conjunto de voces o sonidos simultáneos. ■ HOMÓFONO, NA.

HOMOGENEIZACIÓN f. Acción y efecto de homogeneizar. • Tratamiento al que se someten ciertos líquidos, como la leche, para impedir la disociación en su masa de los elementos constitutivos.

HOMOGENEIZAR tr. Transformar en homogéneo un compuesto o mezcla de elementos.

HOMOGÉNEO, A adj. Relativo a un mismo género. • Díc. del compuesto cuyos elementos son de igual naturaleza o condición. ■ HOMOGENEIDAD.

HOMÓGRAFO, FA adj. Aplícase a las palabras de distinta significación que se escriben de igual manera.

HOMOLOGAR tr. Registrar y autorizar oficial o privadamente una determinada técnica o producto, un aparato, etc. • Registrar y confirmar un organismo autorizado el resultado de una prueba deportiva. • *Der.* Confirmar el juez ciertos actos y convenios de las partes, para hacerlos más firmes. ■ HOMOLOGACIÓN.

HOMOLOGÍA f. Calidad de homólogo. • *Mat.* Aplicación biunívoca entre puntos del plano tal que un punto y su transformado están alineados con un punto fijo, llamado punto de la homología.

HOMÓLOGO, GA adj. y s. Díc. de la persona que se halla en las mismas condiciones de vida, trabajo, etc., que otra. • adj. *Biol.* Díc. de los órganos de animales o vegetales de especies diferentes que tienen el mismo origen embriológico, sin tener necesariamente la misma forma o función. • *Geom.* Díc. de los lados que se corresponden en dos o más figuras semejantes. • *Lóg.* Díc. de los términos sinónimos o que significan una misma cosa. • *Quím.* Díc. de las sustancias orgánicas que tienen la misma función química e idéntica estructura.

HOMOMORFISMO m. *Mat.* Aplicación entre las estructuras algebraicas compatible con la operación o las operaciones de estas estructuras.

HOMÓNIMO, MA adj. y s. Díc. de las palabras que siendo iguales por su forma tienen distinta significación. • adj. Tocayo, persona que tiene el mismo nombre que otra. ■ HOMONIMIA.

HOMOPLASTIA f. Operación en que se realiza un injerto que procede de otro individuo de la misma especie que el receptor.

HOMOPOLAR adj. *Quím.* Díc. del enlace entre átomos iguales.

HOMÓPTERO, RA adj. y m. *Zool.* Díc. de insectos del orden homópteros. • m. pl . *Zool.* Orden de insectos hemípteros de boca picadora-chupadora, provista de un estilete con el que absorben el alimento. Comprende unas 30 000 especies, todas terrestres y fitófagas.

HOMOSEXUALIDAD f. Inclinación erótica hacia individuos del mismo sexo. • Práctica de dicha relación. ■ HOMOSEXUAL.

HOMOSINTAGMÁTICA f. → Glosemática.

HOMOTECIA f. *Mat.* Movimiento en el plano o en el espacio, caracterizado por un punto *O* (centro de h.) y un número real *r* no nulo (razón de la h.). ■ HOMOTÉTICO, CA.

HOMS C. del O de Siria, a orillas del Orontes; 354 500 hab. Es la ant. Emesa. Cereales, olivo, algodón. Ind. alimentaria y textil (seda).

HONAN *(Henan)* Prov. del centro-norte de China, en la cuenca de Hoang-ho; 167 000 km², 75 910 000 hab. Cap., Chengchou. Comprende una zona llana, al E, y una montañosa al O (montes Chin Ling) y NO (montes Taihang). Agricultura. Sericicultura. Hierro y carbón. Ind. agrícolas.

HONCEJO m. Hocino, instrumento agrícola.

HONDA f. Tira de una materia flexible, como el cuero, para disparar piedras a distancia. • Cuerda para suspender un objeto en el aire. • *Taur.* Estocada que penetra completamente en el cuerpo del toro.

HONDEAR tr. Reconocer el fondo marino con la sonda o el sonar. • Sacar carga de una embarcación. • intr. Disparar la honda. ■ HONDABLE.

HONDERO m. Soldado que usaba la honda como arma.

HONDIJO m. Honda para tirar piedras.

HONDILLOS m. pl. Entrepiernas de los pantalones.

HONDO, DA adj. Que tiene profundidad. • Aplícase a la parte del terreno que está más baja que todo lo circundante. • fig. Profundo, alto o recóndito. • fig. Tratándose de un sentimiento, intenso, extremado. • *Cuba.* Díc. del río que está creciendo. • Díc. de un estilo del cante andaluz o flamenco. (Se llama también *Cante jondo.*) • m. Fondo. ■ HONDURAS.

HONDO Isla de Japón. → Honshu.

HONDO Río de Centroamérica; 240 km. Nace al N de Guatemala (dpto. de El Petén) y desemboca en la bahía de Chetumal (Caribe).

HONDÓN m. Fondo. • Valle profundo. • Ojo de la aguja. • Parte del estribo donde se apoya el pie.

HONDONADA f. Espacio de terreno hondo.

HONDURAS, *Golfo de* Profundo entrante de la costa centroamer. del Caribe, entre la pen. de Yucatán, al O, y el litoral hond. al S.

HONDURAS Estado de América Central, con costas en el mar Caribe al N y en el océano Pacífico al S. Limita con Guatemala, El Salvador y Nicaragua.

HONDURAS

Recursos económicos	
Aceite de palma	80 000 t
Ananás	130 000 t
Arroz	56 000 t
Bananas	1 100 000 t
Café	122 000 t
Frijoles	52 000 t
Maíz	552 000 t
Naranjas	50 000 t
Nuez de coco	7 000 t
Tabaco	7 000 t
Ganadería	
Cabaña bovina	2 388 000 cabezas
Cabaña caballar	170 000 cabezas
Cabaña porcina	740 000 cabezas
Riqueza forestal	6 165 000 m³
Pesca	15 442 t
Producción minera	
Antimonio	25 t
Cinc	38 300 t
Plata	43 t
Plomo	16 000 t
Sal	32 000 t
Producción industrial	
Azúcar	186 000 t
Cemento	326 000 t
Cerveza	548 000 hl
Energía eléctrica	1 105 millones de kwh
Tejidos de algodón	10 000 000 m
Indicadores sociológicos	
PNB	3 010 millones de dólares
Renta per cápita	570 dólares
Esperanza de vida	65 años
Alfabetismo	73 %

Mapa de situación y bandera de **Honduras**

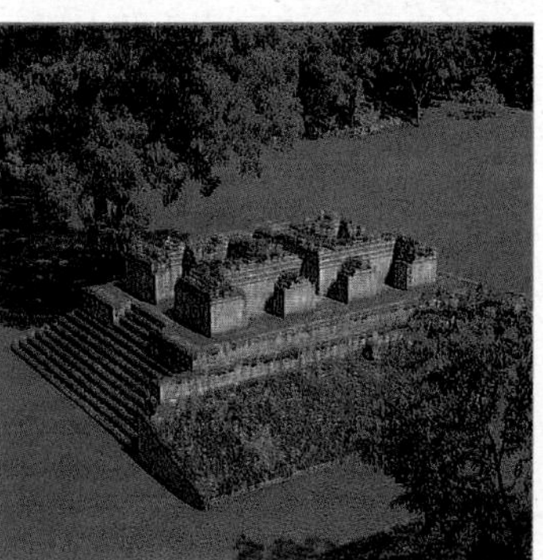

Honduras. Vista parcial del conjunto arqueológico de Copán

División administrativa de **Honduras**

Departamentos	*Km²*	*Población**	*Densidad*	*Cabecera*
Atlántida	4 372,1	329 787	75,4	La Ceiba
Choluteca	4 360	394 958	90,5	Choluteca
Colón	8 248,8	315 189	26	Trujillo
Comayagua	5 124	346 083	67,5	Comayagua
Copán	3 242	297 533	91,7	Santa Rosa de C.
Cortés	3 923	886 080	225,8	San Pedro Sula
El Paraíso	7 489,1	346 468	46,2	Yuscarán
Francisco Morazán	8 619	1 087 110	126,1	Tegucigalpa D.C.
Gracias a Dios	16 997	51 410	3	Puerto Lempira
Intibucá	3 123	170 991	54,7	La Esperanza
Islas de la Bahía	236	30 608	129,6	Roatán
La Paz	2 525	148 174	59,6	La Paz
Lempira	4 228	240 973	56,9	Gracias
Ocotepeque	1 630	101 308	62,1	Ocotepeque
Olancho	23 905	408 869	17,1	Juticalpa
Santa Bárbara	5 024	373 068	74,2	Santa Bárbara
Valle	1 665	160 389	96,3	Nacaome
Yoro	7 781	459 158	59	Yoro
HONDURAS	112 492**	6 048 156	53,7	Tegucigalpa D.C.

* Datos demográficos según estimaciones recientes.
** Contempla la redistrubución territorial derivada del fallo emitido por la Corte Internacional de Justicia de La Haya, el 11 de septiembre de 1992. La cifra de 112 492 km^2, resultado de la nueva medición realizada por el Instituto Geográfico Nacional (IGN), incluye el territorio de los ex bolsones.

Honduras.
Ricardo Maduro

* *Geog. fís.* Relieve montañoso, determinado por la cord. Centroamericana, que lo atraviesa de NO a SE. La depresión del r. Ulúa al N y Goascorán al S divide el país en dos regiones. En la occidental se hallan las sierras de Merendón, Celaque, Puca u Opalaca y Montecillos. En la oriental, las de Comayagua, Nombre de Dios (paralela a la costa caribeña), Sulaco y los montes de Colón. R., el Ulúa, el Aguán, el Patuca yel Coco en la vertiente del Caribe, y el Choluteca en la del Pacífico. Clima tropical.

* *Geog. econ. y humana.* El pral. recurso es la agricultura. Latifundismo. Se obtienen bananas para la exportación bajo control de las soc. norteam. *United Fruit Co.* y *Standard Fruit Co.*; café, tabaco y algodón. El maíz, el arroz, el sorgo, la mandioca y las patatas constituyen la base de la alimentación local. Otros productos de interés: nuez de coco, caña de azúcar, agrios y ananás. Intensa explotación forestal. Ganado bovino y porcino. Yacimientos de petróleo en Mosquitia. Ind. alimentaria, maderera, textil, del calzado, del tabaco y del cemento. Pob.: mestizos (69 %), amerindios (20 %), negros y zambos (8,2 %) y blancos (2,8 %). República. Lenguas: castellano (of.), dialectos de la familia maya. *Rel.*: catolicismo (86 %). U.M.: el lempira. Cap., Tegucigalpa. C. prales.: San Pedro Sula, La Ceiba.

* *Hist.* **Época precol.** Antes de la llegada de los esp., Honduras, enmarcada en el área étnico-cultural mesoamericana, estaba vinculada a la civilización maya. **Época colonial.** En 1502 Cristóbal Colón llegó a las costas de H. y en 1523 fue conquistada por Pedro de Alvarado, convirtiéndose desde entonces en colonia esp. dependiente del virreinato de Nueva España. **Independencia.** Proclamada la indep. en 1821, pasó a formar parte de las Prov. Unidas de Centroamérica, separándose en 1839 para formar un est. soberano. Francisco Ferrera fue el primer presid. de la rep. Tras varios años de enfrentamientos con los países vecinos, en 1907 las rep. centroamericanas firmaron un tratado de paz. El auge del cultivo de la banana, controlado por compañías norteam., colocó a H. en estrecha dependencia de EE UU, que ocupó militarmente el país de 1911 a 1933. A partir de esa fecha se sucedieron diversos regímenes dictatoriales,

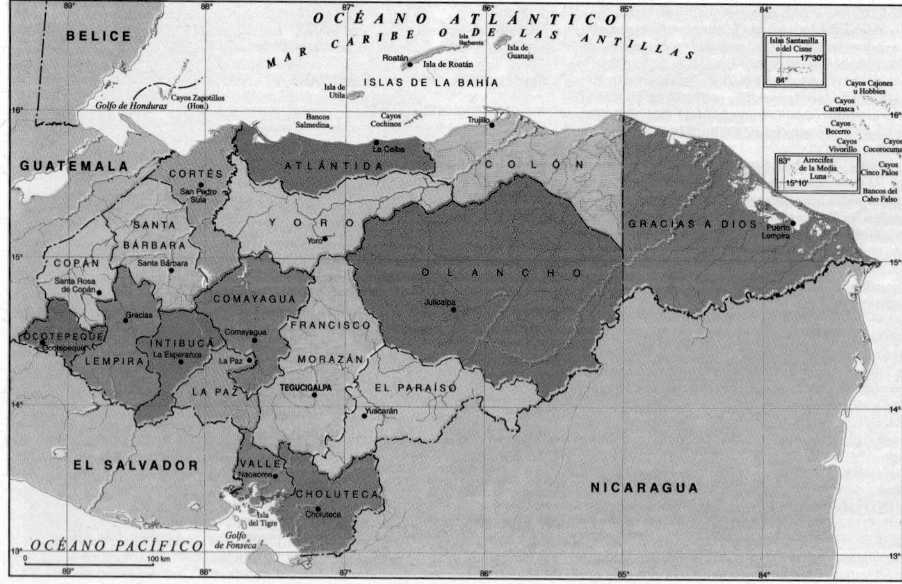

exceptuando el breve periodo constitucional de 1956 a 1963. En 1969 El Salvador ocupó temporalmente parte de su terr. fronterizo («guerra del fútbol»). En 1971 EE UU devolvió a H. las islas del Cisne. En 1981 salió vencedor Roberto Suazo (Partido Liberal). La Asamblea Nac. Constituyente promulgó una nueva Constitución. Con Suazo H. se convirtió en un poderoso aliado de EE UU, y sirvió de base a los antisandinistas, lo que ocasionó incidentes con Nicaragua. En 1985 fue elegido presid. José Simón Azcona, liberal, y en 1990 lo fue Rafael L. Callejas, del Partido Nacional. En las elecciones de 1993 el Partido Liberal venció con Carlos Roberto Reina, y en 1997 los liberales repitieron victoria de la mano de Carlos Roberto Flores, quien asumió la presid. en 1998. El Partido Nacional retornó al gobierno con Ricardo Maduro, elegido presid. en noviembre de 2001.

* *Arte.* Hay que considerar la época precolombina subdividida en tres zonas. En una de ellas, Ulúa-Yojoa, la influencia de la cultura maya (pirámides, escalinatas, etc.) es evidente. El barroco del s. XVIII está representado por la catedral de Comayagua, la de Tegucigalpa y la iglesia de los Dolores, en esta última ciudad. En el siglo XX la pintura tomó mayor relevancia, destacando las obras de Pablo Zelaya Sierra, Carlos Zúñiga Figueroa, José Antonio Velásquez, Mario Castillo y Arturo López Rodezno.

* *Lit.* El mov. literario hond. se inició a finales del s. XVIII con la difusión de las ideas ilustradas (José Cecilio del Valle). En el s. XIX destacaron los modernistas Juan Ramón Molina y Froilán Turcios, y Carlos F. Gutiérrez, autor de *Angelina*, la primera novela hond. En el s. XX cabe mencionar, entre los poetas, Claudio Barrera, Daniel Laínez, David Moya, Óscar Acosta y Pompeyo del Valle; mientras en la narrativa sobresalen Carlos Izaguirre, Marcos Carías, Eduardo Bahr y Julio Escoto.

HONDURAS Británica Ant. nombre de → Belice.

HONECKER, *Erich* (1912-1994) Político al. Secretario general del Partido Socialista Unificado de la RDA(1971-1989) y jefe de Est. (1976-1989). Tras la reunificación al. fue juzgado, exiliándose luego a Chile al ser liberado por su delicada salud.

HONEGGER, *Arthur* (1892-1955) Compositor suizo. Influenciado por Schönberg y Stravinski. *Pascua en Nueva York, Pastoral de verano, Antígona*, ópera sobre libreto de J. Cocteau.

HONESTAR tr. Honrar. • Cohonestar.

HONESTIDAD f. Compostura, decencia y moderación en la pers., acciones y palabras. • Recato, pudor. • Urbanidad, decoro, modestia. ■ HONESTO, TA.

HONG KONG Colonia brit. de Asia oriental, entre 1841 y julio de 1997, situada a orillas del mar de la China Meridional; 1 090 km^2 (incluyendo los Nuevos Territorios y la península de Kowloon), 5 423 000 hab. Su incorporación a China prevé un estatuto de administración especial durante 50 años.

HONGO m. *Bot.* Cualquiera de las plantas acotiledóneas y sin clorofila que viven sobre materias orgánicas en descomposición o parásitas de vegetales o animales, algunas de las cuales son comestibles. • Sombrero de fieltro o castor y de copa aovada. • *Med.* Excrecencia fungosa que crece en las úlceras o heridas e impide la cicatrización de las mismas.

HONOLULÚ C. de EE UU, cap. y puerto de Hawai, en la isla de Oahu; 365 200 hab. (836 200 la agl. urb.). Universidad. Centro turístico. Ind. conservera.

HONOR m. Cualidad que impulsa al hombre a comportarse de modo que merezca la consideración y respeto de la gente. • Honestidad. • Dignidad, cargo o empleo. Se usa más en pl. • Demostraciones que se hacen a una persona por cortesía o como reconocimiento de su importancia. ■ HONORABILIDAD; HONORABLE; HONORÍFICO, CA.

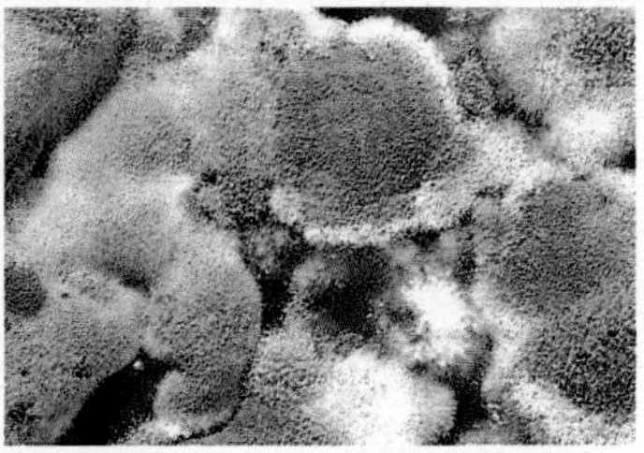

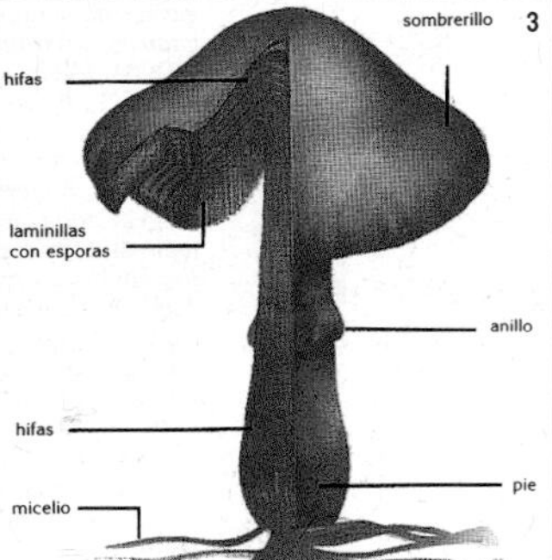

Vista del centro urbano de **Hong Kong**

HONGO

1 2 3

sombrerillo
hifas
laminillas con esporas
anillo
hifas
pie
micelio

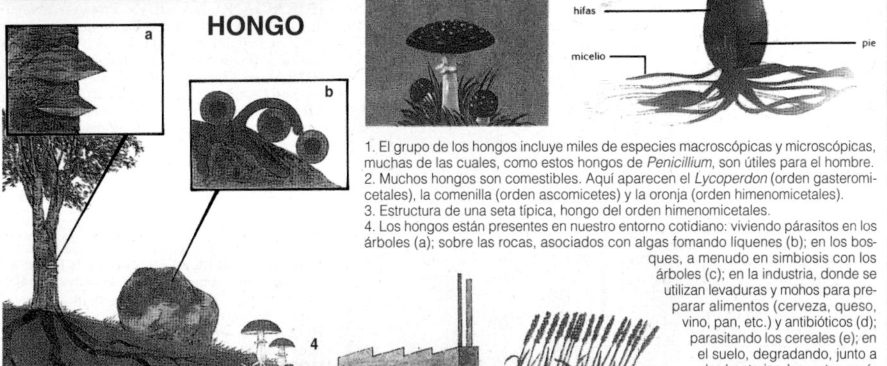

a b c d e f 4

hongo
moho
levadura

1. El grupo de los hongos incluye miles de especies macroscópicas y microscópicas, muchas de las cuales, como estos hongos de *Penicillium*, son útiles para el hombre.
2. Muchos hongos son comestibles. Aquí aparecen el *Lycoperdon* (orden gasteromicetales), la comenilla (orden ascomicetes) y la oronja (orden himenomicetales).
3. Estructura de una seta típica, hongo del orden himenomicetales.
4. Los hongos están presentes en nuestro entorno cotidiano: viviendo párasitos en los árboles (a); sobre las rocas, asociados con algas fomando líquenes (b); en los bosques, a menudo en simbiosis con los árboles (c); en la industria, donde se utilizan levaduras y mohos para preparar alimentos (cerveza, queso, vino, pan, etc.) y antibióticos (d); parasitando los cereales (e); en el suelo, degradando, junto a las bacterias, los restos orgánicos (f).

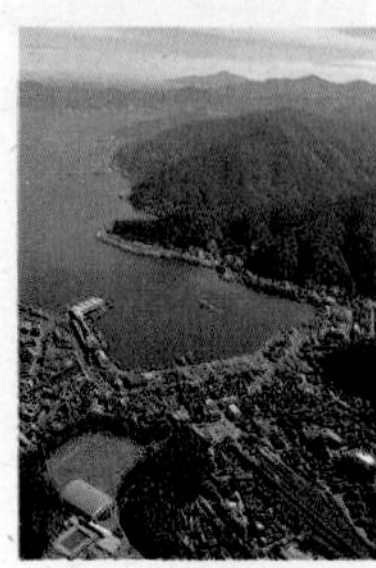

Puerto de Onagawa, en el norte de la isla de **Honshu**

HONORARIO, RIA adj. Que sirve para honrar a uno. • Aplícase al que tiene los honores y no la propiedad de una dignidad o empleo. • m. Gaje o sueldo de honor. • Retribución percibida en las profesiones liberales. Se usa más en pl.

HONORIO I (m. 638) Papa [625-638]. Impulsó las misiones en Inglaterra. Su ideología ha sido tema de debates sobre la infalibilidad del papa. • **III** (m. 1227) Papa [1216-1227]. Autorizó las órdenes mendicantes. • ***Flavio*** (384-423) Primer emp. rom. de Occidente [395-423], hijo de Teodosio. No pudo evitar que Alarico entrase en Roma. Perdió Hispania, Galia y Britania.

HONORIS CAUSA loc. latina que significa *por razón*, o *causa, de honor*.

HONRA f. Dignidad, conducta intachable. • pl. Honras fúnebres, oficio solemne por los difuntos.

HONRAR tr. Respetar a una persona. • Enaltecer o premiar su mérito. • prnl. Tener uno a honra ser o hacer alguna cosa. ■ HONRADEZ; HONRADO, DA; HONRAMIENTO; HONRILLA; HONROSO, SA.

HONSHU La mayor y pral. isla de Japón; 231 090 km^2, 99 254 000 hab. C. prales.: Tokio, Osaka y Nagoya. Gran actividad tectónica, traducida en erupciones volcánicas: Chokai, Fuji Yama. Clima templado-frío en el N y subtropical, cálido y húmedo en el S. Agricultura. Sericultura. Ganadería, Carbón, hierro, petróleo, cobre. Industria. pesca.

HONTANAR o **HONTANAL** m. Sitio en que nacen fuentes o manantiales.

HONTHEIM, *Johann Nikolaus von* → Febronio, Justino.

HONVED m. Nombre húng. de los soldados voluntarios que lucharon por la indep. nacional en 1848-1849. A partir de 1920 esta denominación se aplicó a la totalidad del ejército hún.

HOOCH, *Pieter de* (1629-h. 1684) Pintor hol. Sus obras describen minuciosamente los interiores burgueses de la época. *La bodega*, *El patio*, *Los jugadores de cartas*.

HOOD, *Robin* → Robin Hood.

HOOFT, *Pieter Cornelisz* (1581-1647) Escritor hol., el máx. representante del Renacimiento de su país. *La historia holandesa*, *Waremar*.

HOOKE, *Robert* (1655-1703) Científico brit. Formuló la teoría de los movimientos planetarios y estudió diversas cuestiones de mecánica. • **Ley de H.** *Fís.* En los cuerpos elásticos y hasta un límite que depende del material de que se trate, las deformaciones son proporcionales a los esfuerzos que las producen.

HOOVER, *Herbert Clark* (1874-1964) Político norteam., presid. de EE UU de 1928 a 1932. No afrontó adecuadamente el crack económico de 1929. Le sucedió Roosevelt. • ***John Edgar*** (1895-1972) Político norteam. Director del FBI (1924-1972). Durante la guerra fría y la presidencia de Nixon convirtió este organismo en una central de espionaje sobre los ciudadanos y funcionarios norteam.

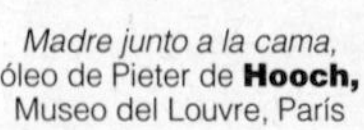

Madre junto a la cama, óleo de Pieter de **Hooch,** Museo del Louvre, París

HOPA f. Especie de túnica o sotana cerrada. • Saco de los ajusticiados. • *Méx.* Hopo.

¡HOPA! interj. *Amér. Merid.* ¡Hola!

HOPALANDA f. Falda grande y amplia.

HOPEAR intr. Menear la cola los animales, especialmente la zorra cuando la siguen. • fig. Callejear. • *Ven.* Llamar a gritos.

HOPEI (*Hebei*) Prov. del N de China, ribereña del golfo de Chihli o Po Hai; 187 800 km^2, 61 082 439 hab. Cap., Shihkiachuang. Incluye la municipalidad de Pekín. Terreno llano aluvial al E. Al N y NO el territorio alcanza los 2 000 m de alt. Clima continental. Agricultura. Ganadería. Minas de Carbón, hierro.

HOPI adj. y m. *Etn.* Pueblo amerindio de la familia lingüística uto-azteca y de la cultura pueblo. Agricultores y artesanos, habitan al NE de Arizona.

HOPKINS, SIR ***Frederick Gowland*** (1861-1947) Bioquímico brit. Premio Nobel de Medicina en 1929, junto con C. Eijkman, por sus estudios sobre las vitaminas.

HOPLOCÁRIDO, DA adj. y m. *Zool.* Díc. de animales del grupo hoplocáridos. • m. pl. *Zool.* Grupo de crustáceos malacostráceos. Comprende el orden de los estomatópodos o galeras.

HOPLOTECA f. Oploteca, museo de armas antiguas.

HOPO m. Tupé o mechón de pelo. • Rabo o cola que tiene mucho pelo o lana.

HOQUE m. Alboroque, regalo a los que intervienen en un venta.

HOQUIS *(De)* loc. adv. *Méx.* Gratis, de balde.

HORA f. Intervalo de tiempo equivalente a una veinticuatroava parte del día. Según se trate de día solar medio, verdadero o sidérico, corresponde respectivamente h. solar media, verdadera o sidérea. La primera tiene unos diez segundos más que la última. • Momento oportuno y determinado para una cosa. • Últimos instantes de la vida. • Momento determinado del día. • Espacio de tiempo o m omento indeterminado. • Distancia de una legua. • adv. tiempo. Ahora. • f. *Ant.* y *Col.* Enfermedad de aves de corral. • **local.** Hora de tiempo medio o verdadero referida al meridiano del lugar. • **punta.** Aquella en que se produce mayor aglomeración en los transportes urbanos. • **H.** Hora que se tiene en secreto, en la cual tendrá lugar un ataque, una operación bélica, etc. • **Dar h.** Señalar plazo o citar. • **Dar la h.** Sonar en el reloj las campanadas que la indican.

HORACIANO, NA adj. y s. Propio o característico de Horacio como escritor, o que tiene semejanza con cualquiera de las dotes o calidades por que se distinguen sus producciones.

HORACIO Flaco, *Quinto* (65-8 a. C.) Poeta latino. Sus *Épodos* y *Odas* conquistaron el interés de Virgilio. Son imp. también sus Sátiras y sus *Epístolas*. La más famosa de estas últimas es la *Epístola a los Pisones* o *Arte poética*.

HORADAR tr. Agujerear una cosa atravesándola de parte a parte. ■ HORADACIÓN.

HORADO m. Agujero que atraviesa de parte a parte una cosa. • Cueva.

HORAMBRE m. En los molinos de aceite, cada uno de los agujeros que tienen las guiaderas.

HORARIO, RIA adj. Relativo a la horas. • m. Saetilla o mano de reloj que señala las horas. • Reloj. • Cuadro indicador de las horas en que deben ejecutarse determinados actos.

HORAS *Mit. gr.* Diosas de las estaciones, hijas de Zeus y de Temis.

HORCA f. Aparato formado por una barra horizontal, sostenida por otras verticales, y de la que cuelga una cuerda para ahorcar a los condenados. • Palo que remata en dos o más púas y que se emplea para diversas tareas agrícolas. • Palo que remata en dos puntas y sirve para sostener las ramas de los árboles, armar los parrales, etc. • Ristra de ajos, o de cebollas. • *P. Rico* y *Ven.* Cuelga, regalo. • **Pasar** uno **por las horcas caudinas.** fig. Tener que hacer algo obligadamente.

HORCADURA f. Parte del tronco de los árboles, donde se divide éste en ramas. • Ángulo que formandos ramas que salen del mismo punto.

HORCAJA f. *Chile.* Horcajadura.

HORCAJADAS *(A)* m. adv. Postura del que se monta en una caballería o se sienta en cualquier sitio, echando una pierna por cada lado.
HORCAJADURA f. Ángulo que forman los dos muslos o piernas en su nacimiento.
HORCAJO m. Horca de madera que se pone al pescuezo de las mulas para trabajar. • Confluencia de dos ríos o de dos montañas.
HORCATE m. Arreo de madera o hierro, en forma de herradura, que se pone al cuello de las caballerías.
HORCHATA f. Bebida refrescante hecha con el jugo de chufas, almendras, etc., mezclado con agua y azúcar. ■ HORCHATERÍA; HORCHATERO, RA.
HORCO m. Ristra.
HORCÓN, NA adj. *Méx.* Ventajoso en los tratos. • m. Horca para usos agrícolas. • *Cuba.* Madero vertical para sostener vigas o aleros de tejado. ■ HORCONADA.
HORDA f. Tipo de agrupamiento de escasa organización social. • fig. Grupo de gente que actúa sin disciplina ni moderación.
HORDA DE ORO *(Kiptchak* o *Qipchaq)* El más occidental de los janatos mongoles surgidos tras la muerte de Gengis Jan. En 1227 se formó el núcleo original, que se extendió a través de Bulgaria y Rusia meridional, y en 1378 fue anexionado por la Horda Blanca.
HORDIATE m. Cebada mondada. • Bebida que se hace de cebada, semejante a la tisana.
HOREMHEB (h. 1344-1314 a. C.) Faraón egipcio. Al parecer, fue el último de la XVIII dinastía. Borró el nombre de sus antecesores y se proclamó descendiente directo de Amenhotep III.
HORERO m. fam. *Amér.* Horario de reloj.
HORIZONTAL adj. Que está en el horizonte o paralelo a él. • adj. y s. Díc. de la línea, disposición o dirección que va de derecha a izquierda o viceversa. ■ HORIZONTALIDAD.
HORIZONTE m. *Astr.* Círculo máx. de la esfera celeste, que resulta de la intersección de ésta con un plano diametral, perpendicular a la vertical del lugar. • *Geog.* Línea que limita la superficie terrestre a que alcanza la vista del observador, y en la cual parece que se junta el cielo con la tierra. Se le llama *h. sensible* para diferenciarlo del anterior, *h. racional*. • fig. Conjunto de posibilidades o perspectivas que se ofrecen en el asunto o materia. • Campo más o menos amplio por el que puede discurrir el pensamiento humano. • **artificial.** *Aer.* Instrumento de a bordo que consiste en un giroscopio y que se conserva siempre en posición horizontal, independientemente de la del avión.
HORKHEIMER, ***Max*** (1895-1973) Filósofo y sociólogo al., de la escuela de Frankfurt. Aplicó el materialismo dialéctico y elementos de antropología psicoanalítica a la crítica social. *Teoría tradicional y teoría crítica, Dialéctica de la Ilustración* (con T. W. Adorno).
HORMA f. Molde con que se fabrica o forma una cosa, como el usado por los zapateros. • Pared de piedra seca. • *Cuba* y *Perú.* Vasija de barro en que se elabora el pan de azúcar. • **Hallar** uno **la h. de su zapato.** fig. y fam. Encontrar lo que se desea o el escarmiento que se merece. ■ HORMERO, RA.
HORMAZA f. Pared de piedra seca.
HORMAZO m. Golpe dado con una horma. • Montón de piedras.
HORMIGA f. *Zool.* Insecto himenóptero que vive en sociedad y construye galerías subterráneas. • Enfermedad cutánea que causa picazón. ■ HORMIGOSO, SA; HORMIGUESCO, CA.
* *Zool.* Las h. son insectos sociales que han desarrollado extraordinariamente las relaciones de interdependencia propias de las comunidades animales numerosas. La vida de las h. se desarrolla en el hormiguero, en cuyo interior viven las distintas castas de h.: la reina, única hembra fértil, de mayor tamaño que los restantes individuos; los machos, en número de uno o pocos, suelen acompañar a la reina, y las obreras, o hembras estériles, de menor tamaño, que forman la casi totalidad de la población. En la distribución del trabajo dentro del hormiguero, cada h. realiza la labor para la que se ve solicitada por los estímulos de las compañeras. Las h. depredadoras cazan y transportan presas al hormiguero, otras se dedican a la recolección de granos y semillas, que depositan en cámaras subterráneas del hormiguero o en la vecindad de éste.
HORMIGO m. Ceniza cernida que se usaba para el tratamiento metalúrgico del mercurio. • Gachas de harina de maíz. • pl. Plato de repostería hecho con pan rallado, almendras y miel. • Granillos de sémola que quedan al cribarla.
HORMIGÓN m. *Const.* Mezcla uniforme de cemento y arena, grava o guijo. • Enfermedad del ganado vacuno. • Enfermedad de las plantas, causada por un insecto que roe las raíces y tallos. • *Chile.* Insecto semejante a la hormiga. ■ HORMIGONERA.
HORMIGUEAR intr. Experimentar hormigueo en alguna parte del cuerpo. • fig. Bullir, ponerse en movimiento, aplicado a una multitud. ■ HORMIGANTE.
HORMIGUEO m. Sensación, en alguna parte del cuerpo, semejante a la que producirían las hormigas corriendo por él. • Bullicio, movimiento desordenado de mucha gente. • fig. Desazón, física o moral.
HORMIGUERO, RA adj. Relativo a la hormiga. • Que se alimenta de hormigas. • m. *Zool.* Comunidad de hormigas y lugar donde éstas se crían y se alojan, normalmente subterráneo y formando galerías. • *Amér. Merid.* Pájaro de la familia formicáridos, llamado así por su costumbre de seguir las columnas de hormigas legionarias, para devorar los insectos que éstas levantan a su paso. • fig. Lugar en que hay mucha gente puesta en movimiento. • Montón de hierba seca cubierto con tierra a que se pega fuego para abonar la tierra. • *Amér.* Hormiguillo, enfermedad del caballo.
HORMIGUILLA f. Cosquilleo, picazón. • fig. y fam. Remordimiento.
HORMIGUILLAR tr. *Amér.* Revolver el mineral argentífero con el magistral y la sal común.
HORMIGUILLO m. Enfermedad que padecen las caballerías en los cascos. • Cadena de gente que se hace para ir pasando de mano en mano los materiales para las obras y otras cosas. • Hormigo, plato de repostería. • Hormiguilla, o cosquilleo. • *Amér.* Acción y efecto de hormiguillar.
HORMILLA f. Pieza circular, de madera u otra materia, que forrada forma un botón.
HORMONA f. *Biol.* Producto de las glándulas de secreción interna que regula la mayor parte del proceso metabólico. Las h. pueden ser proteicas, esteroideas o amínicas. ■ HORMONAL.
HORNACHO m. Agujero excavado en las montañas para extraer algún mineral o tierra.

Monumento a **Horacio** en Basilicata (Italia)

Hormiga australiana provista de poderosas mandíbulas

Planta de producción de **hormigón**

HORNACHUELA f. Especie de choza.
HORNACINA f. *Arq.* Hueco en forma de arco para colocar una estatua, un jarrón o un altar.
HORNADA f. Cantidad de pan y otras cosas que se cuece de una vez en el horno. • fig. y fam. Conjunto de cosas que se terminan o terminan algo al mismo tiempo.
HORNAGUEAR tr. Cavar la tierra para sacar hornaguera. • prnl. Moverse un cuerpo a un lado y otro.
HORNAGUERA f. Carbón de piedra.
HORNAGUERO, RA adj. Holgado o espacioso. • Díc. del terreno en que hay hornaguera.
HORNALLA f. *Perú.* Horno grande. • *P. Rico.* Cenicero de un horno. • *Ven.* Hogar, fogón.
HORNAZA f. Hornillo de los plateros y fundidores de metales. • *Pint.* Color amarillo claro que usan los alfareros para vidriar. ■ HORNACERO.

HORNAZO m. Torta guarnecida de huevos que se cuece en el horno. • Agasajo que se hace el día de Pascua al predicador de la cuaresma.

HORNBLENDA o **HORNABLENDA** f. Mineral del grupo de los anfíboles, muy abundante en la naturaleza como uno de los componentes de las rocas eruptivas.

HORNECINO, NA adj. Bastardo, adulterino.

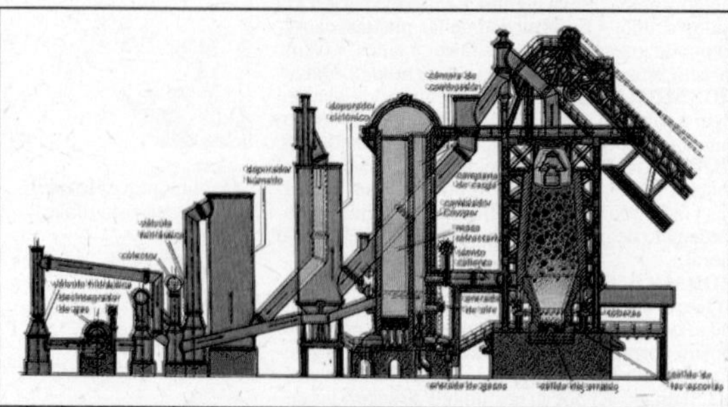

Esquema de un alto **horno** y sus equipos auxiliares

HORNERO, RA m. y f. Persona que tiene por oficio cocer pan en el horno. • m. *Argent.* Pájaro furnárido, de color pardo acanelado, que hace su nido de barro y en figura de horno.

HORNEY, *Karen* (1885-1952) Psicoanalista norteam., nacida en Hamburgo (su verdadero apellido es Danielsen). Modificó las teorías de Freud, dando mayor importancia al factor social y eliminando del cuadro de los instintos humanos el llamado «instinto de muerte». *La personalidad neurótica de nuestro tiempo*, *Nuestros conflictos íntimos*, *La neurosis y el crecimiento humano*.

HORNIJA f. Leña menuda. ■ HORNIJERO, RA.

HORNILLA f. Hueco hecho en los hogares con una rejuela horizontal para sostener la lumbre y un respiradero inferior para dar entrada al aire. • Hueco que se hace en la pared del palomar para que aniden las palomas en él.

HORNILLO m. Horno manual. • Concavidad que se hace en la mina, donde se mete el explosivo para producir una voladura. • Explosivo enterrado que se hace estallar a distancia.

Hórreo

HORNITO m. *Méx.* Pequeño cono humeante de la zona volcánica.

HORNO m. *Ing.* Recipiente destinado a la producción de energía calorífica o a la reacción de elementos químicos para obtener un producto • Montón de leña, piedra o ladrillo para la carbonización, calcinación o cochura. • Boliche para fundir minerales de plomo. • Parte de los fogones de las cocinas que sirve para asar o calentar viandas. • Sitio en que crían las abejas, fuera de las colmenas. • Lugar donde hace mucho calor. • Tahona en que se cuece y vende pan. • **Alto h.** *Metal.* El que se emplea para la producción del hierro a partir de sus óxidos mediante un proceso de reducción química. ■ HORNEAR; HORNERA; HORNERÍA.

* *Ing.* Además del carbón y la leña, como fuente térmica se emplea también la electricidad, los gases, los derivados del petróleo, y las energías solar y atómica. Las aplicaciones de los h. abarcan múltiples aspectos, desde los puramente domésticos (cocinas), pasando por los artesanales (cerámica, panadería, etc.), fundiciones artísticas y científicas (laboratorios), hasta los fabricados para realizar una gran producción.

* *Metal.* En un alto h. se obtiene el arrabio (hierro rico en carbono y fósforo), frágil y poco resistente, que pasa a acero en los convertidores Bessemer o Martin-Siemens. El esquema funcional del h. alto puede reducirse al movimiento de dos masas: una, gaseosa con movimiento ascendente, provocado por la inyección de aire en la base del recipiente, y una masa descendente de la carga. Con su encuentro se producen diversas reacciones. En la zona llamada de reducción tiene lugar la formación de hierro a partir de sus óxidos; en la zona de fusión, la masa de hierro y escoria se licúa durante el proceso descendente y se deposita en el crisol o solera. La escoria, más ligera, flota, lo que permite eliminarla separadamente; el material restante, hierro, se deja solidificar en forma de lingotes.

Flor de **hortensia**

HORNO *Astr.* Constelación austral cuya denominación latina es *Fornax.*

HORNOS, *Cabo de* El punto más meridional de América. Doblado en 1578 por el ing. Drake.

HOROLOGIUM *Astr.* Constelación de la familia de La Caille, situada en el cielo austral entre Eridanus y Reticulum.

HORÓPTERO m. *Ópt.* Línea recta que pasa por el punto donde coinciden los dos ejes ópticos, y que es paralela a la que une los centros de los dos ojos del observador. ■ HOROPTÉRICO, CA.

HORÓSCOPO m. Predicción del futuro realizada por los astrólogos a partir de la posición relativa de los astros del sistema solar y de los signos del Zodiaco en un momento dado. • Gráfico que representa las doce casas celestes y la posición de los astros del sistema solar y de los signos del Zodiaco. • Situación relativa de estos elementos en el momento de producirse un acontecimiento. • En astrología, ascendente, principio de la casa celeste. • Cualquier adivinación o predicción.

HOROZCO, *Sebastián de* (h. 1510-1580) Escritor esp. De espíritu erasmista, escribió sobre historia *(Relaciones)*, poesía *(Cancionero)* y teatro religioso *(Cortes de la muerte)*.

HORQUETA f. Horcón, horca para usos agrícolas. • Parte del árbol donde se juntan formando ángulo agudo el tronco y una rama. • fig. *Argent.* Parte donde el curso de un arroyo forma ángulo agudo, y terreno que éste comprende. • *Amér.* División de un camino en dos. • *Chile.* Rastro, rastrillo.

HORQUILLA f. Horqueta u horcón. • Enfermedad que hiende las puntas del pelo. • Alfiler doblado que se emplea para sujetar. • Nombre dado a numerosas piezas mecánicas que recuerdan la forma de una horca.

HORRAR tr. *Amér.* Ahorrar. • prnl. *Guat.* y *Hond.* Quedarse horro. Díc de la yegua, vaca, etc., cuando se les muere la cría.

HÓRREO m. Granero o lugar donde se recogen los granos.

HORRERO m. El que tiene a su cuidado trojes de trigo, y lo distribuye y reparte.

HORRIPILAR tr. y prnl. Hacer que se ericen los cabellos. • Causar horror y espanto. ■ HORRIPILACIÓN.

HORRO, RRA adj. Díc. del esclavo que alcanza la libertad. • Libre, desembarazado. • Aplícase a la yegua, oveja, etc., que no queda preñada. • Díc. de las cabezas de ganado que se conceden a los mayorales y pastores, mantenidas a costa de los dueños. • fig. Díc. del tabaco de baja calidad y que arde mal.

HORROR m. Miedo causado por una cosa terrible y espantosa. • fig. Atrocidad, enormidad. Se usa más en pl. • adv. cantidad. Muchísimo. Se usa más en pl.; en sing., suele ir precedido del adj. numeral *un.* ■ HORRENDO, DA; HORRIBILIDAD; HORRIBLE; HORRIDEZ; HÓRRIDO, DA; HORRORÍFICO, CA; HORRÍSONO, NA; HORRORIZAR; HORROROSO, SA.

HORRURA f. Basura, superfluidad. • Escoria, cosa despreciable. • pl. *Min.* Escorias obtenidas en primera fundición.

HORSE power (voz ing.) m. Caballo de vapor.

HORST (voz al.) m. *Geol.* Macizo elevado y limitado, respecto a los bloques colindantes, por importantes fallas escalonadas. También se denomina pilar tectónico.

HORTA, *Raúl* (nacido 1925) Escritor mex. *Mariquita Candela*, *Personalidades de México*, *Cinco poemas.* • ***Víctor*** (1861-1947) Arquitecto belga, uno de los máx. representantes del modernismo. Su primera gran obra fue el hotel Tassel, en el que inicia la libertad en la distribución interior de la vivienda.

HORTALIZA f. Nombre común que se aplica a las especies vegetales que se cultivan en los huertos, así como a sus órganos comestibles.

HORTATORIO, RIA adj. Exhortatorio.

HORTELANO, NA adj. Relativo a huertas. • m. y f. El que por oficio cuida y cultiva huertas. • *Zool.* Pájaro fringílido de plumaje gris verdoso en la cabeza, pecho y espalda.

HORTENSE adj. De las huertas.

HORTENSIA f. Planta herbácea de la familia saxifragáceas, con hojas ovaladas, dentadas, flores de color rosa, violetas o azules, agrupadas en cimas, y

fruto en cápsula. Es originaria de China y se cultiva en invernaderos y jardines de todo el mundo por su valor ornamental.
HORTERA adj. y s. fam. Ordinario, basto, grosero. • f. Escudilla o cazuela de palo.
HORTHY de Nagybánya, *Miklós* (1868-1957) Político húng. Con el apoyo del ejército consiguió ser nombrado regente (1920). Durante su gobierno dictatorial, fue hostil a comunistas y judíos. Abdicó por presión al. Se exilió a Portugal.
HORTICULTURA f. Ciencia y técnica biológica, parte de la botánica aplicada, que trata del cultivo y mejora genética de las hortalizas. ■ HORTICULTOR, RA.
HORUS *Mit.* En la religión egipcia, dios del cielo, adorado en forma de halcón, que era su animal sagrado. Se le reverencia ya en el III milenio a. C.
HOSSANA (voz heb.) m. Exclamación de júbilo usada en la liturgia católica. • Himno que se canta el domingo de Ramos.
HOSCO, CA adj. Díc. del color moreno muy oscuro. • Ceñudo, áspero e intratable. • Díc. del tiempo, lugar, etc., amenazador, desagradable. ■ HOSQUEDAD.
HOSCOSO, SA adj. Erizado y áspero. • Dicho de las reses vacunas, de pelo bermejo.
HOSPEDAJE m. Alojamiento y asistencia que se da a una persona. • Cantidad que se paga por estar de huésped.
HOSPEDAR tr. y prnl. Recibir uno en su casa huéspedes. ■ HOSPEDAMIENTO; HOSPEDANTE; HOSPEDERO, RA.
HOSPEDERÍA f. Habitación destinada en las comunidades para recibir a los huéspedes. • Casa destinada al alojamiento. • Hospedaje.
HOSPICIO m. Casa para albergar pobres. • Asilo en que se da mantenimiento y educación a niños pobres, abandonados o huérfanos. ■ HOSPICIANO, NA.
HOSPITAL m. Establecimiento donde se da tratamiento a enfermos y heridos. • Casa para recoger pobres y peregrinos por tiempo limitado. • **de campaña.** Hospital militar situado cerca de la zona de primeros auxilios.
HOSPITALARIO, RIA adj. Que socorre y alberga. • Díc. del que acoge con agrado a quienes recibe en su casa. • Se aplica a una serie de órdenes religiosas creadas para atender a los enfermos.
HOSPITALERO, RA m. y f. Persona encargada del cuidado de un hospital. • Persona caritativa que hospeda en su casa.
HOSPITALET DE LLOBREGAT, L' Mun. esp., en Cataluña (prov. de Barcelona); 255 050 hab. Sit. a 7 km del centro de Barcelona, a la que está unido. Centro industrial.
HOSPITALIDAD f. Virtud que se ejercita con peregrinos, menesterosos y desvalidos, recogiéndoles y prestándoles la debida asistencia en sus necesidades. • Buena acogida y recibimiento que se hace a los forasteros o visitantes. • Estancia de los enfermos en el hospital. ■ HOSPITALICIO, CIA.
HOSPITALISMO m. Conjunto de trastornos psíquicos que se observan en niños hospitalizados durante un tiempo prolongado, debido a la carencia de afecto familiar.
HOSPITALIZAR tr. Ingresar en un hospital o clínica a un enfermo. ■ HOSPITALIZACIÓN.
HOSTELERÍA f. Ind. que se ocupa de proporcionar a huéspedes y viajeros alojamiento, comida y otros servicios, mediante pago. ■ HOSTELERO, RA.
HOSTERÍA u **HOSTAL** f. Casa donde, pagando, se da de comer y alojamiento.
HOSTIA f. Lo que se ofrece en sacrificio. • Hoja redonda y delgada de pan ázimo, que se hace para el sacrificio de la misa. • P. ext., oblea hecha para comer, con harina, huevo y azúcar batidos en agua o leche. • vulg. Golpe, bofetada, caída aparatosa, etc. • **A hostias.** m. adv. fam. A golpes. • **Ser** algo **la h.** fig. y fam. Ser el colmo. • **Ser** alguien **la h.** fig. y fam. Tener un comportamiento desconcertante. ■ HOSTIAR; HOSTIARIO; HOSTIERO, RA.
HOSTIGAR tr. Azotar, castigar con látigo. • fig. Perseguir, molestar a uno. • Molestar al enemigo con escaramuzas constantes. • *Amér.* Empalagar. ■ HOSTIGAMIENTO; *Amér.* HOSTIGOSO, SA; *Col.* HOSTIGANTE.
HOSTIGO m. Latigazo. • Parte de la pared o muro expuesta al daño de los vientos y lluvias. • Golpe de viento o de agua que maltrata la pared.
HOSTIL adj. Contrario o enemigo.
HOSTILIDAD f. Calidad de hostil. • Acción hostil. • Agresión armada que desencadena un Estado o grupo armado. • **Romper las hostilidades.** *Mil.* Dar principio a la guerra atacando al enemigo.
HOSTILIZAR tr. Hacer daño a enemigos.
HOSTOS, *Eugenio M.ª* (1839-1903) Escritor, pedagogo y político puertorriq. Partidario de la indep. de las Antillas, trabajó en Nueva York a favor de los insurrectos cub. *Moral social*, *Lecciones de derecho constitucional.*
HOTEL m. Establecimiento de hostelería de mayor categoría que la fonda. • Casa aislada y habitada por una sola familia. ■ HOTELERO, RA.
HOTENTOTE, TA adj. y s. De un pueblo africano del grupo racial khoisánido, que habita en Namibia. • adj. Relativo a ese pueblo. • *Ling.* Grupo de lenguas habladas por los h. • m. pl. Ese mismo pueblo. En la actualidad viven al N del r. Orange.
HOUASSE, *Michel-Ange* (1680-1730) Pintor fr. Trabajó en España y fue pintor de cámara del rey Felipe V. *La era*, *La gallina ciega*, *Vista del monasterio del Escorial.*
HOUPHOUËT-BOIGNY, *Félix* (1905-1993) Político de Costa de Marfil. Fundador del partido democrático de costa de Marfil (1945) y jefe del gobierno autónomo de su país (1959). Presid. de la rep. desde la indep., en 1960, hasta su muerte.
HOUSSAY, *Bernardo Alberto* (1887-1971) Fisiólogo y endocrinólogo arg. Premio Nobel de Medicina en 1947, con Carl y Gerly Cori. Describió el fenómeno de la hipoglucemia y el notable aumento de la sensibilidad a la insulina producidos por la hipofisectomía (fenómeno de H.), así como la acción diabetógena de la hipófisis. Fisiología humana.
HOUSTON C. de EE UU, en el est. de Texas, al N de la bahía de Galveston; 1 594 100 hab. (2 905 400 hab. agl. urb.). Puerto artificial. Industrias. Refinerías. Centros de investigación espacial (NASA) y médica.
HOVEYDA, *Amir Abbas* (1919-1979) Político iraní. Fue diplomático (1942-1958) y ministro de Finanzas (1964). Fundó el Partido del Nuevo Irán y en 1965 fue designado primer ministro. Dictó medidas represivas desde 1976; en 1978 fue destituido y condenado a muerte.
HOVERCRAFT m. Vehículo que se desplaza sobre un medio sólido o líquido y a escasa alt. de éste gracias a una capa o colchón de aire entre la base y la superficie del medio.
HOWE, *Elias* (1819-1867) Obrero mecánico norteam., inventor de la máquina de coser.
HOWELLS, *William Dean* (1837-1920) Novelista y crítico norteam., creador del realismo en Estados Unidos. Sus obras destacan por la minuciosa observación y estilo cuidado. *Un encuentro casual*, *La dama de Aroostook*, *A través del ojo de una aguja.*
HOWRAH C. del NE de la India, en Bengala Occidental; 744 400 hab. Sit. a orillas del Hooghly, frente a Calcuta, de cuya agl. forma parte. Ind. mecánica, química y textil.
HOXHA, *Enver* (1908-1985) Político alb. Organizador de la resistencia a la ocupación italoalemana, fue presid. de su país de 1944 a 1954. Secretario del Partido del Trabajo (1941-1985), promovió una línea política marxista-leninista. En 1961 rompió relaciones diplomáticas con la URSS y en 1976 se distanció del régimen chino.
HOY adv. tiempo. En este día, en el día presente. • En el tiempo presente, actualmente. • **De hoy a mañana.** m. adv. Muy pronto. • **Hoy por hoy.** m. adv. Actualmente.
HOYA f. Concavidad grande formada en la tierra. • Hoyo para enterrar un cadáver, sepultura. • Llano extenso rodeado de montañas. • *Amér.* Concavidad en la garganta de los animales.
HOYADA f. Hondonada, espacio de terreno hondo.
HOYANCA f. fam. Fosa común en los cementerios.
HOYAR intr. *Chile* y *Cuba.* Abrir hoyos para plantar. ■ HOYADOR.
HOYITA f. *Hond.* y *Ven.* Hoyuela.
HOYO m. Concavidad natural o artificial de la tierra o de alguna superficie. • Sepultura. ■ HOYOSO, SA.

Estatua de **Horus** en el templo de Edfú (Egipto)

Interior de un **hospital,** en un grabado del s. XVI

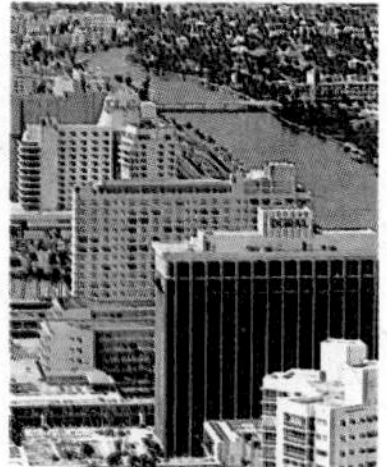

Hoteles en Miami Beach, Florida (EE UU)

HOYOS, *Enrique* (1820-1859) Escritor salv. *Apóstrofes, Canto popular, Te conocí y lloré.*
HOYUELA f. Hoyo en la parte inferior de la garganta, donde comienza el pecho.
HOYUELO m. Hoyo en el centro de la barba y también el que se forma en la mejilla de algunas personas al sonreír.
HOZ f. Instrumento de hoja acerada y corva para segar. • Angostura de un valle profundo, o la de un río que corre por entre dos sierras. ■ HOZADA.
HOZ, *Santiago de la* (1883-1914) Poeta mex., llamado el «poeta de la Revolución». Su obra más sobre saliente es *Sinfonía de combate.*
HP Símb. de caballo de vapor *(horse power)*, unidad de potencia. 1 HP = 75 kilopondímetros por segundo = 735 vatios. Difiere ligeramente del CV.
HRABAL, *Bohumil* (1914-1997) Escritor checho. *Trenes rigurosamente vigilados, Una soledad demasiado ruidosa, Yo he servido al rey de Inglaterra.*
HRON Río de Eslovaquia; 300 km. Nace en los montes Metálicos Eslovacos y afluye al Danubio.
HSIA (h. 2200-1600 a. C.) Dinastía que inicia la historia de la ant. China.
HSINCHU *(Xinzhu)* C. del NO de Taiwan; 290 000 hab. Centro comercial. Ind. química.
HSÜN TZU (h. 312-h. 238 a. C.) Pensador chino, uno de los fundadores, con Confucio y Mencio, del confucianismo. Insistió en que la educación y la disciplina moral pueden convertir al individuo, malo por naturaleza, en bueno. La importancia que dio a la erudición tuvo efectos duraderos en la estructura social y política de China.
HU Yao-bang (1915-1989) Político chino. Miembro del comité central del Partido Comunista desde 1956, cayó en desgracia durante la rev. cultural. Tras la muerte de Mao, fue rehabilitado y elegido secretario general del partido (1980). Fue destituido en 1987.
HUA Kuo-Feng (nacido 1921) Político chino. Hizo su carrera dentro del Partido Comunista hasta llegar a la jefatura del gobierno y a la vicepresidencia del comité central (1976). Después de la muerte de Mao, impuso una vía tecnocrática y de apertura a Occidente. Su poder declinó a partir de 1980.

Grabado de la obra *Nueva coronica y buen gobierno*, de Felipe **Huamán Poma de Ayala**

Vista desde el este del Nevado de **Huascarán**

HUACA m. En la religión preincaica, creencia en el valor religioso de cuanto se tenía por sagrado o sobrenatural. • f. Guaca.
HUACAL m. Guacal.
HUACALÓN, NA adj. *Méx.* Grueso, obeso. • *Méx.* Gritón.
HUACAMOLE m. *Méx.* Guacamole, ensalada de aguacate.
HUACATAY m. *Amér.* Especie de hierbabuena, usada como condimento.
HUACHACHE m. *Perú.* Mosquito muy molesto, de color blanquecino.
HUACHAFERÍA f. *Perú.* Cursilería. ■ HUACHAFO, FA; HUACHAFOSO, SA.
HUACHAR tr. *Ecuad.* Arar, hacer surcos.
HUACHINANGO Mun. de México en el est. de Puebla; 38 600 hab. Centro agrícola y comercial.
HUACHO m. *Ecuad.* Surco, hendedura que se hace con el arado en la tierra.
HUACHO Mun. de Perú, en el dpto. de Lima; 79 600 hab. Puerto de mar. Núcleo agrícola e industrial.
HUACO m. Guaco, objeto de cerámica precolombina.
HUAHUA com. *Ecuad.* y *Perú.* Guagua, nene.
HUAICO m. *Perú.* Torrentera, avenida. • *Chile.* Hondonada.
HUAIRO (voz quechua) m. *Perú.* Árbol de flores hermosas cuyo fruto es el huairuro.
HUAIRONA f. *Perú.* Horno de cal.
HUAIRURO (voz quechua) m. Fruto del huairo, usado por los indígenas como adorno.
HUALCÁN, *Nevado de* Pico de la cord. Blanca, en Perú; 6 150 m de alt.
HUALLAGA Río de Perú. afl. derecho del Marañón, unos 1 000 km. Nace en la vertiente oriental de los Andes.
HUAMÁN Poma de Ayala, *Felipe* (1534-1615) Historiador per. Autor de *Nueva coronica y buen gobierno*, obra acerca de la vida colonial y del folclore indígena.
HUAMBRA m. *Ecuad.* y *Perú.* Muchacho.
HUANABA f. *Guat.* Fruta de guanábano.
HUANCAVELICA Dpto. de Perú central; 22 131,5 km^2, 413 800 hab. Cap., la c. hom. La cord. Occidental andina lo divide en dos regiones, una orientada al Pacífico, en la que predominan altiplanicies, y otra al interior, muy montañosa. R. pral.: el Mantaro, tributario del sist. amazónico. Clima cálido en las orillas del Mantaro, templado en los valles y frío en las altiplanicies. La pob., en su mayoría amerindia, se dedica a la explotación agrícola y ganadera. Importantes yacimientos mineros (plata, plomo, cinc, oro y mercurio, cobre). Ind. de derivados agropecuarios. • C. de Perú, cap. del dpto. hom.; 31 523 hab. Sit. a 3 676 m de alt. Sus minas de mercurio tuvieron una gran importancia en la época virreinal. Fue fundada en 1570.
HUANCAYO C. de Perú, cap. del dpto. de Junín; 279 839 hab. Centro comercial, agrícola y ganadero de su región. Ind. alimentarias.
HUANGO (voz quechua) m. Peinado en forma de larga trenza de las indias ecuatorianas.
HUÁNUCO Dpto. de Perú central; 37 722,2 km^2, 717 700 hab. Cap., la c. hom. La cord. Central andina lo recorre de S a N, alcanzando su punto más alto en Yerupajá (6 632 m), en el extremo SO. R. prales.: Marañón, Huallaga y Pachitea. El clima está en función de la alt.: muy frío en las altas cimas, cálido en el fondo de los valles. Café, caña de azúcar, algodón, patatas y cereales. Ganadería. Maderas. Oro, plata, cobre, plomo y cinc. Obtención de caucho. • C. de Perú, cap. del dpto. hom.; 118 814 hab. Ind. textil y azucarera. Imp. ruinas incaicas en sus cercanías.
HUAPANGO m. *Méx.* Fandango.
HUAQUEAR tr. *Perú.* Excavar en los cementerios prehispánicos para extraer el contenido de las tumbas o huacas. ■ HUAQUERO.
HUARACHE m. *Méx.* Guarache, especie de sandalia.
HUARAHUA f. *Guat.* Mentira, broma.
HUARAL Mun. de Perú, en el dpto. de Lima; 51 300 hab. Sit. en la zona costera, en el valle de Chancay. Algodón, caña de azúcar.
HUARAZ C. de Perú. cap. del dpto. de Ancash; 67 538 hab. Centro agrícola y comercial. Minería. Afectada por el seísmo de 1970.
HUARI Yacimiento arqueológico de Perú, dpto. de Ayacucho. Fue excavado por Julio Tello y sus características lo configuran como un centro secundario de la cultura preincaica de Tiahuanaco.
HUARO m. *Perú.* Andarivel para pasar ríos y hondonadas.
HUASCA f. *Amér.* Guasca.
HUÁSCAR (m. 1532) Inca de Perú. Hijo de Huayna Cápac y sucesor suyo, junto a su hermano Atahualpa. Éste le derrotó y ordenó su muerte.
HUASCARÁN, *Nevado de* Pico de Perú, punto culminante de la cord. Blanca; 6 768 m.
HUASO adj. y s. *Chile.* Díc. del campesino o vaquero.
HUASTECO, CA adj. y s. Individuos de uno de los más. ant. pueblos de México, afín a los mayas, que habitaba en los actuales est. de Tamaulipas, Veracruz y parte de San Luis Potosí. En la actualidad sobreviven unos 50 000 h. • adj. Relativo a ese pueblo. • m. *Ling.* Lengua amerindia de la familia maya-quiché hablada por el pueblo h. • m. pl. Ese

mismo pueblo. Los aztecas consideraron a los h. como un pueblo bárbaro y retrasado culturalmente.

HUATABAMPO Mun. de México, en el est. de Sonora; 44 600 hab. Agricultura (cereales, algodón). Ganadería.

HUAYLAS, *Callejón de* Valle de la zona andina de Perú, en el dpto. de Ancash. Está enclavado entre las cord. Blanca y Negra y avenado por el río Santa. Fue muy afectado por el seísmo de 1970.

HUAYNA Cápac (m. 1525) Inca de Perú. Durante su reinado, el imperio alcanzó su mayor extensión. Trasladó su residencia de Cuzco a la región de Quito. A su muerte repartió el imperio entre sus dos hijos, Huáscar y Atahualpa.

HUCHA f. Arca grande que tienen los labradores para guardar sus cosas. • Alcancía, caja pequeña o recipiente, gralte. cerrado y con una ranura, para guardar dinero. • fig. Ahorros.

HUCHEAR intr. Llamar, gritar. • Lanzar los perros en la cacería, dando voces.

HUDDERSFIELD C. de Gran Bretaña, en el centro-norte de Inglaterra, al pie de los Peninos; 123 900 hab. Ind. textil, química, mecánica.

HUDSON Río de EE UU que discurre a través del est. de Nueva York y limita con el de Nueva Jersey; 580 km. Desemboca en la bahía de Nueva York.

HUDSON, *Bahía de* Mar interior de Canadá, unido al océano Atlántico por el estr. hom. • ***Estrecho de H.*** Estr. de América del Norte, entre la península de Ungava (Labrador) y la Tierra de Baffin. Comunica el Atlántico con la bahía de H.

HUDSON, *Rock* (1925-1985) Actor de cine norteam. *Escrito en el viento*, *Adiós a las armas*, *Pijama para dos*. A partir de 1970 empezó a trabajar en series televisivas.

HUÉ C. de la República Socialista de Vietnam, en el delta del río hom.; 209 000 hab. Incluida en Vietnam del Sur (1954), en 1975 fue ocupada definitivamente por los guerrilleros comunistas.

HUEBRA f. Espacio que se ara en un día. • Par de mulas y mozo que se alquila para trabajar un día entero. ■ HUEBRERO.

HUECA f. Muesca espiral que se hace al huso en la punta delgada para que trabe en ella la hebra que se va hilando. • *Ven.* Azucarillo esponjado, panal.

HUECO, CA adj. y s. Cóncavo o vacío. • adj. Díc. de lo que tiene sonido retumbante y profundo. • Díc. del lenguaje, estilo, etc., afectado y trivial. • Mullido y esponjoso. • Díc. de lo que estando vacío abulta mucho. • m. Intervalo de tiempo o lugar. • fig. y fam. Empleo o puesto vacante. • Abertura en un muro, para servir de puerta, ventana, etc. • Espacio de un edificio reservado para alojar el ascensor. • *Argent.* Terreno baldío.

HUECOGRABADO m. *Art. Gráf.* Procedimiento para obtener fotograbados en hueco que puedan tirarse en máquinas rotativas. • *Art. Gráf.* Grabado que se obtiene por ese procedimiento.

HUECÚ m. *Chile.* Sitio cenagoso y cubierto de hierba en el que se hunden los hombres y animales que en él entran.

HUEGUERA f. *Col.* Enfermedad del ganado vacuno, caracterizada por infección microbiana de los senos frontales y de los cuernos.

HUEHUECOYOTL Dios azteca, cuyo nombre significa «Coyote viejo». Estaba relacionado con el fuego. Le correspondía, en el calendario adivinatorio, el cuarto día o Cuetzpalin «Lagarto». Su influencia era benéfica.

HUEHUETE m. *Guat.* Señoritingo, lechuguino.

HUEHUETENANGO Dpto. del O de Guatemala; 7 400 km², 634 374 hab. Cap., la c. hom. Limita al N y O con México. Territorio muy montañoso, ocupado por la sierra de los Cuchumatanes. Todos los r. pertenecen a la vertiente del golfo de México. Clima cálido en las tierras bajas y templado en la montaña. Café, chile, tabaco, cereales, patatas, alfalfa. Ganadería. • C. de Guatemala, cap. del dpto. hom.; 53 500 hab. Centro industrial.

HUEHUETEOTL → Xiuhtecuhtli.

HUEJUTLA DE REYES Mun. de México, en el est. de Hidalgo; 46 300 hab. Agricultura. Ganadería. Petróleo.

HUELÁN adj. *Chile.* Entre verde y seco. Díc. de la madera y de las plantas.

HUELEFLOR m. *P. Rico.* Tonto, necio.

Paisaje de la región costera de la Bahía de **Hudson**

HUELEGUISOS m. *Perú.* El que intenta comer sin pagar.

HUELEHUELE m. *P. Rico.* Vulg. tonto, necio.

HUÉLFAGO m. Enfermedad de los animales, que les hace respirar con dificultad.

HUELGA f. Cesación voluntaria en el trabajo de los obreros de una empresa, ramo, región, etc., con el fin de conseguir concesiones económicas, políticas o sindicales. • Tiempo que media sin labrarse la tierra. • Descanso, diversión. • Lugar que convida al descanso. • **de brazos caídos.** La que se practica en el puesto habitual de trabajo. • **de celo.** Aquella en la que los trabajadores cumplen estricta y únicamente la reglamentación laboral. • **de hambre.** Abstinencia total de alimentos que se impone a sí misma una persona, como protesta ante alguna situación. • **general.** La que se plantea simultáneamente en todos los oficios de una o varias localidades. ■ HUELGUISTA; HUELGUÍSTICO, CA.

Esquema de una prensa de **huecograbado.** El papel sigue la trayectoria de las flechas

HUELGO m. Aliento, respiración, resuello. • Holgura, anchura. • Distancia entre superficies de dos piezas encajadas.

HUELLA f. Señal que deja el pie en la tierra que pisa. • Rostro, señal, vestigio. • Acción de hollar. • Plano del escalón en que se asienta el pie. • **dactilar.** Impresión dactilar. • **A la h.** m. adv. A la zaga.

HUELLO m. Sitio o terreno que se pisa. • Hablando de los caballos, acción de pisar. • Parte inferior del casco del animal.

HUELVA Prov. esp., en la com. autón. de Andalucía; 10 085 km², 454 735 hab. Sit. al S de la pen., en el límite con Portugal. Trigo, vid, olivo. Ganadería. Imp. actividad pesquera. Puerto export. del mineral extraído en el interior (piritas, manganeso). • C. esp., cap. de la prov. hom.; 140 675 hab. Centro industrial.

HUELVEÑO, ÑA adj. y s. De Huelva.

HUEMUL m. Rumiante amer., parecido a la gamuza, que habita en los Andes.

HUEÑI m. *Chile.* Niño, hijo de araucanos. • *Chile.* Muchacho empleado en el servicio doméstico.

HUÉRFANO, NA adj. y s. Persona que carece de uno de los padres o de ambos. • *Chile* y *Perú.* El recién nacido que se abandona en un lugar público. • adj. fig. Falto de amparo.

HUERGO, *Palemón* (1817-1892) Periodista y político arg. Opuesto a Rosas. Fundador de *El Nacional. Poesías.*

HUERO, RA adj. fig. Vano, vacío y sin sustancia. • Díc. del huevo que, por no estar fecundado, no produce cría o del que por enfriamiento u otra causa se pierde en la incubación. • *Amér.* Díc. del huevo podrido. • *Guat.* y *Méx.* Gracioso.

Vista del embalse del río Chanzas, afluente del Guadiana, construido en la provincia de **Huelva**

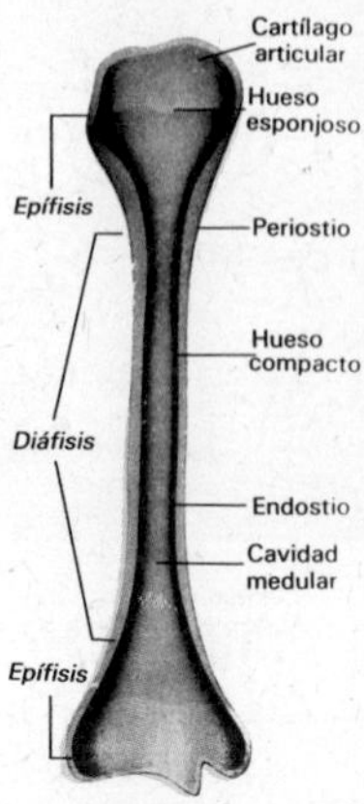

Sección longitudinal de un **hueso** (tibia) con sus diferentes partes

Victor **Hugo**, en un retrato de L. Bonnat

Detalle de un retablo de J. **Huguet.** Museo de Arte de Cataluña, Barcelona

HUERTA f. Terreno de regadío destinado al cultivo de hortalizas y árboles frutales. • En algunas partes, tierra de regadío. ■ HUERTANO, NA; HUERTERO, RA.

HUERTA, *Adolfo de la* (1881-1955) Político méx. A la muerte de Carranza fue elegido presid. provisional de la rep. (1920) y de ahí pasó a ocupar el cargo de ministro de Hacienda con Obregón. Enfrentado a éste en las elecciones presidenciales de 1923, dirigió contra él una frustrada insurrección militar (1923). Se exilió a EE UU, donde permaneció hasta 1936. • ***Victoriano*** (1845-1916) Político y militar mex. Ocupó imp. cargos en el Porfiriato. Al servicio de Madero luchó contra Zapata. Más tarde derribó a Madero y ordenó su asesinato. Él mismo se hizo designar presid. y contr a él se alzaron Carranza, Villa y Zapata, lo que le obligó a dimitir en 1914.

HUERTO m. Sitio de corta extensión en que se plantan verduras, legumbres y, pralm., árboles frutales. • **Llevarse a** alguien **al h.** exp. fig. y fam. Engañarle.

HUESA f. Sepultura, hoyo para enterrar un cadáver.

HUESCA Prov. esp., en la com. autón. de Aragón; 15 613 km^2, 206 916 hab. Limita al N con los Pirineos y Francia. R. prales.: Gállego, Aragón y Cinca. Mercado agrícola. Ind. concentrada en dos núcleos: Sabiñánigo y Monzón. • C. esp., cap. de la prov. hom.; 45 607 hab.

HUESEAR intr. *Méx.* Entre tipógrafos, trabajar. • *Amér. Centr.* Mendigar.

HUESERA f. *Chile.* Osario.

HUESERO, RA m. y f. *Guat.* Persona que solicita hueso, empleo. • m. *Méx.* Entre tipógrafos, cajista.

HUESILLO m. *Amér. Merid.* Durazno secado al sol. • *Cuba.* Árbol leguminoso de madera amarilla pardusca, dura y de grano fino.

HUESISTA com. *Amér.* Empleado del Estado, funcionario.

HUESO m. *Anat.* Formación resistente y dura, de color blanquecino; en su conjunto los h. constituyen el esqueleto de la mayoría de los vertebrados. • Endocarpio leñoso de las drupas, en el que se contiene la semilla. • fig. Lo que causa trabajo o incomodidad. • fig. Lo inútil, de poco precio y mala calidad. • fig. Profesor que suspende mucho. • fig. Persona de carácter desagradable o de trato difícil. • Árbol euforbiáceo de Cuba, de madera blanca y compacta. • pl. fam. Mano. • *Méx.* Entre impresores, trabajos. • *Méx.* P. ext., empleo. • *Amér. Centr.* Destino, empleo oficial. • **Estar** uno **en los huesos.** fig. y fam. Estar sumamente flaco. • **La sin h.** fam. La lengua. • **No dejar** a uno **h. sano.** fig. y fam. Murmurar de él. • **Soltar la sin h.** fig. y fam. Hablar demasiado. ■ HUESOSO, SA; HUESUDO, DA.

* *Anat.* Los h. constan pralm. de la sustancia ósea y de la médula ósea, contenida en el interior de la primera. La sustancia ósea es la que da al h. su forma, y en su mayor extensión está exteriormente recubierta por el periostio, membrana rica en vasos y nervios, y por medio de la cual se establece la conexión de los h. con los cartílagos, los tendones y los músculos, así como con otras formaciones vecinas. Según su forma, los h. se dividen en largos y cortos.

HUÉSPED, DA m. y f. Persona alojada en casa ajena. • Persona que hospeda en su casa a uno. • *Biol.* Organismo que es parasitado por otro. • adj. y s. Díc. del organismo que recibe un injerto o trasplante de otro.

HUESTE f. Ejército en campaña. Se usa más en pl. • fig. Conjunto de los secuaces o partidarios de una persona o de una causa. • adj. *Hond.* Bien molido.

HUESTEAR tr. *Hond.* Moler bien.

HUETAMO Mun. de México, en el est. de Michoacán; 30 400 hab. Agricultura. Plata, oro.

HUEVA f. Masa que forman los huevecillos de ciertos pescados, encerrada en una bolsa oval.

HUEVADA f. fam. *Chile* y *Perú.* Disparate, bobada. • *Guat.* y *P. Rico.* Conjunto de huevos.

HUEVAR intr. Comenzar las aves a tener huevos.

HUEVERA f. Mujer que trata en huevos. • Mujer del huevero. • Cajita de forma adecuada para transportar o guardar huevos. • Conducto membranoso que tienen las aves en el cual se forma la clara y la cáscara de los huevos. • Utensilio de forma de copa pequeña en que se come el huevo pasado por agua.

HUEVIAR tr. *Hond.* Hurtar.

HUÉVIL m. *Chile.* Planta de la familia solanáceas, de olor fétido; de su tallo y hojas se extrae un tinte amarillo.

HUEVO m. *Zool.* Célula rodeada de reserva nutritiva y de cubiertas protectoras producida por las hembras de los animales ovíparos, la cual, de ser fecundada, da lugar al embrión. • *Biol.* Célula resultante de la fusión del gameto masculino y femenino en la reproducción de las plantas y de los animales y que, al desarrollarse, forma un nuevo ser. • El de las aves de corral. • Pedazo de cualquier materia en forma ovoide utilizado para diferentes fines. • fam. Testículo. • **de Colón** o **de Juanelo.** fig. Cosa que aparenta mucha dificultad, y es facilísima después de sabido en qué consiste. • **de pulpo.** Molusco gasterópodo marino. • **duro.** El cocido, con la cáscara, en agua hirviendo. • **pasado por agua.** El cocido ligeramente con la cáscara. • **tibio.** *Guat.*, *Hond.* y *Méx.* Huevo pasado por agua. • Costar una cosa un huevo. fig. y fam. Ser difícil de realizar o conseguir. • fig. y fam. Tener un precio muy alto. ■ HUEVERÍA; HUEVERO.

Vista de Benasque, en el Pirineo de **Huesca**

HUEVÓN, NA adj. y s. fam. *Amér.* Lento, bobalicón, ingenuo.

HUEVONEAR intr. fam. Col. Hacer o decir simplezas o insensateces.

¡HUF! interj. ¡Uf!

HUGGINS, *Charles B.* (1901-1997) Médico norteam. Premio Nobel de Medicina en 1966, con F. P. Rous, por su tratamiento hormonal del cáncer de próstata.

HUGHES, *Davis* (1831-1900) Ingeniero norteam., de origen brit. Inventó un aparato telegráfico impresor que lleva su nombre (telégrafo de H.) y la balanza de inducción. Se le considera uno de los inventores del micrófono.

HUGO, *Victor* (1802-1885) Escritor fr. Su prólogo al drama *Cromwell* se considera el manifiesto del romanticismo. Abarcó todos los gén. literarios. Dramas: *Hernani*, *El rey se divierte*, *Ruy Blas*; poesías: *Cantos del crepúsculo*, *La leyenda de los siglos*, *Contemplaciones*; novelas: *Los miserables*, *Nuestra señora de París*, *El noventa y tres*. • ***Capeto*** (h. 941-996) Duque de Francia (956-987) y rey de Francia [987-996], iniciador de la dinastía de los Capeto. Con el apoyo de Adalberón, arzobispo de Reims, fue proclamado rey de Francia para suceder a Luis V.

HUGONOTE, TA adj. y s. Nombre que se aplicaba a los calvinistas franceses.

HUGUET, *Jaume* (h. 1414-1492) Pintor cat. de la última etapa del gótico. Sus obras reflejan un arte refinado y expresivo, de intensa sensibilidad y lírico naturalismo: *Tríptico de San Jorge*, en el museo de Barcelona.

HUHETOT *(Huhehaote* o *Kueisuí)* C. de China, cap. de Mongolia Interior; 750 000 hab. Mercado comercial.

HUI adj. y s. Nombre con que se conoce a los chinos musulmanes, considerados por el gobierno de la República Popular China como una minoría nacional. Son unos 5 000 000.

¡HUICH! o **¡HUICHE!** *Chile.* Interj. usada para

burlarse de uno, o para provocarle, excitándole la envidia o picándole el amor propio.

¡HUICHÍ! o **¡HUICHÓ!** interj. *Chile*. ¡Ox!

HUICHOL adj. y s. Díc. del individuo de un pueblo amerindio de México, de la familia lingüística uto-azteca. En la actualidad los h. suman unas 4 000 personas. • adj. Relativo a ese pueblo. • m. pl. Este mismo pueblo.

HUIDA f. Acción de huir. • Ensanche que se deja en mechinales y otros agujeros para poder meter y sacar con facilidad maderos. • Acción de apartarse el caballo, súbita y violentamente, de la dirección en que lo lleva el jinete. • fig. Subterfugio, pretexto.

HUIDOBRO, *Vicente* (1893-1948) Poeta chil. Uno de los artífices del creacioísmo. *El espejo de agua*, *Altazar*.

¡HUIFA! *Chile*. interj. de alegría.

HUILA, *Nevado de* Volcán andino de Colombia; 5 750 m.

HUILA Dpto. de Colombia, en el centro-sudeste, entre las cord. Central y Oriental, en el valle del alto Magdalena; 19 890 km², 843 798 hab. Cap., Neiva. El dpto. se creó en 1905; antes formaba parte del de Tolima. R. pral.: el Magdalena, con sus afl. Bache, La Plata y Suaza. Clima cálido en el valle, templado en las mesetas y frío en las montañas. Arroz, algodón, tabaco, cacao, café, maíz y patatas. Ganadería. Oro, hierro, cobre, carbón. Ind. agropecuarias en la capital.

HUILHUIL m. *Chile*. Persona harapienta o andrajosa. ■ HUILIENTO, TA.

HUILLE m. *Chile*. Planta liliácea.

HUILLÍN m. *Chile*. Especie de nutria.

HUILLÓN, NA adj. *Amér*. Que huye, huidizo.

HUILTE m. *Chile*. Tallo comestible del cochayuyo antes de ramificarse.

HUIMANGUILLO Mun. de Mex., en el est. de Tabasco; 70 000 hab. Tabaco, caña de azúcar, café. Ganadería.

HUINCHA f. *Chile*. Cinta de lana o de algodón. • *Chile*. Cinta para medir distancias cortas. • interj. *Chile*. ¡Nenes!, ¡naranjas! ■ HUINCHERO, RA.

HUINCHADA f. *Chile*. Medida de 10, 20 o 25 m, según los que tenga la huincha con que se mide.

HUINCHE m. *Amér*. Güinche, grúa.

HUINGÁN m. *Chile*. Arbusto terebintáceo, de pequeños frutos negruzcos, de unos cuatro milímetros de diámetro.

HUIPIL m. *Amér. Centr*. Camisa de mujer.

HUIR intr. y prnl. Marcharse rápidamente de un lugar para evitar un daño o peligro. • intr. Transcurrir velozmente el tiempo. • intr. y tr. Apartarse de alguien o evitar algo molesto o perjudicial. ■ HUIDO, DA; HUIDERO, RA; HUIDIZO, ZA.

HUIRA f. *Chile*. Corteza de maqui o de otros árboles que sirve para atar.

HUIRACOCHA m. → Viracocha.

HUIRO m. *Chile*. Nombre común de varias algas marinas muy abundantes en las costas.

HUISACHAR intr. *Amér. Centr*. Pleitear.

HUISACHE m. *Guat*. Picapleitos, leguleyo. • *Méx*. Escribiente.

HUISACHERÍA f. *Amér. Centr*. Gusto, manía de litigar.

HUISQUIL m. *Guat*. Fruto del huisquilar; se usa como verdura en el cocido.

HUISQUILAR m. *Guat*. Planta trepadora espinosa, de la familia cucurbitáceas, cuyo fruto es el huisquil. • *Guat*. Terreno plantado de huisquiles.

HUISTORA f. *Hond*. Tortuga.

HUITRÍN m. *Chile*. Colgajo de choclos o mazorcas de maíz, y plato que se hace con ellos.

HUITZILOPOCHTLI En la religión del México precolombino, dios de la guerra de los hab. de Tenochtitlán (Ciudad de México). Era hijo de la diosa de la tierra, Coatlicue, y se le ofrecían sacrificios humanos. Guió a los aztecas durante las migraciones que precedieron a su asentamiento.

HUIXQUILUCAN Mun. de México, en el est. de México; 33 500 hab. Cereales. Ganadería.

HUIZINGA, *Johan* (1872-1945) Historiador hol., crítico de gran penetración. *El otoño de la Edad Media, Homo ludens*.

HUJIER m. Ujier, empleado subalterno.

HUK m. Primera sílaba de *Hukbalahap*, abrev. del tagalo *Hukbong Bayan Laban sa Hapon* (Ejército popular contra el Japón). Surgido en 1942 como un movimiento nacionalista y guerrillero contra la ocupación japonesa, en 1946 se transformó en un ejército de liberación popular, en lucha contra la oligarquía terrateniente y la dominación norteamericana. Con la ayuda de EE UU, Ramón Magsaysay, ministro de Defensa, consiguió reducir al Huk (1953). Post. resurgió, dando lugar al Nuevo Ejército del Pueblo (1969), de tendencia maoísta.

HULADO m. *Hond*. Hule, encerado.

HULE m. Caucho o goma elástica. • Tela pintada al óleo y barnizada para que resulte impermeable. • m. pl. *Amér. Centr*. Ligas de goma. ■ HULEAR; *Amér*. HULERÍA; *Amér*. HULERO, RA.

HULL *(Kingston-upon-Hull)* C. de Gran Bretaña, en Inglaterra, condado de York; 268 300 hab. Sit. a orillas del estuario de Humber. Puerto pesquero y comercial. Ind. químicas. Universidad.

HULL, *Cordell* (1871-1955) Político norteam., secretario de Estado de 1933 a 1944. Premio Nobel de la Paz en 1945.

HULLA f. *Geol*. Combustible mineral sólido procedente de la fosilización de sedimentos vegetales del período carbonífero. Su poder calorífico oscila entre 7 000 y 9 000 cal/kg. ■ HULLERO, RA.

HULOSO, SA ajd. *Amér. Centr*. Correoso.

HUMA f. *Chile*. Humita, manjar.

HUMACAO Distr. de Puerto Rico, sit. al E de la isla; 1 429 km², 394 000 hab. Accidentado por estribaciones de la cord. Central y por la sierra de Luquillo. Caña de azúcar, café, arroz, tabaco. Ind. derivadas. • C. de Puerto Rico, cap. del distr. hom.; 55 203 hab. Centro comercial y agrícola.

HUMADA f. Ahumada, hoguera de mucho humo.

HUMANAR tr. y prnl. Hacer o hacerse más humano. • prnl. *Amér*. Rebajarse, condescender.

HUMANIDAD f. Naturaleza humana. • Gén. humano. • Bondad, compasión hacia otros. • Afabilidad, simpatía. • fam. Muchedumbre de personas. • fam. Corpulencia, gordura. • pl. Estudio y conocimiento de los diversos aspectos de la Antigüedad clásica. • P. ext., estudio y conocimiento del conjunto de disciplinas que no tienen una aplicación práctica inmediata.

HUMANISMO m. Cultivo y conocimiento de las humanidades. • Doctrina de los humanistas del Renacimiento. Fue uno de los movimientos intelectuales que informaron el espíritu del Renacimiento. Revalorizó el pensamiento clásico frente a la imagen parcial que de él daba la escolástica. Propugnaba una actitud antropocéntrica y racionalista, excluyendo de la filosofía los presupuestos teológicos. Sus prales. representantes fueron Erasmo, Maquiavelo, Pico della Mirandola, T. Moro. ■ HUMANISTA; HUMANÍSTICO, CA.

HUMANITARISMO m. Humanidad, compasión de las desgracias ajenas. ■ HUMANITARIO, RIA.

HUMANIZAR tr. y prnl. Humanar, hacer o hacerse más humano. • prnl. Ablandarse, desenojarse, hacerse benigno. ■ HUMANIZACIÓN.

HUMANO, NA o **HUMANAL** adj. Relativo al hombre o propio de él. • fig. Aplícase a la persona que se solidariza con las desgracias de sus semejantes. • m. Ser humano.

HUMAR tr. fam. *Amér*. Ahumar.

HUMARADA o **HUMAREDA** f. Abundancia de humo.

HUMAZO m. Humo denso y copioso.

Tomás Moro, eximio representante del **humanismo** inglés

Soldado de los Cascos Azules en misión **humanitaria** en Bosnia

Humilladero

Humorismo. Ilustración de Phiz para *Almacén de antigüedades*, de Dickens

Mapa de situación y bandera de **Hungría**

HUMBERTO I (1844-1900) Rey de Italia (1878-1900), hijo de Víctor Manuel II; formó, con Alemania y Austria-Hungría, la Triple Alianza. Murió en un atentado. • **II** (1904-1983) Rey de Italia, hijo de Víctor Manuel III. Su reinado acabó a los 23 días de empezar, ante el resultado, favorable a la rep., del referéndum celebrado en 1946.

HUMBOLDT, ***Corriente de,*** también llamada *corriente del Perú.* Corriente fría del océano Pacífico que discurre paralela a las costas de Chile y Perú en dirección S a N.

HUMBOLDT, ***Alexander von*** (1769-1859) Geógrafo y naturalista al. Fruto de sus observaciones por la América esp. y por el Asia central es su obra *Kosmos.* • ***Karl Wilhelm von*** (1767-1835) Lingüista y pensador al. El lenguaje, según él, es un todo orgánico que expresa el espíritu del pueblo que lo habla. *Investigación sobre los primitivos habitantes de España a través de la lengua vasca.*

HUME, ***David*** (1711-1776) Filósofo empirista brit. En Francia estudió a Descartes, bajo cuya influencia escribió el *Tratado de la naturaleza humana.* Para H. las ideas proceden de las impresiones originarias, pero la imaginación y la memoria conducen a veces a ideas erróneas. *Ensayos morales y políticos, Historia de Inglaterra.*

HUMEAR intr. y prnl. Echar humo. • intr. Arrojar una cosa vaho que se parece al humo. • Quedar restos de una enemistad. • fig. Presumir. • tr. *Amér.* Fumigar.

HUMECTAR tr. Humedecer. • Producir humedad. ■ HUMECTATIVO, VA.

HUMEDAD f. Calidad o estado de húmedo. • Cantidad de vapor acuoso contenida en alguna sustancia. • **absoluta.** Masa de vapor de agua contenida en una unidad de volumen de aire. • **atmosférica o relativa.** Relación entre la humedad absoluta en un momento dado y la cantidad de vapor de agua necesaria para saturar 1 m^3 de aire a la misma temperatura.

HUMEDECER tr. y prnl. Mojar ligeramente algo. ■ HUMECTACIÓN; HUMECTADOR, RA.

HÚMEDO, DA adj. Ácueo o que participa de la naturaleza del agua. • Ligeramente impregnado de agua o de otro líquido. • Se aplica al clima, país, etc., con una elevada humedad atmosférica. ■ HUMEDAL.

HUMERA f. fam. Jumera, borrachera. • *P. Rico.* Humareda.

HUMERAL adj. *Zool.* Relativo al húmero. • *Anat.* Díc. de la arteria que acompaña al húmero e irriga los tejidos del brazo. • *Anat.* Díc. de la vena que acompaña a la arteria humeral. • m. Paño blanco que se pone sobre los hombros el sacerdote para coger la custodia o el copón.

HUMERO m. Cañón de chimenea, por donde sale el humo. • *Col.* Humareda.

HÚMERO m. *Anat.* Hueso del brazo entre el hombro y el codo.

HUMÍCOLA adj. Díc. de los animales y vegetales que viven en el humus.

HUMÍFERO, RA adj. Se aplica al suelo que posee humus.

HUMIFICACIÓN f. Proceso de descomposición de la materia vegetal con formación del humus.

HUMILDAD f. Ausencia completa de orgullo. • Virtud cristiana contrapuesta al orgullo. • Sumisión. • Condición inferior. ■ HUMILDE.

HUMILLADERO m. Lugar que suele haber a las entradas de los pueblos y junto a los caminos, con una cruz o imagen.

HUMILLAR tr. Bajar, inclinar una parte del cuerpo en señal de acatamiento. • fig. Abatir el orgullo y altivez de uno. • prnl. Hacer actos de humildad. • *Taur.* Dicho del toro, bajar la cabeza. ■ HUMILLACIÓN; HUMILLANTE.

HUMILLO m. fig. Vanidad, presunción. Se usa más en pl. • Enfermedad que suelen padecer los cochinos pequeños.

HUMITA f. *Amér.* Pasta de maíz tierno rallado, mezclado con ají y otros condimentos. ■ HUMITERO, RA.

HUMO m. Resultado de una combustión incompleta. Consiste en partículas sólidas o líquidas transportadas por la corriente de los gases o el aire caliente originado en este proceso. • Vapor que exhala cualquier cosa que fermenta. • *Cuba.* Nombre de dos especies de árboles; uno leguminoso y el otro rutáceo. • pl. Hogares o casas. • fig. Vanidad. • **A h. de pajas.** m. adv. fig. y fam. Sin reflexión ni consideración. • **Bajarle** a uno **los humos.** fig. y fam. Domar su altivez. ■ HUMOSO, SA.

HUMOR m. Cualquiera de los líquidos del cuerpo del animal. • fig. Disposición de ánimo habitual o pasajera • fig. Buena disposición de ánimo. • Cualidad consistente en saber descubrir y mostrar los aspectos cómicos y ridículos de personas o situaciones. • Humorismo. • **negro.** El que se ejerce con cosas que, vistas desde otra perspectiva, causarían terror, lástima, etc. ■ HUMORADO, DA; HUMORAL; HUMOROSO, SA.

HUMORISMO m. Humor, aptitud para ver las cosas por su lado gracioso o ridículo. • Cualidad del humorista. • *Lit.* Estilo literario de larga tradición, presente tanto en poesía como en comedia, novela etc. • *Med.* Doctrina según la cual todas las enfermedades resultan de la alteración de los humores corporales. ■ HUMORÍSTICO, CA.

HUMORISTA adj. y s. Díc. del que habla, escribe, dibuja o considera las cosas con humor. • Díc. de la persona que, en los espectáculos, divierte al público con sus chistes o ironías.

HUMOSIDAD f. Fumosidad.

HUMPERDINCK, ***Engelbert*** (1854-1921) Compositor al., colaborador de Wagner. *Hansel y Gretel* (ópera).

HUMPHREY, ***Huber Horatio*** (1911-1978) Político norteam. Miembro del partido demócrata, fue elegido vicepresid. en la candidatura de L. Johnson (1964). En las elecciones presidenciales de 1968 resultó derrotado por Nixon.

HUMUS m. *Biol.* Materia orgánica del suelo procedente de la descomposición, por fermentación o putrefacción, de los restos vegetales y animales.

HUNABKU *Mit.* En la religión maya, creador y mantenedor del mundo y de los hombres, y padre de los dioses.

HUNAHAU *Mit.* En la religión maya, dios del Mitnal o mundo inferior, de la muerte, la oscuridad, el frío y el norte.

HUNAN Prov. del S de China; 210 000 km^2, 60 659 754 hab. Cap., Changsha. Relieve montañoso, excepto en el NE, donde se halla la depresión del lago Tung Ting. R. prales.: Siang y Yüan. Agricultura. Plomo, cinc, mercurio, antimonio.

HUNCO m. *Bol.* Poncho de lana sin flecos.

HUNDIR tr. Sumir, meter en lo hondo. • fig. Abrumar, abatir. • fig. Confundir a uno, vencerle con razones. • fig. Destruir, arruinar. • prnl. Arruinarse un edificio, sumergirse una cosa. • fig. Haber disensiones y alborotos en alguna parte. • fig. y fam. Desaparecer una cosa, de forma que no se sepa dónde está. ■ HUNDIMIENTO.

HÚNGARO, RA adj. y s. Individuo de un pueblo europeo ugrofinés que constituye el 97 % de los hab. de Hungría, así como imp. minorías nac. en Rumania, Eslovaquia, Croacia, Eslovenia y Ucrania. • De Hungría. • Lengua que se habla en Hungría, donde es oficial.

HUNGNAM C. de la República Democrática Popular de Corea (150 000 hab.). Centro industrial.

HUNGRÍA *(Magyar Nepöztársaság)* Est. de Europa centrooriental, que limita al N con la Rep. Eslovaca, al S con Croacia y Yugoslavia, al NE con Ucrania, al E con Rumania y al O con Austria y Eslovenia. Geomorfológicamente cabe distinguir: al N la Dorsal hún.; al NO la Pequeña Llanura y la Transdanubia; al E del Danubio, la Gran Llanura con dos regiones (la del Danubio-Tisza y la Transtisza o estepa húngara). R. prales.: el Danubio, que atraviesa el país del N a S, y el Tisza. Clima continental. Las actividades agrícolas se llevan a cabo en explotaciones colectivas y de carácter estatal. Los cereales ocupan el 60 % de las tierras cultivadas. También son importantes las patatas y el viñedo. Se explota lignito, hulla, petróleo y bauxita. Ind. siderúrgica, metalúrgica, mecánica, textil, etc. República popular. Lengua: el húngaro. *Rel.:* Católicos rom., luteranos, ortodoxos, judíos. U. M.: el forint. Cap., Budapest. C. prales.: Miskolc, Debrecen, Szeged.

* *Hist.* Los primeros pobladores del país fueron getas. En el s. III a. C. se produjo la invasión de los celtas. En el 10 d. C. el emp. Augusto convirtió el país en prov. rom., la Panonia. A partir del s. IV sufrió

1

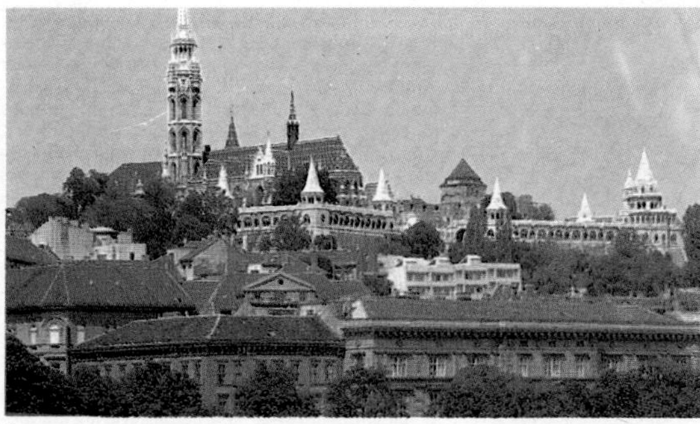
2

Hungría. 1. Ruinas en el patio del museo de Szekesfehrvas.
2. La colina de Buda con la iglesia de San Matías, en Budapest

invasiones de vándalos, alanos, ávaros y en 895 de los magiares, que se convirtieron paulatinamente en un pueblo de agricultores. Esteban I [1000-1038] impuso el catolicismo y dio al reino una administración común. Durante la E. Med. hubo constantes enfrentamientos entre la monarquía y la nobleza. En el s. XV tuvo que hacer frente a los turcos, mientras que la dominación señorial daba origen a revueltas campesinas. H. quedó dividida en dos zonas de influencia, una apoyada por Austria y la otra por el imperio otomano. Tras la conquista de Buda y de Transilvania por los austr., H. fue cedida a los Habsburgo (1699), que impusieron el al. como lengua of. y suprimieron la autonomía de los condados húng. La preponderancia austr. quedó mitigada por el compromiso de 1867, que dio origen a la monarquía austrohúngara. Tras la I Guerra Mundial, vencido el imp. austro-húng., H. recobró la indep., pero con las fronteras muy reducidas. En la II Guerra, los húng. lucharon junto a Alemania contra la URSS, pero vencidos los al., H. cayó bajo la influencia sov. En 1949 se proclamó la República Popular Húngara. En 1956 un levantamiento nacional contra el gobierno estalinista fue aplastado por las tropas sov. Miembro del Pacto de Varsovia, H. colaboró con la URSS en la invasión de Checoslovaquia (1968). El partido comunista húng., dirigido por János Kadar desde 1956, inició a finales de los setenta una política de reformas sociales y económicas tendentes a una mayor indep. respecto a la URSS. En 1988 se produjeron grandes cambios en la escena política húngara. Las reformas fueron emprendidas por Karoly Grosz, jefe de gobierno y nuevo secretario general del PSOH, e Imre Poszgay, presid. del Frente Popular Patriótico. Por primera vez en un país del Este fue elegido presid. un no comunista, Bruno Straub. En 1990 se celebraron elecciones generales libres en las que venció la oposición integrada en la coalición Foro Democrático. Las elecciones de 1994 dieron la victoria a los excomunistas del Partido Socialista Húngaro encabezado por Gyula Horn. Sin embargo, en 1998 ganó Viktor Orban, del bloque derechista Fidesz-MPP. En 1999, H. entró en la OTAN.

HUNGRÍA

Superficie 93 036 km²

Población 10 157 000 hab. (109 hab./km²)

Recursos económicos	
Cebada	1 408 000 t
Lino	1 000 t
Maíz	4 597 000 t
Patatas	1 150 000 t
Trigo	4 600 000 t
Ganadería	
Cabaña bovina	910 000 cabezas
Cabaña ovina	947 000 cabezas
Cabaña porcina	4 356 000 cabezas
Riqueza forestal	4 846 000 m³
Pesca	23 957 t
Producción minera	
Bauxita	836 000 t
Carbón	1 695 000 t
Lignito	13 080 000 t
Manganeso	17 000 t
Producción industrial	
Acero	1 515 000 t
Ácido nítrico	310 000 t
Azúcar	512 000 t
Cerveza	8 082 000 hl
Energía eléctrica	33 486 millones de kwh
Hierro colado	1 311 000 t
Vino	3 500 000 hl
Indicadores sociológicos	
PNB	42 129 millones de dólares
Renta per cápita	4 120 dólares
Esperanza de vida	70 años
Alfabetismo	99 %

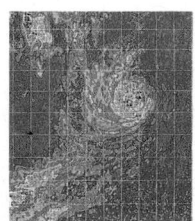

HUNO, NA adj. y s. Díc del individuo de un pueblo nómada de origen mongol que penetró en Europa en el s. IV. A la muerte de Atila (454), los h. se disgregaron. • adj. Relativo a ese pueblo. • m. pl. Ese mismo pueblo.

HUNTSVILLE C. de EE UU, en Alabama; 147 000 hab. Ind. textiles, aceites vegetales. *George C. Marshall Space Flight Center*, de la NASA.

HUNYADI, *János* (h. 1387-1456) Noble h., regente de Ladislao VI. Expulsó a los turcos de Belgrado (1456).

HUPE f. Descomposición de algunas maderas que se convierten en una sustancia blanca que después de seca suele emplearse como yesca.

HUPEI *(Hupeh, Hubei)* Prov. de China central; 185 900 km², 53 969 210 hab. Cap., Wuhan. Arroz, trigo, algodón. Hierro. Ind. siderúrgica y textil.

HURA f. Carbunco en la cabeza. • Agujero pequeño, madriguera.

HURACÁN m. *Meteor.* Masa de vientro tropical que gira alrededor de un centro de muy baja presión a velocidades del orden de 150 km/h o más. Los h. se originan entre los 8 y 15° de latitud de ambos hemisferios, y su dirección es gralte. de E a O. • Viento de fuerza extraordinaria. • fig. Cosa que destruye o que causa grandes males. ■ HURACANADO, DA.

HURACÁN En la religión maya, ant. e importante dios astral, el Triple Corazón del universo, representante del Carro Mayor. Se convierte en la deidad del rayo, el trueno y la fertilidad.

HURACO m. Agujero.

HURAÑO, ÑA adj. Que rehúye el trato o la conversación con las personas. ■ HURAÑÍA.

HUREQUE m. *Col.* Agujero.

HURERA f. Agujero y huronera.

HURGANDILLAf. *Hond.* Persona que menea o sacude alguna cosa.

HURGAR tr. Menear o remover insistentemente una cosa. • fig. Incitar, conmover. • fig. Fisgar. ■ HURGAMIENTO; HURGÓN, NA; HURGONAZO.

HURGONEAR tr. Menear o revolver con hurgón. • fam. Tirar estocadas.

HURGUETE m. *Argent.* y *Chile.* Hurón, escudriñador.

HURGUETEAR tr. *Argent.* y *Chile.* Hurgar, huronear.

HURGUILLAS com. Persona inquieta.

HURÍ f. Mujer bellísima que el Corán promete a los fieles musulmanes en el más allá.

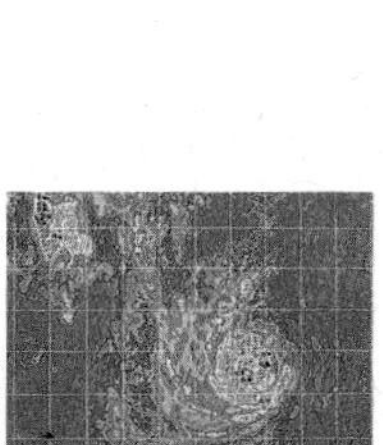
Imagen de infrarrojos que muestra el ojo del **huracán** *Allen*, sobre el golfo de México

Jan **Hus** conducido a la hoguera, en una miniatura del s. XV. Biblioteca Nacional, Viena

Husayn I de Jordania

Jon Zizka, jefe del movimiento revolucionario **husita**

Saddam **Hussein**

HURÓN m. *Zool.* Variedad semidoméstica del turón. Es un mustélido de cuerpo esbelto y hábitos agresivos que se emplea como auxiliar en la caza del conejo. • adj. y s. Díc. del individuo de una tribu amerindia que formaba parte del pueblo iroqués y habitaba en la región de los Grandes Lagos. • adj. Concerniente a dicha tribu. • m. pl. Esta misma tribu. • m. fig. y fam. Persona que se mete en todo, que todo lo averigua. • adj. y m. fig. y fam. Díc. de la persona huraña. ▪ HURONERA; HURONERO.

HURÓN Lago de América del Norte, en la frontera entre EE UU y Canadá; 59 500 km^2.Comunica con los lagos Superior, Erie y Michigan. Su profundidad máx. es de 228 m.

HURONA f. Hembra del hurón.

HURONEAR intr. Cazar con hurón. • fig. y fam. Procurar saber y escudriñar cuanto pasa.

HURONIANO adj. y m. *Geol.* Díc. del conjunto de plegamientos que se produjeron en la era precámbrica. Las regiones afectadas por estos movimientos casi nunca han sufrido ulteriores ciclos orogénicos, y forman áreas muy estables de la corteza terrestre, denominadas escudos.

HURTADILLAS *(A)* m. adv. Furtivamente; sin que nadie lo note.

HURTADO, *Ezequiel* (1825-1890) Militar y político col. Ministro de Guerra. Presid. en 1884, en ausencia de Núñez. Su intervención en la rev. liberal de 1885 le valió el exilio. • **de Mendoza, *Diego*** (1503-1575) Poeta e historiador esp., representante del humanismo. Se le ha atribuido la paternidad del *Lazarillo, La Guerra de Granada.* • **Larrea, *Osvaldo*** (nacido 1940) Político ecuat., fundador del partido demócrata cristiano (1966). Fusionó su partido con el Partido Conservador Progresista. Vicepresidente con Roldós (1979), a la muerte de éste accedió a la presidencia de la rep. (1981-1984).

HURTAR tr. Robar sin intimidación ni violencia. • No dar el peso a medida cabal. • fig. Plagiar, presentar como propios escritos, ideas, etc., de otro. • fig. Llevarse tierras el mar o los ríos. ▪ HURTO.

HUS, *Jan* (1373-1415) Reformador religioso chec. Rector de la universidad de Praga. Su ideología originó el mov. husita. Murió en la hoguera.

HUSAK, *Gustav* (1913-1991) Político chec. Miembro del partido comunista, fue condenado en 1951 y rehabilitado en 1963. Tras la invasión sov. (1968), sustituyó a Dubcek como secretario general del partido. Presid. de la rep. (1975-1987).

HÚSAR m. Soldado de caballería ligera; su armamento y uniforme imitaban los del ejército húngaro.

HUSAYN I (1935-1999) Rey de Jordania desde 1952. En 1967 participó en la guerra contra Israel y perdió Jerusalén y Cisjordania. En septiembre de 1971 ordenó una gran matanza de palestinos en suelo jordano. En los años ochenta se reconcilió con la OLP y desde entonces intervino como mediador en el proceso de paz árabe-israelí, participando en los acuerdos de Wye Plantation en 1998. • ***Iman*** (626-680) Hijo de Alí y de Fátima, nieto de Mahoma y hermano de Hasan. Murió en lucha con los omeyas. • ***Ibn Alí*** (1856-1931) Emir de La Meca (1908-1916) que, con el apoyo brit., se proclamó rey (1916) y luego califa (1924) del Hedjaz, en Arabia. Fue derrotado por Ibn Saud.

HUSERO m. Cuerna recta del gamo de un año.

HUSILLO m. Barra cilíndrica de hierro o acero, con un filetado a modo de tornillo, que en ciertas máquinas se utiliza para producir y controlar por medio de accionamientos adecuados el mov. de avance y retroceso. Los h. son de aplicación generalizada en las máquinas herramientas. • *Chile.* Canilla provista de hilo y sin lanzadera que se usa en el telar para tramar.

HUSITA adj. Díc. de los seguidores del reformador religioso chec. Jan Hus. Propugnaban la libertad de predicación y la pobreza de los eclesiásticos, y constituyeron un mov. revolucionario de carácter nacionalista y antifeudal. El papa Martín V predicó una cruzada contra ellos (1420). En 1434 los h. radicales fueron derrotados en Lipany por una alianza entre católicos y h. moderados.

HUSMEAR tr. Rastraer con el olfato una cosa. • fig. y fam. Andar indagando una cosa con disimulo. • intr. Empezar a oler mal una cosa.

HUSO m. Instrumento manual que sirve para hilar torciendo la hebra y devanando en él lo hilado. • Instrumento de hierro para devanar la seda. • *Her.* Losange largo y estrecho. • Cilindro de un torno. • **esférico.** *Geom.* Parte de una superficie esférica delimitada por dos semiplanos que parten de un mismo diámetro. • **horario.** Cada uno de los veinticuatro en que se considera divida la superficie terrestre a fin de establecer la hora legal. El primer h. horario es el de Greenwich, cuyo meridiano medio, 0°, determina la hora de Europa occidental, y con el que se identifica el tiempo universal. • **mitótico.** *Biol.* Conjunto de fibras visibles al microscopio durante el proceso de reproducción celular. ▪ HUSADA.

HUSSEIN, *Saddam* (nacido 1937) Militar y político iraquí. Presid. desde 1979, en 1980 declaró la guerra a Irán, lo que le enfrentó durante ocho años al integrismo islámico chiíta. En agosto de 1990, H. invadió Kuwait en una rápida acción militar lo que le supuso un duro bloqueo militar y económico decretado por la ONU, emplazándole para el abandono del territorio kuwaití antes del 15 enero 1991. Al no retirarse estalló la Guerra del Golfo, que acabó el 28 de febrero al aceptar las condiciones de la ONU. • **Bin Onn** (nacido 1922) Político malayo. Secretario general de la Organización Nacional de la Unidad Malaya, fue consejero de Estado (1948-1957), director del ministerio de Educación (1970) y ministro de esa cartera (1974). En 1976 fue elegido primer ministro y ministro de Defensa. En 1981 dimitió por razones de salud.

HUSSERL, *Edmund* (1859-1938) Filósofo al. Abrió con sus trabajos un nuevo campo a la filosofía: la fenomenología. *Ideas para una fenomenología pura y filosofía fenomenológica, Lógica formal y trascendental, Meditaciones cartesianas.*

HUSTON, *John* (1906-1987) Director de cine norteam., nacionalizado irl. *El halcón maltés, La jungla de asfalto, El tesoro de Sierra Madre, Moby Dick, Paseo por el amor y la muerte, Vidas rebeldes, Sangre sabia, Bajo el volcán, Dublineses.*

HUTA f. Choza en donde se esconden los monteros para echar los perros a la caza cuando pasa por allí.

HUTCHESON, *Francis* (1694-1746) Filósofo brit., fundador de la escuela escocesa del sentido común. Ejerció gran influencia en su discípulo Adam Smith. *Sistema de filosofía moral.*

HUTÍA f. *Ant.* Jutía, mamífero roedor.

HUTU adj. y s. Díc. de individuos de un pueblo melanoafricano del grupo bantú, que forma el grueso de la pob. de Ruanda y Burundi. • adj. Relativo a ese pueblo. • m. pl. Ese mismo pueblo.

HUXLEY, *Aldous* (1894-1963) Escritor inglés, hermano de Julian Sorell H. Autor de novelas *(Contrapunto, Un mundo feliz, La isla, Los demonios de Loudun)* y de ensayos *(La filosofía perenne, Las puertas de la percepción)* • ***Julian Sorell*** (1887-1975) Biólogo ing., evolucionista. Primer director general de la UNESCO. *Evolución o acción, Ensayos de un biólogo.* • ***Thomas Henry*** (1825-1895) Naturalista ing., padre de Julian y Aldous. Fue amigo de Darwin y, como él, evolucionista.

¡HUY! interj. que denota asombro, melindre o dolor físico agudo. Se usa también repetida.

HUYGENS, *Christiaan* (1629-1695) Físico, astrónomo y matemático hol. Fue el fundador de la teoría ondulatoria de la luz. Como astrónomo, detectó un satélite de Saturno y consiguió la resolución de los anillos de este planeta. Sus trabajos de física matemática ayudaron a Newton a formular su ley de la gravitación universal.

HUYUYO, YA adj. fam. *Amér.* Huraño, arisco.

HYDERABAD *(Haidarabad)* C. de la India, cap. del est. de Andhra Pradesh; 4 280 300 hab. Ind. metalúrgica, textil, química, papelera. Universidad.

HYDERABAD C. del SE de Pakistán, sit. en la orilla izquierda del r. Indo, al NE de Karachi; 795 000 hab. Ind. metalúrgicas.

HYDRA *Astr.* Constelación que se extiende simultáneamente sobre el cielo boreal y el austral. La abeza se halla debajo de *Cáncer* y la cola termina en *Libra.*

HYDRUS *Astr.* Constelación poco importante que se encuentra muy cerca de la Gran Nube de Magallanes.

HYOGO Prefectura de Japón, en la isla de Honshu; 8 381 km^2, 5 405 000 hab. Cap., Kobe.

Hz *Fís.* Símb. del hertz.

I

Irlanda. Típicas viviendas del condado de Limerick

I f. Novena letra del alfabeto esp., y tercera de sus vocales. • Letra numeral que tiene el valor de uno en la numeración romana. • Signo de la proposición particular afirmativa. • *Fís.* Símb. con que comúnmente se designa la intensidad de corriente eléctrica. • *Mat.* Símb. (*i*) con el que se representa el número $\sqrt{-1}$, la unidad imaginaria. • *Quím.* Símb. del yodo. • **griega.** Ye.
I Ching o **YI King** («Libro de los cambios») Libro chino de adivinación y de consulta basado en la creencia de que la armonía cósmica regula todo en la vida del hombre. Su origen es inmemorial.
IALOMITZA o **IALOMITA** Río de Rumania, afl. izquierdo del Danubio; 225 km. Nace en los Cárpatos meridionales.
IASI o **YASSY** C. del E de Rumania, en Moldavia, sobre el Bahlui, afl. del Prut; 305 600 hab. Productos farmacéuticos, ind. textiles y alimentarias.
IATA Siglas de *International Air Transport Association* (Asociación Internacional de Transporte Aéreo). Organismo creado en 1945 por las compañías regulares de aviación para unificar formas de pago, tarifa y pasajes.
IATROGÉNICO, CA adj. Díc. de toda alteración del estado del paciente producida por el médico.
IB m. *Méx.* Fríjol pequeño.
IBADÁN *(Ibadan)* C. del O de Nigeria; 847 000 hab. Centro agrícola y comercial. Ind. textiles y alimentarias, Universidad.
IBAGUÉ C. del centro-oeste de Colombia, cap. del dpto. de Tolima; 386 423 hab. Agricultura tropical y yacimientos de feldespato. Importante centro industrial. Aeropuerto. Universidad.
IBÁÑEZ, *Jaime* (nacido 1919) Escritor col. En sus obras refleja la violencia del mundo contemporáneo. Autor de *No volverá la aurora, Donde moran los sueños*, etc. • ***Paco*** Nombre artístico de *Francisco Ibáñez* (nacido 1941) Cantante esp. Ha puesto música a textos de poetas esp. (García Lorca, Alberti, Góngora, Quevedo). • ***Roberto*** (1907-1978) Poeta ur. Vanguardista. *Olas, La danza de los horizontes, Mitología de la sangre.* • ***Sara*** (1909-1971) Poetisa ur. Posmodernista. *Canto, Las estaciones y otros poemas, Apocalipsis XX.* • **Del Campo, *Carlos*** (1877-1960) Militar y político chil. En 1927 fue elegido presid. con el apoyo del ejército, pero se exilió en 1931 tras una revuelta popular. Desempeñó un segundo mandato entre 1952 y 1958.
IBARAKI Prefectura de Japón, en la isla de Hon-[illegible]6094 km^2, 2 845 000 hab. Cap., Mito. • C. de Ja-[illegible]S de Honshu; 254 080 hab. Mercado agrícola.
IBARBOUROU, *Juana de* (1892-1979) Poetisa ur. Coronada «Juana de América» en 1929, es la gran figura femenina de la poesía hispanoamericana. Se inspiró en el amor y la naturaleza. *La laguna, Bajo la lluvia, El pozo, Raíz salvaje, Despecho y lacería.*
IBARGÜENGOITIA, *Jorge* (1928-1983) Escritor méx. *Susana y los jóvenes, El atentado, Clotilde en su casa* (teatro); *Los relámpagos de agosto, Los conspiradores* (novela).
IBARÓ m. Jaboncillo, árbol americano.
IBARRA C. del N de Ecuador, cap. de la prov. de Imbabura; 80 991 hab. Turismo.
IBÁRRURI, *Dolores,* llamada LA PASIONARIA (1895-1990). Dirigente obrera esp. Diputada en las cortes republicanas (1936). Secretaria general del partido comunista (1942-1960) y presidenta del mismo desde 1960. Exiliada en Moscú (1939-1977), a su regreso fue elegida diputada (1977-1979).
IBERIA Ant. denominación gr. de la zona regada por el río Iber y, p. ext., de la pen.
IBÉRICA, *península* Pen. del SO de Europa, sit. entre el océano Atlántico, el mar Mediterráneo y el mar Cantábrico. Comprende tres Est.: España, Portugal y Andorra. Superficie total: 581 000 km^2.
IBÉRICO, CA adj. y s. Relativo a Iberia o a la pen. Ibérica. • m. Lengua de los ant. iberos.
IBÉRICO, *sistema* Cordillera esp. que separa la Meseta de la depresión del Ebro. Su altura máx. es el Moncayo (2 313 m).
IBÉRICO, *Mariano* (1893-1974) Filósofo y jurisconsulto per. *El carácter, El nuevo absoluto, La unidad dividida, Los principios de la lógica jurídica.*
IBERIO, RIA adj. Ibérico.
IBERISMO m. Carácter de ibero. • Estudio de la cultura ibérica. • Palabra o rasgo lingüístico de las lenguas ibéricas con que éstas contribuyeron a la formación del cast. • Doctrina política que propugna la unión de España y Portugal.
IBERO, RA adj. y s. Díc. de individuos de unos ant. pueblos de la pen. Ibérica, en donde desarrollaron una cultura en los s. VI a II a. C. • Perteneciente o relativo a estos pueblos. • Ibérico. • m. Lengua preindoeuropea de los iberos.
* *Hist.* La fecha de entrada en la pen. es incierta, aunque es posible que se instalaran hacia el s. IX a. C., haciéndolo pralm. en las regiones levantina y cat. Se hallaban organizados en tribus y se dedicaban a la agricultura y ganadería.
* *Arte.* La arquitectura tiene en el castro de Ullastret (Gerona) unos de sus mejores ejemplos. Las mejores representaciones esculturales son zoomórficas

Guerrero **ibero.** Estatuilla hallada en Despeñaperros. Museo Arqueológico, Madrid

(esfinge de Agost, Bicha de Balazote, leona de Baena). En los santuarios se han encontrado figuritas que pudieran ser exvotos (dama de Elche, dama de Cerro de los Santos). Son de gran interés los restos cerámicos de San Miguel de Liria.

IBEROAMÉRICA o **AMÉRICA LATINA** Parte del continente americano colonizada por España o por Portugal.

IBEROAMERICANO, NA adj. y s. Relativo a los países del continente americano colonizados por España y Portugal.

IBERT, *Jacques* (1890-1962) Compositor fr. Fue alumno de Fauré y perteneció a la escuela impresionista. *Escalas, Angélica, El rey de Yvetot, Homenaje a Mozart.*

ÍBICE m. *Zool.* Mamífero artiodáctilo de la familia bóvidos, también llamado *cabra montés*. Vive en regiones montañosas, incluso de más de 5 000 m.

IBICENCO, CA adj. y s. Natural de Ibiza, isla de las Baleares.

Ibis

IBÍDEM adv. latino utilizado en las notas o citas de un texto con la significación de *en la misma obra, en el mismo lugar*. Se abrevia *ibíd.*

IBIS f. Ave ciconiforme de plumaje blanco y negro.

IBIZA *(Eivissa)* Isla esp., en el arch. y com. autón. de Baleares, sit. al SO de Mallorca. La más cercana a la península y la tercera en extensión; 542 km^2 y 45 000 hab. De suelo accidentado (sierras Mayol, la Mola), regado por el río Santa Eulalia y numerosos manantiales. Costas abruptas y acantiladas; clima seco y suave. Cultivos de tipo mediterráneo e ind. derivadas de la agricultura. • *(La Vila d'Eivissa)* Mun. esp., cuya cabecera es cap. de la isla hom.; 27 400 hab. Puerto exportador de sal y productos agrarios. Centro turístico. Ind. alimentaria. Aeropuerto.

Henrik **Ibsen**

IBN Voz ár. que significa *hijo*.

IBN *al Jatib* (1313-1374) Fue visir de Muhammad V. Círculo acerca de la historia de Granada, repertorio de biografías. • **Arabí** (1164-1240) Místico musulmán esp. Es uno de los primeros literatos en lengua árabe. Su mística se basa en la luz interior y en el amor. • **Batuta** (1304-1377) Viajero y geógrafo árabe. Visitó África del N., Próximo Oriente, India, el Sudeste asiático y el África subsahariana. Escribió la narración de sus viajes. • **Daud, *Abraham*** (1110-1180) Pensador hebreoespañol. Tradujo textos aristotélicos. Se le atribuye la obra *Emunah Ramah*, que demuestra la existencia de Dios apoyándose en la necesidad de un primer motor inmóvil que explique todo movimiento. • **Hafsun, *Umar*** (m. 917) Rebelde hispanomusulmán. Jefe de una partida que tenía su refugio en Bobastro. Se convirtió al cristianismo a fin de conseguir el apoyo mozárabe. • **Hazm** (m. 1063) Polígrafo musulmán esp. Polemista, poeta, exegeta, teólogo, moralista e historiador. *Historia crítica de las religiones, sectas y escuelas, Libro de los caracteres y la conducta.* • **Jaldún** (1332-1406) El más famoso de los historiadores árabes. Estudió en Túnez. En 1382 fue a Egipto, en donde obuvo el cargo de gran cadí. Compuso una obra histórica titulada *Kitab al-Ibar* (*Historia universal*), precedida de unos *Prolegómenos*. • **Masarra** (883-931) Filósofo hispanomusulmán. Sus enseñanzas esotéricas y ascéticas fueron tachadas de heréticas durante el reinado de Abd Allah, por lo cual emigró con sus discípulos a Medina y a La Meca, y no regresó a Córdoba hasta el califato de Abd al-Rahman III. *Libro de la explicación perspectiva, Libro de las letras.* • **Quzman** (m. 1159) Poeta árabe esp., autor de un cancionero. Es el gran difusor de la *moaxaja* y el *zéjel*. Escribió en árabe vulgar y lengua romance sobre picarescos y escabrosos. • **Saud** (1880-1953) Sultán de Nedjed, jefe de los wahabitas. En 1926 conquistó el reino de Hedjaz, formando con este territorio y el Nedjed el reino de Arabia Saudita. Mantuvo una política favorable a EE UU. Le sucedió su hijo Saud ibn Abdelaziz. • **Tufayl** (m. 1186) Filósofo, médico y poeta hispanomusulmán. Ejerció como médico en Granada. Escribió una obra de carácter filosófico que, en 1671, adaptó Pococke, dándole el título de *Philosophus autodidactus*. • **Zamrak** (m. 1394) Escritor hispanomusulmán. Conocido como «El poeta de la Alhambra», pues sus versos decoran gran parte de sus muros.

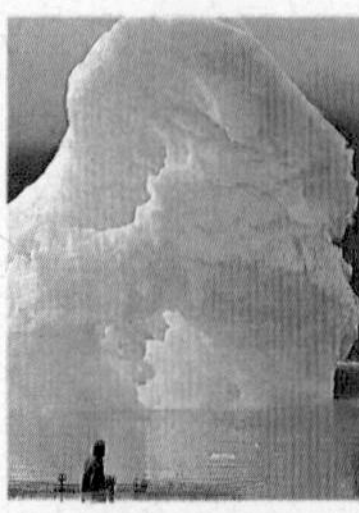

Iceberg

IBO adj. y s. Díc. de individuos de un pueblo melanoafricano del SE de Nigeria. Su intento de obtener la indep. (Biafra) fue sofocado (1967-1970). • adj. Relativo a este pueblo. • m. *Ling.* Lengua hablada por este pueblo. • m. pl. Este mismo pueblo.

IBRAHIM, *Abdullah* (nacido 1918) Político marroquí. Dirigente del ala izquierda del Istiqlal y post. de la Unión Nacional de Fuerzas Populares. Encarcelado por los fr. (1952-1954). Ministro de Trabajo y de Asuntos Sociales (1956-1957) y primer ministro (1958-1960).

IBÓN m. Lago de origen glaciar de los Pirineos aragoneses.

IBSEN, *Henrik* (1828-1906) Dramaturgo noruego, iniciador del teatro de tesis y del teatro social. *Brandt, Peer Gynt, Espectros, Casa de muñecas.*

ICA Dpto. del Perú, ribereño del océano Pacífico; 21 327,8 km^2, 607 600 hab. Cap., la c. hom. Comprende extensas planicies desérticas en descenso hacia el mar. Al E lo accidenta la Cordillera Occidental andina. Las zonas habitables y fértiles corresponden a los valles fluviales (Pisco, Ica, Grande). Clima templado. Algodón, frijoles, vid, frutas, cereales. Ganadería. Minas de hierro en Marcona, al S. Oro en Nazca. Pesca (San Andrés) y derivados (conservas). De 1950 a 1965 la pob. aumentó en un 83 % a causa de la revalorización económica derivada de la explotación del hierro. En el valle del I. se desarrolló una civilización preincaica contemporánea a la de Nazca y de la cultura de los *chinchas*. • C. de Perú, cap. del dpto. hom.; 161 501 hab. Centro agrícola. Ind. alimentarias.

ICACO m. Hicaco, arbusto.

Ibiza. Vista de la ciudad vieja, con el espigón y el faro

ICARIO, RIA o **ICÁREO, REA** adj. Relativo a Ícaro, personaje mitológico.

ÍCARO *Mit. gr.* Hijo de Dédalo. Huyó del Laberinto de Creta con unas alas pegadas con cera, que se derritieron al acercarse al Sol.

ICÁSTICO, CA adj. Natural, sin disfraz.

ICAZA, *Francisco de* (1863-1925) Crítico y poeta mex. *Supercherías y errores cervantinos, Las novelas ejemplares de Cervantes.* • ***Jorge*** (1906-1978) Novelista y dramaturgo ecuat. Su obra es una ardorosa defensa del indígena: *Huasipungo, Cholos, Atrapados.* • ***Xavier*** (1892-1969) Novelista mex. Satirizó las estructuras sociales del país. *Gente mexicana, Panchito Chapopote.*

ICEBERG m. Témpano o masa flotante de hielo en los mares polares, originado por fragmentaciones del frente de un glaciar.

ICEFIELD m. Campo de hielo de gran extensión formado en el mismo lugar de su ubicación.

ICHAL m. Sitio poblado de ichos.

ICHASO, *Francisco* (1900-1962) Escritor cub. *Góngora y la nueva poesía, Lope de Vega, poeta de la vida cotidiana.*

ICHIKAWA C. de Japón, en el centro-este de Honshu; 397 800 hab. Ind. metalúrgica.

ICHINOMIYA C. de Japón, en el centro de Honshu; 257 400 hab. Ind. textil.

ICHO m. Planta gramínea, propia de los Andes.

ICNEUMÓN m. Mangosta, mamífero.

Iconostasio de una iglesia ortodoxa griega

ICNEUMÓNIDO, DA adj. y m. *Zool.* Díc. de insectos de la familia icneumónidos. • m. pl. *Zool.* Familia de insectos himenópteros. Las hembras ponen los huevos en el cuerpo de otros insectos.
ICNOGRAFÍA f. Delineación de la planta de un edificio. ■ ICNOGRÁFICO, CA.
ICÓNICO, CA adj. Relativo al icono. • Díc. del signo que participa de la naturaleza de la cosa significada.
ICONO m. *Arte.* Imagen, gralte. religiosa, pintada o grabada en plancha de madera, oro, etc., esmaltada o ejecutada en mosaico.
ICONOCLASIA f. Doctrina de los iconoclastas.
ICONOCLASTA adj. y s. Individuo de un movimiento religioso del s. VIII, promovido por los emp. bizantinos, que se oponía al culto de las imágenes. • P. ext., díc. de quienes no respetan las tradiciones.
ICONÓGENO m. Sustancia empleada en fotografía para revelar.
ICONOGRAFÍA f. Tratado descriptivo o colección de imágenes o retratos. • Conjunto de representaciones gráficas relativas a un personaje, objeto o asunto determinados. ■ ICONOGRÁFICO, CA.
ICONOLATRÍA f. Adoración de las imágenes.
ICONOLOGÍA f. Representación de virtudes, vicios y otras ideas con la figura de personas.
ICONÓMACO adj. y s. Iconoclasta.
ICONOSCOPIO m. *Electr.* En TV, tubo analizador utilizado para la exploración de la imagen. • *Fot.* Lente divergente usada para enfocar las imágenes.
ICONOSTASIO m. Mampara con iconos, que en las iglesias orientales separa el altar del resto.
ICOR m. *Med.* En la antigua cirugía se denominaba así a un líquido seroso que exhalan ciertas úlceras malignas.
ICOSAEDRO m. Poliedro regular de veinte caras que son triángulos equiláteros.
ICTERICIA f. *Pat.* Síndrome caracterizado por un exceso de pigmentos biliares (bilirrubina y derivados) en la sangre, que impregnan la piel y las mucosas, dándoles una coloración amarillenta.
ICTÉRIDO, DA adj. y m. *Zool.* Díc. de aves de la familia ictéridos. • m. pl. *Zool.* Familia de aves paseriformes americanas de la zona tropical, a la que pertenecen caciques, charlatanes, trupiales, etc.
ÍCTICO, CA adj. Relativo a los peces.
ICTÍNEO, A adj. Semejante a un pez.
ICTIÓFAGO, GA adj. y s. Que se alimenta de peces.
ICTIOGRAFÍA f. Parte de la zoología que se ocupa en la descripción de los peces.
ICTIOL m. Aceite utilizado en dermatología, que se obtiene por destilación de una roca bituminosa.
ICTIOLOGÍA f. Parte de la zoología que se ocupa del estudio de los peces. ■ ICTIOLÓGICO, CA; ICTIÓLOGO, GA.
ICTIOSAURO m. *Pal.* Reptil gigantesco de la época secundaria adaptado a la vida acuática y con las extremidades transformadas en aletas.
ICTIOSIS f. Afección de la piel, caracterizada por la sequedad de los tegumentos y la formación de escamas. Suele ser hereditaria.
ICTUS m. En la versificación, apoyo rítmico sobre una sílaba larga o acentuada. • *Med.* Fenómeno patológico que se manifiesta súbitamente.

IDA f. Acción de ir de un lugar a otro. • fig. Ímpetu, acción impensada. • Señal o rastro que dejan en el suelo los animales de caza. • *Mit. gr.* Monte de Asia Menor donde se sitúa el juicio de París y el rapto de Ganimedes.
IDACIO (h. 395-h. 470) Cronista esp., obispo de Aquae Fluviae (hoy Chaves). Su *Chronicon* es una imp. fuente de información acerca de las invasiones bárbaras en España.
IDAHO Est. del NO de EE UU, limítrofe al N con Canadá; 216 432 km^2, 1 007 000 hab. Cap., Boise City. C. prales., Moscow, Idaho Falls, etc. Su territorio se extiende sobre la vertiente O de las Rocosas. Está accidentado por los montes Bitterroot y Salmon River. R.: Snake, Salmon y Clearwater. Riqueza forestal. Trigo, patatas, maíz, remolacha azucarera, alfalfa. Ganadería. Plata, plomo, oro, cinc, cobre, uranio, antimonio, fosfatos. Ind. maderera y alimentaria.
IDEA f. *Fil.* Cualquier representación existente en la mente o cualquier elaboración de ella por las que se relaciona con el mundo. • Propósito. • Concepto o juicio formado de una persona o cosa. • Ingenio para inventar y trazar una cosa. • Parte sustancial de una teoría. • Esquema, proyecto. • fam. Manía o imaginación extravagante • Segunda intención al decir o hacer algo. • pl. Convicciones, creencias, opiniones.
* *Fil.* Platón entiende las i. como imágenes eternas e inmutables de las cosas, es decir, modelos arquetípicos. Aristóteles niega que las i. inteligibles existan separadas del mundo sensible; según él, deben ser inmanentes a las cosas, pues, de lo contrario, no podrían explicar la realidad sensible. En la E. Mod. se acentuó el sentido de i. como «representación mental», pero adquirió distintos matices en las dos prales. corrientes: el racionalismo y el empirismo. Los racionalistas tienden al innatismo y, en cambio, los empiristas afirman que se originan a través de la percepción sensible, subrayando de este modo el aspecto subjetivo. Kant las definió como síntesis metafísicas que afectan la razón sobrepasando los límites de la experiencia. En el idealismo poskantiano la i. es el núcleo de todo ser. Para Hegel, es el principio universal de las cosas. Esta razón o i. absoluta constituye, a través de un despliegue dialéctico, la totalidad del ser.
IDEACIÓN f. Génesis y proceso en la formación de las ideas.
IDEAL adj. Relativo a la idea. • Que sólo existe en la imaginación. • Excelente, perfecto en su línea. • m. Prototipo, modelo al que se aspira. • Conjunto de ideas que alguien profesa y defiende apasionadamente. Se usa también en pl. • *Mat.* Cierta estructura algebraica.
IDEALIDAD f. Calidad de ideal.
IDEALISMO m. *Fil.* Condición de los sistemas metafísicos que consideran la idea como principio del ser y del conocer. • Tendencia a idealizar las cosas dejándose influir más por ideales que por consideraciones prácticas. • Doctrina estética que afirma la preeminencia de la imaginación sobre la copia fiel de la realidad. ■ IDEALISTA.
* *Fil.* El i. platónico identifica las ideas con las realidades verdaderas. El i. moderno se plantea el problema del conocimiento de las cosas, desconfiando de lo que ordinariamente se nos brinda como real o inteligible. La filosofía romántica desarrolla básicamente dos tipos de i. radical: el inmanente, como el Yo de Fichte, y el trascendente, como la Idea absoluta de Hegel.

Insecto **icneumónido** depositando sus huevos en una larva

Virgen de Konevetz, **icono** ruso del s. XVI

Fósil de **ictiosauro**

Ideografía. Jeroglíficos egipcios tallados en los muros de un templo

Ifigenia en un mosaico del Museo Arqueológico de Barcelona, España

Ifni. Puerta amurallada en Sidi Ifni

IDEALIZAR tr. Elevar las cosas sobre la realidad sensible por medio de la inteligencia o fantasía.

IDEAR tr. Discurrir, pensar, concebir. • Trazar, inventar.

IDEARIO m. Conjunto de las ideas básicas de un individuo, escuela, partido, etc. • Ideología, conjunto de ideas fundamentales que caracterizan una manera de pensar.

IDEÁTICO, CA adj. *Amér.* Venático, caprichoso, maniático.

ÍDEM pron. latino que significa *el mismo* o *lo mismo*, y se suele usar para evitar repeticiones. • **Í. de í.** exp. fam. Lo mismo que ya se ha dicho.

IDÉNTICO, CA adj. y s. Díc. de lo que es completamente igual a otra cosa con que se compara.

IDENTIDAD f. Calidad de idéntico. • Conjunto de circunstancias que determinan quién y qué es una persona. • *Fil.* Concepto según el cual toda cosa es igual a ella misma. • *Mat.* Igualdad entre expresiones algebraicas o analíticas, que se cumple para todo valor de las variables.

IDENTIFICAR tr. y prnl. Hacer que dos o más cosas que en realidad son distintas aparezcan y se consideren como una misma. • tr. Reconocer si una persona o cosa es la misma que se supone o se busca. • prnl. Díc. de aquellas cosas que la razón aprehende como diferentes, aunque en la realidad sean una misma. • Solidarizarse.

IDEOGRAFÍA f. Representación de ideas, palabras, morfemas o frases por medio de ideogramas. ■ IDEOGRÁFICO, CA.

IDEOGRAMA m. Imagen convencional o símb. que significa un ser o una idea, pero no palabras o frases que los representen. • Símb. que expresa una palabra, morfema o frase, sin representar cada sílaba o fonema.

IDEOLOGÍA f. Conjunto de ideas, creencias y módulos del pensamiento que caracterizan a un grupo, clase, religión, partido político, etc. • *Fil.* Estudio de las ideas para fundamentar el saber humano. Maquiavelo, Hegel y Marx consideraron la i. como enmascaramiento de una situación politicosocial. Según Pareto, conjunto de normas dirigidas a la acción. ■ IDEOLÓGICO, CA; IDEÓLOGO, GA.

IDI o **IDA** Monte de Creta (Grecia); 2 456 m. En la antigüedad fue consagrado a Zeus.

IDIARTE Borda, *Juan* (1844-1897) Político ur. Presid. de la rep. en 1894. Fundador del Banco Nacional. Murió asesinado.

IDILIO m. Composición poética de carácter bucólico o pastoril. • Coloquio amoroso y, p. ext., episodio o aventura amorosa. ■ IDÍLICO, CA.

IDIOCIA f. Detención acentuada del desarrollo de las funciones mentales.

IDIOLECTO m. *Ling.* Conjunto de rasgos que caracterizan al hablante de una forma dialectal.

IDIOMA m. *Ling.* Lengua de un país. El concepto de i. surge cuando una comunidad es consciente de poseer una lengua propia, distinta a las demás. • Lenguaje propio de un grupo humano. • Modo particular de hablar de algunos o en algunas ocasiones. ■ IDIOMÁTICO, CA.

IDIOMATISMO m. Rasgo lingüístico (léxico, morfológico o sintáctico) peculiar y característico de una lengua y que carece de modelo exacto en otra.

IDIOPATÍA f. *Pat.* Trastorno que tiene su origen en la constitución individual del enfermo.

IDIOPLASMA m. *Biol.* Protoplasma de la célula germinal y de cualquier célula totipotente capaz de originar órganos o nuevos seres.

IDIOSINCRASIA f. Índole del temperamento y carácter de cada individuo. P. ext. se aplica a pueblos y naciones. ■ IDIOSINCRÁSICO, CA.

IDIOTA adj. y s. Persona que padece idiotez. • adj. Díc. de la persona incapaz de aprender o de escasa inteligencia.

IDIOTEZ f. Trastorno mental, caracterizado por la falta congénita y completa de las facultades intelectuales. • Tontería, hecho o dicho propio del idiota.

IDIOTISMO m. Ignorancia, falta de instrucción. • Locución propia de una lengua, pero anómala dentro de su sistema gramatical.

IDIOTIZAR tr. y prnl. Hacer o hacerse idiota.

IDO, DA adj. Díc. de la persona que está falta de juicio. • *Taur.* Díc. de la estocada que penetra un tanto trasera y ladeada.

IDOLATRAR tr. Adorar ídolos • tr. e intr. fig. Amar excesivamente a una persona o cosa. ■ IDÓLATRA; IDOLATRÍA; IDOLÁTRICO, CA.

ÍDOLO m. Objeto inanimado al que se considera dotado de poder sobrenatural y al que se rinde culto. • fig. Persona o cosa excesivamente amada. ■ IDOLOLOGÍA.

IDOLOPEYA f. *Ret.* Figura que consiste en poner un dicho o discurso en boca de una persona muerta.

IDONEIDAD f. Calidad de idóneo.

IDÓNEO, A adj. Que tiene disposición o aptitud para una cosa.

IDOS m. pl. Idus.

IDRIS I (1890-1983) Rey de Libia. Elegido por la Asamblea Nacional (1950), fue depuesto por un golpe militar (1969).

IDRISI(1099-h. 1170) Geógrafo musulmán. Estudió en Córdoba. Dejó una representación circular de la Tierra.

IDUARTE, *Andrés* (nacido 1907) Escritor mex. *El humo de la sangre, Sarmiento, Martí y Rodó, Un niño en la Revolución, Don Pedro de Alba y su tiempo.*

IDUMEA o **EDOM** Ant. región de Palestina, al S de Judea, entre el mar Muerto y el golfo de Akaba. Tito la anexionó a Roma.

IDUS m. pl. En el ant. calendario romano, nombre de los días 15 de marzo, mayo, julio y octubre, y 13 de los meses restantes.

IF Islote fr. del golfo de León, próximo a Marsella. Célebre por su fortaleza, construida en 1529 por Francisco I.

IFÉ C. del SO de Nigeria; 176 000 hab. Algodón, plata. Ind. del cacao. Fue sede de la cultura yoruba.

IFIGENIA *Mit. gr.* Hija de Agamenón, salvada por Artemisa cuando iba a ser sacrificada por su padre.

IFNI Territorio del SO de Marruecos, junto al Atlántico; 1 500 km^2, 50 000 hab. Cap., Sidi Ifni. Ant. prov. esp. Clima semidesértico. Agricultura, ganadería y pesca.

IFORAS, *Adrar de los* Macizo montañoso del Sáhara, en el NE de Malí. Habitado por tribus tuareg. Yacimientos de volframio y tantalio.

IFUGAO adj. y s. Díc. del individuo de un pueblo protomalayo de la isla de Luzón. • adj. Relativo a este pueblo. • m. pl. Este mismo pueblo.

IGELITA f. Polimerizado vinílico clorado. Las i. se emplean para elaborar materiales no endurecibles destinados a piezas comprimidas o inyectadas, así como para tubos, barras y placas.

IGLESIA f. Congregación de fieles que siguen la religión de Cristo. • Conjunto del clero y pueblo católico. • Estado eclesiástico que comprende a todos los ordenados. • Gobierno eclesiástico general del Papa, concilios y prelados. • Cabildo de las catedrales o colegiatas. • Diócesis; territorio de la jurisdicción de los prelados. • Cada una de las religiones que se separaron del cristianismo. • Templo cristiano. • **anglicana.** La oficial en Gran Bretaña. Rechaza la autoridad del pontífice romano. • **catedral.** Templo que es sede del obispo. • **católica.** Sociedad nacida alrededor de la persona de Jesucristo y unida a Él por la vida divina. • **colegial.** La compuesta de abad y canónigos seculares. • **en cruz griega.** La compuesta de dos naves de igual longitud. • **en cruz latina.** La compuesta de dos naves de distinta longitud. • **evangélica.** Fusión de la luterana y la calvinista. • **evangélica y reformada.** La resultante de la unión de la I. reformada de EE UU y el sínodo evangélico de Norteamérica. • **libre.** Grupo religioso protestante que defiende su total independencia. • **mayor.** La pral. de cada pueblo. • **metropolitana.** La que es sede de un arzobispo. • **militante.** Congregación de los que viven en la fe católica. • **oriental.** La que estaba incluida en el imperio de Oriente. • **ortodoxa.** Nombre del conjunto de I. orientales separadas de la de Roma a raíz del cisma de 1054. • **parroquial.** La de una feligresía. • **protestante episcopal.** La norteam., derivada de la I. de Inglaterra. • **reformada.** Nombre de las comunidades protestantes.

* *Hist.* Tras la muerte de Jesucristo, la obra misionera de sus discípulos multiplicó las conversiones, de modo que, al cabo de unos tres siglos, a pesar de las hostilidades y persecuciones de los rom., la I. logró que se aceptara oficialmente su credo (313).

Surgió una jerarquía eclesiástica, encabezada por el obispo de Roma, se celebraron asambleas para defender el dogma (concilios, sínodos), y se establecieron cultos y liturgias. Dos imp. núcleos religiosos se formaron en Constantinopla y Roma. En 1054 se produjo la escisión de la I. oriental (cisma de Oriente). Durante la E. Med., la teología recibió un enérgico impulso (santo Tomás de Aquino), y se hizo frente a los herejes con el establecimiento de la Inquisición. Desde el s. XV, con los descubrimientos geográficos, la I. tuvo gran expansión misionera en Asia, África, América y Oceanía; paralelamente, durante el Renacimiento, hubo movimientos antipontificios (fraticelos, husitas) que culminaron en la Reforma protestante, a la que la I. católica respondió con la Contrarreforma, que culminó en el concilio de Trento. La I. sufrió posteriormente la crisis de la Rev. francesa y del racionalismo. Desde la I Guerra Mundial se ha enfrentado a una progresiva secularización de la sociedad, a la que han respondido el concilio Vaticano II y las I. reformadas y protestantes con un mutuo acercamiento.

IGLESIARIO m. Huerto rectoral.

IGLESIAS, *Julio* (nacido 1945) Cantante esp., residente en EE UU. De su estilo destaca su aspecto melódico y sentimental. • ***Miguel*** (1822-1901) Militar y político per., presid. de la rep. de 1883 a 1886. Después de la derrota de Huamachuco, frente a Chile, firmó con este país el tratado de Ancón (1884). Fue obligado a dimitir por Cáceres. • **Posse, *Pablo*** (1850-1925) Político socialista español. Fundó, en 1879, el Partido Socialista Obrero Español (PSOE). En 1888 constituyó la agrupación sindical socialista, la Unión General de Trabajadores (UGT). • **Villoud, *Héctor*** (nacido 1913) Compositor arg. Director del Teatro Argentino de La Plata. *El oro del Inca* (ópera), *Amancay* (ballet).

IGLÚ m. Vivienda invernal de los esquimales, construida, en forma de semiesfera, con bloques de hielo.

IGNACIANO, NA adj. Perteneciente a la doctrina de san Ignacio de Loyola o a las instituciones por él fundadas.

IGNACIO (797-877) Santo. Patriarca de Constantinopla, hijo del emperador Miguel I. Presidió el concilio ecuménico de Constantinopla (869). • (m. 107) Santo. Obispo de Antioquía; durante la persecución de Trajano, fue arrojado a las fieras. • **De Loyola** (1491-1556) Santo. Militar y religioso esp., fundador de la Compañía de Jesús, de la que fue primer superior general.

IGNARO, RA adj. Ignorante.

IGNAVIA f. Pereza, desidia, flojedad de ánimo.

ÍGNEO, A adj. De fuego o que tiene alguna de sus cualidades. • De color de fuego. • *Geol.* Díc. del proceso petrográfico o de la roca originada en el interior de la corteza terrestre a elevada temperatura.

IGNICIÓN f. Estado de un cuerpo que arde o está incandescente. • Encendido de un explosivo mediante detonadores, pistones o espoletas. • Inflamación de la mezcla de aire y carburante en un motor de explosión.

IGNÍFERO adj. poét. Que desprende o contiene fuego.

IGNÍFUGO, GA adj. Que disminuye o anula la combustibilidad de los cuerpos.

IGNITO, TA adj. Que tiene fuego o está encendido.

IGNITRÓN m. *El.* Válvula de vapor de mercurio empleada como rectificador de corrientes alternas.

IGNÍVOMO, MA adj. *Poét.* Que vomita fuego.

IGNOMINIA f. Afrenta pública que uno padece con causa o sin ella. ■ IGNOMINIOSO, SA.

IGNORANCIA f. Falta de instrucción o de conocimientos sobre algo. • **de derecho.** Desconocimiento de la ley, que no exime de su cumplimiento. • **supina.** La que procede de negligencia en aprender lo que puede y debe saberse. ■ IGNORANTE.

IGNORANTISMO m. Sistema que rechaza la instrucción por estimarla nociva.

IGNORAR tr. No saber algo o no tener noticia de ello. • Desentenderse de algo o de alguien, no hacer caso.

IGNOTO, TA adj. No conocido ni descubierto.

IGORROTE adj. y s. Díc. de individuos protomalayos de la isla de Luzón (Filipinas), y de su lengua. • adj. Relativo a este pueblo. • m. pl. Este mismo pueblo.

Iglesia. A la izquierda, ceremonia litúrgica de la iglesia ortodoxa griega; abajo, consagración de una iglesia católica, según una miniatura medieval florentina

IGUAL adj. De la misma naturaleza, forma, cantidad o calidad de otra cosa. • Liso, que no tiene cuestas ni profundidades. • Muy parecido o semejante. • Constante, no variable. • Del mismo valor y aprecio. • adj. y s. De la misma clase o condición. • *Geom.* Díc. de las figuras que, superpuestas, coinciden con toda exactitud. • m. *Mat.* Signo de la igualdad, formado de dos rayas horizontales y paralelas (=).

IGUALA f. Ajuste o contrato de cierta cosa o cierto servicio. • Renumeración o cosa que se da en virtud de ajuste. • Listón de madera con que los albañiles comprueban la igualdad de la superficie de tapias o suelos.

IGUALA DE LA INDEPENDENCIA C. de México, en el est. de Guerrero; 45 400 hab. Minas de manganeso, oro y plata. • **Plan de I.** Manifiesto de Iturbide (1821) en el que se proclamó la indep. mexicana.

IGUALACIÓN f. fig. Ajuste, convenio. • *Ling.* Asimilación.

IGUALADO, DA adj. Aplícase a ciertas aves que ya han arrojado el plumón y tienen igual la pluma. • Díc. de la persona que quiere igualarse con otras de clase social superior. • *Méx.* Grosero.

IGUALAR tr. y prnl. Poner al igual con otra a una persona o cosa. • tr. fig. Juzgar sin diferencia, o estimar a uno y tenerle en la misma opinión o afecto que a otro. • Hablando de la tierra, allanar. • tr. y prnl. Hacer ajuste o convenirse con pacto sobre una cosa. • intr. y prnl. Ser una cosa igual a otra.

IGUALATORIO, RIA adj. Que tiende a establecer la igualdad. • m. Asociación de médicos y clientes en que éstos, mediante iguala, reciben la asistencia de aquéllos.

IGUALDAD f. Relación existente entre dos cosas iguales. • Correspondencia y proporción que resulta de muchas partes que uniformemente componen un todo. • *Mat.* Caso particular de la relación de equivalencia. • **ante la ley.** Principio jurídico que reconoce a todos los ciudadanos capacidad para los mismos derechos. ■ IGUALITARIO, RIA.

* *Mat.* Se dice que hay i. entre dos conjuntos cuando todo elemento de uno lo es del otro y recíprocamente. Ha y i. entre dos figuras geométricas cuando se pueden superponer por desplazamiento.

Ignacio de Loyola

IGUALITARISMO m. *Pol.* Tendencia que propugna la desaparición o atenuación de las diferencias sociales.

IGUALÓN, NA adj. Díc. del pollo de la perdiz cuando ya se asemeja a sus padres.

IGUANA f. *Zool.* Reptil saurio de la familia iguánidos, propio de las zonas tropicales y subtropicales de América. Algunas especies superan el metro de longitud.

IGUÁNIDO, DA adj. y m. *Zool.* Díc. de reptiles de la familia iguánidos. • m. pl. *Zool.* Familia de reptiles saurios, arborícolas y vegetarianos, propios de las zonas tropicales y subtropicales de América.

Iguana

San **Ildefonso** oficiando, según un códice medieval alemán. Biblioteca Palatina, Parma (Italia)

Illinois. Vista de una calle de Chicago

IGUANODONTE m. *Pal.* Reptil dinosaurio de gran tamaño (unos 10 m de largo) que vivió durante el cretácico. Caminaba erguido sobre las patas posteriores.

IGUAZÚ *(Iguaçu)* Río del S de Brasil; 1 320 km. Nace en la Serra do Mar, en el est. de Paraná, y desemboca en el Paraná. Forma las cataratas de su nombre (Salto Grande de Santa María, de 70 m de alt.).

IGÜEDO m. Cabrón, macho cabrío.

IGUÍNIZ, *Juan B.* (1881-1972) Historiador y bibliófilo mex. *La imprenta en la Nueva Galicia, Bibliografía de novelistas mexicanos, Bibliografía bibliográfica mexicana.*

IHARA, *Saikaku* (1641-1693) Escritor japonés. Novelas realistas y satíricas. *Una mujer de placer, Los tesoros del Japón.*

IJADA f. Cualquiera de las dos cavidades simétricamente colocadas entre las costillas falsas y los huesos de las caderas. • En los peces, parte anterior e inferior del cuerpo.

IJADEAR tr. Mover aceleradamente las ijadas por efecto del cansancio.

IJAR m. Depresión de los flancos de las caballerías, sit. delante del muslo.

IJOLITA f. *Geol.* Roca intrusiva de la familia gabros. Está constituida esencialmente por nefelina, piroxenos sódicos y ceolitas.

IJSSELMEER Lago del N de Países Bajos, extendido entre Holanda Septentrional y Frisia. Se formó en 1932 con la construcción de un dique de 30 km que separó el entonces golfo de Zuiderzee del mar.

¡IJUJÚ! m. Grito de júbilo.

IK En la religión de los mayas, signo del segundo día ritual. Se asociaba a Chach, dios del tiempo atmosférico.

IKERE-EKITI C. del SO de Nigeria, en el estado de Western; 145 000 hab. Centro cerealícola.

ILACIÓN f. Acción y efecto de inferir una cosa de otra. • Conexión lógica entre antecedente y consecuente. • Enlace de las partes de un discurso, razonamiento.

ILAPSO m. Éxtasis contemplativo.

ILATIVO, VA adj. Que se infiere o puede inferirse. • Relativo a la ilación. • *Gram.* Díc. de un tipo de conjunción.

ILDEFONSO (607-667) Santo. Arzobispo de Toledo, discípulo de san Isidoro de Sevilla. *La virginidad de Santa María contra tres infieles, Introducción al bautismo.*

ILÉCEBRA f. Halago engañoso.

ÎLE-DE-FRANCE Región de Francia, articulada en torno a la agl. urb. de París; 12 012 km², 10 661 600 hab. Cap., París. Imp. centro industrial y de actividades terciarias. • Ant. prov. y región histórica fr., constituida en el s. XV. Fue el núcleo aglutinador del Estado.

ILEGAL adj. Que no es legal; contrario a la ley. ■ ILEGALIDAD.

ILEGIBILIDAD f. Calidad de ilegible.

ILEGIBLE adj. Que no puede o no debe leerse.

ILEGISLABLE adj. Díc. de lo que no se puede legislar.

ILEGITIMAR tr. Privar de carácter de legítimo.

ILEGITIMIDAD f. Falta de algún requisito para ser legítima una cosa. ■ ILEGÍTIMO, MA.

ÍLEO m. *Med.* Oclusión intestinal que provoca la detención absoluta del tránsito de su contenido.

ILEOCECAL adj. *Anat.* Relativo a la zona de unión de los intestinos íleon y ciego. • **Válvula i.** Vávula situada al final del íleon, en su confluencia con el intestino ciego, que impide el retorno de los alimentos al intestino delgado.

ÍLEON m. *Anat.* Parte final, correspondiente a tres quintas partes de la longitud total del intestino delgado, entre el yeyuno y el ciego.

ILERCAÓN, NA o **ILERCAVÓN, NA** adj. y s. Díc. de un pueblo prerromano esp. • adj. y s. Díc. de los individuos de este pueblo. • adj. Relativo a este pueblo.

ILERDA Nombre romano de Lérida.

ILERDENSE adj. y s. De de la ant. Ilerda.

ILERGETE o **ILERGETA** adj. y s. Díc. de un pueblo prerromano esp. • adj. y s. Díc. de los individuos de este pueblo. • adj. Relativo a este pueblo.

ILESHA C. del SO de Nigeria, en el est. de Western; 224 000 hab. Algodón, cacao. Oro.

ILESO, SA adj. Que no ha recibido lesión o daño.

ILETRADO, DA adj. Falto de cultura o de instrucción.

ILI (chino, *Yili-ho*) Río de China y de Kazakistán, en Asia central; unos 1 400 km. Se forma en Sinkiang de la unión de dos ramales originarios, el Kunges y el Tekes. Cruza Kazakistán y desemboca en el lago Baljash.

ILI Zhou Distrito autónomo de China, en la prov. de Sinkiang, creado por la minoría kazaka de esta región. Cap., Yining (Kuldzha).

ILIACO, CA o **ILÍACO, CA** adj. *Anat.* Relativo al íleon. • Relativo a Ilión o Troya.

ÍLICI Ant. nombre de Elche.

ILICÍNEO, A adj. *Bot.* Aquifoliáceo.

ILICITANO, NA adj. y s. De la ant. Ilici, o de la actual Elche.

ILÍCITO, TA adj. No permitido legal ni moralmente. ■ ILICITUD.

Un aspecto de las cataratas de **Iguazú**

ILIENSE adj. y s. Troyano.

ILIMITADO, DA adj. Que no tiene límites.

ILION m. *Anat.* Hueso del coxal que forma el saliente de la cadera.

ILIÓN → Troya.

ILÍQUIDO, DA adj. Díc. de la cuenta, deuda, etc., que está por liquidar.

ILIRIA Ant. región adriática, habitada por los ilirios, correspondiente a parte de Bosnia-Herzegovina, Croacia, Servia y Albania. Formó un reino propio, sometido post. por Roma. • Reino dependiente de Austria, formado por el Congreso de Viena (1815) con las prov. ilirias de lengua eslovena. En 1849 fue absorbido por Austria.

ILIRIO, RIA adj. y s. Díc. del individuo de un pueblo indoeuropeo. • adj. Relativo a este pueblo y a la región de Iliria. • m. Lenguas de Iliria.

ILITERARIO, RIA adj. Díc. de la lengua o dialecto que carece de literatura escrita.

ILITERATO, TA adj. Ignorante, iletrado.

ILL Río de Francia, afl. del Rin. Cruza Alsacia y pasa por Mulhouse y Estrasburgo; 205 km.

ILLAMPÚ, *Nevado de* Pico de los Andes bolivianos; 6 421 m.

ILLANES Benítez, *Fernando* (nacido 1909) Economista y diplomático chil. Director del Banco Central de Chile. *Relaciones económicas y el comercio exterior.*

ILLIA, *Arturo Umberto* (1900-1983) Político arg. Candidato de la Unión Cívica Radical del Pueblo, fue elegido presid. de la rep. en 1963, a pesar de la abstención peronista. Destituido en 1966 por el golpe de Est. del general Onganía.

ILLICH, *Iván* (nacido 1926) Pedagogo austr. En 1961 fundó en Cuernavaca (México) el Centro Intercultural de Documentación. Ha propuesto modelos pedagógicos alternativos. *Una sociedad sin escuela, Némesis médica: la expropiación de la salud.*

ILLIMANI Macizo del O de Bolivia, al SE de La Paz. Alt. máx. 6 882 m.

ILLINOIS Río de EE UU, afl. izquierdo del Mississippi; 410 km.

ILLINOIS Est. del centro-nordeste de EE UU, junto al lago Michigan; 145 934 km², 11 431 000 hab. Cap., Springfield. C. prales.: Chicago, Rockford.

Forma parte de las Grandes Llanuras norteam. Avenado por los r. Mississippi, Ohio, Wabash e Illinois. Clima continental. Maíz, avena, trigo, soja. Ganadería. Hulla, petróleo, gas natural. Ind. siderúrgica, mecánica. Estado de la Unión desde 1818.

ILLITA f. *Miner.* Género de un grupo de minerales arcillosos semejantes a la mica.

ILLUECA, *Jorge* (nacido 1918) Político pan. Vicepresid. de la rep. (1982). Tras la dimisión del presid. Espriella (febrero 1984), ocupó interinamente la presidencia hasta octubre, fecha en que cedió el cargo a Nicolás Ardito Barletta, vencedor en las elecciones de mayo de aquel mismo año.

ILMEN Lago sit. en la parte NO de Rusia, al S de Leningrado. Se comunica con el lago Ladoga por el río Voljov.

ILMENITA f. *Miner.* Óxido de hierro y titanio. Cristaliza en el sist. romboédrico. Color negro y brillo metálico. Frecuente en rocas eruptivas y arena.

ILOCANO, NA adj. y s. Díc. del individuo de un pueblo malayo que habita en Luzón. • adj. Relativo a dicho pueblo. • Lengua hablada por este pueblo.

ILOCOS Región del NO de Luzón (Filipinas), habitada por ilocanos e igorrotes; 6 979 km^2, 834 300 hab. C. prales.: Laoag y Vigan. Arroz, pesca.

ILÓGICO, CA adj. Que carece de lógica.

ILOTA com. Esclavo del estado de Esparta. • fig. El que se halla desposeído de los derechos de ciudadano.

ILS Siglas de *instrument landing system* (sistema de aterrizaje con instrumentos), que designa un método radioeléctrico utilizado para el aterrizaje sin visibilidad.

ILUDIR tr. Burlar.

ILUMINACIÓN f. Conjunto de luces dispuestas para alumbrar algo. • Miniatura que adorna los manuscritos.

ILUMINADO, DA adj. y s. Díc. del miembro de una sociedad eticorreligiosa, secreta y herética, fundada en 1776 por Adam Weishaupt en Baviera. • m. pl. Esta misma secta.

ILUMINANCIA f. *Fís.* Flujo luminoso por unidad de superficie, directamente proporcional al coseno del ángulo de incidencia e inversamente proporcional al cuadrado de la distancia del foco. Unidades: sist. Giorgi, el lux; sist. CGS, el phot.

ILUMINAR tr. Alumbrar, dar luz. • Adornar con muchas luces los templos, casas u otros sitios. • Dar color a las figuras, letras, etc., de una estampa, libro, grabado, etc. • Poner por detrás de las estampas tafetán o papel de color, después de cortados los blancos. • fig. Ilustrar el entendimiento con ciencias o estudios. • fig. Alumbrar, ilustrar, enseñar. • *Teol.* Ilustrar interiormente Dios a la criatura. ■ ILUMINADOR, RA; ILUMINATIVO, VA.

ILUMINARIA f. Luminaria puesta en señal de fiesta y regocijo. Se usa más en pl.

ILUMINISMO m. Teoría de los iluminados. • Nombre con que también se denomina a la Ilustración. ■ ILUMINISTA.

ILUSIÓN f. Falsa percepción de un objeto a causa de una errónea interpretación de las sensaciones. • Esperanza carente de fundamento. • Alegría que produce la próxima realización de algo que se desea. • *Ret.* Ironía viva y picante. • **monetaria.** Valorización psicológica que hace un individuo del valor de su dinero atendiendo al valor monetario de sus ingresos y no al real.

ILUSIONAR tr. Hacer que uno se forje ilusiones. • prnl. Forjarse ilusiones.

ILUSIONISTA com. Artista que produce efectos ilusorios mediante juegos de manos, trucos, etc. ■ ILUSIONISMO.

ILUSIVO, VA adj. Falso, engañoso.

ILUSO, SA adj. y s. Engañado, seducido, preocupado. • adj. Propenso a ilusionarse, soñador.

ILUSORIO, RIA adj. Capaz de engañar. • Nulo y sin efecto.

ILUSTRACIÓN f. Representación gráfica que complementa y explica un texto. • Publicación, gralte. periódica, con láminas y dibujos, además de un texto. • *Hist.* Movimiento cultural, característico del s. XVIII que propugnaba la aplicación de la razón en todos los órdenes de la vida. Socialmente, fue la expresión cultural de la burguesía en ascenso, opuesta al absolutismo político y a los privilegios nobiliarios. En Francia encontró a sus prales. ideólogos: Montesquieu, Voltaire, Rousseau, Diderot, D'Alembert, que plasmaron esta actitud en la *Enciclopedia.* Otros imp. ilustrados fueron Hume (Gran Bretaña), Kant (Alemania), Aranda, Floridablanca, Jovellanos (España).

ILUSTRADO, DA adj. Díc. de la persona de entendimiento e instrucción. • Relativo a la Ilustración. • adj. y s. Partidario de este movimiento.

ILUSTRAR tr. y prnl. Dar luz al entendimiento. • tr. Aclarar un punto o materia con palabras, imágenes o de otro modo. • Adornar un impreso con láminas o grabados alusivos al texto. • tr. y prnl. fig. Hacer ilustre a una persona o cosa. • fig. Instruir, civilizar. • tr. *Teol.* Alumbrar Dios interiormente a la criatura con luz sobrenatural. ■ ILUSTRATIVO, VA.

ILUSTRE adj. De distinguida prosapia. • Insigne, célebre. • Título de dignidad.

ILUSTRÍSIMO, MA adj. sup. de ilustre, que como tratamiento se da a ciertas personas por razón de su cargo o dignidad.

IMADA f. *Mar.* Cada una de las vertientes que forman la grada, con sus pendientes hacia la quilla del barco que se ha de botar.

IMAGEN f. Representación grabada, pintada, dibujada o esculpida de una persona o cosa. • Figura, representación, semejanza y apariencia de una cosa. • Palabra o exp. que sugiere algo con lo que tiene cierta relación o analogía. • Reproducción mental de un objeto a través de los sentidos. • *Ópt.* Reproducción de un objeto debida a la convergencia de los rayos luminosos que, procedentes del objeto, atraviesan un sistema óptico (caso de las lentes) o se reflejan en él (caso de los espejos). • *Electr.* Conjunto de elementos luminiscentes (puntos y líneas) que en una pantalla reproducen un objeto (caso de la TV) o su posición o trayectoria (caso del radar). • *Mat.* En una aplicación f del conjunto A en el B, es todo elemento de B que corresponde a alguno de A. Si x pertenece a A, la i. de x se representa por $f(x)$. Al subconjunto de B, formado por las i. de todos los elementos de A, se le denomina i. de la aplicación. • **accidental.** La que después de haber contemplado un objeto con mucha intensidad persiste en el ojo, aunque con colores combinados. • **real.** *Ópt.* La que puede ser proyectada en una pantalla. • **tridimensional.** La de un objeto tridimensional formada por un sistema óptico. Cualquier rayo de luz que se refleje sucesivamente en las tres superficies se proyecta en la dirección del manantial. • **virtual.** *Ópt.* La que no puede proyectarse en una pantalla.

IMAGINABLE adj. Lo que se puede imaginar.

IMAGINACIÓN f. Facultad de reproducir mentalmente objetos ausentes y de crear imágenes mentales de algo no percibido antes o inexistente. • Imagen formada por la fantasía. ■ IMAGINAR; IMAGINATIVO, VA.

IMAGINARIA f. *Mil.* Guardia de reserva. • *Ven.* Ración o paga fingida en un cuartel. • m. *Mil.* Soldado que por turno vela durante la noche en cada dormitorio de un cuartel.

IMAGINARIO, RIA adj. Que sólo tiene existencia en la imaginación. • **Número i.** *Mat.* Múltiplo de la unidad imaginaria. • **Unidad i.** *Mat.* Raíz cuadrada de la unidad negativa; se representa por i o, en física, por j.

IMAGINATIVA f. Potencia o facultad de imaginar. • Sentido común.

IMAGINERÍA f. Bordado que imita la pintura. • Talla o pintura de imágenes sagradas. • Conjunto de imágenes literarias de un autor, escuela o época. ■ IMAGINERO, RA.

IMAGINISMO m. *Lit.* Tendencia poética angloamericana de la segunda mitad del s. XX. Surgió como oposición al romanticismo. Se inspiró en las teorías estéticas de Hulme y propugnaba la utilización de imágenes, color y ritmo, para impresionar los sentidos. Su pral. exponente fue Ezra Pound.

IMAGO f. Resultado de la última metamorfosis del insecto, cuando éste ya ha adquirido su aspecto definitivo.

IMAM m. *Rel.* Encargado de presidir y dirigir la oración en común de los musulmanes. Se le atribuyen facultades milagrosas y gran autoridad religiosa. • Título de ciertos soberanos musulmanes.

IMAMÍ adj. y m. Perteneciente a una secta mu-

Iluminación nocturna

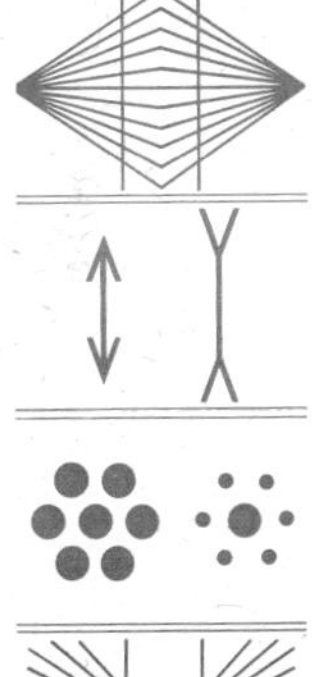

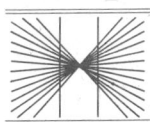

Dibujos que ilustran diversas **ilusiones** ópticas

Imaginería. Talla en madera de El Aleijadinho. Iglesia de Bom Jesus, Congonhas (Brasil)

Esquema de un amperímetro de hierro móvil, basado en un **imán** permanente

Pirámide escalonada de Djesen, en Saqqara, obra de **Imhotep**

$CaNH$
imida cálcica

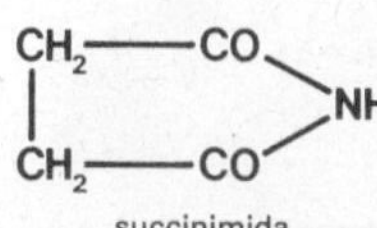

succinimida

Fórmulas de dos **imidas** importantes

sulmana de mayoría chií. Profesan veneración al imam oculto, Muhammad al-Muntazar, desaparecido en 873 y que reaparecerá como → Mahdí.

IMAMISMO m. Doctrina de los imamíes. Es la religión oficial de Irán desde los safawidas.

IMAMURA, ***Shohei*** (nacido 1926) Director de cine japonés, de estilo marcadamente simbolista. *La venganza es mía, La balada de Narayama.*

IMÁN m. *Fís.* Cuerpo que atrae al hierro, bien por naturaleza, bien por propiedades adquiridas. Presenta dos polos, norte y sur, en los que se concentra la fuerza adhesiva. • *Rel.* Imam. • fig. Atractivo que ejerce algo, particularmente una persona. • **artificial.** *Fís.* El constituido por una barra de un material ferromagnético, rodeado gralte. de un conductor y formando así una bobina. Al pasar la corriente eléctrica, la barra se imana fuertemente. • **natural.** *Miner.* Magnetita.

IMANTAR o **IMANAR** tr. y prnl. Comunicar a un cuerpo propiedades magnéticas. ▪ IMANACIÓN; IMANTACIÓN.

IMATACA, ***serranía de*** Alineación montañosa del macizo de la Guayana, al NE de Bolívar (Venezuela). Su alt. oscila entre 300 y 600 m. Yacimientos de hierro.

IMBABURA Macizo volcánico de Ecuador, sit. en la cordillera Occidental de los Andes, al SO de Ibarra. Alt. máx.: 4 630 m. • Prov. del N de Ecuador; 4 559,3 km^2, 265 499 hab. Cap., Ibarra. Sit. en la Sierra (Andes). Las zonas más habitables son las hoyas, en especial la del Chota. Abundantes cuencas lacustres (San Pablo, Yaguarcocha, Cuicocha). Clima frío en las zonas altas y templado-cálido en las hoyas. Cereales, patatas, caña de azúcar. Ganadería. Ind. textil. Artesanías y turismo.

IMBÉCIL adj. y s. Alelado, escaso de razón. • Tonto, majadero. Se aplica como insulto.

IMBECILIDAD f. Déficit de desarrollo mental en que el sujeto posee una edad mental definitiva comprendida entre los tres y siete años. • Tontería, acción o dicho imbécil.

IMBELLONI, ***José*** (1885-1967) Antropólogo arg. Sostuvo el origen oceánico del hombre americano. *Fuéguidos y láguidos, El Inkario crítico, La esfinge indiana, Folclore argentino.*

IMBERBE adj. Díc. del joven que todavía no tiene barba.

IMBERT, ***Julio*** (nacido 1918) Poeta y dramaturgo arg. *Este lugar tiene cien fuegos, Úrsula duerme, La noche más larga del año* (teatro), *El camino* (poesía).

IMBIBICIÓN f. *Fis.* Absorción de un líquido por parte de un sólido sin que se produzcan reacciones químicas.

IMBÍBITO, TA adj. *Guat.* y *Méx.* Comprendido, incluido.

IMBIRA f. Árbol anonáceo de la Argentina, de cuya corteza se sacan tiras para atar o ligar.

IMBOMBERA f. *Ven.* Anemia.

IMBOMBO, BA adj. *Ven.* Anémico.

IMBORNAL m. Agujero por donde se vacía el agua de lluvia de los terrados. • *Mar.* Agujero que se abre en los trancaniles para dar salida a las aguas que embarca el buque en los golpes de mar. • **Por los imbornales.** loc. fig. y fam. *Amér.* Por los cerros de Úbeda.

IMBORRABLE adj. Indeleble, que no se puede borrar.

IMBRICACIÓN f. *Arq.* Adorno que imita cosas imbricadas, como las escamas de un pez.

IMBRICADO, DA adj. Díc. de las cosas que están sobrepuestas, como las tejas y las escamas. • *Bot.* Díc. del tallo que está cubierto de escamas, y también de las hojas traslapadas.

IMBRICAR tr. Sobreponer parcialmente una serie de cosas.

IMBUIR tr. y prnl. Infundir, persuadir, inculcar.

IMBUNCHAR tr. *Chile.* Hechizar, embrujar. • *Chile.* Estafar, robar con cierta habilidad.

IMBUNCHE m. Brujo que, según creencia de los araucanos, roba los niños pequeños. • fig. *Chile.* Maleficio. • fig. *Chile.* Asunto embrollado.

IMHOTEP (s. XXVII a. C.) Arquitecto egipcio, iniciador de la monumental arquitectura faraónica con la construcción en Saqqara de la primera pirámide escalonada.

IMIDA f. *Quím.* Compuesto resultante de la sustitución de dos átomos de hidrógeno del amoniaco por metales o radicales ácidos.

IMILLA f. *Bol.* y *Perú.* Criada india.

IMINA f. *Quím.* Compuesto que contiene en su molécula el grupo divalente =NH (grupo imino) unido a un radical hidrocarbonado.

IMINOÁCIDO m. *Quím.* Aminoácido en el que el grupo amino se halla dentro de un anillo y se trata de una amina secundaria, y no primaria como en el resto de los aminoácidos.

IMITACIÓN f. Cosa hecha a imitación de otra. • P. ext., producto hecho para sustituir a otro en ciertos usos. • *Psic.* Reproducción de la actividad ajena o de los fenómenos exteriores. ▪ IMITATIVO, VA.

IMITAR tr. Ejecutar una cosa a ejemplo o semejanza de otra. ▪ IMITABLE; IMITADO, DA.

IMIX En religión de los mayas, signo del primer día ritual.

IMMERMANN, ***Karl Leberecht*** (1796-1840) Escritor al. Sus mejores creaciones son sus novelas realistas *Los epígonos* y *Münchhausen.*

IMOSCAPO m. *Arq.* Parte inferior del fuste de una columna.

IMPACIENCIA f. Cualidad de impaciente. • Exasperación, irritación.

IMPACIENTAR tr. Hacer que uno pierda la paciencia. • prnl. Perder la paciencia.

IMPACIENTE adj. Que no tiene paciencia. • Que tiene mucha prisa o deseos de que ocurra cierta cosa. • Intranquilo por falta de información sobre algo esperado.

IMPACTAR tr. Provocar un choque físico. • Impresionar, desconcertar a causa de un acontecimiento o noticia.

IMPACTO m. Choque de un proyectil u otra cosa contra algo. • Huella producida por este choque. • fig. Efecto que produce en alguien o algo un suceso o acción.

IMPAGABLE adj. Que no se puede pagar. • Inapreciable.

IMPAGADO, DA adj. y m. Que no se ha pagado. Díc. en especial del efecto mercantil, pasado su día de vencimiento.

IMPAGO adj. fam. *Argent., Chile* y *Ecuad.* Díc. de la persona a quien no se ha pagado.

IMPALA m. Rumiante antilopino africano, de la familia bóvidos.

IMPALPABLE adj. Que no produce sensación al tacto. • fig. Ligero, sutil.

IMPANACIÓN f. *Rel.* Doctrina de los luteranos que sostienen que la sustancia del pan no se halla destruida en el sacramento de la eucaristía.

IMPAR adj. Que no tiene par o igual. • Díc. de los números enteros que no son divisibles por 2.

IMPARABLE adj. Que no se puede parar.

IMPARCIALIDAD f. Falta de designio anticipado o de prevención en favor o en contra de personas o cosas, de que resulta poderse juzgar o proceder con rectitud. ▪ IMPARCIAL.

IMPARIPINNADO, DA adj. *Bot.* Díc. de la hoja pinnada con un número impar de folíolos.

IMPARISÍLABO, BA adj. Díc. de los nombres gr. y latinos que en los casos oblicuos del sing. tiene mayor número de sílabas que en el nominativo. • Se aplica a las palabras, versos, etc., formados por un número impar de sílabas.

IMPARTIR tr. Repartir, comunicar, dar.

IMPASIBLE adj. Incapaz de padecer. • Indiferente, imperturbable. ▪ IMPASIBILIDAD.

IMPASSE (voz fr.) m. Atolladero, callejón sin salida.

IMPAVIDEZ f. Valor y serenidad de ánimo ante los peligros. ▪ IMPÁVIDO, DA.

IMPECABLE adj. Incapaz de pecar. • fig. Intachable, perfecto, irreprochable. ▪ IMPECABILIDAD.

IMPEDANCIA f. *Fís.* Cociente entre la tensión eficaz aplicada a un circuito eléctrico o electrónico y la intensidad que por él circula.

IMPEDIDO, DA adj. y s. Díc. de la persona que no puede moverse por incapacidad física o que no puede utilizar uno de sus miembros; tullido.

IMPEDIMENTA f. Bagaje que suele llevar la tropa y dificulta las marchas y operaciones.

IMPEDIMENTO m. Obstáculo, estorbo para una cosa. • Cualquiera de las circunstancias que hacen ilícito o nulo el matrimonio.

IMPEDIR tr. Estorbar, imposibilitar la ejecución de una cosa. • Suspender, embargar el ánimo. ■ IMPEDITIVO, VA.
IMPELER tr. Dar empuje para producir movimiento. • fig. Incitar, estimular.
IMPELIR tr. *Chile.* Impeler.
IMPENDER tr. Gastar, expender, invertir, tratándose de dinero.
IMPENETRABILIDAD f. Propiedad de los cuerpos según la cual dos no pueden ocupar simultáneamente un mismo lugar en el espacio.
IMPENETRABLE adj. Que no puede penetrar. • fig. Que no puede ser conocido o descubierto.
IMPENITENCIA f. Obstinación en el pecado. ■ IMPENITENTE.
IMPENSA f. *Der.* Gasto que se hace en la cosa poseída. Se usa más en pl.
IMPENSABLE adj. Que no se puede racionalmente pensar; absurdo.
IMPENSADO, DA adj. Se aplica a las cosas que suceden sin pensar en ellas o sin esperarlas.
IMPEPINABLE adj. fam. Cierto, indudable.
IMPERAR intr. Ejercer la dignidad imperial. Mandar, dominar. ■ IMPERADOR, RA; IMPERANTE.
IMPERATIVO, VA adj. y m. Que impera o manda. • adj. *Gram.* Díc. de un modo del verbo. • *Gram.* Díc. de una clase de oración. • **categórico.** *Fil.* Mandamiento ético que obliga absolutamente.
IMPERATOR (voz latina) m. Título que daban los romanos a los generales victoriosos. ■ IMPERATORIO, RIA.
IMPERATORIA f. Planta umbelífera, de flores en umbela casi plana, y fruto seco.
IMPERCEPTIBLE adj. Que no se puede percibir. ■ IMPERCEPTIBILIDAD.
IMPERDIBLE adj. Que no puede perderse. • m. Alfiler que se abrocha de modo que no pueda abrirse fácilmente.
IMPERDONABLE adj. Que no se debe o puede perdonar.
IMPERECEDERO, RA adj. Que no perece. • fig. Inmortal, eterno.
IMPERFECCIÓN f. Falta de perfección. • Falta o defecto.
IMPERFECTIVO, VA adj. *Gram.* Díc. de los verbos o de las formas o exp. verbales que enuncian la acción como no terminada.
IMPERFECTO, TA adj. No perfecto. • Principiado y no concluido o perfeccionado. • adj. y m. *Gram.* Díc. de una forma gramatical del futuro y del pretérito del verbo.
IMPERFORACIÓN f. *Med.* Oclusión de un órgano o conducto que por su naturaleza debe estar abierto para ejercer su función.
IMPERIAL adj. Perteneciente al emperador o al imperio. • f. Tejadillo o cobertura de las carrozas. • Sitio con asientos que algunos carruajes tienen encima de la cubierta. • adj. y m. Cigarro puro grande y de buena calidad.
IMPERIALISMO m. *Econ.* y *Pol.* Política nacional expansionista y de dominio económico. ■ IMPERIALISTA.
* *Econ.* y *Pol.* Marx apuntó la tendencia del capitalismo a expansionarse, anunciando que ello significaría un proceso de concentración de capitales. N. Bujarin anunció la aparición del superimperialismo, hipótesis confirmada tras la II Guerra Mundial, traducida en la hegemonía de las multinaciones. Posteriormente, S. Amín y A. Gunder Frank han elaborado el concepto de «economía mundial», en la que la hegemonía correspondería a los países «centrales» o industrialmente desarrollados, en tanto que los países «periféricos» (el llamado Tercer Mundo) serían las economías dependientes.
IMPERICIA f. Falta de pericia o habilidad en una ciencia o arte.
IMPERIO m. Acción de imperar o mandar con autoridad. • Dignidad, ejercicio de emp. • Espacio de tiempo que dura el gobierno de un emp. • Tiempo durante el cual hubo emp. en determinado país. • Estados sujetos a un emp. • Organización política constituida por un est. central poderoso y varias dependencias. Es el producto lógico de la conquista. • Estilo artístico, esencialmente decorativo, desarrollado en Francia bajo el Directorio y el Imperio. • **alemán.** Constituido en 1871 bajo el gobierno del rey de Prusia Guillermo I (II Reich) y abolido en 1918 después de la abdicación de Guillermo II. Hitler lo restableció en 1934 (III Reich). • **austrohúngaro.** → Austria-Hungría. • **británico.** Conjunto de territorios que, hasta 1931, estuvieron bajo soberanía británica. Dio paso a la Commonwealth. • **colonial francés.** Conjunto de países sometidos a la administración colonial francesa. • **colonial italiano.** Conjunto de países y de territorios colonizados por Italia. • **colonial neerlandés.** Conjunto de posesiones coloniales neerlandesas. • **colonial portugués.** Conjunto de países y territorios colonizados por Portugal. • **de Occidente.** Parte occidental del i. romano adjudicada a Honorio en el reparto hecho por Teodosio en 395. • **de Occidente, segundo.** Constituido por Carlomagno en el 800 y restablecido en 962 por Otón I el Grande. Desde el s. X hasta 1806 se denominó *Sacro Imperio Romano Germánico*, considerado como el I Reich alemán. • **de Oriente.** → Bizancio. • **español.** Conjunto de países que estuvieron sometidos a España. • **inca.** → inca. • **romano.** → Roma. • **Primer Imperio Francés.** Régimen que tuvo Francia entre 1804, año en que la República concedió a Napoleón Bonaparte el título de emp., y 1814, año de su abdicación. • **Segundo Imperio Francés.** Régimen que tuvo Francia entre 1852, año en que Napoleón III asumió todos los poderes y se proclamó emp., y 1870, cuando fue derrocado.
IMPERIOSO, SA adj. Díc. del que manda autoritariamente. • Se aplica a la orden dada de manera autoritaria. • Que conlleva fuerza o exigencia. • Dominante, tiránico.
IMPERITO, TA adj. Que carece de pericia.
IMPERIUM (voz latina) m. En la ant. Roma, poder tanto militar como administrativo que correspondía a ciertos magistrados y, en ocasiones, a personas particulares.
IMPERMEABILIZACIÓN f. Procedimiento para impermeabilizar ciertos cuerpos o superficies.
IMPERMEABLE adj. Que no puede ser atravesado por agua u otro líquido. • m. Sobretodo hecho con tela impermeable. ■ IMPERMEABILIDAD; IMPERMEABILIZAR.
IMPERMUTABLE adj. Que no puede cambiarse una cosa por otra o variar el orden. ■ IMPERMUTABILIDAD.
IMPERSONAL adj. Que no pertenece ni se aplica a una persona en particular. • *Gram.* Díc. de una clase de verbos. • *Gram.* Díc. de una clase de oraciones. ■ IMPERSONALIDAD.
IMPERSONALIZAR tr. *Gram.* Usar como impersonal algún verbo que es personal.
IMPERSUASIBLE adj. No persuasible, que no se puede creer o hacer creer.
IMPERTÉRRITO, TA adj. Díc. de aquel a quien no se asusta fácilmente o a quien nada intimida.
IMPERTINENTE adj. Inoportuno o improcedente. • adj. y s. Indiscreto. • Exigente. • m. pl. Anteojos plegables con empuñadura larga. ■ IMPERTINENCIA.
IMPERTIR tr. Impartir.
IMPERTURBABLE adj. Que no se perturba. ■ IMPERTURBABILIDAD.
IMPÉTIGO m. *Pat.* Infección cutánea causada por bacterias, que produce aparición de pústulas que tras secarse se convierten en escamas amarillentas.
IMPETRA f. Facultad, permiso.
IMPETRAR tr. Conseguir una gracia que se ha solicitado. • Implorar. ■ IMPETRACIÓN; IMPETRATORIO, RIA.
ÍMPETU m. Movimiento acelerado y violento. • La misma fuerza o violencia. • *Fís.* Vector que resulta de multiplicar la masa de un móvil por su velocidad. • fig. Brío o energía con que se realiza algo. ■ IMPETUOSIDAD; IMPETUOSO, SA.
IMPHAL C. de la India, cap. del est. de Manipur; 196 300 hab.
IMPIEDAD f. Falta de piedad. • Acción impía.
IMPÍO, A adj. Falto de piedad o de religión.
IMPLACABLE adj. Que no se puede aplacar.
IMPLANTACIÓN f. Fijación, inserción o injerto de un tejido u órgano en otro. • Fijación del huevo fecundado en la mucosa del útero.
IMPLANTAR tr. Establecer y poner en ejecución doctrinas nuevas, instituciones, prácticas o costumbres. • *Amér.* Establecer, plantear. • *Cir.* Realizar una implantación. • prnl. *Biol.* Establecerse un

Impala

Biblioteca de Napoleón, en Malmaison (Francia), decorada en estilo **imperio**

Guillermo I, que proclamó el segundo **imperio alemán** en 1871

elemento (óvulo, dientes, pelo, etc.) en el lugar destinado para recibirlo.

IMPLAR tr. Llenar, inflar.

IMPLATICABLE adj. Que no admite plática o conversación.

Impluvio de la casa del Fauno, en Pompeya

IMPLEMENTO m. Utensilio. Se usa más en pl. • *Gram.* Complemento directo.

IMPLICACIÓN f. Contradicción, oposición de los términos entre sí. • Relación o repercusión que entraña una cosa. • *Der.* Estado de una persona relacionada con una infracción de la ley.

IMPLICANCIA f. Contradicción de los términos entre sí. • *Argent.*, *Chile* y *Ur.* Implicación, incompatibilidad o impedimento legal o moral. • *Amér.* Consecuencia, secuela.

IMPLICAR tr. y prnl. Envolver, enredar. • fig. Contener, llevar en sí, significar. • intr. Obstar, impedir, envolver contradicción. Se usa más con adv. de negación. ■ IMPLICATORIO, RIA.

IMPLÍCITO, TA adj. Díc. de aquello que se considera incluido en una proposición sin que necesariamente se exprese.

IMPLORAR tr. Pedir con ruegos o lágrimas una cosa.

IMPLOSIÓN f. Acción de romperse hacia dentro con estruendo las paredes de una cavidad en cuyo interior existe una presión inferior a la exterior.

IMPLOSIVO, VA adj. Relativo a la implosión. • adj. y f. *Fon.* Díc. de la articulación o sonido oclusivo que por ser final de sílaba, como la *p* de *apto* o la *c* de *néctar*, termina sin la abertura súbita de las consonantes explosivas. • *Fon.* Díc. también de cualquier otra consonante situada en final de sílaba.

IMPLUME adj. Que no tiene plumas.

IMPLUVIO m. Espacio descubierto en medio del atrio de las casas romanas, para recoger el agua de lluvia.

Imposta (franja oscura) en la portada de la colegiata de San Isidoro de León (España)

IMPOLÍTICO, CA adj. Falto de política o contrario a ella. • f. Falta de cortesía.

IMPOLUTO, TA adj. Limpio, sin manchar.

IMPONDERABLE adj. Que no puede pesarse. • m. Factor imprevisible que interviene en un suceso, cuyas consecuencias no se pueden calcular de antemano. Se usa más en pl.

IMPONER tr. y prnl. Poner una carga, obligación u otra cosa. • tr. Imputar, atribuir falsamente a otro una cosa. • Ponerle a uno un nombre. • tr. y prnl. Instruir a uno en una cosa. • tr. e intr. Infundir respeto o miedo • tr. Poner dinero a rédito o en depósito. • prnl. Hacer uno valer su autoridad. • Extenderse, arraigar una costumbre, una moda, etc. ■ *Chile, Col.* y *Guat.* IMPONENCIA; IMPONENTE.

IMPONIBLE adj. Que se puede gravar con impuesto.

IMPOPULAR adj. Que no es grato a la mayoría.

IMPOPULARIDAD f. Carácter de impopular.

IMPORTACIÓN f. *Econ.* Entrada de productos extranjeros. Las i. y las exportaciones forman la balanza comercial de un país. • Acción de importar costumbres, juegos, etc. • Conjunto de cosas importadas.

IMPORTANCIA f. Calidad de lo que importa o conviene. Que tiene valor, interés o categoría. ■ IMPORTANTE.

IMPORTAR intr. Convenir, interesar, ser de mucha entidad o consecuencia. • tr. Hablando del precio de la cosas, valer una cantidad. • Introducir en un país géneros, artículos, costumbres o juegos extranjeros. ■ IMPORTADOR, RA.

IMPORTE m. Cuantía de un precio, deuda, etc.

IMPORTUNAR tr. Incomodar o molestar con una pretensión o solicitud. ■ IMPORTUNACIÓN; IMPORTUNIDAD; IMPORTUNO, NA.

IMPOSIBILIDAD f. Falta de posibilidad para existir una cosa o para hacerla. • **metafísica.** La que implica contradicción. • **moral.** Inverosimilitud de que pueda ser o suceder una cosa, o contradicción evidente entre aquello de que se trata y las leyes de la moral y de la recta conciencia.

IMPOSIBILITAR tr. Quitar la posibilidad de ejecutar o conseguir una cosa.

IMPOSIBILITADO, DA adj. Tullido, privado de movimiento.

IMPOSIBLE adj. y m. No posible. • Sumamente difícil. • adj. Inaguantable, enfadoso, intratable.

IMPOSICIÓN f. Carga u obligación que se impone. • Exigencia desmedida. • Cantidad colocada en una cuenta.

IMPOSITIVO, VA adj. Que se impone. • Relativo a los impuestos.

IMPOSITOR, RA adj. y s. Que impone.

IMPOSTA f. *Arq.* Hilada de sillares en que se asienta un arco. • *Arq.* Faja que corre horizontalmente en la fachada de los edificios a la alt. de los diversos pisos.

IMPOSTAR tr. *Mús.* Fijar la voz humana para equilibrarla.

IMPOSTOR, RA adj. y s. Que finge o engaña con apariencia de verdad. • Díc. de la persona que se hace pasar por otra. ■ IMPOSTURA.

IMPOTABLE adj. Que no es potable.

IMPOTENCIA f. Falta de poder para hacer una cosa. • Incapacidad para realizar el coito o para engendrar o concebir. ■ IMPOTENTE.

IMPRACTICABLE adj. Que no se puede practicar. • Intransitable. ■ IMPRACTICABILIDAD.

IMPRECAR tr. Proferir palabras con que se pida que alguien reciba mal o daño. ■ IMPRECACIÓN; IMPRECATORIO, RIA.

IMPRECISIÓN f. Falta de precisión. ■ IMPRECISO, SA.

IMPREGNAR tr. y prnl. Introducir entre las moléculas de un cuerpo las de otro en cantidad perceptible, sin que se produzca combinación. • Empapar una cosa porosa hasta que ya no admita más líquido. ■ IMPREGNACIÓN.

IMPREMEDITACIÓN f. Falta de premeditación. ■ IMPREMEDITADO, DA.

IMPRENTA f. Arte de imprimir. • Taller donde se imprime. • Forma de letra con que se imprime una obra. • fig. Lo que se publica impreso. • *Chile.* Acción de imprentar.

* *Hist.* Desde el s. VI los chinos conocían la xilografía, que pasó a Europa en el s. XII. Hacia 1435, Gutemberg inició la impresión tipográfica. El primer impreso esp. data de h. 1468. México fue el primer país latinoamericano donde llegó la i. (h. 1535). Post. pasó a Perú (1583). Entre 1600 y 1700 se instaló en Paraguay, Colombia y Cuba; y tardíamente en Argentina (1763) y Venezuela (1808). En el s. XX el perfeccionamiento de los tipos de i. y de los métodos de impresión (offset, reprografía, etc.) ha permitido realizar mayores tiradas con menores costes y con mejor calidad de reproducción.

IMPRENTAR tr. *Chile.* Planchar. • *Chile.* Proyectar, idear.

IMPRENTAS f. pl. *Col.* Embustes; proyectos.

IMPRESCINDIBLE adj. Díc. de aquello de que no se puede prescindir.

IMPRESCRIPTIBLE adj. Que no puede prescribir. ■ IMPRESCRIPTIBILIDAD.

IMPRESENTABLE adj. Que no es digno de presentarse o de ser presentado.

IMPRESIÓN f. Marca que una cosa deja en otra apretándola. • Calidad o forma de letra con que está impresa una obra. • Obra impresa. • Efecto o alteración que causa en un cuerpo otro extraño. • fig. Efecto producido sobre los sentidos o sobre el espíritu. • **dactilar** o **digital.** La que suele dejar la yema del dedo en un objeto al tocarlo.

1

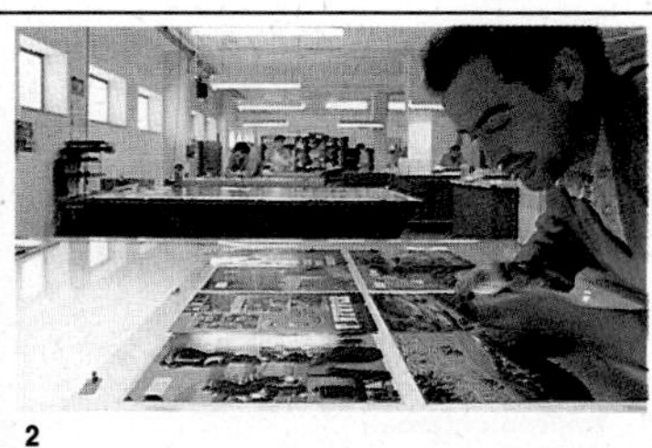

2

1. y 2. Antes de llegar a imprimir una obra es necesario preparar los dos elementos básicos que la componen: texto e ilustración. El primero se compone en linotipias o modernos sistemas informáticos, para luego plasmarse en su forma final en película fotográfica. Por su parte, la ilustración debe ser filmada en cuatricromía, es decir, que los colores originales de la imagen se reproducirán por superposición de cuatro películas (magenta, cián, amarillo y negro). Para la exploración de las imágenes, actualmente se emplean escáneres que dan directamente las tramas correspondientes a cada una de las cuatro películas.

3

IMPRESIÓN

4

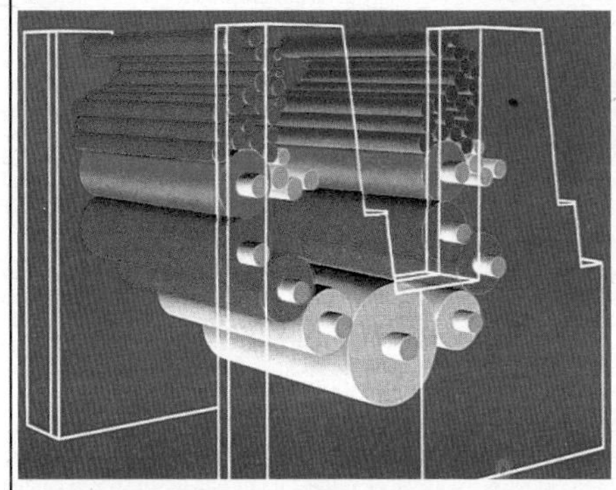

5

6

3. y 4. Una vez filmada la página, ésta se reproduce, como si de una fotografía se tratara, sobre una plancha, tradicionalmente de metal, que se usará para la impresión sobre el papel. Preparadas las planchas, se realiza la impresión propiamente dicha, en prensas cada día más rápidas. La impresión puede realizarse en uno o más colores; en este último caso, la perfecta superposición de las sucesivas impresiones permite reproducir la imagen real. Existen muy diversos sistemas de impresión, tanto en un color como en varios: tipografía, litografía offset, huecograbado, etc., siendo posible, incluso, la impresión por las dos caras del papel en una sola pasada por la máquina.

5. y 6. Una vez realizada la impresión se procede al plegado y, en su caso, corte del papel, para dar la forma definitiva a la obra de que se trate (libro, revista, folleto, etc.), que posteriormente será encuadernada o grapada, según proceda.

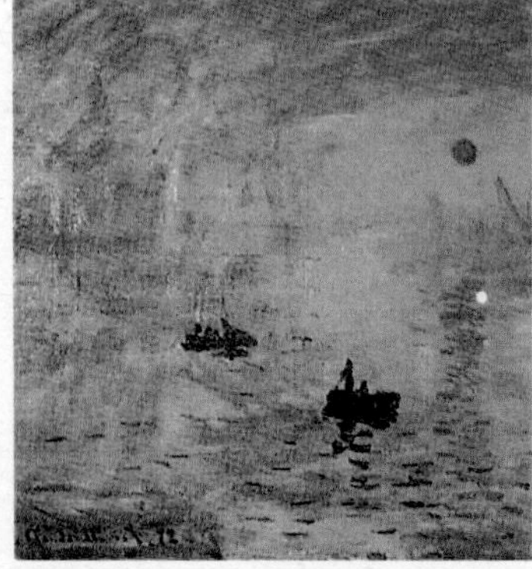

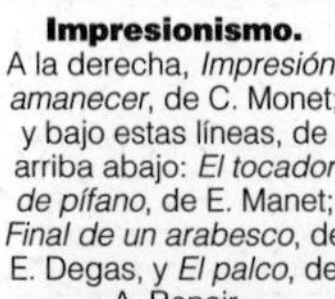

Impresionismo.
A la derecha, *Impresión, amanecer*, de C. Monet; y bajo estas líneas, de arriba abajo: *El tocador de pífano*, de E. Manet; *Final de un arabesco*, de E. Degas, y *El palco*, de A. Renoir

IMPRESIONAR tr. y prnl. Fijar por medio de la persuasión en el ánimo de otro una especie, o hacer que la conciba con fuerza y viveza. • tr. Exponer una superficie convenientemente preparada a la acción de las vibraciones acústicas o luminosas, de manera que queden fijadas en ella y puedan ser reproducidas por procedimientos fonográficos o fotográficos. • tr. y prnl. Conmover hondamente. ■ IMPRESIONABILIDAD; IMPRESIONABLE; IMPRESIONANTE.

IMPRESIONISMO m. Movimiento esencialmente pictórico que nació en Francia en la segunda mitad del s. XIX. ■ IMPRESIONISTA.

* *Hist.* Los primeros impresionistas fueron Bazille, Monet, Sisley, Renoir, Pissarro, Cézane, Guillaumin, Degas y Manet. Utilizaban las tonalidades puras, una pincelada suelta y nerviosa, y una coloración clara, plasmando instantes sometidos a los efectos cambiantes de la luz y convirtiendo la superficie del lienzo en un conjunto de luz y de color que disuelve los contornos. Seurat, Gauguin y Van Gogh pertenecen a la segunda generación. La estética impresionista influyó en otros artistas, como el esp. Sorolla, y en otras actividades artísticas, pralm. la música (Debussy).

IMPRESO, SA m. Libro, folleto u hoja impresos. • Formulario i. con espacios en blanco para llenar a mano o a máquina.

IMPRESOR, RA adj. Que imprime. • m. y f. Persona que tiene una imprenta. • Persona que trabaja en ella. • f. Dispositivo periférico de un ordenador, que escribe caracteres alfanuméricos y especiales sobre papel.

IMPRESTABLE adj. Que no se puede prestar.

IMPREVISIBLE adj. Que no se puede prever.

IMPREVISIÓN f. Falta de previsión. ■ IMPREVISOR, RA; IMPREVISTO, TA.

IMPRIMACIÓN f. Conjunto de ingredientes con que se imprima. • Coloración uniforme que sirve de fondo en los cuadros al óleo y al temple.

IMPRIMADERA f. Instrumento que sirve para imprimar.

IMPRIMAR tr. Preparar con los ingredientes necesarios las cosas que han de ser pintadas o teñidas.

IMPRIMÁTUR m. fig. Licencia que da la autoridad eclesiástica para imprimir un escrito.

IMPRIMIR tr. Señalar en el papel o en una materia semejante los textos o dibujos, apretándolos en la prensa. • Estampar un sello u otra cosa en papel, tela o masa por medio de la presión. • fig. Fijar algo en el ánimo de alguien. • Impulsar un movimiento. • Ejercer una determinada influencia o dar un cierto carácter u orientación a algo.

IMPROBABILIDAD f. Falta de probabilidad. ■ IMPROBABLE.

IMPROBAR tr. Desaprobar.

IMPROBIDAD f. Falta de probidad; perversidad, iniquidad.

ÍMPROBO, BA adj. Falto de probidad, malvado. • Aplícase al trabajo excesivo y continuado.

IMPROCEDENTE adj. No conforme a derecho. • Inadecuado, extemporáneo. ■ IMPROCEDENCIA.

IMPRODUCTIVO, VA adj. Díc. de lo que no produce. • *Ling.* Díc. del elemento que ha dejado de actuar en la formación de compuestos o derivados.

IMPROFANABLE adj. Que no puede ser profanado.

IMPROLONGABLE adj. Que no se puede prolongar.

IMPROMPTU m. *Mús.* Composición con carácter de improvisación.

IMPRONTA f. Reproducción de imágenes en hueco o de relieve, realizada en una materia blanda o moldeable. • fig. Marca que en el orden moral deja una cosa en otra. • Huella animal o vegetal fosilizada.

IMPRONUNCIABLE adj. Imposible de pronunciar o de muy difícil pronunciación. • Inefable, o que no puede explicarse con palabras.

IMPROPERIO m. Injuria grave de palabra. • pl. Versículos que en la iglesia católica se cantan en el oficio del Viernes Santo. ■ IMPROPERAR.

IMPROPIEDAD f. Falta de propiedad en el uso de las palabras. • Calidad de impropio.

IMPROPIO, PIA adj. Que no tiene las cualidades convenientes según las circunstancias. • Ajeno, extraño.

IMPROPORCIÓN f. Falta de proporción. ■ IMPROPORCIONADO, DA.

IMPRORROGABLE adj. Que no se puede prorrogar.

IMPRÓSPERO, RA adj. No próspero.

IMPRÓVIDO, DA adj. Desprevenido, falto de lo necesario.

IMPROVISACIÓN f. Acción y efecto de improvisar. • Obra improvisada. • Ascenso rápido e inmerecido. • *Mús.* Composición improvisada, parte fundamental de la creación individual y de la música popular.

IMPROVISAR tr. Hacer una cosa de pronto, sin estudio ni preparación alguna. • Hacer de este modo discursos, poesías, composiciones musicales, etc. ■ IMPROVISADOR, RA.

IMPROVISO, SA adj. Que no se prevé o previene. • **Al,** o **de, improviso.** m. adv. Sin previsión.

IMPROVISTO, TA adj. No previsto.

IMPRUDENCIA f. Falta de prudencia. • **temeraria.** *Der.* Negligencia inexcusable y punible. ■ IMPRUDENTE.

IMPÚBER o **IMPÚBERO, RA** adj. y s. Que no ha llegado aún a la pubertad.

IMPUDENCIA f. Descaro, desvergüenza. ■ IMPUDENTE.

IMPUDICIA o **IMPUDICICIA** f. Descaro, desvergüenza. ■ IMPÚDICO, CA.

IMPUDOR m. Falta de pudor y de honestidad. • Cinismo en defender cosas vituperables.

IMPUESTO m. Contribución con que el Est. grava los bienes de individuos y empresas y su trabajo, para sufragar los gastos públicos. • **directo.** El que grava directamente los incrementos de renta del contribuyente. • **indirecto.** El que grava los productos fabricados y puestos a la venta. • **progresivo.** El que grava las ventas más altas en mayor proporción que las bajas. • **sobre el valor añadido** (*IVA*). El adoptado por los países de la CEE y que grava el valor añadido en cada fase del proceso de producción. • **sobre la renta.** El que grava la renta global de las personas físicas y jurídicas. • Tributo, carga.

IMPUGNABLE adj. Que se puede impugnar. • Que no se puede tomar o conquistar.

IMPUGNACIÓN f. *Der.* Actividad encaminada a atacar la validez o eficacia de algo en el campo jurídico.

IMPUGNAR tr. Combatir, refutar. ■ IMPUGNATIVO, VA.

IMPULSAR tr. Empujar para producir movimiento. • Estimular, promover una acción.

IMPULSIÓN f. Impulso.

IMPULSIVO, VA adj. Díc. de lo que impele o puede impeler. • Díc. del que, llevado de un impulso afectivo, habla o procede sin reflexión ni cautela. ■ IMPULSIVIDAD.

IMPULSO m. Instigación, sugestión. • *Fís.* Producto de la intensidad de la fuerza por su tiempo de duración. • *Psic.* Tendencia irreflexiva e irresistible a ejecutar un acto. • Grupo de oscilaciones de elevada frecuencia y de muy corta duración, transmitidas periódicamente por una radioemisora.

• **angular.** *Fís.* Magnitud vectorial cuyo módulo es igual al momento de inercia del cuerpo multiplicado por la velocidad angular del mismo. • **especfico.** *Astron.* Número de segundos durante los cuales un kg de propulsante desarrolla un kg de empuje. A mayor i., mayor rendimiento. • **génetico.** Fenómeno de desviación de los postulados de Mendel sobre las proporciones debidas al azar. • **mecánico.** *Fís.* Magnitud vectorial cuyo módulo es igual a la fuerza que actúa sobre un cuerpo por el tiempo que dura la acción. • **nervioso.** Conjunto de fenómenos electroquímicos que suceden en los nervios y que sirven para transmitir información sensorial hacia los centros nerviosos e información efectora desde éstos hasta los órganos más periféricos.

IMPUNIDAD f. Falta de castigo. ■ IMPUNE.

IMPUREZA f. Mezcla de partículas extrañas a un cuerpo o materia. • Falta de pureza; obscenidad. • fig. Mancha o defecto moral. ■ IMPURIDAD; IMPURIFICAR; IMPURO, RA.

IMPUTABILIDAD f. Calidad de imputable. • Responsabilidad moral.

IMPUTAR tr. Atribuir a otro una culpa, delito o acción. • Señalar la aplicación o inversión de una cantidad, sea al entregarla, sea al tomar razón de ella en cuenta. ■ IMPUTABLE; IMPUTACIÓN.

IMPUTRESCIBLE adj. Que no se pudre fácilmente.

IMROZ (gr. *Imbros*) Isla de Turquía, en el mar Egeo; unos 250-300 km^2 y 2 000 hab. Relieve montañoso.

IN Prep. insep. que se convierte en *im* delante de *b* o *p.*; en *i*, por *il*, delante de *l*, y en *ir* delante de *r*. Por regla general equivale a *en*. • Tiene oficio por sí sola en loc. latinas. • Pref. negativo o privativo latino que con ese mismo valor se usa en castellano.

IN ALBIS m. adv. En blanco, sin lograr lo que se esperaba, o sin comprender lo que se oye.

IN ARTÍCULO MORTIS exp. latina. *Der.* En el artículo de la muerte.

IN CRESCENDO loc. latina. En aumento, cada vez más.

IN EXTREMIS loc. latina. En los últimos instantes de la existencia. • P. ext., en última instancia, en grave apuro.

IN FRAGANTI m. adv. En flagrante, en el mismo momento en el que se está cometiendo un delito o falta.

IN ILLO TÉMPORE loc. latina que significa *en aquel tiempo*, y que se usa para referirse a un tiempo lejano.

IN PERPÉTUUM loc. latina. Perpetuamente, para siempre.

IN PROMPTU exp. latina. Aplícase a las cosas que están a la mano o se hacen de pronto.

IN PÚRIBUS loc. fam. Desnudo, en cueros.

IN STATU QUO exp. latina que se emplea para denotar que las cosas están en la misma situación que antes tenían.

IN VITRO loc. latina que significa literalmente *en vidrio*. Se aplica a los procesos de índole biológica que pueden reproducirse experimentalmente fuera del contexto del organismo vivo en el que se realizan normalmente.

IN VIVO loc. latina que significa literalmente *en vivo*. Se aplica a los procesos experimentales efectuados en el interior de los organismos vivos.

INABARCABLE adj. Que no puede abarcarse.

INACABABLE adj. Que no se puede acabar, que no se le ve el fin.

INACCESIBLE adj. No accesible. • *Top.* Referido a la altura, aquella que se ha de medir sin llegar hasta su pie.

INACCIÓN f. Falta de acción, ociosidad.

INACENTUADO, DA adj. Díc. de la vocal, sílaba o palabra que se pronuncia sin acento prosódico.

INACEPTABLE adj. Que no se puede aceptar o creer.

INACTÍNICO, CA adj. Díc. de la luz que no impresiona las placas fotográficas.

INACTIVACIÓN f. Supresión del efecto tóxico de un germen o una toxina conservando sólo sus propiedades útiles en terapéutica.

INACTIVAR intr. Hacer perder la actividad. • prnl. Perder algo su actividad. ■ INACTIVIDAD; INACTIVO, A.

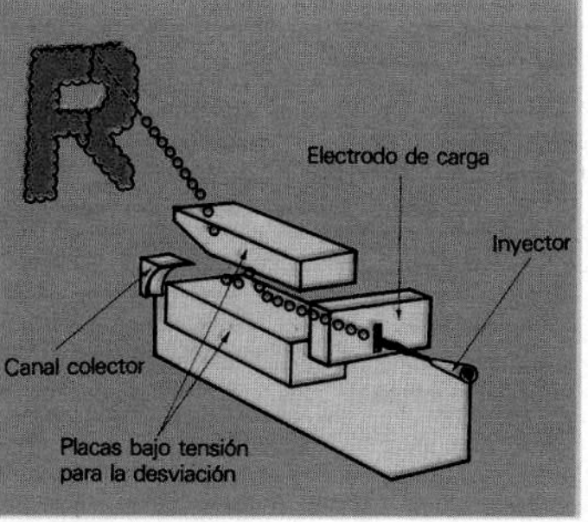

Esquema y partes de una **impresora** electrostática a chorro de tinta

INADAPTADO, DA adj. y s. Díc del individuo no integrado al medio en que vive.

INADVERTENCIA f. Falta de advertencia. • Descuido, imprevisión. ■ INADVERTIDO, DA.

INAGAKI, ***Hiroshi*** (1905-1980) Director de cine jap. *La espada y el anillo Sumo, El hombre del carrito, El joven espadachín, Torbellino.*

INAGOTABLE adj. Que no se puede agotar.

INAGUANTABLE adj. Que no se puede aguantar o sufrir.

INAJENABLE adj. Inalienable.

INALÁMBRICO, CA adj. Díc. del sistema eléctrico de comunicación carente de alambres conductores.

INALCANZABLE adj. Díc. de aquello que no se puede alcanzar.

INALIENABLE adj. Que no se puede enajenar.

INAMBARI Río de Perú, afl. derecho del Madre de Dios; 450 km.

INAMBÚ m. *Amér. Merid.* Ave tinamiforme de cuerpo robusto, cuello largo y cabeza pequeña, cuya carne es comestible. También recibe el nombre de *pollo de la Pampa.*

INAMISIBLE adj. Que no se puede perder.

INAMOVIBLE adj. Que no es movible. ■ INAMOVILIDAD.

INANE adj. Vanó, fútil, inútil.

INANICIÓN f. Estado de agotamiento causado principalmente por una prolongada privación de alimentos.

INANIDAD f. Futilidad, vacuidad. • Inanición.

INANIMADO, DA adj. Que no tiene vida. • Desmayado, sin sentido.

INAPEABLE adj. Que no se puede apear. • fig. Incomprensible.• fig. Tenaz, porfiado.

INAPELABLE adj. Se aplica a la sentencia o fallo que no se puede apelar. • fig. Irremediable, inevitable.

INAPETENCIA f. Falta de apetito. ■ INAPETENTE.

INAPRECIABLE adj. Que no se puede apreciar o distinguir. • Inestimable.

INAPRENSIBLE adj. Que no se puede coger.

INAPRENSIVO, VA adj. Que no tiene aprensión. • Descuidado.

INAPROPIADO, DA adj. Poco adecuado.

INARI Lago del N de Finlandia, en Laponia, el mayor de la Europa ártica; 1 000 km^2.

INARMÓNICO, CA adj. Falto de armonía.

INARTICULADO, DA adj. No articulado. • Díc. también de los sonidos de la voz con que no se forman palabras.

INASIBLE adj. Que no se puede asir o coger.

INASTILLABLE adj. Díc. de un vidrio especial cuya rotura no produce fragmentos agudos y cortantes, como sucede con el vidrio ordinario. • P. ext., díc. de otras materias que no se astillan al romperse.

INATENDIBLE adj. Que no se puede atender o no merece atención.

INAUDIBLE adj. Que no se puede oír.

INAUDITO, TA adj. Nunca oído. • fig. Inconcebible, increíble.

INAUGURAR tr. Dar principio a una cosa con cierta solemnidad. • Abrir solemnemente un establecimiento público. • Celebrar el estreno de una obra, edificio o monumento con alguna ceremonia. ■ INAUGURACIÓN; INAUGURAL.

El lago **Inari** en invierno

1 Arte **inca.** 1. Ruinas de Machu-Picchu. 2. Ruinas de la fortaleza de Ollantaytambo. 3. Vasija de madera decorada

2

3

INCA adj y s. Grupo étnico peruano que creó un imp. imperio en los tiempos inmediatamente anteriores a la conquista esp. • adj. Perteneciente al pueblo inca. • m. Nombre de soberano quechua y, p. ext., del conjunto de pueblos y territorios sometidos a su autoridad. Ejercía el poder civil, militar y religioso. Era considerado como descendiente directo del Sol. • Moneda de oro de la rep. del Perú.

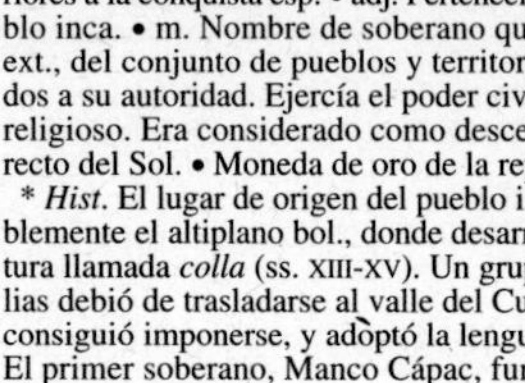

* *Hist.* El lugar de origen del pueblo i. fue probablemente el altiplano bol., donde desarrolló la cultura llamada *colla* (ss. XIII-XV). Un grupo de familias debió de trasladarse al valle del Cuzco, donde consiguió imponerse, y adoptó la lengua quechua. El primer soberano, Manco Cápac, fundó la c. de Cuzco, cuyos límites no se traspasaron hasta el reinado de Cápac Yupanqui, el primer conquistador. Inca Roca construyó grandes canalizaciones. Viracocha se enfrentó con la confederación Chanca. Su hijo, Pachacútec, con quien comienza realmente el imperio i., rechazó a los chanca y llegó hasta el altiplano de Bolivia y a los valles andinos. Con su coronación (1438) comienza realmente el imperio incaico. Su hijo, Tupac Yupanqui, se adentró en el actual Ecuador. Su sucesor, Huayna Cápac (1493-1525), consolidó el imperio, pero al morir lo repartió entre su heredero legítimo, Huáscar, y Atahualpa, fruto de su relación con una princesa de Quito. En 1525 estalló entre ambos hermanos una guerra durante la cual se produjo la llegada de Pizarro, hecho que puso fin a la autonomía de los incas.

* *Soc.* Las prov. estaban divididas en cuatro regiones o suyos, dirigidas cada una por un gobernador general. La tierra pertenecía al Estado y era explotada en régimen de colectividad. Una parte de la producción correspondía al inca, otra a la clase sacerdotal y una tercera al pueblo.

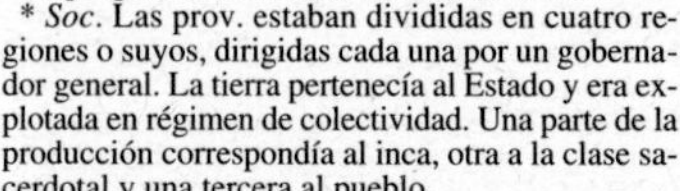

* *Arte.* Sobresalieron los incas en la arquitectura ciclópea, de enormes piedras irregulares que encajaban sin ningún cemento. Famosas son la fortaleza de Sacsahuamán, situada sobre Cuzco, y la de Machu-Picchu, edificada por los incas fugitivos de la conquista esp. La orfebrería y el arte plumaria alcanzaron un nivel muy alto, en tanto que la escultura, los tejidos y la cerámica estuvieron menos evolucionados.

* *Rel.* Hubo dos estratos religiosos: uno popular, con cultos a las fuerzas de la naturaleza, y otro aristocrático, con doctrinas secretas. En la cumbre del panteón estaba el dios Viracocha o Pachacamac, al que estaban sometidas las deidades de la naturaleza: Inti (Sol), Quilla (Luna), la Tierra Madre, Vira (Agua), etc. Entre ellas, el Sol se impuso. El Inca, hijo suyo, era dios como él. El sacerdocio era aristocrático. Los i. creían en la reencarnación y en los *huacas*, seres capaces de transformarse total o parcialmente en otros, practicaban la adivinación y rendían culto a los muertos.

INCA Roca (s. XIII) Soberano inca. Mediante un golpe de Estado se impuso como único soberano de las tribus confederadas.

INCACHABLE adj. *Hond.* Inútil, inepto.

INCAHUASI, *Cerro de* Pico de los Andes, entre Argentina y Chile; supera los 6 600 m.

INCAICO, CA adj. Relativo a los incas.

INCALIFICABLE adj. Que no se puede calificar. • Muy vituperable.

INCANDESCENCIA f. Estado de un cuerpo que, por elevación de su temperatura, emite luz. ■ INCANDESCENTE.

INCANSABLE adj. Incapaz de cansarse.

INCAPACIDAD f. Falta de capacidad para hacer, recibir o aprender una cosa. • fig. Rudeza, falta de entendimiento. • Insuficiencia legal para ejercer ciertos derechos y contraer determinadas obligaciones.

INCAPACITAR tr. Decretar la falta de capacidad civil de personas mayores de edad. • Decretar la carencia, en una persona, de las condiciones legales para un cargo público. ■ INCAPACITADO, DA.

INCAPAZ adj. Que no tiene capacidad para una cosa. • fig. Falto de talento. • Que carece de aptitud legal para una cosa determinada.

INCARCERACIÓN f. Retención o aprisionamiento anómalo de un órgano o parte de él.

INCARDINAR tr. y prnl. Admitir un obispo como súbdito propio a un eclesiástico de otra diócesis. ■ INCARDINACIÓN.

INCARIO m. Periodo de tiempo que duró el imperio inca. • Estructura política y social de dicho imperio. • Relativo al imperio inca o Tahuantinsuyu.

INCASABLE adj. Que no puede casarse. • Se aplica a la persona de la que se conjetura que difícilmente podrá casarse.

INCASTO, TA adj. Que no tiene castidad.

INCAUTARSE prnl. Tomar posesión un tribunal, u otra autoridad competente, de bienes particulares. • Apoderarse alguien de una cosa arbitrariamente. ■ INCAUTACIÓN.

INCAUTO, TA adj. Que no tiene cautela. • Falto de malicia y fácil de engañar.

INCE, *Thomas Harper* (1882-1924) Director y productor cinematográfico norteam. Fue uno de los creadores del *western.*

INCENDIARIO, RIA adj. y s. Díc. del que voluntariamente provoca un incendio. • fig. Escandaloso, subversivo.

INCENDIO m. Fuego grande que se propaga y causa estragos. • fig. Pasión vehemente, impetuosa. ■ INCENDIAR.

INCENSAR tr. Dirigir con el incensario el humo del incienso hacia una persona o cosa. • fig. Lisonjear. ■ INCENSACIÓN; INCENSADA.

INCENSARIO m. Braserillo con cadenillas y tapa, que sirve para incensar.

INCENTIVO, VA adj. y m. Que mueve o excita a desear o hacer una cosa.

INCENTRO m. *Geom.* Punto en el que concurren las tres bisectrices interiores de un triángulo. Es el centro de la circunferencia inscrita en el triángulo.

INCERTIDUMBRE f. Falta de certidumbre.

INCESABLE adj. Que no cesa.

INCESANTE adj. Que no cesa.

INCESTO m. Relación sexual entre parientes de primer grado. ■ INCESTUOSO, SA.

INCHÁUSTEGUI Cabral, *Héctor* (1912-1979) Escritor dom. *Poemas de una sola angustia, Rebelión vegetal* (poesía); *Miedo en un puñado de polvo* (teatro).

INCHÓN *(Incheon* o *Chemulpo)* C. del NO de la República de Corea, sit. al O de Seúl; 1 084 700 hab. Centro industrial.

INCIDENCIA f. Lo que sucede en el curso de un asunto y que está relacionado con él. • *Geom.* Caída de una línea, de un plano o de un cuerpo o la de un rayo de luz, sobre otro cuerpo, plano, línea o punto. • *Mec.* Dirección según la cual un cuerpo choca con otro.

INCIDENTE adj. y m. Que sobreviene en el curso de un asunto y tiene con éste algún enlace. • m. *Der.* Cuestión distinta del pral. asunto del juicio, pero con él relacionada, que se ventila y decide por separado. • Disputa, riña, pelea. ■ INCIDENTAL.

INCIDIR intr. Incurrir en una falta, error, etc. • Hacer incisión. • Chocar un rayo de luz, proyectil, etc., contra aquello a que va dirigido.

INCIENSO m. Gomorresina de olor aromático al arder, que se extrae de varios árboles. • Mezcla de sustancias resinosas que al arder despiden buen olor. • *Cuba.* Planta aromática. • fig. Lisonja.

INCIERTO, TA adj. No verdadero. • Inconstante, no seguro. • Desconocido, no sabido.

INCINERABLE adj. Que ha de incinerarse. Díc. especialmente de los billetes de banco que son apartados de la circulación e incinerados.
INCINERAR tr. Reducir una cosa a cenizas, especialmente un cadáver. ■ INCINERACIÓN; INCINERADOR, RA.
INCIPIENTE adj. Que empieza.
ÍNCIPIT m. Primeras palabras de un manuscrito o impreso.
INCIRCUNCISO, SA adj. No circuncidado.
INCIRCUNSCRIPTO, TA adj. No comprendido dentro de determinados límites.
INCISIÓN f. Hendidura hecha con instrumento cortante en algunos cuerpos. • Corte o pausa tras el acento en poesía. ■ INCISORIO, RIA; INCISURA.
INCISIVO, VA adj. Apto para abrir o cortar. • adj. y m. *Anat.* Díc. de los dientes mediales de la mandíbula de los mamíferos, utilizados normalmente para cortar los alimentos, cuyo núm. varía, desde 12 en los marsupiales e insectívoros hasta dos en ciertos quirópteros. En el hombre son los más anteriores, y hay ocho: cuatro superiores y cuatro inferiores.
INCISO, SA adj. Cortado, dicho del estilo. • *Gram.* Oración breve intercalada en el contexto y relacionada con él.
INCITAR tr. Estimular a uno para que ejecute una cosa. ■ INCITACIÓN; INCITATIVO, VA.
INCIVILIDAD f. Falta de civilidad, cultura o buena educación. ■ INCIVIL; INCIVILIZADO, DA.
INCLÁN, *Federico* (nacido 1910) Dramaturgo mex. *Espaldas mojadas*, *El deseo llega al anochecer*, *Cada noche muere Julieta*.
INCLAUSTRACIÓN f. Ingreso en una orden monástica.
INCLEMENCIA f. Falta de clemencia. • fig. Rigor de la estación, especialmente en el invierno.
INCLINACIÓN f. Acción de inclinar o inclinarse. • Reverencia. • Afecto, propensión a una cosa. • *Astr.* Ángulo formado por el plano de la eclíptica y el plano de la órbita de un planeta. • *Geom.* Dirección de una línea o superficie en relación a otra. • **magnética.** Ángulo que forma una aguja imantada con la horizontal. ■ INCLINÓMETRO.
INCLINAR tr. y prnl. Torcer, separar de la posición vertical u horizontal. • Apartar una cosa de su posición perpendicular a otra. • tr. fig. Persuadir a uno a que actúe de cierta manera. • prnl. Propender a hacer, pensar o sentir una cosa. ■ INCLINATIVO, VA.
ÍNCLITO, TA adj. Ilustre, esclarecido, afamado.
INCLUIR tr. Poner una cosa dentro de otra o dentro de sus límites. • Contener una cosa a otra, o llevarla implícita. ■ INCLUSIVO, VA.
INCLUSA f. Casa en donde se recoge y cría a los niños expósitos. ■ INCLUSERO, RA.
INCLUSIÓN f. Cosa incluida en otra u otras. • Estructura normal o patológica que se encuentra en el interior de la célula y que resulta de sus procesos metabólicos. • En histología, introducción de un tejido en una sustancia sólida (por ej., la parafina) a fin de que adquiera la suficiente dureza para que pueda ser seccionado en finas laminillas. • *Mat.* Relación de orden entre los elementos de una familia de conjuntos. Se designa por el símbolo $\subset$, y se dice que $A \subset B$ (A, B son conjuntos) cuando todo elemento de A lo es de B. • *Metal.* Fragmento de escoria que queda aprisionado en la masa de un metal durante la colada alterando su continuidad.
INCLUSIVE adv. modo. Incluyendo el último objeto nombrado.
INCLUSO, SA adj. Díc. de lo que está incluido en otra cosa. • adv. modo. Con inclusión de. • prep. y conj. Hasta, aun.
INCOAR tr. Comenzar una cosa, especialmente un proceso o alguna otra actuación oficial. ■ INCOACIÓN.
INCOATIVO, VA adj. Que denota el principio de una cosa o de una acción. • *Gram.* Díc. de una clase de verbo.
INCOBRABLE adj. Que no se puede cobrar o está muy dudoso su cobro.
INCÓGNITO, TA adj. No conocido. • adj. y f. *Mat.* Díc. de la cantidad desconocida que se determina resolviendo una ecuación. • **De i.** m. adv. Se aplica a la situación de una persona que oculta su identidad.
INCOGNOSCIBLE adj. Que no se puede conocer.
INCOHERENCIA f. Falta de coherencia. ■ INCOHERENTE.
ÍNCOLA com. Morador o habitante de un pueblo o lugar.
INCOLORO, RA adj. Que carece de color.
INCÓLUME adj. Sano, sin lesión ni menoscabo. ■ INCOLUMIDAD.
INCOMBUSTIBLE adj. Díc. del cuerpo que no arde ni se altera ante la acción del fuego. ■ INCOMBUSTIBILIDAD.
INCOMIBLE adj. Que no se puede comer. Díc. especialmente de lo que está mal condimentado.
INCOMODAR tr. y prnl. Causar incomodidad. • Enfadar, molestar. ■ INCÓMODO, DA.
INCOMODIDAD f. Falta de comodidad. • Molestia, fatiga. • Disgusto.
INCOMPARABLE adj. Que no tiene o no admite comparación.
INCOMPARECENCIA f. Falta de asistencia a un acto o lugar al que hay obligación de comparecer.
INCOMPASIVO, VA o **INCOMPASIBLE** adj. Que carece de compasión.
INCOMPATIBILIDAD f. Impedimento o tacha legal para ejercer una función determinada, o para desempeñar dos o más cargos a la vez. • *Med.* Oposición entre dos medicamentos, sustancias, tipos de sangre, etc., que no pueden unirse o combinarse, bajo peligro de efectos nocivos.
INCOMPATIBLE adj. No compatible con otra cosa. • *Mat.* Díc. del sistema de ecuaciones que no admite soluciones comunes.
INCOMPETENCIA f. Falta de competencia. • *Der.* Carencia de jurisdicción de un tribunal o juez para conocer de una causa, por el lugar del hecho, la cuantía, etc. ■ INCOMPETENTE.
INCOMPLEJO, JA adj. Incomplexo.
INCOMPLETO, TA adj. No completo.
INCOMPLEXO, XA adj. Desunido y sin coherencia.
INCOMPOSICIÓN f. Falta de armonía en las partes que componen un todo.
INCOMPRENDIDO, DA adj. y s. Díc. de la persona que no es comprendida por los demás.
INCOMPRENSIBLE adj. Que no se puede comprender. • Inconcebible. ■ INCOMPRENSIBILIDAD.
INCOMPRENSIÓN f. Falta de comprensión.
INCOMPRENSIVO, VA adj. Persona poco dispuesta a comprender el sentimiento o la conducta de los demás; poco condescendiente y razonable, intolerante.
INCOMPRESIBLE adj. Que no se puede comprimir o reducir a menor volumen. ■ INCOMPRESIBILIDAD.
INCOMUNICAR tr. Aislar, dejar incomunicadas a personas o cosas. • prnl. Aislarse, negarse al trato con otras personas. ■ INCOMUNICACIÓN; INCOMUNICADO, DA.
INCONCEBIBLE adj. Que no puede concebirse o comprenderse.
INCONCINO, NA adj. Desordenado, descompuesto.
INCONCLUSO, SA adj. No acabado, no concluido.
INCONCRETO, TA adj. Vago, impreciso.
INCONCUSO, SA adj. Firme, sin duda ni contradicción.
INCONDICIONAL adj. Absoluto, sin restricción. • com. Persona adepta a otra o a una idea, sin limitación o condición ninguna.
INCONDUCENTE adj. No conducente para un fin.
INCONEXIÓN f. Falta de conexión o unión de una cosa con otra. ■ INCONEXO, XA.
INCONFESABLE adj. Díc. de lo que por ser vergonzoso no puede confesarse.
INCONFESO, SA adj. Se aplica al presunto reo que no confiesa el delito que se le imputa.
INCONFIDENCIA f. Desconfianza.
INCONFIDENTE adj. No confidente; infiel.
INCONFORME adj. y s. Persona que mantiene una actitud contraria a lo establecido en el orden moral, político, social, estético, etc. • Disconforme.
INCONFORMISTA com. Persona hostil a lo establecido. ■ INCONFORMISMO.
INCONGRUENCIA o **INCONGRUIDAD** f. Sin congruencia. • Cosa incongruente. • *Der.* Falta de adecuación entre las pretensiones deducidas

Bomberos combatiendo un **incendio**

Brújula para medir la **inclinación magnética**

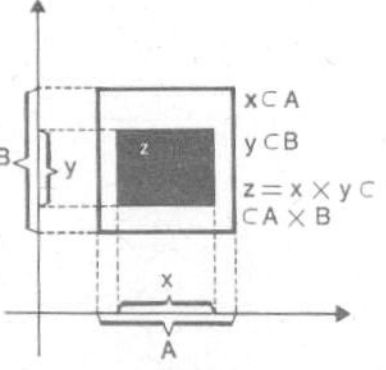

Diversas relaciones de **inclusión:** $x \subset A$; $y \subset B$; $z=(x \times y) \subset (A \times B)$;

Ave hembra durante la **incubación** de sus huevos

Incubadora utilizada en una maternidad

por las partes y la parte dispositiva de la resolución judicial. ■ INCONGRUENTE; INCONGRUO, UA.

INCONMENSURABLE adj. Díc. de aquello que no ha sido medido o evaluado. • *Mat.* Se aplica a las cantidades que no tienen unidad común de medida, es decir, cuya razón es un número irracional. • fam. Grandísimo o inmenso. ■ INCOMENSURABILIDAD.

INCONMOVIBLE adj. Que no se puede conmover o alterar.

INCONMUTABLE adj. Inmutable. ■ INCONMUTABILIDAD.

INCONQUISTABLE adj. Que no se puede conquistar. • fig. Inflexible, insobornable.

INCONSCIENCIA f. Estado del individuo que ha perdido la facultad de percibir los estímulos externos y de controlar los propios actos y reacciones.

INCONSCIENTE adj. y s. No consciente, que actúa sin reflexión ni prudencia. • Que no está conscie nte; desmayado, aturdido. • m. *Psic.* Según la teoría psicoanalítica, conjunto de fenómenos psíquicos que actúan sobre la conducta, pero escapan al control de la conciencia.

INCONSECUENCIA f. Falta de consecuencia en lo que se dice o hace. • Acción o cosa inconsecuente.

INCONSECUENTE adj. y s. Que no se sigue o deduce de otra cosa. • Que procede con inconsecuencia.

INCONSIDERACIÓN f. Falta de consideración y reflexión. ■ INCONSIDERADO, DA.

INCONSIGUIENTE adj. No consiguiente.

INCONSISTENCIA f. Falta de consistencia. ■ INCONSISTENTE.

INCONSOLABLE adj. Que no puede consolarse. • fig. Que muy difícilmente se consuela.

INCONSTANCIA f. Falta de estabilidad y permanencia de una cosa. • Facilidad y ligereza con que uno cambia de opinión, de amigos, etc. ■ INCONSTANTE.

INCONSTITUCIONALIDAD f. Oposición de una ley, de un decreto o de un acto a los preceptos de la constitución. ■ INCONSTITUCIONAL.

INCONSULTO, TA adj. *Amér.* Inconsiderado.

INCONSÚTIL adj. Sin costura.

INCONTABLE adj. Que no puede contarse. • Muy difícil de contar, numerosísimo.

INCONTAMINAR tr. Prevenir la contaminación.

INCONTENIBLE adj. Que no se puede contener o refrenar.

INCONTESTABLE adj. Que no se puede impugnar ni dudar con fundamento. ■ INCONTESTABILIDAD.

INCONTINENCIA f. Falta de continencia. • *Med.* Emisión involuntaria de orina o de materias fecales.

INCONTINENTE adj. Díc. de la persona incapaz de reprimir sus deseos o pasiones. • Que no se contiene. • adv. tiempo. Con prontitud.

INCONTINUO, NUA adj. Interrumpido, no continuo.

INCONTRASTABLE adj. Que no se puede vencer o conquistar. • Que no se puede impugnar fundadamente • fig. Que no se deja reducir o convencer.

INCONTRITO, TA adj. No contrito.

INCONTROLABLE adj. Que no se puede controlar. ■ INCONTROLADO, DA.

INCONTROVERTIBLE adj. Que no admite duda ni disputa.

INCONVENIBLE adj. No conveniente o convenible.

INCONVENIENCIA f. Incomodidad, desconveniencia. • Disconformidad e inverosimilitud de una cosa. • Dicho o hecho inconveniente.

INCONVENIENTE adj. No conveniente. • m. Impedimento u obstáculo que hay para hacer una cosa. • Daño y perjuicio que resulta de ejecutarla.

INCONVERSABLE adj. Díc. de la persona intratable, insociable.

INCOORDINACIÓN f. Falta de conexión de las funciones o de los movimientos musculares que tienen por objeto la ejecución de un acto.

INCORDIAR tr. Molestar, agobiar, importunar.

INCORDIO m. Tumor. • fig. y fam. Fastidio, molestia.

INCORPORAL adj. Incorpóreo. • Díc. de las cosas que no se pueden tocar.

INCORPORAR tr. Agregar, unir dos o más cosas, para que formen un todo. • Introducir algo en un todo ya constituido. • tr. y prnl. Levantar la mitad superior del cuerpo cuando se está echado o tendido. • Destinar a un funcionario al cuerpo o unidad en que ha de prestar servicio. • prnl. Entrar a formar parte de una asociación o a tomar parte en una actividad. ■ INCORPORACIÓN.

INCORPÓREO, A adj. No corpóreo. ■ INCORPOREIDAD.

INCORRECTO, TA adj. No correcto. ■ INCORRECCIÓN.

INCORREGIBLE adj. No corregible. • Díc. de las personas a las que no se puede corregir o disuadir de sus malas costumbres.

INCORRUPCIÓN f. Estado de una cosa que no se corrompe. • fig. Honradez.

INCORRUPTIBLE adj. No corruptible. • fig. Que no se puede pervertir. • fig. Muy poco propenso a pervertirse. ■ INCORRUPTO, TA.

INCRASAR tr. *Med.* Engrasar.

INCREADO, DA adj. No creado.

INCREDIBILIDAD f. Imposibilidad que hay para que sea creída una cosa.

INCREDULIDAD f. Repugnancia o dificultad en creer una cosa. • Falta de fe religiosa. ■ INCRÉDULO, LA.

INCREÍBLE adj. Que no puede creerse. • fig. Muy difícil de creer.

INCREMENTAR tr. Aumentar, acrecentar.

INCREMENTO m. Aumento, acrecentamiento. • Parte aumentada. • *Mat.* Diferencia (positiva o negativa) entre dos valores de una variable o función. • **Teorema de los incrementos finitos.** *Mat.* Si $f(x)$ es una función de una variable, continua y derivable entre a y b, existe un punto z entre a y b de modo que vale la igualdad $f(b)\text{-}f(a)=f'(z)\cdot(b\text{-}a)$.

INCREPAR tr. Reprender con dureza y severidad. • Insultar a alguien. ■ INCREPACIÓN.

INCRIMINAR tr. Acriminar con fuerza o insistencia. • Exagerar un delito, culpa o defecto. ■ INCRIMINACIÓN.

INCRUENTO, TA adj. No sangriento.

INCRUSTACIÓN f. Cosa incrustada. • Adorno que se introduce en una superficie lisa y dura, de manera que permanezca firme. • Capa de carbonato cálcico en las paredes de las calderas. • *Med.* Depósito de sustancia sólida en el interior de tejidos blandos u órganos huecos.

INCRUSTAR tr. Embutir en una superficie lisa y dura piedras, metales, etc., formando dibujos. • tr. Fijar una idea con firmeza. • prnl. Penetrar y quedar adherido un cuerpo en otro, sin formar un todo. ■ INCRUSTANTE.

INCUBACIÓN f. Periodo comprendido entre la penetración del agente infeccioso en un organismo y la aparición de los síntomas que caracterizan una determinada enfermedad infecciosa. • Mantenimiento, en un aparato adecuado y a una temperatura constante, de cultivos microbianos, embriones o recién nacidos prematuros. • Proceso de cuidado de los huevos desde su puesta hasta su eclosión. • **artificial.** La realizada artificialmente en aparatos adecuados hasta lograr el nacimiento de las crías.

INCUBADORA f. Aparato que sirve para la incubación artificial de los huevos de las aves domésticas. • Empresa que explota comercialmente la incubación artificial con vistas a la venta de pollos. • *Med.* Aparato utilizado para el cuidado de los niños prematuros.

INCUBAR intr. Encobar. • tr. Empollar, ponerse el ave sobre los huevos para calentarlos y sacar las crías. • prnl. Desarrollarse una enfermedad desde sus inicios hasta las primeras manifestaciones de sus efectos. • Iniciarse el desarrollo de una tendencia o movimiento cultural, político, religioso, etc., antes de su plena manifestación.

ÍNCUBO adj. y s. Díc. del espíritu o demonio que, según la opinión vulgar, tiene trato carnal con una mujer, bajo la apariencia de un varón.

INCUESTIONABLE adj. Que no puede cuestionarse.

INCULCAR tr. y prnl. Apretar una cosa contra otra. • tr. fig. Repetir con empeño muchas veces una cosa a uno. • fig. Infundir con ahínco en la mente una idea, un concepto, etc. • *Art. Gráf.* Juntar demasiado unas letras con otras. ■ INCULCACIÓN.

INCULPABILIDAD f. Exención de culpa. ■ INCULPABLE.
INCULPAR tr. Acusar a uno de una cosa. ■ INCULPACIÓN.
INCULTURA f. Falta de cultivo o de cultura. ■ INCULTO, TA.
INCUMBENCIA f. Acción, asunto, etc., que corresponde a alguien. • Obligación de hacer una cosa.
INCUMBIR intr. Estar a cargo de uno una cosa.
INCUMPLIR tr. No llevar a efecto, dejar de cumplir. ■ INCUMPLIDO, DA; INCUMPLIMIENTO.
INCUNABLE adj. y m. Díc. de cada uno de los libros impresos en un periodo comprendido desde la invención de la imprenta hasta el año 1500.
INCURABLE adj. y s. Que no se puede curar o no puede sanar. • fig. Incorregible, irremediable. ■ INCURABILIDAD.
INCURIA f. Poco cuidado, negligencia.
INCURRIR intr. Cometer. • Causar, atraerse.
INCURSIÓN f. Acción de incurrir. • *Mil.* Correría.
INCURSIONAR intr. *Amér.* Realizar una incursión de guerra. • fig. Crear un artista una obra que se aparta del género que cultiva habitualmente.
INCUSAR tr. Acusar, imputar.
INCUSO, SA adj. Díc. de la moneda o medalla que posee el mismo cuño en las dos caras.
INDAGAR tr. Averiguar, intentar inquirir una cosa discurriendo o con preguntas. ■ INDAGACIÓN.
INDAGATORIO, RIA adj. Que sirve para indagar. • f. *Der.* Declaración tomada, sin exigirle juramento, al presunto culpable de un hecho que se está investigando.
INDANTRENO m. *Quím.* Nombre común a varios colorantes orgánicos derivados de la antraquinona.
INDEBIDO, DA adj. Que no es obligatorio ni exigible. • Ilícito, injusto.
INDECENTE adj. Muy sucio. • Desarreglado. • Que ofende al pudor. • Indecoroso. • Díc. de la persona desaprensiva e indelicada. ■ INDECENCIA.
INDECIBLE adj. Que no se puede decir o explicar.
INDECISIÓN f. Irresolución, dificultad en decidirse. ■ INDECISO, SA.
INDECLINABLE adj. Que tiene que hacerse o cumplirse. • *Der.* Aplícase a la jurisdicción que no se puede declinar. • *Gram.* Aplícase a las partes de la oración que no se declinan.
INDECORO m. Falta de decoro. ■ INDECOROSO, SA.
INDEFECTIBLE adj. Que no puede faltar o dejar de ser. ■ INDEFECTIBILIDAD.
INDEFENDIBLE o **INDEFENSABLE** o **INDEFENSIBLE** adj. Que no puede ser defendido.
INDEFENSIÓN f. Falta de defensa; situación del que está indefenso. • *Der.* Situación en que se deja a la parte litigante a la que se niegan o limitan contra ley sus medios procesales de defensa. ■ INDEFENSO, SA.
INDEFICIENTE adj. Que no puede faltar.
INDEFINIBLE adj. Que no se puede definir. • Vago, impreciso; difícil de explicar.
INDEFINIDO, DA adj. No definido. • Que no tiene límites precisos. • Díc. de la proposición que no tiene signos que la determinen. • *Gram.* Díc. de una clase de artículos, pronombres, tiempos verbales y otras partes de la oración.
INDEHISCENTE adj. *Bot.* No dehiscente. Díc. de los frutos.
INDELEBLE adj. Que no se puede borrar o quitar.
INDELIBERACIÓN f. Falta de deliberación. ■ INDELIBERADO, DA.
INDELICADO, DA adj. Falto de delicadeza. ■ INDALICADEZA.
INDEMNIDAD f. Estado o situación del que está libre de padecer algún daño o perjuicio. ■ INDEMNE.
INDEMNIZAR tr. y prnl. Resarcir de un daño o perjuicio. ■ INDEMNIZACIÓN.
INDENO m. *Quím.* Hidrocarburo aromático contenido en el alquitrán de hulla.
INDEPENDENCIA f. Falta de dependencia. • Libertad, autonomía, y especialmente la de un Est. que no depende de otro. • Entereza, firmeza de carácter.
INDEPENDENCIA Prov. del O de la República Dominicana, limítrofe con Haití; 1 861 km², 42 800 hab. Cap., Jimani. Cereales, café y legumbres.
INDEPENDENCIA ESPAÑOLA, *Guerra de la* Lucha sostenida por el pueblo esp. contra la invasión de las tropas fr. de Napoleón (1808-1814). A consecuencia del tratado de Fontainebleau penetró en España un ejército fr. de 100 000 hombres, enviados por Napoleón para someter a Portugal, aliada de Inglaterra. Las diferencias entre Carlos IV y su hijo Fernando las aprovechó Napoleón en su propio beneficio. En Bayona consiguió la abdicación de padre e hijo, y otorgó la corona de España a su hermano José (4 junio 1808). La lucha comenzó con el levantamiento popular de Madrid, el 2 mayo 1808, ante la defección de la familia real y la noticia de la llegada de José Bonaparte para ocupar el trono. Una parte de la guarnición del ejército en Madrid secundó el motín. Murat aplastó la rebelión y fusiló a numerosos insurgentes. El levantamiento se propagó rápidamente por toda España. El va-

Agustina de Aragón, heroína del sitio de Zaragoza durante la guerra de la **Independencia Española,** en un óleo de Goya. Museo Lázaro Galdiano, Madrid

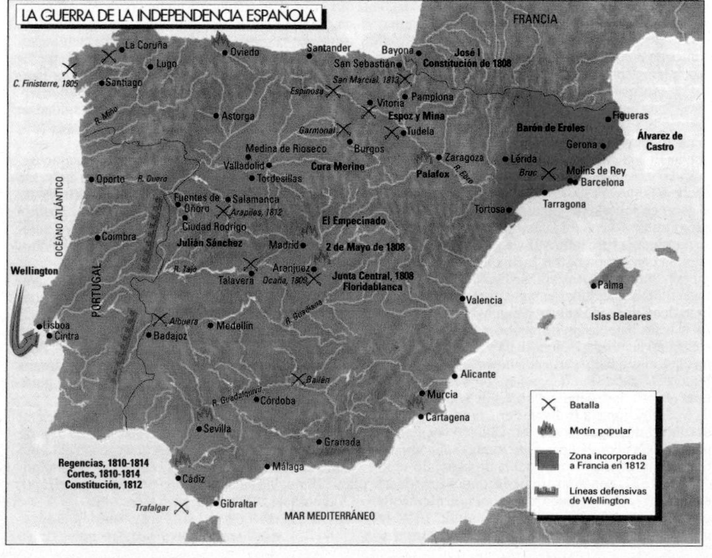

cío de poder favoreció la creación de instituciones como las juntas, coordinadas mediante una junta central. Derrotados al principio los fr. en Bailén (1808), el frente esp. quedó roto tras las severas derrotas de Espinosa de los Monteros y Tudela; los fr. recuperaron Madrid y José I fue repuesto en el trono (diciembre 1808), dominando casi toda España, aunque hostigados por las partidas de guerrilleros (Espoz y Mina, El Empecinado) y ante la tenaz resistencia del pueblo (sitios de Zaragoza, en 1808 y 1809, y de Gerona en 1809). En 1810 se disolvió la junta central y se instituyó una regencia. Wellington, que operaba desde Portugal con un cuerpo expedicionario brit. reforzado con tropas port. y esp., se vio forzado a retirarse a la posición fortificada de Torres Vedras, sitiado por Masséna y con el mar a sus espaldas. El sitio fracasó (marzo 1811). A partir de 1812 las tropas anglo-hispano-portuguesas al mando de Wellington, aprovechando la disminución de efectivos fr. por la campaña de Napoleón en Rusia, vencieron a los fr. en los Arapiles (1812); el signo de la guerra se decidió en 1813, con la derrota fr. en Vitoria. Poco después eran definitivamente batidos en San Marcial, y en 1814 Fernando VII volvía a España.

Guerra de la **Independencia Hispanoamericana.** Arriba, *Firma del acta de independencia de Venezuela*, por Tovar y Tovar; abajo, el Cabildo Abierto de Buenos Aires, según P. Subercasseux

INDEPENDENCIA HISPANOAMERICANA, ***Guerra de la*** Movimiento del cual resultó la indep. de las colonias esp. de América, salvo Cuba y Puerto Rico. El ejemplo de la indep. norteamericana y de la Revolución Francesa fueron determinantes en un momento en que la guerra de la indep. esp. había dejado aquellos terr. sin un gobierno eficaz. La formación de una conciencia emancipadora recibió impulso de las ideas de la Ilustración y de las doctrinas que consideraban que la soberanía nacional radicaba en la comunidad. A esto hay que añadir la conciencia de que el desarrollo económico exigía la consecución del poder político, hecho del que era sobre todo consciente la burguesía comercial criolla. Cuando ocurrieron las abdicaciones de Bayona, los americanos proclamaron su adhesión a Fernando VII y el reconocimiento de la junta central, pero, tras la disolución de ésta, las juntas americanas organizaron ejércitos y se depuso a las autoridades españolas. Los grandes libertadores fueron Bolívar y San Martín. El primero, tras las batallas de Carabobo y Boyacá (1819), consiguió la indep. de Venezuela y Colombia, mientras que el segundo, partiendo de Argentina, que había proclamado su indep. en el congreso de Tucumán (1816), independizaba a Chile con la victoria de Maipú y, junto a Bolívar, Perú, donde vencieron definitivamente a los esp. en 1824 (Ayacucho) y pusieron fin al dominio esp. en todo el subcontinente. Anteriormente México había proclamado su indep. en 1821, con Agustín de Itúrbide. En América central la emancipación fue obra de elementos independentistas en contacto con Itúrbide. El 24 junio 1823, se declaró la indep. de las Provincias Unidas de Centroamérica (El Salvador, Nicaragua, Honduras y Costa Rica).

INDEPENDENCIA NORTEAMERICANA, ***Guerra de la*** Lucha sostenida por los colonos brit. de América del Norte, contra la metrópoli (1775-1783). Una vez hubo desaparecido la amenaza fr. (guerra de los Siete Años), los colonos, con un sentimiento nacionalista reforzado, aspiraron a la autonomía económica y política. Estas aspiraciones se vieron frustradas por una serie de medidas centralistas que culminaron con la cuestión del té, cuyo monopolio concedió Gran Bretaña a la Compañía de las Indias Orientales (1773). En respuesta a esta medida, en Boston se arrojó al mar el cargamento de tres barcos ing. (motín del té). Gran Bretaña ordenó entonces el cierre del puerto y proclamó el est. de excepción. En el primer congreso continental celebrado en Filadelfia, los delegados de los est. redactaron una declaración de derechos (1774). El conflicto armado se inició en 1775 con el combate de Lexington. El 4 julio 1776 se efectuó una Declaración de Independencia, que incluía una formulación de los derechos del hombre. En 1777 los americanos obtuvieron una gran victoria en Saratoga, y a partir de entonces contaron con la ayuda de Francia y España. La batalla decisiva para la conclusión de la guerra fue la de Yorktown (1781), en la que capituló el general brit. Cornwallis. Inglaterra reconoció la indep. de los EE UU de América del Norte por el tratado de Versalles de 1783.

INDEPENDENTISMO m. En un país que no tiene independencia política, movimiento que la propugna o reclama. ■ INDEPENDENTISTA.

INDEPENDIENTE adj. Que no tiene dependencia, que no depende de otro. • Díc. de la cosa que no tiene relación con otra. • Autónomo. • fig. Díc. de la persona que sostiene sus derechos u opiniones, sin que la doblen respetos, halagos ni amenazas, o de la que no busca apoyo o colaboración de los demás en sus actuaciones.

INDEPENDIZAR tr. y prnl. Hacer independiente a una persona o cosa.

INDESCRIPTIBLE adj. Que no se puede describir. • Muy difícil de describir.

INDESEABLE adj. y s. Díc. de la persona, especialmente extranjera, cuya permanencia en un país consideran peligrosa para la tranquilidad pública las autoridades de éste. • Díc. de la persona cuyo trato no es recomendable.

INDESMALLABLE adj. Díc. de las medias u otras prendas tejidas en las que si se suelta un punto, no se forma una carrera.

INDETERMINABLE adj. Que no se puede determinar. • Indeterminado, que no se resuelve.

INDETERMINACIÓN f. Falta de precisión en una cosa, o de resolución en una persona. *Mat.* Cada uno de los límites siguientes: $\infty-\infty$, $\infty.0$, $0/0$, ∞/∞, 1^∞, 0^0 e ∞^0, donde 1, 0 e ∞ representan sucesiones cuyo límite es respectivamente 1, 0 e ∞ • **Principio de i.** *Fís.* Principio enunciado por Heisenberg en 1927, según el cual es imposible determinar simultáneamente la posición y la cantidad de movimiento de las partículas de dimensiones atómicas.

INDETERMINISMO m. *Fil.* Sistema que expresa la idea de que los acontecimientos no están necesariamente determinados. ■ INDETERMINISTA.

INDEXACIÓN f. Acción y efecto de indexar. • *Comp.* Clasificar los registros de un fichero anterior, según una clave que relaciones, modificándolas, la dirección del registro precedente.

INDEXAR tr. Ajustar el valor de un elemento, variable, en función de un índice determinado que modifica los anteriores valores de aquél..

INDIA Estado de Asia meridional, limítrofe con Pakistán, al NO; Tíbet, Nepal y Bután, al N; y Bangla Desh, China y Myanma, al NE. Posee largas costas sobre el mar Arábigo, al O, y sobre el golfo de Bengala, al E.

* *Geog. fís.* Comprende la plataforma peninsular del Decán, bordeada por las cadenas montañosas de los Gates; la llanura Indogangética y, en el extremo septentrional, la cord. del Himalaya. Avenada por los r. Indo, Ganges, Brahmaputra, Narmada, Tapti, Godavari, etc. Clima tropical monzónico.

* *Geog. econ.* y *humana.* La agricultura proporciona la mayor fuente de ingresos; sin embargo, su

División administrativa de la **India**

Estados	*Km²*	*Población* [1]	*Densidad*	*Capital*	*Habitantes*
Andhra Pradesh	276 814	66 354 600	240	Hyderabad	4 280 300
Arunachal Pradesh	83 578	858 400	10	Itanagar	14 100
Assam	78 523	22 294 600	284	Dispur	s/d
Bengala Occidental	87 853	67 982 700	774	Calcuta	11 605 800
Bihar	173 876	86 338 900	496	Patna	1 098 600
Goa	3 701	1 168 600	316	Panjim	42 900
Gujarat	195 984	41 174 300	210	Gandhinagar	121 700
Haryana	44 222	16 317 700	369	Chandigarh	503 000
Himachal Pradesh	55 673	5 111 100	92	Simla	81 500
Jammu-Kashmir	222 236	7 818 700	35	Jammu	206 100
				Srinagar	594 800
Karnataka	191 773	44 806 500	233	Bangalore	4 086 500
Kerala	38 864	29 032 800	747	Trivandrum	523 700
Madhya Pradesh	442 841	66 135 900	149	Bhopal	1 063 700
Maharashtra	307 762	78 748 200	256	Bombay	12 571 700
Manipur	22 356	1 826 700	82	Imphal	196 300
Meghalaya	22 489	1 760 600	78	Shillong	130 700
Mizoram	21 087	686 200	32	Aijal	154 300
Naga Pradesh	16 527	1 215 600	73	Kohima	53 100
Orissa	155 782	31 512 000	202	Bhubaneswar	411 500
Punjab	50 362	20 190 800	401	Chandigarh	503 000
Rajasthan	342 214	43 880 600	128	Jaipur	1 514 400
Sikkim	7 299	405 500	55	Gangtok	25 000
Tamil Nadu	130 069	55 638 300	428	Madras	5 361 500
Tripura	10 477	2 744 800	262	Agartala	157 600
Uttar Pradesh	294 413	139 031 100	472	Lucknow	1 592 000
Territorios					
Andamán y Nicobar	8 293	279 100	34	Port-Blair	74 800
Chandigarh	114	640 700	5 620	Chandigarh	503 000
Dadra y Nagar Haveli	491	138 400	282	Silvassa	6 900
Daman y Diu	112	101 400	906	Daman	26 900
Delhi	1 485	9 370 500	6 310	Delhi	7 174 800
Lakshadweep	32	51 700	1 615	Kavaratti	7 000
Pondicherry	480	807 000	1 681	Pondicherry	202 600
INDIA	3 287 263	967 613 000 [2]	258	Nueva Delhi	294 100

[1] Último censo. [2] Última estimación.

producción es insuficiente para cubrir las necesidades de la población. Arroz, trigo, mijo, sorgo, maíz, cebada, té, caña de azúcar, café, tabaco, cacahuetes, algodón y yute. Sus grandes rebaños vacunos apenas son explotados debido a preceptos religiosos. Posee grandes riquezas minerales y energéticas: petróleo, energía eléctrica, hierro, bauxita, mica y sal. Las ind. siderúrgica, química y energética experimentan un notable desarrollo, aunque la textil sigue siendo la más imp. La I. tiene uno de los mayores índices de crecimiento demográfico del mundo. Su pob. está constituida por un mosaico de grupos étnicos (indoarios, drávidas, australoides, chino-tibetanos, etc.). Es una república federal en el ámbito de la Commonwealth. Lenguas: hindi, inglés (of. federales); asamés, bengalí, sánscrito, punjabí, etc., hasta un total de 179 lenguas y 544 dialectos. *Rel.*: hinduismo (83 %), islamismo (11 %), minorías sij, budistas,cristianas. U.M.: la rupia. Cap., Nueva Delhi. C. prales.: Calcuta, Bombay, Delhi, Madrás, Hyderabad.

* *Hist.* A partir del 3000 a. C. se desarrolló en el valle del Indo una notable civilización. Los arios llegaron hacia 1500 a. C. e introdujeron el sistema de castas y el sánscrito. Los persas la invadieron entre los ss. VI y V a. C., y Alejandro Magno en el 326 a. C. Asoka llegó a dominar, en el s. III a. C., casi toda la I. Con Chandragupta I (305-326) se inició la dinastía gupta, que finalizó con la invasión de los hunos heftalíes (s. V). En el s. X se inició la penetración ár. Tamerlán invadió la I. en 1398, como preludio del imperio mongol de la I., establecido por Baber en 1526 y que duró hasta 1707. En el s. XVII Gran Bretaña inició la colonización del país, que fue seguida de la dominación casi total, a mediados del s. XIX. En 1877 la reina Victoria fue coronada emperatriz de la I., y a finales de siglo comenzó a extenderse el mov. independentista indio (fundación del Congreso Nacional Indio, 1885). Del movimiento nacionalista destaca el empleo, como forma de lucha, de la resistencia pasiva, inspirado por Gandhi. En 1947 se proclamó la indep. de la I., sobre la base de dos est. soberanos, musulmán uno

1

2

India. 1. Plaza Connaught, en Nueva Delhi. 2. Edificio de la Corporación Municipal de Bombay

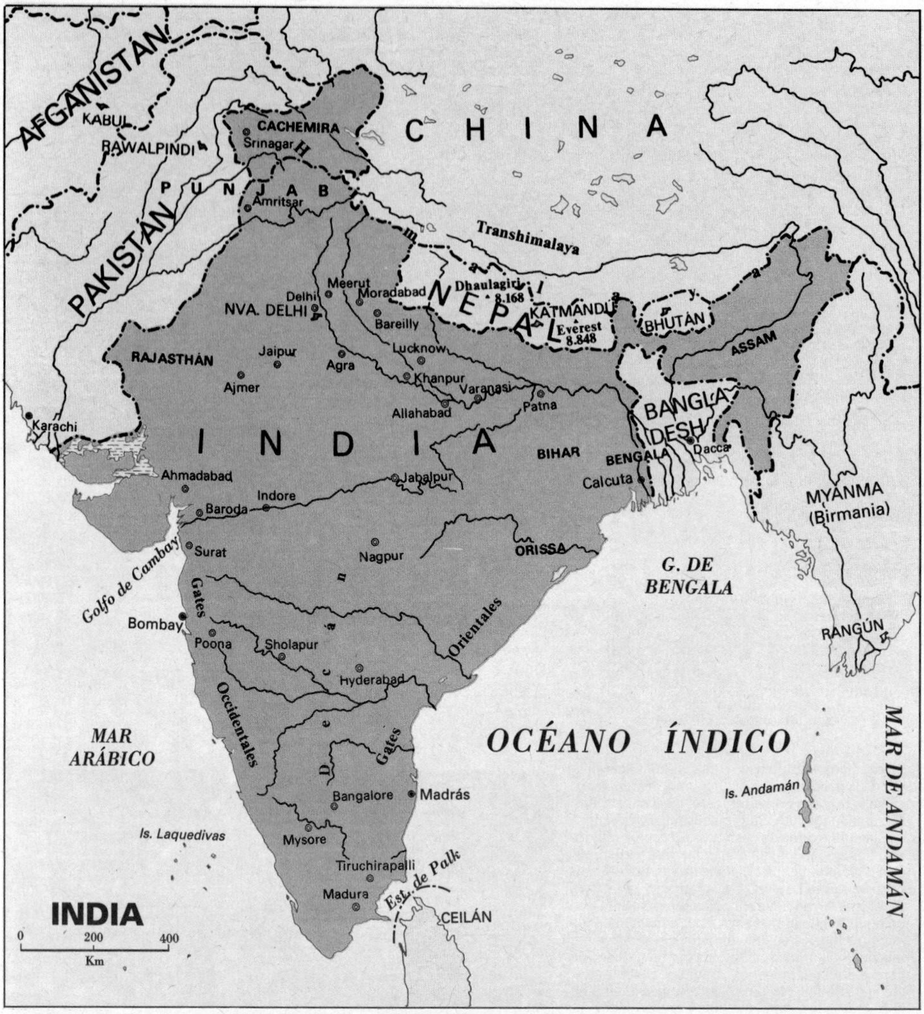

(Pakistán) e hindú el otro (Unión India). Desde 1947 a 1964 fue primer ministro Jawaharlal Nehru, que en 1950 proclamó la Rep. En 1965 I. y Pakistán se enfrentaron por Cachemira. La primera ministra Indira Gandhi (1966-1977 y 1980-1984) fortaleció su país frente a los est. vecinos, pero en 1984 fue asesinada por extremistas sijs. La sustituyó su hijo, Rajiv Gandhi, que también murió en un atentado (1991). El nuevo primer ministro, Narasimha Rao, inició un proceso de liberalización económica que aumentó las desigualdades sociales. En las elecciones de 1998 ganó el nacionalista K. Raman Narayan, quien emprendió una política que reavivó la tensión con Pakistán (escalada de pruebas nucleares, 1998; enfrentamientos armados en Cachemira, 1999).

* *Arte*. Los edificios más famosos de la ant. fueron los *stupa*, que albergaban las reliquias de Buda, y los *chaitya*, templos excavados en la roca. Del s. V destacan los templos de los Kushana. Con la dinastía gupta (320-650) la escultura alcanza gran perfección. Del s. VII datan los santuarios rupestres hinduistas de Ellora y el templo subterráneo de la isla de Elephanta. Post. los santuarios se construyeron en piedra o ladrillo. Lo mejor de la escultura monumental se debe a la dinastía de los Pallava (*Descendimiento del Ganges*).Desde el s. XIII el arte oficial fue musulmán. El Taj-Mahal se constru-

Mapa de situación y bandera de la **India**

India. Krishna, uno de los dioses más populares del hinduismo, con su amada Radha

INDIA

Recursos económicos	
Arroz	122 372 000 t
Cacahuetes	7 100 000 t
Caucho	330 000 t
Patatas	19 000 000 t
Sorgo	9 680 000 t
Té	730 000 t
Trigo	63 007 000 t
Yute	1 527 000 t
Ganadería	
Búfalos	79 500 000 cabezas
Cabaña bovina	194 655 000 cabezas
Cabaña caballar	990 000 cabezas
Cabaña caprina	119 242 000 cabezas
Cabaña ovina	45 000 000 cabezas
Camellos	1 520 000 cabezas
Riqueza forestal	293 979 000 m³
Pesca	4 540 180 t
Producción minera	
Amianto	39 000 t
Bauxita	4 809 000 t
Carbón	254 658 000 t
Cromo	273 000 t
Fosfatos	537 000 t
Hierro	36 500 000 t
Oro	2 075 kg
Producción industrial	
Acero	20 220 000 t
Ácido sulfúrico	3 742 000 t
Aluminio	478 000 t
Azúcar	16 345 000 t
Cemento	61 776 000 t
Energía eléctrica	384 422 millones de kwh
Hierro colado	17 300 000 t
Tejidos algodón	19 648 millones de m
Indicadores sociológicos	
PNB	319 660 millones de dólares
Renta per cápita	340 dólares
Esperanza de vida	60 años
Alfabetismo	52 %

yó en el s. XVII. Del periodo colonial brit. sobresalen la catedral de San Juan y el ayuntamiento de Bombay; del s. XX, el Victoria Memorial Hall de Calcuta (1912) y la urbanización de Chandigarh, elaborada por Le Corbusier.

* *Lit.* Los *Vedas* constituyen la primera manifestación literaria de la I. Sus textos fundamentales son el *Rigveda*, *Yajurveda*, *Samaveda* y *Atharveda*. Las epopeyas más famosas son el *Mahabharata* (s. IV a. C. al IV d. C.) y el *Ramayana* (s. II). Dieciocho son las *Puranas* que nos han llegado. La literatura hinduista posterior está representada por los *Agama*, libros filosóficos y litúrgicos, los *Tantra* y el *Código de Visnú*. El *Pantchatantra*, recopilación de cuentos y fábulas, y su reelaboración, el *Hitopadesa*, fueron asimilados por la literatura universal. Hacia el año 300 da comienzo la literatura clásica, en la que destacan Kalidasa, Ghatakarpara, Yajadeva y Bhartrihari. En el s. XIII, el predominio musulmán supone la aniquilación de la lengua sánscrita. En idioma hindi han escrito los reformadores Kabir y Narak, la poetisa Mira-Bai, Surdas, Bihari-al y Sur-sagal. En la actualidad, el bengalí es la pral. lengua literaria. El autor más popular del s. XX ha sido el premio Nobel, Rabindranath Tagore.

* *Cine.* Tras la indep., la producción cinematográfica india se situó entre las primeras del mundo, con más de 300 filmes anuales. Satyajit Ray es el director de cine indio más conocido mundialmente, gracias a su trilogía *El lamento del sendero*, *El invencible* y *El mundo de Apu*.

INDIA francesa Territorios conquistados en la I. por la Compañía Francesa de las Indias Orientales entre 1668 y 1751. • **portuguesa.** Ant. prov. port. de ultramar formada por los enclaves de Goa, Daman y Diu, anexionados por la India en 1961.

INDIADA f. *Amér.* Conjunto o muchedumbre de indios.

INDIANA f. Tela de lino o de algodón estampada por una sola cara.

INDIANA Est. del centro-este de EE UU, ribereño del lago Michigan; 93 719 km², 5 544 000 hab. Cap., Indianápolis. C. prales.: Gary y Fort Wayne. Extensa llanura surcada por diversos ríos (Wabash, White, Ohio). Clima continental húmedo. En su vegetación predomina la pradera, que en el S se asocia a árboles (robles, cipreses, álamos, olmos). Maíz, productos hortícolas y frutales. Hulla, gas natural. Ind. siderúrgica, mecánica, conservera y maderera.

INDIANÁPOLIS C. de EE UU, cap. del est. de Indiana, sit. a orillas del río White; 731 300 hab. Mercado cerealista. Ind. textil, alimentaria, mecánica. Sede de la prueba automovilística anual de las *500 millas*.

INDIANÉS, SA adj. De la India.

INDIANISTA com. Persona que cultiva las lenguas y literatura del Indostán.

INDIANO, NA adj. y s. Natural, pero no originario de América; o sea, de las Indias Occidentales. • adj. Perteneciente a ellas. • Perteneciente a las Indias Orientales. • adj. y s. Díc. también del que vuelve rico de América.

INDIAS Nombre dado en la E. Med. a las regiones del S y SE de Asia. Port. y esp. lo aplicaron a los territorios conquistados en Latinoamérica. Post. se distinguió entre las I. Orientales (los terr. asiáticos) y las Occidentales (las tierras americanas). • **Leyes de I.** Conjunto de leyes dictadas por los reyes esp. o sus representantes, para ser aplicadas exclusivamente en sus dominios del Nuevo Mundo. • **Occidentales, *Federación de las*** *(West Indies)* Estado federal, existente de 1958 a 1962, constituido por las ant. colonias brit. de las Antillas.

INDÍBIL (m. hacia 205 a. C.) Caudillo ilergete que dirigió varias sublevaciones de las tribus ibéricas de la Hispania Tarraconense contra Roma.

INDICACIÓN f. Lo que se usa para indicar. • Aviso u observación. • *Chile.* Propuesta o consulta.

INDICADOR m. *Zool.* Pájaro africano, también llamado guiamieles porque guía al hombre o a otros mamíferos hacia las colmenas, con el fin de aprovechar los restos que ellos dejen. • Nombre genérico de los aparatos destinados a medir o indicar una presión, una velocidad, una fuerza, etc. • *Quím.* Compuesto capaz de indicar, gralte. mediante un cambio de color, un pH determinado, el fin de una reacción, etc. Los más usados son el naranja de metilo, el rojo de metilo y la fenolftaleína.

INDICAR tr. Dar a entender una cosa con señales. • Señalar un determinado medicamento para el tratamiento de una enfermedad.

INDICATIVO, VA adj. Que indica o sirve para indicar. • adj. y m. *Gram.* Díc. del modo del verbo que expresa certeza y realidad. • m. Conjunto de números y letras con las cuales se identifica una estación de un radioaficionado que emite en onda corta.

INDICATÓRIDO, DA adj. y m. *Zool.* Díc. de aves de la familia indicatóridos. • m. pl. *Zool.* Familia de aves piciformes, de pequeño tamaño y plumaje apagado, propias casi todas del continente africano.

INDICCIÓN f. Convocación o llamamiento para una junta o concurrencia sinodial o conciliar. • Periodo fiscal y cronológico rom. que Constantino estableció definitivamente en quince años. • **romana** o **pontificia.** Lugar que ocupa un año en un periodo de quince años.

ÍNDICE adj. y s. Díc. del segundo dedo de la mano. • m. Indicio o señal de una cosa. • Lista o enumeración breve, y por orden, de libros, capítulos o cosas notables. • Catálogo en el cual están escritos los autores o materias de las obras que se conservan en una biblioteca. • Cada una de las manecillas de un reloj. • Gnomon de un cuadrante solar. • *Econ.* Formulación simplificada de las relaciones entre dos o más datos: i. de precios, de nivel de vida, de la actividad industrial. • *Mat.* Número o letra que se coloca en la abertura del signo radical y sirve para indicar el grado de la raíz. • **cefálico.** Cociente entre el valor del diámetro transverso máximo del cráneo y el diámetro anteroposterior máximo. • **de coordinación.** *Quím.* En unión complejo, número de iones que rodean al central. • **de re-**

India. Arriba, mujer con su hija vestida con el tradicional sari; abajo, inundaciones durante la época de los monzones

Plaza central de **Indianápolis**

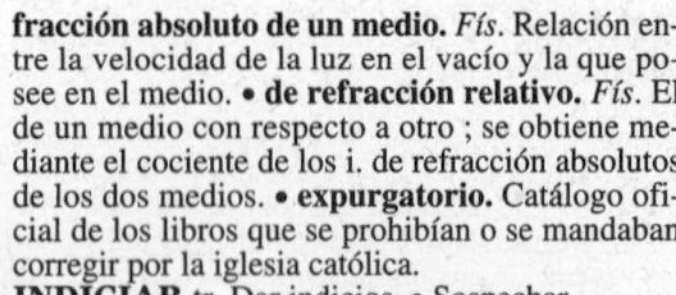

fracción absoluto de un medio. *Fís.* Relación entre la velocidad de la luz en el vacío y la que posee en el medio. • **de refracción relativo.** *Fís.* El de un medio con respecto a otro ; se obtiene mediante el cociente de los i. de refracción absolutos de los dos medios. • **expurgatorio.** Catálogo oficial de los libros que se prohibían o se mandaban corregir por la iglesia católica.

INDICIAR tr. Dar indicios. • Sospechar.

INDICIO m. Acción o señal que da a conocer lo oculto. • Primera manifestación de una cosa. ■ INDICIARIO, RIA.

ÍNDICO, CA adj. Perteneciente a la India. • m. Lengua hablada en la India.

ÍNDICO, *océano* Extensión marina, situada entre Asia, África, Australia, Insulindia y el océano Glacial Antártico. Entre sus principales divisiones se encuentran los mares Rojo, Arábigo, de Timor, y los golfos Pérsico y de Bengala. Abarca unos 75 000 000 km².

Niña **indígena** de Maranhão, Brasil

INDIFERENCIA f. Estado de ánimo propio del que no se siente inclinado ni repelido por un objeto, persona o asunto determinados. • **Curvas de i.** *Econ.* Lugar geométrico de los puntos determinados por combinaciones de bienes que dan al consumidor un mismo grado de utilidad.

INDIFERENCIADO, DA adj. Que no se diferencia o que no posee caracteres diferenciados.

INDIFERENTE adj. No determinado por sí a una cosa más que a otra. • Que no importa que sea o se haga de una o de otra forma. • adj. y s. Que no demuestra afecto o interés hacia nada.

INDIFERENTISMO m. Indiferencia, especialmente en asuntos relacionados con la política y la religión.

INDÍGENA adj. y s. Natural del país en que vive; autóctono. • *Amér.* Aborigen o mestizo no asimilado.

* *Amér.* Los i. o aborígenes formaban, en el momento del descubrimiento, un grupo racial bastante homogéneo, perteneciente al tronco mongoloide. A pesar de algunas diferencias regionales, sus rasgos físicos más característicos son: piel de coloración pardoamarillenta, cobriza; cabello liso y negro; nariz aguileña (chata en el Amazonas); pómulos salientes; pilosidad corporal escasa, casi nula. Su origen es incierto, aunque se supone que vinieron de Asia, a través del estrecho de Bering. Los europeos los encontraron divididos en más de 400 grupos, de nivel cultural muy dispar. La conquista y civilización europeas les afectaron muy seriamente, produciéndose como consecuencia un descenso demográfico de enormes proporciones. Actualmente, para todo el continente americano, el número de i. se estima en unos 30 millones, concentrados preferentemente en México, Guatemala y países andinos.

Indio navajo de una reserva norteamericana

INDIGENCIA f. Falta de medios o recursos, miseria. ■ INDIGENTE.

INDIGENISMO m. Condición de indígena. • Estudio de los pueblos indígenas americanos. • Movimiento politicosocial americano en favor de la rehabilitación cultural y étnica del elemento indígena. • Voz de procedencia indígena. ■ INDIGENISTA.

INDIGESTARSE prnl. No sentar bien una comida. • fig. y fam. No agradarle a uno alguien.

INDIGESTIBLE adj. Que no se puede digerir o es de difícil digestión.

INDIGESTIÓN f. Falta de digestión. • Indisposición que se padece por no haber digerido normalmente los alimentos. • fig. Hartura, saciedad.

INDIGESTO, TA adj. Que no se digiere o se digiere con dificultad. • fig. Confuso. • fig. Áspero, difícil en el trato.

INDIGETE adj. y s. Díc. de los individuos de un pueblo prerromano que habitaba una región de la Hispania Tarraconense (Gerona).

INDIGNACIÓN f. Enfado violento y desprecio que provoca una cosa o persona injusta.

INDIGNAR tr. y prnl. Irritar, enfadar vehementemente a uno. ■ INDIGNANTE.

INDIGNO, NA adj. Que no corresponde a las circunstancias de un sujeto, o es inferior a la calidad y mérito de la persona con quien se trata. • No merecedor de cierto beneficio. • Merecedor de desprecio. Degradante, vergonzoso. ■ INDIGNIDAD.

ÍNDIGO m. Colorante azul, estable a la luz y al lavado, y sólido a los ácidos y a los álcalis. Se puede obtener de la planta del añil, pralte. de las hojas, o por síntesis.

INDIGUIRKA Río de Rusia, en Siberia oriental. Atraviesa el país de los yakutos y desemboca en el océano Ártico; 1 700 km.

INDILGAR tr. *Amér.* Endilgar.

INDILIGENCIA f. Falta de diligencia.

INDINO, NA adj. fam. Díc. de la persona traviesa o descarada. • *Amér.* Pillo, bribón.

INDIO, DIA adj. y s. De la India. • *Hist.* Nombre dado a los indígenas americanos por los descubridores esp., al creer erróneamente que habían llegado a las Indias Orientales. • m. *Quím.* Metal de símb. In, n. a. 49 y p. a. 114,82. • *Astr.* Nombre cast. de la constelación Indus. • **Subírsele el i.** a uno. *Amér.* Montar en cólera.

INDIO, *territorio* Ant. territorio de EE UU, asignado como reserva a los pueblos indígenas. En 1907 quedó englobado en el est. de Oklahoma.

INDIRECTO, TA adj. Que no va rectamente a un fin, aunque se encamine a él. • *Gram.* Díc. del complemento del verbo que expresa fin, daño o provecho. • **Estilo i.** Procedimiento literario por el cual se reproduce lo dicho o escrito por otro. • Medio indirecto de que uno se vale para no significar claramente una cosa y darla, sin embargo, a entender.

INDISCERNIBLE adj. Que no se puede discernir.

INDISCIPLINA f. Falta de disciplina. ■ INDISCIPLINABLE; INDISCIPLINADO, DA; INDISCIPLINARSE.

INDISCRECIÓN f. Falta de discreción y de prudencia. • fig. Dicho o hecho indiscreto. ■ INDISCRETO, TA.

INDISCRIMINADO, DA adj. Indistinto, no discriminado.

INDISCUTIBLE adj. No discutible por ser muy evidente.

INDISOLUBLE adj. Que no se puede disolver. ■ INDISOLUBILIDAD.

INDISPENSABLE adj. Que no se puede dispensar ni excusar. • Que es necesario que suceda.

INDISPONER tr. y prnl. Privar de la disposición conveniente para una cosa. • Enemistar a las personas. • tr. Causar indisposición. • prnl. Experimentarla.

INDISPOSICIÓN f. Falta de disposición y de preparación para una cosa. • Malestar, enfermedad leve. ■ INDISPUESTO, TA.

INDISPUTABLE adj. Que no admite disputa.

INDISTINGUIBLE adj. Que no se puede distinguir. • fig. Muy difícil de distinguir.

INDISTINTO, TA adj. Que no se distingue de otra cosa. • Que no se percibe distintamente.

INDITA f. *Méx.* Corrido, romance. • Danza.

INDIVIDUACIÓN f. Acción y efecto de individuar. • *Fil.* Principio que intenta dar razón de lo que constituye como individuo a un ente singular.

INDIVIDUALISMO m. Aislamiento y egoísmo de cada cual, en los afectos, en los intereses, etc. • *Fil.* Sistema que da primacía al individuo como sujeto y fin de todas las leyes y relaciones morales y políticas. Constituye el fundamento filosófico del capitalismo, al anteponer el interés particular al colectivismo. • Propensión a obrar según el propio albedrío, prescindiendo de los intereses colectivos. ■ INDIVIDUALISTA.

INDIVIDUALIZACIÓN f. *Soc.* Proceso por el que una persona va adquiriendo características propias y distintas.

INDIVIDUALIZADO, DA adj. Díc. de un determinado método de enseñanza, y de las técnicas que en ella se practican.

INDIVIDUALIZAR o **INDIVIDUAR** tr. Especificar una cosa. • Determinar individuos comprendidos en la especie.

INDIVIDUO, DUA adj. Individual. • Que no puede ser dividido. • m. Ser organizado, respecto de la especie a que pertenece. • Persona considerada por separado dentro de una colectividad. • m. y f. fam. Persona cuyo nombre y condición se ignoran o no se quieren decir. ■ INDIVIDUAL; INDIVIDUALIDAD.

INDIVISIBILIDAD f. Calidad de indivisible. • *Econ.* Característica física o técnica de un factor de producción que impide su empleo por debajo de una cantidad mínima.

Indochina. Mercado flotante en el río Mekong

INDIVISIBLE adj. Que no puede ser dividido. • *Der*. Díc. de la cosa que no admite división por ser impracticable, porque impide o varía sustancialmente su aptitud para el destino que tenía o por desmerecer mucho con la división.
INDIVISIÓN f. Carencia de división. • *Der*. Estado de condominio o de comunidad de bien es entre dos o más partícipes. ■ INDIVISO, SA.
INDIZAR tr. Hacer índices. • Registrar ordenadamente datos e informaciones, para elaborar un índice de ellos.
INDO, DA adj. y s. Indio, natural de la India.
INDO (*Sindh*) Río de Asia meridional (China, India, Pakistán); 3 180 km de long. Nace en los montes Kailas (Tíbet), atraviesa Cachemira y Pakistán, y desemboca en el mar Arábigo.
INDOAFGANO, NA adj. y s. Díc. del individuo de una subraza caucasoide que se halla extendida por Irán, Afganistán, Pakistán y N de la India.
INDOARIO, RIA adj. y s. Díc. del grupo de lenguas indoeuropeas habladas en la India. Comprende el sánscrito, los prácritos y las modernas hablas locales (el hindi-urdu, el marathi, el bengalí, etc.).
INDOCHINA Pen. del SE de Asia, sit. entre el golfo de Bengala y el mar de Andamán, por el O, y el golfo de Siam y el mar de China Meridional, por el E. Políticamente está dividida entre Myanma, Thailandia, Laos, Vietnam, Camboya, Malaysia y Singapur. Los relieves arrancan del Himalaya y se dirigen hacia el S y el SE. Los ríos prales. son el Rojo, Menam, Mekong, Irawadi y Saluén. Clima tropical monzónico. Economía agrícola (arroz, caña de azúcar, maíz, algodón) y forestal (caucho). La pob., mongoloide, está constituida por thais, anamitas, birmanos, khmers, malayos, mons, meos, mois, etc.
* *Hist*. En la antigüedad recibió oleadas sucesivas de pueblos procedentes de la China meridional. A principios de la era cristiana se fundaron los reinos de Prome, Pegu, Fu-nan y Shampa. La penetración europea comenzó con la conquista port. de Malaca (1511) y siguió en el s. XIX con la ing. y la fr. Al crearse la Unión Indochina (1887), sólo Siam permaneció independiente. Tras la ocupación jap., en 1945, Vietnam se independizó. Después de la Guerra de Indochina, la colonia fr. fue dividida en tres est.: Camboya, Laos y Vietnam. En 1943, Myanma (Birmania) logró la autonomía. Terminada la Guerra de Vietnam (1960-1975), este país fue reunificado, y en Laos y Camboya se establecieron regímenes comunistas. Desde 1979 tropas vietnamitas sostienen al gobierno de Camboya, enfrentado a las guerrillas nacionalistas y maoístas. • **Francesa.** Nombre dado a los territorios ocupados por Francia (Camboya, Laos, Tonquín, Annam y Cochinchina). La derrota de Dien Bien Fu (1954) acabó con la presencia fr. en esta región asiática.
INDOCHINO, NA adj. y s. De Indochina.
INDOCTO, TA adj. Ignorante, inculto.
INDOCUMENTADO, DA adj. y s. Díc. de quien carece de documento para acreditar su personalidad. • Díc. de la persona ignorante o que desconoce una materia o asunto.
INDOEUROPEO, A adj. y s. Díc. de los individuos de pueblos de lenguas indoeuropeas. El concepto i. es de carácter únicamente lingüístico. • m. *Ling*. Nombre de una lengua no documentada, de la que deriva el latín, cuya existencia se deduce de la semejanza observada entre diversas lenguas de Europa y Asia. • adj. y s. *Ling*. Díc. de estas lenguas. • adj. Relativo a estos pueblos y lenguas.
INDOGANGÉTICA, ***Llanura*** Extensa planicie aluvial del N de la India, entre la cordillera del Himalaya, al N, y el Decán, al S. Se extiende a lo largo de 3 000 km, entre el mar Arábigo y el golfo de Bengala. La avenan el Ganges, el Indo y el Brahmaputra.
INDOGERMÁNICO, CA adj. Indoeuropeo.
INDOIRANIO, NIA adj. y s. *Ling*. Díc. del tronco lingüístico formado por las lenguas indoarias e iranias.
INDOL m. *Quím*. Compuesto cuya molécula está formada por la condensación de un anillo bencénico y un anillo pirrólico. Uno de sus derivados, el ácido indolacético, constituye una hormona del crecimiento de las plantas.
ÍNDOLE f. Condición e inclinación natural propia de cada uno. • Naturaleza y condición de las cosas.
INDOLENTE adj. Que no se afecta o conmueve. • Flojo, perezoso. • Que no duele. ■ INDOLENCIA.
INDOLORO, RA adj. Que no causa dolor.
INDOMABLE adj. Que no se puede domar. • fig. Difícil de someter. ■ INDOMABILIDAD.
INDOMADO, DA adj. Que está sin domar.
INDÓMITO, TA adj. No domado. • Que no se puede domar. • fig. Difícil de sujetar o reprimir.
INDONESIA (*Republik Indonesia*) Estado del Asia sudoriental, correspondiente en su mayor parte a la región de Insulindia. Comprende unas 3 000 islas del océano Índico, el Pacífico y el mar de China Meridional.

Barcas en el río **Indo,** a su paso por Sukkur (Punjab)

INDONESIA

Superficie 1 529 072 km^2

Población 199 544 000 hab. (130 hab./km^2)

Recursos económicos

Arroz	49 860 000 t
Azúcar	2 452 000 t
Bananas	2 300 000 t
Bauxita	1 342 000 t
Búfalos	3 565 000 cabezas
Cabaña bovina	11 966 000 cabezas
Cabaña caprina	12 527 000 cabezas
Cacahuetes	903 000 t
Estaño	30 612 t
Fertilizantes	2 280 000 t
Maíz	8 223 000 t
Neumáticos	14 376 000 unidades
Níquel	81 200 t
Oro	44 843 kg
Pesca	3 954 228 t
Petróleo	74 261 000 t
Riqueza forestal	187 089 000 m^3
Soja	903 000 t

Indicadores sociológicos

PNB	190 105 millones de dólares
Renta per cápita	980 dólares
Esperanza de vida	64 años
Alfabetismo	84 %

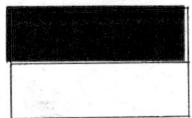

Mapa de situación y bandera de **Indonesia**

Indonesia. Aldea de Sumatra

Indonesia. Arriba, campesinos javaneses; abajo, taller de bordado en Pekalongan. Java Central

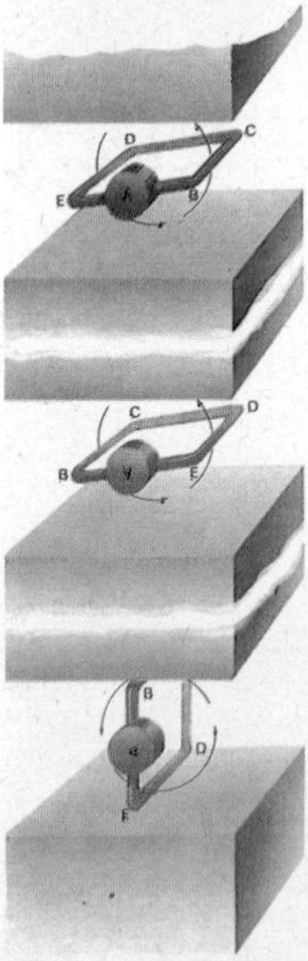

* *Geog. fís.* Al O están las grandes islas de Sumatra, Borneo y Java; en el centro, las Célebes y la parte O de las de la Sonda, y al E, las Molucas, las islas de la Sonda oriental y el sector O de Nueva Guinea. Montañosas y volcánicas, están bañadas por mares interiores (de Java, de Flores, de Banda, de las Molucas). Estrechos de Malaca, de la Sonda y de Macasar. Las prales. altitudes corresponden a los volcanes Kerintji (3 789 m), en Sumatra, y Semeru (3 676 m), en Java. R. prales.: Kapuas y Barito (Borneo). Clima ecuatorial con influencia monzónica.

* *Geog. econ.* El cultivo del arroz ocupa el 40 % de la superficie agrícola. Son también importantes: mandioca, maíz, caucho, caña de azúcar, café, tabaco y palma. Los bosques son intensamente explotados, y la especie más imp. es la teca. La pesca reviste gran importancia. Es rica en minerales (petróleo, estaño, bauxita). La ind. se centra en la siderurgia, las refinerías y la transformación de productos agrícolas. República unitaria presidencialista. El grupo étnico mayoritario es el malayo; minorías chinas y australoides. Lenguas: bahasa indonesia (of.), variantes malayas y papúes. *Rel.*: islamismo (85 %); minorías cristianas, budistas e hinduistas. U.M.: la rupia indonesia. Cap., Yakarta. C. prales.: Surabaya, Bandung.

* *Hist.* En el s. VII se contituyó el Imperio de Sri Vijaya. Su hegemonía fue sustituida en el s. XIV por el Imperio Majapahit, que cayó en el s. XIII, al introducirse el islamismo. En 1511 los port. llegaron a I. Fueron desplazados por los hol. (1602). Éstos, mediante la Compañía de las Indias Orientales, monopolizaron el comercio de las especias. A principios del s. XX surgieron los primeros mov. independentistas. Tras la invasión jap. durante la II Guerra Mundial, se proclamó la indep. (1945), reconocida por los Países Bajos en 1949. La política centralista y filocomunista del primer presid., Sukarno, provocó la insurrección de Sumatra (1956-1958). En 1967 fue derrocado por el general Suharto. El nuevo régimen desencadenó una dura represión y se enfrentó a la sublevación papúa de Nueva Guinea y al mov. guerrillero independentista de las Molucas. En 1975 I. invadió Timor Oriental. Tras más de treinta años de gobierno autoritario, Suharto dimitió en 1998 designando sucesor a Y. Habibie. Tras las elecciones de 1999 fue nombrado presid. Abdurrahman Wahid. Ese mismo año, un referéndum aprobó la indep. de Timor Oriental, si bien fue necesaria la intervención de tropas de la ONU (septiembre) para garantizar la continuidad del proceso. En julio de 2001 la vicepresid. Megawati Sukarnoputri asumió la presid. en sustitución de Wahid, procesado por corrupción.

INDONÉSICO, CA adj. y s. Indonesio.

INDONESIO, SIA adj. y s. De Indonesia. • Díc. del individuo de una subraza mongoloide, denominada también protomalaya, que vive en Indochina e Insulindia. • m. *Ling.* Grupo de lenguas habladas en Asia sudoriental y en Madagascar, y la of. de Indonesia (*bahasa indonesia*).

INDORE *(Indaor)* C. de la India, en Madhya Pradesh; 829 300 hab. Ind. textil, química y metalúrgica.

INDOSTÁN Región del N de la India. Se denomina también así el área donde el hindi es la lengua usual, y, en sentido amplio, toda la India.

INDOSTANÉS, SA o **INDOSTANO, NA** adj. y s. Del Indostán.

INDOSTANÍ adj. y s. Indostanés. • m. Forma dialectal del hindi.

INDOSTÁNICO, CA adj. Relativo al Indostán. • m. Lengua hablada en esta región.

INDOTADO, DA adj. Que está sin dotar.

INDRI m. Mono lemuroideo de gran tamaño (hasta 1 m) y hábitos nocturnos, propio de Madagascar.

ÍNDRIDO, DA adj. y m. *Zool.* Díc. de los primates de la familia índridos. • m . pl. *Zool.* Familia de primates lemuroideos, que comprende tres gén. actuales y cuatro fósiles de indris.

INDUBITABLE adj. Indudable.

INDUBITADO, DA adj. Que no admite duda.

INDUCCIÓN f. *Fil.* Razonamiento que consiste en sacar de hechos particulares una conclusión general. • **eléctrica.** *Fís.* Vector introducido por Maxwell en el estudio del campo eléctrico y cuyo módulo representa la carga desplazada por unidad de superficie en un dieléctrico. Se denomina también desplazamiento eléctrico. • **magnética.** *Fís.* Acción de un campo magnético sobre un conductor por el que circula corriente eléctrica. • **mutua de dos circuitos eléctricos.** *Fís.* Razón entre el flujo ligado a uno cualquiera de ellos y la corriente que circula por el otro. • **Principio de i.** *Mat.* Método que se utiliza para demostrar una propiedad $P(n)$, que de pendede los números naturales. El principio de i. afirma que si $P(0)$ es válida y, para cualquier n, de cumplirse $P(n-1)$, se cumple $P(n)$, entonces la propiedad $P(n)$ también se cumple para cualquier n. ■ INDUCTIVO.

INDUCIA f. Tregua o dilación.

INDUCIDO, DA adj. y m. *El.* Díc. del circuito que está bajo la influencia de un campo magnético, que da lugar a una fuerza electromotriz en él. • m. *El.* Cilindro de hierro sobre el que están devanadas las espiras de una dinamo. • *El.* Díc. de la corriente eléctrica producida por inducción.

INDUCIR tr. Instigar, mover a uno. • *Fil.* Razonar, partiendo de los hechos para llegar a una conclusión general. • *Fís.* Producir fenómenos eléctricos de inducción. • *Amér.* P rovocar.

INDUCTANCIA f. *Fís.* Flujo (L) por unidad de intensidad (I) que atraviesa todas las espiras (N) de una bobina: $L = N. \Delta \emptyset / \Delta I$. Su unidad es el henrio (H).

INDUCTOR, RA adj. Que induce. • adj. y m. *Fís.* Díc. de cualquier dispositivo o circuito que crea un campo magnético a su alrededor y bajo cuya influencia está el inducido.

INDUDABLE adj. Que no puede dudarse.

INDULGENCIA f. Facilidad en perdonar o disimular las culpas o en conceder gracias. • *Rel.* Entre los católicos, remisión de la pena temporal debida por los pecados. ■ INDULGENCIAR; INDULGENTE.

INDULTAR tr. Perdonar a uno el todo o parte de la pena que tiene impuesta, o conmutarla por otra. • Eximirle de una ley u obligación. • prnl. *Bol.* Meterse uno donde no le llaman. • *Cuba.* Salirse de una situación comprometida o difícil.

INDULTARIO m. Sujeto que podía conceder beneficios eclesiásticos.

INDULTO m. Privilegio concedido a uno para que pueda hacer lo que sin él no podría. • Gracia otorgada a los condenados por la que se les remite la pena, en todo o en parte, o bien se les conmuta por otra de menor gravedad.

INDUMENTARIO, RIA adj. Relativo al vestido. • f. Conjunto de las prendas de vestir. • Estudio histórico del vestido.

INDUMENTO m. Vestidura.

INDURÁIN, *Miguel* (nacido 1964) Ciclista esp. Ganador cinco veces consecutivas del Tour de Francia (1991 a 1995) y dos del Giro de Italia (1992 y 1993). Medalla de oro en las Olimpiadas de 1996. Premio Príncipe de Asturias de los Deportes (1992).

INDURAR tr. y prnl. *Med.* Endurecer o aumentar la consistencia de un tejido. ■ INDURACIÓN.

INDUS *Astr.* Constelación austral del grupo de Bayer, cuyo nombre castellano es Indio.

INDUSTRIA f. Destreza para hacer una cosa. • Aplicación del trabajo humano a la transformación de primeras materias hasta hacerlas útiles para la satisfacción de necesidades. • Conjunto de instalaciones para estas actividades. • Planta industrial. • *Econ.* Sector de la actividad económica general.

* *Econ.* El estudio del sector industrial es fundamental para determinar el nivel de desarrollo de un país. En tal sentido debe tenerse en cuenta el porcentaje de pob. activa empleada en el sector, el volumen de producción industrial, el coste de dicha

Cuando una espira gira en un campo magnético varía el flujo magnético que la atraviesa, y por **inducción** se genera en ella una fuerza electromotriz

producción, el consumo de energía y el nivel de autosuficiencia en bienes de equipo y materias primas.

* *Hist.* El trabajo de la piedra y el de los metales constituyeron la primera actividad industrial del hombre. La fabricación de tejidos y el trabajo del cuero completaron el marco de esta actividad, que en lo esencial no varió hasta bien entrada la E. Med. (i. artesanal). La rev. comercial suscitó ciertos cambios al acelerar la demanda de productos. Así, hasta que se aprendió a emplear la fuerza mecánica se operó una lenta concentración de la i., que comportó el paso del taller a la manufactura. Las primeras máquinas de vapor contribuyeron decisivamente, a principios del s. XVIII, a la aparición de las fábricas modernas y del proletariado industrial. Los sucesivos avances en el empleo de diversas fuentes de energía (carbón, agua, petróleo, átomo) contribuyeron al perfeccionamiento de la i., que comenzó a fabricar productos en serie y en cadena, a perfeccionar los instrumentos de trabajo y a basarse en una especialización extrema. Durante la II Guerra Mundial aparecieron las primeras fábricas completamente mecanizadas. En los últimos años, la aplicación de nuevas tecnologías (microelectrónica, informática, etc.) a la i., la expansión de sus campos de aplicación y la investigación han introducido insospechados cambios en imp. sectores industriales.

INDUSTRIAL adj. Relativo a la industria. • adj. y s. Díc. del que se dedica a la ind. como empresario. • P. ext., díc. del que se dedica a toda clase de negocios.

INDUSTRIALISMO m. Tendencia al predominio de los intereses industriales. • Mercantilismo. ■ INDUSTRIALISTA.

INDUSTRIALIZAR tr. Dar carácter industrial a algo. • Dar predominio a la industrialización en la estructura económica de un país. • prnl. Tomar carácter industrial. ■ INDUSTRIALIZACIÓN.

INDUSTRIAR tr. Instruir, adiestrar. • prnl. Ingeniarse, sabérselas componer.

INDUSTRIOSAMENTE adv. m. Con industria y maña. • ant. De intento, de propósito.

INDUSTRIOSO, SA adj. Que obra con industria. • Que se hace con industria o habilidad. • Que se dedica con ahínco al trabajo.

INDY, *Vincent d'* (1851-1931) Compositor fr., discípulo de César Frank; fue uno de los fundadores de la famosa *Schola Cantorum.* Autor de *Wallenstein* (trilogía sinfónica).

INEBRIAR tr. Embriagar.

INECUACIÓN f. *Mat.* Relación de desigualdad entre diversos términos en la que figuran incógnitas.

INEDIA f. Falta de la alimentación suficiente y estado de debilidad que provoca.

INÉDITO, TA adj. Escrito y no publicado. • P. ext., díc. de los hechos no conocidos, nuevos.

INEDUCACIÓN f. Carencia de educación. ■ INEDUCADO, DA.

INEFABLE adj. Que con palabras no se puede explicar. ■ INEFABILIDAD.

INEFICACIA f. Falta de eficacia y actividad. ■ INEFICAZ.

INELUCTABLE adj. Díc. de aquello contra lo cual no se puede luchar; inevitable.

INENARRABLE adj. Que es muy difícil o imposible de describir.

INEPCIA f. Calidad de necio. • Dicho o hecho necio. • *Guat.* y *Hond.* Ineptitud.

INEPTITUD f. Inhabilidad, falta de capacidad.

INEPTO, TA adj. No apto o a propósito para algo. • adj. y s. Necio e incapaz.

INEQUÍVOCO, CA adj. Que no admite duda.

INERCIA f. Flojedad, desidia. • *Fís.* Propiedad de la materia por la cual tiende a permanecer en su estado de reposo o de movimiento uniforme.

INERCIAL adj. *Fís.* Relativo a la inercia. • *Fís.* Díc. de un sistema de referencia que se mueve con velocidad constante.

INERME adj. Que está sin armas. • *Bot.* y *Zool.* Desprovisto de espinas o pinchos. • fig. Desarmado moralmente contra algo.

INERRABLE adj. Que no se puede errar.

INERRANTE adj. *Astr.* Fijo y sin movimiento.

INERTE adj. Sin actividad o movimiento propio. • Flojo, desidioso.

INERVACIÓN f. *Fisiol.* Conjunto de las funciones nerviosas. • *Fisiol.* Distribución de nervios o de energía nerviosa en alguna parte del organismo. ■ INERVADOR, RA.

INERVAR tr. Transmitir los estímulos nerviosos a una región determinada.

INÉS de Castro (1320-1355) Dama esp. Amante de don Pedro de Portugal, tuvo varios hijos y casó en secreto con él.

INESCRUTABLE adj. Que no se puede saber o conocer.

INESCUDRIÑABLE adj. Que no se puede escudriñar.

INESPERADO, DA adj. Que sucede sin esperarse.

INESTABILIDAD f. Falta de estabilidad. • *Econ.* Situación del sistema económico en que todas las magnitudes tienden a alejarse cada vez más de la posición equilibrada en que se hallaban. • *Meteor.* Condiciones atmosféricas que favorecen la formación de corrientes verticales de aire. ■ INESTABLE.

INESTIMABLE adj. Que posee demasiado valor para ser debidamente apreciado. ■ INESTIMABILIDAD.

INESTIMADO, DA adj. Que está sin apreciar ni tasar. • Que no se estima tanto como merece estimarse.

INEVITABLE adj. Que no se puede evitar.

INEXACTITUD f. Falta de exactitud. ■ INEXACTO, TA.

INEXCUSABLE adj. Que no se puede excusar.

INEXEQUIBLE adj. No exequible, que no se puede hacer, conseguir o llevar a efecto.

INEXHAUSTIBLE adj. Que no puede agotarse.

INEXHAUSTO, TA adj. Que no se agota ni se acaba.

INEXISTENCIA f. Falta de existencia; carencia. ■ INEXISTENTE.

INEXORABLE adj. Que no se deja vencer por ruegos. ■ INEXORABILIDAD.

INEXPERIENCIA f. Falta de experiencia. ■ INEXPERTO, TA.

INEXPLICADO, DA adj. Falto de la debida explicación.

INEXPRESIVO, VA adj. Que carece de expresión.

INEXPUGNABLE adj. Que no se puede conquistar a fuerza de armas. • fig. Que no se deja vencer ni persuadir.

INEXTENSIBLE adj. *Fís.* Que no se puede extender.

INEXTENSO, SA adj. Que carece de extensión.

INEXTINGUIBLE adj. No extinguible. • fig. De perpetua o larga duración.

INEXTRICABLE adj. Muy intrincado y confuso.

INFALIBILIDAD f. Calidad de infalible. • *Rel.* Según la Iglesia católica romana, prerrogativa sobrenatural que poseen la misma Iglesia y el papa, los cuales no pueden errar cuando profesan y definen la doctrina revelada en materias de fe y de moral.

INFALIBLE adj. Que no puede engañar, equivocarse o fallar. • Seguro, cierto.

INFAMAR tr. y prnl. Difamar, ofender o desacreditar a alguien. ■ INFAMACIÓN; INFAMATIVO, VA; INFAMATORIO, RIA.

Indumentaria típica del s. XIX

Miguel **Induráin**

Industria. Arriba, fábrica de aviones en EE UU; abajo, astilleros en Japón

Pedro Alcántara de Toledo, duque del **Infantado,** por Vicente López

Maniobras de la **infantería.** Miniatura china del s. XVIII. Biblioteca Nacional, París

INFAMIA f. Descrédito, deshonra. • Maldad, vileza en cualquier línea. ■ INFAME.

INFANCIA f. Primera etapa en el desarrollo físico e intelectual de un ser humano, que dura hasta la pubertad. • fig. Conjunto de los niños. • fig. Primer periodo de existencia de una cosa.

INFANTA f. Niña de corta edad. • Cualquiera de las hijas legítimas del rey, nacidas después del príncipe o de la princesa. • Mujer de un infante. • Parienta del rey que por gracia real obtiene este título.

INFANTADO, ***duques del*** Familia aristocrática cast. El título fue concedido por los Reyes Católicos a Diego Hurtado de Mendoza (m. 1479). Su hijo Íñigo López de Mendoza (1438-1500) acrecentó el poder de la casa ducal. El quinto duque, Íñigo López de Mendoza (1536-1601), dilapidó su fortuna. Su hija, Ana de Mendoza (1561-1633), se trasladó a la corte. • *Pedro Alcántara de Toledo,* DUQUE DEL (1773-1841) Militar y político esp. Presid. del Consejo de Castilla y del consejo de ministros al restaurarse el absolutismo.

INFANTAZGO o **INFANTADO** m. Señorío territorial de un infante o infanta real.

INFANTE m. Niño de corta edad. • Cualquiera de los hijos varones y legítimos del rey, nacidos después del príncipe o de la princesa. • Soldado que sirve a pie. • Muchacho que sirve en el coro de algunas catedrales.

INFANTE, ***Blas*** (1885-1936) Político y escritor esp. Líder del andalucismo. Escribió *El ideal andaluz.* • ***Pedro*** (1917-1956) Actor y cantante mex. Intervino en numerosas películas musicales, entre las que sobresalen *La feria de las flores y Tizoc.* • **Rojas,** ***José Miguel*** (1778-1884) Político chileno. Autor de la ley de abolición de la esclavitud en Chile (1823), ocupó la presidencia del Congreso (1825).

INFANTERÍA f. *Mil.* Tropa que combate a pie. • *Mil.* Arma combatiente que constituye el pral. núcleo del ejército de tierra. • **de marina.** *Mil.* La destinada a dar la guarnición a los buques de guerra y departamentos marítimos. • **ligera.** *Mil.* La que sirve en guerrillas, avanzadas y descubiertas.

INFANTICIDIO m. Muerte dada violentamente a un niño. • *Der.* Muerte dada al recién nacido por la madre o ascendientes maternos para ocultar la deshonra de aquélla. ■ INFANTICIDA.

INFANTIL adj. Perteneciente a la infancia. • fig. Inocente, cándido, inofensivo.

INFANTILISMO m. Calidad de infantil. • Persistencia, después de la pubertad, de los rasgos propios de la infancia, por un retraso en el desarrollo.

INFARTAR tr. y prnl. Causar un infarto.

INFARTO m. *Med.* Hinchazón u obstrucción de parte de un órgano, que provoca la interrupción del aporte sanguíneo y necrosis. • **de miocardio.** *Med.* El producido por oclusión de una arteria coronaria responsable de la irrigación del músculo cardiaco. • **pulmonar.** *Med.* El que se debe a una obstrucción en las ramas de la arteria pulmonar.

INFATIGABLE adj. Incansable.

INFATUAR tr. y prnl. Volver a uno fatuo, engreírle. ■ INFATUACIÓN.

INFAUSTO, TA adj. Desgraciado, infeliz.

INFEBRIL adj. Sin fiebre.

INFECCIÓN f. *Med.* Penetración y desarrollo de agentes patógenos en los tejidos de un huésped, ocasionándole efectos nocivos. ■ INFECCIONAR.

* *Med.* La i. puede permanecer circunscrita a una determinada zona (i. localizada) o propagarse por los tejidos vecinos (i. difusa). El tratamiento se desarrolla en dos vertientes: lucha contra el agente infeccioso y aumento de la resistencia del organismo.

INFECTAR tr. y prnl. Causar infección en un organismo, o transmitirla éste a otro. • fig. Corromper con malas doctrinas o ejemplos. ■ INFECCIOSO, SA.

INFECTO, TA adj. Infectado, corrompido. • Repugnante. • Muy malo, desagradable.

INFECUNDIDAD f. Falta de fecundidad. ■ INFECUNDO, DA.

INFELICIDAD f. Desgracia, suerte adversa.

INFELIZ adj. y s. De suerte adversa, no feliz. • fam. Bondadoso y apocado.

INFERENCIA f. Proceso discursivo por el que se concluye una proposición de otra u otras.

INFERIOR adj. Que está debajo de otra cosa o más bajo que ella. • Que es menos que otra cosa en su calidad o en su cantidad. • adj. y s. Díc. de la persona sujeta o subordinada a otra.

INFERIORIDAD f. Situación de una cosa que está más baja que otra o debajo de ella. • *Psiq.* Complejo psíquico en el que abundan las vivencias de insuficiencia.

INFERIR tr. Deducir una cosa de otra. • Conducir a un resultado. • Tratándose de ofensas, agravios, heridas, etc., hacerlos o causarlos.

INFERNÁCULO m. Juego que consiste en sacar un tejo de un trazado en el suelo.

INFERNAL adj. Relativo al infierno. • fig. Muy malo. • fig. y fam. Díc. de lo que causa mucho disgusto o enfado.

INFERNAR tr. Ocasionar a uno la pena del infierno o su condenación. • fig. Inquietar, irritar.

INFERNILLO m. Infiernillo.

INFESTACIÓN f. *Pat.* Infección debida a agentes más estructurados que las bacterias, como los metazoos o los helmintos.

INFESTAR tr. y prnl. Inficionar, apestar. • tr. Causar daños con hostilidades y correrías. • Causar estragos los animales y las plantas advenedizas en los campos cultivados y aun en las casas. • fig. Llenar un lugar un número excesivo de personas o cosas.

INFESTO, TA adj. poét. Dañoso, perjudicial.

INFIBULAR tr. *Vet.* Ponerle a un animal un anillo u otro cualquier obstáculo en los órganosgenitales para impedir el coitio.

INFICIONAR tr. y prnl. Infectar. • Envenenar.

INFIDELIDAD f. Falta de fidelidad. • Inexactitud. • Carencia de la fe católica. • Conjunto de los infieles.

INFIEL adj. Falto de fidelidad; desleal. • adj. y s. Que no profesa la fe que uno tiene por verdadera. • adj. Falto de puntualidad y exactitud.

INFIERNILLO m. Aparato metálico con lamparilla de alcohol que se utiliza para calentar agua o hacer cocimientos. • P. ext., díc. de cualquier utensilio eléctrico y portátil destinado al mismo fin. • *C. Rica.* Pequeño cono de pólvora amasada con agua que arde lentamente.

INFIERNITO m. *Cuba.* Luz de bengala. • *Méx.* Cierto juego de niños.

INFIERNO m. Según las antiguas creencias paganas, lugar donde iban las almas de los muertos. • Según la religión cristiana, lugar donde sufren castigo eterno los espíritus rebelados contra Dios y las almas caídas en pecado mortal. • Tormento y castigo de los condenados. • Uno de los cuatro novísimos o postrimerías del hombre. • Limbo o seno de Abraham, donde estaban detenidas las almas de los justos esperando la redención. • fig. *Cuba.* Cierto juego de naipes. • fig. y fam. Lugar en que hay mucho alboroto y discordia. • fig. y fam. La misma discordia. • fig. y fam. Situación desgraciada o adversa. **El quinto i.** loc. fig. Lugar muy profundo o muy lejano.

INFIGURABLE adj. Que no puede tener figura corporal ni representarse con ella.

INFIJO adj. y m. *Gram.* Afijo con función o significado propios, que se introduce en el interior de una palabra.

INFILTRACIÓN f. *Med.* Acumulación de líquido orgánico en algunos tejidos, especialmente en el celular.

INFILTRAR tr. y prnl. Introducir un líquido entre los poros de un sólido. • prnl. Penetrar subrepticiamente en territorio enemigo. • Introducirse en un partido político, corporación, etc., para espionaje, sabotaje, etc.

ÍNFIMO, MA adj. En el orden y graduación de las cosas, díc. de la que es última y menos que las demás. • Díc. de lo más vil en cualquier línea. • *Mat.* Extremo inferior de un conjunto.

INFINIBLE adj. Que no se acaba o no puede tener fin.

INFINIDAD f. Calidad de infinito. • fig. Gran número de cosas o personas.

INFINITESIMAL adj. *Mat.* Aplícase a las cantidades infinitamente pequeñas.

INFINITÉSIMO, MA adj. y m. *Mat.* Díc. de la sucesión o de la función cuyo límite es cero cuando la variable tiende a un cierto valor. • **Infinitésimos equivalentes.** *Mat.* Si el límite del cociente de ambos tiende a la unidad.

Informalismo. *Senderos ondulados,* de Jackson Pollock

INFINITIVO adj. y s. *Gram.* Díc. del modo del verbo que no expresa por sí mismo número ni persona ni tiempo determinados. • m. *Gram.* Presente de infinitivo, o sea, voz que da nombre al verbo.
INFINITO, TA adj. y s. *Fil.* Que no tiene fin. • Muy numeroso y grande. • adj. y m. Díc. de la sucesión cuyo límite es infinito. • m. *Mat.* Signo, en forma de ocho tendido (∞), que sirve para expresar un valor mayor que cualquier cantidad asignable. • *Mat.* Lugar geométrico de los puntos de intersección de las direcciones paralelas. • *Fot.* Zona que comprende todos los objetos que dan una imagen clara en el plano focal. • adv. modo. Excesivamente, muchísimo.
INFINITUD f. Infinidad, calidad de infinito.
INFIRMAR tr. *Der.* Invalidar.
INFLACIÓN f. fig. Engreimiento y vanidad. • *Econ.* Desequilibrio producido por el aumento de los precios o de los créditos. Provoca una circulación excesiva de dinero y su desvalorización. • **crediticia.** *Econ.* La producida por un aumento de créditos superior a las necesidades reales del mercado. • **fiduciaria.** *Econ.* La producida por el aumento del papel moneda. ■ INFLACIONARIO, RIA; INFLACIONISTA.
INFLAMABLE adj. Fácil de inflamarse. ■ INFLAMABILIDAD.
INFLAMACIÓN f. Reacción local del organismo frente a la agresión de un agente exterior. El agente puede ser físico (calor, frío, mecánico), químico (yodo, ácidos, etc.) o bacteriano. • *Quím.* Reacción de oxidación que se propaga con una velocidad menor que la del sonido. La i. produce un empuje, lo cual sucede, por ej., en los llamados erróneamente motores de explosión (que en realidad son de inflamación). ■ INFLAMATORIO, RIA.
INFLAMAR tr. y prnl. Encender una cosa levantando llama. • fig. Enardecer las pasiones y afectos del ánimo. • prnl. Producirse inflamación, alteración patológica. • Enardecerse una parte del cuerpo tomando un color encendido.
INFLAR tr. y prnl. Hinchar una cosa con aire u otra sustancia aeriforme. • tr. y fig. Exagerar hechos, noticias, etc. • tr. y prnl. fig. Engreír. ■ INFLAMIENTO; INFLATIVO, VA.
INFLEXIBLE adj. Incapaz de torcerse. • fig. Que no se conmueve ni desiste de su propósito. ■ INFLEXIBILIDAD.
INFLEXIÓN f. Torcimiento de una cosa que estaba recta o plana. • Cambio de tono o de acento en la voz. • *Fís.* Desviación. • *Geom.* Punto de una curva en que cambia de sentido su curvatura. • *Gram.* Cada una de las terminaciones que toman las palabras variables en su flexión.
INFLIGIR tr. Imponer una pena o un castigo corporal.
INFLORESCENCIA f. *Bot.* Conjunto de las ramificaciones florales de una planta. Puede ser racemosa o cimosa.
INFLUENCIA f. fig. Poder, autoridad. • *Fís.* Efecto producido a distancia. • *Fís.* Electrización de un conductor por efecto de un campo eléctrico. • fig. Poder, autoridad de una persona para con otra o para intervenir en un negocio. • fig. *Teol.* Gracia e inspiración que Dios envía interiormente a las almas. ■ INFLUENTE.
INFLUENCIAR tr. Influir. • *Fís.* Electrizar por influencia.
INFLUENZA f. Gripe.
INFLUIR tr. e intr. Producir una cosa sobre otra ciertos efectos. • fig. Ejercer una persona o cosa predominio o fuerza moral en el ánimo.
INFLUJO m. Influencia. • Flujo de la marea.
INFOGRAFÍA f. *Comp.* Técnica de creación de imágenes y representación gráfica mediante la utilización de una computadora.
INFOLIO m. Libro en folio.
INFORMACIÓN f. Oficina donde se informa. • Averiguación jurídica. • Conjunto de noticias o datos. • Reseña dada por los medios de comunicación. • **Medios de i.** Entes que transmiten las noticias al público. • **Teoría de la i.** Basada en la cibernética, cuantifica el valor de toda i. derivada de un mensaje.
* *Hist.* Desde la introducción de la imprenta, y sobre todo con la aparición de las publicaciones periódicas, la i. fue esencialmente escrita. En el s. XX es también visual. McLuhan sostiene que los medios de comunicación son prolongaciones tecnológicas del sistema nervioso y proclama la crisis de la i. escrita frente a la visual.
INFORMAL adj. Que no guarda las reglas prevenidas. • adj. y s. Díc. de la persona que en su porte y conducta no observa la conveniente gravedad y puntualidad. ■ INFORMALIDAD.
INFORMALISMO m. *Arte.* Corriente, esencialmente pictórica, surgida después de la II Guerra Mundial. Sus formas, enraizadas en el arte abstracto, no poseen voluntad alguna de figuración. Entre sus cultivadores destacan J. Dubuffet, M. Hartung, J. Pollock, F. Fautrier, A. Tàpies. ■ INFORMALISTA.
INFORMAR tr. y prnl. Comunicar, dar noticia de una cosa. • tr. *Fil.* Dar forma sustancial a una cosa. • intr. Dictaminar. • *Der.* Hablar en estrados los fiscales y los abogados. ■ INFORMADOR, RA; INFORMATIVO, VA.
INFORMÁTICA → Computación.
INFORME adj. Que no tiene la forma y perfección que le corresponde. • De forma vaga e indeterminada. • m. Conjunto de datos acerca de una persona o asuntos determinados. • *Der.* Exposición oral que hace el letrado o el fiscal ante el tribunal que ha de fallar el proceso. ■ INFORMIDAD.
INFORTUNA f. Influjo adverso e infausto de los astros.
INFORTUNIO m. Suerte desdichada. • Estado desgraciado en que se encuentra una persona. • Hecho desgraciado. ■ INFORTUNADO, DA.
INFOSURA f. *Vet.* Absceso en el casco de las caballerías.
INFRA Prep. insep. que indica inferioridad.
INFRACCIÓN f. Quebrantamiento de una ley, tratado o norma. ■ INFRACTOR, RA.
INFRAESTRUCTURA f. Conjunto de servicios básicos para el funcionamiento de una economía. • Base de una cosa, por oposición o superestructura. • Término empleado por Marx para designar el conjunto de las relaciones de producción, el cual sirve de base a la estructura social y, a través de mediaciones muy complejas, determina la creación de su armazón ideológica o superestructura.
INFRAHUMANO, NA adj. Inferior a lo humano.
INFRANGIBLE adj. Que no se puede quebrar o quebrantar.
INFRANQUEABLE adj. Imposible o difícil de franquear.
INFRAOCTAVO, VA adj. Aplícase a cualquiera de los días de la infraoctava. • f. Tiempo que abarca los seis días comprendidos entre el primero y último de la octava de una festividad de la iglesia católica.
INFRAORBITARIO, RIA adj. *Anat.* Díc. de lo que está situado en la parte inferior de la órbita del ojo, o inmediatamente debajo.
INFRARROJO, JA adj. y s. Una de las radiaciones del espectro solar.

Representación del **infierno,** en una pintura medieval italiana

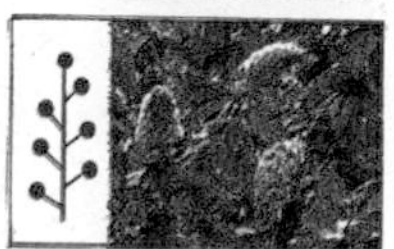

Diversos tipos de **inflorescencia.** De arriba abajo: en cima (borraginácea); en capítulo (margarita); en umbela (hinojo); en flor aislada (tulipán) y en racimo (lila)

INFRASCRITO, TA o **INFRASCRIPTO, TA** adj. y s. Que firma al fin de un escrito. • adj. Dicho abajo o después de un escrito.
INFRASONIDO m. *Fís.* Sonido de frecuencia inferior a 20 ciclos por segundo, que es imperceptible para el oído humano.
INFRAVALORAR tr. Disminuir la importancia de una cosa.
INFRECUENCIA f. Falta de frecuencia, rareza. ■ INFRECUENTE.
INFRINGIR tr. Quebrantar leyes, órdenes, etc.
INFRUCTÍFERO, RA adj. Que no produce fruto. • fig. Que no es de utilidad ni provecho.
INFRUCTUOSO, SA adj. Ineficaz, inútil para algún fin. ■ INFRUCTUOSIDAD.
INFRUTESCENCIA f. *Bot.* Fructificación formada por agrupación de varios frutillos.
ÍNFULA f. En la ant. Roma, venda de lana blanca, con dos tiras caídas a los lados, con que se ceñían la cabeza los sacerdotes. También la usaban algunos reyes. Se usa más en pl. • Cada una de las dos cintas anchas que cuelgan por la parte posterior de la mitra episcopal. • pl. fig. Presunción o vanidad.
INFUMABLE adj. Díc. del tabaco pésimo, ya por su calidad, ya por defecto de fabricación. • P. ext., todo aquello que es de mala calidad, inaceptable.
INFUNDADO, DA adj. Que carece de fundamento real o racional.
INFUNDIBULIFORME adj. *Bot.* De figura de embudo. Díc. de la corola y del cáliz.
INFUNDÍBULO m. *Anat.* Cada una de las cavidades del organismo que tiene una forma parecida a la del embudo.
INFUNDIO m. Mentira, patraña, embuste. ■ INFUNDIOSO, SA.
INFUNDIR tr. Provocar cierto estado de ánimo, sentimiento o impulso moral. • *Teol.* Comunicar Dios al alma un don o gracia.
INFURTIR tr. Enfurtir.
INFUSIBLE adj. Que no puede fundirse o derretirse. ■ INFUSIBILIDAD.
INFUSIÓN f. En el sacramento del bautismo, acción de echar el agua sobre el que se bautiza. • Acción de extraer de las sustancias orgánicas las partes solubles en agua, a una temperatura mayor que la del ambiente y menor que la del agua hirviendo. • Producto líquido así obtenido.
INFUSO, SA adj. Díc. de los conocimientos o dones que se poseen naturalmente.
INFUSORIOS m. pl. *Zool.* Ciliados. Clase de protozoos que aparecen en las infusiones de materias vegetales, como el *Paramecium.*
INGA m. Inca, soberano del Perú. • Árbol de las regiones tropicales americanas, de la familia de las leguminosas y del gén. mimosa.
INGAVI, *Batalla de* Combate que tuvo lugar cerca de la localidad boliviana de Viacha entre los ejércitos per. y bol. La derrota peruana aseguró la independencia de Bolivia.
INGE, *William* (1913-1973) Dramaturgo norteam. Varias de sus obras fueron llevadas al cine. *Picnic* (premio Pulitzer, 1953), *Bus stop.* Escribió el guión de la película *Esplendor en la hierba.*
INGEMANN, *Bernhard Severin* (1789-1862) Escritor danés, influido por el romanticismo al. Cánticos y poemas (*Valdemar el Grande y sus hombres*). Novelas históricas: *El rey Erik y los forajidos, El príncipe Otto de Dinamarca.*

Diversos tipos de **infrutescencia**. De arriba abajo: cerezas (drupa), fresones (sorosis), manzanas (pomo), avellanas (aquenio) y guisantes (legumbre)

Ingeniería. El puente de Queensberry en Escocia

INGENERABLE adj. Que no puede ser engendrado.
INGENHOUSZ, *Johannes* (1730-1799) Físico hol. Estudió la conductividad térmica de los metales.
INGENIAR tr. Trazar o inventar ingeniosamente. • prnl. Discurrir trazas y modos para conseguir una cosa o ejecutarla.
INGENIATURA f. fam. Ingenio de alguien para conseguir lo que se propone.
INGENIERÍA f. Ciencia y arte de aplicar los conocimientos científicos a la invención, perfeccionamiento o utilización de la técnica ind. en todas sus facetas. • **genética.** Disciplina que estudia la manipulación, trasplante y síntesis de material genético.
INGENIERO, RA m. y f. Persona que profesa o ejerce la ingeniería. • **aeronáutico.** El que proyecta y construye aeronaves, pistas, hangares, etc. • **agrónomo.** El especialista en las técnicas agrícolas. • **civil.** El que pertenece a cualquiera de los cuerpos facultativos no militares dedicados a obras y trabajos públicos. • **de caminos, canales y puertos.** El que entiende en la traza, ejecución y conservación de este tipo de obras públicas. • **de la armada.** El que tiene a su cargo proyectar, hacer y conservar toda clase de construcciones navales. • **de marina.** El de la armada. • **de minas.** El experto en el laboreo de las minas y en la construcción y dirección de las fábricas en que se benefician los minerales. • **de montes.** El que entiende en la cría, fomento y aprovechamiento de los montes. • **de telecomunicaciones.** El especialista en transmisiones por telefonía, telegrafía y radio. • **industrial.** El que entiende en todo lo concerniente a la ind. fabril. • **mecánico.** El que construye toda clase de máquinas y artefactos, y establece y construye las industrias que dependen de las artes mecánicas. • **militar.** El que pertenece al cuerpo de i. del ejército, que proyecta y ejecuta las construcciones militares de todo tipo, y tiene a su cargo en campaña los trabajos de sitio y defensa. • **naval.** El de la armada. • **químico.** El que confecciona productos químicos y establece y dirige las ind. relacionadas con la química. • **técnico.** Perito. • **textil.** El experto en todo lo que se relaciona con la ind. textil.
INGENIEROS, *José de* (1877-1925) Escritor y médico arg. Fundó con Lugones el periódico socialista *La Montaña.* Precursor de la sociología. *Sociología argentina, La evolución de las ideas argentinas.*
INGENIO m. Facultad humana para discurrir o inventar. • Intuición, facultades poéticas y creadoras. • Maña para conseguir lo que se desea. • Máquina o artificio mecánico. • *Amér.* Plantación de caña de azúcar. • **de azúcar.** Planta industrial destinada a obtener el azúcar. ■ INGENIOSO, SA.
INGENIOSIDAD f. Calidad de ingenioso. • fig. Idea artificiosa y sutil. Por lo general, se usa despectivamente.
INGÉNITO, TA adj. No engendrado. • Connatural y como nacido con uno.
INGENTE adj. Muy grande.
INGENUIDAD f. Sinceridad, candor, buena fe.
INGENUO, NUA adj. Real, sincero, candoroso, sin doblez. • adj. y s. *Der.* Que nació libre y no ha perdido su libertad.
INGERIR tr. Introducir algo en el estómago pasando por la boca. ■ INGESTIÓN.
INGLATERRA *(England)* País de Gran Bretaña, en la parte meridional de la isla. Limita al N con Escocia y al O con el país de Gales; 130 439 km^2, 46 161 500 hab. C. prales.: Londres, Manchester, Birmingham y Leeds. En el relieve destacan dos zonas: el N, montañoso, con el macizo de Cumberland, y los Peninos, que van de N a S.En el SO destacan los macizos de Devon y Cornualles. Ríos imp.: Avon, Támesis, Ouse, Trent, Severn, Derwent, Swale. Las costas occidentales son acantiladas y recortadas. Clima atlántico. Cereales, remolacha azucarera; pastos. Ganadería vacuna (leche y carne), ovina (lana). Pesca. Carbón, cobre, cinc, plomo. Ind. siderúrgica, metalúrgica y textil. • **Batalla de I.** Enfrentamientos aéreos entre la aviación brit. y la al. (agosto-octubre 1940). Hitler ordenó el cese de los combates ante la enorme pérdida de aparatos aéreos.
INGLE f. Región del cuerpo donde converge cada una de las extremidades inferiores con el tronco.

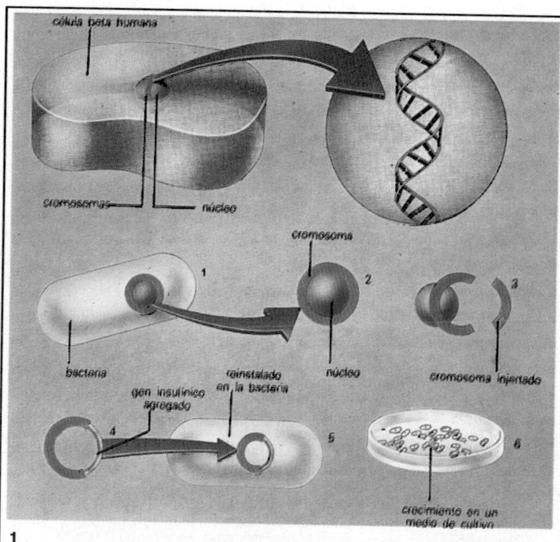

1

1. Una técnica fundamental de la ingeniería genética es la incorporación de un gen a una célula con objeto de que ésta sintetice la proteína que ese gen codifica. A menudo la célula a la que se incorpora el gen extraño es de una *Escherichia coli*, bacteria que posee parte de su material genético en un plásmido, pequeña molécula de ADN circular que se replica independientemente y puede fragmentarse mediante los llamados enzimas de restricción. Una vez incorporado el gen codificante al plásmido, se reinstala éste en la bacteria y se cultivan las bacterias modificadas en un medio adecuado. Así se obtiene actualmente, por ejemplo, la insulina que precisan los diabéticos.
2. Como explica el profesor A. Kahn del Instituto Nacional de Sanidad y de Investigación Médica de París, un gen ausente o dañado significa que una proteína estará ausente o será defectuosa, y eso es precisamente una enfermedad genética.

2

INGENIERÍA GENÉTICA

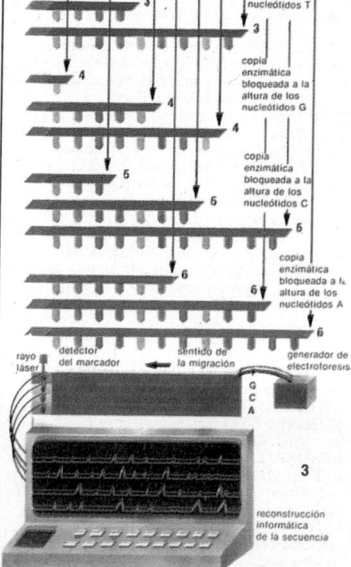

3. Para poder avanzar en la terapia génica es preciso conocer con exactitud el genoma humano, constituido por unos 3.000 millones de nucleótidos, que forman unos 100.000 genes distribuidos en 23 cromosomas. Para la secuenciación se procede calentando la molécula de ADN para separar sus dos hebras. Mediante un enzima se copian las hebras en cuatro tubos de ensayo en los que un inhibidor inhibe la copia a la altura de los nucleótidos T, G, C y A, respectivamente. Diluidas en gel e introducidas en un equipo de electroforesis, las fracciones pueden ser secuenciadas por una computadora.
4. El problema más difícil de resolver para la ingeniería y la terapia genéticas es el de incorporar un gen extraño al genoma de una célula. Los retrovirus modificados constituyen buenos vectores para está misión. También se ha recurrido a la microinyección a través de la membrana celular.

3

4

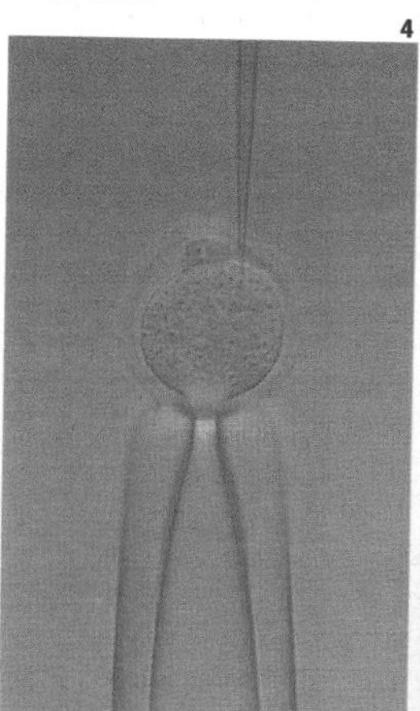

5

6

5. El primer ensayo de aplicar la terapia génica a una enfermedad hereditaria se realizó en 1990 en una niña de cuatro años afectada de inmunodeficiencia combinada grave: una «niña burbuja» obligada a vivir totalmente aislada del mundo exterior.
6. Los métodos de la ingeniería genética permitirán una nueva revolución en la producción de alimentos. Ya se han logrado tomates, idénticos en textura y sabor a los naturales, que se mantienen frescos durante mucho más tiempo.

Literatura **inglesa.** Arriba, miniatura de los *Cuentos de Canterbury,* de G. Chaucer; abajo, escena de *Hamlet,* de W. Shakespeare

Madame Devauçay, óleo de Jean-Auguste-Dominique **Ingres.** Museo de Chantilly, Francia

Aviador respirando por un **inhalador**

INGLÉS, SA adj. y s. De Inglaterra. • m. *Ling.* Lengua inglesa. • fam. Acreedor. • adj. y f. Díc de la letra cursiva inclinada a la derecha. • adj. *Perú.* Díc. de una raza de gallos. • **A la inglesa** m. adv. Al uso de Inglaterra. • loc. adv. fam. A escote. • Tipo de encuadernación.

* *Ling.* Lengua del subgrupo germánico occ. hablada en Gran Bretaña y EE UU, y en los países que han estado, o siguen todavía dominados por brit. y norteam.

* *Lit.* El poema más ant. escrito en ing. es *Beowulf* (700). La prosa medieval es sobre todo histórica y doctrinal (Beda, Alcuino, la *Crónica anglosajona*). Tras la conquista normanda aparecen los ciclos de poemas caballerescos, pralm. el ciclo arturiano (*Sir Gawain y el caballero verde*, s. XIV; *La muerte de Arturo*, s. XV). G. Chaucer, a finales del s. XIV, puso en contacto la poesía ing. con la europea. La poesía renacentista está representada por J. Donne, y la prosa por humanistas de la talla de T. Moro y F. Bacon. Pero el gran milagro del Renacimiento ing. fue el teatro: C. Marlowe, W. Shakespeare, Ben Johnson. Con la Restauración de 1660 llega la influencia fr. neoclásica y racionalista. Dryden la acusa en la poesía y en la tragedia, y Hobbes y Locke en filosofía. Entre todos ellos destaca el genio poético de J. Milton, autor del *Paraíso perdido.* La creación más sobresaliente del s. XVIII es la novela realista (Richardson, Fielding, Defoe, Swift). El s. XIX presenta la irrupción del romanticismo ing., que irrumpe con las *Baladas líricas* de Wordsworth y Coleridge, y culmina en Byron, Shelley y Keats, a quienes siguieron los victorianos Tennyson y Browning. En la novela romántica aparecen los nombres de W. Scott y J. Austen, y en la de la época victoriana Ch. Dickens, W. Thackeray y las hermanas Brontë. El teatro, que al entrar el s. XX estaba marcado por la influencia de O. Wilde y G. B. Shaw, se ha renovado en el presente siglo con las aportaciones de J. B. Priestley, J. Osborne, S. O'Casey, S. Beckett, A. Wesker y H. Pinter. En la poesía contemporánea sobresalen W. B. Yeats, T. S. Eliot, Dylan Thomas y R. Graves; en la narrativa, R. Kipling, G. K. Chesterton, D. H. Lawrence, H. G. Wells, J. Joyce, V. Woolf, A. Huxley, E. Waugh, L. Durrell, G. Greene, I. Murdoch, A. Burgess y D. Lessing; y en el ensayo B. Russell, J. Huxley.

INGLÉS, *Jorge* (s. XV) Pintor de probable origen ing. Introdujo el gótico flamenco en Castilla. Retablo de San Jerónimo de la Mejorada (museo de Valladolid).

INGLESISMO m. Anglicismo.

INGLETE m. Ángulo de 45 grados que con cada uno de los catetos forma la hipotenusa del cartabón. • Unión a escuadra de los trozos de una moldura.

INGRATITUD f. Desagradecimiento, olvido de los beneficios o favores recibidos.

INGRATO, TA adj. Desagradecido. • Desapacible, desagradable. • Díc. de lo que no compensa el trabajo que cuesta.

INGRAVIDEZ f. Calidad de ingrávido. • *Astron.* y *Fís.* Ausencia de peso, característica de los vuelos espaciales con gravedad cero y a bordo de los satélites artificiales, donde la atracción terrestre se equilibra con la fuerza centrífuga.

INGRÁVIDO, DA adj. Sin peso, leve.

INGREDIENTE m. Lo que entra en la composición de una mezcla.

INGRES, *Jean-Auguste-Dominique* (1780-1867) Pintor fr. Trabajó junto a David. Dominaba el dibujo y la composición. Su pintura tiene un cierto sensualismo. *El baño turco*, *El voto de Luis XIII*, *La gran bañista.*

INGRESAR intr. Entrar en un lugar. • intr. y tr. Hacer una imposición de dinero en un banco, o caja; percibir una cantidad. • intr. Entrar a formar parte de una corporación, sociedad, empresa, etc. • Ser admitido después de una prueba, examen u oposición.

INGRESIVO, VA adj. Gram. Díc. del aspecto verbal que designa el comienzo de la acción. En esp. está representado gralte. por perífrasis.

INGRESO m. Espacio por donde se entra. • Acción de entrar. • Acto de ser admitido en una corporación, de empezar a gozar de un empleo, etc. • Prueba que se realiza para iniciar unos estudios. • Cantidad de dinero que se percibe con regularidad. Se usa más en pl. • Cantidad que se carga a favor de una cuenta bancaria. • **Ingresos públicos.** Conjunto de medios financieros obtenidos por el sector público.

ÍNGRIMO, MA adj. *Amér.* Sólo, aislado.

INGUINAL o **INGUINARIO, RIA** adj. Relativo a las ingles.

INGULETS Río de Ucrania, afl. derecho del Dniéper; 550 km. Pasa por Krivoi-Rog.

INGURGITAR tr. *Fisiol.* Engullir. ■ INGURGITACIÓN.

INGUSHETIA o **INGUSHIA** Rep. de la Federación Rusa; 6300 km^2, 13 000 hab. Cap. Nazran. Hasta 1992 formó la rep. de Checheno-Ingushia.

INGUSHIO, SHIA adj. y s. Díc. del individuo de un pueblo caucásico musulmán de la república de Ingushetia. • adj. Relativo a este pueblo. • m. *Ling.* Lengua de este pueblo. • m. pl. Pueblo ingushio.

INHÁBIL adj. Falto de habilidad o instrucción. • Que no tiene las cualidades necesarias para hacer una cosa. • No apto para ocupar determinados cargos. • Díc. del proceder inadecuado para alcanzar el fin a que se endereza. • *Der.* Díc. del día feriado y también de las horas nocturnas, durante las cuales, salvo habilitación expresa, no deben practicarse actuaciones.

INHABILIDAD f. Falta de habilidad. • Impedimento para ejercer un empleo u oficio.

INHABILITAR tr. Declarar a uno inhábil o incapaz de ejercer u obtener cargos públicos, o de ejercitar derechos civiles o políticos. • tr. y prnl. Imposibilitar para una cosa. ■ INHABILITACIÓN.

INHABITABLE adj. No habitable.

INHABITADO, DA adj. No habitado.

INHALADOR m. Aparato para efectuar inhalaciones. • Máscara conectada a un depósito de oxígeno, que utilizan los aviadores para compensar la falta de presión cuando vuelan a gran altura.

INHALAR tr. Aspirar, con un fin terapéutico, ciertos vapores o líquidos pulverizados. ■ INHALACIÓN.

INHERENCIA f. Unión de cosas inseparables por su naturaleza, o que sólo se pueden separar mentalmente. • *Fil.* El modo de existir los accidentes, o sea, no en sí, sino en la sustancia que modifican.

INHERENTE adj. Que por su naturaleza está de tal manera unido a otra cosa, que no se puede separar. • Determinación característica de un sujeto, que constituye su modo de ser intrínseco.

INHESIÓN f. *Fil.* Inherencia de los accidentes a la sustancia.

INHESTAR tr. Enhestar, erguir, levantar.

INHIBICIÓN f. Proceso mediante el cual se impide la manifestación de un comportamiento.

INHIBIDOR, RA adj. Que inhibe. • m. Sustancia capaz de eliminar o reducir la corrosión y la oxidación de un metal. • *Quím.* Sustancia capaz de evitar o atenuar la velocidad de una reacción.

INHIBIR tr. *Der.* Impedir que un juez prosiga en el conocimiento de una causa. • tr. y prnl. *Med.* Suspender transitoriamente una función o actividad del organismo mediante la acción de un estímulo adecuado. • prnl. Echarse fuera de un asunto, o abstenerse de entrar en él.

INHIBITORIO, RIA adj. y f. *Der.* Aplícase al despacho, decreto o letras que inhiben al juez.

INHIESTO, TA adj. Enhiesto.

INHONESTIDAD f. Falta de honestidad. ■ INHONESTO, TA.

INHOSPITALARIO, RIA o **INHOSPEDABLE** o **INHOSPITABLE** adj. Falto de hospitalidad. • Poco humano para con los extraños. • Inseguro, peligroso.

INHOSPITALIDAD f. Falta de hospitalidad.

INHÓSPITO, TA adj. Inhospitalario, que no ofrece seguridad.

INHUMANIDAD f. Crueldad, falta de humanidad.

INHUMANO, NA adj. Falto de humanidad, cruel. • *Chile.* Muy sucio.

INHUMAR tr. Enterrar un cadáver. ■ INHUMACIÓN.

INIA f. Mamífero cetáceo perteneciente a la familia platanístidos. Es un delfín fluvial que vive en los r. de la selva amazónica.

INICIACIÓN f. Admisión de una persona entre los adeptos de una religión, secta o sociedad secreta mediante un ritual. • **Ritos de i.** Ceremonias rea-

lizadas por algunos pueblos para mostrar el paso de la adolescencia a la edad adulta.
INICIAL adj. Perteneciente al origen o principio de las cosas. • adj. y s. Díc. de la primera letra de una palabra, capítulo, etc.
INICIAR tr. Empezar una acción o actividad. • Proporcionar a alguien los primeros conocimientos de una cosa. • Admitir a uno a la participación de una cosa secreta. • prnl. Recibir las primeras órdenes u órdenes menores.
INICIATIVO, VA adj. Que da principio a una cosa. • f. Idea que sirve para iniciar o hacer una cosa. • Acción de adelantarse a los demás en hablar u obrar. • Cualidad personal que inclina a esta acción.
INICIO m. Comienzo, principio.
INICUO, CUA adj. Contrario a la equidad. • Malvado, injusto.
INIGUALADO, DA adj. Que no tiene igual.
INIMAGINABLE adj. No imaginable.
INIMITABLE adj. No imitable.
ININFLAMABLE adj. Que no se puede inflamar o no puede arder con llama.
ININTELIGIBLE adj. No inteligible.
ININTERRUMPIDO, DA adj. Continuado, sin interrupción.
INIQUIDAD f. Maldad, injusticia grande.
INÍRIDA Río de Colombia, afl. derecho del Guaviare; unos 725 km.
INJERIDURA f. Parte por donde se ha injertado el árbol.
INJERIR tr. Introducir una cosa en otra. • prnl. Entremeterse. ■ INJERENCIA.
INJERTAR tr. *Agr.* Injerir en un tallo, tronco o raíz de un vegetal una rama de otro con alguna yema para que quede unido a aquél. • *Med.* Implantar sobre un cuerpo humano o animal partes tomadas de otra región del mismo individuo o de otro. • fig. Implantar en un organismo social algo que le dé nueva vida. ■ INJERTA.
INJERTERA f. Plantación de árboles sacados de la almáciga.
INJERTO m. *Agr.* Parte de una planta, con una o más yemas, que se implanta en una hendidura practicada en otro vegetal. • *Med.* Operación consistente en implantar sobre un cuerpo, humano o animal, tejidos tomados de otra región del mismo individuo o de otros.
INJURIADO m. *Cuba.* Tabaco en rama de clase inferior.
INJURIAR tr. Ultrajar, ofender. • Dañar. ■ INJURIA; INJURIOSO.
INJUSTICIA f. Acción contraria a la justicia. • Falta de justicia.
INJUSTIFICABLE adj. Que no se puede justificar.
INJUSTIFICADO, DA adj. No justificado.
INJUSTO, TA adj. No justo.
INLANDSIS m. Glaciar continental. Acumulación de hielos continentales que ocupan grandes extensiones. Actualmente existen únicamente dos, el de la Antártida (13 000 000 km^2) y el de Groenlandia (1 650 000 km^2).
INMACULADA Término que se refiere a la preservación de pecado original en la Virgen María. Dogma de fe católico, definido por Pío X.
INMACULADO, DA adj. Que no tiene mancha. • fig. Impecable, sin ninguna nota desfavorable.
INMADUREZ f. Falta de madurez. ■ INMADURO, RA.
INMANENCIA f. Calidad de inmanente. • *Fil.* Propiedad de ciertas acciones de permanecer y completarse dentro del sujeto, como las de pensar y querer.
INMANENTE adj. *Fil.* Díc. de lo que es inherente a algún ser o va unido de un modo inseparable a su esencia.
INMARCESIBLE o **INMARCHITABLE** adj. Que no se puede marchitar.
INMATERIAL adj. No material. ■ INMATERIALIDAD.
INMATURO, RA adj. No maduro.
INMEDIACIÓN f. Calidad de inmediato. • *Der.* Derechos atribuidos al sucesor inmediato en una vinculación. • pl. Contornos que rodean un lugar.
INMEDIATO, TA adj. Contiguo o muy cercano. • Instantáneo. • Que no tiene intermedio.
INMEMORIAL o **INMEMORABLE** adj. Tan antiguo, que no hay memoria de cuándo empezó.
INMENSIDAD f. Infinidad en la extensión.
INMENSO, SA adj. Que no tiene medida. • fig. Muy grande o muy difícil de medirse o contarse.
INMENSURABLE adj. Que no puede medirse. • fig. De muy difícil medida.
INMERECIDO, DA adj. No merecido.
INMÉRITO, TA adj. Inmerecido, injusto.
INMERSIÓN f. Acción de introducir o introducirse una cosa en un líquido. • *Astr.* Entrada de un astro en el cono de la sombra que proyecta otro.
INMERSO, SA adj. Sumergido, abismado.
INMIGRAR intr. Llegar a un país para establecerse en él. ■ INMIGRACIÓN; INMIGRANTE; INMIGRATORIO, RIA.
INMINENTE adj. Que amenaza o está para suceder prontamente. ■ INMINENCIA.
INMISARIO adj. Díc. del río que desemboca en un lago.
INMISCUIR tr. Poner una sustancia en otra para que resulte una mezcla. • prnl. fig. Entremeterse en un asunto o negocio.
INMISERICORDE adj. *Amér.* Díc. de la persona que no tiene misericordia, que es insensible a las desdichas ajenas.
INMISIÓN f. Infusión o inspiración.
INMOBILIARIO, RIA adj. Relativo a cosas inmuebles. • f. Empresa dedicada a la construcción y adquisición de edificios.
INMOBLE adj. Inmóvil. Que no se mueve. • Constante y firme en las resoluciones o afectos del ánimo.
INMODERACIÓN f. Falta de moderación. ■ INMODERADO, DA.
INMODESTIA f. Falta de modestia. ■ INMODESTO, TA.
INMÓDICO, CA adj. Excesivo, inmoderado.
INMOLAR tr. Ofrecer sacrificios a la divinidad. • prnl. fig. Dar la vida, la hacienda, etc., en provecho u honor de una persona o cosa. ■ INMOLACIÓN.
INMORAL adj. Que se opone a la moral.
INMORALIDAD f. Falta de moralidad, desarreglo en las costumbres. • Acción inmoral.
INMORTAL adj. No mortal. • fig. Que dura tiempo indefinido. • f. Siempreviva, flor.
INMORTALIDAD f. Calidad de inmortal. • fig. Duración indefinida de una cosa en la memoria de los hombres. ■ INMORTALIZAR.
INMOTIVADO, DA adj. Sin motivo.
INMOTO, TA adj. Que no se mueve.
INMÓVIL o **INMOVIBLE** adj. Que no se mueve; firme, invariable. ■ INMOVILIDAD.
INMOVILISMO m. Posición de los que rechazan por principio cualquier medida que modifique la situación existente. ■ INMOVILISTA.
INMOVILIZACIÓN f. Supresión temporal de todos los movimientos de un órgano o región con fines terapéuticos. • *Econ.* Utilización de bienes muebles e inmuebles con carácter duradero en el funcionamiento de una sociedad.
INMOVILIZAR tr. Hacer que una cosa quede inmóvil. • Invertir un caudal en bienes de lenta o difícil realización. • *Der.* Coartar la libre enajenación de bienes. • prnl. Quedarse o permanecer inmóvil.
INMUEBLE adj. y m. Díc. de aquellos bienes que la ley considera no muebles; tierras, edificios, etc. • m. Edificio de varios pisos.
INMUNDICIA f. Suciedad, basura. • fig. Situación inmoral.
INMUNDO, DA adj. Sucio y asqueroso. • fig. Díc. de aquello cuyo uso estaba prohibido a los judíos por su ley.
INMUNE adj. Exento de ciertos oficios, cargos, gravámenes o penas. • No atacable por ciertas enfermedades.
INMUNIDAD f. Calidad de inmune. • *Biol.* Capacidad de un organismo para resistir y vencer la acción de un agente nocivo. • **diplomática.** La que exime a los representantes diplomáticos de ser sometidos a la jurisdicción de la nación donde ejercen su cargo. • **parlamentaria.** Prerrogativa de los representantes parlamentarios, que los exime de ser detenidos o juzgados, sin autorización del respectivo cuerpo legislativo.
* *Biol.* La i. puede ser natural, o adquirida, bien por la producción natural de anticuerpos o por la introducción profiláctica (i. artificial) de vacunas o sueros.

Inicial en un manuscrito medieval

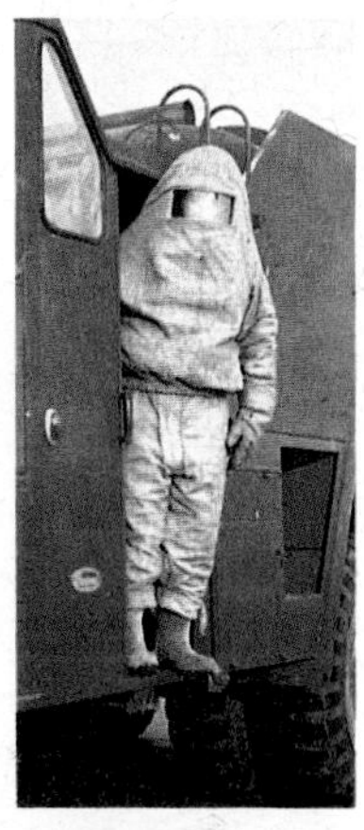
Bombero con un traje **ininflamable** de amianto

Injerto de hendidura

El río **Inn** a su paso por Wasserburg, Alemania

Inocencio III

Miniatura medieval que muestra la matanza de los **Santos Inocentes**

INMUNIZAR tr. Hacer inmune. ▪ INMUNIZACIÓN.
INMUNODEFICIENCIA f. Estado anormal del sistema inmunitario por el que la inmunidad celular o la humoral son inadecuadas y disminuyen la resistencia a las infecciones. Algunos tipos de estados de inmunodeficiencia son la hipogammaglobulinemia, la aplasia linfoide y el → síndrome de i. adquirida.
INMUNOELECTROFORESIS f. Técnica de reconocimiento de las proteínas del suero sanguíneo, mediante separación por electroforesis.
INMUNOLOGÍA f. *Med.* Parte de la medicina que estudia los fenómenos relativos a la inmunidad.
INMUNOPROTEÍNA f. *Biol.* Proteína que se encuentra en la fracción gammaglobulina de la sangre.
* *Biol.* Las i. son los anticuerpos que defienden el organismo frente al ataque de sustancias proteicas o polisacáridas extrañas que actúan de antígenos.
INMUTABLE o **INMUDABLE** adj. No mudable. ▪ INMUTABILIDAD.
INMUTAR tr. Alterar una cosa. • prnl. fig. Sentir cierta conmoción repentina del ánimo, manifestándola externamente. ▪ INMUTACIÓN; INMUTATIVO, VA.
INN Río de Europa central, afl. derecho del Danubio. Nace en los Grisones, atraviesa el Tirol y parte de Baviera; 525 km.
INNATISMO m. *Fil.* Sistema según el cual existen unas ideas, hábitos mentales o principios poseídos por todos los hombres, no por propia actividad o adquisición, sino de manera natural y espontánea.
INNATO, TA adj. Connatural y como nacido con el mismo sujeto.
INNATURAL adj. Que no es natural.
INNAVEGABLE adj. No navegable.
INNECESARIO, RIA adj. No necesario.
INNEGABLE adj. Que no se puede negar.
INNOBLE adj. Que no es noble.
INNOCUO, CUA adj. Inocuo.
INNOMINADO, DA adj. Que no tiene nombre especial. • adj. y s. *Anat.* Díc. de cada uno de los dos huesos, sit. uno en cada cadera, que junto con el cóccix forman la pelvis de los mamíferos.
INNOVAR tr. Cambiar las cosas, introduciendo novedades. ▪ INNOVACIÓN; INNOVADOR, RA; INNOVAMIENTO.
INNSBRUCK C. de Austria, cap. del Tirol, sit. a orillas del Inn; 117 300 hab. Importante centro comercial y turístico. Universidad.
INNUMERABILIDAD f. Muchedumbre grande y excesiva. • *Mat.* Calidad de no numerable.
INNUMERABLE adj. Que no se puede reducir a número. • *Mat.* Que no es numerable.
INOBEDIENCIA f. Falta de obediencia. ▪ INOBEDIENTE.
INOBJETABLE adj. Díc. de la persona, tesis o cosa a la que no pueden hacérsele objeciones.
INOBSERVANCIA f. Falta de observancia.
INOCENCIA f. Estado del que está limpio de culpa. • Exención de toda culpa. • Candor, simplicidad, sencillez.
INOCENCIO I (m. 417) Santo. Papa it. elegido en 402. Condenó las doctrinas de Pelagio. • **II** (m. 1143) Papa romano [1130-1143], de nombre *Gregorio Papareschi.* Estimuló la reforma de la Iglesia y convocó el II concilio de Letrán. • **III** (1160-1216) Papa it. [1198-1216], de nombre *Lotario di Segni.* Convocó la cuarta cruzada contra el Islam y la cruzada contra los albigenses, y reunió el IV concilio de Letrán. • **IV** (1190-1254) Papa it., de nombre *Sinibaldo Fieschi.* Reforzó la acción de la Inquisición y convocó el XIII Concilio ecuménico. • **VI** (m. 1362) Papa fr. [1352-1362], de nombre *Étienne Aubert.* Para ser elegido juró restringir las prerrogativas papales. Confió al cardenal Gil de Albornoz el restablecimiento de la soberanía papal sobre los est. pontificios. • **X** (1574-1655) Papa rom. [1644-1655], de nombre *Gianbattista Pamfili.* Condenó las cinco proposiciones de Jansenio (bula *Cum occasione*, 1653). • **XI** Papa it. [1676-1689], de nombre *Benedetto Odescalchi.* Fortaleció la Contrarreforma, condenó el molinismo e impulsó una cruzada contra los turcos.
INOCENTADA f. fam. Broma o chasco que se da a uno en el día de los Santos Inocentes. • fam. Engaño ridículo en que uno cae por descuido o por falta de malicia.
INOCENTE adj. y s. Libre de culpa. • Cándido, fácil de engañar. • adj. Que no daña, o no es nocivo. • adj. y s. Aplícase al niño que no ha llegado a la edad de discreción. • **Santos Inocentes.** Nombre dado a los niños menores de dos años muertos por Herodes con la intención de desembarazarse de Jesús.
INOCULACIÓN f. Acción y efecto de inocular. • *Biol.* Método de transmisión de microorganismos desde un cultivo artificial al interior de un ser vivo (vacunación) o de una sustancia orgánica (fabricación de vino, vinagre, cerveza, yogur).
INOCULAR tr. y prnl. *Biol.* Transmitir a algo un conjunto de microorganismos. • tr. *Metal.* Añadir ciertos materiales a las fundiciones de hierro.
INÓCULO m. *Biol.* Conjunto de gérmenes, en general patógenos, que se inoculan a un organismo.
INOCUO, CUA adj. Que no hace daño. • INOCUIDAD.
INODORO, RA adj. Que no tiene olor. • m. Taza de retrete provista de sifón.
INOFENSIVO, VA adj. Incapaz de ofender. • fig. Que no puede causar daño ni molestia.
INOFICIOSO, SA adj. *Der.* Díc. del testamento que, sin motivo, perjudica a los herederos. • *Amér.* Inútil, ocioso, ineficaz.
INOLVIDABLE adj. Que no puede o no debe olvidarse.
INÖNU, ***Ismet*** (1884-1973) Político y militar turco. En 1938 sucedió a Atatürk en la jefatura del partido republicano del pueblo y como presid. de la República. Dimitió al vencer el partido demócrata en las elecciones de 1950, pero el golpe de Est. del general Gursel le llevó de nuevo al poder en 1961 hasta su dimisión en 1965.
INOPE adj. Pobre, indigente.
INOPERABLE adj. Díc. del enfermo que no puede ser operado, o de la enfermedad en que no procede la operación q uirúrgica.
INOPERANTE adj. No operante, ineficaz.
INOPIA f. Indigencia, pobreza, ignorancia. • **Estar en la i.** exp. fig. y fam. No estar enterado de lo que otros conocen.
INOPINABLE adj. No opinable.
INOPINADO, DA adj. Que sucede sin haber pensado en ello, o sin esperarlo.
INOPORTUNIDAD f. Falta de oportunidad.
INOPORTUNO, NA adj. Fuera de tiempo o de propósito.
INORDENADO, DA adj. Que no tiene orden.
INORGÁNICO, CA adj. Díc. de cualquier cuerpo sin órganos para la vida, como son los minerales. • Díc. de la parte de la química que trata de los elementos de origen mineral.
INOSITA f. o **INOSITOL** m. Alcohol que se encuentra pralm. en los músculos, hígado y cerebro de los vertebrados.
INOXIDABLE adj. Que no se puede oxidar.
INPUT m. *Econ.* Insumo.
INQUEBRANTABLE adj. Que persiste sin quebranto, o no puede quebrantarse.
INQUIETAR tr. Quitar el sosiego, preocupar. • *Der.* Intentar despojar a uno de la quieta y pacífica posesión de una cosa, o perturbarle en ella. ▪ INQUIETANTE.
INQUIETUD f. Falta de quietud, desasosiego, desazón. • Alboroto, conmoción. • Deseo de emprender nuevas cosas. Se usa más en plural. ▪ INQUIETO, TA.
INQUILINAJE m. *Chile.* Inquilinato. • *Chile.* Conjunto de inquilinos. • *Chile.* Sistema de relación de trabajo agrario semifeudal.
INQUILINATO m. Arriendo, alquiler.
INQUILINISMO m. *Biol.* Tipo especial de relaciones entre individuos de especies distintas, que se limitan a compartir un mismo espacio ecológico.
INQUILINO, NA m. y f. Persona que ha tomado una casa o parte de ella en alquiler para habitarla. • *Der.* Arrendatario, comúnmente de finca urbana. • *Chile.* Colono, labrador. • *Amér.* Habitante.
INQUINA f. Aversión, mala voluntad.
INQUINAR tr. Manchar, contagiar.
INQUIRIR tr Indagar o examinar cuidadosamente una cosa. ▪ INQUIRIDOR, RA; INQUISITIVO, VA; INQUISITORIO, RIA.

INQUISICIÓN f. Tribunal eclesiástico, establecido para inquirir y castigar los delitos contra la fe. • Casa donde se juntaba este tribunal. • Cárcel destinada a los condenados por este tribunal. • n. p. f. *Hist.* Tribunal eclesiástico que combatía y castigaba la herejía. ■ INQUISITORIAL.

* *Hist.* Fundada por Gregorio IX (1231), la I. declinó a finales de la E. Med. y tomó nueva importancia con el protestantismo. La pena máx. era la muerte en la hoguera. En España fue introducida en el Reino de Aragón (s. XIII) y reinstaurada por los Reyes Católicos (1478) para combatir a judíos y moriscos. Impidió la penetración de ideas renovadoras. Suprimida en 1820.

INQUISIDOR, RA adj. y s. Inquiridor. • m. Juez eclesiástico que conocía de las causas de fe.

INRI m. Nombre que resulta de leer como una palabra las iniciales de *Iesus Nazarenus Rex Iudaeorum*, rótulo latino de la Santa Cruz. • fig. Nota de burla o de afrenta.

INSACIABLE adj. Que no se puede saciar o hartar. ■ INSACIABILIDAD.

INSACULAR tr. Poner en un saco u otro recipiente cédulas con números o con nombres de personas o cosas, para sacar alguna al azar. ■ INSACULACIÓN.

INSALIVAR tr. Mezclar los alimentos con la saliva en la boca. ■ INSALIVACIÓN.

INSALUBRIDAD f. Falta de salubridad. ■ INSALUBRE.

INSANABLE adj. Que no puede sanar; incurable.

INSANIA f. Locura.

INSANO, NA adj. Loco, demente. • Malsano.

INSATISFACCIÓN f. Falta de satisfacción. ■ INSATISFACTORIO, RIA.

INSATISFECHO, CHA adj. No satisfecho.

INSCRIBIR tr. Grabar letreros en metal, piedra u otra materia. • tr. y prnl. Apuntar el nombre de una persona entre los de otras. • tr. *Der.* Tomar razón, en algún registro, de documentos o declaraciones. • *Geom.* Trazar una figura dentro de otra, de modo que estén ambas en contacto en varios de los puntos de sus perímetros.

INSCRIPCIÓN f. Acción de inscribir o inscribirse. • Caracteres grabados en piedra, metal u otra materia. • Anotación o asiento en el gran libro de la deuda pública. • Título de la deuda pública. • Documento que expide el Est. para acreditar esta obligación.

INSCRIPTO, TA adj. Inscrito.

INSCRITO, TA adj. *Geom.* Díc. del polígono y del poliedro cuyos vértices son puntos de una circunferencia o de una superficie esférica, respectivamente. • Díc. del ángulo que tiene su vértice sobre una circunferencia, y ninguno de sus lados es tangente a la misma.

INSCULPIR tr. Esculpir.

INSECABLE adj. Que no se puede secar o es muy difícil de secarse. • Que no se puede cortar o dividir.

INSECTICIDA m. Sustancia química con efecto negativo sobre la viabilidad o fertilidad de los insectos. Actualmente se utilizan sustancias hormonales del crecimiento de los insectos, frente a las cuales éstos no pueden ganar resistencia.

INSECTIL adj. Relativo a la clase de los insectos.

INSECTÍVORO, RA adj. Díc. de los animales que se alimentan pralm. de insectos. • m. pl. *Zool.* Orden de mamíferos placentarios, de pequeño tamaño, hocico largo y afilado y dientes puntiagudos, propios del hemisferio norte, Antillas y África, al que pertenecen los topos y las musarañas.

INSECTO adj. y m. Díc. de artrópodos de la clase insectos. • m. pl. *Zool.* Clase de artrópodos caracterizados por la posesión de mandíbulas y antenas , tres pares de patas y, gralte., dos pares de alas.

* *Zool.* Con más de 800 000 especies descritas, los i. constituyen el grupo más variado del reino animal. La mayor parte de los i. es de pequeño tamaño, muchos casi microscópicos. El cuerpo se divide en cabeza, tórax y abdomen. En la cabeza se encuentran dos antenas de tamaño y forma variables, y los ojos, que pueden ser simples ocelos sit. en la parte superior y en número de tres o cinco, o compuestos, formados por numerosas unidades oculares y sit. a los lados. La boca presenta grandes modificaciones de un grupo a otro, de acuerdo con el régimen alimenticio. El tórax se divide en tres segmentos: pro-, meso- y metatórax. Las patas, un par en cada segmento del tórax, están formadas por: la coxa, por la que se articula al tórax, el trocánter, el fémur, la tibia y el tarso. De la parte dorsal del tórax salen dos pares de alas que faltan en algunos grupos. La parte posterior del cuerpo de los i. es el abdomen, que consta, por lo menos, de siete segmentos, todos ellos con unos orificios respiratorios a los lados, los espiráculos, que comunican con la red de tráqueas. Los segmentos octavo y noveno se convierten en los oviscaptos u órganos de puesta de las hembras, y en los machos se modifican para dar el órgano copulador. Existen i. que viven por encima del límite de las nieves perpetuas, y otros que se mantienen junto a las fuentes termales, en agua muy caliente. Algunos viven bajo tierra, otros en el suelo, en los troncos, etc. La mayoría son libres, pero muchos otros son parásitos. Muchas especies provocan graves perjuicios al hombre, pero otras son beneficiosas y proporcionan sustancias útiles (miel, cera, seda, goma, etc.).

INSECTOLOGÍA f. Entomología.

INSEGURIDAD f. Falta de seguridad. ■ INSEGURO, RA.

INSEMINACIÓN f. *Biol.* Conjunto de procesos por los que el semen llega al óvulo tras la cópula. • **artificial.** La realizada fuera de toda relación sexual.

INSENESCENCIA f. Calidad de lo que no se envejece.

INSENSATEZ f. Necedad, falta de sentido o razón. • fig. Dicho o hecho insensato. ■ INSENSATO, TA.

INSENSIBILIDAD f. Falta de sensibilidad. • fig. Dureza de corazón.

INSENSIBILIZAR tr. y prnl. Quitar la sensibilidad o privar a uno de ella. ■ INSENSIBILIZACIÓN.

INSENSIBLE adj. Que carece de facultad sensitiva. • Privado de sentido. • Imperceptible. • adj. y s. fig. Que no siente las cosas que causan dolor o mueven a lástima.

INSEPARABLE adj. Que no se puede separar. • fig. Díc. de las personas estrechamente unidas con vínculos de amistad o de amor. • adj. y s. *Gram.* Díc. de ciertas partículas que entran en la formación de voces compuestas. • f. *Zool.* Ave de la familia psitácidos, de color verde brillante y parecida a una pequeña cotorra. ■ INSEPARABILIDAD.

INSEPULTO, TA adj. Díc. del cadáver no sepultado.

INSERCIÓN f. Lugar donde una cosa se inserta en otra.

INSERIR tr. Insertar. • Injerir.

INSERTAR tr. Incluir una cosa en otra, especialmente un texto en otro. • Dar cabida a un escrito en las columnas de un periódico. • prnl. *Bot.* y *Zool.* Introducirse más o menos un órgano entre las partes de otro, o adherirse a su superficie.

INSERVIBLE adj. Que no sirve.

INSFRÁN, *Facundo D.* (1862-1901) Médico y político par. Vicepresid. de la rep. con Juan Bautista Egusquiza. Murió mientras se hallaba en el Congreso, al ser asaltado éste.

INSIDIA f. Engaño o acechanza para hacer daño a otro. ■ INSIDIAR.

INSIDIOSO, SA adj. y s. Que arma asechanzas. • adj. Que se hace con asechanzas. • Díc. de la enfermedad que, bajo apariencia benigna, oculta gravedad suma.

INSIGNE adj. Célebre, famoso.

INSIGNIA f. Señal o distintivo honorífico. • Bandera. • Emblema, gralte. metálico, que suele colocarse en la solapa, como un distintivo de un club, una sociedad, etc.

INSIGNIFICANCIA f. Pequeñez, insuficiencia, inutilidad.

INSIGNIFICANTE adj. Baladí, despreciable, sin importancia.

INSINCERIDAD f. Falta de sinceridad. ■ INSINCERO, RA.

INSINUACIÓN f. Manera sutil de indicar una cosa.

INSINUAR tr. Dar a entender una cosa indicándola ligeramente. • prnl. Introducirse con habilidad en el ánimo de uno, ganando su afecto. • Dejar traslucir una actitud incitante o de provocación amorosa hacia una persona. ■ INSINUADOR, RA; INSINUANTE; INSINUATIVO, VA.

Musaraña, mamífero del orden **insectívoros**

Diversos tipos de **insectos.** De arriba abajo: mariposa (lepidóptero); langosta (ortóptero); hormiga (himenóptero); ciervo volante (coleóptero)

Caseta meteorológica con instrumentos para medir la **insolación**

Acciones tales como las que realiza un ave al alimentar a sus polluelos están regidas por el **instinto**

Instrumental de cirugía. Relieve del templo egipcio de Kõm Ombo

INSÍPIDO, DA adj. Falto de sabor. • fig. Falto de espíritu, gracia o viveza. ■ INSIPIDEZ.
INSIPIENCIA f. Falta de sabiduría o de juicio. ■ INSIPIENTE.
INSISTENCIA f. Permanencia, reiteración acerca de una cosa.
INSISTIR intr. Instar reiteradamente; mantenerse firme en una cosa. • Repetir varias veces lo mismo para conseguir lo que uno se propone. ■ INSISTENTE.
ÍNSITO, TA adj. Propio y connatural a una cosa y como nacido en ella.
INSOBORNABLE adj. Que no puede ser sobornado.
INSOCIABILIDAD f. Falta de sociabilidad. ■ INSOCIABLE.
INSOCIAL adj. y s. Insociable.
INSOLACIÓN f. Enfermedad causada por la exposición excesiva a los rayos solares. • *Meteor.* Tiempo en que, durante el día, luce el sol sin nubes.
INSOLAR tr. Poner al sol una cosa. • *Art. Gráf.* Exponer a la acción de luz artificial intensa una placa con una emulsión sensible, para que se realice la impresión de la imagen. • prnl. Enfermar por demasiado ardor del sol.
INSOLENCIA f. Atrevimiento, descaro. • Dicho o hecho ofensivo e insultante. ■ INSOLENTAR; INSOLENTE.
INSÓLITO, TA adj. No común ni ordinario.
INSOLUBLE adj. Que no puede disolverse ni diluirse. • Que no se puede resolver o desatar. ■ INSOLUBILIDAD.
INSOLUTO, TA adj. No pagado.
INSOLVENCIA f. Incapacidad de pagar una deuda. ■ INSOLVENTE.
INSOMNE adj. Que no duerme, desvelado.
INSOMNIO m. Trastorno del sueño, caracterizado por la dificultad de iniciar éste o por una disminución de su duración normal.
INSONDABLE adj. Que no se puede sondear. • fig. Que no se puede averiguar o saber a fondo.
INSONORIZAR tr. Aislar un lugar de ruidos. ■ INSONORIZACIÓN.
INSONORO, RA adj. Falto de sonoridad.
INSOPORTABLE adj. Insufrible, intolerable.
INSOSLAYABLE adj. Que no puede soslayarse, ineludible.
INSOSPECHABLE adj. Que no puede sospecharse.
INSOSPECHADO, DA adj. No sospechado.
INSOSTENIBLE adj. Que no se puede sostener. • fig. Que no se puede defender con razones.
INSPECCIÓN f. Cargo de velar sobre una cosa. • Examen o reconocimiento de una cosa. • **ocular.** *Der.* Examen que hace el juez por sí mismo para hacer constar en acta los resultados de sus observaciones.
INSPECCIONAR tr. Examinar, reconocer atentamente una cosa.
INSPECTOR, RA adj. y s. Que por oficio examina y controla una cosa.
INSPECTORÍA f. *Chile.* Comisaría de policía.
INSPIRACIÓN f. *Fisiol.* Proceso mecánico por el cual el aire penetra en los pulmones, por contracción de los músculos intercostales, aumentando el volumen de la cavidad torácica. • fig. Ilustración sobrenatural que Dios comunica a la criatura. • fig. Estado de ánimo que favorece a la creación.
INSPIRADOR, RA adj. y s. Que inspira. • *Anat.* Aplícase a los músculos que sirven para la inspiración.
INSPIRAR tr. Aspirar, hacer penetrar el aire en los pulmones. • fig. Infundir en el ánimo afectos o ideas. • fig. Sugerir ideas creadoras • fig. Iluminar Dios el entendimiento de uno. • prnl. fig. Sentir inspiración creadora. ■ INSPIRATIVO, VA.
INSTABILIDAD f. Inestabilidad.
INSTALACIÓN f. Conjunto de aparatos, máquinas, conducciones, etc., dispuestos para un fin determinado.
INSTALAR tr. y prnl. Poner en posesión de un empleo o beneficio. • tr. Colocar en su debido lugar. • Colocar en un lugar o edificio los aparatos y accesorios que en él se hayan de utilizar. • prnl. Establecerse, fijar residencia. ■ INSTALADOR, RA.
INSTANCIA f. Acción y efecto de instar. • Memorial, solicitud. • Impugnación de una respuesta dada a un argumento. • *Der.* Cada uno de los grados jurisdiccionales que la ley tiene establecidos para ventilar y sentenciar los juicios y pleitos.
INSTANTÁNEO, A adj. Que sólo dura un instante. • Díc. de los alimentos que no necesitan otra preparación que disolverlos en un líquido, calentarlos, etc. • f. Placa fotográfica que se obtiene sin exposición y con gran abertura de diafragma. • Negativo o copia de la placa así obtenida.
INSTANTE adj. Que insta. • m. Porción brevísima de tiempo. • **Al i.** m. adv. Al punto, sin dilación. • **Por instantes.** m. adv. Sin cesar, continuamente. • De un momento a otro.
INSTAR tr. Repetir la súplica o petición. • Impugnar la solución dada al argumento. • intr. Urgir la pronta ejecución de una cosa.
INSTAURAR tr. Establecer, fundar, instituir. • Renovar, restaurar. ■ INSTAURACIÓN; INSTAURATIVO, VA.
INSTIGAR tr. Incitar, provocar, o inducir a uno a que haga una cosa. ■ INSTIGACIÓN.
INSTILACIÓN f. *Med.* Procedimiento terapéutico que consiste en introducir un líquido, gota a gota, en una cavidad del organismo.
INSTILAR tr. Echar gota a gota un líquido en algún sitio. • fig. Infundir insensiblemente en el ánimo una cosa.
INSTINTO m. Estímulo interior que determina a los animales a una acción dirigida a la conservación o a la reproducción. • Por ext., móvil atribuido a un acto, sentimiento o actitud que obedece a una razón profunda, pero no consciente, para el que lo realiza. • Facultad para valorar ciertas cosas. • **Por i.** m. adv. Por un impulso maquinal e indeliberado. ■ INSTINTIVO, VA.
INSTITOR m. Factor, mandatario comercial.
INSTITUCIÓN f. Establecimiento o fundación de una cosa. • Cosa establecida o fundada. • Instrucción, educación. • pl. Colección metódica de los principios de una ciencia, arte, etc. • Órganos constitucionales del poder soberano en la nación, y más comúnmente, la monarquía. • *Der.* Nombramiento de heredero. • **Libre de Enseñanza.** Centro pedagógico esp. creado en 1876 por un grupo de profesores influidos por el krausismo (Giner de los Ríos, Azcárate, Figuerola y Salmerón). Adoptó un sistema de enseñanza integral, dentro de un clima laico y racionalista. ■ INSTITUCIONAL.
INSTITUCIONALISMO m. *Econ.* Método de análisis basado en el estudio de las instituciones o empresas, los sindicatos y la administración.
INSTITUCIONALIZAR tr. y prnl. Transformar algo en institucional. • tr. Hacer que algo adquiera carácter de institución.
INSTITUIR tr. Fundar, establecer algo nuevo. • Designar por testamento. ■ INSTITUIDOR, RA; INSTITUYENTE.
INSTITUTO m. Corporación científica, literaria, benéfica, etc. • Edificio en que funciona alguna de estas corporaciones. • Establecimiento dedicado a la investigación científica o a la enseñanza. • En España, establecimiento oficial de enseñanza media. • **armado.** Cada uno de los cuerpos militares destinados a la defensa del país o al mantenimiento del orden público.
INSTITUTOR, RA adj. y s. Que instituye. • m. *Col.* Maestro, profesor.
INSTITUTRIZ f. Maestra encargada de la educación de los niños, en el hogar doméstico.
INSTRIDENTE adj. Que produce un sonido chirriante, estridente.
INSTRUCCIÓN f. Acción de instruir o instruirse. • Caudal de conocimientos adquiridos. • Curso que sigue un expediente que se está instruyendo. • *Comp.* Información que indica a un ordenador una acción a ejecutar. Es sinón. de orden. • pl. Conjunto de reglas para ejecutar algo o para el manejo de algo.
INSTRUIR tr. Enseñar. • tr. y prnl. Informar a uno acerca de una cosa. • tr. Formalizar un proceso o expediente conforme a las reglas de derecho. ■ INSTRUCTIVO, VA; INSTRUCTOR, RA; INSTRUIDO, DA.
INSTRUMENTACIÓN f. *Mús.* Acción de distribuir cada una de las partes de una composición entre los instrumentos que la ejecutarán. • Conjunto de aparatos para la medición, regulación y análisis de procesos industriales.

INSTRUMENTAL adj. Relativo al instrumento. • *Der.* Relativo a los instrumentos públicos. • m. Conjunto de instrumentos de una orquesta, de un cirujano, etc.

INSTRUMENTALISMO m. *Fil.* Variante del pragmatismo, postulada por Dewey. La pral. tesis del i. afirma que la validez de una idea reside en su valor instrumental.

INSTRUMENTAR tr. *Mús.* Arreglar una composición para varios instrumentos. • *Cir.* Proporcionar al cirujano los instrumentos que precisa en una intervención.

INSTRUMENTISTA com. Músico que utiliza un instrumento en sus ejecuciones musicales. • Fabricante de instrumentos músicos, quirúrgicos, etc. • *Cir.* Persona que cuida del instrumental y lo proporciona al cirujano durante una intervención quirúrgica.

INSTRUMENTO m. Objeto que sirve para un trabajo o una operación. • Utensilio, herramienta, aparato o máquina. • Persona o cosa a través de la que se consigue algo. • *Mús.* Aparato que sirve para la producción de sonidos musicales.

* *Mús.* Los *i. de madera* son de cuerda (piano, guitarra, violín, etc.) o *de viento* (flauta, oboe, clarinete, etc.). Los i. *de metal* pueden ser *de viento* (trompeta, trompa, trombón, órgano, gaita, etc.) o *de percusión* (timbal, tambor, campanas, gong, xilófono, castañuelas, etc.).

INSÚA, ***Alberto*** (1885-1963) Novelista, dramaturgo y periodista esp., de origen cubano. *El negro que tenía el alma blanca.*

INSUAVE adj. Desapacible a los sentidos. ■ INSUAVIDAD.

INSUBORDINACIÓN f. Falta de subordinación.

INSUBORDINAR tr. Introducir la insubordinación. • prnl. Quebrantar la subordinación, sublevarse. ■ INSUBORDINADO, DA.

INSUBSISTENCIA f. Falta de subsistencia. ■ INSUBSISTENTE.

INSUBSTANCIAL adj. Insustancial.

INSUBSTANCIALIDAD f. Insustancialidad.

INSUBSTITUIBLE adj. Insustituible.

INSUDAR intr. Afanarse en una cosa.

INSUFICIENCIA f. Inferioridad, incapacidad. • Estado de un tejido o de un órgano incapaz de mantener la integridad de sus funciones. • **cardiaca.** La que se presenta cuando el corazón es incapaz de suministrar al organismo la cantidad de sangre necesaria para su funcionamiento. ■ INSUFICIENTE.

INSUFLAR tr. Introducir en un órgano o en una cavidad aire o una sustancia pulverizada, especialmente con fines terapéuticos. ■ INSUFLACIÓN.

INSUFRIBLE adj. Que no se puede sufrir. • fig. Muy difícil de sufrir.

Insurrección del pueblo madrileño contra los franceses (2 de mayo de 1808)

NSULA f. Isla. • fig. Cualquier pequeño lugar o obierno de poca entidad. ■ INSULANO, NA; INSULAR.

NSULINA f. *Fisiol.* Hormona segregada por el áncreas que regula la cantidad de glucosa en la ngre. Su carencia determina la diabetes.

NSULINDIA Conjunto de islas formado por donesia (excepto Nueva Guinea Occidental), parde Malasia, Timor y Brunei.

NSULSO, SA adj. Insípido, falto de sabor. • fig. lto de gracia y viveza. ■ INSULSEZ.

INSULTADA f. *Hond.* Insulto.

INSULTAR tr. Ofender a uno provocándole con palabras o acciones. • prnl. Desmayarse. ■ INSULTADA; INSULTANTE.

INSULTO m. Palabra o exp. empleada para insultar. • Desmayo. • Indisposición repentina.

INSUMABLE adj. Que no se puede sumar o es difícil de sumarse.

INSUME adj. Costoso, de mucho precio.

INSUMIR tr. Emplear, invertir dinero.

INSUMISIÓN f. Falta de sumisión. ■ INSUMISO, SA

INSUMO m. *Econ.* Cada uno de los factores que intervienen en la producción de bienes o servicios. • Conjunto de todos ellos.

INSUPERABLE adj. No superable. • Muy bueno.

INSURGENTE adj. y s. Levantado o sublevado.

INSURRECCIÓN f. Sublevación o rebelión contra el régimen constituido. ■ INSURRECCIONAL.

INSURRECCIONAR tr. Sublevar, levantar. • prnl. Alzarse, sublevarse contra las autoridades. ■ INSURRECTO, TA

INSUSTANCIAL adj. De poca o ninguna sustancia. ■ INSUSTANCIALIDAD.

INSUSTITUIBLE adj. Que no puede sustituirse.

INTACHABLE adj. Que no admite o merece tacha.

INTACTO, TA adj. No tocado o palpado. • fig. Que no ha padecido alteración o deterioro. • fig. Puro, sin mezcla.

INTANGIBLE adj. Que no debe o no puede tocarse. ■ INTANGIBILIDAD.

INTEGRACIÓN f. *Econ.* Reunión de una serie de operaciones industriales bajo el control de una misma empresa. • *Mat.* Operación cuyo objeto es averiguar la función primitiva de una función diferencial. • *Soc.* Proceso de asimilación mediante el cual una sociedad integra los elementos heterogéneos. ■ INTEGRACIONISTA.

* *Econ.* La i. es vertical si se vinculan las operaciones desde la obtención de materias primas hasta la fabricación del producto acabado; horizontal si se reúnen varias empresas que fabrican un mismo producto; y diagonal si se vinculan los servicios auxiliares.

INTEGRADO, DA adj. *El.* Díc. del circuito en el que todos sus componentes e interconexiones se realizan simultáneamente sobre la misma plaquita de sílice.

INTEGRADOR, RA adj. Que integra. • adj. y m. *El.* Díc. del circuito divisor de tensión constituido por una resistencia y un condensador en serie.

INTEGRANDO m. *Mat.* Expresión que debe integrarse.

INTEGRAL adj. *Fil.* Aplícase a las partes que entran en la composición de un todo. • *Mat.* Nombre de signo ($\int$) de integración. • adj. y f. *Mat.* Díc. de la ecuación o función en la que intervienen signos de integración.

INTEGRAR tr. Formar las partes de un todo. • Completar un todo con las partes que faltaban. • Contribuir, entrar a formar parte de un todo. • *Mat.* Determinar una expresión o cantidad de la que se conoce la diferencial. ■ INTEGRANTE.

INTEGRISMO m. *Rel.* Tendencia político-religiosa conservadora, sostenida por algunos sectores del catolicismo. ■ INTEGRISTA.

* *Rel.* El i. apareció como una reacción frente a la Reforma. En España nació como corriente extrema del carlismo. Tras las reformas del concilio Vaticano II, surgió una corriente integrista encabezada por el obispo fr. G. Lefebvre.

ÍNTEGRO, GRA adj. Completo. • fig. Recto, honrado, intachable. • *Mat.* Díc. del anillo carente de divisores de aro. ■ INTEGRIDAD.

INTEGUMENTO m. Envoltura o cobertura. • fig. Disfraz, ficción.

INTELECTO m. Entendimiento, inteligencia, facultad con que piensa el hombre. • *Fil.* Término equivalente al de entendimiento. ■ INTELECCIÓN; INTELECTIVA; INTELECTIVO, VA.

INTELECTUAL adj. Relativo al entendimiento. • Espiritual o sin cuerpo. • adj. y s. Díc. de la persona dedicada a trabajos que requieren de modo especial el empleo de la inteligencia.

INTELECTUALIDAD f. Entendimiento, intelecto. • fig. Conjunto de los intelectuales de un país, región, etc.

Instrumentos musicales. Arriba, página miniada con instrumentos medievales europeos; abajo, tambores africanos ashanti (Ghana)

INTELECTUALISMO m. *Fil.* Doctrina que sostiene la preeminencia del entendimiento sobre la sensibilidad y la voluntad.

INTELIGENCIA f. Facultad de comprender, de conocer, discernimiento • *Psic.* Aptitud para relacionar las percepciones sensoriales o para abstraer y asociar conceptos. Conocimiento. • Habilidad, destreza. • Avenencia. • **artificial.** *Comp.* Concepto que engloba todas las tecnologías que estudian la creación de máquinas (robots, autómatas, etc.), y también los programas que se ejecutan siguiendo un método parecido a la inteligencia humana (traducciones, juegos de ajedrez, etc.).

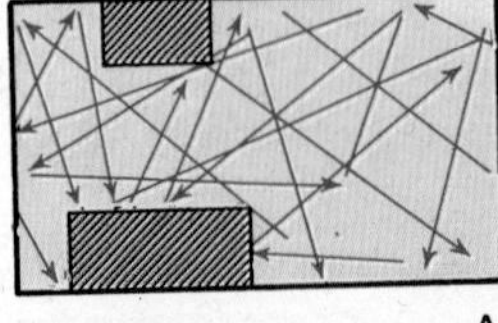

A

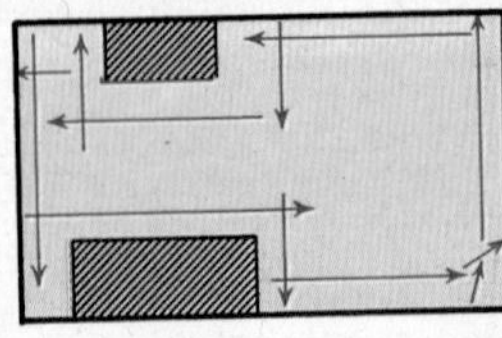

B

Inteligencia. Diagrama que muestra cómo proceden en el hallazgo de un objeto oculto en una habitación un niño (A) y un adulto (B)

* *Psic.* La psicología experimental cuantifica la i. y determina los criterios para objetivar dicha medida. La discusión central sobre la estructura y funcionamiento de la i. gira en torno a si se considera a ésta como un factor general, base de las funciones específicas, o si de las funciones se deduce una capacidad global. Los primeros tests psicométricos fueron presentados por el francés Albert Binet y por Th. Simon (1905). Otras investigaciones de gran valor han sido las de Spearman, Thrustone, Guilford, Piaget, etc.

INTELIGENTE adj. Sabio, instruido. • Hábil. • Dotado de facultad intelectiva.

INTELIGIBLE adj. Que puede ser entendido. • Díc. de lo que es materia de puro conocimiento, sin intervención de los sentidos. • Que se oye clara y distintamente. ■ INTELIGIBILIDAD.

INTELLIGENCE Service Organismo estatal británico, dedicado al espionaje y contraespionaje.

INTELLIGENTSIA f. Término ruso con que se designa el sector social de los intelectuales, es decir, las personas que ejercen una función de dirección ideológica en una pob. o país determinado.

INTEMPERANCIA f. Falta de templanza. ■ INTEMPERADO, DA; INTEMPERANTE.

INTEMPERIE f. Destemplanza o desigualdad del tiempo. • **A la i.** m. adv. A cielo descubierto, sin techo.

INTEMPESTIVO, VA adj. Que es fuera de tiempo y razón.

INTEMPORAL adj. Independiente del curso del tiempo.

INTENCIÓN f. Determinación de la voluntad en orden a un fin. • Deseo, voluntad. • Cautelosa advertencia con que uno habla o procede. • fam. Misa encargada. • **Primera i.** fam. Modo de proceder franco y sin detenerse a reflexionar mucho. • **Segunda i.** fam. Modo de proceder doble y solapado. ■ INTENCIONADO, DA.

INTENCIONAL adj. Perteneciente a la intención. • Deliberado, hecho a sabiendas.

INTENCIONALIDAD f. *Fil.* Carácter intencional.

INTENDENCIA f. Dirección y gobierno de una cosa. • Distrito a que se extiende la jurisdicción del intendente.

INTENDENTE m. Jefe superior económico. • Jefe de fábricas u otras empresas explotadas por cuenta del erario. • *Mil.* En el ejército y en la marina, jefe superior de los servicios de administración. • P. ext., persona encargada del abastecimiento de ciertos campamentos o colegios. ■ INTENDENTA.

El ***intendente*** *Ebih-il,* estatua de alabastro yesoso de Mari (III milenio a. C.). Museo del Louvre, París

INTENSAR tr. y prnl. Hacer más intenso algo.

INTENSIDAD f. Grado de energía de un agente natural o mecánico, de una cualidad, de una exp., etc. • fig. Vehemencia de los sentimientos. • *Fís.* Término genérico que se utiliza para expresar el valor de ciertas magnitudes. • **de una corriente eléctrica.** *Fís.* Cantidad de electricidad que atraviesa una sección de un conductor por unidad de tiempo. Se mide en amperios.

INTENSIFICAR tr. y prnl. Hacer que una cosa adquiera mayor intensidad de la que tenía. ■ INTENSIFICACIÓN.

INTENSIÓN f. Intensidad, grado de energía. • *Fon.* Uno de los tres movimientos necesarios para la articulación. • *Lóg.* Término que equivale al tradicional de comprensión. ■ INTENSO, SA.

INTENSIVO, VA adj. Que intensifica. • *Agr.* Díc. de un determinado tipo de cultivo de la tierra. • Aplícase a un determinado horario o jornada laborales. • adj. y s. *Ling.* Díc. del elemento que refuerza la significación de una palabra.

INTENTAR tr. Tener intención de hacer una cosa. • Iniciar la ejecución de la misma. • Procurar o pretender.

INTENTO m. Propósito, intención. • Cosa intentada. • **De i.** m. adv. De propósito.

INTENTONA f. fam. Intento temerario, y especialmente si se ha frustrado.

INTER prep. insep. que significa *entre* o *en medio.*

INTERACCIÓN f. Acción que se ejerce recíprocamente entre dos o más objetos, agentes, fuerzas, funciones, etc.

INTERACTIVO adj. Díc. del sistema electrónico de comunicación que permite al usuario escoger, entre una amplia gama de opciones, la información que recibe según su interés. Se aplica a la televisión, el vídeo y los programas informáticos.

INTERAMERICANO, NA adj. y s. Panamericano. • **Conferencias Interamericanas.** Denominación que reciben las reuniones internacionales entre Estados americanos. Se celebraron desde 1889 hasta la creación de la Organización de Estados Americanos en 1948.

INTERANDINO, NA adj. *Amér.* Relativo a los Estados o naciones que están a uno y otro lado de los Andes.

INTERARTICULAR adj. Que está situado entre las articulaciones.

INTERCADENCIA f. Desigualdad en la conducta o en los afectos. • Desigualdad defectuosa en el lenguaje, estilo, etc. • *Med.* Cierta irregularidad en el número de las pulsaciones.

INTERCALACIÓN f. Acción y efecto de intercalar.

INTERCALADOR, RA adj. Que intercala. • f. Máquina de registro unitario (U. R.) para tratamiento de fichas perforadas, capaz de ordenarlas, separarlas, emparejarlas o intercalarlas según posean o no determinadas perforaciones.

INTERCALADURA f. Intercalación.

INTERCALAR tr. Interponer o poner una cosa entre otras. ■ INTERCALADO, DA.

INTERCAMBIABLE adj. Que se puede intercambiar. • Díc. de las piezas similares que se pueden intercambiar.

INTERCAMBIADOR, RA adj. Que intercambia. • **de calor.** *Ind.* Aparato en el que se produce el encuentro de fluidos que circulan independientemente a temperaturas diferentes y cuyo objeto es calentar o enfriar uno de ellos por medio del otro.

INTERCAMBIAR tr. Cambiar mutuamente.

INTERCAMBIO m. Reciprocidad de consideraciones y servicios entre corporaciones análogas de diversos países. • *Econ.* Acto mediante el cual un sujeto cede a otro parte de los bienes que están a su disposición, recibiendo bienes distintos a cambio.

INTERCEDER intr. Rogar por otro para alcanzarle una gracia o librarle de un mal. ■ INTERCESIÓN; INTERCESOR, RA.

INTERCELULAR adj. *Biol.* Díc. de la materia orgánica situada entre las células de un tejido.

INTERCEPTADOR, RA adj. y s. Que intercepta. • m. *Mil.* Avión de caza concebido para interceptar y destruir cualquier avión o ingenio aéreo que intente penetrar en territorio propio.

INTERCEPTAR tr. Apoderarse de una cosa antes que llegue al lugar o a la persona a que se destina. • Detener una cosa en su camino. • Obstruir una vía de comunicación. ■ INTERCEPTOR, RA.

INTERCOLUMNIO m. Espacio que hay entre dos columnas.

INTERCOLUNIO m. *Arq.* Intercolumnio.

INTERCOMUNICACIÓN f. Comunicación recíproca. • Comunicación telefónica entre dos distintas dependencias de un edificio o recinto.

INTERCOMUNICADOR, RA adj. y m. Díc. del aparato destinado a la intercomunicación.

INTERCONTINENTAL adj. Que llega de uno a otro continente. • Que une o sirve para la unión entre dos o más continentes.
INTERCOSTAL adj. *Anat.* Que está entre dos costillas.
INTERCUTÁNEO, A adj. Que está entre la piel y la carne.
INTERDECIR tr. Vedar o prohibir.
INTERDENTAL adj. *Fon.* Díc. del sonido articulado entre los dientes. • f. Díc. de la letra que representa este sonido.
INTERDEPENDENCIA f. Dependencia recíproca.
INTERDICCIÓN f. Prohibición, incapacitación. • *Der.* Denominación de las penas restrictivas de la capacidad jurídica, de la libertad o de ciertos derechos.
INTERDICTO m. Entredicho. • *Der.* Juicio posesorio, sumario o sumarísimo.
INTERDIGITAL adj. *Zool.* Díc. de cualquiera de las membranas, músculos, etc., que se hallan entre los dedos.
INTERDISCIPLINARIO, RIA adj. Que establece relaciones entre varias disciplinas o varias ciencias.
INTERÉS m. Provecho, utilidad. • Valor que en sí tiene una cosa. • *Econ.* Compensación que el capitalista recibe por el uso del capital (i. originario del capital) o por la cesión a otros (i. de los préstamos) en un periodo determinado de tiempo y con un cierto riesgo. • Inclinación del ánimo hacia un objeto, persona o narración que le atrae o conmueve. • pl. Bienes de fortuna. • Conveniencia o necesidad de carácter colectivo. • **compuesto.** *Econ.* El que produce un capital cuando los i. simples devengados se acumulan a él, o sea, se capitalizan para producir nuevos intereses. • **legal.** *Econ.* El que, a falta de estipulación previa sobre su cuantía, fija la ley cuando haya de devengarse o el deudor incurre en mora. • **simple.** *Econ.* El que produce un capital en cada unidad de tiempo, que en general es un año. • **Intereses creados.** Ventajas, no siempre legítimas, de que gozan varios individuos, y por efecto de las cuales se establece entre ellos alguna solidaridad circunstancial. ■ INTERESABLE.
INTERESAR intr. y prnl. Tener interés en una cosa o persona. • tr. Dar parte a uno en un negocio. • Cautivar la atención y el ánimo con lo que se dice o escribe. • Inspirar afecto o interés. • Producir una cosa alteración en un órgano del cuerpo. ■ INTERESADO, DA; INTERESANTE.
INTERESENCIA f. Asistencia personal a un acto o función.
INTERESTATAL adj. Perteneciente a las relaciones de dos o más Estados.
INTERESTELAR adj. *Astr.* Díc. del espacio y de la materia que se halla entre las estrellas.
INTERFASE f. Intervalo entre dos fases sucesivas. • *Biol.* Fase de reposo divisional de las células, que transcurre desde la telofase de la última división hasta la profase de la siguiente. • *Comp.* Medio físico y lógico común y necesario de dos sistemas para intercambiar comunicación. Así, una computadora envía datos a una impresora a través de una interfase. • *Fís.* Superficie que separa dos fases no miscibles.
INTERFECTO, TA adj. y s. Díc. de la persona que ha muerto violentamente. • m. y f. fam. Jocosamente, persona de la cual se está hablando.
INTERFERENCIA f. *Fís.* Fenómeno producido en una región influenciada simultáneamente por dos focos emisores de ondas del mismo periodo, y de modo que la diferencia de fase entre ellos sea constante (condición de coherencia).
INTERFERIR tr. y prnl. Cruzar, interponer algo en el camino de una cosa, o en una acción. • tr. e intr. Causar interferencia.
INTERFERÓMETRO m. *Fís.* Instrumento utilizado para estudiar los fenómenos de interferencia. • **estelar** o **de Michelson.** El que básicamente consta de dos espejos planos pulimentados y de dos láminas planoparalelas de vidrio.
INTERFERÓN m. *Biol.* Sustancia defensiva, de naturaleza proteica, capaz de detener el ciclo reproductivo de los virus y de interferir en su crecimiento y manifestaciones líticas y patógenas.
INTERFLUVIO m. Superficie de terreno que está comprendida entre dos cauces fluviales.
INTERFOLIAR tr. Intercalar entre las hojas de un libro otras en blanco.
INTERFONO m. Instalación para la intercomunicación telefónica en el interior de un edificio. • Aparato intercomunicador.
INTERGALÁCTICO, CA adj. Relativo a los espacios existentes entre las galaxias.
INTERGLACIAR m. *Geol.* Periodo comprendido entre dos glaciaciones y caracterizado por el predominio de climas más templados y cálidos que durante aquéllas. Durante el período i. se produce un desplazamiento de las zonas climáticas hacia los polos y una fusión parcial de los casquetes glaciares.
ÍNTERIN m. Tiempo que dura el desempeño interino de un cargo, interinidad. • adv. tiempo. Entretanto o mientras.
INTERINAR tr. Desempeñar interinamente un cargo. ■ *Amér.* INTERINATO; INTERINIDAD.
INTERINDIVIDUAL adj. Díc. de lo concerniente a la relación entre personas como individuos, en oposición a lo social.
INTERINO, NA adj. y s. Que sirve por algún tiempo supliendo la falta de otra persona o cosa. • f. Asistenta que trabaja a horas en labores domésticas.
INTERINSULAR adj. Díc. del tráfico y relaciones de otra índole entre dos o más islas.
INTERIOR adj. Que está de la parte de adentro. • Propio de la nación y no del extranjero. • Díc. de la habitación sin vistas a la calle. • fig. Que sólo se siente en el alma. • Ánimo o espíritu. • La parte interior de una cosa. • *Dep.* En fútbol, delantero cuyo juego se desarrolla, teóricamente, en una zona de terreno cercana al eje central. • pl. Entrañas.
INTERIOR, *Mar* (*Seto Naikai*) Sector marino encerrado entre las islas japonesas de Honshu, Shikoku y Kyushu. Comunica con el océano Pacífico y el estr. de Corea.
INTERIOR, *serranía del* Alineación montañosa del N de Venezuela, extendida entre el macizo de Nirgua, al O del lago Valencia, y la depresión del Unare. Alt. máx.: cerro Platillón, 1 931 m.
INTERIORIDAD f. Calidad de interior. • pl. Cosas privadas de las personas, familias o corporaciones.
INTERIORISMO m. Acondicionamiento decorativo de los espacios interiores de la arquitectura.
INTERIORIZAR tr. *Amér.* Informar respecto de lo íntimo de un asunto, procedimiento, manejo de una institución, etc. • Tomar como propios sentimientos o normas de conducta de otros sin reconocerlos como adquiridos.
INTERJECCIÓN f. *Gram.* Voz que expresa alguna impresión súbita, como asombro, sorpresa, dolor, etc. ■ INTERJECTIVO, VA.
INTERLÍNEA f. Espacio que queda entre dos líneas escritas o impresas. • *Art. Gráf.* Regleta.
INTERLINEAL adj. Escrito o impreso entre dos renglones.
INTERLINEAR tr. Escribir entre dos reglones. • *Art. Gráf.* Espaciar la composición poniendo regletas entre los renglones o usando otro método según el sistema empleado. ■ INTERLINEACIÓN.
INTERLOCK (voz ing.) m. Telar circular para géneros de punto. • Tejido fabricado por esta máquina. • Sistema de sincronización de marcha de las máquinas tomavistas y de registro sonoro.
INTERLOCUCIÓN f. Diálogo. ■ INTERLOCUTOR, RA.
INTERLOCUTORIO, RIA adj. y m. *Der.* Aplícase al auto o sentencia que se da antes de la definitiva.
INTÉRLOPE adj. Díc. del comercio fraudulento de una nación en las colonias de otra, y de los buques dedicados a este tráfico sin autorización.
INTERLUDIO m. Intermedio dramático de un espectáculo. • Breve fragmento musical que sirve de introducción o de intermedio.
INTERLUNIO m. Periodo durante el que la Luna se halla en conjunción con el Sol. Durante el i. nuestro satélite permanece invisible.
INTERMAXILAR adj. Que se halla entre los huesos maxilares. • adj. y m. *Anat.* Díc. del hueso situado en la parte exterior, media e interna de la mandíbula superior en algunos animales. En el hombre queda soldado con los maxilares antes del nacimiento.

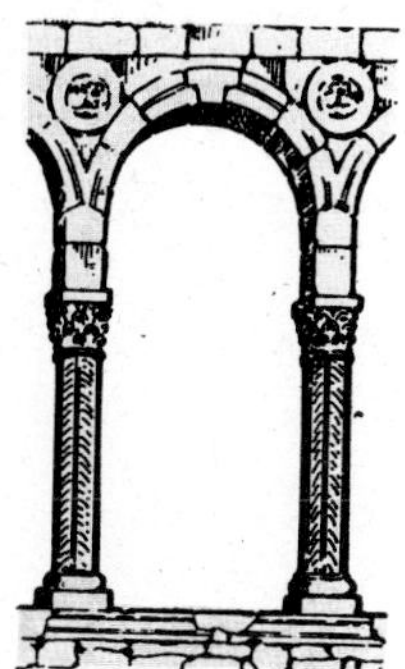
Intercolumnio

Franjas de **interferencia** óptica

Radiotelescopio **interferómetro**

INTERMEDIAR intr. Mediar, existir una cosa en medio de otras. ■ INTERMEDIARIO, RIA.
INTERMEDIO, DIA adj. Que está en medio de los extremos de lugar o tiempo. • m. Espacio de un tiempo a otro o de una acción a otra. • Divertimento musical intercalado en una obra dramática. • Entreacto de una representación dramática.
INTERMEZZO (voz it.) m. Intermedio musical.
INTERMINABLE adj. Que no tiene término o fin. • Que cansa o aburre.
INTERMINISTERIAL adj. Que se refiere a varios ministerios o los relaciona entre sí.
INTERMISIÓN f. Interrupción.
INTERMISO, SA adj. Interrumpido, suspendido.
INTERMITENTE adj. Que se interrumpe o cesa y prosigue o se repite. • adj. y f. *Med.* Díc. de la fiebre que aparece de esta forma. • adj. y m. Aplícase a los dispositivos indicadores de dirección de los automóviles. • m. Mecanismo que permite encender y apagar automáticamente una luz a intervalos breves y regulares. • Esta misma luz. ■ INTERMITENCIA.
INTERMITIR tr. Suspender por algún tiempo una cosa; interrumpir su continuación.
INTERMUSCULAR adj. Que está situado entre los músculos.
INTERNACIÓN f. Acción y efecto de internar o internarse.
INTERNACIONAL adj. y s. Relativo a dos o más naciones. • Tendencia arquitectónica del s. XX. • n. p. f. Nombre de algunas organizaciones supranacionales de la clase obrera. • **Socialista** Organización política fundada en Frankfurt (1951). Continuadora de la Segunda I., agrupa a partidos socialistas y socialdemócratas. Presidida por Pierre Mauroy desde 1992. • ***La* I.** Himno revolucionario de los socialistas y comunistas. • ***Primera* I.** Asociación Internacional de Trabajadores (AIT) fundada en Londres en 1864. Estuvo presidida por las tensiones entre marxistas y anarquistas. En el Congreso de La Haya (1872) se llegó a la ruptura. Los anarquistas fundaron la I. antiautoritaria. • ***Segunda* I.** Organización política fundada en París en 1889. Aparecieron dos tendencias: la revolucionaria y la reformista. Su escisión originó la Tercera I. La Segunda I. se reunificó, siguiendo una línea socialdemócrata (I. Socialista). • ***Tercera* I.** Organización política fundada en 1919 en Moscú para dirigir la revolución mundial. En 1924 se convirtió en un instrumento de la URSS. Disuelta en 1943. • ***Cuarta* I.** Organización comunista y antiestalinista fundada por Trotsky (1938). Se fraccionó tras el asesinato de su fundador.
INTERNACIONALISMO m. Sistema socialista que preconiza la unión internacional de los obreros para obtener ciertas reivindicaciones. • Tendencia a crear servicios comunes a los Estados.
* *Hist.* El i. surgió en el s. XIX como elemento catalizador de los intereses de la clase obrera europea. El concepto de i. fue elaborado por primera vez por Flora Tristan en 1843 (*Unión Obrera*). Recogiendo su idea, K. Marx proporcionó al i. unos criterios y perspectivas basados en la lucha de clases, que son parte importante de *El manifiesto comunista* (1848).

Jules Guesde, teórico de la Segunda **Internacional**

INTERNACIONALISTA adj. y s. Partidario del internacionalismo. • Persona versada en derecho internacional.
INTERNACIONALIZAR tr. Someter a la autoridad conjunta de varias naciones o de un organismo que las represente, territorios o asuntos que dependían de la autoridad de un solo Estado.
INTERNADO, DA m. Estado y régimen del alumno interno. • Conjunto de alumnos internos. • Estado y régimen de quienes viven internos en establecimientos sanitarios o benéficos. • Establecimiento donde viven personas internas. • Condición de alumno interno de una facultad de medicina.
INTERNAR tr. Conducir o llevar tierra adentro a una persona o cosa. • Recluir a alguien. • intr. Penetrar, introducirse. • prnl. Avanzar hacia dentro. • fig. Profundizar un tema. ■ INTERNAMIENTO.
INTERNAUTA com. Usuario de la red Internet.
INTERNET Red descentralizada de computadoras distribuidas por el mundo, que ofrece múltiples maneras de acceder a una ingente cantidad de información, obtenida gracias a la interconexión de las computadoras de universidades, organismos gubernamentales y bases de datos de empresas especializadas. Ofrece también a sus usuarios servicios, tales como correo electrónico o grupos de debate.
INTERNISTA adj. y s. Díc. del médico que se dedica especialmente al estudio y tratamiento de enfermedades que afectan a los órganos internos.
INTERNO, NA adj. Interior. • adj. y s. Díc. del alumno que vive en un establecimiento de enseñanza. • Díc. del recluido en un establecimiento especial. • Díc. del alumno de Medicina que presta servicios auxiliares en alguna cátedra o clínica.
INTERNODIO m. Espacio entre dos nudos.

Las sondas espaciales, como esta Viking, aportan datos sobre los planetas y el espacio **interplanetario**

INTERNUNCIO m. El que habla por otro. • Cada uno de los que hablan en un coloquio. • Ministro pontificio que hace veces de nuncio.
INTEROCEÁNICO, CA adj. Que pone en comunicación dos océanos. • Que une o participa en la unión de dos o más océanos.
INTEROCEPTOR adj. y m. *Biol.* Díc. de los órganos de los sentidos que suministran la información al cerebro y médula sobre el estado fisiológico de las vísceras.
INTERPAGINAR tr. Interfoliar.
INTERPARLAMENTARIO, RIA adj. Díc. de las comunicaciones y organizaciones que enlazan la actividad internacional entre las representaciones legislativas de diferentes países.
INTERPELAR tr. Recurrir a uno solicitando su protección. • Exigir a uno explicaciones sobre un hecho. • En el régimen parlamentario, usar un diputado o senador de la palabra para iniciar o plantear una discusión ajena a los proyectos de ley y a las proposiciones. ■ INTERPELACIÓN.
INTERPLANETARIO, RIA adj. Díc. del espacio entre planetas. • Díc. del viaje de un planeta a otro.
INTERPOL Acrónimo de la *Organización Internacional de Policía Criminal*, cuyo objetivo es la coordinación policial para la captura de delincuentes, a escala internacional.
INTERPOLACIÓN f. *Mat.* Proceso mediante el cual, conocidos los valores que toma una función en dos puntos *a*, *b*, se determina, con cierto grado de aproximación, el valor que toma en un punto comprendido entre *a* y *b*.
INTERPOLAR tr. Poner una cosa entre otras. • Introducir palabras o frases en obras y escritos ajenos. • *Mat.* Efectuar una interpolación.
INTERPONER tr. Interpolar una cosa entre otras. • tr. y prnl. Poner por intercesor a uno. • tr. *Der.* Formalizar algún recurso legal. ■ INTERPOSICIÓN.
INTERPRENDER tr. Tomar u ocupar por sorpresa una cosa.
INTERPRESA f. *Mil.* Acción súbita e imprevista.
INTERPRETAR tr. Explicar el sentido de una cosa. • Traducir de una lengua a otra. • Comprender y expresar bien o mal el asunto o materia de que se trata. • Representar una obra de teatro o ejecutar una composición musical o un baile con propósito coreográfico. Concebir, ordenar o expresar de un modo personal la realidad. ■ INTERPRETACIÓN; INTERPRETADOR, RA; INTERPRETATIVO, VA.

INTÉRPRETE com. Persona que traduce de una lengua a otra. • Actor que representa un papel. • Músico que interpreta una obra. • adj. y m. *Comp.* Programa que traduce y ejecuta a lenguaje máquina cada una de las instrucciones de un programa escrito en un lenguaje de alto nivel.

INTERREGNO m. Espacio de tiempo en que un Est. no tiene soberano. • P. ext., tiempo durante el cual una cosa se interrumpe. • **Gran i.** Periodo de la historia del imperio germánico comprendido entre la muerte de Federico II (1250) y la elección de Rodolfo de Habsburgo (1273). A causa de la rivalidad entre diversos pretendientes a la elección, el imperio se fragmentó en múltiples estados.

INTERRELACIÓN f. Correspondencia mutua entre personas, cosas o fenómenos.

INTERROGACIÓN f. Pregunta. • Signo ortográfico (¿?) que se pone al principio y fin de palabra o cláusula interrogativa. ■ INTERROGATIVO, VA.

INTERROGANTE adj. Que interroga. • m. Signo de la interrogación. • amb. Pregunta. Tema sobre el que existe duda o que plantea incógnita.

INTERROGAR tr. Preguntar.

INTERROGATORIO m. Procedimiento de instrucción que consiste en preguntar al presunto autor de un delito o infracción. • Serie de preguntas, comúnmente formuladas por escrito. • Papel o documento que las contiene.

INTERRUMPIR tr. Cortar la continuación de una acción en el lugar o en el tiempo. • Atravesarse uno con su palabra mientras otro está hablando. ■ INTERRUPCIÓN.

INTERRUPTO, TA adj. Interrumpido. • *Fon.* Díc. de las consonantes oclusivas y africadas.

INTERRUPTOR, RA adj. Que interrumpe. • adj. y m. *El.* y *Electr.* Díc. de un elemento, básico en cualquier circuito, que se utiliza para abrir o cerrar el paso a la corriente eléctrica.

INTERSECARSE rec. *Geom.* Cortarse dos línas superficies entre sí.

INTERSECCIÓN f. *Geom.* Encuentro de dos líneas, dos superficies o dos sólidos que recíprocamente se cortan, y punto, línea o superficie que resulte de dicho encuentro. • **de conjuntos.** *Mat.* Operación mediante la cual de dos o más conjuntos se forma otro, cuyos elementos son los comunes a los primeros. Se suele simbolizar mediante el signo ∩. • *Mat.* Este mismo conjunto resultante.

INTERSEXO adj. y m. *Biol.* Díc. del individuo que presenta una proporción entre cromosomas sexuales y autosomas intermedia entre las proporciones típicas de los machos y de las hembras.

INTERSEXUALIDAD f. Presencia de caracteres sexuales intermedios entre los masculinos y femeninos en un mismo individuo.

INTERSIDERAL adj. Interestelar.

INTERSTICIAL adj. Díc. de lo que ocupa los intersticios que existen en un cuerpo.

INTERSTICIO m. Espacio pequeño que media entre dos cuerpos o entre dos partes de un mismo cuerpo. • Intervalo de lugar o tiempo.

INTERSUBJETIVISMO m. *Fil.* Teoría que explica cómo lo subjetivo o el conocimiento poseído por sujetos es conocimiento también válidamente objetivo. Interesó, entre otros, a Descartes, Berkeley, Kant, Husserl, etc.

INTERTIDAL adj. Díc. de la zona costera y de los organismos que viven en ella, que están afectados por las oscilaciones de la marea.

INTERTÓNICA adj. y f. Díc. de la vocal protónica no final.

INTERTRIGO m. *Med.* Inflamación eritematosa producida por el roce de dos superficies cutáneas, acompañada de picazón y secreción.

INTERTROPICAL adj. Relativo a los países sit. entre los dos trópicos, y a sus habitantes.

INTERURBANO, NA adj. Díc. de las relaciones y servicios de comunicación existentes entre dos ciudades.

INTERVALO m. Distancia entre dos puntos o tiempo entre dos períodos. • Conjunto de los valores que toman una magnitud entre dos límites dados. • *Mús.* Diferencia de tono entre los sonidos de dos notas.

INTERVENCIÓN f. Oficina del interventor. • Acción de inmiscuirse en los asuntos de un Estado por parte de otro u otros. • *Cir.* Operación.

INTERVENCIONISMO m. Injerencia de un Estado en los asuntos internos de otro. • Práctica sistemática de la intervención en el extranjero. • *Econ.* Intervención estatal en la actividad económica. ■ INTERVENCIONISTA.

INTERVENIR intr. Tomar parte en un asunto. • Interponer uno su autoridad. • Mediar o interponerse entre dos o más que riñen. • Sobrevenir, acontecer. • tr. Examinar, fiscalizar las cuentas o la administración de una cosa. • *Cir.* Realizar una operación.

INTERVENTOR, RA adj. y s. Que interviene. • m. Empleado que autoriza y fiscaliza ciertas operaciones a fin de que se hagan con legalidad.

INTERVERSIÓN f. *Gram.* Fenómeno por el que una palabra pasa al gén. contrario. • *Fon.* Metátesis.

INTERVERTEBRAL adj. Que está situado entre dos vértebras.

INTERVIÚ f. Anglicismo por entrevista.

INTERVIUAR tr. Celebrar una interviú.

INTERVOCÁLICO, CA adj. Díc. de la consonante que se halla entre letras vocales.

INTERYACENTE adj. Que yace en medio o entre cosas yacentes.

INTESTADO, DA adj. y s. *Der.* Que muere sin hacer testamento válido. • m. *Der.* Caudal sucesorio acerca del cual no existen o no rigen disposiciones testamentarias.

INTESTAR intr. Encajar una cosa en otra y estar en contacto con ella, entestar.

INTESTINAL adj. Relativo a los intestinos.

INTESTINO m. *Anat.* Víscera tubular del aparato digestivo situada en la cavidad abdominal, que se prolonga desde el estómago hasta el ano.

* *Anat.* En el i. se consideran dos tramos separados por la válvula ileocecal: el i. delgado, formado por el duodeno, yeyuno e íleon, y el i. grueso, formado por el ciego, el colon, el asa sigmoidea y el recto. En el i. se procesa parte de la digestión y toda la absorción, y es vía de eliminación de residuos. Está revestido por una mucosa rica en glándulas que segregan el jugo intestinal. El producto de la digestión es absorbido por las vellosidades intestinales, pasando a la sangre y a la linfa. El i. posee movimientos rítmicos que facilitan la digestión y provocan la evolución de su contenido hasta su expulsión en forma de heces.

INTI m. Unidad monetaria de Perú.

INTI En la religión inca, el Sol, hijo del dios creador Pachacamac o Viracocha, progenitor de los Incas, y hermano de Quilla.

INTIBUCÁ Dpto. del S de Honduras, limítrofe con El Salvador; 3 072 km², 119 921 hab. Cap., La Esperanza. Relieve montañoso. El río Lempa forma la frontera internacional, al SO. Clima suave. Agricultura (cereales, café, caña de azúcar, plátanos) y ganadería.

INTIFADA (voz ár.) f. Levantamiento nacionalista de los palestinos de Gaza y Cisjordania iniciado en 1987 contra la ocupación israelí.

INTIMAR tr. Notificar, hacer saber una cosa, especialmente con autoridad o fuerza para ser obedecido. • intr. y prnl. fig. Introducirse en el afecto o ánimo de uno. ■ INTIMA; INTIMACIÓN.

INTIMATORIO, RIA adj. *Der.* Aplícase a las cartas, despachos o letras con que se intima un decreto u orden.

INTIMIDAD f. Amistad íntima. • Carácter de lo que es íntimo.

INTIMIDAR tr. y prnl. Causar o infundir miedo. ■ INTIMIDACIÓN.

INTIMISMO m. Tendencia artística que muestra predilección por temas de la vida familiar o íntima. • Carácter de las obras artísticas de los intimistas. ■ INTIMISTA.

ÍNTIMO, MA adj. Más interior o interno. • Aplícase a la amistad muy estrecha y al amigo de confianza. • Se aplica al lugar acogedor y tranquilo.

INTITULAR tr. y prnl. Titular, poner o dar título.

INTOCABLE adj. y s. Intangible, que no se puede tocar. • *Soc.* Díc. del individuo de ciertas castas inferiores de la India. Su marginación se debe a que sus ocupaciones (agricultores, artesanos, etc.) son consideradas despreciables.

INTOLERABLE adj. Que no se puede tolerar.

INTOLERANCIA f. Actitud cerrada y violenta frente a los que expresan opiniones o creencias diferentes. • Incapacidad para soportar ciertos medicamentos, alimentos, etc. ■ INTOLERANTE.

Interpretación teatral. Arriba, escena de la obra china *El rey mono;* abajo, representación de *Madre Coraje* de B. Brecht

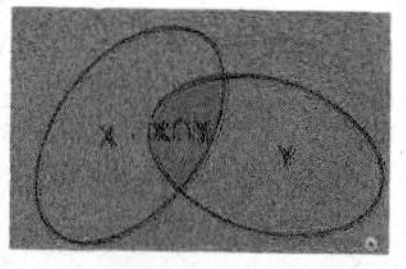

Representación gráfica de la **intersección de conjuntos**

Intradoses decorados del Panteón de los Reyes de San Isidoro de León (España)

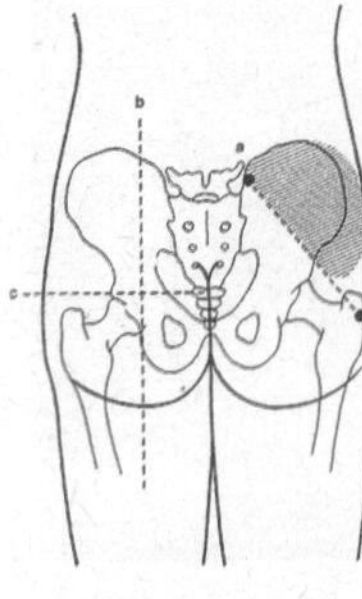
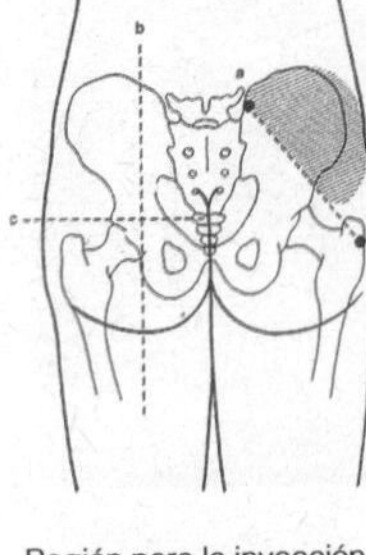
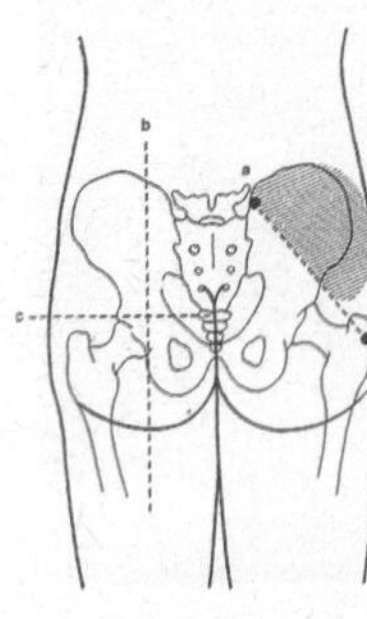

Región para la inyección **intramuscular,** situada sobre la línea *a* o en el cuadrante superoexterno de la nalga, señalado por las líneas punteadas *b* y *c*

Invernadero

INTONSO, SA adj. Que no tiene cortado el pelo. • adj. y s. fig. Ignorante, inculto.
INTOXICACIÓN f. *Pat.* Estado producido por la introducción o por la acumulación en el organismo de sustancias tóxicas.
INTOXICAR tr. y prnl. Inficionar con sustancias tóxicas, envenenar. • fig. y fam. Abusar o hacer un uso excesivo de algo.
INTRABÉTICA, ***depresión*** Gran valle longitudinal del S de España (Andalucía), de unos 600 m de alt. media, que se extiende entre las serranías Subbéticas, al N, y la cordillera Penibética, al S.
INTRACELULAR adj. Que está situado u ocurre dentro de una célula o células.
INTRADÓS m. *Arq.* Superficie interior y cóncava de un arco o bóveda. • *Arq.* Cara de una dovela, que corresponde a esta superficie.
INTRAHISTORIA f. Voz introducida por Unamuno para designar la vida tradicional que sirve de fondo permanente a la historia cambiante y visible.
INTRAMUROS adv. lugar. Dentro de una ciudad, villa o lugar.
INTRAMUSCULAR adj. Que está o se pone dentro de una masa muscular. Se aplica especialmente a ciertas inyecciones.
INTRANQUILIDAD f. Falta de tranquilidad; inquietud. ▪ INTRANQUILIZAR; INTRANQUILO, LA.
INTRANSIGENCIA f. Condición del que no transige con lo que es contrario a sus gustos, hábitos, ideas, etc. ▪ INTRANSIGENTE.
INTRANSITABLE adj. Aplícase al lugar o sitio por donde no se puede transitar.
INTRANSITIVO adj. *Gram.* Díc. del verbo que no tiene complemento directo.
INTRASCENDENTE adj. No trascendente; de poca importancia. ▪ INTRASCENDENCIA; INTRASCENDENTAL.
INTRATABLE adj. No tratable ni manejable. • fig. Insociable, de mal carácter. ▪ INTRATABILIDAD.
INTRAUTERINO, NA adj. Que está situado u ocurre dentro del útero.
INTRAVENOSO, SA adj. Díc. de lo que está o se pone dentro de una vena. Se aplica especialmente a ciertas inyecciones.
INTREPIDEZ f. Arrojo, valor en los peligros. • fig. Osadía o falta de reflexión. ▪ INTRÉPIDO, DA.
INTRIGA f. Acción que se ejecuta con astucia y ocultamente para conseguir un fin. • Enredo, embrollo. • Curiosidad que despierta algo en alguien. ▪ INTRIGANTE; INTRIGAR.
INTRINCAR tr. y prnl. Enredar o enmarañar una cosa. • fig. Confundir los pensamientos o conceptos. ▪ INTRINCADO, DA.
INTRÍNGULIS m. fam. Intención disimulada que se entrevé o supone en una persona o acción. • Dificultad o complicación.
INTRÍNSECO, CA adj. Íntimo, esencial. • *Geom.* Aplícase a las propiedades de un ente geométrico que no dependen del sistema de referencia adoptado • **Valor i.** de una cosa. El que tiene de por sí.
INTRINSIQUEZA f. Intimidad de uno o de una familia.
INTRODUCCIÓN f. Exordio o preámbulo de un libro o discurso. • *Mús.* Parte inicial de una obra instrumental. • *Mús.* Sinfonía, pieza musical que precede a las óperas y otras obras teatrales.
INTRODUCIR tr. y prnl. Dar entrada a una persona en un lugar. • fig. Granjear a uno el trato, la amistad, etc., de otra persona. • tr. Meter una cosa en otra. • fig. Hacer adoptar, poner en uso. • prnl. fig. Meterse uno en lo que no le toca. ▪ INTRODUCTOR, RA.
INTROITO m. Principio de un escrito o de una oración. • Lo primero que dice el sacerdote en el altar al dar principio a la misa.
INTROSPECCIÓN f. Método de observación de los estados de conciencia de un sujeto, por él mismo. ▪ INTROSPECTIVO, VA.
INTROVERSIÓN f. *Psic.* Actitud por la que se presta mayor importancia a la vida interior que a la realidad externa. ▪ INTROVERSO, SA; INTROVERTIDO, DA.
INTROYECCIÓN f. *Psic.* Mecanismo inconsciente de incorporación imaginaria de un objeto o de una persona.
INTRUSARSE prnl. Apropiarse, sin razón ni derecho, un cargo, una autoridad, una jurisdicción, etc.
INTRUSIÓN f. Acción de introducirse sin derecho en un sitio. • *Geol.* Mecanismo de alojamiento de los magmas en el interior de la corteza terrestre. ▪ INTRUSIVO, VA.
INTRUSISMO m. Ejercicio de una actividad, especialmente profesional, sin capacidad legal para ello.
INTRUSO, SA adj. Que se ha introducido sin derecho. • adj. y s. Detentador de alguna cosa alcanzada por intrusión. •adj. Que alterna con personas de condición superior a la suya.
INTUBAR tr. *Med.* Introducir una cánula o sonda en un conducto o cavidad. ▪ INTUBACIÓN.
INTUICIÓN f. *Fil.* Modo de conocimiento en que el objeto es captado por el entendimiento sin necesidad de razonamiento. • fam. Facilidad de conocer las cosas a primer a vista o de darse cuenta de ellas cuando aún no son patentes para todos. • *Teol.* Visión beatífica.
INTUICIONISMO m. *Fil.* Doctrina que admite la intuición como forma de conocimiento.
INTUIR tr. Percibir clara e instantáneamente una idea sin el proceso del razonamiento.
INTUITIVO, VA adj. Relativo a la intuición. •Díc. de la persona en la que predomina la intuición sobre el razonamiento.
INTUITO m. Vista, ojeada o mirada.
INTUMESCENCIA f. Hinchazón, aumento del volumen de algunas cosas. ▪ INTUMESCENTE.
INTUSUSCEPCIÓN f. *Biol.* Forma de crecimiento de los seres vivos producido por el depósito, dentro de su masa, de nuevos elementos.
INULTO, A adj. poét. No vengado o castigado.
INUNDAR tr. y prnl. Cubrir el agua u otro líquido un lugar al desbordarse del cauce o continente en que está. • fig. Llenar con exceso. • tr. *Mar.* Llenar de agua un tanque, compartimento o buque. ▪ INUNDACIÓN.
INURBANIDAD f. Falta de urbanidad; desatención, descortesía. ▪ INURBANO, NA.
INURRIA, ***Mateo*** (1869-1924) Escultor esp., andaluz. Monumentos públicos (*El Gran Capitán*, Córdoba) e imaginería religiosa. Sus obras más interesantes son los desnudos femeninos.
INUSITADO, TA adj. No usado. Poco frecuente o habitual.
INUSUAL adj. No usual.
INÚTIL adj. No útil. •adj. y s. Persona incapacitada para trabajar o moverse por algún impedimento físico. ▪ INUTILIDAD.
INUTILIZAR tr. y prnl. Hacer inútil o nula una cosa.
INVADIR tr. Entrar por fuerza en una parte. • fig. Entrar injustificadamente en funciones ajenas. • fig. Apoderarse de alguien un estado de ánimo dominándolo por entero.
INVAGINACIÓN f. *Biol.* Proceso embrionario que ocurre en el estadio de blástula. Consiste en el hundimiento de uno de sus polos hasta tocar la pared interna del polo opuesto.
INVAGINAR tr. Doblar los bordes de la boca de un tubo o de una vejiga, haciendo que se introduzcan en el interior del mismo.

INVALIDAR tr. Hacer inválida, nula o de ningún valor y efecto una cosa. ■ INVALIDACIÓN.
INVÁLIDO, DA adj. y s. Que no tiene fuerza ni vigor. • adj. fig. Nulo. • fig. Falto de vigor en el entendimiento. • adj. y s. Díc. de la persona que adolece de un defecto físico o mental que le impide o dificulta alguna de sus actividades. ■ INVALIDEZ.
INVALUABLE adj. Que no puede ser valuado como le corresponde, inestimable.
INVAR m. *Metal.* Aleación formada por acero (64 %) y níquel (36 %). Por su pequeño coeficiente de dilatación, se utiliza en la construcción de instrumentos de precisión.
INVARIABILIDAD f. Calidad de invariable.
INVARIABLE adj. Que no padece o no puede padecer variación.
INVARIANTE adj. Que no varía. • adj. y s. Díc. de los entes y magnitudes físicas, químicas o matemáticas que se conservan después de un conjunto de transformaciones. ■ INVARIACIÓN.
INVASIÓN f. *Med.* Difusión rápida de microbios patógenos en un organismo. • Irrupción de una fuerza militar en un país. • P. ext., ocupación general de un lugar.
INVASOR, RA adj. y s. Que invade.
INVECTIVA f. Discurso o escrito acre y violento contra personas o cosas.
INVENCIBLE adj. Que no puede ser vencido.
INVENCIÓN f. Cosa inventada. • Hallazgo. • Engaño, ficción. • *Mús.* Composición de estilo contrapuntístico a dos o tres voces para piano.
INVENTAR tr. Hallar o descubrir una cosa nueva o no conocida. • tr. y prnl. Hallar, imaginar, crear. • tr. Contar hechos falsos. ■ INVENCIONERO, RA; INVENTIVO, VA; INVENTO; INVENTOR, RA.
INVENTARIO m. Relación de los bienes muebles casa. • *Cont.* Relación estimativa de los bienes y derechos que posee una empresa en un momento dado, y de las sumas que debe. • *Cont.* Documento en que se expresan dichas relaciones. ■ INVENTARIAR.
INVERECUNDIA f. Desvergüenza, desfachatez.
INVERNÁCULO m. Lugar abrigado artificialmente para defender las plantas del frío.
INVERNADA f. Estación de invierno. • *Amér.* Tiempo del engorde del ganado y campo destinado para dicho engorde. • *Ven.* Aguacero. • *Amér.* Invernadero. ■ *Perú.* INVERNA.
INVERNADERO m. Sitio a propósito para pasar el invierno, y destinado a este fin. • Paraje destinado para que pasten los ganados en dicha estación. • Lugar protegido donde se cultivan plantas en condiciones ambientales adecuadas. • **efecto i.** Calentamiento de la Tierra y de la capa adyacente a la atmósfera, al actuar el dióxido de carbono a modo de filtro que impide el escape de calor hacia las capas atmosféricas exteriores.
INVERNAL adj. Relativo al invierno. • m. Establo en los invernaderos, para guarecerse el ganado.
INVERNAR intr. Pasar el invierno en una parte. • Ser tiempo de invierno. • *Argent.* Pastar el ganado en invernadas.
INVERNAZO aum. de invierno. • m. *P. Rico* y *R. Dom.* Periodo de lluvias, de julio a septiembre. • *P. Rico.* Periodo de inactividad en los ingenios de azúcar.
INVERNIZO, ZA adj. Relativo al invierno o que tiene sus propiedades.
INVEROSÍMIL adj. Que no tiene apariencia de verdad. ■ INVEROSIMILITUD.
INVERSIBLE adj. Que se puede invertir. • *Mat.* Díc. de los elementos de una estructura que poseen inverso.
INVERSIÓN f. Homosexualidad. • Cambio en el orden regular de una frase o en el signicado de los conceptos. • *Econ.* Empleo de capital en la producción general de bienes o en el aumento de la reserva de bienes productivos. • *Fot.* Proceso que permite obtener directamente una imagen positiva sobre la capa fotosensible impresionada. • *Mat.* Transformación que a cada punto P del plano le hace corresponder un punto P' tal que OP·OP' = k, siendo O y *k* el centro y la razón de la i., respectivamente. Se cumple, además, que P es distinto de O. • **térmica.** *Meteor.* Fenómeno climático consistente en el enfriamiento por irradiación durante la noche y el recalentamiento durante el día de las capas de aire que están en contacto con el suelo en una depresión o en el fondo de un valle.
* *Econ.* La *i.* puede ser privada, es decir, de las empresas o los particulares, y pública o del Estado. En macroeconomía se distingue la *i. global* o *bruta*, suma de las *i. particulares*, y la *i. neta*, o aumento de los bienes de capital existentes. *I. personal privada* es, pues, la compra de bienes duraderos que producen una renta monetaria, mientras que *i. empresarial privada* es cualquier gasto efectuado en el mantenimiento de la empresa, a condición de obtener un excedente. La colocación productiva de bienes de capital en un Estado por parte de las empresas, los particulares o el gobierno de otro, es la *i. extranjera*. *I. internacional* es el movimiento de capital entre instituciones internacionales especializadas. La *i. social* la constituyen las i. que el Estado realiza en el campo de los servicios sociales.
INVERSO, SA adj. Alterado, trastornado. • **de un elemento.** *Mat.* Es otro elemento que operado con aquél da el elemento neutro. • **A,** o **por, la inversa.** m. adv. Al contrario.
INVERSOR, RA adj. Que invierte. • adj. y m. *Mec.* apl. Díc. del mecanismo que permite cambiar el sentido de giro de un árbol de motor. • *El.* Díc. del circuito que transforma la corriente continua en alterna. ■ INVERSIONISTA.
INVERTEBRADO adj. y m. *Zool.* Díc. del animal que carece de vértebras.
INVERTIBLE adj. Que se puede invertir. • *Mat.* Inversible.
INVERTIDO, DA adj. y s. Homosexual.
INVERTIR tr. y prnl. Cambiar el orden, la dirección o la disposición de algo por su contrario. • tr. Emplear dinero en aplicaciones productivas. • Ocupar o emplear el tiempo en hacer algo.
INVESTIDURA f. *Hist.* En el feudalismo, acto por el que un señor concedía una tierra, un oficio o un cargo, a un vasallo. • Carácter que se obtiene con la toma de posesión de ciertos cargos. • Voto parlamentario para designar presidente del Consejo. • **Guerra o querella de las I.** Conflicto entre el papado y el Sacro Imperio por el nombramiento de obispos y abades.
INVESTIGAR tr. Hacer diligencias para descubrir una cosa. • Estudiar o trabajar para hacer descubrimientos científicos. ■ INVESTIGACIÓN; INVESTIGADOR, RA.
INVESTIR tr. Conferir una dignidad o cargo importante.
INVETERADO, DA adj. Antiguo, arraigado.
INVETERARSE prnl. Envejecer, anticuarse.
INVICTO, TA adj. No vencido.
INVIDENCIA f. Falta de visión. • Envidia. ■ INVIDENTE.
ÍNVIDO, DA adj. Que tiene envidia, persona envidiosa.
INVIERNO m. Estación que sigue al otoño y precede a la primavera, y dura desde el 22 de diciembre al 21 de marzo en el hemisferio norte, y desde el 22 de junio al 22 de septiembre en el hemisferio sur. Es la estación más fría del año. • En el ecuador, temporada de lluvias que dura aproximadamente unos seis meses.
INVIGILAR intr. Cuidar solícitamente de una cosa.
INVIOLABILIDAD f. Calidad de inviolable. • Protección especial que poseen ciertas personas (embajadores, diplomáticos, etc.), así como sus bienes. • **parlamentaria.** Prerrogativa de los senadores y diputados que les exime de responsabilidad por las manifestaciones que hagan y los votos que emitan en el respectivo cuerpo colegislador. ■ INVIOLABLE.
INVIOLADO, DA adj. Que se conserva en toda su integridad y pureza.
INVISIBLE adj. Incapaz de ser visto. • fam. Se aplica a cosas demasiado pequeñas. ■ INVISIBILIDAD.
INVITACIÓN f. Cédula o tarjeta con que se invita.
INVITAR tr. Llamar a uno para un convite o para asistir a algún acto. • Incitar, estimular. • Intimar, decir a alguien de forma conminatoria que haga algo. ■ INVITADO, DA.
INVOCACIÓN f. *Lit.* Parte del poema en que el poeta invoca a una musa o divinidad.
INVOCAR tr. Pedir auxilio o ayuda a alguien. • Acogerse a una ley, costumbre o razón; exponerla, alegarla. ■ INVOCADOR, RA; INVOCATORIO, RIA.
INVOLUCIÓN f. *Biol.* Proceso de regresión o desaparición de un órgano, tejido o estructura. • P.

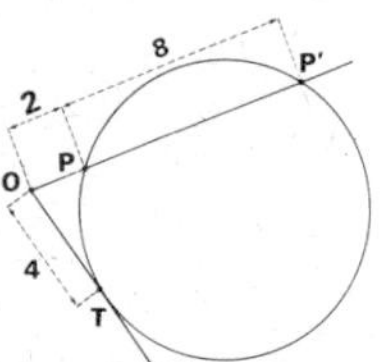

En la **inversión** de centro 0 y potencia 16, el inverso del punto P es P', y el de T es el mismo

Ceremonia de **investidura** feudal. Miniatura del *Liber Feudorum Ceritaniae* s. XII. Archivo de la Corona de Aragón, Barcelona (España)

Microscopio electrónico, instrumento fundamental para la **investigación** en biología

ext., cambio retrógrado o proceso regresivo de otra índole. • *Mat.* Aplicación que, compuesta consigo misma, da lugar a la aplicación idéntica.
INVOLUCRAR tr. Incluir o mezclar en los discursos o escritos cuestiones o asuntos extraños al objeto de aquéllos.
INVOLUCRO m. *Bot.* Verticilo de brácteas, situado en el arranque del conjunto de varias flores agrupadas, como en la zanahoria.
INVOLUNTARIO, RIA adj. No voluntario. • Que se efectúa fuera del control de la voluntad. ■ INVOLUNTARIEDAD.
INVULNERABLE adj. Que no puede ser herido. ■ INVULNERABILIDAD.
INYECCIÓN f. Líquido inyectado. • *Mat.* Aplicación inyectiva. • *Med.* Introducción en los tejidos orgánicos de un líquido a presión, mediante una jeringa. • Introducción, a presión, de combustible en una masa de aire, de modo que se forme una mezcla capaz de ser quemada en la cámara de combustión de un motor. • Fluido inyectado.
INYECTABLE adj. y m. Díc. de la sustancia o medicamento preparados para usarlos en inyecciones.
INYECTADO, DA adj. Díc. de los vasos, en especial arterias, henchidos por una afluencia intensa de sangre. pl. Se aplica pralm. a los ojos encarnizados.
INYECTAR tr. Introducir a presión un fluido en un cuerpo o en una cavidad. ■ INYECTOR, RA.
INYECTIVO, VA adj. *Mat.* Díc. de una aplicación de un conjunto *A* en otro *B* que a elementos distintos de *A* hace corresponder elementos distintos de *B*; esto es, no existen dos elementos de *A* con la misma imagen en *B*.
INZAURRAGA, *Alejandro* (1882-1956) Compositor arg. Obras para piano (*Son en fa mayor*) y líricas (*El patito feo*).
ÍÑIGO Arista (hacia 770-852) Jefe vascón, primer rey de Pamplona.
IÑIQUE, Dalia (nacida 1911) Actriz y escritora cub.: *Ofrenda al hijo soñado*, *Itinerario de ausencia*. Entre sus filmes destaca *La vorágine*.
IÑIGUISTA adj. y m. Jesuita.
IODO m. Yodo.
ION m. *Quím.* Átomo o grupo de átomos que ha perdido o adquirido uno o más electrones y, por tanto, posee una o más cargas elementales, positivas o negativas.
IONESCO, *Eugène* (1912-1994) Dramaturgo rum. en lengua fr. Representante del teatro del absurdo. Escribió: *La cantante calva*, *Rinoceronte* y *El rey se muere*.
IÓNICO, CA adj. Relativo a los iones. • *Quím.* Díc. de un determinado tipo de enlace.
IONIZACIÓN f. Fenómeno por el que los átomos, o grupos de átomos, se transforman en iones. ■ IONIZAR.
IONOPLASTIA f. *Metal.* Proceso empleado para revestir la superficie de un objeto con una fina capa metálica.
IONOSCOPIO m. Dispositivo utilizado en televisión como tubo captador de imágenes.
IONOSFERA f. Capa de la atmósfera sit. entre los 80 y 400 km cuyos componentes se hallan ionizados debido a la acción de los rayos ultravioletas, que son parcialmente absorbidos. La reflexión de las ondas hertzianas en la i. se utiliza en las transmisiones radiofónicas.
IORGA, *Nicolaie* (1871-1940) Político, poeta y dramaturgo rum. Autor de *Un combate literario*. Murió asesinado.
IOTA f. Novena letra del alfabeto gr., que corresponde a la *i* del español.
IOTIZACIÓN f. Conversión de una *e* inacentuada en *i* semiconsonante o s emivocal, al agruparse en una misma sílaba con otra vocal, de la que antes estaba separada por hiato.
IOWA Est. de los EE UU, sit. en las Grandes Llanuras, entre el Misisipí y el Misuri; 145 753 km², 2 777 000 hab. Cap., Des Moines. Relieve ondulado. Clima continental. Cereales; ganadería; ind. mecánica, conservera.
IPARRAGUIRRE, *José Mª de* (1820-1881) Músico y poeta esp. en lengua vasca, autor del himno vasco *Gernikako arbola*.
IPECACUANA f. *Bot.* Planta rubiácea de *Amér. Merid.*, cuya raíz tiene propiedades eméticas, tónicas, purgantes y sudoríficas. • Droga extraída de raíz de esta planta.
IPEL (húngaro, *Ipoly*) Río de Eslovaquia y Hu gría, afl. del Danubio; 200 km.
IPERITA f. Líquido cuyos vapores destruyen l bronquios y lesionan la piel, empleado en la guer de 1914-1918 con el nombre de gas mostaza.
IPIALES C. de Colombia, en el dpto. de Nariñ 30 900 hab. Sit. en el altiplano de Túquerres-Ipial Cereales, fruta, café y algodón. Ganado vacuno. In alimentaria.
IPIL m. Árbol leguminoso de Filipinas, de mad ra dura e incorruptible, muy apreciada para la f bricación de muebles.
IPOH C. de Malasia, en la península de Malac cap. del estado de Perak; 300 700 hab. Pral. cent minero del estaño.
ÍPSILON f. Vigésima letra del alfabeto gr., q corresponde a la que en castellano se llama *i gri ga* o *ye*.
IPSO FACTO loc. latina. Inmediatamente, en acto; por el mismo hecho.
IPSO JURE loc. latina. *Der.* Por ministerio de ley.
IPSWICH C. de Gran Bretaña, cap. del condac del East Suffolk; 120 400 hab. Ind. mecánicas, qu micas y alimentarias.
IPUCHE, *Pedro Leandro* (1889-1976) Escrit ur. *Engarces*, *Alas nuevas*, *Júbilo y miedo*.
IQUIQUE C. de Chile, cap. de la región de T rapacá; 144 600 hab. Puerto imp. del Pacífic Centro pesquero. Ind. alimentarias; astilleros; r finerías de petróleo.
IQUITOS C. del Perú, cap. del dpto. de Loreto, orillas del Amazonas, en la confluencia de los rí Itaya y Nanay; 274 759 hab. Ind. textil; refinerí de petróleo.
IR intr. y prnl. Moverse de un lugar hacia otro. intr. Venir, acomodarse una cosa con otra. • Camin de acá para allá. • Extenderse una cosa de un pu to a otro. • Obrar, proceder. • Apostar. • Con un g rundio, efectuarse la acción del verbo. • Con el p. de los tr., significa padecer su acción, y con el c los reflexivos, ejecutarla. • Con la prep. *a* y un i finitivo, significa disponerse para la acción del ve bo con que se junta. • Con la prep. *con*, tener lo qu el nombre significa. • Con la prep. *contra*, pers guir, y también sentir y pensar lo contrario de lo qu significa el nombre a que se aplica. • Con la pre *en*, importar, interesar. • Con la prep. *por*, segu una carrera. • Con la misma prep., ir a traer una c sa. • prnl. Estarse muriendo. • Deslizarse, perder equilibrio. • Gastarse, consumirse una cosa. Ventosear o hacer uno sus necesidades involunta riamente. • **¡Vaya!** interj. fam. que se emplea pa expresar leve enfado, para denotar aprobación o p ra excitar o contener. • **Vete a saber,** o **vaya uste a saber.** fr. con que se indica que una cosa es dif cil de averiguar.
Ir *Quím.* Símb. del iridio.
IRA f. Enfado muy violento, en que se pierde dominio sobre sí mismo y se cometen violencias d palabra o de obra.
IRA Siglas del *Irish Republican Army* (Ejércit Republicano Irlandés). Organización paramilitar ir que luchó por la independencia de su país y que ap ya a los católicos del Ulster. En 1969 se escindi en una rama ultranacionalista (Provisional) y otr marxista (Oficial).
IRACA f. *Amér.* Palma para tejer sombreros.
IRACUNDIA f. Propensión a la ira. • Cólera enojo. ■ IRACUNDO, DA.
IRADIER, *Manuel* (1854-1911) Explorador es Sus expediciones por el golfo de Guinea (1876, 187 y 1884) condujeron a la incorporación de los terri torios del Muni a España.
IRAK (*al-Jumhuriya al-Iraqia*) Estado del Asi occidental, rep., limitado por Turquía, Irán, Kuwai Arabia Saudita, Jordania, Siria y bañado por el gol fo Pérsico. El Tigris y el Éufrates, que forman Chat-el Arab, avenan la llanura de Mesopotamia La zona N y NE es montañosa, y al O y SO hay alti planicies áridas. Clima cálido. Produce trigo, arroz cebada, tabaco, algodón, semillas oleaginosas, dá tiles; petróleo, gas natural; ind. textil, tabaquera y azúcar; ganadería. Grupos étnicos o nacionales: ár. kurdos, turcos, asirios e iraníes. Lenguas: ár. (of.)

Mapa de situación y bandera de **Irak**

Irak. Mezquita de Kadhimain, en Bagdad

kurdo. *Rel.*: islamismo (98 %), cristianismo, yazidismo, judaísmo. U. M.: dinar.

* *Hist.* En la región mesopotámica florecieron las civilizaciones sumeria, babilónica y asiria. Dominada por los persas, por Alejandro Magno y por los árabes, y finalmente por lo otomanos. Gran Bretaña ocupó I. en 1914 e impuso la monarquía (1921) en la persona de Faysal ibn Husayn. Alcanzó la total soberanía en 1932. Al año siguiente subió al trono Gazi I (1933-1939), al que siguieron en el poder varios militares y Faysal II (1953-1958). En 1958, I. y Jordania proclamaron la Federación Árabe, y el general Kassen, la rep. La agitación comunista, la del movimiento Baas y la de los kurdos provocaron un nuevo levantamiento militar en 1963. La situación en el Kurdistán se agravó progresivamente hasta desembocar en una guerra abierta en 1974, que fue sofocada gracias a un acuerdo con Irán. Saddam Hussein, para proporcionar a I. la hegemonía en el golfo Pérsico y evitar una revolución chiíta, emprendió una guerra con Irán en 1980, que terminó sin vencedor en 1988. En agosto de 1990 I. invadió Kuwait y en 1991 estalló la Guerra del Golfo, que enfrentó a I. con una fuerza internacional bajo la bandera de la ONU y el liderazgo de EE UU. A pesar de la derrota, Hussein se mantuvo en el poder, generando nuevos conflictos en años posteriores (bombardeos estadoun. sobre I. en 1998 y 1999).

IRAK

Superficie 434 128 km²

Población 22 219 000 hab. (51 hab./km²)

Recursos económicos	
Azufre	600 000 t
Búfalos	105 000 cabezas
Cabaña caprina	1 100 000 cabezas
Cabaña ovina	6 320 000 cabezas
Camellos	16 000 cabezas
Cemento	2 453 000 t
Dátiles	600 000 t
Energía eléctrica	27 060 millones de kwh
Fertilizantes	450 000 t
Gas natural	3 425 000 000 m³
Petróleo	36 666 000 t
Trigo	1 320 000 t
Indicadores sociológicos	
PNB	41 288 millones de dólares
Renta per cápita	2000 dólares
Esperanza de vida	59 años
Alfabetismo	58 %

Irak. Paisaje del valle del Tigris, cerca de Amara

IRÁKLION C. y puerto de Grecia, en el N de la isla de Creta; 102 400 hab. Agricultura e ind. derivadas. Fundada hacia el 825.

IRÁN Gran Meseta elevada de Asia occidental. Comprende Irán, parte de Afganistán y del Beluchistán paquistaní.

IRÁN (*Keshvaré Shahenshahiyé Irán*) Estado del Asia occidental, rep., sit. entre las regiones arábiga e índica. Limita al N con Armenia, Azerbaiján, Turkmenistán y el mar Caspio; el E con Afganistán y Pakistán; al S con los golfos Pérsico y de Omán; y al O y NO con Irak y Turquía. El relieve está formado por dos cordilleras, entre las que se extienden un conjunto de mesetas. Al N, los montes Elburz forman una barrera frente a la costa del mar Caspio. Al S y SO, los Zagros constituyen una serie de galerías calcáreas. El interior del país está formado por la meseta de Irán. Clima árido. Vegetación predominantemente esteparia. Cereales, algodón, tabaco, remolacha azucarera; ganadería ovina (lana); cría del esturión (caviar). La producción petrolífera es la base de la economía. Gas natural, carbón y hierro. Refinerías de petróleo, ind. textil (alfombras). Grupos étnicos o nacionales: persas, turcos, ár., kurdos, zíngaros, armenios. Lenguas: persa (of.), kurdo, turco. *Rel.*: islamismo chiíta (mayoritario). U. M.: el rial.

* *Hist.* El más ant. pueblo de I. es el elamita. H. el s. VII a. C. los medos sometieron a los persas y fundaron el primer imperio iranio. Ciro II unió a ambos pueblos y conquistó Asia Menor, las costas gr. del Egeo y Babilonia. Cambises conquistó Egipto. Con Darío I el imperio llegó a su máxima extensión. Tras la invasión de Alejandro Magno (330 a. C.), Persia pasó a depender del imperio seléucida, al que se opusieron los partos. Los sasánidas se impusieron a los partos y crearon un imperio que iba desde el Éufrates al Indo. El dominio político ár., iniciado en el 634, significó el abandono del mazdeísmo. Los mongoles conquistaron Persia (1220) y fueron desplazados por Tamerlán (1335). Los turcos dominaron el territorio desde 1747 a 1925. Al iniciarse el s. XX, I. estaba controlado económicamente por Gran Bretaña. En 1925 Reza Jan depuso al último sah y subió al trono con el nombre de Sah Reza, y el dinástico de Pahlevi. Favorable a las potencias del Eje durante la II Guerra Mundial, el país fue invadido por tropas brit. y soviéticas en 1941. El sah fue deportado y le sucedió su hijo Mohamed Reza Pahlevi, quien dio a su política un signo occidental. Lo derribó una insurrección popular, alentada por el ayatollah Khomeiny, en 1979. Éste inició un gobierno teocrático, instaurando una república islámica, sobre la base del clero chiita y del partido de la república islámica. Tras sucesivos enfrentamientos entre facciones (Banisadr, 1980-1981) y el atentado contra Rajai (1981), fue elegido presidente Ali Khamenei. La invasión iraquí dio origen a una cruenta guerra entre ambos países (Irán-Irak, guerra). Las relaciones internacionales se deterioraron gravemente, mientras las sangrías humana y económica de la guerra arruinaron el país. En 1989 falleció Khomeiny y fue sustituido por A. Khamenei. Alashemi Rafsanjani se convirtió en presidente ese mismo año. En 1997 M. Jatami ganó las elecciones presidenciales y llevó a cabo una política de apertura hacia Occidente.

IRÁN

Superficie 1 648 196 km²

Población 62 305 000 hab. (37 hab./km²)

Recursos económicos	
Búfalos	440 000 cabezas
Cabaña caballar	255 000 cabezas
Cabaña caprina	25 700 000 cabezas
Cabaña ovina	50 000 000 cabezas
Cebada	3 100 000 t
Cemento	14 906 000 t
Cromo	39 000 t
Energía eléctrica	79 128 millones de kwh
Gas natural	21 990 millones m³
Hierro	2 137 000 t
Hilados de algodón	149 000 t
Petróleo	179 444 000 t
Riqueza forestal	7 491 000 m³
Trigo	11 200 000 t
Indicadores sociológicos	
PNB	303 740 millones de dólares
Renta per cápita	4 700 dólares
Esperanza de vida	67 años
Alfabetismo	72 %

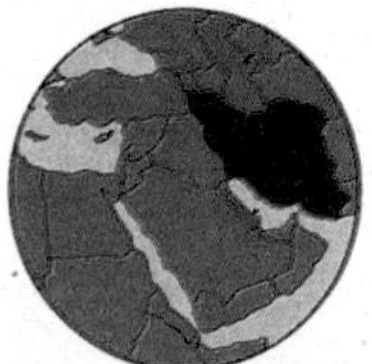

Mapa de situación y bandera de **Irán**

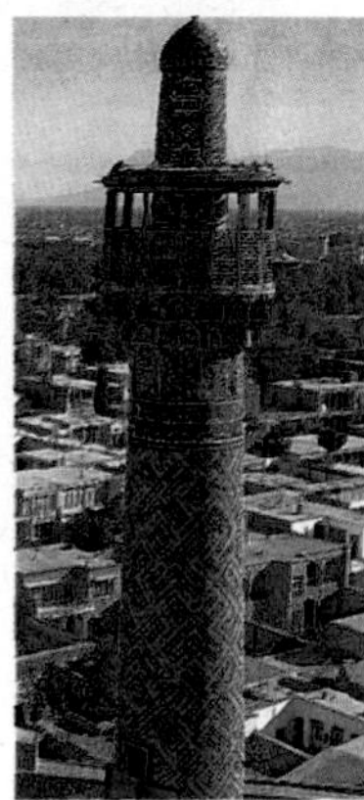

Irán. Arriba, minarete de la mezquita real de Isfahan; abajo, la calle Hafez, en la ciudad de Teherán

IRÁN-IRAK, *Guerra* Conflicto bélico que enfrentó a Irak e Irán entre 1981-1988. Las hostilidades fueron iniciadas por Irak, dispuesto a conseguir la hegemonía en el golfo Pérsico y a evitar la extensión de la revolución chiíta procedente del vecino país. A partir de marzo de 1982, la guerra cambió de signo, y la iniciativa pasó a las fuerzas de Teherán, consolidando el régimen de Khomeiny. El conflicto concluyó sin un vencedor.

IRANÍ adj. De Irán.

IRANIO, NIA adj. Relativo al Irán ant. • adj. y s. Del Irán ant. • Díc. de los ant. pueblos establecidos en la meseta iraní. • *Ling*. Díc. del grupo de lenguas indoeuropeas formado por el persa ant., el avéstico, el medo, el escita y el pelvi.

IRAPUATO C. de México, en el est. de Guanajuato; 136 700 hab. Mercado agropecuario.

IRAQUÍ adj. y s. De Irak.

IRARÁ m. Mamífero mustélido que vive en América Central y del Sur.

IRARRÁZABAL Alcalde, *Ramón Luis* (1809-1856) Político chileno. Vicepresidente de la rep., asumió las funciones de presid. por enfermedad de Bulnes desde septiembre 1844 hasta marzo 1845. • **Larraín, *Manuel José*** (1835-1896) Político y periodista chil. Tras el derrocamiento de Balmaceda formó parte de la junta de gobierno (1891). Fundó los periódicos *El Independiente* y *El Bien Público*.

IRASCIBLE adj. Propenso a irritarse.

IRAWADI o **IRRAWADDY** Río de Myanma; 2 250 km. Nace de la confluencia del Mali y del Nami.

IRAZÚ Volcán más alto de Costa Rica (3 432 m sobre el nivel del mar). Situado en la prov. de Cartago. Gran actividad entre 1963 y 1965.

IRBID C. del N de Jordania, sit. cerca de la frontera siria; 131 200 hab. Mercado agrícola.

IRBIS m. Mamífero carnívoro de la familia félidos. Es de tamaño algo menor que el leopardo y presenta un pelaje más espeso.

Marfil representando a la emperatriz **Irene.** Museo de Barguello, Florencia (Italia)

IRENE (hacia 752-803) Emperatriz de Oriente [797-802]. A la muerte de su esposo, León IV (780), gobernó como regente de su hijo Constantino VI, a quien posteriormente destronó.

IRENEO (s. II) Santo. Originario de Asia Menor, se trasladó a las Galias, donde fue elegido obispo de Lyon. Combatió el gnosticismo en su *Tratado contra las herejías*.

IRENISMO m. Actitud conciliadora sostenida por cristianos de confesiones diferentes en el estudio y la exposición de los problemas que los separan.

IRIÁN Nombre indonesio de Nueva Guinea.

IRIAN Occidental (*Irian Yaya)* Prov. de Indonesia, en la isla de Nueva Guinea; 421 981 km^2, 1 173 900 hab. Cap., Yayapura. Petróleo; palma de coco y cacao.

IRIARTE, *David R.* (nacido 1903) Médico ven. *Estudios de patología tropical*, *Estudios entomológicos y parasitológicos*. • ***Juan de*** (1702-1771) Erudito esp. Inició un *Diccionario latino-español* y compuso un *Catálogo de códices de la Biblioteca Real*. • ***Tomás de*** (1750-1791) Escritor y dramaturgo esp. La traducción del Arte poética, de Horacio, constituye su pral. aportación humanística. La popularidad de I. se debe a sus *Fábulas literarias: El burro flautista*, *La mona*, *Los dos conejos*.

IRIBÚ m. fam. *Argent*. Aura, ave de rapiña.

IRIBARREN, *Juan Guillermo* (1797-1827) Militar y patriota ven. Luchó al lado de Urdaneta, Páez y Bolívar. Miembro de la Orden de Libertadores.

Flor de **iris**

IRIDÁCEO, A adj. y f. *Bot*. Díc. de plantas de la familia iridáceas. • f. pl. *Bot*. Familia de plantas monocotiledóneas, herbáceas, rizomatosas, con tubérculos bulbiformes y frutos en cápsula, a la que pertenecen el azafrán y los gladiolos.

IRIDIADO, DA adj. Díc. del metal aleado con el iridio.

IRIDIO m. *Quím*. Elemento de símb. Ir, n. a. 77 y p. a. 1932. Es un metal blanco amarillento, más resistente a los ácidos que el platino, difícilmente fusible y algo más denso que el oro.

IRIRE m. *Bol*. Calabaza de forma ovoide en que se toma chicha, cuando se la bebe en abundancia.

IRIS m. Arco iris. • *Anat*. Membrana circular, diversamente coloreada, de la parte anterior del ojo, entre la córnea y el cristalino, provista de un orificio en su centro, la pupila, y fibras musculares que actúan como un diafragma. • *Bot*. Planta de jardín, de hojas en forma de espada y flores vistosas.

IRIS, *Esperanza* (1888-1962) Cantante mex. de opereta. Entre sus creaciones destacan *La viuda alegre* y *El conde de Luxemburgo*.

IRISACIÓN f. *Art. Gráf*. Procedimiento para imprimir a varias tintas. • pl. Vislumbre que se produce en las láminas de los metales candentes cuando se pasan por el agua.

IRISAR intr. Presentar un cuerpo reflejos de luz, con algunos o todos los colores del arco iris. • tr. Hacer que un cuerpo descomponga la luz en los colores del arco iris. ■ IRIDISCENTE; IRISADO, DA.

IRISARRI, *Antonio José de* (1786-1868) Escritor y político guat., afincado en Chile. *Las belemíticas*, *Cuestiones de filología*.

IRISH Republican Army → IRA.

IRITIS f. Inflamación del iris del ojo.

IRKUTSK C. de Rusia, junto al lago Baikal; 597 000 hab. Centro económico y administrativo de Siberia central.

IRLANDA f. Cierto tejido de lana y algodón. • Cierta tela fina de lino.

IRLANDA, *mar de* Sector marino comprendido entre las islas de Gran Bretaña e Irlanda.

IRLANDA (gaélico, *Eire*; ing. *Ireland*) Isla del NO de Europa que forma parte del arch. brit., sit. al O de la Gran Bretaña, de la que está separada por el canal de San Jorge, el mar de I. y el canal del Norte; 84 400 km^2. Desde 1922 está dividida políticamente en Rep. de Irlanda, o Eire, y Ulster, dependiente de Gran Bretaña.

* *Geog. fís*. Accidentada por los montes Donegal, Wicklow, Mourne y Mac Gillycuddys Reeks (alt. máx.: Carrantuohill, 1 041 m.). Posee numerosos lagos (Neagh, Erne, Corrib, Derg, Ree, etc.), de los cuales los más imp. son: el Shannon, el Blackwater, el Suir, el Nore, el Barrow y el Bann. Las costas son muy recortadas al O, con fiordos y penínsulas. Clima oceánico.

Irlanda. El Trinity College, en Dublín

* *Hist*. Habitada desde la prehistoria por pueblos pictos que fueron posteriormente sometidos por los celtas (s. V a . C.). Invadida y ocupada por los escandinavos desde el s. VIII al XI. En 1170 los ing. emprendieron la conquista de la isla. A principios del s. XX el movimiento *Sinn Fein*, fundado en 1900, reclamó la indep. En 1921, después de dos años de luchas guerrilleras, se firmó un tratado con Gran Bretaña por el que ésta reconocía la independencia del Estado Libre de I. (Eire) dentro de la Commonwealth, pero mantenía unida a la Corona la parte NE de la isla (Ulster).

* *Arte*. Las primeras manifestaciones artísticas pertenecen al estilo céltico de La Tène. En el s. VII adquiere gran desarrollo la talla de piedra (Cruz de las escrituras). Famosas obras miniadas son el *Libro de Durrow* (s. VII), el *Libro de Lindisfarne* (s. VIII) y, sobre todo, el *Libro de Kells* (s. IX). La catedral de Dublín es la obra más imp. del románico. Del s. XVIII son la Biblioteca Nacional y el Trinity College de Dublín.

IRLANDA

Superficie 70 285 km²

Población 3 644 000 hab. (52 hab./km²)

Recursos económicos	
Avena	128 000 t
Cebada	1 950 000 t
Patatas	620 000 t
Trigo	588 000 t
Ganadería	
Cabaña bovina	6 410 000 cabezas
Cabaña ovina	5 772 000 cabezas
Mantequilla	140 000 t
Riqueza forestal	2 636 000 m³
Pesca	314 072 t
Producción minera	
Carbón	1 000 t
Cinc	194 000 t
Gas natural	2 500 millones de m³
Plomo	46 100 t
Producción industrial	
Acero	325 000 t
Cemento	1 550 000 t
Cerveza	5 236 000 hl
Tejidos de lana	2 100 000 m²
Indicadores sociológicos	
PNB	52 765 millones de dólares
Renta per cápita	14 710 dólares
Esperanza de vida	75 años
Alfabetismo	100 %

IRLANDA O EIRE, *República de (Poblacht Nah' Éireann)* Estado del NO de Europa que ocupa la mayor parte (83,2 %) de la isla hom. República. Lenguas: irlandés, inglés (of.). *Rel.* Catolicismo (95 %), protestantismo, anglicanismo. U. M.: euro. Cap., Dublín. C. prales.: Cork, Limerick.

* *Geog. econ.* Destaca la ganadería (bovina, ovina) y la producción de cereales (avena, cebada, trigo), patatas y remolacha. Modesta producción de carbón, turba, plomo y cinc. Ind. de productos agropecuarios, textil, caucho y química; centrada en Dublín y en Cork, Galway, Kilkenny y Dundalk.

* *Hist.* Creado el Estado Libre de I. (1921), Griffith puso en marcha una política ajena al IRA. Eamon de Valera creó Fianna Fail (1926) y fue elegido primer ministro (1932-1947). En 1949 se proclamó la república, presidida por De Valera de 1959 a 1966. Desde 1979 las relaciones con Gran Bretaña fueron tensas debido al problema del Ulster. En 1985 el primer ministro irl. Garret Fitzgerald y la primera ministra brit. Margareth Thatcher firmaron un acuerdo que reafirmaba la soberanía brit. sobre el Ulster y permitía al gobierno de Dublín tutelar los intereses de la minoría católica. En 1987 los laboristas abandonaron el gobierno de coalición con el Fine Gael. El Fianna Fail venció en las subsiguientes elecciones, convirtiéndose Charles Haughey en primer ministro. En 1990 fue elegida como jefa de Estado Mary Robinson, quien fue relevada en 1997 por Alice Mc. Aleese. Ese mismo año Bertie Ahern del Fianna Fail, venció en las elecciones generales. Los irlandeses ratificaron el acuerdo del Viernes Santo sobre la pacificación de Irlanda del N. con una mayoría aplastante (1998).

IRLANDA DEL NORTE O ULSTER *(Northern Ireland)* País del Reino Unido de Gran Bretaña. Extremo NO de la isla irlandesa; 14 120 km², 1 570 000 hab.

* *Geog. econ.* Al sector agropecuario se une una importante ind. textil y de construcciones navales y aeronáuticas. Agricultura (avena, patatas y lino). Ganadería bovina, ovina y porcina.

* *Hist.* En 1920 los condados de Antrim, Down, Armagh, Londonderry, Tyrone y Fermanagh constituyeron I. del Norte o Ulster como entidad de la Corona brit. y secesionada del Estado Libre de Irlanda. En 1925 se firmó un tratado que fijaba las fronteras de las dos entidades irl. Desde entonces no cesaron la actividad del IRA y los enfrentamientos entre católicos y protestantes. En 1998 se firmó el acuerdo del Viernes Santo que sentó las bases para el autogobierno de Irlanda del Norte.

IRLANDÉS, SA adj. y s. De Irlanda. • Díc. de la escritura utilizada en Irlanda del s. VI al XIII. • adj. y s. Raza de caballos oriunda de Irlanda. • *Ling.* Lengua gaélica of. de Irlanda.

IRMANDIÑO o **HERMANDINO** m. Nombre de los miembros de las hermandades existentes en Galicia durante la E. Media y que protagonizaron imp. revueltas contra los señores feudales.

IRONÍA f. Burla fina y disimulada. • *Ret.* Figura que consiste en dar a entender lo contrario de lo que se dice. • fig. Contraste fortuito que parece una burla. ■ IRÓNICO, CA; IRONISTA; IRONIZAR.

IRONSI, *Johnson Aguiyi* (1924-1966) Político y militar nigeriano. Presid. tras el golpe de Est. (1966) que puso fin al predominio hausa. En julio de 1966 fue derrocado por Gowon y asesinado.

IROQUÉS, SA adj. y s. Díc de los individuos de un pueblo indígena norteam. que habitaba en los valles del San Lorenzo y el Susquehanna y en las orillas de los Grandes Lagos. Sobreviven unos 5 000, en el est. de Nueva York. Comprendía a los mohawks, oneidas, senecas, onandegas y cayugas. • adj. Relativo a estas tribus. • adj. y m. Díc. de las lenguas de este pueblo. • m. pl. Estas mismas tribus.

IRRACIONAL adj. y s. Que carece de razón. • adj. Opuesto a la razón. • *Mat.* Díc. de las expresiones fraccionarias que contienen raíces en el denominador. • Aplícase a los núm. reales que no pueden expresarse como enteros ni fraccionarios. • *Mat.* Díc. de una expresión que contiene radicales. ■ IRRACIONALIDAD.

IRRACIONALISMO m. *Fil.* Grupo de doctrinas que coinciden en atribuir a la razón y a todo lo racional un papel secundario en el conocimiento. ■ IRRACIONALISTA.

IRRADIACIÓN f. *Fís.* Energía radiante que por unidad de tiempo incide sobre la unidad de área de cualquier superficie que se halle en el interior de otra, que a su vez esté llena de radiación isótropa. • *Ling.* Fenómeno semántico por el cual un concepto extiende su significación a otros que tienen con él algo en común.

IRRADIAR tr. Emitir irradiación. • Someter un cuerpo a la acción de una irradiación lumínica, calorífica, etc. • fig. Emanar, propagar, reflejar.

IRRAWADDY → Irawadi.

IRRAZONABLE adj. No razonable.

IRREAL adj. No real; falto de realidad.

IRREALIDAD f. Calidad de lo que no es real.

IRRECONCILIABLE adj. Aplícase al que no quiere volver a la paz y amistad con otro.

IRRECUSABLE adj. Que no se puede recusar.

IRREDENTISMO m. Doctrina según la cual un país aspira a reconquistar todas las regiones que, sit. más allá de sus fronteras, forman parte de él por sus costumbres o su lengua. • Mov. nacionalista surgido en Italia hacia 1878.

IRREDENTO, TA adj. Que permanece sin redimir. Díc. especialmente del terr. que una nación pretende anexionarse por razones históricas, de lengua, raza u otras.

IRREDUCIBLE adj. Que no se puede reducir. • *Mat.* Díc. de aquellas expresiones algebraicas, gralte. polinomios, que no son descomponibles en producto de otras. Entre números enteros, equivale a primo.

IRREDUCTIBLE adj. Irreducible. • *Cir.* Díc. de lo que no puede volver a su situación normal, por ej., una hernia o una luxación. • *Mat.* Díc. de la curva algebraica y, en general, de la variedad algebraica que no es descomponible.

IRREFLEXIÓN f. Falta de reflexión. ■ IRREFLEXIVO, VA.

IRREFRAGABLE adj. Que no se puede contrarrestar.

IRREGULAR adj. Que va fuera de regla, contrario a ella. • Que no sucede ordinariamente. • Que no es regular, simétrico o uniforme, constante o puntual.

IRREGULARIDAD f. Calidad de irregular. • fig. y fam. Malversación u otra inmoralidad en la administración pública o en la privada.

IRRELEVANTE adj. Que carece de importancia o significación. • *Ling.* Conjunto de elementos de una unidad fónica que, aunque puedan ser distintos, no son distintivos. ■ IRRELEVANCIA.

Irlanda. Arriba, mapa de situación y bandera; abajo, vista del centro de Dublín

Irlanda del Norte. La Queen's University, en Belfast

IRRELIGIÓN f. Falta de religión. ■ IRRELIGIOSIDAD; IRRELIGIOSO, SA.

IRREMEDIABLE adj. Que no se puede remediar.

IRREMISIBLE adj. Que no se puede remitir o perdonar.

IRREPRENSIBLE adj. Que no merece reprensión.

IRREPRESENTABLE adj. Que no se puede representar. • Díc. especialmente de las obras teatrales.

IRRESISTIBLE adj. Que no se puede resistir. • fig. y fam. Muy hermoso.

IRRESOLUBLE adj. Díc. de lo que no se puede resolver o determinar.

IRRESOLUCIÓN f. Falta de resolución. ■ IRRESOLUTO, TA; IRRESUELTO, TA.

IRRESPETUOSO, SA adj. No respetuoso.

IRRESPIRABLE adj. Que no puede respirarse. • Que difícilmente puede respirarse. • fig. Díc. de la atmósfera desagradable que se crea en un grupo cuando existen tensiones, reticencias, etc.

IRRESPONSABLE adj. Díc. de lo que denota irresponsabilidad. • adj. y s. Díc. de la persona a quien no se puede exigir responsabilidad. • Díc. de la persona que actúa sin medir las consecuencias de sus actos ni responder de ellos. ■ IRRESPONSABILIDAD.

Irrigación. Arriba, estación distribuidora de un canal de irrigación en Kazakistán; abajo, sistemas de irrigación de pivote central y bilineal

IRRETROACTIVIDAD f. Principio jurídico que rechaza el efecto retroactivo de las leyes, salvo declaración expresa de éstas, o, en lo penal, que la nueva disposición sea favorable al reo.

IRREVERENCIAR tr. No tratar con la debida reverencia; profanar. ■ IRREVERENCIA; IRREVERENTE.

IRREVERSIBLE adj. Que no es reversible. • *Fís* y *Quím.* Díc. de ciertos procesos en los que ni el sistema que evoluciona ni el medio exterior inmediato pueden ser integrados a sus estados iniciales. Según el segundo principio de la termodinámica, todos los procesos naturales son irreversibles. ■ IRREVERSIBILIDAD.

IRRIGADOR, RA adj. Que irriga. • m. *Med.* Aparato utilizado para rociar o lavar con un chorro de agua u otro líquido una parte del cuerpo.

IRRIGAR tr. Rociar con un líquido alguna parte del cuerpo. • Aplicar el riego a un terreno. • Llevar la sangre a los tejidos a través de los vasos. ■ IRRIGACIÓN.

IRRISIBLE adj. Digno de risa y desprecio.

IRRISIÓN f. Burla insultante.

IRRISORIO, RIA adj. Que mueve o provoca a risa y burla. • Insignificante, muy pequeño.

IRRITABILIDAD f. Propensión a conmoverse o irritarse. • *Biol.* Conjunto de reacciones de respuesta contra los diversos estímulos externos.

IRRITABLE adj. Capaz de irritación. • Que se puede anular o invalidar. • *Med.* Capaz de reaccionar a un estímulo • *Med.* Exageradamente sensible a los estímulos.

IRRITAR tr. y prnl. Hacer sentir ira. • Incitar, aumentar. • Provocar algo en el cuerpo escozor o enrojecimiento. • tr. *Der.* Anular, invalidar. ■ IRRITACIÓN; IRRITADOR, RA; IRRITAMIENTO; ÍRRITO, TA.

IRROGAR tr. y prnl. Tratándose de perjuicios o daños, causar, ocasionar. ■ IRROGACIÓN.

IRROTACIONAL adj. *Fís.* Díc. del campo de fuerzas en el que el trabajo realizado por éstas al desplazar un cuerpo es independiente del camino seguido, dependiendo sólo de las posiciones inicial y final.

Isabel I de Castilla

IRRUIR tr. Acometer con ímpetu, invadir un lugar.

IRRUMPIR tr. Entrar violentamente en un lugar. ■ IRRUPCIÓN.

IRTISH Río de Kazakistán y Rusia, en Siberia, afl. del Ob; unos 2 900 km. Nace en el Altái y atraviesa parte de Siberia occidental.

IRUJO, *Manuel de* (1892-1981) Político esp. Dirigente del Partido Nacicnalista Vasco. Ministro de la República.

IRÚN *(Irun)* C. esp., en el País Vasco (prov. de Guipúzcoa), sit. junto al Bidasoa y la frontera fr.; 55 215 hab. Ind. metalúrgica, electrónica, química y alimentaria. Centro comercial. Durante la guerra de la Independencia fue escenario de la batalla de San Marcial (1813).

IRUPÉ (voz guaraní) m. *Bot. Argent., Bol.* y *Par.* Victoria regia, planta ninfácea de hojas anchas y flores blancas con centro rojo.

IRURETA-GOYENA, *José* (1874-1947) Penalista y escritor ur. Sobre la pena de muerte, *El régimen penitenciario, El abuso de autoridad.*

IRUSTA, *Agustín* (1902-1987) Cantante y compositor arg., famoso intérprete de tangos.

IRVING, *Washington* (1783-1859) Ensayista e historiador norteam. *Cuento de la Alhambra, Historia de Nueva York.*

ISAAC Patriarca hebreo, hijo de Abraham y Sara. Yahweh exigió a su padre que lo sacrificara como muestra de fidelidad.

ISAAC I Comneno (1005-1061) Emp. de Oriente [1057-1059]. Depuso al patriarca Miguel Cerulario. • **II Angelo** (1155-1204) Emp. de Oriente [1185-1195 y 1203-1204]. Su política fiscal provocó varias sublevaciones, y su hermano Alexis III le derribó y cegó.

ISAACS, *Jorge* (1837-1895) Escritor col. Su fama la debe a *María*, retablo de costumbres.

ISAAK, *Heinrich* (1445-1517) Compositor de probable origen flamenco. Trabajó pralm. en Italia al servicio de Lorenzo de Médicis. Misas y motetes *(Choralis Constantinus).*

ESPAÑA

ISABEL I, *la Católica* (1451-1504) Reina de Castilla [1474-1504]. Hija de Juan II de Castilla y de la segunda esposa de éste, Isabel de Portugal, y hermanastra del rey Enrique IV de Castilla. A la muerte de don Alfonso (1468), I. se convirtió en candidata al trono por parte de la nobleza sublevada frente a Juana la Beltraneja. En 1468, por el pacto de los Toros de Guisando, Enrique IV la reconoció como heredera. Al año siguiente casó en secreto con Fernando, heredero de la Corona de Aragón; Enrique la desheredó nombrando heredera a Juana. A la muerte de Enrique, I. se proclamó reina con el apoyo de Roma. En la batalla de Toro (1476) derrotó a las fuerzas leales. En 1479 negoció el tratado de Alcaçovas por el que se establecía la paz con Portugal. El mismo año Fernando heredeó la corona de Aragón. En política interior los reyes pusieron todo su empeño en afianzar el poder de la Corona, para lo cual se dispuso el restablecimiento de la Santa Hermandad, se redujeron las funciones financieras de las cortes, se vinculó la poderosa Mesta al Consejo real, se creó un potente ejército y se reorganizó la administración. En 1478, creó el tribunal de la Inquisición. Bajo su reinado se conquistó el reino de Granada (1481-1492), se llevó adelante el proyecto que significó el descubrimiento de América por Cristóbal Colón. • **II** (1830-1904) Reina de España [1833-1868], hija de Fernando VII y de María Cristiana de Borbón. Por la Pragmática Sanción de 1789 fue proclamada reina a la muerte de Fernando (1833). Inició su reinado bajo la regencia de su madre. En 1833 se produjo el alzamiento carlista, que al ser derrotado en 1839, vio frustrado el ascenso al trono del pretendiente Carlos María Isidro. En 1840 ocupó la regencia el general Espartero hasta 1843, fecha en que se proclamó por las cortes la mayoría de edad de I. La boda de I. con su primo Francisco de Asís de Borbón, celebrada en 1846, y su extremado fanatismo clerical, así como la corrupción, contribuyeron a su desprestigio, y tuvo que afrontar la revolución en 1854. La reina consiguió salvar su trono al llamar de nuevo al gobierno a

Espartero, pero en 1856, creyéndose segura, apoyó a O'Donnell. El triunfo de la revolución de 1868 sorprendió a I. veraneando en Lequeitio, desde donde pasó a Francia. En 1870 abdicó en su hijo Alfonso.

La infanta **Isabel Clara Eugenia,** por Alonso Sánchez Coello

INGLATERRA

ISABEL I (1533-1603) Reina de Inglaterra e Irlanda [1558-1603], hija de Enrique VIII y de Ana Bolena. Subió al trono a la muerte de su hermanastra María I y tras superar la oposición católica, que reclamaba el trono para la reina de Escocia, María Estuardo. Dirigió una severa represión, sobre todo a partir de 1581, contra los católicos y, a partir de 1583, la extendió contra los puritanos. La ejecución de María Estuardo (1587) se inscribe dentro de la lucha politicorreligiosa en el interior del país, pero también fue la chispa que encendió la guerra abierta entre España e Inglaterra. Durante su reinado el país experimentó un gran crecimiento económico y comercial; se crearon sociedades cuya finalidad era la exportación, y se constituyó la Compañía de las Indias Orientales (1600). • **II** (nacida 1926) Reina de Gran Bretaña e Irlanda del Norte, Canadá, Australia, Nueva Zelanda, Jamaica, Trinidad y Tobago, Granada, Barbados, Mauricio y Fiji, y jefe de la Commonwealth. Hija de Jorge VI, en 1947 casó con Felipe de Mountbatten, duque de Edimburgo, y en 1952 sucedió a su padre.

RUSIA

ISABEL ***Petrovna*** (1709-1762) Emperatriz de Rusia [1741-1762]. Hija de Pedro el Grande y de Catalina I, subió al trono tras ser derrocado Iván VI.
ISABEL (s. I) Santa. Esposa de Zacarías y madre de san Juan Bautista.
ISABEL, ***Estilo*** Nombre dado a la arquitectura, vinculada al gótico, desarrollada en Castilla y Andalucía a fines del s. XV y principios del s. XVI. Sus prales. cultivadores fueron Juan Guas, Simón de Colonia y Gil de Siloé.
ISABEL Clara Eugenia (1566-1633) Infanta esp., soberana de Países Bajos [1598-1621], hija de Felipe II y de Isabel de Valois. En 1598 casó con el archiduque Alberto, y Felipe II les cedió el gobierno de Países Bajos, con la condición de que estos territorios retornarían a España en caso de que los archiduques fallecieran sin descendencia. Tras la tregua de los Doce Años (1609), y muerto el archiduque sin descendencia, Flandes volvió a dominio esp. e I. fue nombrada gobernadora. • **de Aragón** (1247-1271) Reina de Francia [1270-1271]. Hija de Jaime I el Conquistador, casó en 1262 con el príncipe Felipe, futuro Felipe III el Atrevido. • **de Austria** (1501-1526) Reina de Dinamarca y Noruega [1515-1523] y de Suecia [1520-1523], esposa de Christian II. Hija de Felipe el Hermoso y Juana la Loca, su matrimonio tendía a asegurar la influencia de los Habsburgo en el Báltico. • **de Borbón** (1603-1644) Reina de España [1621-1644], hija de Enrique IV de Francia y de María de Médicis. Casó con Felipe IV. Al marchar éste a Cataluña al frente de sus tropas, quedó como regente en Madrid. Se opuso a la influencia de Olivares (1643). • **de Farnesio** (1692-1766) Reina de España [1714-1724 y 1724-1746]. Hija de Eduardo III, duque de Parma, y segunda esposa de Felipe V, a quien dominó de un modo absoluto. Al morir su esposo pretendió mantener la influencia sobre su hijastro Fernando VI, quien la desterró a La Granja. A la muerte del rey, fue nombrada regente (1759) hasta la llegada de Carlos III de Nápoles. • **de Francia** (1292-1358) Reina de Inglaterra. Hija de Felipe IV el Hermoso de Francia, casó con Eduardo II de Inglaterra, pero huyó a Francia, acompañada de su amante Roger Mortimer y del príncipe de Gales. Organizó la invasión de Inglaterra (1327). Eduardo II se vio obligado a dimitir y fue asesinado. I. reinó hasta 1330, como regente de Eduardo III. • **de Hungría** (1207-1231) Santa. Reina heredera de Hungría, esposa de Luis de Turingia. • **de Portugal** (1271-1336) Santa. Reina de Portugal [1282-1325], hija de Pedro III de Aragón. • **de Portugal** (m. 1496) Reina de Castilla [1147-1454]. Casó con Juan II de Castilla, para afianzar la alianza castellanoportuguesa en la lucha contra Navarra y Aragón. • **de Portugal** (1503-1539) Reina de España y emperatriz de Alemania [1526-1539], nieta de los Reyes Católicos e hija de Manuel el Afortunado de Portugal. Actuó como regente de ambas Coronas durante las ausencias de Carlos I (1529-1533 y 1535-1536). • **de Valois** (1545-1568) Reina de España [1559-1568]. Hija de Enrique II de Francia y de Catalina de Médicis; tercera esposa de Felipe II de España.
ISABELA, ***La*** Nombre del establecimiento fundado por Colón en la costa N de La Española.
ISABELINO, NA adj. Relativo a las reinas que llevaron el nombre de Isabel. • Díc. del reinado de Isabel I de Inglaterra. • Díc. del estilo artístico desarrollado en España en el reinado de Isabel II.
ISAGOGE f. Introducción, exordio.
ISAÍAS El primero de los profetas mayores. Su misión profética empezó en el 740 a. C. • **Libro de I.** Escrito del A. T. compuesto de 66 capítulos, redactados en su mayor parte en forma poética. Narra hechos históricos y profecías.
ISALÓBARA f. *Meteor.* Lugar geométrico de los puntos que han experimentado la misma variación de presión en un periodo dado.
ISAMITT, ***Carlos*** (1887-1974) Compositor y musicólogo chil. Estudió la música araucana. *Friso araucano, El pozo de oro* (ballet).
ISANGAS f. pl. *Perú.* Especie de nasas para pescar camarones. • *Argent.* Espuertas.
ISATIS m. Nombre del zorro ártico, más pequeño que el europeo y cubierto de pelo espeso, blanco en invierno y pardusco en verano. Hay una variedad que nunca cambia de color: el zorro azul.
ISBA f. Vivienda de madera propia de los lugares fríos de Rusia y adoptada por otros pueblos septentrionales de Europa y Asia. Las habitaciones se construyen sobre el basamento, se reduce la alt. de las puertas y ventanas y la techumbre suele tener dos vertientes en ángulo agudo.
ISBERT, ***José*** (1886-1966) Actor esp. Artista de teatro, hacia 1940 empezó a trabajar en el cine, donde destacó en papeles cómicos. *Bienvenido Mr. Marshall*, *Calabuch*, *El verdugo.*
ISCHIA Isla de Italia, en el mar Tirreno; 32 000 hab. Agricultura y turismo. La pral. aglomeración es la c. hom.
ISCLE m. *Méx.* Algodón, pelusa que tienen algunos vegetales.
ISENTÁLPICA f. *Fís.* Lugar geométrico de los puntos que representan estados de un sistema en los que la entalpía permanece constante.
ISENTRÓPICA f. *Fís.* Lugar geométrico de los puntos que representan estados de un sistema en los que la entropía permanece constante.
ISEO o **ISOLDA** → Tristán.
ISÈRE Río de Francia, afl. izquierdo del Ródano; 290 km. Nace en los Alpes septentrionales y pasa por Grenoble.
ISFAHÁN (*Esfahan*) C. del centro-oeste de Irán; 661 500 hab. Imp. centro ganadero y comercial. Ind. textil, siderúrgica, alimentaria. Artesanía.
ISHIKARI Río de Japón, en la isla de Hokkaido; 363 km. Desemboca en el mar de Japón.
ISHIKAWA Prefectura de Japón, en la isla de Honshu; 4 198 km², 1 165 000 hab. Cap., Kanzawa.

Isabel II de España

Isabel II de Inglaterra

El profeta **Isaías,** en el Pórtico de la Gloria de la catedral de Santiago de Compostela (España)

Islas más extensas del mundo

	km²
Groenlandia	2 175 600
Nueva Guinea	785 000
Borneo	736 000
Madagascar	587 041
Baffin	518 000
Sumatra	473 606
Honshu	231 090
Gran Bretaña	229 897

Islandia. Arriba, mapa de situación y bandera; abajo, vista de Reykjavik

ISHIM Río de Rusia, en Asia central y Siberia occidental, afl. del Irtish; 1 800 km.

ISIACO, CA o **ISÍACO, CA** adj. y s. Relativo a Isis, diosa de la religión egipcia, o a su culto.

ISIDORIANO, NA adj. y s. Relativo a san Isidoro.

ISIDORO (hacia 560-636) Santo. Arzobispo de Sevilla. Su obra pral., las *Etimologías*, es una verdadera enciclopedia, que fue altamente apreciada en la E. Med. • **de Mileto** (s. VI) Arquitecto bizantino. Construyó el templo de Santa Sofía (Constantinopla).

ISIDRO Labrador (1070-1130) Santo esp., nacido en los alrededores de Madrid. Patrón de los agricultores y de la villa de Madrid.

ISIS Diosa egipcia, esposa de Osiris y madre de Horus. Su culto, originario del delta del Nilo, se extendió por todo el mundo clásico. Personificaba el cielo.

ISKENDERUN (ant. *Alejandreta*) C. y puerto de Turquía, a orillas del golfo hom., en el Mediterráneo; 81 700 hab.

ISLA f. *Geog.* Porción de tierra rodeada enteramente de agua. • Manzana de casas. • fig. Conjunto de árboles aislados y que no está junto a un río.

ISLA, *José Francisco de* (1706-1781) Escritor esp., jesuita. Su genio satírico alcanzó la máx. expresión en la *Historia del famoso predicador fray Gerundio de Campazas, alias Zotes*.

ISLAM m. → Islamismo. • Conjunto de territorios unificados y sometidos a la fe musulmana.

ISLAMABAD Cap. de Pakistán, construida a 15 km de Rawalpindi; 204 000 hab.

ISLÁMICO, CA adj. Relativo al Islam. • Se aplica al estilo artístico ligado estrechamente a la religión islámica (→ musulmán, arte).

ISLAMISMO m. *Rel.* Conjunto de dogmas y preceptos de la religión de Mahoma. ■ ISLAMITA.

* *Rel.* El libro sagrado, el *Corán*, y la tradición oral *(sunna)*, sumados a lo dicho por Mahoma, forman la ley islámica *(saría)*. Sus dogmas consisten en reconocer la unicidad divina, creer en los ángeles, Mahoma, el Corán y el juicio final. La comunidad islámica se escindió en tres grupos: sunníes, jarichíes y chiíes. A raíz de la rev. iraní (1978-1979), el i. chiíta se ha convertido en una fuerza política muy activa en el mundo ár. (→ fundamentalismo).

ISLAMIZAR tr. y prnl. Propagar la religión, prácticas y costumbres islámicas entre otros que no la profesan. • intr. Adquirir la religión, prácticas, usos y costumbres islámicos.

ISLANDÉS, SA adj. y s. De Islandia. • m. *Ling.* Lengua nórdica indoeuropea, del grupo germánico, hablada en Islandia.

ISLANDIA *(Lydhveldidh Island)* Estado del Atlántico N. de Europa. República. Comprende la isla hom., sit. al SE de Groenlandia y al S del círculo polar ártico. Constituida por una meseta recubierta en parte por glaciares. Conos volcánicos *(Hekla)* y géiseres. Ríos cortos y torrenciales. Las costas están recortada s por fiordos. Clima frío. Pesca (actividad pral.), caza de la ballena. Ganadería ovina; patatas. Ind. conservera. Lengua: islandés (of.). *Rel.*: protestantismo (99 %). U.M.: la nueva corona Cap., Reykjavik.

* *Hist.* Hacia el año 700, monjes irl. llegaron a sus costas. A finales del s. IX se produjo la invasión vikinga. En 930 se creó un Estado aristocrático. Desde 1262 estuvo bajo soberanía noruega, y danesa desde la unión de ambos países (1380) hasta la II Guerra Mundial. En 1944 se proclamó la República independiente. La ampliación a 12 millas de los límites de sus aguas jurisdiccionales (1958) provocó la llamada «guerra del bacalao» con Alemania y Gran Bretaña, conflicto resurgido cuando I. amplió sus límites pesqueros. En 1980 fue elegida presid. Vigdís Finnbogadóttir apoyada por los partidos de izquierda (reelegida en 1984, 1988 y 1992), que inició una política de acercamiento a la CE. Olafur Ragnar Grimsson la sustituyó en 1996.

ISLANDIA

Superficie 102 819 km²

Población 271 000 hab. (2,6 hab./km²)

Recursos económicos	
Aluminio	99 000 t
Cabaña bovina	71 000 cabezas
Cabaña caballar	79 000 cabezas
Cabaña ovina	470 000 cabezas
Cemento	81 000 t
Cerveza	54 000 hl
Energía eléctrica	4 780 millones de kwh
Fertilizantes	12 000 t
Pesca	1 507 635 t
Pesca salada	69 600 t
Patatas	11 000 t
Indicadores sociológicos	
PNB	6 686 millones de dólares
Renta per cápita	24 950 dólares
Esperanza de vida	78 años
Alfabetismo	100 %

ISLÁNDICO, CA adj. Islandés.

ISLARIO m. Descripción de las islas de un mar, continente o nación.

ISLAS DE LA BAHÍA Dpto. insular de Honduras; 236 km², 30 608 hab. Cap., Roatán. Compuesto por las islas de Roatán, Guanaja, Utila, Morat, Elena, Barbareta y numerosos islotes del Caribe. Cacao, arroz, café, caña de azúcar; pesca, astilleros; aceites vegetales. La pob. desciende de caribes y negros.

ISLEÑO, ÑA adj. y s. Natural de una isla. • adj. Perteneciente a una isla.

ISLEO m. Isla pequeña junto a otra mayor. • Porción de terreno rodeada por todas partes de otros de distinta clase o de una corona de peñascos u obstáculos diversos.

ISLILLA f. Sobaco. • Clavícula.

ISLOTE m. Isla pequeña y despoblada. • Peñasco muy grande, rodeado de mar. • **Islotes de Langerhans.** *Anat.* Porción endocrina del páncreas, encargada de la secreción de diversas hormonas, pralm. el glucagón y la insulina.

ISMAEL Hijo de Abraham y de Agar, considerado el primer antepasado de los ismaelitas o árabes.

ISMAELITA adj. y s. Descendiente de Ismael. • Díc. de los árabes. • Agareno o sarraceno. • Ismailí.

ISMAIL I (1487-1524) Sha de Persia [1502-1524] Fundó la dinastía safawí y dominó parte de Irán y Turquestán. • **Bajá** (1830-1895) Primer jedive de Egipto [1863-1879]. Contribuyó a la apertura del canal de Suez y modernizó el país.

ISMAILÍ m. Musulmán de una secta heterodoxa que reduce a siete los imames legítimos. Divinizan a la familia de Alí. De ellos nacieron los qármatas, los drusos, los fatimíes, etc. Dispersados por India, Irán, Líbano, Siria, etc.

ISMAILÍA *(al-Ismailiya)* C. de Egipto, a orillas del lago Timsah, en el canal de Suez; 145 900 hab. Fundada en 1863. Ind. electrotécnica y alimentaria. Puerto petrolero.

ISNARDI, *Francisco* (1750-1814) Patriota ven. Intervino en la redacción de la declaración de indep. y de la constitución. Combatió con Miranda, pero fue hecho prisionero y enviado a España.

ISOAGLUTININA f. *Biol.* Proteína de la sangre, de actuación, semejante a la de los anticuerpos, contra los glóbulos rojos de naturaleza extraña.

ISOALELO m. *Biol.* Cada uno de los alelos de un mismo gen, que se distinguen por pequeños detalles de su secuencia de nucleótidos.

ISÓBARO, RA adj. Isobárico. • f. *Fís.* Lugar geométrico de los puntos de un sistema que poseen igual presión. En meteorología, los mapas del tiempo se constituyen mediante el trazado de i. • **Elementos isóbaros.** *Quím.* Elementos con igual n. m. pero distinto n. a.

ISOBÁRICO, CA adj. Aplícase a los lugares de igual presión atmosférica. • Díc. pralm. de las líneas que en la superficie de la Tierra pasan por puntos de igual alt. media del barómetro. • *Fís.* y *Quím.* Díc. del proceso que tiene lugar a presión constante.

ISOBASA f. *Geol.* Curva que une todos los puntos de un estrato determinado, sit. a la misma altitud.

ISOBÁTICO, CA adj. Se aplica a dos o más lugares de igual profundidad, y en las cartas hidrográficas a la línea que los une.

ISOCA f. *Argent.* y *Par.* Nombre vulgar de diversas larvas de lepidópteros muy perjudiciales para la agricultura.

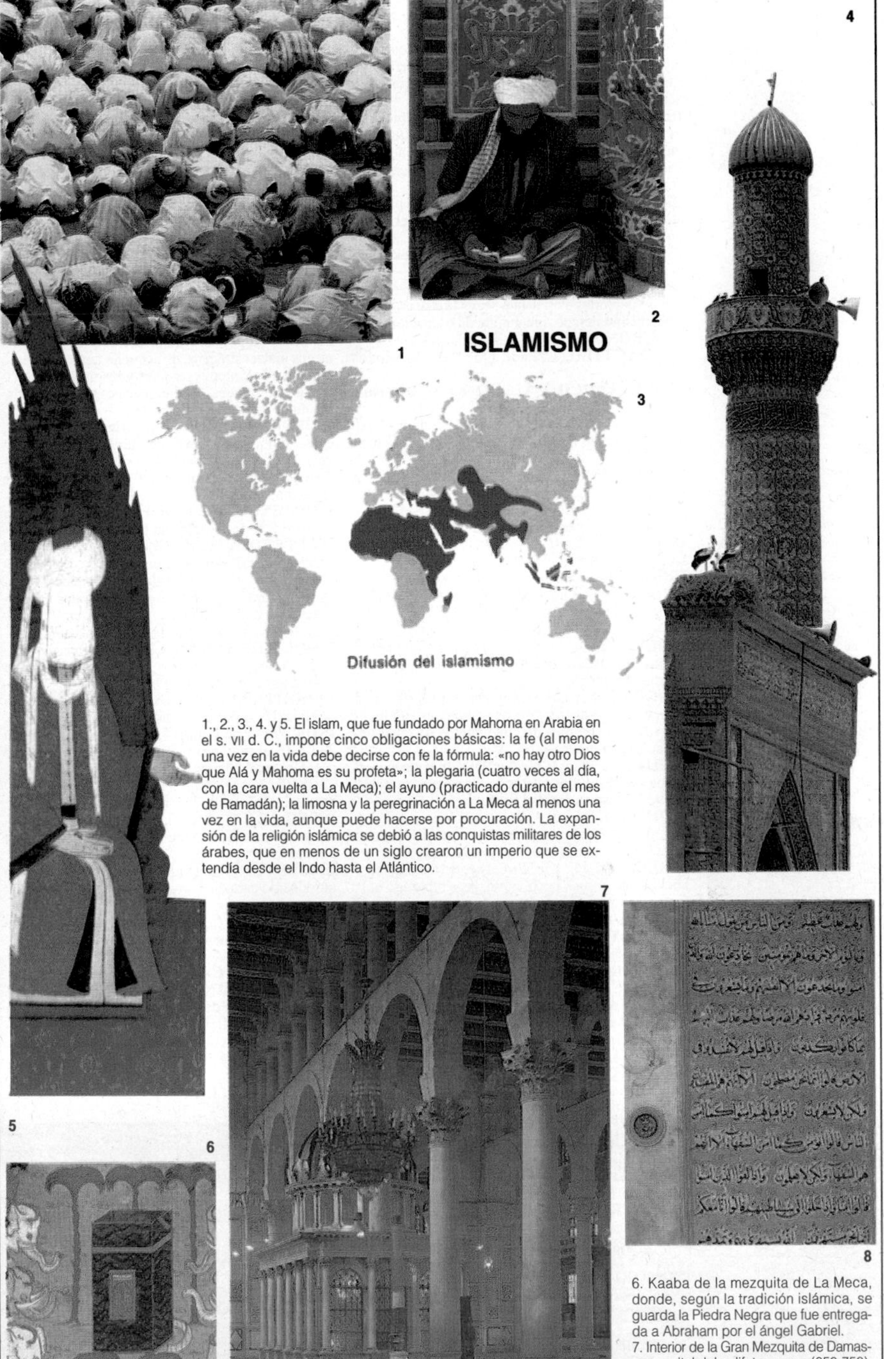

1., 2., 3., 4. y 5. El islam, que fue fundado por Mahoma en Arabia en el s. VII d. C., impone cinco obligaciones básicas: la fe (al menos una vez en la vida debe decirse con fe la fórmula: «no hay otro Dios que Alá y Mahoma es su profeta»; la plegaria (cuatro veces al día, con la cara vuelta a La Meca); el ayuno (practicado durante el mes de Ramadán); la limosna y la peregrinación a La Meca al menos una vez en la vida, aunque puede hacerse por procuración. La expansión de la religión islámica se debió a las conquistas militares de los árabes, que en menos de un siglo crearon un imperio que se extendía desde el Indo hasta el Atlántico.

6. Kaaba de la mezquita de La Meca, donde, según la tradición islámica, se guarda la Piedra Negra que fue entregada a Abraham por el ángel Gabriel.
7. Interior de la Gran Mezquita de Damasco, capital del califato omeya (650-750).
8. El Corán, libro sagrado que recoge las sucesivas revelaciones que Mahoma recibió del Cielo, rige todos los aspectos de la vida de los fieles, pues en él se hallan consignados tanto los preceptos religiosos como las leyes civiles.

ISOCLINAL adj. *Geol.* Díc. del pliegue cuyos flancos presentan igual ángulo de buzamiento y en la misma dirección.
ISOCLINO, NA adj. y f. Díc. de la línea que es el lugar geométrico de los puntos de la superficie terrestre que presentan una misma inclinación magnética.
ISÓCORO, RA adj. y f. *Fís.* Díc. de la línea que es el lugar geométrico de los puntos de un sistema que se hallan a volumen constante. • adj. *Fís.* Díc. del proceso que tiene lugar a volumen constante.
ISÓCRATES (436-338 a. C.) Orador y político ateniense. De sus 21 discursos destacan el *Panegírico, A Filipo* y el *Panatenaico.*
ISOCROCROMÁTICO, CA adj. Que es igualmente sensible a los colores del espectro.
ISOCRONISMO m. *Fís.* Propiedad de algunos sistemas vibratorios u oscilantes según la cual éstos dan, en el mismo tiempo, igual núm. de oscilaciones.
ISÓCRONO, NA adj. De igual duración.
ISODÁCTILO, LA adj. Que tiene los dedos iguales.
ISODINÁMICO, CA adj. Que tiene la misma fuerza.
ISOENZIMA adj. *Biol.* Díc. de las enzimas que actúan sobre un mismo sustrato y producen la misma acción.
ISOETÁCEO, A adj y f. *Bot.* Díc. de plantas de la familia isoetáceas. • f. pl. *Bot.* Familia de pteridófitos, de tallo grueso y corto, frondes en roseta y esporangios protegidos por un indusio.
ISÓFONO, NA adj. Del mismo sonido. • f. *Ling.* Isoglosa que limita el área de un sonido.
ISOGAMIA f. *Biol.* Fecundación propia de animales y vegetales inferiores, en la que es imposible distinguir los gametos de los dos sexos.
ISÓGENO, NA adj. Del mismo origen.
ISOGLOSA adj. y s. Línea imaginaria que en los mapas lingüísticos une los puntos donde se da un mismo fenómeno.
ISÓGONO, NA adj. *Geom.* Díc. de las figuras o cuerpos cuyos ángulos correspondientes son iguales. • Díc. de la línea que une puntos de igual declinación magnética.
ISOHIETA adj. y f. *Meteor.* Díc. de la línea que, en los mapas, une los puntos donde se registra anualmente la misma cantidad de lluvia.
ISOHIPSO, SA adj. Que tiene el mismo nivel. • Díc. de una línea imaginaria que une los puntos de la superficie terrestre de igual altitud.
ISOLECITO adj. y m. *Biol.* Díc. de los cigotos o huevos que poseen poco vitelo, pero repartido uniformemente por todo el citoplasma, como sucede en algunos equinodermos.
ISOMALTOSA f. *Quím.* Disacárido formado por la unión de la alfa glucosa, procedente de la hidrólisis del almidón y presente en los puntos de ramificación de la cadena de amilopectina.
ISOMERASA f. *Biol.* Enzima que transforma diversas sustancias químicas de los organismos en sus isómeros de función o de posición.
ISOMERÍA f. Calidad de isómero.
ISOMERIZACIÓN f. *Quím.* Procedimiento que convierte la cadena recta de los hidrocarburos parafínicos en una cadena ramificada.
ISÓMERO, RA adj. y m. *Quím.* Díc. del compuesto de igual fórmula empírica que otro, pero de propiedades distintas. • **óptico.** El que cuando es atravesado por la luz polarizada hace girar su plano de polarización, produciendo una rotación.
ISOMETRÍA f. *Mat.* Aplicación biyectiva entre dos espacios métricos, tal que para cualquier par de puntos del primer espacio, la distancia entre ellos es igual a la distancia entre sus transformados.
ISOMORFÍA f. En cristalografía, propiedad por la cual dos o más minerales cristalizan en la misma clase de un sistema, desarrollando formas muy semejantes. • *Mat.* Propiedad por la que entre dos o más estructuras, algebraicas o no, puede establecerse una aplicación biyectiva.
ISOMORFISMO m. Calidad de isomorfo. • En cristalografía, igualdad o estrecha semejanza de formas cristalinas entre sustancias de composición química semejante. • *Ling.* Semejanza de rasgos estructurales que existe entre los planos fónico y semántico de una lengua. • *Mat.* Morfismo entre grupos, anillos o espacios vectoriales que es a la vez una aplicación biyectiva.
ISOMORFO, FA adj. Aplícase a los cuerpos de diferente composición química e igual forma cristalina, y que pueden cristalizar asociados.
ISONITRILO m. *Quím.* Líquido incoloro de olor repugnante, con el grupo –N=C en su molécula. Los i. se obtienen de las aminas primarias y, por su olor, son un método identificatorio de éstas.
ISONZO (serbocroata, *Soca*) Río de Eslovenia e Italia; 138 km. Nace en los Alpes Julianos y desemboca en el golfo de Trieste.
ISOOCTANO m. *Quím.* Hidrocarburo de la bencina. Por su gran resistencia a la detonación, el i. ha sido elegido como muestra para evaluar esta cualidad en los demás componentes de la bencina.
ISOPERÍMETRO, TRA adj. *Geom.* Aplícase a las figuras que siendo diferentes tienen igual perímetro.
ISÓPODO, A adj. y m. *Zool.* Díc. de crustáceos del orden isópodos. • m. pl. *Zool.* Orden de crustáceos malacostráceos, de pequeño tamaño, cuerpo segmentado, antenas patentes y respiración por láminas branquiales. Gralte. marinos, también existen dulce acuícolas y terrestres.
ISOPRENO m. *Quím.* Hidrocarburo insaturado de cinco átomos de carbono. Es un líquido que hierve a 34 °C y que se polimeriza fácilmente. Se obtiene a partir del acetileno y el derivado sodado de la acetona.
ISOPRENOIDE m. *Quím.* Lipoide constituido por la repetición de la molécula teórica del isopreno.
ISÓPTERO, A adj. y m. *Zool.* Díc. de insectos del orden isópteros. • m. pl. *Zool.* Orden de insectos hemimetábolos, dotados de alas membranosas y bocamordedora, con 2 000 especies sociales, las termitas, que viven en grandes colonias (termiteros) y se distribuyen pralm. por las regiones tropicales.
ISOQUÍMENO, NA adj. Díc. de la línea que pasa por todos los puntos de la Tierra que tienen la misma temperatura media en el invierno.
ISORRITMIA f. *Mús.* Técnica que consiste en la identidad de ritmos en las distintas partes de una obra.
ISOS Ant. c. de Cilicia (Asia Menor), donde en 333 a. C. el rey Darío III de Persia fue derrotado por Alejandro Magno.
ISÓSCELES adj. *Geom.* Díc. del triángulo, y también del trapecio, que tiene dos lados iguales.
ISOSILÁBICO, CA adj. Díc. de las formas y sistemas de versificación que otorgan un número fijo de sílabas a cada verso.
ISOSPIN adj. y m. *Quím.* Díc. del núm. cuántico introducido para distinguir teóricamente un neutrón de un protón.
ISOSTASIA f. *Geol.* Condición ideal de equilibrio a la que tienden los distintos bloques de la corteza terrestre.
ISOSTÁTICO, CA adj. Relativo a la teoría geológica de la isostasia. • **Estructura i.** *Const.* La que posee el mínimo de vínculos indispensables para asegurar su estabilidad. • **Línea i.** *Mec.* Para un cuerpo sometido a un sistema de cargas y reacciones, línea ideal que une los puntos sometidos a igual esfuerzo unitario.
ISOTÉRMICO, CA adj. Isotermo.

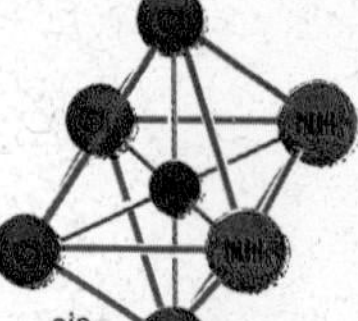
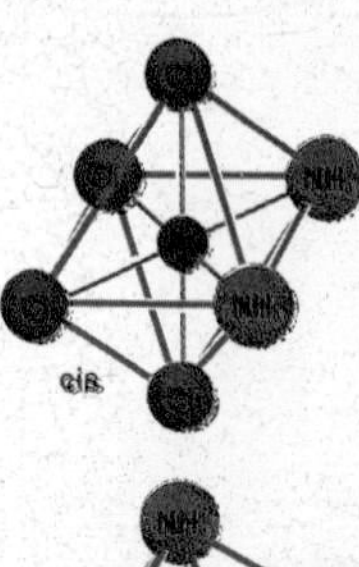

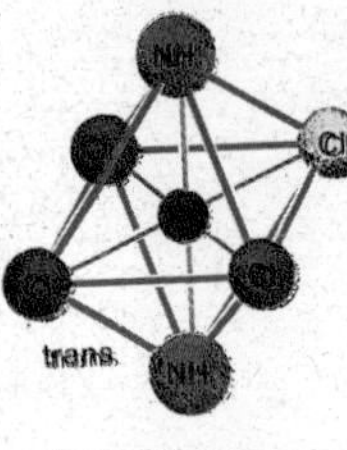
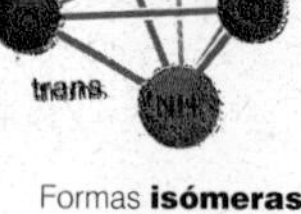

Formas **isómeras** cis-trans

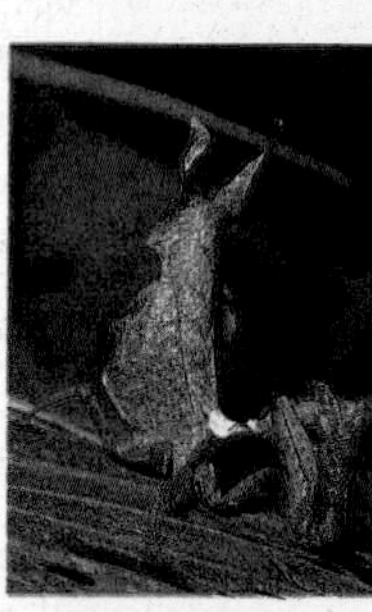

Mantis de América tropical, insecto del orden **isóptero**

Isostasia. Las masas continentales tienden a sumergirse o elevarse hasta lograr su equilibrio isostático

ISOTERMO, MA adj. y s. *Fís.* Díc. de la línea que es el lugar geométrico de los puntos de un sistema que poseen igual temperatura. • *Fís.* Díc. del proceso que tiene lugar a temperatura constante.
ISÓTERO, RA adj. *Meteor.* Díc. de la línea que pasa por todos los puntos de la Tierra que tienen la misma temperatura media en el verano.
ISOTÓNICO, CA adj. Soluciones que a la misma temperatura tienen igual presión osmótica.
ISOTOPÍA f. *Quím.* Propiedad de ciertos elementos denominados isótopos.
ISÓTOPO adj. y m. *Quím.* Díc. de los elementos que poseen el mismo n. a. pero diferente masa atómica. • **Isótopos radiactivos.** *Quím.* Los que espontáneamente se desintegran con emisión de radiaciones α, β y γ. La serie del actinio, que principia en el uranio 235, es de gran importancia para la producción de energía atómica. Algunos i. se emplean en la radiografía médica, en los métodos de datación, etc.
ISOTROPÍA f. *Fís.* Fenómeno por el que ciertos cuerpos presentan propiedades que no dependen de la dirección en que se miden. ■ ISÓTROPO, PA.
ISPAHÁN → Isfahán.
ISQUEMIA f. *Pat.* Falta de aporte sanguíneo a un tejido u órgano, que de ser persistente conduce a una necrosis. Los órganos más sensibles a una i. son el cerebro, el miocardio y el riñón.
ISQUIÁTICO, CA adj. Relativo al isquion.
ISQUION m. *Anat.* Hueso embrionario que en los mamíferos adultos se une al ilion y al pubis y constituye la parte posteroinferior de éste.
ISRAEL *(Medinat Yisrael)* Estado del Próximo Oriente. Limita con Líbano, Siria, Jordania y Egipto, y está bañado por los mares Mediterráneo y Rojo. La llanura litoral se prolonga hacia el interior y se eleva hacia una altiplanicie. Al S se encuentra el desierto del Neguev. Clima mediterráneo y árido. Cereales, olivo, agrios, uva, legumbres, algodón. Ganadería (bovina, ovina, caprina). Potasa, bromo, magnesio, petróleo. Ind. textil, alimentaria, metalúrgica, química, mecánica. Lenguas: heb. (of) y ár. *Rel.*: hebrea (83 %), musulmana (13 %), cristiana. U.M.: el shekel. Cap., Jerusalén. C. prales. Tel Aviv, Haifa.
* *Hist.* Después de que T. Herzl fundara en 1897 el movimiento sionista, numerosos hebr. de la diáspora emprendieron el éxodo a Palestina, ocupada por tropas brit. desde 1917. Ante los enfrentamientos entre ár. y judíos, la ONU decidió crear dos est. palestinos, uno ár. y otro judío, y la internacionalización de Jerusalén. I. proclamó la independencia en 1948, con Ch. Weizmann como presid. y D. Ben Gurión como primer ministro. Los Estados ár. no aceptaron la resolución de la ONU e invadieron I. Los judíos rechazaron el ataque y se apoderaron de Nazareth, Galilea occidental y el Neguev. Al mismo tiempo, Jerusalén fue dividida en dos partes. En 1956, I. se apoderó de la pen. del Sinaí, que abandonó ante la presión mundial. En 1967 («guerra de los seis días») se anexionó Gaza, el Sinaí, la c. vieja de Jerusalén, Cisjordania y los altos del Golán. La política de Golda Meir, jefe del gobierno de 1969 a 1974, originó otro conflicto bélico en 1973, que se saldó con una retirada parcial del Sinaí. En las elecciones de 1977 venció el Likud, partido ultraconservador, y M. Begin fue nombrado primer ministro. En 1979 se firmó un tratado de paz con Egipto. En 1982 I. invadió y ocupó la mayor parte del Líbano. Durante la campaña se produjeron grandes matanzas de palestinos (campos de Chatila y Sabra). Tras las elecciones de 1984, Shimon Peres formó un gobierno de coalición entre el partido laborista y el Likud, que preveía la alternancia entre los dos. En 1986 le sucedió el líder del Likud Isaac Shamir y Peres ocupó la cartera de Asuntos Exteriores. En 1987-1988 se produjo una violenta insurrección palestina *(intifada)* en Cisjordania y Gaza. En la guerra del Golfo (1991) algunas c. israelitas fueron bombardeadas por Irak, sin que I tomara represalias. Las presiones de EE UU impulsaron a I. a negociar con árabes y palestinos (Conferencia de Madrid, 1991). Con Y. Rabin, elegido jefe de gobierno en 1992, se consiguió el reconocimiento mutuo entre I. y la OLP, la autonomía de Gaza y Jericó, en 1993, y el regreso de Y. Arafat como jefe del ejecutivo provisional palestino (1994). El proceso de paz tuvo que hacer frente a la oposición radical del integrismo árabe y de la extrema derecha israelí, uno de cuyos miembros asesinó, en 1995, a Y. Rabin, que fue sucedido por S. Peres. En las elecciones de 1996 venció B. Netanyahu, del Likud, quien paralizó el proceso de paz. Sin embargo, en 1998, se reabrieron las negociaciones con la firma del acuerdo de Wye Plantation. En las elecciones de 1999, el laborista E. Barak asumió la jefatura del gobierno y en mayo de 2000, después de 22 años de ocupación, el ejército israelí se retiró del sur del Líbano. En septiembre de ese mismo año estalló una nueva intifada, con violentos enfrentamientos entre palestinos e israelíes. El agravamiento del conflicto motivó el adelanto de las elecciones (febrero de 2001), en las que Ariel Sharon, del Likud, se impuso a E. Barak.

ISRAEL

Superficie 20 700 km²
Población 5 652 000 hab. (273 hab./km²)

Recursos económicos	
Algodón	43 000 t
Cabaña bovina	379 000 cabezas
Cabaña ovina	352 000 cabezas
Cobre	2 900 t
Energía eléctrica	28 315 millones de kwh
Fertilizantes	1 342 000 t
Fosfatos	2 662 000 t
Hilados de algodón	13 600 t
Naranjas	381 000 t
Potasa	1 260 000 t
Riqueza forestal	113 000 m³
Sal	399 000 t
Trigo	242 000 t
Uva	86 000 t
Indicadores sociológicos	
PNB	87 875 millones de dólares
Renta per cápita	15 920 dólares
Esperanza de vida	76 años
Alfabetismo	96 %

Israel. Arriba, mapa de situación y bandera; abajo, iglesia de Getsemaní y Monte de los Olivos, en Jerusalén

ISRAELITA adj. y s. Hebreo, de Israel. • adj. Relativo al ant. reino de Israel. • *Rel.* La religión i. puede situarse entre las revelaciones de Abraham y la organización de la comunidad judía (587 a. C.).
ISTANBUL C. del NO de Turquía (ant. Constantinopla), sit. a orillas del estr. de Bósforo y del mar de Mármara; 5 494 900 hab. Puerto y centro comercial. Ind. metalúrgica, mecánica, química, textil. Basílica de Santa Sofía, mezquita de Solimán, palacio de Topkapi. Cap. del imperio otomano hasta 1923.
al-ISTIQLAL Partido político marroquí, fundado en 1931. De fuerte tendencia islámica, agrupó a los representantes de la burguesía y dirigió el nacionalismo marroquí contra el protectorado fr. En 1977 entró a formar parte del gobierno.
ISTMO m. *Geog.* Lengua de tierra que une dos continentes o una península con un continente. • *Anat.* Estrechamiento entre dos órganos o dos cavidades.
ISTRIA *(Istra)* Pen. del NO de la gran pen. Balcánica, a orillas del Tirreno. Ocupada por los partisanos en 1945, fue cedida a Yugoslavia, salvo la zona de Trieste, incorporada a Italia en 1947. En 1991, una pequeña zona pasó a Eslovenia y el resto a Croacia.
ISTÚRIZ, *Francisco Javier de* (1790-1871) Político esp. Liberal, fue presid. de las cortes y jefe de gobierno (1836, 1846-1847 y 1858).

Istanbul. Paseo marítimo de la ciudad

Italia. A la derecha, la basílica de San Marcos en Venecia

ÍTACA (gr. *Ithake*) Isla gr. del mar Jónico; 93 km^2, 9 000 hab. Viñedos. Patria de Ulises.

ITAGÜI C. de Colombia, en el dpto. de Antioquia; 137 620 hab. Cultivos tropicales. Ganado vacuno y equino. Ind. textiles y de curtidos.

ITALIA *(Reppublica Italiana)* Estado de Europa meridional, limitado por Francia al NO, Suiza y Austria, al N, y Eslovenia, al NE. Bañado por los mares Tirreno, Mediterráneo, Jónico y Adriático.

* *Geog. fís.* Convencionalmente se divide en tres partes: a) I. continental, que corresponde al valle del Po y sus afl. (Doria Baltea, Doria Riparia, Adda, Tesino, etc.). Al N se levantan los Alpes (alt. máx.: Viso, Gran Paradiso, Cervino, Mont-Blanc, Monte Rosa). Cuencas lacustres (Garda, Como y Mayor). Clima continental. b) I. peninsular, atravesada por los Apeninos (alt. máx.: Corno). Ríos Arno, Ombrone, Tíber, etc. Clima mediterráneo. c) I. insular. Comprende Sicilia, Cerdeña, y la pequeña isla de Elba, etc. Clima mediterráneo. Costas muy dispares.

* *Geog. econ.* I. es un país industrializado, aunque la agricultura (vid, olivo, cereales) y la ganadería (vacuna, ovina, suida) tienen una fuerte presencia. Además existen yacimientos minerales (hierro, mercurio, azufre y mármol). En las actividades del sector secundario destaca sobre todo la zona septentrional, con una pujante ind. metalúrgica, mecánica (automóviles, buques, aviones, armas, etc.), textil y química. Pese a los esfuerzos gubernamentales, es notable el desequilibrio con respecto a la región meridional, agrícola y pobre. República. Lenguas: italiano (of. y mayoritaria), friulano, alemán, cat., etc. *Rel.*: catolicismo (mayoritaria), protestantismo, judaísmo. U.M.: euro. Cap., Roma. C. prales.: Milán, Nápoles, Turín, Génova, Florencia, Venecia.

* *Hist.* Los etruscos llegaron a I. en el s. XVIII a. C. y desplazaron a los gr. La invasión gala fue aprovechada por Roma para afirmar su indep. y conquistar toda la pen. (s. IV-II a. C.). Roma impuso la unidad y creó un imperio, al que pusieron fin los germanos en 476. Tras las invasiones de bizantinos y lombardos, el papado tomó la defensa de la pen. La oposición entre el papa y el emperador al. permitió a Génova, Florencia, Venecia y Milán consolidar su indep. y su poderío económico. En el s. XIII se produjo la intervención de la Corona de Aragón, especialmente en Sicilia y Nápoles. El s. XIV fue una época de gran esplendor económico y cultural. En el s. XVI las luchas entre España y Francia tuvieron a I. como escenario. Tras la guerra de Sucesión esp., Austria tomó el relevo de España en I. El absolutismo austriaco provocó las revoluciones de 1820, 1830 y 1848. En 1852 Cavour fue nombrado presid. del consejo en el Piamonte. Se inició el proceso de unificación nacional. En 1861 se proclamó el reino de I. En 1870 Garibaldi tomó Roma y el papa perdió los Estados Pontificios. I. intervino en la I Guerra Mundial a favor de los aliados. La subsiguiente crisis económica dio origen al movimiento fascista, que llevó a Mussolini al poder (1922). Aliada con Alemania, entró en la II Guerra Mundial y atacó Albania, Yugoslavia y Grecia. En 1943 Mussolini fue depuesto y un gobierno presidido por Badoglio firmó el armisticio con los aliados. En 1946 se proclamó la república. Entre 1948 y 1962 dominaron los democratacristianos, sustituidos por gobiernos de centroizquierda hasta 1973. Tras numerosas crisis ministeriales, y después de las elecciones de 1976, se ensayó la fórmula de un gobierno democratacristiano con apoyo implícito del partido comunista («compromiso histórico»). En 1980 se volvió a los gobiernos de centroizquierda. I. se ha enfrentado a la corrupción, a la violencia (secuestro y muerte de Aldo Moro por las Brigadas Rojas, actividades de la mafia) y a la inestabilidad de sus gobiernos. Tras un periodo republicano, representado por Spadolini, Fanfani fue elegido de nuevo jefe de gobierno en 1982. En 1983 los acuerdos del «pentapartido» llevaron al poder al socialista B. Craxi, hasta 1987. En 1985 el democristiano F. Cossiga sucedió al socialista S. Pertini como jefe del estado. Tras los gobiernos efímeros de A. Fanfani, G. Goria y C. De Mita, en 1989 asumió la presidencia G. Andreotti (DC) que dimitió tres años más tarde, junto con el presid. F. Cossiga. Tras largas deliberaciones, en mayo, fue elegido presid. el democristiano Oscar L. Scalfaro. En las elecciones de 1994 venció la coalición de derechas de Silvio Berlusconi, quien formó gobierno. Rota la coalición, dimitió a fines del mismo año. Lamberto Dini formó un nuevo gob., pero tampoco logró estabilizar el país. Los comicios de 1996 dieron el triunfo al Olivo, coalición de izquierdas liderada por Romano Prodi, quien dimitió tras perder una moción de confianza en 1998. Le relevó el ex comunista Massimo D'Alema. En 1999 Carlo Azeglio Ciampi fue elegido nuevo presidente de la rep. y un año después D'Alema dimitió y fue sucedido por Giuliano Amato. En mayo de 2001 se celebraron nuevas elecciones generales en las que la coalición conservadora Casa de las Libertades obtuvo la mayoría absoluta y Silvio Berlusconi fue elegido primer ministro.

* *Arte.* Ligando el espíritu clásico y la rel. cristiana nacieron dos tipos de construcción basados en las obras imperiales rom.: el baptisterio y la basílica. Las grandes construcciones románicas fueron San Ambrosio de Milán y San Miguel de Pavía. Góticas son las catedrales de Siena, Orvieto y Milán. En escultura destacaron los Pisano y Arnolfo di Cambio; en pintura, Cimabue y Giotto. Los grandes artistas del Renacimiento fueron Brunelleschi, Donatello, Leonardo, Bramante, Miguel Ángel, Rafael, Tiziano, Tintoretto y Veronés. En el s. XVI apareció el manierismo. La pintura barroca it. tuvo dos focos:

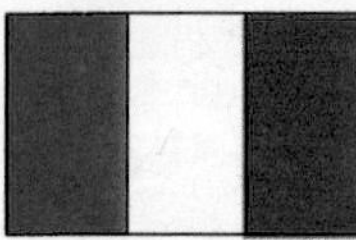

Italia. De arriba abajo: mapa de situación y bandera; la catedral y el baptisterio de Florencia; Garibaldi como oficial de la marina sarda, según un grabado anónimo

ITALIA

Recursos económicos	
Aceitunas	2 345 000 t
Arroz	1 452 000 t
Cebada	1 774 000 t
Cítricos	3 108 000 t
Maíz	8 480 000 t
Patatas	2 092 000 t
Trigo	8 168 000 t
Uva	9 458 000 t
Ganadería	
Cabaña bovina	7 272 000 cabezas
Cabaña ovina	10 682 000 cabezas
Cabaña porcina	8 023 000 cabezas
Riqueza forestal	3 440 000 m^3
Pesca	547 000 t
Producción minera	
Amianto	20 000 t
Cinc	20 137 t
Plata	121 t
Producción industrial	
Aceite de oliva	430 000 t
Acero	27 600 000 t
Ácido nítrico	545 019 t
Automovilística	1 301 050 unidades
Aluminio	182 000 t
Cemento	32 698 000 t
Energía eléctrica	229 208 millones de kwh
Hierro colado	11 661 000 t
Sosa cáustica	875 680 t
Vino	58 713 000 hl
Indicadores sociológicos	
PNB	1 088 085 millones de dólares
Renta per cápita	19 200 dólares
Esperanza de vida	77 años
Alfabetismo	97 %

la escuela boloñesa y Caravaggio. En la arquitectura destacaron Borromini y Bernini (también escultor). A mediados del s. XVIII retornó el gusto por la antigüedad clásica. En el s. XIX esta corriente tuvo en Canova, Piermarini y Appiani a sus mejores defensores. De la primera mitad del s. XX sobresalen Boccioni, Carrà, Severini, Balla, Chirico y Sant'Elia. Tras la II Guerra Mundial aparecen dos tendencias: la realista y la abstracta.

* *Lit*. La literatura it. arranca de la primera mitad del s. XIII con san Francisco de Asís, san Girardo Patecchio de Cremona y la escuela de poesía de Federico II. La escuela siciliana da lugar a una poesía cortés (Guittone d'Arezzo). Llenan el s. XIV Dante,

1

Italia. 1. El Gran Canal de Venecia; 2. Vista de Portofino, en Liguria; 3. Detalle de *El nacimiento de Venus,* óleo sobre tabla de S. Botticelli. Galería de los Uffizi, Florencia

3

Petrarca y Boccaccio. Entre 1375 y 1475, el humanismo está presente en todos los campos. Con Lorenzo el Magnífico se inicia la poesía de la segunda mitad del s. XV (L. Pulci, M. Bioardo, Sannazaro). La poesía del *Quattrocento* culmina en el *Orlando furioso,* de Ariosto. En el s. XVI destacan los textos políticos de Maquiavelo y Guicciardini, la poesía de T. Tasso y el pensamiento de G. Bruno y Galileo. De la poesía barroca destaca G. Marino. En el teatro surge el melodrama y la *Commedia dell'arte*. La Arcadia (P. Metastasio) y la Ilustración (C. Goldoni y G. Parini) llenan el s. XVIII. El neoclasicismo está representado por V. Monti. Poetas románticos son Foscolo, Leopardi y Manzoni. Grossi y Guerrazzi escriben novela histórica. La oposición al romanticismo corre a cargo de la *Scapigliatura* y de Carducci. Realista es la escuela del verismo (Capuana, Verga). En la última década del s. XIX y los primeros años del s. XX aparecen el irracionalismo intuicionista de A. Fogazzaro, G. Pascoli y G. D'Annunzio, y el futurismo (Marinetti). En el período de entreguerras destaca la poesía de G. Ungaretti, E. Montale y S. Quasimodo. A la caída del fascismo emerge una corriente de fuerte contenido crítico y social: C. Pavese, A. Moravia, V. Pratolini, C. Zavattini. De las últimas generaciones cabe mencionar a G. Bassani, L. Sciascia, G. Arpino, P. P. Pasolini, I. Calvino, E. Morante, Umberto Eco. En el teatro contemporáneo sobresalen los nombres de Luigi Pirandello y Dario Fo.

* *Mús.* En el s. XIII aparecieron los laudi, cantos religiosos, y en el XIV la lírica profana, el arte polifónico religioso, los cantos carnavalescos y los madrigales. En el s. XVII apareció el drama musical, el *concerto* y el *concerto grosso*. Este último y la música para cuerda llegaron, en el s. XVIII, a su máx. expresión con Vivaldi, Albinoni y Boccherini, mientras que Platti y Sammartini establecían las bases de la sinfonía moderna. La ópera adquirió gran resonancia en el s. XIX con Rossini, Bellini, Donizetti, Verdi, Puccini. Las tendencias contemporáneas se inician con Pizzetti y Respighi y tienen su continuación con Castelnuovo-Tedesco, Rieti, Dallapiccola y Petrassi.

* *Cine.* La primera época del cine it. está caracterizada por su vocación de espectacularidad, que culminará en las grandes producciones históricas del periodo fascista, y el fenómeno del divismo, durante el cine mudo (Lydia Borelli, Francesca Bertini). En 1937 empezaron a funcionar los estudios de Cinecittà, los mayores de Europa. Tras la Segunda Guerra Mundial aparece el neorrealismo, con autores de la talla de R. Rossellini, L. Visconti y V. de Sica. Desde entonces hasta ahora la solidez del cine it. ha residido tanto en la capacidad de producir un cine popular en clave de comedia costumbrista (Lattuada, Germi, Monnicelli, Comencini) como en la originalidad creativa de algunos grandes directores: F. Fellini, V. Zurlini, M. Antonioni, P. P. Pasolini, M. Ferreri. B. Bertolucci, E. Scola, los hermanos Taviani.

Italia. Vista panorámica de la ciudad de Roma

División administrativa de **Italia**
(por regiones)

Región	*Km²*	*Población*	*Densidad*	*Capital*	*Habitantes*
Abruzos	10 794	1 249 100	116	Aquila	66 800
Apulia	19 357	4 031 900	208	Bari	342 300
Basilicata	9 992	610 500	612	Potenza	65 700
Calabria	15 080	2 070 200	137	Catanzaro	96 600
Campania	13 595	5 630 300	414	Nápoles	1 067 400
Cerdeña	24 090	1 648 200	68	Cagliari	204 200
Emilia-Romaña	22 125	3 909 500	177	Bolonia	404 400
Friul-Venecia Julia	7 844	1 197 700	153	Trieste	231 100
Las Marcas	9 693	1 429 200	147	Ancona	101 300
Lacio	17 227	5 140 400	298	Roma	2 775 300
Liguria	5 418	1 676 300	309	Génova	678 800
Lombardía	23 859	8 856 100	371	Milán	1 369 200
Molise	4 438	330 900	75	Campobasso	50 900
Piamonte	25 399	4 302 600	169	Turín	962 500
Sicilia	25 707	4 966 400	193	Palermo	698 600
Toscana	22 992	3 529 900	154	Florencia	403 300
Trentino-Alto Adigio	13 607	890 400	65	Trento	101 500
Umbría	8 456	811 800	96	Perugia	144 700
Valle de Aosta	3 264	115 900	36	Aosta	36 200
Véneto	18 365	4 380 800	238	Venecia	309 400
ITALIA	301 302	56 778 100	188	Roma	2 775 300

ITALIANISMO m. Giro o modo de hablar propio y privativo de la lengua italiana. • Vocablo o giro de esta lengua empleado en otra.
ITALIANO, NA adj. y s. De Italia. • m. *Ling*. Lengua italiana.
* *Ling*. El it. es una lengua indoeuropea, del tronco itálico. Como las restantes lenguas románicas, deriva, pues, del latín. Además de Italia, el it. se habla en el cantón suizo de Tesino, en la zona S del país grisón, en parte de Dalmacia y Córcega y en los lugares de inmigración it. (EE UU, Argentina y Brasil). Cuenta con unos 45 millones de hablantes. Comprende diversos dialectos, entre los que predomina el toscano o florentino, que se extendió al resto de la pen. gracias a la labor cultural del *Quattrocento*.
ITÁLICO, CA adj. Relativo a Italia. Díc. en particular de lo perteneciente a Italia antigua. • adj. y s. Díc. del individuo de los diversos pueblos indoeuropeos, emparentados entre sí (latinos, oscos, umbros, etc.), que poblaron Italia a partir de la Edad de Hierro. • adj. *Ling*. Díc. del grupo de idiomas indoeuropeos que se hablaron antiguamente en la pen. it., y que tenían unas características comunes. Los más imp. fueron: el latín, el osco, el umbro y el sabino. • adj. y f. Díc. de la letra cursiva difundida por el impresor Aldo Manucio en el s. XVI.
ÍTALO, LA adj. y s. De Italia.
ÍTALO *Mit*. Epónimo de Italia, hijo de Telégono y de Penélope.
ITANAGAR C. de la India, cap. del est. de Arunachal Pradesh; 14 100 hab.
ITAPICURU Río del NE de Brasil, en Maranhão; 1 650 km. Desemboca en el Atlántico.
ITAPÚA Dpto. del S de Paraguay, fronterizo con Argentina, de la que le separa el río Paraná; 16 525 km², 371 600 hab. Cap., Encarnación. Lo accidenta la cordillera de Caaguazú. Clima subtropical húmedo. Tabaco, caña de azúcar, mate. Ganadería; explotación forestal. Ind. alimentarias.
ÍTEM adv. latino que se usa para hacer distinción de artículos o capítulos en un texto y también para indicar una adición. • m. fig. Cada uno de dichos artículos o capítulos. • fig. Aditamento, añadidura. • Elemento de un test cuyo resultado acertado interviene en la calificación general.
ITÉNEZ Río de Bolivia (→ Guaporé).
ITERAR tr. Repetir. ■ ITERABLE; ITERACIÓN; ITERATIVO, VA.
ITERBIO m. *Quím*. Elemento de símb. Yb; n. a. 70; p. a. 175,5. Es un metal del grupo de los lantánidos, cuyas sales son incoloras.
ITINERANTE adj. Ambulante.
ITINERARIO, RIA adj. Perteneciente a caminos. • m. Descripción de un camino, expresando los lugares por donde se ha de transitar.
ITO, *Hirobumi* (1841-1909) Político japonés. Fue primer ministro (1892-1896; 1898; 1900-1901). Redactó la constitución de 1889. Fue asesinado por un nacionalista coreano.
ITRIA f. *Quím*. Óxido de itrio. Es una sustancia blanca, terrosa e insoluble en agua.
ITRIO m. *Quím*. Elemento de símb. Y; n. a. 39; p. a. 88,92. Es un metal del grupo de las tierras raras, que forma un polvo brillante y negruzco.
ITURBI, *José* (1895-1980) Pianista y compositor esp. Fue profesor del conservatorio de Ginebra. *Pequeña danza española*, para piano.
ITURBIDE, *Agustín de* (1783-1824) Militar y político mex., nacido en Valladolid. En 1814 fue nombrado comandante general de Guanajuato, donde llevó a cabo una sangrienta represión contra los movimientos independentistas. En 1812 el virrey Apodaca le encomendó la tarea de sofocar la insurrección de Guerrero en el sur del país. Tras varios fracasos militares inició con el dirigente rebelde unas conversaciones de las que resultó el plan de Iguala o de las Tres Garantías (1821). Más tarde, se proclamó la indep. del país, que, como el plan de Iguala, no fue aceptada por Fernando VII. En 1822 se reunió el Congreso constituyente, en el que la mayoría republicana y liberal trató de atajar el creciente poder personal de I., pero éste, mediante un motín, se proclamó emp. y adoptó el nombre de Agustín I. Disolvió el Congreso, dispuso la represión de liberales y republicanos y gobernó con una Junta nacional constituyente creada por él mismo. En 1822, el general Santa-Anna llegó a un entendimiento con el ejército que I. había mandado a combatirle, y de este acuerdo surgió el plan de Casa Mata. Falto del apoyo del ejército, I. abdicó y se exilió. A su regreso a México fue ejecutado.
ITURI Río del NE de la Rep. Dem. del Congo; 480 km.
ITURRIAGA, *Enrique* (nacido 1918) Músico per. Discípulo de Honegger. *Dúo para violín y violonchelo*, *Danza para piano*, *Tres canciones para coro y orquesta*.
ITURRIGARAY, *José Joaquín de* (1742-1815) Militar y político esp. En 1802 fue nombrado virrey de Nueva España. Apoyó la junta independentista formada en 1808. Fue apresado y trasladado a España, donde debió someterse a un largo juicio de residencia.
ITUZAINGÓ Victoria de las tropas argentinouruguayas sobre las brasileñas (1827). Decidió la independencia de Uruguay.
ITZÁ adj. y s. Individuo perteneciente a un pueblo amerindio del grupo maya que vivía en la zona de Yucatán desde 492. Actualmente quedan algunos descendientes suyos en el Petén guatemalteco y en Honduras Británica. Difundieron el culto a Quetzalcóatl; fueron sometidos a la federación de Mayapán (1200-1400) y se replegaron hacia el s. XV al sector de Petén-Itzá, donde fueron dominados por los esp. bajo el mando de Martín de Ursúa (1697). Su lengua pertenece al grupo maya-quiché.
ITZAMNÁ En la religión maya, dios supremo, creador de todas las cosas. Se le rendía veneración como fundador de toda la cultura maya, desde el calendario y la escritura hasta el cultivo del campo.
ITZCÓATL (1380-1440) Cuarto rey azteca [1428-1440]. Liberó a los aztecas de la servidumbre de Azcapotzalco, y concertó con Texcoco y Tlacopan la liga de las tres ciudades.
ITZPAPALOTL Diosa azteca de la Muerte, relacionada con el signo del decimosexto día, o Cozcacuauhtli (Buitre) .
IVÁN I *Danilovich Kalitá* (1304-1341) Gran príncipe de Moscú y de Vladiminir [1328-1340]. Impuso su hegemonía sobre Tver, Riazán y Novgorod. • **II Ivanovich, *el Dulce*** (1326-1359) Gran príncipe de Moscú y de Vladimir [1353-1359]. Hijo del anterior. Combatió a los boyardos. • **III Vasilievich, *el Grande*** (1440-1505) Gran príncipe de Moscú y de todas las Rusias [1462-1505]. Reunió todos los principados del N a NE de Rusia en un solo est., y anexionó las c. de Novgorod, Tver y Riazán. • **IV Vasilievich, *el Terrible*** (1530-1584) Duque de Moscovia y zar de Rusia [1533-1584], primer príncipe ruso que tomó el nombre de zar de forma oficial. A la muerte de su padre, Basilio III (1533), su madre, Elena Glinski, asumió la regencia hasta morir en 1538. A partir de esta fecha se abre el período de regencia de los boyardos, que finaliza en 1547, cuando Iván IV inaugura su reinado personal. Llevó a cabo una política exterior de carácter expansivo, que convirtió a su país en una imp. potencia. De 1552 a 1556 conquistó los janatos de Kazán y de Astrakán. El deseo de dotar al país de una salida al Báltico le enfrentó a Suecia, Lituania, Dinamarca y Polonia. A partir de 1558 comenzó la colonización y conquista de Siberia. En 1564 se inició un período de represión, dirigida pralm. contra los boyardos, que le valió el sobrenombre de «el Terrible».
IVANOVO C. de la república de Rusia, al NE de Moscú; 474 000 hab. Centro textil algodonero.
IVENS, *Joris* (1898-1989) Documentalista neerlandés. Su obra se centra en la problemática de nuestro tiempo y tiene un carácter cosmopolita: *Komsomol*, en la URSS; *Tierra de España*, durante la guerra civil; *Indonesia llama*; *El cielo, la tierra*, sobre Vietnam, etc.
IWAKI C. de Japón, sit. al E. de Honshu; 350 600 hab. Ind. textil.
IWASZKIEWICZ, *Jaroslaw* (1894-1980) Escritor pol. *Fama y gloria*, *Madre Juana de los Ángeles*, *Cancionero italiano*.
IWATE Prefectura de Japón, en la isla de Honshu; 15 277 km², 1 117 000 hab. Cap. Morioka.
IWO C. del SO de Nigeria; 296 200 hab. Cacao. Ind. algodonera. Mercado agrícola.
IWO Jima Isla de Japón, en el océano Pacífico, a 1 200 km de la isla de Honshu. En 1945 fue conquistada por los norteam. con enormes pérdidas humanas.

Proclamación de Agustín de **Iturbide** como emperador, en una ilustración de la época. Museo Nacional de Historia, México

Itzamná, dios supremo maya

Iván IV el Terrible. Xilografía ss. XVI-XVII

Vista del lago **Izabal**

Ixchel, esposa de Itzamná y diosa del parto y del tejido

IX En el calendario maya, nombre del signo del decimoquinto día.
IXCHEL Diosa maya de la Luna, del agua y de la fecundidad femenina.
IXIL adj. y s. Díc. de individuos de una tribu amerindia del grupo mam, que viven en el centro de Guatemala. Suman unas 20 000 personas. • adj. Concerniente a dicha tribu. • m. pl. Esta misma tribu.
IXODA o **IXODES** m. Especie de ácaro terrestre, parásito de los vertebrados.
IZABAL Dpto. de Guatemala, junto al golfo de Honduras; 9 038 km^2, 253 153 hab. Cap., Puerto Barrios. Limita con Belice y con Honduras. Clima cálido y húmedo, modificado en las zonas altas. Café, cacao, arroz, caña de azúcar; maderas tintóreas. • Lago de Guatemala, el mayor del país, entre la sierra de Santa Cruz y las montañas de Mico, y la sierra de las Minas; 589 km^2. Recibe las aguas del Polochic. Su desagüe es el río Dulce.
IZAGA m. Lugar en donde hay muchos juncos.
IZALCO Volcán de El Salvador; 1 885 m. Se le denomina *faro del Pacífico.*
IZAR tr. *Mar.* Elevar alguna cosa tirando de la cuerda, cable, etc. del que está colgada, el cual pasa, al efecto, por un punto más elevado.
IZMIR C. del O de Turquía, a orillas del Egeo, en el golfo hom.; 946 300 hab. Centro comercial e industrial. Refinería de petróleo.
IZMIT C. del NO de Turquía, a orillas del mar de Mármara; 236 100 hab. Centro comercial e industrial. Es la ant. *Nicomedia.*
IZOTE m. Planta liliácea, propia de la América Central; es una especie de palma, de flores blancas, muy olorosas, que suelen comerse en conserva.
IZOZOG o **PARAPETI,** ***bañados del*** Zona pantanosa del SE de Bolivia, en la prov. de Santa Cruz.
IZQUIERDA Republicana Partido político esp., fundado en 1934 por la fusión de Acción Republicana, los radicales socialistas independientes y los republicanos gallegos. En las elecciones generales de 1936 obtuvo 80 escaños parlamentarios y fue la base del gobierno del Frente Popular.
IZQUIERDEAR intr. fig. Apartarse de lo que dicta la razón y el juicio.
IZQUIERDO, DA adj. Que está situado del lado del corazón en el hombre; p. ext., que cae o mira hacia ese lado. • Zurdo. • Torcido, no recto. • f. Mano izquierda. • *Pol.* Conjunto de individuos, partidos políticos, etc., que propugnan cambios sociales profundos. • **A la i. de.** loc. adj. Se aplica a un individuo, colectividad, etc., para indicar que son más radicales que otros con los que se comparan. • **De izquierdas.** loc. adj. Partidario de cambios sociales profundos. ■ IZQUIERDISTA.
* *Pol.* El uso de la palabra, referida tanto a individuos como grupos, tiene su origen en la Asamblea Nacional fr. de 1789, en la que los diputados liberales y republicanos se sentaban a la i. del presid., y los conservadores a la derecha. Con la revolución industrial, nacen en las grandes ciudades los primeros movimientos obreros y sindicales, que darán lugar a las tres grandes corrientes de la i.: socialdemocracia, comunismo y anarquismo.
IZQUIERDO, ***María*** (1906-1956) Pintora mex. Expuso en Europa y EE UU. *Mis sobrinas*, *Retrato de Tamara*, *Autorretrato*, *Caballitos de circo*, etc.
IZTACALCO Delegación de México, Distrito Federal; 448 322 hab.
IZTAPALAPA Delegación de México, Distrito Federal; 1 490 522 hab.
IZÚCAR de Matamoros Mun. de México, en el est. de Puebla; 62 860 hab. Refinerías de cobre, plata y azúcar.

J

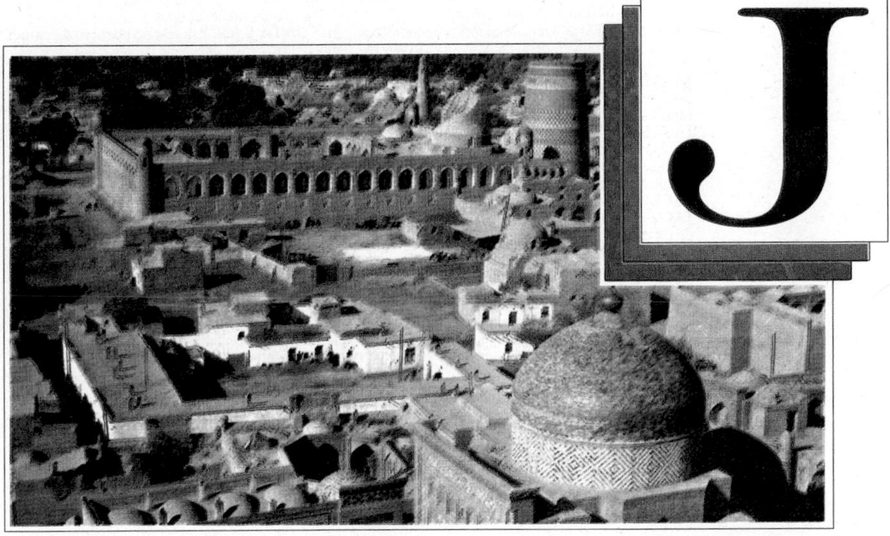

Vista de la ciudad de **Jiva**

J f. Décima letra del abecedario esp. y séptima de sus consonantes. Su nombre es *jota.* • *Fís.* Símb. del julio.

¡JA! interj. con que se manifiesta la risa.

JABA f. *Cuba.* Especie de cesta, de junco. • *Amér.* Especie de cajón de forma enrejada para transportar la loza. • fig. *Ven.* Miseria, inopia.

JABADO, DA adj. Díc. del ave de corral cuyo plumaje parece formar escamas o pintas.

JABALCÓN m. *Arq.* Madero ensamblado en uno vertical para apear otro horizontal o inclinado.

JABALCONAR tr. Formar con jabalcones el tendido del tejado. • Sostener con jabalcones un vano o voladizo.

JABALÍ m. *Zool.* Mamífero artiodáctilo, que vive en los bosques de Eurasia y N de África. Los colmillos inferiores de los machos alcanzan gran desarrollo. El j. ha originado el cerdo doméstico.

JABALINA f. Hembra del jabalí. • Arma arrojadiza usada en la caza mayor. • Instrumento en forma de lanza que lanzan los atletas en las competiciones deportivas.

JABALPUR *(Jubbulpore)* C. de la India, en el est. de Madhya Pradesh; 614 200 hab. Ind. metalúrgica.

JABARDO m. Enjambre pequeño que se separa de una colmena. • fig. y fam. Jabardillo, aglomeración de gente. ■ JABARDEAR; JABARDILLO.

JABÁROVSK Terr. de la república de Rusia, junto al mar de Ojotsk; 824 600 km^2, 1 824 000 hab. La taiga cubre grandes extensiones. • Cap. del territorio hom.; 601 000 hab. Refinerías de petróleo.

JABATO, TA adj. y s. Valiente, atrevido. • m. Cría del jabalí.

JABEAR tr. *Guat.* Robar.

JABEBA o **JABEGA** f. Flauta morisca.

JÁBECA o **JÁBEGA** f. Red muy larga, compuesta de un copo y dos bandas, de las cuales se tira desde tierra. • Embarcación más pequeña que el jabeque. ■ JABEGOTE; JABEGUERO, RA.

JABEQUE m. Embarcación de tres palos, con velas latinas. • fig. y fam. Herida en el rostro, hecha con arma blanca.

JABÍ adj. y m. Especie de manzana silvestre y pequeña. • Árbol de América intertropical cuya madera se emplea en construcciones navales.

JABILLA f. Planta herbácea de la familia cucurbitáceas, trepadora y de flores anaranjadas. Propia de América tropical.

JABILLO m. Árbol euforbiáceo de América tropical, cuya madera se emplea para hacer canoas.

JABINO m. Variedad enana del enebro.

JABÓN m. *Ind.* Pasta soluble en agua que sirve para lavar, resultado de la combinación de un álcali con los ácidos grasos. • *Argent.* y *P. Rico.* Susto. • **de sastre.** Esteatita blanca que los sastres emplean para señalar en las telas el sitio por donde han de cortar o coser. • **Dar j.** fam. Lisonjear. ■ JABONERÍA; JABONERO, RA; JABONOSO, SA.

* *Ind.* El j. se obtiene por ebullición de las grasas (animales o vegetales) con sosa cáustica (j. duros) o potasa cáustica (j. blandos). La acción limpiadora de los j. se debe a su capacidad para reducir la tensión superficial del agua, haciendo que las soluciones jabonosas penetren mejor en los intersticios y remuevan las sustancias que ensucian los objetos.

JABONADA f. Acción y efecto de jabonar. • Halagar. • *Méx.* Reprimenda.

JABONAR tr. Fregar la ropa u otras cosas con jabón y agua para lavarlas o ablandarlas. • tr. y prnl. Limpiar el cuerpo con agua y jabón. • Humedecer la barba con agua jabonosa para afeitarla. • tr. fig. y fam. Reprender duramente. ■ JABONADO, DA; JABONADURA.

JABONCILLO m. Pastilla de jabón aromatizada. • *Chile.* Jabón en polvo o disuelto que se usa para rasurarse. • Árbol sapindáceo de América. • Fruto de este árbol cuya pulpa produce jabón. • *Farm.* Jabón medicinal. • Jabón de sastre.

JABONETA f. o **JABONETE** m. Pastilla de jabón aromatizada.

JABORANDI o **JABORANDÍ** m. Árbol rutáceo, originario del Brasil. La infusión de sus hojas promueve la salivación y la transpiración.

JABOTÍ m. *Amér.* Especie de tortuga de concha negra.

JACA f. Caballo de poca alzada. • Yegua, hembra del caballo. • Árbol de la familia de las moráceas. • fig. y fam. Mujer hermosa. • *Argent.* Gallo de combate. • *Cuba.* Caballo castrado. • *Perú.* Yegua de poca alzada.

JACA Mun. esp. en la com. autónoma de Aragón; prov. de Huesca; 10 840 hab. Cereales y plantas forrajeras. Ganado lanar. Fue, en el s. XI, cap. del reino de Aragón. Catedral románica.

JACAL m. *Amér.* Choza.

JACALATE m. *C. Rica.* Mala hierba de las sabanas de las comarcas cálidas. • Planta semileñosa, de flores amarillas.

JACALÓN m. *Méx.* Colgadizo, cobertizo.

JACAMAR o **JACAMARA** m. Ave trepadora que habita en los bosques del Brasil.

JACAPA f. Pájaro que vive en los bosques de América Central y Meridional.

Jabalí

Vista parcial de la ciudadela de **Jaca**

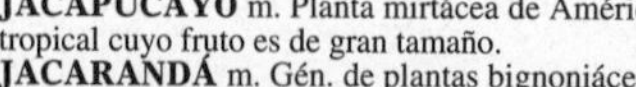

JACAPUCAYO m. Planta mirtácea de América tropical cuyo fruto es de gran tamaño.

JACARANDÁ m. Gén. de plantas bignoniáceas de América tropical, de las cuales se cultivan varias especies en los jardines de América.

JACAREAR intr. Cantar jácaras. • fig. y fam. Andar por las calles cantando y haciendo ruido. • fig. y fam. Molestar. ■ JACARANDOSO, SA; JACARERO, RA.

JÁCARO, RA adj. y s. Relativo al guapo y baladrón. • f. Romance en que se cuentan hechos de rufianes y maleantes. • Cierta música para cantar y bailar. • Ronda nocturna de gente alegre. ■ JACARANDO, DA.

Jacinto

JÁCENA f. *Arq.* Viga maestra.

JACETANO, NA o **JAQUÉS, SA** adj. y s. Díc. de un pueblo prerromano que habitaba en la actual Jaca. • adj. y s. De Jaca.

JACHACALDO m. *Perú.* Caldo de diversas hierbas.

JACHALÍ m. Árbol anonáceo de América tropical, de madera muy apreciada en ebanistería.

JACILLA f. Señal que deja una cosa sobre la tierra en que ha estado por algún tiempo; yacija.

JACINTO m. Planta liliácea y bulbosa, de flores olorosas, blancas, azules, rosadas o amarillentas, en espiga. • Flor de esta planta. • Circón, piedra preciosa.

JACK m. Planta arbórea de la familia moráceas, propia de las zonas tropicales. • *Electr.* Receptáculo en el que se establece una conexión introduciendo una clavija.

JACKSON C. de EE UU, cap. del est. de Misisipí, sobre el r. Pearl; 196 600 hab. Ind. textil y metalúrgica.

JACKSON, *Andrew* (1767-1845) General norteam., séptimo presid. de EE UU, elegido en 1828 y 1832. • ***Jesse*** (nacido 1941) Eclesiástico y político norteam. de raza negra. Trabajó con M. Luther King por la defensa de los derechos civiles. Ha presentado en dos ocasiones su candidatura a la nominación demócrata a la presidencia (1984 y 1988). • ***John Huglings*** (1835-1911) Médico brit., uno de los fundadores de la neurología moderna. Describió la epilepsia jacksoniana.

Jacobo I de Inglaterra

JACKSONVILLE C. de EE UU, en el est. de Florida; 540 900 hab. Puerto y centro comercial. Turismo.

JACO m. Cota de malla de manga corta. • Caballo pequeño y poco apreciado.

JACOB Hijo de Isaac y Rebeca, hermano de Esaú y, según la tradición bíblica, padre de las doce tribus de Israel. También llamado ISRAEL.

JACOB, *François* (nacido 1920) Biólogo y médico fr. Premio Nobel de Medicina en 1965, junto con Monod y Lwoff, por sus descubrimientos sobre el ácido ribonucleico mensajero y el código genético. • ***Max*** (1876-1944) Escritor fr. Obras burlescas: *El cubilete de los dados;* trágicas: *Defensa de Tartufo;* y místicas: *Visiones infernales, Meditaciones religiosas.*

JACOBEO, A adj. Relativo al apóstol Santiago.

JACOBI, *Friedrich Heinrich* (1743-1819) Filósofo al. Intuicionista y opuesto al racionalismo y al criticismo kantiano. *Cartas a M. Mendelssohn sobre la doctrina de Spinoza; Sobre la empresa del criticismo de reducir la razón al entendimiento.*

JACOBIANO, A adj. y m. *Mat.* Determinante de una matriz jacobiana, cuando ésta es cuadrada. • f. *Mat.* Matriz de *m* filas y *n* columnas en la que cada fila está constituida por las derivadas parciales de una función.

JACOBINISMO m. Ideología de los jacobinos. • *Pol.* Tendencia radical en la defensa de las libertades.

JACOBINO, NA adj. y s. Miembros de un partido revolucionario fr. nacido durante la Revolución. Su máx. figura fue Robespierre. Influyeron en la Convención y en el Comité de Salvación Pública.

JACOBITA adj. y s. Díc. del seguidor de Jacobo Baradeo, que reorganizó la Iglesia siria (s. VI). • Díc. de los partidarios de Jacobo II de Inglaterra.

JACOBITISMO m. Herejía monofisita defendida por Jacobo Baradeo en el s. VI.

Jacobo II de Inglaterra

JACOBO I (1566-1625) Rey de Inglaterra, Irlanda y, con el nombre de J. VI, de Escocia. Hijo de María Estuardo. • **II** (1633-1701) Rey de Inglaterra, Irlanda y, con el nombre de J. VII, de Escocia. Sucesor de Carlos II. En 1688 su yerno, Guillermo de Nassau, fue proclamado rey, y J. huyó a Francia. • **Eduardo Estuardo** (1688-1766) Intentó acceder al trono ing., del que había sido excluido.

JACONTA f. *Bol.* Especie de puchero de carne, tubérculos y fruta que suele comerse por carnaval.

JACQUARD adj. y m. *Ind.* Díc. de la máquina que se aplica a los telares para la reproducción sobre la tela de dibujos de diferentes colores.

JACTARSE prnl. Alabarse uno excesiva y presuntuosamente de la propia excelencia, y también de la que él mismo se atribuye. ■ JACTANCIA; JACTANCIOSO, SA.

JACÚ m. *Bol.* Pan, yuca o plátano que sirve para comer con los demás manjares.

JACULATORIO, RIA adj. Breve y fervoroso. • f. Oración breve.

JÁCULO m. Dardo, arma arrojadiza.

JACUZZI m. Bañera equipada con un sistema de propulsión de aire que provoca remolinos y sirve para hacerse masajes.

JADE m. *Miner.* Piedra muy dura y de aspecto jabonoso, que suele hallarse entre las rocas estratificadas cristalinas.

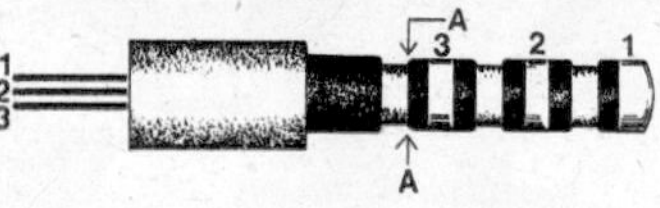

Clavija de un **jack** de tres contactos

JADEAR intr. Respirar con dificultad. ■ JADEO.

JADEÍTA f. *Miner.* Inosilicato de sodio y aluminio, de color blanquecino y brillo vítreo. Se utiliza para tallar objetos de adorno.

JADRAQUE m. Tratamiento que los musulmanes dan a los sultanes y príncipes.

JAÉN Prov. esp., en la com. autón. de Andalucía; 13 498 km^2, 648 551 hab. Cap., la c. hom. C. prales.: Linares, Úbeda. Olivos, cereales. Plomo, cinc. Ind. oleícola, metalúrgica. • C. esp., cap. de la prov. hom.; 104 776 hab.

JAENÉS, SA adj. y s. De Jaén.

JAEZ m. Cualquier adorno que se pone a las caballerías. Se usa más en pl. • fig. Calidad o propiedad de una cosa. ■ JAECERO, RA; JAEZAR.

JAFET Uno de los tres hijos de Noé.

JAFÉTICO, CA adj. y s. Se aplicaba a los pueblos y razas que, según el Génesis, descendían de Jafet, y habían poblado Europa.

JAFFA (heb., *Yafo)* C. palestina, junto al Mediterráneo. Forma una conurbación con Tel Aviv. Fue ocupada por Israel en 1948.

JAFFNA *(Yapanatta)* C. de Sri Lanka; 118 200 hab. Comercio y pesca. Ant. cap. del reino tamil.

JAGAN, *Cheddi* (1918-1997) Político guyanés. Fundó, con Forbes Burnham, el Partido Progresista del Pueblo (1949). Primer ministro (1961-1964), llevó a cabo una política de reformas. Reelegido en 1992.

JAGELLÓN Dinastía lituano-polaca, fundada por Ladislao II; reinó en Polonia y Lituania [1386-1572], Hungría [1440-1444 y 1490-1526] y Bohemia [1471-1526].

JAGUA f. Árbol rubiáceo de América intertropical, de fruto grande, drupáceo y pulpa agridulce. • Fruto de este árbol. • *Col.* Arenilla ferruginosa que queda en la batea donde se lava el oro.

JAGUAR m. *Zool.* Mamífero félido carnicero, que vive en América. La piel es de color leonado, con grandes manchas en forma de ocelos. Es perseguido por el valor de su piel y su peligrosidad.

JAGUARETÉ m. *Amér.* Jaguar.

JAGUAY m. Árbol de Cuba, de madera amarilla, empleada en ebanistería. • *Perú.* Balsa de agua. • Aguada.

JAGÜEY m. Bejuco de Cuba, que crece enlazándose con otro árbol. • *Amér.* Balsa de agua. • fig. *Cuba.* Persona desleal. ■ JAGUEL; JAGÜEL; JAHUEL.

JAGÜILLA f. Árbol rubiáceo de Cuba, de madera blanco amarilla. • *Amér.* Especie de jabalí.

JAHARRAR tr. Cubrir con una capa de yeso o mortero el paramento de una pared. ■ JAHARRO.

JAIBA f. *Amér.* Cangrejo de río y de mar. • com. *Amér.* Persona astuta. • *Cuba.* Persona perezosa.

JAIBERO m. *Chile.* Canasta para atrapar jaibas.

AIME Nombre de diversos monarcas:

ARAGÓN Y CATALUÑA

AIME I *el Conquistador* (1208-1276) Rey de ragón y Cataluña. Hijo de Pedro II. Conquistó Mallorca, Valencia y Murcia. Firmó el tratado de orbeil (1258). • **II** (1267-1327) Rey de Aragón 1291], hijo de Pedro III. Durante su reinado se independizó Sicilia. Prosiguió la guerra contra el reino e Mallorca.

MALLORCA

AIME I → Jaime I de Aragón y Cataluña. • **II** 1243-1311) Rey de Mallorca [1276-1311]. Hijo de aime I. Disputó su reino con Pedro III de Aragón. • **III** (1315-1349) Rey de Mallorca [1324-1343], ucesor de Sancho I. Derrotado y muerto en la batalla de Lluchmajor.

SICILIA

AIME de Urgel (h. 1380-1433) Conde de Urgel. Candidato a la sucesión de Martín el Humano, fue derrotado por Fernando de Antequera.

AIME → Santiago, santo.

AIMES, *Julio Lucas* (1845-1914) Escritor y político bol. Diputado en 1888. *Epílogo de la guerra del Pacífico, Delia.* • **Freyre, *Ricardo*** (1868-1933) Poeta e historiador bol. Fundó, con Rubén Darío, a *Revista de América*. Autor de *Castalia Bárbara, Los sueños son vida.*

AIMIQUÍ m. Árbol sapotáceo de Cuba, con cuyo fruto se alimenta al ganado vacuno y de cerda.

AINISMO m. Religión india, fundada en el s. VI a. C. por Nataputta o *Jina* como reacción al brahmanismo. Se divide en dos sectas prales.: digambaras y svetambaras, que se reparten en varias subsectas. Su principio fundamental es el *ahimsa*, es decir, la no-violencia con otras criaturas.

JAIPUR C. del NO de la India, cap. del estado de Rajasthan; 1 514 400 hab. Ind. textil, metalúrgica; comercio.

JAIQUE m. Capa ár. con capucha.

JAJÁ m. *Argent.* El chajá o arauco, ave zancuda.

¡JA, JA, JA! interj. con que se denota la risa.

¡JAJAY! interj. que expresa burla o risa.

JAKASIA Prov. autónoma de Rusia, en el S de Siberia. Integrada en el terr. de Krasnoyarsk; 61 900 km², 569 000 hab. Cap., Abakán. Cereales. Madera. Ganadería. Cobre, molibdeno, hierro.

JAKASIO, SIA adj. y s. Individuo de un pueblo mongoloide de Jakasia (Rusia). • m. Lengua de este pueblo.

JAKOBSON, *Roman* (1896-1982) Lingüista ruso, nacionalizado norteam. Fundador del Círculo Lingüístico de Praga. *Lenguaje infantil, afasia y leyes generales del lenguaje, Fundamentos del lenguaje* (con M. Halle).

JAL m. *Méx.* Pedazo de piedra pómez.

JALADO, DA adj. *Amér. Centr.* Pálido, ojeroso, demacrado, extenuado.

JALAPA Dpto. del E de Guatemala; 2 063 km², 196 940 hab. Sit. en la altiplanicie central y atravesado por el eje volcánico guatemaltecosalvadoreño. Clima templado. Agricultura (manzanas) y ganadería. Cap., la c. hom. • C. de Guatemala, cap. del dpto. hom.; 16 928 hab. Centro comercial.

JALAPA ENRÍQUEZ → Xalapa Enríquez.

JALAR tr. fam. Halar, tirar de una cuerda. • fam. Tirar, atraer. • *Amér. Centr.* Hacer el amor. • Comer con apetito. • prnl. *Amér.* Emborracharse. • prnl. e intr. *Amér.* Largarse, irse.

JALBEGUE m. Blanqueo hecho con cal o arcilla blanca. • Lechada de cal dispuesta para enjalbegar. ■ JALBEGAR.

JALDADO, DA, JALDE o **JALDO** adj. Amarillo subido.

JALEA f. Sustancia formada por penetración de un líquido o de un sólido dentro de una masa caliente en estado gelatinoso. • Conserva transparente y gelatinosa, a base de pectina, hecha con zumos de frutas. • *Farm.* Cualquier preparado de consistencia gelatinosa y azucarado. • **real.** Secreción de las glándulas de las abejas obreras, destinada a la nutrición de las larvas y de la abeja reina.

JALEAR tr. Llamar a los perros a voces para seguir la caza. • tr. y prnl. Animar a los que bailan, cantan, etc. • tr. fam. Excitar, soliviantar. • Hacer ruido. • *Chile.* Importunar; burlarse.

JALECO m. Jubón de paño turco, cuyas mangas llegaban a los codos.

JALED ibn Abdelaziz (1903-1982) Rey de Arabia Saudita, sucesor de Faysal. Reforzó la unidad islámica.

JALEO m. *C. Rica.* Amoríos, galanteos, arrumacos. • Cierto baile popular andaluz. • fam. Diversión bulliciosa. • fam. Alboroto, tumulto.

JALERA f. *Cuba.* Borrachera.

JALETINA f. Gelatina. • Jalea fina y transparente.

JALIFA m. Autoridad suprema del ant. Marruecos que, por delegación del sultán, desempeñaba las funciones de éste. • En Marruecos, sustituto de un funcionario.

JALIFATO m. Dignidad de jalifa. • Territorio gobernado por el jalifa.

JALISCIENSE adj. y s. De Jalisco.

JALISCO, CA adj. *Méx.* Ebrio, borracho. • *Méx.* Sombrero de paja.

JALISCO Est. del centro-oeste de México, ribereño del Pacífico; 80 137 km², 6 321 278 hab. Cap., Guadalajara. Terreno accidentado por la sierra Madre Occidental, sierra Volcánica Transversal y sierra Madre del Sur. Cuenca hidrográfica formada por el Lerma-lago de Chalapa-Grande de Santiago. Clima cálido, templado o frío, según la altitud. Agricultura, ganadería. Ind. alimentaria y textil.

JALLO, LLA adj. *Méx.* Presumido, quisquilloso.

JALÓN m. Vara con regatón de hierro para clavarla en tierra y determinar puntos fijos cuando se levanta el plano de un terreno. • fig. Hito o momento importante. • *Amér. Centr.* Novio, galán. • fam. *Amér.* Tirón. • *Guat.* y *Méx.* Trago de licor. • *Amér.* Trecho, distancia.

JALONA adj. *Amér. Centr.* Mujer coqueta.

JALONAR tr. Señalar algo con jalones. • fig. Determinar, marcar. ■ JALONAMIENTO.

JALOQUE m. Sudeste, viento.

JAMA f. *Hond.* Iguana pequeña.

JAMAICA f. *Amér. Centr.* Especie de feria que se celebra para reunir dinero con un fin benéfico. • *C. Rica.* Árbol pequeño, de flores blancas y frutos aromáticos.

Jaguar

Jaime I el Conquistador presidiendo las Cortes de Aragón, según una miniatura del *Llibre Vert*

Jaime III de Mallorca

Jalisco. Vista del centro de la ciudad de Guadalajara

JAMAICA

Superficie 10 991 km^2

Población 2 344 000 hab. (213 hab./km^2)

Recursos económicos	
Azúcar	237 000 t
Bananas	128 000 t
Batata	17 000 t
Bauxita	11 609 000 t
Cabaña bovina	300 000 cabezas
Cabaña caprina	440 000 cabezas
Cabaña porcina	250 000 cabezas
Cacao	2 000 t
Cigarros	9 000 000 unidades
Cigarrillos	1 273 000 000 unidades
Copra	8 000 t
Naranja	60 000 t
Nuez de coco	78 000 t
Pesca	10 432 t
Ron	181 000 hl

Indicadores sociológicos	
PNB	3 365 millones de dólares
Renta per cápita	1 380 dólares
Esperanza de vida	77 años
Alfabetismo	98 %

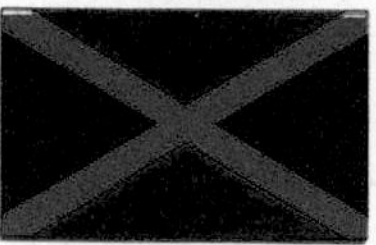

Jamaica. Arriba, mapa de situación y bandera; abajo, celebración del carnaval en Kingston

JAMAICA *(Dominion of Jamaica)* Isla y estado de las Grandes Antillas, sit. en el Caribe, al S de Cuba.
* *Geog.* Relieve accidentado en el que destacan, al E, las montañas Azules (alt. máx.: Blue Peak, 2 296 m). La región occidental está ocupada por una meseta. Ríos cortos y torrenciales (Minho). Clima tropical. Plátanos, caña de azúcar, café, maíz, patatas. Ganadería. Bauxita. Ind. alimentaria, metalúrgica, turismo. Cap., Kingston. C. pral.: Montego Bay. Lengua: inglés (of.). *Rel.*: protestantes (93 %), católicos. U.M.: dólar jamaicano.
* *Hist.* Habitada por indios arahuacos, fue descubierta por Colón (1494) y colonizada por Esquivel. A partir de 1600 se iniciaron las incursiones de corsarios ing. y Penn se apoderó de J. en 1655. La colonización brit. se caracterizó por la inmigración masiva de esclavos negros. Unida a la federación de las Indias Occidentales, logró la indep. en 1962, como est. miembro de la Commonwealth. La elección en 1962 del laborista A. Bustamante como gobernador general consolidó la influencia norteam. D. Sangster, M. Manley, E. Seaga y Percival J. Patterson le han sucedido en el gobierno.

JAMAICANO, NA adj. y s. De Jamaica.

JAMALZADEH, *Mohamed Ali* (1892-1997) Escritor iraní. Considerado padre de la literatura persa moderna.

JAMÁN m. *Méx.* Tela blanca, manta cruda.

JAMAR tr. y prnl. fam. Tomar alimento, comer.

JAMÁS adv. tiempo. Nunca. Pospuesto a este adv. y a *siempre*, refuerza el sentido de una y otra voz. • m. en la loc. *jamás de los jamases*, que refuerza enfáticamente la significación de este adverbio.

JAMBA f. Cada una de las dos piezas verticales del marco de puertas o ventanas, que sostienen un dintel o arco.

JAMBADO, DA adj. *Méx.* Glotón. • *Méx.* Que sufre los efectos de comer en exceso.

JAMBAJE m. *Arq.* Conjunto de las dos jambas y el dintel que forman el marco de una puerta o ventana.

JAMBAR tr. *Hond.* y *Méx.* Comer.

JÁMBICO, CA adj. Yámbico.

JÁMBLICO (h. 250-h. 330) Filósofo sirio neoplatónico, influido por las doctrinas pitagóricas. *Vida de Pitágoras* y *De los misterios.*

JAMELGO m. fam. Caballo flaco y desgarbado.

JAMERDANA f. Lugar donde se arrojan los excrementos de las reses en el matadero.

JAMERDAR tr. Limpiar los vientres de las reses. • fam. Lavar mal y deprisa.

JAMES Río de EE UU, que nace en la vertiente E de los Apalaches, atraviesa Virginia y desemboca en la bahía de Chesapeake.

JAMES, *Henry* (1843-1916) Novelista norteam. *Roderik Hudson, Bostonianas, Retrato de una dama,* • ***William*** (1842-1910) Filósofo norteam. Desarrolló una doctrina de la conciencia y la teoría de la emoción («teoría de James-Lange»). Se le considera el fundador del pragmatismo. *Las variedades de la experiencia religiosa, El pragmatismo.*

La abadía de Port-Royal, centro difusor del **jansenismo.** Pintura de Madeleine Boulogne

JAMESONITA f. *Miner.* Sulfuro de antimonio y plomo.

JÁMICHE m. *Col.* Montón de materiales destrozados. • *Col.* Cascajo o piedras menudas.

JÁMILA f. Líquido fétido de las aceitunas.

JAMÍS, *Fayad* (1930-1988) Poeta cub. Influido por el surrealismo. *Vagabundo del alba, Cuerpos.*

JAMMU C. de la India, cap. con Srinagar del est. de Jammu-Kashmir; 206 100 hab.

JAMMU-KASHMIR Est. del N de la India; 222 236 km^2; 7 818 700 hab. Capitalidad compartida entre las c. Jammu y Srinagar. La mayoría de la población es de rel. musulmana. Ocupa la parte de Cachemira controlada por dicho país.

JAMÓN m. Carne curada de la pierna del cerdo. • **en dulce.** El que se cuece en vino blanco. • **Pegarse al j.** *Cuba.* Vivir a expensas del estado.

JAMONA adj. y f. fam. Aplícase a la mujer que ha pasado de la juventud, especialmente si es gruesa. • fam. Díc. de la mujer bien formada.

JAMONCILLO m. *Méx.* Dulce de leche.

JÁMPARO m. *Col.* Chalupa, bote.

JAMPIRUNCO m. *Perú.* Curandero ambulante.

JAMPÓN, NA adj. *Guat.* Satisfecho, vanidoso. • *Guat.* Obsequioso.

JAMSHEDPUR C. del NE de la India, en el est. de Bihar; 438 400 hab. Centro industrial.

JAMUGAS f. pl. Silla de tijera que se coloca sobre el aparejo de las caballerías.

JAMUNDÍ Mun. de Colombia, en el dpto. de Valle del Cauca; 31 600 hab. Ganadería; caña de azúcar.

JAMURAR tr. Achicar el agua.

JAN m. Título de los soberanos mongoles y los jefes tártaros y después de los caudillos de Oriente Medio y la India. • *Cuba.* Estaca para sembrar haciendo hoyos.

JANACEK, *Leos* (1854-1928) Compositor checo. Renovó la música popular de su país. Autor de la ópera *Jenufa, la Misa glagolítica* y las sinfonías *Tarás Bulba* y *Sinfonietta.*

JANANO, NA adj. *Guat.* y *Salv.* Díc. del que tiene labio leporino.

JANATO m. Cargo, función o jurisdicción de un jan. • Territorio sometido a su jurisdicción.

JANE adj. *Hond.* Janano.

JANEAR tr. *Cuba.* Clavar janes. • *Cuba.* Montar de un salto sobre un animal. • prnl. *Cuba.* Pararse de pronto. • Estacionarse de pie.

JANEIRO m. *Ecuad.* Planta gramínea que se usa para alimento del ganado.

JANGADA f. fam. Tontería, estupidez. • fam. Trastada. • Balsa de maderos.

JANGUA f. Embarcación pequeña de Oriente.

JANICHE adj. *Hond.* y *Salv.* Janano.

JANICO Mun. de la República Dominicana, en la prov. de Santiago; 28 000 hab.

JANIPARA f. Árbol de Brasil, cuyo fruto se emplea contra la disentería.

JANNINGS, *Emil* (1884-1950) Actor al. de la época expresionista. *Fausto, El ángel azul.*

JANO *Mit.* Dios romano, protector de las casas y c., y de los caminos.

JANSEN, *Cornelis Otto* → Jansenio.

JANSENIO (1585-1638) Seud. de *Cornelis Otto Jansen*, teólogo hol., católico romano. Criticó la escolástica. Su *Augustinus* fue la base del jansenismo.

JANSENISMO m. Movimiento religioso-teológico fr. iniciado por el abad de Saint-Cyran, condenado por la Iglesia. Debe su nombre a Jansenio. Fue defendido por Pascal. Limitaba el libre albedrío humano. ■ JANSENISTA.

JANSKY, efecto m. *Fís.* Interferencia de las radiocomunicaciones terrestres por las emisiones radioeléctricas procedentes del espacio cósmico, que produce perturbaciones semejantes a zumbidos.

JANTI-MANSI, *Circunscripción nacional de los* Distrito étnico integrado en la prov. de Tiumen (rep. de Rusia); 523 100 km^2; 979 000 hab. Cap., Janti-Mansiisk; 24 800 hab. Pob. compuesta por janti u ostiacos y mansi o vogules.

JAPÓN *mar del* Sector marino sit. entre el arch. japonés, las costas de Corea y Rusia.

JAPÓN

Recursos económicos	
Arroz	12 625 000 t
Mandarinas	1 000 000 t
Patatas	3 400 000 t
Soja	99 000 t
Tabaco	60 000 t
Té	86 000 t
Trigo	580 000 t
Ganadería	
Cabaña bovina	4 916 000 cabezas
Cabaña porcina	10 250 000 cabezas
Riqueza forestal	32 722 000 m^3
Pesca	7 363 314 t
Producción minera	
Carbón	6 933 000 t
Cinc	100 700 t
Cobre	12 000 t
Cromo	2 000 t
Hierro	21 000 t
Manganeso	1 500 t
Molibdeno	100 t
Oro	9 551 kg
Plata	134 000 kg
Plomo	9 900 t
Tungsteno	66 t
Producción industrial	
Acero	101 600 000 t
Ácido clorhídrico	829 000 t
Ácido nítrico	675 000 t
Ácido sulfúrico	6 594 000 t
Aluminio	40 800 t
Automovilística	7 801 317 unidades
Azúcar	840 000 t
Cemento	91 624 000 t
Cerveza	71 007 000 hl
Energía eléctrica	964 328 millones de kWh
Fertilizantes	1 198 000 t
Hierro colado	73 776 000 t
Naval	9 263 000 t
Neumáticos	139 172 000 unidades
Papelera	25 555 000 t
Plásticos	5 310 000 t
Sosa cáustica	3 672 000 t
Tejidos de rayón	435 millones de m^2
Televisores	11 192 000 unidades
Indicadores sociológicos	
PNB	4 963 587 millones de dólares
Renta per cápita	39 640 dólares
Esperanza de vida	80 años
Alfabetismo	100 %

JAPÓN *(Nihon* o *Nippon)* Estado insular de Asia Oriental, bañado por el Pacífico, el mar de la China Oriental y el del Japón. Está formado por 1 042 islas. Las más imp. son Honshu, Hokkaido, Shikoku y Kyushu. Monarquía constitucional. Lenguas: japonés (of.), ing., ainu. Grupos étnicos: japoneses y minorías de ainus, coreanos, chinos. *Rel.*: sintoísmo, budismo, protestantismo, otras. U.M.: el yen. Cap., Tokio. C. prales.: Osaka, Yokohama, Nagoya, Kyoto.

* *Geog. fís.* El arco insular japonés es uno de los tres que bordean el continente asiático. Existen más de 200 conos volcánicos, muchos todavía activos (Fuji Yama, Asama Yama, etc.). Los r. son cortos y las costas recortadas. El clima está sujeto al monzón.

* *Geog. econ.* Tardíamente incorporado al mundo económico internacional, J. ha conseguido una de las tasas de crecimiento económico más altas del mundo. Los cultivos más imp. son el arroz, el azúcar, las hortalizas y las frutas. Los bosques tienen una elevada productividad. Es uno de los prales. países pesqueros. J. importa la mayor parte de las materias primas. La escasez de carbón determina el aprovechamiento de la hidroelectricidad y de la energía atómica. Ind. siderúrgicas, mecánicas, electrónicas, petroquímicas, del caucho sintético, fibras textiles, naval.

* *Hist.* Hasta el s. VIII J. estuvo repartido en numerosos clanes, uno de los cuales, el imperial, ostentaba una cierta primacía. La organización imperial fue obra de Shotoku Taishi [593-622]. Con él se inició el período Heian (794-1185), en el que se estableció un sistema muy parecido al feudalismo. En el s. XII se disputaron la hegemonía las familias Taira y Minamoto. Un miembro de esta última se erigió en *shogun*, dejando al emp. sin autoridad. Desde entonces los *shogun* gobernaban las prov. mediante la ayuda de los *daimios*, los cuales tenían a su servicio a los guerreros *samurais*. En 1542 llegaron los primeros port. *Tokugawa* reunificó el país y sometió a los *daimos*. El aislamiento de J. se mantuvo hasta que en 1853 fueron abiertos dos puertos al comercio con EE UU. El país inició una rápida modernización y crecimiento. Durante la II Guerra Mundial se unió al Eje, y se rindió tras las bombas atómicas sobre Hiroshima y Nagasaki. En lo político, la nueva estructura del país se articuló en torno a la constitución de 1947, a la existencia de partidos políticos y al nuevo papel del emp. En 1952, por el tratado de paz de San Francisco, J. recobró su indep. Desde entonces y hasta 1993, el Partido Liberal Demócrata (PLD) gobernó el país. En las cuatro décadas de gobierno liberal J. creció hasta colocarse entre los países más desarrollados. A este desarrollo colaboró la política neonacionalista iniciada por Y. Nakasone en 1982, continuada por sus sucesores T. Noburu, U. Sosuke, K. Toshiki y M. Kiichi. En 1989 murió el emperador Hirohito, sucediéndole su hijo Akihito. A principio de los noventa J. fue sacudido por escándalos políticos de corrupción. Tras tres años de gobierno de coalición, los liberales recuperaron el ejecutivo en 1996 con R. Hashimoto. En 1998, tras la dimisión de Hashimoto, fue elegido Keizo Obuchi quien afrontó una situación de recesión económica. Una grave enfermedad forzó la sustitución de Obuchi por Yoshiro Mori en 2000, quien tuvo a su vez un mandato breve, ya que en abril de 2001 le sucedió Junichiro Koizumi.

* *Arte. Arq.* Del s. VII destaca el conjunto monástico de Horyuji. Los periodos Nara y Heian están influenciados por China. En el s. XV rige el orden estructural, y en el s. XVI se erigen suntuosos castillos. A partir del periodo Meiji (1868-1912), los contactos con occidente señalan el recargamiento arquitectónico. En el s. XX se produce la unión entre la tradición y el racionalismo occidental, con Maekewa, Kenzo Tange, etc. *Esc.* Tori (s. X) fue el autor del *Buda Sakyamuni.* El s. X supone una apertura al realismo. En la época Kamakura (1185-1333) surge la monumentalidad de las estatuas. En los ss. XVII al XIX se labra el marfil y se combina escultura con decoración. En el s. XX destacan Tadahiro Ono y Shindo Tsuji. *Pint.* La cerámica prehistórica da nombre a la cultura Jomon. Del periodo Yayoi es la cerámica con incisiones y objetos de bronce. Hacia el s. X surgen las lacas ornamentadas, y en la época *samurai*, el retrato. En el s. XV aparece el *sumi-e.*

Japón. Arriba a la izquierda, calle comercial de Tokio; a la derecha, industria electrónica; abajo, templo de Nara, en la isla de Honshu

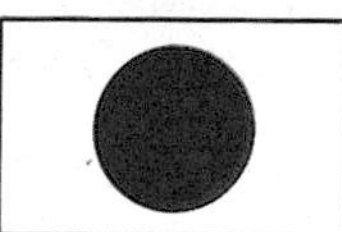

Japón. Arriba, mapa de situación y bandera; abajo, el emperador Akihito

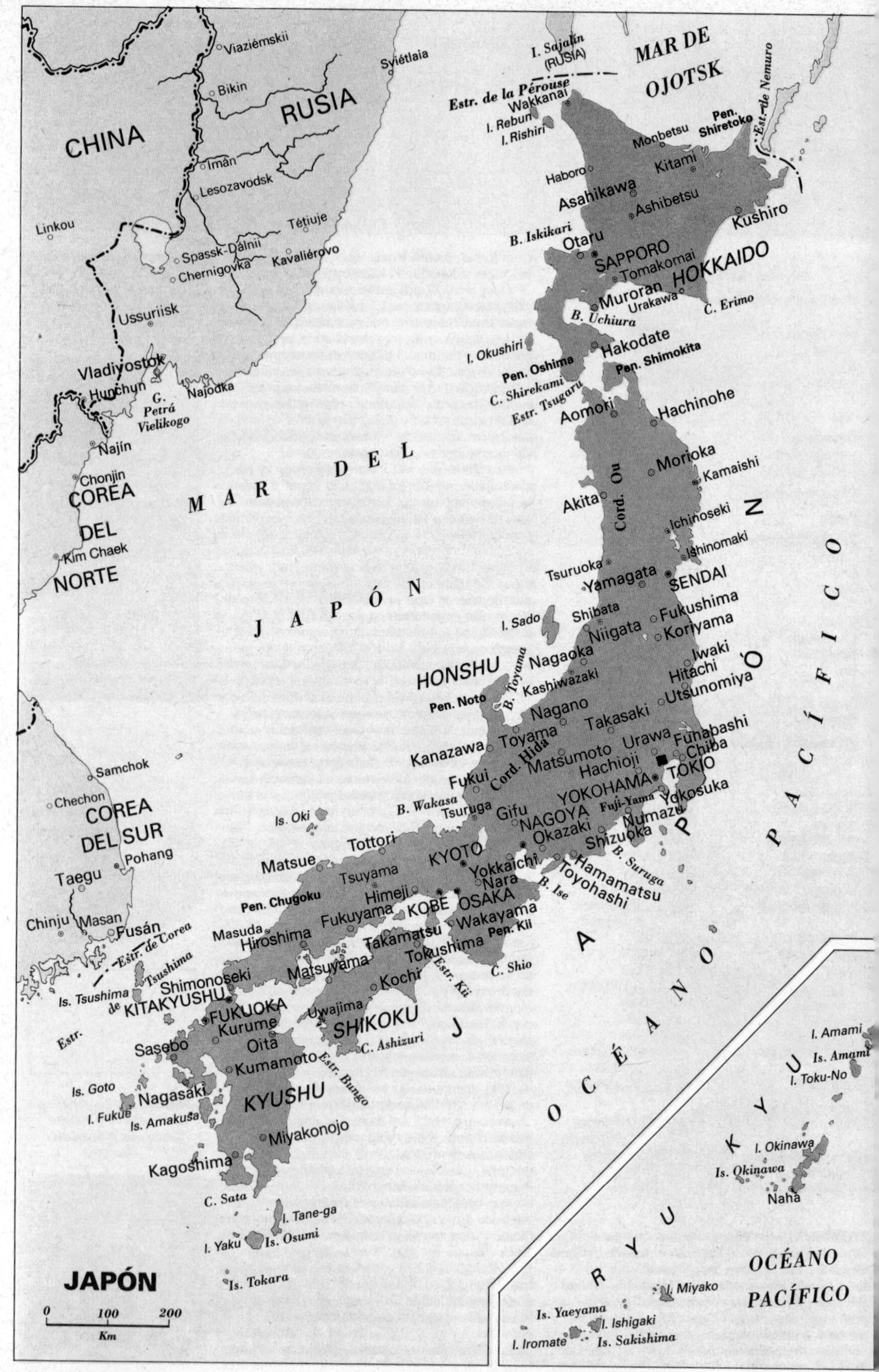

Las grandes islas de **Japón:** Hokkaido, Honshu, Shikoku y Kyushu. A la derecha, el archipiélago de Ryukyu

División administrativa de **Japón**

Prefecturas	*Km²*	*Población* [1]	*Densidad*	*Capital*	*Habitantes*
Hokkaido	78 523	5 644 000	72	Sapporo	1 671 800
ISLA HOKKAIDO	78 523	5 644 000	72		
Aichi	5 139	6 690 000	1 302	Nagoya	2 154 700
Akita	11 613	1 227 000	106	Akita	302 400
Aomori	9 619	1 483 000	154	Aomori	287 800
Chiba	5 151	5 555 000	1 078	Chiba	829 800
Fukui	4 192	824 000	196	Fukui	252 800
Fukushima	13 784	2 104 000	153	Fukushima	277 500
Gifu	10 956	2 067 000	195	Gifu	410 300
Gumma	6 356	1 966 000	309	Maebashi	286 300
Hiroshima	8 467	2 850 000	337	Hiroshima	1 085 700
Hyogo	8 381	5 405 000	645	Kobe	1 477 400
Ibaraki	6 094	2 845 000	467	Mito	234 970
Ishikawa	4 198	1 165 000	277	Kanzawa	442 900
Iwate	15 277	1 417 000	93	Morioka	235 400
Kanagawa	2 403	7 980 000	3 321	Yokohama	3 220 400
Kioto	4 613	2 603 000	564	Kioto	1 461 100
Mie	5 778	1 793 000	310	Tsu	157 200
Miyagi	7 292	2 249 000	308	Sendai	918 400
Nagano	13 585	2 157 000	159	Nagano	347 000
Nara	3 692	1 375 000	372	Nara	349 400
Niigata	12 579	2 475 000	197	Niigata	486 100
Okayama	7 092	1 926 000	271	Okayama	593 700
Osaka	1 869	8 735 000	4 673	Osaka	2 623 800
Saitama	3 799	6 405 000	1 686	Urawa	418 300
Shiga	4 016	1 222 000	304	Otsu	260 000
Shimane	6 629	781 000	118	Matsue	142 900
Shizuoka	7 773	3 671 000	472	Shizuoka	472 200
Tochigi	6 414	1 935 000	302	Utsunomiya	426 100
Tokio	2 166	11 855 000	5 473	Tokio	11 855 000
Tottori	3 494	616 000	176	Tottori	142 500
Toyama	4 252	1 120 000	263	Toyama	321 300
Wakayama	4 725	1 074 000	227	Wakayama	396 600
Yamagata	9 327	1 258 000	135	Yamagata	249 500
Yamaguchi	6 107	1 573 000	257	Yamaguchi	129 500
Yamanashi	4 464	853 000	191	Kofu	200 600
ISLA HONSHU	231 090	99 254 000	429		
Fukuoka	4 963	4 811 000	969	Fukuoka	1 237 100
Kagoshima	9 166	1 798 000	196	Kagoshima	536 700
Kumamoto	7 408	1 840 000	248	Kumamoto	579 300
Miyazaki	7 735	1 169 000	151	Miyazaki	287 400
Nagasaki	4 113	1 563 000	380	Nagasaki	444 600
Oita	6 338	1 237 000	195	Oita	408 500
Saga	2 440	878 000	360	Saga	170 000
ISLA KYUSHU	42 163	13 296 000	315		
Okinawa	2 263	1 223 000	540	Naha	304 900
ISLA RYUKYU	2 263	1 263 000	540		
Ehime	5 673	1 515 000	267	Matsuyama	443 300
Kagawa	1 860	1 023 000	550	Takamatsu	329 700
Kochi	7 104	825 000	116	Kochi	317 100
Tokushima	4 143	832 000	201	Tokushima	263 300
ISLA SHIKOKU	18 780	4 195 000	223		
JAPÓN	372 819	123 921 000 [2]	332	Tokio	11 855 000

[1] Último censo. [2] Última estimación.

Japón. Arriba, *Hombre y mujer recostados*, por Suzuki Harunobu; abajo, gran plato de cerámica Kutani

La época Tokugawa (ss. XVII al XIX) es el periodo de la decoración por excelencia. En el s. XX destacan Fujita, Nameki y Tabushi.

JAPONÉS, SA adj. y s. De Japón. • adj. Relativo a Japón. • m. *Ling*. Lengua de Japón, nacida de la conjunción entre la lengua clásica escrita y el lenguaje hablado moderno.

JAPURÁ Nombre brasileño del río Caquetá.

JAQUE m. Jugada de ajedrez en que el rey está amenazado. • Palabra con que se avisa esta situación. • fig. Ataque, amenaza. • fam. Valentón, perdonavidas. • **mate.** El que no deja escap e posible al rey enemigo. • **Tener** a uno **en j.** fig. Tenerle bajo el peso de una amenaza.

JAQUEAR tr. Dar jaques en el juego de ajedrez. • fig. Hostigar al enemigo.

JAQUECA f. Migraña. Accesos de cefalalgia localizada en la mitad derecha o izquierda de la cabeza, producida por una vasodilatación de las arterias cerebrales y el edema que se forma alrededor.

JAQUECOSO, SA adj. fig. Fastidioso, cargante.

JAQUETÓN m. *Zool.* Tiburón de gran tamaño, de extraordinaria voracidad. Vive en todos los mares, pralm. en aguas cálidas.

JARA f. Arbusto cistíneo abundantísimo en España. • Palo puntiagudo y endurecido al fuego, que se usaba como arma arrojadiza. • *Méx.* y *Guat.* Flecha.

JARA, ***Albino*** (1878-1912) Militar y político par. Presid. de la rep. de enero a julio de 1911, tras derrocar a Manuel Gondra. • ***Marta*** (nacida 1922) Escritora chil. Adscrita al realismo criollo. *El vaquero de Dios*. • ***Max*** (1886-1965) Poeta chil. *Asonantes, Camino adelante, Poemas selectos*. • **Rodríguez, *Heriberto*** (1884-1968) Militar y político méx. Secretario de Marina con Lázaro Cárdenas y con Ávila Camacho.

JARABACOA Mun. de la República Dominicana, en la prov. de La Vega; 35 700 hab. Ganadería. Explotación forestal.

JARABE m. Bebida compuesta por azúcar cocido en agua y zumos refrescantes o sustancias medicinales. • fig. Cualquier bebida excesivamente dulce. • *Méx.* Baile popular parecido al zapateado. • **de palo.** Exp. coloquial que alude a una paliza como medio de disuasión o castigo. • **de pico.** fig. y fam. Promesas que no se han de cumplir ■ JARABEAR.

JARACALLA f. Alondra.

JARACATAL m. *Guat.* Abundancia, multitud.

JARACATE m. *Guat.* Árbol de flor amarilla y rápida reproducción.

JARACOLITO m. *Perú.* Baile indio.

JARAGUA f. Arbusto rubiáceo de Cuba.

JARAÍZ m. Lagar.

JARAL m. Sitio poblado de jaras. • fig. Lo que está muy enredado o intrincado.

Flor de **jara**

Jarra visigoda, procedente de Hornillos del Camino. Museo Arqueológico de Burgos, España

Wojciech **Jaruzelski**

Karl **Jaspers**

JARAMA R. de España, afl. derecho del Tajo. • **Batalla del J.** En febrero 1937 se produjo en este r. la batalla de su nombre, entre nacionalistas y republicanos.

JARAMAGO m. Planta crucífera, de flores amarillas, pequeñas, en espigas alargadas.

JARAMILLO, *Hernán* (nacido 1900) Escritor chil. *La buena moza y el toro, Cuero duro.* • **Escobar, *Jaime*** (nacido 1933) Escritor col. Perteneciente al mov. «nadaísta». *Cincuenta años de atraso en poesía, Los poemas de la ofensa.* • **Giraldo, *Alipio*** (nacido 1913) Pintor col. Murales de la Universidad Nacional de Bogotá. • **Medina, *Francisco*** (1884-1919) Escritor y político col. *El frío de la gloria, La voz de la vida, Los visionarios.*

JARAMUGO m. Cría de pez.

JARANA f. fam. Diversión bulliciosa. • fam. Pendencia, tumulto. • fam. Trampa, engaño, burla. • *Amér. Centr.* Deuda. • *Amér. Centr.* Baile popular.

JARANEAR intr. fam. Andar en jaranas. • *Amér. Centr.* Estafar. • *Chile* y *Cuba.* Bromear. ■ JARANERO, RA; JARANISTA.

JARANO adj. y s. Díc. del sombrero de fieltro blanco, falda ancha y bajo de copa.

JARATAR tr. *Ecuad.* Cercar.

JARAZO m. Golpe dado con la jara. • Herida que produce.

JARBACA f. *C. Rica.* Maíz crudo triturado, para la alimentación de las aves de corral.

JARCA f. Especie de acacia de Bolivia, de madera colorada, que se emplea en la construcción.

JARCHA f. Estrofa que remataba los poemas ár. o heb. llamados *moaxaja.* En España datan del s. XI.

JARCIA f. Carga de muchas cosas distintas. • *Mar.* Aparejos y cabos de un buque. Se usa más en pl. • Conjunto de instrumentos y redes para pescar. • fig. y fam. Mezcla desordenada de cosas diversas. • *Méx.* y *Cuba.* Cordel.

JARCIAR tr. Enjarciar.

JARDEAR tr. *Col.* Arrear al ganado.

JARDIEL Poncela, *Enrique* (1901-1952) Novelista y dramaturgo español. Novela: *Amor se escribe sin h, Pero ¿hubo alguna vez once mil vírgenes?, Espérame en Siberia, vida mía.* Teatro: *Angelina, o el honor de un brigadier, Eloísa está debajo de un almendro.*

JARDÍN m. Terreno en donde se cultivan plantas, en especial ornamentales. • *Mar.* En los buques, retrete. • Mancha que deslustra y afea la esmeralda. • **de infancia.** Establecimiento para niños de edad preescolar.

JARDINERA f. La que por oficio cuida y cultiva un jardín. • Mujer del jardinero. • Mueble para colocar macetas con flores y las mismas flores.

JARDINERÍA f. Arte de cultivar los jardines.

JARDINERO m. El que cuida y cultiva un jardín.

JARDINES DE LA REINA Arch. frente a la costa meridional de Cuba, formado por unos 400 cayos.

JÁREA f. *Méx.* Gazuza, hambre.

JAREARSE prnl. *Méx.* Morirse de hambre. • *Méx.* Huirse, evadirse. • *Méx.* Bambolearse.

JARETA f. *C. Rica.* Bragueta, abertura de los pantalones.

JARETAZO m. aum. de jareta. • **Dar** o **pegar** un **j.** fig. y fam. *C. Rica.* Dar braguetazo.

JARICHÍ o **JARIYÍ** adj. y s. Díc. de miembros de una secta musulmana que sostiene que el califato debe recaer en un individuo elegido libremente por la comunidad. Actualmente hay núcleos de j. en el S de Arabia, en el N de África y en Irak. • adj. Relativo a esta secta musulmana.

JARICO m. *Cuba.* Especie de galápago.

JARIFE m. Jerife, descendiente de Mahoma.

JARIFO, FA adj. Adornado o vistoso.

JARILLA f. Árbol terebintáceo de América.

JARILLO m. Jaro, planta arácea.

JARKOV C. de Ucrania; 1 540 000 hab. Centro ind. Ant. fortaleza militar.

JARMO Yacimiento arqueológico de los montes del Kurdistán correspondiente al neolítico ant. del Próximo Oriente. Las excavaciones han podido comprobar 15 niveles diferentes.

JARNÉS, *Benjamín* (1888-1950) Escritor esp. Exiliado a México al finalizar la guerra civil (1939), publicó en el destierro *Españoles en América.*

JARO, RA adj. y s. Díc. del animal que tiene el pelo rojizo. • m. *Bot.* Planta herbácea, con rizoma corto y tuberoso, que se usa como expectorante y purgante.

JAROCHAR intr. *Col.* Alborotar.

JAROCHO, CHA adj. y s. De Veracruz. • Persona de modales bruscos. • m. y f. *Méx.* Campesino de Veracruz.

JAROPE m. Jarabe. • fig. y fam. Bebida desagradable. ■ JAROPAR; JAROPEAR; JAROPEO.

JARRA f. Vasija con cuello y boca anchos y una o más asas. • **De jarras** o **en jarras.** m. adv. Con las manos en la cintura y los codos separados del cuerpo. ■ JARRERO.

JARRAR tr. fam. Cubrir con yeso o mortero una pared.

JARRAZO m. Golpe dado con jarra o jarro.

JARREAR intr. fam. Sacar frecuentemente agua o vino con el jarro. • fig. Llover copiosamente. • tr. Jaharrar.

JARRETAR tr. y prnl. fig. Enervar, quitar las fuerzas.

JARRETE m. Corva de la rodilla. • Corvejón de los cuadrúpedos. • *Col.* Talón.

JARRETERA o **JARETERA** f. Liga con que se ata la media o el calzón por el jarrete.

JARRETERA, *orden de la* Ant. orden militar ing. creada por Eduardo III entre 1346 y 1348.

JARRO m. Vasija a manera de jarra y con sólo un asa. • Cantidad de líquido que cabe en ella. • **A jarros.** m. adv. fig. y fam. A cántaros.

JARRÓN m. Pieza arquitectónica en forma de jarro. • Vaso decorativo artísticamente labrado.

JARRY, *Alfred* (1873-1907) Escritor fr. Fundó el movimiento patafísico. *Ubu rey, Ubu encadenado, Ubu en el patíbulo.*

JARTUM Cap. de la República de Sudán, sit. sobre el Nilo Azul; 557 000 hab. Comercio; ind. mecánica y textil.

JARUZELSKI, *Wojciech* (nacido 1923) Militar pol. En 1981 fue elegido jefe del gobierno y secretario general del Partido Obrero Unificado Polaco. En diciembre del mismo año dio un autogolpe de estado militar, implantó la ley marcial y un consejo militar de salvación nacional.

JASAR tr. Hacer un corte en la carne. ■ JASA; JASADOR, RA; JASADURA.

JASÓN *Mit. gr.* Jefe de los Argonautas e hijo de Esón, rey de Yolcos, y de Polimede. Reclamó a Pelias, hermanastro de su padre, el trono que había usurpado. Para conseguirlo tuvo que domar los toros que protegían el vellocino de oro. Le ayudó Medea, a la que luego abandonó.

JASÓN de Cirene (h. 150-100 a.C.) Historiador judío, autor de una obra en 5 volúmenes sobre los Macabeos.

JASPE m. *Miner.* Calcedonia opaca o traslúcida, de muy diversa coloración: verde con manchas rojas (heliotropo); verde puerro (plasma); gris (piedra córnea).

JASPEAR tr. Pintar imitando las vetas y salpicaduras del jaspe. ■ JASPEADO, DA.

JASPERS, *Karl* (1883-1969) Filósofo existencialista al. *Filosofía de la existencia, Ambiente espiritual de nuestro tiempo, Razón y existencia.*

JASPIA f. *Guat.* El sustento diario.

JASPIAR tr. *Guat.* Comer.

JASPÓN m. Mármol de grano grueso.

JATATA f. Especie de palmiche de Bolivia con el que se hace un trenzado muy fino.

JATE m. Planta de Honduras, de cuyas hojas se hace una tintura como la de árnica.

JATÍA f. Árbol de América, de madera correosa que se emplea en ebanistería.

JATIB m. En los países islámicos, predicador que dirige la oración del viernes.

JATIBONICO Mun. de Cuba, en la prov. de Camagüey; 21 600 hab. Ind. azucarera; ganado.

JATICO m. *Guat.* Canastillo para un recién nacido.

JATO, TA m. y f. Ternero, ra.

¡JAU! Interj. para animar e incitar a algunos animales.

JAUJA f. Lugar en que se supone hay prosperidad y abundancia. La tradición popular dio este nombre, tomado de las *Relaciones* de Pizarro sobre el imperio inca, a un país imaginario en el que el pueblo vería satisfechas sus necesidades.

JAULA f. Caja de madera, alambres, etc., para en-

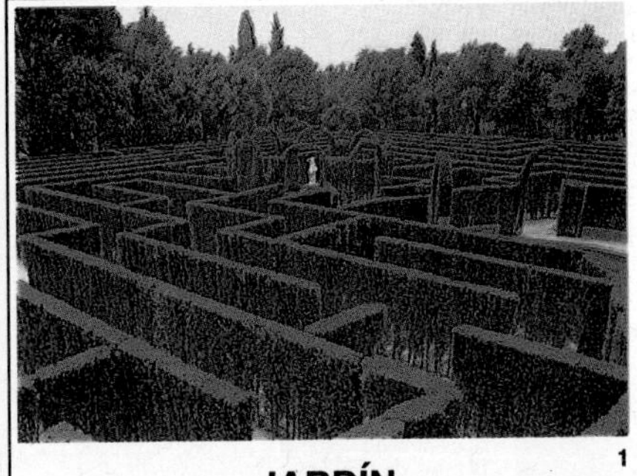

1

2

JARDÍN

1. Parque del Laberinto de Horta (Barcelona, España), jardín de inspiración neoclásica realizado en 1794 por el italiano Domenico Bagutti.
2. Planos del llamado *Parterre de Latona*, ideado por André Le Nôtre (1660-1690), en los jardines del palacio de Versalles (Francia).
3. Vista aérea del palacio de Vaux-le-Vicomte (Francia), con sus espléndidos jardines, obra de André Le Nôtre (1656-1661), exponente del modelo francés de jardines rectilíneos.
4. Jardín "seco" del templo de Ryoanji (Japón). Realizado en arena y piedra, este tipo de jardín constituye un elemento de meditación empleado por el budismo zen.

4

3

5

5. Fuente del *Ovato* en villa Este (Tívoli, Italia), obra del artista manierista italiano Pirro Ligorio (h. 1510-1583).
6. *Un rincón de jardín en Montgeron*, óleo de Claude Monet que refleja el modelo tradicional de jardín inglés.
7. Detalle de los jardines del parque de Montjuïc, en Barcelona (España). Obra del ingeniero francés Jean-Claude-Nicolas Forestier, que los realizó para la Exposición Internacional de 1929, combinan la frondosidad de los parques de gusto inglés con la elegancia rectilínea de los jardines franceses.

6

7

cerrar animales. • Embalaje de madera formado con tablas o listones. • Armazón que se emplea en las minas para subir y bajar los operarios y los materiales.

JÁUREGUI, ***Juan de*** (1583-1641) Poeta, pintor y crítico esp. *Antídoto contra las Soledades, Discurso poético.* • **Y Aldecoa,** ***Agustín de*** (1712-1784) Militar y político esp. Estuvo encargado de contener la invasión brit. de Honduras. Capitán General de Chile (1773), llevó a cabo la reorganización del ejército (1777) y fue nombrado virrey del Perú (1780). Hubo de hacer frente a la rebelión indígena de Túpac Amaru.

Ciervo acosado por la ***jauría,*** óleo de Paul de Vos. Museo del Prado, Madrid

JAURÈS, ***Jean*** (1859-1914) Político fr. Participó en la fundación del partido socialista fr. (1901) y fundó *L'Humanité* (1904).

JAURETCHE, ***Arturo*** (1901-1974) Poeta y ensayista arg. *El paso de los libres, Los profetas del odio.*

JAURÍA f. Conjunto de perros que cazan dirigidos por un perrero.

JAVA *(Djawa)* Isla del arch. de la Sonda, en Indonesia; 126 701 km^2; 82 015 300 hab. C. prales.: Yakarta y Surabaya. Té, caña de azúcar, café, tabaco; madera. Fosfatos, oro, petróleo. Ind. textil, metalúrgica, química. Ant. colonia neerlandesa.

JAVANÉS, SA adj. y s. De Java. • adj. Relativo a Java. • m. *Ling.* Lengua malayopolinesia de Java y Sumatra.

JAWARA, ***David Kwesi*** (nacido 1924) Político de Gambia, presid. de la rep. desde 1970.

JAWLENSKY, ***Alexei von*** (1864-1941) Pintor ruso. En 1909, junto con Kandinsky y Kubin, fundó el grupo *Nueva sociedad de artistas.*

John **Jay**

JAY, ***John*** (1745-1829) Político norteam. Presidió el congreso continental (1778-1779) y fue nombrado secretario de Estado (1784-1789). Fue, junto con Hamilton, el pral. dirigente de los federalistas.

JAYABACANÁ f. Árbol de Cuba, cuya savia se emplea en la curación de erupciones cutáneas.

JAYAJABICO m. Arbusto ramnáceo de Cuba, de corteza amarga y resinosa. • Árbol rubiáceo de Cuba, cuyo fruto es diurético y astringente.

JAYÁN, NA m. y f. Persona de gran estatura y de muchas fuerzas.

JAYAO m. Pez de las Antillas, de apreciada carne.

JAYÚN m. *Cuba.* Especie de junco, planta.

JAYUYA Mun. de Puerto Rico, en el distr. de Ponce; 15 200 hab.

JÁZARO, RA adj. y s. Individuo de un pueblo turco que se asentó en el Volga inferior y en el Kubán (s. VII). • adj. Relativo a este pueblo. • m. pl. Este pueblo.

Jazmín

JAZMÍN m. Arbusto de la familia oleáceas de flores muy olorosas. • Flor de este arbusto. • **de la India.** Gardenia. • **real.** Jazmín de España.

JAZMINÁCEO, A o **JAZMÍNEO, A** adj. Oleáceo.

JAZZ m. *Mús.* Gén. derivado de los cantos y melodías de los negros norteam.

* *Mús.* El j. nació en el S de EE UU a finales del s. XIX. Louis Armstrong le aportó el *swing.* Duke Ellington y Count Basie dominaron el j. de los años 40. Post. aparecieron el estilo *bop* (Ch. Parker, D. Guillespie), el *cool.* (Miles Davis), el *hard bop* (S. Rollins, J. Coltrane) y el *free jazz* (O. Coleman, Ch. Mingus, K. Jarret).

JCL *Comp.* Siglas de *Job Control Language* (lenguaje de control de trabajos). Término que se aplica a todos los lenguajes que instruyen sobre las tareas que el sistema operativo de una computadora debe realizar.

JEAN, ***Paul*** Seud. de *Friedrich Richter* (1763-1825) Novelista y poeta romántico al. *Hesperus, La logia invisible, Titán.*

JEANS (voz ing.) m. pl. Pantalón vaquero.

JEANS, ***James*** (1877-1946) Astrónomo y físico brit. Realizó estudios sobre dinámica, radiación, física atómica y mecánica estadística.

JEBE m. Alumbre, sulfato. • *Amér.* Goma elástica.

JEBEL Druso *(Jebel ed Drouz; Yabal Darazi)* Macizo volcánico del S de Siria, en el límite con Jordania, habitado desde el s. XIX por los drusos. Integra la prov. de Sueida.

JEDIVE m. Título que llevaba el virrey de Egipto.

JEEP m. Vehículo ligero para todo terreno con tracción en las cuatro ruedas.

JEFA f. Superiora de un cuerpo u oficio. • Mujer del jefe.

JEFE m. Persona que tiene a otras bajo sus órdenes. • Cabeza o presid. de un partido o corporación. • m. *Mil.* En el ejército y la marina, categoría superior a la de capitán e inferior a la de general. • **de administración.** Funcionario de categoría administrativa civil superior a la de j. de negociado. • **de día.** Cualquiera de los que turnan por días en el servicio de vigilancia. • **de estación.** Empleado de los ferrocarriles que tiene la máx. autoridad en una estación. • **de Estado.** Autoridad superior de un país. • **de gobierno.** Presid. del consejo de ministros o gabinete. • **de negociado.** Funcionario de categoría administrativa civil inmediatamente superior a la de oficial. ■ JEFATURA; JEFAZO, ZA.

JEFFERSON CITY C. de EE UU, cap. del est. de Misuri; 35 500 hab.

JEFFERSON, ***Thomas*** (1743-1826) Político, arquitecto y pedagogo norteam. Redactó la *Declaración de la Independencia.* Tercer presid. de EE UU.

JEHOVÁ Escritura convencional de Yahweh.

JEHUITE m. *Méx.* Maleza.

¡JE, JE, JE! interj. con que se denota la risa.

JEJÉN m. Díptero propio de América, de tamaño inferior al del mosquito y de picadura más irritante.

JEJUÍ-GUAZÚ R. de Paraguay, afl. de la orilla izquierda del Paraguay. Nace en la sierra de Mbaracayú.

JEMAL adj. Que tiene la distancia y longitud del jeme.

JEME m. Distancia que hay entre los extremos de los dedos pulgar e índice, cuando están separados al máximo. Sirve de medida. • fig. y fam. Rostro o talle de mujer, palmito.

JEMESÍA f. Enrejado de piedra, ladrillos, yeso o madera, para dar luz y ventilación; celosía.

JEMIQUEAR intr. *Chile.* Jeremiquear. ■ JEMIQUEO.

JENA C. de Alemania, en Turingia; 106 600 hab. Ind. mecánica y óptica. • **Batalla de J.** La que enfrentó a Napoleón con los prusianos en 1806; finalizó con la derrota de estos últimos.

JENABE o **JENABLE** m. Mostaza, planta. • Semilla de esta planta.

JENGIBRE m. Planta cingiberácea de la India, cuyo rizoma, de olor aromático, se usa en medicina y como especia. • Rizoma de esta planta.

JENIQUÉN m. *Cuba.* Pita, planta; henequém.

JENÍZARO, RA adj. y s. Descendiente de cambujo y china, o de chino y cambuja. • adj. fig. Mezcla de dos especies de cosas. • m. Soldado de las fuerzas regulares de infantería organizadas por los turcos en el s. XIV. Mahmut II los derrotó y abolió el cuerpo (1826).

JENNER, ***Edward*** (1749-1823) Médico y naturalista brit., introdujo la vacunación contra la viruela.

JENNY f. Nombre que se dio a la primera máquina de hilar, inventada en 1764 por el brit. Th. Higgs.

JENÓCRATES (h. 396-h. 314 a.C.) Filósofo gr., discípulo de Platón. Fue el primero en subdividir la filosofía en lógica, física y ética.

JENÓFANES de Colofón (ss. VI-V a.C.) Filósofo gr. presocrático. Fundó la escuela de Elea.

JENOFONTE (h. 430-355 a.C.) Militar y escritor gr. Dirigió la retirada de los Diez mil después de la batalla de Cunaxa, y la refirió en su *Anábasis.*
JENSEN, ***Johannes Wilhelm*** (1873-1950) Poeta y novelista danés. *El largo viaje, Gudrun.* Premio Nobel de Literatura (1944).
JEQUE m. Entre los musulmanes, caudillo. • Entre los musulmanes, tratamiento respetuoso reservado a los sabios, los religiosos y los ancianos.
JEQUITINHONHA R. del E de Brasil; 805 km. Nace en la chapada Diamantina, en Minas Gerais, y desemboca en el Atlántico por el S del est. de Bahía.
JERA f. Regalo.
JERAPELLINA f. Vestido viejo o andrajoso.
JERARCA com. Persona que tiene elevada categoría en una organización, empresa, etc.
JERARQUÍA f. Orden o grado de las distintas personas o cosas de un conjunto. • Cada una de las categorías de una organización. • Cada uno de los núcleos o agrupaciones constituidos, en todo escalafón, por personas de saber o condiciones similares. • Persona importante dentro de una organización. • **administrativa.** Estructuración escalonada de los órganos de un ramo de la administración para fiscalizar la actuación de los subordinados. • **eclesiástica.** Orden de subordinación de los distintos grados eclesiásticos. ■ JERÁRQUICO, CA; JERARQUIZAR.
JERBA → Djerba.
JERBO m. Mamífero roedor, del tamaño de una rata, que vive en el norte de África.
JEREMIADA f. Lamentación exagerada.
JEREMÍAS com. fig. Persona que continuamente se está lamentando. ■ JEREMIACO, CA.
JEREMÍAS (h. 650-h. 586 a.C.) Profeta del pueblo de Israel. • **Epístola de J.** Escrito del A. T. Se dirige, fundamentalmente, a los cautivos de la primera deportación (598 a.C.) y ataca la idolatría. • **Libro de J.** Escrito del A. T. Recoge profecías, noticias históricas y biográficas.
JEREMIQUEAR intr. *Amér.* Lloriquear, gimotear. ■ JEREMIQUEO.
JEREZ m. Vino blanco de fina calidad, gralte. seco y de alta graduación alcohólica, producido prlam. en Jerez de la Frontera (España).
JEREZ Mun. de México, en el est. de Zacatecas; 49 500 hab. La c. de Jerez de García Salinas es su cabecera.
JEREZ DE LA FRONTERA Mun. de España, en la prov. de Cádiz; 182 269 hab. Imp. producción vinícola.
JEREZANO, NA adj. y s. De Jerez. • adj. Relativo a alguna de las pob. de este nombre.
JERGA f. Lengua especial que hablan los miembros de un grupo social diferenciado. • Palabras usadas en el lenguaje familiar y vulgar que no están aceptadas. • Lengua complicada o incomprensible. • Tela de lana gruesa y tosca. • Jergón. ■ JERGAL.
JERGAFASIA f. Trastorno del lenguaje por el que se intercalan sílabas sin sentido.
JERGÓN m. Colchón de paja sin bastas. • fig. y fam. Vestido mal hecho y poco ajustado al cuerpo. • fig. y fam. Persona gruesa y perezosa. • *Miner.* Circón de color verdoso.
JERGUILLA f. Tela delgada que se parece en el tejido a la jerga. • *Chile.* Carne vacuna de la parte del cogote.
JERIBEQUE m. Guiño, gesto, mueca. Se usa más en plural.
JERICÓ (ár., *Ariha;* heb., *Yerijo)* C. de Jordania, 13 000 hab. Según la Biblia, fue conquistada por Josué al derrumbarse sus murallas cuando el ejército israelita tocó sus trompetas. Ocupada por Israel en la guerra de los Seis Días (1967), en 1993 accedió a una autonomía provisional junto con Gaza.
JERICOPLEAR tr. *Guat.* Fastidiar, molestar.
JERIFE m. Descendiente de Mahoma por su hija Fátima, esposa de Alí. • Individuo de la dinastía reinante en Marruecos. • Jefe superior de la ciudad de La Meca.
JERIGONZA f. Lenguaje especialmente usado por los individuos de ciertos grupos sociales. • fig. y fam. Lenguaje de mal gusto y difícil de entender. • fig. y fam. Acción extraña y ridícula.
JERINGA f. Instrumento que sirve para aspirar o impeler ciertos líquidos. • fig. y fam. Molestia, importunación. ■ JERINGAR; JERINGAZO; JERINGUEAR.
JERINGUILLA f. Jeringa pequeña que sirve para poner inyecciones. • Arbusto de la familia saxifragáceas, de flores muy fragantes.
JERJES I (h. 519-465 a. C.) Rey de Persia. Ocupó Grecia y fue rechazado por los gr. en Salamina (480).
JEROBOAM I (s. X a.C.) Rey de Israel [935-910 a. C.]. Sucedió a Salomón. • **II** (s. VIII a.C.) Rey de Israel. Restableció las ant. fronteras de su país.
JEROGLÍFICO m. Escritura que representa las palabras por signos. Fue muy utilizado en la antigüedad, sobre todo en Egipto. • Conjunto de signos o figuras con que se expresa una frase, gralte. por pasatiempo.
JEROME, ***Jerome Klapka*** (1859-1927) Escritor brit. Humorista en sus primeras obras, acabó tratando temas religiosos. *Tres hombres en una barca, Todos los caminos llevan al Calvario.*
JERÓNIMO, MA adj. y s. Díc. del religioso de las congregaciones eremíticas fundadas bajo la advocación de san Jerónimo. • adj. Relativo a una de estas órdenes.
JERÓNIMO (h. 342-420) Santo. Compendió la Biblia llamada *Vulgata.* Festividad: 30 septiembre.
JERÓNIMO Jefe de los apaches. (→ Gerónimo).
JEROSOLIMITANO, NA adj. y s. De Jerusalén. • adj. Relativo a esta c. de Palestina.
JERPA f. Sarmiento estéril que echan las vides junto al tronco.
JERRICOTE m. Tipo de guisado.
JERSEY m. Prenda de vestir, de punto, que cubre de los hombros a la cintura y se ciñe más o menos al cuerpo.
JERSEY Isla brit., la mayor y más meridional de las Anglonormandas; 116 km^2, 76 100 hab. Cultivos hortícolas y florales; ganado vacuno. Cap., Saint-Hélier.
JERSEY CITY C. de EE UU que forma parte del área metropolitana de Nueva York.
JERSON C. de Ucrania; a orillas del Dnieper; 346 000 hab. Centro ind., astilleros, diques secos.
JERUGA f. Vaina con Semillas.

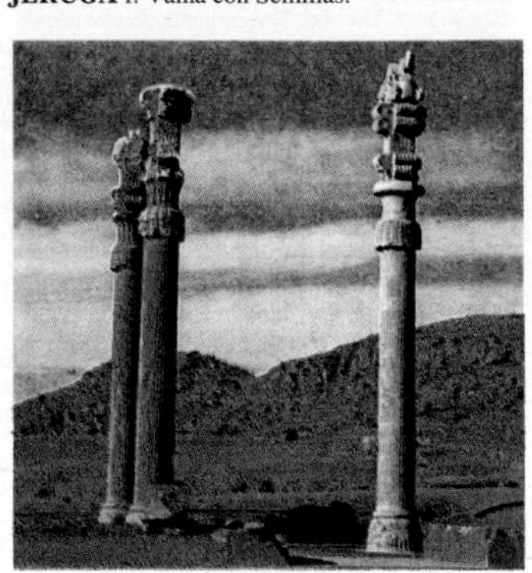
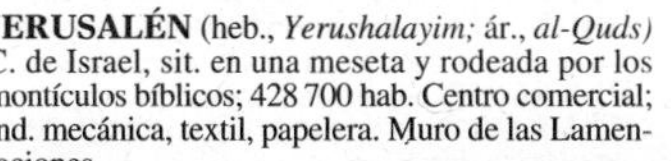

Ruinas del palacio de **Jerjes** en Persépolis

JERUSALÉN (heb., *Yerushalayim;* ár., *al-Quds)* C. de Israel, sit. en una meseta y rodeada por los montículos bíblicos; 428 700 hab. Centro comercial; ind. mecánica, textil, papelera. Muro de las Lamentaciones.
* *Hist.* Desde la antigüedad fue ocupada por diversos pueblos. En 1948, ár. y judíos se la disputaron, y la c. quedó dividida entre Jordania e Israel. En 1967 Israel ocupó la parte jordana y la proclamó capital del Estado.
JERUSALÉN, Reino latino de (1099-1291) Est. que se creó con la toma de J. por los primeros cruzados. La conquista de J. por Saladino (1187) supuso su casi total desaparición.
JERUZA f. *Amér. Centr.* La cárcel.
JERVILLA f. Zapatilla, calzado ligero.
JESUCRISTO Jesús, el Cristo o Mesías.
JESUITA adj. y s. Díc. del religioso de la Compañía de Jesús, orden fundada en 1534 por san Ignacio de Loyola. ■ JESUÍTICO, CA; JESUITISMO.
JESÚS m. Representación de Jesucristo niño. • Como interj. denota admiración, dolor, susto o lástima. Se usa también como respuesta al estornudo. • **En un decir J.** loc. adv. fig. y fam. En un instante.

Jengibre. Planta y rizoma

Jenofonte

Jeroglífico hitita

Imagen de **Jesús** en un detalle de la obra de Giotto *El beso de Judas*

Juan Ramón **Jiménez**

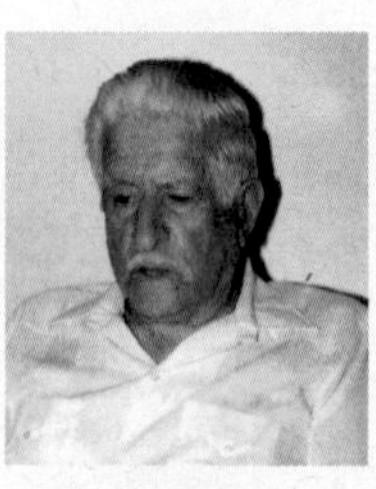

Armando **Jiménez Farías**

JESÚS (heb., «salvador») Fundador del cristianismo. Según los Evangelios, fue hijo de María y concebido por obra del Espíritu Santo. Con su bautismo por Juan Bautista, J. quedó reconocido como el Mesías. H. el 28, inició su vida pública. Acompañado por sus discípulos, recorrió Palestina predicando una interpretación estricta de la ley mosaica. Se le declaró culpable de impiedad al manifestarse hijo de Dios; condenado a muerte fue crucificado el 7 de abril. Resucitó a los tres días y post. ascendió a los cielos.

JESUSEAR intr. fam. Repetir muchas veces el nombre de Jesús.

JET (voz ing.) m. Nombre que se da a los aviones a reacción. • *Fís*. Conjunto de átomos o moléculas provistos de gran velocidad, que se propagan en línea recta, en condiciones de vacío perfecto. • **Society.** Exp. ing. para designar la alta sociedad.

JETA f. Boca saliente por su configuración o por tener los labios muy abultados. • fam. Cara o parte anterior de la cabeza. • Hocico de cerdo. • Grifo de una cañería, caldera, etc. • fig. y fam. Caradura, desfachatez. ■ JETÓN, NA; JETUDO, DA.

JEVONS, *William Stanley* (1835-1882) Economista y filósofo brit. Promovió la teoría marginalista. *Teoría de la economía política, Principios de la ciencia.*

JEZABEL (s. IX a.C.) Esposa de Ajab, rey de Israel, al que convenció para que introdujese en el reino el culto a Baal y Astarté.

JHELUM R. de India (Cachemira) y Pakistán, afl. del Chenab; 715 km.

JHS Monograma del nombre de Jesús. Está tomado de las tres primeras letras del nombre gr. o de las iniciales de *Jesus hominum salvator* (Jesús salvador de los hombres).

JI f. Vigésima segunda letra del alfabeto gr. En latín, se representa con *ch,* y en los idiomas neolatinos, con estas mismas letras, o sólo con *c* o *qu.*

JÍA f. Arbusto rubiáceo de Cuba; espinoso y de hojas opuestas.

JÍBARO, RA adj. y s. *Amér.* Díc. de la gente rústica. • *Méx.* Díc. del descendiente de albarazado y calpamula y viceversa. • *Antr.* Díc. del individuo de un pueblo indígena del E de Ecuador. Su economía se basa en la agricultura. Son cazadores de cabezas humanas, a las que reducen de tamaño. • adj. Relativo a este pueblo. • m. pl. Este mismo pueblo.

JIBE m. *Cuba.* Cedazo o tamiz.

JIBIA f. Sepia, molusco cefalópodo parecido al calamar. • Jibión, pieza caliza de la jibia.

JIBRALTAREÑO, ÑA adj. Gibraltareño.

JÍCAMA f. *Amér. Centr.* Nombre de varias plantas tuberosas, medicinales o comestibles.

JICAQUE adj. *Guat.* y *Hond.* Cerril o inculto.

JÍCARA f. Taza pequeña. • *Amér.* Vasija pequeña de calabaza. • fig. *C. Rica.* Cara, rostro. • *Guat.* Fruto del jícaro. • *Méx.* Arquilla en que se llevan frutas, panecillos, etcétera.

JICARAZO m. Golpe dado con una jícara. • Administración alevosa de veneno.

JÍCARO m. *Amér.* Güira, árbol.

JICOTE m. Avispa gruesa de Honduras. • *Hond.* Panal de esta avispa.

JICOTEA f. *Cuba.* Tortuga acuática.

JIDDA o **JEDDA** C. de Arabia Saudita, junto al mar Rojo; 561 100 hab. Primer centro comercial del país.

JIENNENSE adj. y s. Jaenés.

JIFA f. Desperdicio que se tira en el matadero al descuartizar las reses.

JIFERADA f. Golpe dado con el jifero.

JIFERÍA f. Ejercicio de matar y desollar las reses.

JIFERO, RA adj. Perteneciente al matadero. • fig. y fam. Sucio, soez. • m. Cuchillo con que matan las reses. • Oficial que mata las reses.

JIGGER (voz ing.) Término que designa una máquina empleada para la tintura de los tejidos en pieza.

JIGOTE m. Pierna de cordero guisada. • Guisado de carne.

JIGUA f. Árbol de Cuba, cuya madera se usa para hacer muebles.

JIGUAGUA f. Pez del mar de las Antillas.

JIGUANÍ Mun. de Cuba en la prov. de Granma; 75 500 hab. Café; ganadería.

JIGÜE m. Árbol leguminoso de Cuba. • *Cuba.* Fantasma que se creía salía de los ríos.

JIGÜERA f. *Cuba.* Vasija de güira.

JIGUILLO m. *P. Rico.* Arbusto de la familia piperáceas, de corteza y hojas aromáticas. • **Comer j.** fig. y fam. Pelar la pava. • **No estar para comer j.** fig. y fam. No estar para bromas o para fiestas.

JIJALLO m. Caramillo, planta. ■ JIJALLAR.

¡JI, JI, JI! interj. con que se denota la risa.

JIJÓN m. Árbol de Cuba, de madera parecida a la caoba.

JIJONA f. Variedad de trigo álaga. • m. Turrón de almendras que se elabora en la c. esp. de Jijona (prov. de Alicante) o en otros lugares a su imitación.

JIJONA *(Xixona)* Mun. esp., en la prov. de Alicante, 9 500 hab. Ind. turronera.

JILGUERA f. Hembra del jilguero.

JILGUERO m. Pájaro, de vistoso plumaje negro y amarillo y de armonioso canto, que vive en casi toda Europa.

JILIBIOSO, SA adj. *Chile.* Díc. de la persona que se queja o llora sin motivo.

JILONG → Keelung.

JILOTE m. *Amér. Centr.* y *Méx.* Mazorca de maíz, cuando sus granos no han cuajado aún.

JILOTEAR intr. *Méx.* Empezar a cuajar el maíz.

JIMAGUA adj. *Cuba.* Gemelo, mellizo.

JIMANÍ C. de la República Dominicana, cap. de la prov. de Independencia; 2 315 hab.

JIMBA f. Bambú.

JIMELGA f. *Mar.* Refuerzo de madera que se da a los palos, vergas, etc.

JIMENA Díaz Dama asturiana, prima de Alfonso VI, que casó en 1074 con el Cid. Mantuvo la defensa de Valencia frente a los almorávides (1099-1101), después de la muerte del Cid.

JIMÉNEZ, *Enrique A.* (1888-1970) Político pan. Liberal. Vicepresid. de la rep. de 1920 a 1932, y presid. interino de 1945 a 1948. Fundador del Partido Demócrata. • ***Florencio*** (1789-1851) Prócer de la indep. ven. Intervino en las campañas de Nueva Granada y en las de Ecuador, Perú y Bolivia. Gobernador de Barquisimeto. • ***Juan Isidro*** (1846-1919) Político dom. Presid. en 1899 y 1902. • ***Juan Ramón*** (1881-1958) Poeta esp. En una primera etapa, influenciado por el simbolismo fr. y el modernismo. Su obra más imp.: *Platero y yo.* Premio Nobel de Literatura en 1956. • ***Manuel*** (1808-1854) Militar y político dom. Participó en la guerra de la indep. Presid. de la rep. de 1848 a 1849. Derrocado por el general Santana. • ***Marcos*** (1882-1944) Compositor mex. Autor de canciones populares y zarzuelas. *Por esos barrios, Secretos de tocador.* • ***Max*** (1900-1947) Poeta cost. *Gleba, Sonaja, El domador de pulgas, El jául.* • ***Ricardo*** (1859-1945) Político cost. Presid. de la rep. de 1910 a 1914, de 1924 a 1928 y de 1932 a 1936. Fundó el Banco Hipotecario y realizó grandes reformas. • **De Quesada, *Gonzalo*** (1509-1579) Conquistador y escritor esp. Exploró el r. Magdalena y fundó Santa Fe (1538). • **De Rada, *Rodrigo*** (1170-1274) Eclesiástico, historiador y político castellano. Autor de *De rebus Hispaniae.* • **Farías, *Armando*** (nacido 1917) Escritor mex. Cultivador del humorismo, obtuvo un gran éxito con *Picardía mexicana.* Otras obras: *Nueva picardía mexicana, Sitios de rompe y rasga en la Ciudad de México.* • **Leal, *Orlando*** (nacido 1941) Director de cine cub. *El Super, La otra Cuba, Conducta impropia,* codirigida con Néstor Almendros. • **Rueda, *Julio*** (1896-1961) Escritor mex. Cultivó la novela, el teatro y la crítica.

JIMENO Lerín, *Leopoldo* (1875-1901) Compositor mex. *Fantasías sobre temas incas, Sinfonía araucana.*

JIMERITO m. *Hond.* Especie de abeja pequeña.

JIMIO, MIA m. y f. Mono, simio.

JINETA f. *Zool.* Mamífero carnicero que segrega una sustancia de fetidez insoportable, la algalia. • Arte de montar a caballo, que consiste en llevar los estribos cortos. • *Amér.* Mujer que monta a caballo.

JINETE m. Soldado de a caballo. • El que cabalga. • El que es diestro en la equitación. • Caballo a propósito para ser montado a la jineta. • Caballo de pura sangre.

JINETEAR intr. Andar a caballo. • tr. *Amér.* Domar caballos. • prnl. *Col.* Montar a caballo.

JINGAN, *Gran* *(Daxingan o Ta Hing-ngan)* Macizo montañoso del NE de China (Mongolia Interior), entre la llanura manchú al E y la meseta de Mongolia al O.

JINGAN, *Pequeño* *(Xiaoxingan o Siao Hingngan)* Macizo del NE de China, entre la llanura de Manchuria al S y el valle del Amur al N.

JINGLAR intr. Moverse de una parte a otra colgado, como en el columpio.
JINGOÍSMO m. Patriotería exaltada contra las demás naciones. ■ JINGOÍSTA.
JÍNJOL m. Azufaifa, fruto del azufaifo. ■ JINJOLERO.
JINNAH, *Mohamed Alí* (1876-1948) Político y jurista paquistaní. Presid. del primer gobierno de Pakistán.
JINOTEGA Dpto. del N de Nicaragua, limítrofe con Honduras; 9 640 km^2, 175 600 hab. Cap. la c. hom. Accidentado de SO a NE por la cord. Isabelia (alt. máx.: Saslaya, Pío). R. Coco y Tuma (lago artificial Vaso de Apanás). Clima subtropical. Cereales, café, caña de azúcar; molinos de harina; ind. del café. • C. de Nicaragua, cap. del dpto. hom.; 12 400 habitantes.
JINOTEPE C. de Nicaragua, cap. del dpto. de Carazo; 23 500 hab.
JIÑA f. *Chile.* Cosa muy pequeña. • *Cuba.* Excremento humano.
JIÑAR intr. fam. Aliviar el vientre.
JIÑICUITE m. Árbol de Honduras, que se utiliza para setos vivos.
JIÑOCUABE m. *Amér. Centr.* Árbol de gran tamaño, abundante en parajes cálidos, de corteza rojiza que se renueva constantemente. Su goma se emplea en la curación de úlceras.
JIOTE m. *Amér. Centr.* y *Méx.* Empeine, enfermedad cutánea.
JIPA f. *Col.* Sombrero de jipijapa.
JIPAR intr. Vulgarismo por hipar, jadear.
JIPATO, TA adj. *Amér.* Pálido, de color amarillento. • *Cuba.* Díc. de las frutas que han perdido su peculiar sustancia.
JIPE m. *Méx.* Jipa.
JIPI m. *Cuba.* Jipa.
JIPIAR intr. Hipar, gemir, gimotear. • Cantar con voz semejante a un gemido. ■ JIPIDO.
JIPIJAPA f. Tira fina, flexible y muy tenaz, que se saca de las hojas del bombonaje, y se emplea en América meridional para tejer sombreros y otros objetos. • m. Sombrero de esta materia.
JIQUILETE o **JIGUILETE** m. *Bot.* Planta papilionácea de las Antillas, de cuyas hojas se obtiene añil.
JIRA f. Pedazo algo grande y largo que se corta o rasga de una tela. • Merienda o banquete entre amigos.
JIRAFA f. *Zool.* Mamífero rumiante africano, de cuello largo y esbelto, y extremidades abdominales algo más cortas que las torácicas. • Largo brazo con micrófono, empleado para grabar el sonido de las escenas cinematográficas.
JIRÁFIDO, A adj. y m. *Zool.* Díc. de animales de la familia jiráfidos. • m. pl. *Zool.* Familia de mamíferos artiodáctilos que consta de dos especies, la jirafa y el okapi.
JIRAPLIEGA f. *Farm.* Electuario purgante.
JIRASAL f. Fruto de la yaca, parecido a la chirimoya y erizado de púas blandas.
JIRÁSEK, *Alois* (1851-1930) Escritor checo. En su trilogía *Entre las corrientes* y en su novela *Contra todos* analizó la cuestión husita.
JIREL m. Gualdrapa rica de caballo.
JÍRIDE f. Lirio hediondo.
JIRIMIQUEAR intr. *Amér.* Jeremiquear.
JIROCHO, CHA adj. Campante, ufano, satisfecho.
JIROFLÉ m. Clavero, árbol del clavo.
JIRÓN m. Pedazo desgarrado del vestido o de otra ropa. • fig. Cualquier cosa que se ha separado de otra, desgarrándose. • Pendón que remata en punta. • fig. Parte pequeña de un todo.
JIRONADO, DA adj. Roto, hecho jirones. • Guarnecido con jirones.
JIRPEAR tr. *Agr.* Hacer alrededor de las vides un hoyo donde se detenga el agua cuando se riega o llueve.
JISCA f. Carrizo, planta gramínea.
JITANJÁFORA f. Utilización de palabras, onomatopeyas, etc., a las que se recurre más por su fuerza expresiva que por su significado.
JITOMATE m. *Méx.* Especie de tomate muy rojo.
JIU-JITSU m. Método japonés de ataque y defensa personal en el que, además de una adecuada preparación física, se necesita conocer las leyes del equilibrio y las partes vulnerables del cuerpo. De él deriva el judo.
JIVA Ant. c. de Asia central, que desde 1615 y hasta 1920 fue cap. del janato hom. Hoy pertenece a la república de Uzbekistán (prov. de Jorezm). La zona de mayor interés artístico reside en la *Kuni Arg* o c. vieja. • ***Janato de*** Denominación del estado de Jorezm, después de la conquista por los uzbecos (1512). El último jan fue destronado por los soviéticos en 1920.
¡JO! interj. con que se manifiesta la risa. Suele usarse repetida. • Apócope eufemístico de ¡joder! • Voz para detener las caballerías, ¡so!
JOAB (s. XI-X a.C.) Sobrino y general del rey heb. David. Derrotó a Isboset y venció a los amonitas en Rabbat.
JOÂO PESSOA C. del NE de Brasil (ant. Paraíba), cap. del est. de Paraíba; 497 000 hab. Cultivo de algodón.
JOAQUIM (s. VII-VI a.C.) Rey de Judá, hijo de Josías, llamado Eliacin antes de ocupar el trono. Murió durante el asedio de Jerusalén por Nabucodonosor II.
JOAQUÍN Santo. Esposo de santa Ana y padre de la Virgen María, según la tradición.
JOB m. fig. Hombre de mucha paciencia.
JOB Personaje del A. T. que se distinguió por su paciencia. • **Libro de J.** Escrito del A. T. que presenta a J., su rectitud y las aflicciones que sufre.
JOBO m. Árbol americano de fruto amarillo parecido a la ciruela.
JOC Siglas de Juventud Obrera Cristiana.
JOCKEY (voz ing.) m. Jinete profesional que monta caballos de carreras.
JOCO, CA adj. *Amér. Centr.* Agrio, acre.
JOCÓ m. Orangután.
JOCOQUE m. *Méx.* Leche cortada; nata agria. • *Méx.* Preparación hecha con esta leche.
JOCOSERIO, RIA adj. Que participa de lo serio y de lo jocoso.
JOCOSO, SA adj. Gracioso, chistoso, festivo, alegre. ■ JOCOSIDAD.
JOCOTAL m. Especie de jobo o ciruelo de América Central.
JOCOTE m. *Amér. Centr.* Fruto del jocotal.
JOCOTEAR intr. *Guat.* Salir al campo a cortar o a comer jocotes. • fig. *Guat.* Molestar, hacer daño.
JOCOYOL m. *Méx.* Acedera.
JOCOYOTE m. *Méx.* Benjamín, hijo menor.
JOCÚ m. Pez del mar de las Antillas, parecido al pagro.
JOCUMA amarilla f. Árbol de Cuba, de cuya madera, muy fuerte, se hacen muebles.
JOCUNDIDAD f. Alegría, jovialidad.
JOCUNDO, DA adj. Plácido, alegre.
JODA f. *Amér.* vulg. Fastidio, perjuicio. • **Salir de j.** *R. de la Plata.* Salir de juerga.
JODER tr. fam. Realizar el coito. • tr. y prnl. fam. Fastidiar, importunar. • fam. Romper, estropear. • tr. fam. Robar. • **¡Joder!** interj. que puede manifestar sorpresa, disgusto, admiración, enojo, etc.; en muchos casos tiene un valor meramente expletivo o de refuerzo. ■ JODEDOR, RA; JODIDO, DA; JODIENDA.
JODHPUR C. del NO de India, en el est. de Rajasthan; 506 300 hab. Artesanía de marfil y laca.
JODL, *Alfred* (1890-1946) General al., consejero de Hitler. Firmó el acta de rendición al. en 1945. Fue condenado a muerte en Nuremberg.
JODLER m. El que en los Alpes suizos y tiroleses practica el canto llamado *jodeln,* especie de vocalización sin palabras.
JODÓN, NA adj. y s. *Méx., R. de la Plata.* Bromista. • Persona que embauca.
JODRELL BANK Localidad de Inglaterra donde se halla instalado el radiotelescopio de la Universidad de Manchester, uno de los más potentes del mundo.
JOEL Segundo de los profetas menores del A. T. • **Libro de J.** Escrito del A. T. cuyo mensaje es la efusión del espíritu profético en toda la comunidad hebrea.
JOFAINA f. Vasija de gran diámetro y poca profundidad, que sirve pralm. para lavarse la cara y las manos.
JOFFRE, *Joseph* (1852-1931) Militar fr. Jefe del estado mayor general en 1911, al estallar la I Guerra Mundial obtuvo el mando del ejército fr. del Norte

Jinetes marroquíes

Jirafa

La paciencia de **Job.** Miniatura medieval

L. B. **Johnson** con los astronautas McDivitt y White

Jordania. Arriba, mapa de situación y bandera; abajo, vista de la capital, Ammán

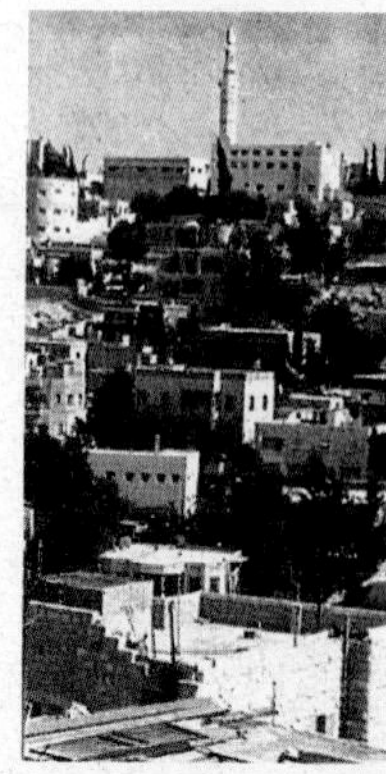

y del Nordeste, consiguiendo la victoria del Marne (1914).

JOGJAKARTA → Yogyakarta.

JOHANNESBURGO *(Johannesburg)* C. de la Rep. Sudafricana (Transvaal); 1 408 000 hab. Gran centro industrial.

JOHANNSEN, *Wilhelm L.* (1857-1927) Biólogo danés. Realizó multitud de estudios de genética vegetal, introduciendo los conceptos de gen, genotipo y fenotipo.

JOHNSON, *Andrew* (1808-1875) Político norteam. Presid. de EE UU (1865-1869), se opuso a la igualdad racial. • ***Lyndon Baines*** (1908-1973) Político norteam. Presid de EE UU; sucedió a J. F. Kennedy (1963). Fracasó en política exterior (Vietnam) y renunció a presentarse a la reelección (1968).

JOHORE Est. de Malaysia, en la pen. de Malaca; 18 985 km², 1 601 500 hab. Cultivos tropicales; mineral de hierro. Cap., Johore Bahru. Independiente dentro de la federación de Malasia en 1957. • **Bahru** C. de Malaysia, cap. del est. de J.; 249 900 hab. Centro comercial. Ind. conservera.

JOJOTO m. *Ven.* Fruto del maíz en leche.

JOKER (voz ing.) m. En los juegos de naipes, comodín.

JOLA f. *Méx.* Cambio, moneda.

JOLGORIO m. fam. Diversión bulliciosa.

¡JOLÍN! interj. que puede expresar enfado, admiración, sorpresa, etc. Suele usarse en pl.

JOLIOT-CURIE, *Frédéric* (1900-1958) e ***Irène*** (1897-1956) Físicos fr. ligados al descubrimiento de la radiactividad artificial o inducida. En 1932 descubrieron el neutrón y determinaron su masa. Realizaron trabajos sobre la radiactividad artificial producida en los elementos ligeros bombardeados por rayos alfa, por los que obtuvieron el premio Nobel de Química en 1935. En 1948 Frédéric dotó a su país de la primera pila atómica.

JOLITO m. Calma, suspensión. • **En j.** m. adv. Burlado o chasqueado.

JOLIVET, *André* (1905-1974) Compositor fr. Perteneció al grupo *Jeune France.* Obras: *Mana, Concierto para piano.*

JOLLÍN m. fam. Gresca, jolgorio.

JOLLY, *Philipp von* (1809-1884) Físico al. Inventó una balanza de precisión, usada para medir la fuerza de la gravedad.

JOLÓ, *Archipiélago de* → Sulú.

JOLÓ, *Mar de* → Sulú.

JOLOTE m. *Hond., Guat.* y *Méx.* Uno de los nombres del pavo.

JOMA f. *Méx.* Joroba. ■ JOMADO, DA; JOMAR.

JOMEINI → Khomeiny.

JONÁS Quinto de los profetas menores del Antiguo Testamento • **Libro de J.** Escrito profético del A. T. que narra la negativa de Jonás a predicar el castigo de Nínive.

JONIA Ant. región de Asia Menor habitada por los jonios. C. prales: Samos, Focea, Éfeso, Mileto.

JÓNICAS, *islas* Arch. gr., en el mar Jónico. Formado por las islas de Corfú, Paxos, Léucade, Ítaca, Cefalonia y Zante.

JÓNICO, CA adj. y s. De Jonia. • adj. Relativo a las regiones de este nombre de Grecia y Asia antiguas. • *Arq.* Díc. de uno de los cinco órdenes arquitectónicos, con columnas de 18 módulos y capitel adornado con volutas. • m. Pie de la poesía gr. y latina, compuesto de cuatro sílabas. • Dialecto de los jonios. Usado por Homero, Hipócrates y Herodoto. • **Escuela j.** Grupo de filósofos gr. de tendencia racional y realista. Descollaron Tales, Anaximandro, Anaxímenes y Heráclito de Éfeso.

JÓNICO, *mar* Parte del Mediterráneo sit. entre Grecia e Italia. Profundidad máx., 4 594 m.

JONIO, NIA adj. y s. De Jonia, o bien de Eubea o Ática. • Relativo a las regiones de estos nombres en Grecia y Asia.

JONJA f. *Chile.* Remedo del modo de hablar o gesticular de una persona.

JONJABAR tr. fam. Engatusar, lisonjear.

JÖNKÖPING C. de Suecia, sobre el lago Vättern; 107 000 hab. Puerto lacustre. Centro industrial.

JONSON, *Ben* (1573-1637) Dramaturgo ing. El más imp., después de Shakespeare, del periodo isabelino. *La conspiración de Catilina, Volpone.*

JONSU En la religión egipcia, hijo de Amón y de Mut, con los cuales formaba la trinidad de Tebas.

JONUCO m. *Méx.* Chiribitil, cuarto oscuro.

JOPARSE prnl. Irse, escapar.

JOPER Río en la parte europea de Rusia; 900 km. Afl. del Don.

JOPO m. Cola de mucho pelo, hopo. • *Argent.* Copete. • ¡Jopo! int erj. ¡Fuera de aquí!

JORA f. *Amér.* Maíz preparado para hacer chicha.

JORASÁN o **JURASÁN** → Khorasán.

JORDAENS, *Jacob* (1593-1678) Pintor flam. Versiones de la *Alegoría de la fecundidad* y las *Metamorfosis.*

JORDAN, *Camille* (1838-1922) Matemático fr. Impulsor de la geometría de *n* dimensiones. • ***Pascual*** (1902-1980) Físico al., colaborador de Max Born y uno de los creadores de la mecánica cuántica.

JORDÁN m. fig. Lo que remoza y purifica.

JORDÁN R. del Próximo Oriente; 360 km. Nace al pie del monte Hermón. Atraviesa el lago Tiberíades y desemboca en el mar Muerto.

JORDÁN, *Lucas* → Giordano, Luca.

JORDANIA *(al-Mamlaka al-Urdunniya al-Hashimiya)* Est. del Próximo Oriente, monarquía, limítrofe con Siria, Irak, Arabia Saudita, Israel y el mar Rojo. Al O se halla la depresión de El Ghor, seguida por una alineación montañosa (alt. máx.: Jebel Ram, 2 000 m); hacia el E, una región descendente que da paso al desierto de Siria. R. pral.: Jordán. Clima subtropical. Cereales, leguminosas, agrios, vid, olivos. Ganadería ovina y caprina. Potasa, fosfatos. Ind. tabaquera, refinería. Cap., Ammán. C. prales.: Zarqa, Irbid. Etnias: ár. (mayoría) y otras. Lenguas: árabes (of.). *Rel.*: islamismo (mayoritaria), cristianismo. U. M.: el dinar.

JORDANIA

Superficie 97 740 km²

Población 4 522 000 hab. (46 hab./km²)

Recursos económicos	
Aceitunas	45 000 t
Cabaña caprina	555 000 cabezas
Cabaña ovina	2 100 000 cabezas
Camellos	18 000 cabezas
Cemento	3 592 000 t
Cerveza	48 700 hl
Fosfatos	4 086 000 t
Naranjas	78 000 t
Sal	10 000 t
Tabaco	4 191 000 cigarrillos
Tomates	440 000 t
Trigo	75 000 t
Uva	30 000 t
Indicadores sociológicos	
PNB	6 354 millones de dólares
Renta per cápita	1 510 dólares
Esperanza de vida	67 años
Alfabetismo	87 %

* *Hist.* Ocupada por los reinos de Ammón, Moab y Edom, invadida por hebreos, asirios, neobabilonios, persas, romanos y otomanos. Durante la I Guerra Mundial, Gran Bretaña la convirtió en el protectorado de Transjordania. En 1946 se creó el reino hachemita de Transjordania, con Abdullah como rey. En 1949 se anexionó Cisjordania y se transformó en el reino de J. A Abdullah le sucedieron Talal (1951-1952) y Husayn (1952). En 1967 J. perdió, frente a Israel, Cisjordania y Jerusalén. En 1988 renunció a la soberanía jordana sobre estos terr. y en 1994, tras el acuerdo de paz palestino-israelí, firmó con Israel una declaración que dio por finalizado el conflicto. El rey Husayn murió en 1999 y fue sucedido por su hijo Abdalá.

JORDANO, NA adj. y s. De Jordania. • adj. Relativo a este país.

JOREZM Región del Asia central en la rep. de Uzbekistán; 6 300 km², 891 000 hab. Cap., Urguench. Algodón; ganadería. Los uzbekos la convirtieron en el janato de Jiva, en 1873.

JORFE m. Muro de sostenimiento de tierras. • Peñasco tajado que forma despeñadero.

JORGE m. *Zool.* Abejorro, insecto coleóptero.

JORGE Nombre de diversos monarcas:

Jorge I de Gran Bretaña

GRAN BRETAÑA

JORGE I (1660-1727) Rey de Gran Bretaña e Irlanda [1714-1727] y elector de Hannover [1698-1727]. Sucesor de Ana Estuardo. • **II** (1683-1760) Rey de Gran Bretaña e Irlanda y elector de Hannover [1727-1760]. Intervino en la guerra de Sucesión de Austria y en la de los Siete Años. • **III** (1738-1820) Rey de Gran Bretaña e Irlanda [1760-1820], elector [1760-1814] y rey de Hannover [1814-1820]. Hubo de reconocer la independencia de EE UU (1783). • **IV** (1762-1830) Rey de Gran Bretaña e Irlanda y rey de Hannover [1820-1830]. Concedió la ley de emancipación de los católicos (1829). • **V** (1865-1936) Rey de Gran Bretaña e Irlanda [1910-1936]. Segundo hijo de Eduardo VII. Durante su reinado se fundó la Commonwealth (1931). • **VI** (1895-1952) Rey de Gran Bretaña [1936-1952]. Hijo de Jorge V, sucedió a su hermano Eduardo VIII.

GRECIA

JORGE I (1845-1913) Rey de Grecia [1863-1913]. Hijo de Christian IX de Dinamarca. Consiguió la llamada Liga Balcánica y declaró la guerra a Turquía. • **II** (1890-1947) Rey de Grecia [1922-1923 y 1935-1947]. Se exilió al triunfar los venizelistas en las elecciones (1923) y durante la ocupación al. (1941).

JORGE (s. III-IV) Santo. Según la tradición, fue soldado de Diocleciano, al que se opuso por perseguir a los cristianos. Festividad: 23 de abril.

JORGENSEN, *Anker* (nacido 1922) Político danés, socialdemócrata; primer ministro en diferentes ocasiones, a partir de 1972.

JORGUÍN, NA m. y f. Persona que hace hechicerías. ■ JORGUINERÍA.

JORNADA f. Camino que se anda regularmente en un día de viaje. • Todo el camino o viaje. • Expedición militar. • Época veraniega en que oficialmente se traslada el cuerpo diplomático a residencia distinta de la capital. • Tiempo de duración del trabajo diario. • fig. Lance, circunstancia. • fig. Tiempo que dura la vida del hombre. • fig. Acto, en los dramas antiguos. • Episodio de una película o novela. • **intensiva.** Horario continuado de trabajo que suprime el descanso del mediodía.

JORNAL m. Remuneración ganada por cada día de trabajo. • Medida de tierra de extensión varia. • **A j.** m. adv. Mediante determinado salario cotidiano. ■ JORNALERO, RA.

JOROBA f. Corcova, chepa. • fig. y fam. Impertinencia y molestia enfadosa.

JOROBADO, DA adj. y s. Corcovado, cheposo. ■ JOROBETA.

JOROBAR tr. y prnl. fig. y fam. Fastidiar, molestar. ■ JOROBADURA.

JORONGO m. *Méx.* Poncho, especie de capote.

JOROPO m. Música y danza popular ven., de zapateo y diversas figuras, que se ha extendido a los países vecinos. • *Ven.* Fiesta hogareña.

JORSABAD → Khorsabad.

JORUNGO m. *Ven.* Gringo, extranjero.

JOSA f. Heredad sin cerca, plantada de vides y árboles frutales.

JOSAFAT Cuarto rey de Judá (h. 873-h. 849 a. C.). Vencido por los sirios, los moabitas y ammonitas.

JOSAFAT, *Valle de* Valle en donde se reunirán, por orden divina, todos los pueblos para el juicio final. Tradicionalmente se identifica con el valle de Cedrón, al este de Jerusalén.

JOSÉ Nombre de diversos reyes y emperadores:

IMPERIO GERMÁNICO

JOSÉ I (1678-1711) Rey de Hungría [1687], rey de romanos [1690], archiduque de Austria y emp. [1705-1711]. Conquistó Baviera. • **II** (1741-1790) Emp. de Alemania y corregente de los est. de los Habsburgo [1765-1780]. Se anexionó Galitzia y Bucovina. Perdió Países Bajos en 1789.

ESPAÑA

JOSÉ I Bonaparte (1768-1844) Hermano de Napoleón, recibió de éste la corona de Nápoles [1806] y después la esp. [1808]. Considerado como un intruso, apenas encontró partidarios de su política.

PORTUGAL

JOSÉ I (1714-1777) Rey de Portugal [1750-1777]. Hijo de Juan V, suprimió los cargos hereditarios.

JOSÉ (s. XVIII a. C.) Hijo de Jacob y de Raquel. Interpretando los sueños del faraón, predijo siete años de abundancia y otros siete de escasez para Egipto. • **De Calasanz** (1556-1648) Sacerdote y maestro esp. Fundó las Escuelas Pías. Festividad: 25 de agosto. • **De Habsburgo** (1872-1962) Archiduque de Austria. Militar. Fue regente de Hungría [1918].

JOSEFINA *(Marie Josephe Rose Tascher de la Pagerie,* 1763-1814) Dama fr. Primera esposa de Napoleón.

JOSEFINISMO m. Sistema político que propugna el absolutismo del est., especialmente en materia religiosa. ■ JOSEFINISTA.

JOSEFINO, NA adj. y s. De San José, prov., cantón y cap. de Costa Rica.

JOSEFO, *Flavio* (37-h. 100) Político e historiador judío. Dirigió en Galilea una revuelta contra la dominación rom. (67), pero fue derrotado. *La guerra judía, Antigüedades judaicas.*

JOSEPH, *François Joseph du Tremblay* llamado LE PÈRE (1577-1638) Religioso capuchino y político fr. Consejero de la reina María de Médicis y, a partir de 1624, colaborador de Richelieu.

JOSPIN, *Lionel* (nacido 1937) Político fr. Secretario general del Partido Socialista francés. Ministro de Educación con F. Mitterrand, en 1997 venció en las elecciones y asumió la jefatura del gobierno.

JOSÍAS (h. 640-609 a.C.) Rey de Judá, hijo y sucesor de Amón. Murió en Megiddo, luchando contra el faraón egipcio Necao.

JOSTEDALSBREEN Glaciar noruego en el SO del país; 900 km^2. Sobrepasa los 2 000 m de altura.

JOSUÉ (s. XIII a. C.) Caudillo heb., hijo de Nun. Dirigió la conquista de la Tierra Prometida. • **Libro de J.** Sexto escrito histórico del A. T., que narra la conquista militar de la Tierra Prometida.

JOTA f. Nombre de la letra *j*. • Cosa mínima. Se usa siempre con negación. • Baile popular esp. de origen ár. • Copla y música que acompañan este baile. • Potaje de bledos y otras verduras. • *Amér.* Ojota, sandalia. • **No entender** o **no saber una j.** fig. y fam. Ser ignorante en una cosa.

JOTE m. Especie de buitre de Chile.

JOTO adj. *Méx.* Afeminado. • *Col.* Maleta, lío.

JOTUNHEIMEN Macizo montañoso del S de Noruega, al NE de Sognefjord; 2 468 m en el Galdhopiggen y 2 470 m en el Glittertind.

JORTURO m. Pez cubano de río. Comestible.

JOUHAUX, *Léon* (1879-1954) Político fr. Secretario, en 1909, de la Confederación General del Trabajo (CGT). Sus posiciones reformistas originaron la escisión de los comunistas, que formaron la CGTU (1921). Premio Nobel de la Paz en 1951.

JOULE m. *Fís.* Nombre del julio, unidad de trabajo, en la nomenclatura internacional.

Jorge III de Gran Bretaña

José II de Austria

José I Bonaparte

Gaspar Melchor de **Jovellanos,** por Goya

Juan Carlos I de España

Juan II el Perfecto, de Portugal

JOULE, ***James Prescott*** (1818-1889) Físico brit. Investigó la conversión de la energía de unas formas a otras. Sus trabajos experimentales fundamentaron la teoría mecánica del calor y permitieron más tarde la enunciación del teorema de Helmholtz o de la conservación de la energía. • **Efecto j.** *Fís.* Desprendimiento de calor en los conductores por los que circula corriente eléctrica, originado por los choques de los electrones con los átomos del conductor.

JOVELLANOS, ***Gaspar Melchor de*** (1744-1811) Político, economista y escritor esp. Ministro de Carlos IV, elaboró un plan para la reforma agraria. • ***Salvador*** (1833-1876) Político par. Presid. de la rep. de 1871 a 1874. En 1872 concertó un tratado de paz con Brasil.

JOVEN adj. y s. De poca edad. • com. Persona que está en la juventud. • adj. fig. Que conserva o posee el espíritu o las características propias de la juventud. ■ JOVENZUELO, LA.

JOVEN Inglaterra Movimiento ultraconservador brit. surgido en 1839. • **Irlanda** Movimiento revolucionario irl. Organizó levantamientos campesinos. • **Italia** Organización revolucionaria fundada en 1831, que tenía como objetivo la unificación it. • **Turquía** Movimiento liberal creado en 1868 contra el sultán Abdulaziz.

JOVENADO m. En algunas órdenes religiosas, tiempo que están los religiosos o religiosas, después de la profesión, bajo la dirección de un maestro.

JOVIAL adj. Alegre, apacible. ■ JOVIALIDAD.

JOYA f. Objeto de adorno hecho de materiales ricos, pralm. de metales y piedras preciosas. • Persona de muy buenas cualidades. • Agasajo hecho por premio de algún servicio. • Brocamantón, broche de adorno. • Cordón que rodea el fuste de una columna. • pl. Conjunto de ropas y alhajas que lleva una mujer cuando se casa. ■ JOYERA; JOYERÍA; JOYERO.

JOYANTE adj. Díc. de la seda muy fina y de mucho lustre.

JOYCE, ***James*** (1822-1941) Escritor irl. Su obra más imp., *Ulises*, es una recreación de la *Odisea* adaptada a la c. de Dublín y al día 16 de junio de 1904, escrita con una absoluta maestría técnica. *El despertar de Finnegan, Gente de Dublín, Retrato del artista adolescente.*

JOYEL m. Joya pequeña. ■ JOYELERO.

JOYOLINA f. fam. *Guat.* La cárcel.

JOYUYO m. Ave de la fam. anátidos, de vivos colores. Habita en América del Norte.

JRUSCHOV, ***Nikita Serguéievich*** (1894-1971) Político soviético. Primer secretario del PCUS (1953) y presid. del consejo de ministros (1958). Inició la desestalinización y la llamada coexistencia pacífica. Depuesto en 1964.

JUAGARZO m. Jaguarzo, arbusto.

JUAGAZA f. *Col.* En los trapiches, meloja.

JUAN m. *Méx.* y *Bol.* Soldado, militar sin graduación. • **Lanas.** fam. Hombre apocado que se presta con facilidad a todo cuanto se quiere hacer de él. • **Palomo.** fam. Hombre que no se vale de nadie, ni sirve para nada. • **Buen J.** fam. Hombre sencillo y fácil de engañar.

JUAN Nombre de varios reyes, emperadores y papas:

IMPERIO DE ORIENTE

JUAN I Tzimiscés (925-976) Emp. de Oriente [969-976]. Reconquistó Palestina, excepto Jerusalén. • **II Comneno** (1088-1143) Emp. de Oriente [1118-1143]. Hijo de Alejo I, derrotó a los pechenegos y se impuso en Servia. • **III Ducas Vatatzes** (1193-1254) Emp. bizantino de Nicea [1222-1254]. Sucesor de Teodoro I Láscaris. • **V Paleólogo** (1332-1391) Emp. de Oriente [1341-1391]. Gobernó junto con Cantacuzeno en una primera etapa, y post. se puso bajo la tutela turca para conservar el trono. • **VI Cantacuzeno** (h. 1293-1383) Emp. de Oriente [1341-1355]. Actuó como emperador asociado con Juan V. • **VIII Paleólogo** (1390-1448) Emp. de Oriente [1425-1448]. Recibió ayuda latina contra los turcos a cambio de acceder a la unión de las dos Iglesias.

ARAGÓN Y CATALUÑA

JUAN I (1350-1396) Rey de Aragón y Cataluña [1387-1396]. Se enfrentó a la invasión de Cataluña por el conde de Armagnac, a las matanzas de judíos de 1391 y a la revuelta de Cerdeña. • **II** (1398-1479) Rey de Aragón [1458-1479] y rey de Navarra [1425-1479]. Hijo de Fernando de Antequera, casó con Blanca de Navarra y sucedió a Alfonso V. Apoyó a la pequeña burguesía gremial catalana, lo que le enfrentó a la oligarquía y llevó a la guerra civil.

CASTILLA Y LEÓN

JUAN I (1358-1390) Rey de Castilla [1379-1390]. Sucesor de Enrique II. Se enfrentó con Portugal por cuestiones sucesorias. Apoyó al papa de Aviñón. • **II** (1405-1454) Rey de Castilla [1406-1454]. Hijo de Enrique III. Durante su reinado la alta nobleza aragonesa se enfrentó a la pequeña nobleza y a los sectores urbanos («partido monárquico»), encabezados por el condestable Álvaro de Luna.

DINAMARCA

JUAN I (1455-1513) Rey de Dinamarca [1481], de Noruega [1483] y de Suecia [1497-1501]. Sucesor de Christian I, dejó la regencia de Suecia a Sten Sture.

ESPAÑA

JUAN Carlos I (nacido 1938) Rey de España desde 1975. Fue designado por las Cortes Españolas, a propuesta de Franco, como sucesor de éste (1969). Proclamado rey en 1975, asumió la reforma democrática del régimen. • **De Borbón y de Battenberg,** CONDE DE BARCELONA (1913-1993) Hijo de Alfonso XIII. Renunció a sus derechos dinásticos en favor de su hijo Juan Carlos I (1977).

FRANCIA

JUAN II el Bueno (1319-1364) Rey de Francia [1350]. Sucesor de Felipe VI. Derrotado por los ing. en Poitiers (1356).

INGLATERRA

JUAN Sin Tierra (1167-1216) Rey de Inglaterra [1199-1216] Sucedió a Ricardo I. Perdió Bretaña, Anjou, Normandía y Turena. Otorgó la Carta Magna (1215).

PORTUGAL

JUAN I el Grande (1357-1433) Rey de Portugal [1385-1433]. Conquistó Ceuta y derrotó a los castellanos en Aljubarrota. • **II el Perfecto** (1455-1495) Rey de Portugal [1481-1495], hijo de Alfonso V. Contribuyó a la expansión port. • **IV** (1604-1656) Rey de Portugal [1640-1656]. Apoyó la revolución nobiliaria contra Felipe IV. • **V el Magnánimo** (1689-1750) Rey de Portugal [1706-1750]. Participó en la guerra de sucesión esp. • **VI el Clemente** (1767-1826) Rey de Portugal [1816-1826]. Aceptó la indep. de Brasil (1822).

SUECIA

JUAN III Vasa (1537-1592) Rey de Suecia desde 1568. Terminó la guerra con Dinamarca y conquistó la Carelia y la Ingria.

PAPADO

JUAN VIII (h. 820-882) Papa desde 872. Coronó emp. a Carlos el Calvo. Fue expulsado de Roma. • **XII** (937-964) Papa [955-964]. Coronó al emp. Otón I. Fue acusado de inmoralidad. • **XVI** (m. h. 1013) Antipapa [997-998]. • **XXII** (1245-1334) Papa [1316-1334]. Se estableció en Aviñón. Definió la doctrina católica sobre el derecho de propiedad. • **XXIII** (*Angelo Giuseppe Roncalli*, 1881-1963) Convocó el concilio Vaticano II (1962) y abogó por las relaciones con las otras iglesias y la independencia de la iglesia católica con respecto a los partidos políticos. • **Pablo I** (*Albino Luciani*, 1912-1978) Papa it. elegido el 26 de agosto de 1978. Murió aprox. un mes después. • **Pablo II** (*Karol*

Wojtyla, nacido 1920) Papa pol., sucesor de J. Pablo I. A través de numerosos viajes y publicaciones ha reforzado el papel de la Iglesia. *Catecismo de la Iglesia Católica* y la encíclica *Veritatis splendor*.
JUAN Bautista (h. 5 a. C.-h. 30 d. C.) Santo. Bautizó a Jesús. Fue decapitado a petición de Salomé. Festividad: 24 junio. • **Dámaso** (m. h. 749) Santo. Tuvo gran influencia en la filosofía escolástica. Festividad: 4 diciembre. • **De Austria** (1545-1578) Hijo natural de Carlos V. Consiguió la victoria de Lepanto frente a los turcos (1571) y fue gobernador de los Países Bajos. • **De Leyden** (h. 1510-1563) Líder del movimiento anabaptista al. Decretó la comunidad de bienes. • **De Salisbury** (h. 1115-1180) Filósofo escolástico ing. *Metalogicon, Polycraticus*. • **Evangelista** Santo. Cuarto evangelista. Autor del cuarto *Evangelio*, las tres *Epístolas* que llevan su nombre y el *Apocalipsis*. Festividad: 22 diciembre. • **José de Austria** (1629-1679) Hijo natural de Felipe IV. Participó en la guerra de Separación de Cataluña. Virrey de los Países Bajos y de Aragón. • **Manuel,** ***Don*** (1282-1348) Político y escritor esp. Su *Libro de Patronio* o *Conde Lucanor* inicia el gén. del relato corto en Europa. • **Sin Miedo** (1371-1419) Duque de Borgoña [1404]. Derrotado por los turcos en Nicópolis. Disputó a Luis de Orleáns el gobierno de Francia.

Muerte de **Juana de Arco.** Estampa de las *Crónicas de Francia.* Biblioteca Nacional, París

JUANA (1439-1475) Reina de Castilla [1455-1475]. Hija de Duarte de Portugal y esposa de Enrique IV de Castilla. • **La Beltraneja** (1462-1530) Hija de Enrique IV de Castilla a la que se consideró hija de Beltrán de la Cueva. • **I,** llamada J. LA LOCA (1479-1555) Reina de Castilla [1504-1555]. Hija de los Reyes Católicos y esposa de Felipe el Hermoso. Ante su incapacidad mental, actuaron como regentes Fernando el Católico y Carlos V. • **I** (1273-13 04) Reina de Navarra y de Francia, hija de Enrique I de Navarra. • **De Anjou** (1326-1382) Reina de Navarra [1343-1382]. Sucedió a Roberto el Prudente y casó cuatro veces. • **De Arco** (1412-1431) Santa fr., conocida con la Doncella de Orleáns. Derrotó a los ing. en Patay. Apresada por los borgoñones en el asedio de París. Murió en la hoguera. Festividad: 30 mayo • **Enríquez** (1425-1468) Reina de Navarra [1447-1468] y de Aragón [1458-1468]. Fue corregente de Carlos de Viana y de Fernando el Católico. • **Manuel** (1339-1381) Reina de Castilla [1369-1379]. Casó con Enrique de Trastámara. Participó en los sitios de Toledo y Zamora. • **Seymour** (1509-1537) Reina de Inglaterra. Tercera esposa de Enrique VIII.
JUANAS f. pl. Palillos que usan los guanteros para abrir los dedos de los guantes.
JUANCHI m. *Guat.* Especie de gato montés.
JUANETE m. Pómulo muy abultado. • Hueso del nacimiento del dedo grueso del pie, cuando sobresale demasiado. • *Mar.* Cada una de las vergas que se cruzan sobre las gavias, y las velas que en aquéllas se envergan. • *Vet.* Sobrehueso que se forma en la cara inferior del casco de las caballerías. • pl. *Hond.* Las caderas. ■ JUANETERO; JUANETUDO, DA.
JUANILLO m. *Perú.* Propina, soborno.
JUARDA f. Suciedad que sacan el paño o la tela de seda por no haberles quitado bien la grasa que tenían al tiempo de su fabricación. ■ JUARDOSO, SA.
JUÁREZ Sierra del NO de México, que forma el sector septentrional de la cord. que recorre la pen. de Baja California. Alt. máx.: Cerro Colorado, 2 000 m.
JUÁREZ, ***Ciudad*** → Ciudad Juárez.
JUÁREZ, ***Benito*** (1806-1872) Político mex. Fue desterrado durante la dictadura de Santa Anna (1853). Se opuso a los intentos de Comonfort y Zuloaga de dar un golpe de est. Proclamado presid. (1859), promulgó las leyes de Reforma y derrotó a los conservadores (1861). La imposición de Maximiliano como emp. inició una nueva guerra, al compás de la cual J. prorrogó indefinidamente su mandato. Fusilado Maximiliano (1867), fue reelegido presid. Sus reformas motivaron varios pronunciamientos. • ***Jorge Ramón*** (nacido 1913) Poeta mex. *Pancho Villa y otros poemas, Antología poética, Como tajo de hielo.* • ***Luis*** (m. 1635) Pintor mex. *La oración en el huerto, Los desposorios de Santa Bárbara, La aparición de la Virgen a San Ildefonso* • **Celman,** ***Miguel*** (1844-1909) Político arg. Militó en el partido liberal. Apoyó la política de su cuñado, el general Roca, al que sucedió en la presidencia (1886). Dimitió en 1890.
JUARISTA adj. y s. *Méx.* Partidario de Benito Juárez.
JUARROZ, ***Roberto*** (nacido 1925) Poeta arg. *Seis poemas sueltos, Nueva poesía vertical.*
JUAY m. *Méx.* Cuchillo.
JUAYÚA Mun. de El Salvador, en el dpto. de Sonsonate; 17 200 hab.
JUBA R. de Somalia → Yuba.
JUBA I (m. 46 a. C.) Rey de Numidia. En la guerra civil de Roma se mostró partidario de Pompeyo. Se suicidó. • **II** (h. 52 a. C.-h. 24 d. C.) Hijo del anterior. Octavio Augusto le nombró rey de Mauritania (25 a. C.).
JUBEA f. Género de palmeras de Chile.
JUBILAR adj. Relativo al jubileo. • tr. Eximir del servicio, por razón de ancianidad o imposibilidad física, a un funcionario o empleado, al que se otorga una pensión vitalicia. • P. ext., dispensar a una persona de ejercicios o cuidados que practicaba o le incumbían. • fig. y fam. Desechar por inútil una cosa. • intr. y prnl. Alegrarse, regocijarse. • prnl. Conseguir la jubilación. • *Cuba* y *Méx.* Instruirse en un asunto, adquirir práctica. • *Col.* Venir a menos. • *Ven.* Hacer novillos. ■ JUBILACIÓN.
JUBILEO m. Fiesta pública que celebraban los israelitas cada cincuenta años y durante la cual se devolvían los predios enajenados y se liberaban los esclavos. • Entre los cristianos, indulgencia plenaria concedida por el papa en ciertos tiempos y en algunas ocasiones. • fig. Concurrencia frecuente de muchas personas en algún sitio.
JÚBILO m. Alegría intensa y ostensible. ■ JUBILOSO, SA.
JUBO m. Culebra pequeña, muy común en la isla de Cuba.
JUBÓN m. Vestidura que cubre desde los hombros hasta la cintura, ceñida y ajustada al cuerpo.
JÚCAR *(Xúquer)* R. de España, de la vertiente mediterránea; 500 km.
JÚCARO m. Árbol combretáceo de las Antillas, de flores sin corola, fruto parecido a la aceituna y madera durísima.
JUCHITÁN DE ZARAGOZA Mun. de México, en el est. de Oaxaca, junto a la laguna Superior; 37 700 hab. Café, caña de azúcar.
JUCO, CA adj. *Hond.* Agrio, fermentado.
JUCUAPA Mun. de El Salvador, en el dpto. de Usulután; 14 000 hab.
JUCUARÁN Mun. de El Salvador, en el dpto. de Usulután; 19 100 hab.
JUDÁ, ***Reino de*** Estado heb. formado a la muerte de Salomón (935-586 a.C.). Destruido por Nabucodonosor.

Juan Pablo II

Juana I la Loca, por el Maestro de Afflighem. Museo Real de Bellas Artes de Bruselas

Benito Pablo **Juárez**

El beso de ***Judas,*** fresco de Giotto. Capilla de los Scrovegni. Padua (Italia)

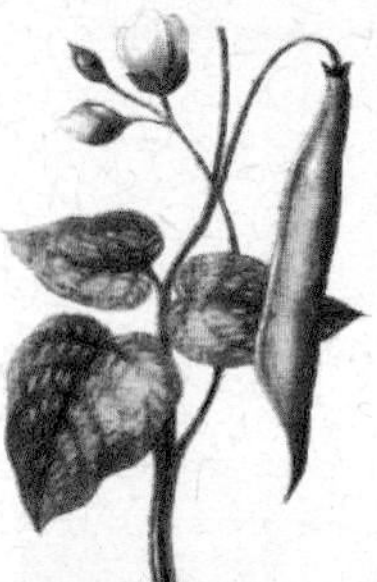

Judía verde

Judit *con la cabeza de Holofernes,* óleo de Lucas Cranach. Museo de Historia del Arte, Viena

Llave de **judo**

JUDÁ Cuarto hijo de Jacob y Lía. El terr. de su tribu se hallaba al O del mar Muerto, entre el Mediterráneo, Jerusalén y el desierto de Cades.

JUDAH HA-LEVÍ → Haleví.

JUDAH HA-NASÍ (h. 135-h. 220) Jefe espiritual y político de los judíos palestinos y promotor de la fijación por escrito de la tradición oral de la *Mishnah.*

JUDAICO, CA adj. Perteneciente o relativo a los judíos. • f. *Pal.* Púa de equino fósil.

JUDAÍSMO m. *Rel.* Hebraísmo, religión judía.
* *Rel.* En el j. se distinguen dos épocas: la ant., que termina al cerrarse el *Talmud* (h. 1040), y la rabínica, que llega hasta el s. XIX.

JUDAIZAR intr. Convertirse al judaísmo. • Practicar ritos y ceremonias de la ley judaica. ■ JUDAIZACIÓN.

JUDAS m. *C. Rica.* Diablillo, muchacho travieso, pícaro. • Muñeco o maniquí relleno de petardos y cohetes, que se quema el domingo de Pascua.

JUDAS Santo. Autor de la epístola que lleva su nombre. Algunos lo identifican con J. Tadeo. • **Epístola de san J.** La escrita por el apóstol del mismo nombre (63-65). • **Iscariote** Uno de los doce apóstoles, el que traicionó a Jesús. • **Macabeo** → Macabeo. • **Tadeo** Uno de los doce apóstoles, hijo de Alfeo o Cleofás, hermano de Santiago el Menor y pariente de Jesucristo.

JUDEA (hebr., *Yehuda;* ár., *al-Yahudiyya)* Región del S de Palestina. C. prales.: Jerusalén, Hebrón. Durante la guerra ár.-israelí, quedó dividida entre Israel y Jordania. Conquistada por Israel en 1967.

JUDEOCRISTIANISMO m. Doctrina de ciertos cristianos primitivos, basada en la ley mosaica.

JUDEOCRISTIANO, NA adj. y s. Díc. de la tradición cultural característica de Occidente.

JUDEOESPAÑOL, LA adj. Relativo a los sefardíes y a su lengua. • adj. y m. *Ling.* Modalidad de castellano conservada por los descendientes de los judíos expulsados de España en 1492. También llamado *sefardí.*

JUDERÍA f. Barrio habitado por los judíos en la Edad Media. • Contribución pagada por los judíos.

JUDÍA f. *Bot.* Nombre común de ciertas especies de papilionáceas comestibles, de tallo ramoso y trepador, hojas articuladas y frutos en legumbre alargada y agudizada en los extremos. • Fruto de estas plantas. • Semilla de estas plantas.

JUDIADA f. fam. Acción injusta.

JUDIAR m. Tierra sembrada de judías.

JUDICATURA f. Ejercicio de juzgar. • Dignidad o empleo de juez. • Tiempo que dura. • Cuerpo constituido por los jueces de un país.

JUDICIAL adj. Relativo al juicio, a la administración de justicia o a la judicatura.

JUDÍO, A adj. y s. Hebreo, israelita. • De Judea. • adj. Relativo a este país. • Díc. del que profesa el judaísmo. • m. Judión. • *Cuba.* Pájaro negro con reflejos azules.

JUDIÓN m. Variedad de judía, de hoja mayor y más redonda y con las vainas más anchas.

JUDIT Heroína bíblica que decapitó a Holofernes cuando invadió Judea. • **Libro de J.** Escrito deuterocanónico del A. T., que narra la hazaña de Judit.

JUDO m. Deporte derivado del ant. método japonés de lucha sin armas llamado jiu-jitsu. Sistematizado por Jigoro Kano. Existen unas 300 llaves y presas. Se establecen categorías según la habilidad del judoka indicados por el color del cinturón.

JUDOKA com. Persona que practica el judo.

JUECES, ***Libro de los*** Escrito histórico del A. T., el séptimo en orden tras el *Libro de Josué.*

JUEGO m. Acción y efecto de jugar. • Ejercicio recreativo sometido a determinadas reglas y convenciones, que se practica con ánimo de diversión. • En sentido absoluto, juego de naipes. • Disposición con que están unidas dos cosas, de suerte que sin separarse puedan tener movimientos. • El mismo movimiento. • Determinado número de cosas relacionadas entre sí y que sirven al mismo fin. • En los vehículos de cuatro ruedas, cada una de las dos armazones, compuestas de un par de aquéllas, su eje y demás piezas que le corresponden. • Lugar donde se ejecutan ciertos juegos. • fig. Habilidad para conseguir una cosa. • pl. Fiestas y espectáculos públicos, especialmente los de tipo deportivo. • **de envite.** Cada uno de aquellos en que se apuesta dinero. • **de ingenio.** Ejercicio de entendimiento con acertijos, adivinanzas, etc. • **de manos.** Agilidad de manos con que los prestidigitadores engañan a los espectadores con varios gén. de entretenimientos. • **de naipes.** Cada uno de los que se juegan con ellos, y se distinguen por nombres especiales. • **de niños.** fig. Modo de proceder sin consecuencia ni formalidad. • **de palabras.** Entretenimiento que consiste en usar palabras en sentido equívoco. • **juegos malabares.** Ejercicios de agilidad y destreza. • fig. Combinaciones artificiosas de conceptos con que se pretende deslumbrar al público. • **Juegos Olímpicos.** Olimpiadas. • **de caracteres.** *Comp.* Conjunto de caracteres que maneja una computadora. Conjunto de tipos de una impresora. • **de instrucciones.** *Comp.* Conjunto de instrucciones ejecutables por una computadora, gralte. formado por instrucciones aritméticas, lógicas, de test y de transferencia de información. • **Teoría de los j.** *Mat.* Parte de la teoría gral. de la decisión que estudia el comportamiento adecuado de un individuo frente a diversas estrategias de actuación, basadas en la posibilidad de acción de otros individuos. • **Abrir j.** o **abrir el j.** *Dep.* Empezarlo. • En el fútbol y otros juegos deportivos, lanzar la pelota desde un lugar donde hay gran acumulación de jugadores de ambos equipos, hacia un compañero desmarcado en la banda contraria del campo, para que pueda jugarla. • **Crear j.** En el fútbol y otros juegos deportivos, proporcionar un jugador a sus compañeros continuadas oportunidades de atacar y conseguir tantos. • **Fuera de j.** Posición antirreglamentaria en que se encuentra un jugador, en el fútbol o en otros juegos.

JUERGA f. fam. Diversión bulliciosa de varias personas. ■ JUERGUISTA.

JUEVES m. Cuarto día de la semana civil y quinto de la litúrgica. • **gordo o lardero.** El inmediato a las carnestolendas. • **Jueves Santo.** El de la Semana Santa.

JUEZ m. El que tiene autoridad y potestad para juzgar y sentenciar. • En las justas públicas y certámenes literarios, el que cuida de que se observen las leyes impuestas en ellos. • En el A. T., en el periodo que va desde la muerte de Josué hasta la monarquía, cada uno de los caudillos que salvaron al pueblo de Israel de la opresión cananea. • Persona que aprecia el mérito de una cosa o que la juzga. • **árbitro.** *Der.* Juez elegido mediante compromiso de las partes. • **de línea.** En fútbol, los dos auxiliares del árbitro, que se mueven a lo largo de la banda, y señalan las faltas que advierten levantando un banderín. • **de palo.** fig. y fam. El que es torpe e ignorante. • **de paz.** El encargado de resolver las cuestiones de poca importancia. • **de primera instancia y de instrucción.** El ordinario de un partido o distrito, que conoce en primera instancia de los asuntos civiles no sometidos por la ley a los jueces municipales, y en materia criminal dirige la instrucción de los sumarios. • **de raya.** *Argent.* El que falla sobre el resultado de una carrera de caballos. • **municipal.** El que, nombrado para un término municipal, conoce de los actos de conciliación y de los juicios verbales y de faltas.

JUFLÚ m. Reptil de la familia colúbridos, con escamas, de más de 1 m de long., del SE de Asia.

JUGA adj. y s. Díc. de los partidarios de una secta ismailí que considera al Aga Jan la encarnación de Dios en la tierra, o imam.

JUGADA f. Acción de jugar el jugador cada vez que le toca. • Lance de juego que así se origina. • fig. Acción mala e inesperada contra uno, treta.

JUGADERA f. Lanzadera.

JUGADOR, RA adj. y s. Que juega. • Que tiene el vicio de jugar. • Que es muy diestro en el juego. • **de ventaja.** Fullero.

JUGAR intr. Hacer algo con el solo fin de entretenerse o divertirse. • Travesear, retozar. • Tomar parte en uno de los juegos sometidos a reglas. • Llevar a cabo el jugador un acto propio del juego cada vez que le toca intervenir en él. • Con la prep. *con,* burlarse de alguno. • tr. e intr. Ponerse una cosa que consta de piezas, en movimiento o ejercicio; como las máquinas, las tramoyas en los teatros, etc. • intr. Hacer juego o convenir una cosa con otra. • Tener parte en un negocio. • tr. Tratándose de partidas de juego, realizarlas. • Tratándose de armas, saberlas manejar. • tr. y prnl. Arriesgar, aventurar.

JUGARRETA f. fam. Jugada mal hecha. • fig. y fam. Mala pasada, engaño.

JUDAÍSMO

sancta sanctorum
arca
santuario
atrio exterior

1. Moisés guió a los hebreos a la tierra de sus antepasados y sentó las bases del judaísmo, caracterizado por el monoteísmo y la idea de que el pueblo de Israel es el «pueblo elegido» por Dios.

2. Salomón edificó en Jerusalén un majestuoso templo, donde se instaló el Arca de la Alianza, en la que se guardaban las Tablas de la Ley, con los diez mandamientos entregados por Dios a Moisés en el Sinaí.

3. y 4. En Jerusalén, los judíos ortodoxos acuden a rezar junto al Muro de las Lamentaciones (3) y leen y comentan la Torá (4). Para los judíos de la diáspora, la conservación de las costumbres y las ceremonias tradicionales contribuyó a mantener su identidad y cohesión durante su larga historia de persecuciones.

5. El candelabro de siete brazos constituye, junto con la estrella de seis puntas (estrella de David), uno de los símbolos del pueblo judío y de su religión.

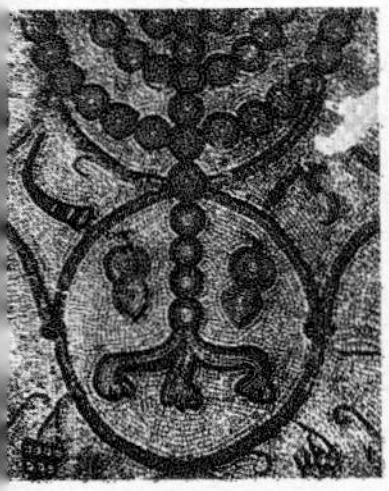

UGENDSTIL → Modernismo.

UGLANDÁCEO, A adj. *Bot.* Yuglandáceo.

UGLAR adj. y s. Chistoso, picaresco. • Juglareso. • m. Artista ambulante de la E. Med., que se anaba la vida recitando poemas, tocando instrumentos musicales o ejecutando acrobacias. ■ JUGLARESCO, CA; JUGLARÍA; JUGLERÍA.

UGLARESA f. Mujer juglar.

UGO m. Zumo de sustancias animales o vegetales. • *Fisiol.* Líquido que contienen ciertos tejidos rgánicos. • **digestivo.** *Fisiol.* Sustancias hidrolíticas y enzimáticas que van tratando el bolo alimencio en su recorrido por el tracto digestivo. • **gástrico.** *Fisiol.* Secreción de las glándulas de la mucosa del estómago, fuertemente ácida debido a la preencia de ClH, cuya acción sobre los alimentos produce una pasta semilíquida y ácida, llamada quimo, ue penetra a intervalos en el duodeno.

* *Fisiol.* La acción hidrolítica se inicia con la saliva, para seguir con el j. gástrico. Actúan después a secreción pancreática, rica en enzimas, y la biliar, cuyas sales emulsionan las grasas facilitando a acción del j. pancreático. Finalmente, actúan las nzimas del intestino delgado, realizándose la aborción de los alimentos ya degradados.

UGOSO, SA adj. Que tiene jugo. • fig. Sustanioso. • fig. Valioso, estimable. ■ JUGOSIDAD.

UGUETE m. Objeto que sirve como entretenimiento y para juegos infantiles. • Chanza o burla. • Persona o cosa dominada por fuerza material o moral que la mueve a su arbitrio.

UGUETEAR intr. Entretenerse jugando y reozando. ■ JUGUETEO.

UGUETERÍA f. Comercio de juguetes. • Tienda donde se venden.

UGUETÓN, NA adj. Se aplica a la persona o animal aficionados a jugar y retozar.

UICIO m. *Der.* Conocimiento de una causa de la que se dicta sentencia. • *Fil.* Facultad del entendimiento. • Acto de comparar dos ideas para conocer su relación. • Estado de sana razón. • Opinión o dictamen. • **final.** *Teol.* El que ha de hacer Jesucristo en el fin del mundo. • **Perder el j.** Enloquecer. • **Poner en tela de j.** Juzgar, revisar. ■ JUICIOSO, SA.

JUIGALPA C. de Nicaragua, cap. del dpto. de Chontales; 25 600 hab.

JUIL m. *Méx.* Especie de trucha.

JUILA f. *Amér. Centr.* Rueda.

JUILÍN m. *Guat.* y *Hond.* Pececillo de río.

JUIZ DE FORA C. de Brasil, en el S del est. de Minas Gerais; 307 800 hab. Ind. textil.

JUJUTLA Mun. de El Salvador, en el dpto. de Ahuachapán; 16 500 hab.

JUJUY Prov. del NO de Argent.; 53 219 km^2, 513 992 hab. Cap., San Salvador de Jujuy. La zona occidental forma parte de la región de la Puna, cuyas depresiones interiores están cubiertas por mantos salinos. La mitad oriental de la prov. comprende, de O a E, la Precordillera. Ríos Grande y San Francisco. Clima frío y árido. Caña de azúcar, tabaco; ganadería; hierro, plomo, cinc.

JUKE-BOX (voz ing.) m. Gramófono que funciona con monedas.

JULEPE m. Poción de aguas destiladas, jarabes y otras materias medicinales. • Cierto juego de naipes. • fig. y fam. Reprimenda, castigo. • fig. *Amér.* Susto, miedo. • *Amér.* Trabajo, fatiga.

JULEPEAR tr. *Amér.* Asustar. • Fatigar.

JULIA (83-54 a. C.) Hija de Julio César y de Cornelia. Esposa de Pompeyo. Su muerte agudizó las discordias entre César y Pompeyo. • (39 a. C.-14 d. C.) Hija de Augusto y Escribonia. Su vida libertina motivó que su padre la desterrara a la isla Ventotene, la antigua Pandataria (2 a. C.).

JULIACA C. de Perú, en el dpto. de Puno, cap. de la prov. de San Román; 78 000 hab. Sit. en el altiplano del lago Titicaca. Cereales y patatas. Centro ferroviario.

Juglar. Pintura del claustro bajo de Santo Domingo de Silos, Burgos, España

Julio II, detalle de un retrato de Rafael

Junco común

El mes de **junio.** Miniatura de *Las muy ricas horas del duque de Berry,* de los hermanos Limbourg. Museo Condé, Chantilly (Francia)

JULIÁN de Toledo (h. 642-690) Santo. Obispo de Toledo (680). Se supone que apoyó la conjura que destronó a Wamba y entregó el poder a Ervigio. Convocó el XII Concilio de Toledo.
JULIANA f. *Bot.* Planta herbácea de la familia crucíferas de tallo ramoso, hojas oblongas, flores blanquecinas o lilas y frutos en silícula.
JULIANA (nacida 1909) Reina de Países Bajos [1948-1980]. Sucedió a su madre, Guillermina, al abdicar ésta en 1948. En 1980 abdicó en su hija Beatriz.
JULIANO, *Flavio Claudio,* llamado EL APÓSTATA (331-363) Emperador rom. [361-363]. Restableció el paganismo. Autor de *Los césares.*
JULIANOS, *Alpes* (*Julijske Alpe*) Nombre dado a la parte SE de los Alpes que se extiende por el O de Eslovenia. Alcanza la altitud máxima en el Triglav (2 863 m).
JULIAS adj. y f. pl. *Argent.* Fiestas conmemorativas de la Independencia argentina (9 julio 1816).
JULIO m. Séptimo mes del año. • *Fís.* Unidad de trabajo en el sistema Giorgi. Se define como el trabajo realizado por la fuerza de un newton que se desplaza un metro según su recta de acción. Símb. J.
JULIO I (m. 352) Santo. Papa [337-352]. Convocó el concilio de Sárdica. • **II** (1443-1513) *Giuliano della Rovere* Papa [1503-1513]. Reorganizó los Estados Pontificios con la Liga de Cambrai. • **III** (1487-1555). Papa [1550-1555]. Clausuró el Concilio de Trento (1552).
JULIO César → César. • **Romano** → Romano.
JULLUNDUR C. del NO de India, en el est. de Punjab; 405 700 hab. Ind. aceitera y textil.
JULO m. Res o caballería que va delante de las demás en el ganado o la recua.
JUMA f. fam. Jumera, borrachera.
JUMAR tr. fam. *Argent.* Fumar. • prnl. fam. Emborracharse.
JUMBLATT, *Kamal* (1919-1977) Político libanés. Fundador del Partido Socialista Progresista (1949) y ministro del Interior. Murió asesinado. • ***Walid*** (nacido 1949) Político libanés, hijo del anterior. Desempeñó un papel importante en los intentos de solucionar la guerra y desintegración del Líbano.
JUMBO m. Designación genérica de los aviones gigantes de transporte.
JUMEL m. Variedad de algodón en rama de Egipto.
JUMENTA f. Asna, hembra del asno.
JUMENTO m. Asno. ʙ JUMENTAL.
JUMERA f. fam. Borrachera, embriaguez.
JUMPER (voz ing.) m. *Amér.* Traje de mujer sin mangas y sin cuello.
JUMPING (voz ing.) m. Competición hípica de salto de obstáculos.
JUNACATÉ m. *Hond.* Variedad de cebolla que huele a ajo.
JUNAR intr. *R. de la Plata.* Mirar fijo, cavilar.
JUNCÁCEO, A o **JÚNCEO, A** adj. y f. *Bot.* Díc. de plantas de la familia juncáceas. • f. pl. *Bot.* Familia de plantas monocotiledóneas, herbáceas o leñosas; flores hermafroditas, agrupadas en cimas o espigas, y frutos en cápsula.
JUNCADA f. Fruta de sartén, de figura cilíndrica y larga. • Juncar.
JUNCAL Cerro andino, en la frontera entre Chile y Argentina (Mendoza); alt., 6 180 m.
JUNCAR m. Sitio poblado de junqueras.
JUNCIA f. Planta ciperácea, medicinal y olorosa, sobre todo el rizoma. ʙ JUNCIAL.
JUNCIANA f. fig. y fam. Jactancia.
JUNCIERA f. Vaso de barro, con tapa agujereada, para que salga el olor de las hierbas o raíces aromáticas que se ponen dentro de él.
JUNCINO, NA adj. De juncos o compuesto con ellos.
JUNCIÓN f. *Chile.* Confluencia de dos ríos.
JUNCO m. *Bot.* Planta herbácea monocotiledónea, con ramas aéreas provistas de una médula esponjosa, flores hermafroditas y frutos en cápsula. Sus flexibles tallos se usan en cestería. • *Mar.* Embarcación plana, de proa redondeada, de madera y que puede cargar hasta 500 t, propia de Extremo Oriente. • *Zool.* Nombre de varias especies de aves paseriformes de la familia emberícidos, distribuidas principalmente en América. ʙ JUNCAL.
JUNCO, *Tito* (nacido 1915) Actor de cine mex. Prales. películas: *Adiós mi chaparrita, Simón Bolívar, Aventurera,* etc. • **de la Vega, *Celedonio*** (1863-1947) Poeta y periodista mex. *Sonetos, Musa provinciana.*
JUNCOSO, SA adj. Parecido al junco. • Aplícase al terreno que produce juncos.
JUNDIAÍ C. de Brasil, en el est. de São Paulo; 258 800 hab. Industrias y nudo de comunicaciones.
JUNEAU C. de EE UU, cap. del est. de Alaska; 26 800 hab.
JUNG, *Carl Gustav* (1875-1961) Psiquiatra suizo. Se separó de Freud (1913) por diversas discrepancias, en especial acerca del concepto de *libido*, que J. concebía como «energía» indiferenciada, no específicamente sexual. Distinguió dos tipos básicos de carácter: el introvertido y el extravertido. Desarrolló el postulado del inconsciente colectivo y los arquetipos. *Metamorfosis y símbolos de la libido, Psicología y religión, Consciente e inconsciente.*
JUNGER, *Ernst* (1895-1998) Escritor al. Su obra es un testimonio de las dos guerras mundiales y la posguerra. *Ensayos sobre el hombre y el tiempo, Diario de guerra y de ocupación (1939-1948).*
JUNGFRAU Pico de los Alpes Berneses (Suiza); 4 161 m de alt. Observatorio meteorológico.
JUNGLA f. Selva; terreno cubierto de vegetación muy espesa.
JUNGLADA f. Lebrada, guisado de liebre.
JUNI, *Juan de* (hacia 1507-1577) Escultor fr., activo en España desde 1533. Su imagen más popular y una de las obras maestras de escultura renacentista es la *Virgen de los Cuchillos*, de la iglesia de las Angustias de Valladolid.
JUNÍN Dpto. de Perú; 44 409,6 km², 1 133 200 hab. Cap., Huancayo. Sit. entre la vertiente oriental de la cordillera de Huayhuash y los r. Ene y Tambo. El r. Mantaro forma un amplio valle. Clima frío. Cereales y café; ganadería; oro, plata, cobre, plomo, cinc. • **Batalla de J.** Victoria de Bolívar sobre el general esp. Canterac en la meseta de J. (1824). • **Lago de J.** Conocido también por Chinchaycocha, en el dpto. de Junín; 50 km de longitud y 11 km de anchura máxima.
JUNÍN C. de Argentina, junto al Salado, en la prov. de Buenos Aires; 62 500 hab. Centro agrícola y ganadero. • Partido de Argentina, en la prov. de Buenos Aires; 76 100 hab.
JUNIO m. Sexto mes del año.
JÚNIOR m. Voz latina que significa más joven y se usa para distinguir a dos personas del mismo nombre y de edad distinta. • Religioso joven sujeto aún a la enseñanza y obediencia del maestro de novicios. • *Dep.* Categoría de los practicantes cuya edad oscila entre los 17 y 20 años.
JUNÍPERO m. Enebro.
JUNKER m. Nombre con el que, en Alemania, se designaba a los hijos de los terratenientes nobles. A partir del s. XIX, el término fue usado para designar a los terratenientes conservadores.
JUNKERS, *Hugo* (1859-1935) Industrial al. Inventó el calorímetro que lleva su nombre y el calentador de baño. Construyó en 1915 el primer avión totalmente metálico, perfeccionando y adaptando a la aviación, en 1927, los motores Diesel.
JUNO *Mit.* Diosa romana, correspondiente a la Hera gr. Regía el cielo, o la Luna, la tierra y la fertilidad.
JUNOT, *Jean Andoche,* DUQUE DE ABRANTES (1771-1813) Militar fr. Ayuda de campo de Napoleón, fue derrotado por los port. en Vimeiro y firmó la capitulación de Cintra (1808), por la cual las tropas fr. tenían que evacuar Portugal. Participó en la guerra de España y dirigió el sitio de Zaragoza (1808).
JUNQUERA f. Junco, planta ʙ JUNQUERAL.
JUNQUILLO m. Planta de jardinería, especie de narciso, de flores muy olorosas. • *Arq.* Moldura redonda y más delgada que el bocel.
JUNTA f. Reunión para tratar un asunto. • Cada una de las sesiones que se celebran. • *Pol.* Conjunto de individuos que dirigen los asuntos de una colectividad. • *Mar.* Empalme, costura. • *Mec. apl.* Elemento de unión entre piezas. • pl. *Amér.* Confluencia de dos ríos. • **de dilatación.** *Const.* Espacio que se deja para permitir la dilatación de los materiales.
* *Mec. apl.* En automoción hay dos tipos prales.: las de culata, que impermeabilizan, y las universales, que permiten maniobrar.
* *Pol.* Abundan en la historia de España e Hispanoamérica como organismos de gobierno. En España, al estallar la guerra de la Independencia, surgie-

ron espontáneamente *J. Provinciales* que se adueñaron del poder. Pronto designaron una J. Suprema Central (1808), que gobernó durante la ocupación napoleónica. En la América hispánica, a semejanza de la metrópoli, surgieron diversas j. para hacer frente a Napoleón. Si en un principio acataron la autoridad real, pronto se convirtieron en los embriones del proceso independentista. En su gran mayoría las j. se mantuvieron hasta la constitución de organismos regulares, pero en Nueva España, la *J. Provisional Gubernativa* dirigió el proceso de independencia. • **Primera J.** Suprema constituida en Buenos Aires (1810), conocida también como *J. Gubernativa,* que constituyó un gobierno independiente del de España, cuya declaración de indep. realizó el 9 de julio de 1816.

JUNTAR tr. Unir unas cosas con otras. • tr. y prnl. Reunir, congregar. • tr. Acumular, acopiar o reunir en cantidad. • Entornar puertas o ventanas. • prnl. Acercarse mucho a uno. • Acompañarse, andar con uno. • Practicar el coito. • Vivir conyugalmente un hombre y una mujer sin estar casados.

JUNTERA f. Garlopa que sirve para cepillar el canto de las tablas.

JUNTERO, RA adj. y s. Perteneciente a una junta o delegado en ella.

JUNTO, TA adj. Unido, cercano. • adv. lugar. Seguido de la prep. *a*, cerca de.• adv. modo. Juntamente, a la vez. • **En j.** m. adv. En total.

JUNTURA f. Parte o lugar en que se juntan y unen dos o más cosas. • *Zool.* Unión de los huesos, que según el modo como se unen éstos se llama claval, nodátil o serrátil.

JUPA f. *Amér. Centr.* Calabaza redonda. • *Hond.* Cabeza.

JUPIARSE prnl. *Amér. Centr.* Embriagarse, emborracharse.

JÚPITER m. *Astr.* El mayor de los planetas del sistema solar. Recorre su órbita a una distancia media de 778 millones de km del Sol en casi 12 años. De diámetro once veces superior al de la Tierra, está sumamente achatado por los polos, debido a su elevada velocidad de rotación: 9 h. y 50 minutos. Su densidad es 1,33 veces la del agua, muy inferior a la de 5,52 de la Tierra. Observado con el telescopio, J. aparece de un color amarillento sobre el que se observan bandas más oscuras en sentido horizontal y algunas estructuras bastante persistentes. La atmósfera difiere mucho de la terrestre, la temperatura (–170 °C) y la alta presión, liquidan gran parte de los gases presentes. J. tiene 16 satélites, los cuatro prales.: Ío, Europa, Ganímedes y Calisto, descubiertos por Galileo en 1610.

JÚPITER *Astr.* Conjunto de cohetes lanzadores o vectores construidos por EE UU destinados a la investigación.

JÚPITER *Mit.* Dios del cielo, la luz diurna, el trueno y el rayo, jefe del panteón romano. Identificado con Zeus.

JUPITERINO, NA adj. Relativo a Júpiter. • Grandioso, que causa miedo.

JUQUE m. *C. Rica* y *Salv.* Zambomba.

JURA f. Acción de jurar solemnemente la sumisión a ciertos preceptos u obligaciones. • Juramento.

JURA Cadena montañosa que sirve de divisoria entre Francia y Suiza.

JURADO, DA adj. Que ha prestado juramento al encargarse del desempeño de su función u oficio. • m. Cuerpo colegiado no profesional ni permanente cuyo cometido es determinar y declarar el hecho justiciable o la culpabilidad del acusado. • Cada uno de los individuos que componen dicho tribunal. • Cada uno de los individuos que constituyen el tribunal examinador en exposiciones, concursos, etc. • Conjunto de estos individuos.

JURADO, ***Katy*** (nacido 1927) Actriz mex. Prales. películas: *La vida inútil de Pito Pérez, Faltas a la moral, La hora señalada, Lanza rota.*

JURADOR, RA adj. y s. Que tiene vicio de jurar. • *Der.* Que declara en juicio con juramento.

JURADURÍA f. Oficio y dignidad de jurado.

JURAMENTO m. Afirmación o negación solemne de una cosa. • Blasfemia o reniego. ■ JURAMENTAR.

JURAR tr. Afirmar o negar solemnemente una cosa. • Reconocer solemnemente la soberanía de un príncipe. • Someterse solemnemente a los preceptos constitucionales de un país, estatutos de las órdenes religiosas, etc. • intr. Blasfemar, renegar.

JURÁSICO, CA adj. y m. *Geol.* Díc. del segundo periodo de la era mesozoica, con una duración aproximada de unos 50 millones de años (de –185 a –135 millones de años), que se caracteriza por el predominio de los ammonites, los grandes reptiles y la aparición de las aves en el reino animal. Entre los vegetales predominan las gimnospermas y aún no han aparecido las angiospermas.

JURDÍA f. Especie de red para pescar.

JUREL m. Pez perciforme comestible, pero no muy apreciado. A veces forma bancos muy numerosos como preparación para la freza.

JURERO, RA adj. y s. *Chile* y *Perú.* Testigo falso.

JURGUINA f. Hechicería.

JURIDICIDAD f. Tendencia al predominio de las soluciones de estricto derecho en los asuntos políticos y sociales.

JURÍDICO, CA adj. Que atañe al derecho, o se ajusta a él.

JURIN, ***James*** (1684-1750) Médico, fisiólogo y matemático brit. que formuló la ley homónima que establece la relación entre la alt. que alcanza un líquido cuando asciende por el interior de un tubo capilar y el diámetro de este mismo tubo.

JURISCONSULTO, TA m. y f. Persona facultada por un título universitario para aconsejar e intervenir en cuestiones de derecho. • Jurisperito, persona entendida en cuestiones de derecho.

Júpiter

Jura de Fernando VII como príncipe de Asturias, en un óleo de Luis Paret. Museo del Prado, Madrid

JURISDICCIÓN f. Autoridad que tiene uno para gobernar y hacer ejecutar las leyes o para aplicarlas en juicio. • Término de un lugar. • Territorio en que un juez ejerce sus facultades de tal. • Autoridad o dominio sobre otro. • **contencioso-administrativa.** La que conoce de los recursos contra las decisiones definitivas de la administración. • **ordinaria.** *Der.* La que procede del fuero común, en contraposición a la privilegiada. ■ JURISDICCIONAL.

JURISPERICIA f. Conocimiento o ciencia del derecho, jurisprudencia. ■ JURISPERITO, TA.

JURISPRUDENCIA f. Ciencia del derecho. • Enseñanza doctrinal que dimana de las decisiones o fallos de autoridades gubernativas o judiciales. • Norma de juicio que suple omisiones de la ley, y que se funda en las prácticas seguidas en casos análogos.

JURISTA com. Persona que estudia o profesa la ciencia del derecho. • Persona que tiene juro o derecho a una cosa.

JURO m. Derecho perpetuo de propiedad. • Beneficio sobre las rentas públicas. • **De j.** m. adv. Por fuerza.

JURUÁ R. de Perú y Brasil; 1 900 km. Nace en territorio peruano y, tras atravesar el estado de Acre y parte de la llanura amazónica, desemboca en el Amazonas.

JURUENA R. de Brasil, que forma una de las ramas madres del Tapajós. Nace en la chapada dos Parecis y atraviesa el Mato Grosso.

JURUNGUEAR tr. *Ven.* Molestar.

JURUTUNGO m. *P. Rico.* Lugar lejano.

JUSBARBA f. Brusco, planta.

JUSELLO m. Potaje que se hace con caldo de carne, perejil, queso y huevos.

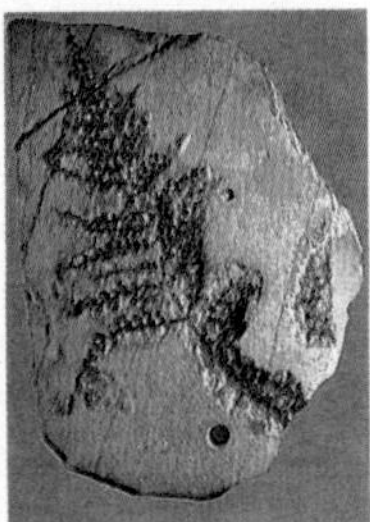

Fósil de helecho del periodo **jurásico**

La **Justicia,** escultura en mármol de Giovanni Pisano

Justiniano I, detalle de un mosaico de San Vital de Ravena (Italia)

Salón del palacio Stupingi, en Turín, construido en 1721 por Filippo **Juvara**

JUSI m. Tela de Filipinas, de poco cuerpo y listada de colores fuertes.

JUSTA f. Pelea o combate medieval, en la que se enfrentaban dos jinetes armados con lanza. • Torneo en que acreditaban los caballeros su destreza en el manejo de las armas. • fig. Competición o certamen intelectual, científico o literario.

JUSTEDAD f. Calidad de justo. • Igualdad o correspondencia justa y exacta de una cosa. ▪ JUSTEZA.

JUSTICIA f. Orden de convivencia humana que consiste en la igualdad de todos los miembros de la comunidad, tanto en la sumisión a las leyes entre ellos vigentes como en el reparto de los bienes comunes. • Comportamiento justo. • Equidad, rectitud. • Conjunto de órganos que constituyen el poder jurisdiccional del Estado, cuya misión es la aplicación de las leyes. • Ministro o tribunal que ejerce justicia. • Pena o castigo público. • fam. Castigo de muerte. • Atributo de Dios por el cual premia o castiga a cada uno según sus merecimientos. • Una de las cuatro virtudes cardinales. • m. ant. Alguacil oficial inferior de justicia. • **distributiva.** La que arregla la proporción con que deben distribuirse las recompensas y los castigos. • **Tomarse** uno **la j. por su mano.** Vengarse.

JUSTICIABLE adj. Sujeto a ley o castigo.

JUSTICIALISMO m. Movimiento político arg. fundado por Perón. Pretendía crear un capitalismo nacional y la aplicación de una legislación social avanzada que permitiera encuadrar a la clase obrera en un régimen corporativo. Primer partido de la oposición en 1983, desde 1989 hasta 1997 estuvo en posesión de la mayoría absoluta en la Cámara de Diputados. Es también el soporte político de la CGT. ▪ JUSTICIALISTA.

JUSTICIAR tr. Condenar, sentenciar.

JUSTICIAZGO m. Empleo o dignidad del justicia.

JUSTICIERO, RA adj. Que observa y hace observar estrictamente la justicia. • Que observa estrictamente la justicia en el castigo de los delitos.

JUSTIFICACIÓN f. Acción y efecto de justificar. • Aquello con que uno se justifica. • Prueba de una cosa mediante razones, testigos y documentos. • *Art. Gráf.* Largo que han de tener los renglones impresos.

JUSTIFICADO, DA adj. Conforme a justicia y razón. • Que obra según justicia y razón. ▪ JUSTIFICADOR, RA.

JUSTIFICAR tr. Probar una cosa con razones, testigos y documentos. • Rectificar o hacer justa una cosa. • Ajustar, arreglar una cosa con exactitud. • tr. y prnl. Probar la inocencia de uno. • *Art. Gráf.* Igualar el largo de las líneas compuestas. • *Teol.* Hacer Dios justo a uno dándole la gracia. ▪ JUSTIFICANTE; JUSTIFICATIVO, VA.

JUSTILLO m. Prenda interior sin mangas, que ciñe el cuerpo hasta la cintura.

JUSTINIANO I (482-565) Emperador de Oriente [527-565], sucesor de su tío Justino I. Intentó rehacer el imperio romano. Conquistó Italia y el S de la pen. Ibérica. Bajo su mandato se realizó el Código que lleva su nombre. • **II** (669-711) Emperador de Oriente [685-695 y 705-711]. Sucesor de Constantino IV. Su política fiscal provocó una rebelión popular que le costó perder el trono provisionalmente. ▪ JUSTINIANEO, A.

JUSTINO I (450-527) Emperador de Oriente [518-527], sucesor de Anastasio I. Consiguió la unidad de la Iglesia Católica. • **II** (m. 578) Emperador de Oriente [565-578] Sucesor de Justiniano I, perdió parte de Italia, España e Iliria.

JUSTIPRECIAR tr. Apreciar o tasar una cosa. ▪ JUSTIPRECIACIÓN.

JUSTIPRECIO m. Tasación de una cosa.

JUSTO, TA adj. y s. Díc. del que obra según la moral y la ley. • Que respeta plenamente los principios de la religión. • adj. Díc. de lo que está acuerdo con los principios de la moral o de la le • Exacto, que no tiene en número, peso o medida más ni menos que lo que debe tener. • Apretado que ajusta bien con otra cosa. • adv. modo. Del m do justo o debido. • Con estrechez.

JUSTO, ***Agustín Pedro*** (1876-1943) Mil. y pc arg. Presid. tras apoyar la rebelión de Uriburu. ***Juan Bautista*** (1865-1928) Pol. arg. Fundó el Pa tido Socialista Obrero (1893) y el periódico *La Va guardia* (1894). *Teoría y práctica de la historia.*

JUTA f. *Ecuad.* y *Perú.* Ave palmípeda, varieda de ganso doméstico.

JUTAÍ Caudaloso r. del NO de Brasil, afl. del So mões (Amazonas medio). 1 200 km.

JUTE m. Molusco fluvial de Honduras y Guat mala.

JUTÍA f. *Cuba.* Roedor semejante a la rata.

JUTIAPA Dpto. del SE de Guatemala; 3 219 km 307 491 hab. Cap., la c. hom. Accidentado por eje volcánico guatemaltecosalvadoreño. Río Pa Lagunas de Guija y Atescatempa. Clima templ do. Cereales, café, cacao y tabaco; ganadería v cuna. • C. de Guatemala, cap. del dpto. hom 88 900 hab.

JUTICALPA C. de Honduras, cap. del dpto. d Olancho; 19 622 hab. Placeres de oro en el mun

JUTLANDIA (danés, *Jylland;* al., *Jutland)* Pe del N de Europa, en Dinamarca; 29 767 km 2 348 400 hab. Sit. entre el mar del Norte y el Bált co. Agricultura y ganadería. Centros prales.: Aa hus y Aalborg. • **Batalla de J.** Combate de la I Gu rra Mundial, entre las escuadras al. y brit., librad al N de la pen. de J.

JUVARA, ***Filippo*** (1676-1736) Arquitecto i Amadeo II de Saboya le nombró arquitecto ofici de Turín, en donde construyó el complejo basilic de Superga. Realizó el proyecto para el palacio re de Madrid.

JUVENAL, ***Décimo Junio*** (60-140) Poeta latin En sus dieciséis *Sátiras* criticó la sociedad de s tiempo, con un lenguaje crudo y directo.

JUVENTUD f. Periodo de la vida humana qu media entre la niñez y la edad viril. Fisiológica mente de difícil delimitación. Corresponde en té minos generales al periodo anterior a la edad adu ta, en el que el individuo adquiere pleno desarrol corporal. • Conjunto de jóvenes. • Primeros tiem pos de alguna cosa. • Energía, vigor, frescura. JUVENIL.

JUVENTUD (ant. *Pinos)* Pequeña isla, sit. frent al litoral SO de Cuba, que integra el Municipio es pecial de Isla de la Juventud; 2 411 km^2, 71 000 hal Cap., Nueva Gerona.

JUVIA f. *Ven.* Árbol de la familia mirtáceas. S fruto contiene una almendra de la que se saca ace te. • Fruto de este árbol.

¡JUY! interj. ¡Huy!

JUYACA f. Artificio de madera seca para encen der fuego mediante frotación.

JUZGADO m. Conjunto de jueces de un tribuna • Tribunal de un solo juez. • Territorio de su ju risdicción. • Sitio donde se juzga. • Dignidad d juez. • **de Indias.** Organismo fundado en 1535 e Cádiz, dependiente de la Casa de Contratación d Sevilla.

* *Hist.* Las prales. atribuciones del J. de Indias con sistían en la admisión de barcos para el comerci americano, el afianzamiento de los maestres de na y la inspección de los cargamentos.

JUZGAMUNDOS com. fig. y fam. Persona mur muradora.

JUZGAR tr. Formar juicio sobre una cosa o per sona. • Ejercer sus funciones un juez. • Estar con vencido de una cosa, creerla. • *Fil.* Afirmar, previ la comparación de dos o más ideas, las relaciones qu existen entre ellas.

K

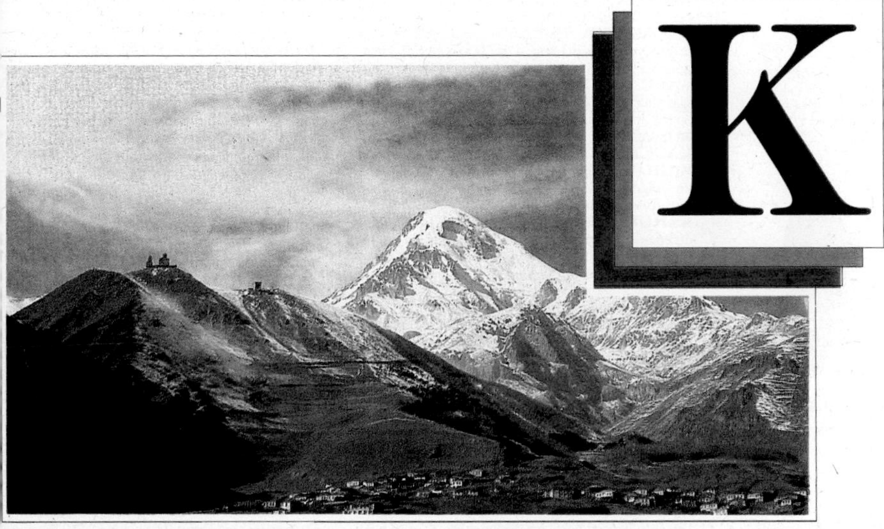

El Cáucaso en la república rusa de **Kabardino-Balkaria**

K f. Undécima letra del abecedario esp. y octava de sus consonantes. Su nombre es *ka.* • *Comp.* Múltiplo del byte, equivalente a 2^{10} bytes. También se llama kbyte o kilobyte. • *Fís.* Raya de la parte visible del espectro solar. • *Fís.* Unidad de medida de la temperatura, grado Kelvin, en la escala absoluta (°K). • *Mat.* Uno de los símbolos que designan un valor constante. • *Quím.* Símbolo del potasio. • *Quím.* Primero de los siete niveles energéticos que pueden ocupar los electrones en el átomo de Bohr.

K 2 *(Dapsang* o *Godwin Austen)* La cima más elevada del macizo del Karakorum, al N de Cachemira, entre China y Pakistán; 8 611 metros.

KA f. Nombre de la letra *k.* • m. En la religión de los antiguos egipcios, parte del ser humano de naturaleza inmaterial.

KAABA Edificio en el patio central de la mezquita de La Meca (Arabia Saudita). En una de sus esquinas, está la Piedra Negra, que besan los peregrinos musulmanes. El lugar era ya venerado antes del Islam.

KABARDINO, NA adj. y s. Díc. de individuos de un pueblo cherkés del Caúcaso. • m. Lengua de este pueblo.

KABARDINO-BALKARIA República autónoma de Rusia; 12 500 km², 715 000 hab. En la vertiente N del Caúcaso. Agricultura, ind. mecánica.

KABILA, *Laurent* (1939-2001) Político de la República Democrática del Congo. Líder guerrillero, se enfrentó desde el principio al régimen de Mobutu Sese Seko. Finalmente, en 1997, tras un rápido avance de su guerrilla, forzó la huida del dictador y asumió la presidencia del Estado. Murió asesinado.

Los elefantes de Abraham custodiando la **Kaaba.** Miniatura del Museo Topkapi, Istanbul

KABILIA *(al-Qabail)* Nombre que se da a varios territorios argelinos que comprenden gran parte del Atlas oriental.

KABIR (1440-1518) Reformador religioso indio. Discípulo de Ramananda, intentó unificar el islamismo y el hinduismo.

KABUL Cap. de Afganistán, junto al río hom.; 1 036 500 hab. Centro comercial e industrial. Cap. desde 1774. Fundada en época de Alejandro Magno, fue conquistada por los ár., Gengis Jan, Tamerlán, los persas y los brit. • Río de Afganistán y de Pakistán, afl. del Indo.

KACHAMPA f. *Perú.* Danza guerrera de ritmo frenético.

KACHIN *(Kakhyen)* adj. y s. Díc. de individuos de un pueblo mongol del N de Birmania, India y China. • m. Lenguas tibetanobirmanas de dicho pueblo.

KACHIN *(Jingphaw Mungdan)* División administrativa del extremo septentrional de Birmania, limítrofe con la India y la Rep. Popular China; 88 725 km², 450 000 hab. Cap., Myitkyina. Bosque, agricultura.

KAÇKAR DAGI Cumbre montañosa al NE de Turquía, sobre el mar Negro, máxima alt. de los montes Pónticos; 3 937 m.

KADAR, *János* (1912-1989) Político húng. Miembro del partido comunista. Proclamada la república (1946), fue ministro del Interior. Tras la invasión soviética, fue nombrado jefe del gobierno (1956). En 1988 fue desplazado del poder.

KADUNA C. del centro-norte de Nigeria, a orillas del río hom.; 202 000 hab. Centro agrícola e industrial.

KAESONG *(Gaeseong)* C. de la Rep. Democrática de Corea; 240 000 hab. Ind. ligera. Ant. cap.

KAFKA, *Franz* (1883-1924) Escritor checo en lengua al. Sus novelas y narraciones abordan la angustia del hombre. *La metamorfosis, La colonia penitenciaria, El proceso, El castillo, La muralla china, La condena, América.*

Monumento a Franz **Kafka,** en Praga

KAFKIANO, NA adj. Relativo a F. Kafka. • Díc. de los procesos burocráticos largos. • Monstruoso, fantástico.

KAFTÉN m. *Argent.* Alcahuete.

KAFUE Río de Zambia, afl. izquierdo del Zambeze; 950 km.

KAGAWA Prefectura de Japón, en la isla de Shikoku, 1 860 km², 1 023 000 hab. Cap., Takamatsu.

KAGEL, *Mauricio* (nacido 1913) Compositor arg. Introductor de los procedimientos aleatorios en el teatro musical. *Anagramma, Heterofonía, Fonofonía, Música para instrumentos renacentistas.*

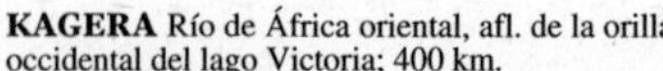

KAGERA Río de África oriental, afl. de la orilla occidental del lago Victoria; 400 km.
KAGOSHIMA Prefectura de Japón, al S de la isla de Kyushu; 4 963 km^2, 4 811 000 hab. Cap., la c. hom. (536 700 hab.). Puerto y centro ind.
KAGUÁN m. Mamífero de la fam. cinocefálidos, que alcanza 40 cm. de long.; pelaje oscuro. Viven en los árboles y son de hábitos nocturnos. Habitan en Indonesia.
KAGURA f. Danza religiosa jap., del sintoísmo.
KAHLO, *Frida* (1910-1954) Pintora mex., esposa de Diego Rivera. *Fulang-Chang y yo, Las dos Fridas, Autorretrato.*
KAHUIS m. *Argent.* Palo largo usado por los indígenas del Chaco para marcar el compás.
KAHN, *Louis* (1901-1974) Arquitecto norteam., de origen ruso. Yale Art Gallery (New Haven), Balneario de Trenton (Nueva Jersey), Medical Research Building (universidad de Pensilvania).
KAIFENG C. de China, en la prov. de Honan; 300 000 hab. Ind. alimentaria, textil.
KAILAS Cord. del SO del Tíbet, en la que nacen los ríos Indo y Brahmaputra. El pico hom. (6 714 m) es sagrado para los hindúes.

Puerta de la Gran Mezquita, de **Kairuán**

KAIRUÁN (*al-Qairouan*) C. del NE de Tunicia; 72 500 hab. Centro industrial artesano.
KÁISER m. Título de algunos emperadores de Alemania.
KAISER, *Georg* (1878-1945) Dramaturgo al.; uno de los prales. representantes del expresionismo. *Los burgueses de Calais, Gas.* • ***Henry John*** (1882-1967) Industrial norteam., creador de un gran *holding* multinacional.
KAKEMONO m. Pintura jap. realizada sobre una tira vertical de seda o de papel.
KAKI adj. y m. Caqui, tela y color. • m. Nombre común de algunas especies del género *Diospyros,* de la familia ebenáceas. Son árboles tropicales, de fruto en baya.

Kaki del Japón

KALA-AZAR m. *Pat.* Enfermedad tropical consistente en la tumefacción del bazo y caracterizada por fiebres irregulares, síndrome hemorrágico, anemia interna y desnutrición.
KALAHARI Desierto de África, en Botswana, al E de Namibia y N de la prov. de El Cabo; 259 000 km^2. Habitado pralm. por bosquimanos.
KALAM m. En el Islam, cuarta y última ciencia religiosa (*Ilm al-kalam*).
KÁLATHOS m. Voz griega que designa un tipo de vasija de cerámica.
KALATOZOV, *Mijail* (1903-1973) Director cinematográfico sov. *Courage, La conspiración de los condenados, Cuando pasan las cigüeñas* (Palma de oro, Cannes 1958), *Soy Cuba.*
KALGAN (*Changchiakou* o *Zhangjiakou*) C. de China, en la prov. de Hopei, al NO de Pekín; 920 900 hab. Ind. textil y química.
KALI En el hinduismo, aspecto femenino o activo de la energía de la divinidad, esposa de Siva.
KALIDASA (s. v) Escritor indio, el más significativo del período clásico. *El reconocimiento de Sakuntala, Meghaduta.*
KALIMANTAN Nombre indonesio de Borneo.
KALININ → Tver.
KALININ, *Mijail Ivanovich* (1875-1946) Político sov. Miembro del comité central del partido bolchevique, presidió en 1923 el comité central del PCUS. Apoyó la política de Stalin.
KALININGRADO (ant. *Königsberg*) C. de Rusia (401 000 hab.) cap. de la prov. hom. (15 100 km^2, 871 000 hab.). Sit. en la ant. Prusia Oriental, en el extremo N del golfo del Vístula. Ind. maderera, papelera y de construcción naval. Puerto comercial. Universidad. Catedral del s. XIV. Cuna y residencia de Kant. En 1945, la conferencia de Berlín la atribuyó a la URSS, tomando el nombre de Kaliningrado.
KALIX Río de Suecia; 450 km.
KALKA adj. y s. Díc. de individuos del pueblo mongol, la mayoría de la pob. de la Rep. Popular de Mongolia.
KALMAR C. y puerto de Suecia, junto al estr., hom.; 53 700 hab. Astilleros, ind. mecánica. • **Unión de K.** La pactada entre Dinamarca, Suecia y Noruega (1397).
KALMUKO adj. y s. Calmuco.
KALMYKIA Rep. autónoma de Rusia; 75 900 km^2, 320 000 hab. Cap., Elista (85 000 hab.) Sit. al NO del mar Caspio. Agricultura; ganadería y pesca. Ind. conservera y materiales de construcción.

Sobre los puentes, óleo de W. **Kandinsky**

KALUGA C. de Rusia, al SO de Moscú y sobre el río Oka; 312 000 hab. Cap. de la prov. autón. hom.; 29 900 km^2, 1 067 000 hab. Ind. madereras, mecánicas y eléctricas. Material ferroviario. Yacimientos de petróleo. Monumentos artísticos del s. XVII.
KAMA Río de Rusia, afl. del Volga; 2 032 km. Navegable en la mayor parte de su curso.
KAMA En el hinduismo, dios del amor, cuya esposa es Rati, diosa de la voluptuosidad.
KAMACITA f. Aleación de hierro y níquel, frecuente en los meteoritos.
KAMAKURA C. de Japón, en el centro-sur de la isla de Honshu; 175 500 hab. Cap. de Japón en 1192-1333. Conserva una famosa estatua de Buda.
KAMBA adj. y s. Díc. de individuos de un pueblo melanoafricano bantú, de Kenia. • m. Lengua de este pueblo.
KAMCHATKA Pen. del extremo oriental de Siberia, en la prov. rusa hom.; 472 300 km^2, 466 000 hab. Clima frío. Caza, explotación forestal y agricultura.
KAME m. Montículo de arena y grava que se forma cerca de un glaciar.
KÁMENEV, *Lev Borissovich Rosenfeld,* llamado (1883-1936) Político sov. Tras la revolución rusa de 1917 fue nombrado presid. del Consejo económico del soviet de Moscú (1918) y vicepresid. del Consejo de comisarios del pueblo (1922). Formó con Stalin y Zinóviev la troika que se hizo cargo del poder en 1922. Junto con Trotski y Zinóviev se opuso a la política de Stalin (1926). Fue excluido del partido (1927), procesado y ejecutado (1936).
KAMERLINGH-ONNES, *Heike* (1853-1926) Físico hol. Licuó el helio y descubrió la superconductividad. Premio Nobel de Física en 1913.
KAMI m. En el sintoísmo, cada una de las deidades del cielo y la tierra.
KAMIKAZE m. En la II Guerra Mundial, apelativo dado a los pilotos japoneses suicidas.
KAMINALJUYÚ Yacimiento arqueológico de Guatemala, a poca distancia de la cap. Centro ceremonial premaya.
KAMPALA C. y cap. de Uganda, y del distr. hom., junto al lago Victoria, en la región de Buganda; 458 500 hab. Centro comercial.
KAMPUCHEA Nombre oficial, en lengua kmer, de la República de Camboya de 1979 a 1989.
KAN m. Príncipe o jefe, entre los tártaros.
KAN En la religión maya, signo del cuarto día ritual. Se le asociaba al dios del Maíz, Ah Bolom Tzacab.
KANAGAWA Prefectura de Japón, en la isla de Honshu; 2 403 km^2, 7 980 000 hab. Cap., Yokohama.
KANANGA C. de la República Democrática del Congo, cap. de la prov. de Kasai Occidental; 704 300 hab. Ind. textil. Centro comercial.
KANARIS, *Kostantinos* (1790-1877) Marino y político gr. Héroe en la guerra de independencia y vencedor de los turcos, ocupó la jefatura del gobierno en 1864-1865 y 1877, reinando Jorge I.
KANATO m. Janato.
KANAZAWA C. de Japón, en la isla de Honshu; 430 480 hab. Artesanía, ind. textil, metalúrgica.
KANCHA f. *Amér.* Cancha, campo vallado usado como redil para el ganado.
KANCHAJUNGA o **KANCHENJUNGA** Cima del Himalaya, sit. entre Sikkim y Nepal; 8 578 m.
KANDAHAR C. del SE de Afganistán, cap. de la prov. hom. Sit. en una meseta elevada, junto al Arghandab; 191 000 hab. Ind. Textil.
KANDINSKY, *Wassily* (1866-1944) Pintor ruso, considerado el creador de la pintura abstracta. Con la fundación del grupo *El caballero azul*, evolucionó hacia una abstracción expresionista. Post. el informalismo y lo irracional los manifestó en *Azul cielo.* Obras: *Sobre los puentes.* Escribió: *De lo espiritual en el arte, Del problema de la forma.*
KANDY (*Maha Nuwara*) C. del centro de Sri Lanka; 130 000 hab. Los budistas la consideran sagrada. Centro comercial agrícola.
KANEM Región de África occidental, sit. al E del lago Chad. Actualmente forma una prefectura de la Rep. del Chad, con 114 520 km^2 y 200 000 hab.

Cap., Mao. Fue un poderoso est. entre los ss. VIII y XIII, basado en el tráfico de esclavos y el comercio.
KANG-HI (1654-1722) Emperador Manchú de la China. Ocupó Taiwan y el Tibet, frenó a los rusos en Siberia e intervino en Mongolia.
KANIN Pen. del N de Rusia, a orillas del mar de Barents; 10 500 km^2. Región de tundra.
KANO Escuela de pintores-decoradores japoneses, fundada por Motonobu.
KANO C. del N de Nigeria; 551 800 hab. Cap. del est. hom. (43 285 km^2, 11 513 400 hab.). Ganadería; ind. textil y alimentaria. Fue cap. del reino hausa hom. (ss. XI-XVIII), de gran importancia en el comercio transahariano del oro.
KANPUR (*Cawnpore*) C. de la India, en Uttar Pradesh; 1 481 800 hab. Ind. del cuero, textil, química. Pral. núcleo de la rebelión de los cipayos (1857).
KANSAS Est. del centro-oeste de los EE UU; 213 098 km^2, 2 478 000 hab. Cap., Topeka. Formado por una planicie avenada por el Kansas y el Arkansas.Trigo, maíz, ganadería; petróleo, gas natural, carbón; ind. alimentaria, mecánica. Forma parte de los EE UU desde 1803. • Río de EE UU formado por el Smoky Hill y el Republican; 275 km.
KANSAS CITY Nombre de dos ciudades de EE UU, que forman un solo núcleo urbano y se hallan sit. una dentro de los límites del est. de Misuri, y otra en el est. de Kansas y en la confluencia de los r. Kansas y Misuri. Ambas integran un área metropolitana que alcanza 1 518 000 hab. Ind. alimentarias, cárnicas y metalúrgicas.
KANSU *(Gansu)* Prov. del NO de China; 454 000 km^2, 22 371 141 hab. Cap., Lanchou (*Lanzhou*). Mesetas semidesérticas. Trigo, tabaco, algodón; ganadería; petróleo.
KANT, *Immanuel* (1724-1804) Filósofo al. En el estudio de su pensamiento se distinguen dos periodos: el precrítico y el crítico. El primero representa la evolución del dogmatismo de Leibniz y Wolff hasta la formulación del criticismo, pasando por una fase escéptica influida por Hume. El segundo queda sistematizado con la aparición de la *Crítica de la razón pura* (1781), en la que rompe con toda tradición filosófica anterior, creando el nuevo método «trascendental», que definió como «el conocimiento que versa, no sobre los mismos objetos, sino sobre nuestro modo de conocerlos». Para K. existen dos tipos de conocimiento cierto —el de la matemática y el de la ciencia natural—, porque se refieren a fenómenos de la experiencia. No así la metafísica. En la *Crítica de la razón práctica*, K. propone una solución a la contradicción entre intuición sensible y el conocimiento *en sí* de la metafísica, mediante el imperativo categórico a que está llamada la conciencia moral. En la *Crítica del juicio,* K. examina el orden estético, cuyo principio apriorístico es la finalidad. *Antropología, Lógica.*
KANTIANO, NA adj. y s. Relativo al kantismo.
KANTISMO m. Sistema filosófico de I. Kant, basado en la crítica del entendimiento y la sensibilidad.
KANTOROVICH, *Leonid Vitalovich* (1912-1986) Economista y matemático sov., aplicó el método lineal a la planificación económica. *Métodos matemáticos de la organización y planificación de la producción, La asignación óptima de recursos.* Premio Nobel de Economía en 1975.
KANURI adj. y s. Pueblo melanoafricano, de lengua sahariana, que habita en Nigeria y Níger.
KANZAWA C. de Japón, cap. de la prefectura de Ishikawa; 442 900 hab.
KAOHSIUNG *(Gaoxiong)* C. y puerto del SO de Taiwan; 1 343 000 hab. Ind. metalúrgica. Refinería de crudos.
KAPITSA, *Piotr Leonidovich* (1894-1984) Físico sov. Organizó las investigaciones sobre energía nuclear y fue el pral. creador de la bomba atómica sov.
KAPPA f. Décima letra del alfabeto gr., que corresponde a la que en el nuestro se llama *ka.*
KAPUAS Río de Indonesia, en la parte occidental de Borneo; 1 150 km.
KARA, *Mar de* Parte del océano Glacial Ártico, al N de Rusia, entre las islas de Nueva Zembla y Tierra del Norte y el litoral del centro-oeste de Siberia.
KARA-BOGAZ GOL Golfo del E del mar Caspio, en el litoral de Turkmenistán.
KARACHÁIEVO-CHERKESIA Rep. autónoma de Rusia, sit. en la vertiente N del Gran Cáucaso; 14 100 km^2, 418 000 hab. Cap., Cherkessk (113 000 hab.). Agricultura, ganadería, carbón, plomo; ind. alimentarias, textiles, madereras, mecánicas.
KARACHAO adj. y s. Dícese de un pueblo de lengua turca y religión musulmana de la prov. de Karacháievo-Cherkesia (Rusia).
KARACHI C. y puerto de Pakistán; 5 103 000 hab. Ind. textil, química. Refinería. Ant. cap. del país.
KARAGANDÁ C. de la república de Kazakistán; 617 000 hab. Cuenca hullera; ind. siderometalúrgica.
KARAGJORGJE, *Gjorgje Petrovic,* llamado (1752-1817) Patriota serbio. Proclamado príncipe heriditario (1808), fundó un Estado serbio independiente. La paz entre Rusia y Turquía (1812) permitió a ésta ocupar de nuevo Serbia (1813), y K. hubo de refugiarse en Austria.
KARAJAN, *Herbert von* (1908-1989) Compositor y director de orquesta austr. En 1937 fue nombrado director de la Ópera de Berlín y en 1953 director de la Orquesta Filarmónica de Berlín. Pasó después a dirigir la Ópera de Viena (1956-1959) y la Filarmónica de Londres. Son famosas sus interpretaciones de Wagner y Beethoven.
KARAKALPAKIA Rep. autónoma a orillas del mar de Aral, en el est. de Uzbekistán; 164 900 km^2, 1 214 000 hab. Desierto del Kizil Kum y meseta de Ustiurt. Cap., Nukús. Algodón; ganadería (karakul); pesca; ind. textil.
KARAKALPAKO, KA adj. y s. Díc. de un pueblo turco musulmán que vive en la rep. de Karakalpakia.
KARA-KITAI o **KARA-JITAY** Nombre de un ant. imperio de Asia central, formado en el s. XII por los mongoles kitai. En 1218 fue conquistado por Gengis Jan.
KARAKORUM Macizo montañoso del N de Cachemira (India, China y Pakistán), sit. entre el macizo de Kuen Lun, al N, y la cuenca del Indo, al S. Su máxima alt. corresponde al pico K 2 (8 611 m).
KARAKORUM (*Khara-Khorin*) Ant. cap. del imperio mongol creado por Gengis Jan. Sus sucesores mantuvieron en ella la cap. hasta 1264. Visitada por Marco Polo.
KARA-KUM o **KARAKUM** Desierto que se extiende por Turkmenistán, entre el río Amu-Dariá y las montañas del N de Irán (Kopet Dag); 270 000 km^2.
KARAME, *Rachid* (1921-1987) Político libanés, musulmán sunnita, seis veces presid. del gobierno. Asesinado al estallar una bomba en su helicóptero.
KARAMANLIS, *Konstantinos* (1907-1998) Político gr. Con la Unión Nacional Radical ganó las elecciones de 1956, 1958 y 1961. Presid. desde 1974 a 1985.
KARAMZIM, *Nikolai Mijailovich* (1766-1826). Historiador y escritor ruso. Uno de los precursores del movimiento romántico. *La pobre Lisa, Natalia.*
KARA-TAU o **KARATAU** Cadena montañosa del S de Kazakistán.
KARATE m. Modalidad de lucha japonesa. El k. tuvo su origen en el s. VI y se perfeccionó en el XVII.
KARATECA com. Practicante de karate.
KARDELJ, *Edvard* (1910-1979) Político yug. Fue uno de los dirigentes del movimiento guerrillero contra la ocupación nazi (1941-1945), y al finalizar la guerra pasó a desempeñar la vicepresidencia del gobierno (1945). Colaborador directo de Tito, fue vicepresid. de la república (1948-1963) y presid. de la Asamblea Federal (1963-1967).
KAREN adj. y s. Díc. de un pueblo de Myanma (est. de Karen y Kayah), mayoritariamente budista. • m. Lenguas tibetobirmanas de este pueblo.
KAREN *(Kawthoole)* Estado del SE de Myanma, limítrofe con Thailandia; 28 726 km^2, 1 057 500 hab. Cap., Hpaan. Avenado por el r. Saluén. Clima monzónico. Arroz, maíz, mijo.
KARIBA Gargantas del río Zambeze a su paso entre Zambia y Zimbabwe, aprovechadas para construir una presa de 110 000 millones m^3.
KARITÉ m. Árbol de la fam. sapotáceas, cuyas semillas se utilizan en cosmética.
KARLFELDT, *Erik Axel* (1864-1931) Poeta sueco. Premio Nobel, póstumo, en 1931. *Baladas de Fridolin, Hösthorn.*

Vista de **Kansas City**

Herbert von **Karajan**

Joven **karen**

Columna central de la sala hipóstila del templo de Amón, en **Karnak**

KARL-MARX-STADT Nombre con el que se designó a la ciudad de Chemnitz durante la época de la RDA.

KARLOFF, ***Boris*** (1887-1969) Actor cinematográfico norteam., de origen ing., especializado en papeles de terror. *Frankenstein, La momia, Misterio de la Ópera.*

KARLOVY VARY (*al., Karlsbad*) C. de la Rep. Checa, en Bohemia occidental; 58 500 hab. Cristalerías, estación termal.

KARLSRUHE C. de Alemania, en el est. de Baden-Württemberg; 269 600 hab. Ind. metalúrgica; refinería de petróleo.

KARLSTAD C. de Suecia central, junto al lago Vänern; 74 000 hab. Ind. siderúrgica y papelera. En ella fue reconocida la indep. de Noruega.

KARMA m. *Rel.* En el hinduismo y el budismo, ley de causa y efecto que rige los actos físicos y morales. La suma de ellos modela el k. de cada ser.

KARMAL, ***Babrak*** (1929-1996) Político afgano. En 1979, tras un golpe de estado que contó con la ayuda soviética, se convirtió en presid. de la Rep., hasta 1986 en que fue obligado a dimitir por los sov., siendo sucedido por Najibullah.

KARNAK Población del S de Egipto, en la orilla derecha del Nilo, a dos km de Luxor. Ruinas del templo dedicado al dios Amón, en el que se halla la célebre sala hipóstila construida por Seti I y Ramsés II.

KARNATAKA Est. del SO de la India, en la costa de Malabar; 191 773 km², 44 806 500 hab. Cap., Bangalore. Agricultura; explotación forestal; oro, manganeso, hierro, mica, amianto; ind. metalúrgica, textil.

KÁROLYI, ***Mihály*** (1875-1955) Político húng. Se opuso a la alianza con Alemania durante la I Guerra Mundial. Nombrado presid. del consejo por el emperador de Austria, Carlos I (1918), mantuvo su postura en pro de la indep. de Hungría y proclamó la república (1918). Desposeído del poder por la rev. comunista de Bela Kun (1919), se opuso a la política contrarrevolucionaria del regente Horthy.

Templos de **Katmandú**

KÁRPOV, ***Anatoly*** (nacido 1951) Ajedrecista ruso. Campeón mundial en 1975 por abandono del norteam. Fischer y en 1975 a 1985. Desde entonces no ha conseguido revalidar el título ante Kasparov.

KARRER, ***Paul*** (1889-1971) Químico suizo. Dio un impulso decisivo al estudio y conocimiento de las vitaminas. En 1937 compartió con Haworth el premio Nobel de Química.

KARROO m. Nombre dado a las mesetas semiáridas de la Rep. Sudafricana que se extienden desde Transvaal hasta el S de la prov. de El Cabo.

KARS C. del E de Turquía, próxima a la frontera con Armenia; 62 000 hab. Manufactura de alfombras y fieltros. Ind. láctea.

KARSAVINA, ***Tamara*** (1885-1978) Bailarina rusa. Solista del Ballet Imperial de San Petersburgo, y más tarde de los Ballets Rusos en París.

KARST, KRAS o **CARSO** Región de Eslovenia, con típicas formaciones calizas kársticas.

KARST m. *Geol.* Tipo de relieve de las regiones formadas por calizas y otras rocas calcáreas a causa de su permeabilidad. ʙ KÁRSTICO, CA.

KART m. Vehículo de una sola plaza, desprovisto de suspensión, diferencial y carrocería. ʙ KARTING.

KARUN Río del O del Irán; 750 km. Atraviesa los montes Zagros y desemboca en el Chatt-el-Arab.

KASAI o **CASSAI** Río de África ecuatorial, afl. del Congo; 2 000 km. Nace en Angola, forma frontera entre dicho país y la República Democrática del Congo y, siguiendo la dirección general hacia el NO, desemboca en el Congo en Kwamouth.

Yasunari **Kawabata**

KASAI Región del centro-sudoeste de la República Democrática del Congo, notable por la riqueza diamantífera. Está dividida en dos prov.: K. Occidental (156 967 km², 2 287 500 hab., cap., Kananga) y K. Oriental (168 216 km², 2 402 600 hab., cap., Mbuji-Mayi). Tras la proclamación de independencia del ant. Congo Belga (1960), el líder local formó el Estado Minero de K. del Sur, con cap. en Luluabourg (actual Kananga), intento secesionista aplastado por las tropas del gobierno central.

KASAVUBU, ***Joseph*** (1913-1969) Político congoleño. Presid. de la Rep. tras la indep. del Congo Belga (1960), fue derrocado por Mobutu (1965).

KASHGAI o **QASHQAI** adj. y s. Díc. del individuo de un pueblo turco que vive en la prov. de Fars (Irán).

KASHGAR (*Kashi, Su-fu* o *Ko-shih*) C. de la Rep. Popular China, en el O de Sinkiang; 100 000 hab. Sit. en un oasis junto al Tarim, en el cruce de ant. rutas caravaneras. Ind. textil (tapices).

KASHGARIA Región del SO de Sinkiang (Rep. Popular China), en la cuenca del Tarim, en torno a la ciudad de Kashgar.

KASHMIR Adaptación del nombre autóctono de Cachemira.

KASOLITA f. Silicato de uranio y plomo, que cristaliza en el sist. monoclínico; color amarillo castaño, y brillo resinoso.

KASPAROV, ***Garri*** (nacido 1963) Ajedrecista azerbaijano. Campeón mundial en 1985, 1987 y 1990.

KASPROWICZ, ***Jan*** (1860-1926) Poeta pol. *Al mundo que muere, Mi canto de noche, Mi universo.*

KASSEL C. de Alemania, en el est. de Hesse sobre el r. Fulda; 185 000 hab. Centro industrial.

KASSEM, ***Abd al-Karim*** (1914-1963) Político y general iraquí. Dirigió en 1958 un levantamiento militar en cuyo curso fue asesinado el rey Faysal. Proclamada la rep., fue designado jefe de gobierno. Fue asesinado y sustituido por un gobierno de tendencias baasistas.

KASTLER, ***Alfred*** (1902-1996) Físico fr. Premio Nobel de Física, en 1966, por sus investigaciones sobre óptica.

KATANGA → Shaba.

KATIUSCA f. Bota de goma, gralte. alta, que sirve para protegerse del agua.

KATMANDÚ Cap. del Nepal, sit. en la parte S del Himalaya central, a 1 450 m de alt.; 394 000 hab. Ind. alimentaria, textil, tabaquera.

KATOWICE (al., *Kattowitz*) C. del S de Polonia en Silesia; 363 300 hab. Centro industrial y minero.

KATSINA C. del N de Nigeria, próxima a la frontera con Níger; 110 000 hab.

KATTEGAT o **CATTEGAT** Estr. de poca profundidad, que separa Suecia de Jutlandia (Dinamarca) y comunica los mares del Norte y Báltico.

KATZIR, ***Efraín*** (nacido 1906) Político y científico israelí. Dirigió el Instituto Weizmann, fue ministro de Defensa (1966-1968) y resultó elegido presid. (1973-1978).

KAUFFMANN, ***Angelika*** (1741-1807) Pintora suiza. Autora de cuadros mitológicos (*Ninfa dormida y pastor*) y de retratos (*Goethe*). • ***George Simon*** (1889-1960) Comediógrafo norteam. *Vive como quieras, El Cadillac de oro macizo.*

KAUNAS (ruso, *Kovno;* polaco, *Kowno*) C. de la república de Lituania; 423 000 hab. Ind. textiles, mecánicas y químicas. Ocupada por Napoleón (1812) y por los al. en la I y II Guerra Mundial. Cap. de la Lituania independiente (1918-1940).

KAUNDA, ***Kenneth David*** (nacido 1924) Político de Zambia. Secretario general del Congreso Nacional Africano (1952), dirigió la lucha contra el colonialismo y la segregación racial. Nombrado primer ministro de Rhodesia del Norte (1964), proclamó la indep. del país, que tomó el nombre de Zambia (1964). Apoyándose en su partido, convertido en único desde 1972, se impuso en todas las elecciones hasta que en las primeras multipartidistas de 1991 fue derrotado por Frederic Chiluba. Combatió al gobierno racista de Sudáfrica.

KAUNITZ, ***Wenzel Anton***, PRÍNCIPE DE (1711-1794) Político austr. Partidario de la alianza con Francia a fin de lograr una coalición contra Prusia y conseguir la recuperación de Silesia. La alianza angloprusiana fue decisiva para la formación de una coalición entre Austria y Francia contra Federico II de Prusia, lo que dio inicio a la guerra de los Siete Años (1756). A la muerte de María Teresa, el emperador José II le confirmó en el cargo (1780). Destituido por Francisco II al desencadenarse la guerra contra la Francia revolucionaria (1792).

KAUTSKY, ***Karl*** (1854-1938) Político al. Afiliado al Partido Socialista Austríaco, se opuso a la lucha revolucionaria como medio de conquistar el poder y preconizó la vía pacífica a través del parlamento. Al estallar la I Guerra Mundial, votó los créditos de guerra (1914), lo que originaría la crisis definitiva de la II Internacional. *La revolución social, El camino del poder, Dictadura del proletariado* y *La concepción materialista de la historia.*

KAVANAGH, ***Patrick*** (1904-1967) Escritor irl. *La gran hambre, Un alma en venta, Un hombre feliz.*

KAVARATTI C. de la India, cap. del terr. de Lakshadweep; 7 000 hab.

KAVERI o **CAUVERY** Río de la India, al S de la meseta del Decán; 760 km.

KAWABATA, *Yasunari* (1899-1972) Novelista jap., premio Nobel de Literatura en 1968. *El bailarín de Izu, País de nieve, La voz de la montaña.*

KAWAGUCHI C. de Japón, en el centro-este de la isla de Honshu, al N de Tokio; 403 000 hab. Ind. textil y siderúrgica.

KAWALEROWICZ, *Jerzy* (nacido 1922) Director de cine pol. Influenciado por Dreyer. *Madre Juana de los Ángeles, Faraón.*

KAWASAKI C. de Japón, en la isla de Honshu; 1 088 600 hab. Sit. en la bahía de Tokio. Ind. textil y siderúrgica. Refinería de petróleo.

KAYAC o **KAYAK** m. Canoa de pesca de Groenlandia, hecha de piel de foca y de madera. • Canoa deportiva hecha de tela alquitranada.

KAYAH División administrativa del E de Myanma, limítrofe con Thailandia; 11 670 km², 170 000 hab. Cap. Loikaw. Bosques. Minas de tungsteno.

KAYSERI C. de Turquía; 378 500 hab. Ind. alimentaria, aeronáutica, automovilística.

KAZAKISTÁN

Superficie 2 717 300 km²

Población 16 554 000 hab. (46 hab./km²)

Indicadores sociológicos

PNB	22 143 millones de dólares
Renta per cápita	13 330 dólares
Esperanza de vida	68 años
Crecimiento vegetativo	1,5 %

KAZAKISTÁN (*Qazaqstan Respublikasy*). Est. de Asia central. Limita al N con Rusia, al E con China, al S con Turkmenistán, Uzbekistán y Kirguisistán, y al O con el mar Caspio. El relieve presenta la depresión aralocaspiana, mesetas y una serie de estribaciones del Altái y el Tian Shan. Ríos prales.: Ishim, Irtish, Sir-Daría, Chu, Ili, Turgai, Emba y Ural. Clima continental, con escasa pluviosidad. Cereales, plantas industriales, arroz, patatas, hortalizas y vid; ganadería (ovinos, caprinos, bovinos, caballos y camellos). Carbón, hierro, cobre, manganeso, plomo, cinc, petróleo, gas natural; ind. siderúrgica, metalúrgica, química, textil. Grupos étnicos: kazakos, rusos, al., ucranianos, tártaros. Lenguas: kazako (of.), ruso. *Rel.*: cristianismo ortodoxo, islamismo sunnita, protestantismo. U. M.: tenge. Cap., Astana. C. prales.: Alma-Atá, Karaganda, Chimkent.

* *Hist.* El país cayó bajo dominio ruso en 1731, al declararse vasallo del zar el jan de la Pequeña Horda. En 1920 los bolcheviques proclamaron la rep. autónoma de los Kirguises, transformada en rep. federal en 1936. Ésta se autoproclamó indep. en 1991, ocupando la jefatura del estado, Nursultan Nazarbayev, y se integró en la Comunidad de Estados Independientes (CEI).

KAZAKO, KA adj. y s. Díc. de un pueblo turcomongol de religión musulmana que vive en Kazakistán y en las rep. vecinas.

KAZÁN C. de Rusia, cap. de la rep. de Tartaria o Tatarstán; 1 094 000 hab. Ind. mecánica y química. Conquistada por Iván el Terrible (1552).

KAZAN, *Elia Kazanjoglus,* llamado ELIA (nacido 1909) Director teatral y cinematográfico norteam., de origen gr. En su producción cabe citar *Un tranvía llamado deseo, ¡Viva Zapata!, La ley del silencio, Al este del Edén, Esplendor en la yerba, América, América, Los visitantes.*

KAZANTZAKIS, *Nikos* (1885-1957) Escritor gr. Su obra abrió el camino de la literatura gr. moderna. *Alexis Zorba* y *Libertad o muerte* (novelas), *El pobre de Asís* (biografía), *Ulises* y *Teseo* (dramas) y *Cristo de nuevo crucificado.*

KAZBEK o **KAZBIEK** Macizo volcánico en el SO de Europa, en el límite entre Rusia y Georgia, una de las mayores cimas del Cáucaso (5 047 metros).

Kc Símb. del kilociclo.

Kcal Símb. de la kilocaloría.

KEATON, *Joseph Francis,* llamado BUSTER (1896-1966) Actor y director cinematográfico norteam. Consiguió un estilo personalísimo a través de la paradójica expresividad de su rostro. Codirector en *La ley de la hospitalidad, El navegante, El maquinista de la General, El cameraman.*

KEATS, *John* (1795-1821) Poeta brit., uno de los grandes líricos de la poesía ing. *Endymion, Lamia, Isabella, Hyperion* y la oda *A una urna griega.*

KEBNEKAISE Cima más elevada de Suecia, al O de Laponia; 2 123 metros.

KEELING Denominación que también se aplica a las islas Cocos.

KEELUNG *(Chilung, Tsilung* o *Jilong)* C. del N de Taiwan; 351 000 hab. Centro comercial.

KEFIR m. Bebida alcohólica obtenida a partir de leche, por la acción de una mezcla de levaduras y bacilos que son capaces de transformar la lactosa en alcohol.

KEITA, *Modibo* (1915-1977) Político de Malí. Elegido presid. de la rep., fue derrocado en 1968.

KEKCHI adj. y s. Díc. de individuos de un pueblo amerindio centroamericano, del grupo mayaquiché, que vive en Guatemala (dptos. de Alta Verapaz, Izabal y Petén) y en Belice.

KEKKONEN, *Urho* (1900-1986) Político finl. Primer ministro y presid. de la rep. de 1956 a 1981.

KEKULÉ, *Friedrich August* (1829-1896) Químico al. Descubrió la tetravalencia del carbono y estableció la fórmula del benceno (anillo bencénico). *Tratado de química orgánica.*

KELLER, *Gottfried* (1819-1890) Escritor suizo en lengua al. *El epigrama* y *Martín Salander. Enrique el verde* (novela autobiográfica). • ***Helen Adams*** (1880-1968) Escritora norteam. Ciega y sordomuda desde los 19 meses, aprendió el alfabeto Braille. *Historia de mi vida, Diario de Helen Keller.*

KELLERMANN, *François Christophe* (1735-1820) General fr. Defensor de la Revolución, tuvo el mando, juntamente con Dumouriez, del ejército que derrotó a los prusianos en Valmy (1792).

KELLES-KRAUZ, *Kasimir* (1872-1906) Político y economista pol., uno de los fundadores del Partido Socialista de su país. *Materialismo económico.*

KELLGREN, *Johan Henrik* (1751-1795) Escritor sueco. Fundó y dirigió la revista literaria *Stockholms-Posten* (1778). Gustavo III le nombró bibliotecario real (1780). Seguidor de Voltaire. *Mis risas* (sátira), *La unión de los sentidos* (poema).

KELLOGG, *Frank Billings* (1856-1937) Político norteam. Nombrado secretario de Estado, fue uno de los promotores del pacto internacional Briand-Kellogg (1928), que condenaba la guerra. Premio Nobel de la Paz en 1929.

KELLY, *Gene* (1912-1996) Bailarín, actor y director de cine norteam. Uno de los prales. cultivadores del cine musical. *Un día en Nueva York, Un americano en París, Cantando bajo la lluvia y Hello, Dolly.*

KELVIN, *William Thomson,* LORD (1824-1907) Físico brit. Estudió la termodinámica y la electricidad y descubrió el efecto de Joule-Thomson (1852). Estableció una escala teórica de temperaturas que lleva su nombre. *Electrostática y magnetismo.*

KEM Río de Rusia, en la rep. de Carelia; 400 km. Desemboca en el mar Blanco.

KEMEROVO o **KIÉMEROVO** C. de Rusia, en Siberia Occidental; 507 000 hab. Fábricas de coque e ind. química.

KEMI Río de Finlandia, en Laponia; 512 km. Desemboca en el golfo de Botnia.

KEMPES, *Mario Alberto,* llamado MARITO (nacido 1954) Futbolista arg. Máximo goleador en el Campeonato Mundial de 1978, de Argentina.

KEMPFF Mercado, *Enrique* (nacido 1920) Escritor bol. Perteneciente a la generación de la «Guesta Bárbara». *Pequeña hermana Muerte* (novela).

KEMPIS, *Tomás de* (h. 1380-1471) Místico agustino al. Copió libros y escribió varias obras de edificación espiritual: *La imitación de Cristo.*

KENDALL, *Edward Calvin* (1886-1972) Bioquímico norteam. Aisló la hormona de la glándula tiroides, a la que llamó tiroxina. Premio Nobel de Medicina en 1950.

KENDO m. Esgrima que se practica en Japón con espadas de madera, manejadas con las dos manos.

KENDREW, *John Cowdery* (nacido 1917) Bioquímico brit. En 1962 obtuvo, junto con Perutz, el premio Nobel de Química.

Kazakistán. Arriba, mapa de situación y bandera; abajo, paisaje kazako, con la cadena del Dzhungarski Alatan al fondo

Gene **Kelly**

El monte **Kenia,** cubierto de nieves perpetuas

Kenia. Arriba, mapa de situación y bandera; abajo, Palacio del Congreso, en Nairobi

John Fitzgerald **Kennedy**

KENIA Macizo volcánico de Kenia, al NE de Nairobi. Cima pral.: 5 199 metros.

KENIA *(Jamhuri ya Kenya)* Est. de África oriental. Limita con Sudán, Etiopía, Somalia, Tanzania y Uganda. La región del NE se eleva desde la llanura litoral. Hacia el O están los grandes macizos volcánicos (montes Kenia y Elgon). Al S se encuentra el lago Rodolfo y la región del Rift Valley. Al SE, la llanura costera se hace estrecha y pantanosa. Río pral.: el Tana. Clima tropical. Caña de azúcar, plátanos, sisal, café, té, algodón, cereales; ganadería; maderas preciosas; oro, carbonato sódico, cobre, amianto; ind. siderúrgica, fertilizantes, conservas, cervezas, refinería de crudo. Grupos étnicos o nac.: kikuyu, luos, luhyas, kambas, kisii, merus, mij y kendas. Lenguas: Swahili (of.), kikuyu, kamba, ing. *Rel.*: animista, islámica, protestante. U.M.: el chelín. C. prales: Nairobi, la cap., Mombasa y Kisumu.
* *Hist.* Poblada por bantúes y, post., por masais, se vio sometida a la Compañía brit. del África Oriental (1887). Los excesos cometidos por la metrópoli provocaron la aparición del mov. mau-mau. La autonomía fue concedida en 1961, y la independencia en 1963. El primer presid. de la Rep. fue J. Kenyatta. Muerto Kenyatta (1978), asumió el poder Arap Moi. En 1982 se produjo un fallido golpe de estado. Reestablecido el multipartidismo en 1999 la población continuó protagonizando importantes revueltas.

KENIA

Superficie	580 367 km^2
Población	28 803 000 hab. (49 hab./km^2)
Recursos económicos	
Azúcar	532 000 t
Cabaña bovina	13 000 000 cabezas
Cabaña caprina	7 400 000 cabezas
Café	93 000 t
Camellos	810 000 cabezas
Cemento	1 452 000 t
Cerveza	3 250 000 hl
Maíz	2 750 000 t
Mandioca	840 000 t
Pesca	203 517 t
Riqueza forestal	40 372 000 m^3
Sal	32 000 t
Té	245 000 t
Indicadores sociológicos	
PNB	7 583 millones de dólares
Renta per cápita	280 dólares
Esperanza de vida	54 años
Alfabetismo	78 %

KENITRA C. de Marruecos, al N de Rabat; 188 200 hab. Próxima al Atlántico, en el curso inferior del Sebou.

KENNEDY, ***John Fitzgerald*** (1917-1963) Político norteam. Presid. de los EE UU como candidato del Partido Demócrata. Negoció con la URSS el acuerdo de neutralización de Laos y el tratado de no proliferación de armas nucleares. Para contener la marea revolucionaria en Latinoamérica, impulsó el desarrollo económico y político democrático mediante la Alianza para el Progreso. Inspiró la intervención de los contrarrevolucionarios en Cuba (invasión de Bahía Cochinos) y crisis de los misiles cub. (1962), y fue el artífice de la progresiva escalada norteam. en Indochina. En política int. se esforzó en conseguir la integración de los negros y otorgó el acta de los derechos civiles. Murió asesinado en Dallas. • ***Margaret*** (1896-1967) Novelista brit., de acendrado lirismo. *La ninfa constante.* • ***Robert Francis*** (1925-1968) Político norteam., hermano de John, asesinado durante la campaña electoral para la nominación demócrata.

KENOTRÓN m. Lámpara de dos electrodos para rectificar corrientes de alta tensión. Se emplea en los aparatos de rayos X.

KENT, ***William*** (hacia 1686-1748) Arquitecto y pintor brit. Construyó el palacio Holkham, en Norfolk, y diversos jardines (Carlton, Claremont) en los que fijó el tipo de jardín ing.

KENTON, ***Stan*** (1912-1979) Músico norteam. Fue el creador de una orquesta de *jazz* en la que se intentaba conjuntar el *jazz* moderno con la música afrocubana.

KENTUCKY Est. del centro-este de EE UU; 104 661 km^2, 3 685 000 hab. Cap., Frankfort. Sit. al O de los Apalaches y avenado por el Kentucky, Green, Cumberland y Tennessee. Clima continental. Tabaco, maíz; ganadería; carbón, petróleo, gas natural. Ind. conservera, siderúrgica, química. Colonizado por Daniel Boone en el s. XVIII, fue declarado est. de la Unión en 1792. • Río de EE UU, afl. del Ohio; 410 km.

KENYATTA, ***Jomo*** (1893-1978) Político de Kenia. Elegido presid. de la Unión Africana de Kenia (1947), los brit. le acusaron de promover la sublevación mau-mau, y fue encarcelado (1953). Primer ministro de un gobierno autónomo (1963), una vez proclamada la indep. (1963), pasó a ser presid. de la Rep. (1964). Aplicó desde el poder una política conservadora. Reelegido en 1969 y 1974.

KEOPS (s. XXVI a.C.) Faraón egipcio, segundo de la IV dinastía. Levantó la mayor de las tres pirámides de Gizeh.

KEPÍ o **KEPIS** m. Quepis.

KEPLER, ***Johannes*** (1571-1630) Astrónomo y matemático al. Seguidor de las teorías heliocéntricas de Copérnico, en 1609 publicó *Astronomía nova,* dando a conocer las dos primeras leyes relativas al movimiento de los planetas, y, en 1619, en *De Harmonia mundi,* la tercera. Sus trabajos sobre óptica se publicaron en 1604 en *Astronomiae pars optica.* • **Leyes de K.** *Astr.* Sobre el movimiento de los planetas: 1.ª, los planetas se desplazan según órbitas elípticas con el Sol en uno de los focos; 2.ª, los radios vectores planeta-Sol barren áreas iguales en tiempos iguales, y 3.ª, los cuadrados de los periodos de revolución son entre sí como los cubos de los semiejes mayores de las elipses.

KERALA Est. de la India, en el SO de la pen. del Decán; 38 864 km^2, 29 032 800 hab. Cap., Trivandrum. Entre los Ghates Occidentales y la costa de Malabar. Clima tropical (monzón de verano). Economía agrícola y ganadera. Producción artesanal e ind. algodonera y química. Comprende los ant. principados de Travancore y Cochin.

KERCH Estr. entre Ucrania y Rusia, que comunica el mar de Azov con el mar Negro.

KERDOMÉTER m. Aparato para medir el ruido en las líneas telefónicas.

KÉRÉKOU, ***Ahmed*** (nacido 1933) Político y militar de Benín. En 1972, mediante un golpe de estado, se transformó en presid. del entonces Dahomey. En 1976 proclamó la Rep. Popular de Benín. Protagonista de la democratización de B., perdió las primeras elecciones presidenciales en 1991 pero venció en 1996 y fue reelegido en 2001.

KERENSKI, ***Alexandr Feodorovich*** (1881-1970) Político ruso. Miembro del Partido Socialrevolucionario, fue nombrado ministro de Justicia y más tarde de la Guerra, tras la rev. de febrero de 1917, y jefe de gobierno en julio de 1917. Hubo de enfrentarse a los contrarrevolucionarios y a los bolcheviques, que propugnaban la transformación de la rev. liberal en rev. socialista. Tras el éxito de esta última (octubre), se exilió a Gran Bretaña, de donde marchó en 1938 a EE UU.

KERGUELEN Arch. fr. del océano Índico austral. Además de la isla hom., comprende 400 islotes. Descubierto en 1776 por el navegante bretón Kerguelen de Trémarec.

KERIGMA m. *Rel.* Primer anuncio de Jesús a los no creyentes.

KERKIRA → Corfú.

KERMA m. *Fís.* Cociente de la suma de las energías cinéticas iniciales de las partículas cargadas por la masa contenida en un elemento de volumen. Su unidad es el julio por kilogramo.

KERMADEC Grupo de pequeñas islas volcánicas neozelandesas, sit. 1 120 km al N de Nueva Zelanda, en el océano Pacífico; 33 km^2, 9 hab.

KERMAN Prov. del SE de Irán; 186 472 km^2, 1 078 900 hab. Cap., Kerman, famosa por sus alfombras. Se abre al golfo Pérsico, al estr. de Ormuz y al golfo de Omán a través del puerto de Bandar-Abbas. Trigo, arroz y algodón; minería.

KERMANSHAH C. del O de Irán, cap. de la prov. de Kermanshahan; 290 600 hab. Refinería, industria textil.

KERMANSHAHAN Prov. del O de Irán, fronteriza con Irak; 23 667 km^2, 1 030 700 hab. Cap., Kermanshah. Cereales, algodón, frutas y tabaco. Ganado lanar. Ind. agropecuarias.

KERMES m. Insecto parecido a la cochinilla de tierra, quermes.

KERMESSE f. En Países Bajos, fiesta popular anual. • P. ext., fiesta popular al aire libre.

KERNITA f. *Miner.* Borato sódico hidratado, de brillo vítreo. Los prales. yacimientos se encuentran en Argentina, California y Turquía.

KERO m. *Perú.* Vasija de madera usada por los antiguos incas en sus ceremonias.

KEROSENO m. Queroseno.

KEROUAC, *Jack* (1922-1969) Escritor norteam. Su libro *En el camino* (1957) influyó en el mov. *beatnik. El vagabundo solitario, Big Sur.*

KERR, *Deborah* (nacida 1921) Actriz de cine brit. *Quo Vadis?, Las minas del rey Salomón, De aquí a la eternidad, El rey y yo, Té y simpatía, La noche de la iguana, El compromiso.* • ***John*** (1824-1907) Físico, matemático y teólogo escocés, colaborador de William Thomson Kelvin. Trabajó en el campo de la óptica y del electromagnetismo. • **Célula de K.** Pequeño recipiente de vidrio con dos electrodos metálicos y lleno de nitrobenceno puro; es parte integrante del dispositivo empleado para medir la velocidad de la luz. • **Efecto magnetoóptico de K.** Cuando la luz polarizada linealmente se refleja bajo incidencia normal en el polo pulimentado de un electroimán, experimenta una ligera polarización elíptica. • **Efecto electroóptico de K.** Una lámina de vidrio sometida a un campo eléctrico intenso se hace birrefringente.

KERSCHENSTEINER, *Georg* (1854-1932) Pedagogo al. Introdujo el trabajo manual en las escuelas y definió el concepto de afirmación de la personalidad del niño sobre la base de la actividad y la espontaneidad. *La escuela del trabajo.*

KERULEN Río de Mongolia y China; 1 250 km. Desemboca en el lago Hulun.

KESSELRING, *Albert* (1885-1960) Militar al. Intervino en la reorganización de la aviación al. Jefe de la Luftwaffe (1938). Al estallar la II Guerra Mundial dirigió las operaciones aéreas de invasión de Francia, Bélgica, Países Bajos y Luxemburgo, pero fracasó en la batalla de Inglaterra. Condenado a muerte por un tribunal militar brit., le fue conmutada la pena capital por la de cadena perpetua (1946), y en 1952 obtuvo la libertad.

KET Río de Rusia, en Siberia occidental, afl. derecho del Obi; 1 000 Km.

KETCHUP (voz ing.) m. Salsa de tomate especiada.

KETTELER, *Wilhelm Emmanuel* (1811-1877) Prelado al. Obispo de Maguncia (1850) y fundador del Partido del Centro, se enfrentó a la política de Bismarck —la Kulturkampf—, y fue encarcelado. *La cuestión social y el cristianismo.*

KETTERING, *Charles Franklin* (1876-1958) Ingeniero norteam. Inventó la registradora accionada eléctricamente, un sistema de ignición perfeccionado (1910) y el arranque automático para automóviles (1911).

KEY Ayala, *Santiago* (1874-1959) Crítico y diplomático ven. *Vida ejemplar de Bolívar, La bandera de Miranda.*

KEYNES, *John Maynard* (1883-1946) Economista brit., gran renovador de la teoría económica del periodo de entreguerras. Su obra fundamental, *Teoría general del empleo, del interés y de la moneda,* fue una revolución copernicana en el campo de la teoría económica y sirvió de base a las políticas económicas de los países occidentales para los programas de desarrollo económico y planificación indicativa, acometidos tras la II Guerra Mundial (plan Marshall, políticas anticíclicas, etc.). Como gobernador del Banco de Inglaterra, representó a este país en la conferencia monetaria de Bretton Woods (1944), donde presentó un plan en el que preconizaba el abandono del patrón-oro, la estabilización monetaria internacional y la creación de un fondo monetario.

KEYNESIANISMO m. Doctrina económica de Keynes. En su *Teoría general* presenta, en contra de los clásicos que lo consideraban el precio del ahorro, el interés como la suma que recibe el capitalista para renunciar a la liquidez. Introduce el concepto de dinero como activo financiero. Revitaliza la política monetaria para favorecer el crecimiento, y el aumento de la inversión pública para conseguir mayor demanda. Sus teorías son una propuesta para superar el estancamiento y la crisis del capitalismo, mediante el pleno empleo y la intervención estatal en la economía.

KEYSERLING, *Hermann*, CONDE DE (1880-1946) Escritor al. *Diario de viaje de un filósofo* y *Europa: análisis espectral de un continente.*

KHACHATURIAN, *Aram* (1904-1978) Compositor sov. que sintetizó los temas populares con la armonización modernista. Dos sinfonías: *Gayaneh* y *Espartaco,* ballets.

KHAMAKE m. *Bol.* Zorro.

KHAMENEI o **JAMENEI, *Alí*** (nacido 1940) Líder religioso y político iraní. Elegido presid. en 1981.

KHARTUM → Jartum.

KHAYYAM, *Omar* (1052-h. 1124) Poeta, matemático y astrónomo persa. *Ruba'iyat,* su obra maestra, se refiere a la brevedad de la vida y lo efímero de los placeres.

KHIEU SHAMPHAN (nacido 1932) Político camboyano. Ministro de Defensa de Sihanuk (1970-1976) y jefe del estado mayor del Khmer Rojo (1973-1975). Presid. de la Rep. (1976). Derrocado en 1979, dirigió de nuevo los guerrilleros khmers rojos contra la ocupación vietnamita.

KHMER adj. y s. *Etn.* Díc. de los individuos de un pueblo mongoloide, que forma el grueso de la pob. de Camboya, pero habita también en áreas adyacentes de Thailandia y Vietnam. Los k. iniciaron la expansión por el Mekong medio hacia el s. VI, formando un poderoso est. cuyo máx. apogeo tuvo lugar entre los ss. IX-XII. En 1863 se convirtió en protectorado fr. Poseyeron un alto grado de civilización y fueron grandes constructores (palacio de Angkor Vat). • **khmers rojos.** Nombre que reciben los militantes del Partido Comunista de Camboya. Dirigidos por Pol Pot, gobernaron el país entre 1975 y 1986. • Camboyano. • adj. Relativo a este pueblo. • m. Lengua del grupo mon-khmer.

KHODHZENT o **JODZHENT** (ant. *Leninabad*) C. de la rep. de Tadjikistán; 150 000 hab. Ind. siderúrgica y textil.

KHOISAN adj. y s. Díc. de un grupo racial afr. integrado por los hotentotes y los bosquimanos.

KHOMEINY o **JOMEINI, *Ruhollah*** (1900-1989) Líder religioso *(ayatollah,* o *reflejo de Alá)* y político iraní. Convertido en el jefe de los chiítas (1962), hubo de exiliarse y se refugió en Francia, desde donde dirigió la oposición al sah. Al abandonar éste el país (enero 1979), regresó triunfalmente. Bajo su inspiración se formó un gobierno provisional y se refrendó la instauración de una rep. islámica. Puso en marcha un proceso de eliminación de todo lo occidental, alentó el antinorteamericanismo (ocupación de la embajada norteam. de Teherán y toma de rehenes), y desarrolló una política de eliminación sistemática de la oposición, al tiempo que alentaba los mov. fundamentalistas islámicos en otros países ár. Su odio hacia el presid. iraquí, Saddam Hussein, le hizo sostener una sangrienta guerra (1980-1988). Su muerte causó profundo dolor en la nación y los fundamentalistas islámicos.

KHORASÁN Prov. del NE de Irán, limítrofe con el Turkmenistán sov., al N, y Afganistán, al E; 313 337 km^2, 3 265 500 hab. Terreno elevado, estepario o desértico. Clima continental extremado. Cereales, tabaco y algodón. Cap., Mashhad. Habitada por turkmenos, kurdos, iranios y beluchis. Ant. Partia, fue conquistada por Alejandro Magno (331 a. C.). Formó parte del imperio sasánida, posteriormente conquistada por los ár. (s. VII) y los turcos selyúcidas (s. XI).

KHORSABAD Localidad del NE de Irak, al N de Mosul. Excavaciones realizadas en 1843-1855 descubrieron la ciudad asiria de Dur Sarrukin, fundada por Sargón II en el s. VIII a. C.

KHUZISTÁN (ant. *Arabistán*) Prov. del SO de Irán, junto a Irak y a orillas del golfo Pérsico; 67 236 km^2, 2 197 000 hab., árabes en gran parte. Cap., Ahvaz. Caña de azúcar, petróleo en la región de Abadán, la pral. ciudad.

KIANG m. Mamífero de la familia équidos. Caballo salvaje que vive en las montañas de Asia central y Tíbet.

KIANGSI *(Jiangxi)* Prov. del centro-sur de China; 166 600 km^2, 37 710 281 hab. Accidentada por los

Johannes **Kepler**

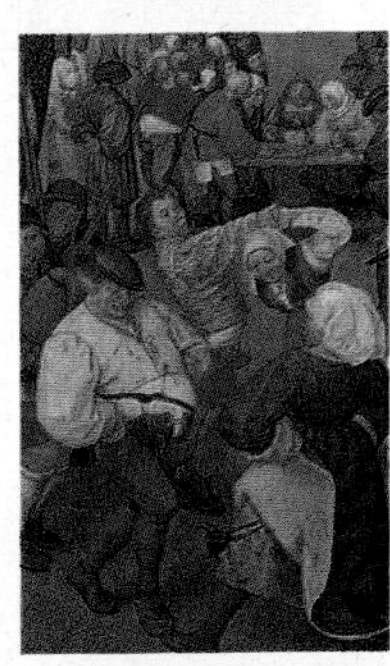

Kermesse pintada por Pieter Brueghel el Joven en *El baile de los aldeanos.* Galeria de los Uffizi, Florencia (Italia)

Arte **khmer.** Detalle *La guerra de los monos,* episodio del Ramayana. Relieve del s. IX

Ruhollah **Khomeiny**

Vista parcial de la catedral de Santa Sofía, en **Kiev**

Vista del **Kilimanjaro**

Rudyard **Kipling**

montes Wuyi. Ríos: Kan y Yang Tse-kiang. Arroz, té, algodón; carbón, hierro. Cap., Nanchang.
KIANGSU *(Jiangsu)* Prov. del E de China; 100 000 km^2, 67 056 519 hab. Accidentada por los montes Shantung y regada por el Yang Tse-Kiang. Cuencas lacustres de Hung-tse y Tai. Cap., Nankín.
KIBBUTZ m. *Econ. Pol.* Explotación agrícola israelí que se rige por el sist. de autogestión.
KIEL C. de Alemania, cap. del Schleswig-Holstein; 245 750 hab., junto al Báltico. Pesca; ind. conservera, naval, química. Perteneció a la Liga de La Hansa y formó parte de Dinamarca (1773) hasta su unión con Prusia (1866). • **Canal de K.** Vía acuática artificial que se extiende a través del Schleswig-Holstein, entre la bahía hom. y la desembocadura del Elba.
KIEN-LONG Emperador chino de la dinastía manchú [1736-1796]. Aseguró el dominio sobre el Tibet, anexionó Zungari y se impuso a los gurkhas del Nepal.
KIERKEGAARD, ***Sören*** (1813-1855) Filósofo y teólogo danés, uno de los prales. precedentes del existencialismo. Frente a la verdad objetiva, exaltada por el idealismo y el cientificismo, K. afirmó que la verdad es la subjetividad. Sostuvo que ser individuo es lo más propio e íntimo del hombre, de ahí su valor absoluto. K. propuso, para el despliegue de la individualidad, un proceso en tres etapas: a) estadio estético; b) estadio ético; c) estadio religioso. El paso de un estadio a otro no se realiza intelectualmente sino vitalmente, mediante una «conmoción existencial», en la que el hombre se encuentra frente a la nada existencial. Ésta es la experiencia metafísica que denominó «angustia», y ella hace posible que el hombre realice el «salto» hacia el estadio superior: este «salto» no es racional, sólo es posible realizarlo a través de la fe. *Temor y temblor, Migajas filosóficas, El concepto de angustia* y su *Diario.*
KIESELGUHR f. Variedad de silíceo hidratado que forma tierras fósiles de esqueletos de diatomeas o de radiolarios, empleada en la fabricación de dinamita.
KIESERITA f. Sulfato de magnesio hidratado, incoloro o blanquecino, y brillo vítreo. Se presenta en ciertos yacimientos evaporíticos.
KIESINGER, ***Kurt Georg*** (1904-1988) Político al. Afiliado al Partido Nacionalsocialista (1933), durante la II Guerra Mundial trabajó para los servicios de propaganda al. Elegido canciller (1966-1969), incluyó en el gobierno a los socialdemócratas, formando la «gran coalición».
KIESLOWSKY, ***Krzystof*** (1941-1996) Director cinematográfico polaco. *Decálogo, La doble vida de Verónica*, y la trilogía *Azul, Blanco* y *Rojo*.
KIEV Cap. de la república de Ucrania, a orillas del Dniéper; 2 500 000 hab. Centro comercial e industrial. Astilleros. Catedral de Santa Sofía (s. XI), monasterios de San Miguel (s. XII) y Perchersk (s. XI) e iglesia barroca de San Andrés (s. XVIII). En 998, la conversión al cristianismo del gran duque Vladimiro hizo de la ciudad el centro de la iglesia rusa. Tuvo su máximo apogeo bajo el reinado de Yaroslav I (1019-1054). En 1240 fue saqueada por los tártaros. Tras pertenecer a Lituania desde 1361, en 1569 pasó a formar parte de Polonia. En 1941 fue conquistada por las tropas al. y reconquistada por los sov. en 1943.
KIF m. Quif, preparado de cáñamo.
KIGALI Cap. de Ruanda; 116 000 hab. Sit. en el centro del país. Centro comercial.
KIKUYU adj. y s. Díc. de individuos de un pueblo melanoafricano de lengua bantú, que habita en el centro de Kenia. Los k. constituyen el grupo étnico más importante de su país. • m. Lengua bantú hablada por dicho pueblo.
KILI Prefijo que significa *kilo.*
KILIÁREA f. Superficie que tiene mil áreas.
KILIMANJARO o **UHURU** Montaña volcánica de Tanzania, la mayor de África. Culmina en el pico Kibo (5 895 m.).
KILLER (Voz. ing.) m. Mecanismo que anula el color en los aparatos de TV, cuando se pasan programas en blanco y negro.
KILO Prefijo que significa mil veces su valor. • adj. *Amér.* Estupendo. • m. Abreviatura de kilogramo.
KILOBAUDIO m. *Comp.* Unidad de medida de la frecuencia de transmisión de datos, equivalente a mil bits por segundo.
KILOBYTE m. *Comp.* Unidad de medida de memoria central y de dispositivos de almacenamiento externo, que equivale a 1 024 bytes.
KILOCALORÍA f. *Fís.* Unidad térmica equivalente a mil calorías.
KILOGRÁMETRO m. *Fís.* Forma ant. de kilopondímetro.
KILOGRAMO m. Unidad de masa del sistema Giorgi, equivalente a la masa de un decímetro cúbico de agua destilada a 4 °C. Símbolo: kg. Prácticamente es la masa del patrón de platino iridiado de la Oficina Internacional de Pesas y Medidas de Sèvres (París) • **fuerza.** Kilopondio.
KILOHERTZIO m. Unidad de medida de la frecuencia, equivalente a mil hertzios. Símbolo: kHz.
KILOJULIO m. Unidad de medida de trabajo, equivalente a mil julios. Símbolo: kJ.
KILOLITRO m. Medida de capacidad, que tiene mil litros, o sea un metro cúbico.
KILOMETRAR tr. Señalar las distancias medidas en kilómetros, con postes, mojones, etc. ▪ KILOMETRAJE.
KILOMÉTRICO, CA adj. Relativo al kilómetro. • Que marca o señala la distancia de 1 km. • fig. De larga duración. • m. Billete de ferrocarril que permite viajar un determinado núm. de kilómetros en un plazo dado.
KILÓMETRO m. Medida de longitud, que tiene mil metros. • **cuadrado.** Medida de superficie, que es un cuadrado de un kilómetro de lado.
KILOPOND o **KILOPONDIO** m. *Fís.* Unidad de fuerza en el sistema técnico. Símbolo: kp.
KILOPONDÍMETRO m. Unidad de trabajo en el sistema técnico, definida como el trabajo necesario para elevar una masa de un kg a un m de altura en dirección vertical. Símbolo: kpm.
KILOTÓN m. Unidad de potencia explosiva equivalente a 1 000 t de TNT.
KILOVAR m. Unidad de potencia de una reactancia, equivalente a mil vars. Símbolo: kvar.
KILOVATIO m. Unidad de Potencia equivalente a mil vatios. • **hora.** m. Unidad de energía equivalente. Equivale al trabajo realizado en una hora por un motor que desarrolla una potencia constante de un kilovatio. Símbolo: kwh.
KILOVOLTAMPERIO m. Unidad de medida de la potencia eléctrica, equivalente a mil voltamperios. Símbolo: kVA.
KILT m. Falda corta de los montañeses escoceses.
KIM Il Sung (1912-1994) Político norcoreano. Secretario general del Partido Comunista y presid. de Corea del Norte desde 1948 hasta su muerte.
KIM Young Sam (nacido 1928) Político surcoreano. Líder del Partido Demócrata Liberal, elegido presidente del país en 1992. Reelegido en 1996.
KIMBERLEY C. de la Rep. Sudafricana, en la prov. de El Cabo; 103 800 hab. Gran producción de diamantes.
KIMBERLITA f. Roca efusiva de composición semejante a la de las peridotitas, constituida por olivino, biotita y granate.
KIMONO m. Túnica larga y amplia usada en Japón.
KIN Dinastía extranjera de la China del norte, fundada por Akuta en 1115. La dinastía y el reino desaparecieron en 1234 frente a los mongoles.
KINCAJÚ m. *Brasil.* Coatí.
KINDERGARTEN m. Jardín de infancia.
KINESCOPIO m. Tubo de imagen en televisión.
al-KINDI, ***Abu Yusuf*** (s. IX) Filósofo ár. Protegido por los califas abasíes al-Mamum yal-Mutasim, tradujo las obras de Aristóteles.
KINESTESIA f. Sensibilidad nerviosa que deriva de la información de los órganos propioceptores, que suministran datos sobre el estado de motilidad de las diversas zonas corporales.
KINETINA f. *Bot.* Sustancia de acción hormonal de las plantas superiores, que actúa como aceleradora de la división celular en el crecimiento vegetal.
KINETOSCOPIO m. Aparato inventado por Edison, consistente en la combinación de un proyector fotográfico y un fonógrafo, que producen la sensación de movimiento.
KING m. Recopilación de textos clásicos del confucianismo.
KING, ***Billie Jean*** (nacida 1943) Tenista estadounidense. Vencedora veinte veces en Wimbledon, cuatro en el Open de EE UU, una en Roland Garros y otra en Melbourne. • ***Henry*** (1892-1982) Director de cine estadounidense. *Duelo al sol, El pistolero, Las nieves del Kilimanjaro, Suave es la noche.*

• *Martin Luther* (1929-1968). Pastor protestante norteam. de raza negra. Líder pacifista de la integración racial, fue asesinado en Memphis. Premio Nobel de la Paz en 1964.
KINGMAN, ***Eduardo*** (1913-1997) Pintor ecuat. Destacado muralista, fue uno de los máximos representantes del arte indigenista en su país. En sus obras combina el realismo social y el expresionismo.
KINGSTON Cap. de Jamaica, en la costa SE de la isla; 100 600 hab. (662 500 hab. la agl. urb.). Bauxita, tabaco, ron; ind. textil.
KINGSTON-UPON-THAMES Barrio del SO de Londres, sobre el Támesis.
KINICH AHAU En la religión maya, divinidad de Campeche y dios del Sol.
KINNERET o **KINNERETH** Lago del NE de Israel, a 200 m bajo el nivel del mar. También se le conoce con los nombres de lago de Tiberiades o de Genesaret y mar de Galilea.
KINSEY, ***Alfred*** (1894-1956). Biólogo norteam. Llevó a cabo diversos trabajos y encuestas acerca del comportamiento sexual. *Conducta sexual del hombre* y *Conducta sexual de la mujer.*
KINSHASA (ant. *Leopoldville*) Cap. de la República Democrática del Congo, junto al río hom.; 2 653 500 hab. Ferrocarril hasta el puerto fluvial de Matadi. Ind. alimentaria, textil, metalúrgica y química. Fundada por Stanley en 1881.
KIOSCO m. Quiosco.
KIOTO o **KYOTO** Prefectura de Japón, en la isla de Honshu; 4 613 km^2, 2 603 000 hab. Cap., la c. hom. (1 461 100 hab.). Ant. cap. imperial (794-1868).
KIOWA adj. y s. Díc. de los individuos de un pueblo indígena de América del Norte, establecido en reservas de Colorado y Oklahoma.
KIP m. Unidad monetaria de Laos.
KIPLING, ***Rudyard*** (1865-1936) Escritor brit. nacido en Bombay. *Baladas de cuartel, Los siete mares* y *Cinco naciones, El libro de la selva* y *Kim.* Premio Nobel de Literatura en 1907.
KIRCHHOFF, ***Gustav*** (1824-1887) Físico al. Descubrió importantes leyes de la electricidad. Con Bunsen inició el análisis espectral. Estudió la emisión y absorción de las radiaciones electromagnéticas. • **Ley de la radiación de K.** *Fís.* A temperatura y frecuencia dadas, la razón entre el poder emisivo y el poder absorbente es la misma para todos los cuerpos, y es igual al poder emisivo del cuerpo negro a dicha temperatura. • **Leyes de K.** *Fís.* Aquellas que se derivan de la ley de Ohm: 1.ª En un sistema que se encuentre en equilibrio estacionario, la suma de las intensidades de corriente que se dirigen a un nudo es igual a la suma de las que se alejan de él. 2.ª En toda malla de una red de conductores eléctricos, la suma de los productos de las resistencias de cada conductor por sus intensidades respectivas es igual a la suma de todas las fuerzas electromotrices existentes en ellos.
KIRCHNER, ***Ernst-Ludwig*** (1880-1918) Pintor al. Incialmente expresionista, *Mujer con los senos desnudos,* evolucionó preocupándose por la artificialidad humana, *Cinco mujeres en la calle.*
KIRCHSCHLÄGER, ***Rudolph*** (1915-2000) Político austr. Fue jefe del gobierno (1963), ministro de Asuntos Exteriores (1970-1974) y, como candidato socialista, elegido presid. de la Rep. en 1976. Reelegido en 1980, desempeñó el cargo hasta 1986.
KIRGUÍS, SA adj. y s. Díc. de individuos de un pueblo trucomongol, de religión musulmana, que habita en Kirguisistán, China y Afganistán. • m. Lengua turca de este pueblo.
KIRGUISISTÁN o **KIRGUIZISTÁN** Est. de Asia central, junto al Sinkiang. Limita al N con Kazakistán, al O con Uzbekistán, al SO con Tadjikistán y al E, SE y S con China. Clima de montaña. Cereales, algodón, patatas, tabaco, vid; ganadería; antimonio, mercurio, cinc, plomo, hulla, gas natural; ind. mecánica, automovilística, etc. Grupos étnicos: kirguisos, rusos, uzbekos, ucranianos, etc. Lenguas: kirguís (of.), ruso. *Rel.*: islamismo sunnita (mayoría), cristianismo ortodoxo, protestantismo. U. M.: som. Cap., Pishpek. C. prales.: Osh.
* *Hist.* Sometida a los mongoles (s. XIII) y a los oiratos, recobró su libertaden 1758. Incorporada al imperio ruso entre 1855 y 1876. Prov. autónoma de la RSFS de Rusia (1924), rep. autónoma (1926) y rep. federada (1936). Se autoproclamó independiente en 1991 y logró su indep. efectiva al disolverse la URSS tras la creación de la CEI, en la que se integró. Askar Akayev, primer presidente de la república, fue reelegido en 1995.

KIRGUISISTÁN

Superficie	198 500 km^2
Población	4 595 000 hab. (23 hab./km^2)
Indicadores sociológicos	
PNB	3 158 millones de dólares
Renta per cápita	700 dólares
Esperanza de vida	68 años
Crecimiento vegetativo	2,3 %

KIRIBATI Est. de Oceanía; rep. Comprende las islas Gilbert, Ocean (o Banaba), Fenix y Line. Cap., Bairiki, en el atolón de Tarawa. Copra, fosfatos. Ant. colonia brit., accedió a la indep. en 1979. En 1994 Teburoro Tito fue elegido presidente de la república.
KIRIE m. Invocación a Dios que se hace al principio de la misa. Se usa más en plural.
KIRIELEISÓN adj. fam. *Amér.* Necio, tonto. • m. Kirie. • fam. Canto de los entierros y oficio de difuntos.
KIRIN *(Jilin)* Prov. del NE de China, en Manchuria, limítrofe con Corea; 187 400 km^2 y 24 658 721 hab. Cap., Changchun. Soja, trigo; carbón y cobre. • C. de China, en la prov. hom., a orillas del Sungari; 1 099 000 hab. Ind. de la madera y química.
KIRKUK o **KARKUK** C. del N de Irak; 167 500 hab. Sit. al pie de los Zagros. Petróleo, refinerías.

KIRIBATI

Superficie	849 km^2
Población	82 400 hab. (97 hab./km^2)
Recursos económicos	
Copra	8 000 t
Nuez de coco	65 000 t
Pesca	29 000 t
Indicadores sociológicos	
PNB	73 millones de dólares
Renta per cápita	920 dólares
Esperanza de vida	64 años
Alfabetismo	90 %

KIROV C. de Rusia, a orillas del Viatka; 411 000 hab. Ind. metalúrgica, textil.
KIROV, ***Sergei*** (1886-1934) Político sov. Miembro del comité central del Partido Comunista (1921), apoyó la política de Stalin frente a Trotski y Zinóviev. Su asesinato sirvió de pretexto a Stalin para iniciar los procesos de Moscú (1936-1938).
KIROVOGRADO (ant. *Elisavetgrado* o *Yelisavetgrado*) C. en el centro-oeste de Ucrania; 263 000 hab. Ind. alimentaria, maquinaria agrícola.
KIRSCH m. Aguardiente obtenido por destilación del zumo fermentado de cerezas.
KISANGANI (ant. *Stanleyville*) C. del NE de la República Democrática del Congo; 339 200 hab. A orillas del Congo, aguas abajo de las cataratas Stanley. Ind. del tabaco, textil y química.
KISH Ciudad sumeria de la Baja Mesopotamia (actual *el-Oheimir*), que ha proporcionado tablillas con escritura cuneiforme, obras de arte e interesantes restos arquitectónicos.
KISHI, ***Nobusuke*** (1896-1987) Político japonés. Ministro de Asuntos Exteriores (1956), primer ministro (1957), y presid. del Partido Liberal Democrático (1957-1960). Proestadounidense.
KISHINIOV (rum., *Chisinau*) Cap. de Moldavia; 665 000 hab. Ind. alimentaria y mecánica.
KISLING, ***Moïse*** (1891-1953) Pintor pol., de la escuela de París; realista y de colorido muy brillante.
KISMET Entre los turcos, el destino.
KISSINGER, ***Henry*** (nacido 1923) Político norteam. Consejero con Kennedy, fue asesor de seguridad nacional y secretario de Estado con Nixon. Negoció la retirada de Vietnam y fue mediador en el conflicto árabe-judío. Premio Nobel de la Paz en 1973.

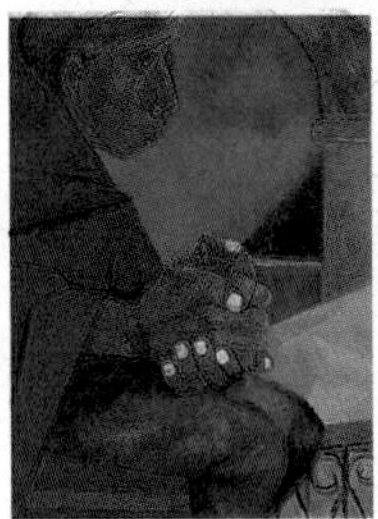

Líbrame del infortunio, óleo de Eduardo **Kingman**

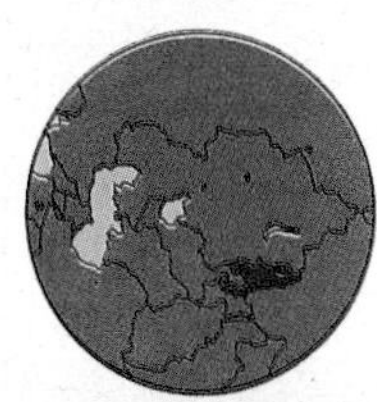

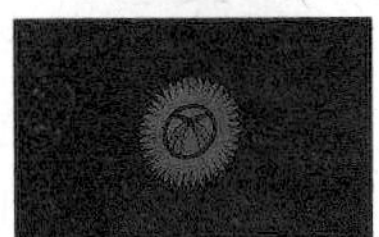

Mapa de situación y bandera de **Kirguisistán**

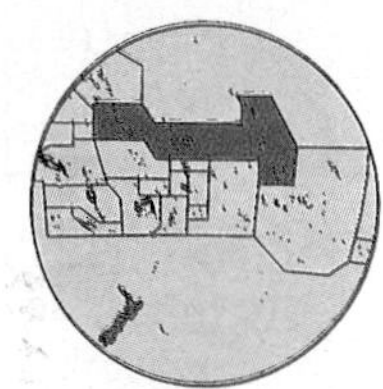

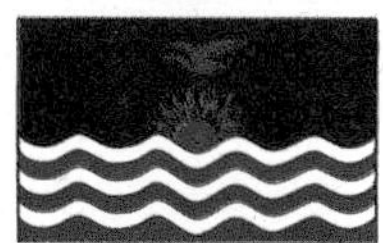

Mapa de situación y bandera de **Kiribati**

Henry **Kissinger**

Kiwi

Obtención de una botella de **Klein** por unión de las bases de un cilindro

Frederik W. De **Klerk**

KIT m. Sistema presentado por piezas montables por el propio usuario. Con esta presentación se abarata el producto.

KITAKYUSHU C. del Japón, en el N de la isla de Kyushu; 1 056 400 hab. Es una agl. urb. que abarca cuatro c. Ind. siderúrgica, mecánica, química.

KI-TAN o **KHITAY** adj. y s. Dícese de los individuos de un antiguo pueblo que ocupó el N de China (s. X) y fundó el reino de Lâo, con cap. en Pekín (ss. X-XII).

KITCHENER C. del SE de Canadá, en la prov. de Ontario; 139 700 hab. (287 800 la agl. urb.). Sit. entre el Ontario y el Hurón. Centro industrial.

KITCHENER, *Horatio Herbert* (1850-1916) Militar brit. Luchó contra los bóers en Sudáfrica (1899-1902) y, como ministro de la Guerra (1914), reorganizó el ejército brit.

KITTIKACHORN, *Thanom* (nacido 1911) Político thailandés. Primer ministro en 1958 y en 1963, permitió la instalación de bases militares norteam. Un alzamiento de los estudiantes provocó la caída de su régimen dictatorial (1973).

KITWE C. del N de Zambia, próxima a la República Democrática del Congo; 314 800 hab. (conurbación Kitwe-Kalulushi). Centro minero.

KIVI, *Alexis* (1834-1872) Escritor finl., realista y padre de la literatura finesa. *Los zapateros de la aldea* (comedia), *Los siete hermanos* (novela).

KIVU Lago de África centrooriental, sit. entre Ruanda y República Democrática del Congo; 2 650 km^2.

KIWI m. Nombre común de unas aves apterigiformes que viven en Nueva Zelanda.

KIZILIRMAK o **KIZIL IRMAK** Río de Turquía asiática, que desemboca en el mar Negro; 1 000 km.

KIZIL-KUM o **KIZILKUMI** Zona desértica en la rep. de Kazakistán; 97 600 km^2.

KJELDAHL, *Johan Gustav Christoffer* (1849-1922) Químico danés, que desarrolló el procedimiento que lleva su nombre. • **Método de K.** *Quím.* Procedimiento para la determinación cuantitativa del nitrógeno en compuestos orgánicos, consistente en la reacción con ácido sulfúrico resultando sulfato amónico.

KJELLEN, *Johan Rudolf* (1864-1922) Historiador y sociólogo sueco, uno de los teóricos de la geopolítica. *Las grandes potencias de hoy* y *Fundamentos de un sistema político.*

KLAGES, *Ludwig* (1872-1956) Filósofo al., que impulsó los estudios de caracterología. *Los fundamentos de la caracterología* y *El espíritu, adversario del alma.*

KLAIPEDA (ant. *Memel)* C. y puerto en la rep. de Lituania; 195 000 hab. Ind. maderera, textil y química.

KLAMATH Río del O de EE UU, en los estados de Oregón y California; 440 km. • Montes del NO de California (EE UU), junto al límite con Oregón, prolongación de la cord. de las Cascadas.

KLAR Río del S de Suecia (unos 350 km) que desemboca en el lago Vänern.

KLÉBER, *Jean Baptiste* (1753-1800) Militar fr. que derrotó a los realistas de la Vendée (1793) y a los angloneerlandeses de Egipto; fue el artífice de la victoria del monte Tabor (1799). Venció a los turcos en Heliópolis (1800).

KLEBS, *Edwin* (1834-1913) Bacteriólogo al. Observó por primera vez el bacilo agente específico de la difteria (bacilo de K.-Löffter).

KLEE, *Paul* (1879-1940) Pintor y grabador suizo. Participó con Kandinsky y Marc en la tercera exposición de *El caballero azul.* En su producción se encuentran composiciones totalmente geométricas, otras surrealistas y algunas de tendencia caricaturesca. Desde 1920 a 1931 fue profesor en la Bauhaus. Es uno de los prales. impulsores de la escuela abstracta.

KLEENEX (voz ing.) m. Marca comercial que ha pasado a designar un tipo de pañuelo de papel.

KLEIN, *Felix* (1849-1925) Geómetra al. Publicó en 1872 su *programa de Erlangen,* que da un tratamiento unitario a todas las geometrías conocidas. • **Botella de K.** Superficie de Möbius que puede obtenerse a partir de un cilindro. • ***Melanie*** (1882-1960) Psicoanalista austr. *Contribución al psicoanálisis, El psicoanálisis del niño, El amor y el odio.*

KLEIST, *Heinrich von* (1771-1811) Poeta, dramaturgo y novelista al., gran figura del romanticismo. *Federico de Homburg* (drama histórico).

KLEMPERER, *Otto* (1885-1973) Director de orquesta y compositor al., especializado en la interpretación de obras clásicas. Dirigió las óperas de Berlín y Wiesbaden.

KLENZE, *Leo von* (1784-1864) Arquitecto al. Construyó en Munich la gliptoteca (1816) y la antigua pinacoteca de la ciudad (1826-1836) y el museo del Ermitage en San Petersburgo (1852).

KLERK, *Frederik Willem De* (nacido 1936) Político sudafricano. Ministro en diversas ocasiones, entre 1989-1994 fue presid. del país, propiciando la desaparición del *apartheid* y la celebración de las primeras elecciones libres y multirraciales, que llevaron a la presidencia a N. Mandela (mayo 1994).

KLIMT, *Gustav* (1862-1918) Pintor y decorador aust. Influyó en Giorgio de Chirico y Kokoschka.

KLINE, *Franz* (1910-1962) Pintor norteam., uno de los iniciadores del expresionismo abstracto. Sus obras, de grandes dimensiones, sólo usan un contraste cromático basado en el blanco y el negro.

KLINGER, *Friedrich Maximilian von* (1752-1831) Dramaturgo y poeta al. Su drama *Sturm und Drang* (1776) dio nombre a una corriente prerromántica al. de finales del s. XVIII.

KLINKER m. Material que se obtiene en el proceso de fabricación del cemento Portland.

KLIPPE m. *Geol.* En tectónica, fragmento de un manto de corrimiento que ha quedado aislado por erosión.

KLISTRÓN m. Tubo electrónico para frecuencias muy elevadas.

KLONDIKE Región del NO de Canadá, en el territorio de Yukón, avenada por el r. hom. Célebre por su riqueza aurífera, hoy agotada.

KLOPSTOCK, *Friedrich Gottlieb* (1724-1803) Poeta al., iniciador del romanticismo. *El Mesías* (poema epicorreligioso) influido por Milton, *La muerte de Adán* y *Hermann.*

KLUGE, *Alexander* (nacido 1923). Director de cine al. *Una muchacha sin historia, Los artistas bajo la carpa del circo: perplejos,* primer premio en el festival de Venecia. • ***Hans Gunther von*** (1882-1944) Militar al. Al estallar la II Guerra Mundial obtuvo el mando del IV ejército al. y combatió en Francia (1940). Tras el éxito de los aliados en Normandía, se le encargó el mando supremo del frente occidental (1944). Ante el fracaso de su contraofensiva, se suicidó.

KNAPP, *Georg Friedrich* (1842-1926) Economista e historiador al. *La liberación de los campesinos y el origen de los trabajadores agrícolas en la antigua Prusia, La teoría estatal del dinero.*

KNELLER, *Gottfried,* llamado SIR GODFREY (h. 1649-1723) Pintor ing., de origen al. Fue nombrado por Carlos II primer pintor de la corte. Retratos de los reyes Jacobo II y Jorge I, y el del emperador Carlos VI.

KNOBELSDORFF, *Georg Wenceslaus von* (1690-1753) Arquitecto al. Dirigió las obras de la residencia real de verano de Sans-Souci (Potsdam) y la Ópera de Berlín.

KNOCK-OUT (voz ing.) m. *Dep.* En boxeo, golpe que pone a uno de los púgiles fuera de combate (*K.O.*) • **técnico.** Derrota declarada por el árbitro, por inferioridad manifiesta de uno de los dos púgiles.

KNOX, *John* (h. 1514-1572) Reformador religioso escocés. Colaboró en la redacción del *Libro de oración común,* que fijó el contenido doctrinal de la Reforma religiosa ing. Obtuvo del parlamento la abolición del culto católico (1560).

KOALA → Coala.

KOB m. Mamífero de la fam. bóvidos, de casi un metro y medio de alt. y cuernos enroscados. Habita en África central.

KOBAYASHI, *Masaki* (nacido 1916) Director cinematográfico japonés. *La condición humana, La herencia, Harakiri, Rebelión, Kwaidan.*

KOBE C. de Japón, en el SE de la isla de Honshu; 1 477 400 hab. Ind. naval, siderúrgica, mecánica, textil y automovilística.

KOCH, *Robert* (1843-1910) Bacteriólogo al. Descubrió el bacilo del carbunco, el de la tuberculosis, y el vibrón colérico. Desarrolló el concepto de especificidad: el germen debe estar invariablemente pre-

sente, ha de ser susceptible de cultivo fuera del cuerpo, y debe producir la enfermedad inyectado a un animal sano. Premio Nobel de Medicina en 1905.
KOCHER, *Emil Theodor* (1841-1917) Cirujano suizo, uno de los fundadores de la cirugía abdominal. Premio Nobel en 1909.
KOCHI Prefectura de Japón, en la isla de Shikoku; 7 104 km², 825 000 hab. Cap., la c. hom. (317 100 hab.). Pesca. Ind. maderera, del papel y conservera.
KOCKIA f. Planta herbácea de la fam. quenopodiáceas. Ornamental.
KODÁLY, *Zoltán* (1882-1967) Compositor húng. *Te Deum, Psalmus hungaricus,* y *Danzas de Galánta.*
KODIAK adj. y m. Díc. del oso de Alaska, el mayor de los úrsidos actuales.
KOESTLER, *Arthur* (1905-1983) Escritor húng. en ing. En su juventud militó en las filas comunistas y abandonó el partido ante las purgas estalinianas. *El cero y el infinito, El yogui y el comisario, El testamento español, Reflexiones sobre la pena capital.* Se suicidó reivindicando la eutanasia.
KOFU C. de Japón, cap. de la prefectura de Yamanashi; 200 600 hab.
KOGALNICEANU, *Mihail* (1817-1891) Historiador y político rum. Nombrado primer ministro en 1860. *Historia de Valaquia, de Moldavia y de los valacos transdanubianos.*
KOHIMA C. de la India, cap. del est. de Naga Pradesh; 53 100 hab.
KOHL, *Helmut* (nacido 1930) Político al. Presid. de la Unión Cristiano Demócrata, ganó las elecciones de 1983 y 1987 al frente de una coalición de centro-derecha, sustituyendo al socialdemócrata Schmidt en la cancillería de la RFA. En 1990, se convirtió en el primer canciller de la Alemania unificada. Reelegido en 1994, fue derrotado en las elecciones de 1998 por el socialdemócrata G. Schröder.
KOIVISTO, *Mauno* (nacido 1923) Político finl. Primer ministro entre 1968-1970 y 1979-1982, y presid. de la Rep. entre 1982 y 1994.
KOINÉ f. Lengua común de la Grecia clásica, basada en el dialecto ático.
KOKAND C. de la rep. de Uzbekistán; 166 000 hab. Cap. del janato hom. Incorporada a Rusia de 1876 a 1991, año en que se independizó Uzbekistán.
KO-KO m. *Amér.* Coco, fantasma para asustar a los niños.
KOKOSCHKA, *Oskar* (1886-1980) Pintor y escritor austr. Se unió al grupo *Die Brücke* y participó como ilustrador en la revista *Der Sturm.* Es uno de los grandes de la pintura expresionista contemporánea. *Mi vida, Autorretrato.*
KOLA Península del NO de Rusia, entre el mar de Barents y el Blanco. Poblada por rusos y lapones. Cobre, níquel y fosfatos; ind. pesquera y maderera.
KOLAROV, *Vasil* (1877-1950) Político búlg. Presid. de la Rep. (1946-1947) y del consejo de ministros (1949-1950).
KOLCHAK, *Alexandr Vasilievich* (1874-1920) Almirante ruso. Se opuso a la Revolución y con el apoyodel Reino Unido, Francia y EE UU se constituyó en jefe de las fuerzas antibolcheviques (1918). Logró dominar Siberia, pero fue capturado y ejecutado.
KOLHAPUR C. de la India, en el est. de Maharashtra; 340 600 hab. Restos de santuarios budistas. Ind. alimentaria, textil y papelera.
KOLIMA Río de Siberia oriental; 2 600 km.
KOLJOZ m. *Econ. pol.* Explotación agrícola sov. de tipo cooperativo.
KOLLONTAJ, *Aleksandra Michajlovna* (1872-1952) Política y feminista sov. *Los fundamentos sociales y la cuestión femenina.*
KOMANDORSKI Arch. ruso del S del mar de Bering, sit. entre Kamchatka y las Aleutianas. Reserva de animales de piel preciosa.
KOMI o **ZIRIANO** adj. y s. Díc. de individuos de un pueblo ugrofinés de Rusia. • Lengua de este pueblo, de la familia urálica.
KOMI Rep. de Rusia; 415 900 km², 1 263 000 hab. Cap., Siktivkar. Tundra al N y taiga el resto. Clima frío. Explotación forestal; ind. maderera; hulla, petróleo, gas natural, asfaltita; patatas, centeno. Poblada por rusos, komi, komipermiatski y nentsi.
KOMINFORM Oficina de información creada en 1947 por el PCUS para coordinar las actividades de los partidos comunistas.
KOMINTERN Abrev. de la III Internacional o Internacional comunista.
KOMI-PERMIATSKI, *Circunscripción nacional de los* Distrito étnico establecido en el extremo NO de la prov. de Perm (en Rusia); 32 900 km², 164 000 hab. Cap., Kudimkar.
KOMMUNARSK → Lugansk.
KOMSOMOL Abrev. de la Organización de las Juventudes Comunistas de la URSS.
KOMSOMOLSK DEL AMUR *(Komsomolskna-na-Amure)* C. y puerto de la rep. de Rusia; 300 000 hab. Refinería e industrias derivadas del petróleo. Centro industrial.
KÓNIEV, *Ivan Stepanovich* (1897-1973) Mariscal sov. Comandante del frente de Ucrania (1943), invadió Polonia (1944) y conquistó Cracovia (1945). Tomó parte en la conquista de Berlín.
KÖNIGSBERG Nombre al. de la ant. cap. de Prusia Oriental, actual Kaliningrado.
KONOYE, *Fuminaro* (1891-1945) Político jap. Primer ministro en los periodos 1937-1939 y 1940-1941. Firmó con Alemania e Italia el Pacto Tripartito (1940). Se suicidó al final de la II Guerra Mundial.
KON-TIKI Balsa utilizada por el etnólogo nor. Heyerdahl en una de sus expediciones.
KONYA C. de Turquía, en Anatolia; 438 900 hab. Oro, plata, sal; ind. algodonera, azucarera; artesanía, tapices. Cap. del sultanato selyúcida de Rum y otomana desde el s. XIV.
KOONING, *Willem de* (1904-1997) Pintor neerlandés, nacionalizado norteam. Tras un período de expresionismo figurativo, realizó, influido por el grupo *De Stijl*, obras de un abstraccionismo ortodoxo. En 1948 se integró en el grupo neoyorquino de la *action painting.*
KOPEK Antigua unidad monetaria de la URSS.
KOPFEL, *Wolfgang,* llamado CAPITO (1478-1541) Teólogo protestante al. Uno de los jefes del partido de la Reforma. *Confessio tetrapolitana* (1530).
KOPIT, *Arthur* (nacido 1937) Comediógrafo norteam., influido por el teatro del absurdo. *¡Oh papá, pobre papá, mamá te ha metido en el armario y a mí me da tanta pena!*
KORCHNOI, *Victor.* (nacido 1931) Ajedrecista sov. En 1976 se asiló en Países Bajos y perdió su nacionalidad.
KORDA, *Alexander* (1893-1956) Director y productor cinematográfico brit., nacido en Hungría. *La vida privada de Enrique VIII, La última aventura de don Juan y Rembrandt.*
KORDOFÁN Región de Sudán; 380 547 km², 3 093 300 hab. Población negra, ár. y mestiza. Agricultura y ganadería. Formó parte del Sudán angloegipcio (1899).
KORDON, *Bernardo* (nacido 1915) Escritor arg. *La vuelta de Rocha, Domingo en el río, Hacele bien a la gente, Adiós Pampa mía.*
KORÉ f. Escultura de muchacha vestida, característica del arte gr. de la época arcaica.
KORIYAMA C. de Japón, en el centro-norte de la isla de Honshu; 301 700 hab. Ind. textil y química.
KORN, *Alejandro* (1860-1936) Filósofo arg. Defensor de la intuición como forma de conocimiento. Influido por Kant.
KORNBERG, *Arthur* (nacido 1918) Biólogo norteam. Realizó diversas investigaciones sobre la síntesis de los ácidos nucleicos. Premio Nobel de Medicina con Severo Ochoa en 1959.
KORNÍLOV, *Lavr* (1870-1918) General ruso. Con la rev. de febrero de 1917 fue nombrado jefe supremo del VIII ejército. Opuesto a Kerenski e intentó un golpe de Estado, pero fue derrotado y detenido.
KOROLENKO, *Vladimir* (1853-1921) Escritor ruso. Deportado a Siberia (1881-1884) por sus ideas socialistas. *Las murallas del bosque, El músico ciego, El día del juicio.*
KORSCH, *Karl* (1886-1961) Filósofo al., afincado en EE UU. Militante comunista, fue expulsado del partido por su crítica al leninismo. *Marxismo y filosofía, Karl Marx.*
KORSI, *Demetrio* (1899-1957) Poeta pan., que se inspiró en el folclore de su país. *Los poemas extraños, Cumbia y otros poemas, Canciones efímeras.*
KORUTÜRK, *Fahri* (1903-1987) Político y militar turco. Presid. de la Rep. desde 1973 a 1980.
KOSCIUSKO Monte del SE de Australia, alt. máxima del país; 2 230 m.

Robert **Koch**

Helmut **Kohl**

La balsa **Kon-Tiki,** navegando por Polinesia

Fortificación del **krak** de los Caballeros (Siria)

Leonid **Kravchuk**

Catedral de la Anunciación en el **kremlin** de Moscú

KOSCIUSZKO, ***Tadeusz*** (1746-1817) Militar y político pol. Participó junto a La Fayette, en la guerra de independencia norteam. (1776-1783). Vuelto a Polonia, acaudilló la lucha por la liberación de su país contra Rusia, pero fue derrotado en Maciejowice (1794) y hecho prisionero.
KÓSICE, ***Gyula*** (nacido 1924) Escritor y escultor arg. de origen checo. *Invención, Peso y medida de Alberto Hidalgo.*
KOSIGUIN, ***Alexei Nicolaievich*** (1904-1980) Político sov. En 1964 fue designado primer ministro en sustitución de Jruschov. Junto a Podgorny y Brezhnev delineó la política soviética de coexistencia pacífica.
KOSMOS Serie de satélites artificiales no tripulados lanzados por la URSS. • Satélite de la serie.
KOSOVO Prov. autónoma de la rep. de Serbia (Yugoslavia); 10 887 km², 1 989 000 hab. (mayoritariamente albaneses). Cap., Pristina. Agricultura y ganadería. La conflictividad entre la mayoría albanesa y la minoría serbia se intensificó tras la disgregación de la ant. Yugoslavia. En 1999 la política represiva del presid. Milosevic en K. desembocó en una guerra abierta entre Serbia y la OTAN.
KOSSEL, ***Albrecht*** (1853-1927) Fisiólogo al. Premio Nobel en 1910 por sus trabajos sobre química celular y sobre las proteínas.
KOSSUTH, ***Lajos*** (1802-1894) Político húng. Preconizó la emancipación de los campesinos, la supresión de los privilegios feudales y la autonomía húng. Se opuso a la dominación de los Habsburgo y en 1849 proclamó la independencia.
KOSTROMÁ C. de la rep. de Rusia; 269 000 hab. Ind. alimentaria, textil, mecánica.
KOSTUNICA, ***Vojislav*** (n. 1944) Político serbio. Nacionalista moderado, encabezó la oposición al régimen de Milosevic. En octubre de 2000 ascendió a la presid. de Yugoslavia.
KOUNTCHÉ, ***Seyni*** (1931-1987) Político y militar de Níger. En 1974 encabezó un golpe militar que lo ubicó en la jefatura del Estado.
KOWLOON *(Jiulong)* C. de Hong Kong (China), en la pen. hom.; 799 100 hab. Centro industrial.
KOZHIKODE o **KOZHIKODA** (ant. *Calicut*) C. de la India, en el estado de Kerala; 394 400 hab. El primer puerto de la India visitado por los europeos y en él desembarcó Vasco de Gama en 1498.
KÓZINTSEV, ***Grigori*** (1905-1973) Director de cine sov. *Don Quijote, Hamlet.*
KRAK m. Castillo fortificado que durante los ss. XII-XIII edificaron los cruzados en Siria.
KRAKATOA o **KRAKATAU** *(Rakata)* Isla volcánica situada en el estrecho de la Sonda, entre Sumatra y Java. Conocida por la violentísima erupción volcánica, seguida de explosión y maremoto, de 1883.
KRAMER, ***Stanley*** (1913-2001) Productor y director cinematográfico estadoun. Productor de *El ídolo de barro, Hombres, Solo ante el peligro,* dirigió *Vencedores o vencidos.*
KRASINSKI, ***Zygmunt*** (1812-1859) Poeta romántico pol. *Iridión, La Comedia no divina.*
KRASNO, ***Rodolfo*** (nacido 1926) Escultor argentino, creador del neograbado, grabado en relieve coloreado. Artista inquieto buscó nuevos caminos en sus esculturas autómatas, investigó la aplicación del monocromatismo y realizó varios libros-objeto.
KRASNODAR → Yekaterinodar.
KRASNOYARSK o **KRASNOIARSK** Terr. de la rep. de Rusia, en la Siberia central con una extensión de 2 401 600 km² y 3 430 000 hab. • C. de Rusia, cap. del territorio hom.; 648 200 hab. Sit. en el S de Siberia central, a orillas del Yeniséi. Ind. metalúrgica y aeronáutica.
KRAUS, ***Alfredo*** (1927-1999) Tenor esp., dotado de una gran técnica vocal y de una refinada expresividad. • ***Erwin*** (nacido 1911) Pintor col. Estudió en Alemania y Suiza. Notable paisajista.
KRAUSE, ***Karl Christian Friedrich*** (1781-1832) Filósofo al. Según él, la historia culminará en la «humanidad racional», en la que se habrá superado el Estado y la Iglesia. *El ideal de la humanidad.*
KRAUSISMO m. *Fil.* Sistema filosófico de K. Krause, que influyó en algunos filósofos del derecho y en muchos intelectuales esp. (Sanz del Río, Giner de los Ríos, G. de Azcárate , etc.), sobre todo de 1860 a 1874. El liberalismo, el anticlericalismo y la renovación pedagógica, fueron sus características. B KRAUSISTA.
KRAVCHUCK, ***Leonid*** (nacido 1934) Político ucraniano. Profesor de Economía Política, presidió el soviet supremo de Ucrania (1990-1991), en la extinta URSS. Elegido presid. de la Ucrania indep. (diciembre 1991). Cesó en 1994.
KREBS, ***Hans Adolf*** (1900-1981) Bioquímico al. Estudió el metabolismo de los glúcidos, obteniendo el premio Nobel de Medicina en 1953. • **Ciclo de K.** *Biol.* Serie de reacciones metabólicas que tienen lugar en las mitocondrias, cuya misión es la obtención de energía a partir de la oxidación de los restos de dos carbonos procedentes de la β-oxidación de los ácidos grasos o de la glucólisis. Éstos dan una amplia gama de metabolitos intermediarios aptos para la síntesis de aminoácidos, porfirinas, etc., al tiempo que constituye una vía esencial de utilización catabólica de dichos elementos.
KREFELD C. de Alemania, en Renania Septentrional-Westfalia; 217 300 hab. Sedas y terciopelos. Ind. mecánica, metalúrgica y química.
KREISKY, ***Bruno*** (1911-1990) Político austr., socialista. Ministro de Asuntos Exteriores (1959-1966) y presid. del Partido Socialdemócrata (1967), ocupó el cargo de canciller desde 1970 hasta 1983, en que dimitió de todos sus cargos.
KREISLER, ***Fritz*** (1875-1962) Violinista austr., uno de los más célebres de nuestra época.
KREMLIN m. Parte fortificada de una ciudad rusa. Por ant., díc. de la sede del gobierno ruso en Moscú. El k. moscovita es una construcción típica de la E. Med. a orillas del Moscova, que contiene una serie de palacios y templos que fueron, desde 1474, residencia de los zares, hasta que Pedro I el Grande trasladó la cap. a San Petersburgo (1715). A partir de 1917, volvió a ser sede del gobierno central.
KRETSCHMER, ***Ernest*** (1888-1964) Médico psiquiatra al. En su obra *Constitución y carácter* realizó una clasificación biotipológica humana de carácter psicológico: *atlético, asténico* y *pícnico. Psicología médica* y *Sobre la histeria.*
KREUTZER, ***Rodolphe*** (1766-1831) Violinista y músico fr. Dirigió la ópera de París desde 1817 hasta su muerte. Beethoven le dedicó *Sonata a Kreutzer.*
KRILENKO, ***Nikolai Vasilievich*** (1885-1938) Militar y político sov. Comandante en jefe del ejército tras el triunfo de la revolución de Octubre, negoció el armisticio con Alemania (1917). Fue comisario de Justicia de la URSS (1936-1938).
KRIM, ***Belkacem*** (1922-1970) Militar y político argelino. Fue uno de los fundadores del Frente de Liberación Nacional, y participó en las conversaciones de Evian (1961-1962), que pusieron fin a la guerra de Argelia. Se opuso después a la política de Ben Bella y de Bumedian. Juzgado en rebeldía y condenado a muerte, murió asesinado.
KRIPTÓN m. Criptón.
KRISHNA *(Kistna)* Río del S de la India, nace en los Gates occidentales y desemboca en el golfo de Bengala; 1 280 km.
KRISHNA Octava encarnación del dios Visnú, cuya vida e ideas se narran en el *Mahabharata.*
KRISHNAMURTI, ***Jiddu*** (1897-1986) Pensador religioso indio, predicó una doctrina que aspira a alcanzar lo múltiple mediante un pensamiento libre, en constante evolución.
KRISTEVA, ***Julia*** (nacida 1941) Escritora fr. de origen búlg. *El texto de la novela, La revolución del lenguaje poético.*
KRIVOI ROG C. de la rep. de Ucrania, sit. en el centrosudoeste de dicho país; 684 000 hab. Hierro; ind. siderometalúrgica. Central nuclear.
KROEBER, ***Alfred Louis*** (1876-1960) Antropólogo norteam., englobado dentro de la escuela neoevolucionista, aunque desarrolló gran parte de los supuestos difusionistas. Sus prales. trabajos estuvieron dedicados a los indígenas del Oeste americano.
KRONECKER, ***Leopold*** (1823-1891) Matemático al. Trabajó pralm. en la teoría de números, iniciando la tendencia intuicionista. Para K. lo único cierto en matemáticas eran los números naturales y cuanto se pudiera construir a partir de ellos en un número finito de operaciones, opinión hoy abandonada.
KRONPRINZ m. Título que se daba al príncipe heredero en Alemania y Austria.
KRONSTADT C. y puerto fortificado en la rep. de Rusia, prov. de San Petersburgo; 85 000 hab. Situado en el golfo de Finlandia. Base naval, astille-

ros, fábricas de cañones. Escenario de la revolución anarquista contra el régimen sov. en 1921, duramente reprimida por Trotski.

KROPOTKIN, ***Piotr Alexeievich,*** PRÍNCIPE (1842-1921) Anarquista y agitador ruso, seguidor de Bakunin, que intentó dotar al anarquismo de un contenido científico. *Palabras de un sublevado, Campos, fábricas, talleres, La ciencia moderna y el anarquismo, La conquista del pan.*

KRUGER, ***Paulus*** (1825-1904) Político sudafricano. Encabezó la lucha contra la dominación brit. (1880), que condujo al reconocimiento de la autonomía de Transvaal (1881). Presid. de la rep. (1883), se opuso a la creación de una federación de territorios europeos en África del Sur, lo que dio origen a la guerra contra Inglaterra (1899-1902), que concluyó con la derrota de los bóers, tras lo cual K. se exilió a Suiza.

KRUPP Familia de industriales al. **Friedrich** (1787-1826) montó en Essen (1811) una fundición de acero que sus sucesores, **Alfred** (1812-1887) y **Friedrich Alfred** (1854-1902), ampliaron y convirtieron en una de las prales. empresas metalúrgicas del mundo. **Bertha** (1886-1957), heredera del negocio, casó en 1906 con **Gustav von Bohlen,** quien adoptó el nombre de **Krupp von Bohlen,** se hizo cargo de la dirección de la empresa y consiguió para la misma una prosperidad extraordinaria. El hijo del matrimonio, **Alfred** (1907-1967), fue procesado en Nuremberg ya que había abastecido de armamento pesado al ejército de Hitler.

KRÚPSKAIA, ***Nadiezhda Konstantinovna*** (1869-1939) Revolucionaria rusa. Esposa de Lenin (1897), después de la revolución de 1917 obtuvo el cargo de comisario del pueblo para la Educación.

KRUSCHEV → Jruschov.

KRYLOV, ***Iván*** (1769-1844) Fabulista y autor dramático ruso. Precursor del realismo. *La adivina de las trastiendas, La torta.*

KSHATRIYA m. La segunda de las cuatro castas hereditarias tradicionales de la India.

KU KLUX KLAN Sociedad secreta de EE UU fundada en 1866, orientada a sostener el poder de los blancos.

KUALA LUMPUR Cap. de Malasia, en la pen. de Malaca; es también cap. de Malasia Occidental y del est. de Selangor; 937 900 hab. Minería e ind. Caucho y material ferroviario.

KUANGSI CHUANG *(Guangxizhuang)* Región autónoma del SE de China; 230 000 km^2, 42 245 765 hab. Cap., Nanning. Arroz, caña de azúcar, algodón.

KUANGTUNG *(Guangdong)* Prov. de China, junto al mar de China Meridional; 178 000 km^2, 62 829 236 hab. Cap., Cantón. Arroz, caña de azúcar.

KUAN-YIN Diosa del budismo popular chino. Se la adora como la Señora de la misericordia.

KUBA adj. y s. Bakuba.

KUBÁN Región de Rusia en el S de la parte europea de su territorio. Aproximadamente corresponde al territorio de Yekaterinodar. • Río de Rusia; 900 km. Desemboca en el mar de Azov en forma de delta.

KUBELÍK, ***Jan*** (1880-1940) Violinista checo, autor de seis conciertos para violín, y de piezas para violín y piano. • ***Rafael*** (1914-1996) Director de orquesta checo, nacionalizado suizo. Hijo del anterior. *Cornelia* (ópera).

KUBILAI KAN → Qubilay Jan.

KUBITSCHEK, ***Juscelino*** (1902-1976). Político bras. Elegido presid. de la rep. (1955), bajo su mandato (1956-1960) se iniciaron las obras de construcción de Brasilia.

KUBOTTA, ***Arturo*** (nacido 1932) Pintor per. Cultiva el realismo y la abstracción. *Éxtasis mixto, Casos en el mundo.*

KUBRICK, ***Stanley*** (1928-1999) Director de cine norteam. *Atraco perfecto, Los senderos de la gloria, Espartaco, ¿Teléfono rojo?, volamos hacia Moscú* (política-ficción), *2001, una odisea del espacio, La naranja mecánica, Barry Lyndon, La chaqueta metálica, Eyes wide shut.*

KUDÚ m. Antílope africano de largos cuernos, pelaje gris o leonado.

KUEICHOU *(Guizhou)* Prov. del S de China; 176 300 km^2, 32 391 066 hab. Cap. Kueiyang. Arroz, maíz, algodón; ganado bovino; carbón, hierro.

KUEIYANG *(Guiyang)* C. de China, cap. de la prov. de Kueichou; 1 300 000 hab. Ind. textil, metalúrgica.

KUEN LUN *(Kunlun)* Sistema montañoso de Asia central, en el O de la Rep. Popular China, que separa el Sinkiang del Tibet. Alt. máxima, 7 546 m.

KUHN, ***Rodolfo*** (nacido 1934) Director de cine arg. *Los jóvenes viejos, Pajarito Gómez, El ídolo, El señor Galíndez.*

KUIBISHEV → Samara

KUKULCÁN En la religión maya, dios cultural y nacional del Mayapán, equivalente al Quetzalcóatl de los aztecas.

KULAK m. Agricultor ruso que poseía tierras propias y disfrutaba de una posición acomodada. Stalin los eliminó al colectivizar la tierra (1928).

KÜLPE, ***Oswald*** (1862-1915) Filósofo y psicólogo al. Destacó por sus trabajos de psicología experimental. *Bosquejo de psicología, Kant, Teoría del conocimiento y ciencia natural.*

KULTURKAMPF m. Campaña emprendida por Bismarck contra el partido católico como reacción a las simpatías que la Iglesia católica manifestaba por los movimientos separatistas. El conflicto llegó a su punto crítico al ser promulgadas las *leyes de mayo* (1873-1874) por las que se establecía el matrimonio civil, pero, ante la hostilidad del emperador Guillermo y de los católicos, Bismarck las modificó (1882).

KUMAMOTO Prefectura de Japón, la isla de Kyushu; 7 408 km^2, 1 840 000 hab. Cap., la c. hom. (579 300 hab.). Ind. textil, química.

KUMASI C. de Ghana, cap. de la región de Ashanti; 489 000 hab. Cacao, ind. alimentaria.

KUMAYRI (ant. *Alexandropol* y *Leninakan*) C. de Armenia; 223 000 hab. Ind. textil; alimentaria.

KUMIK adj. y s. Díc. de individuos de un pueblo turco que vive en la rep. de Daguestán (Rusia), al S del río Terek.

KUMMEL m. Cúmel, aguardiente de comino.

KUMULENO m. Hidrocarburo que contiene en su molécula varios dobles enlaces acumulados.

KUN Dios chino, padre de Yue y señor de las inundaciones.

KUN, ***Belá*** (1886-1939) Político húng. Presid. de la rep. soviética de Hungría de marzo a agosto de 1919. Derrocado por el ejército, huyó al extranjero. Condenado a muerte por Stalin.

KUNDERA, ***Milan*** (nacido 1929) Escritor checo, residente en Francia. *La broma, Libro de la risa y el olvido, La insoportable levedad del ser, La inmortalidad.*

KUNDURIÓTIS, ***Pávlos*** (1855-1935) Almirante y político gr. Desempeñó la regencia a la muerte de Alejandro I (1920), cargo que volvió a desempeñar al exiliarse Jorge II. Proclamada la rep., fue nombrado presid. (1924). Dimitió en 1926.

KUMMING C. de China, cap. de la prov. de Yunnan; 1 430 000 hab. Ind. textil, mecánica.

KUNZITA f. Espodumena de color violeta, usada en joyería.

KUOMINTANG Nombre chino del Partido Nacional del Pueblo, grupo político formado por Sun Yat-sen en 1908. Fue movimiento nacionalista, democrático y de tendencias socializantes. En 1927 Chang Kai-shek, que había sucedido a Sun Yat-sen en la dirección del partido, rompió con el ala izquierdista del mismo y llevó a cabo la represión de la sublevación popular de Shangai. La capitulación japonesa de 1945 volvió a enfrentar a los comunistas y el K. Derrotado por Mao Tse-tung, en 1949 Chang Kai-shek se refugió en Taiwan.

KUPKA, ***Frantisek*** (1871-1957). Pintor checo, representante del abstraccionismo. *Fuga en rojo y azul, Arquitectura filosófica.*

KUPRIN, ***Alexander*** (1870-1938) Novelista ruso. Criticó la sociedad zarista. *El duelo, Yamd.*

KURASHIKI C. de Japón, al SE de la isla de Honshu; 413 700 hab. Ind. textil.

KURDISTÁN Región de Asia occidental, habitada por el pueblo kurdo, que abarca el SE de Turquía, el N de Irak y el NO de Irán. De 150 000 a 200 000 km^2 de relieve accidentado y avenada por numerosos ríos. • *(Kordestan)* Prov. del O de Irán, limítrofe con Irak; 24 998 km^2, 782 440 hab. Cap., Sanandaj (95 900 hab.). Maíz, algodón, tabaco, frutas.

Krishna, en una miniatura india. Colección Madhuri Desai, Bombay (India)

La estación de ferrocarriles y el Sulaiman Road en **Kuala Lumpur**

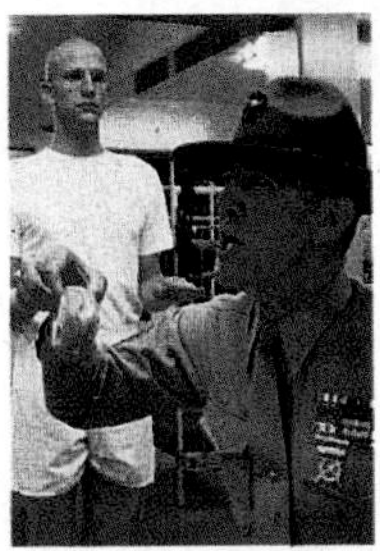

Fotograma de *La chaqueta metálica,* filme de Stanley **Kubrick**

KURDO, DA adj. y s. *Etn.* Díc. de individuos de un pueblo caucasoide, religión musulmana, que viven en la región de Kurdistán. Dedicados en su mayoría al pastoreo, su historia es la de la lucha y la represión más despiadada para que se les reconozca como pueblo en Turquía, Irak, Irán, Siria y la CEI. • m. Lengua indoeuropea de clase irania hablada por este pueblo.
KURE C. de Japón, en la isla de Honshu; 226 500 hab. Sit. en el S de la isla; imp. puerto del mar Interior, en la bahía de Hiroshima. Base naval. Astilleros.
KURGAN C. de la rep. de Rusia; 343 000 hab. En el SO de la llanura de Siberia occidental.

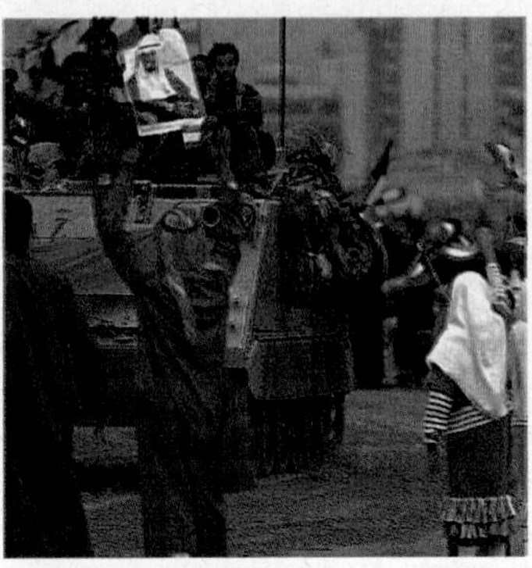

Liberación de la capital de **Kuwait** por las fuerzas aliadas durante la guerra del Golfo

KURILES (japonés, *Chisima-Retto)* Cadena de islas que separa el mar de Ojotsk del Pacífico. Pertenece a la prov. rusa de Sajalín. De naturaleza volcánica, su fauna marina es riquísima. Pesca de ballenas. Japón las cedió a la URSS en 1945, pero en 1992 solicitó su devolución.
KUROSAWA, ***Akira*** (1910-1998) Director de cine japonés. *Rashomon, El idiota,* adaptación libre de Dostoievski, *Vivir, Do-deska-den, Los siete samurais, Dersu Uzala, Ran* y *Los sueños.*
KURO-SHIO o **KURO-SIVO** Corriente cálida del Pacífico Norte que desde las Filipinas corre hacia el NE, alcanzando las costas de Japón y el litoral occidental de América del Norte.
KURSK C. de la rep de Rusia; 420 000 hab. Ind. alimentaria, textil, metalúrgica.
KUSHIRO C. de Japón, en la isla de Hokkaido, junto al océano Pacífico; 214 545 hab. Imp. puerto pesquero y comercial. Ind. de la madera.
KUTÚZOV, ***Mijail Illarionovich Golenischev*** (1745-1813) Mariscal ruso. Al invadir Napoleón Rusia, se le confió el mando del ejército (1812). Tomó la decisión de incendiar Moscú, a fin de aislar al ejército napoleónico, e inició una guerra de guerrillas que llevó al ejército fr. a una retirada desastrosa.

Mapa de situación y bandera de **Kuwait**

KUWAIT *(Dawlat al-Kuwait)* Est. de Arabia; monarquía. Limita con Irak, Arabia Saudí y el golfo Pérsico. Formado por una gran llanura desértica. Profunda bahía frente a la isla de Fulaika. Clima desértico. Las actividades económicas tradicionales han sido sustituidas, desde 1964, por la explotación de los pozos petrolíferos, en la región de Burgan y Magwa. Existe una zona fabril en el puerto de Shuhaibab, dotado de centrales termoeléctricas y de una planta de desalinización marina. Grupos étnicos o nac.: ár., persas, armenios y europeos. Lengua: árabe (of.), ing. y otras. *Rel.* Musulmana (94 %), cristiana. U. M.: el dinar. C. prales.: al-Kuwait, la cap., Hawalli y Salminya.
* *Hist.* En los s. XVIII y XIX fue tributario del imperio otomano, y protectorado ing. desde 1914. A partir de 1946 compañías brit. y norteam. iniciaron la explotación petrolífera. En 1961, el tratado de protección ing. se convirtió en otro de amistad. Irak reclamó parte del territorio de K. Desde 1965 a 1977 reinó el emir Sabah al-Salim al-Sabah y, a partir de esta fecha, reina Jaber al-Ahmad al-Sabah. En la guerra entre Irán e Irak, apoyó a este último país, lo que no evitó que fuera invadido por tropas iraquís en agosto de 1990. Al no retirarse éstas en el plazo fijado por la ONU estalló la guerra del Golfo. El 17 de enero de 1991 comenzaron las hostilidades, el 27 de febrero era liberado Kuwait y, al día siguiente, finalizaba la guerra. Irak aceptó las condiciones establecidas por la ONU y tres años más tarde reconoció la soberanía de K. sobre los territorios en disputa.

KUWAIT

Superficie	17 818 km²
Población	1 691 000 hab. (95 hab./km²)
Recursos económicos	
Cemento	800 000 t
Energía eléctrica	23 152 millones de kwh
Fertilizantes	293 000 t
Gas natural	5 975 millones de t
Petróleo	100 917 000 t
Indicadores sociológicos	
PNB	28 941 millones de dólares
Renta per cápita	17 390 dólares
Esperanza de vida	76 años
Alfabetismo	78,6 %

al-KUWAIT Cap. de Kuwait, puerto sobre la bahía hom. y el golfo Pérsico; 167 750 hab. Refino de crudo.
KUZBASS Cuenca hullera de la rep. rusa, al S de Siberia, y al pie del Altái. Ind. siderúrgica y metalúrgica.
KUZNECOV, ***Anatolij Vasiljevic*** (nacido 1929) Escritor ruso. Exiliado en Inglaterra desde 1969. *Babi Yar, el vértigo del terror.*
KUZNETS, ***Simon*** (1901-1985) Economista norteam. de origen ucraniano. Premio Nobel de Economía en 1971. *Movimientos seculares en la producción y los precios, El producto nacional, desde 1869 y Crecimiento y estructura económica.*
KUZNETSOV, ***Nikolai*** (1902-1974) Militar sov. Comandante de la armada soviética durante la II Guerra Mundial y, de 1953 a 1956, ministro adjunto de Defensa.
KWANGJU C. del SO de la República de Corea; 727 600 hab. Centro industrial textil.
KWANTI En el taoísmo, dios de la guerra, al que veneraban los soldados.
KWAZULU Antiguo bantustán de la República Sudafricana. Cap., Nongoma. Pob. mayoritariamente zulú. Actividades agropecuarias.
KYLIX (voz gr.) f. Copa griega decorada.
KYOGA Lago de Uganda, al N del lago Victoria, al cual afluye y del cual es emisario el Nilo Victoria.
KYOTO → Kioto.
KYPRIANOU, ***Spyros*** (nacido 1933) Político chipriota. Líder del centro derechista Frente Democrático. Al morir Makarios (1977) fue elegido presid. provisional de la rep., y confirmado en 1978; reelegido en 1983, pero derrotado en 1988.
KYUSHU La más meridional de las cuatro grandes islas del Japón; 42 163 km², 13 296 000 hab. Tierra tropical cubierta de frondosos bosques. Arroz, legumbres, tabaco, caña de azúcar. Pesca. Yacimientos de hulla que han dado lugar a imp. centros ind. C. prales.: Kukuoka, Nagasaki, Omuta y la gran conurbación de Kitakyushu (Kokura, Moje, Wakamatsu, Yawata).

L

Puerta arqueada de la ciudad maya de **Labná**

L f. Duodécima letra del abecedario esp., y novena de sus consonantes. Su nombre es *ele.* • En su forma mayúscula, letra numeral que tiene el valor de 50 en la numeración romana. • Símb. del litro. • *Quím.* Pref. que, antepuesto al nombre de un compuesto químico ópticamente activo, indica que éste es levógiro. • *Quím.* Segundo de los niveles energéticos que pueden ocupar los electrones en el átomo de Bohr.

LA Art. determinado en gén. femenino y núm. singular. • Acusativo del pron. personal de tercera persona en gén. femenino y núm. singular. No admite prep., y puede usarse como sufijo. Esta forma no debe emplearse en dativo. • m. *Mús.* Sexta nota de la escala de do.

La *Quím.* Símb. del lantano.

LA BRUYÈRE → Bruyère, Jean de La.

LA CONDAMINE → Condamine, Charles Marie de La.

LA FAYETTE → Fayette, marqués de La.

LA FONTAINE → Fontaine, Jean de La.

LABADISMO m. Secta protestante pietista, fundada por Jean de Labadie.

LABARIA f. Ofidio de la familia crotálidos, de unos 2 m de long., de color grisáceo. Venenoso, habita en América tropical.

LÁBARO m. Estandarte de los emperadores romanos, al que se incorporó, a partir de Constantino, la cruz y el monograma de Cristo.

LABÉ, *Louise* (1526-1566) Escritora fr. imitadora de Petrarca y precursora de la Pléyade. *Debate entre la Locura y el Amor, Cancionero.*

LABEL (voz ing.) m. Marca creada por un sindicato profesional y colocada sobre un producto certificando su origen y las condiciones de fabricación.

LABELO m. Órgano de la flor de las orquídeas.

LABERINTO m. Lugar con calles, encrucijadas y plazas, dispuesto de modo que sea difícil encontrar la salida. • *Anat.* Conjunto de cavidades que forman el oído interno. • Cosa confusa y enredada. • Composición poética cuyos versos pueden leerse de maneras distintas conservando la cadencia y el sentido. ■ LABERÍNTICO, CA.

* *Anat.* El l. consta de: *l. óseo*, formado por el vestíbulo, conductos semicirculares y caracol; y el *l. membranoso*, formado por el utrículo, sáculo, conducto coclear, conductos semicirculares membranosos y conducto endolinfático.

LABERINTODONTO, TA adj. y m. *Pal.* Díc. del grupo de anfibios fósiles del devónico y triásico, que dieron origen a la mayor parte de anfibios, reptiles y vertebrados superiores actuales.

LABIA f. fam. Habilidad para decir cosas agradables o convencer con palabras. ■ *Amér.* LABIOSO, SA.

LABIADO, DA adj. *Bot.* Díc. de la planta, de la flor, etc., que tienen el cáliz o la corola provistos de dos labios. • adj. y f. *Bot.* Díc. de las plantas dicotiledóneas, herbáceas o arbustivas, de hojas simples y opuestas, con glándulas secretoras de esencias y flores con corola labiada. • f. pl. *Bot.* Familia de estas plantas, que agrupa a unas tres mil especies, propias de los países templados y con propiedades aromáticas y medicinales.

LABIAL adj. Relativo a los labios. • *Fon.* Díc. de la consonante cuya pronunciación depende pralm. de los labios, como la *b.* • adj. y f. Díc. de la letra que representa este sonido.

LABIALIZAR tr. *Fon.* Dar carácter labial a un sonido. ■ LABIALIZACIÓN.

LABIÉRNAGO m. Arbusto oleáceo, de fruto en drupa globosa y negruzca del tamaño de un guisante.

LABIHENDIDO, DA adj. Que tiene hendido o partido el labio superior.

LÁBIL adj. Que resbala fácilmente. • Frágil, caduco, débil. • *Psic.* Díc. del individuo que presenta inestabilidad psíquica o afectiva debido a una falta de control de las reacciones emotivas. • *Quím.* Díc. del compuesto poco estable. ■ LABILIDAD.

LABIO m. Cada uno de los dos repliegues musculomembranosos que limitan la abertura externa de la boca. • *Zool.* Pieza anterior de la boca de los insectos. • *Bot.* Cada uno de los lóbulos de la corola de las labiadas. • **L. vulvares.** Pliegues cutáneos que constituyen la porción más externa de la vulva.

LABIODENTAL adj. y f. *Fon.* Díc. de la consonante cuyo punto de articulación se sitúa donde inciden el labio inferior y el borde de los incisivos superiores. • Díc. de la letra que representa este sonido.

LABNÁ C. maya del centro de Yucatán, perteneciente al estilo Puuc (s. VIII d. C.) en el periodo clásico del imperio antiguo.

LABOR f. o **LABORÍO** m. Trabajo. • Trabajo de cosido, bordado o tejido, realizado a mano o a máquina. • Labranza, en especial la de las tierras que se siembran. Hablando de las demás operaciones agrícolas, úsase más en pl. • Vueltas de arado o cava que se da a la tierra. • Cada uno de los grupos de productos que se confeccionan en las fábricas de tabacos. • *Min.* Excavación. Se usa más en pl. • pl. Trabajos domésticos realizados por la mujer que no tiene profesión o que no ejerce ninguna actividad retribuida.

Flor de oreja de león, arbusto de la familia **labiadas**

Labores de labranza en la Baja Edad Media. Miniatura del s. XV. Biblioteca Riccardiana, Florencia

Thalassoma fuscus, perciforme de la familia **lábridos**

Luis Alberto **Lacalle**

Ornamentos de **lacería** en la fachada del templo de la Seo, Zaragoza (España)

LABORABLE adj. Que se puede laborar o trabajar. • Díc. del día no festivo.
LABORAL adj. Perteneciente o relativo al trabajo, en su aspecto económico, jurídico y social.
LABORALISTA adj. y s. Díc. del abogado especializado en derecho laboral.
LABORAR tr. Labrar. • intr. Gestionar o intrigar con algún designio. ■ LABORANTE.
LABORATORIO m. Local en el que se realizan experimentos o análisis químicos, o se elaboran medicamentos y otros productos químicos. • Local dispuesto y equipado para la investigación. • **espacial.** *Astron.* Satélite artificial de órbita terrestre y de gran tamaño, proyectado para servir de residencia temporal de equipos astronáuticos encargados de realizar diversas misiones, y también para funcionar como base de lanzamiento y de abastecimiento de otros vehículos espaciales. También se denomina *estación espacial* u *orbital.* • **fotográfico.** El destinado a las manipulaciones que permiten el revelado, la reproducción y la composición fotográficas.
LABORDE, ***Alexandre,*** MARQUÉS DE (1774-1842) Escritor, arqueólogo y dibujante fr. *Viaje pintoresco e histórico por España, Itinerario descriptivo de España.*
LABOREAR tr. Labrar o trabajar una cosa. • Hacer excavaciones en una mina.
LABOREO m. Cultivo del campo. • Conjunto de trabajos necesarios para hacer explotable una mina.
LABORERA adj. Aplícase a la mujer hábil en las labores.
LABORIOSIDAD f. Aplicación o inclinación al trabajo.
LABORIOSO, SA adj. Trabajador, aficionado al trabajo. • Trabajoso, penoso.
LABORISMO m. *Pol.* Mov. político brit., de orientación socialista reformista y no marxista, que, desde principios del s. XX, se ha convertido en partido turnante en el poder, gracias al bipartidismo del Parlamento brit. ■ LABORISTA.
LABORTERAPIA f. *Med.* Tratamiento de las enfermedades psíquicas mediante el trabajo.
LABRA, ***Rafael M.ª*** (1840-1918) Político y periodista esp., nacido en Cuba. Luchó por la autonomía de las colonias y la abolición de la esclavitud.
LABRADO, DA adj. Aplícase a las telas o géneros que tienen alguna labor. • m. Acción y efecto de labrar. • Campo labrado. Se usa más en pl. • f. Tierra dispuesta para sembrarla al año siguiente.
LABRADOR, RA adj. y s. Que labra la tierra. • m. y f. Persona que posee hacienda de campo y la cultiva por su cuenta. ■ LABRADORESCO, CA; LABRADORIL.
LABRADOR Península del NE de Canadá (prov. de Quebec y Terranova), sit. entre el Atlántico y la bahía de Hudson; 1 300 000 km². País frío y desértico. Unas 20 000 personas entre esquimales y descendientes de europeos. Pieles, bacalao, minas de hierro, energía hidroeléctrica. • **Corriente del L.** La que se origina en el NO del Atlántico, uniéndose en L. al Gulf Stream.
LABRADOR Ruiz, ***Enrique*** (nacido 1902) Novelista cubano. *Sangre hambrienta, Laberinto, Cresival* y *Anteo* (trilogía).
LABRADORITA f. *Miner.* Feldespato laminar de color gris, que entra en la composición de rocas eruptivas pobres en sílice.
LABRANTÍN m. Labrador de pequeña hacienda.
LABRANTÍO, A adj. y m. Aplícase al campo o tierra de labor.
LABRANZA f. Cultivo de los campos. • Hacienda de campo o tierras de labor.
LABRAR tr. Trabajar una materia. • Cultivar la tierra. • Arar. • Cultivar una tierra ajena. • fig. Hacer, causar. • intr. fig. Hacer fuerte impresión en el ánimo una cosa. ■ LABRA; LABRADERO, RA; LABRANDERA.
LABRERO, RA adj. Aplícase a las redes para pescar cazones.
LÁBRIDO, DA adj. y m. *Zool.* Díc. de los peces de la familia lábridos. • m. pl. *Zool.* Familia de peces perciformes, que comprende formas vistosas y propias de mares cálidos.
LABRIEGO, GA m. y f. Persona que vive en el campo, dedicada a las faenas de la tierra.
LABRIOLA, ***Antonio*** (1843-1904) Filósofo it. Su pensamiento influyó en Gramsci y Lukács. *Moral y religión, Del materialismo histórico.* • ***Arturo*** (1873-1970) Político y economista it. Luchó contra el fascismo. *El capitalismo, La actualidad de Marx.*
LABRO m. *Zool.* Labio superior de la boca de los insectos.
LABROUSTE, ***Henri*** (1801-1875) Arquitecto fr. Utilizó el hierro sin recubrimiento en sus construcciones (Biblioteca de Santa Genoveva y Biblioteca Nacional, ambas en París).
LABRUSCA f. Vid silvestre. Es comestible y tiene propiedades medicinales.
LABURNO m. Planta arbustiva de la familia papilionáceas. Se cultiva con fines ornamentales, por sus vistosas flores amarillas.
LABURO m. fam. *R. de la Plata.* Trabajo, sitio donde se trabaja.
LACA f. Látex que se extrae de ciertos árboles y arbustos de la familia terebintáceas de Extremo Oriente. • Materia resinosa originada por cochinillas que viven sobre diversos árboles, usada para la fabricación de barnices, lacre, masilla y cemento. • Líquido que sirve para fijar el peinado. ■ LACAR.
LACALLE, ***Luis Alberto*** (nacido 1941) Abogado y político ur. Presidente de la rep. por el Partido Nacional entre 1990 y 1995.
LACAN, ***Jacques*** (1901-1981) Psiquiatra y filósofo fr. Intentó una síntesis entre el psicoanálisis y el estructuralismo, poniendo al descubierto el lenguaje del inconsciente. *Escritos.*
LACANDÓN, NA adj. y s. Díc. de individuos de un pueblo amerindio de la familia lingüística maya-quiché, que habitan en la zona montañosa del curso superior del río Usumacinta (Petén de Guatemala y est. mex. de Chiapas). Son los más puros descendientes de los ant. mayas. Suman 300 individuos y se dedican a la agr., la caza y la pesca. • m. pl. Este mismo pueblo.
LACAYA m. *Bol.* Casa o cabaña sin techo.
LACAYO m. Cada uno de los dos soldados de a pie que solían acompañar a los caballeros en la guerra. • Criado de librea. • Lazo colgante de cintas que usaban como adorno las mujeres. • fig. Persona aduladora o servil. ■ LACAYUNO.
LACEADOR m. *Amér.* Hombre que lacea las reses.
LACEAR tr. Adornar con lazos. • Atar con lazos. • Disponer la caza para que venga al tiro, rastreándola. • Coger con lazo los animales. • *Argent.* Azotar con el lazo.
LACEDEMONIA → Esparta.
LACERAR tr. y prnl. Lastimar, golpear, magullar, herir. • tr. fig. Dañar, vulnerar. • intr. Padecer, pasar trabajos. ■ LACERACIÓN; LACERADO, DA.
LACERIA f. Miseria, pobreza. • Trabajo, molestia. ■ LACERIOSO, SA.
LACERÍA f. Conjunto de lazos, especialmente en labores de adorno. • *Arq.* Ornamentación formada por anillos unidos entre sí o por otros motivos vegetales estilizados que se cortan y enlazan.
LACERO m. Persona diestra en manejar el lazo para apresar ciertos animales. • Empleado municipal encargado de recoger perros vagabundos.
LACERTA *Astr.* Constelación que se encuentra entre las de *Cygnus* y *Andrómeda.*
LACÉRTIDO, DA adj. y m. *Zool.* Díc. de cada una de las 180 especies de la familia de reptiles saurios, de nombre vulgar lagartos y lagartijas, que viven en Asia, Europa y norte de África.
LACERTOSO, SA adj. Musculoso, membrudo, fornido.
LACHA f. Haleche, especie de sardina pequeña. • fig. y fam. Pundonor, vergüenza.

LACHEAR tr. *Chile.* Galantear.
LACHELIER, ***Jules*** (1832-1918) Filósofo fr., uno de los fundadores del neoespiritualismo francés, cuya herencia recogió Bergson. *Del fundamento de la inducción.*
LACHO, CHA adj. y s. *Chile.* Galante, enamorado.
LACINIA f. *Bot.* Segmento estrecho y alargado de cualquier órgano laminar, hoja, pétalo, etc., y de los que son más o menos filamentosos, como los estigmas. ■ LACINIADO, DA.
LACIO, CIA adj. Marchito, ajado. • Flojo, sin vigor. • Díc. del cabello que cae sin formar ondas ni rizos.
LACIO *(Lazio)* Región del centro-oeste de Italia, a orillas del Tirreno; 17 227 km^2, 5 140 400 hab. Cap., Roma. Río pral.: Tíber. Cultivos mediterráneos, frutales y legumbres. Ganado ovino. Ind. electromecánica, electrónica, alimentaria. Turismo.
LACLOS, ***Pierre-Ambroise-François Choderlos de*** (1741-1803) Militar y literato francés. *Relaciones peligrosas, La educación de la mujer, De la guerra y la paz.*
LACOLITO m. *Geol.* Masa rocosa en forma de cúpula, originada por intrusión de magmas fundidos en el interior de rocas preexistentes.
LACÓN m. Brazuelo del cerdo curado.
LACÓNICO, CA adj. Laconio, perteneciente a Laconia. • Breve, conciso, compendioso. ■ LACONISMO.
LACONIO, NIA adj. y s. De Laconia, país de Grecia. • m. *Ling.* Dialecto de los laconios; forma un subgrupo dentro del dórico.
LACRA f. Huella de una enfermedad o achaque. • Defecto o vicio, físico o moral.
LACRAR tr. Cerrar con lacre. • tr. y prnl. Dañar la salud de uno; contagiarle una enfermedad. • tr. fig. Dañar o perjudicar a uno en sus intereses.
LACRE m. Mezcla sólida, gralte. de color bermellón, obtenida por la fusión de materias resinosas y sustancias minerales, que se usa para cerrar y sellar cartas, documentos, botellas, etc. • *Col.* Árbol productor de resina. • *Cuba.* Cera de la abeja criolla. • adj. fig. *Amér.* De color rojo.
LACRIMACIÓN f. Líquido que brota de ciertos tallos o raíces al cortarlos transversalmente.
LACRIMAL adj. Relativo a las lágrimas.
LACRIMÓGENO, NA adj. Que produce lagrimeo. Díc. especialmente de ciertos gases.
LACRIMOSO, SA adj. Que tiene lágrimas. • Que mueve a llanto.
LACTALBÚMINA f. *Biol.* Proteína que junto con la caseína y la lactoglobulina constituye el contenido proteico más importante de la leche.
LACTANCIA f. Lactación. • Periodo de la vida en que la criatura mama. • Alimentación del recién nacido con leche.
LACTANTE adj. y s. Que mama o que se halla en el periodo de lactancia. • adj. y f. Que amamanta.
LACTAR tr. Amamantar. • Criar con leche. • intr. Nutrirse con leche. ■ LACTACIÓN.
LACTASA f. *Biol.* Enzima que desdobla la molécula de lactosa en glucosa y galactosa.
LACTATO m. *Quím.* Sal de ácido láctico.
LACTEADO, DA adj. Mezclado con leche; díc. especialmente de la harina.
LÁCTEO, A adj. Perteneciente a la leche o parecido a ella.
LACTESCENTE adj. De aspecto de leche. ■ LACTESCENCIA.
LACTICÍNEO, A o **LACTICINOSO, SA** adj. Relativo a la leche.
LACTICINIO m. Leche o cualquier producto compuesto con ella.
LÁCTICO adj. *Quím.* Relativo a la leche. • Díc. del fermento que actuando sobre la lactosa la convierte en ácido láctico. • **Ácido l.** *Quím.* Ácido orgánico de tres átomos de carbono, que se forma por fermentación de la lactosa.
LACTÍFERO, RA adj. Aplícase a los conductos por donde pasa la leche hasta llegar a los pezones de las mamas. • Que produce o contiene látex o leche.
LACTOBACILO adj. y m. Díc. de las bacterias que producen fermentación láctica.
LACTÓMETRO m. Galactómetro, instrumento para determinar el índice de los componentes de la leche.
LACTOSA o **LACTINA** f. Azúcar compuesto por glucosa y galactosa, que se encuentra en la leche de los mamíferos.
LACTUCARIO m. Jugo lechoso de la lechuga espigada. Se usa como calmante.
LACTUMEN m. *Med.* Usagre o costra láctea, enfermedad eruptiva de los lactantes.
LACUNARIO m. Lagunar, huecos del artesonado.
LACUNZA, ***Manuel*** (1731-1801) Escritor y jesuita chil. *La venida del Mesías en gloria y majestad.*
LACUSTRE adj. Relativo a los lagos.
LADA f. Jara, arbusto.
LADAKH Alineación montañosa del N de la India, en el est. de Jammu-Kashmir. • Región del E y NE de Cachemira, dividida entre la India, Pakistán y China, configurada por la cord. hom. Unos 200 000 hab. indoarios y tibetanos. Zona de graves litigios entre los tres países.
LÁDANO m. Producto resinoso que fluye espontáneamente de las hojas y ramas de la jara. Se usa en perfumería.
LADEAR tr., intr. y prnl. Inclinar y torcer una cosa hacia un lado. • intr. Andar por las laderas. • fig. Desviarse del camino derecho. • prnl. fig. Apartarse para evitar algo o a alguien. • fig. Estar una persona o cosa al igual de otra. • fig. y fam. *Chile.* Enamorarse. • *Argent.* Pervertirse. ■ LADEADO, DA; LADEO.
LADERA f. Declive de un monte o de una altura.
LADERÍA f. Llanura pequeña en la ladera de un monte.
LADERO, RA adj. Lateral.
LADIERNO m. Aladierna, arbusto.
LADILLA f. *Zool.* Insecto anopluro que vive parásito en las partes vellosas del cuerpo humano. • Cebada de granos chatos y pesados.
LADILLO m. Parte de la carrocería de algunos coches, que está a cada uno de los lados de las portecillas. • *Art. Gráf.* Texto breve que suele colocarse en el margen para indicar el contenido de la página.
LADINO, NA adj. Que habla con facilidad alguna o algunas lenguas además de la propia. • fig. Astuto, sagaz.• adj. y s. *Amér. Centr.* y *Méx.* Díc. del hijo de blanco e india. • En la E. Med., romance o castellano, por oposición al ár. • m. Dialecto judeoespañol. • *Ling.* Nombre que los lingüistas it. dan al retorrománico, lengua románica perteneciente al grupo itálico.
LADISLAO I Árpad (h. 1040-1095) Santo. Rey de Hungría [1077-1095]. Incorporó Croacia a sus dominios. • **I** ***el Enano*** (1260-1333) Duque y rey de Polonia [1320-1333]. Artífice de la reunificación del país. • **II Jagellón** (h. 1350-1434) Rey de Polonia [1386-1434]. Fundador de la dinastía de los Jagellones. Convertido al catolicismo.
LADO m. Parte del cuerpo entre el brazo y el hueso de la cadera. • Parte lateral. • Mitad del cuerpo del animal desde el pie hasta la cabeza. • Paraje, sitio. • Parte próxima a los bordes. • Cara, cada una de las superficies de un cuerpo laminar. • Cada una de las dos caras de una cosa. • Línea genealógica. • fig. Cada uno de los aspectos por que se puede considerar una persona o cosa. • fig. Medio o camino. • Cada una de las dos líneas que forman un ángulo. • Cada una de las líneas que limitan un polígono. • **Al l.** m. adv. Muy cerca. • **Dar de l.** a uno. fig. y fam. Evitar su trato. • **Dejar a un l.** una cosa. fig. Omitirla. • **Hacerse a un l.** Apartarse.
LADOGA (ruso, *Ladozhskoie*; finés, *Laatokka*) El mayor lago de Europa, en el NO de Rusia, entre San Petersburgo y la frontera rusofinlandesa; 18 400 km^2. Varios ríos y canales lo unen al lago Onega y al mar Báltico. Abundante pesca.
LADRA f. Acción de ladrar. • Conjunto de ladridos que se oyen a cada encuentro de los perros con una pieza de caza. ■ *Méx., R. de La Plata.* LADRERÍO.
LADRAR intr. Dar ladridos el perro. • fig. y fam. Amenazar sin acometer. • fig. y fam. Insultar o criticar ásperamente a alguien. • fig. y fam. Hablar de modo desagradable. ■ LADRADOR, RA.
LADRIDO m. Voz que emite el perro. • fig. y fam. Murmuración, calumnia.
LADRILLAR tr. Poner ladrillos, enladrillar. • m. Sitio o lugar donde se fabrican ladrillos. ■ LADRILLADO, DA; LADRILLADOR.

Varano, reptil saurio de la familia **lacértidos**

Afluentes del Indo a su paso por la región de **Ladakh**

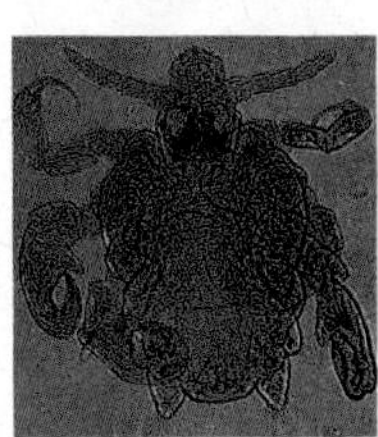

Microfotografía de una **ladilla**

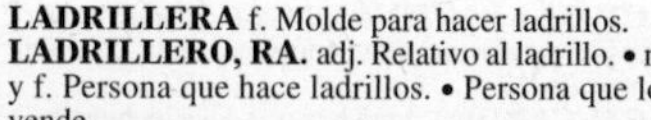

Ermita del Cristo de la Luz (Toledo, España), con fábrica de **ladrillo**

LADRILLERA f. Molde para hacer ladrillos.
LADRILLERO, RA. adj. Relativo al ladrillo. • m. y f. Persona que hace ladrillos. • Persona que los vende.
LADRILLO m. *Const.* Material elaborado con tierra arcillosa amasada con agua, modelada, sometida a un primer secado y cocida después en hornos especiales. • P. ext., elemento semejante hecho de varias materias. ■ LADRILLAZO; LADRILLOSO, SA.
LADRÓN, NA adj. y s. Que hurta o roba. • m. Portillo o derivación en un río, canal o acequia. • Dispositivo para sustraer o desviar el caudal de un fluido. • Toma clandestina de electricidad. • Enchufe que se adapta al casquillo de una lámpara para tomar corriente. • *Art. Graf.* Lardón. • **Buen l.** San Dimas, uno de los malhechores crucificados con Jesucristo, que se arrepintió antes de morir.
LADRONEAR intr. Vivir de robos y hurtos.
LADRONERA f. Lugar donde se recogen y ocultan los ladrones. • Ladrón de un río o acequia. • Acción de defraudar en los intereses. • Alcancía, hucha. • Matacán.
LADRONESCO, CA adj. fam. Perteneciente a los ladrones. • f. fam. Conjunto de ladrones.
LADRONICIO m. o **LADRONERÍA** f. Latrocinio.
LADRONZUELO, LA m. y f. Ratero.
LADY(voz ing.) f. Señora, mujer de un lord. • Dama.
LAËNNEC, *René* (1781-1826) Médico fr. Descubrió la auscultación mediata, que practicó con ayuda del estetoscopio, instrumento inventado por él.
LAERTES *Mit.* Rey de Ítaca, descendiente de Deucalión y padre de Ulises.
LAFARGUE, *Paul* (1842-1911) Político fr., yerno de Karl Max. Participó en la Comuna de París y fundó con Guesde el partido obrero. Se suicidó con su esposa a los 70 años. *El derecho a la pereza, El comunismo y la evolución económica.*
LAFOURCADE, *Enrique* (nacido 1927) Novelista chil., de la generación de 1950, que abandonó el criollismo en beneficio del sicologismo y de técnicas narrativas de vanguardia. *Pena de muerte, La fiesta del rey Acab, En el fondo, Palomita Blanca.*
LAFORET, *Carmen* (nacida 1921) Novelista esp. *Nada* (premio Nadal 1944), *La isla y los demonios, La mujer nueva.*
LAFORGUE, *Jules* (1860-1887) Poeta lírico fr., uno de los más representativos del simbolismo. *Lamentaciones, Moralidades legendarias.*
LAFUENTE, *Modesto* (1806-1866) Escritor esp., autor de sátiras políticas *(Capilladas)* que firmaba con el seud. FRAY GERUNDIO y de una *Historia de España.* • **Ferrari, *Enrique*** (1898-1985) Historiador del arte esp. *Historia de la pintura española; Goya, grabados y litografías; Zuloaga; Velázquez.*

Lagartija

LAGAÑA f. Legaña.
LAGAR m. Sitio donde se estruja o prensa la uva, la manzana o la aceituna para obtener el mosto, la sidra o el aceite. • Edificio donde hay un lagar. • En fábricas de salazón, depósito para conservar el pescado en salmuera. ■ LAGARERO.
LAGARDE, *Paul Anton Bötticher* (1827-1891) Filólogo y escritor político al. Sus textos nacionalistas y antisemitas tuvieron gran influencia en el nazismo.
LAGAREJO m. Uva destinada al consumo, que se echa a perder.
LAGARETA f. Lagarejo. • Charco de agua u otro líquido.
LAGARTA f. Hembra del lagarto. • Oruga de la encina. • fig. y fam. Mujer astuta. • Prostituta.
LAGARTADO, DA adj. Semejante en el color a la piel del lagarto.
LAGARTEAR tr. *Chile.* Coger a uno por los brazos y apretárselos con el fin de atormentarlo o vencerlo en la lucha. • intr. Conducirse taimadamente. ■ LAGARTEO.
LAGARTERA f. Madriguera del lagarto.
LAGARTERO, RA adj. Aplícase al animal que caza lagartos.
LAGARTIJA f. Reptil de pequeño tamaño de la familia lacértidos.
LAGARTIJERO, RA adj. Aplícase a algunos animales que cazan y comen lagartijas.
LAGARTIJO m. *Méx.* Lechuguino, gomoso.
LAGARTIJO Seud. de *Rafael Molina* (1841-1900) Torero esp., lidiador elegante y hábil matador.
LAGARTO m. Reptil saurio de mediano tamaño, sumamente ágil, inofensivo y muy útil para la agricultura por la gran cantidad de insectos que devora. • Músculo grande del brazo, que está entre el hombro y el codo. • fig. y fam. Hombre astuto, taimado. Se usa también como adjetivo. • *Amér.* Caimán, reptil. • **¡Lagarto!** interj. usada para alejar la mala suerte. Se usa más repetida.

Liebre del desierto de Sonora (México), mamífero del orden **lagomorfos**

LAGARTO *(Lacerta) Astr.* Constelación boreal.
LAGARTÓN, NA adj. y s. Díc. de la persona astuta. • f. Prostituta.
LAGASH Ant. c. sumeria en el Shatt al-Hai, curso de agua que unía los ríos Éufrates y Tigris.
LAGERKVIST, *Pär* (1891-1974) Escritor sueco. *Motivos, Hierro y hombres, La eterna sonrisa* (poesía), *El invisible* (drama), *Vida conquistada, El hombre sin alma, El verdugo, El enano, Barrabás* (novela). Premio Nobel de Literatura en 1951.
LAGERLÖF, *Selma* (1858-1940) Novelista sueca. Sus obras evocan su paisaje natal desde una perspectiva optimista y cristiana. *El maravilloso viaje de Nils Holgersson.* Premio Nobel de Literatura en 1909.
LÁGIDA Dinastía (306-30 a. C.) fundada por Tolomeo, general de Alejandro Magno, que gobernó Egipto hasta su conquista por Roma.
LAGO m. *Geog.* Masa de agua dulce o salada que ocupa una zona deprimida de la corteza terrestre. • **de lava.** Manifestación de la actividad persistente de los volcanes. Se forma en la boca del conducto volcánico y ocupa entera o en parte la cavidad del cráter.
* *Geog.* En general, el l. está alimentado por un curso de agua, el inmisario, y drenado por otra corriente fluvial, el emisario, que comunica con el mar u otro l. Por su origen pueden ser glaciares, volcánicos, endorreicos (zonas sin drenaje al mar), kársticos (en regiones calcáreas) o de presa (por acumulación de agua junto a una presa o barrera).
LAGOFTALMÍA f. Imposibilidad de cerrar totalmente los párpados. Se debe a una afectación periférica del nervio facial que produce la parálisis del músculo orbicular de los párpados.

Lagos más extensos del mundo

	km^2
Mar Caspio	424 300
Superior	84 131
Victoria	68 800
Aral	65 500
Hurón	59 500
Michigan	58 016
Tanganica	32 893
De los Osos	31 792
Baikal	31 500

LAGOMORFO, FA adj. y m. *Zool.* Díc. de los animales del orden lagomorfos. • m. pl. *Zool.* Orden de mamíferos placentarios, que comprende dos familias, los lepóridos (liebres y conejos) y los ocotónidos (pikas).
LAGÓN o **LAGOON** m. Extensión de agua salada, de escasa profundidad, encerrada en un arrecife coralino.
LAGOPO m. Pie de liebre, especie de trébol.
LAGOS C. de Nigeria, ant. cap.; 1 068 000 hab. Puerto activo. Caucho, aceite de palma y maderas. Ind. textil, alimentaria, mecánica. Aeropuerto. Universidad.
LAGOS, *Los* Región del centro-sur de Chile; 66 997 km^2, 953 330 hab. Cap., Puerto Montt. Numerosos lagos. Cereales, ganadería, explotación forestal. Pesca e ind. derivadas.
LAGOS Escobar, *Ricardo* (nacido 1938) Político chileno. Miembro del Partido Socialista, fue ministro de Educación y de Obras Públicas en los gobiernos de P. Aylwin y E. Frei, respectivamente. En enero de 2000 fue elegido presidente.
LAGOS DE MORENO C. de México, en el est. de Jalisco; 33 800 hab. Centro agropecuario.
LAGOTEAR intr. fam. Halagar o hacer zalamerías para conseguir algo. ■ LAGOTERÍA.
LAGRANGE, *Albert Marie* (1855-1938) Dominico fr., fundador de la Escuela de estudios bíblicos de Jerusalén. *Sinopsis evangélica, Método histórico, en relación con el Antiguo Testamento.*
LAGRANGE, *Joseph Louis de* (1736-1813) Matemático y físico fr. Trabajó en el cálculo de variaciones; creador de la mecánica racional.

1

2

3

4

5

LAGO

1., 2., 3. y 4. Los lagos de montaña son en general profundos, ya que se forman por acumulación de agua en grietas del lecho rocoso. Son lagos pobres en elementos biógenos, por lo que apenas desarrollan formas de vida importantes (1). En cambio, los lagos de llanura, formados al cerrarse un valle o una depresión, suelen ser poco profundos, ricos en elementos nutritivos, y desarrollan una flora y una fauna variadas (2). La vegetación que crece en sus orillas forma suelo en las mismas (3) y termina por invadir el interior del lago, que se colmata (4). 5. Particularmente impresionantes son los lagos que ocupan los cráteres de volcanes apagados. 6. Un lago que reciba gran aporte de nutrientes puede desarrollar una gran variedad de formas de vida, desde plantas flotantes y sumergidas hasta formas planctónicas, insectos, crustáceos y peces.

6

LÁGRIMA f. Gota segregada por la glándula lagrimal y vertida en la parte externa del globo ocular. Suele usar se en pl. • fig. Gota de humor o de jugo que destilan las vides y otros árboles después de la poda. • fig. Porción muy corta de cualquier licor. • Adorno en forma de gota. • fig. Vino de lágrima. • pl. fig. Pesadumbres, adversidades, dolores. • **Lágrimas de cocodrilo.** fig. Las que vierte una persona aparentando un dolor que no siente.

LAGRIMAL adj. Aplícase a los órganos de secreción y excreción de las lágrimas. • *Agr.* Úlcera que suele formarse en la axila de las ramas. • m. *Anat.* Extremidad del ojo próxima a la nariz.

LAGRIMEAR intr. Segregar lágrimas los ojos. • Llorar con frecuencia y facilidad. ■ LAGRIMEO.

LAGRIMILLA f. *Chile.* Mosto nuevo.

LAGRIMOSO, SA adj. Aplícase a los ojos tiernos y húmedos y a la persona o animal que los tiene en tal estado. • Lacrimoso, que mueve a llanto.

LAGUÁ f. *Bol.* y *Perú.* Puches o gachas con fécula de patatas heladas o de chuño.

LAGUÁN m. *Chile.* Especie de ciprés.

LAGUERRE, ***Enrique*** (nacido 1906) Escritor puertorriq., perteneciente a la «generación del 30». *La llamarada, La ceiba en el tiesto, El fuego y su aire.*

LAGUNA f. Depósito natural de agua, menor que el lago. • fig. Omisión en un texto o en un trabajo. • fig. Fallo en la memoria. • Defecto o vacío en un conjunto o serie. ■ LAGUNOSO, SA.

LAGUNA, ***La*** C. de España, en Canarias, en la isla de Tenerife (prov. de Santa Cruz de Tenerife); 121 769 hab. Universidad. Aeropuerto.

LAGUNA, ***Andrés*** (1499-1559) Humanista y médico esp. Fue médico de Carlos V y del papa Julio III. *Viaje de Turquía.*

LAGUNAJO m. Charco de gran tamaño.

LAGUNAR m. Hueco que dejan los maderos con que se forma el artesonado. • Charco.

LAGUNATO m. *Cuba* y *Hond.* Lagunajo, charco.

LAGUNERO, RA adj. Perteneciente a la laguna. • adj. y s. De La Laguna, c. canaria. • Relativo a esta población.

LAHORE C. del NE de Pakistán, cap. de la prov. del Punjab; 2 922 000 hab. Mercado agrícola y centro ind. Universidad. Aeropuerto.

LAICADO m. En la iglesia católica, la condición y el conjunto de los fieles no clérigos.

LAICISMO m. Doctrina que propugna la independencia del hombre, la sociedad y el Estado de toda influencia religiosa.

LAICIZAR tr. Hacer laico o independiente de toda influencia religiosa.

LAICO, CA adj. y s. Lego, o que no tiene órdenes clericales. • adj. Díc. de la escuela o enseñanza en que se prescinde de la instrucción religiosa. ■ LAICAL; LAICIDAD.

LAIKA Perra lanzada al espacio con la cápsula Sputnik II (noviembre 1957), y que fue el primer ser viviente satelizado.

LAÍN Entralgo, ***Pedro*** (1908-2001) Médico y escritor esp. Presid. de la Real Academia Española (1982-1987). *Las generaciones de la historia, España como problema, Historia de la medicina, Esperanza en tiempo de crisis, La empresa de envejecer.*

LAÍNEZ, ***Daniel*** (1914-1959) Poeta hond. *Cris-*

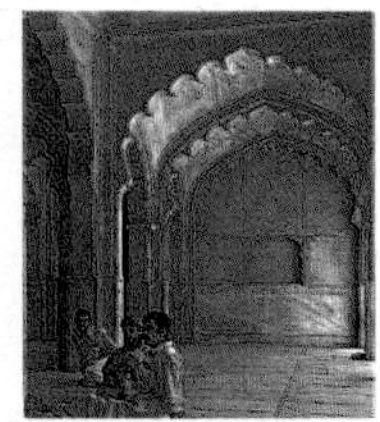

Interior de la mezquita Pearl, en **Lahore**

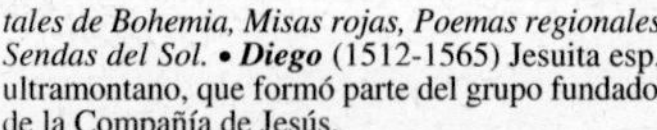

tales de Bohemia, Misas rojas, Poemas regionales, Sendas del Sol. • ***Diego*** (1512-1565) Jesuita esp., ultramontano, que formó parte del grupo fundador de la Compañía de Jesús.

LAIR, ***Clara*** (1895-1974) Poetisa puertorriq. *Arras de cristal, Trópico amargo, Más allá del poniente.*

Salto de agua en el río **Laja**

LAIRÉN adj. Díc. de una variedad de uva de grano crecido. • *Ven.* Raíz comestible.

LAÍSMO m. Empleo incorrecto de la forma *la,* originariamente complemento directo, en función de complemento indirecto referido a persona femenina: *Vi a mi hermana y la dije que estudiara.* ■ LAÍSTA.

LAJA f. Lancha, piedra lisa. • *Mar.* Bajo de piedra, a manera de meseta llana. • *Chile* y *Hond.* Arenilla usada para fregar. • *Ecuad.* Terreno empinado. •*Col.* Cuerda fina de pita.

LAJA Río del centro de Chile, afl. derecho del Biobío. Nace en la laguna hom.; 100 km de longitud. Central hidroeléctrica.

LAJES Mun. bras., en el est. de Santa Catarina; 55 000 hab.

LAKAS, ***Demetrio*** (1925-1999) Político panameño. Presid. del gobierno provisional (1969) y de la república (1972-1978), aunque el poder real lo mantenía Omar Torrijos.

LAKSHADWEEP Terr. de la India (islas Laquedivas, Minicoy y Amindivas); 32 km^2, 51 700 hab. Cap., Kavaratti. Pesca. Agr. de subsistencia.

LALANDA, ***Marcial*** (nacido 1903) Torero esp. Destacó en el arte de las banderillas y la suerte de matar.

LALEO m. Fase prelingüística del niño, el cual emite sonidos, más o menos articulados, sin significación.

LALOPATÍA f. Denominación genérica de todos los trastornos del lenguaje.

LAM, ***Wifredo*** (1902-1982) Pintor cub. Estilo expresionista y de formas alargadas y desproporcionadas *(La jungla, Trópico de Capricornio).*

LAMA f. Cieno propio del fondo de los mares, ríos y lugares con agua estancada. • Prado. • Alga de los charcales. • *Bol.* y *Col.* Moho, cardenillo. • *Amér.* Musgo. • *Min.* Lodo de mineral molido. • Tela de oro o plata muy brillante. • *Chile.* Tejido de lana con flecos en los bordes. • *Hond.* Musgo. • m. Patriarca de la iglesia tibetana (lamaísmo) a quien se considera como la encarnación de un Bodhisattva.

Alphonse de **Lamartine,** por Gérard

LAMADRID, ***Teodora*** (1821-1886) Actriz esp. Estrenó *Los amantes de Teruel.* Su hermana ***Bárbara*** (1812-1893), también actriz, fue la intérprete favorita de Hartzenbusch y Zorrilla.

LAMAÍSMO m. Forma tibetana del budismo. ■ LAMAÍSTA.

LAMARCA, ***Carlos*** (1940-1971) Militar y político bras., jefe de la Vanguardia Armada Revolucionaria-Palmares, organización guerrillera izquierdista. Murió en un enfrentamiento con fuerzas del gobierno.

LAMARCK, *Jean-Baptiste de Monet,* CABALLERO DE (1744-1828) Naturalista fr. Hizo estudios de botánica sistemática e investigaciones de tipo evolutivo y filosófico, que le llevaron a formular la teoría de la herencia de los caracteres adquiridos como clave de la transformación de las especies. *Filosofía zoológica.*

LAMARCKISMO o **LAMARQUISMO** m. Doctrina de Lamarck, que atribuye a los seres vivos la facultad de reaccionar ante las influencias externas con modificaciones adaptativas de su organización, que se fijan por herencia.

LAMARTINE, ***Alphonse de*** (1790-1869) Poeta y político fr., una de las grandes figuras del romanticismo. Miembro del gobierno provisional revolucionario de 1848. *Meditaciones poéticas, Rafael* (novela), *Historia de los Girondinos* (ensayo).

LAMAS, ***Andrés*** (1817-1891) Historiador y político ur. Concertó con Brasil una alianza contra el dictador argentino Rosas (1851). *Noticia histórica sobre la república oriental del Uruguay, Las lenguas americanas.*

LAMAT En la religión de los mayas, nombre del octavo día ritual.

LAMB, ***Charles*** (1775-1834) Ensayista brit., uno de los grandes maestros del gén. *(Ensayos de Elías).* Con su hermana **Mary** (1764-1847) publicó (1807) una adaptación para niños de las obras de Shakespeare *(Cuentos de Shakespeare).*

LAMBAYEQUE Dpto. del NO de Perú; 14 231,3 km^2, 1 008 500 hab. Se extiende desde las estribaciones de la cord. Occidental de los Andes hasta el Pacífico. Clima cálido y seco, por lo que sus cursos de agua son de caudal irregular. R. pral.: el hom., aunque las zonas más fértiles corresponden a los valles de los r. Chancay y Saña. Al NO se extiende el desierto de Sechura. Cultivos de arroz, maíz, algodón, yuca y caña de azúcar. Ganadería ovina. Apicultura. Ind. agroalimentarias y textiles. Cap., Chiclayo. • C. de Perú, cap. de la prov. hom., en el dpto. de Lambayeque; 30 000 hab. Avenada por el r. hom. Agr. y ganadería. Centro comercial e ind. alimentarias. En sus proximidades, imp. yacimientos arqueológicos de una cultura precolombina intermedia entre las culturas mochica y chimú, con abundante cerámica decorada.

Lamas de una comunidad monacal en oración

LAMBDA f. Undécima letra del alfabeto gr., que corresponde a nuestra *ele.*

LAMBEL m. *Her.* Pieza que tiene la figura de una faja con tres caídas.

LAMBEPLATOS m. *Amér.* Lameplatos.

LAMBER o **LAMBIAR** tr. *Amér.* Lamer. ■ LAMBETAZO.

LAMBERT m. *Fís.* Unidad de luminancia que equivale a 1 lumen por cm^2.

LAMBETA adj. *Argent.* Adulador.

LAMBIDA f. fam. Lamedura.

LAMBIDO, DA adj. *Amér.* y *Méx.* Relamido. • *Ecuad.* y *Col.* Descarado.

LAMBISCAR o **LAMISCAR** tr. fam. Lamer aprisa y con ansia.

LAMBISQUEAR tr. Buscar los muchachos golosinas para comérselas.

LAMBÓN, NA adj. *Col.* Adulador, soplón.

LAMBRIJO, JA adj. Flaco, delgado. • f. Lombriz. • fig. y fam. Persona muy flaca.

LAMBRUSCO, CA o **LAMBUCERO, RA** adj. y s. *Chile* y *Méx.* Hambriento, goloso.

LAMBRUSQUEAR intr. *Méx.* Golosinear.

LAMBUZO, ZA adj. *Amér. Centr.* Díc. de los animales de hocico largo y puntiagudo, en especial los perros. • *Ven.* Díc. de la persona que mete los dedos en un plato para comer de él.

LAMÉ m. Tela tejida con hilos de metal.

LAMECULOS com. fam. Adulón, persona servil.

LAMEDAL m. Sitio donde hay mucho cieno.

LAMEDOR, RA adj. y s. Que lame. • m. Jarabe. • fig. Halago fingido o lisonja.

LAMELIBRANQUIO, QUIA adj. *Zool.* Díc. del molusco de concha bivalva, como la almeja, el mejillón, etc. • m. pl. *Zool.* Clase de estos animales.

LAMENTABLE adj. Que merece ser sentido o es digno de llorarse. • Que infunde tristeza.

LAMENTACIÓN f. Palabra o exp. con que alguien se lamenta de algo. • Lamento, queja de dolor o pena.

LAMENTACIONES, ***Libro de las*** *Rel.* Libro

profético del Antiguo Testamento, atribuido a Jeremías, que contiene los *Trenos* (cantos lúgubres) sobre la destrucción de Jerusalén.
LAMENTAR tr., intr. y prnl. Sentir una cosa con llanto, sollozos u otras demostraciones de dolor. • tr. e intr. Experimentar contrariedad por alguna cosa. • prnl. Quejarse, manifestar con palabras contrariedad, sentimientos, disgusto o pena por algo. ■ LAMENTADOR, RA; LAMENTO; LAMENTOSO, SA.
LAMEPLATOS com. fig. y fam. Persona golosa. • fig. y fam. Persona que se alimenta de sobras.
LAMER tr. y prnl. Pasar repetidas veces la lengua por una cosa. • tr. fig. Tocar suavemente una cosa. ■ LAMEDURA.
LAMERÓN, NA adj. fam. Laminero, goloso.
LAMETÓN m. Acción de lamer con ansia.
LAMEYER, *Francisco* (1825-1877) Pintor esp., exquisito dibujante, dedicado a los pequeños cuadros de historia.
LAMIA f. *Mit.* Monstruo con rostro de mujer y cuerpo de dragón. • Especie de tiburón que puede alcanzar 3 m de longitud.
LAMIDO, DA adj. fig. Díc. de la persona flaca, y de la muy pulida y limpia. • fig. Relamido, demasiado pulcro. • *Pint.* Que tiene aspecto muy terso y liso.
LÁMINA f. Plancha delgada de metal o de otra materia. • Plancha grabada. • Estampa, figura que se traslada al papel u otra materia. • Pintura hecha en cobre. • Parte ensanchada de las hojas, pétalos y sépalos. • Parte delgada y plana de los huesos, cartílagos, tejidos y membranas de los seres orgánicos. • fig. Aspecto, facha. ■ LAMELIFORME; LAMINABLE; LAMINADO, DA.
LAMINACIÓN f. Acción y efecto de laminar. • *Ind.* Método para obtener planchas, chapas y perfiles metálicos haciendo pasar el metal entre dos cilindros o matrices.
LAMINADOR, RA adj. Que lamina. • adj. y s. *Ind.* Díc. de la máquina que lleva a cabo la operación de laminación. • m. El que tiene por oficio hacer láminas de metal.
LAMINAR adj. De forma de lámina. • Aplícase a la estructura de un cuerpo cuando sus láminas u hojas están sobrepuestas y paralelamente colocadas. • tr. Tirar láminas, planchas o barras con el laminador. • Guarnecer con láminas.
LAMINARIA f. Nombre común de unas algas pardas que se utilizan industrialmente para la obtención de un azúcar (lamanita) y yodo.
LAMINERO, RA adj. y s. Que hace láminas. • adj. Que guarnece relicarios de metal. • Goloso.
LAMINOSO, SA adj. Aplícase a los cuerpos cuya textura es laminar.
LAMOSO, SA. adj. Cenagoso.
LAMPA f. *Chile* y *Perú.* Azada, laya.
LAMPADARIO m. Pie vertical con brazos, que sostiene las lámparas.
LAMPALAGUA adj. y s. *Argent.* Tragón, glotón. • m. *Chile.* Monstruo fabuloso que seca los ríos. • f. Boa acuática de América.
LAMPAR tr. e intr. Afectar la boca con una sensación de ardor. • prnl. Tener ansiedad por una cosa.
LÁMPARA f. Aparato para obtener luz artificial. En 1879, Edison inventó la l. eléctrica o de incandescencia. • Utensilio que sirve de soporte a una o varias luces. • Carretón de l. • Lamparón, mancha de aceite o grasa que cae en la ropa. • **de arco.** Fuente de luz que consiste en dos electrodos entre los cuales se produce una descarga de arco eléctrico muy luminosa y rica en radiaciones ultravioleta. • **de cuarzo.** Aquella cuyo bulbo es de cuarzo y emite radiaciones ultravioleta. • **de incandescencia.** La que contiene un filamento metálico, habitualmente de volframio, por el que al pasar la corriente eléctrica se produce una emisión de luz. • **de neón.** L., gralte. en forma de tubo, con un electrodo en cada extremo; entre ellos se establece el arco, que contiene gas neón enrarecido. • **de vapor metálico.** La que en su interior contiene un metal en estado de vapor (sodio, mercurio, etc.) y dos electrodos entre los cuales se provoca una descarga eléctrica. ■ LAMPARERO, RA; LAMPARISTA.
LAMPARÁMETRO m. Aparato para verificar las lámparas o válvulas electrónicas.
LAMPARAZO m. *Col.* Trago.
LAMPARERÍA f. Taller, tienda o almacén del lamparero.
LAMPARILLA f. Candelilla que se enciende en un vaso con aceite. • Plato o vaso en que ésta se pone. • Álamo temblón.
LAMPARÍN m. Cerco de metal en que se pone la lamparilla en las iglesias.
LÁMPARO, RA adj. *Col.* Pelón, sin blanca, pobre.
LAMPARÓN m. Mancha de aceite en la ropa. • *Med.* Escrófula en el cuello. • *Vet.* Enfermedad de los solípedos, acompañada de tumores.
LAMPATÁN m. Tubérculo medicinal de una planta de China y de América.
LAMPAZO m. Planta herbácea compuesta cuyo involucro tiene escamas con espinas en anzuelo. • *Col.* y *Ven.* Golpe, latigazo.
LAMPEAR tr. *Chile* y *Perú.* Remover la tierra con la lampa.
LAMPEDUSA Pequeña isla it. del Mediterráneo, sit. entre Malta y Tunicia; 20 km^2, 5 000 hab. Pesca y agricultura.
LAMPEDUSA, *Giuseppe Thomas* PRÍNCIPE DE (1896-1957) Escritor it., autor de la novela *El gatopardo*, vigoroso relato sobre la decadencia de la nobleza.
LAMPEÓN o **LAMPIÓN** m. Farol de alumbrar.
LAMPERO m. *Chile* y *Perú.* Labriego que lampea.
LAMPIÑO, ÑA adj. Díc. del hombre que no tiene barba. • Que tiene poco pelo o vello. • *Bot.* Falto de pelos.
LAMPÍRIDO, DA adj. y m. *Zool.* Díc. de insectos de la familia lampíridos. • m. pl. *Zool.* Familia de insectos coleópteros, de tegumentos y élitros blandos. Numerosas especies son fosforescentes; por ej., la luciérnaga.
LAMPISTERÍA f. Fontanería, taller o tienda del electricista. ■ LAMPISTA.
LAMPREA f. Pez ciclóstomo de cuerpo cilíndrico, liso y viscoso, de un metro de largo, que vive asido por la boca a las rocas. Su carne es muy estimada.
LAMPREADA f. *Guat.* Tunda de lampreazos.
LAMPREADO m. Guiso chileno hecho con charquí y otros ingredientes.
LAMPREAR tr. Guisar una vianda, friéndola o asándola primero, y cociéndola después en vino o agua con especies finas. • *Guat.* Azotar.
LAMPREAZO m. Latigazo.
LAMPREÍLLA f. Pez de río, parecido a la lamprea de agua dulce.
LAMPRIDIFORME adj. Díc. de los peces óseos de ojos grandes y boca protráctil, sin dientes. • m. pl. *Zool.* Orden de estos peces que comprende especies pelágicas y abisales.
LAMPRÓFIDO m. *Geol.* Roca filoniana básica, rica en minerales ferromagnésicos.
LAMPUGA f. Pez marino, acantopterigio, comestible.
LAMPUSO, SA adj. *Cuba.* Atrevido, desvergonzado.
LAMTUNA adj. y s. Díc. de individuos de una tribu beréber del Sáhara occidental, antecesores de los actuales tuareg. • m. pl. Esta misma tribu.
LÄN m. División administrativa mayor de Suecia y Finlandia.
LANA f. Producto epidérmico propio del ganado lanar. • Pelo de otros animales parecido a la lana. • Tejido de lana y vestido que de él se hace. • m. *Amér. Centr.* Persona de baja condición social. • *Amér Centr.* Tramposo. • f. pl. *Méx.* Dinero. • *Méx.* Mentiras. • **artificial.** Fibras de aspecto lanoso obtenidas de vegetales. • **de vidrio.** Fibra finísima de vidrio que se emplea como aislante, tanto del sonido, como térmico, en la ind. de la construcción,

Tren de **laminación**

Lampazo

Fases del proceso de transformación y elaboración de la **lana**

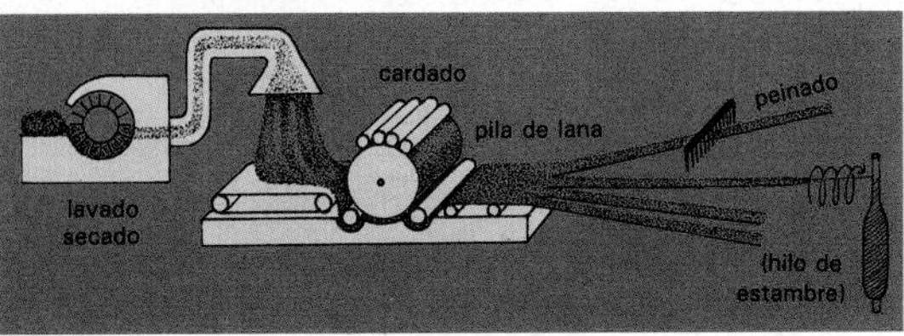

Producción mundial de **lana** lavada (en miles de t)	
Prales. productores	
Australia	548
CEI	268
Nueva Zelanda	226
China	123
Argentina	67
Uruguay	64
Gran Bretaña	53
Rep. Sudafricana	51
Pakistán	39
Total Mundial	1 838

Langosta

y para los plásticos con fibras de vidrio. ■ LANAR; LANOSO, SA.

**Ind.* La fibra de lana está constituida por una capa cuticular exterior de células escamosas, imbricadas, y por un tejido fundamental interior. A diferencia de los pelos, la l. crece continuamente y no sufre ninguna muda. La l. está constituida por queratina, en la que abunda la cistina. Los animales productores de l. son, además de las ovejas, las llamas, camellos, vicuñas, alpacas, cabras de Angora (l. mohair) y cabras laniger (l. de Cachemira).

LANADO, DA adj. Que tiene pelusa o vello. • f. Instrumento para limpiar el alma de las piezas de artillería.

LANARIA f. Jabonera, planta cariofilácea.

LANCASTER Familia noble de Inglaterra, fundada por **Edmundo** (1245-1296) y que tuvo como monarcas a **Enrique III de L.**, rey de Castilla [1399] con el nombre de Enrique IV; y en Inglaterra, **Enrique V** [1413-1422] y **Enrique VI** [1422-1461 y 1470-1471].

Acueducto romano en **Languedoc**

LANCASTER, *Burt* (1913-1994) Actor, productor y director cinematográfico norteam. *El fuego y la palabra, El gatopardo, Novecento.*

LANCE m. Acción y efecto de lanzar. • Acción de echar la red para pescar. • Pesca que se saca de una vez. • Trance u ocasión crítica. • Acontecimiento. • Jugada. • Encuentro, riña. • *Chile.* Esguince, regate, reparada. • *Taur.* Suertede capa. • **de fortuna.** Casualidad, accidente inesperado. • **de honor.** Desafío.

LANCEADO, DA o **LANCEOLADO, DA** adj. *Bot.* Díc. de los órganos laminares (hojas, pétalos, etc.) elípticos y apuntados en los dos extremos.

LANCEAR tr. Alancear, herir con lanza.

LANCÉOLA f. Llantén menor.

LANCERA f. Armero para colocar las lanzas.

LANCERÍA f. Conjunto de lanzas. • Tropa de lanceros.

LANCERO m. Soldado que pelea con lanza. • El que usa o lleva lanza; como los vaqueros y toreros. • El que hace o trabaja lanzas. • pl. Baile y música de figuras, muy parecido al rigodón.

LANCETA f. Instrumento de acero de doble filo y punta muy aguda, usado para sangrar, vacunar y abrir tumores. Se utiliza también en trabajos de precisión en artes gráficas y diseño gráfico. • *Amér.* Aguijón. ■ LANCETADA; LANCETAZO.

LANCETERO m. Estuche en que se llevan las lancetas.

LANCHA f. Piedra lisa, plana y de poco grueso. • Bote, embarcación. • Barca. • Cierto armadijo para coger perdices. • fam. *Ecuad.* Niebla, helada, escarcha. • **de desembarco.** *Mil.* Embarcación concebida para las operaciones de asalto anfibio. • **motora.** La propulsada por motor de explosión. • **rápida.** *Mil.* La de desplazamiento inferior a las 200 t y cuya velocidad es gralte. de 20 a 50 nudos. ■ LANCHERO.

LANCHADA f. Carga que lleva de una vez una lancha.

LANCHAJE m. Transporte de mercancías en lanchas, y flete que se paga por ello.

LANCHAR m. Cantera de lanchas de piedra. • intr. *Ecuad.* Helar, escarchar. • *Ecuad.* Nublarse el cielo. • *Ven.* Lincear.

LANCHAZO m. Golpe que se da de plano con una lancha de piedra.

Flores de **lantana**

LANCHOU*(Lanzhou)* C. del NO de China, cap. de la prov. de Kansu, a orillas del Hoang-ho; 1 430 000 hab. Centro industrial y comercial. Puerto fluvial. Aeropuerto. Universidad. Planta atómica.

LANCINANTE adj. Que lancina o punza dolorosamente. • Díc. del dolor semejante al que produciría una herida de lanza.

LANCINAR tr. y prnl. Punzar, desgarrar.

LANCO m. Gramínea chilena, usada como vomitivo.

LANCURDIA f. Trucha pequeña.

LAND m. Cada uno de los estados que componen la República Federal de Alemania.

LANDA f. Llanura arenosa donde sólo crecen matorrales y hierbas.

LANDAETA, *Juan José* (1780-1814) Compositor ven. Autor del himno nacional de Venezuela y de música religiosa.

LANDALUZE, *Víctor Patricio* (1825-1889) Pintor cub. costumbrista. *Los cubanos pintados por sí mismos, Tipos y costumbres de la isla de Cuba.*

LANDAU, *Lev Davidovich* (1908-1968) Físico sov. Estudió los rayos cósmicos y desarrolló la teoría de las micropartículas y el antiferromagnetismo. Premio Nobel de Física en 1962.

LANDGRAVE m. Título de algunos señores del Sacro Imperio romano germánico.

LANDÍVAR, *Rafael* (1731-1793) Poeta guatemalteco, jesuita. Escribió en latín un poema de inspiración virgiliana: *Rusticatio mexicana.*

LANDÓ m. Coche de cuatro ruedas, con capotas delantera y trasera, tirado por caballos.

LANDOWSKA, *Wanda* (1877-1959) Clavecinista pol., famosa por sus interpretaciones de J. S. Bach.

LANDRE f. Tumor que se forma en el cuello, los sobacos o las ingles. • Bolsa escondida en la capa o vestido para llevar oculto el dinero.

LANDRERO, RA adj. Díc. del mendigo que ocultaba el dinero en la landre.

LANDRILLA f. Larva de algunos insectos que se fija debajo de la lengua y en las fosas nasales de diversos mamíferos.

LANDRÚ, *Henri Desiré* (1869-1922) Presunto criminal fr. Acusado de varios asesinatos no probados, murió guillotinado.

LANDRY, *Adolphe* (1874-1956) Economista fr. *Tratado de demografía.*

LANDSMAAL m. Lengua noruega of., junto al riksmaal, desde 1907.

LANDSTEINER, *Karl* (1868-1943) Médico austr., descubridor de los grupos sanguíneos y del factor *Rh.* Premio Nobel de Medicina en 1930.

LANERÍA f. Casa o tienda donde se vende lana.

LANERO, RA adj. Relativo a la lana. • Díc. de una especie de halcón. • m. y f. Persona que trata en lanas. • m. Almacén donde se guarda lana.

LANFRANCO, *Giovanni* (1582-1647) Pintor it. Cúpula de San Andrés del Valle, en Roma.

LANG, *Fritz* (1890-1976) Director cinematográfico al.: *Los Nibelungos, El doctor Mabuse, Metrópolis, M., el vampiro de Düsseldorf.* Exiliado en EE UU, realizó *Calle escarlata, La dama del cuadro, Mientras la ciudad duerme, Sólo se vive una vez.*

LANGA f. Truchuela o bacalao curado.

LÁNGARA adj. *Méx.* Astuto.

LÁNGARO, RA adj. *Méx.* Hambriento. • *Amér. Centr.* Vagabundo. • *C. Rica.* Larguirucho.

LANGAROTE adj. Lángaro.

LANGE, *Francisco Kurt* (nacido 1903) Musicólogo ur. Fundador del Instituto Interamericano de Musicología. • ***Friedrich Albert*** (1828-1875) Filósofo al. *Historia del materialismo y crítica de su significación en el presente, Estudios lógicos.* • ***Norah*** (1906-1972) Escritora arg. *La calle de la tarde* (poesía); *Personas en la sala, Cuadernos de infancia* (novela). • ***Oskar*** (1904-1965) Economista y político pol. *Teoría económica del socialismo, Introducción a la econometría, Planificación y desarrollo económico.*

LANGER, *Frantisek* (1888-1965) Dramaturgo y novelista checo. *La patrulla, La conversión de Ferdys Pistora.* • ***Susanne Katherine*** (nacida 1895) Filósofa norteam. *Nueva clave de la filosofía, Un estudio acerca del simbolismo de la razón, del rito y del arte, Problemas del arte.*

LANGEVIN, *Paul* (1872-1946) Físico fr. Investigó sobre la teoría de la relatividad y la propagación de ultrasonidos.

LANGHANS, *Karl Gothard* (1732-1808) Arquitecto al., autor de la puerta de Brandeburgo, en Berlín.

LANGMUIR, *Irving* (1881-1957) Químico nor-

team. Trabajó sobre la absorción, las lámparas de incandescencia y el punto de fusión de sólidos difícilmente fusibles. Premio Nobel de Química en 1932.
LANGOSTA f. *Zool.* Crustáceo decápodo cuyo abdomen es muy apreciado como alimento. Distintas variedades de l. viven en los fondos litorales de prácticamente todos los océanos. • *Zool.* Insecto ortóptero semejante a un saltamontes, del que se distingue tan sólo por el tamaño, y que periódicamente experimenta un aumento de la tasa de natalidad constituyendo perniciosas plagas.
LANGOSTINO m. Crustáceo decápodo marino cuya carne es muy apreciada. ■ LANGOSTÍN.
LANGOSTÓN m. Insecto ortóptero semejante a la langosta, pero de mayor tamaño.
LANGREO Mun. de España, en el Principado de Asturias; 50 597 hab. Centro minero (hulla) y siderúrgico.
LANGUEDOC Región histórica de Francia, que ocupa parcialmente la circunscripción de acción regional Languedoc-Rosellón. Sit. en el S de Francia, entre el macizo Central, los montes Corbières, el Mediterráneo y el Ródano. Su nombre procede del provenzal *langue d'oc*. En la Alta E. Med. conoció un periodo de gran esplendor, centrado en el condado de Tolosa, que impuso su hegemonía a toda la región, con el desarrollo de la poesía trovadoresca y el florecimiento de la herejía cátara. La monarquía fr. de los Capetos pudo apoderarse de todo el L. aprovechando la cruzada del papa Inocencio III contra los albigenses. La derrota de las tropas catalanas de Pedro II el Católico y las provenzales de Raimundo VI de Tolosa en Muret supuso la anexión definitiva del L. a la Corona fr. • **Rosellón** *(Languedoc-Roussillon)* Circunscripción de acción regional del S de Francia, integrada por los dptos. de Aude, Gard, Hérault, Lozère y Pyrénés-Orientales; 27 376 km^2, 2 115 000 hab. Cap., Montpellier.
LANGUEDOCIANO, NA adj. Relativo al Languedoc.
LANGUIDECER intr. Adolecer de languidez. • Desanimarse.
LANGUIDEZ f. o **LANGUOR** m. Flaqueza, debilidad. • Falta de espíritu, valor o energía. ■ LÁNGUIDO, DA.
LANGUR m. Mono de pelaje largo y de hábitos arborícolas, que se halla en África y Asia.
LANGUSO, SA adj. *Méx.* Astuto, sagaz. • *Méx.* Larguirucho.
LANÍFERO, RA o **LANÍGERO, RA** adj. poét. Que lleva o tiene lana.
LANIFICACIÓN o **LANIFICIO** m. Arte de labrar la lana. • Obra hecha de lana.
LANILLA f. Pelillo que le queda al paño por la haz. • Tejido de lana fina.
LANÍN Volcán de los Andes, en la frontera argentino-chilena; supera los 3 700 m de alt.
LANITAL m. Fibra textil artificial de caseína. Se emplea en hilados mixtos con lana o algodón.
LANNES, *Juan*, DUQUE DE MONTEBELLO (1769-1809) Militar fr. Destacó en las campañas napoleónicas de Italia y Egipto. Intervino en las grandes victorias de Napoleón (Marengo, Austerlitz, Jena, Eylau). En España obtuvo la rendición de Zaragoza, tras un prolongado asedio.
LANOLINA f. Grasa de lana, que se emplea en la preparación de ungüentos.
LANOSIDAD f. Pelusa de algunas hojas y frutas. ■ LANUGINOSO, SA.
LANSING C. de EE UU, cap. del estado de Michigan; 127 300 hab. Importantes industrias automovilística, de motores y de maquinaria. Centro comercial.
LANSQUENETE m. Soldado de infantería al. que sirvió, como mercenario, en España.
LANTACA f. Especie de culebrina, arma de fuego.
LANTANA f. *Bot.* Planta arbustiva de hojas dentadas, tomentosas por el envés, e inflorescencias umbeliformes. • *Bol.* Planta verbenácea, medicinal.
LANTÁNIDO m. *Quím.* Cada uno de los elementos del grupo de los lantánidos o tierras raras, de n. a. de 57 a 71, todos ellos químicamente muy parecidos. El más imp. es el cerio, usado en análisis químicos.
LANTANITA f. *Quím.* Carbonato hidratado de lantano, de color grisáceo o rosado.
LANTANO m. *Quím.* Metal lantánido de símb. La, n. a. 57 y p. a. 138,92. Se usa en metalurgia, óptica y cerámica.
LANUDO, DA adj. Que tiene mucha lana o vello. • fig. *Ecuad.* y *Ven.* Díc. de la persona tosca y grosera.
LANUSSE, *Alejandro Agustín* (1918-1996) Militar y político arg. Participó en el golpe de Estado que llevó al poder al general Onganía, al que depuso en 1970. Presid. de la rep. (1971-1973), convocó elecciones. *Mi testimonio.*
LANZA f. Arma ofensiva compuesta de un asta y de un hierro puntiagudo y cortante. • Tubo de metal con que rematan las mangas de riego. • *Cuba.* Yaya, árbol. • **de oxígeno.** *Ind.* Proceso de oxicorte perfeccionado. • **en ristre.** fr. Dispuesto, preparado. • **Romper lanzas por alguien.** fig. Defenderle. • **Ser uno una l.** fig. y fam. Ser hábil y despejado. • **Ser uno muy l.** *C. Rica.* Ser usurero. ■ LANZADA O LANZAZO.
LANZACABOS adj. Que permite lanzar cabos o cables.
LANZACOHETES adj. y m. Díc. del afuste que sirve para el lanzamiento de cohetes.
LANZADERA f. En la fabricación de tejidos, pieza hueca y alargada que coloca las hiladas transversales a través de la urdimbre. • Pieza abarquillada de las máquinas de coser. • Instrumento parecido que se emplea en varias labores. • fig. y fam. Persona inquieta. • **espacial.** *Astr.* Propulsor destinado a colocar un vehículo espacial en torno a la Tierra, o a enviarlo fuera del campo de atracción gravitatoria de nuestro planeta.
LANZADO, DA adj. Muy veloz. • Emprendido con mucho ánimo. • Impetuoso, fogoso, decidido. • m. Sistema de pesca con caña.
LANZAFUEGO m. Botafuego del cañón de artillería.
LANZAGRANADAS m. Arma portátil que dispara granadas.
LANZAHÚMOS m. Instrumento para fumigar.
LANZALLAMAS m. Dispositivo bélico que proyecta un chorro de fuego.
LANZAMIENTO m. Acción de lanzar o arrojar una cosa. • Hacer partir un cohete, un proyectil o una aeronave mediante algún sistema de propulsión. • En ciertos juegos de balón, acción de lanzar la pelota para castigar una falta. • **de disco, de jabalina, de martillo** o **de peso.** Pruebas de atletismo que consisten en proyectar lo más lejos posible alguno de estos objetos.
LANZAMISIL adj. y m. Díc. de la plataforma desde la que se lanzan los misiles.
LANZAR tr. y prnl. Arrojar. • Hacer partir un cohete, un proyectil o una aeronave. • tr. Soltar, dejar libre. • Vomitar. • *Agr.* Echar, brotar. • *Der.* Despojar a uno de la posesión o tenencia de alguna cosa. • fig. Proferir, exhalar. • prnl. Emprender una acción con decisión o irreflexión.
LANZAROTE Isla esp., en las Canarias (prov. de las Palmas); 806 km^2, 29 500 hab. Cap., Arrecife. Conos y tubos volcánicos. Clima árido y vegetación escasa. Pesca; salinas; turismo.
LANZAROTE Nombre cast. de *Lancelot du Lac*, héroe legendario del ciclo de la Tabla Redonda, amante de la reina Ginebra.
LANZATORPEDOS adj. Díc. de un aparato que, en ciertos buques de guerra, sirve para lanzar torpedos.
LAÑA f. Grapa para unir dos piezas. • Coco verde.
LAÑADOR m. El que por medio de lañas compone objetos rotos de barro o loza.
LAÑAR tr. Trabar, unir con lañas una cosa. • Abrir el pescado para salarlo.
LAO adj. y s. Díc. de individuos de un pueblo thai que habita en Laos y zonas de la pen. de Indochina, vietnamitas y chinas vecinas de este Estado, el N y NE de Thailandia y el E de Myanma (Birmania). • m. *Ling.* Lengua thai hablada por dicho pueblo, of. con el fr. en Laos.
LAOCOONTE *Mit.* Sacerdote troyano. Profanó el templo de Apolo y se opuso a la entrada en Troya del caballo de madera, por lo que Atenea le hizo estrangular. • Grupo escultórico helenístico, obra de Agesandro, Atenodoro y Polidoro.

Lanzacohetes

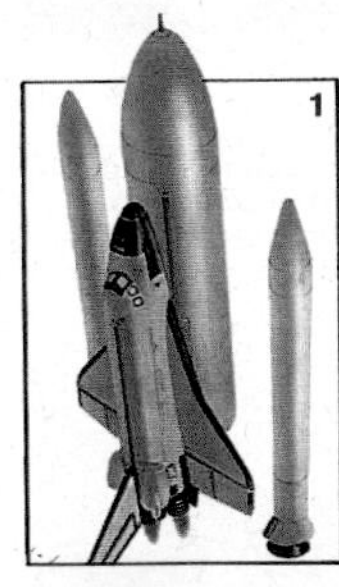

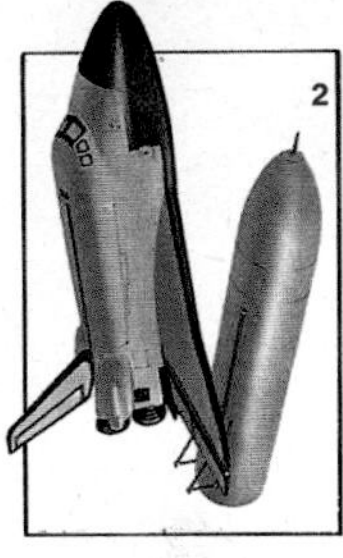

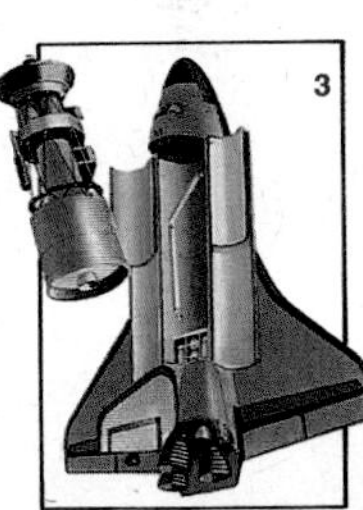

Lanzadera espacial.
Fases de una misión-tipo: 1. dos minutos dos segundos después del lanzamiento ya se han desprendido los dos cohetes de despegue, se halla a 43 km de altura y su velocidad es de 5 000 km/h; 2. los motores principales siguen encendidos hasta que el hidrógeno del tanque se agota y éste se desprende; 3. se abren las compuertas y se pone en órbita un satélite

Laos. Arriba, mapa de situación y bandera; abajo, la torre de That Luang, en Vientiane

LAOS	
Superficie 236 800 km²	
Población 5 117 000 hab. (21,6 hab./km²)	
Recursos económicos	
Ananás	35 000 t
Arroz	1 409 000 t
Búfalos	1 300 000 cabezas
Cabaña bovina	1 190 000 cabezas
Cabaña porcina	1 653 000 cabezas
Estaño	200 t
Maíz	82 000 t
Mandioca	69 000 t
Naranjas	24 000 t
Patatas	35 000 t
Pesca	35 000 t
Riqueza forestal	5 094 000 m³
Tabaco	1 200 000 000 cigarrillos
Indicadores sociológicos	
PNB	1 694 millones de dólares
Renta per cápita	350 dólares
Esperanza de vida	52 años
Alfabetismo	56,6 %

LAOS (*République Démocratique Populaire Lao*). Est. del SE de Asia, rep., en Indochina. Se alarga de NO a SE entre China, Vietnam, Camboya, Tailandia y Myanma. Relieve montañoso. En el sector septentrional alcanza la mayor alt., el Pou Bia o Phu Bia (2 817 m). Al NE aparece la meseta de Tran Ninh y más al S la cord. Annamita hasta llegar a la meseta de Bolovens. Río pral.: Mekong. Su valle representa el único sector llano del país. Clima tropical húmedo sometido al monzón. Bosque tropical. Arroz, tabaco, maíz, café; ganadería (búfalos, bovina y porcina); riqueza forestal (teca); estaño; ind. artesanal (tejidos, alfarería, orfebrería). Grupos étnicos o nac.: thai, mois, vietnamitas y chinos. Lenguas: lao y fr. (oficiales). *Rel.*: budismo (mayoritaria), protestantismo (1,4 %), catolicismo (1,07 %), animismo. U.M.: el nuevo kip. C. prales.: Vientiane, la cap., Savannakhet, Luang Prabang.

* *Hist.* L. perteneció hasta el s. XII al reino de Camboya. Fue invadida por los vietnamitas (1479) y por birmanos (1574). Pasó a ser controlada por los fr. desde 1893. En 1949 obtuvo la indep. dentro de la Unión Francesa. Se formaron dos gobiernos, el of., presidido por Suvanna Fuma, y el revolucionario del Neo Lao Itsala (Frente Unificado). Desde 1957 a 1960, la intervención derechista y del ejército para cambiar el signo de las elecciones llevó a la guerra civil. El nuevo gobierno de coalición fue controlado por el ejército, mientras que el Pathet Lao dominaba en las tres quintas partes del país. En 1973 se firmó un alto el fuego entre el gobierno de Vientiane y el Pathet Lao. Dos años después, las fuerzas izquierdistas dominaban todo el país, y se proclamó la República Democrática Popular de Laos, de la que fue presid. el príncipe Sufanuvong, del Pathet Lao. Se mantuvo neutral en el conflicto entre Camboya y Vietnam. En 1986 dimitió. Desde entonces, los presidentes de la Rep. han sido Phoumi Vongvichit (elegido en 1986), Nouak Phoumsavan (1992) y Khamtay Siphandone (1997).

LAOSIANO, NA adj. y s. De Laos. • m. Lengua hablada en Laos.

LAO-TSÉ Filósofo chino, fundador del taoísmo.

LAPA f. Telilla que diversos vegetales criptógamos forman en la superficie de algunos líquidos. • *Zool.* Molusco gasterópodo comestible que vive asido fuertemente a las rocas de las costas. • fig. Persona pegajosa e inoportuna. • Lampazo, planta. • *Amér.* Paca, mamífero roedor.

LAPACHAR m. Terreno cenagoso.

LAPACHO m. *Amér. Merid.* Árbol bignoniáceo cuya madera se emplea en construcción y en ebanistería. • Madera de este árbol.

LAPADA f. *Perú.* Agua arrojada a una persona.

LAPAROSCOPIA f. *Med.* Exploración de la cavidad abdominal, distendida por la inyección previa de aire.

LAPAROTOMÍA f. *Cir.* Intervención quirúrgica consistente en abrir las paredes abdominales y el peritoneo.

Pierre Simon, marqués de **Laplace**

LAPEADO m. *Metal.* Operación mecánica de acabado superficial de precisión, que elimina la capa de hierro dulce del acero templado, tras el rectificado. ■ LAPEADORA.

LAPESA, *Rafael* (1908-2001) Filólogo esp. Imp. trabajos de investigación lingüística. *Historia de la lengua española.* Académico de la Real Academia Española. Premio Príncipe de Asturias 1986.

LÁPIAZ m. *Geol.* Forma de erosión superficial de las regiones kársticas, consistente en un sist. de acanaladuras alternadas con estrías cortantes.

LAPICERA f. *Argent.* Lapicero. • *Chile.* Portaplumas.

LAPICERO m. Instrumento en que se pone el lápiz para servirse de él. • Lápiz, barrita de grafito.

LÁPIDA f. Piedra llana en que se pone una inscripción.

LAPIDAR tr. Apedrear, matar a pedradas. • *Amér.* Labrar piedras preciosas. ■ LAPIDACIÓN.

LAPIDARIO, RIA adj. Relativo a las piedras preciosas. • Relativo a las inscripciones en lápidas, de estilo conciso. • m. El que labra piedras preciosas o comercia con ellas.

LAPÍDEO, A adj. De piedra.

LAPIDIFICAR tr. y prnl. *Quím.* Convertir en piedra.

LAPILLA f. Cinoglosa, planta borraginácea.

LAPILLI m. *Geol.* Material de origen volcánico constituido por fragmentos del tamaño de un guisante.

LAPISLÁZULI m. Lazurita.

LAPITA m. *Mit.* Individuos gigantescos de Tesalia, cerca del Olimpo. Exterminaron a los centauros.

LÁPIZ m. Nombre de varias sustancias minerales que sirven para dibujar. • Barrita de grafito envuelta en madera. • Barrita para el maquillaje. • **de plomo.** Grafito. • **óptico.** *Comp.* Periférico de entrada de datos que sustituye al teclado. Provisto de una célula fotoeléctrica, hace que la computadora reconozca los caracteres cuando el l. los enfoca. • **de rojo.** Almagre.

LAPIZAR m. Mina o cantera de lápiz de plomo. • tr. Dibujar o rayar con lápiz

LAPLACE, *Pierre Simon*, MARQUÉS DE (1749-1827) Astrónomo, físico y matemático fr. En 1796 formuló una de las primeras teorías sobre el origen del sistema solar, conocida como *Hipótesis nebular de L.*, en la que admite la existencia de una nube primitiva giratoria en sentido directo, que, al enfriarse, se contrajo aumentando su velocidad de rotación, separándose los estratos externos, y quedando la materia dividida en anillos concéntricos, que se condensarían hasta formar los planetas. Esta teoría se contradice con el hecho de que numerosos satélites de Júpiter, Saturno y Urano presentan movimiento retrógado. *Mecánica celeste.*

LAPLACIANO, NA adj. Relativo a las teorías de Laplace. • f. En un reactor, valor que mide la curvatura de la distribución de la densidad de neutrones.

LAPO m. fam. Cintarazo, bastonazo, bofetada. • fig. Trago. • fam. Escupitajo. • *Ven.* El que se deja engañar con facilidad.

LAPÓN, NA adj. y s. De Laponia. • *Etn.* Díc. de individuos que viven en Laponia. • adj. Relativo a este pueblo. • m. *Ling.* Lengua ugrofinesa de los lapones. • m. pl. Este mismo pueblo.

* *Etn.* Forman los restos de una ant. raza aislada por las glaciaciones. Procedían de Asia Central y se asentaron en la Fenoscandia. Unos 34 500 individuos, que viven en Noruega, Suecia, Finlandia y Rusia.

LAPONIA (sueco y nor., *Lappland*; finés, *Lapin*) Región de unos 400 000 a 500 000 km², sit. al N de Europa, junto a los océanos Atlántico y Glaciar Ártico. Al O, los Alpes Escandinavos. Ríos: Muonio, Teno y Tuloma. Lago más imp.: Inari. Clima frío, subártico.

LAPSO m. Curso de un intervalo de tiempo. • Paso o transcurso. • Caída en error.

LAPSUS m. Exp. latina que significa *error inconsciente* al escribir, hablar o actuar.

LAPTEV o **LAPTIEV, *mar de*** Sector del Océano Glaciar Ártico, entre el centro-nordeste de Siberia y los arch. de Tierra del Norte y Nueva Siberia.

LAQUE m. *Amér.* Boleadora.

LAQUEAR tr. Barnizar con laca. • *Chile.* Coger o derribar a un animal valiéndose del laque. ■ LAQUEADO, DA.

LAQUEDIVAS, islas *(Laksha divi)* Arch. de islas coralinas del océano Índico, sit. al O de Malabar (India). Con Minicoy y Amindivas forma Lakshadweep.

LAR m. *Mit.* Cada uno de los dioses rom. del hogar. Protegían campos y haciendas. Se usa más en pl. • Hogar. • pl. fig. Casa propia u hogar.

LARA Est. del NO de Venezuela; 19 800 km², 1 522 042 hab. Cap., Barquisimeto. Región montañosa y mesetaria, en su mayor parte, limita y está accidentada al N por las cord. del sistema Lara-Falcón, y al S la atraviesan las estribaciones andinas de la Sierra de Mérida. Las zonas altas son áridas o semiáridas; en las planicies bajas existen algunos valles fértiles, sobre todo el de Toyuco, río pral., con su afl. el Morere, que cruza la parte O del estado. Posee una excelente red de comunicaciones ferroviarias y viarias, con un largo tramo de carretera Panamericana. Es una zona eminentemente agrícola (café, caña de azúcar, sisal). La ganadería (vacuna y caprina) es otra fuente de recursos imp. La ind. (alimentaria, de la construcción, etc.) está concentrada en Barquisimeto y Carora. Universidad pública en Barquisimeto.

LARA Familia aristocrática, una de las más poderosas en Castilla durante la E. Med. Su origen se sitúa en el s. IX, con la construcción, por Gonzalo Fernández, del castillo de L., junto al río Arlanza. Su hijo, Fernán González, primer conde independiente de Castilla, añadió a su territorio Burgos y Álava, conformando el núcleo del primitivo Est. castellano. En el s. XVI sus dominios pasaron a la Corona castellana.

LARA, *Agustín* (1900-1970) Compositor mex. de música ligera. Se le deben algunas canciones que alcanzaron fama mundial: *Granada, María bonita, Solamente una vez, Madrid.* • *Jesús* (1898-1980) Escritor bol. indigenista. *Surumi, Sinchikay* (novela); *La poesía quechua, Leyendas quechuas.* • ***Juan Jacinto*** (1780-1859) General venezolano; destacó en la guerra de la Independencia de su país.

LARACHE *(al-Áraich)* C. y puerto del N de Marruecos, a orillas del Atlántico; 50 000 hab. Ant. posesión esp. Mezquitas y ruinas de la antigua colonia fenicia de Lixus.

LARARIO m. En la ant. Roma, altar doméstico destinado a los lares.

LARBAUD, *Valéry* (1881-1957) Escritor fr. *Fermina Márquez, Infantiles.*

LARDAR o **LARDEAR** tr. Untar con lardo o grasa. • Pringar, echar a uno pringue.

LARDERO adj. Díc. del jueves inmediato a las carnestolendas.

LARDO m. Lo gordo del tocino. • Grasa de los animales. ■ LARDÁCEO, A; LARDOSO, SA.

LARDÓN m. *Art. Gráf.* Blanco que queda en la impresión al doblarse la hoja de papel. • Adición hecha al margen en el original o en las pruebas.

LAREDO Bru, *Federico* (1875-1946) Político cub. Participó en la guerra de la Independencia de su país y fue presid. de la rep. (1936-1940).

LARGA f. El más largo de los tacos de billar. • Dilación, retraso. Se usa más con el verbo dar y en pl. • *Taur.* Lance para sacar al toro de la suerte de varas, corriéndolo con el capote a lo largo.

LARGAR tr. Soltar, dejar libre, un tiro. • fam. Despedir a alguien. • *Mar.* Desplegar una cosa. • prnl. fam. Irse uno con presteza o disimulo. • *Mar.* Hacerse la nave a la mar. • *Amér.* Comenzar a hacer algo de súbito. • tr. e intr. fam. Hablar. ■ *Amér.* LARGADA.

LARGO, GA adj. Que tiene más o menos longitud. • Que tiene excesiva longitud. • fig. Generoso. • Que dura mucho tiempo. • Persona alta. • fig. Mucho, muchos. • fig. Copioso, abundante. • fig. Dilatado, extenso. • fig. Pronto, expedito. • *Dep.* Ventaja en la llegada equivalente a la longitud de un caballo, de una bicicleta, etc. • *Mar.* Arriado, suelto. • m. Longitud. • *Mús.* Uno de los movimientos de la música, que equivale a lento. • *Mús.* Composición escrita en este movimiento. • adv. modo. Sin escasez, con abundancia. • **A la larga.** m. adv. Pasado mucho tiempo. • Poco a poco. • Difusamente, con extensión. • **A lo l.** m. adv. En sentido de la long. de una cosa. • A lo lejos, a mucha distancia. • **¡Largo!** exp. con que se echa a alguiende un sitio. • **L. y tendido.** exp. fam. Extensamente. • **Pasar de l.** Pasar sin prestar atención.

Típica población costera de **Laponia**

LARGO Caballero, *Francisco* (1869-1946) Político esp. Secretario de la UGT en 1918, consejero de Estado durante la Dictadura de Primo de Rivera y ministro de Trabajo en el primer gobierno republicano. Jefe de gobierno de septiembre de 1936 a mayo de 1937. Exiliado en Francia, fue apresado por la Gestapo.

LARGOMETRAJE m. Película cinematográfica cuya proyección dura más de una hora.

LARGOMIRA m. Catalejo.

LARGOR m. Longitud.

LARGUEADO, DA adj. Adornado con listas.

LARGUERO m. Cada uno de los palos que se ponen a lo largo de una obra de carpintería. • En diversos deportes, poste transversal que une los dos postes de la meta. • Cabezal, almohada larga.

LARGUEZA o **LARGURA** f. Longitud. • Generosidad.

LARGUIRUCHO, CHA adj. fam. Aplícase a las personas y cosas muy largas.

LÁRICE m. Alerce, árbol. ■ LARICINO, NA.

LÁRIDO, DA adj. y m. *Zool.* Díc. de las aves caradriformes, marinas, de pies palmeados y pico desprovisto de cara en la base, conocidas como gaviotas y charranes, distribuidas por las costas de todo el mundo. • m. pl. *Zool.* Familia de estas aves.

LARIJE adj. Alarije, variedad de uva.

LARINGE f. *Anat.* Órgano de fonación en los mamíferos. ■ LARÍNGEO, A.

* *Anat.* En el hombre la l., sit. entre la tráquea y la faringe, consta de un armazón musculocartilaginoso, formado por varios elementos móviles, unidos por ligamentos y músculos. En su interior existen unos repliegues musculomembranosos, que constituyen las cuerdas vocales.

LARINGECTOMÍA f. *Cir.* Extirpación quirúrgica de la laringe.

LARINGITIS f. Inflamación de la laringe.

LARINGÓFONO m. Micrófono de garganta.

LARINGOLOGÍA f. Parte de la patología que estudia las enfermedades de la laringe. ■ LARINGÓLOGO, GA.

LARINGOSCOPIO m. Instrumento para el examen de la garganta.

LARINGOTOMÍA f. Abertura quirúrgica de la laringe.

LAROUSSE, *Pierre* (1817-1875) Lexicógrafo y editor fr., racionalista y anticlerical, fundador de la casa editorial homónima.

LARRA, *Mariano José de* (1809-1837) Escritor esp., introductor del romanticismo en España. Aparte de sus incursiones en el campo de la poesía, teatro *(Macías)*, y la novela *(El doncel de don Pedro el Doliente),* destacó por sus artículos periodísticos de literatura, política y costumbres («Vuelva Vd. Mañana», «El castellano viejo»). Firmó con diversos seud.: EL POBRECITO HABLADOR, FÍGARO, etc.

LARRAÑAGA, *Dámaso Antonio* (1771-1848) Sacerdote, político y naturalista ur. Independentista. Gobernador de Montevideo. Memoria *geológica sobre la formación del Río de la Plata, deducida de sus piedras fósiles.*

LARREA, *Juan* (1782-1847) Patriota arg., n. en Cataluña. Miembro de la Junta de Gobierno que destituyó al virrey Hidalgo de Cisneros, fue luego representante de la Asamblea Constituyente y ministro de Hacienda (1814). • ***Juan*** (1895-1980) Escritor esp. Exiliado a México, Nueva York y Argentina, se vinculó al surrealismo. *Versión celeste, Del surrealismo al Machupichu.* • **Alba, *Luis*** (1895-1980) Militar y político ecuat. Presid. de la rep. en 1931. Depuesto por una sublevación cívico-militar.

Francisco **Largo Caballero**

Gaviota, ave de la familia **láridos**

Mariano José de **Larra**

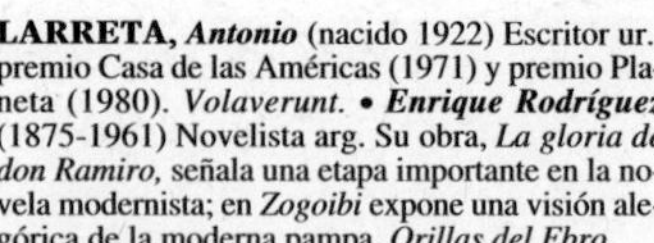

LARRETA, ***Antonio*** (nacido 1922) Escritor ur., premio Casa de las Américas (1971) y premio Planeta (1980). *Volaverunt.* • ***Enrique Rodríguez*** (1875-1961) Novelista arg. Su obra, *La gloria de don Ramiro,* señala una etapa importante en la novela modernista; en *Zogoibi* expone una visión alegórica de la moderna pampa. *Orillas del Ebro.*

LARS, ***Claudia*** (1899-1975) Poetisa salv. *Estrellas en el pozo, Escuela de pájaros, Presencia en el tiempo.*

LARVA f. Fase del desarrollo de algunos animales, comprendida entre la salida del huevo y el estado adulto. Animal que se halla en la fase larvaria. ■ LARVAL.

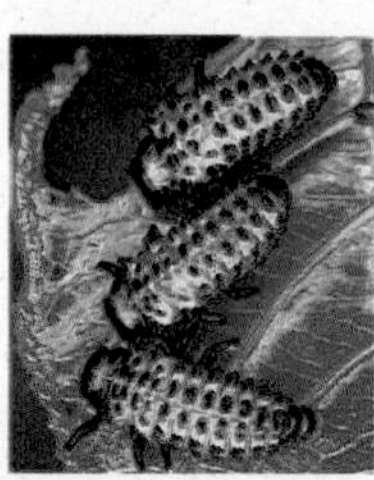

Larvas de coleóptero

LARVADO, DA adj. *Pat.* Aplícase a las enfermedades cuyos síntomas ocultan su verdadera naturaleza.

LAS Art. determinado en gén. femenino y núm. plural. • Acusativo del pron. personal de tercera persona en gén. femenino y núm. plural.

LAS HERAS, ***Juan Gualberto Gregorio de*** (1780-1866) Militar y político arg. Participó en la campaña de los Andes, en la batalla de Maipó y en la campaña del Perú. Gobernador de la prov. de Buenos Aires. Presid. interino de la rep. de 1825 a 1826.

LASAÑA f. Oreja de abad, fruta de sartén en forma de hojuela. • Pasta it. rellena y cortada a cuadros.

LASCA f. Trozo pequeño y delgado desprendido de una piedra.

LASCAR tr. *Mar.* Aflojar o arriar muy poco a poco un cabo. • *Méx.* Lastimar.

LÁSCARIS, ***Kostantinos*** (h. 1434-h. 1501) Erudito y filólogo bizantino. A la caída de Constantinopla se refugió en Italia, donde contribuyó a la difusión de la cultura helénica. *Erotémata* (gramática gr.).

LASCAUX Cueva del dpto. fr. de Dordoña, descubierta en 1940. Pinturas rupestres del magdaleniense.

Pintura rupestre de la cueva de **Lascaux**

LASCIVO, VA adj. y s. Díc. de la persona dominada por el deseo sexual. ■ LASCIVIA.

LASCURAIN, ***Pedro*** (1856-1952) Abogado y político mex. Ministro de Asuntos Exteriores en 1913. Presid. interino de la rep. tras la caída de Madero.

LÁSER m. *Fís.* Voz formada por las siglas de *Light Amplification by Stimulated Emission of Radiation*, o sea, amplificación de la luz por emisión estimulada de radiación. Es una fuente de luz monocromática y coherente (con las oscilaciones en fase), que presenta múltiples aplicaciones en el estudio de los microorganismos, en cirugía, telecomunicaciones, telemetría, astronáutica, artes gráficas, etc.

LASERPICIO m. Planta umbelífera. • Fruto de esta planta.

LASITUD f. Cansancio, falta de vigor.

LASK, ***Emil*** (1875-1915) Filósofo austr., de la escuela de Baden. *La lógica de la filosofía y la teoría de las categorías.*

LASO, SA adj. Cansado, falto de fuerzas o de ánimo. • Díc. del hilo sin torcer.

LASSALLE, ***Ferdinand*** (1825-1864) Pensador y político socialista al. En el *Programa Obrero* de 1863 se mostró partidario de las cooperativas de producción apoyadas por el Est. y negó la propiedad individual y los bienes adquiridos por herencia. Murió en un duelo. *Sistema de los derechos adquiridos, La ciencia y los obreros.*

LASSUS, ***Roland de*** (h. 1532-1594) Compositor belga, el máx. representante de la música religiosa del s. XVI.

LASTAR tr. Suplir lo que otro debe pagar, con el derecho de reintegrarse.

LASTARRIA, ***José Victoriano*** (1817-1888) Escritor chil., uno de los introductores del romanticismo en su país. *Lecciones de política positiva, Recuerdos literarios.*

LÁSTEX m. Hilo de caucho revestido de algodón, lana, seda, etc.

LÁSTIMA f. Compasión. • Objeto que provoca compasión. • Quejido. • Cosa que causa disgusto.

LASTIMAR tr. y prnl. Herir o hacer daño. • tr. Compadecer. • fig. Ofender. • prnl. Dolerse del mal de uno. • Quejarse, dar muestras de dolor y sentimiento. ■ LASTIMADOR, RA; LASTIMADURA.

Laserpicio

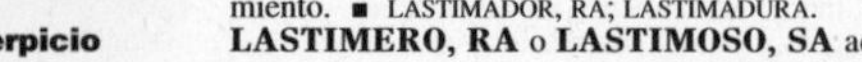

LASTIMERO, RA o **LASTIMOSO, SA** adj. Díc. de las demostraciones de dolor que mueven a lástima. • Que hiere o hace daño.

LASTO m. Recibo de pago que se da al que lasta.

LASTÓN m. Planta perenne de la familia gramíneas, cuya caña es estriada, lampiña y de pocos nudos.

LASTRA f. Lancha, piedra lisa.

LASTRAR tr. Poner el lastre a la embarcación. • tr. y prnl. fig. Afirmar una cosa cargándola de peso.

LASTRE m. Piedra de mala calidad. • Carga muerta que llevan los barcos, globos y dirigibles. • Sustancia usada en construcción de máquinas, destinada a aumentar el peso del sistema. • fig. Juicio, madurez. • fig. Algo que impide moverse con libertad.

LATA f. Madero de menor tamaño que el cuartón. • Tabla delgada sobre la cual se aseguran las tejas. • Hoja de lata. • Envase hecho de hojalata. • Discurso o conversación fastidiosa. • *Ven.* Vara de chaparro. • *Amér. Centr.* Mequetrefe. • **Dar la l.** fam. Fastidiar, causar hastío. • **Estar en la l.** fam. *Amér. Centr.* y *Col.* Estar arruinado.

LATACUNGA C. de Ecuador, cap. de la prov. de Cotopaxi, 39 882 hab. Agricultura y ganadería. Ind. alimentaria y del papel. Aeropuerto.

LATAKIA *(al-Ladhiqiya)* C. de Siria, pral. puerto del país, en el Mediterráneo; 197 000 hab. Tabaco, algodón y cereales. Como Laodicea fue cap. de una de las satrapías del imperio seléucida y una de las más prósperas de Oriente.

LATASTRO m. *Arq.* Plinto.

LATAZ m. Nutria del Pacífico septentrional.

LATAZO m. fam. Cosa pesada y fastidiosa.

LATCHAM, ***Ricardo*** (1903-1965) Escritor chil. *Escalpelo, Itinerario de la inquietud, Doce ensayos, Carnet crítico.*

LATEAR tr. *Chile.* Molestar con un discurso o conversación fastidiosa.

LATEBRA f. Escondrijo, cueva, madriguera. ■ LATEBROSO, SA.

LATENCIA f. Cualidad o condición de latente. • *Biol.* Periodo de inactividad aparente de algunos animales y plantas. • *Med.* Periodo de incubación de una enfermedad.

LATENTE adj. Oculto y escondido.

LATERAL adj. Que está al lado de una cosa. • fig. Lo que no viene por línea recta. • adj. y f. *Fon.* Díc. de la consonante fricativa en que el aire pasa por los bordes laterales de la lengua, como la *l.*• m. En una vía de circulación con varias calzadas, la más externa de cada lado.

LATERALIDAD f. *Fisiol.* Predominio funcional de un lado del cuerpo humano sobre el otro.

LATERALIZAR tr. y prnl. *Fon.* Transformar en consonante lateral la que no lo era.

LATERÍA f. Conjunto de latas de conserva. • *Amér.* Hojalatería.

LATERITA f. Arcilla ferruginosa originada por alteración meteórica de rocas ígneas básicas o ultrabásicas. Las l. en las que predomina el aluminio se denominan bauxitas. ■ LATERIZACIÓN.

LATERO, RA adj. Latoso. • m. y f. Hojalatero, ra.

LÁTEX m. *Bot.* Sustancia lechosa, blanquecina, que corresponde al jugo de las células que componen los tubos laticíferos. Sirve para la obtención de diversas materias de interés industrial, como el caucho, la gutapercha, el opio, etc.

LATICÍFERO adj. *Bot.* Díc. de los vasos de los vegetales que conducen el látex.

LATIDO, DA m. Ladrido entrecortado que da el perro. • Golpe producido por el movimiento alternativo de dilatación y contracción del corazón contra la pared del pecho, o de las arterias contra los tejidos que las cubren. • Sensación dolorosa a causa de infección e inflamación.

LATIFOLIO, LIA adj. Díc. de la hoja de lámina ancha.

LATIFUNDIO m. *Econ.* Finca rústica de gran extensión.

* *Econ.* El l. nació con la apropiación de las grandes extensiones de tierra por las órdenes militares, durante la E. Med. Pasó de España a América Latina en la época de la conquista. Caracterizado por los bajos rendimientos, el cultivo extensivo y la utilización de mano de obra barata, fue la estructura agraria predominante hasta la II Guerra Mundial.

LATIFUNDISMO m. Tipo de distribución de la propiedad de la tierra caracterizado por el predominio de los latifundios.

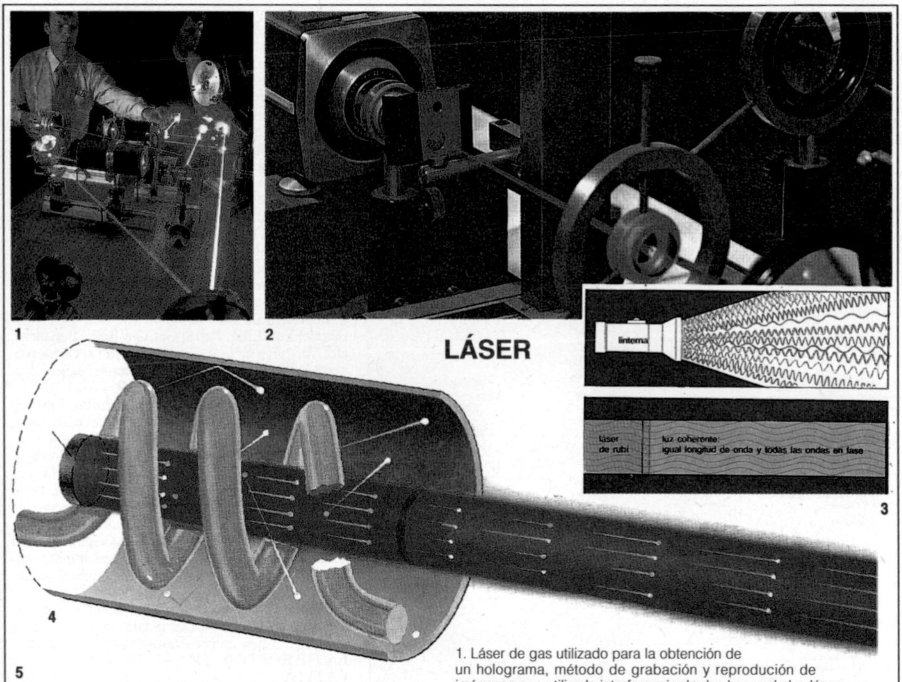

LÁSER

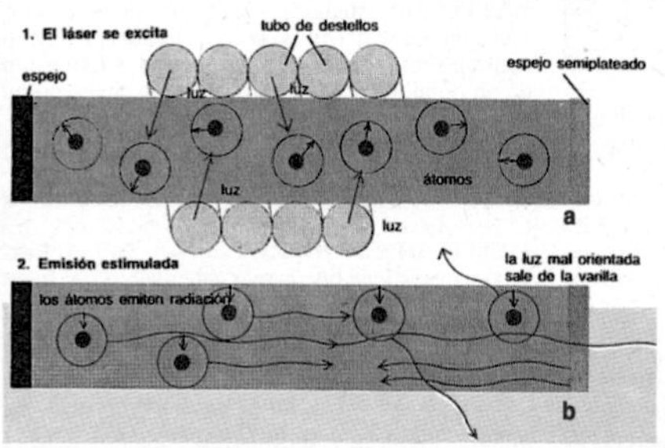

1. Láser de gas utilizado para la obtención de un holograma, método de grabación y reprodución de imágenes que utiliza la interferencia de dos haces de luz láser.
2. Láser de rubí, de color rojo, el primer tipo de láser que se construyó.
3. Una linterna emite radiaciones luminosas desfasadas entre sí y de distinta frecuencia (color), en cambio la emisión de un láser es monocromática (ondas de igual frecuencia) y todas las ondas están en fase.
4. Esquema de un laser de rubí, constituido por una varilla de rubí que alberga átomos de cromo rodeada de un tubo de destellos helicoidal.
5. Los átomos de cromo pasan a un estado excitado al absorber fotones emitidos por el tubo (a); un átomo de cromo vuelve a su estado fundamental emitiendo un fotón, el cual estimula la emisión de otro átomo de un fotón de la misma frecuencia y dirección (b); se produce así una catarata de emisiones de fotones idénticos que constituye el haz láser (c).

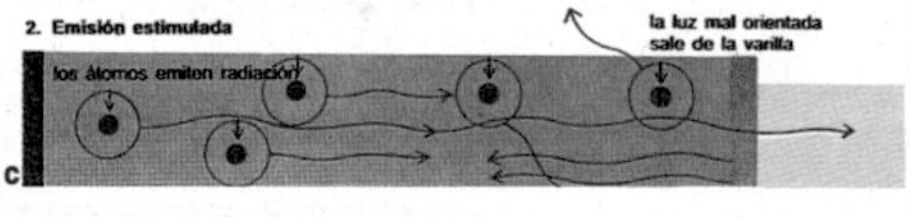

LATIFUNDISTA m. y f. Persona que posee uno o varios latifundios. • adj. Perteneciente o relativo al latifundismo.

LATIGAZO m. Golpe dado con el látigo. • Chasquido del látigo. • fig. Reprensión áspera. • fig. Trago de bebida alcohólica.

LÁTIGO m. Azote de cuero, largo y delgado. • Cuerda o correa con que se aprieta la cincha. • *Amér.* Latigazo, azote. • *Chile.* Meta o término en las carreras de caballos. • *Perú.* Jinete.

LATIGUDO, DA adj. *Chile.* Correoso.

LATIGUEADA f. *Hond.* Azotaina.

LATIGUEAR intr. Dar chasquidos con el látigo. • *Amér.* Azotar, dar latigazos. ■ LATIGUEO.

LATIGUERA f. Látigo, cuerda o correa. • *Perú.* Azotaina.

LATIGUILLO m. Vástago que nace de la base del tallo. • fig. y fam. Exceso declamatorio del actor. • Exp. sin originalidad empleada abusivamente.

LATINAJO m. fam. Latín malo y macarrónico. • fam. Voz o fr. latina usada en cast. Se usa más en plural.

LATINAR o **LATINEAR** intr. Hablar o escribir en latín.

LATIMER, *Hugh* (1490-1555) Teólogo y predicador ing., uno de los prales. consejeros de Enrique VIII. Bajo el reinado de María Tudor, se le condenó a morir en la hoguera.

LATÍN m. *Ling.* Lengua indoeuropea del grupo itálico, hablada por los ant. rom. • Voz ofr. latina usada en cast. Se usa más en pl. • **clásico.** El de los escritores rom. de mediados del s. I a. C. hasta el XIV d. C. • **tardío o bajo l.** El utilizado desde el 200 d. C. hasta la aparición de las lenguas romances. • **vulgar.** El popular y familiar que originó las lenguas romances.

* *Ling.* El l. alcanzó gran difusión gracias al auge político y cultural del pueblo rom. Su falta de musicalidad y la poca flexibilidad quedan compensadas por su claridad, precisión expresiva y simplicidad fonética. Durante la E. Med. fue lengua de cultura a nivel supranacional, y la Iglesia lo mantuvo como lengua of. durante muchos siglos.

LATINI, *Brunetto* (1220-1295) Escritor it., maestro de Dante Alighieri y autor del *Libro del tesoro,* enciclopedia del hombre medieval.

LATINIDAD f. Cultura latina. • Conjunto de pueblos que hablaban el latín. • Conjunto de pueblos de origen latino.

LATINIPARLA f. Abuso de latines al hablar o escribir.

LATINISMO m. Giro propio de la lengua latina. • Empleo de tales giros o construcciones en otro idioma.

LATINISTA com. Persona que cultiva la lengua y literatura latinas.

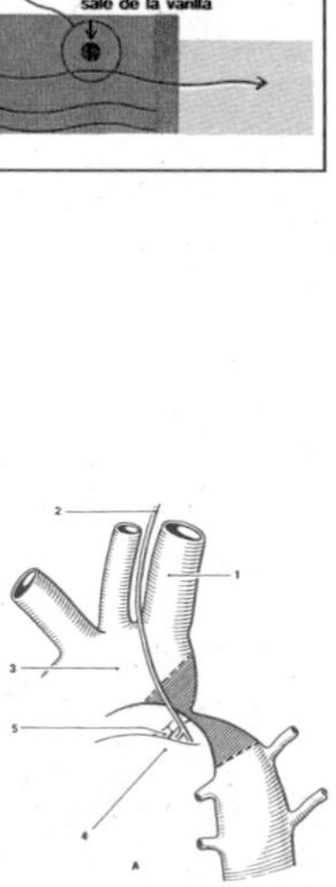

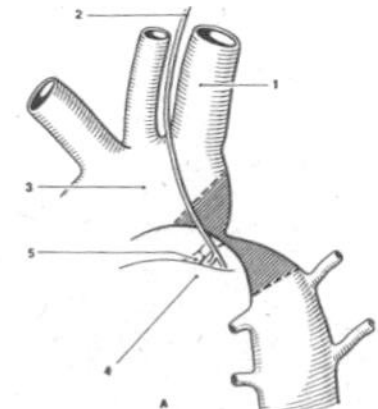

Dibujo de la coartación de la aorta debida a un **latido**: 1) subclavia; 2) vago; 3) arco aórtico; 4) arteria; 5) ligamento

LATINIZACIÓN f. Acción y efecto de latinizar. • Proceso de extensión del latín, durante el imperio rom., sobre otros pueblos.

LATINIZAR tr. Dar forma latina a voces de otra lengua. • intr. fam. Latinear, emplear latinajos. • Introducir la cultura latina.

LATINO Héroe epónimo de los latinos, hijo de Ulises y de Circe.

LATINO, NA adj. y s. Del Lacio o de los pueblos vasallos de la ant. Roma. • Que sabe latín. • Relativo a la lengua latina o propio de ella. • Aplícase a la iglesia cristiana de Occidente, en contraposición de la gr. • Díc. de las embarcaciones y aparejos de vela triangular.

LATINOAMÉRICA → América Latina.

LATINOAMERICANO, NA adj. Relativo a los países de América que fueron colonizados por naciones latinas: España, Portugal o Francia. • m. y f. Oriundo o habitante de estos países. • f. Literatura latinoamericana. → *Lit.*

* *Lit.* Durante y después de la independencia, la poesía tuvo un carácter testimonial y patriótico (Hidalgo, Valdés, Melgar, etc.). Con el poema *Alocución a la poesía,* de Bello, se inicia en 1823 el americanismo literario. Hacia 1830 aparece el romanticismo. Se formaron escuelas nacionales; las más imp. fueron la arg. (Echeverría), la col. (Arboleda, Caro, Gutiérrez González, Pombo) y la mex. (Prieto, Altamirano). Echeverría y Sarmiento crearon una narrativa híbrida. Entre los novelistas sobresalieron Mitre, Riva Palacio, Galván, Isaacs, Mármol, etc. Notable representante de la novela del Caribe fue Villaverde. Otros prosistas imp.: Montalvo, González Prada y Palma. El costumbrismo gozó de gran difusión. Los poetas románticos más imp. fueron Salaverry y Gómez de Avellaneda. La mejor obra de tema gauchesco fue *Martín Fierro*, de J. Hernández. En el último cuarto del s. XIX apareció el modernismo, cuya figura central fue Rubén Darío. De la primera generación son Gutiérrez Nájera, Asunción Silva, Del Casal; y los de la plenitud, Díaz Mirón, Nervo, Chocano Valencia, Freyres y Reynolds. En esta época publicaron sus obras Lugones, Agustini. Grandes poetisas fueron G. Mistral, Storni y J. de Ibarbouru. En la narrativa destacaron además de Darío y Gutiérrez Nájera, Díaz Rodríguez y E. Larreta. M. Fernández y C. Palma iniciaron una nueva literatura fantástica. En la novela criollista destacaron Carrasquilla, Blanco Fombona, Reyles y Rómulo Gallegos; y en la regionalista, De la Parra, Arévalo Martínez, Rivera, R. Gallegos y Güiraldes. Cultivadores del indigenismo fueron Arguedas, Icaza y Alegría. La novela mexicana contó con Azuela, Guzmán y Romero. En las décadas de 1920 y 1930 proliferaron los movimientos de vanguardia: el creacionismo (Huidobro), el runrunismo, el estridentismo, el martinfierrismo, etc. Entre la vanguardia y las últimas tendencias sobresalen Vallejo, Neruda y O. Paz. En América Central, Lezama Lima, Vitier, Coronel Urtecho, Cuadra, Cardenal, Montes de Oca; y en América del Sur, Lihn, Parra, Germán Belli, Benedetti, etc. *Narrativa de la segunda mitad del s. XX:* los pioneros de la renovación narrativa fueron Mallea, Borges, R. Arlt, Uslar Pietri, Yáñez, R. Pozas, R. Castellanos, J. M. Arguedas y M. A. Asturias. En 1969 se inicia el «boom» de la narrativa con el denominado realismo mágico. A él pertenecen Alejo Carpentier, García Márquez, Vargas Llosa, J. Cortázar, J. Rulfo, E. Sábato, Roa Bastos, G. Casaccia, Lezama Lima, Cabrera Infante, Otero Silva, M. Puig, J. Donoso, C. Droguett. Mención aparte merece la prosa de Carlos Fuentes. En conjunto, la prosa latinoamericana se ha afianzado en la segunda mitad del siglo XX como la narrativa universal más creadora, imaginativa, prolífica y polivalente de cuantas existen en el mundo.

LATIR intr. Ladrar. • Dar latidos el corazón, las arterias, etc. • tr. *Ven.* Dar la lata, molestar. • tr. e intr. *Méx.* Tener un presentimiento. ■ LATIENTE.

LATIRROSTRO, TRA adj. De pico aplanado.

LATITA f. Roca compuesta de plagioclasa, augita y hornblenda, de color grisáceo.

LATITUD f. Anchura. • La menor de las dos dimensiones que tienen las cosas o figuras planas, en contraposición a la mayor o longitud. • Extensión de un reino, prov. o distrito, tanto en ancho como en largo. • **astronómica.** Ángulo que forman la vertical de un lugar y el plano ecuatorial celeste. • **geográfica.** Ángulo que forman la normal a la superficie del geoide y el plano ecuatorial terrestre. ■ LATITUDINAL.

LATITUDINARIO, RIA adj. y s. *Teol.* Aplícase al que sostiene que puede haber salvación fuera de la iglesia católica. ■ LATITUDINARISMO.

LATO, TA adj. Dilatado, extendido. • fig. Aplícase al sentido que por ext. se da a las palabras.

LATÓN m. *Metal.* Aleación de cobre y cinc en proporciones variables. Las adiciones de diversos metales mejoran determinadas características. • *Bol.* y *Col.* Sable o chafarote. ■ LATONERÍA; LATONERO, RA.

LATORRE, ***Mariano*** (1886-1955) Novelista chil., iniciador de la escuela criollista. *Zurzulita.* • **Yempen,** ***Lorenzo*** (1840-1916) Militar y político ur. Ministro de Guerra y Marina. Presid. del país en 1876, gobernó de forma dictatorial. De nuevo presid. de 1879 a 1880, en que dimitió.

LATOSO, SA.adj. Fastidioso, pesado.

LATRÍA adj. y f. Culto y adoración que sólo se debe a Dios. ■ LATRÉUTICO, CA.

LATROCINIO m. Robo o fraude.

LATTUADA, ***Alberto*** (nacido 1914) Director de cine it., neorrealista. *Sin piedad, El alcalde, El escribano y su abrigo.*

LAUCA o **LAUCADURA** f. *Chile.* Peladura o alopecia. ■ LAUCO, CA.

LAUCHA f. *Argent.* y *Chile.* Especie de ratón pequeño. • m. *Argent.* y *Ur.* Hombre listo. • *Chile.* Persona flaca. • *Col.* Boqueado. • f. *Chile.* Alambre de acero. • **Aguaitar** uno **la l.** fr. *Chile.* Acechar esperando ocasión propicia.

Laúd

LAÚD m. Instrumento musical de cuerda. • Embarcación pequeña del Mediterráneo. • *Zool.* Tortuga marina que habita en el Atlántico.

LAUDA, f. Laude, lápida. • *Lit.* Composición religiosa de alabanza a Dios, propia de la E. Med. y el Renacimiento it.

LAUDA, ***Niki*** (nacido 1949) Piloto automovilís-

tico austríaco. Campeón del mundo de Fórmula 1 en 1975, 1977 y 1984.
LAUDABLE adj. Digno de alabanza.
LÁUDANO m. Solución hidroalcohólica de opio, azafrán y canela que se emplea como antiespasmódico. • Extracto de opio.
LAUDATORIO, RIA adj. Que alaba o contiene alabanza. • f. Escrito u oración en alabanza.
LAUDE f. Lápida sepulcral. • pl. Una de las partes del oficio divino.
LAUDEMIO m. *Der.* Derecho que se paga al señor del dominio directo cuando se venden las tierras en enfiteusis.
LAUDO m. *Der.* Fallo emitido por los árbitros que resuelven un compromiso. ■ LAUDAR.
LAUE, *Max von* (1879-1960) Físico al. Estudió la difracción de los rayos X, y demostró su carácter ondulatorio. Premio Nobel de Física en 1914.
LAUGERUD García, *Kjell Eugenio* (nacido 1930) Militar y político guat. Ministro de Defensa (1970-1974), fue elegido presid. en 1974 en unas controvertidas elecciones. Reemplazado en 1978.
LAUGHTON, *Charles* (1899-1962) Actor brit., nacionalizado norteam. *La vida privada de Enrique VIII, Rebelión a bordo, Testigo de cargo.*
LAUMONTITA f. Silicato de aluminio y calcio, de brillo vítreo.
LAUNA f. Lámina o plancha de metal. • Arcilla de color gris, para cubrir techos.
LAURA f. Monasterio de la Iglesia oriental.
LAURÁCEO, A adj. y f. *Bot.* Díc. de plantas dicotiledóneas, con hojas aromáticas y frutos en baya con una sola semilla. • f. pl. *Bot.* Familia de estas plantas, que comprende más de un millar de especies tropicales.
LAURANA, *Francesco* (s. XV) Arquitecto y escultor it. Bustos de *Leonor de Aragón* y *Battista Sforza.* • ***Luciano*** (hacia 1420-1479) Arquitecto it., hermano de Francesco. Palacio ducal de Urbino, una de las obras más representativas del primer renacimiento italiano.
LAUREADO, DA adj. y f. Que ha sido recompensado con honor y gloria.
LAUREANDO m. Graduando, que recibe un grado en la universidad.
LAUREAR tr. Coronar con laurel. • fig. Premiar, honrar.
LAUREL m. *Bot.* Planta arbustiva o arbórea, con hojas reunidas en umbelas y provistas en el envés de glándulas aromáticas. Sus hojas tienen propiedades carminativas y estimulantes. • fig. Corona, premio. ■ LAUREDAL; LÁUREO, A; LAURÍFERO, RA; LAURINO, NA.
LAUREL, *Stan* (1890-1965) Actor cinematográfico norteam. Formó pareja con Oliver Hardy a partir de 1929. *Estudiantes en Oxford, Los dos legionarios, Quesos y besos.*
LAURENCIO o **LAWRENCIO** m. *Quím.* Elemento de símb. Lw y n. a. 103, qu e no existe libre en la naturaleza, obtenido artificialmente en 1961.
LAURENS, *Henri* (1885-1954) Escultor fr., cubista (*La mujer de la mantilla,* 1918), evolucionó en la línea de A. Maillol. *La grande musicienne* (1938) y *Otoño* (1948).
LAURENTE m. Oficial que en las fábricas de papel se ocupa de hacer los pliegos con las formas.
LAUREOLA o **LAURÉOLA** f. Corona de laurel con que se premiaban las acciones heroicas. Aureola. • *Bot.* Adelfilla. • *Bot.* Nombre de diversas especies de plantas de la familiatimeláceas, arbustivas, con frutos en drupa.
LAURO m. Laurel • fig. Gloria, alabanza, triunfo.
LAUROCERASO m. Árbol exótico, cuyas hojas se emplean en medicina popular.
LAUSANA *(Lausanne)* C. del O de Suiza, cap. del cantón de Vaud; 255 900 hab. Sit. junto al lago Leman. Siderurgia, ind. mecánica, textil, química, de precisión. Catedral gótica. Centro cultural. • **Tratado de L.** Pacto entre Turquía y las naciones aliadas (Gran Bretaña , Francia, Italia y Japón) firmado en julio de 1923. Turquía obtuvo la rectificación a su favor de la frontera con Siria y el dominio sobre Asia Menor.
LAUS DEO loc. lat. que significa *gloria a Dios.*
LAUTARO Mun. de Chile, en la prov. de Cautín; 28 000 hab. Cap., la c. hom. Curtidurías; ind. cervecera.

Detalle del friso del arco de triunfo del Castelnuovo de Nápoles (Italia), obra de Francesco **Laurana**

LAUTARO (1534-1557) Caudillo araucano. El mismo año que se unió a los araucanos (1553) venció a Valdivia y, más tarde, a F. de Villagrán. Tomó varias ciudades y se dirigió contra Santiago. Entonces, aunque desertaron los pianches y su ejército fue diezmado por el hambre y el tifus, avanzó contra la capital. Su campamento de Peteroa fue atacado por sorpresa, los araucanos derrotados y L., símbolo del sentimiento libertador, muerto a orillas del Mataquito.
LAUTARO, logia Sociedad masónica fundada en 1912, en Buenos Aires, que tenía afiliados en Bolivia, Perú y Uruguay, y que fue establecida también en Londres por F. de Miranda. Impulsaba la indep. americana.
LAUTO, TA adj. Fastuoso, opulento.
LAUTRÉAMONT, CONDE DE (1846-1870) Seud. de ***Isidore Ducasse***. Poeta fr., n. en Montevideo. En 1869 publicó los *Cantos de Maldoror,* obra de un pesimismo radical, de aliento cósmico, en la que demuestra una gran habilidad en el manejo del lenguaje. En 1870 publicó, con su nombre, el volumen titulado *Poesías.* Los surrealistas del s. XX le consideraron uno de sus precursores más directos.
LAVA f. *Geol.* Material rocoso fundido, de origen magmático, que emerge a la superficie terrestre a través de los cráteres volcánicos a temperaturas que oscilan entre los 700 y 1 200 °C. Las *l. ácidas*, ricas en sílice, se solidifican rápidamente, mientras que las *l. básicas*, más fluidas, lo hacen más lentamente, y se desplazan en ocasiones a modo de ríos incandescentes.• *Min.* Operación de lavar metales.
LAVABLE adj. Que puede lavarse. • Díc. de los tejidos que no se encogen o pierden sus colores al lavarlos.
LAVABO m. Recipiente, provisto de pie y grifo, para lavarse. • Cuarto dispuesto para la limpieza y el aseo personales. • P. ext., retrete.
LAVACARAS com. fig. y fam. Persona aduladora.
LAVACIÓN f. fam. Loción farmacéutica.
LAVACOCHES m. Persona encargada de lavar automóviles.
LAVADERO m. Lugar en que se lava la ropa. • *Amér.* Paraje del lecho de un río o arroyo, donde se recogen arenas auríferas y se lavan.
LAVADO, DA m. y f. Acción y efecto de lavar. • m. Pintura a la aguada hecha con un solo color. • Operación de desengrase de lanas y tejidos antes de teñirlos. • Separación de un material del vehículo o medio empleado para obtenerlo. • **de cerebro**. *Psic.* Técnica para manipular la personalidad y la voluntad de un individuo.
LAVADOR, RA adj. y s. Que lava. • m. Instrumento de hierro para limpiar las armas de fuego. • *Min.* Instalación donde se efectúa el lavado de los minerales. • adj. y f. Díc. de la máquina para lavar la ropa.
LAVAFRUTAS m. Recipiente con agua para lavar la fruta y enjuagarse los dedos.
LAVAJE m. Lavado de las lanas.
LAVAJO m. Charca de agua de lluvia.
LAVAL, *Pierre* (1883-1945) Político fr. Ministro de Asuntos Exteriores hasta el triunfo del Frente Popular. Como jefe de gobierno de Vichy, colaboró con los nazis. Condenado a muerte en 1945.
LAVALLE, *Juan* (1797-1841) General arg. Destacó en la lucha por la independencia a las órdenes de San Martín. Intentó derrocar a Rosas, pero derrotado por Oribe, se refugió en Jujuy, donde fue asesinado.

Laurel

Lausana. Puerto en el lago Leman

Río de **lava** en el volcán Schabubembe, en R. D. del Congo

Lavandera

Antoine-Laurent de **Lavoisier**

Retrato de Argenstein, por Thomas **Lawrence**

LAVALLEJA (ant. *Minas)* Dpto. del SE de Uruguay; 10 016 km², 61 085 hab. Cap., Minas. 37 149 hab. Terreno llano y ondulado, accidentado al O por la Cuchilla Grande Principal. Ríos prales.: Santa Lucía, y el Cebollatí. Ganadería. Girasoles y cereales.

LAVALLEJA, *Juan Antonio* (h. 1786-1853) Militar y prócer ur., uno de los «tres tenientes de Artigas», junto a Oribe y Rivera. Jefe de la campaña de Los Treinta y Tres Orientales. Presid. provisional en 1830, practicó una política dictatorial. Derrotado por Rivera en 1834. Formó parte del fugaz triunvirato de 1853.

LAVAMANOS m. Pequeño lavabo para lavarse las manos.

LAVAMIENTO m. Lavado • Lavativa.

LAVANCO m. Pato bravío.

LAVANDA f. *Bot.* Planta herbácea, tomentosa, fragante, con hojas oblongas y flores tubulosas. • Perfume que se extrae de estas plantas.

LAVANDERÍA f. Establecimiento comercial para el lavado de la ropa.

LAVANDERO, RA m. y f. Persona que tiene por oficio lavar la ropa. • f. *Zool.* Ave paseriforme insectívora de la familia motacílidos, de plumaje gris y característicos movimientos al andar, también llamada nevatilla y aguzanieves.

LAVANDINA f. *Argent., Par., Ur.* Lejía, líquido para blanquear la ropa.

LAVÁNDULA f. Espliego.

LAVAOJOS m. Copita adaptable a la órbita del ojo, para aplicar a éste un líquido medicamentoso.

LAVAPLATOS adj. y s. Máquina para lavar los platos. • m. y f. Persona que tiene por oficio lavar los platos.

LAVAR tr. y prnl. Limpiar con agua u otro líquido. • tr. Dar la última mano al blanqueo con un paño mojado. • Dar color con aguadas a un dibujo. • fig. Purificar, quitar un defecto o mancha. • **Lavarse las manos.** fig. Eludir una responsabilidad.

LAVARDÉN, *Manuel José de* (1754-1809) Escritor arg. *Oda al Paraná, La muerte de Filipo de Macedonia, Los araucanos.*

LAVARROPA f. *Amér.* Lavadora.

LAVATIVA f. Líquido que se introduce por el ano con fines terapéuticos o para provocar la defecación. • Jeringa o instrumento para introducir este líquido. • Enema. • fig. y fam. Molestia, incomodidad.

LAVATORIO m. Acción de lavar o lavarse. • Ceremonia que hace el sacerdote en la misa lavándose los dedos. • Cocimiento medicinal para limpiar una parte externa del cuerpo. • *Amér.* Lavabo.

LAVAVAJILLAS m. fam. Lavaplatos.

LAVAZAS f. pl. Agua mezclada con las impurezas de lo que se lavó en ella.

LAVENDER m. Película positiva, de grano fino, utilizada para obtener un nuevo negativo.

LAVERAN, *Alphonse* (1845-1922) Médico fr. Descubrió el parásito causante del paludismo. Premio Nobel de Medicina en 1907.

LAVIGERIE, *Charles* (1825-1892) Cardenal fr., primado de África, fundador de la congregación de los Padres Blancos.

LAVÍN Acevedo, *Carlos* (1883-1962) Compositor chil. *Suite andina, Fiesta araucana.* • **Cerda, *Hernán*** (nacido 1939) Escritor chil. *Neuro-Poemas, Ceremonias de Afaf* (poesía); *El que a hierro mata.*

LAVINIA *Mit.* Hija de Latino, rey del Lacio, y de Amata. Se casó con Eneas.

LAVOISIER, *Antoine-Laurent de* (1743-1794) Químico fr., que acabó con la teoría del flogisto demostrando que toda combustión es un proceso de oxidación. Introdujo el método cuantitativo en química, y en su *Tratado elemental de química* estableció una nomenclatura de los elementos.

LAVOTEAR tr. fam. Lavar aprisa, mucho y mal. • prnl. Lavarse una persona repetidamente y con esmero. ■ LAVOTEO.

LAW, *John* (1671-1729) Economista escocés. Defensor del mercantilismo y la libre emisión de papel moneda. *Consideraciones sobre el numerario y el comercio.*

LAWRENCE, *David Herbert* (1885-1930) Novelista brit. Denunció la hipocresía de la sociedad victoriana. *El pavo real, El transgresor, Mujeres enamoradas, La serpiente emplumada, Canguro y El amante de Lady Chatterley.* • ***Ernest Orlando*** (1901-1959) Físico norteam. Inventó el ciclotrón. Colaboró en la preparación de la bomba atómica separando el uranio 235. Premio Nobel de Física en 1939. • ***Thomas*** (1769-1830) Pintor brit. Se inspiró en la obra de Reynolds *(Lady Cremorne, Miss Farren, Carlos X).* • ***Thomas Edward,*** llamado *Lawrence de Arabia* (1888-1935) Militar, diplomático y escritor brit. Atrajo a los ár. a favor de Gran Bretaña durante la I Guerra Mundial y los levantó contra el dominio otomano. *Los siete pilares de la sabiduría.*

LAWSONITA f. Silicato de calcio y aluminio. Abunda en los Alpes y EE UU.

LAXANTE adj. Que laxa. • m. *Farm.* Medicamento o sustancia que estimula la evacuación intestinal.

LAXAR tr. y prnl. Aflojar, disminuir la tensión de una cosa. • Favorecer la evacuación intestinal. ■ LAXACIÓN; LAXAMIENTO; LAXATIVO, VA.

LAXEIRO (1908-1996) Seud. de *Xosé Otero Abeledo.* Pintor expresionista esp., considerado el más universal artista gallego del siglo XX.

LAXISMO m. Doctrina en que domina la moral laxa o relajada. • Doctrina teológico-moral, opuesta al jansenismo, que defendía la no observancia de una ley moral cuando entraba en conflicto con los propios actos. ■ LAXISTA.

LAXNESS, *Halldor Kiljan* (1907-1998) Escritor isl. Renovador del idioma; *Salka Valka, Hombres libres.* Premio Nobel de Literatura en 1955.

LAXO, XA adj. Flojo. • fig. Relajado, libre. ■ LAXIDAD; LAXITUD.

LAY m. Composición poética amorosa en provenzal o en francés.

LAYA f. Pala de hierro con cabo de madera, para labrar la tierra. • Calidad, género. ■ LAYADOR, RA; LAYAR.

LAZ o **LAZISTANO** adj. y s. Díc. de individuos de un pueblo caucásico que vive en la franja SE del mar Negro (Trebisonda y Batumi). • m. Lengua caucásica de este pueblo. • m. pl. Pueblo lazistano.

LAZADA f. Atadura o nudo que tirando de uno de los cabos se desata con facilidad. • Lazo de adorno.

LAZADOR, RA adj. *Cuba.* Persona que laza ganado.

LAZAR tr. Coger o sujetar con lazo. • *Méx.* Enlazar.

LÁZAR, *György* (nacido 1924) Político húng. Primer ministro de 1975 a 1987.

LAZARETO m. Lugar donde se somete a cuarentena a los viajeros sospechosos de haber adquirido una enfermedad contagiosa. • Hospital de leprosos.

LAZARILLO m. Muchacho que guía y dirige a un ciego. • adj. Díc. de los perros adiestrados de que se sirven los ciegos.

LAZARILLO de Tormes Novela esp. que inicia en Occidente el gén. picaresco. Se conoce a partir de tres ediciones publicadas en 1554 y se discute si fue escrita en 1550 o h. 1525-1526. Atribuida, entre otros, al padre Juan de Ortega, a Diego Hurtado de Mendoza (casi todas las ediciones del L. se han hecho bajo este nombre) y a Sebastián de Horozco. La obra es un relato autobiográfico en que el joven Lázaro narra su aprendizaje de la vida a través de sus diversos amos.

LÁZARO m. Pobre andrajoso. • **Estar hecho un l.** Estar cubierto de llagas.

LÁZARO Santo. Amigo y discípulo de Cristo. En el evangelio de san Juan se relata el milagro de la resurrección. Festividad: 17 diciembre.

LÁZARO, *Hipólito* (1887-1974) Tenor esp. Destacaron sus interpretaciones de *Il piccolo Marat y Marina.* • **Carreter, *Fernando*** (nacido 1923) Lingüista español. *Diccionario de términos filológicos.*

LAZO m. Atadura o nudo que sirve de adorno. • Adorno de metal que imita al lazo. • Dibujo que se hace con boj, arrayán u otras plantas en los jardines. • Cruce, movimiento que se ejecuta en la danza. • Lazada. • Trampa para coger conejos. • Cuerda con una lazada corrediza en uno de sus extremos, que sirve para sujetar toros, caballos, etc. • Cordel con que se asegura la carga. • fig. Trampa, acechanza. • fig. Vínculo, obligación. • *Arq.* Adorno de líneas y florones enlazados unos con otros.

LAZULITA f. Fosfato de alúmina, de color azul, componente del lapislázuli.

LAZURITA f. Tectosilicato de sodio y calcio, más conocido como lapislázuli, de color azul y brillo vítreo, utilizado como piedra ornamental.

LE Dativo del pron. personal de tercera persona en gén. masculino o femenino y núm. singular, y acusativo del mismo pron. en igual núm. y sólo en gén. masculino.

LÊ Duan (nacido 1908) Político vietnamita. Organizó la guerrilla del FLN. Primer secretario del partido en 1960 hasta su dimisión en 1981.

LÊ Duc Tho (1910-1990) Político vietnamita. Fundador del partido comunista de Indochina (1929) y del Vietminh. Negoció los acuerdos de paz sobre Vietnam. Premio Nobel de la Paz (1973), con Kissinger, que rechazó. Dimitió de sus cargos en 1986.

LEADER (voz ing.) m. Líder, jefe de grupo o de partido político.

LEAKEY, *Louis Seymour Bazett* (1903-1972) Paleoantropólogo brit. Junto con su esposa, ***Mary Douglas*** (1913-1996), paleoantropóloga brit., trabajó en Olduvai (Tanzania) y numerosos yacimientos de África Oriental. Establecieron tres líneas de evolución: *Homo habilis*, *Homo erectus* y *Australopithecus*.

El Lazarillo de Tormes óleo de Goya. Colección particular, Madrid

LEAL adj. y s. Incapaz de traicionar o engañar. • Que no abandona nunca a alguien. • adj. Díc. de las acciones inspiradas por la lealtad.

LEALTAD f. Cumplimiento de las leyes de la fidelidad y el honor. • Amor o gratitud que muestran al hombre algunos animales. • Legalidad, verdad, realidad.

LEAN, *David* (1908-1991) Director de cine brit. *El puente sobre el río Kwai, Lawrence de Arabia, Doctor Zhivago.*

LEANDRO de Sevilla (m. h. 600) Santo. Eclesiástico y escritor esp., hermano de San Isidoro. Arzobispo de Sevilla h. 578. Festividad: 13 nov.

LEANTE, *César* (nacido 1928) Escritor cub. *El perseguido, La rueda y la serpiente.*

LEASING (voz ing.) m. Arrendamiento con opción a comprar lo arrendado al cabo de cierto tiempo.

LEBECHE m. En el litoral del Mediterráneo, viento sudoeste.

LEBENI m. Bebida del N de África que se prepara con leche agria.

LEBERQUISA f. Pirita magnética.

LEBISA f. *Cuba.* Levisa, pez marino.

LEBLANC, *Maurice* (1864-1941) Escritor fr. de novelas policíacas, creador del célebre personaje Arsenio Lupin. • ***Nicolás*** (1742-1806) Médico y químico fr. Descubrió el procedimiento para obtener carbonato sódico a partir de la sal común.

LEBOWA Antiguo bantustán de la Rep. Sudafricana con pob. del grupo sotho septentrional (pedi).

LEBRADA f. Guiso de liebre.

LEBRANCHO m. *Cuba.* Lisa, pez.

LEBRATO m. Liebre nueva o de poco tiempo. ■ LEBRATÓN.

LEBREL adj. y m. Díc. de una variedad de perro de orejas caídas, lomo recto y patas hacia atrás. Apropiado para la caza de la liebre.

LEBRERO, RA adj. Aficionado a las cacerías o carreras de liebres.

LEBRIJA Río de Colombia, afl. del Magdalena; 225 km.

LEBRILLO m. Vasija que sirve para lavar ropa.

LEBRÓN m. fig. y fam. Hombre tímido y cobarde. • adj. *Méx.* Hombre astuto.

LEBRUN, *Albert* (1871-1950) Político fr. Presid. de la república. (1932-1940). En junio 1940 pidió a Pétain que formara gobierno y se retiró de la jefatura del Est.

LEBRUNO, NA adj. Relativo a la liebre.

LECANOMANCIA f. Arte de adivinar por el sonido que hacen las piedras preciosas al caer en una escudilla.

LECANORÁCEO, A adj. y f. *Bot.* Díc. de las especies de la familia de líquenes, de talo unido con el sustrato por apotecios circulares, en los que se ve el himeneo del hongo.

LECCIÓN f. Lectura. • Comprensión de un texto. • Fragmento de la Escritura, vida de santos, etc., cantado en ciertas misas y en los maitines. • Conjunto de conocimientos impartidos en una vez. • Capítulo o partes en que están divididos algunos escritos. • Todo lo que cada vez señala el maestro al discípulo para que lo estudie. • fig. Amonestación, acontecimiento o acción ajena que, de palabra o con el ejemplo, nos enseña el modo de conducirnos.

LECCIONARIO m. Libro de coro que contiene las lecciones de maitines.

LECCIONISTA com. Maestro o maestra que da lecciones en casas particulares.

LECHA o **LECHAZA** f. Licor seminal de los peces. • Cada una de las dos bolsas que lo contienen.

LECHADA f. Masa fina de cal o yeso para blanquear paredes. • Argamasa. • Masa de trapo molida para hacer papel. • Emulsión.

LECHAL adj. y m. Díc. del animal de cría que mama, y en especial del cordero. • adj. Díc. de las plantas y frutos que tienen un zumo blanco semejante a la leche. • m. Este mismo zumo.

LECHAR adj. Díc. del animal que mama. • Díc. de las plantas que tienen un zumo blanco. • Aplícase a la hembra cuyos pechos tienen leche. • Que cría o tiene virtud para criar leche.

LECHE f. *Biol.* Líquido blanco y opaco segregado por las glándulas mamarias de las hembras de los mamíferos. • *Bot.* Látex, jugo blanco que se extrae de algunas semillas. • fig. Primera educación o enseñanza, tanto sobre costumbres como sobre ciencias y artes. • fig. Semen. • Golpe, puñetazo, bofetón. • Humor, estado de ánimo. • Suerte, fortuna. • Índole, carácter. • **condensada.** La que se obtiene adicionando un 12 % de azúcar y eliminando al vacío las tres cuartas partes del agua que contiene. • **de gallina.** *Bot.* Planta herbácea (familia liliáceas), provista de bulbo y escapo. Sus bulbos son

Lê Duc Tho

Leandro de Sevilla, representado en un vitral de la catedral de León (España)

Lebrel inglés

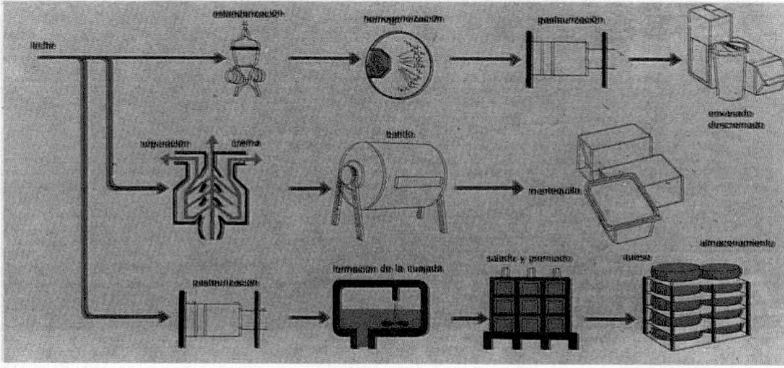

Leche. Esquema de los procesos de preparación de leche y productos lácteos

purgantes, diuréticos y comestibles. • **en polvo.** La que resulta de la extracción casi total del agua. • **homogeneizada.** La que se obtiene desintegrando los glóbulos de grasa. • **pasteurizada.** La esterilizada mediante un calentamiento, seguido de un enfriamiento rápido. • **uterina.** Secreción de las glándulas uterinas que sirve para la alimentación del embrión antes de que éste se halle firmemente anidado en la pared de la matriz.

* *Biol.* La l. es una suspensión en agua de grasa, lactosa, proteínas, vitaminas A y B, sustancias minerales y una abundante flora bacteriana. De la l. se obtienen diversos derivados: mantequilla, queso, yogur, etc. Para seguridad del consumidor la leche es pasteurizada calentándola a 80-81 °C durante 2 min. en capa delgada, o bien esterilizada sometiéndola a temperaturas superiores a los 100 °C.

Lechuga

LECHECILLAS f. pl. Mollejas de cabrito, cordero, etc. • Asadura, entrañas del animal.

LECHEMIEL f. *Col.* Nombre común de las especies del gén. *Lacmellia,* de la familia apocináceas, pequeños árboles que manan un látex venenoso.

LECHERÍA f. Sitio o puesto donde se vende leche.

LECHERO, RA. adj. Que contiene leche o tiene algunas de sus propiedades. • Relativo a la leche. • fam. Usurero. • *Méx.* Persona con suerte. • m. y f. Persona que vende leche. • f. Vasija en que se tiene o se sirve la leche. • *Argent.* Vaca lechera. • **amarga.** Polígala, planta herbácea.

LECHERUELA o **LECHETREZNA** f. Planta euforbiácea, cuyo jugo, lechoso, se ha usado en medicina.

LECHIGADA f. Conjunto de animalillos que han nacido de un parto y se crían juntos en un mismo sitio. • fig. y fam. Cuadrilla de personas de mal vivir.

LECHIGUANA f. *Bol.* y *Argent.* Avispa melera.

LECHÍN adj. y m. Díc. de una especie de olivo y de la aceituna que produce. • Lechino, grano.

LECHÍN, ***Juan*** (nacido 1912) Político bol. Pral. dirigente sindical de su país desde 1944, encabezó el ala izquierda del MNR. Fue vicepresidente (1960-1964). Máximo dirigente de la poderosa central minera, COB, dimitió de todos sus cargos en el sindicato y la Federación en 1985, al reconocer su de-rrota política frente al plan de emergencia económica del presid. Paz Estenssoro.

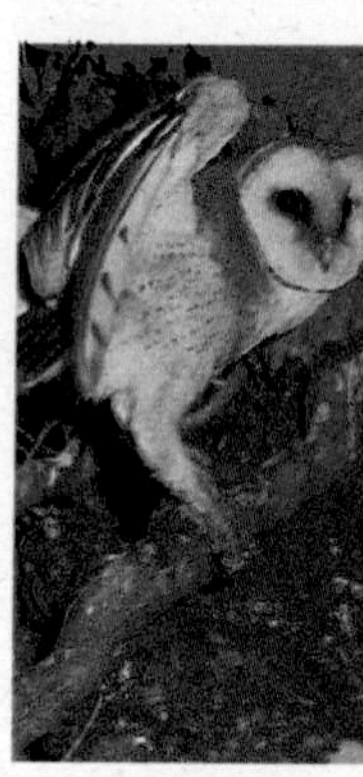
Lechuza

LECHINO m. Clavo de hilas que se coloca en el interior de las úlceras y heridas para facilitar la supuración.

LECHO m. Cama. • Cama para el ganado. • fig. Madre de río, o terreno por donde corren sus aguas. • fig. Fondo del mar. • fig. Porción de algunas cosas que están extendidas horizontalmente sobre otras. • *Arq.* Superficie de una piedra sobre la cual se ha de asentar otra. • *Geol.* Estrato.

LECHÓN m. Cochinillo que todavía mama. • P. ext., puerco macho de cualquier tiempo. • m. y adj. fig. y fam. Hombre sucio.

LECHONA f. Hembra del lechón o puerco. • f. y adj. fig. y fam. Mujer sucia, desaseada.

LECHOSO, SA adj. Que tiene apariencia de leche. • Aplícase a las plantas y frutos que tienen un jugo blanco semejante a la leche. • m. Papayo, árbol. • f. Papaya, fruto del papayo.

LECHUCERO m. *Ecuad.* Noctámbulo.

LECHUGA f. Planta compuesta, cultivada en huerta, cuyas hojas se comen en ensalada. • Lechuguilla, cabezones o puños de camisa. • Pliegue o fuelle que se hace en una tela, imitando las hojas rizadas de la lechuga. • **Como una l.** fig. y fam. Díc. de la persona que está muy fresca y lozana. ▪ LECHUGADO, DA.

LECHUGUERO, RA m. y f. Persona que vende lechugas.

LECHUGUILLA f. Lechuga silvestre. • Cuello o puño de camisa almidonado con adornos en forma de hojas de lechuga. • *Cuba.* Especie de alga de río. • *C. Rica.* Mala hierba en los sembrados.

LECHUGUINA adj. y f. fig. y fam. Mujer joven que se compone mucho y sigue la moda.

LECHUGUINO m. Lechuga pequeña antes de ser transplantada. • adj. y m. fig. y fam. Muchacho que se mete a galantear aparentando ser hombre hecho. • fig. y fam. Hombre joven que sigue rigurosamente la moda.

LECHUZO, ZA adj. y s. Díc. del muleto que no tiene un año. • fig. y fam. Perspicaz. • m. fig. y fam. El que anda en comisiones, y se envía a los lugares a ejecutar los despachos de apremios y otros semejantes. • adj. y m. fig. y fam. Hombre que se asemeja a la lechuza en alguna de sus características. • f. *Zool.* Ave estrigiforme, de distribución mundial, cabeza grande y redondeada, ojos rodeados por grandes círculos radiales de plumas, pico corto, plumaje leonado claro, blanco en el vientre. Se alimenta de pequeños mamíferos, lagartos y serpientes.

LECITINA f. o **LECITOL** m. *Quím.* Lipoide constituido por esterificación de la glicerina mediante dos ácidos grasos y una molécula de ácido fosfórico, presente en las membranas de los seres vivos.

LECLANCHÉ, ***Georges*** (1839-1882) Químico fr., inventor de la pila que lleva su nombre.

LECLERC, ***Jacques Philippe de Hauteclocque,*** llamado (1902-1947) General fr. Destacó durante la II Guerra Mundial en la campaña de África. Fue el primero en entrar en París.

LECONTE de Lisle, ***Charles-Marie*** (1818-1894) Poeta fr.; Fundó el grupo de los *parnasianos. Poemas bárbaros.*

LECTIVO, VA adj. Díc. del tiempo y días en que se imparte enseñanza en los centros docentes.

LECTOR, RA adj. y s. Que lee. • m. El que en las comunidades religiosas enseña filosofía, teología o moral. • Profesor adjunto que da lecciones prácticas de su idioma en una universidad extranjera. • Colaborador que lee los manuscritos enviados a un editor. • *Comp.* Periférico que recoge información de un soporte (cinta de papel, tarjetas, cinta magnética) y la introduce en la computadora para su tratamiento. • **de código de barras.** *Comp.* Dispositivo que reconoce los datos contenidos en una combinación de rayas verticales de diferente grosor impresas sobre un papel. • **óptico de caracteres.** *Comp.* L. capaz de identificar marcas impresas, gralte. caracteres alfanuméricos, sobre papel.

LECTORADO m. Una de las divisiones del sacramento del orden, la segunda de las menores. • Cargo de lector de idiomas.

LECTORAL adj. y s. Canónigo lectoral. • Prebenda de dicho canónigo. ▪ LECTORALÍA.

LECTORÍA f. En las comunidades religiosas, empleo de lector.

LECTURA f. Acción de leer. • Obra o cosa leída. • Interpretación del sentido de un texto. • Cultura o conocimiento de una persona. • Tipo de letra de imprenta. • **de instrucción.** *Comp.* Primera fase de toda ejecución de una instrucción, previa a la fase de realización de ésta. • **de memoria.** *Comp.* Acto por el que se extrae información contenida en la memoria. • **de pantalla.** *Comp.* Transmisión a un periférico de la información que se visualizó en la pantalla de la computadora.

LECUONA, ***Ernesto*** (1896-1963) Compositor cub., creador de algunas melodías famosas: *Siboney, Malagueña.*

LEDEBURITA f. *Metal.* En las aleaciones hierro-carbono (aceros), la mezcla eutéctica de cementita y austenita.

LEDESMA, ***Alonso de*** (1562-1623) Poeta esp., iniciador del conceptismo: *Conceptos espirituales, Romancero y monstruo imaginado.* • ***Roberto*** (1901-1966) Poeta arg. *Caja de música, La llama, El pájaro y la tormenta.*

LEDO, DA adj. Alegre, plácido, contento. Se usa en poesía.

LEE, ***Christopher*** (nacido 1922) Actor cinematográfico brit. Se ha especializado en la encarnación de personajes terroríficos. *La maldición de Frankenstein, Drácula.*

LEE, ***Robert Edward*** (1807-1870) General norteam. Jefe del ejército de Virginia del Norte durante la guerra de Secesión, derrotó a los nordistas en Richmond y en Frederiksburg. Fue vencido en Gettysburg.

LEE Kuan Yew (nacido 1923) Político de Singapur. Jefe del gobierno ininterrumpidamente desde 1959. • **Tsung Dao** (nacido 1926) Físico chino residente en EE UU. Ha realizado importantes trabajos sobre la naturaleza de las partículas subatómicas. En 1957 compartió el premio Nobel de Física con su compatriota C. N. Yang.

LEEDS C. de Gran Bretaña, en el N de Inglaterra,

condado de York (West Riding); 448 500 hab. (1 700 000 hab., agl. urb.). Centro textil y siderometalúrgico. Nudo de comunicaciones. Universidad.
LEER tr. Pasar la vista por lo escrito para conocer su contenido. • Enseñar un profesor a sus oyentes alguna materia. • Interpretar un texto. • Descifrar una partitura musical. • Convertir en impulsos eléctricos la información contenida en algún soporte físico, que se da a una computadora. • fig. Percibir o adivinar lo que sucede en el interior de una persona. ■ LEGIBLE; LEÍBLE.
LEEUWENHOECK, *Antony van* (1632-1723) Biólogo neerl., creador de la microbiología. Observó también los glóbulos rojos de la sangre y describió los espermatozoides.
LEEWARD Grupo de islas de las Pequeñas Antillas. Comprende las islas Vírgenes americanas y brit., Antigua, San Cristóbal-Nevis-Anguila y Dominica, Montserrat, Guadalupe, Saba, Sint Eustatius y la parte septentrional de Sint Maarten.
LEFEBVRE, *Georges* (1874-1959) Historiador fr. Estudió la sociedad y la economía durante la Revolución Francesa y la época napoleónica. Director de *Annales historiques de la Révolution. La Revolución francesa, Napoleón.* • ***Henri*** (1901-1991) Filósofo marxista fr. Crítico del marxismo ortodoxo. *La crítica de la vida cotidiana, El pensamiento de Marx, El marxismo.* • ***Marcel*** (1905-1991) Prelado fr. Realizó ordenaciones contra la voluntad del Vaticano, y Paulo VI le suspendió *a divinis* (1976). Se ha relacionado con sectores ultraderechistas de Europa y América. En 1988 fue excomulgado. • **d'Étaples, *Jacques*** • (1453-1535) Humanista y teólogo fr. Se dedicó a la exégesis de las Escrituras; a él se debe la primera traducción francesa del Nuevo Testamento.
LEGA f. Monja que sirve a la comunidad en las faenas caseras.
LEGACÍA f. Empleo o cargo de legado. • Mensaje o negocio de que va encargado un legado.
LEGACIÓN f. Legacía. • Cargo que da un gobierno a un individuo para que le represente cerca de otro gobierno extranjero. • Conjunto de los empleados que el legado tiene a sus órdenes. • Casa u oficina del legado.
LEGADO m. Manda que deja un testador a una o varias personas. • P. ext., lo que se deja o transmite a los sucesores. • Individuo que una autoridad eclesiástica o civil envía a otra para tratar un negocio. • Delegado del emp. en ciertas prov. romanas. • Jefe de una legión romana.
LEGADOR m. Sirviente que ata de pies y manos las reses lanares para que las esquilen.
LEGADURA f. Cuerda, cinta u otra cosa que sirve para liar o atar.
LEGAJAR tr. *Amér.* Reunir en legajos.
LEGAJO m. Conjunto de papeles reunidos por tratar de una misma materia.
LEGAL adj. Prescrito por ley y conforme a ella. • Fiel en el cumplimiento de su cargo.
LEGALIDAD f. Calidad de legal. • Régimen político estatuido por la ley.
LEGALISTA adj. Que antepone a toda otra consideración la aplicación literal de las leyes.
LEGALIZACIÓN f. Acción de legalizar. • Certificado que acredita la autenticidad de un documento o una firma.
LEGALIZAR tr. Dar estado legal a una cosa. • Comprobar y certificar la autenticidad de un documento o una firma.
LÉGAMO m. Cieno, lodo. • Parte arcillosa de las tierras de labor. ■ LEGAMOSO, SA.
LEGANAL m. Charca de légamo.
LEGANÉS Mun. esp., en la com. autón. de Madrid (prov. de Madrid); 174 593 hab. Forma parte del área metropolitana de Madrid.
LEGAÑA f. Humor viscoso segregado por las glándulas sebáceas de los párpados. ■ LEGAÑOSO, SA.
LEGAR tr. Dejar una persona a otra alguna manda en su testamento. • Enviar a uno de legado o con una legacía. • fig. Transmitir ideas, artes, etc. • Juntar, congregar, reunir.
LEGATARIO, RIA m. y f. Persona natural o jurídica beneficiada por un legado.
LEGATO (it., «ligado») adv. modo. *Mús.* Término que indica que los sonidos deben sucederse sin interrupción.

Homenaje a Louis David, óleo de Fernand **Léger.** Museo de Arte, Basilea (Suiza)

LEGAZPI, *Miguel López de* (h. 1510-1572) Navegante y militar esp. Jefe de la expedición que había de colonizar las Filipinas. Fundó Manila (1571).
LEGENDA f. Historia o actas de la vida de un santo.
LEGENDARIO, RIA adj. Relativo a las leyendas. • Popularizado por la tradición. • m. Libro de vidas de santos. • Colección de leyendas.
LEGENDRE, *Adrien Marie* (1752-1833) Matemático fr. Sus contribuciones más importantes se refieren a la teoría de números, al cálculo integral y a la teoría de funciones elípticas.
LÉGER, *Fernand* (1881-1955) Pintor fr. Sus primeras obras revelan influencias impresionistas, pero pronto (1909) se adhirió al grupo cubista. Post. retornó a una estética realista. En su última época pintó objetos dispares que se unen solamente teniendo en cuenta sus formas o colores. Hizo también escultura, cerámica e ilustraciones para obras literarias. Destaca su *Homenaje a Louis David.*
LEGIÓN f. Unidad del ejército rom., compuesta de infantería y caballería. Hacia el año 100 a. C. una l. comprendía 6 000 hombres. Cada l. se dividía en 10 cohortes. • Nombre que suele darse a ciertos cuerpos de tropas. • fig. Número indeterminado y copioso de personas o espíritus. • **Cóndor.** Fuerzas aéreas al. que combatieron en la guerra civil esp. (1936-1939).
LEGIONARIO, RIA adj. Relativo a la legión. • m. Soldado que servía en una legión rom. • En los ejércitos modernos, soldado de algún cuerpo de los que tienen nombre de legión.
LEGISLACIÓN f. Conjunto de leyes por las cuales se gobierna un Estado, o una materia determinada. • Ciencia de las leyes.
LEGISLAR intr. y tr. Dar, hacer o establecer leyes. ■ LEGISLADOR, RA.
LEGISLATIVO, VA adj. Aplícase al derecho de hacer leyes. • Aplícase al código de leyes.
LEGISLATURA f. Tiempo durante el cual funcionan los cuerpos legislativos o las comisiones parlamentarias formadas a tal efecto. • *Argent., Méx.* y *Perú.* Asamblea legislativa. • *Méx.* Cámara de diputados de la nación y cámara local o de diputados de cada uno de los estados.
LEGISPERITO m. Jurisperito.
LEGISTA com. Profesor de jurisprudencia. • El que estudia jurisprudencia o leyes.
LEGÍTIMA f. *Der.* Porción de la herencia de que el testador no puede disponer libremente.
LEGITIMACIÓN f. Acción y efecto de legitimar. • Desaparición, por procedimientos legales, de la situación de ilegitimidad o bastardía. • Capacidad para ser parte de un proceso.
LEGITIMAR tr. Justificar la verdad de una cosa o la calidad de una persona o cosa conforme a las leyes. • Hacer legítimo al hijo que no lo era. • Habilitar a una persona para un oficio o empleo. • Conseguir la titularidad activa en un litigio o proceso. • Adquirir legitimidad un régimen político. ■ LEGITIMADOR, RA.
LEGITIMARIO, RIA adj. Perteneciente a la legítima. • adj. y s. Que tiene derecho a la legítima.
LEGITIMIDAD f. Calidad de legítimo. • *Der.* Consenso mayoritario que otorgan los súbditos o ciudadanos a un régimen político.
LEGITIMISMO m. Doctrina que afirma la legitimidad de una rama de una dinastía. ■ LEGITIMISTA.

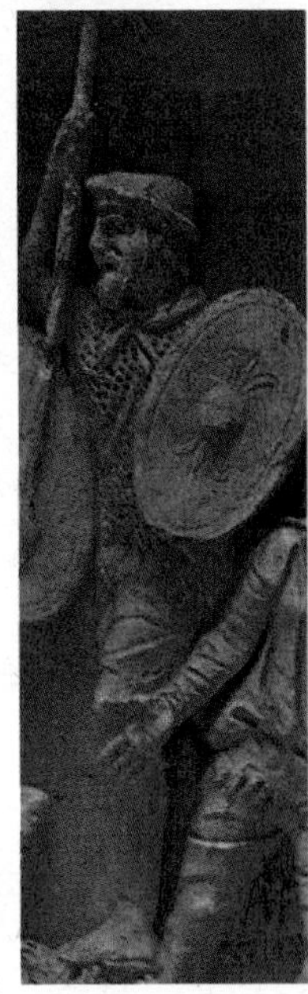

Legión. Legionario romano de la columna de Marco Aurelio, Roma

Legnano. Monumento conmemorativo de la batalla contra Barbarroja

Retrato de un hombre, óleo sobre tabla de Lucas de **Leiden.** National Gallery, Londres

Leif Ericsson, por Christian Krogh

LEGÍTIMO, MA adj. Conforme a las leyes. • Genuino y verdadero en cualquier línea. • Díc. del hijo nacido de unión conyugal consagrada por la ley.
LEGNANO C. del N de Italia, en Lombardía; 49 000 hab. Centro comercial e industrial.
LEGNICA (al., *Liegnitz*) C. del SO de Polonia, en la Baja Silesia; 97 700 hab., cap. del voivodato hom. Centro industrial.
LEGO, GA adj. y s. Que no tiene órdenes clericales. • Falto de letras o noticias.
LEGÓN m. Especie de azadón.
LEGRA f. *Cir.* Instrumento que se emplea para legrar. • Cuchilla de acero con el extremo libre encorvado y cortante y mango de madera. Sirve para labrar objetos.
LEGRAR tr. *Cir.* Raspar con la legra la superficie de los huesos o una superficie mucosa, como la del útero. ■ LEGRACIÓN; LEGRADO; LEGRADURA.
LEGUA f. Medida itineraria equivalente a 5 572,7 m. • **marítima.** La que equivale a 5 555 m. • **A la l.** m. adv. fig. Desde muy lejos, a gran distancia.
LEGUAJE m. *Perú.* Longitud recorrida en leguas.
LEGUÍA, *Augusto Bernardino* (1863-1932) Político per. Presid. (1908-1902) y dictador (1919-1930). Inició el movimiento «Patria nueva». Fue derrocado por un golpe militar.
LEGUIZAMÓN, *Martiniano* (1858-1935) Escritor arg. Su obra muestra un hondo interés por los ambientes criollos. *Recuerdos de la tierra, Calandria* (obra teatral), *Montaraz.*
LEGULEYO m. El que trata de leyes sin conocerlas suficientemente. • despect. Abogado.
LEGUMBRE f. Fruto simple, dehiscente, que en la madurez se abre por la sutura y por el nervio medio. Es característico de la mayoría de las especies del orden leguminosas, como la judía, el guisante, etc. • P. ext., cualquier planta que se cultiva en las huertas.
LEGÚMINA f. Albúmina vegetal extraída de las semillas de las leguminosas. Es una globulina.
LEGUMINOSO, SA adj. y f. *Bot.* Díc. de plantas y árboles dicotiledóneos, con fruto en legumbre y varias semillas sin albumen. • f. pl. *Bot.* Familia de estas plantas.
LEHAR, *Franz* (1870-1948) Compositor austr. de origen húng. Compuso célebres operetas. *La viuda alegre, El conde de Luxemburgo.*
LEHM (voz al.) m. *Geol.* Depósito originado por descalcificación de las rocas por acción del agua de filtración.
LEIBNIZ, *Gottfried Wilhelm* (1646-1716) Filósofo y matemático al. que destacó también como jurista, historiador, diplomático y teólogo. Contribuyó a la fundación de la Academia de Ciencias de Berlín (1700) de la que fue primer presid. En teoría del conocimiento se opuso al empirismo de Locke. Autor de importantes obras filosóficas: *Hipótesis sobre una nueva física, Nuevos ensayos sobre el entendimiento humano, Ensayos de teodicea, Monadología.* Como matemático, su pral. trabajo (1684) es el *Nuevo método para la determinación de los máximos y los mínimos,* en el que expone las ideas fundamentales del cálculo infinitesimal, al mismo tiempo e independientemente de Newton, introduciendo la notación que aún se sigue utilizando. Desde el punto de vista de la lógica matemática, además de su famosísimo *Discurso sobre el arte combinatorio,* es interesante *Fundamenta calculi logici.*
LEICESTER C. brit., en Inglaterra; 279 800 hab., cap. del condado hom. (2 553 km², 863 700 hab.). Sit. junto al río Soar. Ind. textil, del calzado, mecánica.
LEIDEN C. de Países Bajos, en el NO de Holanda Meridional; 104 700 hab. Ind. textil, metalúrgica; artes gráficas. Universidad desde 1575.
LEIDEN, *Lucas de* (h. 1494-1533) Pintor y grabador hol. del Renacimiento. *Juicio final* (tríptico).
LEÍDO, DA adj. Díc. del que ha l. mucho y es hombre de mucha erudicción. • f. Lectura, acción de leer.
LEIF Ericsson Navegante normando, hijo de Eric el Rojo. Probablemente arribó a las costas de América del Norte (h. 1000).
LEIGH, *Vivian* (1913-1967) Actriz cinematográfica brit. *Lo que el viento se llevó, Un tranvía llamado deseo.*
LEIMA m. Uno de los semitonos usados en la música griega.
LEINSTER *(Laighin)* Región histórica del E de Irlanda; 19 628 km², 1 851 100 hab. C. pral.: Dublín.
LEIPZIG C. de Alemania (557 200 hab.), junto al Elster, cap. del distrito hom. (4 966 km², 1 387 800 hab.). Ind. mecánica, electrónica, editorial, textil, etc. • **Batalla de L.** Combate desarrollado ante esta c. entre las tropas de Napoleón y los ejércitos aliados de Prusia, Austria, Rusia y Suecia (16-19 octubre 1813), que concluyó con la retirada fr.
LEÍSMO m. Uso de la forma *le,* originariamente complemento indirecto para cualquier gén., en función de complemento directo referido a persona masculina. ■ LEÍSTA.
LEITMOTIV (al., «motivo conductor») m. Tema básico de una composición poética o musical, que se repite continuamente. • P. ext., tema pral. sobre el que gira una obra, discurso, etc.
LEIVA, *José Ramón* (1747-1816) Militar y patriota col. Vicepresid. de la Junta que declaró la indep. absoluta (1813), fue fusilado por las tropas esp. de Morillo en Bogotá. • ***Ponciano*** (s. XIX) Militar y político hond. Artífice del derrocamiento del presid. Arias (1847), accedió a la presidencia, pero fue destituido (1849). Presid. interino en 1886, fue elegido presid. constitucional en 1891, pero dimitió en 1893. • ***Raúl*** (1916-1974) Poeta guat. Fundador de la *Revista de Guatemala,* evolucionó de una lírica subjetiva a una poesía indigenista. *Angustia, Sonetos de amor y muerte, Mundo indígena, Oda a Cuauhtémoc.* • **Y de la Cerda, *Juan Francisco,*** MARQUÉS DE LEIVA Y DE LADRADA (1604-1678) Administrador colonial esp. Virrey de Nueva España (1660-1664), sofocó varias rebeliones indígenas con gran crueldad y desbarató la toma de Yucatán por los ing.
LEIZAOLA, *Jesús María de* (1896-1989) Político esp. Afiliado al Partido Nacionalista Vasco, formó parte del primer gobierno de Euskadi (1936) y fue presid. de este gobierno en el exilio.
LEJANÍA f. Parte remota o distante de un lugar.
LEJANO, NA adj. Distante, apartado.
LEJÍA f. Solución acuosa de hidróxidos o carbonatos alcalinos, empleada para neutralizar ácidos, efectuar trabajos de limpieza industrial, o para el lavado de ropa. • fig. y fam. Reprensión fuerte o satírica.
LEJIADO m. En la fabricación del papel, proceso químico a que se someten los trapos para eliminar las manchas de grasa.
LEJÍO m. Lejía que usan los tintoreros.
LEJÍSIMOS adv. lugar y tiempo. Muy lejos.
LEJOS adv. lugar y tiemp. A gran distancia; en lugar o tiempo distante o remoto. • m. Vista o aspecto que tiene una persona o cosa mirada desde cierta distancia. • fig. Semejanza, apariencia, vislumbre de una cosa.
LEK m. Unidad monetaria de Albania.
LELE adj. *Amér. Centr.* y *Chile.* Lelo.
LELO, LA adj. y s. Fatuo, pasmado.
LELOIR, *Luis Federico* (1906-1987) Bioquímico fr., nacionalizado arg. Sus investigaciones en torno a los ácidos nucleicos le valieron el premio Nobel de Química en 1970.
LELY, *Peter* (1618-1680) Pintor ing., de origen hol. Retratos de los almirantes ing. que en 1665 derrotaron a los holandeses.
LEMA m. Argumento breve que precede a ciertas obras lit. • Letra o mote que se pone en los emblemas para hacerlos más comprensibles. • Tema de un discurso. • Contraseña escrita en pliegos cerrados, usada en los concursos para evitar que el nombre del concursante influya sobre el fallo del jurado. • *Her.* Divisa. • *Mat.* Proposición que es preciso demostrar antes de establecer un teorema.
LEMAN o **DE GINEBRA, *Lago*** Cuenca lacustre del SO de Suiza (cantón de Vaud), fronteriza con Francia (Alta Saboya); 582 km².
LEMANITA f. Especie de jade.
LEMERCIER, *Jacques* (1585-1654) Arquitecto fr., constructor de la Sorbona y de un pabellón del Louvre.
LEMMING m. Pequeño roedor de pelaje color de ante, que habita en el hemisferio norte.
LEMNÁCEO, A adj. y f. *Bot.* Díc. de toda plan-

ta acuática, con tallo y hojas transformados en una fronda verde; como la lenteja de agua.

LEMNISCATA f. Lugar geométrico de los puntos del plano cuyo producto de distancias a otros dos (F, F'), también del plano, es constante e igual al cuadrado de la distancia $a = FF'/2$.

LEMNISCO m. Cinta que en señal de recompensa acompañaba ant. las coronas y palmas de los atletas vencedores.

LEMNOS *(Limnos)* Isla de Grecia (nomo de Lesbos), en el mar Egeo; 24 000 hab. Cap., Kastron. Vid, frutales. Conquistada por los turcos en 1478; gr. desde 1913.

LEMONGRÁS m. Árbol de la familia rutáceas. Abunda en Antillas y la India.

LEMOS, ***Pedro Fernández de Castro Andrade,*** CONDE DE (h. 1576-1622) Noble esp. Virrey de Nápoles, fundó la universidad de esta c. • ***Pedro Antonio Fernández de Castro,*** CONDE DE (1632-1672) Administrador esp. Virrey de Perú (1667-1672), pacificó el virreinato.

LEMOSÍN Región fr., 16 942 km^2, 722 900 hab. Cap., Limoges.

LEMOSÍN, NA adj. y s. De Limoges. • m. *Ling.* Dialecto provenzal hablado en la región hom.

LEMPA Río de América Central; unos 300 km. Nace en Guatemala, cruza por Honduras y El Salvador, y desemboca en el Pacífico.

LEMPIRA m. Unidad monetaria de Honduras.

LEMPIRA Dpto. del SO de Honduras, junto a la frontera con El Salvador; 4 228 km^2, 240 973 hab. Cap., Gracias. Los prales. relieves son la sierra de Opalaca y los cerros de Celaque. Los ríos son cortos y caudalosos: Ulúa, Sampul y Lempa. Clima templado. Café, tabaco, arroz, trigo; ganadería porcina y bovina.

LEMPO, PA adj. *Col.* Grande, desproporcionado. • m. *Col.* Trozo, pedazo.

LÉMUR m. Gén. de mamíferos cuadrúmanos, con los dientes incisivos de la mandíbula inferior inclinados hacia adelante y la cola muy larga. Son frugívoros y propios de Madagascar.

LEMÚRIDO, DA adj. y m. *Zool.* Díc. de los mamíferos primates, gralte. pequeños, insectívoros y de hábitos nocturnos, con una larga cola, a veces anillada, y que viven casi permanentemente en los árboles, propios de las islas Comores y Madagascar.

LEN adj. Hilo o seda cuyas hebras están blandas, por poco torcidas.

LENA f. Aliento, vigor.

LENA Río de Rusia, en Siberia Oriental; 4 400 km. Nace cerca del lago Baikal y desemboca en el mar de Laptev (océano Ártico).

LENAR o **LAPIAZ** m. Terreno cuya superficie presenta cavidades irregulares, como consecuencia de la disolución de las calizas por el gas carbónico contenido en la nieve y agua atmosférica.

LENARD, ***Philipp Edward Anton von*** (1862-1947) Físico al. Premio Nobel de Física en 1905 por sus investigaciones sobre los tubos catódicos.

LENCERÍA f. Conjunto de lienzos de distintos géneros, o comercio de los mismos. • Tienda de lienzos. • Ropa blanca de una persona, familia, etc.

LENCERO, RA m. y f. Mercader de lienzos; el que trata en ellos o los vende.

LENCO, CA adj. *Hond.* Tartamudo.

LENDEL m. Huella que deja en el suelo la caballería.

LENDL, ***Iván*** (nacido 1960) Tenista chec., nacionalizado norteam. Ganador de numerosos torneos: Roland Garros, 84, 86 y 87; Flushing Meadow 85, 86 y 87; Masters 81, 82 y 85.

LENDRERA f. Peine de púas finas y espesas.

LENDRERO m. Lugar en que hay liendres.

LENE adj. Suave o blando al tacto. • Dulce, agradable. • Leve, ligero.

LENGUA f. *Anat.* Órgano muscular situado en la cavidad de la boca de los vertebrados y que sirve para gustar, deglutir y articular los sonidos de la voz. • *Ling.* Cada una de las distintas manifestaciones que el lenguaje adopta en las diferentes comunidades humanas. • Reglas de un idioma. • Particular manera de expresarse. • com. Intérprete. • Badajo de la campana. • Lengüeta, fiel de la balanza. • Nombre de varias plantas cuyas formas recuerdan la de la lengua. • **azul.** *Vet.* Epizootia contagiosa del ganado ovino, que a veces ataca también al bovino. • **coloquial.** La que se emplea en la vida ordinaria. • **de escorpión.** fig. Persona mordaz, murmuradora y maldiciente. • **de estropajo.** fig. y fam. Persona balbuciente, o que habla y pronuncia mal. • **de fuego.** Cada una de las llamas en figura de l. que bajaron sobre las cabezas de los apóstoles en el día de Pentecostés. • Cada una de las llamas que se levantan en una hoguera o en un incendio. • **de gato.** *Chile.* Planta rubiácea, de hojas aovadas y pedúnculos axilares con una, dos o tres flores envueltas por cuatro brácteas. Sus raíces se usan en tintorería. • Bizcochito duro, alargado y muy delgado, que por su forma recuerda la l. del gato. • **de tierra.** Pedazo de tierra largo y estrecho que entra en el mar, en un río, etc. • **de vaca.** *Bot.* Planta poligonácea con hojas lanceoladas, flores agrupadas en panojas y frutos en aquenio trigonal. • **franca.** La que es mezcla de dos o más, y con la cual se entienden los naturales de pueblos distintos. • **literaria.** La utilizada por los escritores para producir sus obras. • **materna.** La que se habla en un país, respecto de los naturales de él. • **muerta.** La que antiguamente se habló y no se habla ya. • **viva.** La que actualmente se habla en un país o nación.

* *Ling.* A principios del s. XX Ferdinand de Saussure distinguió en el lenguaje dos vertientes: lengua y habla. La l., según él, es una serie de signos que coexisten en una época dada al servicio de los hablantes y que constituye una estructura perfecta. Es, además, la parte social del lenguaje, ya que sólo existe gracias al pacto entre los miembros de una sociedad. Su naturaleza es homogénea, y lo esencial en ella es la unión del concepto y la imagen acústica. El habla es la parte individual del lenguaje. Una y otra vertiente están estrechamente unidas y se suponen recíprocas. Hay unas 3 000 l., agrupadas en 19 familias.

LENGUADO m. Pez acantopterigio subranquial, de cuerpo oblongo y comprimido, cuya carne es muy apreciada.

LENGUAJE m. *Ling.* Conjunto sistemático de signos que permite la comunicación verbal. • Facultad y manera de expresarse. • Idioma de un pueblo o nación. • Estilo de hablar y escribir. • fig. Conjunto de señales que dan a entender una cosa. • *Comp.* Notación con la que se escribe un programa de computadora. • **binario.** *Comp.* L. máquina. • **cifrado.** El basado en símbolos o claves convencionales; como el morse. • **compilador.** *Comp.* Cualquier tipo de l. simbólico concebido para facilitar al usuario la programación. • **conversacional.** *Comp.* L. interactivo. Permite el diálogo entre el usuario y la computadora. • **de programación.** *Comp.* Sistema de signos y símb. que permite la construcción de programas con los que la computadora puede operar. Los hay de alto nivel APL, BASIC, LOGO, FORTRAN, PASCAL, y de bajo nivel, ASSEMBLER. • **máquina**. *Comp.* El único que se corresponde con el funcionamiento de la computadora, por lo que permite explotar al máx. la capacidad del equipo. • **mímico.** El que emplea gestos y mov. • **simbólico.** *Comp.* Cualquier l. más evolucionado que el l. máquina. • **vulgar.** El usual, a diferencia del técnico y del literario.

* *Ling.* Todos los l. se engloban en una ciencia general de los diferentes signos y códigos, la semiótica. El l. humano es el método exclusivamente humano y no instintivo, para comunicar ideas, emociones y deseos por medio de un sistema de símbolos producidos de manera deliberada y elaborados por los órganos del habla. Las manifestaciones del l. natural en las distintas comunidades humanas reciben el nombre de lenguas. Sobre el origen del l. existen dos teorías prales.: una teológica y metafísica; la otra biológica y antropológica. Su formación también ha sido objeto de controversia. Unos hablan de un desarrollo paulatino de sonidos expresivos e imitaciones; otros de un sistema de signos producidos deliberadamente. Bühler simplificó a tres las funciones del l.: llamada, expresión y representación.

LENGUARADA f. Lengüetada, lamedura.

LENGUARAZ adj. Deslenguado, atrevido en el hablar.

LENGUAZ adj. Que habla mucho con necedad.

LENGÜETA f. Epiglotis, lámina cartilaginosa que tapa el orificio de la laringe. • Fiel de la balanza. • Cuchilla de la máquina usada por los encuaderna-

Perspectiva del lago **Leman** desde Ginebra

Lemming

Makí de cola anillada, primate de la familia **lemúridos**

Lenguado

dores. • Laminilla movible de metal que tienen algunos instrumentos musicales de viento y ciertas máquinas hidráulicas o de aire. • Hierro en forma de anzuelo que tienen las garrochas, saetas, etc. • Cierta moldura así llamada por su figura. • Barrera grande. • Tira de piel que suelen tener los zapatos en la parte del cierre por debajo de los cordones. • *Méx.* Cucharetero de las enaguas, fleco. • Espiga prolongada a lo largo del canto de una tabla para que encaje en la ranura de otra. • adj. *Amér.* Charlatán.

Vladimir Ilich Ulianov, llamado **Lenin**

LENGÜETADA f. o **LENGÜETAZO** m. Acción de tomar, o de lamer, una cosa con la lengua.

LENGÜETEAR intr. *Hond.* Hablar mucho y sin sustancia. • tr. Lamer.

LENGÜETERÍA f. Conjunto de los registros del órgano que tienen lengüeta.

LENGÜILARGO, GA adj. fam. Deslenguado, lenguaraz.

LENGUÓN, NA adj. *Méx.* Atrevido en el hablar.

LENI, *Paul* (1885-1929) Escenógrafo y director de cine al. Decoró en teatro los montajes de Max Reinhardt. En cine realizó *El hombre de las figuras de cera,* obra esencialmente expresionista. En EE UU dirigió varios filmes de cine negro: *El hombre que ríe, El loro chino, El teatro siniestro.*

LENIDAD f. Blandura en exigir el cumplimiento de los deberes o en castigar las faltas.

LENIFICAR tr. Suavizar, ablandar. ■ LENIFICACIÓN.

LENIFICATIVO, VA adj. Lenitivo.

LENIN, *Vladimir Ilich Ulianov* (1870-1924) Político y teórico social sov. En 1895 organizó un círculo socialdemócrata. Exiliado en Alemania, fundó el periódico *Iskra* y publicó *¿Qué hacer?*(1902), donde expuso su concepción de la r. y del partido revolucionario, como una élite de revolucionarios profesionales, vanguardia de agitadores, articulada en base a la disciplina del centralismo democrático. Rompió con el ala moderada y minoritaria (mencheviques) después del fracaso de la rev. de 1905. Tras el éxito de la rev. de febrero de 1917, regresó del exilio y preparó la insurrección bolchevique *(Tesis de abril),* que triunfó en octubre, asumiendo entonces el cargo de presid. del Comisariado del Pueblo de la nueva República Socialista Soviética. En 1919 impulsó la creación de la III Internacional. Tras la etapa de la guerra civil, el comunismo de guerra —que generó hambre y descontento— y varias insurrecciones de obreros y marinos (Krondstadt), hizo aprobar una nueva política económica, basada en la propiedad privada de la tierra (NEP), como fase transitoria. En los últimos años de su vida intentó luchar en vano contra el poder progresivo de la burocracia. *El Estado y la revolución, El imperialismo, fase superior del capitalismo, La dictadura del proletariado y el renegado Kautsky, Carlos Marx, Materialismo y empiriocriticismo.*

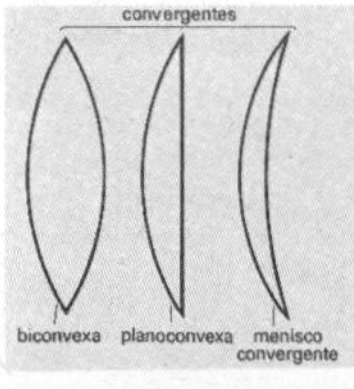

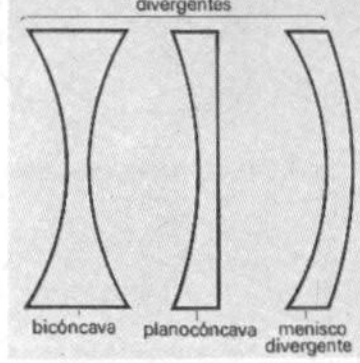

Lente. Diversos tipos de lentes convergentes y divergentes

LENINABAD → Khodzhent.

LENINAKAN → Kumayri.

LENINGRADO → San Petersburgo.

LENINISMO m. *Pol.* Conjunto de ideas políticas y sociales derivadas del pensamiento de Lenin.

**Pol.* El l. constituye una corriente del marxismo que propugna: la revitalización de la práctica del internacionalismo proletario; la necesidad de un partido de vanguardia del proletariado que dirija la rev. y haga penetrar la conciencia revolucionaria en las masas obreras que por sí mismas son economicistas; la articulación de la democracia de los trabajadores en la dictadura del proletariado, como etapa para alcanzar la sociedad sin clases y la progresiva extinción del Estado. Introducido por Stalin y Zinoviev, se convirtió en un catecismo ideológico y doctrinal. Ha sido desde 1930 el ideario mayoritario del mov. obrero y comunista. ■ LENINISTA.

Planta y fruto de **lenteja**

LENINSK-KUZNETSKII o **LENINSK-KUZNECKIJ** C. situada en el SE de Siberia occidental (rep. de Rusia); 138 000 hab. Centro minero (carbón y hierro) del Kuzbass. Ind. metalúrgica.

LENITIVO, VA adj. Que tiene virtud de ablandar y suavizar. • m. Medicamento que sirve para ablandar o suavizar.

LENNOÁCEO, A adj. y f. *Bot.* Díc. de las plantas dicotiledóneas, herbáceas, desprovistas de clorofila y parásitas, propias de México y California.

LENNON, *John* (1940-1980) Compositor y cantante de música *pop,* de nacionalidad brit. Uno de los componentes de los *Beatles.* Murió asesinado.

LENORMAND, *Henri-René* (1882-1951) Dramaturgo fr., renovador de la técnica teatral. *El hombre y sus fantasmas, El devorador de sueños.*

LENS C. del N de Francia, en el dpto. de Pas-de-Calais; 313 000 hab. la agl. urb. Centro minero. • **Batalla de L.** Victoria fr. (1648) sobre las tropas austroespañolas, que determinó la paz de Westfalia.

LENTE f. *Ópt.* Medio óptico, gralte. de vidrio, limitado por dos dioptrios de los que al menos uno es curvo. • pl. Cristales para miopes o présbitas, con armadura que permite sujetarlos en la nariz. • **compuesta.** Conjunto de varias l. sencillas unidas formando un sistema con un eje óptico común a fin de compensar aberraciones. • **convergente.** La que concentra los rayos de un haz paralelos al eje óptico. • **divergente.** La que tiene la propiedad de diverger los rayos de un haz que sean paralelos al eje óptico. • **electrónica.** Sistema formado por bobinas eléctricas que crean campos magnéticos, que, al ser atravesados por partículas elementales, sufren una desviación similar a la sufrida por la luz al atravesar un sistema óptico. • **gravitatoria.** *Astr.* Objeto de gran masa cuyo campo gravitatorio es capaz de separar en varias imágenes la luz proveniente de un objeto único. • **inversora.** *Ópt.* L. o sistema de l. que convierte una imagen derecha en invertida o viceversa. • **sencilla.** La que tiene dos superficies que limitan medios de distinta refringencia.

* *Ópt.* La clasificación de las l. por su forma atiende a las características geométricas de los dioptrios (l. biconvexa, planoconvexa, menisco convergente, bicóncava, planocóncava y menisco divergente). Elementos geométricos de una l.: los centros de curvatura, que son los de los dioptrios que limitan la l.; eje pral. es la recta que pasa por los dos centros de curvatura; foco pral. es el punto en que se reúnen después de atravesarla los rayos luminosos procedentes de un haz paralelo al eje pral.; distancia focal es la que hay entre el foco pral. y el centro de la l.; la convergencia de una l. es la inversa de su distancia focal y se mide en dioptrías.

León

LENTEJA f. *Bot.* Planta leguminosa, cuyas semillas son alimenticias y muy nutritivas. • *Bot.* Fruto de esta planta. • Peso en que remata el péndulo del reloj.

LENTEJAR m. Campo sembrado de lentejas.

LENTEJUELA f. Laminilla redonda de metal con la que se hacen bordados.

LENTICELA f. Abertura en forma de cráter de volcán de los troncos y cortezas suberificadas de las plantas, que permite el paso del aire atmosférico al interior del parénquima cortical.

LENTICULAR adj. Parecido a la semilla de la lenteja. • m. y adj. *Anat.* Pequeña apófisis del huesecillo yunque que funciona como articulación del estribo.

LENTILLA f. Lente de contacto que se adapta a la córnea del ojo.

LENTISCO m. Mata o arbusto siempre verde, de madera rojiza, dura y aromática. • **del Perú.** Turbinto. ■ LENTISCAL.

LENTO, TA adj. Pausado en el movimiento o en la operación, que va despacio. • Poco vigoroso y eficaz. • *Farm.* y *Med.* Glutinoso, pegajoso. ■ LENTIFICAR; LENTITUD.

LENTOR m. *Med.* Viscosidad que cubre los dientes y la parte inferior de los labios en los enfermos de tifus.

LENZ, *Heinrich Friedrich Emil* (1804-1865) Físico y teólogo ruso. Trabajó en el campo de la electricidad. En 1833 enunció la ley que lleva su nombre, y que establece el principio de que la corriente inducida se opone a la causa que la produce. • ***Rodolfo*** (1863-1938) Filólogo chil., de origen al. Estudió las lenguas indígenas y el esp. de América.

LENZUELO m. Tela fuerte de la trilla.

LEÑA f. Conjunto de ramas y troncos destinados a hacer fuego. • fig. y fam. Castigo, paliza. • **Echar l. al fuego.** fig. Avivar una discusión o una discordia.

LEÑADOR, RA m. y f. o **LEÑATERO** m. Persona que corta leña. • El que vende leña, leñero.

LEÑAME m. Madera. • Provisión de leña.

LEÑAZO m. fam. Garrotazo.

LEÑERO, *Vicente* (nacido 1933) Escritor mex., cuya narrativa es una hábil mezcla de realismo y ficción. *La voz adolorida, Los albañiles, Estudio Q, El garabato, A fuerza de palabras, El juicio.*

LEÑO m. Trozo de árbol después de cortado y limpio de ramas. • Parte sólida de los árboles bajo la corteza. • Conjunto de los vasos leñosos de un vegetal. • fig. Nave, embarcación. • fig. y fam. Persona de poco talento y habilidad. ■ LEÑOSO, SA.

LEO *Astr.* Constelación boreal (León), sit. cerca de la descendente de la eclíptica; dista de nosotros 68 años luz. • Quinto signo del Zodíaco. • **Minor.** *Astr.* Pequeña constelación boreal (León menor), de la Osa Mayor.

LEÓN m. *Zool.* Mamífero carnívoro de la familia félidos. • fig. Hombre audaz y valiente. • fig. *Chile.* Especie de tigre de pelo leonado. • **americano.** *Zool.* Puma. • **marino.** *Zool.* Mamífero carnívoro de la familia otáridos, propio de los mares templados y fríos de América. Los machos adultos tienen una corta melena en el cuello, y pueden alcanzar hasta 3 m de largo.

* *Zool.* Los l. machos pueden alcanzar hasta 2 m de largo y 250 kg de peso; las hembras son algo menores. Los machos adultos tienen una melena característica. Se alimentan de animales hervíboros y cazan en grupos. Limitado al África Oriental y a la pen. de Kathiawar, en la India. ■ LEONADO, DA.

LEÓN, *golfo de* *(golfe du Lion)* Golfo del Mediterráneo, desde el cabo de Creus (España) hasta el delta del Ródano (Francia).

LEÓN, *reino de* Est. cristiano de la pen. Ibérica. García I heredó de Alfonso III de Asturias las tierras del futuro reino de L. Con Ramiro II se colonizó el valle del Duero y L. fue el reino hegemónico de la pen. Al ocupar el trono Fernando I de Castilla, L. quedó unido a Castilla, salvo en los periodos 1065-1072 y 1157-1214.

León. Vista de la catedral

LEÓN Prov. del NO de España, en la com. autón. de Castilla y León; 15 468 km^2, 517 191 hab. Cap., la c. hom. La cord. Cantábrica y los montes de León la accidentan al N y O. Ríos prales.: Sil, Órbigo, Bernesga, Torío, Esla y Cea. Agricultura; ganadería; hierro, antracita, hulla; ind. poco imp. Localidades prales.: Ponferrada, Astorga y La Bañeza. • C. esp., cap. de la prov. hom.; 145 242 hab. Colegiata de San Isidoro, catedral gótica, una de la más bellas esp., convento de San Marcos, de estilo plateresco.

LEÓN Dpto. del O de Nicaragua; 5 423 km^2, 344 500 hab. Limita con el lago Managua y el Pacífico. El relieve está configurado por la cadena volcánica (cordillera de los Marraibos) que termina en el volcán Momotombo (1 280 m). Avenado por el Viejo y el San Cristóbal. Clima cálido y húmedo. Algodón, maíz, café, cacao, caña de azúcar. Cap., la c. hom.; 101 000 hab., la segunda del país y centro de ind. agropecuaria. Fue la cap. del país hasta mediados del s. XIX.

LEÓN o **LEÓN DE LOS ALDAMAS** C. del centro de México, en el est. de Guanajuato, en la región de El Bajío; 656 000 hab. Agricultura; centro industrial (textiles, calzados, cemento, ind. alimentaria) y de servicios. Fundada en 1576. Su nombre alude a unos héroes de la indep., los Aldama.

LEÓN III, *el Isáurico* (675-741) Emperador de Oriente [717-741]. Derribó a Teodosio III. Defendió Constantinopla frente a los ár. Fundó la dinastía isáurica. • **V, *el Armenio*** (m. 820) Emperador de Oriente [813-820]. Defendió Constantinopla contra los búlg. y restableció la iconoclastia. Murió asesinado.

LEÓN Nombre de varios papas:

LEÓN I, *el Grande* (m. 461) Santo. Papa rom. [440-461]. Luchó contra el maniqueísmo, el pelagianismo y el priscilianismo. Defendió Roma de los bárbaros. Festividad: 10 noviembre. • **III** Santo. Papa rom. [795-816]. Coronó a Carlomagno como emp. de Occidente. Condenó el adopcionismo. Festividad: 12 junio. • **IX** (1002-1054) Papa [1048-1054]. Inició la reforma de la Iglesia y luchó contra la simonía. Festividad: 19 abril. • **X** (1475-1521) Papa [1513-1521]. Hijo de Lorenzo de Médicis, practicó el nepotismo con los miembros de su familia. Su apatía en el conflicto de las Indulgencias favoreció la reforma de Lutero, a quien excomulgó. Fue gran mecenas del Renacimiento. • **XIII** (1810-1903) Papa rom. [1878-1903]. Obró según el principio de que la Iglesia no está ligada a ninguna forma de gobierno. Su encíclica *Rerum novarum* es fundamental en la doctrina social de la Iglesia.

LEÓN, *Alonso de* (1637-1691) Militar y político esp. Gobernador del Nuevo Reino de León y de Coahuila, fundó Santiago de la Monclova. *Historia de Nuevo León, con noticias sobre Coahuila, Texas y Nuevo México.* • ***Carlos Augusto*** (nacido 1914) Escritor ven. Premio nac. de poesía 1947-1948. *Los pasos vivientes, A solas con la vida* (poesía), *La muerte de Hollywood* (prosa). • ***Juan Francisco de*** (m. 1775) Insurgente ven., n. en Canarias. A raíz de su sustitución por un funcionario de la Real Compañía Guipuzcoana, se produjo un mov. popular que exigía la supresión de la compañía. • ***Luis de,*** FRAY (1527-1591) Escritor y poeta esp. Sintetizó el neoescolasticismo, el platonismo, la patrística, la tradición clásica y la Biblia. Su obra prosística culmina con *La perfecta casada y De los nombres de Cristo;* su obra poética alcanza su cenit con los *Salmos de David,* las *Odas,* las *Bucólicas,* etc.; entre sus obras morales y religiosas destacan: *A la vida retirada, Noche serena, A Salinas, En la Ascensión, Morada del cielo.* • **Africano** (1495-1550) Geógrafo ár. Secuestrado por unos corsarios, se convirtió al cristianismo, momento en que tomó este nombre. Poco antes de su muerte renegó de nuevo. *Geografía de África.* • **Carpio, *Ramiro de*** (nacido 1942) Político guat. Por su prestigio como procurador de los derechos humanos fue elegido por el Congreso para ocupar la presidencia, tras el fracasado autogolpe de Serrano en 1993. En 1996 le sucedió A. Arzú. • **Felipe,** seud. de *Felipe Camino Gallego* (1884-1968) Poeta esp. de gran fuerza lírica y hondo contenido realista y social, se exilió en 1939. *Versos y oraciones del caminante, Español del éxodo y del llanto, Ganarás la luz, Antología rota.* • Hebreo → Abarbanel, Judas León. • **Pinelo, *Antonio de*** (h. 1590-1660) Cronista esp. de Indias. Residió en Buenos Aires y Lima, y fue cronista mayor de Indias de 1658 hasta su muerte. Tratado de confirmaciones reales de encomiendas y oficios y casos en que se requieren para las Indias Occidentales. • **Valencia, *Guillermo*** (1908-1971) Político col. Presid. de 1962 a 1966.

LEONA f. Hembra del león. • fig. Mujer audaz, imperiosa y valiente.

LEONARDO da Vinci (1452-1519) Pintor, escultor, arquitecto, ingeniero e inventor it., considerado el prototipo del humanismo. En su pintura desarrolla la técnica del *sfumato (Virgen de las Rocas, Santa Ana).* Renovó el retrato y el paisaje. En el retrato *(Ginevra dei Benci, Dama del armiño, La Gioconda),* trata de hallar la realidad física y psicológica del personaje. En perspectiva cuida desde el detalle ínfimo hasta la visión global del conjunto *(La última Cena).* Estudió mecánica, trabajó sobre geometría, estáti-

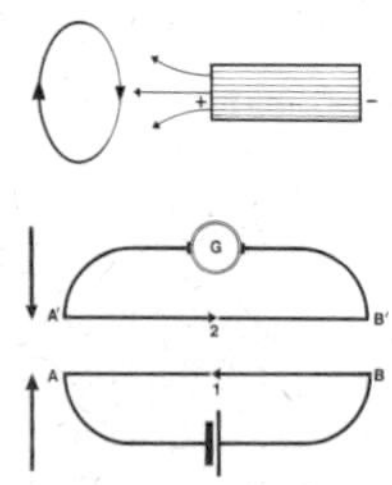

Dos ejemplos de la ley de **Lenz:** arriba, al acercar un imán a una espira, se induce en ésta una corriente que genera un campo magnético opuesto al imán; al acercar el circuito 1 al 2, se genera en este último una corriente inducida de sentido contrario a la que circula por 1

León marino

Ramiro de **León Carpio**

Leonardo da Vinci

ca, dinámica y sistemas hidráulicos; investigó cuestiones de botánica, geología y anatomía.

LEONCAVALLO, *Ruggiero* (1858-1919) Compositor it. *Il pagliacci* (ópera).

LEONE, *Giovanni* (1908-2001) Político it. Militante demócrata cristiano, presidió dos gobiernos de transición, en 1963 y 1968. Presid. de la rep. (1971-1978). Dimitió acusado de corrupción.

Leopardo

LEONERA f. Lugar en que se tienen encerrados los leones. • fig. y fam. Casa de juego. • fig. y fam. Habitación desarreglada, desordenada.

LEONERÍA f. Fanfarronada.

LEONERO, RA adj. *Chile.* Alborotador. • m. *Méx.* Casa donde ocurren desórdenes. • m. y f. Persona que cuida de los leones que están en la leonera.

LEONÉS, SA adj. y s. De León. • adj. Relativo a esta c. esp. o a su prov. • Relativo al ant. reino de León. • adj. y s. De alguna de las c. y distritos, prov., etc., que en América tienen el nombre de León. • adj. Relativo a ellos. • m. Dialecto hablado en el ant. reino de León.

LEONI, *Leone,* llamado L'ARETINO (1509-1590) Escultor y medallista it. Se distinguió en la escultura en bronce y en el retrato monumental. *Carlos V abatiendo el furor.* • ***Pompeo*** (1533-1608) Escultor y grabador it., hijo del anterior. Mausoleos y esculturas del retablo mayor del monasterio de El Escorial. • ***Raúl*** (1905-1971) Político ven., uno de los promotores del Partido Democrático Nacional (1937) y, más tarde, de Acción Democrática. Presid. de la rep. (1964-1969), impulsó una tímida reforma agraria y concluyó un pacto antiguerrillero con Colombia.

Cofre de mármol de San Millán de la Cogolla (La Rioja) que representa a **Leovigildo** en la conquista de Cantabria. Museo Arqueológico Nacional, Madrid (España)

LEÓNICA adj. y s. *Anat.* Díc. de la vena que se halla situada en la cara inferior de la lengua.

LEÓNIDAS n. p. f. pl. *Astr.* Estrellas fugaces cuyo punto radiante está en Leo.

LEÓNIDAS (m. 480 a. C.) Rey de Esparta [h. 490-480 a. C.], que llevó a cabo una heroica defensa del paso de las Termópilas, frente al ejército de Jerjes.

LEONINO, NA adj. Relativo al león. • *Der.* Díc. del contrato oneroso en que toda la ventaja o ganancia se atribuye a una de las partes. • f. Especie de lepra en que la piel toma el aspecto de la del león.

LEONOV, *Aleksei Arjipovich* (nacido 1934) Cosmonauta sov. Primer cosmonauta que permaneció en el exterior de una nave espacial (1965) en el vuelo del Vosjod II.

LEONTIEF, *Wassily* (1906-1999) Economista norteam., de origen ruso, creador de la tabla *input-output* para modelos macroeconómicos de equilibrio y de proceso. *Estructura de la economía americana.* Premio Nobel de Economía en 1973.

LEONTINA f. Cadena de reloj.

LEONTOPODIO m. *Bot.* Edelweiss.

Representación de la batalla de **Lepanto,** en un cuadro anónimo

LEOPARDI, *Giacomo* (1798-1837) Escritor it., el gran lírico del romanticismo en su país. Su poesía es de una extraordinaria perfección formal *(Canciones, Idilios, Proximidad de la muerte, Cantos del pastor errante, La retama).* En prosa escribió: *Pensamientos, Epistolario.*

LEOPARDO m. Mamífero carnívoro de la familia félidos, de pelaje leonado claro con manchas negras, que en algunas variedades es totalmente negro. Vive en casi toda África y en el S y SE de Asia.

LEOPOLDINA f. Ros más bajo que el ordinario y sin orejeras. • Cadenilla pendiente del reloj de bolsillo.

LEOPOLDO Nombre de diversos reyes y emperadores:

AUSTRIA

LEOPOLDO I (1640-1705) Rey de Hungría [1655-1705], archiduque y emp. de Austria [1657-1705] y rey de Bohemia [1658-1705], creador del imperio austr. La sucesión a la Corona de España le enfrentó a Luis XIV. Defendió el catolicismo e impulsó las artes y las ciencias. • **II** (1747-1792) Emp. de Austria [1791] y rey de Bohemia y Hungría, sucesor de José II. Apaciguó los conflictos internos con una política moderada. Firmó la paz con los turcos, intervino en Bélgica y aplastó la revuelta de Lieja (1791).

BÉLGICA

LEOPOLDO I (1790-1865) Primer rey de Bélgica [1831-1865]. No supo mantener su función de rey constitucional e intentó intervenir en la política del país, lo que le acarreó la hostilidad de los partidos. • **II** (1835-1909) Rey de Bélgica [1865-1909]. En 1885 fue reconocido como soberano del Congo a título personal, pero en 1908 se vio obligado a cederlo a Bélgica. En política interior se mostró autoritario y conservador. • **III** (1901-1983) Rey de Bélgica [1934-1951]. En 1940, tras la invasión al., ordenó a la resistencia que depusiera las armas. En 1944 fue deportado a Alemania y, cinco años después, volvió a Bélgica. Ante las críticas de que era objeto, abdicó, en 1951, en su hijo Balduino.

LEOPOLDO *Guillermo* (1614-1662) Archiduque de Austria. Como gobernador de Países Bajos (1648) llegó a invadir territorio fr., que perdió post.

LEOPOLDVILLE Ant. nombre de → Kinshasa.

LEOTARDO m. Prenda a modo de braga que se prolonga por dos medias, de modo que cubre el cuerpo desde la cintura hasta los pies.

LEOVIGILDO (m. 586) Rey visigodo de España [573-586]. Asoció el trono a sus hijos Hermenegildo y Recaredo. Se enfrentó a los suevos, sofocó la rebelión levantina, la de los vascones y la de Hermenegildo en la Bética. Unificó política y jurídicamente el país. Convocó el sínodo de Toledo (580).

LEOZ de la Fuente, *Rafael* (1921-1982) Arquitecto español, descubridor del módulo *Hele.*

LEPANTO Nombre medieval de la actual pob. gr. de Navpaktos, sit. en la Grecia continental. El golfo de L. fue escenario de la famosa batalla hom. (7 octubre 1571), en la que la flota de la Liga Santa, compuesta por España, Venecia y el Papado, y mandada por don Juan de Austria, venció a la otomana.

LEPE m. *Ven.* Capirotazo dado en la oreja.

LEPE, *Diego de* (1460-1515) Navegante esp. Tocó tierras brasileñas (1499) antes de la llegada de los port.

LEPERADA f. *Amér. Centr.* y *Méx.* Acción o dicho de lépero.

LÉPERO, RA adj. y s. *Amér.* Díc. del individuo grosero y desagradable. • *Cuba.* Astuto, ladino. • *Ecuad.* Arruinado.

LEPERUZA f. *Méx.* Pelandusca.

LEPIDIA f. *Chile.* Indigestión.

LEPIDIO m. Planta crucífera que abunda en los terrenos húmedos, y cuyas hojas se emplean contra el escorbuto.

LÉPIDO, *Marco Emilio* (m. hacia 13 a. C.) Triunviro romano con Augusto y Marco Antonio.

LEPIDOCROÍTA f. *Miner.* Hidróxido de hierro que se utiliza como mineral de hierro.

LEPIDODENDRAL adj. y f. *Pal.* Díc. de plantas pteridófitas fósiles del devónico, carbonífero y pérmico. Son helechos de hasta 30 m de alt., con grandes hojas aciculares.

LEPIDOLITA f. *Miner.* Filosilicato de litio y potasio, incoloro y de brillo vítreo. Se utiliza en la obtención de sales de litio, que presentan numerosas aplicaciones en química y metalurgia.

LEPIDÓPTERO, RA adj. y m. *Zool.* Díc. de los insectos, conocidos comúnmente como mariposas, que después de pasar por los estados de oruga y crisálida, tienen cabeza pequeña con grandes antenas y aparato bucal chupador, abdomen prolongado, y dos pares de alas, gralte. de colores vistosos. • m. pl. *Zool.* Orden de estos insectos.

LEPIDOSPERMAL adj. y f. *Pal.* Díc. de plantas pteridófitas fósiles, con órganos parecidos a semillas encerrados en receptáculos similares a las piñas. Pueden representar el tránsito entre las criptógamas y las fanerógamas.

LEPISMA f. Insecto tisanuro, nocturno, que roe el cuero, el papel y el azúcar.

LEPÓRIDO, DA adj. y m. *Zool.* Díc. de los mamíferos lagomorfos, distribuidos por casi todo el mundo; como los conejos y las liebres.

LEPORINO, NA adj. Relativo a la liebre.

LEPRA f. *Pat.* Proceso infeccioso crónico, ocasionado por el bacilo de Hansen, que se presenta en forma de manchas blancas, con pérdida de sensibilidad. • *Vet.* Enfermedad, pralm. de los cerdos, producida por el cisticerco de la tenia común. • fig. Vicio que se extiende rápidamente. ■ LEPROSO, SA.

LEPROSERÍA f. Hospital de leprosos.

LEPTOCÉFALO m. Larva foliácea y transparente de la anguila.

LEPTÓN m. *Fís.* Partícula elemental ligera, de masa inferior a la del protón.

LEPTORRINO, NA adj. Que tiene la nariz larga y delgada. • *Zool.* Díc. de los animales que tienen el pico o el hocico delgado y muy saliente.

LEPTOSPIROSIS f. Infección originada por la bacteria *Leptospira,* acompañada de fiebres y hemorragias.

LEPTOSTRÁCEO, A adj. y m. *Zool.* Díc. de crustáceos malacostráceos primitivos, con siete segmentos abdominales y caparazón bivalvo en el tórax.

LEPTOSOMÁTICO m. *Psic.* Asténico.

LEPUS *Astr.* Constelación del hemisferio austral, que se encuentra cerca de Rigel, en Orión.

LERCHA f. Junquillo con que se ensartan aves o peces muertos.

LERDEAR intr. Tardar, hacer algo con lentitud; retardarse, llegar tarde.

LERDO, DA adj. y s. Pesado y torpe en el andar. Díc. más comúnmente de las bestias. • fig. Tardo y torpe para comprender o ejecutar una cosa. • m. fig. Lerdón, tumor de las caballerías.

LERDO de Tejada, ***Sebastián*** (1827-1889) Político mex. liberal. Luchó contra la intervención fr. y acompañó a Juárez en la campaña del Paso del Norte. Ocupó la presidencia a la muerte de Juárez (1872). Centralizó la administración e incluyó en la constitución las Leyes de Reforma (1859). Intentó limitar el poder de la Iglesia y expulsó a varias órdenes religiosas. Tras su reelección en los comicios de 1876, el pronunciamiento de Porfirio Díaz le obligó a abandonar la presidencia. Murió en Nueva York.

LERDÓN m. Tumor sinovial que padecen las caballerías cerca de las rodillas.

LÉRIDA → Lleida.

LERIDANO, NA adj. y s. De Lérida. • adj. Relativo a esta c. o a su provincia.

LERMA, ***Francisco de Sandoval y Rojas,*** DUQUE DE (1553-1623) Político esp., valido de Felipe III. Las dificultades financieras le indujeron a una política exterior pacifista. Ordenó la expulsión de los moriscos. Se hizo nombrar cardenal en 1618.

LERMA-SANTIAGO Sistema fluvial mex. compuesto por los ríos Lerma, Grande de Santiago y el lago Chapala. El Lerma nace en las lagunas de su nombre y, tras un recorrido de 515 km, desemboca en el lago Chapala. De éste surge el Grande de Santiago que, recorridos unos 400 km, desemboca en el Pacífico.

LERMONTOV, ***Mijail*** (1814-1841) Poeta romántico ruso, contemporáneo de Pushkin. *Canto de Iván el Terrible* (poesía), *El demonio, Un héroe de nuestro tiempo* (prosa).

LERNA Ant. c. gr. en el Peloponeso. Las excavaciones han mostrado restos arqueológicos que se pueden datar hacia 2 200 a. C.

LERROUX, ***Alejandro*** (1864-1949) Político esp. En 1914 fundó el Partido Radical, que se distinguió por su anticlericalismo y su centralismo. Encabezó cuatro gobiernos centristas entre 1933 y 1935. ■ LERROUXISMO; LERROUXISTA.

LES Dativo del pron. personal de tercera persona en gén. masculino o femenino y núm. pl. No admite prep. y se puede usar como sufijo.

LESAGE, ***Alain-René*** (1668-1747) Escritor fr. *El diablo cojuelo, Historia de Gil Blas de Santillana.*

LESBIANO, NA o **LÉSBICO, CA** adj. Lesbio. • f. Mujer homosexual.

LESBIO, BIA adj. y s. De Lesbos. • adj. Relativo a esta isla del Mediterráneo.

LESBOS o **MITILENE** Isla de Grecia, en el N del Egeo, frente a las costas de Turquía. Cap., Mitilene. Tabaco, vid, olivos, frutales. Ganado lanar.

LESEAR intr. *Chile.* Tontear, necear.

LESENA f. *Arq.* Pilastra o columna adosada.

LESERA f. *Chile.* Tontería, simpleza.

LESIÓN f. Daño causado por una herida, golpe o enfermedad. • fig. Cualquier daño o perjuicio. • Perjuicio causado en un contrato. • **grave.** *Der.* La que causa pérdida o inutilidad de un miembro, o incapacita para trabajar. ■ LESIONAR.

LESIVO, VA adj. Que causa lesión.

LESNA f. Lezna, instrumento de zapatero.

LESO, SA adj. Agraviado, lastimado, ofendido. • Con el entendimiento trastornado. • *Amér.* Tonto, necio.

LESOTHO *(Kingdom of Lesotho, Muso oa Lesotho)* Est. de África austral, monarquía, ant. Basutolandia. Enclavada dentro de la Rep. Sudafricana. País montuoso, ocupado en su parte occidental por una meseta y en la oriental por los montes Drakensberg. Mayor alt.: el Thabana Mtlenyana (3 482 m). Ríos Orange y Caledon. Clima árido. Cereales; ganado (ovino, caprino, vacuno y caballar); diamantes. El exceso de mano de obra se canaliza hacia las minas sudafricanas. Grupos étnicos o nac.: basutos (sothos), del grupo bantú. Lenguas: ing. y sesotho (of.). *Rel.:* cristianismo (mayoritario), animismo, islamismo. U. M.: el loti. C. pral.: Maseru, la cap.

* *Hist.* Los basutos fueron expulsados por los zulúes (1830). La amenaza de los bóers les obligó a aceptar el protectorado de la colonia de El Cabo, pero tras la guerra con los bóers pasaron a depender de Gran Bretaña (1844). En 1966, reino indep. con Moshoeshoe II. En 1970 el ex primer ministro Jonathan forzó al rey a exiliarse y gobernó autoritariamente hasta 1986. Después de los regímenes militares de J. Lekhanya (1986-1991) y E. P. Ramaema (1991-1993) se instauró la democracia. En 1990 Letsie III subió al trono.

Mariposa blanca de la col, insecto del orden **lepidópteros**

El duque de ***Lerma,*** por Pompeo Leoni. Museo Nacional de Escultura, Valladolid (España)

Lesotho. A la izquierda, vista del valle de Khamolane; abajo, mapa de situación y bandera

LESOTHO

Superficie	30 355 km²
Población	2 008 000 hab. (66,2 hab./km²)
Recursos económicos	
Cabaña bovina	640 000 cabezas
Cabaña caballar	120 000 cabezas
Cabaña caprina	670 000 cabezas
Cabaña ovina	1 300 000 cabezas
Maíz	27 000 t
Piedras preciosas	52 291 quilates
Sorgo	10 000 t
Trigo	2 000 t
Indicadores sociológicos	
PNB	5 708 millones de dólares
Renta per cápita	2 270 dólares
Esperanza de vida	61 años
Alfabetismo	71 %

Caricatura de Ferdinand de **Lesseps.** Biblioteca Nacional, París

LESQUÍN m. *Hond.* Liquidámbar, bálsamo aromático.

LESSEPS, *Ferdinand,* VIZCONDE DE (1805-1894) Diplomático e ingeniero fr. Proyectó y realizó el canal de Suez (1869).

LESSING, *Gotthold Ephraim* (1729-1781) Escritor y filósofo al. Su actividad crítico-didáctica queda plasmada en *Laocoonte* y en *Dramaturgia hamburguesa.* Más filosófica es *La educación del género humano.*

LESTER, *Richard* (nacido 1932) Director de cine norteam., establecido en Gran Bretaña. *¡Qué noche la de aquel día!* y *Socorro* interpretadas por los Beatles; *Golfus de Roma.*

LESURA f. *Chile.* Tontería.

LETAL adj. Mortífero. ■ LETALIDAD.

LETAME m. Tarquín con que se abona la tierra.

LETANÍA f. Rogativa que se hace a Dios invocando a la Santísima Trinidad y poniendo por medianeros a Jesucristo, la Virgen y los santos. También se usa en pl. • fig. y fam. Lista, enumeración seguida de muchos nombres o frases.

LETARGO m. Estado de somnolencia profunda y prolongada causado por enfermedades nerviosas, infecciosas o tóxicas. • fig. Torpeza, modorra, insensibilidad, enajenamiento del ánimo. • Tipo especial de hibernación de algunos mamíferos alpinos o de las zonas polares. • **vegetal.** Periodo de inhibición en el crecimiento de las plantas. ■ LETÁRGICO, CA; LETARGOSO.

LETELIER Llona, *Alfonso* (nacido 1912) Compositor chil., influido por el impresionismo. *Magdalena* (pieza escénica), *Concierto para cuerdas.*

LETICIA C. de Colombia, cap. del dpto. del Amazonas; 23 180 hab. • **Conflicto de L.** *Hist.* Enfrentamiento armado entre Perú y Bolivia como resultado de la cesión por parte de Perú del distrito de L. a Colombia tras la guerra de 1922-1923. Tras la conquista por las tropas per., volvió a la soberanía col. a raíz del arbitraje de Río de Janeiro (1934).

LETIFICAR tr. Alegrar, regocijar. • Animar un concurso de gente o paraje. ■ LETÍFICO, CA.

LETÓN, NA adj. y s. Díc. del individuo de un pueblo báltico que constituye la mayoría de la pob. de la rep. de Letonia. • m. *Ling.* Lengua indoeuropea del grupo báltico, hablada en Letonia.

LETONIA (*Latvijas Respublika*) Est. de Europa a orillas del mar Báltico. Limita al N con Estonia, al E con Rusia, al SE con Bielorrusia y al S con Lituania. Terreno ondulado; ríos: Daugava, Lielupe y Venta. Cebada, centeno, lino, remolacha, forrajes, patatas; ganadería; explotación forestal; pesca; aprovechamiento de turberas; ind. conservera, textil, papelera, material ferroviario, abonos. Grupos étnicos: letones, rusos, bielorrusos, polacos, ucranianos. Lenguas: letón (of.), ruso. *Rel.*: luteranismo (mayoría), cristianismo ortodoxo. U. M.: lat. Cap.: Riga. C. prales.: Daugavpils, Liepaja.
 * *Hist.* Habitada por tribus ugrofinesas y luego por bálticos y livones, sufrió el dominio de numerosos pueblos: al. (s. XII), polacos (s. XVI), suecos (1621), rusos (1710). En 1918 se proclamó la indep., pero en 1940 fue ocupada e incorporada a la URSS. Ocupada por la Alemania nazi entre 1940-1944, retornó luego a poder sov. En 1991 recuperó su indep. y reconocimiento internacional como est. Guntis Ulmanis, primer presidente de la rep. (1993), fue reelegido en 1996.

Letonia. Arriba, mapa de situación y bandera; abajo, el Teatro Nacional de Riga

LETONIA

Superficie 64 500 km²	
Población 2 472 000 hab. (38 hab./km²)	
Recursos económicos	
Lino	3 000 t
Patatas	927 000 t
Remolacha azucarera	439 100 t
Trigo	1 600 000 t
Ganadería y derivados	
Aves de corral	4 000 000 cabezas
Cabaña bovina	551 000 cabezas
Cabaña ovina y caprina	93 000 cabezas
Cabaña porcina	501 000 cabezas
Riqueza forestal	6 197 000 m³
Producción industrial	
Acero	279 000 t
Azúcar	248 000 t
Cemento	244 000 t
Cerveza	629 000 hl
Energía eléctrica	4 440 millones de kwh
Fibras sintéticas	18 400 t
Papel	4 000 t
Tejido de algodón	125 millones de m²
Indicadores sociológicos	
PNB	5 708 millones de dólares
Renta per cápita	2 270 dólares
Esperanza de vida	70 años
Alfabetismo	99,5 %

LETRA f. Cada uno de los signos gráficos que corresponden a un sonido o fonema de la lengua. • Cada uno de estos sonidos. • *Art. Gráf.* Cada pieza con la que se imprime una letra o un signo. • Cada estilo de escritura que se diferencia de los demás por la forma peculiar de las letras. • Sentido propio de las palabras empleadas en un texto, a diferencia del sentido figurado. • Especie de romance corto, cuyos primeros versos se suelen glosar. • Conjunto de las palabras puestas en música para ser cantadas. • Lema de los emblemas y empresas. • Letra de cambio. • fig. y fam. Sagacidad y astucia para manejarse. • pl. Saber, conocimientos humanos en general, en oposición a las ciencias matemáticas y de la naturaleza. • **capital.** Letra mayúscula. • **cursiva.** La que está inclinada a la derecha y se parece a la escrita a mano. • **de caja alta.** *Art. Gráf.* Letra mayúscula. • **de caja baja.** *Art. Gráf.* Letra minúscula. • **de cambio.** Documento mercantil mediante el cual un acreedor pide a su deudor que pague cierta cantidad. • **de molde.**La impresa. • **gótica.** La de forma rectilínea y angulosa. • **mayúscula.** La de mayor tamaño y distinta figura que la minúscula. • **minúscula.** La que es menor y de figura distinta, por regla general, de la mayúscula. • **muerta.** fig. Escrito, regla o máxima que ya no se cumple o que no tiene vigencia. • **negrilla.** Letra de imprenta más gruesa que la usual. • **redonda,** o **redondilla.** La manuscrita o de imprenta que es derecha y circular. • **versal.** *Art. Gráf.* Letra mayúscula. • **versalita.** *Art. Gráf.* Mayúscula igual en tamaño a la minúscula. • **Letras humanas.** Literatura. • **Bellas,** o **buenas, letras.** Literatura. • **Dos,** o **cuatro, l.** fig. y fam. Escrito breve. • **Primeras l.** Los rudimentos de la enseñanza. • **A la l.** m. adv. Literalmente. • Sin añadir ni quitar nada. • **Protestar una l.** Requerir ante notario al que no quiere aceptarla o pagarla, para recobrar su importe.

LETRADO, DA adj. Sabio, docto o instruido. • Que presume de discreto pero habla sin fundamento. • m. Abogado titulado en derecho.

LETRÁN Conjunto monumental de Roma, residencia papal hasta 1308. • **Tratado de L.** Acuerdo firmado por Pío XI y Mussolini (1929); mediante él se reconocía al primero la soberanía temporal sobre la Ciudad del Vaticano.

LETRERO m., Palabra o conjunto de palabras escritas para hacer saber o publicar una cosa.

LETRILLA f. Composición poética de versos cortos que suele ponerse en música.

LETRINA f. Retrete, lugar destinado en las casas para evacuar los excrementos. • fig. Cosa que parece sucia y asquerosa.

LEU m. Unidad monetaria de Rumania y Moldavia.

LÉUCADE *(Lefkas)* Isla de Grecia, en el mar Jónico. Cap., Léucade. Vid, tabaco, olivo.

LEUCEMIA, LEUCOCITEMIA o **LEUCOSIS** f. *Med.* Enfermedad de la sangre, caracterizada por la proliferación neoplásica de glóbulos blancos en la médula ósea y en los ganglios linfáticos, vertiéndose en la sangre gran cantidad de leucocitos inmaduros atípicos (aguda) o de leucocitos en todas sus fases de maduración (crónica).

LEUCINA f. Aminoácido de cadena ramificada, con seis átomos de carbono.

LEUCIPO (s. V a. C.) Filósofo gr. Junto con Demócrito, creó la doctrina del atomismo.

LEUCITA f. *Miner.* Tectosilicato de potasio, típico de las rocas alcalinas pobres en sílice, como ciertos basaltos y fonolitas.

LEUCOBLASTO m. Célula que genera leucitos.

LEUCOCITO m. *Fisiol.* Glóbulo blanco de la sangre.
* *Fisiol.* Los l. son células incoloras, ameboides, capaces de abandonar los vasos sanguíneos y de realizar su función también fuera de éstos. Poseen enzimas proteolíticos capaces de desintegrar las células muertas y las formaciones de fibrina. Desempeñan un importante papel en el transporte de grasas, vitaminas y hierro. Por quimiotaxis pueden desplazarse hacia focos de infección donde fagocitan a las bacterias. Existen tres tipos: linfocitos, granulocitos y monocitos.
LEUCOCITURIA f. Aumento de los leucocitos en la orina.
LEUCOCITOSIS f. Aumento del núm. de leucocitos contenidos en la sangre.
LEUCÓCRATO, TA adj. Díc. de los minerales claros.
LEUCODERMIA f. Desaparición de los pigmentos cutáneos. Puede ser congénita (albinismo) o adquirida (vitíligo).
LEUCOMA f. Manchita blanca de la córnea que es causa de disminución del campo visual.
LEUCOMIELITIS f. Inflamación de la sustancia blanca de la médula espinal.
LEUCOPENIA f. Disminución del número de leucocitos de la sangre.
LEUCOPLAQUIA o **LEUCOPLASIA** f. *Pat.* Inflamación crónica de una mucosa, pralm. en la boca y en la vulva. Es una lesión precancerosa.
LEUCOPLASTO m. *Citol.* Orgánulo citoplasmático de las células vegetales; carente de pigmentos, sirve como centro de almacenamiento de los granos de almidón procedentes de la fotosíntesis.
LEUCOPOYESIS f. *Fisiol.* Proceso de formación de leucocitos, cuyo estudio es importante para el diagnóstico de varias enfermedades de la sangre.
LEUCORREA f. Flujo blanquecino de las vías genitales femeninas.
LEUDAR tr. y prnl. Fermentar la masa con la levadura. ▪ LEUDO, DA.
LEV m. Unidad monetaria de Bulgaria.
LEVA f. Salida de las embarcaciones del puerto. • Enganche de gente para el servicio del ejército. • Acción de levarse o irse. • Espeque, especie de palanca. • *Mec. apl.* Elemento de revolución, de perfil no circular, empleado para transformar el movimiento rotatorio en movimiento alternativo. • *Amér.* Levita. • *Amér. Centr.* Engaño, treta.
LEVADA f. Parte de una población de gusanos de seda que se traslada a otro lugar.
LEVADERO, RA adj. Que se ha de cobrar o exigir.
LEVADIZO, ZA adj. Que se levanta o puede levantar con algún artificio.
LEVADOR m. El que leva. • Operario que en las fábricas de papel recibe el pliego del molde, lo apila y lo prensa. • *Méc. apl.* Álabe de una rueda.
LEVADURA f. Hongo del grupo levaduras. • Tabla que se asierra de un madero. • fig. Germen de algun fuerte sentimiento o pasión. • f. pl. *Biol.* Grupo de hongos unicelulares, carentes de micelio, que provocan la fermentación de los sustratos orgánicos sobre los que viven. Se emplean para la fabricación del pan, el vino y la cerveza. En medicina son más importantes las criptococáceas, que incluyen especies patógenas que dan lugar a enfermedades denominadas *micosis.*
LEVANTADO, DA adj. fig. Elevado, sublime. • fig. Acción de levantarse, o dejar la cama.
LEVANTAMIENTO m. Acción y efecto de levantar o levantarse. • Sedición, alboroto popular. • Sublimidad,elevación. • *Top.* Conjunto de operaciones topográficas para recoger los datos necesarios para la representación de una porción de la superficie terrestre.
LEVANTAR tr. y prnl. Mover de abajo hacia arriba una cosa. • Poner una cosa en lugar más alto. • Poner derecho o en posición vertical lo inclinado. • tr. Dirigir hacia arriba los ojos, la mirada, etc. • Quitar una cosa de donde está. • Alzar, recoger la cosecha. • Construir, edificar. • Cortar los naipes, dividirlos en dos o más partes. • Abandonar un sitio, llevándose lo que en él hay para trasladarlo a otro lugar. • tr. fig. Erigir, instituir. • fig. Aumentar el precio. • fig. Dar mayor fuerza a la voz. • fig. Hacer que cesen ciertas penas o prohibiciones. • tr. y prnl. Rebelar, sublevar. • fig. Impulsar hacia cosas altas. • fig. Esforzar, vigorizar. • tr. y prnl. fig. Ocasionar, formar. • tr. fig. Imputar maliciosamente una cosa falsa. • prnl. Salir de la cama. ▪ LEVANTADOR, RA.
LEVANTE m. Oriente, punto por donde sale el Sol. • Viento que sopla de la parte oriental. • Países del E del Mediterráneo. • Nombre genérico de las comarcas mediterráneas de España. • *Chile.* Derecho pagado al dueño por la tala de un bosque.
LEVANTINO, NA adj. y s. De Levante. • *Arte.* Díc. del conjunto de pinturas rupestres, de épocas mesolítica y neolítica, situadas en el Levante esp.
LEVANTISCO, CA adj. Inquieto y turbulento.
LEVAR tr. *Mar.* Hablando de las anclas, recoger, o sea arrancar y suspender la que está fondeada. • *Mar.* Hacerse a la vela.
LEVE adj. Ligero, de poco peso. • fig. De poca importancia. ▪ LEVEDAD.
LEVENTE com. *Cuba.* Advenedizo cuyas costumbres y origen se desconocen.
LEVERKUSEN C. de Alemania, en Renania Septentrional-Westfalia; 155 500 hab. Sit. a orillas del Rin. Ind. química y textil.
LEVERRIER, ***Joseph*** (1811-1877) Astrónomo fr. Calculó los límites de variabilidad de las excentricidades de las órbitas planetarias y demostró la existencia de Neptuno.
LÉVESQUE, ***René*** (1922-1987) Político can. Líder francófono de Quebec, primer ministro (1976-1986).
LEVÍ Tercer hijo de Jacob y de Lía. Su tribu se transformó en la casta sacerdotal de Israel.
LEVI, ***Carlo*** (1902-1975) Escritor it. antifascista, hubo de exiliarse en 1928-1933 y 1939-1941. *Cristo se detuvo en Éboli.*
LEVIATÁN m. Monstruo marino, descrito en el Antiguo Testamento. • Instrumento empleado en el lavado de la lana.
LEVIATÁN Obra pral. de Thomas Hobbes, considerado el primer tratado de ciencia política. En él se describe al «hombre como un lobo para otro hombre», pero de este sentimiento de miedo surge el contrato social y la consiguiente abdicación de los derechos del individuo en favor del soberano absoluto.
LEVIGACIÓN f. Procedimiento para separar los componentes de una mezcla de sólidos de distinta densidad. ▪ LEVIGAR.
LEVILLIER, ***Roberto*** (1886-1969) Historiador y diplomático arg. *Orígenes argentinos, La Argentina del s.* XVI.
LEVINGSTON, ***Roberto Marcelo*** (nacido 1920) Militar arg. En junio de 1970, tras el derrocamiento del general Onganía, fue nombrado presid. de la rep. Destituido por la Junta en 1971.
LEVINSON, ***Luisa Mercedes*** (nacida 1914) Escritora arg. *La hermana de Eloísa, La pálida rosa de Soho, Las tejedoras sin nombre.*
LEVIRATO m. Precepto de la ley mosaica, que obliga al hermano del que murió sin hijos a casarse con la viuda.
LEVIRROSTRO adj. Díc. de las aves trepadoras de pico largo y puntiagudo.
LÉVI-STRAUSS, ***Claude*** (nacido 1908) Antropólogo fr. de origen belga, fundador de la antropología estructural. Para él, la estructura latente en las relaciones sociales es inconsciente y sólo puede aprehenderse mediante la elaboración de modelos abstractos. Sustituye la noción de influjo social e histórico por la idea de estructuras en transformación. *Las estructuras elementales del parentesco, Tristes trópicos, Mitológicas, Antropología estructural, El pensamiento salvaje.*
LEVITA m. Israelita de la tribu de Leví. • P. ext., sacerdote, eclesiástico. • f. Vestidura masculina con mangas y faldones hasta la rodilla. ▪ LEVÍTICO, CA.
LEVITACIÓN f. Sensación alucinatoria de elevarse en el aire o flotar en él. • Suspensión en el aire de un cuerpo u objeto.
LEVÍTICO, ***Libro del*** Tercer escrito del Pentateuco, que trata de los ministros del culto.
LEVITÓN m. Levita más larga, más holgada y de paño más grueso que la de vestir.
LEVÓGIRO, RA adj. *Fís.* y *Quím.* Díc. de las sustancias ópticamente activas que desvían hacia la izquierda el plano de la luz polarizada que las atraviesa.
LEVULOSA f. Fructosa.

Letras góticas miniadas. Códice de San Jorge, Archivo Capitular del Vaticano

Puente **levadizo** en la ría de Bilbao, España

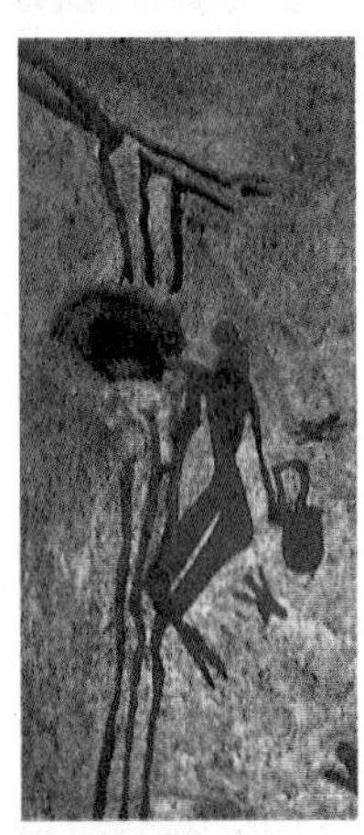
Pintura rupestre de la etapa mesolítica **levantina.** Cueva de la Araña, Bicorp (Valencia)

Detalle de una cajilla de hueso de ballena, con escenas de la **leyenda** de los Nibelungos. Arte nórdico del s. VIII. Museo Bargello, Florencia

Palacio del Dalai Lama en la ciudad de **Lhasa**

Li Peng

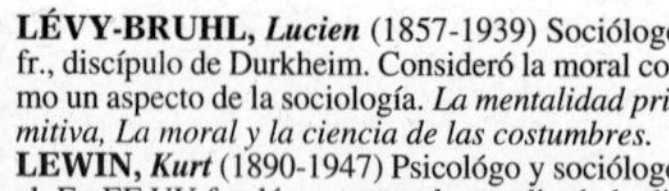

LÉVY-BRUHL, ***Lucien*** (1857-1939) Sociólogo fr., discípulo de Durkheim. Consideró la moral como un aspecto de la sociología. *La mentalidad primitiva, La moral y la ciencia de las costumbres.*

LEWIN, ***Kurt*** (1890-1947) Psicológo y sociólogo al. En EE UU fundó un centro de estudio de la dinámica de grupo. En sociología introdujo la noción de apariencia democrática. *Teoría dinámica de la personalidad.*

LEWIS, ***Carl*** (nacido 1961) Altleta estadoun. Destacó en las pruebas de 100 m lisos y salto de longitud. Obtuvo cuatro medallas de oro en los JJOO de 1984, y dos en los de 1988 y 1992. • ***Clarence Irving*** (1833-1964) Filósofo norteam., uno de los clásicos de la lógica matemática. Construyó un sistema deductivo basado en la implicación estricta. • ***Jerry*** (nacido 1926) Actor y director de cine norteam., uno de los cómicos más imp. de la posguerra. *La otra cara del gángster, El profesor chiflado, El rey de la comedia.* • ***Oscar*** (1914-1970) Antrópologo norteam. Realizó estudios etnográficos en México, EE UU y Puerto Rico, pralm., sobre sociedades marginadas, acuñando el concepto de «cultura de la pobreza». *Los hijos de Sánchez, La vida.* • ***Roberto*** (1874-1949) Pintor y escultor pan. Notable muralista. De sus esculturas sobresale el busto de Tomás Martín Feuillet. • ***Sinclair*** (1885-1951) Novelista norteam. Sus obras, realistas y satíricas, reflejan preocupación por el fascismo y el racismo. *Calle Mayor, Babbitt, Elmer Gantry.* Premio Nobel de Literatura en 1930.

LEWISHAM C. de Gran Bretaña, en Inglaterra (condado de Kent); 231 900 hab., en el Gran Londres.

LEXEMA m. *Ling.* Unidad de significación de un radical, una palabra o una palabra compuesta. • Elemento significativo de una palabra.

LEXIA f. *Ling.* Unidad del nivel de contenido del signo lingüístico.

LEXICALIZACIÓN f. *Ling.* Proceso según el cual elementos morfofuncionales pasan a ser unidades léxicas.

LÉXICO, CA adj. Relativo al léxico o al vocabulario de una lengua. • m. Conjunto de palabras, locuciones, etc., de una lengua. • Diccionario de la lengua gr., y, p. ext., de cualquier otra lengua. • Caudal de voces, modismos y giros de un autor.

* *Ling.* El l. es, a menudo, compuesto, y se modifica rápidamente por adquisición o abandono de términos, lo que constituye una de sus más esenciales características: el estar formado por un núm. ilimitado de elementos que no se excluyen mutuamente. Es capital en el planteamiento de la teoría de los campos semánticos (Trier).

LEXICOGRAFÍA f. Técnica de componer léxicos o diccionarios. • Parte de la lingüística que se ocupa de los principios teóricos en que se basa la composición de diccionarios. ■ LEXICOGRÁFICO, CA.

LEXICÓGRAFO, FA m. y f. Colector de todos los vocablos que han de entrar en un léxico. • Persona experta o versada en lexicografía.

LEXICOLOGÍA f. *Ling.* Estudio del vocabulario de una lengua. Para Ullman, la l. trata de las palabras tanto morfológica como semánticamente, y forma, con la fonología y la sintaxis, el triple aspecto bajo el que se estudia el lenguaje. ■ LEXICOLÓGICO, CA; LEXICÓLOGO, GA.

LEXICÓN m. Léxico, diccionario.

LEXINGTON C. de EE UU, en Massachusetts. • Batalla de L. Combate entre los colonos y las tropas ing. que dio comienzo a la guerra de la indep. norteam. (1775).

LEY f. Regla y norma constante e invariable de las cosas. • Precepto dictado por la suprema autoridad, en que se manda o prohíbe una cosa. • Disposición votada por el parlamento y sancionada por el jefe del Estado. • Religión. • Lealtad, fidelidad. • Calidad, peso o medida. • Proporción en que un metal noble entra en una aleación. • Cantidad de metal contenida en una mena. • Conjunto de las leyes, o cuerpo del derecho civil. • **de Moisés.** Preceptos que Dios dio al pueblo de Israel, los cuales constituyen la religión de los judíos. • **del talión.** La que señala que el castigo ha de equivaler al daño recibido. Tiene origen bíblico. • **marcial.** *Der.* La de orden público, una vez declarado el estado de guerra. • **mosaica.** Ley de Moisés. • **natural.** Reglas

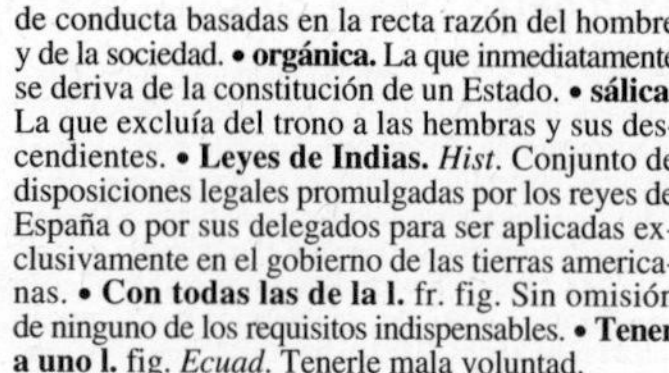

de conducta basadas en la recta razón del hombre y de la sociedad. • **orgánica.** La que inmediatamente se deriva de la constitución de un Estado. • **sálica.** La que excluía del trono a las hembras y sus descendientes. • **Leyes de Indias.** *Hist.* Conjunto de disposiciones legales promulgadas por los reyes de España o por sus delegados para ser aplicadas exclusivamente en el gobierno de las tierras americanas. • **Con todas las de la l.** fr. fig. Sin omisión de ninguno de los requisitos indispensables. • **Tener a uno l.** fig. *Ecuad.* Tenerle mala voluntad.

* *Der.* Las l. pueden ser de tres tipos: *constitucionales* o *fundamentales,* que regulan la organización y el funcionamiento de las diferentes comunidades jurídicas, y emanan del poder legislativo; *ordinarias,* que representan las fuentes más abundantes del derecho; y los *reglamentos,* subordinados a la ley y dictados por el poder ejecutivo central o los poderes locales.

LEYENDA f. Acción de leer. • Obra que se lee. • Vida de los santos. • Relación de sucesos que tienen más de maravillosos que de verdaderos. • Composición poética de alguna extensión en que se narrá un suceso de esta clase. • Inscripción de una moneda o medalla. • Pie o texto que acompaña y explica un grabado, plano, etc. ■ LEYENDARIO, RIA.

LEYTE Isla de Filipinas, al SO de la isla de Samar; 6 268 km^2, 1 302 600 hab. C. pral.: Tlacoban. • Batalla de L. Serie de combates navales y aéreos entre japoneses y norteam. del 24-26 octubre de 1944, que finalizaron con la derrota nipona.

LEYVA, ***Armando*** (1888-1942) Escritor cub. *Del ensueño y de la vida, Las horas silenciosas.*

LEZAMA **Lima,** ***José*** (1912-1976) Escritor cub. La cumbre de su producción, *Paradiso* (1968), es una novela poética de gran ambición lingüística. *Tratados de La Habana, La expresión americana.*

LEZGUIANO, NA *(Lesghi)* adj. y s. Díc. de individuos de un pueblo de la rep. autónoma de Daguestán y de la RSS de Azerbaiján. • Relativo a este pueblo. • m. Lengua de este pueblo. • m. pl. Pueblo lezguiano.

LEZNA f. Instrumento que usan los zapateros para agujerear, coser y pespuntar. • Herramienta para esmerilar o rectificar taladros cilíndricos.

LHASA C. del SO de China, cap. de la región autónoma del Tíbet; 105 000 hab. Sit. en una meseta, a unos 3 600 m de alt. Fue residencia tradicional del Dalai Lama.

L'HOSPITAL, ***Guillaume François Antoine,*** MARQUÉS DE SAINTE MESME (1661-1704) Matemático fr. En 1696 publicó el primer tratado completo sobre cálculo infinitesimal *Análisis de los infinitamente pequeños a partir de las líneas curvas.*

Li *Quím.* Símb. del litio.

LI Peng (nacido 1928) Político chino. Hijo adoptivo de Chu En-Lai y dirigente comunista, ocupó diversos cargos ministeriales. Primer ministro entre 1988 y 1998.

LÍA f. Soga de esparto, tejida como trenza, para atar y asegurar los fardos, cargas y otras cosas. • Heces. Se usa más en pl.

LIANA f. Planta trepadora, delgada y alargada, propia de las selvas tropicales.

LIAO-HO Río del NE de China; 1 450 km.

LIAONING Prov. del NE de China, en Manchuria, junto al mar Amarillo; 145 700 km^2, 39 459 697 hab. Cap., Shenyag. Mijo, maíz, sorgo, algodón; hierro, carbón.

LIAOTUNG *(Liadong)* Pen. del NE de China (prov. de Liaoning), bañada por el golfo hom. Puertos de Lüshun (Port Arthur) y Talien (Dairen).

LIAR tr. Atar y asegurar los fardos y cargas con lías. • Envolver una cosa con papeles, cuerda, cinta, etc. • Hablando de cigarrillos, darles forma envolviendo la picadura en el papel de fumar. • tr. y prnl. fig. y fam. Engañar a uno, envolverlo en un compromiso. • tr. y prnl. Con la prep. a y algunos nombres que significan golpes, darlos. • prnl. Enredarse con fin deshonesto dos personas; amancebarse.

LIARA f. Aliara, vaso de cuerno.

LIASA f. *Biol.* Enzima que desdobla una molécula en dos fragmentos para formar una tercera.

LIATÓN m. Soguilla de esparto.

LIAZA f. Conjunto de lías.

LIBACIÓN f. Acción de libar. • Ceremonia religiosa de los ant. paganos, que consistía en llenar un

vaso de vino o de otro licor y derramarlo después de haberlo probado.
LIBAMEN m. Ofrenda en el sacrificio.
LÍBANO, cordillera del *(Jebel Lubnan)* Alineación montañosa del O del Líbano. Alt. máx. Qornet es-Sauda, 3 083 m.

Líbano. Panteón de Baalbek, uno de los vestigios grecolatinos

LÍBANO

Superficie 10 400 km²

Población 3 859 000 hab. (371 hab./km²)

Recursos económicos	
Aceitunas	50 000 t
Cabaña caprina	480 000 cabezas
Cabaña ovina	400 000 cabezas
Camellos	1 000 cabezas
Cemento	1 000 000 t
Limones	96 000 t
Naranjas	280 000 t
Riqueza forestal	498 000 m³
Sal	3 000 t
Tabaco	4 000 000 000 cigarrillos
Trigo	49 000 t
Uva	380 000 t
Indicadores sociológicos	
PNB	10 673 millones de dólares
Renta per cápita	2 660 dólares
Esperanza de vida	75 años
Alfabetismo	92 %

LÍBANO *(al-Jumhuriya al-Lubnaniya)* Estado del Próximo Oriente, rep., sit. junto al Mediterráneo. Limita con Siria e Israel. País montañoso, cruzado por los montes del Líbano y del Antilíbano. Entre ambos se halla la depresión de Bekaa o Beqaa, avenada por el Orontes y el Litani. Clima determinado por la alt. Agricultura; ganadería; avicultura; ind. textil, alimentaria, cemento, joyas, refinería de petróleo. Grupos étnicos o nac.: ár. (maronitas, drusos, palestinos, sirios), armenios, gr. Lenguas: ár. (of.), ing. y fr. *Rel.*: cristianos (61 %) y musulmanes (19 %). U. M.: la libra libanesa. C. prales. : la cap., Beirut, Trípoli.
* *Hist.* Solar de la civilización fenicia, fue disputado por los prales. imperios. Los cruzados fundaron el condado de Trípoli y anexionaron el reino de Jerusalén. Desde 1516 al término de la I Guerra Mundial estuvo bajo dominio turco. En 1918 fue ocupado por Francia, y en 1941 por los brit. En 1943 consiguió la indep. Se unió con los est. ár. vecinos en la guerra de 1948 contra Israel. A partir de 1974 se agravaron las tensiones entre cristianos y musulmanes. El conflicto desembocó en una guerra (1975-1976). En 1982 fue invadido por Israel (masacres de Shabra y Chatila). El presidente Bechir Gemayel fue asesinado y le sucedió por su hermano Amín. En 1984 se constituyó un gobierno de Unidad Nacional presidido por Rachid Karame, asesinado en 1987. En 1985, los israelíes abandonaron gran parte del sector meridional, reservándose una franja del sur del país. Cristianos y chiítas mantuvieron sus milicias armadas, así como sus zonas de influencia. En 1989, los parlamentarios, representantes de las diferentes comunidades, firmaron los Acuerdos de Taef, que pusieron fin a la guerra civil y desarmaron las milicias bajo la vigilancia de Siria. R. Hariri, primer ministro entre 1992 y 1998, puso en marcha un programa de reconstrucción del país. Sin embargo, el Sur, ocupado por Israel, continuó siendo un foco de conflictos entre las milicias chiítas de Hezbollah y el est. judío. Estos enfrentamientos, que se recrudecieron periódicamente en los noventa, finalizaron en 2000 con la retirada del ejército israelí. Ese mismo año, R. Hariri obtuvo la victoria en las elecciones generales y fue nombrado primer ministro.

Mapa de situación y bandera del **Líbano**

LIBAR tr. Chupar suavemente el jugo de una cosa. • Chupar los insectos el néctar de las flores. • Hacer la libación para el sacrificio. • Probar un licor.
LIBATORIO m. Vaso para las libaciones.
LIBELA f. Moneda de plata rom. de pequeño tamaño.
LIBELAR tr. *Der.* Hacer peticiones.
LIBELÁTICO, CA adj. y s. Díc. de los cristianos de la Iglesia primitiva que para librarse de la persecución se procuraban certificado de apostasía.
LIBELISTA m. Autor de uno o varios libelos.
LIBELO m. Escrito sarcástico que denigra a una persona o una obra.
LIBÉLULA f. *Zool.* Insecto odonato de tórax robusto, abdomen estilizado y dos pares de alas membranosas, transparentes y de gran tamaño. Sus larvas, acuáticas, son extraordinariamente voraces.

Libélula

LÍBER m. *Bot.* Conjunto de vasos liberianos de un vegetal, que conducen la savia elaborada.
LIBERACIÓN f. Acción de poner en libertad. • Recibo que se da al deudor cuando paga. • Cancelación de la carga que grava un inmueble. • Culminación de la lucha por expulsar al ocupante extranjero de un territorio. • *Chile.* Parto.
LIBERADO, DA adj. Desembarazado de una obligación, pena, etc. • m. y f. Político o líder sindical que recibe un sueldo de su partido o central.
LIBERAL adj. Que obra con liberalidad. • Díc. de la cosa hecha con ella. • Expedito, pronto para ejecutar cualquier cosa. • Díc. de ciertas profesiones, como medicina, abogacía, etc., que se ejercen en libre competencia. • adj. y s. Que profesa doctrinas favorables a la libertad política en los estados. • Partidario del liberalismo. • adj. Amplio de miras.
LIBERALIDAD f. Virtud que consiste en distribuir generosamente sus bienes sin esperar recompensa. • Generosidad, desprendimiento. • *Der.* Disposición a favor de alguien sin ninguna prestación suya.
LIBERALISMO m. Conjunto de ideas que defienden la primacía del individuo frente al Estado y la supresión de las trabas a la actividad económica.
* *Hist.* El l. integral corresponde a la época de ascenso de la burguesía (s. XVIII) y de su lucha por acabar con el Antiguo Régimen. *La Declaración de los Derechos del Hombre y del Ciudadano* señalaba como inviolables los principios de la libertad, la igualdad, la fraternidad y la propiedad. Las rebeliones obreras de 1830 y 1848 señalaron la transición hacia el l. positivista, al inducir a la burguesía a pedir la intervención del Estado para defender el capitalismo. La crisis del modelo económico keynesiano y del Estado providencial impulsó un nuevo l., caracterizado por la privatización de sectores económicos públicos y de servicios sociales. Adalides del neoliberalismo han sido R. Reagan y M. Thatcher.
LIBERALIZACIÓN f. Acción y efecto de liberalizar. • **económica.** Eliminación de los obstáculos que se oponen al libre comercio internacional.
LIBERALIZAR tr. y prnl. Hacer liberal en el orden político a una persona o cosa.
LIBERAR tr. y prnl. Libertar, eximir a uno de una obligación. • Librar a un país de la ocupación extranjera. ■ LIBERATORIO, RIA.

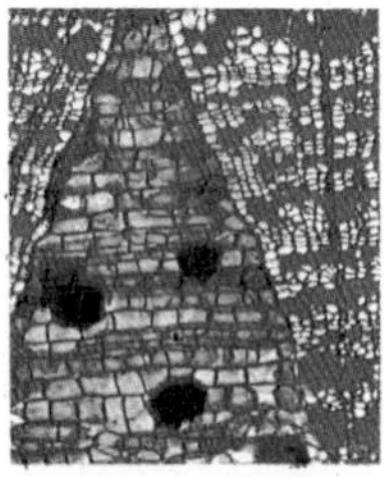

Fotografía microscópica de la estructura secundaria del **líber**

Liberia. Arriba, mapa de situación y bandera; a la derecha, vista parcial de Monrovia

LIBERIA

Superficie	111 369 km²
Población	2 602 000 hab. (23 hab./km²)
Recursos económicos	
Aceite de palma	38 000 t
Arroz	50 000 t
Azúcar	5 000 t
Cabaña caprina	220 000 cabezas
Cabaña ovina	210 000 cabezas
Caucho	90 000 t
Cerveza	158 000 hl
Diamantes	150 000 quilates
Hierro	8 011 000 t
Mandioca	450 000 t
Oro	700 kg
Pesca	7 721 t
Riqueza forestal	6 183 000 m³
Indicadores sociológicos	
PNB	2 300 millones de dólares
Renta per cápita	770 dólares
Esperanza de vida	51 años
Alfabetismo	38 %

Catedral y plaza de San Agustín en Trujillo, en el departamento peruano de **La Libertad**

El ***libertador*** *Simón Bolívar*, por Antonio Salguero. Museo Municipal de Quito, Ecuador

LIBERIA *(Republic of Liberia)* Estado de África occidental, rep., limitado por el Atlántico, Sierra Leona, Guinea y Costa de Marfil. Formado por una meseta ondulada, cubierta de bosque tropical. Alt. máx.: montes Nimba (1 850 m). Ríos prales.: Loffa, Saint Paul, Saint John, Cess y Cavally. Clima cálido y húmedo. Café, cacao, arroz, maíz, madioca, palmera de aceite; copra; hierro; refinerías de crudo. Grupos étnicos o nac.: kpelles, bassa, gios, kru, mandingos, etc. Lenguas: ing. (of.) y dialectos sudaneses (mande-tan, mande-fu, kru, etc.). *Rel.*: animista (mayoritaria). U. M.: el dólar liberiano. C. pral.: la cap., Monrovia.

* *Hist.* Visitada por los port. durante los ss. XV y XVI. A partir de 1822 la *American Colonization Society* norteam. fundó diversos establecimientos. En 1847 se proclamó la indep., no reconocida por EE UU hasta 1862. En 1857 se le anexionó el est. afr. indep. de Maryland. Durante la II Guerra Mundial se alineó con los aliados. El True Whig Party dirigió el país durante muchos años, con Tubman, presid. desde 1943 a 1972, y su sucesor, Tolbert. Éste fue derrocado en 1980 por el golpe militar de Samuel Doe, asesinado en 1990 en el curso de una guerra civil, que se prolongó hasta 1997 cuando se celebraron las elecciones presidenciales que ganó Charles Taylor. Sin embargo, la guerra se reanudó en 1998.

LIBERIA C. del NO de Costa Rica, cap. de la prov. de Guanacaste; 36 395 hab. Centro agropecuario.

LIBERIANO, NA adj. *Bot.* Díc. de los vasos conductores que constituyen el líber o floema.

LIBERMAN, ***Arnoldo*** (nacido 1934) Poeta arg. *Poemas con bastón, Credo poético, El motín de la luz, Poemas con los míos.* • ***Evsei*** (1897-1983) Economista sov., promotor de las reformas en los métodos de planificación de la URSS.

LIBERTAD f. Facultad humana de determinar los propios actos. • Estado o condición del que no es esclavo. • Estado del que no está preso. • Falta de sujeción y subordinación. • Facultad de hacer y decir cuanto no se oponga a las leyes y a las buenas costumbres. • Prerrogativa, privilegio, licencia. Se usa mucho en pl. • Condición de las personas no obligadas por su estado al cumplimiento de ciertos deberes. • Licencia u osada familiaridad. • Exención de etiquetas. • Desembarazo, franqueza. • Facilidad, soltura, disposición natural para hacer una cosa con destreza. • **condicional.** Beneficio de abandonar la prisión que puede concederse a los penados en el último periodo de su condena. • **de comercio.** Derecho que se concede a los ciudadanos de un país para que comercien libremente. • **de conciencia.** Permiso de profesar cualquier religión y para obrar a voluntad. • **de cultos.** Derecho de practicar públicamente los actos de la religión que cada uno profesa. • **de imprenta.** Facultad de imprimir cuanto se quiera, sin previa censura, con sujeción a las leyes. • **de navegación.** Derecho que poseen todas las naciones a la libre navegación en aguas no jurisdiccionales. • **provisional.** Situación o beneficio de que pueden gozar los procesados, no sometiéndolos durante la causa a prisión preventiva.

* *Pol.* La idea de la l. como atributo humano, y no como privilegio de clase, se abrió paso con la Revolución Francesa, y desde la primera Declaración de Derechos del Hombre y del Ciudadano (1789), las llamadas l. políticas han entrado a formar parte de las constituciones. Las l. políticas se conciben como derechos individuales frente al Estado.

LIBERTAD *Mit.* Diosa romana de la libertad.

LIBERTAD, ***La*** Dpto. de Perú, sit. entre la cord. Central andina y el océano Pacífico; 24 749,5 km², 1 365 700 hab. Cap., Trujillo; c. prales.: Otuzco, Santiago de Chuco y San Pedro de Iloc. En la costa destacan los valles formados por los ríos Jequetepeque, Chicama, Moche y Virú; en la sierra, perteneciente a la cord. Occidental de los Andes, destaca el pico Huailillas (4 947 m). Avenado por el Marañón. El clima varía según la altitud. En los valles de Chicama y del Moche se cultiva la caña de azúcar y se refina este producto, y en la prov. de Pacasmayo se da la mayor producción arrocera. Yacimientos de oro (Pataz), plata (Huamachuco) y carbón (Huayday). Ind. química (Trujillo), metalúrgica (Quiruvilca), del cemento.

LIBERTAD, ***La*** Dpto. del centro-oeste de El Salvador, a orillas del océano Pacífico; 1 653 km², 662 096 hab. Cap., Nueva San Salvador o Santa Tecla. Centros imp.: Puerto de La libertad y Quezaltepeque. Terreno montañoso. Avenado al N por la cuenca fluvial del Lempa. Clima templado y húmedo.

LIBERTADOR, RA adj. y s. Que liberta. • **El** *Amér.* Sobrenombre de Simón Bolívar.

LIBERTADOR GENERAL BERNARDO O'HIGGINS Región VI del centro de Chile; 16 365 km², 688 385 hab. Cap., Rancagua. Minas de cobre.

LIBERTAR tr. y prnl. Poner en libertad. • Eximir a uno de una obligación. • tr. Preservar, salvar.

LIBERTARIO, RIA adj. Anarquista, antiautoritario; persona que defiende la supresión del Estado.

LIBERTICIDA adj. y s. Que anula la libertad.

LIBERTINAJE m. Desenfreno en las obras o en las palabras. • Falta de respeto a la religión.

LIBERTINO, NA adj. y s. Díc. de la persona entregada al libertinaje. • Partidario de la exaltación de la libertad personal más allá de los límites que imponen las leyes religiosas y morales.

LIBERTO, TA m. y f. Esclavo a quien se ha dado libertad.

LIBIA *(Jamahiriya al-Arabiya al-Libiya ash-sha'biya al-ishtirakiya)* Estado del N de África, rep., sit. junto al Mediterráneo, entre Tunicia, Argelia, Níger, Chad, Sudán y Egipto. Desde las alt. del Jebel el-Achdar el relieve desciende hacia una depresión, de la que arranca el desierto de Libia. La altiplanicie esteparia se extiende por Tripolitania y Fezzan. El S está accidentado por el Tibesti. Las costas son bajas y presentan gran cantidad de dunas. Los ríos no tienen curso fijo. Clima mediterráneo en la costa y seco y caluroso en el interior. Cebada, trigo, olivo; ganadería; pesca (esponjas). Petróleo y gas natural. Grupos étnicos o nac.: ár., beréberes, tubus, negros. Lenguas: ár. (of.), ing., it. y beréber. *Rel.*: musulmana (of. del Estado), católica. U. M.: el dinar. C. prales.: Trípoli, la cap., y Bengasi.

* *Hist.* La parte occidental del país (Cirenaica) y la occidental (Tripolitania) fueron integradas por los rom. Post. L. fue invadida por los musulmanes y

LIBIA

Superficie	1 775 500 km²
Población	5 648 000 hab. (3 hab./km²)
Recursos económicos	
Aceitunas	62 000 t
Cabaña caprina	800 000 cabezas
Cabaña ovina	4 400 000 cabezas
Camellos	130 000 cabezas
Cemento	2 300 000 t
Dátiles	68 000 t
Gas natural	6 298 millones de m³
Petróleo	66 854 000 t
Tabaco	3 500 millones de cigarrillos
Trigo	167 000 t
Indicadores sociológicos	
PNB	32 900 millones de dólares
Renta per cápita	6 510 dólares
Esperanza de vida	66 años
Alfabetismo	76 %

Libia. Aspecto de una calle de Trípoli

los turcos. Tripolitania se independizó durante el reinado de Karamanli (1711-1853) y Cirenaica estuvo unida a Egipto hasta 1798. Tras la guerra italo-turca (1911-1912) fue cedida a Italia. En 1951 conquistó la indep. con la monarquía de Senusis. En 1969 una junta militar instauró la Rep. Muammar al-Gaddafi pasó a presidir el Consejo de la Revolución. Fracasaron varios intentos de federación con los est. vecinos. En 1973 se nacionalizaron las compañías petrolíferas. Gaddafi se convirtió en jefe del Estado. Desde 1977 L. es la «Jamahiriya árabe líbica socialista popular». En 1980 y 1983 tropas libias intervinieron en el Chad al lado de Oueddei. El enfrentamiento con EE UU desembocó en ataques norteam. contra Bengasi y Trípoli en 1986. Tras la entrega en 1999 de dos agentes libios acusados de perpetrar atentados, la comunidad internacional cesó el bloqueo económico al que había sometido a Libia desde 1992.

LÍBICO-BERÉBER m. *Ling.* Grupo de lenguas camitosemíticas habladas por los beréberes en la antigüedad.

LIBÍDINE f. Lujuria, lascivia.

LIBIDO f. *Psic.* Fuerza con que se manifiesta el instinto sexual, como forma de aspiración al placer, sea o no genital, y a todas las emociones sentimentales. El término fue acuñado por Freud y Jung lo aplicó a toda energía psíquica.

LIBIO, BIA adj. y s. De Libia. • adj. Relativo a esta región de África antigua. • m. *Ling.* Dialecto ár. hablado en Libia.

LIBRA f. Ant. medida de peso de valor variable, según los pueblos. • Medida de peso anglosajona, equivalente a 453,59 g. • Unidad monetaria de varios países cuyo valor se fija según la paridad de la l. esterlina. • En los molinos de aceite, peso que sirve para oprimir la pasta. • Medida de capacidad que contiene una libra de un líquido.

LIBRA *Astr.* Constelación zodiacal (Balanza) del hemisferio austral. Sit. entre *Scorpius* y *Virgo*. Así denominada por la igual duración del día y de la noche en los equinoccios. • Séptimo signo del Zodiaco.

LIBRACIÓN f. Mov. vibratorio de amortiguación, que un cuerpo efectúa hasta recuperar el equilibrio.

LIBRADO, DA m. y f. Persona contra la que se gira una letra de cambio.

LIBRADOR, RA adj. y s. Que libra. • m. y f. Persona que gira una letra de cambio.

LIBRAMIENTO m. Acción y efecto de librar. • Orden que se da por escrito para que uno pague.

LIBRANCISTA m. El que tiene una o más libranzas a su favor.

LIBRANZA f. Orden de pago que una persona da a otra para que liquide cierta cantidad a una tercera.

LIBRAR tr. y prnl. Sacar o preservar a uno de una dificultad, mal o peligro. • tr. Poner confianza en una persona. • Dar, expedir. • Girar una letra de cambio, cheque, etc. • Eximir de una obligación. • intr. fam. Disfrutar los empleados de su día de descanso. • Parir la mujer.

LIBRATORIO m. Locutorio de los conventos y cárceles.

LIBRE adj. Que tiene facultad para obrar o no hacerlo. • Que no es esclavo. • Que no está preso. • Atrevido, irrespetuoso. • Suelto, no sujeto. • Díc. del sitio, edificio, etc., que está solo y aislado. • Exento, privilegiado. • Soltero. • Independiente. • Desembarazado o exento de un daño o peligro. • Que tiene ánimo para hablar lo que conviene a su estado u oficio. • Inocente, sin culpa.

LIBREA f. Uniforme con levita que llevan algunos empleados y criados. • fig. Paje o criado que usa librea. • Colorido del pelaje de los mamíferos o del plumaje de las aves. • **invernal.** Tipo especial de coloración que aparece ante la proximidad del invierno en algunos mamíferos y aves para pasar inadvertidos sobre la nieve.

LIBREAR tr. Vender o distribuir una cosa por libras.

LIBRECAMBIO m. *Econ.* Sistema que propugna el libre comercio entre las nac. sin trabas aduaneras, aranceles, etc. Nació como reacción contra las dificultades al tráfico comercial del mercantilismo. Defendido por D. Ricardo, Adam Smith y Stuart Mill.

LIBRECAMBISMO m. Doctrina que defiende el librecambio. ■ LIBRECAMBISTA.

LIBREPENSAMIENTO m. Doctrina que reclama para la razón individual independencia absoluta de todo criterio sobrenatural en materia religiosa. ■ LIBREPENSADOR, RA.

LIBRERÍA f. Biblioteca, local en que se tienen libros o conjunto de éstos. • Tienda donde se venden libros. • Ejercicio o profesión de librero. • Mueble con estantes para colocar libros. ■ LIBRERIL.

LIBRERO m. El que vende libros. • *Méx.* Estante de libros.

LIBRESCO, CA adj. Relativo al libro. • Díc. del que se inspira en la lectura de los libros y no en la realidad de la vida.

LIBRETA f. Cuaderno destinado a escribir en él anotaciones o cuentas. • La que expide una caja de ahorros.

LIBRETO m. Texto de una obra musical escénica: ópera, zarzuela, oratorio, etc. ■ LIBRETISTA.

LIBREVILLE Cap. de Gabón, sit. al O del país, junto al océano Atlántico, en el estuario del Gabón; 257 000 hab. Centro administrativo y comercial. Puerto. Aeropuerto.

LIBRILLO m. Cuadernito de papel de fumar. • *Zool.* Libro, parte del estómago de los rumiantes.

LIBRO m. Conjunto de obras manuscritas o impresas ordenadas para la lectura. • Obra de bastante extensión para formar volumen. • Cada parte en que se divide la obra científica o literaria. • Libreto. • fig. Contribución o impuesto. • fig. Objeto que instruye. • *Zool.* Tercera de las cavidades en que se divide el estómago de los rumiantes. • **amarillo, azul, blanco, rojo,** etc. Libro que contiene documentos diplomáticos. • **de caballerías.** Especie de novela ant.

Libia. Arriba, mapa de situación y bandera; abajo, restos del gimnasio romano de Leptis Magna

Librea invernal y pelaje normal de un armiño

Libro. A la derecha, representación de una imprenta del s. XVI en un manuscrito francés de la época; abajo, miniatura del manuscrito de Gante del s. XV, que representa a san Lucas. Biblioteca Real, Estocolmo

en la que se cuentan aventuras de caballeros andantes. Proliferaron de los s. XII al XVI. Cervantes los criticó en el Quijote. • **de caja.** *Cont.* Libro para anotar el movimiento del dinero. • **de texto.** El que estudian los escolares. • **sagrado.** Cada uno de los de la Biblia. Se usa más en pl. • **Ahorcar,** o **colgar,uno los l.** fig. y fam. Abandonar los estudios. • **Hablar como un l.** fig. Hablar con corrección y autoridad

* *Hist.* El nombre deriva del latín *liber,* corteza de árbol sobre la que se escribía. En la antigüedad se utilizaron sobre todo las tablillas de arcilla y el papiro. En la E. Med. el uso del pergamino y del papel permitió el paso del rollo al códice. Hacia el 1040, Pi-Sheng usó los primeros tipos móviles. En 1453 Gutenberg inventó la imprenta, que permitió la gran difusión del l. En el s. XVII el buril y el aguafuerte sustituyeron al grabado en madera. Las grandes modificaciones en el libro se iniciaron en el s. XIX con las invenciones de la prensa metálica, el papel y la estereotipia, así como la litografía y el grabado en acero, y han culminado en el s. XX con la fotocomposición, las rotativas, el fotograbado y el *scanner.*

LIBRO de los Muertos Colección de escritos egipcios magicorreligiosos de muy distintas épocas, relativos a la vida de ultratumba de los difuntos.

LICANCÁBUR Volcán de los Andes, en la frontera chileno-boliviana; 5 916 m de altitud.

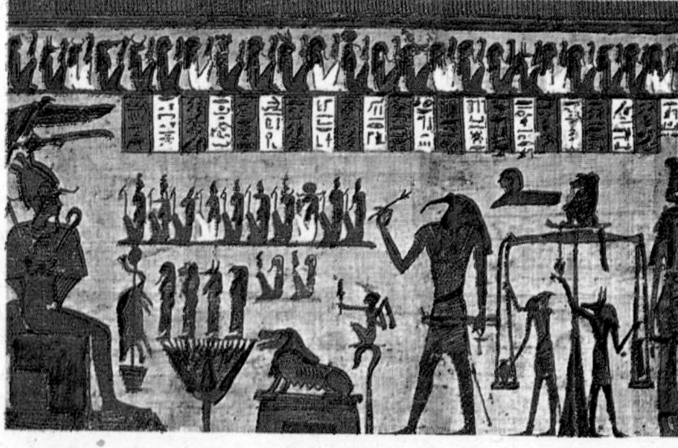

Un difunto ante el Tribunal de Osiris, escena del ***Libro de los muertos,*** del Antiguo Egipto

LICANTROPÍA f. *Psic.* Trastorno de la personalidad que induce a un individuo a creerse lobo. ■ LICÁNTROPO, PA.

LICAÓN m. *Zool.* Mamífero cánido semejante al lobo, con la piel coloreada de negro, blanco y amarillo, que vive en la sabana africana.

LICEÍSTA com. Socio de un liceo.

LICENCIA f. Facultad o permiso para hacer una cosa. • *Econ.* Permiso oficial otorgado a un particular para importar o exportar mercancías. • Documento en que consta la l. • Abusiva libertad en decir u obrar. • Grado de licenciado. • Claustro de licencia. • pl. Las que se dan a los eclesiásticos por los superiores para celebrar, predicar, etc. • **absoluta.** La que se concede a los militares, eximiéndolos completamente del servicio. • **fiscal.** Impuesto directo que deben pagar las empresas comerciales e industriales por el nuevo ejercicio de sus actividades. • **para manejar.** *Amér.* Carnet de conducir. • **poética.** Libertad que se toma un poeta respecto a las normas métricas o lingüísticas, para conservar el ritmo o la estructura formal de la obra.

LICENCIADO, DA adj. Díc. de la persona que se precia de entendida. • Dado por libre. • m. y f. Persona que ha obtenido en una facultad universitaria el grado que le habilita para ejercer una profesión. • m. fam. El que viste hábitos largos o traje de estudiante. • Tratamiento que se da a los abogados. • Soldado que ha recibido su licencia absoluta.

LICENCIAR tr. Dar permiso o licencia. • Despedir a uno. • Conferir el grado de licenciado. • Dar a los soldados su licencia absoluta. • prnl. Hacerse licencioso o desordenado. • Tomar el grado de licenciado. ■ LICENCIAMIENTO.

LICENCIATURA f. Grado de licenciado. • Acto de recibirlo. • Estudios necesarios para obtener este grado.

LICENCIOSO, SA adj. Atrevido, disoluto.

LICEO m. Uno de los tres ant. gimnasios de Atenas, donde enseñó Aristóteles. • Escuela aristotélica. • Nombre de ciertas sociedades literarias o de recreo. • En algunos países, centro de enseñanza media.

LICHERA f. En algunas partes, manta o cobertor para el lecho.

LÍCHIGO m. *Col.* Bastimento, provisión.

LICIA *(Lykia)* Ant. región del SO de Asia Menor, entre Panfilia, Caria y el mar Egeo.

LICITAR tr. *Der.* Ofrecer precio por una cosa en subasta o almoneda. • *Amér.* Vender en pública subasta. ■ LICITACIÓN.

LÍCITO, TA adj. Justo, permitido. • Que es de la ley. ■ LICITUD.

LICNOBIO, BIA adj. y s. Díc. de la persona que hace de la noche día, que vive con luz artificial.

LICO m. *Bol.* Barrilla o sosa.

LICOPODIÁCEO, A adj. y f. *Bot.* Díc. de las plantas pteridófitas, con tallo delgado, hojas verticiladas pequeñas, esporangios en la cara superior de los frondes terminales, protalos monoicos. Poseen propiedades medicinales e insecticidas.

LICOPODIO m. Especie de musgo que crece en lugares húmedos y sombríos.

LICÓPSIDO, DA adj. *Bot.* Díc. de las plantas pteridófitas con vástago diferenciado en tallo y frondes, raíces verdaderas y hojas pequeñas y de disposición helicoidal.

LICOR m. Cuerpo líquido. • Bebida espiritosa, compuesta de alcohol, agua, azúcar y esencias aromáticas. • **de Fehling.** *Quím.* Solución de sulfato cúprico y un tartrato alcalino, que es un reactivo de muchos azúcares, aldehídos, etc. ■ LICORERÍA; LICORISTA; LICOROSO, SA.

LICORERA f. Utensilio de mesa, donde se colocan las botellas o frascos de licor. • Botella para guardar licores.

LICTOR m. Funcionario romano que precedía a los magistrados llevando las fasces.

LICUACIÓN f. Acción y efecto de licuar o licuarse. • *Fís.* Cambio de estado de un gas a líquido, debido a un cambio de presión o de temperatura, que actúa sobre la fuerza de cohesión de las moléculas, siempre que no sobrepase la temperatura crítica.

LICUADOR, RA adj. Que licua. • adj. y s. Díc. del aparato que sirve para licuar algo.

LICUAR tr. y prnl. Convertir en líquido. • Fundir un metal sin que se derritan las demás materias con que se encuentra combinado.

LICUEFACER tr. y prnl. Licuar. ■ LICUEFACCIÓN; LICUEFACTIVO, VA.

LICUEFACTOR m. Condensador de gases.

LICURGO Legislador legendario de la ant. Esparta.

LICURGO, GA adj. fig. Inteligente, astuto, hábil. • m. fig. Legislador.

LID f. Combate, pelea. • fig. Disputa. • **En buena l.** loc. adv. Por buenos medios.

LIDA de Malkiel, ***María Rosa*** (1910-1962) Hispanista y filóloga arg., especializada en lit. esp. medieval y renacentista. *Juan de Mena, poeta del prerrenacimiento español, La originalidad de la Celestina.*

LIDAR m. Instrumento que registra las condiciones atmosféricas mediante gráficas.

LIDELL Hart, *Basil* (1895-1970) Teórico militar brit. *Historia de la guerra de 1914-1918, Foch, Pensamientos sobre la guerra, Los generales alemanes hablan.*

LÍDER com. Impulsor o iniciador de una conducta social. • Dirigente, jefe con la aceptación voluntaria de sus seguidores. • *Dep.* El que va en cabeza de una clasificación. ■ LIDERATO; LIDERAZGO.

LIDIA f. *Taur.* Acción y efecto de lidiar. La l. ordinaria de una res brava comprende tres tercios: picas o varas, banderillas y muerte.

LIDIA Ant. región de Asia Menor, entre Misia, Caria, Frigia y el mar Egeo. Alcanzó su máx. esplendor bajo el rey Creso (s. VI a. C.).

LIDIAR intr. Batallar, pelear. • fig. Hacer frente a uno, oponérsele. • fig. Tratar con una o más personas que causan molestia. • tr. *Taur.* Burlar al toro esquivando sus acometidas hasta darle muerte según las reglas del toreo. ■ LIDIADERO, RA; LIDIADOR, RA.

LIDITA f. Jaspe negro.

LIDO m. *Geog.* Litoral arenoso frente a una bahía o laguna, a la que puede cerrar completamente.

LIE, *Trygve* (1896-1968) Político noruego. Primer secretario general de la ONU (1946-1952). Intervino en Irán, Palestina y Corea.

LIEBIG, *Justus* (1803-1873) Químico al. Introdujo el concepto de radical en química orgánica; obtuvo el ácido acético a partir del alcohol. Fundador de los *Anales de química.*

LIEBKNECHT, *Karl* (1871-1919) Político socialista al. Fundador, con R. Luxemburg, del grupo Espartaco, que en 1918 se convirtió en el partido comunista alemán. En 1919 dirigió la insurrección de Berlín, donde fue detenido y ejecutado. • ***Wilhelm*** (1826-1900) Político socialista al., padre del anterior. Creó el Partido Obrero Socialdemócrata (1869); redactor jefe del órgano del partido, *Vorwärts.*

LIEBRE f. Mamífero de la familia lepóridos, con largas patas, adaptadas a la carrera y al salto, y con orejas también largas. Viven en zonas de matorral y bosque abierto. • fig. y fam. Hombre tímido y cobarde. • **de mar o marina.** Molusco gasterópodo, con el cuerpo desnudo, pero provisto de una concha oculta en el manto. • **Levantar la l.** fr. fig. Descubrir algo que estaba oculto.

LIEBRE Astr. Lepus, constelación.

LIEBRECILLA f. Aciano menor, planta.

LIECHTENSTEIN *(Fürstentum Liechtenstein)* Est. de Europa central, sit. entre Austria y Suiza; monarquía constitucional. Terr. cruzado por los Alpes y avenado por el Rin. Clima alpino. Cereales, patatas; ganadería bovina; avicultura; ind. textil; energía eléctrica; turismo. Lenguas: alemán, alemannish. *Rel.*: catolicismo, protestantismo. U. M.: franco suizo. Cap.: Vaduz. C. prales.: Schaan.

* *Hist.* Los señoríos de Schellenberg y Vaduz, feudos de la familia Liechtenstein, se unificaron en 1719. Miembro de la Confederación Germánica (1815-1866) dependió económicamente de Austria hasta 1919, año en que se colocó bajo la protección de la Confederación Helvética. Tras la muerte de Francisco José II (1989), ascendió al trono Juan Adán II.

LIECHTENSTEIN

Superficie 160 km²	
Población 31 300 hab. (195 hab./km²)	
Recursos económicos	
Energía eléctrica	81 millones de kwh
Patata	12 000 t
Indicadores sociológicos	
PNB	993 millones de dólares
Renta per cápita	33 000 dólares
Esperanza de vida	73 años
Alfabetismo	100 %

El laboratorio de Justus **Liebig,** en un grabado del s. XIX

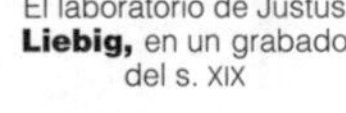

Liebre

LIED (voz al.) m. Poema musical cantado, propio del romanticismo germano. Alcanzó su plenitud con Schubert, Schumann, Brahms, Mahler y Wolf.

LIEGO, GA adj. y s. Díc. de la tierra que no sirve para sembrar, lleco.

LIEJA (fr., *Liège;* flam., *Luik*) Prov. del E de Bélgica; 3 862 km², 992 000 hab. Cereales, remolacha, frutales; hulla; ind. metalúrgica, química. • C. de Bélgica, cap. de la prov. hom. y del sector valón; 211 500 hab. Sit. a orillas del Mosa, en una cuenca minera. Centro industrial.

LIENAL adj. Relativo al bazo.

LIENCILLO m. *Amér.* Tela burda de algodón.

LIENDRE f. Huevo de piojo que suele estar adherido a los pelos de los animales huéspedes de este parásito.

LIENTERA o **LIENTERÍA** f. *Med.* Forma de diarrea con deposiciones de alimentos semidigeridos.

LIENZA f. Lista o tira estrecha de cualquier tela.

LIENZO m. Tela de lino, cáñamo o algodón. • Pañuelo de lienzo. • Pintura hecha sobre lienzo. • Fachada o pared de un edificio. • *Amér.* Trozo de cerca.

LIFAR, *Serge* (1905-1986) Bailarín y coreógrafo ruso. Primera figura en la compañía de Ballets rusos, actuó con los ballets de la Ópera de París y de Montecarlo. A partir de 1956 se dedicó sólo a la coreografía.

LIFO *(Last-In-First-Out;* última entrada-primera salida) m. *Comp.* Técnica de valoración de almacenes que sigue la norma de que los lotes que van saliendo se computan al precio de los más recientemente entrados.

LIGA f. Cinta o banda de tejido elástico con que se aseguran las medias. • Venda o faja. • Muérdago, planta. • Unión o mezcla. • Aleación. • Confederación, alianza entre Estados. • P. ext., agrupación de individuos o colectividades humanas con alguna finalidad. • *Dep.* Competición en que cada uno de los equipos ha de jugar con todos los demás de su categoría. • *Guat.* y *Cuba.* Ligación. • *Ecuad.* Amigo íntimo. • *Argent.* Buena suerte. • Cantidad de cobre que se mezcla con el oro o la plata para formar una aleación.

LIGA o **SANTA Liga** Partido católico fr. que defendía a la iglesia católica frente a los hugonotes. Protagonizó las guerras de religión del reinado de Enrique III. • **Aquea.** Confederación de c. de Acaya que llegó, con intermitencias, hasta su disolución por los rom. en el 146 a. C. • **Árabe.** Creada el 22 de marzo de 1945, reunía a Egipto, Arabia Saudita, Jordania, Irak, Yemen, Siria y Líbano. Luego se adhirieron Libia, Sudán, Tunicia, Marruecos, Somalia y Argelia. Fue el marco de la solidaridad ár. en las guerras contra Israel. En 1996 reunía a un total de 22 Estados miembros. Tiene su sede en El Cairo. • **Ateniense.** Nombre de dos confederaciones de c., promovidas por Atenas. • **Primera L. Ateniense** o **Confederación de Delos.** Pretendía combatir el dominio persa en el Mediterráneo oriental. La formaban c. de Jonia, el Helesponto, la Propóntide y algunas islas del Egeo, y la dirigía Atenas. • **Segunda L. Ateniense.** Organizada por Atenas ante el abuso de poder ejercido por Esparta. Disuelta por Filipo de Macedonia en 356 a. C. • **De Corinto.** Organización panhelénica creada por Filipo de Macedonia en 338 a. C., que garantizaba la independencia política de cada uno de sus miembros. • **De Delos** → Liga Ateniense. • **Del Interior.** Coalición de nue-

Liechtenstein. Arriba, mapa de situación y bandera; abajo, vista parcial del castillo de Vaduz

Proclamación de la **Liga Santa** contra los turcos, ante Pío V

ve prov. del centro y N. de Argentina, formada en 1930 por el general José M.ª Paz ante la elección de Rosas como gobernador de Buenos Aires. La guerra empezó en enero de 1831 y en ella la L. fue derrotada. • **Del Litoral** o **Pacto Federal.** Coalición de prov. arg. Tras el derrocamiento y muerte de Dorrego (1828), se constituyó el 4 de enero de 1831, ante la formación en el interior de la L. Unitaria. Participaron Buenos Aires, las prov. de Santa Fe, Entre Ríos y Corrientes. Con la victoria de su ejército sobre el general Paz, las prov. del interior se unieron también al pacto federal, y se inició el gobierno de Rosas. • **Del Peloponeso.** Confederación de c. gr. presidida por Esparta. Se malogró con el colapso del poder de Esparta en el año 336 a. C. • **Hanseática** → Hansa. • **Santa.** Nombre de distintas coaliciones militares. La primera nació el 31 de marzo de 1495 entre Fernando el Católico, Venecia, Milán, el papa Alejandro VI, el emp. Maximiliano e Inglaterra, para frenar el avance fr. en Nápoles. • Alianza promovida por Julio II en 1511, entre el Vaticano, Venecia, España, el imperio germánico e Inglaterra, para frenar a los fr. en el Milanesado. • Coalición formada por España, Venecia y el Pontificado en 1571, por iniciativa de Pío V, ante los avances turcos en el Mediterráneo.

LIGADO, DA m. Unión o enlace de las letras en la escritura. • *Mús.* Unión de dos puntos que sostiene el valor de ellos, y nombran sólo el primero. • *Mús.* Modo de ejecutar una serie de notas diferentes sin interrupción de sonido entre unas y otras. • f. *Mar.* Ligadura.

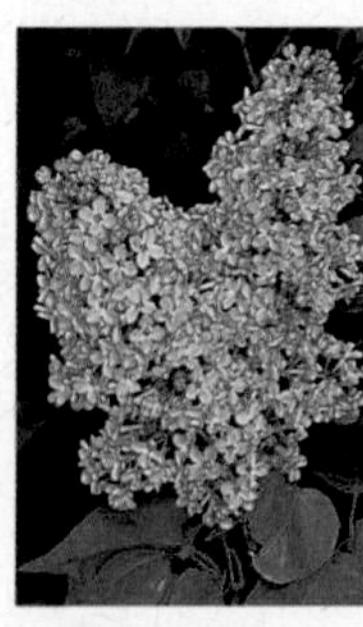

Lila

LIGADURA f. Vuelta que se da apretando una cosa con liga u otra atadura. • Acción y efecto de ligar o unir. • fig. Sujeción con que una cosa está unida a otra. • *Cir.* Operación por la que se suspende la circulación de un vaso sanguíneo mediante un hilo. • *Mús.* Artificio con que se liga la disonancia con la consonancia.

LIGAMAZA f. Materia viscosa que envuelve las semillas de algunas plantas.

LIGAMEN m. Maleficio para esterilizar a alguien.

LIGAMENTO m. Ligación, acción de ligar. • Cordón fibroso que liga los huesos de las articulaciones. • Pliegue membranoso que enlaza cualquier órgano del cuerpo de un animal. ■ LIGAMENTOSO, SA.

LIGAMIENTO m. Acción y efecto de ligar o atar. • Asociación de diversos caracteres hereditarios debido a que los genes que los regulan se hallan en el mismo cromosoma y, por consiguiente, pasan totalmente a los gametos.

LIGAR tr. Atar. • Alear metales. • Unir o enlazar. • fig. Usar de algún maleficio. • tr. y prnl. fig. Obligar. • tr. *Cuba.* Contratar por determinado precio el producto de una cosecha antes de la recolección. • intr. En ciertos juegos de naipes, juntar dos o más cartas para una jugada. • prnl. Confederarse, unirse para algún fin. • tr. e intr. fam. Mantener relaciones amorosas que no se formalizan ni suponen compromiso. • intr. fam. Ser compatibles o avenirse dos personas o cosas. ■ LIGACIÓN.

LIGAZÓN f. Unión, trabazón de una cosa con otra.

LIGEREAR intr. *Chile.* Andar de prisa o despachar algo con ligereza.

LIGEREZA f. Presteza, agilidad. • Levedad o poco peso de una cosa. • fig. Inconstancia, inestabilidad. • fig. Hecho o dicho de alguna importancia, pero irreflexivo.

LIGERO, RA adj. Que pesa poco. • Ágil, veloz. • Aplícase al sueño que se interrumpe fácilmente. • Leve, de poca importancia y consideración. • fig. Hablando de alimentos, que pronto y fácilmente se digiere. • fig. Inconstante, que cambia fácilmente de opinión. • *Quím.* Díc. de la fracción primera que se produce en una destilación. • *Dep.* Una de las categorías de boxeo. • **A la ligera.** m. adv. De prisa, o brevemente. • **De ligero.** m. ad v. fig. Sin reflexión.

LIGNARIO, RIA adj. De madera.

LIGNIFICACIÓN f. Acción y efecto de lignificar o lignificarse.

LIGNIFICAR tr. Dar contextura de madera. • prnl. *Bot.* Tomar consistencia de madera, pasar de la consistencia herbácea a la leñosa.

LIGNINA f. *Bot.* Sustancia de protección de las membranas de las células de los tejidos de acción mecánica y de sostén de las plantas.

LIGNITO m. *Geol.* Carbón mineral que contiene 60-75 % de carbono, 20-25 % de oxígeno y 5,5 % de hidrógeno. Poder calorífico de unas 7 000 calorías/kg. Se utiliza para la producción de energía y la calefacción doméstica, y en la industria química.

LÍGNUM Crucis m. Reliquia de la cruz de Jesucristo.

LIGÓN, NA adj. y s. fam. Que liga o flirtea mucho. • m. Especie de azada.

LIGROÍNA f. *Quím.* Aceite ligero obtenido en la destilación fraccionada del petróleo bruto. Se usa como disolvente de grasas.

LIGUANO, NA adj. *Chile.* Díc. de una raza de carneros de lana gruesa y larga. • Relativo a estos animales.

LIGUE m. fam. Relación amorosa pasajera. • fam. Persona con la que se mantiene esta relación.

LIGUERO, RA adj. Relativo a la liga deportiva. • m. Especie de faja estrecha a la que se sujeta el extremo superior de las ligas de las mujeres.

LIGUILLA f. Cierta clase de liga o venda estrecha. • *Dep.* Torneo semejante a la liga, que se juega entre un núm. reducido de equipos.

LÍGULA f. *Bot.* Apéndice membranoso, entre el limbo y el peciolo de las hojas de algunas gramíneas. • Flor de la inflorescencia en capítulo con un pétalo mucho mayor que los demás.

LIGUR adj. y s. De Liguria, región de Italia. • m. Individuo de un ant. pueblo preindoeuropeo que habitaba la actual Liguria y Provenza.

LIGUR, *Mar* Zona del Mediterráneo occidental, entre la isla de Córcega y las costas de Italia.

LIGURIA Región del N de Italia. Comprende las prov. de Génova, Imperia, La Spezia y Savona; 5 418 km², 1 676 300 hab. Cap., Génova. C. prales.: Imperia, Savona, La Spezia, Alassio, San Remo. Cereales, hortalizas, flores, olivo; ind. química, naval, metalúrgica; comercio; turismo en la Riviera.

LIGUSTRAL adj. y f. *Bot.* Díc. de las plantas del orden ligustrales. • f. pl. *Bot.* Orden de plantas angiospermas dicotiledóneas leñosas, gralte. arbustivas o arbóreas, con hojas opuestas, flores con dos estambres, y frutos en drupa o núcula.

LIGUSTRE m. Flor del ligustro.

LIGUSTRINO, NA adj. Relativo al ligustro.

LIGUSTRO m. Alheña, arbusto.

LIHN, *Enrique* (1928-1987) Poeta chil. Cultivó también el periodismo, el teatro y la pintura. Fundó, junto al poeta Nicanor Parra, el Instituto de estudios humanísticos de Santiago, donde fue profesor.

LIJA f. Pez selacio, marino, de unos 70 cm de largo y de piel cubierta de una especie de dentículos córneos. Su carne es comestible, pero no muy apreciada. • Piel seca de este pez o de otro selacio, que se emplea para limpiar y pulir metales y maderas. • Papel de lija, papel con polvos o arenillas de vidrio que sirve para pulir madera o metales. • adj. *P. Rico.* Sagaz, lince. ■ LIJAR.

LIJOSO, SA adj. *Cuba.* Vanidoso.

LIKASI (ant. *Jadotville*) C. del S de la Rep. Dem. del Congo, en la prov. de Shaba; 146 400 hab. Centro minero. Ind. metalúrgica y química.

LILA f. *Bot.* Nombre común de varias especies de oleáceas, originarias de Persia, de flores de color morado claro y olorosas. • m. Color morado claro.

LILAILA f. Filelí, tela fina de lana o seda. • fam. Astucia, treta. Se usa más en pl.

LILAO m. fam. Vanidad, presunción.

LILE adj. y s. *Chile.* Débil, de poco ánimo.

LILIÁCEO, A adj. y f. *Bot.* Díc. de las plantas herbáceas y rizomatosas, tuberosas o bulbosas, gralte. actinomorfas y hermafroditas.

LILIFLORA adj. y f. *Bot.* Díc. de las plantas del orden lilifloras. • f. pl. *Bot.* Orden de monocotiledóneas, gralte. herbáceas y hermafroditas, al que pertenecen las liliáceas, amarilidáceas, iridáceas y dioscoriáceas.

LILIPUT País fantástico, poblado de personajes diminutos, imaginado por J. Swift en su novela *Los viajes de Gulliver.* ■ LILIPUTIENSE.

LILIQUEAR intr. *Chile.* Tiritar.

LILLE C. del N de Francia, cap. del dpto. y de la región del Nord; 172 142 hab. (959 200 hab. la agl. urb.). Centro com. e ind. Aeropuerto. Universidad.

LILLO, *Baldomero* (1867-1923) Escritor chil., influido por el naturalismo fr. Sus narraciones muestran una honda preocupación por los problemas sociales. *Sub-Terra, Sub-Sole.* • ***Eusebio*** (1826-1910) Poeta chil., autor del himno nacional de su país. • ***George*** (1693-1739) Autor dramático ing., uno de los iniciadores de la comedia burguesa. *El mercader de Londres, El héroe cristiano, Curiosidad fatal.* • ***Samuel*** (1870-1958) Poeta chil. hermano de Baldomero. *Chile heroico, A Isabel la Católica.*

LILONGWE C. de Malawi, en la zona central del país; cap. del Est.; 103 000 hab.

LIMA f. Fruto del limero. • Limero, árbol. • Herramienta de acero templado que se usa para el trabajo de materiales duros. • fig. Corrección y enmienda. • fig. Madero que se coloca en el ángulo que forman dos vertientes de un tejado y en el cual se apoyan los pares cortos de la armadura. • Este mismo ángulo.

LIMA Dpto. de Perú, sit. junto al Pacífico; 34 801,6 km^2, 6 931 600 hab. Accidentado por las estribaciones de la cord. Occidental. La parte llana corresponde a la llanura litoral y a los valles fluviales (ríos Cañete, Rímac, Huaura, Chancay). Clima influido por la corriente de Humboldt que determina temperaturas poco elevadas y lluvias escasas. Cereales, hortalizas, caña de azúcar; pesca; carbón, cobre. Se observa una creciente industrialización en la cap., Lima, la pral. población. • Cap. del Perú y del dpto. hom.; agl. urb. Lima-Callao 6 345 856 hab. Su núcleo antiguo se halla sobre las márgenes del río Rímac. El área metropolitana llega sin solución de continuidad hasta el mar, a través de El Callao. Centro industrial y comercial. Ind. textil, alimentaria (harinas, aceites, conservas), química, de la construcción, automovilística, del calzado, neumáticos, etc. Centro de comunicaciones. Pese a la acción de los terremotos, que la han asolado en varias ocasiones (1687, 1746, 1940), conserva numerosos monumentos y edificios de la época colonial: la llamada Casa de Pilatos (ss. XVII), el palacio de los marqueses de Torre Tagle (s. XVIII), la Quinta de Presa (s. XVIII), la catedral (ss. XVI-XVIII), en la que está enterrado Pizarro, las iglesias de San Francisco (s. XVI-XVII), Santo Domingo (s. XVI) y San Pedro (en el XVII), las antiguas murallas (1685), el puente sobre el Rímac, etc. Ocho universidades, la de San Marcos, fundada en 1550, es la más antigua. Biblioteca Nacional. Numerosos museos e instituciones culturales.

* *Hist.* La c. fue fundada en 1535 por Pizarro con el nombre de Ciudad de los Reyes. Su actual denominación proviene probablemente de una corrupción de Rímac. Fue capital del virreinato español del Perú. Sede de congresos panamericanos en 1848 y 1864. Ocupada por las tropas chil. en 1881-1883. A principios del siglo actual inició su espectacular desarrollo.

LIMADO m. Trabajo de mecanización que, en las máquinas-herramienta, se produce por un movimiento alternativo de avance y retroceso sobre una superficie plana.

LIMADOR, RA adj. Que lima o que sirve para limar. • adj. y s. Díc. del operario cuyo oficio es limar. • adj. y f. Díc. de la máquina herramienta que, por medio de un movimiento alternativo, mecaniza con arranque de viruta una pieza metálica.

LIMADURA f. Acción y efecto de limar. • pl. Partecillas menudas que con la lima u otra herramienta se arrancan al limar.

LIMALLA f. Conjunto de limaduras.

LIMAR tr. Cortar o alisar los metales, la madera, etc., con la lima. • fig. Pulir una obra. • fig. Cercenar alguna cosa material o inmaterial.

LIMARÍ Prov. de Chile, en la región de Coquimbo; 141 323 hab. Cap., Ovalle. • R. de Chile en la prov. hom.; 200 km.

LIMATÓN m. Lima de figura redonda, gruesa y áspera. • *Col., Chile* y *Hond.* Lima para desgastar y alisar metales, madera, etc. • *Amér.* Lima, madero del tejado.

LIMAY Río de Argentina; 430 km. Recoge las aguas del lago Nahuel Huapi (prov. de Neuquén) y forma límite entre las prov. de Neuquén y Río Negro. Se une con el Neuquén para formar el río Negro. En su curso inferior se ha construido la central hidroeléctrica de El Chocón (Embalse Ezequiel Ramos Mejía).

LIMAZA f. Babosa, molusco.

LIMAZO m. Viscosidad o babaza.

LIMBO m. Lugar adonde van las almas de los que, antes del uso de la razón, mueren sin el bautismo. • Borde de una cosa, y con especialidad orla o extremidad de la vestidura. • Corona graduada que llevan los instrumentos destinados a medir ángulos. • Contorno aparente de un astro. • *Bot.* Parte laminar, gralte. verde, de la hoja; en su porción superior (la haz) recibe directamente los rayos solares para la fotosíntesis, y su parte inferior (el envés) suele estar protegida por pilosidad, pubescencia, etc.

LIMBOURG (s. XV) Apellido de tres miniaturistas fr. de origen flamenco; sus nombres son **Pol, Hennequin** y **Hermann.** Realizaron una de las obras más interesantes de la miniatura fr.: *Las muy ricas horas del duque de Berry.*

LIMBURGO Región histórica de Europa, que se extendía a ambos lados del río Mosa. A partir de 1830 quedó dividida entre Bélgica y Países Bajos.

LIMEN m. Umbral. • Entrada al conocimiento de una materia.

LIMEÑO, ÑA adj. y s. De Lima.

LIMERO, RA m. y f. Persona que vende limas. • m. *Bot.* Planta de la familia rutáceas, con frutos en hesperidio, globosos, mamelonados y de sabor dulce (limas). Es originario del sur de Asia.

LIMES m. Frontera del imperio romano.

LIMETA f. Botella de vientre ancho y corto, y cuello bastante largo.

LIMFJORDEN Corredor marítimo de unos 124 km que comunica el mar del Norte con el Kattegat.

LIMÍCOLA adj. y f. *Zool.* Díc. de las aves, gralte. del orden caradriformes, que frecuentan los lugares encharcados o fangosos.

LIMINAL adj. Relativo al umbral.

LIMINAR adj. y m. Que está al principio.

LIMITACIÓN f. Acción y efecto de limitar o limitarse. • Término o distrito.

LIMITADO, DA adj. No infinito. • No general. • Pequeño. • Referido a una persona, de corto entendimiento. • m. pl. Pocos.

LIMITADOR, RA adj. Que limita. • adj. y m. Díc. del dispositivo eléctrico o electrónico que limita el valor de una amplitud de onda.

LIMITÁNEO, A adj. Inmediato a los límites de un país o provincia.

LIMITAR tr. Poner límites a un terreno. • tr. y prnl. fig. Acortar, ceñir. • tr. fig. Poner límites a la jurisdicción de una autoridad o a los derechos de una persona. • intr. Lindar, estar contiguos dos terrenos. ■ LIMITATIVO, VA.

LÍMITE m. Línea, punto o momento que señala la separación entre dos cosas. • Fin, término. • **de una función.** *Mat.* Existe l. de la función en el punto x_0 cuando, de cualquier manera que tienda un punto x a x_0 sus sucesivas imágenes por f tienden

Flores de iris, planta **liliácea**

Lima. Vista de la Plaza de Armas

Miniatura de *Las muy ricas horas del duque de Berry,* obra de los hermanos **Limbourg.** Museo Condé, Chantilly, Francia

Limonero. Árbol y fruto

Limonita iridiscente sobre cristal de cuarzo

siempre a un cierto núm. real. • **de una sucesión.** *Mat.* Valor al que tienden los términos de una sucesión.

LIMÍTROFE adj. Confinante, aledaño, vecino.

LIMNÍVORO, RA adj. Díc. del organismo que se alimenta de sustancias detríticas.

LIMNOLOGÍA f. Ciencia biológica, parte de la ecología, que trata de la investigación del medio lacustre en lo que se refiere tanto a las condiciones físicas y químicas del entorno como a las relaciones troficodinámicas de las poblaciones que viven en el mismo.

LIMO m. Lodo o légamo. • *Amér.* Limero, árbol. • *Geol.* Depósito sedimentario detrítico constituido por partículas de pequeñísimo tamaño. Son típicos de lagos, pantanos y aguas tranquilas, aunque también pueden ser de origen eólico, como los loes. ■ LIMOSO, SA.

LIMOGES C. de Francia, cap. del Lemosín y del dpto. de Haute-Vienne; 170 100 hab. Centro comercial e industrial. Célebre ind. de porcelana.

LIMOLITA f. *Geol.* Roca sedimentaria constituida por limos compactados.

LIMÓN m. Fruto del limonero, de color amarillo y pulpa ácida comestible. • Limonero, árbol. • *Cuba.* Mal bailador.

LIMÓN Prov. del E de Costa Rica, junto al Caribe; 9 188 km^2, 219 485 hab. La parte O está accidentada por las estribaciones de las cord. Central y de Talamanca. Clima tropical. Bananas, cacao, coco, cereales. • C. de Costa Rica, cap. de la prov. hom.; 67 784 hab.; pral. puerto del país en el Caribe. Refinería de petróleo.

LIMÓN, *José* (1908-1972) Bailarín y coreógrafo mex. Actuó en Europa y fue profesor de danza en varias universidades norteam. Su mayor éxito fue el ballet *Hay un tiempo* (1956).

LIMONADA f. Bebida compuesta de agua, azúcar y zumo de limón. • **de vino.** Sangría.

LIMONADO, DA adj. De color de limón.

LIMONAR m. Sitio plantado de limones. • *Guat.* Limonero, árbol.

LIMONERO, RA adj. y s. Aplícase a la caballería que va a varas en el carro, calesa, etc. • m. *Bot.* Planta arbórea, con hojas oblongas, flores fragantes y frutos en hesperidio ricos en vitamina C y ácido cítrico. De la corteza se fabrica un alcohol medicinal.

LIMONITA f. *Miner.* Óxido hidratado de hierro, el mineral de hierro más abundante en la naturaleza, que se emplea como mena de dicho metal. Se forma por oxidación superficial de los yacimientos ferríferos. Principales yacimientos: Luxemburgo, Venezuela, Canadá y España.

LIMOSIDAD f. Calidad de limoso. • Sarro que se cría en la dentadura.

LIMOSNA f. Lo que se da para socorrer una necesidad.

LIMOSNEAR intr. Pordiosear, mendigar.

LIMOSNERO, RA adj. Caritativo; que da limosna con frecuencia. • m. Encargado de recoger y distribuir limosnas. • m. y f. *Amér.* Mendigo, pordiosero. • f. Bolsa en que se llevaba dinero para dar limosnas.

LIMPIA f. Limpieza, acción de limpiar. • m. fam. Apócope de limpiabotas.

LIMPIABARROS m. Utensilio que se coloca en la entrada de las casas para limpiar el barro del calzado.

LIMPIABOTAS m. El que por oficio limpia y lustra botas y zapatos.

LIMPIACHIMENEAS m. El que por oficio deshollina chimeneas.

LIMPIADERA f. Cepillo de carpintero. • Aguijada para limpiar el arado.

LIMPIADIENTES m. Mondadientes, palillo.

LIMPIADURA f. Limpieza. • pl. Desperdicios o basura que se sacan de una cosa que se limpia.

LIMPIAMANOS m. Toalla, servilleta.

LIMPIAMIENTO m. Limpieza.

LIMPIAPARABRISAS m. Mecanismo que se adapta a la parte exterior del parabrisas y que aparta la lluvia o la nieve que cae sobre aquél.

LIMPIAPEINES m. Instrumento de metal para limpiar las púas de los peines.

LIMPIAR tr. y prnl. Quitar la suciedad de una cosa. • tr. fig. Purificar. • fig. Ahuyentar de una parte a los que son perjudiciales en ella. • fig. Podar. • fig. y fam. Hurtar. • fig. y fam. En el juego, ganar. • *Méx.* Castigar, azotar. • *Argent.* Matar. ■ LIMPIADA; LIMPIADOR, RA.

LIMPIAÚÑAS m. Instrumento para limpiar las uñas.

LÍMPIDO, DA adj. poét. Limpio, puro, inmaculado.

LIMPIEZA f. Calidad de limpio. • Acción y efecto de limpiar o limpiarse. • fig. Pureza, castidad. • fig. Integridad, honradez. • fig. Precisión, perfección con que se ejecutan ciertas cosas. • fig. Observación estricta de las reglas del juego.

LIMPIO, PIA adj. Que no tiene mancha o suciedad. • Que no tiene mezcla de otra cosa. • Aseado y pulcro. • fig. Exento, libre. • fig. y fam. Que ha perdido todo su dinero. • fig. y fam. Que está falto de conocimiento en una materia. • **En l.** m. adv. En sustancia. Expresa el valor que queda de una cosa una vez deducidos los gastos.

LIMPIÓN m. Limpieza ligera. • fam. El que tiene a su cargo la limpieza de una cosa. • *Amér.* Paño para limpiar, rodilla.

LIMPOPO Río del África austral; unos 1 600 km. Nace en el SO de Transvaal (República Sudafricana) y desemboca en el océano Índico.

LIMUSINA f. Automóvil, gralte. lujoso, de cuatro puertas y a veces con un cristal de separación entre el asiento delantero y el espacio reservado a los pasajeros.

LIN Piao (1908-1971) Político y militar chino. Comandante del I Ejército rojo (1932). Hizo intervenir al ejército en la revolución cultural. El IX Congreso del partido comunista chino le designó sucesor de Mao (1969). Murió en circunstancias extrañas, cuando se dirigía a Moscú a bordo de un avión militar.

LINA f. *Chile.* Pelo de lana gruesa y basta.

LINÁCEO, A adj. y f. *Bot.* Díc. de las plantas dicotiledóneas, herbáceas o leñosas, con hojas esparcidas y flores actinomorfas, que viven en las regiones templadas y tropicales.

LINAJE m. Ascendencia o descendencia de cualquier familia. • fig. Clase o condición de una cosa. • pl. Personas nobles. • *Antr.* Grupo de parentesco cuyos miembros pueden trazarlo siguiendo la línea genealógica de filiación patrilineal o matrilineal. ■ LINAJISTA.

LINAJUDO, DA adj. y s. Aplícase al que es o se precia de ser de gran linaje.

LINÁLOE m. Áloe, planta. • Jugo de esta planta.

LINAO m. *Chile.* Especie de juego de pelota que se practica en la isla de Chiloé.

LINAR m. Tierra sembrada de lino.

LINARES Prov. del centro de Chile, en la región de Maule; 225 900 hab. Accidentada al N por la cordillera andina, con los picos Yeguas (3 500 m) y Nevado del Longaví (3 320 m), entre otros. Completa su orografía el valle Longitudinal, al O, en que inciden, procedentes de los Andes, los ríos Longaví, Maule, Putagán y Achibueno. Clima templado. Trigo, patatas; explotación forestal; ganado ovino y vacuno; refinerías de azúcar. Más de la mitad de la pob. activa se dedica al sector primario. • C. de Chile, cap. de la prov. hom.; 64 600 hab.; sit. en el valle Longitudinal. Ind. alimentarias, de la construcción, artesanas. Fundada en 1755.

LINARES C. esp., en Andalucía (prov. de Jaén); 60 222 hab. Aceite, frutas, hortalizas; plomo, cobre; ind. metalúrgica, automovilística, maquinaria agrícola.

LINARES, *José María* (1810-1861) Político bol. Ministro del Interior y Asuntos Exteriores de 1840 a 1841. Primer presid. civil de Bolivia, tras derrocar al presid. Córdova en 1857. • **Rivas, *Manuel*** (1878-1938) Dramaturgo y novelista esp. *El abolengo, La garra, En cuerpo y alma.*

LINARIA f. Planta escrofulariácea que vive en terrenos áridos y se ha empleado como purgante.

LINAZA f. Simiente del lino de la que se extrae un aceite con aplicaciones industriales y medicinales.

LINCE m. Mamífero carnívoro de la familia félidos, muy parecido al gato montés. • m. y adj. El que tiene vista aguda. • fig. Persona aguda, sagaz.

LINCE *(Lynx) Astr.* Constelación boreal.

LINCE C. de Perú, en el dpto. de Lima; 79 000 hab. Forma parte de la agl. urb. de Lima.

LINCEAR tr. fig. y fam. Descubrir o notar lo que difícilmente puede verse.

LINCHAR tr. Castigar, usualmente con la muerte, sin proceso y tumultuariamente, a un sospechoso. ■ LINCHAMIENTO.

LINCOLN C. de EE UU, cap. del estado de Nebraska; 192 000 hab. la agl. urb. Centro industrial y comercial. Mercado agrícola y ganadero.

LINCOLN Partido de Argentina, en la prov. de Buenos Aires; 37 300 hab. Cereales, ganadería e ind. derivadas.

LINCOLN, *Abraham* (1809-1865) Político norteam., republicano. En 1847 consiguió un escaño en el Congreso y lo perdió al oponerse a la guerra con México. Con el apoyo de su partido, inició en 1858 su campaña antiesclavista. Alcanzó la presidencia de EE UU en 1860 y su elección provocó la separación de varios estados de la Unión, lo que desencadenó la guerra civil (1861-1865). En 1863 se abolió oficialmente la esclavitud. Fue reelegido presid. en 1864. Un fanático sudista, John W. Booth, le asesinó en Washington.

LINDAR intr. Estar contiguos dos terr., terrenos o fincas.

LINDAZO m. Linde señalado con mojones.

LINDBERGH, *Charles* (1902-1974) Aviador norteam. El 20-21 mayo 1927, a bordo del monoplano *Spirit of Saint Louis,* realizó la primera travesía aérea, sin escalas, del océano Atlántico.

LINDE amb. Límite, término o línea que divide.

LINDE, *Karl von* (1842-1934) Ingeniero al. Obtuvo el hielo artificial y el aire líquido.

LINDER, *Max* (1893-1925) Actor y director cinematográfico fr. Inspirador de la edad de oro de la comedia cinematográfica muda, influyó en Chaplin. *Max patinador, Max pedicuro, Víctima de la quinina.* Se suicidó junto con su esposa.

LINDERO, RA adj. Que linda con una cosa. • m. Linde. • f. Conjunto de los lindes de un terreno. ■ LINDERÍA.

LINDEZA o **LINDURA** f. Calidad de lindo. • Hecho o dicho gracioso. • pl. Irónicamente, insultos o improperios.

LINDO, DA adj. Hermoso, grato a la vista. • fig. Bueno, exquisito. • m. fig. y fam. Hombre presumido. • **De lo l.** m. adv. A las mil maravillas, con gran primor.

LINDO, *Hugo* (nacido 1917) Escritor salv. *Poemas eucarísticos y otros, El anzuelo de Dios* (novela), *Aquí se cuentan cuentos, Antología del cuento moderno centroamericano.*

LINDÓN m. Caballete en que los hortelanos suelen poner las esparragueras y otras plantas.

LÍNEA f. *Geom.* Conjunto de puntos que resulta de la intersección de dos superficies. • Medida longitudinal equivalente a unos 2 mm. • Renglón de un escrito. • Raya en un cuerpo cualquiera. • Vía de comunicación o de transporte. • Serie de personas enlazadas por parentesco. • Frente, terr. donde combaten dos ejércitos. • *Electr.* En la técnica de televisión, exploración horizontal sobre la imagen. • **aclínica.** La imaginaria que une los puntos de la superficie terrestre con inclinación magnética nula. • **de absorción.** Cada una de las rayas oscuras del espectro. • **de emisión.** Cada una de las rayas luminosas del espectro. • **de flotación.** La que separa la parte sumergida del casco de la que no lo está. • **de fuerza.** La tangente en un punto a la dirección de un campo de fuerzas en este punto. • **de mira.** Visual que por el ocular del alza y el punto de mira de las armas de fuego se dirige al blanco. • **de tierra.** *Geom.* Intersección de un plano horizontal de proyección con otro vertical. • **euclídea.** *Geom.* Recta que, establecidos un origen y una unidad, permite asociar biyectivamente a cada punto un núm. real denominado abscisa del punto. • **neutra.** *Fís.* La imaginaria equidistante de los polos de un imán, en la que el campo magnético es nulo. • **telefónica o telegráfica.** Conjunto de aparatos e hilos conductores del teléfono o del telégrafo. • **trigonométrica.** Cualquiera de las rectas que sirven para representar las razones trigonométricas. • **Líneas aéreas.** Vías de transporte y comunicación en el espacio aéreo, servidas por compañías de aviación. • Estas compañías de aviación. • **En líneas generales.** Esquemáticamente , sin pormenorizar. • **Entre líneas.** Captar el sentido de algo no expresado abiertamente.

LÍNEA DE LA CONCEPCIÓN, *La* C. esp., en Andalucía (prov. de Cádiz); 59 293 hab. A 2 km de Gibraltar; instalaciones militares y aduana. Pesca. Ind. en expansión.

LINEAL adj. Relativo a la línea. • Aplícase al dibujo que se representa sólo por medio de líneas. • Díc. de los razonamientos unidimensionales o reduccionistas. • *Mat.* Díc. de la exp. algebraica en la que las variables sólo tienen exponente uno.

LINEAMENTO o **LINEAMIENTO** m. Contorno o dibujo de un cuerpo.

LINEAR adj. Lineal. • tr. Tirar líneas. • Bosquejar.

LINER (voz ing.) m. Buque destinado al servicio regular de una línea de navegación.

LINERO, RA adj. Relativo al lino.

LINFA f. Nombre común de algunos líquidos orgánicos de los seres vivos. • *Fisiol.* Parte del plasma sanguíneo que atraviesa las paredes de los vasos capilares, se difunde por los intersticios de los tejidos, y, después de cargarse de sustancias producidas por la actividad de las células, entra en los vasos linfáticos, por los que circula hasta incorporarse a la sangre venosa. • Sangre de los invertebrados; más concretamente se llama *hemolinfa.* • Líquido orgánico de los equinodermos semejante al agua de mar. ■ LINFÁTICO, CA.

LINFADENITIS f. *Pat.* Proceso inflamatorio de los vasos linfáticos.

LINFANGIOMA m. *Pat.* Tumor formado por vasos linfáticos dilatados.

LINFATISMO m. Tendencia a los infartos e inflamaciones de los ganglios, y a la degeneración escrofulosa y tuberculosa.

LINFOBLASTO m. Célula generadora de linfocitos.

LINFOCITO m. *Fisiol.* Variedad de leucocito. Constituye del 25 al 33 % del total de glóbulos en la sangre.

LINFOCITOMA m. Tumor del tejido linfoide.

LINFOCITOSIS f. *Med.* Aumento del número de linfocitos en la sangre.

LINFOIDE adj. Relativo a la linfa.

LING, *Per Henrik* (1776-1839) Médico y deportista sueco, creador del método gimnástico conocido como «gimnasia sueca».

LINGOTAZO m. fam. Trago de vino o de cualquier otra bebida alcohólica.

LINGOTE m. Bloque metálico sólido que resulta de la colada en moldes (lingoteras) de las fundiciones de hierro, acero, plata, oro, platino o aleaciones.

LINGOTERA f. Molde en el que se vacía el metal líquido para obtener lingotes.

LINGUAL adj. Relativo a la lengua. • *Fon.* Díc. de los fonemas en cuya articulación interviene la lengua pralm. • adj. y f. Díc. de la letra que representa este sonido.

LINGUE m. *Chile.* Árbol lauráceo utilizado en ebanistería y construcción. • Corteza de este árbol.

LINGUETE m. Palanca de hierro que se puede encajar en un hueco para impedir el movimiento de retroceso en un cabrestante u otra máquina.

LINGÜÍSTICA f. Ciencia que se ocupa de la descripción y explicación de los hechos del lenguaje en sus niveles fónico, léxico y sintáctico. ■ LINGÜISTA; LINGÜÍSTICO, CA.

* *Hist.* La predecesora de la l. fue la gramática general. Sus razonamientos de tipo abstracto se superan con la aparición de la *l. comparada,* que se propone hallar las leyes que gobiernan el paso de un estado de lengua a otro. A partir de 1870, la *l. histórico-comparada* toma una nueva orientación al considerar las lenguas como producto de la colectividad. Durante los primeros años del s. XX, F. de Saussure transforma por completo la l. Su preocupación por comprender el funcionamiento del lenguaje como institución social le lleva a incluir la l. en la semiología. En el *Curso de Lingüística General* orienta el estudio del lenguaje hacia la noción de estructura y sistema. La *l. estructural* descansa sobre los siguientes principios: el estudio del lenguaje es empírico, exacto y objetivo; la l. es descriptiva y no normativa; la l. realza la importancia de la lengua hablada sobre la escritura; la l. da prioridad a la descripción sincrónica. Otra gran etapa fue el nacimiento de la *fonología,* de Trubetzkoy, y de la glosemática, de Hjelmslev. La *l. generativo-transformacional* de

Flores de lino de los Alpes, planta de la familia **lináceas**

Lince

Abraham **Lincoln**

Cámara de **liofilización**

Mujer de pie, de Jacques **Lipchitz**

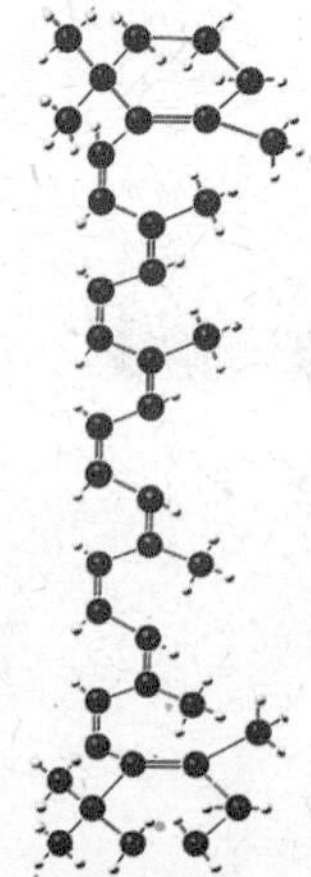
Esquema de la estructura molecular de la carotina, **lípido** complejo

Chomsky trata, por primera vez, de la creatividad del lenguaje, la gramaticalidad o aceptación de sus enunciados, las relaciones entre los diversos niveles. Para él, todo individuo posee una competencia lingüística que equivale a la gramática de su lengua.

LINIER m. *Dep.* Juez de línea.

LINIERS, *Santiago* (1753-1810) Militar fr., al servicio de España. Ejerció varios cargos en las prov. americanas del Plata. En 1806 expulsó a las tropas brit. que se habían apoderado de Buenos Aires. En 1808 fue nombrado virrey del Río de la Plata. En 1810 dirigió el ejército realista que se enfrentó a los insurgentes independentistas. Hecho prisionero, la Junta revolucionaria ordenó su fusilamiento.

LINIMENTO m. Preparado farmacéutico a base de aceite y bálsamos, que se aplica por vía externa, mediante fricción, contra dolores musculares y articulares.

LINIO m. Liño, línea de árboles u otras plantas.

LINITIS f. Aumento del grosor de la pared gástrica.

LINKAGE m. *Biol.* Ligamento.

LINKS (voz ing.) m. pl. Recorrido de un terreno de golf.

LINNÉ o **LINNEO, *Carl von*** (1707-1778) Naturalista y médico sueco. Autor de la clasificación de las plantas y de los animales por medio de sus semejanzas estructurales. Propuso la nomenclatura binaria, utilizada todavía, según la cual cada especie se nombra por dos palabras (genérica y específica) en latín o lengua latinizada. *Species plantarum, Systema naturae.*

LINO m. *Bot.* Nombre común de diversas especies de la familia lináceas. El l. común es una de las plantas textiles más importantes. • Materia textil que se saca de los tallos de las plantas del lino. • Tela hecha de lino. • fig. Vela de la nave. • *Argent.* Linaza.

LINO (s. I) Santo. Papa, sucesor de Pedro (67-79). Festividad: 23 septiembre.

LINÓ m. *Argent.* y *Cuba.* Linón.

LINÓGRAFO, FA m. y f. *Chile.* Linotipista.

LINÓLEO o **LINÓLEUM** m. Preparado de corcho, harina de madera, aceite de linaza y resina, que impregna y recubre un tejido de fieltro o arpillera.

LINÓN m. Tela de hilo o de algodón muy ligera, clara y fuertemente engomada.

LINOTIPIA f. *Art. Gráf.* Máquina de componer de la cual sale la línea en una sola pieza. La composición se efectúa sobre un teclado cuyas teclas liberan las matrices, que pasan al componedor. Una vez justificadas las líneas, éstas se funden y las matrices son almacenadas. • Arte de componer con esta máquina. ■ LINOTIPISTA.

LINTEL m. Dintel de puertas y ventanas.

LINTERNA f. Farol portátil, con una sola cara de vidrio y un asa en la opuesta. • Lamparilla portátil que funciona con pilas. • Torrecilla con ventanales que remata torres, tejados o cúpulas. • Faro de las costas. • **mágica.** Aparato óptico con el cual, por medio de lentes, se proyectan sobre una pantalla imágenes pintadas en vidrio. ■ LINTERNAZO; LINTERNERO, RA.

LINTERNILLA f. *Amér. Centr.* Ventanilla o claraboya situada encima de la puerta.

LINTERNÓN m. *Mar.* Farol de popa.

LINUDO, DA adj. *Chile.* Díc. del animal que tiene lina, y también del tejido hecho con ella.

LINYERA m. *Argent.* y *Ur.* Atado en que se guardan ropa y otros efectos personales. • *Argent.* y *Ur.* Vagabundo.

LINZ C. del N de Austria, cap. del est. de Alta Austria, sit. en la confluencia del Danubio con el Traun; 200 000 hab. Imp. centro comercial e industrial.

LIÑA f. Sedal de pesca.

LIÑÁN de Riaza, *Pedro* (1558-1607) Poeta esp. Sus *Rimas* fueron muy elogiadas por Cervantes y Lope.

LIÑO m. Línea de árboles o plantas.

LIÑUELO m. Ramal de una cuerda.

LÍO m. Ropa u otras cosas atadas. • fig. y fam. Embrollo. • fig. y fam. Relaciones sexuales habituales con una persona, fuera del matrimonio. • **Armar un l.** fig. y fam. Embrollar. • **Hacerse** uno **un l.** fig. y fam. Embrollarse.

LIOFILIZACIÓN f. Procedimiento de eliminación del agua de ciertos materiales orgánicos, mediante congelación y deshidratación por sublimación al vacío. Se emplea para conservar vacunas, sueros, plasma, etc., y también alimentos. ■ LIOFILIZAR.

LIÓFILO adj. Díc. del coloide cuyo soluto presenta afinidad con el disolvente.

LIÓFOBO adj. Díc. del coloide cuyo soluto no presenta afinidad con el disolvente.

LIONÉS, SA adj. y s. De Lyon. • adj. Relativo a esta c. de Francia. • f. Pequeño pastel hecho con harina, huevos, mantequilla y azúcar, y rellenado de nata o crema.

LIORNA f. fig. y fam. Algazara, desorden, confusión.

LIOSO, SA adj. fam. Embrollador. • Que trata de indisponer a unas personas con otras. • Díc. de las cosas cuando están embrolladas.

LIPA f. fam. *Ven.* Barriga.

LÍPARI Arch. de Italia, en el mar Tirreno, al N de Sicilia, constituido por siete islas e islotes de origen volcánico; 117 km^2, unos 15 000 hab. La pral. c. es Lípari. Piedra pómez, salinas y azufre.

LIPARITA f. *Geol.* Variedad de roca eruptiva de origen volcánico, cuyos prales. componentes son el cuarzo y la ortoclasa.

LIPASA f. *Biol.* Enzima que desdobla las grasas en ácidos grasos y glicerina. Se encuentra en el páncreas, el hígado y la pared intestinal.

LIPCHITZ, *Jacques* (1891-1973) Escultor fr. de origen lituano. Uno de los escultores que más investigaron las posibilidades del cubismo. *Mujer de pie, Prometeo en lucha con el buitre.*

LIPECTOMÍA f. Reducción del tejido adiposo.

LIPEGÜE m. *Amér. Centr.* Alipego, lo que se da por añadidura.

LIPEMANÍA f. *Psiq.* Melancolía.

LIPEMIA f. *Pat.* Contenido de grasas neutras, ácidos grasos, fosfolípidos y colesterol en la sangre. Aumentan en diversos trastornos metabólicos.

LIPENDI adj. fam. Tonto, bobo.

LÍPETSK o **LÍPECK** C. de Rusia, a orillas del Vorónezh, afl. del Don; 447 000 hab. Ind. siderúrgica, metalúrgica, mecánica.

LIPIDIA f. *Cuba* y *Méx.* Impertinencia, majadería. • *Cuba.* Obstinación. • *Amér. Centr.* Miseria, indigencia. • *Chile.* Indigestión.

LÍPIDO m. *Biol.* Principio inmediato compuesto preponderantemente por carbono, hidrógeno y oxígeno. Los l. funcionan a modo de sustancias energéticas de reserva. Comprenden las grasas, ceras y lipoides.

LIPIRIA f. Fiebre intermitente. • *Chile.* Lepidia.

LIPOMATOSIS f. *Méd.* Infiltración de los órganos por tejido adiposo, producido paralelamente al aumento de tamaño de los depósitos de grasa.

LIPOPROTEIDO m. *Biol.* Asociación de un lipoide y una proteína globular, presente en todas las células y en la sangre.

LIPOTIMIA f. *Méd.* Pérdida súbita y pasajera del conocimiento, debida a un déficit de la irrigación cerebral que provoca una anoxia.

LIPPI, *Filippino* (h. 1457-1504) Pintor it., hijo de fra Filippo. Su pintura se inscribe en la tradición familiar, si bien se advierten claramente las influencias de Botticelli y del arte flamenco. *La visión de san Bernardo, para la Trinità* de Florencia. • FRA ***Filippo*** (h. 1406-1469) Pintor it. de la escuela toscana. Su obra refleja las influencias de Massaccio y de fra Angelico.

LIPPS, *Theodor* (1851-1914) Filósofo al. *Las cuestiones fundamentales de la ética; Estética e Investigaciones psicológicas.*

LIPURIA f. Grasa en la orina.

LIQUEFACTOR m. Condensador de vapor.

LIQUEN m. *Bot.* Vegetal del grupo líquenes. • m. pl. *Bot.* División de vegetales criptogámicos constituidos por la asociación de una especie de hongos y otra de algas. • *Pat.* Afección de la piel, que se caracteriza por la presencia de pequeños nódulos que no se transforman en vesículas ni en pústulas.

LIQUIDACIÓN f. *Der.* Disolución de los negocios de una sociedad comercial, que desaparece como entidad jurídica. Puede ser voluntaria o forzosa; ésta es el paso subsiguiente a la declaración de quiebra y la pueden solicitar los acreedores, la misma sociedad y el organismo oficial competente. ■ LIQUIDADOR, RA.

LIQUIDÁMBAR m. Bálsamo de color amarillo rojizo y de sabor acre, procedente del ocozol.

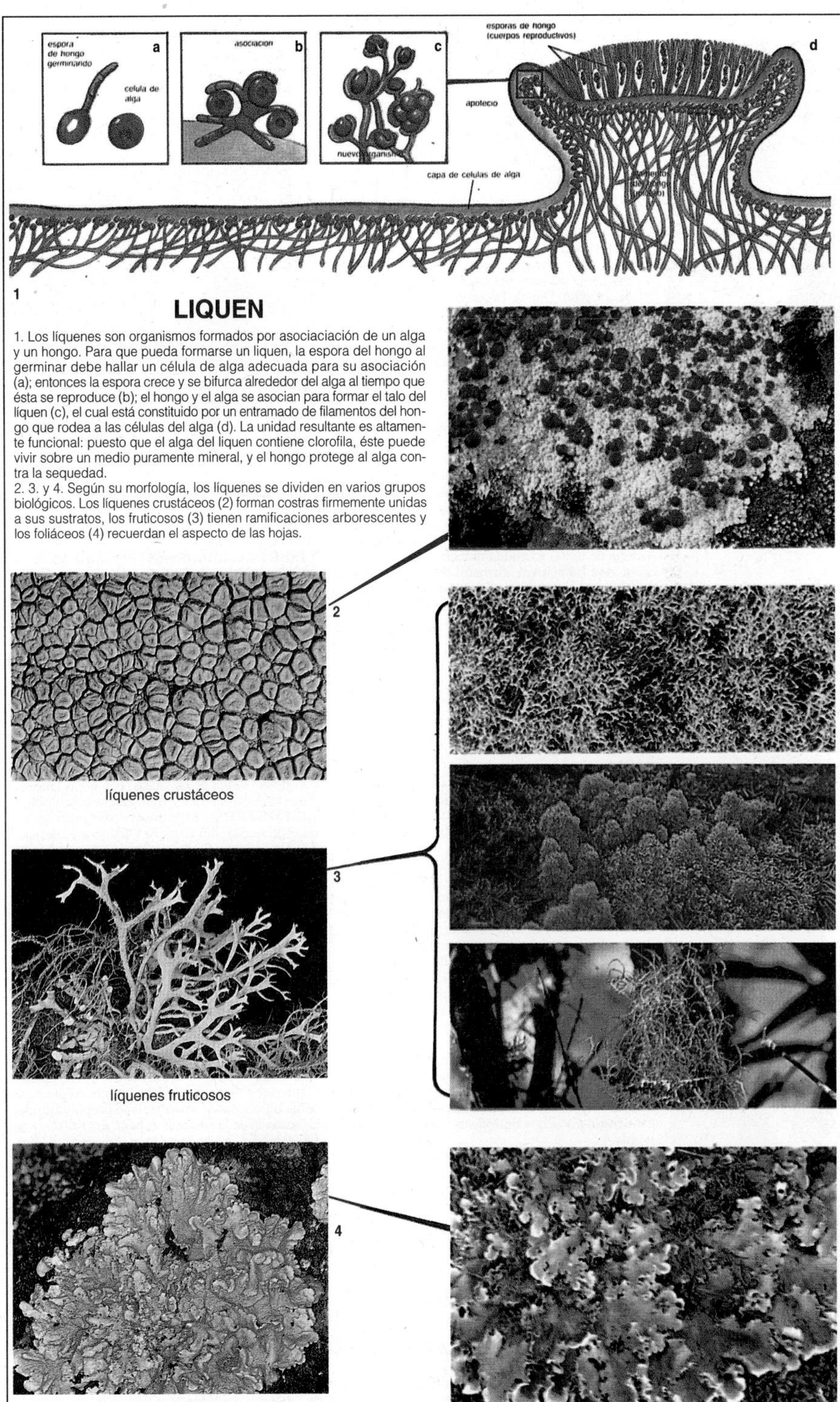

LIQUEN

1. Los líquenes son organismos formados por asociaciación de un alga y un hongo. Para que pueda formarse un liquen, la espora del hongo al germinar debe hallar un célula de alga adecuada para su asociación (a); entonces la espora crece y se bifurca alrededor del alga al tiempo que ésta se reproduce (b); el hongo y el alga se asocian para formar el talo del líquen (c), el cual está constituido por un entramado de filamentos del hongo que rodea a las células del alga (d). La unidad resultante es altamente funcional: puesto que el alga del liquen contiene clorofila, éste puede vivir sobre un medio puramente mineral, y el hongo protege al alga contra la sequedad.

2. 3. y 4. Según su morfología, los líquenes se dividen en varios grupos biológicos. Los líquenes crustáceos (2) forman costras firmemente unidas a sus sustratos, los fruticosos (3) tienen ramificaciones arborescentes y los foliáceos (4) recuerdan el aspecto de las hojas.

líquenes crustáceos

líquenes fruticosos

líquenes foliáceos

Escultura de Apolo con una **lira.** Museo Nacional de las Termas, Roma

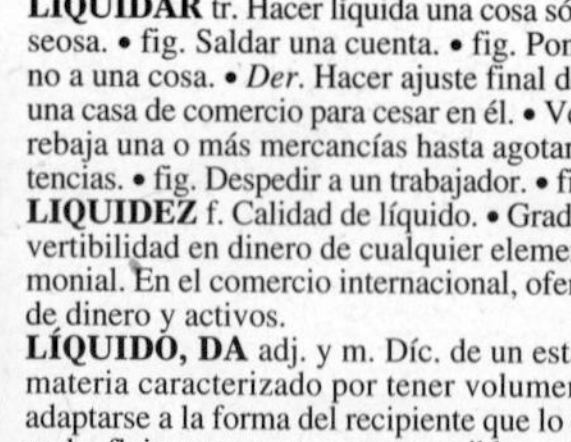

LIQUIDAR tr. Hacer líquida una cosa sólida o gaseosa. • fig. Saldar una cuenta. • fig. Poner término a una cosa. • *Der.* Hacer ajuste final de cuentas una casa de comercio para cesar en él. • Vender con rebaja una o más mercancías hasta agotar las existencias. • fig. Despedir a un trabajador. • fig. Matar.
LIQUIDEZ f. Calidad de líquido. • Grado de convertibilidad en dinero de cualquier elemento patrimonial. En el comercio internacional, oferta global de dinero y activos.
LÍQUIDO, DA adj. y m. Díc. de un estado de la materia caracterizado por tener volumen propio, adaptarse a la forma del recipiente que lo contiene, poder fluir, ser muy poco compresible y pasar al estado de vapor a cualquier temperatura. • En comercio, saldo resultante entre el debe y el haber. • *Amér. Centr.* Exacto, preciso; p. ext., solo, clínico. • adj. y f. *Fon.* Díc. de la consonante que, precedida de una muda y seguida de una vocal, forma sílaba con ellas. • **cefalorraquídeo.** *Fisiol.* L. seroso que baña el encéfalo y la médula espinal, y regula la circulación sanguínea cerebral. • **imponible.** Cuantía que sirve de base para la cuota tributaria.
LIQUILIQUE m. *Col.* y *Ven.* Blusa o camisa de tela recia.
LIQUIRICHE adj. *Bol.* Enclenque, raquítico.
LIRA f. Ant. Instrumento de cuerda compuesto de caja de resonancia, montantes, travesaño y un núm. variable de cuerdas. • *Métr.* Estrofa de cinco versos y rima consonante. • Combinación de rima de seis versos de distinta medida, y en la cual riman los cuatro primeros alternadamente, y los dos últimos entre sí. • fig. Inspiración de un poeta. • Ant. unidad monetaria de Italia. • Unidad monetaria de Turquía. • *Zool. **Ave l.*** Pájaro dentirrostro de Australia, cuyo macho posee una cola de forma similar a una l.

Ave **lira**

LIRA *Astr.* Constelación cuyo nombre es *Lyra*.
LIRA, *Pedro* (1845-1912) Pintor chil. Introductor del impresionismo.
LIRADO, DA adj. *Bot.* De figura de lira, instrumento musical.
LIRCAY Río de Chile, afl. del Mantaro. • **Batalla de L.** Encuentro (abril 1830) junto al río L., que puso fin a la guerra civil chilena (1829-1830) con el triunfo de los conservadores de Ovalle y Prieto sobre los liberales acaudillados por Freire.
LIRIA f. Liga, materia viscosa.
LÍRICO, CA adj. Perteneciente a la lira o a la poesía propia para el canto. • Díc. del gén. de poesía en que el poeta canta sus propios afectos e ideas, y, por regla general, de todas las obras en verso que no son épicas o dramáticas. • adj. y s. Díc. del poeta cultivador de este gén. en poesía. • adj. Propio de la poesía lírica, o apto para ella. • Díc. de las obras musicales y cantables que se adaptan a la acción teatral de un libreto, como la ópera, la opereta y la zarzuela. • f. Poesía lírica, gén. literario. Antiguamente se llamaban así todas las composiciones que se acompañaban con la lira (ditirambos, idilios, odas).
LIRIO m. Nombre de diversas especies de plantas herbáceas de la familia iridáceas, gralte. provistas de rizoma, con flores en racimos y frutos en cápsula dehiscente. Las especies más comunes son el l. cárdeno o común, el l. pálido, de flores ligeramente azuladas; el l. blanco, de flores blanquecinas; el l. de Florencia, con flores blancas y rizoma, es utilizado en perfumería y para la fabricación de dentífrico.

Lirio blanco

LIRISMO m. Cualidad de lírico, inspiración lírica. • Estilo poético. • Entusiasmo, calor. • Fantasía, utopía.
LIRÓN m. Mamífero roedor del tamaño de una ardilla que vive en los bosques de Asia y Europa y permanece aletargado en las épocas frías del año. • Alisma, planta. • Almez, árbol. • Fruto del almez. • fig. Persona dormilona.
LIRONDO adj. usado sólo en la loc. *mondo y lirondo*, limpio, sin añadidura alguna.
LIS f. Lirio. • *Her.* Forma de esta flor.
LISA f. Pez de río, malacopterigio, parecido a la locha, de carne insípida. • Mújol, pez. • En la fabricación del papel, cilindro que mejora el alisamiento con su acción de prensado.
LISANDRO (m. 395 a. C.) General espartano. Su victoria sobre los atenienses en Egospótamos (405 a. C.) puso fin a la guerra del Peloponeso.
LISBOA Cap. de Portugal y del distrito hom.; 817 600 hab. Sit. sobre la orilla derecha del Tajo. Gran puerto comercial. Centro industrial. Astilleros. Refinería de petróleo. Centro pesquero. Un colosal puente colgante la une con la pob. de Almada. Un incendio en 1988 destruyó gran parte del casco viejo de la c. Catedral del s. XII. Universidad fundada en 1290. • **Tratado de L.** Acuerdo de paz entre España y Portugal (1668), con el que concluyó la guerra de indep. de Portugal iniciada en 1640. A este país se le reconocían todas las plazas conquistadas, excepto Ceuta.

Lisboa. Vista de la plaza Figueira

LISBOETA, LISBONENSE o **LISBONÉS, SA** adj. y s. De Lisboa. • adj. Relativo a esta ciudad.
LISCANO, *Juan* (1914-2001) Poeta ven. *Humano destino, Nombrar contra el tiempo, Tiempo desandado, El horror por la historia.*
LISIADO, DA adj. y s. Díc. de la persona que tiene alguna imperfección orgánica. • adj. Excesivamente aficionado a una cosa o deseoso de conseguirla.
LISIAR tr. y prnl. Producir lesión en alguna parte del cuerpo.
LISIAS (h. 440-h. 380 a. C.) Orador gr., que contribuyó a la restauración de la democracia en Atenas. *Contra Eratóstenes* (discurso).
LISIMAQUIA f. *Bot.* Nombre de diversas especies de la familia primuláceas, con hojas lanceoladas, flores en panojas y fruto en cápsula globosa.
LISÍMETRO m. Instrumento para medir la cantidad de agua de lluvia que se filtra a través del suelo.
LISIPO (s. IV a. C.) Escultor gr. de la corte de Alejandro Magno. Esculpió varios bustos del monarca y unas 1 500 estatuas, entre las que destacaron las de atletas. *Apoxiómenos, Hércules, Hermes sentado.*
LISIS f. Remisión gradual y favorable de una enfermedad. • Destrucción de células bacterianas, de glóbulos rojos, etc., debida a la acción de anticuerpos o de agentes físicos o químicos.
LISO, SA adj. Igual, sin aspereza; sin adornos. • Aplícase a las telas sin labrar ni adornar. • Sin obstáculo. • *Amér.* Desvergonzado, atrevido. • m. Cara plana y extensa de una roca. • **L. y llano.** loc. adj. que se aplica a lo que no tiene dificultad.
LISOGENIA f. Fenómeno por el cual una partícula vírica o profago introduce su ácido nucleico en el interior de una bacteria, se integra en el cromosoma bacteriano y sincroniza su propia reproducción con la de la célula huésped. ■ LISÓGENO, NA.
LISONJA f. Alabanza o atención que se dedica a una persona. ■ LISONJEADOR, RA; LISONJERO, RA.
LISONJEAR tr. Adular. • tr. y prnl. Dar motivo de envanecimiento. • fig. Deleitar, agradar.
LISOSOMA m. *Biol.* Partícula del citoplasma celular que posee un tamaño intermedio entre el de una mitocondria y un microsoma.
LISP m. *Comp.* Lenguaje de programación de alto nivel, creado por J. McCarthy, especializado en el tratamiento de listas. Es un lenguaje interactivo, bastante complejo, que se emplea sobre todo en inteligencia artificial.
LIST, *Friedrich* (1789-1846) Economista al., acérrimo partidario del proteccionismo. *Sistema nacional de economía política.*
LISTA f. Tira de tela, papel, etc. • Raya de color en una tela o tejido. • Catálogo, relación ordenada de personas, datos, cosas, etc. • **de correos.** Apar-

tado en una oficina de correos al cual se puede dirigir la correspondencia sin indicación del domicilio del destinatario. • **electoral.** Relación de personas que tienen derecho a emitir su voto en unas elecciones. • Relación de los candidatos que un grupo determinado presenta en unas elecciones. • **negra.** Relación secreta en la que se inscribe los nombres de las personas o entidades proscritas. • **Pasar l.** Llamar en alta voz para que respondan las personas cuyos nombres figuran en un catálogo o relación.

LISTA, ***Alberto*** (1775-1848) Poeta esp., destacada figura de la escuela sevillana y neoclásico. *Al sueño, A la muerte de Jesús, A la sabiduría.*

LISTADO, DA o **LISTEADO, DA** adj. Que forma o tiene listas. • m. Salida impresa de una computadora.

LISTAR tr. Alistar, sentar o escribir en lista. • **ensamblado.** *Comp.* Listado de un programa hecho en Assembler y generado por el ensamblador, cuyas instrucciones no están en lenguaje fuente, sino en lenguaje máquina.

LISTEL m. *Arq.* Filete o miembro de moldura.

LÍSTER, ***Enrique*** (1907-1994) Militar esp., del partido comunista. Colaboró en la defensa de Madrid (1936) y dirigió un cuerpo de ejército en la batalla del Ebro (1938).

LISTERO m. El encargado de pasar lista.

LISTEZA f. Calidad de listo; prontitud, sagacidad, habilidad.

LISTÍN m. Lista pequeña o extractada de otra más extensa. • **telefónico.** Lista en que se relaciona el nombre, dirección y núm. de teléfono de los abonados a este servicio.

LISTO, TA adj. Diligente, hábil, mañoso. • Inteligente. • Dispuesto, preparado. • Sagaz, avisado. • **Andar l.** fr. Tener cuidado.

LISTÓN m. Cinta de seda más estrecha que la colonia. • *Arq.* Listel. • Pedazo de tabla estrecho y largo. • adj. *Taur.* Díc. del toro que tiene una lista blanca en el lomo.

LISTONAR tr. Hacer un entablado de listones. ■ LISTONADO, DA; LISTONERÍA; LISTONERO, RA.

LISURA f. Igualdad y tersura de la superficie de una cosa. • fig. Ingenuidad, sinceridad. • fig. *Guat.* y *Perú.* Palabra o acción grosera e irrespetuosa.

LISZT, ***Franz*** (1811-1886) Compositor húng. Destacan las obras para piano y los poemas sinfónicos, precursores de la revolución wagneriana.

LITA f. Landrilla, especialmente la del perro.

LI-T'AI-PO (703-763) Poeta chino. Sus poesías, reunidas en el *Li-T'ai-Chi,* encierran un sutil análisis de la pasión amorosa, con gran belleza formal. *Fiesta de primavera, Bebiendo bajo el claro de luna.*

LITANTRÁCIDO, DA adj. y m. Díc. de un tipo de carbón compacto de brillo intenso, cuyo contenido en carbono es del 74-90 %, y un poder calorífico de 9 000 calorías por kilogramo.

LITAR tr. Hacer un sacrificio a la divinidad. ■ LITACIÓN.

LITARGIRIO m. Monóxido de plomo. Se forma mediante oxidación del plomo a temperatura elevada. Se emplea en la ind. del vidrio y en la fabricación de esmaltes.

LITE f. *Der.* Pleito, litigio judicial.

LITERA f. Vehículo sin ruedas y con dos varas laterales, que es llevado por hombres o caballerías. • Cada una de las camas que se colocan una encima de otra.

LITERAL adj. Conforme a la letra del texto, o al sentido exacto y propio. • Díc. de la traducción en que se vierten todas y por su orden, en cuanto es posible, las palabras del original. • *Comp.* Díc. del símb. o conjunto de símb. que representan una constante, que puede encontrarse representando un dato en el interior de una instrucción. ■ LITERALIDAD.

LITERATO, TA adj. y s. Aplícase a la persona entendida en literatura. • m. y f. Escritor, persona que escribe por profesión.

LITERATURA f. Arte que emplea como instrumento la palabra. • Estudio que versa sobre este arte. • Conjunto de las producciones literarias de una nación, época o género. • P. ext., conjunto de obras que versan sobre una ciencia o técnica. • fig. Palabras brillantes pero sin contenido. ■ LITERARIO, RIA.

* Etimológicamente, la palabra l. proviene del vocablo latino *littera* (letra). En las distintas lenguas romances se encuentra ya el término, en la actual acepción, hacia finales del s. XV. En cast. deriva de la forma *letradura,* ya utilizada por el Infante Don Juan Manuel en el s. XIV. El primer problema que se nos presenta al enfrentarnos al fenómeno literario es el cúmulo de acepciones que tiene la palabra l. Una de las más corrientes es la que se aplica a todo lo que se escribe e imprime sobre determinado tema. Otra acepción usual es la que identifica l. con la cultura tradicional de un pueblo. El criterio artístico puede ser otro baremo con el cual enfrentarse a la obra literaria; sin intención estética en el uso del lenguaje, no existe l. El lenguaje literario aparece lleno de ambigüedades, de connotaciones y de valores no referenciales del signo lingüístico, cultiva la forma y potencia al máximo los procedimientos rítmicos y todo tipo de recursos que lo desvíen de la norma estándar. *Géneros literarios.* Poesía, épica, lírica y dramática fueron los prales. géneros de la l. clásica que, a través de la *Poética* aristotélica, continuaron vigentes durante todo el Renacimiento. A grandes rasgos puede distinguirse el género narrativo, que abarca, dentro de la l. en prosa, la novela, el relato y el cuento; su pral. característica sería la ficción entre los libros de memorias, el ensayo, etc. La poesía constituye un género caracterizado por la utilización del verso, la métrica y la rima. Los géneros dramáticos abarcan la tragedia, la comedia y la tragicomedia. El ensayo constituye un género literario en prosa que debe su nombre a los *Essais* de Montaigne. Junto a ellos existen las llamadas «novelas de quiosco» (géneros «rosa», «policíaco», etc.), los «cómics» y determinados melodramas llevados a los medios audiovisuales, que cuentan con mayor número de adeptos que las obras consagradas por la crítica. *Sociología de la l.* Puesto que el autor escribe en y para una sociedad determinada, la l. se convierte en un fenómeno social. La obra literaria refleja las tensiones sociales, y da testimonio de las creencias y convenciones que rodean al autor, lo cual, unido a una actitud crítica, ha significado con frecuencia un factor de avance social.

Franz **Liszt**, por Scheffer

1

2

3

4

5

6

Algunas grandes figuras de la **literatura** universal: 1. Homero; 2. Dante Alighieri; 3. Lope de Vega; 4. Goethe y Schiller; 5. Émile Zola; 6. Gabriel García Márquez

LITERERO m. Vendedor o alquilador de literas. • El que guía una litera.

LITIASIS f. *Pat.* Mal de piedra, precipitación con formación de cálculos en el conducto excretorio de un órgano.

LITIFICACIÓN f. *Geol.* Proceso de transformación de un sedimento en una roca sedimentaria dura y compacta.

LITIGAR tr. Pleitear, disputar en juicio. • intr. fig. Disputar o reñir. ■ LITIGACIÓN; LITIGANTE.

LITIGIO m. o **LITIS** f. Pleito, altercado en juicio. • fig. Disputa, contienda.

LITIGIOSO, SA adj. Díc. de lo que está en pleito y de lo que está en duda y se disputa. • Propenso a mover pleitos y litigios.

LITIO m. *Quím.* Elemento de símb. Li; n. a. 3; p. a. 6,940. Metal alcalino, muy difundido en la naturaleza, aunque en una proporción muy pequeña; es el más ligero de todos los metales.
LITISCONSORTE com. *Der.* Persona que litiga por la misma causa que otra, formando con ella una sola parte.
LITISCONTESTACIÓN f. *Der.* Contestación del demandado a la demanda.
LITISEXPENSAS f. pl. *Der.* Gastos de un pleito.
LITISPENDENCIA f. *Der.* Estado del pleito antes de su terminación. • *Der.* Estado litigioso ante otro juez o tribunal del asunto que se pone o intenta poner subjúdice.

Impresión de un grabado mediante la técnica de la **litografía**

LITOCÁLAMO m. Caña fósil.
LITOCLASA f. *Geol.* Grieta o hendidura en la masa de las rocas. Suelen distinguirse varias formas: leptoclasa (de pequeña extensión), diaclasa (largas grietas de las rocas estratificadas) y paraclasa (originada por las fallas y dislocaciones de terreno).
LITOCOLA f. Pasta con polvos de mármol, pez y claras de huevo; se usa para pegar las piedras.
LITÓFAGO, GA adj. Díc. de los moluscos que perforan las rocas y hacen en ellas su habitación.
LITOGENESIA f. Parte de la geología que trata de las causas que han originado las rocas.
LITOGRAFÍA f. *Art. Gráf.* Procedimiento para reproducir escritos, dibujos y grabados, inventado por L. Senefelder en 1796. Post. este nombre, reservado al grabado sobre piedra, se extendió también al realizado sobre metal. La técnica litográfica se basa en la repulsión entre sustancias lipófilas e hidrófilas. • Cada lámina obtenida por este procedimiento. • Taller en el que se emplea este procedimiento. ▪ LITOGRAFIAR; LITOGRÁFICO, CA; LITÓGRAFO, FA.
LITOLOGÍA f. Parte de la geología que trata de las rocas sedimentarias. ▪ LITOLÓGICO, CA.
LITÓLOGO, GA m. y f. El que se dedica a la litología o tiene en ella especiales conocimientos.
LITOPEDION m. Feto calcificado en la cavidad abdominal.
LITOPÓN m. Pigmento blanco, formado por una mezcla de sulfato de bario, sulfato de cinc y algo de óxido de cinc.
LITORAL adj. Relativo a la orilla o costa del mar. • m. Costa de un país o terr. • Región del mar cercana a las costas y sit. sobre la plataforma continental.
LITOSFERA f. Capa superficial rocosa de la Tierra. También se la llama corteza terrestre.
LÍTOTE f. *Ret.* Atenuación, figura que consiste en no expresar todo lo que se quiere dar a entender, dejando que quien escucha se dé cuenta de la intención del hablante.
LITOTOMÍA f. *Cir.* Operación en la que se extraen los cálculos. • Técnica de tallarlas piezas preciosas.
LITOTRICIA f. *Cir.* Tratamiento de los cálculos urinarios o biliares que consiste en la trituración de los mismos a través de la aplicación de ondas.
LITRÁCEO, A o **LITRARIEO, A** adj. y f. *Bot.* Díc. de plantas de la familia litráceas. • f. pl. *Bot.* Familia de plantas dicotiledóneas, herbáceas, arbustivas o arbóreas, con flores hermafroditas y frutos en cápsula dehiscente, que contiene una semilla sin albumen. Especies pralm. tropicales y americanas.
LITRE m. *Chile.* Árbol terebintáceo, de frutos pequeños y dulces, de los cuales se hace chicha.
LITRI adj. y s. Díc. de la persona muy atildada y presumida.

Lituania. Arriba, mapa de situación y bandera; abajo, mujeres lituanas con el traje típico del país

LITRO m. Unidad métrica de capacidad que sirve indistintamente para líquidos y áridos. Es el volumen que ocupa 1 kg de agua destilada a 3,99 °C. Equivale a 1 000 cm³. • *Chile.* Tejido de lana basta.
LITTIN, *Miguel* (nacido 1942) Director cinematográfico chil. Director de la empresa cinematográfica estatal (1970), se exilió en México en 1973. *Por la tierra ajena, Compañero presidente, La aventura de Miguel Littin, clandestino en Chile,* convertida en novela por G. García Márquez.
LITTLE ROCK C. de EE UU, cap. de Arkansas; 175 800 hab. Centro industrial. Universidad.
LITTRÉ, *Émile* (1801-1881) Erudito fr., discípulo de A. Comte. Publicó un diccionario y una historia de la lengua francesa y la *Revista de filosofía positivista.*
LITUANIA (*Lietuvos Respublika*) Est. de Europa Oriental, rep. parlamentaria a orillas del Báltico. Terreno llano y ondulado, con grandes extensiones de bosques y praderas. Lagos de origen glacial. Avenado por el Niemen o Nemunas y sus afl. Clima frío. Riqueza básicamente agrícola (lino, remolacha azucarera). Grupos étnicos: lituanos, rusos, polacos, bielorrusos, etc. Lenguas: lituano (of.), polaco, ruso. *Rel.*: catolicismo (mayoría), cristianismo ortodoxo. U. M.: lita. Cap.: Vilnius o Vilna. C. prales.: Kaunas, Klaipeda, Siauliai.
* *Hist.* Los lituanos se ubicaron en el s. X en el curso inferior del Niemen. El imperio lituano fue incorporado a Polonia en 1569. Desde el s. XVIII, cayó bajo dominio ruso. Durante la I Guerra Mundial se proclamó indep., pasando a depender de Polonia Vilna y su terr. circundante. Incorporada a la URSS en 1940. En 1991 el parlamento lituano declaró la independencia que, tras una sangrienta intervención del ejército sov., ratificó abrumadoramente un referéndum popular. El primer presidente de la rep. Algirdas Brazauskas (elegido en 1993) fue sustituido por V. Adamkus (1998).

LITUANIA

Superficie	65 200 km²
Población	3 706 000 hab. (53 hab./km²)
Recursos económicos	
Cabaña bovina	1 152 000 cabezas
Patata	1 594 000 t
Pesca	51 036 t
Remolacha azucarera	800 000 t
Trigo	750 000 t
Producción industrial	
Ácido sulfúrico	212 000 t
Energía eléctrica	10 055 millones de kwh
Papel	22 000 t
Indicadores sociológicos	
PNB	7 070 millones de dólares
Renta per cápita	1 900 dólares
Esperanza de vida	71 años
Crecimiento vegetativo	0,9 %

LITUANO, NA adj. y s. Díc. de individuos de un pueblo báltico que vive en la rep. de Lituania, con minorías en Letonia y NE de Polonia. • De Lituania. • adj. Relativo a Lituania. • m. Lengua del grupo báltico hablada en Lituania.
LITURGIA f. Conjunto de ritos que acompañan a una ceremonia religiosa. ▪ LITÚRGICO, CA.
LITVINOV, *Maxim Maximovich* (1876-1951) Político sov. Comisario de Asuntos Exteriores (1930-1939), fue destituido por Stalin por su oposición al pacto con Hitler. Reocupó el cargo entre 1941 y 1943.
LIU Shao-Shi (1905-1974) Político chino. Presid. de la Rep. en 1959, fue tachado de revisionista y destituido en 1968.
LIUBLIANA o **LJUBLJANA** C. y cap. de Eslovenia 303 500 hab. Sit. junto al Liublianica, afl. del Save. Centro comercial e industrial. Universidad. Aeropuerto. Es la Emona de los romanos.
LIUDAR intr. *Amér.* Echar levadura a la masa del pan, leudar.
LIUDO, DA. adj. *Amér.* Flojo, laxo. • Leudo.
LIUTO m. Planta amarilidácea de Chile.

LIUVA I (m. 572) Rey de los visigodos [567-572], sucedió a Atanagildo. Al segundo año de su reinado asoció al trono a su hermano Leovigildo, duque de Toledo, que le sucedió a su muerte. • **II** (m. 603) Rey de los visigodos [601-603]. Hijo y sucesor de Recaredo. Fue destronado y condenado a muerte por el magnate Viterico.
LIVERPOOL C. y puerto de Gran Bretaña, en el O de Inglaterra, en Lancashire; 510 300 hab. (1 500 000 hab. la agl. urb. de Merseyside). Sit. en la margen derecha del estuario del Mersey. Segundo puerto del país. Centro industrial. Universidad.

Encuentro entre **Livingstone** (a la izquierda) y Stanley, según un grabado de la época

LIVIA ***Drusila*** (55 a. C.-29 d. C.) Dama romana, esposa de Augusto y madre de Tiberio. El emp. Octavio Augusto la obligó a divorciarse de Tiberio Claudio Nerón (39 a. C.) y a casarse con él.
LIVIANDAD f. Calidad de liviano. • fig. Acción liviana.
LIVIANO, NA adj. Ligero, de poco peso. • fig. Fácil, inconstante. • fig. De poca importancia. • fig. Lascivo, incontinente. • m. Pulmón. Se usa más en pl. • Burro que va delante y sirve de guía a la recua. • f. Canto popular andaluz.
LIVIDECER intr. Ponerse lívido.
LÍVIDO, DA adj. Amoratado, que tira a morado. • Aplicado a personas, muy pálido. ■ LIVIDEZ.
LIVING (voz ing.) m. Sala de estar.
LIVINGSTONE, ***David*** (1813-1873) Misionero y explorador escocés. Recorrió el Zambeze (1853-1856), descubrió los lagos Ngami, Nyassa (1859) y Moero (1869), y las cataratas del Victoria, y exploró la región del lago Tanganica, donde le encontró Stanley, que había partido en su búsqueda.
LIVONIA (al., Livland) Región histórica en Estonia y Letonia, sit. entre el lago Peipus y el golfo de Riga (mar Báltico). Anteriormente perteneció a Polonia y Suecia. Catalina de Rusia se la anexionó en 1772.
LIVONIO, NIA adj. y s. De Livonia.
LIVOR m. Color cárdeno. • fig. Malignidad, odio.
LIVORNO *(Liorna)* C. y puerto de Italia, cap. de la prov. hom., en Toscana; 175 100 hab. Imp. Centro comercial e industrial. Puerto.
LIXIVIACIÓN f. *Geol.* Proceso de arrastre por el agua de lluvia de los materiales solubles o coloidales de los horizontes superiores de un suelo a horizontes más profundos. • *Quím.* Operación mediante la cual, haciendo que un líquido atraviese una sustancia pulverizada, se logra extraer de ésta todos los principios que sean solubles en dicho líquido. ■ LIXIVIAR.
LIZ, ***Domingo*** (nacido 1931) Escultor y pintor dom. Vanguardista. *Orígenes I, Orígenes III.*
LIZA f. Mújol. • Terreno dispuesto para la lucha. • Combate, riña.
LIZARDO, ***Pedro Francisco*** (nacido 1920) Poeta ven. *Canción del agua clara, Pura, encendida rosa, Los círculos del hombre.*
LIZASO, ***Félix*** (1891-1967) Escritor cub. *Martí y la utopía de América, José Martí, recuento del centenario.*
LIZO m. Hilo fuerte que sirve de urdimbre para ciertos tejidos. Se usa más en pl. • Cada uno de los hilos en que los tejedores dividen la seda o estambre para que pase la lanzadera con la trama. • *Chile.* Palito que reemplaza a la lanzadera de los telares.
LJUBLJANA → Liubliana.
LL f. Dígrafo del español que representa el sonido palatal, lateral, fricativo y sonoro. En la escritura es inseparable. Su nombre es *elle*.
LLACA f. Especie de zarigüeya de Chile y Argentina, de pelaje ceniciento con una mancha negra sobre cada ojo.
LLAGA f. Herida difícil de cerrar, tanto material como del espíritu. • *Const.* Junta entre dos ladrillos de una misma hilada. • **Poner el dedo en la ll.** fr. fig. Encontrar el punto donde está el mal.
LLAGAR tr. Hacer o causar llagas.
LLAIMA Volcán andino de Chile, en la prov. de Cautín; 3 125 m.
LLAMA f. *Quím.* Fenómeno luminoso o no, que acompaña gralte. a la combustión de una sustancia gaseosa o de una finísima suspensión de partículas líquidas o sólidas cuando arden mezcladas con el oxígeno del aire. • fig. Sentimiento muy vivo y ardiente. • *Zool.* Mamífero rumiante, camélido, propio de Sudamérica, domesticable; los indígenas aprovechan su capacidad de carga, su carne y su lana. • *Ecuad.* Oveja. • **soldante.** En la soldadura oxiacetilénica, ll. producida en la combustión del acetileno con oxígeno puro.
* *Quím.* Los gases combustibles pueden ser suministrados directamente a la ll. o desprenderse durante el proceso de combustión por calentamiento de los materiales sólidos o por simple evaporación de los líquidos. En la mayoría de las ll. se forman vapor de agua, anhídrido carbónico y partículas de hollín, que producen la luminosidad.
LLAMADA f. Llamamiento o acción de llamar. • Señal que se pone en escritos para dirigir al lector a una cita, nota, etc. • Palabra, voz, sonido, etc., con que se llama. • Atracción ejercida sobre alguien por cierta cosa. • Comunicación telefónica. • *Comp.* Instrucción de un programa que hace que la secuencia de ejecución varíe y se transfiera el control a otra zona de memoria donde se encuentra el subprograma.
LLAMADERA f. Aguijada del boyero.
LLAMADOR, RA m. y f. Persona que llama. • m. Avisador, que lleva avisos. • Aldaba de las puertas para llamar con ella. • Botón del timbre eléctrico.
LLAMAMIENTO m. Acción de llamar. • Inspiración de origen divino. • Acción de pedir alguien solemne o patéticamente algo. • *Der.* Designación de la persona que ha de recibir una herencia o un cargo.
LLAMAR tr. Dar voces a uno o hacer ademanes para que venga o para advertirle alguna cosa. • Invocar, pedir auxilio oral o mentalmente. • Convocar, citar. • Nombrar, apellidar. • fig. Atraer. • *Der.* Hacer llamamiento o designación de personas de estirpe para una sucesión, cargo, etc. • intr. Hacer sonar la aldaba, un timbre, etc. • Utilizar el teléfono • prnl. Tener tal o cual nombre o apellido.
LLAMARADA f. Llama que se levanta del fuego y se apaga pronto. • fig. Encendimiento repentino y momentáneo del rostro. • fig. Acceso brusco y de corta duración de un estado de ánimo.
LLAMATIVO, VA adj. Que llama la atención exageradamente.
LLAMAZAR m. Terreno pantanoso.
LLAMBRIA f. Parte de una peña que forma un plano muy inclinado y difícil de pasar.
LLAMEAR intr. Echar llamas. ■ LLAMEANTE.
LLAMPO m. *Chile.* Polvo o tierra de metal.
LLAMPUGA f. Pez marino, perciforme, de colores vistosos.
LLANADA f. Campo llano, llanura.
LLANCA f. *Chile.* Mineral de cobre de color verde azulado. • Adorno hecho con este mineral.
LLANERO, RA m. y f. Habitante de las llanuras. • adj. y s. De los Llanos de Venezuela y Colombia.
LLANEZA f. fig. Sencillez, familiaridad en el trato. • fig. Sencillez en el estilo.
LLANO, NA adj. Liso o plano. • No inclinado. • fig. Amable y asequible en el trato. • fig. Estilo sincero y carente de adornos. • fig. Vestido sencillo o liso.

Estatua de **Livia.** Museo Nacional de la Antigüedad, Roma

Niño quechua con una **llama**

• Allanado, conforme. • fig. Claro, evidente. • fig. Aplicado a las palabras, grave, con el acento prosódico en la penúltima sílaba. • m. Llanura. • f. Herramienta que usan los albañiles y enyesadores para extender y allanar el yeso o la argamasa. • Cada una de las caras de una hoja de papel. • Campo llano.

LLANO ESTACADO *(Staked Plain)* Región de EE UU, al O de Texas; 150 000 km^2. Meseta calcárea avenada por el Pecos y el Canadian. Petróleo, gas natural.

LLANOS, *Los* Extensa región natural de Venezuela y del NE de Colombia, que comprende parte de la cuenca del Orinoco. Los Ll. corresponden a una gran llanura aluvial sit. entre el delta del Orinoco, la cordillera de los Andes, la serranía del interior venezolana y el macizo de las Guayanas. Clima tropical. Los r. andinos provocan serias inundaciones en la época de crecidas. Una vegetación de sabana dio lugar en el s. XIX a una de las ganaderías más prósperas de América del Sur, y aún hoy es la actividad más importante.

Rebaño de cebúes en **Los Llanos** del Orinoco

LLANOS, *Fernando de* (s. XVI) Pintor esp. Junto con F. Yáñez introdujo en España el estilo del Renacimiento pleno. *Desposorios* y el *Nacimiento* de la catedral de Murcia.

Detalle de *El nacimiento de la Virgen*, obra de Fernando de **Llanos.** Retablo mayor de la catedral de Valencia, España

LLANQUE m. *Perú.* Especie de sandalia.

LLANQUIHUE Lago de Chile, entre la prov. hom. y la de Osorno; unos 800 km^2.

LLANQUIHUE Prov. de Chile, en la región de Los Lagos; 223 200 hab. Cap., Puerto Montt. Accidentada al E por los Andes, con los volcanes Tronador, Osorno, Yate y Calbuco. El resto del terr. corresponde al valle Longitudinal. En la zona de contacto entre las dos regiones se hallan los lagos Llanquihue y Todos los Santos. Clima frío y húmedo. Extensos bosques. Patatas, trigo, avena, manzanas; ganadería ovina y bovina; pesca; ind. alimentarias y derivadas de la madera.

LLANTA f. Cerco metálico exterior de las ruedas de automóviles, bicicletas, etc., en el que van encajados los neumáticos. • Cerco de hierro que rodea las ruedas de los carros. • Berza de hojas grandes y que no repolla.

LLANTAR tr. ant. Poner plantas, plantar.

LLANTEAR intr. ant. Llorar, plañir.

LLANTÉN m. Planta herbácea plantaginácea, muy común en los sitios húmedos.

LLANTERA f. fam. Llorera, llanto.

LLANTERÍA f. *Chile.* Llanto ruidoso de varias personas.

Llantén

LLANTINA f. fam. Llorera, llanto ruidoso y continuo.

LLANTO m. Efusión de lágrimas acompañada frecuentemente de lamentos y sollozos. • *Cuba.* Canto melancólico popular.

LLANURA f. Igualdad de la superficie de una cosa. • Terreno uniforme y dilatado, sin altos ni bajos pronunciados; si supera los 200 m de alt. recibe el nombre de meseta o altiplanicie.

LLAPA f. Yapa.

LLAPANGO, GA adj. y s. *Ecuad.* Que no usa calzado.

LLAPAR tr. *Min.* Yapar.

LLAPINGACHO m. *Ecuad.* y *Perú.* Tortilla de patatas con queso.

LLAR f. Cadena de hierro en la chimenea para colgar la caldera. Se usa más en pl.

LLARETA f. *Chile.* Planta umbelífera cuyo tallo destila una resina transparente que se usa para curar heridas.

LLAVE f. Instrumento metálico con guardas que se acomodan a las de una cerradura y que sirve para abrirla o cerrarla. • Herramienta que sirve para apretar o aflojar tuercas. • Instrumento que sirve para facilitar o impedir el paso de un fluido por un conducto. • Mecanismo de las armas portátiles que sirve para dispararlas. • Instrumento de metal que sirve para dar cuerda a los relojes. • Tecla móvil de algunos instrumentos musicales de viento. • Corchete, en los manuscritos o impresos. • fig. Medio para descubrir lo oculto o secreto. • fig. Principio que facilita el conocimiento de otras cosas. • fig. Cosa que permite conseguir otra, o apoderarse de ella. • *Dep.* Presa, movimiento en la lucha para agarrar al contrario e inmovilizarle. • *Comp.* Carácter o grupo de caracteres que se utilizan para identificar cada uno de los registros lógicos de un fichero. • *Mús.* Clave del pentagrama. • **de paso.** La que abre o cierra el circuito de un fluido. • **inglesa.** Herramienta cuyo mango gira y abre más o menos las dos partes que forman la cabeza para adaptarse a la tuerca que se quiere apretar o aflojar. • **maestra.** La que abre y cierra toda clase de cerraduras. • **Echar la ll.** fr. Cerrar con ella.

LLAVEAR tr. *Par.* Cerrar con llave.

LLAVERO, RA m. y f. Persona que tiene a su cargo la custodia de las llaves de una ciudad, iglesia, cárcel, etc. • m. Anillo, cadenita o cartera pequeña de cuero, en que se guardan las llaves.

LLAVÍN m. Llave pequeña con que se abre el picaporte.

LLECO, CA adj. y s. Aplícase a la tierra o campo que nunca ha sido cultivado ni labrado.

LLEGA f. En Aragón, acción y efecto de recoger, allegar o juntar.

LLEGAR intr. Venir, arribar de un sitio a otro. • Durar hasta época o tiempo determinado. • Tocar por su turno una cosa o acción a uno. • Conseguir el fin a que se aspira. • Tocar, alcanzar una cosa. • Venir el tiempo de ser o hacerse una cosa. • Ascender, importar. • tr. Allegar, juntar, animar. • prnl. Acercarse una cosa a otra. • Ir a algún sitio cercano. • Llegar a ser, convertirse en algo. • Unirse, adherirse. ■ LLEGADA.

LLEIDA Prov. del NE de España, en la com. autón. de Cataluña; 12 028 km^2, 356 456 hab. Cap., la c. hom.; c. prales.: Balaguer, Seo de Urgel, Cervera. Trigo, fruta, hortalizas, olivo; ganadería (ovina, vacuna); ind. alimentaria, química, mecánica, energía eléctrica. • C. esp., en Cataluña, en la prov. hom.; 112 035 hab. Sit. en una fértil campiña, a orillas del Segre. Imp. mercado agrícola y centro comercial. Ind. alimentaria, metalúrgica, química, de la construcción. Notables monumentos, como la Seo y el hospital de Santa María.

LLERA f. Cantorral, glera.

LLEIVÚN m. *Chile.* Planta ciperácea, cuyos tallos se emplean para hacer lazos, atar sarmientos, etc.

LLENA f. Crecida que hace salir de madre a un río o arroyo.

LLENAR tr. y prnl. Ocupar con alguna cosa un espacio vacío. • tr. fig. Desempeñar, ocupar dignamente un lugar o empleo. • fig. Parecer bien, satisfacer una cosa. • fig. Fecundar el macho a la hembra. • fig. Colmar abundantemente. • prnl. fam. Hartarse de comida o bebida. • fig. y fam. Irritarse después de haber sufrido o aguantado por algún tiempo. ■ LLENADOR, RA.

LLENAZO m. Lleno, gran concurrencia en un espectáculo.

LLENERO, RA adj. Cumplido, cabal, pleno.

LLENO, NA adj. Ocupado completamente por otra cosa. • Que tiene abundancia de algo. • Hablando de la Luna, plenilunio. • Gran concurrencia a un espectáculo. • fam. Abundancia de una cosa. • fig. Perfección o último complemento de una cosa. • **De ll.** o **de ll. en lleno.** m. adv. Enteramente, totalmente.

LLENURA f. Abundancia grande, plenitud.

LLERAS Camargo, *Alberto* (1906-1990) Periodista y político col. Miembro del Partido Liberal, a partir de 1932 ocupó varios ministerios. En 1945-1946 asumió provisionalmente la presidencia del país. Fue director de la Unión Panamericana y secretario general de la OEA. Como candidato del Frente Nacional fue presid. de Colombia de 1958 a 1962. En 1964, asesor de la Alianza para el Progreso. • **Restrepo, *Carlos*** (1908-1994) Político col., miembro del Partido Liberal. Parlamentario desde 1942, tuvo una actuación destacada en la la ley de reforma agraria de 1961. En 1966 fue elegido presid. de la rep. Consiguió algunas modificaciones constitucionales (1968). En 1970 cedió el cargo a Pastrana Borrero.

LLERÉN m. *Cuba.* Planta amarantácea cuya raíz produce una fécula alimenticia.

LLEUDAR tr. Leudar, echar levadura a la masa del pan.

LLEVADERO, RA adj. Fácil de sufrir, tolerable.

LLEVANZA f. Acción y efecto de llevar en arrendamiento.

LLEVAR tr. Transportar una cosa de una parte a otra. • Cobrar el precio o los derechos de una cosa. • Cortar. • Tolerar, sufrir. • Persuadir a uno, atraerle a su opinión. • Guiar, dirigir. • Traer puesto el vestido, la ropa, etc., o en los bolsillos dinero, papeles u otra cosa. • Introducir a alguien en el trato o amistad de otro. • Lograr, conseguir. • Con nombres de tiempo, contar, pasar. • Exceder, aventajar. • Encargarse, correr con algo. • **Ll. adelante.** fr. Seguir lo emprendido. • **Ll. consigo.** fr. fig. Hacerse acompañar de una o varias personas. ■ LLEVADA; LLEVADOR, RA.

LLICLLA f. *Bol., Ecuad.* y *Perú.* Manta que llevan las mujeres andinas a la espalda.

LLIMONA, *Joan* (1860-1926) Pintor esp., hermano de Josep Ll. Pintó el camarín de la Virgen en el monasterio de Montserrat. *Haciendo puntilla, El párroco, Oraciones.* • ***Josep*** (1864-1934) Escultor esp. Sus obras revelan su relación con A. Maillol y M. Hugué. Lo más interesante de su creación es de temática religiosa: *Cristo resucitado, Entierro de Cristo,* relieves del templo de Pompeya, en Barcelona.

LLOBREGAT Río de España, de la vertiente mediterránea cat. Nace en Castellar de N'Hug y desemboca al S-SO de Barcelona. • **Bajo** *(Baix Llobregat)* Comarca esp., al S de la prov. de Barcelona. Comprende las tierras ribereñas del r. hom. desde la cordillera costera hasta el mar; 475 km^2. La cabecera es Sant Feliu de Ll. Frutas y verduras; ind. en Cornellá, Prat de Ll., Sant Boi, Molins de Rei, Martorell y Gavá.

LLOICA f. fam. *Chile.* Loica, pájaro similar al estornino.

LLORAMICO m. Llanto.

LLORAR tr. e intr. Derramar lágrimas. • intr. Quejarse los niños con gritos, aunque no derramen lágrimas. • tr. e intr. fig. Caer el licor gota a gota, destilar una cosa algún líquido. • tr. fig. Sentir vivamente una desgracia. ■ LLORADERA; LLORADOR, RA; LLORADUELOS; LLORERA; LLORO.

LLORENS i Artigas, *Josep* (1892-1980) Ceramista y tratadista de arte esp. Colaboró con Joan Miró en algunos plafones (edificio de la UNESCO en París, aeropuerto de Barcelona).

LLORENTE, *Juan Antonio* (1756-1823) Eclesiástico y escritor esp.; influido por el enciclopedismo, intentó reformar la Inquisición, de la que era secretario, por lo que fue destituido. *Historia crítica de la Inquisición en España.*

LLORIQUEAR intr. Llorar débil y monótonamente. ■ LLORIQUEO.

LLORÓN, NA adj. Perteneciente o relativo al llanto. • adj. y s. Que llora mucho o fácilmente. • Que se queja habitualmente. • f. Plañidera. • m. y f. Penacho de plumas largas, flexibles y colgantes como las ramas de un sauce llorón. • f. pl. *Argent.* y *Ur.* Espuelas grandes usadas por los gauchos.

LLOROSO, SA adj. Que tiene señales de haber llorado o de ir a llorar. • Que causa tristeza.

LLOVEDIZO, ZA adj. Que tiene goteras o deja pasar el agua.

LLOVER intr. y tr. Caer agua de las nubes. • fig. Caer sobre uno con abundancia una cosa. • prnl. Calarse con las lluvias las bóvedas o los techos. • **Ll. sobre mojado.** fr. fig. Venir una cosa desagradable tras otra.

LLOVIZNAR intr. Caer de las nubes gotas menudas. ■ LLOVIZNA.

LLOVIZNOSO, SA adj. *Amér.* Díc. del tiempo o lugar en que son frecuentes las lloviznas.

LLOYD, *Harold* (1893-1971) Actor cómico norteam. Intervinó en más de 200 películas, y tuvo enorme popularidad durante las décadas de 1920 y 1930.

LLOYD George, *David* (1863-1945) Político brit., galés. Defensor nacionalista de Gales. En 1916, primer ministro. Firmó el tratado de Versalles. En 1921 consiguió la creación del Estado Libre de Irlanda.

LLUBINA f. Lubina, pez marino.

LLUECA adj. y s. Clueca.

LLULL, *Ramon* (h. 1235-1315) Filósofo, místico y literato cat., nacido en Mallorca. Ingresó en la orden franciscana. En su obra filosófica más conocida, *Ars magna* o *Ars generalis,* se proponía demostrar racionalmente todas las verdades de la fe. En sucesivas épocas se dedicó a la conversión de infieles, viajando por Chipre, Armenia y Túnez, donde murió. Escritor incansable, fue un notable poeta —bajo influencia provenzal— y, sobre todo, el verdadero creador de la prosa literaria en cat. *Blanquerna* (novela), *Libro de maravillas, Libro de contemplación* (mística), *Canto de Ramón, Árbol de ciencia, Lógica de Gatzel, Medicina de pecado* y *El desconsuelo.*

LLULLAILLACO, Cerro Volcán andino, en la frontera chileno-argentina; 6 739 m.

LLÚRIA, *Roger de* (h. 1250-1305) Marino siciliano, criado en la corte de Aragón. Cosechó imp. victorias sobre los fr. Nombrado almirante de Aragón en la expedición del rey Jaime a Sicilia, venció a las tropas de Fadrique en el cabo Orlando (1299) y Ponza (1300).

Lleida. Vista de la catedral

El muro de la luna, obra en cerámica de Josep **Llorens i Artigas,** sobre un diseño de Joan Miró. Edificio de la UNESCO, París

LLUVIA f. Acción de llover. • Agua que cae de la atmósfera. • fig. Afluencia de muchas cosas al mismo tiempo o seguidas. • *Chile.* Ducha, aparato, agua y acción de ducharse. • **ácida.** Precipitación con elevado contenido de ácido sulfúrico que produce graves pérdidas en los sistemas ecológicos.

LLUVIOSO, SA adj. Aplícase al tiempo o al país en que llueve mucho.

Ln o **ln** *Mat.* Símb. de logaritmo neperiano.

LO art. determinado, en gén. neutro. • Acusativo del pron. personal de tercera persona, en gén. masculino o neutro y núm. singular.

LOA f. Acción de loar. • En el teatro clásico esp., prólogo, discurso con que solía darse principio a la función. • Composición dramática breve que se representaba ant. antes del poema dramático.

LOA, *El* Prov. de Chile, en la región de Antofagasta; 113 800 hab. Cap., Calama. Limita al E con Bolivia. Imp. recursos mineros (cobre). • Río del N de Chile, en la región de Antofagasta, el más largo del país; 440 km.

LOADER (voz ing.) adj. y m. Díc. de una máquina que se utiliza para obras de excavación.

LOANDA f. Especie de escorbuto.

LOAR tr. Alabar. ■ LOABLE; LOADOR, RA.

LOBA f. Hembra del lobo. • Lomo no removido por el arado, entre surco y surco. • Sotana.

LOBACHEWSKI, *Nicolas Ivanovich* (1793-1856) Geómetra ruso. Construyó una geometría en la que resultaba falso el quinto postulado de Euclides, siendo una de las primeras geometrías no euclídeas.

LOBADO, DA adj. *Bot.* Dividido en gajos o lo-

Ramon **Llull,** por el Maestro Francisco (s. XVI)

Lobo

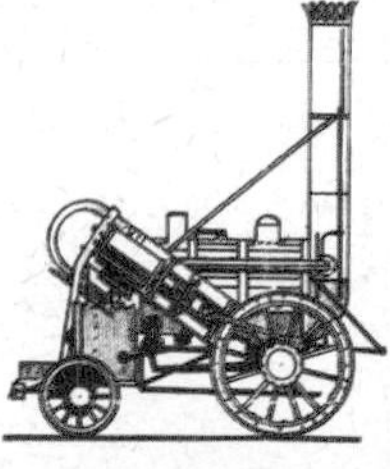

Locomotora. Arriba, locomotora *Rocket* de Stephenson, que marcó el inicio del ferrocarril. A la derecha, locomotora eléctrica

Extracción de la piedra de la **locura,** por El Bosco. Museo del Prado, Madrid

bos, tanto si se trata de órganos laminares como macizos. • m. *Vet.* Tumor carbuncoso que padecen las caballerías, y el ganado vacuno, lanar y cabrío.

LOBAGANTE m. Bogavante, crustáceo.

LOBANILLO m. Tumor superficial e indoloro que se forma en algunas partes del cuerpo.

LOBATO m. Cachorro del lobo.

LOBBY (voz ing.) m. Grupo de personas que intentan influir y presionar en asuntos públicos. En Europa se conoce como grupo de presión.

LOBEAR intr. fig. Andar al acecho, como el lobo.

LOBECTOMÍA f. *Cir.* Resección de un lóbulo.

LOBEIRA, ***Vasco de*** (1365?-1405) Escritor port., al que se atribuye la paternidad del *Amadís de Gaula.*

LOBELIÁCEO, A adj. y f. *Bot.* Díc. de plantas de la familia lobeliáceas. • f. pl. *Bot.* Familia de plantas dicotiledóneas, herbáceas, con hojas simples, flores hermafroditas y frutos en cápsula. Comprende más de 500 especies distribuidas por Europa, Asia y América.

LOBERO, RA adj. Perteneciente o relativo a los lobos. • m. Cazador de lobos. • f. Monte en que hacen guarida los lobos.

LOBEZNO m. Lobo pequeño. • Lobato.

LOBINA f. Róbalo, pez marino.

LOBINIO m. *Amér. Merid.* Perro salvaje del tamaño de un zorro.

LOBITO C. y puerto de Angola; 59 600 hab. Centro de exportación (café, algodón, cobre, etc.).

LOB-NOR *(Luobubo)* Lago del O de China, en la región autónoma de Sinkian Uigur; unos 2 000 km².

LOBO, BA adj. *Méx.* Hijo de negro e india, o al contrario; zambo. • *Chile.* Arisco, huraño. • m. *Zool.* Mamífero carnívoro de la familia cánidos, que vive en buena parte de Eurasia y de América del Norte. Posee pelaje pardo, a veces algo rojizo. Implacablemente perseguido por el hombre, se ha extinguido en una gran parte de su área, por lo que ha quedado relegado a zonas montañosas, o a las regiones árticas. Caza en manadas ciervos y otros ungulados. Las manadas mantienen una jerarquía social bastante estricta. • *Zool.* Pez parecido a la locha, con manchas y listas parduscas a lo largo del cuerpo. • Máquina usada en hilandería para limpiar y desenlazar el algodón. • fig. y fam. Embriaguez, borrachera. • Perilla de la oreja. • *Bot.* y *Zool.* Lóbulo, porción redondeada y saliente de un órgano.

LOBO *Astr.* Constelación cuya denominación latina es *Lupus.*

LOBOTOMÍA f. *Cir.* Sección de un lóbulo.

LÓBREGO, GA adj. Oscuro, tenebroso. • fig. Triste, melancólico. ■ LOBREGUEZ.

LOBREGUECER tr. Hacer lóbrega una cosa. • intr. Anochecer.

LOBULADO, DA adj. *Bot.* y *Zool.* De figura de lóbulo. • *Bot.* y *Zool.* Que tiene lóbulos.

LÓBULO m. Cada una de las partes que sobresalen en el borde de una cosa. • *Zool.* Porción inferior y carnosa de la oreja. • *Bot.* y *Zool.* Porción redondeada y saliente de un órgano cualquiera.

LOBUNO, NA adj. Perteneciente o relativo al lobo, mamífero.

LOCACIÓN f. Acción de arrendar una cosa.

LOCADOR, RA m. y f. *Chile, Perú* y *Ven.* Arrendador, persona que da en arrendamiento una cosa.

LOCAL adj. Perteneciente al lugar. • Municipal o provincial, por oposición a general o nacional. • Díc. de lo que se refiere a una parte determinada y no al total o conjunto. • m. Sitio o lugar cerrado y cubierto.

LOCALIDAD f. Lugar o población. • Local, sitio. • Plaza o asiento en los locales destinados a espectáculos públicos. • Billete que da derecho a entrar o a ocupar asiento en dichos espectáculos.

LOCALISMO m. Calidad de local. • Preferencia por una determinada pob. o comarca. • Vocablo o locución de uso limitado a una comarca o una población. ■ LOCALISTA.

LOCALIZACIÓN f. Acción y efecto de localizar o localizarse. • *Econ.* Estudio de la distribución territorial de los recursos.

LOCALIZADOR, RA adj. Que sirve para localizar. • adj. y m. Sistema radioeléctrico basado en un transmisor general y un receptor particular para la localización de una persona.

LOCALIZAR tr. y prnl. Fijar, encerrar en límites determinados. • Determinar el lugar en que se halla una persona o cosa.

LOCAR tr. *Amér.* Alquilar.

LOCARNO C. del S de Suiza, a orillas del lago Mayor; 14 200 hab. • **Pacto de L.** Nombre de una serie de acuerdos firmados en 1925 por Alemania, Francia, Italia, Gran Bretaña, Checoslovaquia, Bélgica y Polonia para asegurar las fronteras fijadas en Versalles. Fueron revocados por Hitler en 1936.

LOCATARIO, RIA m. y f. Arrendatario, persona que toma en arriendo.

LOCATIS adj. y s. fam. Chiflado, loco.

LOCATIVO, VA adj. Relativo al contrato de locación o arriendo. • adj. y m. *Gram.* Díc. del caso de la declinación que expresa la relación del lugar «en donde» algo sucede y análogamente el tiempo «en el que» o «cuando» algo sucede.

LOCERÍA f. En algunas partes, alfarería.

LOCERO, RA m. y f. fam. Vendedor de objetos de loza.

LOCH m. En Escocia, fiordo o lago de excavación glaciar.

LOCHA f. o **LOCHE** m. Pez malacopterigio; se cría en los lagos y ríos de agua fría, y su carne es muy fina.

LOCHNER, ***Stefan*** (h. 1405-1451) Pintor al., el pral. artista de Colonia en el s. XV. Tríptico de la *Epifanía* de la catedral, el retablo del *Juicio final* de la iglesia de San Lorenzo y la *Virgen del rosal.*

LOCIÓN f. Lavadura, acción y efecto de lavar alguna parte del cuerpo con un líquido específico para la limpieza o medicación. • Este mismo producto. • *Amér.* Perfume de baja concentración.

LOCKE, ***John*** (1632-1704) Filósofo empirista ing. Su pensamiento político, plasmado en sus obras *Cartas sobre la tolerancia* y *Tratados sobre gobierno civil,* gira en torno a la teoría de que la soberanía pertenece a la comunidad. El poder del rey está limitado por el pacto original que le impide atacar derechos como la libertad individual y la separación de poderes. Como filósofo, en su *Ensayo sobre el entendimiento humano,* abordó el problema del origen del conocimiento: el entendimiento es una tabla rasa sin nada escrito. Ejerció una poderosa influencia en el empirismo y en la Ilustración francesa.

LOCK-OUT (voz ing.) m. Suspensión de la actividad laboral decidida por los patronos para luchar contra las reivindicaciones de los obreros.

LOCO, CA adj. y s. Que ha perdido la razón. • Imprudente, arriesgado. • fig. Extraordinario. • fig. Hablando de las ramas de los árboles, vicioso, pujante. • **de atar.** fig. y fam. Persona que en sus acciones procede como loca. • **Estar o volverse l. de contento.** fig. y fam. Estar excesivamente alegre. • **Hacerse el l.** fig. y fam. Disimular, desentenderse.

LOCOMOCIÓN f. Traslación de un punto a otro. • *Zool.* Proceso mediante el cual un animal se desplaza para buscar alimento, condiciones ambientales más adecuadas, su supervivencia, etc.

LOCOMOTOR, RA adj. Propio para la locomoción. • f. *Ferr.* Vehículo ferroviario autopropulsado destinado pralm. a remolcar otras unidades.

* *Ferr.* Las l. suelen clasificarse atendiendo al tipo de motor de que están dotadas. Toda l. se caracteriza por su gran peso, del orden de las decenas de toneladas, imprescindible para obtener la reac-

ción propulsiva necesaria para el arrastre del convoy. La l. de vapor consta de una caldera en la que el calor de la combustión se emplea para vaporizar agua a presión, y un motor en el cual la energía del vapor procedente de la caldera se transforma en energía mecánica. Las l. eléctricas son las de mayor rendimiento; toman la corriente de un tendido aéreo mediante pantógrafos colectores o a través de un tercer carril y mediante la zapata colectora; los motores pueden ser monofásicos o trifásicos. La introducción de las l. Diesel se inicia con la aplicación de motores lentos (de 600 a 800 rpm) y se extiende rápidamente a los motores semilentos (de 1 000 a 1 200 rpm) y rápidos (1 500 rpm). Actualmente se encuentran en explotación motores del orden de 3 000 CV por unidad.
LOCOMOTRIZ adj. femenino de locomotor.

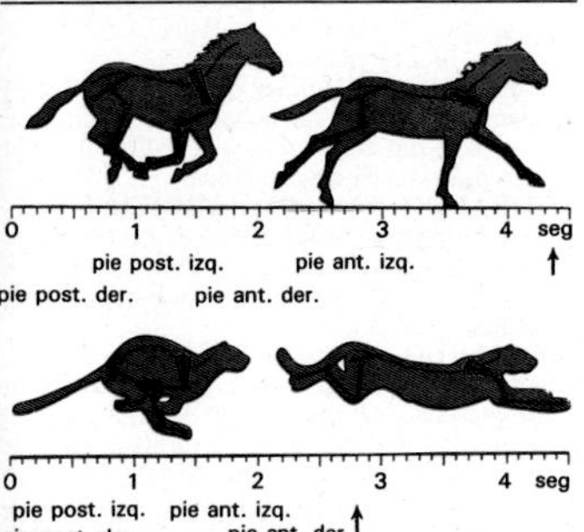

Locomoción del caballo (arriba) y del guepardo (abajo). Esquemas de la máxima extensión de la columna vertebral y de la máxima rotación del omóplato en la carrera

LOCOMÓVIL adj. Díc. de lo que es capaz de desplazarse.
LOCRO m. *Amér.* Guisado de carne, patatas o maíz y otros ingredientes.
LOCUAZ adj. Que habla mucho o demasiado. ■ LOCUACIDAD.
LOCUCIÓN f. Modo de hablar. • Conjunto habitual de palabras que, aunque escritas separadamente, tienen, en cuanto agrupación, una unidad de significado. • Frase.
LOCUELO, LA adj. y s. fam. Díc. de la persona de corta edad, viva y atolondrada.
LÓCULO m. Cavidad de un órgano vegetal que contiene semillas o esporas.
LOCURA f. *Psiq.* Término convencional con el que se designan ciertos trastornos mentales. • Acción imprudente o insensata. • fig. Afecto exagerado por alguien o entusiasmo desmedido por algo.
LOCUTOR, RA m. y f. Persona que habla ante el micrófono en las estaciones de radio o televisión para dar noticias, programas, etc.
LOCUTORIO m. Departamento que, dividido comúnmente por una reja, se destina en los conventos y en las cárceles para que los visitantes puedan hablar con las monjas o los presos. • Cabina individual de teléfono público. • Local con varias de estas cabinas.
LODACHAR o **LODAZAR** m. Lodazal, barrizal.
LODAZAL m. Sitio o paraje lleno de lodo.
LODGE, ***Henry Cabot*** (1902-1985) Político republicano norteam. Candidato a vicepresidente con Nixon.
LODO m. Barro que forma el agua de las lluvias al mezclarse con la tierra. ■ LODOSO, SA.
LODOÑERO m. Guayaco, árbol americano.
LODOÑO m. Planta arbórea de la familia ulmáceas, con hojas lanceoladas, asimétricas y flores hermafroditas. Se cultiva por su valor ornamental.
LODZ C. de Polonia, en el voivodato hom.; 850 000 hab. Centro de la ind. textil algodonera. Productos químicos y metálicos; construcciones mecánicas; aparatos eléctricos. Universidad.
LOEB, ***Jacques*** (1859-1924) Biólogo al. que trabajó en EE UU. Investigó las reacciones fisicoquímicas de los procesos biológicos, los tropismos y la partenogénesis inducida.
LOES o **LOESS** m. *Geol.* Depósito sedimentario originado por acción eólica. Está formado por un limo amarillento, fino, deleznable y gralte. de composición calcárea. Las mayores extensiones se encuentran en las regiones desérticas de China, Argentina y en las llanuras centroeuropeas.
LOFIFORME adj. y m. *Zool.* Díc. de peces actinopterigios, de cuerpo rechoncho, boca grande, y el primer radio de la aleta dorsal independiente, alargado y terminado en un colgajo blando. • m. pl. *Zool.* Orden de estos peces, al que pertenece el rape.
LOFOBRANQUIO, QUIA adj. y m. *Zool.* Díc. de peces teleósteos con branquias en forma de penacho, como el caballo marino.
LOFOTEN Arch. de Noruega, en el océano Glacial Ártico. Pesca del bacalao.
Log o lg *Mat.* Símb. del logaritmo decimal.
LOGANIÁCEO, A adj. y f. *Bot.* Díc. de plantas dicotiledóneas, leñosas, con hojas opuestas, flores pentámeras y frutos en cápsula o baya. Nuez vómica.
LOGARITMACIÓN f. *Mat.* Operación cuyo objeto es encontrar el exponente al que debe elevarse un núm. real dado, para obtener otro también real y conocido.
LOGARITMO, MA adj. *Mat.* Díc. de la función que asigna a cada núm. real positivo su logaritmo. • m. *Mat.* Resultado de efectuar una logaritmación. ■ LOGARÍTMICO, CA.
* *Mat.* Los sistemas de l. más empleados son los que tienen como base el núm. e, sistema de l. neperianos, y el de base diez, o sistema de l. decimales. El empleo de l. reporta una considerable ventaja cuando han de efectuarse cálculos de una cierta magnitud, debido a sus propiedades. Actualmente, el uso de las calculadoras electrónicas y las microcomputadoras ha hecho perder parte de la utilidad de los l.
LOGIA f. Galería porticada, a veces decorada con pinturas, que abunda en las construcciones antiguas de Italia. • Local donde celebran sus asambleas los francmasones. • Asamblea de francmasones. • Conjunto de individuos que la constituyen.
LÓGICA f. *Fil.* Ciencia formal que estudia el conocimiento, entendido como proceso discursivo. • Razonamiento, método. • **booleana.** *Comp.* Parte de la l. debida a George Boole, en la que se tratan las operaciones l. binarias fundamentales AND, OR y NOT; a partir de ellas se definen otras más complicadas.
**Fil.* El fundador de la l. fue Aristóteles, que construyó una doctrina del silogismo, y se limitó a la «l. de términos». El desarrollo de la «l. de proposiciones» se debe a los megáricos y a los estoicos. La l. medieval se redujo a la exégesis de Aristóteles, con la excepción de algunas innovaciones ár. y del occamismo. Desde el Renacimiento se intentó crear una l. matematizada. Leibniz fue el precursor de la l. moderna. En el s. XIX, el sistema de Boole sirve de base a los trabajos de Jevons, Morgan y Peirce. Frege y Peirce introdujeron variables y cuantificadores susceptibles del cálculo algebraico. Peano, en su *Formulario de las matemáticas,* utilizó un lenguaje formalizado y desarrolló todos los resultados imp. de la matemática. Russell y Whitehead en sus *Principia Mathematica* asociaron las ideas de Frege con la simbología de Peano. Post. Göbel, con su teorema de la incompletitud, clausuró la vía de investigación relativa a la posibilidad de la total axiomatización de la l. En un campo más estrictamente matemático están la axiomatización del álgebra por Hankel y la «matemática libre» de Cantor, así como la l. simbólica de Guine.
LOGICISMO m. Filosofía fundada en el predominio de la lógica.
LÓGICO, CA adj. Relativo a la lógica. • adj. y s. Que la estudia y sabe. • Díc. de toda consecuencia natural.
LOGÍSTICA f. *Mil.* Técnica que estudia los métodos de transporte y avituallamiento de las tropas en campaña. • Aprovisionamiento. ■ LOGÍSTICO, CA.
LOGO m. *Comp.* Lenguaje de programación para la enseñanza, que recurre esencialmente a los gráficos. Se considera un lenguaje lo suficientemente

Locutorio telefónico en Estocolmo

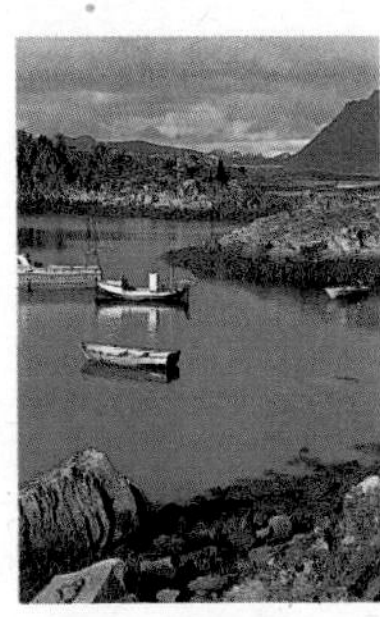

Ensenada en las islas **Lofoten**

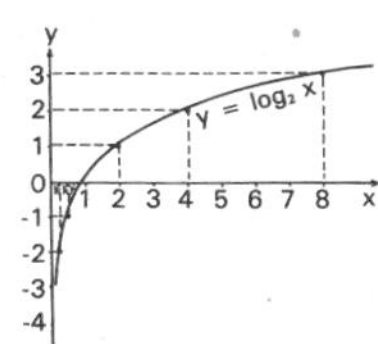

Tabla de valores	
x	y
1	0
2	1
4	2
8	3
1/2	–1
1/4	–2
1/8	–3
1/16	–4

Logaritmo. Arriba curva logarítmica de $y = \log_2 x$. Abajo tabla de valores de este logaritmo

Vista de una plaza del centro de **Logroño**

Lago de Como, en **Lombardía**

Escultura del *sepulcro de Andrea Vendramin*, obra de Pietro **Lombardo.** Iglesia de los Santos Juan y Pablo, Venecia (Italia)

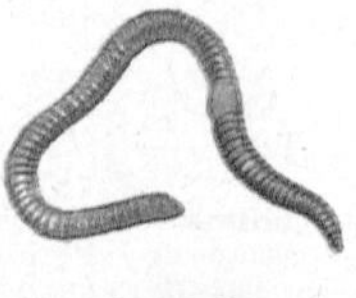
Lombriz

sencillo como para que puedan aprenderlo hasta los niños de corta edad.

LOGÓGRAFO m. Cronista de la ant. Grecia que recogía las tradiciones y leyendas históricas de los pueblos.

LOGOGRIFO m. Pasatiempo que consiste en deducir una serie de palabras, a partir de sus definiciones, teniendo como base las letras de otra palabra cuyo significado se propone en términos oscuros o enigmáticos. • P. ext., texto o discurso enigmático. ■ LOGOGRÍFICO, CA.

LOGOMAQUIA f. Discusión o disputa basada en un desacuerdo puramente verbal, ateniéndose a la letra y no al fondo de la cuestión.

LOGONE Río de África central, afl. del Chari. En su curso bajo forma frontera entre Camerún y Chad.

LOGOPEDIA f. Técnica terapéutica que trata de corregir las deficiencias y trastornos del lenguaje. ■ LOGOPEDA.

LOGOPLEJÍA f. Parálisis de la musculatura de los órganos de la fonación.

LOGORREA f. Flujo incontenible de palabras dichas sin orden ni concierto.

LOGOS m. *Fil.* Término gr. que equivale a palabra, concepto, expresión, razón. La teología cristiana lo asimiló a la segunda persona de la Santísima Trinidad.

LOGOTIPO m. *Art. Gráf.* Grupo de letras fundidas en un solo bloque para facilitar la composición tipográfica. • Diseño que distingue una marca, un nombre de empresa o un producto.

LOGRAR tr. Conseguir lo que se intenta o desea. • Gozar o disfrutar una cosa. • prnl. Llegar a su perfección una cosa.

LOGRERO, RA m. y f. Persona que presta dinero con interés muy alto. • *Amér.* Persona que procura lucrarse por cualquier medio.

LOGRO m. Acción y efecto de lograr. • Ganancia, lucro. • Ganancia o lucro excesivo, usura.

LOGROÑÉS, SA adj. y s. De Logroño. • adj. Relativo a esta c. esp. o a su provincia.

LOGROÑO C. esp., sit. a orillas del Ebro, cap. de la Comunidad Autónoma de La Rioja; 123 841 hab. Mercado agrícola. Iglesias de San Bartolomé, Santa María de la Redonda y Santa María del Palacio.

LOICA f. *Argent.* y *Chile.* Pájaro que se domestica con facilidad y es muy estimado por su canto dulce y melodioso.

LOIRA *(Loire)* Río del centro-norte de Francia; 1 010 km. Nace en el monte Gerbier de Jonc. Es navegable desde Nantes hasta Saint Naizare y desemboca en el Atlántico formando un estuario.

LOÍSMO m. *Gram.* Empleo, no aceptado por la Real Academia, de la forma *lo* en función de complemento indirecto referido a persona masculina.

LOJA Punto de convergencia de los sectores septentrional y central de la cord. andina, en el S de Ecuador, junto a Perú.

LOJA Prov. del S. de Ecuador; 11 026,5 km^2, 384 698 hab. Limita al N con las prov. de El Oro y Azuay, al E con la de Zamora-Chinchipe y al S con Perú. Cap., la c. hom. Accidentada por los Andes, su complicado relieve presenta altas cimas y profundos valles y cañadas. Entre los prales. cursos de agua figuran el Catamayo, el Puyango y el Macará. Agricultura (cereales, legumbres, caña de azúcar, café, algodón) y ganadería bovina. Minas de oro, cobre y hierro. • C. de Ecuador, cap. de la prov. hom.; 94 305 hab. Sit. en la hoya del Zamora. Centro comercial agrícola y ganadero. Ind. textil. Universidad. Fundada en 1548 por Alonso de Mercadillo.

LOJANO, NA adj. y s. De Loja, c. y prov. de Ecuador.

LOLLAND o **LAALAND** Isla de Dinamarca, en el Báltico. Con la isla de Falster, forma la región de Lolland-Falster.

LOLLAND-FALSTER Región de Dinamarca, formada por las islas hom.; 1 795 km^2, 120 500 hab. Cap., Maribo, en la isla de Lolland. Trigo, maíz, remolacha azucarera; ganadería bovina; ind. naval.

LOMA f. Elevación del terreno, suave y prolongada.

LOMADA f. *Argent., Par.* y *Ur.* Loma.

LOMAMI Río de la Rep. Dem. del Congo, afl. izquierdo del Congo o Zaire; 1 450 km.

LOMAS DE ZAMORA Partido de Argentina, en la prov. de Buenos Aires; 510 100 hab. Ind.

LOMAJE m. *Chile.* Terreno formado todo por lomas.

LOMBARD, *Carole* (1908-1942) Actriz de cine norteam. *Tren de lujo, Ser o no ser.*

LOMBARDA f. Cañón ant. de gran calibre, bombarda. • Proyectil de forma esférica arrojado por esta clase de cañones. • Variedad de berza.

LOMBARDERO m. Soldado que tenía a su cargo dirigir y disparar las lombardas.

LOMBARDÍA Región del N de Italia; 23 859 km^2, 8 856 100 hab. Dividida en dos sectores, los Alpes y la llanura del Po, en ella se encuentran los Alpes Lepontinos y los Alpes Réticos, con la cumbre de Bernina (4 049 m). Avenada por el Tesino, Adda, Oglio y Mincio, afl. del Po. Lagos Mayor y Garda. Clima continental. Centeno, trigo, maíz; ganado bovino y porcino; ind. metalúrgica, mecánica, textil. Las prales. c., además de la cap., Milán, son Brescia, Bérgamo, Monza y Como.

LOMBARDINI, *Manuel María* (1802-1853) Militar mex. Participó en la batalla de Angostura. Presid. de la rep. tras la renuncia de Ceballos. En 1853 cedió el poder a Santa Anna.

LOMBARDO, DA o **LOMBÁRDICO, CA** adj. y s. De Lombardía. • adj. Relativo a este país de Italia. • adj. y s. Individuo del pueblo lombardo. • adj. Relativo a los lombardos. • m. Banco de crédito sobre mercancías.

LOMBARDO, *Antonio* (1485-1516) Escultor it., hijo de Pietro L., caracterizado por un clasicismo arqueologizante. • ***Pietro*** (h. 1435-1515) Arquitecto y escultor it. Entre sus obras cabe destacar los monumentos funerarios de los dux Niccolò Marcello (1475) y Pietro Mocenigo (1476-1481). • **Toledano, *Vicente*** (1894-1969) Político mex., fundador de la Universidad Obrera de México y organizador de la Confederación de Trabajadores (1936). Fundó el Partido Popular en 1948.

LOMBOK Isla de Indonesia, en el arch. de la Sonda; 4 990 km^2, 1 300 000 hab. La pral. c. es Mataram. Arroz, tabaco, mandioca.

LOMBOY, *Reinaldo* (nacido 1910) Escritor chil. Perteneciente a la «generación de 1938». *Ranquil.*

LOMBRIGUERA f. Agujero que hacen en la tierra las lombrices.

Una calle de **Lomé**

LOMBRIZ f. Anélido oligoqueto, que vive en la capa superficial del suelo, donde excava galerías y se alimenta de la materia orgánica contenida en la tierra, cuyo papel ecológico es muy importante ya que contribuye de manera esencial al aireamiento del suelo. • **de los niños.** Nemátodo, parásito del hombre, que vive en el recto provocando intenso prurito en el ano. • **intestinal.** Nemátodo que vive en el tubo digestivo de distintos vertebrados. • Solitaria, tenia.

LOMBROSO, *Cesare* (1836-1909) Criminólogo it. Sostuvo que las inclinaciones criminales de los delincuentes obedecían más a estados patológicos o anomalías físicas que a factores de tipo social o económico.

LOMÉ Cap. de Togo; 235 000 hab. Puerto a orillas del golfo de Guinea. Centro comercial. Núcleo ferroviario.

LOMEAR intr. Mover los caballos el lomo, encorvándolo con violencia.
LOMENTO m. *Bot*. Fruto simple, seco, cada uno de cuyos segmentos posee una semilla.
LOMERA f. Correa que se coloca en el lomo de la caballería, para que mantenga en su lugar las demás piezas de la guarnición. • Trozo de piel o de tela que se coloca en el lomo del libro encuadernado en media pasta.
LOMETA f. Altozano, cerro de poca altura.
LOMIENHIESTO, TA o **LOMINHIESTO, TA** adj. Alto de lomos. • fig. y fam. Engreído, presuntuoso.
LOMILLERÍA f. *Amér*. Taller y tienda del guarnicionero.
LOMILLO m. Labor de costura o bordado hecha con dos puntadas cruzadas. • Parte superior de la albarda. • *Amér*. Bastos del apero. • pl. Aparejo de las caballerías de carga.
LOMO m. Parte inferior y central de la espalda. Se usa más en pl. • En los cuadrúpedos, todo el espinazo. • Carne del cerdo que forma esta parte del animal. • Parte del libro opuesta al corte de las hojas. • Parte por donde doblan a lo largo de la pieza las pieles, tejidos y otras cosas. • Tierra que levanta el arado entre surco y surco.
LOMONOSOV, ***Mijail*** (1711-1765) Científico y escritor ruso. Sistematizó los conocimientos geológicos de su época; descubrió la dorsal del Atlántico que lleva su nombre. Fundador de la lengua rusa moderna literaria. Fundador de la universidad de Moscú, que lleva su nombre. *Retórica general, Gramática rusa*.
LOMUDO, DA adj. Que tiene grandes lomos.
LON Nol (1913-1985) Militar y político camboyano. Ocupó el gobierno (1967 y 1969) ayudado por la extrema derecha. Apoyó la intervención de EE UU en la zona. Fue derrocado en 1975.
LONA f. Tela fuerte de algodón o cáñamo, para velas, toldos, etc. • Piso o suelo sobre el que se disputan las competiciones de lucha libre, grecorromana y boxeo. • *Hond*. Planta de raíz comestible.
LONARDI, ***Eduardo*** (1896-1956) Militar y político arg. Intervino en los primeros movimientos antiperonistas, por lo cual fue encarcelado en 1952. Dirigió el levantamiento de 1955, y, de manera provisional, ocupó la presidencia del gobierno (septiembre 1955). En noviembre del mismo año fue sustituido por el general Aramburu.
LONCHA f. Lancha, laja, piedra lisa y plana. • Lonja, cosa larga y ancha.
LONCO m. *Chile*. Cuello o pescuezo. • *Chile*. Bonete de los rumiantes.
LÓNDIGA f. Alhóndiga.
LONDINENSE adj. y s. De Londres. • Relativo a esta c. de Inglaterra.
LONDON → Londres.
LONDON C. del SE de Canadá, en la prov. de Ontario; 254 300 hab. (2 828 400 hab. la agl. urb.). Sit. a orillas del Thames, en la pen. existente entre los lagos Hurón y Erie. Centro comercial e industrial.
LONDON, ***Jack*** (1876-1916) Escritor norteam. Sus novelas de aventuras alcanzaron amplia popularidad. *La llamada de la selva, Colmillo blanco, El lobo de los mares*.
LONDONDERRY o **DERRY** (gaélico, *Dhoire*) C. y puerto de Irlanda del Norte, cap. del distrito hom.; 51 200 hab. Centro comercial. Ind. mecánica, química, alimentaria. Ha sido escenario de graves enfrentamientos entre unionistas brit. y nacionalistas irl.
LONDRES *(London)* Cap. del Reino Unido de Gran Bretaña e Irlanda del Norte. Sit. a orillas del Támesis, a 60 km de su desembocadura en el mar del Norte. Tiene unos 303 km², aunque el Gran Londres, que comprende la City y 32 *boroughs,* totaliza unos 1 580 km². El Gran Londres suma unos 6 966 000 hab. Es el centro político, financiero, bursátil y artístico del país. La mayor c. de Europa y una de las mayores del mundo. Ind. siderúrgica, metalúrgica, mecánica, ligera, textil y alimentaria. Su origen parece remontarse a un ant. poblado celta. Durante la E. Med. fue cap. del reino de Essex. Constituida en mun. (1191), vio ampliados sus privilegios a raíz de la promulgación de la Carta Magna (1215). El creciente tráfico portuario y una incipiente ind. textil afianzaron el progreso económico de L., acompañado de un gran auge demográfico. La c., que hubo de ser reconstruida después del incendio de 1666, fue durante el s. XIX el primer centro mundial de las finanzas y el comercio, y aglutinó en torno a ella una considerable área industrial. En la II Guerra Mundial sufrió devastadores bombardeos de la Luftwaffe. La reconstrucción modificó buena parte del ant. Londres.

Londres. La Torre del Parlamento, con el reloj *Big Ben*

LONDRINA C. del S de Brasil, en el N del estado de Paraná; 302 000 hab. Café, algodón. Fundada en 1933.
LONETA f. *Chile*. Lona delgada.
LONG BEACH C. y puerto de EE UU, en el est. de California, sobre el Pacífico; 361 400 hab. Está incluida en la zona metropolitana de Los Ángeles. Refinerías de petróleo. Ind. petroquímica, mecánica, aeronáutica.
LONG ISLAND Isla de EE UU, en el est. de Nueva York, sit. en el Atlántico junto a la desembocadura del río Hudson. Comprende los barrios neoyorquinos de Brooklyn y Queens. El estr. hom. la separa de la costa.
LONG Play exp. ing. que significa *larga duración* y se aplica a los discos de 30 cm de diámetro cuyo sonido debe reproducirse a 33 1/3 rpm.
LONGA, ***Rita*** (nacida 1912) Escultora cub. *Forma, espacio y luz* (fachada del palacio de Bellas Artes de La Habana), *Bailarina* (cabaret Tropicana).
LONGANIMIDAD f. Grandeza y constancia de ánimo en las adversidades. ■ LONGÁNIMO, MA.
LONGANIZA f. Pedazo de tripa angosta rellena de carne de cerdo picada y adobada.
LONGEVIDAD f. Circunstancia de alcanzar una edad avanzada. ■ LONGEVO, VA.
LONGFELLOW, ***Henry Wadsworth*** (1807-1882) Poeta romántico norteam. Sus poemas *Evangelina* y *Hiawatha* son clásicos de la literatura norteam. Autor de la comedia *El estudiante español*.
LONGHENA, ***Baldassare*** (1598-1682) Arquitecto it., el más interesante del barroco veneciano. Su obra más notable es la iglesia de Santa Maria della Salute (1631-1687).
LONGINCUO, CUA adj. Distante, apartado.
LONGINO, ***Cayo Casio*** (h. 213-273) Retórico y filósofo neoplatónico gr. De su obra sólo se conservan fragmentos de los tratados *Sobre el fin* y *Sobre los principios*.
LONGITUD f. Dimensión que expresa el valor de una distancia. Como unidad fundamental de l. se emplea el metro. • *Geog*. Distancia de un lugar respecto al primer meridiano, calculada en grados sobre el ecuador. • **de onda.** *Fís*. En una vibración periódica, distancia entre dos puntos que se encuentran en el mismo estado de fase. • **de registro.** *Comp*. Núm. de caracteres o bytes que forman un registro lógico o físico. • **de una instrucción.** *Comp*. Núm. de bytes que forman una instrucción. ■ LONGITUDINAL.
LONGITUDINAL o **CENTRAL** Valle de Chile, sit. entre la cord. de los Andes y la de la Costa. Mide unos 950 km y su amplitud oscila entre 35 y 100 km. Concluye en el seno de Reloncaví, aunque se

B. **Longhena.** Iglesia de Santa Maria della Salute, Venecia, Italia

Portada principal de la **Lonja** de Valencia

Vicente **López.** Arriba, óleo conmemorativo de la visita de Carlos IV a la Universidad de Valencia. Museo del Prado, Madrid. Abajo, *Retrato del pintor Francisco Goya,* Museo del Prado. Madrid

prolonga por la plataforma continental de los golfos de Ancud y Corcovado. En él se encuentran las prales. ciudades.

LONGO (s. III) Novelista gr., autor de *Dafnis y Cloe,* obra maestra de la narrativa pastoril y erótica.

LONGO, GA m. y f. *Ecuad.* Indio joven.

LONGOBARDO, DA adj. y s. Díc. de individuos de un pueblo instalado desde el s. I junto al río Elba. • adj. Relativo a dicho pueblo. • adj. y s. Lombardo. • m. Lengua de este pueblo. • m. pl. Pueblo longobardo.

LONGORÓN m. *Cuba.* Molusco marino que vive en el cieno.

LONGSFIELD, ***Samuel Mountifort*** (1802-1884) Economista irl. Su trabajo sobre los ciclos económicos se anticipó a otros muy posteriores. *Lecturas de economía política.*

LONGUERA f. Porción de tierra, larga y angosta.

LONGUERÍA f. Tardanza. • Nimiedad.

LONGUETAS f. pl. Tiras de lienzo que se aplican en fracturas y amputaciones.

LONJA f. Cosa larga, ancha y poco gruesa, que se corta o separa de otra. • *Argent.* Cuero descarnado y sin pelo. • Edificio público donde se venden cosas al por mayor.

LONJEAR tr. *Argent.* Rapar el pelo a un cuero para convertirlo en lonja. • fam. *Argent.* Azotar.

LONJETA f. Cenador de los jardines.

LONTANANZA f. Pint. Términos de un cuadro más distantes del plano principal. • **En lontananza.** m. adv. A lo lejos.

LOOPING (voz ing.) m. Maniobra acrobática aérea por la que el avión describe un círculo completo en sentido vertical.

LOOR m. Alabanza, elogio.

LOPE DE RUEDA → Rueda, Lope de.

LOPE DE VEGA → Vega y Carpio, Lope Félix de.

LOPES, ***Henri*** (nacido 1937) Político congoleño. Primer ministro de 1973 a 1975, en que renunció. *Tribálicas* (premio Literario del África Negra 1972).

LÓPEZ, ***Carlos Antonio*** (1792-1862) Político par. Presid. de la rep. desde 1844 hasta su muerte, gobernó como autócrata. Concedió la ciudadanía a los indios. Obtuvo el reconocimiento de la indep. de su país por varios países, pero las relaciones con Argentina y Brasil fueron marcadamente hostiles. • ***Estanislao*** (1786-1838) Militar y político arg. Activo partidario del federalismo y gobernador de Santa Fe, obtuvo en 1820 la victoria de Cepeda contra Buenos Aires, exigiendo la incorporación de ésta c. a la Federación. • ***Francisco Solano*** (1827-1870) Militar y político par., hijo de Carlos Antonio. Presid. de la rep. a la muerte de su padre (1862). Su gobierno, que intentó un modelo de desarrollo autónomo, debió hacer frente a la agresión de la Triple Alianza (Uruguay, Brasil, Argentina). A partir de 1868 la guerra tuvo caracteres de mera supervivencia. La guerra finalizó tras la desesperada resistencia de Cerro Cora, en la que L. halló la muerte. • ***Ismael*** (1880-1962) Escritor col. Influido por el modernismo. *El jardín de las Hespérides, Elegías caucanas.* • ***José Hilario*** (1798-1869) Político y militar col. Combatió en la guerra de indep. a las órdenes de Nariño y Bolívar. Posteriormente se alzó contra éste y ocupó la presid. de la rep. (1849-1853). Llevó a cabo una serie de reformas, como la abolición de la esclavitud y de la pena capital.• ***Juan Pedro*** (1724?-1787) Pintor y escultor ven. *Nuestra señora de la Concepción, San Pedro* (ambos en la catedral de Caracas). • ***Marga*** (nacida 1921) Actriz de cine mex. Prales. películas: *Soledad, Salón México, La entrega, Nazarín, Melocotón en almíbar.* • ***Narciso*** (1797-1851) Militar cub., de origen ven. En Venezuela combatió en las filas realistas. Elegido gobernador en Cuba, fue destituido por sus contactos con los autonomistas y tuvo que exiliarse a EE UU. En 1850 organizó un desembarco que no tuvo éxito y fue apresado y ejecutado. • ***Vicente*** (1772-1850) Pintor esp.; retratista. Retratos de María Antonia de Borbón, del duque del Infantado, del general Castaños y el de Goya. • ***Vicente Fidel*** (1815-1903) Político e historiador arg. Durante el mandato de Rosas se exilió a Chile. De regreso a su país, ocupó varios cargos públicos, entre ellos el de rector de la universidad de Buenos Aires. *Historia de la revolución argentina, Historia de la República Argentina.* • **Aldana, *Fernando*** (1784-1841) Jurisconsulto per. Intervino en las luchas por la indep. de su país y colaboró con San Martín. Encarcelado en varias ocasiones, recuperó la libertad tras la batalla de Ayacucho. • **Arellano, *Osvaldo*** (nacido 1921) Militar y político hond. Autor de un golpe de Estado contra Villeda Morales (1963), fue presid. de la rep. 1965-1971 y de 1972 a 1975, en que fue derrocado. • **Buchardo, *Carlos*** (1881-1948) Compositor arg. Fundador del Conservatorio Nacional. *Escenas argentinas* (suite sinfónica), *Il sogno di Alma* (ópera), *La Perichona* (comedia musical). • **Contreras, *Eleazar*** (1883-1973) Político y militar ven., presid. de la rep. (1935-1941). Restableció las libertades políticas e impulsó las obras públicas. • **De Ayala, *Adelardo*** (1829-1879) Comediógrafo esp. Redactor del manifiesto *España con honra,* de la revolución de 1868, ocupó varias veces la cartera de Ultramar entre ese año y 1875. Cultivó el drama histórico y post. la comedia realista. *El tejado de vidrio, El tanto por ciento, Consuelo.* • **De Ayala, *Pedro*,** llamado EL CANCILLER DE AYALA (1332-1407) Escritor y político esp. Intervino en las luchas por la Corona de Castilla. Su obra poética se condensa en el *Rimado de Palacio,* mezcla de elementos satíricos y didácticos. En prosa, ha dejado unas *Crónicas* sobre los reyes que conoció y el *Libro de cetrería.* • **De Gómara. *Francisco*** (1512-1562) Historiador esp., muy relacionado con Hernán Cortés, del que fue capellán. *Historia general de las Indias, Crónica de la conquista de la Nueva España.* • **De Jerez, *Francisco*** (ss. XV-XVI) Cronist a esp. de Indias. Escribano of. de Pizarro en su primer viaje al Perú y post. secretario del conquistador, participó en la captura de Atahualpa. *Verdadera relación de la conquista del Perú y provincia del Cuzco, llamada la nueva Castilla.* • **De Llergo, *Sebastián*** (1790-1855) Militar mex. Se adhirió al Plan de Iguala (1821). Al frente de las tropas centralistas entró victoriosamente en Yucatán, pero siendo gobernador volvió las armas contra aquéllos. Participó en la «guerra de castas» del Yucatán y fue elegido comandante en jefe de todas las fuerzas del Yucatán. • **De Mendoza, *Íñigo*** → Santillana, marqués de. • **De Mesa, *Luis*** (1884-1967) Escritor y político col. Ministro de Educación (1934-1935) y del Exterior (1938-1942). Como sociólogo sostuvo la tesis de la unidad cultural latinoamericana. *Civilización contemporánea, Introducción a la historia de la cultura en Colombia, Iola, La tragedia de Nosle* (novelas). • **De Romaña, *Eduardo*** (1847-1912) Político per. Elegido presid. por el partido civilista (1899), formó un gobierno mixto de civilistas y demócratas, pero fracasó en su intento de frenar la lucha entre ambos bandos. Dimitió en 1903. • **De Salcedo, *Diego*** (muerto 1530) Conquistador esp. Gobernador de Honduras (1525), envió una expedición colonizadora a Nicaragua. • **Ibor, *Juan José*** (1906-1991) Psiquiatra y escritor esp. *Lo vivo y lo muerto del psicoanálisis freudiano, La angustia vital, El libro de la vida sexual.* • **Mateos, *Adolfo*** (1910-1969) Político mex. En 1952 pasó a ser secretario general del PRI, jefe del Comité del Plan de Desarrollo y, más tarde, secretario de Trabajo y Previsión Social. En 1958 fue elegido presid. de la rep. Amplió la reforma agraria, nacionalizó las ind. eléctricas y petroquímicas e impulsó una campaña de alfabetización rural. • **Michelsen, *Alfonso*** (nacido 1914) Político col. del partido Liberal. Ministro de Asuntos Exteriores (1968-1971) y presid. en 1974. Durante su mandato se agudizó la crisis política, económica y social; en 1978 cedió el cargo a Turbay Ayala. • **Mindreau, *Ernesto*** (nacido 1890) Pianista y compositor per. Autor de música religiosa y de la ópera *Francisco Pizarro.* • **Pacheco, *Diego*** (1599-1653) Administrador esp. Virrey de Nueva España (1640-1642). • **Pinciano, *Alonso*** (h. 1547-h. 1627) Humanista esp. Tradujo a Hipócrates y escribió *La filosofía, antigua elocuencia.* • **Portillo, *José*** (nacido 1920) Político y jurista mex. Desde 1945 fue asesor de varios ministerios, alto funcionario técnico de la Secretaría de Instrucción Pública y director del organismo estatal de energía eléctrica (1960-1973). Ministro de Hacienda (1973-1975) y candidato presidencial por el PRI en las elecciones de 1976. Durante su mandato, extendido hasta 1982, México experimentó un gran desarrollo económico y social. *Teoría del estado moderno, Quetzalcóatl. Don Q, Valoración de lo estatal.* • **Pumarejo, *Alfonso*** (1886-1959) Político col. De orientación liberal, ocupó dos veces la presidencia de su país. Durante su primer mandato (1934-1938) organizó la estructura sindical. Reeligido en 1942, limitó la intervención económica extranjera e impulsó la reforma agraria. El fracaso de sus aspiraciones innovadoras le impulsaron a abandonar la presidencia en 1944. • **Rayón, *Ignacio*** (1773-1832) Patriota mex. Secretario de Hidalgo, le sucedió en la jefatura de la lucha independentista, pero fue detenido y condenado a muerte, aunque le fue conmutada la pena. • **Rega, *José*** (1919-1989) Político arg. Secretario privado de Perón en Madrid desde 1960, al retornar el peronismo al poder fue ministro de Bienestar Social y secretario de la presidencia, cargos desde los que fundó la Triple A. Huyó de Argentina en 1975, pero fue extraditado de EE UU en 1987 y condenado en Argentina. • **Rubio, *José*** (nacido 1903) Escritor esp. *Cuentos inverosímiles, Roque Six, De la noche a la mañana* (premio ABC), *La casa de naipes* (teatro), *Las manos inocentes, Nunca es tarde.* • **Silva, *José*** (1860-1925) Escritor costumbrista esp., autor de numerosos sainetes y libretos de zarzuelas. *La revoltosa* (con Fernández Shaw), *Los Madriles, Chulaperías, El barquillero.* • **Suria, *Violeta*** (nacida 1926) Poetisa puertorriq. *Gotas en mayo, Elegía, La piel pegada al alma, Me va la vida.* • **Tarso, *Ignacio*** (nacido 1925) Actor mex. Gran intérprete de los clásicos. Entre sus películas sobresalen *Nazarín, La cucaracha, Los albañiles.* • **Vázquez, *José Luis*** (nacido 1923) Actor cinematográfico esp. *Peppermint frappé, El jardín de las delicias, La prima Angélica, Mi querida señorita, El bosque del lobo.* • **Velarde, *Ramón*** (1888-1921) Poeta mex. Su obra rebosa sentimiento, patriotismo y religiosidad. *La sangre devota, El son del corazón, Zozobra.* • **Y Fuentes, *Gregorio*** (1897-1966) Novelista mex. Ha cultivado la temática indigenista y revolucionaria. *Campamento, Tierra* (dedicada a E. Zapata), *El indio, Milpa, potrero y monte.*

LOPIGIA f. Alopecia, caída del pelo.

LOQUEAR intr. Decir o hacer locuras. • fig. Regocijarse con demasiado alboroto.

Vista general de **Lorca**

LOQUERÍA f. *Amér.* Manicomio.

LOQUERO, RA m. y f. Persona empleada en un manicomio. • f. Jaula de locos. • fam. *Amér.* Locura. • m. Barullo molesto y ruidoso.

LOQUESCO, CA adj. Alocado, de poco juicio. • fig. Bromista.

LOQUINARIO, RIA adj. y s. Irreflexivo, alocado.

LOQUINCHO, CHA adj. fam. *Argent.* Medio loco.

LOQUIOS m. pl. Pérdida de líquidos por la vagina durante las primeras semanas posteriores al parto.

LORA f. *Amér.* Loro o papagayo. • *Chile.* Hembra del loro. • *Ven.* Úlcera o llaga.

LORAN m. Siglas de *Long Range Aid to Navegation.* Sistema utilizado por barcos y aviones para determinar su posición, basado en la diferencia que existe en la recepción de las señales emitidas sincrónicamente por dos estaciones terrestres.

LORANTÁCEO, A adj. y f. *Bot.* Díc. de plantas dicotiledóneas parásitas, de hojas opuestas o verticiladas, flores en racimos o en cimas; como el muérdago. • f. pl. *Bot.* Familia de estas plantas, que comprende unas 1 400 especies intertropicales.

LORCA C. esp., en la com. autón. de Murcia; 69 045 hab. Centro agrícola y comercial. Ind. textil, alimentaria. Conquistada en 1243 por Alfonso X.

LORCHA f. Barca ligera de cabotaje empleada en China.

LORD m. Título honorífico brit. de la nobleza y de ciertos cargos relevantes. • Miembro de la cámara alta del Parlamento brit., o de los lores. • **Mayor.** Alcalde de la c. de Londres. • **Primer l. del Almirantazgo.** Ministro de Marina del gobierno británico.

LORDOSIS f. Curvatura anormal de los huesos, especialmente de la columna vertebral, con la convexidad dirigida hacia adelante.

LOREN, *Sofía Sciccolone,* llamada SOFÍA (nacida 1934) Actriz cinematográfica it. *Dos mujeres,* por la que obtuvo el Óscar, *La condesa de Hong Kong, Una jornada particular.*

LORENA (fr., *Lorraine*; al., *Lothringen*) Región histórica y circunscripción de acción regional del NE de Francia; 23 547 km², 2 305 800 hab. Cap., Nancy. C. imp.: Metz, Thionville. Accidentada por los Volgos, las cuestas del Mosela y del Mosa y los montes Faucilles. La avenan el Mosa, el Mosela y el Meurthe. Sal, hulla, hierro; ind. siderometalúrgicas, termoeléctricas. La pob. es en parte de habla al. Entre 1871 y 1919, la parte NE perteneció a Alemania, que volvió a ocuparla durante la II Guerra Mundial.

LORENA, *Claude Gelée,* llamado ***Claudio de*** (1600-1682) Pintor fr., uno de los mejores paisajistas del s. XVII. *Un puerto de mar con el sol poniente, El embarque de Santa Úrsula, Una fiesta campesina.*

LORENÉS, SA adj. y s. De Lorena.

LORENGAR, *Pilar* (1928-1996) Seud. de *Lorenza Pilar García* Soprano esp. Interpretó un repertorio extenso y variado. Premio Príncipe de Asturias de las Artes (1991).

LORENTE, *Sebastián* (1813-1884) Historiador per. Prales. obras: *Historia antigua del Perú, Historia de la conquista del Perú, Historia del Perú bajo los Borbones.*

LORENTZ, *Hendrik Antoon* (1853-1928) Físico neerl., autor de la teoría electrónica de la materia; elaboró las ecuaciones que llevan su nombre, las cuales permitieron a Einstein establecer la teoría de la relatividad. Premio Nobel de Física en 1902.

LORENZ, *Konrad* (1903-1989) Fisiólogo austr., fundador de la escuela «etológica positiva». Premio Nobel de Medicina en 1973.

LORENZALE i Sugranyes, *Claudi* (1816-1889) Pintor esp. Introdujo los conceptos estéticos basados en el romanticismo medievalista. *La muerte de Vifredo el Piloso, Los desposorios de Ramón Berenguer IV* y *Petronila.*

LORENZETTI, *Ambrogio* (m. h. 1348) Pintor it. de la escuela de Siena. *Las alegorías del buen y el mal gobierno* • ***Pietro*** (h. 1280-1348) Pintor it. de la escuela sienesa, hermano del anterior con el que realizó numerosos frescos.

LORENZO (h. 210-258) Santo. Diácono del papa Sixto II, sufrió el martirio durante las persecuciones religiosas del año 258. Murió quemado. Festividad: 10 agosto.

LORETO Dpto. del NE de Perú, sit. en la Amazonia, en el límite con Colombia, Ecuador y Brasil; 368 851,9 km², 798 700 hab. Relieve llano, avenado por los ríos Napo (afl., Curaray), Ucayali y Marañón (afl., Tigre, Pastaza, Huallaga), que aportan sus caudales al Amazonas. Clima tropical. Abunda la vegetación selvática y la agricultura es de plantación (arroz, algodón, café, cacao, vainilla, canela, tabaco). La pral. actividad es esencialmente forestal. La población está formada en parte por tribus indígenas silvícolas. Otros recursos son la pesca, el comercio fluvial y el petróleo. Los lagartos son una fuente de materia prima para el curtido de pieles de lujo. Además de la cap., Iquitos, otros núcleos imp. son Yurimaguas y Santa María de Nanay.

LORICARIA f. Género de peces en los ríos de América.

LORIGA f. Armadura para defensa del cuerpo, hecha de láminas pequeñas de acero. • Armadura que se ponía al caballo en los combates. ■ LORIGADO, DA.

Alfonso **López Michelsen**

Detalle de *La Crucifixión*, fresco de Pietro **Lorenzetti.** Iglesia inferior de San Francisco de Asís, Asís (Italia)

Legionarios romanos con **loriga** segmentada. Detalle de la columna de Antonino Pío, Ciudad del Vaticano

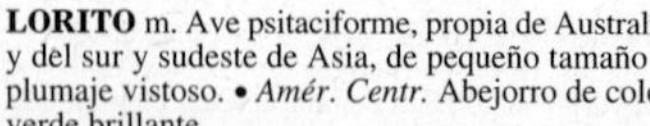

Lotario, miniatura del *Evangelario del rey.* Biblioteca Nacional, París

LORITO m. Ave psitaciforme, propia de Australia y del sur y sudeste de Asia, de pequeño tamaño y plumaje vistoso. • *Amér. Centr.* Abejorro de color verde brillante.

LORO, RA adj. De color amulatado o de un moreno que tira a negro. • m. Ave psitaciforme de plumaje multicolor, y gran habilidad para imitar la voz humana; p. ext., todos los miembros del orden psitaciformes. • fig. y fam. Persona que habla mucho. • fig y fam. Mujer fea y vieja. • *Chile.* Individuo enviado con disimulo para averiguar una cosa. • *Chile.* Orinal de enfermo.

LORRE, ***Peter*** (1904-1964) Actor cinematográfico al., de origen húng. Encarnó personajes atormentados, como el psicópata asesino de niños de *M., el vampiro de Düsseldorf,* de Fritz Lang. Se estableció en EE UU en 1933. *El hombre que sabía demasiado, Crimen y castigo, El halcón maltés.*

LORZA f. Alhorza, pliegue para acortar una prenda.

LOS Artículo determinado en gén. m. y núm. pl. • Acusativo del pronombre personal de tercera persona en género masculino y número plural.

LOSA f. Piedra llana y de poco grueso. • fig. Sepulcro de cadáver. ■ LOSADO, DA.

LOSAR tr. Enlosar.

LOSCHMIDT, ***Joseph*** (1909-1984) Físico austr. que trabajó sobre la teoría cinética de los gases. • **Número de L.** *Fís.* El número de moléculas contenido en 1 cm^3 de cualquier gas a 1 atmósfera de presión y 0 °C de temperatura es $26{,}8 \cdot 10^{18}$.

LOSETA f. Ladrillo fino para solar, baldosa. Trampa formada con una losa pequeña.

LOSEY, ***Joseph*** (1909-1984) Director de cine norteam., afincado en Gran Bretaña. *El criminal, Eva, El sirviente, Accidente, El mensajero, Casa de muñecas, Las rutas del Sur.*

LOSSKY, ***Nicola Onufrievitch*** (1870-1958) Filósofo sov. intuicionista. *Los fundamentos del intuicionismo, Problemas fundamentales de gnoseología.*

LOT Personaje bíblico, sobrino de Abraham. Progenitor de los moabitas y amonitas.

LOTA f. Pez gadiforme de la familia gádidos, de unos 60 cm de largo, que vive en las aguas costeras del Mediterráneo y del Atlántico.

LOTA C. y puerto del centro-sur de Chile, en la prov. de Concepción; 47 900 hab. Sit. en la costa E del golfo de Arauco. Carbón. Refinería de cobre.

LOTARINGIA Reino formado en 855 por Lotario I con parte de los actuales terr. de Bélgica, Luxemburgo, Alemania y Suiza. Post. fue dividido en los ducados de Alta y Baja Lorena.

LOTARIO I (795-855) Emp. de Occidente y rey de Italia. Por el tratado de Verdún sólo conservó el gobierno de Italia y de una parte del centro de Europa. Dividió sus dominios entre sus hijos.

LOTE m. Cada una de las partes en que se divide un todo que se ha de distribuir entre varias personas. • Premio del juego de la lotería o similares. • Cada una de las parcelas en que se divide un terreno destinado a la edificación. • Conjunto de objetos que se venden juntos. • **Darse o pegarse el l.** fig. y fam. Quedar harto de algo. • fig. y fam. Tener relaciones sexuales.

LOTERÍA f. Juego público en que se premian varios billetes sacados a la suerte entre un gran número de ellos. • Juego casero en que se imita la lotería primitiva con números puestos en cartones y extrayendo algunos de una bolsa o caja. • Casa en que se despachan los billetes de lotería. • fig. Cosa incierta o azarosa. ■ LOTERO, RA.

LOTI, ***Pierre*** (1850-1923) Seud. de Julien Viaud, Escritor fr., célebre por sus novelas sobre temas exóticos. *Pescador de Islandia, La India sin ingleses, Madame Crisantemo, Ramuntcho.*

LOTKA, ***Alfred*** (1880-1949) Demógrafo norteam. Fundador de la demografía matemática. Teoría analítica de las asociaciones biológicas.

LOTO m. Planta acuática con hojas redondeadas, flores blancas, grandes y fragantes y semillas comestibles. • Flor de esta planta. • Fruto de la misma.

LOTTO, ***Lorenzo*** (h. 1480-1556) Pintor it. de la escuela veneciana. *Micer Marsilio y su esposa Andrea Odoni.*

LOUIS, ***Joe*** Nombre deportivo de *Joseph Louis Barrow* (1914-1981) Boxeador norteam., campeón mundial de los grandes pesos desde 1937 hasta 1949, en que se retiró imbatido.

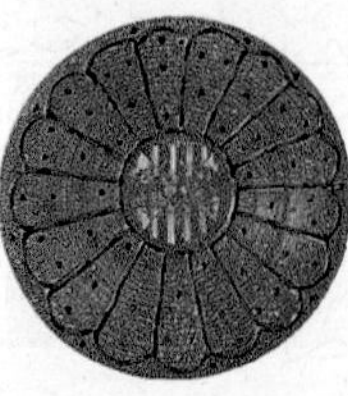

Loza. De arriba abajo, vaso chino de la dinastía Ming (s. XVI) y platos de Manises (s. XV y XVI)

LOUISVILLE C. de EE UU, en el estado de Kentucky; 298 500 hab., en la orilla izquierda del Ohio. Imp. centro comercial, mercado del tabaco y la madera. Núcleo industrial.

LOURDES C. del S de Francia, en Midi-Pirineos; 18 000 hab. Santuario mariano. Centro de peregrinaciones católicas.

LOURENÇO MARQUES → Maputo.

LOUVERTURE, ***Toussaint*** → Toussaint Louverture.

LOUVRE Ant. residencia palaciega de los reyes de Francia, en París. Convertida en uno de los mayores y más imp. museos del mundo (1793).

LOUŸS, ***Pierre*** (1870-1925) Escritor fr., esteticista y decadente. *Afrodita, Canciones de Bilitis, La mujer y el pelele.*

LOVAINA (fr. *Louvain;* flamenco, *Leuven)* C. de Bélgica, en Brabante; 84 900 hab. A orillas del Dyle. Centro industrial. Universidad católica fundada en 1425, una de las más prestigiosas de Europa. Ayuntamiento gótico flamígero, iglesias medievales.

LOVANIENSE adj. y s. de Lovaina.

LOVECRAFT, ***Howard Philip*** (1890-1937) Novelista norteam., especialista en ciencia-ficción y otros mundos. *El alquimista, El color que cayó del cielo, El horror de Dunwich.*

LOVEIRA y Chivino, ***Carlos*** (1882-1928) Novelista cub., de temática social y naturalista. *Los inmorales, Juan Criollo.*

LOVERA, ***Juan*** (1778-1841) Pintor ven. Notable retratista. *La revolución del 19 de abril de 1810, Firma del Acta de la Independencia.*

LOWELL C. de EE UU, en Massachusetts; 94 000 hab. (213 000 hab. la agl. urb.). Centro industrial textil.

LOWELL, ***James Russell*** (1819-1891) Escritor norteam. *Un año de la vida, Poemas, Fábulas para críticas.* • ***Percival*** (1855-1916) Astrónomo norteam. Construyó el observatorio de Flagstaff (Arizona).

LOWLANDS *(Tierras Bajas)* Región del centro de Escocia, sit. entre los Grampianos y los Highlands del Sur. Imp. concentración industrial, con grandes yacimientos de carbón. Cría de vacuno y cultivos.

LOWRY, ***Clarence Malcolm*** (1909-1957) Novelista y poeta brit. Viajó por China y EE UU. *Ultramarina, Bajo el volcán* (ambientada en México).

LOXODROMIA f. Cualquier curva trazada sobre la superficie terrestre, que corte equiangularmente los meridianos. ■ LOXODRÓMICO, CA.

LOY González, ***Ramón*** (1895-1925) Pintor cub. Especializado en el paisaje y el retrato. Realizó numerosas exposiciones en Europa y América.

Fachada del palacio del **Louvre,** frente al puente del Carrusel

LOYANG *(Luoyang)* C. de China, en la prov. de Honan, a orillas del Lo-ho; 235 000 hab.; cap. imperial durante las dinastías Chou y Han.

LOYNAZ, ***Dulce María*** (1903-1997) Poeta cub. Premio Cervantes, 1992. *Juegos de agua, Poemas náufragos, Últimos días de una casa.*

LOYO m. Hongo chileno, comestible.

LOZA f. Barro fino, cocido y barnizado, de que están hechos los platos, tazas, jícaras, etc. • Conjunto de estos objetos destinados al ajuar doméstico.

LOZA, ***José Manuel*** (1799-1862) Escritor y político bol. *Opúsculos poéticos latinos, La inviolabilidad de la vida humana, Memorias biográficas de Bolívar.*

LOZANEAR intr. y prnl. Ostentar lozanía. • intr. Obrar con ella.

LOZANÍA f. Aspecto de verdor y frondosidad en las plantas. • En los hombres y animales, juventud y vigor. ■ LOZANO, NA.
LOZANO, *Abigail* (1821-1871) Poeta ven., romántico. Poesía patriótica *(Oda a Bolívar, Oda a Barquisimeto)* e intimista *(Tristezas del alma)*. • ***Alfredo*** (nacido 1913) Escultor cub. Cultiva la abstracción. *Perspectiva* (fachada del Museo Nacional de La Habana), *Cristo* (iglesia de Baracoa, en La Habana). • **Díaz, *Julio*** (1885-1957) Político hond. Presid. de la rep. en 1954,tras derrocar a Villeda Morales. Derrocado a su vez en 1956. • **y Lozano, *Juan*** (1902-1979) Escritor col. *Horario primaveral, Joyería, Ensayos.*
LP Abreviatura de *long play.*

Panorámica de la ciudad de **Luanda,** con el puerto en primer término

LPS *Comp.* Líneas por segundo. Expresión de la velocidad de ejecución de una impresora de alta velocidad.
LSD Siglas de la dietilamida del ácido lisérgico, sustancia psicoestimulante capaz de provocar alucinaciones.
LSI *Comp.* Integración a gran escala. Sistema de integración de circuitos mediante el cual se pueden conseguir de 1 000 a 10 000 componentes.
LT *Comp.* Siglas que en algunos lenguajes se utilizan como operadores aritméticos de comparación.
LTH Siglas con las que se designa la hormona luteotropa, que estimula la producción de progesterona. Se origina en la hipófisis y tiene una cierta especificidad a nivel de las distintas especies.
Lu *Quím.* Símb. del lutecio.
LÚA f. Guante de esparto para limpiar las caballerías.
LUACES, *Joaquín Lorenzo* (1826-1867) Poeta cub. Fundador del grupo «La Piragua». *Poesías; El mendigo rojo, Aristodermo* (teatro).
LUALABA Nombre del tramo superior del r. Congo.
LUANDA Cap. de Angola, sit. al NO del país, a orillas del Atlántico; 1 200 000 hab. Puerto exportador. Centro comercial y administrativo. Ind. alimentaria y del tabaco. Refinería de petróleo. Fundada en 1627.
LUANG PRABANG C. del NO de Laos; 44 500 hab. Sit. a orillas del Mekong. Ant. cap. laosiana hasta 1560.
LUAPULA Río de África centromeridional, fronterizo entre la Rep. Dem. del Congo y Zambia. Nace en Zambia y desemboca en el Lualaba.
LUBA adj. y s. *Etn.* Baluba.
LÜBECK C. del NE de Alemania, en Schleswig-Holstein; 211 700 hab. Centro industrial junto a la desembocadura del Trave; uno de los prales. puertos del país. Fundada en 1143. Ciudad libre y centro dirigente de la Liga Hanseática en los s. XIII-XVI. Ciudad imperial desde 1226. Incorporada a la Francia napoleónica de 1810 a 1814.
LUBIGANTE m. Bogavante, crustáceo.
LUBINA f. Róbalo, pez marino de carne muy apreciada.
LUBITSCH, *Ernst* (1892-1947) Director de cine norteam. de origen al. *Los ojos de la momia y Carmen,* adaptación de la novela de Mérimée. Films históricos: *Madame du Barry y Ana Bolena.* Establecido en EE UU (1923), filmó *Los peligros del flirt, El abanico de lady Windermere, Una mujer para dos,* la sátira antisoviética *Ninotchka* y la sátira antinazi *Ser o no ser.*
LUBLIN C. del E de Polonia; 324 100 hab., cap. del voivodato hom. (6 792 km², 976 900 hab.). Centro industrial. Catedral del s. XIII. Fundada en el s. X.
LUBRICACIÓN o **LUBRIFICACIÓN** f. *Mec. apl.* Operación que tiene por objeto anular o disminuir la resistencia debida al rozamiento que aparece en el mov. relativo entre dos superficies en contacto. La l. es indispensable en los motores y cuando los metales se mecanizan por medio de máquinas-herramienta, en cuyo caso consiste en la interposición entre las dos superficies de una delgada película de aceite. ■ LUBRICADOR, RA; LUBRICAR O LUBRIFICAR; LUBRICATIVO, VA.
LUBRICÁN m. Crepúsculo.
LUBRICANTE o **LUBRIFICANTE** adj. y s. Díc. de toda sustancia útil para lubricar, gralte. aceites minerales derivados del petróleo bruto y aceite de ricino.
LÚBRICO, CA adj. Resbaladizo. • fig. Propenso a la lujuria. • fig. Lascivo, lujurioso. ■ LUBRICIDAD.
LUBUMBASHI (ant. *Élisabethville)* C. del S de la Rep. Dem. del Congo, cap. de la prov. de Shaba; 451 300 hab. Minería e ind. En 1960, por una sublevación de soldados nativos, fue la cap. de la rep. secesionista de Katanga.
LUCA f. fam. *Amér. Merid.* Mil pesos.
LUCA y Padrón, *Esteban de* (1786-1824) Poeta arg. *Canción patriótica, A la victoria de Chacabuco, Canto lírico a la libertad.*
LUCAS (s. I) Santo. Autor del tercer Evangelio sinóptico y de los *Hechos de los Apóstoles.* Acompañó a san Pablo en parte de sus viajes. Festividad: 19 octubre. • **Evangelio de L.** Escrito del N.T., el último de los sinópticos, compuesto hacia el año 70. Le sirvió de base el Evangelio de Marcos. Su estilo y vocabulario son superiores a los demás Evangelios. Emplea la lengua helenística o *koiné.*
LUCAS García, *Fernando Romeo* (nacido 1925) Militar y político guat. Ministro de Defensa (1975-1977). Presid. de 1978 hasta 1982. • **Padilla, *Eugenio*** (1824-1870) Pintor esp. Escenas costumbristas, de gran viveza de colorido y expresividad.
LUCAYAS → Bahamas.
LUCERA f. Ventana o claraboya, en la parte alta de los edificios.
LUCERNA f. Araña grande para alumbrar. • Abertura alta de una habitación que da ventilación y luz. • Milano, pez marino.
LUCERNA (al., *Luzern;* fr. *Lucerne)* C. de Suiza; 61 700 hab. (158 000 hab. la agl. urb.), cap. del cantón hom. (1 492 km², 300 300 hab.), en la orilla NO del lago de Cuatro Cantones. Importante centro turístico e industrial. Vestigios medievales.
LUCÉRNULA f. Neguilla, planta cariofilácea.
LUCERO m. El planeta Venus. • Cualquier astro de los que aparecen más grandes y brillantes. • Postigo o cuarterón de las ventanas, por donde entra la luz. • Lunar blanco y grande que tienen en la frente algunos cuadrúpedos. • fig. Lustre, esplendor. fig. Cada uno de los ojos de la cara.
LUCHA f. Combate, lid, disputa. • Pelea cuerpo a cuerpo entre dos o más contendientes. • Conjunto de técnicas, mecánicas, químicas o biológicas, para combatir las plagas y las especies perjudiciales. • **biológica.** *Ecol.* Utilización de una especie depredadora a fin de reducir o eliminar drásticamen-

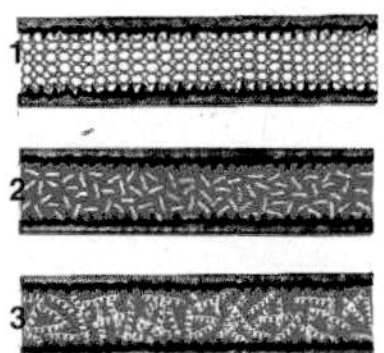

Esquema de **lubricación** entre dos superficies metálicas en un motor (en blanco, las moléculas del compuesto aditivo): 1. película lubricante de aceite de graduación normal; 2. con aceite multigrado en el período invernal; 3. con aceite multigrado en el periodo estival

San **Lucas.** Miniatura del *Evangelario de San Agustín* (fines del s. VI), Corpus Christi College, Cambridge (Gran Bretaña)

Lucha. Pintura etrusca en la llamada tumba de los Augures

Luciérnagas, macho (arriba) y hembra (abajo)

Lucio

Lugano

Vista de **Lugano**

te los efectivos de otra especie considerada como plaga. • **por la existencia.** *Biol.* Uno de los conceptos clave de la teoría de la selección natural de Darwin. Los individuos que presentan variaciones poco adaptadas a las condiciones naturales son eliminados, mientras que aquéllos que las presentan favorables continuarán existiendo y reproduciéndose. • **de clases.** *Fil.* y *Pol.* Conflicto de intereses entre la clase poseedora de los medios de producción y la que hace rendir esos medios. • **grecorromana.** Combate deportivo en el que uno de los luchadores intenta inmovilizar a su adversario colocándole los dos omóplatos contra el suelo. • **japonesa.** → jiu-jitsu. • **libre.** Aquella en la que se emplean llaves y golpes, dentro de ciertas reglas; termina cuando uno de los luchadores se da por vencido. Puede ser *olímpica* o *americana.*

* *Fil.* y *Pol.* Según el marxismo, la contradicción entre la producción social de bienes y su apropiación individual conduce a la lucha de clases, que debe culminar en la expropiación social y económica de la burguesía, el triunfo del proletariado sobre ella, la construcción de una sociedad socialista y la posterior desaparición de las clases.

LUCHADOR, RA m. y f. Persona que lucha. • El que se dedica a algún deporte de lucha.

LUCHAR intr. Contender dos personas a brazo partido. • Pelear, combatir. • fig. Disputar, bregar, abrirse paso en la vida.

LUCHARNIEGO, GA adj. Díc. del perro entrenado para cazar de noche.

LUCHE m. *Chile.* Infernáculo, juego. • *Chile.* Alga marina comestible.

LUCHOU (chino, *Luzhou*; ing., *Luchow*) C. de la Rep. Popular China, en Szechuan, en la margen izquierda del Yang Tse-kiang; 289 000 hab. Centro agrícola y minero. Ind. alimentarias.

LUCÍA (s. IV) Santa. Joven siciliana que, según la tradición, m. martirizada por defender su virginidad. Patrona de los ciegos. Festividad: 13 diciembre.

LUCIANO de Samosata (120-190) Escritor gr., autor de una abundante obra satírica recogida en sus *Diálogos.*

LUCIDO, DA adj. Que hace o desempeña las cosas con gracia, liberalidad y esplendor. • Bien ejecutado, brillante.

LÚCIDO, DA adj. poét. Luciente. • fig. Claro en el razonamiento, en el estilo, etc. • En condiciones de pensar normalmente. ■ LUCIDEZ.

LUCIDURA f. Blanqueo que se da a las paredes.

LUCIÉRNAGA f. *Zool.* Insecto coleóptero. El macho tiene unos 12 mm de largo, color amarillo pardusco, cabeza oculta por el tórax, élitros que cubren todo el abdomen y patas finas y prolongadas. La hembra, algo mayor, carece de alas y élitros, patas cortas y abdomen muy prolongado y formado por anillos negruzcos de borde amarillo que despiden una luz fosforescente de color blanco verdoso.

LUCIFER n. p. m. *Rel.* El príncipe de los ángeles rebeldes. Los cristianos atribuyeron el nombre a Satán al identificar a L. con el diablo que se subleva contra el cielo, en el *Apocalipsis.* En el N.T. y la liturgia este nombre se le daba a Cristo, portador de luz al mundo con su reencarnación. • m. El lucero de la mañana, Venus. • fig. Hombre soberbio y maligno. ■ LUCIFERINO, NA.

LUCIFERASA f. Enzima de oxidorreducción que produce la bioluminiscencia en los organismos, animales o vegetales, que la poseen.

LUCIFERINA f. Sustancia lipídica que al ser catalizada por la luciferasa reacciona con el oxígeno y produce bioluminiscencia.

LUCÍFERO, RA adj. Resplandeciente, luminoso, que da luz. • m. El lucero de la mañana.

LUCÍFUGO, GA adj. y m. *Zool.* Díc. de los organismos que tienen una reacción fototáxica negativa. En general son l. los animales nocturnos, los cavernícolas, los que viven bajo las piedras o en galerías bajo el suelo, etc.

LUCILINA f. Petróleo.

LUCILLO m. Urna de piedra en que se sepultaban algunas personas notables.

LUCILO m. Lucillo.

LUCIO, CIA adj. Terso, lúcido. • m. Cada uno de los lagunajos que quedan en las marismas al retirarse las aguas. • Pez esociforme de agua dulce que llega a medir más de 1 m de largo; vive en la zona septentrional de Eurasia. Es un voraz depredador.

LUCIO Nájera, ***Rafael*** (1819-1886) Médico y escritor mex. Estudioso de la lepra. *Reseña histórica de la pintura mexicana en los siglos* XVII *y* XVIII. • **Vero** (130-169) Emp. rom. [161-169], que gobernó junto con su hermano adoptivo Marco Aurelio.

LUCIR intr. Brillar, resplandecer. • intr. y prnl. fig. Sobresalir, aventajar. • intr. fig. Corresponder el provecho al trabajo en cualquier obra. • tr. Iluminar, comunicar luz y claridad. • Manifestar el adelantamiento, la riqueza, la autoridad, etc. • *Amér.* Tener un buen aspecto exterior. • Blanquear con yeso las paredes. • prnl. Vestirse y adornarse con esmero. • fig. Quedar uno muy bien en un empeño. ■ LUCIDOR, RA; LUCIMIENTO.

LUCKNOW *(Lakhnau)* C. del N de la India, cap. del estado de Uttar Pradesh; 1 592 000 hab. Centro industrial. Artesanía.

LUCRAR tr. Lograr lo que se desea. • prnl. Sacar provecho de un negocio o encargo.

LUCRATIVO, VA adj. Que produce utilidad y ganancia.

LUCRECIA (m. 509 a. C.) Dama rom., esposa de Lucio Tarquino. Se suicidó tras haber sido violada por Sexto Tarquino, hijo del rey Tarquino el Soberbio; provocó una reacción popular que terminó con la monarquía.

LUCRECIO Caro, ***Tito*** (98-55 a. C.) Poeta lat., autor del poema científico-filosófico, en seis libros, *De rerum natura,* en el que expone la filosofía de Epicuro.

LUCRO m. Ganancia o provecho que se saca de una cosa. ■ LUCROSO, SA.

LUCRONIENSE adj. De Logroño, España.

LUCTUOSO, SA adj. Causante de tristeza o dolor.

LUCUBRACIÓN f. Acción de lucubrar. • Vigilia y tarea consagrada al estudio. • Obra o producto de la meditación o del estudio.

LUCUBRAR tr. Trabajar velando y con aplicación en obras de ingenio.

LÚCULO, ***Lucio Licinio*** (h. 106-h. 57 a. C.) General rom. Acompañó a Sila en la guerra contra Mitrídates.

LÚCUMA f. Fruto del lúcumo.

LÚCUMO m. *Chile* y *Perú.* Árbol sapotáceo, cuyo fruto, del tamaño de una manzana pequeña, se guarda algún tiempo en paja antes de comerlo.

LUDENDORFF, ***Erich von*** (1865-1937) Militar y político al. Participó en el *putsch* de Munich. Derrotado en las elecciones presidenciales de 1925, en las que se presentaba como candidato del nacionalsocialismo.

LUDHIANA C. del NO de la India, en el estado de Punjab, cerca del río Sutlej; 607 100 hab. Importante ind. textil. Metalurgia pesada y fabricación de maquinaria.

LUDIBRIO m. Escarnio, desprecio, mofa.

LÚDICO, CA o **LÚDICRO, CRA** adj. Relativo al juego.

LUDIÓN m. *Fís.* Aparato para experimentar la teoría del equilibrio de los cuerpos sumergidos en los líquidos.

LUDIR tr. Frotar, restregar una cosa con otra.

LUDO m. *R. de la Plata.* Juego similar al parchís.

LUDOVICO EL MORO → Sforza.

LUDOVICO PÍO → Luis I el Piadoso.

LUDWING ***Emil*** (1881-1948) Escritor al. Autor de biografías de grandes hombres: *Goethe, Napoleón, Bismarck, Miguel Ángel.*

LÚE o **LÚES** f. Infección sifilítica. ■ LUÉTICO, CA.

LUEGO adv. tiempo. Prontamente, sin dilación. • Después de este tiempo o momento. • conj. ilativa que denota la deducción o consecuencia inferida de un antecedente. • **Desde l.** m. adv. Inmediatamente, sin tardanza. • De conformidad, sin duda.

LUENGO, GA adj. Largo.

LUGANO m. Pájaro de fácil domesticación, que suele imitar el canto de otros pájaros.

LUGANO Lago sit. entre Suiza e Italia, en la vertiente meridional de los Alpes Lepontinos. En sus orillas, la c. hom., famoso centro turístico.

LUGANSK (ant. *Kommunarsk, Voroshilovsk* y *Alchevsk*) C. en la rep. de Ucrania; 124 000 hab. Minería; industria.

LUGAR m. Espacio ocupado o que puede serlo por un cuerpo. • Sitio o paraje. • Ciudad, villa o aldea. • Población pequeña. • Pasaje, texto, autoridad o sentencia. • Tiempo, empleo, dignidad, oficio. • Causa, motivo u ocasión para hacer o no hacer una cosa. • Sitio que en una serie ordenada de personas ocupa cada una de ellas. • **común.** Principio general de que se saca la prueba para el argumento en el discurso. • Tópico. • Letrina. • **geométrico.** Conjunto de todos los puntos del plano o del espacio que verifican una cierta condición. • **En l. de.** m. adv. En vez de.

LUGAREÑO, ÑA adj. y s. Natural de un lugar o población pequeña. • Que habita en un lugar o población pequeña. • Perteneciente a los lugares o poblaciones pequeñas.

LUGARTENIENTE m. El que tiene autoridad y poder para sustituir a otro en un cargo. ■ LUGARTENENCIA.

LUGDUNENSE adj. y s. Lionés, de Lyon (Francia).

LUGE m. Pequeño trineo usado en Suiza para la práctica de los deportes de invierno.

LUGO Prov. de España, en la comunidad autónoma de Galicia, junto al Cantábrico; 9 803 km^2, 370 303 hab. Por el centro se extiende la meseta de L., entre la sierra Coruñesa y la cord. Cantábrica. Centeno, trigo, maíz, patatas, viñedos; ganado vacuno; explotación forestal; pesca; ind. conservera, láctea, cárnica, del cemento y maderera. Prales. núcleos: Vivero, Ribadeo, Montforte de Lemos, Villalba, etc. • C. de España, en Galicia, cap. de la prov. hom.; 85 174 hab. Sit. junto al Miño. Centro comercial y administrativo. Ind. alimentaria. Fundada por los rom. *(Lucus Augusti)*, fue conquistada por los suevos, los visigodos y los ár. Reconquistada por Alfonso I (746).

LUGO, *Américo* (1870-1952) Escritor dom. *Ensayos dramáticos, En la pena pobre, Camafeos, Heliotropo.* • ***Samuel*** (nacido 1905) Poeta puertorriq. *Donde caen las claridades, Yumbra, Ronda de la llama verde.*

LUGONES, *Leopoldo* (1874-1938) Escritor arg. Poesías de sabor bucólico: *Las montañas de oro*, y modernistas; temas de la tierra, sobre todo: *La guerra gaucha, El payador, Poemas solariegos, Los romances del Río Seco.*

LUGRE m. Embarcación pequeña, con tres palos, velas al tercio y gavias volantes.

LÚGUBRE adj. Fúnebre, sombrío.

LUGUÉS, SA adj. y s. De Lugo (España).

LUINI, *Bernardino* (h. 1480-1532) Pintor it. del Renacimiento. Trabajó en Milán con Leonardo da Vinci. *Crucifixión, La caridad romana.*

LUIR tr. Redimir, quitar censos. • *Mar.* Ludir, rozar, frotar.

LUIS m. Antigua moneda de oro fr.

LUIS Nombre de diversos reyes y emperadores:

IMPERIO GERMÁNICO

LUIS I, *el Piadoso* o ***Ludovico Pío*** (778-840) Emperador de Occidente y rey de los francos [814]. Asignó un reino a cada uno de sus hijos; designó a Lotario como emperador asociado y asignó territorios propios a su hijo Carlos el Calvo, con lo que provocó una guerra civil. • **II, *el Germánico*** (804-876) Rey de los francos orientales [817-843] y de Germania [843-876], hijo de Luis I. Se unió con su hermano Carlos el Calvo contra Lotario. Agrupó los terr. que formarían el futuro estado alemán.

BAVIERA

LUIS I (1786-1868) Rey de Baviera [1825-1848], hijo de Maximiliano I. A partir de 1831 quiso prescindir de la Dieta, lo que provocó una revolución que le obligó a abdicar en su hijo. • **II** (1845-1886), sucesor de Maximiliano II. Acusado de enajenación mental, fue recluido y murió en circunstancias poco claras.

ESPAÑA

LUIS I (1707-1724) Rey de España [1724] al abdicar su padre Felipe V. Murió de viruela el mismo año.

FRANCIA

LUIS VI, *el Gordo* (1081-1137) Rey de Francia [1108-1137], sucesor de Felipe I. Consolidó la dinastía capeta. • **VII, *el Joven*** (1120-1180) Rey de Francia [1137-1180]. Se enfrentó a la Santa Sede. Participó en la segunda cruzada. Inició la lucha entre Capetos y Plantagenet. • **VIII, *el León*** (1187-1226) Rey de Francia [1223-1226], sucesor de Felipe II Augusto. En 1214 los nobles ing. le ofrecieron la corona de Inglaterra, pero, derrotado en Lincoln, hubo de renunciar a ella. Tomó parte en la cruzada contra los albigenses y se apoderó de Aviñón. • **IX** (1214-1270) Santo. Rey de Francia [1226-1270], hijo de Luis VIII. Afianzó el poder real. Emprendió la séptima y la octava cruzadas. Murió en el curso de esta última. Festividad: 25 agosto. • **XI** (1423-1483) Rey de Francia [1461-1483]. Sentó las bases de la monarquía autoritaria. Firmó el tratado de Arras por el que Borgoña y el Franco Condado pasaron a Francia. Post. consiguió los territorios de Maine, Anjou y Provenza, con lo que su poder directo alcanzaba a casi todo el país. • **XII** (1462-1515) Rey de Francia [1498-1515]. Sus empresas en Italia canalizaron hacia el exterior la belicosidad de la nobleza. • **XIII, *el Justo*** (1601-1643) Rey de Francia [1610-1643], hijo de Enrique IV. Tuvo como primer ministro a Richelieu. Apoyó a los partidarios de la expansión exterior. • **XIV, *el Rey Sol*** (1638-1715) Rey de Francia, hijo de Luis XIII. Desarrolló una política absolutista, favoreció a la burguesía, centralizó la administración y reorganizó las finanzas. Quiso imponer la hegemonía fr. en Europa. En 1700 consiguió que Carlos II de España designara a Felipe de Anjou como sucesor. • **Estilo L. XIV.** El de la época del rey epónimo. Inspirado en la decoración clásica, está profusamente ornamentado. • **XV** (1710-1774) Rey de Francia [1715-1774], bisnieto del anterior. Dejó el gobierno en manos del cardenal Fleury. Bajo su reinado se desmembró el imperio colonial fr. • **Estilo L. XV.** El de la época de este rey. Recargado y exuberante. • **XVI** (1754-1793) Rey de Francia [1774-1792]. Ante las reformas de sus ministros aumentó la oposición del parlamento y la aristocracia, lo que no pudo impedir la incorporación a los Estados Generales del «tercer estado». Este período tuvo al rey de mero espectador, lo que precipitó la revolución de 1789 y su muerte en la guillotina. • **Estilo L. XVI.** El de la época de este rey. La estética se basa en las formas naturales, aunque continúa la inspiración clásica. • **XVII** (1785-1795), segundo hijo de Luis XV. A la muerte de su padre, los realistas y las potencias extranjeras lo proclamaron rey. • **XVIII** (1755-1824) Rey de Francia, hermano de Luis XVI. Se proclamó rey a la muerte de Luis XVII (1795). En 1814 el Senado le llamó a París para entregarle la corona. Durante los Cien Días (1815) tuvo que huir, pero recuperó el trono con la ayuda de las potencias europeas. • **Felipe** (1773-1850) Rey de Francia [1830-1848], hijo del duque de Orleáns. Gobernó protegiendo los intereses de la clase que lo apoyó: la alta burguesía financiera e industrial. En 1848 la negativa de Guizot a ampliar el sufragio desencadenó la revolución del 23 de febrero, que le obligó a dimitir.

HUNGRÍA

LUIS I, *el Grande* (1326-1382) Rey de Hungría y Polonia. Intentó extender la hegemonía húng. en los

Luis I de España

1. **Luis XII** de Francia, por Pérreal. 2. **Luis XIV** de Francia, retrato de Rigaud. 3. **Luis XV** de Francia, por Quentin La Tour

Sillón estilo **Luis XV**

Balcanes. Se enfrentó a la iglesia ortodoxa y reforzó el poder de la nobleza. Por el tratado de Turín arrebató Dalmacia a los venecianos.

Luisiana. Casa típica del Barrio Francés de Nueva Orleans

NÁPOLES

LUIS I (1339-1384) Rey de Nápoles, hijo de Juan II de Francia. Tras vencer a Carlos de Durazzo, se proclamó rey en 1833. Su muerte al año siguiente daría el trono a su rival. • **II** (1377-1417) Rey titular de Nápoles. Duque de Anjou, conde de Maine y de Provenza, pasó su vida batallando para ver reconocidos sus derechos sobre el trono napolitano. • **III** (1403-1434) Rey titular de Nápoles, hijo de Luis II de Anjou. En 1419 le nombró heredero de Nápoles el papa Martín V, y en 1423 lo hizo Juana II. Su muerte en 1434 impidió que llegara a reinar.

PORTUGAL

LUIS I (1838-1889) Rey de Portugal. Sucedió a Pedro V en 1861. Se enfrentó a una crisis financiera. Abolió la esclavitud en las colonias y emprendió un proceso de desamortización de los bienes eclesiásticos, lo cual desencadenó un pronunciamiento de la nobleza.

LUIS GONZAGA (1568-1591) Santo. Jesuita it., patrón de la juventud. Festividad: 21 junio.

LUIS NAPOLEÓN → Napoleón III.

LUISA f. Planta verbenácea, de jardín, que tiene olor muy agradable, y sus hojas se usan en infusión.

LUISIADA *(Louisiade)* Arch. de Melanesia, perteneciente a Papuasia-Nueva Guinea; unos 5 000 hab. Comprende las islas de Tagula, Misima, Rossel y Calvados.

Jean Baptiste **Lully**

LUISIANA Ant. terr. colonial de América del N que se extendía desde la región de los Grandes Lagos hasta el golfo de México, y desde el valle del Misisipí hasta Texas y Nuevo México. Explorada por los esp., La Salle la incorporó a Francia. La parte occidental fue cedida a España en 1763. Napoleón I volvió a adquirirla y la vendió a EE UU. La parte sit. al E del Misisipí fue anexionada por Gran Bretaña e integrada en EE UU tras su indep. La parte S de la región ingresó en la Unión en 1812.

LUISIANA *(Louisiana)* Est. de los EE UU, sit. en el S del país, en la llanura del Bajo Misisipí, a orillas del golfo de México; 123 677 km², 4 220 000 hab. El terr., formado por los aluviones del Misisipí, es llano. Además lo avenan el Pearl, el Red y el Sabine. El S del país está formado por una zona de marismas en la que se encuentran numerosos lagos, entre ellos el Ponchartrain. Clima cálido, con abundante pluviosidad. Algodón, caña de azúcar, trigo, maíz; ganadería (porcina, bovina); petróleo, gas natural, azufre. Existe una imp. minoría de raza negra. Aparte de la cap., Baton Rouge, la pral. c. es Nueva Orleáns.

LUJACIÓN f. Luxación, dislocación de un hueso.

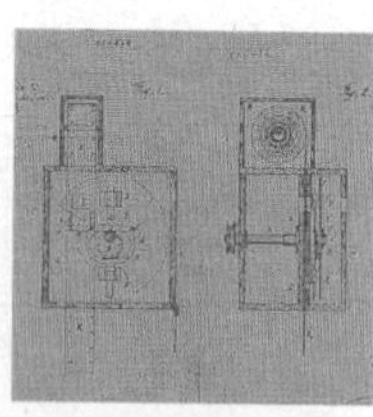

Louis **Lumière.** Arriba documento del croquis de la patente de su aparato destinado a la «obtención y visión de pruebas cronofotográficas», fechado el 13 de febrero de 1895. Abajo, cartel publicitario

LUJÁN C. de Argentina, en la prov. de Buenos Aires; 68 700 hab. Ind. alimentarias, textiles. Basílica y santuario de Nuestra Señora de Luján, patrona de Argentina, Uruguay y Paraguay. Centro de peregrinaciones.

LUJÁN, *Néstor* (1922-1995) Escritor y periodista esp., especialista en temas taurinos y gastronómicos. *De los toros y toreros, Historia de la cocina española.* Novelista en lengua castellana y catalana. Premio Sant Jordi 1995, con *Els fantasmes del Trianon.*

LUJAR tr. *Amér. Centr.* Ludir.

LUJO m. Ostentación de riqueza, suntuosidad. • Lo que resulta demasiado costoso en dinero, tiempo, etc. • Abundancia de algo que resulta excesivo. • **asiático.** El extremado. ■ LUJOSO, SA.

LUJURIA f. Deseo sexual exagerado o vicioso. • Exceso en algunas cosas. ■ LUJURIOSO, SA.

LUJURIANTE adj. Exuberante, que tiene mucha abundancia.

LUJURIAR intr. Abusar de los placeres sexuales. • Aparearse los animales.

LUKÁCS, *György* (1885-1971) Filósofo y político húng. De sus primeras obras destaca *El alma y las formas.* En 1914 publicó *Teoría de la novela.* En 1919 fue comisario del pueblo para la Instrucción en el efímero régimen comunista de Bela Kun. En el exilio escribió *Historia y conciencia de clase* y *Moses Hess y el problema de la dialéctica idealista.* De los años treinta es *La novela histórica, Balzac y el realismo francés, Goethe y su tiempo.* Post. sobresalen *El joven Hegel, Ensayos sobre el realismo, El asalto a la razón y Estética.* Deportado tras la invasión sov. de 1956 al ser ministro de I. Nagy.

LULE Río del N de Suecia que desemboca en Lulea en el golfo de Botnia; 437 km.

LULIANO, NA adj. Relativo a Ramon Llull. • adj. y s. Conocedor del lulismo.

LULIO, *Raimundo* → Llull.

LULISMO m. Sistema filosófico de Ramon Llull y especialmente su doctrina lógica o *Ars magna.* ■ LULISTA.

LULLY, *Jean Baptiste* (1632-1687) Compositor fr. Músico de la corte de Luis XIV, autor de numerosos ballets, comedias-ballet (en colaboración con Molière), óperas y música religiosa.

LULO m. *Chile.* Envoltorio, lío o paquete, no grande y de forma cilíndrica. • *Chile.* Rizo del pelo en la frente. • adj. *Chile.* Soso. • *Chile.* Delgado y largo.

LULÚ adj. y s. Raza de perros de pequeño tamaño y pelaje leonado abundante.

LULUA adj. y s. Díc. de individuos de un pueblo de lengua bantú, que habita en la Rep. Dem. de Congo, en la región de Kasai.

LUMA f. *Chile.* Árbol de la familia mirtáceas, que crece hasta 20 m de alt. Su madera se utiliza en la construcción de carretas.

LUMAQUELA f. Mármol constituido por conchas y caparazones.

LUMBAGO m. Proceso doloroso en la musculatura lumbar, debido gralte. a una hernia de disco.

LUMBAR adj. Perteneciente a los lomos y caderas.

LUMBRADA f. Lumbre grande.

LUMBRAL m. Escalón de la puerta de entrada de una casa.

LUMBRARADA o **LUMBRERADA** f. Lumbre grande con llamas.

LUMBRE f. Materia combustible encendida. • Parte anterior de la herradura. • Espacio que una puerta, claraboya, tronera, etc., deja franco a la entrada de la luz. • Luz de los cuerpos en combustión. • Esplendor, lucimiento. • pl. Conjunto de eslabón, yesca y pedernal, que se usa para encender lumbre. • **Dar l.** fr. Dar fuego.

LUMBRERA f. Cuerpo que despide luz. • Abertura, tronera o caño que desde el techo de una habitación, o desde la bóveda de una galería, comunica con el exterior y proporciona luz o ventilación. • fig. Persona insigne y esclarecida. • *Méx.* Palco. • Conducto de admisión y escape en los motores de dos tiempos. • pl. fig. Los ojos.

LUMBRICAL adj. En forma de lombriz; se aplica sobre todo a los músculos de la planta del pie y de la palma de la mano.

LUMEN m. *Fís.* Unidad de flujo luminoso.

LUMENÍMETRO m. *Fís.* Aparato óptico empleado para medir el flujo luminoso.

LUMIA f. Pelandusca, prostituta.

LUMIÈRE, *Louis* (1864-1948) Químico fr. Inventó con su hermano ***Auguste*** el cinematógrafo (1895). Reflejó en sus *films-minute* múltiples escenas de la realidad diaria: *Salida del puerto, Salida de la fábrica Lumière, Demolición de una pared, Llegada de un tren.* Formó operadores que ayudaron a la expansión del nuevo arte.

LUMINAL m. Nombre comercial de un derivado del ácido barbitúrico que se emplea en medicina como sedante.

LUMINANCIA f. *Ópt.* Cantidad de luz emitida por un foco de luz no puntual.

LUMINAR m. Cualquiera de los astros que despiden luz y claridad. • fig. Lumbrera.

LUMINARIA f. Luz que se pone en ventanas y calles como adorno. Se usa más en pl. • Luz que arde en las iglesias delante del altar.

LUMINISCENCIA f. Emisión de luz por una molécula que ha sido excitada mediante la absorción de energía.

LUMINOSIDAD f. Calidad de luminoso. • *Astr.* Flujo total de energía luminosa de un astro, que es independiente de su distancia a la Tierra.

LUMINOSO, SA adj. Que despide luz.

LUMINOTECNIA f. Iluminación con luz artificial para fines industriales o artísticos. ■ LUMINOTÉCNICO, CA.

LUMPEN o **LUMPENPROLETARIADO** m. Proletariado miserable. Estrato social urbano que forma las capas más pobres: obreros ocasionales, vagabundos, etc.
LUMUMBA, *Patrice* (1925-1960) Líder revolucionario congoleño. En 1958 fundó el Movimiento Nacional Congoleño. Tras la independencia, fue primer ministro. Murió asesinado.
LUNA f. Luz que el satélite Luna refleja de la que recibe del Sol. • Lunación. • Satélite. • Pieza de cristal o de vidrio cristalino que se emplea en vidrieras, escaparates y otros usos. • Espejo. • Luneta de las gafas. • Pez luna. • fig. Extravagancia, capricho. • **creciente.** La Luna desde su conjunción hasta el plenilunio. • **de miel.** fig. Temporada subsiguiente al matrimonio. • **llena.** La Luna en el tiempo de su oposición con el Sol. • **menguante.** La Luna desde el plenilunio hasta su conjunción. • **nueva.** La Luna en el tiempo de su conjunción con el Sol. • **Media.** Figura de cuarto de luna creciente o menguante. • Adorno o joya que tiene esta figura. • fig. Islamismo, mahometismo. • fig. Imperio turco. • **Estar uno de buena, o de mala, l.** fr. *Amér.* Estar de buen, o mal humor. • **Estar en la l.** fr. fig. Estar distraído. • **Pedir la l.** fr. fam. Pedir cosa imposible.
LUNA f. *Astr.* y *Astron.* Satélite natural de la Tierra, que gira alrededor de ésta en órbita elíptica a una distancia media de 384 000 km, con una velocidad media de 1,02 km/seg y con un periodo de rotación que coincide con el de revolución de 27 días, 7 horas, 43 minutos y 11,5 segundos. No tiene atmósfera y las temperaturas oscilan entre –150 °C y 130 °C. Su topografía presenta numerosos cráteres, grandes llanuras, cordilleras de más de 1 000 km de longitud con elevaciones de hasta 6 000 m y fisuras de 200 a 500 km de longitud. El primer alunizaje del hombre tuvo lugar el 21 de julio de 1969, en que el módulo lunar del vehículo norteam. Apolo XI posó en el Mar de la Tranquilidad, y los astronautas Armstrong y Aldrin fueron los primeros hombres que pisaron la Luna. A esta misión han seguido otras de exploración científica por parte de norteam. y sov. En 1998, la sonda *Lunar Prospector* (NASA) detectó la presencia de agua en la superficie de la Luna.
LUNA, *Álvaro de* (h. 1390-1453) Político cast., valido de Juan II. Condestable de Castilla desde 1419 su gobierno fue un continuo enfrentamiento con la nobleza, que consiguió del rey su prisión y muerte. • ***Manuel Norberto*** (1856-1889) Pianista y compositor bol. Autor de obras para piano y de música sacra. • ***Pablo*** (1880-1942) Compositor esp., autor de diversas zarzuelas. *Molinos de viento, La Pícara molinera.* • ***Pedro de*** (1328-1424) Cardenal aragonés, nombrado papa con el nombre de Benedicto XIII a la muerte de Clemente VII, durante el cisma de Occidente. A pesar de ser depuesto por los concilios de Pisa (1409) y Constanza (1417), no quiso dimitir. • **Arroyo, *Francisco*** (nacido 1908) Filósofo mex. *Los principios de la ética social, El romanticismo filosófico, El existencialismo, sus fuentes y direcciones.* • **Pizarro, *Francisco Javier de*** (1780-1855) Político y eclesiástico per. Independentista. Presid. del primer Congreso Constituyente (1822). Apoyó a La Mar. Arzobispo de Lima.
LUNACIÓN f. Día lunar.
LUNADO, DA adj. Que tiene figura de media luna.
LUNANCO, CA adj. Díc. de los caballos y cuadrúpedos que tienen una anca más alta que la otra.
LUNAR adj. Relativo a la Luna. • m. Pequeña mancha en el rostro u otra parte del cuerpo, producida por una acumulación de pigmento en la piel. • fig. Nota o mancha que resulta a uno de haber hecho una cosa vituperable. • fig. Defecto de poca entidad.
LUNAR ORBITER *Astron.* Cada una de las cinco astronaves automáticas, satélites artificiales de órbita lunar, proyectadas y utilizadas por EE UU para obtener fotografías de la superficie de la Luna.
LUNAREJO, JA adj. *Argent.* y *Chile.* Díc. del animal que tiene uno o más lunares en el pelo. • *Col.* y *Perú.* Díc. de la persona que tiene uno o más lunares en el rostro.
LUNARIO, RIA adj. Relativo a las lunaciones. • m. Calendario.
LUNÁTICO, CA adj. y s. Que padece locura por intervalos.
LUNCH (voz ing.) m. Comida ligera que se ofrece a los invitados a una fiesta o celebración. • Almuerzo.

LUNDA o **BALUNDA** adj. y s. Díc. de individuos de un pueblo melanoafricano bantú de la Rep. Dem. del Congo, Angola, Zambia y el valle del Luapula. • m. pl. Este mismo pueblo.
LUNEBURGO *(Lüneburg)* C. del NE de Alemania, en la Baja Sajonia; 60 000 hab. Agricultura; salinas; ind. química, metalúrgica, papelera. Miembro de la Hansa y cap. del ducado homónimo.
LUNEL m. *Her.* Figura en forma de flor, compuesta de cuatro medias lunas unidas por sus puntas.
LUNES m. Primer día de la semana civil, segundo de la litúrgica.
LUNETA f. Cristal o vidrio de las gafas. • En los teatros, butaca frente al escenario en la planta inferior. • *Arq.* Luneto. • *Mec. apl.* Elemento auxiliar del torno, que se coloca entre el plato y el contrapunto para sostener las piezas muy largas.
LUNETO m. *Arq.* Bovedilla de media luna, abierta en la bóveda pral. para dar luz a ésta.
LUNFARDO m. *Argent.* Ratero, ladrón. • *Argent.* Chulo, rufián. • Lenguaje de delincuentes, propio de Buenos Aires y sus alrededores, y que post. se ha extendido a la lengua popular.
LUNIK *Astron.* Serie de cosmonaves soviéticas proyectadas para la exploración de la Luna. Iniciaron su misión el 2 enero 1959, y en 1966 el Lunik 9 logró el primer alunizaje.
LUNOJOD *Astron.* Serie de vehículos autopropulsados lunares sov. El primero fue utilizado en 1970, transportado a la Luna por el Lunik 17.
LÚNULA f. *Geom.* Figura de dos arcos de círculo cuya concavidad es del mismo sentido. • Espacio blanquecino semilunar en la raíz de las uñas. • Mariposa nocturna, de alas grises y plateadas.
LUO adj. y s. Díc. de individuos de un pueblo melanoafricano de habla nilótica, que vive en el O de Kenia.
LUPA f. Lente convergente que da una imagen aumentada de los objetos que se colocan entre ella y su foco.
LUPANAR m. Prostíbulo. ■ LUPANARIO, RIA.
LUPIA f. Quiste sebáceo. • com. *Hond.* Brujo, curandero.
LUPICIA f. Alopecia, caída del pelo.
LUPINO, NA adj. Relativo al lobo. • m. Altramuz, planta.
LUPPI, *Federico* (nacido 1936) Actor arg. *Sol de otoño, Martín (Hache), Bajo bandera, Frontera sur.*
LÚPULO m. Planta voluble de la familia cannabáceas, con frutos en aquenio. Las glándulas de los conos fructíferos se emplean en la fabricación de la cerveza.
LUPUS m. Tuberculosis cutánea.
LUPUS *Astr.* Constelación que se extiende entre la estrella roja Antar de *Scorpius* y la alfa de *Centaurus.*
LUQUETE m. Alguáquida, especie de cerilla grande de azufre. • Rodaja de limón o naranja que se echa en el vino. • *Chile.* Rodaja. • *Arq.* Casquete esférico que cierra la bóveda vaída.
LUR adj. y s. Díc. de individuos de un pueblo iranio de Luristán. Son afines a los kurdos y de religión musulmana chiita. Hablan el luri, una variante del persa.
LURIA, *Salvatore Edward* (1912-1991) Biólogo norteam. de origen it. Ha llevado a cabo imp. trabajos en biología molecular. Premio Nobel de Medicina en 1969.

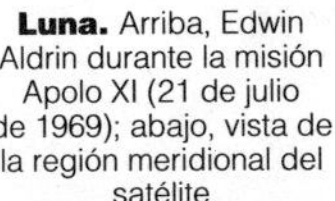

Luna. Arriba, Edwin Aldrin durante la misión Apolo XI (21 de julio de 1969); abajo, vista de la región meridional del satélite

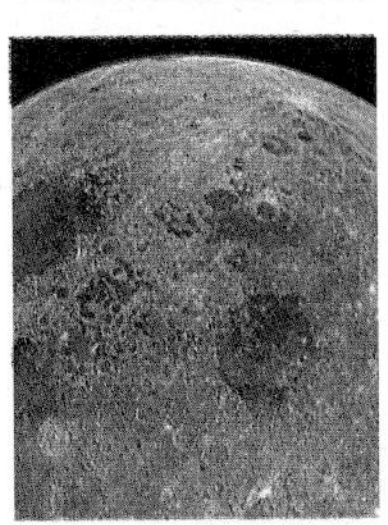

Álvaro de **Luna**

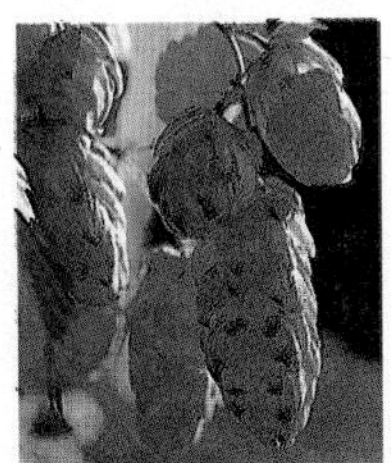

Lúpulo

LURISTÁN *(Lorestan)* Región del O de Irán, que forma una prov. (28 800 km, 915 800 hab.). Habitada sobre todo por lures. Ganadería. Cap., Khorramabad. Solar de una ant. cultura (1200-800 a. C.).
LUSACIA (sorabo, *Luzica;* al., *Lausitz*) Región del SE de Alemania. Llana al N y montañosa al S. Pob. compuesta por al. y por sorabos (wendos). C. prales.: Cottbus (Chosebuz), Bautzen (Budysin).
LUSAKA Cap. de Zambia, sit. en el centro-sur del país; 538 500 hab. Centro comercial agrícola. Fabricación de cemento y tractores. Algodón.
LUSHAI adj. y s. Díc. de individuos de un pueblo mongoloide tibetobirmano del terr. indio de Mizoram y de Chitagong Hills, en Bangla Desh.
LÜSHUN C. y puerto del NE de China, en Manchuria (prov. de Liaoning). Conocida como *Port Arthur*. Forma con Talien la conurbación de Lüta. Estuvo ocupada por los japoneses. En 1898 China la alquiló a Rusia. Más tarde fue arrendada por Japón. China, desde 1945.
LUSIGNAN Familia de nobles fr. Varios miembros fueron a las cruzadas y reinaron en Jerusalén. Destacó **Guido de L.**, rey de Jerusalén en 1186.
LUSINCHI, ***Jaime*** (nacido 1924) Pediatra y político ven. Afiliado al partido Acción Democrática desde su época de estudiante de secundaria. Elegido presid. de Venezuela en las elecciones de 1983.
LUSITANIA Ant. región del O de la península Ibérica, habitada por los lusitanos.
LUSITANISMO m. Giro o modo de hablar propio y privativo de la lengua portuguesa. • Vocablo o giro de esta lengua empleado en otra.
LUSITANO, NA adj. y s. Díc. de los individuos de un pueblo prerromano que habitaba la Lusitania. • adj. y s. De Portugal.
LUSO, SA adj. y s. Lusitano.
LUSTRABOTAS m. *Amér.* Limpiabotas.
LUSTRADOR m. *Argent.* y *Nic.* Limpiabotas.

Martín **Lutero**

LUXEMBURGO

Superficie 2 586 km²

Población 420 000 hab. (162 hab.°km²)

Recursos económicos

Acero	2 614 000 t
Cabaña bovina	213 887 cabezas
Cabaña porcina	72 640 cabezas
Cebada	63 310 t
Cemento	710 619 t
Cerveza	521 938 hl
Energía eléctrica	1 190 millones de kwh
Hierro colado	1 028 000 t
Riqueza forestal	305 244 m³
Trigo	53 000 t
Vino	149 654 hl

Indicadores sociológicos

PNB	16 876 millones de dólares
Renta per cápita	41 210 dólares
Esperanza de vida	76 años
Alfabetismo	100 %

Luxemburgo. Arriba, mapa de situación y bandera; abajo, barrio antiguo de la capital

LUSTRAR tr. Purificar con sacrificios y ceremonias las cosas que se creen impuras. • Dar lustre a una cosa. • Andar, peregrinar. ■ LUSTRACIÓN.
LUSTRE m. Brillo de las cosas tersas o bruñidas. • Betún. • fig. Distinción, nobleza. • fig. Esplendor, gloria.
LUSTRÍN m. *Chile.* Limpiabotas.
LUSTRINA f. Tela vistosa que se ha empleado en ornamentos de iglesia. • Tela lustrosa de textura semejante a la alpaca. • *Chile.* Betún para el calzado.
LUSTRO m. Periodo de tiempo que abarca cinco años.
LUSTROSO, SA adj. Que tiene lustre. • De aspecto robusto y sano por el color y la tersura de la piel.
LÜTA C. del NE de China, en la península de Liaotung (prov. de Liaoning); 1 600 000 hab. Está constituida por la unión de las ciudades de Lüshun y Talien.
LUTECIA *(Lutetia Parisiorum)* Ant. c. de la Galia romana emplazada sobre una isla del río Sena. Núcleo originario de París.
LUTECIO m. Elemento químico, encuadrado en el grupo de las tierras raras, de símb. Lu, n. a. 71 y p. a. 174,99.
LUTEÍNA f. Pigmento de color amarillo, propio de las hojas de los vegetales. • Progesterona, hormona producida por el cuerpo lúteo.
LÚTEO, A adj. De lodo. • De color amarillo.
LUTERANISMO m. *Rel.* Forma de protestantismo derivado de las doctrinas de Lutero. • Comunidad o cuerpo de quienes profesan la doctrina de Lutero. ■ LUTERANO, NA.
* *Rel.* El l. surge como voluntad de reforma del dogma, del culto y del derecho canónico de la iglesia católica romana. Para Lutero, la Biblia representa la única guía que el hombre necesita en la búsqueda de la verdad espiritual. La Sagrada Escritura se basa en la revelación, y ésta consiste en la presentación de Cristo al ser humano para que alcance por Él la salvación. La fe se debe a la gracia divina, pero el fiel sigue siendo responsable de sus actos. Únicamente se admiten los sacramentos del bautismo y de la eucaristía. Las iglesias luteranas predominan en los países escandinavos, EE UU y Alemania.
LUTERO, ***Martín*** (1483-1546) Reformador al. y creador de la prosa moderna en su país. Ingresó en los agustinos. Explicó exégesis bíblica en la universidad de Wittenberg. Sus opiniones motivaron que León X le excomulgara. Condenado por la Dieta, hubo de recluirse en Wartburgo. En 1522 reanudó su labor docente en Wittenberg. Entre sus obras destacan los artículos de *Esmalcalda,* los *Catecismos, Comentario a la Epístola de los romanos; a los gálatas; a los hebreos*, etc. L. concedía autoridad sólo a la Biblia, consideraba a la Iglesia una institución humana y que el pecado original destruye el libre albedrío.
LUTHULI, ***Albert John*** (1898-1967) Político sudafricano de raza negra. Uno de los líderes en la lucha contra el *apartheid.* Premio Nobel de la Paz en 1960. Murió en un confuso accidente.
LUTO m. Signo exterior de duelo. • Vestido negro que se usa por la muerte de alguien. • Dolor, aflicción.
LUTRIA f. Nutria.
LÜTZEN C. de Alemania, en Sajonia; 6 000 hab. • **Batallas de L.** Las que enfrentaron a los suecoscon las tropas imperiales de Wallenstein en la guerra de los Treinta Años (1632), con victoria sueca; y la dirimida entre Napoleón y el ejército rusoprusiano (1813), con derrota de éste.
LUX m. *Fís.* Unidad de iluminancia.
LUXACIÓN f. Pérdida de contacto entre las superficies articulares de dos huesos.
LUXEMBURG, ***Rosa*** (1876-1919) Revolucionaria al., de origen polaco. Perteneció al ala izquierda de la socialdemocracia. Formó con Liebknecht el grupo espartaquista, que suscitó la fallida insurrección de Berlín de 1919. Murió asesinada. Se opuso al centralismo organizativo y político del partido de Lenin, y pregonó la subordinación de los sindicatos al partido. *Reforma o revolución, La acumulación de capital.*
LUXEMBURGO (fr., *Grand-Duché de Luxembourg*; luxemburgués, *Grousherzogdem Le zebuurg*)

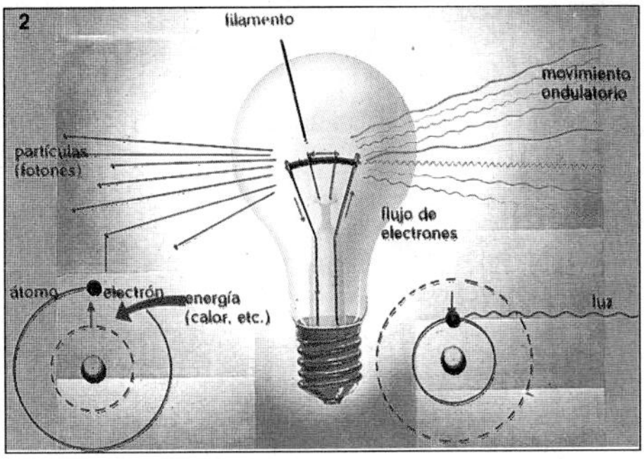

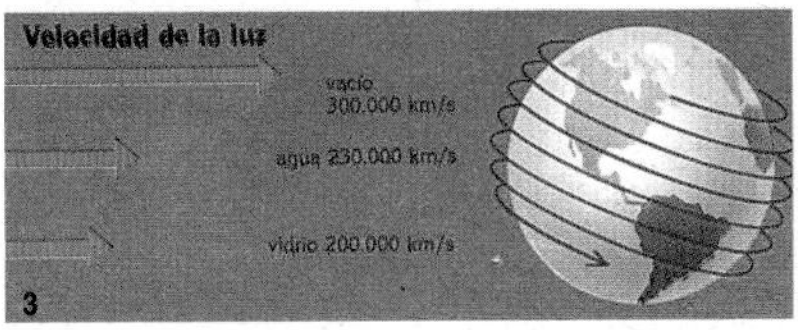

LUZ

1. La luz visible es la parte del espectro electromagnético que puede percibir el ojo humano. Corresponde a longitudes de onda comprendidas entre 4 y 7,5 diezmilésimas de milímetro.
2. En una bombilla, el calor producido por la agitación de las moléculas al pasar la corriente eléctrica hace que los átomos del filamento pasen a un estado de energía superior, al saltar electrones a un nivel más externo; cuando los electrones caen de nuevo al nivel inicial, se emite energía como radiación, en parte visible.
3. La velocidad de la luz depende del índice de refracción del medio por el que viaja.
4. La refracción es la causa de que una caña introducida en un vaso de agua parezca doblada.

5. y 6. El arco iris es debido a la refracción de la luz en las gotas de agua de la atmósfera. Es parte de un círculo cuyo centro está en la línea que pasa por el Sol y el ojo del observador.

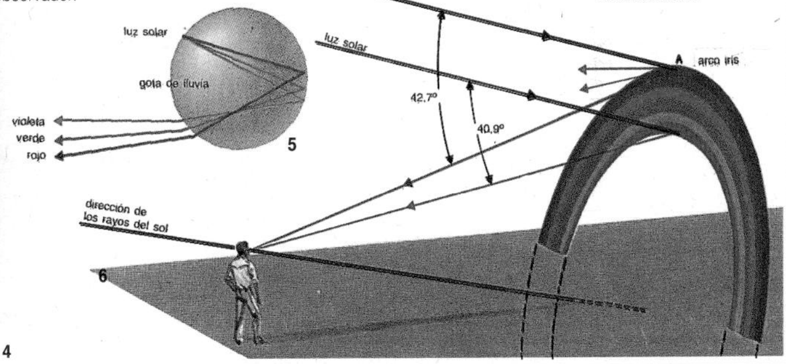

Estado de Europa occidental, monarquía; entre Alemania, Bélgica y Francia. Comprende el *Oesling*, tierras altas de la parte meridional de la meseta de las Ardenas, y el *Gutland,* al S, prolongación de la Lorena. Ríos prales.: Mosela, Lauer y Alzette. Clima continental. Trigo, cebada, patatas; ganadería (bovina, aves); hierro; ind. siderúrgica. Grupos étnicos o nac.: germánicos, con profundas influencias fr. Numerosos inmigrantes. Lenguas: fr. y luxemburgués. *Rel.*: catolicismo. U. M.: euro. C. pral.: Luxemburgo, la cap.

* *Hist.* Su origen se remonta al s. X. Adquirido por Felipe III el Bueno de Borgoña (1441), pasó después a la casa de Austria. Post. perteneció a Francia, Austria, la Confederación Helvética y a los Países Bajos. Después de la revolución de 1830, la parte occidental formó parte del nuevo reino de Bélgica. Tras la conferencia de Londres (1867), la parte oriental se constituyó en un ducado independiente. Miembro del Benelux, la OTAN y la UE, ha estado tradicionalmente gobernado por los socialcristianos. El Gran Duque Jean, que ocupaba la jefatura del Estado desde 1964, abdicó en 2000 en su hijo Henri. • Cap. del gran ducado de Luxemburgo, sit. en el sector meridional del país, a orillas del Alzette; 114 200 hab. Ind. siderúrgica, mecánica, cervecera. Surgió junto al castillo de Lützelburg en el s. X.

LUXEMBURGUÉS, SA adj. y s. De Luxemburgo. • m. Variante idiomática del alemán, con abundantes elementos neerlandeses y franceses.

LUXOR C. del Alto Egipto, junto al Nilo y en las proximidades de la ant. Tebas; 40 000 hab. Cuenta con el templo dedicado a Amón, construido por Amenhotep III y reformado por Ramsés II. Una avenida de esfinges unía este templo con el de Karnak.

LUZ f. *Fís.* Energía radiante que un observador percibe a través de las sensaciones visuales. • Cualquiera de las radiaciones del espectro solar. • Claridad que irradian los cuerpos en combustión, ignición o incandescencia. • Utensilio que sirve para alumbrar, como vela, candelero, lámpara, etc. • Faro de automóvil. • fig. Modelo, persona o cosa, capaz de ilustrar y guiar. • fig. Día, o tiempo que dura la claridad del Sol. • fig. y fam. Dinero. • Ventana o tronera. Se usa más en plural. • Dimensión horizontal interior de un vano o de una habitación. • *Pint.* Punto desde donde se ilumina y alumbra toda la historia y objetos pintados en un lienzo. • pl. fig. Ilustración, cultura. • *Méx.* Fiestas nocturnas. • **artificial.** La que no es producida por el Sol. • **coherente.** La constituida por radiaciones de una sola longitud de onda. • **de tráfico.** Semáforo. Se usa más en plural. • **eléctrica.** La que se produce por medio de la electricidad. • **natural.** La que no es artificial. • **no polarizada.** Haz de l. en el que los planos de vibración de los fotones están orientados al azar alrededor del eje del haz. • **polarizada.** La que vibra en un solo plano. • **zodiacal.** Claridad que ilumina vagamente el cielo poco antes de la salida del Sol y poco después de su puesta. • **Media l.** La que es escasa y no se comunica entera y directamente. • **A primera l.** m. adv. fig. Al amanecer. • **A toda luz,** o **a todas luces.** m. adv. fig. Por todas partes, de todos modos. • **Dar a l.** fr. Publicar una obra. • Parir la mujer. • **Salir a l.** fr. fig. Ser producida una cosa. • fig. Imprimirse, publicarse una cosa. • fig. Descubrirse lo oculto. • **Ver** uno **la l.** fr. y fig. Nacer. ■ LUMÍNICO, CA.

* *Fís.* La l. está constituida por todas las radiaciones electromagnéticas de longitud de onda comprendida entre 0,4 y 0,8 m. La velocidad de la l. depende del medio atravesado; en el vacío es de unos 300 000 km/seg.

Luxor. Columnas papiriformes del patio de Amenhotep III

LUZ León, ***José de la*** (1892-1984) Escritor cub. *Amiel o la incapacidad de amar, Benjamin Constant o el donjuanismo literario.* • **Y Caballero,** ***José de la*** (1800-1862) Filósofo y pedagogo cub. *Elencos, Curso de filosofía, Aforismos.*
LUZÁN, ***Ignacio de*** (1702-1754) Poeta y preceptista esp., introductor en España, mediante su *Poética,* de la crítica y la tendencia neoclásica.
LUZBEL m. Lucifer, el demonio.

Plantaciones de arroz en la isla de **Luzón**

LUZHOU → Luchou.
LUZÓN Isla de Filipinas, la mayor y pral. del arch.; 108 172 km^2, 23 900 800 hab. Al SE se alarga a través de la pen. de Camarines. Agricultura (arroz, palma cocotera, caña de azúcar, tabaco, abacá); minería (oro, cromo). Es la de mayor densidad del país. C. pral., Manila.
LVOV (ucraniano, *Lviv*; polaco, *Lwow*; al., *Lemberg)* C. del O de Ucrania, próxima a la frontera polaca. 742 000 hab. Importante centro industrial (metalurgia, construcción de automóviles, textil, alimentación). Fundada en 1250. Dominio polaco de 1340 a 1772. Pasó a Austria hasta 1918. Pasó de nuevo a Polonia (1918-1939). De 1944 a 1991 estuvo anexionada a la URSS.
Lw *Quím.* Símb. del laurencio.
LYALLPUR C. de Pakistán, en el Punjab, al SO de Lahore; 822 500 hab. Centro comercial de una región agrícola. Ind. textil y alimentaria.
LYELL, ***Charles*** (1797-1875) Geólogo brit. En su obra, *Principios de geología*, expone la teoría geológica llamada actualismo, que explica los fenómenos del pasado como originados por las mismas causas que actúan en el presente, y no por catástrofes. Su obra establece las bases de la geología moderna.
LYLY, ***John*** (1553-1606) Escritor ing., autor de la novela *Euphues*, que inició, y de la que tomó su nombre, el eufuismo. *Metamorfosis de amor.*
LYNCH, ***Benito*** (1880-1915) Novelista arg. *Los caranchos de la Florida, El inglés de los güesos, El romance de un gaucho*, obras de ambiente pampero. • ***John,*** llamado JACK (nacido 1917) Político irl. del *Fianna Fáil.* Desde 1957 ocupó varios ministerios. En 1966 pasó a dirigir su partido y fue nombrado primer ministro. En 1972 negoció la entrada en la CEE. De nuevo primer ministro de 1977 a 1979. • ***Marta*** (1925-1985) Escritora arg. *La alfombra roja, Cuentos tristes, Un árbol lleno de manzanas, Año de juegos, Los dedos de la mano*, etc. Se suicidó.
LYON C. de Francia, cap. del dpto. de Rhône y de la circunscripción regional Ródano-Alpes; 415 487 hab. (1 262 200 hab. la agl. urb.). Sit. en la confluencia del Ródano y el Saona. Ind. textil, metalúrgica, química, mecánica, electrónica, papelera, del cemento. Bolsa. Nudo de comunicaciones. Sede de ferias internacionales. Es la ant. *Lugdunum* romana. Aeropuerto. Universidad. Teatro romano.
LYRA *Astr.* Constelación fácilmente reconocible por su estrella pral., Vega, que junto con *Arcturus* son las más brillantes del cielo boreal.

Calle de Barre, **Lyon**

M

Detalle de un portulano del **Mediterráneo,** obra de Bartomeu Olives (Mallorca, 1538)

M f. Decimotercera letra del abecedario español y décima de sus consonantes. Su nombre es *eme*. Su articulación es bilabial, nasal, oclusiva y sonora. • Letra numeral que tiene el valor de mil en la numeración romana. • Abreviatura de masculino. • En minúscula, símbolo de metro. • *Astr.* Símbolo que designa el catálogo Messier. • Tercero de los niveles energéticos que pueden ocupar los electrones en el átomo de Bohr.

MA Diosa primigenia de la ant. mitología de Anatolia.

MA Fen (s. XII) Pintor chino. Autor de rollos de cien animales. Sólo se conserva el rollo de *Las cien ocas salvajes*.

MAAS Nombre neerlandés del río → Mosa.

MAASTRICHT C. del extremo SE de Países Bajos, cap. de la prov. de Limburgo, a orillas del Mosa; 114 000 hab. Ind. textiles, papeleras, del cristal, de cerámica, alimentarias (cerveza). • **Tratado de.** El firmado entre los doce gobiernos de la CEE que estableció las bases para la Unión Europea política, económica y monetaria. Entró en vigor el 1 de noviembre de 1993.

MAAT En la religión egipcia, hija de Ra.

MABÍ m. *P. Rico* y *R. Dom.* Árbol pequeño de la ...ia ramnáceas, de corteza amarga.

MABILLON, *Jean* (1632-1707) Benedictino fr. Uno de los introductores de la crítica histórica en la diplomacia moderna. *De re diplomática.*

MABINGA f. *Cuba* y *Méx.* Estiércol. • *Cuba* y *Méx.* Tabaco de calidad inferior.

MABITA com. *Ven.* Persona desafortunada que tiene desgracia en todo. • *Ven.* Mal de ojo.

Toma de **Maastricht** por las tropas españolas (1579). Monasterio de El Escorial, España

MABLY, *Gabriel Bonnot de* (1709-1785) Escritor político fr. Su *Tratado de legislación* influyó en la Rev. Francesa. *Dudas propuestas a los filósofos economistas sobre el orden natural y esencial de las sociedades políticas.*

Mac Pref. de origen céltico que significa *hijo* y que precede a numerosos apellidos irl. y escoceses. Para los personajes consiguientes, → Mc.

MACA f. Señal que queda en la fruta por algún golpe que ha recibido. • Defecto ligero que tienen algunas cosas. • fig. Defecto moral, vicio. • *Bot.* Tubérculo comestible propio de las tierras altas de Perú. Conocida desde tiempos de los incas, la m. es muy apreciada por sus propiedades curativas.

MACÁ f. *Argent.* Ave palmípeda que vive en las aguas dulces. Se alimenta de peces, crustáceos, insectos, moluscos y de ciertos vegetales. • *Amér. Merid.* adj. y s. Díc. de los individuos de un pueblo indígena de Paraguay, en la zona del Chaco, al N-NO de Asunción. Los m., unas 1 000 personas pertenecen a la familia lingüística mataco-macá. • adj. Relativo a dicho pueblo. • m. pl. Este mismo pueblo.

MACABEO m. Cada uno de los individuos pertenecientes a una familia judía que se opuso a la helenización realizada por Antíoco IV de Siria. • **Libros de los Macabeos.** Dos obras deuterocanónicas, que se encuentran en el canon católico y en el gr. (junto a los dos apócrifos).

MACABRO, BRA adj. Díc. de lo que participa de la fealdad y repulsión de la muerte.

MACACHÍN m. *Arg.*, *Ur.* Planta de flores amarillas o violadas, hojas parecidas a las del trébol y tubérculo comestible. Usada en medicina.

MACACINAS m. pl. *Hond.* y *Méx.* Zapatos toscos de cuero, sin tacón, usados por los indígenas.

MACACO, CA adj. *Amér.* Feo, deforme. • m. *Zool.* Primate cercopitécido de África y sudeste de Asia. • *Hond.* Moneda macuquina del valor de un peso.

MACACOA f. *P. Rico.* Mala suerte. • *Ven.* Melancolía, tristeza.

MACADAM o **MACADÁN** m. Mezcla de piedra y aglomerante utilizada en la pavimentación de vías públicas. El conjunto, apisonado, proporciona firmes lisos y consistentes. B MACADAMIZAR.

MACAGUA f. Ave rapaz diurna de los bosques de América del S. • *Ven.* Serpiente venenosa. • *Cuba.* Árbol moráceo de madera dura y fibrosa. • **terciopelo.** *Ven.* Serpiente venenosa de las montañas.

MACAGÜITA f. *Ven.* Palma espinosa. • Fruto de este árbol.

MACAL m. *Méx.* Tubérculo semejante a la yuca. • *Chile.* Plantío de maqui.

Macacos

Macaón

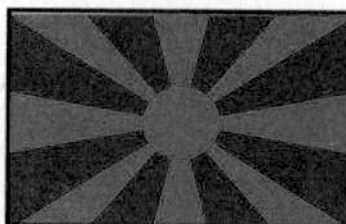
Mapa de situación y bandera de **Macedonia**

MACANA f. *Amér.* Arma ofensiva, a manera de machete, que usaban los indígenas. • *Cuba.* Garrote grueso de madera. • fig. Artículo de comercio que por su deterioro o falta de novedad queda sin fácil salida. • fig. *Amér.* Disparate, tontería. • *Amér. Centr.* Especie de azada. • *Argent.* Chisme, cosa o error de palabra o de hecho.
MACANAZ, *Melchor Rafael de* (1670-1760) Político y escritor esp., creador de la Biblioteca Nacional. *Historia crítica de la Inquisición.*
MACANAZO m. Golpe dado con la macana. • *Amér.* Acción brusca. • fam. *Amér.* Disparate. • *fam. Amér.* Fastidio, lata.
MACANEAR tr. *Amér.* Hacer o decir macanas. • *Argent.* Hacer mal alguna cosa. • intr. *Hond.* Trabajar con asiduidad. • *Col.* y *Ven.* Manejar un asunto. • *Nic.* y *Ven.* Desbrozar. ■ *Amér.* MACANEO; MACANEADOR, RA.
MACANO m. *Chile.* Color oscuro que se usa para teñir lana. • Árbol de Panamá.
MACANUDO, DA adj. fam. Estupendo, magnífico. • *Chile.* Grande, abultado. • *Argent.* y *Chile.* Disparatado. • *Col.* y *Ecuad.* Arduo.
MACAO m. *Cuba.* Crustáceo parecido al ermitaño. • fam. *Cuba.* Apodo de desprecio.
MACAO (port., *Macau*; chino, *Aomen*) Antigua dependencia autónoma de Portugal devuelta a China en 1999: adquirió el estatuto de región autónoma bajo administración especial; 21 km², 421 700 hab. Comprende la pen. de Macao, con la c. hom. y las islas de Taipa y Coloane. Pesca. Turismo.
MACAÓN f. Mariposa diurna de alas amarillas marcadas de negro, con las inferiores bordeadas por dos franjas azules.
MACAÓN *Mit. gr.* Hijo de Asclepio y Epión. Tomó parte, a favor de los gr., en la guerra de Troya.
MACAPÁ C. del N del Brasil, cap. del territorio de Amapá; 180 000 hab. Ind. metalúrgica.
MACAQUEAR intr. *Argent.* Hacer gestos como los macacos. • tr. *Amér. Centr.* Robar.
MACARELO m. Hombre pendenciero y camorrista.
MACAREO m. Aumento brusco del nivel del mar en rías y estuarios por efecto de la marea.
MACARIO el Egipcio (s. IV) Santo. Desde los 30 años fue monje en el desierto de Escitia (Egipto).
MACARRA m. Hombre que vive a costa de las prostitutas. • P. ext. El que vive a costa de una mujer.
MACARRO m. Panecillo alargado, que pesa 500 gr. • Bollo de pan de aceite, largo y estrecho.
MACARRÓN m. Pasta alimenticia de harina de trigo amasada que contiene gran cantidad de gluten y a la que se da forma tubular. Se usa más en pl. • Bollito con azúcar, almendra y otras especias. • Hombre que vive a expensas de las prostitutas.
MACARRONEA f. Composición burlesca, gralte, en verso, en que se mezclan palabras latinas con otras de una lengua vulgar a las cuales se da terminación latina, sujetándolas además, por lo menos en apariencia, a las leyes de la prosodia clásica. ■ MACARRÓNICO, CA.

Iglesia de Panaya Halkeon en Salónica, en la región griega de **Macedonia**

MACARSE prnl. Empezar a pudrirse la fruta por los golpes que ha recibido.
MACARTISMO o **MACCARTHYSMO** m. Época de la historia de EE UU caracterizada por una serie de medidas anticomunistas promovidas por el senador McCarthy.
MACAS C. de Ecuador, cap. de la prov. de Morona Santiago; 8 246 hab.
MACASAR m. Cubierta de punto, encaje, etc., que se coloca en los respaldos de algunos asientos.
MACASAR Estr. de Indonesia que separa la isla de Borneo y las islas Célebes. Une el mar de Célebes, al N, y los de Java y de la Sonda, al S. • **M.** o **Makasar.** Ant. nombre de la c. indonesia de Ujungpandang.
MACAULAY, *Thomas Babington* (1800-1859) Político e historiador brit., autor de *Historia de Inglaterra*, que abarca el periodo 1685-1702.
MACAZ m. *Perú.* Especie de paca, roedor.
MACAZUCHIL m. *Méx.* Planta piperácea, cuyo fruto perfuma el chocolate y otras bebidas.
MACBETH (m. 1057) Rey de Escocia [1040-1057]. Su figura histórica fue recogida por Shakespeare en una de sus mejores tragedias.
MACEAR tr. Dar golpes con el mazo o la maza. • intr. fig. Machacar, porfiar. ■ MACEO.
MACEDO, *José Agostinho de* (1761-1831) Poeta y orador port. Capellán del príncipe regente de Portugal e historiador del reino. *Meditaçao, Newton.*
MACEDONIA f. Ensalada de frutas.
MACEDONIA Región del N de Grecia, limítrofe con Albania, la rep. independiente de Macedonia y Bulgaria; 34 177 km², 1 122 000 hab. C. prales.: Salónica, Kavala, Sérrai. Cereales, frutas, tabaco, algodón. La pob. es mayoritariamente gr. • Región histórica del SE de Europa, en la pen. de los Balcanes. Se extiende al N y a orillas del mar Egeo, entre Epiro y Tracia. Dividida entre Bulgaria, Grecia y la rep. indep. de Macedonia. En la formación de M. intervinieron pueblos de raza gr. junto a elementos tracios e ilirios. El reinado de Filipo II (359 a.C.) marcó el inicio de la hegemonía de M., que culminó con Alejandro Magno.

MACEDONIA

Superficie	25 713 km²
Población	1 984 877 hab. (77 hab./km²)
Recursos económicos	
Acero	32 000 t
Aves de corral	4 000 000 cabezas
Cabaña ovina	2 044 000 cabezas
Cemento	486 000 t
Energía eléctrica	5 511 millones de kwh
Lignito	6 860 000 t
Madera	166 000 m³
Maíz	166 000 t
Patata	154 000 t
Remolacha azucarera	55 000 t
Trigo	381 000 t
Indicadores sociológicos	
Renta per cápita	1 813 dólares
Esperanza de vida	72 años
Alfabetismo	89 %

MACEDONIA *(Republika Makedonija)* Est. de Europa, en el SE de la pen. Balcánica; ocupa el NO de la región histórica hom. Limita al O con Albania, al E con Bulgaria, al N con Yugoslavia y al S con Grecia. Altos macizos enmarcan el valle del Vardar, el eje del país. Clima continental. Agricultura (algodón, tabaco) y ganadería (en las montañas). Minería. Ind. siderúrgica, mecánica, textil, alimentaria y papelera. Grupos étnicos: macedonios, albaneses, turcos, rumanos. Lenguas: macedonio (of.), albanés. *Rel.*: cristianismo ortodoxo, islamismo. U. M.: dinar. Cap. Skopje. C. prales.: Bitola, Prilep, Kumanovo.
* *Hist.* Incorporada a Serbia en 1913 y a Yugoslavia en 1918, en 1941 fue dividida entre la Albania fascista y Bulgaria. En 1945 recobró su ant. fronteras y estatus. En 1991 se declaró indep. y, pese a la oposición de Grecia, fue reconocida internacionalmente ese mismo año, siendo su primer jefe de Estado K. Gligorov. M., que se alineó con la OTAN durante la guerra en Kosovo (1999), sufrió en marzo de 2001 las incursiones de la guerrilla albanokosovar en el N, lo que provocó enfrentamientos con el ejército macedonio.
MACEDONIANO adj. y m. Díc. de individuos de una secta herética del s. IV, que tomó su nombre de Macedonio, obispo de Constantinopla. Relativo a dicha secta. • m. pl. Esta misma secta.
MACEDONIO, NIA adj. y s. Díc. de individuos de un pueblo que habitaba en parte de la región histórica de Macedonia. • De Macedonia. • m. *Ling.* Lengua indoeuropea hablada en la ant. Macedonia.

• *Ling.* Lengua eslava actual hablada por el pueblo macedonio. ■ MACEDÓNICO, CA.
MACEDONIO (s. IV) Obispo semiarriano de Constantinopla (342-360) depuesto por sus doctrinas, en las cuales se basó la herejía de los macedonianos.
MACEIÓ C. del NE de Brasil, cap. del est. de Alagoas, en la costa atlántica; 328 000 hab. Centro comercial. Puerto exportador de azúcar y algodón. Ind. alimentaria, textil y metalúrgica.
MACELO m. Matadero, sitio donde se mata el ganado.
MACEO, *Antonio* (1845-1896) Militar cub. Uno de los caudillos independentistas de la isla. Rechazó la paz de Zanjón (1878) y marchó a Jamaica, Haití y Costa Rica, donde se puso en contacto con José Martí y Máximo Gómez para organizar un nuevo alzamiento. Reanudada la lucha, consiguió entrar en La Habana, pero murió en un encuentro con las fuerzas esp.
MACERAR tr. Ablandar una cosa, estrujándola o manteniéndola sumergida en un líquido. • tr. y prnl. fig. Mortificar el cuerpo.
MACERATA Prov. de Italia, en Las Marcas; 2 774 km², 294 500 hab. Cap., la c. hom. Trigo, vid, frutales. Ganadería. • C. de Italia, cap. de la prov. hom.; 43 600 hab. Centro comercial y agrícola. Ind. mecánica y alimentaria. Universidad.
MACERINA f. Plato con anillo central para sujetar la jícara.
MACERO m. El que lleva la maza delante de las corporaciones o personas que usan esta señal de dignidad.
MACETA f. Empuñadura o mango de algunas herramientas. • Martillo de cantero. • *Amér.* Mazo. • Tiesto de barro para plantas. • Pie o vaso para poner flores artificiales. • *Chile.* Ramillete, mazo de flores. • fig. y fam. *Méx.* Cabeza. • *Bot.* Corimbo. • *Argent., Bol., Chile, Par.* y *Ur.* Caballo viejo que anda con dificultad. • adj. *P. Rico.* Miserable, avariento. ■ MACETERO.
MACFARLÁN o **MACFERLÁN** m. Gabán sin mangas y con esclavina.
MACH m. Unidad de velocidad equivalente a la velocidad del sonido en el aire.
MACH, *Ernst* (1838-1916) Físico y filósofo austr., cuyos trabajos ejercieron gran influencia en el pensamiento del primer tercio del s. XX. Fundador del empiriocriticismo, las leyes científicas eran para él puramente descriptivas (positivismo). *Conocimiento y error, Las ideas directrices de mi teoría del conocimiento científico-natural.*
MACHA f. *Chile.* Molusco de mar, comestible. • *Amér.* Marimacho. • *Argent.* Broma, burla.
MACHACA f. Instrumento con que se machaca. • com. fig. Persona pesada que fastidia con su conversación.
MACHACADERA f. Machaca, instrumento.
MACHACANTE m. Soldado destinado a servir a un sargento. • fam. Duro, moneda.
MACHACAR tr. Golpear una cosa para romperla o deformarla. • Reducir una cosa sólida a fragmentos. • intr. fig. Insistir importuna y pesadamente sobre una cosa. ■ MACHACADOR, RA; MACHACÓN; NA; MACHACONERÍA; MACHAQUEO; MACHAQUERÍA.
MACHADA f. Hato de machos de cabrío. • fig. y fam. Necedad. • fig. y fam. Valentía.
MACHADO M. Hacha para cortar madera.
MACHADO, *Antonio* (1875-1939) Poeta esp. Se formó en Madrid, en la Institución Libre de Enseñanza. En 1927 fue elegido académico de la Lengua. Al estallar la guerra civil en 1936, trabajó en servicios de propaganda y dio conferencias a favor de la República. A principios de 1939 se refugió en Francia, donde murió poco después. Con su hermano Manuel colaboró en algunas obras teatrales, aunque en un tono menor que su obra poética. *Soledades, galerías y otros poemas, Campos de Castilla, Proverbios y cantares.* • ***Bernardino*** (1851-1944) Político port. Artífice de la rev. republicana de 1910, fue primer ministro (1914-1915) y presid. de la rep. (1915-1917). Elegido de nuevo para este cargo en 1925, fue depuesto en 1926. • ***Gerardo*** (1871-1939) Político cub. Fundó el Partido Popular cub. y en 1925 fue elegido presid. de la rep. Reformó la constitución e instauró una dictadura personal. Su reelección y la ampliación del periodo de mandato provocaron una huelga general que le obligó a refugiarse en EE UU (1933). • ***Manuel*** (1874-1947) Poeta esp., hermano de Antonio M. Estilo colorista y airoso inspirado en el popularismo. *Alma, El cante jondo, Horas de oro.* • **de Assis, *Joaquim Maria*** (1839-1908) Escritor bras. Su estilo amplio recorre desde los más etéreos niveles de la lírica hasta la más profunda tradición romántica. *Americanas, Chrysalidas, Phalenas.*
MACHAJE m. *Chile.* Conjunto de animales machos.
MACHALA C. del S de Ecuador, cap. de la prov. de El Oro, junto a la desembocadura del r. Jubones; 144 197 hab. Centro agropecuario. Bananas.
MACHANGO, GA adj. *Chile.* Machacón. • m. *Amér.* Especie de mono. • *Cuba.* Díc. de la persona de modales torpes y groseros. • f. *Chile.* Machaquería.
MACHAQUEAR tr. *Amér.* Machacar, majar.
MACHAR tr. Machacar. • prnl. *Amér. Merid.* Emborracharse.
MACHAULT, *Guillaume de* (h. 1300-1377) Poeta y músico fr. Autor de obras polifónicas notables, singularmente una *misa*, y varios rondós, baladas, virelais, etc. De su obra poética destaca el *Libre du Voir Dit* (Libro del testimonio). • **D'Arnouville, *Jean-Baptiste de*** (1701-1794) Político fr. Ministro de Hacienda (1745-1754), intentó establecer la igualdad ante el impuesto, reforma que fue abolida en 1751. Durante el Terror fue encarcelado.
MACHEAR tr. Fecundar el macho a la hembra. • Fecundar las palmeras mediante el sacudimiento de las inflorescencias masculinas sobre los pies femeninos. • intr. Engendrar los animales más machos que hembras.
MACHEL, *Samora* (1933-1986) Político mozambiqueño. Uno de los fundadores del FRELIMO (1962). Al alcanzar la indep. el país, fue elegido presid. (1975). Murió en accidente de aviación en circunstancias no aclaradas.
MACHETE m. Arma más corta que la espada; es ancha, de mucho peso y de un solo filo. • Cuchillo grande de diversas formas. ■ MACHETAZO; MACHETERO, RA.
MACHETEAR tr. Golpear con el machete. • *Mar.* Clavar estacas. • *Col.* Porfiar. • *Méx.* Trabajar. • *Méx.* Estudiar mucho.
MACHETÓN m. *Ven.* Militar rudo y autoritario. • *Amér. Centr.* General que llega a presid. por una cuartelada.
MACHI o **MACHÍ** com. *Argent.* y *Chile.* Curandero.
MACHIAVELLI, *Niccolò* → Maquiavelo.
MÁCHICA f. *Perú.* Harina de maíz tostado que comen los indígenas mezclada con azúcar y canela.
MACHIEGA adj. Díc. de la abeja fecunda, única en cada colmena.
MACHIGUA f. *Hond.* Lavazas de maíz.
MACHIHEMBRAR tr. *Carp.* Ensamblar dos piezas de madera a caja y espiga o a ranura y lengüeta. ■ MACHIHEMBRADO, DA; MACHIHEMBRADORA.
MACHÍN m. *Col.* y *Ven.* Mico, mono.
MACHÍN, *Antonio* (1901-1977) Cantante cub., nacionalizado esp. Introductor del bolero en España. *Angelitos negros, El manisero.*
MÁCHINA f. Cabria o grúa que se usa en puertos y arsenales. • Martinete, mazo para batir.
MACHINCUEPA f. *Méx.* Voltereta.
MACHISTA adj. Que tiene poca o ninguna consideración hacia las mujeres por creerlas inferiores a los hombres. ■ MACHISMO.
MÁCHMETRO m. Indicador de velocidad que señala el cociente entre la velocidad del móvil y la velocidad del sonido en el aire.
MACHO m. Animal de sexo masculino. • Mulo. • Planta que fecunda a otra. • Parte del corchete que se engancha en la hembra. • En los artefactos, pieza que entra dentro de otra. • m. y adj. fig. Hombre necio. • m. Mazo para forjar hierro. • Banco de herrero. • Yunque cuadrado. • fig. Borlas de la chaquetilla del torero. • fig. y fam. *Cuba.* Grano de arroz con cáscara. • *Cuba.* Puerco. • *Arq.* Pilar que sostiene un techo o un arco. • adj. Fuerte. • adj. y m. Hombre valiente. • *Amér. Centr.* Extranjero rubio. • **cabrío.** Cabrón o macho de la cabra. • **de ate-**

Antonio **Machado**

Antonio **Machín**

Ruinas de **Machu Picchu**

Detalle de *Gran escaparate iluminado,* óleo de August **Macke.** Museo Sprengel, Hannover (Alemania)

Macla

Macrofotografía de los ojos compuestos de un insecto odonato

rrajar. Tornillo de acero que sirve para labrar la rosca de las tuercas.
MACHO, ***Victorio*** (1887-1966) Escultor esp. Su estilo aparece inmerso en una estética clasicista, recorrida por una gran fuerza expresiva. Monumento a Miguel Grau, en Lima.
MACHÓN m. *Arq.* Macho, o pilar de fábrica.
MACHORRO, RRA adj. Estéril, infructífero. • f. Hembra estéril. • Mujer hombruna, marimacho.
MACHOTA f. Especie de mazo. • fam. Mujer hombruna, marimacho. • *P. Rico.* Mujer garrida y lozana.
MACHOTE m. fam. Hombre vigoroso, bien plantado. • *Méx.* Señal que se pone para medir los destajos en las minas. • *Hond.* Borrador, minuta.
MACHU PICCHU Ant. ciudad inca sit. cerca de Cusco, en los Andes de Perú. Construida en la cima de la montaña de Huayna Picchu, a 3 100 m de alt., se la rodeó de una muralla que protegía los grupos de viviendas de piedras, escalonadas, separadas por pasadizos y accesibles por medio de escaleras. Los templos no están decorados exteriormente. Destacan el de las Tres Ventanas, la gran plaza, el palacio de Ñusta, un torreón y las tumbas reales. Descubierta por Hiram A. Bingham en 1912.
MACHUCA, ***Pedro*** (h. 1490-h. 1570) Pintor y arquitecto esp. Autor de uno de los pocos ejemplos de arquitectura renacentista italianizante en España: el palacio de Carlos V, en Granada. Su obra pictórica muestra ciertos caracteres manieristas. *San Juan Evangelista, Santa Catalina.*
MACHUCANTE m. fam. *Col.* Sujeto, individuo.
MACHUCAR tr. Golpear, causar contusiones. • Machacar. ■ MACHUCADURA; MACHUCAMIENTO; *Amér.* MACHUCÓN.
MACHUCHO, CHA adj. Sosegado, juicioso. • Viejo.
MACHUELO m. Germen de un ser orgánico. • Parte de la semilla de que se forma la planta.
MACHUSCA f. fam. *Bol.* Mujer jamona.
MACIÀ i Llussà, ***Francesc*** (1859-1933) Político esp., defensor del nacionalismo catalán. En abril de 1931 venció en las elecciones municipales y proclamó la Rep. Catalana, que tras negociar con el gobierno de Madrid se convirtió en simple territorio autónomo. Aprobado el estatuto cat. en 1932, M. fue el primer presid. de la moderna *Generalitat.*
MACÍAS el Enamorado (s. XV) Poeta esp. en lengua gall. y cast. *Cancionero de Baena.* • **Nguema,** *Francisco* (1924-1979) Político de Guinea Ecuatorial. Presid. de la rep. al proclamarse la indep. (1968), fue derrocado en 1979 y, tras un proceso público, fue ejecutado. • **Picavea,** ***Ricardo*** (1847-1899) Escritor esp., uno de los portavoces del regeneracionismo. *El problema nacional, hechos, causas y remedios.*
MACIEGA f. *Amér. Merid.* Especie de hierba de hoja parecida a la de la espadaña.
MACILENTO, TA adj. Flaco, descolorido, triste.
MACILLO m. Pieza del piano con la cual, a impulso de la tecla, se hiere la cuerda correspondiente.
MACIZAR tr. Rellenar un hueco con material bien apretado.
MACIZO, ZA adj. y m. Lleno, sin huecos, sólido. • adj. fig. Sólido, grueso, fuerte. • m. Grupo de alturas o montañas. • fig. Conjunto de construcciones cercanas entre sí. • fig. Agrupación de plantas con que se decoran los cuadros de los jardines. • *Arq.* Parte de una pared entre dos vanos.
MACKE, ***August*** (1887-1914) Pintor al. Sus composiciones figurativas participan del sintetismo de Cézanne, del colorismo de Delaunay u del dinamismo futurista. *Gran escaparate iluminado.*
MACKENZIE Río del NO de Canadá; 1 800 km. Nace, por emisión, en el Gran Lago de los Esclavos, y desemboca en el mar Beaufort, en el océano Glacial Ártico.
MACKENZIE, ***William Lyon*** (1795-1861) Periodista y político can. Se distinguió por sus ataques a la administración colonial brit. En 1837 dirigió una rebelión frustrada contra el gobierno.
MACKINTOSH, ***Charles Rennie*** (1868-1928) Arquitecto y decorador brit., uno de los máx. representantes del modernismo. Proyectó la Escuela de Arte de Glasgow.
MAC-MAHON, ***línea de*** Frontera convencional, fijada en 1914 por una comisión brit., entre la India, Nepal y China.
MAC-MAHON, ***Edmond Patrice Maurice,*** CONDE DE (1808-1893) Mariscal fr. Reprimió con violencia el movimiento revolucionario de la Comuna de París (1871). Elegido presid. de la rep. (1873), su gobierno, bajo el signo del «orden moral», perdió pronto la confianza de la Asamblea, por lo que se vio obligado a dimitir en 1879.
MACLA f. Agregado cristalino constituido por dos o más cristales que pueden ser llevados a posiciones paralelas por un giro de 180° alrededor de un eje interno del agregado (eje de m.) o por una reflexión a través de un plano (plano de m.).
MACOLLA f. *Bot.* Conjunto de vástagos, flores o espigas que nacen de un mismo pie.
MACOLLAR intr. y prnl. Amacollar, formar macolla las plantas.
MACOLLO m. *Hond.* Macolla.
MACÓN m. Entre colmeneros, panal sin miel, reseco y de color oscuro. • adj. *Col.* Grandote, muy grande.
MACON C. del SE de EE UU, en el est. de Georgia; 122 500 hab. (207 000 la alg. urb.). Puerto fluvial sobre el Ocmulgee. Centro algodonero.
MACONO m. *Bol.* Ave canora que habita en los bosques.
MACOTE adj. *Argent.* Grandote, muy grande.
MACOYA f. *Amér. Merid.* Árbol de la familia palmáceas, del cual se extrae un aceite usado en perfumería.
MACRAMÉ m. Labor manual consistente en un trabajo de calados a base de nudos y trenzados con cordel.
MACROBIO, ***Ambrosio Teodosio*** (ss. IV-V) Gramático y filósofo latino. *El sueño de Escipión, Saturnalia.*
MACROBIÓTICA f. Parte de la medicina profiláctica que estudia los medios de prolongar la vida humana. • adj. Díc. de la alimentación tendente a este mismo fin.
MACROBLASTO m. *Bot.* Dícese de la rama larga de una planta, cuya prolongación se debe al predominio del alargamiento en las zonas internodales del tallo.
MACROCÉFALO, LA adj. y s. Díc. de todo animal que tiene la cabeza desproporcionada por lo grande, con relación al cuerpo o a la especie a que pertenece.
MACROCOSMO o **MACROCOSMOS** m. El universo, especialmente cuando se le considera como un ser semejante al hombre o microcosmo.
MACROECONOMÍA f. Estudio de las actividades económicas por grandes conjuntos, con el objeto de relacionarlos y proporcionar una base general de acción a la política económica.
MACROENSAMBLADOR m. *Comp.* Ensamblador que permite el uso de macroinstrucciones.
MACRÓFAGO, GA adj. y m. Díc. de las células voluminosas con poder fagocitario. • Díc. de los animales que se alimentan de presas grandes en relación con su propio tamaño.
MACROFOTOGRAFÍA f. Proceso mediante el cual se obtienen imágenes fotográficas de mayor tamaño que el natural. • Fotografía obtenida mediante este proceso.
MACROGAMETO m. *Biol.* Gameto de mayor tamaño. Si es inmóvil y carece de flagelos recibe el nombre de óvulo, en los animales, y de oosfera, en los vegetales.
MACROGLOSIA f. Aumento de tamaño de la lengua.
MACROINSTRUCCIÓN m. *Comp.* Instrucción de lenguaje simbólico, que, después de pasar por el proceso de compilación, se transforma en una secuencia de instrucciones máquina.
MACRÓMERO m. *Biol.* Blastómero de gran tamaño, rico en vitelo, que tapiza interiormente la blástula y origina el endodermo.
MACROMOLÉCULA f. *Quím.* Molécula de elevado peso molecular, formada por miles de átomos, como las proteínas, ácidos nucleicos, plásticos, etc.
MACROPLANCTON m. Componente macroscópico del plancton: medusas, algunos procordados, etc.
MACROPÓDIDO, DA adj. y m. *Zool.* Díc. de los mamíferos marsupiales propios de Australia e islas

cercanas, como los canguros, los ualabíes, etc. • m. pl. *Zool.* Familia de estos mamíferos.
MACRÓPODO m. *Zool.* Pez de Extremo Oriente, de colores vistosos. • adj. Díc. de los animales de pies grandes. • adj. *Bot.* De pedúnculo largo.
MACROSCÓPICO, CA adj. Lo que se ve a simple vista, sin auxilio del microscopio.
MACROSENTENCIA f. *Comp.* Sentencia que dentro de un programa engloba otras sentencias del mismo lenguaje en el que está escrito tal programa.
MACROSPORANGIO m. *Bot.* Esporangio con esporas de gran tamaño de los pteridófitos heterospóreos.
MACROSPORÓFILO m. *Bot.* Hoja fértil que sostiene los esporangios femeninos o macrosporangios.
MACRURO, RA adj. y s. *Zool.* Díc. de los crustáceos de abdomen largo: langostas, langostinos, etc.
MACSURA f. Recinto reservado en una mezquita para el califa o el imán.
MACUACHE m. *Méx.* Indígena bozal que no ha recibido instrucción alguna. • fig. *Méx.* Bruto, animal.
MACUBA f. Tabaco aromático que se cultiva en el término de la Macuba, pob. de la Martinica. • Insecto coleóptero. Por el olor almizcleño que despide se ha empleado para comunicar al rapé un aroma parecido al del tabaco.
MACUCO, CA adj. *Chile.* Cuco, taimado, astuto. • m. *Argent.* y *Col.* Muchacho grandullón. • f. *Bot.* Planta umbelífera, de raíz globosa, tallo ramoso, flores blancas pequeñas y fruto parecido al anís.
MACUENCO, CA adj. *Cuba.* Flaco, enclenque, especialmente aplicado a los animales.
MÁCULA f. Mancha. • Cosa que deslustra. • fig. y fam. Engaño, trampa. • *Astr.* Cada una de las partes oscuras que se observan en el disco del Sol o de la Luna. • Mancha rojiza de la piel, que no sobresale en la superficie. • **lútea.** Zona de la retina de gran pigmentación en la que la agudeza visual es máxima.
MACULAR tr. Manchar, deslustrar la buena fama.
MACULATURA f. *Art. Gráf.* Pliego que se desecha por manchado o mal impreso.
MACUQUERO m. El que sin permiso extrae metales de las minas abandonadas.
MACUQUINO, NA adj. Aplícase a la moneda cortada y esquinada, de oro o plata, que corrió hasta el s. XIX.
MACURCA f. *Chile.* Agujetas.
MACUSPANA Mun. del SE de México, en el est. de Tabasco; 74 200 hab. Explotaciones petrolíferas. Aeropuerto.
MACUTENO m. *Méx.* Ratero, ladrón.
MACUTO m. Mochila. • Cesto que usan los pobres en Venezuela para recoger las limosnas.
MADAGASCAR *(République Démocratique Malgache; Repoblika Malagasy)* Estado que ocupa la isla hom., sit. en el océano Índico, frente a la costa sudoriental afr. y separada de ella por el canal de Mozambique. Costas articuladas en el N y NO y rectilíneas en el resto. Clima tropical salvo en el extremo meridional, de características más suaves. A pesar de su estructura arcaica, la agricultura es la pral. fuente de riqueza. Plantaciones de tipo comercial producen café, algodón, caña de azúcar y tabaco. Ganadería. Ind. escasamente desarrollada. República. Cap., Antananarivo. C. prales.: Majunga, Tamatave. Etnias: mérinas (26 %), betsimisarakas (14,7 %), betsileos (12 %) y otras. Lengua: malgache. Se habla también francés. Rel.: animista (50 %), católica (25 %), protestante (20 %), musulmana (5 %). U. M.: el franco malgache.
 * *Hist.* A fines de la E. Med. se establecieron en las costas malgaches grupos de rel. islámica; en 1500 arribaron los port., quienes a partir de entonces utilizaron los puertos naturales de la isla como puntos de escala hacia la India. Centro de tribus dedicadas a la piratería, su comercio se lo disputaron en el s. XVIII franceses e ingleses. A principios del s. XIX, el reino mérina unificó el país y se cerraron los puertos a los europeos. En 1896 Francia se anexionó la isla, que no consiguió su indep. absoluta hasta 1960, bajo la presidencia de Philibert Tsiranana. En 1972, tras una revuelta popular, entregó el poder al general Ramanantsoa, quien gobernó dictatorialmente hasta 1975. Ese mismo año se proclamó la segunda rep.

MADAGASCAR

Superficie	587 041 km²
Población	14 062 000 hab. (24 hab./km²)
Recursos económicos	
Arroz	2 596 000 t
Azúcar	96 000 t
Batata	560 000 t
Cabaña bovina	10 309 000 cabezas
Cabaña caprina	1 300 000 cabezas
Cabaña porcina	1 592 000 cabezas
Café	79 000 t
Cerveza	319 000 hl
Copra	10 000 t
Cromo	27 000 t
Grafito	8 000 t
Mandioca	2 420 000 t
Mica	387 t
Nuez de coco	80 000 t
Pesca	104 768 t
Riqueza forestal	10 645 000 m³
Sal	80 000 t
Indicadores sociológicos	
PNB	3 178 millones de dólares
Renta per cápita	230 dólares
Esperanza de vida	58 años
Alfabetismo	80 %

malgache, con un programa nacional de «revolución socialista» aprobado por referéndum, presidida por Didier Ratsiraka que permaneció en el poder hasta 1993, año en que la democratización culminó con unas elecciones presidenciales que ganó A. Zafy. Pero en 1997 D. Ratsiraka recuperó el poder.
MADAMA f. Voz de tratamiento, de origen fr., equivalente a señora. • *Cuba.* Balsamina, planta cucurbitácea. • fam. *Argent.* Partera, comadrona.
MADAMISELA f. Damisela, señorita.
MADAPOLÁN m. Tipo de tela de algodón.
MADARIAGA, *Salvador de* (1886-1978) Escritor y diplomático esp. *Guía del lector del Quijote, Ingleses, franceses y españoles, Guerra de sangre.*
MADEFACCIÓN f. *Farm.* Acción de humedecer ciertas sustancias para preparar con ellas un medicamento.
MADEIRA m. Vino de las islas Madeira.
MADEIRA o **MADERA** Arch. port. del Atlántico, sit. al N de las Canarias; 794 km², 275 000 hab. Cap., Funchal. Vid, caña de azúcar, plátanos, piña. Artesanía. Pob. de origen port. Desde 1975 tiene estatuto de autonomía. • R. de Brasil, afl. del Amazonas; 3 300 km.
MADERA f. *Bot.* Parte sólida de los tallos leñosos, debajo de la epidermis. • Materia que compone el casco de las caballerías. • fig. y fam. Talento o disposición de una persona para una actividad. • **negra.** *Amér. Centr.* Árbol usado para dar sombra en los cocotales, de madera muy dura. • **Tocar m.** Hacerlo para evitar la mala suerte. ■ MADERABLE; MADERAMIENTO; MADERERÍA; MADERERO, RA.
 * *Bot.* La m. se compone de celulosa y lignina, y consta de una zona central y dura (duramen), y una externa blanda (albura). Se forma a partir del cámbium por engrosamiento transversal (anillos).
MADERADA f. Conjunto de maderos que se transporta por un río.
MADERAJE o **MADERAMEN** m. Conjunto de maderas que entran en una construcción.
MADERNA, *Carlo* (1556-1629) Arquitecto it. Paulo V le encargó la terminación de la basílica Vaticana. Abandonó la planta centralizada de Miguel Ángel y la convirtió en cruz latina. Iglesia de Santa María de la Victoria y el proyecto del palacio Barberini, en Roma.
MADERO m. Pieza larga de madera cortada a escuadra o en rollo. • fig. Nave, buque. • fig. y fam. Persona carente de inteligencia o de sensibilidad.
MADERO, *Francisco Ignacio* (1873-1913) Político mex. En 1910 constituyó el Partido Nacional Antirreeleccionista, con el que se enfrentó a Porfirio Díaz, entonces en la presidencia. Inició la sublevación (plan de San Luis), que apoyaron Orozco, Villa y Zapata. La fuerza de los revolucionarios obli-

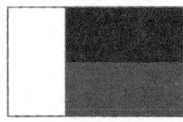

Madagascar. Arriba, mapa de situación y bandera; abajo, vista general de la ciudad de Antananarivo

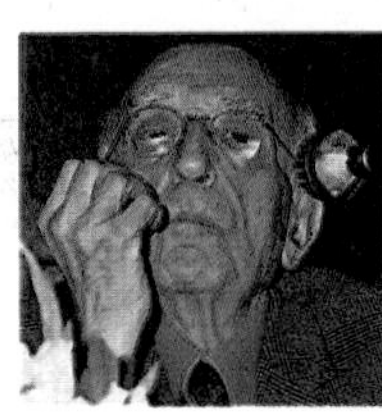

Salvador de **Madariaga**

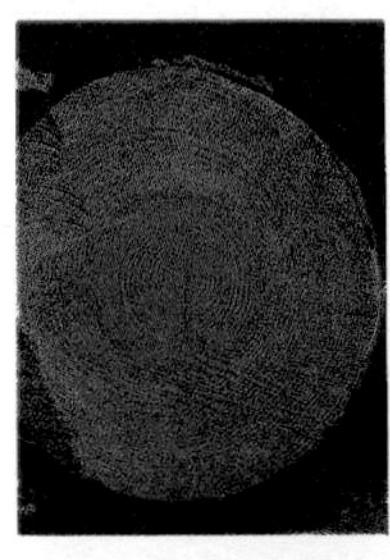

Tronco aserrado que permite apreciar la estructura de la **madera**

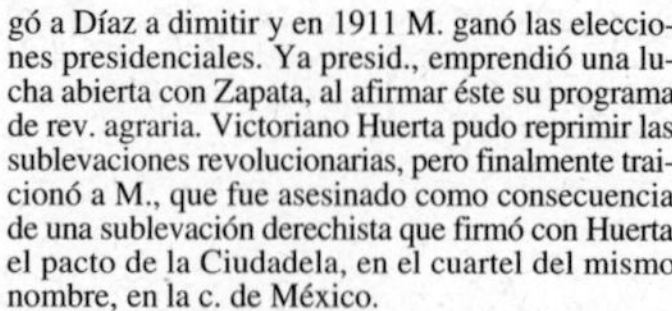

gó a Díaz a dimitir y en 1911 M. ganó las elecciones presidenciales. Ya presid., emprendió una lucha abierta con Zapata, al afirmar éste su programa de rev. agraria. Victoriano Huerta pudo reprimir las sublevaciones revolucionarias, pero finalmente traicionó a M., que fue asesinado como consecuencia de una sublevación derechista que firmó con Huerta el pacto de la Ciudadela, en el cuartel del mismo nombre, en la c. de México.

Madona. *Virgen con el Niño*, tabla de G. Bellini. Museo Carrara, Bérgamo (Italia)

MADHYA PRADESH Est. de la India, sit. al N del Decán; 442 841 km^2, 66 153 900 hab. Cap., Bhopal. C. prales.: Indore y Jabalpur. Arroz, mijo, trigo, sésamo, algodón, plátano, caña de azúcar. Manganeso, carbón, bauxita, hierro. Ind. textil y de material eléctrico.

MADHYAMIKA Escuela budista derivada del mahayana. Su nombre equivale a «neutralismo». También se denomina *shunya-vada.*

MADI m. *Chile.* Madia.

MADIA f. *Bras.* y *Chile.* Planta de cuya semilla se extrae aceite.

MADISON C. de EE UU, cap. del est. de Wisconsin; 191 300 hab. Centro agrícola y comercial. Equipos eléctricos y médicos. Universidad.

MADISON, *James* (1751-1836) Político norteam. Dirigió la redacción de la constitución estadounidense. Creó con Jefferson el partido republicano. Presid. de 1809 a 1817.

MADONA (del it. *Madonna*) f. Voz con la que se designa las representaciones pictóricas y escultóricas de la Virgen María.

MADOR m. Ligera humedad que cubre la superficie del cuerpo, sin llegar a ser sudor. ■ MADOROSO, SA.

MADOZ, *Pascual de* (1806-1870) Político y escritor español. Ministro de Hacienda, consiguió que se aprobara la ley de Desamortización. *Diccionario geográfico, histórico y estadístico de España.*

MADRÁS m. Tela fina de seda o algodón, a cuadros.

MADRÁS (tamil, *Chenai*) C. del SE de la India, cap. del est. de Tamil Nadu; 5 361 500 hab. Puerto sobre el golfo de Bengala. Export. de productos agrícolas y mineros. Ind. textil, metalúrgica y química. Curtidos. Universidad.

Madreselva

MADRASA f. Escuela musulmana de enseñanza superior.

MADRASTA f. *Amér.* Madrastra.

MADRASTRA f. Respecto a los hijos tenidos por un hombre en el anterior matrimonio, esposa de dicho hombre. • fig. Cualquier cosa que incomoda o daña.

MADRAZA f. fam. Madre que mima mucho a sus hijos.

MADRAZO, *Federico de* (1815-1894) Pintor esp., hijo de José de M. Realizó cuadros de historia y religiosos y destacó como retratista. *General San Miguel, Doña Amalia de Llano, Duquesa de Alba.* • ***José de*** (1781-1859) Pintor esp. Cuadros de tema histórico *(La muerte de Viriato)*; retratos *(Duque de Rivas, Princesa Casini).*

MADRE f. Hembra que ha parido. • Hembra respecto a su hijo o hijos. • Título que se da a las religiosas. • fam. Mujer anciana del pueblo. • Matriz en que se desarrolla el feto. • fig. Causa u origen de donde proviene una cosa. • fig. Cuna de una cosa. • Cauce o lecho de un río. • Acequia principal. • Alcantarilla o cloaca maestra. • Heces del mosto, vino o vinagre que se sientan en el fondo de la cuba. • Madero pral. de un armazón o máquina. • *Cuba.* Carbonera. • **de familia.** Mujer casada o viuda, cabeza de su casa. • **política.** Suegra. • **De puta m.** m. fam. Estupendamente. • **Tener pinta de m.** fig. y fam. Tener aspecto bondadoso. • fig. y fam. Estar obeso. • **Ésa es la m. del cordero.** fr. con que se indica que una cosa es la verdadera razón de un hecho o suceso. ■ MADRERO, RA.

Vista aérea de **Madrid**

MADRE Centroamericana, *Sierra* Sist. montañoso, llamado también cord. Centroamericana, que recorre toda América Central desde la frontera mexicano-guatemalteca hasta la barranca de Atrato, en Colombia. Su mayor alt. es el volcán Tajumulco (4 211 m). • **De Chiapas, *Sierra*** Sist. montañoso del SE de México, que se extiende desde el istmo de Tehuantepec hasta la frontera con Guatemala, donde se alza la mayor alt., el volcán Tacaná, de 4 064 m. • **De Oaxaca, *Sierra*** Sist. montañoso del S-SE de México que, con dirección NO-SE, accidenta el est. de Oaxaca. Su alt. máx. es el cerro Zempoaltepec (3 396 m). • **Del sur, *Sierra*** Sist. montañoso del S de México. Se extiende paralelo al océano Pacífico, desde la depresión del Balsas hasta el istmo de Tehuantepec. Su relieve es abrupto y casi no existe llanura costera en su contacto con el mar. La alt. máx. es el Teotepec (3 703 m). • **Occidental, *Sierra*** Sist. montañoso al O de México, prolongación de las montañas Rocosas de EE UU. Se extiende desde la cuenca del Yaqui, al N, hasta la del Grande de Santiago, al S. Recorre la costa del Pacífico, dominando una llanura litoral larga y estrecha (est. de Sinaloa y Nayarit) que se ensancha al N, en la región desértica de Sonora. Está constituida por materiales cristalinos y volcánicos. • **Oriental, *Sierra*** Sist. montañoso del E de México. Se inicia en EE UU (Texas) y se alarga hacia el S. Está constituida por materiales sedimentarios y rocas basálticas que descienden hacia el golfo de México, formando una amplia llanura litoral.

MADRE DE DIOS Dpto. del SE del Perú, limítrofe con Brasil y Bolivia; 85 182,63 km^2, 74 100 hab. Cap., Puerto Maldonado. Sit. en la Amazonia. Terreno selvático. Grandes zonas inexploradas. Caucho, caña de azúcar, algodón y cacao. Explotación forestal. Extracción de oro en los lavaderos del r. Inambari. • R. de Perú y Bolivia. Nace en la cord. de Carabaya y desemboca en la orilla izquierda del r. Beni; 1 450 km.

MADREARSE prnl. Ahilarse la levadura, el vino.

MADRECILLA f. Huevera de las aves.

MADRECLAVO m. Clavo de especia que ha estado en el árbol dos años.

MADREÑA f. Almadreña, zueco.

MADREPERLA f. Molusco bivalvo muy apreciado por las perlas que suele contener y por el nácar de su concha. Abunda en el Índico, Pacífico y golfo de México.

MADRÉPORA f. Animal invertebrado marino, perteneciente al tipo cnidarios. La m. son antozoos hexacoralarios, provistos de un esqueleto calcáreo ornamentado y ramificado o macizo. Viven en mares cálidos, a poca profundidad, y participan activamente en la formación de arrecifes y atolones coralinos. ■ MADREPÓRICO, CA.

MADRESELVA f. Nombre común de varias especies de plantas arbustivas de la familia caprifoliáceas, de ramas lampiñas o pubescentes, hojas elípticas, flores verticiladas y frutos en baya.

MADRID Com. autón. y prov. de España; 7 995 km^2, 5 022 289 hab. Cap., la c. hom. Se extiende desde la cord. Central hasta el Tajo. Al N y NO la accidentan la sierra de Guadarrama y parte de las de Somosierra y Gredos. R. prales.: Tajo, Guadarrama, Tajuña, Jarama, Henares y Manzanares. Clima continental. Cereales, vid y olivo en secano; en los valles fluviales, hortalizas, frutas, forrajes y remolacha. La ind. se concentra en la cap. y en los núcleos adyacentes. • C. de España, cap. de la com. autón. y de la prov. hom.; cap. del Estado; 2 866 850 hab. Centro industrial, comercial y administrativo. Nudo de comunicaciones. Universidad. En 1561 Felipe II trasladó a ella su corte y la convirtió en cap. de las Españas. Con la llegada de los Borbones comenzó la evolución que iba a convertirla en gran metrópoli. • **Batalla de M.** Operaciones militares desarrolladas alrededor de la cap. durante la guerra civil esp. (1936-1939).

MADRID, *Miguel de la* (nacido 1934) Político mex. Ocupó cargos destacados en el Banco de México y en la compañía petrolera estatal Pemex. Subsecretario de Hacienda y Crédito Público y secretario de Programación y Presupuestos, se presentó a las elecciones presidenciales como candidato del PRI. Presid. de la rep. (1982-1988).

MADRIGADO, DA adj. Aplícase a la mujer casada en segundas nupcias. • Díc. del macho de ciertos animales, particularmente del toro que ha padreado. • fig. y fam. Díc. de la persona práctica y experimentada.

MADRIGAL m. *Lit.* Composición poética, generalmente corta, de contenido amoroso e idílico. • *Mús.* Composición para varias voces y sin acompañamiento que surgió en Italia (ss. XIV-XVII). ■ MADRIGALISTA.

MADRIGAL, *Alonso de* (1400-1455) Escritor y eclesiástico esp., conocido por el nombre de EL TOS-

TADO. *El Defensorio, Opera Omnia, De óptima política.*
MADRIGUERA f. Albergue de un animal, gralte. excavado en el suelo. • fig. Sitio oculto en que se refugia gente maleante.
MADRILEÑO, ÑA adj. y s. De Madrid.
MADRINA f. Mujer que asiste a otra persona al recibir ésta el sacramento del bautismo, de la confirmación, etc. • fig. La que favorece o protege a otra persona. • La que, por designación previa, rompe una botella de vino o champaña contra el casco de una embarcación en el acto de su botadura. • Poste o puntal de madera. • Cuerda o correa con que se enlazan los bocados de las dos caballerías que forman pareja en un tiro. • Yegua que sirve de guía a una manada de ganado caballar. • *Ven.* Manada pequeña de ganado manso que sirve para guiar al bravío. • *Mar.* Pieza de madera con que se refuerza otra. ■ MADRINAZGO.
MADRIZ Dpto. del NO de Nicaragua, fronterizo con Honduras; 1 612 km², 88 700 hab. Cap. Somoto. Pluviosidad abundante. Maíz, trigo, frijoles, caña de azúcar, tabaco, café. Ganadería. Explotación forestal. Ind. agropecuarias y artesanales.
MADRIZ, *José* (1865-1911) Político nic. Presid. tras la dimisión de Celaya (1909-1910). Derrocado por Estrada.
MADRONA f. Madre o cloaca maestra. • fam. Madraza, madre muy condescendiente.
MADRONCILLO m. Fresa, fruto.
MADROÑERO m. *Bot.* Planta arbustiva de hasta 5 m de alto, hojas lanceoladas, flores blancas, verdosas o rosadas y frutos en baya (madroño).
MADROÑO m. *Bot.* Fruto comestible del madroñero. • Madroñero. • *Amér.* Árbol de hasta 10 m de alto, con fruto amarillo de pulpa blanca. ■ MADROÑAL; MADROÑERA.
MADRUGADA f. Alba, principio del día. • Acción de madrugar. • **De m.** m. adv. Al amanecer.
MADRUGADOR, RA adj. y s. Que tiene costumbre de madrugar. • *Méx.* Especie de tirano, ave.
MADRUGAR intr. Levantarse muy temprano. • fig. Ganar tiempo a otros en un asunto. ■ MADRUGÓN, NA.
MADURA (neerlandés, *Madoera*) Isla de Indonesia, sit. junto a la costa NE de Java. Superpoblada (más de 2 000 000 hab.) y con escasos recursos económicos. Ganadería, pesca, sal, copra, maíz, arroz. C. prales.: Sumenep y Pamekasan.
MADURA *(Madurai)* C. del SE de la India, en el est. de Tamil Nadu; 820 900 hab. En la orilla derecha del Vaigai. Ind. textil y alimentaria. Maquinaria agrícola. Ant. cap. del reino Pandya (ss. v a. C.-XI d. C.)
MADURACIÓN f. Proceso de transformación o crecimiento de algo hacia un desarrollo total. • *Bot.* Conjunto de fenómenos de transformación que dejan el fruto en condiciones de liberar las semillas en orden a la reproducción de la planta.
MADURAR tr. Dar sazón a los frutos. • fig. Meditar una idea, un proyecto, etc. • Activar la supuración en los tumores. • intr. Ir sazonándose los frutos. • fig. Crecer en edad y juicio. • Ir haciéndose la supuración en un tumor. ■ MADURADERO; MADURATIVO, VA.
MADUREZ f. Sazón de los frutos. • fig. Sensatez o prudencia con que una persona actúa. • Edad de la persona que ha alcanzado ya su plenitud y todavía no ha llegado a la vejez. • Estado de desarrollo total.
MADURO, RA adj. Que está en sazón. • fig. Prudente, juicioso. • Dicho de personas, entrado en años. • *Amér.* Maltratado, dolorido. • m. *Amér.* Plátano maduro.
MADURO, *Ricardo* (nacido 1946) Político hond. Director del Banco Central de Honduras y coordinador del Gabinete Económico durante el gobierno de Rafael Callejas. Elegido presidente de la república en noviembre de 2001.
MAEBASHI C. de Japón, en la isla de Honshu, cap. de la prefectura de Gumma; 286 300 hab. Ind. de la seda y automovilística.
MAEKAWA, *Kunio* (1905-1986) Arquitecto japonés. Tras trabajar con Le Corbusier, introdujo en su país el llamado estilo internacional. Estudió las posbilidades del hormigón armado (centro mancomunado de Setegaya, 1959; pabellón japonés en la *Expo 65* de Nueva York).
MAELLA, *Mariano Salvador de* (1739-1819) Pintor esp. Pintó frescos en el palacio real de Madrid.
MAESE m. ant. Maestro.
MAESTOSO (voz it.) adj. y m. *Mús.* Término que en una partitura indica que la ejecución debe revestir carácter majestuoso.
MAESTRA, *Sierra* Sist. montañoso del E de Cuba, sit. en el S de la prov. de Santiago de Cuba. Alt. máx., pico del Turquino, 1 994 m. En sierra M. se inició, en 1957, la lucha guerrillera contra la dictadura de Batista, que culminó con su derrocamiento (1959).
MAESTRAL adj. Relativo al maestre o al maestrazgo. • Magistral. • m. Maestril.
MAESTRANZA f. Sociedad de equitación. • *Mil.* Conjunto de los talleres donde se construyen y recomponen los montajes para las piezas de artillería. • *Mil.* Conjunto de oficinas y talleres análogos para la artillería y efectos movibles de los buques de guerra. • Local o edificio ocupado por unos y otros talleres. • Conjunto de operarios que trabajan en ellos o en los demás de un arsenal. ■ MAESTRANTE.
MAESTRAZGO m. Dignidad de maestre de cualquiera de las órdenes militares. • Territorio de la jurisdicción del maestre.
MAESTRE m. Superior de una orden militar. • *Mar.* Persona a quien después del capitán correspondía ant. el gobierno económico de las naves mercantes.
MAESTREAR tr. Intervenir con otros, como maestro, en una operación. • Podar la vid. • *Const.* Hacer las maestras en una pared. • intr. fam. Presumir de maestro.
MAESTRESALA m. Criado que asistía a la mesa de un señor y presentaba y distribuía en ella la comida. • En ciertos restaurantes y hoteles, jefe de camareros.
MAESTRESCUELA m. Dignidad de algunas iglesias catedrales, a cuyo cargo estaba enseñar las ciencias eclesiásticas. • En algunas universidades, cancelario. ■ MAESTRESCOLÍA.
MAESTRÍA f. Habilidad o destreza en enseñar o ejecutar una cosa. • Título de maestro.
MAESTRICHT → Maastricht.
MAESTRIL m. Celdilla del panal de miel, dentro de la cual se transforma en insecto adulto la larva de la abeja maesa.
MAESTRO, TRA adj. Díc. de la obra de mérito entre las de su clase. • Díc. de las cosas que enseñan o aleccionan. • fig. Díc. del animal amaestrado. • m. Hombre que enseña una ciencia, técnica u oficio. • El que es entendido y hábil en una materia. • el que está aprobado en un oficio mecánico o lo ejerce. • El que tenía el grado mayor en filosofía, conferido por una universidad. • Compositor de música. • fam. Apelativo respetuoso que se da a las personas ancianas. • Palo mayor de una embarcación. • f. Mujer que enseña una ciencia, técnica u oficio. • La que enseña en una escuela o colegio. • Mujer del maestro. • fig. Cosa que instruye o enseña. • Listón de madera que se coloca a plomo para que sirva de guía. • **de armas.** El que enseña el arte de la esgrima. • **de capilla.** El que compone y dirige la música que se canta en los templos. • **de ceremonias.** El que informa acerca de los ceremoniales que deben observarse. • **de escuela.** El de primera enseñanza. • **de obras.** El que dirige a los albañiles en la construcción de un edificio.
MAETERLINCK, *Maurice* (1862-1949) Escritor belga. Autor de obras dramáticas simbolistas. Premio Nobel de Literatura en 1911. *Peleas y Melisanda, La princesa Malena, El pájaro azul, La intrusa.* Ensayos sobre el mundo de la naturaleza: *La vida de las abejas, La inteligencia de las flores.*
MAFIA F. Asociación nacida en Sicilia hacia 1800 con fines de ayuda mutua y que degeneró en una organización criminal. • P. ext., cualquier organización clandestina de criminales. ■ MAFIOSO, SA.
MÁFICO, CA adj. *Miner.* Díc. de los minerales oscuros, ricos en elementos ferromagnésicos.
MAGALLANES Estr. en el extremo meridional del continente sudamericano que comunica el Atlántico con el Pacífico. Lo descubrió Magallanes en 1520. • Prov. del S de Chile, en la región de Magallanes y de la Antártica Chilena; 116 480 hab. Cap., Punta Arenas. • **Y de la Antártica Chilena** Región del S de Chile, en las tierras australes; 143 058 hab. Cap., Punta Arenas. Incluye varias islas, separadas por canales y fiordos. Más al S del Cabo de Hornos se extienden las tierras polares. Clima húmero y frío. La ganadería ovina constituye la pral. actividad económica. Reservas carboníferas y petrolíferas.

Madroño

El templo Menakshi en **Madura**

Las estaciones: el invierno, obra de Mariano Salvador de **Maella**

Maurice **Maeterlinck**

Fernando de **Magallanes,** según una tabla del s. XVI. Museo Naval, Madrid

MAGALLANES, *Fernando de* (h. 1475-1521) Navegante port. Formó parte de la expedición a la India de Francisco de Almeida. Capitán gral. de la Armada esp., en 1519 salió con la flota y, tras la pérdida de varias naves, atravesó en 1520 el estr. llamado hoy de M. y alcanzó el océano que dominó Pacífico; llegó a Filipinas (1521), donde fue muerto en un combate entre tribus indígenas.
MAGALLANICO, CA adj. Relativo al estr. de Magallanes.
MAGANCEAR intr. *Chile* y *Col.* Haraganear, remolonear.
MAGANCERÍA f. Engaño. ■ MAGANCÉS.
MAGANCIA f. *Chile.* Engaño, trapacería. ■ Chile. MAGANCIERO, RA.
MAGANEL m. Máquina militar que servía para batir murallas.
MAGANGUÉ C. de Colombia, en el dpto, de Bolívar, a orillas del Magdalena (brazo de Loba); 64 700 hab. Ganadería. Productos lácteos.
MAGANZA f. *Col.* y *Ecuad.* Holgazanería. ■ *Amér.* MAGANZÓN, NA.
MAGAÑA, *Álvaro* (1927-2001) Político salv. Fue subsecretario de Hacienda y desempeñó varios cargos económicos en organismos internacionales. Presid. de la rep. (1982-1984).
MAGAZINE (voz ing.) m. Revista ilustrada.
MAGDALENA f. Bollo pequeño de masa de harina y huevo. • fig. Mujer penitente o muy arrepentida de sus pecados. • **Estar hecha una M.** fam. Estar desconsolada y lacrimosa.
MAGDALENA Dpto. del N de Colombia, ribereño del mar Caribe; 23 188 km^2, 1 127 691 hab. Cap., Santa Marta. Constituido por tres regiones naturales. la primera está formada por la sierra Nevada de Santa Marta, al NE, con el pico culminante del país (Cristóbal Colón, 5 800 m). La segunda comprende la parte bañada por el Magdalena, con numerosas lagunas y ciénagas, y está densamente poblada. La tercera la constituyen los llanos cubiertos de pastos y avenados por el Ariguaní y sus afl.; ésta es una región esencialmente ganadera. El pral. cultivo es el bananero. Otros productos: cacao, algodón, maíz y tabaco. • Río de Colombia, el más imp. del país; unos 1 500 km. Nace en los Andes, atraviesa el país de S a N y desemboca en el Caribe formando un delta. Imp. vía de comunicación, con numerosos puertos. Su valle es de gran fertilidad, y en él se cultivan productos tropicales.
MAGDALENA Contreras, *La* Delegación de México (Distrito Federal); 75 400 hab.
MAGDALENA DEL MAR o **MAGDALENA NUEVA** C. de la costa de Perú, en el dpto. de Lima; 55 600 hab. Centro veraniego de Lima.
MAGDALENENSE adj. y s. De Magdalena. • adj. Relativo a este dpto. de Colombia y al r. Magdalena.
MAGDALÉNICO, CA adj. Relativo al río Magdalena.

Arpones de hueso del periodo **magdaleniense**

MAGDALENIENSE adj. y m. Periodo final del paleolítico, notable por la industria del hueso y del asta.
MAGDEBURGO *(Magdeburg)* C. de Alemania, en Sajonia-Anhalt; 288 900 hab. Sit. a orillas del Elba. Ind. metalúrgicas, químicas, textiles, alimentarias y mecánicas. Refinería de petróleo.
MAGENDIE, *François* (1783-1855) Fisiólogo fr., uno de los fundadores de la moderna fisiología experimental. *Tratado elemental de fisiología, Diario de psicología experimental.*
MAGENTA adj. y m. Díc. del color carmesí oscuro. • m. *Art. Gráf.* Uno de los colores fundamentales para la impresión en color (síntesis sustractiva).
MAGENTA C. del N de Italia, en Lombardía, junto a un canal del río Tesino; 23 500 hab. • **Batalla de M.** Combate de la campaña de Italia de 1859, librado entre austriacos y francopiamonteses.
MAGIA f. *Antr.* Conjunto de prácticas y creencias relacionadas con la producción de efectos contrarios (por lo menos aparentemente) a las leyes naturales. • fig. Encanto o atractivo. • **blanca.** La que por medio de causas naturales obra efectos que parecen sobrenaturales. • **negra.** Hechicería.

Muchachas ewe practicando un ritual de **magia**

MAGIAR adj. y s. Díc. del individuo de un pueblo asiático que desde el s. IX se estableció en Hungría. • adj. Relativo a los magiares. • m. Lengua hablada por los magiares.
MÁGICO, CA adj. Relativo a la magia. • Maravilloso, estupendo. • m. El que ejerce la magia. • Encantador, hechicero. • f. Magia. • Bruja, hechicera, encantadora.
MAGÍN m. fam. Imaginación.
MAGINOT, *André* (1877-1932) Político fr. Varias veces ministro de la Guerra, impulsó la creación de la línea defensiva fortificada que lleva su nombre. • **Línea M.** Sistema defensivo fr., en la frontera con Alemania, construido en 1927-1936.
MAGISTER m. *Col.* Maestro.
MAGISTERIO m. Tarea propia del maestro o de cualquier persona que imparte enseñanzas. • Grado de maestro. • Cargo o profesión de maestro. • Conjunto de los maestros de una nación, prov., etc. • En la química ant., precipitado. • fig. Gravedad afectada en hablar o en hacer una cosa. ■ MAGISTERIAL.
MAGISTRADO m. Persona que desempeña un cargo civil de importancia en el gobierno de un país. • Juez o funcionario superior de justicia.
MAGISTRAL adj. Relativo al ejercicio del magisterio. • Díc. de lo bien hecho o de lo que se hace con maestría. • Díc. de la canonjía cuyo cargo es predicar, y también del canónigo que la desempeña. • adj. Aplícase a ciertos instrumentos de gran precisión que se emplean para contrastar los ordinarios de la misma especie. • m. Medicamento que sólo se prepara por prescripción facultativa. • *Min.* Mezcla de óxido férrico y sulfato cúprico, resultante del tueste de la pirita cobriza, y que se emplea en el procedimiento amer. de amalgamación para beneficiar los minerales de plata.
MAGISTRATURA f. Oficio y dignidad de magistrado. • Tiempo que dura. • Conjunto de los magistrados.
MAGLOIRE, *Paul-Eugène* (1907-2001) Militar y político haitiano. Presid. de la rep. (1950-1956) tras el golpe militar que derrocó a Estimé. Exiliado (1956) tras la elección de Duvalier como presid.
MAGMA m. *Geol.* Masa de minerales fundidos (silicatos y minerales ferromagnésicos) y de gases disueltos (dióxido de carbono, hidrógeno, flúor, ácido clorhídrico, etc.) que se encuentran en el interior de la corteza terrestre, y que asciende hacia las capas superiores dando lugar a fenómenos volcánicos cuando las condiciones tectónicas son las adecuadas.
MAGMATISMO m. *Geol.* Conjunto de procesos relativos a la actividad de los magmas.
MAGNA Grecia Nombre de las ant. colonias gr. del S de Italia continental (Cumas, Neápolis, Síbaris, Crotona, Metafonte, Tarento y Heraclea) y Sicilia.
MAGNA Mater Nombre que los romanos dieron a Cibeles.
MAGNANI, *Anna* (1908-1973) Actriz cinematográfica it. *Roma, ciudad abierta. Bellísima, La rosa tatuada, Infierno en la ciudad, Mamma Roma.*
MAGNANIMIDAD f. Grandeza de ánimo; generosidad. ■ MAGNÁNIMO, MA.
MAGNASCO, *Alessandro* (1667-1749) Pintor it., manierista. *Polichinela tocando la guitarra, Escena de caza, Comida en Emaús.*
MAGNATE m. Persona que ocupa una elevada posición social por su poder, su riqueza o su influencia.
MAGNAVOZ f. *Méx.* Altavoz.
MAGNESIA f. *Quím.* Óxido de magnesio. Es un polvo blanco, ligero, poco soluble en agua, inodoro, con ligero sabor alcalino, usado en medicina como antiácido. • **efervescente.** Mezcla seca de óxido magnésico, bicarbonato sódico y ácido tartárico, empleada como laxante. • **pesada.** La que se obtiene por calcinación de la m. natural. Se usa para la fabricación de ladrillos refractarios, hornos para metalurgia, etc.
MAGNESIA *(magnisia)* Ant. región de Grecia, en Tesalia, junto al golfo de Volos (Pagasético). • Nomo de Grecia en Tesalia; 2 636 km^2, 182 200 hab. Cap., Volos.
MAGNESIO m. *Quím.* Elemento de símb. Mg y n. a. 12. Es un metal blanco plateado, muy ligero, que arde en el aire dando una luz blanca muy intensa. ■ MAGNESIANO, NA; MAGNÉSICO, CA.
MAGNESITA f. *Miner.* Carbonato de magnesio; blanco. Es el mineral de magnesio más abundante. Se utiliza para fabricar aleaciones ligeras.
MAGNETISMO m. *Fís.* Propiedad de ciertos minerales de hierro de atraer las limaduras de hierro. • **animal.** Acción que una persona ejerce sobre otra, como el hipnotismo y la sugestión. • **terrestre.** *Fís.*

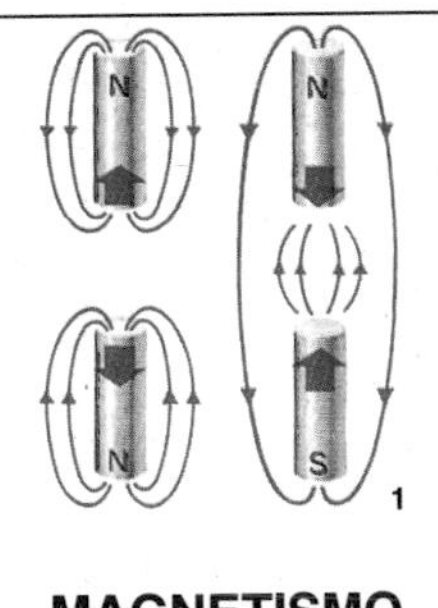

1

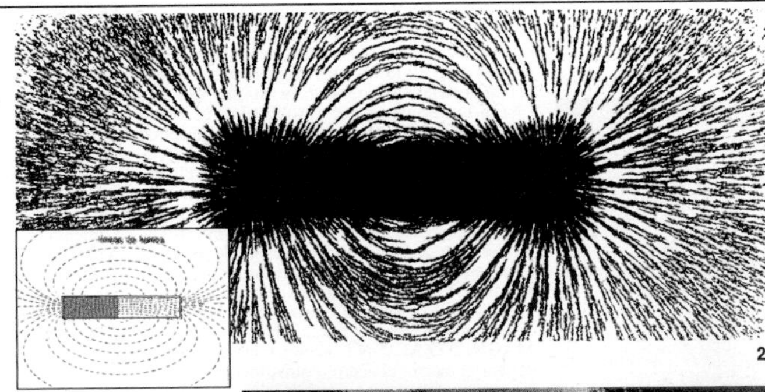

2

MAGNETISMO

1. Magnetismo es el conjunto de fenómenos de atracción y repulsión producidos por imanes y corrientes eléctricas. Los fenómenos magnéticos tienen su origen en el movimiento de cargas eléctricas. En el caso de los imanes, este movimiento tiene lugar en el seno del material. Los imanes tienen dos polos, llamados N y S. Los dos polos N (o los dos polos S) de dos barritas imantadas se repelen, mientras que el polo N de una y el polo S de la otra se atraen.
2. y 3. Líneas de fuerza del campo magnético de una barrita imantada, que puede visualizarse fácilmente espolvoreando limaduras de hierro. Si se dividiera en dos la barrita, se tendrían dos imanes.
4. La corona solar permite visualizar el campo magnético del Sol, puesto que está constituida por átomos fuertemente ionizados.
5., 6. y 7. La Tierra (5) y un átomo (6) son imanes, puesto que tanto en una como en otro existen corrientes eléctricas que crean campos magnéticos (líneas en azul), parecidos al de una barrita imantada (7). En el átomo, el campo magnético se forma como consecuencia del movimiento de los electrones, mientras que el de la Tierra se debe a las corrientes que circulan por su núcleo, constituido esencialmente por hierro fundido. Como los polos magnéticos y geográficos del planeta no coinciden, la aguja de una brújula muestra una desviación respecto al meridiano de un lugar.
8. El campo magnético creado por una corriente que circula por un cable es circular. La aguja de una brújula situada cerca del cable se orienta en la dirección de las flechas de las circunferencias.

4

3

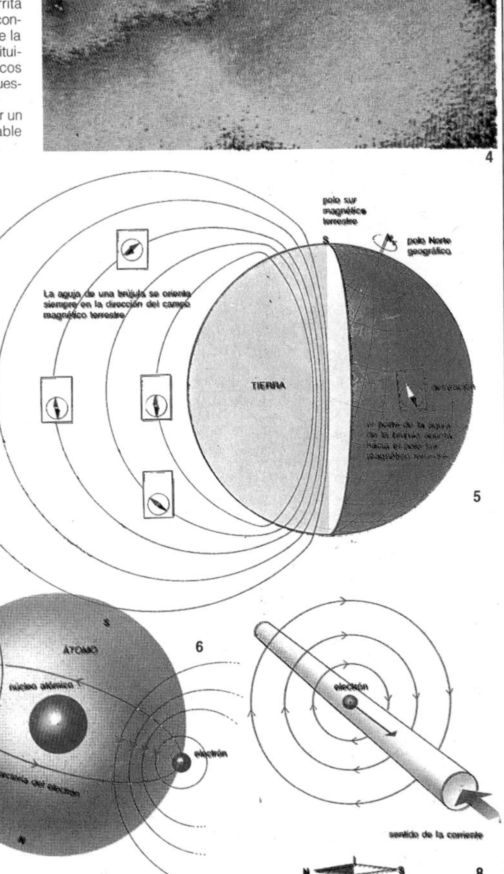

5

7

6

8

El que procede de nuestro planeta, que se comporta como un gigantesco imán cuyos polos se hallan en las proximidades de los polos geográficos. • **cósmico.** *Astr.* El de los campos magnéticos lunar, planetario, estelar e interestelar. ■ MAGNÉTICO, CA. * *Fís.* Las primeras teorías sobre el m. se deben a Peregrinus y Gilbert. Más tarde Coulomb aplicó al m. diversos resultados de la electrostática. La teoría del campo electromagnético, de Maxwell, resolvió el problema teórico relativo a la interacción entre los campos magnéticos y eléctricos. La teoría de Heisenberg acerca del ferromagnetismo atribuye el origen del magnetismo al espín de los electrones en los átomos y su interacción.

Magnetita

MAGNETITA f. *Min.* Óxido de hierro de color negro y brillo metálico, fuertemente magnético. Yacimientos en Suecia, Rusia, EE UU, etc.

MAGNETIZACIÓN f. Acción y efecto de magnetizar el hierro, el acero u otros metales. Puede efectuarse por contacto, por inducción o por medio de una corriente eléctrica.

MAGNETIZAR tr. Comunicar a un cuerpo propiedades magnéticas. • fig. Hipnotizar. • fig. Deslumbrar, fascinar. ■ MAGNETIZADOR, RA.

MAGNETO f. *El.* Generador en el que un imán permanente produce la inducción, utilizado para el encendido de los motores de combustión interna.

MAGNETÓFONO o **MAGNETOFÓN** m. Aparato que registra y reproduce sonidos por medio de sustancias ferromagnéticas distribuidas sobre un soporte en forma de cinta.

MAGNETÓMETRO m. Instrumento destinado a medir la intensidad de un campo magnético.

MAGNETOPAUSA f. Zona límite de la magnetosfera, en la que el campo magnético de un planeta se hace igual al campo magnético interplanetario.

MAGNETOSCOPIO m. Aparato para registrar y reproducir imágenes usando como soporte una cinta magnética; es usado en televisión.

MAGNETOSFERA f. Región del espacio, situada entre la ionosfera y la magnetopausa, y compuesta por electrones y protones solares, captados por el magnetismo del planeta que la posee.

MAGNETOSTÁTICA f. Parte de la física que estudia los campos magnéticos creados por corrientes estacionarias.

MAGNETOSTRICCIÓN f. *Fís.* Aumento de volumen de un cuerpo sometido a la acción de un campo magnético.

MAGNETRÓN m. *Electr.* Tubo o válvula utilizado como oscilador en el campo de las microondas y que puede suministrar potencias de varios megavatios.

Magnolia. Planta y flor

MAGNICIDIO m. Muerte violenta dada a un jefe de Est. o a una persona relevante del gobierno. ■ MAGNICIDA.

MAGNIFICAR tr. y prnl. Engrandecer, ensalzar.

MAGNÍFICAT m. Cántico que se reza o canta al final de las vísperas.

MAGNIFICENCIA f. Generosidad, liberalidad. • Disposición para grandes empresas. • Ostentación, grandeza. ■ MAGNIFICENTE.

MAGNÍFICO, CA adj. Espléndido, suntuoso. • Excelente, admirable. • Tratamiento que suele darse a algunas personas.

MAGNITOGORSK C. de la rep. de Rusia, sit. en la vertiente oriental de los Urales meridionales; 422 000 hab. Hierro. Uno de los prales. centros siderúrgicos del país.

MAGNITUD f. Tamaño de un cuerpo. • Toda propiedad de los cuerpos que puede ser medida. • fig. Grandeza, excelencia o importancia de una cosa. • **absoluta de una estrella.** Valor numérico que representa la luminosidad que poseería una estrella situada a la distancia de 10 parsecs de la Tierra. • **aparente de una estrella.** Logaritmo del recíproco del valor de la energía que, procedente de la estrella, es captada por el receptor utilizado. • **extensiva.** *Fís.* En un sistema, la que depende de la masa del mismo. • **intensiva.** *Fís.* En un sistema, la que es independiente de la masa del mismo.

MAGNO, NA adj. Grande, ilustre, digno. Se aplica como epíteto a algunos personajes históricos. • Grandioso, magnífico.

MAGNOLIA f. *Bot.* Planta leñosa de hasta 30 m de alt., con flores blancas de gran tamaño, originaria de América del Norte.

Magreb. Oasis al sur del Atlas marroquí

MAGNOLIÁCEO, A adj. y f. *Bot.* Díc. de las plantas de la familia magnoliáceas. • f. pl. *Bot.* Familia de plantas angiospermas dicotiledóneas constituida por árboles o arbustos aromáticos, con hojas esparcidas y simples, flores hermafroditas, regulares, y frutos estrobiliformes o estrellados. Comprende unas 30 especies, entre las que destaca la magnolia.

MAGNUS, ***Heinrich Gustav*** (1802-1870) Químico y físico al., conocido por sus trabajos relacionados con las corrientes fluidas sobre sólidos en movimiento.

MAGO, GA adj. y s. Persona que practica la magia. • En la ant. religión irania, sacerdote consagrado al culto del Sol. • Díc. de los tres reyes que fueron a adorar a Jesús recién nacido.

MAGÓNIDA Familia aristocrática de Cartago que en los ss VI-V a. C. desempeñó un papel preponderante en la expansión de Cartago por el Mediterráneo.

MAGOSTO m. Hoguera al aire libre para asar castañas. • Castañas asadas de esta manera.

MAGREAR tr. fig. fam. Manosear, palpar, sobar lascivamente. ■ MAGREO.

MAGREB *(Mogreb, Maghreb* o *Maghrib)* Región de África septentrional integrada por Marruecos, Argelia y Tunicia. A veces se incluye en la misma a Libia y Mauritania. En ár. y en sentido restringido, es el nombre oficial de Marruecos. Como región también se la conoce por *África Menor.*

MAGRITTE, ***René*** (1898-1967) Pintor belga. Evolucionó del cubismo y el futurismo al surrealismo. *Tiempo amenazador, Búsqueda del absoluto.*

MAGRO, GRA adj. Flaco o enjuto y con poca o ninguna grasa. • m. fam. Carne magra del cerdo próxima al lomo. • f. Lonja de jamón. ■ MAGREZ; MAGRURA.

MAGSAYSAY, ***Ramón*** (1907-1957) Político filipino. Secretario de Defensa (1950-1953). Presid. de la rep. por el Partido Nacionalista en 1953. Murió en accidente aéreo.

MAGUA f. *Cuba.* Chasco, decepción.

MAGUARSE prnl. *Ven.* y *Cuba.* Llevarse chasco.

MAGÜETO, TA m. y f. Novillo.

MAGUEY M. *Cuba* y *Méx.* Pita, planta.

MAGUILLO m. Manzano silvestre, cuyo fruto es más pequeño y menos sabroso que la manzana común.

MAGÜIRA f. *Cuba.* Güira cimarrona.

MAGUJO m. *Mar.* Herramienta para descalcar.

MAGULLAR tr. y prnl. Causar a un cuerpo orgánico contusión, pero no herida, comprimiéndolo o golpeándolo violentamente. ■ MAGULLADURA; MAGULLAMIENTO; *Chile.* MAGULLÓN.

MAGUNCIA *(Mainz)* C. de Alemania, cap. de Renania-Palatinado, en la confluencia del Rin y el Main; 187 400 hab. Centro vitícola e ind. Universidad.

MAGUNTINO, NA adj. y s. De Maguncia.

MAHABHARATA Una de las obras más ant. de la literatura épica de la India. El texto originario lo forman una serie de relatos épicos que giran alrededor de las guerras entre las tribus de los Kuru y los Bharata.

MAHALLA EL KUBRA, *El (al-Mahalla al-Kubra)* C. del N de Egipto, sit. en el delta del Nilo; 292 100 hab. Ind. textil algodonera.

MAHANADI Río del E de la India; 890 km. Nace en el est. de Madhya Pradesh y desemboca en el golfo de Bengala.

MAHARAJÁ (voz sánscrita) m. Título aplicado a príncipes de la India.

MAHARASHTRA Est. del centro-oeste de la India, ribereño del mar Arábigo; 307 762 km^2, 78 748 200 hab. Cap., Bombay. Mijo y algodón, producto en el que M. destaca a nivel mundial.

MAHATMA (sánscrito, *alma grande*) m. En la India, personalidad espiritual eminente. • Cualquiera de los ascetas residentes en el Himalaya, maestros de la suprema sabiduría del Tíbet.

MAHAYANA m. Escuela septentrional del budismo. Sus libros sagrados encierran la fuente del budismo esotérico.

MAHDI (ár., *el bien dirigido*) m. Según los chiíes, mesías musulmán que a su llegada restablecerá la justicia y la fe.

MAHENDRA Bir Bikram Shah Deva (1920-

1972) Rey de Nepal [1955-1972]. En 1960 suspendió la constitución y disolvió el parlamento. Posteriormente intentó democratizar el país. Impulsó una reforma agraria.
MAHERIR tr. Señalar, buscar, prevenir.
MAHLER, *Gustav* (1860-1911) Compositor y director de orquesta austr. Su obra constituye el nexo entre el posromanticismo y la música moderna. *El canto de la tierra, 10 sinfonías.*
MAHMUD de Ghazni (969-1030) Rey de Ghazni y Khorasán [988-1030]. Fundador de la dinastía gaznawí, realizó numerosas expediciones contra la India y se anexionó el Punjab y parte de Irán, y extendió su influencia hasta el mar de Aral y el Caspio. Protector de poetas e intelectuales.
MAHMUT I (1696-1754) Sultán otomano [1730-1754], sucesor de Ahmed III. Durante su gobierno se frenó el avance ruso por el Danubio (paz de Belgrado, 1739). Fomentó la literatura y la música. • **II** (1785-1839) Sultán otomano [1808-1839]. Tras poner fin a la guerra con Rusia (paz de Bucarest, 1812), emprendió una política de reformas y reorganizó el ejército. Concedió la autonomía a Serbia, la indep. a Grecia y plena libertad de acción al gobernador de Egipto.
MAHOMA (ár., *Muhammad*; h. 570-632) Fundador del Islam y del imperio musulmán, nacido en La Meca. Acompañó caravanas y se relacionó con comunidades judías y cristianas. A los cuarenta años tuvo una visión en la que el arcángel Gabriel le aconsejaba predicar contra el politeísmo y prepararse para el juicio final. Su doctrina hizo adeptos en Medina, pero en La Meca fue tan mal acogida que tuvo que huir. Tras larga campaña logró entrar triunfalmente en La Meca (630), donde fue proclamado soberano temporal y espiritual de los árabes.
MAHOMETANO, NA adj. y s. Que profesa la religión de Mahoma. • Relativo a Mahoma o a su religión.
MAHOMÉTICO, CA adj. Mahometano, relativo a Mahoma.
MAHOMETISMO m. Religión de Mahoma. ■ MAHOMETISTA.
MAHOMETIZAR intr. Profesar el mahometismo.
MAHÓN m. Tela fuerte de algodón escogido, y por lo común de color canela.
MAHÓN o **MAÓ** C. de España, en la isla de Menorca, com. autón. de Baleares; 21 600 hab. Es la principal c. de la isla. Ind. del calzado y alimentaria. Centro turístico.
MAHONA f. Especie de embarcación turca de transporte. • Durante la E. Med., en Génova, sociedad mercantil cuya finalidad consistía en obtener la indemnización de los daños sufridos en tierra extranjera.
MAHONÉS, SA adj. y s. De Mahón. • f. Planta crucífera, de flores pequeñas, moradas y muy abundantes, pétalos escotados y cáliz cerrado. • adj. y f. Mayonesa, salsa que se hace batiendo aceite crudo, yema de huevo, sal y vinagre.
MAHRATTA adj. y s. Maratha. • adj. Relativo al est. indio de Maharashtra. • Habitante o procedente del mismo. • m. Marathi.
MAHUAD Witt, *Jamil* (nacido 1949) Político ecuat. Líder del partido Democracia Popular. Alcalde de Quito desde 1992, en julio de 1998 fue elegido presid. de la rep. En enero de 2000 fue sustituido por su vicepresidente Gustavo Noboa.
MAI, *Angelo* (1782-1854) Filólogo it., dedicado a la lectura y restauración de palimpsestos. Descubrió el *De Republica*, de Cicerón.
MAIAKOWSKI, *Vladimir* (1893-1930) Poeta sov., adscrito al mov. futurista. Su poesía refleja los primeros tiempos del régimen sov. *150 millones, Lenin, Octubre.*
MAICERÍA f. *Cuba.* Establecimiento dedicado a la venta de maíz.
MAICERO m. *Cuba.* Vendedor de maíz. • *Col.* Especie de aní, ave.
MAICILLO m. Planta gramínea, muy parecida al mijo, y de fruto muy nutritivo. • *Chile.* Arena gruesa para pavimentar.
MAÍDO m. Maullido.
MAIDOMBE (ant. *Leopoldo II*) Lago del O de la Rep. Dem. del Congo; 2 350 km² en la estación seca, y 8 200 km² en la lluviosa. Recibe las aguas de varios ríos, entre los que destaca el Lokoro.
MAIDUGURI o **YERWA-MAIDUGURI** C. del NE de Nigeria, cap. del est. Nordeste; 189 000 hab. Sit. junto al r. Nagadda. Mercado agrícola (cacahuete). Preparación de pieles de cocodrilo. Nudo de carreteras.
MAIER, *Heinrich* (1867-1933) Filósofo al., adscrito al normativismo lógico. *El conocimiento histórico, Filosofía de la realidad.*
MAIKOP C. de Rusia, cap. de la rep. autónoma de Adiguetia; 140 000 hab.
MAILER, *Norman* (nacido 1923) Novelista norteam. *Los desnudos y los muertos, El parque de ciervos, Un sueño americano, El tránsito de Narciso, Los hombres duros no bailan.*
MAILING m. *Comp.* Impresión automática de cartas con el membrete personalidado a partir de un fichero de nombres y direcciones.
MAÍLLA f. Fruto del maíllo.
MAILLART, *Robert* (1872-1940) Ingeniero suizo. Construyó puentes y naves industriales. Puente sobre el Rin, en Tavanasa; nave de cemento de la Exposición Nacional de Zurich de 1939.
MAÍLLO m. Maguillo, manzano silvestre.
MAILLOT (voz fr.) m. Traje de baño femenino. • Camiseta elástica de ciclista deportivo.
MAIMÓN m. Mico, mono.
MAIMÓN, *Salomón* (1754-1800) Filósofo judío de origen lituano. Primer interpelador válido de Kant. *Ensayo sobre la filosofía trascendental, Ensayo de una nueva lógica* e *Investigaciones críticas sobre el espíritu humano.*
MAIMÓNIDES, *Moisés* (1135-1204) Filósofo y médico judeoespañol, nacido en Córdoba. Autor de la *Guía de los indecisos*, verdadera suma de teología escolástica judía.
MAIMONISMO m. Sistema filosófico de Maimónides y sus discípulos en la E. Med.
MAIN Río de Alemania; 500 km. Sus ramales madre, M. Blanco *(Weisser Main)* y M. Rojo *(Roter Main)*, nacen al N de Baviera. Desemboca en el Rin.
MAINARDI, *Sebastiano* (1460-1513) Pintor it. de amplios paisajes y de luminoso colorido. *Virgen, Retrato de mujer.*
MAINE Ant. prov. y región histórica del O de Francia, sit. entre Bretaña, Anjou, Turena, el Orleanesado, la Perche y Normandía. Bosques. Cereales, cáñamo y hortalizas. Ind. en Le Mans, la cap.
MAINE Est. del NE de EE UU, en la región de Nueva Inglaterra; 86 156 km², 1 228 000 hab. Cap., Augusta. Limita al SO con el est. de Nueva Hampshire; al S y SE se abre al océano Atlántico y el resto forma frontera con Canadá. Clima oceánico. Ind. textiles, mecánicas y de derivados de la madera. Est. de la Unión desde 1820.
MAINE Acorazado norteam. que el 15 febrero 1898 estalló en el puerto de La Habana, hecho que sirvió a EE UU para declarar la guerra a España.
MAINE de Biran, *François-Pierre* (1766-1824) Filósofo fr., influido por los ideólogos. *Ensayo sobre los fundamentos de la psicología y sus relaciones con el estudio de la naturaleza.*
MAINEL m. *Arq.* Elemento largo y delgado, que divide un hueco en dos partes verticalmente.
MAINTENON, *Françoise-d'Aubigne*, MARQUESA DE (1635-1719) Dama fr., segunda esposa de Luis XIV. Ejerció gran influencia sobre el monarca.
MAINZ → Maguncia.
MAIPO Volcán de los Andes, en la frontera entre Argentina y Chile; su cumbre se eleva por encima de los 5 000 m. • Prov. del centro de Chile, en la región metropolitana de Santiago; 290 173 hab. Cap., San Bernardo. • Río de Chile, en la región de Santiago; 250 km. Nace al pie del volcán hom. y desemboca en el Pacífico, junto a San Antonio. • **Batalla de M.** Combate entre el ejército realista esp. mandado por Osorio y las fuerzas arg. y chil. de San Martín. Los realistas fueron vencidos y quedó asegurada la indep. de Chile.
MAIPÚ C. de Argentina, en la prov. de Mendoza; 10 673 hab. Ganadería, elaboración de cueros. Ind. maderera y vitivinícola.
MAIQUETÍA C. del N de Venezuela, a orillas del mar Caribe, en el Distrito Federal; 110 400 hab. Ind. química (sosa cáustica), alimentaria (cerveza), maderera. Dentro de su término se halla el aeropuerto internacional de Caracas (La Guaira).
MAISTRE, *Joseph de* (1753-1821) Filósofo fr.,

Mahoma rodeado de ángeles. Página de *Los acontecimientos de la vida del Profeta*

Estatua de **Maimónides,** en Córdoba (España)

Representación de la batalla de **Maipo** (1818)

contrario al racionalismo del s. XVIII. *Sobre el papa, Consideraciones sobre Francia, Veladas de San Petersburgo o coloquios sobre el gobierno temporal de la Providencia.* • ***Xavier de*** (1763-1852) Escritor fr. *Viaje alrededor de mi cuarto.*

MAITÉN m. *Chile.* Árbol de la familia celastráceas, de hojas dentadas, muy apetecidas por el ganado vacuno; flores monopétalas, de color purpúreo y madera dura, de color anaranjado.

MAITINADA f. Alborada. • Música que se ejecuta a esta hora.

MAITINES m. pl. Primera de las horas canónicas, que se reza antes de amanecer. ▪ MAITINANTE.

MAÎTRE (voz fr.) m. Jefe de comedor en un hotel, restaurante, etc.

Producción mundial de **maíz** (en miles de t)

Prales. productores	
EE UU	187 300
China	112 330
Brasil	36 280
México	16 190
Francia	12 780
Argentina	11 400
Rumania	9 920
India	9 800
Italia	8 400
Indonesia	8 220
Canadá	7 250
Nigeria	7 240
Egipto	5 500
Total mundial	514 510

John **Major**

MAÍZ m. *Bot.* Planta herbácea monocotiledónea, de la familia gramíneas, de tallo grueso y erguido, hojas grandes y frutos en cariópside situados en hilera a lo largo de toda la mazorca. Originario de América, el m. se cultiva en todo el mundo por su valor alimenticio. • **de Guinea.** M. morocho. • Zahína, planta gramínea. • Semilla de esta planta. • **de millo.** *Amér. Centr.* Mijo. • **morocho.** Planta gramínea, de hojas ensiformes y larguísimas, flores en panojas apretadas y simientes gruesas, comestibles. • Fruto de esta planta. • **Culturas del m.** Nombre que reciben las civilizaciones amerindias que tenían ese cereal como alimento básico. Su cultivo, a la llegada de los europeos, se extendía desde las llanuras de Arizona y Colorado hasta Perú y Bolivia. ▪ MAIZAL.

MAÍZ, ***islas del*** *(Corn Islands)* Arch. de Nicaragua, formado por dos islas, sit. en el mar Caribe; 12 km², 2 400 hab. administrado por EE UU entre 1914 y 1971.

MAJA m. *Cuba.* Holgazán.

MAJÁ m. *Cuba.* Culebra de color amarillento, con manchas y pintas de color pardo rojizo, simétricamente dispuestas. No es venenosa.

MAJADAHONDA Mun. de España en la prov. de Madrid; 46 042 hab.

MAJADAL m. Lugar de pasto a propósito para ganado menor. • Majada en que se recoge el ganado.

MAJADEAR intr. Hacer noche el ganado en una majada. • Abonar la tierra con estiércol.

MAJADEREAR tr. e intr. fam. *Amér.* Importunar, molestar.

MAJADERÍA f. Dicho o hecho necio, imprudente y molesto.

MAJADERILLO, TO m. Bolillo para hacer encajes.

MAJADERO, RA adj. y s. fig. Necio, inoportuno, pedante. • m. Mano de almirez o de mortero. • Maza o pértiga para majar. • Majaderillo.

MAJADO, DA adj. *Chile.* Díc. del trigo o maíz remojado en agua caliente, que se tritura y se come guisado. • f. Lugar donde se recoge de noche el ganado. • Estiércol. • Excremento humano. • *Argent.* Manada o hato de ganado lanar.

MAJAGRANZAS m. fig. y fam. Hombre pesado y necio.

MAJAGUA f. *Bot. Amér.* Árbol de hasta 12 m de alt., muy corriente en los terrenos anegadizos de Cuba. • *Cuba.* Chaqueta. ▪ MAJAGUAL.

MAJAL m. Banco de peces.

Frutos de **majuelo**

MAJANO m. Montón de cantos sueltos.

MAJANO, ***Adolfo Arnoldo*** (nacido 1936) Militar salv. Tras participar en el golpe de Est. que derrocó a Romero (1979), fue el pral. miembro de la Junta militar. Tras las elecciones (1980) cedió el poder a José Napoleón Duarte.

MAJAR tr. Machacar. • *Amér.* Pisar, magullar. • fig. y fam. Molestar, importunar, cansar. ▪ MAJADURA; MAJAMIENTO; MAJÓN; MAJONAZO.

MAJARETA o **MAJARA** com. Persona sumamente distraída, chiflada.

MAJARETE m. *Ant.* y *Ven.* Dulce de coco, maíz y azúcar. • *P. Rico.* Desorden, barullo.

MAJASHKALÁ (ant. *Petrovsk*) C. de Rusia, cap. de la República de Daguestán, a orillas del mar Caspio; 315 000 hab. Refinerías de petróleo. Puerto pesquero.

MAJENCIO, ***Marco Aurelio Valerio*** (h. 280-312) Emperador rom. [306-312]. Dominó Italia y África hasta su derrota por Constantino en Puente Milvio (Roma).

MAJEÑO m. *Bol.* Plátano de color morado, comestible.

MAJES Río del S del Perú; 320 km. Nace con el nombre de Colca en la zona andina, al O del lago Titicaca, y desemboca en el Pacífico junto a Camaná. Discurre por el dpto. de Arequipa.

MAJESTAD f. Calidad que constituye una cosa grave, que infunde admiración y respeto. • Tratamiento o título que se da a Dios, y también a emperadores y reyes. ▪ MAJESTUOSIDAD; MAJESTUOSO, SA.

MAJEZA o **MAJENCIA** f. fam. Calidad de majo. • fam. Bravuconería.

MAJO, JA adj. Bonito, vistoso, guapo, simpático, cariñoso, etc. • Chulo, bravucón. • m. y f. A finales del s. XVIII y principios del XIX, individuo del pueblo bajo de Madrid. ▪ MAJERÍA.

MAJOLETA f. Fruto del majoleto.

MAJOLETO m. Majuelo, arbusto.

MAJOR, ***John*** (nacido 1943) Político brit. Conservador, secretario del Tesoro en el último gobierno de Margaret Thatcher, sucedió a ésta en el cargo de primer ministro entre 1990 y 1997, año en que fue derrotado por el laborista Tony Blair.

MAJORCA f. Mazorca.

MAJORERO, RA adj. y s. De la isla de Fuerteventura (Canarias).

MAJUELA f. Fruto del majuelo. • Correa de cuero con que se ajustan y atan los zapatos.

MAJUELO m. *Bot.* Planta arbustiva de hasta 5 m de alt., con ramas espinosas y frutos del tamaño y forma de un guisante (majuelas). • Viña nueva que da fruto. ▪ MAJOLAR.

MAJZÉN m. En Marruecos, autoridad suprema.

MAKARENKO, ***Antón Semionovich*** (1888-1939) Pedagogo sov. *Poema pedagógico, Banderas sobre las torres, Consejos a los padres.*

MAKARIKARI Vasta depresión pantanosa y lacustre, de aguas saladas, del NE de Botswana.

MAKARIOS (*Mijaíl Khristódulos Muskos*; 1913-1977) Prelado y político chipriota. Arzobispo y primer presid. de la rep. desde 1959 hasta que fue depuesto por un golpe de Est. en julio de 1974. En diciembre del mismo año reasumió el cargo.

MAKEIEVKA C. de la rep. de Ucrania, en el E de dicho estado; 430 000 hab. Sit. en el Donbáss. Centro siderometalúrgico. Hulla. Es la ant. Dmítrievsk.

MAKONDE adj. y s. Díc. de individuos de un pueblo melanoafricano, de habla bantú, que habita en el SE de Tanzania (unas 300 000 personas) y áreas adyacentes de Mozambique. • adj. Relativo a dicho pueblo.

MAKTOUM, ***Rashid ibn Said*** (nacido 1914). Político de los Emiratos Árabes. Jeque de Dubai, fue cofundador de la Unión de Emiratos Árabes, vicepresid. desde 1971 y primer ministro desde 1979.

MAL adj. Apócope de malo, precediendo a un sustantivo masculino. • *Fil.* m. Lo contrario al bien; lo que se aparta de lo lícito y honesto. • Daño u ofensa. • Desgracia, calamidad. • enfermedad, dolencia. • *Amér. Centr.* y *Perú.* Epilepsia. • **caduco.** Epilepsia. • **de la tierra.** Nostalgia. • **de madre.** Histerismo. • **de montaña.** Afección que se manifiesta en las ascensiones a montañas elevadas. • **de ojo.** Influjo maléfico que, supersticiosamente, se cree puede una persona ejercer sobre otra mirándola de cierta manera. • **de piedra.** El que resulta de la formación de cálculos en las vías urinarias. • **francés.** Sífilis. • **De m. en peor.** loc. fam. que se usa para denotar que una cosa se va empeorando.

MAL Lara, ***Juan de*** (1524-1571) Escritor esp., autor de *Philosophia vulgar*, colección de cuentos y proverbios populares.

MALABAR adj. y s. De Malabar. • m. Lengua de los malabares. • adj. Díc. de ciertos cristianos de rito oriental caldeo que habitan en el est. de Kevala, al S de la India.

MALABAR Región litoral del SO de la India, en los est. de Karnataka y Kerala, bañada por el mar Arábigo. Es baja y presenta diversas lagunas. Clima cálido y húmedo. C. prales.: Mangalore, Kozhikode y Trivandrum. ■ MALABÁRICO, CA.

MALABARISMO m. Práctica de ejercicios de habilidad hechos con diversos objetos. • Arte de manejar conceptos para deslumbrar al oyente o al lector.

MALABARISTA com. Persona que hace juegos malabares. • *Chile.* Persona que roba con astucia.

MALABO (ant. *Santa Isabel*) Cap. de Guinea Ecuatorial; 38 000 hab. Sit. en la costa N de la isla de Fernando Poo (Bioko). Puerto exportador de café, plátanos y cacao. Pesca.

MALACA f. *Méx.* Peinado hecho de dos trenzas que, cruzando por encima de la cabeza, se aseguran sobre la frente. • *Amér.* Caña para hacer bastones.

MALACA *(Malacca)* Est. de Malaysia, en Malaysia Occidental, a orillas del estr. de Malaca; 1 650 km^2, 453 200 hab. (chinos y malayos). Cap., Malaca. Caucho, coco, arroz, tapioca. • Pen. del SE de Asia, sit. entre el mar de Andamán, el estr. de Malaca, el golfo de Siam y el mar de China Meridional. Comprende parte de Tailandia y de Malaysia. Lugar de paso del comercio entre Bengala y el mar de China, fue atacada sucesivamente por los chinos y los bugis y ocupada por los neerlandeses, hasta que en 1785 fue conquistada por los brit., que en 1957 le concedieron la indep. • C. de Malaysia, cap. del est. hom.; 88 100 hab. • **Estrecho de M.** Vía marítima abierta entre la pen. de Malaca y Sumatra. Une el mar de China Meridional, en el Pacífico, y el mar de Andamán, en el Índico.

MALACAHUITE m. *Amér. Centr.* Árbol de flores blancas y muy olorosas.

MALACARA adj. *Argent.* Díc. del caballo o yegua que tiene una lista blanca en la frente.

MALACATE m. Especie de cabrestante impulsado por caballerías, que se usaba para extraer agua o minerales de las minas. • *Amér.* Huso para hilar.

MALACIA f. Deseo de comer materias impropias para la nutrición. • *Pat.* Reblandecimiento de un órgano o tejido.

MALACOLOGÍA f. Parte de la zoología que trata de los moluscos. ■ MALACOLÓGICO, CA; MALACÓLOGO, GA.

MALACONSEJADO, DA adj. y s. Que obra desacertadamente por seguir malos consejos.

MALACOPTERIGIO, GIA adj. y s. *Zool.* Díc. de los peces teleósteos que tienen los radios de las aletas blandos y articulados; como el salmón.

MALACOSTRÁCEO, A adj. y m. *Zool.* Díc. de los crustáceos más evolucionados, siempre con caparazón y ojos compuestos y pedunculados.

MALACOSTUMBRADO, DA adj. Que tiene malos hábitos y costumbres. • Que está muy mimado y consentido.

MALACRIANZA f. *Amér.* Mala educación, descortesía.

MALACUENDA f. Harpillera. • Hilaza de estopa.

MALADETA Macizo de la pen. Ibérica, en los Pirineos. Pico pral., Aneto (3 404 m), el más alto de los Pirineos.

MALAFA f. Almalafa, vestidura telar moruna.

MÁLAGA Prov. del S de España, en la com. autón. de Andalucía, junto al Mediterráneo; 7 276 km^2, 1 249 290 hab. Cap., la c. hom. C. prales.: Marbella y Antequera. • C. esp., cap. de la prov. hom.; 549 135 hab. Sit. sobre la desembocadura del río Guadalmedina. Segundo puerto del Mediterráneo por el volumen de pesca. Centro industrial y turístico.

MALAGANA f. fam. Desfallecimiento, desmayo.

MALAGRADECIDO, DA adj. *Amér.* Desagradecido, ingrato.

MALAGUEÑO, ÑA adj. y s. De Málaga. • f. Aire popular propio de la prov. de Málaga, con que se cantan coplas. • Aire popular de las islas Canarias.

MALAGUETA f. Fruto de olor y sabor aromáticos, usado como especia, que es producto de un árbol tropical mirtáceo. • Árbol que da este fruto.

MALAKA → Malaca.

MALALECHE com. fig. Persona que tiene malas intenciones.

MALAMBO m. *Cuba.* Árbol de corteza febrífuga. • *Argent.* Baile popular propio del gaucho.

MALAN, ***Daniel-François*** (1874-1959) Político sudafricano. Primer ministro (1948-1954), defendió el *apartheid* y legalizó la separación política y económica de blancos y negros.

MALANDANZA f. Mala fortuna, desgracia. ■ MALANDANTE.

MALANDAR m. Cerdo que no se destina para entrar en vara.

MALANDRÍN, NA adj. y s. Pillo.

MALANG C. de Indonesia, en la parte oriental de la isla de Java, 511 800 hab. Cultivos tropicales. Ind. textiles, metalúrgicas y de elaboración de tabaco.

MALAPARTE, ***Curzio*** Seud. de *Kurt Suckert* (1898-1957) Escritor it. Su estilo refleja con crudeza las miserias de la guerra. *Kaputt, La piel, El Volga nace en Europa.*

MALAPATA com. Persona sin gracia, patosa, inoportuna. • f. Contrariedad, desgracia.

MALAQUÍAS (h. s. v a. C.) El último de los profetas menores. • **Libro de M.** Último escrito de la colección de los profetas menores. Se compuso entre 516 y 445 a. C. • Santo (1094-1148) Primado de Irlanda y reformador del monarquismo irlandés.

MALAQUITA f. *Miner.* Carbonato básico de cobre, de color verde y brillo vítreo, utilizado en joyería.

MALAR adj. Relativo a la mejilla. • adj. y m. *Anat.* Díc. del hueso aplanado situado simétricamente en la parte lateral de la cara.

MALAR o **MÄLAREN** Lago del SE de Suecia, uno de los mayores del país; 1 140 km^2. En sus orillas se encuentra Estocolmo.

MALARIA f. Paludismo.

MALARRABIA f. *Cuba.* Dulce de plátano, boniato o guayaba en almíbar.

MALASANGRE adj. y s. Díc. de la persona de malas intenciones.

MALASIA → Malaysia.

MALASOMBRA com. Persona patosa, inoportuna.

MALASPINA, ***Alejandro*** (1754-1819) Navegante de origen it. al servicio de España. Dio dos vueltas al mundo y exploró Alaska. *Viaje político-científico alrededor del mundo.*

MALATESTA, ***Enrico*** (1853-1932) Anarquista it. Dirigente de la I Internacional. *La política parlamentaria en el movimiento socialista.* • ***Sigismondo Pandolfo*** (1417-1468) Capitán it., prototipo del príncipe renacentista. Vivió rodeado de filósofos y sabios.

MALATÍA f. ant. Lepra. ■ MALATO, TA.

MALATOBA adj. y s. *Amér. Centr.* Gallo de plumas de color amarillo rojizo.

MALATYA C. del centro-este de Turquía, cap. de la prov. hom.; 251 300 hab. Ind. textil, refinería de azúcar. Es la ant. *Melitene.*

MALAVENIDO, DA adj. Mal avenido.

Vista de la playa de Kovalam (Kerala), en la costa **Malabar**

Salmón, pez **malacopterigio**

Vista de la ciudad de **Málaga**

MALAVENTURA f. Desventura, desgracia. ■ MALAVENTURADO, DA.

MALAVENTURANZA f. Infelicidad, desdicha, infortunio.

MALAWI *(Mfuko la Malaŵi)* Estado de África meridional; se extiende longitudinalmente a lo largo de la orilla aoccidental del lago hom. Limita al N y NE con Tanzania; al E, S y SO con Mozambique y al O con Zambia. Clima tropical. La agricultura es la pral. fuente de riqueza del país, pero sólo el 25 % de la superficie está cultivada. Se cultiva maíz, arroz, mandioca y otros cereales para la alimentación local, y tabaco, algodón y té para la exportación. La ind., todavía en estado artesanal, incluye manufacturas de tabaco y tejidos. República. Cap., Lilongwe. C. pral.: Blantyre. Lenguas.: ing. (of.), indígenas: el chichewa, el nyanja, el tumbuka y el yao. *Rel.*: Mayoría animistas. También hay minorías de católicos, protestantes y musulmanes. U. M.: el kwacha.

MALAWI

Superficie 118 484 km²

Población 9 609 000 hab. (81 hab./km²)

Recursos económicos	
Algodón	45 000 t
Azúcar	237 000 t
Cabaña bovina	980 000 cabezas
Cabaña caprina	890 000 cabezas
Cabaña porcina	247 000 cabezas
Cacahuetes	32 000 t
Cerveza	811 000 hl
Maíz	1 661 000 t
Pesca	58 800 t
Riqueza forestal	10 212 000 m³
Tabaco	132 000 t
Té	34 000 t
Indicadores sociológicos	
PNB	1 623 millones de dólares
Renta per cápita	170 dólares
Esperanza de vida	45 años
Alfabetismo	56 %

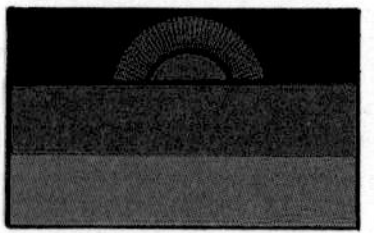

Malawi. Arriba, mapa de situación y bandera; a la derecha, mercado en la ciudad de Karonga

* *Hist.* El port. Gaspar Boccaro fue el primer europeo que exploró la región, devastada posteriormente por los traficantes ár. de esclavos. En 1859 fue recorrida por Livingstone. Gran Bretaña colonizó el territorio en 1878. Con la I Guerra Mundial aparecieron conatos de indep., que la represión brit. hizo desaparecer. En 1964 obtuvo la indep. y en 1966 se convirtió en rep. La política seguida desde entonces por su presid., Hastings Kamuzu Banda, autoproclamado vitalicio en 1971, fue conservadora y autoritaria, inclinada hacia Gran Bretaña y la República Sudafricana. En 1993 Banda accedió a establecer el multipartidismo, y las elecciones de 1994 dieron la presidencia a Bakili Muluzi.

MALAWI o **NIASA** Lago de África oriental, sit. entre Mozambique, Tanzania y Malawi; 30 800 km². Su único emisario es el Shire.

MALAYA f. *Chile.* Carne de res vacuna que está encima de los costillares.

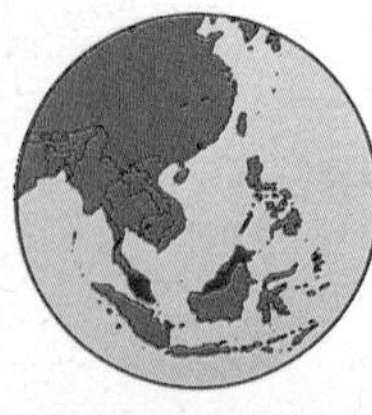

Mapa de situación y bandera de **Malaysia**

MALAYA Nombre brit. de la Federación de Malasia; → Malaysia.

MALAYALAM m. Lengua de la familia dravídica hablada por 17 000 000 de personas en el est. de Kerala, al SO de la India.

MALAYO, YA adj. y s. De Malaysia. • Díc. del individuo perteneciente a un grupo étnico mongoloide que se halla esparcido por la pen. de Malaca y las islas del arch. malayo. • m. *Ling.* Lengua malaya, de la familia malayopolinesia, hablada por unos 10 millones de personas en la pen. de Malaca, E de Sumatra, litoral de Borneo y algunas pequeñas islas de las zonas. Es la lengua oficial en Malaysia.

MALAYO, ***Archipiélago*** Área geográfica que abarca el conjunto de islas comprendidas entre el SE del continente asiático, al O, y Australia y Nueva Guinea, al E. Se halla dividido entre los Est. de Filipinas, Indonesia (excluido Irian Occidental) y Malaysia (exceptuada la pen. de Malaca).

MALAYOPOLINESIO, SIA adj. y s. *Ling.* Grupo de lenguas que se hablan en la zona que se extiende desde Madagascar hasta la isla de Pascua, y desde Taiwan a Nueva Zelanda.

MALAYSIA *(Persekutuan Tanah Malaysia)* Estado del SE de Asia, formado por una parte continental en la pen. de Malaca (M. Occidental) y otra insular (M. Oriental), que ocupa el N y NE de la isla de Borneo. La primera es montañosa. Las costas presentan llanuras aluviales en las que se abren varios estuarios. M. Oriental también presenta un relieve abrupto, sobre todo en el NE, donde el pico Kinabalu alcanza la mayor alt. (4 101 m). Clima ecuatorial. La pral. fuente de riqueza viene de la explotación de productos primarios, caucho y estaño, en manos de compañías extranjeras. Entre los cultivos de subsistencia destaca el arroz. La ind. se basa pralm. en el tratamiento del caucho y del estaño. Es un estado federal miembro de la Commonwealth. Cap., Kuala Lumpur. C. prales.: Penang, Ipoh. Etnias: malayos (51 %), chinos (38 %), indopaquistanos, otros. Lenguas: malayo (of.), chino, inglés y tamil. *Rel.*: islamismo (mayoritaria), budismo, taoísmo, hinduismo, animismo, catolicismo y protestantismo. U. M.: el dólar de Malaysia.

* *Hist.* Desde 1511, los portugueses se encontraban en la pen. de Malaca, de la que les expulsaron los holandeses en 1641. A partir del s. XVIII, los brit. intervinieron en M., que declararon protectorado en 1888. La actual Federación creada en 1963 con el fin de integrar en la Federación de M. a Singapur, Sarawak y Sabah. Singapur se separó en 1965, a raíz de los enfrentamientos entre chinos y malayos. La difícil articulación política entre los est. que componen la Federación y la discriminación social por motivos étnicos, así como la existencia de guerri-

MALAYSIA

Superficie 329 747 km²

Población 21 767 000 hab. (66 hab./km²)

Recursos económicos	
Arroz	2 126 000 t
Azúcar	108 000 t
Bauxita	162 000 t
Búfalos	157 000 cabezas
Cabaña bovina	689 000 cabezas
Cabaña porcina	3 282 000 cabezas
Caucho	1 089 000 t
Cemento	9 928 000 t
Copra	68 000 t
Estaño	6 456 t
Hierro	124 000 t
Nuez de coco	1 043 000 t
Oro	4 200 kg
Pesca	1 173 480 t
Riqueza forestal	46 037 000 m³
Tabaco	15 762 millones de cigarrillos
Indicadores sociológicos	
PNB	78 321 millones de dólares
Renta per cápita	3 890 dólares
Esperanza de vida	72 años
Alfabetismo	83 %

Malaysia. Mezquita de Kuala Lumpur

llas comunistas, configuran una inestable situación política. En 1981 fue nombrado primer ministro Mahatir Bin Mohamed, de la Organización Nacional Malaya Unida, en sustitución de H. Bin Onn.

MALBARATAR tr. Vender a bajo precio. • Disipar o malgastar la fortuna. ■ MALBARATADOR, RA; MALBARATO.

MALBARATILLO m. Baratillo, tienda de artículos a bajo precio.

MALCARADO, DA adj. Que tiene mala cara o aspecto repulsivo.

MALCASADO, DA adj. Que falta a los deberes que le impone el matrimonio.

MALCASAR tr. y prnl. Realizar un casamiento desacertado.

MALCASO m. Traición, acción infame.

MALCOCINADO m. Menudillos de las reses. • Sitio donde se venden.

MALCOLM III, *Canmore* (1031-1093) Rey de Escocia. Hijo de Duncan I, al que asesinó Macbeth, logró derrotar a éste y ocupar el trono. Realizó varias incursiones en Inglaterra y finalmente fue vencido por Guillermo II el Rojo. • **X** (1925-1965) Político negro norteam. Fundó la Organización de la Unidad Afroamericana para conseguir la liberación de la gente de su raza. Murió asesinado.

MALCOMER tr. Comer poco y mal. ■ MALCOMIDO, DA.

MALCONSIDERADO, DA adj. Desconsiderado.

MALCONTENTADIZO, ZA adj. Difícil de contentar.

MALCONTENTO, TA adj. Descontento. • adj. y s. Rebelde, revoltoso. • m. Cierto juego de naipes.

MALCORTE m. Corte de árboles hecho en los montes contra las ordenanzas vigentes.

MALCRIADEZ o **MALCRIADEZA** f. *Amér.* Descortesía, mala educación.

MALCRIAR tr. Educar mal a los hijos, condescendiendo demasiado con sus gustos y caprichos. ■ MALCRIADO, DA.

MALDAD f. Calidad de malo. • Acción mala. ■ MALDADOSO, SA.

MALDECIR • tr. Echar maldiciones. • Quejarse de algo. • intr. Criticar, hablar mal de alguien. ■ MALDECIDO, DA; MALDECIDOR; RA; MALEDICENCIA.

MALDICIÓN f. Imprecación contra una persona o cosa, manifestando enojo y aversión hacia ella.

MALDISPUESTO, TA adj. Indispuesto, algo enfermo. • En mala disposición de ánimo.

MALDITO, TA adj. Perverso de malas costumbres e intenciones. • fam. Ni uno, ni una sola cosa de una especie determinada. • adj. y s. Condenado y castigado por la justicia divina. • De mala calidad, ruin, miserable. • fam. La lengua.

MALDIVAS *(Republic of Maldives)* Estado del S de Asia, formado por el arch. hom., sit. al SO de Sri Lanka, compuesto por una serie de atolones y unas 2 000 islas. Pob. descendiente de cingaleses y ár. Cap., Male. Clima húmedo y cálido. El pral. recurso es la pesca; le siguen el coco y la copra. Estos últimos productos son exportados pralm. a Sri Lanka y a la costa malabar (India). La actividad ind. más imp. consiste en el desecamiento y ahumado de pescado. Lenguas: divehi (dialecto cingalés, of.), árabe. *Rel.*: islamismo. U. M.: la rupia maldiva.

MALDIVAS

Superficie	298 km²
Población	267 000 hab. (896 hab./km²)
Recursos económicos	
Copra	2 000 t
Nuez de coco	13 000 t
Pesca	104 110 t
Turismo	279 436 visitantes
Indicadores sociológicos	
PNB	251 millones de dólares
Renta per cápita	890 dólares
Esperanza de vida	64 años
Alfabetismo	93 %

* *Hist.* Bajo influencia del Islam desde el s. XII y de Portugal en el XVI, pasó a ser protectorado brit. en 1887. Hasta 1965 M. no logró la indep., aunque Gran Bretaña conservaba el derecho a utilizar la base aérea de Gan. En 1968 se convirtió en república, con Ibrahim Nasir como presid. En 1976 los brit. abandonaron Gan. En 1978 fue elegido presid. M. Abdul Gayoom, quien debió hacer frente a varios intentos de golpe de Estado.

MALDONADO Dpto. del S de Uruguay; 4 793 km², 127 502 hab. Cap., la c. hom. Sit. en el litoral atlántico, la mayor parte del terr. está dedicado a la ganadería, pralm. vacuna y lanar. Remolacha, cereales y patatas. Pesca. Turismo. • C. de Uruguay, cap. del dpto. hom.; 48 936 hab.

MALDONADO, *Francisco* Noble esp., uno de los jefes de la sublevación de las comunidades. Junto a Padilla, participó en la batalla de Villalar. Murió decapitado. • ***Francisco Severo*** (1775-1832) Político y periodista mex. Partidario de Hidalgo, editó el periódico insurgente *El despertador americano.* Posteriormente se adhirió a Iturbide y colaboró en el proyecto de constitución. *Contrato de asociación, El triunfo de la especie humana.*

MALEABILIDAD f. Capacidad de un metal para sufrir deformaciones plásticas cuando es sometido a esfuerzos de compresión. El metal más maleable es el oro. ■ MALEABLE.

MALEANTE adj. Que malea o daña. • adj. y s. Burlador, maligno. • Delincuente.

MALEAR tr. y prnl. Dañar, echar a perder una cosa. • fig. Pervertir uno a otro. ■ MALEADOR, RA.

MALEBRANCHE, *Nicolás* (1638-1715) Filósofo fr. Se propuso unir el pensamiento cartesiano con el de san Agustín. *Búsqueda de la verdad, Tratado de la naturaleza y de la gracia. Meditaciones cristianas y metafísicas, Tratado de moral.*

MALECÓN m. Murallón que protege contra las crecidas de mares o ríos y que en ocasiones sirve de embarcadero o muelle.

MALEDUCADO, DA adj. y s. Malcriado, falto de educación.

MALEFICIAR tr. Causar daño. • Trastornar a uno con prácticas supersticiosas, hechizar. ■ MALEFICIENCIA; MALEFICIO; MALÉFICO, CA.

MALENKOV, *Gheorghi Maximilianovitch* (1902-1988) Político sov. Miembro del Politburó en 1946, fue secretario de Stalin, a cuya muerte (1955) fue desplazado por Jruschov.

Mapa de situación y bandera de **Maldivas**

Maldivas. Vista de un atolón

Aeroplano volando, óleo de Kazimir **Malevich.** Museo de Arte Moderno, Nueva York

MALENTENDER tr. Entender o interpretar equivocadamente. ■ MALENTENDIDO.
MALÉOLO m. *Anat.* Cada una de las eminencias óseas, una interna y otra externa, del extremo inferior de la pierna. ■ MALEOLAR.
MALESHERBES, *Chrétien Guillaume de Lamoignon de* (1721-1794) Político fr. Director de la Librería, permitió la edición de obras ilustradas, especialmente la *Enciclopedia*. Emigró al producirse la Revolución Francesa, y a su regreso fue detenido y guillotinado.
MALESPÍN m. *Amér. Centr.* Lenguaje usado por los delincuentes para hablar entre sí, consistente en sustituir unas letras por otras.
MALESPÍN, *Francisco* (m. 1846) Militar y político salvadoreño. En 1844 asumió la presidencia y declaró la guerra a Nicaragua, que apoyaba a los liberales. Al año siguiente fue destituido por el vicepresid. Guzmán y se refugió en Honduras, desde donde intentó invadir El Salvador. Fue derrotado y muerto.
MALESTAR m. Indisposición o incomodidad imprecisa. • fig. Inquietud moral.
MALETA f. Caja pequeña de cuero, madera u otro material, de forma y tamaño adecuados para poder transportarla a mano, que se emplea para llevar objetos en los viajes. • *Amér.* Lío de ropa. • fam. *P. Rico* y *Amér. Centr.* Persona despreciable. • m. fam. El que practica con torpeza o desacierto su profesión.
MALETERO m. El que hace o vende maletas. • Mozo que lleva las maletas. • Lugar en un vehículo o en una vivienda para guardar maletas o equipajes. • *Col.* y *Ecuad.* Maletín de grupa. • *Chile.* Ratero.
MALETILLA m. El que aspira a ser torero e interviene en becerradas, capeas, etc.
MALETÍN m. Maleta pequeña.
MALETÓN m. *Ecuad.* Almofrej, funda de la cama de camino. • *Col.* Jorobado.
MALETUDO, DA adj. *Amér.* Jorobado.
MALEVICH, *Kazimir* (1878-1935) Pintor ruso, uno de los fundadores del suprematismo. *Cuadrado negro sobre fondo blanco, Cuadrado blanco sobre fondo blanco, Aeroplano volando.*
MALEVO, VA adj. *Argent.* y *Bol.* Malévolo, malhechor, matón.
MALEVOLENCIA f. Mala intención, deseo de perjudicar. ■ MALÉVOLO, LA.
MALEZA f. Abundancia de hierbas malas en los sembrados. • Espesura que forma la abundancia de arbustos. • *Argent.* y *Chile.* Pus.
MALFORMACIÓN f. *Pat.* Desviación del desarrollo, adquirida o congénita, que provoca una anomalía o deformidad.

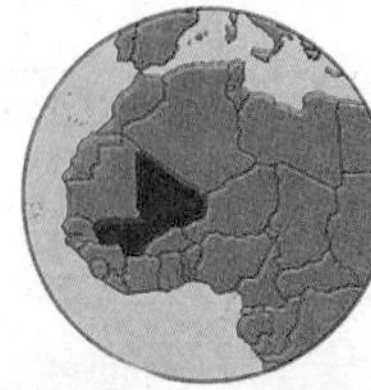

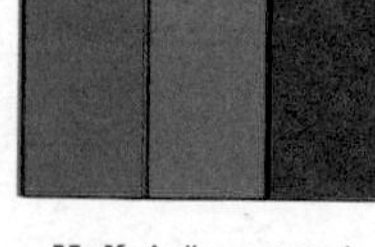

Malí. Arriba, mapa de situación y bandera; abajo, mercado junto a la Gran Mezquita de Djenné

MALGACHE adj. y s. *Etn.* Nativo de Madagascar. • Relativo a Madagascar. • m. *Ling.* Lengua malayopolinesia hablada por los nativos de Madagascar.
* *Etn.* Los m. no presentan unidad étnica, aunque los distintos pueblos se han mezclado entre sí y ofrecen una serie de características comunes, especialmente en el aspecto lingüístico. Numéricamente predominan los mongoloides de origen indonesio, que pueblan las áreas centrales y más elevadas de la isla. También existen elementos negroides, semíticos y malayos, así como diferentes mezclas entre ellos.
MALGACHE, *República* Nombre oficial de Madagascar a partir del 14 de octubre de 1958.
MALGASTAR o **MALEMPLEAR** tr. Derrochar, desperdiciar una cosa. ■ MALGASTADOR, RA.
MALGENIADO, DA adj. *Col.* y *Perú.* Iracundo.
MALGENIOSO, SA adj. *Amér.* De mal genio.
MALHABLADO, DA adj. y s. Desvergonzado o atrevido en el hablar.

MALÍ

Superficie 1 240 142 km²

Población 9 945 000 hab. (8 hab./km²)

Recursos económicos	
Algodón	110 000 t
Arroz	469 000 t
Azúcar	27 000 t
Cacahuetes	215 000 t
Cabaña bovina	5 542 000 cabezas
Cabaña caprina	7 380 000 cabezas
Cabaña ovina	5 173 000 cabezas
Camellos	260 000 cabezas
Energía eléctrica	289 000 000 kwh
Mijo	858 000 t
Pesca	62 950 t
Riqueza forestal	6 340 000 m³
Sal	5 000 t
Indicadores sociológicos	
PNB	2 410 millones de dólares
Renta per cápita	250 dólares
Esperanza de vida	48 años
Alfabetismo	31 %

MALHADADO, DA adj. Infeliz, desventurado.
MALHECHO, CHA adj. Aplícase a la persona de cuerpo mal formado o contrahecho. • m. Acción mala o fea. ■ MALHECHOR, RA.
MALHERBE, *François de* (1555-1628) Poeta fr. Sus ideas y teorías literarias abrieron la vía al clasicismo.
MALHERIR tr. Herir gravemente.
MALHOJO m. Parte que se desecha del follaje de las plantas.
MALHUMOR m. Mal humor.
MALHUMORAR tr. y prnl. Poner a uno de mal humor. ■ MALHUMORADO, DA.
MALÍ Ant. reino negro de Sudán occidental. Su origen se remonta al s. XI. El primer monarca que desarrolló una política expansionista fue Sundiata, que en 1240 saqueó los restos de Ghana, capital decadente del imperio del mismo nombre. La época de mayor esplendor del imperio coincidió con los gobiernos de Kankan Muza y de su hermano Solimán. A partir de 1360, tuareg, mossis y songhais realizaron expediciones militares por el país, que, ya en decadencia, logró mantenerse dos siglos más.
MALÍ *(République du Mali)* Estado de África que limita al N y NE con Argelia, al E y SE con Níger y Burkina Faso, al S con Costa de Marfil y Guinea y al O con Senegal y Mauritania. Lo forma una altiplanicie de unos 500 m de alt. media que se eleva hacia el SO; la zona meridional comprende las cuencas del alto Níger y el alto Senegal y el área sahariana ocupa una cuarta parte del país. Ríos: Senegal y Níger, a cuyas orillas se concentra la población. Clima de transición entre desértico y tropical. La agricultura y la ganadería son las bases de la economía del país, sit. entre los subdesarrollados. La minería, controlada por el Est., está en vías de desarrollo y la ind. se reduce a la elaboración de derivados de la ganadería y la agricultura. República. Cap., Bamako. C. pral.: Mopti, Ségou, Gao. Etnias: bambaras, mandingos, fulbes, songhais, otros. Lenguas: fr. (of.), mande y ár. *Rel.*: islamismo (76 %), animismo (20 %). U. M.: el franco CFA.
* *Hist.* País conocido desde la antigüedad por su enorme riqueza aurífera, cayó bajo el dominio de los reinos de Ghana, Sosso y Malí. En 1881 se inició la ocupación fr., que culminó con la instalación de la colonia del Sudán fr. Tras la II Guerra Mundial surgieron movimientos independentistas, unificados tras el congreso de Bamako en el Rassemblement Démocratique Africain. Este mov. consiguió en 1958 la indep. dentro de la Comunidad Francesa. En 1959 se unió a Senegal para formar la Federación de Malí, disuelta en 1960, año en el que M.

se convirtió en rep. indep., bajo la presidencia de Modibo Keita. En 1968 un golpe de Est. militar depuso a Keita, y Moussa Traoré asumió la jefatura del Est., siendo reelegido en 1979 y 1985. En 1992 le sucedió A. Oumar Konaré, quien hizo frente a las reivindicaciones nacionalistas tuaregs.

MALIBRÁN, ***María Felicita*** (1808-1836) Cantante fr. de origen esp. Dotada de una extraordinaria voz, abarcava los registros de soprano y contralto. Triunfó en Europa y América, pralm. con las óperas de Rossini.

MALICIA f. Maldad, calidad de malo. • Inclinación a hacer mal. • Perversidad. • Intención malévola y disimulada. • Propensión a pensar mal. • Calidad que hace una cosa perjudicial y maligna. • Penetración, sagacidad. • fam. Sospecha o recelo. ■ MALICIOSO, SA.

MALICIAR tr. y prnl. Sospechar, recelar algo con malicia. • Malear, echar a perder.

MÁLICO adj. *Quím.* Díc. de un ácido orgánico con dos grupos carboxílicos y uno alcohólico, empleado en la ind. del vino para envejecerlo.

MALIGNAR tr. Corromper, estropear, infectar, hacer mal. • prnl. Corromperse, empeorarse.

MALIGNIDAD f. Propensión a pensar u obrar mal. • Carácter pernicioso de una lesión o enfermedad. ■ MALIGNO, NA.

MALIK ibn Anas (h. 710-795) Jurisconsulto musulmán, nacido en Medina. Compiló el *Libro del camino allanado*, que se tiene por la más ant. colección de derecho sunní. Fundó la escuela malikí.

MALIKÍ adj. Díc. de la escuela jurídica ortodoxa del Islam sunní, basada en las enseñanzas de Malik ibn Anas.

MALINALCO Lugar arqueológico mex. correspondiente al periodo azteca. El conjunto arquitectónico está parcialmente excavado en la roca y los cerramientos están formados por obras de mampostería. Excavado por García Payón, los edificios más imp. son los llamados I y III.

MALINAS (fr., *Malines*; flamenco, *Mechelen*) C. del centro de Bélgica, en la prov. de Amberes; 77 100 hab. Fábrica de montaje de automóviles. Ind. química, textil y del mueble. • **Liga de M.** Alianza realizada en 1513, como ampliación de la Santa Liga, entre España, Inglaterra, el papado y los suizos, contra Francia y Venecia.

MALINCHE m. *Amér.* Arbusto usado como febrífugo.

MALINCHE o **MATLACUÉYATL** Volcán de México, sit. en el est. de Puebla; 4 461 m de alt.

MALINCHE Mujer indígena, compañera de Hernán Cortés, de quien tuvo un hijo. De habla náhuatl, sirvió de intérprete entre los nativos y los esp. Fue bautizada con el nombre de *Marina*.

MALINKÉ adj. y s. Díc. de individuos de un pueblo melanoafricano del grupo mandingo, que habita en el SO de Malí, en Senegal, Gambia y Guinea. • adj. Concerniente a dicho pueblo.

MALINO, NA adj. fam. Maligno.

MALINOVSKI, ***Rodión Iakovlevitch*** (1898-1967) Mariscal sov., uno de los artífices de la victoria de Stalingrado (1942).

MALINOWSKI, ***Bronislaw Kasper*** (1884-1942) Antropólogo brit. de origen pol., máx. representante de la antropología cultural funcionalista. Introdujo un nuevo método de estudio sobre el terreno, el de la observación participante, basado en el olvido de la condición de extranjero y la integración en la comunidad estudiada. *Sexo y represión en la sociedad salvaje, Magia, ciencia y religión.*

MALINTENCIONADO, DA adj. y s. Que tiene mala intención.

MALIPIERO, ***Gian Francesco*** (1882-1968) Compositor it. De gran fecundidad, se ha esforzado constantemente en conseguir en sus obras la claridad y sencillez de los clásicos. Autor de obras sinfónicas: *Conciertos para orquesta, Estudios*; ballets *(Pantea y Stradivarius)*; óperas *(Julio César, Antonio y Cleopatra)* y música de cámara.

MALLA f. Cada uno de los cuadriláteros que constituyen el tejido de la red. • Tejido de pequeños anillos o eslabones de hierro o de otro metal, enlazados entre sí. • Cada uno de los eslabones de que se forma este tejido. • P. ext., tejido semejante al de la malla de la red. • *Amér.* Traje de baño. • *El.* Poligonal recorrida sobre un circuito. ■ MALLERO.

MALLAR intr. Hacer malla. • Enmallarse, quedar un pez sujeto en las mallas de la red.

MALLARINO, ***Manuel María*** (1802-1872) Político col. Vicepresidente del gobierno (1853-1854). Sucedió al liberal Obando en la presidencia de la rep. (1855-1857).

MALLARMÉ, ***Stéphane*** (1842-1898) Poeta fr. Su poesía busca una especie de absolutismo estético. *Herodías, Un coup de dés, La siesta de un fauno* (que inspiró a Debussy su célebre *Preludio* hom.).

MALLE, ***Louis*** (1932-1995) Director de cine fr., uno de los más representativos de la *nouvelle vague*. *Ascensor para el cadalso, Los amantes, Zazie en el metro, Vida privada, Calcuta, Atlantic City, Adiós, muchachos.*

Poblado **malinké**

MALLEA, ***Eduardo*** (1903-1982) Novelista arg. Sus primeras obras manifiestan una viva preocupación por el futuro de su país. *Nocturno europeo, El sayal y la púrpura*. La descripción psicológica predomina en su segunda etapa: *Todo verdor perecerá, Simbad, La razón humana.*

MALLECO Prov. del centro-S de Chile, en la región de la Araucanía; 192 500 hab. Cap., Angol. La parte E comprende la cord. de los Andes; el centro, formado por el valle Longitudinal, tiene relieves que sobrepasan los 200 m de alt. y está regado por los r. Malleco y Traiguén; el sector occidental está accidentado por la cord. Nahuelbuta.

MALLETE m. Trozo de madera en forma de cuña, que se emplea para dar estabilidad a la arboladura, o a la artillería, en los barcos de guerra.

MALLETO m. Mazo con que se batía el papel en los molinos.

MALLET-STEVENS, ***Robert*** (1886-1945) Arquitecto fr. Se distinguió en la construcción de viviendas unifamiliares.

MALLO m. Mazo, martillo. • Juego en que se hacen correr por el suelo unas bolas de madera dándoles con unos mazos. • Terreno donde se juega al mallo. • *Chile.* Guiso de patatas con cebolla y ají.

MALLORCA Isla de España, la mayor de las Baleares; 3 625 km^2, 551 200 hab. Sit. en el Mediterráneo occidental. Costas abruptas y recortadas. Clima mediterráneo benigno. Terreno calcáreo, que origina una imp. circulación de aguas subterráneas. La pral. actividad económica es el turismo. Ind. del calzado, textil y de bisutería. La pob. ha aumentado considerablemente en este siglo, concentrándose en la cap., Palma de Mallorca. • **Reino de M.** Est. creado en 1276 con terr. pertenecientes a la Corona de Aragón. Su núcleo pral. era el arch. balear. Pedro el Ceremonioso lo anexionó a la Corona de Aragón tras la batalla de Lluchmajor (1349).

Malmö. Iglesia de San Paulí, construida por E. Langlet en 1882

MALLORQUÍN, NA adj. y s. De Mallorca. • m. Variedad de la lengua cat. hablada en la isla de Mallorca.

MALLOUM, ***Félix*** (nacido 1932) Político del Chad. Comandante en jefe de las fuerzas armadas del Chad (1971-1973), fue arrestado por conspiración (1973). En 1975 fue liberado y designado presid. Derrotado en la guerra civil, abandonó el país en 1979.

MALLUGAR tr. *Ven.* Magullar.

MALMANDADO, DA adj. y s. Que no obedece o que hace las cosas de mala gana.

MALMARIDADA adj. y s. Díc. de la mujer que falta a los deberes conyugales.

MALMIRADO, DA adj. Díc. de la persona mal considerada por otras. • Descortés.

MALMÖ C. del S de Suecia, sit. en la costa del estr. de Sund, frente a Copenhague; 229 100 hab. Importante puerto. Centro industrial.

André **Malraux**

MALO, LA adj. Que perjudica o no es como se desea o conviene. • Enfermo. • Dificultoso. • Desagradable, molesto. • fam. Travieso, enredador. • Deslucido, deteriorado. • Persona inclinada a hacer mal o a desearlo. • Aplicado a joyas, falso. • Usado con el art. neutro *lo* y el verbo *ser*, significa lo que puede ofrecer dificultad, o ser obstáculo para algún fin. • Usado como interj., sirve para reprobar una cosa, o para significar que ocurre inoportunamente. • **El m.** El demonio. • El malhechor de un relato, especialmente de una obra cinematográfica. • **A malas.** m. adv. Con enemistad. • **Por malas o por buenas.** loc. adv. A la fuerza o voluntariamente. ■ MALUCHO, CHA.

MALOCA f. *Amér.* Invasión hecha por los blancos en tierra de indígenas, con pillaje y exterminio. • Malón, ataque inesperado de los indígenas americanos.

MALÓFAGO, GA adj. y m. *Zool.* Díc. de insectos del orden malófagos. • m. pl. *Zool.* Orden de insectos hemimetábolos, ectoparásitos de aves y de algunos mamíferos. Son de pequeño tamaño, cuerpo deprimido y boca masticadora, a diferencia de los piojos, que la tienen chupadora. Se conocen vulgarmente como piojos de las aves.

MALOGRAR tr. No aprovechar una cosa. • prnl. Frustrarse lo que se esperaba conseguir. • No llegar una persona o cosa a su natural desarrollo. ■ MALOGRADO, DA; MALOGRAMIENTO; MALOGRO.

MALOJA f. *Cuba.* Malojo, maíz para pasto de las caballerías. ■ *Cuba.* MALOJERO, RA.

MALOJO m. *Ven.* Planta de maíz para pasto de caballerías. ■ *Ven.* MALOJAL.

MALÓN m. *Amér. Merid.* Ataque inesperado de los indígenas. • fig. *Amér. Merid.* Grupo de personas que causan desórdenes en un lugar público. • fig. Mala pasada, acción inesperada contra alguien.

MALÓN de Chaide, *Pedro* (1530-1589) Agustino esp., autor de la obra de carácter ascético *Libro de la conversión de la Magdalena.*

MALÓNICO adj. *Quím.* Díc. de un ácido orgánico bicarboxílico, presente en varias plantas, que se emplea en síntesis orgánicas.

MALOQUEAR intr. *Amér. Merid.* Llevar a cabo correrías los indígenas.

MALPARAR tr. Maltratar, dejar maltrecha una cosa. ■ MALPARADO, DA.

MALPARIR intr. Abortar, parir antes de tiempo. ■ MALPARIDA; MALPARTO.

MALPIGHI, *Marcello* (1628-1694) Médico y biólogo it., fundador de la anatomía microscópica.

MALPIGIÁCEO, A adj. y f. *Bot.* Díc. de plantas de la familia malpigiáceas. • f. pl. *Bot.* Familia de plantas angiospermas dicotiledóneas, del orden geraniales, propias de América meridional.

MALQUEDA com. fam. Persona que no cumple su palabra.

MALQUERER tr. Tener antipatía o mala voluntad a una persona o cosa. ■ MALQUERENCIA.

MALQUISTAR tr. y prnl. Enemistar a una persona con otra. ■ MALQUISTO, TA.

MALRAUX, *André* (1901-1976) Escritor y político fr. Ganador del premio Goncourt 1933 por su novela *La condición humana*, participó en las brigadas internacionales durante la guerra civil esp., experiencia en la que se basa *La esperanza.* Durante la II Guerra Mundial estuvo en los campos de concentración al. *(Los nogales de Altenburg)* y, después de fugarse, participó en la Resistencia. Ministro de Cultura (1959-1969), *Antimemorias.*

MALROTAR tr. Disipar, malgastar.

MALSANO, NA adj. Dañoso a la salud. • Enfermizo.

MALSÍN m. Cizañero, soplón, delator.

MALSONANTE adj. Que suena mal. • Díc. de la palabra o exp. inconveniente o grosera.

MALSUFRIDO, DA adj. Que tiene poco aguante para el sufrimiento.

MALTA f. Cebada que se ha hecho germinar artificialmente. La m. torrefacta se utiliza como sucedáneo del café. En forma natural se emplea para la fabricación de la cerveza.

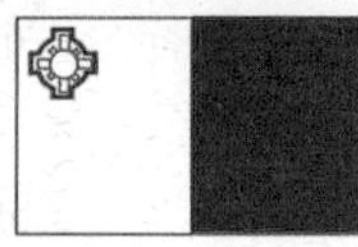

Mapa de situación y bandera de **Malta**

MALTA

Superficie 316 km²

Población 375 000 hab. (1 186 hab./km²)

Recursos económicos

Cabaña bovina	19 000 cabezas
Cabaña caprina	9 000 cabezas
Cabaña ovina	17 000 cabezas
Cabaña porcina	104 000 cabezas
Cebada	4 000 t
Energía eléctrica	1 500 millones de kwh
Patatas	27 000 t
Pesca	1 799 t
Tabaco	1 475 millones de cigarrillos
Tomates	30 000 t
Trigo	5 000 t
Uva	3 000 t

Indicadores sociológicos

PNB	4 461 millones de dólares
Renta per cápita	12 000 dólares
Esperanza de vida	77 años
Alfabetismo	96 %

MALTA *(Republic of Malta)* Estado de Europa, formado por un arch. del mar Mediterráneo, que comprende la isla hom., las de Gozo y Comino, y algunos islotes. Está sit. en el centro del Mediterráneo, al S de Sicilia. Costas altas, rocosas y muy articuladas. Clima y vegetación típicamente mediterráneos. La economía está poco desarrollada y condicionada a la presencia de bases brit.; 316,6 km². Lenguas: inglés y maltés. *Rel.*: católica y un grupo protestante. U. M.: lira maltesa. Cap., La Valetta.

* *Hist.* Ocupada por los fenicios desde el s. XVIII al IX a. C., Roma la anexionó a su imperio en 218 a. C. y más adelante se instalaron en la isla vándalos, ostrogodos y musulmanes. La isla fue siciliana desde 1090 hasta que en 1530 Carlos V la cedió a la Orden del Hospital. En 1800 fue conquistada por Gran Bretaña, que hizo de ella una base naval. Su valor estratégico se manifestó. en el transcurso de la II Guerra Mundial, a pesar de lo cual Gran Bretaña no tuvo más alternativa que concederle la indep. en 1964, dentro de la Commonwealth. En 1974 adoptó una constitución republicana y el ant. gobernador general, sir Anthony Mamo, asumió la presidencia. El gobierno laborista del Dom Mintoff (1971-1984) desarrolló las relaciones con el mundo ár. y China, y afirmó la neutralidad de M. (evacuación de las instalaciones militares brit., 1979). En 1982 Agatha Barbara fue elegida presid. de la rep. D. Mintoff dimitió en 1984, y fue sustituido por C. Mifsud al frente del gobierno. En los comicios presidenciales de 1987 ganó V. Tabone y en las legislativas E. Fenech-Adami (reelegido en 1992 y 1998). En 1994 U.M. Bonnici ganó las elecciones presidenciales.

MALTA, *Orden de* Nombre que adoptaron los Hospitalarios de San Juan de Jerusalén en 1530 cuando Carlos V les concedió la isla de Malta. Actualmente tiene carácter honorífico y con sede en Roma.

MALTASA f. *Biol.* Enzima que provoca la hidrólisis de la maltosa, presente en la sangre y en varios tejidos, también en la levadura y en una preparación de enzimas obtenida del hongo *Aspergilus oryzol.*

Malta. Vista del puerto y la ciudad de La Valetta

MALTEADO m. Operación que tiene por objeto convertir los granos de trigo o cebada en malta.
MALTÉS, SA adj. y s. De Malta. • adj. y m. Raza de perro de lanas, emparentado con el perro samoyedo. • m. *Ling.* Variedad del ár., hablada en la isla de Malta, a cuyo vocabulario se han incorporado numerosas palabras.
MALTHUS, *Thomas Robert* (1766-1834) Economista brit., discípulo de A. Smith. Expuso sus teorías (maltusianismo) en la obra *Ensayo sobre el principio de la población.* Otras obras: *Naturaleza y progreso de las rentas, Economía política.*
MALTÓN, NA adj. *Amér.* Jovencito.
MALTOSA f. *Quím.* Disacárido que se encuentra en las semillas en germinación. Por la acción de la maltasa se desdobla en dos moléculas de glucosa.
MALTRABAJA com. fam. Persona holgazana.
MALTRACA f. *Amér. Centr.* Matraca, carraca.
MALTRAER tr. Maltratar, injuriar.
MALTRAÍDO, DA adj. *Amér. Merid.* Mal vestido, desaliñado.
MALTRAPILLO m. Pilluelo mal vestido; golfo.
MALTRATAR tr. y prnl. Tratar mal a uno de palabra u obra. • Menoscabar, echar a perder. ■ MALTRATAMIENTO.
MALTRECHO, CHA adj. Maltratado, malparado.
MALTUSIANISMO o **MALTHUSIANISMO** m. *Econ.* Teoría científica del aumento de la pob. y de sus factores y consecuencias, desarrollada por Malthus. El m. afirma que la pob. crece en progresión geométrica, mientras que la producción de alimentos lo hace en progresión aritmética, lo que fatalmente ha de acarrear gravísimos males sociales. ■ MALTUSIANO, NA.
MALUCO, CA adj. y s. De las islas Molucas. • Malucho, que está algo malo.
MALUENDA, *Rafael* (1885-1963) Escritor chileno. Ha cultivado el teatro, la novela y, en especial, el cuento. *La Pachacha, Colmena urbana.*
MALUQUER de Motes, *Joan* (nacido 1915) Arqueólogo esp. *Tartessos. Prehistoria y protohistoria.*
MALUQUERA f. *Col.* y *Cuba.* Indisposición.
MALURA f. *Chile.* Malestar, desazón.
MALUS, *Étienne Louis* (1775-1812) Físico fr. Descubrió la polarización de la luz y elaboró la teoría de la doble refracción o birrefringencia.
MALVA f. *Bot.* Planta herbácea de raíz fibrosa, tallos pilosos, hojas acorazonadas, flores pentámeras y frutos en poliaquenio, cuyas hojas se usan como emolientes. • adj. invar. Díc. de lo que es de color morado pálido tirando a rosáceo, como el de la flor de la malva. ■ MALVAR.
MALVÁCEO, A adj. y f. *Bot.* Díc. de plantas angiospermas dicotiledóneas, herbáceas, perennes, con flores hermafroditas y frutos en poliaquenio. • f. pl. *Bot.* Familia de estas plantas, propias pralm. de los trópicos americanos.
MALVADO, DA adj. y s. Muy malo, perverso.
MALVAR tr. Adulterar las condiciones de un objeto, pralm. comestible. • prnl. Malearse.
MALVASÍA f. Uva muy dulce y fragante. • Vino dulce que se hace de esta uva.
MALVAVISCO m. *Bot.* Planta herbácea de la familia malváceas, que tiene aplicaciones medicinales, ya que su raíz es emoliente.
MALVENDER tr. Vender a bajo precio, con poca o ninguna ganancia.
MALVERSAR tr. Sustraer o gastar indebidamente los fondos públicos el encargado de su administración. ■ MALVERSACIÓN; MALVERSADOR, RA.
MALVEZAR tr. y prnl. Acostumbrar mal.
MALVINAS Arch. de Argentina, en el Atlántico meridional, sit. a unos 500 km de la costa oriental. Se compone de dos islas y unos 100 islotes; 11 410 km^2, 2 100 hab. Puerto Argentino es la localidad más poblada. Ganadería y pesca. Ind. frigoríficas y textiles. Tras pertenecer a Francia, Inglaterra y España, en 1820 el arch. pasó a soberanía arg., pero en 1833 fue ocupado por Gran Bretaña, que lo convirtió en colonia. Argentina reivindicó desde entonces su soberanía, y su reclamación fue reiterada en 1976 y 1978. En abril de 1982, Argentina recuperó la soberanía de las islas. En junio del mismo año Gran Bretaña reocupó el arch. tras sostener duros enfrentamientos con las fuerzas arg. (guerra de las M.).
MALVÍS m. Tordo de plumaje verde oscuro, manchado de negro y de rojo, propio del N de Europa.
MALVIVIR intr. Vivir estrechamente o con dificultades.
MALVÓN m. *Argent.* y *Méx.* Geranio, planta.
MAMA f. *Anat.* Estructura glandular que se desarrolla en las hembras de los mamíferos, y cuya secreción, la leche, sirve para nutrir a los recién nacidos. • fam. Madre. Es voz infantil. ■ MAMARIO, RIA.
MAMA Ocllo *Mit.* Entre los incas, hija del Sol y de la Luna, hermana y esposa de Manco Cápac.
MAMÁ f. fam. Madre.
MAMACALLOS m. fig. y fam. Tonto, necio.
MAMACOCHA en el ant. Perú, divinidad ctónica, relacionada con Pachacamac. Es la Madre Mar y una de las deidades más importantes en el N del país, es decir, de los chimús.
MAMACONA o **MAMACUNA** f. Cada una de las mujeres vírgenes y ancianas dedicadas al servicio de los templos entre los ant. incas, y a cuyo cuidado estaban las vírgenes del Sol. • *Bol.* Jáquima de las caballerías.
MAMADERA f. Instrumento para descargar los pechos de las mujeres en el periodo de la lactancia. • *Amér.* Biberón. • *Cuba* y *P. Rico.* Tetilla de biberón.
MAMADO, DA adj. vulg. Ebrio, borracho. • f. fam. Acción de mamar. • Cantidad de leche que se mama de una vez. • fam. Felación, práctica sexual de carácter buco-genital. • *Argent.* y *Ur.* Embriaguez, borrachera. • *Chile* y *Perú.* Ganga o ventaja.
MAMALOGÍA f. Parte de la zoología que estudia los mamíferos.
MAMALÓN, NA adj. *Cuba* y *P. Rico.* Holgazán.
MAMAMA f. *Perú.* Abuela.
MAMANCONA f. *Chile.* Mujer vieja y gorda.
MAMANDURRIA f. *Amér.* Sinecura, ganga.
MAMANTEAR tr. *Amér.* Amamantar los terneros.
MAMAQUILLA *Mit.* Madre de los incas, diosa lunar, hermana y esposa del dios solar Inti.
MAMAR tr. Chupar la leche de los pechos. • fam. Comer, engullir. • fig. Aprender algo en la infancia. • fig. y fam. Obtener, alcanzar, gralte. sin méritos para ello. • prnl. Embriagarse, emborracharse. ■ MAMADOR, RA; MAMANTÓN, NA.
MAMARRACHO m. fam. Persona que viste o se comporta de manera ridícula o extravagante. • Cosa ridícula, grotesca. • Persona informal o despreciable. ■ MAMARRACHADA.
MAMARRÓN m. Gorrón, el que procura participar en fiestas y agasajos sin haber sido invitado.
MAMATETA f. *Amér. Centr.* Nombre de varios insectos acuáticos.
MAMBA f. Género de serpientes afr., muy venenosas, de la familia elápidos.
MAMBÍS m. Insurrecto contra la soberanía de España en las guerras por la indep. de Cuba en el s. XIX.
MAMBLA f. Montecillo aislado en forma de teta de mujer.
MAMBO m. Tipo de baile de origen cub.
MAMBORETÁ f. *Argent., Par.* y *Ur.* Santateresa o rezadora (*Mantis religiosa*), insecto ortóptero de color verde claro, que caza insectos con sus patas.
MAMBRÚ m. *Mar.* Chimenea del fogón de los buques.
MAMBULLITA f. *Chile.* Juego de la gallina ciega.
MAMELLA f. Cada uno de los apéndices largos y ovalados que tienen a los lados de la parte anterior e inferior del cuello algunos animales. ■ MAMELLADO, DA.
MAMELÓN m. Colina o cumbre en forma de pezón de teta. • Pequeña eminencia semejante a un pezoncillo que se forma en las cicatrices de las heridas.
MAMELUCO m. Soldado de una milicia de esclavos turcos que en Egipto se constituyeron como casta dominante y llegaron a controlar el país (1251-1517). • Mestizo, gralte. hijo de port. e india, que formaba parte de las expediciones de los bandeirantes (Brasil). • Hombre torpe y bobo. • *Amér.* Pelele, vestido de niño que contiene camiseta y calzón en una sola pieza. • pl. *Hond.* Calzón bombacho.
MAMENGUE adj. *Argent.* Apocado, tonto.
MAMERTINO adj. y m. Díc. del cuerpo de mercenarios it. establecidos en Sicilia y que, al ser ocu-

Flor de **malva** real

Vista parcial de Puerto Argentino, en las islas **Malvinas**

Detalle de *La carga de los* ***mamelucos*** *en la Puerta del Sol de Madrid,* cuadro de Francisco de Goya. Museo del Prado, Madrid

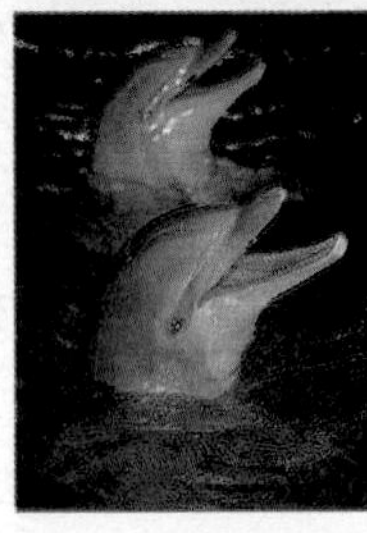

Mamífero. Arriba, guepardo; abajo, delfines

Mamut

Recogida del **maná** según una miniatura medieval

pada la isla por los cartagineses, llamaron en su auxilio a los rom. (274 a. C.), provocando así la primera guerra púnica.

MAMERTO, TA adj. *Ecuad.* Apocado, tonto.

MAMEY m. *Amér.* Árbol de la familia gutíferas, de tronco recto, hojas elípticas, persistentes y coriáceas; flores blancas, olorosas, y fruto de pulpa amarilla, aromática, sabrosa, y una o dos semillas. • Fruto de este árbol. • *Amér.* Árbol de la familia sapotáceas, de tronco grueso y copa cónica; hojas lanceoladas y coriáceas; flores de color blanco rojizo, y fruto ovoide de pulpa roja y dulce. • Fruto de este árbol.

MAMÍFERO adj. y m. *Zool.* Díc. de los animales de la clase mamíferos. • m. pl. *Zool.* Clase de animales vertebrados, tetrápodos, gralte. terrestres, que poseen amnios y alantoides durante el desarrollo y son capaces de mantener su temperatura interna constante; tienen la piel gralte. cubierta de pelo y los dientes alojados en alveolos del hueso de las mandíbulas.

* *Zool.* Otras características de los m. son: tienen siete vértebras cervicales; el corazón está dividido en cuatro cavidades; los glóbulos rojos de la sangre carecen de núcleo; un músculo transversal, el diafragma, separa el tórax del abdomen; la porción inicial de la tráquea presenta una laringe; poseen vejiga urinaria; la orina, a diferencia de la de las aves y reptiles, es líquida y los órganos genitales son externos, bien visibles en los machos. La variedad de tamaños va desde el de la musaraña pigmea, de sólo tres gramos de peso, al de la ballena azul, que alcanza las 120 t. Los m. derivan de, por lo menos, tres grupos reptilianos independientes. Dos de estas líneas perviven hoy día, hallándose una de ellas, la de los monotremas, reducida a unas pocas especies. Los restantes m. actuales, marsupiales y placentarios, parecen haber tenido el mismo origen. A lo largo del oceano, los marsupiales y placentarios se diversificaron hasta originar los 26 órdenes de m. que vivieron durante la era terciaria. A lo largo de esta era, los m. placentarios han experimentado una diferenciación en cuatro líneas prales.: una comprende los insectívoros, quirópteros y primates; en otra se agrupan los roedores y formas vecinas; la tercera es la línea de los cetáceos, y en la cuarta se incluyen los carnívoros, ungulados, etc. Alguna de las características comunes a todos los grupos citados han sido: la tendencia a un aumento del tamaño y a la especialización alimentaria; el crecimiento de las patas y el aumento de la capacidad craneana. Paralelamente ha aumentado la superficie cerebral, de manera que en los m. primitivos, el cerebro es liso, mientras que en los primates, cetáceos y grandes carnívoros presenta numerosas circunvoluciones y repliegues, necesarios para que se pueda albergar la cada vez mayor corteza cerebral. En relación con el desarrollo del cerebro, los m. evolucionados presentan también órganos de los sentidos muy eficientes, y poseen la capacidad de desarrollar conductas complejas. La reproducción, salvo en los monotremas, que son ovíparos, es vivípara.

MAMILA f. *Zool.* Parte pral. de la teta de la hembra, exceptuando el pezón. • *Zool.* Tetilla en el hombre. ■ MAMILLAR.

MAMILARIA f. Nombre común de varias plantas de la familia cactáceas. Se trata de cactos redondeados, con costillas longitudinales, espinas rectas o pajizas, y flores rojas o amarillentas, con frutos en baya lisa, gralte. de color rojizo. Son propios de América Central y de las Antillas.

MAMITA adj. y m. *Amér. Centr.* Hombre flojo y pusilánime.

MAMOLA f. Modo de poner uno la mano debajo de la barba de otro, como para acariciarle o burlarse de él.

MAMÓN, NA adj. y s. Que todavía está mamando. • Que mama mucho. • fam. Bobo, estúpido. • m. Chupón de un árbol, rama estéril. • *Amér.* Árbol sapindáceo de fruto en drupa, cuya pulpa es acídula y comestible. • Fruto de este árbol. • *Méx.* Especie de bizcocho que se hace de almidón y huevo. • fam. *Amér.* Borracho. • *Amér.* Papayo. • f. Mamola. • *Ecuad.* Borrachera.

MAMONCILLO m. *Cuba.* Árbol de tronco corto y copa muy ancha, de fruto agridulce y astringente.

MAMORÉ Río de Bolivia; 1 900 km. Se forma en la cordillera de Cochabamba con el nombre de Caine; toma luego la denominación de Grande hasta la confluencia con los r. Ichilo y Chapare, y en Villa Bella se une al Beni para formar el Madeira.

MAMOTRETO m. Cuaderno de apuntes. • fig. y fam. Libro o legajo muy abultado. • fam. Armatoste, objeto grande y embarazoso.

MAMPARA f. Cancel movible hecho con un bastidor de madera cubierto gralte. de piel o tela. • Puerta interior ligera, de la misma estructura.

MAMPARO m. *Mar.* Tabique con que se divide en compartimientos el interior de un barco.

MAMPATO, TA adj. *Chile.* Díc. del animal de piernas cortas.

MAMPLORA adj. *Amér. Centr.* Hermafrodita.

MAMPORRO m. fam. Golpe o coscorrón.

MAMPOSTERÍA f. Obra de albañilería a base de piedras pequeñas unidas con argamasa. • Oficio de mampostero.

MAMPOSTERO m. Albañil que trabaja en obras de mampostería. • Recaudador o administrador de diezmos, rentas, limosnas y otras cosas.

MAMPRESAR tr. Empezar a domar las caballerías cerriles.

MAMPUESTO, TA adj. Díc. del material usado en mampostería. • m. Piedra sin labrar que sirve para relleno en una obra. • Parapeto. • f. Hilada de mampuestos. • **Tirar con m.** *Amér. Centr.* Tirar apoyando el arma en algún sitio.

MAMÚA f. *Argent.* Embriaguez, borrachera.

MAMUJAR tr. Mamar con poco apetito, dejando el pecho entre una chupada y otra.

MAMULLAR tr. Comer o mascar como si se estuviera mamando. • fig. y fam. Mascullar.

MAMULÓN, NA adj. *Amér. Centr.* Holgazán. • Adulto que se comporta como un niño.

al-MAMUN (786-833) Califa de Bagdad, hijo de Harum al-Rashid, gran propulsor de las ciencias. • ***Yahyá ibn Ismail*** (m. 1075) Soberano taifa de Toledo (1043-1075). Conquistó el reino valenciano y el de Córdoba.

MAMUT m. Mamífero proboscídeo fósil, que vivió en las zonas periglaciares durante el paleolítico medio y superior.

MAMUT, *cuevas del* *(Mammoth Cave)* Conjunto de cavernas naturales, en Kentucky (EE UU).

MAN adj. y s. Díc. de individuos de un grupo étnico mongoloide, de cultura paleochina, que vive en la zona limítrofe entre Vietnam y Laos.

MAN (gaélico, *Ellan Vannin o Mannin*) Isla del mar de Irlanda; 588 km^2, 70 000 hab. Cap., Douglas (22 200 hab.). Clima suave. Depende de la Corona brit. Cereales, patatas. Pesca y ganadería. Sus habitantes hablaban una variedad de gaélico.

MANA f. *Amér. Centr.* y *Col.* Manantial. • Forma del poder inanimado que explica las cualidades especiales de los objetos y personas en que reside. • *Amér. Centr.* Hermana, acompañando un nombre propio.

MANÁ m. Masa blancoamarillenta constituida por manita, ácidos orgánicos, azúcares y sustancias mucilaginosas. Es el producto de la coagulación, en contacto con el aire, del jugo que fluye al practicar incisiones en la corteza del fresno florido. Se emplea como laxante suave. • En el A. T., alimento llovido del cielo que permitió a los israelitas sobrevivir durante su éxodo por el desierto.

MANABÍ Prov. del NO de Ecuador; 18 878 km^2, 1 031 927 hab. Cap., Portoviejo. Sit. en el litoral, su relieve es plano. Ríos Chone y Daulé. Costa baja. Cacao, arroz, café; bananas y frutas tropicales. Pesca. Ind. derivadas de la agricultura y de la pesca. Artesanías y turismo.

MANADA f. Hato o rebaño de ganado que está al cuidado de un pastor. • Sociedad animal, propia de los mamíferos, que consiste en una agrupación de numerosos individuos, no localizados en un territorio. • Porción de hierba, trigo, lino, etc., que se puede recoger de una vez con la mano. • **A manadas.** m. adv. En gran número.

MANADERO, RA adj. Díc. de lo que mama. • m. Manantial, nacimiento de aguas. • Pastor de una manada de ganado.

MANADO o **MENADO** C. y puerto de Indonesia, en el extremo NE de la isla de Célebes; 217 200 hab. Centro comercial.

Vista de la ciudad de **Managua**

MÁNAGER (voz ing.) m. El que dirige un negocio, un establecimiento, etc. • Representante de un cantante, de un deportista profesional, etc.
MANAGUA Dpto. de Nicaragua; 3 368 km^2, 1 026 100 hab. Cap., la c. hom. Sit. al O del país, a orillas del Pacífico. Lo forman dos alineaciones montañosas de origen volcánico que enmarcan la depresión tectónica del lago M. Clima tropical. Café, caña de azúcar y frutales. • C. de Nicaragua, cap. del país y del dpto. hom.; 682 100 hab. Sit. a orillas del lago Managua. Ind. metalúrgica, química y maderera. Refinería de petróleo en Asososca. Universidad M. ha sufrido varios seísmos. • Lago del O de Nicaragua, 1 042 km^2. Comunica con el lago Nicaragua a través del r. Tipitapa.
MANAGUACO, CA adj. *Cuba.* Díc. de la persona rústica y torpe. • *Cuba.* Díc. del animal manchado de blanco en las patas y hocico.
MANAGÜENSE adj. y s. De Managua.
MANAJÚ m. *Cuba.* Árbol silvestre del cual se saca una resina que se usaba para curar heridas.
MANAMA Cap. de Bahrein; 122 000 hab. Puerto pesquero. Refinería de petróleo.
MANANTIAL m. *Geol.* Afloramiento en superficie de un manto acuífero subterráneo. • Foco productor de energía. • fig. Origen y principio de donde proviene una cosa. • **mineral.** *Geol.* El que presenta una concentración de sales de más de 1 g/l de agua.
MANAOS C. de Brasil. → Manaus.
MANAPIRE Río de Venezuela, afl. del Orinoco (orilla izquierda); unos 260 km. Nace al S de la serranía del Interior.
MANAR intr. y tr. Brotar o salir de una parte un líquido. • intr. fig. Fluir con abundancia y naturalidad.
MANARE m. *Ven.* Especie de cedazo con el cual se cierne el almidón de la yuca.
MANASÉS (h. 700-642 a. C.) Rey de Judá, hijo y sucesor de Ezequías. Vasallo de Asiria, se apartó de la ley mosaica y persiguió a sus seguidores, aunque luego se retractó.
MANATÍ o **MANATO** m. Vaca marina. Sirénido pisciforme, paquidermo, con aletas y mamas pectorales, de carne y grasa muy estimadas. Es herbívoro y vive en aguas antillanas y en los ríos occidentales de América del Sur. • *Amér.* Látigo hecho con la piel de este animal. • *Cuba.* Árbol poligonáceo.
MANAUS C. del N de Brasil, cap. del est. de Amazonas; 1 010 000 hab. Sit. a orillas del río Negro, junto a su confluencia con el Amazonas. Gran actividad mercantil. Ind. químicas y derivadas del caucho. Refinerías de petróleo.
MANAZA f. aum. de mano.
MANAZAS com. Persona torpe.
MANCAMIENTO m. Acción de mancar o mancarse. • Falta, defecto de una cosa.
MANCAR tr. y prnl. Dejar manco. • Lastimar, lisiar.
MANCARRÓN, NA adj. y s. Matalón, caballo malo. • fam. *Perú.* Persona pesada. • m. *Chile.* y *Perú.* Caballón o palizada para torcer o contener el curso de una corriente de agua.
MANCEBA f. Concubina; mujer con quien un hombre mantiene relaciones sexuales continuadas, sin estar casado con ella.
MANCEBÍA f. Casa pública de prostitución. • Travesura propia de jóvenes. • Diversión deshonesta.
MANCEBO m. Muchacho. • Hombre soltero. • Oficial, dependiente, empleado de un establecimiento.
MANCERA f. Esteva del arado.
MANCERINA f. Plato donde se coloca la jícara en que se sirve el chocolate.
MANCHA f. Señal que una cosa hace en un cuerpo, ensuciándolo o echándolo a perder. • Parte de alguna cosa con distinto color del general en ella. • Pedazo de terreno que se distingue de los inmediatos por alguna característica. • fig. Deshonra, ofensa. • *Argent.* Carbunco del ganado. • *Ecuad.* Enfermedad del cacao. • **blanca de Saturno.** *Astr.* Ancha zona blanquecina en la banda ecuatorial de la atmósfera de Saturno. • **roja de Júpiter.** *Astr.* Región de forma ovalada y coloración rojiza de la atmósfera de Júpiter. • **solar.** *Astr.* Región de la superficie del Sol en la que existen perturbaciones. El núm. de m. varía siguiendo una evolución periódica: cada once años alcanza un máximo. En las m. solares existen intensos campos magnéticos que alcanzan valores de hasta varios millares de gauss. ■ MANCHADO, DA.
MANCHA, *Canal de la* (fr., *La Manche*; inglés, *English Channel*) Brazo de mar que separa Francia y Gran Bretaña, y que une el Atlántico con el mar del Norte, a través del paso de Calais. En mayo 1994 se inaguró un túnel submarino entre ambos países, con una extensión de 50 km.
MANCHA, *La* Región natural de España, sit. en la parte oriental de la submeseta sur. Se extiende por la prov. de Cuenca, Toledo, Albacete y pralm. Ciudad Real. Cereales. Vid y olivo.
MANCHAR tr. y prnl. Poner sucia o manchada una cosa. • fig. Ser causa de deshonor o vergüenza. • tr. *Pint.* Ir metiendo las masas de claro y oscuro antes de unirlas y empastarlas.
MANCHEGO, GA adj. y s. De La Mancha. • adj. y m. Díc. de cierto queso que se produce en La Mancha.
MANCHENO, *Carlos* Militar y político ecuat. Ministro de Guerra con Velasco Ibarra (1944-1947). Presid. tras un golpe militar, fue derribado por un contragolpe al cabo de un mes.
MANCHESTER C. de Gran Bretaña, en Inglaterra, 449 100 hab. Fue el primer centro mundial de la ind. algodonera, actualmente diversificada; ind. químicas, metalúrgicas y navales. Tres universidades. Catedral reconstruida en el s. XV.
MANCHESTERISMO m. Nombre dado a la teoría económica de un grupo de industriales de Manchester que, en el s. XIX, impuso en Inglaterra la adopción del sistema de librecambio.
MANCHÓN m. En sembrados y matorrales, pedazo en que nacen las plantas muy espesas y juntas. • Parte de una tierra de labor que por un año se deja para pasto del ganado.

Iglesia en la plaza de la Ópera en **Manaus**

La Mancha. Vista parcial de El Toboso

Manchester. Vista de Albert Square y el ayuntamiento

MANCHÚ adj. y s. Díc. de individuos de un pueblo mongoloide del grupo tungús, que desde Manchuria invadió China, estableciendo una dinastía que gobernó de 1644 a 1912. Actualmente son 2 400 000 individuos. • adj. Relativo a esta región china. • m. Lengua altaica del grupo meridional de las lenguas tungusas, hablada en el N de Manchuria.
MANCHUKUO Nombre of. del Est. ficticio creado por los japoneses en Manchuria en 1932. Incorporada a China tras la derrota japonesa (1945).
MANCHURIA *(Manzhou)* Región del NE de China; 780 000 km^2, 92 040 000 hab. Integrada por

las prov. de Heilungkiang, Kirin y Liaoning. Disputada por rusos y japoneses desde comienzos de siglo. En 1931, fue proclamado el Est. de Manchukuo por Japón. El ejército sov. conquistó M. en 1945 y la cedió a China. C. prales. Shenyang, Lüta, Harbin, Fushun, Changchun y Anshan.

MANCHURIANO, NA adj. y s. De Manchuria.

MANCILLAR tr. y prnl. Manchar el honor, la fama, etc. ■ MANCILLA.

MANCIPACIÓN f. Enajenación, según el ant. derecho rom., de una propiedad en presencia de cinco testigos. • Venta y compra.

MANCIPAR tr. y prnl. Sujetar, hacer esclavo a uno.

MANCISIDOR, *José* (1894-1956) Escritor, historiador y político mex. Alcalde de Salapa (1922). Autor de novelas y estudios sobre la historia de México. *La asonada, La ciudad roja, Frontera junto al mar.*

MANCO, CA adj. y s. Que le falta un brazo o mano, o tiene perdido el uso de cualquiera de estos miembros. • fig. Defectuoso, falto de alguna parte necesaria. • *Chile.* Caballo malo. • **No ser m.** fr. fig. y fam. Ser poco escrupuloso para apropiarse de lo ajeno. • fig. y fam. Ser largo de manos. • Tener talento o habilidad.

MANCO Cápac I (finales s. XII) Rey inca que, según la leyenda, nació del Sol y fundó la dinastía incaica. Le sucedió su hijo Sinchi Roca. • **Cápac II** (h. 1500-1544) Emperador inca [1533-1544]. Fue reconocido emp. por Pizarro. En 1536 preparó una sublevación contra los esp. y sitió Lima y Cuzco, pero fue derrotado y se vio obligado a huir a los Andes. Fue asesinado por un esp.

Estatua del rey inca **Manco Cápac I**, en una isla del lago Titicaca, Bolivia

MANCOMÚN *(De)* m. adv. De acuerdo dos o más personas, o en unión de ellas.

MANCOMUNAR tr. y prnl. Unir personas, fuerzas o capital para un fin. • *Der.* Obligar a dos o más personas de mancomún a la paga o ejecución de algo, entre todas y por partes. • prnl. Asociarse, unirse.

MANCOMUNIDAD f. Acción y efecto de mancomunar o mancomunarse. • Corporación y entidad legalmente constituidas por agrupación de municipio, provincias o naciones.

MANCORNAR tr. Derribar a un novillo fijándole los cuernos en tierra. • Atar una cuerda a la mano y cuerno del mismo lado de una res vacuna, para evitar que huya. • Atar dos reses por los cuernos para que anden juntas. • fig. y fam. Unir dos cosas.

MANCORNAS o **MANCUERNILLAS** f. pl. *Amér. Centr.* Gemelos de camisa.

MANCUERNA f. Pareja de animales o cosas mancornadas. • Correa para mancornar las reses. • *Cuba.* Porción de tallo de la planta del tabaco con un par de hojas adheridas a él; disposición con que suelen hacerse los cortes de la planta al tiempo de la recolección. • pl. *Méx.* Gemelos para puños de camisa.

Nelson Rolihlahla **Mandela**

MANDA f. Oferta. • Legado de un testamento.

MANDADERO, RA adj. Bienmandado. • m. y f. Persona que se dedica a llevar encargos o recados.

MANDADO m. Orden, precepto, mandamiento. • Aviso o noticia. • Compra, recado. • fam. Persona que no es responsable de un hecho por ser meramente el ejecutor de las órdenes de un superior.

MANDALA m. Diagrama místico empleado por los budistas en las técnicas de meditación y en las prácticas de yoga.

MANDALAY C. del centro de Myanma, a orillas de Irawadi; 417 300 hab. Puerto fluvial. Ind. textil y maderera.

MANDAMÁS com. fam. Persona que asume funciones de mando.

MANDAMIENTO m. Precepto u orden de un superior a un inferior. • Cada uno de los preceptos del Decálogo y de la Iglesia. • Orden judicial en la que se manda la ejecución de una cosa. • pl. fig. y fam. Los cinco dedos de la mano.

MANDANGA f. Pachorra, flema, indolencia.

MANDANTE adj. Que manda. • *Der.* Persona que en el contrato llamado mandato confía a otra su representación personal, o la gestión de un negocio.

Mandioca

MANDAR tr. Ordenar el superior al súbdito. • Legar a otro una cosa en testamento. • Ofrecer, prometer una cosa. • Enviar. • Encargar. • *Amér.* Dar, tirar, arrojar. • *Cuba.* Faltar el respeto a una persona. • *Amér.* Hacer ejecutar, servirse. • *Eq.* Dominar el caballo. • tr. e intr. Regir, gobernar. • prnl. Moverse, manejarse uno por sí mismo. • En los edificios, comunicarse una pieza con otra. • Servirse de una puerta, escalera u otra comunicación. • *Chile* y *Cuba.* Marcharse, irse de un lugar. • *Chile.* Ofrecerse uno para un mandado o diligencia. • *Argent.* **Mandarse mudar.** fr. Marcharse de un lugar. • **Mandar a paseo,** o **mandar con viento fresco.** fr. fam. Despedir desagradablemente.

MANDARA adj. y s. Díc. de individuos de un pueblo melanoafricano musulmán que habita en el Camerún, al N de los montes Mandara. • adj. Relativo a dicho pueblo.

MANDARÍN, NA adj. Persona mandona. • m. Nombre dado por los europeos a los funcionarios imperiales chinos. • Dialecto chino septentrional. • fig. y fam. Persona poco competente en su cargo. • Persona influyente en ambientes políticos, artísticos, etc. • f. Fruto en hesperidio comestible del mandarino.

MANDARINATO m. Cargo de mandarín.

MANDARINISMO m. Gobierno arbitrario.

MANDARINO m. Árbol rutáceo de hasta 3 m de alto, con hojas pequeñas de color verde pálido y frutos globosos, parecidos a las naranjas.

MANDATARIO m. *Der.* Persona que acepta del mandante el representarle personalmente, o la gestión o desempeño de uno o más negocios.

MANDATO m. Orden o precepto. • Ceremonia eclesiástica que se ejecuta el Jueves Santo lavando los pies a doce personas. • Sermón que con este motivo se predica. • *Der.* Contrato consensual por el que una de las partes confía su representación personal o la gestión o desempeño de uno o más negocios a la otra. • Directiva dimanante del pueblo. • Soberanía temporal establecida por la Sociedad de Naciones tras la I Guerra Mundial, por la que las potencias vencedoras tutelaron las colonias al. y turcas. En 1946 el sistema fue traspasado al Consejo de Fideicomisos de la ONU.

MANDELA, *Nelson Rolihlahla* (nacido 1918) Político sudafricano. Luchador por la integración racial. Premio Bruno Kreisky para los derechos humanos en 1981. Premio Simón Bolívar de la Unesco en 1983. Encarcelado desde 1964, su liberación en 1990 había sido reclamada por varios organismos internacionales. Premio Nobel de la Paz 1993, compartido con el presid. sudafricano F.W. De Klerk. *El difícil camino hacia la libertad.* En 1994 accedió a la presid. en las primeras elecciones libres y multirraciales, ocupando el cargo hasta 1999.

MANDÍBULA f. *Anat.* Cada una de las piezas duras que rodean la boca de los animales, desde los insectos hasta los vertebrados superiores, y que sirven para la prensión y trituración de los alimentos. • Cada una de las planchas de fundición o de acero de las trituradoras, entre las que se coloca el material duro a triturar. • **Reír a m. batiente.** fam. Dar rienda suelta a la risa. ■ MANDIBULAR.

MANDIL m. Delantal grande, espec. si es de cuero o de tela muy fuerte. • Delantal. • Insignia que usan los masones. • Pedazo de bayeta que sirve para limpiar un caballo. • Red de pescar, de mallas estrechas. • *Amér.* Paño con que se cubre el lomo de la cabalgadura.

MANDILETE m. Pieza de la armadura que protegía la mano. • *Mil.* Portezuela que cierra la tronera de una batería.

MANDILÓN m. fig. y fam. Pusilánime, cobarde, tímido.

MANDINGA adj. y s. Mandingo, negro. • m. fam. *Amér.* Diablo. • fig. y fam. *Argent.* Muchacho travieso. • *Argent.* Encantamiento, brujería.

MANDINGO o **MANDE** adj. y s. Díc. de individuos de un pueblo melanoafricano de Sudán, Malí, Costa de Marfil, Guinea y Senegal. Hacia el s. XIII formó un gran imperio (Malí), que se mantuvo hasta el s. XVII.

MANDIOCA f. Planta herbácea euforbiácea, de hasta 3 m de alto, con grandes hojas y raíces tuberosas, feculentas, de las que se extrae la tapioca. • Fécula granulada de la raíz de este arbusto, tapioca.

MANDO m. Autoridad y poder que tiene el superior sobre sus súbditos. • Botón, llave u otro artificio que actúa sobre un mecanismo para iniciar, suspender o regular su funcionamiento. • *Bot.* Planta herbácea rizomatosa, con hojas radicales, espata

amarillenta y frutos en baya venenosos. Su rizoma se usa como expectorante y purgante.
MANDOBLE m. Cuchillada o golpe grande que se da esgrimiendo el arma con ambas manos. • fig. Amonestación o reprensión áspera.
MANDOLINA f. Instrumento músical, gralte, de cuatro cuerdas, de cuerpo curvado como el laúd.
MANDÓN, NA adj. y s. Que manda más de lo que le toca. • m. *Amér.* Capataz de mina. • *Chile.* El que da la voz de partida en las carreras de caballos a la chilena.
MANDONIO (m. h. 205 a. C.) Caudillo de la tribu ibérica de los ausetanos. Protagonizó con Indíbil una sublevación contra la dominación rom.
MANDORLA f. Ornamento característico del arte medieval, que consiste en una aureola en forma de almendra en la que se inscriben personajes divinos.
MANDRACHO o **MANDRACHE** m. Casa de juego público o timba.
MANDRÁGORA f. *Bot.* Planta herbácea solanácea, de hojas anchas, cuya raíz contiene alcaloides. Planta mágica por excelencia en la E. Media.
MANDRIA adj. y s. Apocado y de escaso o ningún valor.
MANDRIL m. *Zool.* Mamífero afr. cercopitécido de pelaje gris oscuro, nalgas desnudas y de vivo color rojo, y hocico alargado rojo con los lados azules recorridos por estrías negras. • Elemento para fijar la pieza o la herramienta en las máquinas-herramienta. • *Cir.* Pieza que, introducida en ciertos instrumentos huecos, sirve para facilitar la penetración de éstos en determinadas cavidades.
MANDRILADO, DA o **MANDRINADO, DA** adj. Se dice de la pieza que se mandrila. • m. Operación realizada en la máquina-herramienta, que consiste en ensanchar el extremo de un tubo a expensas de su espesor.
MANDRILADOR, RA m. y f. Obrero especializado en el manejo de la máquina mandriladora. • adj. y f. Díc. de la máquina-herramienta concebida para realizar trabajos de mandrilado.
MANDRILAR tr. Taladrar el metal con un mandril. • Agrandar los agujeros de las piezas de metal con el mandril.
MANDRÍN m. Mandril, máquina-herramienta.
MANDRINADORA f. Mandriladora.
MANDUBÍ m. *Argent.* Maní, cacahuete.
MANDUCAR intr. fam. Comer, tomar alimento. ■ MANDUCA; MANDUCACIÓN, MANDUCATORIA.
MANEA f. Maniota, cuerda para atar las manos de un animal.
MANEADOR m. *Amér.* Tira larga de cuero que sirve para atar el caballo, apiolar animales y otros usos.
MANEAR tr. Poner maneas a una caballería. • prnl. *Méx.* Tropezar enredándose los pies.
MANECHE m. Mono platirrino oriundo de Bolivia.
MANECILLA f. Broche con que se cierran algunas cosas. • Signo, en figura de mano, que suele ponerse en los impresos para llamar la atención. • Saetilla que en el reloj y en otros instrumentos sirve para señalar las horas, los minutos, etc. • Palanca que sirve para accionar los mandos de algunos aparatos. • *Bot.* Zarcillo de las plantas trepadoras.
MANEJADO, DA adj. *Pint.* Con los advs. *bien* o *mal* y otros semejantes, pintado con soltura o sin ella.
MANEJAR tr. Traer entre manos una cosa. • Gobernar los caballos. • *Amér.* Conducir un automóvil. • tr. y prnl. fig. Gobernar, dirigir. • prnl. Adquirir agilidad después de haber tenido algún impedimento. ■ MANEJABLE.
MANEJO m. Acción y efecto de manejar o manejarse. • Arte de manejar los caballos. • *Amér.* Conducción de un automóvil. • fig. Dirección y gobierno de un negocio. • fig. Maquinación, intriga.
MANEOTA f. Maniota, manea, apea.
MANERA f. Modo con que se ejecuta u ocurre una cosa. • Modales de una persona. Se usa en pl. • Bragueta, abertura de los pantalones. • Astucia, artificio. • Calidad o clase de las personas. • *Pint.* Carácter que un pintor o escultor da a todas sus obras. • **A la m.** m. adv. A semejanza. • **A la m.** m. adv. Como semejantemente. • **De m. que.** m. conj. De suerte que.
MANES m. pl. En la religión rom., las almas de los muertos, veneradas como divinidades domésticas. • fig. Sombras o almas de los muertos.
MANESCU, *Mariea* (1916-1990) Político rum. Ministro de Finanzas (1955-1972), vicepresid. del consejo de Estado (1969-1972), vicepresid. del consejo de ministros (1972) y su presid. (1974-1979).
MANET, *Édouard* (1832-1883) Pintor fr. Sus primeros cuadros *(Desayuno en la hierba, Olympia)* produjeron un gran escándalo. Al contacto con los impresionistas, realizó grandes obras: *Nana, Bar del Folies-Bergère, En la barca.*
MANETO, TA adj. *Hond.* Manco o lisiado de las manos. • *Guat.* y *Ven.* Patizambo. • f. *Col.* Ladilla.
MANETÓN (s. III a. C.) Historiador y sacerdote egipcio, autor de diversas obras sobre la historia de Egipto, escritas en gr.
MANEZUELA f. Manecilla, especie de broche. • Manija, mango.
MANFLORA m. *Amér. Centr.* Afeminado, marica. ■ *Amér.* MANFLORITA.
MANFLA f. fam. Concubina.
MANFREDO (1232-1266) Rey de Sicilia [1258-1266]. Hijo natural de Federico II. Se hizo coronar rey de Sicilia (1258). Excomulgado por Alejandro IV, fue derrotado y muerto por Carlos de Anjou.
MANGA f. Parte del vestido en que se mete el brazo. • Parte del eje de un carruaje, donde entra y voltea la rueda. • Especie de maleta abierta por los extremos. • Tubo largo que se adapta a las bombas o bocas de riego, para aspirar o para dirigir el agua. • Adorno de tela que cubre parte de la vara de la cruz de algunas parroquias. • Red para pescar en forma de bolsa. • Esparavel. • Tela dispuesta en forma cónica que sirve para colar líquidos. • Tubo de tela que indica la dirección del viento en aeropuertos, autopistas, etc. • Tela de forma cónica, provista de un pico de metal u otro material duro, que se utiliza en repostería para decorar. • Columna de agua o tromba. • Tubo de ventilación. • Partida de gente armada. • *Amér.* Espacio comprendido entre dos estacadas que van convergiendo hasta la entrada de un corral o embarcadero. • *Argent.* y *Ven.* Multitud. • *Col.* y *Ecuad.* Correal, dehesa. • Manta con que se abriga la gente pobre. • *Méx.* Capote de monte. • *Mar.* Anchura mayor de un buque. • Árbol, variedad del mango y su fruto. • **de agua.** Turbión, aguacero. • **de viento.** Remolino de viento. • **Andar m. por hombro** una cosa. fr. fig. y fam. Estar abandonada y en desorden. • **En mangas de camisa.** loc. adv. Vestido con pantalón y camisa. • **Hacer mangas y capirotes.** fr. fig. y fam. Obrar sin reflexión. • **Tener m. ancha.** fr. fig. y fam. Ser indulgente.

Mandorla rodeando al pantocrátor en la tapa de un evangelario. Museo de Cluny, París

Mandril

Detalle de *Desayuno en la hierba,* óleo de Edouard **Manet.** Museo de Orsay, París

MANGACHAPUY m. Árbol de Filipinas, de la familia dipterocarpáceas, de hojas alternas, flores en racimo, y por fruto una nuez. Su madera se emplea en la construcción naval.
MANGAJARRO m. fam. Manga sucia y larga.
MANGAJO m. *Perú.* Hombre fácil de manejar.
MANGALORE *(Mangaluru)* C. del SO de la India (est. de Karnataka); 171 900 hab. (305 000 la agl. urb.). Puerto muy activo. Centro comercial y mercantil. Ind. textil y alimentaria.

MANGANA f. Lazo para hacer caer y sujetar a un caballo o toro.
MANGANEAR tr. Echar manganas. • *Ven.* Mangonear.
MANGANEO m. Fiesta en que se juntan muchas personas para divertirse en manganear.
MANGANESA f. Pirolusita, mineral.

Producción mundial de **manganeso** (en miles de t)

Prales. productores	
República Sudafricana	1 210
China	1 180
Ucrania	1 050
Australia	980
Brasil	897
Gabón	663
India	607
México	112
Total mundial	6 943

Mangle

MANGANESO m. *Quím.* Elemento de símb. Mn y n. a. 25. Metal de transición, no se encuentra libre en la naturaleza, es de color gris, débilmente rojizo, quebradizo y más duro que el hierro. Se usa en la fabricación del acero.
MANGANETA f. *Hond.* Manganilla, engaño.
MANGANGÁ m. *Argent.* Abejón muy zumbador. • *Argent.* y *Bol.* Fastidioso.
MANGANILLA f. Engaño, ardid.
MANGANINA f. Aleación que contiene cobre (82-86 %), manganeso (12-15 %), níquel (2 %) y una pequeña cantidad de hierro. Se usa en la fabricación de resistencias eléctricas de precisión.
MANGANITA f. Hidróxido de manganeso, que cristaliza en el sistema monoclínico; peso específico 4,3 a 4,4; dureza 4; color gris. Es mena del manganeso.
MANGANO, *Silvana* (1930-1989) Actriz cinematográfica it. *Arroz amargo, Ana, Muerte en Venecia, Ojos negros.*
MANGANTE adj. y s. Que manga. • com. Sablista. • Sinvergüenza, persona despreciable. ʙ MANGANCIA.
MANGANZÓN, NA adj. y s. *Amér.* Holgazán.
MANGAR tr. Pedir, mendigar. • fam. Hurtar, robar.

Mango

MANGBETU o **MONBUTTU** adj. y s. Díc. de individuos de un pueblo melanoafricano, de lengua sudanesa, que habita en el N de la Rep. Dem. del Congo.
MANGLAR m. Formación vegetal típica de los países tropicales y subtropicales, formada por plantas leñosas litorales, pralm. mangle, en las zonas sometidas a la acción de la marea.
MANGLE m. *Bot.* Planta arbórea rizoforácea de las zonas costeras tropicales, con raíces aéreas. • Máquina utilizada para el apresto de tejidos. • **blanco.** Árbol americano de fruto comestible.
MANGO m. Parte por donde se coge con la mano un instrumento o utensilio para usar de él. • *Bot.* Planta arbórea de la familia anacardiáceas, que produce unos frutos carnosos, fibrosos, dulces y aromáticos. • Fruto de este árbol.
MANGÓN m. Revendedor. • *Amér.* Cerco para encerrar ganado.
MANGONEAR intr. fam. Andar vagueando. • fam. Entretenerse uno en cosas que no le incumben. • fam. Mandar. • *Méx.* Robar. ʙ MANGONERO, RA.

Meloncillo, la única **mangosta** europea

MANGORRERO, RA adj. fam. Que anda comúnmente entre las manos. • fig. y fam. Inútil o de poca estimación. • f. *Argent.* y *Bol.* Cuchillo de mediano tamaño.
MANGOSTA f. *Zool.* Pequeño mamífero carnívoro, de cuerpo alargado y hocico puntiagudo.
MANGOSTÁN m. Arbusto gutífero de fruto carnoso, comestible, propio de Indonesia.
MANGOTE m. fam. Manga ancha y larga. • Manguito con que se protegen las mangas de los vestidos.
MANGRULLO m. *Argent.* Atalaya.
MANGUAL m. Arma ant. compuesta de unas bolas de hierro sujetas con unas cadenillas a un mango de madera.
MANGUALA f. *Col.* Fraude. • *Col.* Confabulación.
MANGUARDIA f. *Arq.* Cualquiera de los dos murallones que refuerzan por los lados los estribos de un puente.
MANGUAREAR intr. *Ven.* Aparentar que se trabaja.
MANGUEAR intr. *Amér.* Espantar la caza hacia los cazadores. • *Argent.* y *Chile.* Acosar el ganado para que entre en la manga. • fig. y fam. Atraer con engaños y halagos.
MANGUERA f. Manga de las bocas de riego. • Pedazo de lona alquitranada para sacar agua de las embarcaciones. • Tromba de agua. • Tubo de ventilación. • *Argent.* En las estancias, mataderos, etc., corral cercado.
MANGUERO m. El que tiene el cargo de manejar las mangas de las bombas o de las bocas de riego. • *Méx.* Mango, árbol.
MANGUETA f. Vejiga con pitón que sirve para poner lavativas. • Listón de madera en que se aseguran las puertas, vidrieras, celosías, etc. • Madero que enlaza el par con el tirante en la armadura de tejado. • Palanca para llevar entre dos un gran peso. • Tubo que une el sifón de un retrete con el conducto de bajada. • Cada una de las piezas de los automóviles que corresponden a los extremos del eje delantero, articuladas de manera que permiten el cambio de dirección de la rueda. • Cada uno de los extremos del eje de un vehículo.
MANGUINDÓ m. *Cuba.* Hombre holgazán.
MANGUITERÍA f. Peletería. ʙ MANGUITERO.
MANGUITO m. Rollo o bolsa de piel que usaban las señoras para llevar abrigadas las manos. • Media manga de punto. • Bizcocho en figura de rosca. • Mangote de oficinista. • Anillo de hierro o acero con que se refuerzan los cañones, vergas, etc. • *Mec.* Cilindro hueco que sirve para empalmar dos piezas cilíndricas iguales al tope en una máquina.
MANGURUYÚ m. *Argent., Brasil* y *Par.* Pez de río de color pardo barroso, cabeza enorme, ojos pequeños, sin escamas y muy sabroso.
MANGUZADA f. fam. Bofetada, sopapo.
MANHATTAN Isla de EE UU, sit. entre el río Hudson, al O, el río de Harlem, al N, el East River, al E, y la Upper Bay, al S. Constituye el centro comercial de Nueva York.
MANÍ m. Cacahuete, planta. • Fruto de esta planta. ʙ *Cuba.* MANICERO, RA; MANISERO, RA.
MANI (h. 216-h. 277) Fundador del maniqueísmo, nacido en Mesopotamia. Su credo se basaba en la lucha u oposición entre la Luz y las Tinieblas.
MANÍA f. Estado de exaltación psíquica, acompañado de parloteo incoercible, euforia y turbulencia. En el lenguaje corriente suele designarse con este nombre todo un conjunto de rarezas. • Extravagancia, preocupación caprichosa por un tema o cosa determinada. • Afecto o deseo exagerado. • fam. Mala voluntad contra otro, ojeriza. • **persecutoria.** Preocupación maniática de ser objeto de la mala voluntad de una o varias personas. ʙ MANÍACO, CA; MANIÁTICO, CA.
MANIATAR tr. Atar las manos.
MANICATO, TA adj. *Cuba.* Esforzado, valiente.
MANICOMIO m. Establecimiento sanitario para la observación y tratamiento de los enfermos mentales.
MANICORDIO m. → Monacordio.
MANICORTO, TA adj. y s. fig. y fam. Poco generoso, tacaño.
MANICURO, RA m. y f. Persona que tiene el oficio de cuidar las manos, y principalmente cortar y pulir las uñas. • f. Hecho de cuidar y arreglar las manos y las uñas.

MANIDO, DA adj. Sobado, ajado. • Trillado. • adj. y f. *Amér. Centr.* Carne corrompida. • f. Vivienda de personas o guarida de animales.
MANIERISMO m. Tendencia artística que surgió en Italia a principios del s. XVI como reacción a la perfección formal del Renacimiento. Las raíces manieristas se encuentran en la Toscana, aunque su máx. representante fue Miguel Ángel. En España, el m. pictórico culminó en la obra de El Greco.
MANIFACERO, RA adj. y s. fam. Revoltoso y que se mete en todo.
MANIFESTACIÓN f. Acción de manifestar o manifestarse. • Acto público de intención colectiva. • Método de lucha empleado por un grupo social cuyos miembros expresan colectivamente en la calle sus reivindicaciones a fin de movilizar en su favor la opinión pública.
MANIFESTAR tr. y prnl. Declarar, dar a conocer. • Descubrir, poner a la vista. • Exponer públicamente el Santísimo Sacramento a la adoración de los fieles. • prnl. Organizar o tomar parte en una manifestación pública. ■ MANIFESTADOR, RA; MANIFESTANTE.
MANIFIESTO, TA adj. Descubierto, patente, claro. • adj. y s. Díc. del Santísimo Sacramento cuando se halla expuesto a la adoración de los fieles. • m. Declaración de principios o exposición de las ideas básicas de una persona o grupo, redactada para informar la opinión pública. • Documento que presenta en la aduana el capitán de un buque, en el cual declara el cargamento que lleva a bordo. • **Poner de m.** una cosa. fr. Manifestarla, exponerla al público.
MANIFIESTO del Partido Comunista Pequeña obra escrita conjuntamente por Marx y Engels y publicada en 1848. Se trata de uno de los documentos sociopolíticos fundamentales de la historia contemporánea, en el que se apuntan los prales. rasgos de la teoría social marxista.
MANIGORDO m. *C. Rica.* Ocelote.
MANIGUA f. *Amér.* Terreno cubierto de malezas.
MANIGUETA f. Manija, mango.
MANIJA f. Mango de ciertas utensilios y herramientas. • Maniota, traba de los animales. • Abrazadera de metal con que se asegura alguna cosa. • Especie de guante de cuero que usan los segadores. • *Argent.* Trenza o cordón para atar el látigo a la muñeca
MANIJERO o **MANIGERO** m. Capataz de una cuadrilla de trabajadores agrícolas.
MANILA C. y puerto más imp. de Filipinas, sit. en la parte SO de la isla de Luzón; 1 630 500 hab. Centro fabril. • **Bahía de M.** Entrante litoral del SO de la isla de Luzón, en el mar de China Meridional. • **Tratado de M.** Pacto firmado en 1954 entre Australia, Francia, EE UU, Filipinas, Gran Bretaña, Nueva Zelanda, Pakistán y Thailandia, en el que se establecieron las bases de la SEATO.
MANILENSE o **MANILEÑO, ÑA** adj. y s. De Manila.
MANILLA f. Pulsera o brazalete. • Anillo de hierro que se pone en las muñecas de los presos. • Mango, mecanismo para abrir puertas o manejar herramientas.
MANILLAR m. Pieza de la bicicleta o de la motocicleta en la que el conductor apoya las manos para dirigir la máquina.
MANILO, LA adj. *P. Rico.* Díc. de cierta clase de gallos y gallinas grandes y especialmente del gallo grande que no sirve para la pelea.
MANILUVIO m. Baño de la mano, aplicado como remedio curativo. Se usa más en plural.
MANIN, *Daniele* (1804-1857) Político it. En 1848 dirigió el mov. popular que expulsó a los austr. de Venecia y proclamó la rep., de la que fue elegido presid., pero en 1849 tuvo que capitular.
MANIOBRA f. Cualquier operación material que se ejecuta con las manos. • fig. Acción que se lleva a cabo con habilidad para conseguir un determinado fin. • Técnica de gobernar las embarcaciones. • Faena que se hace a bordo de los buques con su aparejo, velas, etc. • Conjunto de los cabos o aparejos de una embarcación. • Ejercicio táctico militar. • pl. Operaciones que se hacen en las estaciones de las vías férreas para la formación o división de los trenes. • Operaciones que se hacen con otros vehículos para cambiar de rumbo o de posición.

Vista nocturna de la isla de **Manhattan**

MANIOBRAR intr. Ejecutar maniobras. ■ MANIOBRABLE; MANIOBRERO, RA; MANIOBRISTA.
MANIOTA f. Cuerda o cadena de hierro con que se atan las manos de una bestia para que no huya.
MANIPULADOR, RA adj. y s. Que manipula. • m. Aparato telegráfico de transmisión por línea. • *Comp.* Programa que se utiliza para controlar un periférico o para comunicarse con él.
MANIPULAR tr. Operar con las manos. • fig. y fam. Manejar uno los asuntos a su modo, o mezclarse en los ajenos. ■ MANIPULACIÓN; MANIPULANTE; MANIPULEO.
MANIPULEAR tr. *Amér.* Manipular.
MANÍPULO m. Ornamento litúrgico que se sujeta en el antebrazo izquierdo. • Enseña de los soldados rom., en forma de estandarte. • Cuerpo de infantería de la legión rom., formado primero por 100 hombres y más tarde por 200. • Puñado.
MANIPUR Estado del NE de la India, situado a lo largo de la frontera con Myanma; 22 356 km², 1 826 700 hab. Cap., Imphal. Ind. artesanales.
MANIQUEÍSMO m. Secta fundada por Mani en el s. III d. C., cuyo principio fundamental es el dualismo u oposición irreductible de dos principios divinos, el bien y el mal. • División simplista de una realidad compleja en dos categorías únicas, la de los buenos y la de los malos. ■ MANIQUEO, A.
MANIQUETE m. Mitón, y en especial el de tul negro con calados y labores. • Manija que cubre la mano del segador hasta la mitad de los dedos.
MANIQUÍ m. Figura de forma humana usada como modelo pictórico o escultórico, o para probar prendas de ropa. • com. Modelo, persona que exhibe prendas de vestir. • fig. y fam. Muñeca, persona débil de carácter que se deja gobernar por los demás.

Manierismo. *Noli me tangere*, óleo de Correggio. Museo del Prado, Madrid

MANIR tr. Hacer que las carnes y algunos manjares se pongan más tiernos, dejando pasar el tiempo necesario antes de comerlos.
MANIRROTO, TA adj. y s. Demasiado liberal y dadivoso.
MANIRSE prnl. *Amér. Centr.* Corromperse la carne.
MANISMO m. Conjunto de todos los cultos a los muertos. • Teoría que explica el origen de las religiones basándose en el culto a los antepasados.
MANITA f. Sustancia muy abundante en los vegetales, pralm. en el maná del fresno, que tiene propiedades laxantes.
MANITO m. Maná que se da como purgante a los niños. • *Amér.* Manecita. • *Méx.* Amigo, término afectuoso.
MANITOBA Prov. del centro de Canadá, en la región de las praderas, junto a la bahía de Hudson; 649 950 km², 1 092 000 hab. Cap., Winnipeg. Ríos y lagos abundan en todo el terr. Clima continental. Riqueza forestal y mineral. Industrias.
MANITÚ m. Entre los indígenas norteam., espíritu con dominio sobre las fuerzas de la naturaleza.
MANIU, *Iuliu* (1873-1951) Político rum. Fundó el Partido Nacional Agrario. Jefe de gobierno (1928-1930 y 1932-1933). Apoyó la subida al poder del mariscal Antonescu y la instauración de un régimen fascista. En 1947 fue juzgado por alta traición.
MANIVELA f. Extremo acodado de un eje, que sirve para hacerlo girar. • Pieza mecánica destinada a transformar un movimiento rectilíneo en giratorio.

Manifestación en Vitoria-Gasteiz por la paz en el País Vasco

Muchacha del Rosellón, escultura en bronce de **Manolo** Hugué

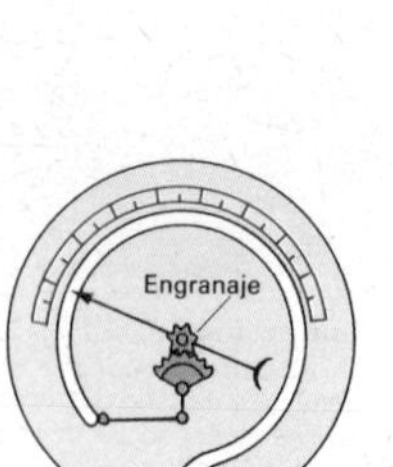

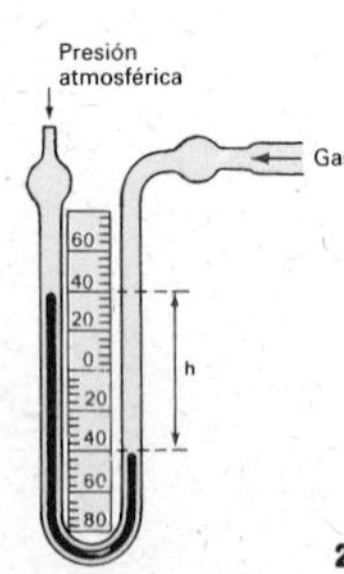

Dos tipos de **manómetros:** 1. metálico o de Bourdon; 2. de mercurio

MANIZALES C. de Colombia, cap. del dpto. de Caldas, sit. a 2 153 m de altitud, en la vertiente O de la cordillera Central andina; 378 887 hab. Centro comercial cafetero. Ind. textil y química. Aeropuerto. Universidad.

MANJAR m. Cualquier comestible. • Comida especialmente apetitosa. • Recreo o deleite espiritual.

MANJARETE m. *Cuba*. Dulce hecho de maíz tierno rallado, leche y azúcar.

MANJÚA f. *Cuba*. Pececillo teleósteo del suborden fisóstomos, de color plateado.

MANKIEWICZ, *Joseph Leo* (1909-1993) Director de cine norteam., minucioso analista de la psicología de sus personajes. *Eva al desnudo, Julio César, La condesa descalza, Cleopatra, La huella.*

MANLEY, *Michael* (1923-1997) Político jamaicano. Líder sindical (1953-1954) y senador (1962-1967), sucedió a su padre en la jefatura del Partido Nacional del Pueblo (1969). Primer ministro en 1972-1980.

MANLIEVA f. Tributo que se recogía de casa en casa o de mano en mano.

MANN, *Anthony* (1907-1974) Director de cine norteam. Realizador de numerosos *western: Cimarrón, El Cid*. • ***Heinrich*** (1871-1950) Novelista al., hermano de Thomas M. En sus novelas se muestra crítico con la burguesía (*El país de jauja*) y con el abuso de poder (*El profesor Unrat*). Judío, en 1933 tuvo que exiliarse. *La juventud y la madurez del rey Enrique V*. • ***Thomas*** (1875-1955) Escritor al. Su oposición al III Reich le obligó a emigrar a EE UU en 1933. En *La montaña mágica* expresó una profunda reflexión sobre la Alemania de los años anteriores a la I Guerra Mundial. *Los Buddenbrooks, Tonio Kröger, Muerte en Venecia, Mario y el mago, Carlota en Weimar, José y sus hermanos*. Premio Nobel de Literatura en 1929.

MANNERHEIM, *Carl Gustav Emil*, BARÓN DE (1867-1951) Militar finlandés. Organizó la línea de su nombre, de carácter defensivo, en la frontera con la URSS. En 1944 fue elegido presid. por el Parlamento, firmó el armisticio con la URSS y declaró la guerra a Alemania. Abandonó el poder en 1946.

MANNHEIM C. de Alemania, en Baden-Württemberg, en la confluencia del Rin y el Neckar; 295 200 hab. Centro comercial e industrial. • **Escuela de M.** Movimiento musical desarrollado durante el s. XVIII en esta ciudad y representado por Johann Stamitz, F. X. Richter y Holzbauer.

MANNHEIM, *Karl* (1893-1947) Filósofo húng. En su obra capital, *Ideología y utopía*, se propuso fijar las condiciones reales del conocimiento humano y apuntar una guía científica para la vida política.

MANO f. Órgano prensil de los antropoides, que comprende desde la muñeca inclusive hasta la punta de los dedos, desarrollado en las extremidades superiores. • Cualquier tipo de extremidad en la que, como en el caso anterior, exista un dedo pulgar que pueda oponerse a los restantes. Aparece, no sólo en los primates, sino también en algunos carnívoros, roedores, etc., que pueden manejar objetos. • En los cuadrúpedos, cualquiera de los dos pies delanteros. • En las reses de carnicería, cualquiera de los cuatro pies después de cortados. • Trompa de elefante. • Lado. • Manecilla del reloj. • Majadero, maza para moler o desmenuzar una cosa. • Rodillo de piedra para triturar y hacer masa el cacao, el maíz, etc. • Capa de color, barniz, etc. • Entre panaderos, treinta y cuatro panecillos. • Conjunto de cinco cuadernillos de papel. • En varios juegos, partida, jugada completa. • En el juego, el primero en orden de los que juegan. • fig. Vez o vuelta en una labor material. • fig. Número de personas unidas para un fin. • fig. Medio para hacer o alcanzar una cosa. • fig. Persona que ejecuta una cosa. • fig. La mujer pretendida por esposa. • fig. Habilidad, destreza. • fig. Poder, mando, facultades. • fig. Patrocinio, favor, piedad. • fig. Auxilio, socorro. • fig. Reprensión, castigo. • *Amér.* Conjunto de cierto número de cosas. • *Amér.* Aventura, lance. • *Amér.* Desgracia, suceso desagradable. • *Chile.* Conjunto de cuatro objetos de una misma clase. • *Mús.* Escala de notas. • pl. Trabajo manual que se emplea para hacer una obra. • m. y f. *Amér.* Amigo, compañero. • **de jabón.** Baño con agua de jabón. • **de obra.** Trabajo de los obreros u operarios. • Número total de personas disponibles en el mercado de trabajo en un momento dado. • **de piedra.** *Amér. Centr.* Piedra con que se muele el maíz o el cacao. • *Amér. Centr.* Especie de víbora. • **derecha.** fig. Con respecto a una persona, otra que le es útil. • **de santo.** fig. y fam. Remedio que consigue su efecto. • **diestra.** Mano derecha. • **izquierda.** fig. Habilidad, astucia. • **Buena m.** fig. Acierto, tino. • **Mala m.** fig. Falta de habilidad y destreza. • Desacierto o desgracia. • Manos largas. Persona que acostumbra a golpear a otras. • **limpias.** fig. y fam. Integridad, honradez. • **muertas.** *Der.* Poseedores de una finca, en quienes se perpetúa el dominio por no poder enajenarla. • **Buenas manos.** fig. Habilidad, destreza. • **Alzar la m.** a uno. fr. fig. Levantarla amenazándole. • **A m. armada.** m. adv. fig. Con armas. • **Atar las manos.** fr. fig. Impedir que se haga una cosa. • **Bajo m.** m. adv. fig. Oculta o secretamente. • **Con las manos en la masa.** loc. adv. fig. y fam. En el acto de estar haciendo una cosa. • **Con las manos vacías.** m. adv. fig. Junto con los verbos *irse* y *volverse*, no lograr lo que se pretendía. • **Cruzarse de manos.** fr. fig. Estarse quieto. • **Dar la m.** a uno. fr. fig. Alargársela. • fig. Ampararle, ayudarle, favorecerle. • **Darse las manos.** fr. fig. Unirse o coligarse para una empresa dos o más personas. • fig. Reconciliarse. • **Dejar de la m.** una cosa. fr. fig. Abandonarla, dejar de ocuparse en ella. • **De m. en m.** m. adv. fig. De una persona en otra. • **De primera m.** loc. fig. Del autor, fabricante o primer vendedor. • Tomado o aprendido directamente del original o los originales. • **De segunda m.** loc. fig. Del segundo vendedor. • Tomado de un trabajo de primera mano. • **Echar la m.** a una persona o cosa. fr. Asirla, cogerla. • **Echar m. de** una persona o cosa. fr. fig. Valerse de ella para un fin. • **Ganar** a uno **por la m.** fr. fig. Anticipársele en hacer o lograr una cosa. • **Irse de la m.** una cosa. fr. Escaparse, caerse de ella. • **Írsele** a uno **la m.** fr. fig. Hacer con ella una acción involuntaria. • fig. Excederse en la cantidad de una cosa que se da o que se mezcla con otra. • **Lavarse** uno **las manos.** fr. fig. Justificarse, echándose fuera de un negocio. • **Llegar a las manos.** fr. fig. Reñir, pelear. • **Mano a m.** m. adv. fig. En compañía, con familiaridad y confianza. • En colaboración o en emulación. • Entre jugadores y luchadores, sin ventaja de uno a otro o con partido igual. • Corrida de toros en la que sólo participan dos matadores. • **Mano sobre m.** m. adv. fig. Ociosamente, sin hacer nada. • **¡Manos arriba!** loc. interj. con que una persona armada conmina a otra a alzar las manos para que no se defienda. • **Meter m.** exp. fig. y fam. Sobar, acariciar el sexo u otras zonas erógenas de una persona. • **Pedir la m.** de una mujer. fr. fig. Solicitar el consentimiento para casarse con ella. • **Poner la m. en** uno. fr. fig. Maltratarle de obra o castigarle. • **Ponerse en manos de** uno. fr. fig. Confiarse a su cuidado o dirección. • **Por su m.** exp. fig. Por sí mismo o por su propia autoridad. • **Sentar la m. a** uno. fr. fig. y fam. Castigarle con golpes. • **Si a m. viene.** exp. fig. Acaso, tal vez. • **Tender** a uno **la m.,** o **una m.** fig. Socorrerle. • **Tener** uno **atadas las manos.** fr. fig. Hallarse con un estorbo u obstáculo para ejecutar una cosa. • **Tener** uno a otro **en sus manos.** fr. fig. Tenerle en su poder. • **Tener** uno **m. izquierda.** fr. fig. y fam. Poseer habilidad y astucia. • **Traer entre manos** una cosa. fr. fig. Manejarla, dedicarse a ella.

MANO Negra Supuesta organización secreta esp. de carácter anarquista, cuyos miembros más destacados, campesinos andaluces en su mayoría, fueron ejecutados en 1883-1884.

MANOA Ciudad legendaria de El Dorado, que se situaba junto al supuesto lago Parime.

MANOBRERO m. Operario que cuida de la limpieza de los brazales de las acequias.

MANOJEAR tr. *Chile* y *Cuba*. Poner en manojos las hojas del tabaco.

MANOJERA f. Conjunto de manojos de sarmientos.

MANOJO m. Hacecillo de hierbas o de otras cosas que se puede coger con la mano, sobresaliendo de ella.

MANOLO, LA m. y f. Mozo o moza de ciertos barrios populares de Madrid.

MANOLO, *Manuel Martínez Hugué*, llamado (1872-1945) Escultor esp. De tendencia clasicista.

El torero, Vendimiadora, Leda, Muchacha del Rosellón.

MANÓMETRO m. *Fís.* Instrumento destinado a la medición de presiones en gases o líquidos. ■ MANOMÉTRICO, CA.

MANOPLA f. Pieza de la armadura ant. con que se guarnecía la mano. • Látigo corto para avivar a las mulas. • Guante sin separaciones para los dedos, salvo el pulgar. • Guante para restregar y lavarse el cuerpo. • *Chile.* Llave ing., arma contundente.

MANOSA f. Monosacárido isómero de la glucosa.

MANOSEAR tr. Tocar repetidamente una cosa. ■ MANOSEADOR, RA; MANOSEO.

MANOTADA f. o **MANOTAZO** m. Golpe dado con la mano.

MANOTEAR tr. Dar golpes con las manos. • intr. Mover las manos para dar mayor fuerza a lo que se habla, o para mostrar un sentimiento. • *Argent.* Robar. ■ MANOTEO.

MANQUE conj. adversativa. Vulgarismo por aunque.

MANQUEAR intr. Ser o fingirse manco. ■ MANQUEDAD.

MANRESA C. de España, en la com. autón. de Cataluña; 64 385 hab. Centro agrícola y ganadero. Ind. textil, del caucho y metalúrgica.

MANRESANO, NA adj. y s. De Manresa.

MANRIQUE, ***Gómez*** (¿1412-1490?) Escritor y político esp. que sirvió a Juan II de Castilla y a los Reyes Católicos. *Batalla de amores, Representación del Nacimiento de Nuestro Señor.* • ***Jorge*** (h. 1440-1479) Poeta cast. Su elegía, *Coplas a la muerte del maestro D. Rodrigo*, es una de las obras maestras de la poesía esp. de todos los tiempos. *Cancionero.*

MANS, ***Le*** C. del O de Francia, en los Países del Loira, sit. a orillas del Sarthe; 192 100 hab. Construcción de automóviles y de material ferroviario. Circuito automovilístico internacional.

MANSALVA ***(A)*** m. adv. Sin ningún peligro, sobre seguro.

MANSARDA f. Cubierta de vertientes quebradas, cuya parte inferior tiene mayor pendiente que la superior.

MANSEJÓN, NA adj. Díc. del animal muy manso.

MANSEQUE m. *Chile.* Baile infantil.

MANSERA f. *Col.* Artesa donde cae el zumo de la caña.

MANSILLA, ***Lucio Norberto*** (1792-1871) Patriota arg., héroe de la indep. de su país. Tuvo destacada actuación frente a las invasiones ing. defendiendo Buenos Aires. • ***Lucio Victorio*** (1833-1913) Escritor arg., sobrino del dictador Rosas. En 1868 fue enviado a la prov. de Córdoba para reprimir una sublevación de los indios ranqueles. *Una excursión a los indios ranqueles, Retratos y recuerdos, Mis memorias.*

MANSIÓN f. Permanencia o estancia en una parte. • Morada, albergue.

MANSO, SA adj. Benigno y suave. • Aplícase a los animales que no son bravos. • fig. Apacible, sosegado. • m. En el ganado, carnero, macho o buey que sirve de guía a los demás. • Masada, casa de campo, masería. ■ MANSEDUMBRE; MANSURRÓN, NA.

MANSO de Velasco, ***José Antonio,*** CONDE DE SUPERUNDA (1688-1767) Administrador esp. En 1737 fue nombrado gobernador de Chile, y en 1744 virrey del Perú. Reconstruyó Lima y El Callao, asoladas por un terremoto. • **Y Solá,** ***José*** (1785-1863) Militar esp. En la guerra de la Independencia se convirtió en guerrillero, actuando por las comarcas catalanas.

al-MANSUR (m. 775) Segundo califa abasí [754-775]. Gobernó según la doctrina teocrática islámica. Fundador de Bagdad (758). • (1549-1603) Sultán saadí de Marruecos [1578-1603], sucesor del sultán Abd al-Malik. En 1590 conquistó el Sudán. • ***Mohammed ibn abi-Amer*** Nombre árabe de Almanzor. Significa, en árabe, *el Victorioso.*

MANSURA, ***El (al-Mansura)*** C. del N de Egipto, a orillas de la rama oriental del delta del Nilo; 259 400 hab. Centro cerealícola y textil.

MANTA adj. fam. Vago, holgazán. • f. Prenda de lana o algodón, de forma rectangular, que sirve para abrigar. • Especie de mantón, ropa suelta para abrigarse. • *Méx.* Tela ordinaria de algodón. • *Amér.* Costal de pita que se usa en las minas para sacar y transportar los minerales. • Especie de juego del hombre. • *Argent.* Poncho. • fig. Zurra de azotes o golpes. • Cada una de las doce plumas que tiene el ave de rapiña a continuación de las aguaderas. • *Col.* Cierto baile popular. • Pez elasmobranquio, batoideo, que alcanza más de 6 m de anchura, propio de mares tropicales. • **de algodón.** Porción de algodón en rama con un ligero baño de goma para que no se deshaga o desparrame. • **A m.** m. adv. fam. Abundantemente. ■ MANTERO, RA.

MANTA C. de Ecuador, en la prov. de Manabí; 100 900 hab. Puerto exportador. Ind. de jabones, aceites y conservas de pescado. Turismo.

MANTACA f. *Chile.* Manta empleada para abrigarse en el campo.

MANTARO Río de Perú, de la cuenca amazónica; unos 600 km. Nace en la cordillera de Huayhuash. Desemboca en la orilla izquierda del Apurímac.

MANTE Mun. de México, en el est. de Tamaulipas; 106 400 hab. Caña de azúcar, hortalizas, limoneros. Refinería de azúcar. Destilerías de alcohol.

MANTEADO m. *Amér. Centr.* Tienda de campaña.

MANTEAR tr. Lanzar varias veces al aire a una persona o un pelele, con una manta sostenida entre varios. • *Argent.* Maltratar entre varios a uno. • intr. y prnl. *Chile.* Convertirse en manto una veta de metal. ■ MANTEADOR, RA; MANTEAMIENTO; MANTEO.

MANTECA f. Producto obtenido por el batido, amasado y posterior maduración de la crema extraída de la leche de vaca. Las obtenidas de otros animales se designan generalmente añadiendo el nombre del animal. • Grasa sólida a temperatura ambiente. Las m. naturales suelen ser mezcla de diversas sustancias lipófilas, como grasas químicas, hidrocarburos, aceites grasos, ceras, etc. • Sustancia grasa con ingredientes usada como afeite o medicamento, pomada. • Nata de la leche. • Pomada. • pl. Gordura. ■ MANTECOSO, SA.

MANTECADA f. Rebanada de pan untada con manteca y azúcar. • Especie de bollo de harina, huevos, azúcar y manteca, que suele cocerse en una cajita cuadrada de papel.

MANTECADO m. Bollo amasado con manteca de cerdo. • Helado.

MANTEGNA, ***Andrea*** (1431-1506) Pintor it. En 1459 se le nombró pintor of. de la corte de Mantua. Sus personajes son tratados con un relieve casi escultórico. *Camera degli Sposi* del palacio de Mantua.

MANTEL m. Cubierta, gralte. de tela, con que se cubre la mesa para comer. • Lienzo con que se cubre la mesa del altar.

MANTELERÍA f. Juego de mantel y servilletas.

MANTELETA f. Especie de esclavina grande, a manera de chal.

MANTELETE m. Vestidura con dos aberturas para sacar los brazos, que llevan los obispos y prelados encima del roquete.

MANTELLINA f. Mantilla de la cabeza.

MANTELO m. Especie de delantal de paño que se ata a la cintura.

MANTENER tr. y prnl. Proveer a uno del alimento necesario. • tr. Conservar una cosa. • Proseguir en lo que se está ejecutando. • Defender una opinión o sistema. • Sostener un torneo, unas fiestas, etc. • *Der.* Amparar a uno en la posesión o goce de una cosa. • prnl. No variar de estado o resolución. • fig. Fomentarse, alimentarse. ■ MANTENEDOR, RA; MANTENENCIA; MANTENIDO, DA; MANTENIMIENTO.

MANTEQUERA f. Mujer que hace o vende mantequilla. • Vasija en que se hace la mantequilla. • Vasija en que se sirve a la mesa. • Aparato en que se bate la nata para obtener mantequilla.

MANTEQUERÍA f. Lugar donde se elabora mantequilla. • Tienda donde se vende mantequilla, quesos, fiambres y otros artículos semejantes.

MANTEQUERO m. El que hace o vende mantequilla. • Mantequera, vasija. • Corojo, especie de palma. • *Amér. Centr.* Abundancia de grasa.

MANTEQUILLA f. Sustancia blanda y grasa que se extrae de la leche de vaca. Tras un periodo de maduración o fermentación, se bate la nata y se le extrae el suero, obteniéndose así la mantequilla.

Retrato ideal de Jorge **Manrique.** Casa de la Cultura, Toledo (España)

Detalle de *El tránsito de la Virgen*, tabla de Andrea **Mantegna.** Museo del Prado, Madrid

MANTEQUILLERA f. *Amér.* Mantequera, vasija.
MANTEQUILLERO m. *Amér.* Mantequero.
MANTEQUILLOSO, SA adj. *Amér. Centr.* Mantecoso.
MANTÉS, SA adj. y s. fam. Pícaro, pillo.
MANTILLA f. Prenda de mujer para cubrir la cabeza. • Cualquiera de las piezas con que se envuelve por encima de los pañales a los niños recién nacidos. Se usa más en pl. • Paño con que se cubre el lomo de la cabalgadura. • **Estar** una cosa **en mantillas.** fr. fig. y fam. Estar muy a los principios o poco adelantada.
MANTILLO m. Capa superior del suelo, formada en gran parte por la descomposición de materias orgánicas. • Abono que resulta de la fermentación y putrefacción del estiércol o de la desintegración parcial de materias orgánicas que se mezclan a veces con la cal u otras sustancias.

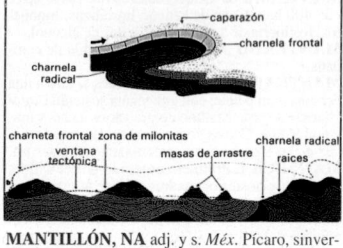

Representación gráfica de un **manto** de corrimiento (a), y de un manto de corrimiento parcialmente erosionado (b)

MANTILLÓN, NA adj. y s. *Méx.* Pícaro, sinvergüenza. • m. *Amér. Centr.* Manta pequeña que se pone debajo de la silla o la albarda.
MANTINEA Ant. ciudad gr., en Arcadia. • **Batalla de M.** Victoria, en 362 a. C., de los tebanos sobre los espartanos.
MANTIQUEIRA Cadena montañosa del SE de Brasil, que se extiende por el límite de los est. de São Paulo, Río de Janeiro y Minas Gerais. Alt. máx. Itatiaia o Agulhas Negras (2 787 m).
MANTIS → Mamboretá.
MANTISA f. *Mat.* Parte decimal del logaritmo de un número. • *Comp.* Parte decimal de una cantidad expresada en coma flotante.

Claustro del monasterio de Batalha, Portugal, en estilo **manuelino**

MANTO m. Prenda amplia a modo de capa. • Velo grande que cubre hasta la cintura. • Capa que llevan algunos religiosos sobre la túnica. • Fachada de la campana de una chimenea. • Capa grasienta en que nace envuelto el niño. • fig. Lo que encubre y oculta una cosa. • *Min.* Capa mineral que yace casi horizontalmente. • *Zool.* Repliegue cutáneo que envuelve una gran parte del cuerpo de los moluscos. • **acuífero.** Conjunto de materiales rocosos, limitados por una capa impermeable, y que contiene agua. • **de corrimiento.** Cabalgamiento de grandes dimensiones, cuya superficie de ruptura está muy próxima a la horizontal. • **terrestre.** Capa intermedia de la Tierra que se extiende desde unos 30-60 km hasta 2 900 km de profundidad.
MANTUA *(Mantova)* C. del N de Italia, en Lombardía; 57 700 hab. Ind. mecánicas, químicas, de la madera, de la confección. Refinería de petróleo. Notables monumentos: Palacio Ducal, catedral, etc.
MANTUANO, NA adj. y s. De Mantua.
MANTUDO m. *Amér. Centr.* Máscara, disfraz. • m. pl. *Amér. Centr.* Mascarada que sale en las fiestas populares.
MANU, ***Código de*** Colección de leyes o tratado filosófico sobre las obligaciones religiosas y sociales de los arios en la India. Refleja el pensamiento de los habitantes del subcontinente en el periodo búdico, entre los ss. VI y III a. C.
MANUABLE adj. Fácil de manejar.
MANUAL adj. Que se ejecuta con las manos. • Manejable. • Que exige más habilidad de manos que inteligencia. • Casero, de fácil ejecución. • fig. Fácil de entender. • fig. Aplícase a la persona apacible. • m. Libro en que se recoge y resume lo fundamental de una asignatura o ciencia. • Borrador, libro de apuntes.
MANUALIDAD f. Trabajo realizado con las manos.
MANUAR m. Máquina textil utilizada en hilatura para estirar y colocar paralelamente las fibras procedentes de las cardas.

Manuscrito del s. XV de los *Sermones de San Agustín.* Biblioteca Medicea Laurenziana, Florencia

MANUBRIO m. Manivela. • Empuñadura de un instrumento. • Empuñadura o pieza empleada para dar vueltas a una rueda, eje, etc. • Apéndice del cuerpo de las medusas que alberga la boca y el tubo que va de ésta a la cavidad del cuerpo.
MANUEL Nombre de diversos reyes y emperadores:

IMPERIO BIZANTINO

MANUEL I Comneno (h. 1122-1180) Emp. bizantino [1143-1180]. Sometió a serbios y húng. y anexionó Dalmacia y parte de Croacia. • **II Paleólogo** (1348-1425) Emp. bizantino [1391-1425]. Ante el asedio turco a Constantinopla pidió ayuda a Occidente, pero no la consiguió. En 1424 hubo de reconocerse vasallo del sultán Murat II.

PORTUGAL

MANUEL I el Afortunado (1469-1521) Rey de Portugal [1495-1521]. Reinó como monarca absoluto y continuó la política de expansión ultramarina.
MANUEL Filiberto de Saboya (1528-1580) DUQUE DE SABOYA [1535-1580]. Estuvo al servicio de Carlos V y dirigió los ejércitos de Felipe II en San Quintín y Gravelinas.
MANUELINO, NA adj. Díc. del estilo artístico que, yuxtaponiendo elementos góticos y renacentistas, se desarrolló en Portugal en los ss. XV-XVI.
MANUELLA f. Barra del cabestrante.
MANUFACTURA f. Producción artesanal. • Cualquier tipo de fabricado. • Producción fabril con empleo de maquinaria movida por energía mecánica y con una división compleja del trabajo. • Lugar donde un empresario agrupaba a los artesanos. ■ MANUFACTURERO, RA.
MANUFACTURADO, DA adj. Díc. del producto que resulta de la transformación industrial de ciertas materias primas.
MANUFACTURAR tr. Fabricar con medios mecánicos.
MANUL m. Gato salvaje que vive en las estepas de Asia central, y que se caracteriza por su largo pelaje.
MANUMITIR tr. Dar libertad al esclavo. ■ MANUMISIÓN; MANUMISO, SA; MANUMISOR, RA.
MANUSCRIBIR tr. Escribir a mano.
MANUSCRITO, TA adj. Escrito a mano. • m. Papel o libro escrito a mano.
MANUTENCIÓN f. Acción de mantener o mantenerse. • Conservación.
MANUTENER tr. *Der.* Mantener o amparar.
MANUTIGIO m. Fricción ligera practicada con la mano.
MANUTISA f. Minutisa, planta.
MANVACÍO, A adj. Con las manos vacías.
MANYAR tr. *Argent.* y *Chile.* Comer.
MANZALA Lago litoral del delta del Nilo (Egipto); unos 1 500-2 000 km^2.
MANZANA f. Fruto del manzano, de forma globosa, algo hundida por los extremos del eje. • En las poblaciones, conjunto aislado de varias casas contiguas. • Pomo de la espada. • *Amér.* Espacio cuadrado de terreno, con casas o sin ellas, pero circunscrito por calles por sus cuatro lados. • *Amér.* Nuez o prominencia de la garganta. • **de la discordia.** fig. Lo que es causa de discusiones o luchas. • **Sano como una m.** loc. fig. y fam. Con buena salud. ■ MANZANAR; MANZANIL.
MANZANAL m. Manzanar. • Manzano.
MANZANERA f. Manzano silvestre.
MANZANILLA f. *Bot.* Planta herbácea, de tallo muy ramificado, hojas partidas, flores en capítulos con lígulas blancas y flósculos amarillos, de propiedades medicinales. • Flor de esta planta. • Especie de aceituna pequeña. • Parte carnosa en que terminan las patas de los mamíferos carnívoros. • Cada uno de los remates en forma de manzana con que se adornan camas, balcones, etc. • Parte inferior y redonda de la barba. • Infusión de la flor de esta planta, usada como estomacal, antiespasmódica y febrífuga. • Vino blanco que se hace en Andalucía.
MANZANILLO m. Olivo que produce la aceituna manzanilla. • *Amér. Merid.* Árbol de la familia

euforbiáceas, de tronco delgado, copa irregular y ramas derechas, del cual se extrae un látex blanquecino; hojas pecioladas, ovales, aserradas, lisas y de color verde oscuro; flores blanquecinas y fruto drupáceo. El látex y el fruto son venenosos.

MANZANILLO Mun. de Cuba, en la prov. de Granma; 105 200 hab. Puerto exportador. Ind. azucarera y de tabaco. • Mun. de México, en el est. de Colima; 46 200 hab. Puerto exportador.

MANZANO m. Planta arbórea de la familia rosáceas, con ramas espinosas, hojas ovaladas terminadas en punta, pubescentes por la parte inferior, y dentadas; flores rosadas y frutos comestibles.

MANZONI, ***Alessandro*** (1785-1873) Escritor it. Inició su producción con el poema *Triunfo de la libertad*, escrito en tercetos, en el que se conjugan ya sus características: espíritu racionalista y revolucionario y técnica neoclásica. Su novela *Los novios* se considera la obra cap. del romanticismo it.

MAÑACH, ***Jorge*** (1898-1961) Escritor y ensayista histórico cub. *La nación y su formación histórica, Historia y estilo.*

MAÑANA f. Tiempo que transcurre desde que amanece hasta mediodía. • Intervalo de tiempo desde la medianoche hasta el mediodía. • m. Tiempo futuro próximo a nosotros. • adv. tiempo. En el día que seguirá inmediatamente al de hoy. • fig. En tiempo venidero. • **De m.** m. adv. Al amanecer. • **Muy de m.** m. adv. Muy temprano, de madrugada. • **Pasado m.** adv. En el día que seguirá inmediatamente al de mañana. • **Tomar la m.** fr. Madrugar. • fam. Beber aguardiente por la mañana en ayunas.

MAÑANEAR intr. Madrugar habitualmente.

MAÑANERO, RA adj. Madrugador. • Relativo a la mañana.

MAÑANITA f. Prenda de vestir femenina que cubre de los hombros a la cintura. • pl. *Méx.* Composición musical breve. • o **mañanica.** Principio de la mañana.

MAÑEAR tr. Disponer una cosa con maña. • intr. Proceder mañosamente.

MAÑEREAR intr. *Argent.* Obrar, proceder con maña.

MAÑERÍA f. Esterilidad en las hembras o en las tierras.

MAÑERO, RA adj. Sagaz, astuto. • Fácil de ejecutarse o manejarse. • *Chile.* Díc. del caballo espantadizo.

MAÑÍU m. *Chile.* Árbol parecido al alerce, de madera muy apreciada. ■ MAÑIGAL.

MAÑJUSRI En el budismo mahayana indio, tibetano y chino, bodhisattva personificador de la sabiduría, opuesta a la ignorancia.

MAÑO, ÑA m. y f. fig. y fam. Aragonés, sa. • En Aragón y Chile, apelativo cariñoso. • f. Destreza, habilidad. • Astucia, treta. • Vicio o mala costumbre. Se usa más en pl. • Manojo pequeño. ■ MAÑOSO, SA; *Chile.* MAÑOSEAR.

MAÑOCO m. Tapioca. • *Ven.* Masa cruda de harina de maíz que servía de alimento a los indígenas.

MAÑUELA f. Maña con astucia, artimaña. • pl. com. fig. y fam. Persona astuta que sabe manejar diestramente los asuntos.

MAO C. de la República Dominicana, cap. de la prov. de Valverde; 33 527 hab.

MAO Tse-tung (1893-1976) Político chino. Dirigente del Partido Comunista Chino desde 1922, tras la ruptura con Chiang Kai-shek (1927) organizó el ejército rojo. En 1934 inició la *Larga Marcha*, con el objetivo de reagrupar sus fuerzas. Secretario general del partido desde 1935, estableció una tregua con los nacionalistas para combatir a los japoneses, pero en 1946 se reanudó la guerra civil, que finalizó con la victoria comunista. En 1949 proclamó la Rep. Popular China, de la que fue máx. dirigente hasta su muerte. En 1966 promovió la «revolución cultural». Imp. teórico del marxismo-leninismo. El *Libro rojo, La construcción del socialismo en China.*

MAOÍSMO m. Cuerpo de doctrinas de Mao Tse-tung y mov. que trata de aplicarlas en diversos países del mundo. ■ MAOÍSTA.

* *Pol.* Tras el conflicto chino-sov. de 1960 se agudizó la lucha ideológica entre estas dos potencias, y el m., en tanto que la revivificación de los principios del marxismo-leninismo, se constituyó en punto de referencia frente a la ortodoxia de los partidos comunistas.

MAORÍ adj. y s. Díc. de individuos pertenecientes a un pueblo polinesio que, proveniente de las islas Cook y Sociedad, entre los ss. XII y XIV se estableció en Nueva Zelanda. • adj. Relativo a este pueblo. • m. Lengua hablada por dicho pueblo. • **Guerras maoríes.** Sublevaciones que durante el s. XIX sostuvo el pueblo m. contra los colonos brit. de la Compañía de Nueva Zelanda.

MAPA m. Representación convencional de toda o parte de la superficie esférica terrestre mediante su proyección en un plano a escala reducida. • f. fam. Lo que sobresale en su género, habilidad o producción. • **geológico.** El que sobre una base topográfica refleja la geología de una zona. • **mudo.** El geográfico que no tiene escrita la toponimia. • **temático.** El que se utiliza para representar un fenómeno específico.

MAPACHE m. *Zool.* Mamífero carnívoro de la familia prociónidos, que vive en América del Norte. Pelaje espeso y cola poblada con anillos claros y oscuros. Una mancha negra en torno a los ojos dibuja un antifaz característico.

MAPACHÍN m. *Amér.* Mapache.

MAPALÉ m. *Col.* Danza popular.

MAPAMUNDI m. Mapa que representa la superficie de la Tierra dividida en dos hemisferios. • fam. Posaderas, nalgas.

MAPANARE f. *Ven.* Culebra cuyos colores forman como una cadena de negro y amarillo en el lomo y que tiene el vientre amarillo. Es muy venenosa.

MAPIMÍ, ***Bolsón de*** Depresión endorreica del N de México (est. de Chihuahua, Coahuila y Durango), en la altiplanicie Septentrional; unos 38 200 km^2. Clima árido. La existencia de zonas regadas permite el cultivo de cereales y algodón.

MAPLES Arce, ***Manuel*** (1898-1981) Poeta mex. Uno de los fundadores del «estridentismo», mov. de influencias dadaístas y futuristas. *Andamios interiores, Memorial de la sangre.*

MAPO m. *Ant.* Pez teleósteo fluvial.

MAPOCHO Río de Chile, afl. derecho del Maipo; 110 km. Nace en el cerro del Plomo (Andes) y atraviesa Santiago.

MAPUCHE adj. y s. Díc. de individuos de una tribu del pueblo araucano. • Araucano. • adj. Relativo a este pueblo amerindio. • m. Lengua hablada por el mismo.

MAPUEY m. *Amér. Centr.* Planta dioscorácea comestible.

MAPURITE m. *Amér. Centr.* Especie de mofeta de cuerpo amarillento, pecho y vientre pardos, punta de la cola blanca y una faja oscura a lo largo del lomo.

MAPUTO (ant. *Lourenço Marques*) Cap. de Mozambique; 755 300 hab. Sit. al S del país, sobre la bahía hom. (ant. Delagoa). Puerto exportador de azúcar, algodón, copra, sisal.

MAQUE m. Laca, barniz. • *Méx.* Charol.

MAQUEAR tr. Adornar muebles, utensilios, u otros objetos con pinturas o dorados, usando para ello el maque.

MAQUENQUE o **MAQUENCO** m. *Amér. Centr.* Palmera usada por los indígenas para construir sus casas.

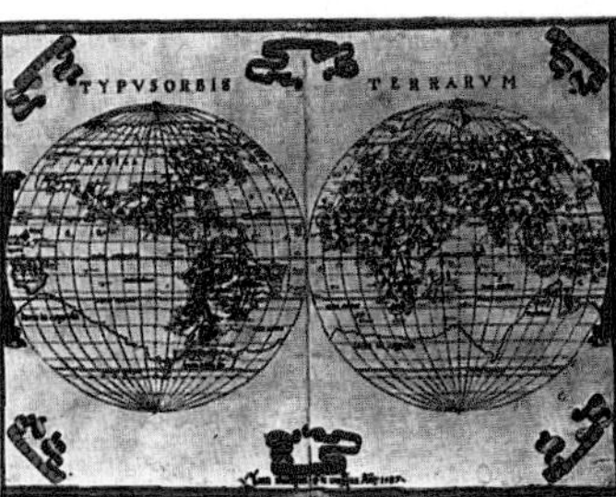

Mapamundi realizado por Juan Martínez en el año 1587

MAQUETA f. Reproducción a escala de una obra arquitectónica, máquina, etc. • *Art. Gráf.* Modelo de una página que se hace distribuyendo las galeradas y los grabados sobre una página en blanco. Actualmente se hace por ordenador. ■ MAQUETISTA.

Manzano

Mao Tse-tung

Mapache

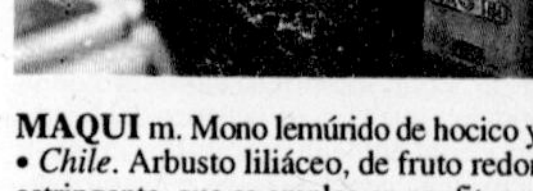

Torno, **máquina-herramienta** de arranque de viruta

MAQUI m. Mono lemúrido de hocico y cola largos. • *Chile*. Arbusto liliáceo, de fruto redondo, dulce y astringente, que se emplea en confituras y helados.

MAQUIAVELISMO m. Doctrina de Maquiavelo. • Interpretación inexacta de la doctrina de Maquiavelo, consistente en un utilitarismo que considera el éxito como único criterio de valoración de todas las actividades. • fig. Modo de proceder con astucia y engaño. ■ MAQUIAVÉLICO, CA; MAQUIAVELISTA.

Mara

MAQUIAVELO o **MACCHIAVELLI,** *Niccolò* (1469-1527) Político it. Secretario de la segunda cancillería de la rep. de Florencia, logró imponer una política basada en opciones claras y seguras y en una fuerte organización interior. Estos principios los desarrolló en el *Discurso sobre los acontecimientos de Pisa*. Su obra más conocida es *El príncipe*, en la que expone sus ideas sobre la política moderna del príncipe, en el momento en que se constituían en Europa los modernos Est. nacionales.

MAQUILA f. Porción que corresponde al molinero por la molienda. • Medida con que se maquila. • *Amér. Centr.* Industria manufacturera, gralte. filial de una extranjera, que importa los productos que intervienen en el proceso de transformación y exporta casi la totalidad de su producción. • *Amér. Centr.* Materia prima o producto de la maquila. • *Hond.* Medida de peso de cinco arrobas. ■ *Méx.* MAQUILADORA; MAQUILAR; MAQUILERO, RA.

MAQUILLAJE m. Modificación de los rasgos físicos de una persona mediante la utilización de cosméticos o afeites. • Producto que se aplica al rostro para maquillarlo.

Pareja de **marabúes**

MAQUILLAR tr. y prnl. Aplicar cosméticos al rostro para resaltar sus cualidades estéticas y disimular sus imperfecciones. • Caracterizar, componer su fisonomía el actor. ■ MAQUILLADOR, RA.

MÁQUINA f. Conjunto de elementos destinados a recibir y transformar energía. • fig. Agregado de diversas partes ordenadas entre sí y dirigidas a la formación de un todo. • fig. Traza, proyecto de pura imaginación. • fig. Intervención de lo maravilloso o sobrenatural en cualquier fábula poética. • fig. y fam. Edificio grande y suntuoso. • P. ant., locomotora del tren. • Tramoya del teatro para las transformaciones de la escena. • **de vapor.** La térmica que, esencialmente, consiste en un cilindro provisto de dos válvulas y un émbolo, ligado éste, mecánicamente, al árbol de la m. a través de cruceta, biela y manivela. • **eléctrica.** Dispositivo destinado a la transformación de energía eléctrica en mecánica, o en eléctrica de características distintas. • **electromagnética.** La eléctrica que se basa en las leyes de inducción. • **frigorífica.** La que se funda en un ciclo de Carnot recorrido en sentido inverso. • **hidráulica.** La que se mueve por la acción del agua. • **neumática.** Aparato para extraer de un espacio cerrado aire u otro gas. • **simple.** Cada una de las siguientes: palanca, polea, cuña, tornillo, rueda, prensa hidráulica y mecanismo de dirección.

Maranhão. Vista general de San Luis

MÁQUINA-HERRAMIENTA f. *Mec. apl.* Dispositivo cuya finalidad es la obtención de un cuerpo metálico o su transformación geométrica o dimensional.

MAQUINAL adj. Relativo a los movimientos y efectos de la máquina. • fig. Aplícase a los actos y movimientos ejecutados sin deliberación o automáticamente.

MAQUINAR tr. Urdir, tramar ocultamente algo, generalmente contra alguien. ■ MAQUINACIÓN; MAQUINADOR, RA.

MAQUINARIA f. Técnica que enseña a fabricar las máquinas. • Conjunto de máquinas para un fin determinado. • Mecanismo que da movimiento a un artefacto.

MAQUINILLA f. Utensilio para afeitar el pelo del rostro, piernas, etc.

MAQUINISMO m. Empleo predominante de las máquinas en el proceso productivo.

* *Hist.* En la antigüedad el m. se desarrolló a partir del esfuerzo bélico: palancas, poleas y grúas. Durante el Renacimiento aparecieron las correas de transmisión, los engranajes, las turbinas de agua, etc. El gran salto se dio en el s. XVIII con la invención de la máquina de vapor y la extensión de las máquinas-herramienta. La primera mitad del s. XIX se limita a desarrollar ambas. A partir de entonces y hasta hoy, las máquinas penetran en todos los sectores productivos.

MAQUINISTA com. Persona que inventa o fabrica máquinas. • Persona que las dirige o gobierna. • **naval.** El que puede manejar máquinas o motores montados en cualquier buque que exija la posesión del citado título.

MAQUINIZAR tr. Emplear en la producción industrial, agrícola, etc., máquinas que sustituyen el trabajo del hombre. ■ MAQUINIZACIÓN.

MAQUIRITARÉ adj. y s. Díc. de individuos de una tribu indígena, de la familia lingüística caribe, que habita al S del río Ventauri (S de Venezuela y NO de Brasil). • adj. Relativo a esta tribu.

MAQUIS (voz fr.) m. Terreno cubierto de arbustos y matorrales. • com. Militante de la Resistencia fr. durante la II Guerra Mundial. • P. ext., militante en un movimiento de resistencia.

MAR amb. Masa de agua salada que separa las tierras emergidas y constituye la mayor parte de la superficie de la Tierra. • Parte de esta masa con individualidad geográfica y dinámica. • fig. Llámanse así algunos lagos de gran extensión, como el Caspio, El Muerto. • fig. La agitación misma del mar o el conjunto de sus olas, y aun el tamaño de éstas. • fig. Lo que ofrece fluctuaciones. • Manchas y zonas oscuras de la Luna y de Marte. • fig. Abundancia extraordinaria de alguna cosa. • **de fondo** o **de leva.** Agitación de las aguas causada en alta mar por los temporales o vientos tormentosos. • **en bonanza, en calma** o **en leche.** El que está sosegado y sin agitación. • **tendida.** La formada por grandes olas de mucho seno y de movimiento lento que no llegan a reventar. • **Alta m.** Parte del mar que está a bastante distancia de la costa. • **A mares.** m. adv. Abundantemente. • **Hacerse a la m.** fr. Separarse de la costa y entrar en mar ancha. • **La m. de.** loc. adv. Mucho. • **Picarse el m.** fr. Comenzar a alterarse. ■ MARÍTIMO, MA.

MAR, *Sierra del (Serra do Mar)* Cadena montañosa del SE de Brasil. Constituye el reborde oriental de la meseta bras.

MAR, *José de la* (1778-1830) General ecuat. Luchó por la indep. de Perú y fue nombrado presid. de este país en 1827. Enemistado con Bolívar, declaró la guerra a Colombia y, derrotado en Tarqui, fue depuesto y desterrado.

MAR CHIQUITA Laguna de Argentina, sit. al NE de la prov. de Córdoba; unos 2 000 km². Centro turístico.

MAR DEL PLATA C. de Argentina, en la prov. de Buenos Aires, a orillas del Atlántico; 457 000 hab. Primer puerto pesquero del país. Ind. conservera, fertilizantes, cueros, papel y cigarrillos. Turismo.

MARA m. *Argent.* Liebre de la Patagonia, muy apreciada por su piel y su carne.

MAR

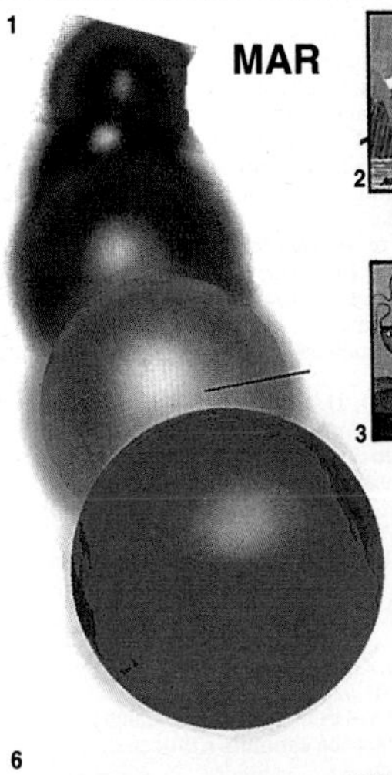

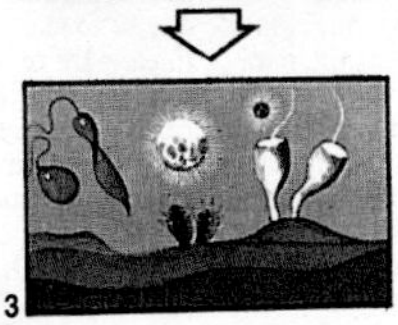

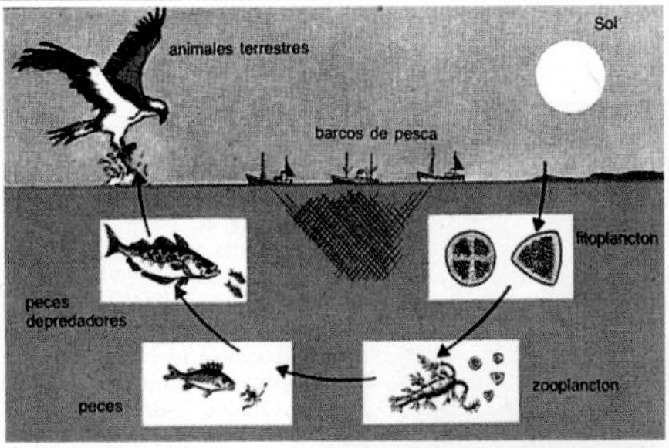

1., 2. y 3. Hace unos 5.000 millones de años la Tierra era una bola de gases y polvo en proceso de consolidación (1). El vapor de agua condensado en la atmósfera cayó a la superficie en forma de lluvia y, cuando la corteza empezó a enfriarse, se formaron los mares (2). Más tarde, en el mar se sintetizaron las primeras moléculas orgánicas, que dieron lugar, hace unos 2.000 millones de años, a organismos unicelulares (3).
4. y 5. El plancton constituye la base de la cadena alimentaria en los océanos. Abunda en las plataformas continentales, lo que explica que estas zonas estén pobladas de bancos de peces.
6. El fondo de los océanos presenta valles, dorsales y fosas.

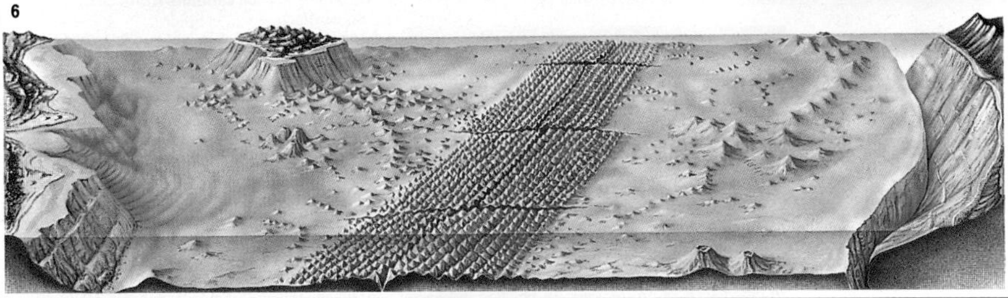

MARABÚ m. *Zool.* Ave ciconiforme del África occidental y el S de Asia, que alcanza 1,5 m. de alt., de plumaje blanco y negro, muy apreciado.
MARABUTO m. Morabito. • Especie de ermita.
MARACA f. Instrumento musical guaraní compuesto de una calabaza seca, atravesada por un palo que sirve de mango, llena de semillas o piedrecitas. • Instrumento semejante al anterior, fabricado con materiales plásticos o metal. • *Chile* y *Perú.* Juego de dados. • fig. *Chile.* Ramera, prostituta. • *P. Rico.* Sonajero.
MARACAIBO C. de Venezuela, cap. del est. Zulia. Sit. en la costa N del lago hom., a orillas del canal que comunica el lago con el golfo de Venezuela; comprende los núcleos urbanos de Bolívar, Cristo de Aranza, Coquibacoa, Chiquinquirá, Santa Bárbara, Santa Lucía, Cacique Mara y San Francisco; 1 179 400 hab. Primer puerto de Venezuela. Ind. químicas, metálicas, materiales para la construcción, productos farmacéuticos. Fundada en 1529 por Ambrosio de Alfinger, fue repoblada en 1571 por Alonso Pacheco y en 1574 por Pedro Maldonado. • Lago del NO de Venezuela; 14 000 km^2. Es el mayor de Sudamérica y uno de los mayores del mundo. Ocupa el centro de una depresión y recoge las aguas de una amplia cuenca hidrográfica. Comunica con el mar por un brazo de 1 km de anchura. Su escasa profundidad ha facilitado la explotación petrolífera de su subsuelo. • **Batalla del lago de M.** Combate librado entre las fuerzas navales realistas y las patriotas (24 junio 1823), decisivo para la liberación de Venezuela.
MARACANÁ m. *Argent.* Guacamayo, loro.
MARACAY C. de Venezuela, cap. del est. Aragua; 525 000 hab. Centro comercial e industrial.
MARACAYÁ m. *Amer.* Mamífero carnívoro, félido, oriundo de Colombia y Ecuador.
MARACO m. *Bol.* Maraca. • *Ven.* Hijo menor.
MARACUCHO, CHA adj. y s., despect. y fam. *Ven.* De Maracaibo.
MARACURE m. *Ven.* Bejuco del que se extrae el curare.
MARADONA, ***Diego Armando*** (nacido 1961) Futbolista arg. Uno de los mejores del mundo por su extraordinaria habilidad. En 1981 el Boca Juniors lo traspasó al FC Barcelona. En 1984-1991 jugó en el Nápoles y en 1992-1993 en el Sevilla, tras quince meses de suspensión por consumo de drogas. Campeón del mundo con la selección de su país (1986).
MARAGALL, ***Joan*** (1860-1911) Poeta esp. Escribió en cast. y en cat., contribuyendo con su obra en este idioma al renacimiento de la literatura catalana. *La sardana, Cant espiritual.*
MARAJÁ m. Vulgarismo por maharajá.
MARAJÓ Isla del NE de Brasil, de origen aluvial, sit. entre el estuario del Amazonas y el río Pará.
MARAMARAL m. *Ven.* Monte bajo.
MARANHÃO Est. del NE del Brasil, junto al Atlántico; 329 556 km^2, 5 131 000 hab. Cap., São Luis. Clima tropical. Selvas y manglares. Agricultura. Ganadería. Explotación forestal. Uno de los prales. productores de pescado del país.
MARANTA f. Planta cingiberácea de los países tropicales, de cuyo rizoma se extrae la fécula llamada sagú y arrurruz.
MARAÑA f. Maleza, matorrales. • Conjunto de hebras bastas enredadas que forman la parte exterior de los capullos de seda. • Tejido hecho con esta maraña. • Coscoja, árbol. • fig. Enredo de los hilos o del cabello. • Embuste. • Embrollo, lío. • *Col.* Gratificación pequeña. ■ MARAÑAL; MARAÑERO, RA.
MARAÑÓN m. *Bot.* Árbol anacardiáceo de las Antillas y de América Central, de madera blanca, y fruto con almendra comestible. • *Col.* y *Ven.* Gallo blanco con plumas rojas. • adj. y s. Díc. de los habitantes de las proximidades del río Marañón o Amazonas. • pl. Nombre dado por Lope de Aguirre a los soldados de su expedición en busca de El Dorado (1561).
MARAÑÓN Río del Perú que al unirse con el Ucayali forma el Amazonas; 1 280 km. Destacan los afl. Santiago, Morona y Pastaza.
MARAÑÓN, ***Gregorio*** (1887-1960) Médico y escritor esp. Sus obras de investigación permiten con-

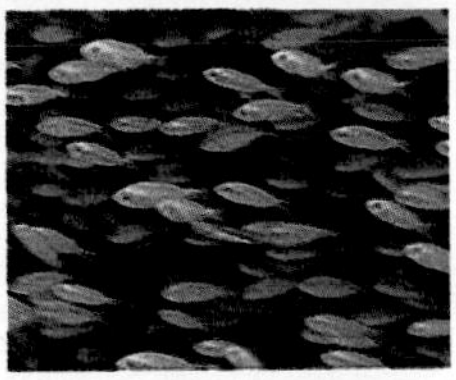

Fruto del **marañón**

siderarle uno de los fundadores de la endocrinología clínica. Ensayista: *Antonio Pérez, Amiel.*

MARAPA f. *Méx.* Especie de ciruela, fruto del jobo.

MARAQUITO, TA m. y f. *Ven.* Hijo menor de una familia. • f. Juguete.

MARAS C. de Turquía, en Anatolia Central, cap. de la prov. de Kahramanmaras; 212 200 hab.

MARASMO m. Último grado de extenuación o consunción del organismo. • fig. Suspensión, paralización en lo moral o en lo físico.

***Marat** asesinado,* óleo de J. L. David. Museo Real de Bellas Artes, Bruselas

MARAT, *Jean-Paul* (1743-1793) Político fr. Uno de los prales. protagonistas de la Rev. Francesa, conocido como *L'ami du peuple* («el amigo del pueblo»), instigador del proletariado parisiense contra los falsos ídolos de la revolución. Murió asesinado por Charlotte Corday. *Descubrimientos sobre la luz, Discursos, Diario de la República francesa.*

MARATHA adj. y s. Díc. de individuos pertenecientes a un pueblo indio que habita Maharashtra. • adj. Relativo a este pueblo.

MARATHI m. Lengua indoaria hablada por más de 40 000 000 de personas en la India (est. de Maharashtra, áreas vecinas de Madhya Pradesh y Andra Pradesh y territorio de Goa).

MARATÓN amb. Carrera atlética de gran fondo, sobre una distancia de 42,195 km, incluida en el programa olímpico. • P. ext., algunas otras competiciones deportivas de resistencia.

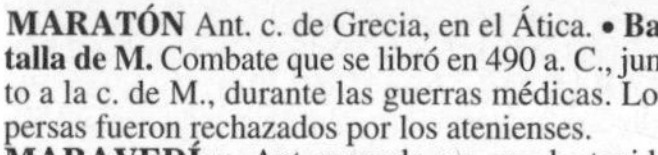

El atleta Dorando Pietri corriendo un **maratón** en 1908

MARATÓN Ant. c. de Grecia, en el Ática. • **Batalla de M.** Combate que se libró en 490 a. C., junto a la c. de M., durante las guerras médicas. Los persas fueron rechazados por los atenienses.

MARAVEDÍ m. Ant. moneda esp. que ha tenido diferentes valores y calificativos.

MARAVILLA f. Suceso o cosa extraordinarios que causan admiración. • Admiración, acción de admirar. • Planta compuesta, de flores terminales, antiespasmódica. • Especie de enredadera, originaria de América. • Dondiego de noche, planta. • **del mundo.** Cada una de las siete grandes obras de arquitectura o de estatuaria más admirables de la antigüedad. ■ MARAVILLOSO, SA.

MARAVILLAR tr. Causar admiración. • prnl. Ver con admiración.

MARBELLA f. *Cuba.* Ave zancuda acuática, con plumaje negro y cuello largo.

MARBELLA Mun. de España, en la prov. de Málaga (Andalucía); 98 823 hab. Núcleo turístico

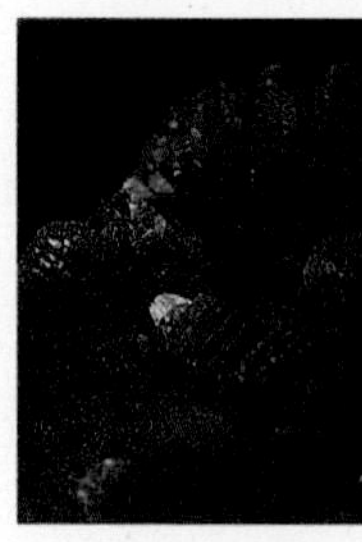

Marcasita

MARBETE m. Cédula o etiqueta que se adhiere a las piezas de tela, cajas, botellas, bultos de equipaje, etc., y en que se suele indicar la marca de fábrica, el contenido, el precio, etc. • Orilla, perfil.

MARBURGO *(Marburg an der Lahn)* C. de Alemania, en Hesse, a orillas del Lahn; 71 000 hab. Centro comercial. • Construcciones mecánicas. Óptica. Ind. químicas. • **Escuela de M.** Mov. filosófico neokantiano. De los adscritos a ella. Ernst Cassirer es el filósofo de mayor influencia.

MARCA f. Prov., distrito fronterizo. • Instrumento para medir la estatura. • Tamaño que debe tener una cosa. • Instrumento con que se marca una cosa para diferenciarla de otras, o para indicar su calidad, peso o tamaño. • Acción de marcar. • Señal hecha en una persona, animal o cosa, para distinguirla de otra o indicar calidad o pertenencia. • El mejor resultado técnico homologado en el ejercicio de un deporte. • *Comp.* Símbolo o carácter utilizado para representar el fin de una zona de datos. • *Mar.* Punto fijo en la costa, población, bajo, etc., que sirve a bordo de señal para saber la situación de la nave. • **de fábrica.** Señal que el fabricante pone a los productos de su ind. • **registrada.** Marca legalmente reconocida para su uso exclusivo. • **De m.** expr. fig. con que se explica que una cosa es sobresaliente en su línea. • **De m. mayor.** expr. fig. Muy excelente.

MARCACIÓN f. *Mar.* Acción y efecto de marcar o marcarse. • *Mar.* Ángulo que la visual dirigida a una marca o a un astro forma con el rumbo que lleva el buque. • *Amér.* Hierro para marcar ganado.

MARCADO, DA adj. Notable, manifiesto, perceptible. • m. *Art. Gráf.* Operación que consiste en el marginado del papel y la alimentación de las modernas prensas utilizadas en la impresión del papel en hojas. • Operación que consiste en marcar a un animal con fines de identificación.

MARCADOR, RA adj. y s. Que marca. • m. *Dep.* Aparato en que se marcan los tantos o puntos que consigue un equipo o un jugador. • Muestra que hacen las niñas en cañamazo. • Contraste, el que contrasta. • *Art. Gráf.* Operario encargado de colocar los pliegos de papel en las máquinas.

MARCAPASOS m. Aparato mediante el cual una corriente eléctrica estimula rítmicamente el músculo cardíaco.

MARCAR tr. Poner la marca a una cosa o persona. • fig. Señalar. • fig. Aplicar, destinar. • Actuar sobre alguien o algo dejándole huella moral. • Señalar el reloj la hora o indicar un aparato cantidades o magnitudes. • Dar indicio de alguna cosa. • Dar pauta o señalar un orden a algunos movimientos. • Señalar con el disco del teléfono los números de otro para comunicar con él. • Tratándose de géneros de comercio, poner en ellos la indicación de su precio. • En el fútbol y algunos otros deportes, conseguir tantos metiendo la pelota en la meta contraria. • En los deportes en que luchan equipos combinados, contrarrestar eficazmente un jugador el juego de su contrario respectivo. • *Art. Gráf.* Ajustar el pliego a los tacones al imprimer el blanco, y apuntarlo para la retiración. • *Mar.* Determinar una marcación. • prnl. *Mar.* Determinar un buque su situación por medio de marcaciones. ■ MARCAJE.

MARCAS, *Las* *(Marche)* Región del E de Italia, sit. en la vertiente del Adriático; 9 693 km², 1 429 200 hab. Cap., Ancona. Clima mediterráneo. Agricultura. Ganadería. Azufre y gas metano.

MARCASITA f. *Miner.* Sulfuro de hierro que cristaliza en el sistema rómbico; peso específico, 4,8; dureza, 6; color amarillo; brillo metálico.

MARCEAR tr. Esquilar los animales. • intr. Hacer el tiempo propio del mes de marzo. ■ MARCEADOR, RA.

MARCEAU, *Marcel Mangel,* llamado ***Marcel*** (nacido 1923) Actor fr., renovador del mimo y de la pantomima.

MARCEL, *Grabriel* (1889-1973) Filósofo y dramaturgo fr. Representante del existencialismo cristiano. *Diario metafísico, Ser y tener, El misterio del ser, El corazón de los otros, El sol invisible.*

MARCELINO (m. 304) Santo. Papa [296-304]. Sucesor de san Cayo. Festividad: 26 abril.

MARCELO, *Marco Claudio* (h. 270-208 a. C.) Político rom. Fue cinco veces cónsul (222, 215, 214, 210 y 208 a. C.). En la segunda guerra púnica logró contener a Aníbal y tomó Siracusa (212). • ***Marco Claudio*** (s. II a. C.) Político rom. En 169 a. C. desempeñó el cargo de pretor en Hispania y fundó la colonia de Córdoba. Sitió Numancia. • ***Marco Claudio*** (m. 45 a. C.) Político rom. Elegido cónsul (51 a. C.), apoyó a Pompeyo, pero tras la muerte de éste se retiró a Mitilene. César le permitió regresar, pero fue asesinado durante la vuelta. • ***Marco Claudio*** (42-23 a. C.) Hijo de Octavia, hermana de Augusto; éste lo adoptó para hacerle sucesor, plan que frustró su muerte prematura.

MARCELO I (m. h. 309) Santo. Papa [308-309], sucesor de Marcelino. • **De Ancira.** (¿300-374?) Obispo de Ancira (hoy Ankara) y autor de obras eclesiásticas gr. Fue declarado hereje en el concilio de Constantinopla (381).

MARCEÑO, ÑA adj. Propio del mes de marzo.

MARCEO m. Corte que hacen los colmeneros al entrar la primavera, para quitar a los panales lo reseco y sucio.

MARCESCENTE adj. *Bot.* Aplícase a los cálices y corolas que después de marchitarse persisten alrededor del ovario, y a las hojas que permanecen secas en la planta hasta que brotan las nuevas.

MARCH, *Ausias* (1397-1459) Poeta valenciano en lengua cat. Se conservan de él más de diez mil versos de variada temática. *Cants d'amor, Cants de mort, Plena de seny, Lir entre cards, Cant espiritual.* • ***Juan*** (1880-1962) Financiero esp. Obtuvo el monopolio del tabaco de Marruecos, fundó la Compañía Transmediterránea y la Banca March y amasó en poco tiempo una gran fortuna.

MARCHA f. Acción de marchar. • Sistema de locomoción empleado por la mayoría de los animales capaces de trasladarse. • Velocidad. • Actividad o funcionamiento de un órgano, mecanismo o entidad. • Desarrollo de un proyecto o empresa. • En el cambio de velocidades de un vehículo, cualquiera de las posiciones motrices. • Toque de clarín para que marche la tropa. • Pieza de música destinada a indicar el paso reglamentario de la tropa. • **A toda m.** m. adv. fig. Rápidamente. • **Sobre la m.** m. adv. De prisa, inmediatamente. • **sobre Roma.** *Hist.* Nombre dado al episodio que permitió a Mussolini tomar el poder en 1922. • **Larga M.** Desplazamiento, entre 1934 y 1935, del ejército de Mao Tse-tung desde Kiangsi hasta el Yenan, al NO de China. Durante el recorrido, de unos 13 000 km, perecieron miles de hombres.

MARCHAIS, *Georges* (1920-1997) Político fr. Secretario general del Partido Comunista desde 1972, apoyó el Programa Común que llevó a la izquierda al poder en 1982. Tras el ascenso de la derecha y los pésimos resultados del PCF de 1986, criticó duramente a Mitterrand.

MARCHAMAR tr. Marcar los géneros o fardos en las aduanas. ■ MARCHAMERO.

MARCHAMO m. Marca que se pone en los fardos o bultos en las aduanas. • *Argent.* Impuesto que se cobra por cada res que se mata en los mataderos públicos.

MARCHANTE adj. Mercantil. • com. Traficante o comerciante. • Parroquiano de una tienda.

MARCHANTERÍA f. *Amér.* Clientela.

MARCHAR intr. y prnl. Caminar, hacer viaje, ir o partir de un lugar. • intr. Andar, funcionar un artefacto. • fig. Funcionar, prosperar o desenvolverse una cosa. • Ir o caminar la tropa con cierto orden.

MARCHENA y Ruiz de Cueto, *José* (1768-1821) Escritor y político esp. Partidario de la Revolución fr., escribió *Aviso al pueblo español*, folleto para incitar al pueblo esp. a apoyarla. En 1799 realizó la primera traducción al cast. del *Contrato Social*, de Rousseau.

MARCHITAR tr. y prnl. Ajar, quitar el jugo y frescura a las hierbas, flores y otras cosas. • fig. Enflaquecer, quitar el vigor. ■ MARCHITABLE; MARCHITAMIENTO; MARCHITEZ; MARCHITO, TA.

MARCHOSO, SA adj. Que tiene garbo. • adj. y s. Juerguista, calavera. • Que es dado a las relaciones de tipo sexual.

MARCIAL adj. Relativo a la guerra. • Relativo a los militares. • fig. Varonil, franco. • Díc. de los medicamentos en que entra el hierro. ■ MARCIALIDAD.

MARCIAL, *Marco Valerio* (h. 40-h. 104) Poeta hispano, en lengua latina, nacido en Bílbilis (Calatayud). Describió el ambiente de Roma en sus *Epigramas.*

MARCIANO, NA adj. Relativo al planeta Marte. • m. y f. Supuesto habitante del planeta Marte.

MARCIÓN (¿85-160?) Hereje gnóstico, fundador de la secta de los marcionistas. Escribió varias obras, la principal de las cuales es *Antítesis*.

MARCO m. Ant. moneda oficial de Alemania. • Ant. moneda oficial de Finlandia. • Cerco que rodea o ciñe algunas cosas. • Pórtico en el que se fijan las bisagras de las puertas. • Peso de media libra o 230 gr., que se usaba para el oro y la plata. • Patrón por el cual deben contrastarse las pesas y medidas. • Medida determinada que deben tener los maderos. • fig. Lugar en que se desarrolla una acción. • Cartabón. ■ MARQUISTA.

MARCO Antonio (83-30 a. C.) Gral. rom. Aliado de César, a la muerte de éste se asoció con Lépido y Octavio, con quienes constituyó el segundo triunvirato. Los triunviros se repartieron el mundo romano; M. Antonio se adjudicó las prov. de oriente y casó con Octavia, hermana de Octavio. Por sus relaciones con Cleopatra repudió a su esposa y Octavio le declaró la guerra. Derrotado en Accio, se suicidó. • **Aurelio** (121-180) Emp. [161-180] y filósofo rom. Gobernó el imperio conjuntamente con su hermano adoptivo Vero, instaurando la diarquía, pero asegurándose la preeminencia en el mando. Fue uno de los representantes del nuevo estoicismo. *Pensamientos.* • **Polo** → Polo, Marco.

Estatua ecuestre de **Marco Aurelio,** en Roma

MARCOMANO, NA adj. y s. Díc de individuos pertenecientes a un ant. pueblo germánico que habitaba las orillas del Oder y el Elba.

MARCONI, *Guglielmo* (1874-1937) Físico e inventor it. Realizó transmisiones de telegrafía sin hilos y estableció comunicación entre distancias cortas. Premio Nobel de Física 1909, junto con K. F. Braun.

MARCOS (s. I) Santo. Misionero y compañero de san Pedro y san Pablo, y autor del segundo Evangelio sinóptico. En el N. T. se le llama Juan, apellidado M., y M. • **Evangelio de M.** Escrito del N. T. y segundo de los Evangelios sinópticos, compuesto por san M. entre el 64 y el 70, en Roma. Sigue con fidelidad cronológica los hechos de la vida de Cristo.

MARCOS, *Fernando* (1917-1989) Político filipino. Elegido presid. en 1965 y reelegido en 1969, llevó a cabo una política de estrecha alianza con EE UU. En 1973 asumió poderes dictatoriales. En 1986 se vio obligado a renunciar y exiliarse debido a la presión popular que no aceptó la manipulación de los resultados electorales, que dieron la victoria a Corazón Aquino.

MARCUSE, *Herbert* (1898-1979) Filósofo y sociólogo norteam. de origen al. En 1933 emigró a EE UU, donde enseñó filosofía y política en varias universidades. Según él, el sistema de producción no tiende ya a satisfacer las necesidades esenciales, sino otras nuevas y artificiales, presentadas como indispensables a fin de alimentar la productividad. A partir de aquí, para M. el conflicto pral. en la sociedad proindustrial «se traslada del ámbito de producción (de la lucha de clases) a la esfera del consumidor manipulado u hombre unidimensional». Paradójicamente, M. ve en el mismo proceso de industrialización automatizada, en la cibernética y la informática, la posibilidad de una liberación del hombre, de una civilización del ocio. *Razón y revolución, El marxismo soviético, Eros y civilización, El hombre unidimensional, Cultura y sociedad, El fin de la utopía.*

Marcos. Miniatura de un evangelio del s. x

MARDONIO (m. 479 a. C.) General persa. Dirigió en 492 a. C. la primera operación militar del imperio persa contra Grecia.

MARDUK Dios mesopotámico, hijo de Bel, Enlil o Ea, también llamado Bel Marduk. En su origen fue dios de la vegetación y del Sol. Durante la hegemonía de Babilonia fue la deidad suprema.

MARE MÁGNUM expr. lat. fig. y fam. Abundancia, grandeza o confusión. • fig. y fam. Muchedumbre confusa de personas o cosas.

MARE NOSTRUM Nombre con que los rom. designaban el mar Mediterráneo.

MAREA f. *Geog.* Movimiento periódico de elevación y descenso del nivel del océano debido a la atracción gravitatoria ejercida por la Luna y, en menor grado, por el Sol sobre la Tierra. • Parte de la ribera del mar que se inunda con el flujo o pleamar. • Viento blando y suave que sopla del mar. • P. ext., el que sopla en las cuencas de los ríos, o en los barrancos. • Rocío, llovizna. • **negra.** Masa de petróleo que llega a las costas procedente de un petrolero accidentado.

MAREAR tr. Dirigir una embarcación en el mar. • Vender en público o despachar las mercaderías. • tr. e intr. fig. y fam. Enfadar, molestar. • prnl. Sentir mareo. • Estropearse los géneros en el mar. • *Amér.* Pasarse el color de una tela. ■ MAREADO, DA; MAREAJE; MAREAMIENTO; MAREANTE.

MARECHAL, *Leopoldo* (1900-1970) Escritor arg. Ultraísta en sus inicios, se inspiró como poeta en su madurez en los clásicos cast. *(Laberinto de amor).* Autor de ensayos *(Historia de la calle de Corrientes)*

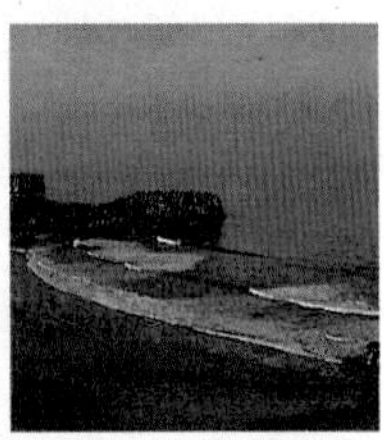
Playa en la que se aprecia el descenso de la **marea**

y de novelas: *Adán Buenosayres, El banquete de Severo Arcángelo.*

MAREJADA f. Movimiento tumultuoso de grandes olas, aunque no haya borrasca. • fig. Señal de excitación del ánimo o de descontento entre la gente, que suele preceder a un alboroto.

MAREJADILLA f. Marejada cuyas olas son de menor tamaño que las de ésta.

MAREMOTO m. Serie de grandes olas marinas originadas por los desplazamientos de agua, provocados por seísmos cuyo epicentro se encuentra en fondos oceánicos.

MARENGO adj. Díc. del color gris oscuro.

MARENGO Localidad de N de Italia, en Piamonte. • **Batalla de M.** Combate en el que Napoleón venció a los austr. (14 junio 1800).

Batalla de **Marengo,** en un grabado de la época. Museo Santacana de Martorell, Barcelona (España)

MAREO m. Sensación de malestar debido a estímulos anormales y repetidos del aparato vestibular, responsable del equilibrio. • fig. y fam. Molestia, enfado, ajetreo.

MAREÓGRAFO m. Instrumento que describe una curva que indica las variaciones de alt. de la marea en función del tiempo.

MAREOMOTOR, TRIZ adj. Díc. del dispositivo o de la instalación que aprovecha la energía de las mareas.

MARETA f. Movimiento de las olas del mar cuando empiezan a levantarse con el viento o a sosegarse después de la borrasca. • fig. Rumor de muchedumbre. • fig. Alteración del ánimo antes de agitarse violentamente, o cuando ya se va calmando.

MARETAZO m. Golpe de mar.

MÁRFAGA f. Marga, clase de tela gruesa y tosca.

MARFIL m. Sustancia ósea y dura de los colmillos superiores de los elefantes y, p. ext., de otros animales. Con el m. se fabrican diversos objetos. • Sustancia dura fundamental de los dientes, cubierta por el esmalte, llamada también dentina. • **artificial.** Aglomerado de huesos, piel y gelatina, endurecido con alambre. • **vegetal.** Sustancia blanca y dura que se extrae de la semilla de la tagua, palmera de América tropical. Se usa como sucedáneo del marfil. ■ MARFILEÑO, ÑA.

Figurilla japonesa de **marfil**

MARFILINA f. Cierta pasta que imita el marfil y se usa en la fabricación de bolas de billar.

MARFUZ, ZA adj. Repudiado, desechado. • Falaz, engañoso.

MARGA f. *Geol.* Roca sedimentaria de grano fino, que contiene notables proporciones de carbonatos, normalmente calcita, y los componentes de las arcillas: minerales arcillosos, cuarzo y feldespatos. Se utiliza en la ind. del cemento. • Jerga que se emplea para sacas, jergones y cosas semejantes. ■ MARGAL; MARGOSO, SA.

MARGALLÓN m. Palmito, planta.

MARGAR tr. Abonar las tierras con marga.

MARGARINA f. Emulsión muy concentrada de grasas obtenidas por hidrogenación de aceites, pralm. vegetales, que se emplea como sucedáneo de la mantequilla.

MARGARITA f. Perla de los moluscos. • *Zool.* Molusco gasterópodo marino, con concha de 10 a 12 mm de largo y sección oval. • P. ext., cualquier caracol pequeño descortezado y anacarado. • *Zool.* Mariquita, insecto coleóptero. • *Bot.* Planta herbácea de la familia compuestas, con hojas radicales en roseta, flores agrupadas en capítulos solitarios y frutos en aquenio, que se planta en los jardines por la vistosidad y el colorido de sus capítulos. • **de otoño.** *Bot.* Planta amarilidácea herbácea bulbosa, con hojas anchas, flores amarillas, y fruto en cápsula globosa. • **mayor.** *Bot.* Planta compuesta, de hojas aserradas, pecioladas o sentadas, flores en capítulos y frutos en aquenio.

Margaritas

MARGARITA La mayor de las islas de la costa de Venezuela; 920 km^2. Con las de Coche y Cubagua forma el est. Nueva Esparta. C. prales.: La Asunción y Porlamar. Criaderos de madreperlas. Descubierta por Colón en 1498.

MARGARITA I (1353-1412) Reina de Dinamarca, Noruega y Suecia. En 1397 impulsó la creación de la Unión de Kalmar entre los tres Est. escandinavos. • **II** (nacida 1940) Reina de Dinamarca. A la muerte de su padre Federico IX (1972) fue proclamada soberana de acuerdo con la constitución de 1953. • **De Angulema,** llamada MARGARITA DE NAVARRA (1492-1549) Reina de Navarra. Convirtió su corte en un foco del humanismo y ella misma escribió el *Heptamerón*, inspirado en Boccaccio. • **De Anjou** (1429-1482) Reina de Inglaterra por su matrimonio con Enrique VI. Su oposición a los York fue uno de los factores que desencadenaron la guerra de las Dos Rosas. • **De Austria** (1480-1530) Duquesa de Saboya. Nombrada por su padre gobernadora de Países Bajos (1506), fue tutora de Carlos V, en cuya elección imperial intervino. • **De Austria** (1584-1611) Reina de España por su matrimonio con Felipe III. Intentó sin éxito mermar la influencia del duque de Lerma sobre su esposo. • **De Parma** (1522-1586) Hija natural de Carlos V y de Juana van der Gheist. Felipe II la nombró gobernadora de Países Bajos. • **De Valois,** llamada REINA MARGOT (1553-1615) Reina de Navarra.

MARGARITA María de Alacoque (1647-1690) Santa. Religiosa salesiana, introdujo la devoción al Sagrado Corazón de Jesús.

MARGARITEÑO, ÑA adj. y s. De la isla de Margarita.

MARGAY m. *Amér. Centr.* y *Merid.* Mamífero félido, semejante al gato en cuanto a tamaño, cuyo pelaje es amarillo con franjas negras.

MARGEN amb. Extremidad y orilla de una cosa. • Espacio que queda en blanco a cada uno de los lados de una página manuscrita o impresa. • Apostilla, acotación. • fig. Ocasión, motivo para un acto o suceso. • Beneficio en una venta o negocio. • **Al m.** m. adv. Fuera, sin intervención en el asunto.

MARGENAR tr. Poner acotaciones o apostillas al margen del texto. • Dejar márgenes.

MARGESÍ m. *Perú.* Inventario de los bienes del Est. de la Iglesia y de las corporaciones oficiales.

MARGIL de Jesús, FRAY *Antonio* (1667-1726) Misionero franciscano esp. Autor de un diccionario de lenguas indígenas de Nueva España.

MARGINADO, DA adj. Díc. de la persona de la que se ha prescindido. • *Bot.* Que tiene reborde. • m. y f. Persona que vive fuera de la sociedad y de sus reglas.

MARGINADOR, RA adj. Que margina. • adj. y m. Díc. del dispositivo de la máquina de escribir, que sirve para regular el ancho de los márgenes laterales de las hojas.

MARGINAL adj. Relativo al margen. • Que está al margen. • De importancia secundaria. • *Econ.* Díc. de una magnitud económica cuando se hace referencia a la última unidad de la misma. • *Econ.* En un sector económico, díc. de las unidades productivas cuyo precio de coste de producción es igual al precio de venta. • adj. y s. *Soc.* Díc. del individuo o el grupo social que, en una sociedad determinada, permanece fuera de los mercados de trabajo y consumo, lo que implica su separación de la vida social y política.

MARGINALISMO m. Teoría económica derivada de las ideas de Carl Menger sobre la utilidad marginal. En esencia, el m. explica los procesos económicos en función de las motivaciones subjetivas de los individuos. ■ MARGINALISTA.

MARGINAR tr. Apostillar. • Dejar márgenes en el papel en que se escribe. • Dejar al margen un asunto o cuestión. • fig. Prescindir o hacer caso omiso de alguien. • fig. Poner o dejar a una persona o grupo en condiciones sociales de inferioridad. ■ MARGINACIÓN.

MARGRAVE m. Título de dignidad que llevaron algunos príncipes de Alemania.

MARGUAY m. *Amér.* Especie de gato montés.

MARGUERA f. Barrera o veta de marga. • Sitio donde se tiene depositada la marga.

MARGULLO m. *Cuba* y *Ven.* Acodo.

MARI o **CHEREMISO** adj. y s. Díc. de individuos de un pueblo que habitan en la cuenca del Volga, en la rep. autónoma de Mari y regiones adyacentes. Son unas 600 000 personas. • m. *Ling.* Lengua finougria que habla dicho pueblo.

MARI Rep. de Rusia; 23 200 km^2, 725 000 hab. Cap., Ioshkar-Ola. Extensa llanura. Clima continental. Bosques de coníferas. Explotación forestal. Ganadería. Ind. de transformación de materias primas para productos manufacturados.

MARI, ***Reino de*** Pequeño reino sit. en la orilla del Éufrates, y cuyo centro fue la c. amurallada de M., ant. aliada de Babilonia.

MARÍA f. Moneda de plata, con valor de 12 reales de vellón, que mandó labrar la reina Mariana de Austria. • fam. Vela blanca que se pone en lo alto del tenebrario.
MARÍA Madre de Jesús, hija de Joaquín y de Ana. Según el N. T., estaba prometida a José, artesano de Nazareth, cuando el arcángel Gabriel le anunció que concebiría por obra y gracia del Espíritu Santo un hijo, que sería el Mesías.
MARÍA Magdalena Nombre con el que se identifica a tres mujeres citadas en los Evangelios: la pecadora anónima; M. de Magdala, exorcizada por Jesús, y M. de Betania, hermana de Lázaro y Marta.
MARÍA Antonieta (1755-1793) Reina de Francia [1774-1792]. Esposa de Luis XVI desde 1770, le impulsó a rechazar la alianza con los revolucionarios moderados al estallar la Rev. Fue guillotinada. • **Cristina de Borbón** (1806-1878) Reina [1829-1833] y regente de España [1833-1840]. Contrajo matrimonio con Fernando VII, y para asegurar los derechos al trono de su hija Isabel, se aproximó a los liberales, frente a las pretensiones de Carlos María Isidro. Tuvo que hacer frente a la primera guerra carlista. • **Cristina de Habsburgo-Lorena** (1858-1929) Reina [1879-1885] y regente de España [1885-1902]. Fue la segunda esposa de Alfonso XII y madre del futuro Alfonso XIII. Al final de su regencia tuvo que hacer frente a la guerra contra EE UU, que puso fin al dominio colonial esp. en Cuba y Filipinas. • **De Luna** (m. 1406) Reina de Aragón [1396-1406]. Fue esposa de Martín el Humano. • **De Médicis** (1573-1642) Reina de Francia por su matrimonio con Enrique IV; tras el asesinato de éste, asumió la regencia, destituyó a los consejeros de Enrique y se aproximó a España y al partido católico. • **De Molina** (h. 1265-1321) Reina de Castilla [1284-1295]. A la muerte de su esposo Sancho IV, desempeñó la regencia por minoría de edad de su hijo Fernando IV, época durante la que tuvo que enfrentarse a la nobleza y a la política expansionista de Jaime II de Aragón y de Dionís de Portugal. • **De Montpellier** (h. 1181-1213) Reina de Aragón [1204-1213]. Casó en terceras nupcias con Pedro II de Aragón, de cuya unión nació el futuro Jaime I. • **De Portugal** (h. 1313-1357) Reina de Castilla y León [1328-1350]. Casó con Alfonso XI, rey de Castilla y León, quien la postergó. • **I Estuardo** (1542-1587) Reina de Escocia [1542-1567] y Francia. Hija de Jacobo V y reina a los siete días, se educó en Francia, donde casó con el rey Francisco II. Terminó prisionera de su prima Isabel I, que la decapitó. • **Luisa de Habsburgo-Lorena** (1791-1847) Emperatriz de Francia [1810-1814]. Hija de Francisco I, emp. de Austria, en 1810 casó con Napoleón I. • **Luisa de Orleáns** (1662-1689) Reina de España, casó en 1679 con Carlos II sin lograr dar sucesor a la corona. • **Luisa de Parma** (1751-1819) Reina de España [1788-1808]. Casó en 1765 con el futuro Carlos IV, cuya voluntad dominó. • **Luisa Gabriela de Saboya** (1688-1714) Reina de España [1701-1714]. Primera esposa de Felipe V, fue madre de Luis I y Fernando VI. • **Teresa** (1717-1780) Archiduquesa de Austria y emperatriz de Alemania [1740-1780], reina de Hungría [desde 1741] y de Bohemia [desde 1743]. Entre sus hijos, los emp. José II, Leopoldo II y María Antonieta. • **Teresa de Austria** (1638-1683) Reina de Francia [1660-1683], hija de Felipe IV de España y esposa de Luis XIV de Francia. • **Tudor** (1516-1558) Reina de Inglaterra e Irlanda [1553-1558]. Hija de Enrique VIII y de Catalina de Aragón, fue educada en el catolicismo, lo que la enfrentó siempre a los protestantes, a los que persiguió.
MARÍA TRINIDAD SÁNCHEZ Prov. del NE de la República Dominicana, a orillas del Atlántico; 1 310 km², 124 200 hab. Cap., Nagua. Accidentada por la cord. Septentrional y avenada por el Boba. Café, caña de azúcar y tabaco. Ganadería. Explotación forestal.
MARIACHI m. Música popular mex., típica del est. de Jalisco. • Conjunto instrumental que ejecuta esta música, y cada miembro que lo compone.
MARIANA, *Juan de* (1536-1624) Historiador y teólogo esp. Miembro de la Compañía de Jesús. En su *De rege et regis institutione*, admite la soberanía del pueblo y justifica el tiranicidio. Escribió también una *Historia general de España*.
MARIANA de Austria (1634-1696) Reina de España [1649-1665] y regente en nombre de su hijo Carlos II [1665-1675], sobre quien ejerció gran influencia. • **De Neoburgo** (1667-1740) Reina de España [1689-1700]. Segunda esposa de Carlos II. Convencida de que Carlos II no iba a tener descendencia, negoció con los representantes austr. y fr. con la creencia de que podría influir sobre la decisión del rey.
MARIANAO C. del O de Cuba, que forma parte de la Gran La Habana, a 8 km de la cap.; 230 000 hab. Ind. químicas y alimentarias.
MARIANAS Arch. del Pacífico occidental, en Micronesia, al E de Filipinas. • **Septentrionales** *(Commonwealth of the Mariana Islands)* Conjunto formado por 14 islas volcánicas y atolones; 477 km², 19 100 hab. (excluida Guam). Cap., Saipan, en la isla hom. Descubiertas por Magallanes en 1521, en 1898 España cedió a EE UU Guam y en 1899 vendió el resto del arch. a Alemania. En 1978 el arch. se convirtió en est. asociado de EE UU.
MARIANO, NA adj. Relativo a la Virgen María, y especialmente a su culto.
MARÍAS, *Julián* (nacido 1914) Filósofo y ensayista esp. Estudioso de Ortega y Gasset. *Historia de la filosofía, El intelectual y su mundo*. • ***Javier*** (nacido 1951) Escritor esp. hijo del anterior. *Todas las almas, Corazón tan blanco, Negra espalda del tiempo*.
MARIÁTEGUI, *Francisco Javier* (1792-1884) Político y escritor per. Colaborador de San Martín. Secretario del primer congreso constituyente (1823). *Anotaciones a la historia del Perú independiente*. • ***José Carlos*** (1895-1930) Escritor y político per. Fundador del partido comunista de su país. *El profesor Canella*.
MARIBOR C. de Eslovenia; 104 700 hab. Ind. ferroviaria, química, del automóvil, de maquinaria agrícola.
MARICA f. Urraca, picaza. • En el juego del truque, sota de oros. • m. fig. y fam. Hombre afeminado u homosexual.
MARICASTAÑA n. p. f. Personaje proverbial, símb. de antigüedad muy remota.
MARICÓN adj. y m. fig. y fam. Marica, hombre afeminado u homosexual. • Díc. del que gasta malas pasadas. ■ MARICONADA.
MARICONERA f. fam. Pequeño bolso de hombre.
MARICULTURA f. Cultivo de plantas y animales marinos.
MARIDAR intr. Casar, contraer matrimonio. • Hacer vida marital sin estar casados. • tr. fig. Unir o enlazar. ■ MARIDABLE; MARIDAJE.
MARIDO m. Hombre casado, con respecto a su mujer.
MARIGUANZA f. *Chile*. Ceremonias supersticiosas de manos que hacen los curanderos. Se usa más en pl. • *Chile*. Gestos de burla. • *Chile*. Pirueta.
MARIHUANA o **MARIGUANA** f. Sumidad florida del cáñamo índico, cultivado en las zonas cálidas. Contiene esencia, resina y alcaloides y tiene propiedades hipnóticas. Produce euforia y alucinaciones, así como cierto estado apático.
MARIKINA f. *Amér. Merid*. Mono de la familia callitrícidos. Es de pequeño tamaño y posee un abundante y sedoso pelaje.
MARIMACHO m. fam. Mujer que en su corpulencia o acciones parece hombre.
MARIMANDONA f. Mujer mandona y dominante.
MARIMANTA f. fam. Fantasma o figura con que se amedrenta a los niños.
MARIMARICA m. fam. Marica, hombre afeminado.
MARIMBA f. Especie de tambor afr. • Instrumento musical en que se percuten listones de madera, como en el xilófono. • *Amér*. Instrumento musical en que se percuten con un macillo blando tiras de vidrio, como en el tímpano.
MARIMOÑA f. Francesilla, planta.
MARIMORENA f. fam. Camorra, riña, pendencia.
MARÍN de Poveda, *Tomás* (1650-1703) Administrador esp. Gobernador de Chile (1683-1700). Llevó a cabo una campaña contra los araucanos. Fundador de Talca.
MARINA, *Doña* Nombre dado por los esp. a → Malinche.

Detalle de ***María Antonieta*** *y sus hijos*, retrato de Isabel Vigée-Lébrun

María Cristina de Habsburgo-Lorena

María Luisa de Orleáns

La reina **María Luisa** de Parma, por Goya. Academia de la Historia, Madrid

Mariposa

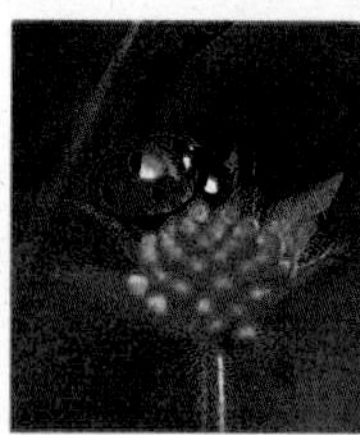
Mariquita

Cobi, mascota de los JJ OO de Barcelona, creada por Javier **Mariscal**

MARINAHUA adj. y s. *Etnol.* Díc. de un pueblo de agricultores del oriente per., que habitan en las márgenes del río Yavarí.
MARINAJE m. Ejercicio de la marinería. • Conjunto de los marineros.
MARINAMO, MA adj. *Chile.* Que tiene un dedo de más.
MARINAR tr. Dar cierta sazón al pescado para conservarlo. • Dejar en remojo en una salsa pescados o carnes antes de cocinarlos. • Tripular un buque.
MARINDUQUE Isla y prov. de Filipinas, entre Mindoro y Luzón; 959 km^2, 173 700 hab. Arroz y cocoteros. Oro y hierro. Cap., Boac.
MARINE (voz ing.) m. Soldado de infantería de marina de EE UU y Reino Unido.
MARINEAR intr. Trabajar como marino.
MARINELLO, *Juan* (1898-1977) Escritor y político cub., candidato a la presidencia en 1948. Autor de poemas y ensayos. *Americanismo y cubanismo literarios, Guatemala nuestra.*
MARINER *Astron.* Serie de vehículos espaciales automáticos de la NASA (EE UU), destinados a la exploración de los planetas Venus, Marte y Mercurio.
MARINERADO, DA adj. Tripulado o equipado.
MARINERAZO m. El muy práctico en todas las cosas del mar.
MARINERÍA f. Profesión de hombre de mar. • Conjunto de marineros.
MARINERO, RA adj. Díc. del buque que obedece a las maniobras con facilidad y seguridad. • Díc. también de lo que pertenece a la marina o a los marineros. • m. Hombre de mar que sirve en las maniobras de las embarcaciones. • f. Especie de blusa que llevan los marineros. • Prenda semejante que usan los niños. • *Chile, Ecuad.* y *Perú.* Baile popular. ▪ MARINESCO, CA.
MARINETTI, *Filippo Tommaso* (1876-1944) Poeta it., creador del futurismo, mov. literario opuesto al nacionalismo y al sentimentalismo. Fundador de la revista *Poesía. Futurismo y fascismo, Patriotismo insecticida.*
MARINI, *Giambattista* (1569-1625) Poeta it., creador de un estilo preciosista, recargado y oscuro *(marinismo). Adone.*
MARINISMO m. Tendencia poética del s. XVII, que toma su nombre del it. Giambattista Marini y se caracteriza por el rebuscamiento de las imágenes y la exuberante riqueza verbal.
MARINO, NA adj. Relativo al mar. • m. El que se ejercita en la náutica. • El que sirve en la marina. • f. Conjunto de los buques de una nación. • Conjunto de personas que sirven en la marina de guerra. • Parte de tierra junto al mar. • Pintura que representa el mar. • Arte que enseña a navegar. • **de guerra.** Armada. • **mercante.** Conjunto de buques de una nación que se emplean en el comercio, ▪ MARINISTA.
MARIÑO, *Santiago* (1788-1854) Político y militar ven. En 1814 se unió a Simón Bolivar. Candidato a las elecciones para la presidencia de la rep. (1834), ante la imposición de Vargas se levantó en armas (1835), siendo derrotado.
MARIO, *Cayo* (157-86 a. C.) General y político rom. Reorganizó el ejército. En el año 88 a. C. estalló la guerra civil entre M. y Sila, que duró hasta el 82 a. C. y terminó con la victoria del segundo. Después de la marcha de Sila a Oriente, M. regresó a Roma, fue elegido cónsul y persiguió a sus enemigos.
MARIÓN m. Esturión, pez.
MARIONETA f. Títere que se mueve por medio de hilos.
MARIOTTE, *Edme* (1620-1684) Físico fr. Formuló la ley que establece que, a temperatura constante, el volumen de un gas es inversamente proporcional a la presión a que está sometido.
MARIPÉREZ f. Pieza curva de las trébedes en que se asegura el asa de la sartén.
MARIPOSA f. Insecto volador, del orden lepidópteros. El término se aplica especialmente a las especiales mayores del orden, cuyo tamaño las diferencia de los restantes miembros, conocidos globalmente como polillas o microlepidópteros. • *Cuba.* Pájaro que se cría en domesticidad por su belleza y lo agradable de su canto. • Tuerca para ajustar tornillos. • Especie de candelilla puesta dentro de un vaso de aceite. • *Cuba.* Arbusto de flores blancas que parecen mariposas. • adj. y s. Díc. del estilo de natación en que los brazos se mueven simultáneamente hacia delante y por encima del agua. • **apolo.** Lepidóptero papiliónido de color blanco, con manchas rojas y negras en las alas. • **bella dama.** M. diurna, de colores vistosos, de la familia ninfálidos; sus larvas son velludas y se alimentan de ortigas y cardos. • **cola de golondrina** o **macaón.** Lepidóptero de alas amarillas y negras, y dos apéndices negros en las posteriores. • **de la col.** Lepidóptero de alas blancas, con puntos o borde negros, cuyas larvas se alimentan de hojas de col y de otras crucíferas. • **de la muerte.** Lepidóptero que debe su nombre vulgar al dibujo que presenta el dorso de su tórax, semejante a una calavera. • **de la seda.** Gusano de seda. • **de mar.** Molusco gasterópodo marino, que vive en alta mar y forma parte del plancton. • **monarca.** Lepidóptero amer. de alas rojas y negras, notable por las migraciones que realiza, en las que forma inmensas nubes.
MARIPOSEAR intr. fig. Variar con frecuencia de aficiones y caprichos. • fig. Andar o vagar insistentemente en torno de alguien. • fig. Cortejar el hombre a varias mujeres. ▪ *Perú.* MARIPOSEADOR, RA.
MARIPOSÓN m. Hombre muy galanteador. • Homosexual, maricón.
MARIQUITA f. Insecto coleóptero que se distingue por sus élitros rojos o amarillos con puntos negros. • *Cuba.* Miel o almíbar con queso fresco. • *Argent.* Danza popular. • Perico, ave trepadora. • m. fam. Hombre afeminado u homosexual.
MARISABIDILLA f. fam. Mujer que presume de sabia.
MARISCAL m. Máx. dignidad militar en los ejércitos de numerosos países. • Veterinario, albéitar. • **de campo.** Oficial general, llamado hoy general de división.
MARISCAL, *Javier* (nacido 1950) Dibujante y diseñador esp. Creador de *Cobi*, mascota de los JJ OO de Barcelona 1992.
MARISCALA f. Mujer del mariscal.
MARISCAR tr. Coger mariscos.
MARISCO m. Invertebrado marino, pralm. molusco, aunque también se aplica tal designación a los crustáceos comestibles. ▪ MARISCADOR.
MARISMA f. Terreno bajo que se inunda por las aguas del mar. ▪ MARISMEÑO, ÑA.
MARISMO m. Orzaga, planta marina.
MARISTA adj. y s. Díc. de religiosos del Instituto de los Hermanos Maristas de la Enseñanza, fundado por el Beato Marcelino Champagnat en el s. XIX. Se aplica también a los miembros de la Sociedad de María, fundada en el s. XIX por el abate Colin, y a las Misioneras de la Sociedad de María. • adj. Relativo a dichas congregaciones.
MARITAIN, *Jacques* (1882-1973) Filósofo fr. dedicado al estudio de los problemas de la vida actual, contemplados a la luz del tomismo. *Humanismo integral, De Bergson a Tomás de Aquino.*
MARITAL adj. Relativo al marido o a la vida conyugal.
MARITATA f. *Chile.* Canal para recoger el metal en polvo. • *Chile.* Cedazo de tela metálica usado en los establecimientos mineros. • pl. *Amér.* Trebejos, chismes, baratijas.
MARÍTIMO, MA adj. Relativo al mar.
MARITORNES f. fig. y fam. Moza de servicio ordinaria, fea y hombruna.
MARITZA (búlgaro, *Maritsa*; gr., *Evros*; turco, *Meric*) Río de la pen. Balcánica; 500 km. Nace en el macizo de Rila y desemboca en el Egeo.
MARIVAUX, *Pierre Carlet Chamblain* (1688-1763) Dramaturgo fr. *Los juegos del amor y del azar, La vida de Mariana, El campesino enriquecido.*
MARJAL m. Terreno bajo y pantanoso. • Medida agraria equivalente a 5 áreas y 25 centiáreas.
MARJOLETA f. Fruto del marjoleto.
MARJOLETO m. Espino arbóreo de hojas de borde velloso, flores en corimbos, madera dura y fruto aovado. • Majuelo, espino.
MARJOR m. *Zool.* Mamífero bóvido de las zonas montañosas de Afganistán y Turquestán, con pelaje espeso, cuernos robustos y una cresta helicoidal.
MARKETING (voz ing.) m. Conjunto de con-

cepciones y técnicas que se aplican para obtener un mejor desarrollo comercial.
MARKEVITCH, ***Igor*** (1912-1983) Compositor y director de orquesta sov. Autor de obras instrumentales, ballets y cantatas.
MARKOS, *Markos Vafhiadis*, llamado (nacido 1906) Político gr. Jefe destacado de la resistencia gr. contra la ocupación al. En 1947 constituyó un gobierno provisional de la Grecia libre, que acabó fracasando en 1949.
MARLBOROUGH, ***John Churchill,*** PRIMER DUQUE DE (1650-1722) General brit. Al iniciarse la guerra de Sucesión esp., fue nombrado capitán general de las tropas ing. De grandes dotes políticas y militares, mantuvo la unión de los aliados frente a Luis XIV y consiguió importantes victorias. Su simpatía por los *whigs* le hizo caer en desgracia y fue destituido de todos sus cargos (1710). Con Jorge I los recobró.
MARLO m. *Amér.* Espiga de maíz desgranada.
MARLOWE, ***Christopher*** (1564-1593) Dramaturgo brit., considerado el más directo precursor de Shakespeare. Captó el espíritu isabelino, rompió con los moldes de la preceptiva literaria. *Eduardo II, El gran Tamerlán, El judío de Malta.*
MÁRMARA, ***mar de*** (ant. *Propóntide*) Mar que separa Asia Menor de la Turquía europea. Comunica con el Egeo por el estr. de Dardanelos, y con el mar Negro por el Bósforo.
MARMELLA f. Mamella, apéndice carnoso.
MARMITA f. Olla de metal, con tapadera ajustada y una o dos asas.
MARMITÓN m. Pinche de cocina.
MÁRMOL m. *Geol.* Roca constituida esencialmente por calcita y dolomita. Los m. se originan mediante procesos metamórficos y de recristalización de rocas calcáreas. • fig. Obra artística de mármol. • En los hornos y fábricas de vidrio, plancha de hierro en que se labran las piezas y se trabaja la materia para formarlas. • **De m.** exp. fig. Frío como el mármol, insensible. ■ MARMOLISTA; MARMÓREO, A.
MÁRMOL, ***José*** (1817-1871) Literato arg. Escribió versos, dramas y novelas románticos. *Armonías, Amalia* (novela).
MARMOLEJO m. Columna pequeña.
MARMOLERÍA f. Conjunto de mármoles de un edificio. • Obra de mármol. • Taller donde se trabaja el mármol.
MARMOLILLO m. Guardacantón, poste de piedra. • fig. Persona torpe, azote.
MARMONT, ***Auguste Frédéric Louis-Viesse*** (1774-1852) Mariscal fr. Ayuda de campo de Napoleón en Italia y Egipto, se distinguió en la conquista de Dalmacia. Intervino en las campañas de Alemania y España.
MARMORACIÓN f. Estuco de cal y polvo de mármol con que se cubren las paredes.
MARMOSA f. Especie de zarigüeya cuyas crías cuando nacen tienen apenas el tamaño de un guisante.
MARMOSETE m. Grabado alegórico que suele ponerse al fin de un capítulo o libro.
MARMOTA f. *Zool.* Mamífero roedor de unos 50 cm de largo, propio del hemisferio boreal (altas montañas europeas, estepas eurasiáticas y bosques de América del Norte); pasa el invierno aletargado. • Gorra de abrigo hecha de estambre. • fig. y fam. Persona que duerme mucho. • fig. y fam. Criada.
MARNE Río del N de Francia (cuenca de París). Nace en la meseta de Langres, y tras un recorrido de 525 km, se une al Sena en Charentón. • **Batallas del M.** Nombre de dos batallas libradas en las márgenes del río M. durante la I Guerra Mundial.
MARO m. Planta labiada de fruto seco con semillas menudas. • Amaro, planta.
MAROJO m. Hojas que sólo se aprovechan para el ganado. • Planta muy parecida al muérdago. • Melojo, árbol semejante al roble. ■ MAROJAL.
MAROLA f. Marejada del mar.
MAROMA f. Cuerda gruesa de esparto o cáñamo. • *Amér.* Función de volatines o ejercicios de acrobacia.
MAROMEAR intr. *Amér.* Hacer ejercicios de acrobacia. • fam. *Amér.* Seguir la opinión del partido en el poder. • *Amér.* Mecerse en una hamaca.
MAROMERO, RA m. y f. *Amér.* Acróbata, volatinero. • adj. Díc. de la persona disimulada y astuta. • *Méx.* y *Perú.* Díc. del político que varía de opinión o partido según las circunstancias.
MARÓN m. Esturión, pez. • Morueco, carnero padre.
MARONITA adj. y s. Cristiano del monte Líbano. Los m. dependen, como iglesia, del patriarcado de Antioquía. Aunque el concilio de Constantinopla los condenó en 681, en 1182 se unieron a la ortodoxia de la iglesia catól. rom. Forman una parte imp. de la pob. del Líbano.
MAROT, ***Clément*** (1496-1544) Poeta fr. En sus *Baladas* permanece fiel a las formas poéticas tradicionales de la E. Med. *Epístolas, Epigramas.*
MAROTA f. *Méx.* Marimacho.
MAROTO, ***Rafael*** (1783-1847) Militar esp. Combatió en la guerra de indep. esp. y en Chile, donde fue derrotado por San Martín. Carlista moderado, M. firmó con Espartero el convenio de Vergara en 1839.
MAROZIA o **MAROSIA** (h. 892-h. 937) Princesa toscana que mandó deponer y ajusticiar al papa Juan X, elevando al pontificado a Juan XI, hijo suyo.
MARPLATENSE adj. y s. De Mar del Plata.
MARQUAND, ***John Phillips*** (1893-1960) Novelista norteam. Satírico de la sociedad de su tiempo. *El difunto George Apley.*
MARQUÉS m. Señor de una tierra que estaba en la comarca del reino. • Título que originariamente equivalía a margrave.
MARQUESA f. Mujer o viuda del marqués, o la que por sí goza este título. • Marquesina. • *Chile.* Especie de cama de madera fina y tallada.
MARQUESADO m. Título o dignidad de marqués. • Territorio sobre el que recae este título.
MARQUESAS, ***islas*** Arch. de la Polinesia fr., integrado por dos grupos insulares, el del NE y el del SE, cuyas islas prales. son Nuku-Hiva e Hiva-Oa; 1 274 km², 6 500 hab. Origen volcánico. Costas altas. Árbol del pan, platanero. Protectorado fr. en 1842.
MARQUESINA f. Cubierta que se pone sobre la tienda de campaña para guardarse de la lluvia. • Cobertizo que, desde la fachada, se prolonga sobre una escalinata, puerta, etc.
MARQUESOTE m. *Amér. Centr.* Torta en forma de rombo, hecha de harina de arroz o de maíz, con huevo, azúcar, etc.
MARQUET, ***Albert*** (1857-1947) Pintor fr. Cultivó el paisaje. *Muelle de la Tournelle, El Pont Neuf, Muelle del Louvre.*
MARQUETA f. Pan de cera sin labrar. Las hay de varios pesos y figuras. • *Chile.* Fardo de chancaca en el cual están los panes bien acondicionados. • *Chile.* Fardo de tabaco en rama. • *Ecuad.* Pasta de chocolate sin labrar. • *Guat.* Bloque de cualquier cosa que tiene forma prismática.
MARQUETALIA, ***República de*** Nombre de una organización campesina creada en Colombia durante la guerra civil (1948-1958). Se organizó en la zona montañosa alrededor del mun. de M. Al terminar la guerra civil, los campesinos se negaron a entregar las armas. Tras la represión, muchos de ellos se incorporaron a las guerrillas.
MARQUETERÍA f. Ebanistería, trabajo con maderas finas. • Embutido en las tablas con pequeñas chapas de madera de varios colores.
MÁRQUEZ, ***José Ignacio de*** (1793-1880) Político col. Presid. del congreso de Cúcuta (1821) y de la conversión de Ocaña (1828). Vicepresid. con Santander (1835-1837). Presid. (1837-1841). • ***Leonardo*** (1820-1913) Militar y político mex. Gobernador de Jalisco, venció a los liberales en Tacubaya (1859). General en jefe de Maximiliano (1867). • **Bustillos,** ***Victoriano*** (1858-1941) Político ven. Presid. provisional de la rep. (1915-1922), aunque quien realmente gobernó fue J.V. Gómez.
MARQUINA, ***Eduardo*** (1879-1946) Novelista, poeta y dramaturgo esp. *Las hijas del Cid, En Flandes se ha puesto el sol.* • ***Félix Berenguer de*** (1738-1826) Administrador esp. Virrey de Nueva España (1800-1803), llevó a cabo reformas administrativas.
MARQUISTA m. Persona que se dedica a hacer marcos y molduras para los mismos.
MARRA f. Falta de una cosa donde debiera estar. • Almádena, mazo para romper piedras.

Mármol. Arriba, sección pulimentada de una muestra de rojo de San Vito (Sicilia); abajo, vista de las canteras de Carrara, Italia

Marmota

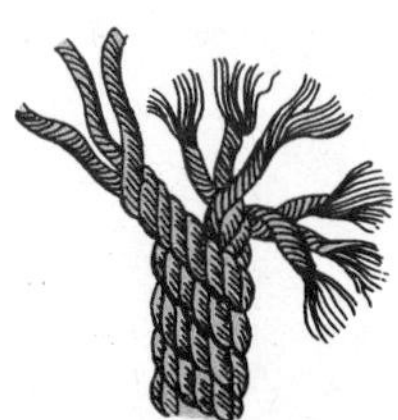

Maroma

Un aspecto del barrio europeo de **Marrakech**

Mapa de situación y bandera de **Marruecos**

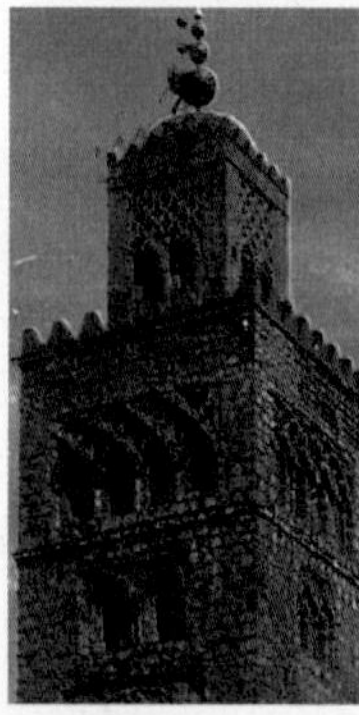

Marruecos. Arriba, vista de Rabat; abajo, alminar de la mezquita de Marrakech

MARRAGA f. Tela de sacos y jergones.
MARRAJO, JA adj. Aplícase al toro o buey que no arremete sino a golpe seguro. • fig. Sagaz e hipócrita. • *Méx.* Tacaño. • m. *Zool.* Pez elasmobranquio, del grupo de los tiburones. Es un animal peligroso, si bien rara vez ataca al hombre.
MARRAKECH C. de Marruecos, al pie del Gran Atlas; 439 700 hab. Ind. alimentarias, textil y del cuero. Centro comercial. Varias veces cap. del país. Mezquitas Kutubiyya (s. XII), de la Kasbah (s. XII) y otras.
MARRANA f. Hembra del marrano. • adj. y f. fig. y fam. Díc. de la mujer sucia o de mal proceder. • f. Eje de la rueda de la noria.
MARRANADA o **MARRANERÍA** f. fig. y fam. Suciedad moral, acción indecorosa o grosera.
MARRANO m. Puerco, cerdo. • adj. y m. fig. y fam. Díc. del hombre sucio o de mal proceder. • m. Cada uno de los maderos que en las ruedas hidráulicas traban con el eje la pieza circular en que están colocados los álabes. • Cada uno de los maderos que forman la cadena del fondo de un pozo. • Pieza fuerte de madera, colocada sobre el tablero de la prensas de torre de los molinos de aceite, que sirve para igualar la presión.
MARRAQUETA f. *Chile.* Pan de forma parecida a la de la bizcochada.
MARRAR intr. Faltar, errar. • fig. Desviarse de lo recto.
MARRAS *(De)* loc. adj. fam. Acompañando a un s., señala que el significado de éste es conocido sobradamente.
MARRASQUINO m. Licor hecho con cerezas amargas y azúcar.
MARRAZO m. Hacha de dos bocas. • *Méx.* Machete corto.
MARRILLO m. Palo corto y algo grueso.
MARRO m. Juego que se ejecuta hincando en el suelo un bolo u otra cosa, y, tirando con el marrón, gana el que lo pone más cerca. • Regate, ladeo del cuerpo para no ser cogido y burlar al que persigue. • Falta, yerro. • Juego en que, colocados los jugadores en dos bandos, procuran cogerse unos a otros. • Palo con que se juega a la tala. • *Méx.* Mazo.
MARRÓN m. Piedra con que se juega al marro. • adj. y s. De color castaño.
MARRONAZO m. *Taur.* Acción de marrar alguna suerte del toreo.
MARROQUÍ o **MARROQUÍN, NA** adj. y s. De Marruecos. • m. Cuero bruñido más delgado que el cordobán, tafilete. • *Ling.* Dialecto ár. occidental hablado en Marruecos.
MARROQUÍN, ***José Manuel*** (1827-1908) Escritor y político col., dos veces presid. de la rep. *El moro, Blas Gil, Amores y leyes.*
MARROQUINERÍA f. Ind. de artículos de piel, cueros o imitación, etc. • Este gén. de artículos. • Taller donde se fabrican o tienda donde se venden. ■ MARROQUINERO, RA.
MARRUBIO m. Planta labiada, de flores blancas en falsos verticilos, y fruto seco con semillas menudas. ■ MARRUBIAL.
MARRUECO, CA adj. y s. Marroquí de Marruecos. • *Chile.* Portañuela. • *Chile.* Bragueta.
MARRUECOS *(al-Mamlaka al Maghrebia)* Estado del NO de África, el más occidental de los Est. del Magreb. Limita al O con el Atlántico, al N con el Mediterráneo, al E y SE con Argelia y al S con el Sahara Occidental. En su relieve destaca la montaña. Al N, el Rif se extiende desde la desembocadura del Muluya hasta el estr. de Gibraltar. Separada del Rif por el valle del Sebou, se extiende la meseta marroquí y, al SO del Rif, las llanuras atlánticas, muy fértiles, limitadas al SE por la cord. del Atlas. Clima mediterráneo oceánico. La agricultura es la base de la economía. Cebada, trigo, maíz, arroz, tomate, olivo y vid. Pesca en constante incremento. Tercer productor mundial de fosfatos. Hierro. Ind. química y textil. Monarquía. Lenguas: ár. (of.), beréber y francés. *Rel.*: islamismo (mayoría), catolicismo, judaísmo. U.M.: el dirham. Cap., Rabat. C. prales.: Casablanca, Marrakech, Fez.
* *Hist.* Habitada desde fechas muy remotas por beréberes, la costa marroquí fue explorada a partir del s. XII a. C. por fenicios y cartagineses. La dominación musulmana arranca del s. VII, aunque el país no fue sometido hasta 710. En terr. marroquí nacieron los imperios almorávide, almohade y benimerín. A partir del s. XV, los europeos (port. y esp.) empezaron a establecerse en M. Pero la intervención europea se hizo efectiva a mediados del s. XIX. En 1906, la conferencia de Algeciras sentó las bases de la división del país en dos protectorados, uno esp. y otro fr. En 1957 M. fue declarado reino y sultán Muhammad ibn Yusuf se convirtió en Muhammad V. A su muerte, le sucedió su hijo Hasán II, actual monarca. En 1969, M. recuperó de España Ifni. En 1974 Hasán II inició una campaña para anexionarse el Sahara esp., organizando una marcha de marroquíes (marcha verde) sobre aquel terr. El acuerdo de Madrid de noviembre de 1975 sancionó la partición del territorio en dos zonas, el N para M. y el S para Mauritania. La ocupación militar marroquí del Sahara topó con la resistencia del Frente Polisario, organización independentista saharaui apoyada por Argelia. En 1978 M. ocupó el S del Sahara occidental, tras el alto el fuego acordado entre Mauritania y el Polisario. Los diferentes planes de paz promovidos por la ONU desde 1988 fracasaron hasta el acuerdo de Houston (1997) que estableció las condiciones para celebrar el referéndum de autodeterminación del Sáhara. Tras la aprobación de una nueva constitución en 1997, M. vivió una cierta apertura política que se afianzó en 1998 con la llegada al gobierno de los socialistas liderados por Abderramán Yussufi. En 1999 murió Hassan II y le sucedió su hijo Mohamed VI.

MARRUECOS

Superficie 458 730 km²	
Población 27 225 000 hab. (59 hab./km²)	
Recursos económicos	
Antimonio	168 t
Azúcar	477 000 t
Cabaña bovina	2 490 000 cabezas
Cabaña caballar	156 000 cabezas
Cabaña caprina	4 424 000 cabezas
Camellos	43 000 cabezas
Cebada	6 080 000 t
Cemento	6 284 000 t
Fertilizantes	338 000 t
Fosfatos	20 375 000 t
Manganeso	15 700 t
Naranjas	672 000 t
Pesca	750 088 t
Plomo	72 100 t
Riqueza forestal	1 987 000 m³
Trigo	1 091 000 t
Indicadores sociológicos	
PNB	29 545 millones de dólares
Renta per cápita	1 110 dólares
Esperanza de vida	67 años
Alfabetismo	44 %

MARRUECOS, ***Campañas de*** Serie de operaciones militares llevadas a cabo por las tropas esp. en ese país norteafricano, entre 1909 y 1926, en relación con los límites fronterizos en torno a Melilla, fijados en 3 km en 1862.
MARRULLERÍA o **MARRULLA** f. Astucia con que, halagando a uno, se pretende engañarle.
MARSALA C. de Italia, en Sicilia; 79 900 hab. Puerto. Centro comercial, industrial y turístico.
MARSÉ, ***Juan*** (nacido 1933) Escritor esp. *Últimas tardes con Teresa, Si te dicen que caí, La muchacha de las bragas de oro* (Premio Planeta 1978).
MARSELLA C. del SE de Francia, cap. de la circunscripción de Provenza-Costa Azul y del dpto. de Bouches-du-Rhône; 800 550 hab. (1 230 900 hab. la agl. urb.). Gran actividad portuaria. Refinerías de petróleo. Centro industrial.
MARSELLÉS, SA adj. y s. De Marsella. • m. Chaquetón de paño burdo, con adornos.
MARSELLESA, ***La*** Himno nacional fr., compuesto en 1792 por Rouget de Lisle.
MARSHALL (*Republic of the Marshall Islands*) Est. insular de Oceanía, integrado por el arch. hom. Sit. en Micronesia, al E de las Carolinas. Forma dos cadenas de atolones coralinos. Plantaciones de coco y exportación de copra. Pesca. Turismo. Grupos étnicos: micronesios. Lenguas: inglés (of.), dialectos

MARSHALL	
Superficie 181,3 km²	
Población 60 300 hab. (333 hab./km²)	
Recursos económicos	
Pesca	290 t
Indicadores sociológicos	
PNB	106 millones de dólares
Renta per cápita	1 890 dólares
Esperanza de vida	63 años
Alfabetismo	91 %

locales. *Rel.*: catolicismo. U. M. : dólar de EE UU. Cap. Dalap-Uliga-Darrit (DUD). Descub. en 1529 por el esp. Álvaro Saavedra y explorado por el ing. Marshall (1768). Posesión al. (1885-1914) y japonesa (1920-1944), bajo fideicomiso de EE UU (1944-1990). Acuerdo de libre asociación con EE UU desde 1986. Desde 1997 el jefe de Est. es Imata Kabua.

MARSHALL, *Alfred* (1842-1924) Economista brit. Introdujo la distinción entre corto y largo plazo en economía. *Principios de economía política.* • ***Bruce*** (1901-1987) Escritor escocés. *El mundo, la carne y el padre Smith, Fraude, La muerte llega a Juan Pablo.* • ***George Catlett*** (1880-1959) Militar y político norteam. Jefe de est. mayor durante la II Guerra Mundial. En 1947, propuso un plan para reconstruir Europa. Premio Nobel de la Paz 1953. • **Plan M.** Programa de reconstrucción europea propuesto por el general M. y adoptado en EE UU por ley de abril de 1948. Lo aceptaron 16 países.

MARSO, SA adj. y s. Díc. del individuo de un pueblo de la ant. Italia. • Díc. del individuo de un ant. pueblo germano. • adj. Relativo a dichos pueblos.

MARSOPA o **MARSOPLA** f. Mamífero cetáceo de la familia delfínidos, de color negruzco en el dorso y blanquecino en el vientre.

MARSUPIAL adj. y s. *Zool.* Díc. de los mamíferos del orden marsupiales. • m. pl. *Zool.* Orden de mamíferos metaterios, primitivos, propios de Australia, islas adyacentes, y América del Sur y Central.
 * *Zool.* Las hembras suelen tener un marsupio, útero y vagina dobles y sin placenta. El desarrollo se inicia en el útero, pero a los pocos días los fetos se arrastran hasta el marsupio, y permanecen allí hasta que están completamente formados.

MARSUPIO m. Bolsa abdominal que poseen casi todos los marsupiales, en la que se hallan las mamas.

MARTA f. Mamífero carnívoro mustélido, de unos 25 cm de alt., de patas cortas y pelo castaño. Vive en los bosques europeos. • Piel de este animal. • **cebellina** o **cibelina.** Especie de marta algo menor que la común, de piel muy estimada.

MARTA (s. I) Santa. Hermana de María de Betania y de Lázaro.

MARTAGÓN, NA m. y f. fam. Persona astuta, reservada y difícil de engañar. • m. *Bot.* Planta herbácea (familia liliáceas), de hojas lanceoladas y flores en racimos terminales. Su raíz se usa como emoliente.

MARTAJAR tr. *Amér.* Quebrar el maíz en la piedra.

MARTE *Astr.* Cuarto planeta del sistema solar por su distancia al Sol (a unos 230 millones de km), y primer planeta exterior. Tiene dos satélites (Fobos y Deimos). • *Mit.* Dios rom. de la guerra, hijo de Júpiter y de Jano, identificado con el Ares griego.
 * *Astr.* La masa de M. es de unos 644 cuatrillones de toneladas, su diámetro es de 6 800 km, la aceleración de la gravedad es de, 3,75 m/seg^2, y la velocidad parabólica 5,0 m/seg. Su atmósfera está formada básicamente por anhídrido carbónico y nitrógeno. En 1997 la nave *Mars Pathfinder* se posó en su superficie para analizar el terreno y tomar nuevas imágenes, y en 1999 la *Mars Global Surveyor* trazó el primer mapa de la superficie del planeta.

MARTENS, *Wilfried* (nacido 1936) Político belga, democratacristiano flamenco. Primer ministro en 1979 y 1981.

MARTENSITA f. *Metal.* Constituyente de los aceros obtenido por enfriamiento rápido de la austenita.

MARTES m. Segundo día de la semana civil, tercero de la litúrgica. Su nombre proviene del latín *Martes dies*, día dedicado a Marte.

MARTÍ, *José Julián* (1853-1895) Pensador, político, revolucionario y escritor cub. Cofundador del partido revolucionario cub., redactó, con Máximo Gómez, el *Manifiesto de Monte Cristi* (1895). Como pensador político, sus ideas se encuentran en cartas y discursos y en varios ensayos: *La República española ante la revolución cubana, Mi raza, El presidio político en Cuba.*

MARTILLAR o **MARTILLEAR** tr. Batir y dar golpes con el martillo. • tr. y prnl. fig. Oprimir, atormentar. ■ MARTILLEO.

MARTILLERO m. *Amér.* El que vende en subasta.

MARTILLO m. Herramienta de percusión, compuesta por una cabeza de acero templado y un mango, que se introduce en la cabeza por un agujero llamado *ojo*. Se utiliza para golpear, ya sea directamente sobre el objeto a trabajar, o bien a través de un útil intermedio. • Llave o martillo con que se templan algunos instrumentos de cuerda. • Pieza que en las armas de fuego a pistón golpea el percutor, provocando la inflamación de la cápsula. • *Anat.* Primero de los huesecillos que, en el oído medio de los mamíferos, integra la cadena ósea encargada de transmitir las vibraciones del tímpano al caracol. • fig. El que persigue una cosa con el fin de sofocarla o acabar con ella. • fig. Establecimiento autorizado, donde se subastan objetos. • **neumático.** El de gran masa, cuyo movimiento —alternativo— de percusión se consigue mediante la acción de aire comprimido. • **A macha m.** m. adv. fig. Forma de expresar que una cosa está construida con más solidez que primor. • fig. Con firmeza. ■ MARTILLADA; MARTILLAZO.

MARTIN, *Pierre* (1825-1915) Ingeniero fr. Descubrió el procedimiento de elaboración de acero sobre solera, que se basa en la refundición de chatarra de acero con adición de arrabio. • **Archer, *John Porter*** (nacido 1910) Bioquímico británico. Premio Nobel de Química en 1952, con Synge, por su invento de la cromatografía sobre papel. • **Du Gard, *Roger*** (1881-1958) Novelista fr. Premio Nobel de Literatura en 1937. *Los Thibault.*

MARTÍN, el Humano (1356-1410) Rey de Aragón y Cerdeña [1396-1410], y de Sicilia [1409-1410]. Hijo segundo de Pedro el Ceremonioso, sucedió en el trono a su hermano Juan I. Fundó la universidad de Barcelona e intentó con escaso éxito resolver el problema social de los payeses de remensa en Cataluña. A su muerte se planteó un grave problema sucesorio que dio lugar al compromiso de Caspe. • **el Joven** (1376-1409) Rey de Sicilia [1390-1409]. Hijo de Martín el Humano, se convirtió en rey de Sicilia al casar con la hija de Federico III. En 1396 heredó de su padre la corona catalanoaragonesa.

MARTÍN V (*Odón Colonna*, 1368-1431) Papa rom. [1417-1431]. Su elección por el concilio de Constanza señaló el fin del cisma de Occidente.

MARTÍN de Tours (s. IV) Santo. Obispo de Tours. Militar rom., abandonó la milicia y fundó una comunidad de ermitaños en Poitiers. Fundó un monasterio en Marmoutier.

MARTÍN Santos, *Luis* (1924-1964) Escritor esp. Su novela *Tiempo de silencio* marcó un hito en la narrativa esp. de posguerra.

MARTÍN DEL RÍO m. Martinete, ave zancuda.

MARTÍN PESCADOR m. Ave coraciforme, de la familia alcedínidos, de plumaje anaranjado en el vientre y azul en el dorso, con manchas blancas en el cuello. El pico es largo y agudo, adecuado para atrapar los peces de los que se alimenta.

MARTINA f. Pez teleósteo del suborden fisóstomos, parecido al congrio, que vive en el Mediterráneo y es comestible.

MARTINETE m. *Zool.* Ave ciconiforme de la familia ardeidos. Alcanza unos 60 cm. de altura. Presenta plumaje castaño, con manchitas blancas. • Mazo pequeño que hiere la cuerda del piano. • Martillo de potencia inferior al pilón, cuyo movimiento se obtiene mecánicamente. • Máquina de guerra usada antiguamente para derribar muros. • Cante de los gitanos andaluces que no necesita de acompañamiento de guitarra.

MARTÍNEZ, *José Luis* (nacido 1918) Escritor mex. Director de la Academia Mexicana de la Lengua. *El ensayo mexicano moderno, Pasajeros de Indias, Viajes transatlánticos del s. XVI* (premio de Cultura Hispánica en 1982). • ***Luis*** (1869-1909) Escritor, pintor y político ecuat. Desempeñó el cargo de ministro de Instrucción Pública en el año 1904. *A la*

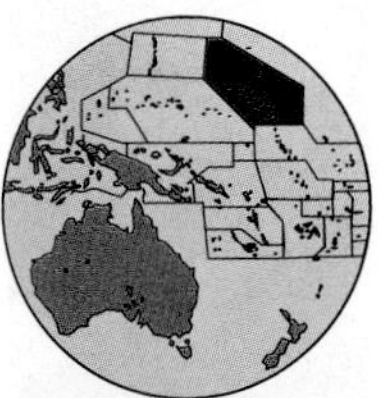

Mapa de situación y bandera de las islas **Marshall**

Canguro, mamífero del orden **marsupiales**

Imagen de **Marte** y el vehículo *Sojourner* tomada por la nave *Mars Pathfinder*

Martín pescador

Arsenio **Martínez Campos**

María Estela **Martínez de Perón**

Detalle de un fresco de Simone **Martini.** Iglesia inferior de San Francisco de Asís, Asís (Italia)

Martinica. Aspecto del litoral, con la ciudad de Saint-Pierre al fondo

costa. • ***Tomás*** (1812-1873) Militar nic. Presidió el gobierno de coalición formado en 1857. Elegido presid. en 1859. Reelegido para el periodo 1863-1867. • **Barrio, *Diego*** (1883-1962) Político esp. Presid. interino de las Cortes durante la Guerra Civil esp. • **Campos, *Arsenio*** (1831-1900) Militar y político esp. Reprimió los mov. republicanos de Barcelona y Valencia a raíz del golpe de Est. de Pavía. Protagonizó el pronunciamiento de Sagunto, que supuso la restauración de la monarquía. • **De Irala, *Domingo*** (h. 1510-1556) Conquistador esp. Formó parte de la expedición a los r. Paraguay y Paraná. • **De la Rosa, *Francisco*** (1787-1862) Político y escritor esp. Destacó por su liberalismo exaltado. Presid. del gobierno que estableció la monarquía constitucional a la muerte de Fernando VII. *Doña Isabel de Solís, Hernán Pérez del Pulgar.* • **De Perón, *María Estela*** (nacida 1931) Política arg. Viuda de Juan Domingo Perón. Vicepresid. de la rep. en las elecciones de 1973, asumió la primera magistratura a la muerte de Perón en julio de 1974. Derrocada por un golpe militar en 1976. • **De Rozas, *Juan*** (1759-1813) Patriota chil. Presidió la Junta de gobierno (1811), hasta su disolución por Carrera. Tras formar otra Junta en Concepción, fue apresado por las tropas de Carrera. • **De Toledo, *Alfonso*** → Arcipreste de Talavera. • **Digido, *Enrique*** (1779-1870) Militar rioplatense. Ministro de Guerra y Marina en Uruguay (1838-1843 y 1853-1855), participó en un intento golpista, tras el cual se exilió en Argentina. • **Estrada, *Ezequiel*** (1895-1964) Escritor arg. Poesía, ensayo y teatro. *Humoresca, Radiografía de la Pampa, Lo que no vemos morir.* • **Marina, *Francisco*** (1754-1833) Historiador esp. Director de la Academia de Historia, fue perseguido por sus ideas liberales. *Discurso sobre el origen de la monarquía y sobre la naturaleza del gobierno español.* • **Montañés, *Juan*** → Montañés, Juan Martínez. • **Moreno, *Carlos*** (nacido 1917) Escritor ur. Cuentos, novelas y crítica teatral. *Los aborígenes, Cordelia, Con las primeras luces, Vida o muerte.* • **Ruiz, *José*** → Azorín. • **Sierra, *Gregorio*** (1881-1948) Poeta y comediógrafo esp. *Canción de cuna, Don Juan de España.* • **Trueba, *Andrés*** (1884-1959) Político ur. Elegido presid. en 1950, propuso una nueva constitución con un poder ejecutivo colegiado. Fue el primer presid. de éste (1952). • **Vigil, *Carlos*** (1870-1949) Escritor y filólogo ur. Cofundador de la Academia Nacional de Letras. *Ligeras nociones de acentuación ortográfica.* • **Villena, *Rubén*** (1899-1934) Escritor y político cub. Comunista, participó activamente en la lucha contra la dictadura de Machado. *La pupila insomne, Un nombre.* • **Zuviría, *Gustavo*** → Wast, Hugo.

MARTINGALA f. Cada una de las calzas que llevaban los hombres de armas debajo de los quijotes. Se usaba más en pl. • Artimaña, artificio para engañar.

MARTINI, *Simone* (1284-1344) Pintor it. de la escuela sienesa, de elegante y decorativo estilo gótico. *Maestà, La Anunciación.*

MARTINICA Isla de las Pequeñas Antillas, entre Dominica y Santa Lucía; 1 100 km², 341 000 hab. Cap., Fort-de-France. Alt. máx.: volcán Mont-Pelée. Caña de azúcar, mandioca y bananas. Ind. azucarera y conservera. Destilerías de ron. Es un dpto. fr. de ultramar.

MARTINICO m. fam. Duende.

MÁRTIR com. Persona que ha padecido muerte, persecución o torturas por mantenerse fiel a una religión o a unas ideas. • fig. Persona que sufre padecimientos por alguna causa o que los soporta con resignación. ■ MARTIRIAL; MARTIRIO; MARTIRIZAR.

MÁRTIR de Anglería, *Pedro* → Anglería, Pedro Mártir de.

MARTIROLOGIO m. Libro o catálogo de los mártires. • P. ext., el de todos los santos conocidos.

MARTORELL, *Bernat* (1427-1452) Pintor esp., conocido como *Maestro de San Jorge.* Dentro del gótico, su estilo revela un gusto costumbrista. • ***Joanot*** (1414-1468) Escritor esp. Típico representante de la nobleza medieval. Su única obra, *Tirant lo Blanch*, es la mejor novela de la literatura catalana.

MARTOS, *Cristino* (1830-1893) Político esp. Presid. del Congreso en 1886. En 1890 intentó formar un partido radical.

MARTOV, *Iuli Ossipovich Tsederbaum*, llamado (1873-1923) Político ruso. En 1903, tras su separación de Lenin, se convirtió en el jefe de los mencheviques.

MARTY, *André* (1886-1956) Político fr. Comunista, organizó las brigadas internacionales durante la guerra civil esp. En 1953 fue expulsado del partido comunista.

MARUCHA f. *Ecuad.* Especie de sarna.

MARUCHO m. *Chile.* Capón que cría la pollada. • fig. *Chile.* Mozo que va montado en la yegua caponera.

MARUGA f. *Cuba.* Maraca.

MARULANDA Vélez, *Pedro Antonio Marín,* llamado ***Manuel*** (¿1930?) Guerrillero col., también conocido como TIROFIJO. En 1966 fundó las Fuerzas Armadas Revolucionarias Colombianas (FARC). En 1984 firmó una tregua con el gobierno.

MARULLO m. Mareta, movimiento de las olas del mar.

MARVELL, *Andrew* (1621-1678) Poeta y político brit. Secretario de Cromwell. Fue famoso por sus libelos contra la intolerancia religiosa. *La definición del amor, El jardín.*

MARVIN, *Lee* (1924-1987) Actor cinematográfico norteam. *Los doce del patíbulo, El hombre que mató a Liberty Valance, La leyenda de la ciudad sin nombre.*

MARX, *Hermanos* Actores cinematográficos norteam: Leonard, llamado **Chico** (1891-1961); Arthur, llamado **Harpo** (1893-1964), y Julius, llamado **Groucho** (1895-1977). En sus inicios colaboró con ellos Herbert, llamado **Zeppo** (1901-1979). *El conflicto de los Marx, Sopa de Ganso, Una noche en la Ópera, Los Hermanos Marx en el Oeste.*

MARX, *Karl* (1818-1883) Filósofo, economista y político al., nacido en Tréveris (Prusia renana). Autor con F. Engels, de *El Manifiesto Comunista,* en el que se trataba abiertamente un nuevo fenómeno social vinculado a la rev. industrial y al capitalismo: la lucha de clases. Las lecturas de los economistas clásicos ing. y de Rousseau, Saint-Simon y Proudhon, le decidieron a incidir en el análisis de la hist. y la sociedad, convirtiéndose en uno de los fundadores de la sociología. Intervino en la fundación de la I Internacional, donde su polémica con Bakunin llevó a la escisión de los anarquistas. Dedicó sus últimos años a escribir su obra cumbre, *El capital,* publicada en gran parte por Engels y Kautsky después de su muerte.

MARXISMO m. Conjunto de ideas filosóficas y sociales elaboradas por Marx y sus seguidores. Engels y Plejánov elaboraron los conceptos de materialismo dialéctico para identificar el método y la filosofía de Marx y el de materialismo histórico para resumir sus teorías acerca de la historia y la sociedad. ■ MARXISTA.

* *Fil.* e *Hist.* Marx arranca de la dialéctica hegeliana, aunque su concepción de la misma sea más creadora. La concepción antropológica de Marx introduce el criterio de relativismo, al considerar la vida como un hecho accidental, pero real. Para Marx, el hombre es un ser social que de un primer estadio de animalidad se socializa mediante el trabajo. Con el modo de producir empieza la historia del hombre. El desarrollo de ese modo de producir generaría contradicciones sociales entre los individuos. Sólo con la recuperación de esa contradicción, en la soc. comunista, el hombre recuperaría su identidad histórica. Marx señaló diversas etapas del desarrollo de la humanidad, fundamentadas en el modo de producir: el modo de producción comunista primitivo, el asiático, el esclavista, el feudal y el capitalista. En el *Manifiesto Comunista* y en *La ideología alemana* señala que el paso de un modo de producción a otro no es evolutivo, sino que es un proceso revolucionario. Con su estudio en profundidad del capitalismo, Marx aportó a la economía conceptos como el de plusvalía y el de concentración de capitales. La primera corriente marxista se plasmó en la socialdemocracia, en la que destacaron Engels, Bernstein y Kaustky. Al estallar la I Guerra Mundial surgieron otras corrientes revolucionarias, de las que el leninismo fue la de mayor relieve al producirse la Rev. rusa (1917). Asimismo, el estalinismo, el trotskismo, el maoísmo y el guevarismo se han reclamado como corrientes herederas del marxismo, y, en la década de los setenta, el eurocomunismo.

MARYLAND Est. del E de EE UU, a orillas del Atlántico; 27 092 km², 4 781 000 hab. Cap., Annápolis; c. pral.: Baltimore. En el relieve se distinguen los Apalaches, el piedemonte apalachiano y la llanura costera. R.: Potomac y Susquehanna. Clima templado-húmedo. Tabaco, maíz, heno, soja y frutales. Pesca. Hierro, carbón, gas natural, cobre y mármol. Ind. alimentaria, química, de maquinaria eléctrica, aeronáutica.

MARZO m. Tercer mes del año. Tiene 31 días. Era el primer mes del antiguo calendario rom. y estaba dedicado a Marte.

MARZOLETA f. Fruto del marzoleto.

MARZOLETO m. Marjoleto, majuelo.

MAS conj. adversativa. Pero. • Sino.

MÁS adv. comp. con que se denota la idea de exceso, aumento o superioridad en comparación expresa o sobrentendida. • Denota a veces aumento indeterminado de cantidad expresa. • Denota asimismo idea de preferencia. • Se usa como sustantivo. • m. Signo de la suma o adición, que se presenta por el signo +. • **A lo m.** m. adv. A lo sumo, en el mayor grado posible. • **A m. y mejor.** m. adv. Con gran intensidad y abundancia. • **De m.** loc. adv. De sobra. • **Ni m. ni menos.** loc. adv. En el mismo grado; justa y cabalmente; sin faltar ni sobrar. • **Por m. que.** loc. adv. Aunque.

MASA f. *Fís.* Propiedad fundamental de la materia, definida como «cantidad de materia». • Mezcla que resulta de la incorporación de un líquido con una materia pulverizada. • La que se forma con harina, agua y levadura, para hacer el pan. • fig. Muchedumbre o conjunto de numerosas personas. • *Min.* Lechos de piedra de una cantera. • **atómica.** *Fís.* M. de un átomo en reposo. • **crítica.** *Fís.* En la bomba atómica de fisión, m. mínima necesaria para la reacción en cadena. • **encefálica.** Encéfalo. • **específica.** Densidad. • **gravitatoria.** *Fís.* Relación entre la fuerza de atracción que ejerce la Tierra sobre un cuerpo y la aceleración de la gravedad. • **inercial.** *Fís.* Constante de proporcionalidad entre las fuerzas aplicadas a un cuerpo y las aceleraciones producidas. • **molecular.** Peso molecular. • **monetaria.** Capacidad global de unidades monetarias de que dispone un país en un momento determinado. • **patrimonial.** Conjunto de elementos patrimoniales homogéneos, agrupados según un criterio contable. • **Defecto de m.** Diferencia entre la suma de las m. de las partículas de un núclido en reposo y la masa atómica de este.

* *Fís.* La teoría de la relatividad ha demostrado: a) que la m. no es constante, sino que varía en función de la velocidad, y b) que existe una equivalencia entre m. y energía.

MASACCIO, *Tommasso di Giovanni*, llamado (1401-h. 1428) Pintor it. Junto con Donatello y Brunelleschi, está considerado uno de los iniciadores del primer renacimiento florentino. Decoración al fresco de la Capilla Brancacci, en Florencia.

MASACO m. *Bol.* Amasijo de plátano asado, molido en mortero, con queso o picadillo de carne.

MASACRAR tr. Asesinar, matar en masa. ■ MASACRE.

MASADÁ f. Casa de campo y de labor con tierras, apero y ganados. ■ MASADERO.

MASADA (heb., *Mesadá*) Ant. fortaleza judía, sit. sobre una colina sobre el mar Muerto. En 72-73 fue aniquilada por el ejército rom.

MASAGRÁN f. *Amér.* Refresco de café y limón.

MASAI o **MASSAI** adj. y s. Díc. de individuos de un pueblo melanoafricano de caracteres raciales próximos a los de los etiópidos. Viven al E del lago Victoria, en la zona fronteriza de Kenia (unos 155 000) y Tanzania (50 000), y se dedican al pastoreo. • adj. Relativo a este pueblo.

MASAJE m. Manipulación de diversas partes del cuerpo con fines terapéuticos mediante el frotamiento, el amasamiento y la percusión. ■ MASAJISTA.

MASAMUDA adj. y s. Díc. de individuos de la tribu beréber de Masmuda, de cuyo seno salieron los almohades. • adj. Relativo a esta tribu.

MASAN C. del S de la República de Corea; 386 800 hab. Puerto comercial y pesquero.

MASAR tr. Amasar. • Dar masaje.

MASARYK, *Jan* (1886-1948) Político checo. Tras el golpe de Praga de 1948, se suicidó. • *Tomas Garrigue* (1850-1937) Político checo, padre del anterior. En 1916 creó el Consejo nacional Checoslovaco y al instaurarse la rep. fue elegido presid. (1918) y reelegido en 1920, 1927 y 1934.

MASATO m. *Bol.* Bebida fermentada de plátano. • *Col.* Dulce de nuez de coco, maíz, y azúcar. • *Perú.* Mazamorra de plátano, yuca o boniato, que hacen los indios.

MASAYA Dpto. del O de Nicaragua; 690 km², 230 800 hab. Cap., la c. hom. Sit. entre los lagos de Nicaragua y Managua. Lo accidenta la cord. volcánica del Pacífico, con el volcán que le da nombre. Clima subtropical. Tabaco, café, azúcar, yuca, algodón y arroz. • C. de Nicaragua, cap. del dpto. hom.; 75 000 hab.

MASBATE Isla de Filipinas, en el arch. de las Visayas. Junto con algunos islotes constituye la prov. hom. (4 048 km², 584 500 hab.). Cap., Masbate (52 900 hab.). Arroz, maíz, cocoteros, abacá. Oro y cobre.

MASCABADO, DA adj. Díc. del azúcar que desde el tacho se pasa a los bocoyes de envase con su melaza.

MASCADA f. Puñetazo en la boca. • *Chile.* Bocado o porción de comida que de una vez cabe en la boca. • *Argent.* Porción de tabaco que se toma de una vez en la boca para mascarlo. • *Méx.* Pañuelo de seda con que los hombres se cubren el cuello. • *Argent.* Utilidad, provecho.

MASCADIJO m. Sustancia aromática para perfumar el aliento.

MASCADURA f. Acción de mascar. • *Hond.* Pan o bollo que se toma con el café o chocolate.

MASCAGNI, ***Pietro*** (1863-1945) Compositor it., representante del verismo. *Cavallería rusticana, Il piccolo Marat.*

MASCAR tr. Partir y desmenuzar la comida con la dentadura. • fig. y fam. Mascullar. • prnl. *Mar.* Dicho de un cabo, rozar.

MÁSCARA f. Figura de cartón, plástico, tela o alambre, con que una persona puede taparse el rostro para no ser conocida. • Traje singular o extravagante con que alguno se disfraza. • Tela que cubre la boca y nariz del cirujano y sus ayudantes en las operaciones quirúrgicas. • Careta de los colleneros. • Careta que se usa para impedir la entrada de gases nocivos en las vías respiratorias. • fig. Pretexto, disfraz. • com. fig. Persona enmascarada. • pl. Reunión de gentes vestidas de máscara, y sitio en que se reúnen. • Mojiganga; mascarada. • **Quitarse** uno **la m.** fig. Dejar de disimular; decir lo que siente. ■ MASCARERO, RA.

MASCARADA f. Baile o fiesta de personas enmascaradas. • Comparsa de máscaras. • fig. Farsa, enredo, trampa para engañar.

MASCARENHAS, *Pedro* (m. 1535) Navegante port. Descubridor de las islas Mauricio, Reunión, Rodrigues y Cargados.

MASCAREÑAS Arch. del Índico, sit. al E de Madagascar y formado por las islas Mauricio, Reunión, Rodrigues y Cargados.

MASCARILLA f. Máscara que sólo cubre el rostro desde la frente hasta el labio superior. • Vaciado que se saca sobre el rostro de una persona o escultura y particularmente de un cadáver. • Máscara de cirujano. • Aparato que facilita la inhalación de oxígeno, gases anestésicos, etc., según la finalidad o usos. • En cosmética, preparado utilizado a modo de máscara.

MASCARÓN m. Cara disforme o fantástica que se usa como adorno en ciertas obras de arquitectura. • **de proa.** Figura colocada como adorno en lo alto del tajamar de los barcos.

MASCATE Y OMÁN → Omán.

MASCOI adj. y s. Díc. de individuos de una tribu amerindia que habita en el N del Chaco. • adj. Relativo a dicha tribu. • m. pl. Esta misma tribu.

MASCÓN m. *Hond.* Estropajo.

MASCOTA f. Animal u objeto al que se atribuyen virtudes mágicas.

MASCUJAR tr. fam. Mascar mal o con dificultad. • fig. y fam. Mascullar.

MASCULILLO m. Cierto juego de muchachos. • fig. Porrazo, golpe.

MASCULINO, NA adj. Que está dotado de órganos para fecundar. • Relativo a este ser. • Propio del varón. • fig. Varonil, enérgico. • *Gram.* Gén. masculino. ■ MASCULINIDAD.

MASCULLAR tr. fam. Mascar torpemente. • fam. Hablar entre dientes o pronunciar mal las palabras.

Karl **Marx**

Jóvenes **masai**

Máscara nepalí

Mascarón de proa típico de los barcos del río San Francisco (Brasil)

Prensa, el más antiguo de los grandes **mass media**

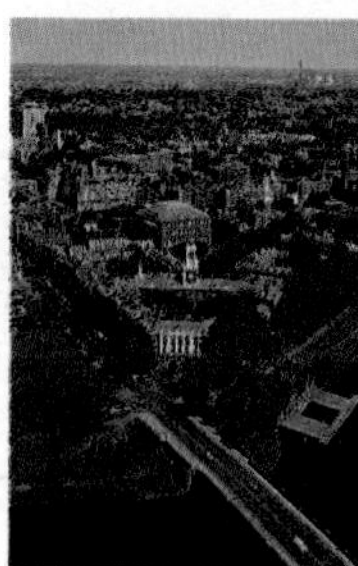

Massachussets. Vista de la ciudad de Boston, con la universidad de Harvard a orillas del río Charles

André **Masson**

MASDEU, ***José Francisco de*** (1744-1817) Escritor español. Autor de una controvertida *Historia crítica de España.*

MÁSER m. Dispositivo generador y amplificador de ondas electromagnéticas coherentes.

MASERA f. Artesa grande que sirve para amasar. • Piel de carnero o lienzo en que se amasa la torta. • Paño con que se abriga la masa para que fermente. • Crustáceo marino.

MASERU C. de Lesotho, cap. del reino; 29 000 hab.

MASETERO adj. y m. *Anat.* Músculo de la cara, que se extiende desde el arco cigomático hasta el maxilar inferior. Su acción pral. es la de elevar la mandíbula.

MASHHAD o **MESHED** C. del NE de Irán, cap. de Khorasán; 667 800 hab. Centro comercial.

MASI f. *Bol.* Especie de ardilla.

MASIADA f. *Amér. Centr.* Apuesta.

MÁSICO, CA adj. Relativo a la masa, cantidad de materia de un cuerpo. • m. Vino famoso de la ant. Roma.

MASICOT m. Variedad del monóxido de plomo. Es un polvo amarillo pesado que se obtiene calentando el carbonato de plomo al aire.

MASIFICACIÓN f. Proceso mediante el cual un grupo humano adquiere las características de masa.

MASILIO, LIA adj. y s Díc. de individuos de un pueblo de África antigua. • Mauritano. • adj. Relativo a este pueblo.

MASILLA o **MÁSTIC** f. Pasta hecha de tiza y aceite de linaza, que se usa para sujetar los cristales, tapar agujeros, etc. • Pasta compuesta pralm. de minio, que se emplea en las uniones de tuberías de plomo y otras conducciones.

MASINISA (h. 240-148 a. C.) Rey de Numidia. Se alió con los rom. en su lucha contra los cartagineses en África.

MASIP, ***Vicente Juan*** (h. 1523-1579) Pintor esp. Se le conoce también por el seudónimo de JUAN DE JUANES. Sus obras se distinguen por el misticismo de sus personajes. *Salvador Eucarístico, Ecce Homo, La Santa Cena, La Inmaculada.*

MASIRE, ***Quett*** (nacido 1925) Político de Botswana. Presid. de la república desde 1980.

MASITA f. *Mil.* Dinero que del haber de los soldados y los cabos retenía el capitán para proveerlos de zapatos y de ropa interior. • *Amér.* Pastelito, galletita.

MASIVO, VA adj. Díc. de la dosis de un medicamento cuando se aplica cerca del límite máx. de tolerancia del organismo. • fig. Díc. de lo que se aplica en gran cantidad. • Relativo a las masas humanas.

MASLO m. Tronco de la cola de los cuadrúpedos. • Astil o tallo de una planta.

MASÓN, NA m. y f. Miembro de la masonería. • m. Bollo hecho de harina y agua, sin cocer, para cebar las aves.

MASON, ***James*** (1909-1984) Actor cinematográfico y teatral norteam., de origen brit. *Lolita, Pandora o el holandés errante.*

MASONERÍA f. Asociación secreta de personas que profesan la fraternidad universal, se reconocen mediante signos y emblemas y se dividen en grupos llamados logias, dependientes de una organización central *(Gran Logia* o *Gran Oriente).* También recibe el nombre de francmasonería. ■ MASÓNICO, CA.

MASOQUISMO m. Trastorno psicosexual en el que se obtiene el placer orgástico a través del dolor físico y de diversas humillaciones. • P. ext., complacencia en el dolor propio. ■ MASOQUISTA.

MASORA f. Doctrina crítica de los rabinos acerca del texto heb. de la Biblia para conservar su genuina lectura y facilitar su comprensión.

MASS media (voz ing.) m. pl. *Soc.* Comunicación de masas; conjunto de técnicas modernas que permiten a un actor social dirigirse a un público muy numeroso; prensa, radiodifusión, cine, televisión y cartel.

MASSA C. de Italia, cap. de la prov. de Massa-Carrara; 66 700 hab. Ind. siderúrgica, mecánica, textil. Mármol.

MASSACHUSETTS Est. del NE de EE UU, en Nueva Inglaterra, junto a la costa atlántica; 21 456 km^2, 6 016 000 hab. Cap., Boston. C. prales.: New Bedford y Springfield. Accidentado a O, el centro está constituido por una meseta ondulada, y al E y al S se extiende una amplia llanura costera. Clima oceánico. Agricultura. Ganadería. Pesca. Est. altamente industrializado en el que destacan las de maquinaria eléctrica y electrónica, conservera, textil, del calzado, alimentaria y del caucho.

MASSENA, ***André*** (1758-1817) Mariscal fr. Destacó en la campaña de Italia a las órdenes de Bonaparte.

MASSENET, ***Jules*** (1842-1912) Compositor fr. *Manon, Werther, Don Quijote, Thais.*

MASSÓ, ***Bartolomé*** (1830-1907) Revolucionario cub. Luchó en apoyo del mov. iniciado por Martí en Baire. Nombrado presid. de la rep. en armas.

MASSON, ***André*** (1896-1987) Pintor fr. Impulsor del mov. superrealista, evolucionó del cubismo a una abstracción expresionista. También escultor y escenógrafo. *Ceremonias, Figuras tutelares.*

MASTABA f. Tumba egipcia en forma de pirámide truncada.

MASTATE m. *Amér. Centr.* Taparrabos usado por los aztecas. • Corteza de árbol con que los indígenas hacen sus taparrabos y otras telas. • Esta misma tela.

MASTECTOMÍA f. *Cir.* Extirpación de la glándula mamaria.

MÁSTEL m. Palo derecho que sirve para mantener una cosa.

MASTELERO m. *Mar.* Palo menor que se pone en las embarcaciones de vela redonda sobre cada uno de los mayores.

MASTERIO adj. y m. *Anat.* Músculo de la cara. Se extiende desde el arco cigomático hasta el maxilar inferior.

MASTICACIÓN f. Acción de masticar. Se trata de un proceso mecánico por el cual los alimentos sólidos son cortados, aplastados y triturados en la boca por medio de los maxilares y dientes.

MASTICADOR, RA adj. Que mastica. • m. Mastigador. • Instrumento con que se tritura la comida para facilitar la ingestión. • adj. Díc. del aparato bucal apto para la masticación y del animal que tiene este aparato. • Díc. de los músculos que intervienen en la masticación.

MASTICAR tr. Mascar, desmenuzar la comida con los dientes. • fig. Rumiar o meditar.

MASTICATORIO, RIA adj. y m. Díc. de lo que se mastica con un fin medicinal. • adj. Que sirve para masticar.

MASTIGADOR m. Especie de freno que se pone al caballo para excitarle la salivación y el apetito.

MÁSTIL m. Palo de una embarcación. • Mastelero. • Palo derecho que sirve para mantener una cosa. • Pie o tallo de una planta cuando se hace grueso y leñoso. • Parte del astil de la pluma, en cuyos costados nacen las barbas. • Faja ancha que usaban los aztecas. • Parte más estrecha de la guitarra y de otros instrumentos de cuerda, situada sobre el mango.

MASTÍN, NA adj. y s. Díc. de los perros de raza molosoide, gran tamaño y pelaje largo, que se emplean como perros de guarda y labor.

MASTINGAL m. *Méx.* Gamarra, tipo de correa.

MÁSTIQUE m. Almáciga, resina. • Pasta de yeso mate y agua de cola que sirve para igualar las superficies que se han de pintar.

MASTITIS f. *Pat.* Inflamación de las mamas.

MASTODONTE m. *Pal.* Mamífero proboscídeo fósil, que vivió durante los períodos mioceno y plioceno de la era terciaria. Una especie pervivió en América del Sur hasta la prehistoria más reciente. • fig. y fam. Persona o cosa de gran tamaño.

MASTOIDES adj. y f. *Anat.* De forma de pezón. Díc. de la apófisis del hueso temporal, sit. detrás y debajo de la oreja.

MASTOZOO, A adj. y m. Mamífero.

MASTOZOOLOGÍA f. Rama de la zoología que se ocupa del estudio de los mamíferos.

MASTRANZO m. Planta labiada, aromática, que crece junto a las corrientes de agua.

MASTROIANNI, ***Marcello*** (1923-1996) Actor cinematográfico y teatral it. *Las noches blancas, La dolce vita, La noche, Crónica familiar, Divorcio a la italiana, Ocho y medio, El extranjero, Una jornada particular, Ojos negros.*

MASTUERZO m. *Bot.* Planta herbácea crucífera, de olor desagradable, comestible; se usa como insecticida. • Berro. • adj. y s. fig. Díc. del hombre necio, torpe, majadero.

MASTURBARSE prnl. Proporcionarse solitariamente goce sexual. ■ MARTURBACIÓN; MASTURBADOR, RA.
MASURIA Región del N de Polonia, boscosa y lacustre. Hasta 1945 perteneció a Alemania, siendo adjudicada a Polonia en la conferencia de Yalta.
MASURIO, A adj. Relativo a Masuria. • adj. y s. Díc. de individuos de un pueblo de origen polaco, pero de sentimiento nacional al., que vive en dicha región. • m. *Quím.* Ant. nombre (símb. *Ma*) del tecnecio.
MATA f. Forma etológica vegetal caracterizada por mantener sus yemas perdurantes próximas al suelo. Comprende plantas leñosas reptantes o enanas, y vegetales pulvinuliformes. • Ramito o pie de una hierba. • Terreno poblado de árboles de una misma especie. • Lentisco, • Matorral. • *Méx.* y *Ven.* Monte pequeño. • *Ecuad.* Matadura. • *Metal.* Sulfuro que se forma al fundir menas azufrosas, crudas o incompletamente calcinadas.
MATA, *Andrés* (1870-1931) Poeta ven. Evolucionó del modernismo al romanticismo. *Arias sentimentales.* • ***Gonzalo Humberto*** (1904-1988) Escritor ecuat. Novelas y antologías. *Sumag Allpa, Galope de volcanes, Historia literaria del Ecuador.* • ***Hari****, Margaretha Geertruida Zelle*, llamada (1876-1917) Bailarina hol. Acusada de espionaje a favor de Alemania durante la I Guerra Mundial, fue fusilada. • **Linares, *Benito de la*** (s. XVIII) Administrador colonial esp. Oidor de las audiencias de Chile (1776) y de Lima (1780), gobernador intendente de Cuzco (1784) y regente de la audiencia de Buenos Aires (1787).
MATABELÉ adj. y s. Díc. de individuos de un pueblo zulú de Zimbabwe, de lengua bantú. • adj. Relativo a dicho pueblo. • m. pl. Este mismo pueblo.
MATABUEY f. Amarguera, planta umbelífera amarga. • *Amér. Centr.* Travesaño de la carreta.
MATABURROS m. *Amér. Centr.* Aguardiente fuerte.
MATACABRAS m. Viento del N fuerte y frío.
MATACALLOS m. *Chile* y *Ecuad.* Planta cuyas hojas se emplean para curar los callos.
MATACÁN m. Composición venenosa para matar los perros, estricnina. • Nuez vómica. • Liebre que ha sido ya corrida por los perros. • Piedra grande de ripio que se puede coger con la mano. • *Ecuad.* Entre cazadores, cervato. • *Hond.* Ternero grande y gordo. • Obra voladiza en lo alto de un muro, de una torre o de una puerta fortificada.
MATACANDELAS m. Instrumento que, fijo en el extremo de una caza, sirve para apagar las velas o cirios colocados en alto.
MATACANDIL m. Planta crucífera, común en terrenos algo húmedos.
MATACANDILES m. Planta liliácea, muy común en terrenos secos.
MATACHÍN m. Jifero, el que mata las reses. • fig. y fam. Hombre pendenciero, camorrista.
MATACO adj. y s. Díc. de individuos de un pueblo indígena del Chaco central y occidental (Argentina). • adj. Relativo a dicho pueblo. • m. Especie de armadillo. • Árbol de madera dura, propio del Chaco.
MATADERO m. Sitio donde se mata el ganado para el abastecimiento público. • fig. y fam. Trabajo muy penoso. • fam. *Amér.* Picadero, cuarto de soltero.
MATADOR, RA adj. y s. Que mata. • m. fig. y fam. Feo, de mal gusto. • Espada, torero.
MATADURA f. Llaga o herida que el roce del aparejo produce a una caballería.
MATAFUEGO m. Instrumento para apagar los fuegos. • Bombero.
MATAGALLOS m. Aguavientos, planta.
MATAGALPA Dpto. de Nicaragua; 6 929 km², 322 300 hab. Cap., la c. hom. Sit. en el escudo nicaragüense, está accidentado por las cordilleras. Dariense e Isabelia. Café, azúcar, cacao, cereales, arroz. Ganadería. Explotación forestal. • C. de Nicaragua, cap. del dpto. hom.; 37 000 hab.
MATAGUSANO m. *Guat.* y *Hond.* Conserva de corteza de naranja y miel de rapadura.
MATAHAMBRE m. *Cuba.* Dulce de yuca, huevo y azúcar. • *Argent.* Matambre.
MATAJUDÍO m. Mújol, pez.
MATALAHÚVA f. Anís, la planta y su semilla.
MATALOBOS m. Acónito, planta.
MATALÓN, NA adj. y s. Díc. de la caballería flaca y que rara vez se halla libre de mataduras.
MATALOTAJE m. Provisión de comida que se lleva en una embarcación. • fig. y fam. Conjunto de muchas cosas diversas y mal ordenadas.
MATALOTE adj. y s. Matalón. • m. *Mar.* Buque anterior y buque posterior a cada uno de los que forman una columna.
MATAMARIDOS f. fig. y fam. Mujer que se casa y enviuda más de una vez.
MATAMATA f. *Ven.* Tortuga acuática feroz.
MATAMBA f. *Amér. Centr.* Palmera usada para fabricar canastos.
MATAMBRE m. *Argent.* Lonja de carne que se saca de entre el cuero y el costillar de los animales vacunos.
MATAMOROS adj. Valentón, el que se jacta de valiente.
MATAMOROS C. de México, en el est. de Tamaulipas, a orillas del río Grande, en la frontera con EE UU; 186 100 hab. Centro algodonero. Ind. alimentarias. Aeropuerto.
MATAMOROS, *Mariano* (1770-1814) Caudillo insurgente mex., colaborador de Morelos. Participó en la toma de Oaxaca y ganó las batallas de Tonalá y San Agustín de Palmar (1813).
MATAMOSCAS m. Instrumento o sustancia para matar moscas.
MATANCERO, RA adj. y s. De Matanzas. • m. *Amér.* Matarife, jifero.
MATANGA f. *Méx.* Juego de muchachos en el cual uno procura quitarle al otro un objeto que éste tiene en la mano, dándole un golpe en ella.
MATANZA f. Acción de matar. • Mortandad de personas ejecutadas en una batalla, etc. • Operación de matar los cerdos y de preparar la carne. • Época del año en que se matan los cerdos. • Conjunto de embutidos que se hacen al matar el cerdo. • *Amér. Centr.* Tienda donde se vende carne, carnicería.
MATANZA, *La* Partido de Argentina, en la prov. de Buenos Aires; 949 600 hab.
MATANZAS Prov. del NO de Cuba, que se extiende desde la costa del estr. de Florida hasta el mar Caribe; 12 122 km², 596 000 hab. Cap., la c. hom. Llanura central atravesada por las sierras de las Alturas. La mitad S está formada por la pen. de Zapata, de tierras pantanosas. Caña de azúcar, arroz, henequén, yuca. Cromo, asfalto y yeso. • C. de Cuba, cap. de la prov. hom.; 119 500 hab. Centro agrícola, ganadero, comercial, industrial y turístico. Puerto pesquero y exportador.
MATAOJO m. *Amér.* Árbol sapotáceo cuyo humo irrita mucho los ojos.
MATAPÁN *(Tenaron)* Cabo de Grecia, en el extremo meridional del Peloponeso.
MATAPARIENTES m. Hongo basidiomiceto de la familia boletáceas, de carne blanquecina, que al exponerse al aire se vuelve violácea. Es venenoso.
MATAPERICO m. *Col.* y *Ven.* Capirotazo, golpe.
MATAPERREAR intr. *Amér.* Travesear.
MATAPERROS m. fig. y fam. Muchacho callejero y travieso. ■ MATAPERRADA.
MATAPIOJOS m. *Chile* y *Col.* Caballito del diablo, libélula.
MATAPOLVO m. Lluvia o riego tan pasajero y menudo, que apenas baña la superficie del suelo.
MATAQUINTOS m. Cigarrillos de sabor muy fuerte, de mala calidad.
MATAR tr. y prnl. Quitar la vida. • Apagar. • Herir y llagar la bestia por rozarle el aparejo u otra cosa. • tr. Hablando de la cal o el yeso, quitarles la fuerza echándoles agua. • En los juegos de cartas, echar una superior a la que ha jugado el contrario. • Tratándose de las barajas, marcarlas para hacer trampas. • Apagar el brillo de los metales. • Tratándose de aristas, vértices, etc., redondearlos o achaflanarlos. • Inutilizar en las oficinas de correos los sellos pegados en las cartas y otros envíos postales. • fig. Incomodar, fastidiar. • fig. Estrechar, violentar. • fig. Extinguir, aniquilar. • *Pint.* Rebajar un color o tono. • prnl. fig. Trabajar con afán y sin descanso. • intr. Hacer la matanza del cerdo.
MATARIFE m. Jifero, el que mata las reses.
MATARÓ Mun. de España, en la prov. de Barcelona; 102 018 hab. Importante centro productor de géneros de punto.

Mástil de un velero (parte coloreada)

Mastín

Mataparientes

MATARRATAS adj. y s. Sustancia propia para matar ratas. • m. y fam. Aguardiente de ínfima calidad y muy fuerte.
MATARRUBIA f. Coscoja.
MATASANO m. *Hond.* y *Salv.* Planta rutácea.
MATASANOS m. fig. y fam. Curandero o mal médico.
MATASARNA m. *Ecuad.* y *Perú.* Árbol leguminoso usado para curar la sarna.
MATASELLOS m. Estampilla con que se inutilizan los sellos de las cartas. • Marca o dibujo estampado por este instrumento.
MATASIETE m. fig. y fam. Fanfarrón, hombre que presume de valiente.
MATASUEGRA com. *Chile.* Persona que entretiene a la madre, para que el novio converse con la hija.
MATASUEGRAS m. Objeto de broma que consiste en un tubo enroscado de papel que se extiende al soplar por un extremo.
MATASUELO m. *Chile.* Costalada.
MATATE m. *Amér.* Red en forma de bolsa.
MATATÍAS m. Prestamista, usurero.
MATATUDO, DA adj. *Bol.* De hocico muy largo.
MATATÓS m. *Amér. Centr.* Matanza, juego de niños.
MATAZÓN f. *Amér.* Matanza.
MATCH (voz ing.) m. Competición deportiva entre dos personas o equipos.
MATE adj. Amortiguado, sin brillo. • m. Situación de una partida de ajedrez en la que el rey de uno de los bandos se halla en jaque, sin que se pueda capturar la pieza atacante, obstruir la acción de ésta, ni ocupar con el rey las casillas contiguas. • *Bot.* Arbusto originario de Sudamérica, de 3 a 6 m de alt., cuyas hojas contienen un 2,5 % de cafeína y se consumen en forma de infusión. • Hojas de mate, secas y empaquetadas. • *Argent.* Calabacera, planta. • *Amér.* Calabaza que, seca y vaciada, sirve para multitud de usos domésticos. • *Chile* y *Perú.* Lo que cabe en una de estas calabazas. • *Argent.* Calabaza, fruto de la calabaza, especialmente el que se usa para preparar y servir la infusión de yerba. • *Argent.* P. ext., cualquiera de los recipientes que se emplean para tomar la infusión de yerba o para adorno. • *Argent.* Infusión de yerba mate, o de cualquier hierba medicinal, que se toma con bombilla. • fam. *Amér.* Cabeza. • fig. y fam. *Argent.* Juicio, talento, capacidad.
MATEAR tr. Sembrar las simientes o plantar las matas. • intr. y prnl. Extenderse las matas de trigo y de otros cereales echando muchos hijuelos. • tr. Registrar las matas el perro o el ojeador en busca de la caza. • intr. *Amér. Merid.* Tomar la infusión llamada mate. • *Chile.* Mezclar un líquido con otro. • tr. *Chile.* Dar mate en el ajedrez. ■ *Argent.* MATEADA; *Amér.* MATERO, RA.

La **Matemática** y Pitágoras en la tabla *Las siete artes liberales*, de Jacopo da Ponte. Museo del Prado, Madrid

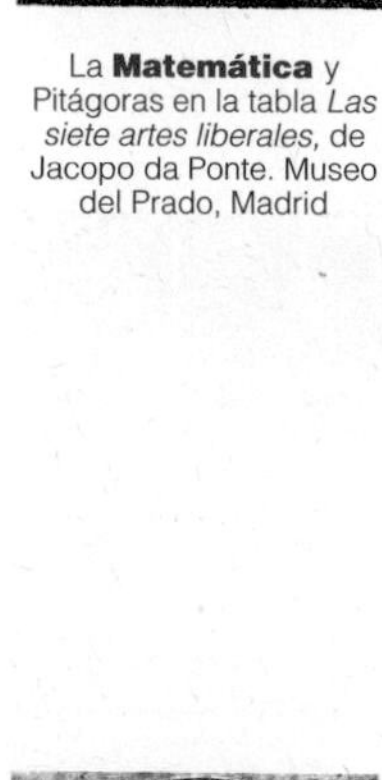

El evangelista san **Mateo,** según el *Codex Aureus* de Canterbury (s. VIII)

MATEMÁTICA f. Ciencia que estudia las magnitudes numéricas y espaciales y las relaciones que se establecen entre ellas. ■ MATEMÁTICO, CA.
* Para los ant. griegos, la m. representaba la ciencia dedicada al estudio de las propiedades generales de los números (aritmética) y las figuras (geometría). Mucho más tarde adquirieron carácter autónomo otras ramas: el álgebra, el análisis, las varias derivaciones de la geometría, la teoría de conjuntos, la topología, el cálculo de probabilidades, etc. Desde la antigüedad, las m. han tenido una función fundamental en las ciencias de la naturaleza, ya que proporcionan un lenguaje riguroso y sintético para expresar los hechos de la naturaleza y para hallar los vínculos en la máxima economía del pensamiento, y son un material inextinguible para crear nuevos modelos de interpretación de los fenómenos revelados por la experiencia.
MATEMATISMO m. Tendencia a tratar los problemas filosóficos según el espíritu y método propios de la matemática.
MATEO (s. I). Santo. Uno de los doce apóstoles, y autor del primer Evangelio sinóptico. También se le llama Leví en los textos evangélicos. • **Evangelio de M.** Primer libro del N. T. y primer Evangelio sinóptico, destinado a los judíos de Palestina.
MATERA C. de Italia, cap. de la prov. hom.; 52 400 hab. Centro agrícola, comercial e industrial.
MATERIA f. Sustancia que compone los cuerpos físicos. • Lo que sirve de elemento impulsor a la actividad de un fenómeno natural. • Muestra de letra que en la escuela copian los niños para aprender a escribir. • Pus. • fig. Cualquier punto o negocio de que se trata. • Asunto de que se compone una obra literaria, científica, etc. • fig. Causa, ocasión, motivo. • **estelar**. *Astr.* M. captada, perdida o expulsada por una estrella durante cualquiera de las fases de su evolución, desde su nacimiento hasta su eventual destrucción, explosión o aniquilamiento. • **interestelar**. *Astr.* Conjunto de elementos, gas y polvo, que ocupan el espacio entre las estrellas. Este espacio no está vacío, sino ocupado por un gas de átomos y moléculas de escasísima densidad, un átomo por cm^3. Está constituido básicamente por hidrógeno en forma atómica y molecular y muy escasas partículas de CN, CH, OH, CO y radicales CH, a los que se unen partículas de polvo 1 μ, constituidas por cristales de hielo, silicatos y grafito. • **prima**. Primera m. • En la filosofía aristotélica, principio potencial y pasivo que en unión con la forma sustancial constituye la esencia de todo cuerpo, y en las transmutaciones sustanciales permanece bajo cada una de las formas que se suceden. • **viva**. Sustancia que constituye los seres vivos. • **Primera m.** Producto sin elaborar, en bruto, que la industria transforma en otro material o en artículo acabado para el consumo.
* *Fís.* Desde el punto de vista de la física moderna, la m. es todo aquello que constituye el universo. Se distingue entre m. propiamente dicha (masa, con sus propiedades típicas) y energía, que según ha demostrado la relatividad, es una forma de m. (de acuerdo con la fórmula de Einstein: $M = m \cdot c^2$, donde E = energía, m = masa y c = velocidad de la luz). Lo que es común a una y otras formas de m. es la existencia de corpúsculos subatómicos.
MATERIAL adj. Relativo a la materia. • Opuesto a lo espiritual. • Opuesto a la forma. • fig. Grosero, sin ingenio ni agudeza. • Elemento que entra como ingrediente en algunos compuestos. • Cualquiera de las materias que se necesitan para una obra, o el conjunto de ellas. Se usa más en pl. • Conjunto de máquinas, herramientas, etc., necesarias para el desempeño de un servicio o el ejercicio de una profesión. • *Argent.* Adobe.
MATERIALIDAD f. Calidad de material. • Superficie exterior o apariencia de las cosas. • Sonido de las palabras. • *Teol.* Sustancia material de las acciones, ejecutadas con ignorancia inculpable o falta del conocimiento necesario para que sean buenas o malas moralmente.
MATERIALISMO m. *Fil.* Doctrina que niega la existencia de sustancias espirituales, por lo que considera la materia como principio de toda realidad.
* *Fil.* El m. implica: a) la afirmación del principio de inmanencia; no hay causa exterior a la materia misma; b) la afirmación de la eternidad e infinitud del mundo; c) la afirmación de que la conciencia procede a la materia. Doctrina opuesta al idealismo, al espiritualismo, al vitalismo, etc.
MATERIALISTA adj. y s. Díc. del partidario del materialismo. • adj. Relativo al materialismo. • adj. y s. Díc. de la persona apegada o preocupada en exceso por los bienes materiales. • m. Persona que se dedica a la venta de materiales de construcción.
MATERIALIZACIÓN f. Acción y efecto de materializar o materializarse. • *Fís.* Fenómeno por el que un fotón, que posee un nivel de energía suficiente, crea un par partícula-antipartícula en el caso de que atraviese un campo magnético.
MATERIALIZAR tr. Presentar algo espiritual de manera que sea percibido por los sentidos. • tr. y prnl. Hacer a alguien materialista. • Hacer posible o realizar una idea o proyecto.
MATERNIDAD f. Estado o calidad de madre. • Establecimiento donde se atiende a las parturientas.
MATERNIZAR tr. Conferir propiedades de madre. • Dotar a la leche de vaca de las propiedades de la leche de mujer. ■ MATERNIZADO, DA.
MATERNO, NA o **MATERNAL** adj. Perteneciente a la madre.
MATETE m. *Argent.* Mezcla de sustancias deshechas en un líquido formando una masa inconsistente. • *Argent.* Reyerta, disputa.
MATHIEU, *Georges* (nacido 1921) Pintor fr. Sus telas reflejan un espacio vacío en el que se inscriben trazos caligráficos.

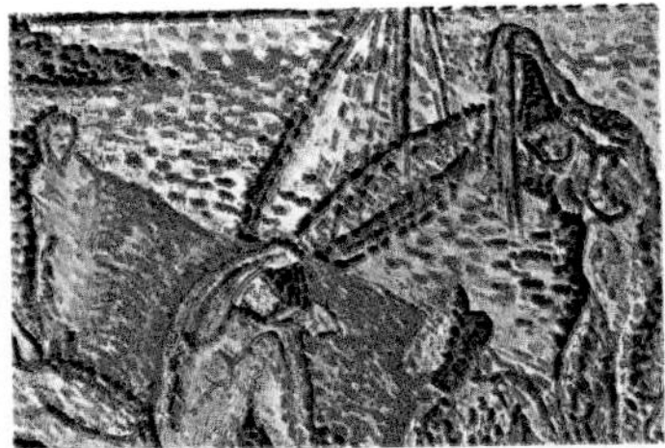
Lujo, calma y voluptuosidad, óleo de Henri **Matisse.** Colección de Madame Signac, Paris

MATÍAS (1557-1619) Archiduque de Austria, rey de Hungría [1608-1618] y de Bohemia [1611-1617], y emperador germánico [1612-1619]. • (s. I) Santo. Díscipulo de Cristo, de origen judío. Uno de los doce apóstoles. • **Evangelio de M.** Obra apócrifa del s. II. • **I Corvino** (1440-1490) Rey de Hungría [1458-1490], hijo de Janos Hunyadi. Obtuvo Moravia, Lusacia y Silesia, y conquistó Viena, Estiria, Carintia y Carniola. Verdadero príncipe del Renacimiento.

MATICO m. *Amér. Merid.* Planta piperácea cuyas hojas contienen un aceite esencial aromático y balsámico.

MATIDEZ f. Calidad de mate. • *Med.* Sonido mate que se percibe en la percusión.

MATINAL adj. Relativo a la mañana. • f. Sesión o espectáculo que se realiza por la mañana.

MATINÉE (voz. fr.) f. Matinal, espectáculo.

MATISSE, ***Henri*** (1869-1954) Pintor fr., uno de los máximos representantes del fauvismo. Fue imp. también su labor como escultor, ilustrador, grabador y teórico del arte. *Lujo, calma y voluptuosidad, Gran interior rojo, La danza.*

MATIZ m. Unión de diversos colores mezclados con proporción en las pinturas, bordados y otras cosas. • Cada uno de los grados de un color o entre dos colores. • Cada uno de los grados entre un estado y otro, entre un objeto y otro. • Rasgo característico de una obra literaria.

MATIZAR tr. Juntar con proporción diversos colores. • fig. Exponer o expresar los distintos aspectos de una cosa. ■ MATIZACIÓN.

MATO GROSSO Est. de Brasil, sit. en el centro-oeste del país, fronterizo con Bolivia y Paraguay; 901 421 km², 1 931 000 hab. Cap., Cuiabá. Está formado por la meseta de M. G., limitada al O por la sierra de Parecis, divisoria de las cuencas del Amazonas y el Paraguay. Clima tropical. Selva en la región amazónica que se prolonga hacia el S en forma de bosques galería. Caucho, hierba mate, azúcar y café. Hierro, manganeso y oro. • **Del Sur** Est. del centro-sur. de Brasil, creado en 1977, en la mitad S del anterior; 357 471 km², 1 775 000 hab. Cap., Campo Grande. Clima tropical. Caña de azúcar, arroz, mandioca, mijo. Ind. agropecuaria.

MATOCO m. fam. *Chile.* El diablo, el demonio.

MATOJO m. Matorral. • Mata barrillera, salsolácea, de flores solitarias en espiga terminal. • *Cuba.* Retoño de un árbol cortado.

MATÓN, NA m. y f. fig. y fam. Chulo y pendenciero.

MATONISMO m. Conducta del que quiere imponer su voluntad por la amenaza o el terror.

MATORRAL m. Terreno sin cultivar lleno de matas y malezas. • Conjunto espeso de matas.

MATOS Guerra, ***Gregorio de*** (1623-1696) Poeta bras. Introductor de la estética conceptista en Brasil. • **Rodríguez,** ***Gerardo H.*** (nacido 1898) Músico ur. Compositor de tangos. *La cumparsita.*

MATRA f. *Argent.* Manta de lana gruesa.

MATRA Macizo montañoso de Hungría, cerca de la frontera eslovaca. Monte Kékes, máx. alt. del país (1 015 m).

MATRACA f. Instrumento de madera que produce un ruido seco y desapacible. • fig. y fam. Burla y chasco. • fig. y fam. Insistencia molesta en un tema o pretensión.

MATRACALADA f. Revuelta, muchedumbre de gente.

MATRAQUEAR intr. fam. Hacer ruido continuado con la matraca. • fig. y fam. Dar matraca, importunar, fastidiar. ■ MATRACÓN, NA; MATRAQUISTA.

MATRAZ m. Recipiente de vidrio, de forma esférica con fondo plano y cuello más o menos largo y ancho, muy usado en los laboratorios de química para hervir y destilar líquidos.

MATREREAR intr. *Argent.* Vagabundear.

MATRERÍA f. Perspicacia astuta y suspicaz.

MATRERO, RA adj. Astuto, experimentado. • Suspicaz, receloso. • *Amér.* Bandido, bandolero, vagabundo. • *Col., Ecuad.* y *Hond.* Marrajo, toro malicioso.

MATRIARCADO m. Forma de organización social en la que las mujeres poseen la autoridad política y familiar. ■ MATRIARCAL.

MATRICARIA f. Planta compuesta, olorosa, empleada como antiespasmódico y emenagogo.

MATRICIAL adj. *Mat.* Relativo al cálculo con matrices.

MATRICIDIO m. Delito de matar uno a su madre. ■ MATRICIDA.

MATRÍCULA f. Lista de los nombres de las personas que están inscritas en una organización. • Inscripción en un centro de enseñanza. • Registro de los vehículos que se lleva a cabo en las oficinas oficiales. • Placa de los vehículos automóviles que indica el número de matriculación. ■ MATRICULADO, DA.

MATRICULAR tr. Inscribir o hacer inscribir el nombre de uno en la matrícula. • Inscribir las embarcaciones mercantes nacionales en el registro propio del distrito marítimo a que pertenecen. • prnl. Hacer uno que inscriban su nombre en la matrícula.

MATRILINEAL adj. Díc. de la forma de transmitir la propiedad, la herencia o el nombre por línea femenina.

MATRIMONIAR intr. y prnl. Unir en matrimonio, casar.

MATRIMONIO m. Institución social en forma de contrato, que constituye la forma reconocida de constitución de una familia. • **civil.** El que se contrae según la ley civil, sin intervención religiosa. • **morganático.** Aquel en que uno de los cónyuges es de sangre real y el otro de linaje inferior, quedando este último excluido de todo derecho a bienes, dignidad o herencia del otro. ■ MATRIMONIAL.

* *Soc.* La institución matrimonial, que casi todas las culturas reconocen como unidad social básica, presenta distintas formas. Como prototipo suele tenerse el que componen un hombre y una mujer (monogamia), aunque existen también el de un hombre y varias mujeres (poliginia) y el de una mujer y varios hombres (poliandria).

MATRITENSE adj. y s. Madrileño.

MATRIZ f. *Anat.* Útero, víscera hueca, sit. en el interior de la pelvis de la mujer y de las hembras de los mamíferos, destinada a contener el feto hasta el momento del parto. • Molde de cualquier clase con que se da forma una cosa. • *Ind.* Elemento metálico que permite realizar operaciones de estampado, troquelado, corte, etc. • *Geol.* Roca en cuyo interior se ha formado un mineral. • *Art. Gráf.* Piezas de linotipia que llevan grabadas una letra o signo y que convenientemente reunidas forman la línea. • Tuerca. • Parte del talonario que queda al separar los talones. • *Mat.* Cuadro de núm. que se disponen en filas y columnas. • adj. fig. Principal, materna, generadora. • Díc. del original de una escritura que sirve para cotejarlo con los traslados.

* *Mat.* El término m., que fue introducido por J. J. Sylvester en 1851 para el estudio de las formas algebraicas, fue luego utilizado en las teorías de sistemas lineales y en las sustituciones lineales. En la matemática actual, las m. tienen una amplísima aplicación en muchos capítulos de las matemáticas puras y aplicadas, en particular en el álgebra moderna. El cálculo matricial se emplea, también, en mecánica cuántica, teoría de las redes, cibernética, etc.

MATRIZADO m. *Ind.* Operación que consiste en modelar una pieza, dándole la forma definitiva mediante prensado en caliente dentro del molde.

MATRONA f. Madre de familia, respetable y de alguna edad. • Comadrona, mujer que asiste en los partos. • Mujer encargada de registrar a las personas de su sexo, en las aduanas. ■ MATRONAL.

MATROPA f. *Hond.* Histerismo.

Cascada Véu da Noiva, de más de 65 metros de caída, en el **Mato Grosso**

Ceremonia de **matrimonio** hindú en Paramaribo (Surinam)

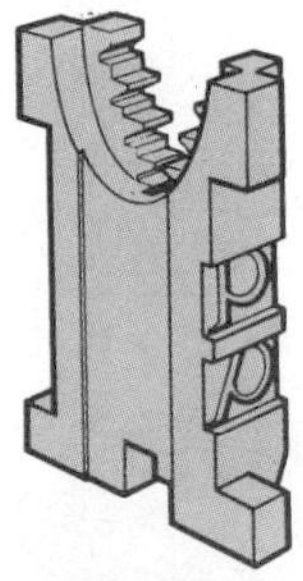
Matriz de linotipia

Antonio **Maura y Montaner,** según retrato de Antonio Luis Mellado

Mauricio. Arriba, mapa de situación y bandera; abajo, vista de Port Louis

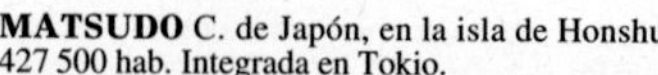

MATSUDO C. de Japón, en la isla de Honshu; 427 500 hab. Integrada en Tokio.
MATSUE C. de Japón, cap. de la prefectura de Shimano, en la isla de Honshu; 142 900 hab.
MATSUYAMA C. y puerto de Japón, en el NO de Shikoku; 426 600 hab. Centro industrial.
MATTA, *Guillermo* (1829-1899) Poeta chil. Representante del romanticismo liberal. *Poesías, Oda a la patria.* • ***Roberto*** (nacido 1911) Pintor y arquitecto chil. Trabajó con Le Corbusier. Su obra pictórica es surrealista. *Morfologías psicológicas, Sobre el Estado de la Unión*. Premio Príncipe de Asturias (Arte) 1992.
MATTEOTTI, *Giacomo* (1885-1924) Político it. En 1924, como diputado y secretario del partido socialista, dirigió una campaña contra Mussolini. Fue asesinado por una escuadra fascista.
MATTERHORN Nombre al. del Cervino.
MATTO de Turner, *Clorinda* (1854-1909) Escritora per., introductora de la novela costumbrista en su país. *Aves sin nido.*
MATUCHO, CHA adj. *Chile*. Hábil y astuto para los negocios. • m. *Chile*. Matoco, el demonio.
MATUNGO, GA adj. *Argent.* y *Cuba*. Caballería débil y flaca. • *Cuba*. Flacucho.
MATURÍN C. de Venezuela, cap. del est. Monagas; 220 600 hab. Sit. a orillas del Guarapiche. Zona petrolífera.
MATURRANGO, GA adj. y s. *Amér*. Díc. del mal jinete. • f. Treta, marrullería. Se usa más en pl. ■ MATURRANGUERO, RA.
MATUSALÉN m. fig. Hombre de mucha edad.
MATUSALÉN Patriarca judío, abuelo de Noé. Según la Biblia, vivió 969 años.
MATUTE m. Introducción de gén. de contrabando. • Gén. así introducido. • Casa de juegos prohibidos.
MATUTE, *Ana María* (nacida 1926) Escritora esp. Cultiva la novela *(Primera memoria)* y el cuento infantil *(El polizón del Ulises)*. En 1998 ingresó en la Real Academia de la Lengua.
MATUTEAR intr. Introducir matute. ■ MATUTERO, RA.
MATUTINO, NA o **MATUTINAL** adj. Relativo a las horas de la mañana. • Que ocurre o se hace por la mañana. • adj. y m. Díc. del diario que aparece por las mañanas.
MAUGHAM, *William Somerset* (1874-1965) Escritor brit. *Servidumbre humana, El filo de la navaja.*
MAUI Isla del arch. de las Hawai; 1 886 km², 62 800 hab. Cap., Wailuku. Caña de azúcar.
MAULA f. Cosa inútil. • Engaño. • com. fig. y fam. Persona tramposa o mala pagadora. • fig. y fam. Persona perezosa y mala cumplidora.
MAULAR intr. Maullar el gato.
MAULE Región del centro de Chile; 30 301,7 km², 834 053 hab. Cap., Talca. La alt. media de los Andes supera apenas los 3 000 m y la cord. de la costa se presenta en mesetas. Clima templado. Cereales y hortalizas. Industria de transformación de los productos agropecuarios. • Río de Chile, 280 km. Nace en los Andes, atraviesa la prov. hom. y desemboca en el Pacífico, junto a Constitución.
MAULEAR intr. *Chile*. Hacer trampas en el juego.
MAULERÍA f. Puesto en que se venden retales. • Maña para engañar. ■ MAULERO, RA.
MAULLAR intr. Dar maullidos el gato. ■ MAULLADOR, RA.
MAULLIDO o **MAÚLLO** m. Voz del gato.
MAULÓN m. Persona tramposa u holgazana. • adj. y s. *Taur*. Díc. del toro de escasa bravura y poco apto para la lidia.
MAU-MAU Organización secreta afr. formada en Kenia h. 1950 con la finalidad de expulsar a los colonos blancos. Llevó a cabo actividades terroristas contra los brit. Su líder fue Jomo Kenyatta.
MAUNA Kea Volcán apagado de la isla de Hawai. Alt. máx. de Polinesia (4 205 m). • **Loa** Volcán activo de la isla de Hawai (4 168 m).
MAUPASSANT, *Guy de* (1850-1893) Escritor fr., uno de los más destacados representantes de la escuela realista. *Una vida, Bel Ami, La mano izquierda, Fuerte como la muerte.*
MAUPERTUIS, *Pierre Louis Moreau de* (1698-1759) Matemático fr. Dirigió la expedición a Laponia organizada por los académicos para medir la longitud del grado de meridiano.

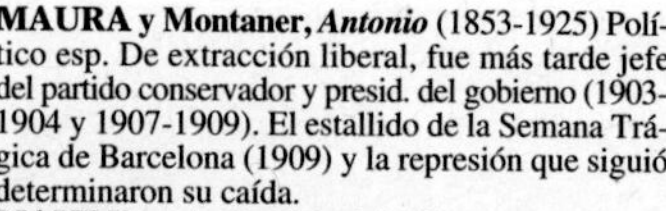

MAURA y Montaner, *Antonio* (1853-1925) Político esp. De extracción liberal, fue más tarde jefe del partido conservador y presid. del gobierno (1903-1904 y 1907-1909). El estallido de la Semana Trágica de Barcelona (1909) y la represión que siguió determinaron su caída.
MAURE m. *Amér*. Chumbé, faja.
MAUREGATO (s. VIII) Rey de Asturias [783-788], hijo bastardo de Alfonso I. A la muerte de Silo expulsó del reino al sucesor legal, el futuro Alfonso II.
MAURIAC, *François* (1885-1971) Escritor fr. Su novelística revela una permanente preocupación espiritual de honda raíz religiosa. *Génitrix, Vida de Jesús, Teresa Desqueyroux*, etc. Premio Nobel de Literatura en 1952.
MAURICIO *(Mauritius)* Estado afr. en el Índico, al E de Madagascar, formado por una de las islas Mascareñas. Comprende también la isla Rodrigues. En su relieve destacan tres macizos volcánicos que se levantan sobre una llanura costera. Clima tropical. La economía se basa en la explotación de la caña de azúcar. La actividad industrial se centra en la transformación de productos primarios y en la obtención de energía hidráulica. Est. miembro de la Commonwealth. Etnias: indios, criollos, chinos, fr., ing. Lenguas: inglés (of.), francés criollo. *Rel.*: hinduísmo, islamismo, budismo, catolicismo, protestantismo. U. M.: rupia mauriciana. Cap., Port Louis.

MAURICIO

Superficie	2 045 km²
Población	1 130 000 hab. (552 hab./km²)
Recursos económicos	
Azúcar	540 000 t
Cabaña bovina	34 000 cabezas
Cabaña caprina	98 000 cabezas
Cabaña porcina	17 000 cabezas
Caña de azúcar	74 000 ha
Cerveza	283 000 hl
Energía eléctrica	1 000 millones de kwh
Fertilizantes	12 000 t
Nuez de coco	1 000 t
Patatas	19 000 t
Riqueza forestal	18 000 m³
Tabaco	1 300 millones de cigarrillos
Té	5 000 t
Tomates	12 000 t
Indicadores sociológicos	
PNB	3 185 millones de dólares
Renta per cápita	3 380 dólares
Esperanza de vida	71 años
Alfabetismo	82,9 %

* *Hist*. Descubierta por el port. Pedro Mascarenhas en 1505, los holandeses ocuparon la isla en 1598 y le dieron su nombre actual. En 1715 fue anexionada por los fr., y en 1810 por los brit. Tras violentas luchas raciales, y a pesar de la oposición de la minoría de origen fr., consiguió su indep. en 1968. Constituida en república en el seno de la Commonwealth (1992), mantiene sus reivindicaciones sobre las islas Chagos (colonia brit.).
MAURICIO de Nassau (1567-1625) Estatúder de las Provincias Unidas y príncipe de Orange. Sus victorias sobre los esp. aseguraron la indep. de las Prov. Unidas. • **de Sajonia** (1521-1553) Príncipe al., elector de Sajonia. En 1551 forzó la paz de Passau, por la que Carlos V concedía libertad religiosa a los luteranos.
MAURIER, *Daphne Du* (1907-1989). Escritora brit. Su novela *Rebeca* se convirtió en un éxito internacional.
MAURÍN, *Joaquín* (1896-1973) Político esp. Durante la II República fue secretario gral. del Partido Obrero de Unificación Marxista. *Los hombres de la dictadura, Revolución y contrarrevolución en España.*
MAURITANIA *(al-Jumhuriya al Muslimiya al-Mawritaniya)* Estado del NO de África. Limita al O con el océano Atlántico, al NO con el Sáhara Oc-

MAURITANIA

Superficie 1 030 700 km²

Población 2 411 000 hab. (2,3 hab./km²)

Recursos económicos	
Arroz	79 000 t
Batatas	2 000 t
Cabaña caprina	3 526 000 cabezas
Cabaña ovina	5 288 000 cabezas
Camellos	1 087 000 cabezas
Dátiles	25 000 t
Energía eléctrica	148 millones de kwh
Goma arábiga	450 t
Hierro	5 400 000 t
Mijo	8 000 t
Pesca	85 000 t
Yeso	3 000 t
Indicadores sociológicos	
PNB	1 049 millones de dólares
Renta per cápita	460 dólares
Esperanza de vida	49 años
Alfabetismo	38 %

cidental, al NE con Argelia, al E y SE con Malí y al S con Senegal. La mayor parte del país se extiende sobre el Sáhara. Las costas son bajas y uniformes, pero sin puertos naturales. Clima desértico. Río Senegal. La agricultura, concentrada en el S, ha sido muy perjudicada por la creciente sequía. Agricultura. Ganadería nómada. Pesca de altura. Conservas de pescado. República. Etnias: árabes, negros (tucoror, sarakolles). Lengua: francés y ár. (of.), hasanía. *Rel.*: islamismo, animismo y catolicismo. U. M.: el ouguiya. Cap., Nuakchott.

* *Hist.* Integrada en el imperio rom. (42 d. C.), fue más tarde ocupada por vándalos, bizantinos y árabes. A partir del s. XIV resistió los intentos anexionistas de los sultanes marroquíes. En el s. XV llegaron los port., que mantuvieron contactos comerciales con sus hab. En el s. XIX la ocuparon los fr., que a pesar de la resistencia indígena la colocaron bajo protectorado en 1904. En 1920 la colonia fue integrada en el África Occidental Francesa hasta su independencia en 1960. Tras una tensa polémica con Marruecos sobre el territorio del Sáhara Occidental, M. reconoció a la Rep. Árabe Saharahui Democrática en 1984. En diciembre del mismo año el primer ministro, coronel Maawiya Ould Sidi Ahmed Taya, destituyó al presid. Muhamad J. Ould Haidala y asumió ambos cargos, emprendiendo una serie de reformas para democratizar el país. Estos avances se interrumpieron por las huelgas estudiantiles de 1988 y 1989 y por el grave conflicto con Senegal (1989) que avivó las diferencias étnicas internas. En 1992 se adoptó el multipartidismo.

Ejecución de **Maximiliano I** en un óleo de Odilón Ríos. Museo Nacional de Historia, Ciudad de México

MAUROIS, ***André*** (1885-1967) Seud. de *Émile Herzog*. Escritor fr. Su aportación más imp. es su obra de biógrafo y de historiador. *Disraeli, Ariel o la vida de Shelley, Eduardo VII y su tiempo.*

MAUROY, ***Pierre*** (nacido 1929) Político fr. socialista. Primer ministro de 1981 a 1984. En 1992 dimitió de su cargo de primer secretario del PSF.

MAURRAS, ***Charles*** (1868-1952) Político y escritor fr., defensor de la monarquía autoritaria y enemigo de la democracia. *Encuesta sobre la monarquía, La política religiosa.*

MAURYA Dinastía india que reinó entre 321 y 185 a. C. Su fundador, Chandragupta, se apoderó del reino de Magadha y su hijo Bindusara extendió y consolidó sus dominios. La máxima expansión del imperio M. se produjo durante el reinado de Asoka, cuyas fronteras abarcaron casi toda la India.

MAUSER m. Fusil de repetición inventado por el armero al. Wilhelm Mauser.

MAUSOLEO m. Sepulcro suntuoso.

MAUSS, ***Marcel*** (1872-1950) Sociólogo y antropólogo fr., discípulo de Durkheim. El estudio de las soc. humanas comprende, según él, la morfología, que se centra en los grupos estructurados, la fisiología social y la sociología general. *Ensayo sobre el don, Elementos y formas de las civilizaciones.*

MAXILA f. Pieza bucal par de la boca de los insectos y de muchos crustáceos.

MAXILAR adj. Relativo a la mandíbula. • adj. y m. *Anat.* Díc. de cada uno de los huesos de la cara, provistos de dientes, que están encargados de la masticación.

MÁXIMA f. Regla o proposición gralte. admitida en una determinada materia por los estudiosos de ella. • Pensamiento moral muy breve. • Idea o principio a que se ajusta la manera de obrar. • La más alta de las temperaturas que se dan en un lugar y en un periodo de tiempo determinados.

MAXIMALISMO Doctrina de un sector del partido socialista rum., que propugnaba los mismos principios y táctica de los bolcheviques rusos.

MAXIMIANO, ***Marco Aurelio Valerio*** (250-310) Emperador rom. [286-305 y 306-310]. Recibió de Diocleciano los títulos de césar (286) y de augusto (287).

MAXIMILIANO I (1459-1519) Archiduque de Austria y emp. de Alemania [1493-1519]. Fue el forjador del poderío de los Habsburgo a través de alianzas matrimoniales afortunadas. El casamiento de su hijo Felipe con Juana de Castilla permitió unir al imperio los reinos de Castilla y Aragón en la corona de Carlos V. • **I** (1573-1651) Duque y elector de Baviera. Jefe de los católicos al., constituyó la Santa Liga para combatir a los príncipes protestantes. • **II** (1527-1576) Emp. germánico [1564-1576], rey de Bohemia desde 1562 y de Hungría desde 1563. • **II** (1662-1726) Elector de Baviera [1679-1726]. En 1691 alcanzó el cargo de gobernador de los Países Bajos esp. • *Fernando M. de Habsburgo* (1832-1867) Archiduque de Austria y emp. de México [1864-1867], hermano de Francisco José, emp. del imperio Austro-Húngaro. En 1864 aceptó el trono de México que, tras la ocupación de la cap. mex. por el ejército fr., le ofreció una Junta de Notables. Pero las guerrillas del presid. B. Juárez se mantenían activas en todo el territorio y el emp., abandonado por el ejército fr., fue vencido en Querétaro y fusilado.

MAXIMINO, ***Cayo Julio Vero,*** llamado EL TRACIO (173-238) Emperador rom. [235-238]. Venció a los germanos, sármatas y dacios. Le asesinaron los pretorianos.

MAXIMIZAR tr. *Mat.* Buscar el máximo de una función.

MÁXIMO, MA adj. Díc. de lo que es tan grande en su especie, que no lo hay mayor ni igual. • m. Límite superior o extremo a que puede llegar una cosa. • *Mat.* El mayor valor de un conjunto de núm. o magnitudes mensurables. • **absoluto de una función.** El mayor valor que toma una función. • **común divisor.** *Mat.* El mayor de los divisores comunes a 2 o más núm. enteros. • **relativo de una función.** *Mat.* Una función tiene un m. relativo en un punto p, cuando éste tiene un entorno en el que el valor de la función en cada punto es menor que el que toma en p.

MAXWELL m. *Fís.* Unidad de flujo magnético del sistema CGS. Equivale al flujo que determina la intensidad de campo de 1 gauss, en dirección normal, sobre una superficie de 1 cm².

MAXWELL, ***James Clerk*** (1831-1879) Físico escocés. El primero en exponer la teoría electromagnética de la luz. Formuló la ley de la equipartición de la energía.

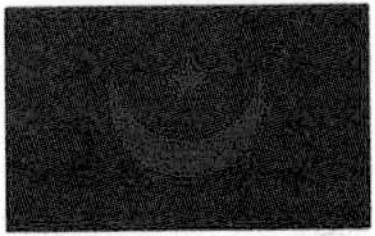

Mauritania. Arriba, mapa de situación y bandera; abajo, vista del oasis de Chinguetti

Mausoleo romano en Fabara de Matarraña, Zaragoza (España)

Maya. A la derecha Casa de los Sacerdotes en Chichén-Itzá; abajo, indígena maya quiché

MAYA f. Planta compuesta, de flor única, terminal, con el centro amarillo y la circunferencia blanca o matizada de rojo por la cara inferior. • Persona que se vestía con cierto disfraz para divertir al pueblo en las funciones públicas. • Planta papilionácea de Cuba, y fruto de ella. • adj. y s. Díc. de individuos de un grupo étnico que habita desde época precolombina una amplia zona de América Central. • adj. Relativo a ese pueblo. • m. Lengua hablada por los mayas. • m. pl. Pueblo maya.

* *Etn.* Sucesivamente, las áreas geográficas ocupadas por la cultura maya han sido: 1) la serie de cadenas montañosas de la cord. de América Central; 2) la cuenca interior del Petén, al N de Guatemala, en donde se cree que cristalizó la cultura m.; 3) la llanura baja que enlaza la zona anterior con la pen. de Yucatán. Los antropólogos consideran dos manifestaciones como fundamentales: la construcción arquitectónica llamada arco falso y la creación de una escritura jeroglífica y un calendario propios. El periodo formativo en la zona m. está documentado en todas las áreas, distinguiendo Morley tres etapas a las que llama Pre-Maya I (3000-1000 a. C.), Pre-Maya II (1000-353 a. C.) y Pre-Maya III (353 a. C.-317 d. C.). La aparición de la cultura propiamente m. es un fenómeno poco conocido. Los viejos libros del *Popol-Vuh* y *Chilam-Balam* hablan de un origen oriental y de una llegada por mar. Morley supone que los rasgos culturales característicos se formaron en algún lugar cerca de Tikal y Uaxactún. Sus tesis son las más satisfactorias. El Viejo Imperio empieza en el 317, fecha grabada en una placa hallada en Tikal, y que representa el máx. florecimiento de todas las expresiones culturales. A partir de 987, por causas desconocidas, los centros ceremoniales se abandonan. Varios argumentos explican la ruina del Viejo Imperio. El renacimiento m. posterior al. s. X, llamado Nuevo Imperio, es consecuencia de un lento proceso de colonización de Yucatán. Parece que una rama de los m., los Itzáes, y un grupo de toltecas ocuparon la vieja Chichén-Itzá y formaron un centro de gran vitalidad cultural. Otros dos grupos de habla m. fundaron de nueva planta las c. de Mayapán y Uxmal. Las tres c. se fortificaron y unieron en la Liga de Mayapán. Es el momento de construcción de grandes palacios, templos y pirámides. Al parecer, rivalidades en el seno de la Liga fueron la causa de la decadencia del Nuevo Imperio, a lo que se añadió una grave plaga a principios del s. XVI. Aunque el Nuevo Imperio no logró las cotas culturales del Viejo, produjo algunas de las obras más bellas del arte m. La soc. m. tenía una economía basada en el cultivo del maíz, frijoles, yuca o mandioca, batata y cacao. En la cabeza del Est. se hallaba el *halach uinic*, cargo hereditario correspondiente a los caciques territoriales. Los sacerdotes monopolizaban la cultura, dominando al bajo pueblo con sus prácticas esotéricas. En el último escalón de la soc. se hallaban los esclavos. La religión era naturista y dualista. Los m. alcanzaron un notable conocimiento de la astronomía, utilizando dos sistemas calendáricos (cuenta larga durante el Viejo Imperio y corta durante el Nuevo). Su capacidad de abstracción se demuestra por el conocimiento que demostraron del cero matemático.

Arte **maya.** Fragmento de un mural del Templo de las Pinturas de Bonampak

MAYA, *Rafael* (1897-1980) Escritor col. Representante de la lit. moderna. *La vida en la sombra, Tiempo de luz.*

MAYADOR, RA adj. Maullador.

MAYAGÜEZ Distr. de Puerto Rico; 1 300 km², 275 000 hab. Cap., la c. hom. Agricultura. Explotación forestal, pesca. Salinas, hierro. • C. del O de Puerto Rico; 96 200 hab. Puerto exportador y pesquero. Ind. azucarera.

MAYAHUEL En la ant. religión de México, diosa del agave. Se relaciona en el calendario adivinatorio azteca con el día 8 o de Tochtli (Conejo).

MAYAL m. Palo del cual tira la caballería que mueve el molino. • Instrumento con que se desgrana el centeno dando golpes sobre él.

MAYAPÁN C. maya del N de la pen. de Yucatán, en el actual México. A partir de su fundación poco antes del año 1000, tuvo una gran relevancia política en la zona hasta la llegada de los esp. El conjunto estaba amurallado y se calcula que unas doce mil personas vivían en su interior. El centro de la c. lo ocupaba el templo de Kukulcán, construido a semejanza del «castillo» de Chichén-Itzá.

MAYA-QUICHÉ adj. Relativo a las lenguas maya-quichés. • m. *Ling.* Familia de lenguas indígenas amer. Se distinguen dos grupos: el huasteco, hablado en San Luis Potosí y Veracruz, y el maya, hablado en Yucatán por más de 300 000 personas. • m. pl. Pueblo amerindio que habita en México y Guatemala.

MAYAR intr. Maullar. • *Amér. Centr.* Marchitar plantas y flores.

MAYATE m. *Méx.* Coleóptero de color negro.

MAYEAR intr. Hacer el tiempo propio del mes de mayo.

MAYER, *Julius Robert von* (1814-1878) Físico al. Independientemente de Helmholtz, estableció el principio de la conservación de la energía. Sus trabajos se publicaron con el título de *Mecánica del calor.* • **Relación de M.** *Fís.* En todo gas ideal, la diferencia entre el calor molar a presión constante y el calor molar a volumen constante es igual a la constante general de los gases.

MAYESTÁTICO, CA adj. Propio de la majestad.

MAYÉUTICA f. Método socrático para provocar «el parto de la verdad» en otra persona mediante preguntas adecuadas.

MAYFLOWER Nave que, en 1620, transportó a los primeros colonizadores de Nueva Inglaterra.

MAYO m. Quinto mes del año. Tiene 31 días. Era el tercero del calendario rom. *(Majus)*, dedicado a la diosa Maya. • Ramos o enramadas que ponen los novios a las puertas de sus novias. • pl. Música y canto con que en la noche del último día de abril obsequian los mozos a las solteras. • adj. *Argent.* Del mes de mayo. • **Fiestas mayas.** Las conmemorativas de la Independencia de Argentina. • **Para m.** loc. fig. y fam. *Chile.* Para las calendas griegas.

MAYO de 1968 Conocido también como «Mayo francés», corresponde a la serie de mov. estudiantiles y obreros que paralizaron Francia y amenazaron el gobierno gaullista de la V República.

MAYOCOL m. *Méx.* Mayordomo, capataz.

MAYÓLICA f. Loza común con esmalte metálico.

MAYONESA f. y adj. Salsa que se hace batiendo aceite crudo y yema de huevo.

MAYOR adj. Que excede a una cosa en cantidad o calidad. • Díc. de la persona entrada en años. • Que tiene más edad. • m. Superior o jefe. • Oficial primero de una secretaría u oficina. • En algunos países, militar con grado equivalente al de comandante. • pl. Abuelos y demás progenitores de una persona. • Antepasados. • f. *Lóg.* Primera proposición del silogismo. • **general.** *Mil.* Oficial general encargado del servicio. • **que.** *Mat.* Signo matemático (>) que se coloca entre dos cantidades, para indicar que la primera es mayor que la segunda. • **Por m.** o **al por m.** m. adv. En cantidad grande. ■ MAYORA.

MAYOR *(Maggiore)* Lago del N de Italia, en la frontera con Suiza; 212 km².

MAYORAL m. Pastor principal que cuida de los rebaños. • En las diligencias, el que gobernaba el tiro de mulas o caballos. • En las cuadrillas de obreros, el capataz. • Recaudador de diezmos, rentas, etc. • *Argent.* Cobrador de tranvía. ■ MAYORALA.

MAYORAZGO m. Institución del derecho civil que tiene por objeto perpetuar en la familia la propiedad de ciertos bienes. • Conjunto de estos bienes. • Poseedor de ellos. • Hijo mayor de una persona que goza y posee mayorazgo. • fam. Hijo primogénito de cualquier persona. • fam. Primogenitura. ■ MAYORAZGA.

MAYORDOMEAR tr. Administrar o gobernar una hacienda o casa.

MAYORDOMO m. Criado principal de una casa o hacienda. • Oficial que se cuida en las cofradías de los gastos y de las funciones. • *Perú.* Criado. ■ MAYORDOMA; MAYORDOMÍA.

MAYORGA, ***Martín de*** (s. XVIII) Administrador colonial esp. Gobernador de Guatemala (1773-1779), virrey de Nueva España (1779-1783).

MAYORÍA o **MAYORIDAD** f. Calidad de mayor. • Edad que la ley fija para tener uno plena responsabilidad jurídica de sí y de sus bienes. • El mayor número, la mayor parte. • Mayor número de votos iguales en una votación. • Parte mayor de los componentes de una sociedad o asamblea. • *Mar.* Oficina del mayor general. • *Mil.* Oficina del sargento mayor. ■ MAYORISTA; MAYORITARIO, RIA.

MAYTA Cápac (ss. XIII-XIV) Soberano inca, hijo de Llope Yupanqui. Le sucedió su hijo Cápac Yupanqui.

MAYÚSCULO, LA adj. Algo mayor que lo ordinario en su especie. • Díc. de la letra de mayor tamaño que la minúscula, que se emplea al principio de nombre propio, de frase, etc.

MAZA f. Arma de hierro o madera, a modo de bastón, y con el extremo más grueso. • Insignia que llevan los maceros. • Instrumento de madera dura para machacar el esparto y el lino. • Pieza que sirve para golpear algunos instrumentos. • Palo u otra cosa que por diversión se solía poner en las carnestolendas atado a la cola de los perros. • Trapo u otra cosa que se prende en los vestidos para burlarse de los que los llevan. • En los juegos de billar, extremo más grueso de los tacos. • Martillo para desbastar la piedra o el mármol. • *Chile.* Cubo de la rueda. • fig. y fam. Persona pesada y molesta.

MAZACOTE m. Cenizas de barrilla, sosa. • Hormigón, mezcla de piedra y mortero. • *Argent.* Pasta hecha de los residuos del azúcar que, después de refinado, quedan adheridos al fondo y paredes de la caldera. • Masa espesa y pegajosa. • fig. Cualquier objeto de arte mal terminado y en el cual se ha procurado más la solidez que la elegancia. • fig. y fam. Cosa comestible seca y espesa. • *R. de la Plata.* Panela o rapadura. • fig. y fam. Hombre molesto y pesado.

MAZACOTUDO, DA adj. *Amér.* Amazacotado.

MAZACUATE m. *Hond.* Especie de boa.

MAZADA f. Golpe que se da con maza o mazo.

MAZAGRÁN m. Refresco a base de agua, café y ron.

MAZAMORRA f. Comida de harina de maíz con azúcar o miel. • Bizcocho estropeado o fragmentado. • Galleta rota que se aprovecha para hacer la calandraca. • *Argent.* Maíz partido y cocido que, una vez frío, se come añadiéndole a veces leche y azúcar. • fig. Cosa reducida a piezas menudas. ■ *Amér.* MAZAMORRERO, RA.

MAZANDARAN Prov. de Irán; 46 200 km^2, 2 376 000 hab. Cap., Sari. Clima subtropical Arroz, trigo, caña de azúcar, té y tabaco.

MAZAPÁN m. Pasta hecha con almendras molidas y azúcar, y cocida al horno.

MAZAR tr. Golpear la nata de la leche dentro de un odre para que se separe la manteca. • Machacar, golpear una cosa.

MAZARÍ adj. y m. Díc. del ladrillo cuadrado o baldosa que se usa para solados.

MAZARINO, ***Jules*** (1602-1661) Cardenal y primer ministro fr. de origen it. Colaborador de Richelieu, a su muerte fue designado presid. del consejo real. Luchó contra la casa de Austria y, aliado con Cromwell, derrotó a los esp. y les impuso la paz de los Pirineos.

MAZAROTA f. Masa de metal que, al fundirse las piezas en moldes verticales, se deja sobrante en la parte superior y forma un depósito de metal líquido.

MAZATENANGO C. de Guatemala, cap. del dpto. de Suchitepéquez; 3 035 hab. Centro agrícola y comercial.

MAZATLÁN C. y puerto de México, en el est. de Sinaloa; 172 000 hab. Sit. en el golfo de California. Puerto de cabotaje. Centro agrícola y pesquero. Ind. textiles y de cemento. Centro turístico. Aeropuerto.

MAZAZO m. Golpe dado con maza o mazo. • fig. Emoción fuerte debida a algo inesperado.

MAZDAK (ss. V-VI) Impulsor y guía religioso y social persa. Predicó la comunidad de bienes y de mujeres, apoyándose en principios místicos y espirituales. Murió asesinado. ■ MAZDAKISMO; MAZDAKISTA.

MAZDEÍSMO m. Religión de la ant. Persia, que creía en la existencia de dos principios divinos: uno bueno, creador, y otro malo, destructor. ■ MAZDEÍSTA.

MAZEPA, ***Iván Stepanovich*** (h. 1644-1709) Atamán de los cosacos de Ucrania. Se alió con el rey de Suecia, Carlos XII, y con el de Polonia, Estanislao Leszczynski, contra Pedro el Grande de Rusia. Derrotado en Poltava, se suicidó.

MAZMODINA f. Moneda de oro acuñada por los almohades.

MAZMORRA f. Prisión subterránea.

MAZNAR tr. Amasar, ablandar o estrujar una cosa con las manos. • Machacar el hierro cuando está caliente.

MAZO m. Martillo grande de madera. • Manojo, puñado. • fig. Hombre molesto y pesado.

MAZO, ***Juan Bautista Martínez del*** (h. 1612-1667) Pintor esp., discípulo de Velázquez. *El príncipe Baltasar Carlos, Vista de Zaragoza.*

MAZONERÍA f. Fábrica de cal y canto. • Obra de relieve.

MAZORCA f. Husada. • Espiga densa y apretada, como la del maíz o del cacao. • fig. *Chile.* Junta de personas que forman un gobierno despótico. ■ *Chile.* MAZORQUERO.

MAZORRAL adj. Grosero, rudo. • *Art. Gráf.* Díc. de la composición que carece de cuadrados.

MAZUELO m. Mango o mano con que se toca el morterete.

MAZURCA f. Danza popular polaca. • Música de esta danza.

MAZUT m. Residuo líquido de la destilación del petróleo que se usa como combustible.

Jules **Mazarino**

Panorámica general de la ciudad de **Mazatlán**

MAZZINI, ***Giuseppe*** (1805-1872) Patriota y revolucionario it. En 1831 fundó la Joven Italia, con el objetivo de unificar su patria. En 1849 se convirtió en jefe del triunvirato de la rep. de Roma.

MBABANE C. y cap. de Swazilandia; 38 290 hab.

MBANDAKA C. del N de la Rep. Dem. del Congo; 149 000 hab. Tenerías.

MBEKI, ***Thabo*** (nacido 1942) Político sudafricano. Nombrado presid. del CNA (Congreso Nacional Africano) en 1997, fue elegido presid. de su país en 1999, sucediendo en el cargo a Nelson Mandela.

MBUJI-MAYI C. de la Rep. Dem. del Congo; 382 600 hab. Imp. centro de la ind. diamantífera.

McARTHUR, ***Douglas*** (1880-1964) General norteam. Dirigió la guerra en el Pacífico durante la II Guerra Mundial. En 1950 tomó el mando de las tropas de la ONU en Corea, pero Truman le destituyó.

McBRIDE, ***Sean*** (1904-1988) Político irl. Presid. de *Amnesty International* (1961-1974). Premio Nobel de la Paz, con E. Sato, en 1974.

McCAREY, ***Leo*** (1898-1969) Director de cine norteam. Películas con Stan Laurel y Oliver Hardy, y con los hermanos Marx. *Sopa de ganso.*

McCLINTOCK, ***Barbara*** (1902-1992) Genetista norteam. Premio Nobel de Medicina en 1983 por sus descubrimientos sobre estructuras móviles en la masa genética.

McDONALD, ***James Ramsay*** (1866-1937) Político brit., uno de los fundadores del partido laborista. En 1929 presidió el gobierno laborista que hizo frente a la grave crisis económica. • *Kennet Millar*, llamado ***Ros*** o ***John Ross*** (1915-1983) Escritor norteam. Uno de los prales. representantes de la novela negra. *La mirada del adiós, El martillo azul.*

Mazorca de maíz

Robert S. **McNamara**

Vista parcial de la mezquita de la Kaaba, en **La Meca**

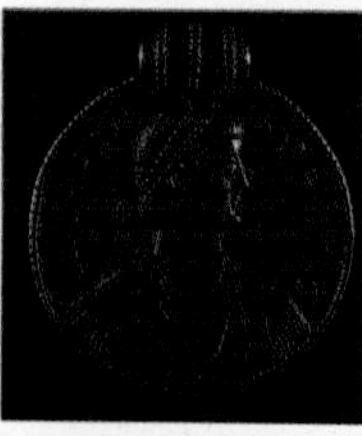

Medallón romano de oro con la efigie del emperador Valente. Museo de Historia del Arte, Viena

McKINLEY Macizo del S de Alaska (EE UU); alt. máx. de América del Norte: 6 194 m.

McKINLEY, *William* (1843-1901) Político norteam. En 1897 fue elegido presid. de EE UU. Durante su administración se desarrolló la guerra hispano-norteamericana (Puerto Rico, Filipinas, Cuba). Reelegido en 1900, m. asesinado por el anarquista Czolgosz.

McLAINE, *Shirley* (nacida 1934) Actriz cinematográfica norteam. *Pero... ¿quién mató a Harry?, Como un torrente, El apartamento, Irma la dulce.* En 1983 ganó un Óscar por *La fuerza del cariño.*

McLAREN, *Norman* (1914-1987) Realizador de cine de animación brit. Ha realizado casi toda su obra en Canadá. Incorporó al cine de animación actores y objetos reales, pinturas al pastel, etc. *Historia de una silla.*

McLEOD, *John James Rickard* (1876-1935) Fisiólogo escocés. Premio Nobel de Medicina en 1923, con F. G. Banting, por el descubrimiento de la insulina.

McLUHAN, *Marshall* (1911-1980) Sociólogo can. Su tesis fundamental es que el conocimiento está condicionado por el medio comunicativo a través del cual se adquiere. *La galaxia Gutenberg, El medio es el masaje.*

McMILLAN, *Edwin Mattison* (1907-1991) Físico nuclear norteam., descubridor del neptunio y el plutonio. Premio Nobel de Física en 1951, junto con Seaborg. • ***Maurice Harold*** (1894-1986) Político brit., conservador; sucedió a Eden en el puesto de primer ministro en 1957. Fracasó en sus intentos para que Gran Bretaña ingresara en el Mercado Común. Dimitió en 1963.

McNAMARA, *Robert Strange* (nacido 1916) Político norteam. Nombrado por Kennedy secretario de Defensa (1960), siguió en el cargo con Johnson e impulsó la intervención militar en Vietnam (1965-1967). Presid. del Banco Mundial hasta 1980.

McQUEEN, *Steve* (1930-1980) Actor cinematográfico norteam. *La gran evasión, Nevada Smith, Bullitt.*

Md *Quím.* Símb. del mendelevio.

ME Dativo o acusativo del pron. personal de primera persona en gén. masculino o femenino y núm. singular.

MEAD, *George Herbert* (1863-1931) Psicólogo y sociólogo norteam. Su adscripción al conductismo le llevó a la filosofía pragmática. *Filosofía del acto.* • ***Margaret*** (1901-1978) Antropóloga norteam. Pionera de la escuela antropológica conocida con el nombre de «cultura y personalidad». *Estudios sobre la adolescencia y el sexo en las sociedades primitivas.*

MEAJA f. Moneda cast. de vellón que valía la sexta parte de un dinero. • Cierto derecho que los jueces exigían de las partes en las ejecuciones. • Migaja. • **de huevo.** Galladura.

MEAJUELA f. Cada una de las piezas pequeñas que se cuelgan de los sabores del freno.

MEANDRO m. *Geog.* Curva en el cauce de un río o valle provocada por un proceso de intensa excavación en la orilla cóncava y de acumulación de materiales en la orilla convexa. • *Arq.* Adorno de líneas sinuosas y repetidas.

MEAR intr., tr. y prnl. Orinar. ▪ MEADA; MEADERO; MEADO.

MEATO m. *Bot.* Cada uno de los espacios huecos intercelulares que hay en los tejidos parenquimatosos de las plantas. • *Zool.* Cada uno de ciertos orificios o conductos del cuerpo.

MEAUCA f. Especie de gaviota.

MECA, *La (Makkah)* C. de Arabia, cap. del Hedjaz; 366 800 hab. Ciudad Santa del Islam.

MECADA f. *Méx.* Tontería, grosería.

MECANICISMO m. *Fil.* Doctrina según la cual todo fenómeno puede explicarse por las leyes de la mecánica. El m. concibe el universo como una máquina, e interpreta cualquier cambio mediante un determinismo causal. Fue en el s. XVII cuando el m. adquirió un auge espectacular, gracias a los progresos de la mecánica y la ingeniería. Las teorías mecanicistas influyeron en Newton, La Mettrie y otros. ▪ MECANICISTA.

MECÁNICO, CA adj. Relativo a la mecánica. • Que se ejecuta por un mecanismo o máquina. • Díc. de los agentes físicos materiales que pueden producir efectos como choques, rozaduras, etc. • Díc. de los actos o movimientos realizados instintivamente o por costumbre. • Se aplica a los oficios o trabajos que exigen más habilidad manual que intelectual. • adj. y s. Díc. de las personas que se dedican a estos oficios. • m. El que enseña mecánica. • Obrero dedicado al manejo y arreglo de las máquinas. • f. Ciencia que estudia las fuerzas y los efectos que producen. • Aparato o resorte interior que da movimiento a un ingenio o artefacto. • **analítica.** Desarrollo y formulación exclusivamente matemáticos de la m. clásica. • **aplicada.** Estudio de las máquinas, de su construcción y de su funcionamiento. • **celeste.** Rama de la astrofísica que se ocupa de los movimientos de traslación, de rotación y deformatorios de los cuerpos celestes. • **clásica.** La que estudia el movimiento de los cuerpos a nivel macroscópico. • **cuántica.** La que estudia los fenómenos a nivel microscópico (molecular, atómico y subatómico). • **estadística.** La que estudia las propiedades de los cuerpos —gralte., líquidos o gaseosos— constituidos por un gran núm. de partículas móviles y en las que se emplean métodos estadísticos de investigación, determinación y predicción. • **matricial** o **de matrices.** M. cuántica. • **newtoniana.** M. clásica. • **ondulatoria.** M. cuántica.

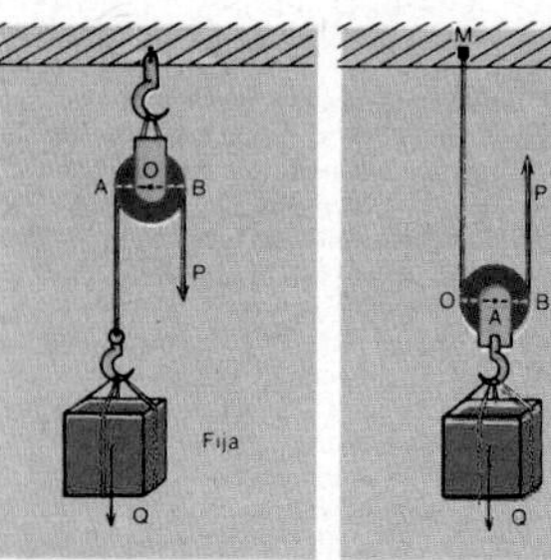

Mecánica. Análisis de las fuerzas que actúan en una polea fija y en una polea móvil. En el primer caso es P = Q; en el segundo P = Q/2

* *Fís.* La m. puede dividirse en tres partes: cinemática, estática y dinámico. Newton, con el enunciado de sus tres leyes, sentó las bases de la m., introduciendo el cálculo diferencial para la explicación de su teoría. En Newton, los conceptos de espacio y tiempo y la elección de un sistema cartesiano de referencia se presentan como base de cualquier estudio cinemática. Los problemas de la dinámica se resuelven con la introducción del concepto de fuerza y las tres leyes mencionadas. A principios del s. XX, la aparición de la teoría de la relatividad y la m. cuántica señalarían los límites de validez de la m. clásica o newtoniana.

* *M. cuántica.* Los primeros fenómenos de tipo cuántico fueron observados por Plank y Einstein a principios del s. XX. En 1913, Bohr introdujo la cuantificación para la energía de los electrones en el átomo, y formuló el principio de correspondencia. Heisenberg, Born y Jordan elaboraron la m. de matrices. De Broglie desarrolló la m. ondulatoria. En 1926, Schrödinger estableció su ecuación de onda, que reemplaza las ecuaciones de la m. clásica; el problema de la determinación del estado de un sistema equivale a la búsqueda de la función de onda asociada al mismo.

MECANISMO m. Estructura de un cuerpo y combinación de sus partes consecutivas. • Medios prácticos que se emplean en las artes.

MECANIZAR tr. Implantar el uso de máquinas en operaciones industriales, administrativas, militares, etc. • Someter a elaboración mecánica. • fig. Dar la regularidad de una máquina a las acciones humanas. • *Metal.* Trabajar los metales con una máquina-herramienta a fin de rebajarlos. ▪ MECANIZACIÓN; MECANIZADO, DA.

MECANO, NA adj. y s. De La Meca. • m. Juguete compuesto de piezas metálicas que se pueden montar y desmontar.

MECANOGRAFIAR tr. Escribir a máquina. ▪ MECANOGRAFÍA; MECANOGRÁFICO, CA; MECANÓGRAFO, FA.

MECANOTERAPIA f. Empleo de aparatos especiales para producir movimientos en el cuerpo humano, con objeto de curar ciertas enfermedades.
MECAPAL m. *Guat.* y *Méx.* Faja de cuero con dos cuerdas en los extremos, de que se sirven los mozos de cordel y los indígenas para llevar carga a cuestas, poniendo la faja de cuero en la frente y pasando las cuerdas por debajo de la carga. • *Méx.* Tendón. ■ *Guat.* y *Méx.* MECAPALERO.
MECATAZO m. *Amér. Centr.* Latigazo, golpe dado con el mecate. • *Méx.* Latigazo, trago de licor.
MECATE m. *Amér. Centr.* y *Méx.* Bramante, cordel o cuerda de pita.
MECATEADA f. *Amér. Centr.* Azotaina, zurrra. ■ MECATEAR.
MECEDERO m. Instrumento para mecer el vino o el jabón.
MECEDOR, RA adj. Que mece o sirve para mecer. • m. Instrumento de madera que sirve para mecer el vino en las cubas o el jabón en la caldera. • Columpio. • f. Silla de brazos con el respaldo y el asiento de rejilla o lona, cuyos pies descansan sobre dos arcos o terminan en forma circular, en la cual puede mecerse el que se sienta.
MECENAS com. fig. Protector de las letras y las artes. ■ MECENAZGO.
MECENAS, *Cayo Cilnio* (69-8 a. C.) Caballero de alto linaje etrusco, amigo y consejero de Augusto. Protector de las artes y las letras.
MECER tr. Menear y mover un líquido de una parte a otra, para que se mezcle o incorpore. • tr. y prnl. Mover una cosa compasadamente de un lado a otro sin que mude de lugar, como la cuna de los niños. ■ MECEDURA.

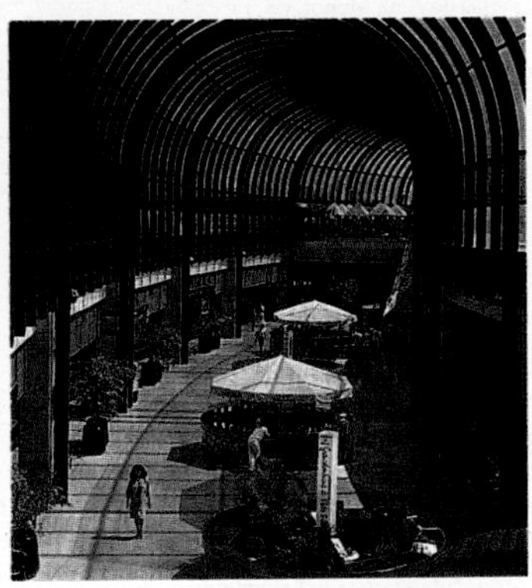
Aspecto del aeropuerto de **Medellín**

MECHA f. Cuerda retorcida o cinta de filamentos combustibles, que se pone en las piqueras o mecheros de algunos aparatos del alumbrado y dentro de las velas y bujías. • Tubo de algodón, trapo o papel, relleno de pólvora, utilizado para dar fuego a minas y barrenos. • Cuerda de cáñamo que servía para prender la carga en las antiguas armas de fuego. • En armamento, artificio que sirve para dar fuego a las cargas por procedimiento pirotécnico, distinto del que utiliza circuito y cebo eléctricos. • Tejido de algodón que, impregnado de una composición química, arde con facilidad y se usaba para encender cigarros. • Porción de hilas atadas por en medio, que se emplea para la curación de enfermedades externas y operaciones quirúrgicas. • Lonjilla de tocino gordo u otro ingrediente que se emplea como relleno en la carne, las aves, etc. • Porción o mechón de pelos. • *Amér. Centr.* Mentira. • *Amér. Centr.* Broma. • **A toda mecha.** loc. adv. fig. y fam. Con gran rapidez. ■ MECHOSO, SA; *Amér.* MECHUDO, DA.
MECHAR tr. Introducir mechas de tocino gordo en la carne de las aves o en otras viandas que se han de asar o empanar.
MECHAZO m. Combustión de una mecha sin inflamar el barreno.
MECHERA f. Ladrona de tiendas que oculta entre las faldas lo hurtado. • Máquina utilizada en la hilatura del algodón que realiza la última fase del proceso de preparación de las mechas.
MECHERO m. Canutillo que contiene la mecha para alumbrar. • Cañón de los candeleros, en donde se coloca la vela. • Boquilla de los aparatos de alumbrado. • Encendedor de bolsillo. • Utensilio, provisto o no de mecha, utilizado para dar luz o calor. • **Bunsen.** Quemador de gas cuya llama es de gran intensidad calorífica.
MECHIFICAR intr. *Amér. Merid.* Burlarse, mofarse.
MECHINAL m. *Const.* Agujero que se deja en las paredes de un edificio para sostener un andamio. • fig. y fam. Habitación muy reducida.
MECHOACÁN m. *Méx.* Raíz de una planta vivaz de la familia convolvuláceas, cuya fécula se usaba como purgante. • **negro.** Jalapa.
MECHÓN m. Porción de pelos, hebras o hilos, separada de un conjunto de la misma clase.
MECHONEAR tr. y prnl. *Amér.* Mesar, desgreñarse el cabello.
MECIÓN m. *Amér. Centr.* Sacudida, terremoto.
MECKLEMBURGO Región histórica del N de Alemania. • **M.-Pomerania Anterior** Est de Alemania; 23 559 km², 1 930 000 hab. Cap., Schwerin.
MECO, CA adj. *Méx.* Díc. de ciertos animales cuando tienen color bermejo con mezcla de negro. • m. y f. *Méx.* Indio salvaje. • f. Lugar que se considera centro o cap. de algo.
MECONIO m. Materia viscosa de color verde, que el recién nacido expulsa por el ano. • *Farm.* Jugo que se saca de las cabezas de las adormideras.
MECÓPTERO, RA adj. y m. *Zool.* Díc. de insectos del orden mecópteros. • m. pl. *Zool.* Orden de insectos holometábolos, llamados vulgarmente moscas escorpión, de aparato bucal mordedor.
MECUAL m. *Méx.* Raíz del maguey.
MEDALLA f. Pieza de metal acuñada con alguna figura, símbolo o emblema. • Medallón, bajorrelieve. • Distinción honorífica o premio. • fig. y fam. Ant. onza de oro. • Moneda ant. fuera de uso. ■ MEDALLISTA.
MEDALLÓN m. Bajorrelieve de figura redonda o elíptica. • Joya en forma de cajita plana donde se guarda una fotografía o cualquier recuerdo. • En dermatología, lesión cutánea inespecífica, de forma redonda o elipsoidal.
MEDAN C. de Indonesia, cap. de Sumatra septentrional; 1 379 000 hab. Cultivos de tabaco y caucho. Importante centro comercial.
MEDANAL m. *Chile.* Terreno cenagoso de alguna extensión.
MÉDANO m. Duna. • Montón de arena casi a flor de agua. ■ MEDIANOSO, SA.
MEDAWAR, *Peter Brian* (nacido 1915) Inmunólogo brit. Descubridor de la tolerancia inmunitaria adquirida. Premio Nobel de Medicina en 1960.
MEDEA *Mit. gr.* Hija de Eetes, rey de la Cólquida y, según una tradición, de Hécate. Gozaba de fama como maga.
MEDELLÍN C. de Colombia, cap. del dpto. de Antioquía; 1 698 777 hab. Sit. en la cordillera Central andina, a orillas del r. hom. Centro industrial. Nudo de comunicaciones. Aeropuerto. Universidad. Fundada en 1616 por Francisco de Herrera Campuzano.
MEDIA Ant. región del NO de Irán, sit. entre el r. Tigris y el mar Caspio. Constituyó el imperio de los *medos* durante los ss. VIII y VII a. C.
MEDIA f. Prenda de punto que cubre el pie y la pierna hasta la rodilla o más arriba. • Mitad de algunas cosas. • En estadística, medida que resume en un solo núm. parte de una información. • *Amér.* Calcetín. • **diferencial.** *Mat.* Cantidad que en una equidiferencia o proporción aritmética responde al mismo concepto que la m. proporcional en la geométrica. • **proporcional.** *Mat.* Cantidad que puede formar proporción geométrica con otras dos.
MEDIACAÑA f. Moldadura cóncava, cuyo perfil es, gralte., un semicírculo. • Listón de madera con algunas molduras, con el cual se guarnecen las orillas de las colgaduras de las salas, frisos, etc. • Formón de boca arqueada. • Lima cuya figura es la de medio cilindro macizo terminado en punta. • Tenacillas para rizar el pelo. • Pieza de serreta que se apoya encima de la nariz del caballo. • *Art. Gráf.* Filete de dos rayas, una fina y otra gruesa.

Media. Procesión de los dignatarios medos en un relieve de Persépolis

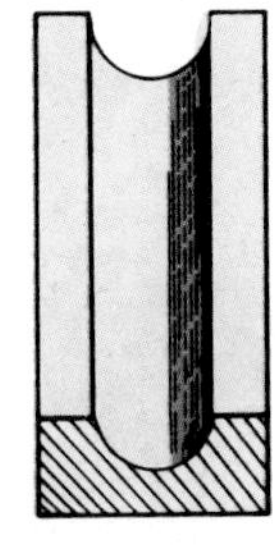
Dibujo de una moldura de **mediacaña**

MEDIACIÓN f. Acción de mediar. • *Fil.* Nexo de relación entre dos entidades. • *Astr.* Momento de la culminación de un astro.
MEDIADO, DA adj. Díc. de lo que contiene la mitad, aproximadamente, de su cabida. • **A mediados** del mes, del año, etc. loc. adv. hacia la mitad del tiempo que se indica.
MEDIADOR, RA adj. y s. Que media. • **químico**. Sustancia que, en el organismo animal, transmite, al igual que los nervios, los impulsos nerviosos de célula a célula, o de la célula al órgano efector. Los m. químicos, o *neurohormonas*, fundamentales son la acetilcolina, la adrenalina y la noradrenalina.
MEDIAGUA f. *Amér.* Techo cuya superficie tiene un solo declive para la caída de las aguas. • *Amér.* Edificio que tiene el techo en esa forma.

Medicina. Arriba, intervención quirúrgica; abajo, miniatura de la *Miscelánea médica* de Roger de Salerno

MEDIAL adj. Díc. de la consonante que se halla en el interior de una palabra.
MEDIALUNA f. Cualquier cosa en forma de media luna. • Bollo en forma de media luna. • Símb. de los musulmanes. • Fortificación de los baluartes. • *Amér. Centr.* Cuchilla curvada y afilada con mangos en los extremos, para picar tabaco.
MEDIANERÍA f. Pared común a dos casas contiguas. • Cerca, vallado o seto vivo común a dos predios rústicos que deslinda. • *Amér.* Aparcería.
MEDIANERO, RA adj. Díc. de la cosa que está en medio de otras dos. • adj. y s. Díc. de la persona que media e intercede para que otra consiga una cosa o para un arreglo o trato. • m. Dueño de una casa que tiene medianería con otra u otras. • Que lleva a medias tierras, ganados, etc.; mediero, aparcero.
MEDIANÍA o **MEDIANIDAD** f. Término medio entre dos extremos. • fig. Persona que carece de prendas relevantes.
MEDIANIL m. Parte de una haza de tierra que está entre la cabezada y la hondonada. • Medianería. • *Art. Gráf.* El crucero más angosto de la forma o molde.
MEDIANO, NA adj. De calidad intermedia. • Moderado; ni muy grande ni muy pequeño. • *Anat.* Díc. del nervio, de la extremidad superior, que inerva los músculos flexores y pronadores del antebrazo. • f. Taco de billar algo más largo que el habitual. • Correa con que se ata el barzón al yugo de las yuntas. • *Est.* Semisuma de los valores extremos. • *Geom.* En un triángulo, cada una de las rectas que unen un vértice con el punto medio del lado opuesto. ■ MEDIANEJO, JA.
MEDIANOCHE f. Las doce de la noche, hora que señala el final de un día y el inicio del siguiente. • fig. Bollo partido en dos mitades entre las cuales se coloca una loncha de jamón, carne, etc.
MEDIANTE p. a. de mediar. • Que media. • adv. modo. Respecto, en atención, por razón. • f. Tercer grado o nota de la escala diatónica.
MEDIAR intr. Llegar a la mitad de algo. • Interceder en favor de uno. • Interponerse entre dos o más que riñen o contienden, procurando reconciliarlos. • Existir o estar una cosa en medio de otras. • Dicho del tiempo, pasar, transcurrir. • Ocurrir entretanto alguna cosa.
MEDIASTINO m. *Anat.* Espacio virtual en la región central del tórax, en el que se encuentran el timo, el corazón, la tráquea, los bronquios y el esófago.
MEDIATIZAR tr. Privar al gobierno de un Est. de la autoridad suprema, que pasa a otro Est., pero conservando aquél la soberanía nominal. • Influir decisivamente en los asuntos de otro, llegando a modificar su opinión o actitud. ■ MEDIATIZACIÓN.
MEDIATO, TA adj. Díc. de lo que en tiempo, lugar o grado está próximo a una cosa, mediando otra entre las dos.
MEDIATRIZ f. *Mat.* Recta perpendicular al punto medio de un segmento. Mediatrices de un triángulo son las m. de cada uno de sus lados.
MEDICACIÓN f. Administración sistemática de medicamentos con un fin terapéutico determinado. • Conjunto de medicamentos y medios curativos que tienden a un mismo fin.
MEDICAMENTO m. Sustancia o preparado que se administra con fines terapéuticos. ■ MEDICAMENTOSO, SA.
MEDICAR tr. y prnl. Administrar medicinas. ■ MEDICABLE; MEDICAL.
MÉDICAS, ***Guerras*** Guerras que enfrentaron a gr. y persas en el s. IV a.C. La causa inmediata fue la ayuda que Atenas y Eretria prestaron a las c. jonias de Asia Menor que se habían levantado contra el dominio persa. • **primera g. m.** Los atenienses, dirigidos por Milcíades, vencieron a los persas de Darío en Maratón (490). • **segunda g. m.** Los persas atravesaron el paso de las Termópilas, defendido por el espartano Leónidas, e incendiaro Atenas, pero tuvieron que retirarse tras las victorias gr. de Salamina, Platea y Mícale. • **tercera g. m.** Atenas, al frente de la Liga de Delos venció a los persas en Eurimedonte (468). La paz de Calias (449) supuso el reconocimiento persa de la indep. de las c. jonias de Asia Menor.
MEDICASTRO m. Médico indocto. • Curandero.
MEDICINA f. Conjunto de conocimientos científicos y actividades técnicas destinadas a lograr el diagnóstico, curación y prevención de las enfermedades. • Medicamento. • **aeronáutica y espacial.** La que estudia los efectos fisiopatológicos sobre el organismo de los vuelos atmosféricos y espaciales respectivamente. • **interna.** La que se ocupa del estudio y tratamiento de las enfermedades generales que no necesitan intervención quirúrgica. • **laboral.** La que se ocupa de la salud, seguridad e higiene de los trabajadores. • **legal.** Rama de la m. que estudia las aplicaciones del derecho a los procedimientos médicos y sus mutuas interrelaciones. • **nuclear.** La que usa isótopos radiactivos como medio de diagnóstico y terapia. • **operatoria.** Terapéutica quirúrgica. • **psicomática.** La que estudia las interrelaciones entre la enfermedad y el psiquismo. • **tropical.** La que estudia las enfermedades propias de los países tropicales. ■ MEDICINAL.
MEDICINANTE m. El que hace de médico sin serlo, curandero. • Estudiante de medicina que visita enfermos sin tener todavía el título.
MEDICINAR tr. y prnl. Administrar o dar medicinas al enfermo. ■ MEDICINAMIENTO.
MEDICIÓNf. Acción y efecto de medir. • Exp. numérica de la relación que existe entre una magnitud y otra de la misma clase, adoptada convencionalmente como unidad.
MÉDICIS *(Medici)* Familia florentina dedicada al comercio y las finanzas, que aparece citada desde el s. XIII. Gobernó el est. florentino desde el s. XV hasta 1737. Sus miembros más célebres fueron: **Lorenzo I el Magnífico** (1449-1492), encarnación del ideal de príncipe renacentista. **Lorenzo II** (1492-1519), padre de Catalina de M. **Alejandro** (1510-1537), hijo natural del anterior, primer DUQUE DE FLORENCIA. **Gian Gastone** (1723-1737), último DUQUE DE TOSCANA de la casa de los M. Varios miembros de la familia fueron papas.
MÉDICO, CA adj. Relativo a la medicina. • Medo, perteneciente a la Media. • m. y f. El que se halla legalmente autorizado para enseñar y ejercer la medicina. • **de cabecera.** El que asiste normalmente a una familia. • **forense.** El oficialmente adscrito a un juzgado de instrucción. • f. Mujer legalmente autorizada para ejercer la medicina. • Mujer del médico.
MEDICUCHO m. Medicastro, médico indocto.
MEDIDA f. Acción y efecto de medir. • Cualquiera de las unidades que se emplean para medir longitudes, áreas o volúmenes. • Objeto que se toma como

unidad y se emplea para medir. • *Mat.* Asignación de un núm. real a ciertos subconjuntos de un espacio euclídeo. • *Métr.* Núm. y clase de sílabas que ha de tener el verso para que conste. • Cinta que se corta igual a la alt. de la imagen o estatua de un santo, en que se suele estampar su figura y las letras de su nombre con plata u oro. • Proporción o correspondencia de una cosa con otra. • Disposición, prevención. Se usa más en pl. • Grado, intensidad. • Cordura, prudencia. • **común.** Cantidad que cabe exactamente cierto núm. de veces en cada una de otras dos o más de la misma especie que se comparan entre sí.

MEDIDOR, RA adj. y s. Que mide una cosa. • m. Oficial que mide los granos y líquidos. • *Amér.* Contador de agua, gas o electricidad.

MEDIERO, RA m. y f. Persona que hace medias o las vende. • Cada una de las personas que van a medias en la explotación de tierras, cría de ganado u otra empresa agrícola.

MEDIEVALISMO m. Estudio de la historia y civilización de la E. Med. • Predilección por la cultura medieval. ■ MEDIEVALISTA.

MEDIEVO o **MEDIOEVO** m. Edad Media. ■ MEDIEVAL; MEDIOEVAL.

MEDICINA *(Al-Madinah)* C. de Arabia Saudita en el Hedjaz; 198 200 hab. Una de las c. santas del islamismo, en la que murió Mahoma.

MEDINA, *José María* (m. 1878) Político hond. En 1863-1872 fue presid. y gobernó dictatorialmente. Consiguió recuperar el poder en 1876, pero fue obligado a dimitir. Murió fusilado. • ***José Toribio*** (1852-1930) Historiador y bibliógrafo chil. *Documentos relativos a la historia de Chile.* • **Angarita, *Isaías*** (1879-1953) Militar y político ven. Presid. de la rep. con el apoyo de la izquierda (1941-1945). Fue derrocado por un golpe militar que llevó al poder a Acción Democrática.

MEDINA AL-ZAHRA C. edificada en las afueras de Córdoba por Abd al-Rahman III. En 1010 quedó destruida.

MEDINÉS, SA adj. y s. De Medina.

MEDIO, DIA adj. Igual a la mitad de una cosa. • Díc. de lo que está entre dos extremos, en el centro de algo o entre dos cosas. • Que está intermedio en lugar o tiempo. • Que corresponde a los caracteres o condiciones generales de un grupo social, pueblo o época. • Se aplica al estilo elegante, pero no tan elevado como el sublime. • m. Parte que en una cosa equidista de sus extremos. • *Dep.* En el fútbol y otros deportes, cada uno de los jugadores que en la formación del equipo se sitúan entre los defensas y los delanteros. • Lo que puede servir para determinado fin. • Corte o sesgo que se toma en un negocio o dependencia. • Diligencia o acción conveniente para conseguir una cosa. • Elemento en que vive o se mueve una persona, animal o cosa. • Campo en el que una unidad viva recibe estímulos reales. Si consideramos la actividad vital como una adaptación o respuesta a estos estímulos, puede definirse también como el campo de adaptación de un organismo vivo. • *Psic.* Conjunto de factores físicos, biológicos y sociales que determinan el modo de ser de los individuos. • Sustancia fluida o sólida en que se desarrolla un fenómeno determinado. • Conjunto de circunstancias culturales, económicas y sociales en que vive una persona. • Sector, círculo o ambiente social. • *Arit.* Quebrado que tiene por denominador el núm. 2 y que, por consiguiente, supone la unidad dividida en dos partes iguales. • En el silogismo, razón con que se prueba una cosa. • pl. Caudal, rentas o hacienda que uno posee o goza. • f. Promedio. • adv. modo. No del todo, no enteramente. Con verbos en infinitivo va precedido de la prep. *a.* • **continuo.** Sistema físico caracterizado por la distribución continua de sus partículas, que poseen libertad individual para moverse (gases, líquidos). • **de cultivo.** *Biol.* Disoluciones o geles embebidos en las mismas, que contienen los materiales necesarios para permitir el desarrollo de cepas de microorganismos o de tejidos de organismos pluricelulares. • **dispersivo.** *Ópt.* M. en el cual el índice de refracción es función de la frecuencia de la onda que se propaga. • **escudo.** *C. Rica.* Ant. moneda de oro. • **externo.** Conjunto de condiciones ambientales bajo las que se desenvuelve un ser vivo. • **interno.** *Biol.* Líquido intercelular en el que se encuentran englobadas las células de los organismos pluricelulares. • **social.** La sociedad considerada como emplazamiento de las actividades vitales del individuo. • **A medias.** m. adv. Por mitad; tanto a uno como a otro. • Algo, pero no del todo. • **En medio.** m. adv. En lugar o tiempo igualmente distante de los extremos, o entre dos cosas. • Entretanto. • **Por medio de.** loc. preposicional. Valiéndose de persona o cosa que se expresa por intermedio de ella.

MEDIOCRE adj. De calidad media. • Bastante malo. ■ MEDIOCRIDAD.

MEDIODÍA m. Hora en que está el Sol en el punto más alto de su elevación sobre el horizonte. • Mitad del día. • Sur, punto cardinal.

MEDIODÍA-PIRINEOS → Midi-Pyrénées.

MEDIODORSAL adj. *Anat.* Relativo a la parte media de la espalda. • *Fon.* Dorsal.

MEDIOMUNDO m. Velo, aparejo para pescar.

MEDIOPAÑO m. Tejido de lana semejante al paño, pero más delgado y de menos duración.

MEDIR tr. Determinar la longitud, extensión, volumen o capacidad de alguna cosa. • Tratándose de versos, examinar si tienen la medida correspondiente. • fig. Igualar y comparar una cosa no material con otra. • Moderar. • intr. Tener determinada dimensión, ser de determinada alt., longitud, superficie, volumen, etc. • prnl. fig. Moderarse en decir o ejecutar una cosa.

MEDITAR tr. Aplicar el pensamiento a la consideración de una cosa, o discurrir sobre los medios de conocerla o conseguirla. ■ MEDITABUNDO, DA; MEDITACIÓN; MEDITATIVO, VA.

MEDITERRÁNEO, A adj. y m. Díc. de lo que está rodeado de tierra. • Relativo al mar Mediterráneo, o a los territorios que baña.

MEDITERRÁNEO Mar intercontinental que se extiende entre Europa, África y Asia, unido al océano Atlántico por el estr. de Gibraltar y al Índico por el canal de Suez y el Mar Rojo; 2 505 000 km^2. Entre las islas de Cerdeña y Córcega y la costa it., el M. forma el mar Tirreno; entre Italia y Grecia, el Adriático y el Jónico, y entre Grecia y Asia Menor el Egeo. Puertos prales.: Marsella, Génova, Barcelona, Pireo, Istanbul, Beirut, Túnez y Argel.

MÉDIUM m. Medio, persona a la que se hipnotiza. • Persona que se supone utilizada por los espíritus para comunicarse a través de ella.

MEDJERDA R. de Argelia y Tunicia; 365 km. Nace en Argelia y desemboca en el golfo de Túnez.

MEDO, DA adj. y s. De Media. • m. *Ling.* Lengua de los medos, perteneciente a la familia indoirania.

MEDRA f. Aumento, mejora, adelantamiento o progreso de una cosa.

MEDRANA f. fam. Miedo, temor.

MEDRANO, *Antonio* (m. h. 1571) Franciscano esp., cronista de Indias. Autor de una relación de la conquista de Nueva Granada, completada por Pedro Aguado: *Memoria general.* • ***Francisco de*** (1570-1607) Literato esp. Su poesía es de tema amoroso y elegíaco.

MEDRAR intr. Crecer, tener aumento los animales y plantas. • fig. Mejorar uno de fortuna aumentando sus bienes, reputación, etc. ■ MEDRO.

MEDRIÑAQUE m. Tejido filipino hecho con las fibras de algunas plantas, y que se usaba para forrar y ahuecar los vestidos de las mujeres. • Especie de zagalejo corto.

MEDROSO, SA adj. y s. Temeroso, pusilánime, que tiene miedo por cualquier motivo. • Que infunde o causa miedo.

MEDULA o **MÉDULA** f. Sustancia grasa, blanquecina o amarillenta, que se halla dentro de los huesos de algunos animales. • Cilindro interno del tallo y la raíz de las plantas fanerógamas. • fig. Sustancia pral. de una cosa no material. • **espinal.** Tallo cilíndrico de tejido nervioso, perteneciente al sistema nervioso central, sit. en el canal raquídeo. • **oblonga** u **oblongada.** Parte anterior, superior en el hombre, de la m. espinal. • **ósea.** Tejido conjuntivo reticular, con una cantidad variable de tejido adiposo, contenido en el interior de la diáfisis de los huesos largos y en el tejido esponjoso de todos los huesos. ■ MEDULAR; MEDULOSO, SA.

Lorenzo de **Médicis,** por Benozzo Gozolli. Capilla de los Médicis, Florencia

Medina al-Zahra. Salón de Abd al-Rahman III

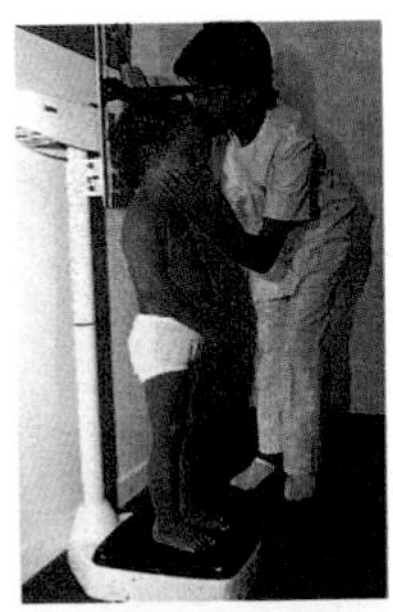

Medir regularmente la talla y el peso de los niños permite apreciar su crecimiento

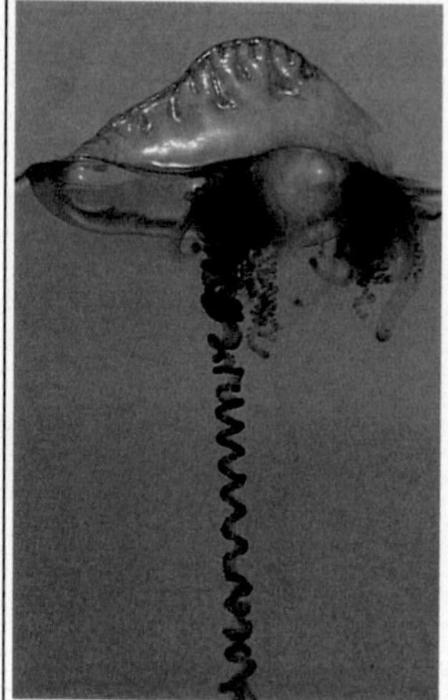

MEDUSA

1. Carabela portuguesa, medusa del grupo sifonóforos, tipo de medusas de las que brotan unas colonias pelágicas de pólipos diferenciados.
2. Las medusas tienen forma de sombrilla y están compuestas por dos capas de células que encierran una sustancia gelatinosa. En la parte inferior, la boca da paso a la cavidad digestiva o celenterón. Los órganos sexuales se hallan bajo la sombrilla.
3. Tres ejemplos de medusa.
4. Las medusas se reproducen sexualmente y de los huevos fecundados nacen las larvas que se fijan en el fondo (a). Estas larvas se dividen en segmentos transversales (b) y cada uno de éstos origina una nueva medusa (c).
5. Pelagia, medusa de la subclase acálefos o escifozoos.

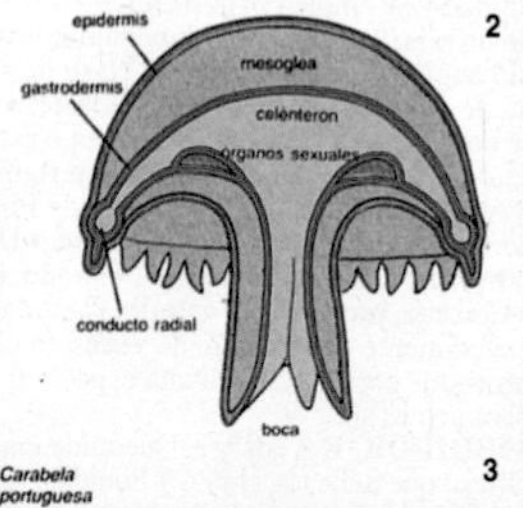

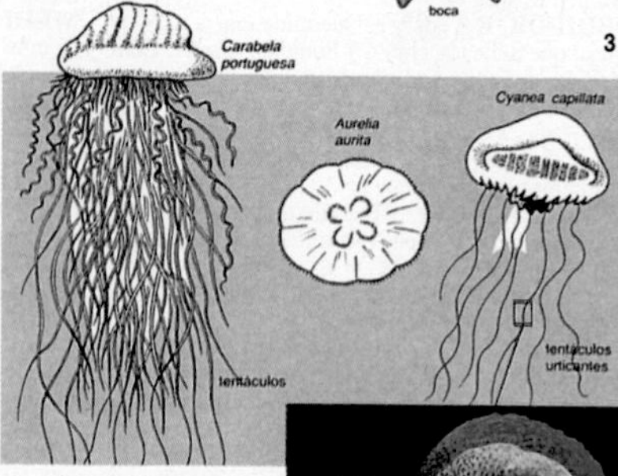

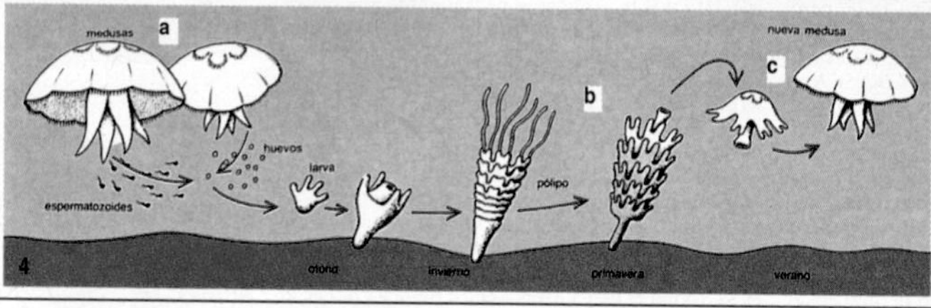

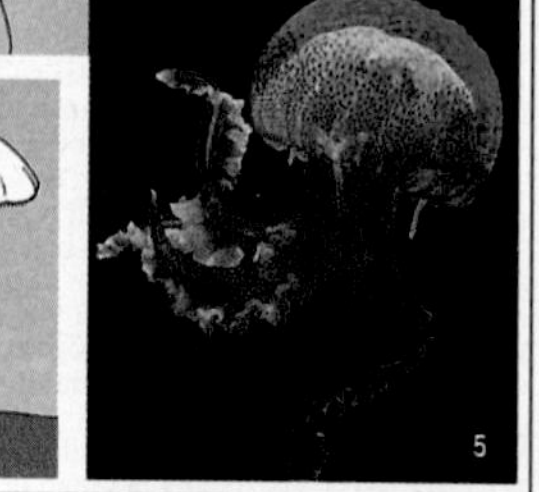

MEDUSA f. *Zool.* Fase pelágica y móvil en el ciclo biológico de muchos cnidarios. Las m. constan de un disco abombado (umbrela) de cuyo centro pende un apéndice (manubrio).

MEDUSA *Mit. gr.* La mortal de las tres hermanas Gorgonas. Poseía la facultad de convertir en piedra a quien la miraba.

MEERUT C. de la India, en el est. de Uttar Pradesh; 417 400 hab. Ind. textiles y alimentarias.

MEFISTÓFELES Personaje de la leyenda de Fausto.

MEFISTOFÉLICO, CA adj. Relativo a Mefistófeles, el demonio en la leyenda de Fausto. • Digno o propio de Mefistófeles. • Diabólico, perverso.

MEFÍTICO, CA adj. Díc. del aire o gas que, al respirarse, puede ser perjudicial.

MEGABYTE m. *Comp.* Unidad de medida de memoria que equivale a 1 024 kilobytes.

MEGADERMÁTIDO, DA adj. y m. *Zool.* Díc. de mamíferos de la familia megadermátidos. • m. pl. *Zool.* Familia de mamíferos quirópteros, propios de regiones tropicales.

MEGÁFONO m. Aparato para amplificar la voz.

MEGALITO m. Monumento prehistórico formado por uno o más bloques de piedra. ■ MEGALÍTICO, CA.

MEGALOCITO m. Glóbulo rojo de la sangre, cuyo diámetro es superior a las 10 micras.

MEGALOMANÍA f. Manía o delirio de grandezas. ■ MEGALÓMANO, NA.

Templo **megalítico** de Hagar Qim en Malta

MEGALÓPOLIS f. Gran concentración urbana, constituida por varias ciudades, unidas por suburbios, autopistas, ferrocarriles y zonas industriales.

MEGALÓPOLIS Ant. c. de Grecia, en Arcadia. Fue fundada por Epaminondas (s. IV a. C.).

MEGAPÓDIDO, DA adj. y m. *Zool.* Díc. de las aves de la familia megapódidos. • m. pl. *Zool.* Familia de aves galliformes, casi todas tropicales, de África, Asia y Australia, que no incuban sus huevos.

MEGÁPODO m. Ave galliforme de la familia megapódidos.

MEGAQUIRÓPTERO, RA adj. y m. *Zool.* Díc. de los animales del suborden megaquirópteros. • m. pl. Suborden de murciélagos frugívoros de gran tamaño; los zorros voladores.

MEGARA C. de Grecia, en el istmo de Corinto. En la antigüedad alcanzó un alto grado cultural y económico, pralm. en el s. VII a. C. • **Escuela de M.** Díc. de la escuela filosófica fundada hacia 400 a. C. por Euclides de M., discípulo y amigo de Sócrates. Fue muy destacada su contribución a la lógica.

MEGARENSE o **MEGÁRICO, CA** adj. y s. De Megara.

MEGASEMO, MA adj. Díc. del cráneo cuyo índice orbitario tiene un valor de 89 o más.

MEGATERIO m. *Pal.* Mamífero desdentado, fósil, muy peludo, más robusto que el elefante. Vivía en América al comenzar el periodo cuaternario.

MEGATÓN m. Fuerza explosiva igual a un millón de toneladas de trinitrotolueno (T.N.T.), utilizada como unidad para medir la potencia de las armas nucleares.

MEGAWATT o **MEGAVATIO** m. Un millón de vatios.

MEGHALAYA Est. de la India, sit. en el NE del país; 22 489 km^2, 1 760 600 hab. Cap., Shillong. Regado por el r. Brahmaputra. Arroz, té y yute.

MEGO, GA adj. Manso, apacible, tratable. • f. Pref. que antepuesto a una unidad de medida aumenta un millón de veces el valor de la misma.

MEGÓHMETRO m. Aparato para medir resistencias eléctricas muy elevadas.

MEHALA o **MEJALA** f. Cuerpo del ejército regular de Marruecos.

MEHARI m. Raza de dromedarios de tamaño superior al normal, muy resistentes y aptos para la carrera.

MEHMET II, llamado FATIH (1429-1481) Sultán turco [1451-1481]. Conquistó Constantinopla (1453), ciudad a la que denominó Istanbul o Estambul. • **Alí** (1769-1849) Virrey de Egipto [1805-1849]. Acabó con los mamelucos y nacionalizó todos los latifundios. Verdadero fundador del Egipto moderno.

MEIJI, ***Mutsu-Hito*** (1852-1912) Emp. del Japón [1867-1912]. La era M., cuya duración corresponde a la del reinado de este emp., comportó decisi-

vos cambios que sentaron las bases del Japón moderno.
MEIOSIS o **MEYOSIS** f. *Biol.* Tipo especial de división celular que tiene lugar en las células germinales, y cuya finalidad es producir gametos maduros con un núm. de cromosomas reducido a la mitad del que poseen las células somáticas.
MEIR, *Golda* (1898-1978) Política israelí. Secretaria gral. del partido laborista (Mapai) en 1966-1968; fue designada primer ministro en 1969. Tras la guerra árabe-israelí de 1963 recibió críticas a su gestión. Dimitió en 1974.
MEJANA f. Isleta en un río.
MEJENGA f. *Amér. Centr.* Borrachera.
MEJER tr. Mover un líquido para que se mezcle, mecer.
MEJÍA, *Hipólito* (nacido 1941) Político dom. Ingeniero agrónomo, en 1978 ingresó en el Partido Revolucionario Dominicano (PRD) y fue nombrado ministro de Agricultura. En mayo de 2000 fue elegido presid. de la república. • ***Liborio*** (1792-1816) Militar y político col. En 1816 ocupó la presidencia de la rep. Fue fusilado por los realistas. • ***Pedro*** → Mexía, Pero. • ***Tomás*** (1815-1867) General mex. Luchó contra el plan de Ayutla. Combatió a Juárez, al lado del emp. Maximiliano. Murió fusilado, junto con el emperador y Miramón. • **Vallejo, *Manuel*** (nacido 1923) Escritor ven.; una de las figuras más representativas de la novelística actual de su país. *La tierra éramos nosotros, El día señalado.*
MEJICANISMO m. Mexicanismo.
MEJICANO, NA adj. y s. Mexicano. • m. Azteca, idioma azteca.
MEJICANOS C. del centro de El Salvador, en el dpto. de San Salvador; 55 600 hab. Centro residencial y de veraneo.
MÉJICO → México.
MEJIDO, DA adj. Díc. del huevo o yema de huevo batida con azúcar y disuelta en leche.
MEJILLA f. Conjunto de las partes blandas que forman la pared externa de la cavidad bucal. • Parte más carnosa de la cara, carrillo.
MEJILLÓN m. Molusco lamelibranquio protegido por una concha que se cría en las rocas de los mares y océanos. ■ MEJILLONERO, RA.
MEJOR adj. comp. de bueno. Superior a otra cosa y que la sobrepasa en alguna cualidad. • adv. de modo comp. de bien. Más bien, de manera más conforme con lo bueno o lo conveniente. • Antes o más, denotando idea de preferencia.
MEJORA f. Acción y efecto de mejorar. • Cambio hecho en una cosa, por lo que resulta mejorada. • Puja o aumento que se pone al precio de una cosa. • Porción que de sus bienes deja el testador a alguno de sus hijos o nietos además de la legítima. • *Der.* Gastos útiles y reproductivos que hace en propiedad ajena quien tiene respecto de ella algún derecho.
MEJORANA f. Planta herbácea, parcialmente leñosa, de la familia labiadas. Posee hojas oblongas, blanquecinas, flores pequeñas, blancas o rojizas, y frutos en tetraquenio; tiene propiedades antiespasmódicas. • **silvestre.** Planta de la familia labiadas, con hojas pecioladas, aovadas y angostas en la base; flores en grupos axilares de cáliz velloso y corola blanca. Es de olor agradable.
MEJORAR tr. Hacer que algo sea mejor de lo que era. • Poner mejor, hacer recobrar la salud a un enfermo. • Aumentar cada licitador el precio puesto a una cosa que se ofrece en venta, subasta, etc. • Dejar en el testamento mejora a uno o a varios de los hijos o nietos. • intr. y prnl. Ir recobrando la salud perdida. • Ponerse el tiempo más favorable. • Ponerse en lugar o grado ventajoso respecto del que antes se tenía. ■ MEJORABLE, MEJORAMIENTO; MEJORÍA.
MEJUNJE m. Cosmético, medicamento o bebida formados por la mezcla de varios ingredientes.
MEKAS, *Jonas* (nacido 1926) Director de cine norteam., de origen lituano. Lanzó en 1960 el manifiesto fundacional de la escuela de Nueva York y del cine *underground. Guns of the trees, The brig.*
MEKNÉS *(Mequínez)* C. del N de Marruecos; 319 800 hab. Ind. del cemento, textil y alimentaria.
MEKONG Río de Asia meridional; 4 500 km. Nace en el Tíbet, pasa por China, atraviesa Camboya y desemboca al S de Saigón formando un gran delta.
MELA f. Mezcla de pintura roja u ocre, usada para marcar al ganado lanar.
MELA, *Pomponio* (s. I) Geógrafo hispanorromano. Autor del más ant. tratado geográfico latino: *De chorographia.*
MELADO, DA adj. De color de miel. • m. Zumo de la caña dulce, concentrado al fuego, sin que llegue a cristalizar. • Torta pequeña hecha con miel y cañamones. • f. Rebanada de pan tostado empapada en miel. • Pedazos de mermelada seca.
MELADORA f. *Cuba.* Paila en la que se termina de cocer el jugo de la caña de azúcar y se forma el melado.
MELADUCHA adj. y s. Díc. de una especie de manzana dulce, pero poco sabrosa.
MELADURA f. Melado ya preparado para hacer el azúcar.
MELÁFIDO m. *Geol.* Roca eruptiva, efusiva, de composición análoga a la de los basaltos.
MELAMINA f. *Quím.* Compuesto orgánico heterocíclico, trímero de la cianamida, ligeramente soluble en agua, usado para fabricar resinas y curtidos de cuero.
MELAMPIRO m. *Bot.* Planta herbácea con hojas lanceoladas opuestas, flores blanquecinas en racimo y frutos en cápsula, cuyas hojas tienen propiedades emolientes.
MELAMPO m. En el teatro, candelero con pantalla, de que se sirve el traspunte.
MELAMPSORÁCEO, A adj. y f. *Bot.* Díc. de los hongos de la familia melampsoráceas. • f. pl. *Bot.* Familia de hongos uredinales, propios del hemisferio boreal.
MELANCHTHON, *Philipp* (1497-1560) Humanista y teólogo al. Editó una gramática gr. que alcanzó gran popularidad. Colaboró con Lutero en la traducción de la Biblia. Publicó algunos textos de teología protestante. *Conceptos teológicos fundamentales.*
MELANCOLÍA f. Tristeza, acompañada de nostalgia. • *Psiq.* Enfermedad caracterizada por una depresión más o menos marcada, sentimiento de incapacidad y una especie de disgusto por la existencia. ■ MELANCÓLICO, CA.
MELANCOLIZAR tr. y prnl. Entristecer y desanimar a uno.
MELANCONIÁCEO, A adj. y f. *Bot.* Díc. de los hongos melanconiales microscópicos, cuyos conidióforos, muy próximos entre sí, forman receptáculos.
MELANESIA Parte de Oceanía, sit. al N y NE de Australia, formada por las islas de Nueva Guinea, Bismarck, d'Entrecasteaux, Luisiada, Salomón, Nuevas Hébridas, Lealtad, Nueva Caledonia y, en cierto modo, Fiji. Sus hab. se dividen en papúes y melanesios.
MELANÉSICO, CA adj. y s. Melanesio. • *Ling.* Díc. de un grupo de lenguas habladas en la Micronesia, Melanesia, Nueva Guinea y Polinesia.
MELANESIO, SIA adj. y s. De Melanesia. • adj. Relativo a esa zona. • adj. y s. Díc. de los individuos de un grupo étnico que habita la zona del Pacífico llamada Melanesia. • adj. Relativo a este grupo étnico. • m. pl. *Etn.* Este mismo grupo.
* *Etn.* Los m. son de tez oscura, con una estatura media de 1,60 cm y acusada braquicefalia. Al llegar los europeos, se encontraban en un estadio cultural comparable al neolítico europeo. La estructura social era de tipo matriarcal y sus divisiones se basaban en la edad.
MELÁNICO, CA adj. De color negro. • Relativo a la melanina.
MELANINA f. *Biol.* Pigmento de tono oscuro presente en las células de los vertebrados, que produce la coloración de la piel y el cabello. ■ MELANOIDE.
MELANISMO m. Aberración en el colorido de aves y mamíferos, que presentan color negro debido a un aumento de la producción de melanina.
MELANITA f. *Miner.* Variedad de granate, muy brillante, negro y opaco.
MELANOBLASTO m. *Biol.* Célula de la piel de la que derivan los cromatóforos.
MELANOCETO m. Pez de la familia cerátidos, con un apéndice rematado en forma de bola que utiliza para atraer a sus presas.
MELANOCITO m. *Biol.* Célula con gránulos de melanina. • *Fisiol.* Leucocito cargado de melanina.
MELANODERMIA f. Pigmentación negra de la piel.

Mehmet Alí, según un retrato de Conder

Cultivo de arroz en el delta del **Mekong**

Melanesia. Joven papúe ataviado para la danza

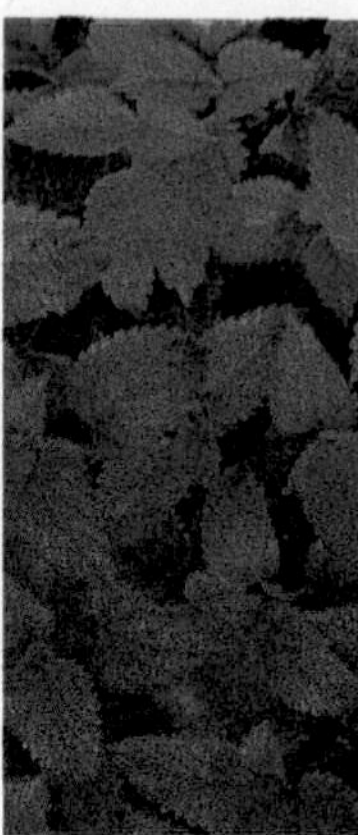

Hojas de **melisa**

Melocotonero

Melolonta

MELANÓFORO m. *Biol.* Célula epidérmica de los vertebrados que posee una gran concentración de melanina.
MELANOHINDÚ adj. y s. Díc. de un grupo racial asiático que habita en el S de la India y Sri Lanka, de piel casi negra y rasgos europidos.
MELANOMA m. Tumor formado por células capaces de producir y almacenar melanina.
MELANOSIS f. *Pat.* Depósito anormal de melanina en la piel, que se manifiesta con oscurecimiento.
MELANOTONINA f. *Biol.* Hormona que controla la contracción de los melanóforos.
MELANOTROPINA f. *Biol.* Hormona que controla la distensión de los melanóforos de anfibios, reptiles y peces.
MELANTERITA f. *Miner.* Sulfato heptahidratado de hierro, producido por alteración de la pirita y de la marcasita.
MELANURIA f. Enfermedad que se manifiesta por el color negro de la orina.
MELAPIA f. Variedad de manzana común.
MELAR adj. y s. Que sabe a miel. Hablando de los trigos, se usa más en pl. • intr. En los ingenios de azúcar, dar la segunda cochura al zumo de la caña, hasta que se pone en consistencia de miel. • intr. y tr. Hacer las abejas la miel y ponerla en los vasillos de los panales. • *Ecuad.* Ganar dinero fácilmente.
MELARCHÍA f. *Amér. Centr.* Melancolía.
MELASTOMATÁCEO, A adj. y f. *Bot.* Díc. de plantas dicotiledóneas del orden mirtales, propias de los países cálidos de América del Sur. • f. pl. *Bot.* Familia de estas plantas.
MELAZA f. Líquido denso y viscoso que queda tras la cristalización del azúcar.
MELBOURNE C. y puerto de Australia, sit. en la bahía de Port Philip, cap. del est. de Victoria; 2 866 000 hab. (la agl. urb.). Centro comercial, financiero e industrial. Aeropuerto. Cap. del país de 1901 a 1927.
MELCA f. Zahína, planta.
MELCOCHA f. Miel que, concentrada y caliente, se echa en agua fría y se soba después para que quede correosa. • Cualquier pasta comestible preparada con esta miel. ■ MELCOCHERO, RA; *Amér.* MELCOCHUDO, DA.
MELCOCHO adj. y m. *Amér. Centr.* Gallo de plumas de color amarillo rojizo.
MELCOCHOSO, SA adj. *Amér. Centr.* Amelcochado, correoso.
MELEAGRÍDIDO, DA adj. y m. *Zool.* Díc. de aves de la familia meleagrídidos. • m. pl. *Zool.* Familia de aves galliformes, que comprende dos especies amer., el pavo común y el pavo ocelado.
MELEAGRINA f. Madreperla.
MELENA f. Cabello que desciende junto al rostro, y especialmente el que cae sobre los ojos. • El que cae por atrás y cuelga sobre los hombros. • Cabello suelto que cae lacio. • Crin del león. • Almohadilla o piel que se pone a los bueyes bajo el yugo. • Yugo de la campana. • Expulsión de heces negras que contienen sangre alterada. Es característica de las úlceras digestivas. ■ MELENUDO, DA.
MELÉNDEZ Valdés, *Juan* (1754-1817) Poeta esp. Expatriado por sus ideas liberales, murió en Francia. *Bodas de Camacho, Odas románticas.*
MELENERA f. Parte superior del testuz de los bueyes, en la cual se asienta el yugo. • Almohadilla o piel que se pone a los bueyes en la frente para que no les roce la cuerda o correa con que se les sujeta al yugo.
MELENO adj. Aplícase al toro que tiene una melena o mechón grande de pelo. • m. fam. Paleto, hombre del campo.
MELERA f. La que vende miel o trata en este género. • Daño que sufren los melones cuando son abundantes las lluvias o hay granizadas, y que se manifiesta por manchas negras en la corteza al tiempo que se pudre y toma gusto amargo. • Lengua de buey, planta.
MELERO m. El que vende miel o trata en este género. • Sitio o paraje donde se guarda la miel.
MELGA f. Amelga, faja de tierra que se marca para sembrar. • *Hond.* Parte pequeña de un trabajo no concluido.
MELGACHO m. Lija, pez.
MELGAR m. Campo abundante en mielgas. • tr. *Chile.* Amelgar.
MELGAR, *Mariano* (1791-1815) Poeta y patriota per. Murió fusilado por los esp., durante las guerras independentistas. *Carta a Silvia.* • **Castro, *Juan Alberto*** (nacido 1930) Militar y político hond. En 1975 ocupó la presidencia del país, tras ser derribado López Arellano por un golpe militar. En 1978 fue desplazado por una Junta militar de gobierno.
MELGAREJO, *Mariano* (1818-1871) Militar y político bol. Derrocó al presid. Acha y se hizo con el poder (1865). Cedió a Chile las guaneras del litoral y vendió a Brasil una zona fronteriza. Fue derrocado por Morales (1871).
MELIÁCEO, A adj. y f. *Bot.* Díc. de árboles y arbustos dicotiledóneos de climas cálidos, con hojas alternas, rara vez sencillas, flores en panoja, casi siempre axilares, y fruto capsular. • f. pl. *Bot.* Familia de estas plantas.
MELIANTÁCEO, A adj. y f. *Bot.* Díc. de plantas de la familia meliantáceas. • f. pl. *Bot.* Familia de plantas dicotiledóneas leñosas. Presentan hojas imparipinnadas, flores cigomorfas hermafroditas que segregan néctar (utilizable, directamente, en lugar de miel) y fruto en cápsula.
MÉLICO, CA adj. Relativo al canto. • Relativo a la poesía lírica, especialmente coral, de los gr.
MÉLIDA, *José Ramón* (1856-1933) Arqueólogo esp. *Arqueología española.*
MÉLIÈS, *Georges* (1861-1928) Director y actor cinematográfico fr., uno de los pioneros de la cinematografía. Construyó el primer estudio en Europa. *Magia diabólica, El hombre orquesta, Viaje a la Luna, 20 000 leguas de viaje submarino.*
MELIFÁGIDO, DA adj. y m. *Zool.* Díc. de aves de la familia melifágidos. • m. pl. *Zool.* Familia de aves paseriformes, propia de Oceanía, de pequeño tamaño y plumaje apagado. Poseen pico delgado y curvo, apto para libar el néctar de las flores.
MELÍFERO, RA adj. Que lleva o tiene miel.
MELIFICADOR m. *Chile.* Cajón de lata con tapa de vidrio, para extraer la miel de abeja separada de la cera.
MELIFICAR tr. e intr. Hacer las abejas la miel. ■ MELIFICACIÓN.
MELIFLUO, FLUA adj. Que tiene miel o es parecido a ella en sus propiedades. • fig. Amable con afectación. ■ MELIFLUIDAD.
MELIGETES m. Insecto coleóptero de color verde metálico, que se alimenta de brotes florales de crucíferas.
MELILLA C. esp., en el N de África; 14 km^2, 59 576 hab. Puerto comercial. Pesca. En 1995 obtuvo el estatuto de Ciudad Autónoma.
MELILOTO, TA adj. y s. Majadero. • m. Planta leguminosa, cuyas flores se usan en medicina como emolientes.
MELINDRE m. Fruta de sartén, hecha con miel y harina. • Dulce de pasta de mazapán con baño espeso de azúcar blanco, gralte. en forma de rosquilla. • Especie de cinta estrecha, bocadillo. • fig. Delicadeza afectada en palabras, acciones y ademanes.
MELINDREAR intr. Hacer melindres en la expresión o en los ademanes. ■ MELINDRERO, RA; MELINDROSO, SA.
MELINITA f. Sustancia explosiva cuyo componente pral. es el ácido pícrico.
MELIÓN m. Pigargo, ave rapaz que se alimenta de reptiles.
MELIORATIVO, VA adj. Que mejora. Díc. pralm. de conceptos o estimaciones morales.
MELIPILLA Prov. del centro de Chile, en la Región Metropolitana de Santiago; 102 600 hab. • C. de Chile, cap. de la prov. hom.; 69 800 hab.
MELISA f. Planta herbácea, con fragancia de limón, de propiedades tónicas y antiespasmódicas.
MELISANA f. Licor que se obtiene mediante la infusión de melisa en aguardiente; tiene propiedades antiespasmódicas y estimulantes.
MELISMA m. Canción o melodía breve. • pl. Sucesión de varias notas cantadas sobre una misma clave, a modo de gorjeo.
MELISO (s. v a. C.) Filósofo gr. Sostuvo que el ser es infinito porque no puede ser limitado ni por otro ser, puesto que el ser es uno, ni por el no ser, puesto que no es.

MELITO m. *Farm.* Jarabe de miel y una sustancia medicamentosa.
MELLA o **MELLADURA** f. Rotura o hendedura en el filo de un arma o herramienta, o en el borde de un objeto. • Hueco dejado por una cosa que falta del sitio que ocupaba. • fig. Menoscabo, merma.
MELLA, *Julio Antonio* (1903-1929) Político cub. Fundador del Partido Comunista cub. Asesinado por agentes de Machado.
MELLAR tr. y prnl. Hacer mellas. • fig. Menoscabar, disminuir una cosa no material. ■ MELLADO, DA.
MELLIZO, ZA adj. y s. Gemelo, nacido del mismo parto. • *Bot.* Igual a otra cosa. • f. Cierto gén. de salchichón hecho con miel.
MELLOCO m. Planta de los parajes fríos de la sierra ecuat., de raíz con tubérculos comestibles. • Tubérculo de esta planta.
MELLÓN m. Manojo de paja encendida, a manera de hachón.
MELO C. del SE de Uruguay, cap. del dpto. de Cerro Largo; 46 889 hab. Centro agropecuario.
MELO, *Francisco Manuel de* (1611-1667) Escritor en castellano y port., nacido en Lisboa. Conciso y pesimista. *Historia de los movimientos, separación y guerra de Cataluña.* • ***José María*** (1800-1860) Militar y político col. Dirigió el mov. que derrocó a Obando (abril 1854) y le elevó a la presidencia, cargo que ocupó hasta diciembre del mismo año. • **De Portugal y Villena, *Pedro*** (1733-1798) Militar esp. Virrey del Río de la Plata (1795-1797). • **Neto, *João Cabral de*** (nacido 1920) Poeta bras. *Pedra de Sono, El río, Museo de todo.*
MELOCOTÓN m. Melocotonero. • Fruto de este árbol.
MELOCOTONERO m. *Bot.* Árbol de la familia rosáceas de pequeño tamaño, con hojas lanceoladas, tronco rugoso rojizo, flores rosadas y fruto en drupa que es el melocotón. ■ MELOCOTONAR.
MELODÍA f. Dulzura y suavidad de la voz o del sonido de un instrumento. • *Mús.* Sucesión de sonidos que, considerados en sentido horizontal, constituyen la célula elemental del discurso musical, y el núcleo básico sobre el que se efectúa el desarrollo de una obra. • *Mús.* Composición vocal o instrumental, con acompañamiento. • Cualidad del canto por la cual agrada al oído. • fig. Serie de palabras agradables al oído. ■ MELÓDICO, CA; MELODIOSO, SA; MELODISTA.
MELODIO m. *Col.* y *Ecuad.* Armonio.
MELODRAMA m. Drama puesto en música; ópera. • Obra teatral en que se exageran los aspectos sentimentales y patéticos. ■ MELODRAMÁTICO, CA.
MELODREÑA adj. Díc. de la piedra de amolar.
MELOGRAFÍA f. Arte y técnica de escribir música.
MELOJA f. Lavaduras de miel.
MELOJO m. Árbol cupulífero de la familia fagáceas, cuyo fruto, la bellota, se encuentra solitario o en grupos de dos a cuatro. ■ MELOJAR.
MELOLONTA f. *Zool.* Insecto coleóptero pentámero, del que se conocen varias especies, casi todas europeas, y nocivo para las plantas.
MELOMANÍA f. Afición muy grande por la música. ■ MELÓMANO, NA.
MELOMELIA f. Monstruosidad caracterizada por la aparición en el feto de miembros accesorios sobre los miembros normales.
MELÓN m. *Bot.* Planta cucurbitácea, herbácea, con fruto comestible del mismo nombre en pepónide grande, con la superficie rugosa, verde o amarillenta. • adj. fig. y fam. Persona torpe, inepta. ■ MELONAR; MELONERO, RA.
MELONADA f. Fig. y fam. Torpeza, bobada.
MELONCILLO m. Mamífero carnívoro nocturno, del mismo gén. que la mangosta.
MELONZAPOTE m. *Méx.* Nombre que dan en Jalisco a la papaya.
MELOPEA f. Melopeya. • fam. Borrachera.
MELOPEYA f. Arte de producir melodías. • Entonación rítmica con que puede recitarse algo en verso o en prosa.
MELOSILLA f. Enfermedad de la encina que hace caer la bellota.
MELOSO, SA adj. De calidad o naturaleza de miel. • fig. Blando y suave. ■ MELOSIDAD.
MELOTE m. Residuo que queda después de cocer el guarapo.
MELPÓMENE *Mit. gr.* Musa de la tragedia.
MELQART Dios fenicio, llamado también *Báal Sor*, es decir, «Señor de Tiro».
MELQUISEDEC Rey de Salem, c. que acaso haya que identificar con la posterior Jerusalén.
MELQUITA adj. y s. Cristiano católico de Palestina, Siria y Egipto. Los m. aceptaron las conclusiones del concilio de Calcedonia (451). En el s. IX se sumaron al cisma de Oriente, y en el XVIII volvieron al seno de la iglesia rom.
MELTÓN m. Tejido de lana que se emplea para hacer abrigos y trajes de hombre.
MELUSINA f. *Her.* Figura de sirena bañándose o sentada en una cuba.
MELUZA f. Zumo de la caña de azúcar.
MELVA f. Corvino, pez parecido al bonito.
MELVILLE Pen. de Canadá, entre la Tierra de Baffin y la isla de Southampton. • Isla de Canadá, en el Territorio del Noroeste; 42 500 km^2. Es la mayor de las islas Parry.
MELVILLE Isla de la costa N de Australia, en la Tierra de Arnhem; 4 350 km^2, 3 000 hab. (aborígenes).
MELVILLE, *Herman* (1819-1891) Novelista norteam. Sus años juveniles se identifican con la aventura y los refleja en sus novelas: *Redburn, Moby Dick, Typee, Omoo, Billy Budd.*
MEMADA o **MEMEZ** f. fam. Necedad. ■ MEMO, MA.
MEMBRANA f. Piel delgada o túnica, a modo de pergamino. • *Bot.* y *Zool.* Cualquier tejido laminar de consistencia blanda. • Lámina cónica de los altavoces que comunica las vibraciones mecánicas a un gran volumen de aire. • *Chile.* Difteria. • **celular.** Envoltura delgada del citoplasma. • **mucosa.** En los animales, la que tapiza las cavidades del cuerpo que tienen comunicación con el exterior. • **nuclear.** Doble m. que rodea el núcleo de las células eucariotas conectada con el sist. membranoso del retículo endoplasmático. • **pituitaria.** La que reviste la cavidad de las narices. • **semipermeable.** Material permeable a las moléculas de un cuerpo determinado e impermeable a las de los demás. Se emplea en la medición de presiones osmóticas. • **serosa.** La que reviste cavidades internas del cuerpo de los animales. ■ MEMBRANÁCEO, A; MEMBRANOSO, SA.
MEMBRETE m. Anotación breve y precisa. • Aviso por escrito o nota. • Nombre o título de una persona o corporación puesto a la cabeza de la primera plana o al final del escrito que a esta misma persona o corporación se dirige. • Nombre o título de una persona, oficina, etc., estampado en la parte superior del papel de escribir.
MEMBRILLA f. Variedad del membrillo.
MEMBRILLAR m. Terreno plantado de membrillos. • Membrillo, árbol.
MEMBRILLATE m. Codoñate, dulce de membrillo.
MEMBRILLERO m. Membrillo, planta arbustiva o arbórea, de la familia rosáceas. Con sus frutos se prepara la jalea de membrillo.
MEMBRILLETE m. *Perú.* Planta silvestre de hoja parecida a la del membrillo y flor amarilla.
MEMBRILLO m. Membrillero, arbusto rosáceo, de fruto amarillo, muy aromático y de carne áspera y granujienta. • Fruto de este arbusto.
MEMBRIVES, *Lola* (1888-1969) Actriz arg., intérprete de obras de Benavente, los hermanos Quintero, García Lorca y Pemán.
MEMBRUDO, DA adj. Fornido y robusto.
MEMECHES *(A)* loc. adv. *Guat.* A horcajadas. • Forma de llevar los indígenas a los niños, sujetos en la espalda con una manta.
MEMEL Ant. c. al., hoy perteneciente a Lituania con el nombre de Klaipeda. Fue conquistada por las tropas sov. en 1945, que la adjudicaron a la RSS de Lituania.
MEMELA f. *Guat., Hond.* y *Méx.* Tortilla de maíz de forma ovalada.
MEMENTO m. Cada una de las dos partes del canon de la misa, en que se hace conmemoración de los fieles y difuntos.
MEMLING, *Hans* (h. 1433-1494) Pintor flam. de origen al. Destaca por la fuerza de colorido y la suavidad de su dibujo. *Juicio Final, Relicario de Santa Úrsula.*

Melón

Membrillero. Flor y fruto

Detalle del *Matrimonio místico de santa Catalina*, de Hans **Memling.** Hospital de Saint-Jean, Brujas (Bélgica)

MEMO, MA adj. y s. Tonto, simple, mentecato.

MEMORÁNDUM o **MEMORANDO** m. Librito de notas. • Comunicación diplomática en que se apunta algo que debe ser tenido en cuenta en una negociación.

MEMORAR tr. y prnl. Recordar una cosa; hacer memoria de ella. ■ MEMORABLE; MEMORATIVO, VA.

MEMORIA f. Recuerdo. • Reputación que deja una persona al morir. • Monumento para recuerdo de una cosa. • Relación de gastos hechos en una dependencia o negociado. • Exposición de hechos referentes a un asunto. • Estudio o disertación escrita sobre alguna materia. • *Comp.* Dispositivo capaz de recibir, guardar y restituir datos. • *Psic.* Facultad propia de muchos organismos vivientes, por la cual pueden conservar un conjunto de señales. • pl. Saludo o recado cortés a un ausente. • Libro de apuntes. • Relaciones de ciertos acontecimientos. • Anillos que se ponen en el dedo para recordar algo. • **artificial.** Mnemotecnia. ■ MEMORIÓN, NA; MEMORIOSO, SA.

* *Comp. Software*: la m. de una computadora se compone de una *m. principal*, o *m. central*, interna, que define la capacidad del ordenador, y las *m. auxiliares* de los periféricos; discos, cintas, etc. En la unidad central hay, además, una *m. de sólo lectura* (ROM), no modificable por el usuario, que contiene la información básica para el funcionamiento de la computadora. Operativamente, la m. central se divide en: *m. del sistema*, que contiene el sistema operativo; *m. del usuario*, que es el espacio reservado para albergar los programas y los datos. *Hardware*: En las décadas de 1950 y 1960 las m. estaban formadas por núcleos de ferrita. Posteriormente se desarrollaron las *m. de semiconductores*, que permiten un acceso mucho más rápido a la información, con menores dimensiones y menor consumo. A partir de 1980 se estudiaron otros tipos de m., como la *de burbujas*, que se basa en el hecho de que ciertos materiales son susceptibles de ser magnetizados localmente y en una extensión microscópica (burbuja), y las *m. ópticas*, basadas en el efecto producido por un rayo láser enfocado sobre un material fotosensible.

La Magdalena, talla policromada de Pedro de **Mena.** Museo Nacional de Escultura, Valladolid (España)

MEMORIAL m. Libro de notas. • Escrito en que se solicita un favor, alegando los méritos o motivos. • Boletín o publicación oficial de algunas colectividades. ■ MEMORIALESCO, CA; MEMORIALISTA.

MEMORIZAR tr. Fijar en la memoria alguna cosa, aprender de memoria. ■ MEMORIZACIÓN.

MEMPHIS C. de EE UU, en el est. de Tennessee; 646 400 hab. Sit. en la orilla izquierda del Misisipí. Centro comercial e industrial. Aeropuerto. Universidad.

MEN En la religión de los mayas, signo del día decimosexto.

MENA f. Mineral metalífero tal como se extrae del criadero, y del que puede obtenerse económicamente un metal. • *Zool.* Pez mediterráneo de unos 15 cm, comestible. • *Mar.* Grueso de un cabo medido por la circunferencia.

Rigoberta **Menchú**

MENA, *Alfonso de* (1587-1646) Escultor imaginero esp. *Virgen de Belén*, de la iglesia de San Cecilio; *Cristo Desamparado*, de la iglesia de San José (Madrid). • ***Juan de*** (1411-1456) Poeta esp. Cultivó la poesía trovadoresca tradicional y también la influencia it. y clásica. *El Laberinto de la Fortuna* o *Las Trescientas, La coronación del marqués de Santillana, Lo claro-escuro*. • ***Juan Pascual de*** (1707-1784) Escultor e imaginero esp. *Cristo de la Buena muerte*, iglesia de San Jerónimo de Madrid; estatua de Neptuno, en Madrid. • ***Pedro de*** (1628-1688) Escultor esp. Sus estatuas denotan un misticismo extremo. *La Magdalena*, museo de Valladolid.

MÉNADE f. Bacantes, mujeres que acompañaban a Baco y bailaban desenfrenadamente. • fig. Mujer descompuesta y frenética.

MENAJE m. Conjunto de muebles, utensilios y ropas de una casa. • Material pedagógico de una escuela.

MENAM Río de Thailandia; atraviesa Bangkok y desemboca en el golfo de Siam; 250 km.

MENANDRO (343-292 a. C.) Comediógrafo gr., de la llamada «comedia nueva». Primero en dar a la comedia una intención moralizante. Influyó en Plauto y Terencio. *La cabellera cortada, El campesino.*

Dmitri **Mendeléiev**

MENARQUÍA o **MENARQUIA** f. Primera menstruación de la mujer; normalmente ocurre entre las edades de 12 a 15 años.

MENCHEVIQUE adj. y s. Díc. de los miembros del partido socialdemócrata ruso que quedaron en minoría en el II Congreso, celebrado en Londres (1903). Opuestos a los bolcheviques, los m. al inicio de la rev. rusa se contentaban con un programa moderado de reformas. Al final de la guerra civil muchos se exiliaron.

MENCHÚ, *Rigoberta* (nacida 1959) Activa defensora guat. de los derechos humanos, reconocida internacionalmente por su lucha en defensa del colectivo quiché. Destacó por poner en evidencia las penurias de los indígenas en su autobiografía *Yo, Rigoberta*, publicada en 1983 y traducida a varios idiomas. Premio Nobel de la Paz (1992).

MENCIO (h. 372-289 a. C.) Pensador chino. Fue el seguidor más imp. de las doctrinas confucianistas. Sus dichos componen el cuarto de los *Cuatro libros clásicos*.

MENCIÓN f. Recuerdo o memoria que se hace de una persona o cosa, nombrándola, contándola o refiriéndola. • **honorífica.** Distinción de menos importancia que el premio y el accésit.

MENCIONAR tr. Hacer mención de una persona. • Referir, recordar y contar una cosa para que se tenga noticia de ella.

MENDA pron. personal fam. El que habla. Se usa con el verbo en tercera persona. • pron. indeterminado. Uno, uno cualquiera.

MENDACIDAD f. Hábito o costumbre de mentir. • Mentira descarada. ■ MENDAZ.

MENDAÑA, *Álvaro de* (h. 1541-1595) Navegante esp. Descubrió las islas Salomón (1568) y las Marquesas (1595).

MENDEL, *Johann Gregor* (1822-1884) Biólogo aust. Fue el primero en explicar de un modo racional las leyes que rigen la herencia de los caracteres genéticos (mendelismo). *Ensayos sobre los híbridos vegetales.*

MENDELÉIEV, *Dmitri Ivanovich* (1834-1907) Químico ruso. Se le debe la clasificación periódica de los elementos químicos.

MENDELEVIO m. *Quím.* Elemento artificial de símb. Md, n. a. 101 y p. a. del isótopo más estable 256. Pertenece a la serie de los actínidos, o transuránidos. Obtenido en 1955 por Seaborg.

MENDELISMO m. *Biol.* Conjunto de las teorías de J. G. Mendel acerca de la herencia de los caracteres, que expresan la dominancia de unos caracteres sobre otros. ■ MENDELIANO, NA.

MENDELSSOHN, *Felix* (1809-1847) Compositor al. Clásico por temperamento y formación, sufrió la influencia del romanticismo. *Sueño de una noche de verano*, oratorios *Paulus* y *Elías*. • ***Moses*** (1729-1786) Escritor y filósofo al. de origen judío. Acaudilló el movimiento cultural judío. *Jerusalén, o sobre el poder religioso y el judaísmo.*

MENDERES Nombre de tres ríos de Turquía, en Anatolia occidental, que desembocan en el mar Egeo. El **Buyük M.** (ant. Meandro); 450 km. El **Küçük M. meridional** (ant. Caistro); 100 km. El **Küçük M. septentrional** (ant. Escamandro), 58 km.

MENDES, *Francisco*, llamado CHICO TÉ (1939-1978) Político guineano. Responsable de la guerrilla del N. de Guinea-Bissau. Al proclamarse la indep. (1973) fue elegido jefe de gobierno, cargo que mantuvo después del reconocimiento de la situación por Portugal. • ***Murillo Monteiro*** (1901-1975) Poeta bras. Una de las prales. figuras de la literatura bras. y de toda la literatura en lengua port. *Historia do Brasil, Tempo espanhol, Tempo e eternidade, Poliedro, Retratos-relampago.*

MENDÈS, *Catulle* (1841-1909) Escritor fr. Fundador de la *Revue fantaisiste* y editor del *Parnasse contemporain. La leyenda del Parnaso contemporáneo.*

MENDÈS-FRANCE, *Pierre* (1907-1982) Político fr. En 1944 ocupó la cartera de Economía, y en 1954 formó gabinete. Propugnó la retirada de Indochina y una solución negociada en África, política que provocó su caída. En 1968 apoyó activamente el mov. estudiantil y huelguístico.

MÉNDEZ, *Aparicio* (1904-1988) Político ur. Miembro del ala conservadora del Partido Nacional (Blanco), fue ministro de Salud Pública (1963-1965). Los militares le elevaron a la presidencia entre 1976 y 1981. • ***Julio*** (1858-1947) Médico arg., descubridor de la llamada «vacuna argentina» contra el carbunco. • ***Leopoldo*** (1902-1969) Pintor mex. Primer premio de gravado de México en 1946. • **Capote, *Domingo*** (1863-1934) Político cub. Vicepresid. de la rep. en armas (1895-1898). Intervino en el derrocamiento de Machado (1933). • **Montenegro, *Julio César*** (nacido 1915) Político guat. Dirigente del Partido Revolucionario. Durante su mandato presidencial (1966-1970) los guerrilleros desplegaron una intensa actividad. • **Núñez, *Casto*** (1824-1869) Marino esp., nacido en Vigo. En 1866 libró el combate de Abtao contra la escuadra chilenoperuana y bombardeó Valparaíso y El Callao.

MENDICANTE o **MENDIGANTE** adj. y s. Que mendiga. • Díc. de las órdenes religiosas cuyos miembros tienen instituido vivir de limosna o de su trabajo personal, sin poseer nada propio.

MENDIETA, *Carlos* (1873-1960) Político cub. Diputado, fue deportado (1931) por su oposición a Machado. Presid. del gobierno provisional (1934), dimitió tras la represión de la huelga de 1935.

MENDIGAR tr. y intr. Pedir limosna de puerta en puerta. • tr. fig. Solicitar el favor de uno humillándose. ■ MENDICACIÓN; MENDICIDAD; MENDIGANTA; MENDIGO, GA; MENDIGUEZ.

MENDIZÁBAL, *Juan Álvarez* (1790-1853) Político y financiero esp. A la muerte de Fernando VII ocupó la cartera de Hacienda y después la presidencia del Consejo, desde donde llevó a cabo su política desamortizadora. Su actitud anticlerical le restó apoyos, por lo que tuvo que dimitir.

MENDOCINO, NA adj. y s. De Mendoza, Argentina.

MENDOSO, SA adj.Equivocado o mentiroso.

MENDOZA Prov. de Argentina, sit. junto a Chile y los Andes; 148 827 km², 1 414 058 hab. Cap., la c. hom. La prov. comprende la zona más elevada de los Andes (Aconcagua, 6 959 m de alt.) Clima continental. Tiene gran imp. el cultivo de la vid. Uranio, petróleo, hierro y plomo. Ind. vinícola, química y conservera. • C. de Argentina, cap. de la prov. hom., en el O del país; 121 696 hab. Participó en la indep. de Argentina y fue centro del ejército de los Andes.

MENDOZA, *Alonso de* (s. XIV) Militar esp. Participó en la conquista de Perú. Fundador de Nuestra Señora de la Paz. • ***Ana de*** Nombre de la primera princesa de Éboli. • ***Antonio de*** (h. 1490-1552) Administrador colonial esp. Primer virrey de Nueva España (1535). Organizó administrativamente el territorio. • ***Cristóbal*** (1772-1829) Político independentista grancolombiano. Primer presid. del país. • ***Hurtado de*** → Hurtado de Mendoza. • ***Jaime*** (1874-1939) Escritor bol. Novelas sobre la vida de los mineros y caucheros. *En las tierras del Potosí, Páginas bárbaras*. • ***Juan de,*** TERCER MARQUÉS DE MONTESCLAROS (1571-1628) Administrador colonial esp. Virrey de Nueva España (1603-1606) y del Perú (1607-1615). • ***Luis*** (1853-1928) Escultor y pintor cub. Pinturas de las Escuelas Pías de Guanabacoa. • ***Pedro de*** (h. 1487-1537) Conquistador esp. En 1536 fundó la primera c. de Buenos Aires, con el nombre de Nuestra Señora Santa María del Buen Aire. • ***Pedro González de*** (1428-1495) Cardenal y político esp. Favoreció la empresa de Colón y negoció el tratado de Tordesillas. • **Caamaño y Sotomayor, *José Antonio de,*** MARQUÉS DE VILLAGARCÍA (m. 1745) Virrey del Perú (1735), se enfrentó a varias sublevaciones indígenas.

MENDRUGO m. Pedazo de pan duro o desechado. • m. y adj. fig. Rudo, tonto, zoquete.

MENEADOR, RA adj. y s. Que menea. • m. *Méx.* Badil.

MENEAR tr. y prnl. Mover una cosa de una parte a otra. • tr. fig. Manejar, dirigir una dependencia o negocio. • prnl. fig. y fam. Hacer con prontitud y diligencia una cosa, o andar deprisa. • fam. Masturbarse el hombre.

MENEGILDA f. fam. En algunas regiones, criada.

MENELAO En la leyenda gr., hijo de Atreo y hermano menor de Agamenón. Casó con Helena y heredó el reino de Esparta. Paris raptó a su esposa, lo que motivó la guerra de Troya.

MENELIK II (1844-1913) Negus de Etiopía [1889-1909]. Venció a los it. en Adua y les impuso la paz de Addis-Abeba (1896).

MENEM, *Carlos Saúl* (nacido 1930) Abogado y político arg. hijo de padres sirio-libaneses. Militante desde joven del Partido Justicialista (peronista), fue gobernador de La Rioja en tres ocasiones y encarcelado cinco años durante la dictadura militar. Alcanzó la presidencia de Argentina en 1989. Reelegido presid. en 1995, finalizó su mandato en 1999.

MENÉN Desleal, *Álvaro* (nacido 1931) Seud. del escritor salv. *Álvaro Menéndez Leal.* Residente en EE UU. *La llave, Cuentos breves y maravillosos, Revolución en el país que edificó un castillo de hadas.*

MENÉNDEZ, *Francisco* (1830-1890) Militar y político salv. Presid. tras la dimisión de Zaldívar (1885), promulgó una constitución liberal (1886). Elegido presid. en 1887, fue derrocado por Ezeta en 1890. • ***Manuel*** (1793-1847) Político per. Presid. provisional de la rep. (1841-1842 y 1844-1845). • **De Avilés, *Pedro*** (1519-1574) Marino esp. Adelantado y capitán general de la Florida (1565). Gobernador de Cuba (1567). • **Pidal, *Ramón*** (1869-1968) Historiador y filólogo esp. Estudió la lengua y literatura medievales y presidió la Real Academia de 1925 a 1939 y de 1947 a 1968. *La leyenda de los Infantes de Lara. El padre Las Casas y Vitoria.* • **Y Pelayo, *Marcelino*** (1856-1912) Polígrafo esp. *Historia de los heterodoxos españoles* e *Historia de las ideas estéticas en España.*

MENEO m. Acción de menear o menearse. • fig. y fam. Vapuleo, tunda.

MENEQUEAR intr. *Argent.* Menear con rapidez.

MENES (h. 3500 a. C.) Según la leyenda, primer faraón de la I dinastía de Egipto y fundador de Menfis.

MENESTER m. Falta o necesidad de una cosa. • Ocupación. • pl. Necesidades fisiológicas. • fam. Instrumentos o cosas necesarias para los oficios u otros usos. ■ MENESTEROSO, SA.

MENESTRA f. Guisado compuesto con diferentes hortalizas y trozos pequeños de carne o jamón. • Legumbre seca. Se usa más en pl. • Ración de legumbres secas, guisadas o cocidas.

MENESTRAL, LA m. y f. Artesano. ■ MENESTRALERÍA; MENESTRALÍA.

MENESTRETE m. *Mar.* Instrumento de hierro para arrancar clavos.

MENFIS C. egipcia, sit. en el delta del Nilo. Fundada por el faraón Narmer (o Menes) en el año 3200 a. C, en ella se encuentran las pirámides de Cheops, Kefrén y Micerino, en la llanura de Gizeh.

MENFITA adj. y s. De Menfis, c. del ant. Egipto. • f. Ónice de capas blancas y negras que se usa en camafeos.

MENGALA f. *Amér. Centr.* Mujer de pueblo, soltera y joven, gralte. sirvienta.

MENGANO, NA m. y f. Voz que se usa en la misma acepción que *fulano* y *zutano*, pero siempre después del primero, y antes o después del segundo cuando se aplica a una tercera persona.

MENGHISTU Hailé Mariam (nacido 1939) Político y militar etíope. Integrante del movimiento que derrocó a Haile Selassie (1974), fue vicepresid. del consejo gubernamental. En 1977 acumuló los cargos de jefe de Est. y del gobierno. Dirigió la guerra contra Somalia y los rebeldes eritreos y acercó Etiopía a los países socialistas. En mayo 1991, dimitió del cargo, tras 14 años en el poder.

MENGS, *Anton Raphael* (1728-1779) Pintor al. Carlos III le nombró pintor de Corte.

MENGUADO, DA adj. y s. Cobarde, pusilánime. • Tonto, falto de juicio. • Miserable, mezquino. • m. Cada uno de los puntos que van embebiéndose al hacer media, reduciendo cada dos a uno, a fin de estrechar la media o calceta.

MENGUANTE adj. Que mengua. • f. Mengua y escasez que padecen los ríos o arroyos por el calor o sequedad. • Descenso del agua del mar por efecto de la marea. • Tiempo que dura la marea descendente. • fig. Decadencia o decremento de una cosa. • **de la Luna.** Intervalo que media entre el plenilunio y el novilunio, durante el cual va disminuyendo la parte iluminada del satélite.

MENGUAR intr. Disminuirse o irse consumiendo física o moralmente una cosa; decaer del estado que antes tenía. • Hacer los menguados en las medias o calcetas. • Hablando de la Luna, disminuir la parte iluminada del astro, visible desde la Tierra. • tr. Disminuir, amenguar. ■ MENGUAMIENTO.

Ana de **Mendoza,** princesa de Éboli

Carlos Saúl **Menem**

Menfis. Pirámide de Kefrén

Doña María Amalia de Sajonia, retrato de Anton Raphael **Mengs.** Museo del Prado, Madrid

MENGUE m. fam. El diablo.
MENHIR m. Monumento megalítico formado por una gran piedra clavada verticalmente en el suelo. Los m. fueron erigidos en época neolítica y a comienzos de la Edad del Bronce.
MENINA f. Dama joven de la alta nobleza que entraba a servir a la reina o a la infantas niñas.
MENINGE f. *Anat.* Cada una de las cubiertas membranosas que recubren el encéfalo y la médula espinal. Son tres, de fuera adentro: duramadre, aracnoides y piamadre. ■ MENÍNGEO, A.
MENINGITIS f. *Pat.* Inflamación de las meninges. Afecta pralm. a las aracnoides y piamadre. Causada por agentes bacterianos, víricos o protozoarios, sus síntomas son fiebre, vómitos, convulsiones, rigidez de la nuca, etc. ■ MENINGÍTICO, CA.
MENINGOCOCO m. Microorganismo, en forma de diplococo, que es causa de una forma de meningitis llamada cerebroespinal epidémica.
MENINO m. Caballero que desde niño entraba en palacio a servir a la reina o a los príncipes.

Menhires en Carnac, Bretaña francesa

MENISCO m. *Ópt.* Lente cóncava por una cara y convexa por la otra. • *Fís.* Superficie libre, cóncava o convexa, del líquido contenido en un tubo estrecho. • *Anat.* Órgano fibrocartilaginoso de ciertas articulaciones y especialmente de la rodilla.
MENISPERMÁCEO, A adj. y f. *Bot.* Díc. de arbustos dicotiledóneos, sarmentosos, con hojas de nervadura palmeada, flores inconspicuas y fruto en drupa.
MENJUNJE o **MEJURJE** m. Mejunje.
MENNO Simonsz (1496-1561) Jefe religioso hol., llamado también *Mennón*, fundador del grupo menonita. Rompió con la iglesia rom. y se unió a la rama más conservadora del anabaptismo.
MENOLOGIO m. Martirologio de los cristianos gr. ordenado por meses.
MENONITA adj. y s. *Rel.* Miembro de una secta anabaptista fundada por el protestante Menno Simonsz.
MENOPAUSIA f. Conjunto de fenómenos de involución senil de los organismos femeninos, que se manifiesta por el cese final de las menstruaciones y la incapacidad para la vida sexual fecunda. ■ MENOPÁUSICO, CA.

Ménsula

MENOR adj. comp. de pequeño. Más pequeño en cualquier aspecto material. • adj. y s. Menor de edad. • adj. y f. *Lóg.* Segunda proposición de un silogismo. • adj. y m. *Mat.* Para una matriz *M*, determinante de cualquier matriz cuadrada obtenida de *M* suprimiendo filas y columnas. • m. Religioso de la orden de San Francisco. • *Arq.* Sillar cuyo paramento es más corto que la entrega. • **que.** Signo matemático (<) que se coloca entre dos cantidades para indicar que la primera es m. que la segunda. • **Por m.** o **al por m.** m. adv. que se usa cuando las cosas se venden menudamente. • Con detalle.
MENORCA Isla esp. del arch. balear, la segunda en superficie y pob.; 689 km^2, 68 500 hab. Cap., Mahón. Terreno llano y costas altas y recortadas al N, y bajas y arenosas al S. Clima suave. Turismo. Restos de una cultura insular prehistórica. Ocupada por los brit. en 1708-1756, 1763-1781 y 1798-1802, fue devuelta a España por el tratado de Amiens (1802).
MENORÍA f. Inferioridad y subordinación con que uno está sujeto a otro, y en grado inferior a él. • La edad del hijo de familia o del pupilo en que no puede aún disponer de sí y de su hacienda. • fig. Tiempo de la menor edad de una persona.
MENORISTA m. Comerciante que vende al por menor. • adj. Aplícase al comercio en que se vende o compra por menor.
MENORQUÍN, NA adj. y s. De Menorca. • m. *Ling.* Variedad del cat. hablado en Menorca.
MENORRAGIA f. *Med.* Menstruación excesiva en cantidad o en duración. ■ MENORRÁGICO, CA.
MENOS adv. comp. con que se denota la idea de falta, disminución, restricción o inferioridad en comparación expresa o sobreentendida. Se une al nombre, al adj., al verbo, a otros adv. y a modos adverbiales, y cuando la comparación es expresa, se utiliza con la conj. *que*. También se construye con el art. determinado en todos sus gén. y núm. Puede tener función de sustantivo. • Denota a veces limitación indeterminada de cantidad expresa. • Denota así mismo idea opuesta a la de preferencia. • m. Signo matemático de sustracción o resta, que se representa por una rayita horizontal (–). Antepuesto a un núm. real, indica que éste es negativo. • adv. modo. Excepto, a excepción de. • **Al, a lo,** o **por lo m.** m. adv. con que se denota una excepción o salvedad. • **A m. que.** m. adv. A no ser que. • **De m.** loc. adv. que denota falta de núm, peso o medida.
MENOSCABAR tr. y prnl. Disminuir las cosas, quitándoles una parte; acortarlas, reducirlas a menos. • tr. fig. Deteriorar y deslustrar una cosa, quitándole parte de la estimación o lucimiento que antes tenía. • fig. Causar mengua o descrédito en la honra o en la fama. ■ MENOSCABO.
MENOSCUENTA f. Satisfacción de parte de una deuda.
MENOSPRECIAR tr. Tener una cosa o a una persona en menos de lo que merece. • Despreciar, desdeñar. ■ MENOSPRECIATIVO, VA; MENOSPRECIO.
MENOSTASIA f. Retención de la regla en la mujer, por obstáculo mecánico a su salida.
MENOTTI, *Gian Carlo* (nacido 1911) Compositor it., establecido en EE UU. Es conocido por sus óperas: *La médium* y *El cónsul*.
MENSA o **MESA** *Atr.* Pequeña constelación próxima al polo austral.
MENSAJE m. Recado de palabra que envía una persona a otra. • Comunicación oficial entre el poder legislativo y el ejecutivo, o entre dos asambleas legislativas. • Comunicación escrita de carácter político social, que una colectividad dirige al monarca o a elevados dignatarios. • Aportación religiosa, moral, intelectual o estética de una persona, doctrina u otra; doctrina o tesis transmitida por una obra intelectual o artística. • *Comp.* Sucesión de símb. extraídos de un conjunto base que, por efecto del criterio y de las posibilidades de selección, posee un contenido de información medible, cuya unidad es el bit, y transferible post. por señales adecuadas, utilizando unos medios materiales entre sistemas organizados. • Contenido de esta información. • **sensorial.** Conjunto de impulsiones nerviosas originadas en un receptor, en el transcurso de una estimulación determinada, y capaces de ser transmitidas en las vías aferentes hasta las áreas de proyección centrales.
MENSAJERÍA f. Carruaje que para servicio público hacía viajes periódicos a puntos determinados. • Empresa o sociedad que tenía establecido este servicio. Se usa más en pl. Se aplica también a los buques que periódicamente navegan entre puertos determinados. • Transporte por ferrocarril a gran velocidad.
MENSAJERO, RA adj. Díc. de lo que anuncia la llegada de algo. • adj. y m. *Biol.* Tipo de molécula de ácido ribonucleico (ARNm), formada por una cadena sencilla de nucleótidos, sintetizada durante la transcripción en el núcleo. • m. y f. Persona que lleva un recado, despacho o noticia a otra.

Menorca. Vista de Binibeca

MENSO, SA adj. y s. *Méx.* Tonto, pesado, bobo.
MENSTRUACIÓN f. *Fisiol.* Fenómeno periódico (en la mujer 28 días) propio del sexo femenino, que consiste en la expulsión del óvulo no fecundado (salvo en las primeras m., en que no hay ovulación) y de toda su zona de anidamiento uterina, y en una hemorragia producida por la rotura de capilares de la mucosa. Comprende tres fases diferenciadas: 1) fase de regeneración de la mucosa e inicio de la maduración del óvulo en el ovario; 2) fase de secreción, consistente en el engrosamiento de las glándulas mucíparas uterinas y aumento de secreción; 3) fase destructiva, que coincide con la m. propiamente dicha.
MENSTRUAR intr. Evacuar el menstruo; tener lugar la menstruación.
MENSTRUO, TRUA adj. Relativo o propio de la menstruación de las mujeres o de las hembras de ciertos animales. • m. Menstruación. • *Quím.* Disolvente o excipiente líquido. ■ MENSTRUAL; MENSTRUOSO, SA.
MENSÚ m. *Argent.* Obrero asalariado.
MENSUAL adj. Que sucede cada mes. • Que dura un mes. • el que es pagado cada mes.
MENSUALIDAD f. Sueldo o salario de un mes. • Cantidad que se paga por meses.
MÉNSULA f. Adorno arquitectónico que sobresale de la fachada de una pared. • Extremo de un voladizo de las vigas de ciertos puentes.
MENSURA f. Medida. ■ MENSURABLE.
MENSURABILIDAD f. *Geom.* Aptitud de un cuerpo para ser medido.
MENSURACIÓN f. Medición. • *Antr.* y *Med.* Medio de determinar algunas dimensiones y diámetros anatómicos.
MENSURAR tr. Medir.
MENTA f. Planta herbácea de la familia de las labiadas, vellosa, con flores blancas, rosadas o violáceas, en espiga, y olor fuerte característico. Se emplea como antiespasmódica y estimulante. • Planta compuesta, de olor agradable, hojas lanceoladas y flores agrupadas en capítulos, usada en medicina popular como vulneraria, vermífuga y estomacal, y en la ind. para aromatizar licores.
MENTADO, DA adj. Que tiene fama o nombre; célebre, famoso.
MENTALIDAD f. Capacidad, actividad mental. • Conjunto de representaciones, estructuras y hábitos mentales dominantes en un individuo o en un grupo social.
MENTANO m. *Quím.* Hidrocarburo saturado cuya cadena se encuentra en la mayor parte de los terpenos monocíclicos.
MENTAR tr. Nombrar o mencionar una cosa.
MENTE Terminación que se añade al femenino de un adj. para formar un adv. del mismo significado que aquél. • f. Término que puede definirse como el comportamiento racional de adaptación al medio, asociado al sistema nervioso central. • Intención, propósito, voluntad. ■ MENTAL.
MENTECATO, TA adj. y s. Tonto, bobo. • De escaso juicio y entendimiento. ■ MENTECATADA O MENTECATERÍA; MENTECATEZ.
MENTIDERO m. fam. Sitio donde se reúne alguna gente para conversar y criticar.
MENTIR intr. Decir o manifestar lo contrario de lo que se sabe, cree o piensa. • Inducir a error. • Fingir. • Desdecir una cosa de otra o no conformar con ella. • tr. Faltar a lo prometido.
MENTIRA f. Expresión o manifestación contraria a lo que se sabe, cree o piensa. • Errata en escritos o impresos. • fig. y fam. Manchita blanca que suele aparecer en las uñas. • *Argent.* y *Chile.* Crujido de los nudillos de la mano. • **piadosa.** La que se dice para no molestar o desmoralizar a alguien. ■ MENTIDO, DA; MENTIROSO, SA.
MENTIRIJILLAS o **MENTIRILLAS *(De)*** m. adv. De burlas, por broma.
MENTÍS m. Voz injuriosa con que se desmiente a una persona. • Hecho o demostración que contradice categóricamente un aserto.
MENTOL m. Sustancia cristalina incolora, de olor y sabor muy fuertes, y de poder antiséptico, constituyente pral. de la esencia de menta (mastranzo). ■ MENTOLADO, DA.
MENTÓN m. Barbilla o prominencia de la mandíbula inferior.
MENTOR m. fig. Consejero o guía de otro. • fig. El que sirve de ayo.
MENÚ m. Minuta, lista de una comida. • *Comp.* Lista de opciones que un programa ofrece al usuario.
MENUCO m. *Chile.* Pantano.
MENUDEAR tr. e intr. Ocurrir algo con frecuencia. • Contar algo detalladamente. • Contar o escribir algo de poca importancia. • *Col.* Vender al por menor. • intr. *Amér.* Abundar. • *Amér.* Crecer en número. • *Pan.* Cantar continuamente los gallos a la madrugada. ■ MENUDEO.
MENUDENCIA f. Pequeñez de una cosa. • Esmero y escrupulosidad con que se considera y reconoce una cosa. • Cosa de poco aprecio y estimación. • pl. Partes pequeñas que quedan de las canales del tocino después de destrozadas. • Morcillas, longanizas y otros embutidos semejantes que se sacan del cerdo. • Menudillos o menudos de las aves.
MENUDILLO m. En los cuadrúpedos, articulación entre la caña y la cuartilla. • pl. Interior de las aves, que se reduce a higadillo, molleja, sangre, madrecilla y yemas.

Menta común

MENUDO, DA adj. Pequeño, chico. • Despreciable, de poca importancia. • Aplícase al dinero en monedas pequeñas. • En fr. exclamativas toma a veces sentido ponderativo. • Exacto y que con gran cuidado examina y reconoce las cosas. • m. pl. Vientre, manos y sangre de las reses que se matan. • En las aves, pescuezo, alones, pies, intestinos, higadillo, molleja, madrecilla, etc. • **A m.** m. adv. Frecuentemente. ■ MENUDERO, RA.
MENUHIN, *Yehudi* (1916-1999) Instrumentista norteam., célebre virtuoso del violín.
MENÚRIDO, DA adj. y m. *Zool.* Díc. de aves de la familia menúridos. • m. pl. *Zool.* Familia de dos especies de aves australianas, las aves lira.
MENUZO m. Pedazo menudo.
MEÑIQUE adj. y s. Díc. del dedo más pequeño de la mano. • fam. Muy pequeño.
MEO adj. y s. Díc. de individuos pertenecientes a un pueblo mongoloide que vive en el S de China, al E de Myanma y N de Thailandia, Laos y Vietnam. • adj. Concerniente a dicho pueblo. • m. *Ling.* Lengua hablada por este pueblo, afín a las del grupo mon-khmer. • *Bot.* Planta anual de la familia umbelíferas. • m. pl. Pueblo meo.

Yehudi **Menuhin**

MEOLLAR m. *Mar.* Especie de cordel que se forma torciendo tres o más filásticas.
MEOLLO m. Parte blanda y moldeable de una cosa, especialmente la del pan. • Seso, masa nerviosa de la cavidad del cráneo. • Médula. • fig. Sustancia o lo más pral. de una cosa. • fig. Inteligencia. ■ MEOLLUDO, DA.
MEÓN, NA adj. y s. Que mea mucho o frecuentemente. • m. y f. fam. Niño, especialmente el recién nacido.
MEQUE m. *Cuba.* Golpe dado con la mano, especialmente con los nudillos.
MEQUETREFE m. fam. Persona entrometida y de poca formalidad.
MEQUIOTE m. *Méx.* Bohordo, tallo del maguey.
MERA, *Juan León* (1832-1894) Escritor y político ecuat. Autor de la letra del himno nacional de su país y de la novela romántica *Cumandá.*
MERCA f. fam. Compra.

Buque **mercante** cruzando el canal de Panamá

Primer planisferio de **Mercator** (1541)

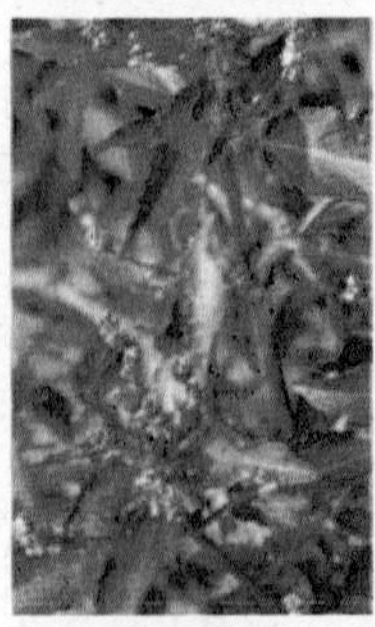
Mercurial

MERCACHIFLE m. Buhonero. • despect. Mercader de poca importancia.
MERCADEAR intr. Hacer trato y comercio de mercancías. ■ MERCANTIL.
MERCADER m. Comerciante. ■ MERCADERIL.
MERCADERA f. Mujer que tiene tienda de comercio. • Mujer del mercader.
MERCADERÍA o **MERCADURÍA** f. Mercancía.
MERCADILLO m. fam. Recinto donde hay varias tiendas dedicadas especialmente a la juventud, en las que abundan las secciones de ropa.
MERCADO m. Lugar donde se venden y compran mercancías. • Contratación pública de las mismas. • Sitio público destinado permanentemente, o en días señalados, para vender, comprar o permutar géneros o mercancías. • Concurrencia de gente en un mercado. • *Econ.* Encuentro de las ofertas y las demandas individuales que determinan el precio de una mercancía. • **financiero.** El de capitales a largo plazo. • **negro.** Tráfico clandestino de mercancías a precios distintos de los legales. • **Estudios de m.** Conjunto de técnicas de investigación que tienen por objeto colectividades humanas desde el punto de vista de su poder adquisitivo y desde el de la forma en que hacen uso de él, a fin de orientar mejor la producción de bienes y su venta.
* *Econ.* El m. permite establecer relaciones de equivalencia entre cantidades de mercancías; esta relación de equivalencia es el precio. El m., que se identifica con un mecanismo impersonal que sirve de marco a la oferta y la demanda, puede tener diversas interpretaciones: una ley natural, para el liberalismo y los clásicos; la esfera aparente de las modalidades del intercambio de las mercancías propias del modo de producción capitalista, para el marxismo; un mecanismo óptimo y racional de armonización de las decisiones económicas, para el marginalismo; un mecanismo que no puede garantizar el equilibrio económico si no se controla y planifica centralmente su funcionamiento, para Keynes y los teóricos contemporáneos.
MERCADO Común Centroamericano (*MCC*) Entidad creada en 1958 por El Salvador, Guatemala, Honduras y Nicaragua, con vistas a la integración económica de la zona. En 1960 se fundó el Banco Centroamericano de Integración, y en 1962 ingresó Costa Rica. En los diez años siguientes los intercambios recíprocos de productos desgravados aumentaron en un 300 %. Después de 1970 el MCC entró en un periodo de estancamiento, debido a las dificultades políticas de la región. Común del Sur → Mercosur. • **Común Europeo** → Comunidad Económica Europea.
MERCADO Jarrín, *Luis Edgardo* (nacido 1919) Militar y político per. Uno de los prales. dirigentes de la rev. de 1968. Ministro de Asuntos Exteriores (1968-1971), jefe del ejército (1972) y primer ministro y ministro de Guerra (1973-1975). Fue destituido después del golpe derechista de 1975.
MERCAL m. Metical, ant. moneda. • *Amér.* Tequila.
MERCALITA f. *Miner.* Sulfato ácido de potasio, que cristaliza en el sistema rómbico; incoloro o azulado.
MERCANCÍA f. Trato de vender y comprar, comerciando en géneros. • Todo género vendible. • Cosa que se hace objeto de trato o venta. • Objeto que une a su valor de uso un valor de cambio que constituye una fuente de beneficio para el que lo comercia.
MERCANTE adj. Que merca. • Mercantil. • m. Mercader.
MERCANTILISMO m. Espíritu mercantil. • Sistema económico, vigente en los ss. XVII y XVIII, que atiende en primer término al desarrollo del comercio, pralm. al de export., con intervención del Est., y que considera la posesión de metales preciosos como signo de riqueza. ■ MERCANTILISTA.
* *Hist.* El m. nació con la consolidación de los Est. nacionales y con el aflujo de metales preciosos procedentes de América. Tuvo su más alta expresión en Francia, bajo el impulso de Colbert.
MERCAR tr. y prnl. Comprar.
MERCATOR, *Gerhardus,* latinización de *Gerhard Kremer* (1512-1594) Cartógrafo flam. Su aportación más imp. fue un mapa para navegantes, realizado mediante una proyección cilíndrica ideada por él y que aún se usa.
MERCÉ, *Antonia* → Argentina, La.
MERCED f. Cosa, honor, perdón, etc., concedidos a alguien por un soberano. • Cualquier beneficio gracioso que se hace a uno. • Voluntad o arbitrio de uno. • tratamiento o título de cortesía, que actualmente se corresponde con el *usted.* • Orden religiosa y militar fundada por san Pedro Nolasco, cuyo pral. objeto era redimir cautivos. • Renta o precio, en el contrato de arrendamiento. • **M. a.** m. adv. Gracias a.
MERCEDARIO, RIA adj. y s. Díc. del religioso o religiosa de la orden de la Merced.
MERCEDARIO, *Cerro* Cumbre de los Andes arg., prov. de San Juan; 6 770 m.

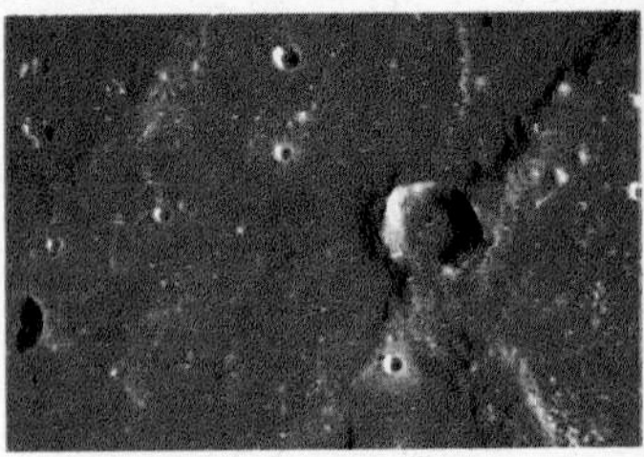
Fotografía de la superficie de **Mercurio,** realizada en 1974 por el *Mariner 10*

MERCEDES C. de Argentina, en la prov. de Buenos Aires; 41 500 hab. Centro metalúrgico. • C. de Argentina, en la prov. de San Luis; 51 000 hab. Sit. a orillas del r. Quinto. Centro agrícola y ganadero. • C. de Uruguay, cap. del dpto. de Soriano; 37 100 hab. Sit. a orillas del r. Negro. Centro comercial agropecuario. Aeropuerto. Fundada en el s. XVIII.
MERCEDES de Orleáns (1860-1878) Reina de España [1878]. Hija del duque de Montpensier, casó con Alfonso XII el 23 de enero 1878. Murió seis meses después a cusa de fiebres tifoideas.
MERCEDES Díaz Mun. de Venezuela, en el est. Trujillo; 34 000 hab.
MERCENARIO, RIA adj. y s. Aplícase a la tropa que sirve en la guerra a un gobierno extranjero por una retribución. • Mercedario. • Asalariado. • m. Trabajador que por su jornal trabaja en el campo. • Persona dispuesta a realizar cualquier trabajo a cambio de una paga.
MERCERÍA f. Comercio de artículos para costura. • Conjunto de artículos de esta clase. • Tienda en que se venden. • *Chile.* Tienda en que se venden objetos de hierro.
MERCERIZACIÓN f. Tratamiento que consiste en impregnar los hilos y tejidos de algodón con una solución de sosa cáustica para que adquieran mayor brillo, resistencia y compactabilidad.
MERCHÁN y Pérez, *Rafael María* (1844-1905) Escritor y político independentista cub. Ministro plenipotenciario al instaurarse la rep. *La honra de España en Cuba, La abolición de la esclavitud en la isla de Cuba, Cartas literarias.*
MERCHANTE adj. Mercante. • m. El que compra y vende algunos géneros sin tener tienda fija.
MERCKX, *Eddy* (nacido 1945) Deportista belga, uno de los mejores ciclistas de todos los tiempos. Ganador de todas las pruebas importantes.
MERCOSUR (Mercado Común del Sur) Mercado común sudamericano fundado en 1991 por Argentina, Brasil, Paraguay y Uruguay, que entró en vigor en 1995. Ha establecido acuerdos de asociación con Bolivia, y de libre comercio con Chile.
MERCOURI, *Melina* (1925-1994) Actriz y política gr. Intervino en películas como *Topkapi* y *El que debe morir.* Ministra de Cultura desde 1981 a 1985 y de 1993 hasta su muerte.
MERCURIAL adj. Relativo al dios mitológico o al planeta Mercurio. • Relativo al mercurio. • Que contiene mercurio. • Causado por el mercurio. • f. *Bot.* Planta euforbiácea, de flores verdosas, cuyo zumo se ha empleado como purgante.
MERCURIALISMO m. *Pat.* Intoxicación crónica por mercurio o sus derivados.
MERCURIO m. *Quím.* Elemento de símb. Hg, n. a. 80 y p. a. 200,61. Único metal líquido a temperatura ordinaria, su densidad es 13,546 g cm^3. Su

mena típica es el cinabrio. Por su inactividad general y reducida presión de vapor, se emplea en bombas de vacío y como líquido termométrico y barométrico. A elevada temperatura su vapor conduce la corriente eléctrica (lámpara de vapor de m.). Sus amalgamas se emplean en odontología y metalurgia. ■ MERCÚRICO, CA.

MERCURIO Dios del comercio en la ant. religión rom. Correspondiente al gr. Hermes.

MERCURIO Planeta del sistema solar. Es el planeta más próximo al Sol, a una distancia de $58 \cdot 10^6$ km, con un período sidéreo de 88 días y 58,7 días el de rotación. Su diámetro es de 4 878 km y la temperatura oscila entre –70 °C y 350 °C.

MERCURY *Astron.* Serie de cuatro cápsulas espaciales norteam., de vuelo orbital. El primer vuelo tuvo lugar en febrero de 1962 (*Friendship 7*, tripulada por Glenn) y el último en 1963.

MERDELLÓN, NA m. y f. fam. Criado o criada sucios.

MERDOSO, SA adj. Sucio, lleno de inmundicia.

MERECER tr. Hacerse uno digno de premio o de castigo. • Lograr, conseguir. • Tener cierto grado o estimación una cosa. • intr. Hacer méritos, ser digno de premio. ■ MERECEDOR, RA; MERECIMIENTO.

MERECIDO m. Castigo de que se juzga digno a uno.

MERECO, CA adj. *Amér. Centr.* Grande.

MERENDAR intr. Tomar la merienda. • En algunas partes, comer al mediodía. • Registrar o curiosear lo que otro escribe o hace. • tr. Tomar en la merienda una u otra cosa. • prnl. fig. y fam. Vencer o dominar a otro en una pelea o competición. • fig. y fam. Conseguir o disfrutar una cosa deseable.

MERENDERO m. Sitio en que se merienda. • Establecimiento adonde concurre la gente a merendar o comer.

MERENDOLA o **MERENDONA** f. Merienda espléndida y abundante.

MERENGUE m. Dulce de claras de huevo y azúcar. • fig. *Chile* y *Col.* Persona de complexión delicada. • *Argent., Par.* y *Ur.* Lío, desorden, trifulca. • *Amér. Centr.* Danza popular.

MERÉNQUIMA m. *Bot.* Parte del parénquima radiomedular.

MERESIS f. *Biol.* Tipo de crecimiento en el que predomina el aumento del núm. de células sobre el aumento del volumen de las mismas.

MERETRIZ f. Ramera. ■ MERETRICIO, CIA.

MEREY m. Marañón, árbol.

MERGO o **MERGÁNSAR** m. Serreta, palmípeda marina.

MERGUI *(Myeik Kyunzu)* Arch. de Myanma en el mar de Andamán (200 islas).

MÉRGULO m. Ave caradriforme de la familia álcidos, de pequeño tamaño. Presenta plumaje negro en el dorso y blanco en el vientre.

MÉRIDA Est. del O de Venezuela; 11 300 km², 719 796 hab. Cap., la c. hom. El relieve está compuesto por el sector central de la cord. de Mérida, dividido en dos partes por el valle de Chama: la sierra de la Culata y la sierra Nevada de Mërida. R. Chama y Negro. Clima cálido y lluvioso. Explotación forestal. Plátanos, café, cacao y productos tropicales. Esmeraldas, mica y petróleo. • C. de Venezuela, cap. del est. hom., junto al r. Chama; 197 500 hab. Centro comercial. Ind. alimentarias; refinería de azúcar, muebles, manufacturas de tabaco. • ***Cordillera de*** Sist. orográfico de Venezuela, llamado también *Andes Venezolanos*. Tiene una long. de 450 km, y su alt. máx. es el pico Bolívar (5 007 m).

MÉRIDA C. de México, cap. del est. de Yucatán; 703 324 hab. Centro comercial de productos agrícolas, en particular de henequén. Ind. textil, harinera, azucarera. Aeropuerto. Universidad. Fundada en 1542 por el capitán Francisco Montejo en las cercanías de una ant. c. maya. Catedral del s. XVI.

MÉRIDA C. de España, cap. de la com. autón. de Extremadura; 51 830 hab. Sit. en la prov. de Badajoz. Centro agrícola. Fundada hacia el 25 a. C. por Augusto con el nombre de *Emerita Augusta*, conserva numerosos restos monumentales de época rom.

MERIDIANO, NA adj. Relativo a la hora del mediodía. • fig. Clarísimo, muy luminoso. • adj. y s. *Geog.* Díc. de la línea que es el lugar geométrico de los puntos de una superficie que tiene igual long. (geográfica o celeste). • *Geom.* Para una superficie de revolución, díc. de la sección que pasa por un eje de simetría. • f. Camilla, cama que sirve para estar vestido o medio vestido en ella. • Especie de sofá sin respaldo ni brazos que se utiliza como asiento o para tenerse en él. • Siesta que se hace después de comer. • **astronómico de un punto.** Plano que contiene la vertical del punto y que es paralelo al eje de rotación de la Tierra. • **cero.** El que convencionalmente se toma como origen para contar la long. de cada punto de la Tierra. • **geodésico de un punto.** M. astronómico en un punto. • **magnético de un punto.** Circunferencia máx. del globo terrestre, que pasa por el punto y por los polos magnéticos. • **terrestre** o **geográfico.** Intersección del m. astronómico con la superficie terrestre. • **Primer m.** Meridiano cero. • **Hora m.** La del mediodía.

Los atributos del arte, óleo de J. B. S. Chardin en cuyo centro aparece una estatuilla de **Mercurio** en yeso, obra de Pigalle. Museo del Ermitage, San Petersburgo (Rusia)

MERIDIEM ***(Ante o post)*** locs. advs. latinas. Usadas en algunos países anglosajones con la significación de *mañana* o *tarde*, es decir, *antes del mediodía* o *después del mediodía*.

MERIDIONAL adj. Relativo al sur o mediodía.

MERIENDA f. Comida ligera que se hace por la tarde antes de la cena. • En algunas partes, comida que se toma al mediodía. • fig. y fam. Joroba, corcova. • **de negros.** fig. y fam. Confusión y desorden.

MÉRIMÉE, *Prosper* (1803-1870) Escritor fr. En su obra, los elementos románticos alternan con los de carácter realista. *Carmen.*

Fachada de la iglesia de la Ermita, en **Mérida** (México)

MERINDAD f. Territorio de la jurisdicción del merino, ant. magistrado. • Oficio de merino. • Distrito con una ciudad o villa importante que defendía y dirigía los intereses de los pueblos y caseríos de su demarcación.

MERINO, NA adj. y s. Díc. de ciertos carneros y ovejas de lana fina, corta y rizada. • m. Juez designado por el rey en un territorio en donde tenía jurisdicción amplia. • El que cuida del ganado o de sus pastos. • Tejido de cordoncillo fino en el que trama y urdimbre son de lana escogida y peinada.

MERINO, *Jerónimo*, llamado EL CURA MERINO (1779-1844) Sacerdote y guerrillero esp. Durante la guerra de la Independencia hostilizó continuamente al ejército fr. • ***Martín*** (1789-1852) Fraile esp., franciscano. Luchó en la guerra de la Indep. Intentó asesinar a Isabel II y murió ejecutado.

MERIÑO, *Fernando Arturo* (1833-1906) Prelado y político dom. Presid. de la rep. de 1880 a 1882.

Ovejas de raza **merina**

MERISI, ***Michelangelo*** → Caravaggio.

MERISTEMA o **MERISTEMO** m. Tejido vegetal formado por células embrionarias, que se localiza en las partes de crecimiento de la planta.

MÉRITO m. Circunstancia, cualidad o acción por la que alguien merece cierta cosa deseable. • Valor de las cosas debido al trabajo o habilidad puestos en ellas. • **De m.** loc. Notable y recomendable. • **Hacer méritos.** fig. Hacer cosas para merecer o ganar algo.

MERITORIO, RIA adj. Digno de premio o galardón. • m. y f. Empleado que trabaja sin sueldo y sólo por hacer méritos para entrar en plaza remunerada. • Aspirante administrativo.

MERLA f. Mirlo, pájaro.

MERLÁCHICO, CA adj. *Méx.* Pálido, enfermo.

MERLANGO m. Pez de la familia gádidos, pescadilla.

Merluza

MERLEAU-PONTY, ***Maurice*** (1908-1961) Filósofo fr. Sus primeras obras (*Estructuras del comportamiento*) revelan la influencia de Sartre. Más tarde se interesó por el marxismo (*Las aventuras de la dialéctica*).

MERLÍN Mago y profeta legendario que aparece en los libros de caballerías del ciclo bretón.

MERLO m. Zorral marino, pez. • *Argent.* Tonto.

MERLO C. de Argentina, en la prov. de Buenos Aires; 292 600 hab.

MERLÓN m. Cada uno de los trozos de parapeto que median entre dos cañoneras.

MERLUZA f. *Zool.* Pez gadiforme de hasta 1,20 m de largo, que vive en aguas templadas del Atlántico y el Mediterráneo; posee grandes aletas dorsal y anal. Su carne es muy apreciada. • fig. y fam. Borrachera.

MERMAR intr. y prnl. Bajar o disminuir una cosa o una parte. • tr. Quitar a uno parte de cierta cantidad que le corresponde. ■ MERMA.

MERMELADA f. Conserva de frutas con miel o azúcar.

MERMOZ, ***Jean*** (1901-1936) Aviador fr. Estableció la primera línea postal América del Sur-Francia.

Abejaruco, ave de la familia **merópidos**

MERO, RA adj. Puro, simple y que no tiene mezcla de otra cosa. • Insignificante, sin importancia. • *Méx.* y *Hond.* Mismo. • *Méx.* y *Hond.* Principal o verdadero. • *Méx.* Exacto, puntual. • m. *Zool.* Pez perciforme marino de gran tamaño y peso (hasta 60 kg), que vive en las aguas templadas. Su coloración es pardusca, con manchas blancas, y su carne muy apreciada. • adv. modo. *Méx.* Mismo. • *Méx.* En un tris, casi. • *Méx.* Muy. • *Ven.* y *Col.* Uno solo.

MERODEAR intr. Vagar por el campo viviendo de lo que se coge o roba. • fig. Vagar por las inmediaciones de algún lugar. ■ MERODEADOR, RA; MERODEO.

MEROE Cap. de la ant. Nubia, en la orilla derecha del Nilo. Centro del reino de Kush, tuvo su mayor esplendor entre los ss. III a. C.-IV d. C.

MERÓPIDO, DA adj. y m. *Zool.* Díc. de aves de de la familia merópidos. • m. pl. *Zool.* Familia de aves coraciformes, de plumaje vistoso y pico largo y delgado, que se alimentan de abejas y avispas. Vulgarmente, abejarucos.

MEROPLANCTON m. Organismos que llevan una vida planctónica durante parte de su ciclo vegetativo y que en el resto del mismo son bentónicos.

MEROSTOMA adj. y m. *Zool.* Díc. de artrópodos de la clase merostomas. • m. pl. *Zool.* Clase de artrópodos quelicerados, marinos, provistos de branquias.

Arte **merovingio.** Cubilete del s. VII

MEROVINGIO, GIA adj. y s. Relativo a la dinastía de los primeros reyes de Francia. • m. pl. Esa dinastía.

* *Hist.* La dinastía m. debe su nombre a Meroveo y surgió entre los francos salios en el s. V. El hijo de Meroveo, Clodoveo, extendió sus dominios a casi toda la Galia. La dinastía fue apartada del trono al ser destronado Childerico III en 751 por Pepino el Breve.

* *Arte.* Quedan pocos restos de arte m., pero por los conservados se aprecia la influencia de la arquitectura tardorromana. En escultura destaca la producción de sarcófagos y en orfebrería la variedad llamada alveolada.

MERQUÉN m. *Chile.* Ají con sal para condimentar la comida durante los viajes.

MERRIFIELD, ***Robert Bruce*** (nacido 1921) Químico norteam. Premio Nobel de Química en 1984 por su método de síntesis de polipéptidos y proteínas.

MERRY del Val, ***Rafael*** (1865-1930) Cardenal esp. Secretario de Estado del papa Pío X. Apoyó el movimiento fascista italiano.

MERSIN C. del S de Turquía; 314 100 hab. Ind. textil. Puerto exportador.

MERTON C. de Gran Bretaña, en Inglaterra; 165 400 hab. Forma parte del Gran Londres.

MERU Volcán apagado en el NE de Tanzania; 4 565 m.

MES m. Cada una de las doce partes en que se divide el año. • Número de días consecutivos desde uno señalado hasta otro de igual fecha en el mes siguiente. • Menstruo de las mujeres. • Mensualidad, sueldo de un mes.

MESA f. Mueble que se compone de una tabla lisa sostenida por uno o varios pies, y que sirve para comer, escribir, jugar u otros usos. • en las asambleas políticas y otras corporaciones, conjunto de las personas que las dirigen. • En las secretarías y oficinas, conjunto de negocios que pertenecen a un oficial. • Terreno elevado y llano, de gran extensión, rodeado de valles o barrancos. • Meseta de una escalera. • Cúmulo de las rentas de las iglesias, prelados y dignidades, o de las órdenes militares. • Plano pral. del labrado de las piedras preciosas. • Cualquiera de los planos que tienen las hojas de las armas blancas. • Cada uno de los dos largueros que forman la armazón de la máquina del encuardernador. • Partida del juego de trucos o billar. • Tanto que se paga por ella, en estos y otros juegos. • fig. Comida o alimento. • n. p. f. *Astr.* Constelación austral cuyo nombre latino es *Mensa.* • **camilla.** La que tiene bastidores y tarima para poner el brasero. • **de altar.** Altar donde se coloca el ara. • **de noche.** Mueble pequeño con cajones, que se coloca al lado de la cama, para los servicios necesarios. • **redonda.** La que no tiene diferencia en los asientos.

MESA, ***Cristóbal de*** (1562-1633) Poeta esp., autor de poemas épicos y religiosos. *La Restauración de España.*

MESADA f. Porción de dinero u otra cosa que se da o paga todos los meses.

MESALIANO adj. y s. Díc. de herejes cristianos aparecidos hacia el s. IV en Mesopotamia, llamados también masalianos. Los m. negaban la eficacia del bautismo para borrar el pecado original y sus consecuencias.

MESALINA f. fig. Mujer poderosa o aristócrata y de costumbres disolutas.

MESALINA, ***Valeria*** h. 22-48) Tercera esposa del emp. rom. Claudio. Célebre por su crueldad y su vida libertina.

MESANA f. *Mar.* Mástil que está más a popa en el buque de tres palos. • *Mar.* Vela que va contra este mástil envergada en un cangrejo.

MESAR tr. y prnl. Arrancar los cabellos o barbas con las manos. ■ MESADURA.

MESCALINA f. Mezcalina.

MESCOLANZA f. fam. Mezcolanza.

MESEGUERÍA f. Guarda de las mieses. ■ MESEGUERO, RA.

MESEMBRIANTEMÁCEO, A adj. y f. *Bot.* Díc. de plantas de la familia mesembriantemáceas. • f. pl. *Bot.* Familia de plantas dicotiledóneas, del orden centrospermas, propias de África meridional.

MESENCÉFALO m. *Anat.* Porción intermedia del encéfalo de los vertebrados que constituye un centro de enlace de las neuronas que transportan informaciones visuales y auditivas.

MESENIA *(Messinia)* Nomo de Grecia, en el Peloponeso; 2 991 km², 159 800 hab. Cap., Kalamata. Agricultura. Sericicultura. Ind. textiles. Sometida primero por Esparta, en 146 a. C. quedó sometida a Roma.

MESENIO, NIA adj. y s. De Mesenia.

MESÉNQUIMA m. *Biol.* Tejido conjuntivo de tipo embrionario, formado por células poco diferenciadas.

MESENTERIO m. Membrana que en muchos animales sostiene el intestino, al que tapiza y conecta con la pared del cuerpo. ■ MESERAICO, CA; MESENTÉRICO, CA.

MESERO m. *Amér.* Camarero de café.

Vista del puerto de **Mesina**

MESETA f. *Geog.* Llanura sit. a cierta alt. sobre el nivel del mar, profundamente recortada a intervalos, con laderas muy inclinadas o interrumpidas por escarpes verticales. Son imp. las m. del Colorado y de Columbia en EE UU, la de Patagonia en Argentina, la de Altái en Asia, etc. • Descansillo de una escalera. ■ MESETARIO, RIA; MESETEÑO, ÑA.

MESETA Central Española Unidad morfoestructural que constituye el núcleo central de la pen. Ibérica, que ocupa una superficie aprox. de 210 000 km^2. El sist. Central la divide en dos altiplanicies: la M. septentrional, ocupada por Castilla y León, y la M. meridional, ocupada por Castilla-La Mancha y Extremadura.

MESIA Ant. prov. rom. al S del Danubio, habitada por los mesios, pueblo de origen tracio.

MESIANISMO m. Doctrina relativa al Mesías. • Creencia en la venida del Mesías. • fig. Confianza inmotivada en un agente bienhechor que se espera. ■ MESIÁNICO, CA.

MESÍAS m. fig. Persona real o imaginaria de la cual se espera que su intervención venga a solucionar los problemas.

MESÍAS n. p. m. El Hijo de Dios, Salvador y Rey, descendiente de David, prometido por los profetas al pueblo hebreo. Se daba el nombre de M. al futuro libertador del pueblo de Israel. En esta creencia básica, que se encuentra en el A. T., Israel encontraba su razón de ser.

MESIDOR m. Décimo mes del calendario republicano fr.

MESILIM Rey sumerio de Kish, en la Baja Mesopotamia, que gobernó h. el año 2600 a. C. Es el primer rey comprobable históricamente.

MESILLA f. Mesa de noche. • fig. Reprensión. • Meseta de escalera. • Losa que se sienta en la parte superior de los antepechos de las ventanas y encima de las balaustradas.

MESILLO m. Primera menstruación después del parto.

MESINA C. de Italia, en el NE de Sicilia, cap. de la prov. hom.; 267 300 hab. Sit. en el estr. hom. Puerto. Ind. mecánicas, químicas, textiles. Universidad (1548). • **Estrecho de** Brazo de mar entre Sicilia e Italia. Comunica el mar Tirreno con el Jónico.

MESINÉS, SA adj. y s. De Mesina.

MESINO, NA adj. y s. *Hond.* Sietemesino.

MESITA f. Mesa pequeña. • **de noche.** Mesa de noche.

MESITES f. Ave de Madagascar, de la familia mesitornítidos, que tiene el tamaño de una gallina.

MESITILENO m. *Quím.* Hidrocarburo bencénico que se encuentra en el alquitrán de hulla y algunos petróleos.

MESITORNÍTIDO, DA adj. y m. *Zool.* Díc. de aves de la familia mesitornítidos. • m. pl. *Zool.* Familia de aves gruiformes, de características aberrantes.

MESMER, ***Franz Anton*** (1734-1815) Médico austr. establecido en París. Estableció unas teorías terapéuticas que alcanzaron gran predicamento durante el s. XIX.

MESMERISMO m. Doctrina del magnetismo animal expuesta por el austr. F. A. Mesmer. ■ MESMERIANO, NA.

MESNADA f. Compañía de gente de armas que servía a un rey o caballero principal. • fig. Compañía, junta, congregación. ■ MESNADERO.

MESO m. *Anat.* Cada uno de los pliegues del peritoneo que unen algún segmento del tubo digestivo a la pared de la cavidad abdominal.

MESOAMÉRICA Término utilizado para designar el terr. donde se desarrollaron culturas americanas precolombinas, como la maya y la azteca.

* *Geog.* En la actualidad M. ocuparía la región central, S y N de México, Guatemala, Belice, El Salvador, parte de Nicaragua y Costa Rica. Atraviesan M. las sierras Occidental y Oriental. El paisaje queda determinado por la latitud y la altitud, ofreciendo un mosaico climático que acoge desde el tropical al desértico, pasando por el frío, lo que ha impuesto la distribución desigual de pueblos y culturas. Los límites geográficos de M. no siempre fueron los mismos. Basados en criterios de semejanza y estructura cultural, se establecieron en fechas anteriores a la conquista esp. (1500) en el N, desde el r. Pánuco al Sinaloa, y al S, desde la pen. de Nicoya a la desembocadura del r. Motagua (Nicaragua) o a Puerto Limón (Costa Rica), según Kirchhoff (1943) y Wolf (1950).

Meseta Central Española. Puerto Lápice, en los Montes de Toledo

* *Hist.* Puede hablarse de M. tanto como un área de pugna entre diferentes culturas, como una zona montañosa de desarrollo histórico, con la agricultura como base de civilización. M. puede dividirse en dos grandes bloques: las tierras altas y las bajas, con rasgos que se manifestaron a través de la religión, la fragmentación política y la estratificación social. Las tierras altas fueron pobladas por gentes austeras, de expresión artística geométrica, agricultura intensiva, sentido militarista y profunda religiosidad, encabezado todo ello por una nobleza cívico-religiosa latifundista. La presión demográfica les condujo a la formación de grandes Estados y centros urbanos, habitados por pueblos de habla náhuatl, de la familia uto-azteca, y otomí, con culturas internas como Teotihuacán, Tula o Tecnochtitlán. Las tierras bajas, unidas bajo el tronco lingüístico mayence, presentaron una gran variedad y barroquismo cultural, de tradición artística curvilínea, escasa mentalidad unificadora y gran fragmentación política, agricultura extensiva que supuso una demografía débil y una población dispersa. La hegemonía religiosa diluyó el militarismo. Las culturas desarrolladas en M. fueron la olmeca, tolteca, azteca y maya, siendo estas dos últimas las preeminentes en el momento de la conquista española.

MESOCARPO o **MESOCARPIO** m. *Bot.* Pared del fruto situada entre el exocarpo y el endocarpo.

MESOCEFALIA f. *Antr.* Forma del cráneo cuyo índice cefálico está comprendido entre los de la braquicefalia y la dolicocefalia.

MESOCÉFALO, LA adj. Díc. de la persona que presenta mesocefalia. • m. Mesencéfalo.

MESOCRACIA f. Forma de gobierno en la que predomina la clase media. • fig. Burguesía. ■ MESOCRÁTICO, CA.

MESODERMO o **MESOBLASTO** m. Tercera hoja blastodérmica que origina los sist. muscular y óseo, entre otros.

MESÓFILO m. *Bot.* Espacio comprendido entre las epidermis inferior y superior de las hojas de los vegetales.

Mesoamérica. Templo del Sol de Palenque, México

Mesopotamia.
De arriba abajo, plano de la ciudad de Nippur; estela de Melishipak II, proveniente de Susa (1200 a. C.); cabeza de Sargón de Acad. Museo de Irak, Bagdad

MESOGEA f. Ant. área de sedimentación, que se extendía desde los actuales Pirineos hasta Indonesia. Fue origen de los sistemas herciniano y alpino.

MESOGLEA f. Sustancia intercelular, de consistencia gelatinosa, en cuyo seno viven algunas células, gralte. ameboides. Se encuentra en el interior de las esponjas y celentéreos.

MESOLÍTICO, CA adj. *Prehist.* Relativo al periodo de transición que sucede al paleolítico. • m. Dicho periodo.

* *Prehist.* El término se aplica a las facies culturales que utilizan instrumentos de piedra y de hueso, pero que manifiestan un proceso de cambio de una economía depredadora a otra con base productora. En el Próximo Oriente estas culturas derivaron lentamente hacia las formas neolíticas plenas.

MESOMERÍA f. *Quím.* Tipo de isomería propia de las combinaciones que para la misma ordenación atómica pueden ser representadas por varias fórmulas, distintas por la disposición de los electrones.

MESÓN m. Establecimiento donde se da hospedaje y se sirven comidas. • *Chile.* Mostrador de una cantina. • *Fís.* Partícula secundaria de origen cósmico, con carga eléctrica unidad, positiva o negativa. Existen varios tipos: los π, de masa 273 veces mayor que la del electrón; los μ, 208 veces; y los K, 966 veces. ■ MESONERO, RA.

MESONEFROS m. Tipo primitivo del sistema excretor de los vertebrados.

MESONERO Romanos, *Ramón de* (1803-1882) Escritor esp. Retrató las costumbres del Madrid decimonónico. *Escenas matritenses, Memorias de un setentón.*

MESOPAUSA f. Límite superior de la mesosfera.

MESOPOTAMIA (*Ard al-Jazira*) Región del O de Asia que comprende la parte centrooriental de Irak y el SO de Irán, sit. entre los r. Tigris y Éufrates; limita al N con las montañas del Kurdistán, al E con los montes Zagros, al SE con el Golfo Pérsico y al O con el desierto de Siria. El Tigris y el Éufrates, a partir de la confluencia, forman un amplio delta que progresa a un ritmo de 30 m por año.

* *Hist.* Sede de las culturas históricas más ant. conocidas. Al N del país, los arqueólogos distinguen unos periodos prehistóricos a los que llaman de Jarmo, Hassuna-Samarra y Halaf. Posiblemente fue en el Halaf cuando un pueblo, cuya identidad se desconoce, ocupó la parte aluvial de la Baja M. Es la época de la formación de las c. y de la concentración de poder. En el s. XXV a. C. un semita, Sargón de Acad, se hizo con el control de todo el país. Esta situación duró dos siglos, hasta la invasión de los salvajes guti. La expulsión de los guti fue obra de Utukhengal de Uruk, fundador de la tercera dinastía de Ur, que dio a los sumerios la última época de esplendor. La última c. sumeria, Larsa, cayó en manos de Hammurabi h. 1762 a. C. Empieza entonces una nueva época de grandes realizaciones, cuya muestra es el código de Hammurabi. Babilonia fue destruida en 1595 a. C., y del 1000 al 500 se desarrollaron las luchas contra los reyes asirios. La máx. gloria asiria corresponde al reinado de Assurbanipal (668-626), tras el cual se produce una irreversible decadencia.

* *Arte.* El arte mesopotámico surgió condicionado por las características geográficas de la región y por una particular concepción del mundo. Los palacios se levantaban sobre grandes plataformas y su planta constaba de uno o varios patios porticados. Los templos, de estructura semejante, se caracterizan por una alta torre (zigurat) escalonada según siete pisos. La escasez de piedra condicionó que se construyera en adobe. Entre los palacios más imp. sobresalen los de Mari, Assur y Nínive. Del primer periodo babilónico destaca la estela del código de Hammurabi, hallada en Susa. El bajo relieve alcanzó en el periodo asirio una gran perfección, pralm. en las representaciones de animales (*Leona herida*, del palacio de Assurbanipal).

MESOPOTAMIA Región del NE de Argentina, sit. entre los r. Uruguay y Paraná. Comprende las prov. de Misiones, Corrientes y Entre Ríos. Clima subtropical. Cereales. Ganado vacuno.

MESOPOTÁMICO, CA adj. y s. De Mesopotamia.

MESOSFERA f. Capa de la atmósfera terrestre comprendida entre la estratosfera y la ionosfera. En su capa superior, la absorción del ultravioleta solar por parte del vapor de agua produce OH. Actúa como reflectante de numerosas ondas largas.

MESOTÓRAX m. Parte media del pecho. • Segmento medio del tórax de los insectos.

MESOTORIO m. *Quím.* Nombre dado a dos isótopos radiactivos de p. a. 228, uno del radio (n. a. 88) y otro del actinio (n. a. 89).

MESOTRÓN m. *Fís.* Mesón.

MESOZOICO, CA adj. y m. *Geol.* Díc. de la era geológica comprendida entre la primaria o paleozoica y la terciaria o cenozoica. Su duración aprox. fue de unos 160 millones de años. Se divide en tres periodos: triásico, jurásico y cretácico. Desde el punto de vista paleontológico, se caracteriza por la aparición de los mamíferos y de las aves. • Relativo a esta era.

MESQUITE o **MEZQUITE** m. *Amér.* Árbol de la familia mimosáceas; el zumo y extracto de sus hojas se usa en oftalmología.

MESSERSCHMITT, *Wilhelm* (1898-1978) Ingeniero aeronáutico al., creador del caza *Me 109* y del primer caza a reacción, el *Me 262* (1938), utilizados durante la II Guerra Mundial.

MESSÍA de la Cerda, *Pedro*, MARQUÉS DE LA VEGA DE ARMIJO (1700-1783) Virrey de Nueva Granada (1761-1773). Expulsó a los jesuitas del virreinato (1767).

MESSIAEN, *Olivier* (1908-1992) Compositor fr. Su estética se sitúa al margen del dodecafonismo. *Cánones de las estrellas.*

MESTA n. p. f. Reunión de los dueños de ganados. • Concejo de la M. • pl. Aguas de dos o más corrientes en el punto en que confluyen.

* *Hist.* El *Honrado Concejo de la Mesta* es la organización que agrupó a los ganaderos de Castilla desde la Baja E. Med. hasta la primera mitad del s. XIX. Durante el periodo de los Reyes Católicos se afirmó el poder de la organización, que a cambio de sus privilegios era fuente impositiva para la monarquía. Hacia fines del s. XVI, paralelamente a la decadencia del imperio, la M. inició su declive.

MESTEÑO, ÑA adj. Relativo a la Mesta. • Que no tiene señor o amo conocido; díc. especialmente de caballos y reses vacunas. • Díc. de los animales cerriles. • adj. y m. Díc. de una raza de caballo asilvestrado de América del Norte, llamado localmente mustang.

MESTER de clerecía Término aplicado al conjunto de la poesía cast. culta de los ss. XIII y XIV. Características más imp. de esta poesía son la métrica regular y fija y el uso de una lengua popular, pero salpicada de cultismos y latinismos. La producción de Berceo, el *Libro de Apolonio*, el *Libro de Alexandre*, el *Libro de Buen Amor* y el *Rimado de palacio* de López de Ayala, son las prales. obras conservadas de m. de clerecía. • **de juglaría**. Arte u oficio propio de los juglares medievales.

MESTIZAJE m. Hibridación de la especie humana, originada por el cruce entre las distintas razas existentes.

* *Antr.* El m. está sometido a las leyes de la herencia, con predominio de los genes dominantes de una raza sobre los recesivos de la otra. Dado que no existen razas puras, el m. es de ámbito universal, pero, en el sentido en que se utiliza corrientemente este término, es válido sólo para las mezclas de grupos humanos con características harto diferenciales. Históricamente es muy imp. el m. a gran escala que tuvo lugar en Hispanoamérica a partir de la conquista esp., entre elementos mongoloides (indígenas), caucasoides (los colonizadores) y negroides (llevados a las colonias como esclavos).

MESTIZO, ZA adj. y s. Díc. de la persona nacida de padres de distinta raza. • *Biol.* Híbrido. • m. *Chile* y *Col.* Acemita.

MESTO m. Vegetal mestizo, producto del cruzamiento del alcornoque y la encina. • Rebollo, árbol cupulífero. • Aladierna.

MESURA f. Gravedad y compostura en la actitud y el semblante. • Reverencia, demostración exterior de sumisión y respeto. • Moderación, comedimiento.

MESURAR tr. Infundir mesura. • prnl. Contenerse, moderarse. ■ MESURADO, DA.

META f. Pilar cónico que señala en el circo rom. cada uno de los dos extremos de la espina. • Término señalado a una carrera. • fig. Fin a que se diri-

gen las acciones o deseos de una persona. • En ciertos deportes, portería.
META prep. insep. Después. • En otro lugar.
META Dpto. de Colombia, sit. en el centro-E del país, en la Orinoquia Colombiana; 85 635 km^2, 618 427 hab. Cap., Villavicencio. Accidentado al O por la cordillera Oriental, y al E por una inmensa llanura. R. Meta y Guaviare. Clima cálido. Vegetación compuesta por sabanas y bosques en galería. Arroz, maíz, yuca y plátanos. Ganadería. Carbón, sal y hierro. Ind. textil y alimentaria. • R. de Colombia y Venezuela, afl. del Orinoco; 1 100 km. Nace en la cord. Oriental y desemboca entre puerto Páez y Puerto Carreño.
METÁBASIS f. *Gram.* Transposición de rango funcional por la cual una palabra de una determinada categoría gramatical adquiere en un contexto otra categoría distinta.
METÁBOLE f. Sinonimia.

Pinturas rupestres del **mesolítico,** de la cueva Santimamiñe, Vizcaya (España)

METABOLISM Grupo de arquitectos japoneses (Kikukate, Kurokawa, Otaka, Isozaki, Tange) fundado en 1960. Su concepción arquitectónica es organicista. Ciudad espacial Neo-Mastaba; ampliación de Tokio en su bahía.
METABOLISMO m. *Biol.* Conjunto de reacciones químicas a que son sometidas las sustancias ingeridas o absorbidas por los seres vivos hasta que suministran energía o hasta que pasan a formar parte de la propia arquitectura estructural. • **basal.** El mínimo energético preciso para mantener el funcionamiento normal de un organismo. • **intermediario.** Conjunto de modificaciones que sufre una sustancia desde su entrada en el interior de un organismo hasta su transformación final. ■ METABÓLICO, CA.
* *Biol.* El m. de degradación (catabolismo) comprende una serie de vías por las cuales los principios inmediatos se convierten en energía y en sustancias oxidadas. Simultáneamente se forma amoniaco, que debe ser eliminado en forma molecular, de urea, o de ácido úrico. En el m. de síntesis, a partir de ácido acético activado y con gasto de energía, se forman las sustancias necesarias.
METABOLITO m. Sustancia originada por la transformación metabólica de los alimentos en el interior de las células o de los seres vivos. • P. ext., producto final del metabolismo.
METÁBOLO, LA adj. y m. Díc. de los insectos, gralte. alados, que sufren metamorfosis. Se llaman también pterigógeneos.
METACARPO m. *Anat.* Conjunto de cinco huesos largos del esqueleto de la mano humana. ■ METACARPIANO.
METACEDEUSIS f. *Ling.* Paso de un vocablo de una familia léxica a otra.
METACENTRO m. *Fís.* En los cuerpos flotantes, punto de intersección entre la vertical natural y la que pasa por el centro de empuje. ■ METACÉNTRICO, CA.
METACLAMÍDEO, A adj. y f. *Bot.* Díc. de plantas dicotiledóneas caracterizadas por poseer flores con corola soldada formando un tubo.
METACRILATO m. *Quím.* Sal o éster del ácido metacrílico. P. ext., se da este nombre a los plásticos formados por polimerización de dichas sales.
METADINAMO f. Máquina eléctrica de corriente continua caracterizada por tener más de dos líneas de escobillas por cada par de polos.
METADONA f. Sustancia con propiedades analgésicas parecidas a las de la morfina, usada en ciertas curas de desintoxicación de toxicomanías.
METAFASE f. *Biol.* Segunda fase de la mitosis. En ella los cromosomas se adhieren a las fibras del huso acromático formando la estrella madre.
METAFÍSICO, A adj. Relativo a la metafísica. • fig. Oscuro y difícil de comprender. • m. y f. El que profesa la metafísica. • f. *Fil.* Estudio del ser en cuanto tal y de sus propiedades, principios y causas primarias.
* *Fil.* Como ciencia de los primeros principios y de las causas primeras del ser, la m. también ha recibido el nombre de filosofía primera. A lo largo de la historia de la filosofía, muchos autores han rechazado la posibilidad de todo conocimiento metafísico. En la antigüedad el rechazo lo formularon los escépticos, y en la E. Mod. los empiristas (especialmente Hume), pero fue Kant quien sometió la m. a la más rigurosa crítica. En el s. XIX las críticas a la m. partieron del positivismo y del marxismo.
METÁFASIS f. Porción de los huesos largos sit. entre la diáfisis y la epífisis.
METAFONÍA f. Cambio de timbre que la vocal tónica sufre por influjo de la vocal fina o de un sonido vecino.
METÁFORA f. *Ling.* Tropo que consiste en trasladar el sentido recto de las voces en otro figurado, en virtud de una comparación tácita. Los retóricos conceptúan la m. como un tropo de dicción que consiste en expresar una idea con el signo de otra con la que guarda analogía o semejanza. El estudio de las m. durante cierta etapa literaria permite conocer la escala de valores de dicha época. ■ METAFÓRICO, CA.
METAGOCE f. *Ret.* Tropo que consiste en aplicar voces significativas de cualidades o propiedades del sentido a cosas inanimadas.
METAHEMOGLOBINA f. *Fisiol.* Hemoglobina de la sangre en la que los átomos de hierro están oxidados en forma trivalente y son capaces de combinarse con iones hidroxilos.
METAL m. *Quím.* Elemento o cuerpo simple que presenta características físicas y químicas particulares que dependen de su estructura atómica y su naturaleza. • Azófar o latón. • fig. Timbre de la voz. • fig. Calidad o condición de una cosa. • *Her.* Oro o plata, que respectivamente suelen representarse con los colores amarillo y blanco. • **blanco.** Aleación de color, brillo y dureza semejante a los de la plata, que ordinariamente se obtiene mezclando cobre, níquel y cinc. • **machacado.** Oro o plata nativos que en hojas delgadas suelen hallarse entre las rocas de los filones. • **precioso.** Oro, plata o platino. • **No m.** *Quím.* Elemento de características opuestas a las de los metales; tiene la tendencia a adquirir electrones y presentar una electroafinidad notablemente elevada. ■ METALÍFERO, RA.
* *Quím.* Las características físicas de los metales son: elevada resistencia mecánica; brillo denominado metálico; elevada conductividad eléctrica y calorífica; opacidad; ductilidad y maleabilidad; acritud, o sea, aumento de la resistencia a la deformación a medida que ésta se produce. Son todos sólidos, excepto el Hg, que es líquido. Sus características químicas son: tendencia a perder los electrones de valencia para transformarse en cationes; la mayoría se combinan con el oxígeno para dar lugar a óxidos; con los ácidos forman sales. Los no metales no presentan ductilidad ni son maleables; son malos conductores del calor y la electricidad; sus óxidos tienen características ácidas; forman fácilmente compuesto con el H. La distinción entre m. y no m. es imprecisa, puesto que las propiedades de los elementos varían gradualmente con el n.a. y, por tanto, existen algunos elementos que participan de las propiedades metálicas y no metálicas, por lo que es preferible hablar de carácter metálico y carácter no metálico.
METALADO, DA adj. fig. Mezclado, impuro. • f. *Chile.* Cantidad de metal explotable contenido en una veta.
METALARIO m. o **METALISTA** com. Artesano que trata y trabaja en metales.
METALDEHÍDO m. *Quím.* Polímero del aldehído acético.

Langosta emigrante, insecto **metábolo**

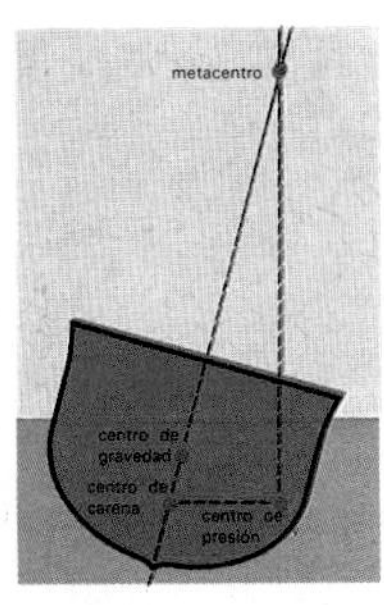

Representación esquemática de la posición relativa del **metacentro** de un barco

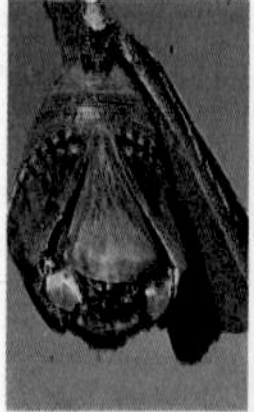

Metamorfosis. Mariposa saliendo de la fase de crisálida

METALENGUAJE m. *Ling.* Lenguaje empleado para estudiar las propiedades del mismo o de otro lenguaje.

METALEPSIS f. *Ret.* Tropo que consiste en tomar el antecedente por el consiguiente, o al contrario.

METALERO, RA adj. *Chile.* Aplícase a algunas cosas que tienen relación con los metales. • m. Metalario.

METÁLICO, CA adj. De metal o relativo a él. • Relativo a medallas. • m. Metalario. • Dinero en oro, plata u otro metal. • Dinero en general. • f. Metalurgia.

METÁLICOS, *montes* (al., *Erzgebirge*; checo, *Krusné Hory*) Cordillera sit. en la frontera de Bohemia (rep. checa) con Alemania (alt. máx. Klínovec, 1 244 m).

METALINGÜÍSTICA f. *Ling.* Estudio de las interrelaciones de la lengua y la cultura de una determinada sociedad.

METALISMO m. Teoría económica y monetaria según la cual debe existir una igualdad entre el valor nominal y el valor material de la moneda.

METALISTERÍA f. Técnica de trabajar en metales. • Técnica de la preparación y montaje de vitrinas, escaparates, etc.

METALIZACIÓN f. *Ind.* Proceso consistente en revestir con una ligera capa de metal, mediante inmersión, proyección, soldadura, aspersión, vaporización o electrólisis (galvanoplastia) materiales de cualquier naturaleza, con fines de protección o de decoración. • *Med.* Metaloterapia.

Meteorito

METALIZAR tr. Hacer que un cuerpo adquiera propiedades metálicas. • Cubrir la superficie de un objeto con una capa metálica. • prnl. Convertirse una cosa en metal o impregnarse de él. • fig. Interesarse desmesuradamente por el dinero.

METALLA f. Pedazos pequeños de oro para reparar las partes que quedan descubiertas en el dorado.

METALÓGICA f. *Log.* Estudio de los lenguajes lógicos. Es un metalenguaje de la lógica.

METALOGRAFÍA f. Estudio de la estructura interna y las propiedades de los metales y de sus aleaciones. • *Art. Gráf.* Procedimiento de reproducción que emplea láminas metálicas en lugar de la piedra litográfica.

METALOIDE m. *Quím.* Denominación ya en desuso que equivale a *no metal* (→ metal).

METALOTERAPIA f. Aplicación terapéutica externa de los metales.

METALURGIA f. Conjunto de técnicas y procedimientos que tienen por objeto la producción comercial, preparación y tratamientos físicos o químicos de los metales y sus aleaciones. ■ METALÚRGICO, CA.

METÁMERO m. *Zool.* Cada uno de los segmentos en que se divide el cuerpo de ciertos animales.

METAMORFISMO m. *Geol.* Conjunto de procesos debidos a la acción de la presión y de la temperatura a través de los cuales las rocas sedimentarias o magmáticas son profundamente transformadas, dando lugar a nuevas rocas que tienen como prales. características peculiares la estructura cristalina y, gralte., textura esquistosa. ■ METAMÓRFICO, CA.

METAMORFOSEAR tr. y prnl. Transformar.

METAMORFOSIS f. Transformación de una cosa en otra. • fig. Cambio radical en la fortuna, carácter o estado de una persona. • *Zool.* Conjunto de transformaciones que sufren ciertos animales hasta que alcanzan la fase adulta.

* *Zool.* En la m. existe una fase libre, o larva, que tras una evolución llega a la fase adulta directamente o atravesando una fase de reposo nutricional (ninfa, pupa o crisálida). El mecanismo desencadenante y regulador de la m. es de tipo hormonal.

METANO m. *Quím.* CH_4, gas incoloro, inodoro e insípido, casi insoluble en agua, que arde con llama poco luminosa y que con el aire forma mezclas explosivas (grisú). Se forma por fermentación anaerobia de la celulosa, en el fondo cenagoso de los pantanos (gas de los pantanos) y en las minas de carbón. Se utiliza como combustible y como materia prima para la obtención de diversos productos.

METANOL m. *Quím.* Líquido incoloro, de olor agradable, muy venenoso. Es el alcohol más simple, CH_3OH. Se obtiene por destilación seca de la madera.

METAPLASMA m. *Biol.* Parte del citoplasma que contiene orgánulos como el condrioma, los plastos, el aparato de Golgi, etc.

METAPLASMO m. En la gramática tradicional, nombre genérico de las figuras de dicción.

METAPONTO Ant. colonia gr. del S de Italia, fundada por los aqueos en el s. VIII a. C.

METAPSICOLOGÍA o **METAPSÍQUICA** f. Conjunto de estudios concernientes a fenómenos de apariencia sobrenatural, pero en los que en realidad intervendrían factores inteligentes desconocidos.

METARRODOPSINA f. *Fisiol.* Sustancia que se origina tras la impresión de la luz sobre la retina.

METASTABLE adj. *Fís.* y *Quím.* Díc. de un sistema que posee estabilidad aparente por su pequeña velocidad de transformación.

METASTASIO, *Pietro Bonaventura Trapassi*, llamado ***il*** (1698-1782) Poeta y dramaturgo it. *Dido abandonada, Semíramis, La clemencia de Tito.*

METÁSTASIS f. *Med.* Reproducción de una enfermedad en órganos distintos de aquel en que se presentó primero. • *Fon.* Fase articulatoria de las oclusivas en que los órganos fonadores han realizado la oclusión y quedan en posición de indiferencia o se preparan para la emisión del siguiente sonido.

METATARSO m. *Anat.* Conjunto de cinco huesos del esqueleto del pie, entre el tarso y los dedos. ■ METATARSIANO.

METÁTESIS f. Trastrueque de sonidos dentro de una palabra.

METATIZAR tr. Pronunciar o escribir una palabra cambiando de lugar uno o más de sus sonidos o letras.

METATONÍA f. *Fon.* Cambio de lugar en el acento de una palabra.

METATÓRAX m. *Zool.* Tercer segmento del tórax en los insectos, sit. entre el mesotórax y el abdomen.

METAXAS, *Ionnis* (1871-1941) Político y militar gr. Implantó una dictadura militar (1935-1941).

METAZOO adj. y m. *Zool.* Díc. de animales del subreino metazoos. • m. pl. *Zool.* Subreino en el que se incluyen la mayor parte de los animales. Los m. poseen muchas células, a diferencia de los protozoos y de los mesozoos.

METCHNIKOV, *Ilya* (1845-1916) Biólogo ruso. Descubridor de la fagocitosis. Premio Nobel de Medicina en 1908.

METECO adj. y s. En la ant. Grecia, extranjero residente que no gozaba de todos los derechos de ciudadanía. • Extranjero o forastero. • No natural.

METEDOR, RA m. y f. Persona que introduce una cosa en otra. • Persona que mete contrabando. • m. Paño de lienzo que suele ponerse debajo del pañal de los niños pequeños. • *Art. Gráf.* Tablero en que se pone el papel que va a imprimirse.

METEDURA f. Metimiento, acción y efecto de meter. • **de plata.** Equivocación, indiscreción.
METEDURÍA f. Acción de introducir contrabando.
METELÓN, NA adj. y s. fam. *Méx.* Entrometido.
METEMPSICOSIS f. Doctrina según la cual transmigran las almas después de la muerte a otros cuerpos más o menos perfectos, según los méritos alcanzados en la existencia anterior.
METEMUERTOS m. Empleado que en los teatros retiraba los muebles en los cambios de escena. • fig. Entrometido, metomentodo.
METENCÉFALO m. Parte posterior del encéfalo del embrión, de la cual derivan el cerebelo, la protuberancia y el bulbo.
METEORISMO m. Abultamiento del vientre por gases acumulados en el tubo digestivo, pralm. en el intestino.
METEORITO m. *Astr.* Cuerpo sólido del sistema solar, de tamaño relativamente pequeño.
* *Astr.* Continuamente caen sobre la Tierra gran núm. de m., la mayoría de los cuales se desintegran al atravesar la atmósfera, originando el polvo meteorítico; otros originan cráteres. Están constituidos por ferroníquel y silicatos.
METEORIZACIÓN f. *Geol.* Conjunto de cambios físicos y químicos producidos en las rocas y en los relieves de la superficie terrestre por acción de los agentes atmosféricos.
METEORIZAR tr. *Med.* Causar meteorismo. • prnl. Recibir la tierra la influencia de los meteoros. • *Med.* Padecer meteorismo.
METEORO o **METÉORO** m. Cualquiera de los fenómenos atmosféricos.
METEORÁGRAFO m. Instrumento para registrar los valores de los meteoros. ■ METEÓRICO, CA.
METEOROLOGÍA f. Ciencia que estudia la atmósfera y los fenómenos producidos en ella y relacionados con el tiempo atmosférico, a fin de predecirlo y controlarlo. ■ METEOROLÓGICO, CA; METEORÓLOGO, GA.
METER tr. y prnl. Introducir o incluir una cosa dentro de otra o en alguna parte. • tr. Introducir algún género de contrabando. • Ocasionar o causar miedo, ruido, etc. • Presentar una solicitud, un memorial, etc. • Tratándose de chismes, enredos, etc., promoverlos o levantarlos. • Inducir a uno a determinado fin. • En el juego del hombre, atravesar triunfo. • En cualquier juego, poner el dinero que se ha de jugar. • Embeber o encoger en las costuras de una prenda de ropa la tela que sobra. • Engañar. • Apretar las cosas de modo que en poco espacio quepa más de lo que ordinariamente cabría. • Poner. • prnl. Introducirse en una parte sin ser llamado. • Introducirse en el trato con una persona, frecuentando su casa y conversación. • Dejarse llevar con pasión de una cosa. • Hablando de ríos y arroyos, desembocar. • Arrojarse al contrario o a los enemigos con las armas en la mano. • Seguir una profesión u oficio. • Junto con nombres que significan profesión, oficio o estado, seguirlo. Precedido de la prep. *a* suele tener matiz peyorativo. • Con la prep. *a*, arrogarse alguna capacidad o facultades que no se tienen. • Hablando de un cabo, lengua de tierra o de una ensenada, introducirse mucho en el mar o entrarse éste largo trecho por la tierra. • **A todo m.** loc. fam. Con mucha prisa, rápidamente o con vehemencia. • **Meterse** uno **en todo.** fig. y fam. Importunar, entrometerse. ■ METIMIENTO.
METETE m. *Chile* y *Guat.* Metemuertos, entrometido.
METGE, *Bernat* (1350?-1413) Humanista y prosista cat. *Libro de fortuna y prudencia, Historia de Valter y Griselda, El sueño.*
METICHE adj. y *Méx.* Metomentodo.
METICULOSO, SA adj. y s. Medroso, temeroso, pusilánime. • adj. Escrupuloso, concienzudo. ■ METICULOSIDAD.
METIDO, DA adj. Abundante en algo. • *Amér.* Entrometido. • m. Puñetazo. • Tela sobrante que suele dejarse metida en las costuras de una prenda de ropa. • Metidillo. • fig. y fam. Reprensión o impugnación hecha vigorosa o desconsideradamente. • fig. Impulso o avance en un trabajo.
METILENO m. *Quím.* Nombre que se da al radical divalente —CH_2—, derivado del metano por supresión de los átomos de hidrógeno. • Nombre comercial del alcohol metílico impuro.
METÍLICO, CA adj. Relativo al radical metil o metilo. • Díc. de los compuestos que contienen metilo. • m. Alcohol metílico.
METILO o **METIL** m. *Quím.* Radical monovalente (—CH_3) que se puede considerar derivado del metano por eliminación de un átomo de hidrógeno. Forma parte de muchos compuestos orgánicos.
METLAPIL m. *Méx.* Cilindro o rodillo con que se muele el maíz en el metate.
METODISMO m. *Rel.* Doctrina de una secta de protestantes que afecta gran rigidez de principios. El m. lo iniciaron los hermanos John y Charles Wesley y Georges Whitefield con el deseo de renovar el anglicanismo. Para los m. el cristianismo es un mensaje, más que un dogma impuesto a la fe. Actualmente el número de sus practicantes se calcula en unos 20 millones. ■ METODISTA.
METODIZAR tr. Poner orden y método en una cosa.
MÉTODO m. Procedimiento para alcanzar un determinado fin. • En pedagogía, sist. que se adopta para enseñar o educar. • *Fil.* Procedimiento que se sigue en las ciencias para hallar la verdad y enseñarla. ■ METÓDICO, CA.
* *Fil.* Aunque los ant. ya trataron cuestiones metodológicas, la preocupación por el m. surgió en la E. Mod. Se creyó a partir de entonces que podía existir dentro de la lógica una ciencia especial, la metodología, encargada de dilucidar todos los problemas del m. científico. En la actualidad no se considera que la metodología puede ser una ciencia independiente y mucho menos que pueda reducirse al ámbito de la lógica.
METODOLOGÍA f. Ciencia del método. • Conjunto de métodos que se siguen en una investigación científica o en una exposición doctrinal. ■ METODOLÓGICO, CA.
METOMENTODO com. fam. Persona entrometida, que se mete en todo.
METONIMIA f. *Ling.* Tropo que consiste en designar una cosa con el nombre de otra tomando el efecto por la causa o viceversa, el autor por sus obras, el signo por la cosa significada, etc.
METOPA f. Espacio entre dos tríglifos en el friso dórico.
METOPOSCOPIA f. Adivinación del porvenir por las líneas del rostro.
METRAJE m. Longitud de una película cinematográfica.
METRALLA f. Munción menuda de las piezas de artillería. • Fragmentos en que se descompone un proyectil a estallar. • *Metal.* Conjunto de pedazos menudos de hierro colado que saltan fuera de los moldes al hacer los lingotes. ■ METRALLAZO.
METRALLADORA f. *Amér. Centr.* Ametralladora.
METRALLETA f. Arma de fuego portátil de repetición.
METRAUCÁN m. *Chile.* Bazofia. • *Chile.* Mezcolana.
MÉTRAUX, *Alfred* (1902-1963) Etnólogo fr., de origen suizo, especialista en mitología y religión. *Religiones y magia indias de América del Sur.*
METRETA f. Medida para líquidos usada por los gr. y por los rom., equivalente a 12 congios. • Vasija en que guardaban el vino o el aceite.
MÉTRICO, CA adj. Relativo al metro o al conjunto de medidas derivadas del mismo. • Relativo al metro o medida del verso. • **Sistema m.** Sistema de unidades de medida que se basa en el metro. • f. *Lit.* Arte que trata de la medida de los versos, de sus clases y de las combinaciones que con ellos pueden formarse.
METRIFICAR tr. e intr. Versificar. ■ METRIFICACIÓN.
METRO m. Verso con relación a la medida de cada especie de verso. • *Fís.* Unidad fundamental de longitud. • Instrumento de medida subdividido en cm. • **cuadrado.** Unidad de medida de superficie. • **cúbico.** Unidad de medida de volumen.
* *Fís.* Desde el 14 de octubre de 1960 el m. se define como 1 650 763,73 veces la longitud de onda en el vacío de la radiación 6 057,80221 A del átomo del criptón 86.

Tornado, uno de los **meteoros** más impresionantes

Caseta de instrumentos **meteorológicos**

Metopas en un friso dórico (parte sombreada)

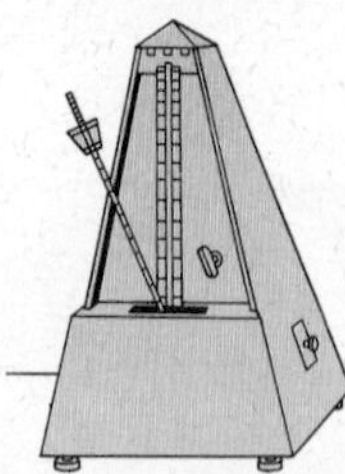

Metrónomo

Príncipe de **Metternich-Winneburg**

Felipe el Hermoso de Francia recibe un libro de manos de Jean de **Meung.** Ilustración de un manuscrito francés

Mapa de situación y bandera de **México**

METROLOGÍA f. Ciencia que tiene por objeto el estudio de los sistemas de medida.

METRÓNOMO m. Aparato provisto de un péndulo que determina la frecuencia de oscilación. Se emplea en música para indicar la velocidad de interpretación de una obra.

METRÓPOLI f. Ciudad pral., cabeza de prov. o de Est. • Iglesia arzobispal que tiene dependientes otras sufragáneas. • La nación, respecto de sus colonias.

METROPOLITANA de Santiago, *región* Región del centro de Chile; 15 480 km², 4 813 300 hab. Cap., Santiago. Clima templado y seco. Agricultura y ganadería. Ind. alimentaria y textil. C. prales.: San Miguel, San Bernardo, Puente Alto.

METROPOLITANO, NA adj. Relativo a la metrópoli. • m. El arzobispo, respecto de los obispos sus sufragáneos. • Tranvía o ferrocarril subterráneo o aéreo, utilizado como medio de transporte rápido de pasajeros en las grandes ciudades.

METSYS, *Quentin* (h. 1466-1530) Pintor flam. Introdujo las novedades renacentistas italianas. *Linaje de Santa Ana, Entierro de Cristo, El cambista y su mujer.*

METTERNICH-WINNEBURG, *Klemens Lothar,* PRÍNCIPE DE (1773-1859) Estadista austr. En 1809 fue nombrado canciller. Desde ese cargo desempeñó un papel preponderante en el Congreso de Viena (1814-1815), en el que intentó reorganizar el mapa de Europa en función de los principios políticos del Antiguo Régimen.

METTRIE, *Julien Offray de la* (1709-1751) Médico y filósofo fr.; sostuvo que el hombre es una estructura mecánica. *El hombre-máquina.*

METZ C. de Francia, en Lorena, cap. del dpto. de Moselle, a orillas del r. Mosela; 114 200 hab. Centro comercial e industrial.

MEUBLÉ (voz fr.) m. Casa de citas.

MEUNG, *Jean de* (h. 1250-h. 1310) Escritor fr., natural de Meung, cuyo apellido fue *Clopinel* o *Chopinel.* Autor de la «segunda parte» del *Roman de la Rose.*

MeV Símb. de megaelectronvoltio: 1 MeV = 10^6 eV.

MEXÍA, *Pero* (1499?-1551) Escritor esp. Cronista de Carlos I *(Historia del Emperador Carlos V)* y autor de una colección de anécdotas: *Silva de varia lección.*

MEXICALI C. de México, cap. del est. de Baja California, en la frontera con EE UU; 764 902 hab. Centro comercial. Ind. algodonera, química. Aeropuerto. Universidad.

MEXICANISMO m. Palabra o exp. propia de México.

MEXICANO, NA adj. y s. De México. • m. Lengua, de los ant. aztecas o mexicas.

MÉXICO *(Estados Unidos Mexicanos)* República federal sit. en el extremo meridional de América del N. Se extiende desde el océano Pacífico hasta el golfo de México. Limita al N con EE UU y al S con Guatemala y Belice.

* *Geog. física.* M. es un país de extraordinaria variedad física. Su territorio es más ancho en el N, en la frontera con EE UU. Del punto más noroccidental y hacia el SE parte la pen. de Baja California, sobre el Pacífico. Hacia el S el terr. se hace más angosto hasta el istmo de Tehuantepec. El extremo SE de M. lo constituye la pen. de Yucatán, que se proyecta hacia el N. El relieve, exceptuando un área que no representa más del 14 % de total, es quebrado y compuesto por cadenas montañosas: la sierra Madre Occidental corre a lo largo de la costa del Pacífico, y la sierra Madre Oriental sobre las llanuras del golfo de México. Al S, y cruzando transversalmente el territorio, se encuentra la cord. Neovolcánica, con los picos de Orizaba, el más alto del país, y Popocatépetl. Entre la sierra Madre Occidental y la Oriental se forman altos valles y mesetas. Al S hay amplios valles, como el Bajío. La parte más estrecha y meridional de la meseta entre ambas sierras Madre corresponde a la Mesa de Anáhuac, en donde se sitúa Ciudad de México. El clima es muy variado por las diferencias de alt. Los vientos del golfo de M. hacen que la costa oriental sea muy húmeda. La parte noroccidental y la pen. de Baja California son desérticas. La zona que comprende los est. de Chiapas y Tabasco es selvática, con precipitaciones superiores a 700 mm anuales. Los r. más imp., que desembocan en el golfo de M., son: el Bravo del N. o Grande (que forma frontera con EE UU), el Pánuco, el Grijalva y el Usumacinta. Al Pacífico desaguan: el Colorado, el Sonora, el Yaqui, el Balsas, el Lerma y el Tehuantepec. El valle de M. es una cuenca cerrada de carácter lacustre y de desagüe artificial.

México. 1. Monasterio de la Virgen de Guadalupe. 2. Aspecto de Ciudad de México, con la avenida Juárez en primer término

* *Geog. económica.* A pesar de la notable expansión de la ind. durante la segunda mitad del s. XX, la economía mex. todavía depende ampliamente del sector agropecuario, que proporciona la mayor parte de las exportaciones. La riqueza económica tiende en la actualidad a concentrarse en las regiones del centro, en Guadalajara y en Monterrey. Las mayores áreas dedicadas al cultivo se encuentran localizadas en las regiones en donde predominan las superficies planas. El Est. ha ayudado al sector rural a través de la política de regadíos, influyendo con esto notablemente en el desarrollo de la agricultura. El empleo de fertilizantes ha aumentado en gran medida, aunque la mecanización del agro es tan limitada como en la mayoría de los países latinoamericanos. Las características climáticas de las altiplanicies, que comprenden el mayor porcentaje de las superficies de cultivo del país, favorecen el desarrollo de cultivos propios de zona templada (cereales, legumbres, papas y hortalizas). Las pequeñas áreas de clima mediterráneo de los est. de Coahuila, Chihuahua, Durango y Nuevo León permiten el cultivo de cítricos, vid y olivo. De los cereales, el que ocupa el primer lugar del país es el maíz, básico para la alimentación mex. Le siguen el trigo, el arroz y el fríjol. Pero el auge de la agricultura mex. se debe a los cultivos comerciales tropicales (caña, café y algodón). La ganadería, la explotación forestal y la pesca constituyen recursos económicos de gran interés. Las grandes distancias y la insuficiencia de medios de transporte han favorecido las comunicaciones aéreas; M. cuenta con 45 empresas de aviación. País de imp. recursos naturales (plata, fluorita, bismuto, azufre, cinc, mercurio, oro, plomo, hierro, carbón), tiene un enorme potencial en sus reservas de uranio, petróleo y gas natural. La ind. ha doblado su producción en los últimos años y se apoya pralm. en el capital norteam. (84 %).

* *Geog. humana.* La tasa de crecimiento de la pob. es una de las más altas del mundo. De esta pob., una

ESTADOS DE LOS ESTADOS UNIDOS MEXICANOS

MÉXICO

Producción agrícola	
Aceite de palma	2 000 t
Algodón	309 000 t
Ananás	345 000 t
Arroz	354 000 t
Bananas	1 868 000 t
Batata	53 000 t
Cacahuetes	110 000 t
Cacao	39 000 t
Café	299 000 t
Caña de azúcar	36 683 000 t
Cebada	584 000 t
Chile	416 000 t
Copra	189 000 t
Dátiles	2 000 t
Fríjoles secos	1 448 000 t
Henequén	45 000 t
Lino	3 000 t
Maíz	13 527 000 t
Naranjas	2 175 000 t
Sésamo	48 000 t
Soja	718 000 t
Sorgo	4 367 000 t
Tabaco	20 000 t
Tomates	1 772 000 t
Trigo	4 115 000 t
Ganadería	
Cabaña bovina	29 847 000 cabezas
Cabaña caballar	6 175 000 cabezas
Cabaña caprina	10 772 000 cabezas
Cabaña ovina	6 003 000 cabezas
Cabaña porcina	15 902 000 cabezas
Riqueza forestal	19 805 000 m³
Pesca	1 401 041 t
Producción minera	
Antimonio	2 752 t
Azufre	2 137 000 t
Bismuto	651 t
Carbón	10 004 000 t
Cinc	317 000 t
Cobre	267 000 t
Estaño	6 t
Fluorita	634 000 t
Fosfatos	604 000 t
Gas natural	37 830 millones de m³
Gasoleo	3 000 000 t
Hierro	3 902 000 t
Magnesita	7 500 t
Manganeso	157 000 t
Molibdeno	4 000 t
Oro	8 338 kg
Petróleo	133 085 000 t
Plata	2 289 700 kg
Plomo	167 700 t
Sal	7 135 000 t
Tungsteno	5 t
Producción industrial	
Acero	7 8834 000 t
Acido clorhídrico	45 200 t
Acido nítrico	5 000 t
Acido sulfúrico	455 000 t
Aluminio	50 800 t
Automovilística	720 384 unidades
Azúcar	3 943 000 t
Cemento	24 683 000 t
Cerveza	38 734 000 hl
Cinc	189 000 t
Energía eléctrica	122 477 millones de kwh
Estaño	4 000 t
Fertilizantes	1 498 000 t
Fibras artificiales	10 000 t
Fibras sintéticas	163 000 t
Hierro colado	2 962 000 t
Neumáticos	11 855 000 t
Papelera	2 475 000 t
Plomo	127 000 t
Sosa caústica	380 000 t
Tabaco	54 380 millones de cigarillos
Tejidos de algodón	53 000 t
Vino	1 450 000 hl
Indicadores sociológicos	
PNB	252 381 millones de dólares
Renta per cápita	2 870 dólares
Esperanza de vida	71 años
Alfabetismo	90 %

México. Arriba. iglesia de Santa Prisca, en Taxco, estado de Guerrero; abajo, vista de la Universidad Nacional Autónoma de México

División administrativa de **México**[1]

Estados	Km[2]	Población	Densidad	Capital	Habitantes[2]
Aguascalientes	5 589	943 506	179	Aguascalientes	643 360
Baja California	70 113	2 487 700	35	Mexicali	764 902
Baja California Sur	73 677	423 515	6	La Paz	196 708
Campeche	51 833	689 656	12	Campeche	216 735
Chiapas	73 887	3 920 515	53	Tuxtla Gutiérrez	433 544
Chihuahua	247 087	3 047 867	12	Chihuahua	670 208
Coahuila	151 571	2 295 808	15	Saltillo	577 352
Colima	5 455	540 679	99	Colima	129 454
Distrito Federal	1 499	8 591 309	6 634	Ciudad de México	—
Durango	119 648	1 455 922	12	Durango	490 524
Guanajuato	30 589	4 656 761	150	Guanajuato	141 215
Guerrero	63 794	3 075 083	47	Chilpancingo	192 509
Hidalgo	20 987	2 231 392	108	Pachuca	244 688
Jalisco	80 137	6 321 278	80	Guadalajara	1 647 720
México	21 461	13 083 359	611	Toluca	665 617
Michoacán	59 864	3 979 177	68	Morelia	619 958
Morelos	4 941	1 552 878	313	Cuernavaca	337 966
Nayarit	27 621	919 739	34	Tepic	305 025
Nuevo León	64 555	3 826 240	59	Monterrey	1 108 499
Oaxaca	95 364	3 432 180	37	Oaxaca de Juárez	256 848
Puebla	33 919	5 070 346	148	Puebla de Zaragoza	1 346 176
Querétaro	11 769	1 402 010	116	Querétaro	639 839
Quintana Roo	50 350	873 804	22	Chetumal	208 404
San Luis Potosí	62 848	2 296 363	36	San Luis Potosí	669 353
Sinaloa	58 092	2 534 835	43	Culiacán	744 859
Sonora	184 934	2 213 370	12	Hermosillo	608 697
Tabasco	24 661	1 889 367	77	Villahermosa	519 873
Tamaulipas	79 829	2 747 114	34	Ciudad Victoria	262 686
Tlaxcala	3 914	961 912	237	Tlaxcala	73 184
Veracruz	72 815	6 901 111	96	Xalapa Enríquez	390 058
Yucatán	39 340	1 655 707	38	Mérida	703 324
Zacatecas	75 040	1 351 207	18	Zacatecas	123 700
MÉXICO	1 967 183	97 361 711	50	Ciudad de México	18 748 000[3]

1 Resultados preliminares del censo de 2000.
2 Datos correspondientes al número de habitantes por municipio.
3 Datos de la aglomeración urbana.
El AMCM (Área Metropolitana de la Ciudad de México) tiene una población de 17 786 983. Engloba el D.F. y los municipios conurbados.

México. Arriba, Benito Juárez; abajo, Emiliano Zapata en un mosaico del Teatro de los Insurgentes, Ciudad de México

gran parte se encuentra en las áreas urbanas más imp.: Ciudad de M., Guadalajara, Monterrey. Las costumbres indígenas y las europeas se encuentran entrelazadas por completo. La pob. indígena alcanza hasta el 30 %. El 95 % de los mex. hablan castellano, el resto sus propias lenguas: náhuatl, otomí, maya, zapoteca, mixteca, tarasco, etc., hasta unas 70 *Rel.:* Catól. (89,7 %), protestantes (4,9 %) y judíos (0,1 %). U.M.: Peso. Cap., Ciudad de México. C. prales.: Guadalajara, Monterrey, Puebla, León, Ciudad Juárez, Mexicali.

* *Org. pol.* La Constitución de los Estados Unidos Mexicanos de 1917 declara al país una rep. representativa, democrática y federal. Está constituido por 31 est. y un distrito federal, donde se encuentra Ciudad de México, cap. del país y sede de los tres poderes de la Unión (ejecutivo, legislativo y judicial).

* *Hist.* **Época precolombina.** Existen testimonios de pobladores en el actual territorio mex. que se remontan a 8 000 o 10 000 años. En ese entonces había ya tribus nómadas y cazadoras a orillas del lago Texcoco. El imperio tolteca floreció entre los ss. IX y XI. Al mismo tiempo se desarrolló una de las culturas aborígenes más imp. de América: el imperio clásico maya. Sus miembros hablaban un lenguaje común, tenían una escritura jeroglífica, manejaban dos sist. de numeración vigesimal y un calendario de mayor exactitud que el usado actualmente. En los siglos posteriores llegaron al valle de M. tribus nómadas cazadoras de lengua náhuatl, entre las que estaban los aztecas o mexicas, que fundaron en 1325 la c. de Tenochtitlán, en un islote del lago Texcoco. Por su espíritu guerrero y por su considerable fuerza mística colectiva, los mexicas lograron crear un imperio poderoso que se extendía por todo el M. central. **Época colonial.** El emperador Moctezuma Xocoyotzin gobernaba el Imperio azteca a la llegada de los conquistadores esp. Moctezuma confundió a los hispanos con los dioses barbados de la leyenda de Quetzalcóatl y no se atrevió a enfrentarse a ellos. Por el contrario, los recibió como huéspedes, con valiosos regalos. Poco después, Cortés, en un golpe de mano, le hizo prisionero y se adueñó de la situación. Tras la caída final del imperio azteca, en 1521 se creó el virreinato de Nueva España, la más vasta colonia esp. La época colonial, que había de durar cerca de tres siglos, estuvo regida por 63 virreyes. Cinco audiencias funcionaron en el virreinato: Santo Domingo, México, Guatemala, Guadalajara y Manila. **Emancipación.** El descontento de los criollos, la explotación de los indios, el hambre de las clases trabajadoras, las ideas infiltradas de la Rev. Francesa y la indep. de los EE UU contribuyeron a crear una conciencia pública contra España, que fue canalizada primero por Miguel Hidalgo y más tarde por Morelos, que en 1813 convocó al Congreso de Chilpancingo que, con diputados de las prov., aprobó la declaración de indep. La llegada de tropas esp. restableció el dominio virreinal hasta que el nuevo jefe político peninsular en Nueva España, Juan O'Donojú, reconoció la indep. en el tratado de Córdoba. En 1824 fue aprobada la Constitución Federal, que restablecía un régimen republicano, representativo y federal, con tres poderes. De 1835 a 1840 tuvieron lugar dos guerras imp.: la separación de Texas y la guerra contra Francia, que ofreció la corona de M. a Maximiliano de Habsburgo, hermano del emp. de Austria, quien llegó a M. en 1864; su breve reinado duró tres años y acabó con su fusilamiento por las tropas republicanas de Juárez. En 1877 subió al

México. Entrada del ejército de Iturbide en la capital (27 de septiembre de 1821)

México. La pirámide *El castillo,* de Chichén Itzá

Gobernantes de **México**

1324 Tenoch (fundador de Tenochtitlán)
1363 Mexitzin

Reyes aztecas
1376 Acamapichtli
1397 Huitzilihuitl
1417 Chimalpopoca
1427 Itzcóatl
1440 Moctezuma Ilhuicamina
1469 Axayácatl
1481 Tizoc Chalchiutlatonac
1486 Ahuitzotl
1502 Moctezuma Xocoyotzin
1520 Cuitlahuac
1520 Cuauhtémoc

Periodo colonial
1535 Antonio de Mendoza (1er. virrey)
1821 Juan O'Donojú (último virrey)

Independencia
1821 Regencia (5 miembros)
1822 A. de Iturbide (Primer Imperio)
1823 N. Bravo, G. Victoria, P.C. Negrete
1824 Guadalupe Victoria
1829 Vicente Guerrero
1829 José María de Bocanegra
1829 L. Vélez, L. Alamán, A. Quintanar
1830 Anastasio Bustamante
1832 Melchor Múzquiz
1832 M. Gómez Pedraza
1833 V. Gómez Farías, A. López de Santa Anna
1833 V. Gómez Farías
1834 A. López de Santa Anna
1835 Miguel Barragán
1836 José Justo Corro
1837 Anastasio Bustamante
1839 A. López de Santa Anna, N. Bravo
1839 Anastasio Bustamante
1841 Javier Echeverría
1841 A. López de Santa Anna
1842 Nicolás Bravo
1843 Valentín Canalizo
1844 A. López de Santa Anna, J.J. Herrera; V. Canalizo
1844 José Joaquín Herrera
1846 M. Paredes, N. Bravo, M. Salas
1846 V. Gómez Farías
1847 A. López de Santa Anna, P.M. Anaya, M. de la Peña
1847 Pedro María Anaya
1848 Manuel de la Peña y Peña
1848 José Joaquín Herrera
1851 Mariano Arista
1853 J.B. Ceballos, M.M. Lombardini
1853 A. López de Santa Anna
1855 M. Carrera, R. Díaz, J. Álvarez
1855 Ignacio Comonfort
1858 Féliz Zuloaga
1859 Miguel Miramón
1859 Félix Zuloaga
1860 I. Pavón, M. Miramón
1860 Junta Superior
1864 Maximiliano (Segundo Imperio)
1868 Benito Juárez
1872 S. Lerdo de Tejada
1876 Porfirio Díaz
1876 Juan N. Méndez
1877 Porfirio Díaz
1880 Manuel González
1884 Porfirio Díaz
1911 F. León de la Barra
1911 Francisco I. Madero
1913 Pedro Lascurain
1913 Victoriano Huerta
1914 F. Carvajal, V. Carranza
1914 Eulalio Gutiérrez
1915 R. González Garza, Lagos Cházaro
1915 Venustiano Carranza
1920 Adolfo de la Huerta
1920 Álvaro Obregón
1924 Plutarco Elías Calles
1928 Emilio Portes Gil
1930 Pascual Ortiz Rubio
1932 Abelardo Rodríguez
1934 Lázaro Cárdenas
1940 M. Ávila Camacho
1946 Miguel Alemán
1952 Adolfo Ruiz Cortines
1958 Adolfo López Mateos
1964 Gustavo Díaz Ordaz
1970 Luis Echeverría Álvarez
1976 José López Portillo
1982 Miguel de La Madrid
1988 Carlos Salinas de Gortari
1994 Ernesto Zedillo Ponce de León
2000 Vicente Fox Quesada

poder Porfirio Díaz, quien gobernó dictatorialmente el país durante más de 30 años, en los que se consiguió cierto desarrollo económico con la ayuda de EE UU, contrarrestando por la falta de justica social y la concentración de poder de oligarquías. **Siglo XX**. El porfiriato desembocó en una serie de luchas civiles que componen la Revolución mex. Madero asumió la presidencia en 1911, viéndose precisado a afrontar dos rebeliones: la reaccionaria, encabezada por Orozco, y la agraria, que dirigió Zapata. Madero fue depuesto y asesinado por Victoriano Huerta, quien a su vez se vio obligado a exiliarse tras el triunfo de Venustiano Carranza. Éste convocó el Congreso que habría de proclamar la avanzada constitución de Querétaro de 1917. Los siguientes gobiernos prosiguieron la obra iniciada con la Rev., como la reforma agraria, el impulso a la enseñanza, la industrialización del país, el desarrollo de la red de caminos, y la extropiación de los bienes de las empresas petrolíferas extranjeras y la nacionalización del petróleo, realizadas ambas en 1938 por el general Lázaro Cárdenas. En los años ochenta, M. había alcanzado algunos de los objetivos que planteó la Rev., como la barrera absoluta contra la reelección de gobernadores y presid. Sin embargo, el autoritarismo, la corrupción y el centralismo no parecían estar en vías de desaparecer. La nacionalización de los recursos naturales promete continuado progreso económico y la secularización de la enseñanza refuerza un patrón de continuo cambio social. M. ha tenido que hacer frente a graves problemas económicos (deuda externa, caída del precio del petróleo), sociales (desempleo) y políticos (hegemonía del Partido Revolucionario Institucional). Sin embargo, en los años noventa la vida política experimentó importantes cambios. En 1994 estalló una revuelta campesina en el estado de Chiapas encabezada por el Ejército Zapatista de Liberación Nacional (EZLN), y fue asesinado el candidato of. del PRI a la presid. Luis Donaldo Colosio. Ese mismo año, Ernesto Zedillo Ponce de León, nuevo candidato del PRI, fue elegido presid. Zedillo impulsó la recuperación económica del país y la reforma electoral para poner fin al fraude. En julio de 2000, Vicente Fox, candidato del conservador Partido de Acción Nacional (PAN) ganó las elecciones presid., poniendo fin a 71 años de gobiernos del PRI.

* *Arte.* El arte ha florecido en M. en sus tres grandes periodos históricos: el precolombino, el colonial y el moderno. El largo periodo precolombino, que terminó con la conquista esp., abarca todas las culturas originarias del país y ha dado en llamarse México Antiguo. En él quedan incluidas artes muy variadas: arcaica, olmeca, teotihuacana, tolteca, maya, mixteca, zapoteca y azteca, que, por la originalidad y el carácter de sus formas, deben ponerse al lado de las grandes culturas clásicas, coincida o no su cronología. En el s. XIX, estas culturas pasaron a ser objeto de interés de arqueólogos y etnólogos y en nuestro siglo han sido ya consideradas como parte del arte universal. Ciudades sagradas (Teotihuacán), pirámides (del Sol, de la Luna), esculturas, altares, palacios, etc. La primera arquitectura colonial fue civil y religiosa: casas de conquistadores, construcciones de frailes franciscanos, agustinos y dominicos. Pero el arte colonial en Nueva España no es un simple traslado del arte esp. o europeo, ya que si se dio el gótico, el mudéjar y el renacimiento en sus dos formas, herreriano y plateresco, su personalidad llegó a ser inconfundible (barroco mex.). En el s. XVI se crearon en M. formas arquitectónicas nuevas, como las capillas abiertas o capillas de indios. La escultura también fue peculiar, inspirada en motivos cristianos, pero con técnicas indígenas. Las pinturas eran de tema religioso, y su función era la de catequizar a los indios. De la época moderna (s. XX), hay muestras de arquitectura mex. tales como la ciudad universitaria de C. de México, o el Museo de Antropología. Pero el capítulo más importante del arte moderno en M. lo constituye la pintura. Con la Rev. surgieron pintores como José Clemente Orozco, Diego Rivera, David Alfaro Siqueiros y Rufino Tamayo, que con sus pinturas murales renovaron totalmente el panorama ar-

México. Arriba, dios de la curación, escultura policromada maya; a la izquierda, patio del Museo Nacional de Antropología

tístico mex. Capítulo aparte es el arte mex. popular, cuyas obras son de una riqueza y variedad asombrosas, según las regiones y tradiciones seculares en ellas representadas.

* *Lit.* Los pobladores del M. antiguo, especialmente los de lengua náhuatl y maya, dejaron entre sus creaciones culturales una gran obra literaria. Aún se conservan varios códices o libros de pintura de procedencia claramente prehispánica. Algunos misioneros se empeñaron en recoger de los indígenas, tanto sus ant. libros de pinturas, como las tradiciones y cantares que, reducidos al alfabeto castellano, allegaron un caudal de esas producciones literarias. Hoy se conservan en bibliotecas de América y Europa algunos de esos manuscritos. En idioma maya, además del famoso libro *Popol Vuh*, existen cerca de veinte colecciones de manuscritos, conocidos como los libros del *Chilam Balam*. La primera literatura que se escribió en M. ya en lengua castellana, además de *Las Cartas de Relación de Cortés*, enviadas a Carlos V, fue la literatura de los cronistas indígenas y mestizos. Los más destacados son Alvarado Tezozómoc y Alva Ixtlixóchitl. Durante la época de la colonia, la literatura siguió en su desarrollo los senderos de la metrópoli. Al entrar el s. XVII, la literatura novohispana fue culterana y después romántica. Fue neoclásica en el s. XVIII y a fines del s. XIX conoció la literatura fr. y la imitó. El personaje más destacado de la larga época colonial fue sor Juana Inés de la Cruz (1651-1695), considerada la máx. poetisa de la época colonial. A principios del s. XX, la literatura mex. busca su fuente de inspiración en una conciencia arraigada a su tierra; se descubre así el verdadero espíritu nacional de las letras. En la poesía contemp. destacan A. Nervo, R. López Velarde, J. Torres Bodet, M. A. Montes de Oca, Rosario Castellanos, Octavio Paz; en prosa, M. Azuela, M. L. Guzmán, A. Reyes, C. Fuentes y J. Rulfo, entre otros.

1

2

México.
1. Octavio Paz;
2. Juan Rulfo

* *Mús.* La música culta europea fue introducida por los esp. a partir del s. XVI. Durante la época colonial la producción musical mex. estuvo muy influida por la música esp. y, en el s. XVIII, por la ópera it. En el s. XIX destacan los compositores a. Ortega, M. Morales y J. Rosas. En el s. XX aparecen grandes autores (M. M. Ponce, C. Chávez, S. Revueltas), que se inspiran en el rico folclore nacional. Así mismo, es muy importante la aportación del Grupo de los Cuatro (D. Ayala, B. Galindo, S. Contreras y J. P. Moncayo). La música popular mex. es una mezcla de elementos indígenas y esp. que ha dado lugar a cantos y bailes de fuerte personalidad (romance, corrido, etc.). La música ligera está dominada por la figura de Agustín Lara.

* *Cine.* El ingeniero S. Toscano Barragán introdujo el cine en M. en 1897. En 1917 se construyeron los primeros estudios y productoras. Durante el periodo siguiente, la pral. figura fue el director M. Contreras Torres. Tras la aparición del cine sonoro, la producción mex. se vio perjudicada por la competencia del cine norteam. En los años cuarenta alcanzó una resonancia mundial con las obras de Emilio Fernández *(María Candelaria, Flor silvestre)*. La aportación de los exiliados esp. (L. Buñuel, L. Alcoriza, C. Velo) tuvo gran trascendencia en la evol. del cine mex., que durante el mandato de L. Echeverría (1970-1976) experimentó un nuevo impulso. Entre los realizadores más recientes destacan F. Cazals, J. Humberto Hermosillo, A. Ripstein, el fr. P. Leduc y el chileno exiliado M. Littin.

México.
Vicente Fox Quesada

MÉXICO Est. mex. que rodea la cap. federal, sit. en el centro del país; 21 461 km², 13 083 359 hab. Cap., Toluca de Lerdo. La orografía comprende la altiplanice de Tula, los valles de Toluca y de M., la sierra Volcánica Transversal, unidades integradas en la meseta de Anáhuac. Las mayores alt. son los picos de Popocatépetl (5 452 m) e Iztaccihuatl (5 286 m), en la cord. Neovolcánica. Clima templado y lluvioso. Maíz, trigo, cebada y fríjoles. Ganadería. Yacimientos de oro, plata, plomo y cobre que, junto a la construcción de plantas hidroeléctricas, han impulsado una ind. potente y diversificada. • **Ciudad de M.** C. y cap. federal de los Estados Unidos de México; 18 748 000 hab. (agl. urb), 15 047 685 (Área Metropolitana). Sit. a 2 250 m de alt., en la cuenca endorreica de Anáhuac, sobre el lago Texcoco. A pesar de su emplazamiento, amenazada constantemente por inundaciones, alejada de los grandes puertos, la c. ha sabido desarrollarse con esplendor a través de distintas épocas. Debido pralm. a la concentración de actividades económicas secundarias y terciarias, y al imp. flujo migratorio, el crecimiento de la c. ha sobrepasado los límites de Distrito Federal, englobando ant. pueblos y extendiéndose en una amplia zona metropolitana. Centro político, económico y cultural del país. Ind. siderúrgica, química, alimentaria, textil, editorial, mecánica.

* *Hist.* En la ant. Tenochtitlán, fundada en 1325 por los aztecas. Tras la conquista esp. fue destruida y enteramente reedificada, convirtiéndose en cap. del virreinato de Nueva España. Su proceso de modernización comenzó a partir de 1821, fecha de la indep. del país. Ocupada por los norteam. en 1847 y por los fr. en 1867, durante la Revolución (1910-1917) fue objeto de disputa entre las facciones opuestas. En 1968, la c. fue foco de atracción mundial al celebrarse en ella los XIX JJ OO. En 1986 fue sede del XIII Campeonato Mundial de fútbol.

* *Arte.* Marcado contraste entre el ant. núcleo colonial y los nuevos barrios. Muestras de su pasado esp. son la plaza del Zócalo, flanqueada por la catedral (ss. XVI y XVI), el palacio Nacional (ant. de los Virreyes) y el ayuntamiento. El museo Nacional de Antropología de México es el más importante del mundo en cuanto a culturas prehispánicas.

MÉXICO, ***golfo de*** Mar interior del Atlántico, sit. entre la costa meridional de EE UU y la oriental de México. Una corriente nord-ecuatorial de aguas templadas penetra en el golfo por el estr. de Yucatán y sale por el estr. de Florida, formándose de ese modo la corriente del Golfo *(Gulf Stream)*.

MÉXICO, ***Guerra de*** Conflicto bélico entre México y EE UU (1846-1848). Vencidos los mexicanos, por el tratado de Guadalupe-Hidalgo EE UU se anexionó los territorios al N del r. Bravo (Nuevo México y Alta California), debiendo pagar una indemnización de quince millones de dólares.

MEYERBEER, ***Giacomo*** (1791-1864) Compositor al., autor de óperas de carácter romántico. *Los hugonotes, La Africana.*

MEYERHOF, ***Otto*** (1884-1951) Fisiólogo al., establecido en EE UU desde 1940. Investigó la correlación entre el consumo de oxígeno y la producción de ácido láctico en los músculos. Premio Nobel en 1922, junto con A. Hill.

MEYERHOLD, ***Vsevolod Emilievich*** (1874-1942) Director teatral ruso de origen al. Colaboró con Stanislavski en el Teatro Artístico de Moscú. Sus teorías influyeron en el cine de S. Eisenstein. Murió en un campo de concentración.

MEZA y Suárez Inclán, ***Ramón*** (1861-1911) Escritor cub. Secretario de Instrucción Pública (1909). *Mi tío el empleado, El duelo de mi vecino, Aniceto el tendero.*

MEZCAL m. *Méx.* Variedad de pita. • *Méx.* Aguardiente que se saca de esta planta. • *Amér.* Fibra de maguey preparada para hacer cuerdas.

MEZCALINA f. Principio activo que extrae del mezcal, que produce alucinaciones visuales, desorientación (en el tiempo y en el espacio), etc.

MEZCLA o **MEZCLADURA** f. o **MEZCLAMIENTO** m. Acción y efecto de mezclar o mezclarse. • Agregación de varias sustancias o cuerpos que no tienen entre sí acción química. • Tejido hecho de hilos de diferentes clases y colores. • *Const.* Argamasa. • **azeotrópica.** La de dos o más sustancias en proporción tal, que su punto de ebulición es constante. • **detonante.** La de dos sustancias que, cuando inician su reacción, producen efectos explosivos. • **eutéctica.** La de dos o más sustancias fundidas en proporción tal, que al solidificarse no cambia su composición. • **frigorífica.** La de sustancias que, al disolverse entre sí, absorben una elevada cantidad de calor y producen un gran descenso de temperatura.

MEZCLADO m. Género de tela o paño que se hacía con mezclas.

MEZCLADOR, RA adj. Que mezcla. • adj. y s. Díc. de la persona o máquina que mezcla una cosa con otra. • adj. y m. *Electr.* Díc. del circuito no lineal dotado de dos entradas para las señales que se han de transformar, y de una salida para la señal resultante.

Pupitre que se emplea para la **mezcla** de sonidos en un estudio de grabación

MEZCLAR tr. y prnl. Juntar, incorporar una cosa con otra. • tr. Desordenar lo que ya estaba en orden. • prnl. Introducirse o meterse uno entre otros. • Hablando de familias o linajes, enlazarse unos con otros.

MEZCLILLA f. Tejido parecido a la mezcla, pero de menos cuerpo.

MEZCOLANZA f. fam. Mezcla extraña y confusa, y algunas veces ridícula.

MEZQUINAR o **MEZQUINEAR** intr. *Amér.* Obrar con mezquindad.

MEZQUINO, NA adj. Pobre, falto de lo necesario. • Avaro, miserable. • Pequeño, diminuto. • Desdichado, infeliz. • m. *Col., Hond.* y *Méx.* Verruga. ■ MEZQUINDAD.

MEZQUITA f. Edificio que los mahometanos destinan para la oración y las ceremonias religiosas.

MEZQUITE m. *Méx.* Árbol de la familia mimosáceas, que produce una goma, y del cual se obtiene un extracto que se emplea en las oftalmías.

MEZZOSOPRANO (voz it.) f. *Mús.* Voz femenina entre las de soprano y contralto.

Mg *Quím.* Símb. del magnesio.

MHO m. *Fís.* Unidad de conductancia eléctrica, definida como la que tiene un circuito cuya resistencia es de 1 ohmio.

MI Forma de genitivo, dativo y acusativo del pron. personal de primera persona en gén. masculino o femenino y núm. singular. Se usa siempre con preposición. • adj. posesivo. Apócope de mío, mía, su pl. es *mis* (míos, mías).

MI m. *Mús.* Tercera nota de la escala musical.

MIADOR, RA adj. Maullador.

MIAJA f. Meaja, ant. moneda de vellón. • Migaja, porción pequeña de pan u otra cosa.

MIAJA, *José* (1878-1958) General esp. Ministro de Defensa y comandante en jefe de las fuerzas republicanas durante la guerra civil esp. Murió exiliado en México.

MIAJÓN m. Migajón, pedazo de miga.

MIALGIA f. Dolor muscular, miodinia.

MIAMI adj. y s. Díc. de individuos de una tribu amerindia de la familia algonquina. Hoy sobreviven unos 300, en Oklahoma. • adj. Concerniente a dicha tribu. • m. pl. Esta misma tribu.

MIAMI C. y puerto de los EE UU, en el est. de Florida; 349 900 hab. (1 625 800 el á. metr.). Centro turístico. Aeropuerto. Universidad.

MIAR o **MIAÑAR** intr. Maullar.

MIASMA m. Emanación maligna que, según los ant., desprendían los cuerpos o materias en descomposición. ■ MIASMÁTICO, CA.

MIAU Onomatopeya del maullido del gato. • m. Maullido.

MICA f. *Miner.* Mineral del grupo micas. • Hembra del mico. • *Guat.* Coqueta. • *Amér. Centr.* Mona, borrachera. • *Amér. Centr.* Instrumento en que se apoya el taco en el juego de billar. • f. pl. *Miner.* Grupo de minerales de la clase silicatos, caracterizado por la facilidad con que pueden separarse en capas flexibles y elásticas. Son m. la biotita, la glauconita, la lepidolita, etc. ■ MICÁCEO, A.

MICADA f. *Guat.* y *Hond.* Monada.

MICADO m. Nombre que se da al emp. del Japón.

MICASQUITO m. o **MICACITA** f. *Geol.* Roca metamórfica constituida por cuarzo y uno o varios minerales del grupo de las micas, que posee estructura esquistosa.

MICCIONAR intr. Orinar. ■ MICCIÓN.

MICELA f. Conglomerado de moléculas que constituye una de las fases de los coloides.

MICELIO m. *Bot.* Cuerpo vegetativo de los hongos, formado por multitud de hifas.

MICENAS C. de la ant. Grecia, en el extremo N de Argólida, al NE del Peloponeso. Fue el foco pral. de la civilización micénica.

MICÉNICO, CA adj. Relativo a Micenas.

* *Hist.* La civilización m., que se desarrolló en la Edad del Bronce, está emparentada con la cultura cretense, que se desarrolló entre 1700-1200 a. C. Su foco pral. fue Micenas, en la Argólida. Dependiente primero de Creta, el declive de esta isla trasladó la hegemonía a Micenas. Las invasiones dorias acabaron con la talasocracia de Micenas.

* *Arte.* El origen del arte m. es cretense. La arquitectura es ciclópea, con gruesos muros y puertas decoradas con bajorrelieves, como la famosa de los Leones, en Micenas. El palacio de Tirinto está decorado con frescos policromos que representan figuras de hombres, animales y plantas.

MICERINOS *(Menkaura)* Faraón de Egipto, de la IV dinastía, hijo y sucesor de Kefrén. Reinó h. 2 500 a. C.; hizo construir la más pequeña de las tres pirámides de Gizeh.

MICHA f. fam. Gata, animal.

MICHAUX, *Henri* (1899-1984) Poeta y pintor fr. de origen belga. Influido por los surrealistas, realizó una pintura gestual y caligráfica. Su poesía esta influenciada por Rimbaud y por las experimentación con alucinógenos. *Un bárbaro en Asia, El espacio interior, El infinito turbulento.*

MICHE m. *Amér. Centr.* Venado. • **Hacer un m.** *Amér. Centr.* Armar un alboroto.

MICHELENA, *Bernabé* (1888-1963) Escultor ur. Monumento al maestro, en Montevideo. • ***Santos*** (1799-1848) Político ven. Vicepresid. (1840). Candidato a la presidencia en 1848. Murió en un asalto del ejército al parlamento.

MICHELET, *Jules* (1798-1874) Historiador fr. influido por Vico y Herder. *Historia de Francia, Historia del s. XIX.*

MICHELIN Familia de industriales fr. **Jules M.** (1817-1870) ideó la aplicación de bandas de látex a las ruedas de los coches. Sus hijos **André** (1853-1931) y **Edward** (1859-1940) consolidaron la naciente ind. de neumáticos.

MICHELOZZO, *Michelozzo di Bartolomeo Michelozzi*, llamado (1396-1472) Arquitecto y escultor florentino. Refundió la tradición medieval con el espíritu renacentista. Palacio Médicis, de Florencia.

MICHELSBERG, *Cultura de* Facies cultural correspondiente al neolítico medio, hallada en Alemania. Se trata de un hábitat fortificado con casas de planta rectangular o circular. La ind. lítica comprende lacas, hachas pulimentadas, morteros etc.

MICHELSON, *Albert* (1852-1931) Físico norteam. de origen al. Ideó un interferómetro y con él llevó a cabo el llamado *experimento de Michelson-Morley*, mediante el cual demostró que la velocidad de propagación de la luz no era influida por el mov. de la Tierra. Premio Nobel de Física en 1907.

Cristales de moscovita, mineral del grupo de las **micas**

La Puerta de los Leones en **Micenas**

Michoacán. Pescadores con redes mariposa en el lago Pátzcuaro

MICHIGAN Est. del NE de EE UU formado por dos pen. separadas por el estr. de Mackinac y por el lago Michigan. Limita al N con el lago Superior y Canadá, al E con Canadá y los lagos Hurón y Erie, al S con los est. de Indiana y Ohio, y al O con el est. de Wisconsin; 151 586 km², 9 295 000 hab. Cap., Lansing. C. prales.: Detroit y Grand Rapids. Clima continental húmedo. Bosques. Maíz, heno, avena, trigo, remolacha azucarera y frutas. Hierro, cobre, gas natural. Ind. automovilística. • Lago del N de EE UU, en la región de los Grandes Lagos, entre el Superior y el Hurón; 58 016 km².

MICHINO, NA m. y f. Gato, gata.

MICHOACÁN Est. del centro-O de México, junto al Pacífico; 59 864 km², 3 979 177 hab. Cap., Morelia. El relieve comprende la cord. Neovolcánica al N, y al S la sierra Madre del Sur. Entre los dos sist. montañosos, la depresión del Tepalcatepec. R. prales.: Balsas y su afl. el Tepalcatepec; los lagos Chapala, Cuitzeo y Pátzcuaro completan la hidrografía del est. Clima variable. Caña de azúcar, papas, fríjoles, algodón. Ganadería. Plata, plomo, cobre, hierro. Ind. textiles y alimentarias.

MICKIEWICZ, ***Adam*** (1798-1855) Poeta romántico pol. *Pan Tadeusz*.

MICO m. Mono de pequeño tamaño. • Nombre dado a los niños como insulto cariñoso. • fig. y fam. Hombre lujurioso.

MICÓFITO m. *Bot.* Hongo.

MICOLOGÍA f. Ciencia biológica, parte de la botánica, que estudia los hongos. ■ MICÓLOGO, GA.

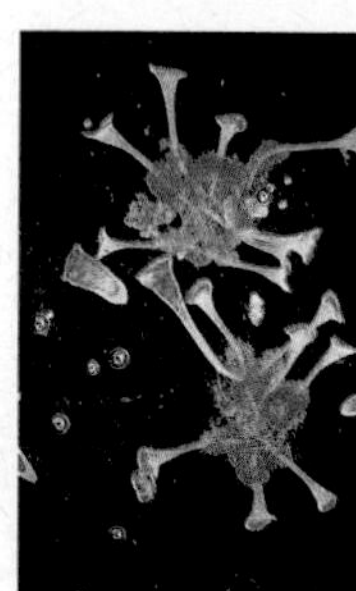

Microfotografía de una colonia de dos especies de estentor, ciliado heterocrito

MICOMBERO, ***Michel*** (1940-1983) Político y militar de Burundi, de origen tutsi. En 1966 destituyó a Ntare V y se proclamó presid. de la república. En 1973 asumió también la jefatura del gobierno. Derrocado en 1976 por J. P. Bagaza.

MICOQUIENSE m. Facies industrial del paleolítico medio, que tiene lugar durante el último interglaciar y el principio de la glaciación de Würm.

MICORRIZA f. Simbiosis que se establece entre las raíces de ciertas plantas arbóreas y el micelio de algunos hongos, en la que el árbol recibe más agua y el hongo se beneficia de la savia del árbol.

MICOSIS f. *Pat.* Infección provocada por hongos parásitos, que pueden afectar a la piel (dermatosis), al caballo (tiña), al tejido subcutáneo, los pulmones (neumomicosis), al hígado, los huesos, etc.

MICRA f. Unidad de longitud, submúltiplo del metro, de símb. μ ($1\mu = 10^{-6}$ m).

MICRO Pref. que, antepuesto a una unidad de medida, designa la millonésima parte de ésta. • m. fam. Apócope de micrófono.

MICROBICIDA adj. y m. Que destruye los microbios.

MICROBIO m. Microorganismo. ■ MICROBIANO, NA.

MICROBIOLOGÍA f. Ciencia que estudia los microorganismos desde el punto de vista morfológico, fisiológico, genético, de cultivo, médico y de aplicación. ■ MICROBIOLÓGICO, CA; MICROBIÓLOGO, GA.

MICROBÚS m. Autobús de poca capacidad, que se utiliza para trayectos cortos o difíciles.

MICROCÉFALO, LA adj. y s. De cabeza pequeña. ■ MICROCEFALIA.

MICROCIRCUITO m. *Eléctr.* Circuito integrado.

MICROCLIMA m. Conjunto de condiciones atmosféricas de un punto determinado.

MICROCOMPUTADORA f. *Comp.* Computadora cuya unidad central de proceso es un microprocesador. Tiene capacidad limitada y admite pocos periféricos.

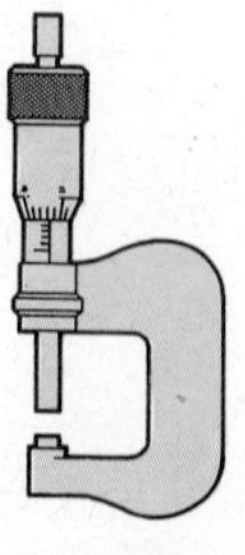

Micrómetro

MICROCOPIA f. Copia fotográfica de tamaño muy reducido.

MICROCOSMOS m. *Fil.* El hombre, considerado como representación sintética del universo o macrocosmos. • *Fís.* El átomo y sus partículas.

MICROELECTRÓNICA f. Técnica de diseñar y producir circuitos electrónicos en miniatura, de aplicación en el campo de la computación, las telecomunicaciones y los controles.

MICROEVOLUCIÓN f. Fenómeno de aparición de nuevas variedades, especies o gén. animales o vegetales, motivado por los mecanismos evolutivos.

MICROFILMAR tr. Reproducir documentos en forma de microfilme.

MICROFILME m. Película fotográfica para obtener microcopias.

MICRÓFONO m. Instrumento destinado a recibir las ondas sonoras y transformarlas en oscilaciones eléctricas.

MICROFOTOGRAFÍA f. Fotografía de tamaño muy pequeño. • Fotografía de objetos muy pequeños, obtenida a través de un microscopio. • Técnicas para obtener dichas fotografías.

MICROFOTÓMETRO m. Instrumento construido para medir el grado de ennegrecimiento de una placa o de una película fotográfica.

MICROGAMETO m. *Biol.* Gameto de menor tamaño, gralte. masculino, espermatozoide en los animales y anterozoide en las plantas.

MICROGLÍA f. Tipo de tejido relacionado con el tejido nervioso, formado por células estrelladas.

MICROGRAFÍA f. Descripción de objetos vistos con el microscopio. ■ MICROGRÁFICO, CA.

MICROHÍLIDO, DA adj. y m. *Zool.* Díc. de animales de la familia microhílidos. • m. pl. *Zool.* Familia de anfibios anuros que comprende numerosas formas tropicales, emparentadas con las ranas.

MICROLITO m. *Geol.* Cristal, sólo visible al microscopio, que se encuentra en rocas endógenas de tipo volcánico, formadas por enfriamiento muy rápido de los magmas.

MICRÓMERO m. *Biol.* Blastómero de pequeño tamaño, que en el desarrollo embrionario de los metazoos tapiza exteriormente la blástula y da origen al ectodermo.

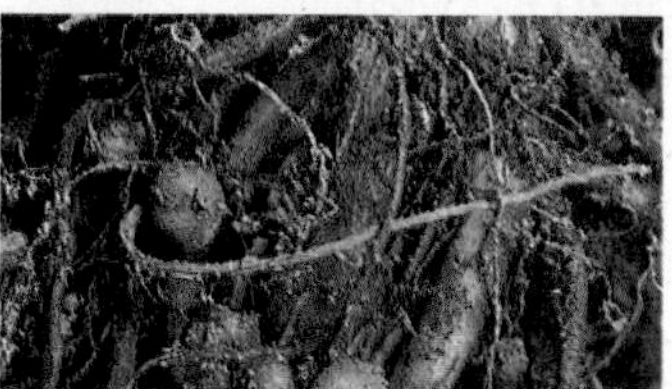

Micorriza entre las raíces de una leguminosa y las bacterias del género *Rhizobium*

MICROMETEORITO m. *Astr.* Meteorito menor de 0,1 mm, que, por su elevada velocidad (9 km/seg), constituye un peligro para las exploraciones espaciales.

MICRÓMETRO m. Instrumento destinado a medir cantidades lineales o angulares muy pequeñas con gran precisión. ■ MICROMÉTRICO, CA.

MICROMETRO m. Unidad de longitud que equivale a la millonésima parte del metro.

MICRONESIA, ***Estados Federados de*** *(Federated States of Micronesia)* Est. insular de Oceanía, del grupo de las Carolinas; rep. federada integrada por los est. de Chuuk, Kosrae, Pohnpei y Yap. Islas y atolones de origen volcánico y coralino. Clima cálido y húmedo, con fuertes precipitaciones. Agricultura. Pesca. Turismo. Lenguas: inglés (of.), dialectos locales. *Rel.*: catolicismo, protestantismo. U. M.: dólar de EE UU. Cap.: Palikir (en Pohnpei). C. prales.: Moen, Tol, Kolonia. Terr. en fideicomiso de EE UU (1947-1990). Acuerdo de libre asociación con EE UU desde 1986. • Arch. de Oceanía; comprende las islas Marianas, Palaos, Carolinas, Marshall, Nauru, Gilbert y otras menores.

MICRONESIA

Superficie 707 km²	
Población 111 000 hab. (157 hab./km²)	
Recursos económicos	
Pesca	3 640 t
Indicadores sociológicos	
PNB	220 millones de dólares
Renta per cápita	2 000 dólares
Esperanza de vida	66 años
Alfabetismo	76 %

Micronesia. Jóvenes de la isla de Yap celebrando el baile del bambú

MICROONDA f. *Fís.* Onda electromagnética de frecuencia comprendida entre 10^9 y 10^{12} hertz y, por tanto, con una longitud de onda comparable a las dimensiones de los circuitos eléctricos convencionales, con aplicaciones en las telecomunicaciones, radar, sistemas de alarma y de control remoto, hornos domésticos, etc.

MICROORGANISMO m. *Biol.* Organismo cuyas dimensiones oscilan entre el límite de resolución del ojo humano (0,1 mm) y el del microscopio óptico (0,1 μ).

* *Biol.* Los m. suelen ser beneficiosos, ya que, aparte de las especies parásitas y patógenas, que son minoría, resultan indispensables para el equilibrio de los elementos en la naturaleza, para ciertos procesos industriales, en alimentación, medicina, etc.

MICROPALEONTOLOGÍA f. Rama de la paleontología que trata de los fósiles para cuyo estudio se necesita el microscopio.

MICRÓPILO m. *Bot.* Canalículo que atraviesa los tegumentos del primordio seminal de los vegetales superiores y que pone en comunicación la nucela con el exterior. • *Zool.* Orificio de la cubierta del óvulo de algunos animales, por el que penetra el espermatozoide.

MICROPLANCTON m. Componente microscópico del plancton, formado en su mayor parte por pequeños animales. • P. ext., nanoplancton, constituido por protozoos, algas unicelulares y bacterias.

MICROPLASTRÓN m. Micrófono montado en un peto que utilizan las operadoras de algunas centrales telefónicas.

MICROPROCESADOR m. *Comp.* Circuito integrado, comúnmente llamado *chip*, con integración a gran escala (LSI o VLSI); es la unidad central de proceso de una microcomputadora.

MICROPROGRAMA m. *Comp.* Programa cuyas instrucciones son operaciones internas elementales, ejecutadas por la unidad de control de una computadora al efectuar cada instrucción del programa de un usuario.

MICROPROGRAMACIÓN m. *Comp.* Técnica que se utiliza para la realización de microprogramas que serán ejecutados por la unidad de control de una computadora.

MICROQUÍMICA m. Rama de la química relativa a las manipulaciones de sustancias del orden de un miligramo o menores.

MICROQUIRÓPTERO, A adj. y m. *Zool.* Díc. de mamíferos del suborden microquirópteros. • m. pl. *Zool.* Suborden de mamíferos quirópteros, gralte. de pequeño tamaño. Comprende la mayor parte de murciélagos.

MICRÓS Seudón. de Ángel del → Campo.

MICROSCOPIA f. Conjunto de técnicas para la construcción y utilización del microscopio.

MICROSCOPIO m. *Ópt.* Instrumento destinado a la observación de objetos pequeños. • **de contraste de fase.** M. con cuyo empleo se puede prescindir de la tinción de las preparaciones. • **de reflexión.** El que sirve para la observación de superficies opacas con luz incidente. • **electrónico.** El que utiliza haces de electrones en vez de rayos luminosos, y cuya resolución llega a algunos angstrom. ■ MICROSCÓPICO, CA.

* *Ópt.* El m. se compone de un objetivo, formado por un sistema de lentes que da una imagen real, ampliada e invertida del objeto; y un ocular formado por dos lentes convergentes, que recoge la imagen del objetivo, aumentándola y haciéndola virtual, muy ampliada e invertida respecto al objeto. La capacidad de aumento del m. depende del poder de separación, que es función de la longitud de onda de la luz empleada.

MICROSCÓPIUM *Astr.* Constelación austral que se encuentra al sur de *Capricornius.* Su denominación castellana es Microscopio.

MICROSPERMO, MA adj. y f. *Bot.* Díc. de plantas del orden microspermas. • f. pl. *Bot.* Orden de plantas angiospermas, cuyas semillas son de pequeño tamaño y carecen de tejido nutritivo.

MICRÓSPORA f. *Bot.* Espora de pequeño tamaño, formada en los microsporangios, y que en las plantas espermatófitas se corresponde con los granos de polen.

MICROSPORANGIO m. *Bot.* Esporangio de los helechos y célula de diatomea en donde se forman micrósporas.

MICROSURCO m. Ranura de los discos de fonógrafo, cuyo delgadísimo paso permite largas audiciones. • adj. y m. P. ext., díc. del mismo disco.

MICROTELÉFONO m. Elemento que, en los modernos aparatos telefónicos, reúne el micrófono y el auricular.

MICRÓTOMO m. Aparato para cortar órganos o tejidos en partes que puedan ser observadas por el microscopio.

MICTLÁN En la religión del ant. México, el reino de los muertos. Iban a él cuantos fallecían, excepto algunos casos especiales que pertenecían al dominio del dios de la lluvia, Tláloc.

MICTLANTECUHTLI *(Señor de Mictlán)* En la religión del México precolombino, monarca del reino de los muertos o Mictlán casado con Mictlancihuatl. Suele identificarse con Camaxtli y con Mixcóatl.

MICURÉ m. Marsupial de la familia didélfidos. Se encuentra en el N. de América del Sur; vive gralte. en los árboles.

MIDAS *Mit.* Rey legendario de Frigia, que tenía el don de convertir en oro cuanto tocara.

MIDDLESBROUGH C. de Gran Bretaña, en Inglaterra (Yorkshire); 149 800 hab. Metalurgia.

MIDI-PYRÉNÉES Circunscripción regional al S de Francia, entre los Pirineos y el macizo Central. 45 348 km², 2 430 700 hab. Cap., Toulouse. Explotación agropecuaria. Agricultura. Ganadería. Ind. aeronáutica, eléctrica, química y textil.

MIDLANDS Región de Gran Bretaña, en Inglaterra. Se extiende de Gales al golfo de Wash. La minería, en el llamado *Black Country*, ocupa un lugar imp. entre los recursos económicos.

MIDWAY Arch. del Pacífico, el más septentrional de Polinesia, al NO de las islas Hawai; 5 km², 2 300 hab. Ocupadas por EE UU desde 1867.

MIDYAN Región costera de Arabia Saudita, en el N del mar Rojo. Montañosa y escasamente habitada (50 000 personas). C. pral., al-Wajh. Yacimientos metalíferos.

MIE Prefectura de Japón, en la isla de Honshu; 5 778 km², 1 793 000 hab. Cap., Tsu.

MIEDITIS f. fam. Miedo.

Mapa de situación y bandera de **Micronesia**

Microscopio binocular

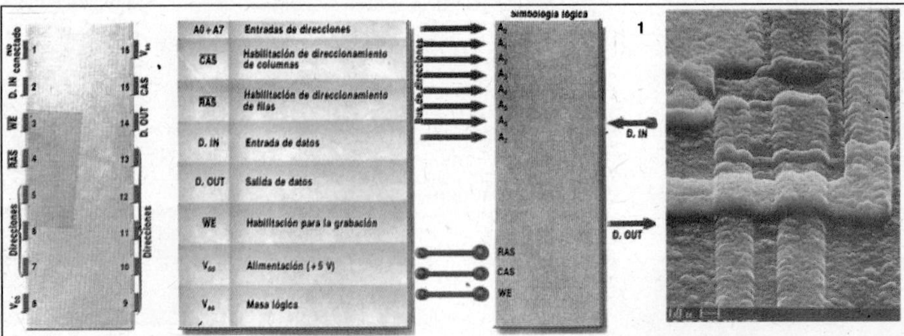

1

2

3

MICROPROCESADOR

1. El microprocesador constituye el componente central de una computadora, ya que interpreta las órdenes del programa, procesa la información y da las órdenes pertinentes a los dispositivos de entrada y de salida.
2. y 3. Con un tamaño inferior a 1 cm^2, el microprocesador reúne sobre un soporte de silicio millones de transistores (2), lo que ha permitido reducir enormemente el tamaño der los ordenadores. Los chips se obtienen a partir de la oblea, que es una sección de un cristal cilíndrico de silicio muy puro (3), y se graban con técnicas de fotolitografía. Después se les incoporan las patillas de conexión y se sellan en una cápsula.

4

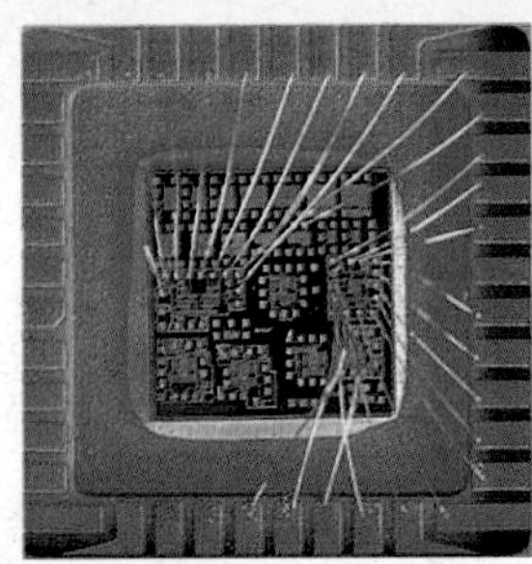

5

4. y 5. Situado en el corazón de la computadora, el microprocesador es la unidad central de procesamiento de la información, y está integrado por la unidad aritmético-lógica, los registros de la memoria interna y la unidad de control.
6. y 7. La reducción de costes y el aumento de prestaciones que ha supuesto el microprocesador ha permitido la aplicación de las computadoras en casi todos los sectores, desde la contabilidad y la estadística hasta el tratamiento de imágenes digitalizadas.

6

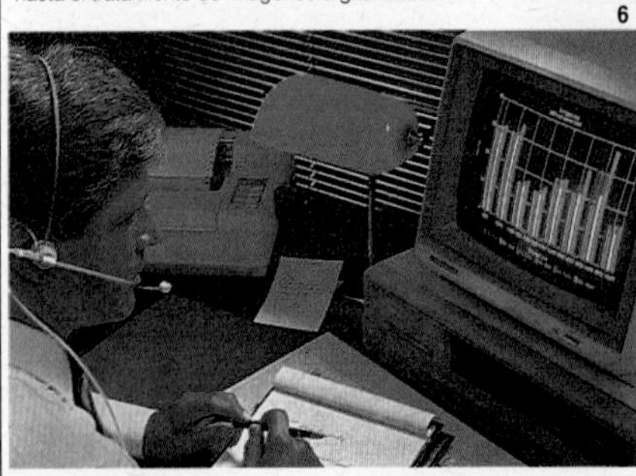

7

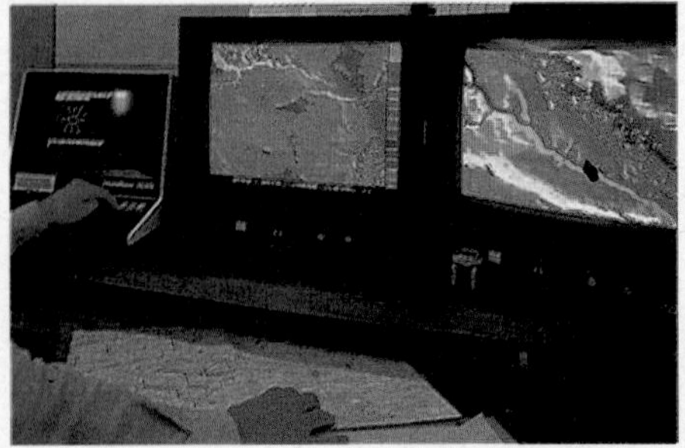

MIEDO m. Perturbación angustiosa del ánimo por un riesgo o mal que realmente amenaza o que se finge la imaginación. • Recelo que uno tiene de que le suceda una cosa contraria a lo que deseaba. ■ MIEDOSO, SA.

MIEL f. Sustancia viscosa muy dulce, de color amarillento, que las abejas elaboran con el néctar de las flores y luego depositan en las celdillas de sus panales, como alimento en reserva. Es comestible, y calma la tos. • En la fabricación del azúcar, sustancia que ha caído de las cañas al tiempo de molerlas. • fig. Dulzura, suavidad, ternura. • **M. sobre hojuelas.** exp. fig. y fam. Indica que una cosa viene o recae muy bien sobre otra. • **Luna de m.** fig. Los primeros tiempos del matrimonio.

MIELGO, GA adj. Mellizo. • f. *Bot.* Planta herbácea anual, de raíz larga y recia. Abundante en los sembrados, se usa como forraje. • *Zool.* Pez selacio de cabeza pequeña y boca con muchos dientes puntiagudos. Vive casi todos los mares tropicales, y es comestible. • Bieldo, horca de aventar y cargar.

MIELINA f. Sustancia refringente compuesta por lecitina, colesterol y otros lipoides, que recubre las fibras nerviosas y rodea al axón. Facilita la velocidad de transmisión de los impulsos nerviosos.

MIELITIS f. Inflamación de la sustancia gris medular o de toda la médula. ■ MIELÍTICO, CA.

MIEMBRO m. Cualquiera de las extremidades de los animales. • Órgano copulador. • Individuo que forma parte de una comunidad. • Parte de una cosa separada de ella. • Cada una de las partes prales. de un edificio. • *Mat.* Cualquiera de los dos partes separadas por un signo de relación.

MIENTE f. ant. Pensamiento. Se usa hoy en pl. en algunas frases. • **Caer en mientes.** Imaginarse una cosa. • **Parar** o **poner mientes** en una cosa. Considerarla, meditar sobre ella con particular cuidado.

MIENTRAS adv. tiempo. Durante el tiempo en que. • **M. más.** m. adv. Cuanto más. • **M. tanto.** m. adv. Mientras.

MIERA f. Sustancia oleaginosa que se obtiene de la planta y frutos del enebro y de la resina del pino, y que tiene propiedades medicinales. • Trementina de pino.

MIÉRCOLES m. Tercer día de la semana civil, cuarto de la litúrgica. • *Amér. Centr.* Interj. para negar. • **de ceniza.** Primer día de la cuaresma.

MIERDA f. Excremento. • fig. y fam. Grasa, suciedad, porquería.

MIERES Mun. esp., en la prov. de Asturias; 51 423 hab. Sit. en la cuenca del Caudal. Carbón. Siderurgia, construcciones mecánicas.

MIERRA f. Narria de carro.

MIES f. Planta madura de cuya semilla se hace el pan. • Tiempo de la siega y cosecha de granos. • fig. Muchedumbre de gentes convertida a la fe cristiana, o pronta a su conversión. • pl. Los sembrados.

MIES van der Rohe, ***Ludwig*** (1886-1969) Arquitecto al. nacionalizado norteam. Sus realizaciones más imp. del periodo al. son el proyecto de edificio acristalado y el Pabellón al. de la Exposición Internacional de Barcelona (1929), una de las obras más interesantes del racionalismo. Tras la implantación del nazismo, abandonó la dirección de la Bauhaus, y ya en EE UU inició una etapa de gran fecundidad constructiva. *Illinois Institute of Technology* y los edificios *Lake Shore Drive,* en Chicago; *Seagram Building,* en Nueva York.

MIGA f. Migaja, porción pequeña de pan o de otra cosa. • Parte interior y blanda del pan, que está cubierta por la corteza. • fig. y fam. Sustancia de las cosas físicas o morales que no se manifiesta al exterior. • fig. y fam. Contenido, lo esencial o pral. de algo. • pl. Pan desmenuzado, humedecido con agua y frito en aceite o grasa. • **Hacer buenas,** o **malas, migas** dos o más personas. fig y fam. Avenirse bien en su trato y amistad, o al contrario. ■ MIGUERO, RA.

MIGAJA f. Parte pequeña y menuda del pan, que suele saltar o desmenuzarse al partirlo. • Porción pequeña de cualquier cosa. • fig. Parte pequeña de una cosa no material. • fig. Nada o casi nada. • pl. Las de pan, que caen de la mesa o quedan en ella. • fig. Desperdicios o sobras.

MIGAJADA f. Migaja, porción pequeña de una cosa.

MIGAJÓN m. Pedazo de miga de pan. • fig. y fam. Sustancia e interés de una cosa. • *Chile.* Prendedura o galladura del huevo.

MIGALA f. Araña terafósida, vellosa y negra, tropical.

MIGAR tr. Desmenuzar el pan en pedazos muy pequeños. • Echar estos pedazos en un líquido.

MIGNARD, ***Nicolas*** (1606-1668) Pintor fr. Retrato de Luis XIV; decoraciones para las Tullerías. • ***Pierre*** (1612-1695) Pintor fr., hermano del anterior. Retratos de personajes de su tiempo *(Bossuet, Mme. de Maintenon, Felipe de Orleáns).* Decoración de la catedral de Val-de-Grâce.

MIGRACIÓN f. Acción y efecto de pasar de un país a otro para residir en él. • *Zool.* Desplazamiento efectuado por grupos de animales, siempre numerosos, de una a otra zona de su área de distribución. • **temporal.** *Soc.* Cambio de residencia que afecta a la pob. activa durante una corta temporada. ■ MIGRATORIO, RIA.

* *Zool.* Las m. de carácter periódico son características de los vertebrados. En los peces, las m. suelen efectuarse de los ríos al mar o inversamente, y gralte. se hallan relacionadas con la reproducción. Las aves de Europa y América del Norte suelen migrar hacia África o Sudamérica a la llegada del invierno y regresan en primavera para reproducirse. La m. parece desencadenada por un mecanismo hormonal, que es afectado por la duración del día. Algunas especies recorren hasta 15 000 km. Mamíferos migradores son el reno, el caribú, los rebecos, las ballenas, los cachalotes, etc.

MIGRAÑA f. Jaqueca.

MIGUEL Santo. Uno de los tres arcángles venerados por el cristianismo.

MIGUEL Nombre de diversos reyes y emperadores:

BIZANCIO

MIGUEL VIII Paleólogo (1224-1282) Emp. bizantino [1261-1282], restaurador del imperio y fundador de la dinastía de los Paleólogos.

PORTUGAL

MIGUEL I de Braganza (1802-1866) Rey de Portugal [1828-1834]. Nombrado regente por su hermano Pedro I, persiguió a los liberales y su hermano le destronó.

RUSIA

MIGUEL III Fedorovich (1596-1645) Zar de Rusia [1613-1645], fundador de la dinastía Romanov. Instituyó la adscripción del hombre a la tierra.

MIGUEL, ***Lorenzo*** (nacido 1925) Político y sindicalista arg. Dirigente sindical desde 1956, respaldó al gobierno de Perón (1973-1974) y mantuvo distancias ante el de su viuda. Fue encarcelado por la junta militar (1976-1980). Vicepresid. del Partido Justicialista. • **Ángel** *(Michelangelo Buonarrotti)* (1475-1564) Escultor, pintor y arquitecto it. En contacto con el mundo humanístico y neoplatónico de los Médicis, realizó relieves escultóricos que muestran su dominio del desnudo masculino y su particular visión del mundo divino. De 1496 a 1501 vivió en Roma, en contacto con el mundo ant. A esta época corresponde *La Pietà* de San Pedro del Vaticano y el *Baco ebrio.* De vuelta a Florencia esculpió en mármol su *David* y un apostolado para el *duomo,* del que sólo se conserva el *San Mateo.* Llamado a Roma por Julio II, a partir de 1508 se ocupó de la decoración de la bóveda de la Capilla Sixtina. Años más tarde Paulo III le encomendó la realización del fresco del Juicio Final en el muro del altar de la misma capilla. En sus últimos años se dedicó pralm. a la arquitectura. • **Cerulario** → Cerulario, Miguel.

MIGUELEAR tr. *Amér. Centr.* Enamorar, cortejar.

MIGUELEÑO, ÑA adj. *Hond.* Descortés.

MIHAILOVICH, ***Draza*** (1893-1946) Militar yugoslavo, organizador de guerrillas nacionalistas que se enfrentaron a las de Tito (1941). Acusado de colaborar con el Eje, fue ejecutado.

MIHRAB m. Nicho que en las mezquitas señala el sitio adonde han de mirar los que oran.

MIHURA, ***Miguel*** (1905-1978) Humorista y au-

Pabellón alemán en la Exposición Internacional de Barcelona de 1929, diseñado por **Mies van der Rohe**

Migración. Ruta migratoria de la cigüeña común europea

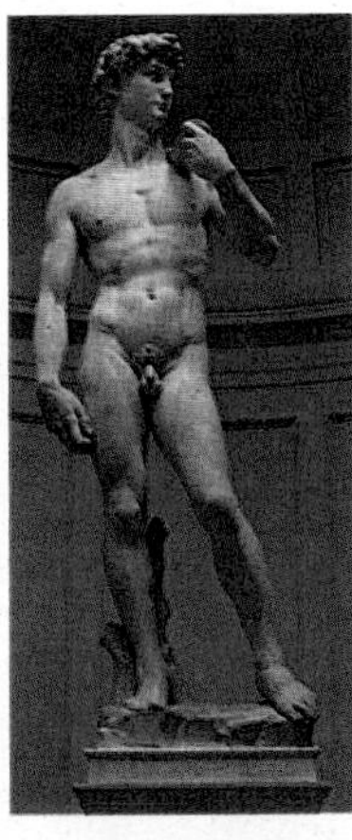

David, escultura de **Miguel Ángel.** Academia de Bellas Artes, Florencia

Mijo

Anastas Ivánovich **Mikoyán**

tor teatral esp. *Tres sombreros de copa, Maribel y la extraña familia.*

MIJE m. *Cuba.* Árbol mirtáceo de fruto parecido al de la grosella. • *Méx.* Tabaco ordinario.

MIJO m. Planta herbácea monocotiledónea de la familia gramíneas, con tallos erguidos y cilíndricos, hojas lanceoladas, paralelinervias, flores en panojas grandes y colgantes, y frutos utilizados en la alimentación de los animales domésticos. • Semilla de esta planta. Es pequeña y de color blanco amarillento. • En algunas partes, maíz.

MIKI, *Takeo* (nacido 1907) Político japonés. Ministro de Exteriores con Eisaku Sato y viceprimer ministro con K. Tanaka, en 1974 fue elegido primer ministro. En 1976 fue sustituido por T. Fukuda.

MIKOYÁN o **MICOIÁN, *Anastas Ivánovich*** (1895-1978) Político sov. Ocupó altos cargos (ministro de Comercio, presid. del presidium). En el XX congreso del PCUS (1956) respaldó a Jruschov y apoyó la condena al estalinismo. La caída de Jruschov (1964) determinó también la suya.

MIL adj. Diez veces ciento. • Milésimo. • fig. Díc. del número o cantidad grande indefinidamente. • m. Signo o conjunto de signos con que se representa el número mil. • Millar, conjunto de mil unidades.

MIL y una noches, *Las* Obra maestra de la literatura ár., escritura durante la dinastía abasí (750-1258). Al parecer tiene su origen en la obra persa *Hezar efsaneh* —mil cuentos—, cuyo fondo pral. es de inspiración india. Es una colección de cuentos folclóricos, épicos, amorosos, de aventuras y fábulas.

MILAGREAR intr. Hacer milagros.

MILAGRERÍA f. Tendencia a admitir como milagros hechos explicables científicamente.

MILAGRO m. *Teol.* Hecho que no se explica por causas naturales y que se atribuye a una intervención divina. • Cualquier suceso o cosa rara, extraordinaria y maravillosa. • Gén. dramático medieval, de origen litúrgico, que se desarrolló pralm. en Francia. • **De m.** loc. fig. Por poco, por casualidad. • **Hacer** uno **milagros.** fig. Hacer mucho más de lo que se puede hacer comúnmente en cualquier clase de actividad. ■ MILAGRERO, RA; MILAGROSO, SA.

MILAGRO C. del O de Ecuador, en la prov. de Guayas; 86 800 hab. Ind. azucarera.

MILAGRÓN m. fam. Aspaviento, extremo.

MILAMORES f. Hierba anual de la familia valerianáceas, con tallo ramoso, hojas lanceoladas flores rojas o blancas, y fruto seco con una semilla sin albumen. Se come en ensalada.

MILÁN *(Milano)* C. del N de Italia, cap. de la región de Lombardía y de la prov. hom.; 1 369 200 hab. Es la segunda c. de Italia por el número de hab. y el primer centro comercial, financiero e industrial del país. Sit. en la llanura del Po. Ind. siderúrgica, metalúrgica, química. Bolsa. Universidad. Aeropuerto. Teatro de la Scala. • **Edicto de M.** Decreto publicado en 312 por el emp. rom. Constantino, en el que se reconocía la igualdad de derechos de los cristianos.

MILANÉS y Fuentes, *José Jacinto* (1814-1863) Poeta cub., uno de los prales. del romanticismo. *El conde Alarcos, El mirón cubano.*

MILANESA f. *Argent.* y *Ur.* Filete de carne empanado, o de carne picada.

Milán

MILANESADO Ant. est. de Italia septentrional, formado alrededor de Milán en el territorio limitado por los Alpes y el Po. Ducado indep. en 1395, pasó más tarde al reino fr., al imperio esp. y al austr. En 1859 pasó a formar parte definitivamente del reino de Italia.

MILANO m. Ave falconiforme, de la familia accipítridos. Mide unos 60 cm de largo. • Azor, ave. • Pez marino, teleósteo, con aletas pectorales muy desarrolladas, que le sirven para saltar elevándose sobre la superficie del agua. • Apéndice de pelos de algunos frutos. • Flor de cardo.

MILCAO m. *Chile.* Guiso de papas machacadas.

MILCÍADES (540-h. 489 a. C.) Militar y político ateniense. Venció a los persas en Maratón, en 490 a. C.

MILDÍU o **MILDEU** m. Hongo microscópico de la familia peronosporáceas, parásito de diversas plantas. • Enfermedad que produce este hongo.

MILDO m. Masa de avellanas tostadas y molidas, a la que a veces se agrega miel.

MILENARIO, RIA adj. Relativo al número mil o al millar. • adj. y s. Díc. de los partidarios del milenarismo. • Muy antiguo. • m. Espacio de mil años. • Milésimo aniversario de algún acontecimiento notable.

MILENARISMO m. Doctrina o creencia de los ant. cristianos, según la cual Jesucristo había de reinar sobre la Tierra mil años antes del día del Juicio Universal. • Cualquier mov. religioso o político que cree en una realización final de una época de justicia y paz plenas. Diversos mov. sociales de la E. Med. tuvieron un carácter milenarista. Eran el resultado de la miseria social de la época y la naturaleza de su rebelión les llevó a propugnar la comunidad de bienes. También han tenido este carácter muchos mov. anticolonialistas. ■ MILENARISTA

MILENIO m. Periodo de mil años.

MILENRAMA f. Planta herbácea con hojas lanceoladas, flores agrupadas en capítulos blancos o rojizos, y frutos en aquenio de propiedades tónicas y astringentes.

MILENTA m. fam. Millar.

MILÉSIMO, MA adj. Que sigue inmediatamente en orden al o a lo noningentésimo nonagésimo nono. • adj. y s. Díc. de cada una de las mil partes iguales en que se divide un todo.

MILESIO, A adj. y m. De Mileto.

MILETO Ant. c. jónica de Asia Menor, en la desembocadura del r. Meandro. Una de las más poderosas del Egeo. • **Escuela de M.** Escuela surgida en esa c., que agrupaba a filósofos como Tales, Anaximandro y Anaxímenes, entre otros, que buscaron una explicación racional al origen del universo.

MILGRANAR m. Campo plantado de granados.

MILHAUD, *Darius* (1892-1974) Compositor fr. Usó la politonalidad. Destacan sus composiciones sinfónicas y sus *ballets*.

MILHOJAS f. Milenrama. • m. Pastel de hojaldre relleno de merengue.

MILHOMBRES m. fam. Apodo que se da al hombre pequeño y bullicioso o que sirve para poco.

MILI Partícula compositiva que, antepuesta a una unidad, designa la milésima parte de ella. • f. fam. Apócope de milicia, servicio militar.

MILIAR adj. Díc. de la columna, piedra, etc., que ant. indicaba la distancia de mil pasos.

MILIARIO, RIA adj. Relativo a la milla. • Miliar, columna, piedra, etc.

MILIBAR m. *Fís.* Unidad de presión igual a la milésima parte del bar. Sím. mb. 1 mb = 10^3 dinas/cm^2. La presión atmosférica normal, 760 mm Hg, equivale a 1 013,25 mb.

MILICIA f. Conjunto de actividades de guerra o de la preparación para ella. • Servicio o profesión militar. • Tropa o gente de guerra. • Coros de los ángeles. • Agrupación de gente que lucha por un ideal. • pl. Forma especial de servicio militar, a la que pueden acogerse los estudiantes universitarios y de otros niveles. ■ MILICIANO, NA.

MILICO m. despect. *Amér. Merid.* Soldado, militar.

MILIGRAMO m. Milésima parte de un gramo.

MILILITRO m. Milésima parte de un litro.

MILÍMETRO m. Milésima parte de un metro.

MILITAR adj. Relativo a la milicia o a la guerra, por contraposición a civil. • Se aplicaba al vestido seglar de casaca. • m. El que profesa la milicia. • intr. Servir en la guerra o profesar la milicia. • fig. Figurar activamente en un partido o en una colectividad. • fig. Concurrir en una cosa alguna razón o circunstancia particular.

MILITARADA f. Intentona militar de carácter político.

MILITARISMO m. Predominio del elemento militar en el gobierno del Est. • Modo de pensar de quien propugna esta preponderancia. ■ MILITARISTA.

MILITARIZAR tr. Inculcar la disciplina o el espíritu militar. • Someter a la disciplina militar a personas o agrupaciones civiles. • Dar carácter u organización militar a una colectividad. ■ MILITARIZACIÓN.

MILL, ***James*** (1773-1836) Filósofo y economista brit. Continuador del utilitarismo de Bentham. *Elementos de economía política.* • ***John Stuart*** (1806-1873) Filósofo y economista brit., hijo de James M. Aunque positivista como Comte y utilitarista como Bentham, transformó ambas filosofías en un cuerpo doctrinal más humanizado. *Principios de economía política.*

MILLA f. Nombre de varias unidades de medida de longitud. • **terrestre inglesa** *(statute mile).* Medida itineraria equivalente a 1 609,34 m. • **marina** o **marítima.** Unidad que corresponde, teóricamente, a la distancia media entre dos puntos de la superficie terrestre de igual long. y cuya lat. difiere en 1 minuto. Vale 1 852 m.

MILLACA f. Cañota, planta.

MILLÁN, ***María del Carmen*** (1914-1982) Escritora mex. Primera mujer miembro de la Academia Mexicana de la Lengua. *Literatura mexicana.* • **Astray y Terreros,** ***José*** (1879-1954) Militar esp. Creó, en Marruecos, la Legión Española (Tercio de extranjeros).

MILLAR m. Conjunto de mil unidades. • Signo ( ) usado para indicar que son millares los guarismos colocados delante de él. • Cantidad del cacao, que en unas partes es tres libras y media y en otras más. • En las dehesas, espacio de terreno en que se pueden mantener mil ovejas o dos hatos de ganado. • Número grande indeterminado. Se usa más en pl.

MILLARADA f. Cantidad aproximadamente de un millar.

MILLARDO m. Mil millones.

MILLARES ***Los*** Lugar del SE de España (prov. de Almería), donde se halla un yacimiento arqueológico de la Edad del Bronce. • **Cultura de Los M.** Correspondiente al periodo calcolítico, destaca por la difusión de las técnicas metalúrgicas.

MILLARES, ***Manuel*** (1923-1972) Pintor esp. Incorporó al espesor de la pintura materiales como cuerdas, telas de saco y cordeles.

MILLE, ***Cecil Blount de*** (1881-1959) Director de cine norteam., autor de obras colosalistas. *Los diez mandamientos, Rey de Reyes, Unión Pacific.*

MILLER, ***Arthur*** (nacido 1915) Dramaturgo norteam. En su obra critica la mentalidad y los modos de vida norteam., tanto en el aspecto social *(La muerte de un viajante)* como en el del fanatismo religioso *(Las brujas de Salem).* Divorciado de Marilyn Monroe, relató sus relaciones con la estrella en *Después de la caída.* • ***Glenn*** (1904-1944) Músico de *jazz* norteam. Director de orquesta y trombonista. • ***Henry*** (1891-1980) Escritor norteam. Su obra, que ha provocado críticas controvertidas, se basa en experiencias personales. *Trópico de Cáncer, Trópico de Capricornio, La crucifixión rosada, Pesadilla de aire acondicionado.*

MILLERAND, ***Alexander*** (1859-1943) Político fr. Expulsado del partido socialista. Presid. de la rep. (1920-1924). *El socialismo reformista francés.*

MILLERITA f. *Miner.* Sulfuro de níquel, que se presenta en cristales aciculares de color amarillo.

MILLET, ***Jean François*** (1814-1875) Pintor fr. Escenas sobre la vida campesina. *El Ángelus, Las espigadoras.* • ***Lluís*** (1867-1941) Músico esp. Fundador, con Amadeo Vives, del *Orfeó Català.*

MILLIKAN, ***Robert Andrews*** (1868-1953) Físico norteam. Premio Nobel de Física en 1923. Determinó la carga del electrón *(experimento de Millikan).*

MILLO m. Mijo, planta y su semilla.

MILLÓN m. Mil millares. • fig. Núm. muy grande indeterminado. ■ MILLONARIO, RIA.

MILLONADA f. Cantidad grande, especialmente de dinero.

MILLONÉSIMO, MA adj. y s. Díc. de cada una del millón de partes iguales en que se divide un todo. • adj. Que ocupa en una serie el lugar al cual preceden 999 999 lugares.

MILO *(Milos)* Isla de Grecia, en el mar Egeo, al SO de las Cícladas; 150 km², 11 300 hab. En ella se encontró la *Venus de Milo.*

MILOCA f. Ave rapaz y nocturna, muy parecida al búho en forma y tamaño.

MILOCHA f. Cometa, armazón ligero con papel o tela que, sujeta con cuerda se eleva al aire.

MILOGUATE m. *Méx.* Caña del maíz.

MILÓN de Crotona (ss. VI-V a. C.) Atleta gr., seis veces ganador en los Juegos Olímpicos y Píticos.

MILONGA f. *Argent.* Tonada popular, sencilla y monótona. • Fiesta familiar con baile. ■ *Argent.* MILONGUERO.

MILONITA f. *Geol.* Roca que ha sufrido un intenso proceso de metamorfismo dinámico en el que han actuado fuertes presiones orientadas, lo que ha provocado su fragmentación.

MILOSCZ, ***Czeslaw*** (nacido 1911) Escritor pol. Premio Nobel de Literatura en 1980. *El poder cambia de manos, Poemas de un tiempo helado, El saludo, Un hombre entre los escombros.*

MILOSEVIC, ***Slobodan*** (nacido 1941) Político serbio. Presid. de Serbia (1989-1997) y de Yugoslavia (Serbia y Montenegro) entre 1997 y 2000. Ultranacionalista, impulsó una política belicista y represiva durante la guerra en Croacia y Bosnia-Herzegovina (1991-1995) y en Kosovo (1999). En 2001 fue detenido y extraditado al Tribunal Internacional de La Haya.

MILPA f. *Amér. Centr.* y *Méx.* Tierra destinada al cultivo del maíz.

MILPA ALTA Delegación de México, Distrito Federal; 33 700 hab.

MILPEAR intr. *Amér. Centr.* y *Méx.* Empezar a brotar el maíz. • tr. *Amér. Centr.* y *Méx.* Preparar la tierra para la siembra de maíz.

MILPESOS m. *Col.* Fruto de una especie de ceiba, usado como salvadera.

MILPIÉS m. Animal miriápodo de la clase diplópodos, llamado así por sus numerosas patas. Los m. son gralte. de tonos oscuros y, como defensa ante un peligro, se enrollan en espiral.

MILRAYAS m. Tejido con rayas de color muy apretadas.

MILREIS m. Moneda bras. • Ant. moneda port.

MILSTEIN, ***César*** (nacido 1927) Biólogo arg., nacionalizado brit. Premio Nobel de Medicina en 1984, con G. J. Köhler y N. K. Jerne, por sus trabajos sobre anticuerpos monoclonales.

MILTOMATE m. *Guat.* y *Méx.* Planta herbácea de fruto parecido al tomate, aunque del tamaño y color de la uva blanca. • Fruto de esta planta.

MILTON, ***John*** (1608-1674) Escritor brit. Su obra maestra es *El Paraíso perdido*, que sobresale por la grandiosidad de las descripciones y por la honda religiosidad que de él trasciende.

MILWAUKEE C. de EE UU, en el est. de Wisconsin, en la orilla O del lago Michigan; 636 200 hab. (1 397 100 la agl. urb). Centro comercial e industrial. Aeropuerto. Universidad.

MIMAR tr. Hacer caricias y halagos. • Tratar con excesivo regalo y condescendencia a uno, y en especial a los niños.

MIMBRAR tr. y prnl. Abrumar, molestar, humillar.

MIMBRE amb. Mimbrera, arbusto. • Cada una de las varitas que produce la mimbrera. ■ MIMBRAL, MIMBREÑO, ÑA; MIMBROSO, SA.

MIMBREAR intr. y prnl. Moverse o agitarse con flexibilidad, como el mimbre.

MIMBRERA f. Arbusta salicáceo, de ramillas largas, delgadas y flexibles, corteza rojiza y madera blanca. • Mimbreral. • Nombre vulgar de varias especies de sauces. ■ MIMBRERAL.

MIMEOGRAFIAR tr. Reproducir en copias por medio del mimeógrafo. ■ MIMEOGRAFÍA; MIMEOGRAFIADO, DA.

MIMEÓGRAFO m. Multicopista que reproduce textos o figuras grabados en una lámina de papel especial, a través de cuyas incisiones pasa tinta mediante la presión de un cilindro metálico.

MIMESIS f. Imitación que se hace de una persona para burlarse de ella.

Arthur **Miller**

Venus de **Milo.** Museo del Louvre, París

Slobodan **Milosevic**

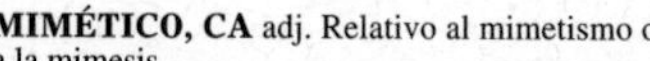

MIMÉTICO, CA adj. Relativo al mimetismo o a la mimesis.

MIMETISMO m. Propiedad que poseen algunos animales y plantas de imitar aspectos y colores propios del medio en que viven, con el fin de pasar inadvertidos.

MÍMICO, CA adj. Relativo al mimo o a la mímica. • f. Arte de imitar, representar o darse a entender por medio de gestos, ademanes o actitudes.

MIMO m. Entre gr. y romanos, actor del gén. cómico más popular. • Entre gr. y romanos, farsa, representación teatral ligera y festiva. • Actor teatral que se vale exclusiva o preferentemente de gestos y movimientos corporales. • Pantomima. • Cariño, demostración expresiva de ternura. • Condescendencia excesiva. ■ MIMOSO, SA.

Mimetismo. Insecto-hoja que se confunde con las hojas de las plantas en que vive

MIMODRAMA f. Pantomima dramática.

MIMÓGRAFO m. Autor de mimos o farsas.

MIMOSA f. Gén de plantas exóticas, leguminosas. Las hojas de algunas especies experimentan notables movimientos de contracción cuando se las toca o agita.

MIMOSÁCEO, A adj. y f. *Bot.* Díc. de plantas angiospermas dicotiledóneas, herbáceas, arbustivas o arbóreas, con hojas compuestas, flores hermafroditas regulares, y frutos en legumbre. • f. pl. *Bot.* Familia de estas plantas. Comprende unas 1 500 especies repartidas por todo el mundo, más abundantemente en las zonas tropicales.

MINA f. Unidad de peso ant. de valor variable según los países. • Moneda gr. ant. equivalente a 100 dracmas. • Criadero de minerales de útil explotación. • *Min.* Conjunto de excavaciones que se realizan en la superficie terrestre para extraer minerales. • Paso subterráneo, abierto artificialmente, para alumbrar o conducir aguas o establecer otra comunicación. • Barrita de grafito que va en el interior del lápiz. • fig. Oficio, empleo o negocio del que con poco trabajo se obtiene mucho interés y ganancia. • fig. Aquello que abunda en cosas dignas de aprecio. • *Mil.* Artefacto que contiene explosivo u otro agente agresivo destinado a causar daños en personal o medios bélicos. • **submarina.** *Mil.* La que se sumerge en el mar para hacer explosión al paso de una embarcación enemiga. ■ MINADOR, RA; MINAL.

* *Min.* Las m. pueden ser de cielo abierto o subterráneas. En las últimas se accede a los filones mediante pozos de extracción y galerías, que deben ser apuntalados con estibaciones (marcos de madera o de hierro apuntalados entre sí). Aparte de la ventilación, es muy importante la eliminación de las aguas de infiltración.

MINA, *Francisco Xavier* (1789-1817) Guerrillero esp., sobrino de Espoz y Mina. Participó en la guerra de Indep. esp. y tuvo que exiliarse a Londres, desde donde marchó a México y luchó por la indep. de Nueva España. Murió fusilado.

MINAR tr. Abrir caminos o galerías por debajo de tierra. • fig. Hacer diligencias para conseguir alguna cosa. • fig. Consumir, destruir poco a poco. • Colocar minas terrestres o submarinas para impedir el avance enemigo. • Poner barrenos. ■ MINADO, DA.

MINARETE m. Alminar, torre de la mezquita.

MINAS C. de Uruguay, cap. del dpto. de Lavalleja; 34 600 hab. Centro agropecuario.

MINAS GERAIS Est. del SE de Brasil; 586 624 km^2, 16 063 000 hab. Cap., Belo Horizonte. Se caracteriza por su elevación orográfica en la que destaca, en el centro-este, la sierra de Espinhaço (Itambé, 2 034 m) y en el SE la sierra de Mantiqueira (Agulhas Negras, 2 787 m). Ríos: San Francisco, Grande y Doce. Clima cálido. Café, caña de azúcar, algodón, cereales y bananas. Zona minera al SO: oro, hierro, piedras preciosas, bauxita y manganeso. Ind. siderometalúrgica.

Flores de sensitiva, planta arbustiva del género **mimosa**

MINATITLÁN C. de México, en el est. de Veracruz; 112 600 hab. Refinerías de petróleo.

MINDANAO Isla de Filipinas; 99 311 km^2, 10 350 000 hab. C. pral., Davao. Volcánica y montañosa, está avenada por ríos cortos y caudalosos. Arroz, maíz, abacá, cocos. Hierro.

MINDEL adj. Díc. de la tercera glaciación del cuaternario europeo, desarrollada hace aproximadamente unos 200 000 años.

MINDORO Isla de Filipinas, al S de Luzón; 10 245 km^2, 669 400 hab. Relieve montañoso. Caña de azúcar, abacá, arroz, copra. Carbón. C. pral., Calapan.

MINERAJE m. Labor y beneficio de las minas.

MINERAL adj. Relativo a las sustancias naturales que forman la corteza terrestre. • m. *Geol.* Elemento químico nativo o combinación química natural que forma parte de la corteza terrestre. • Parte útil de una explotación minera. • *Méx.* Mina.

* *Geol.* Los m. se presentan en la naturaleza como granos que forman parte de las rocas, en filones, en formas cristalinas aisladas, en masas terrosas, etc. Se clasifican según su composición química y sus características cristaloquímicas y estructurales.

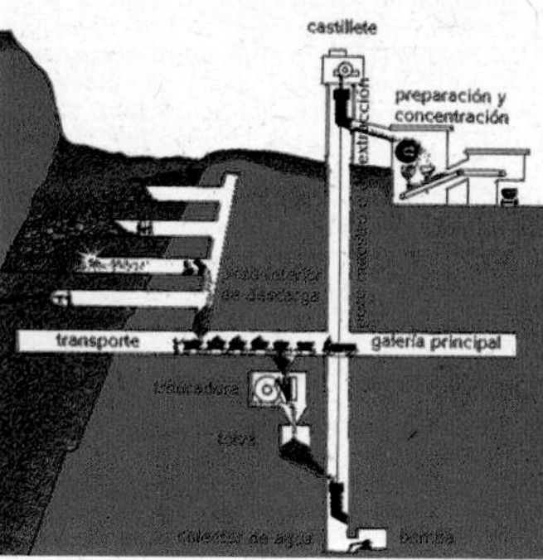

Esquema de una **mina**

MINERALIZACIÓN f. Proceso de impregnación de las membranas de las células vegetales por parte de las sales minerales. • Proceso de oxidación de los restos animales y vegetales y de las excretas por parte de los microorganismos mineralizadores, el cual cierra el ciclo de los elementos en la biosfera.

MINERALIZADOR, RA adj. Que mineraliza. • adj. y s. *Geol.* Díc. de los constituyentes volátiles de las magmas, que originan cambios mineralógicos en las rocas sólidas.

MINERALIZAR tr. y prnl. Transformar una sustancia en mineral por acción de agentes químicos o bioquímicos. • prnl. Cargarse las aguas de sustancias minerales en su curso subterráneo.

MINERALOGÉNESIS f. *Geol.* Proceso de formación de los minerales. Puede ser magmático (cuarzo, prioxenos, magnetita, titanita, etc.), sedimentario (yeso, sal gema, carnalita, carbonatos de calcio, etc.) o metamórfico (epidota, granates, moscovita, biotita, etc.).

MINERALOGÍA f. Ciencia que estudia los minerales en sus aspectos físicos y químicos. Se divide en m. física, m. química y cristalografía. ■ MINERALÓGICO, CA; MINERALOGISTA.

MINERÍA f. Parte de la actividad económica industrial que se ocupa de la extracción de las riquezas del suelo. • Conjunto de la pob. activa que se dedica a este trabajo. • Cuerpo de técnicos que entienden en el mismo. • Conjunto de las minas y explotaciones mineras de una nación o comarca.

MINERO, RA adj. Relativo a la minería. • m. El que trabaja en las minas. • Propietario o explotador de minas. • Mina, yacimiento, excavación. • fig. Origen, nacimiento de una cosa.

MINEROMEDICINAL adj. Díc. del agua mineral que se usa para la curación de alguna dolencia.

MINERVA f. Mente, inteligencia. • Ant. procesión del Santísimo Sacramento. • Máquina de imprimir por presión de plano contra plano. ■ MINERVISTA.

MINERVA *Mit.* Diosa rom. de la sabiduría, identificada con la Atenea griega.

MING Dinastía china fundada por Chu Yuanchang en 1368. Pacificó y unificó China. Derribada en 1644 por los manchúes.

MINGA f. *Chile* y *Perú.* Mingaco. • fam. Pene.

MINGACO m. *Chile.* Reunión de amigos para hacer algún trabajo en común, sin más remuneración que una comilona.

MINGITORIO, RIA adj. Relativo a la micción. • m. Urinario.

MINGO m. Bola que, al empezarse cada mano del juego de billar, o cuando entra en una tronera, se coloca en el punto determinado de la cabecera de la mesa. • *Cuba.* Cierto juego de muchachos que se juega con bolitas. • *Hond.* Objeto pequeño que ponen los muchachos como blanco para tirar piedras sobre él.
MINGÓN, NA adj. *Ven.* Díc. del niño muy mimado y consentido.
MINGRELIA Ant. región de Georgia occidental, que se extendía por los actuales distritos de Kutaisi y Poti, y la RSSA de Abjasia.
MINGRELIANO, NA adj. y s. De Mingrelia. • m. *Ling.* Lengua caucásica afín al georgiano, hablada en el O de Georgia.
MINGUÍ m. *Hond.* Chicha, bebida fermentada.
MINGUS, *Charles* (1922-1979) Músico norteam. Compositor, bajista y director de orquesta. Es característica su permanente fidelidad al blues y su propensión a ramificar las músicas de raíz folclórica.
MINIAR tr. Pintar miniaturas.
MINIATURA f. Variedad de la pintura que tiene como característica sus pequeñas dimensiones. • P. ext., reproducción de un objeto en pequeño tamaño. • Pequeñez, tamaño pequeño o reducido. ■ MINIATURISTA.
MINIATURIZACIÓN f. *Ing.* Técnica para la realización de dispositivos de dimensiones físicas muy reducidas. Se aplica a la construcción de micromotores eléctricos, microválvulas, microrrelés, etc. • *Comp.* La que ha desarrollado los circuitos miniaturizados o microcircuitos, de aplicación en las microcomputadoras.
MINICARD m. Sistema de almacenamiento de información, constituido por microfilmes. Se utiliza para la conservación de archivos, para bibliotecas y recopilación de documentos, etc.
MINICOY Isla de la India, integrada en el territorio de Lakshadweep o de las Laquedivas.
MINIFUNDIO m. Finca rústica de reducida extensión.
MINIFUNDISMO m. Parcelamiento excesivo de la propiedad rústica. ■ MINIFUNDISTA.
MINIMIZAR tr. Achicar, reducir una cosa de volumen o quitarle importancia. • *Mat.* Buscar el mínimo de una función.
MÍNIMO, MA adj. Díc. de lo que es tan pequeño en su especie, que no lo hay ni menor ni igual. • Minucioso. • adj. y s. Díc. del religioso de la orden mendicante fundada por san Francisco de Paula. • m. Límite inferior o extremo a que se puede referir una cosa. • **común múltiplo** *(m.c.m.).* El menor de los múltiplos comunes a dos o más números dados. • f. Cosa o parte mínima. • *Mús.* Nota cuyo valor es la mitad de la semibreve.
MÍNIMUM m. Mínimo, límite o extremo.
MININA f. fam. Gata, hembra del gato.
MININO m. fam. Gato, mamífero carnicero.
MINIO m. Óxido de plomo. Es un polvo de color rojo vivo que se usa para recubrir el hierro y evitar su oxidación.
MINISTERIO m. Gobierno del Est. considerado en el conjunto de los varios departamentos en que se divide. • Empleo de ministro. • Tiempo que dura su ejercicio. • Cuerpo de ministros del Est. • Cada uno de los departamentos en que se divide la gobernación del Est. • Edificio en que se halla la oficina de cada departamento ministerial. • Empleo, oficio u ocupación. • Uso o destino que tiene alguna cosa. ■ MINISTERIAL; MINISTERIALISMO.
MINISTRA f. La que ministra alguna cosa. • Mujer del ministro. • Prelada de las monjas trinitarias.
MINISTRANTE adj. Que ministra. • m. Practicante de un hospital.
MINISTRAR tr. e intr. Ejercer un oficio, empleo o ministerio. • tr. Dar, suministrar a uno una cosa.
MINISTRER m. El que tañía instrumentos de cuerda o de viento.
MINISTRIL m. Empleado que se encarga de los más inferiores menesteres de la justicia. • El que en funciones de iglesia y otras solemnidades tocaba algún instrumento de viento. • Ministrer.
MINISTRO m. El que ministra alguna cosa. • Juez que se emplea en la administración de justicia. • El que está empleado en el gobierno para la resolución de los negocios políticos y económicos. • Jefe de cada uno de los departamentos en que se divide la gobernación del Est. • Enviado, comisionado. • Representante diplomático de rango inferior al de embajador. • En algunas religiones, prelado ordinario de cada convento. • En la compañía de Jesús, religioso que cuida del gobierno económico de las casas y colegios. • Alguacil o cualquiera de los oficiales inferiores que ejecuta los mandatos y autos de los jueces. • Sacerdote. • El que ayuda a misa. • En las misas cantadas, el diácono y el subdiácono. • fig. Persona o cosa que sirve de instrumento o medio para ejecutar lo que otra persona dispone. • **de Dios.** Sacerdote. • **plenipotenciario.** Representante diplomático con categoría inmediatamente inferior a la de embajador. • **residente.** Agente diplomático cuya categoría es inmediatamente inferior a la de ministro plenipotenciario. • **sin cartera.** El que participa de la responsabilidad general política del gobierno, pero no tiene a su cargo la dirección de ningún departamento. • **Primer m.** El jefe del gobierno o presid. del consejo de ministros. ■ MINISTRABLE.
MINKOWSKI, *Hermann* (1864-1909) Matemático lituano. Conocido por su exposición de una geometría tetradimensional (espacio-tiempo de M.) que constituye el lenguaje matemático de la teoría de la relatividad.
MINNEÁPOLIS C. de EE UU, en el est. de Minnesota, a orillas del Misisipí; 371 000 hab. (2 113 500 el á. metr.). Primer centro harinero del país. Aeropuerto. Universidad.
MINNELLI, *Vincente* (1913-1986) Director cinematográfico norteam. Comedias, películas musicales *(El padre de la novia, Un americano en París, Brigadoon, Gigi, Dos semanas en otra ciudad)* y melodramas *(Los cuatro jinetes del Apocalipsis, El loco de pelo rojo).*
MINNESÄNGER (al., «cantores del amor») m. pl. Poetas líricos al. (ss. XII-XIII), que se corresponden estilística e históricamente con los trovadores provenzales.
MINNESOTA Est. del centro-N de EE UU; limita al N con Canadá y al E con el lago superior; 218 600 km², 4 375 000 hab. Cap., Saint-Paul. Llanura accidentada por lagos. Río Misisipí y sus afl. Clima continental. Prados y bosques. Cereales. Ganadería. Explotación forestal. Hierro y manganeso. • R. de EE UU, en el est. hom., afl. del Misisipí; 510 km.
MINO de Fiésole (h. 1430-1484) Escultor florentino. Tumba de Paulo II en el Vaticano.
MINOICO, CA adj. Relativo a la cultura cretense.
MINORANTE adj. Que minora. • adj. y s. *Mat.* Cota inferior de un conjunto.
MINORAR tr. y prnl. Disminuir, acortar o reducir una cosa. ■ MINORACIÓN, MINORATIVO, VA.
MINORÍA f. En las juntas, asambleas, etc., conjunto de votos dados en contra de lo que opina el mayor número de los votantes. • Fracción de un cuerpo deliberante, gralte. opuesta a la política del gobierno. • Fracción de una asamblea, partido o parlamento, que no forma parte de la mayoría. • Parte menor de los componentes de una colectividad. • Menor edad legal de una persona. • fig. Tiempo de la menor edad legal de una persona. ■ MINORITARIO, RIA.
MINORIDAD f. Que se halla en la menor edad. • fig. Tiempo de la menor edad de una persona.
MINORISTA adj. Díc. del comercio al por menor. • m. Clérigo de órdenes menores. • Comerciante por menor.
MINORITA m. Menor, religioso de la orden de San Francisco.
MINOS *Mit.* Rey de Creta, hijo de Zeus y de Europa. Mandó construir el célebre Laberinto, donde encerró al Minotauro.
MINOTAURO *Mit. gr.* Monstruo de la isla de Creta, mitad hombre y mitad toro, hijo de Pasífae (esposa de Minos) y de un toro.
MINSK C. y cap. de la rep. de Bielorrusia; 1 589 000 hab. Centro industrial y ferroviario. Perteneció a Lituania, Polonia y Suecia.
MINTOFF, *Dominic,* llamado ***Dom*** (nacido 1916). Político maltés. Jefe del partido laborista desde 1949, fue primer ministro de 1955 a 1958, cargo que volvió a desempeñar de 1971 a 1984.
MINUCIA f. Menudencia, cosa de poco valor y entidad. • pl. Diezmo que se pagaba de las frutas y producciones de poca importancia.

Miniatura del s. XV en que se representa a san Agustín sentado en su cátedra

Vista de **Minneápolis**

Minnesota. Uno de los numerosos lagos que salpican el estado

Minotauro representado en un mosaico romano. Museo Arqueológico, Nápoles (Italia)

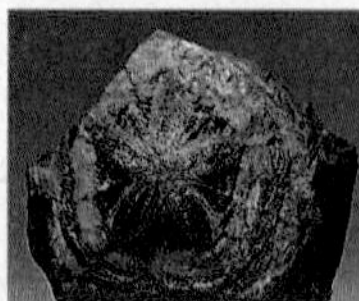
Fósil de estrella de mar, perteneciente al **mioceno**

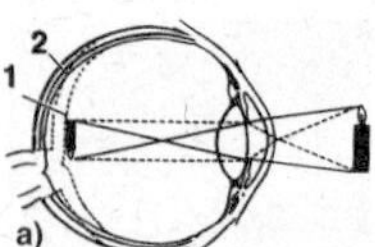

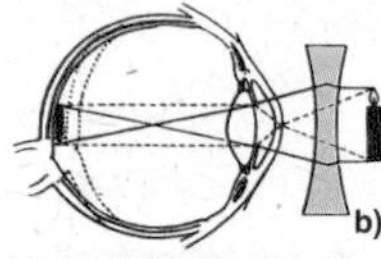

Elongación del globo ocular (a), una de las causas de **miopía:** 1) diámetro normal y 2) diámetro aumentado. Este defecto se puede corregir mediante una lente bicóncava (b)

Estación espacial ***Mir***

MINUCIOSO, SA adj. Que se detiene en los menores detalles. ■ MINUCIOSIDAD.
MINUÉ o **MINUETE** m. Baile fr. para dos personas, que estuvo de moda en el s. XVIII. • Composición musical que se canta y toca para acompañar este baile. • Minueto.
MINUENDO m. *Mat.* Primer término de una sustracción, del que se resta el sustraendo para obtener la diferencia.
MINUETO m. *Mús.* Composición instrumental, en compás ternario y movimiento moderado, que se intercala en una sonata, cuarteto o sinfonía.
MINÚSCULO, LA adj. De muy pequeñas dimensiones o de muy poca entidad. • adj. y f. Díc. de la letra de menor tamaño que la mayúscula.
MINUSVÁLIDO, DA adj. y s. Díc. de la persona que no puede valerse a plena capacidad de sus facultades.
MINUSVALORAR tr. Subestimar, valorar alguna cosa menos de lo debido. ■ MINUSVALÍA.
MINUTAR tr. Hacer el borrador de una consulta, o poner en extracto un instrumento o contrato.
MINUTERO m. Manecilla que señala los minutos en el reloj.
MINUTISA f. *Bot.* Planta herbácea de la familia cariofiláceas, con tallos de 50 cm, derechos y nudosos, hojas lanceoladas y flores olorosas de colores variados. Se cultiva en los jardines.
MINUTO, TA adj. menudo. • m. Cada una de las 60 partes iguales en que se divide un grado de círculo. • Cada una de las 60 partes iguales en que se divide una hora. • f. Borrador que se hace de un contrato u otra cosa, anotando las cláusulas o partes esenciales. • Borrador de un oficio, exposición, orden, etc., para copiarlo en limpio. • Borrador original que en una oficina queda de cada orden o comunicación que se expide. • Anotación que por escrito se hace de una cosa para tenerla presente. • Cuenta que de sus honorarios o derechos presentan los abogados y curiales. • Lista o catálogo de personas o cosas. • *Chile.* Tienda de objetos usados.
MINYA, ***El*** C. del centro de Egipto, junto al Nilo; 146 400 hab. Ind. química.
MIÑANGO m. *Amér.* Pedazo pequeño.
MIÑANO, ***Sebastián de*** (1779-1845) Escritor esp. Defendió el liberalismo y satirizó a los absolutistas en *Cartas del pobrecito holgazán.*
MIÑAQUE m. fam. *Chile.* Encaje o randa.
MIÑO Río de España y Portugal; 340 km. Nace en Galicia, forma frontera con Portugal y desemboca en el Atlántico.
MIÑONA f. *Art. Gráf.* Carácter de letra de siete puntos.
MIÑOSA f. Lombriz de tierra.
MÍO, MÍA, MÍOS, MÍAS Pron. posesivo de primera persona en gén. masculino y femenino y ambos números. Con la terminación del masculino en sing., se usa también como neutro. • **La mía.** loc. fam. con que se indica que ha llegado la ocasión favorable para lograr lo que se pretende.
MIOCARDIO m. *Anat.* Músculo del corazón, constituido por un tipo especial del tejido muscular estriado, que se caracteriza por su gran capacidad de trabajo y de recuperación. Está revestido interiormente por el endotelio y exteriormente por el pericardio.
MIOCARDITIS f. Inflamación del miocardio.
MIOCENO adj. y m. *Prehist.* Díc. del cuarto periodo de la era terciaria, comprendido entre el oligoceno y el plioceno. • Relativo a este periodo.
* *Prehist.* La duración del m. es de unos 12 millones de años. Durante el m. se completó la orogenia de los grandes sistemas (Himalaya, Andes, Alpes). La fauna y la flora eran sensiblemente semejantes a la actual.
MIODINIA f. Mialgia, dolor de los músculos.
MIOFIBRILLA f. Cada una de las pequeñas fibras contráctiles que componen las células musculares, compuestas de miosina y actina.
MIOGRAFÍA f. Parte de la anatomía que tiene por objeto la descripción de los músculos. • Técnica que permite el registro de las contracciones musculares.
MIÓGRAFO m. Aparato para registrar gráficamente las contracciones musculares.
MIOGRAMA m. Registro gráfico, efectuado mediante el miógrafo, de las contracciones musculares.
MIOLEMA m. Cada uno de los tubos transparentes que contienen fibras musculares.
MIOLOGÍA f. Parte de la anatomía descriptiva que trata de los músculos.
MIOMA m. Tumor benigno formado por fibras musculares, que forma nódulos de tamaño variable y duros a la palpación.
MIOMETRIO m. Musculatura del útero. Está formado por tres capas de fibras musculares lisas, que permiten su desarrollo funcional durante el embarazo y una gran eficacia en sus contracciones durante el parto.
MIOMIO m. *Argent.* Hierba solanácea, venenosa.
MIOPATÍA f. Nombre genérico de las enfermedades musculares.
MIOPÍA f. Defecto óptico caracterizado por la falta de visión clara de objetos distantes. ■ MIOPE.
MIOSINA f. *Biol.* Proteína que forma el 40 % de la fibrina muscular y que confiere a los músculos su elasticidad.
MIOSIS f. Contracción anormal de la pupila ocular. Se observa en las irritaciones del nervio motor ocular común y en las parálisis de las fibras longitudinales del iris.
MIOSITIS f. *Pat.* Inflamación del tejido muscular, que va acompañada de lesiones anatómicas.
MIOSOTA f. Raspilla.
MIQUEAS El sexto de los profetas menores del A. T., llamado el Morastita. Fue contemporáneo de Isaías. • **Libro de M.** Escrito profético del A. T., que anuncia la destrucción de Israel y de Judá, y el castigo de los ricos, los malos sacerdotes y los falsos profetas.
MIQUELON Isla de América del Norte, sit. al S de Terranova. Dependencia fr., con la isla de Saint-Pierre.
MIQUILO m. *Argent.* y *Bol.* Nutria.
MIQUIS ***(Con)*** loc. fam. Conmigo.
MIR Estación espacial rusa puesta en órbita en 1986 para continuar el programa de estaciones espaciales permanentes iniciado con las → Salyut. Tenía capacidad de amarre para seis cápsulas espaciales. Fue clausurada en 1999.
MIR Siglas del Movimiento de Izquierda Revolucionaria.
MIR m. Organización comunal de la tierra, en la Rusia medieval. Desapareció en 1917.
MIR, ***Joaquín*** (1873-1940) Pintor esp., impresionista. *Aguas de la Moguda, Paisaje de Olesa de Bonesvalls.*
MIRA f. Toda pieza que en ciertos instrumentos sirve para dirigir la vista a un punto. • En las armas de fuego, pieza que se coloca para asegurar la puntería. • Ángulo que tiene la adarga en la parte superior. • En las fortalezas ant., obra avanzada, y también obra que por su elevación permitía ver bien el terreno. • fig. Intención. Se usa más en pl. • Regla graduada que se coloca verticalmente en los puntos del terreno que se quiere nivelar. • **Andar, estar,** o **quedar,** uno **a la m.** fig. Observar con cuidado y atención algo.
MIRA Río de Ecuador y Colombia; 240 km. Nace en los Andes ecuat., penetra en Colombia y desemboca en el cabo Manglares.
MIRA Ceti *Astr.* Estrella variable de la constelación de la Ballena. Es la primera estrella pulsante conocida. Su diámetro, unas 300 veces mayor que el del Sol, varía en cada pulsación en un 15 %.

MIRA de Amescua, ***Antonio*** (h. 1577-1644) Dramaturgo esp. De estilo culterano. *El esclavo del demonio, Los carboneros de Francia.*
MIRABEAU, *Honoré Gabriel Riqueti,* CONDE DE (1749-1791) Orador y político fr. Representante del Tercer Est. en 1789, intentó establecer una monarquía parlamentaria. Murió después de ser nombrado presid. de la asamblea constituyente.
MIRABEL m. Planta salsolácea, de forma piramidal. • Girasol, planta compuesta.
MIRADERO m. Persona o cosa que es objeto de la atención pública. • Lugar desde donde se mira.
MIRADO, DA adj. Díc. de la persona que obra con miramientos y de la persona cauta y reflexiva. • Merecedor de buen o mal concepto. En este sentido sigue a los adverbios *bien, mal, mejor, peor.*
MIRADOR, RA adj. Que mira. • m. Corredor, galería, pabellón o terrado desde el cual se contempla un paisaje. • Balcón cerrado con cristales o persianas y cubierto con un tejadillo.
MIRAFLORES C. de Perú, en el dpto. de Arequipa; 48 000 hab. Centro agrícola.
MIRAGUANO m. Palmera de poca alt., que crece en América y Oceanía, cuyo fruto es una baya llena de una materia semejante al algodón, empleada para rellenar almohadas. • Dicha materia.
MIRAMAMOLÍN m. Califa.
MIRAMELINDOS m. Balsamina, planta geraniácea.
MIRAMIENTO m. Acción de mirar o considerar una cosa. • Respeto y circunspección que se debe observar en la ejecución de una cosa.
MIRAMÓN, ***Miguel*** (1831-1867) General mex. Luchó contra el plan de Ayutla. Presid. de la rep. en 1859. Las victorias obtenidas por las tropas liberales le obligaron a exiliarse (1860). Regresó a México en 1863 y apoyó a Maximiliano. Fue fusilado.
MIRANDA f. Paraje alto desde el cual se descubre gran extensión de terreno.
MIRANDA Est. del N de Venezuela; 7 950 km², 2 485 744 hab. Cap., Los Teques. Al N se encuentra la vertiente interior de la cord. de la Costa, y al S la serranía del Interior. En medio de los dos sist. montañosos se extiende la cuenca del Tuy y sus afl. En la costa destacan la laguna de Tacarigua y el cabo Codera. Clima cálido. Caña de azúcar, arroz, cacao, café, cacahuetes, hortalizas y maíz. Imp. centro pesquero en Higuerote. Ind. textil, alimentaria, de plásticos.
MIRANDA, ***Francisco de*** (1756-1816) Patriota ven. En 1790 presentó al primer ministro brit. Pitt el Joven un proyecto de liberación de las colonias esp. en América, que no fue bien acogido. En 1806, con el apoyo de Gran Bretaña y EE UU, intentó los desembarcos de Ocumare y Vela de Coro, con los que pensaba iniciar el mov. emancipador de las colonias esp., pero el rechazo de la burguesía criolla le hizo fracasar. Al producirse la rev. de 1810 en Caracas, proclamó la indep. de Venezuela.
MIRANDINO, NA adj. y s. De Miranda, estado ven. • Relativo al ven. Francisco de Miranda o a su obra.
MIRAR tr. Fijar la vista en un objeto aplicando la atención. • Tener un fin u objeto. • Observar las acciones de uno. • Apreciar, estimar una cosa. • Estar situado o colocado un edificio o cualquier cosa enfrente de otra. • Concernir, tocar. • fig. Pensar, juzgar, • fig. Cuidar, amparar o defender a una persona o cosa. • fig. Indagar, buscar una cosa; informarse de ella. • **Bien mirado.** m. adv. Si se piensa o considera con exactitud o detenimiento. • **¡Mira!** interj. para avisar o amenazar a uno. • **Mírame y no me toques.** exp. fig. y fam. Aplícase a las personas delicadas y a las cosas de poca resistencia. • **Mirar bien, o mal,** a uno. fig. Tenerle afecto, o aversión. • **Mirar por una persona o cosa.** Ampararla, cuidar de ella. • **Mirar** una cosa **por encima.** fig. Mirarla ligeramente. ■ MIRADA; MIRADURA; MIRÓN.
MIRASOL m. Girasol, planta.
MIRBEAU, ***Octave*** (1850-1917) Escritor fr., de crudo realismo. *El calvario, Diario de una camarera.*
MIRÍADA f. Cantidad muy grande, pero indefinida.
MIRIÁMETRO m. Medida de longitud, equivalente a diez mil metros.
MIRIÁPODO o **MIRIÓPODO** adj. y m. *Zool.* Díc. de artrópodos del grupo miriápodos. • m. pl. *Zool.* Grupo de artrópodos terrestres, caracterizados por poseer numerosos pares de patas. Suelen vivir en suelos húmedos. Algunas formas, como la escolopendra, son venenosas.
MIRIÁCEO, A adj. y f. *Bot.* Díc. de plantas angiospermas dicotiledóneas, arbustivas o arbóreas, con hojas simples, coriáceas, aromáticas; son propias de los países subtropicales. • f. pl. *Bot.* Familia de estas plantas.
MIRÍFICO, CA adj. Admirable, maravilloso.
MIRILLA f. Abertura en el suelo o en la pared que corresponde al portal o a la escalera de la casa, para observar quién es la persona que llama a la puerta. • Ventanillo de la puerta exterior de las casas. • Pequeña abertura que tienen algunos instrumentos topográficos, y que sirve para dirigir visuales.
MIRIM o **MERÍN** Laguna fronteriza entre Brasil y Uruguay; 2 966 km². A través del canal São Gonçalo comunica con la laguna de los Patos.
MIRIÑAQUE m. Alhajuela de poco valor. • Falda interior de tela rígida o almidonada que usaban las mujeres para ahuecar y dar vuelo a la falda.
MIRÍSTICA f. Árbol miristicáceo de la India, de flores monoicas, blancas, inodoras, y fruto amarillento cuya semilla es la nuez moscada.
MIRLA f. Mirlo, pájaro.
MIRLARSE prnl. fam. Entonarse afectando gravedad e importancia. ■ MIRLAMIENTO.
MIRLO m. Pájaro muscicápido que se alimenta de frutos, semillas e insectos, y aprende a repetir sonidos. • fig. y fam. Gravedad y afectación en el rostro. • **Achantar el m.** fig. y fam. No replicar al que está hablando. • **Ser un m. blanco.** Ser de rareza extraordinaria. • **Soltar el m.** fig. y fam. Empezar a charlar.
MIRÓ, ***Gabriel*** (1879-1930) Novelista esp. Su obra se adscribe al impresionismo modernista. *Figuras de la Pasión del Señor, Las cerezas del cementerio, El obispo leproso, Años y leguas.* • ***Joan*** (1893-1983) Pintor esp. Realizó sus primeras obras según la estética fauvista. Entre 1916 y 1919 se inclinó por las formas cubistas *(El molinillo de café).* En 1919, en París, conoció a Picasso y al grupo dadaísta. Poco a poco fue desligándose del mundo de la realidad, para centrarse en un lirismo gráfico *(Perro que ladra a la luna).* En el campo de la cerámica, y en colaboración con Llorens Artigas, realizó los murales de la UNESCO en París y los del aeropuerto de Barcelona.

Joan **Miró** en su estudio

MIROBÁLANO o **MIROBÁLANOS** m. Árbol de la India, de frutos negros, rojos o amarillos, usados en medicina y tintorería. • Fruto de este árbol.
MIRÓN (s. v a. C.) Escultor gr. Su escultura más famosa, *El Discóbolo,* representa la superación del estilo severo.
MIROTÓN m. *Chile.* Mirada rápida y gralte. con expresión de enfado.

Monumento a Francisco de **Miranda** en Caracas

Mirlo

Flores de **mirto**

Detalle de la ***Misa*** *del papa Gregorio Magno*, de Pedro Berruguete. Museo Arqueológico, Burgos (España)

Misil tierra-aire del ejército de Estados Unidos

MIRRA f. Gomorresina que se extrae de diversas especies de árboles de Arabia y del norte de África. Amarillenta o rojiza, untuosa, aromática, amarga y acre. • **líquida.** Licor gomoso y oloroso de los árboles nuevos que producen la m. ordinaria. ▪ MIRRADO, DA.

MIRRANGA f. *Col.* Pedazo pequeño.

MIRRAUSTE m. Salsa hecha de leche de almendras, pan rallado, azúcar y canela, con que se cocían palominos.

MIRRIA f. *Amér.* Pizca, pedacito.

MIRRUÑA f. *Amér. Centr.* y *Méx.* Pedacillo de una cosa.

MIRSINÁCEO, A adj. y f. *Bot.* Díc. de plantas leñosas con hojas esparcidas y fruto en drupa. • f. pl. *Bot.* Familia de estas plantas.

MIRTÁCEO, A adj. y m. *Bot.* Díc. de árboles tropicales, de hojas compuestas, que contienen aceites esenciales; como el arrayán y el eucalipto. • f. pl. *Bot.* Familia de estos árboles y arbustos.

MIRTÍDANO m. Pimpollo que nace al pie del mirto.

MIRTILLO m. Arándano. Planta arbustiva, cuyos frutos en baya, de color negro y refrescantes, se usan en medicina contra la diarrea y en la ind. de los tintes para colorear el vino.

MIRTO m. Arrayán, planta arbustiva de la familia de las mirtáceas, cuyos frutos, unas bayas azules llamadas murtones, son comestibles y tienen propiedades medicinales. ▪ MIRTINO, NA.

MIRZA m. Título honorífico entre los persas.

MIRZA Alí Muhammad (1819-1850) Reformador religioso persa, nacido en Shiraz. Pretendió iniciar un nuevo ciclo religioso con la aseveración de que estaba autorizado para perfeccionar la predicación de Mahoma. Fue fusilado.

MISA f. Oficio pral. de la liturgia católica, consistente en un sacrificio que recuerda simbólicamente el de la Cruz. • Orden del presbiterado. • **de campaña.** La que se celebra al aire libre para fuerzas armadas y, p. ext., para un gran concurso de gente. • **del gallo.** La que se dice a medianoche de la víspera de Navidad o en la madrugada de esta fiesta. • **mayor.** La que se canta a determinada hora del día para que concurra todo el pueblo. • **solemne.** La cantada en que acompañan al sacerdote el diácono y el subdiácono. • **Cantar m.** Celebrar un sacerdote su primera misa. • **Decir m.** Celebrar el sacerdote este santo sacrificio. • **Oír misa.** Asistir y estar presente a ella. ▪ MÍSERO, RA.

MISACANTANO m. Clérigo que tiene las órdenes completas y puede celebrar misa. • Sacerdote que dice o canta la primera misa.

MISAL adj. y m. Díc. del libro litúrgico de la religión católica, que contiene las ceremonias, oraciones y textos para la celebración de la misa.

MISÁNTROPO, PA m. y f. Persona que rehúye o siente aversión por el trato humano. ▪ MISANTROPÍA; MISANTRÓPICO, CA.

MISAR intr. fam. Decir misa. • fam. Oír misa.

MISCELÁNEA f. Mezcla de cosas diversas. • Obra o escrito en que se tratan muchas materias inconexas y mezcladas. ▪ MISCELÁNEO, A.

MISCIBILIDAD f. Propiedad de algunas sustancias por la que forman mezclas homogéneas. ▪ MISCIBLE.

MISERABLE adj. Desdichado, infeliz. • Abatido, sin valor ni fuerza. • Muy pobre, necesitado.

MISEREAR intr. fam. Portarse como miserable o tacaño.

MISERERE m. Salmo cincuenta, que empieza con esta palabra. • Canto solemne que se hace del mismo en Semana Santa. • Función que se hace en cuaresma a alguna imagen de Cristo, por cantarse en ella dicho salmo. • Cólico miserere.

MISERIA f. Desgracia, trabajo, infortunio. • Estrechez, falta de lo necesario para el sustento u otra cosa; pobreza extremada. • Avaricia, tacañería. • Plaga pedicular producida de ordinario por desaseo personal. • fig. y fam. Insignificancia, cantidad muy pequeña. ▪ MÍSERO, RA.

MISERICORDIA f. Inclinación del ánimo a compadecerse de las penalidades y miserias ajenas. • Virtud que impulsa a perdonar. • Porción pequeña de alguna cosa. • Puñal con que solían ir armados los caballeros de la E. Med. para dar el golpe de gracia al enemigo. • Pieza en los asientos de los coros de las iglesias para descansar disimuladamente cuando se debe estar en pie. ▪ MISERICORDIOSO, SA.

MISHYNAR En el judaísmo ortodoxo, la Ley oral, recopilación codificada de las normas tradicionales, paralela y distinta de la Ley escrita o Biblia.

MISIA o **MISIÁ** f. *Amér.* Tratamiento de cortesía equivalente a señora.

MISIA Ant. región de Asia Menor, entre Lidia y Frigia. Sus habitantes, *misios*, eran prosiblemente de origen tracio.

MISIL m. *Mil.* Cohete o proyectil autopropulsado o dirigido, al que gralte. se le asigna un objetivo militar o astronáutico.

* *Mil.* Los m. pueden ser usados en la guerra convencional, de modo defensivo (m. tierra-aire) y ofensivo (m. tierra-tierra y aire-tierra). En la guerra nuclear pueden ser estratégicos, de gran alcance y poder destructivo, o tácitos, de gran precisión, radio medio y menor potencia, para ser usados contra objetos concretos.

MISIÓN f. Acción de enviar. • Poder que se da a una persona para algún cometido. • Cometido, cosa encomendada a alguien. • Expedición religiosa para evangelizar una zona, pueblo o provincia. • Casa, iglesia o centro de los misioneros. • Comisión temporal dada por un gobierno a un diplomático o agente especial para determinado fin. • Territorio en que predican los misioneros. • Sermones que éstos predican. • Lo que se señala a los segadores para sustento por cierta cantidad de trabajo o tiempo. • Expedición científica por lugares poco explorados. • Obra que una persona o colectividad se siente impelida a realizar. ▪ MISIONAL; MISIONAR.

MISIONARIO m. Misionero. • Persona enviada de una parte a otra con un encargo.

MISIONERO, RA adj. y s. De la prov. arg. de Misiones. • Relativo a la misión evangélica. • m. Eclesiástico o laico que predica una misión o evangeliza en países de mayoría no cristiana. • m. y f. Persona que predica el evangelio en las misiones. • f. En congregaciones religiosas de mujeres, cada una de las religiosas o hermanas que están en una casa de misión.

Misiones. Vista parcial de Posadas

MISIONES Dpto. del S de Paraguay, junto a Argentina; 9 556 km², 97 500 hab. Cap., San Juan Bautista. Clima subtropical. Explotación agropecuaria y forestal. Arroz, caña de azúcar, algodón, hierba mate. Mercurio. • Prov. del NE de Argentina, sit. en la Mesopotamia, separada de Brasil por los ríos Iguazú, San Antonio, Pepirí Guazú y Uruguay, y de Paraguay por el Paraná; 29 801 km², 789 677 hab. Cap., Posadas. Al N destacan las famosas cataratas de Iguazú, sobre el río hom. Clima subtropical. Selvas de araucarias y cedros. Hierba mate, té, café, algodón y arroz. Ind. derivadas y explotación forestal. Disputada por Paraguay y Argentina, pasó definitivamente a este país tras la guerra de la Triple Alianza.

MISISIPÍ *(Mississippi)* Est. del SE de EE UU, ribereño del golfo de México; 123 514 km², 2 573 000 hab. Cap., Jackson. C. prales.: Meridian y Vicksburg. Se extiende por la llanura aluvial del r. Misisipí. Clima subtropical. Algodón, maíz, caña de azúcar, arroz. Ganadería. Petróleo, gas natural y hulla. Ind. textiles, madereras, de productos lácteos, cárnicas y conserveras. Refinerías de petróleo. • *(Mississippi)* Río de América del N, el mayor y más imp. del subcontinente. Su curso, de 3 778 km, discurre totalmente por EE UU, país que cruza de N a S, desde la región de los Grandes Lagos hasta el golfo de México, donde forma un amplio delta. Es navegable a partir de Saint-Paul. Sus afl. prales. son: el Illinois, el Ohio, el Minnesota, el Misuri, el Arkansas y el Red.

MISIVO, VA adj. y f. Díc. del mensaje o carga que se envía a alguien.

MISKOLC C. del NE de Hungría; 212 000 hab. Metalurgia, siderurgia.

MISMO, MA adj. que denota identidad. • Semejante o igual. • Se añade a los pron. personales y a algunos adv. para dar más energía a lo que se dice. • **Así m.** m. adv. De este mismo modo. • Del mismo modo. • También.

MISOGINIA f. Aversión u odio a las mujeres. ■ MISÓGINO, NA.

MISONEÍSMO m. Aversión a las novedades. ■ MISONEÍSTA.

MISPIQUEL m. *Miner.* Sulfoarseniuro de hierro, que cristaliza en el sistema monoclínico; color blanco; brillo metálico. En ocasiones contiene cantidades notables de cobalto, níquel, oro, etc. Su aplicación primaria es la obtención de anhídrido arsenioso.

MISS (ing., «señorita») f. Título dado a la mujer ganadora de algún concurso de belleza.

MISTAGÓGICO, CA adj. Relativo al mistagogo. • P. ext., díc. del discurso o escrito que pretende revelar alguna doctrina oculta o maravillosa.

MISTAGOGO m. Sacerdote que iniciaba en los misterios, entre gr. y rom. • Catequista que, en la iglesia católica, explica los misterios sagrados.

MISTAR tr. Musitar. Se usa más con negación.

MISTELA f. Líquido que resulta de añadir alcohol al zumo de uva, en cantidad suficiente para impedir la fermentación. • Bebida hecha de aguardiente, azúcar, agua y canela.

MÍSTER (ing., «señor») m. Título dado al hombre que gana en algún concurso de belleza. • fam. *Dep.* Entrenador.

MISTERIO m. En la religión cristiana, cosa inaccesible a la razón y que es objeto de fe. • Arcano o cosa secreta en cualquier religión. • Cosa arcana o muy recóndita, que no se puede comprender o explicar. • Negocio secreto o muy reservado. • Cada uno de los pasos de la sagrada vida, pasión y muerte de Jesucristo, cuando se consideran con separación. • Cualquier paso de éstos o de la Sagrada Escritura, cuando se representan con imágenes. • pl. Representación dramática medieval, de asunto religioso, escenificando momentos de la vida de Jesucristo o de la Virgen. ■ MISTÉRICO, CA; MISTERIOSO, SA.

MISTI, *El* Volcán del Perú, en los Andes Occidentales; 5 822 m.

MISTICETO m. Cetáceo que carece de dientes y tiene, en cambio, barbas o ballenas. Los m. forman la familia balénidos.

MISTICISMO m. *Rel.* Doctrina religiosa que enseña la comunicación directa entre el hombre y la divinidad. • Estado de la persona que se entrega con exceso a las cosas espirituales.

MÍSTICO, CA adj. y s. Misterioso, que encierra misterio. • adj. Relativo a la mística. • adj. y s. Que se dedica a la vida espiritual. • Que escribe o trata de mística. • *Cuba* y *P. Rico.* Remilgado. • f. *Teol.* Parte de la teología que estudia la unión del hombre con Dios a través de su contemplación.

MISTICÓN, NA adj. y s. fam. Que afecta mística y santidad.

MISTIFICAR tr. Engañar, embaucar. • Falsear, falsificar. ■ MISTIFICACIÓN.

MISTINGUETT, *Jeanne Bourgeois,* llamada (1875-1956) Actriz fr. de music-hall, teatro y cine. *Los Miserables, Mistinguett detective.*

MISTOL m. *Argent.* y *Perú.* Azufaifo amer.

MISTRAL adj. y m. Viento frío y seco que sopla del N en las costas del mediterráneo.

MISTRAL, *Frédéric* (1830-1914) Poeta fr., provenzal, jefe del felibrismo. *Mireya, Calendal.* Premio Nobel de Literatura en 1904, con Echegaray. • ***Gabriela*** Seud. de la poetisa chil. *Lucila Godoy* (1889-1957) Sus poemas giran pralm. en torno al tema del amor. *Desolación, Ternura, Tala, Lagar.* Premio Nobel de Literatura en 1945.

MISTURAR tr. Mixturar. ■ MISTURA; MISTURERO, RA.

Vista aérea del **Misisipí**

MISURI *(Missouri)* Est. sit. en el centro-E de EE UU; 180 516 km², 5 117 000 hab. Cap., Jefferson City. C. prales.: Springfield, Saint Louis y Kansas City. Ocupado en gran parte por una gran área mesetaria, la de Ozark, la zona SE corresponde al valle del Misisipí. R.: Misisipí y Misuri. Clima subtropical. Prados y bosques de sauces, robles y cedros. Cereales, soja, algodón, tabaco, manzano y heno. Ganadería. Plomo, barita, cobre, hierro y carbón. Ind. mecánicas, alimentarias y textiles. • *(Missouri)* Río de EE UU, pral. afl. del Misisipí; unos 4 000 km. Nace en las montañas Rocosas y se une al Misisipí al N de Saint Louis.

MITA f. *Amér.* Repartimiento forzado de los indígenas para efectuar determinados trabajos, y en especial el que se hacía en las minas del virreinato del Perú. • Tributo que pagaban los indígenas de Perú.

MITACA f. *Bol.* Cosecha.

MITAD f. Cada una de las dos partes iguales en que se divide un todo. • Medio o parte que en una cosa equidista de sus extremos. • **Mitad y mitad.** m. adv. Por partes iguales.

MITADENCO m. Mezcla de trigo y centeno, mitad y mitad.

MITÁN m. Holandilla, lienzo para forros de vestidos.

MITANI (ss. XV-XIII a. C.) Reino indoeuropeo, sit. al NE de Éufrates. Surgió por la fusión de pueblos hurritas, arios y semitas, y llegó a extenderse por Siria, Alepo y el país de Canaán. Lo absorbieron los hititas.

Mispiquel

MITAYO m. *Amér.* Indígena que trabajaba en la mita. • Indígena que llevaba lo recaudado de la mita.

MITCHELL Monte de los EE UU, en Carolina del Norte, alt. máx. de los Apalaches; 2 037 m.

MITCHELL, *Margaret* (1900-1949) Novelista norteam. *Lo que el viento se llevó* (premio Pulitzer 1937). • ***Peter*** (1920-1992) Bioquímico brit. Premio Nobel de Química en 1978.

MITICULTURA o **MITILICULTURA** f. Cultivo industrial del mejillón y especies afines.

MITIFICAR tr. y prnl. Convertir en mito. ■ MITIFICACIÓN.

MITIGAR tr. y prnl. Moderar, disminuir o suavizar una cosa rigurosa o áspera. ■ MITIGACIÓN; MITIGATIVO, VA; MITIGATORIO, RIA.

MITILENE *(Mitilini)* Isla de Grecia, más conocida por el nombre de Lesbos.

MITIN m. Reunión donde se discuten públicamente asuntos políticos o sociales.

MITIQUERÍA f. *Chile.* Hazañería. ■ *Chile.* MITIQUERO, RA.

MITLA Ant. c. de México, en el actual estado de Oaxaca. Fue la cap. religiosa durante las últimas etapas de la cultura zapoteca. Ocupada más tarde por los mixtecas, éstos construyeron el gran palacio llamado «de las Columnas». Otros templos y palacios mixtecas son los llamados «de los Adobes» y «del Sur».

MITNAL En la religión maya, el mundo de los muertos, llamado también Xibalba, correspondiente al Mictlán mex. Su rey era Hunahau.

Mitla. Palacio de las Columnas

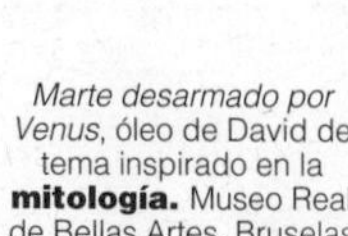

Marte desarmado por Venus, óleo de David de tema inspirado en la **mitología.** Museo Real de Bellas Artes, Bruselas

MITO m. *Antr.* Fábula, ficción alegórica, pralm. en materia religiosa. Su pral. característica es la transmisión oral, aunque a veces se consigne, más tarde, por escrito. Los m. emanan de una sociedad y llevan los ecos de sus estructuras, que a veces legitiman. Todo orden social conocido se mantiene unido por un sist. de mitos. • *Zool.* Ave paseriforme de la familia páridos, de plumaje oscuro, con tonos rosados, y larga cola.

MITO C. de Japón, en el centro-E de la isla de Honshu, cap. de la prefectura de Ibaraki; 216 000 hab. Centro comercial.

MITOCONDRIA f. *Biol.* Orgánulo citoplasmático de 0,5 a 2 μ que compone el condrioma. De forma esférica o elipsoide, está delimitada por una doble membrana cuya hoja interna presenta pliegues o crestas mitocondriales. Compuesta por proteínas, lípidos y ácidos nucleicos. Su función está ligada al metabolismo celular en la obtención de la energía catabólica y del agua metabólica.

MITOGRAFÍA f. Ciencia que trata del origen y explicación de los mitos. ■ MITÓGRAFO, FA.

MITOLOGÍA f. Ciencia de los mitos, de su origen, significación y desarrollo. • Conjunto de mitos que conforman la base de muchas culturas y civilizaciones. ■ MITOLÓGICO, CA; MITOLOGISTA o MITÓLOGO, GA.

El general Bartolomé **Mitre,** retratado por Cándido López

MITOMANÍA f. Tendencia patológica a falsear la verdad, a la fabulación consciente y a la simulación de estados orgánicos anormales.

MITÓN m. Especie de guante de punto, que sólo cubre desde la muñeca inclusive hasta el nacimiento de los dedos.

MITOSIS f. *Biol.* División celular indirecta que consta de dos procesos muy diferenciados; la división nuclear y la del resto de las estructuras citológicas. ■ MITÓTICO, CA.

MITOTE m. *Méx.* Especie de baile indígena. • *Amér.* Fiesta casera. • *Amér.* Melindre, aspaviento. • Bulla, pendencia, alboroto. ■ *Amér.* MITOTERO, RA.

MITRA f. Toca o adorno de la cabeza, que usaban los persas, de quienes lo tomaron otras naciones. • Toca alta y apuntada con que en las grandes solemnidades se cubren la cabeza los obispos y otras jerarquías eclesiásticas. • fig. Dignidad de obispo. • fig. En algunas partes, territorio de su jurisdicción. • fig. Cúmulo de las rentas de una diócesis o archidiócesis. • fig. Obispillo o rabadilla de las aves. ■ MITRADO, DA.

MITRA Dios indoiranio de la luz, el calor y la fecundidad.

MITRAÍSMO m. Culto de Mitra. Proclamaba la inmortalidad del alma y la dicha eterna para los buenos y el castigo perdurable para los malos. Se propagó rápidamente desde 133 a. C. y fue poderoso adversario del cristianismo, sobre todo en Oriente.

MITRAL adj. *Anat.* Válvula que existe entre la aurícula y el ventrículo izquierdos del corazón.

MITRAR intr. fam. Obtener un obispado.

François **Mitterrand**

MITRE, *Bartolomé* (1821-1906) Político arg. Perteneciente al partido unitario, estuvo exiliado durante el gobierno de Rosas. Vencedor en la batalla de Pavón en 1861, al mando del ejército porteño, M. asumió interinamente el gobierno de la

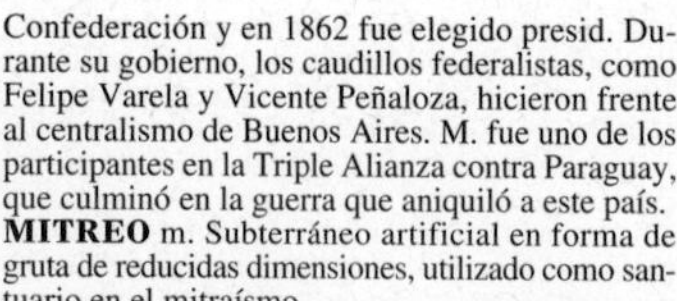

Confederación y en 1862 fue elegido presid. Durante su gobierno, los caudillos federalistas, como Felipe Varela y Vicente Peñaloza, hicieron frente al centralismo de Buenos Aires. M. fue uno de los participantes en la Triple Alianza contra Paraguay, que culminó en la guerra que aniquiló a este país.

MITREO m. Subterráneo artificial en forma de gruta de reducidas dimensiones, utilizado como santuario en el mitraísmo.

MITRÍDATES VI Eupator, *el Grande* (h. 132-63 a. C.) Rey del Ponto [h. 120-63 a. C.]. Su política expansionista no tardó en chocar con Roma. Derrotado por Sila (86), Lúculo (71) y Pompeyo (66).

MITRIDATO m. *Farm.* Electuario que se usó como remedio contra la peste, fiebres malignas y mordeduras de animales.

MITSCHERLICH, *Eilhard* (1794-1863) Químico al. Elaboró la teoría del dimorfismo y descubrió la ley del isomorfismo.

MITTERRAND, *François* (1916-1996) Político fr. Miembro de la Resistencia durante la II Guerra Mundial, fue candidato a la presidencia en 1965, pero fue derrotado por De Gaulle. Primer secretario del Partido Socialista fr. (1971), impulsó el Programa Común de la Izquierda en 1972. En 1974 perdió las elecciones ante Giscard d'Estaing. En 1981 logró vencer al presid. saliente con un programa socialista moderado. Reelegido presid. en 1988, al finalizar su mandato en 1995 se retiró, ya gravemente enfermo.

MITÚ m. *Argent.* Ave de unos dos pies de longitud, copetuda y de color pardo amarillento.

MITÚ C. de Colombia, cap. del dpto. de Vaupés; 13 253 hab.

MÍTULO m. Mejillón, mocejón.

MIURA m. Toro bravo de Miura, famosa ganadería sevillana.

MIX, *Tom* (1881-1940) Actor cinematográfico norteam. Protagonista de *westerns* del cine mudo. *El hijo de la pradera, El tejano.*

MIXAMEBA f. Estadio ameboide libre, propio de los plasmodios de los micetozoos.

MIXCÓATL En al ant. religión mex., dios de la caza, la guerra, el septentrión y las estrellas. A menudo se identificaba con Mictlantecuhtli.

MIXEDEMA m. *Pat.* Afección ocasionada por una insuficiente producción hormonal del tiroides.

MIXINES m. pl. Orden de ciclóstomos marinos, de cuerpo cilíndrico y vida subparasitaria. Se alimentan de peces, en los que penetran perforando su piel y devorándolos por el interior. Se conocen 15 especies, distribuidas por todo el mundo.

MIXOBACTERIAL adj. y f. *Biol.* Díc. de bacterias del orden mixobacteriales. • m. pl. *Biol.* Orden de bacterias adaptadas a la vida terrestre, con pared celular escasa y flexible, se mueven individualmente por deslizamiento, y en enjambre por traslación a través del limo que segregan. Se encuentran en la materia orgánica en descomposición del suelo, como la celulosa y excrementos, y también en el agua.

MIXOMA m. Tumor formado por tejido mucoso puro o mezclado con tejido fibroso.

MIXOMATOSIS f. Enfermedad infecciosa del conejo producida por un virus, caracterizada por tumefacciones en la piel y membranas. No es transmisible al hombre.

MIXOMICETE o **MIXOMICETO** m. *Biol.* Microorganismo que presenta una fase reproductora inmóvil, afín a los hongos, y una fase vegetativa libre, semejante a los protozoos.

MIXTECA adj. y s. Díc. de individuos pertenecientes a un pueblo amerindio mesoamericano que, en número de unas 100 000 personas, habita los est. de Oaxaca, Guerrero y Puebla. • adj. Relativo a este pueblo. • m. pl. Este mismo pueblo.

* *Hist.* En los siglos posteriores al año 1000, los m. crearon una civilización que llegó hasta Sinaloa por el N y hasta Nicaragua por el S. Su origen es desconocido, pero se han hallado restos desde la época arcaica tardía, a lo largo de todo el periodo clásico y hasta la llegada de los esp. Sin embargo, las gentes propiamente mixtecas no llegaron a Oaxaca hasta el s. X, y a partir de esas fechas desarrollaron una cultura singular dentro de un marco político de tipo monárquico. La época de máx. esplendor correspondió a principios del s. XV.

MIXTI FORI loc. latina. *Der.* Delitos que pueden conocer el tribunal eclesiástico y el seglar.
MIXTIFICAR tr. Embaucar, engañar. • Falsear, falsificar, deformar. ■ MIXTIFICACIÓN.
MIXTIFORI m. fam. Embrollo o mezcla de cosas heterogéneas.
MIXTILÍNEO, A adj. *Geom.* Díc. de toda figura cuyos lados son rectos unos y curvos otros.
MIXTIÓN f. Mixtura. • *Her.* Color púrpura.
MIXTO, TA adj. Mezclado e incorporado con una cosa. • adj. y m. Compuesto de varios simples. • adj. Dicho de animal o vegetal, mestizo. • m. Cerilla, fósforo. • Cualquiera de las mezclas inflamables que tienen aplicación bélica y se usan para los artificios incendiarios, explosivos o de iluminación. • *P. Rico.* Servicio de un solo plato hecho de arroz, habichuelas y carne, que se sirve en los bodegones.
MIXTURA f. Mezcla o incorporación de varias cosas. • Pan de varias semillas. • *Farm.* Poción compuesta de varios ingredientes.
MIXTURAR tr. Mezclar, unir una cosa con otra.
MIYAGI Prefectura de Japón en la isla de Honshu; 7 292 km², 2 249 000 hab. Cap., Sendai.
MIYAZAKI Prefectura de Japón, en la isla de Kyushu; 7 735 km², 1 169 000 hab. Cap., la c. hom. (287 400 hab.). Puerto. Ind. cerámica.
MIZ Voz que se usa para llamar al gato. • Gato, micho.
MIZA f. fam. Micha, gata.
MIZAR *Astr.* Nombre de la estrella ζ (dzeta) de la constelación *Ursus Maior* (Osa Mayor).
MÍZCALO m. Níscalo, hongo comestible, muy jugoso, de sabor almizclado.
MIZO adj. y s. Lushai. • m. fam. Gato, animal; micho.
MIZOGUCHI, *Kenji* (1898-1956) Director cinematográfico japonés. *Vida de O'Haru, mujer galante, Los cuentos de la luna vaga después de las lluvias de otoño.*
MIZORAM Est. del NE de la India, que limita al E con Myanma y al O con Bangladesh; 21 087 km², 686 200 hab. Cap., Ajial. Arroz, maíz, algodón. Ganadería.
MKSA *Fís.* Sistema de unidades que toma como fundamentales el metro, el kilogramo, el segundo y el amperio.
mm Símbolo del milímetro.
Mn *Quím.* Símb. del manganeso.
MNEME f. Díc. de la memoria orgánica inconsciente.
MNEMÓNICO, CA adj. Relativo a la memoria. • f. Mnemotecnia.
MNEMOTECNIA f. Arte que procura por medio de varias reglas aumentar el poder y alcance de la memoria. • Método por medio del cual se forma una memoria artificial.
MNEMOTÉCNICO, CA adj. Relativo a la mnemotecnia. • Que sirve para auxiliar a la memoria. • f. Mnemotecnia.
MNR Siglas del Movimiento Nacional Revolucionario de Bolivia.
Mo *Quím.* Símb. de molibdeno.
MOA f. Ave gigantesca, de hasta 5 m de alt., del orden dinornitiformes. Vivió en Nueva Zelanda hasta poco antes de la llegada de los europeos.
MOAB Región de Jordania habitada en tiempos por moabitas, ammonitas e israelitas. Corresponde a la parte de Transjordania lindante con el mar Muerto.
MOAB Hijo de Lot y, según la Biblia, antepasado que da nombre a los moabitas.
MOABITA adj. y s. Díc. de individuos de un pueblo semita que habitó la región de Moab. • adj. Relativo a la región de Moab o al pueblo moabita. • m. pl. Este mismo pueblo. Los m. según la religión de la fertilidad, practicaban sacrificios humanos y su deidad pral. era Kemós.
MOARÉ m. Tela fuerte que forma aguas, muaré.
MOAXAJA f. Composición poética medieval en lengua ár. o heb. de fines del s. IX.
MÓBILE C. y puerto de los EE UU, en el est. de Alabama, a orillas del golfo de México; 258 000 hab. Núcleo industrial y centro comercial (mercado algodonero).
MOBILIARIO, RIA adj. Mueble. Aplícase a los efectos públicos al portador o transferibles por endoso. • m. Conjunto de muebles de una casa.
MOBLAJE m. Conjunto de muebles de una casa.
MOBLAR tr. Amueblar.
MOBLE adj. Móvil, movible.
MOBUTU Sese Seko → Alberto, lago.
MOBUTU Sese Seko, antes *Joseph Désiré* (1930-1997) Militar y político de la República Democrática del Congo. En 1965 derrocó a Kasavubu y accedió a la presidencia del país. En 1966 se hizo cargo de la jefatura del gobierno. Reelegido en 1970 —en 1971 cambió el nombre del Estado, que pasó a llamarse Zaire— 1977 y 1984, mantuvo su gobierno dictatorial hasta 1997, año en que, derrotado por la guerrilla de Laurent Kabila, huyó a Marruecos, donde murió.
MOCA m. Café de muy buena calidad que, originalmente, exportaba la c. yemenita de Moka. • f. fam. Mocos.
MOCA Mun. de Puerto Rico, en el distrito de Aiguadilla; 32 500 hab. • C. de la República Dominicana, cap. de la prov. de Espaillat; 32 926 hab. Situada en la vertiente S de la cordillera Septentrional, en el valle de la Vega Real. Café, cereales. Ganadería.
MOCADOR m. Moquero.
MOCAR tr. y prnl. Sonar, limpiar los mocos.
MOCÁRABE m. *Arq.* y *Carp.* Labor formada por la combinación geométrica de prismas acoplados.
MOCARRA com. fam. Mocoso, atrevido, malmandado.
MOCARRO m. fam. Moco que cuelga de las narices.
MOCASÍN m. Calzado que usan los indígenas norteam., hecho de piel sin curtir. • Calzado moderno a imitación del anterior. • Nombre común aplicado a distintas especies de reptiles escamosos ofidios.
MOCEAR intr. Ejecutar acciones propias de gente moza. • Llevar un tipo de vida deshonesta.
MOCEDAD f. Época de la vida humana desde la pubertad hasta la edad adulta. • Diversión deshonesta y licenciosa.
MOCEJÓN m. Molusco lamelibranquio, de concha con valvas oscuras y más largas que anchas.
MOCERÍO m. Conjunto de gente moza.
MOCERO adj. y s. Mujeriego.
MOCETÓN, NA m. y f. Persona joven, alta y corpulenta.
MOCEZUELO m. *Méx.* y *Ven.* Convulsiones que suelen tener los recién nacidos.
MOCHADA f. Topetada.
MOCHALES adj. fam. Díc. de la persona chiflada o medio loca.
MOCHAR tr. Dar golpes con la mocha o cabeza, amochar. • Desmochar, cortar.
MOCHAZO m. Golpe dado con la cabeza. • Golpe dado con el mocho de la escopeta.
MOCHETA f. Extremo grueso y romo opuesto a la parte punzante o cortante de ciertas herramientas. • Rebajo en el marco de las puertas y ventanas, donde encaja el renvalso. • *Arq.* Ángulo entrante, que se deja o se abre en la esquina de una pared, o resulta al encontrarse el plano superior de un miembro arquitectónico con un paramento vertical. • *Arq.* Telar del vano de una puerta o ventana.
MOCHETE m. Cernícalo, ave de rapiña.
MOCHICA adj. y s. *Amér. Merid.* Díc. de indígenas de una tribu yunca, que vivieron en la costa N del Perú y en los valles de Moche, Viru y Chicama, en los ss. VII y VIII d. C. • adj. Relativo a esta tribu. • m. pl. Esta misma tribu.
* *Hist.* La organización tribal de los m. unía los poderes políticos y religiosos en una división jerárquica muy rígida. Se mantenían de la agricultura, caza y pesca. Se sabe que conocían técnicas diversas para el trabajo del tejido y el metal. En arte destacan por su cerámica de estilo realista, que llegó a ser muy evolucionada, la escultura en terracota y en madera y los templos de ladrillo dedicados al Sol y la Luna.
MOCHIL m. Muchacho que sirve de recadero a los labradores.
MOCHILA f. Especie de bolsa, gralte. de lona, que se lleva a la espalda y se sujeta a los hombros por medio de correas. • Cierto gén. de caparazón que en la jineta se lleva escotado de los dos arzones. • Morral de los cazadores, soldados y viandantes. • *Méx.* Maleta. ■ MOCHILERO.
MOCHÍN m. Verdugo, ejecutor de la justicia.

Mixomicete que vive sobre acículas de pino

Mocárabe. Detalle de un adorno procedente de la Alhambra de Granada

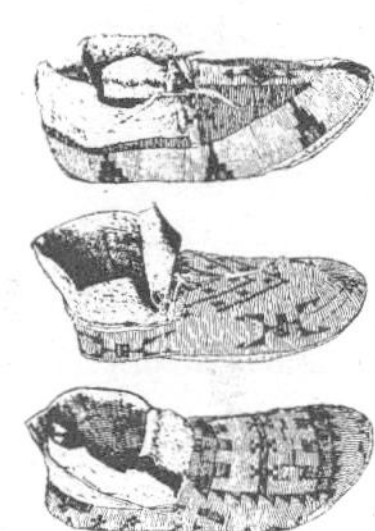
Mocasines tradicionales de los indios arapaho

Cerámica **mochica**

MOCHO, CHA adj. Díc. de aquello a lo que falta la punta o la debida terminación. • fig. y fam. Pelado o cortado el pelo. • adj. y s. fig. *Chile.* Díc. del religioso motilón y de la religiosa lega. • *Méx.* Conservador en política. • m. Remate grueso y romo de un instrumento o utensilio largo. • f. Reverencia que se hacía bajando la cabeza. • Cabeza humana. • *Cuba.* Especie de machete.

MOCHUELO m. Ave rapaz nocturna de la familia estrígidos, de pequeño tamaño y cabeza redonda. Vive en Europa y en el norte de África. Anida en árboles huecos y se alimenta de insectos y pequeños reptiles. • Cierta vasija usada antiguamente en el servicio doméstico. • fig. y fam. Asunto o trabajo difícil o enojoso del que nadie quiere encargarse. • *Art. Gráf.* Omisión de una o más palabras, miembro del discurso, frase, etc., que al componer comete el cajista.

Mochuelo

MOCIL adj. Propio de la gente moza.

MOCIÓN f. Acción y efecto de moverse o ser movido. • fig. Alteración del ánimo que se mueve hacia una cosa. • Inspiración que Dios ocasiona en el alma en orden a las cosas espirituales. • Proposición que se hace o sugiere en una junta que delibera. • *Ling.* Nombre de las vocales y otros signos que acompañan a las consonantes en las lenguas semíticas.

MOCIONAR tr. *Amér.* Presentar una moción.

MOCO m. *Fisiol.* Sustancia líquida o semisólida, viscosa, segregada por las glándulas mucosas, y especialmente la que fluye por la nariz. • Materia pegajosa y medio fluida que forma grumos dentro de un líquido. • Dilatación candente de la extremidad del pabilo en una luz encendida. • Escoria que sale del hierro encendido en la fragua cuando se martilla y apura. • Porción derretida de las velas, que corre y se va cuajando a lo largo de ellas. • *Chile.* Candelilla o amento, y especialmente la del álamo blanco y del nogal. • **de pavo.** Apéndice carnoso y eréctil que esta ave tiene sobre el pico. • *Méx.* Amaranto. • **Caérsele** a uno **el m.** fig. y fam. Ser simple o poco advertido. • **No es m. de pavo.** exp. fig. y fam. con que se da a entender a uno la estimación o entidad de una cosa que éste tiene en poco. • **Llorar a m. tendido.** fig. y fam. Llorar sin tregua.

Moco de pavo

MOCOA C. del S de Colombia, cap. del dpto. de Putumayo; 18 956 hab. Explotación forestal.

MOCOCOA f. *Col.* Murria.

MOCORA f. *Ecuad.* Palma pequeña con cuyas hojas se tejen hamacas y los sombreros llamados de Panamá.

MOCOSO, SA adj. Que tiene las narices llenas de mocos. • De ningún valor ni importancia. • adj. y s. fig. Se aplica despectivamente a los niños o jóvenes para expresar su atrevimiento o inexperiencia.

MOCOSUENA adv. modo. fam. Atendiendo más al sonido que a la significación de las voces.

MOCTEZUMA I (1390-1469) Emp. de los aztecas [1440-1469]. Extendió el imperio y estableció un régimen teocrático de carácter despótico. Embelleció Tenochtitlan. • **II Xocoyotzin** (1466-1520) Emp. de los aztecas [1502-1520]. Recibió a los esp. con ofrendas de paz, pero éstos le apresaron y tomaron la ciudad. Su gobierno era absolutista despótico.

Moctezuma II
representado en un códice precolombino

MODA f. Conjunto de cánones, periódicamente modificables, de la forma y los usos del vestir. • En una colección de datos estadísticos, el que posee mayor frecuencia. • **Estar de m.** una cosa. Usarse o estilarse.

MODADO, DA adj. *Col.* Con los adv. *bien* o *mal*, que usa buenos o malos modales.

MODAL adj. Que comprende o incluye modo o determinación particular. • m. pl. Acciones externas de cada persona, con que se hace reparar y se singulariza entre las demás.

MODALIDAD f. Modo de ser o de manifestarse una cosa. • Categoría de ciertos fenómenos de una determinada población estadística, respecto a los grados de un rasgo.

MODALISMO m. Herejía divulgada en los ss. II y III, según la cual las tres personas son manifestaciones diferentes del Dios único.

MODELAR tr. Formar de cera, barro u otra materia una figura o adorno. • *Pint.* Presentar con exactitud el relieve de las figuras. • prnl. fig. Ajustarse a un modelo. ■ MODELADO, DA.

MODELISTA m. Operario encargado de los moldes para el vaciado de piezas de metal, cemento, etc.

Módena. Plaza de Roma y palacio Ducal

MODELO m. Ejemplar o forma que se sigue en la ejecución de una obra artística o en otra cosa. • Ejemplar digno de imitación en las obras de ingenio o acciones morales. • Representación en pequeño de alguna cosa. • Reproducción ideal y concreta de un objeto o de un fenómeno con fines de estudio y experimentación. • *Esc.* Figura previa que luego se ha de reproducir en madera, mármol, metal, etc. • com. Persona que exhibe, vistiéndolas, las novedades de la moda. • Persona que aparece haciendo publicidad en carteles, filmlets, etc. • Persona que posa para escultores, pintores, etc. • m. Prenda de vestir, o conjunto combinado de ellas. • **de comportamiento.** *Soc.* Conjunto de valores, creencias y normas de conducta que condicionan la actuación y el modo de pensar de todos los componentes de un grupo social determinado. Es una creación de la escuela funcionalista (Parsons, Merton). ■ MODÉLICO, CA.

MÓDEM m. *Comp.* Dispositivo de entrada y salida que, en comunicaciones, sirve para modular o demodular la señal que es enviada a través de la línea telefónica de una computadora a otra.

MÓDENA *(Modena)* C. de Italia, cap. de la prov. hom., en la Emilia-Romaña; 178 100 hab. Centro comercial, industrial y de comunicaciones. Universidad.

MODERACIÓN f. Acción de moderar o moderarse. • Cordura, templanza en las palabras o acciones.

MODERADO, DA adj. Que tiene moderación. • Que guarda el medio entre los extremos. • Aplícase al partido político esp. (ala derecha del partido liberal) especialmente en el periodo 1836-1868, que defendía una reforma burguesa muy moderada. • Relativo a este partido. • P. ext., se aplica a personas y partidos de ideología política no extremada. ■ MODERANTISMO.

MODERADOR, RA adj. Que modera. • adj. y m. En los reactores nucleares, díc. del material fisionable que, mezclado con una sustancia, tiene la propiedad de reducir la velocidad de los neutrones sin absorberlos. • m. Presid. de una reunión o asamblea en las iglesias protestantes. • Persona que preside o dirige un debate.

MODERAR tr. Disminuir la intensidad. • tr. y prnl. Ajustar una cosa evitando el exceso. ■ MODERATIVO, VA; MODERATORIO, RIA.

MODERATO (voz it.) adv. modo. *Mús.* Indicación musical de movimiento, entre el *andante* y el *allegro*.

MODERNA devotio (latín «devoción moderna») Corriente mística surgida en Países Bajos en el s. XIII. La propulsaron F. Radewijns y G. Groote, y uno de sus representantes más imp. fue Tomás de Kempis. Concedía más importancia a la práctica piadosa que a las especulaciones místicas.

MODERNISMO m. Afición excesiva a las cosas modernas. • *Arte* y *Lit.* Fenómeno cultural que floreció como reacción en contra de la civilización industrial, en la última década del pasado siglo y principios del actual. ■ MODERNISTA.

* *Arte.* Basado en el simbolismo y en el acercamiento a la forma orgánica, el m. fue ante todo un estilo decorativo que presenta sus mejores logros en la céramica, vidrio, mobiliario, cartelismo, etc. En arquitectura, los primeros núcleos modernistas aparecieron en Bélgica (Víctor Horta) y en Cataluña (Gaudí, Domènech i Muntaner y Puig i Cadafalch).

En escultura destaca Auguste Rodin, quien concibió sus obras según el simbolismo y los arabescos curvilíneos modernistas. Completan el panorama escultórico el belga C. Meunier y los esp. Josep Llimona y P. Gargallo. En pintura, el estilo proviene en su mayor parte del desarrollado por los simbolistas. Ya en el periodo modernista destacan el austr. Gustav Klimt, el nor. Munch, los esp. Joan Llimona y R. Casas influido especialmente por Toulouse-Lautrec, el más brillante cartelista de la época, y el ilustrador brit. Beardsley.

* *Lit.* Como mov. literario, el m. se desarrolló en Hispanoamérica a finales del s. XIX y principios del XX. Fue Rubén Darío el promotor y difusor del mov., tanto en América como en España. Parte de una total oposición al naturalismo y a todo lo vulgar, así como a los viejos moldes retóricos. La poesía, género predilecto del m., atenderá sobre todo al ritmo y a la musicalidad. Este mov. tuvo gran difusión en todos los países de habla hispana. Destacaron Lugones (Argentina), Valencia (Colombia), Amado Nervo (México), Benavente, Valle-Inclán y Juan Ramón Jiménez (España).

MODERNIZAR tr. Dar forma o aspecto modernos a cosas antiguas. ■ MODERNIZACIÓN.

MODERNO, NA adj. Que existe desde hace poco tiempo. • Que ha sucedido recientemente. • Díc. de la persona que lleva poco tiempo ejerciendo un empleo. • m. En los colegios y otras comunidades, el que es nuevo. • Lo que en cualquier tiempo se ha considerado contrapuesto a lo clásico. • pl. Los que viven en la actualidad o han vivido hace poco tiempo. ■ MODERNIDAD.

MODESTIA f. Cualidad de modesto. • Recato que observa uno en su porte y en la estimación que muestra de sí mismo. • Honestidad, decencia y recato en las acciones o palabras.

MODESTO, TA adj. Díc. de la persona que no se vanagloria de sus propios méritos o valer. • Sencillo. • De mediana posición social.

MÓDICO, CA adj. Moderado, limitado. ■ MODICIDAD.

MODIFICACIÓN f. Acción y efecto de modificar o modificarse. • Cualquier cambio que por influencia del medio se produce en los caracteres de un ser vivo y que no se transmite por herencia a los descendientes.

MODIFICAR tr. y prnl. Limitar, determinar o restringir las cosas a un cierto estado o calidad en que se singularicen y distingan unas de otras. • Reducir las cosas a los términos justos, eliminando el exceso. • Transformar una cosa mudando alguno de sus accidentes. ■ MODIFICATIVO, VA; MODIFICATORIO, RIA.

MODIGLIANI, *Amedeo* (1884-1920) Pintor y escultor it. de origen judío. Sus cuadros están dominados por una línea limpia y remarcada que encierra superficies de cálidos colores. *Gran desnudo echado, Elvira.*

MODILLÓN m. Miembro voladizo sobre el que se asienta una cornisa o alero o bien los extremos de un dintel.

MODISMO m. Frase hecha propia de una lengua o dialecto, o típica de una región determinada.

MODISTA com. Persona que tiene por oficio hacer trajes y otras prendas de vestir para señoras, o que tiene tienda de modas.

MODISTERÍA f. *Amér.* Tienda de modas.

MODISTILLA f. fam. Modista de poco valer en su arte. • fam. Oficiala o aprendiza de modista.

MODISTO m. Falsa forma masculina de *modista*.

MODO m. Forma variable y determinada que puede recibir o no un ser sin que cambie su esencia. • Moderación en las acciones o palabras. • Urbanidad, decencia en el porte o trato. Se usa más en pl. • Forma de hacer una cosa. • *Gram.* Cada una de las distintas maneras generales de manifestarse la significación del verbo. • *Mús.* Disposición o arreglo de los sonidos que forman una escala musical. • **adverbial**. *Gram.* Cada una de ciertas locuciones que hacen oficio de adverbios. • **de producción.** → Producción. • **imperativo.** *Gram.* El del verbo, que en cast. tiene un tiempo solamente y con el cual se manda, exhorta, ruega, anima o disuade. • **indicativo**. *Gram.* El del verbo, con que se indica o denota afirmación sencilla y absoluta. • **infinitivo**. *Gram.* El del verbo, que no expresa números ni personas ni tiempo determinado sin juntarse a otro verbo. • **optativo.** *Gram.* En las conjugaciones gr. y sánscrita, el que indica deseo de que se verifique lo significado por el verbo. • **potencial**. *Gram.* El del verbo, que expresa la acción como posible. • **subjuntivo**. *Gram.* El del verbo, que gralte. necesita juntarse a otro verbo para tener significación determinada y cabal.

Modernismo. Escaño vitrina con sofá, obra de Gaspar Homar

MODORRAR tr. Causar modorra. • prnl. Ablandarse la fruta y mudar de color, como para pudrirse.

MODORRILLA f. fam. Tercera vela de la noche, entre los que hacen centinela.

MODORRILLO m. Cierta clase de vasija usada antiguamente.

MODORRO, RRA adj. Que tiene modorra. • adj. y s. Díc. del operario que se ha azogado en las minas. • adj. Díc. de la fruta que pierde el color y empieza a fermentar. • adj. y s. fig. Inadvertido, ignorante, que no hace distinción de las cosas. • f. Sueño muy pesado. • *Vet.* Aturdimiento que sobreviene al ganado lanar por la presencia de los huevos de cierto helminto en el cerebro de las reses.

MODOSO, SA adj. Moderado, respetuoso, recatado.

MODREGO m. fam. Sujeto desmañado y que no tiene habilidad para nada.

MODUGNO, *Domenico* (1930-1994) Cantautor it. Se hizo famoso con la presentación en el festival de San Remo de su canción *Volare*.

MODULA m. *Comp.* Lenguaje de programación de alto nivel que permite la multiprogramación.

MODULACIÓN f. Acción y efecto de modilar. • *Fís.* Variación de las características (amplitud, frecuencia o fase) de un régimen de ondas en función de otra onda que se desea transmitir. • *Mús.* En una composición, paso de una tonalidad a otra. • **de frecuencia**. Aquella en la que la onda modulada está formada por una onda portadora y una serie de frecuencias laterales. La desviación respecto a la frecuencia central es proporcional a la amplitud de la señal moduladora e indep. de su frecuencia.

MODULAR intr. Variar de modos en el habla o en el canto, dando con afinación y suavidad los tonos correspondientes. • *Mús.* Pasar de una tonalidad a otra. • *Fís.* Modificar las oscilaciones de alta frecuencia de un tren de ondas, por la oscilación de baja frecuencia de la palabra o de la música. • adj. Que está compuesto de módulos. ■ MODULADOR, RA.

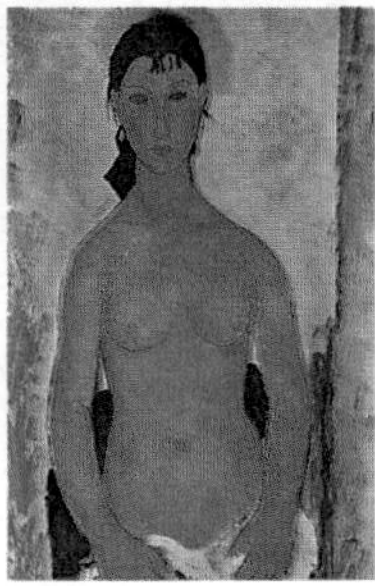

Elvira, óleo de Amedeo **Modigliani.** Colección Hadorn, Berna

MÓDULO m. Medida comparativa de las partes del cuerpo humano en los tipos étnicos de cada raza. • *Arq.* Semidiámetro de la parte inferior de la columna. • Regulador de la cantidad de agua que se introduce en una acequia, canal o caño. • Valor numérico que permite referir una magnitud a otra de la misma naturaleza. • *Comp.* Cada uno de los elementos de un equipo, programa o proceso que son identificados de manera individual. • *Mat.* Anillo conmutativo con elemento unidad. • *Mat.* Divisor entero necesario entre núm. congruentes para que éstos lo sean. • *Mat.* Razón constante entre los logaritmos de un mismo núm. tomados en bases diferentes. • *Mec. apl.* Relación por cociente entre el diámetro primitivo y el núm. de dientes de una rueda dentada. • *Num.* Diámetro de una moneda o medalla. • **de cizalladura**. Cociente entre el esfuerzo aplicado al ejercer fuerzas tangenciales a la super-

Mofeta

***Moisés** ante la zarza ardiente*, vitral del maestro Gerlachus, procedente de la abadía de Arnstein, Münster (Alemania)

Mojardón

ficie del cuerpo, sin variación del volumen, y el ángulo de deformación. • **de comprensibilidad**. Para un medio determinado, variación relativa del volumen. • **de elasticidad**. Relación por cociente entre la tensión y deformación unitarias. • **de rigidez**. En el estudio de deformación de vigas, relación entre la fatiga y la deformación unitaria. • **de tenacidad**. Trabajo realizado en la unidad de volumen por una fuerza de tracción simple que aumenta gradualmente desde cero hasta el valor que produce la rotura.

MODUS VIVENDI loc. latina. Modo de vivir, conjunto de actitudes que conforman la vida de una persona. • Arreglo diplomático provisional entre dos Estados.

MOFA o **MOFADURA** f. Burla y escarnio que se hace de una persona o cosa con palabras, acciones o señales exteriores.

MOFAR intr. y prnl. Hacer mofa de algo o de alguien. ■ MOFADOR, RA.

MOFETA f. Cualquiera de los gases perniciosos que se desprenden de las minas y otros sitios subterráneos, ordinariamente el ácido carbónico o un carburo de hidrógeno. • *Zool.* Mamífero carnívoro propio de América, de la familia mustélidos, de piel muy apreciada. Al verse perseguida, despide un líquido de olor repugnante. • Fumarola fría que emite dióxido de carbono y óxido de carbono a una temperatura de unos 90 °C.

MOFLETE m. fam. Carrillo demasiado grueso y carnoso. ■ MOFLETUDO, DA.

MOGADISCIO *(Mogadishu)* Cap. de Somalia; 400 000 hab. Puerto sobre el océano Índico. Ind. alimentaria.

MOGATE m. Baño que cubre alguna cosa, y particularmente el barniz que usan los alfareros.

MOGATO, TA adj. y s. Que finge o exagera humildad o cobardía.

MOGHREB o **MOGREB** → Magreb.

MOGO m. *Chile* y *Col.* Moho.

MOGOL, LA adj. y s. Mongol. • m. Lengua de los mogoles. • **Gran m.** Título de los soberanos de una dinastía mahometana de la India.

MOGÓLICO, CA adj. Mongólico. • Perteneciente o relativo al gran mogol.

MOGOLLA f. *Col.* Moyuelo. • *Chile*. Ganga, buen negocio.

MOGOLLAR tr. *Bol.* Trampear.

MOGOLLÓN m. Entremetimiento de uno donde no le llaman. • Gran cantidad de cosas difíciles de aclarar. • **De m.** m. adv. Gratuitamente, hecho descuidada o apresuradamente.

MOGOMOGO m. *Cuba* y *Hond.* Plato que se prepara con plátano verde, calabaza, etc.

MOGÓN, NA adj. Díc. de la res vacuna a la cual falta una asta, o la tiene rota por la punta.

MOGOTE m. Montículo aislado, de forma cónica y rematado en punta roma. • Hacina o montón de haces en forma piramidal. • Cada una de las dos cuernas de los gamos y venados, hasta que tiene como un palmo de largo.

MOGPO C. y puerto de Corea del Sur; 221 900 hab. Centro comercial y agrícola. Ind. textiles y alimentarias.

MOGROLLO m. Que vive o come a costa ajena, gorrón, gorrista. • fam. Sujeto tosco y descortés.

MOGUILIOV C. sit. en el E de la rep. de Bielorrusia, a orillas del Dniéper; 343 000 hab. Construcciones mecánicas.

MOHADA f. Mojada, medida agraria.

MOHAIR m. Fibra textil animal procedente del pelo de la cabra de Angora.

MOHAMED → Muhammad.

MOHARRA f. Punta de la lanza, comprendiendo la cuchilla y el cubo, mediante el cual se asegura en el asta.

MOHARRACHO o **MOHARRACHE** m. Persona que se disfraza ridículamente para entretener a los demás. • fig. y fam. Figura mal hecha. • Persona de ningún valor o mérito.

MOHATRA f. Venta fingida que se hace fraudulentamente. • Fraude, engaño. ■ MOHATRAR; MOHATRERO, RA.

MOHAWK adj. y s. Díc. del individuo de una tribu amerindia iroquesa de EE UU que habitaba en el valle del río M. Hoy suman unas 2 000 personas y viven en una reserva en el est. de Nueva York.

MOHECER tr. y prnl. Cubrir de moho, enmohecer.

MOHEDA o **MOHEDAL** f. Monte alto con jarales y maleza.

MOHENJO-DARO Ant. c. del valle del Indo, que alcanzó su máx. esplendor entre los años 3000 y 2000 a. C. Saqueada por tribus arias, h. 1200 a. C. su cultura se extinguió.

MOHICANO, NA adj. y s. Díc. del individuo de una tribu amerindia perteneciente al grupo étnico algonquino, extinguida totalmente en la actualidad. Habitaban al SE de Connecticut y eran cazadores, pescadores y guerreros. • adj. Relativo a esa tribu. • m. pl. Esa misma tribu.

MOHÍN m. Mueca o gesto.

MOHÍNO, NA adj. Triste, melancólico, disgustado. • Díc. del macho o mula hijos de caballo o burra. • adj. y s. Díc. de las caballerías y reses vacunas que tienen el pelo, y sobre todo el hocico, de color muy negro. • m. Rabilargo, pájaro. • En el juego, aquel contra quien van los demás que juegan. • f. Enojo, disgusto, tristeza. • Mohín, mueca o gesto de disgusto. • Pendencia, reyerta.

MOHO m. *Bot.* Hongo filamentoso que forma colonias sobre sustancias en descomposición. • Capa que se forma en las superficies de un cuerpo metálico por alteración química de su materia. • fig. Desidia o dificultad de trabajar por el exceso de ocio. ■ MOHOSO, SA.

MOHOLY-NAGY, ***László*** (1895-1946) Pintor y escultor húng. En 1923 fue profesor de la Bauhaus. Establecido en EE UU desde 1937, creó la New Bauhaus, que se convirtió en el Institute of Design. Su pral. labor en esta etapa fue la de pedagogo.

MOHOSEARSE prnl. *Amér.* Enmohecerse.

MOHS, ***Friedrich*** (1773-1839) Mineralogista al. Ideó una escala convencional para la determinación de la dureza de los minerales.

MOHÚR m. Moneda persa de oro (s. XVI), y de la India brit. (s. XIX).

MOI adj. y s. Díc. de aborígenes indochinos que habitan en la mesetas y montañas sit. entre el r. Mekong y la costa annamita. En Vietnam suman alrededor de 750 000 personas.

MOIRAS → Parcas.

MOISÉS m. Cuna portátil de mimbre, lona u otra materia, provista de asas para su traslado.

MOISÉS Legislador y dirigente religioso heb., nacido en Egipto h. finales del s. XIV a. C. Educado en la corte faraónica, Dios le encargó la salvación de su pueblo. Libertó a los israelitas de la esclavitud y les condujo al desierto (éxodo), donde recibió el Decálogo al pie del Sinaí y dictó leyes religiosas y civiles. Se le atribuye la redacción del Pentateuco.

MOÍSMO m. Sistema religioso y filosófico de la China ant. debido a Mo-tzu. Su principio más importante era el amor universal.

MOISSAN, ***Henri Ferdinand Marie*** (1852-1907) Químico fr. Se dedicó a la química orgánica, campo en el que obtuvo notables triunfos. Premio Nobel de Química en 1906.

MOJABOBOS m. *Hond.* Calabobos.

MOJADO, DA adj. Díc. del sonido pronunciado con un contacto relativamente amplio del dorso de la lengua contra el paladar. • **Papel m.** fig. Escrito de poca importancia o que prueba poco para su asunto. • Cualquier cosa inútil o sin solidez. • f. Acción y efecto de mojar o mojarse. • fam. Herida con arma punzante.

MOJAMA f. Cecina de atún.

MOJAR tr. y prnl. Humedecer una cosa con agua u otro líquido. • fig. y fam. Dar de puñaladas a uno. • intr. y fig. Introducirse o tener parte en una dependencia o negocio. ■ MOJADOR, RA; MOJADURA.

MOJARDÓN m. Hongo basidiomiceto comestible, de la familia agaricáceas, con setas de sombrerillo carnoso, laminillas frágiles, esporas blancas o amarillentas, estípite pálido y carne blanca.

MOJARRA f. Pez marino teleósteo perciforme, de cabeza ancha y ojos grandes. • *Amér.* Cuchillo ancho y corto.

MOJARRILLA com. fam. Persona que siempre está alegre y de chanza.

MOJE m. Salsa de cualquier guisado.

MOJÍ m. Mojicón, golpe. • f. Torta hecha en cazuela, de pan rallado, queso y otros ingredientes.

MOJICÓN m. Especie de bizcocho cortado en trozos y bañado. • Bollo fino que se usa para tomar

chocolate. • fam. Golpe que se da en la cara con el puño.
MOJIGANGA f. Fiesta pública con disfraces y máscaras. • Obrilla dramática muy breve para hacer reír. • fig. Burla, broma.
MOJIGATO, TA adj. y s. Díc. de la persona que afecta exagerada moralidad o recato. • Díc. de la persona que aparenta humildad o timidez para conseguir sus propósitos. ■ MOJIGATERÍA; MOJIGATEZ.
MOJINETE m. Tejadillo de los muros. • Caballete de un tejado. • *Argent.* Frontón o remate triangular de la fachada de un rancho.
MOJINO adj. y m. *Amér. Centr.* Ganado vacuno de pelo muy negro.
MOJO m. Moje. • *Amér.* Salsa.
MOJOJÓ m. *Col.* Larva de coleóptero comestible.
MOJÓN m. Señal permanente para fijar los linderos de propiedades, términos y fronteras. • P. ext., señal que se coloca en despoblado para que sirva de guía. • Catavinos de oficio. • Chito o tanguilla en que se pone el dinero y al que se tira jugando. • Montón. • Porción compacta de excremento humano que se expele de una vez.
MOJONA f. Acción de medir o amojonar las tierras. • Renta que se arrendaba en los lugares, y consistía en el tributo que se pagaba por la medida del vino o de otra especie.
MOJONAR tr. Amojonar, poner mojones.
MOJONERA f. Sitio donde se ponen los mojones. • Serie de mojones que señalan la confrontación de dos términos o jurisdicciones.

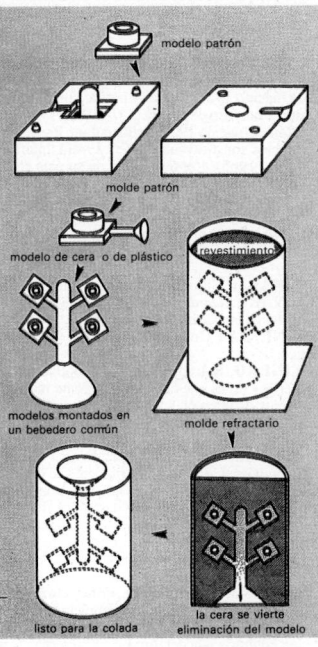

Molde. Técnica a la cera perdida

MOJONERO m. El que afora.
MOKA *(al-Mukha)* C. del SO de Yemen, sobre el mar Rojo; 6 000 hab. Ha dado nombre al famoso café moca.
MOKPO C. del SO de la República de Corea, puerto sobre el mar Amarillo; 221 900 hab. Ind. textiles y alimentarias.
MOL m. *Quím.* Molécula gramo.
MOLA f. Masa carnosa que se forma a veces en la matriz. • *Pan.* Especie de blusa confeccionada con telas de colores superpuestas en dibujos artísticos. • Pez luna, pez marino de contorno redondeado y gran tamaño. • Harina de cebada, tostada y mezclada con sal, que usaban los gentiles en sus sacrificios.
MOLA, *Emilio* (1887-1937) General esp. Participó en el levantamiento militar contra la II República. Durante la guerra civil esp. asumió la jefatura del Ejército del N. Murió en un accidente de aviación.
MOLADA f. Porción de color que se muele de una vez con la moleta.
MOLALIDAD f. *Quím.* Concentración de una solución expresada en moles de soluto por cada 1 000 g de disolvente.
MOLAR adj. Relativo a la muela. • Apto para moler. • *Quím.* Relativo al mol. • adj. y m. *Anat.* Díc. de cada uno de los últimos dientes posteriores a los premolares. Su función es triturar los alimentos.
MOLARIDAD f. *Quím.* Concentración de una solución expresada en moles de soluto por cada litro de solución.
MOLCAJETE m. Mortero de piedra o de barro cocido, con tres pies.
MOLDAR tr. Ajustar a un molde. • Hacer molduras en una cosa.
MOLDAVIA *(Respublika Moldova)* Estado de Europa oriental, integrada por Besarabia, salvo el sector meridional y una estrecha franja de la ribera oriental del Dniéster. Suelo fértil. Agricultura (cereales, vid, hortalizas, tabaco, patata). Ganadería. Sal y petróleo. Ind. tabaquera. Grupos étnicos: moldavos (mayoría), ucranianos, rusos, etc. Lenguas: moldavo (of.), ruso, ucraniano. *Rel.*: cristianismo ortodoxo (mayoría), catolicismo. U. M.: leu. Cap., Kishiniov. C. prales.: Tiraspol, Balti.
**Hist.* Tras incorporarse Besarabia a Rumania (1920), el gobierno creó una pequeña rep. autónoma (1925) habitada por moldavos al E del Dniéster. Al recuperar su dominio sobre Besarabia (1940-1941 y desde 1994) se creó la act. M. En 1991 se autoproclamó indep. y al disolverse la URSS se integró en la CEI. En las primeras elecciones pres. (1994) venció M. Snegur que en 1997 fue sustituido por P. Lucinschi.

MOLDAVIA

Superficie	33 700 km²
Población	4 363 000 hab. (129 hab./km²)
Indicadores sociológicos	
PNB	3 996 millones de dólares
Renta per cápita	920 dólares
Esperanza de vida	69 años
Crecimiento vegetativo	0,8 %

MOLDAVIA Región geográfica del E de Rumania (rumano, *Moldova*; turco, *Bogdan*), entre los Cárpatos orientales y el río Prut. C. prales.: Iasi y Galati. Ganadería. Minería. Sometida al vasallaje turco entre 1538-1828.

Monasterio de Sucevita, en la **Moldavia** rumana

MOLDAVO, VA adj. De la región rum. de Moldavia o del est. del mismo nombre. • Habitante de las mimas. • adj. y s. Díc. de individuos que viven en el estado de Moldavia y en el O de Ucrania. • Relativo a este pueblo. • *Ling.* Lengua que habla este pueblo. • m. pl. Este pueblo.
MOLDE m. Pieza en la que se hace en hueco la figura que en sólido quiere darse a la materia fundida, que en él se vacía. • Cualquier instrumento que sirve para estampar o dar forma o cuerpo a una cosa. • fig. Persona que hace con gran perfección una cosa y puede servir de molde. • *Art. Gráf.* Conjunto de letras o forma ya dispuesta para imprimir.

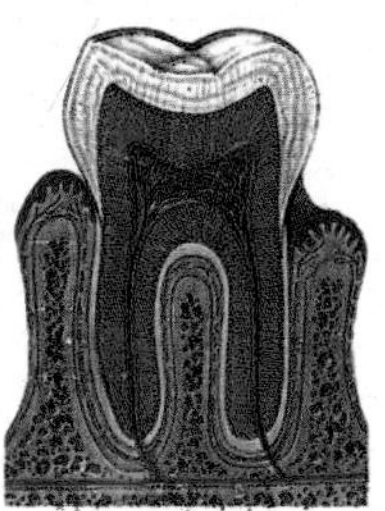

Sección de un diente **molar**

Mapa de situación y bandera de **Moldavia**

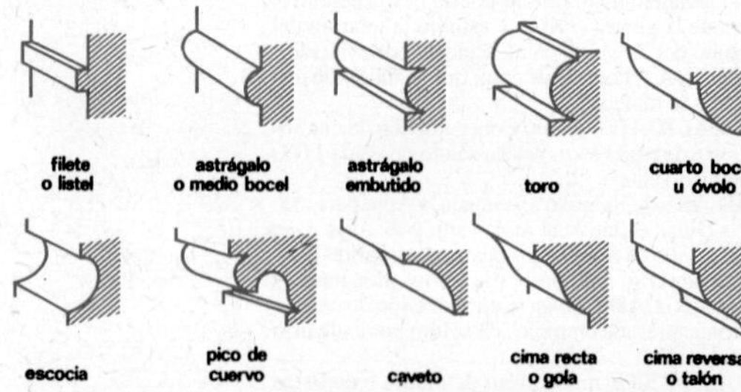

Principales tipos de **molduras**

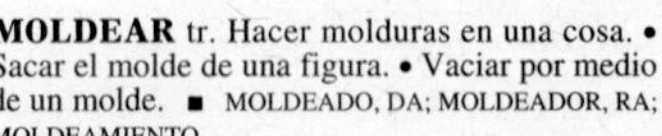

MOLDEAR tr. Hacer molduras en una cosa. • Sacar el molde de una figura. • Vaciar por medio de un molde. ■ MOLDEADO, DA; MOLDEADOR, RA; MOLDEAMIENTO.

MOLDURA f. Parte saliente, de perfil uniforme, que sirve para adornar obras de arquitectura o de carpintería. • *Chile.* Pared o adorno de plantas tupidas con que se forman las calles y cuadros de los jardines. • *Ecuad.* Marco de un cuadro.

MOLDURAR tr. Hacer molduras en una cosa.

MOLE adj. Muelle, blando. • m. *Méx.* Guisado de carne, cuya salsa se hace con chile colorado, ajonjolí y otros ingredientes. • f. Cosa de gran bulto o corpulencia. • Corpulencia o bulto grande. • **verde**. *Méx.* Guisado que se hace con salsa de chiles y tomates verdes.

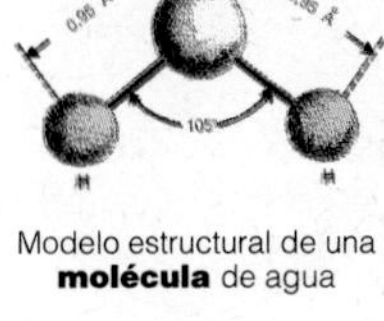

Modelo estructural de una **molécula** de agua

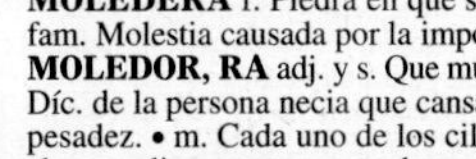

MOLÉCULA f. *Fís.* Asociación de átomos, eléctricamente neutra, que forma una estructura estable. • **gramo.** *Quím.* Núm. de gramos de una sustancia, igual al que expresa su peso molecular.

MOLEDERA f. Piedra en que se muele. • fig. y fam. Molestia causada por la importunación.

MOLEDOR, RA adj. y s. Que muele. • fig. y fam. Díc. de la persona necia que cansa o fatiga con su pesadez. • m. Cada uno de los cilindros del trapiche o molino en que se machacan las cañas en los ingenios de azúcar.

MOLEJÓN m. Mollejón, piedra de amolar. • *Cuba.* Farallón, roca a flor de agua.

MOLENDERO, RA m. y f. Persona que muele o lleva que moler a los molinos. • Persona que muele y labra el chocolate.

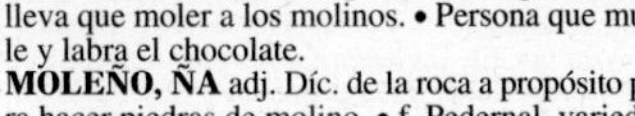

MOLEÑO, ÑA adj. Díc. de la roca a propósito para hacer piedras de molino. • f. Pedernal, variedad de cuarzo.

MOLER tr. Quebrantar un cuerpo, reduciéndolo a menudísimas partes o a polvo. • *Cuba.* Exprimir la caña de azúcar en el trapiche. • fig. Cansar o fatigar mucho materialmente. • fig. Destruir, maltratar. • fig. Molestar gravemente y con impertinencia. ■ MOLEDERO, RA; MOLEDURA; MOLIMIENTO.

Molibdenita

MOLERO m. El que hace o vende muelas de molino.

MOLESTAR tr. y prnl. Causar molestia.

MOLESTIA f. Fatiga, perturbación. • Fastidio, inquietud del ánimo. • Desazón por un daño físico leve. • Falta de comodidad para los libres movimientos del cuerpo. ■ MOLESTO, TA; *Amér.* MOLESTOSO, SA.

MOLETA f. Piedra que se emplea para moler drogas, colores, etc. En la fábrica de cristales, aparato para alisarlos y pulirlos.

MOLIBDENITA f. *Miner.* Sulfuro de molibdeno, de color gris acero y untuoso.

MOLIBDENO m. *Quím.* Elemento de símb. Mo, n. a. 42 y p. a. 95,95. Metal blanco, duro, dúctil y maleable. Sirve para fabricar aceros especiales, a los que proporciona mayor dureza y resistencia, filamentos de lámparas, lubricantes, etc.

MOLIBDITA f. *Miner.* Óxido de molibdeno, de color amarillo pálido y de brillo mate a sedoso.

MOLICIE f. Blandura, calidad de blando. • fig. Excesiva comodidad y regalo en el modo de vivir.

MOLIDA f. *Amér. Centr.* Molienda de caña de azúcar.

MOLIENDA f. Acción de moler. • Porción de caña de azúcar, trigo, aceituna, etc., que se muele de una vez. • El mismo molino. • Temporada que dura la operación de moler la aceituna o la caña de azúcar. • fig. y fam. Molimiento, molestia. • fig. y fam. Cosa que causa molestia.

Molière

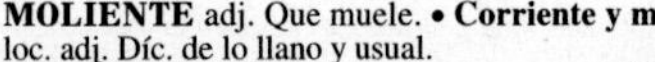

MOLIENTE adj. Que muele. • **Corriente y m.** loc. adj. Díc. de lo llano y usual.

MOLIÈRE Seud. de *Jean-Baptiste Poquelin* (1622-1673) Dramaturgo fr. Fue actor y director de su propia compañía teatral y representaba obras que él mismo escribía. Luis XIV le nombró director del teatro de la corte. Su inventiva y su vis cómica le permitían mantener el interés a lo largo de sus obras, llenas de humor y cuyos personajes poseen una vitalidad incomparable. Destacan aquellas en las que consiguió crear un personaje-tipo de proyección universal. *El avaro, Tartufo o el impostor, El misántropo, El burgués gentilhombre, Don Juan, Las mujeres sabias, Las preciosas ridículas, El médico a su pesar, El enfermo imaginario.*

MOLIFICAR tr. y prnl. Ablandar o suavizar. ■ MOLIFICACIÓN; MOLIFICATIVO, VA.

MOLINA, *Arturo Armando* (nacido 1929) Militar y político salv. El general Fidel Sánchez le apoyó en las elecciones presidenciales de 1972, en las que resultó vencedor. La protesta de la oposición ante las irregularidades de los comicios originó una fuerte represión. Se caracterizó por el apoyo a la oligarquía. Su mandato finalizó en 1977. • ***Enrique*** (1910-1996) Poeta arg., surrealista. *Las cosas y el delirio, Pasiones terrestres, Costumbres errantes o la redondez de la Tierra, Amantes antípodas, Monzón Napalm.* • ***Luis de*** (1535-1601) Teólogo jesuita esp. Trató de armonizar el libre albedrío con la doctrina católica de la gracia; este intento teológico-filosófico fue adoptado por los jesuitas y creó una tendencia conocida con el nombre de molinismo. • ***Pedro*** (1777-1854) Patriota guat. Miembro de la primera Junta Provisional de gobierno de las Provincias Unidas de Centroamérica (1823). Jefe de Est. (1829-1830). • **Campos, *Florencia*** (1891-1959) Pintor arg. Acuarelas y dibujos. • **Pallochia, *Óscar*** (nacido 1921) Militar y político per. Primer ministro y ministro de Guerra (1978-1979). • **Ureña, *José Rafael*** (nacido 1921) Político dom. Presid. de la asamblea constituyente (1963). Presid. interino de la rep. (1965). Representante de su país en la ONU (1967-1968).

MOLINA DE SEGURA Mun. de España en la Región de Murcia; 41 109 hab. Ind. conservera.

MOLINADA f. fam. Molienda del trigo que se calcula necesario en una casa para pasar una temporada.

MOLINAR m. Sitio donde están los molinos.

MOLINARI, *Ricardo* (1898-1996) Poeta arg., vanguardista, *El huésped y la melancolía.*

MOLINERÍA f. Conjunto de molinos. • Ind. molinera.

MOLINERO, RA adj. Relativo al molino o a la molinería. • m. El que tiene a su cargo un molino. • El que trabaja en él. • f. Mujer del molinero. • La que tiene a su cargo un molino o trabaja en él.

MOLINETE m. Ruedecilla con aspas que se pone en las vidrieras de una habitación para que girando renueve el aire de ésta. • Juguete que consiste en una varilla en cuya punta hay una cruz o una estrella de papel que giran movidas por el viento. • Figura de baile. • *Esg.* Movimiento circular que se hace con la lanza, sable, etc., alrededor de la cabeza, para defenderse uno de los golpes del enemigo. • *Mar.* Especie de torno dispuesto horizontalmente a proa del palo trinquete. • *Méx.* Girándula, rueda de cohetes. • Taur. Pase de muleta en que el torero, al estar en el centro de la suerte, gira en dirección contraria a la del toro.

MOLINILLO m. Instrumento pequeño para moler. • Palillo cilíndrico con una rueda gruesa y dentada en su extremo inferior, que se utiliza para batir el chocolate u otras cosas. • Guarnición que antiguamente llevaban los vestidos.

MOLINISMO m. Doctrina sobre el libre albedrío y la gracia, del padre Luis de Molina. ■ MOLINISTA.

MOLINO m. Máquina para moler, compuesta de una muela, una solera y los mecanismos necesarios para transmitir y regularizar el movimiento producido por una fuerza motriz, como el agua, el viento, el vapor u otro agente mecánico. • Artefacto con que, por un procedimiento cualquiera, se quebranta, machaca, lamina o estruja alguna cosa. • Casa o edificio en que hay un molino. • fig. Persona inquieta y bulliciosa. • fig. Persona molesta. • fig. y fam. La boca. • **de sangre**. El movido por fuerza

animal. • **de viento**. Ingenio mecánico que sirve para moler cereales o aceitunas aprovechando la energía del aire como fuerza motriz.
MOLINOS, *Miguel de* (1628-1696) Sacerdote y místico esp., creador del quistismo. Su *Guía espiritual* fue condenada por la Inquisición. Murió en prisión
MOLINOSISMO m. Doctrina propugnada por Miguel de Molinos. ■ MOLINOSISTA.
MOLISE Región del SE de Italia, junto al Adriático; 4 438 km^2, 330 900 hab. Cap., Campobasso. Agricultura.
MOLITIVO, VA adj. Díc. de lo que molifica o tiene virtud de molificar.
MOLLA f. Parte carnosa o blanda de un cuerpo orgánico. • fam. Exceso de grasa que forma un bulto en el cuerpo de una persona.
MOLLAR adj. Blando y fácil de partir. • fig. Díc. de las cosas que dan mucho provecho con poco esfuerzo. • fig. y fam. Aplícase al que es fácil de engañar.
MOLLE m. *Amér. Centr.* y *Merid.* Árbol de la familia anarcardiáceas, con hojas fragantes, flores en espigas axilares y frutos rojizos. Su corteza y resina son nervinas y antiespasmódicas. • *Bol., Ecuad.* y *Perú.* Árbol de la misma familia que el anterior, cuyos frutos se emplean para fabricar una especie de chicha.
MOLLEAR intr. Ceder una cosa a la fuerza o presión. • Doblarse por su blandura.
MOLLEDO m. Parte carnosa y redonda de los brazos, muslos y pantorrillas. • Miga del pan.
MOLLEJA f. Apéndice carnoso, formado ordinariamente por infarto de las glándulas. • Estómago muscular de las aves, que les sirve para triturar y ablandar los alimentos.
MOLLEJÓN m. Piedra de amolar, redonda, colocada en un eje horizontal sobre una artesa con agua. • fam. Hombre gordo y flojo. • fig. y fam. Hombre blando de genio, apacible.

La céntrica calle Kilindini en **Mombasa**

MOLLERA f. Parte más alta del casco de la cabeza, junto a la comisura coronal. • fig. Caletre, seso. • *Zool.* Fontanela situada en la parte más alta de la frente. • **Cerrado de m.** loc. adj. fig. Torpe u obstinado. • **Ser** uno **duro** de *m.* fig. y fam. Ser porfiador. • fig. y fam. Ser rudo para aprender.
MOLLERO m. fam. Molledo de un miembro del cuerpo.
MOLLET, *Guy* (1905-1975) Político fr. Secretario general del partido socialista (1946-1969). Jefe de gobierno de febrero 1956 a mayo 1957, aplicó una política colonial imperialista en Indochina y Argelia.
MOLLET DEL VALLÈS Mun. de España en la prov. de Barcelona; 41 911 hab. Industrias.
MOLLETA f. Torta de pan de la flor de la harina. • Pan moreno.
MOLLETAS f. pl. Despabiladeras.
MOLLETUDO, DA adj. Mofletudo.
MOLLICIO, CIA adj. Muelle, blando, suave.
MOLLIFICAR tr. Molificar.
MOLLINEAR intr. Lloviznar.
MOLLINO, NA adj. Díc. del agua lluvia que cae menuda y blandamente. • f. Llovizna, mollizna.
MOLLIZNA f. Mollina, llovizna.
MOLLIZNAR o **MOLLIZNEAR** intr. Lloviznar.
MOLNAR, *Ferenc* (1878-1952) Dramaturgo y novelista húng. Crítico mordaz de la sociedad: *Liliom, La guardia de corps, Carnaval, Moulin Rouge.*
MOLNIA Serie de satélites artificiales de comunicación soviéticos.
MOLO m. *Chile.* Malecón.
MOLOC m. Lagarto australiano de la familia agámidos. Las espinas y protuberancias que recubren su piel le dan un aspecto temible, pero es inofensivo. • *Ecuad.* Puré de patatas.
MOLOK Dios cananeo mencionado en el A. T., al que se sacrificaban niños arrojándoles a una estatua de bronce hueca y enrojecida al fuego.
MOLOLOA f. *Hond.* Conversación ruidosa.
MOLONDRO, DRA o **MOLONDRÓN, NA** m. y f. fam. Persona perezosa y torpe.
MOLOSIA Ant. región de Grecia, en el Epiro.
MOLÓSIDO, DA adj. y m. *Zool.* Díc. de mamíferos de la familia molósidos. • m. pl. *Zool.* Familia de mamíferos quirópteros, integrada por unas 80 especies de murciélagos propios de las zonas tropicales y subtropicales. Se caracterizan por su larga cola.
MOLOSO, SA adj. y s. De la ant. Molosia. • adj. y s. Díc. de cierta casta de perros procedente de Molosia. • m. Pie de la poesía gr. y latina, compuesto de tres sílabas.
MOLOTE m. *Cuba.* Alboroto, escándalo. • *Méx.* Moño. • *Méx.* Empanada rellena de sesos, papas, etc.
MOLOTERA f. *Guat.* y *Hond.* Molote, pelotera.
MOLOTOV, *Viacheslav,* seud. de *Viacheslav Mijailovich Scriabin* (1890-1986) Polítivo sov. Firmó el pacto germano-sov. con Ribbentrop (1939) y en la posguerra orientó a la URSS hacia la guerra fría. Fue excluido del partido en 1962.
MOLTKE, *Helmuth Karl Bernhard,* CONDE DE (1800-1891) General prusiano. Reorganizó el ejército y planeó con éxito las campañas de Dinamarca y Austria y la guerra franco-prusiana.
MOLTURAR tr. Moler granos o frutos. ■ MOLTURA; MOLTURACIÓN.
MOLUCAS *(Maluku)* Arch. y prov. de Indonesia, entre las Célebes y Nueva Guinea; 74 505 km^2, 1 411 000 hab. Cap., Ambon, Islas prales.: Batjan. Buru, Ceram, Halamahera, Morotai, Obi, arch. Tanimbar, Aru y Kai. Son islas montañosas, algunas volcánicas. Vegetación exuberante. Especias, madera y perlas. Pobladas por papúes, melanesios y malayos. Lengua pral.; el malayo. De 1942 a 1945 las ocuparon los japoneses.
MOLUSCO adj. y m. *Zool.* Díc. de animales del tipo moluscos. • m. pl. *Zool.* Fílum o tipo de animales invertebrados que se caracterizan por su cuerpo blando, en general no segmentado, en el que se distingue un pie, una masa visceral y una cavidad paleal al servicio de la respiración, y recubierto por una concha caliza, segregada por una envoltura de la masa visceral denominada manto.
MOMA f. *Méx.* Gallina ciega, juego de muchachos.
MOMBASA C. y puerto del SE de Kenia; 341 000 hab. Sit. en la isla hom. Refinería de petróleo.
MOMEAR intr. Hacer momos.
MOMENTO m. Porción de tiempo muy breve en relación con otra. • Instante. • Fracción de tiempo que en una serie de fracciones temporales sucesivas se singulariza por cualquier circunstancia. • Oportunidad, ocasión propicia. • *Fís.* Término genérico que hace referencia a la capacidad de giro de un sistema. • **de inercia**. Suma de los productos de las masas de un cuerpo por los cuadrados de las distancias de cada una de ellas respecto a un eje fijo. • **dipolar**. Vector dirigido según el eje que une las cargas de una molécula biatómica, y cuyo módulo toma el valor de la distancia que las separa. • **Al m.** m. adv. Al instante, sin dilación. • **A cada m.** m. adv. Con frecuencia, continuamente. • **De un m. a otro**. m. adv. Pronto. ■ MOMENTÁNEO, A.
MOMERÍA f. Ejecución de cosas o acciones burlescas con gestos y figuras. ■ MOMERO, RA.
MOMIFICAR tr. y prnl. Convertir en momia un cadáver.
MOMIO, MIA adj. y m. Magro, sin gordura. • m. fig. Lo que se da u obtiene sobre lo que corresponde de legítimamente. • fig. Ganga, cosa que se adquiere a poca costa. • **De m.** m. adv. fig. y fam. De balde. • f. Cadáver que se deseca con el transcurso del tiempo sin entrar en putrefacción. • fig. Persona delgada y demacrada.
MOMMSEN, *Theodor* (1817-1903) Historiador al., gran investigador de la cultura y el derecho ro-

Molino holandés, pintado en el s. XVII por Jacob van Ruysdael

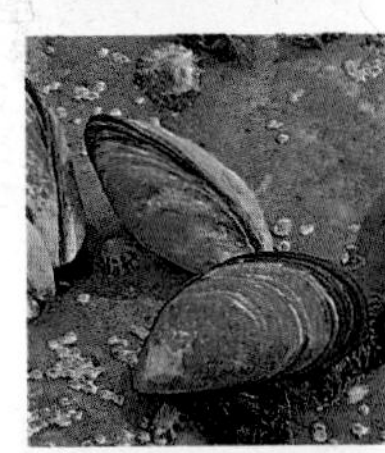
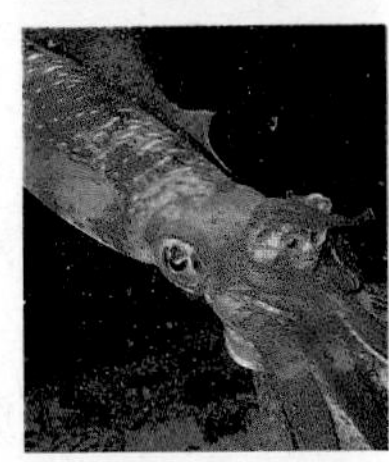
Molusco. De arriba abajo: caracol de tierra (gasterópodo); mejillones (lamelibranquio); calamar (cefalópodo)

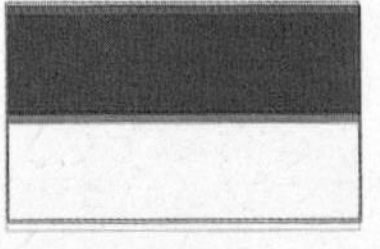

Mónaco. Arriba, mapa de situación y bandera; abajo, vista parcial de la capital y su puerto

manos. Premio Nobel de Literatura en 1902. *Historia de Roma, Derecho público romano.*
MOMO m. Gesto, figura o ademán burlesco, propio de juegos y danzas.
MOMO *Mit. gr.* Dios de la burla y el escarnio, hijo de Hipnos (Sueño) y de Nyx (Noche).
MOMÓRDIGA f. Balsamina, planta.
MOMÓTIDO, DA adj. y m. *Zool.* Díc. de aves de la familia momótidos. • m. pl. *Zool.* Familia de aves paseriformes, compuesta por ocho especies. Se encuentran en zonas de selva abierta, entre el S de México y el N de Argentina.
MOMOTO m. *Amér.* Ave trepadora, insectívora, de pico largo y alas cortas.
MOMOTOMBO Volcán de Nicaragua, perteneciente a la cordillera de los Marrabios; 1 280 m.
MOMPOU, *Frederic* (1893-1987) Compositor esp. Destacado representante de la música moderna. *Suburbis, Combat del somni, Becqueriana.*
MON adj. y s. Díc. de individuos de un pueblo mongoloide que vive en Myanma y Thailandia. Comprende unas 300 000 personas. • m. *Ling.* Lengua de la familia monkhmer hablada por dicho pueblo.
MONACAL adj. Perteneciente o relativo a los monjes.
MONACATO o **MONAQUISMO** m. Estado o profesión de monje. • Institución monástica.
MONACITA f. *Miner.* Fosfato de cerio, que cristaliza en el sistema monoclínico; color amarillo y brillo vítreo. Es la pral. mena de cerio.
MÓNACO *(Principauté de Monaco)* Estado del S de Europa, el más pequeño del continente exceptuando la C. del Vaticano. Sit. junto al mar Mediterráneo, en la Costa Azul fr., cerca de la frontera it. *Rel.*: católica. U.M.: euro. Lengua: fr. (of.). Cap., Mónaco, Ind. turística. Es una monarquía hereditaria constitucional, a cuyo frente se halla desde 1949 el príncipe Rainiero III, de la familia Grimaldi. Un tratado con Francia estipula que si el trono queda vacante, M. pasaría a Francia. • Cap. del principado hom.; 2 000 hab. Con La Condamine y Montecarlo forma una sola agl. urb.

MÓNACO

Superficie 2 km²	
Población 31 900 hab. (15 950 hab./km²)	
Recursos económicos	
Turismo	216 889 visitantes
Indicadores sociológicos	
Alfabetismo	99 %

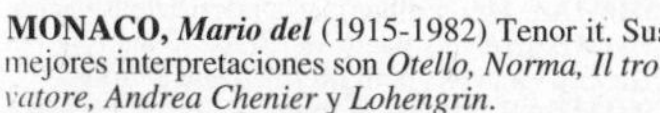

MONACO, *Mario del* (1915-1982) Tenor it. Sus mejores interpretaciones son *Otello, Norma, Il trovatore, Andrea Chenier* y *Lohengrin.*
MONACORDIO m. Instrumento musical de teclado parecido a la espineta.
MONADA f. Acción propia de mono. • Gesto o figura afectada. • Cosa pequeña, delicada y primorosa. • fig. Acción impropia de persona cuerda y formal. • fig. Halago, zalamería. • fig. Acción graciosa de los niños. • Cosa fútil impropia de mayores.
MÓNADA f. *Fil.* Cada uno de los seres indivisibles, pero de naturaleza distinta, que componen el universo, según el sistema de Leibniz. • Cualquiera de los protozoos de flagelados, de pequeño tamaño, que viven en las aguas estancadas y están provistos de dos o tres flagelos.
MONADELFO, FA adj. *Bot.* Díc. de los estambres que están unidos por sus filamentos en un solo cuerpo.
MONADISMO m. *Fil.* Referente a la teoría de las mónadas de Leibniz.
MONADOLOGÍA f. Teoría de las mónadas.
MONAGAS Est. del NE de Venezuela, sit. a orillas del golfo de Paria; 28 900 km², 582 807 hab. Entre los núcleos urbanos destacan la cap., Maturín, Caripito y Quiriquire. En su relieve se distingue, al NO, el macizo de Cumaná, con los valles de Caripe y San Antonio. Avenado por r. pertenecientes a las cuencas del San Juan y el Orinoco. Clima cálido y húmedo. Café, cacao, algodón y yuca. Imp. producción petrolífera.
MONAGAS, *José Gregorio* (1795-1858) Político y militar ven. Luchó en las guerras de indep. Participó en las sublevaciones contra Páez (1830) y Vargas (1835). Presid. (1850-1855). Decretó la abolición de la esclavitud (1854). • ***Tadeo*** (1784-1868) Militar y político ven., hermano del anterior. Dirigió el levantamiento de las prov. orientales en favor de la Gran Colombia (1830). Participó en el levantamiento de Vargas. Presid. (1847-1850 y 1855-1858). Poco antes de su muerte accedió nuevamente al poder.
MONAGO m. fam. Monaguillo.
MONAGUILLO o **MONACILLO** m. Niño que ayuda a misa y hace otros servicios en la iglesia.
MONARCA m. Príncipe soberano de un Estado.
MONARQUÍA f. Est. regido por un monarca. • Forma de gobierno en que la jefatura del Est. es asumida y ejercida vitaliciamente por una sola persona, llamada rey o soberano. ■ MONÁRQUICO, CA; MONARQUISMO.
* *Hist.* Aunque en determinados momentos y lugares la m. ha sido electiva, el carácter vitalicio ha sido el denominador común a todas ellas. La m. absoluta se caracteriza por el poder ilimitado del monarca, y es típica de los Est. surgidos del Renacimiento. La m. limitada supone el sometimiento del rey al control del parlamento y la limitación de su autoridad al control de una constitución. La m. limitada estamental es propia del Est. feudal. La m. limitada constitucional es propia de los Est. modernos.
MONARQUIANISMO m. Nombre ant. del modalismo y del sabelianismo.
MONASTERIO m. Casa o convento donde viven en comunidad los monjes. • P. ext., cualquier casa de religiosos o religiosas. ■ MONASTERIAL; MONÁSTICO, CA.
MONCADA, *Francisco de* (1586-1653) Historiador esp. *Expedición de catalanes y aragoneses contra turcos y griegos.* • ***José María*** (1871-1945) Militar y político nic. Senador (1925-1943) y jefe del ejército (1926). Presid. de la rep. tras el pacto de Tipitapa (1929-1932).
MONCAYO, *Sierra del* Macizo montañoso del sistema Ibérico esp. Alt. máx.: Moncayo (2 313 m).
MÖNCHENGLADBACH C. de Alemania, en Renania Septentrional-Westfalia; 255 100 hab. Ind. algodonera, maquinaria.
MONCLOVA C. del NE de México, en el est. de Coahuila; 115 700 hab. Minería, funciones de acero. Es la ant. Santiago de Mendoza.
MONDADERAS f. pl. Despabiladeras.
MONDADIENTES m. Instrumento pequeño y rematado en punta que sirve para limpiar los dientes.
MONDADURA f. Acción y efecto de mondar. • Despojo, cáscara o desperdicio de las cosas que se mondan. Se usa más en pl.
MONDALE, *Walter* (nacido 1928) Político norteam. Elegido para el parlamento de Minnesota en 1960, en 1976-1980 fue vicepresid. en el equipo de James Carter.
MONDAOÍDOS o **MONDAOREJAS** m. Escarbaorejas.
MONDAPOZOS m. Pocero que monda o limpia pozos.
MONDAR tr. Limpiar una cosa quitándole lo superfluo o extraño que está mezclado con ella. • Limpiar el cauce de un río o canal. • Podar, escamondar. • Quitar la cáscara a las frutas, la corteza o piel a los tubérculos, o la vaina a las legumbres. • Cortar a uno el pelo. • fig. y fam. Quitar a uno lo que tiene, especialmente el dinero. • fig. y fam. Azotar, apalear. • prnl. fig. y fam. Partirse.
MONDARAJAS f. pl. fam. Mondaduras, hablando de patatas, manzanas, etc.
MONDARIA f. Ramera.
MONDE, *Le* Diario fr., fundado en París en 1944, uno de los más prestigiosos del mundo. Tras una serie de divergencias políticas en su seno, en 1951 se creó la «Sociedad de redactores de *Le Monde*», que fijó su línea actual.
MONDEJO m. Cierto relleno de la panza del puerco o del carnero.
MONDO, DA adj. Limpio y libre de cosas superfluas, mezcladas o añadidas. • f. Acción y efecto de mondar. • Tiempo a propósito para limpiar los árboles. • Mondadura. • Exhumación de huesos en un

La iglesia de Domburg óleo de Piet **Mondrian.** Museo Municipal, La Haya cementerio. • **M. y lirondo.** loc. adj. fig. y fam. Limpio, sin añadidura alguna.

MONDOLFO, *Rodolfo* (1877-1976) Filósofo it. En 1938 se exilió en Argentina. *El materialismo histórico, Heráclito, El pensamiento antiguo.*

MONDÓN m. Tronco de árbol sin corteza.

MONDONGA f. despect. Criada zafia.

MONDONGO m. Intestinos y panza de las reses, y especialmente los del cerdo. • fam. Los del hombre. • Manjares preparados para rellenar las tripas y hacer embutidos. • fig. *Guat.* Adefesio, traje o adorno ridículo. • *Hond.* Guisado hecho de mondongo. ▪ MONDONGUERÍA; MONDONGUERO, RA.

MONDRIAN, *Piet* Seud. de *Pieter Cornelis Mondriaan* (1872-1944) Pintor neerlandés, uno de los fundadores del arte abstracto. En su serie *Andamios* desaparece cualquier referencia a la realidad exterior. Su obra es el triunfo de la pureza plástica absoluta.

MONEAR intr. fam. Hacer monadas. • *Chile* y *Argent.* Presumir, envanecerse.

MONEDA f. Pieza de metal, acuñada con el busto del soberano o el sello del gobierno que tiene la prerrogativa de fabricarla, y que sirve de medida común para el precio de las cosas y para facilitar los cambios. • fig. y fam. Dinero, caudal. • Conjunto de billetes y metal representativos del dinero circulante en cada país. • **corriente**. La legal y usual. • **de vellón**. La acuñada con liga de plata y cobre, y sólo de cobre desde el reinado de Felipe V. • **divisionaria**. La que equivale a una fracción exacta de la unidad monetaria legal. • **fiduciaria**. La que representa un valor que intrínsecamente no tiene, como el billete de banco. • **Pagar en buena m.** fig. Dar entera satisfacción en cualquier materia. • **Pagar en la misma m.** fig. Ejecutar una acción por correspondencia a otra, o por venganza.

MONEDAJE m. Derecho que se pagaba al soberano por la fabricación de moneda.

MONEDAR o **MONEDEAR** tr. Amonedar, acuñar la moneda.

MONEDERO m. Bolsita para llevar monedas en el bolsillo. • El que fabrica moneda. • **falso.** El que acuña moneda falsa o le da curso a sabiendas.

MONEGASCO, CA adj. y s. De Mónaco.

MONEL m. *Metal.* Aleación de níquel y cobre que se utiliza en la fabricación de aparatos químicos muy resistentes a la corrosión, y también en aquellas aplicaciones que exigen resistencia al calor.

MONERGOL m. Combustible para motor cohete compuesto por una mezcla homogénea de una sustancia combustible y otra comburente.

MONERÍA f. Monada, acción de mono. • fig. Gesto o acción graciosa de los niños. • fig. Cualquier cosa fútil y de poca importancia en personas mayores.

MONET, *Claude* (1840-1926) Pintor fr. En París entró en contacto con Pissarro, Bazille, Renoir y Sisley. Su obra *Impresión, sol naciente* dio nombre al mov. impresionista, del que fue el pral. promotor. Autor de paisajes inundados de luz y pintados al aire libre.

MONETARIO, RIA adj. Relativo a la moneda. • m. Colección ordenada de monedas y medallas. • Mueble o sitio en que se colocan las monedas y medallas.

MONETIZAR tr. Dar curso legal como moneda a billetes de banco u otros signos pecuniarios. • Amonedar, acuñar moneda. ▪ MONETIZACIÓN.

MONFERRATO Región histórica de Italia, entre Piamonte, Milán y Génova.

MONGE, *Gaspard* (1746-1818) Matemático, militar e ingeniero fr., fundador de la geometría descriptiva. • ***Luis Alberto*** (nacido 1925) Político cost. Secretario del Partido de Liberación Nacional. Presid. (1982-1986), saneó la economía y mantuvo la neutralidad de Costa Rica en el conflicto centroamericano.

MONGO m. Especie de judía cuya semilla es más pequeña que una lenteja.

MONGOL, LA adj. y s. Díc. de un conjunto o de pueblos de raza amarilla, originalmente nómadas, surgidos en el macizo de Altái. • adj. Relativo a esa región. • adj. y s. De Mongolia.

* *Hist.* Las primeras noticias del nombre datan del s. VII, en que aparece la denominación *mon-wu* aplicada a una tribu establecida en la región siberiana del Amur. Estaban organizados en tribus, formadas por pastores trashumantes. Hábiles jinetes y perfectos dominadores del arco, eran temibles guerreros. Temujin, futuro Gengis Jan, fue el jefe destinado a dar a los m., junto a la unificación, uno de los imperios más extensos, que incluía gran parte de Asia y el S de Rusia (s. XIII).

MONGOLIA, República de *(Mongol Ard Uls)* Estado del centro-E de Asia. Limita al N con Rusia (Siberia) y al S con la República Popular China. Es una vasta altiplanicie, cuya alt. media se sitúa por encima de 1 500 m. En los límites occidentales aparece el Altái Mongol, en el centro-O los montes Jangai, y las regiones meridionales forman parte del desierto de Gobi R. prales.: Kerulen, Selenga y Orjon. Clima continental frío. Ganadería. Abundantes pastos. Agricultura de subsistencia. Carbón, petróleo, oro, estaño, voldramio y fluorita. Grupos étnicos: mongoles (mayoritarios), kazacos, rusos, chinos. Lengua: mongol. R. *Rel.*: lamaísmo (mayoritaria). U. M.: el tughrik. Cap., Ulan-Bator.

MONGOLIA

Superficie	1 566 500 km²
Población	2 373 000 hab. (1,5 hab./km²)
Recursos económicos	
Cabaña bovina	3 317 000 cabezas
Cabaña caballar	2 150 000 cabezas
Cabaña caprina	8 521 000 cabezas
Cabaña ovina	13 719 000 cabezas
Camellos	390 000 cabezas
Carbón	635 000 t
Cebada	4 000 t
Cemento	86 000 t
Energía eléctrica	3 265 millones de kW/h
Fluorita	180 000 t
Lignito	6 950 000 t
Patatas	52 000 t
Riqueza forestal	541 000 m³
Sal	18 000 t
Trigo	257 000 t
Indicadores sociológicos	
PNB	788 millones de dólares
Renta per cápita	310 dólares
Esperanza de vida	62 años
Alfabetismo	100 %

* *Hist.* Después de su rápida expansión por las llanuras asiáticas, la desintegración nac. y la decadencia terminaron con el poderío de los mongoles. Su patria, a partir del s. XIV, quedó dividida en dos janatos rivales. Con la instalación de la teocracia se derrumbó el poder guerrero de los mongoles, que fueron integrados por la fuerza en el imperio chino. Durante el s. XIX, M. fue el escenario de la lucha por la hegemonía entre rusos y chinos. Ocupada por las tropas sov. en 1921, se proclamó la Rep. Popular (1924). Fue admitida en la ONU en 1961, e ingresó en el COMECON en 1962. Los enfrentamientos ruso-chinos cesaron en 1985 cuando Mongolia y China formaron un acuerdo comercial. La perestroika también influyó en M. y a partir de 1989 surgieron varios grupos de oposición. En 1990 desapareció el monopolio de partido. La nueva constitución (1991) se basó en un socialismo democrático, siendo presidente P. Ochirbat, que en las elecciones de 1997 fue sustituido por el comunista N. Bagabandi.

MONGOLIA Interior (*Öbör Mongol; Neimenggu*) Región autónoma del N-NE de China; 1 200 000 km², 21 456 798 hab. Cap., Huhehot. C. pral.: Paotou. Clima continental. Estepa, excepto en las montañas, donde se extienden grandes bosques. El río Hoangho atraviesa la región por el S-SO. Ganadería. Petróleo, antracita y hierro. El sector nordoriental de la región perteneció a Manchukuo (1932-1945).

MONGÓLICO, CA adj. y s. De Mongolia. • Que padece mongolismo.

MONGOLISMO m. *Pat.* Síndrome congénito caracterizado por unos rasgos faciales que recuerdan los de los mongoles y retraso mental. Está pro-

Monedas antiguas

Claude **Monet,** retratado por Renoir

Mongolia. Arriba, mapa de situación y bandera; abajo, Gengis Jan, que unificó el país en el s. XIII

Monjes en un libro de horas francés del s. XIV. Biblioteca Nacional, París

Mona de Gibraltar

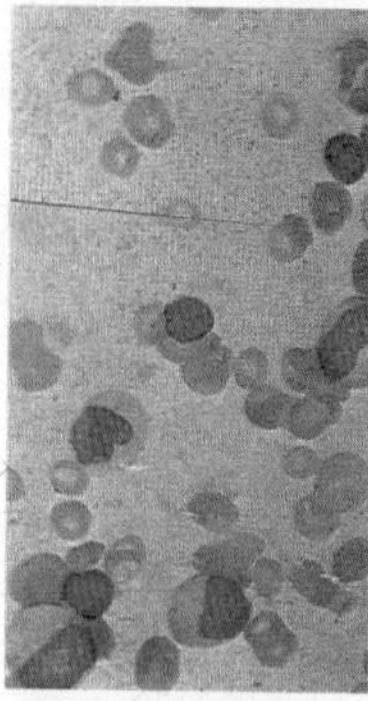
Monocitos vistos al microscopio

vocado por la detención del desarrollo embrionario del encéfalo a causa de una anomalía cromosómica.

MONGOLOIDE adj. y s. *Antr.* Díc. de uno de los grandes grupos raciales en que se divide la especie humana. Los m. forman más de un tercio de la humanidad. Sus prales. características son la coloración de la piel, ojos por lo gral. castaños y pliegue interno del párpado que da la sensación de oblicuos, cabello lacio, escasa pilosidad corporal y pómulos salientes.

MONI m. fam. *Amér.* Monis, dinero.

MONIATO m. Vulgarismo por boniato.

MONICACO m. despect. Hominicaco, monigote.

MONICIÓN f. Consejo que se da o advertencia que se hace a uno.

MONIFATO m. *Ven.* Muchacho presuntuoso y vano. • *Cuba.* y *P. Rico.* Figura ridícula, monigote.

MONIGOTE m. Lego de convento. • fig. y fam. Persona ignorante. • fig. y fam. Muñeco o figura ridícula hecha de trapo o cosa semejante. • fig. y fam. Pintura o estatua mal hecha. • fam. *Amér.* Seminarista.

MONILLO m. Jubón de mujer, sin faldillas ni mangas.

MONIPODIO m. Convenio de personas que se asocian para fines ilícitos.

MONIS m. fam. Moneda, dinero. Se usa más en plural.

MONISMO m. *Fil.* Doctrina que sólo admite una sustancia o una sola especie de sustancia, oponiéndose al dualismo. El término fue introducido por Wolff. ■ MONISTA.

MÓNITA f. Artificio, astucia practicada con suavidad y halago.

MONITOR m. El que amonesta o avisa. • Persona encargada de la enseñanza y la práctica de algunas disciplinas o deportes. • Aparato que revela la presencia de las radiaciones y da una idea de su intensidad. • Dispositivo visual o acústico que permite comprobar el funcionamiento de un aparato radioeléctrico. • Aparato de televisión empleado en los estudios de grabación o de emisión. • Barco de guerra, artillado, acorazado y con espolón de acero a proa. • *Comp.* Programa que forma parte del sistema operativo de una computadora, con la función de supervisar todos los trabajos del usuario en estrecha relación con los sistemas internos. • *Comp.* Pantalla de la computadura donde se visualiza la información de entrada/salida.

MONITORIO, RIA adj. y s. Díc. de lo que sirve para avisar y de la persona que lo hace. • m. Monición o advertencia que el Papa, los obispos y prelados dirigen a todos los fieles. • f. Consejo, monición, advertencia.

MONIZ, *António Caetano de Abreu Freire Egas* (1874-1955) Médico port. Efectuó la primera operación quirúrgica destinada a destruir o desconectar la región prefrontal. Premio Nobel de Medicina en 1949, con W. R. Hess.

MONJA f. Miembro de una orden religiosa femenina. • *Méx.* Pan dulce de forma redonda. • pl. fig. Partículas encendidas que quedan cuando se quema un papel y se van apagando poco a poco. • **blanca**. *Guat.* Cierta planta de la familia de las orquidáceas.

MONJE m. Solitario o anacoreta. • Individuo de una de las órdenes religiosas que está sujeto a una regla común, y vive en monasterios. • Religioso de una de las órdenes monacales. • Paro carbonero, pájaro.

MONJÍA f. Derecho, emolumento, prebenda, beneficio o plaza que el monje tiene en su monasterio. • Estado de monje o monja. • Monasterio, convento.

MONJIL adj. Relativo a las monjas. • m. Hábito o túnica de monja. • Traje de lana que usaban por luto las mujeres. • Manga perdida propia de este traje.

MONJÍO m. Estado de monja. • Entrada de una monja en religión. • Conjunto de monjas.

MONJITA f. *Argent.* Ave que tiene de color gris blanquecino el lomo, las alas y la cola; blanco el pecho, y negra la cabeza. • *Chile.* Planta voluble, de flores grandes y de hermoso color amarillo.

MON-KHMER adj. y s. *Ling.* Díc. de lenguas del grupo austroasiático habladas en un principio en las llanuras de Indochina.

MONO, NA adj. fig. y fam. Bonito, atractivo, gracioso. • m. *Zool.* Nombre genérico que se aplica a cualquiera de los miembros del orden primates, especialmente a los más evolucionados o pitecoideos. • fig. Persona que hace gestos parecidos a los del mono. • fig. Figura humana o de animal, hecha de cualquier materia, o pintada, o dibujada. • fig. Traje de faena que usan algunos trabajadores. • fig. Cualquier traje de una sola pieza cuya parte inferior esté formada por pantalones. • fig. *Chile.* Montón o pila en que se exponen las frutas u otras cosas en los mercados o tiendas. • **araña** Primate sudamericano perteneciente al gén. *Ateles*, del que se conocen seis especies. Recibe este nombre por sus largas patas. • **ardilla**. Primate sudamericano de la familia cébidos. Se conocen cinco especies; la más común es el m. barizo. • **aullador**. Primate de la América meridional, de cola prensil y con el hueso hioides, grande y hueco, en comunicación con la laringe, lo que le permite emitir largos sonidos que se oyen a gran distancia. • **capuchino**. Primate americano cuya cola no es prensil; tiene la cabeza redondeada, ojos grandes y cuerpo cubierto de largos y abundantes pelos. • **Ser el último m.** fig. Ser el de menor importancia. • **Tener monos en la cara.** fig. Llamar la atención por algo que se lleva encima. • f. Hembra del mono. • Rosca con huevos, hornazo. • fig. y fam. Persona que hace las cosas por imitar a otra. • fig. y fam. Borrachera. • fig. y fam. Persona ebria. • Cierto juego de naipes. • *Chile.* Maniquí femenino. • *Hond.* Persona o cosa mala. • **de Gibraltar**. f. Mamífero cuadrumano de unos 60 cm de alto, pelaje pardo y cola corta. Vive en África y en el peñón de Gibraltar. ■ MONESCO, CA.

MONOBLOC adj. y m. Díc. de un aparato, edificio u objeto hecho de una sola pieza.

MONOCAMERALISMO m. Sistema político parlamentario basado en la existencia de una sola cámara.

MONOCASCO m. Carrocería que forma un conjunto único resistente a las fuerzas de flexión y torsión.

MONOCASIO f. *Bot.* Tipo de ramificación cimosa en la que progresa solamente uno de los diversos ejes laterales de distinto orden, de modo que su apariencia es la de un eje principal.

MONOCEROS *Astr.* Constelación ecuatorial situada entre *Canis Maior, Canis Minor, Orion, Gemini* e *Hydra*. Su denominación cast. es Unicornio.

MONOCEROTE o **MONOCERONTE** m. Unicornio, animal fabuloso.

MONOCITO m. Leucocito carente de granulación y cuya misión pral. estriba en la fagocitosis de los gérmenes nocivos que penetran en el organismo.

MONOCLAMÍDEO, A adj. y f. *Bot.* Díc. de plantas del grupo monoclamídeas. • f. pl. *Bot.* Grupo de plantas angioespermas dicotiledóneas, que se caracterizan por carecer de envolturas florales típicas.

MONOCLINAL adj. *Geol.* Díc. de la estructura cuyas capas presentan el mismo buzamiento y dirección.

MONOCLÍNICO, CA adj. y m. *Miner.* Sistema cristalino cuyos holoedros poseen un centro de simetría, un eje binario y un plano perpendicular a él.

MONOCORDE adj. *Mús.* Díc. del instrumento que tiene una sola cuerda. • Díc. del grito, canto u otra sucesión de sonidos que repiten una misma nota. • P. ext., monótono, insistente, sin variaciones.

MONOCORDIO m. *Mús.* Instrumento antiguo de caja armónica, como la guitarra, y una sola cuerda.

MONOCOTILEDÓNEO, A o **MONOCOTILEDÓN** adj. y f. *Bot.* Díc. de plantas de la clase monocotiledóneas. • f. pl. *Bot.* Clase de plantas angioespermas que se caracterizan por poseer un solo cotiledón. Son plantas herbáceas, con raíces fasciculadas, tallos huecos y fistulosos, hojas alargadas y paralelinervias, flores frecuentemente en espiga y frutos en cariópside o en cápsula.

MONOCROMÁTICO, CA adj. Díc. del haz luminoso formado por radiaciones de una misma longitud de onda. • De un solo color.

MONOCROMO, MA adj. Monocromático, de un solo color.

MONÓCULO, LA adj. y s. Que tiene un solo ojo. • m. Lente para un solo ojo. • Vendaje que se aplica a un solo ojo.

MONOCULTIVO m. Sistema de explotación agrícola mediante el cual se procede a trabajar un terreno para que dé un solo producto.
MONOD, *Jacques* (1910-1976) Médico y biólogo fr. Por sus investigaciones sobre la regulación genética obtuvo el Premio Nobel de Medicina y Fisiología junto a André Lwoff y François Jacob (1965). Fue director del Instituto Pasteur de París (1971-1976). *El azar y la necesidad.*
MONODELFO, FA adj. y s. Placentario.
MONODIA f. *Mús.* Hasta la alta E. Med., la melodía en sí, sin acompañamiento. Desde el s. XVI, técnica en que resalta la melodía, apoyada por un acompañamiento esquemático, gralte. armónico. ■ MONÓDICO, CA.
MONODÓNTIDO, DA adj. y m. *Zool.* Díc. de animales de la familia monodóntidos. • m. pl. *Zool.* Familia de cetáceos compuesta por dos especies, el narval y el beluga, ambas propias de los mares árticos.
MONOECIA f. Situación general de las plantas en las que las flores masculinas y femeninas se hallan en el mismo individuo.
MONOFÁSICO, CA adj. *El.* Díc. de la corriente alterna simple y, en general, de los procesos de una sola fase. • *El.* Díc. de los generadores y motores eléctricos que originan dichas corrientes o funcionan con ellas.

Monorraíl en servicio en la Exposición Universal de Sevilla de 1992

MONOFILO, LA adj. *Bot.* Díc. de los órganos de las plantas que constan de una sola hoja o de varias soldadas entre sí.
MONOFISITA adj. y s. Díc. del partidario de la doctrina teológica que negaba en Jesucristo la existencia de dos naturalezas. • adj. Relativo a esta doctrina o a sus partidarios. ■ MONOFISISMO.
MONOFONÍA f. Transmisión o reproducción sonora que emplea un solo canal.
MONÓGAMO, MA adj. y s. Casado con una sola mujer. • Que se ha casado una sola vez. • *Zool.* Díc. de los animales en que el macho sólo se aparea con una hembra. ■ MONOGAMIA.
MONOGENISMO m. Doctrina antropológica según la cual todas las razas humanas descienden de un tipo único. ■ MONOGENISTA.
MONOGRAFÍA f. Tratado o estudio sobre un tema específico o particular. ■ MONOGRÁFICO, CA; MONOGRAFISTA.
MONOGRAMA m. Cifra, enlace de dos o más letras que se emplea como abreviatura de un nombre en sellos, marcas, etc.
MONOHÍBRIDO, DA adj. y s. *Biol.* Díc. del individuo heterocigoto para un solo gen o carácter.
MONOICO, CA adj. *Bot.* Díc. de los organismos que poseen monoecia.
MONOLATRÍA f. Adoración de una sola deidad.
MONOLINGÜE adj. Que habla una sola lengua. • Escrito en un solo idioma.
MONOLITO m. Monumento de piedra tallado en una sola pieza. ■ MONOLÍTICO, CA.
MONOLOGAR intr. Recitar soliloquios o monólogos.
MONÓLOGO m. Soliloquio. • Especie de obra dramática en que habla un solo personaje. • **interior**. *Lit.* Técnica novelística por la cual el narrador desaparece para dejar la palabra a los propios personajes.
MONOMANÍA f. Delirio o locura parcial por la que una idea se convierte en obsesiva para la persona que la sufre. • Preocupación, afición o aprensión exagerada por algo. ■ MONOMANÍACO, CA; MONOMANIÁTICO, CA.
MONOMAQUIA f. Duelo o desafío singular, o de uno a uno.
MONOMETALISMO m. Sistema monetario en el que se adopta como patrón un solo metal. ■ MONOMETALISTA.
MONOMIARIO adj. Díc. de los moluscos lamelibranquios que tienen un solo músculo aductor para cerrar la concha; como las ostras.
MONOMIO m. *Mat.* Exp. algebraica en la que no intervienen signos de suma o diferencia.
MONOPARTIDISMO m. Régimen político basado en un sistema de partido único.
MONOPASTOS m. Garrucha, polea.
MONOPÉTALO, LA adj. *Bot.* De un solo pétalo. Díc. de las flores o de sus corolas.
MONOPLANO m. Aeroplano con sólo un par de alas que forman un mismo plano.
MONOPLAZA adj. y m. Díc. de los vehículos de una sola plaza.
MONOPLOIDE adj. y m. *Biol.* Díc. de los organismos, células o núcleos que contienen una dotación cromosómica simple.
MONOPOLIO m. *Econ.* Privilegio exclusivo de un individuo o grupo para vender o explotar un bien determinado en un territorio concreto. • fig. Posesión exclusiva. ■ MONOPOLISTA.
* *Econ.* Históricamente, el m. se identifica con el acaparamiento del especulador. La teoría, como tal, no nace hasta el s. XIX, por obra de Cournot y Dupuit, quienes determinaron los límites del beneficio del monopolista en función de las reacciones del consumidor. Las multinacionales son la última expresión de la tendencia monopolista del capitalismo.
MONOPOLIZAR tr. Adquirir o atribuirse uno el exclusivo aprovechamiento de una ind., facultad o negocio. • fig. Acaparar exclusivamente la atención. ■ MONOPOLIZACIÓN.
MONÓPTERO, RA adj. Díc. del edificio circular sostenido sólo por columnas.
MONOPTONGAR tr., intr. y prnl. Fundir en una sola vocal los elementos de un diptongo.
MONORQUIDIA f. Existencia de un solo testículo en el escroto.
MONORRAÍL o **MONOCARRIL** adj. y m. Díc. de todo vehículo automotor que se desplaza a lo largo de un solo camino de rodadura o carril, aéreo o no.
MONORREFRINGENCIA f. Propiedad de los cuerpos isótropos para la luz, que consiste en la producción de un solo rayo refractado para un rayo incidente.
MONORRIMO, MA adj. Díc. de una sola rima. • Díc. del verso que guarda la misma rima asonante o consonante. ■ MONORRÍTMICO, CA.
MONOSABIO m. *Taur.* Mozo que ayuda al picador en la plaza.
MONOSACÁRIDO, DA adj. y m. *Quím.* Díc. de los azúcares del grupo monosacáridos. • m. pl. *Quím.* Grupo de azúcares sencillos que constituyen las unidades monómeras de los hidratos de carbono. Poseen la propiedad de desviar el plano de la luz polarizada. Son hidrosolubles. Los m. más importantes son las pentosas, que integran parte de la secuencia de los ácidos nucleicos, y las hexosas, que dan polisacáridos de reserva (almidón) o de protección (celulosa).
MONOSCOPIO m. Iconoscopio simple en el que se ha sustituido la placa fotoeléctrica por una metálica.
MONOSÉPALO, LA adj. *Bot.* De un solo sépalo. Díc. de la flor o de su cáliz.
MONOSILÁBICO, CA adj. Relativo al monosílabo. • Díc. del idioma cuyas palabras constan gralte. de una sola sílaba. ■ MONOSILABISMO.
MONOSÍLABO, BA adj. y m. Díc. de la palabra que consta de una sola sílaba.
MONOSÓMICO, CA adj. y m. *Biol.* Díc. de los organismos, células o núcleos a los que les falta un cromosoma completo.
MONOSPERMO, MA adj. Aplícase al fruto que sólo contiene una semilla.
MONOSTEQUIO, QUIA adj. Díc. de la planta de una sola espiga.
MONÓSTROFE f. Composición poética de una sola estrofa o estancia. ■ MONOSTRÓFICO, CA.
MONOTE m. fam. Persona que parece no oír, ver ni entender y está fija en un punto como un hito. • Riña, alboroto.

Flor de gladiolo, planta **monocotiledónea**

Monolito preincaico en Saihuite, cerca de Cusco (Perú)

Edificio **monóptero**

MONOTEÍSMO m. Doctrina teológica de las religiones basadas en la existencia de un solo Dios. ■ MONOTEÍSTA.

MONOTELISMO m. Doctrina herética, surgida del monofisismo, que afirmaba que Jesucristo tenía dos naturalezas y una sola voluntad.

MONOTIPIA f. *Art. Gráf.* Máquina para la composición tipográfica, inventada (1886) por el norteam. C. Lanston. Compone, funde y ordena caracteres sueltos. • Arte de componer con esta máquina. ■ MONOTIPISTA.

Marilyn **Monroe**

MONOTIPO m. Monotipia, máquina de componer. • Embarcación motonáutica o de vela perteneciente a una serie de idénticas características.

MONOTONÍA f. Uniformidad, igualdad de tono en el que habla, en la voz, en la música, etc. • fig. Falta de variedad. ■ MONÓTONO, NA.

MONOTREMA adj. y m. *Zool.* Díc. de animales del orden monotremas. • m. pl. *Zool.* Orden de mamíferos primitivos, ponedores de huevos, sin pabellón de la oreja, dientes solamente en los jóvenes, los adultos con pico córneo, con cloaca, testículos abdominales, sin útero o vagina y glándulas mamarias sin pezones, de la región australiana.

MONOTROPISMO m. *Quím.* Tipo de polimorfismo en el que sólo una de las formas polimorfas es estable en estado sólido.

MONOVALENTE adj. *Quím.* Díc. de los átomos de una sola valencia, o de los grupos atómicos que tienen una valencia libre.

MONOVOLUMEN adj. y sin. Díc. de un tipo de automóvil en el que el habitáculo, el maletero y el motor forman una carrocería con un único volumen.

MONROE, *James* (1758-1831) Político norteam., quinto presid. de EE UU [1817-1825]. Compró Florida a España y Luisiana a Francia. Reconoció a las nuevas rep. latinoamericanas. • **Doctrina M.** Principios enunciados por J. Monroe ante el Congreso de EEUU (1823). Para M. el continente debía ser considerado fuera de todo intento de colonización por parte de las potencias europeas. Base ideológica del imperialismo de EE UU. • ***Marilyn*** Seud. de *Norma Jean Baker Mortenson* (1926-1962) Actriz de cine norteam., mito erótico de los años 50. *Niágara, Los caballeros las prefieren rubias, Con faldas y a lo loco, Bus Stop.*

Vista del **Mont Blanc**

MONRONRO, RA m. y f. fam. *Chile.* Apelativo cariñoso.

MONROVIA C. y puerto de Liberia, cap. de la rep., sobre la costa atlántica, en el Golfo de Guinea; 306 500 hab. Aeropuerto.

MONS C. de Bélgica, cap. de la prov. de Hainaut; 93 400 hab. Centro carbonífero e industrial.

MONSEÑOR m. Título de honor que se da en algunos países a prelados y dignatarios eclesiásticos y a algunos nobles.

MONSEÑOR NOUEL Prov. de la República Dominicana; 1 004 km², 124 000 hab. Cap., Bonao.

MONSERGA f. fam. Lenguaje confuso y embrollado. • Pretensión o petición fastidiosa o importuna.

MONSTRUO m. Ser configurado de manera distinta al orden regular o evolutivo de la naturaleza. • Animal de gran tamaño y aspecto temible. • Cosa excesivamente grande o extraordinaria. • Persona o cosa muy fea. • Persona muy cruel y perversa. • fig. Persona dotada de grandes cualidades para el ejercicio de una determinada actividad. ■ MONSTRUOSIDAD; MONSTRUOSO, SA.

MONT Blanc (it. *Monte Bianco*) Macizo de los Alpes, junto a las fronteras de Francia, Italia y Suiza. Máxima alt. de Europa (4 807 m).

MONT Cenis (it., *Moncenisio*) Macizo alpino en la frontera italo-francesa; alt. máx. 3 517 m.

Ives **Montand**

MONTA f. Acción y efecto de montar. • Acaballadero. • Suma de varias partidas. • Valor y estimación intrínseca de una cosa. • **De poca m.** loc. adj. De poco valor o importancia.

MONTACARGAS m. Ascensor para elevar pesos o mercancías.

MONTADERO m. Montador, poyo para montar en las caballerías.

MONTADO, DA adj. Díc. del soldado que el caballero de orden militar enviaba a la guerra para que sirviese en su lugar. • adj. y m. Se aplicaba al que servía en la guerra a caballo. • adj. Díc. del caballo dispuesto con los arreos y aparejos para poderlo montar. • f. Desveno del freno. • *Amér. Centr.* y *Méx.* Policía de a caballo.

MONTADOR, RA m. y f. El que monta. • m. Poyo a la puerta de una casa, para montar fácilmente en las caballerías. • Cualquier cosa que sirve a este fin. • m. y f. Operario especializado en el montaje de máquinas o aparatos. • *Art. Gráf.* y *Cin.* Técnico encargado del montaje.

MONTADURA f. Acción y efecto de montar o montarse. • Montura de una caballería. • Engaste o cerco que asegura lo que se engasta.

MONTAGNA, *Bartolomeo* (h. 1450-1523) Pintor it. Autor de dos pinturas para la *Scuola di San Marco*, y del retablo para el Hospital de Venecia.

MONTAGNE Sánchez, *Ernesto* (nacido 1916) Militar per. Presid. del consejo de ministros y ministro de la Guerra tras el golpe de Est. de Velasco Alvarado (1968). Se retiró en 1972.

MONTAGNIER, *Luc* (nacido 1923) Médico fr. Descubridor del retrovirus responsable del sida.

MONTAIGNE, *Michel Eyquem*, SEÑOR DE (1533-1592) Escritor fr. A los treinta y siete años se retiró para consagrarse a la lectura y la meditación. Fruto de esa meditación fue su única obra: *Ensayos.* M. es un moralista escéptico, aunque no un pesimista.

MONTAJE m. Acción y efecto de montar alguna cosa. • Conjunto de operaciones que hay que efectuar para unir de forma estable las piezas que constituyen un objeto compuesto cualquiera. • Estructuración y ajuste de las piezas de una máquina. • *Cin.* Operación de seleccionar, ordenar y unir los planos de una película. • Grabación obtenida por combinación de dos o más grabaciones. • *Art. Gráf.* Operación que consiste en fijar los grabados sobre un zócalo de madera o metal para ponerlos a la altura de los caracteres tipográficos. • *Art. Gráf.* Reunión de la composición y de los clisés para formar una página.

MONTALE, *Eugenio* (1896-1981) Poeta it. Su obra responde a una dramatización fuertemente imaginativa del universo. *Huesos de jibia, Ocasiones.* Premio Nobel de Literatura en 1975.

MONTALVO, *Juan* (1832-1889) Ensayista ecuat. *Capítulos que se le olvidaron a Cervantes, Siete tratados, Geometría moral.*

MONTANA Est. del NO de EE UU, que limita al N con Canadá; 380 848 km², 799 000 hab. La pob. incluye unos 20 000 amerindios, agrupados en varias reservas. Cap., Helena. C. prales.: Billings y Great Falls. Accidentado por las montañas Rocosas. Río Misuri. Clima frío y seco. Explotación forestal. Agricultura. Ganadería. Fundición de cobre y plomo.

MONTAND, *Yves* Seud. de *Ivo Livi* (1921-1991) Cantante y actor de cine fr., n. en Italia. *El salario del miedo, Vivir para vivir, Z, Estado de sitio.*

MONTANEAR intr. Pastar bellota o hayuco el ganado de cerda en montes o dehesas.

MONTANERA f. Pasto de bellota o hayuco que el ganado de cerda tiene en los montes o dehesas. • Tiempo en que está pastando.

MONTANERO m. Guarda de monte o dehesa.

MONTANISMO m. Doctrina herética de Montano de Ardaba. Imponía un riguroso moralismo. Surgió en Frigia y se propagó por Occidente. ■ MONTANISTA.

MONTANO, NA adj. Relativo al monte. • *Bot.* Díc. del piso de vegetación de las montañas constituido por hayedos y bosques mixtos entre los 800 y los 1 700 m de alt., con suelo y clima aún propios para los campos de cultivo.

MONTANO de Ardaba (m. 179) Hereje frigio, fundador del montanismo. Propuso la vuelta a la primitiva religión de Cristo.

MONTANTADA f. Fanfarronada. • Muchedumbre, excesivo número.

MONTANTE adj. Que importa, monta o tiene determinada cuantía. • *Her.* Aplícase a los crecientes cuyas puntas están hacia el jefe del escudo. • m. Espadón de grandes gavilanes, que es preciso esgrimir con ambas manos. • Pie derecho de una máquina o armazón. • Importe, monto, cuantía. • Suma de un capital con los intereses que ha producido. • *Constr.* Elemento vertical que sirve de refuerzo en una estructura. • Listón o columnita que divide el vano de una ventana. • Ventana sobre la puerta de una habitación. • f. Flujo o pleamar.

MONTANTEAR intr. Gobernar o jugar el montante en el juego de la esgrima. • fig. Hablar con jactancia.

MONTAÑA f. Prominencia del suelo que se eleva y domina el terreno circundante. Los grupos de

MONTAÑA

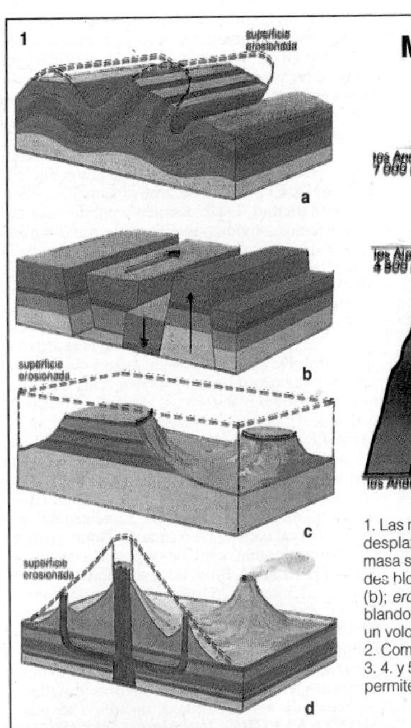

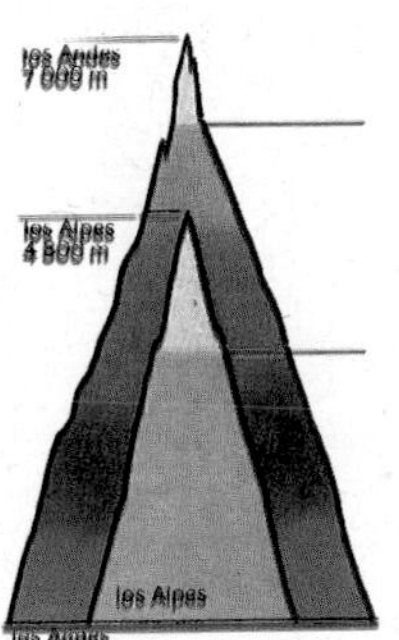

1. Las montañas pueden tener distintos orígenes: *plegamientos*, las presiones debidas a los desplazamientos de las placas hacen que los bloques se plieguen, con lo que parte de su masa se eleva (a); *fallas*, cuando las presiones hacen que la corteza se resquebraje en grandes bloques (fallas), algunos de éstos se hunden y otros se elevan, dando lugar a montañas (b); *erosión*, muchas montañas son consecuencia de la erosión, que arrastra los materiales blandos dejando al descubierto masas rocosas (c); *volcanes*, la lava que fluye del crater de un volcán se solidifica al enfriarse, dando origen a una elevación montañosa (d).
2. Comparación entre las alturas de dos grandes cordilleras, los Alpes y los Andes.
3. 4. y 5. La belleza de las montañas, la serenidad que inspiran y la variedad de deportes que permiten practicar llevan a muchas personas a sentirse atraidas por las altas cumbres.

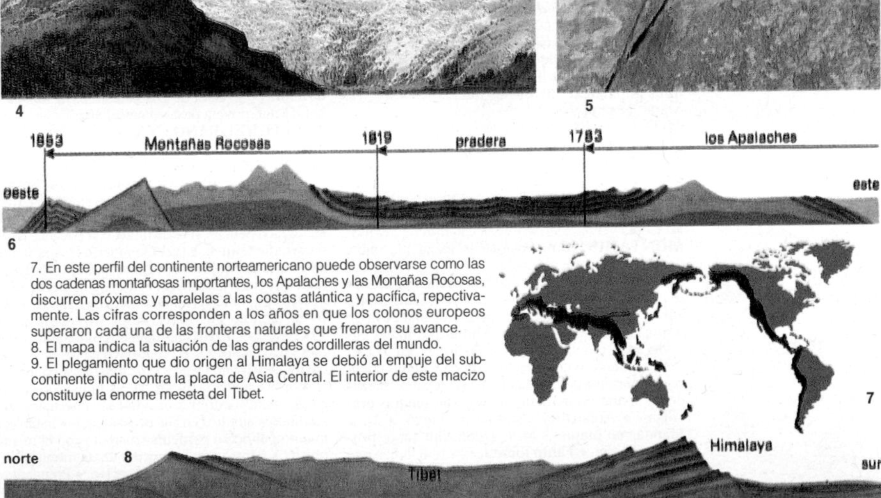

7. En este perfil del continente norteamericano puede observarse como las dos cadenas montañosas importantes, los Apalaches y las Montañas Rocosas, discurren próximas y paralelas a las costas atlántica y pacífica, repectivamente. Las cifras corresponden a los años en que los colonos europeos superaron cada una de las fronteras naturales que frenaron su avance.
8. El mapa indica la situación de las grandes cordilleras del mundo.
9. El plegamiento que dio origen al Himalaya se debió al empuje del subcontinente indio contra la placa de Asia Central. El interior de este macizo constituye la enorme meseta del Tibet.

Algunas de las **montañas** más altas del mundo

Montaña	*Macizo*	*País*	*Altitud*
Everest	Himalaya	Nepal/China	8 848
K-2	Karakorum	Pakistán/China	8 611
Kanchajunga	Himalaya	India/Nepal	8 578
Makalu	Himalaya	Nepal/China	8 475
Dhaulagiri	Himalaya	Nepal	8 172
Nanga Parbat	Himalaya	Pakistán	8 126
Annapurna	Himalaya	Nepal	8 078
Aconcagua	Andes	Argentina	6 959
Monte Pissis	Andes	Argentina	6 882
Nevado Illimani	Andes	Bolivia	6 882
Cerro Mercedario	Andes	Argentina	6 770
Nevado Huascarán	Andes	Perú	6 768
Volcán Llullaillaco	Andes	Argentina/Chile	6 739
Cerro Incahuasi	Andes	Argentina/Chile	6 638
Cerro Yerupajá	Andes	Perú	6 634
Volcán Parinacota	Andes	Chile/Bolivia	6 342
Chimborazo	Andes	Ecuador	6 310
Cerro Púlar	Andes	Chile	6 233
Cerro Bonete	Andes	Argentina	5 943

m., según su extensión y complejidad, se denominan sierras, sistemas, cadenas y cordilleras. • Territorio cubierto de montes. • *Chile, Col.* y *Perú.* Monte de árboles o arbustos. • fig. Cualquier elevación formada por acumulación de algún material. • Dificultad, cuestión difícil de resolver. • **rusa**. Vía sinuosa y ondulada, por cuyos raíles se desliza un vehículo. ■ MONTAÑOSO, SA.

MONTAÑA, *La* Región del E. de Perú, integrada por los dptos. de Amazonas, Loreto, San Martín y Madre de Dios, y correspondiente a la Amazonia. El pral. centro de Iquitos. Terreno selvático. Administrativamente se conoce por Oriente.

Panorámica de las ruinas de **Monte Albán**

MONTAÑA, *Partido de la* Durante la Rev. Francesa, grupo de diputados que en la asamblea legislativa y en la convención estaban en la parte izquierda y más alta de la gradería. Representaba a la pequeña y mediana burguesía, en alianza con sectores populares. Fueron sus líderes Robespierre, Marat, Danton y otros.

MONTAÑERO, RA adj. Relativo a la montaña. • m. y f. Persona que practica el montañismo.

MONTAÑÉS, SA adj. y s. Natural de una montaña.

MONTAÑÉS, *Juan Martínez* (1568-1649) Escultor esp. Talla en madera. *Cristo de la clemencia; La Concepción*; sacristía de la catedral de Sevilla.

MONTAÑISMO m. Práctica del excursionismo y de los deportes de montaña.

MONTAR intr. y prnl. Ponerse encima de algo. • tr., intr. y prnl. Subir en una cabalgadura. • tr. e intr. Cabalgar. • intr. fig. Ser una cosa de importancia o entidad. • tr. Multar por haber entrado en el monte ganados, caballerías, etc. • Cubrir el mamífero macho a la hembra. • En las cuentas, importar una cantidad total. • Armar las piezas de un aparato o máquina. • Engastar piedras preciosas. • Amartillar un arma de fuego. • *Mar.* Mandar un buque. • *Mar.* Doblar un cabo, promontorio, etc. • **Tanto monta.** exp. que indica que una cosa es equivalente a otra.

MONTARAZ adj. Que anda o está hecho a andar por los montes o se ha criado en ellos. • fig. Aplícase al genio y propiedades agrestes y feroces. • m. Guarda de montes o heredades.

MONTAZGO m. Tributo pagado por el tránsito de ganado por un monte.

Eugenio **Montero Ríos**

MONTE m. Grande elevación natural de terreno. • Tierra inculta cubierta de árboles, arbustos o matas. • fig. Gran dificultad. • fig. y fam. Cabellera muy espesa y desaseada. • En ciertos juegos de naipes, o en el del dominó, cartas o fichas que quedan para robar después de haber repartido a cada uno de los jugadores las que le tocan. • Juego de envite y azar. • Banca, juego. • *Méx.* Hierba, pasto. • **alto**. El poblado de árboes grandes, como pinos, encinas etc. • **bajo.** El poblado de arbustos, matas o hierbas. • **de piedad**. Establecimiento público que hace préstamos a módico interés sobre ropas o alhajas. • **de Venus.** Zona superficial del pubis de la mujer. ■ MONTÉS; MONTESINO, NA; MONTUOSO, SA.

MONTE ALBÁN Ant. c. de México, sit. en el actual est. de Oaxaca. Fue escenario de diversas culturas: olmeca, zapoteca, mixteca y azteca. La ocupación mixteca fue la de mayor influencia artística y cultural. De época zapoteca, cuando la c. era el más imp. centro religioso, son los templos y monumentos sobre plataformas, algunos en forma de pirámide. C. de segundo orden con los aztecas.

MONTE CRISTI Prov. del NO de la República Dominicana; 1 989 km^2, 92 000 hab. Cap., San Fernando de Monte Cristi (9 300 hab.). Bañada por el océano Atlántico, es fronteriza con Haití. Accidentada al NE por la cord. Septentrional, paralela a la cual corre el río Yaque del Norte. Ganadería. Arroz, algodón, café, bananas, caña de azúcar.

MONTE PLATA Prov. de la República Dominicana; 2 613 km^2, 173 500 hab. Cap., la c. hom. (6 500 hab.).

MONTEA f. Acción de montear la caza. • *Arq.* Dibujo de tamaño natural que en el suelo o en una pared se hace de un arco, escalera o cuchillo de armadura. • *Arq.* Arte de cortar piedras y maderas, estereotomía. • *Arq.* Sagita de un arco o bóveda.

MONTEALEGRE, *José María* (1815-1887) Político cost. Derrocó a Mora (1858). Presid. electo (1859-1863), promulgó una constitución.

MONTEAR tr. Buscar y perseguir la caza en los montes, u ojearla hacia un sitio o paraje donde la esperan los cazadores. • tr. Trazar la montea de una obra. • Voltear o formar arcos.

MONTECARLO, *Rallye de* Prueba automovilística puntuable para el Campeonato del Mundo.

MONTEFORTE Toledo, *Mario* (nacido 1911) Novelista y político guat. Representante de su país en la ONU (1946). Vicepresid. de la rep. (1948). Exiliado en México tras el levantamiento derechista (1954). *Ente la piedra y la cruz, Una manera de morir, Mirada sobre Latinoamérica.*

MONTEJO, *Francisco de* (h. 1479-1553) Conquistador esp. En 1526 obtuvo autorización real para conquistar el Yucatán y Cozumel. La campaña, muy penosa, tropezó con la hostilidad de los pueblos mayas. Su gobierno despótico provocó protestas.

MONTEMAYOR, *Jorge de* (1520-1561) Poeta y novelista port., autor de *Los siete libros de la Diana*, la más ant. novela pastoril castellana.

MONTENEGRINO, NA adj. y s. De Montenegro.

MONTENEGRO Rep. federada de Yugoslavia, a orillas del mar Adriático y fronteriza con Bosnia-Herzegovina y Albania. Relieve montañoso (Alpes Dináricos). R. prales.: Lim, Piva y Tara, afl. del Drina. El lago Scutari sirve de límite con Albania. Costa recortada. Clima suave. Ganadería trashumante. Bauxita y carbón; salinas. Turismo. Cap.: Podgorica (ant. Titogrado). En 1878, el tratado de Berlín lo reconoció est. indep. Transformado en reino en 1910, formó parte de Yugoslavia desde 1918 hasta que en 1992, independizadas las demás rep., decidió seguir formando un nuevo est. yugoslavo junto con Servia.

MONTEPÍO m. Depósito de dinero formado gralte. por las contribuciones de los individuos de un cuerpo para socorrer a sus viudas y huérfanos para facilitarles auxilios en sus necesidades. • Establecimiento público o particular fundado con el mismo objeto. • Pensión que se recibe de un montepío.

MONTERA f. Mujer del montero. • Prenda para abrigo de la cabeza, que gralte. se hace de paño. • Cubierta de cristales sobre un patio, galería, etc. • Cubierta convexa que tapa la caldera de un alambique. • *Hond.* Borrachera. • *Mar.* Monterilla, vela.

MONTERDE, *Francisco* (1894-1985) Escritor mex., encuadrado en el grupo «colonialista». Como narrador, su primera etapa, de temática revolucionaria (*El madrigal de Cetina*), dio paso a la novela histórica (*Moctezuma, el de la silla de oro*). Además escribió *La máquina maldita, Oro negro* y *Proteo.*

MONTERÍA f. Caza mayor. • Arte de cazar.

MONTERÍA C. del N de Colombia, cap. del dpto. de Córdoba; 266 840 hab. Centro comercial, agropecuario y minero (oro y plata). Puerto fluvial sobre el Sinú. Aeropuerto.

MONTERO, RA m. y f. Persona que busca y persigue la caza en el monte.

MONTERO, *José Pío* (nacido 1927) Político par. Vicepresid. de la rep. (1916). Presid. provisional (1918-1920). • ***Juan Esteban*** (1879-1948) Político chil. Elegido presid. en 1931, fue derrocado por un golpe militar en 1932. • ***Lisardo*** (1832-1905) Marino y político per. Participó en la defensa de El Callao (1866) y en la guerra contra Chile. Presid. interino (1881-1883). • **Ríos, *Eugenio*** (1832-1914) Político esp., jefe del Partido Liberal a la muerte de Sagastá. Presidió la delegación que firmó el tratado de París con EE UU (1898). Presid. del consejo de ministros durante unos meses en 1905.

MONTERREY C. del NE de México, cap. del est. de Nuevo León; 1 108 499 hab. Sit. al pie de la sierra Madre Oriental, es centro de una región rica en recursos energéticos, foco pral. de la ind. pesada del país y centro de una ind. diversificada: textil, siderúrgica, química, metalúrgica (plomo, cinc, antimonio, bismuto), mecánica (maquinaria, automóviles, electrodomésticos), alimentaria, de bebidas (cerveza), del vidrio, etc. Recepción y distribución de productos petrolíferos. Mercado agrícola. Universidad. Aeropuerto. Fue fundada en 1596 y estuvo ocupada por EE UU durante la guerra de 1846-1848.

MONTERROSO, *Augusto* (nacido 1921) Escritor guat. *La oveja negra y demás fábulas, Movimiento perpetuo.* Premio Miguel Ángel Asturias (1997).

MONTES, *Eugenio* (1897-1982) Poeta y periodista esp., autor de poemas de tendencia ultraísta. *Elegías europeas.* • ***Ismael*** (1861-1933) Militar y político bol. Miembro del Partido Liberal, ocupó la presidencia de la rep. en 1904-1909 y 1913-1917. Durante su mandato se firmaron tratados fronterizos con Brasil y Chile. • ***Lola*** Seud. de *M.ª Dolores Eliza Gilbert* (1818-1861) Aventurera irl. Se convirtió en amante de Luis I de Baviera, quien le concedió títulos nobiliarios.

MONTESCO Familia de Verona, célebre en la tradición por su rivalidad con los Capuleto.

MONTESINOS, *Rafael* (nacido 1920) Poeta esp. Premio Nacional de Literatura. *Suma taurina de Rafael Alberti, Cancionero de tipo tradicional.*

MONTESQUIEU, *Charles Louis de Secondat,* BARÓN DE (1689-1755) Escritor y filósofo fr., crítico de la soc. de Luis XIV *(Cartas persas).* Interesado por los problemas del poder político y de las instituciones, escribió *El espíritu de las leyes* y elaboró la teoría de la división de poderes (ejecutivo, legislativo y judicial), que influiría en el pensamiento liberal de la Rev. Francesa y del s. XIX.

MONTESSORI, *Maria* (1870-1952) Educadora it., médica psiquiatra. Consideró globalmente que la educación era una obra de autoeducación basada en la actividad del niño en relación con sus necesidades. *El método de la pedagogía científica*, es punto de partida del mov. de la escuela activa.

MONTEVERDI, *Claudio* (1567-1643) Compositor it. Con él se inicia la evolución hacia el drama lírico. Las grandes reformas que experimentará la ópera en los siglos siguientes, se encuentran ya en *Orfeo*, su obra maestra junto con *La coronación de Popea* y *Magnificat.*

MONTEVIDEANO, NA adj. y s. De Montevideo.

MONTEVIDEO Dpto. de Uruguay, formado por la cap. hom. y sus aledaños; 530 km², 1 344 839 hab • C. de Uruguay, cap. del est. y del dpto. hom.; 1 344 839 hab. Centro adm., financiero y cultural del país. Sit. en el estuario del Río de la Plata, cuenta con el primer puerto del país. Es centro nac. de la ind. conservera de carne y su export. Construcción naval. Refino de petróleo. Nudo de comunicaciones. Universidad. Aeropuerto. Fue fundada en 1726, junto a una plaza fuerte edificada para frenar la expansión port. Quedan algunos restos del ant. recinto amurallado. El cabildo y la catedral son de estilo neoclásico.

Monterrey. Plaza de Zaragoza con la catedral

MONTFORT, *Simón,* CONDE DE (h. 1150-1218) Noble fr., jefe de la cruzada contra los albigenses. Venció a Pedro II de Aragón en la batalla de Muret (1213).

MONTGOLFIER, *Joseph Michel* (1740-1810) y ***Étienne*** (1745-1799) Ingenieros e industriales fr., inventores (1783) del globo aerostático que lleva su nombre.

MONTGOMERY C. de EE UU, cap. de Alabama, a orillas del río Alabama; 187 100 hab. Universidad. Mercado algodonero y de maderas duras.

MONTGOMERY, SIR ***Bernard Law*** (1887-1976) Mariscal brit., vencedor del mariscal al. Rommel en El Alamein (1942). En 1951 fue nombrado comandante adjunto de las fuerzas de la OTAN.

MONTHERLANT, *Henry de* (1896-1972) Escritor fr., defensor de una estética grandilocuente. *Los bestiarios, El maestre de Santiago.*

MONTI, *Vincenzo* (1754-1828) Escritor it., uno de los maestros del neoclasicismo. Su vertiente más válida es el teatro. *Aristodemo, Galeotto Manfredi* y *Cayo Graco.*

MONTIANO y Luyando, *Agustín* (1697-1764) Escritor esp. Fundó la Academia de la Historia y cultivó la crítica y el teatro neoclásicos. *Discursos sobre las tragedias españolas.*

MONTÍCULO m. Monte pequeño.

MONTIEL, *María Antonia Abad Fernández,* llamada ***Sara*** (nacida 1929) Actriz y cantante esp. *Locura de amor, Veracruz, El último cuplé.*

MONTILLA m. Vino de fina calidad que se cría y elabora en el término municipal de Montilla, Córdoba.

MONTMORILLONITA f. *Miner.* Silicato de aluminio, sodio y magnesio, del grupo de los minerales de la arcilla. Blanquecino, untuoso y de aspecto terroso.

MONTO m. Monta, suma de varias partidas.

MONTÓN m. Conjunto de cosas puestas sin orden unas encima de otras. • *Chile.* Castillejo, juego de niños. • fig. y fam. Número considerable. • **A m.** m. adv. fig. A bulto. • **A montones.** m. adv. fig. y fam. Abundantemente, excesivamente.

MONTONERA f. *Amér.* Tropa de jinetes insurrectos. • *Col.* Almiar, tresnal.

MONTONERO m. El que no teniendo valor para sostener una lucha cuerpo a cuerpo, la provoca cuando está rodeado a sus partidarios. • Individuo de la montonera. • *Amér.* Guerrillero.

MONTONEROS Organización política y guerrillera rev. de Argentina, constituida en 1966 por elementos procedentes de la extrema izquierda del peronismo.

Lola **Montes**

Vista panorámica de **Montevideo**

MONTORO, ***Rafael*** (1852-1933) Político cub. Diputado a cortes (1886). Secretario de Hacienda (1898). Secretario de la presidencia (1913-1921) y de Estado (1921-1925). *Discursos políticos y parlamentarios, informes y disertaciones.*
MONTPELIER C. de EE UU, cap. del est. de Vermont; 8 200 hab.
MONTPELLIER C. del SE de Francia, cap. de Languedoc-Roussillon y del dpto. de Hérault; 205 000 hab. Centro comercial de una rica región agrícola. Ind. alimentaria y textil. Universidad.
MONTPENSIER, ***Antonio María Felipe de Orléans,*** DUQUE DE (1824-1890) Quinto hijo del rey Luis Felipe I de Francia. Pretendiente al trono esp. en 1868, retiró su candidatura al matar en duelo al infante Enrique de Borbón.
MONTREAL *(Montréal)* C. del SE de Canadá, en la prov. de Quebec; 980 400 hab., de habla fr. en su mayoría. Está sit. entre el San Lorenzo y el Prairies, junto a la confluencia del primero con el Ottawa. Gracias al canal de San Lorenzo, su puerto llegó a ser el primero del país. Metalurgia, refino de petróleo, fabricación de caucho, hilados, pinturas. Aeropuerto. Universidades.
MONT-SAINT MICHEL Abadía benedictina de Francia, en el dpto. de La Manche. Está construida sobre un islote rocoso y unida a tierra firme por un dique.

Panorámica del centro urbano de **Montreal**

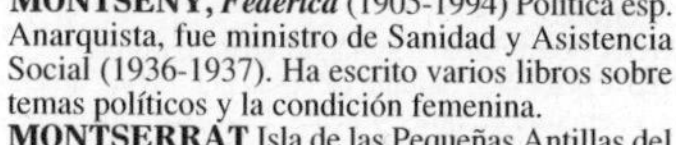

MONTSENY, ***Federica*** (1905-1994) Política esp. Anarquista, fue ministro de Sanidad y Asistencia Social (1936-1937). Ha escrito varios libros sobre temas políticos y la condición femenina.
MONTSERRAT Isla de las Pequeñas Antillas del grupo de las Leeward; 101 km^2, 11 500 hab. Cap., Plymouth. Algodón, plátanos, caña de azúcar. Descubierta por Colón en 1493. Colonia brit. En 1997 entró en erupción el volcán Soufrière.
MONTSERRAT Macizo rocoso de España, en la prov. de Barcelona. Ofrece formas pintorescas y picachos monolíticos. Monasterio benedictino.
MONTT, ***Jorge*** (1846-1922) Político y militar chil., hijo de Manuel M. Presid. del gobierno provisional que se oponía a Balmaceda (abril 1891), al triunfar la rebelión fue elegido presid. de la rep. (1891-1896). • ***Manuel*** (1809-1880) Político chil. Elegido presid. de la rep. en 1851, en 1856 fue reelegido. Obtuvo éxitos económicos, pero su política autoritaria le indispuso con los liberales y la defensa de los intereses estatales frente a la Iglesia le restó el apoyo conservador. Ante la alianza liberal-conservadora, M. fundó su propio partido, con el que triunfó en las elecciones de 1858. • ***Pedro*** (1849-1910) Político chil., hijo de Manuel M. Participó en la lucha contra Balmaceda. Fue presid. de la rep. en 1906-1910.
MONTUBIO, BIA adj. *Ecuad.* y *Perú.* Díc. del campesino de la costa. • *Ecuad.* y *Perú.* Inculto, rústico.
MONTUCA f. *Hond.* Tamal cuya masa es de maíz verde o elote.
MONTÚFAR, ***Carlos de*** (1780-1816) Patriota ecuat. Organizó la Junta Superior de Gobierno de Quito. En 1814 se unió a Bolívar, pero un año más tarde cayó prisionero de los realistas y fue fusilado. • ***Juan Pío de*** (1759-1818) **Marqués de Selva-Alegre**. Patriota ecuat., padre del anterior. Presidió la Junta Superior de Gobierno de Quito. Fue desterrado a Cádiz.

Narciso **Monturiol**

MONTUNO, NA adj. Relativo al monte. • *Cuba* y *Ven.* Rústico, grosero. • *Amér.* Salvaje, montaraz.
MONTURA f. Cabalgadura, bestia en que se cabalga. • Conjunto de los arreos de una caballería de silla. • Montaje, acción y efecto de montar. • Soporte mecánico de los instrumentos astronómicos destinados a la observación celeste. • Armadura en que se colocan los cristales de las gafas. • **acimutal.** *Astr.* La que permite mover el instrumento horizontal y verticalmente. • **ecuatorial.** *Astr.* La paraláctica que tiene círculos graduados para medir, por diferencia, las coordenadas del astro observado. • **paraláctica.** *Astr.* La que permite seguir el movimiento diurno de los astros mediante un solo movimiento rotatorio del telescopio.
MONTURIOL, ***Narciso*** (1819-1885) Físico esp. Emigró a Francia por difundir las ideas sociales de Cabet. Inventó el primer submarino, el *Ictíneo*.
MONUMENTO m. Obra de arquitectura, escultura o grabado, realizada para perpetuar el recuerdo de una persona o hecho memorable. • Túmulo o altar que el Jueves Santo se forma en las iglesias. • Objeto o documento de utilidad para la historia. • Obra científica, artística o literaria que se hace memorable por su mérito excepcional. • Sepulcro. • fig. y fam. Persona atractiva, de cuerpo bien proporcionado. ■ MONUMENTAL.
MONZA C. del N de Italia, en Lombardía, al N de Milán; 122 500 hab. Ind. mecánicas, textiles, de material eléctrico. Circuito automovilístico.
MONZÓN m. Viento periódico que sopla en ciertos mares, particularmente en Asia, unos meses en una dirección y otros en la opuesta. El m. de invierno es seco y frío, y el de verano, cálido y húmedo.
MONZÓN, ***Carlos*** (1942-1995) Boxeador arg. Campeón del mundo de los pesos medios en 1970, en cuya categoría se mantuvo hasta su retirada (1977). Fue procesado por presunto homicidio de su esposa (1988).
MOÑO m. Conjunto de pelo arrollado y sujeto detrás, encima o a los lados de la cabeza. • Lazo de cintas. • Grupo de plumas que sobresale en la cabeza de algunas aves. • *Chile.* Copete del cabello. • fig. *Chile.* Cima de algunas cosas. • pl. Adornos superfluos o de mal gusto que usan las mujeres.
MOOCK, ***Armando*** (1894-1943) Escritor chil. En una primera etapa la temática se centra en la vida de Chile *(Pueblecito)*; en una segunda, argentina *(La serpiente, Rigoberto)*, es más cosmopolita y fértil.
MOORE, ***George*** (1852-1933) Novelista irl., uno de los restauradores de la literatura irl. *Hail and Farewell, Afrodita en Áulide.* • ***George Edward*** (1873-1958) Filósofo brit., uno de los fundadores de la llamada escuela analítica de Cambridge. *Estudios filosóficos, Principia ethica.* • ***Henry*** (1898-1986) Escultor brit. Su obra y su estética sugieren estilos que van desde Brâncusi al surrealismo. Premio de la Bienal de Venecia (1948). *La Virgen con el Niño, Tres personajes de pie, Grupo de familia, Silueta en reposo.* • ***Standford*** (1913-1982) Bioquímico norteam. Premio Nobel de Química en 1972, con Anfinsen y Stein, por sus trabajos sobre los hidratos de carbono y la estructura química de las proteínas.
MOQUEGUA Dpto. del S de Perú, ribereño del Pacífico; 15 813 km^2, 137 700 hab. Cap., la c. hom. Nudo de comunicaciones. En su territorio se distinguen, de N a S, elevaciones superiores a 5 500 m, plataformas de la cord. Occidental de los Andes, los valles del Moquegua y del Tambo, las palmas de Clemesí y Candave y la llanura litoral del Pacífico. Cereales, algodón, caña de azúcar, viñedos. Ganadería. • C. de Perú, cap. del dpto. hom.; 38 837 hab. Minas de cobre de Toquepala Cuajone, Quillaveco.
MOQUEO m. Secreción nasal abundante.
MOQUERO m. Pañuelo para limpiarse los mocos.
MOQUETA f. Tela de lana, cuya trama es de cáñamo, y de la cual se hacen alfombras y tapices.
MOQUETE m. Puñetazo dado en el rostro, especialmente en las narices.
MOQUETEAR tr. Dar moquetes. • intr. fam. Moquear frecuentemente.
MOQUILLO m. Enfermedad catarral de algunos animales, especialmente perros y gatos jóvenes. • Pepita de las gallinas. • *Ecuad.* Nudo corredizo que sujeta el labio superior del caballo para domarlo.
MOQUITA f. Moco claro que fluye de la nariz.
MOQUITEAR intr. Moquear, especialmente llorando.

MOR m. Aféresis de amor. • **Por m. de.** loc. Por amor de, a causa de.
MORA, *Francisco de* (1560-1611) Arquitecto esp., discípulo de Juan de Herrera. Trabajó en El Escorial (galería de los Convalecientes). Urbanizó la c. de Lerma (Burgos). • ***José de*** (1642-1724) Escultor imaginero esp. Estuvo al servicio de Carlos II (1671-1680) y de Pedro de Mena. • ***José Joaquín*** (1783-1864) Escritor esp. Colaborador de Rivadavia en Argentina y secretario de Santa Cruz en Bolivia. Redactor de la constitución del Est. chil. *Leyendas españolas*. • ***José María Luis*** (1794-1850) Escritor y político mex. Embajador en Londres (1847). Impulsor de la reforma de la enseñanza durante el mandato de Gómez Farias (1833). *México y sus revoluciones*. • **Fernández, *Juan*** (1784-1854) Político cost. Primer jefe de Est. después de la indep. (1824-1829 y 1829-1833). Vicepresid. (1837). Desterrado en 1838, tras el golpe de Est. de B. Carrillo. • **Porras, *Juan Rafael*** (1814-1860) Político cost. Presid. (1850-1853 y 1853-1859). Fue derrocado y ejecutado.
MORABITO m. Mahometano que profesa cierto estado religioso, parecido al de los anacoretas o ermitaños cristianos. • Especie de ermita, situada en despoblado, en que vive un morabito.

La Virgen con el Niño, óleo de Luis de **Morales.** Museo del Prado. Madrid

MORÁCEO, A adj. y f. *Bot.* Díc. de árboles y arbustos de la familia moráceas. • f. pl. *Bot.* Familia de plantas angiospermas dicotiledóneas, arbustivas, laticíferas, con hojas alternas, flores en inflorescencias unisexuales y frutos en aquenio. Comprende un centenar de especies, gralte. propias de los países cálidos.
MORACHO, CHA adj. y s. Morado bajo.
MORADABAD C. de la India, en el est. de Utthar Pradesh; 330 100 hab. Ind. textil.
MORADO, DA adj. y s. De color entre carmín y azul. • f. Casa o habitación. • Estancia de asiento o residencia algo continuada en un lugar.
MORADUX m. Almoradux, mejorana, hierba.
MORAES, *Vinicius de* (1909-1980). Poeta y cantante bras., intérprete de sus propias obras.
MORAGA f. o **MORAGO** m. Manojo que forman las espigaderas.
MORAGADA f. Torrefacción de las piñas para facilitar la extracción de los piñones.
MORAIS, *Francisco de* (h. 1500-1572) Novelista port., probable autor del *Palmerín de Inglaterra*. • ***Prudente José de*** (1841-1902) Político bras. Presid. del senado (1891-1894). Primer presid. civil de la rep. (1894-1898).
MORAL adj. Relativo a las costumbres o a las reglas de conducta. • Que es de la apreciación del entendimiento o de la conciencia. • Que no concierne al orden jurídico, sino al ámbito de la conciencia personal. • f. Ética. • Conjunto de facultades del espíritu, por contraposición a físico. • Estado de ánimo, individual o colectivo. • m. *Bot.* Planta arbórea de la familia moráceas, con hojas acorazonadas y denticuladas y frutos reunidos en infrutescencias (moras) de color rojo. De sus frutos se fabrican jarabes y zumos, y de la corteza, medicamentos purgantes y vermífugos. • *Ecuad.* Árbol tropical, de la familia moráceas, cuya madera se emplea en construcción.
MORALEJA f. Enseñanza moral que se deduce de una fábula o cuento y que se condensa al final de ellos.
MORALES, *Agustín* (1810-1872) Militar y político bol. Presid. provisional tras el derrocamiento de Melgarejo (1871). Elegido presid. en las elecciones de 1872, murió asesinado poco después. • ***Ambrosio de*** (1477-1591) Historiador esp. Terminó la *Crónica general de España* iniciada por Ocampo. • ***Andrés de*** (1477-1517) Navegante y cartógrafo esp. Formó parte del tercer viaje de Colón (1498). Cartografió las Antillas. Autor de *Carta de marear a las Indias occidentales*. • ***Luis de*** (1510-1576) Pintor esp. su obra refleja la influencia de los maestros italianos, en particular de Rafael, y flamencos. • **Bermúdez, *Francisco*** (nacido 1921) Militar y político per. Ministro de Hacienda y Comercio con Belaúnde Terry, y de Economía con Velasco Alvarado (1968-1974). Presid. (1975-1980), tras el golpe de Est. que derribó a Velasco Alvarado. • **Bermúdez, *Remigio*** (1836-1894) Militar y político per. Presid. de la rep. en 1890. Reprimió los mov. en favor de Piérola. • **Languasco, *Carlos F.*** (1864-1914) Militar dom. Jefe del Est. en 1903. Presid. (1904-1906) Concedió a los EE UU la administración de aduanas. Fue derrocado. • **Y Morales, *Vidal*** (1848-1904) Historiador y erudito cub. *Iniciadores y primeros mártires de la revolución cubana*.
MORALIDAD f. Actitud, comportamiento o ideas acordes con el código moral de una sociedad. • Cualidad de aquellas acciones humanas que están en conformidad con las reglas de la moral. • Moraleja.
MORALISMO m. Doctrina filosófica o religiosa en la que prevalece un criterio moral.
MORALISTA com. Profesor de moral. • Autor de obras de moral. • Persona que estudia moral. • fig. Persona que gusta de hacer reflexiones morales. • m. Clérigo que se ordena sin haber estudiado más que latín y moral.
MORALIZAR tr. y prnl. Reformar las costumbres, adecuándolas a las normas morales. • tr. Discurrir sobre un asunto haciendo reflexiones morales. ■ MORALIZACIÓN.
MORAND, *Paul* (1888-1976) Escritor fr., autor de libros de viajes y novelas cosmopolitas. *La dulce Francia, Sólo la Tierra, Nueva York*.
MORANTE, *Elsa* (1918-1985) Escritora it. *Mentira y sortilegio, La isla de Arturo*.
MORANZA f. Estancia o residencia continuada en un lugar.
MORAPIO m. fam. Vino, especialmente el tinto.
MORAR intr. Habitar, residir en un lugar. ■ MORADOR, RA.
MORATÍN, *Leandro Fernández de* (1760-1828) Dramaturgo esp. El más caracterizado representante del neoclasicismo fr. en versión ibérica. *El sí de las niñas, La comedia nueva, Los orígenes del teatro español*. • ***Nicolás Fernández de*** (1737-1780) Escritor esp., hermano del anterior. Sus romances y quintillas rebosan casticismo. *Fiesta de toros en Madrid, A Pedro Romero*.
MORATO adj. Díc. de una variedad de trigo cuyo grano es de color oscuro.
MORATORIA f. Plazo que se otorga para solventar una deuda vencida.
MORATORIO, *Orosmán* (1852-1898) Escritor ur., llamado JULIÁN PERUCHO. Fundador de la revista *El ombú, Juan Soldao, Patria y amor, Décimas*.
MORAVA Río de la rep. Checa, Eslovaquia y Austria; 378 km. Nace en los montes Jesenik y desemboca en el Danubio, cerca de Bratislava. • Río de Servia, afl. del Danubio; 245 km. Está formado por la unión de los M. Occidental y Meridional.
MORAVIA (checo, *Morava*; al., *Mähren*) Región oriental de la rep. Checa, dividida en dos prov.: M. Septentrional (11 067 km^2), cap. Ostrava, y M. Meridional (15 028 km^2), cap. Brno. Su pob. es de 4 009 600 hab. Límite al E con los Cárpatos occi-

Henry **Moore**

Leandro Fernández de **Moratín,** por Goya

dentales y al O con las colinas de M. Bañada por el río Morava. Clima templado. Gran riqueza agrícola, minera e industrial. Grandes yacimientos de carbón al S.

MORAVIA, *Alberto* (1907-1990) Seud de *Alberto Pincherle*, novelista it. Narrador nato, con fondo polémico y satírico, singularmente acre y sincero, su obra es eminentemente ética y social: *Los indiferentes, El amor conyugal, La romana, La noche de Don Juan, El conformista, El hombre que mira.*

MORAVO, VA adj. y s. De Moravia.

MORAVOS, *hermanos* Ant. disidencia protestante, nacida en Bohemia en el s. XV tras la división de los husitas. Los m. conceden suma importancia al culto y a la oración, cotidiana en común.

MORAY m. *Hond.* Roble.

MORAY o **MURRAY, *James Stuart*** CONDE DE (1531-1570) Estadista escocés, hijo natural de Jacobo V. A la abdicación de María Estuardo, fue designado regente y derrotó a las fuerzas reales en Langside (1568). Murió asesinado.

El jinete escocés, óleo de Gustave **Moreau**

MORAZÁN Dpto. de El Salvador; 1 447 km^2, 172 569 hab. Cap., San Francisco Gotera. Fronterizo con Honduras. Está accidentado por las estribaciones de la cord., Centroamericana y avenado por el río Torola. Henequén, café, caña de azúcar, cacao. Oro y plata.

MORAZÁN, *Francisco* (1792-1842) Militar y político centroamericano, originario de Honduras. Intervino en la guerra civil centroamericana. Presid. de la Confederación Centroamericana (1830-1834 y 1835-1839). En 1842 derrocó al cost. Carrillo, pero sus esfuerzos por mantener la Confederación terminaron con una derrota y fue fusilado en San José.

MORBIDIDAD o **MORBILIDAD** f. Proporción de personas que enferman en un sitio y tiempo. • Estudio de los efectos de una enfermedad en una población.

MÓRBIDO, DA adj. Que padece enfermedad o la ocasiona. • Blando, delicado, suave. ■ MORBIDEZ.

MORBÍFICO, CA adj. Que lleva consigo el germen de las enfermedades o las ocasiona.

MORBO m. Enfermedad.

MORBOSIDAD f. Calidad de morboso. • Conjunto de casos patológicos que caracterizan el estado sanitario de un país.

MORBOSO, SA adj. Enfermo. • Que causa enfermedad, o concierne a ella. • Que revela un estado físico o psíquico insano.

MORCAJO m. Mezcla de trigo y centeno.

MORCEGUILA f. Excremento de los murciélagos.

MORCELLA f. Chispa que salta del pabilo de una luz.

MORCIGUILLO m. Murciélago.

MORCILLERO, RA m. y f. Persona que hace o vende morcillas. • fig. y fam. Actor que suele añadir morcillas. • fig. *Cuba.* Mentiroso.

MORCILLO, LLA adj. Aplícase al caballo o yegua de color negro con viso rojizo. • m. Parte alta, carnosa, de las patas de los bovinos. • f. Trozo de tripa rellena de sangre cocida y condimentada. • Tripa envenenada con que se mataba a los perros. • fig. y fam. Añadidura de frases que hace un actor en su papel. • *Cuba.* Mentira. • **Dar m.** Matar con morcilla envenenada. • Causar daño.

MORCILLÓN m. Morcilla hecha con estómago de cerdo, carnero u otro animal.

MORCÓN m. Morcilla hecha del intestino ciego o parte más gruesa de las tripas del animal. • Bandujo, embutido. • fig. y fam. Persona gruesa, pequeña y floja. • fig. y fam. Persona sucia y desaseada.

MORDAGA f. fam. Borrachera.

MORDAZ adj. Que corroe o tiene actividad corrosiva. • Áspero, picante al paladar. • fig. Que critica con acritud o malignidad. • fig. Que hiere u ofende con ironía o intención punzante. • fig. Propenso a la mordacidad. ■ MORDACIDAD.

MORDAZA f. Instrumento que se pone en la boca para impedir hablar. • Aparato empleado en algunos montajes con objeto de disminuir el retroceso de las piezas de artillería. • *Mar.* Máquina que detiene e impide la salida de la cadena del ancla. • *Mec. apl.* Parte de los frenos de tambor que por acción mecánica o eléctrica produce el frenado al presionar sobre la pieza móvil. • *Vet.* Instrumento con el que se sujeta la parte alta del escroto, para evitar derrames en la castración.

MORDENTE m. Mordiente, sustancia que se emplea para fijar los colores. • *Mús.* Adorno del canto, que consiste en una doble apoyatura. • *Mús.* Adorno que consiste en acompañar una nota de otras muy ligeras.

MORDER tr. Asir y apretar con los dientes una cosa clavándolos en ella. • Mordicar. • Asir una cosa a otra, haciendo presa en ella. • Gastar poco a poco. • Corroer el agua fuerte la parte dibujada de la plancha o lámina que se somete a la acción de ella. • fig. Murmurar, satirizar. • fig. *Cuba.* Engañar, estafar. ■ MORDEDOR, RA; MORDEDURA.

MORDICAR tr. Picar o punzar como mordiendo. ■ MORDICACIÓN; *Chile* y *Méx.* MORDIDURA; MORDIMIENTO.

MORDIDO, DA adj. y f. Menoscabado, incompleto. • f. Mordedura. • *Bol., Col., Méx., Nic.,* y *Pan.* Dinero o provecho obtenido de un particular por un empleado o funcionario, abusando de sus atribuciones.

MORDIENTE adj. Que muerde. • m. Producto químico capaz de fijar sustancias (colorantes o no) sobre fibras textiles, cuero y otros materiales.

MORDIHUÍ m. Gorgojo, insecto.

MORDISCO m. Mordedura, acción y efecto de morder. • Mordedura leve. • Pedazo que se saca de una cosa al morderla. • fig. Parte que se saca de un asunto o negocio.

MORDISCÓN m. *Amér.* Mordisco.

MORDISQUEAR tr. Morder repetidamente, con poca fuerza o sacando partes pequeñas.

MORDOVIA → Mordvinia.

MORDVÁ adj. y s. Mordvino.

MORDVINIA *(Mordovija)* Rep. autónoma de Rusia, en el sector europeo de este estado; 26 200 km^2, 964 000 hab. Cap., Saransk. Está sit. en la cuenca media del Volga. Clima continental. Trigo, patatas, cáñamo, lino. Ganadería. Ind. mecánicas, madereras, del papel, alimentarias.

MORDVINO, NA o **MORDOVIANO, NA** adj. y s. Díc. del individuo de un pueblo de lengua finougria que vive en la región del Volga medio, en la rep. de Mordvinia. • adj. Relativo a este pueblo. • m. pl. Este mismo pueblo.

MOREA → Peloponeso.

MOREAU, *Gustave* (1826-1898) Pintor y dibujante fr., uno de los máx. representantes del simbolismo. Se distinguió también en la ilustración de fábulas. *Los unicornios, Júpiter y Semele, Orfeo.* • ***Jeanne*** (nacida 1928) Actriz cinematográfica y teatral fr. Su sensibilidad, unida a un sugestivo erotismo, la convirtió en actriz predilecta de la *Nouvelle Vague. Los amantes, Jules et Jim, Campanadas a medianoche, ¡Viva María!*

MOREDA f. Moral, árbol. • Sitio poblado de moreras.

MOREL DE SAL m. Cierto color morado carmesí, que sirve para pintar al fresco.

MOREL-FATIO, *Alfred* (1850-1924) Hispanista fr. Colaborador de la revista *Romania. Estudios sobre España, España en los siglos* XVI y XVII.

MORELIA C. de México, cap. del est. de Michoacán; 619 958 hab. Universidad. Centro de una rica región agrícola y ganadera. Cuenta además con ind. químicas, textiles y alimentarias. Aeropuerto. Monumentos de época colonial. Su nombre actual le fue impuesto en recuerdo de José Mª. Morelos y Pavón.

MORELOS Est. del centro de México; 4 941 km², 1 552 878 hab. Cap., Cuernavaca. C. prales.: Cuautla y Zacatepec. El terreno, accidentado al N por la sierra de Ajusco, desciende de forma escalonada hacia el S, donde forma parte de la depresión del Balsas. El clima varía según la alt. El sistema económico está basado pralm. en la agricultura (azúcar, arroz, maíz y frutos). Ganadería. Plata y cinabrio. Ind. poco desarrollada. Fue en el est. de M. donde Emiliano Zapata inició sus actividades revolucionarias en 1909.

MORELOS y Pavón, *José M.ª* (1765-1815) Héroe de la indep. de México. Mestizo, de modesto origen, en 1810 se unió a Hidalgo. Después de tomar Oaxaca y Acapulco (1813), convocó el Congreso que en Chilpancingo proclamó la indep. de México y elaboró una constitución provisional. Tras la llegada de nuevos contingentes de la metrópoli, la situación cambió radicalmente y M. fue vencido, hecho prisionero y fusilado.

MORENA, *Sierra* Cord. del S de España. De E a O, las sierras más imp. son: sierra Madrona, sierra de Alcudia, sierra de Tudia y sierra de Aracena.

MORENEZ f. Calidad de moreno.

MORENO, NA adj. Aplícase al color oscuro que tira a negro. • Se aplica a aquellas cosas cuyo color es de un tono más oscuro que el normal en su especie. • Hablando del color del cuerpo, el menos claro en la raza blanca. • adj. y s. fig. y fam. Negro, persona de esta raza. • fam. *Cuba.* Mulato. • f. *Zool.* Pez anguiliforme, de los mares templados y cálidos de todo el mundo. Comestible, muy agresiva; su mordedura, muy dolorosa, puede ser fatal, pues su saliva es tóxica. • Hogaza o pan moreno. • Montón de mieses que, una vez segadas, quedan en el campo. • Acumulación de piedras y barro transportados por un glaciar.

MORENO Partido de Argentina en la prov. de Buenos Aires; 194 400 hab.

MORENO, *Francisco P.* (1852-1919) Geógrafo, antropólogo y explorador arg., conocido con el nombre de PERITO MORENO. Exploró la Patagonia, sus ríos y sus lagos. • ***Mariano*** (1778-1811) Abogado y estadista arg., secretario de la primera junta de gobierno (1810), de la que fue pral. inspirador. • ***Mario*** → Cantinflas. • ***Pedro*** (1775-1817) Héroe de la independencia mex., fusilado por los esp. • **Carbonero, *José*** (1860-1942) Pintor esp., especializado en temas históricos y literarios (*El príncipe de Viana,* escenas del *Quijote*). • **Escandón, *Francisco Antonio*** (1736-1792) Administrador colonial esp. fiscal de la Audiencia de Lima (1780-1785). Regente de la Audiencia de Santiago de Chile (1789). *Plan o método provisional de estudios.* • **Villa, *José*** (1887-1955) Poeta esp. Exponente de las corrientes surrealistas. *El pasajero, Jacinta la pelirroja.* Vivió exiliado en México desde 1937.

MORERA f. Árbol de tronco recto no muy grueso, de 4 a 6 m de alt., copa abierta, hojas ovales, obtusas, dentadas o lobuladas, y flores verdosas. ■ MORERAL.

MORERÍA f. Barrio de una ciudad que, en España, habitaban mudéjares o moriscos. • País o territorio propio de moros.

MORET y Prendergast, *Segismundo* (1838-1913) Político esp. Ministro de Ultramar con Prim. Abolió la esclavitud en Puerto Rico (1870). Presid. del gobierno en varias ocasiones (1905, 1906, 1909).

MORETE m. *Amér. Centr.* y *Méx.* Moretón, cardenal.

MORETEADO, DA adj. Que tiene moretones. • Amoratado.

MORETO y Cavana, *Agustín de* (1618-1669) Sacerdote y comediógrafo esp. Con Rojas Zorrilla, el más calificado representante de la escuela calderoniana. *El desdén con el desdén, El lindo don Diego.*

MORETÓN m. fam. Equimosis, cardenal.

MORFA f. Hongo parásito que ataca las hojas y ramas de los naranjos y limoneros.

Detalle de *Andanzas de Don Quijote,* de José **Moreno Carbonero**

MORFEMA m. *Ling.* Unidad morfológica mínima. En un sentido amplio, se consideran como m. todos los derivativos, así como las partes de la oración que no pueden incluirse en las categorías de nombre o verbo.

MORFEO *Mit. gr.* Dios de los sueños, hijo de la Noche y del Sueño.

MORFINA f. Alcaloide que se obtiene del opio. Cuando es pura se presenta en forma de cristales blancos insolubles en agua. Crea hábito, por lo que su utilización en medicina está muy restringida, aunque se utiliza como analgésico y espasmolítico.

Morera

MORFINISMO m. Estado morboso producido por el abuso de la morfina o del opio.

MORFINOSMANÍA f. Hábito de tomar morfina para conseguir un estado de euforia. A largo plazo, provoca alteraciones físicas y psíquicas. ■ MORFINÓMANO, NA.

MORFISMO m. *Mat.* Aplicación entre dos estructuras que conserva las operaciones en ellas definidas o es compatible con ellas.

MORFOGÉNESIS f. *Biol.* Conjunto de fenómenos dinámicos que transcurren desde la formación de la célula huevo hasta la constitución del individuo adulto.

MORFOLOGÍA f. *Biol.* Ciencia que tiene por objeto el estudio y la descripción de los caracteres somáticos de las especies vegetales y animales. • *Geol.* Ciencia que estudia las formas externas del relieve terrestre. • *Ling.* Parte de la gramática que trata de la forma de las palabras y, por ello, también del → morfema. ■ MORFOLÓGICO, CA.

Segismundo **Moret y Prendergast**

MORFOSINTAXIS f. *Ling.* Parte de la gramática que agrupa las tradicionales morfología y sintaxis, estudiándolas como un todo sin posibilidad de independencia.

MORFOSIS f. Fenómeno periódico del desarrollo de algunos animales que se manifiesta en la muda del envoltorio, tegumento o piel, como en cangrejos, culebras, etc.

MORGAGNI, *Giambattista* (1682-1771) Anatomista it., creador de la anatomía patológica.

MORGAN, *Augustus de* (1806-1871) Matemático y lógico brit. Su *Lógica formal* constituye un precedente de la lógica matemática de Boole. • SIR ***Henry John*** (1635-1688) Corsario ing. Destruyó Puerto Príncipe y Porto Bello (1668) y arrasó Panamá (1671). Nombrado por Carlos II lugarteniente gral. de Jamaica (1674). • ***John Pierpont*** (1837-1913) Financiero norteam. Obtuvo fabulosas ganancias con la ind. del acero y los ferrocarriles. • ***Lewis Henry*** (1818-1881) Antropólogo norteam. Creador de la teoría evolucionista en antropología cultural. Apoyó sus esquemas teóricos en trabajos de campo. Su obra *La sociedad primitiva* fue utilizada por Marx y Engels en apoyo de las tesis del materialismo histórico. • ***Thomas Hunt*** (1866-1945) Biólogo norteam. Premio Nobel de Medicina en 1933 por sus estudios sobre las mutaciones, la localización de los genes en los cromosomas y la fisiología propia del gen.

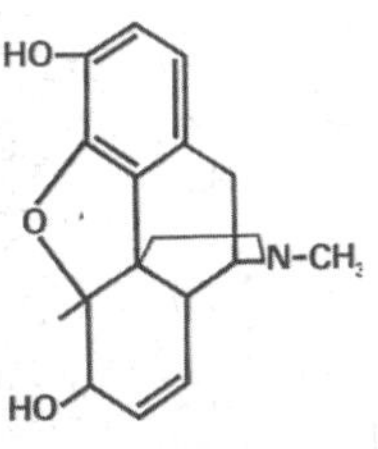

Morfina

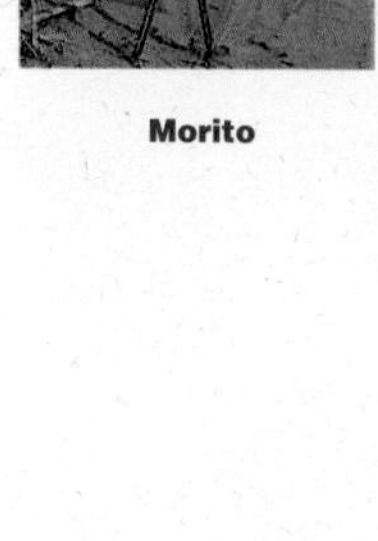

Morito

Templo **mormón** en Salt Lake City, Utah (EE UU)

MORGANA *(Morrigan) Mit.* Diosa celta de la guerra, que tenía la facultad de ver el porvenir y devoraba a los guerreros muertos en el combate.

MORGANÁTICO, CA adj. Díc. de un determinado tipo de → matrimonio. • Se aplica al que contrae este matrimonio.

MORGUE (voz fr.) f. Depósito judicial de cadáveres.

MORICHE m. *Amér.* Árbol de la familia de las palmas. De su tronco se saca un licor azucarado potable y una fécula alimenticia, y de la corteza se hacen cuerdas muy fuertes. • *Amér.* Pájaro domesticable, de pluma negra y luciente y muy estimado por su canto. ■ MORICHAL.

MORIEGO, GA adj. Moruno, moro.

MORIGERACIÓN f. Templanza en las costumbres y modo de vida.

MORIGERAR tr. y prnl. Moderar los excesos de los afectos y acciones. ■ MORIGERADO, DA.

MORIGUCHI C. de Japón, en la isla de Honshu; 159 400 hab.

MÖRIKE, *Eduard* (1804-1875) Escritor al., uno de los mejores poetas posrománticos. *El pintor Nolten, Viaje de Mozart a Praga.*

MORILES m. Vino de fina calidad que se cría y elabora en el mun. esp. de Moriles (Córdoba).

MORILLA f. Cagarria, hongo.

MORILLERO m. Mochil.

MORILLO m. Caballete que se pone en el hogar de la chimenea para sustentar la leña.

MORILLO, *Pablo* (1775-1837) General esp. Participó en la guerra de la indep. esp. Terminada la campaña, luchó contra los insurgentes amer. Derrotado por Bolívar en Boyacá, firmó el armisticio de Trujillo (1820).

MORINGA f. *Cuba.* Coco, fantasma.

MORINGÁCEO, A adj. y f. *Bot.* Díc. de plantas de la familia moringáceas. • f. pl. *Bot.* Familia de plantas dicotiledóneas arbóreas, propias del Asia tropical. Presentan hojas pinnadocompuestas, flores hermafroditas reunidas en racimos y frutos en cápsula.

MORÍNIGO, *Higinio* (1897-1983) Militar y político par. Presid. de la rep. (1940-1948), el descontento originado por su autoritarismo le obligó a exiliarse.

MORIOKA C. de Japón, en la isla de Honshu, cap. de la prefectura de Iwate; 235 400 hab. Centro comercial.

MORIR intr. y prnl. Acabar la vida. • intr. fig. Acabar del todo cualquier cosa, aunque no sea viviente ni material. • fig. Sentir violentamente algún afecto, pasión u otra cosa. • intr. y prnl. fig. Hablando del fuego, la luz, etc., apagarse o dejar de arder. • intr. fig. Cesar una cosa en su curso o acción. • fig. En algunos juegos, se dice de los lances o manos que, por no saber quién los gana, se dan por no ejecutados. • fig. En el juego de la oca, dar con los puntos del dado a la casilla donde está pintada la muerte. • fig. Entorpecerse o quedarse insensible un miembro del cuepro. • **Morir** o **morirse** uno **por** una persona o cosa. fig. Amar en extremo a aquélla, o ser muy aficionado a ésta. • **Morir** uno **vestido.** fig. y fam. Morir violentamente. • **¡Muera!** interj. con que se manifiesta aversión a una persona o cosa, o el propósito de acabar con ella. ■ MORIBUNDO, DA.

MORISCO, CA adj. Moruno, moro. • adj. y s. Díc. de los moros que al tiempo de la restauración de España se quedaron en ella bautizados. • adj. Relativo a este grupo social. • ajd. y s. *Méx.* Díc. del descendiente de mulato y europea, o de mulata y europeo. • adj. y s. *Amér. Centr.* Díc. del gato de color gris con manchas oscuras. • adj. *Chile.* Díc. de la caballería que no engorda aunque se alimente bien.

* *Hist.* Al comienzo de la Edad Moderna los m. eran unos 700 000, radicando sobre todo en Granada y Valencia. Su situación social fue empeorando con el tiempo. Una sublevación, en las Alpujarras (1568), pudo ser sofocada, no sin largos años de lucha, y Felipe III decidió su expulsión (1609). A consecuencia de tal medida tuvieron que partir unas 300 000 personas, que se repartieron por los países norteafricanos.

MORISMA f. Los moros, considerados en conjunto. • Multitud de moros.

MORISQUETA f. Ardid o treta propia de moros. • Arroz cocido con agua y sin sal. • *Amér.* Mueca, mohín, carantoña.

MORITO m. Especie africana de ibis, que se halla también en el sur de Europa. Tiene plumaje castaño, casi negro, y vive en marismas y carrizales.

MORLACO, CA adj. y s. Díc. del individuo de un pueblo eslavo que se estableció h. el s. V en la costa oriental del Adriático, al S de Istria (Croacia). Actualmente son unos 80 000 individuos. • Relativo a este pueblo. • adj. y s. Díc. del toro grande. • Que se finge ignorante. • m. *Amér.* Patacón, peso duro. • m. pl. Pueblo morlaco.

MORLANES, *Gil de,* llamado EL VIEJO (h. 1450-h. 1517) Escultor esp. introductor del renacimiento escultórico en Aragón. Retablo de Montearagón y portada de Santa Engracia (Zaragoza).

MORLÓN, NA adj. y s. Morlaco, tonto.

MORMÓN, *Libro de* Escrito que los mormones tienen por la palabra de Dios, tan autorizada como la Biblia. Contiene la historia de América desde su colonización por Yared (Jared).

MORMONISMO m. *Rel.* Nombre vulgar de la Iglesia de Jesucristo de los Santos del Último Día. • Conjunto de máximas y ritos de esta secta. Los seguidores del m. creen en la revelación continua. Para ellos Dios se ha revelado en la Biblia, el *Libro de Mormón*, etc., y sigue revelándose a través de la jefatura de su Iglesia, cuando es correcta. ■ MORMÓN, NA; MORMÓNICO, CA.

MORMULLAR intr. Murmurar. ■ MURMULLO.

MORO, RA adj. y s. Del África septentrional. • adj. Perteneciente a esta parte de África o a sus naturales, y, p. ext. mahometano. • adj. y m. Díc del indígena de Mindanao y de otras islas de Malasia. • adj. Díc. del caballo yegua de pelo negro con una estrella o mancha blanca en la frente y calzado de una o de dos extremidades. • *Hond.* Díc. del caballo tordo. • fig. y fam. Aplícase al vino que está aguado. • fig. y fam. Díc. del que no ha sido bautizado. • **de paz.** fig. Persona que tiene disposiciones pacíficas. • **Moros y cristianos.** Fiesta pública que se ejecuta vistiéndose algunos con trajes de moros y fingiendo batalla con los cristianos. • **Haber moros en la costa.** fig. y fam. Ser necesario, tomar precauciones, disimular u obrar con cautela. • f. *Der.* Dilatación en cumplir una obligación. • En prosodia, unidad de medida de la cantidad, equivalente a una sílaba breve. • Infrutescencia comestible del moral. • Fruto de la morera, parecido al anterior, pero de la mitad de su tamaño, de color amarillento y enteramente dulce. • Fruto de la zarzamora. • Fresa silvestre. • *Hond.* Frambuesa, chordón, churdón. ■ MORUNO, NA.

MORO, *Aldo* (1916-1978) Político it. Afiliado a la Democracia Cristiana, llegó a la secretaría general de su partido en 1959. Constituyó el primer gobierno de coalición con los socialistas (1963-1964), al que siguieron dos más. En 1978, lejos ya del poder, fue secuestrado y asesinado por las Brigadas Rojas. • ***Antonio*** (h. 1519-1576) Nombre castellanizado del pintor hol. *Anthonis Mor van Dashorst.* Pintor de cámara de Felipe II. *María Tudor, Felipe II, María de Austria, El enano de Granvela.* • **César** (1904-1955) Escritor per., surrealista. Escribió pralte. en fr. *El castillo de grisú. Trafalgar Square, Amor a muerte.*

MOROCHO, CHA adj. y m. Díc. de una variedad amer. de maíz. • adj. fig. y fam. *Amér.* Tratándose de personas, robusto, bien conservado. • fig. *Argent., Chile* y *Ur.* Moreno. • *Ven.* Gemelo, mellizo.

MOROJO m. Madroño, fruto.

MOROLO, LA adj. *Hond.* Sencillo, de cortos alcances.

MORÓN m. Montecillo de tierra.

MORÓN Partido de Argentina, en la prov. de Buenos Aires; 598 400 hab. • C. de Cuba, en la prov. de Ciego de Ávila; 40 400 hab.

MORONA f. *Col.* Migaja de pan.

MORONA Río de Ecuador y Perú; 400 km. Nace en Ecuador y se interna en Perú, donde desemboca en el Marañón.

MORONA SANTIAGO Prov. de Ecuador, sit. en la región Amazónica; 25 690 km^2, 84 216 hab. Cap., Macas. En su configuración geográfica destacan el valle de Upano, la cord. de Cutucú y la llanura ama-

zónica. R. prales.: Morona, Santiago, Upano. Clima tropical-húmedo. Cereales, tubérculos, maderas. Ganadería bovina.
MORONDANGA f. fam. Mezcla de cosas inútiles y de poca entidad. • Enredo, confusión. • **De m.** Despreciable, de poco valor.
MORONDO, DA o **MORONCHO, CHA** adj. Pelado o mondado de cabellos o de hojas.

Metgen, la mujer del pintor, retrato de Antonio **Moro.** Museo del Prado, Madrid

MORONES, *Luis Napoleón* (1890-1963) Sindicalista mex. Secretario gral. de la Confederación Regional del Obrero Mexicano y fundador del Partido Laborista. Ministro de Industria, Comercio y Trabajo (1924-1928), dimitió al ser asesinado Obregón.
MORONGA f. *Amér. Centr.* y *Méx.* Morcilla, salchicha.
MORONÍA f. Alboronía, guiso.
MOROPORÁN m. *Hond.* Nombre de una planta usada contra la epilepsia.
MOROSIDAD f. Lentitud, demora. • Falta de actividad o puntualidad. ■ MOROSO, SA.
MORRA f. Parte superior de la cabeza.
MORRADA f. Golpe dado con la cabeza, especialmente cuando topan dos, una contra otra. • fig. Guantada, bofetada.
MORRAL m. Talego que contiene el pienso y se cuelga de la cabeza de las bestias, para que coman cuando no están en el pesebre. • Saco que usan los cazadores, soldados y caminantes. • fig. y fam. Hombre zote y grosero.
MORRALLA f. Boliche, pescado menudo. • fig. Multitud de gente de escaso valer. • fig. Conjunto de cosas inútiles y despreciables. • *Méx.* Dinero menudo.
MORREAR intr. fam. Besar apasionadamente en la boca. ■ MORREO.
MORRENA f. *Geol.* Morena, depósito rocoso detrítico constituido por acumulación de los materiales que arrastraba un glaciar cuando se produjo la fusión de éste.
MORRILLA f. En algunas partes, alcaucil, alcachofa silvestre.
MORRILLO m. Porción carnosa que tienen las reses en la parte superior y anterior del cuello. • fam. P. ext., cogote abultado. • Canto rodado.
MORRIÑA f. Comalia, hidropesía de las ovejas y otros animales. • fig. y fam. Tristeza o melancolía, especialmente la nostalgia de la tierra natal. ■ MORRIÑOSO, SA.
MORRIÓN m. Armadura de la parte superior de la cabeza, hecha en forma de casco. • Prenda del uniforme militar que se ha usado para cubrir la cabeza.
MORRIS, *William* (1834-1896) Artista, decorador, poeta y teórico social brit. Uno de los fundadores de la *Morris and Co.*, destinada a revalorizar la decoración como elemento artístico. Su visión de la sociedad influyó en K. Marx. *Noticias de ninguna parte.*
MORRISON, *Toni* (nacida 1931) Escritora estadoun. En sus obras analiza la situación de la mujer afroamericana en EE UU. *Song of Solomon, Jazz, Paraíso.* Premio Nobel de Literatura en 1993.
MORRO m. Cualquier cosa redonda de figura semejante a la de la cabeza. • Monte o peñasco pequeño y redondo. • Guijarro pequeño y redondo. • Monte escarpado que sirve de marca a los navegantes en la costa. • Saliente que forman los labios abultados o gruesos. • **Estar de morros** dos o más personas. fig. y fam. Estar enfadadas. • **Beber a m.** fig. y fam. Beber directamente de la botella. ■ MORRUDO, DA.
MORROCOTUDO, DA adj. fam. De mucha importancia o dificultad. • *Col.* Rico, acaudalado. • *Chile.* Dicho de obras literarias o artísticas, falto de proporción, gracia y variedad. • *Méx.* Grande, formidable.
MORROCOY o **MORROCOYO** m. *Amér.* Galápago común en la isla de Cuba, con el carapacho de color oscuro y con cuadros amarillos.
MORRÓN adj. Díc. de una variedad de pimiento más grueso que el de las otras castas. • m. fam. Golpe.
MORRONGO, GA m. y f. fam. Gato, animal. • fig. *Méx.* Mozo, sirviente. • fig. *Méx.* Hoja de tabaco enrollada para fumar.
MORRONGUEAR intr. *Amér.* Chupar o beber. • *Chile.* Dormitar, trasponerse.
MORROÑOSO, SA adj. *Guat.* y *Hond.* Áspero, rugoso. • *Perú.* Mal desarrollado, débil. • *Amér. Merid.* Infeliz. • *C. Rica.* Roñoso, avaro.
MORSA f. *Zool.* Mamífero pinnípedo de la familia odobénidos, de gran tamaño, que vive en los mares árticos y subárticos.
MORSANA f. Arbolillo de Asia y África, con hojas opuestas, flores con cáliz dividido en cinco partes, corola de cinco pétalos y frutos en cápsula.
MORSE adj. y m. Díc. del alfabeto convencional a base de puntos y rayas, empleado en telegrafía. • Díc. del sistema telegráfico que utiliza este alfabeto.
MORSE, *Samuel* (1791-1872) Inventor norteam. Se le debe la invención del telégrafo electromagnético que lleva su nombre, y del alfabeto para la comunicación telegráfica.
MORTADELA f. Embutido que se hace con carne de cerdo y de vaca muy picada con tocino.
MORTAJA f. Vestidura en que se envuelve el cadáver para el sepulcro. • fig. *Amér.* Hoja de papel con que se lía el tabaco del cigarrillo. • Hueco que se hace en una cosa para encajar otra, muesca.
MORTAJADOR, RA adj. y s. Persona que trabaja en la mortajadora. • adj. y f. Díc. de la máquina utilizada para realizar la operación mecánica de mortajado o escopleado. Su funcionamiento es parecido al de una limadora.
MORTAJAR tr. *Mec. apl.* Arrancar linealmente material de una superficie interior (un agujero o una cámara). ■ MORTAJADO, DA.
MORTAL adj. Que ha de morir. • adj. y s. P. ant. dícese del hombre. • adj. Que ocasiona o puede ocasionar muerte espiritual o corporal. • Aplícase también a las pasiones que mueven a desear a uno la muerte. • Que tiene apariencia de muerto. • Muy cercano a morir. • fig. Fatigoso, abrumador. • fig. Decisivo, concluyente.
MORTALIDAD f. Calidad de mortal. • Cantidad de individuos de una pob. que mueren por unidad de tiempo.
MORTANDAD f. Multitud de muertes causadas por epidemia, cataclismo, peste o guerra.
MORTECINO, NA adj. Díc. del animal muerto naturalmente y de su carne. • fig. Apagado y sin vigor. • fig. Que está casi muriendo o apagándose.
MORTERA f. Especie de cuenco de madera que sirve para beber o llevar la merienda.
MORTERADA f. Porción de vianda o salsa que de una vez se prepara en el mortero. • fam. Gran cantidad de dinero.
MORTERETE m. *Mil.* Pieza pequeña de artillería, que se usaba frecuentemente en las salvas. • Pieza de cera hecha en forma de vaso con su mecha, que sirve para iluminar poniéndola en un vaso con agua. • Escopleadura que tenían las cureñas ant. de artillería. • El almirez, o algún utensilio parecido, usado como instrumento musical.

Morsa

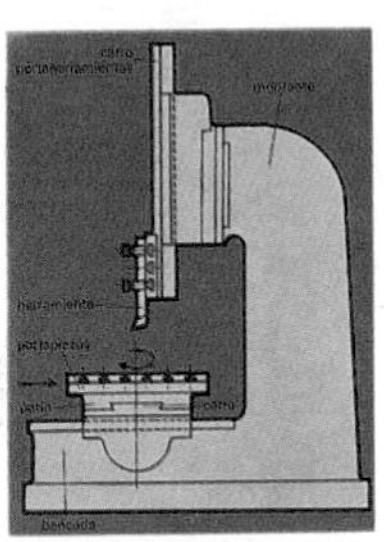

Mortajar. Arriba, máquina mortajadora; abajo, movimientos de avance y de trabajo en la operación de mortajado

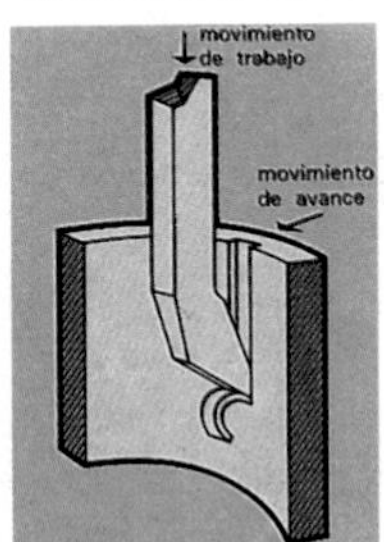

MORTERO m. Utensilio a manera de vaso, que sirve para machacar en él especias, semillas, drogas, etc. • *Mil.* Pieza de artillería más corta que un cañón del mismo calibre y destinada a lanzar proyectiles explosivos. • Piedra plana y circular de los molinos de aceite, sobre la cual rueda el rulo para moler la aceituna. • *Const.* Argamasa o mezcla de agua con un aglomerante y arena u otro árido menudo. • Bonete que usaron ciertos ministros de justicia.

Mortero

MORTERUELO m. Guisado de hígado de cerdo machacado y desleído con especias y pan rallado.

MORTÍFERO, RA adj. Que ocasiona o puede ocasionar la muerte.

MORTIFICAR tr. y prnl. Privar de vitalidad alguna parte del cuerpo. • tr. fig. Hacer padecer al propio cuerpo, como penitencia o por devoción. • fig. Atormentar o molestar mucho a alguien física o moralmente. ■ MORTIFICACIÓN.

MORTIMER Familia anglonormanda muy poderosa, en Gales, en los ss. XIII, XIV y XV. Uno de sus miembros, **Roger,** CONDE DE LA MARCHE (1287-1330), tuvo una decisiva participación en el levantamiento contra Eduardo II, que concluyó con la abdicación forzosa del monarca y su asesinato.

MORTIS CAUSA loc. latina. *Der.* Aplícase al testamento y a ciertos actos de liberalidad, cuyo fin está determinado por la muerte y sucesión del causante.

MORTUAL f. *Amér. Centr.* y *Méx.* Sucesión, bienes heredados.

MORTUORIO, RIA adj. Relativo al muerto o a las honras que por él se hacen. • m. Preparativos para enterrar los muertos.

MORÚA Delgado, ***Martín*** (1857-1910) Escritor y político cub. Presid. del senado de la rep. (1909). *Sofía, La familia Unzuazu.*

MORUCHO m. Novillo embolado que lidian los aficionados.

MORUECO m. Carnero padre.

MÓRULA f. *Biol.* Primer estado del desarrollo embrionario de los animales. Se trata de una pequeña esfera, sin cavidad central, formada por células llamadas blastómeros que están en contacto íntimo.

MORURO m. *Cuba.* Especie de acacia, cuya corteza sirve para curtir pieles.

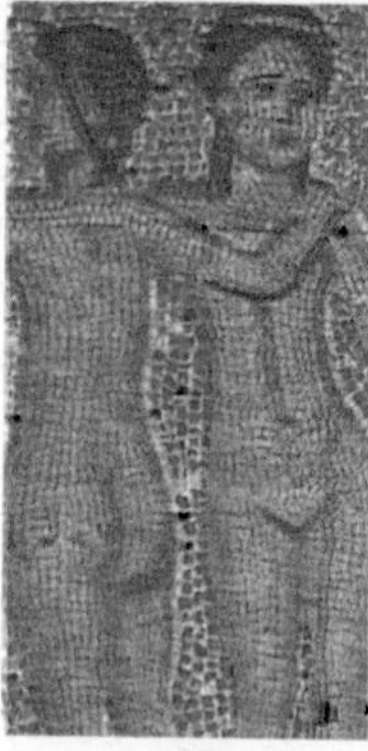

Mosaico romano. Museo Arqueológico, Barcelona (España)

MOS (siglas de «Metalóxido semiconductor») m. *Comp.* Semiconductor de óxido metálico. Tecnología usada para la fabricación de circuitos de integración a gran escala.

MOSA (*Meuse* o *Maas*) Río de Europa occidental; 950 km. Nace en Francia, forma frontera entre Bélgica y Países Bajos y desemboca en el mar del Norte.

MOSAICO, CA adj. Relativo a Moisés. • m. Obra taraceada de piedras o vidrios de colores, usada en pavimentación o en doración. El m. apareció ya en Mesopotamia (IV milenio a. C.). Usado en Creta y en Grecia, adquirió gran imp. en la decoración de las iglesias paleocristianas y bizantinas. • *Biol.* Individuo formado con células con patrimonios genéticos diversos. • *Bot.* Alteración en la morfología de las plantas, a causa de virus vegetales. • *Electr.* En televisión, conjunto de pequeños puntos de plata sobre una lámina de mica, en la que se forma la imagen óptica, y que emite un núm. de electrones proporcional a la intensidad que recibe. • **del tabaco.** Enfermedad de la planta del tabaco, que se revela por la presencia en las hojas de unas manchas dispuestas a modo de baldosas.

Mosca

MOSAÍSMO m. Ley de Moisés. • Civilización mosaica.

MOSCA *Astr.* Constelación cuya denominación latina es *Musca.*

MOSCARDA f. Especie de mosca que se alimenta de carne muerta. • En algunas partes, cresa de la reina de las abejas.

MOSCARDÓN m. Mosca cuyas larvas se crían en el estómago de algunos mamíferos, pralm. caballos y asnos. • Especie de mosca zumbadora. • Especie de avispa grande, avispón. • Juego del abejón. • fig. y fam. Hombre impertinente que molesta con pesadez, especialmente en requerimientos amorosos.

MOSCATEL adj. y s. Díc. de una variedad de uva de grano redondo y muy dulce. • Aplícase también al viñedo que la produce y al vino que se hace de ella.

Moscatel aromático de Creta

MOSCELLA f. Morcella, chispa de la luz o de la lumbre.

MOSCO, CA adj. *Chile.* Díc. del caballo o yegua muy negro con algún pelo blanco. • m. Mosquito. • f. *Zool.* Insecto díptero. • fam. Moneda corriente. • Bienes de cualquier especie. • fig. y fam. Persona molesta, impertinente y pesada. • fig. y fam. Desazón picante que inquieta y molesta. • Cualquiera de los insectos dípteros del suborden braquíceros. • pl. fig. y fam. Chispas que saltan de la lumbre. • adj. Amoscado, receloso. • **muerta.** fig. y fam. Persona que bajo apariencia inofensiva o amable encubre malas intenciones o mal carácter. • **tsé-tsé.** La que transmite la enfermedad del sueño. • **Con la m. en la oreja.** fr. fig. y fam. Se aplica al que está receloso y prevenido para evitar alguna cosa. • **Por si las moscas.** fr. fig. y fam. Por si acaso, por lo que pueda suceder. ■ MOSQUIL; MOSQUINO, NA.

* *Zool.* La mayor parte de m. poseen únicamente un par de alas voladoras, el otro par, los balancines, son órganos de equilibrio. Las antenas suelen ser muy cortas; los ojos compuestos, en cambio, son de gran tamaño. Muchas poseen cerdas táctiles en el tórax y en la cabeza. La alimentación es muy variada y las piezas bucales suelen ser de tipo lamedor.

MOSCÓN m. Especie de mosca, que se diferencia de la común por ser algo mayor que ella y en tener las alas manchadas de rojo. • Especie de mosca de cuerpo azul oscuro con reflejos brillantes, que deposita sus huevos en las carnes frescas. • Arce. • fig. y fam. Hombre pesado y molesto, que insiste para lograr lo que desea. • fig. y fam. Mosca, persona impertinente.

MOSCONA f. Mujer desvergonzada.

MOSCONEAR tr. Molestar con impertinencia y pesadez. • intr. Insistir para lograr un propósito, fingiendo ignorancia. ■ MOSCONEO.

MOSCORROFIO m. *Col.* y *Hond.* Persona muy fea.

MOSCOSO, ***Mireya*** (nacida 1946) Política pan. Esposa de Arnulfo Arias y líder del Partido Arnulfista. Elegida presid. de la rep. en mayo de 1999.

MOSCOVA Río de Rusia; 450 km. Nace en la región de Smolensko, atraviesa Moscú y desemboca en el Oka, afl. del Volga.

MOSCOVIA f. *Cuba.* Piel entera de una res curtida hasta dejarla muy suave.

MOSCOVIA Nombre del principado de Moscú, que surgió en el s. XIII y perduró hasta los primeros años del s. XVII. Pedro I el Grande (1682-1725) transformó M. en el imperio ruso.

MOSCOVITA adj. y s. De Moscovia o de Moscú. • adj. Relativo a esta región o c. de Rusia. • f. *Miner.* Silicato de aluminio y potasio, del grupo de las micas, que cristaliza en el sist. monoclínico; coloración muy diversa. Se utiliza como aislante térmico o eléctrico y en la fabricación de lubricantes.

MOSCÚ C. de Europa Oriental cap. de la rep. de Rusia, en la prov. hom.; 8 406 000 hab. Sit. en el sector europeo, a orillas del Moscova, entre los valles del Alto Volga y del Oka. Centro ind. de primer orden, pralm. en la metalurgia. La capitalidad ha concentrado en ella las funciones adm., políticas y culturales. La c. ant. se configura en torno al Kremlin y la plaza Roja; la c. moderna crece a lo largo de amplias vías radiales. Las industrias han sido favorecidas por la construcción del canal Moscova-Volga, que ha convertido a M. en un gran puerto fluvial con salida a cuatro mares. El mausoleo a Lenin y el teatro Bolshói figuran entre los edificios modernos de mayor relieve.

MOSELA (fr., *Moselle*; al., *Mosel*) Río de Francia y Alemania; 550 km. Nace al SO de los Vosgos y desemboca en el Rin.

MOSELEY, ***Henry*** (1887-1915) Físico ing. Enunció la ley que lleva su nombre (1913). • **Ley de M.** *Fís.* Relación entre el número atómico Z de un átomo y la longitud de onda λ de la radiación característica de su espectro de rayos X. Su exp. matemática es $K \cdot (Z-S)^2 \cdot \lambda = 1$, donde K y S son dos constantes características de la línea espectral considerada.

MOSÉN m. Título que, en la corona de Aragón, se daba a los clérigos y a ciertos nobles. Aún se aplica a los clérigos.

MOSHINSKY, ***Marcos*** (nacido 1921) Físico mex. de origen ucraniano. En 1988 le fue concedido el premio Príncipe de Asturias, en atención a sus trabajos e investigaciones, los cuales han permitido una mejor comprensión de la física cuántica.

MOSQUEADO, DA adj. Sembrado de pintas. • fig. Que está receloso.

MOSQUEADOR m. Instrumento para ahuyentar

las moscas. • fig. y fam. Cola de una caballería o de una res vacuna.
MOSQUEAR tr. y prnl. Ahuyentar las moscas. • tr. fig. Responder con enfado, como picado por algo. • fig. Azotar, vapulear. • prnl. fig. Apartar de sí los embarazos o estorbos. • fig. Resentirse uno por el dicho de otro, tomándolo como ofensa. ■ MOSQUEO.
MOSQUERA, ***Aurelio*** (1884-1939) Político ecuat. Presid. de la rep. (1938), disolvió la asamblea y restableció la constitución de 1906 (1939). • ***Jacinto*** (ss. XVII-XVIII) Estanciero y propietario de minas col. Superintendente de Chocó (1699). • ***Joaquín*** (1787-1882) Político col. Participó en las luchas independentistas. En 1828 fue elegido presid. de la rep., cargo al que hubo de renunciar en 1830 a causa de la rebelión de Urdaneta. • ***Manuel María*** (1800-1884) Político col. Embajador en Gran Bretaña, Francia y España. • ***Tomás Cipriano*** (1798-1878) Militar y político col. Presid. de la rep. de 1845 a 1849, en que entregó el mando al general José Hilario López. En 1861 se sublevó contra Ospina y asumió la presidencia provisional, confirmada en 1863. Tras la presidencia de Murillo (1864-1866) se alzó dictador el 29 abril 1867, pero fue derrocado el 23 mayo por el general Santos Acosta.
MOSQUERO m. Ramo o haz de hierba que se cuelga del techo para recoger las moscas y matarlas. • *Amér.* Hervidero o gran cantidad de moscas.
MOSQUEROLA o **MOSQUERUELA** adj. y s. Díc. de una especie de pera pequeña de carne granujienta y gusto muy dulce.
MOSQUETA f. Rosal con tallos flexibles, muy espinosos, de flores blancas, de olor almizclado, en panojas espesas y terminales. • **silvestre.** Escaramujo.
MOSQUETE m. Arma de fuego ant. que se disparaba apoyándola sobre una horquilla. • *Méx.* Patio del teatro. ■ MOSQUETAZO..
MOSQUETEAR intr. *Argent.* y *Bol.* Curiosear.
MOSQUETERÍA f. Tropa de mosqueteros. • En los ant. corrales de comedias, conjunto de mosqueteros, espectadores que estaban de pie.
MOSQUETERO m. Soldado armado de mosquete. • En los corrales de comedias, el que las veía de pie desde la parte posterior del patio.
MOSQUETÓN m. Carabina corta. • Anilla que se abre y cierra mediante un muelle.
MOSQUITERO m. o **MOSQUITERA** f. Colgadura de cama hecha de gasa, para impedir que entren los mosquitos. • *Zool.* Ave paseriforme de la familia sílvidos. Es un pájaro de pequeño tamaño y plumaje amarillo verdoso.
MOSQUITIA Nombre con que también se conoce la costa de los Mosquitos. Más concretamente, se denomina así al sector norteño de esta región, perteneciente a Honduras.
MOSQUITO, TA adj. y s. Díc. del individuo de un pueblo indígena que habita en la zona costera de Honduras y Nicaragua. Son unas 150 000 personas. También son llamados *misquitos* o *miskitos*.
MOSQUITO m. Insecto díptero de cuerpo delgado, alas estrechas y antenas largas, filiformes o plumosas. Las hembras de muchas especies pican a los vertebrados de sangre caliente para chupar su sangre. Muchas especies transmiten enfermedades. • Larva de langosta. • fig. y fam. El que acude frecuentemente a la taberna. • f. dim. de mosca. • **muerta.** fig. y fam. Mosca muerta.
MOSQUITOS, ***Costa de los*** Región costera de Nicaragua y Honduras, en el mar Caribe. La parte septentrional fue objeto de disputa entre Nicaragua y Honduras. Este último país vio confirmado su dominio en 1960 por el Tribunal Internacional de La Haya.
MOSQUITOS, ***Golfo de los*** Entrante del mar Caribe en la costa N de Panamá.
MOSSADEGH, ***Muhammad*** (1881-1967) Político iraní. Jefe de gobierno en 1951-1953. Su política provocó el exilio del sah, disconforme con su política nacionalista. Fue derrocado por un golpe de Est. organizado por la CIA.
MOSSI adj. y s. Díc. de individuos de un pueblo melanoafricano que ocupa la cuenca alta del r. Volta desde el s. XI. Actualmente suman más de 2 600 000 personas. • adj. Relativo a dicho pueblo.
MOSTACERA f. o **MOSTACERO** m. Tarro en que se prepara y sirve la mostaza para la mesa.

Moscú. El Moscova y el muelle del Kremlin

MOSTACHO m. Bigote del hombre. • fig. y fam. Manchas o chafarrinada en el rostro. • *Mar.* Cada uno de los cabos gruesos con que se asegura el bauprés a una y otra banda. ■ MOSTACHOSO, SA.
MOSTACHÓN m. Bollo pequeño de almendra, azúcar y canela u otra especia fina.
MOSTACILLA f. Munición usada para cazar animales pequeños. • Abalorio de cuentecillas menudas. • Cosa muy pequeña.
MOSTAGÁN m. fam. Vino.
MOSTAJO o **MOSTELLAR** m. Planta arbustiva o arbórea de la familia rosáceas, de hasta 15 m de alt.; hojas aserradas; flores agrupadas en corimbos y frutos globosos de color rojizo, comestibles.
MOSTAZA f. Planta arbustiva de la familia crucíferas, con tallo recto, hojas dentadas, flores amarillentas y frutos en silícula, cuyas semillas son rubefacientes. • Semilla de esta planta. • Salsa que se hace de esta semilla. • Mostacilla, munición. • **blanca.** Planta arbustiva de la familia crucíferas, con tallo estriado, hojas partidas, flores con corola amarillenta y frutos en silícula. De sus semillas se obtiene la *m. culinaria*. • **negra.** Mostaza, planta. ■ MOSTAZAL.
MOSTAZO m. Mosto fuerte y pegajoso. • Mostaza.
MOSTEAR intr. Destilar las uvas el mosto. • Llevar o echar el mosto en las cubas. • Remostar el vino añejo.
MOSTELA f. Haz o gavilla. ■ MOSTELERA.
MOSTÉN adj. Apócope de mostense.
MOSTENSE adj. y s. fam. Premonstratense.
MOSTILLO m. Masa de mosto cocido que suele condimentarse con anís, canela o clavo. • Mosto agustín. • Salsa que se hace de mosto y mostaza.

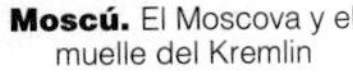

Mosquitero

Mosquito

MOSTO m. Zumo exprimido de la uva, antes de fermentar y hacerse vino. • En la ind. cervecera, licor azucarado que se obtiene tratando la malta molida con agua hirviente. • **agustín.** Masa de mosto cocido con harina y especias, a la cual suele agregarse algunos trozos de diversas frutas.
MÓSTOLES Mun. de España en la prov. de Madrid; 196 173 hab. Núcleo industrial.
MOSTRADOR, RA adj. y s. Que muestra. • m. Mesa o tablero que hay en las tiendas, bares y otros establecimientos análogos para presentar los géneros o para servir lo que piden los clientes. • Esfera de reloj.
MOSTRAR tr. Exponer a la vista una cosa; señalarla para que se vea. • Explicar una cosa o convencer de su certidumbre. • Hacer patente un afecto o sentimiento. • prnl. Portarse uno como correspon-

Mostaza

de a su dignidad, o darse a conocer de alguna manera. ■ MOSTRABLE; MOSTRADO, DA.

MOSTRENCO, CA adj. *Der.* Díc. de los bienes, tanto muebles como raíces, que carecen de dueño conocido. • fig. y fam. Díc. del que no tiene casa ni hogar. • adj. y s. fig. y fam. Ignorante o poco inteligente. • fig. y fam. Díc. del sujeto muy gordo y pesado.

MOSTRUO m. *Amér. Centr.* Monstruo. ■ *Amér. Centr.* MOSTROSO, SA.

MOSUL *(al-Mosul)* C. del N de Irak, junto al río Tigris; 243 300 hab. Centro comercial. Refino de petróleo.

Escena de **motín** callejero en Burdeos (Francia), a finales del siglo XIX

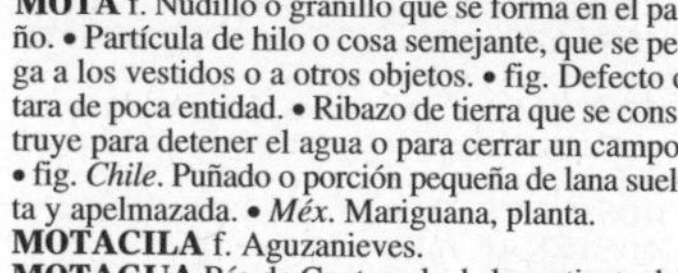

MOTA f. Nudillo o granillo que se forma en el paño. • Partícula de hilo o cosa semejante, que se pega a los vestidos o a otros objetos. • fig. Defecto o tara de poca entidad. • Ribazo de tierra que se construye para detener el agua o para cerrar un campo. • fig. *Chile.* Puñado o porción pequeña de lana suelta y apelmazada. • *Méx.* Mariguana, planta.

MOTACILA f. Aguzanieves.

MOTAGUA Río de Guatemala de la vertiente del Caribe; unos 400 km.

MOTE m. Sentencia breve que necesita explicación. • Frase breve que llevaban como lema los ant. caballeros en las justas y torneos. • Apodo que se da a las personas. • *Chile.* Error gramatical en un escrito. • *Chile.* Plato de trigo quebrantado o triturado, después de haber sido cocido en lejía y deshollejado. • Maíz desgranado y cocido con sal.

MOTEAR tr. Salpicar de motas una tela. • *Amér. Merid.* Preparar o comer mote.

MOTEJAR tr. Censurar las acciones de uno con motes o apodos. ■ MOTEJO.

MOTEL m. Hotel situado junto a una autopista o carretera para que puedan pernoctar los automovilistas.

MOTERO, RA adj. y m. *Chile.* Que vende mote. • adj. *Chile.* Aficionado a comer mote. • *Chile.* Perteneciente o relativo al mote.

MOTETE m. Breve composición musical religiosa a una o dos voces, del s. XII. • Apodo. • *Amér.* (voz azteca) Atado, lío, envoltorio.

MOTHERWELL C. de Gran Bretaña (Escocia); 74 600 hab. Centro minero e industrial.

MOTIL m. Mochil.

MOTILAR tr. Cortar el pelo o raparlo.

MOTILIDAD f. Movilidad. • Reacción de movimiento de la materia viva ante estímulos internos o externos.

Prueba de **motocross**

MOTILÓN, NA adj. y s. Pelón, que tiene poco pelo. • Díc. de individuos de una tribu indígena que habita en las laderas de la cordillera de Perijá (Colombia), llegando hasta las orillas del lago Maracaibo (Venezuela). • adj. Concerniente a dicha tribu. • m. fig. y fam. Lego, donado. • m. pl. Tribu motilona.

MOTÍN m. Tumulto sedicioso provocado por una multitud activa, gralte. violenta, con un objetivo común.

MOTIVACIÓN f. Acción y efecto de motivar, explicar el motivo por el que se ha hecho una cosa. • Factor psicológico, consciente o no, que predispone al individuo para realizar ciertas acciones, o para tender hacia ciertos fines (una necesidad o una tendencia).

MOTIVAR tr. Dar motivo para una cosa. • Explicar la razón o motivo que se ha tenido para hacer una cosa.

MOTIVO, VA adj. Que mueve o tiene virtud para mover. • m. Impulso que induce a una acción consciente y voluntaria. • Elemento ornamental. • *Mús.* Fase melódica que constituye la base temática de una composición musical. • pl. *Chile.* Melindres femeninos.

MOTO, TA adj. y s. *Amér. Centr.* Huérfano. • *Amér. Centr.* Primer achaque de los recién casados. • m. Elemento compositivo antepuesto a una palabra para indicar que lo que ésta designa se mueve por medio de un motor. • f. Abreviación de motocicleta.

MOTOBOMBA f. Aparato formado por una bomba y el motor que la acciona.

MOTOCARRO m. Vehículo de tres ruedas con motor, propio para transportar cargas ligeras.

MOTOCICLETA f. Vehículo de dos ruedas propulsado por un motor de explosión rápida que mueve la rueda trasera. ■ MOTOCICLISTA.

MOTOCICLISMO m. Deporte que comprende diversas pruebas de competición desarrolladas con motocicletas.

MOTOCICLO m. Nombre genérico de los vehículos automóviles de dos o tres ruedas.

MOTOCROSS m. Carrera motociclista que se disputa en un terreno accidentado.

MOTOCULTIVADOR m. Máquina automotora formada por un conjunto de tractor y arado, que se dirige mediante un manillar.

MOTOLINÍA, *Toribio de Paredes* o *de Benavente,* llamado FRAY (1490-1568) Franciscano esp. Defendió a los indígenas de Guatemala y Nicaragua de los abusos de los colonizadores. *Historia de los indios de la Nueva España.*

MOTOLITO, TA adj. y s. Necio, bobalicón. • f. Aguzanieves.

MOTÓN m. Conjunto de poleas coaxiales destinadas a la inversión (o, en general, a la variación) de la dirección de tiro de un cable.

MOTONÁUTICA f. Conjunto de actividades turísticas y deportivas relacionadas con la navegación con pequeñas embarcaciones de motor. ■ MOTONÁUTICO, CA.

MOTONAVE f. Embarcación propulsada por motores Diesel o eléctricos, que se destina al transporte de mercancías o pasajeros.

MOTOR, RA adj. y s. Que produce movimiento. • adj. *Anat.* y *Fisiol.* Díc. de las diversas estructuras anatómicas relacionadas con el movimiento. • m. *Mec. apl.* Máquina destinada a producir movimiento a expensas de otra fuente de energía. • f. Embarcación menor provista de motor. • **de combustión interna**. *Mec. apl.* M. térmico en el que la transformación del calor en energía de presión se produce en el interior del propio m. • **de combustión externa.** M. térmico en el que el fluido se calienta fuera del verdadero m. (turbinas y máquinas de vapor, m. de aire caliente). • **de explosión.** *Mec. apl.* El que utiliza como energía la expansión de los gases producidos por la combustión de un carburante. • **de reacción.** *Mec. apl.* El que se mueve gracias a la reacción de un chorro de fluido producido por él mismo. • **Diesel.** *Mec. apl.* El de combustión cuyo carburante se inflama espontáneamente por la presión a que se somete en la cámara de combustión, sin necesidad de bujías. • **eléctrico**. Máquina que transforma la energía eléctrica en trabajo mecánico. • **fuera borda**. *Mec. apl.* Pequeño m., gralte. de dos tiempos, provisto de hélice y montado en la popa de ciertas embarcaciones de recreo. • **hidráulico**. *Mec. apl.* Turbina. • **rotativo**. Tipo especial de

m. de explosión de cuatro tiempos, constituido por una cámara cilíndrica en la que gira de forma excéntrica un pistón rotativo (rotor) de forma aproximadamente triangular.
MOTORISMO m. Deporte en que se emplea un vehículo automóvil, especialmente la motocicleta.
MOTORISTA com. Persona que conduce una motocicleta. • Persona aficionada al motorismo.
MOTORIZAR tr. y prnl. Dotar de medios mecánicos de tracción o transporte a un ejército, ind., etc. ■ MOTORIZACIÓN.
MOTORREDUCTOR m. *Mec. apl.* Reductor de velocidad compuesto por un motor asincrónico acoplado a un reductor de engranajes planetarios.
MOTOTRAÍLLA f. Máquina de ruedas, remolcada, que sirve para cubrir depresiones o construir defensas y terraplenes.
MOTRICIDAD f. *Fisiol.* Acción del sistema nervioso central, que determina la contracción muscular.
MOTRIL m. Muchacho del servicio de una tienda. • Mochil.
MOTRIL C. de España, en la prov. de Granada; 50 316 hab. Puerto. Nucleo industrial y comercial.
MOTRIZ adj. f. Que mueve.
MOTU PROPRIO m. adv. latino. Voluntariamente; de propia voluntad. • m. Bula pontificia o cédula real expedida de este modo.
MOTUDO, DA adj. *Arg., Chile* y *Ur.* Díc. del pelo dispuesto en forma de mota. • Persona que tiene este tipo de pelo.
MO-TZU (h. 470-h. 391 a. C.) Pensador chino, fundador del moísmo. Llamado también *Meh Ti* y *Mo Ti*.
MOULINS, *Maestro de* (s. XV) Nombre con que se conoce al autor del tríptico de la catedral de Moulins (1448), una de las obras más interesantes de la pintura gótica.
MOULMEIN C. y puerto del S de Myanma, en el Tenasserim; 203 000 hab. Astilleros.
MOUNIER, *Emmanuel* (1905-1950) Filósofo fr. Su pensamiento incluye influencias marxistas y existencialistas. *El pensamiento de Charles Péguy, El personalismo, El pequeño miedo del siglo XX.*
MOVEDIZO, ZA adj. Fácil de ser movido. • Inseguro, que no está firme. • fig. Inconstante. • m. Ave paseriforme de plumaje verde en el dorso, amarillo en la parte ventral y gris en pecho y garganta.

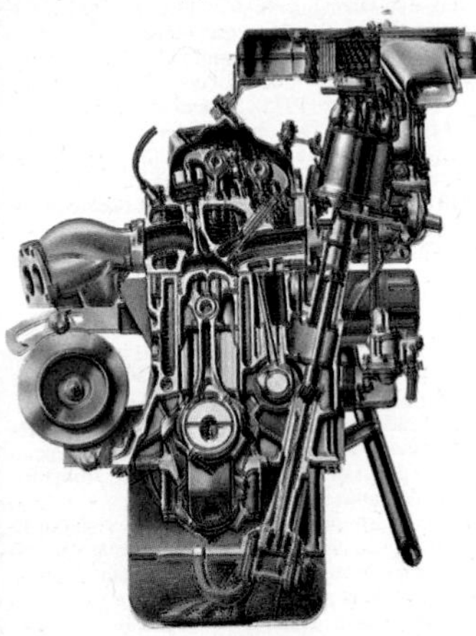

Sección trasversal de un **motor** de automóvil

MOVEDURA f. Aborto.
MOVER tr. y prnl. Hacer que un cuerpo o parte de él cambie de posición o de situación con respecto a una referencia que se considera fija. • tr. fig. Dar motivo para una cosa, persuadir, inducir o incitar a ella. • fig. Seguido de la preposición *a*, causar u ocasionar. • fig. Alterar, conmover. • fig. Suscitar, promover. • Iniciar o activar un asunto. • tr. e intr. fig. Abortar. • intr. Empezar a echar brotes las plantas por primavera. • Principar un arco o bóveda. • prnl. Darse prisa. • Realizar gestiones para conseguir algo. • Tener desenvoltura en cualquier ambiente. ■ MOVIBLE; MOVICIÓN; MOVIENTE.
MOVIDO, DA adj. Díc. del lapso de tiempo ajetreado, muy activo. • Díc. de lo que ha transcurrido o se ha desarrollado con agitación o con incidencias imprevistas. • Díc. de las reuniones donde hay discusión viva. • *Chile* y *Col.* Díc. del huevo puesto en fárfara. • *Guat.* y *Hond.* Enteco, raquítico. • m. Acción de abortar el feto, aborto. • f. Metida, yemas y brotes subsiguientes a cada periodo de actividad vital de una planta.

Cadena de montaje de una fábrica de **motocicletas**

MÓVIL adj. Que por sí puede moverse. • Que no tiene estabilidad o permanencia. • Díc. de los timbres o sellos que se aplican a ciertos documentos, en contraposición a los que se estampan en ellos. • m. Lo que mueve material o moralmente a realizar cierta acción. • *Arte.* Nombre dado por el escultor Alexander Calder a obras artísticas, hechas de metales ligeros, cuyos elementos entran en movimiento con la mínima acción del aire.
MOVILIDAD f. Calidad de movible. • *Fís.* Para un electrón, y en general para cualquier carga eléctrica, velocidad de la misma por unidad de campo eléctrico aplicado. • **geoquímica**. Aptitud de un elemento químico para migrar en la corteza terrestre bajo la acción de los factores físicos y químicos que actúan en el medio natural. • **social.** *Soc.* Exp. que designa el conjunto de mecanismos estadísticamente significativos que describen los mov. de individuos dentro del sistema profesional, durante su existencia, y los mov. que caracterizan a los individuos de una generación respecto de la o de las siguientes.
MOVILIZAR tr. Poner en actividad o movimiento tropas, etc. • Convocar, incorporar a filas, poner en pie de guerra tropas u otros elementos militares. ■ MOVILIZACIÓN.
MOVIMIENTO m. Acción y efecto de mover o moverse. • *Fís.* Cambio de posición de un cuerpo con respecto a otro. • En las artes del dibujo, variedad bien ordenada de las líneas y el claroscuro de una figura o composición. • En los cómputos mercantiles y en algunas estadísticas, alteración numérica en el estado o cuenta durante un tiempo determinado. • fig. Alteración, inquietud o conmoción. • Desarrollo y propagación de una tendencia religiosa, política, social, estética, etc., de carácter renovador. • *Mús.* Cada una de las partes en las que se divide una sinfonía, concierto o sonata, teniendo en cuenta las variaciones de compás y ritmo. • **armónico.** Aquel en que el cuerpo afectado se mueve en torno a una posición de equilibrio, de manera que su aceleración es proporcional a la distancia respecto a dicha posición. • **browniano.** El irregular, de avance y retroceso, que realizan las partículas en suspensión como resultado de los choques contra las moléculas del medio que las rodea. • **de rotación.** El realizado por un cuerpo que se mueve alrededor de un eje. • **helicoidal.** El que resulta de la composición de un m. de rotación y otro de traslación alrededor y a lo largo de una recta respectivamente. • **ondulatorio.** Propagación de un m. vi-

Detalle del tríptico de la catedral de Moulins, del Maestro de **Moulins**

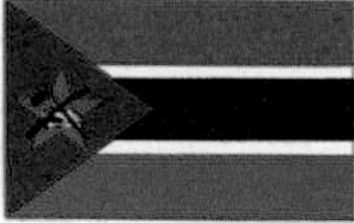

Mozambique. Arriba, mapa de situación y bandera; abajo, gruas en el puerto de Maputo

Interior de la iglesia **mozárabe** de Berlanga, Soria (España)

bratorio a través de un medio material. • **periódico.** Aquel en que las magnitudes cinemáticas del cuerpo repiten sus valores transcurrido un cierto tiempo denominado periodo. • **retrógrado.** El de los astros que rotan alrededor del Sol en sentido contrario al de la Tierra. • **vibratorio.** M. periódico de un periodo muy pequeño.

MOVIMIENTO de Izquierda Revolucionaria (*MIR*) Partido político bol., de ideología marxista, fundado en 1971. Formó parte del gobierno en 1982 y 1984. • Org. política chil., partidaria de la lucha armada. Fundada en 1959, Allende la reconoció como partido legal en 1970. Diezmada por la represión desencadenada tras el golpe militar de 1973, ha protagonizado diversas acciones armadas. • Org. política per., creada en 1959 por un grupo de disidentes del APRA. A la caída de sus jefes, la mayoría de sus miembros se integraron en el Ejército de Liberación Nacional (ELN). • Org. política ven., constituida en 1960 por ant. miembros de Acción democrática. En 1962 fue declarado ilegal. • **de las Fuerzas Armadas** *(MFA)* Org. política formada dentro del ejército port. con el fin de derrocar la dictadura de Caetano. Fue el promotor y realizador de la rev. de abril de 1974. • **de Liberación Nacional** *(MLN)* → Tupamaros. • Partido político guat. fundado en 1955, de orientación derechista y dirigido por militares. Durante los años que ocupó el poder, rigió un sist. represivo, y los muertos por razones políticas se contaron por miles. • **Democrático Brasileño** *(MDB)* Partido bras. fundado en 1966. El único de oposición autorizado por el régimen militar instaurado en 1964. • **Diecinueve de Abril** *(M-19)* Organización armada col., creada en 1974, de tendencia marxista. En 1984 pactó una tregua con el gobierno. • **Nacional** Coalición de fuerzas que dio origen en España al alzamiento militar contra la II República el 18 de julio de 1936. Su base ideológica derechista consistió en unos principios que constituyeron la plataforma básica del régimen franquista. Tras la aprobación de la constitución (1978) quedo prácticamente extinguido. • **Nacional Revolucionario** *(MNR)* Partido político, bol. fundado en 1940 por Víctor Paz Estenssoro. Éste llegó a la presidencia en 1952, e impuso un plan de cambios sociales y económicos y de nacionalizaciones. Su sucesor, H. Siles Zuazo, viró a la derecha ante el aislamiento internacional que sufrió Bolivia. En 1971 el MNR quedó dividido definitivamente, quedando Siles Zuazo como líder del ala izquierdista. • **Popular de Liberación de Angola** *(MPLA)* Organización político-militar creada en 1956 para conseguir la indep. y descolonización de ese país. Tras una guerra civil abierta entre los distintos grupos independentistas, el MPLA logró la victoria militar a principios de 1976. • **Veintiséis de Julio** Organización revol. cubana, fundada por Fidel Castro en 1955. Dirigió la lucha contra Batista hasta la implantación del socialismo en Cuba. Antecedente del PCC.

MOVIOLA f. *Cin.* Aparato empleado en el montaje de las películas para poner en fase las imágenes y la banda sonora.

MOXA f. *Med.* Mecha de algodón u otra sustancia inflamable, que con objeto medicinal se quema sobre la piel. • *Med.* Cauterización de la piel por este medio.

MOYA m. *Chile.* Fulano o mengano. • *Cuba.* Margarita, planta.

MOYA de Contreras, *Pedro* (m. 1591) Religioso y administrador esp. Virrey de Nueva España (1585). Presid. del Consejo de Indias (1591).

MOYANA f. Pan hecho con salvado, que suele darse a los perros de ganado. • Pieza ant. de artillería, semejante a la culebrina, pero de calibre mayor. • fig. y fam. Mentira o ficción.

MOYANO, *Daniel* (1930-1992) Escritor arg. Uno de los prales. de la generación del 55. *El oscuro, El vuelo del tigre, El fuego ininterrumpido.*

MOYO m. Ant. medida para áridos y vinos equivalente a 16 cántaras (258 l).

MOYOBAMBA Pob. del N de Perú, cap. del dpto. de San Martín; 26 000 hab. Activo comercio. Ind. vinícolas y dest. Manuf. de sombreros de paja.

MOYOTE m. *Méx.* Mosquito.

MOYUELO m. Salvado muy fino.

MOZALBETE m. Mocito, mozo de pocos años.

MOZALLÓN, NA m. y f. Pers. moza y robusta.

MOZAMBIQUE *(Moçambique)* Estado de África sudoriental, ribereño del océano Índico. Es una amplia llanura costera que va elevándose hacia el interior formando altiplanicies a las que suceden una serie de macizos montañosos. Imp. red hidrográfica. Clima tropical, cálido y lluvioso. La sabana se extiende por todo el territorio. Algodón, caña de azúcar, copra, té, arroz y tabaco. Maderas de ébano, cedro y acajú. Grupos étnicos: bantúes (96 %), mestizos, portugueses. Lenguas: port. (of.), variantes bantúes. *Rel.*: animismo (mayoría). U. M.: el metical. Cap., Maputo. C. prales.: Nampula, Beira.

MOZAMBIQUE	
Superficie	799 380 km²
Población	18 165 000 hab. (22,7 hab./km²)
Recursos económicos	
Algodón	32 000 t
Azúcar	34 000 t
Cabaña bovina	1 280 000 cabezas
Cabaña caprina	385 000 cabezas
Cabaña porcina	175 000 cabezas
Carbón	40 000 t
Cemento	62 000 t
Copra	74 000 t
Maíz	734 000 t
Mandioca	4 178 000 t
Nuez de coco	438 000 t
Pesca	30 000 t
Riqueza forestal	16 041 000 m³
Sal	23 000 t
Indicadores sociológicos	
PNB	1 353 millones de dólares
Renta per cápita	80 dólares
Esperanza de vida	47 años
Alfabetismo	40 %

* *Hist.* Visitado por los ár. desde principios del s. x. Vasco de Gama llegó a sus costas en 1498. Los port. delimitaron sus posesiones en 1752, después de un acuerdo con el sultán de Mascate-Omán. Se abolió la esclavitud en 1878. En 1951 se transformó en una prov. port. de ultramar y en 1972 en Est., sin que cambiase sustancialmente su estatuto. El FRELIMO (Frente de Liberación de Mozambique) proclamó en 1964 la insurrección gral. contra el gobierno de la metrópoli. Tras la rev. de abril de 1974 en Portugal, M. obtuvo la indep. (1975). Samora Machel fue nombrado presid. de la rep. popular, y se instauró un régimen socialista que hizo frente a las actividades de grupos guerrilleros apoyados por la Rep. Sudafricana. S. Machel falleció en un oscuro accidente de aviación (1986), y le sucedió Joaquim Chissano. En 1994 se firmaron los acuerdos de paz entre el FRELIMO y la RENAMO (Resistencia Nacional Mozambiqueña).

MOZÁRABE adj. y s. Díc. del cristiano que vivió ant. mezclado con los musulmanes de la pen. Ibérica. • Relativo a los mozárabes y a su arte. • Díc. del oficio y misa que usaron los mozárabes, conservados aún en sendas capillas de las catedrales de Toledo y Salamanca. • m. *Ling.* Dialecto hablado en la pen. Ibérica a partir del año 711, entre la pob. románica sometida a los musulmanes.

* *Arte.* El arte m., que usa elementos visigodos, tuvo su apogeo en los ss. IX-X. Las iglesias m. son de pequeñas dimensiones y tienen una planta de tres naves separadas por arcos de herradura y con cubiertas de madera. También las hay de una sola nave con bóveda de cañón. Cabe destacar la ilustración de libros sagrados.

MOZART, *Wolfgang Amadeus* (1756-1791) Compositor austr. Muy precoz como ejecutante y compositor, a los cinco años ya componía pequeñas piezas y hacia los once compuso su primera opereta, *Bastien y Bastienne.* En Viena contactó con Haydn, quien le influyó en sus obras instrumentales de los años siguientes. A su época de organista de la capilla arzobispal de Salzburgo, pertenecen la *Sinfonía concertante*, las óperas *Idomeneo* y *Thamos, reina de Egipto*, la misa de la *Coronación* y la *Missa solemnis.* A partir de 1782 compuso sus mejores obras: las sinfonías *Haffner, Linz, Praga*, las *N.º 39, 40* y la

Júpiter, los seis cuartetos de cuerda dedicados a Haydn y las óperas *Don Giovanni, Las bodas de Fígaro, Così fan tutte* y *La flauta mágica*.
MOZO, ZA adj. y s. Joven. • Soltero, célibe. • adj. Mocero. • m. Hombre que sirve en las casas o al público en oficios humildes. • Individuo sometido a servicio militar, desde que es alistado hasta que ingresa en la caja de reclutamiento. • Cuelgacapas. • Gato, mamífero. • Tentemozo, puntal o arrimo. • *Min.* Sostén sobre que gira la palanca de un fuelle. • **de estoques**. El que cuida de las espadas del matador de toros y le sirve como criado de confianza. • f. Sirvienta. • Mujer que mantiene trato ilícito con alguno. • Pieza de las trébedes en que se asegura el rabo de la sartén. • En algunos juegos, última mano. • **de fortuna** o **del partido.** Ramera.
MOZÓN, NA adj. *Perú.* Bromista, burlón.
MOZONADA f. *Perú.* Burla graciosa. ■ *Perú.* MOZONEAR.
MOZOTE m. *Hond.* Hierba cuyo fruto se usa contra la ictericia.
MP/M *Comp.* Sistema operativo que soporta multiprogramación y que es una versión del sistema operativo CP/M de Digital Research Corporation.
MPLA Siglas del Movimiento Popular de Liberación de Angola.
MST Siglas de *Mean Solar Time* (tiempo solar medio). Indican la medición del tiempo medio en base a un día solar medio (86 400 segundos).
MU Onomatopeya con que se representa la voz del toro y de la vaca. • m. Mugido.
MUARÉ m. Tela fuerte de seda, lana o algodón, labrada o tejida de manera que forma aguas; moaré, muer.
MUAWIYA (h. 603-680) Califa de Damasco, primero de la dinastía de los omeyas. Trasladó la cap. del Islam de Medina a Damasco.
MUBARAK, *Hosni* (nacido 1928) Político egipcio. Vicepresid. de la rep. durante el mandato de Anwar al-Sadat, le sucedió en la jefatura del Estado en 1981, tras la muerte de aquél en un atentado. En agosto de 1990, tras la invasión de Kuwait por tropas iraquís, M. convocó en el Cairo una conferencia de jefes de Estado árabes, alineándose en el conflicto junto a Kuwait y Arabia Saudí.
MUCAMO, MA adj. *Amér.* Sirviente, criado.
MUCETA f. Esclavina que usan como señal de su dignidad los prelados, doctores, licenciados y ciertos eclesiásticos.
MUCHACHADA f. Acción propia de muchachos, reprensible en los adultos. • Conjunto de muchachos.
MUCHACHEAR intr. Hacer o ejecutar cosas propias de muchachos.
MUCHACHERÍA f. Muchachada. • Muchedumbre de muchachos que meten ruido.

Observatorio en el macizo de Roque de los **Muchachos,** isla de La Palma (Canarias)

MUCHACHO, CHA m. y f. Niño o niña que no ha llegado a la adolescencia. • Niño o niña que mama. • adj. y s. fam. Persona que se halla en la mocedad. • m. y f. Trato que se da a una persona con la que se tiene confianza, cualquiera que sea su edad. • f. Criada. • *Chile.* Barrilete. ■ MUCHACHEZ; MUCHACHIL.

Wolfgang Amadeus **Mozart** a los ocho años, con su hermana Maria Anna y su padre, dando un concierto en París en el año 1764

MUCHACHOS, *Roque de los* Macizo volcánico de España, en la isla de La Palma (Canarias): alt. máx. 2 423 m.
MUCHEDUMBRE f. Reunión de gran núm. de personas o de ciertas cosas.
MUCHIGAY m. *Col.* Gente o ganado menudos.
MUCHITANGA f. *Perú.* Populacho.
MUCHO, CHA adj. Abundante, numeroso, o que excede a lo ordinario o preciso. • adv. cantidad. Con abundancia, en gran cantidad. • Antepónese a otros adv. denotando idea de comparación. • En estilo fam., equivale a sí o ciertamente. • Con el verbo *ser* o en cláusulas interrogativas o exclamativas, precedido de la partícula *que*, denota idea de dificultad o extrañeza. • Con verbos expresivos de tiempo, denota larga duración. • **Ni con m.** loc. que expresa la gran diferencia que hay de una cosa a otra. • **Ni m. menos.** loc. con que se niega una cosa o se encarece su inconveniencia.
MUCÍLAGO o **MUCILAGO** m. Sustancia de naturaleza viscosa y hialina, que producen diversas plantas, algas y las bacterias. • *Farm.* Solución acuosa de goma arábiga, alginatos u otra sustancia semejante, usada para mantener en suspensión sustancias insolubles. ■ MUCILAGINOSO, SA.
MUCINA f. Sustancia de naturaleza proteica componente de la saliva y de otras secreciones glandulares del hombre y de otros animales, como el caracol o la babosa.
MUCINASA f. *Biol.* Enzima, propia del vibrio del cólera, que se libera en el tracto intestinal humano, favorece la acción de las endotoxinas y determina diarrea, deshidratación y shock.
MUCLE m. *Hond.* Enfermedad del recién nacido, por indigestársele la leche.
MUCO adj. y m. *Amér. Centr.* Novillo desmochado o descornado. • *Bol.* Maíz mascado y fermentado del que se fabrica la chicha.
MUCOPOLISACÁRIDO m. *Fisiol.* Sustancia compuesta por la polimerización de azúcares sencillos, derivados nitrogenados y ácidos urónicos.
MUCOPROTEÍNA f. Sustancia componente de las mucinas, constituida por una cadena proteínica y un componente hidrocarbonado que forma cadenas laterales y ramificadas.
MUCOSIDAD f. Secreción viscosa de las membranas mucosas.
MUCOSO, SA adj. Semejante al moco. • Que tiene mucosidad o la produce. • f. Capa que tapiza interiormente los conductos y cavidades del organismo de los animales que están en comunicación con el exterior.
MUCRE adj. *Chile.* Acre, áspero, astringente.
MUCRONATO, TA adj. Terminado en punta. Empléase en el tecnicismo de varias ciencias. • *Anat.* Cartílago xifoides del esternón.
MÚCURA m. *Bol., Col.* y *Ven.* Ánfora de barro usada para tomar agua de los ríos y conservarla fresca. • *Col.* Tonto, inhábil.
MUCUS m. Moco, mucosidad.
MUDADA f. *Amér.* Muda de ropa.
MUDANZA f. Acción y efecto de mudar o mudarse. • Traslación que se hace de una casa o de una

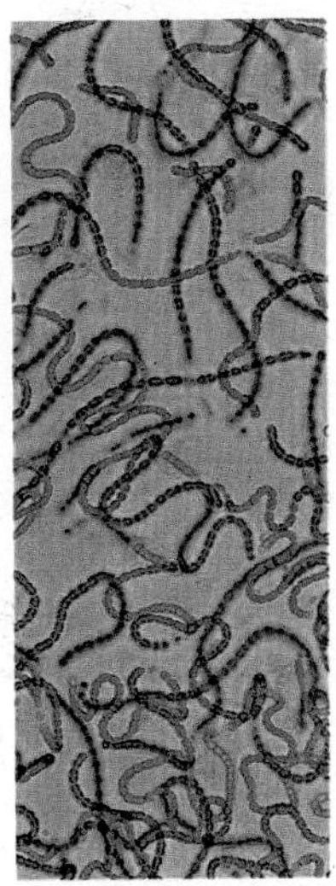

Microfotografía en la que se observan algas cianofíceas embebidas en una matriz de **mucílago**

habitación a otra. • Cierto núm. de movimientos que se hacen a compás en los bailes. • Inconstancia de los afectos o de los dictámenes. • *Mús.* Cambio convencional del nombre de las notas en el solfeo ant., para poder representar el *si* cuando aún no tenía nombre.

MUDAR m. *Bot.* Arbusto de la India, de la familia asclepiadáceas, cuya raíz, de corteza rojiza por fuera y blanca por dentro, tiene un jugo muy usado por los naturales del país como emético y contraveneno. • tr. Dar o tomar otro ser o naturaleza, otro estado, figura, lugar, etc. • Dejar una cosa que antes se tenía, y tomar en su lugar otra. • Remover o apartar de un sitio o empleo. • Efectuar un ave la muda de la pluma. • Soltar periódicamente la epidermis y producir otra nueva, como lo hacen los gusanos de seda, las culebras y algunos otros animales. • Efectuar un muchacho la muda de la voz. • fig. Variar, cambiar. • prnl. Dejar el modo de vida o el afecto que antes se tenía, trocándolo en otro. • Tomar otra ropa o vestido, dejando el que antes se usaba. Normalmente se entiende de la ropa interior. • Dejar la casa que se habita y pasar a vivir en otra. • fam. Irse uno del lugar, sitio o concurrencia en que estaba. • fam. Defecar. ■ MUDABLE; MUDADIZO, ZA; MUDAMIENTO.

MUDÉJAR adj. y s. Díc. del mahometano que vivía como súbdito en los reinos de la pen. Ibérica durante la Reconquista. • Relativo a los mudéjares. • *Arte.* Díc. del estilo arquitectónico que floreció en los ss. XIII-XVI, caracterizado por el uso de elementos del arte cristiano y de la ornamentación ár. Sus obras, de fábrica de ladrillo, están tratadas desde un punto de vista decorativo, tanto en los exteriores como en los interiores.

MUDENCO, CA adj. *Hond.* Tartamudo.

MUDEZ f. Imposibilidad de hablar, causada por un desarrollo insuficiente, o destrucción, de los centros nerviosos y órganos que intervienen en el lenguaje oral. • Silencio deliberado y persistente.

MUDO, DA adj. y s. Privado físicamente de la facultad de hablar. • adj. Muy silencioso o callado. • *Ecuad.* Tonto, bobo. • f. Acción de mudar una cosa. • Conjunto de ropa que se muda de una vez. • *Fisiol.* Proceso de regulación hormonal mediante el cual un animal sustituye total o parcialmente su tegumento por otro. En los artrópodos es el esqueleto quitinoso, y en los reptiles puede separarse toda la epidermis. • Cada una de las fases que los insectos atraviesan durante su desarrollo larvario. • Nido para aves de caza. • Tránsito de un timbre de voz a otro que experimentan los muchachos al entrar en la pubertad.

MUEBLAJE m. Moblaje, conjunto de muebles de una casa.

MUEBLAR tr. Amueblar, dotar de muebles un lugar.

MUEBLE m. Cada uno de los enseres, efectos o alhajas que sirven para la comodidad o adorno en las casas. ■ MUEBLERÍA; MUEBLISTA.

* *Arte.* Se conservan numerosos ejemplares de m. egipcios (hallados en tumbas), gr. y rom. En la E. Med. el m. tuvo una finalidad más funcional que decorativa. El Renacimiento introdujo nuevos tipos de m. Pero fue en Francia donde se impuso, en el s. XVII, la moda del m. de gran calidad: el famoso estilo Luis XIV, profusamente decorado, y el Luis XV, de líneas gráciles y redondeadas. El gran renovador del m., a finales del s. XIX, fue William Morris, en favor de una mayor funcionalidad. La producción en serie, el diseño y la incorporación de nuevos materiales han permitido al m. actual alejarse de las formas tradicionales.

Diferentes estilos de **muebles.** De arriba abajo, bajomedievales con elementos renacentistas; rococó; decimonónicos; funcionales

MUECA f. Contorsión del rostro, gralte. burlesca.

MUELA f. *Anat.* Cada uno de los dientes posteriores a los caninos. • Cerro escarpado en lo alto y con cima plana. • Cerro artificial. • Almorta, guija, tito. • Cantidad de agua que basta para hacer andar una rueda de molino. Sirve de unidad de medida del caudal de una corriente. • Disco de piedra que se hace girar sobre la solera, para moler lo que entre ambas piedras se interpone. • *Mec. apl.* Herramienta policortante cuyas cuchillas están constituidas por granos de abrasivo capaces de arrancar pequeñas cantidades de material. • fig. Rueda o corro. • **carnicera.** Molar posterior de las mandíbulas de los mamíferos carnívoros. • **del juicio.** Último molar de cada lado. Su aparición es posterior a la de las demás muelas.

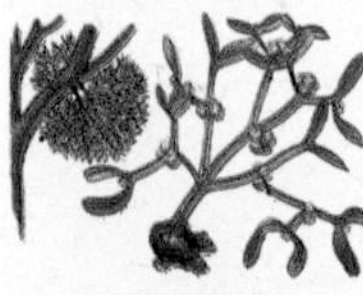

Muérdago

MUELAR m. Tierra sembrada de almortas.

MUELLAJE m. Derecho o impuesto que se cobra a toda embarcación que entra en un puerto.

MUELLE adj. Delicado, suave, blando. • Inclinado a los placeres sensuales. • m. Construcción hecha en la orilla del mar o de un río navegable para facilitar el embarque y desembarque de cosas y personas. • Andén alto que en las estaciones de ferrocarril se destina para la carga y descarga de mercancías. • Pieza elástica deformable por la acción de fuerzas exteriores y capaz de recuperar su estado inicial al cesar aquéllas. • Adorno compuesto de varios relicarios o dijes, que algunas mujeres llevaban pendiente a un lado de la cintura. • pl. Tenazas grandes que usan en las casas de moneda.

MUELO m. Montón en que se recoge el grano después de limpio en la era.

MUENDA f. *Col.* Zurra, paliza, tunda.

MUENGO, GA adj. *Cuba.* Díc. de la persona o animal a quien le falta una oreja. • f. *Chile.* Molestia.

MUER m. Muaré.

MUERA f. Sal de cocina.

MUÉRDAGO m. Planta lorantácea que vive parásita sobre los troncos y ramas de los árboles. Se ha usado contra la disentería y de sus frutos se obtiene la liga, utilizada para cazar pájaros.

MUERDO m. fam. Acción y efecto de morder. • fam. Porción de comida que se toma cada vez, bocado. • Corta cantidad de alimento. • Trozo que se arranca con los dientes.

MUÉRGANO m. *Col.* Objeto inútil, antigualla.

MUERGO m. Navaja, molusco lamelibranquio con la concha prolongada en forma de mango de cuchillo.

MUERMO m. *Vet.* Enfermedad de las caballerías, caracterizada pralm. por ulceración y flujo de la mucosa nasal e infarto de los ganglios linfáticos próximos. • *Chile.* Nombre de un gén. de árboles rosáceos de madera muy apreciada. • fam. Persona o cosa pesada y aburrida. ■ MUERMOSO, SA.

MUERTE f. Cesación de la vida. • Homicidio. • Figura del esqueleto humano como símb. de la m. • fig. Destrucción, aniquilamiento, ruina. • **civil.** *Der.* Privación total de los derechos civiles. • **A m.** m. adv. Hasta morir uno de los contendientes. • **De mala m.** loc. fig. y fam. De poco valor; despreciable.

* *Biol.* La m. se caracteriza por el cese de las correlaciones funcionales que aseguran el mantenimiento de las constantes químicas del medio interno. La detención del latido cardiaco o de la respiración, considerados antes como signos característicos de la m., no lo son hoy, teniéndose como tal el cese de la actividad del sistema nervioso central.

MUERTE, *Valle de la* (*Death Valley*) Depresión de EE UU, sit. al E del est. de California y formada por una cuenca de hundimiento, a 86 m bajo el nivel del mar.

MUERTO, TA p. p. irregular de morir. • fam. Se usa con significación transitiva, como si procediese del verbo *matar.* • adj. y s. Que está sin vida. • Aplícase al yeso o a la cal apagados con agua. • Apagado, desvaído, poco activo o marchito. Díc. especialmente de los colores. • En algunos juegos de cartas, el que por turno deja de jugar, pero hace la puesta. • En un fichero, se aplica a la ficha que se deja como señal o prenda de alguna que se extrae para realizar algún trabajo sobre ella.

MUERTO, *Mar* (ár., *Bahr Lut*; heb., *Yan Hamelaj*) Lago salado de Palestina, a 390 m bajo el nivel del mar; 1 049 km^2.

MUESCA f. Concavidad o hueco que hay o se hace en una cosa para encajar otra. • Corte que se hace al ganado vacuno en la oreja para que sirva de señal.

MUESO, SA adj. Díc. del cordero que nace con las orejas muy pequeñas. • m. fig. y fam. Cierto dolor de vientre que durante el puerperio suelen tener las parturientas.

MUESTRA f. Rótulo sobre un tablero, placa, etc., con el que se anuncia en el exterior el nombre de un establecimiento comercial o la profesión de una persona. • Trozo de tela o porción de un producto o mercancía, que sirve para conocer la calidad del género. • Ejemplar o modelo que se ha de copiar o imitar. • Parte o porción extraída de un conjunto por métodos que permiten considerarla como representativa del mismo. • Parte extrema de una pieza de paño, donde entre dos listas de lana ordinaria va la marca de la fábrica. • Porte, ademán, apostura. • Esfera del reloj. • En algunos juegos de naipes, carta que se vuelve y enseña para indicar el palo del triunfo. • En estadística, cuando deben hacerse observaciones sobre una pob. excesivamente grande, fracción elegida de modo que sus parámetros se ajusten a los de la población. • fig. Señal, indicio, demostración o prueba de una cosa. • Primera señal de fruto que se advierte en las plantas. • Detención que hace el perro en acecho de la caza para levantarla a su tiempo. • Revista, inspección de tropa formada.

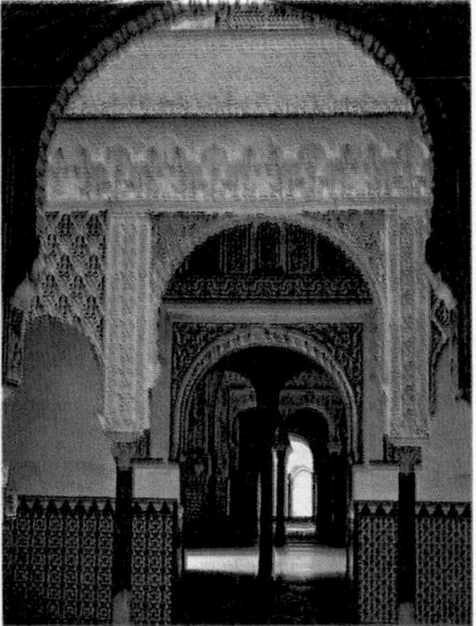

Patio de las Muñecas del Alcázar de Sevilla, en estilo **mudéjar**

MUESTRARIO m. Conjunto de muestras de una mercancía.

MUESTREO m. Acción de escoger muestras representativas de la calidad o condiciones medias de un todo. • Técnica empleada para esta selección. • Método estadístico que basa el estudio de un fenómeno complejo en el examen de sólo una parte de la totalidad de sus elementos. • Obtención de una muestra de suelo para determinar sus características físico-mecánicas.

MUÉVEDO m. Feto abortado.

MUEY m. *Amér. Centr.* Muelle. • *Amér. Centr.* Muelle del reloj.

MUFLA f. Hornillo que se coloca dentro de un horno para reconcentrar el calor y conseguir la fusión de diversos cuerpos.

MUFLÓN m. Carnero salvaje del S del Europa.

MUFTÍ m. Jurisconsulto musulmán cuyas decisiones son consideradas como leyes.

MUGA f. Mojón, término o límite. • Desove. • Fecundación de las huevas, en los peces y anfibios.

MUGABE, ***Robert*** (nacido 1924) Político zimbabwés. Desde 1960 actuó en los mov. de liberación de su pueblo. Cofundador del Frente Patriótico (1976), se erigió en líder indiscutible de la guerrilla de la Unión Nacional Africana de Zimbabwe (ZANU). En las primeras elecciones libres de su país (1980) alcanzó una victoria rotunda, que le valió el cargo de primer ministro. Fue reelegido en 1987 y 1996.

MUGADA f. Huevas del desove.

MUGAR intr. Desovar. • Fecundar las huevas.

MÚGICA, ***Francisco J.*** (1884-1954) Militar y político mex. Participó en la rev. maderista de 1910. Gobernador del est. de Michoacán (1920-1922), apoyó la reforma agraria. Colaborador de Cárdenas, co-ministro de Economía (1935-1945) y de Obras Públicas (1935-1939).

MÚGIL m. Mújol, pez.

MUGIR intr. Dar mugidos la res vacuna. • fig. Producir ruido el viento o el mar. • Manifestar uno su ira con gritos. ■ MUGIDO.

MUGRE f. Grasa o suciedad. ■ MUGRIENTO, TA.

MUGRÓN m. Sarmiento que sin cortarlo de la vid se entierra para que arraigue y produzca nueva planta. • Vástago de cualquier planta.

MUGUET m. Inflamación infectomicótica de la mucosa bucal, que origina placas blanquecinas en la mucosa enrojecida.

MUGUETE m. Planta liliácea. La infusión de sus flores se usa contra las enfermedades cardiacas.

MUHAMMAD I (823-886) Emir omeya de Córdoba [852-886]. Hijo de Abd al-Rahman II. Tuvo que afrontar diversas rebeliones mozárabes. • **V Ibn Yusuf** (1909-1961) Sultán [1927-1957] y rey de Marruecos [1957-1961]. Consiguió la indep. completa de Marruecos en 1956. Le sucedió su hijo Hasán II. • **Ahmad ibn abd Allah** (1843-1885) Mahdi árabe. Dirigió la insurrección ár. en el Sudán y ocupó Jartum pese a la resistencia del general brit. Gordon (1885). En 1896-1898 los brit. aniquilaron su movimiento. • **Alí** → Mehmet Alí. • **Al-Nasir** (1179-1213) Califa almohade [1199-1213]. Se enfrentó a una coalición de príncipes cristianos que le derrotó en la batalla de las Navas de Tolosa (1212).

MUISCA adj. Chibcha.

MUJER f. Persona del sexo femenino. • La que ha llegado a la edad de la pubertad. • La casada, con relación al marido. • **de la vida, de mala vida, de mal vivir** o **de vida airada.** Ramera. • **de su casa.** La que tiene disposición para los quehaceres domésticos, y cuida de su hacienda y familia con diligencia. • **fácil.** La que sin mayores reparos admite relaciones sexuales con el hombre. • **fatal.** Tipo convencional de m. que por su conducta o aspecto se supone irresistible para el hombre. • **pública.** Ramera. ■ MUJERIL; MUJERONA.

MUJERCILLA dim. de mujer. • f. Mujer de poca estimación. • Ramera.

MUJERENGO adj. *Amér.* Díc. del hombre afeminado.

MUJERERO adj. *Amér.* Mujeriego.

MUJERIEGO, GA adj. Díc. del hombre dado a mujeres. • m. Agregado o conjunto de mujeres. • **A la mujeriega** o **a mujeriegas.** m. adv. Cabalgando como de ordinario lo hacen las mujeres, sentadas en la silla, sillón o albarda, y no a horcajadas.

MUJERÍO m. Mujeriego, conjunto de mujeres.

MUJERZUELA f. Mujer de poco valer. • Mujer que se ha echado a la vida, prostituta.

MUJIBUR Rahman (1920-1975) Político bengalí. Proclamó la indep. de Pakistán Oriental, con el nombre de Bangladesh, en 1971. Asesinado a raíz de un golpe militar dirigido por Khondakar Ahmed.

MUJICA Láinez, ***Manuel*** (1910-1984) Escritor arg. Autor de algunas biografías de escritores arg., destacó como novelista. *Los ídolos, La casa, Los viajeros, Bomarzo, Invitados en el paraíso, El gran teatro, Crónicas reales, El escarabajo.*

MUJIK m. Campesino ruso.

MÚJOL m. Pez teleósteo mugiliforme, de unos 70 cm de largo. Abunda en el Mediterráneo, y su carne y sus huevas son muy estimadas.

MUKDEN → Shenyang.

MULA f. Hembra del mulo. • Múleo. • Calzado que usan los papas semejante al múleo. • *Méx.* Mercancía invendible. • *Méx.* Cojín que usan los cargadores para no lastimarse. • fig. y fam. Persona fuerte, resistente en el trabajo. • *Amér. Centr.* Borrachera. ■ MULERO.

MULADAR m. Lugar donde se echa el estiércol o basura de las casas. • fig. Lo que ensucia o pervierte.

Muflón

Muguete

MULADÍ adj. y s. Díc. del cristiano que, tras la dominación ár. en España, se convirtió al islamismo.

MULATO, TA adj. y s. Aplícase a la persona que ha nacido de negra y blanco o de blanca y negro, con características somáticas comunes a ambas razas. • adj. De color moreno. • P. ext., díc. de lo que es moreno en su línea. • m. *Amér.* Mineral de plata de color oscuro o verde cobrizo.

MULDOON, *Robert* (nacido 1951) Político neozelandés, del Partido Nacionalista. Primer ministro (1975-1984).

MULEO m. o **MULILLA** f. Calzado que usaban los patricios rom.; era de color purpúreo, puntiagudo, con la punta vuelta hacia el empeine.

MULETA f. Bastón con travesaño en un extremo que se coloca debajo del sobaco para apoyarse al andar. • *Taur.* Palo del que cuelga un paño encarnado, que el torero utiliza para engañar al toro. • fig. Cosa que ayuda en parte a mantener otra.

MULETADA f. Hato de ganado mular.

MULETAZO m. *Taur.* Pase de muleta con que se burla al toro.

MULETILLA f. Muleta de torero. • Especie de botón largo de pasamanería, para sujetar o ceñir la ropa. • Bastón cuyo puño forma travesaño. • fig. Voz o frase que se repite mucho por hábito. • Travesaño en el extremo de un palo, como el que lleva la muleta. • *Min.* Clavo con cabeza en forma de cruz. ■ MULETILLERO, RA.

MULETÓN m. Tela afelpada, de algodón o lana.

MULEY m. Título que llevaban los sultanes de Marruecos de la dinastía jerifiana.

MULEY Hacén Castellanización de Abu-l-Hasan Alí.

MULHACÉN Pico esp. de Sierra Nevada, en el sistema Penibético (prov. de Granada). Alt. máx. de la pen. Ibérica: 3 481 m.

MÜLHEIM AN DER RUHR C. de Alemania, en Renania Septentrional-Westfalia; 173 200 hab. Centro industrial.

MULHOUSE C. de Francia, en Alsacia, dpto. de Haut-Rhin; 218 500 hab. Ind. química.

MULITA f. *Argent.* y *Ur.* Tatú o armadillo. • *Chile.* Insecto ortóptero que corre por la superficie del agua. • **mayor.** *Amér. Centr.* Juego de muchachos.

MULLER, *Hermann Joseph* (1890-1967) Biólogo norteam., renovador de la genética por sus estudios sobre los efectos de los rayos X sobre las células. Premio Nobel de Medicina 1946.

MÜLLER, *Johann* → Regiomontano. • ***Paul Hermann*** (1899-1965) Químico suizo. Descubrió las propiedades insecticidas del DDT. Premio Nobel de Medicina en 1948.

MULLIDA f. Montón de rozo, juncos, paja, etc., de los corrales usado como cama del ganado.

Torero dando un pase con la **muleta**

MULLIDO m. Material blanco con que se rellenan los colchones, asientos, aparejos, etc.

MULLIGAN, *Gerry* (1927-1996) Músico de *jazz* norteam., especializado en saxo barítono. Destacado arreglista.

MULLIKEN, *Robert S.* (1896-1986) Químico norteam. Sus estudios sobre la estructura electrónica de moléculas por el método molecular orbital, le valieron el Premio Nobel de Química en 1966.

MULLIR tr. Esponjar algo para que esté blando. • fig. Disponer las cosas para conseguir un intento. • Cavar alrededor de las cepas, ahuecando la tierra.

MULLO m. Salmonete. • *Ecuad.* Abalorio, cuenta de rosario o collar.

MULO m. Cuadrúpedo, hijo de asno y yegua o de caballo y asna. • fig. y fam. Mula, persona fuerte y vigorosa.

MULSO, SA adj. Mezclado con miel o azúcar.

MULTA f. Pena impuesta por la autoridad policial, gubernativa o judicial al autor de un delito o falta.

MULTAN C. del centro-este de Pakistán; 730 000 hab. Centro comercial agrícola. Ind. textil.

MULTAR tr. Imponer a uno pena pecuniaria por una falta o delito que ha cometido.

MULTICAULE adj. Díc. de la planta que tiene muchos tallos.

MULTICOLOR adj. De muchos colores.

MULTICOPIAR tr. Reproducir en copias por medio de multicopista. ■ MULTICOPIADO, DA.

MULTICOPISTA adj. y f. Díc. de una máquina que sirve para reproducir en serie documentos, dibujos, etc., a partir de un clisé u hoja especial.

MULTIFLORO, RA adj. *Bot.* Que produce o encierra muchas flores.

MULTIFORME adj. Que tiene muchas o varias figuras o formas.

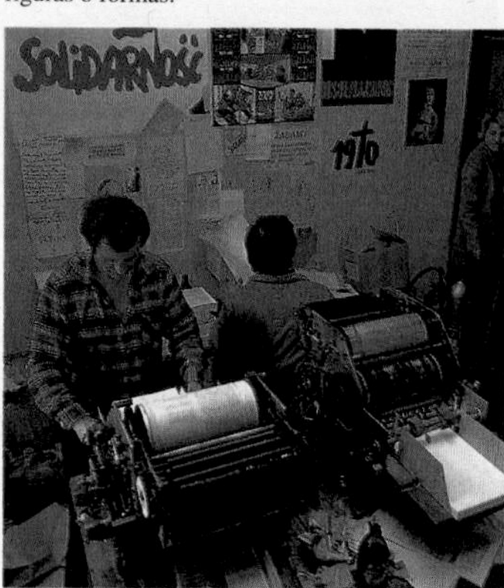

Multicopista reproduciendo un documento

MULTILÁTERO, RA adj. Aplícase a los polígonos de más de cuatro lados.

MULTIMEDIA adj. y m. *Comp.* Sistema informático que permite combinar en un mismo soporte información diversa como sonido, gráficos, texto y animación.

MULTIMILLONARIO, RIA adj. Díc. de la persona cuya fortuna asciende a muchos millones de pesetas, pesos, etc.

MULTINACIONAL adj. Relativo a varias naciones. • f. Empresa o grupo de empresas que tiene intereses en varios países.

MULTÍPARA adj. Díc. de la hembra que tiene varios hijos de un solo parto. • Díc. de la mujer que ha tenido más de un parto.

MÚLTIPLE o **MULTÍPLICE** adj. Que no es simple. • Vario, de muchas maneras.

MULTIPLEX m. *Electr.* Transmisión simultánea de funciones, como frecuencia, amplitud, etc., sobre un circuito, sin que se pierda su identidad.

MULTIPLICACIÓN f. Acción y efecto de multiplicar o multiplicarse. • *Mat.* Operación aritmética que consiste en hallar el producto de dos factores. • *Bot.* Reproducción asexual.

MULTIPLICADOR, RA adj. y m. Que multiplica. • *Mat.* Factor que indica las veces que otro ha de tomarse como sumando en una multiplicación. • Explosivo de mayor sensibilidad que el normal y que provoca la explosión de éste. • **de frecuencia.** Circuito que a partir de una frecuencia consigue obtener oscilaciones de frecuencias $2f_0$, $3f_0$, etc. • **de tensión.** Circuito cuya tensión de salida sin carga es múltiplo entero de la entrada. • **Teoría del m.** *Econ.* Análisis que permite calcular el efecto de un esfuerzo de inversión complementaria sobre la renta global.

MULTIPLICANDO adj. y m. *Mat.* Se aplica al factor que ha de ser multiplicado.

MULTIPLICAR tr., intr. y prnl. Aumentar algo en número considerable. • tr. Hallar el producto de dos factores. • *Mec. apl.* Aumentar el número de vueltas de una pieza giratoria mediante un engranaje en el que ésta tiene una rueda con un núm. de dientes menor que otra que actúa sobre ella. • prnl. Afanarse, intentar realizar diversas cosas a un tiempo. ■ MULTIPLICATIVO, VA.

MULTIPLICIDAD f. Calidad de múltiple. • Muchedumbre, abundancia excesiva de algunos hechos, especies o individuos.

MÚLTIPLO adj. y m. *Mat.* Díc. de un núm. entero, o de un polinomio, que contiene a otro núm. entero, o a otro polinomio, un núm. exacto de veces.

MULTIPROCESO m. *Comp.* Método de trabajo de una computadora que consiste en la ejecución simultánea de varios programas a cargo de varias unidades centrales de proceso o procesadores.

MULTIPROGRAMACIÓN f. *Comp.* Método de trabajo de una computadora que consiste en la ejecución concurrente de varios programas que se encuentran en memoria al mismo tiempo.

MULTITUD f. Núm. grande de personas o cosas. ■ MULTITUDINARIO, RIA.

MULTIVIBRADOR m. *Electr.* Dispositivo generador de ondas no sinusoidales.

MULUYA Uadi de Marruecos, que nace en el Gran Atlas y desagua en el Mediterráneo; 450 km.

MUMUGA f. *Hond.* Migajas del tabaco.

MUNCH, *Edvard* (1863-1944) Pintor y grabador nor. Uno de los máx. representantes del expresionismo. En 1885 se trasladó a París, donde admiró la obra de Gauguin y Van Gogh. De regreso a su país, entró en el grupo de los «Bohemios de Cristianía». Entre sus obras destacan: *El grito*, *La danza de la vida.*

MÜNCHEN → Munich.

MUNDANEAR intr. Atender demasiado a las cosas del mundo.

MUNDANO, NA o **MUNDANAL** adj. Relativo al mundo. • Relativo a la llamada buena sociedad. • Díc. de la persona que atiende demasiado a las cosas materiales del mundo. • Que frecuenta las reuniones de la alta sociedad. ■ MUNDANALIDAD; MUNDANERÍA.

MUNDICIA f. Limpieza.

MUNDIFICAR tr. y prnl. Limpiar, purgar, purificar. ■ MUNDIFICACIÓN; MUNDIFICATIVO, VA.

MUNDILLO m. Enjugador que por arriba remata en arcos de madera. • Almohadilla cilíndrica para hacer encaje. • *Bot.* Arbusto caprifoliáceo ramoso, de flores blancas agrupadas. • Cada uno de los grupos de flores de dicho arbusto. • Conjunto de personas entre las que uno se desenvuelve. • fig. Conjunto de personas que tienen una misma posición social, profesión, etc.

al-MUNDIR (844-888) Emir de Córdoba [886-888], hijos de Muhammad I. Dirigió la lucha contra el rebelde Ibn Marwan en Extremadura, y contra Umar ibn Hafsun.

MUNDO m. Conjunto de todo lo que existe. • Planeta Tierra. • Totalidad de los hombres; género humano. • Sociedad humana. • Parte de la sociedad humana, caract. por alguna cualidad o circunstancia común a todos sus individuos. • Vida secular. • En sentido ascético y moral, uno de los enemigos del alma, que son los placeres y las satisfacciones mundanas. • Esfera con que se repres. el globo terráqueo. • Baúl mundo. • *Bot.* Mundillo, arbusto y grupo de flores de él. • **antiguo**. Porción del globo que comprendía la mayor parte de Europa, Asia y África. • **mayor.** Macrocosmo. • **menor.** Microcosmo. • **Gran m.** Grupo social que se distingue por su elevada posición. • **El Nuevo M.** Aquella parte del globo en que están las dos Américas. • **El otro m.** La otra vida. • **Echarse al m.** fig. Seguir las malas costumbres y placeres. • fig. Prostituirse la mujer. • **Hundirse el m.** fig. Ocurrir un cataclismo. • **No ser** uno **de este m.** fig. Estar abstraído de las cosas terrenas. • **Ponerse** uno **el m. por montera.** fig. y fam. No tener en cuenta la opinión de los hombres; no hacer caso del qué dirán. • **Salir** uno **de este m.** Morir. • **Tener m.** o **mucho m.** fam. Saber por experiencia lo bastante para no dejarse llevar de exterioridades ni de las primeras impresiones. • **Venir al m.** Nacer. • **Ver m.** fig. Viajar por varias tierras y países. ■ MUNDIAL.

MUNDOLOGÍA f. Experiencia y habilidad para tratar a la gente y saberse desenvolver.

MUNDONUEVO o **MUNDINOVI** m. Cajón que contiene un cosmorama portátil o una colección de figuras móviles.

MUNI Estuario de 25 km de largo, en el límite entre la zona continental de Guinea Ecuatorial y Gabón. Lo forman varios ríos, entre ellos el Mitemele.

MUNICH (*München*) C. de Alemania, cap. del est. de Baviera; 1 267 500 hab. Atravesada por el r. Isar. Ind. de instrumentos de precisión, aparatos ópticos, química, elaboración de cigarrillos y cerveza. Escenario de la actividad política de Hitler, en M. se fundó el partido nacionalsocialista. Fue casi totalmente destruida durante la II Guerra Mundial. En 1972 fue sede de los JJ OO. • **Conferencia de M.** La celebrada en 1938 entre Hitler, Mussolini, Chamberlain y Daladier, que supuso el abandono de Checoslovaquia al nazismo.

MUNICIÓN f. Pertrechos y bastimentos necesarios en un ejército o en una plaza de guerra. • Perdigones con que se cargan las escopetas para caza menor. • Carga que se pone en las armas de fuego. • *Hond.* Uniforme de soldado.

MUNICIONAR tr. Proveer de municiones una plaza o a los soldados para su defensa o manutención. ■ MUNICIONAMIENTO.

MUNICIONERO, RA m. y f. Proveedor, ra. • f. *Amér.* Perdigonada.

MUNICIPAL adj. Relativo al municipio. • m. Individuo de la guardia municipal. • *Chile.* Concejal.

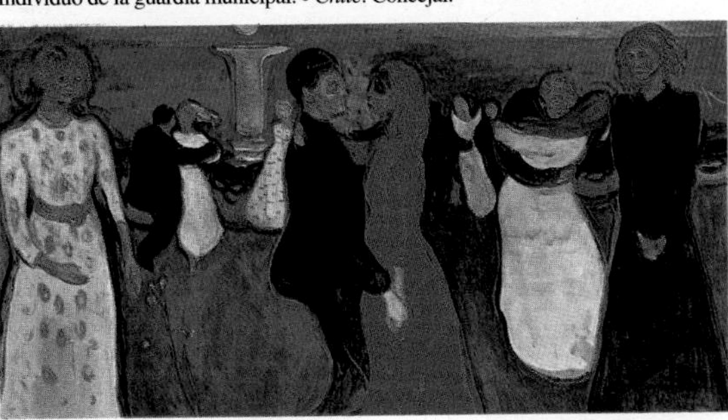

La danza de la vida, óleo de Edvard **Munch**

MUNICIPALIDAD f. Municipio, ayuntamiento de una población.

MUNICIPALIZAR tr. Asignar al municipio un servicio público que estaba a cargo de empresas privadas. ■ MUNICIPALIZACIÓN.

MUNÍCIPE m. Vecino de un municipio.

MUNICIPIO m. Entre los rom., ciudad libre que se gobernaba por sus propias leyes y cuyos vecinos podían obtener los privilegios y derechos de la ciudad de Roma. • Conjunto de habitantes de un término jurisdiccional, regido por un ayuntamiento. • El mismo ayuntamiento. • El término municipal.

MUNIDO, DA adj. *Argent.* y *Chile.* Defendido, fortificado; armado, prevenido.

MUNIFICENCIA f. Generosidad espléndida. ■ MUNÍFICO, CA.

MUNITORIA f. Arte de fortalecer una plaza.

MUNSTER (*Mumha*) Región histórica del SO de Irlanda; 24 126 km², 1 019 700 hab. Cap., Cork. Es la región más accidentada y montañosa del país. Patatas y cereales. Pastos. Ganadería. Destilerías de whisky.

MÜNSTER C. de Alemania, en Renania Septentrional-Westfalia; 272 600 hab. Centro industrial y comercial. Universidad.

MUNTANER, Ramon (1265-1336) Cronista catalán. Capitán de los almogávares, tomó parte en la expedición a Oriente. *Crónica.*

MUNÚSCULO m. Don o regalo insignificante.

MUNZER o **MUNTZER, *Thomas*** (h. 1489-1525) Reformador al., uno de los fundadores del anabaptismo. Sus teorías revolucionarias canalizaron el descontento campesino, que se concretó, bajo su dirección, en una revuelta que los príncipes luteranos al. ahogaron en sangre.

MUÑECA f. Región de la extremidad superior del hombre, en donde se articula la mano con el ante-

Münster. Centro histórico de la ciudad

brazo. • Figura de niña o de mujer, que sirve de juguete. • Maniquí para vestidos de mujer. • Pieza pequeña de trapo que, ceñida con un hilo por las puntas, encierra algún ingrediente y evita que se mezcle con el líquido en que se empapa. • Lío de trapo, de forma redondeada que se embebe de un líquido para barnizar maderas y metales, para refrescar la boca de un enfermo o para cualquier otro uso. • Hito, mojón. • *R. de la Plata.* Habilidad o influencia para tener algo. • fig. y fam. Mujer joven, atractiva y ordinariamente frívola y presumida.

Joachim **Murat,** por Gérard. Museo de Versalles

MUÑECO m. Figura de niño o de hombre hecha de pasta, madera, trapos u otra cosa. • fig. y fam. Joven afeminado e insustancial. • Hombre de poco carácter.
MUÑEIRA f. Baile popular de Galicia. • Son con que se baila.
MUÑEQUEAR intr. *Esg.* Jugar las muñecas meneando la mano. • *Chile.* Empezar a echar la muñequilla el maíz y plantas semejantes. • tr. *Argent.* y *Par.* Mover las influencias para conseguir algo.
MUÑEQUERA f. Pulsera del reloj. • Tira de cuero con que se rodea la muñeca, para curar una distorsión.
MUÑEQUERÍA f. fam. Exceso de adorno o afeminamiento en el vestido.
MUÑEQUILLA f. Pieza de trapo para frotar o para disolver. • *Chile.* Mazorca del maíz y plantas semejantes, cuando empieza a formarse.
MUÑIDOR m. Criado de cofradía, que avisa a los hermanos las fiestas y ejercicios a que deben concurrir. • Persona que gestiona para concertar tratos o fraguar intrigas.
MUÑIGA f. *Amér. Centr.* Boñiga.
MUÑIR tr. Convocar a las juntas o a otra cosa. • Concertar, disponer, manejar.
MUÑO m. *Chile.* Bolsa de harina de trigo o maíz tostado que se lleva en los viajes para comerla con sal y ají. • *Chile.* Harinado frío, sazonado con sal y ají, que se da como desayuno a los trabajadores.

Murcia. Vista de la ciudad con la catedral

MUÑÓN m. Parte de un miembro cortado que permanece adherida al cuerpo. • El músculo deltoides y la región del hombro limitada por él. • Cada una de las dos piezas cilíndricas que a uno y otro lado tiene el cañón.
MUÑONERA f. Rebajo que tiene cada una de las gualderas de la cureña, para alojar el muñón correspondiente de la pieza de artillería.
MUÑOZ, ***Agustín Fernando***, DUQUE DE RIÁNSARES (1809-1873) Militar y político esp. Miembro de la escolta de María Cristina, después de morir Fernando VII contrajo matrimonio morganático con la reina. • ***Juan Bautista*** (1745-1799) Historiador esp. Autor de una historia de América. *Historia del Nuevo Mundo.* • ***Rafael Felipe*** (1899-1972) Escritor mex. Cuentos y novelas. *El feroz cabecilla, Si me han de matar mañana, Vámonos con Pancho Villa.* • **Marín, *Luis*** (1898-1980) Político puertorriq. Hijo de M. Rivera. Fundador del Partido Popular Democrático. Gobernador en 1948. Reelegido en 1952, 1956 y 1960. • **Morales, *Luis*** (1865-1950) Político puertorriq. Uno de los redactores de la compilación de 1930. Alcalde de Carey (1893). *El «status» jurídico de Puerto Rico.* • **Rivera, *Luis*** (1859-1916) Escritor y político puertorriq. Ministro de Gobernación y de Gracia y Justicia (1898-1899). *Tropicales.* • **Seca, *Pedro*** (1881-1936) Comediógrafo esp. Su teatro está basado en la astracanada. *La venganza de don Mendo, Los extremeños se tocan.* • **Tebar, *Antonio*** (1780-1814) Patriota ven. Participó en la batalla de Carabobo (1814). Secretario de Asuntos Exteriores con Bolívar. Murió en la segunda batalla de La Puerta.

Murciélago

MUÓN m. *Fís.* Partícula elemental cargada positiva o negativamente, cuya masa es 208 veces la del electrón; su vida media es $2{,}212 \cdot 10^{-6}$ segundos.
MUR Río de Europa central; 445 km. Nace en Austria, penetra en Eslovenia y desemboca en el Drave.
MURA f. Aféresis de amura.
MURAJES m. pl. Hierba primulácea, que se usó antiguamente contra la hidropesía, la rabia y las mordeduras de animales venenosos.
MURAL adj. Relativo al muro. • adj. y m. Díc. de las pinturas, escritos, etc., hechos sobre un muro.
MURALISMO m. *Arte.* Arte y técnica de la pintura sobre grandes superficies murales. Es especialmente imp. el m. mexicano, desarrollado a partir de la Revolución, y cuyos prales. exponentes fueron Clemente Orozco, Diego Rivera y David Alfaro, Siqueiros, y post. Rufino Tamayo y Juan O'Gorman.
MURALLA f. Muro u obra defensiva que rodea una plaza fuerte o protege un territorio.
MURALLA, *Gran* Muralla china de unos 6 400 km de long., iniciada en el s. IV a. C. el emperador Shi Huangdi la concluyó en 214 a.C. conectando los tramos existentes.

Panorámica parcial de la Gran **Muralla** china

MURALLÓN m. Muro robusto.
MURAR tr. Cercar y guarnecer con muro una ciudad, fortaleza o recinto. • Cazar el gato a los ratones.
MURAT Río de Turquía; 611 km. Es uno de los prales. brazos madre del Éufrates.
MURAT I (h. 1326-1389) Sultán otomano [1360-1389]. Extendió la hegemonía turca en Europa, derrotando a los pueblos de los Balcanes. • **II** (h. 1403-1451) Sultán otomano [1421-1451]. Consolidó el imperio turco en Europa. Venció en Hungría al rey Ladislao V. • **III** (1546-1595) Sultán otomano [1574-1595]. En Europa mantuvo una precaria alianza con Austria y dominó Polonia. En Asia sus generales obtuvieron imp. victorias en Persia. • **IV** (h. 1612-1640) Sultán otomano [1623-1640]. Perdió Bagdad y Mosul a manos de los persas, pero logró recobrar Bagdad en 1638.
MURAT, *Joachim* (1767-1815) Militar y político fr. Su apoyo a Napoleón Bonaparte y su matrimonio con una hermana de éste facilitaron su ascendente carrera. Fue nombrado rey de Nápoles [1808-1815].
MURATORI, *Ludovico Antonio* (1672-1750) Teólogo y arqueólogo it. Gran propulsor de los estudios históricos. *Anales de Italia.*
MURCIA Com. autón. uniprovincial del SE de España, a orillas del Mediterráneo; 11 317 km², 1 097 249 hab. Cap., la c. hom. Naranja, limón, albaricoque, azafrán y pimentón. Ind. concentrada en su segunda c., Cartagena (refinerías de petróleo, construcciones navales). • Prov. de España que constituye la com. autón. hom. • C. de España, cap. de la com. autón. y de la prov. hom.; 345 759 hab. A orillas del Segura, es centro agrícola donde se elaboran y comercializan los productos de su comarca. • **Reino de M.** Est. del SE de España, indep. en algunos periodos de la E. Med. Tras la disgregación del califato de Córdoba, surgieron varios reinos indep. y uno de ellos fue el de M. que, hostigado por diferentes rivales, optó por acogerse al vasallaje del rey de Castilla en 1243.
MURCIANO, NA adj. y s. De Murcia. • m. *Ling.* Dialecto esp. correspondiente al extremo sudoriental de la pen. Ibérica.
MURCIÉLAGO o **MURCEGUILLO** m. Mamífero del orden de los quirópteros. Está provisto de membranas en las extremidades anteriores que le sirven para volar. Es insectívoro y nocturno.
MURCIELAGUINA f. Estiércol de los murciélagos. Es uno de los abonos más apreciados.
MURENA f. Morena, pez.
MURENA, *Héctor Álvarez* (1923-1975) Escritor arg. Ensayo, cuentos y poesía. *El pecado original de América, La vida nueva, El círculo de los paraísos, El escándalo y el fuego, El centro del infierno, Las leyes de la noche, Epitalámica.*
MURES Río de Rumania y Hungría; 900 km. Nace

en los Cárpatos orientales, penetra en Hungría y se une al Tisza en Szeged.
MURES (húng. *Maros*) Región autónoma creada en 1952 por las autoridades rum. En el momento de su constitución tenía 13 750 km² y unos 900 000 hab. • Distr. de Rumania; 6 696 km², 614 100 hab. Cap., Tirgu Mures.
MURGA f. Alpachín. • fam. Compañía de músicos callejeros. • fam. Fastidio, molestia.
MURGER, *Henri* (1822-1861) Escritor fr. *Escenas de la vida bohemia*, adaptadas al teatro por Puccini en la ópera *La Bohème*.
MURGÓN m. Esguín, cría del salmón.
MURIA f. Cercado de piedras.
MURIACITA f. Anhidrita.
MURIÁTICO adj. Decíase ant. del ácido clorhídrico.
MURIATO m. desus. *Quím.* Cloruro.
MÚRICE m. Molusco marino univalvo, que segrega, como la púrpura, un licor muy usado en tintorería por los antiguos. • Color de púrpura.
MÚRIDO, DA adj. y m. *Zool.* Díc. de mamíferos de la familia múridos. • m. pl. *Zool.* Familia de mamíferos roedores, distribuida por Europa, Asia, África y Oceanía. Caracterizada por su cola larga y semidesnuda, recubierta de escamas dispuestas en anillos.
MURILLO, *Bartolomé Esteban* (1618-1682) Pintor esp. En sus inicios muestra ciertas relaciones con Ribalta y Zurbarán, pero luego evoluciona hacia una pintura de suavidad de líneas y de una gama cromática muy cálida. Sus personajes están extraídos de la clase popular. *La pequeña vendedora de fruta, El joven mendigo, Niños comiendo uva*, etc. • ***Pedro Domingo*** (m. 1810) Patriota bol. Dirigió el levantamiento de La Paz (1809). Presid. de la Junta de los derechos del rey y del pueblo. Murió ahorcado. • **Toro, *Manuel*** (1816-1880) Político liberal col. Presid. de la rep. (1863-1866 y 1872-1874).
MURMANSK C. de Rusia; 468 000 hab. Puerto sobre el mar de Barents. Astilleros, ind. maderera.
MURMUJEAR tr. e intr. fig. y fam. Murmurar o hablar quedo.
MURMULLO m. Ruido que se hace hablando cuando no se percibe lo que se dice. • Ruido continuado y suave de algunas cosas.
MURMURAR o **MURMULLAR** intr. Hacer ruido suave y apacible la corriente de las aguas u otras cosas. • tr. e intr. fig. Hablar entre dientes, manifestando queja o disgusto por alguna cosa. • fig. y fam. Conservar en perjuicio de un ausente, censurando sus acciones. B MURMURACIÓN; MURMURADOR, RA; MURMUREO; MURMURIO.
MURNAU, *Friedrich Wilhelm* Seud. de *F. W. Plumpe* (1889-1931) Director cinematográfico al., figura máx. del expresionismo. *Nosferatu, El último, Amanecer, Tabú.*
MURO m. Pared o tapia. • Muralla. • Obra de albañilería formada por materiales diversos, que se unen mediante mortero de cal, cemento o yeso. • **de las Lamentaciones.** M. de Jerusalén donde los judíos lloran cada viernes la destrucción de la c. y la dispersión de su pueblo.
MURPHY, *William Parry* (1892-1978) Médico norteam. En 1934, por sus tabajos sobre el tratamiento de la anemia perniciosa a base de extractos hepáticos, recibió el Premio Nobel de Medicina.
MURQUE m. *Chile.* Harina tostada.
MURRAY Río de Australia, el más largo de este continente; 2 716 km. Nace en los Alpes Australianos y desagua en el oceano Índico.
MURRIAR tr. *Col.* Impregnar una superficie con cemento diluido en agua. B *Col.* MURRIADA.
MURRIO, RRIA adj. Que tiene murria o tristeza. • f. Medicamento astringente, compuesto de ajos, vinagre y sal, que se usaba para evitar la putrefacción de las llagas. • Tristeza, melancolía. • Mal humor.
MURRO m. *Chile.* Mala cara, mohín de desagrado.
MURRUMBIDGEE Río de Australia. Nace en la Gran Cordillera Divisoria y desemboca en el Murray; 1 690 km.
MURRUNDANGA f. *Amér. Centr.* Lío, embrollo. • *Cuba.* Enredo, algarabía. • *Méx.* Partes genitales del hombre.
MURTA f. Arrayán, arbusto. • Murtón. B MURTAL.

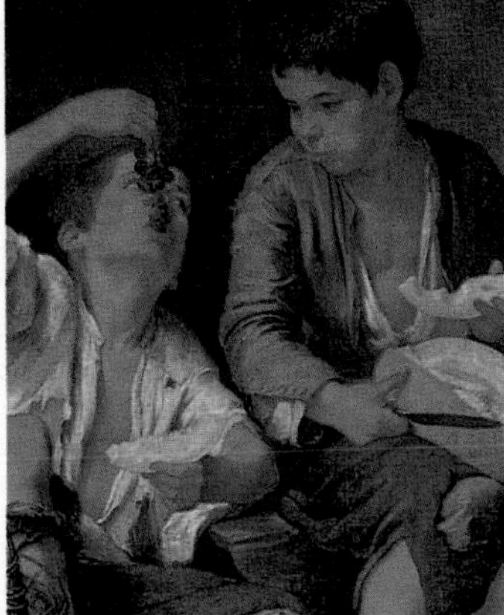

Dos niños pordioseros, óleo de Bartolomé Esteban **Murillo.** Alte Pinakothek, Munich (Alemania)

MURTILLA o **MURTINA** f. Arbusto mirtáceo chil., de 1 m de alt. Su fruto es una baya roja de olor agradable y sabor grato. • Fruto de este arbusto. • Licor fermentado que se hace con este fruto.
MURTÓN m. Fruto del arrayán o mirto.
MURÚA, *Lautaro* (1927-1995) Actor y director de cine y teatro arg. de origen chil. *Alias Gardelito, Un guapo del 1900, La Raulito, La Raulito en libertad.*
MURUCUYÁ f. Granadilla o pasionaria.
MURUECO m. Morueco.
MUS m. Cierto juego de naipes y de envite.
MUSA f. *Mit. gr.* Cada una de las diosas, hijas de Zeus y Mnemosine, que presidían las ciencias y las artes. *Calíope*, de la poesía épica; *Clío*, de la historia; *Erato*, de la poesía amorosa y, luego, de la mímica; *Euterpe*, de la música; *Melpómene*, de la tragedia; *Polimnia*, de la lírica y la elocuencia; *Talía*, de la comedia; *Terpsícore*, del canto y la danza; *Urania*, de la astronomía. • fig. Inspiración del poeta. • fig. Ingenio peculiar de cada poeta. • fig. Poesía. • pl. fig. Actividad artística, especialmente la poética.
MUSA ibn Nusayr (h. 640-h. 718) General ár. Valí de Ifriqiyya (actual Tunicia), en apoyo de la oposición vitizana a Don Rodrigo, envió a la pen. Ibérica a su lugarteniente Tariq, lo que determinó el inicio de la conquista.
MUSÁCEO, A adj. y f. *Bot.* Díc. de plantas de la familia musáceas. • f. pl. *Bot.* Familia de plantas angiospermas monocotiledóneas, herbáceas, con flores irregulares y solitarias, o bien agrupadas en racimos, y frutos en cápsula o baya. Comprende unas 50 especies, propias de los países tropicales.
MUSARAÑA f. Musgaño. • P. ext., cualquier sabandija, insecto o animal pequeño. • fig. y fam. Muñeco ridículo. • fig. y fam. Especie de nubecilla que se suele poner delante de los ojos. • fig. y fam. *Chile.* y *Nic.* Ademán grotesco, gesticulación ridícula.
MUSCA *Astr.* Constelación austral, poco importante, llamada antiguamente *Apis* (Abeja). Su denominación castellana es Mosca.
MUSCARIA f. Papamoscas, pájaro.
MUSCARINA f. Alcaloide extraído de algunos hongos venenosos y del bacalao podrido, de gran toxicidad.
MUSCICAPA f. Moscareta, pájaro.
MUSCO, CA adj. De color pardo y oscuro. • m. Musgo, planta.
MUSCULACIÓN f. *Amér.* Musculatura.
MUSCULAR adj. Relativo a los músculos. • Díc. del tejido formado por células contráctiles que asegura la locomoción, la prensión y los movimientos viscerales.
MUSCULATURA f. Conjunto y disposición de los músculos.
MÚSCULO m. *Anat.* y *Fisiol.* Órgano contráctil del animal, compuesto pralm. por fibras musculares, que es el instrumento inmediato del movimiento.
* *Anat.* y *Fisiol.* Los m. pueden ser: a) *esqueléticos*, formados por haces de fibras musculares estria-

Vista parcial del **Muro de las Lamentaciones**

*Las **musas:** Clio, Euterpe y Talia*, óleo de Eustaquio Le Sueur. Museo del Louvre, París

Musaraña

Musgo

das, recubiertos por una lámina fibrosa (aponeurosis) y gralte. unidos a los huesos por tendones; son voluntarios. Según el movimiento que produzcan pueden ser: flexores, extensores, abductores, aductores, supinadores, pronadores, etc.; b) *lisos*, formados por tejido muscular liso. Se encuentran en las paredes de casi todos los tubos y órganos huecos del organismo y en otras muchas partes del cuerpo (raíz de los pelos, iris, etc.). Están inervados por el sistema nervioso autónomo y su actividad es involuntaria; c) *cardíaco*, formado por un tipo especial de tejido muscular, pues posee estriaciones, pero está inervado por el sistema nervioso autónomo.

MUSCULOSO, SA adj. Aplícase a la parte del cuerpo que tiene músculos. • Que tiene los músculos muy abultados y visibles.

MUSELINA f. Tela de algodón, lana, seda, etc., fina y poco tupida.

MUSEO m. Lugar donde se conservan y exhiben públicamente colecciones de obras de arte, objetos de valor histórico, científico, etc. En época helenística, este término designó la parte del palacio de Alejandría donde se hallaba la célebre biblioteca de Tolomeo II y donde trabajaban sabios y eruditos. • P. ext., lugar en el que hay muchas obras de arte. • **de América, *Códice del*** o ***Códice Tudela***. Documento náhuatl del Altiplano Central de México, conservado en el M. de América de Madrid, pintado por indígenas nahuas sobre papel y procedente de la época colonial. Contiene las costumbres, el calendario, los dioses protectores de cada estación y las ceremonias religiosas o funerarias de los mexicas.

MUSEOGRAFÍA f. Estudio de la construcción, organización, catalogación, instalación e historia de los museos.

MUSEROLA f. Correa de la brida, que da vuelta al hocico del caballo por encima de la nariz, y sirve para asegurar la posición del bocado.

MUSGAÑO m. Mamífero insectívoro cuyo cuerpo mide apenas 6 cm de largo. Se alimenta de insectos y arañas.

MUSGO m. Cada una de las plantas criptógamas briófitas que crecen en lugares sombríos, sobre las piedras, cortezas de árboles, el suelo y aun dentro del agua. • Conjunto de estas plantas que cubren una determinada superficie. • pl. Clase de estas plantas. • **marino.** Coralina, alga. ■ MUSGOSO, SA.

MUSHIN C. de Nigeria; 197 000 hab. Forma parte de la aglomeración de Lagos.

MUSIC HALL (voz ing.). m. Espectáculo de variedades compuesto por números de canto y atracciones diversas. • Establecimiento destinado a estos espectáculos.

MÚSICO, CA adj. Relativo a la música. • m. y f. Persona que sabe el arte de la música. • La que toca algún instrumento. • f. Lenguaje artístico cuyo medio de expresión son los sonidos. • Compañía de músicos que cantan o tocan juntos. • Composición musical. • Colección de papeles en que están escritas composiciones musicales. • Por antífrasis, ruido desagradable. • **armónica.** Música vocal. • **de cámara.** Nombre genérico de las obras para grupos reducidos, instrumentales o vocales. • **dodecafónica.** Dodecafonismo. • **instrumental.** La compuesta sólo para instrumentos. • **rítmica.** La de instrumentos de cuerda. • **sinfónica.** La escrita según el esquema de la sinfonía o formas similares para gran orquesta. • **vocal.** La compuesta para voces, solas o acompañadas de instrumentos.

* *Hist.* El nacimiento de la m. debió confundirse con las expresiones vocales de trabajo. Aunque su antigüedad es evidente, poco sabemos de la m. primitiva. Lo que sí sabemos es que un sabio chino ideó hacia 2500 a. C. el sist. pentatónico, típico de la m. oriental y que fueron muchas las culturas en las que debió existir una floreciente cultura musical. En nuestro mundo occidental, tras el gregoriano, la monodia medieval y la aparición de la polifonía, la nueva fase de la historia de la m. es la aparición de la escritura para voces solistas. Este nuevo estilo, profano, alcanzó su momento culminante en Florencia con el nacimiento de la ópera. Con Monteverdi,

MÚSICA

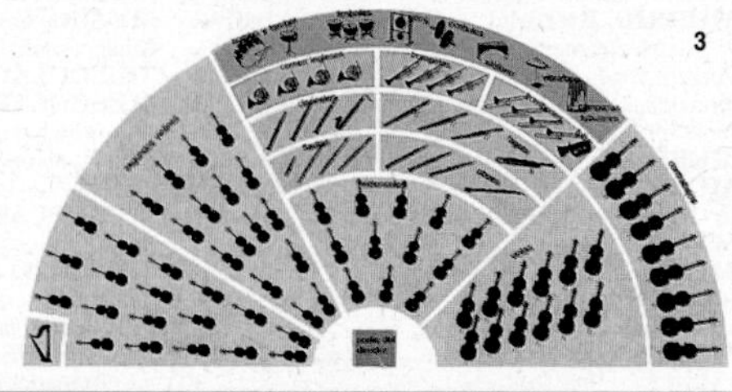

1. La Alta Edad Media introdujo la polifonía, superposición de dos o más partes vocales o instrumentales simultáneas, esencial en la música de Occidente.
2. y 3. Los instrumentos musicales se clasifican en familias (cuerda, percusión y viento), usadas para agrupar los instrumentos en la orquesta.
4. Los instrumentos eléctricos (electroacústicos y electrónicos) han revolucionado la música moderna, al dotarla de una notable capacidad para generar sonidos e imitar instrumentos acústicos.
5. La música rock ha aprovechado los amplios recursos de los instrumentos eléctricos, en especial algunas de sus figuras, como Jimi Hendrix.

la ópera se llenó de vida y movimiento. Bach, ya dentro del llamado estilo barroco, consiguió unir el espíritu de la polifonía religiosa con la nueva armonía. A su muerte, el mundo de la m. atravesó un momento de transición. La polifonía murió y la melodía acompañada se convirtió en representante de la nueva era. Es la época de Haydn, Mozart, etc. Beethoven es el máx. representante del romanticismo y dentro de ese mov. se da la apoteosis de la ópera: la it. (Verdi, Rossini, etc.), la fr. (Bizet, etc.) y la al. (Wagner). Al mov. romántico le siguió el nacionalismo (Dvorak, Albéniz, etc.). La transición del romanticismo a la m. contemporánea tuvo su figura clave en Mahler. A partir de él se articularían el dodecafonismo y la reacción antirromántica.

MUSICÓGRAFO, FA m. y f. Persona que se dedica a escribir obras acerca de la música.

MUSICOLOGÍA f. Estudio científico de la teoría y de la historia de la música. ■ MUSICÓLOGO, GA.

MUSICOMANÍA f. Afición desmedida a la música, melomanía. ■ MUSICOMANÍA.

MUSIL, *Robert* (1880-1942) Novelista austr. En su primera novela, *Los extravíos del alumno Törless*, analiza la miseria moral de cierta juventud. *Las uniones, Tres mujeres, El hombre sin atributos*.

MUSIQUERO m. Mueble a propósito para colocar en él partituras y libros de música.

MUSITACIÓN f. *Psic.* Acción de mover los labios como si se hablara, pero sin emitir palabras. Es típico de algunas psicosis.

MUSITAR intr. Susurrar o hablar entre dientes.

MUSLIME adj. y s. Musulmán. ■ MUSLÍMICO, CA.

MUSLO m. Parte de la pierna, desde la juntura de las caderas hasta la rodilla.

MUSMÓN m. Animal híbrido, producto del carnero y la cabra.

MUSOLA f. Pez cartilaginoso de aspecto similar al tiburón, aunque más pequeño, con dientes romos adecuados para triturar, apreciado por su carne.

MUSOLINA f. *Amér. Centr.* Muselina.

MUSORGSKI, *Modest Petrovich* (1839-1881) Compositor ruso. Sus obras reflejan la esencia popular rusa. De su producción, conservada sólo fragmentariamente y retocada en parte por Rimski-Korsakov, su obra maestra es *Boris Godunov. Jovanschina, Noche en el monte Pelado*.

MUSQUEROLA adj. y s. Mosquerola.

MUSSET, *Alfred de* (1810-1857) Escritor fr. Su obra poética expresa un romanticismo a veces teñido de una espiritual ironía. *Rolla, Las noches, Confesión de un hijo del siglo, No hay burlas con el amor, Fantasio, Los caprichos de Mariana* (comedias).

MUSSOLINI, *Benito* (1883-1945) Político it. Socialista en su primera época, en 1919 fundó en Milán los *Fasci italiani di combattimento*, embrión del partido fascista que, aprovechando la coyuntura política, atrajo numerosos efectivos con los que en 1922 realizó su Marcha sobre Roma. El rey Víctor Manuel le encargó formar gobierno y desde entonces comenzó a consolidarse la dictadura. Tras invadir Albania en 1938 y ayudar a Franco en la guerra de España, entró de lleno en la II Guerra Mundial al lado de la Alemania nacionalsocialista. Las numerosas derrotas le hicieron perder prestigio y en 1943 el Consejo fascista le hizo prisionero. Liberado por los al., fundó en Saló la República Social Italiana. Detenido por los partisanos, fue ejecutado en 1945.

MUSTACO m. Bollo o torta de harina amasada con mosto, manteca y otras cosas.

MUSTAFÁ II (1664-1703) Sultán otomano [1695-1703]. Tras asumir el poder, hubo de hacer frente a la guerra contra la coalición formada por Austria, Rusia, Polonia y Venecia. Derrotado, hubo de aceptar la paz de Karlowitz (1699), que entregaba Hungría a los Habsburgo.

MUSTELA f. Comadreja. • Tiburón de cuerpo casi cilíndrico, cabeza pequeña y hocico prolongado, de color ceniciento oscuro. Comestible.

MUSTÉLIDO, DA adj. y m. *Zool.* Díc. de mamíferos de la familia mustélidos. • m. pl. *Zool.* Familia de mamíferos carnívoros, de formas alargadas y con glándulas repugnatorias, distribuidos por todo el mundo, salvo la región australiana.

MUSTERIENSE adj. y m. *Prehist.* Díc. de la fase cultural del paleolítico medio caracterizada por el uso del sílex y del hueso.

MUSTIARSE prnl. Marchitarse.

MUSTIO, TIA adj. Melancólico, triste. • Lánguido, marchito. • fig. *Méx.* Hipócrita, falso.

MUSUCO, CA adj. *Hond.* De pelo rizado o crespo.

MUSULMÁN, NA adj. y s. Que profesa el islamismo; mahometano. • adj. *Arte.* Díc. del arte que se extendió desde Siria hasta el occidente europeo y el Turquestán chino, ligado a la religión islámica.

* *Arte.* La falta de una cultura propia condicionó la adopción de las formas artísticas autóctonas de los países conquistados por el Islam. De ahí que nacieran varias escuelas con rasgos específicos (Siria y Egipto, Persia y Mesopotamia, Turquía e India y el Mediterráneo occidental). Especial desarrollo tuvo la arquitectura, con su máx. expresión: la mezquita (Damasco, Samarra, Córdoba, Constantinopla). Los ár. utilizaron el arco de herradura, la cúpula y la bóveda.

MUTA f. Jauría.

MUTACIÓN f. Mudanza, acción de mudar. • Cada una de las diversas perspectivas que se forman en el teatro, variando el telón y los bastidores. • Destemple de la estación en determinado tiempo del año. • *Biol.* Cambio hereditario en el material genético, que aparece bruscamente y no es debido a recombinación genética. • *Biol.* Fenotipo producido por esta clase de cambios hereditarios.

* *Biol.* Las m. pueden ser: cromosómicas, debidas a cambios en el núm. de cromosomas, que comportan dificultades en la reproducción sexual y deficiencias, delecciones, etc.; o génicas, que afectan a un solo gen, tienen una base molecular y se caracterizan por su recurrencia, su reversibilidad y su contingencia.

MUTACIONISMO m. *Biol.* Doctrina según la cual las mutaciones son la materia prima de la evolución y ésta, por consiguiente, sería de tipo discontinuo.

al-MUTADID, *Muhammad* (h. 1000-1069) Rey taifa de Sevilla [1402-1069]. Intentó sin conseguirlo, rehacer la unidad de al-Andalus.

MUTADOR m. Rectificador de corriente de vapores de mercurio con electrodos de mando para interferir el funcionamiento de los ánodos.

MUTAGÉNESIS f. *Biol.* Capacidad para la inducción de mutaciones por parte de distintos agentes físicos y químicos, como las radiaciones ultravioletas, los rayos X, las mostazas nitrogenadas, las acridinas, los peróxidos, los agentes quelantes, etc.

MUTÁGENO, NA adj. y m. *Biol.* Díc. de los distintos agentes físicos o químicos capaces de inducir a mutación a los distintos materiales biológicos que constituyen la dotación genética de los seres vivos.

al-MUTAMID, *Muhammad* (1040-1095) Rey taifa de Sevilla [1069-1091]. Su unión con los almorávides le permitió extender sus dominios a Córdoba y S de Toledo.

MUTANTE adj. Que muta. • adj. y m. *Biol.* Díc. de los organismos, células, núcleos o genes que han sufrido una mutación. • *Biol.* Díc. de los alelos derivados por mutación del alelo salvaje.

MUTAR tr. y prnl. Mudar, transformar. • Mudar, remover o apartar de un puesto o empleo. ■ MUTABILIDAD.

MUTASA f. *Biol.* Enzima de interconversión de azúcares, cuya misión estriba en desplazar, dentro de la molécula, los ésteres fosfóricos de posición.

MUTATIS MUTANDIS loc. latina. Cambiando lo que se debe cambiar.

MUTE m. *Col.* Maíz pelado y cocido con papas y otros ingredientes.

MUTILAR tr. y prnl. Cortar o cercenar una parte del cuerpo, y más particularmente del cuerpo viviente. • tr. Cortar o quitar una parte o porción de cualquier otra cosa. ■ MUTILACIÓN; MUTILADO, DA.

MÚTILO, LA adj. Díc. de lo que está mutilado.

MUTIS m. Voz que emplea el apuntador en la representación teatral, o el autor en sus acotaciones, para indicar que un actor debe retirarse. • fam. Voz que se emplea para imponer silencio o para indicar que una persona queda callada.

MUTIS, *Álvaro* (nacido 1923) Escritor col. *Summa de Maqroll el Gaviero, Los trabajos perdidos, Diario de Lecumberri, La mansión de Araucaíma, Empresas y tribulaciones de Maqroll el Gaviero.*

Modest **Musorgski**

Alfred de **Musset**

Nutria común, mamífero de la familia **mustélidos**

Arte **musulmán.** Mausoleo de Tamerlán en Samarcanda (Uzbekistán)

José Celestino **Mutis**

Mapa de situación y bandera de **Myanma**

El río Pegu a su paso por la ciudad homónima, en **Myanma**

Premio Príncipe de Asturias de las Letras en 1997 y premio Cervantes en 2001 • ***José Celestino*** (1732-1808) Botánico y médico esp., fundador del observatorio astronómico de Bogotá. Estudió las propiedades terapéuticas de la quinina.

MUTISMO m. Silencio voluntario o impuesto.

MUTÓN m. *Biol.* Unidad fundamental de mutación génica. Está compuesto por la menor parte de un gen capaz de mutar. Se identifica con un par de bases o nucleótidos constituyentes del ácido desoxirribonucleico.

MUTRO, TRA adj. *Chile.* Díc. del animal al que no le salen o no le crecen los cuernos.

MUTUALIDAD f. Calidad de mutual. • Asociación fundada en el principio de solidaridad entre sus miembros, sobre la base de una reciprocidad de servicios o de un equitativo reparto de los riesgos. Su fin es la previsión de toda clase de riesgos. • Denominación que suelen adoptar algunas de estas asociaciones.

MUTUALISMO m. Movimiento cooperativo destinado a formar sociedades de ayuda mutua. • *Biol.* Asociación entre individuos de distinta especie en que ambas partes resultan beneficiadas.

MUTUALISTA adj. Relativo a la mutualidad. • com. Miembro de una mutualidad o sociedad de socorros mutuos.

MUTANTE com. Persona que da el préstamo.

MUTUARIO, RIA o **MUTUATARIO, RIA** m. y f. Persona que recibe el préstamo.

MUTUO, TUA adj. y s. Aplícase a lo que recíprocamente se hace entre dos o más personas, animales o cosas. • Préstamo de una cosa fungible por la que el prestatario se compromete a devolver otra de igual naturaleza, calidad y cantidad.

MUY adv. con que se denota grado sumo o superlativo de significación.

MUYBRIDGE, *Edward James* (1830-1904) Fotógrafo brit. Sus experimentos sobre la cronofotografía sirvieron de base para el posterior descubrimiento del cinematógrafo.

MUZ m. *Mar.* Extremidad superior y más avanzada del tajamar.

MUZA → Musa ibn Nusayr.

MUZOREWA, *Abel* (nacido 1925) Eclesiástico y político de Zimbabwe. Obispo metodista y líder de su iglesia, en 1978 aceptó la fórmula de Ian Smith para formar un gobierno de transición, integrado parcialmente por negros.

MÚZQUIZ, *Melchor* (1790-1844) Militar mex. Participó en la lucha independentista al lado de Hidalgo y se adhirió al plan de Iguala (1821). Tras la caída de Bustamante, ocupó interinamente la presid. de la rep. (agosto-diciembre 1932).

MYANMA *(Myanma-Nainggan-Daw)* Est. sudasiático; rep.; sit. a orillas del golfo de Bengala y del mar de Andamán, en el O de la península indochina. Limita con Bangla Desh, India, China, Laos y Thailandia. Terreno montañoso: Himalaya; montes de Arakán, Yoma y Pegu Yoma. Llanura aluvial al centro, formada por los r. Irawadi y Chindwin. Al E, el r. Saluén. Al S comprende una parte de la pen. de Malaca, el Tenasserim, recorrido por relieves que dan lugar a costas altas y rocosas; numerosas islas y escollos. Clima monzónico. Agricultura. Ganadería. Caucho. Petróleo, plata, piedras preciosas. Lenguas: birmano (of.) e ing. *Rel.*: budista (88 %), animista, islámica, hinduista. U. M.: el kgat. Cap., Rangún. C. prales.: Mandalay y Bassein. En mayo de 1989 cambió el nombre de Birmania por el de Myanma (Unión de Myanmar).

* *Hist.* El país fue unificado bajo el reinado de Anawratha (1044-1077). En 1287, el reino cayó en poder de los mogoles y en 1852 de los británicos. En 1937 se separó de la India y durante la II Guerra Mundial fue ocupada por los japoneses. Inglaterra le concedió la indep. en 1948 , iniciándose una guerra civil que asoló el país hasta 1962, año en que el general Ne Win tomó el poder e instauró un régimen autoritario. En 1988 dimitió, tras una revuelta popular. En un clima de inestabilidad política, el general Saw Maung se hizo con el poder, hasta que en las elecciones de 1990 fue derrotado por la oposición. El ejército invalidó las elecciones, mantuvo el poder y encarceló a los opositores, como Aung San, confinada en su domicilio, a la que le fue otorgado el Premio Nobel de la Paz 1991.

MYANMA (BIRMANIA)

Superficie 678 033 km²

Población 46 822 000 hab. (69 hab./km²)

Recursos económicos	
Arroz	20 109 000 t
Cabaña bovina	9 857 000 t
Cemento	470 000 t
Gas natural	1 430 000 000 m³
Maíz	272 000 t
Petróleo	680 000 t
Sésamo	297 000 t
Tejidos de algodón	4 100 t

Indicadores sociológicos	
PNB	83 419 millones de dólares
Renta per cápita	1790 dólares
Esperanza de vida	60 años
Alfabetismo	83 %

MYRDAL, *Alva* (1902-1986) Política sueca. Ministra para el Desarme (1966-1973). Premio Nobel de la Paz en 1982, con García Robles. *El juego del desarme, Dinámica del desarme europeo.* • ***Karl Gunnar*** (1898-1987) Economista y político sueco, estudioso de los problemas del desarrollo. Premio Nobel de Economía, con Hayek, en 1974.

MYSORE Ant. nombre (hasta julio 1973) del est. indio de Karnataka. • *(Maisuru)* C. del SO de la India, en el estado de Karnataka; 441 800 hab. Ind. textil, química, alimentaria. Universidad.

MYXOVIRUS m. *Biol.* Grupo de virus compuestos por ácido ribunocleico y proteínas. Son esféricos o bacilares, de entre 100 y 150 milimicras de tamaño, y parásitos del hombre y de las aves, a los que producen graves enfermedades. • *Biol.* Cada uno de estos virus.

MZALI, *Mohamed* (nacido 1925) Político tunecino, del Partido Socialista Desturiano. Primer ministro de 1980 a 1986, en que fue destituido y, tras refugiarse en Suiza, condenado a 15 años de trabajos forzados y a la pérdida de todas sus propiedades.

N

Detalle de *El* **nacimiento** *de la Virgen*, fresco de Giovanni da Milano. Santa Croce, Florencia (Italia)

N f. Decimocuarta letra del abecedario esp. y undécima de sus consonantes. Su nombre es *ene*. • Con mayúscula, abreviatura de norte. • Suple en lo escrito el nombre propio de personas, que no se sabe o no se quiere expresar. • *Fís*. Símb. del newton. • Símb. del número de electrones de un núcleo. • *Ópt*. Símb. del índice de refracción. • *Quím*. Con mayúscula, símb. del nitrógeno.
n *Álg*. y *Arit*. Exponente de una potencia determinada. • *Fís*. Símb. del número de Avogadro.
Na *Quím*. Símb. del sodio.
NABA f. Planta de raíz carnosa comestible, grande, amarillenta o rojiza, esferoidal o ahusada.
NABAB m. Gobernador de una prov. en la India mahometana. • fig. Hombre sumamente rico.
NABAR adj. Perteneciente a los nabos, o que se hace con ellos. • m. Tierra sembrada de nabos. ▪ NABAL; NABERÍA.
NABÍ m. Entre los moriscos, profeta.
NABICOL m. Nabo parecido a la remolacha.
NABINA f. Semilla del nabo.
NABIS (heb., profeta) m. pl. Grupo de pintores fr. de finales del s. XIX. Sus componentes (Bonnard, Roussel, Ibels, Piot y Vallotton) fueron influidos por Gauguin, Odiol Redon, Puvis de Chavannes y la pintura popular japonesa.
NABIZA f. Hoja tierna del nabo. Se usa más en pl. • Raicillas tiernas de la naba.
NABLA f. Instrumento músico muy ant., semejante a la lira. • *Mat*. Operador que aplicado a una función de variables reales le hace corresponder su gradiente. ▪ NEBEL.
NABLUS C. de Jordania, al NE de Jerusalén; 50 000 hab. Importante centro urbano y comercial de la Cisjordania. Ocupada por Israel desde 1967.
NABO m. Planta anual, crucífera, de raíz carnosa, comestible, blanca o amarillenta. • Raíz de esta planta. • Cualquier raíz gruesa y pral. • fig. Tronco de la cola de las caballerías. • *Arq*. Cilindro vertical colocado en el centro de una armazón, y en el cual se apoyan las piezas que la componen. • *Mar*. Madero redondo que sostiene una verga. • **gallego.** Naba. • **Arráncate; n.** Juego de muchachos.
NABOKOV, *Vladimir* (1899-1977) Poeta, novelista y científico ruso, nacionalizado norteam. Su obra, de tema erótico, *Lolita*, ha sido llevada al cine. *Fuego pálido, Invitación a la guillotina, La defensa.*
NABOPOLASAR (m. 605 a. C.) Rey de Babilonia [625-605 a. C.], fundador del imperio neobabilónico. Destruyó Nínive.
NABORÍ com. *Amér*. Indígena que se empleaba en el servicio doméstico.
NABORÍA f. Repartimiento que en América se hacía al principio de la conquista esp., adjudicando indígenas para el servicio personal. • Naborí.
NABUCO, *Carolina* (1890-1981) Escritora bras., hija de Joaquim N. *Ocho décadas, La sucesora*. Premio Machado de Assis en 1978. • **De Araujo, *Joaquim*** (1849-1910) Escritor bras. *Abolicionismo, La guerra del Paraguay.*
NABUCODONOSOR II (m. 562 a. C.) Rey de Babilonia y de Nínive [605-562 a. C.], hijo y sucesor de Nabopolasar. En 605, derrocó al faraón Nekao II. Destruyó Jerusalén (587).
NÁCAOME C. de Honduras, cap. del dpto. de Valle; 9 801 hab.
NÁCAR m. Sustancia dura, blanca argentina, brillante y con reflejos irisados, que forma la capa interna del caparazón de muchos moluscos.
NACARADO, DA adj. Del color y brillo del nácar. • Adornado con nácar. ▪ NACÁREO; NACARINO, NA.
NACARIGÜE m. *Hond*. Potaje de carne y pinole.
NACASCOL o **NACASCOLO** m. *Amér. Centr*. Divididi.
NACATAMAL m. *Amér. Centr*. y *Méx*. Tamal relleno de carne de cerdo.
NACATETE m. *Amér. Centr*. y *Méx*. Pollo que aún no ha echado la pluma.
NACENCIA f. Bulto que aparece en el cuerpo.
NACER intr. Salir del vientre materno. • Salir del huevo un animal ovíparo. • Empezar a salir un vegetal de su semilla. • Salir el vello, pelo o pluma en el cuerpo del animal, o aparecer las hojas, flores, frutos o brotes en la planta. • Descender de una familia o linaje. • fig. Aparecer un astro en el horizonte. • fig. Originarse una cosa de otra. • fig. Prorrumpir o brotar. • fig. Empezar una cosa desde otra como saliendo de ella. • fig. Sobrevenir de repente una cosa que se ignoraba o no se esperaba. • fig. Junto con las preposiciones *a* o *para*, tener propensión natural o estar destinada para un fin. • prnl. Entallecerse una raíz o semilla al aire libre. • **Haber nacido** uno **en** tal día. fr. fig. y fam. Haberse librado en aquel día de un peligro de muerte. • **Haber nacido** uno **tarde**. fr. fig. y fam. con que se denota la falta de experiencia, inteligencia o noticias.
NACIDO, DA adj. y s. Díc. del ser humano. Se usa más en pl. • adj. Connatural de una cosa. • Propio y a propósito para una cosa. Díc. del ser humano que vive, al menos 24 horas, desprendido del claustro materno. • **Bien n.** De notable linaje. De buenos sentimientos. • **Mal n.** De mala condición.
NACIENTE adj. Que nace. • fig. Reciente; que principia a salir. • m. Oriente, punto cardinal.

Detalle de *Día de invierno*, óleo del pintor **nabi** Pierre Bonnard. Museo de Arte Moderno, París

Copa de **nácar** del s. XVI, con base y tapa de plata. Museo Victoria y Alberto, Londres

En el siglo XIX, el **nacionalismo** exaltó las costumbres y fiestas populares. *Fiesta de la Vendimia*, 1859. Galería Nacional, Budapest

NACIMIENTO m. Acción de nacer. • P. ant., el de Jesucristo. • Lugar donde brota un manantial. • El manantial mismo. • Principio de una cosa o tiempo en que empieza. • Representación plástica de la venida al mundo de Jesucristo. • Origen y descendencia de una persona en orden a su calidad.

NACIÓN f. Grupo humano unido por vínculos especiales de homogeneidad cultural, histórica, política, económica y lingüística. • Terr. de un país. • Conjunto de los hab. de un país regidos por el mismo gobierno.

* *Pol.* En la formación de la estructura de n. como entidad se diferencian tres etapas: la aparición de la idea de n., la difusión del sentimiento nacional y la organización de la n. En la primera se centralizaron los feudos en reinos; en la segunda, el reforzamiento del poder real y la unidad en empresas comunes formarán la conciencia nacional. De la tercera etapa son la formación de las naciones (en Europa, h. el final de la E. Med.), que configuran, aprox., los est. actuales, aunque muchos est. son plurinacionales y existen así mismo naciones sin estado.

NACIONAL adj. y s. Natural de una nación, en contraposición a extranjero. • adj. Relativo a una nación. • adj. Relativo a una nación. • m. Individuo de la milicia nacional.

NACIONAL de novela de México, ***Premio*** Galardón literario concedido por el Instituto Nacional de Bellas Artes y el gobierno del est. de Querétaro.

NACIONALIDAD f. Carácter peculiar de los pueblos e individuos de una nación. • Vínculo entre una persona individual o jurídica con un Estado. • Nación. • Grupo nacional sin organización estatal soberana propia.

NACIONALISMO m. Apego de los naturales de una nación a ella propia y a cuanto le pertenece. • Doctrina que exalta la personalidad nacional completa. • Movimiento que pretende liberar a una nación de la opresión a que otra la somete. • Movimiento que propugna el dominio de una nación sobre otras. ■ NACIONALISTA.

NACIONALIZAR tr. y prnl. Admitir en un país como nacional a un extranjero. • tr. Hacer que pasen a manos de nacionales bienes o títulos de la deuda del Est. o de empresas particulares que se hallaban en poder de extranjeros. • Hacer que pasen a depender del Est. propiedades industriales o servicios explotados por particulares. ■ NACIONALIZACIÓN.

NACIONALSINDICALISMO m. Doctrina politicosocial española, formulada por R. Ledesma Ramos. Adoptado por J. A. Primo de Rivera, el n. se convirtió en fundamento ideológico de Falange Española y del Movimiento Nacional. ■ NACIONALSINDICALISTA.

Vista de **Nagasaki**

NACIONALSOCIALISMO, NACISMO o **NAZISMO** m. Movimiento político al. fundado por A. Hitler, que afirmaba la vocación de los pueblos germánicos al dominio universal, en virtud de la superioridad de la raza aria, y preconizaba el desarrollo de un Est. totalitario. ■ NACIONALSOCIALISTA.

* *Hist.* Hitler convirtió en una organización de masas al partido nacionalsocialista. El n. detentó el poder, en Alemania, desde 1933 hasta el término de la II Guerra Mundial. La aplicación de sus teorías en el aspecto racial condujo al exterminio masivo de judíos, y otros pueblos, en el marco de su expansión por Europa, durante la II Guerra Mundial.

NACIONES UNIDAS → Organización de las Naciones Unidas.

NACO m. *Argent.* y *Bol.* Andullo de tabaco. • *Amér. Centr.* Cobarde.

NACRITA f. Variedad de talco, de brillo igual al del nácar.

NACUME (voz chorotega) m. *Amér. Centr.* Mayordomo de la cofradía de la Virgen de Guadalupe en Nicoya.

NADA f. El no ser, o la carencia absoluta de todo ser. • pron. indet. Ninguna cosa. • Poco o muy poco en cualquier línea. • adv. neg. De ninguna manera. • **No ser nada.** fr. fig. con que se pretende minorar el daño que ha sucedido en un lance o disgusto. • **Por nada.** loc. Por ninguna cosa. • fig. Por cualquier cosa, por mínima que sea.

NADADOR, RA adj. y s. Que nada. • m. y f. Persona diestra en nadar. • Persona que practica la natación como deporte.

Vista del lago **Nahuel Huapi**

NADAL, ***Premio*** Galardón literario concedido anualmente en Barcelona desde 1944.

NADAR intr. Sostenerse y avanzar en el agua por medio de movimientos de los miembros. • Flotar en un líquido cualquiera. • Sobrenadar. • fig. Abundar en una cosa. • fig. y fam. Estar una cosa muy holgada dentro de otra que le debiera venir ajustada.

NADIE pron. indef. Ninguna persona. • m. Persona insignificante.

NADIR m. Punto de intersección de la vertical del lugar de observación con la parte de la bóveda celeste situada bajo el horizonte.

NADIR Sah (1688-1747) Rey persa [1736-1747], de origen turcomano. Reunificó Persia tras vencer a turcos y afganos.

NADO, ***(A)*** m. adv. Nadando.

NAFTA f. Fracción ligera del petróleo natural en la destilación de la gasolina. • *Amér.* Gasolina.

NAFTALINA f. Hidrocarburo sólido, procedente del alquitrán de la hulla, usado como desinfectante.

NAGA adj. y s. Individuos de un pueblo tibetobirmano del área limítrofe entre India y Birmania. • m. Grupo de lenguas tibetobirmanas de este pueblo.

NAGA PRADESH o **NAGALAND** Est. del NE de la India; 16 527 km², 1 215 600 hab. Cap., Kohima. Territorio montañoso. Cereales, arroz, maíz. Centro de luchas por la independencia local.

NAGANO Prefectura de Japón, en la isla de Honshu; 13 585 km², 2 157 000 hab. Cap., la c. hom. (347 000 hab.). Ind. de la seda.

NAGAOKA C. de Japón, en la isla de Honshu; 162 500 hab. Yacimientos de petróleo.

NAGARJUNA (s. II) Filósofo budista. Nació en Berar. Se acogió a la escuela del mahayana, en la que fundó la orientación del Madhyamika «camino medio».

NAGASAKI Prefactura de Japón, en la isla de Kyushu; 4 113 km², 1 563 000 hab. Cap., la c. hom. (444 600 hab.). Puerto. El 9 agosto 1945, los norteam. lanzaron sobre la c. la segunda bomba atómica.

NAGORNO-KARABAJ Prov. autónoma del S de Azerbaiján; 4 400 km², 174 000 hab. (80% armenios). Cap., Stepanakert. Ganadería, agricultura e ind. alimentaria. En 1988, la pob. armenia se movilizó para que esta prov. fuera integrada en la RSS de Armenia. Al disolverse la URSS, se reprodujeron en 1992 los enfrentamientos entre Azerbaiján y Armenia.

NAGOYA C. y puerto de Japón, en Honshu; 2 154 700 hab. Centro ind. Universidad.

NAGPUR C. de la India, en el estado de Maharashtra; 1 219 500 hab. Ind. textil.

NAGUA f. *Amér. Centr.* Enagua, saya interior blanca. Se usa más en pl. • m. y pl. *Amér. Centr.* Hombre afeminado o cobarde.

NAGUA C. de la República Dominicana, cap. de la prov. de María Trinidad Sánchez; 19 961 hab.

NAGUAL m. *Méx.* Brujo, hechicero. • *Hond.* y *Guat.* El animal que una persona tiene de compañero inseparable.

NAGÜETA f. *Amér. Centr.* Faldellín, sobrefalda.

NAGUIB, ***Muhammad*** (1902-1984) Militar y político egipcio. En 1952 dirigió la junta militar que destronó al rey Faruk y fue designado presid. de la rep. (junio 1953). Nasser le depuso al año siguiente.

NAGY, ***Imre*** (1896-1958) Político húngaro. Presid. del Consejo húngaro, en 1953 cayó en desgracia por sus tendencias liberalizadoras. El movimiento revolucionario de 1956 le llevó de nuevo a presidir el gobierno. Fue ejecutado tras la invasión soviética.

NAHA C. de Japón, en la isla de Okinawa; 304 900 hab. Puerto. Ind. textil. Cerámica.

NAHUA adj. y s. Díc. de individuos de un conjunto de tribus amerindias que ocuparon básicamente la altiplanicie mex. • adj. Relativo a dichas tribus. • adj. y m. Díc. de una lengua de la familia utoazteca, la más hablada en México en la época precolonial. ■ NÁGUATLE O NÁHUATLE.

* *Ling.* El n. era la lengua comercial y de civilización de casi todo el imperio azteca. En el s. XVI lo hablaban entre 2 y 5 millones de indios. Su área de expansión se extendía, por un lado, hasta Tuxtla (Veracruz), Pachuca (Hidalgo), y por otro, hasta Igula (Guerrero); convivía con otras lenguas al NO hasta Jalisco, al N hasta Tampico, al SE hasta Panamá. Sus dialectos más imp. son el náhuatl, el nahual y el nahuat. Aunque retrocedió ante el español, el n. conserva aún importancia. Gran número de voces nahuas se han incorporado al español hablado en

México, en tanto que otras muy usuales tienen su etimología en nombres nahuas.
NAHUAPATE o **NAGUAPATE** (voz azteca) m. *Amér. Centr.* Planta crucífera, cuyo cocido se usa contra las enfermedades venéreas.
NAHUATLATO, TA adj. y s. Persona que habla la lengua nahua. ■ NAGUATLATO, TA.
NAHUATLISMO m. Giro o modo de hablar propio de la lengua nahua. • Vocablo, giro o elemento fonético de esta lengua empleado en otra.
NAHUEL HUAPÍ Lago de Argentina, en la vertiente E de los Andes (prov. de Neuquén y Río Negro); 550 km².
NAÏF adj. Díc. de la tendencia artística caracterizada por la adopción de formas e imágenes simplificadas que huyen de la perspectiva tradicional. En sentido estricto, se refiere a una escuela artística fr., cuyo máx. representante fue Rousseau.
NÁILON m. Material sintético de índole nitrogenada, del que se hacen filamentos elásticos, muy resistentes.
NAIPAUL, *Vidiadhar Surajprasad* (nacido 1932) Escritor brit. nacido en Trinidad y Tobago. *Una casa para Mr. Biswas, El enigma de la llegada, Un camino en el mundo.* Premio Nobel de Literatura en 2001.
NAIPE m. Cada una de las cartulinas rectangulares que, cubiertas de un dibujo uniforme por una cara, llevan pintados en la otra cierto número de objetos, o una de las tres figuras correspondientes a cada uno de los cuatro palos de la baraja. • fig. Baraja de naipes. • **Tener buen** o **mal n.** fr. fig. Tener buena o mala suerte en el juego. ■ NAIPESCO.
NAIROBI Cap. de Kenia; 1 429 000 hab. Ind. metalúrgica, textil, alimentaria, del tabaco.
NAJAF C. de Irak; 128 100 hab. Sit. cerca del río Éufrates. Es la segunda c. santa del país.
NAJICHEVAN Rep. autón. de Azerbaiján; 5 500 km², 295 000 hab. Cap., la c. hom. Cereales, algodón, tabaco, vid; ganadería lanar. Perteneció a la ant. Armenia. • Cap. de la rep. hom.; 37 000 hab.
NALÉ Roxlo, *Conrado* (1898-1971) Escritor arg. Dirigió la revista *Don Goyo.* Usó los seud. ALGUIEN y CHAMICO. *Cuentos de Chamico, La cola de la sirena, Judith y las rosas.*
NALGA f. Cada una de las dos porciones carnosas redondeadas que forman el trasero del hombre y de algunos animales. Se usa más en plural. • *Chile.* El peciolo del pangue. ■ NALGAR; NALGATORIO.
NALGADA f. Pernil del puerco. • Golpe dado con las nalgas. • Golpe recibido en ellas.
NALGUDO, DA adj. Que tiene las nalgas gruesas.
NALGUEAR intr. Mover exageradamente las nalgas al andar.
NAMANGAN C. de Uzbekistán; 308 000 hab. Seda.
NAMBIMBA f. *Méx.* Pozole espumoso, hecho de masa de maíz, miel, cacao y chile.
NAMBIRO, RA m. y f. *Amér. Centr.* Calabaza grande usada como recipiente.
NAMIBIA Estado del SO de África; 824 292 km², 1 009 900 hab. (88 % bantúes). Limita con Angola, Zambia, Botswana y la Rep. Sudafricana. Cap., Windhoek. País mesetario, cuyo reborde occ. rebasa los 2 600 m (monte Brandberg); la llanura litoral forma el desierto de Namib. En el interior, lagunas salinas (Etosha Pan). Ríos Orange, Cunene y Cubango. Clima desértico en el litoral y subdesértico en el resto. La pob. indígena y mestiza está confinada en reservas y bantustanes. Ganadería; diamantes, cinc, plomo, cobre, plata; pesca; ind. conservera. Lenguas: ing. y afrikaans (of.), bantúes, hotentotes, bosquimanas. *Rel.*: animista (67 %), católica. U. M.: dólar de N.
* *Hist.* Antigua colonia al. Convertida en fideicomiso de la Rep. Sudafricana (1919). Este mandato fue revocado por la ONU (1966), a lo que se opuso la pob. blanca. El *apartheid* seguido por Sudáfrica ha llevado a una situación endémica de enfrentamientos. En 1978, el SWAPO (Organización Popular del África del Sudoeste) se opuso a las elecciones constituyentes. En 1983, la renuncia del presid., Dirk Mudge, provocó el control directo por parte de Sudáfrica. Desde 1985, los partidos formaron parte de un «organismo transitorio», que condujo a la independencia en 1988 y se disolvió en febrero de 1989. En abril el SWAPO lanzó una ofensiva desde Angola, pero se consiguió un alto el fuego. El 21 de marzo de 1990 N. inició su vida como nación independiente, asumiendo la presid. Sam Nujoma, reelegido en 1994.

NAMIBIA

Superficie 824 292 km²

Población 1 009 900 hab.

Indicadores sociológicos

PNB	3 098 millones de dólares
Renta per cápita	2 000 dólares
Esperanza de vida	55,7 años
Alfabetismo	83 %

Namibia. Arriba, mapa de situación y bandera; abajo, aspecto del centro de Windhoek

NAMPULA C. del NE de Mozambique; 126 100 hab. Aeropuerto.
NAMUR C. de Bélgica, cap. de la prov. hom.; 102 100 hab. Centro comercial. Ind. siderúrgica, cerámica, jabones, cuero. Nudo de comunicaciones.
NANA f. fam. Abuela. • Canto con que se duerme a los niños. • *Méx.* Niñera. • *Méx.* Nodriza. • Vestido en forma de saco, abierto por delante, con que se abriga a los niños pequeños. • *Hond.* Madre. • *Argent.* y *Chile.* Pupa de los niños.
NANAY Expresión familiar con que se niega rotundamente una cosa.
NANCE m. *Hond.* Arbusto de fruto pequeño, sabroso y aromático. • Fruto de este arbusto.
NANCHANG C. de China, en la región centro-sur, cap. de la prov. de Kiangsi; 1 190 000 hab. Centro comercial e industrial.
NANCY C. de Francia, cap. del dpto. de Meurthe-et-Moselle y de la región de Lorena; 329 400 hab. (agl. urb). Centro comercial, cultural e ind.
NANGA PARBAT Pico del Himalaya, sit. en Pakistán, al S del Indo; 8 126 m.
NANGO, GA adj. *Méx.* Forastero. • *Méx.* Tonto.
NANITA f. *Guat.* Abuela.
NANKÍN *(Nanjing)* C. de China, en la región E, cap. de la prov. de Kiangsu; 2 290 000 hab. Centro industrial. En varias ocasiones fue cap. del imperio, y de 1928 a 1949 cap. de la República. • **Tratado de N.** El firmado entre China y Gran Bretaña el 29 agosto 1842; puso fin a la guerra del Opio.
NANNING C. de China, cap. de la región autónoma de Kuangsi Chuang; 960 000 hab. Puerto fluvial sobre el Si-kiang. Centro comercial.
NANO- Pref. que indica la milmillonésima parte de la unidad que antecede.
NANÓMETRO m. Medida de longitud que representa la milmillonésima parte del metro.
NANOPLANCTON m. Componente microscópico del plancton, formado por bacterias, algas unicelulares y protozoos.
NANOSEGUNDO m. *Comp.* Unidad de tiempo que equivale a 10^{-9} segundos.
NANOTECNOLOGÍA f. Tecnología que utiliza instrumental de muy pequeño tamaño.
NANQUÍN m. Tela fina de algodón, de color amarillento, usada en los ss. XVIII y XIX, que se fabricaba en la ciudad china de Nankín.
NANSA f. Nasa de pescar. • Estanque pequeño para tener peces.
NANSÚ m. Tela fina de algodón.
NANTERRE C. de Francia, cap. del dpto. Hauts-de-Seine; 88 600 hab. Forma parte del área urbana de París. Centro ind. Universidad.
NANTES C. y puerto de Francia, cap. del departamento. de Loire-Atlantique y de la región de los Países del Loira; 496 100 hab. Situado junto al río Loira. Astilleros. Catedral gótica. • **Edicto de N.** Decreto de Enrique IV de Francia (1598) por el que se reconocían los derechos civiles de los calvinistas.
NANTUNG *(Nantong)* C. de China, en la región Este (prov. de Kiangsu); 260 500 hab. Ind. textil.
NAO f. Nave. • Nave velera de alto bordo cuyo empleo se generalizó entre los ss. XII y XVII.
NAO, *Cabo de la* Saliente litoral de España, el más pronunciado de la costa mediterránea.
NAONATO, TA adj. y s. Díc. de la persona nacida en una nave.
NAOS m. Parte del templo gr. ant. donde se colocaban las estatuas de los dioses.
NAPA f. Piel de algunos animales. Conjunto de fibras textiles que se agrupan en un grupo de espesor constante y de igual anchura que la máquina.

Vista de **Namur**

Castillo de **Nantes** (s. XV)

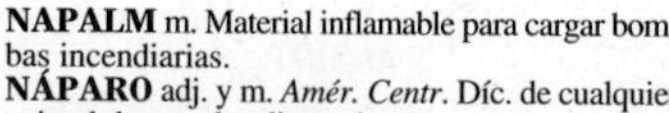
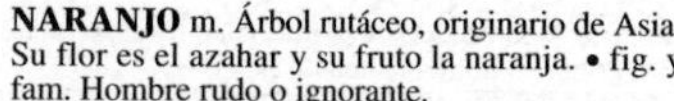

Napoleón *firma su abdicación en Fontainebleau.* Museo de Versalles, Francia

NAPALM m. Material inflamable para cargar bombas incendiarias.
NÁPARO adj. y m. *Amér. Centr.* Díc. de cualquier animal de grandes dimensiones.
NAPIAS f. pl. fam. Narices.
NAPIER o **NEPER,** ***John*** (1550-1617) Matemático escocés, introductor del cálculo de logaritmos.
NAPO Prov. de Ecuador, sit. en Amazonia; 13 572 km^2 57 897 hab. Cap., Tena. Clima tropical húmedo. Ganado bovino. Maderas. • R. de Ecuador y Perú. Nace en Cotopaxi y muere en el Amazonas; 855 km.
NAPOLEÓN m. Moneda fr. de oro, que tuvo vigencia durante el primero y segundo imperios.
NAPOLEÓN I Bonaparte (1769-1821) Emperador fr. [1804-1814; 1815], nacido en Córcega. Su primer cargo fue el de jefe del ejército del interior (1795). Dirigió las campañas de Italia y Egipto. Después del golpe de Est. del 18 brumario, fue designado primer cónsul y, en 1802, cónsul vitalicio. Emprendió una reorganización de la sociedad fr. En 1804, se proclamó emperador y rey de Italia. Se enfrentó a varias potencias europeas. Tras sus fracasos en las campañas de Rusia y España (1808) y su derrota en Leipzig (1813), se retiró a la isla de Elba. Volvió a ocupar el poder durante los llamados Cien Días, pero, finalmente, vencido en Waterloo (1815), fue confinado en la isla de Santa Elena. • **II,** *François Charles Joseph Bonaparte* (1811-1832) Hijo de Napoleón I y M.ª Luisa de Austria, N. I abdicó en su favor, pero la Restauración nunca le aceptó. • **III** (1808-1873) Emperador fr. [1852-1870]. Sobrino de N. I. En 1848, elegido presid. de la rep. En 1851 dio un golpe de Est., y al año siguiente se convirtió en emperador.
NAPOLEÓNICO, CA adj. Relativo a Napoleón, o a su imperio, política, etc.
NÁPOLES (*Napoli*) C. de Italia, cap. de la región de Campania; sit. en el golfo de Nápoles; 1 067 400 hab. Centro de una rica región agrícola. Ind. metalúrgica, mecánica, textil, alimentaria. Importante puerto. Universidad desde 1224. Fundada por colonos gr., y post. ocupada por romanos y bizantinos. Con la conquista por los normandos (s. XII), su historia se confunde con la del territorio adyacente del S de Italia. Fue cap. de los reinos de N. y Dos Sicilias. • **Golfo de N.** Porción del mar Tirreno, entre el cabo Miseno y la punta Campanella (Italia). • **Reino de N.** Ant. Est. del S de Italia. En 1442, Alfonso V de Aragón conquistó N. a los angevinos. Perteneció a España hasta 1713. En 1735 pasó a poder de Sicilia, y desde 1860 quedó integrado en Italia.
NÁPOLES, ***Juan Cristóbal*** (1829-1862), llamado EL CUCALAMBÉ. Poeta cub. *Rumores del hórmigo.*
NAPOLITANO, NA adj. De Nápoles.

Bahía de **Nápoles**

NARA Prefactura de Japón, en la isla de Honshu; 3 692 km^2, 1 375 000 hab. Cap. la c. hom. (349 400 hab.). Centro cultural y religioso. Ind. textil.
NARANGO m. *Amér. Centr.* Moringa, árbol.
NARANJA adj. y m. Díc. del color anaranjado. • f. Fruto del naranjo. Bala de cañón usada antiguamente. • **china.** Variedad cuya piel es más lisa y delgada que todas las otras. • **mandarina.** La pequeña, aplastada, de carne muy dulce, y fácil de pelar. • **Media n.** fig. y fam. Persona que se adapta tan perfectamente al gusto y carácter de otra, que ésta la considera como la mitad de sí propia.
NARANJADA f. Bebida de zumo de naranja, agua y azúcar. • fig. y fam. Dicho o hecho grosero.
NARANJADO, DA adj. Anaranjado.
NARANJAL m. Sitio plantado de naranjos.
NARANJAS, ***Guerra de las*** Conflicto que enfrentó a España y Portugal (1801). La alianza con Francia llevó a Carlos IV a declarar la guerra a Portugal, país que se había negado al bloqueo contra Inglaterra. El ejército, al mando de Godoy, tomó Olivenza y ocupó el Alentejo. Un ramo de naranjas enviada por Godoy a la reina dio nombre a la guerra, que careció de auténticas acciones bélicas.
NARANJERO, RA adj. Relativo a la naranja. • Díc. del caño o cañería cuyo diámetro interior es de 8 a 10 cm. • m. y f. Persona que cultiva o vende naranjas. • m. Naranjo, árbol.
NARANJILLA f. Naranja verde de que se suele hacer conserva. • *Ecuad.* Fruto del naranjillo.
NARANJILLADA f. *Ecuad.* Bebida que se prepara con el jugo de la naranjilla.
NARANJILLO m. *Ecuad.* Planta solanácea de fruto comestible.

Nara. Santuario budista

NARANJO m. Árbol rutáceo, originario de Asia. Su flor es el azahar y su fruto la naranja. • fig. y fam. Hombre rudo o ignorante.
NARAYANA En el hinduismo, nombre que se dio antiguamente a Brahma, el Creador.
NARBADA R. de la India central; 1 230 km. Nace en los montes Maekal y desemboca en el golfo de Khambhayat.
NARBONENSE Prov. romana de la Galia, creada por Augusto (27 a. C.), que se extendía de los Alpes a los Pirineos y de los Cévennes al Mediterráneo.
NARCEÍNA f. Alcaloide presente en el opio, análogo a la papaverina, por su constitución química y por sus efectos.
NARCISISMO m. Admiración preferente de sí mismo. • Trastorno psíquico de la sexualidad por el que la contemplación de la propia imagen provoca estimulaciones eróticas. ■ NARCISISTA.
NARCISO m. Planta amarilidácea, que se cultiva como ornamento. • Flor de esta planta. • fig. Persona muy satisfecha de sí misma y exageradamente preocupada de su aspecto exterior.
NARCISO *Mit. gr.* Hijo del río Cefiso y de la ninfa Liriope.
NARCOANÁLISIS m. Psicoanálisis efectuado con el paciente en estado de somnolencia, debido a una administración de narcótico.
NARCOLEPSIA f. Estado caracterizado por ataques peculiares, breves y recurrentes, de sueño. ■ NARCOLÉPTICO, CA.
NARCOMANÍA f. Toxicomanía en que se da una apetencia morbosa de narcóticos.
NARCOSIS f. Sueño provocado artificialmente por agentes farmacológicos.
NARCÓTICO, CA adj. y m. Díc. de la sustancia que ejerce una acción de impedimento de las funciones propias del encéfalo y de la médula espinal.
NARCOTINA f. Alcaloide presente en el opio. No tiene acción narcótica, sino que es un excitante del sistema nervioso central.
NARCOTISMO m. Estado de adormecimiento, que procede del uso de los narcóticos. • Conjunto de efectos producidos por los narcóticos.
NARCOTIZAR tr. y prnl. Producir narcotismo. • Suministrar un narcótico. ■ NARCOTIZACIÓN; NARCOTIZADOR, RA.
NARDO m. Espicanardo. • Planta liliácea, de flores blancas y muy olorosas. • Confección aromática hecha con las raíces del nardo índico.
NARIGADA f. *Amér.* Polvo o pulgarada de tabaco que se toma de una vez.
NARIGÓN, NA adj. y s. Narigudo. • m. aum. de nariz. • Agujero en la ternilla de la nariz. • *Cuba.* y *Méx.* Agujero hecho en el extremo de un tronco o viga para arrastrarlo. ■ NARIZÓN, NA.
NARIGUDO, DA adj. y s. De nariz grande. • adj. De forma de nariz.
NARIGUERA f. Pendiente que se pone en la ternilla que divide las dos ventanas de la nariz.
NARIÑO Dpto. de Colombia, sit. al SO del país, en la costa del Pacífico y limitando con Ecuador; 33 268 km^2, 1 443 671 hab. Cap., Pasto; c. prales.: Ipiales y Tumaco. El relieve está configurado por los Andes, que cruzan la región de S a NE. La altura más imp. es el volcán Cumbal (4 764 m). Al O se forma la llanura aluvial del Pacífico, drenada por el Patía, el Mira y el Iscuandé; al E, la vertiente amazónica, cubierta de selva, da origen a los ríos Caquetá y Putumayo, y a la laguna de La Cocha. Clima cálido a orillas del Pacífico y frío en la parte montañosa donde vive la mayor parte de la pob. Agricultura (trigo, forrajes, plátanos, café, yuca); ganadería (vacunos, ovinos, equinos, porcinos). Oro, plata y platino. Ind. textil (Pasto) y mecánica.
NARIÑO, ***Antonio*** (1765-1823) Patriota col. Prócer de la independencia; en 1794 publicó la *Declaración de los derechos del hombre y del ciudadano.* Participó en la gesta bolivariana y sufrió sucesivas prisiones. En 1812, el congreso le otorgó el poder para defender la capital. En 1821, Bolívar lo designó vicepresidente de la Gran Colombia, cargo del que dimitió desilusionado por la actitud de sus compatriotas.
NARIZ f. *Anat.* Órgano facial prominente de ciertos mamíferos, en el cual se halla alojado el sentido del olfato. • Cada uno de los dos orificios que hay en la base de la nariz. • fig. Sentido del olfato. • fig. Olor

fragante y delicado de los vinos generosos. • fig. Hierro en figura de nariz, donde encaja el picaporte o el pestillo de las puertas o ventanas. • fig. Extremidad aguda que se forma en algunas obras, como en las embarcaciones, en los estribos de los puentes y en otras construcciones. • fig. Cañón de alambique, de la retorta y de otros aparatos. • **aguileña.** La que es delgada y algo corva. • **perfilada.** La que es perfecta y bien formada. • **respingona.** Aquella cuya punta tira hacia arriba. • **Hinchársele a** uno **las narices.** fr. fig. y fam. Enojarse. • **Meter** uno **las narices** en una cosa. fr. fig. y fam. Entremeterse, curiosear. • **No ver** uno **más allá de sus narices.** fr. fig. y fam. Ser poco avisado, corto de alcances.

* *Anat.* La n. en el hombre es una eminencia en forma de pirámide triangular que, en su parte inferior, presenta un par de orificios que comunican las fosas nasales con el exterior; está formada por una armazón osteocartilaginosa de músculos y tegumentos, y por la mucosa pituitaria. Su función es proteger el nervio olfativo, y filtrar y calentar el aire.

NARIZÓN, NA adj. fam. Que tiene grandes las narices. ■ *Méx.* NARIZUDO, DA.

NARMER o **MENES** (¿h. 3200 a. C.?) Primer faraón egipcio, fundador de la dinastía tinita. • **Paleta de N.** Objeto artístico del ant. Egipto que representaba al monarca que reinaba en el Alto y el Bajo Egipto.

NARRABLE adj. Que puede ser narrado o contado.

NARRACIÓN f. Acción de narrar. • Cosa narrada. • *Ret.* Parte del discurso retórico en que se refieren los hechos para esclarecimiento del asunto de que se trata. ■ NARRATIVO, VA; NARRATORIO, RIA.

NARRAR tr. Contar, referir lo sucedido. ■ NARRADOR, RA.

NARRATIVA f. Narración, acción de narrar. • Habilidad en referir o contar las cosas.

NARRIA f. Cajón o escalera de carro para llevar arrastrando cosas de gran peso. • fig. y fam. Mujer gruesa y pesada.

NÁRTEX m. Pórtico alzado delante de las basílicas cristianas, donde permanecían los catecúmenos.

NARVÁEZ, *Francisco* (1905-1982) Escultor ven. Realizó monumentos públicos en Caracas. *Atleta, Representación de la cultura.* • ***Juan Salvador*** (1790-1826) Militar col. Acompañó a Bolívar en la campaña de Venezuela. • ***Pánfilo de*** (1470-1528) Conquistador esp . Participó decisivamente en la conquista de Cuba. • ***Ramón María,*** DUQUE DE VALENCIA (1800-1868) Militar y político esp. Entre 1844 y 1868 presidió gobiernos moderados. Reprimió varias intentonas republicanas. • **Latorre, *Antonio*** (1733-1812) Militar y político col. Comandante gral. de Cartagena de Indias (1808). Miembro de la Junta que proclamó la indep. de Nueva Granada (1811).

NARVAL m. Cetáceo de unos seis metros de largo, del cual se utilizan su grasa y el marfil de su diente mayor .

NARVARTE, *Andrés* (1781-1853) Político ven. Vicepresidente de la rep. (1835), al dimitir Vargas ocupó la presidencia (1836-1837).

NASA f. Arte de pesca, formada por un cilindro de juncos, alambres, plásticos, etc., con una especie de embudo dirigido hacia adentro en una de sus bases. • Cesta de boca estrecha para echar la pesca. • Cesto o vasija para guardar pan, harina o cosas semejantes.

NASA Siglas de *National Aeronautics and Space Administration*, Administración Espacial y Aeronáutica Nacional de EE UU. Organismo fundado en 1958, que se encarga de las investigaciones aeronáuticas.

NASAL adj. Relativo a la nariz. • Díc. del sonido en cuya pronunciación la corriente espirada sale total o parcialmente por la nariz. • adj. y s. Díc. de la letra que representa este sonido, como la *n.* ■ NASALIDAD.

NASALIZAR tr. Hacer nasal, o pronunciar como tal, un sonido o letra. ■ NASALIZACIÓN.

NASARDO m. Uno de los registros del órgano.

NASHVILLE C. de EE UU, cap. del est. de Tennessee; 488 400 hab. Forma una conurbación con Davidson. Ind. aeronáutica, textil, papelera.

NASIR, *Amir Ibrahim* (nacido 1926) Político de las islas Maldivas. Nacionalista moderado, fue elegido presid. (1968) y primer ministro (1975). Renunció a sus cargos en 1978.

NASO m. fam. Nariz grande.

NASOFARÍNGEO, A adj. Díc. de lo que está situado en la faringe por encima del velo del paladar y detrás de las fosas nasales.

NASSAU Región histórica al., que fue ducado miembro de la Confederación del Rin de 1816 a 1866. Su cap. era Wiesbaden. • Cap. de las Bahamas; 133 400 hab. Turismo.

NASSAU Familia ducal al. fundada por los condes de Laurenburg (h. 1100). El conde Enrique II nombró herederos a sus hijos Walram II y Otón I, naciendo así dos líneas de esta familia, que han dado reyes a Países Bajos y duques a Luxemburgo.

NASSER, *Gamal Abdel* (1918-1970) Militar y político egipcio. Lideró la revolución que derrocó al rey Faruk (1952). Presid. de la rep. en 1955, nacionalizó el canal de Suez. Tras la derrota en la guerra de los Seis Días dimitió, pero asumió de nuevo el gobierno con el apoyo popular.

NASTIA f. *Bot.* Movimiento de las plantas o de alguno de sus órganos, inducido por un factor externo, sin ninguna relación de orientación con el estímulo e independientemente del crecimiento.

NATA f. Sustancia espesa, que forma una capa sobre la leche que se deja en reposo. • Sustancia espesa de algunos licores que sobrenada en ellos. • fig. Lo principal y más estimado en cualquier línea. • *Amér.* Escoria de la copelación. • pl. Nata batida con azúcar. • Natillas.

NATACIÓN f. Acción y efecto de nadar. • Arte de nadar. • *Zool.* Sistema de locomoción mediante el cual los animales pueden desplazarse en el agua.

* *Dep.* Esta disciplina deportiva comprende las carreras en aguas abiertas o piscinas, la n. sincronizada y subacuática, y, en sentido amplio, los saltos de trampolín y el waterpolo. Los estilos más practicados son: crol, espalda, braza, mariposa y la n. de costado. La n. es, además, una práctica auxiliar en salvamento y socorrismo.

* *Zool.* El sistema pral. de n. se basa en el empleo de una palanca plana (aleta caudal), que ejerce empuje sobre el agua en una dirección oblicua respecto a la del desplazamiento, cuya acción se ve complementada por la función estabilizadora de las aletas dorsal y anal, y de dirección del desplazamiento de las aletas pares.

NATAL adj. Perteneciente al nacimiento, o al país en que uno ha nacido. • m. Nacimiento. • Día del nacimiento de una persona. ■ NATALICIO, CIA.

NATAL C. de Brasil, cap. del est. de Río Grande del Norte; 607 000 hab. Ind. textil.

NATALIDAD f. Número proporcional de nacimientos en población y tiempo determinados.

NATANAEL Discípulo de Jesucristo, identificado con el apóstol san Bartolomé.

NATÁTIL adj. Capaz de nadar o flotar sobre las aguas.

NATATORIO, RIA adj. Perteneciente a la natación. • Que sirve para nadar. • Aplícase al lugar destinado para nadar o bañarse.

NATHANS, *Daniel* (nacido 1928) Microbiólogo norteam., que investigó la estructura del ADN de virus causantes del cáncer. Premio Nobel en 1978.

NATIONAL Gallery Museo nacional de pintura de Londres, construido entre 1832 y 1838.

NATIVIDAD f. Nacimiento, y especialmente el de Jesucristo, el de la Virgen María y el de san Juan Bautista. • Tiempo inmediato al día de Navidad.

NATIVISMO m. Innatismo. • Teoría piscológica según la cual la representación del concepto de espacio es innata y previa a cualquier sensación. • Indigenismo.

NATIVO, VA adj. Que nace naturalmente. • Perteneciente al país o lugar en que uno ha nacido. • Natural, nacido. • Innato, propio y conforme a la naturaleza de cada cosa. • Díc. de los metales y de algunas sustancias min. que se encuentran en sus menas exentos de toda combinación. ■ NATÍO, A.

NATO, TA adj. Aplícase al título honorífico o al cargo que está anejo a un empleo o a la calidad de un sujeto.

NATO Siglas de *North Atlantic Treaty Organization*, Organización del Tratado del Atlántico Norte.

NATRAL m. *Chile.* Terreno poblado de natris.

NATRI m. *Chile.* Arbusto de 2 a 3 m de altura, de hojas aovadas, oblongas y puntiagudas, y de propiedades febrífugas.

NATRÓN m. Sal blanca, translúcida, cristalizable y eflorescente, usada en la fabricación de vidrio, jabón y tintes.

Naranjo. Árbol, flor y fruto

Narciso

Ramón María **Narváez,** duque de Valencia, por Vicente López

Gamal Abdel **Nasser**

Mademoiselle de Clermont en el baño. Óleo de Jean-Marc **Nattier.** Colección Wallace, Londres

Naturaleza muerta. *Bodegón*, óleo de Miguel Jacinto Menéndez. Museo del Prado, Madrid

Nautilo

Mapa de situación y bandera de **Nauru**

NATTA, *Giulio* (1903-1979) Químico it. Sus estudios se han basado pralm. en la química orgánica. Premio Nobel de Química en 1963.

NATTIER, *Jean-Marc* (1685-1766) Pintor fr. Cultivó el retrato. *Mademoiselle de Lambese*, *La marquesa de Antin*.

NATUFIENSE adj. y s. Facies cultural correspondiente al mesolítico de Palestina. Se desarrolló durante el octavo milenio a. C. Poblados de Eynan y Jericó.

NATURA f. Esencia y características de cada ser, naturaleza. • Partes genitales. • *Mús.* Escala natural del modo mayor.

NATURAL adj. Perteneciente a la naturaleza o conforme a la calidad o propiedad de las cosas. • adj. y s. Nativo, originario de un pueblo o nación. • Hecho con verdad, sin artificio. • Ingenuo y sin doblez. • Díc. de las cosas que imitan a la naturaleza con propiedad. • Regular, que comúnmente sucede. • Que se produce con las solas fuerzas de la naturaleza, en contraposición a sobrenatural. • Aplícase a los señores de vasallos, o a los que por su linaje tenían derecho al señorío, aunque no fuesen de la tierra. • *Mús.* Díc. de la nota no modificada por sostenido ni bemol. • m. Genio, índole, temperamento, complexión o inclinación propia de cada uno. • Instinto e inclinación de los animales irracionales. • Forma exterior de una cosa que se toma por modelo y ejemplar para la pintura y escultura. • **Al n.** modo adv. Sin arte, composición, pulimento o variación.

NATURALEZA f. Esencia y propiedad característica de cada ser. • Conjunto, orden y disposición de todas las entidades que componen el universo. • Virtud, calidad o propiedad de las cosas. • P. ext., calidad, orden y disposición de los negocios y dependencias. • Instinto, propensión o inclinación de las cosas, con que pretenden su conservación y aumento. • Fuerza o actividad natural, como contrapuesta a la sobrenatural y milagrosa. • Sexo, especialmente en las hembras. • Origen que uno tiene según la ciudad o país en que ha nacido. • Índole, temperamento. • Calidad que da derecho a ser tenido por natural de un pueblo para ciertos efectos civiles. • Especie, género, clase. • Complexión o temperamento de cualidades en el cuerpo animal. • Señorío de vasallos o derecho adquirido a él por el linaje. • *Esc.* y *Pint.* La que se toma por modelo. • **humana.** Conjunto de todos los hombres. • **muerta.** Cuadro que representa animales muertos o cosas inanimadas.

NATURALIDAD f. Calidad de natural. • Ingenuidad y sencillez. • Conformidad de las cosas con las leyes ordinarias y comunes. • Naturaleza u origen de uno según el lugar en que ha nacido. • Derecho inherente a los naturales de un país.

NATURALISMO m. Sistema que atribuye todas las cosas a la naturaleza como primer principio. • *Lit.* Escuela literaria del s. XIX, opuesta al romanticismo. ▪ NATURALISTA.

* *Lit.* El n. nació como oposición al romanticismo. Describió la realidad gralte. de forma minuciosa y mostrando los aspectos más ingratos. Destacaron en la tendencia naturalista, Zola, Goncourt, Maupassant, G. Moore, Ibsen, Norris, Dreiser, Galdós, «Clarín», E. Pardo Bazán y Blasco Ibáñez.

NATURALIZAR tr. Admitir en un país, como si fuera natural de él, a una persona extranjera. • Conceder oficialmente a un extranjero, en todo o en parte, los derechos de los naturales del país en que obtiene esta gracia. • Introducir en un país, como si fueran naturales o propias de él, cosas de otros países. • tr. y prnl. Hacer que una especie animal o vegetal adquiera las condiciones necesarias para vivir en un país distinto de aquel de que procede. • prnl. Vivir un extranjero en un país, como si fuera natural de él. • Adquirir los derechos de los naturales de un país. ▪ NATURALIZACIÓN.

NATURISMO m. Doctrina que preconiza el empleo de los agentes naturales para conservar la salud y curar las enfermedades. ▪ NATURISTA.

NATUSH Busch, *Alberto* (nacido 1933) Militar bol. Presid. de la rep. en 1979 mediante un golpe de est., dejó el poder a los pocos días. Con Lucio Añez, dirigió una rebelión que provocó la dimisión de García Meza.

NAUFRAGAR intr. Irse a pique o perderse la embarcación. Díc. también de las personas que van en ella. • fig. Perderse o salir mal un intento o negocio.

NAUFRAGIO m. Pérdida o ruina de la embarcación en aguas navegables. • Buque naufragado, cuya situación ofrece peligro para los navegantes. • fig. Pérdida grande; desgracia o desastre.

NÁUFRAGO, GA adj. y s. Que ha padecido naufragio o tormenta. • m. Tiburón.

NAUMAQUIA f. Combate naval que como espectáculo se daba entre los ant. romanos en un estanque o lago. • Lugar destinado a este espectáculo.

NAUPLIUS adj. y m. Díc. de la larva inicial de los crustáceos, insegmentada, y con tres pares de apéndices (antenas y mandíbulas de los adultos).

NAURU (*Republic of Nauru*) Est. de Micronesia, formado por la isla hom., bañado por el Pacífico; 21 km^2, 8 000 hab. Cap., Yangor. Es un atolón coralífero que cuenta con depósitos de fosfatos. Descubierta en1798 por Fearn, fue posesión al. desde 1888. Después de la I Guerra Mundial fue entregada como fideicomiso a Australia, Nueva Zelanda y Gran Bretaña. Independiente desde 1968. La alternancia entre H. De Roburt y B. Dowiyogo desde 1968 terminó con la elección de K. Clodumar (1997).

NÁUSEA f. *Pat.* Sensación que indica deseo inminente de vomitar. • fig. Repugnancia o aversión que causa una cosa.

NAUSEABUNDO, DA adj. Que causa náuseas. • Propenso al vómito. ▪ NAUSEATIVO, VA.

NAUSEAR intr. Tener náuseas.

NAUTA m. Hombre de mar, marinero. ▪ NÁUTICO, CA.

NÁUTICA f. Ciencia o arte de navegar.

NAUTILO m. *Zool.* Molusco cefalópodo, cuyo cuerpo se aloja en la celdilla mayor de su concha espiral.

NAUTILUS Nombre del primer submarino atómico norteam. (3 200 t). En 1958 cruzó el polo Norte por debajo de su casquete de hielo.

NAVA f. Tierra baja y llana, sit. entre montañas.

NAVAJA f. Cuchillo cuya hoja puede doblarse sobre el mango para que el filo quede guardado entre dos cachas. • Molusco acéfalo, de dos conchas simétricas. • fig. Colmillo de jabalí. • fig. Aguijón cortante de algunos insectos. • fig. y fam. Lengua de los maldicientes y murmuradores. • Cada uno de los dos hierros laterales de la gafa que ruedan sobre los fieles al armar la ballesta. • **de afeitar.** La de filo agudísimo, que sirve para hacer la barba.

NAVAJADA f. Golpe que se da con la navaja. • Herida que resulta de este golpe. ▪ NAVAJAZO.

NAVAJERO m. Estuche en que se guardan las navajas, especialmente las de afeitar. • Paño en que se limpia la navaja al afeitar. • Taza con el borde de caucho, que sirve para este mismo fin. • Malhechor que se vale de la navaja para intimidar o agredir.

NAVAJO m. Lavajo. • adj. y s. Perteneciente a una tribu indígena norteam. del grupo de los atabascos meridionales. Unos 100 000 individuos distribuidos en reservas al N de Arizona y Nuevo México.

NAVAJUDO, DA adj. *Méx.* Marrullero, taimado.

NAVAJUELA f. *Amér. Centr.* Planta trepadora de tallos cortantes.

NAVAL adj. Perteneciente o relativo a las naves y a la navegación.

NAVARCA o **NEARCA** m. Jefe de una armada gr. • El de un buque romano.

NAVARINO Isla de Chile; 3 200 km^2. Sit. al S de la Tierra de Fuego.

NAVARRA o **NAFARROA** Comunidad foral uniprovincial de España; 10 421 km^2, 520 574 hab. Cap., Pamplona; c. pral.: Tudela. Limitada al N por los Pirineos y al S por el Ebro. Trigo, maíz, viñedo, olivar, remolacha, hortalizas, plantas forrajeras; ganadería (vacuna, porcina,ovina); ind. alimentaria, química, metalúrgica, automovilística. En 1982 quedaron definidos los estamentos de gobierno de la Comunidad auton. con la recuperación de los derechos históricos (Cortes de Navarra, Diputación Foral y Presidente del Gobierno de Navarra). • **Reino de N.** Sancho I Garcés (905) es considerado el creador del reino de N., a partir de un pequeño núcleo cristiano que se alzó contra la dominación musulmana. Con Sancho III (1000-1035) N. se convirtió en el centro político de España. Desde 1234 pasó a poder de varias dinastías fr. En 1512, Fernan-

NAVEGACIÓN AÉREA

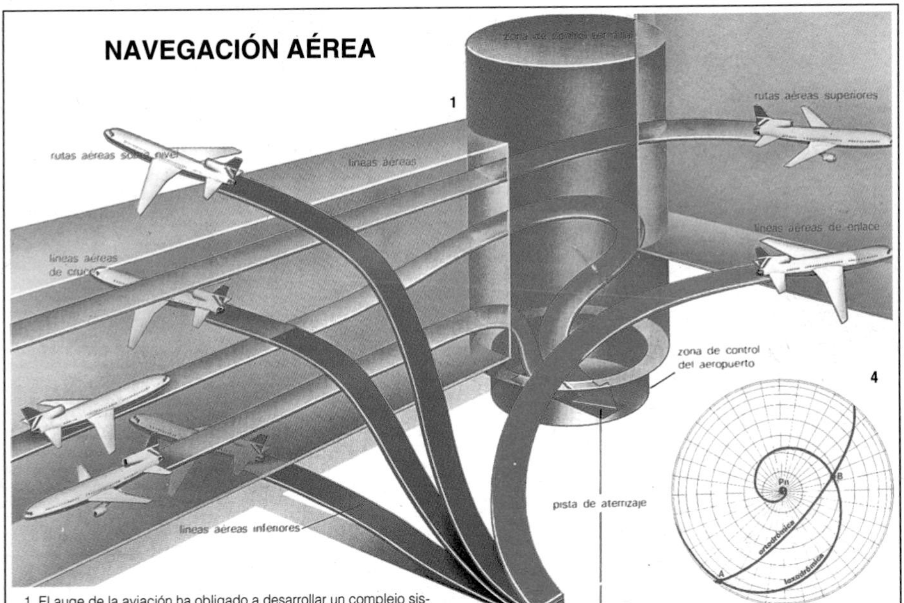

1. El auge de la aviación ha obligado a desarrollar un complejo sistema de navegación aérea, una verdadera "autopista" en el cielo con diversos carriles (rutas) a diferente altitud. Su vigilancia, labor de los centros de control de las terminales de los aeropuertos, evita que se produzcan accidentes.
2. y 3. Entre los medios empleados para ayudar a los pilotos se encuentran una antena localizadora, que transmite un haz de radio amplio y plano hacia el avión, y otra serie de señales de radio y visuales, como las balizas luminosas empleadas de noche.

4. La ruta del avión constituye una línea loxodrómica, pues corta a los meridianos terrestres según ángulos constantes.

do el Católico conquistó la Alta N. y la incorporó a la monarquía esp. La Baja N. fue anexionada a Francia en 1589.

NAVARRETE, ***Juan Fernández de,*** llamado EL MUDO (h. 1526-1579) Pintor esp. Trabajó en El Escorial por encargo de Felipe II. *Bautismo de Cristo, Sagrada Familia.* • FRAY ***Manuel de*** (1768-1809) Poeta mex. Describió paisajes en poemas de corte neoclásico. *Noche triste.*

NAVARRO, RRA adj. y s. De Navarra. • m. Variante del cast. hablado en Navarra.

NAVARRO, ***Gustavo A.*** (1898-1973) Escritor bol. Ensayos y novelas. *Suetonio Pimienta: memorias de un diplomático de la República de Zanahoria, Relatos prohibidos.* Utilizó el seud. de *TRISTAN MAROFF.* • **Luna,** ***Manuel*** (1894-1972) Escritor cub. *La tierra herida, Odas mambises.* • ***Ortega, Nicolás Eugenio*** (1867-1960) Historiador ven. *Anales eclesiásticos venezolanos.* • ***Tomás, Tomás*** (1884-1979) Filólogo y escritor esp. Realizó estudios sobre el euskera. Fue catedrático de fonética en la universidad de Madrid. *Atlas lingüístico de la Península Ibérica.*

NAVAS DE TOLOSA Aldea esp. sit. en el mun. de la Carolina, en Andalucía. • **Batalla de las N.** La librada el 16 julio 1212 entre los almohades y las tropas de Aragón, Navarra y Castilla, que vencieron.

NAVAZO m. Navajo, tierra baja y llana. • Huerto en forma de hoyo grande, en los arenales inmediatos a algunas playas.

NAVE f. Barco, embarcación. • *Arq.* Cada uno de los espacios que entre muros o filas de arcadas se extienden a lo largo de las iglesias u otros edificios. • P. ext., cuerpo o crujía seguida de un edificio, como almacén, fábrica, etc. • **de San Pedro.** fig. Iglesia católica. • **espacial.** Vehículo espacial. • **principal.** *Arq.* La que ocupa el centro del templo. • **Quemar las naves.** fr. fig. Tomar una determinación extrema.

NAVEGABLE adj. Díc. del río, lago, canal, etc., donde se puede navegar. • Que puede navegar.

NAVEGACIÓN f. Acción de navegar. • Viaje que se hace con la nave. • Tiempo que éste dura. • Náutica. • **aérea.** Acción de navegar por el aire en globo, avión u otro vehículo. • **de altura.** La que se hace por mar fuera de la vista de la tierra. • **de cabotaje.** La que se efectúa a lo largo de la costa. • **espacial.** La que se realiza en el espacio extraterrestre.

NAVEGAR tr. e intr. Hacer un viaje en una embarcación o nave. • intr. Andar el buque o la embarcación. • Hacer viaje por aire en globo, avión u otro vehículo. • fig. Andar de una parte a otra comerciando. • fig. Transitar o trajinar de una parte a otra. • *Comp.* Investigar un usuario la información de que dispone la red Internet. • fig. y fam. Con referencia a un asunto, conocerlo poco. ■ NAVEGANTE.

NAVETA f. Nave pequeña. • Vaso que sirve en la iglesia para administrar el incienso. • Gaveta de escritorio.

NAVIDAD f. Natividad de Jesucristo. • Día en que

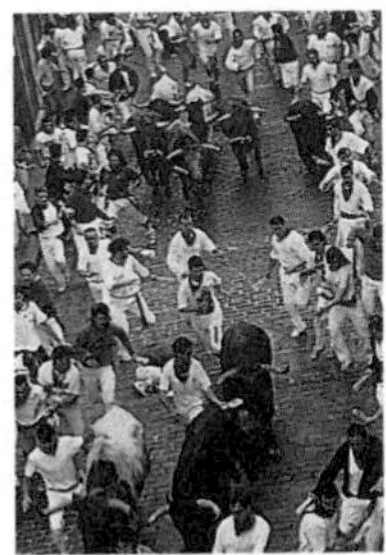

Navarra. Tradicional encierro en la celebración de los sanfermines en Pamplona

Navío de dos puentes de la Armada Española en el puerto de La Habana, según un grabado del s. XIX. Museo Naval, Madrid

Arte **nazarí.** Detalle del patio de los Leones, Alhambra de Granada, España

Figurilla policromada, de la cultura **nazca**

se celebra. • Tiempo inmediato a este día. También se usa en pl.

NAVIDAD, *Fuerte* Establecimiento fundado por Colón en la isla La Española, en 1492, con los restos de la nave *Santa María.*

NAVIDEÑO, ÑA adj. Relativo al tiempo de Navidad.

NAVIERO, RA adj. Concerniente a naves o a navegación. • m. Dueño de un navío u otra embarcación capaz de navegar en alta mar. • El que avitualla un buque mercante, ya sea propietario del mismo, ya gestor o gerente de la empresa propietaria.

NAVÍO m. Bajel de guerra, de tres palos y velas cuadras, con dos o tres o puentes y otras tantas baterías de cañones. • Bajel grande, aunque no sea de guerra.

NAVÍO ARGOS (*Argo Navis*) Constelación austral que cubre gran extensión del cielo. Incluye la estrella Canopus, la más brillante después de Sirio.

NAVOJOA Pob. de México, en el est. de Sonora; 122 390 hab. Centro agrícola.

NAVRATILOVA, *Martina* (nacida 1956) Tenista checa, nacionalizada norteam. Ha ganado, durante una década, la mayoría de torneos del Grand Slam, y otros en que ha participado. Considerada, hasta 1986, como la primera figura mundial del tenis femenino.

NÁYADE f. *Mit.* Cualquiera de las ninfas que, según los gentiles, residían en los ríos y en las fuentes.

NAYARIT Est. de México, que comprende una zona de la costa central del Pacífico y el arch. de las Tres Marías; 27 621 km^2, 919 739 hab. Cap., Tepic. La parte oriental está atravesada de N a S por la sierra Madre Occidental. El sector meridional está accidentado por la cordillera Neovolcánica. El r. Grande de Santiago atraviesa la sierra Madre y, tras regar la llanura litoral, desemboca en el Pacífico. También avenan el est. los r. Acaponeta y San Pedro. Clima tropical en la costa, templado en las zonas medias y frío en las altas. Explotación forestal (cedro, nogal, caoba); tabaco, plátano, café, caña de azúcar, maíz, frutas, cereales; pesca; plata, oro, plomo; ind. textil, del calzado, alimentaria. Durante la segunda mitad del s. XIX, el gobierno de la rep. sometió a los indígenas y convirtió la región en territorio (1884). En 1917, alcanzó la categoría de estado. Universidad desde 1969.

NAYARITA o **NAYARITENSE** adj. y s. Natural del est. mex. de Nayarit. • Relativo al mismo.

NAZARENO, NA adj. y s. Natural de Nazaret. • adj. Perteneciente a esta ciudad de Israel. • adj. y s. Díc. del que entre los hebreos se consagraba particularmente al culto de Dios. • Imagen de Jesucristo vistiendo un ropón morado. • fig. Cristiano que profesa la fe de Cristo. • m. Penitente que en las procesiones de Semana Santa va vestido con túnica. • Árbol ramnáceo americano, cuya madera, cocida en agua, da un tinte amarillo muy duradero. • f. pl. *Argent.* Lloronas, espuelas grandes usadas por los gauchos. • **El N.** P. ant., Jesucristo. • **Estar hecho un n.** fr. que se dice de la persona lacerada y afligida.

NAZARETH (*Natsrat*) C. de Israel, en Galilea, cap. del distrito Septentrional; 39 400 hab. Según los evangelios, allí vivió Jesús.

NAZARÍ adj. Díc. de los descendientes de Yúsuf ben Názar, fundador de la dinastía musulmana que reinó en Granada (España), desde el siglo XIII al XV. • Relativo a esta dinastía. ■ NAZARITA.

NAZAS R. de México; 300 km. Nace en la sierra Madre Occidental (Durango), por la confluencia del Ramos y el Oro, y vierte sus aguas en la laguna Mayrán.

NAZCA Civilización preincaica que se desarrolló en el N del Perú, con anterioridad a la quechua, de 300 a. C. a 1000 d. C. Fue posterior y heredera a la de Paracas. Parece que se dedicaban a la agricultura y al pastoreo de llamas, y que tenían una organización política en cierto modo democrática, como lo demuestra la ausencia de hallazgos que prueben la existencia de jefes poderosos. Destacan sus telas, joyas de oro y plata, las máscaras para sus momias y la cerámica. Enterraban a sus muertos envueltos en telas y adornados con joyas, y a su lado disponían vasijas con ofrendas. Destaca la red de líneas y formas animalísticas trazadas con piedras sobre el terreno; tienen grandes dimensiones, y algunas pueden ser apreciadas desde el aire. Se cree que fueron utilizadas a modo de calendario y para determinar el movimiento de ciertos astros.

NAZI adj. Relativo al nazismo. • adj. y s. Partidario del nazismo o nacionalsocialismo. • adj. fig. y fam. Díc. de la persona racista.

Nb *Quím.* Símb. del niobio.

Nd *Quím.* Símb. del neodimio.

N'DJAMENA Cap. de Chad; 530 965 hab. Puerto fluvial en el río Chari.

Ne *Quím.* Símb. del neón.

NE Win, *Maung Shu Maung*, llamado ***Bo*** (nacido 1911) Militar y político birmano. En 1962 dio un golpe de est. por el que instauró un gobierno militar y redactó una nueva constitución. Fue elegido presid. de la rep. en 1974. Dimitió en 1988 aduciendo como causa el fracaso económico de su política.

NEA Aféresis de anea.

NEAGH, *Lough* Lago de Irlanda del Norte (Reino Unido); 396 km^2. Es el mayor de las islas Británicas.

NEANDERTALENSE adj. Relativo al hombre de Neanderthal.

NEANDERTALOIDE adj. Que presenta caracteres semejantes a los del hombre de Neanderthal.

NEANDERTHAL Valle de Alemania, sit. al E de Düsseldorf, donde, en 1856, se hallaron restos humanos del paleolítico medio, que dieron nombre a un tipo de *Homo sapiens.* • ***Hombre de N.*** Según restos hallados en Europa, Asia y África, era de cuerpo robusto, pequeña estatura, cráneo alargado y frente huidiza. Capacidad craneana superior a la actual y masa encefálica con gran desarrollo del cerebelo.

NEÁRTICO, CA adj. Díc. de la región zoogeográfica que comprende el continente norteam., hasta el S de México. Fauna emparentada con la de la región paleártica, con la que forma el bloque holártico.

NEBLADURA f. Daño que la niebla causa a los sembrados. • Modorra del ganado lanar.

NEBLÍ m. Halcón común o peregrino. Ave de unos 40 cm de largo y plumaje gris oscuro.

NEBLINA f. Niebla espesa y baja. • Enturbiamiento de la atmósfera por humo, gases u otra causa. ■ NEBLINOSO, SA.

NEBLINEAR intr. *Chile.* Lloviznar.

NEBRASKA Est. del centro-noroeste de EE UU; 200 350 km^2, 1 578 000 hab. Cap., Lincoln. Extensa llanura originada por la erosión de los r., entre los que destaca el Platte. Clima continental seco, vegetación esteparia y bosques de pinos y robles. Trigo, maíz; ganadería (bovina,ovina, porcina); ind. de transformación de productos agropecuarios.

NEBREDA f. Enebral.

NEBRIJA, *Elio Antonio de,* llamado Antonio Martínez de Cala (1441-1522) Humanista esp. Estudioso de la filología de la lengua esp.: *Arte de la lengua castellana.*

NEBRINA f. Fruto del enebro.

NEBULIZAR tr. Pulverizar un líquido. ■ NEBULIZADOR, RA.

NEBULÓN m. Hombre taimado e hipócrita.

NEBULOSA f. Cualquier objeto astronómico difuso exterior al sistema solar. • Planta herbácea de tallos rectos, hojas planas y frutos en cariópside. • **de Andrómeda.** Galaxia espiral, la más próxima a la Vía Láctea y uno de los miembros del grupo local. • **galáctica.** *Astr.* Acumulación de polvo y de gases cósmicos en el espacio interestelar. ■ NEBULAR.

* *Astr.* Las n. galácticas pueden clasificarse en: n. planetarias, de forma gralte. circular con una estrella en el centro; n. difusas, de forma irregular; n. reflejas, que reflejan la luz de las estrellas próximas; y restos de explosiones de supernovas.

NEBULOSO, SA adj. Que abunda de nieblas, o cubierto de ellas. • Oscurecido por las nubes. • *Astr.* Relativo a las nebulosas. • fig. Sombrío, tétrico. • fig. Falto de lucidez y claridad. • fig. Difícil de comprender. ■ NEBULOSIDAD.

NECESARIA f. Retrete.

NECESARIO, RIA adj. Que precisa, forzosa o inevitablemente ha de ser o suceder. • Díc. de lo que se hace y ejecuta obligado por algo, como opuesto a voluntario, y también de las causas que obran sin libertad y por determinación de su naturaleza. • Que es menester o hace falta para un fin.

NECESER m. Caja o estuche con diversos objetos de tocador, costura, etc.

NECESIDAD f. Estado del individuo en relación con lo que le es preciso (sueño, descanso, nutrición, etc.). • Manifestación natural de sensibilidad interna que despierta una tendencia a cumplir un acto o a buscar una determinada categoría de objetos. • Manifestación periódica adquirida de la tendencia a cumplir ciertos actos o a utilizar determinados objetos (fumar tabaco, beber alcohol, tomar cocaína, inyectarse morfina, etc.). • Evacuación de orina o excrementos. También se usa en pl. • **extrema.** Estado en que ciertamente perderá uno la vida si no se le socorre o sale de él. • **mayor.** Evacuación por cámara. • **menor.** Evacuación por orina.

NECESITADO, DA adj. y s. Pobre, que carece de lo necesario.

NECESITAR tr. Obligar a alguien a ejecutar una cosa. • tr. e intr. Haber menester de una persona o cosa.

NECIO, CIA adj. y s. Ignorante, que no sabe lo que podía o debía saber. • Imprudente o falto de razón; terco y porfiado en lo que hace o dice.

NECKAR Río de Alemania, que nace en la Selva Negra. Afl. derecho del Rin, 367 km.

NECKER, *Jacques* (1732-1804) Político fr. Fue llamado por Luis XVI para conducir las finanzas (1776). En 1788 impulsó la convocatoria de los Estados Generales.

NECOCHEA C. de Argentina, en la prov. de Buenos Aires; 51 100 hab. Centro comercial y agropecuario. Ind. alimentarias.

NECOCHEA, *Mariano* (1792-1849) Militar arg. que participó en la guerra de independencia americana, a las órdenes de San Martín.

Necrófagos. Hienas y buitres con un cadáver

NECRÓFAGO, GA adj. y m. *Biol.* Díc. del animal que se alimenta de cadáveres, frescos o en descomposición.

NECROFILIA f. Afición por la muerte o por algunos de sus aspectos. • Trastorno psicosexual caracterizado por la atracción sexual hacia los cadáveres. ■ NECRÓFILO, LA.

NECRÓFORO, RA adj. y m. Díc. de un insecto coleóptero, que abre fosas con sus patas y entierra en ellas los cadáveres de otros animales, en los que deposita sus huevos.

NECROHORMONA f. Hormona que se origina tras las lesiones traumáticas y que favorece la división celular que condiciona los mecanismos de cicatrización.

NECROLOGÍA f. Noticia o biografía de una persona muerta hace poco tiempo. • Lista o noticia de las muertes acaecidas proporcionada por una estadística o un periódico. ■ NECROLÓGICO, CA.

NECROMANCIA o **NECROMANCÍA** f. Nigromancia.

NECRÓPOLIS f. Cementerio de gran extensión, en que abundan los monumentos fúnebres.

NECROPSIA f. Examen anatómico y patológico con fines científicos, o para esclarecer la causa de la muerte cuando hay duda.

NECROSCOPIA f. Autopsia o examen de los cadáveres. ■ NECROSCÓPICO, CA.

NECROSIS f. Muerte de algunos elementos celulares en el interior de un cuerpo vivo.

NÉCTAR m. Licor destinado a los dioses. • P. ext., cualquier licor exquisito. • Sustancia líquida, azucarada y aromática que se excreta en los nectarios, sit. cerca de las flores de las plantas, en orden a la polinización por insectos.

NECTÁREO, A adj. Que destila néctar o sabe a él. ■ NECTARINO, NA.

NECTARIO m. Glándula vegetal que segrega excreciones azucaradas para atraer a los insectos.

NECTON m. Conjunto de animales no planctónicos nadadores de las aguas marinas y continentales.

NECTRIÁCEO, A adj. y f. Díc. de hongos de micelio filamentoso, parásitos; como el cornezuelo del centeno. • f. pl. Familia de estos hongos.

NEDERLAND Nombre neerlandés de Países Bajos.

NEDJED (*Neyed*) Región y ant. reino de Arabia; integrado a Arabia Saudita en 1932. Cap., Riyadh.

NEERLANDÉS, SA adj. y s. Natural de Países Bajos. • adj. Relativo a este país. • m. Lengua germánica hablada por los habitantes de Países Bajos, y de la cual son dialectos el flamenco y el holandés.

NEFANDO, DA adj. Indigno, que repugna u horroriza moralmente.

NEFARIO, RIA adj. Malvado, detestable.

NEFASTO, TA adj. Funesto, fatal. • Aplicado a día o a cualquier otra división de tiempo, triste, funesto, ominoso.

NEFELINA f. Silicato de aluminio y sodio, utilizado en fabricación de vidrios y cerámicas.

NEFELOMETRÍA f. *Ing.* Método fisicoquímico de análisis cuantitativo, para determinar la cantidad de sustancia insoluble en una suspensión. ■ NEFELÓMETRO.

NEFERTITI (s. XIV a. C.) Reina de Egipto, esposa de Amenhotep IV (Ajenatón), de la XVIII dinastía, célebre por un busto suyo encontrado en Tell el-Amarna (museo de Berlín).

NEFRECTOMÍA f. Extirpación de un riñón.

NEFRIDIO m. Conducto excretor muy elemental que comunica el interior de ciertos invertebrados con el exterior.

NEFRITIS f. *Pat.* Inflamación del tejido renal, que puede afectar al parénquima, al tejido intersticial y al sistema vascular. ■ NEFRÍTICO, CA.

NEFROLITIASIS f. Formación de cálculos en las vías renales, acompañada gralte. de infección e interferencia progresiva de la función renal.

NEFROLOGÍA f. Rama de la medicina que se ocupa del riñón y de sus enfermedades.

NEFROMA f. Tumor de riñón.

NEFRONA f. Cada uno de los elementos tubulares que forman el riñón de los vertebrados superiores.

NEFROPTOSIS f. Movilidad anormal del riñón, producida por hipotonía de los músculos abdominales.

NEFROSIS f. Afección renal caracterizada por lesiones degenerativas de los epitelios tubulares del riñón.

NEGABLE adj. Que se puede negar.

NEGACIÓN f. Acción y efecto de negar. • Carencia o falta total de una cosa. • Partícula o voz que sirve para negar. • En álgebra binaria o álgebra lógica, operación mediante la cual se invierte el valor asignado a la variable. • En el álgebra de los conjuntos corresponde al paso al conjunto complementario. ■ NEGATIVA.

NEGADO, DA adj. y s. Incapaz o totalmente inepto para una cosa.

NEGAR tr. Decir uno que no es verdad, que no es cierta una cosa acerca de la cual se le pregunta. • Decir que no a lo que se pretende o se pide, o no concederlo. • Dejar de reconocer alguna cosa. • Prohibir, impedir o estorbar. • Olvidarse o retirarse de lo que antes se estimaba y se frecuentaba. • No confesar uno el delito de que se le acusa. • Desdeñar una cosa o no reconocerla como propia. • Ocultar, disimular. • prnl. Excusarse de hacer una cosa, o repugnar el introducirse o mezclarse en ella.

NEGATIVISMO m. *Psiq.* Trastorno que consiste en una indiferencia del sujeto ante una orden dada (negativismo pasivo) o en que haga precisamente lo contrario de lo que se le dice (negativismo activo).

NEGATIVO, VA adj. Que incluye o contiene negación o contradicción. • adj. y s. Díc. de las imágenes fotográficas, radiográficas, etc., que ofrecen invertidos los claros y oscuros, o los colores complementarios, de aquello que reproducen. • adj. Relativo a la negación. • Aplícase al reo o testigo

Hombre de **Neanderthal**

Nebulosa Norteamérica, en la constelación del Cisne

Necróforo

Nefertiti

que, preguntado jurídicamente, no confiesa el delito o niega lo que se le pregunta.
NEGLIGÉ f. Bata que lleva la mujer en casa.
NEGLIGENCIA f. Descuido, omisión. • Falta de aplicación. ■ NEGLIGENTE.
NEGOCIADO, DA m. Cada una de las dependencias que, en una organización administrativa, está destinada para despachar determinadas clases de asuntos. • Negocio. • *Amér. Merid.* Negocio ilegítimo y escandaloso.

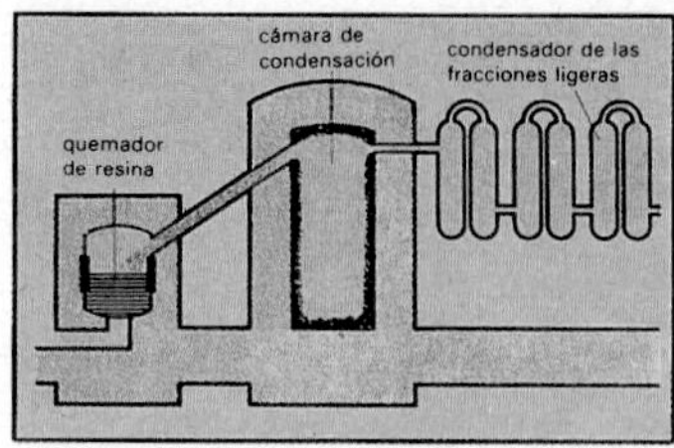

Proceso de preparación del **negro de humo**

NEGOCIADOR, RA adj. y s. Que negocia. • Díc. del ministro o agente diplomático que gestiona un negocio importante. ■ NEGOCIANTE.
NEGOCIAR intr. Tratar y comerciar, comprando y vendiendo o cambiando géneros, mercancías o valores para aumentar el caudal. • Ajustar el traspaso, cesión o endoso de un vale, efecto o letra. • Tratándose de valores, especialmente letras, descontarlos. • Tratar asuntos públicos o privados procurando su resolución. • Tratar entre naciones, por vía diplomática, un asunto (tratado de alianza, de comercio, etc.). ■ NEGOCIACIÓN.
NEGOCIO m. Cualquier ocupación, empleo o trabajo. • Dependencia, pretensión, tratado o agencia. • Todo lo que es objeto de una ocupación lucrativa o de interés. • Negociación. • Utilidad o interés que se logra en lo que se trata, comercia o pretende. • Local en que se negocia o comercia. • **jurídico.** *Der.* Acto de una o más voluntades que pretende algún efecto jurídico reconocido por la ley. • **redondo.** fig. y fam. El muy ventajoso y que sale a medida del deseo.
NEGRA, ***Cordillera*** Sección de la cordillera Occidental de los Andes peruanos, en el dpto. de Ancash. Alt. máx.: 5 187 m.
NEGRADA f. *Cuba.* Conjunto de negros esclavos que constituía la dotación de una finca.
NEGRAL adj. Que tira a negro. • m. Moradura o equimosis.
NEGREAR intr. Mostrar una cosa color negro o negruzco. • Tirar a negro, ennegrecerse.
NEGRECER intr. y prnl. Ponerse negro.
NEGRERÍA f. Conjunto o muchedumbre de negros. Se decía especialmente de los dedicados al cultivo en las haciendas del Perú.
NEGRERO, RA adj. y s. Dedicado a la trata de negros. • m. y f. fig. Persona de condición dura, cruel, para sus subordinados.
NEGRET, ***Edgard*** (nacido 1920) Escultor col. Las formas y los materiales de su obra se inspiran en la moderna estética del maquinismo. *Torres, Templos, Navegantes.*
NEGRETA f. Ave anseriforme marítima que posee un peculiar tubérculo sobre el pico.
NEGRETE, ***Jorge*** (1911-1953) Cantante y actor mex., cuyas canciones y películas alcanzaron gran popularidad. *Así se quiere en Jalisco, Teatro Apolo.*
NEGRETE, ***Parlamentos de*** Conversaciones que tuvieron lugar en Negrete (Chile), entre araucanos y esp., en 1727, 1770, 1793 y 1803, para conseguir poner fin a las sublevaciones araucanas.
NEGRI, ***Ada*** (1870-1945) Escritora it. Su obra reviste un carácter autobiográfico e intimista: *Estrella matutina.* • ***Pola,*** llamada *Barbara Apolonia Chalupiec* (1894-1987) Actriz cinematográfica pol., una de las más populares del cine mudo. *Los ojos de la momia, Carmen, Hotel imperial.*
NEGRILLA f. Especie de congrio que tiene el lomo de color oscuro. • Hongo microscópico, con el talo formado por filamentos ramificados, que vive parásito en las hojas del olivo y de otras plantas.

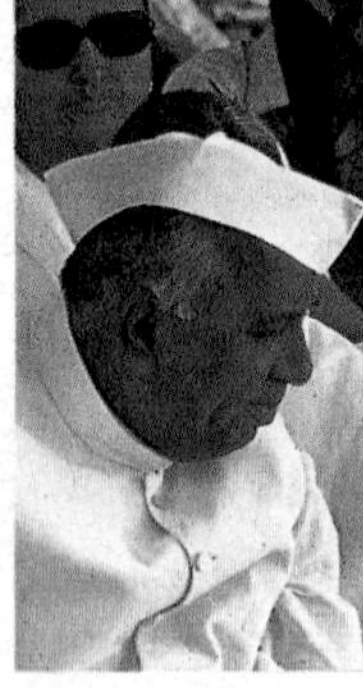

Sri Pandit Jawaharlal **Nehru**

El almirante **Nelson** cae herido de muerte en la cubierta del *Victory.* Detalle de un cuadro de D. Dighton. Museo Marítimo de Greenwich, Gran Bretaña

NEGRÍN, ***Juan*** (1892-1956) Médico y político esp. Ministro de Finanzas de Largo Caballero (1936), al que sucedió en la presid. del Consejo, en mayo de 1937.
NEGRO, GRA adj. y s. De color totalmente oscuro; en realidad falto de color. • *Antr.* Individuo de una raza de piel negra o muy oscura. • adj. Moreno. • Oscuro u oscurecido y deslucido. • fig. Triste y melancólico. • fig. Infausto y desventurado. • m. y f. *Col., Cuba* y *Chile.* Voz de cariño entre personas que se quieren. • f. *Mús.* Semínima. • **de humo.** Polvo de los humos resinosos para tintes, betunes, etc. • **La n.** fig. y fam. Mala suerte. • **Pasarlas negras.** loc. fig. y fam. Encontrarse en una situación difícil. • **Ponerse,** o **estar,** uno **n.** fig. y fam. En estado de nerviosismo, insatisfacción, etc.
* *Antr.* Concepto aplicado a la pob. africana de piel oscura, excepto hotentotes, bosquimanos y camitas. Viven también en Oceanía y América.
NEGRO, ***mar*** Mar interior sit. entre Turquía, Bulgaria, Rumania, Ucrania, Rusia y Georgia. Comunica con el Mediterráneo por el Bósforo y los Dardanelos; 413 000 km^2. Su puerto más importante es Odessa. • ***río*** R. de América del Sur, afl. pral. del Amazonas; 2 200 km. Nace en Colombia, con el nombre de Guainia, es frontera entre Colombia y Venezuela, penetra en Brasil y desemboca en el Amazonas, aguas abajo de Manaus. • R. de Argentina (prov. de Río Negro), formado por las corrientes del Limay y del Neuquén; 635 km de curso. Navegable hasta Choele Choel. Desemboca en el Atlántico, al N del golfo de San Matías. • R. de Guatemala, más conocido por Chixoy. • R. de Uruguay, afl. izquierdo del Uruguay; 800 km. Nace en Brasil (estado de Río Grande del Sur) y se interna en Uruguay.
NEGROAFRICANO, NA adj. y s. Relativo a los pueblos negros de África, o propio de ellos.
NEGROAMERICANO adj. y s. Relativo a los americanos de raza negra o propio de ellos.
NEGRÓFILO, LA m. y f. Decíase del enemigo de la esclavitud y trata de negros.
NEGROIDE adj. y s. Díc. del individuo o etnia que presenta algunos de los caracteres de la raza negra o de su cultura.
NEGROS Isla de Filipinas, en el arch. de las Bisayas; 13 328 km^2, 2 749 700 hab. El suelo es montañoso y está cubierto de bosques. Cultivos de caña de azúcar, cocoteros y tabaco.
NEGRURA f. Calidad de negro. ■ NEGROR.
NEGRUZCO, CA adj. De color negro.
NEGUEV Desierto sit. al S de Israel, entre Egipto y Jordania. Petróleo, fosfatos, cobre y manganeso. Ocupado por Israel en 1949.
NEGUIJÓN m. Enfermedad de los dientes, que los carcome y pone negros.
NEGUNDO m. Árbol de la familia de las aceráceas, próximo del arce, pero con las flores dioicas y sin pétalos.
NEGUS m. Título ostentado por los ant. soberanos de Etiopía.
NEHRU, ***Sri Pandit Jawaharlal*** (1889-1964) Político indio. Tomó parte en la lucha por la indep. En 1946 fue nombrado jefe del gobierno, tras lo cual (1947) fue primer ministro hasta su muerte.
NEIBA C. de la República Dominicana, cap. de la prov. de Bahoruco; 13 359 hab. • Bahía de la República Dominicana, al SE de la depresión del lago Enriquillo. • Sierra de la República Dominica. Alt. máx.: 2 262 m.
NEILL, ***Alexander S.*** (1883-1973) Pedagogo brit. Pionero de la autogestión pedagógica y de la escuela libertaria, creó en Summerhill (1921) una escuela para niños inadaptados. *Niños libres de Summerhill.*
NEIRA, ***Juan José*** (1793-1840) General col. colaborador de Bolívar. Participó en las batallas de Boyacá y Paipé. • **Vilas,** ***Xosé*** (nacido 1928) Escritor esp. en lengua gallega. Desde 1949 vivió en Argentina y de 1961 a 1972 en Cuba. Novela y poesía. *Memorias de un niño campesino, El ciclo del niño, Cuentos viejos para chicos nuevos.*
NEIVA C. de Colombia, cap. del dpto. de Huila, a orillas del río Magdalena; 248 008 hab. Puerto fluvial. Ind. farmacéutica.
NEJA f. *Chile.* Nesga. • *Méx.* Tortilla hecha de maíz cocido.
NEJAYOTE m. *Méx.* Agua amarillenta en que se ha cocido maíz.

NELKEN, ***Margarita*** (1896-1968) Escritora y política esp., nacionalizada mex. Diputada durante la II República, se exilió a México en 1939. *La condición social de la mujer en España, Primer frente.*
NELSON, ***Ernesto*** (1873-1959) Escritor y educador arg. *El analfabetismo en la República Argentina, Bases para la reforma de la enseñanza media.* • ***Horatio***, VIZCONDE DE (1758-1805) Almirante brit. Participó en la guerra de independencia norteam. En un ataque a Tenerife (1797) perdió un brazo. Derrotó a la flota francoespañola en Trafalgar, pero murió en el combate.
NEMA f. Cierre o sello de una carta.
NEMATELMINTO adj. y m. *Zool.* Díc. de gusanos de cuerpo fusiforme o cilíndrico y no segmentado, sin apéndices locomotores y con tegumentos impregnados de quitina, en su mayoría parásitos de otros animales; como la lombriz intestinal. • m. pl. Clase de estos gusanos.
NEMATLAXO (voz azteca) m. Danza que se bailaba en el undécimo mes del calendario azteca.
NEMATÓCERO adj. y s. Díc. de los insectos dípteros que tienen cuerpo esbelto, alas estrechas y largas, patas delgadas y antenas largas. • m. pl. Suborden de estos animales, que se conocen con el nombre de mosquitos.
NEMATOCISTO m. *Zool.* Célula especial de los cnidarios, constituida por una cápsula irritante que contiene un filamento urticante hueco.
NEMATODO adj. y m. *Zool.* Díc. de los nematelmintos que tienen aparato digestivo, cuerpo cilíndrico sin segmentación ni esqueleto, pero cubierto de una fuerte cutícula de quitina; como las lombrices intestinales, la filaria y la triquina. • m. pl. *Zool.* Orden de estos animales.
NEMATOMORFO, FA adj. y m. *Zool.* Díc. de gusanos asquelmintos de organización semejante a la de los nematodos.
NEME m. *Col.* Betún o asfalto.
NEMERTINO adj. y m. *Zool.* Díc. de animales invertebrados, protostomas, de aspecto vermiforme, que viven comúnmente en el mar y en algún caso en tierra o en las aguas dulces.
NÉMESIS *Mit. gr.* Antigua divinidad que personificaba la justicia vindicadora y, más tarde, la venganza divina.
NEMOTECNIA f. Arte de la memoria, mnemotecnia. ■ NEMOTÉCNICA; NEMOTÉCNICO, CA.
NEMOURS, ***Luis Carlos Felipe de Orleáns*** DUQUE DE (1814-1896) Príncipe fr., hijo de Luis Felipe. En 1831 fue elegido rey por el Congreso belga, pero no llegó a ocupar el trono.
NEMROD Legendario personaje bíblico que, según el *Génesis*, fundó el imperio babilónico.
NENE, NA m. y f. fam. Niño pequeño. Suele usarse como expresión de cariño para personas de más edad.
NENEQUE m. *Hond.* Persona muy débil que no puede valerse por sí misma.
NENETS, ***Circunscripción nacional de los*** Distrito étnico de Rusia, en el NO de la Federación, incluido en la prov. de Arkangel; 176 700 km², 52 000 hab. Cap., Narián-*Mar.* Constituida en 1929.
NENNI, ***Pietro*** (1891-1980) Político it. Fue redactor jefe de *Avanti* (órgano del PSI), y participó en la guerra civil esp. Vicepresidente del gobierno it. (1945-1946) y ministro de Asuntos Exteriores (1946-1947). En 1966 fue elegido presidente del nuevo Partido Socialista Italiano Unificado, pero renunció en 1969. En 1973 volvió a asumir la presidencia del Partido Socialista.
NENÚFAR m. Planta ninfácea, de flores blancas o amarillas y hojas enteras y casi redondas, que flotan en la superficie del agua.
NEO- Pref. que significa *reciente* o *nuevo*.
NEOCAPITALISMO m. *Econ.* Término utilizado para destacar la evolución del capitalismo clásico en las sociedades más avanzadas. Lo caracterizan la intervención del Est. en la economía y el imperialismo.
NEOCEREBELO m. Porción del cerebro más reciente filogenéticamente; comprende los lóbulos laterales y el núcleo dentado.
NEOCLASICISMO m. Nombre del movimiento artístico y literario que nace en Francia en la segunda mitad del s. XVII y alcanza su apogeo en el s. XVIII. ■ NEOCLÁSICO, CA.
* *Lit.* Casi la totalidad de las obras n. están vinculadas a la Ilustración. En Francia, su pral. foco, destacaron Diderot, D'Alembert, Montesquieu, Rousseau, Voltaire. Los brit. (Locke, Berkeley, Adison, D. de Foe, J. Swift) utilizaron su aspecto educativo. En Alemania sobresalieron Gollsched, Kant, Winckelmann y Wieland. En Italia el n. tuvo gran influencia en el teatro (C. Goldini), y en España (Moratín, Feijoo, Iriarte, Samaniego) inspiró la fundación de academias, bibliotecas y publicaciones.
* *Arte.* El n. representó la vuelta a la antigüedad clásica. En Francia destacan las obras parisinas de Souffot, la iglesia de la Madeleine, el edificio de la Bolsa, la columna imperial en la plaza Vendôme y los arcos de triunfo; en Gran Bretaña, el Boodle's Club de Londres; en Berlín, la puerta de Brandeburgo; en Munich, la Gliptoteca; en Rusia, el Teatro de Moscú y el palacio del Senado de San Petersburgo; en Italia, el teatro de la Scala de Milán y el museo del Vaticano; en EE UU, el Capitolio de Washington, y en España, la fachada de la catedral de Pamplona, el museo del Prado. Grandes pintores fueron David, Gérard, Ingres y Gros. El pral. escultor fue el it. Canova.
NEOCOLONIALISMO m. Forma de colonialismo, en el que persiste la dependencia económica de los países subdesarrollados.
NEOCONFUCIANISMO m. Versión modificada del confucianismo que adaptaron los pensadores chinos.
NEODARVINISMO m. Doctrina evolucionista derivada del darvinismo, del que difiere en el postulado de la herencia de los caracteres somáticos adquiridos. Para explicar la evolución, aplica los fenómenos que se estudian en la genética de la pob.
NEODIMIO m. *Quím.* Elemento de símb. Nd y n. a. 60. Es un metal del grupo tierras raras. Sus sales rojas se emplean para colorear vidrio y esmaltes.
NEOEMETABOLIA f. Metamorfosis sin mudas en estado adulto y aparición tardía de los órganos genitales.
NEOEPIGÉNESIS f. *Biol.* Doctrina que considera isótropa y sin diferenciar la célula huevo, de modo que la diferenciación provendría de las sucesivas divisiones del embrión.
NEOESCOLÁSTICA f. Tendencia filosófica y teológica contemporánea que se propone la renovación del pensamiento escolástico y, sobre todo, del tomismo.
NEOFASCISMO m. Nombre que recibe todo movimiento político actual basado en los principios fascistas.
NEÓFITO, TA m. y f. Persona recién convertida a una religión o admitida recientemente al estado eclesiástico. • P. ext., persona recientemente adherida a una causa, institución, etc.
NEOGENO adj. y m. Díc. del subsistema superior de la era terciaria, que comprende los periodos mioceno y plioceno.
NEOGÓTICO, CA adj. y m. *Arq.* Díc. de cierto estilo arquitectónico del s. XIX, que se inspira en el gótico medieval. Fue, junto con otras influencias orientales, la génesis del modernismo.
NEOGRANADINO, NA adj. y s. Natural del ant. virreinato de Nueva Granada. • adj. Relativo a dicho virreinato, hoy República de Colombia.
NEOIMPRESIONISMO m. Tendencia pictórica fr., que corresponde a la generación inmediatamente posterior a la de los impresionistas (1880). Destacaron Seurat y Signac. También llamado puntillismo o divisionismo. ■ NEOIMPRESIONISTA.
NEOKANTISMO m. Movimiento filosófico, surgido en la Alemania de fines del s. XIX, que pretendía superar el idealismo romántico mediante la vuelta al criticismo de Kant. ■ NEOKANTIANO, NA.
NEOLIBERALISMO m. Escuela de pensamiento económico liderada por M. Friedman. Defiende la libertad de contratación, la reducción del sector público y la liberalización de los precios.
NEOLÍTICO adj. y m. *Prehist.* Relativo a la edad de la piedra pulimentada.
* *Prehist.* Estadio cultural de la humanidad caracterizado por la implantación de la agricultura y

Nenúfar

Arte **neogótico.** Palacio del Parlamento y el Big Ben, en Londres

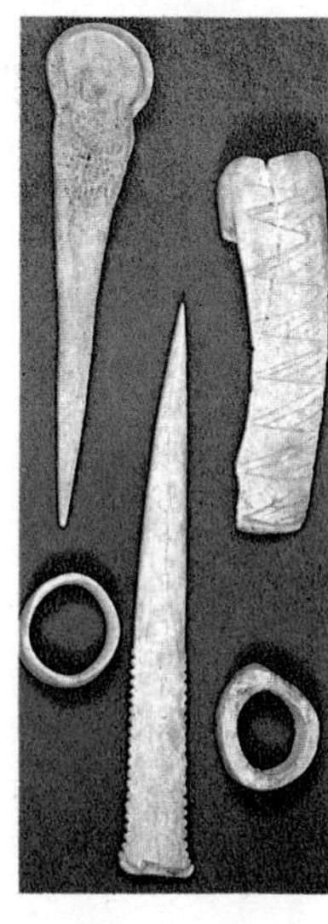
Útiles de hueso **neolíticos** hallados en la cueva de la Sarsa, Bocairente (Valencia, España)

Mapa de situación y bandera de **Nepal**

Nepal. Arriba, el Himalaya cerca del monasterio de Tengpoche; abajo, monjes budistas

la domesticación de animales. Así nacieron los primeros poblados permanentes y, muy probablemente, se jerarquizó la sociedad. El término n. fue adoptado en 1865 a partir de la definición de J. Lubbock, basada en el pulimento de la piedra y la aparición de la alfarería. Se consideran dos centros originarios: en el Próximo Oriente, entre los años 8000 y 7000, y en América Central, h. el tercer milenio. En el resto del mundo, las técnicas llegaron por difusión progresiva.

NEOLOGISMO m. Palabra que el idioma ha incorporado recientemente, utilizando sus procedimientos propios de formación de palabras. • Uso de estas palabras. ■ NEOLÓGICO, CA.

NEÓLOGO, GA m. y f. Persona que emplea neologismos.

NEOMALTUSIANISMO m. Doctrina que propugna el control de la natalidad para prevenir la superpoblación.

NEOMENIA f. Primer día de la Luna. De las fiestas celebradas por la aparición de la Luna nueva, nació el calendario lunar.

NEOMETÁBOLO, LA adj. y s. *Zool.* Díc. del tipo de metamorfosis incompleta de los insectos en la que la diferenciación de los órganos genitales y de las alas tiene lugar inmediatamente antes de la forma adulta.

NEÓN m. *Quím.* Elemento de símb. Ne y n. a. 10. Pertenece al grupo de los gases nobles. Posee una conductividad eléctrica bastante elevada. Se utiliza en la fabricación de tubos luminosos y faros.

NEONATO, TA adj. y s. Díc. del recién nacido.

NEONAZISMO m. Nombre que recibe todo movimiento político actual basado en los principios del nacionalsocialismo. ■ NEONAZI.

NEOPATRIA Ducado gr. creado por los almogávares en el s. XIV. Comprendía Lócrida, Tesalia y Ftiódide.

NEOPENTÁCEO, A adj. y f. *Bot.* Familia de arbustos insectívoros propios de Malaysia.

NEOPITAGORISMO m. *Fil.* Escuela nacida en Alejandría en el s. I a. C. y que pervivió hasta el s. III d. C. Destacan Nigidio Fígulo, Apolonio de Tiana, etc.

NEOPLASIA f. *Pat.* Formación de un tejido con carácter tumoral, gralte. maligno.

NEOPLASMA m. *Pat.* Tejido celular anormal de nueva formación.

NEOPLATÓNICO, CA adj. y s. Partidario del neoplatonismo

NEOPLATONISMO m. *Fil.* Escuela filosófica que floreció en Alejandría en los primeros siglos de la era cristiana, y cuyas doctrinas eran una renovación del platonismo transformado por influencias orientales. ■ NEOPLATONICISMO.

NEOPOSITIVISMO m. *Fil.* Sistema filosófico propugnado por el Círculo de Viena, fundado en 1922 por M. Schlick y que contó con Neurath, Franck, Gödel y Carnap. Estuvo directamente influido por la lógica formal y el análisis lógico del lenguaje, y por el empirismo ing., el positivismo y el empiriocriticismo. ■ NEOPOSITIVISTA.

NEOPREFORMISMO m. *Biol.* Doctrina que considera anisótropa la célula huevo y ya diferenciada desde el principio, en orden a la obtención de las diferentes estructuras, aparatos, tejidos, etc.

NEORREALISMO m. Movimiento artístico it. nacido h. 1945, que propugnaba una descripción realista de la sociedad. Centrado exclusivamente en la narrativa, tanto literaria (Moravia, Pratolini, Vittorini) como fílmica (Rossellini, De Sica, Visconti, etc.). ■ NEORREALISTA.

NEORROMANTICISMO m. Movimiento literario europeo surgido como reacción frente al realismo y al naturalismo. ■ NEORROMÁNTICO, CA.

NEOSALVARSÁN m. *Quím.* Polvo amarillento, de olor peculiar, soluble en agua, con la que da reacción neutra. Se utilizó en el tratamiento de la sífilis, antes del descubrimiento de la penicilina.

NEOSILICATOS m. pl. *Miner.* Grupo de silicatos formados por grupos tetraédricos SiO_4; como el granate, el circón, el olivino, etc.

NEOTOMISMO m. Neoescolástica.

NEOVITALISMO m. *Fil.* Doctrina que propugna que una parte de los fenómenos vitales no puede reducirse en su explicación a simples interacciones entre hechos físicos y reacciones químicas.

NEOVOLCÁNICA, ***cordillera*** Cadena montañosa que atraviesa el centro de México de O a E. Prales. volcanes: el Orizaba (5 747 m), el Popocatépetl (5 452 m) y el Iztaccíhuatl (5 286 m), cuya actividad ha persistido hasta nuestros días. Abundan las cuencas endorreicas, en cuyo centro se forman lagos. En ella se han instalado imp. centros urbanos (Ciudad de México, Guadalajara, Puebla, etc.).

NEOYORQUINO, NA adj. y s. De Nueva York. • adj. Relativo a esta c. de EE UU.

NEOZELANDÉS, SA adj. y s. De Nueva Zelanda, cuyos aborígenes se denominan maoríes. • adj. Relativo a este país. ■ NEOCELANDÉS, SA.

NEOZOICO, CA adj. y m. Término con el que se designa la era cuaternaria.

NEP Siglas de *Novaia Ekonomicheskaia Politiká* (Nueva Política Económica) Sistema económico sov. iniciado por Lenin en 1921, que admitía parcialmente la iniciativa privada y las operaciones financieras.

NEPAL

Superficie 140 797 km²

Población 21 424 000 hab. (146 hab./km²)

Recursos económicos

Arroz	2 906 000 t
Azúcar	45 000 t
Búfalos	3 278 000 cabezas
Cabaña bovina	6 838 000 cabezas
Cabaña caprina	5 649 000 cabezas
Cemento	190 000 t
Energía eléctrica	908 millones de kwh
Maíz	1 302 000 t
Riqueza forestal	20 312 000 m³
Tabaco	7 700 000 000 cigarrillos
Trigo	942 000 t
Yuta	12 000 t

Indicadores sociológicos

PNB	4 391 millones de dólares
Renta per cápita	200 dólares
Esperanza de vida	57 años
Alfabetismo	27,5 %

NEPAL *(Nepal Adhirajya)* Estado asiático, rep., entre el Tíbet y la India. Relieve formado por el arco del Gran Himalaya, la depresión de Katmandú, el Pre-Himalaya, y una franja de la llanura indogangética. Clima continental suave. R. prales.: Gandak y Sharda. Pastoreo; arroz, maíz, tabaco, yute; manufacturas de cigarrillos, azúcar y actividades artesanales. Grupos étnicos: gurkas, nevaris. Lengua: nepalés. *Rel.:* hinduismo y budismo. U. M.: la rupia nepalesa. Cap., Katmandú; c. prales.: Biratnagar, Bhadgaon.

* *Hist.* En 1786, los gurka unificaron el país. La invasión china (1791) acercó N. a Gran Bretaña, a la cual quedó sometido después de la guerra anglo-nepalesa (1814-1816). La independencia fue reconocida en 1923. Tras la pugna por el poder entre la familia Rana y el rey, han ocupado el trono: Tribhuvana (1951-1955), Mahendra Bir Bikram (1955-1972), que disolvió el parlamento y asumió personalmente el poder, y, desde 1972 Birendra Bir Bikram, quien realizó una política de equilibrio entre China e India. En junio de 2001 el rey Birendra y su familia fueron asesinados y Gyanendra Bir Bikram, hermano del monarca, subió al trono.

NEPALÉS, SA adj. y s. De Nepal. • adj. Relativo a este Estado de Asia.

NEPERIANO, NA adj. Relativo al matemático escocés John Napier. • *Mat.* Díc. de los logaritmos cuya base es el número *e*.

NÉPOTE m. Pariente y privado del papa.

NEPOTISMO m. Preferencia que algunos dan a sus parientes para los favores o empleos públicos.

NEPTÚNICO, CA adj. *Geol.* Díc. de terrenos y rocas de formación sedimentaria. ■ NEPTUNIANO, NA.

NEPTUNIO m. *Quím.* Elemento de símb Np, n. a. 93, p. a. del isótopo más estable 237. Es el primero de los elementos transuránidos. Fue descubierto en 1945 por MacMillan.

NEPTUNISMO m. *Geol.* Teoría que sostiene la

hipótesis de que todas las rocas de la corteza terrestre se han originado por acción de las aguas. ■ NEPTUNISTA.

NEPTUNO m. poét. El mar. • m. *Astr.* Planeta solar, descubierto en 1843. Es cuatro veces mayor que la Tierra, y dista del Sol treinta veces más que ella; 164,79 años de periodo sidéreo. Cuenta con 8 satélites, seis de los cuales no fueron conocidos hasta 1989, al ser descubiertos por la sonda *Voyager*.

NEPTUNO *Mit.* En la antigua religión de Roma, dios de las aguas y de la irrigación.

NEQUICIA f. Maldad, perversidad.

NERAPALITA f. Sustancia dicroica que transmite luz polarizada de todas las longitudes de onda del espectro visible.

NEREIDA *Astr.* Satélite del planeta Neptuno, descubierto en 1949.

NEREIDA f. *Mit. gr.* Cualquiera de las 50 ninfas, hijas de Nereo y Doris, que residían en el fondo de las aguas de los mares interiores y salvaban de los peligros a los marineros. Entre las más conocidas destacan Calipso, Galatea, Clímene y Proto.

NERÍTICO, CA adj. Díc. de la zona o de la fauna de las aguas pelágicas situada sobre la plataforma continental.

NERNST, *Walter Hermann* (1864-1941) Físico y químico al. Premio Nobel de Química en 1920, por el enunciado del tercer principio de la termodinámica.

NERÓN m. fig. Hombre muy cruel.

NERÓN, *Lucio Domicio Nerón Claudio* (37-68) Emperador rom. [54-68], sucesor de Claudio. Después de unos años de reinado próspero y tranquilo, mandó asesinar a Británico, a su madre Agripina y a sus dos esposas, Octavia y Popea. Inició la primera persecución contra los cristianos. Se suicidó.

NERONIANO, NA adj. Relativo al emperador Nerón, o que participa de alguna de sus características. • fig. Cruel, sanguinario.

NERUDA, *Jan* (1834-1891) Escritor checo. Poemas (*Flores de cementerio*, *Libros de versos*, *Cantos cósmicos*, *Motivos sencillos*, *Cantos de viernes santo*), narrativa (*Malá Strana*). • ***Pablo*** Seud. de *Neftalí Ricardo Reyes* (1904-1973) Poeta chil. Sus primeras obras (*Veinte poemas de amor y una canción desesperada*, *Tentativa del hombre infinito*) se inscriben en el modernismo. En Madrid, fundó la revista *Caballo verde para la poesía*, al tiempo que publicó una parte de *Residencia en la Tierra* y preparó el libro *España en el corazón*. Consagrado ya como poeta, publica el *Canto general*, su libro más ambicioso y polémico. Nombrado senador (1945), la persecución ideológica le obligó a exiliarse. En 1970, candidato a la presidencia de Chile. Entre sus obras destacan: *Tercera residencia*, *Himno y regreso*, *Que despierte el leñador*, *Odas elementales*, *Estravagario*, *Memorial de Isla Negra*, *Confieso que he vivido*. Premio Nobel de Literatura en 1971.

NÉRULA f. *Biol.* Fase embrionaria caracterizada por la aparición de los esbozos del sistema nervioso.

NERVADURA f. *Arq.* Moldura saliente. • *Bot.* Conjunto de los nervios de una hoja. • Línea saliente en una superficie que recuerda un tendón que resalta bajo la piel. • Nervura.

NERVAL, *Gérard de* (1808-1855) Seud. de *Gérard Labrunie*. Escritor fr. adscrito al movimiento romántico. Tradujo el *Fausto*, de Goethe, y escribió *Viaje a Oriente*, *Las hijas del fuego y Silvia*.

NÉRVEO, A adj. Perteneciente a los nervios. • Semejante a ellos.

NERVI, *Pier Luigi* (1891-1979) Ingeniero y arquitecto it. Entre sus numerosas construcciones destacan las cubiertas para grandes almacenes, estaciones de ferrocarril, pabellones, etc., y edificios, como la sede de la UNESCO en París.

NERVIACIÓN f. Nervadura.

NERVINO, NA adj. Díc. del medicamento que actúa sobre el sistema nervioso.

NERVIO m. fig. Fuerza y vigor. • *Anat.* Asociación de fascículos de fibras nerviosas unidas entre sí por tejido conjuntivo, cuya misión es establecer las relaciones funcionales entre el sistema nervioso central y los órganos periféricos. • Aponeurosis, o cualquier tendón o tejido blanco, duro y resistente. • *Arq.* Arco, característico del estilo gótico, que, cruzándose con otro u otros, sirve para formar la bóveda de crucería. • *Bot.* Haz fibroso que corre a lo largo de las hojas de las plantas por su envés. • *Mar.* Cabo firme en la cara alta de una verga al cual se asegura la relinga de grátil, de una vela. • **acústico.** • *Anat.* N. craneal que transmite las sensaciones auditivas desde los receptores del oído interno hasta el cerebro. • **ciático.** *Anat.* El más grueso del cuerpo, terminación del plexo sacro, que se distribuye en los músculos posteriores del muslo, en los de la pierna y en la piel de ésta y del pie. • **óptico.** *Anat.* El que desde el ojo transmite al cerebro las impresiones luminosas. • **vago.** *Anat.* N. par que desciende por las partes laterales del cuello, penetra en las cavidades del pecho y vientre, y termina en el estómago y plexo solar.

NERVIOSISMO m. Estado pasajero de excitación nerviosa. ■ NERVIOSIDAD.

NERVIOSO, SA adj. Que tiene nervios. • Relativo a los nervios. • Díc. de la persona cuyos nervios se excitan fácilmente. • Díc. de la persona inquieta y que se mueve mucho. • fig. Fuerte y vigoroso. • **Sistema n.** *Anat.* Conjunto de órganos, formado por tejido nervioso, cuya misión es la regulación y el control de todas las funciones del organismo, así como la organización de las respuestas y reacciones a los estímulos procedentes del ambiente. ■ NERVOSO, SA.

* *Anat.* El control y la coordinación desempeñados por el sistema n. se efectúan mediante la actuación de numerosos centros, formados por neuronas, capaces de activarse, inhibirse o regularse mutuamente, a través de las fibras n., que son ramificaciones de las neuronas. El sistema n. de los vertebrados es doble: su porción pral. (sistema n. central) puede considerarse como un tubo modificado y ensanchado, sit. en posición dorsal con respecto al tubo digestivo; la segunda porción (sistema n. autónomo, vegetativo o simpático) presenta estructura ganglionar. El sistema n. central consta del encéfalo y la médula espinal. La médula tiene una estructura segmentaria en correspondencia con la estructura de la columna vertebral. A ambos lados de la médula espinal se hallan dos cadenas ganglionares que forman la parte pral. del sistema n. autónomo.

NERVO, *Amado* (1870-1919) Poeta mex. Su obra se inserta en el tránsito del romanticismo al modernismo. Poesía intimista y de delicada musicalidad. *Jardines interiores*, *La amada inmóvil*.

NERVOSIDAD f. Fuerza y actividad de los nervios. • Propiedad que tienen algunos metales de textura fibrosa de dejarse doblar sin romperse ni agrietarse. • fig. Fuerza y eficacia de las razones y argumentos.

NERVUDO, DA adj. Que tiene fuertes y robustos nervios. • Díc. de la persona que tiene las venas, tendones y arterias muy perceptibles.

NERVURA f. Conjunto de las partes salientes que en el lomo de un libro forman los nervios que sirven para encuadernar.

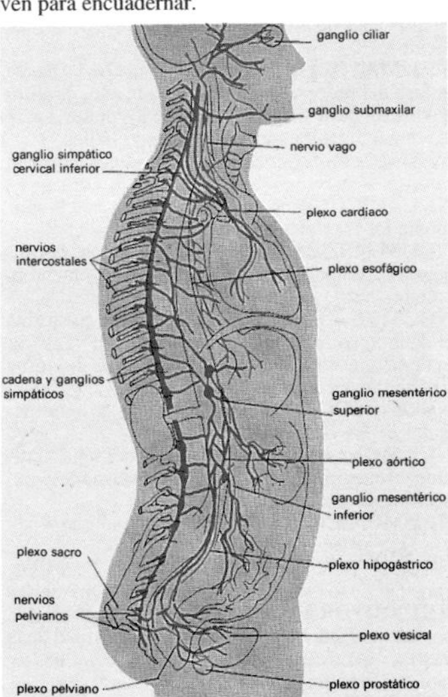

Esquema del sistema **nervioso** humano

Estatua de **Neptuno** en la plaza de la Signoria de Florencia (Italia)

Nerón. Museo Capitolino, Roma

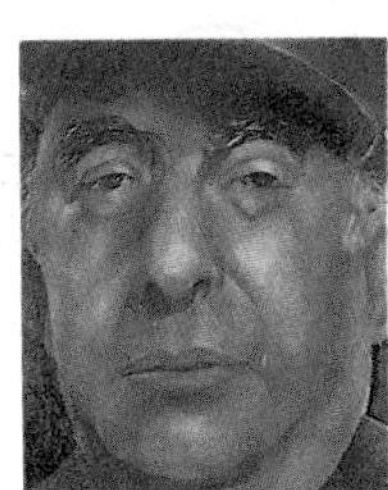

Pablo **Neruda**

Benjamin **Netanyahu**

NESCIENCIA f. Ignorancia, falta de ciencia.
NESCIENTE adj. Que no sabe.
NESQUIZAR tr. *Amér. Centr.* Cocer el maíz con ceniza para quitarle el hollejo.
NESS Lago (*loch*) de Escocia, en Glen More. Se cree que en sus aguas vive un monstruo.
NESTORIANISMO m. Herejía del s. V, sostenida por Nestorio. Condenada por el concilio de Éfeso (431). ■ NESTORIANO, NA.
NESTORIO (380-451) Teólogo sirio. Sostuvo que había en Cristo dos naturalezas y dos personas, una humana y otra divina, unidas de modo psicológico, y no de manera hipostática.
NETANYAHU, ***Benjamin*** (nacido 1949) Político israelita. Líder del partido de derecha Likud, ocupó la presidencia entre 1996 y 1999.
NETO, TA adj. Limpio y puro. • Se aplica al peso de una mercancía que resulta después de descontar embalajes, envases, etc. • Se aplica también a la cantidad de dinero que corresponde exclusivamente al concepto de que se trata, sin contar gastos de envío, impuestos, etc. • m. *Arq.* Pedestal de la columna, considerándolo desnudo de las molduras alta y baja. • *Cont.* Masa patrimonial del balance, que comprende el capital y las reservas.
NETO, ***Agostinho*** (1922-1978) Político angoleño. En 1956 participó en la fundación del Movimiento Popular de Liberación de Angola, que presidió. Tras la independencia, fue elegido presid. de la rep. (1975).
NETZAHUALCÓYOTL C. de México, en el est. de México; 2 350 000 hab. Centro comercial e industrial, creado para descongestionar la cap. federal.
NETZAHUALCÓYOTL (1402-1472) Rey de Texcoco [1418-1472], llamado EL SABIO. Encabezó, junto con los mixtecas y los tributarios de Texcoco, la Triple Alianza contra Tezozomoc. Excelente poeta.
NETZAHUALPILLI (1464-1515) Rey de Texcoco [1472-1515], hijo de Netzahualcóyotl. Anexionó diversos reinos. Excelente poeta.

El lago Traful en la provincia argentina de **Neuquén**

NEUCHÂTEL Lago de Suiza, en la vertiente oriental del Jura; 216 km², 110 m de profundidad media.
NEU-KUA En la ant. religión china, hermana o esposa de Fu-hsi. Creó los seres humanos, el cielo azul e instituyó el matrimonio, del que es diosa.
NEUMA m. Signo que se empleaba para escribir la música antes del sistema actual. • Grupo de notas de adorno con que solían concluir las composiciones musicales de canto llano y que se vocalizaba con sólo la última sílaba de la palabra final. Se usa más en pl. • Expresión por medio de signos o gestos; como la afirmación mediante el novimiento de cabeza de arriba abajo.
NEUMÁTICO, CA adj. *Fís.* Aplícase a varios aparatos destinados a operar con el aire. • m. *Ing.* Bandaje toroidal de goma, lleno de aire, que se aplica alrededor de las llantas de la mayoría de los vehículos.
NEUMATOLÍTICO, CA adj. y m. *Geol.* Díc. de la fase del proceso magmático, en la zona profunda de la corteza terrestre, en la que los prales. agentes mineralizantes son compuestos volátiles.
NEUMO- Pref. que significa *pulmón*, y también *aire*.
NEUMOCOCO m. Bacteria causante de la pulmonía lobar clásica en el hombre.
NEUMOCONIOSIS f. *Pat.* Producción, por inhalación, de un depósito de polvo en el aparato broncopulmonar.

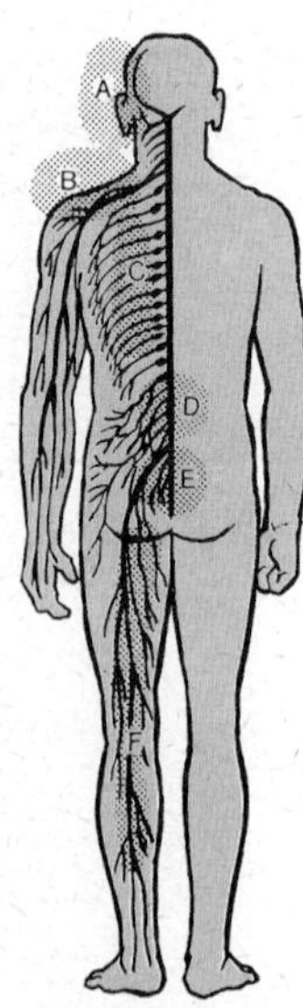

Localización en el cuerpo humano de algunos tipos de **neuralgias:** A) facial; B) cervical y braquial; C) intercostal; D) lumbar; E) lumbosacral

NEUMOGÁSTRICO m. *Anat.* Nervio que forma el décimo par craneal, llamado también vago. Se extiende desde el bulbo a las cavidades del tórax y el abdomen.
NEUMOLOGÍA f. *Med.* Estudio de las enfermedades de las vías respiratorias.
NEUMONÍA f. *Pat.* Inflamación del tejido pulmonar, que produce fiebre, dolor de costado y expectoración. ■ NEUMONITIS.
NEUMÓNICO, CA adj. Relativo al pulmón. • adj. y s. Que padece neumonía.
NEUMOTÁXICO ***(Centro)*** adj. y m. *Fisiol.* Órgano nervioso para la regulación de la respiración.
NEUMOTÓRAX m. *Pat.* Enfermedad producida por la entrada del aire pulmonar en la cavidad de la pleura. • **artificial.** *Med.* El producido con fines terapéuticos para inmovilizar el pulmón.
NEUQUÉN Prov. de Argentina, limitada al O por Chile; 94 078 km², 388 934 hab. Cap., la c. hom. La zona occidental pertenece a los Andes y presenta en la parte S lagos de origen glaciar; el sector E, perteneciente a la Patagonia, constituye una extensa altiplanicie. Clima frío y seco. La red hidrográfica, formada por el Neuquén y el Limay, pertenece a la cuenca del Negro. Cereales, forrajes, hortalizas, frutas, viticultura; explotación forestal; petróleo (Plaza Huincue, Challacó), gas natural (El Medanito), asfaltina, baritina, calizas; ind. de derivados agrícolas. • C. de Argentina, cap. de la prov. hom.; 265 050 hab. Centro administrativo y mercado agrícola. • R. de Argentina; 400 km. Nace en los Andes y, cerca de la c. hom., se une al Limay, formando el Negro. Régimen torrencial, con fuertes crecidas.

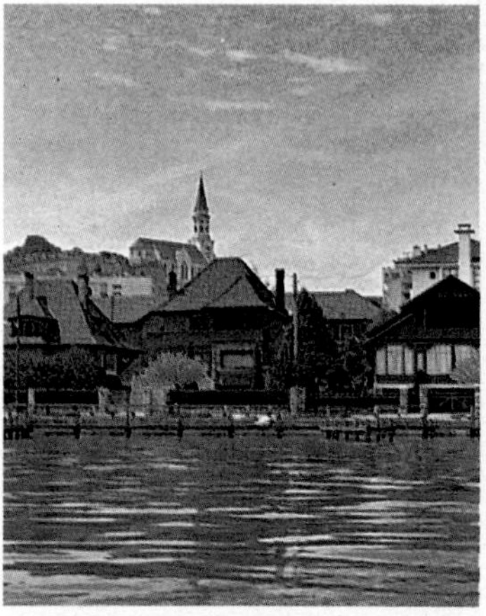
Vista del lago **Neuchâtel** con la ciudad homónima al fondo

NEUQUINO, NA adj. y s. De Neuquén. • adj. Relativo a la c. arg. de Neuquén, o a su provincia.
NEURALGIA f. *Pat.* Padecimiento cuyo pral. síntoma es un dolor intenso a lo largo de un nervio y de sus ramificaciones.
NEURÁLGICO, CA adj. Relativo a la neuralgia. • Díc. del momento, situación, lugar, etc., más importante en un asunto, problema, etc.
NEURASTENIA f. *Pat.* Conjunto de estados nerviosos, mal definidos, caracterizados por síntomas muy diversos, como la tristeza, el cansancio, el temor y la emotividad. ■ NEURASTÉNICO, CA.
NEURILEMA m. *Anat.* Envoltura externa de los nervios, que les da coloración grisácea, los protege e interviene en su regeneración.
NEURINOMA m. *Med.* Tumor de los nervios periféricos o de sus raíces espinales o craneales.
NEURITA f. *Anat.* Prolongación filiforme de una célula nerviosa, que se ramifica lateralmente hasta entrar en contacto con las células musculares, glandulares, etc., o con otra célula nerviosa.
NEURITIS f. *Pat.* Inflamación o degeneración de un nervio. Hay varias clases de n.: alcohólica, diabética, palúdica, reumática.
NEUROAPÓFISIS f. *Anat.* Cada una de las prolongaciones dorsales de las vértebras.
NEUROBLASTO m. Célula de aspecto y disposición epitelial, propia de los vertebrados, que desde los tejidos externos se desplaza al interior del cuerpo para dar origen a una célula nerviosa.
NEUROCIRUGÍA f. Cirugía del sistema nervioso.
NEUROCRÁNEO m. *Anat.* Porción del cráneo, que es de origen cartilaginoso y forma una cápsula destinada a proteger el encéfalo.
NEUROEPITELIAL adj. Díc. del tejido epitelial de células transformadas en elementos sensibles.
NEUROESQUELETO m. Esqueleto interno, formado por piezas óseas o cartilaginosas, de los animales vertebrados.
NEUROFISIOLOGÍA f. Ciencia médica que estudia la fisiología del sistema nervioso.
NEUROHUMOR m. Sustancia segregada por los extremos de las neuronas; como la adrenalina.

NEUROLOGÍA f. Parte de la medicina que se ocupa del sistema nervioso en su aspecto anatómico, fisiológico y patológico. ■ NEURÓLOGO, GA.
NEUROMA m. Tumor que se origina en las células nobles del sistema nervioso central (cerebro, médula espinal) o periférico.
NEURONA f. *Fisiol.* Célula capaz de conducir los impulsos nerviosos.
NEUROPLASMA m. Citoplasma de las células nerviosas.
NEUROPSIQUIATRÍA f. Ciencia médica que estudia las alteraciones nerviosas desde un punto de vista neurológico y psiquiátrico.
NEURÓPTERO, RA adj. y m. *Zool.* Díc. de insectos holometábolos, dotados de largas antenas y de cuatro alas membranosas finamente reticuladas.
NEUROSIS f. *Psiq.* Trastorno que no afecta a las funciones esenciales de la personalidad y del que el sujeto es plenamente consciente. ■ NEURÓPATA; NEUROPATÍA; NEURÓTICO, CA.
* *Psiq.* Los distintos cuadros clínicos de la n. (angustia, obsesión, astenia e histerismo) dependen de la predisposición reactiva del psiquismo de cada individuo.
NEURÓTOMO m. Instrumento de dos cortes, largo y estrecho, usado pralm. para disecar los nervios.
NEUROTOXINA f. *Med.* Toxina que actúa de un modo específico sobre el sistema nervioso.
NEUROVEGETATIVO, VA adj. Relativo al sistema n. • **Sistema n.** *Fisiol.* Parte del sistema nervioso que regula las actividades automáticas de los aparatos urogenital, digestivo y cardiocirculatorio, así como toda la musculatura lisa, glándulas, metabolismo, sueño, hambre, sed, etc. Se distinguen en el sistema los grupos simpático y parasimpático.
NÉURULA f. *Biol.* Fase embrionaria de los animales metazoos, que se caracteriza por la aparición de los esbozos del sistema nervioso central y vegetativo.
NEUSS C. de Alemania, en el est. de Renania Septentrional-Westfalia, a orillas del Rin; 143 800 hab. Ind. metalúrgica, química, papelera y textil.
NEUTONIO m. *Fís.* Castellanización de newton, unidad de fuerza.
NEUTRAL adj. y s. Que no es ni de uno ni de otro. • Hablando de nación o Est., que no toma parte en la guerra promovida por otros.
NEUTRALIDAD f. Calidad de neutral. • En der. internacional, situación jurídica de un Est. que no interviene en una guerra promovida entre otras naciones y se obliga a no participar en las hostilidades. • **permanente.** La acordada para un Est. mediante convenios internacionales.
NEUTRALISMO m. Tendencia a permanecer neutral, especialmente en los conflictos internacionales. ■ NEUTRALISTA.
NEUTRALIZACIÓN f. Acción y efecto de neutralizar o neutralizarse. • *Quím.* Reacción entre un ácido y una base, en la que se forma una sal. • **eléctrica.** Fenómeno producido al unirse dos cargas eléctricas de igual valor pero de distinto signo.
NEUTRALIZAR tr. y prnl. Hacer neutral. • tr. Hacer neutra una sustancia o una disolución de ella. • tr. y prnl. fig. Debilitar o eliminar el efecto de una causa.
NEUTRINO m. *Fís.* Partícula subatómica de masa prácticamente nula y carente de carga.
NEUTRO, TRA adj. Díc. de lo que no participa de ninguno de dos caracteres contrarios. • *Fís.* Díc. del conductor cuya carga eléctrica es nula. • *Mat.* Díc. del elemento *e* de un conjunto A, para el que se ha definido la operacion e_*a, que cumple $e_*a=a_*e=a$ para toda $a\varepsilon A$.
NEUTRÓFILO m. *Fisiol.* Cada uno de los glóbulos blancos polinucleares, que en conjunto constituyen el 70-75 % de los leucocitos.
NEUTRÓN m. *Fís.* Partícula elemental del núcleo atómico, de carga eléctrica nula, cuya masa es aprox. igual a la del protón. ■ NEUTRÓNICO, CA.
* *Fís.* El n. fue descubierto por Chadwick en 1932, al bombardear berilio con partículas α. También puede obtenerse bombardeando litio con protones, o deuterio, berilio y litio con deuterones. El comportamiento de los n. en su interacción con la materia depende de la energía que poseen.

NEVA R. de Rusia. Es emisario del lago Ladoga y desemboca en el golfo de Finlandia, junto a San Petersburgo; 74 km.
NEVADA f. Acción y efecto de nevar. Porción o cantidad de nieve que ha caído de una vez y sin interrupción sobre la tierra. • *Bot.* Planta de la familia labiadas, pubescente, con hojas ovaladas, rojizas, flores azuladas y frutos en aquenio.
NEVADA, *Sierra* Conjunto montañoso de España, al SE de Granada, que forma la zona axil de la cordillera Penibética. Sus alt. máx. son: el Mulhacén (3 478 m), el Veleta (3 392 m) y la Alcazaba (3 366 m). Cordillera del O de EE UU, que separa la fosa californiana de la Gran Cuenca. Alt. máx., 4 418 m en el monte Whitney • **de Mérida.** Sierra de Venezuela, en la cordillera de Mérida. Alt. prales.: Bolívar (5 007 m), Humboldt (4 942 m). • **de Santa Marta.** Sierra del N de Colombia, en la llanura del Caribe, separada de la cordillera Oriental por la depresión del río Cesar. Alt. máx.: pico Colón (5 800 m), el punto más elevado del país. • **del Cocuy.** Sierra de Colombia, en el departamento de Boyacá. Alt. pral.: 5 493 m, la máxima de la cordillera Oriental.
NEVADA Est. del O de EE UU, en el centro S de la Gran Cuenca; 286 352 km², 1 202 000 hab. Cap., Carson City; c. prales.: Las Vegas, Reno. Consiste en una gran extensión tabular cortada por cordilleras en sentido N-S. R. Humboldt, Meadow y Virgin. Clima continental. Cobre, oro, hierro, mercurio; ind. de transformación agr., química. Turismo.
NEVADILLA f. Planta herbácea anual, de flores verdosas, cuyo cocimiento se suele emplear como refrescante.
NEVADO, DA adj. Cubierto de nieve. • fig. Blanco como la nieve. m. • *Amér.* Montaña elevada cubierta de nieves perpetuas. adj. • *R. de la Plata.* Díc. del vacuno colorado con manchitas blancas.
NEVAR intr. Caer nieve. • tr. fig. Poner blanca una cosa, dándole este color o esparciendo en ella cosas blancas.
NEVASCA f. Acción de nevar. • Nieve caída. • Ventisca de nieve.
NEVATILLA o **NEVERETA** f. Aguzanieves.
NEVAZO m. Acción de nevar. • Nieve caída. • Nevada intensa.
NEVERA f. Sitio en que se guarda o conserva nieve. • Armario revestido con una materia aislante y provisto de un depósito de hielo para el enfriamiento o conservación de alimentos y bebidas. • fig. Pieza o habitación excesivamente fría. • **eléctrica.** La que en vez de hielo tiene un aparato frigorífico movido eléctricamente, que suele ser de compresión.
NEVERO m. Paraje de las montañas elevadas, donde se conserva la nieve todo el año.
NEVILLE, *Edgar* (1899-1967) Diplomático, escritor y director cinematográfico esp. Escribió novelas (*Don Clorato de Potasa*, *Eva y Adán*) y obras teatrales (*Margarita y los hombres*, *El baile*), y dirigió diversas películas.
NEVIO, *Cneo* (h. 270-201 a. C.) Dramaturgo lat. Adaptó a la lengua latina tragedias y comedias gr., y escribió más de treinta comedias propias.
NEVISCA f. Nevada ligera de copos menudos. ■ NEVISCAR.
NEVIZA f. Hielo granuloso, con burbujas de aire en su interior, existente en los glaciares. Es un intermedio entre la nieve y el hielo propiamente dicho.
NEVOSO, SA adj. Frecuentemente nevado. • Díc. del temporal que está dispuesto para nevar.
NEW DEAL Política económica iniciada por el presid. Roosevelt (1933) para contrarrestar la depresión posterior al *crack* de 1929.
NEW HAVEN C. y puerto de EE UU, en Connecticut, a orillas de la bahía hom.; 126 100 hab. (498 100 hab. la agl. urb.). Ind. textil y metalúrgica. Pesquerías. Universidad de Yale.
NEW PROVIDENCE Isla del archipiélago de las Bahamas; 133 400 hab. C. pral.: Nassau.
NEWARK C. de EE UU, en Nueva Jersey, que forma parte del Gran Nueva York; 329 200 hab. (1 966 000 hab. la agl. urb.). Puerto. Ind. eléctrica, textil, siderúrgica, química, refinerías de petróleo. Aeropuerto.
NEWCASTLE C. de Australia, en Nueva Gales del Sur, en el estuario del Hunter; 251 100 hab. Centro de la mayor cuenca hullera del país.

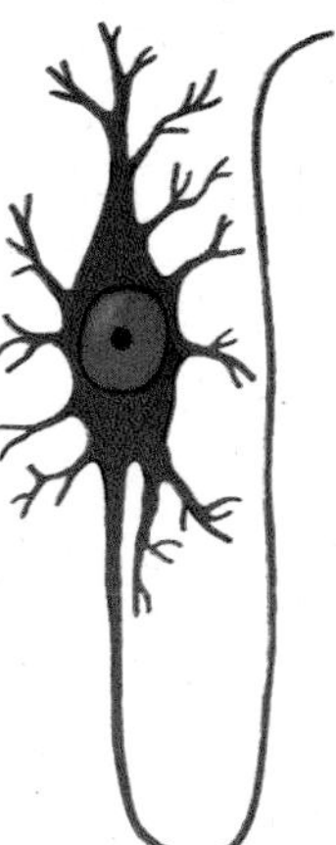
Esquema de una **neurona**

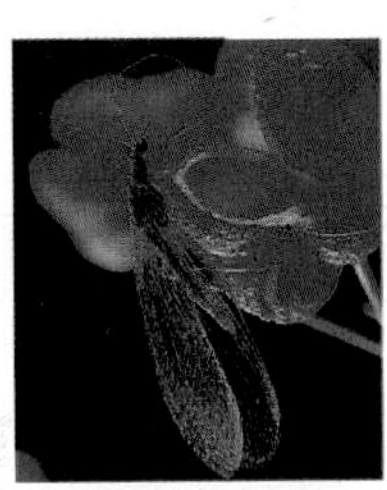
Crisopa, insecto del grupo **neurópteros**

Vista de **Sierra Nevada,** Granada (España)

Isaac **Newton**

NEWCASTLE-UPON-TYNE C. de Gran Bretaña, en Inglaterra; 192 500 hab. Centro de un imp. cuenca hullera.
NEWCOMEN, *Thomas* (1663-1729) Mecánico ing. que, en compañía de T. Savery, construyó (1705) una de las primeras máquinas de vapor, perfeccionada por Watt.
NEWHAM C. de Gran Bretaña, en Inglaterra; 236 000 hab. Forma parte del Gran Londres.
NEWMAN, *Paul* (nacido 1924) Actor y realizador cinematográfico norteam., formado en el *Actor's Studio*. *Éxodo*, *Dulce pájaro de juventud*, *La gata sobre el tejado de cinc*, *El golpe*. Películas dirigidas por él son *Rachel, Rachel* y *El efecto de los rayos gamma sobre las margaritas en flor*.
NEWPORT C. y puerto de Gran Bretaña, en Gales, 105 400 hab. Centro de una cuenca minera; ind. metalúrgica y química.
NEWPORT NEWS C. de EE UU, en Virginia; 138 000 hab. Activo puerto en la desembocadura del James. Ind. metalúrgica.
NEWTON m. *Fís.* Unidad de fuerza del sistema Giorgi. Es la fuerza que aplicada a 1 kg de masa produce una aceleración de 1 m/seg^2.
NEWTON, SIR ***Isaac*** (1642-1727) Matemático, físico y astrónomo inglés. Descubrió las leyes de la gravitación universal. Se le debe el cálculo infinitesimal e importantes descubrimientos en óptica. *Principios matemáticos de la filosofía natural*, *Óptica*. • **Anillos de N.** *Fís.* Fenómeno óptico que se observa al poner en contacto una superficie plana con otra cóncava de gran radio, ambas de vidrio. • **Leyes de N.** *Fís.* 1.ª Si un cuerpo está en reposo o se mueve con una velocidad constante sobre una trayectoria rectilínea, la resultante de todas las fuerzas ejercidas sobre él es nula. 2.ª La aceleración de un cuerpo es proporcional a la fuerza resultante ejercida sobre el cuerpo e inversamente proporcional a la masa del mismo; tiene además la misma dirección y sentido que la fuerza. 3.ª Si un cuerpo ejerce una fuerza sobre otro, entonces el segundo ejerce sobre el primero otra fuerza de igual intensidad pero de sentido opuesto.
NEWTONIANO, NA adj. Relativo a Newton o a sus concepciones y descubrimientos.
NEXO m. Unión o vínculo de una cosa con otra.
NGO Dinh Diem (1901-1963) Político vietnamita. Instauró la rep. de Vietnam del Sur (1955).
NGWANE → Swazilandia.
NI conj. copulativa que, enlazando palabras o frases y precedida o seguida de otra, denota negación. • En cláusula que empieza con verbo precedido del adv. *no*, y en que hay que negar dos o más términos, puede omitirse o expresarse delante del primero. • Toma a veces el carácter de conj. disyuntiva, equivalente a *o*. • adv. negación. • Y no. • **N. que.** loc. fam. que, seguida de un verbo en forma condicional, sirve para negar un supuesto.
Ni *Quím.* Símb. del níquel.
NIACINA f. *Biol.* Compuesto de coencimas de oxidorreducción presente en la carne, levadura, cerveza y vegetales no cocidos.
NIÁGARA R. de América del Norte, que comunica los lagos Erie y Ontario; 54 km. Salva la diferencia de nivel entre los dos lagos mediante cataratas de una alt. de 49 m.

Nicaragua. Arriba, mapa de situación y bandera; abajo, Enrique Bolaños

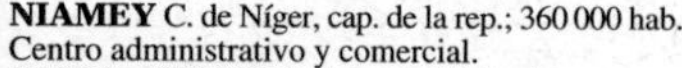

NIAMEY C. de Níger, cap. de la rep.; 360 000 hab. Centro administrativo y comercial.
NIASA o **NYASSA, *Lago*** → Malawi.
NIASALANDIA → Malawi.
NIBELUNGOS, *Canción de los* Poema épico al. (h. 1200), que refiere las proezas de Sigfrido, su muerte y la venganza de su esposa Brunilda. Va unido al hecho histórico de la aniquilación de los burgundios a manos de los hunos.
NICARAGUA Lago de América Central, en la zona sudoccidental de la rep. hom.; 8 430 km^2. En su interior existen numerosas islas, entre las que destaca la volcánica de Ometepe.
NICARAGUA Estado de América Central, limitado al N por Honduras y al S por Costa Rica, y sit. entre el mar Caribe al E y el océano Pacífico al O. Poblado por mestizos (70 %), blancos (14 %), negros (8 %), amerindios (4 %). *Rel.*: mayoría católica, grupos protestantes. Org. política: rep. Cap., Managua; c. prales.: León, Masaya, Chinandega. U. M.: el córdoba nic.

Nicaragua. Vista de la Nueva Catedral de Managua

NICARAGUA

Recursos económicos	
Algodón	40 000 t
Ananás	43 000 t
Arroz	140 000 t
Bananas	114 000 t
Café	28 000 t
Caña	46 000 ha
Frijoles	56 000 t
Maíz	245 000 t
Mandioca	71 000 t
Naranjas	68 000 t
Sorgo	70 000 t
Ganadería	
Cabaña bovina	1 680 000 cabezas
Cabaña caballar	250 000 cabezas
Cabaña porcina	790 000 cabezas
Riqueza forestal	4 077 000 m^3
Pesca	2 766 t
Producción minera	
Oro	1 200 kg
Plata	1 000 kg
Sal	15 000 t
Producción industrial	
Azúcar	225 000 t
Cemento	225 000 t
Cerveza	409 000 hl
Energía eléctrica	1 038 millones de kwh
Tabaco	2 400 millones de cigarrillos
Indicadores sociológicos	
PNB	1 897 millones de dólares
Renta per cápita	340 dólares
Esperanza de vida	66 años
Alfabetismo	87 %

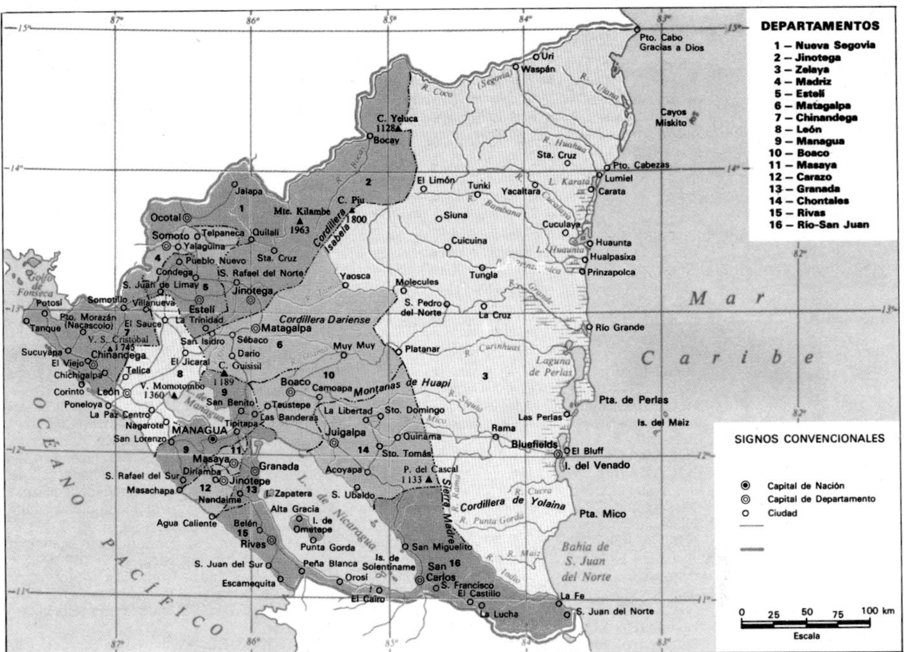

* *Geog. fís.* De E a O está formada por cuatro unidades de relieve: la estrecha llanura costera del Pacífico; la cordillera Centroamericana que cruza el país en dirección NO-SE y presenta actividad volcánica y sísmica en el Eje volcánico nicaragüense-costarricense (cordillera de Marrabios); dicho Eje comprende la fosa ocupada por los lagos Managua y Nicaragua; al E la meseta del Escudo central está cruzada por algunas alineaciones (Isabelita, Dariense, Huapi) y enlaza con una amplia llanura litoral. Costas rectilíneas en el Pacífico y más articuladas en el Caribe. El clima es tropical, con variaciones pluviométricas según la altitud y la influencia de los vientos. Los r. más imp. son los de la vertiente del Caribe (Coco, Prinzapolca, Grande, Escondido, San Juan).

* *Geog. econ.* La agricultura ocupa a un 39 % de la pob. activa y se desarrolla sobre un 9,8 % de la superficie, constituyendo la pral. actividad. Café, algodón, cacao y bananas. La producción para el consumo interior se basa en el maíz, arroz, patatas, mandioca, frijoles, sésamo, sorgo, tabaco, naranjas y ananás. Riqueza forestal basada en el palisandro, el caucho, etc. Ganadería bovina. Yacimientos de oro (La Libertad, Nueva Segovia, Pis Pis, Coco, Prinzapolca), plata, cobre (Rosita) y sal. Azúcar en Chinandega, León y Granada. Producción de cemento, cerveza y cigarrillos. Cerca de Puerto Cabezas está ubicada la cantera naval. Refinería de petróleo en Managua.

* *Hist.* Habitada por indios mosquitos y nicaraos, fue descubierta por Colón (1502). En el s. XVII, los ing. se establecieron en la costa de los Mosquitos. En 1821 consiguió la independencia y se unió al imperio mex. de Iturbide y, post., al gobierno de las Provincias Unidas de Centroamérica (1824). En 1838 se declaró nación soberana. Tras el alzamiento del general Estrada (1909), N. dependía económicamente de EE UU. Los marines norteam. invadieron el país en 1912 y 1927. Como respuesta surgió el movimiento de A. C. Sandino. Asesinado éste, Anastasio Somoza asumió el poder (1933) y lo detentó hasta 1956, en que fue asesinado y sustituido por su hijo Luis. Tras los mandatos de R. Schick y L. Guerrero, en 1967 resultó elegido presid. Anastasio Somoza hijo. Somoza fue el hombre fuerte del país hasta

Nicaragua. Arriba, campesino cortando caña de azúcar; abajo muchacha recogiendo café

División administrativa de **Nicaragua**

Departamentos	*Km²*	*Población*	*Densidad*	*Capital*	*Habitantes*
Boaco	4 271	117 900	27	Boaco	7 800
Carazo	1 097	150 000	137	Jinotepe	23 500
Chinandega	4 789	330 500	69	Chinandega	67 800
Chontales	6 324	129 600	20	Juigalpa	25 600
Estelí	2 173	169 100	78	Estelí	30 600
Granada	992	162 600	164	Granada	88 600
Jinotega	9 640	175 600	18	Jinotega	12 400
León	5 243	344 500	66	León	101 000
Madriz	1 612	88 700	55	Somoto	6 700
Managua	3 368	1 026 100	304	Managua	682 100
Masaya	690	230 800	334	Masaya	75 000
Matagalpa	6 929	322 300	46	Matagalpa	37 000
Nueva Segovia	3 594	122 100	34	Ocotal	10 800
Río San Juan	7 402	52 200	7	San Carlos	3 100
Rivas	2 190	149 800	68	Rivas	14 300
Zelaya	60 035	298 900	5	Bluefields	17 000
NICARAGUA	130 682	3 870 700 [1]	28	Managua	682 100

[1] Última estimación: 3 745 000 hab.

Nicéforo III Botaniates y su esposa

San **Nicolás.** Detalle de un frontal aragonés del siglo XIII, procedente de Güell. Museo de Arte de Cataluña, Barcelona (España)

El Palacio de Congresos de Brasilia, obra de Óscar **Niemeyer**

1975. Desde 1974 el Frente Sandinista de Liberación Nacional era la principal fuerza opositora de Somoza, al que obligó a exiliarse en julio de 1979. Los sandinistas crearon una Junta de Reconstrucción Nacional. Las elecciones de 1984 dieron el triunfo a los sandinistas y la presidencia a Daniel Ortega. Los sandinistas y la «contra», que recibía ayuda norteam. para oponerse al gobierno, iniciaron negociaciones de paz en 1988. En 1990 ganó las elecciones Violeta Chamorro, en 1996 Arnoldo Alemán, y en 2001 Enrique Bolaños.

* *Lit.* Los primeros escritores destacados fueron M. Larreynaga, J. D. Gámez y F. Quiñones Suncin. La literatura nic. no alcanzó talla internacional hasta Rubén Darío y el modernismo. Le sucedieron S. Argüello, J. de D. Vanagas y S. de la Selva. Del movimiento vanguardista destacaron J. Coronel Urtecho, L. A. Cabrales, P. A. Cuadra, J. Pasos. Entre los poetas de la actualidad cabe mencionar a E. Cardenal, E. Mejía Sánchez y C. Martínez Rivas. En el campo de la narrativa, sobresalen novelistas y cultivadores del relato corto: H. Robleto, P. Chamorro y Celaya, G. Rivas Novoa, M. Cuadra, S. Calderón Ramírez, A. Calero Orozco y J. Aguilar Cortés. El ensayo tiene sus representantes más sobresalientes en C. Molina Argüello y P. A. Cuadra.

NICARAGÜENSE adj. y s. De Nicaragua.

NICARAO (s. XVI) Cacique centroamericano que dominaba el territorio comprendido entre el lago Nicaragua y el Pacífico. De su nombre deriva el de Nicaragua.

NICEA Ant. c. de Asia Menor, a orillas del lago Ascanius. Es la actual Iznik. Fue sede de dos concilios ecuménicos; el primero (325) condenó el arrianismo, y el segundo (787) a los iconoclastas.

NICÉFORO I *el Logoteta* (m. 811) Emperador bizantino [802-811]. Encabezó una revuelta contra la emperatriz Irene, que le llevó al poder. • **II *Focas*** (h. 913-969) Emperador bizantino [963-969]. Conquistó Sicilia, Chipre, Antioquía y Alepo. Murió a manos de Juan Tzimisces. • **III *Botaniates*** (s. XI) Emperador bizantino [1078-1081]. Derrocó a Miguel VII Ducas. No pudo impedir la invasión de Asia Menor y del país del Rum. • **De Constantinopla** (h. 758-829) Santo. Patriarca bizantino. Participó en el concilio de Nicea. Se opuso a la política iconoclasta de León V.

NICENO, NA adj. y s. De Nicea.

NICHO m. Concavidad en el espesor de un muro, para colocar algún objeto de devoción o decoración. • Concavidad formada para colocar, en los cementerios o criptas, un cadáver. • **ecológico.** Conjunto de condiciones fisicoquímicas ambientales que permiten el desarrollo vital de una determinada especie.

NICHOLSON, *Jack* (nacido 1937) Actor cinematográfico norteam. *Alguien voló sobre el nido del cuco*, *El cartero siempre llama dos veces*, *El resplandor*, *Peor imposible*.

NICOBAR Arch. de la India, al SE del golfo de Bengala. Con las islas Andamán, integra el territorio de Andamán y Nicobar.

NICODEMO (s. I) Santo. Fariseo, contemporáneo de Jesucristo y discípulo oculto del mismo, que participó con José de Arimatea en el descendimiento y entierro de Jesús.

NICOL m. *Ópt.* Prisma de espato de Islandia, que se usa como polarizador y analizador óptico. Inventado por el físico escocés William Nicol (1828).

NICOL, *Eduardo* (nacido 1907) Filósofo esp., nacionalizado mex. *Metafísica de la expresión*, *Los principios de la ciencia*.

RUSIA

NICOLÁS I (1796-1855) Zar [1825-1855]. Reprimió la insurrección decembrista (1825) y se opuso al nacionalismo y al liberalismo. Artífice de la Santa Alianza. • **II** (1868-1918) Zar [1894-1917]. Ante el descontento popular y la presión del ejército aceptó un sistema parlamentario. En 1917 abdicó en su hermano Miguel. Tras la revolución de Octubre fue ejecutado.

PAPAS

NICOLÁS I (800-867) Santo. Pontífice rom. [858-867], sucesor de Benedicto III. Defendió la autoridad papal frente al emperador. • **II** (980-1061) Pontífice rom. [1059-1061]. Depuso a Benedicto X, elegido por la nobleza. En el concilio de Letrán reservó la elección del papa a los cardenales. Combatió la simonía. • **III** (1212-1280) Pontífice rom. [1277-1280]. Obtuvo terr. de Carlos de Anjou y Rodolfo de Habsburgo. • **IV** (1230-1292) Pontífice rom. [1288-1292]. Intentó detener la retirada de los cruzados frente a los turcos. • **V** (1398-1455) Pontífice rom. [1447-1455]. Fundó la Biblioteca Vaticana.

NICOLÁS de Bari (s. IV) Santo. Obispo de Mira. Según la tradición, asistió al concilio de Nicea. Patrón de Rusia y Lorena.

NICOLAU, *Pere* (ss. XIV-XV) Pintor esp. activo entre 1390 y 1405. Adscrito algótico internacional. Retablo de la Virgen de Sarrión. • **D'Olwer, *Lluís*** (1888-1961) Político y erudito esp. Fundador de *Acció Catalana* y ministro de Economía del primer gobierno de la República. Catedrático de filología y literatura medieval.

NICOLLE, *Charles* (1866-1936) Bacteriólogo fr. Premio Nobel de Medicina en 1928 por sus trabajos sobre enfermedades infecciosas.

NICOSIA (*Lefkosia*) C. de Chipre, cap. de la rep.; 161 100 hab. Centro administrativo, político y cultural. Ind. textil, química, del tabaco. Aeropuerto.

NICOTAMIDA f. Amida del ácido nicotínico, que se puede originar en el organismo a partir del triptófano y que actúa como preventivo de la pelagra.

NICOTINA f. *Quím.* Alcaloide líquido extraído de la planta del tabaco.

NICOTISMO m. *Pat.* Trastornos morbosos causados por el abuso del tabaco. ■ NICOTINISMO.

NICOYA Península de Costa Rica. De forma rectangular, se adentra en el Pacífico. • Golfo de Costa Rica, en el Pacífico. Sit. entre la península hom. y Puntarenas.

NICTAGINÁCEO, A adj. y f. *Bot.* Díc. de plantas dicotiledóneas, con hojas gralte. opuestas y fruto indehiscente; como el dondiego. ■ NICTAGÍNEO, A.

NICTALOPÍA f. Anormalidad visual que se caracteriza por una visión más perfecta por la noche.

NICTINASTIA f. Tipo especial de fotonastia cuyo estímulo es precisamente la ausencia de luz.

NICTITANTE adj. *Anat.* Díc. de las membranas que cubren los ojos de algunos animales.

NICTURIA f. *Pat.* Ritmo acelerado del flujo urinario por el que durante la noche se excreta mayor cantidad de orina que durante el día.

NIDACIÓN f. *Biol.* Proceso mediante el cual el embrión de los mamíferos placentarios se fija en el útero para proseguir su desarrollo.

NIDADA f. Conjunto de los huevos puestos en el nido. • Conjunto de los pajarillos mientras están en el nido.

NIDAL m. Lugar donde la gallina u otra ave doméstica va a poner sus huevos. • fig. Sitio o paraje donde uno acude con frecuencia o en donde esconde alguna cosa. • Principio o fundamento de una cosa.

NIDÍCOLA adj. y s. *Zool.* Díc. de los vertebrados que nacen sin haber completado su desarrollo. Gralte. son incapaces de abandonar el nido y no pueden valerse por sí mismos. Suelen nacer sin pelo o sin plumas, con los ojos y los oídos cerrados.

NIDIFICACIÓN f. Acción de nidificar. • Tipo de comportamiento parental de los animales, consistente en un conjunto de actividades encaminadas a la construcción del nido. ■ NIDIFICAR.

NIDO m. *Zool.* Receptáculo cuyo fin es albergar temporalmente la puesta y las crías de ciertos animales. • Sitio donde se acude con frecuencia. • fig. Casa, patria o habitación de uno. • fig. Lugar donde se juntan gentes de mala conducta. • fig. Cosa o lugar que es origen de discordias, riñas, etc.

NIDULARIÁCEO, A adj. y f. *Bot.* Díc. de hongos de micelio ramificado que constituye un esclerocio alargado que se fija sobre madera en descomposición.

NIEBA f. Mamífero arborícola de pelaje oscuro, y tamaño poco mayor que el de un conejo, de los bosques de África.

NIEBLA f. Nube en contacto con la tierra o el mar y que enturbia la atmósfera. Se forma al existir una diferencia notable de temperatura entre el aire y la superficie terrestre o marina con la que está en contacto. • Nube o mancha en la córnea. • Añublo. •

fig. Confusión u oscuridad en algún asunto. • fig. Munición consistente en perdigones menudos. • Grumos que en ciertas enfermedades se forman en la orina, una vez fría y en reposo.
NIEL m. Labor en hueco sobre metales preciosos, rellena con un esmalte negro hecho de plata y plomo fundidos con azufre. ■ NIELADO, DA; NIELAR.
NIEMEN (ruso, *Neman*; lituano, *Nemunas*) R. de Bielorrusia, que nace cerca de Minsk, atraviesa Lituania y la prov. rusa de Kaliningrado, y desemboca en el Báltico tras 880 km de curso.
NIEMEYER, *Óscar* (nacido 1907) Arquitecto bras. El punto culminante de su carrera lo constituye la nueva c. de Brasilia, donde proyectó todos los edificios públicos.
NIEPCE, *Nicéphore* (1765-1833) Físico fr., uno de los inventores de la fotografía.
NIETASTRO, TRA m. y f. Respecto de una persona, hijo o hija de su hijastro o de su hijastra.
NIETO, TA m. y f. Respecto de una persona, hijo de su hijo. • P. ext., descendiente de una línea a partir de la tercera generación. • m. En viticultura, anticipado de la vid.
NIETO Caballero, *Luis Eduardo* (1888-1957) Político y escritor col. Participó en el derrocamiento de Reyes (1909). *Libros colombianos.*
NIETZSCHE, *Friedrich* (1844-1900) Filósofo al. Su filosofía se define como intuicionismo o irracionalismo. Su obra se caracteriza por la interpretación y crítica de la cultura clásica (*El origen de la tragedia*). En un segundo periodo también criticó la cultura, bajo el modelo de la Ilustración fr. y de Voltaire (*Humano, demasiado humano, Aurora*). En un enfoque más general y profundo (*Así habló Zaratustra, Más allá del bien y del mal, El ocaso de los ídolos, La voluntad del poder*), su filosofía es la búsqueda de una ética nueva, donde el valor supremo es la voluntad de vivir y de poder.
NIEVE f. Precipitación en estado sólido del vapor de agua de la atmósfera, condensado, a temperatura inferior a 0 °C, en forma de cristales regulares de simetría hexagonal. • Temporal en que nieva mucho. • Nevada, cantidad de n. caída. • fig. Blancura. • *Amér.* Helado, postre. • **carbónica.** *Quím.* Dióxido de carbono sólido.
NIFE m. Término introducido por E. Suess para designar el núcleo central de la Tierra. Voz formada por los símb. del níquel (Ni) y del hierro (Fe).
NÍGER R. de África occidental; 4 160 km. Nace, con el nombre de Djoliba, en el macizo de Futa Yalón y desemboca en el golfo de Guinea.
NÍGER *(République du Niger)* Estado de África occidental. Limita con Argelia, Libia, Nigeria, Benín, Chad, Malí y Burkina Faso. El territorio es un conjunto de mesetas que descienden hacia el N., donde se eleva el macizo volcánico de Aïr Azbine (1 800 m). La parte SO se encuentra avenada por el Níger. Clima tropical y seco. Sabanas, bosque tropical, estepa y desierto. Producción agrícola (mijo, sorgo, oleaginosas) y ganadera (camellos, cabras, bovinos, ovejas). Minería (uranio, sal gema, hierro, casiterita); ind. de transformación de productos agrícolas, cemento. Org. política, rep. Grupos étnicos o nacionales: hausa, fulbé, tuareg, beréber y otros. Lenguas: fr. (of.), tamachek, pular, dialectos africanos. *Rel.*: musulmana (84 %), animista. U. M.: el franco C.F.A. Cap., Niamey.; c. prales.: Maradi, Agadez.
* *Hist.* Estuvo habitada por tribus negras, que en el s. X fueron conquistadas por beréberes. De su fusión nació el pueblo hausa. Los songay conquistaron las ciudades-estado de los hausa h. el s. XVI. El imperio songay fue destruido por los marroquíes (1591-1592) y los hausa recuperaron la hegemonía. A finales del s. XVIII, tuvo lugar la primera expedición europea. Los fr. enviaron expediciones militares que pacificaron la zona h. 1910. Desde 1922 hasta 1960, N. fue colonia fr. Obtuvo la indep. en 1960. El primer presid., Hamanni Diori, fue derrocado en 1974 por un golpe de Est., que dio el poder a Seyni Kountché. La tensión interétnica motivó varios golpes de estado (1975-1976, 1983). Muerto Kountché (1987) fue jefe del gobierno y presid. el coronel Ali Seybou. En 1993 se celebraron las primeras elecciones democráticas y Mahamane Usmane fue elegido presid. En enero de 1996 fue destituido por un golpe de estado encabezado por el coronel Ibrahim Barré Mainasara. Tras un golpe de Est. que costó la vida al presid. de la Rep. en abril de 1999, Daouda Malam Wanke encabezó el gobierno provisional.
NIGERIA *(Federal Republic of Nigeria)* Estado de África occidental, rep., que limita con Níger, Chad, el Atlántico, Camerún y Benín. Ocupa la parte inferior de la meseta continental africana, con un relieve formado por la llanura meridional. El Níger y su afl. el Benué son los prales. ríos. Clima cálido y húmedo. Abundantes precipitaciones que determinan la existencia de un rico manto forestal. La agricultura ocupa un 50 % de la población activa. Cacao, cacahuete, palma, algodón, sorgo, mijo, batata, arroz, maíz, mandioca; imp. explotación forestal; ganadería (bovina, ovina, caprina); pesca. Minería (carbón, estaño, columbita, petróleo, gas natural); refino de petróleo, transformación de productos minerales. Grupos étnicos o nacionales: hausa, ibo, fulanis y otros. Lenguas: ing. (of.), ibo y yoruba. *Rel.*: musulmana (17 %), cristiana (34 %), animista (18 %), católica, U. M.: el naira. Cap., Abuja; c. prales.: Ibadán, Kano, Ilorin, etc.

Níger. Arriba, mapa de situación y bandera; abajo, mezquita de Agadez (s. XVI)

Nigeria. Arriba, mapa de situación y bandera; abajo, funcionarios hausa

NÍGER

Superficie 1 267 000 km²

Población 9 389 000 hab. (8 hab./km²)

Recursos económicos	
Arroz	70 000 t
Cabaña bovina	2 008 000 cabezas
Cabaña caballar	82 000 cabezas
Cabaña caprina	5 716 000 cabezas
Cabaña ovina	3 789 000 cabezas
Cacahuetes	65 000 t
Camellos	380 000 cabezas
Casiterita	20 t
Cerveza	97 000 hl
Dátiles	8 000 t
Mandioca	225 000 t
Mijo	1 725 000 t
Pesca	2 200 t
Riqueza forestal	5 671 000 m³
Sorgo	420 000 t
Uranio	2 975 t

Indicadores sociológicos	
PNB	1 961 millones de dólares
Renta per cápita	220 dólares
Esperanza de vida	41 años
Alfabetismo	14 %

NIGERIA

Superficie 923 768 km²

Población 103 460 000 hab. (112 hab./km²)

Recursos económicos	
Aceite de palma	871 000 t
Arroz	2 548 000 t
Cabaña caballar	204 000 cabezas
Cabaña caprina	24 500 000 cabezas
Cacao	130 000 t
Cemento	3 086 000 t
Copra	20 000 t
Estaño	208 t
Maíz	7 240 000 t
Mandioca	31 404 000 t
Mijo	4 900 000 t
Pesca	282 089 t
Petróleo	91 045 000 t
Riqueza forestal	108 059 000 m³
Sésamo	50 000 t
Sorgo	6 184 000 t
Tejidos de algodón	380 000 000 m²

Indicadores sociológicos	
PNB	28 411 millones de dólares
Renta per cápita	260 dólares
Esperanza de vida	55 años
Alfabetismo	57 %

* *Hist.* Poblada desde ant. por ibos, yorubas, hausas y fulbés. Los hausa fundaron una confederación de Estados en el S de la actual rep. de Níger y el NO de N. Los fulbés los sometieron en el s. XIX. Los yoruba desarrollaron una cultura que alcanzó su esplendor en los s. XIII y XIV. A partir de 1885, Gran Bretaña creó varios protectorados, unificados en 1914. En 1954, Gran Bretaña otorgó una constitución de carácter federal. N. obtuvo la independencia en 1960, siendo el primer jefe de gobierno A.Tafawa Balewa. En 1963 el país se convirtió en rep. federal, con Azikiwe como presid. En 1966, Ironsi depuso al presid. y estableció un sistema unitario. El levantamiento de Gowon restauró el sist. federal. En 1967 tuvo lugar la guerra de Biafra. Gowon fue depuesto en 1975. Asumió el poder Murtala Ramat Mohammed, quien fue sustituido en 1976 por el teniente coronel Obasanjo. En 1979, Alhaji Sheshu Shagari fue elegido presid. En 1984, un golpe de est. estableció un Consejo Militar al mando de Buhari, que fue depuesto, en 1985, por el general Bubangida quien, a su vez, en 1993, anuló la victoria electoral de M. Abioles. Ese año S. Abacha dió un golpe de estado. y aplicó una dura política represiva. Al morir Abacha (1998) le sustituyó A. Abubakar, a la espera de nuevas elecciones, que ganó, en 1999, Olusegun Obasanjo.

Nilo. Arriba, costa de la isla Elefantina frente a Asuán; a la derecha, curso de este río

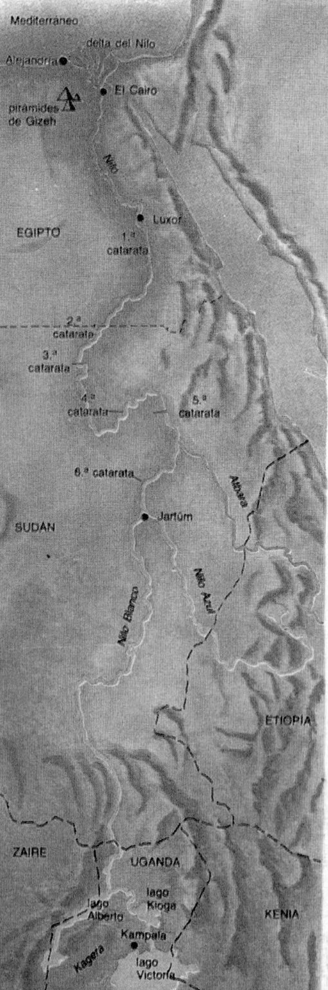

Nimes. Vista del templo romano Maisón Carrée

NIGHT-CLUB (voz ing.) m. Sala de fiestas, cabaret.

NIGROMANCIA o **NIGROMANCÍA** f. Arte vano y supersticioso de adivinar lo futuro evocando a los muertos. • fam. Magia negra o diabólica. ■ NIGROMANTE; NIGROMÁNTICO, CA.

NIGUA f. Insecto americano parecido a la pulga. Las hembras fecundadas penetran bajo la piel, o bajo las uñas, de los animales y del hombre, pralm. en los pies, y allí depositan la cría, que ocasiona intensa picazón y úlceras graves.

NIHIL OBSTAT loc. latina que significa *nada se opone*. Fórmula utilizada por la censura eclesiástica para autorizar una publicación.

NIHILISMO m. *Fil.* Doctrina que niega los valores de la realidad o la posibilidad de conocerla. • Negación de todo principio religioso, político o social. • Movimiento revolucionario ruso surgido h. 1860. ■ NIHILIDAD; NIHILISTA.

NIIGATA Prefactura de Japón, en el NO de la isla de Honshu; 12 579 km^2, 2 475 000 hab. Cap. la c. hom. (486 100 hab.). Puerto; ind. metalúrgica, textil y química. Refinería de petróleo.

NIJINSKI, ***Vatslav Fomich*** (1890-1950) Coreógrafo y bailarín ruso. Figura pral. de los Ballets Rusos de Diaghilev, célebre danzarín.

NIKOLAIEV C. de la República de Ucrania, sit. en el estuario del Bug Meridional; 486 000 hab. Centro industrial.

NILO *(Nil)* R. del NE de África. Nace en el lago Victoria; luego atraviesa los lagos Kioga y Mobutu (Uganda), y penetra en Sudán, donde recibe las aguas del Semliki. Al S de Kodok se le unen el Sobat y el Bahr-el-Ghazal, donde toma el nombre de Bahr-el-Abiad (N. Blanco). En Jartum recibe al Bahr-el-Azraq (N. Azul). Junto a Atbara, se le une el r. hom. Después de saltar tres cataratas entra en Egipto y desemboca, formando un delta, en el Mediterráneo. Es el r. más largo del mundo; 6 671 km. • **Azul** → Bahr-el-Azraq. • **Blanco** → Bahr-el-Abiad.

NILÓN m. Nailon.

NILÓTICO, CA adj. y s. Díc. del individuo perteneciente al grupo negroide que habita en la cuenca del Bahr-el-Abiad.

NIMBAR tr. Rodear de nimbo o aureola una figura o imagen. •Rodear una cosa a otra.

NIMBO m. Aureola, disco luminoso de la cabeza de las imágenes. • Corona o círculo luminoso.• *Meteor.* Capa de nubes formada por cúmulos que presenta un aspecto casi uniforme.

NIMBOESTRATO m. *Meteor*. Capa de nubes bajas, gralte. densas, que con frecuencia produce lluvias, nevadas o granizo.

NIMEGA *(Nijmegen)* C. de Países Bajos, en la prov. de Güeldres; 146 500 hab. Centro comercial. Ind. metalúrgica, química, textil. Perteneció a la Liga Hanseática. Neerlandesa desde 1806. • **Tratado de N.** Negociaciones de paz (1678-1679) entre España, Francia, Holanda y el imperio al., que pusieron fin a la guerra de Países Bajos.

al-NIMEIRY, ***Jaffar*** (nacido 1930) Militar y político sudanés. Preparó el golpe de est. de 1969 que proclamó la Rep. democrática. Gobernó hasta 1985.

NIMES *(Nîmes)* C. del SE de Francia, en Languedoc-Rosellón, cap. del dpto. de Gard; 131 700 hab. Mercado vinícola. Ind. mecánica, textil y de calzado. Monumentos romanos (*Maison carrée*, anfiteatro).

NIMIEDAD f. Exceso, demasía. • Prolijidad, minuciosidad. • Insignificancia. ■ NIMIO, MIA.
NIMITZ, *Chester William* (1885-1966) Almirante norteam. Mandó la flota del Pacífico durante la II Guerra Mundial. Derrotó a los japoneses en Midway (1942).
NIMRUD Nombre actual de la ant. c. asiria de Kalakh, sit. cerca de la confluencia del Tigris y el Zab superior. Fundada en el s. XIII a. C., Asurnasirpal II la reconstruyó como nueva cap.
NIN, *Joaquín* (1883-1949) Compositor cub. de obras para voz y piano, basadas en la música popular esp.
NINFA f. *Mit.* Cualquiera de las fabulosas deidades de las aguas, bosques o selvas, llamadas con varios nombres, como dríada, nereida, etc. • fig. Joven hermosa. • fig. Prostituta. • *Zool.* Insecto que ha pasado ya del estado de larva y prepara su última metamorfosis. • Cada uno de los labios menores de la vulva.
NINFÁLIDO, DA adj. y s. Díc. de ciertas mariposas diurnas de gran belleza.
NINFOMANÍA f. *Pat.* Exacerbación de las necesidades sexuales de la mujer. Se encuentra en diversos estados psicológicos, y en ocasiones va ligada a un mal funcionamiento hormonal. ■ NINFÓMANA.
NINFOSIS f. Periodo durante el cual el insecto permanece en estado de crisálida o ninfa.
NINGPO C. y puerto de China, en la prov. de Chekiang, cerca de la bahía de Hangchou; 300 000 hab. Puerto pesquero y comercial.
NINGSIA Hui Región autónoma en el NO de China; 66 000 km²; 4 655 451 hab. Cap., Yinchaung. Pob. formada por la minoría nacional de los hui.
NINGÚN adj. Apócope de ninguno. No se emplea sino antepuesto a nombres masculinos.
NINGUNO, NA adj. Ni uno solo. • pron. indet. Nulo y sin valor. • Ninguna persona, nadie.
NÍNIVE Ant. c. de Asiria, sit. junto al Tigris. Existía ya en el III milenio. Fue cap. del imperio asirio. Destruida en 612 a. C. por medos y caldeos.
NINIVITA adj. y s. De Nínive.
NIÑADA f. Hecho o dicho impropio de la edad adulta y semejante a la de los niños. ■ NIÑEAR.
NIÑATO, TA adj. y s. Díc. del joven inexperto. • Se aplica al jovenzuelo petulante y presuntuoso. Por lo general, tiene valor despectivo. • m. Becerrillo que se halla en el vientre de la vaca cuando la matan estando preñada.
NIÑERÍA f. Acción de niños o propia de ellos. • Poquedad o cortedad de las cosas, que las hace poco estimadas de los hombres. • fig. Hecho o dicho de poca entidad o sustancia.
NIÑERO, RA adj. y s. Que gusta de niños o de niñerías. • f. Criada destinada a cuidar niños.
NIÑETA f. Pupila o niña del ojo.
NIÑEZ f. Periodo de la vida humana, que se extiende desde el nacimiento hasta la adolescencia. • fig. Principio o primer tiempo de cualquier cosa. • fig. Acción propia de niños, niñería.
NIÑO, ÑA adj. y s. Que se halla en la niñez. • P. ext., que tiene pocos años. • fig. Que tiene poca experiencia. • fig. y despect. Que obra con poca reflexión. • fig. En el trato afectivo, persona que ha pasado de la niñez. Se usa más en vocativo. • *Amér.* Tratamiento que se da a personas de más consideración social. Se usa mucho ante nombres propios. • **de coro.** El que en las catedrales canta con otros en los oficios divinos. • **de la Bola.** Por ant., el Niño Jesús, aludiendo al mundo, puesto en su mano o debajo de sus pies, con que representan su imagen. • fig. y fam. El que es afortunado. • **de pecho.** El de teta. • **de teta.** El que aún está en la lactancia. • fig. y fam. El que es muy inferior en alguna de sus cualidades. • **zangolotino** o **bitongo.** fam. Muchacho que quiere o a quien se quiere hacer pasar por niño. • **Desde n.** m. adv. Desde el tiempo de la niñez. • **La n. bonita.** loc. con que se designa el número 15, especialmente en los sorteos. • **N. del ojo.** Pupila.
NIÑO, *El* *Meteor.* Fenómeno meteorológico anómalo que provoca alteraciones oceánicas y atmosféricas en todo el planeta. El calentamiento periódico de las aguas del Pacífico desplaza hacia el S la corriente en chorro de El Niño, lo que genera lluvias torrenciales y períodos de sequía, con especial incidencia en las costas noroccidentales de Sudamérica.
NIÑO, *Pedro Alonso* (1468-1505) Navegante esp. que acompañó a Colón en su primer y tercer viajes. • **De Guevara, *Fernando*** (1541-1609) Inquisidor general de Castilla. Nombrado cardenal a instancias de Felipe II, en 1599 ocupó el cargo de inquisidor general y consejero de Felipe III. Destacó por su intransigencia.

Producción mundial de níquel (en miles de t)

Prales. productores	
CEI	180 000
Canadá	152 100
Nueva Caledonia	97 300
Indonesia	81 200
Australia	79 000
China	36 900
Cuba	31 000
República Sudafricana	31 000
República Dominicana	30 900
Botswana	23 000
Total mundial	633 800

NIOBIO m. *Quím.* Elemento de símb. Nb y n. a. 41. Metal gris claro, utilizado en la producción de aceros especiales.
NIPA f. Planta de unos 3 m de alt., de flores verdosas y fruto en drupa, de la que se saca la tuba.
NIPE Bahía de la costa N de Cuba. La mayor del país, en ella se halla el puerto de Antilla. • Sierra de Cuba (prov. de Holguín), al S de la bahía de Nipe. Hierro.
NIPÓN, NA adj. y s. De Japón.
NIPPON Voz jap. que significa «Sol naciente». Los japoneses designan así el conjunto de sus islas.
NIPPUR Estación arqueológica del S de Mesopotamia, entre el Éufrates y el Tigris. En ella se hallaron numerosas tablillas con escritura cuneiforme.
NÍQUEL m. *Quím.* Elemento de símb. Ni, n. a. 28 y p. a. 58,71. Metal de color blanco argentino, con ligero tono amarillo. Se utiliza para formar aleaciones con diversos metales.
NIQUELADO, DA m. Acción y efecto de niquelar. • *Ind.* Tratamiento a que se someten algunos metales, consistente en recubrir su superficie con una capa delgada de níquel. ■ NIQUELADURA; NIQUELAR.
NIQUELINA f. *Quím.* Arseniuro de níquel. Es, con la garnierita, la mena más importante de níquel; se presenta en filones hidrotermales. También se la denomina nicolita. • *Metal.* Aleación de cobre, cinc, níquel y hierro, con algo de cobalto y manganeso, que se emplea como resistencia eléctrica.
NIRVANA (voz sánscrita) m. En el budismo, bienaventuranza obtenida por la absorción e incorporación del individuo en la esencia divina.
NÍSCALO m. Nombre común de algunas especies de hongos comestibles, de pie corto y sombrerillo de color amarillento rojizo.
NISCOME o **NISCÓMEL** m. *Méx.* Olla en que se cuece el maíz dispuesto para tortilla.
NISH C. de la República de Servia, sit. a orillas del Nisava; 161 000 hab. Centro comercial e industrial. Monumentos bizantinos.
NISHINOMIYA C. de Japón, en la isla de Honshu, en la bahía de Osaka; 421 300 hab. Importante producción de sake.
NISTAGMO m. Oscilación corta, rápida e involuntaria del globo ocular, que gralte. afecta a ambos ojos.
NÍSPERO m. Planta arbórea con hojas lanceoladas, flores solitarias blancas y frutos ovalados comestibles. Fruto de esta planta. • *Amér.* Zapote, chicozapote, árbol.
NISTAYOL (voz náhuatl) m. *Amér. Centr.* Maíz cocido con ceniza, del cual se hacen tortillas.
NIT m. *Fís.* Unidad de brillo del sistema CGS, definida como el brillo de un manantial luminoso de una candela de intensidad por metro cuadrado.
NITAÍNO m. Noble, persona de la nobleza entre los indios taínos.
NITERÓI C. y puerto de Brasil, en el est. de Río de Janeiro, sit. en la bahía de Guanabara; 400 100 hab. Ind. química. Construcciones navales.
NITHARD, *Juan Everardo* (1607-1681) Jesuita al., valido de Mariana de Austria. Actuó de primer ministro y de inquisidor general. Tras el golpe de Est. de Juan José de Austria, fue embajador en Roma.
NÍTIDO, DA adj. Limpio, terso, claro, puro, resplandeciente. ■ NITIDEZ.

Representación del **Niño de la Bola** en una tabla de Petrus Christus. Museo de Arte de Kansas City (EE UU)

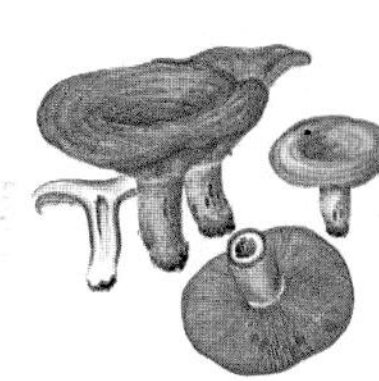
Níscalo

Níspero

Richard Milhous **Nixon**

Representación de una pieza de teatro **no**

NITO m. Helecho que se cría en Filipinas, de tallo casi voluble y hojas que nacen sobre un pezoncito, ladeadas y divididas en dos. • pl. fam. Se usa como respuesta para ocultar lo que se come o se lleva, cuando alguno lo pregunta con curiosidad.

NITÓMETRO m. Fotómetro utilizado para la medición de la luminancia de superficies.

NITR- *Quím.* Pref. usado para significar que en la molécula de un compuesto se han sustituido uno o más átomos de hidrógeno por el radical NO_2.

NITRAL m. Criadero de nitro.

NITRATO m. *Quím.* Compuesto derivado de la combinación del ácido nítrico con un radical. • *Quím.* Radical monovalente de fórmula NO_2. • **de Chile.** Abono nitrogenado natural, procedente del caliche de las minas sit. en la zona N de Chile.

NITRERÍA f. Sitio o lugar donde se recoge y beneficia el nitro.

NÍTRICO, CA adj. Relativo al nitro o al nitrógeno. • **ácido n.** *Quím.* HNO_3, líquido incoloro, muy fumante al aire, se descompone por la acción de la luz y por calentamiento, soluble en agua. • **anhídrido n.** *Quím.* N_2O_5, sólido cristalino, incoloro, fácilmente descomponible, soluble en agua formando ácido n. con desprendimiento de calor.

NITRIFICACIÓN f. Proceso de oxidación del amoniaco del suelo, procedente de la descomposición de los restos orgánicos de animales y vegetales, al estado de nitrato. ■ NITRIFICAR.

NITRILO m. *Quím.* Sustancia química en cuya molécula existe el grupo funcional –C = N unido a un radical hidrocarbonado. Los n. son líquidos de olor agradable que dan sales amónicas por hidratación y aminas por reducción.

NITRITO m. *Quím.* Sal formada por la combinación del ácido nitroso con una base.

NITRO m. Nitrato potásico que se encuentra en forma de agujas o de polvillo blanquecino en la superficie de los terrenos húmedos y salados. • **cúbico.** Sal semejante al n., pero en la que el potasio está reemplazado por el sodio, y que cristaliza en romboedros casi cúbicos. • **de Chile.** Nitrato de Chile.

NITROBENCENO m. *Quím.* Líquido aceitoso, incoloro e insoluble en agua, utilizado en la fabricación de colorantes, jabones y explosivos. ■ NITROBENCINA; NITROBENZOL.

NITROCALITA f. *Miner.* Nitrato potásico. Se presenta en forma de incrustaciones blancuzcas o como cristales aciculares sedosos.

NITROCELULOSA f. *Quím.* Éster nítrico de la celulosa, que se obtiene a partir del algodón y conserva el aspecto de éste, pero es más áspero al tacto; arde rápidamente al aire sin producir explosión, pero si está comprimida y se enciende, da lugar a una explosión muy violenta.

NITROGENADO, DA adj. Que contiene nitrógeno. ■ NITROGENAR.

NITRÓGENO m. *Quím.* Elemento de símb. N, n. a. 7 y p. a. 14,008. Es un gas incoloro, inodoro e insípido; su densidad a 0 °C y 1 atmósfera es 1,2506 g/l, punto de ebullición –195,8 °C y punto de fusión 209,86 °C. El más abundante de la composición del aire, 79 %.

* *Biol.* **Ciclo del n.** Proceso biológico que se desarrolla entre el suelo, el agua, el aire y los organismos animales y vegetales. El n. del suelo (gralte. nitratos) es absorbido por las raíces de las plantas, integrándose en ellas en forma de proteínas; los animales sintetizan las proteínas específicas de sus tejidos a partir de las proteínas de los vegetales. La vida microbiana restablece el equilibrio recorriendo un camino inverso.

NITROGLICERINA f. *Quím.* Éster trinítrico resultado de la acción del ácido nítrico sobre cada uno de los grupos alcohólicos de la glicerina. Líquido oleaginoso, muy inestable y explosivo, es tóxico y ocasiona jaquecas cuando se respiran sus vapores.

NITROSACIÓN f. *Quím.* Transformación del amoniaco y de sus sales en nitritos.

NITROSO, SA adj. *Quím.* Díc. de los compuestos en los que interviene el N en su forma trivalente. • **Ácido n.** *Quím.* HNO_2, sólo conocido en solución; puede actuar como oxidante y como reductor. • **Óxido n.** Quím. Protóxido de N o gas hilarante. • f. *Quím.* Sustancia que se forma en las cámaras de plomo como producto intermedio en la obtención del ácido sulfúrico. ■ NITROSIDAD.

NITROTOLUENO m. *Quím.* Nombre genérico de varios derivados del tolueno; como el trinitrotolueno (TNT).

NITRURACIÓN f. *Metal.* Operación de endurecimiento superficial análoga a la cementación, en la que el elemento absorbido es el N, y que tiene por objeto aumentar la resistencia a la fatiga.

NIVAL adj. Perteneciente o relativo a la nieve. • Régimen n. El de los ríos que tienen crecidas en la época de deshielo.

NIVEL m. Altura o grado de elevación de una línea o plano horizontales. • Instrumento destinado a medir el desnivel entre dos puntos. • *Top.* Instrumento destinado a proporcionar una línea de mira horizontal y utilizado, junto con las estadias, para efectuar nivelaciones geométricas. • Altura a que llega la superficie de un líquido. • fig. Altura que una cosa alcanza, o a que está colocada. • fig. Igualdad o equivalencia en cualquier línea o especie. • *Soc.* Índice económico, social, cultural, etc., en que se desenvuelve la existencia del ciudadano medio de un país. • **de agua.** Tubo metálico, montado sobre un trípode, en cuyos extremos encajan otros dos tubos de cristal que, al llenarse de agua, actúan como vasos comunicantes y, por la alt. que alcanza el líquido en ellos, se determinan los planos de nivel. • **de aire.** Tubo de cristal, cerrado, lleno o casi lleno de líquido, gralte. montado sobre una regla; al inmovilizarse la burbuja de aire que queda dentro del tubo, se determina la horizontalidad o inclinación de la regla. • **de albañil.** Triángulo rectángulo isósceles hecho con listones de madera o metal, y con una plomada pendiente del vértice opuesto a la hipotenusa, por cuyo punto medio pasa el hilo de aquélla cuando el instrumento se coloca apoyado en dicha hipotenusa. • **de vida.** *Econ.* Cantidad de bienes y servicios que permite comprar la renta nacional media. • **A n.** m. adv. En un plano horizontal. • A cordel. • **Indicador de n.** *Ing.* Dispositivo que permite averiguar el n. de líquido en un depósito.

* *Econ.* El estudio del n. de vida contempla indicadores no monetarios, como las calorías por habitante, la tasa de mortalidad infantil, el número de médicos por 1 000 hab., el consumo energético, etc.

NIVELAR tr. Echar el nivel para ver las condiciones de horizontalidad. • Poner un plano en la posición horizontal. • P. ext., poner a igual alt. dos o más cosas. • tr. y prnl. fig. Igualar una cosa con otra. • tr. Hallar la diferencia de alt. entre dos puntos de un terreno. ■ NIVELACIÓN.

NIXON, *Richard Milhous* (1913-1994) Político republicano norteam. Presid. de EE UU en 1968 y en 1972. El escándalo Watergate, que hizo públicas las irregularidades de la campaña electoral, le obligó a dimitir (1974).

NIXTAMAL m. *Amér. Centr.* y *Méx.* Maíz semicocido en agua de cal, utilizado en la confección de tortillas.

NIXTE adj. *Hond.* Pálido. •De color ceniza.

NIZA (*Nice*) C. y puerto de Francia, cap. del dpto. de Alpes Maritimes; 437 600 hab. Centro turístico. • **Tratado de N.** El firmado por Carlos V y Francisco I de Francia (1538). Puso fin a la guerra de Italia.

NIZA, *Marcos de* (m. 1558) Explorador it., franciscano. Viajó a las siete ciudades que se creía habían originado el reino azteca.

NIZAN, *Paul* (1905-1940) Escritor fr. Autor de los ensayos *Adén-Arabia* y *Los perros guardianes,* y de las noveles *El caballero de Troya* y *La conspiración.*

NIZHNII-TAGUIL C. de Rusia; 419 000 hab. Sit. al pie de los Urales centrales. Minas.

NIZHNII NOVGOROD C. de Rusia; 1 399 000 hab. Sit. en la confluencia de los ríos Oka y Volga. Ind. siderúrgica. Fabricación de maquinaria, aviones, automóviles, ind. textil y química. Universidad. Hasta 1991 se denominó Gorki.

NKOMO, *Joshua* (nacido 1917) Político zimbabwés. Presid. del Congreso Nacional Africano. Fundó la Unión Popular Africana de Zimbabwe. Con Mugabe, dirigió el Frente Patriótico y la lucha guerrillera. En 1982, fue perseguido por el régimen de Mugabe y tuvo que exiliarse. Con la fusión del ZANO y el ZAPU (1985), regresó y fue nombrado vicepresid. del país.

NKRUMAH, *Kwame* (1909-1972) Político ghanés.

Fundó el Partido de la Convención del Pueblo. Tras la indep., fue elegido presid. Derrocado en 1966.
NO adv. de negación que se emplea respondiendo a una pregunta. • En sentido interrogativo, suele emplearse para solicitar contestación afirmativa. • Antecede al verbo a que sigue el adv. *nada* u otro vocablo que expresa negación. • Se usa para recalcar la frase, haciendo que la atención se fije en una idea contrapuesta a otra. • En frases en que va seguido de la prep. *sin* forma con ella sentido afirmativo. • Se usa repetido para dar más fuerza a la negación. • En algunos casos toma carácter de sustantivo. • **N. bien.** m. adv. Inmediatamente que, en cuanto.
NO m. Gén. dramático japonés, creado a fines del s. XIV sobre la base de espectáculos tradicionales y populares más antiguos.
No *Quím.* Símb. del nobelio.
NO METAL → Metal.
NOAILLES, *Adrien Maurice*, DUQUE DE (1678-1766) Militar y político fr. Presid. del Consejo de Finanzas (1715) y ministro de Exteriores en 1744.
NOBEL, *Alfred* (1833-1896) Químico sueco, inventor de la dinamita (1866), la gelatina explosiva y la balistita. Al morir dejó una parte de su fortuna para costear la concesión de cinco premios anuales. • **Premios N.** Los creados por A. Nobel (1895). Los otorgan la Academia Sueca de Ciencias, el Instituto Carolino de Estocolmo, la Academia Sueca de la Lengua y el Parlamento noruego. El Banco Central de Suecia decidió otorgar, a partir de 1969, el Premio Nobel de Ciencias Económicas.
NOBELIO m. *Quím.* Elemento de símb. No, n. a. 102 y p. a. del isótopo más estable 253. Elemento transuránido, que no existe en la naturaleza; obtenido bombardeando el curio con iones de carbono.
NOBEOKA C. de Japón, sit. al E de Kyushu, en la costa del Pacífico; 136 400 hab. Ind. químicas .
NOBILE, *Umberto* (1885-1978) Aviador y explorador it. En 1926 tomó parte, con Amundsen, en la primera expedición polar en dirigible, el *Norge*.
NOBILI, *Leopoldo* (1787-1835) Físico it. Inventó en 1826 el sistema llamado «astático», que permitió obtener galvanómetros de alta sensibilidad.
NOBILIARIO, RIA adj. Perteneciente o relativo a la nobleza. • adj. y s. Díc. del libro que trata de la nobleza y su genealogía.
NOBLE adj. y s. Díc. de la persona que por nacimiento o por decisión de un soberano posee título nobiliario y goza de los privilegios que el mismo le confiere. • adj. Preclaro, ilustre. • Principal en cualquier línea; excelente o aventajado en ella. • Díc. de los materiales u objetos finos o más selectos que otros. • Honroso, estimable. • *Quím.* Díc. de ciertos elementos químicamente inactivos.
NOBLEZA f. Calidad de noble. • Conjunto o cuerpo de los nobles de un Est. o de una región. • Tela de seda, especie de damasco sin labores.
NOBLOTE, TA adj. Que procede con nobleza.
NOBOA Bejarano, *Gustavo* (nacido 1937) Político ecuat. Rector de la Universidad Católica y gobernador de la prov. del Guayas. En 1998 ocupó la vicepresidencia en el gobierno de J. Mahuad, a quien sucedió en la presid. en enero de 2000. • **y Arteta, *Diego*** (1789-1870) Político ecuat. Participó en la lucha independentista (1820-1822). Presid. constitucional (febrero 1851), destituido (julio 1851) por una sublevación dirigida por Urbina.
NOCENTE adj. y s. Culpable. • adj. Que daña.
NOCHE f. Tiempo comprendido entre la puesta y la salida del sol. • Oscuridad que hay durante este tiempo. • Tiempo atmosférico que hace durante la n. o gran parte de ella. • fig. Confusión, oscuridad o tristeza. • **de San Bartolomé.** Nombre dado a la matanza de hugonotes, ordenada por Carlos IX y Catalina de Médicis, que tuvo lugar en París, en 1572, el día de San Bartolomé. • **triste.** Nombre dado a la noche en que las tropas de Cortés, acosadas por los aztecas, se retiraron de Tenochtitlán (30 junio-1 julio 1520), con pérdida de más de 800 hombres sobre un total de 1 300.
NOCHEBUENA f. Noche de la vigilia de Navidad.
NOCHEBUENO m. Torta grande amasada con aceite, almendras, piñones y otras cosas para la colación de Nochebuena. En algunas partes se suele hacer con aceite, huevos y miel. • Tronco grande de leña que se pone en el fuego la noche de Navidad.

Solemne ceremonia de la entrega de los premios **Nobel**

NOCHEVIEJA f. Noche comprendida entre el 31 de diciembre y el 1 de enero.
NOCHIZO m. Avellano silvestre.
NOCIÓN f. *Teol.* Conocimiento o idea que se tiene de una cosa. Se usa para explicar la distinción de personas en el misterio de la Trinidad. • Conocimiento elemental. Se usa más en plural.
NOCIVO, VA adj. Dañoso, perjudicial. ■ NOCIVIDAD.
NOCLA f. Noca.
NOCTAMBULAR intr. Pasear o divertirse de noche.
NOCTÁMBULO, LA adj. Que anda vagando durante la noche. ■ NOCTAMBULISMO; NOCTÍVAGO, GA; NOCHERNIEGO, GA.
NOCTILUCA f. Luciérnaga. • Organismo microscópico luminoso de cuerpo esférico, que es propio del plancton de los mares templados.
NOCTILUCO, CA adj. Que brilla en la oscuridad.
NOCTUIDO, DA adj. y m. *Zool.* Díc. de insectos lepidópteros, mariposas de alas grises, nocturnas. • m. pl. *Zool.* Familia de estos insectos.
NOCTURNIDAD f. Calidad o condición de nocturno. • *Der.* Circunstancia agravante, resultante de ejecutarse de noche ciertos delitos.

Desfile de la **nobleza** española ante Carlos III en el Real Sitio de Aranjuez. Detalle de un cuadro de Luis Paret. Museo del Prado, Madrid

NOCTURNO, NA adj. Perteneciente o relativo a la noche, o que se hace en ella. • fig. Que anda siempre solo, melancólico y triste. • *Bot.* y *Zool.* Aplícase a los animales que de día están ocultos y buscan el alimento durante la noche, y a las plantas cuyas flores sólo se abren de noche. • m. *Rel.* Cada una de las tres partes del oficio de maitines. • *Mús.* Pieza de música, de melodía dulce, propia para recordar los sentimientos apacibles de una noche tranquila. • Serenata de carácter sentimental. ■ NOCTURNAL.
NODACIÓN f. *Med.* Impedimento ocasionado por un nodo en el juego de una articulación o en la movilidad de los tendones o los ligamentos.

NODAL adj. Perteneciente o relativo al nodo. • **Plano n.** En un sistema óptico, plano transversal que pasa por un punto nodal. • **Puntos nodales.** Los sit. en el interior de una lente gruesa en la que las prolongaciones de los rayos incidente y emergente cortan el eje óptico de la lente.

NODÁTIL adj. *Anat.* Díc. de la juntura que forman dos huesos entrando la cabeza o nudo de uno en la cavidad del otro, y que sirve para el movimiento.

NODIER, *Charles* (1870-1844) Escritor y filólogo fr. *Jean Sbogar*, *Smarra o los demonios de la noche*, *Los cuatro talismanes* (novelas); *Diccionario razonado de las onomatopeyas francesas* (filología); *El último banquete de los girondinos* (ensayo histórico).

El arca de **Noé,** en una miniatura de la Biblia de Ávila (s. XII)

NODO m. *Fís.* Punto de una onda estacionaria, que permanece siempre en reposo. • Cada uno de los extremos del diámetro de la esfera celeste según el cual se cortan los planos de dos órbitas dadas. • *Mat.* Punto en que una curva se corta a sí misma, de modo que posee dos tangentes distintas en dicho punto. • *Med.* Tumor producido por el depósito de ácido úrico en los huesos, tendones o ligamentos. • *Const.* Nudo.

NODRIZA f. Ama de cría. • **Avión n.** Avión cisterna para repostar combustible en vuelo. • **Buque n.** Barco donde pueden repostar otros.

NÓDULO m. Concreción de poco volumen. • **linfático.** Cada uno de los órganos esferoidales y pequeños constituidos por la acumulación de linfocitos, que se encuentran pralm. en el tejido conjuntivo de las mucosas.

NOÉ Último patriarca antediluviano. Recibió de Dios, cuando éste decidió destruir la Tierra con el diluvio, la orden de colocar en un arca a su familia y una pareja de cada especie animal. • **Apocalipsis de N.** Escrito pseudoepigráfico, conocido también como *Libro de N.*, del que se conservan algunos fragmentos.

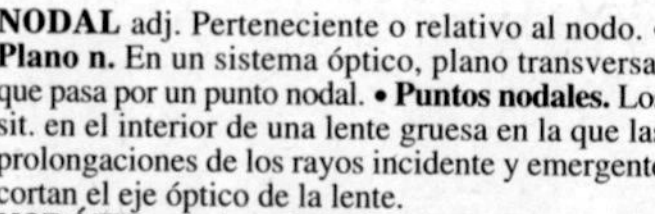

Nogal

NOÉL, *Martín* (1888-1963) Arquitecto e historiador de arte arg. Modernizó el estilo colonial y construyó edificios públicos. *Teoría histórica de la arquitectura virreinal*.

NOEMA m. *Fil.* Pensamiento en cuanto objeto o producto del pensar. Su término correlativo es *noesis*. La fenomenología husserliana es la que mayor articulación ha dado a estos vocablos.

NOGAL m. Árbol de tronco robusto y copa redondeada grande, de unos 15 m de alto. Su fruto es la nuez. De madera dura, pardo rojiza, veteada y muy apreciada en ebanistería. • Madera de este árbol.

NOGALES Mun. del NO de México, en el est. de Sonora; 53 500 hab. Sit. en la línea fronteriza con EE UU, frente a la c. hom. de Arizona. Ganadería. Minería.

Nómadas mauritanos preparando té bajo una tienda

NOGALINA f. Color de la cáscara de la nuez, usado para pintar imitando el color de nogal.

NOGUCHI, *Isamu* (1904-1988) Escultor norteam. de origen japonés. Parque de la Paz en Hiroshima (1952) y jardín de Piedras de la UNESCO, en París (1958).

NOGUERA f. Nogal, árbol.

NOGUERA, *Pedro de* (1580-1655) Arquitecto y escultor esp. Uno de los prales. del barroco per. Autor del ensamblaje de la sillería de la catedral de Lima.

NOGUERAL m. Sitio plantado de nogales. ■ NOCEDA; NOCEDAL.

NOK Nombre de una cultura africana que floreció en el NE de Nigeria entre los años 400 y 200 a. C.

NOLANÁCEO, A adj. y f. *Bot.* Díc. de plantas de la familia nolanáceas. • f. pl. *Bot.* Familia de plantas angiospermas dicotiledóneas, que comprende unas 50 especies propias de Chile, Bolivia y Perú, con flores pentámeras, ovario con numerosos rudimentos seminales, y frutos con polinúcula, con gran cantidad de semillas.

NOLASCO, FRAY ***Pedro de*** (s. XVII) Grabador fr. Autor del plano de Lima, *La ilustración de la Rosa del Perú*, *La verdadera efigie del Santo Cristo de los Milagros*.

NOLI o **NOLÍ** m. *Col.* Yesca que se obtiene de una clase de liquen.

NOLI ME TÁNGERE (loc. lat.) m. *Med.* Úlcera maligna que no se puede tocar sin peligro. • Cosa que se considera o se trata como exenta de contradicción o examen.

NOLICIÓN f. *Fil.* Acto de no querer. ■ NOLUNTAD.

NOMA f. *Pat.* Gangrena de la boca y de la cara. Aparece pralm. en los niños débiles en el curso de las enfermedades infecciosas.

NÓMADA adj. y s. Díc. del individuo o grupo humano que se desplaza continuamente a fin de asegurar su subsistencia. Generalmente son pastores, tribus que practican un tipo de cultivo primitivo o cazadores. • P. ext., animales de vida migratoria o trashumante. ■ NOMADISMO.

NOMBRADÍA f. Fama, reputación.

NOMBRADO, DA adj. Célebre, famoso.

NOMBRAMIENTO m. Acción y efecto de nombrar. • Cédula o despacho en que se designa a uno para un cargo u oficio.

NOMBRAR tr. Decir el nombre de una persona o cosa. • Hacer mención particular, gralte. honorífica, de una persona o cosa. • Elegir o señalar a uno para un cargo, empleo u otra cosa.

NOMBRE m. Palabra que se apropia o se da a los objetos o a sus calidades para hacerlos conocer y distinguirlos de otros. • Título de una cosa por el cual es conocida. • Fama, opinión, reputación o crédito. • Apodo, mote. • *Gram.* Categoría de palabras que comprende el nombre sustantivo y el adjetivo. • *Mil.* Palabra que se daba como señal secreta para reconocer a los amigos durante la noche, haciéndosela repetir. • **abstracto.** El sustantivo que no designa una cosa real, sino alguna cualidad de los seres. • **adjetivo.** *Gram.* En castellano, clase de palabras caracterizadas formalmente por poseer variación de núm. y, en general, de gén. En otras lenguas tienen también variación de caso. • **ambiguo.** *Gram.* El apelativo de cosa que se emplea como masculino y femenino. • **apelativo.** Sobrenombre. • *Gram.* El que conviene a todas las personas o cosas de una misma clase, o idénticas por alguna razón. • **colectivo.** *Gram.* El que en sing. expresa núm. determinado de cosas de una misma especie, o muchedumbre o conjunto. • **comercial.** El registrado como propiedad industrial. • **común.** *Gram.* Nombre apelativo. • El apelativo de persona que posee gén. gramatical determinado y se construye con art., adj. y pron. masculinos y femeninos para aludir a personas de uno u otro sexo. • **concreto.** *Gram.* El sustantivo que designa seres reales o que nos podemos representar como tales. • **de pila.** El que se da a la criatura cuando se bautiza. • **epiceno.** *Gram.* El apelativo, especialmente de animal, con un solo gén. gramatical para el varón o macho y para la hembra. • **genérico.** *Gram.* Nombre apelativo. • **propio.** *Gram.* El dado a persona o cosa determinada para distinguirla de las demás de su especie o clase. • **sustantivo.** *Gram.* En castellano, clase de palabras caracterizadas por poseer gén. gramatical y variación de número. • **En n. de** uno. m. adv. Actuando en representación suya. • **No tener n.** una cosa. fam. Ser una cosa incalificable, vituperable.

NOMENCLADOR m. Nomenclátor. • El que tiene la nomenclatura de una ciencia.

NOMENCLÁTOR m. Catálogo de nombres de pueblos, de sujetos o de voces de una ciencia o facultad.

NOMENCLATURA f. Conjunto de las voces técnicas propias de una ciencia o arte. • Nómina, lista de nombres de personas o cosas. • **binaria.** Denominación utilizada en biología, por la que cada especie animal o vegetal tiene asignado un nombre científico formado por dos palabras, una genérica y otra específica. Fue creada por Linné y todavía tiene plena vigencia. • **química.** Conjunto de símb. y reglas que sirven para designar biunívocamente los elementos químicos (por ej., la clasificación periódica de los elementos, de Mendeléiev) y las combinaciones entre ellos.

NOMEOLVIDES f. Flor de la raspilla. • Pulsera de metal con una placa a propósito para poner en ella alguna inscripción.

NÓMINA f. Lista o catálogo de nombres de personas o cosas. • Relación nominal de los individuos que en una oficina pública o particular han de percibir haberes, justificando con su firma haberlos recibido. • Esos haberes. • Ciertos amuletos supersticiosos.

NOMINACIÓN f. Acción y efecto de nombrar. • f. *Amér.* Proposición del nombre de un candidato para un cargo electivo. • Proposición de alguien como merecedor de una mención o premio.

NOMINADOR, RA adj. y s. Que elige y nombra para un empleo o comisión.

NOMINAL adj. Perteneciente al nombre. • Que es o existe sólo de nombre, pero que en realidad le falta todo o una parte. • Partidario del nominalismo. Aplicado a personas, se usa también como sustantivo. • Perteneciente al nominalismo.

NOMINALISMO m. *Fil.* Sistema que niega la realidad objetiva de los universales, considerándolos como meras convenciones o nombres. El término fue utilizado por primera vez en la E. Med. (Roscelino de Compiègne) y alcanzó gran difusión en el s. XV. ■ NOMINALISTA.

NOMINAR tr. Dar nombre a una persona o cosa.

NOMINATIVO, VA adj. Aplícase a los títulos e inscripciones, que han de extenderse a nombre o a favor de uno y han de seguir teniendo poseedor designado por el nombre, en oposición a los que son al portador. • m. *Gram.* Caso de la declinación que designa el sujeto de la significación del verbo y no lleva preposición. • pl. En los estudios de gramática lat., parte de la analogía que precedía a los verbos. • fig. y fam. Rudimentos o principios de cualquier facultad o arte.

NOMO m. Prov. del ant. Egipto. • División administrativa de la Grecia moderna. • Gnomo.

NOMOGRAFÍA f. Procedimiento de cálculo consistente en reemplazar las operaciones aritméticas por gráficas; la intersección de las líneas determina el valor numérico buscado.

NOMOGRAMA m. Representación gráfica que permite realizar con rapidez cálculos numéricos.

NOMON m. Reloj de sol, gnomon.

NON adj. y s. Impar. • m. pl. Negación repetida de una cosa, o el decir que no, e insistir con pertinacia en este dictamen.

NON PLUS ULTRA exp. latina que se usa en castellano como sustantivo m. para ponderar las cosas.

NONA f. Última de las cuatro partes iguales en que dividían los romanos el día artificial, y comprendía desde el fin de la novena hora temporal, a media tarde, hasta el fin de la duodécima y última, a la puesta del sol. • En el rezo eclesiástico, última de las horas menores, que se dice antes de vísperas. • pl. En el ant. cómputo romano y en el eclesiástico, el día 7 de marzo, mayo, julio y octubre, y el 5 de los demás meses.

NONADA f. Cosa de insignificante valor.

NONAGENARIO, RIA adj. y s. Que ha cumplido la edad de noventa años y no llega a la de cien.

NONAGÉSIMO, MA adj. y s. Que sigue inmediatamente en orden al o a lo octogésimo nono. • Díc. de cada una de las 90 partes iguales en que se divide un todo. • **de la eclíptica.** Punto de intersección de la eclíptica con el meridiano local superior; se encuentra, por tanto, sobre el horizonte.

NONÁGONO, NA adj. y m. *Geom.* Díc. del polígono de nueve ángulos y nueve lados. ■ NONAGONAL.

NONATO, TA adj. No nacido naturalmente, sino sacado del claustro materno. • fig. Díc. de la cosa no acaecida o no existente aún.

NONECO, CA adj. *Amér. Centr.* Tonto, simple.

NONELL, *Isidre* (1873-1911) Pintor esp. Su estilo, aunque inserto en el modernismo, profundiza especialmente en temas realistas.

NONINGENTÉSIMO, MA adj. Que sigue inmediatamente en orden al o a lo octingentésimo nonagésimo nono. • adj. y s. Díc. de cada una de las 900 partes iguales en que se divide un todo.

NONIO o **NONIUS** m. Dispositivo empleado para efectuar medidas de precisión y basado en dos escalas con movimiento relativo entre ambas, bien sea en forma lineal o circular. Por cada n divisiones de una escala, corresponde $n-1$ en la otra, y la división de esta última que coincida exactamente con la de la primera indica, con la aproximación de $1/n$, la medida efectuada.

NONIS adj. y m. *Amér. Centr.* Impar. • Único, sin rival.

NONO, NA adj. Noveno.

NONO, *Luigi* (1924-1990) Compositor it. *Il canto sospeso, Prometeo, tragedia de la audición, «Hay que caminar» sognando.*

NÓNUPLO, PLA adj. y s. Que contiene exactamente nueve veces un valor determinado.

NOPAL m. Planta cactácea de unos 3 m de alto, con tallos aplastados, formados por una serie de paletas ovales, que representan las hojas; flores grandes rojas y amarillas y, por fruto, el higo chumbo.

NOPALERA f. Terreno poblado de nopales.

NOPALITO m. *Méx.* Hoja tierna de tuna que suele comerse guisada.

NOQUE m. Pequeño estanque donde se ponen a curtir las pieles.

NOQUEAR tr. En el boxeo, dejar al adversario fuera de combate.

NORABUENA f. Enhorabuena. • adv. modo. En hora buena.

NORADRENALINA f. Hormona de la médula suprarrenal, que actúa sobre el glucógeno acumulado, elevando el contenido de glucosa en la sangre, e interviene en la transmisión del impulso nervioso.

Flores de **nomeolvides**

Tipos del proletariado barcelonés, acuarela de Isidre **Nonell.** Museo de Arte Moderno, Barcelona (España)

NORAMALA adv. modo. En hora mala.

NORAY m. *Mar.* Poste, bolardo o cualquier cosa que se utiliza para afirmar las amarras de los barcos. • *Mar.* Amarra que se da en tierra para asegurar la embarcación.

NORCOREANO, NA adj. y s. De Corea del Norte. • adj. Perteneciente a este país.

NORD, *Alexis* (1820-1910) Político y militar hait. Presid. tras la rev. de 1902. Exiliado en 1908, tras ser derrocado por Jumeau.

NORDESTE m. Punto del horizonte entre el norte y el este, a igual distancia de ambos. • Viento que sopla de esta parte. • Región o lugar sit. en esta dirección. ■ NORESTE.

NÓRDICO, CA adj. Relativo a los pueblos del norte de Europa. • *Ling.* Grupo de las lenguas germánicas del norte; como el noruego, el sueco y el danés. • **Religión n.** *Mit.* Conjunto de creencias mágico-religiosas de los ant. pueblos nórdicos. ■ NÓRTICO, CA.

NORDISTA adj. y s. Partidario del gobierno federal de EE UU durante la guerra de Secesión.

NORDRHEIN-WESTFALEN → Renania Septentrional-Westfalia.

NORESTE, *Agencia fronteriza del* (*North East Frontier Agency*; abreviado, NEFA) → Arunachal Pradesh.

NORFOLK C. y puerto de EE UU, en Virginia, a orillas del r. Elizabeth; 788 500 hab. (la agl. urb.). Puerto comercial y militar.

NORFOLK Título ducal ing. otorgado en 1397 a Thomas Mowbray y en 1483 a John Howard, cuyos descendientes ostentan la jefatura de los católicos brit., a partir de la escisión anglicana.

NORIA f. Máquina compuesta gralte. de dos grandes ruedas, una horizontal movida con una palanca a la que va sujeta una caballería, y otra vertical que engrana en la primera y que hace subir los cangilones llenos de agua. • Pozo de forma comúnmen-

Flor de **nopal**

Noria árabe en una miniatura del s. XIII. Biblioteca Vaticana

te ovalada, del cual sacan el agua con la máquina. • fig. y fam. Cualquier asunto en que, sin adelantar nada, se trabaja mucho y se anda como dando vueltas. • Artilugio de ferias y parques de diversiones que consiste en una rueda que gira verticalmente y de la que cuelgan asientos.

NORMA f. Escuadra para arreglar y ajustar los maderos, piedras y otras cosas. • fig. Regla sobre la manera como se debe hacer o está establecido que se haga una determinada cosa. • En las gramáticas normativas, tipo de elementos que se consideran modélicos. • Regla que determina las condiciones de la realización de una operación o las dimensiones y características de un objeto o producto. • *Mat.* Referido a vectores, sinónimo de módulo.

Normandía. El *Gran Horloge* de Ruán

NORMAL adj. Díc. de lo que se halla en su estado natural. • Que sirve de norma o regla. • Díc. de lo que por su naturaleza, forma o magnitud se ajusta a ciertas normas fijadas. • adj. y f. *Geom.* Sinónimo de perpendicular. • adj. *Quím.* Díc. de las disoluciones que poseen un equivalente gramo de soluto por cada litro de disolución. • f. Escuela normal.

NORMALIDAD f. Calidad o condición de normal. • *Quím.* Una de las maneras de expresar la concentración de soluto en una disolución. Las disoluciones normales se designan con la letra N, y las concentraciones múltiplos y submúltiplos de orden *a* se expresan por *a* N.

NORMALIZACIÓN f. Acción y efecto de normalizar. • *Ind.* En lenguaje técnico, sometimiento de las dimensiones y calidades de los productos industriales y del proceso productivo de los mismos a una norma para racionalizar y uniformar la fabricación. ■ NORMALIZAR; *Amér.* NORMAR.

NORMALIZADO, DA adj. Sujeto a norma. • m. *Metal.* Tratamiento térmico que se da a los aceros para que queden con los constituyentes y características propios o normales de su composición. • adj. Díc. del acero o de las piezas de este material que han sido sometidas al tratamiento de normalizado.

NORMANDÍA (*Normandie*) Región de Francia, ant. prov. que abarca las circunscripciones de Alta N. (12 317 km², 1 737 200 hab.) y Baja N. (17 589 km², 1 391 300 hab.). Los normandos se establecieron en ella en 911, post. fue ing., y desde 1467 definitivamente incorporada a Francia. • **Desembarco de N.** El de los aliados, durante la II Guerra Mundial, en las costas de N. (6 junio 1944).

NORMANDO, DA adj. y s. De Normandía. • *Hist.* Los pueblos procedentes de Escandinavia, también llamados *vikingos*, que en la alta E. Med. realizaron incursiones y conquistas por diversas regiones costeras de Europa. Entre los ss. IX y XI, descubrieron Islandia y Groenlandia y llegaron a las costas de América. ■ NORMANO, NA.

La ciudad noruega de Bergen, a orillas del mar del **Norte**

NORMATIVO, VA adj. Que sirve de norma. • f. Conjunto de normas aplicables a una determinada materia o actividad.

NORNORDESTE m. Punto del horizonte entre el norte y el nordeste, a igual distancia de ambos. • Viento que sopla de esta parte. ■ NORNORESTE.

NORNOROESTE m. Punto del horizonte entre el norte y el noroeste, a igual distancia de ambos. • Viento que sopla de esta parte. ■ NORNORUESTE.

NOROCCIDENTAL, *planicie costera* Llanura aluvial de México, al S del desierto de Sonora. Clima tropical. Agricultura. C. prales.: Ciudad Obregón, Culiacán, Mazatlán, Los Mochis.

NORODOM I (1835-1904) Rey de Camboya [1859-1904]. En 1863 firmó un tratado que colocaba al país bajo protectorado fr., lo que provocó tensiones con Siam. Ante un nuevo tratado (1884) que reforzaba el protectorado fr., N. se rebeló y organizó guerrillas, pero en 1887 fue vencido. • **Sihanuk** → Sihanuk, Norodom.

NOROESTE m. Punto del horizonte entre el norte y el oeste, a igual distancia de ambos. • Viento que sopla de esta parte.

NOROESTE, *Frontera del* (*North West Frontier*) → Frontera del Noroeste. • ***Territorios del*** (*North west Territories*) Región del N de Canadá, casi despoblada; 3 426 320 km², 58 000 hab. Cap., Yellowknife. Accidentada por los montes Mackenzie. Comercio de pieles, explotación forestal; uranio, oro.

NORRISH, *Ronald George Wreyford* (1897-1978) Físico y químico brit. Premio Nobel en 1967, por sus investigaciones sobre las sustancias de vida corta.

NORRKÖPING C. y puerto de Suecia, en la prov. de Östergötland, en el golfo de Braviken; 118 500 hab. Ind. textil, metalúrgica, material eléctrico, naval.

NORTADA f. Continuación de viento norte fresco que sopla por algún tiempo seguido.

NORTE m. Polo ártico. • Lugar de la Tierrra o de la esfera celeste que cae del lado del polo ártico, respecto de otro con el cual se compara. • Punto cardinal del horizonte, que cae frente a un observador a cuya derecha esté el oriente. • Viento que sopla de esta parte. • Estrella polar. • fig. Dirección, guía, con alusión a la estrella polar, que sirve de guía a los navegantes. • fig. Meta, fin a que se tiende o que se pretende conseguir. • **magnético.** Dirección a que demora el polo del mismo nombre.

NORTE, *cabo* Saliente de la costa Noruega, la más septentrional de Europa. • ***Canal del*** Estr. sit. entre Irlanda y Escocia, que comunica el N del mar de Irlanda con el Atlántico. • ***Guerra del*** Lucha de Suecia, las Provincias Unidas e Inglaterra contra Dinamarca, Polonia y Rusia (1700-1721). Las primeras victorias fueron para Suecia, pero luego Rusia venció a Suecia en Poltava (1709), apoderándose de casi todas las posesiones suecas en el Báltico. La guerra finalizó con las paces de Estocolmo (1719-1720), Nystad (1721) y Frederiksborg, entre las potencias aliadas y Suecia. • ***Isla del*** (*North Island*) Una de las dos prales. islas que forman Nueva Zelanda; 115 777 km², 2 553 300 hab. • ***mar del*** Masa de agua salada que forma parte del Atlántico y que baña las costas de Francia, Gran Bretaña, Bélgica, Países Bajos, Alemania, Dinamarca y Noruega. Su profundidad media es de 94 m.

NORTE Chico Región natural de Chile, entre Chile Central y el Norte Grande. Clima estepario. Surcada por valles que descienden de los Andes. • **Grande** Región natural del N de Chile, entre la cord. de la Costa y los Andes. Clima muy árido. Desiertos y salares. Nitratos, cobre, molibdeno.

NORTE DE SANTANDER Dpto. del centro-E de Colombia, que limita al E con Venezuela; 21 658 km², 1 162 474 hab. Cap., Cúcuta o San José de Cúcuta. Relieve formado por el sector septentrional de la cord. Oriental andina, cuyas cumbres, que descienden de S a N desde 3 000 a 1 500 m, dividen las cuencas del r. Magdalena, al O, y la del lago Maracaibo, al E. Clima cálido y lluvioso al N, frío y seco hacia el S. Café, caña de azúcar, frijol, yuca, maíz; ganado vacuno y ovino; carbón, petróleo (yacimientos de Río de Oro, Tibú, Petrólea, Cabonera y Río Zulia), ind. textil, mecánica, alimentaria, centrada en Cúcuta, que además es un imp. centro comercial.

NORTEAMERICANO, NA adj. y s. De América del Norte. • De los Estados Unidos de América.

NORTEAR tr. Observar el norte para la dirección del viaje, especialmente por mar. • intr. Declinar hacia el norte el viento reinante. • Hacer rumbo al N.

NORTEÑO, ÑA adj. Relativo al norte. • Que está sit. en la parte norte de un país.

NORTE-PAS-DE-CALAIS Región fr.; 12 414 km², 3 965 100 hab. Cap., Lille.

NORTE-SUR, *Conferencias* *Econ.* y *Pol.* Las que, desde 1975, celebran representantes de los países industrializados (EE UU, Japón, y los del Mercado Común Europeo) y de los países productores de materias primas. Impulsadas por Francia para tratar las repercusiones del aumento del precio del petróleo.

NORTHAMPTON C. de Gran Bretaña, en Inglaterra, cap. del condado de Northamptonshire; 156 800 hab. Sit. a orillas del Nene, es un importante centro de la ind. del calzado y de curtidos.

NORTHROP, *John Howard* (1891-1987) Químico norteam., especializado en la química biológica, obtuvo en estado cristalino la pepsina y la tripsina. Premio Nobel de Química en 1946.

NORTINO, NA adj. y s. *Chile* y *Perú.* Habitante de las provincias del norte del país.

NORUEGA (*Kongeriket Norge*) Estado del NO de Europa, en la zona occidental de la pen. Escandinava. Org. política: monarquía constitucional. Grupos étnicos o nacionales: noruegos, lapones, fineses. *Rel.*: mayoría protestante, católicos. U. M.: corona. Cap., Oslo; c. prales.: Trondheim, Bergen.

* *Geog. fís.* Los Alpes Escandinavos están divididos por una depresión de Trondheim. Al N de la misma, los relieves alcanzan alt. de hasta 2 000 m., y al S. se distinguen una zona alpina y otra inte-

Noruega. Zona portuaria de Oslo

rior formada por la penillanura. Persisten circos y lenguas glaciares. Las costas están formadas por un conjunto de islas, islotes y peñascos; entre los cauces se abren fiordos. Los r. son de origen glaciar. Clima ártico en el N. y templado frío en el S.

* *Geog. econ.* N. posee un elevado nivel de vida. La agricultura (cereales, patatas, hortalizas, frutas) tiene escasa imp. De los bosques (25,7 % de la superficie) se obtiene materia prima para la ind. papelera. Ganadería ovina y bovina. La riqueza tradicional ha sido la pesca ballenera. Minería de hierro, cobre, molibdeno, titanio y plomo. Petróleo en el mar del Norte. Ind. siderometalúrgica, química, naval, del plástico, textil y petroquímica.

* *Hist.* No se conoce como nación hasta el s. IX, tiempo en que Harold I unificó gran parte del territorio. El tratado de Kalmar (1397) la unió a los demás países escandinavos. Tras la defección sueca, en 1523, permaneció bajo dominio danés hasta 1814, en que fue cedida a Suecia. Se proclamó indep. en 1905. Durante la II Guerra Mundial fue invadida por los al. y tuvo un gobierno colaboracionista. En 1957, Olaf V sucedió en el trono a Haakon VII. En 1972 se celebró un referéndum por el que N. no se incorporó a la CEE, y que provocó la dimisión del primer ministro Trygve Bratteli. Sin embargo, volvió a formar gobierno tras las elecciones generales de 1973. En 1976, fue sustituido por Oddvar Nordlí. En 1981, accedió al poder una mujer, Gro Brundtland. Sustituida a los pocos meses por el gobierno conservador de Kare Willoch, en 1986 asumió de nuevo el cargo de primer ministro. En las elecciones de septiembre de 1989 retrocedieron los partidos tradicionales en favor del Partido del Progreso y de Izquierda Socialista. Formó gobierno Jan P. Syre tras la renuncia nor. a la CEE y de endurecer la posición de la nación en la EFTA. En 1991 murió Olaf V y accedió al trono Harald V. Tras la victoria del No en el referéndum por la integración en la UE (1996), Brundtland, primera ministra desde 1990, dimitió. En 1997 se celebraron elecciones tras las cuales el democristiano K. Magne Bondevik asumió la jefatura del gobierno.

* *Lit.* Los Eddas, Escaldas y Sagas recogen la tradición y el mito, emparentados con la épica al. En la E. Med. se mezclaron la leyenda y los temas religiosos. Con el romanticismo se impulsó el sentimiento nacionalista (Wergeland, Welhaven). El drama de Ibsen y Björnson representan el apogeo del periodo moderno. Notable mov. novelista en el s. XX (Lie, Hamsun, Undset, Kinck).

NORUEGO, GA adj. y s. De Noruega. • adj. Relativo a este país. • m. Idioma de Noruega.

NORWICH C. de Gran Bretaña, cap. del condado de Norfolk; 122 300 hab. Ind. textil y de calzado. Construcciones mecánicas. Edificios del s. XI.

NOS Una de las dos formas del dativo y el acusativo del pronombre personal de primera persona en gén. masculino o fem. y número pl. No admite preposición y se puede usar como sufijo.

NOSOCOMIO m. *Med.* Hospital.

NOSOLOGÍA f. Parte de la medicina, que tiene por objeto describir, diferenciar y clasificar las enfermedades. ■ NOSOLÓGICO, CA.

NOSOTROS, TRAS Nominativo masculino y fem. del pron. pers. de primera persona en número pl.

NORUEGA

Superficie 323 877 km²

Población 4 370 000 hab. (13 hab./km²)

Recursos económicos	
Avena	420 000 t
Cebada	150 000 t
Colza	15 000 t
Trigo	350 000 t
Ganadería	
Cabaña bovina	1 003 000 cabezas
Cabaña ovina	2 316 000 cabezas
Carne	238 000 t
Renos	203 900 cabezas
Riqueza forestal	8 744 000 m³
Pesca	2 551 476 t
Producción minera	
Carbón	301 000 t
Cinc	15 900 t
Cobre	7 400 t
Gas natural	31 298 millones de m³
Hierro	1 599 000 t
Níquel	3 300 t
Petróleo	125 143 000 t
Plomo	3 300 t
Producción industrial	
Acero	503 000 t
Ácido sulfúrico	615 000 t
Aluminio	906 200 t
Cadmio	288 t
Cemento	1 613 000 t
Cerveza	2 273 000 hl
Cinc	131 900 t
Energía eléctrica	113 389 millones de kwh
Fertilizantes	446 000 t
Naval	147 000 t
Indicadores sociológicos	
PNB	136 077 millones de dólares
Renta per cápita	31 250 dólares
Esperanza de vida	78 años
Alfabetismo	99 %

Mapa de situación y bandera de **Noruega**

Con preposición empléase también en los casos oblicuos. Algunos escritores suelen aplicarse el número pl.

NOSTALGIA f. Pena de verse ausente de la patria o de los deudos o amigos. • fig. Tristeza melancólica que causa el recuerdo de algún bien perdido. ■ NOSTÁLGICO, CA.

NOSTICISMO m. Gnosticismo. ■ NÓSTICO, CA.

NOSTRADAMUS Seud. de *Michel de Nostredame* (1503-1566) Astrólogo fr., médico de Carlos IX y autor de profecías y almanaques.

NOSTRAMO, MA m. y f. Nuestramo, ma. • m. *Mar.* Tratamiento dado a los contramaestres.

NOSTRUAMO m. *Amér. Centr.* El Santísimo Sacramento.

NOTA f. Marca o señal que se pone en una cosa para darla a conocer. • Reparo que se hace a un libro o escrito, que por lo regular se suele poner en los márgenes. • Advertencia, explicación, comentario o noticia de cualquier clase que en impresos o manuscritos va fuera del texto. • Reparo o censura desfavorable que se hace de las acciones y porte de una persona. • Fama, concepto, crédito • Calificación de un tribunal de examen. • Apuntamiento de algunas especies o materias para extenderlas después o acordarse de ellas. • Comunicación diplomática que dirigen, en nombre de sus respectivos gobiernos, ya el ministerio de Asuntos Exteriores a los representantes extranjeros, ya éstos a aquél, o que cruzan unos y otros entre sí. • *Der.* Especie de apuntamiento muy sucinto acerca de los recursos de casación civil por infracción de ley. • *Mús.* Cualquiera de los signos de que usan los músicos para representar los sonidos. • Cualquiera de estos sonidos. • **marginal.** En los registros públicos, asiento de circunstancias relativas a la inscripción pral. o al instrumen-

Noruega. El fiordo Geiranger

Nouvelle vague. Jeanne Moreau en un fotograma del filme *La novia vestía de negro*, de François Truffaut

Novalis

to matriz. • **oficiosa.** Noticia de los proyectos o acuerdos del gobierno u otras autoridades que se comunica a la prensa antes de su publicación oficial. • **verbal.** Comunicación diplomática, sin firma, sin autoridad obligatoria y sin los requisitos formales ordinarios, que por vía de simple observación, o recuerdo se dirigen entre sí el ministro de Asuntos Exteriores y los representantes extranjeros.

NOTA BENE loc. latina que significa *nota, observa* o *repara bien*, que se utiliza para llamar la atención hacia alguna particularidad.

NOTABLE adj. Digno de nota, reparo o atención. • Díc. de lo que es grande y excesivo, por lo cual se destaca en su línea. • Una de las calificaciones usadas en los centros de enseñanza. • m. pl. Personas prales. en una localidad o en una colectividad.

NOTACIÓN f. Acción y efecto de notar. • Anotación. • Escritura musical. • Sistema de signos convencionales adoptados para expresar ciertos conceptos matemáticos, químicos, etc.

NOTAR tr. Señalar una cosa para que se conozca o se advierta. • Reparar, observar o advertir. • Apuntar brevemente una cosa. • Poner notas, advertencias o reparos a los escritos o libros. • Dictar uno para que otro escriba. • Censurar, reprender las acciones de uno. • Causar descrédito o infamia.

NOTARIA f. Mujer del notario. • Mujer que ejerce el notariado.

NOTARÍA f. Oficio de notario. • Oficina donde despacha el notario.

NOTARIADO, DA adj. Díc. de lo que está autorizado ante notario o abonado con fe notarial. • m. Ejercicio de notario. • Colectividad de notarios.

NOTARIO m. Funcionario público autorizado para dar fe de los contratos, testamentos y otros actos extrajudiciales, conforme a las leyes. • El que escribe al dictado. ■ NOTARIAL; NOTARIATO.

NOTICIA f. Noción, conocimiento. • Divulgación o publicación de un hecho. • El hecho divulgado.

NOTICIAR tr. Dar noticia o hacer saber una cosa.

NOTICIARIO m. Película cinematográfica en que se ilustran sucesos de actualidad. • Programa de radio o televisión en el que se transmiten noticias. • Sección de un periódico en la que se dan noticias diversas, gralte. breves.

NOTICIERO, RA adj. Que da noticias. • m. y f. Persona que da noticias como oficio.

NOTICIÓN m. fam. Noticia extraordinaria o poco digna de crédito.

NOTICIOSO, SA adj. Sabedor o que tiene noticia de una cosa. • Erudito.

NOTIFICADO, DA adj. y s. Se aplica al sujeto a quien se ha hecho la notificación.

NOTIFICAR tr. Hacer saber una resolución de la autoridad con las formalidades preceptuadas para el caso. • Por ext., dar extrajudicialmente, con propósito cierto, noticia de una cosa. ■ NOTIFICACIÓN; NOTIFICATIVO, VA.

NOTO, TA adj. Sabido, notorio. • Bastardo o ilegítimo. • m. Austro. • **bóreo.** Mov. del mar en que sus aguas se mueven del austro hacia el septentrión, esto es, desde las regiones de origen del viento del Norte hacia las del bóreas, o al contrario.

NOTOCORDIO m. *Zool.* Varilla cartilaginosa que constituye el soporte exclusivo del cuerpo en las formas primitivas de los cordados. ■ NOTOCORDA.

NOTOGEA adj. y f. *Biol.* Díc. de la zona biogeográfica que comprende el continente australiano, caracterizada por la falta de serpientes o escorpiones y por la presencia de monotremas, marsupiales, aves del paraíso, emús, etc.

NOTORIO, RIA adj. Público y sabido de todos. • Evidente, claro. ■ NOTORIEDAD.

NOTTINGHAM C. de Gran Bretaña, cap. del condado hom.; 271 100 hab. Sit. a orillas del Trent. Ind. textil, química y de la confección. Manufacturas de tabacos.

NOTUNGULADO, DA adj. y m. *Zool.* Díc. de animales del orden notungulados. • m. pl. *Zool.* Orden de mamíferos fósiles que vivieron durante la era terciaria, pralm. en América del Sur y Asia.

NOUAKCHOTT C. y puerto de Mauritania, cap. del país desde 1957; 135 000 hab. Pesca.

NOUIRA, *Hedi* (1911-1993) Político tunecino. Secretario general del partido Destur (1942-1954 y desde 1969). Primer ministro desde 1975, hubo de renunciar por enfermedad en 1980.

NOUMENO m. *Fil.* Término gr. que significa «lo inteligible», y como tal contrapuesto, desde Platón, a lo sensible, a lo fenoménico. Para Kant, n. equivale a la «cosa en sí» y se opone al fenómeno.

NOUS m. *Fil.* Término gr. que significa inteligencia, facultad de pensar.

NOUVELLE vague Movimiento cinematográfico fr., surgido a mediados del s. XX, bajo cuyo nombre («nueva ola») se agruparon algunos directores (Truffaut, Chabrol, Godard, Resnais, Malle y Varda) con afán renovador. Su órgano de expresión fue *Cahiers du cinéma.*

NOVA adj. y f. *Astr.* Díc. de la estrella fija de poco brillo que debido a su explosión aumenta bruscamente y de modo muy notable su luminosidad.

NOVA, *Juan de* (m. 1509) Navegante esp. Descubridor de las islas de Ascensión y Santa Elena.

NOVA IGUAÇÚ C. del SE de Brasil, en el est. de Río de Janeiro; 1 094 700 hab. Centro industrial.

NOVA SCOTIA → Nueva Escocia.

NOVACIANO (m. h. 258) Hereje y antipapa rom., fundador del cisma (incapacidad de la Iglesia para perdonar los pecados después del bautismo) que lleva su nombre. Escribió *De Trinitate*, *De cibis iudaicis*, *De bono pudicitiae*, etc.

NOVALIS Seud. de *Friedrich Leopold von Hardenberg* (1772-1801) Poeta romántico al. *Himnos a la noche* y *Cantos espirituales*. Dejó dos novelas inacabadas: *Los discípulos de Sais* y *Enrique de Ofterdingen.*

NOVARA C. de Italia, cap. de la prov. hom.; 102 600 hab. Ind. textil, química, metalúrgica. Escenario de batallas famosas (1513 y 1849).

Novecentismo. *La ampurdanesa*, óleo de J. Sunyer

NOVARRO, *Ramón* (1899-1966) Actor mex. que trabajó en EE UU. Se convirtió en el sucesor de Rodolfo Valentino y alcanzó gran fama durante la época del cine mudo, siendo su mejor actuación el papel interpretado en la película *Ben-Hur*.

NOVATADA f. Broma o burla hecha por los miembros de una colectividad a los compañeros novatos. • P. ext., contariedad o tropiezo que proviene de inexperiencia en algún asunto o negocio.

NOVATO, TA adj. y s. Nuevo o principiante.

NOVECENTISMO m. Movimiento estético e intelectual que se manifiesta en España a partir de 1900. Entre sus representantes se cuentan Ortega y Gasset, Eugenio d'Ors, Gregorio Marañón y el novelista Pérez de Ayala.

NOVECIENTOS, TAS adj. Nueve veces ciento. • Noningentésimo, ordinal. • m. Conjunto de signos con que se representa el núm. novecientos.

NOVEDAD f. Calidad de nuevo. • Estado de las cosas recién hechas, aparecidas u ocurridas. • Mutación, cambio que se introduce o surge en una cosa. • Ocurrencia reciente, noticia. • Alteración en la salud. • fig. Extrañeza o admiración que causan las cosas nuevas. • pl. Géneros o mercaderías de moda.

NOVEDOSO, SA adj. Que implica novedad.

NOVEL adj. Nuevo, principiante o sin experiencia en las cosas. Se aplica sólo a personas.

NOVELA f. Obra literaria del género narrativo, que se distingue del relato y del cuento por su extensión y carácter durativo. Como éstos, busca interesar y distraer al lector por medio de la descripción de sucesos, caracteres o costumbres. • **bizantina.** Género novelesco desarrollado en España

NOVAS Y SUPERNOVAS

1

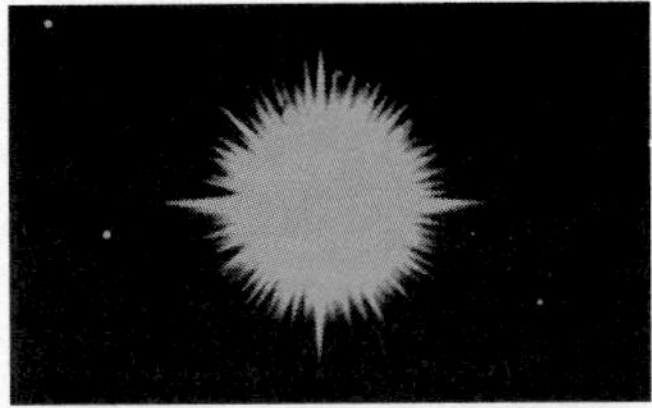

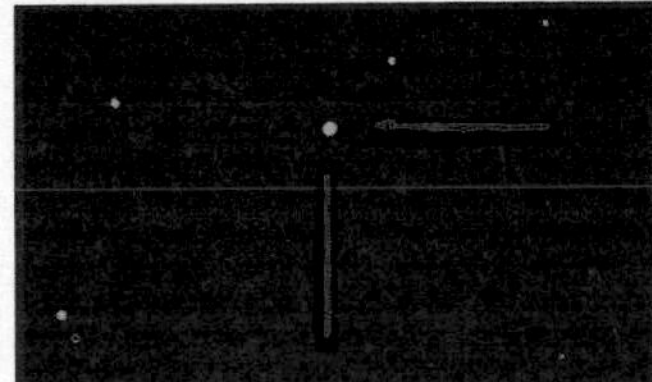

2

1. Las novas son estrellas cuyo flujo luminoso se multiplica bruscamente por 10^5. En nuestra galaxia se observan en media dos novas al año. Las novas pertenecen a sistemas constituidos por una enana blanca y una gigante roja cuya atmósfera está en expansión, por lo que perturba la capa de hidrógeno que recubre a la enana blanca. La explosión se produce cuando el helio situado bajo esta capa interviene en nuevas reacciones termonucleares. Estas dos fotografías muestran a la Nova Hércules 1934 en su momento de mayor luminosidad y dos meses más tarde, una vez ya finalizado el cataclismo.

3

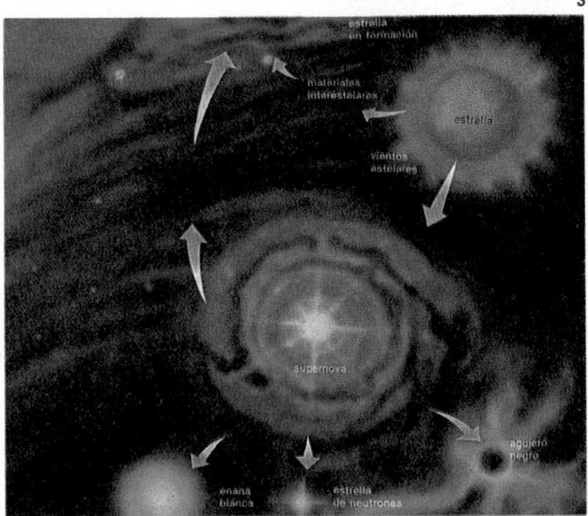

2. y 3. En el caso de las supernovas, el flujo luminoso se multiplica por 10^{10}. En el presente milenio,en nuestra galaxia se han observado sólo tres supernovas: la primera fue observada por astrónomos chinos en 1054 en la constelación de Tauro y dio como resultado la nebulosa de Cáncer, con un púlsar en el centro; la segunda por Tycho Brahe en 1572 en la constelación Casiopea (2); y la tercera por Kepler y Galileo en 1604 en la constelación Ofiuco. Existen dos tipos de supernovas. Las de tipo I corresponden a una enana blanca que, merced a su fuerte campo gravitatorio, adquiere masa arrancándola de una compañera cercana, con lo cual reanuda su colapso y el aumento de temperatura resultante conduce a una nueva sucesión de reacciones termonucleares que provocan su explosión y completa destrucción. Las supernovas de tipo II se producen cuando una estrella de gran masa se colapsa, de manera que en su núcleo los protones y electrones se combinan en neutrones y neutrinos. Cuando por la resistencia de los neutrones degenerados el colapso se detiene, la energía gravitatoria liberada es transportada al exterior por los neutrinos y las ondas de choque, con lo que se destruye la envoltura gaseosa de la estrella, y ésta deja tras de sí una estrella de neutrones, que puede detectarse como púlsar (3).

en los ss. XVI y XVII, a imitación de la novela gr. • **de caballerías.** Libro de caballerías. • **de ciencia ficción.** Género narrativo fantástico basado en unos presuntos logros científicos o técnicos, más o menos avanzados respecto a la fecha en que se escribe la novela. • **histórica.** Género narrativo que desarrolla la acción en épocas pasadas, con personajes reales o ficticios. • **morisca.** La cultivada en España en el s. XVI, que describe peripecias entre moros y cristianos. • **pastoril.** La cultivada en los ss. XVI-XVII, que narra aventuras amorosas de pastores idealizados. • **picaresca.** La cultivada en los ss. XVI-XVII, que narra las peripecias de un pícaro. • **por entregas.** La que, con escasa calidad literaria, narraba peripecias melodramáticas y se distribuía en fascículos periódicos (ss. XIX-XX). • **rosa.** La que narra las vicisitudes de dos enamorados. • **sentimental.** Género cultivado en España en los ss. XV-XVI, que relata una historia amorosa con final trágico.

* *Lit.* **Evolución del género.** Surge como transformación prosificada de la epopeya clásica. La Antigüedad clásica la conoció en épocas de decadencia y de modo imperfecto. La n. *caballeresca* (*Amadís de Gaula*) narra la vida de héroes fabulosos. En el Renacimiento aparece la n. *sentimental.* La n. *pastoril* tiene como tema los amores entre zagalas y pastores, con un fondo idílico. La n. *picaresca* es una creación esp. (*El Lazarillo de Tormes*, etc.). *El Quijote*, de Cervantes, cierra el ciclo de la ant. n. de aventuras e incia la n. moderna. En el s. XVIII, predomina la n. *sentimental* (*El vicario de Wakefield*, *La nueva Eloísa*, *Werther*) que anuncia el romanticismo. La n. europea alcanza su época de esplendor en el s. XIX, con el realismo. En Francia sobresalen Balzac, Stendhal, Flaubert y Zola, creadores de la n. *naturalista.* En Inglaterra, Dickens. En Rusia Tolstoi, Dostoievski y Turguèniev. En Italia Manzoni, y en España, Alarcón, Valera, Pereda, Pérez Galdós y «Clarín». Exponentes de la renovación del s. XX son el *Ulises*, de Joyce; *En busca del tiempo perdido*, de Proust; *La montaña mágica*, de Th. Mann; *Contrapunto*, de Huxley; *El lobo estepario*, de H. Hesse, y *El proceso*, de Kafka. Merece especial atención la narrativa hispanoamericana (Vargas Llosa, Cortázar, García Márquez), que ha creado una alternativa nueva a la n. en lengua española. La narrativa típicamente contemporánea es una «obra abierta», según expresión de Umberto Eco. • **Técnicas narrativas.** Los recursos que utiliza el autor para mantener la atención del lector se conocen como la «retórica de la ficción» o «poética» de la narración. En la *mimesis* se incluye al narrador como un personaje más de la trama. Con el *objetivismo*, el autor cuenta, en tercera persona, lo que ve. *El monólogo interior* es una técnica muy usada en la narrativa actual. Con el *perspectivismo múltiple* se rompe el desarrollo lineal del argumento al narrar varios personajes un hecho desde su punto de vista.

NOVELAR tr. Referir un suceso con forma o apariencia de novela. • intr. Componer o escribir novelas. • fig. Contar, publicar cuentos y patrañas.

NOVELERÍA f. Acción o inclinación a novedades. • Afición o inclinación a fábulas o novelas, a leerlas o a escribirlas. • Cuentos, fábulas o novedades fútiles.

NOVELERO, RA adj. y s. Amigo de novedades, ficciones y cuentos. • Deseoso de novedades, o que las esparce. • Inconstante y vario en el modo de proceder.

NOVELESCO, CA adj. Propio o característico de

Novela. Portada de una edición de *Cien años de soledad*, de Gabriel García Márquez

las novelas. • Fingido, de pura invención. ■ NOVELÍSTICO, CA.
NOVELISTA com. Persona que escribe novelas. ■ NOVELADOR, RA.
NOVELÍSTICA f. Tratado histórico o preceptivo de la novela. • Literatura novelesca.
NOVELIZAR tr. Dar a alguna narración forma y condiciones novelescas.
NOVELÓN m. Novela extensa, y por lo común muy dramática y mal escrita.
NOVENA f. Acto de devoción que se practica durante nueve días. • Libro en que se contienen las oraciones para estos ejercicios. • Sufragios y ofrendas por los difuntos, aunque se cumplan en menos de nueve días.
NOVENO, NA adj. Que sigue inmediamente en orden al o a lo octavo. • adj. y s. Díc. de cada una de las nueve partes iguales en que se divide un todo. • m. Canon o renta que paga el cultivador al dueño, cuando consiste en la novena parte de los frutos.
NOVENTA adj. Nueve veces diez. • Nonagésimo, ordinal. • m. Conjunto de signos con que se representa el núm. noventa.
NOVENTAVO, VA adj. Nonagésimo, partitivo.
NOVENTÓN, NA adj. y s. Nonagenario.
NÓVGOROD C. de Rusia, a orillas del río Voljov; 220 000 hab. Ind. textil, maderera. Cap. de un principado ruso independiente (ss. XII al XIV). En el s. XV, fue anexionada por Iván III. Ocupada en 1941-1944 por las tropas al.
NOVI, ***Alevisio*** Arquitecto it., activo a finales del s. XV y principios del XVI. Proyectó la muralla que circunda todo el conjunto del Kremlin de Moscú.
NOVIAZGO m. Condición o estado de novio o novia. • Tiempo que dura. • Relaciones que se mantienen durante este tiempo.
NOVICIADO m. Tiempo destinado para la probación en las religiones, antes de profesar. • Casa o cuarto en que habitan los novicios. • Conjunto de novicios. • Régimen y ejercicio de los novicios. • fig. Tiempo empleado en aprender cualquier facultad o arte.
NOVICIO, CIA m. y f. Persona que no ha profesado todavía en la religión cuyo hábito ha tomado. • adj. y s. fig. Díc. del principiante en cualquier arte o facultad. • fig. Persona muy arreglada en sus acciones, especialmente en la modestia.
NOVIEMBRE m. Undécimo mes del año. Era el noveno mes (de ahí su nombre) del calendario romano, antes de la reforma juliana.
NOVIERO, RA adj. *Amér. Centr.* Enamorizado.
NOVILLADA f. Conjunto de novillos. • Lidia o corrida de novillos.
NOVILLERO m. El que cuida de los novillos cuando los separan de la vaca. • *Taur.* Lidiador de novillos. • Corral o cobertizo donde separan y encierran los novillos. • Parte de dehesa reservada para pastar los novillos y para paridera de las vacas. • fam. El que hace novillos o se huye.
NOVILLO, LLA m. y f. Res vacuna de dos a tres años, en especial cuando no está domada. • m. fig. y fam. Sujeto a quien hace traición su mujer. • *Chile* y *Méx.* Ternero castrado. • pl. Novillada, lidia de novillos. • **Hacer n.** fam. Dejar uno de asistir a alguna parte contra lo debido o acostumbrado, especialmente los escolares.

Talla alegórica del mes de **noviembre.** Catedral de Parma, Italia

NOVILUNIO m. Fase del ciclo lunar en la cual el Sol y la Luna tienen igual ascensión recta. Si se prescinde de la inclinación de la órbita lunar, el n. corresponde a la alineación Tierra-Luna-Sol.
NOVIO, VIA m. y f. Persona recién casada. • La que está próxima a casarse. • La que mantiene relaciones amorosas con propósito de matrimonio. • m. fig. El que entra de nuevo en una dignidad o estado. • *Bot. Col., Ecuador* y *Ven.* Planta geraniácea de flores rojas, rosadas, blancas o jaspeadas.
NOVISAD C. de Servia, cap. de la prov. autónoma de Vojvodina, a orillas del Danubio; 169 800 hab. Puerto fluvial. Ind. metalúrgica.
NOVÍSIMO, MA adj. sup. de nuevo. • m. *Teol.* Cada una de las cuatro postrimerías del hombre que son: muerte, juicio, infierno y gloria. Se usa más en plural.
NOVO, ***Salvador*** (1904-1974) Escritor mex. Miembro del grupo «Los Contemporáneos». Autor de obras teatrales, poesía y narrativa. *XX poemas, Espejo, Nuevo amor, Dueño mío.*

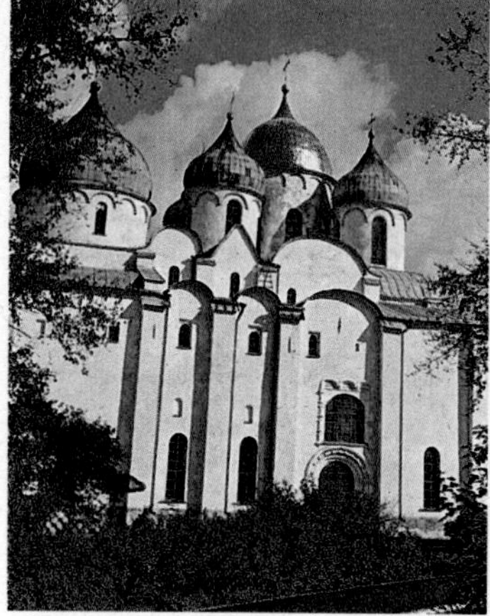
Nóvgorod. Edificio del kremlin

NOVOKUZNETSK C. de Rusia, en Siberia occidental, a orillas del río Tom, afluente del Obi; 577 000 hab. Imp. centro siderúrgico y de ind. química.
NOVOSIBIRSK C. de Rusia, en Siberia, a orillas del río Obi; 1 393 000 hab. Constituye un imp. nudo ferroviario y activo centro administrativo y comercial. Ind. metalúrgica, mecánica, textil, de la construcción y alimentaria.
NOVOTNY, ***Antonin*** (1904-1975) Político checo. Cofundador del Partido Comunista chec. Presid. de la rep. de 1957 a 1968.
NOXA f. Dimisión del esclavo o del animal que causaba daño, que eximía al dueño de indemnizar.
NUBADA o **NUBARRADA** f. Chaparrón de agua en un determinado lugar. • fig. Concurso abundante de algunas cosas.
NUBARRÓN m. Nube grande y densa separada de las otras.
NUBE f. *Meteor.* Aglomeración de diminutas gotas de agua y de cristales de hielo suspendidos a diferentes alt. en las capas bajas de la atmósfera, por lo general en la troposfera. • Agrupación de cosas, como el polvo, gran núm. de aves o insectos que oscurece el Sol, a semejanza de las nubes. • fig. Abundancia, multitud de una cosa. • fig. Cualquier cosa que oscurece o encubre otra. • Sombra que aparece en las piedras preciosas, oscureciendo sus luces. • Pequeña mancha blanquecina que se forma en la capa exterior de la córnea ocular, oscureciendo la vista como si pasaran los rayos luminosos a través de una nube. • **ardiente.** Masa de cenizas, gases y otros fragmentos volcánicos incandescentes, originada en erupciones altamente explosivas; con frecuencia, sus efectos son devastadores. • **de verano.** La tempestuosa que suele presentarse en el verano con lluvia fuerte y repentina, y que pasa rápidamente. • fig. Disturbio o disgusto pasajero. • **Nubes de Magallanes.** *Astr.* Las dos galaxias más cercanas a la nuestra, ambas visibles desde el hemisferio meridional. Debido a su proximidad, son de enorme interés para la investigación acerca de su materia constituyente.
NUBIA *(Nubiya)* Región del NE de África, que comprende el valle del Nilo desde la primera catarata. Limitada por el mar Rojo y el desierto de Libia. Algodón, palma datilera, caña de azúcar; oro, manganeso.
NÚBIL adj. Díc. de la persona que ha llegado a la edad apta para el matrimonio, y más propiamente de la mujer. ■ NUBILIDAD.
NUBIO, A adj. y s. Habitante de Nubia. • adj. Relativo a esta región.
NUBLADO m. Nube, especialmente la que amenaza tempestad. • fig. Suceso que produce riesgo inminente de adversidad o daño, o que causa inquietud. • fig. Multitud, abundancia, exceso de cosas que caen o se ven reunidas. ■ NUBLOSO, SA.

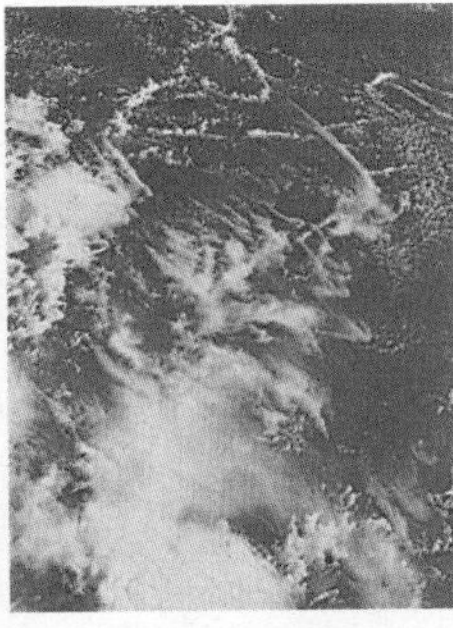

Diferentes tipos de **nubes:** de izquierda a derecha, cúmulonimbos, cúmulos y cirros

NUBLAR tr. y prnl. Cubrirse de nubes. • tr. fig. Oscurecer, empañar, amortiguar. • prnl. Desvanecerse alguna cosa que se deseaba o pretendía.
NUBLO, BLA adj. Cubierto de nubes. • m. Nube que amenaza tempestad. • Honguillo o tizón de los cereales.
NUBOSO, SA adj. Cubierto de nubes. • fig. Desgraciado, amenazador. ■ NUBOSIDAD.
NUCA f. Parte alta de la cerviz, correspondiente al lugar en que se une el espinazo con la cabeza.
NUCHE m. *Col.* Larva que se introduce en la piel de los animales.
NUCLEADO, DA adj. Que está provisto de núcleo. Se emplea especialmente en biología.
NUCLEAR Relativo al núcleo.
NUCLEICO, CA Perteneciente o relativo al núcleo. • **Ácidos nucleicos.** *Biol.* Compuestos de gran peso molecular, estables, y con poder de autoduplicación. Se clasifican en ribonucleicos (ARN) y desoxirribonucleicos (ADN), según que contengan ribosa o desoxirribosa.
NUCLEIDO m. Núclido.
NÚCLEO m. Almendra o parte mollar de los frutos que, como la nuez, tienen cáscara dura. • fig. Elemento primordial al cual se van agregando otros para formar un todo. • Parte más densa y luminosa de un astro. • *Biol.* Orgánulo celular que contiene los cromosomas. • En electrotecnia, material ferromagnético sobre el que se desarrollan las inductancias. • *Mat.* Subconjunto de elementos a los que corresponde el elemento neutro de otro conjunto por un morfismo. • **atómico.** *Fís.* Parte del átomo que viene determinada por el núm. másico del mismo. • **terrestre.** *Geog.* Capa más interna del globo terrestre, que se extiende desde los 2 900 km de profundidad hasta el centro de la Tierra.
* *Biol.* Está rodeado por una membrana doble llamada carioteca, en su interior posee un jugo nuclear o cariolinfa, inmersa en él se localiza la cromatina, posee toda la información genética del organismo y rige la vida celular y la reproducción.
* *Fís.* Las ideas actuales acerca de la estructura del n. vienen determinadas por los fenómenos de dispersión de partículas α, de neutrones y de electrones por parte del n., que permiten averiguar el radio de éste; por el cálculo del defecto de masa del n., que permite hallar la energía media de enlace por nucleón; por la abundancia media de isótopos y la determinación de los momentos eléctrico y magnético de los n. y del espín nuclear, que permiten establecer una distribución de los nucleones.
NUCLEOLADO, DA adj. Que posee núcleo. Se emplea especialmente en biología.
NUCLEOLO o **NUCLÉOLO** m. *Biol.* Corpúsculo diminuto, único o múltiple, sit. en el interior del núcleo celular y que, a diferencia de la cromatina, es teñido por los colorantes ácidos de la anilina. Su función parece estar relacionada con la organización de los cromosomas durante la división celular.
NUCLEÓN m. *Fís.* Partícula constitutiva del núcleo atómico, como los protones y los neutrones.
NUCLEOPROTEÍNA f. *Biol.* Proteido formado por la unión química de una proteína, gralte. de naturaleza básica (histona), y de un grupo prostético constituido por un ácido nucleico.
NÚCLIDO f. *Fís.* Especie atómica caracterizada por la constitución de su núcleo. Un mismo elemento puede presentar n. diferentes; p. ej., el uranio 235 y el uranio 238 son núclidos distintos.
NUCO m. *Chile.* Ave de rapiña, nocturna, semejante a la lechuza.
NUDIBRANQUIO, A adj. y m. *Zool.* Díc. de moluscos gasterópodos marinos, carentes de concha, de pequeño tamaño y colores vivos y brillantes.
NUDILLO m. Parte exterior de cualquiera de las articulaciones de los dedos, por donde se unen los huesos de que se componen. • Cada uno de los puntos que forman la costura de las medias. • Zoquete o pedazo corto y grueso de madera que se empotra en la fábrica para clavar en él una cosa; como las vigas de techo, marcos de ventana, etc.
NUDISMO m. Desnudismo.
NUDISTA adj. y s. Desnudista.

Nubia. Templo rupestre de Abu Simbel

NUDO m. Lazo que se estrecha y cierra de modo que con dificultad se puede soltar por sí solo y que, mientras más se tira de cualquiera de los dos cabos, más se aprieta. • En los árboles y plantas, parte del tronco por la cual salen las ramas, y en éstas, parte por donde arrojan los vástagos. • En algunas plantas y raíces de ellas, parte que sobresale algo y por donde parece que están unidas las partes de que se compone; como en las cañas, bejucos, etc. • Bulto o tumor que suele producirse en los tendones o en los huesos, por enfermedad de aquéllos, o por rotura de éstos cuando se vuelven a unir. • Ligamen. • Enlace o trabazón de los sucesos que preceden a la catástrofe o el desenlace, en los poemas épico y dramático y en la novela. • fig. Pral. dificultad o duda en algunas materias. • fig. Unión, lazo, vínculo. • Lugar en donde se unen o cruzan dos o más sistemas de montañas. • *Mar.* Refiriéndose a la velocidad de una nave, equivale a millas marinas por hora. • **ciego.** El difícil de desatar. • **en la garganta.** Impedimento que estorba el tragar, hablar y algunas veces respirar. • fig. Aflicción o congoja que impide el explicarse o el hablar. • **gordiano.** El que ataba al yugo la lanza del carro de Gordio, ant. rey de Frigia, el cual dicen que estaba hecho con tal artificio, que no se podían descubrir los dos cabos. • fig. Cualquier nudo, muy enredado o imposible de

Nudos marineros

desatar. • fig. Dificultad insoluble. • **marinero.** El muy seguro y fácil de deshacer a voluntad.

NUDO, DA adj. Desnudo.

NUDOSIDAD f. *Med.* Tumefacción o induración circunscrita en forma de nudo.

Nueva Delhi. Puerta Delhi en el Fuerte Rojo

NUDOSO, SA adj. Que tiene nudos o nudosidades.

NUECECILLA f. dim. de nuez. • *Bot.* Masa parenquimatosa rodeada por dos membranas que constituye la mayor parte del óvulo de los vegetales.

NUERA f. Respecto a una persona, mujer de su hijo.

NUESTRAMO, MA Contracción de pron. y sustantivo masculino y femenino. Nuestro amo, nuestra ama.

NUESTRO, TRA, TROS, TRAS Pron. pos. de primera persona en gén. m. y fem. Con la terminación del primero de estos dos gén. en singular, empléase también como n. Referido a un solo poseedor al aplicárselo personas de elevada jerarquía o un escritor. • **Los nuestros.** Los del mismo partido, profesión o naturaleza.

Retrato de Antonio de Mendoza, nombrado en 1535 primer virrey de **Nueva España**

NUEVA f. Noticia de una cosa que no se ha dicho o no se ha oído antes.

NUEVA ANDALUCÍA Ant. nombre de la costa N de Colombia, que se concedió a Alonso de Ojeda (1508) para su conquista y gobernación. • Nombre con que se designó, en los primeros tiempos de la dominación esp. en América, la zona oriental de Venezuela, formada aproximadamente por los actuales estados Anzoátegui, Sucre, Delta Amacuro, Monagas, Bolívar y Amazonas, y por las Guayanas.

NUEVA BRETAÑA (*New Britain*) Isla del arch. Bismarck, en Papuasia-Nueva Guinea; 36 519 km^2, 222 800 hab. En 1946 integrada en la Commonwealth australiana.

NUEVA BRUNSWICK (*New Brunswick*) Prov. del SE de Canadá; 73 440 km^2, 724 000 hab. Cap., Fredericton. Núcleo pral. Saint John. La pral. actividad es la explotación forestal. Leche; cereales, patatas; pesca; producción hidroeléctrica.

NUEVA CALEDONIA (*Nouvelle-Calédonie*) Isla de Oceanía que forma parte del territorio fr. de ultramar hom. y de la que depende el arch. de Lealtad; 19 058 km^2, 145 400 hab. Cap., Numea. Desde 1972 se han producido manifestaciones y huelgas por la indep. El referéndum para decidir sobre la misma, en 1987, fue boicoteado por los independentistas canacos (43 % de la pob.). En 1988 se iniciaron negociaciones entre éstos y el gobierno fr. En 1998 se acordó un período de transición de quince años para celebrar un referéndum por la independencia del archipiélago.

NUEVA CASTILLA Nombre que se dio al territorio del Perú que comprendía la gobernación de Francisco Pizarro. En 1534 tenía 270 leguas y limitaba al S con la de Almagro.

Nueva Guinea. Vista de Port Moresby

NUEVA DELHI (*Ni Dilli*) Cap. de la Unión India; 294 100 hab. Se trata de la parte moderna de la ant. c. de Delhi. Fue edificada entre 1912 y 1929 e inaugurada en 1931, bajo dominio brit. Tras el asesinato de I. Gandhi (octubre 1984), escenario de violentos enfrentamientos entre hindúes y sikhs.

NUEVA ESCOCIA (*Nova Scotia*) Prov. del SE de Canadá que comprende la pen. de Acadia y la isla de Cabo Bretón; 55 490 km^2, 900 000 hab. Cap., Halifax; c. prales.: Dartmouth y Sidney. Relieve poco accidentado (montes de Cobequid). Explotación forestal y ganadera. Pesca. Hulla, hierro, salinas. Ind. siderometalúrgica y papelera.

NUEVA ESPAÑA Virreinato esp. en América, fundado en 1535. Formado por cuatro audiencias: México, La Española (con Veracruz, Cuba y Puerto Rico), Nueva Galicia y Guatemala. En algunos periodos su jurisdicción se extendió hasta Venezuela y Filipinas. Estaba organizado en cabildos o ayuntamientos. La unidad de explotación era la hacienda, regida por un encomendero. Los indígenas estaban sujetos a trabajo forzoso. La explotación de las minas de plata de San Luis Potosí y Zacatecas siguió el mismo régimen. Las *Leyes Nuevas* (1542), que reducían las encomiendas, quedaron en letra muerta por la oposición de los terratenientes. Existió la esclavitud, sobre todo en los primeros tiempos, en que se importó mano de obra africana. El entramado social lo formaban los criollos y la gran masa de pob. desposeída, faltando en absoluto las clases medias. La iglesia desarrolló una intensa actividad misionera y logró propiedades y riquezas. Los jesuitas fueron expulsados en 1767. El primer virrey, Antonio de Mendoza, sofocó la primera rebelión indígena (1542); y el último, Juan O'Donojú (1821), reconoció la indep. de México. En el s. XVIII, se dio la época de mayor prosperidad, con virreyes que atendieron al desarrollo de las economías locales y emprendieron planes de urbanización.

NUEVA ESPARTA Est. insular del NE de Venezuela, formado por las islas Margarita, Coche y Cubagua, sit. al N de la pen. de Araya; 1 150 km^2, 358 633 hab. La isla pral., Margarita (934 km^2), está formada por dos sectores montañosos unidos por un cordón arenoso y por la laguna de Arestinga. El sector occidental, la pen. de Macanao, es menos elevado que el oriental, que alcanza los 1 200 m. Clima tropical, con precipitaciones escasas. La actividad pral. es la pesca. La agricultura (maíz, frijoles, caña de azúcar) se reduce al valle del Asunción. Otras actividades son las ind. derivadas de la pesca, las alimentarias y la explotación de salinas.

NUEVA EXTREMADURA Nombre que se dio al territorio mex. que comprendía Coahuila y Texas durante la dominación española.

NUEVA FRANCIA Nombre del Canadá fr. hasta la paz de París (1763).

NUEVA GALES DEL SUR (*New South Wales*) Est. del SE de Australia; 801 400 km^2, 5 405 100 hab. Cap., Sydney; c. prales.: Newcastle y Wollongong. Accidentada de N a S por la Gran Cordillera Divisoria, en la que aparece el punto más alto del país (monte Kosciusko: 2 230 m).

NUEVA GALICIA Región del ant. virreinato de Nueva España (actual México), que comprendía los actuales est. de Zacatecas, Nayarit, Aguascalientes, la mayor parte de Jalisco y parte de San Luis Potosí, Sinaloa y Durango. Se encontraron ricas minas de plata en Zacatecas, Guanajuato y San Luis Potosí.

NUEVA GERONA C. de Cuba, cap. del mun. de Isla de la Juventud; 58 400 hab.

NUEVA GRANADA, *República de* Denominación de Colombia de 1831 a 1858.

NUEVA GUINEA Isla de Oceanía, sit. al N de Australia, entre los arch. de Melanesia e Indonesia y bañada por el Pacífico; 785 000 km^2, 4 000 000 hab. C. prales.: Yayapura, Port Moresby. Dividida en dos sectores: la mitad E, que forma el Est. de Papua-Nueva Guinea, indep. desde 1973, y la O, que corresponde a la prov. indonesia de Irian Occidental, cuya administración fue concedida por la ONU en 1963, aunque post. Indonesia la anexionó.

NUEVA HAMPSHIRE (*New Hampshire*) Est. del NE de EE UU; 24 032 km^2, 1 109 000 hab. Las prales. c. son Concord, la cap., y Manchester. Las White Mountains, al N, representan el sector más elevado del territorio. El pral. es el Merrimack. Clima continental. Agricultura; ind. del calzado y pieles, maquinaria, textil (lana y algodón). Es uno de los trece est. que formaron la primitiva confederación americana.

NUEVA INGLATERRA (*New England*) Nombre histórico del terr. del NE de EE UU, que comprende los est. de Maine, Nueva Hampshire, Vermont, Massachusetts, Rhode Island y Connecticut.

NUEVA IRLANDA (*New Ireland*) Isla del arch. de Bismarck, en Papua-Nueva Guinea; 9 600 km^2,

65 700 hab. Cap., Kavieng. Montañosa y selvática. Copra.

NUEVA JERSEY (*New Jersey*) Est. del NE de EE UU; 20 169 km², 7 730 000 hab. Cap., Trenton. Accidentado al NO por la vertiente marítima de los Apalaches. R. Delaware y Hudson, que desembocan en las bahías hom. Clima templado. Agricultura. Ganadería.Petróleo. Ind. química.

NUEVA LOJA Cap. de la prov. ecuat. de Sucumbíos, en el centro de la prov., a orillas del r. Aguarico; 13 165 hab.

NUEVA OCOTEPEQUE C. de Honduras, cap. del dpto. de Ocotepeque; 6 979 hab.

NUEVA ORLEANS (*New Orleans*) C. de EE UU, en el est. de Luisiana, a orillas del Misisipí; 557 500 hab. El ant. núcleo de la c. lo constituye el *Vieux Carré*, de origen fr. Imp. puerto fluvial (exportación de algodón, cereales, soja y petróleo). Ind. textil, alimentaria, metalúrgica; refinerías de petróleo. Fue fundada en 1717-1718 y vendida por Francia a EE UU en 1803. La guerra de Secesión detuvo su expansión.

NUEVA SAN SALVADOR o **SANTA TECLA** C. de El Salvador, cap. del dpto. de La Libertad; 116 600 hab.

NUEVA SEGOVIA Dpto. del N de Nicaragua, limítrofe con Honduras; 3 594 km², 122 100 hab. Cap., Ocotal. Región montañosa avenada por el r. Coco o Segovia y sus afluentes. Ganadería, explotación forestal y minería (oro, cobre, plata). Yacimientos de hierro y canteras de mármol.

NUEVA SIBERIA (*Novosibir*) Arch. de Rusia en el Ártico, que separa el mar de Laptev y el de Siberia oriental.

NUEVA VIZCAYA Región mex. constituida por los actuales est. de Durango, Chihuahua y parte de Coahuila, durante la dominación española.

NUEVA YORK (*New York*) Est. del NE de EE UU fronterizo con Canadá; 127 190 km², 18 175 000 hab. Cap., Albany, c. prales.: Nueva York, Buffalo, Rochester, Syracuse y Utica. Relieve formado por una serie de valles y mesetas. Los valles del Hudson y del Mohawk representan la pral. vía de comunicación. Clima frío y húmedo. Sector agropecuario especializado en el abastecimiento de las grandes ciudades. Petróleo, gas natural, cinc; ind. papelera, editorial, curtidos, confección, maquinaria, cemento. En 1775, fue sede del Congreso que aprobó la declaración de independencia. • C. de EE UU, sit. en el est. hom., y emplazada sobre un conjunto de valles glaciares invadidos por el mar, que comprenden: el estuario del Hudson, la bahía de Newark, la isla de Manhattan, rodeada por el Hudson, el East River y el Harlem River, y la isla de Long Island, separada del continente por el Long Island Sound. Esta situación la convierte en el pral. puerto de intercambio con Europa. Es la c. más pob. de EE UU, con una densidad de 8 000 hab./km². Cuenta con 7 381 000 hab., que alcanzan los 19 938 000 en el área metropolitana. En sus 814 km² se asientan cinco *boroughs* (distritos): Manhattan, que ha crecido alrededor de Wall Street; Brooklyn y Queens son barrios de comercio y residencia; Richmond, de función residencial e industrial; y Bronx. El área industrial ocupa la fachada occidental de Long Island, la periferia de Manhattan, las orillas del Hudson y la bahía de Newark. La pob. cuenta con minorías de negros, latinoamericanos, europeos y asiáticos, que se ven marginados en *ghettos*, como Harlem o East Side. N.Y. es el punto más imp. de la política económica del mundo capitalista, y centro mundial del arte. Son característicos los rascacielos: Empire State Building, Rockefeller Center y la sede de la ONU, obra de W. K. Harrison y Le Corbusier. En septiembre de 2001 N.Y. fue objeto de un ataque terrorista que derribó las Torres Gemelas del World Trade Center, los rascacielos más altos de la ciudad, en el S de Manhattan, ocasionando miles de muertos y desaparecidos.

NUEVA ZELANDA (*New Zealand*) Estado de Oceanía constituido por un arch., sit. en el Pacífico, y separado de Australia por el mar de Tasmania. Está formado por la Isla Norte (*North Island*), por la Isla Sur (*South Island*), separadas por el estr. de Cook, y por un conjunto de pequeñas islas (Stewart y Chatham). Pluviosidad elevada en la Isla Sur, y temperaturas más suaves en la Isla Norte. R. Waikato, en la Isla Norte y el Waitaki en la Isla Sur. Ganadería; explotación forestal; lignito, hulla, ind.

NUEVA ZELANDA

Superficie 270 534 km²

Población 3 653 000 hab. (13 hab./km²)

Recursos económicos	
Acero	766 000 t
Cabaña ovina	47 144 000 cabezas
Carbón	2 991 000 t
Carne	1 281 000 t
Cebada	398 000 t
Cerveza	3 552 000 hl
Energía eléctrica	32 416 000 000 kwh
Lana	226 000 t
Mantequilla	310 000 t
Neumáticos	1 389 000 unidades
Oro	12 000 kg
Pesca	493 239 t
Riqueza forestal	16 833 000 m³
Trigo	250 000 t

Indicadores sociológicos	
PNB	51 655 millones de dólares
Renta per cápita	14 340 dólares
Esperanza de vida	76 años
Alfabetismo	100 %

del cemento, cervecera, papelera. Lenguas: ing. (of.), maorí. *Rel.*: Protestantismo, catolicismo, judaísmo. U. M.: dólar neozelandés. Cap., Wellington; c. pral es.: Auckland, Christchurch, Dunedin.

* *Hist.* Habitado desde el s. XIV por pueblos polinesios (maoríes). Descubierto por A . Tasman en 1769. En 1840, Gran Bretaña concertó el tratado de Waitangi con los maoríes. Los excesos de los colonos brit. desencadenaron las guerras maoríes (1843-1848 y 1860-1869). En 1851, colonia de la Corona, y en 1907, *dominion* de la Commonwealth. Nacionalistas y laboristas han ganado tradicionalmente las elecciones, a excepción de las de 1978, en que triunfó la Liga de Crédito Social Agrario. En 1984 y 1987 fue elegido primer ministro el laborista D. Lange y en 1990 y 1993, el nacionalista Jim Bolger. En 1996 una coalición de centroizquierda ocupó la jefatura del gobierno.

NUEVA ZEMBLA (*Novaia Zemlia*) Arch. de Rusia, en el océano Ártico, entre el mar de Barents y el de Kara; 82 600 km². Explorado por la expedición de Lütke.

NUEVAS HÉBRIDAS → Vanuatu.

NUEVE adj. Ocho y uno. • Noveno, ordinal. • Aplicado a los días del mes, se usa también como sustantivo. • m. Signo o cifra con que se representa el número nueve. • Carta o naipe que tiene nueve señales.

NUEVO, VA adj. Recién hecho o fabricado. • Que se ve o se oye por primera vez. • Repetido o reiterado para renovarlo. • Distinto o diferente de lo aprendido antes. • Que sobreviene o se añade a una cosa anterior. • Recién llegado a un país o lugar. • Novicio, principiante. • fig. En oposición a viejo, díc. de lo que está poco o nada usado. • Díc. del producto agrícola de cosecha recentísima, para distinguirlo del almacenado de cosechas anteriores. • **De n.** m. adv. Otra vez, reiteradamente.

NUEVO LAREDO C. de México, en el est. de Tamaulipas, sit. en la frontera con EE UU, está separada de la c . norteam. de Laredo por el río Bravo; 217 912 hab. Aduana. Centro comercial. Ind. textil, alimentaria y del calzado.

NUEVO LEÓN Est. del NE de México, limítrofe con EE UU; 64 555 km², 3 826 240 hab. Cap., Monterrey; c. prales.: Guadalupe y Montemorelos. En el relieve se distinguen dos regiones, la sierra Madre Oriental, que en la parte occidental cruza el est. en dirección NO-SE, y al E la planicie Tamaulipeca, que desciende hasta el valle del r. Bravo. Los r. pertenecen a la vertiente atlántica y son afl. del r. Bravo: Salado y San Juan. El clima es semiárido en la zona montañosa y templado lluvioso en la llanura. Naranjas, maíz, papa, vid, productos hortícolas; ganado vacuno (Sierra Madre); plomo, hierro, cinc; ind. siderúrgica, metalúrgica, mecánica, química, textil, del calzado, alimentaria.

Nueva Zelanda. Arriba, mapa de situación y bandera; abajo, el estrecho Milford en la Isla Sur

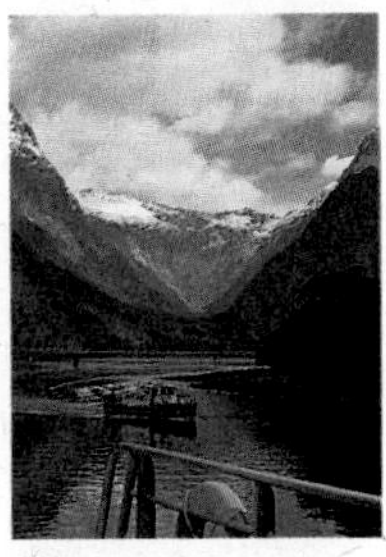

Nueva Zelanda. Vista de Plimmerton

Luis de Carvajal conquistó el terr. (1582), al que llamó reino de Nuevo León. Post., integrado en la Comandancia general de las Provincias Internas.

NUEVO MÉXICO (*New Mexico*) Est. del SO de EE UU, fronterizo con México; 314 925 km², 1 515 000 hab. Cap., Santa Fe; c. prales.: Albuquerque, Las Cruces, Roswell. El N y O están accidentados por las montañas Rocosas, y la parte oriental está ocupada por el Llano Estacado. Avenado por el Grande. Clima semiárido. Algodón, heno, trigo, sorgo, cacahuete, remolacha azucarera; ganadería; uranio, petróleo, gas natural, potasio, cobre, cinc; ind. maderera, alimentaria, artes gráficas, refino de petróleo.

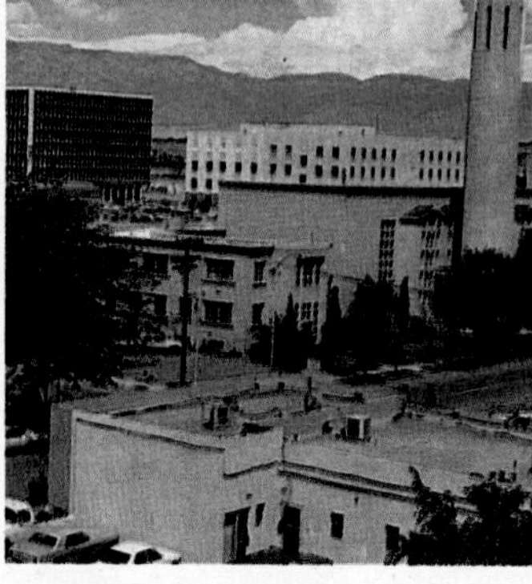

Nuevo México. Vista de Albuquerque

Nuez moscada

NUEVO MUNDO Pico de los Andes bol. (6 020 m), en la cordillera Real u Oriental.

NUEVO MUNDO Nombre dado por los esp. al continente amer.

NUEVO SANTANDER Nombre que se dio al territorio mex. correspondiente al actual estado de Tamaulipas, tras su colonización iniciada en 1746.

NUEVO Testamento Nombre general de la colección de escritos de la Biblia, posterior al advenimiento de Jesucristo.

NUEVO TOLEDO Nombre que se dio al territorio chileno concedido a Almagro (1534) para su conquista, el cual se extendía 200 leguas al S de Nueva Castilla.

NUEZ f. Fruto del nogal. Drupa ovoide, de 3 o 4 cm de diámetro, cuyo endocarpio duro, pardusco y rugoso, encierra la semilla desprovista de albumen y con dos cotiledones gruesos, oleaginosos y comestibles. • Prominencia que forma el cartílago tiroides en la parte anterior del cuello del varón adulto. • **moscada.** Semilla de la mirística, de forma ovoide, que se emplea como condimento y para extraer su aceite.

Ruinas de **Numancia**

NUJOMA, *Sam* (nacido 1929) Político de Namibia, dirigente independentista. Presidente del SWAPO.

NULIDAD f. Calidad de nulo. • Vicio que disminuye o anula la estimación de una cosa. • Incapacidad, ineptitud.

NULÍPARA adj. y f. Díc. de la mujer que no ha dado a luz ningún hijo.

NULO, LA adj. Falto de valor y fuerza para obligar o tener efecto, por ser contrario a las leyes o defectuoso en la forma. • Incapaz, física o moralmente, para una cosa. • Ninguno, ni uno solo.

NUMANCIA Ant. c. de España, junto a la actual Soria. Habitada por celtíberos. Resistió a los rom. durante 20 años. Destruida por Escipión Emiliano.

NUMANTINO, NA adj. y s. De Numancia. • adj. Relativo a esta ant. ciudad.

NUMEA (*Nouméa*) C. y cap. de Nueva Caledonia, en la costa SO de la isla; 60 100 hab.

NUMEN m. Cualquiera de los dioses fabulosos adorados por los gentiles. • Inspiración.

NUMERABLE adj. Que puede ser numerado y representado por un número. • *Mat.* Díc. de un conjunto que puede ponerse en correspondencia biunívoca (biyectiva) con el conjunto de los núm. naturales.

Pintada común, ave de la familia **numídidos**

NUMERACIÓN f. Acción y efecto de numerar. • Arte de expresar, de palabra o por escrito, todos los núm. con una cantidad limitada de vocablos y de caracteres o guarismos. • **arábiga** o **decimal.** Sistema hoy casi universal, que, con el valor absoluto y la posición relativa de los diez signos introducidos por los ár. en Europa, puede expresar cualquier cantidad. • **romana.** La que usaban los romanos y que expresa los núm. por medio de siete letras del alfabeto latino (I, V, X, L, C, D, M), un símb. multiplicador (–) que se coloca encima de la letra o grupo de letras que se desea hacer mil veces mayor, y un conjunto de reglas para evitar la multiplicidad de escritura para un mismo número. • **Sistema de n.** Método de representación de los núm. utilizando un conjunto finito de signos, llamados cifras, de modo que en la escritura de un núm. el significado de cada cifra depende de ella misma (valor absoluto) y del lugar que ocupa (valor relativo).

NUMERADOR, RA adj. Que numera. • adj. y s. Díc. de los dispositivos usados para numerar. • adj. y m. *Mat.* En una fracción, díc. del término que se halla sobre la raya de quebrado.

NUMERAR tr. Contar según el orden creciente de los núm. naturales. • Expresar numéricamente una cantidad. • Marcar con números. • En la ind. textil, determinar el número o relación entre la longitud y el peso de un hilo.

NUMERARIO, RIA adj. Que es del núm. o perteneciente a él. • adj. y s. Díc. del individuo que forma parte con carácter fijo del núm. de los que componen determinada corporación. • m. Moneda acuñada o dinero efectivo.

NUMÉRICO, CA adj. Relativo a los números. • Compuesto o ejecutado con ellos.

NÚMERO m. *Mat.* Expresión de la cantidad computada con relación a una unidad. • *Gram.* Accidente gramatical que expresa si las palabras se refieren a una sola persona o cosa o a más de una. • **abstracto.** El que no se refiere a unidad de especie determinada. • **atómico.** *Quím.* Núm. de cargas elementales positivas del núcleo de un átomo. • **complejo.** El que es adición de uno imaginario y uno real. • **cuántico.** *Fís.* Cada uno de los que sirven para determinar la órbita de un electrón en el átomo. • **de Avogadro.** El que indica la cantidad de moléculas que hay en el volumen molar de un gas. • **entero.** El que consta exclusivamente de una o más unidades completas, y puede ser positivo o negativo. • **fraccionario.** Núm. quebrado. • **imaginario.** El que es representado por la raíz de índice par de un n. negativo. • **natural.** El entero positivo. • **quebrado.** El que expresa una o varias partes alícuotas de la unidad. • **racional.** El que puede expresarse en forma fraccionaria. • **real.** El que es límite común de dos sucesiones monótonas convergentes. • **N. congruentes.** Díc. del par de núm. enteros que divididos por un núm. natural, llamado módulo, dan restos iguales. ■ NUMERAL.

NÚMEROS, *Libro de los* El cuarto de los cinco libros de que consta el Pentateuco.

NUMEROSIDAD f. Multitud numerosa.

NUMEROSO, SA adj. Que incluye gran núm. o muchedumbre de cosas. • Armonioso, que tiene proporción. • pl. Muchos. Se usa más ante sustantivo.

NUMERUS CLAUSUS (exp. latina) m. Número limitado de personas que pueden ser admitidas en un lugar o cargo.

NÚMIDA adj. y s. De Numidia. • adj. Perteneciente o relativo a esta región ant. de África septentrional. ■ NUMÍDICO, CA.

NUMIDIA Ant. región del N de África cuyos límites correspondían aproximadamente a los de la actual Argelia. Primero reino independiente, fue convertida en prov. romana tras la victoria de César en Tapso (46 a. C.).

NUMÍDIDO, DA adj. y m. *Zool.* Díc. de aves galliformes africanas, con la cabeza gralte. desprovista de plumas, y con el plumaje vistosamente coloreado.

NUMISMA m. Moneda acuñada.

NUMISMÁTICA f. Ciencia que trata del conocimiento de las monedas y medallas, pralm. de las antiguas.

NUMISMÁTICO, CA adj. Relativo a la numismática. • m. y f. Persona que profesa esta ciencia o tiene en ella especiales conocimientos.

NUNCA adv. tiempo. En ningún tiempo. • Ninguna vez. • **N. jamás.** m. adv. Nunca, con sentido enfático.

NUNCIATURA f. Cargo o dignidad de nuncio. • Tribunal de la rota de la nunciatura apostólica en España. • Casa en que vive el nuncio y está su tribunal.

NUNCIO m. El que lleva aviso, noticia o encargo de un sujeto a otro, enviado a él para este efecto. • Representante diplomático del papa que ejerce, además, como legado, ciertas facultades pontificias. • fig. Anuncio o señal. • **apostólico.** Nuncio del papa.

NUNCUPATORIO, RIA adj. Aplícase a las cartas o escritos con que se dedica una obra, o en que se nombra e instituye a uno por heredero o se le confiere un empleo.

NUNES, *Pedro* (hacia 1492-1577) Matemático y cosmógrafo port. Se le atribuye la invención del nonio.

NÚÑEZ, *Hernán*, llamado EL PINCIANO (1475-1553) Filólogo y humanista esp. Cotraductor, al latín, de la Biblia Políglota Complutense. Sucesor de Nebrija en la universidad de Salamanca. • ***José*** (s. XIX) Presid. de Nicaragua en 1838, independizó al país de las Provincias Unidas de Centroamérica. • ***Rafael*** (1825-1894). Político y escritor col. Presid. de la rep. en cuatro ocasiones. Fundador del mov. político *La Regeneración*, durante el cual se promulgó la constitución de 1886. Autor de la letra del himno nacional. • **Cabeza de Vaca, *Álvar*** → Cabeza de Vaca, Álvar Núñez. • **De Arce, *Gaspar*** (1834-1903) Político y escritor esp. *El haz de leña* (drama histórico), *Gritos de combate*, *La última lamentación de lord Byron*, *Raimundo Lulio*. • **De Arenas, *Manuel*** (1886-1951) Político e historiador esp. Cofundador del Partido Comunista Obrero Español (1921). *Notas sobre el movimiento obrero español, Don Ramón de la Sagra, reformador social y España, de la ilustración al romanticismo*. • **De Balboa, *Vasco*** → Balboa, Vasco Núñez de. • **De Cáceres, *José*** (1772-1846) Político dom. En 1921 proclamó la indep. de la parte occidental de la colonia esp. de la Dominicana, a la que denominó Haití español. • **De Pineda y Bascuñán, *Francisco*** (1607-1682) Político y escritor chil. Gobernador de Valdivia. *Cautiverio feliz y razón de las guerras dilatadas de Chile*. • **De Reinoso, *Alonso*** (s. XVI) Escritor esp. Su obra *Historia de los amores de Clareo y Florisea* influyó en el *Persiles* de Cervantes. • **Vela, *Blasco*** (m. 1546) Primer virrey de Perú. Trató de aplicar las leyes de protección a los indígenas. Su política le enemistó con la Audiencia de Lima y con G. Pizarro, quien le derrotó y dio muerte en la batalla de Ayaquito.

NUÑO m. *Chile*. Planta de la familia iridáceas, de raíces fibrosas y flores rosadas.

NUPCIALIDAD f. Índice de nupcias o matrimonios, que se obtiene dividiendo el núm. anual de matrimonios por el núm. de habitantes de una población.

NUPCIAS f. pl. Boda. ■ NUPCIAL.

NUQUE m. *Amér. Centr.* Nuca.

NURÉIEV, *Rudolf* (1938-1993) Bailarín sov., nacionalizado brit. Uno de los mejores bailarines del s. XX. Autor de coreografías. *Tancredo y Clorinda*, *Romeo y Julieta*, *Manfred*.

NUREMBERG *(Nürnberg)* C. de Alemania, en Baviera, junto al r. Pegnitz; 468 300 hab. Centro comercial e industrial. • **Proceso de N.** El celebrado en 1945-1946, en N., ante un tribunal internacional, contra el partido nazi y otras organizaciones, bajo la acusación de crímenes de guerra cometidos durante la II Guerra Mundial.

NURISTÁN (ant., *Kafiristán)* Región del NO de Afganistán; 12 950 km^2. Avenada por el Kabul.

NURSE (voz ing.) f. Niñera.

Torre de una antigua fortificación en **Nuremberg**

NUTACIÓN f. Mov. observado en un cuerpo giroscópico, que es la resultante entre el mov. de precesión y un mov. oscilatorio armónico según el eje de rotación. • Mov. de curvatura de un órgano vegetal por crecimiento desigual de los lados opuestos.

NUTRIA f. Mamífero carnívoro, de pelaje denso y suave. Vive en las aguas dulces de Europa, donde se alimenta de peces. • Piel de este animal.

Nutria

NUTRICIO, CIA adj. Nutritivo. • Que procura alimento para otras personas.

NUTRICIÓN f. Acción y efecto de nutrir o nutrirse. • *Biol.* Conjunto de reacciones físicas y químicas que, a partir de los alimentos ingeridos tienden a suministrar la energía necesaria para los organismos, así como a proporcionar las moléculas básicas para su organización plástica.

NUTRIDO, DA adj. fig. Lleno, abundante.

NUTRIMENTO m. Nutrición, función de los seres vivos. • Sustancia de los alimentos. • fig. Materia o causa del aumento, actividad o fuerza de algo. ■ NUTRIMIENTO.

NUTRIR tr. y prnl. Proporcionar alimentos a un organismo vivo. • tr. fig. Aumentar o dar nuevas fuerzas en cualquier línea, pero especialmente en lo moral. • fig. Llenar, colmar abundantemente.

NUTRITIVO, VA adj. Capaz de nutrir.

NUTRIZadj. Que nutre. • f. Nodriza.

NY f. Decimotercera letra del alfabeto gr., que corresponde a la *ene* española.

NYASSA Lago de África oriental. → Malawi.

NYERERE, *Julius* (1921-1999) Político tanzanio. Fundó el partido nacionalista TANU. Tras la indep. de Tanganica, fue presid. de la rep. (1962), cargo que también ocupó al formarse el Est. de Tanzania, hasta 1985.

Julius **Nyerere**

Ñ

Desbandada de **ñúes** en la sabana africana

Ñ f. Decimoquinta letra del abecedario esp., y duodécima de sus consonantes . Su nombre es *eñe*.

ÑA f. En algunas partes de América, tratamiento vulgar que se da a las mujeres.

ÑACANINA f. *Argent.* y *Par.* Ofidio grande y muy venenoso.

ÑÁCARA f. *Amér. Centr.* Úlcera, llaga.

ÑACO m. *Chile.* Gachas o puches.

ÑACURUTÚ m. *Amér.* Ave nocturna, especie de lechuza, de color amarillento y gris, y pico corvo.

ÑAGAZA f. Añagaza, señuelo para cazar aves.

ÑALA f. Antílope afín al kudú, de cuernos rectos y breves. Vive en África.

ÑAMBAR m. *Amér. Centr.* Árbol de madera muy apreciada.

ÑAME m. Planta rizocárpica, originaria de la India, que se cultiva por sus tubérculos farináceos y comestibles, conocidos como batatas de China. • Raíz de esta planta. • Aje, planta.

ÑANDÚ m. *Amér. Merid.* Ave corredora semejante al avestruz africano, aunque de menor tamaño.

Ñala

ÑANDUBAY m. Árbol mimosáceo americano, de madera rojiza, muy dura e incorruptible.

ÑANDUTÍ m. *Amér. Merid.* Tejido muy fino que hacían pralm. las mujeres del Paraguay.

ÑANGA adj. y f. *Amér. Centr.* Tierra pantanosa, fango. • **Echar ñ.** *Amér. Centr.* Morder.

ÑANGADO, DA adj. *Cuba.* Hombre o animal de piernas flojas y torcidas. • f. *Amér. Centr.* Mordisco.

ÑANGAPIRE m. *Argent.* y *Ur.* Planta mirtácea, especie de pitanga, de fruto agridulce.

ÑANGOTADO, DA adj. y s. *P. Rico.* Servil, adulador. • Alicaído ▪ ÑANGOTARSE.

ÑANGUÉ m. *Cuba.* Túnica de Cristo, planta.

ÑANJO m. *Amér. Centr.* Planta que produce un grano usado como sustitutivo del café.

ÑÁÑIGO, GA adj. y s. *Cuba.* Individuo de una sociedad secreta negra, en época de la dominación esp.

ÑAÑO, ÑA adj. *Col.* Consentido, mimado. • *Ecuad.* y *Perú.* Unido por amistad íntima. • m. *Argent.* y *Chile.* Hermano mayor. • f. *Argent.* y *Chile.* Hermana mayor. • *Amér. Centr.* Excremento.

ÑAPA (voz quechua) f. *Col.* y *P. Rico.* Añadidura, yapa.

ÑAPANGO, GA adj. *Col.* Mestizo, mulato.

ÑAPINDÁ m. *R. de la Plata.* Mimosácea, especie de acacia espinosa, con flores amarillas.

ÑAPO m. *Chile.* Especie de mimbre para tejer.

ÑARUSO, SA adj. *Ecuad.* Díc. de la persona picada de viruelas.

ÑATO, TA adj. fam. *Amér.* Chato. • *Argent.* Feo. • Felón, perverso. • *Col.* Gangoso. • f. *Amér.* Nariz.

ÑAURE m. *Ven.* Leño nudoso, garrote.

ÑEBLINA f. *Amér. Centr.* Neblina.

ÑECLA f. *Chile.* Cometa pequeña.

ÑEEMBUCÚ Dpto. del Paraguay, sit. al S del país, entre los r. Paraná y Paraguay; 12 147 km², 83 300 hab. Cap., Pilar. Formado por una llanura aluvial avenada por afl. del Paraguay. Clima tropical. Agricultura y ganadería, pralm. la cría de ganado vacuno.

ÑEQUE adj. *C. Rica.* y *Nic.* Fuerte, vigoroso. • m. *Chile, Ecuad.* y *Perú.* Fuerza, energía.

ÑEQUEAR intr. *Ecuad.* Mostrar alegría.

ÑIPE m. *Chile.* Arbusto mirtáceo cuyas ramas se emplean para teñir.

ÑIQUE m. *Amér. Centr.* Puñetazo, puñalada. • *Hond.* En el juego del trompo (peonza), golpe que se da a un trompo con la púa de otro.

ÑIQUIÑAQUE m. fam. Sujeto o cosa despreciable.

ÑISCA (voz quechua) f. *Amér. Centr.* Excremento. • interj. usada para negar vehementemente.

ÑISÑIL m. *Chile.* Especie de anea con cuyas hojas se tejen canastillos y se cubren ranchos.

ÑOCHA f. *Chile.* Bromeliácea cuyas hojas sirven para hacer sombreros, canastos, etc.

ÑOCLO m. Melindre pequeño hecho de masa de harina, azúcar, manteca de vaca, huevos, vino y anís.

ÑOÑA f. *Chile.* Estiércol.

ÑOÑO, ÑA adj. fam. Díc. de la persona sumamente apocada y de corto ingenio. • Dicho de las cosas, soso, de poca sustancia. ▪ ÑOÑERÍA; ÑOÑEZ.

ÑOQUI m. *Argent., Chile* y *Ur.* Masa hecha con patatas, harina de trigo, mantequilla, huevo, leche y queso, cocida en agua o leche.

ÑORBO m. *Ecuad.* y *Perú.* Planta pasiflorácea, de flor pequeña, muy fragante. • Flor de esta planta.

ÑU m. Antílope de África oriental y meridional, semejante a un buey.

ÑUBLE Prov. del centro de Chile, en la región de Biobío; 398 500 hab. Cap., Chillán. Comprende, de E a O, una región litoral mesetaria, una llanura aluvial y, en el extremo oriental, la cordillera andina, con alt. entre 2 000 y 3 000 m, que culmina en los Nevados de Chillán (Volcán Chillán, 3 122 m). Terr. avenado por los r. Itata y Ñuble. Clima templado. Agricultura; ind. alimentarias.

ÑUBLINO, NA adj. y s. De Ñuble. • adj. Relativo a esta prov. de Chile.

ÑUÑO f. *Ecuad.* y *Perú.* Nodriza.

ÑUTIR tr. *Col.* Refunfuñar, gruñir.

ÑUTO, TA adj. *Ecuad.* Díc. de lo que está molido o convertido en polvo.

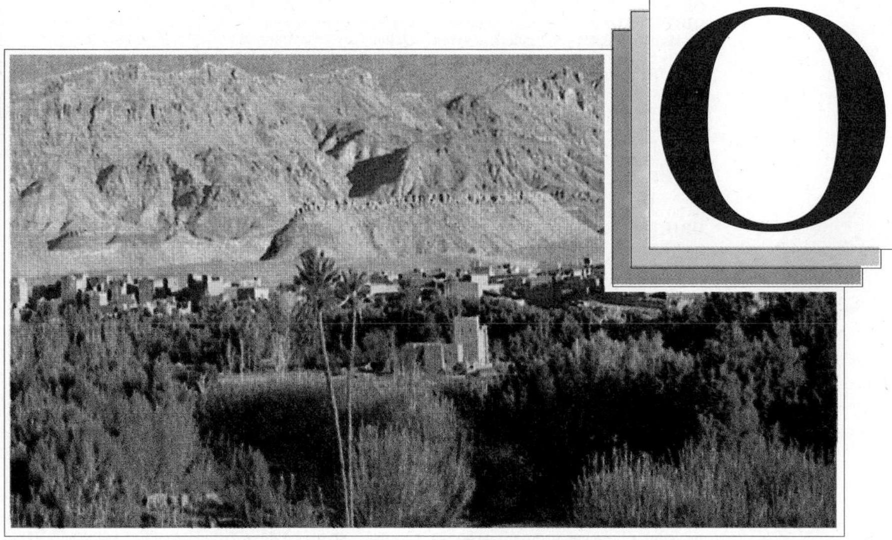

Oasis del Sahara argelino

O f. Decimosexta letra del abecedario esp. y cuarta de sus vocales. • Signo de la proposición particular negativa. *Quím.* Simb. del oxígeno. • conj. disyuntiva que denota diferencia, separación o alternativa entre dos o más personas, cosas o ideas.

O, *Genovevo de la* (1876-1952) Revolucionario mex. Después de Zapata fue el principal dirigente del ejército libertador del sur. Gobernador de Morelos (1914).

OAHU Isla de las Hawai (EE UU); 1 549 km^2, 762 800 hab. Cap., Honolulú.

OAKLAND C. y puerto de EE UU, en California; 339 300 hab. Gran centro industrial.

OASIS m. Sitio con vegetación y a veces con manantiales, que se encuentra aislado en los desiertos arenales de África y Asia. • fig. Tregua.

OAXACA Est. del S de México, junto al Pacífico; 95 364 km^2, 3 432 180 hab. Cap., Oaxaca de Juárez. C. prales.: Tehuantepec, Ixtepec y Juchitán. Relie- muy montañoso. Destaca al N la sierra Madre de que divide el territorio en dos vertientes hidro- cas, y en la parte meridional la sierra Madre Sur, que alcanza el punto más elevado en el ido de Zempoaltépetl (3 396 m). Los ríos son tri- arios del Pacífico (Verde, Tehuantepec) y del Atlántico (Santo Domingo y Trinidad). Clima tropical. Tabaco, caña de azúcar, cacao, piña y vainilla. Ganadería. Oro, plata, antimonio. Ind. textil, de nsformación de productos agrícolas.

XACA DE JUÁREZ C. de México, cap. del est. de Oaxaca; 256 848 hab. Emplazada junto al r. Atoyac, a 1 550 m de alt. Centro agrario y minero.

OAXAQUEÑO, ÑA adj. y s. De Oaxaca. • adj. Relativo a este est. y c. de México.

OB u **OBI** Río de Rusia, en Siberia; 5 410 km. Nace en los montes Altái y desemboca en el océano Ártico.

OBALDÍA, *José* (1806-1889) Político col. Vicepresid. con López (1853-1854). Presid. provisional a la caída de Melo (1854-1855).

OBANDO, *José María* (1795-1861) Militar y político col. Se levantó contra Bolívar (1828) y post. contra Urdaneta. En 1853 accedió a la presidencia. Fue derribado por Melo.

OBCECAR tr. y prnl. Cegar, deslumbrar u ofuscar. ■ OBCECACIÓN.

OBDURACIÓN f. Porfía en resistir lo que conviene; obstinación y terquedad.

OBEDECER tr. Cumplir la voluntad de quien manda. • Ceder un animal con docilidad a la dirección que se le da. • fig. Ceder una cosa inanimada al esfuerzo que se hace para cambiar su forma o su estado. • intr. fig. Tener origen una cosa, proceder, dimanar. ■ OBEDECIMIENTO.

OBEDIENCIA f. Acción de obedecer. • Precepto del superior, especialmente en las órdenes regulares. • **ciega.** fig. La que se presta sin examinar los motivos o razones del que manda. • **debida.** *Der.* La que se rinde a un superior jerárquico y es circunstancia eximente de responsabilidad en los delitos. ■ OBEDIENCIAL.

OBEDIENTE adj. Que obedece. • Propenso a obedecer.

OBELISCO m. Pilar muy alto, de cuatro caras iguales un poco convergentes, y terminado por una punta piramidal achatada.

OBENQUE m. *Mar.* Cada uno de los cabos gruesos que sujetan la cabeza de un palo o de un mastelero a la mesa de guarnición o a la cofa correspondiente. ■ OBENCADURA.

OBERHAUSEN C. de Alemania, en Renania Septentrional-Westfalia; 223 300 hab. Ind. química y siderúrgica.

OBERÓN En la tradición nórdica, rey de los elfos y las hadas.

OBERTH, *Hermann* (1894-1979) Físico al., uno de los creadores de la astronáutica, impulsor de estudios y proyectos relacionados con la tecnología de los cohetes.

OBERTURA f. *Mús.* Composición instrumental que da principio a una ópera, oratorio u otra obra lírica.

OBESIDAD f. Acumulación de grasa que rebasa el biotipo normal, debida a la ingestión calórica que sobrepasa los requerimientos energéticos del organismo. ■ OBESO, SA.

OBI → Ob, río de Rusia.

OBIANG Nguema, *Teodoro* (nacido 1946) Militar y político de Guinea Ecuatorial. En 1979 derrocó a Macías y fue nombrado presid. de la rep.

ÓBICE m. Obstáculo, estorbo, impedimento.

OBISPADO m. Dignidad de obispo. • Territorio o distrito asignado a un obispo para ejercer sus funciones y jurisdicción. • Local o edificio donde funciona la curia episcopal. ■ OBISPALÍA.

OBISPAL adj. Episcopal.

OBISPAR intr. Obtener un obispado.

OBISPILLO m. Morcilla grande y gruesa que se hace cuando se matan los puercos. • Rabadilla de las aves.

OBISPO m. Prelado superior de una diócesis, a cuyo cargo está la cura espiritual y la dirección y el gobierno eclesiástico de los diocesanos. • *Zool.* Pez selacio del suborden rayidos.

Oaxaca. Urna funeraria zapoteca procedente de Monte Albán

Obelisco egipcio

Hoja de forma **oblonga**

ÓBITO m. Fallecimiento de una persona.

OBITUARIO m. Libro parroquial donde se anotan las defunciones y los entierros. • *Amér.* Defunción. • Sección necrológica de una publicación.

OBIUBI m. *Ven.* Mamífero primate de color negro, que duerme de día con la cabeza metida entre las piernas.

OBJECIÓN f. Razón que se propone o dificultad que se presenta en contrario de una opinión o designio, o para impugnar una proposición.

OBJETAR tr. Oponer reparo a una opinión o designio; proponer una razón contraria a lo que se ha dicho o intentado. ■ OBJETABLE.

OBJETIVAR tr. Dar carácter objetivo a una idea o sentimiento. ■ OBJETIVACIÓN.

OBJETIVISMO m. Objetividad. • Doctrina filosófica según la cual el objeto tiene prioridad sobre el sujeto.

OBJETIVO, VA adj. Rélativo al objeto en sí y no a nuestra manera de pensar o de sentir. • Desinteresado, desapasionado. • *Fil.* Díc. de lo que existe realmente, fuera del sujeto que lo conoce. • *Med.* Díc. del síntoma que está al alcance de los sentidos del médico. • m. *Ópt.* Sistema óptico que capta la luz procedente del objeto y la dirige a un ocular o la proyecta sobre una pantalla o una película fotosensible. • Objeto, fin o intento. • *Mil.* Blanco para ejercitarse en el tiro. ■ OBJETIVIDAD.

OBJETO m. Todo lo que puede ser materia de conocimiento o sensibilidad de parte del sujeto. • Lo que sirve de materia al ejercicio de las facultades mentales. • Fin a que se dirige una acción. • Lo que se observa mediante un instrumento óptico. • Materia y sujeto de una ciencia. • Cosa.

OBJETOR, RA adj. y s. Que objeta. • **de conciencia.** Díc. del individuo que se niega a prestar el servicio militar que se le exige, argumentando impedimentos de carácter ético, religioso, etc.

OBLACIÓN f. Ofrenda y sacrificio que se hace a Dios. ■ OBLATIVO, VA.

OBLADA f. Ofrenda que se lleva a la iglesia y se da por los difuntos.

OBLATO, TA adj. y s. Díc. del niño ofrecido por sus padres a Dios y confiado a un monasterio para que se educase culta y piadosamente. • m. y f. Religioso de alguna de las congregaciones que se dan a sí mismas el nombre de oblatos u oblatas. • f. Dinero que se da al sacristán de la iglesia para gastos del culto. • En la misa, el pan y el vino antes de su consagración.

OBLEA f. Hoja muy delgada de masa de harina y agua, cocida en molde, y cuyos trozos servían para pegar sobres o cubiertas de oficios o cartas, o para poner el sello en seco. • Hoja delgada de pan ázimo de la que se sacan las hostias y las formas. • Trocito, por lo común circular, hecho de goma arábiga preparada en láminas y usado también para cerrar cartas.

OBLICUÁNGULO adj. *Geom.* Díc. del polígono o del poliedro que no tiene ningún ángulo recto.

OBLICUIDAD f. Dirección al sesgo, al través, con inclinación. • *Geom.* Inclinación que aparta del ángulo recto la línea o el plano que se considera respecto de otra u otro. • **de la eclíptica.** *Astr.* Ángulo que forma la eclíptica con el plano del ecuador.

OBLICUO, CUA adj. Sesgado, inclinado al través o desviado de la horizontal. • *Geom.* Díc. del plano o recta que forma con otro u otra un ángulo no recto. ■ OBLICUAR.

OBLIGACIÓN f. Imposición o exigencia moral que debe regir la voluntad libre. • Vínculo que sujeta a hacer o abstenerse de hacer una cosa. • Documento notarial o privado en que se reconoce una deuda o se promete su pago u otra prestación o entrega. • Título, comúnmente amortizable, al portador y con interés fijo. • Casa donde el obligado vende el género que está de su cargo. • Carga, reserva o incumbencia inherentes al estado, a la dignidad o a la condición de una persona. • pl. Familia que cada uno tiene que mantener. ■ OBLIGACIONISTA.

OBLIGADO, *Rafael* (1851-1920) Poeta arg. Tradicionalista y romántico. *Santos Vega.*

OBLIGAR tr. Hacer que alguien realice o cumpla una determinada cosa, sirviéndose para ello de la autoridad o de la coacción. • Hacer fuerza en una cosa para conseguir un efecto. • Sujetar los bienes al pago de deudas o al cumplimiento de otras prestaciones exigibles. • prnl. Comprometerse a cumplir una cosa. ■ OBLIGADO, DA; OBLIGATORIEDAD; OBLIGATORIO, RIA.

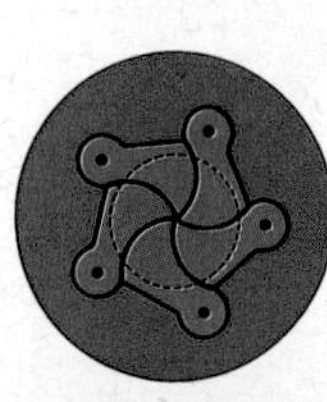

1

2

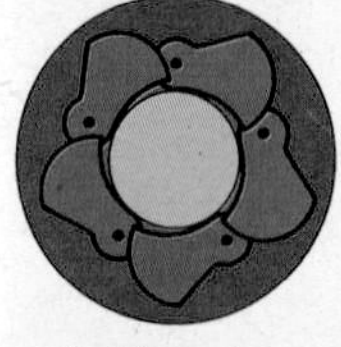

3

Posiciones de un **obturador** central: 1. cerrado; 2. semiabierto; 3. abierto

OBLITERAR tr. y prnl. Obstruir o cerrar un conducto o cavidad de un organismo gralte. por la formación de untejido indiferenciado. • *Amér.* Tachar, borrar. • En un efecto postal, inutilizar los sellos de correo por medio de una señal. ■ OBLITERACIÓN; OBLITERADOR, RA.

OBLONGO, GA adj. Más largo que ancho.

OBNUBILAR tr. y prnl. Anublar, oscurecer, ofuscar el pensamiento. ■ OBNUBILACIÓN.

OBOE m. Instrumento musical de viento, semejante a la dulzaina, de cinco a seis decímetros de largo, con seis agujeros. • Oboísta.

ÓBOLO m. Moneda de plata de los ant. griegos. • fig. Cantidad exigua con que se contribuye para un fin determinado.

OBOTE, *Milton* (nacido 1924) Político ugandés. Al proclamarse la indep. del país, fue nombrado primer ministro (1962) y, post., apoyado por el ejército, pres. de la rep. (1966). Depuesto por Idi Amin en 1971, recuperó la presidencia en 1980. En 1985 fue depuesto por el general Okello.

OBRA f. Cosa hecha o producida por un agente. • Cualquier producción del entendimiento en ciencias, letras o artes, y con particularidad la que es de alguna importancia. • Tratándose de libros, volumen o volúmenes que contienen un trabajo completo. • Edificio en construcción. • Compostura o innovación que se hace en un edificio. Se usa más en pl. • Medio, virtud o poder. • Labor que tiene que hacer un artesano. • Acción moral, y pralm. la que se encamina al provecho o daño del alma. • Derecho de fábrica. • **muerta.** *Mar.* Parte del casco de un barco que está por encima de la línea de flotación. • **pública.** La de interés general destinada a uso público; como camino, puerto, faro, etc. • **viva.** *Mar.* Fondo, parte de un buque que va debajo del agua. ■ OBRADOR, RA.

OBRADA f. Labor que en un día hace un hombre cavando la tierra, o una yunta arándola.

OBRADURA f. Cantidad de aceitunas que de una vez se exprime en cada prensa de un molino de aceite.

OBRAJE m. Manufactura. • Lugar donde se labran paños y cosas para el uso común. • Prestación de trabajo que se imponía a los indígenas amer. durante la época colonial. • *Arg., Bol. y Par.* Establecimiento en el que se dedican a la industrialización de la madera y a la explotación de los bosques.

OBRAR tr. Hacer una obra, trabajar en ella. • Ejecutar o practicar una cosa no material. • Causar, producir o hacer efecto una cosa. • Construir, hacer una obra.

OBREGÓN, *Alejandro* (1920-1992) Pintor col. Mural del Banco de la República, en Bogotá. • ***Álvaro*** (1880-1928) Militar y político mex. Comandó el ejército carrancista del NO. En los tratados de Teoloyucán (1914) pactó la entrada de las fuerzas de Carranza en la cap. Aliado a Francisco Villa en la Convención de Aguascalientes (1914), se enfrentó después a él, uniéndose a V. Carranza. En 1920 se alió con A. de la Huerta en la revolución contra Carranza. Presid. de la rep. (1920-1924). Reelegido presid. en 1928, fue asesinado por un "cristero" el mismo año. • **Santacilia, *Carlos*** (1896-1961) Arquitecto mex., funcionalista. Hotel del Prado, en C. de México.

OBREPCIÓN f. *Der.* Falsa narración de un hecho, que se hace al superior para conseguir algo ocultando el impedimento que haya para su logro. ■ OBREPTICIO, CIA.

OBRERÍA f. Cargo de obrero. • Renta destinada al sostenimiento de una iglesia o de otras comunidades.

OBRERISMO m. Movimiento socioeconómico encaminado a mejorar las condiciones de vida de los obreros. • Tendencia que considera que la emancipación de la clase obrera ha de ser obra de ella misma. • Conjunto de los obreros, considerado como entidad económica. ■ OBRERISTA.

OBRERO, RA adj. y s. Que trabaja. • m. y f. Trabajador manual retribuido. • f. Casta estéril de ciertos insectos sociales.

OBRIZO adj. Díc. del oro refinado y puro.

OBSCENO, NA adj. Impúdico, ofensivo al pudor, en cuestiones relacionadas con el sexo. ■ OBSCENIDAD.
OBSCURANTISMO m. Oscurantismo. ■ OBSCURANTISTA.
OBSCURECER tr. y prnl. Oscurecer. ■ OBSCURECIMIENTO.
OBSCURO, RA adj. y s. Oscuro. ■ OBSCURIDAD.
OBSECRACIÓN f. Ruego, instancia.
OBSECUENCIA f. Sumisión, amabilidad, condescendencia. ■ OBSECUENTE.
OBSEQUIAR tr. Agasajar a uno con atenciones, servicios o regalos. • Enamorar, galantear a una mujer. • *Amér.* Regalar. ■ OBSEQUIADOR, RA.
OBSEQUIO m. Regalo, dádiva. • Rendimiento, deferencia, afabilidad. ■ OBSEQUIOSO, SA.
OBSERVACIÓN f. Facultad de observar. • Advertencia, objeción que se hace sobre alguna cosa. • Nota o comentario que se hace de un texto para precisar su significado o recalcar algún aspecto determinado.
OBSERVADOR, RA adj. y s. Que observa, o tiene facultades para ello. • Persona que recibe el encargo de observar una determinada situación a fin de elaborar un informe sobre la misma.
OBSERVANCIA f. Cumplimiento exacto y puntual de lo que se manda ejecutar.
OBSERVAR tr. Examinar atentamente. • Guardar y cumplir exactamente lo que se manda y ordena. • Advertir, reparar. • Atisbar. • *Astr.* Contemplar atentamente los astros. • *Meteor.* Estudiar los fenómenos meteorológicos. ■ OBSERVABLE; OBSERVANTE.
OBSERVATORIO m. Lugar que sirve para hacer observaciones. • Edificio para realizar observaciones astronómicas, meteorológicas, etc.

Interior de un moderno **observatorio** astronómico

OBSESIÓN f. *Psic.* Díc. de toda idea, palabra o imagen que se impone a la conciencia a través del automatismo psicológico. ■ OBSESIONAR; OBSESIVO, VA; OBSESO, SA.
OBSIDIANA f. Roca volcánica de estructura totalmente vítrea (sin elementos cristalinos), de color negro lustroso, con reflejos metálicos.
OBSOLESCENTE adj. Que está volviéndose obsoleto, que está cayendo en desuso. ■ OBSOLESCENCIA.
OBSOLETO, TA adj. Caído en desuso. • Anticuado, inadecuado a las circunstancias actuales.
OBSTACULIZAR tr. Impedir o dificultar la consecución de un propósito.
OBSTÁCULO m. Impedimento, embarazo, inconveniente.
OBSTANTE p. a. de obstar. • adj. Que obsta. • **No obstante**. loc. conjuntiva. Sin embargo, sin que estorbe ni perjudique para una cosa.
OBSTAR intr. Impedir, estorbar. Se usa sólo en frases negativas y en tercera persona. • impers. Oponerse o ser contraria una cosa a otra.
OBSTETRICIA f. Rama de la medicina que trata del embarazo, el parto y el puerperio. ■ OBSTÉTRICO, CA.
OBSTINACIÓN f. Pertinacia, terquedad.
OBSTINARSE prnl. Mantenerse uno en su resolución y tema; porfiar con pertinacia. ■ OBSTINADO, DA.
OBSTRUCCIÓN f. Acción y efecto de obstruir u obstruirse. • En asambleas políticas u otros cuerpos deliberantes, táctica enderezada a impedir o retardar los acuerdos. • *Med.* Impedimento para el paso de las materias sólidas, líquidas o gaseosas en las vías del cuerpo.
OBSTRUCCIONISMO m. Ejercicio de la obstrucción en asambleas deliberantes. ■ OBSTRUCCIONISTA.
OBSTRUIR tr. Estorbar el paso, cerrar un conducto o camino. • Impedir una acción. • prnl. Cerrarse o taparse un agujero, grieta, conducto, etc.
OBTEMPERAR tr. Obedecer, asentir.
OBTENER tr. Alcanzar, conseguir y lograr una cosa que se merece, solicita o pretende. • Tener, conservar y mantener. ■ OBTENCIÓN.
OBTURADOR, RA adj. y s. Díc. de lo que sirve para obturar. • m. *Fot.* Dispositivo que en las máquinas fotográficas sirve para regular el tiempo de exposición.
OBTURAR tr. Tapar o cerrar una abertura o conducto introduciendo o aplicando un cuerpo. ■ OBTURACIÓN.
OBTUSÁNGULO adj. Díc. del triángulo que tiene un ángulo interior obtuso.
OBTUSO, SA adj. Romo, sin punta. • fig. Torpe, tardo de comprensión. • Díc. de cualquier ángulo mayor que un recto.
OBÚS m. *Mil.* Pieza de artillería de menor longitud que el cañón. Impropiamente se da este nombre a los modernos proyectiles de artillería. • *Aut.* Cierre de la válvula del neumático.
OBVENCIÓN f. Ganancia, fija o eventual, que se añade al sueldo. Suele usarse en plural.
OBVIAR tr. Evitar, rehuir, apartar y quitar de en medio obstáculos o inconvenientes.
OBVIO, VIA adj. Que se encuentra o pone ante los ojos. • fig. Muy claro o que no tiene dificultad.
OC u **OCCITANO** m. Lengua románica hablada en el S de Francia. Tuvo gran difusión en la Edad Media.
OCA f. *Zool.* Ave anseriforme de la familia anátidos, de plumaje blanco o gris ceniza y pico característico. De la o. se aprovecha su peculiar incremento del hígado, cuando es sometida a una alimentación especial, para la obtención del foiegras. • *Bot.* Planta anual del Perú, de tallo herbáceo, hojas compuestas, flores pedunculadas amarillas y raíz con tubérculos feculentos que se comen cocidos. • Raíz de esta planta.
OCAL adj. Díc. de ciertas frutas gustosas y delicadas y de cierta especie de rosas. • *Carp.* Díc. de la madera apta para ser labrada.
OCALEAR intr. Hacer los gusanos los capullos ocales.
OCAMPO, *Melchor* (1814-1861) Erudito y político mex. Gobernador de Michoacán (1846-1848). Presid. del Congreso Constituyente (1856). Fue ministro de Exteriores, Hacienda y Gobernación. • ***Silvina*** (1909-1993) Escritora arg. Esposa de Bioy Casares, *La furia y otros cuentos*, *Las invitadas*, *Poemas escolares*. • ***Victoria*** (1891-1979) Ensayista arg. Hermana de la anterior. Directora de la revista *Sur*. Autora de *Testimonios*.
OCANTOS, *Carlos M.ª* (1860-1949) Novelista y diplomático arg. *León Zaldívar*, *Quilito*.
OCAÑA C. de Colombia, en el dpto. de Norte de Santander; 54 600 hab. Ind. alimentaria, textil.
OCARINA f. Instrumento musical de viento, de forma alargada, con ocho agujeros.
O'CASEY, *Sean* (1880-1964) Dramaturgo irl. Sus primeras obras fueron *La sombra de un pistolero*, *Juno* y *El pavo real*. Instalado en Inglaterra, su teatro se politizó (*Rosas rojas para mí*). Su mejor obra es *Canta, gallo perseguido*, crítica del puritanismo.
OCASIÓN f. Oportunidad o comodidad de tiempo o lugar, que se ofrece para ejecutar o conseguir una cosa. • Causa o motivo por que se hace o acaece una cosa. ■ OCASIONAL.
OCASIONALISMO m. Doctrina filosófica que sustituye la noción de causa por la de ocasión.
OCASIONAR tr. Ser causa o motivo para que suceda una cosa. • Mover o excitar. • Poner en riesgo o peligro. ■ OCASIONADO, DA; OCASIONADOR, RA.

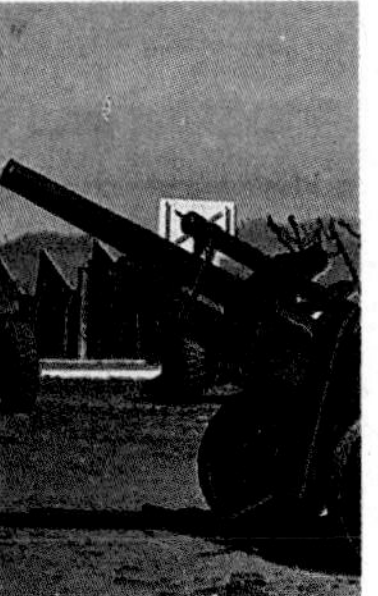

Obús de campaña

Oca

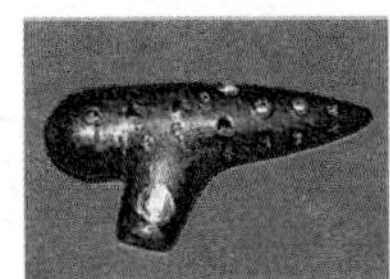

Ocarina

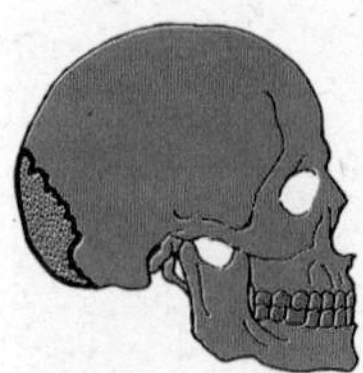

Situación del hueso **occipital** (parte sombreada)

OCASO m. Puesta del Sol o de cualquier astro. • Occidente, punto cardinal.• fig. Decadencia.
OCCAM u **OCKHAM,** ***Guillermo de*** (h. 1298-h. 1349) Filósofo franciscano ing., precursor del laicismo y del nominalismo. Cuestionó la atribución de una realidad al mundo de las ideas.
OCCHETTO, ***Achille*** (nacido 1936) Político it. En 1988 sucedió a A. Natta al frente del partido comunista it., siendo el inspirador del cambio en 1991 de nombre y orientación del PCI por el Partido Democrático de la Izquierda.
OCCIDENTAL adj. y s. De occidente. • adj. Relativo al occidente. • Díc. del planeta que se pone después de puesto el Sol.
OCCIDENTAL de los Andes Cord. de América del Sur que forma la rama O de los Andes. Se inicia en el desierto de Atacama. En la frontera entre Chile y Bolivia destaca el pico volcánico Sajama (6 520 m). En Colombia apenas rebasa los 4 000 m. En Perú está la pral. cumbre: Huascarán (6 768 m). En Ecuador la máx. alt. es el volcán Chimborazo (6 267 m). Yacimientos de cobre, estaño, plata, oro.
OCCIDENTALISMO m. Interés, inclinación hacia el mundo o la cultura occidental. ■ OCCIDENTALISTA.

Oceanía. Selva tropical en la desembocadura de un río en Nueva Guinea

OCCIDENTALIZAR tr. y prnl. Provocar cambios en algo o alguien, de acuerdo con la cultura occidental.
OCCIDENTE m. Punto cardinal del horizonte, por donde se pone el Sol en los días equinocciales. • Lugar de la Tierra que, respecto de otro con el cual se compara, cae hacia donde se pone el Sol. • *Pol.* Después de la II Guerra Mundial, denominación de los países de Europa occidental alineados con EE UU, en oposición a los países comunistas del este.
OCCIDUO, DUA adj. Relativo al ocaso.
OCCIPITAL adj. Relativo al occipucio. • **Hueso o.** *Anat.* Hueso impar y medio sit. en la parte posterior e inferior del cráneo, que forma parte de la bóveda y de la base del cráneo.
OCCIPUCIO m. Parte de la cabeza por donde ésta se une con las vértebras del cuello.
OCCISIÓN f. Muerte violenta. ■ OCCISO, SA.
OCCITANIA Nombre que se da al conjunto de regiones y comarcas del S de Francia en las que se habla la lengua de oc. ■ OCCITÁNICO, CA.
OCCITANISMO m. Movimiento y tendencia que defienden los valores históricos y culturales de Occitania y la utilización de la lengua de oc.
OCCITANO, NA adj. y s. De Occitania. • adj. Relativo a esta parte del Est. fr. • m. *Ling* → Oc.
OCDE Siglas de la Organización para la Cooperación y Desarrollo Económico.
OCEANÍA Parte del mundo formada por Australia y un conjunto de arch. que se extienden por el Pacífico. Se divide en cuatro sectores: Australasia (Australia, Nueva Zelanda, Tasmania), Melanesia, Micronesia y Polinesia. Excluida Australia, el resto insular tiene un origen distinto. Se trata de arcos tectónicos (Nueva Zelanda, Nueva Guinea, Nuevas Hébridas y Marianas), de islas volcánicas (Melanesia y Polinesia), algunas de ellas todavía en actividad (Hawai), o de islas coralinas que forman atolones. Clima tropical, suavizado por los alisios. Las tierras más meridionales presentan un clima templado.

OCEANÍA, estados y territorios

Estados y territorios	*Km²*	*Población*	*Densidad*	*Capital*
Australia	7 682 300	18 508 000	2	Canberra
Fiji	18 272	778 000	43	Suva
Kiribati	849	82 000	97	Bairiki
Marshall	181	60 000	333	Dalag-Uliga-Darrit
Micronesia, Est. Federados de	707	107 000	151	Palikir
Nauru	21	10 000	495	Yaren
Nueva Zelanda	270 534	3 653 000	14	Wellington
Palau, Rep. de	487	17 000	35	Koror
Papua-Nueva Guinea	462 840	4 496 000	10	Port Moresby
Salomón	28 369	411 000	15	Honiara
Samoa	2 831	169 000	60	Apia
Tonga	748	101 000	135	Nukualofa
Tuvalu	24	10 000	429	Vaiaku
Vanuatu	12 189	176 000	14	Port Vila
Oceanía indep.	8 480 352	28 418 000	3	
Norfolk	36	2 000	66	Kingston
Macquarie	176	—		
Oceanía australiana	212	2 000	9	
Cook y dependencias	240	19 000	79	Avarua
Niue	259	2 000	9	Alofi
Tokelau	10	3 000	280	
Oceanía neozelandesa	509	24 000	45	
Pitcairn y depend.	37	60		
Oceanía brit.	37	—		
Nueva Caledonia y dependencias	19 058	201 000	11	Noumea
Wallis y Futuna	255	14 000	50	Mata Utu
Polinesia Francesa	4 000	223 000	56	Papeete
Clipperton	2	—		
Oceanía fr.	23 315	438 000	18	
Guam	541	156 000	288	Agaña
Hawai	16 759	1 221 000	73	Honolulú
Marianas	477	54 000	112	Garapan
Midway	5	1 000	200	
Samoa Americana y dependencias	199	56 000	281	Pago Pago
Wake y otras islas	23	1 000	43	
Oceanía norteam.	18 004	1 489 000	82	
Irian Occidental	419 660	1 956 000	5	Jayapura
Oceanía indonesia	419 660	1 956 000	5	
Isla de Pascua y dependencias	163	3 000	18	Hanga Roa
Oceanía chil.	163	3 000	18	
OCEANÍA	8 942 252	32 330 000	3	

Oceanía. Puerto de Numea (Nueva Caledonia)

* *Geog. econ.* Australia y Nueva Zelanda poseen imp. yacimientos de hierro, oro, plata, plomo y cinc, aunque la actividad pral. reside en el sector primario (trigo, frutales; cabaña ovina y bovina). Ind. de transformación de productos agropecuarios.

* *Geog. humana.* Desde finales del s. XIX llegaron gran número de europeos, especialmente brit., y asiáticos (japoneses, indios, chinos, javaneses). Los primeros pobladores fueron los tasmánidos y los austrálidos. Antropológicamente hay cuatro divisiones: melanesios (papúes, pigmeos, melanesios propiamente dichos), polinesios, australianos y malayos.

OCEÁNICO, CA adj. De Oceanía. • Relativo a esta parte del mundo. • Relativo al océano.

OCEANICULTURA f. Cultivo de las plantas y animales oceánicos.

OCÉANO m. Masa de agua salada que ocupa grandes extensiones de la superficie terrestre.

* *Geog.* Los o. cubren unos 361 millones de km^2, el 71 % de la superficie de la Tierra, con una profundidad media de 3 730 m. Existe un o. único que se divide en cuatro partes: el Pacífico, que es la mayor (178 millones de km^2 y una profundidad media de 3 940 m), el Atlántico, el Índico y el Ártico.

OCÉANO *Mit. gr.* Personificación del mar, hijo de Urano (Cielo) y de Gea (Tierra).

OCEANOGRAFÍA f. Ciencia que estudia los océanos en sus diversos aspectos: físico (determinando los límites y sus estructuras), químico (estudiando el origen y la composición de las aguas oceánicas), dinámico (estudiando los movimientos que afectan a las aguas) y biológico (estudiando la producción orgánica de los océanos).

OCELO m. *Zool.* Cada ojo simple de los que forman un ojo compuesto de los artrópodos. • Mancha redonda y bicolor en las alas de algunos insectos o en las plumas de ciertas aves. ■ OCELADO, DA.

OCELOTE m. *Zool.* Mamífero carnívoro americano, de poco más de un metro de largo, pelo suave, brillante y con dibujos de varios matices.

OCELOTL (voz náhuatl) m. Decimocuarto día del mes azteca.

OCENA f. *Pat.* Enfermedad de la mucosa nasal que presenta un olor fétido con formación de costras.

OCHAVA f. Octava parte de un todo. • Octava religiosa. • El último de los ocho días de esta octava. • Chaflán. • Parte de la acera correspondiente al chaflán.

OCHAVADO, DA adj. Díc. de cada figura con ocho ángulos iguales y cuyo contorno tiene ocho lados, cuatro alternados iguales y los otros cuatro también iguales entre sí, por lo común desiguales a los primeros. ■ OCHAVAR.

OCHAVO m. Ant. moneda esp. de cobre. • Cosa insignificante.

OCHAVÓN, NA adj. *Cuba.* Mestizo de blanco y cuarterona o de cuarterón y blanca.

OCHENTA adj. Ocho veces diez. • Octogésimo, ordinal. • m. Conjunto de signos con que se representa el número ochenta.

OCHENTAVO, VA adj. Díc. de cada una de las 80 partes en que se divide un todo.

OCHENTEÑO, NA adj. Octogésimo, ordinal.

OCHENTÓN, NA adj. y s. fam. Octogenario.

OCHO adj. Siete y uno. • Octavo, ordinal. • m. Signo con que se representa el número ocho.

OCHOA, *Severo* (1905-1993) Médico y bioquímico esp. Realizó la síntesis de los ácidos ribonucleico y desoxirribonucleico. Obtuvo el Premio Nobel de Medicina y Fisiología, junto con Arthur Kornberg, en 1959.

OCHOCIENTOS, TAS adj. Ocho veces ciento. • Octingentésimo, ordinal. • m. Conjunto de signos con que se representa el número ochocientos.

OCIO m. Cesación del trabajo, inacción o total omisión de la actividad. • Diversión u ocupación reposada. ■ OCIAR; OCIOSIDAD.

OCIOSO, SA adj. y s. Díc. de la persona que está sin trabajo o sin hacer alguna cosa. • Desocupado. • adj. Que no se aplica a lo que está destinado. • Inútil, sin provecho, trivial.

OCITOCINA u **OXITOCINA** f. Hormona neurosecretora originada en la hipófisis. Actúa sobre los músculos de fibra lisa de las paredes del útero favoreciendo su contracción.

OCLOCRACIA f. Gobierno de la muchedumbre.

OCLUIR tr. y prnl. *Med.* Cerrar un conducto o una abertura con algo que lo obstruya.

OCLUSIÓN f. *Fon.* Fonema que tras ser detenido en su marcha hacia el exterior sale violentamente, produciéndose una breve explosión. • *Meteor.* Superposición de un frente frío y uno cálido. • Propiedad de algunos metales de absorber los gases.

OCLUSIVO, VA adj. Relativo a la oclusión. • Que la produce. • *Fon.* Díc. del sonido cuyo modo de articulación es la oclusión. • adj. y f. Letra que representa este sonido (*p*, *t*, *k*).

OCNÁCEO, A adj. y f. *Bot.* Díc. de plantas tropicales dicotiledóneas, con hojas simples, flores hermafroditas, pentámeras, amarillas o blancas, y fruto en cápsula. • f. pl. *Bot.* Familia de estas plantas.

O'CONNELL, *Daniel* (1775-1847) Político irl., conocido como EL LIBERTADOR. En1823 fundó la Asociación Católica, cuyas campañas obligaron al gobierno brit. a suprimir discriminaciones religiosas.

OCOSIAL m. *Perú.* Terreno deprimido, húmedo y con alguna vegetación.

OCOTAL C. de Nicaragua, cap. del dpto. de Nueva Segovia; 10 800 hab.

OCOTE m. *Méx.* Especie de pino muy resinoso, cuya madera se emplea para alumbrar. ■ OCOTAL.

OCOTEPEQUE Dpto. de Honduras, en la frontera con El Salvador y Guatemala; 1 630 km^2, 101 308 hab. Cap., Nueva Ocotepeque. Accidentado por las sierras de Merendón y de Celaque. Clima cálido. Caña de azúcar, café, arroz y tabaco.

OCOTILLO m. *Bot.* Planta arbustiva o arbórea, con hojas caedizas, ramas espinosas, flores pentámeras y frutos tricarpelares, de México y el SE de EE UU.

OCOTLÁN Mun. de México, en el est. de Jalisco;

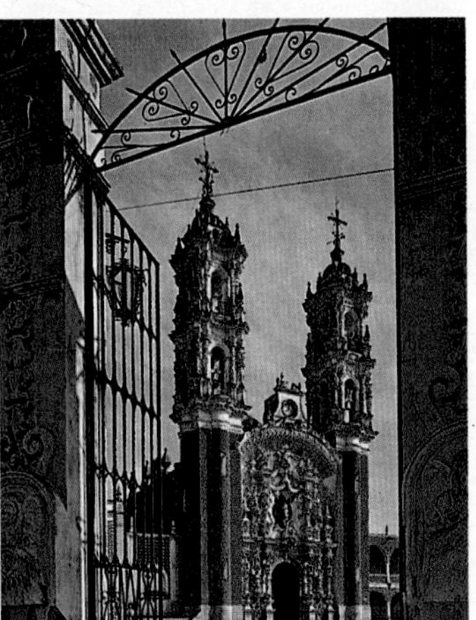

Oceanía. Estatuilla de Tangaroa, dios polinésico del mar, hallada en la isla de Pascua. Museo Británico, Londres

Ocelote

Fachada de la basílica de Nuestra Señora de **Ocotlán**

42 800 hab. Sit. junto al lago de Chapala. Centro comercial, industrial y agrícola.
OCOZOAL m. Serpiente de cascabel de México, de unos 2 m de long., lomo pardo con manchas negruzcas y vientre amarillento rojizo.
OCOZOL m. *Bot. Amér.* Árbol de copa grande, hojas pentalobuladas, flores verdosas y fruto capsular.
OCRE m. Nombre de algunas variedades de minerales coloreadas de amarillo a rojo. • adj. y m. Díc. del color amarillo pardusco semejante al de este mineral.
ÓCREA f. *Bot.* Vaina originada a partir de la estípula que, en algunas plantas, rodea el tallo cerca de los nudos de inserción de las hojas.

Octópodo

OCTACORDIO m. Sistema musical compuesto de ocho sonidos.
OCTAEDRO m. Poliedro de ocho caras triangulares, doce aristas y seis vértices. ■ OCTAÉDRICO, CA.
OCTÁGONO, NA adj. y m. Octógono. ■ OCTAGONAL.
OCTAL adj. Relativo al número ocho. • Díc. del sistema de numeración de base ocho.
OCTANO m. *Quím.* Hidrocarburo alifático de ocho átomos de carbono. • **Número de o.** Medida del poder antidetonante de las gasolinas. ■ OCTANAJE.
OCTANTE m. Instrumento astronómico de la especie del sextante y de análoga aplicación.
OCTATEUCO m. Término con que se conocen los ocho primeros libros de la Biblia grecolatina.

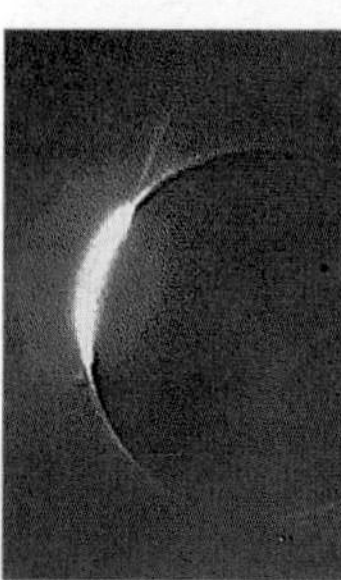
Ocultación

OCTAVA f. Periodo de ocho días de duración de una fiesta eclesiástica. • Último de los ocho días. • Toda combinación métrica de ocho versos. • *Mús.* Sonido producido por un número exactamente doble de vibraciones que otro. • *Mús.* Serie diatónica en que se incluyen los siete sonidos constitutivos de una escala y la repetición del primero de ellos.
OCTAVAR intr. *Mús.* Formar octavas o diapasones en los instrumentos de cuerda.
OCTAVARIO m. Periodo de ocho días.
OCTAVIA (h. 42-62) Emperatriz rom., hija de Claudio y Mesalina y primera esposa de Nerón, quien la repudió para casarse con Popea.
OCTAVILLA f. Octava parte de un pliego de papel. • Volante de propaganda, especialmente política. • Estrofa de ocho versos cortos.
OCTAVIO Nombre de Augusto, antes de ser emperador.
OCTAVO, VA adj. Que sigue inmediatamente en orden al o a lo séptimo. • adj. y s. Díc. de cada una de las ocho partes iguales en que se divide un todo.
OCTETE m. Nombre dado por Lewis a la configuración electrónica de la capa externa de los átomos, cuando posee ocho electrones.
OCTETO m. Conjunto formado por ocho elementos como voces o instrumentos.
OCTINGENTÉSIMO, MA adj. Que sigue inmediatamente en orden al o a lo septingentésimo nonagésimo nono. • adj . y s. Díc. de cada una de las 800 partes iguales en que se divide un todo.

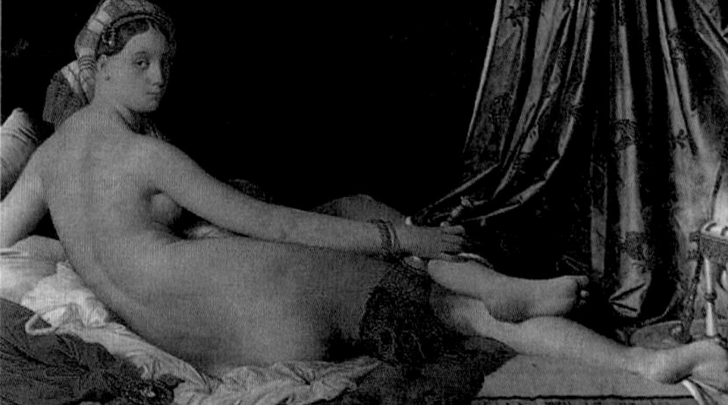
La gran ***odalisca,*** óleo de Ingres. Museo del Louvre, París

OCTOBRAQUIO, QUIA adj. y m. Octópodo.
OCTOCORALARIO adj. y m. Díc. de celentéreos antozoos cuya boca está rodeada por ocho tentáculos; como el alción. • m. pl. Orden de estos animales.
OCTODO m. *Fís.* Tubo electrónico de vacío formado por un ánodo, un cátodo y seis rejillas.
OCTOGENARIO, RIA adj. y s. Que ha cumplido la edad de ochenta años.
OCTOGÉSIMO, MA adj. Que sigue inmediatamente en orden al o a lo septuagésimo nono. • adj. y s. Díc. de cada una de las 80 partes iguales en que se divide un todo.
OCTÓGONO, NA adj. y m. Díc. del polígono de ocho lados. ■ OCTOGONAL.
OCTÓPODO, DA adj. Que tiene ocho pies. • adj. y m. Díc. de moluscos cefalópodos dibranquiales que, como el pulpo, tienen ocho tentáculos provistos de ventosas, todos aproximadamente iguales. • m. pl. Orden de estos animales.
OCTOSÍLABO, BA adj. De ocho sílabas. • m. Verso que consta de ocho sílabas. Es el más característico y tradicional de la poesía esp. ■ OCTOSILÁBICO, CA.
OCTÓSTILO, LA adj. *Arq.* Que tiene ocho columnas.
OCTUBRE m. Octavo mes del calendario rom. y décimo del actual; tiene 31 días.
OCTUBRE, *Revolución de* → Revolución rusa.
ÓCTUPLE u **ÓCTUPLO, PLA** adj. Que contiene ocho veces una cantidad.
OCUJE m. *Cuba.* Calambuco, árbol.
OCULAR adj. Perteneciente o relativo a los ojos y a las operaciones que se hacen por medio de ellos. • m. *Ópt.* Sistema óptico que tiene la misión de aumentar el tamaño de las imágenes reales dadas por el objetivo.
OCULISTA com. Médico que se dedica especialmente a las enfermedades de los ojos.
OCULTACIÓN f. Superposición aparente de dos astros producida cuando el astro ocultado, el cuerpo ocultante y el observador están alineados.
OCULTAR tr. y prnl. Esconder, tapar, encubrir a la vista. • Callar intencionadamente alguna cosa. ■ OCULTADOR, RA.
OCULTIS *(De)* m. adv. Oculta, disimuladamente o en secreto.
OCULTISMO m. Doctrina que pretende conocer y utilizar todos los secretos y misterios de la naturaleza. ■ OCULTISTA.
OCULTO, TA adj. Escondido, ignorado, que no se da a conocer ni se deja ver ni sentir.
OCUMARE DEL TUY Mun. de Venezuela, en el est. Miranda; 32 700 hab. Centro comercial e industrial (químicas, gráficas).
OCUME m. Árbol propio de Guinea, usado en ebanistería. • Madera de este árbol.
OCUMO m. *Ven.* Planta arácea, de tallo corto, hojas triangulares, flores amarillas y rizoma casi esférico con mucha fécula. Es comestible.
OCUPACIÓN f. Trabajo o cuidado que impide emplear el tiempo en otra cosa. • Empleo, oficio o dignidad, etc. • *Der.* Modo natural y originario de adquirir la propiedad de ciertas cosas que carecen de dueño. • **militar.** Permanencia en un territorio de ejércitos de otro Est. que, sin anexionarse aquél, intervienen en su vida pública o la dirigen.
OCUPADA adj. Díc. de la mujer preñada.
OCUPAR tr. Tomar posesión, apoderarse de una cosa. • Obtener, gozar un empleo, dignidad. • Llenar un espacio o lugar. • Habitar, estar instalado en una casa o habitación. • Dar qué hacer o en qué trabajar. • Embarazar o estorbar a uno, darle en que pensar. • fig. Llamar la atención de uno. • prnl. Emplearse en un trabajo, ejercicio o tarea. • Poner la consideración en un asunto o negocio. ■ OCUPADOR, RA.
OCURRENCIA f. Encuentro, suceso casual, ocasión o coyuntura. • Especie inesperada, pensamiento, dicho agudo u original.
OCURRIR intr. Prevenir, anticiparse o salir al encuentro. • Acaecer, acontecer, suceder una cosa. • Recurrir a un juez o autoridad. • Coincidir en el mismo día dos fiestas con distinta clase de rito. • tr. y prnl. Venir repentinamente al pensamiento una idea. ■ OCURRENTE.
ODA f. Composición lírica caracterizada por un lenguaje entusiasta y elevado, y por la gran variedad temática.
O'DÁLAIGH, ***Cearbhall*** (1911-1978) Político irl. Elegido presid. de Irlanda en 1974, renunció en 1976.
ODALISCA f. Esclava dedicada al servicio del ha-

rén del sultán. • Por extensión, mujer de un harén.
ODENSE C. y puerto de Dinamarca, en la isla de Fionia; 171 000 hab. Ind. textil y metalúrgica. Astilleros.
ODEÓN m. *Arq.* Teatro o lugar destinado en Grecia para los espectáculos musicales. Por analogía se llaman así algunos teatros modernos.
ODER (pol. y checo. *Odra*) Río de Europa; 900 km. Nace en Bohemia y desemboca en el golfo de Szczecin.
ODESSA C. y puerto de Ucrania; 1 126 000 hab. Ind. metalúrgica, química, mecánica, aeronáutica; refino de petróleo; astilleros.
ODIAR tr. Tener odio.
ODÍN → Wotan.
ODIO m. Antipatía y aversión hacia alguna cosa o persona cuyo mal se desea. ■ ODIAR; ODIOSIDAD; ODIOSO, SA.
ODISEA f. fig. Viaje largo y en el cual abundan las aventuras adversas y favorables al viajero.
ODISEO → Ulises.
ODOACRO (h. 434-493) Rey de los hérulos. Invadió el imperio de Occidente, depuso al emperador Rómulo Augústulo y fue proclamado rey de Italia en el año 476.
ODOLIÓGRAFO m. Aparato que sirve para medir el grado de resbalamiento del piso de una calle, carretera, calzada, etc.
ODOLIOMETRÍA f. Técnica que sirve para determinar y medir el grado de resbalamiento del piso de una carretera, calle, calzada, etc.

La estación marítima de **Odessa**

ODÓMETRO m. Aparato que cuenta los pasos. • Taxímetro.
ODONATO, TA adj. y m. *Zool.* Díc. de insectos heterometábolos, de cuerpo muy alargado, provistos de cuatro alas iguales, extensas y con densa nerviación, boca masticadora y grandes ojos compuestos. • m. pl. *Zool.* Orden de estos insectos, al que pertenecen las libélulas y los caballitos del diablo.
O'DONNELL, *Enrique José,* CONDE DE LA BISBAL (1769-1834) Militar y político esp. Participó en la guerra de la indep. y apoyó el pronunciamiento de Riego. • ***Leopoldo,*** DUQUE DE TETUÁN (1809-1867) Militar y político esp. Participó en la primera guerra carlista. Promovió la sublevación de octubre 1841. Capitán gral. de Cuba (1844-1848). En 1854 dirigió la «Vicalvarada». Fundó la Unión Liberal, con la que llegó al poder (1856, 1856-1863 y 1865).
O'DONOJÚ, *Juan* (1762-1821) Militar y administrador colonial esp. Virrey de Nueva España (1821), firmó con Iturbide el tratado de Córdoba.
ODONTALGIA f. Dolor de dientes o de muelas. ■ ODONTÁLGICO, CA.
ODONTOBLASTO m. Célula típica del tejido óseo de los dientes, de gran tamaño y con núcleo aparente, cuya misión específica es la formación de la dentina o marfil dentario.
ODONTOCETO adj. y m. Díc. de animales cetáceos cuyos miembros poseen dientes. • m. pl. Suborden de estos cetáceos.
ODONTOLITA f. Fosfato metálico constituido esencialmente por restos, dientes y esqueletos, tranformados en apatito microcristalino.
ODONTOLOGÍA f. *Med.* Estudio de los dientes y del tratamiento de sus dolencias. ■ ODONTOLÓGICO, CA; ODONTÓLOGO, GA.
ODORANTE adj. Oloroso, fragante. ■ ODORÍFERO, RA; ODORÍFICO, CA.
ODRA → Oder.
ODRE m. Cuero, generalmente de cabra, que cosido y empegado por todas partes menos por la correspondiente al cuello del animal, sirve para contener líquidos. • fig. y fam. Persona borracha o muy bebedora. ■ ODRERÍA; ODRERO.
ODRÍA, *Manuel* (1897-1974) Militar y político per. Derribó a Bustamante mediante un golpe de est. militar. Presid. de la Junta militar (1948-1950), fue elegido presid. de la rep. (1950-1956).
ODRINA f. Odre hecho con el cuero de un buey.
ODUBER Quirós, *Daniel* (1921-1991) Político cost., miembro del Partido de Liberación Nacional. Fue derrotado en las elecciones de 1966. Presid. de la República entre 1974 y 1978.
OÉ, *Kenzaburo* (nacido 1935) Escritor jap. Con un estilo de agresivo lenguaje, compendia la rebelión de la generación posterior a la segunda Guerra Mundial. Premio Nobel de Literatura 1994. *Una cuestión personal, El juego del siglo.*
OEA Siglas de la Organización de Estados Americanos.
OECE Siglas de la Organización Europea de Cooperación Económica.
OENOTERÁCEO, A adj. y s. Díc. de matas o arbustos angiospermos dicotiledóneos, con hojas simples, flores axilares o terminales en espiga o en racimo, fruto capsular abayado o drupáceo; como la fucsia. • f. pl. Familia de estas plantas.
OERSTED m. Unidad de medida de intensidad del campo magnético en el sistema CGS.
OERSTED, *Hans Christian* (1777-1851) Físico danés. Descubrió el efecto, que lleva su nombre, que representó el comienzo del electromagnetismo (1819), y que sirvió para el estudio de la compresibilidad de los líquidos y de los sólidos.
OERSTITA f. Silicato de circonio que entra en la composición de jacintos impuros.
OESNOROESTE m. Punto del horizonte entre el oeste y el noroeste, a igual distancia de ambos. • Viento que sopla de esta parte.
OESSUDOESTE m. Punto del horizonte entre el oeste y el sudoeste, a igual distancia de ambos. • Viento que sopla de esta parte.
OESTE m. Occidente, punto cardinal. • Viento que sopla de esta parte.
OFENDER tr. Hacer daño a uno físicamente, hiriéndole o maltratándole. • Injuriar de palabra o denostar. • Fastidiar, enfadar, molestar. • prnl. Picarse o enfadarse por un dicho o hecho. ■ OFENDEDOR, RA; OFENDIDO, DA; OFENSIÓN; OFENSOR, RA.
OFENSA f. Acción y efecto de ofender. • Acto o palabra que ofende.
OFENSIVO, VA adj. Que ofende o puede ofender. • f. Acción y efecto de atacar. • Modo de acción que consiste en atacar al enemigo donde y cuando se considere oportuno, para destruirlo y conquistar sus posiciones. • Situación o estado del que trata de ofender o atacar. • **Tomar** uno **la o.** fr. Prepararse para acometer al enemigo, y acometerle de hecho. • fig. Ser el primero en alguna competencia o pugna.
OFERENTE adj. y s. Que ofrece.
OFERTA f. Promesa que se hace de dar, cumplir o ejecutar una cosa. • Don que se presenta a uno para que lo acepte. • Propuesta para contratar. • Venta de artículos a precios rebajados.
OFERTAR tr. *Econ.* Ofrecer mercancías a la venta. • *Amér.* Prometer algo. • *Amér.* Dar voluntariamente una cosa.
OFERTORIO m. Parte de la misa, en la cual ofrece a Dios el sacerdote la hostia y el vino del cáliz. • Antífona que dice el sacerdote antes de ofrecer la hostia y el cáliz.
OFF Término ing. que significa *fuera* y se usa en la locución *en off* que, en cine y TV, designa cualquier sonido cuyo origen es exterior a la escena presentada.
OFFENBACH, *Jacques* (1819-1880) Compositor fr., de origen al. Autor de numerosas operetas. *La bella Elena, Barba Azul, La vida parisiense, Los cuentos de Hoffmann.*
OFFENBACH AM MAIN C. de Alemania, en el est. de Hesse, junto al Rin; 107 400 hab. Ind. de curtidos.
OFFSET (voz ing.) m. Sistema de impresión indirecta. La plancha matriz, gralte. de aluminio, im-

Libélula, insecto del orden **odonatos**

Leopoldo **O'Donnell**

Hans Christian **Oersted**

Beleño, planta **oficinal**

Boa constrictor, reptil del suborden **ofidios**

Ofrendas a Athor y Horus, en un relieve del templo egipcio de Edfú

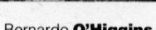

Bernardo **O'Higgins**

prime sobre un cilindro revestido de caucho, el cual lo hace a su vez sobre el papel.

OFICIAL adj. Que es de oficio, que procede de la autoridad derivada del Est. • Díc. de lo que está reconocido públicamente por una autoridad. • m. El que se ocupa o trabaja en un oficio. • El que en un oficio manual ha terminado el aprendizaje, pero no es maestro todavía. • Militar que posee un grado o empleo, desde alférez o segundo teniente hasta capitán inclusive. • P. ext., militar que posee un grado, desde alférez hasta capitán general.

OFICIALA f. La que se ocupa o trabaja en un oficio. • La que en un oficio manual ha terminado el aprendizaje y no es maestra todavía.

OFICIALÍA f. Empleo de oficial de contaduría, secretaría o cosa semejante. • Calidad de oficial adquirida por los artesanos. • **industrial.** Conjunto de los estudios de grado medio que siguen los que se preparan para desempeñar en la ind. una profesión con el grado de oficiales.

OFICIALIDAD f. Conjunto de oficiales de un ejército. • Carácter o calidad de lo que es oficial.

OFICIALISMO m. *Amér.* Conjunto de gobernantes. • Conjunto de fuerzas políticas que apoyan a un gobierno. ■ *Amér.* OFICIALISTA.

OFICILIALIZAR tr. Dar carácter de oficial a lo que antes no lo tenía.

OFICIANTE adj. Que oficia. • m. El que oficia en las iglesias; preste.

OFICIAR tr. Ayudar a cantar las misas y demás oficios divinos. • Celebrar los oficios divinos. • Comunicar una cosa oficialmente y por escrito. • intr. fig. y fam. Con la preposición *de*, obrar con el carácter que seguidamente se determina.

OFICINA f. Sitio donde se hace, se ordena o trabaja una cosa. • Dpto. donde trabajan los empleados públicoso particulares.

OFICINAL adj. Díc. de las plantas que poseen propiedades medicamentosas. • Díc. del medicamento preparado según las reglas de la farmacopea.

OFICINISTA com. Persona que está empleada en una oficina.

OFICIO m. Ocupación habitual. • Cargo, ministerio. • Profesión de algún arte mecánico. • Función propia de alguna cosa. • Acción o gestión en beneficio o en daño de alguno. • Comunicación escrita referente a los asuntos del servicio público en las dependencias del Est. • Rezo diario a que los eclesiásticos están obligados. • pl. Funciones de iglesia. • **Santo O.** Inquisición, tribunal.

OFICIOSIDAD f. Diligencia y aplicación al trabajo. • Diligencia y cuidado en los oficios de amistad. • Importunidad y hazañería del que se entremete en oficio o negocio que no le incumbe.

OFICIOSO, SA adj. Díc. de la persona solícita en cumplir con su deber. • Que se manfiesta interesado en ser agradable a uno. • Que se entremete en oficio o negocio que no le incumbe. • Provechoso, eficaz para determinado fin. • En diplomacia, se aplica a la mediación de una tercera potencia que practica diligencias en pro de la armonía entre otras. • Por contraposición a oficial, díc. de lo que hace o dice alguno sin formal ejercicio del cargo público que tiene.

OFIDIO adj. y m. *Zool.* Díc. de reptiles sin extremidades, con boca dilatable y cuerpo largo y estrecho revestido de epidermis escamosa. • m. pl. *Zool.* Suborden de estos reptiles.

OFIMÁTICA f. *Comp.* Estudio del conjunto de tecnologías usadas en la oficina automatizada.

OFIOGLOSÁCEO, A adj. y f. *Bot.* Díc. de plantas pteridófitas, helechos con rizoma corto y prótalos subterráneos. • f. pl. *Bot.* Familia de estas plantas.

OFITA f. Roca compuesta de feldespato, piroxeno y nódulos calizos o cuarzosos. Se emplea como piedra de adorno.

OFIUROIDEO, A adj. y m. *Zool.* Díc. de equinodermos que poseen un disco rodeado por cinco brazos recubiertos por placas calcáreas. • m. pl. *Zool.* Clase de estos equinodermos.

OFRECER tr. Prometer, obligarse uno a dar, hacer o decir algo. • Presentar y dar voluntariamente una cosa. • Manifestar y poner patente una cosa para que todos la vean. • Dedicar o consagrar a Dios o a un santo la obra buena que se hace. • Dar una limosna, dedicándola a Dios. • prnl. Venirse impensadamente una cosa a la imaginación. • Ocurrir o sobrevenir. • Entregarse voluntariamente a otro para ejecutar alguna cosa. ■ OFRECIMIENTO.

OFRENDA f. Don que se dedica a Dios o a los santos, para implorar su auxilio, pedir una cosa o cumplir un voto. • Pan, vino y otras cosas que llevaban los fieles a la iglesia por sufragio a los difuntos. • P. ext., dádiva o servicio en muestra de gratitud o amor.

OFRENDAR tr. Ofrecer dones y sacrificios a Dios por un beneficio recibido o en señal de rendimiento y adoración. • Contribuir con dinero u otros dones para un fin.

OFTALMÍA f. Inflamación de los ojos.

OFTÁLMICO, CA adj. Relativo a los ojos. • Relativo a la oftalmía.

OFTALMOLOGÍA f. Parte de la patología que trata de las enfermedades de los ojos. ■ OFTALMOLÓGICO, CA; OFTALMÓLOGO, GA.

OFTALMOSCOPIA f. Exploración del interior del ojo por medio del oftalmoscopio.

OFTALMOSCOPIO m. Instrumento para reconocer las partes interiores del ojo.

OFUSCACIÓN f. u **OFUSCAMIENTO** m. Turbación que padece la vista por un reflejo grande de luz que da en los ojos, o por vapores o fluxiones que embarazan el ver. • fig. Oscuridad de la razón, que confunde las ideas.

OFUSCAR tr. y prnl. Deslumbrar, turbar la vista. • tr. Oscurecer y hacer sombra. • tr. y prnl. fig. Trastornar algo la mente.

OGINO-KNAUS, *Ley de* Ley fisiológica debida a los ginecólogos Kiusaku Ogino y Hermann Knaus, según la cual la mujer sólo es fecundable durante un cierto periodo del ciclo menstrual, desde los tres días anteriores a la ovulación hasta un día después de ella.

OGO Iniciales de *Orbiting Geophysical Observatory* (Observatorio Geofísico Orbital). Satélites lanzados por EE UU desde 1964 hasta 1969, para estudiar auroras, rayos cósmicos, etc.

O'GORMAN, *Edmundo* (nacido 1906) Historiador mex., especializado en la época colonial. *Invención de América*, *Dos concepciones de la tarea histórica*. • ***Juan*** (1905-1982) Arquitecto y pintor mex. Considerado el último de los grandes muralistas mex. *La conquista del aire*, *Alegoría de las comunicaciones*, *Cuauthémoc redivivo*.

OGRO m. Gigante que, según las mitologías de los pueblos del N de Europa, se alimentaba de carne humana. • fam. Persona cruel.

¡OH! interj. que se usa para manifestar diversos movimientos del ánimo.

O'HIGGINS, *Ambrosio* (h. 1720-1801) Militar y político esp., de origen irl. Gobernador y capitán general de Chile (1788-1796). Abolió el régimen de encomiendas. Nombrado virrey del Perú (1796-1800), fomentó la ind. textil y ocupó las islas Galápagos. • ***Bernardo*** (1778-1842) Político chil., hijo del anterior. Participó en el movimiento patriota de 1810 y propugnó la indep. de Chile. Obtuvo la victoria de Chacabuco sobre los esp. (1817) y proclamó la indep. de Chile (1818); promulgó la constitución de 1818. Tras la sublevación del general Ramón Freire (1822), presentó su dimisión (1823). • ***Pablo*** (1904-1983) Muralista norteam., nacionalizado mex. Cofundador del Taller de Obra Gráfica Popular. *Dios del fuego*.

OHIO Estado del NE de EE UU; 107 044 km^2, 10 847 000 hab. Cap., Columbus. C. prales.: Toledo, Cleveland y Cincinnati. Ocupa una llanura. Sus r. afluyen al lago Erie, como el Cuyahoga y el Vermilion, y son afl. del Ohio (Muskingum, Scioto, Great, Miami). Clima continental húmedo. Bosques y praderas. Maíz, trigo, avena. Ganadería. Carbón, petróleo. Ind. alimentaria, maderera, siderúrgica, mecánica. • Río de EE UU, afl. del Misisipí; 1 580 km. Se forma en Pittsburgh (Pensilvania) por la confluencia del Alleghany y el Monongahela. Desemboca en el Misisipí a la altura de la c. de Cairo.

OHM u **OHMIO** m. Unidad de resistencia eléctrica. Símb. Ω. 1 Ω es la resistencia existente entre los extremos de un conductor cuando la diferencia de potencial es de un voltio y la intensidad es de un amperio. ■ ÓHMICO, CA.

OHM, *Georg Simon* (1787-1854) Fís al. que se ocupó del estudio de fenómenos de la corriente eléctrica. • **Ley de Ohm.** *Electr.* La diferencia de potencial existente entre dos extremos de un conductor atravesado por una corriente eléctrica es igual al producto de la intensidad de ésta por la resistencia entre ambos puntos.

ÓHMETRO m. Instrumento utilizado en los circuitos eléctricos o electrónicos para medir el valor de las resistencias que lo componen.

OÍDA f. Acción y efecto de oír. • **De,** o **por, oídas.** m. adv. que se usa hablando de las cosas que uno sabe sin verlas y sólo por noticia o relación de otro.

OÍDIO u **OÍDIUM** m. *Bot.* Pequeño hongo parásito de los órganos aéreos de diversos árboles frutales.

OÍDO m. Sentido que permite percibir los sonidos. • *Zool.* Cada uno de los órganos que sirven para la audición, sit. en los insectos bajo el tegumento del abdomen o de las patas y en los vertebrados a los lados de la cabeza. • Aptitud para percibir y reproducir con exactitud los sonidos musicales.

* *Anat.* y *Fisiol.* En el hombre, el o. comprende: 1) o. externo, con la oreja como órgano receptor; 2) o. medio, cavidad cerrada externamente por la membrana del tímpano; 3) o. interno, constituido por unas cavidades óseas (laberinto óseo) en las que hay amoldadas unas cavidades membranosas (vestíbulo, caracol y canales semicirculares) rellenas de un líquido, la endolinfa, que transmite las vibraciones producidas por el sonido del tímpano a las terminaciones nerviosas del nervio auditivo.

OIDOR, RA adj. y s. Que oye. • m. Ministro togado que en las audiencias del reino oía y sentenciaba las causas y pleitos. ■ OIDORÍA.

OÍL adj. y s. *Ling.* Díc. de la lengua hablada ant. en Francia al N del Loira. De uno de sus dialectos deriva el actual idioma francés.

OÍR tr. Percibir los sonidos. • Atender los ruegos, súplicas o avisos de uno. • Hacerse uno cargo, o darse por entendido, de aquello de que le hablan. • *Der.* Admitir la autoridad peticiones, razonamientos o pruebas de las partes antes de resolver.

OIT Siglas de Organización Internacional del Trabajo.

OITA Prefectura de Japón, en Kyushu; 6 338 km^2, 1 237 000 hab. Cap., la c. hom. (408 500 hab.).

OJAL m. Hendedura ordinariamente reforzada en sus bordes y a propósito para abrochar un botón, una muletilla u otra cosa semejante. • Agujero que atraviesa de parte a parte algunas cosas.

¡OJALÁ! interj. con que se denota vivo deseo de que suceda una cosa.

OJALADO, DA adj. Díc. de la res vacuna que alrededor de los ojos tiene, formando círculos, el pelo más oscuro que el resto de la cabeza.

OJALAR tr. Hacer ojales. ■ OJALADOR, RA.

OJANCO m. Cíclope. • Pez oriundo de las Antillas, característico por sus grandes ojos.

OJARANZO m. Variedad de jara ramosa, de tallos algo rojizos y hojas grandes. • Adelfa.

OJEAR tr. Dirigir los ojos y mirar con atención a determinada parte. • Aojar, hacer mal de ojo. • Espantar la caza, acosándola hasta que llega al sitio donde se le ha de tirar o coger con redes, lazos, etc. ■ OJEADA; OJEADOR; OJEO.

OJEDA, ***Alonso de*** (h. 1470-h. 1515) Navegante y conquistador esp. Participó en el segundo viaje de Colón (1493). Vuelto a España, organizó una nueva expedición en 1499. En 1508 fue nombrado gobernador de Nueva Andalucía.

OJÉN m. Aguardiente preparado con anís y azúcar hasta la saturación.

OJERA f. Mancha lívida, perenne o accidental, alrededor de la base del párpado inferior. Se usa más en pl. ■ OJEROSO, SA; OJERUDO, DA.

OJERIZA f. Enojo y mala voluntad contra uno.

OJETE m. Abertura pequeña y redonda para meter por ella un cordón o cualquier otra cosa que afiance. • Agujero redondo u oval con que se adornan algunos bordados. • fam. Ano.

OJETEAR tr. Hacer ojetes en alguna cosa.

OJETERA f. Parte de una prenda donde van colocados los ojetes.

OJIMEL u **OJIMIEL** m. Composición farmacéutica que se prepara cociendo juntas dos partes de miel y una de vinagre.

OJIVA f. Figura formada por dos arcos de círculo iguales que se cortan en uno de sus extremos y volviendo la concavidad el uno al otro. • *Arq.* Arco que tiene esta figura.

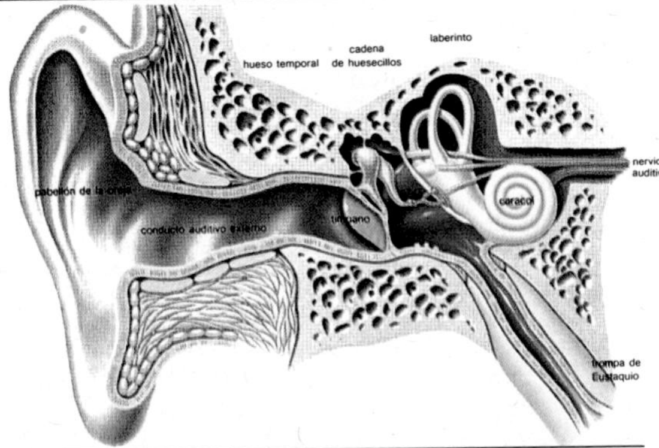

Estructuras anatómicas del pabellón auricular y el **oído** interno

OJIVAL adj. De figura de ojiva. • *Arq.* Aplícase al estilo arquitectónico que dominó en Europa en los tres últimos siglos de la E. Med., caracterizado por el empleo de los arcos y bóvedas ojivales.

OJO m. Órgano de la visión en el hombre y en los animales. • Agujero que tiene la aguja para que entre el hilo. • Agujero por donde se mete la llave en la cerradura. • Espacio entre dos estribos o pilas de un puente. Boca abierta en el muro de ciertos molinos para dar entrada al agua que pone en movimiento la rueda. • Atención, cuidado o advertencia que se pone en una cosa. • Cada uno de los huecos interiores del pan, el queso y otras cosas esponjosas. • Malla de la red. • fig. Aptitud singular para apreciar rápidamente las circunstancias que concurren en algún caso. • *Art. Gráf.* Grueso en los caracteres tipográficos, que puede ser distinto en los de un mismo cuerpo. • pl. Anillos de la tijera en los cuales entran los dedos. • **de buey.** *Bot.* Planta compuesta, de flores amarillas, común en los sembrados. • Ventana o claraboya circular.

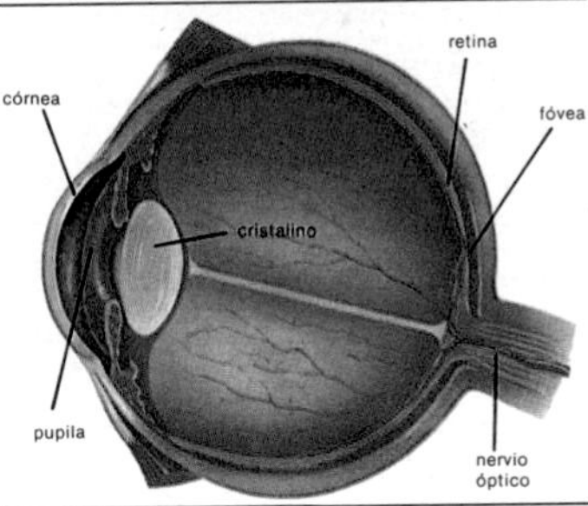

Principales estructuras anatómicas del **ojo** humano

* *Anat.* El o. humano comprende: 1) *Globo ocular,* cuya pared está formada por una capa fibrosa (esclerótica), en la que se engasta la córnea. Una capa por donde circulan los vasos (coroides), que en su parte anterior forma el iris y los procesos ciliares en los que se inserta el cristalino. Una capa formada por las terminaciones del nervio óptico (retina), encargada de recoger las sensaciones luminosas. El interior del o. está ocupado por dos medios transparentes: el humor acuoso, que ocupa el espacio entre la córnea y el iris, y el humor vítreo, sustancia gelatinosa que rellena el resto del globo ocular. 2) *Anexos*: el globo ocular está revestido anteriormente por la membrana conjuntiva. De su movilidad se encargan seis músculos que se insertan en la esclerótica y en un tendón fibroso sit. en el fondo de la órbita. En la parte superoexterna de la órbita se halla la glándula lacrimal.

OJOCHE m. *C. Rica.* Árbol de gran alt. que se cubre de flores casi por completo y cuyo fruto sirve de alimento al ganado.

OJÓN, NA adj. *Amér.* De ojos grandes.

Okapi

Olav II

Flores de jazmín, planta de la familia **oleáceas**

OJOS DEL SALADO, ***Cerro*** Macizo de los Andes, sit. entre Chile (Atacama) y Argentina (Catamarca).
OJOSO, SA adj. Que tiene muchos ojos o agujeros; como el pan, el queso, etc.
OJOTA f. *Amér.* Calzado a manera de sandalia, hecho de cuero o de filamento vegetal.
OJOTES adj. y m. Díc. del hombre que tiene los ojos saltones o grandes.
OJOTSK Mar costero del océano Pacífico, entre la pen. de Kamchatka, las islas Kuriles, la isla de Sajalín y la costa oriental de Siberia.
OJUELO m. Ojo pequeño, alegre y risueño. Se usa más en pl. • pl. Anteojos para leer.
OKA Río de Rusia, afl. de la orilla derecha del Volga; unos 1 480 km.
OKAPI m. Mamífero rumiante jiráfido, de un metro y medio de alto, patas anteriores más largas que las posteriores, y cuello largo. Vive en África central.
OKAYAMA Prefectura de Japón, en la isla de Honshu; 7 092 km², 1 926 000 hab. Cap., la c. hom. (593 700 hab.). Ind. textil y química.
OKEY (*O.K.*, voz ing.) Término muy usado en América Latina, que expresa conformidad o acuerdo.
OKINAWA Isla de Japón, en el arch. de las Ryukyu; 2 263 km². C. pral.: Naha. Arroz, caña de azúcar; explotación forestal; pesca. Ocupada por los norteam. en la II Guerra Mundial; devuelta a Japón en 1972. Constituye una prefectura (1 223 000 hab.).
OKLAHOMA Est. del centro O de EE UU; 181 186 km², 3 146 000 hab. Cap., Oklahoma City. Formado por una serie de llanuras, accidentadas al O por los montes Wichita. Avenada por afl. del Misisipí: el Arkansas y el Red. Trigo, algodón. Ganadería. Petróleo, gas natural, carbón. Ind. harinera, láctea, textil, refino de petróleo.
OKLAHOMA CITY C. de EE UU, cap. del estado de Oklahoma; 447 700 hab. Refinerías de petróleo. Ind. mecánica.
OKUPA com. Persona que vive de forma ilegal en una vivienda deshabitada.
OLA f. Onda de gran amplitud que se forma en la superficie de las aguas. • Fenómeno atmosférico que produce variación repentina en la temperatura de un lugar. • fig. Movimiento impetuoso de la gente apiñada, oleada.
OLACÁCEO, A adj. y f. *Bot.* Díc. de plantas leñosas, con hojas esparcidas, flores pequeñas y poco vistosas, y frutos con semillas desnudas. • f. pl. *Bot.* Familia de estas plantas, propias de países cálidos.
OLACINÁCEO, A adj. y f. *Bot.* Díc. de plantas tropicales, con hojas simples, flores pentámeras y semilla carnosa. • f. pl. *Bot.* Familia de estas plantas.
OLANCHO Dpto. de Honduras, limítrofe al E con Nicaragua; 23 905 km², 408 869 hab. Cap., Juticalpa. Accidentado por las sierras de la Esperanza, San Pablo y Agalta (Cerro de Culmi, 2 590 m). Ríos Sico, Guayape o Patuca y Coco. Clima tropical. Café, tabaco; ganado vacuno.
OLAÑETA, ***Casimiro*** (1796-1860) Político bol. Presid. del Congreso Constituyente (1826). Ministro con Velasco (1848). • ***Pedro Antonio*** (h. 1770-1825) Militar esp. Absolutista, se autoproclamó virrey del Perú.
OLAS Siglas de Organización Latinoamericana de Solidaridad.
OLAV I, ***Tryggvesson*** (h. 964-1000) Rey de Noruega [995-1000]. Inició la implantación del cristianismo en su país. Muerto en Svolder. • **II,** ***Haraldsson,*** llamado *El Gordo* (h. 995-1030) Santo. Rey de Noruega [1015-1028] Intentó imponer el cristianismo y se enfrentó a la nobleza. Fue derrotado y perdió el trono. • **V** (1903-1991) Rey de Noruega desde 1957. Mandó las tropas nor. durante la II Guerra Mundial. Sucedió a su padre Haakon VII.
OLAVARRÍA C. de Argentina, en la prov. de Buenos Aires, al SO de La Plata; 64 100 hab. Ind. cárnicas y lácteas.
OLAYA Herrera, ***Enrique*** (1880-1937) Político y periodista col. Presid. de la rep. como candidato liberal (1930-1934). Resolvió el litigio fronterizo con Perú (1934).
¡OLÉ! Interj. con que se anima y aplaude.
OLEÁCEO, A adj. y f. *Bot.* Díc. de árboles y arbustos angiospermos dicotiledóneos, que tienen hojas opuestas, flores hermafroditas y fruto en drupa o en baya; como el olivo, el fresno y el jazmín. • f. pl. *Bot.* Familia de estas plantas.
OLEADA f. Ola grande. • Embate y golpe de la ola. • fig. Movimiento de mucha gente apiñada.
OLEAGINOSO, SA adj. Que contiene aceite o presenta su brillo. ■ OLEAGINOSIDAD.
OLEAJE m. Susesión continuada de olas.
OLEAR tr. Aceitar una ensalada u otro manjar. • Dar a un enfermo el sacramento de la extremaunción. • intr. Hacer o producir olas, como el mar.
O'LEARY, ***Daniel Florencio*** (1810-1854) Militar y diplomático irl. Combatió en América al lado de Bolívar y colaboró en la formación de la Gran Colombia. • ***Juan Emilio*** (1882-1970) Poeta e historiador par. *El alma de la raza, Historia de la guerra de la Triple Alianza.*
OLEATO m. *Quím.* Sal del ácido oleico. Los o. forman parte pral. en los jabones de aceite.
OLÉCRANON m. *Anat.* Parte saliente del codo debida al ensanchamiento del cúbito.
OLEDOR, RA adj. y s. Que exhala olor o bien lo percibe o lo distingue.
OLEFINA f. *Quím.* Hidrocarburo de fórmula gral. CH_nH_{2n}, en la que existe el agrupamiento —C=C o doble enlace.
OLEICO adj. Díc. de un ácido graso con 18 átomos de carbono en su molécula. Se emplea en la fabricación de jabones.
OLEICULTURA f. Arte de cultivar el olivo y mejorar la producción del aceite. ■ OLEÍCOLA.
OLEÍFERO, RA adj. Díc. de la planta que contiene aceite.
OLEIFORME adj. Que tiene la consistencia del aceite.
OLEÍNA f. Éster glicérico presente en el aceite de oliva.
ÓLEO m. Aceite de oliva. • P. ant., el que usa la Iglesia en las ceremonias religiosas. Más usado en pl. • Acción de olear. • **Al ó.** m. adv. *Pint.* Con colores disueltos en aceite secante. • **Santo ó.** El de la extremaunción.
OLEODUCTO m. Conducto formado por tubos de acero, destinado a conducir el petróleo bruto desgasificado desde los campos de extracción hasta las refinerías o los puertos de embarque.
OLEOGRAFÍA f. Procedimiento de impresión que utiliza colores disueltos en aceite.
OLEÓMETRO m. Instrumento usado para medir la densidad de los aceites.
OLEORRESINA f. Producto líquido, o casi líquido, formado por resinas disueltas en aceites volátiles, y procedente de diversas plantas.
OLEOSO, SA adj. Aceitoso. ■ OLEOSIDAD.
OLER tr. Percibir los olores. • fig. Inquirir con curiosidad lo que hacen otros, olfatear. • intr. Exhalar y echar de sí fragancia que deleita el sentido del olfato, o hedor que le molesta. • fig. Parecerse o tener señas y visos de una cosa, por lo regular mala.
OLETEAR tr. *Perú.* Investigar en la vida de otros.
ÓLEUM m. *Quím.* Llamado también ácido sulfúrico fumante, es una solución de anhídrido sulfúrico en ácido sulfúrico concentrado.
OLFACCIÓN f. Acción de oler.
OLFATEAR tr. Oler con ahínco y persistentemente. • fig. y fam. Indagar, averiguar con viva curiosidad y empeño. ■ OLFATEO.
OLFATO m. *Zool.* Sentido con que los seres animados perciben los olores. Los órganos del o. suelen residir, en los vertebrados, en la membrana pituitaria, y en los invertebrados gralte. en las antenas, palpos, etc. • fig. Sagacidad para descubrir o entender lo que está disimulado o encubierto. • OLFATIVO, VA; OLFATORIO, RIA.
OLID, ***Cristóbal de*** (1488-1524) Conquistador esp. En las costas del Yucatán se unió a Hernán Cortés (1519). Participó en la conquista de México e inició la exploración de Honduras. Fue asesinado.
OLIERA f. Vaso en que se guarda el santo óleo.
OLIFANTE m. Cuerno de marfil que figuraba entre los arreos militares de los caballeros medievales. Particularmente, el cuerno de Roldán.
OLIGARCA m. Cada uno de los individuos que componen una oligarquía.
OLIGARQUÍA f. Gobierno de pocos. • Forma de gobierno en la cual el poder supremo lo ejerce un reducido número de personas pertenecientes a una misma clase social. • Grupo social integrado por los más poderosos capitalistas y sus representantes políticos. ■ OLIGÁRQUICO, CA.

OLIMPIADA

1  2

1. Las olimpiadas surgieron en la antigua Grecia (776 a. C.), ligadas al culto a Zeus, alcanzando gran repercusión, sobre todo por la tregua establecida entre las naciones en guerra durante su celebración, que tenía lugar cada cuatro años en Olimpia.
2. Las modernas olimpiadas nacieron en 1896, gracias a Pierre de Coubertin, convirtiéndose en verdaderos acontecimientos de masas a nivel mundial, al atraer a atletas de casi todos los países.
3., 4., 5., 6. y 7. El número de disciplinas olímpicas se amplía a medida que nuevos deportes se popularizan, aunque en esencia son las pruebas de atletismo, en sus diversas variantes (carreras, saltos, ejercicios), y los deportes de equipo las competiciones que despiertan mayor expectación.

3 4 5 6  7

OLIGISTO m. Óxido de hierro de color gris negruzco o pardo rojizo, muy duro y pesado, de textura compacta. • **rojo.** Hematites, mineral.

OLIGOCENO adj. y m. *Geol.* Díc. del tercer periodo de la era terciaria. Durante el o. se desarrolló la pral. fase de plegamiento de la orogenia alpina, continuó el desarrollo de los mamíferos y aparecieron los grupos que conforman la fauna actual.

OLIGOELEMENTO m. *Biol.* Todo elemento químico que es indispensable, en pequeñas cantidades, para el crecimiento y reproducción de plantas y animales.

OLIGOFRENIA f. *Med.* Deficiencia mental. ■ OLIGOFRÉNICO, CA.

OLIGOLECITO adj. y m. Díc. del tipo de cigoto o célula huevo que está provisto de poco vitelo o sustancia alimenticia.

OLIGÓMERO m. Producto polímero de peso molecular muy inferior a las macromoléculas.

OLIGOPOLIO m. *Econ.* Forma de mercado caracterizada por la presencia de un pequeño número de oferentes.

OLIGOQUETO, TA adj. y m. *Zool.* Díc. de los individuos de una clase de gusanos anélidos provistos de quetas, como la lombriz de tierra.

OLIGOSACÁRIDO, DA adj. y m. *Quím.* Díc. del glúcido que resulta de la unión de dos o más monosacáridos (máx. de ocho). Según el núm. de monosacáridos se dividen en: disacáridos (sacarosa, lactosa, maltosa, trehalosa, etc.); trisacáridos (maltotriosa, rafinosa, etc.); tetrasacáridos (maltotetraosa, etc.).

OLIGOSIALIA f. *Pat.* Disminución o secreción deficiente de saliva.

OLIGOTRÓFICO, CA adj. Díc. de las aguas pobres en materia orgánica y nutrientes, que sólo pueden soportar una población relativamente pequeña de organismos planctónicos.

OLIGÓTROFO, FA adj. *Biol.* Díc. de los organismos que viven en medios cuyos recursos alimentarios son escasos. • Díc. de estos medios.

OLIGURIA f. *Pat.* Secreción insuficiente de orina.

OLIMPIA Ant. c. del Peloponeso, en la Élide, célebre por su santuario de Zeus. Cada cuatro años se celebraban en ella las olimpiadas.

OLIMPIADA u **OLIMPÍADA** f. Fiesta religiosa o juego en honor de Zeus que se celebraba cada cuatro años en la ant. ciudad gr. de Olimpia.

* *Hist.* Los primeros juegos, celebrados en Olimpia el 776 a. C., comprendían tan sólo una prueba de carrera. Post., al aumentar el número de pruebas (carrera pedestre, lucha, pentathlon, carreras de carros y caballos, etc.), su duración se amplió de una a cinco jornadas. Perduraron hasta el 393 d. C. El fr. Pierre de Coubertin promovió los primeros juegos olímpicos modernos, celebrados en Atenas en 1896. A partir de 1924 se celebran unas olimpiadas de invierno, destinadas a los deportes de nieve y hielo. Las diferencias políticas entre países han interferido en las o. (las dos guerras mundiales impidieron su celebración; en 1980 EE UU promovió el boicot a los JJ OO de Moscú y la URSS boicoteó los JJ OO de Los Ángeles en 1984), si bien también han sido tradicionalmente períodos de tregua o motivo de acercamiento político (desfile conjunto de las dos Coreas en los JJ OO de Sidney en 2000).

Lombriz de tierra, anélido de la clase **oligoquetos**

El conde duque de **Olivares,** por Velázquez. Museo del Prado, Madrid

Olivo

Figuras **olmecas** procedentes de La Venta. Museo de Antropología, Ciudad de México

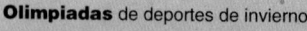

Olimpiadas de deportes de invierno

Año	Lugar
1924	Chamonix
1928	St. Moritz
1932	Lake Placid
1936	Garmisch-Partenkirchen
1948	St. Moritz
1952	Oslo
1956	Cortina d'Ampezzo
1960	Squaw Valley
1964	Innsbruck
1968	Grenoble
1972	Sapporo
1976	Innsbruck
1980	Lake Placid
1984	Sarajevo
1988	Calgary
1992	Albertville
1994	Lillehammer
1998	Nagano

Olimpiadas internacionales

Año	Lugar
1896	Atenas
1900	París
1904	St. Louis
1906 [1]	Atenas
1908	Londres
1912	Estocolmo
1920	Amberes
1924	París
1928	Amsterdam
1932	Los Ángeles
1936	Berlín
1948	Londres
1952	Helsinki
1956	Melbourne
1960	Roma
1964	Tokio
1968	México
1972	Munich
1976	Montreal
1980	Moscú
1984	Los Ángeles
1988	Seúl
1992	Barcelona
1996	Atlanta
2000	Sidney

[1] Juegos Olímpicos no oficiales

OLÍMPICO, CA adj. Relativo al Olimpo. • Relativo a Olimpia, ciudad de Grecia antigua. • Relativo a los juegos de las olimpiadas. • fig. Altanero.
OLIMPO Monte de Grecia, en Tesalia, al O del golfo de Salónica; 2 917 m, la mayor alt. de Grecia. • *Mit. gr.* Morada de los dioses.
OLINDA C. de Brasil, en el est. de Pernambuco; 308 000 hab. Centro agrícola e industrial.
OLINGO m. *Hond.* Mono aullador.
OLIO m. Óleo.
OLISCAR tr. Oler algo con cuidado y persistencia, y buscar por el olfato una cosa. • fig. Averiguar. • intr. Empezar a oler mal una cosa. • fig. Ofrecer uno o una cosa indicios de tal condición.
OLISMEAR tr. fig. Husmear noticias, curiosear.
OLISQUEAR tr. Oler una cosa. • fig. Husmear, curiosear.
OLIVA f. Olivo, árbol. • Aceituna. • Lechuza.
OLIVÁCEO, A adj. Aceitunado.
OLIVAR m. Sitio plantado de olivos. • tr. Enfaldar o podar las ramas bajas de los árboles.
OLIVARDA f. Ave, variedad del neblí. • Planta de las compuestas, de tronco leñoso, bastante ramosa, con hojas pobladas de pelillos glandulosos.
OLIVARES, *Gaspar de Guzmán y Pimentel*, llamado CONDE DUQUE DE (1587-1654) Político esp. Valido de Felipe IV. Reanudó las hostilidades con las Provincias Unidas, intervino en Italia, en la guerra de sucesión de Mantua y en la guerra de los Treinta Años. Proyectó la centralización administrativa y la unificación institucional de los reinos esp. Ante esta política se levantaron Cataluña y Portugal, precipitando su caída.
OLIVEIRA SALAZAR, ***Antonio*** → Salazar.
OLIVERO, RA adj. Relativo a las olivas. • m. Sitio donde se coloca la oliva o aceituna en la recolección hasta que se lleva al trujal. • f. Olivo, árbol.
OLIVICULTURA f. Cultivo y mejoramiento del olivo. ■ OLIVÍCOLA; OLIVICULTOR, RA.
OLIVIER, ***Laurence Kerr,*** SIR (1907-1989) Actor y director de teatro y cine brit. Especializado en Shakespeare, dirigió e interpretó *Enrique V*, *Hamlet* y *Ricardo III*.
OLIVINO m. *Miner.* Silicato de hierro y magnesio de color verde oliva y brillo vítreo.
OLIVO m. Árbol de tronco corto, grueso y torcido, copa ancha y hojas persistentes. Originario de Oriente, es muy cultivado en la zona mediterránea para extraer del fruto, la aceituna, el aceite común. • Madera de este árbol. ■ OLIVARERO, RA.
OLIVOS Núcleo urbano, en la prov. de Buenos Aires, perteneciente al mun. de Vicente López.
OLIVOS, ***Monte de los*** Elevación del relieve sit. al E de Jerusalén, donde tuvo lugar la oración de Cristo antes de su Pasión.
OLLA f. Vasija redonda de barro o metal, con cuello y boca anchos y con una o dos asas. • Vianda preparada con carne, tocino, legumbres y hortalizas, pralm. garbanzos y patatas, a lo que se añade a veces algún embutido. • Remolino que forman las aguas de un río en ciertos parajes. • *Amér.* Cocido. • **a presión.** La que dispone de cierre hermético y utiliza vapor a presión para cocer los alimentos. ■ OLLERO, RA; OLLERÍA.
OLLANTAYTAMBO Ant. c. fortificada, construida hacia el s. XV por los incas, cerca de Cuzco.
OLLAO u **OLLADO** m. *Mar.* Cualquiera de los ojetes que se abren en las velas, toldos, fundas, etc., y que sirven para que por ellos pasen cabos.
OLLAR m. Cada uno de los orificios de la nariz de las caballerías.
OLLERA f. Herrerillo, pájaro.
OLLETA f. *Ven.* Guiso de maíz. • *Col.* y *Perú.* Recipiente para hacer chocolate.
OLLÍN (voz náhuatl) m. Octavo día del mes azteca.
OLLUCO m. *Perú.* Melloco.
OLMA f. Olmo muy corpulento y frondoso.
OLMECA adj. y s. Relativo a los olmecas. • m. pl. Ant. cultura mex. (1500 a 100 a. C.) cuyos restos se extienden por la zona del Golfo, desde el S. de Veracruz hasta el istmo de Tehuantepec y la pen. del Yucatán.
* *Hist.* A la llegada de los esp., los o. eran tributarios de los aztecas. Desarrollaron la escultura monumental en piedra y el trabajo en jade, serpentina y otras piedras duras. Las estelas, sarcófagos y altares muestran igual refinamiento.
OLMEDA f. u **OLMEDO** m. Sitio plantado de olmos.
OLMEDO, ***José Joaquín*** (1780-1847) Patriota y poeta ecuat. Luchó por la indep. de su país frente a Bolívar. *La victoria de Junín*, *Al general Flores*.
OLMO m. Árbol de tronco robusto y derecho, copa ancha, hojas elípticas, flores blancorrojizas y de excelente madera.
OLMO, ***Lauro*** (1922-1994) Dramaturgo esp. *La pechuga de la sardina*, *El cuarto poder*, *Pablo Iglesias*, *La jerga nacional*.
OLÓGRAFO, FA adj. y m. Díc. del testamento o memoria testamentaria de puño y letra del testador. • adj. Autógrafo.
OLOMINA f. *C. Rica.* Pececillo osteíctio muy abundante en ríos y arroyos; no es comestible.
OLOPOPO m. *C. Rica.* Especie de mochuelo de gran tamaño que abunda en la costa del Pacífico.
OLOR m. Impresión que los efluvios de los cuerpos producen en el olfato. • fig. Lo que causa o motiva una sospecha en cosa que está oculta o por suceder. ■ OLORIZAR; OLOROSO; SA.
OLOTE (voz náhuatl) m. *Amér. Centr.* y *Méx.* Mazorca de maíz sin los granos.
OLP Siglas de la Organización para la Liberación de Palestina.
OLPIDIÁCEO, A adj. y f. *Bot.* Díc. de los hongos ascomicetes parásitos de plantas, con micelio formado por una sola célula esférica de la que se forman zoosporas flageladas. • f. pl. *Bot.* Familia de estos hongos.
OLSZTYN C. del NE de Polonia, cap. del voivoidato hom.; 144 100 hab. Centro industrial.
OLVIDAR tr. y prnl. Dejar de tener en la memoria lo que se tenía o debía tener. • Dejar de tener en el afecto o afición a alguién o algo. • No tener en cuenta algo. ■ OLVIDADIZO, ZA; OLVIDADO, DA.

OLVIDO m. Cesación de la memoria que se tenía. • Cesación del afecto que se tenía. • Descuido de una cosa que se debía tener presente.
OLYMPIA C. de EE UU, cap del est. de Washington; 33 800 hab.
OM Río de Rusia, en Siberia occidental, afl. del Irtish; 770 km.
OMACATL Según los nahuas, dios de los banquetes.
OMAGUA adj. y s. Díc. del individuo perteneciente a una tribu de indios del Perú. • Relativo a dicha tribu. • m. pl. Esta misma tribu.
OMAHA C. de EE UU, en el est. de Nebraska; 311 700 hab. Sit. a orillas del Misuri. Mercado de cereales y ganado. Universidad.
OMÁN, *Golfo de* Golfo del océano Índico, entre las costas de Irán y la península de Arabia.
OMÁN, *Mar de* → Arábigo, mar.
OMÁN *(Saltanat Oman)* Estado sit. en el extremo SE de Arabia, junto al mar Arábigo y el golfo de Omán. Constituido por una llanura litoral (Batinah), una cadena montañosa, el Jebel al-Akhdar (alt. máx., Jebel Sham, 3 017 m) y una meseta interior que desciende hasta el desierto de Rub al-Jali. Al SO, la región de Zufar forma el reborde de la meseta Arábiga. Clima cálido. Agrios, dátiles, tabaco; pesca; cría de ovinos, caprinos, camellos; la pral. riqueza es el petróleo. Monarquía. Grupos étnicos: ár. (mayoría), indostanos, persas. *Rel.*: islamismo. Lengua: ár. U. M.: rial. Cap., Mascate; c. prales.: Sur, Nizwa.
* *Hist.* A mediados del s. VII fue colocado bajo la administración del califa de Bagdad. Desde 1508 hasta 1650 los port. dominaron Mascate y Ormuz. En los ss. XVII y XVIII la influencia de los sultanes de Mascate y Omán se extendió a las costas de África oriental. En el s. XIX los brit. establecieron un protectorado. Tras el descubrimiento de petróleo (1925), Gran Bretaña intervino para frenar las pretensiones de Arabia Saudita sobre el terr. Indep. desde 1951. El Frente de Liberación de Omán se enfrentó al gobierno hasta 1975. En 1970, tras derrocar a su padre, Taimur ibn Said, el sultán Qa bus ibn Said tomó el poder. O. mantiene estrechas relaciones con EE UU. Desde 1981 forma parte del Consejo de Cooperación del Golfo. En la guerra del Golfo se alineó en contra de Irak.

OMÁN

Superficie	212 457 km²
Población	2 265 000 hab. (10,7 hab./km²)
Recursos económicos	
Agrios	29 000 t
Cabaña bovina	142 000 cabezas
Cabaña caprina	735 000 cabezas
Cabaña ovina	148 000 cabezas
Dátiles	133 000 t
Energía eléctrica	7 856 000 000 kwh
Pesca	118 568 t
Petróleo	40 150 000 t
Indicadores sociológicos	
PNB	10 578 millones de dólares
Renta per cápita	4 820 dólares
Esperanza de vida	70 años
Alfabetismo	59 %

OMASO m. Tercer estómago de los rumiantes.
OMATIDIO m. Cada una de las facetas de los ojos compuestos de los artrópodos.
OMBLIGADA f. Parte que en los cueros corresponde al ombligo.
OMBLIGO m. Cicatriz redonda y arrugada que se forma en medio del vientre después de romperse y secarse el cordón umbilical. • Cordón que va desde el vientre del feto a la placenta o pares. • fig. Medio o centro de cualquier cosa.
OMBLIGUERO m. Venda que se pone a los niños recién nacidos para sujetar el pañito o cabezal que cubre el ombligo.
OMBRÓFILO, LA adj. *Bot.* Díc. de las plantas capaces de resistir un grado notable de humedad.
OMBRÓFOBO, BA adj. *Bot.* Díc. de las plantas que necesitan terrenos secos.
OMBÚ m. *Amér. Merid.* Árbol de las fitolacáceas, con la corteza gruesa y blanda, y flores dioicas en racimos.
OMBUDSMAN m. Funcionario a cuyo cargo corre la comprobación de las quejas y demandas de los ciudadanos contra los organismos públicos y sus funcionarios.
OMDURMAN C. de Sudán, sit. en la orilla izquierda del Nilo; 526 000 hab. Forma parte de la agl. urb. de Jartum. Mercado de marfil. Tejidos de algodón.
OMEGA f. Última letra del alfabeto gr., equivalente a la o larga. • fig. Final de una cosa • *Astr.* Nebulosa de la constelación *Sagittarius.*
OMENTO m. *Anat.* Tejido que une el estómago y los intestinos con las paredes intestinales. ■ OMENTAL.
OMERO m. Aliso, árbol.
OMETÉOTL Según los nahuas, dios creador.
OMEYA adj. y s. Díc. de individuos de una dinastía ár. constituida por los descendientes de Umayya (ss. VII-VIII). • adj. Relativo a ella. • m. pl. Esta misma dinastía.
OMICRON f. Letra del alfabeto gr., correspondiente a una o breve.
OMINAR tr. Agorar, predecir el futuro.
OMINOSO, SA adj. Azaroso, de mal agüero. • Abominable.
OMISIÓN f. Abstención de hacer o decir. • Falta por haber dejado de hacer algo necesario en la ejecución de una cosa o por no haberla ejecutado. • Flojedad o descuido del que está encargado de un asunto.
OMISO, SA adj. Negligente y descuidado.
OMITIR tr. Dejar de hacer una cosa. • tr. y prnl. Silenciar una cosa.
OMMATIDIO m. *Zool.* Cada uno de los elementos visuales que integran un ojo compuesto.
ÓMNIBUS m. Vehículo, coche de gran capacidad, que sirve para transportar personas.
OMNICOLOR adj. Que tiene todos los colores.
OMNÍMODO, DA adj. Que lo abraza y comprende todo.
OMNIPOTENCIA f. Poder omnímodo, atributo únicamente de Dios. • fig. Poder muy grande.
OMNIPOTENTE adj. Que todo lo puede. Es atributo sólo de Dios.
OMNIPRESENCIA f. Ubicuidad. • fig. Presencia intencional del que quisiera estar en varias partes y acude deprisa a ellas. ■ OMNIPRESENTE.
OMNIRANGE m. Radiofaro de baja o mediana frecuencia utilizado para la guía de aviones.
OMNISAPIENTE adj. Que tiene omnisciencia. • fig. Díc. del que tiene sabiduría o conocimiento de muchas cosas.
OMNISCIENCIA f. Conocimiento de todas las cosas reales y posibles. Es una cualidad atribuida a Dios. • fig. Conocimiento de muchas ciencias o materias. ■ OMNISCIENTE.
OMNÍVORO, RA adj. y m. *Zool.* Díc. del animal que se alimenta de toda clase de sustancias orgánicas.
OMÓPLATO u **OMOPLATO** m. *Anat.* Cada uno de los dos huesos anchos, casi planos y sit. a uno y otro lado de la espalda, donde se articulan los húmeros y las clavículas.
OMS Siglas de la Organización Mundial de la Salud.
OMS y de Santa Pau, Manuel de (m. 1710) Diplomático esp. Felipe V lo nombró virrey del Perú (1707).
OMSK C. y puerto de la rep.de Rusia, en Siberia; 1 108 000 hab. Centro comercial e industrial.
ONA adj. y s. Díc. de individuos de un pueblo indígena de la familia patagona, que habitaba en la Tierra del Fuego. En la actualidad está extinguido. • adj. Relativo a este pueblo. • m. pl. El mismo pueblo.
ONAGRA f. *Bot.* Arbusto enoteráceo cuya raíz, una vez seca, despide un olor como a vino.
ONAGRARIÁCEO, A adj. y f. *Bot.* Díc. de plantas dicotiledóneas con hojas simples, sin estípulas, y flores regulares tetrámeras. • f. pl. *Bot.* Familia de estas plantas, también denominadas enoteráceas.
ONAGRO m. Asno salvaje o silvestre.
ONÁN Personaje bíblico, hijo de Judá y Súa. Obligado por la ley del levirato a casarse con Tamar, viuda de su hermano, cohabitó con ella pero evitó darle descendencia.
ONANISMO m. Práctica del coito interrumpido antes de la eyaculación del semen, para evitar la fecundación. La palabra deriva del personaje bíblico Onán. • Impropiamente, masturbación.

Olmo

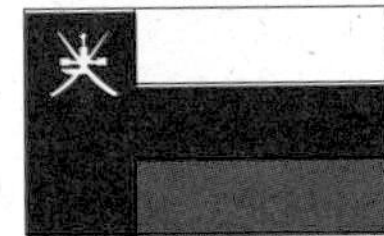
Mapa de situación y bandera de **Omán**

Chimpancé, mamífero **omnívoro**

Fucsia, planta de la familia **onagrariáceas**

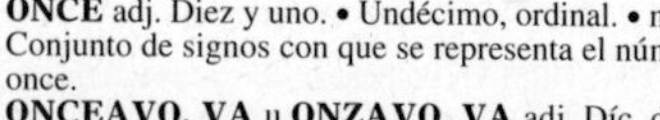

ONCE adj. Diez y uno. • Undécimo, ordinal. • m. Conjunto de signos con que se representa el núm. once.
ONCEAVO, VA u **ONZAVO, VA** adj. Díc. de cada una de las once partes iguales en que se divide un todo.
ONCENO, NA adj. y s. Undécimo.
ONCOCERCOSIS f. Enfermedad endémica en México y América Central, que se manifiesta tanto en el hombre como en los animales en forma de tumoraciones.
ONCOLOGÍA f. *Med.* Parte de la medicina, que trata de los tumores. ■ ONCÓLOGO, GA.
ONCOSFERA f. *Zool.* Larva propia de los gusanos platelmintos cestodos (tenias).
ONCÓTICO, CA adj. Relativo a los tumores.
ONDA f. Perturbación que se propaga desde un punto de un medio a otros del mismo medio. • Cada una de las curvas, a manera de eses, que se forman natural o artificialmente en algunas cosas flexibles; como el pelo, las telas, etc. • **corta.** O. electromagnética cuya longitud está comprendida entre 10 y 50 m. • **electromagnética.** Perturbación vibratoria producida por la variación simultánea de los campos eléctrico y magnético. • **estacionaria.** Resultado de la superposición de dos o. coincidentes en amplitud y frecuencia, que se propagan en sentidos opuestos. • **hertziana.** O. electromagnética utilizada en radiodifusión. • **larga.** O. hertziana de longitud comprendida entre 600 y 2 000 m. • **longitudinal.** Onda en la que las partículas del medio se mueven longitudinalmente y en la misma dirección que la de propagación. • **media.** O. hertziana de longitud comprendida entre 200 y 600 m. • **normal.** O. media. • **Ecuación de o.** Relación debida a Schrödinger en la que se admite y coordina la dualidad onda-partícula de la materia. • **Longitud de o.** Distancia entre dos puntos del mismo estado de fase de una o.
ONDÁMETRO u **ONDÍMETRO** m. *Electr.* Instrumento destinado a medir la cantidad de ondas producidas en una guía de ondas por desadaptación de impedancias.
ONDEAR intr. Hacer ondas el agua impelida del aire. • Moverse otras cosas en el aire formando ondas. • fig. Formar ondas los dobleces que se hacen en una cosa. ■ ONDEADO, DA; ONDEO; ONDOSO, SA.
ONDINA f. En la mitología germánica y escandinava, ninfa que vive en las aguas.
ONDULACIÓN f. Movimiento que se propaga en un fluido o en un medio elástico sin traslación permanente de sus moléculas. • Formación en ondas de una cosa.
ONDULAR intr. Moverse una cosa formando giros en figura de eses como las banderas agitadas por el viento. • tr. Hacer ondas en el pelo. ■ ONDULADO, DA; ONDULATORIO, RIA.
ONEGA Lago del NO de Rusia, sit. en su mayor parte en Carelia; 9 610 km². • Río de Rusia, 416 km (cuenca de 56 900 km²). Nace en el lago Lacha y desemboca en la bahía de Onega (mar Blanco).
O'NEILL, ***Eugene Gladstone*** (1888-1953) Dramaturgo norteam. *Anna Christie, Emperador Jones, Deseo bajo los olmos.* Premio Nobel de Literatura (1936).
ONEROSO, SA adj. Pesado, molesto o gravoso. • *Der.* Que incluye conmutación de prestaciones recíprocas.
ONETTI, ***Juan Carlos*** (1909-1994) Novelista ur. *Tierra de nadie, Para esta noche, La vida breve* (1950), *Los adioses, Una tumba sin nombre, El astillero, El infierno tan temido, Tan triste como ella, Juntacadáveres, Tiempo de abrazar, Cuentos completos, Dejemos hablar al viento* (Premio de la Crítica española 1980). Premio Cervantes 1980.

Juan Carlos **Onetti**

ONFACINO adj. Díc. del aceite que se extrae de la aceituna no madura; es usado en medicina.
ONGANÍA, ***Juan Carlos*** (1914-1995) General y político arg. Presid. de la junta militar que en 1966 derribó a Arturo Illía. Dimitió en 1970.
ÓNICE u **ÓNIQUE** u **ÓNIX** f. *Miner.* Variedad de ágata, con franjas circulares concéntricas de diversas tonalidades. Se emplea en joyería.
ONICOFAGIA f. Hábito de roerse las uñas.
ONIQUINA adj. Díc. de la piedra ónice.
ONÍRICO, CA adj. Relativo a los sueños.
ONIRISMO m. Actividad mental delirante, parecida al sueño, pero producida en estado consciente.
ONIROMANCIA u **ONIROMANCÍA** f. Pretendida adivinación del porvenir interpretando los sueños.
ONÍS, ***Federico de*** (1885-1966) Profesor y crítico literario esp. Es autor de una *Antología de la poesía española e hispanoamericana.*
ONOMASIOLOGÍA f. Rama de la lingüística que se ocupa de determinar los significantes que corresponden a un significado dado. ■ ONOMASIOLÓGICO, CA.
ONOMÁSTICO, CA adj. Relativo a los nombres y especialmente a los propios. • f. Ciencia que trata de la catalogación y estudio de los nombres propios.
ONOMATOPEYA f. Imitación del sonido de una cosa en el vocablo que se forma para significarla. • El mismo vocablo que imita el sonido de la cosa nombrada con él.
ONÓN Río de Mongolia y Rusia; 953 km. Nace en los montes Jentei, al N de Mongolia.
ONOQUILES f. Planta borraginácea de cuya raíz se extrae una tintura roja usada en confitería y perfumería.
ONOTO m. *Ven.* Bija, árbol. • Fruto de este árbol.
ONSAGER, ***Lars*** (1903-1976) Químico nor. nacionalizado norteam. Consiguió separar el uranio-235 y el uranio-238, para producir la bomba atómica. Premio Nobel de Química en 1968.
ONTARIO Prov. del centro de Canadá; 1 068 580 km², 10 085 400 hab. Cap., Toronto; c. prales.: Ottawa, Hamilton y London. El sector meridional está formado por una gran llanura, y el septentrional presenta abundantes lagos y ríos. Cereales, forrajes, remolacha, tabaco, frutales. Ganadería vacuna; riqueza forestal. Níquel, cobre, hierro, oro, uranio. Ind. siderúrgica, conservera, papelera, mecánica, textil, refino de petróleo. • El menor de los Grandes Lagos de América del Norte; 18 941 km².
ONTINA f. *Bot.* Planta con tallos leñosos, hojas pequeñas y carnosas, y flores amarillentas en racimos, que exhala un olor agradable.
ONTOGÉNESIS u **ONTOGENIA** f. *Biol.* Conjunto de los fenómenos de desarrollo y diferenciación del individuo a partir del huevo fecundado. ■ ONTOGÉNICO, CA.
ONTOLOGÍA f. Parte de la filosofía que estudia el ser en cuanto tal, en toda su generalidad y abstracción. El término adquirió plena difusión en el s. XVIII (a partir de Wolff). ■ ONTOLÓGICO, CA; ONTÓLOGO, GA.
ONTOLOGISMO m. *Fil.* Doctrina metafísica formulada por Rosmini y Gioberti en el s. XIX, según la cual todo conocimiento procede de Dios.
ONU Siglas de la Organización de las Naciones Unidas.
ONUBENSE adj. y s. De la ant. Ónuba, hoy Huelva. • adj. Relativo a esta ant. c. turdetana. • adj. y s. De Huelva, c. y prov. de España.
ONZA f. *Zool.* Mamífero carnívoro de los desiertos de Asia, domesticable. • Unidad de peso equivalente a 28,7 g, y es un dieciseisavo de la libra. • Diversas monedas antiguas.

Onza de ocho escudos de Fernando VI, acuñada en México (1756)

OÑA, ***Pedro de*** (1570-hacia 1643) Poeta chil. *Arauco domado.*
OÑATE, ***Cristóbal de*** (h. 1504-1567) Conquistador esp. Participó en la conquista de Nueva Galicia, de donde fue gobernador (1541). • ***Juan de*** (1550-1625) Conquistador esp. Pacificó Nuevo México, y exploró Missuri, Nebraska, Iowa y el r. Colorado hasta su desembocadura.
OOCITO m. *Biol.* Célula germinal femenina que da lugar al óvulo.
OOGAMIA f. *Biol.* Modalidad de anisogamia en la que los gametos femeninos, cargados de sustancias de reserva, son grandes y carecen de motilidad; por el contrario, los masculinos son pequeños, numerosos y dotados de cilios o flagelos para el movimiento.
OÓGAMO, MA adj. y s. *Biol.* Díc. del organismo que se reproduce por oogamia.
OOGÉNESIS f. *Biol.* Conjunto de los procesos de formación de los óvulos en las gónadas femeninas.
OOGONIA f. *Biol.* Célula sexual inmadura, diploide, localizada en los folículos de Graaf del ovario.
OOGONIO m. *Biol.* Órgano reproductor sexual de las plantas superiores, que tiene una abertura en sus

Ópalo

paredes que posibilita la penetración de los anterozoides.

OOLÍTICO, CA adj. *Geol.* Díc. de los sedimentos o rocas formados por oolitos.

OOLITO m. *Geol.* Roca calcárea, a veces ferruginosa, compuesta de granitos semejantes a los huevos de pescado.

OOLOGÍA f. Parte de la zoología que se dedica al estudio de los huevos de los animales.

OOMICETE m. *Bot.* Hongo ficomicete con micelio no tabicado, zoosporas biflageladas, saprófitos o parásitos. • m. pl. *Bot.* Orden de estos hongos.

OOQUISTE m. *Biol.* Formación derivada del cigoto de los protozoos hemosporidios, que contiene millares de individuos, que al llegar a la madurez se dirigirán a las glándulas salivales para pasar al torrente circulatorio, produciendo la enfermedad.

OOSFERA f. *Biol.* Gameto femenino de los vegetales, gralte. de tamaño mucho mayor que el gameto masculino.

OOTECA f. *Zool.* Cápsula en la que algunos animales depositan sus huevos para protegerlos.

OÓTIDE m. *Biol.* Célula haploide originada en la segunda división mitótica de la oogénesis, que da lugar al óvulo.

OPA (voz quechua) adj. y s. *Amér.* Tonto, idiota. • *Argent.* interj. que expresa hastío.

OPACAR tr. y prnl. Oscurecer, nublar.

OPACLE m. *Méx.* Hierba agregada al pulque.

OPACO, CA adj. Que impide el paso de la luz, a diferencia de diáfano. • Oscuro, sombrío. • fig. Triste, melancólico. ■ OPACIDAD.

OPALESCENCIA f. Fenómeno luminoso, caracterizado por un reflejo unicolor lechoso, debido a la reflexión de las ondas luminosas sobre los estratos de diferente densidad del ópalo noble. ■ OPALESCENTE .

ÓPALO m. *Miner.* Óxido silícico hidratado, amorfo o microcristalino; incoloro, blanco o con muy diversas coloraciones; brillo de vítreo a céreo; trasparente o traslúcido. ■ OPALINO, NA.

OP-ART (abrev. del ing. *optical art*) m. Movimiento artístico surgido en EE UU h. 1960, fundamentado en ilusiones ópticas e impresiones plásticas del movimiento.

ÓPATA adj. y s. Díc. de una tribu amerindia, de lengua de la familia uto-azteca, que vive al NE de Sonora y al NO de Chihuahua.

OPCIÓN f. Libertad o facultad de elegir. • La elección misma. • Derecho que se tiene a un oficio, dignidad, etc. • *Der.* Convenio en que, bajo condiciones, se deja al arbitrio de una de las partes ejercitar un derecho o adquirir una cosa. ■ OPCIONAL.

OPEN (voz ing.) adj. y m. Díc. de la competición deportiva en la que pueden participar profesionales y aficionados.

OPEP Siglas de Organización de Países Exportadores de Petróleo.

ÓPERA f. *Mús.* Representación teatral cantada, con acompañamiento orquestal, que reúne el canto, la música instrumental, la decoración escénica, las artes plásticas y la danza. • Poema dramático; letra de la ó. • Música de la ó. • Género formado por estas obras. ■ OPERÍSTICO, CA.

* *Mús.* La ó. se compone de una serie de escenas cantadas encuadradas, a menudo, en partes sinfónicas. Nació en Florencia h. 1600. Junto a la escuela florentina (Monteverdi) surgieron la romana (Caccini, Rossi, Landi), la veneciana (Cavalli, Cesti) y la napolitana (Scarlatti, Pergolesi). Destacaron los fr. Lully y Rameau; el ing. Purcell, y el al. Gluck. Mozart creó la primera gran ó. al. (*La flauta mágica*) y tuvo sus continuadores en Beethoven y Wagner. En Italia sobresalen Rossini, Bellini y Donizetti. Wagner y Puccini, llenan la segunda mitad del s. XIX. En Francia destacan Berlioz, Gounod, Bizet, Massenet. Del s. XX son Puccini, Debussy, Musorgski, Berg, Britten, Stravinski, Bartok, etc.

OPERACIÓN f. Ejecución de una cosa. • *Econ.* Negociación o contrato sobre valores o mercaderías. • *Mat.* Procedimiento que se aplica a varias entidades matemáticas (números, funciones, etc.) para obtener otr a u otras de igual o distinta naturaleza. • *Mil.* Maniobra bélica de gran envergadura. • *Cir.* Intervención practicada sobre un cuerpo vivo con fines terapéuticos, por medios instrumentales. ■ OPERACIONAL.

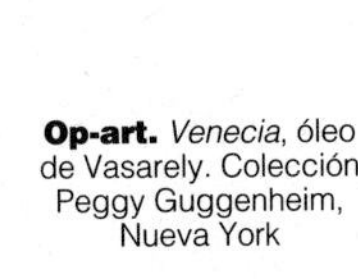

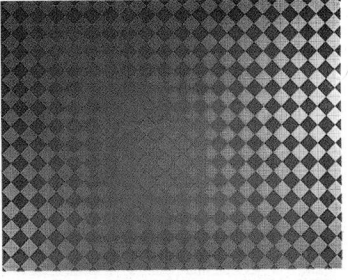

Op-art. *Venecia*, óleo de Vasarely. Colección Peggy Guggenheim, Nueva York

OPERACIONALISMO m. *Psic.* Método que inquiere no sólo el objeto que debe ser observado, sino también las operaciones realizadas por los observadores.

OPERADOR, RA adj. y s. Persona que, a bordo de una nave, tiene a su cargo las comunicaciones por radio. • Telegrafista. • Persona que atiende el servicio público de una central telefónica. • *Biol.* Gen regulador de otros genes. • *Cir.* Que opera. • *Cin.* Técnico encargado de la parte fotográfica del rodaje. • *Comp.* Persona que realiza las operaciones manuales que una máquina requiere. • Carácter que indica una operación aritmética o lógica; como sumar (+), restar (–), etc. • *Mat.* Símbolo que representa una operación. • **lineal.** *Mat.* Endomorfismo de un espacio vectorial.

OPERANDO m. *Comp.* Cada uno de los elementos que en una instrucción acompañan al código de la operación.

Ópera. Arriba, representación de *Carmen*, de Bizet; abajo, famosos compositores de ópera italianos: Mascagni, Puccini, Leoncavallo y Verdi

OPERAR tr. y prnl. Realizar, llevar a cabo algo. • tr. *Cir.* Ejecutar sobre el cuerpo vivo, por medio de la mano y con ayuda de instrumentos adecuados, diversos actos curativos, como extirpar órganos lesionados, amputar miembros, corregir órganos deformados, etc. Se usa también como prnl. con sentido factitivo de hacerse operar. • intr. Producir las cosas el efecto para que se destinan. • Obrar, trabajar. • Negociar, especular. • *Mil.* Llevar a cabo acciones de guerra, mover un ejército con arreglo a un plan. • Realizar operaciones matemáticas. ■ OPERABLE; OPERATIVO, VA; OPERATORIO, RIA.

OPERARIO, RIA m. y f. Obrero o bien trabajador manual.

OPERCULAR adj. Que sirve de opérculo.

OPÉRCULO m. *Biol.* Pieza que, a modo de tapadera, sirve para cerrar ciertas aberturas; como las de las agallas de los peces, la concha de muchos moluscos, etc. ■ OPERCULADO, DA.

OPERE CITATO exp. latina que se abrevia op. cit. y se emplea para indicar la obra citada anteriormente.

OPERETA f. Género teatral ligero en el que alternan las canciones con los fragmentos hablados.

OPERISTA com. Actor que canta en las óperas. • Músico que compone óperas.

OPERÓN m. *Biol.* Conjunto de genes que actúan en bloque como unidad de autorregulación en una determinada vía biosintética.

OPHIUCHUS *Astr.* Constelación próxima al ecuador celeste. Su nombre cast. es Ofiuco.

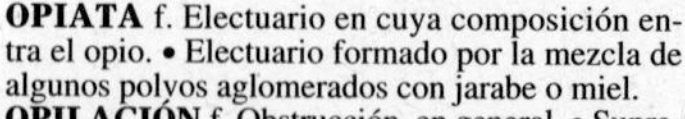

Vista de **Oporto**

OPIATA f. Electuario en cuya composición entra el opio. • Electuario formado por la mezcla de algunos polvos aglomerados con jarabe o miel.
OPILACIÓN f. Obstrucción, en general. • Supresión del flujo menstrual. • Acumulación del humor seroso en el cuerpo. ■ OPILATIVO, VA.
OPILARSE prnl. Dejar de tener la hembra el flujo menstrual.
OPILIÓN adj. y m. *Zool.* Díc. de arácnidos caracterizados por tener el cefalotórax fusionado con el abdomen, y este último segmentado. • m. pl. *Zool.* Orden de estos arácnidos.
OPINAR intr. Formar o tener opinión. • Expresarla de palabra o por escrito. • Discurrir sobre las razones, probabilidades o conjeturas referentes a la verdad o certeza de una cosa. ■ OPINABLE.
OPINIÓN f. Concepto o parecer que se forma de una cosa cuestionable. • Fama o concepto en que se tiene a una persona o cosa. • **pública.** Estimación en que coincide la generalidad de las personas acerca de asuntos determinados.
OPIO m. Resultado de la desecación del jugo que se hace fluir por incisiones de las cabezas de adormideras verdes. Los alcaloides del o. más importantes son: la morfina, la codeína, la tebaína, la narcotina, la papaverina y la narceína. • ***Guerra del*** Lucha entre Inglaterra y China (1839-1842), por la oposición ch. al comercio del opio por los ing. Finalizó con el tratado de Nankín. ■ OPIÁCEO, A; OPIADO, DA.
OPIOMANÍA f. Toxicomanía por opio. ■ OPIÓMANO, NA.
OPÍPARO, RA adj. Díc. del banquete o la comida copiosa y espléndida.
OPISTOBRANQUIO adj. y m. *Zool.* Díc. de moluscos de la subclase opistobranquios. • m. pl . *Zool.* Subclase de moluscos gasterópodos marinos. Comprenden dos órdenes, el de los tectibranquios, que tienen concha, aunque pequeña, y el de los nudibranquios o babosas de mar.
OPISTOCELO adj. y m. *Zool.* Díc. de anfibios anuros que tienen las vértebras cóncavas por la parte posterior. • m. pl. *Zool.* Suborden de estos anfibios.
OPISTOGLIFO adj. y m. *Zool.* Díc. de ofidios con dientes venenosos de pequeño tamaño y sit. en la parte posterior de la boca. • m. pl. *Zool.* grupo de estos ofidios.
OPLOTECA f. Galería o museo de armas antiguas, preciosas o raras.
OPOBÁLSAMO m. *Bot.* Resina verde amarillenta, que fluye de un árbol burseráceo de Siria, Somalia y Arabia, usada en medicina.
OPOLE C. de Polonia, cap. del voivodato hom., sit. junto al r. Oder; 124 000 hab. Centro industrial.
OPONER tr. y prnl. Utilizar una cosa contra otra para estorbar o impedir su efecto. • tr. Proponer alguna razón o cualquier objeción a lo que otro dice o siente. • prnl. Ser una cosa contraria a otra. • Estar una cosa sit. o colocada enfrente de otra. • Impugnar, estorbar, c ontradecir un designio. ■ OPONENTE; OPONIBLE.
OPOPÓNACO u **OPOPÓNAX** m. Gomorresina rozija por fuera y amarilla por dentro que se saca de la pánace y otras umbelíferas similares.
OPORTO m. Vino licoroso que se cosecha en el valle del Duero, en el distrito port. de Oporto.
OPORTO *(Porto)* C. de Portugal, cap. del distrito hom.; 330 200 hab. Sit. a orillas del Duero. Centro industrial y pesquero. Universidad.
OPORTUNIDAD f. Calidad de oportuno. • Conveniencia de tiempo y de lugar.
OPORTUNISMO m. Acomodación al juego de las circunstancias, para extraer de ellas el máx. beneficio. • *Pol.* Sistema que prescinde en cierta medida de los principios fundamentales, tomando en cuenta las circunstancias de tiempo y lugar. ■ OPORTUNISTA.
OPORTUNO, NA adj. Que se hace o sucede en tiempo a propósito y cuando conviene. • Díc. también del que es ocurrente y pronto en la conversación.
OPOSICIÓN f. Acción y efecto de oponer u oponerse. • Disposición de algunas cosas, de modo que estén unas enfrente de otras. • Contrariedad de una cosa respecto a otra. • Concurso de los pretendientes a una cátedra, prebenda u otro empleo o destino, por medio de ejercicios enque demuestran su suficiencia. Se usa más en pl. • Contradicción o resistencia a lo que uno hace o dice. • Minoría que en los cuerpos legislativos impugna habitualmente los actos y las doctrinas del gobierno. • P. ext., cualquier grupo político que se opone, legal o clandestinamente, al orden constituido. • Por ext., minoría de un cuerpo deliberante. • En astrología, aspecto de dos astros que ocupan casas celestes diametralmente opuestas. • *Astr.* Situación de un planeta cuando su ascensión recta supera en 180° a la del Sol. ■ OPOSICIONISTA.

Oposum

OPOSITAR intr. Oponerse a un cargo o empleo, hacer oposiciones a él. ■ OPOSITOR, RA.
OPOSUM m. Mamífero marsupial, de América del N, de patas cortas y cola prensil.
OPPENHEIMER, *Robert* (1904-1967) Físico nuclear norteam. de ascendencia alem. Desde 1942 dirigió el laboratorio de Los Álamos, donde se construyó la primera bomba atómica. En 1947 fue nombrado director de la Comisión de Energía Atómica. En 1954 fue suspendido en sus cargos por su oposición a la fabricación de la bomba de hidrógeno.
OPRIMIR tr. Ejercer presión sobre una cosa. • fig. Someter por la violencia a una persona o grupo social. ■ OPRESIÓN; OPRESIVO, VA; OPRESOR, RA.
OPROBIAR tr. Vilipendiar, infamar.
OPROBIO m. Ignominia, afrenta, deshonra.
OPS *Mit.* Entre los romanos, hija del Cielo y de la Tierra, y hermana y esposa de Saturno.
OPSINA f. *Fisiol.* Proteína propia de la púrpura visual, en la que se halla unida a un pigmento (retineno) formando la rodopsina.
OPSONINA f. *Fisiol.* Anticuerpo presente en el suero sanguíneo.
OPTACIÓN f. *Ret.* Figura que consiste en manifestar vehemente deseo de lograr o de que suceda una cosa.
OPTAR tr. Entrar en la dignidad, empleo u otra cosa a que se tiene derecho. • Aspirar a conseguir una cosa, especialmente un empleo. • tr. e intr. Escoger una cosa entre varias. ■ OPTATIVO, VA.
ÓPTICA f. Rama de la física que estudia los fenómenos relativos a la visión y a la propagación de la luz y, en general, los originados por radiaciones electromagnéticas, aunque no sean visibles. • Tienda de aparatos ópticos. • **física.** Parte de la ó. que estudia la naturaleza ondulatoria de la luz. • **geométrica.** Parte de la ó. que estudia la luz independientemente de su naturaleza.
ÓPTICO, CA adj. Relativo a la óptica. • *Anat.* En los vertebrados, díc. del segundo par de nervios cerebrales. • m. y f. Comerciante o especialista en objetos de óptica.
OPTIMACIÓN f. *Mat.* Método para determinar los valores de las variables que hacen que el rendimiento de un proceso o un sistema sea el máximo.
OPTIMAR u **OPTIMIZAR** tr. Buscar la mejor manera de realizar una actividad. • *Mat.* Maximizar o minimizar una determinada expresión.
OPTIMISMO m. *Fil.* Sistema que consiste en atribuir al universo la mayor perfección posible . • Propensión a ver y juzgar las cosas en su aspecto más favorable. ■ OPTIMISTA.
ÓPTIMO, MA Adj. sup. de bueno. Sumamente bueno; que no puede ser mejor. • m. *Mat.* Valor máximo o mínimo de una expresión.
OPTÓMETRO m. Instrumento usado en oftalmología para medir la agudeza visual. ■ OPTOMETRÍA.
OPTOTIPO m. Cada uno de los signos (letras, números o dibujos) usados para determinar la agudeza visual.

Óptica. Efecto de refracción en el agua

OPUESTO, TA adj. Enemigo o contrario. • *Bot.* Díc. de las hojas enfrentadas e insertadas en un mismo nudo del tallo. • m. *Mat.* Para un núm. o un vector, es aquel núm. o vector cuya suma con el primero es cero.
OPUGNACIÓN f. Oposición con fuerza y violencia. • Contradicción por fuerza de razones.
OPUGNAR tr. Hacer oposición con fuerza y violencia. • Asaltar o combatir una plaza o ejército. • Contradecir o repugnar. ■ OPUGNADOR, RA.
OPULENCIA f. Abundancia, riqueza y sobra de bienes. • fig. Sobreabundancia de cualquier otra cosa. ■ OPULENTO, TA.
OPUS m. Obra, especialmente musical. • Aparejo de un edificio.
OPUS Dei Prelatura personal de la Iglesia Católica,

fundada el 2 de octubre de 1928, en Madrid, por el beato Josemaría Escrivá de Balaguer. ■ OPUSDEÍSTA.

OPÚSCULO m. Obra científica o literaria de poca extensión.

OQUEDAD f. Espacio que en un cuerpo sólido queda vacío, natural o artificialmente. • fig. Insustancialidad de lo que se habla o escribe.

OQUEDAL m. Monte sólo de árboles, limpio de hierba y de matas.

OQUERUELA f. Lazadilla que la hebra forma por sí sola al tiempo de coser.

ORA Conj. distrib., aféresis de ahora.

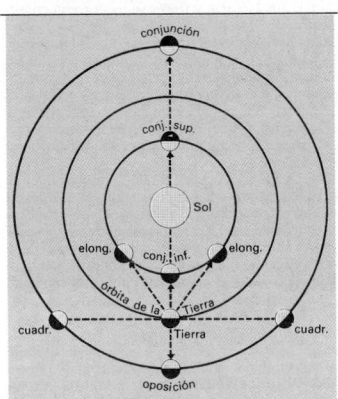

Posiciones de los planetas respecto a la Tierra: conjunción, elongación, cuadratura y **oposición**

ORACIÓN f. Discurso o exposición sobre un tema que hace un orador. • Elevación de la mente a Dios para alabarle o pedirle mercedes. • Hora de las oraciones. • *Gram.* Unidad funcional del discurso, simple, autónoma y cerrada en sí misma. ■ ORACIONAL.

* *Gram.* Tradicionalmente la o. se define como la «unión de palabras que representan un sentido completo». Se distingue entre *o. simple* y *o. compuesta.* La primera es la que tiene un sujeto y un predicado; la segunda consta de más de un sujeto y un predicado; es un complejo de o. simples, lógicas y psíquicamente relacionadas.

ORÁCULO m. *Mit.* Contestación de las pitonisas y sacerdotes a las consultas que se hacían a los dioses. • Lugar, estatua o simulacro que representaba la deidad cuyas respuestas se pedían. • fig. Persona a quien todos escuchan con respeto y veneración.

ORADEA (húngaro, *Nagy Varad*; al., *Grosswardein*) C. de Rumania; 206 200 hab. Sit. a orillas del Crisul Rápido. Siderurgia, metalurgia.

ORADOR, RA m. y f. Persona que ejerce la oratoria. • Díc. del que tiene cualidades para lograr los fines de la oratoria. • m. Predicador.

ORAL adj. Perteneciente o relativo a la boca. • Expresado con la boca o con la palabra.

ORÁN *(Onahran)* C. y puerto de Argelia; 419 900 hab. Sit. en la costa del Mediterráneo. Centro comercial e industrial.

ORANGE Río de África meridional; 2 091 km. Nace en los montes Drakensberg, en Lesotho; desemboca en el Atlántico.

ORANGE, *Estado libre de* *(Orange Vrystaad)* Prov. de la República Sudafricana, limitada por el Orange y el Vaal; 127 993 km², 1 931 900 hab. Cap., Bloemfontein. C. pral.: Kroonstad. Ganadería. Cereales. Oro, diamantes. Fue colonizada por los bóers.

ORANGE Rama holandesa de la casa de Nasau. ■ ORANGISTA.

ORANGUTÁN m. Mamífero primate de la familia póngidos, que puede alcanzar los 2 m de alt., con cabeza gruesa, cuerpo robusto, piel negra y pelaje espeso y rojizo. Vive en las selvas de Sumatra y Borneo.

ORAR intr. Hablar en público para persuadir y convencer a los oyentes o mover su ánimo. • Hacer oración a Dios, oral o mentalmente. • tr. Rogar, pedir, suplicar. ■ ORANTE.

ORATE com. Persona que ha perdido el juicio.

ORATORIO, RIA adj. Relativo a la oratoria, a la elocuencia o al orador. • m. Lugar para orar. • Capilla privada de una casa. • *Mús.* Género dramático-religioso, surgido en el s. XVI. Practicado por Monteverdi, Bach, Haendel, Haydn, Mendelssohn, Verdi, Berlioz, etc. • f. *Ret.* Arte de hablar con elocuencia.

ORBE m. Redondez o círculo. • Esfera celeste o terrestre. • Mundo, conjunto de todas las cosas creadas. • *Zool.* Pez teleósteo del suborden plectognatos, de forma casi esférica, cubierto de espinas largas, fuertes y erizadas, sobre todo cuando se siente en peligro.

Momento de la **oración** reflejado en *El ángelus,* óleo de Millet

ORBEGOSO, *Luis José* (1795-1847) Militar y político per. Elegido presid. de la rep. (1833), poco después de promulgar la constitución de 1834 fue derrocado por Salaverry. Recibió ayuda boliviana a cambio de aceptar una federación. Presid. del Nor-Perú, al ser derrotado por los chilenos (1838) abandonó el país.

ORBÍCOLA adj. Que se encuentra en todos los puntos del globo terráqueo.

ÓRBITA f. *Anat.* Cuenca del ojo. • *Astr.* Trayectoria seguida por un cuerpo celeste en torno a un centro de atracción. • **giroscópica.** Instrumento giroscópico que sirve para fijar la posición del plano de la ó. de un satélite artificial. ■ ORBITARIO, RIA.

ORBITAL adj. Relativo a la órbita. • m. *Quím.* Función que describe en términos de probabilidades el movimiento de los electrones alrededor de los núcleos atómicos.

ORCA f. Cetáceo con cabeza redondeada, boca con dientes cónicos, aletas pectorales muy largas; cola de más de un metro de anchura; color azul oscuro por el lomo y blanco por el vientre.

ORCADAS *(Orkney)* Arch. brit., al NE de Escocia, separado de ésta por el estr. de Pentland. Formado por unas 80 islas, la mayoría deshabitadas; 975 km², 19 100 hab. Cap., Kirkwall. Pesca.

ORCADAS DEL SUR Archipiélago de la República Argentina que forma parte de la prov. de Tierra del Fuego, Antártida e Islas del Atlántico Sur: 750 km².

ORCANETA f. Onoquiles, planta.

ORCHILLA f. Liquen de la familia usneáceas. De ella se extrae el colorante para fabricar el tornasol.

ORCINA f. *Quím.* Difenol derivado de la resorcina, hidrosoluble, de sabor dulce, abundante en las células de los líquenes.

Orangután

ORCO m. Orca, cetáceo.

ÓRDAGO m. Envite del resto en el juego del mus. • **De ó.** loc. fam. Excelente, de superior calidad.

ORDALÍAS f. pl. Pruebas que durante la E. Med. demostraban la culpabilidad o inocencia de los acusados. También llamadas *juicio de Dios.* Las más corrientes fueron las del fuego, el agua hirviente y el veneno.

ORDEN amb. Colocación de las cosas en el lugar que les corresponde. • Concierto, buena disposición de las cosas entre sí. • Regla o modo que se observa para hacer las cosas. • Serie o sucesión de las cosas. • Sexto de los siete sacramentos de la Iglesia, por el cual son instituidos los sacerdotes y los ministros del culto. • Relación o respecto de una cosa a otra. • Instituto religioso aprobado por el Papa y cuyos individuos viven bajo las reglas establecidas por su fundador o por sus reformadores. • En determinadas épocas, grupo o categoría social. • *Arq.* Cierta disposición y proporción de los cuerpos prales. que componen un edificio. • *Mat.* Calificación que se da a ciertas curvas o superficies, según el grado de la ecuación que las representa. • *Bot.* y *Zool.* Categoría taxonómica inmediatamente superior a la de familia. • f. Mandato que se debe obedecer, observar y ejecutar. • Cada uno de los institutos civiles o militares creados para premiar por medio de condecoraciones a las personas beneméritas. • m. *Teol.* Cierta categoría o coro de espíritus angélicos. • amb. Cada uno de los grados del sacramento del mismo nombre. • **de caballería.** Dignidad, título de honor que con varias ceremo-

Orca

Imposición de manos en el rito de la **ordenación** sacerdotal, según una miniatura de un pontifical italiano del s. x. Biblioteca Casanatense, Roma

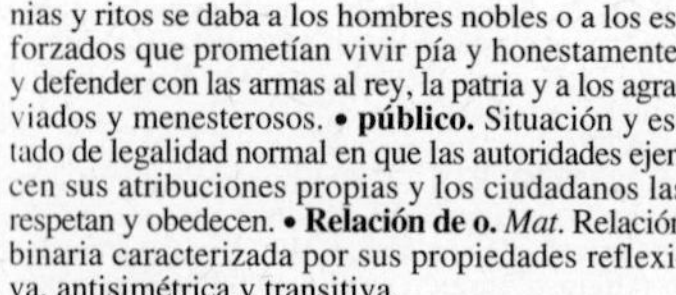

nias y ritos se daba a los hombres nobles o a los esforzados que prometían vivir pía y honestamente, y defender con las armas al rey, la patria y a los agraviados y menesterosos. • **público.** Situación y estado de legalidad normal en que las autoridades ejercen sus atribuciones propias y los ciudadanos las respetan y obedecen. • **Relación de o.** *Mat.* Relación binaria caracterizada por sus propiedades reflexiva, antisimétrica y transitiva.

* *Arq.* Durante la época gr. se utilizaron tres ó.: el dórico, el jónico y el corintio. El *o. dórico* es el más ant. La columna no tiene basa y las estrías del fuste son poco profundas. En el *o. jónico,* el capitel es lo más representativo. El *o. corintio* es una modificación del jónico; el capitel adquiere mayor volumen y se resuelve por medio de tres niveles de hojas de acanto. El arte rom. utilizó estos ó.; su combinación dio lugar a dos nuevos órdenes: el *compuesto* y el *toscano.*

ORDENACIÓN f. Disposición, prevención. • Acción y efecto de ordenar u ordenarse. • Colocación de las cosas en el lugar que les corresponde. • Regla que se observa para hacer las cosas. • Mandato, orden. • Parte de la arquitectura, que estudia la capacidad que debe tener cada pieza del edificio, según su destino. • *Mat.* Relación de orden.

ORDENADO, DA adj. Díc. de la persona que guarda método en sus acciones. • *Mat.* Díc. de un conjunto en el que se ha definido una relación de orden. • f. *Mat.* En un sistema de coordenadas cartesianas planas, la segunda coordenada.

ORDENADOR, RA adj. y s. Que ordena. • m. Jefe de una ordenación de pagos. • *Ing.* Máquina dedicada al tratamiento total de la información. • *Comp.* → Computador.

ORDENANCISTA adj. Díc. del jefe u oficial que cumple y aplica con rigor la ordenanza.

ORDENANDO m. El que va a recibir alguna de las órdenes sagradas.

ORDENANZA f. Método; orden y concierto en las cosas que se ejecutan. • Conjunto de preceptos referentes a una materia. Se usa más en pl. • Mandato, disposición, arbitrio y voluntad de uno. • Ordenación de las piezas de cada edificio. • m. Soldado que está a las órdenes de un oficial o de un jefe para los asuntos del servicio. • Empleado subalterno que en ciertas oficinas tiene el especial encargo de llevar órdenes.

ORDENAR tr. Poner en orden, concierto y buena disposición una cosa. • Mandar y prevenir que se haga una cosa. • Encaminar y dirigir a un fin. • Conferir las órdenes a uno. • prnl. Recibir la tonsura, los grados o las órdenes sagradas. ■ ORDENAMIENTO; ORDENANTE.

ORDEÑADERO m. Sitio donde se ordeña a las vacas, cabras u ovejas. • Vasija en que cae la leche cuando se ordeña.

ORDEÑAR tr. Extraer la leche exprimiendo la ubre. • fig. Coger la aceituna, rodeando con la mano el ramo para que se vayan desprendiendo. ■ ORDEÑADOR, RA; ORDEÑO; *Nic.* ORDEÑA.

ORDINAL adj. Perteneciente o relativo al orden. • adj. y m. Número ordinal. • *Gram.* Clase de numerales (adj. o pron.) que expresan la idea de disposición sucesiva.

ORDINARIO, RIA adj. Común, corriente. • Plebeyo. • Vulgar. • Que no tiene grado o distinción en su línea.

ORDINOGRAMA m. *Comp.* Diagrama de flujo. • Representación gráfica de un problema determinado mediante señales indicativas para su solución.

ORDOÑO I (m. 866) Rey de Asturias [850-866]. Sometió a los vascones insurrectos. Venció a los musulmanes en Clavijo (859). • **II** (m. 924) Rey de Galicia y Lusitania [910-914] y de León [914-924]. Creó el reino asturleonés. Venció a los musulmanes en San Esteban de Gormaz (917) y Osma (920). • **III** (m. 956) Rey de Asturias, León y Galicia [951-956]. Conquistó Lisboa (955).

Ordoño I hace entrega de su testamento al arzobispo Oveco. Miniatura del *Libro de los Testamentos*, Archivo de la catedral de Oviedo, España

ORDORIKA, *Imanol* (nacido 1931) Arquitecto esp., residente en México. Representante del racionalismo. Ciudad universitaria de Anáhuac, en México.

ORDOVICIENSE adj. y m. Díc. del periodo de la era primaria comprendido entre el cámbrico y el silúrico. Se caracteriza por el gran desarrollo que alcanzaron diversos grupos de invertebrados.

Orégano

OREA, *Juan de* (s. XVI) Arquitecto y escultor esp. Dirigió las obras de la catedral de Almería y de sus dos fachadas renacentistas.

ORDZHONIKIDZE → Vladikavkaz.

ORÉADE f. *Mit. gr.* Cualquiera de las ninfas que, según los gentiles, vivían en los bosques.

OREAR tr. Dar el viento en una cosa, refrescándola. • tr. y prnl. Dar en una cosa el aire para que se seque o se le quite la humedad o el olor que ha contraído. • prnl. Salir uno a tomar el aire.

ÖREBRO C. de Suecia; 117 600 hab. Sit. a orillas del lago Hjälmaren. Ind. papelera.

ORÉGANO m. Planta herbácea vivaz, de las labiadas, cuyas hojas y flores se usan como condimento.

OREGÓN Est. del NO de EE UU; 251 419 km^2, 2 842 000 hab. Cap., Salem; c. prales.: Portland y Eugene. Montañas Azules, cadena de las Cascadas y cadena de la Costa. Importantes cursos fluviales Columbia, Willamette, John Day, Umpqua, Rogue y Deschutes. Cereales, frutales; explotación forestal; ganadería ovina y bovina; pesca; ind. maderera, papelera.

OREJA f. Oído, órgano y sentido de la audición. • Órgano externo del sentido del oído, situado a ambos lados de la cabeza. Comprende el pabellón (formación cartilaginosa contorneada que abarca la concha, el hélix, antehélix, trago, antitrago y en su parte inferior una porción carnosa, el lóbulo) y, por dentro de la concha, el orificio de entrada al conducto auditivo externo. • Saliente de un tubo o cañería para su sujeción en la pared. • Cada una de las vertederas del arado romano. Se usa más en pl. • Cada una de las asas de una vasija, bandeja, etc. • Parte saliente situada a ambos lados del respaldo de un sillón o sofá. • Nombre común a multitud de especies vegetales por la semejanza de sus órganos con el aparato auditivo humano o de algún animal (o. de abad, de liebre, de ratón, etc.).

OREJANO, NA adj. y s. Díc. de la res que no tiene marca en las orejas ni en otra parte del cuerpo. • *Amér.* Díc. del animal arisco y de la persona huraña. • fam. *Ven.* Prevenido, cauto.

OREJAR tr. *Amér.* Escuchar con disimulo.

OREJEADO, DA adj. Díc. del que está prevenido o avisado para que cuando otro le hable pueda responderle y refutar su opinión.

OREJEAR intr. Mover las orejas un animal. • fig. Hacer una cosa de mala gana y con violencia. • Orejar. • *Argent., Guat.* y *Hond.* Dar tirones de oreja.

OREJERA f. Cada una de las dos piezas de la gorra o montera que cubren las orejas y se atan debajo de la barba. • Cada una de las dos piezas de acero que a uno y otro lado tenían ciertos cascos ant. para defender las orejas.

OREJERO, RA adj. *Argent.* Chismoso. • *Col.* Díc. de la bestia que empina las orejas. • *Col.* Malicioso.

OREJÓN m. Pedazo de melocotón, albaricoque o pera, en forma de cinta, secado al aire y al sol. Se usa más en pl. • Entre los ant. per., persona noble que, después de horadarle las orejas, entraba en un cuerpo privilegiado. • Nombre que se dio en la conquista a varias tribus de América.

OREJUDO, DA adj. Que tiene orejas grandes o largas. • m. *Zool.* Especie de murciélago insectívoro, cuyas orejas son muy grandes.

OREL C. de la rep. de Rusia, sit. a orillas del río Oka; 328 000 hab. Ind. mecánica.

ORELLANA Prov. de Ecuador, en la Amazonia, limítrofe con Perú. 20 358 km^2; 45 490 hab.Cap. Puerto Francisco de Orellana. Creada en 1998.

ORELLANA, *Francisco de* (1511-1546) Conquistador esp. Participó con Pizarro en la conquista del Perú. Fue el primer explorador del río Amazonas (1542). • ***José María*** (1872-1926) Militar y político guat. Tras el golpe de Est. que depuso a Carlos Herrera (1921), asumió la presidencia de la rep., cargo que conservó hasta su muerte. • ***Manuel María*** (m. 1940) Militar y político guat. En 1930 derrocó a Baudilio Palma y, durante unos meses, se hizo cargo de la presidencia de la república.

ORENBURGO C. de Rusia; 519 000 hab. Sit. a orillas del río Ural, en confluencia con el Sakmara. Centro industrial. Yacimientos de gas natural en sus alrededores.

ORENGA f. *Mar.* Varenga. • *Mar.* Cuaderna que encaja en la quilla.

ORENSANO, NA adj. y s. De Ourense. • adj. Relativo a esta c. de España o a su provincia.
ORENSE → Ourense.
OREO m. Soplo del aire que da suavemente en una cosa.
OREOPITECO m. *Pal.* Primate fósil pliocénico de Italia, muy próximo a la rama que condujo a los homínidos.
OREOSELINO m. Planta umbelífera herbácea, de hojas grandes y flores en umbela.
ORESTES *Mit. gr.* Hijo de Agamenón y de Clitemnestra, hermano de Electra e Ifigenia. Mató a su madre y al amante de ésta para vengar la muerte de su padre.
ORESUND o **SUND** Estr. del N de Europa, que comunica el mar Báltico con el mar del Norte.
ORFANATO m. Asilo de huérfanos.
ORFANDAD f. Estado de huérfano. • Pensión que disfrutan algunos huérfanos. • fig. Falta de valimiento en que una persona o cosa se encuentran.
ORFEBRERÍA f. Arte de trabajar los metales preciosos. ■ ORFEBRE.
ORFELINATO m. Orfanato.
ORFEO *Mit. gr.* Hijo de Eagro, rey de Tracia, y de la musa Calíope; uno de los Argonautas. Descendió a los infiernos. Se le considera fundador del orfismo. ■ ÓRFICO, CA.
ORFEÓN m. Sociedad de cantantes en coro, sin instrumentos que los acompañen. ■ ORFEONISTA.
ORFF, *Carl* (1895-1982) Compositor al. Su obra constituye un intento de síntesis entre el espectáculo teatral, la danza y la música. *Carmina Burana*, *Catulli Carmina*, *Antígona*.
ORFILA, *Alejandro* (nacido 1925) Político y diplomático arg. Sirvió en el Ministerio de Asuntos Exteriores de su país y ocupó diversos cargos diplomáticos. Secretario gral. de la Organización de Estados Americanos entre 1975 y 1983. • ***Mateo*** (1787-1853) Médico y químico esp., nacionalizado fr. Autor de imp. trabajos sobre toxicología, de la que es considerado fundador.
ORFISMO m. Religión de la ant. Grecia, cuya fundación se atribuía a Orfeo. Se caracterizaba por creer en la vida de ultratumba.
ORFO m. Pescado semejante al besugo, de color rubio, ojos grandes y dientes en sierra.
ORGANDÍ m. Tela blanca de algodón muy fina y transparente.
ORGANICISMO m. *Med.* Teoría según la cual todas las enfermedades son resultado de la lesión de un órgano. • Teoría que explica los trastornos psíquicos por lesiones del sistema nervioso. • *Soc.* Teoría según la cual las sociedades son entes semejantes a los organismos vivos (H. Spencer). • *Fil.* Doctrina que explica los fenómenos de la vida según la organización propia de la materia viva (Bruno, Schelling). ■ ORGANICISTA.
ORGÁNICO, CA adj. Aplícase al cuerpo que está con disposición o aptitud para vivir. • Que tiene armonía y consonancia. • *Biol.* Formado por órganos. • *Biol.* Relativo a los órganos. • fig. Díc. de lo que atañe a la constitución de entidades colectivas o a sus funciones o ejercicios. • *Med.* Díc. de los síntomas o trastornos patológicos acompañados de lesiones. • *Quím.* Díc. de la sustancia cuyo componente constante es el carbono, en combinación con otros elementos. • Díc. de la rama de la química que se ocupa de dichas sustancias.
ORGANIGRAMA m. Cuadro que expresa gráficamente la organización de una entidad determinada. • *Comp.* Esquema que representa el encadenamiento de operaciones que deberá realizar un ordenador.
ORGANILLERO, RA m. y f. Persona que tiene por ocupación tocar el organillo.
ORGANILLO m. Órgano pequeño o piano que se hace sonar por medio de un cilindro con púas movido por un manubrio.
ORGANISMO m. *Biol.* Conjunto de órganos del cuerpo animal o vegetal. • fig. Conjunto de leyes, usos y costumbres por las que se rige un cuerpo social, y las oficinas, dependencias o empleos que lo forman.
ORGANISTA com. Persona que ejerce o profesa el arte de tocar el órgano.
ORGANIZACIÓN f. Acción y efecto de organizar u organizarse. • Disposición de los órganos de la vida, o manera de estar organizado el cuerpo animal o vegetal. • fig. Disposición, arreglo, orden.
ORGANIZACIÓN de Estados Americanos (*OEA*) Organismo supranacional basado en el tratado interamericano de asistencia recíproca, defensa y no agresión de 1948, cuyo objetivo es garantizar la paz y la seguridad del continente, asegurar la defensa común y promover el desarrollo economico-social de los países miembros. La integran todos los Est. americanos, excepto Cuba. Desde 1994 su secretario general es el col. César Gaviria. • **de la Unidad Africana** (OUA) Organismo creado en 1963 para reforzar la unidad africana, la cooperación y la lucha contra el colonialismo. Reúne a todos los Est. independientes de África, excepto Marruecos. En 2001 adoptó el nombre de Unidad Africana • **de las Naciones Unidas** (*ONU*) Organización internacional que pretende mantener la paz y la seguridad mundiales y promover la cooperación entre las naciones. Integra a todos los Est. soberanos del mundo, excepto Suiza, Taiwan, Ciudad del Vaticano, Kiribati, Nauru, Tonga y Tuvalu. Desde 1997 su secretario general es el ghanés Kofi Annan. Premio Nobel de la Paz en 2001. • **de los Países Exportadores de Petróleo** (*OPEP*) Organismo económico internacional creado en 1960. Coordina la política petrolera de Arabia Saudita, Argelia, Emiratos Árabes Unidos, Gabón, Indonesia, Irak, Irán, Kuwait, Libia, Nigeria, Qatar y Venezuela. • **del Tratado del Atlántico Norte** *OTAN* o *NATO* Organismo militar creado por Bélgica, Canadá, Dinamarca, EE UU, Francia, Gran Bretaña, Países Bajos, Islandia, Italia, Luxemburgo, Noruega y Portugal, países firmantes del Pacto Atlántico (1949). Post. se adhirieron Grecia, Turquía, RFA y España. En 1999 se incorporaron República Checa, Hungría y Polonia. • **del Tratado del Sudeste Asiático** (*SEATO*) Alianza defensiva creada en Manila (1954), integrada por EE UU, Gran Bretaña, Francia, Australia, Nueva Zelanda, Thailandia, Filipinas y Pakistán. Desmantelada en 1977. • **Internacional del Trabajo** (*OIT*) Organismo de las Naciones Unidas, con sede en Ginebra, que se propone mejorar las condiciones de trabajo, elevar el nivel de vida de los trabajadores y estimular la justicia social. Creado en 1919. • **Latinoamericana de Solidaridad** (*OLAS*) Organización creada en 1966, con sede en La Habana, para coordinar los movimientos de izquierda y los partidos revolucionarios de los países latinoamericanos. • **Mundial de la Salud** (*OMS*) Organismo de las Naciones Unidas, con sede en Ginebra, que promueve el desarrollo y la cooperación internacional en cuestiones de sanidad. • **Nacional Chipriota de Resistencia** (en gr. y abreviado, EOKA) Grupo político militar chipriota partidario de la unión de Chipre con Grecia (*enosis*). Luchó contra los británicos y contra el gobierno chipriota. En 1974 participó en la caída de Makarios.

Orfebrería. Recipiente para especias (s. XVIII)

Sede de la **Organización de las Naciones Unidas,** en Nueva York

• **Para la Cooperación y el Desarrollo Económico** (*OCDE*) Organismo internacional creado en 1960 para favorecer la expansión económica. Pertenecen a ella: Alemania, Austria, Australia, Bélgica, Canadá, Dinamarca, EE UU, España, Finlandia, Francia, Gran Bretaña, Grecia, Hungría, Irlanda, Islandia, Italia,

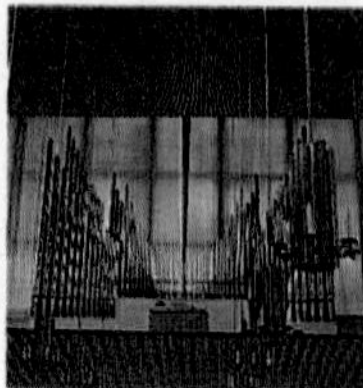

Órgano de una iglesia de Helsinki

El río **Orinoco** en su curso alto

Nebulosa de **Orión**

Japón, Luxemburgo, México, Noruega, Nueva Zelanda, Países Bajos, Polonia, Portugal, República Checa, Suecia, Suiza y Turquía. • **Para la Liberación de Palestina** (*OLP*) Organismo militar y político, fundado en 1964, cuyo objeto era conseguir la creación de un Est. palestino. Su presid., desde 1969, es Yasser Arafat. En 1975 el Frente Popular para la Liberación de Palestina se retiró del comité ejecutivo. A partir de 1983 las diferencias ideológicas y estratégicas de las facciones integradas en su seno han provocado enfrentamientos armados entre ellas. En 1993, Israel concedió la autonomía a Gaza y Jericó y Arafat fue designado jefe del ejecutivo provisional, cargo que confirmó tras las elecciones de 1996.

ORGANIZADO, DA adj. Orgánico. • *Biol.* Díc. de la sustancia que tiene la estructura peculiar de los seres vivientes.

ORGANIZADOR, RA adj. Que organiza. • m. *Biol.* Parte del embrión de un animal que por vía química dirige la diferenciación del resto del embrión.

ORGANIZAR tr. Preparar la realización de algo. • *Mús.* Disponer el órgano para que esté acorde y templado. • tr. y prnl. Disponer algo ordenadamente con miras a un determinado uso. • prnl. Formarse algo espontáneamente.

ÓRGANO m. *Biol.* Parte de un organismo pluricelular que constituye una unidad desde el punto de vista funcional y estructural. • *Mús.* Instrumento de viento, con teclado y pedales, en el cual el sonido, producido por un generador de aire comprimido, pone en vibración una serie de tubos que permiten obtener numerosas combinaciones sonoras. • fig. Instrumento, medio de acción o manifestación.

ORGANOGÉNESIS f. *Biol.* Conjunto de procesos que tienden a la formación de un órgano cualquiera.

ORGANOGENIA f. Estudio de la formación y desarrollo de los órganos.

ORGANOGRAFÍA f. Parte de la biología que tiene por objeto la descripción de los órganos animales o vegetales. ■ ORGANOGRÁFICO, CA.

ORGANOLÉPTICO, CA adj. Díc. de las propiedades de los cuerpos que se pueden percibir por los sentidos.

ORGANOLOGÍA f. Organografía. • *Mús.* Ciencia que estudia los instrumentos musicales.

ORGANOTROFO, FA adj. y m. *Biol.* Díc. de los organismos que necesitan sustancias orgánicas para su metabolismo.

ORGÁNULO m. *Biol.* Parte de una célula en la cual ésta cumple la función de un órgano.

ORGASMO m. Culminación del placer sexual.

ORGÍA f. Fiesta en honor de Baco, reservada a los iniciados y durante la cual se alcanzaba una gran excitación colectiva. • Festín en que se come y bebe inmoderadamente, y se cometen otros excesos. • fig. Satisfacción viciosa de apetitos o pasiones desenfrenados. ■ ORGIÁSTICO, CA.

ORGULLO m. Arrogancia, vanidad, exceso de estimación propia. • Sentimiento de satisfacción por algo que uno considera digno de mérito. ■ ORGULLOSO, SA.

ORIBE m. Orífice, artífice que trabaja en oro.

ORIBE, *Emilio* (1893-1975) Poeta ur., cultivador de una poesía abstracta. *La transfiguración del cuerpo*, *Rapsodia bárbara*. • ***Manuel*** (1796-1857) Héroe de la indep. de Uruguay. Organizó, con el general Lavalleja, la cruzada de los Treinta y Tres. Presid. de la rep. desde 1835 y fundador del partido blanco; el alzamiento de Rivera le obligó a dimitir en 1838. Con el apoyo del argentino Rosas, invadió Uruguay y puso sitio a la cap. (1834).

ORIENTACIÓN f. Acción y efecto de orientar u orientarse. • Posición o dirección de una cosa respecto a un punto cardinal. • fig. Dirección, tendencia. • *Comp.* Mensaje lanzado por la computadora a través de una pantalla o un terminal que indica al usuario que responda mediante entrada de información por el teclado.

ORIENTAL adj. y s. De oriente. • De la prov. cubana de Oriente. • Uruguayo. • adj. Relativo al oriente. • Relativo a la ant. prov. cubana de Oriente. • *Astr.* Díc. de los planetas que, levantándose antes que el Sol, son visibles por la mañana por oriente.

ORIENTAL de los Andes Cord. de América del Sur, el ramal E de los Andes. Se extiende desde Bolivia hasta Venezuela. En Bolivia recibe el nombre de cordillera Real. En Ecuador presenta formas volcánicas (Cotopaxi, Antisana, Sangay). En Venezuela se divide en la cordillera de Perijá y en los denominados Andes venezolanos.

ORIENTALISMO m. Conocimiento de la civilización y costumbres de los pueblos orientales. • Predilección por las cosas de oriente. ■ ORIENTALISTA.

ORIENTAR tr. y prnl. Informar a alguien sobre algo. • fig. Dirigir una persona, cosa o acción hacia un fin determinado. • tr. Colocar una cosa en posición determinada respecto a los puntos cardinales. • Determinar la posición o dirección de una cosa respecto a un punto cardinal.

ORIENTE m. Nacimiento de una cosa. • Punto cardinal del horizonte, por donde aparece el Sol en los días equinocciales. • Lugar de la Tierra o de la esfera celeste que, respecto de otro con el cual se compara, cae hacia donde sale el Sol. • Viento que sopla de la parte de oriente. • **Gran O.** Asamblea central masónica de un país.

ORIENTE Conjunto de países situados al E de la parte occidental de Europa. Abarca Asia y las regiones de Europa y África inmediatas a ella. • **Próximo O.** Países sit. en Asia occidental, hasta Irán. • **Extremo o Lejano O.** Países del extremo oriental de Asia. • **O. Medio.** Países asiáticos sit. entre los del Próximo y Lejano O. En la actualidad, el término designa, a veces, el conjunto de tierras asiáticas y norteafricanas que rodean el Mediterráneo oriental.

ORIENTE Ant. prov. de Cuba.

ORIFICADOR m. Instrumento para orificar.

ORIFICAR tr. Rellenar con oro la picadura de una muela o de un diente. ■ ORIFICACIÓN.

ORÍFICE m. Artífice que trabaja en oro.

ORIFICIO m. Boca o agujero. • *Zool.* Abertura al exterior de ciertos conductos.

ORIFLAMA f. Estandarte de la abadía de San Dionisio, de seda encarnada y bordado de oro, usado como pendón de guerra por los ant. reyes de Francia. • P. ext., cualquier estandarte.

ORIGEN m. Principio, nacimiento, manantial, raíz y causa de una cosa. • Patria, país donde uno ha nacido o tuvo principio la familia, o de donde una cosa proviene. • Ascendencia o familia. • fig. Principio, motivo o causa moral de una cosa. • **de coordenadas.** *Geom.* Punto de intersección de los ejes coordenados.

ORÍGENES (h. 185-h. 255) Teólogo y exegeta de la Biblia. Considerado por algunos como el fundador de la teología y la filosofía cristianas.

ORIGINAL adj. Perteneciente al origen. • Díc. de la obra científica, artística, literaria o de cualquier otro gén. producida directamente por su autor sin ser copia, imitación o traducción de otra. • Díc. asimismo de la lengua en que se escribió una obra. • adj. y s. Aplicado a personas o cosas, singular, contrario a lo común. • m. Manuscrito o impreso que se da a la imprenta para que con arreglo a él se haga impresión o reimpresión de una obra. • Cualquier escrito que se tiene a la vista para sacar de él una copia. • Persona retratada, respecto del retrato. ■ ORIGINALIDAD.

ORIGINAR tr. Ser instrumento, motivo, principio u origen de una cosa. • prnl. Traer una cosa su principio u origen de otra. ■ ORIGINARIO, RIA.

ORIHUELA Mun. de España en la prov. de Alicante; 50 724 hab. Sit. en la vega del río Segura. Hortalizas, agrios, cereales. Ind. textil.

ORILLA f. Término, límite o extremo de la extensión superficial de algunas cosas. • Extremo o remate de una tela o de un vestido. • Límite de la tierra que la separa del mar, lago, río, etc.; faja de tierra que está más inmediata al agua. • fig. Límite, término o fin de una cosa no material. • pl. *Argent.* y *Méx.* Arrabales.

ORILLAR tr. fig. Concluir, arreglar, ordenar, desenredar un asunto. • intr. y prnl. Arrimarse a las orillas. • intr. Dejar orillas al paño o a otra tela. • Guarnecer la orilla de una tela o ropa.

ORILLERO, RA adj. y s. *Amér.* Arrabalero. • m. El que caza junto a los límites exteriores de un coto.

ORILLO m. Orilla de paño.

ORÍN m. Óxido de hierro parcialmente hidratado que recubre la superficie de las piezas de hierro expuestas al aire húmedo o al agua. • Orina. Se usa más en plural.

ORINA f. Líquido excrementicio secretado por los riñones y expelido por la uretra.

ORINAL m. Vaso para recoger la orina.
ORINAR intr. y prnl. Expeler la orina.
ORINOCO Río de América del Sur que recorre Venezuela y Colombia; 2 063 km. Su cuenca es de 880 000 km^2. Nace en la sierra de Parima. Al llegar a Puerto Ayacucho las aguas son navegables. Al desembocar forma un delta de varios brazos.
ORINQUE m. *Mar.* Cabo que une y sujeta una boya a un ancla fondeada.
ORIOL m. Oropéndola.
ORIÓN *Astr.* Constelación que se observa durante el invierno en el ecuador celeste. • *Astr.* Nebulosa gaseosa que brilla en el cielo meridional, constituida por una nube de gases.
ORIÓNIDAS f. pl. *Astr.* Enjambre de meteoros que alcanza la máx. intensidad el 22 de octubre y tiene el radiante en la constelación de Orión.
ORISSA *(Udisa)* Est. de la India, junto al golfo de Bengala; 155 782 km^2, 31 512 000 hab. Cap., Bhubaneswar. C. prales.: Kutaka y Sambalpura. Arroz, yute, algodón, caña de azúcar. Hierro, manganeso, carbón. Ind. textil, cemento, papelera, aluminio.
ORIUNDO, DA adj. Originario, que tiene cierto origen. ■ ORIUNDEZ.
ORIZABA o **CITLALTEPETL** Volcán de México, en la cord. Neovolcánica, al NO de la c. hom. Es la mayor elevación del país (5 702 m).
ORIZABA C. de México, en el est. de Veracruz, al SE del pico hom.; 113 516 hab. Imp. centro industrial.
ORLA f. Orilla de paños, telas, vestidos u otras cosas, con algún adorno que la distingue. • Adorno que se dibuja, pinta, graba o imprime en las orillas de una hoja de papel, vitela o pergamino, o rodeando un retrato, viñeta, cifra, etc. ■ ORLADURA.
ORLANDO, *Vittorio Emanuele* (1860-1952) Político y jurista it., primer ministro durante la I Guerra Mundial (1917-1919) y presid. de la Cámara (1917-1920).
ORLAR tr. Adornar un vestido o cualquier otra cosa con orlas.
ORLEÁNS *(Orléans)* C. de Francia, junto al Loira, cap. de la región Centro y del dpto. de Loiret; 204 600 hab. Centro agrícola e industrial.
ORLEÁNS, *Felipe,* DUQUE DE (1674-1723) Príncipe fr., hijo de Felipe de Orleans. Regente durante la minoría de Luis XV. Declaró la guerra a España en 1719. • ***Luis Felipe José***, DUQUE DE MONTPENSIER (1747-1793). Participó en la Convención y en la Comuna. Votó la muerte de Luis XVI. Fue guillotinado.
ORLICH Bolmarcich, *Francisco José* (1907-1969) Político y militar cost. Miembro del Partido de Liberación Nacional, con el apoyo de Figueres fue presid. en 1962-1966. Creador del Instituto Nacional de Aprendizaje y de la Oficina de Planificación Nacional.
ORLÓN m. Fibra textil artificial poliacrílica. Es muy cálida y, al tacto, similar a la lana.
ORMESÍ m. Tela fuerte de seda, muy tupida y prensada, que hace visos y aguas.
ORMINO m. Gallocresta, planta medicinal.
ORMUZ *(Hormuz)* Estrecho que comunica el golfo Pérsico con el de Omán.
ORNAMENTAR tr. Adornar, engalanar con adornos. ■ ORNAMENTACIÓN; ORNAMENTAL.
ORNAMENTO m. Adorno de una cosa. • fig. Calidades morales del sujeto. • *Arq.* y *Esc.* Ciertas piezas que se ponen para acompañar a las obras principales. • pl. Vestiduras que usan los sacerdotes cuando celebran, y también los adornos del altar.
ORNAR tr. y prnl. Engalanar con adornos.
ORNATO m. Adorno, atavío, aparato.
ORNITINA f. Aminoácido de la arginina.
ORNITODELFO, FA adj. y s. Monotrema.
ORNITOGALO m. Nombre común de algunas especies de plantas monocotiledóneas, con hojas alargadas, flores blancas y frutos en cápsula.
ORNITOLOGÍA f. Parte de la zoología que trata de las aves. ■ ORNITOLÓGICO, CA; ORNITÓLOGO, GA.
ORNITÓPTERO m. Aeronave que se sostiene y avanza gracias a que sus alas ejecutan movimientos parecidos a los de las aves.
ORNITORRINCO m. Mamífero monotrema del tamaño de un conejo, de cabeza casi redonda, cuya boca se asemeja al pico de un pato. Vive en Australia.
ORNITOSIS f. Enfermedad propia de las aves producida por organismos del tipo de las rickettsias y de los virus.
ORO m. *Quím.* Elemento químico de símb. Au, n. a. 79, p. a. 197,0. • adj. y m. Color amarillo como el de este metal. • m. Moneda o monedas de oro. • Joyas y otros adornos mujeriles de este metal. • fig. Caudal, riquezas. • Cualquiera de los naipes del palo de oros. • *Her.* Uno de los dos metales heráldicos. • pl. Uno de los cuatro palos de la baraja española.
* *Miner.* El o. es un metal del subgrupo Ib de la tabla periódica. Buen conductor del calor y la electricidad, inalterable por el agua y por la mayoría de los reactivos químicos. Se encuentra en yacimientos primarios, en la roca donde se formó, gralte. de origen hidrotermal, o en yacimientos secundarios, originados por meteorización de las rocas primarias y posterior transporte y sedimentación, dando lugar a los placeres.

Orissa. Templo del Sol o Pagoda Negra

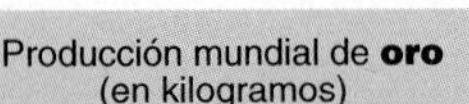

Producción mundial de **oro** (en kilogramos)

Prales. productores	
Rep. Sudafricana	603 000
EE UU	290 000
CEI	250 000
Australia	242 000
Canadá	167 000
China	100 000
Brasil	56 000
Colombia	28 000
Chile	28 000
Filipinas	25 000
México	8 000
Total mundial	1 987 000

ORO, *El* Prov. del SO de Ecuador; 5 988 km^2, 412 572 hab. Cap., Machala. Limítrofe con Perú, se extiende junto al golfo de Guayaquil hasta alcanzar las estribaciones de la cord. Occidental de los Andes. Comprende también el arch. de Jambelí, en el golfo de Guayaquil. El clima tropical favorece las plantaciones de bananas, cacao, café, arroz. Ganadería vacuna. Maderas preciosas (caoba, cedro). Oro en Zaruma y Portovelo.
OROBANCA f. Planta orobancácea, que vive parásita sobre las raíces de algunas leguminosas.
OROBANCÁCEO, A adj. y f. *Bot.* Díc. de plantas dicotiledóneas, parásitas de las raíces de otras plantas. • f. pl. *Bot.* Familia de estas plantas.
OROFARINGE f. *Anat.* Parte central de la faringe.
OROGÉNESIS f. Parte de la geología que estudia la formación del relieve terrestre. • *Geol.* Conjunto de procesos mediante los cuales se originan las cordilleras.
OROGENIA f. Orogénesis. ■ OROGÉNICO.
OROGRAFÍA f. Parte de la geografía física, que trata de la descripción de las montañas. ■ OROGRÁFICO, CA.
ORONDO, DA adj. Aplícase a las vasijas de mucha concavidad o barriga. • fam. Hueco. • fig. y fam. Lleno de presunción.
ORONIMIA f. Parte de la toponimia que estudia el origen y la significación de los orónimos. ■ ORONÍMICO, CA.
ORÓNIMO m. Nombre de cordillera, montaña, colina, etc.
ORONTES *(Asi)* Río de Asia Menor; 570 km. Nace en el Antilíbano y desemboca en el Mediterráneo.
OROPEL m. Lámina de latón, muy batida y adelgazada, que imita al oro. • fig. Cosa de poco valor y mucha apariencia.
OROPÉNDOLA f. Ave paseriforme de plumaje amarillo con alas, cola, pico y patas negras.
OROPESA f. Planta herbácea dicotiledónea, con tallo erguido, flores con cáliz bilabiado y celdas políniferas.
OROPIMENTE m. *Miner.* Sulfuro de arsénico, que cristaliza en el sistema monoclínico; color amarillo; traslúcido, flexible y brillo graso. Se utiliza como pigmento amarillo y agente reductor.

Ornitorrinco

Oropimente

OROTAVA, ***La*** Mun. de España en la com. autonom. de Canarias, prov. de Santa Cruz de Tenerife. Sit. en la isla de Tenerife; 35 140 hab. Plátanos, vid y tabaco. Ind. alimentaria.

OROYA, ***La*** C. de Perú, en el valle del Mantaro, dpto. de Junín; 45 000 hab. Centro metalúrgico.

OROZCO, ***José Clemente*** (1883-1949) Pintor mex., uno de los prales. representantes del muralismo vanguardista en su país. Decoración del palacio de Bellas Artes (C. de México), del anfiteatro de la universidad y de la cúpula del Hospicio Cabañas en Guadalajara. • ***Pascual*** (1882-1915) Revolucionario mex. Luchó al lado de Madero contra Porfirio Díaz, aunque posteriormente se sublevó contra Madero y reconoció a Huerta en 1913. • **Y Berra,** ***Manuel*** (1816-1881) Historiador mex. *Diccionario universal de historia y geografía, Historia antigua y de la conquista de México.*

Orquídea de Singapur

OROZUZ m. Regaliz.

ORPÍ, ***Joan*** (1593-1645) Conquistador esp. Dirigió la campaña de pacificación de los cumanogotos (1631-1637). Fundador de Nueva Barcelona.

ORQUESTA f. Conjunto instrumental. • Lugar destinado para los músicos, y comprendido entre la escena y las butacas. • **de cámara.** La que se compone de un reducido núm. de instrumentistas. • **de cuerda.** Consta de instrumentos de cuerda: violines, violas, violoncelos y contrabajos. • **sinfónica.** El conjunto más importante; consta de instrumentos de cuerda, viento y percusión.

ORQUIDÁCEO, A adj. y f. *Bot.* Díc. de hierbas angiospermas monocotiledóneas vivaces; como el satirión y la vainilla. • f. pl. *Bot.* Familia de estas plantas.

ORQUÍDEA f. *Bot.* Flor de una planta orquidácea.

ORQUIDECTOMÍA f. *Cir.* Extirpación de uno o ambos testículos.

ORQUITIS f. Inflamación testicular.

Eugenio **d'Ors**

ORS, ***Eugenio d'*** (1882-1954) Escritor y filósofo esp. Usó el seud. periodístico de *Xenius. Tres horas en el Museo del Prado, Ciencia de la cultura.*

ORSAY m. En deportes de equipo, fuera de juego.

ORSINI Familia romana güelfa, a la que pertenecieron los papas Celestino III, Nicolás III y Benedicto XIII.

ORSK C. de la rep. de Rusia; 266 000 hab. Sit. a orillas del río Ural. Refinerías de petróleo.

ORTEGA f. Ave poco mayor que la perdiz, con las alas cortas y el plumaje de color ceniciento rojizo. Su carne es muy estimada.

ORTEGA, ***Aniceto*** (1825-1875) Músico mex. El pral. exponente del romanticismo nacionalista de su país. *Guatemotzín.* • ***Daniel*** (nacido 1945) Político de Nicaragua. Militante del Frente Sandinista, participó en la lucha antisomocista y formó parte de la dirección del FSLN. Con el triunfo sandinista de 1979, fue nombrado miembro de la Junta de Gobierno. Venció en las elecciones de 1984. Fue presid. hasta 1990. • **Y Gasset,** ***José*** (1883-1955) Filósofo y escritor esp., máximo representante del positivismo en España. Fundador de la *Revista de Occidente. Meditaciones del Quijote, España invertebrada, El tema de nuestro tiempo, La deshumanización del arte, Ideas y creencias, La rebelión de las masas, El espectador.*

Ortega

ORTELIUS, ***Abraham*** (1527-1598) Cartógrafo y cosmógrafo al., n. en Amberes. Es autor de *Theatrum orbis terrarum* (1570), el primer atlas de mapas geográficos que se conoce.

ORTHOCERAS m. Molusco cefalópodo que vivió en el silúrico y triásico.

ORTICÓN m. Tubo electrónico que en las cámaras de televisión se usa como analizador de imagen.

ORTINOSCOPIO u **ORTICONOSCOPIO** m. Orticón.

ORTIGA f. Planta urticácea de flores verdosas, cuyas hojas, elípticas, aserradas y cubiertas de pelos, segregan un líquido urente. ▪ ORTIGAL.

ORTIGAR intr. *Amér.* Causar escozor, picar como la ortiga.

ORTIGUILLA f. *Amér. Centr.* Planta euforbiácea usada contra el dolor de muelas.

ORTIZ, ***Adalberto*** (nacido 1914) Escritor ecuat. Novelas: *Juyungo, El espejo y la ventana.* Poesías: *Tierra, son y tambor, El vigilante insepulto.* • ***Carlos*** (1870-1910) Poeta arg., uno de los prales. representantes del modernismo. *El poema de las mieses, Rosas del crepúsculo.* • ***José Joaquín*** (1816-1892) Poeta col. *Horas de descanso, Poesías.* • ***Roberto María*** (1886-1942) Político arg. Miembro de la Unión Cívica Radical, en 1938 fue elegido presid. de la rep.; por razones de salud hubo de delegar el mando en el vicepresid. Castillo (1940). • **De Domínguez,** ***Josefa*** (1768-1829) Patriota mex., conocida por LA CORREGIDORA. Esposa del corregidor de Querétaro, participó en la conspiración de 1810. • **De Rozas,** ***Domingo*** (1683-1756) Militar esp. Gobernador de Chile (1745-1755), fundó la casa de la Moneda (1743). • **De Zárate,** ***Juan*** (1521-1576) Conquistador esp. Adelantado del Río de La Plata (1567). Fundó la c. de Zaratina de San Salvador. • **Rubio,** ***Pascual*** (1877-1963) Político mex. Presid. de la rep. (1930), hubo de afrontar una difícil situación económica. Renunció en 1932.

ORTO m. *Astr.* Salida o aparición de un astro por el horizonte. • fam. *Arg., Col.* y *Ur.* Ano. • *Arg.* Suerte. ▪ ORTIVO, VA.

ORTOÁCIDO m. Nombre con que se designan los oxiácidos normales para diferenciarlos de los piro y metaácidos.

ORTOCENTRO m. *Geom.* Punto de intersección de las tres alturas de un triángulo.

ORTOCLASA f. *Miner.* Ortosa.

ORTOCROMÁTICO, CA adj. Díc de las placas y películas fotográficas sensibles a todos los colores, menos al rojo. ▪ ORTOCROMATISMO.

ORTODONCIA f. *Méd.* Rama de la odontología que procura corregir las malformaciones y defectos de la dentadura.

ORTODOXIA f. Rectitud dogmática o conformidad con el dogma católico. • P. ext., conformidad con la doctrina fundamental de cualquiera secta o sistema. • Díc. comúnmente del conjunto de las iglesias cristianas ortodoxas de Europa oriental. ▪ ORTODOXO, XA.

ORTODROMÍA f. *Mar.* Arco de círculo máx., camino más corto que puede seguirse en la navegación entre dos puntos. ▪ ORTODRÓMICO, CA.

ORTOEDRO m. *Geom.* Prisma cuadrangular cuyas caras y bases son rectángulos, y sus cuatro aristas laterales son perpendiculares a las bases.

ORTOEPÍA f. Arte de pronunciar correctamente.

ORTOFONÍA f. Corrección de los defectos de la voz y de la pronunciación.

ORTOGÉNESIS f. Teoría evolutiva debida a Eimer, que postula la existencia de factores intrínsecos de evolución tendentes a una determinada dirección de finalidad (teleonomía).

ORTOGNATO, TA adj. *Antr.* Díc. de los cráneos que tienen muy abierto el ángulo facial. • Relativo a este tipo de cráneos.

ORTOGONAL adj. *Geom.* Perpendicular. ▪ ORTOGONALIDAD.

ORTOGRAFÍA f. *Geom.* Delineación del alzado de un edificio u otro objeto. • Parte de la gramática que enseña a escribir correctamente una lengua. • Proyección ortogonal en un plano vertical. ▪ ORTOGRÁFICO, CA; ORTÓGRAFO, FA.

ORTOLOGÍA f. Arte de pronunciar correctamente. ▪ ORTOLÓGICO, CA; ORTÓLOGO, GA.

ORTONORMAL adj. *Mat.* En un espacio vectorial dotado de un producto escalar, díc. del conjunto de vectores cuyo módulo es la unidad, perpendiculares dos a dos.

ORTOPEDIA f. Arte de corregir o de evitar las deformaciones del cuerpo humano, por medio de ciertos aparatos o de ejercicios corporales. ▪ ORTOPÉDICO, CA; ORTOPEDISTA.

ORTOPIROXENO m. *Miner.* Mineral del grupo de los piroxenos, que cristaliza en el sistema rómbico, como la hiperstena y la broncita.

ORTOPSIA f. Visión recta normal.

ORTÓPTERO adj. y m. *Zool.* Díc. de insectos masticadores, con un par de élitros consistentes y otro de alas membranosas plegadas longitudinalmente. • m. pl. *Zool.* Orden de estos insectos.

ORTOSA f. *Miner.* Feldespato gris amarillento, opaco, muy abundante en las rocas hipogénicas.

ORTOSCOPIA f. Visión normal. • Examen del ojo para medir las anomalías en la refracción.

ORTOTÓNICO, CA adj. y s. *Gram.* Díc. de las palabras que conservan su acento, sea cual sea el lugar que ocupen en la oración.

ORTOTROPISMO m. Tipo de crecimiento en los

vegetales, que sigue ejes imaginarios verticales que pasan por el centro de la Tierra.

ORUGA f. *Bot.* Planta herbácea, cuyas hojas se usan como condimento por su sabor picante • *Zool.* Larva vermiforme de los insectos lepidópteros. • *Mec. apl.* Llanta articulada, a manera de cadena sin fin, que se aplica a las ruedas de algunos vehículos para permitirles avanzar en terrenos accidentados. • P. ext., vehículo dotado de estas llantas.

ORUJO m. Hollejo de la uva, después de exprimida y sacada toda la sustancia. • Residuo de la aceituna molida y prensada.

ORURO Dpto. de Bolivia, fronterizo con Chile; 53 588 km^2, 340 114 hab. Cap. la c. hom. Sit. entre las cordilleras Occidental (Nevado de Sajama, 6 544 m) y Oriental de los Andes, se extiende por la altiplanicie de la Puna. El Desaguadero enlaza los lagos Titicaca y Poopó; este último desagua en el lago Copaisa. Clima templado-frío. Patatas, cereales, alfalfa; cría de ovejas, llamas, alpacas; estaño y salinas. • C. de Bolivia, cap. dpto. hom.; 183 422 hab.

ORVALLO m. Llovizna. ■ ORVALLAR.

ORWELL, *George* Seud. de Eric Blair (1903-1950) Ensayista y novelista británico *Rebelión en la granja, 1984.*

ORZA f. Vasija vidriada de barro, alta y sin asas.

ORZAGA f. Planta fruticosa quenopodiácea, con tallos herbáceos, hojas alternas, flores pequeñas, verdosas, y fruto esférico, casi leñoso.

ORZAR intr. *Mar.* Inclinar la proa hacia la parte de donde viene el viento.

ORZAYA f. Niñera.

ORZUELO m. Inflamación aguda del borde palpebral producida por infección estafilocócica. • Trampa oscilante, a modo de ratonera, para coger perdices vivas. • Especie de cepo.

Os *Quím.* Símb. del osmio.

OS Dativo y acusativo del pron. de segunda persona en gén. masculino o femenino y núm. pl. En el tratamiento de *vos* hace indistintamente oficio de sing. o plural.

OSA f. Hembra del oso. • Monosacárido.

OSA *Mayor* *Astr.* Ursa Maior, constelación. • ***Menor*** *Astr.* Ursa Minor, constelación.

OSAKA Prefectura de Japón, en el S de la isla de Honshu; 1 869 km^2, 8 735 000 hab. Cap., la c. hom. (2 623 800 hab.). Centro de la segunda conurbación del país, es un imp. centro comercial e industrial. Puerto. Aeropuerto. Universidad.

OSAMENTA f. Esqueleto del hombre y de los animales. • Los huesos sueltos del esqueleto.

OSAR tr. e intr. Atreverse; emprender alguna cosa con audacia. • m. Osario. ■ OSADO, DA; OSADÍA.

OSARIO m. Lugar destinado en los cementerios para reunir los huesos que se sacan de las sepulturas. • Cualquier lugar donde se hallan enterrados huesos.

OSASCO C. de Brasil, en el est. de São Paulo; 481 000 hab. Forma parte del cinturón industrial de São Paulo. Centro industrial.

OSAZONA f. *Quím.* Sustancia aromática, nitrogenada, que se forma por reacción de los azúcares con la fenilhidracina.

ÓSCAR m. Premio que, desde 1929, concede anualmente la Academia de Artes y Ciencias Cinematográficas de Hollywood a la mejor película, dirección, interpretación, etc.

ÓSCAR I (1799-1859) Rey de Suecia y Noruega [1844-1859]. Sus ideas liberales le llevaron a practicar una política de reformas. • **II** (1829-1907) Rey de Suecia [1872-1907] y Noruega [1872-1905]. Durante su reinado se independizó Noruega (1905).

OSCENSE adj. y s. De Osca, hoy Huesca (España). • adj. Relativo a esta c. o a su provincia.

OSCILACIÓN f. Cada uno de los vaivenes de un movimiento oscilatorio. • **eléctrica.** Fenómeno producido en un circuito eléctrico que consiste en una fluctuación de la carga circulante de tal manera que la energía total asociada permanece constante.

OSCILADOR, RA adj. Que produce oscilaciones. • adj. y m. *El., Electr.* y *Mec.* Díc. del dispositivo, aparato o sistema que produce oscilaciones.

OSCILAR intr. Moverse alternativamente un cuerpo a un lado y a otro de su posición de equilibrio. • fig. Crecer y disminuir alternativamente la intensidad de algunas manifestaciones o fenómenos. • fig. Titubear, vacilar. ■ OSCILATORIO, RIA.

OSCILATRIZ adj. y f. Que produce oscilaciones.

OSCILÓGRAFO m. *El.* Instrumento capaz de registrar las variaciones de una corriente eléctrica (tensión, intensidad) en función del tiempo.

OSCILOSCOPIO m. *Electr.* Instrumento utilizado para medir la variación temporal de la tensión en un punto de un circuito eléctrico.

OSCINA adj. y f. *Zool.* Díc. de aves del suborden oscinas. • f. pl. *Zool.* Uno de los cuatro subórdenes de aves que integran el orden paseriformes.

OSCINIS m. Insecto díptero, cuya larva es perjudicial para determinados cereales.

OSCO, CA adj. y s. Díc. de individuos de un ant. pueblo de Italia central. • adj. Relativo a este pueblo. • m. *Ling.* Lengua indoeuropea perteneciente al grupo itálico.

OSCOUMBRO m. *Ling.* Grupo de idiomas indoeuropeos hablados antiguamente en la pen. italiana.

OSCULADOR, TRIZ adj. *Mat.* Díc. del plano y de ciertas curvas o superficies que en uno de sus puntos presentan un contacto de orden elevado con otra superficie.

ÓSCULO m. Beso de afecto. • *Zool.* Orificio pral. de los poríferos.

OSCURANA f. *Amér. Centr.* Oscuridad, cerrazón.

OSCURANTISMO m. Oposición sistemática a la difusión de la instrucción entre las clases populares. ■ OSCURANTISTA.

OSCURECER tr. Privar de luz y claridad. • fig. Disminuir la estimación y esplendor de las cosas; deslustrarlas y abatirlas. • Ofuscar la razón, alterando y confundiendo la realidad de las cosas. • *Pint.* Dar mucha sombra a una parte de la composición para que otras resalten. • intr. Ir anocheciendo. •prnl. Aplicado al día, a la mañana, al cielo, etc., nublarse. ■ OSCURECIMIENTO.

OSCURIDAD f. Falta de luz y claridad para percibir las cosas. • Densidad muy sombría; como la de los bosques cerrados. • fig. Falta de claridad en lo escrito o hablado. • Carencia de noticias acerca de un hecho o de sus causas y circunstancias.

OSCURO, RA adj. Que carece de luz o claridad. • adj. y s. Díc. del color casi negro, y del que se contrapone a otro más claro de su misma especie. • fig. Confuso, falto de claridad, poco inteligible. • fig. Incierto. • m. *Pint.* Parte en que se representan las sombras.

OSEAS Último rey de Israel [730-722 a. C.]. Asesinó a su antecesor Pekaj. Se negó a pagar tributo a Asiria, por lo que fue destituido. • El primero de los profetas menores, que vivió en el reino de Israel en el s. VIII a. C. • **Libro de O.** El primero de los escritos de los profetas menores en el canon actual.

ÓSEO, A adj. De hueso. • De la naturaleza del hueso.

OSERA f. Guarida del oso.

OSETIA Meridional Prov. de la rep. de Georgia; 3 900 km^2, 99 000 hab. Cap., Tsjinvalí. Sit. en la vertiente S del Gran Cáucaso. Agricultura; ganado lanar. Prov. autón. de 1922 a 1991, se declaró indep. en 1992. • **Septentrional** Rep. autón. de Rusia, en la vertiente N del Gran Cáucaso; 8 000 km^2, 634 000 hab. Cap., Vladikavkaz. Agricultura; ganadería; cinc; ind. mecánica, alimentaria. Rep. desde 1936.

OSETO, TA adj. y s. Díc. del individuo de un pueblo musulmán de origen irano-caucásico, que vive en Osetia. • adj. Relativo a dicho pueblo. • *Ling.* Lengua irania de este pueblo. • m. pl. Pueblo oseto.

OSEZNO m. Cachorro del oso.

OSHIMA, *Nagisha* (nacido 1932) Director cinematográfico jap. *La ceremonia, El imperio de los sentidos, El imperio de la pasión.*

OSHOGBO C. del SO de Nigeria; 282 000 hab. Ind. alimentaria.

OSIANDER, *Andreas* (1498-1552) Teólogo protestante al., cuyo nombre verdadero era *Andreas Hosemann.* Fue el primero en publicar *De revolutionibus orbium coelestium,* de Copérnico.

ÓSIDO m. *Biol.* Glúcido producido por condensación de monosacáridos (osas) con otros monosacáridos.

OSIFICACIÓN f. *Fisiol.* Proceso de formación del tejido óseo por diferenciación progresiva del tejido conectivo blando, a partir de unos centros formados por multitud de células óseas u osteoblastos.

OSIFICARSE prnl. Convertirse en hueso o ad-

Daniel **Ortega**

José **Ortega y Gasset**

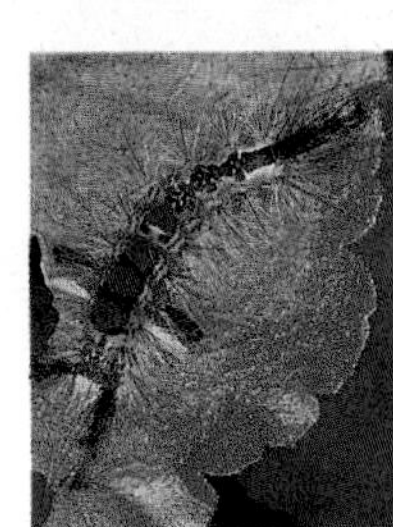

Oruga

Osciloscopio

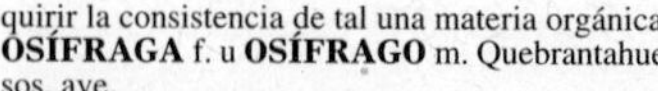

quirir la consistencia de tal una materia orgánica.

OSÍFRAGA f. u **OSÍFRAGO** m. Quebrantahuesos, ave.

OSIJEK C. de Croacia, junto al r. Drave; 104 200 hab. Centro agrícola e industrial. En poder de las milicias servias en 1991.

Representación de **Osiris**

OSIRIS En la religión egipcia, el dios más antiguo y pral. del panteón, hijo de Geb y de Nut, hermano de Isis, que también era su esposa.

OSLO C. y puerto de Noruega, cap. de esta nación; 461 127 hab. Sit. en el SE del país, en el fiordo hom. Centro comercial y nudo de comunicaciones. Ind. siderúrgica, metalúrgica, química, textil, papelera; astilleros; refinería de petróleo. Aeropuerto. Universidad. Instituto Nobel.

OSMÁN → Utmán.

OSMAZOMO m. Mezcla de sustancias azoadas procedentes de la carne, a las que debe el caldo su olor y sabor característicos.

OSMIO m. *Quím.* Elemento de símb. Os y n. a. 76. Es un metal de color gris, que se encuentra nativo asociado al platino. Sus aleaciones se emplean en la fabricación de instrumentos de precisión.

OSMORREGULACIÓN f. *Biol.* Regulación de la presión osmótica de los seres vivos.

ÓSMOSIS u **OSMOSIS** f. *Fís.* y *Quím.* Difusión de un líquido a través de una membrana semipermeable que separa dos disoluciones de diferente concentración. ▪ OSMÓTICO, CA.

OSNABRÜCK C. de Alemania en la Baja Sajonia, 153 600 hab. Siderurgia, metalurgia, ind. textil y mecánica.

OSO m. *Zool.* Cualquiera de los miembros de la familia úrsidos; mamíferos plantígrados de gran tamaño, cuerpo pesado y macizo, revestido de abundante pelaje. • **hormiguero.** Cualquiera de las tres especies de mamíferos desdentados que integran la familia mirmecofágidos. • **lavador.** Mapache. • **marino.** Mamífero pinnípedo de la familia otáridos. • **marsupial.** Koala. • **panda.** Panda. ▪ OSUNO, NA.

* *Zool.* Las especies más imp. son: el o. común o pardo, de las regiones boscosas de Europa; el o. negro o baribal, de América del N, y el o. polar o blanco, que vive en las regiones árticas.

Oso

OSORIO, *Miguel Ángel* (1883-1942) Poeta col. *Rosas negras* y *Parábola del retorno.* • ***Óscar*** (1910-1969) Militar y político salv. Jefe del partido revolucionario de acción democrática, fue presid. de la rep. (1950-1956). • **Villegas, *Diego*** (s. XVI) Militar esp. Gobernador de Venezuela (1589-1597). Fundador de Guanare, la Guaira y Victoria.

OSORNO Volcán de Chile, en el límite de las prov. de Llanquihue y Osorno; 2 652 m.

OSORNO Prov. del centro-sur de Chile, en la región de Los Lagos; 197 400 hab. Cap., la c. hom. Comprende tres regiones: los Andes y los lagos Rupanco, Puyehue y Llanquihue; una llanura regada por los afl. del Bueno, y una serie de mesetas costeras. Clima templado-húmedo. Cereales, frutas, lino; ganadería (vacunos, ovinos); explotación forestal; turismo. • C. de Chile, cap. de la prov. hom.; 117 500 hab. Sit. junto al Rahue. Centro agropecuario y forestal. Ind. alimentaria.

OSOS, *Gran Lago de los* *(Great Bear Lake)* Lago del N de Canadá (Territorios del Noroeste); 31 792 km^2.

OSPINA, *Pedro Nel* (1858-1927) Militar y político col., de ideología conservadora. Fue presid. de la rep. (1922-1926). • **Pérez, *Mariano*** (1891-1976) Político col. Dirigente del sector moderado del partido conservador, accedió a la presidencia de la rep. en 1945. Durante su gestión el país se vio conmovido por el «bogotazo» (1948). Clausuró las cámaras legislativas y gobernó por medio de decretos, tras proclamar el estado de sitio. Concluyó su mandato en 1950. • **Rodríguez, *Mariano*** (1805-1885) Político col. Miembro del partido conservador, de cuyo órgano, *La Civilización,* fue el fundador. En 1857 fue elegido presid. de la rep. Durante su mandato se aprobó la constitución de 1858. Fue derrocado (1861) y desterrado por Mosquera.

Vista del volcán **Osorno**

OSSIAN Bardo legendario escocés del s. III, hijo del rey de Morven, Fingal.

OSTEÍCTIO adj. y m. *Zool.* Díc. de peces de la clase osteíctios. • m. pl. *Zool.* Clase de peces, caracterizada por poseer sus miembros esqueleto óseo.

OSTEÍNA f. *Biol.* Proteína muy característica de los tejidos que constituyen la piel y los huesos.

OSTENDE *(Oostende)* C. y puerto de Bélgica, en la prov. de Flandes Occidental; 69 300 hab. Astilleros.

OSTENSIÓN f. Manifestación de una cosa.

OSTENSORIO m. Custodia que se emplea para la exposición del Santísimo. • Parte superior de la custodia, donde se coloca el viril.

OSTENTAR tr. Mostrar o hacer patente una cosa. • Hacer gala de grandeza, lucimiento y boato. ▪ OSTENSIBLE; OSTENSIVO, VA; OSTENTACIÓN; OSTENTATIVO, VA; OSTENTOSO, SA.

OSTENTO m. Apariencia que denota prodigio de la naturaleza o cosa milagrosa o monstruosa.

OSTEOBLASTO m. *Biol.* Célula del tejido óseo cuya función consiste en la producción de las sustancias que componen el hueso.

OSTEOCLASTO m. *Biol.* Célula del tejido óseo cuya función consiste en la destrucción de la materia mineral que integra el hueso.

OSTEOGÉNESIS f. Proceso de formación de tejido óseo.

OSTEOLITO m. *Pat.* Hueso fósil.

OSTEOLOGÍA f. Parte de la anatomía que trata de los huesos. ▪ OSTEÓLOGO, GA.

OSTEOMALACIA f. *Pat.* Conjunto de síntomas que se manifiestan en el sistema esquelético, gralte. de las mujeres, como consecuencia de la hipovitaminosis D y de pérdidas renales excesivas de calcio.

OSTEOMIELITIS f. *Pat.* Infección del hueso.

OSTEOPATÍA f. Enfermedad ósea.

OSTEOPLASTIA f. Método quirúrgico de restauración de un hueso mediante fragmentos óseos de otras partes del cuerpo.

OSTEOTOMÍA f. *Cir.* Resección de un hueso.

OSTIA C. de Italia en el Lacio, junto a la desembocadura del Tíber; 6 000 hab. Prácticamente es un suburbio de Roma. En los s. I y II conoció su mayor apogeo. Imp. restos arqueológicos: Plaza de las Corporaciones, foro y teatro.

OSTIA OSTERSUND C. de Suecia, cap. de la prov. de Jamtland; 56 400 hab. Centro comercial e industrial.

OSTIACO, CA (ruso, *janti*) adj. y s. Díc. del individuo de un pueblo ugrofinés de Siberia occidental. • adj. Relativo a dicho pueblo. • m. *Ling.* Lengua ugrofinesa.

OSTIARIO m. Clérigo de grado menor, encargado de abrir y cerrar la iglesia.

OSTIOLO m. *Bot.* Cada una de las aberturas regulables de los estomas epidérmicos de los vegetales. • *Bot.* Cada una de las aberturas de los aparatos esporíferos de ciertos líquenes.

OSTIÓN m. *Amér. Centr.* Ostra grande. • *C. Rica* Ostra. ▪ OSTIONAL.

OSTOCHE (voz náhuatl) m. *Amér. Centr.* Especie de tigre pequeño que suele atacar los gallineros.

OSTRA f. Molusco lamelibranquio comestible y muy apreciado. • Concha de la madreperla. • adj. y s. Persona misántropa o de carácter aburrido.

OSTRACISMO m. Destierro político acostumbrado entre los ant. atenienses. • fig. Exclusión voluntaria o forzosa de los oficios públicos.

ÓSTRACO m. Capa intermedia de la concha de los moluscos.

OSTRACODERMO adj. y m. *Zool.* Díc. de los animales del grupo ostracodermos • m. pl. *Zool.* Grupo de vertebradoservisciformes fósiles que vivieron en el mar y en las aguas dulces.

OSTRÁCODO adj. y m. *Zool.* Díc. de animales de la subclase ostrácodos. • m. pl. *Zool.* Subclase de crustáceos de pequeño tamaño, provistos de un caparazón bivalvo.

OSTRAVA C. de la Rep. Checa, cap. de Moravia Septentrional; 325 400 hab. Centro minero e industrial.

OSTRERO, RA adj. Relativo a las ostras. • m. y f. Persona que vende ostras. • m. *Zool.* Ave caradriforme con el dorso negro y el vientre blanco, que se alimenta de lapas y otros mariscos.

OSTRICULTURA f. Técnica e ind. de criar ostras. ▪ OSTRÍCOLA; OSTRICULTOR, RA.

OSTRÍFERO, RA adj. Que cría ostras o abunda en ellas.

OSTRO m. Ostrón. • Cualquiera de los moluscos cuya tinta servía para dar a las telas color de púrpura. • fig. Tinte de púrpura. • Austro.

OSTROGODO, DA adj. y s. Díc. del individuo de un ant. pueblo germánico, la rama oriental de los godos. A finales del s. V invadieron Italia. • adj. Relativo a dicho pueblo. • m. pl. Este mismo pueblo.
OSTRÓN m. Especie de ostra, mayor que la común, pero de inferior calidad.
OSTWALD, *Wilhelm* (1853-1932) Químico y filósofo al. Realizó imp. trabajos sobre electrólitos y fue promotor de la teoría de los colores. Premio Nobel de Química en 1909.
OSUNA, *Pedro Téllez-Girón,* DUQUE DE (1574-1624) Militar y político esp. Felipe III le nombró virrey de Sicilia (1611-1616) y Nápoles (1616-1620). Acusado de intentar proclamarse rey de Nápoles, fue encarcelado.
OTALGIA f. *Pat.* Dolor de oídos.
OTAN Siglas de Organización del Tratado del Atlántico Norte.
OTÁRIDO adj. y m. *Zool.* Díc. de animales de la familia otáridos. • m. pl. *Zool.* Familia de mamíferos pinnípedos, de orejas reducidas y extremidades posteriores funcionales, convertidas en aletas.
OTARIO, RIA adj. *Argent.* y *Ur.* Tonto, necio, fácil de embaucar. • m. *Zool.* Cualquiera de los miembros de la familia otáridos (leones marinos).
OTARU C. y puerto de Japón, en la isla de Hokkaido; 206 000 hab. Pesca. Ind. papelera.
OTAYO m. *Ecuad.* Variedad del plátano común.
OTEA f. Planta arbustiva dicotiledónea de la familia papilionáceas, muy ramificada, espinosa, flores con cáliz partido y frutos en legumbre.
OTEAR tr. Registrar desde una alt. lo que está abajo. • Escudriñar, mirar con cuidado.
OTEIZA, *Jorge de* (nacido 1908) Escultor esp. Defensor del estatismo y de los valores plásticos puros. *Conjunción triple vacía, Silencio formal antes de cerrar el espacio.*
OTERO m. Cerro aislado que domina un llano.
OTERO, *Alejandro* (1921-1990) Pintor y escultor ven., adscrito al abstraccionismo. Collages, *Coloritmos.* • ***Blas de*** (1916-1979) Poeta esp. *Cántico espiritual, Ángel fieramente humano, Redoble de conciencia, Que trata de España.* • ***Gustavo Adolfo*** (1896-1958) Escritor y político bol. Novelas satíricas y ensayos. *El honorable Poroto, La vida social en el coloniaje.* • ***Mariano*** (1817-1850) Político mex. Reformador de la constitución de 1824. *Ensayo sobre el verdadero estado de la cuestión social y política que se agita en la República Mexicana.* • **Silva, *Miguel*** (1908-1985) Escritor ven. *Fiebre, Casas muertas, Oficina N 1, La muerte de Honorio, Cuando quiero llorar no lloro* y el drama *Romeo y Julieta.* En 1943 fundó el diario *El Nacional.*
OTHON, *Manuel José* (1858-1906) Poeta mex. *El himno de los bosques, Idilio salvaje.*
OTÍDIDO adj. y m. *Zool.* Aves de la familia otídidos. • m. pl. *Zool.* Familia de aves gruiformes, llamadas comúnmente avutardas. Viven pralm. en África.
ÓTIDO adj. y m. Otídido.
OTITIS f. *Pat.* Inflamación del oído.
OTMÁN → Utmán.
OTOBA f. *Amér.* Árbol tropical, de la familia miristicáceas, de fruto parecido a la nuez moscada.
OTOLITO m. *Anat.* Cada una de las pequeñas piedras de carbonato de calcio que se hallan en el interior del utrículo y del sáculo, en el oído interno de los vertebrados.
OTOLOGÍA f. Parte de la medicina que estudia la anatomía, la fisiología y la patología del oído. ■ OTÓLOGO, GA.
OTOMÁN m. Tejido acordonado que se usa especialmente para vestidos femeninos.
OTOMANO, NA adj. y s. Díc. del individuo perteneciente a una tribu turcomana, cuya expansión daría lugar al imperio otomano. • De Turquía. • adj. Relativo a dicha tribu turcomana. • Relativo a Turquía. • f. Sofá otomano, al estilo de los usados por los turcos o los árabes.
OTOMÍ adj. y s. Díc. de individuos de una tribu de indígenas mex., que habita en los est. de Guanajuato, Querétaro y parte de los de Hidalgo y México. Forman la pob. más ant. de México, junto con los olmecas. Actualmente viven en zonas apartadas, áridas y montañosas y conservan una cultura bastante primitiva. • adj. Relativo a dicha tribu. • m. *Ling.* Lengua de la familia otomangue hablada por los o. • m. pl. Esta misma tribu.
OTÓN Nombre de varios emperadores y reyes:

IMPERIO ROMANO

OTÓN, *Marco Salvio* (32-69) Emperador rom. Fue derrotado por el pretendiente Vitelio y se suicidó.

SACRO IMPERIO

OTÓN I *el Grande* (912-973) Rey de Germania [936-973] y de Italia [951-973]. Consiguió Lorena, derrotó a la nobleza, a los húngaros y a los eslavos. Intervino en la elección papal. • **II** (955-983) Emp. germánico [973-983]. Rechazó la invasión danesa, y fue derrotado por los sarracenos en Colonna. • **III** (980-1002) Rey de Germania [983-1002] y emp. germánico [996-1002]. Hijo de Otón II. Impuso al papa Gregorio V. • **IV de Brunswick** (1175-1218) Emperador germánico [1209-1214]. Al apoderarse de Toscana y Sicilia, se enfrentó al papa Inocencio III.

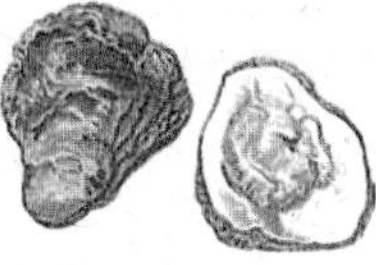
Ostra

GRECIA

OTÓN I (1815-1867) Rey de Grecia [1832-1862]. Hijo de Luis I de Baviera. Designado rey por el tratado de Londres (1832). Depuesto por un golpe militar.
OTOÑADA f. Otoño. Sazón de la tierra y abundancia de pastos en el otoño.
OTOÑO m. Estación del año comprendida entre el equinoccio del mismo nombre y el solsticio de invierno. • Época templada del año, que en el hemisferio boreal corresponde a los meses de septiembre, octubre y noviembre, y en el austral a los de marzo, abril y mayo. • Periodo de la vida humana en que ésta declina de la plenitud hacia la vejez. ■ OTOÑAL.

Otario

OTORGAR tr. Consentir, condescender o conceder una cosa que se pide o se pregunta. • Hacer merced o gracia de una cosa. • *Der.* Disponer, establecer, ofrecer, estipular o prometer una cosa. ■ OTORGAMIENTO.
OTORGUÉS, *Fernando* (1774-1831) Patriota ur. Artigas le nombró gobernador de Montevideo (1815). Post., se incorporó a las fuerzas de Lavalleja.
OTORRINOLARINGOLOGÍA f. Parte de la medicina que trata de las enfermedades del oído, nariz y laringe. ■ OTORRINOLARINGÓLOGO, GA.
OTOSCOPIA f. *Med.* Exploración del órgano del oído mediante otoscopio.
OTOSCOPIO m. *Med.* Instrumento con el que se examina el conducto auditivo externo y el tímpano.
OTRANTO, *Canal de* Estr. que comunica el mar Jónico con el Adriático.
OTRO, TRA adj. y s. Aplícase a la persona o cosa distinta de aquella de que se habla. • Se aplica a cualquier persona distinta de la que habla o piensa.
OTRORA adv. tiempo. En otro tiempo.
OTROSÍ adv. cantidad. Demás de esto, además. • m. *Der.* Cada una de las peticiones o pretensiones que se ponen después de la principal.

Otón II, según una miniatura medieval

OTSU C. de Japón, cap. de la prefectura de Shiga, en la isla de Honshu; 260 000 hab.
OTTAWA Cap. de Canadá, en la prov. de Ontario; 920 900 hab. en la agl. urb. Sit. en la confluencia de los ríos Rideau, Gatineau y Ottawa. Ind. derivadas de la explotación forestal (madera y papel), química, textil y de productos alimenticios. Universidad. • Río del Canadá; 1 100 km. Nace en el centro-oeste de la prov. de Quebec, atraviesa Ottawa y desemboca en el San Lorenzo.
OTTO, *ciclo de Fís.* Ciclo termodinámico compuesto por dos transformaciones adiabáticas y dos isócoras. Es de bajo rendimiento y tiene lugar en los motores de explosión.
OTUMBA Pob. de México, en el est. de México; 12 800 hab. Famosa por la victoria de Hernán Cortés sobre las tropas aztecas, después de la «noche triste» (1520).
OUA Siglas de Organización de la Unidad Africana.
OUADAÏ Región oriental del Chad. Cap., Abeche. Forma una prefectura; 76 240 km^2, 347 000 hab.
OUDH Ant. región de la India. Se extendía desde el S del Himalaya hasta el Ganges. Tras la indep. de la India quedó incorporada al est. de Uttar Pradesh.
OUDINOT, *Nicolas Charles* (1767-1847) Militar

Parlamento de **Ottawa**

Mokhtar **Ould Daddah**

Oveja

DEL
METAMORFOSEOS
DE OVIDIO EN OTAVA RIMA
TRADVZIDO
por Felipe Mey
SIETE LIBROS
Con otras cosas del mismo.

CON LICENCIA
En Tarragona. por Felipe Mey
1586.

Portada de una edición del s. XVI de *Las metamorfosis*, de **Ovidio**

fr. Su participación fue decisiva en las victorias de Austerlitz (1805), Ostrolenka (1807), Friedland (1807) y Wagram (1809).

OUEDDEI, *Goukouni* (nacido 1944) Político del Chad. Presid. , con apoyo libio, entre 1979 y 1982.

OULD DADDAH, *Mokhtar* (nacido 1934) Político mauritano. Al obtener Mauritania la autonomía, en 1958, fue su primer jefe de gobierno. Se alineó con Marruecos para ocupar el Sahara español. En 1978 fue derribado por un golpe militar.

OULU C. de Finlandia, cap. del land de Oulun; 96 200 hab. Sit. en la desembocadura del r. Ulea.

OURENSE Prov. esp. en la comunidad de Galicia; 7 278 km^2, 346 913 hab. Cap., la c. hom. Centeno, maíz, patatas, vid. Ganadería. Energía hidroeléctrica. Ind. de transformación de productos agropecuarios. • C. de España, cap., de la prov. hom.; 107 060 hab. Ind. alimentaria, maderera, metalúrgica.

OURO PRETO C. de Brasil, en el est. de Minas Gerais; 30 000 hab. Ant. *Vila Rica.* Capital del est. hasta 1897.

OUTRIGGER (voz ing.) m. Dep. Armazón metálico fijado en el costado de una embarcación de regatas para articular el remo fuera de la borda.

OUTSIDER (voz ing.) m. Participante en una prueba deportiva al que, aunque no es favorito, se conceden de antemano ciertas probabilidades de vencer.

OVA f. Nombre común a diversas especies de algas. • *Arq.* Elemento decorativo de forma oval. • **de río.** Alga clorofícea de la familia ulotricáceas, filamentosa, de color muy verde. • **marina.** Alga clorofícea de la familia ulváceas, con frondes adelgazadas, tubulosas, de color verde, con filamentos más o menos ramificados. • Nombre común a todas las algas caráceas del gén. *Chara.*

OVACIÓN f. Uno de los triunfos menores que concedían los rom. por vencer a los enemigos sin derramar sangre o por alguna victoria poco imp. • fig. Aplauso ruidoso. ■ OVACIONAR.

OVADO, DA adj. Aplícase al ave tras la fecundación de sus huevos por el macho. • Aovado.

OVALAR tr. Dar a una cosa figura de óvalo. ■ OVALADO, DA.

OVALLE C. de Chile, en la región de Coquimbo; 76 100 hab. Ind. del calzado.

OVALLE, *Alonso de* (1601-1651) Historiador chil., jesuita. *Histórica relación del reino de Chile y de las misiones y ministerios que ejercita en él la Compañía de Jesús.* • ***José Tomás*** (1788-1831) Político chil. Vicepresid. de la rep. con apoyo de Portales. Presid. (1830-1831).

ÓVALO m. *Geom.* Curva plana, convexa y cerrada, que no se corta a sí misma y cuya tangente varía con continuidad al hacerlo el punto de tangencia sobre la curva. ■ OVAL.

OVAMBO adj. y s. Díc. de individuos de un pueblo melanoafricano bantú del S de Angola y del N de África del Sudoeste (Namibia). • adj. Relativo a este pueblo. • m. pl. Este mismo pueblo.

OVANDO, *Nicolás de* (h. 1451-1511) Conquistador esp. Nombrado por los Reyes Católicos gobernador de las Indias (1501). Introdujo el sistema de repartimientos y encomiendas. • **Candía, *Alfredo*** (1919-1982) Militar y político bol. Derrocó, junto a Barrientos, a Paz Estenssoro (1964) y fue nombrado vicepresid. del país y presid. (enero-julio 1966). Después de la muerte de Barrientos (abril 1969), dio un nuevo golpe de est. y destituyó al presid. Siles Salinas. Fue depuesto en 1970 por el general Miranda.

OVANTE adj. En la antigüedad rom., se aplicaba al que conseguía el honor de la ovación. • Victorioso, triunfante.

OVAR intr. Poner huevos, aovar.

OVARIO m. *Arq.* Moldura adornada con óvalos. • *Bot.* Parte del pistilo de las flores femeninas o hermafroditas. • *Zool.* Glándula sexual de los animales de sexo femenino. ■ OVÁRICO, CA.

* *Bot.* El o. está compuesto por la soldadura de las hojas carpelares y contiene uno o más primordios seminales, un tubo (estilo) que termina en una expansión (estigma), cuya misión es recoger los granos de polen. Cuando los óvulos son fecundados, el o. se engruesa y se convierte en el verdadero fruto.

* *Zool.* En la mujer los o. tienen forma de almendra, están compuestos por una zona periférica, que contiene los folículos de Graaf, y una parte central que contiene los elementos vasculares y musculares. Su función es la formación y maduración de los óvulos, así como la secreción de hormonas sexuales.

OVEJA f. *Zool.* Mamífero rumiante de la familia bóvidos. El macho es el carnero, y la cría, el cordero. • *Amér. Merid.* Llama, animal. • **negra.** fig. Persona que en una familia o colectividad difiere desfavorablemente de los demás. ■ OVEJERO, RA; OVEJUNO, NA.

* *Zool.* La o. salvaje se encuentra en zonas agrestes o esteparias del N de África, S de Europa y centro de Asia. La o. fue domesticada inicialmente en Asia Menor y Mesopotamia, difundiéndose por el mundo mediterráneo a finales del neolítico. Las razas más comunes son: la merina, suministradora de lana; la Île-de-France, para producción cárnica.

OVEJERÍA f. *Amér. Merid.* Ganado ovejuno y hacienda que lo cría. • *Chile.* Crianza de ovejas.

OVERA f. Ovario de las aves.

OVERDRIVE f. *Mec. apl.* Dispositivo capaz de introducir en la transmisión de potencia entre el motor y las ruedas de un automóvil una elevación de la velocidad de rotación.

OVEREAR tr. *Argent., Bol.* y *Par.* Dorar o tostar al fuego.

OVERO, RA adj. y s. Díc. del animal que tiene el pelo de color blanco y azafrán mezclados, especialmente del caballo. • *Amér.* Díc. de las caballerías de color pío.

OVEROL m. *Amér.* Mono, traje de faena de una sola pieza.

OVETENSE adj. y s. De Oviedo. • adj. Relativo a esta c. esp.

OVIDIO Nasón, *Publio* (45 a. C.-17 d. C.) Poeta latino. *Heroidas, Amores, Arte de amar, Metamorfosis* (recoge leyendas mitológicas grecorromanas) y *Fastos.*

ÓVIDO adj. y s. Ovino.

OVIDUCTO m. *Zool.* Gonoducto femenino que conduce los óvulos desde los ovarios hasta el exterior.

OVIEDO Hasta 1983, denominación de la actual com. autón. Principado de Asturias. • C. de España, cap. de la com. autón. uniprovincial Principado de Asturias; 200 049 hab. Sit. en la cuenca de Oviedo, entre el Nalón y el Nora. Centro comercial.

OVIL m. Redil, aprisco. • fam. Cama, lecho.

OVILLADOR, RA adj. Que ovilla. • adj. y s. Díc. de la persona que dirige la máquina que arrolla el hilo en ovillos. • f. Máquina empleada en la ind. textil para hacer los ovillos.

OVILLAR intr. Hacer ovillos. • prnl. Encogerse y recogerse haciéndose un ovillo.

OVILLEJO m. dim. de ovillo. • *Métr.* Combinación de tres versos octosílabos, seguidos cada uno de ellos de un pie quebrado que con él forma consonancia, y de una redondilla cuyo último verso se compone de los tres pies quebrados.

OVILLO m. Bola o lío que se forma devanando hilo. • fig. Cosa enredada y de figura redonda. • fig. Montón o multitud confusa de cosas.

OVINO, NA adj. Se aplica al ganado lanar. • m. Animal ovino.

OVÍPARO, RA adj. y m. Díc. del animal que presenta la condición del oviparismo, es decir, que pone huevos.

OVISCAPTO m. Órgano especial que presentan las hembras de algunos insectos, como los himenópteros, para la puesta de los huevos.

OVNI Siglas de objeto volante no identificado.

OVO m. *Arq.* Ornamento ovalado.

OVOCÉLULA f. Oosfera.

OVOGÉNESIS f. Oogénesis.

OVOIDE adj. Aovado, de figura de huevo. • m. Conglomerado de carbón u otra sustancia que tiene dicha forma.

OVOIDEO, A adj. Aovado, de figura de huevo.

OVOSO, SA adj. Que tiene ovas.

OVOVIPARIDAD f. u **OVOVIPARISMO** u **OVOVIVIPARISMO** m. *Zool.* Calidad de ovovivíparo.

OVOVIVÍPARO, RA adj. y m. *Zool.* Díc. del animal que realiza su desarrollo embrionario en el interior del cuerpo de la madre.

OVULACIÓN f. *Fisiol.* Liberación del huevo por parte del folículo de Graaf del ovario. En la mujer tiene lugar de modo alterno para los dos ovarios y con una frecuencia de 28 días. Se presenta alrededor del decimocuarto día del ciclo menstrual.

ÓVULO m. *Fisiol.* Célula sexual femenina, haploide, originada en el ovario. • *Bot.* Primordio seminal de las flores femeninas. ■ OVULAR.

* *Fisiol.* El ó., de unas 200 μ, está limitado por una membrana protectora gruesa que contiene un citoplasma rico en sustancia nutritiva y un núcleo que lleva la información genética. Una vez liberado del ovario se introduce en la trompa, que lo conduce al útero. Si durante el trayecto es fecundado, se fija en las paredes del útero para dar lugar al embrión.

OWEN, *Gilberto* (1905-1952) Escritor mex., modernista. Periodismo y poesía. *Desvelo, Perseo vencido, Libro de Ruth.* • ***Robert*** (1771-1858) Economista y teórico socialista brit. Fundó la *Grand National Consolidated Trades Union*, precursora de las Trade Unions. *Observaciones sobre los efectos del sistema manufacturero, Nuevo mundo moral.*

OWENS, *Jesse* (1913-1980) Atleta norteam., de raza negra. Conquistó cuatro medallas de oro en la Olimpiada de Berlín (1936).

OX Voz para espantar la caza y la aves domésticas. ■ OXEAR.

OXÁCIDO m. *Quím.* Ácido inorgánico oxigenado, o sea, combinación ternaria de hidrógeno, oxígeno y un no metal.

OXALATO m. *Quím.* Sal del ácido oxálico. En los animales, el o. interviene en el metabolismo del calcio dificultando su absorción intestinal.

OXÁLICO, CA adj. *Quím.* Díc. del más simple de los ácidos orgánicos dicarboxílicos. Se halla muy difundido en el reino vegetal bajo la forma de sales.

OXALIDÁCEO, A adj. y f. *Bot.* Díc. de plantas dicotiledóneas, con hojas pecioladas, flores regulares y frutos en baya. • f. pl. *Bot.* Familia de estas plantas.

OXENSTIERNA, *Axel Gustavsson* (1583-1654) Político sueco. Canciller de Gustavo II Adolfo, a la muerte del monarca, se convirtió en jefe del consejo de regencia de la reina Cristina (1632). Dio al país una nueva constitución (1634).

OXFORD C. de Gran Bretaña, al S de Inglaterra, cap. de Oxfordshire; 98 500 hab. Ind. mecánica, automovilística, alimentaria. Célebre universidad, la más ant. de Inglaterra (fundada en 1163).

OXHÍDRICO, CA adj. *Quím.* Díc. de una mezcla de gas oxígeno y gas hidrógeno. • Relativo a dicha mezcla.

OXHIDRILO m. Oxidrilo.

OXIACANTA f. Espino, arbusto.

OXIACETILÉNICO, CA adj. Relativo a la mezcla de oxígeno y acetileno. Díc. especialmente de las soldaduras y sopletes que la emplean.

OXIÁCIDO m. *Quím.* Oxácido. • *Quím.* Ácido carboxílico que posee en su molécula oxhidrilos.

OXIBIONTE adj. y m. *Biol.* Díc. de los organismos para los que es indispensable la disponibilidad en el medio ambiente de una determinada cantidad de oxígeno.

OXICORTE m. *Mec.* Operación de cortar con soplete chapas o perfiles de acero.

OXIDACIÓN f. *Quím.* Acción y efecto de oxidar u oxidarse. Se aplica a toda reacción química que implica una disminución de electrones, aunque el agente causante no sea el oxígeno. • **biológica.** Proceso de degradación de los principios inmediatos realizado por enzimas a temperatura constante.

OXIDANTE adj. y m. *Quím.* Díc. de toda sustancia (molécula o ion) que en una reacción es susceptible de aceptar electrones cedidos por otra sustancia que se llama reductor.

OXIDAR tr. y prnl. Transformar una sustancia por la acción del oxígeno o de un oxidante. ■ OXIDABILIDAD; OXIDANTE.

OXIDASA f. *Biol.* Enzima que transporta electrones al oxígeno, con formación de agua o de peróxido de hidrógeno (agua oxigenada).

ÓXIDO m. *Quím.* Producto que resulta de la combinación del oxígeno con un metal.

OXIDORREDUCCIÓN f. *Quím.* Reacción en la que intervienen un oxidante y un reductor, y en la cual se produce una reducción del primero y una oxidación del segundo.

OXIDRILO m. *Quím.* Hidróxilo.

OXIGENAR tr. y prnl. Añadir oxígeno. • prnl. fig. Airearse. ■ OXIGENACIÓN; OXIGENADO, DA.

OXÍGENO m. *Quím.* Elemento de símb. O, n. a. 8 y p. a. 15,9994. Es un gas incoloro, inodoro e insípido, algo soluble en agua. La molécula de o. es

Flor de pan de cuco o boliche, planta de la familia **oxalidáceas**

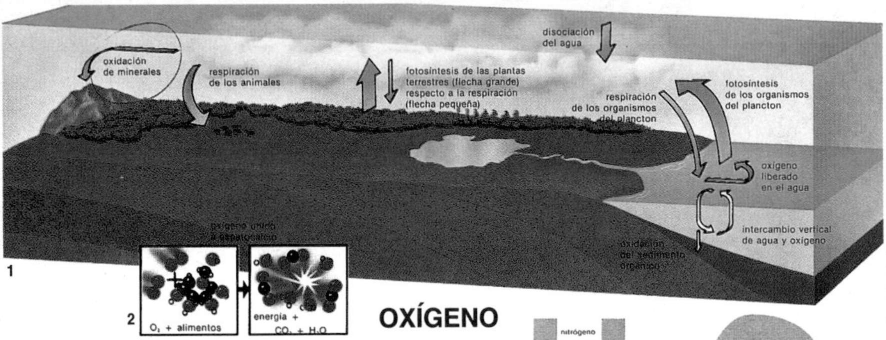

OXÍGENO

1. Las plantas y el plancton liberan oxígeno (O_2) en la fotosíntesis, y los animales y las plantas absorben O_2 al respirar y lo transforman en dióxido de carbono (CO_2). Gran cantidad de O_2 está almacenada en forma de óxidos y de sedimentos orgánicos.
2. La «combustión» de los alimentos es un proceso de oxidación controlada.
3. y 4. En la fotosíntesis las plantas verdes construyen sus tejidos a partir del agua (H_2O) que absorben sus raíces y el CO_2 que absorben sus hojas, y liberan O_2, pero ello sólo ocurre durante el día. En cambio, la respiración continúa durante las 24 horas. Por ello el contenido de O_2 es máximo al atardecer, y el de CO_2 al amanecer.
5. El aire que respiramos tiene un 21 % de O_2, el resto es en su mayor parte nitrógeno que el cuerpo no absorbe. El O_2 inspirado pasa a la sangre en los pulmones.

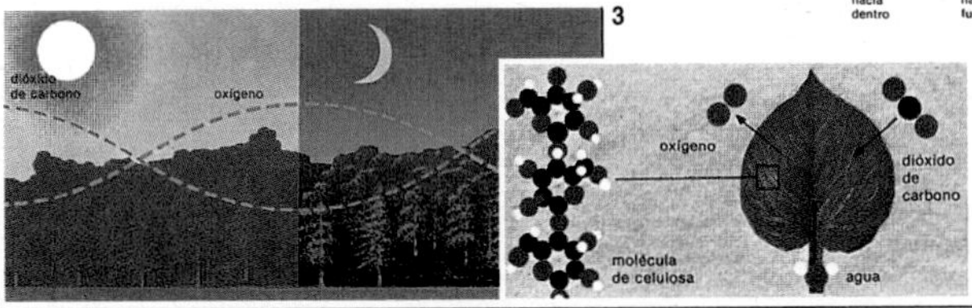

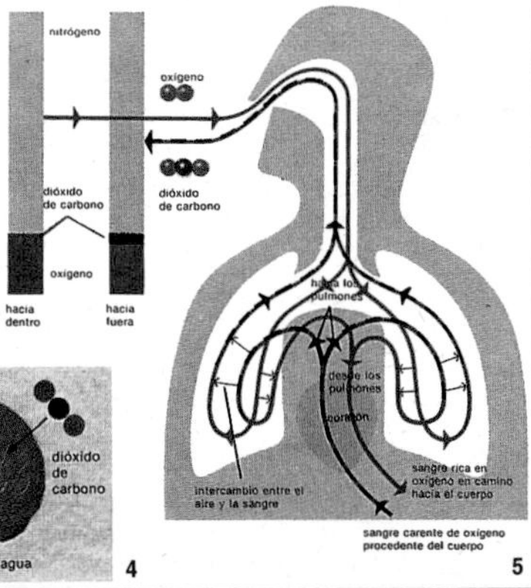

diatómica, O_2. El aire contiene el 21 % del volumen de o. Combinado, se encuentra ante todo en el agua, que lo contiene en un 89 %. Se obtiene por destilación fraccionada del aire líquido, y por electrólisis del agua. Se combina con casi todos los elementos e interviene en las combustiones ordinarias.

OXIHEMOGLOBINA f. *Biol.* Proteína formada por la unión de una hemoglobina y del oxígeno, de gran interés en la ventilación pulmonar y en el transporte del oxígeno por la sangre.

OXIPÉTALO m. Planta trepadora del Brasil, de la familia asclepiadáceas, de hojas acorazonadas y flores azules dispuestas en racimo.

OXIRRÚNCIDO adj. y m. *Zool.* Díc. de aves de la familia oxirrúncidos. • m. pl. *Zool.* Pequeña familia de aves paseriformes, no muy conocidas y propias de la América tropical.

OXITÓCICO, CA adj. y m. Díc. de las sustancias que producen la contracción del músculo uterino; se utilizan para acelerar el parto.

OXÍTONO, NA adj. y s. *Gram.* Agudo, que carga el acento en la última sílaba.

OXIURO m. Gusano nematelminto que se desarrolla en el intestino de los mamíferos y de algunos reptiles; p. ej., la lombriz blanca.

OXONIENSE adj. y s. De Oxford. • adj. Perteneciente a esta c. inglesa.

OYAMEL m. *Méx.* Conífera que es semejante al abeto.

OYENTE adj. y s. Que oye. • m. Asistente a una clase, no matriculado como alumno oficial.

OYUELA, *Calixto* (1857-1935) Poeta y ensayista arg. *Canto al Arte y Estudios literarios*. Primer presid. de la Academia de Letras argentina.

OZAL, *Turgut* (1927-1993) Político turco. Elegido primer ministro en 1983 y reelegido en 1987.

OZAMA R. de la República Dominicana; 140 km. Nace en la cord. Oriental, atraviesa Santo Domingo y desemboca en el Caribe, junto al puerto hom.

OZONO m. *Quím.* Estado alotrópico del oxígeno, O_3. Gas oxidante, estable sólo a temperaturas muy altas. Se forma por acción de descargas eléctricas en atmósfera de oxígeno. Se encuentra en la estratosfera y, al absorber los rayos ultravioleta más nocivos, constituye la defensa más eficaz para el mantenimiento de la vida terrestre. En la actualidad la capa de o. está amenazada por la acción de los clorofluorometanos usados como propelentes.

OZOQUERITA f. Cera mineral constituida por una mezcla de hidrocarburos saturados.

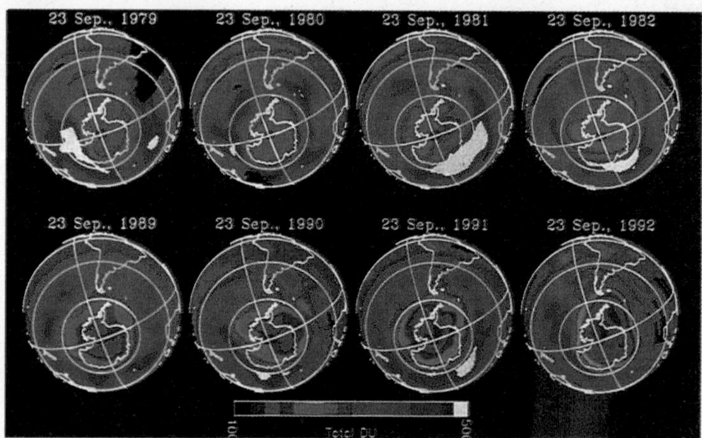

Imágenes del agujero de **ozono** sobre la Antártida obtenidas por el satélite *Nimbus*

P

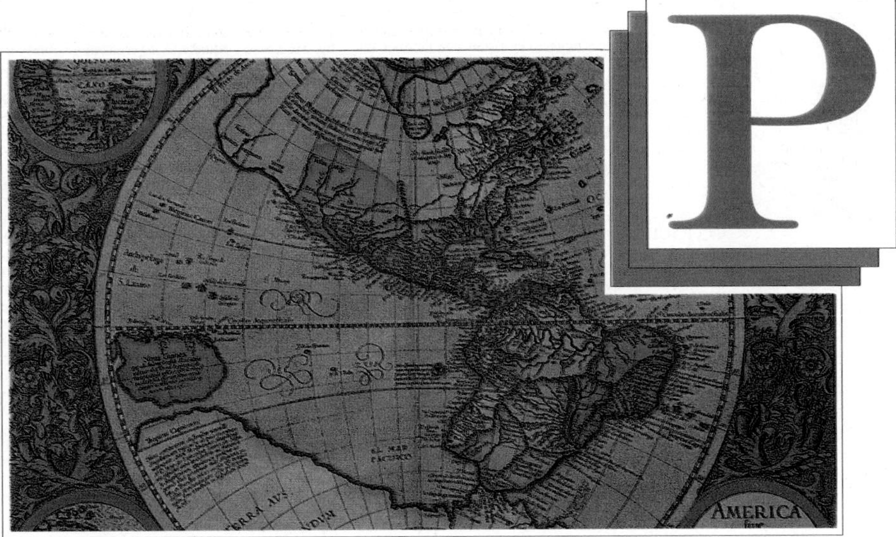

Mapa del Nuevo Mundo y el **Pacífico,** realizado por Gerhard Kremer, más conocido como Mercator

P f. Decimoséptima letra del abecedario esp. y decimotercera de sus consonantes. Su nombre es *pe,* y su articulación es bilabial, oclusiva y sorda. • *Electr*. Material semiconductor consistente en una pastilla de silicio o germanio al que se han añadido átomos del grupo III del sistema periódico, denominados impurezas, y que se caracteriza por tener un exceso de 5 huecos. • *Fís*. En minúscula, símb. de presión y de peso • *Fís*. En mayúscula, símb. de potencia. • *Quím*. Símb. del fósforo.

Pa *Quím*. Símb. del protactinio.

PABELLÓN m. Tienda de campaña en forma de cono, sostenida por un palo hincado en el suelo, sujeta al terreno con cuerdas y estacas. • Colgadura plegadiza que cobija y adorna una cama, un trono, un altar, etc. • Bandera nacional. • Pirámide truncada que en las piedras preciosas forman las facetas del tallado. • Ensanche cónico con que termina la boca de algunos instrumentos de viento. • Grupo de fusiles que se forma enlazándolos por las bayonetas y apoyando las culatas en el suelo. • Edificio que constituye una dependencia de otro mayor. • Cada una de las construcciones o edificios que forman parte de un conjunto. • Cada una de las habitaciones donde se alojan en los cuarteles los jefes y oficiales. • fig. Nacionalidad a que pertenecen las naves mercantes. • fig. Patrocinio, protección. • fig. Cosa que cobija a manera de bóveda. • Resalto de una fachada en medio de ella o en algún ángulo, que suele coronarse de ático o frontispicio. • **de la oreja.** Oreja, parte externa del oído.

PABILO o **PÁBILO** m. Mecha de hilo, algodón, etc., que está en el centro de la vela o antorcha, para que, encendida, alumbre. • Parte carbonizada de esta mecha.

PABILÓN m. Mecha o parte de seda, lana o estopa que pende algo separada del copo de la rueca.

PABLO (s. I) Santo. Llamado *Saulo* antes de su conversión, persiguió a los cristianos hasta que se le apareció Cristo (h. 34 d. C.). En el concilio de Jerusalén defendió los derechos de los gentiles. Escribió gran número de *Epístolas*. Al parecer, llegó hasta España en uno de sus viajes. Sufrió martirio en Roma.

PABLO I (1901-1964) Rey de Grecia [1947-1964]. Sucesor de Jorge II. En su reinado finalizó la guerra civil iniciada en 1944. • **I Petróvich** (1754-1801) Zar de Rusia [1796-1801]. Sucesor de Catalina la Grande. Estableció una severa censura. En 1798 se alió con Turquía contr a los fr., y post. se unió a Napoleón. • **VI** (*Giovanni Battista Montini*, 1897-1978) Papa [1963-1978]. Reanudó el Concilio Vaticano II. *Ecclesiam suam, Populorum progressio, Humanae vitae*. • **de Samosata** (s. III) Teólogo herético de Samosata. Profesó el monarquianismo y el adopcionismo. • **Ermitaño** (m. h. 341) Santo. Según la leyenda, vivió unos cincuenta años en una cueva del desierto de Tebaida. • **Karageorgevich** (1893-1976) Príncipe yug. Regente durante la minoría de Pedro II, pactó con el Eje y fue derrocado.

PABLO, ***Luis de*** (nacido 1930) Compositor esp. Autor de música dodecafónica y serial. *Radial, Módulos I-IV, Kiu* (ópera)

PABST, ***Georg Wilhelm*** (1895-1967) Director cinematográfico al. Ilustrador del realismo y la inquietud social. *La vida de Jeanne Ney, Cuatro de infantería, La comedia de la vida, Secretos de un alma.*

PÁBULO m. Pasto, comida, alimento para la subsistencia o conservación. • fig. Cualquier sustento o mantenimiento en las cosas inmateriales. • **Dar p.** Echar leña al fuego.

PACANA f. Planta arbórea de la familia juglandáceas, de hasta 25 m de altura. Es originaria de América del Norte. • Fruto de esta planta.

PACARAIMA, ***sierra de*** Macizo montañoso fronterizo entre Venezuela y Brasil. Alt. máx.: pico de Roraima (2 772 m).

PACATO, TA adj. y s. De condición pacífica, tranquila y moderada. • Mojigato, pudoroso.

PACAY m. *Amér. Merid*. Guamo. • Fruto de este árbol.

PACAYA f. fig. *Guat*. Dificultad.

PACAYE m. *Bot*. Planta papilionácea originaria de América intertropical.

PACENSE adj. y s. De Badajoz.

PACEÑO, ÑA adj. y s. De La Paz.

PACER tr. e intr. Comer el ganado la hierba en los prados, montes y dehesas. • tr. Comer, roer o gastar una cosa. • Apacentar, dar pasto a los ganados.

PACHÁ m. Bajá. • **Vivir como un p.** fig. y fam. Vivir con comodidad y opulencia.

PACHACAMAC Distr. de Perú, en la prov. y dpto. de Lima, con cap. en la pob. hom. Ésta sit. a 25 km de Lima, en una playa árida. Antigua c. incaica, cuyas líneas pueden verse aún en el trazado urbano. Fue probablemente centro religioso.

PACHACAMAC Pral. divinidad de la mit. per. precolombina. Su nombre completo era *Con-Illa-Tiki-Uira-Cocha* («el que sostiene el universo» o «el que da la vida al universo»).

PACHACHO, CHA adj. *Chile*. Díc. de la persona o animal de piernas demasiado cortas.

PACHACUTÍ o **PACHACUTEC Inca Yupanqui** Soberano inca [1438-1471]. Hizo honor a su

San **Pablo,** óleo de Rubens. Museo del Prado, Madrid

Pachacutí

nombre, «reformador del mundo», desarrollando una extraordinaria actividad. Reorganizó el ejército e integró a los pueblos rivales al imperio. Impuso la lengua quechua y estableció un sistema económico basado en la mita. Le sucedió su hijo Túpac Yupanqui.

Manifestación **pacifista** en protesta contra las armas químicas y nucleares

PACHAMAMA En la ant. religión per., la Madre Tierra. Se representaba también como Amaru, dragón arquetipo de los animales poderosos.

PACHAMANCA f. *Amér. Merid.* Carne asada entre piedras caldeadas o en un agujero en la tierra cubierto con piedras calientes.

PACHANGO, GA adj. *Hond.* y *Nic.* Regordete. • f. Cierto baile. • *Méx.* Fiesta casera. • **Salir de p.** *Amér.* Divertirse en grupo.

PACHECO, *Alonso* (s. XVI) Conquistador esp. Fundador de la c. de Nueva Zamora, en Venezuela. • ***Francisco*** (1564-1644) Pintor esp. Manierista, fueron discípulos suyos Velázquez, que casó con su hija Juana, y Alonso Cano. • ***Gregorio*** (1823-1899) Político bol. Dirigente demócrata, fue presid. de la rep. entre 1884 y 1888. Firmó la paz con Chile. • ***José Emilio*** (nacido 1939) Escritor mex. Autor de poesía, novelas y cuentos. *El viento distante, El principio del placer.* • ***José Toribio*** (1828-1868) Político per. Ministro de Relaciones Exteriores (1864-1865). Presid. de la Conferencia Internacional Americana (1866). • ***Máximo*** (nacido 1907) Pintor mex., discípulo de Diego Rivera. Autor de frescos en Ciudad de México y Jiquilpan. • **Areco, *Jorge*** (1920-1998) Político ur. Miembro del partido colorado, presid. entre 1967 y 1972. Decretó numerosos estados de excepción. • **De la Espriella, *Abel*** (nacido 1933) Político, psiquiatra y escritor cost. Presidió el Partido Unidad Social Cristiana (PUSC) entre 1996 y 1998. En abril de 2002 fue elegido presidente de la República. • **Y Obes, *Melchor*** (1809-1855) Militar y político ur. Ministro de Guerra con Rivera (1843). Apoyó la formación del triunvirato en 1853 y el ascenso al poder de Flores en 1854. • **Y Osorio, *Rodrigo*,** MARQUÉS DE CERRALBO (h. 1570-h. 1640) Administrador esp. Virrey de Nueva España (1624-1635).

Padua. Basílica de San Antonio

PACHO, CHA adj. Indolente. • *Méx.* y *Nic.* Flaco, aplastado. f. *Nic.* Biberón. • *Nic.* Botella pequeña y aplanada que se usa corrientemente para llevar licor. • *Amér. Centr.* y *Chile.* Regordete.

PACHOCHA f. *Amér.* Indolencia, lentitud.

PACHÓN, NA adj. y s. Díc. del perro de raza parecida a la del perdiguero, pero de patas cortas y torcidas, cabeza redonda y boca grande. • *Chile, Hond., Méx.* y *Nic.* Peludo, lanudo, • m. fam. Hombre de genio pausado y flemático.

PACHORRA f. fam. Flema, indolencia.

PACHUCA DE SOTO C. de México, cap. del est. de Hidalgo; 244 688 hab. Sit. en las estribaciones de la sierra Madre Oriental. Centro minero (plata, plomo). Metalurgia, curtidurías, ind. textil y alimentaria. Notables edificios de época colonial.

PACHUCHO, CHA adj. Pasado de puro maduro. • fig. Flojo, alicaído, desmadejado.

PACHUCO m. Lenguaje jergal que se habla en el S y SO de EE UU; está constituido básicamente por voces hispanoamericanas, con un elevado núm. de términos de origen inglés.

PACHULÍ m. Planta herbácea de la familia labiadas, originaria de la India, que suministra una esencia usada en perfumería. • Perfume de esta planta.

Al **Pacino** en la entrega de los Óscar

PACIENCIA f. Virtud que consiste en sufrir sin perturbación del ánimo los infortunios y trabajos. • Virtud cristiana que se opone a la ira. • Espera y sosiego en las cosas que se desean mucho. • Lentitud o tardanza en las cosas que se debían ejecutar prontamente. • Bollo redondo y pequeño hecho con harina, huevo, almendra y azúcar, y cocido en el horno. • fig. Tolerancia o consentimiento en mengua del honor. B PACIENZUDO, DA.

PACIENTE adj. Que sufre y tolera los trabajos y adversidades sin perturbación del ánimo. • fig. Sufrido, que tolera y consiente que su mujer le ofenda. • com. Persona que padece física y corporalmente; el doliente, el enfermo. • m. *Fil.* Sujeto que recibe o padece la acción del agente.

PACIFICACIÓN f. Acción y efecto de pacificar. • Tranquilidad del ánimo. • Tranquilidad pública, en contraposición a la guerra. • Convenio entre los Estados para poner fin a una guerra. • Armonía entre los ciudadanos.

PACIFICAR tr. Establecer la paz donde había guerra y discordia; reconciliar a los que están opuestos y discordes. • intr. Tratar de asentar paces. • prnl. fig. Sosegarse y aquietarse las cosas insensibles turbadas o alteradas. B PACÍFICO, CA.

PACÍFICO, *océano* Masa de agua salada sit. entre Asia y Australia, al O, y América, al E. Al S se abre al Antártico; al N comunica con el Ártico; al E con el Atlántico, y al O se mezcla con el Índico. Es el mayor de los océanos (179 700 000 km^2) y alcanza 4 049 m de profundidad media. En la zona tropical abundan los atolones y barreras coralinas. Prales. corrientes: Kuro-Shio, Oya Shio, de Humboldt y de California. Escenario de imp. batallas entre EE UU y Japón durante la II Guerra Mundial. • ***Guerra del*** Conflicto armado entre Chile y la entente Perú-Bolivia (1879-1883). Surgido por divergencias en la explotación del salitre de Antofagasta, concluyó con la derrota aliada. Perú entregó a Chile la prov. de Tarapacá y cedió durante diez años las ciudades de Arica y Tacna, mientras Bolivia perdió la prov. de Antofagasta y con ella su salida al mar.

PACÍFICO, *Territorio del* *(Trust Territory of the Pacific Islands)* Ant. entidad territorial bajo administración fiduciaria de EE UU (1947-1986). → Marshall, Micronesia, Palau.

PACIFISMO m. Conjunto de doctrinas encaminadas a mantener la paz entre las naciones.
 * *Soc.* y *Pol.* El p. es un estado de opinión que responde al riesgo de una guerra nuclear. Los movimientos pacifistas están representados, a menudo, por los partidos ecologistas. B PACIFISTA.

PACINO, *Alfredo James,* llamado AL (nacido 1940) Actor cinematográfico norteam. *El Padrino, Serpico, Tarde de perros, Esencia de mujer* (Óscar al mejor actor, 1992).

PACINOTTI, *Antonio* (1841-1912) Físico it. Inventor de la dinamo de corriente continua.

PACK o **ICEPACK** (voz ing.) m. Parte exterior de la banquisa, constituida por bloques de hielo separados por canales de agua.

PACO, CA adj. *Amér. Merid.* De color rojizo. • m. Paca, animal. • *Amér.* Mineral de plata con ganga ferruginosa. • Llama, animal. • f. *Zool.* Mamífero roedor, de pelaje pardo y rojizo, cola y pies muy cortos, hocico agudo y orejas redondas. Se domestica fácilmente y su carne es muy estimada. • Fardo o lío, especialmente de lana o algodón en rama.

PACOTA f. *Méx.* Persona sin importancia.

PACOTILLA f. Porción de géneros que marineros u oficiales de un barco pueden embarcar por su cuenta libres de flete. • *Chile, Ecuad.* y *Guat.* Chusma, caterva. • **Ser de p.** una cosa. fig. Ser de inferior calidad.

PACOTILLERO, RA adj. y s. Que negocia con pacotillas. • *Amér.* Buhonero.

PACTAR tr. Asentar, poner condiciones o conseguir estipulaciones para concluir un negocio u otra cosa entre partes, obligándose mutuamente a su observancia. • Contemporizar una autoridad con los sometidos a ella.

PACTISMO m. Actitud y práctica políticas de la persona, movimiento, organización, etc., que concibe el pacto como método más adecuado para conseguir sus objetivos. B PACTISTA.

PACTO m. Concierto o asiento en que se convienen dos o más personas o entidades, que se obligan a su observancia. • Lo estatuido por tal concierto. • Consentimiento o convenio que se suponía hecho con el diablo para obrar por medio de él cosas extraordinarias y sortilegios. • **de no agresión.** Convenio temporal entre dos o más Est. de respetarse mutuamente, sin apelar a las armas en la solución de conflictos mutuos. • **de retro.** Estipulación por la cual el comprador se obliga a devolver la cosa al vendedor por su precio.

PACTO de Varsovia. → Varsovia. • **Ibérico.** Tratado firmado por España y Portugal en 1942, por el que acordaban mantener la neutralidad en la II Guerra Mundial.

PACÚ m. *Argent.* Pez de río de gran tamaño y muy estimado por su carne.

PACUARE R. de Costa Rica; 105 km. Nace en la cord. de Talamanca y desemboca en el Caribe.

PADANG C. y puerto de Indonesia; 480 900 hab. Sit. en la costa O de Sumatra. Centro agrícola.

PADDOCK (voz ing.) m. Zona del canódromo o del hipódromo en la que son paseados los animales antes de competir.

PADECER tr. Sentir física y corporalmente un daño, dolor, enfermedad, pena o castigo. • Sentir agravios, injurias, pesares, etc. • Estar poseído de una cosa nociva o desventajosa. • Soportar, tolerar, sufrir. • fig. Recibir daño las cosas. B PADECIMIENTO.
PÁDEL (ing. *paddle*) m. Deporte que se practica entre dos o cuatro personas y que consiste en lanzar con una pala una pelota de una a otra parte de un terreno rectangular, dividido por una red. Algunas secciones de las paredes de la pista se consideran válidas para que pueda rebotar en ellas la pelota.
PADERBORN C. de Alemania, en el est. de Renania Septentrional-Westfalia; 109 500 hab. Centro industrial.
PADEREWSKI, *Ignacy Jan* (1860-1941) Pianista y político pol. Ministro de Asuntos Exteriores y presid. del Consejo, firmó el tratado de Versalles (1919).
PADILLA, *Heberto* (1932-2000) Poeta cub., influido por Brecht. Procesado por antirrevolucionario, tuvo que exiliarse. *El justo tiempo humano*, *Fuera de juego*. • ***José*** (1778-1828) Militar y político col. Tomó Maracaibo, junto a Bolívar, en 1823. Ejecutado por conspirar contra el Libertador. • ***José*** (1889-1960) Compositor esp., autor de algunas melodías célebres: *El relicario*, *La violetera*, *Valencia*. • ***Juan de*** (1484-1521) Noble esp., jefe de los comuneros de Castilla. Derrotado en Villalar, fue decapitado con Bravo y Maldonado.
PADRASTO m. *Amér. Centr.* Padrastro.
PADRASTRO m. Marido de la madre, respecto de los hijos habidos antes por ella. • fig. Mal padre. • fig. Cualquier obstáculo que estorba o hace daño en una materia. • fig. Pellejo que se levanta de la carne inmediata a las uñas de las manos. • fig. Dominación, monte o colina.
PADRAZO m. Padre muy indulgente con sus hijos.
PADRE m. Varón o macho que ha engendrado. • n. p. m. Teol. Primera persona de la Santísima Trinidad. • Varón o macho, respecto de sus hijos. • Macho destinado en el ganado para la generación y procreación. • Principal y cabeza de una descendencia, familia o pueblo. • Religioso o sacerdote, en señal de veneración y respeto. • fig. Cualquier cosa de quien proviene otra como de principio suyo. • fig. Autor de una obra de ingenio o inventor de cualquier otra cosa. • pl. El padre y la madre. • Abuelos y demás progenitores de una familia. • adj. fam. Muy grande, muy importante. • **de familia.** Jefe o cabeza de una casa o familia, tenga o no tenga hijos. • **de la patria.** Sujeto venerable en ella por su calidad, respeto o ancianidad, o por los servicios que hizo a su país. • **de pila.** Padrino en el bautismo. • **espiritual.** Confesor que cuida y dirige el espíritu y conciencia del penitente. • **Eterno.** *Teol.* Padre, primera persona de la Trinidad. • **Santo.** P. ant., sumo pontífice.
PADREAR intr. Parecerse uno a su padre en las facciones o en las costumbres. • Ejercer el macho las funciones de la generación. • Díc. de los animales, y p. ext., de los mozos de vida licenciosa.
PADRENUESTRO m. Plegaria recomendada por Jesucristo. La registran los evangelistas Mateo y Lucas. • Cada una de las cuentas del rosario más gruesas que las demás.
PADRES de la Iglesia → Patrística.
PADRINA f. Madrina.
PADRINO m. El que tiene, presenta o asiste a otra persona que recibe el sacramento del bautismo, de la confirmación, del matrimonio o del orden, si es varón, o que profesa si se trata de una religiosa. • El que presenta y acompaña a otro que recibe algún honor, grado, etc. • El que acompaña o asiste a otro para sostener sus derechos en actos como certámenes literarios, desafíos, etc. • fig. El que favorece o protege a otro en sus pretensiones, adelantamientos o designios. • pl. El padrino y la madrina. • fig. Influencias que se tienen, debido a relaciones o amistades, para conseguir alguna cosa. B PADRINAZGO.
PADRÓN m. aum. de padre. • Padre muy indulgente. • *Bol.*, *Col.*, *Cuba*, *Nic.*, *Pan.*, *R. Dom.* y *Ven.* Caballo semental. • fam. Padrazo. • Nómina de los vecinos moradores de un pueblo. • Patrón o dechado. • Columna con una lápida o inscripción que recuerda un suceso.
PADROTE m. *Amér. Centr.*, *Col.*, *Pan.*, *P. Rico* y *Ven.* Macho destinado en el ganado para la procreación. • *Méx.* Administrador de un prostíbulo. • Rufián.

PADUA (*Padova*) C. de Italia, en el Véneto, cap. de la prov. de Padua; 227 500 hab. Ind. químicas y alimentarias. Universidad.
PADUANO, NA adj. y s. De Padua.
PAELLA f. Plato esp. de arroz seco, con mariscos, pescado, carne, legumbres, etc., típico de la región valenciana. • Sartén en que se hace este plato; paellera.
PAELLERA f. Recipiente de hierro en que se prepara la paella.
PÁEZ adj. y s. Díc. del pueblo amerindio de la familia lingüística chibcha, que vive en el valle del Magdalena (Colombia).
PÁEZ, *Federico* (1877-1974) Político ecuat. Elegido presid. en 1937 por una junta militar. Derrocado en el mismo año por Gallo. • ***José Antonio*** (1790-1873) Militar y político ven. Inició su carrera combatiendo contra los patriotas venezolanos, pero en 1815 se alistó bajo el mando de Bolívar. Post. intrigó contra éste y fue el autor de la segregación de Venezuela de la Gran Colombia (1830). Primer presid. de Venezuela, fue reelegido en 1839 y gobernó con el apoyo político de la oligarquía (1839-1843). Se autoproclamó dictador en 1861 tras derrocar al presid. Gual, pero se vio obligado a dejar la presidencia en 1863 y se exilió.
PAFLAGONIA (*Paphlagonia*) Ant. región de Asia Menor, junto al mar Negro.
PAFLÓN m. *Arq.* Sofito.
PAGA f. Acción de pagar o satisfacer una cosa. • Cantidad de dinero que se da en pago. • Satisfacción de la culpa o yerro mediante la pena correspondiente. • Cantidad con que se paga la culpa, o pena con que se satisface. • Sueldo de un mes. • Correspondencia del amor u otro beneficio. • **Ser** uno **buena** o **mala p.** *Amér.* Ser bueno o mal pagador.
PAGADERO, RA adj. Que se ha de pagar y satisfacer a cierto tiempo señalado. • Que puede pagarse fácilmente. • m. Tiempo, ocasión o plazo en que uno ha de pagar lo que debe o satisfacer con la pena lo que ha hecho.
PAGADO, DA adj. Ufano, satisfecho de alguna cosa.
PAGADOR, RA adj. y s. Que paga. • Funcionario o encargado de satisfacer sueldos, pensiones, créditos, etc.
PAGADURÍA f. Casa, sitio o lugar público donde se paga.
PÁGALO m. Cualquiera de las especies de aves caradriformes, marinas, de la familia estercoráridos.
PAGALU Nombre oficial de la isla de Annobón de 1973 a 1980.
PAGANINI adj. y com. *Amér.* Que paga.
PAGANINI, *Niccolò* (1782-1840) Violinista y compositor it., de técnica prodigiosa. *Conciertos*, *Caprichos*.
PAGANISMO m. Religión de los gentiles o paganos. • Conjunto de los gentiles.
PAGANIZAR intr. Profesar el paganismo. • tr. Introducir el paganismo o elementos paganos en las costumbres o creencias, etc.
PAGANO, NA adj. y s. Díc. de los idólatras y politeístas, y de los no bautizados. • m. y f. fam. Persona que paga. Por lo común, se da este nombre al pagador de quien otros abusan, y al que sufre perjuicio por culpa ajena.
PAGANO, *José León* (1875-1964) Escritor. arg. Crítico de arte y pintor. *A través de la España literaria*, *Cómo estrenan los autores*, *Motivos de estética*.
PAGAR tr. Dar o satisfacer lo que se debe. • Adeudar derechos los géneros que se introducen. • fig. Satisfacer el delito, falta o yerro por medio de la pena correspondiente. • fig. Corresponder a un afecto u otro beneficio. • prnl. Prendarse, aficionarse. • Ufanarse de una cosa; hacer estimación de ella. B PAGAMENTO.
PAGARÉ m. Documento que obliga al pago de una cantidad en un tiempo determinado.
PAGEL o **PAJEL** m. Pez teleósteo del suborden acantopterigios, de cabeza y ojos grandes, rojizo y plateado. Su carne es bastante estimada.
PÁGINA f. Cada una de las dos plantas de la hoja de un libro o cuaderno. • Lo escrito o impreso en cada página. • fig. Suceso, lance o episodio en el curso de una vida o de una empresa.
PAGINACIÓN f. Acción y efecto de paginar. • Serie de las páginas de un escrito o impreso.

Págalo parásito

Niccolò **Paganini**

Pagel

Marcel **Pagnol,** caricatura de C. Rim

Conjunto de **pagodas** en Bangkok

Paipái

PAGINAR tr. Numerar páginas o planas.

PAGNOL, *Marcel* (1895-1974) Escritor fr. Como dramaturgo popularizó tipos de Provenza: *Fanny, Marius, César*, protagonistas de tres piezas teatrales. *Los comerciantes de gloria, Jazz, Topaze.*

PAGO m. Entrega de lo que se debe. • Satisfacción, premio o recompensa. • Distrito determinado de tierras o heredades. • Aldea. • *Argent.* Lugar en el que ha nacido o está arraigada una persona, y p. ext., lugar, pueblo, región. Se usa más en pl. • adj. *Col.* Pagado, en paz. • **En p.** m. adv. fig. En satisfacción, descuento o recompensa.

PAGO PAGO Cap. de Samoa norteam., en la isla de Tutuila; 2 500 hab. Base naval.

PAGODA f. Templo budista en varios pueblos orientales, especialmente India, China y Japón.

PAGRO m. Pez teleósteo del suborden acantopterigios, semejante al pagel.

PAGURO m. Ermitaño, crustáceo marino.

PAHLAVI, PHALEVI o **PEHLEVI** Nombre de la dinastía iraní fundada en 1925 por → Reza Sah Pahlavi, a quien sucedió su hijo, Mohamed Reza Pahlavi.

PAIDOLOGÍA f. Ciencia que estudia el desarrollo físico e intelectual del niño. ■ PAIDOLÓGICO, CA.

PAILA f. Vasija grande de metal, redonda y poco profunda. • *Amér.* Sartén, vasija. • *Nic.* Machete para cortar caña de azúcar.

PAILEBOT o **PAILEBOTE** m. Goleta pequeña, sin gavias, muy rasa y fina.

PAILERO, RA s. *Ecuad.* y *Méx.* Persona que hace, compone o vende pailas. • *Ant., C. Rica, Méx., Nic.* y *Ven.* Persona que maneja las pailas en los ingenios de azúcar o en las fábricas de sal. • m. *Nic.* Operario que corta la caña de azúcar con la paila.

PAILETAS adj. y s. *Amér. Centr.* Corniabierto.

PAINA f. *Argent.* Copo blanco de la semilla del palo borracho.

PAINE, *Thomas* (1737-1809) Escritor y político brit. Publicó escritos revolucionarios y sobre los derechos del hombre. *La edad de la razón.*

PAÍÑO m. Ave marina del orden procelariformes y de la familia hidrobátidos.

PAIPÁI m. Abanico de palma en forma de pala y con mango.

PAÍS m. Nación, región, provincia o territorio. • Pintura o dibujo que representa cierta extensión de terreno. • Papel, piel o tela que cubre la parte superior del varillaje del abanico.

PAÍS VASCO *(Euskadi* o *Euskal Herría)* Territorio de España y Francia, ribereño del golfo de Vizcaya. Área histórica que comprende las actuales prov. vascas esp., el condado de Treviño (enclave de la prov. de Burgos), Navarra esp. y fr. y las comarcas del País Vasco fr. (Labourd y Soule). Ocupa unos 24 000 km^2 y alberga más de 2 500 000 hab. C. prales.: Guernica, Bilbao, San Sebastián, Pamplona, Vitoria y, en Francia, Bayona. • Nombre de la com. autón. esp. desde 1979. Comprende las prov. de Guipúzcoa, Vizcaya y Álava; 7 261 km^2, 2 104 041 hab. Cap. Vitoria. Ind. textil, siderúrgica, papelera, alimentaria. Cereales, vid, hortalizas. Ganadería. Pesca. Turismo.

* *Hist.* Habitado desde antiguo, su núcleo pral. permaneció al margen del dominio romano, visigodo y árabe. Sólo en una corta etapa altomedieval (s. XI), y no en su totalidad, presentó bajo la hegemonía de Navarra cierta unidad política. Ésta, perdida en beneficio de los Estados esp. y fr., fue reivindicada por el nacionalismo nativo, surgido a fines del s. XIX y principios del actual y que, bajo diversas orientaciones políticas, se ha prolongado hasta la actualidad. En 1979 las provincias Vascongadas (España) se convirtieron en la comunidad autónoma del País Vasco o Euskadi.

PAISAJE m. Pintura, dibujo o grabado cuyo tema pral. es la representación de un aspecto de la naturaleza, o bien de un ambiente urbano. ■ PAISAJISTA; PAISAJÍSTICO, CA.

* *Arte.* Cobró auge en el s. XIV (Lorenzetti, miniaturas fr., el Bosco, Tiziano, Brueghel, etc.). En el s. XVII nace el p. como gén. válido en sí mismo y lo practican numerosos artistas (Carracci, Poussin, Claudio de Lorena, la escuela holandesa). Un buscado naturalismo se desprende de los paisajistas románticos del s. XIX. La escuela de Barbizon, con su pintura al aire libre, preludió la revolución impresionista (Monet, Pissarro), cuyos continuadores abrieron nuevos caminos a la sensibilidad estética.

PAISANAJE m. Conjunto de paisanos. • Circunstancia de ser de un mismo país dos o más personas y especie de conexión o vínculo que de ella procede.

PAISANO, NA adj. y s. Que es del mismo país, prov. o lugar que otro. • m. y f. Campesino, habitante del campo. • f. Danza campesina y su música. • m. El que no es militar.

PAÍSES BAJOS *(Nederland)* Estado de Europa occidental. Limita con Alemania, Bélgica y el mar del Norte. País llano, con el 50 % del territorio por debajo del nivel del mar. La zona NO era un sector pantanoso que post. dio lugar a la formación de las islas Frisias, el Waddenzee y el ant. golfo de Zuiderzee. En esta región, llamada de los pólders, la mayor parte del territorio ha sido conquistada al mar. El gran dique de Afsluit cierra el Ijsselmeer, impidiendo la entrada de las aguas del mar del Norte. Ríos: Rin, Mosa y Escalda. La lat., bastante alta, explica los inviernos rudos. El suelo presenta extensas turberas. Los P. B. tienen una economía muy desarrollada y diversificada. La agricultura produce cebada, avena, cultivos hortícolas, flores, remolacha azucarera y lino. Ganado vacuno, seleccionado para la producción lechera, porcino, caballar, mular y ovino. Los recursos del subsuelo son escasos: hulla, petróleo y gas natural. La ind. cuenta con imp. grupos internacionales, entre los que destacan la Philips, la Royal Dutch Shell y la Unilever. Son imp. la ind. de transformación de productos tropicales, el refinado de petróleo y la talla de diamantes en Amsterdam; los astilleros de Amsterdam, Rotterdam y Flesinga; las porcelanas de Maastricht; los productos químicos, plásticos, abonos, cemento, fibras artificiales, papel. La ind. siderúrgica apro-

PAÍSES BAJOS

Superficie	41 526 km^2
Población	15 619 000 hab. (376 hab./km^2)
Recursos económicos	
Avena	15 000 t
Cebada	218 000 t
Centeno	45 000 t
Colza	5 000 t
Lino	7 000 t
Patatas	7 363 000 t
Remolacha azucarera	7 600 000 t
Trigo	1 213 000 t
Ganadería y derivados	
Cabaña bovina	4 500 000 cabezas
Cabaña caballar	97 000 cabezas
Cabaña ovina	2 000 000 cabezas
Mantequilla	134 000 t
Queso	657 000 t
Riqueza forestal	1 999 000 m^3
Pesca	526 091 t
Producción minera	
Carbón	758 000 t
Gas natural	78 778 millones de m^3
Petróleo	3 437 000 t
Sal	3 087 000 t
Producción industrial	
Acero	6 409 000 t
Ácido clorhídrico	2 549 000 t
Aluminio	230 100 t
Azúcar	1 060 000 t
Cerveza	22 179 000 hl
Fertilizantes	1 574 400 t
Hierro colado	5 443 000 t
Naval	182 000 t
Tabaco	88 069 000 000 cigarrillos
Tejidos de algodón	9 000 t
Indicadores sociológicos	
PNB	371 039 millones de dólares
Renta per cápita	24 000 dólares
Esperanza de vida	78 años
Alfabetismo	100 %

vecha la cuenca hullera de Limburgo. La ind. textil se concentra en Tilburg, Breda y Twente. Monarquía constitucional. Grupos étnicos o nacionales: holandeses (80 %), frisones (10 %). Lenguas: neerlandés (of.), frisón, al. *Rel.*: Catolicismo, protestantismo, judaísmo. U. M.: euro. Cap. Amsterdam; La Haya (cap. adm.). C. prales.: Rotterdam, Utrecht, Eindhoven.

* *Hist.* Habitado desde el neolítico, en la E. Ant. estuvo poblado por celtas, germanos y rom.; y en la E. Med. por frisones, sajones y francos. Formó parte del imperio carolingio, se disgregó a partir del tratado de Verdún (843) en pequeños principados, volvió a reunirse en manos de los duques de Borgoña en los ss. XIV-XV, a finales del cual pasó a formar parte de la monarquía hispánica, con Carlos V. La reforma religiosa les enfrentó a Felipe II. En 1579 las prov. septentrionales firmaron la Unión de Utrecht, por la que se comprometían a independizarse. Ello se hizo realidad con la tregua de los Doce Años (1609), que marcó el comienzo de su indep., reconocida por España en 1648. A partir del s. XVII florecieron económicamente, al formar un extenso imperio colonial. En el orden político, la Unión de Utrecht organizó el gobierno de las Siete prov. como una rep. federal. Holanda participó en la guerra de las colonias norteam., y por el tratado de París (1784) perdió la India. El Congreso de Viena (1815) ratificó la unión de los antiguos P. B. (Bélgica y Holanda) y Guillermo I fue proclamado rey. En 1830 estalló una revolución y Bélgica se declaró in-

Países Bajos.
1. Barcaza en un canal de Groninga. 2. Molino típico

Mapa de situación y bandera de **Países Bajos**

dependiente. En 1940 su territorio fue invadido por las tropas al. Después de la II Guerra Mundial se inició el proceso descolonizador. Los P. B. formaron, con Luxemburgo y Bélgica, el Benelux. La reina Juliana, que rigió el país a partir de 1948, abdicó a favor de su hija Beatriz en 1980. En 1975 Surinam se independizó, quedando sólo algunas pequeñas Antillas como posesiones de Ultramar. Cristianodemócratas y socialdemócratas han predominado en la vida política hol. de los ultimos años. Tras las elecciones de 1986, R. Lubbers constituyó un gobierno de coalición cristianodemócrata y liberal. En 1994 le sustituyó otro gobierno de coalición, de centro izquierda, encabezado por los socialdemócratas de Wim Kok, quien fue reelegido en 1997.

Países Bajos. Ayuntamiento (s. XVII) de la ciudad de Delft

* *Arte.* Del románico sobresalen la iglesia de Maastricht y la catedral de Utrecht. En el gótico se creó un estilo nacional *(vermeulen)* y destacan las casas municipales de Gouda y Middelburg. Grandes pintores fueron A. van Ouwater y G. tot Sint Jans. Escultores renacentistas fueron A. de Vries y H. de Keyser. El gran pintor del s. XVII fue Rembrandt. En la escuela de Haarlem sobresalen: F. Hals, A. Brouwer, Van Ostade y G. Terborch; en La Haya, J. van Goyen y J. Steen; en Deft, P. de Hooch y J. Vermeer. En el s. XIX, en Amsterdam, un grupo de arquitectos introducen el racionalismo y continúan la obra de Berlage. Después de la II Guerra Mundial aparece el grupo *De Stijl*, fundado por los pintores Van Doesburg y Mondrian, máx. representantes del neoplasticismo. De la escuela expresionista cabe citar a C. van Dongen.

* *Lit.* En la E. Med. no se distingue de la literatura de Flandes. El s. XVI está dominado por la figura de Erasmo. Los autores más imp. del s. XVII son Hooft, Van den Vondel, Bredero, C. Huygens y Cats. El s. XVIII señala una etapa de decadencia. El s. XIX comienza con los prosistas Vosmaer, Van Lennep, Beeb; Potgieter introduce el romanticismo. Hacia 1880 se produce una revolución literaria con Emants, Perk, Kloos, Gorter, Van der Goes, Van Eeden y Couperus. Discípulos de este movimiento, y ya en el s. XX, están Maester, De Wit, Coenen, Van Bruggen y los poetas Der Mouw y Leopold. Desde 1895 la prosa se enriquece con Dekker y Brunning. Como poetas descuellan Kemp, Bloem, etc.

Diversas especies de **pájaros.** De arriba abajo: pinzón vulgar; pájaro carpintero; colibrí polinizando una flor

PAÍSES Bálticos Denominación dada a los est. ribereños del mar Báltico (Suecia, Finlandia, Rusia, Polonia, Alemania, Dinamarca, Estonia, Letonia y Lituania), y por antonomasia a estos tres últimos. • **Catalanes** *(Països Catalans)* Denominación dada al conjunto de terr. habitados por personas de habla cat. Abarcan el est. de Andorra; Cataluña, Valencia, Baleares y las comarcas orientales de Aragón, en España; la región fr. del Rosellón y la c. it. de Alguer. • **del Loira** *(Pays de la Loire)* Circunscripción fr. de acción regional; 32 082 km^2, 3 059 100 hab. Cap., Nantes. Sit. entre la Cuenca de París y las costas del Atlántico. Avenada por el Loira. Clima continental. Agricultura. Ganadería. Ind. metalúrgica, naval y electrónica.

PAISIELLO o **PAESIELLO,** ***Giovanni*** (1740-1816) Compositor it. de óperas, *El barbero de Sevilla, La bella molinera* y música religiosa.

PAISLEY C. de Gran Bretaña, en Escocia; 84 800 hab. Forma parte del á. metr. de Glasgow. Centro industrial. Astilleros.

PAISLEY, ***Ian Richard Kyle*** (nacido 1926) Eclesiástico y político brit. Fundador de la iglesia presbiteriana libre de Irlanda del Norte.

PAIVA, ***Félix*** (1877-1965) Político par. Presid. interino (1937-1939) tras el derrocamiento de Franco.

PAJA f. Caña de trigo, cebada, centeno y otras gramíneas, después de seca y separada del grano. • Conjunto de estas cañas. • Pajilla para sorber líquidos, especialmente refrescos. • *Nic.* Grifo, paja de agua. • Arista o parte pequeña y delgada de una hierba o cosa semejante. • fig. Cosa ligera, de poca consistencia o entidad. • fig. Lo inútil y desechado en cualquier materia, a distinción de lo escogido de ella. • fam. Masturbación. • **brava.** *Amér. Merid.* Hierba gramínea, usada como pasto. • *Col.* y *Guat.* Grifo, llave para salida del agua. • **Echar pajas.** fr. con que se explica una forma de sorteo que se hace ocultando entre los dedos tantas pajas o palillos desiguales como sujetos intervienenen el mismo, y el que saca la menor pierde. • **Por un quítame allá esas pajas.** loc. fig. y fam. Por cosa de poca importancia. • **Un quítame allá esas pajas.** loc. fam. con que se indica una cosa de poca dificultad o importancia. ■ PAJIZO, ZA.

PAJAR m. Sitio o lugar donde se guarda la paja.

PÁJARA f. Pájaro, ave pequeña. • Cometa, juguete infantil. • Papel cuadrado doblado en forma de pájaro. • adj. y f. Mujer astuta, sagaz y cautelosa.

PAJAREAR intr. Cazar pájaros. • fig. Andar vagando, sin trabajar o sin ocuparse en cosa útil.

PAJAREL m. Pardillo, ave.

PAJARERÍA f. Abundancia de pájaros. • Tienda donde se venden pájaros.

PAJARERO, RA adj. Relativo a los pájaros. • fam. Díc. de la persona excesivamente alegre y chancera. • fam. Díc. de las talas, adornos o pinturas cuyos colores son fuertes y mal casados. • *Amér. Centr., Col., Ecuad., Méx.* y *Ven.* Asustadizo, receloso. Díc. especialmente de las caballerías. • m. El que se emplea en cazar, criar o vender pájaros. • f. Jaula grande o aposento donde se crían pájaros.

PAJARILLA f. Aguileña, planta. • Bazo del cerdo.

PAJARITA f. Pájara de papel. • Ventana sobre la puerta de los pajares, por la que se termina de llenarlos. • **de las nieves.** Aguzanieves.

PAJARITO m. Nombre común de las plantas de la familia lorantáceas parásitas de otros vegetales, cuyo aspecto les asemeja a aves posadas. • **Quedarse** uno **como un p.** fr. fig. y fam. Morir con sosiego, sin hacer gestos ni ademanes.

PÁJARO m. En sentido amplio, cualquier ave de pequeño tamaño. En sentido estricto, cualquiera de los miembros del orden paseriformes, en particular si es pequeño. • Perdiz macho de reclamo. • adj. y m. fig. Díc. del hombre astuto, sagaz y cauteloso. • m. fig. El que sobresale o es especialista en una materia, particularmente en las de política. • *Méx.* Planta arbórea de la familia convolvuláceas, de hojas acorazonadas y flores pentámeras campanuladas. • *Zool.* Cualquiera de las aves terrestres, voladoras, con pico recto, tarsos cortos y delgados, y tamaño gralte. pequeño. • pl. *Zool.* Orden de estas aves. • **arañero.** Ave trepadora, de cabeza pequeña, pico arqueado y plumaje gris, que se alimenta de insectos y arañas. • **bitango.** Cometa, juguete. • **bobo.** Ave del orden esfenisciformes, llamado también, aunque equivocadamente, pingüino. Presenta patas muy cortas y torpes, que le sirven para caminar penosamente sobre tierra firme. Es un rápido nadador. El plumaje es negro en el dorso y en las alas, y blanco en el vientre. Los p. bobos forman grandes colonias de cría en el hemisferio sur, particularmente en torno a la Antártida. Una especie remonta hasta las islas Galápagos, cerca del ecuador. • **carpintero.** Picamaderos. • **de cuenta.** fig. y fam. Hombre a quien hay que tratar con cautela o con respeto. • **diablo.** Ave marina del orden palmípedas, de pico delgado y ganchudo. • **mosca.** Colibrí. • **moscón.** Ave paseriforme de la familia páridos, que vive en marismas y acequias europeas. • **niño.** Ave del orden palmípedas que habita en los mares polares. • **solitario.** Ave del orden paseriformes que se alimenta de insectos y tiene el canto del mirlo común. • **trapaza.** Ave del orden paseriformes, que se alimenta de insectos y anida en tierra. • **Matar dos pájaros de un tiro.** fr. fig. y fam. Hacer o lograr dos cosas con una sola diligencia.

PAJAROTA o **PAJAROTADA** f. fam. Noticia que se reputa falsa y engañosa.

PAJARRACO m. despect. Pájaro grande desconocido o cuyo nombre no se sabe. • fig. y fam. Hombre disimulado y astuto.

PAJE m. Criado cuyo ejercicio era acompañar a sus amos y servir en menesteres domésticos. • Muchacho que limpia y asea las embarcaciones. • fig. Mueble formado por un espejo con pie alto y una mesilla de tocador. ■ PAJIL.

PAJECILLO m. Mueble en que se ponía la palangana, palanganero.

PAJERO, RA m. y f. Persona que conduce o lleva paja a vender de un lugar a otro. • *R. de la Plata.* Persona sin valor, cobarde. • fam. Persona que se masturba con frecuencia. • f. Pajar pequeño que suele haber en las caballerizas. • m. *Nic.* Fontanero.

PAJILLA f. Cigarrillo hecho de una hoja de maíz. • Caña delgada de avena, centeno, etc., o tubo artificial que sirve para sorber.

PAJOLERO, RA adj. Díc. de toda cosa despreciable y molesta para la persona que habla.
PAJÓN m. Caña alta y gruesa de las rastrojeras.
PAJOTE m. Estera de cañas y paja con que cubren ciertas plantas los agricultores.
PAJUELA f. Paja de centeno, tira de cañaheja o torcida de algodón, cubierta de azufre y que arrimada a una brasa arde con llama.
PAJUERANO, NA adj. y s. *Bol.* y *R. de la Plata.* Díc. de las personas que han nacido en el campo.
PAKISTÁN *(Islamic Republic of Pakistan; Pakistani Jamhooriat)* Estado de Asia meridional, rep., sit. junto al mar Arábigo, entre Irán, Afganistán, China y la India. Al NO está la meseta afgana (Godwin Austen, 8 611 m; Nanga Parbat, 8 126 m). Al N el valle de Cachemira y al S la llanura de Panjab y los desiertos de Thal y Thar. Avenado por el Indo y sus afl. Clima continental. Trigo, maíz, sésamo, lino, colza, algodón, caña de azúcar, patatas, agrios, dátiles. Ganadería bovina, ovina, búfalos, caprinos, camellos. Carbón, lignito, gas natural, sal, cromita, antimonio. Ind. textil, siderúrgica, mecánica, alimentaria. Grupos étnicos: indoafganos (punjabíes, pathanos, baluchis, etc.). Lenguas: urdú (of.), ing., pendjabi, etc. *Rel.:* islamismo (97 %). U. M.: rupia paquistaní. Cap.: Islamabad. C. prales.: Karachi, Lahore.

* *Hist.* En el s. VIII se inició la penetración musulmana, que culminó con el dominio de casi toda la India. El propósito del dirigente musulmán Jinnah de formar un solo Estado islámico con la pob. mahometana del valle del Indo y de Bengala hizo surgir la amenaza de la guerra civil, por lo que Gran Bretaña concedió la indep. y creó dos Est.: uno hindú y otro musulmán (1947), este último dividido en dos zonas, occidental y oriental. La zona oriental, Bangla Desh, se proclamó independiente en 1972. Bajo la presidencia de Ali Bhutto se aprobó una nueva constitución en 1973. En las siguientes elecciones fue elegido presid. Chaudhri Fazal Elahi, y Bhutto siguió al frente del gobierno. En las elecciones de 1977 resultó vencedor Bhutto, aunque fue depuesto, ocupando la jefatura del Est. el general Zia Ul-Haq, quien instauró un régimen autoritario e hizo ejecutar a aquél. En 1988 falleció Zia Ul-Haq al estallar el avión en que viajaba. Gulam Ishad Jan fue nombrado presid. interino, y Benazir Bhutto primera ministra. Acusada de corrupción fue destituida en 1990, pero volvió a vencer en 1993. Ese mismo año Farooq Leghari fue elegido presid. En 1996 Bhutto fue destituida y, poco después derrotada por Nawaz Sharif en las elecciones. El nuevo gobierno acentuó la política nacionalista, enfrentándose con la India en Cachemira en 1999. En octubre de ese mismo año, un golpe de estado destituyó a Sharif, y Pervez Musharraf ocupó la jefatura del gobierno. Posteriormente, en junio de 2001, Musharraf destituyó a M. Rafiq (presid. desde 1997) y asumió la jefatura del estado.

PAKISTÁN

Superficie 796 095 km²

Población 129 808 000 hab. (145 hab./km²)

Recursos económicos	
Algodón	3 669 000 t
Arroz	5 114 000 t
Búfalos	20 000 000 cabezas
Cabaña caprina	43 767 000 cabezas
Cabaña ovina	29 065 000 cabezas
Camellos	1 119 000 cabezas
Carbón y lignito	3 534 000 t
Cemento	7 913 000 t
Colza	229 000 t
Fertilizantes	1 636 000 t
Hilados de algodón	1 310 600 t
Pesca	552 036 t
Petróleo	2 774 000 t
Riqueza forestal	29 873 000 m³
Sésamo	36 000 t
Tabaco	81 000 t
Trigo	17 002 000 t
Indicadores sociológicos	
PNB	59 991 millones de dólares
Renta per cápita	460 dólares
Esperanza de vida	60 años
Alfabetismo	37,8 %

Pakistán. Ruinas del monasterio de Mora-Movadu, en Taxila

PAKISTANÍ adj. y s. Paquistaní.
PALA f. Instrumento compuesto de una tabla de madera o una plancha metálica, rectangular o redondeada, y un mango cilíndrico. Se usa para mover materiales, para introducir o sacar el pan en los hornos, etc. • Hoja de hierro, gralte. trapezoidal, afilada por una parte y con un ojo para el mango por la opuesta, que forma parte de los azadones, hachas, etc. • Tabla de madera fuerte, elíptica, con un mango, para jugar a la pelota. • Especie de cucharón de madera con que se coge y lanza la bola en el juego de la argolla. • Raqueta de red para lanzar la pelota, el volante o cosas semejantes. • Parte ancha del remo, con la cual se hace fuerza en el agua. • Asiento de metal en que el lapidario engasta las piedras. • Parte superior del calzado, que abraza el pie por encima. • Diente incisivo. • *Bot.* Denominación común a los cladodios o tallos transformados, con apariencia de hojas, que caracterizan a algunas especies de la familia cactáceas. • Cada una de las chapas de que se compone una bisagra. • Parte lisa de la charretera o capona, que se sujeta al hombro. • Hombrera del uniforme en la cual se ostentan las insignias del empleo o grado. • fig. y fam. Astucia o artificio para conseguir o averiguar una cosa. • fig. y fam. Destreza o habilidad, aludiendo a los diestros jugadores de pelota. • *Mar.* Cada una de las aletas o partes activas de la hélice. • *Mús.* En los instrumentos de viento, parte ancha y redondeada de las llaves que tapan los agujeros del aire. • **de cuchara**, o **del timón**. La de madera o de hierro usada en la industria. • **mecánica.** Excavadora de cuchara, usada para remover tierra.

Mapa de situación y bandera de **Pakistán**

PALABRA f. Sonido o conjunto de sonidos articulados que expresan una idea. • Representación gráfica de estos sonidos. • Facultad de hablar. • Aptitud oratoria. • Empeño que hace uno de su fe y probidad en testimonio de la certeza de lo que refiere o asegura. • Promesa u oferta. • Derecho, turno para hablar en una asamblea. • Junto con las partículas *no* o *ni* y un verbo, sirve para dar más fuerza a la negación de lo que el verbo significa. • Comp. Conjunto de bits que, como unidad elemental, puede manipular una computadora. La longitud en bits de una palabra en una computadora puede ser de 8, 16, 32, etc., y depende del microprocesador de su unidad central de proceso. • *Teol.* Verbo, segunda persona de la Santísima Trinidad. • pl. Fórmulas o dicciones sin significado usadas por los hechiceros en sus sortilegios. • Pasaje o texto de un autor o escrito. • Las que constituyen la forma de los sacramentos. • **de honor.** Empeño que hace uno de su fe. • **de paso.** *Comp.* Serie de caracteres alfanuméricos que puede reconocer un sistema con el propósito de dar acceso a datos protegidos. También recibe el nombre de contraseña. • **gruesa.** Dicho inconveniente u obsceno. • **ociosa.** La que se dice por diversión o pasatiempo. • **reservada.** *Comp.* La que no se puede utilizar como nombre de variables cuando se construye un programa. • **Medias palabras.** La s que no se pronuncian enteramente por defecto de la lengua. • fig. Insinuación embozada, reticencia. • **Coger la p.** fig. Valerse de ella para obligar el cumplimiento de la oferta o promesa. • **Comerse las palabras.** fig. y fam. Hablar confusamente, omitiendo sílabas o letras. • Omitir en lo escrito alguna palabra o parte de ella. • **Cruzar la p.** con una persona. Tener trato con ella. • **Cuatro palabras.** Conversación corta. • **Dar** uno **p.**, o **su p.** Prometer hacer una cosa. • **Decir** uno **la última p.** Resolver un asunto definitivamente. • **Dejar** a uno **con la p. en la boca.** Volverle la espalda sin escuchar lo

Pakistán. El río Indo a su paso por la ciudad de Sukkur (Punjab)

que va a decir. • **De p.** m. adv. Por medio de la expresión oral. • **Dirigir la p.** a uno. Hablar singular y determinadamente con él. • **Empeñar** uno **la p.** Dar palabra. • **Faltar** uno **a la,** o **a su, p.** Dejar de cumplir lo prometido. • **Mantener** uno **su p.** fig. Perseverar en lo ofrecido. • **Medir** uno **las palabras.** fig. Hablar con cuidado de no decir sino lo que convenga. • **No tener** uno **p.** fig. Faltar fácilmente a lo ofrecido o contratado. • **Pedir la p.** Solicitar uno que se le permita hablar. • **Quitarle** a uno **la p.,** o **las palabras, de la boca.** fig. y fam. Tomar uno la palabra interrumpiendo al que habla. • Decir uno lo mismo que estaba a punto de expresar su interlocutor. • **Ser** una cosa **palabras mayores.** fr. con que se denota que una cosa es de mayor importancia de lo esperado. • **Tratar mal de p.** a uno. Injuriarle con un dicho ofensivo. • **Última p.** loc. Decisión que se da como definitiva e inalterable. ■ PALABRERO, RA.

Palacio del Real Sitio de Aranjuez

PALABREAR intr. Charlar. • *Amér.* Cerrar un trato de palabra. • Prometer matrimonio. • *Chile.* Injuriar.

PALABREO m. Acción y efecto de hablar mucho y en vano.

PALABRERÍA f. o **PALABRERÍO** m. Abundancia de palabras vanas y ociosas.

PALABROTA f. despect. Dicho ofensivo, indecente o grosero.

PALACETE m. Casa de recreo construida y alhajada como un palacio, pero más pequeña.

PALACIEGO, GA adj. Relativo al palacio. • adj. y s. Díc. del que servía o asistía en palacio y sabía sus estilos y modas. • fig. Cortesano.

PALACIO m. Casa destinada para residencia de los reyes. • Cualquier casa suntuosa, destinada a habitación de grandes personajes, o para las juntas de corporaciones elevadas. • Casa solariega noble.

PALACIO, ***Pablo*** (1906-1946) Escritor ecuat., autor de cuentos y novelas. *Un hombre muerto a puntapiés, Vida del ahorcado.* • **Valdés,** ***Armando*** (1853-1938) Novelista esp. *La aldea perdida, Riverita, Maximina, La hermana San Sulpicio.*

PALACIOS, ***Alfredo Lorenzo*** (1876-1965) Político arg. Primer diputado socialista del país (1906) y máximo dirigente del partido socialista desde 1958. • ***Julio*** (1891-1970) Físico esp. Realizó importantes trabajos sobre análisis dimensional, mecánica cuántica, etc. • ***Pedro Bonifacio*** (1854-1917) Poeta arg., que usó el seud. ALMAFUERTE. Su obra ha tenido un amplio eco popular. *Lamentaciones, Confiteor Deo.*

Palafitos en la cienaga de Santa Marta (Colombia)

PALADA f. Porción que la pala puede coger de una vez. • Golpe que se da al agua con la pala del remo. • *Mar.* Cada una de las revoluciones de la hélice.

PALADAR m. *Anat.* Techo de la cavidad bucal, que se extiende desde los alveolos hasta la úvula. Comprende el *p. duro,* óseo, formado por los huesos palatinos y el maxilar superior, y el *p. blando,* o *velo del p.,* lámina musculomembranosa en la porción posterior. • fig. Gusto y sabor que se percibe en los manjares. • fig. Gusto, sensibilidad para discernir lo agradable de lo desagradable.

PALADEAR tr. y prnl. Tomar poco a poco el gusto de una cosa. • tr. Limpiar la boca o el paladar a los animales para que apetezcan el alimento. • Poner en el paladar al recién nacido miel u otra cosa suave, para que se aficione al pecho sin repugnancia. • fig. Aficionar a una cosa o quitar el deseo de ella por medio de otra que dé gusto y entretenga. • intr. Dar el niño recién nacido, con movimiento de la boca, señas de que quiere mamar. ■ PALADEO.

PALADÍN m. Caballero fuerte y valeroso que, voluntario en la guerra, se distingue por sus hazañas. • fig. Defensor denodado de alguna persona o causa.

PALADINO, NA adj. Público, claro y patente. • m. Paladín.

PALADIO m. *Quím.* Elemento de símb. Pd. Metal con gran poder de disolución para el hidrógeno.

PALADIÓN m. fig. Objeto en que estriba la defensa y seguridad de una cosa.

PALAFITO m. Vivienda primitiva, gralte. lacustre, construida sobre estacas o pies derechos.

PALAFOX y Mendoza, ***Juan*** (1600-1659) Administrador esp. Virrey y obispo de México. • ***José Rebolledo de*** (1776-1847) Militar esp. Capitán General de Aragón, lideró la defensa de Zaragoza ante los sitios franceses de 1808-1809.

Vista parcial de **Palencia,** con la catedral en primer término

PALAFRÉN m. Caballo manso en que solían montar las damas, y los reyes y príncipes para hacer sus entradas. • Montura del criado o lacayo.

PALAFRENERO m. Criado que lleva del freno al caballo. • Mozo de caballos. • Criado que monta el palafrén.

PALAMAS, ***Kostis*** (1859-1943) Escritor gr., uno de los poetas modernos más originales de su país. *Cantos a mi patria, Los ojos de mi alma, Tumba.*

PALAMEDES *Mit. gr.* Rey de la isla de Eubea. Se le atribuye el invento de las pesas y medidas.

PALAMENTA f. En una embarcación de remos, conjunto de éstos.

PALANCA f. *Mec.* Cuerpo rígido con un punto fijo, empleado para vencer una fuerza (resistencia) por medio de otra (potencia). El producto de la resistencia por su brazo es igual al de la potencia por el suyo. • **de mando.** *Comp.* P. vertical que puede inclinarse en todas direcciones para dirigir un movimiento. Se utiliza para desplazar un punto, el cursor o una figura de la pantalla. • **óptica.** Dispositivo que se emplea para medir ángulos de giro pequeños. • **oscilante.** P. mecánica que se utiliza como sistema de accionamiento en algunas máquinas-herramienta.

PALANCANA f. Jofaina.

PALANCO (voz náhuatl) m. *Amér. Centr.* Árbol de flores de olor desagradable.

PALANGANA f. Jofaina. • adj. y s. fig. *Amér.* Fanfarrón, pedante. Usado también en pl. • f. *Amér. Centr.* y *Col.* Fuente o plato grande. • *Chile.* Instrumento para limpiar el trigo de las malas semillas. • **Estar de p.** *Bol.* Estar ocioso.

PALANGANEAR intr. *Argent.* y *Perú.* Fanfarronear.

PALANGANERO m. Mueble donde se colocaba la palangana y otras cosas para el aseo de la persona.

PALANGRE m. Aparejo de pesca que se emplea en lugares de mucha profundidad; consiste en un cordel largo provisto de ramales con anzuelos en sus extremos. ■ PALANGRERO.

PALANQUEAR tr. *Argent.* y *Ur.* Emplear alguien su influencia para que otra persona consiga un fin determinado.

PALANQUERA f. Valla de madera.

PALANQUETA f. Barreta de hierro para forzar las puertas o las cerraduras. • Barreta de hierro con dos cabezas gruesas, que se usaba en la carga de la artillería de marina.

PALANQUÍN m. Ganapán o mozo de cordel que lleva cargas de una parte a otra. • fam. Ladrón o ratero. • Especie de andas usadas en Oriente para llevar en ellas a las personas importantes.

PALAS *Astr.* Segundo asteroide en tamaño, después de Ceres. Su diámetro se estima en unos 500 km; su órbita forma un ángulo de 35° con el plano de la eclíptica, y tarda 1 686 días en recorrerla.

PALAS *Mit. gr.* Epíteto de → Atenea, de significado oscuro. Se han propuesto las interpretaciones de «joven doncella», «la que agita el escudo» y «la que blande la lanza».

PALASTRO m. Chapa que soporta el pestillo de una cerradura. • Hierro o acero laminado.

PALATA, ***Melchor de Navarra y Rocafull,*** DUQUE DE LA (1626-1691) Administrador esp. Virrey de Perú (1681-1689).

PALATABILIDAD f. Cualidad de ser grato al paladar un alimento.

PALATAL adj. Relativo al paladar. • *Fon.* Díc. del sonido que se articula en cualquier punto del paladar, y más propiamente de la vocal o consonante que se pronuncia aplicando el dorso de la lengua a la parte correspondiente al paladar duro, como la *i* y la *ñ*. • f. Letra que representa este sonido.

PALATALIZAR tr. *Fon.* Dar a un fonema o sonido articulación palatal.

PALATINADO m. Dignidad o título de uno de los príncipes palatinos de Alemania. • Territorio de los príncipes palatinos.

PALATINADO *(Pfalz)* Nombre de dos regiones históricas al.: el *Alto P.* o *P. bávaro* y el *Bajo P.* o *P. renano.* Desde 1946 forma parte del *land* de Renania-Palatinado.

PALATINO, NA adj. Relativo al paladar. • adj. y m. *Anat.* Díc. especialmente del hueso par que contribuye a formar la bóveda del paladar. • adj. Relativo a los palacios.

PALATINO, ***Monte*** Una de las siete colinas de Roma, donde Rómulo fundó la ciudad.

PALAU

Superficie 487 km²
Población 15 122 hab. (31 hab./km²)

Recursos económicos	
Pesca	1 490 t
Indicadores sociológicos	
PNB	81,8 millones de dólares
Renta per cápita	5 000 dólares
Esperanza de vida	69 años
Alfabetismo	97,6 %

PALAU, PALAOS o **BELAU** *(Belu'u era Belau)* Est. insular de Oceanía, en Micronesia. Comprende más de 200 islas que se extienden a lo largo de 650 km en el extremo occidental de las Carolinas. Actividades agropecuarias (batatas, nueces de coco) y pesca. Turismo. Grupos étnicos: palauanos (83 %), filipinos y otros micronesios. Lenguas oficiales: palauano e ingles. *Rel.*: catolicismo y protestantismo. U.M.: dólar de EE UU. Cap.: Koror. Ocupado por EE UU desde 1944 y bajo administración fiduciaria de esta potencia (1951-1986), en 1981 se constituyó en república. En 1994 se declaró independiente, aunque mantiene un acuerdo de libre asociación con EE UU por el cual esta última asume la defensa.

PALAWAN Isla de Filipinas, la más occidental del arch.; 14 896 km², 371 800 hab. Cap., Puerto Princesa. Atravesada por una cadena montañosa que alcanza 2 054 m de alt. Arroz y caña de azúcar. Pesca.

PALAZÓN m. Conjunto de palos de que se compone una casa, barraca, embarcación, etc. • *Ven.* Borrachera.

PALCA f. *Bol.* Cruce de dos ríos o de dos caminos. • *Bol.* Horquilla formada por una rama.

PALCO m. En los teatros y otros lugares de recreo, localidad indep. con balcón. • Tabladillo o palenque en que se coloca la gente para ver un espectáculo público. • **escénico.** Lugar del teatro en que se representa la escena.

PÁLEA f. *Bot.* Hoja transformada, provista de dos nervios, que constituye la pieza más externa del perianto de las flores de la familia gramíneas.

PALEAR tr. *Amér.* Escardar y limpiar con la pala los cafetales y sembrados.

PALEÁRTICO, CA adj. Díc. del ámbito zoogeográfico que comprende el continente europeo, el N del Sahara y el N del Himalaya.

PALEMBANG C. de Indonesia, en la isla de Sumatra; 787 200 hab. Puerto fluvial en el Musi. Centro comercial. Refino de petróleo. Aeropuerto.

PALENA Prov. de Chile, en la región de Los Lagos; 17 200 hab. Cap. Chaitén.

Palenque. Palacio y torre del s. VII

PALENCIA Prov. de España, en la com. autón. de Castilla y León; 8 035 km², 180 571 hab. Cap., la c. hom. Accidentada por las estribaciones de la cordillera Cantábrica (Peña Prieta, 2 536 m). Avenada por el Carrión, el Pisuerga y sus afl. Clima frío que varía con la altitud. Cereales, patatas, remolacha. Ganadería. Carbón, energía eléctrica. Ind. alimentaria, del cemento. • C. de España, cap. de la prov. hom.; 78 831 hab. Centro comercial. Ind. harinera, textil.

PALENCIA, *Alfonso Fernández de* (1423-1492) Político e historiador cast. *Crónica de Enrique IV.* • ***Benjamín*** (1902-1980) Pintor esp. Su obra refleja la problemática de la vida castellana. *Codornices, Piedras y pájaros en el Mirón, El búho.*

PALENQUE adj. y s. Díc. de un ant. grupo indígena ven. • m. Valla de madera o estacada para defender un puesto, cerrar un terreno, etc. • Terreno cercado por una estacada. • *Amér. Centr.* Rancho donde viven varias familias de indígenas. • *Amér. Merid.* Madero colocado horizontalmente sobre otros dos, clavados en tierra, para atar las caballerías. • Estaca para amarrar animales.

PALENQUE Localidad de México, en el estado de Chiapas. Ant. c. maya. Templo de las inscripciones, templo del Sol, palacio con torre cuadrangular de tres pisos, el relieve del s. VII llamado la «cruz de P.», canchas de juego de pelota.

PALENQUEAR tr. *R. de la Plata.* Amarrar un animal a un poste.

PALEOÁNTROPO m. Denominación de las formas paleoantropológicas del gén. *Homo*, anteriores al *Homo sapiens.*

PALEOANTROPOLOGÍA f. Ciencia que estudia los fósiles del hombre para fijar cronológicamente su evolución. Hace un estudio anatómico comparativo de restos humanos y antropomorfos. Sus ciencias auxiliares son la estratigrafía, la paleobotánica y la paleozoología.

PALEOCENO adj. y m. Díc. del primer periodo de la era terciaria, comprendido entre el cretácico y el eoceno. Su duración aprox. es de unos 10 millones de años, y en él se produjo una gran expansión de los mamíferos.

PALEOCRISTIANO, NA adj. Díc. del arte de los primeros cristianos. A partir del s. III se encuentran los primeros ejemplos de pintura. Destacan los mosaicos del mausoleo de Gala Placidia, en Ravena, y de Centcelles, en Tarragona. En el s. IV aparece la estructura basilical (basílica de San Pedro), adquieren auge los baptisterios (de los Ortodoxos en Ravena, de San Juan de Letrán en Roma) y los *martyria*, que introducen la planta central.

PALEOGENO adj. y m. Díc. del periodo de 40 millones de años que abarca la mitad inferior de la era terciaria. Comprende el paleoceno, eoceno y oligoceno.

PALEOGRAFÍA f. Arte de leer la escritura y signos de los libros y documentos antiguos. ■ PALEOGRÁFICO, CA; PALEÓGRAFO, FA.

PALEOLÍTICO adj. y m. *Prehist.* Díc. del primer estadio de la humanidad. • Relativo a este periodo.

* *Prehist.* El p. abarca desde la aparición del hombre, hace 4 o 5 millones de años, hasta su adopción de técnicas mesolíticas, hace unos 10 000 años. En el *p. inferior* el hombre era un cazador nómada que conocía el fuego y la piedra tallada. En el *p. medio,* iniciado hace unos 60 000 años, vivía el hombre de Neanderthal. Utilizaba instrumentos fabricados en lascas, con talla levalloisiense. Con la aparición del hombre de Cro-Magnon, hace unos 35 000 años, se inicia el *p. superior.* Aparece el arte rupestre, se perfeccionan los instrumentos y la caza, y se produce un imp. desarrollo demográfico y social.

PALEÓLOGO Familia bizantina que dio varios soberanos al imperio de Oriente, el primero de los cuales fue **Miguel VIII**. La dinastía se mantuvo hasta la caída del Imperio (1453).

PALEÓLOGO, GA adj. y s. Que conoce los idiomas antiguos.

PALEONTOGRAFÍA f. Descripción de los seres orgánicos cuyos restos se encuentran fosilizados. ■ PALEONTOGRÁFICO, CA.

PALEONTOLOGÍA f. Ciencia que estudia los seres de épocas pasadas, o las muestras de su actividad, cuyos restos se encuentran fosilizados. • **lingüística.** Ciencia que estudia la etnia, cultura, etc., de los pueblos ant. a partir de topónimos e inscripciones. ■ PALEONTOLÓGICO, CA; PALEONTÓLOGO, GA.

* *Pal.* La p. se basa en el principio del actualismo biológico: los fósiles son restos de organismos que se regían por las mismas leyes que los actuales. Como métodos de trabajo se utilizan la anatomía comparada y el principio de correlación orgánica.

PALEOTERIO m. Mamífero équido fósil del eoceno.

PALEOTROPICAL adj. y m. Díc. del reino floral que abarca la región tropical del ant. mundo.

PALEOZOICO, CA adj. y m. *Geol.* Díc. del primero de los grandes periodos de la historia geoló-

Mapa de situación y bandera de **Palau**

Arte **paleocristiano.** Detalle del sarcófago de Leucadio, en la necrópolis de Tarragona

Paleolítico. Bajorrelieve que reproduce una figura femenina relacionada con el rito de la fertilidad. Cueva de Laussel, Francia

gica (400 millones de años). Estaban representados todos los grupos animales, excepto aves y mamíferos, y todos los vegetales, excepto las angiospermas.

PALERMO C. y puerto de Italia, en Sicilia, cap. de la región de Sicilia; 698 600 hab. Centro comercial de una región agrícola. Ind. química, textil, siderúrgica, naval, alimentaria. Aeropuerto. Universidad.

PALERO m. El que hace o vende palas. • El que ejerce el oficio de la palería. • *Mar.* El que en un buque mercante tiene a su cargo la limpieza del servicio de máquina.

PALES Ant. divinidad rom., protectora de los rebaños y pastores.

PALÉS Matos, *Luis* (1898-1959) Poeta puertorriq. Utiliza temas y lenguaje afroamericanos, *Azaleas, Tuntún de pasa y grifería.*

PALESTINA (ant. «país de los filisteos») Región del Próximo Oriente, limitada por el Mediterráneo, los montes Líbano y Antilíbano, el desierto de Siria y el istmo de la pen. del Sinaí. Desde fines de la I Guerra Mundial el límite oriental se estableció en la línea del Jordán, mar Muerto y uadi Araba, hasta el golfo de Akaba, ya que al E de la misma se creó el Estado ár. de Transjordania (→ Jordania). Esta P. de factura brit., hoy dividida étnicamente entre ár. y heb., ocupa unos 26 000 km^2 y cuenta con más de 5 000 000 de hab., y su terr. está ocupado por el Est. de Israel y las zonas de Cisjordania y Gaza. Zona de fricción entre árabes y judíos, el reconocimiento mutuo entre la OLP (Organización para la Liberación de Palestina), por parte de Arafat, y de Simón Peres, por Israel, en septiembre de 1993, puso fin a 29 años de lucha armada. Se concedió autonomía política a Gaza y Jericó, con Y. Arafat como jefe del ejecutivo provisional de la recien constituida Autoridad Palestina (1994), al tiempo que se sellaba la paz con Jordania. En 1996 se celebraron las primeras elecciones democráticas, que dieron el triunfo a Arafat. El proceso de paz, que se frenó durante el gobierno de B. Netanyahu en Israel (1998), se relanzó en el mandato de E. Barak (1999). Sin embargo, en 2000 se reavivó la tensión y estalló una nueva intifada.

Giovanni Pierluigi de **Palestrina**

PALESTRA f. Lugar donde se lucha. • fig. La misma lucha. • En la ant. Grecia, gimnasio, escuela de luchadores. • fig. Lugar en que se celebran ejercicios literarios públicos o se discute sobre algo.

PALESTRINA, *Giovanni Pierluigi de* (h. 1525-1594) Compositor it. Maestro de la capilla pontificia bajo Julio III. Misas, motetes y madrigales.

PALETA f. Tabla con un agujero por donde el pintor mete el dedo pulgar y en la cual tiene ordenados los colores. • Instrumento que consta de un platillo redondo y un mástil largo, y sirve para repartir la vianda. • Badil u otro instrumento semejante con que se remueve la lumbre. • Herramienta triangular, con mango de madera, empleada por los albañiles para manejar el mortero. • Omóplato, paletilla. • Cada una de las tablas de madera o planchas metálicas que se fijan a las ruedas hidráulicas para recibir la acción del agua, álabe. • Cada una de las piezas análogas de los ventiladores y de otros aparatos que reciben y utilizan el choque o la resistencia del aire. • *C. Rica, Méx., Nic., P. Rico* y *R. Dom.* Dulce o helado en forma de pala. • *Mar.* Cada una de las piezas que, unidas a un núcleo central, constituyen la hélice.

PALETADA f. Porción que la paleta puede coger de una vez. • Golpe dado con la paleta. • Trabajo que se hace cada vez que se aplica material con la paleta.

PALETEAR intr. *Mar.* Remar mal. ■ PALETEO.

PALETERO, RA m. y f. *Méx.* y *Nic.* Persona que fabrica o vende paletas de dulce o helado.

PALETILLA f. Omóplato. • Ternilla en que termina el esternón y que corresponde a la boca del estómago. • Candelero bajo con asa, palmatoria.

PALETO m. Gamo. • fig. Persona rústica y zafia.

PALETÓ m. Gabán de paño grueso, largo y entallado, pero sin faldas como el levitón.

PALETÓN m. Parte de la llave en que se forman los dientes y guardas.

PALHUÉN m. *Chile.* Arbusto de la familia papilionáceas, muy espinoso.

PALI adj. y m. Díc. de una lengua hermana de la sánscrita, en la que predicó Buda su doctrina.

PALIA f. Lienzo sobre el que se extienden los corporales para decir misa. • Cortina que se pone delante del sagrario en que está reservado el Santísimo. • Lienzo que se pone sobre el cáliz.

Villa Capra o Rotonda, obra de Andrea **Palladio,** en Vicenza (Italia)

PALIACATE m. *Méx.* Pañuelo grande y de colorido abigarrado.

PALIAR tr. Encubrir, disimular, cohonestar. • Mitigar la violencia de ciertas enfermedades, especialmente de las crónicas e incurables. ■ PALIACIÓN; PALIATIVO, VA; PALIATORIO, RIA.

PALIDECER intr. Ponerse pálido. • fig. Padecer una cosa disminución o atenuación de su importancia o esplendor.

PÁLIDO, DA adj. Amarillo, macilento o descaecido de su color natural. • Desvaído, descolorido. • fig. Desanimado, falto de expresión y colorido. ■ PALIDEZ; PALIDUCHO, CHA.

PALIER m. *Aut.* Cada una de las dos mitades en que se divide el eje de las ruedas motrices de algunos vehículos automóviles.

PALILLERO, RA m. y f. Persona que hace o vende palillos para mondar los dientes. • m. Cañuto, cajita o cosa semejante en que se guardan los mondadientes. • Pieza de figura y materiales diversos, donde se colocan los palillos para ponerlos a la mesa.

PALILLO m. Varilla, por la parte inferior aguda y por la superior redonda y hueca, donde se encaja la aguja para hacer media, y se afirma en la cintura. • Mondadientes de madera. • Bolillo para hacer encajes y pasamanería. • Cualquiera de las dos varillas con que se toca el tambor o los atabales. • Vena gruesa de la hoja del tabaco. • fig. Palique. • pl. Bolillos que se ponen en el billar en ciertos juegos. • Palitos de madera para modelar barro. • fig. y fam. Primeros principios y reglas menudas de las artes o ciencias. • fig. y fam. Lo insustancial y poco importante de una cosa. • pl. Castañuelas.

PALIMPSESTO m. Manuscrito ant. que conserva huellas de una escritura anterior. • Tablilla ant. en que se podía borrar lo escrito y volver a escribir.

PALÍNDROMO m. Palabra o frase que se lee igual de izquierda a derecha que de derecha a izquierda.

PALINGENESIA f. Regeneración, renacimiento de los seres.

PALINODIA f. Retractación pública de lo que se había dicho.

PALIO m. Prenda pral., exterior, del traje gr., a manera de manto, sujeta al pecho por una hebilla o broche. • Capa o balandrán. • Insignia pontifical de los arzobispos y de algunos obispos. • Especie de dosel colocado sobre cuatro varas, bajo el cual va en las procesiones el sacerdote que lleva el Santísimo. • Cualquier cosa que forma una manera de dosel o cubre como él. • Paño de seda que se ofrecía al vencedor en determinados juegos de carrera.

PALIQUE m. fam. Conversación de poca importancia.

PALISANDRO m. Madera preciosa de color rojo y veteada de negro, utilizada en ebanistería. Procede de diversas especies tropicales.

PALITROQUE o **PALITOQUE** m. Palo pequeño, tosco o mal labrado. • *Taur.* Banderilla.

PALIZA f. Zurra de golpes dados con palo. • fig. y fam. Disputa en que uno queda confundido o maltrecho. • adj. y s. Persona pesada. Se usa también en pl. • Dar la p. Dar la tabarra.

PALIZADA f. Sitio cercado de estacas. • Defensa hecha de estacas y terraplenada para impedir la salida de los ríos o dirigirlos. • *Mil.* Conjunto de piezas en forma de palos, o fajas punteadas o agudas, encajadas las unas en las otras. • *Mil.* Empalizada.

PALLA f. *Chile.* Paya. • *Chile.* Separación del mineral sacado de una mina. • *Bol.* Especie de palmera.

PALLACO m. *Chile.* Mineral aprovechable que se recoge en una mina abandonada.

PALLADIO, *Pietro della Gondola*, llamado ***Andrea*** (1508-1580) Arquitecto it., uno de los máx. representantes del Renacimiento pleno. Villa Capra o Rotonda; iglesia del Redentor, en Venecia; Galería del Capitán y Teatro Olímpico, en Vicenza. Autor de *Cuatro libros de arquitectura.*

PALLADOR m. *Amér.* Payador.

PALLAIS, *Azarías H.* (1884-1954) Poeta nic. *Espumas y estrellas, Glosas.*

PALLAQUEAR tr. *Perú.* Pallar.

PALLAR m. *Perú.* Variedad de judía, casi redonda y muy blanca. • tr. Entresacar o escoger la parte metálica o más rica de los minerales.

PALLAS f. *Perú.* Baile tradicional.

PALLÓN m. *Metal.* Esferilla de oro o plata que resulta en la copela al hacer el ensayo de menas auríferas o argentíferas. • *Metal.* Ensayo de oro, luego que se le ha incorporado la plata en la copelación, y antes de apartarlo por el agua regia.

PALMA f. Nombre que se aplica a las especies de la familia palmáceas. • Palmera. • Hoja de la palmera. • Datilera. • Palmito, planta. • Parte inferior y algo cóncava de la mano, desde la muñeca hasta los dedos. • fig. Mano del hombre. • fig. Gloria, triunfo. • pl. Palmadas de aplauso. • **enana.** Palmito, planta. • **indiana.** Coco, árbol. • **negra.** *Amér.* Caranday. • **real.** Palmácea muy abundante en Cuba, con tronco de cerca de medio metro de diámetro, duro en la parte exterior, filamentoso y blando en el interior.

PALMA, *La* Isla de España, en el arch. de las Canarias (prov. de Santa Cruz de Tenerife); 725 km², 72 500 habitantes. Cap., Santa Cruz de la Palma (17 265 habitantes). • C. de Panamá, cap. de la prov. de Darién; 30 116 hab. (en el distr.).

PALMA, *Brian de* (nacido 1940) Director cinematográfico norteam. *El fantasma del paraíso, Carrie, Vestida para matar, Los intocables de Elliot Ness.* • ***Ricardo*** (1833-1919) Escritor per. En *Tradiciones peruanas*, evoca el pasado de su país. Autor de poesía y ensayos filológicos: *Cachivaches, Papeletas lexicográficas.* • **Carlo, *Adelino da*** (nacido 1905) Político port. Estuvo al frente del primer gobierno provisional (1974), después de la rev. • **el Joven** Seud. de *Jacopo Nigretti* (1544-1628) Sobrino de P. el Viejo; pintor y grabador manierista. *Cristo ante Caifás.* • **el Viejo** Seud. de *Jacopo Nigretti* (h. 1480-1528) Pintor it., discípulo de G. Bellini. *Retrato de una mujer, Políptico de Santa Bárbara.*

PALMA de Mallorca *(Ciutat de Mallorca)* C. de España, cap. de la com. autón. y prov. de Baleares; 304 250 hab. Sit. al SO de la isla de Mallorca, junto a la bahía hom. Imp. nudo de comunicaciones y centro turístico. • **de Tocantins** C. de Brasil, cap. del est. de Tocantins; 24 000 hab.

PALMA SORIANO C. de Cuba, en la prov. de Santiago de Cuba; 55 900 hab. Centro comercial. Ind. alimentaria.

PALMÁCEO, A adj. y f. *Bot.* Díc. de plantas monocotiledóneas tropicales, de flores pequeñas agrupadas en espiga y fruto en drupilanio con una sola semilla. • f. pl. *Bot.* Familia de estas plantas.

PALMADA f. Golpe dado con la palma de la mano. • Ruido que se hace golpeando una con otra las palmas de las manos. Se usa más en pl.

PALMAR adj. Díc. de las cosas de palma. • Relativo a la palma de la mano o a la palma del casco de los animales. • Relativo al palmo o que consta de un palmo. • fig. Claro, patente y manifiesto. • m. Sitio donde se crían palmas. • intr. fam. Morir una persona. • fam. Perder en una competición.

PALMARÉS (voz fr.) m. Relación de premiados en una competición o festival. • Hoja de servicios, historial.

PALMARIO, RIA adj. Palmar, claro, patente.

PALMAS, *Las* Prov. de España constituida por las islas Gran Canaria, Fuerteventura y Lanzarote, del arch. canario; 4 072 km², 834 085 hab. Cap., Las Palmas de Gran Canaria. Terreno formado por materiales volcánicos. Clima templado. Cultivo de plátanos, tomates, patatas. Pesca. Ind. alimentaria, tabaquera. Centro turístico.

PALMAS DE GRAN CANARIA, *Las* C. esp., en la isla de Gran Canaria, cap. de la com. autón. de Canarias (compartida con Santa Cruz de Tenerife) y de la prov. de Las Palmas; 355 563 hab. Sit. al NE de la isla. Puerto comercial y pesquero. Turismo. Ind. alimentaria y metalúrgica. Construcciones navales.

PALMATICOMPUESTO, TA adj. *Bot.* Díc. de la hoja compuesta cuando todos sus folíolos parten del ápice del peciolo común.

PALMATIPARTIDO, DA adj. *Bot.* Díc. del filoma de nervadura palmeada que se halla dividido.

PALMATORIA f. Palmeta. • Especie de candelero bajo, con mango, y pie en forma de platillo.

PALME, *Sven Olof* (1927-1986) Político sueco, socialdemócrata. En 1969 ocupó la jefatura del partido y fue elegido primer ministro, cargo que tuvo que abandonar tras su derrota en las elecciones de 1976, aunque volvió al mismo en 1982. Murió asesinado.

PALMEADO, DA adj. De figura de palma. • *Bot.* Hojas, raíces, etc., que semejan una mano abierta. • *Zool.* Díc. de los dedos de aquellos animales que los tienen unidos entre sí por una membrana.

PALMEAR intr. Dar golpes a alguna cosa con la palma de la mano o palmadas, especialmente en señal de regocijo o aplauso. • *Mar.* Trasladar una embarcación de un punto a otro haciendo fuerza o tirando con las manos, aseguradas alternativamente, en objetos fijos inmediatos. • tr. e intr. *Mar.* Asirse de un cabo y avanzar valiéndose de las manos. ■ PALMEO.

PALMER o **PÁLMER** m. Instrumento para medir espesores, formado por un tornillo micrométrico de 1 mm de paso de rosca, con la cabeza dividida gralte. en 100 partes, por lo que aprecia hasta 0,01 mm.

PALMERO, RA adj. y s. De La Palma. • m. Peregrino de Tierra Santa que traía palma. • m. y f. Persona que ata las hojas de palma para que se pongan amarillas. • f. Nombre común de las especies de la familia palmáceas. • *Bot.* Planta arbórea de hasta 16 m de alt., con estípite cilíndrico, hojas en forma de penacho terminal, laciniadas; flores de color amarillento agrupadas en espiga y frutos anaranjados comestibles (dátiles). Es originaria del N de África. Sus fibras se usan para la fabricación de cestos y esteras, y con sus hojas jóvenes se confeccionan palmas.

PALMERSTON, *Henry John Temple,* TERCER VIZCONDE DE (1784-1865) Político brit. Evolucionó del conservadurismo al liberalismo. A causa de la guerra de Crimea, fue elegido primer ministro en 1855. Reelegido en 1859.

PALMESANO, NA adj. y s. De Palma de Mallorca.

PALMETA f. Instrumento con que los maestros castigaban a los muchachos golpeándoles en las palmas de las manos. • Golpe dado con la palmeta. • *Arq.* Motivo de ornamentación clásico formado por hojas de palma.

PALMETAZO m. Golpe dado con la palmeta. • fig. Corrección hecha con descortesía.

PALMICHE m. *Amér. Centr.* y *Merid.* Planta con aspecto de palmera, de la familia ciclantáceas, con flores soldadas entre sí. Se utiliza para la fabricación de sombreros llamados de jipijapa. • *Cuba.* Tela ligera para trajes masculinos.

PALMILERA f. *Amér. Centr.* Palmera de madera negra, usada para hacer bastones, arcos, etc.

PALMINERVIO, VIA adj. *Bot.* Díc. de las hojas que poseen las nerviaciones ramificadas y dispuestas como los dedos de una mano.

PALMÍPEDO, DA adj. y s. *Zool.* Díc. del animal que tiene las patas palmeadas, es decir, provistas de una membrana interdigital, que facilita la natación. El nombre de *palmípedas* se aplicaba antiguamente a un grupo heterogéneo de aves, hoy desdoblado en varios otros.

PALMIRA Ant. c. de Siria, del II milenio a. C. Sit. en el desierto sirio-arábigo, tuvo gran importancia como oasis. Cap. de un Estado gobernado por la reina Zenobia. Conquistada y destruida por los rom. en 273.

PALMIRA C. de Colombia, en el dpto. de Valle del Cauca; 186 000 hab. Centro comercial, agrícola e industrial. Instituto agropecuario.

PALMIRENO, NA adj. y s. De Palmira. • m. *Ling.* Dialecto del arameo occidental.

PALMÍTICO adj. *Quím.* Díc. de un ácido graso de 16 átomos de C, abundante en los seres vivos.

PALMITO m. *Bot.* Planta palmácea arbustiva de tronco escaso, hojas en abanico, cuyo fruto y cogollo son comestibles. • Cogollo de esta planta. • fig. y fam. Cara de mujer. • fig. y fam. Talle esbelto de la mujer.

PALMO m. Ant. medida de longitud, con distintos valores según las épocas y las regiones. • P. ext., palmo cuadrado, unidad de superficie utilizada para la medición de terrenos. • **de tierra.** fig. Espacio muy pequeño de ella. • **Con un p. de lengua,** o **con un p. de lengua fuera**. Sumamente cansado.

PALMOTEAR intr. Palmear, dar palmadas. ■ PALMOTEO.

PALO m. Trozo de madera mucho más largo que grueso, gralte. cilíndrico y manejable. • Madera de árbol. • *Mar.* Cada uno de los maderos fijos en una embarcación, a los cuales se agregan los masteleros. • Golpe que se da con un palo. • Último suplicio que se ejecuta en un instrumento de palo; como la horca, el garrote, etc. • Cada una de las cuatro

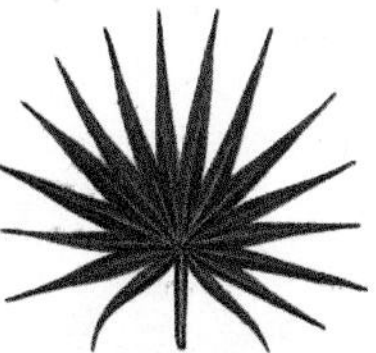

Hoja **palmeada**

Henry J. Temple, vizconde de **Palmerston**

Oca cignoide americana, ave del grupo **palmípedas**

Ruinas del templo de Báal, en **Palmira** (Siria)

series en que se divide la baraja de naipes. • Pezoncillo por donde una fruta pende del árbol. • Trazo de algunas letras que sobresale de las demás; como el de la *d* y la *p*. • fig. y fam. Varapalo, daño o perjuicio. Se usa más con los verbos *dar*, *llevar* o *recibir*. • *Amér.* Árbol o arbusto. Suele usarse con adjetivo. • *Her.* Pieza rectangular que desciende desde el jefe a la punta del escudo, y ocupa en su medio la tercera parte del ancho total. • *Cet.* Percha de las aves, alcándara. • fam. Coito. • pl. Palillo del billar. • Una de las prales. suertes del juego de billar, que consiste en derribar los palos con las bolas. • *Med.* Nombre primitivo de la quina en España. • **áloe.** Madera del agáloco, muy resinosa, amarga y purgante, empleada en farmacia. • Madera del calambac, muy parecida a la anterior. • **blanco.** Nombre común a varios árboles simarubáceos de Canarias y América, con corteza elástica y amarga, hojas oblongas y flores amarillas. Usado en medicina. • *Chile.* Testaferro. • **borracho.** *Argent.* Árbol de la familia bombáceas, de flores amarillas o rosas, y semillas recubiertas de pelos sedosos. • **brasil.** Madera compacta, de color encendido, capaz de hermoso pulimento, que sirve para teñir de encarnado, y procede del Brasil. • **cajá.** *Cuba.* Árbol sapindáceo silvestre de madera anaranjada, usada en carpintería. • **campeche,** o **de Campeche.** Madera dura, negruzca, de olor agradable, que sirve para teñir de encarnado. • **chancho.** *Amér. Centr.* Árbol de madera blanca, hojas lanceoladas y flores amarillas. • **cochino.** *Cuba.* Árbol burseráceo silvestre, cuya madera se emplea para fabricar toneles. • **cuadrado.** *Amér. Centr.* Árbol de ramas cuadradas y flores rosadas. Usado por los indígenas para construir sus viviendas. • **de agua.** *Amér. Centr.* Arbusto de hermosas flores. • **de águila.** Madera de un árbol timeleáceo, algo parecido al palo áloe. • **de ciego.** fig. Golpe que se da desatentadamente y sin duelo, como lo daría quien no viese. • fig. Daño o injuria que se hace por desconocimiento o por irreflexión. • **de favor.** En algunos juegos de naipes, el que se elige para que, cuando sea triunfo, tenga preferencia y se duplique el interés. • **de hule.** Uno de los árboles que producen la goma elástica o caucho. • **de jabón.** Líber de un árbol de la familia rosáceas, que se cría en la América tropical. Es de color blanquecino, fibroso. Usado para quitar manchas en las telas. • **de mora.** *Amér. Centr.* Árbol usado para fabricar tinte. • **de Pernambuco.** Especie de palo brasil, de color menos encarnado. • **de rosa.** Madera de un árbol borragináceo amer., olorosa, compacta, roja con vetas negras, y muy estimada en ebanistería. • **de sal.** *Amér. Centr.* Árbol de hojas cenicientas y flores verduscas, cuyas ramas y hojas se cubren de cristales de sal. • **dulce.** Raíz del orozuz. • **enjabonado.** *R. de la Plata.* Cucaña. • **grueso.** *Chile.* Persona influyente, de mando. • **lucio.** *Nic.* Cucaña. • **mayor.** *Mar.* El más alto del buque y que sostiene la vela principal. • **nefrítico.** Madera blanco rojiza y olorosa del ben, cuya infusión se ha empleado en las infecciones de las vías urinarias. • **santo.** *Bot.* Planta arbórea de la familia ebenáceas, con hojas alternas, pecioladas, flores unisexuales y frutos amarillentos, del tamaño de un melocotón. Es originaria de Extremo Oriente. Se denomina también guayacán africano. • *Bot.* Planta arbórea de la familia rutáceas que suministra la madera del mismo nombre y el guayacol, utilizado en medicina. • **A p. seco.** *Mar.* Díc. de una embarcación cuando navega con las velas recogidas. • fig. Aplícase a la acción de tomar algo sin acompañamiento de otra cosa.

Frutos de **palo santo**

Paloma bravía

Paisaje de **Pamir**

PALODUZ m. Palo dulce, orozuz.

PALOMA f. *Zool.* Nombre de las aves del orden columbiformes, caracterizadas por su pico corto y robusto, revestido en su base de una cera en la que se abren los orificios nasales. • fam. Bebida compuesta de agua y aguardiente anisado. • fig. Persona de genio apacible y quieto. • *Mar.* Cruz de una verga, en la que se fijan los cuadernales. • **mensajera.** *Zool.* P. con el sentido de orientación muy desarrollado, que fue utilizada como correo, y hoy se utiliza en competiciones deportivas.

PALOMA *Astr.* Constelación cuya denominación latina es *Columba.*

PALOMAR adj. Díc. de una especie de hilo bramante, más delgado y retorcido que el corriente. • m. Lugar donde se recogen y crían las palomas. ■ PALOMARIEGA.

PALOMETA f. Pez comestible, parecido al jurel, aunque algo mayor. • Japuta, pez. • Palomilla, armazón triangular para sostener algo. • Roseta de maíz tostado.

PALOMILLA f. Mariposa nocturna, cenicienta, de alas horizontales y estrechas y antenas verticales. Causa grandes daños en los graneros. • Cualquier mariposa muy pequeña. • *Bot.* Fumaria. • *Bot.* Onoquiles. • Parte anterior de la grupa de las caballerías. • Caballo de color blanco y semejante al de la paloma. • Punta que sobresale en el remate de algunas albardas. • Armazón en forma de triángulo para sostener tablas, estantes, etc. • Pieza con una muesca en que descansa y gira un eje, chumacera. • Tuerca con dos prolongaciones laterales para poder apoyar los dedos y darle vueltas más fácilmente. • En los coches de cuatro ruedas, cada uno de los hierros que van de la caja a las ballestas traseras. • Cualquier lepidóptero en estado de ninfa. • Grano de maíz tostado. Paloma, agua con aguardiente anisado. • *Hond.* Pandilla, grupo de personas que se reúnen habitualmente para divertirse. • pl. *Mar.* Ondas espumosas del mar. • m. *Perú.* Muchacho callejero y travieso.

PALOMINA f. Excremento de las palomas. • Fumaria, hierba.

PALOMINO m. Pollo de la paloma brava. • Pichón que aún no sale del nido. • fam. Mancha de excremento en la ropa interior.

PALOMINO, ***Antonio*** (1655-1726) Pintor esp., barroco; óleos y frescos. Pintor del rey. *Inmaculada, Visión de santo Domingo.*

PALOMITA f. Roseta de maíz tostado reventado. • Refresco de agua con algo de anís.

PALOMO m. Macho de la paloma. • Paloma torcaz. • fig. Propagandista o muñidor muy diestro en estos oficios. • vulg. Hombre necio o simple.

PALOS DE LA FRONTERA (ant., *Palos de Moguer*) Mun. de España, en Andalucía (prov. de Huelva); 6 400 hab. Agricultura. Pesca. De su puerto partió Colón el 3 de agosto 1492, en su primer viaje a América.

PALOTE m. Palo mediano, como las baquetas con que se tocan los tambores. • Cada uno de los trazos que los niños hacían en el papel pautado, para aprender a escribir.

PALPACIÓN f. Palpamiento. • *Med.* Método exploratorio que se practica aplicando los dedos o la mano sobre las partes externas del cuerpo o las cavidades accesibles.

PALPADOR, RA adj. Que palpa. • adj. y m. En los aparatos de comprobación de piezas metalúrgicas, díc. del órgano que se apoya en los extremos de las mismas y que sirve para medir sus dimensiones

PALPALLÉN m. *Chile.* Arbusto de la familia compuestas, de hojas aovadas, dentadas y cubiertas de un tomento blanquecino, y flores amarillas.

PALPAR tr. Tocar con las manos para percibir por el tacto. • Andar a tientas, valiéndose de las manos para no tropezar. • fig. Conocer una cosa tan claramente como si se tocara. ■ PALPABLE; PALPAMIENTO.

PÁLPEBRA f. *Anat.* Párpado. ■ PALPEBRAL.

PALPÍ m. *Chile.* Arbusto de la familia escrofulariáceas, de hojas angostas aserradas y flores amarillas.

PALPÍGRADO adj. y m. *Zool.* Díc. del animal del orden palpígrados. • m. pl. *Zool.* Orden de arácnidos de pequeño tamaño, provistos de fuertes patas, con pedipalpos que acaban en pinza. Tienen el abdomen terminado en una cola filiforme. Carecen de ojos.

PALPITAR intr. Contraerse y dilatarse alternativamente el corazón. • Aumentarse la palpitación natural del corazón por un efecto del ánimo. • Moverse o agitarse una parte del cuerpo interiormente con movimiento trémulo e involuntario. • fig. Manifestarse con vehemencia un afecto. Se aplica a los mismos afectos. ■ PALPITACIÓN.

PÁLPITO m. Presentimiento, corazonada.

PALPO m. *Zool.* Cada uno de los apéndices articulados y movibles que tienen los artrópodos y otros invertebrados alrededor de la boca para la captura y prensión del alimento.

PALQUI m. *Amér.* Arbusto de la familia solanáceas, de olor fétido, con tallos erguidos, hojas enteras, lampiñas y flores en panojas terminales con brácteas. Su cocimiento tiene usos medicinales en Chile; la planta se emplea para hacer jabón.
PALTA (voz quechua) f. *Amér.* Aguacate, fruto. • *Amér.* Palto. • adj. *Argent.* Plano, achatado, llano, liso.
PALTO m. *Amér.* Aguacate, árbol.
PALUDAMENTO m. Manto de púrpura bordado de oro, que usaban los emp. y caudillos rom.
PALÚDICO, CA adj. Palustre, relativo a una laguna o pantano. • P. ext., relativo al terreno pantanoso. • Díc. de la fiebre causada por el microbio procedente de estos terrenos, inoculado por ciertos insectos. • adj. y s. Díc. de la persona que padece esta enfermedad.
PALUDISMO m. *Pat.* Enfermedad infecciosa producida por el *Plasmodium* y transmitida por la hembra del mosquito *Anopheles*, endémica en los países tropicales. Se caracteriza por crisis febriles seguidas de sudoración y somnolencia, náuseas y cefaleas.
PALURDO, DA adj. y s. Tosco, grosero.
PALUSTRE adj. Relativo a una laguna o un pantano. • m. Paleta de albañil.
PAMBIL m. *Ecuad.* Palma más pequeña que la real, con tronco esbelto y follaje ancho. Los troncos se usan en construcción.
PAME adj. y s. Díc. de un grupo de indígenas mex., del grupo lingüístico otomipame, que viven en el est. de San Luis de Potosí. Son unos 3 000 individuos.
PAMELA f. Sombrero femenino de paja, bajo de copa y ancho de alas.
PAMEMA f. fam. Hecho o dicho fútil e insignificante, al que se ha querido dar importancia. • Melindre, zalamería.
PAMIR Región montañosa de Asia central, sit. en su mayor parte en la rep. de Tadjikistán.Constituye un conjunto de mesetas, del que parten las cadenas montañosas del Karakorum, Hindu Kush, Kuenlun y Tian Shan. Su máxima altitud alcanza los 7 495 m.
PAMPA adj. y s. *Argent.* Pampeano, indígena de las pampas. • f. Cualquiera de las llanuras extensas de la América Meridional que no tienen vegetación arbórea.
PAMPA, *La* Prov. de Argentina; 143 440 km^2, 269 034 hab. Cap., Santa Rosa. C. prales.: General San Martín y General Pico. Sit. en la región de la Pampa deprimida. Al O el relieve se eleva hacia las primeras estribaciones andinas. El río Colorado, al S, representa el límite meridional de la prov., y al NO destacan el Atuel y el Salado; abundante endorreísmo que ha originado la formación de varias lagunas. Clima árido. Cereales, forrajes. Ganadería ovina y vacuna. Ind. de transformación agropecuaria y de producción de sal. • Extensa planicie del centro de Argentina, que se extiende, de O a E, desde los Andes hasta el Atlántico, y de N a S, desde el río Salado hasta el Colorado. Ríos cortos y de poco caudal. Clima templado. Según el régimen de precipitaciones se la divide en P. húmeda, al E, y P. seca, al O. Vegetación exclusivamente herbácea, con gramíneas y prados naturales. Su tipo humano característico es el gaucho. Extraordinario desarrollo de la ganadería bovina y caballar. Cereales.
PÁMPANA f. Hoja de la vid.
PAMPANADA f. Zumo que se saca de los pámpanos, semejante al agraz.
PAMPANAJE m. Abundancia de pámpanos. • fig. Cosa inútil, hojarasca.
PAMPANILLA f. Taparrabos de pámpana o tela.
PÁMPANO m. Nombre que se suele aplicar a las hojas recortadas y de grandes dimensiones. • Salpa, pez.
PAMPEANAS, *sierras* Territorio montañoso del NO de la Pampa arg., que comprende parte de las prov. de Salta, Tucumán, Catamarca, La Rioja, San Juan, San Luis, Córdoba y Santiago del Estero. Algunas sierras tienen alt. muy elevadas, como la de Famatina, que culmina en el Cerro General Manuel Belgrano (6 250 m). Recursos forestales y mineros.
PAMPEANO, NA adj. y s. De las pampas o de La Pampa. • Díc. de los indios de una subraza amerindia, casi totalmente extinguida, caracterizada por presentar braquicefalia, piel morena y talla elevada.
PAMPEAR intr. *Amér. Merid.* Recorrer la pampa.
PAMPERO, RA adj. y s. De las pampas. • adj. y s. Díc. del viento impetuoso y frío que sopla en la región de las pampas y en el Río de la Plata, gralte. después de un periodo de calor y humedad.
PAMPINO, NA adj. Díc. de la persona que trabaja en la pampa salitrera.

Ganado en **La Pampa**

PAMPIROLADA f. Salsa de pan, ajos machacados y agua. • fig. y fam. Cualquier necedad.
PAMPLEMUSA f. Planta arbórea de la familia rutáceas, con hojas persistentes, de flores hermafroditas y sus frutos en hesperidio, indehiscentes y comestibles, de cuya pulpa se extrae un aceite esencial usado en perfumería. Es originaria de Asia oriental.
PAMPLINA f. Álsine, planta. • *Bot.* Planta herbácea anual de la familia papaveráceas, con hojas partidas en lacinias estrechas, flores amarillas y fruto seco en vainillas. • fig. y fam. Cosa de poca entidad, fundamento o utilidad. • **de agua.** *Bot.* Planta herbácea anual de la familia primuláceas, con tallo sencillo o ramoso, hojas pequeñas, flores blancas y fruto seco, capsular.
PAMPLONA o **IRUÑA** C. de España, cap. de la prov. y com. autón. de Navarra; 166 279 hab. Sit. sobre una alta terraza del río Arga. Centro administrativo y comercial. Ind. metalúrgica, automovilística, alimentaria, textil, maderera, papelera. Universidad.
PAMPLONA C. de Colombia, en el dpto. de Norte de Santander; 25 500 hab. Centro comercial. Ind. alimentaria.

Vista de **Pamplona** (España)

PAMPLONÉS, SA adj. y s. De Pamplona.
PAMPLONICA adj. y s. De Pamplona (España).
PAMPÓN m. *Perú.* Corral grande.
PAMPORCINO m. Planta primulácea vivaz, de flores purpurinas y róseas, fruto capsular y rizoma en forma de torta, que comen los cerdos y se emplea como purgante. • Fruto de esta planta.
PAMPOSADO, DA adj. Desidioso, flojo.
PAMPRINGADAf. Pringada. • fig. y fam. Cosa de poca sustancia o fuera de propósito.
PAMPSIQUISMO m. *Fil.* Doctrina que atribuye naturaleza espiritual a todo lo existente. Ha revestido distintas formas a lo largo de la historia de la filosofía.
PAMUE adj. y s. Díc. del indígena del África occidental perteneciente a los territorios de Guinea Ecuatorial y al N de la República del Congo. • m. Lengua de los pamues.
PAN m. Porción de masa de harina y agua que, después de fermentada y cocida en horno, sirve de alimento al hombre, entendiéndose que es de trigo cuando no se expresa el grano de que se hace. • Masa dispuesta con manteca o aceite, para hacer pasteles y empanadas. • fig. Masa de otras cosas en figura de pan. • fig. Todo lo que en general sirve para el sustento diario. • fig. Trigo. • fig. Hoja de harina cocida entre dos hierros a la llama, que sirve para hostias, obleas y otras cosas semejantes. • fig. Hoja o laminilla de oro, plata u otro metal, propia para dorar o platear. • pl. Los trigos, centenos, cebadas, etc., desde que nacen hasta que se siegan. • **ázimo.** El hecho sin levadura. • **candeal.** El que se hace con harina de trigo candeal. • **de tierra.** *Amér.* Cazabe. • **fermentado.** Pan de harina y agua con fermento cocido al horno. • **francés.** Pan hecho con harina de trigo, muy esponjoso. • *Guat.* Pan hecho con harina de trigo, sal y manteca. • **integral.** El que se ha fabricado con harina que conserva todos los componentes del trigo. • **y quesillo.** *Bot.* Planta herbá-

Diversos tipos de **pan**

El **Pan de Azúcar,** en Río de Janeiro (Brasil)

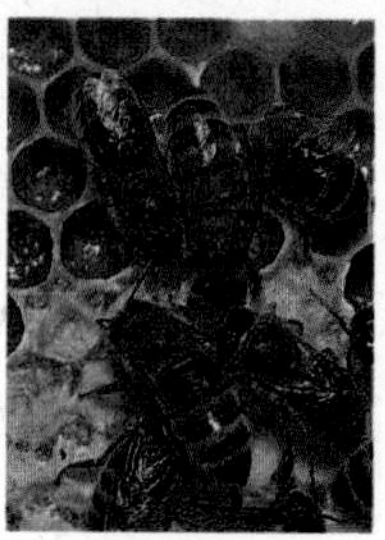

Panal

Mapa de situación y bandera de **Panamá**

cea de hojas estrechas, flores blancas y fruto seco en vainilla triangular, con semillas amarillentas. Su cocimiento es astringente y se ha empleado contra las hemorragias. • **A p. y agua.** Sin otro alimento. Se aplica comúnmente a ayunos y castigos. • **Con su p. se lo coma.** expr. fig. con que uno da a entender la indiferencia con que mira el medro, la conducta o resolución de otra persona. • **Ser** una cosa **el p. nuestro de cada día.** fig. y fam. Ocurrir cada día o frecuentemente. ■ PANADERÍA; PANADERO, RA.

PAN *Mit. gr.* Dios de los rebaños, pastores, dehesas y bosques. Los rom. le identificaron con Fauno.

PAN DE AZÚCAR *(Pão de Açucar)* Pico de Brasil, en la bahía de Río de Janeiro; 385 m de alt.

PANA f. Tela gruesa, semejante al terciopelo.

PÁNACE f. Planta herbácea, vivaz, de la familia umbelíferas, con tallo estriado, hojas partidas en lóbulos acorazonados, flores amarillas en umbelas muy pobladas, frutos aovados y raíz jugosa, de la que se extrae el opopónaco.

PANACEA f. Medicamento al que se atribuye eficacia para curar diversas enfermedades. • fig. Remedio para todos los males.

PANADIZO m. Inflamación purulenta de los dedos o de la palma de la mano. • fig. y fam. Persona que tiene el color muy pálido, y que anda continuamente enferma.

PANAFRICANISMO m. Doctrina política que tiende a la realización de la unidad de los pueblos africanos.

PANAL m. Estructura de cera provista de celdillas hexagonales y que pende verticalmente en las colmenas. Sirve a las abejas como depósito de miel y polen, y como criadero para las larvas. • Cuerpo de estructura semejante, que fabrican las avispas.• Azucarillo, bolado.

PANAMÁ m. Tela gruesa de algodón. • *Amér. Centr.* Árbol de frutos con semillas comestibles y pelos urticantes.

PANAMÁ Golfo del Pacífico, al S del istmo de Panamá, sit. entre la pen. de Azuero, al O, y la punta de Piñas, al E. • ***Canal de P.*** Canal interoceánico, sit. en el istmo de Panamá, que separa las dos Américas, del N y del S, y comunica el océano Atlántico (mar Caribe) con el Pacífico; 81 km de longitud, 91-300 m de ancho, 12,5-13,7 m de profundidad. Las obras se iniciaron en 1881 bajo la dirección de Lesseps, y fueron terminadas en 1914, después de ser traspasada la concesión a EE UU. En 1982 se construyó un oleoducto entre Chiriquí Grande (Atlántico) y Puerto Arnuelles (Pacífico). El 31 de diciembre de 1999, en virtud de los acuerdos Torrijos-Carter firmados en 1977, el canal y su zona adyacente fueron restituidos por EE UU a Panamá. • ***Zona del canal de P.*** → Canal, Zona del.

PANAMÁ *(República de Panamá)* Est. de América, sit. en el istmo hom. Limita al N con el mar Caribe, al S con el Pacífico, al E con Colombia y al O con Costa Rica. República. Grupos étnicos: mestizos (52 %), criollos (18 %), negros (15 %), amerindios, mulatos. Lenguas: cast. (of.), chibcha. *Rel.*: catolicismo (93 %), protestantismo. U. M.: el balboa. Cap., Panamá. C. prales.: Colón, David, La Chorrera, Santiago.

* *Geog. física.* El istmo centroamericano presenta en este país su mínima anchura (65 km). Una gran cadena montañosa (volcán Chiriquí, 3 478 m) divide las dos terceras partes del país en dos llanuras: una poblada de selvas, la vertiente caribeña; la otra, boscosa, en la vertiente del Pacífico. Hacia el E comunica el Arco Oriental del Norte con la cord. de San Blas y el Arco Oriental del Sur. Al N están la laguna del Chiriquí y los planos litorales de Veraguas y Colón. Ríos: Chepo, Chucunaque, Tuira, Cricamola, Guasaro, Indio, etc. Vegetación formada por selvas y bosques. Clima tropical y gran pluviosidad.

* *Geog. económica.* Panamá es un país con una economía en fase de desarrollo. Su agricultura es tropical y está destinada pralm. al consumo interno. Se cultiva maíz, arroz, mandioca, yuca, ñame, patatas, judías. Exporta bananas, café y cacao. La caña de azúcar sirve de base para la industria de destilería del alcohol. La ganadería es muy importante: bovinos, ganado caballar, porcino, mular y cabrío, aparte del avícola. Pesca del camarón. Se exportan crustáceos, moluscos y ostras perlíferas. El subsuelo es rico en minerales: plata, cinabrio, hierro, etc. La energía eléctrica es de origen térmico. Hay ind. cervecera, tabaquera, azucarera, de productos oleaginosos, de neumáticos, de cemento. El tránsito por el canal es una importante fuente financiera.

PANAMÁ

Recursos económicos	
Arroz	180 000 t
Bananas	1 170 000 t
Cacao	1 000 t
Café	11 000 t
Caña de azúcar	30 000 ha
Maíz	94 000 t
Mandioca	37 000 t
Naranjas	25 000 t
Nuez de coco	20 000 t
Tabaco	2 000 t
Ganadería	
Cabaña bovina	1 399 000 cabezas
Cabaña caballar	156 000 cabezas
Cabaña porcina	256 000 cabezas
Riqueza forestal	1 872 000 m³
Pesca	161 733 t
Producción industrial	
Azúcar	128 000 t
Cemento	169 000 t
Cerveza	817 000 hl
Energía eléctrica	2 901 millones kwh
Neumáticos	23 000 unidades
Tabaco	1 150 millonesde cigarrillos
Indicadores sociológicos	
PNB	5 254 millones de dólares
Renta per cápita	2 180 dólares
Esperanza de vida	73 años
Alfabetismo	88 %

* *Hist.* El territorio pan. estuvo habitado por los chibcha. El primer expedicionario que recorrió la región fue Alonso de Ojeda (1499). Pedrarias Dávila fundó la c. de Panamá (1519). Primero perteneció al virreinato del Perú (1718-1739) y después al de Nueva Granada, hasta que se produjo la emancipación en 1821. Ésta fue seguida por su integración a la Gran Colombia (1822). Su estratégica situación condicionó su historia. El primer proyecto de construcción del canal corrió a cargo de la compañía de Lesseps, que al quebrar vendió sus derechos a EE UU (1900). En 1903 se firmó el acta de indep. y se proclamó la rep. En 1904 asumió la presidencia Manuel Amador Guerrero. En 1913 se abrió el canal. En 1926 se firmó un tratado de defensa con EE UU. Bajo la presidencia de Harmodio Arias (1932-1936) se firmó un nuevo tratado que preveía un ajuste en la cuota que percibía Panamá por el canal. El presid. Ricardo Adolfo de la Guardia declaró la guerra a los países del Eje. Durante este periodo fuerzas norteam. ocuparon el territorio pan. Entre 1952 y 1955 asumió la presidencia el coronel José A. Remón, con quien se inicia el poder militar en la vida política del país. En 1964 se produjeron manifestaciones estudiantiles antinorteam. en la Zona del Canal. Fueron duramente reprimidas por el gobernador del canal. En 1968 la guardia nacional, comandada por el general Torrijos, derrocó a Arnulfo Arias e impuso a D. Lakas al frente de una junta civil, que le otorgó plenos poderes en 1972. Torrijos planteó las reivindicaciones pan. sobre el canal y en 1977 se firmó un tratado bilateral que reconocía la soberanía pan. sobre él a partir de 1999. En 1978 A. Royo ocupó la presidencia, pero Torrijos controló el poder hasta su muerte (1981). En 1984 N. Ardito Barletta, elegido pres., renunció en 1985 y fue sustituido por E. A. Delvalle. En 1988 éste se enfrentó con el jefe de la guardia nacional, general Noriega, deponiéndose mutuamente y abocando a la nación a una grave crisis de gobierno, que se prolongó tras las elecciones de

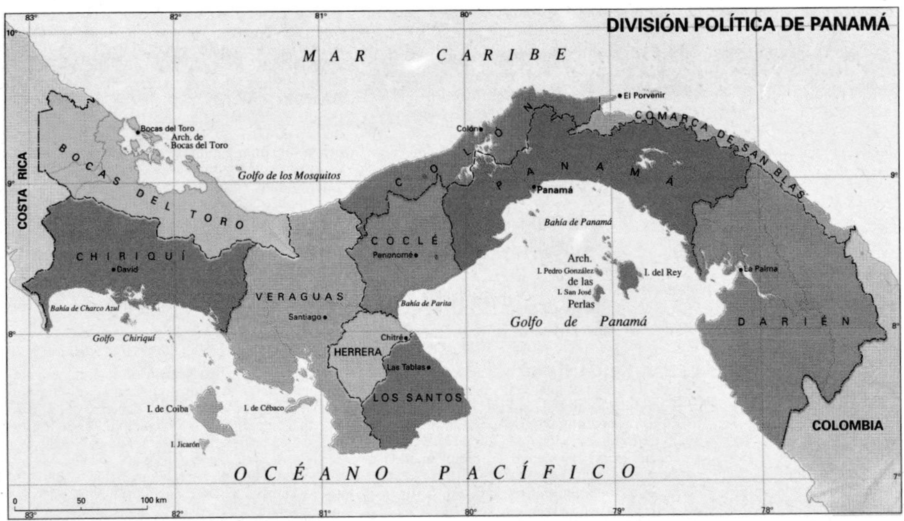

División administrativa de Panamá

Provincias	Km²	Población	Densidad	Capital	Habitantes[3]
Bocas del Toro	8 745,4	136 604	15,6	Bocas del Toro	22 622
Chiriquí	8 653,3	428 371	49,5	David	113 527
Coclé	4 927,3	197 981	40,1	Penonomé	67 901
Colón	4 890,1	197 802	40,4	Colón	156 289
Darién[1]	16 671	63 436	3,8	La Palma	30 116
Herrera	2 340,7	103 496	44,2	Chitré	38 579
Los Santos	3 805,5	79 600	21	Las Tablas	22 116
Panamá	11 887,4	1 339 067	112,6	Panamá	658 102
Veraguas	11 239,3	223 287	19,8	Santiago de Veraguas	66 748
Comarca de San Blas[2]	2 357	39 636	16,8	El Porvenir	—
PANAMÁ	75 517	2 809 280	37,2	Panamá	658 102

[1] Incluye Comarca Emberá. [2] Territorio especial. [3] Habitantes del distrito que contiene la capital.

1989, ya que el Tribunal Electoral anuló el resultado, por lo que Noriega siguió siendo el hombre fuerte del país. La presencia de tropas norteam. puso fin a esta situación, cercando a Noriega, que se entregó, y reconociendo a Guillermo Endara presid. electo. Éste organizó elecciones democráticas, que dieron el triunfo en 1994 al torrijista Ernesto Pérez Balladares. En las elecciones presidenciales de 1999 se impuso el Partido Arnulfista y su candidata, Mireya Moscoso, accedió a la presid. de la república. A finales de ese mismo año, el Canal y su zona adyacente fueron restituidos a Panamá.

* *Arte.* En la época precolombina se desarrollaron cuatro culturas: la de la prov. de Darién con cerámica poco elaborada; la de Coclé con numerosos objetos ofrendas; la de Veraguas con profundas cámaras funerarias, cerámica y joyas; la de Chiriquí con pictografías y trabajos en metal.

* *Lit.* Alcanzada la total independencia (1903), se inicia una regular actividad literaria, con poetas como Demetrio Korsi y Ricardo Miró. En 1929, Rogelio Sinán, bajo el seud. de Bernardo Rodríguez Alba, pública su libro *Ondas*, de filiación vanguardista y que agruparía en su torno un notable grupo de poetas (R. J. Laurenza, Eda Nela, etc.). Entre los novelistas de este siglo se cuentan Salomón Ponce Aguilera, Ignacio J. Valdés, Moisés Castillo y Joaquín Beleño. En el campo del ensayo y la crítica han destacado Octavio Méndez, Rodrigo Miró, Belisario Porras, etc. En los últimos años destacan los poetas A. del Rosario, E. Jaramillo Levi; la obra narrativa de Dimas Lidio Pitty; las novelas de J. de Jesús Martínez, Bertalicia Peralta, José A. de Córdova y Francisco Sousa; y los ensayos de R. de la Guardia y R. Soler.

PANAMÁ Prov. de Panamá; 11 887,4 km², 1 339 087 hab. Cap., la c. hom. El sector occidental está ocupado por la cord. Central y el oriental por la de San Blas y el macizo de Darién. Los r. prales. son el Chame y el Caimito, al O, y el Chepo, al E. Clima tropical. Caña de azúcar, café, frutales, hortalizas, cereales. Ganadería vacuna, caballar y porcina. Explotación forestal (caucho). Manganeso, hierro y cromo. Ind. tabaquera, elaboración de cemento. • C. de Panamá, cap. de la rep. y de la prov. hom.; 658 102 hab. (en el distr.). Puerto sobre el Pacífico, en la bahía y golfo hom. Centro industrial y comercial. Ind. alimentaria, del calzado, textil, construcciones mecánicas, elaboración de tabaco, cemento y cerveza. Aeropuerto. Universidad. La actual c., cuyo emplazamiento data de 1673, se halla a 65 km del viejo Panamá, fundado por Pedrarias Dávila (1519). La urbe colonial desempeñó un imp. papel como escala obligada en el envío del metal americano a España.

Panamá. A la izquierda, vista de la ciudad de Panamá; abajo, Mireya Moscoso

PANAMEÑO, ÑA adj. y s. De Panamá.

PANAMERICANA *(Panamerican Highway)* Gran ruta continental desde Fairbanks (Alaska) hasta Valparaíso y Buenos Aires. Proyectada en la V Conferencia Panamericana (1923), se inició en 1936.

Pancarta ecologista denunciando la construcción de un nuevo aeródromo en tierras del polo Sur

PANAMERICANISMO m. Tendencia o aspiración de los pueblos amer. a la colaboración política económica y cultural entre sus Estados. Monroe fue el primer formulador del p. en 1823. Bolívar quiso unir en pie de igualdad a todos los pueblos americanos. En 1910 se creó la Unión Panamericana. En la conferencia de Bogotá (1948) se sentaron las bases de la Organización de Estados Americanos (OEA). ■ PANAMERICANISTA.

PANAMERICANO, NA adj. y s. Relativo al panamericanismo. • adj. Relativo a toda América.

PANARABISMO m. Movimiento que propugna la solidaridad, cooperación e inclusive la unificación de los países árabes.

Oso **panda**

PANARRA m. fam. Hombre simple, tonto. • Murciélago.

PANATENEAS f. pl. Fiestas que se celebraban en Atenas en honor de la diosa Atenea o Minerva.

PANAY Isla de las Filipinas, en el arch. de las Visayas; 10 478 km², 1 520 000 hab. C. pral.: Iloilo. Caña de azúcar, arroz, tabaco. Cobre. Manufacturas textiles.

PANCA f. *Amér.* Hoja que cubre la mazorca del maíz.

PANCARTA f. Pergamino que contiene copiados varios documentos. • Cartelón de tela, cartón, etc., que se exhibe públicamente y contiene, en grandes caracteres, lemas, expresiones de deseos colectivos, reivindicaciones, etc.

PANCHATANTRA Colección de apólogos sánscritos, de contenido moralizante y didáctico. La versión más ant. que se conoce data del s. VI.

PANCHEN-LAMA m. Uno de los dos grandes lamas que tenían autoridad espiritual y temporal en el Tíbet, llamado también tashi-lama.

PANCHITO m. *Amér. Centr.* Mono.

PANCHO, CHA adj. Tranquilo, inalterado. • Satisfecho con algo. • m. Cría del besugo. • fam. *R. de la Plata.* Bocadillo de salchicha de Frankfurt.

Anciano de Siberia oriental acompañando su canto con un **pandero**

PANCISMO m. Actitud del que, mirando solamente a su interés personal, procura no pertenecer a ningún partido político o de otra clase, para poder medrar y estar en paz con todos. ■ PANCISTA.

PÁNCREAS m. *Anat.* Órgano de secreción externa (jugo pancreático) e interna (insulina), situado en la cavidad abdominal. ■ PANCREÁTICO, CA.

PANCREATINA f. Sustancia que se obtiene por desecación mediante liofilización del páncreas de distintos mamíferos. Posee las propiedades digestivas del páncreas, y actúa sobre los glúcidos, los lípidos y los prótidos.

PANCROMÁTICO, CA adj. *Fot.* Díc. de las emulsiones cuya sensibilidad es aproximadamente la misma para todos los colores.

PANCRONÍA f. *Ling.* Término inventado por Saussure para nombrar lo que Meyer-Lübke designó como «universal humano», es decir, un método comparativo capaz de fijar leyes generales de la estructura y el funcionamiento del sistema abstracto del lenguaje.

PANDA f. Cada una de las galerías de un claustro. • Reunión de gente para hacer daño. • Pandilla, reunión de gente para divertirse. • **gigante** u **oso p.** m. *Zool.* Mamífero carnívoro, del Himalaya y China, de pelaje blanco, y negro en ojos, orejas y patas anteriores.

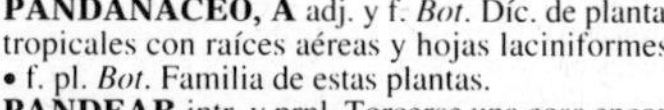

PANDANÁCEO, A adj. y f. *Bot.* Díc. de plantas tropicales con raíces aéreas y hojas laciniformes. • f. pl. *Bot.* Familia de estas plantas.

PANDEAR intr. y prnl. Torcerse una cosa encorvándose, especialmente en el medio.

PANDECTAS f. pl. Recopilación de obras, especialmente las del derecho civil, que el emp. Justiniano puso en los 50 libros del Digesto. • Código del mismo emp., con las Novelas y demás constituciones que lo componen. • Conjunto del Digesto y del Código. • Entre los hombres de negocios, índice alfabético de los nombres de las personas con las que tienen correspondencia.

PANDEMIA f. *Pat.* Epidemia de una enfermedad infecciosa, cuyo agente causal afecta a varios países y continentes. ■ PANDÉMICO, CA.

PANDEMÓNIUM m. Cap. imaginaria del reino infernal. • fig. y fam. Lugar en que hay mucho ruido y confusión.

PANDERETA f. Pandero con sonajas o cascabeles.

PANDERO m. o **PANDERA** f. Instrumento musical de percusión formado por uno o dos aros superpuestos, y cuyo vano está cubierto por uno de sus cantos o por los dos con piel muy lisa y estirada. Se toca haciendo resbalar uno o más dedos por ella o golpeándola con ellos o con toda la mano. • fig. y fam. Persona necia y que habla mucho con poca sustancia. • Cometa, juguete de muchachos. • m. fig. y fam. Culo.

PANDIAS f. pl. Fiestas celebradas en Atenas durante el plenilunio en honor de Zeus.

PANDILLA f. Trampa, fullería, en especial la que se hace pintando cartas. • Liga o unión. • La que forman algunos para engañar a otros o hacerles daño. • Bando o bandería. • Grupo de amigos que suelen reunirse para conversar o solazarse. ■ PANDILLERO, RA.

PANDIÓNIDO, DA adj. y f. *Zool.* Díc. del águila pescadora. Vive en zonas templadas, construye grandes nidos y se alimenta exclusivamente de pescado. • f. pl. *Zool.* Familia de estas águilas.

PANDO, DA adj. Que pandea. • Díc. de lo que se mueve lentamente, como los ríos cuando van por tierra llana. • Poco profundo, de poco fondo. • fig. Díc. del sujeto pausado y espacioso. • m. Terreno casi llano sit. entre dos montañas.

PANDO Dpto. de Bolivia, limítrofe con Brasil y Perú; 63 827 km², 38 072 hab. Cap., Cobija. El territorio está comprendido en la llanura amazónica. Avenado por los r. Manuripi, Madre de Dios, Tahuamanu y Abuna. Clima tropical. Vegetación de bosques en galería en los valles fluviales. Arroz, yuca, maní. La explotación forestal es la pral. fuente de riqueza.

PANDO, *José Manuel* (1848-1917) Militar y político bol. La insurrección liberal de 1898 le elevó a la presidencia de la rep. Durante su mandato (1899-1904), Bolivia cedió a Brasil el territorio de Acre. Murió asesinado. • ***José María*** (1787-1840) Político per., conservador. Fue embajador de España antes de unirse a Bolívar. *Pensamientos.*

PANDORA *Mit. gr.* Primera mujer, fabricada por Hefesto. En su boda con Epimeteo recibió una caja que contenía los males, que se esparcieron al abrirla.

PANDORGA f. Figurón o muñeco que en cierto juego ant. daba con el brazo al jugador poco diestro. • Este mismo juego. • Cometa, juguete de muchachos. • Vientre, barriga, panza. • fig. y fam. Mujer muy gorda y pesada, o floja en sus acciones.

PANECILLO m. Pan pequeño. • Mollete esponjado, usado pralm. para el desayuno. • Lo que tiene forma de un pan pequeño. • *Amér. Centr.* Pastilla de cacao molido.

PANECIO (h. 185-h. 110 a. C.) Filósofo estoico gr. Discípulo de Diógenes y Antípater. *Sobre el deber, Sobre las sectas filosóficas, Sobre la política, Sobre la providencia.*

PANEGÍRICO, CA adj. Relativo a la oración o discurso en alabanza de una persona. • m. Discurso oratorio en alabanza de una persona. • Elogio de algunas personas, hecho por escrito. ■ PANEGIRISTA.

PANEL m. Cada uno de los compartimientos en que para su ornamentación se dividen los lienzos de pared, las hojas de puertas, etc. • *Const.* Cualquier placa o tablero grande que se emplea para aislamiento, revestimiento, etc. • *Const.* Elemento prefabricado que se usa para construir divisiones verticales en el interior de los edificios. • Cartelera de grandes dimensiones que sirve para hacer propaganda de productos, actos públicos, etc. • *P. Rico.* Lista de jurado. • *P. Rico.* Grupo de personas que discuten un asunto en público.

PANELA f. Bizcochuelo de figura prismática. • *Col.* y *Hond.* Chancaca.

PANENTEÍSMO m. *Fil.* Sistema elaborado por Krause.

PANERA f. Troje o cámara donde se guardan los cereales, el pan o la harina. • Cesta grande sin asa, gralte. de esparto, que sirve para transportar pan. • Nasa, cesto.

PANERO m. Canasta redonda que sirve en las tahonas para echar el pan que se va sacando del horno. • Ruedo, estera pequeña y redonda.

PANERO, *Leopoldo* (1909-1962) Poeta español. Su poesía presenta un carácter intimista. *Escrito a cada instante, Canto personal* (réplica al *Canto general* de Pablo Neruda).

PANESLAVISMO m. Doctrina política que aspira a la agrupación de todos los pueblos de origen eslavo. ■ PANESLAVISTA.

PANETELA f. Cigarro puro largo y delgado. • Especie de bizcocho. • Caldo al que se añade pan, yemas, azúcar, etc.

PANFILIA (*Pamphilia*) Ant. región de la costa S de Asia Menor, entre el golfo de Antalya y los montes Tauro.

PÁNFILO, LA adj. y s. Muy pausado, flojo y tardo en obrar.

PANFLETO m. Libelo difamatorio. • Opúsculo de carácter agresivo. ■ PANFLETARIO, RIA; PANFLETISTA.

PANGA f. *Amér. Centr.* Lancha.

PANGEA *Geol.* Término que designa la primitiva masa de la superficie terrestre, a partir de la cual se formaron los continentes por fragmentación y deriva.

PANGELÍN m. *Bot.* Árbol de Brasil, cuyo fruto contiene una almendra usada como antihelmíntico.

PANGERMANISMO m. Ideología y movimiento político tendente a reunir bajo una misma autoridad a los pueblos de origen germánico. ■ PANGERMANISTA.

PANGINO m. Planta arbustiva o arbórea de la familia elegnáceas, espinosa, con hojas lanceoladas, flores fragantes y frutos en aquenio de color rojizo. Se utiliza contra la polilla y como febrífugo.

PANGOLÍN m. Mamífero desdentado, parecido al lagarto, y cubierto de escamas duras y puntiagudas que eriza al arrollarse en bola para defenderse.

PANGUE m. *Chile.* Hierba de enormes hojas utilizadas como paraguas por los indígenas de los Andes. ■ *Chile.* PANGAL.

PANHELÉNICOS, *juegos* En la ant. Grecia, las cuatro grandes fiestas que reunían a todos los helenos: olímpicas, píticas, ístmicas y nemeas.

PANHELENISMO m. Ideal político que tiende a reunir en una sola nación a todos los pueblos gr. de la pen. de los Balcanes y de las islas del mar Egeo.

PANI, *Alberto* (1878-1955) Político mex. Colaborador de Carranza y Obregón. *La cuestión internacional mexicano-americana.* • ***Mario*** (nacido 1911) Arquitecto mex. Multifamiliar presidente Miguel Alemán, Conjunto habitacional Nonoalco Tlaltelolco.

PANIAGUA, *Valentín* (nacido 1936) Político per. Miembro del partido Acción Popular, fue ministro de Justicia y Culto, y de Educación en diferentes gobiernos de F. Belaúnde. En noviembre de 2000, ocupando la presidencia del Congreso, fue designado presid. interino de la República. Alejandro Toledo le sucedió en el cargo en 2001.

PANIAGUADO m. Servidor de una casa, que recibe habitación, alimento y salario. • fig. El allegado a una persona y favorecido por ella.

PÁNICO adj. y m. Se aplica al miedo grande o temor excesivo, sin causa justificada.

PANÍCULA f. *Bot.* Panoja o espiga de flores. ■ PANICULADO, DA.

PANÍCULO m. *Anat.* Capa o acumulación de tejido. • **adiposo.** El formado por células adiposas.

PANIEGO, GA adj. Que come mucho pan, o es muy aficionado a él. • Díc. del terreno que rinde y lleva panes, o sea trigo.

PANIFICAR tr. Convertir la harina en pan. • Romper las dehesas y tierras eriales, arándolas, cultivándolas y haciéndolas aptas para la siembra de cereales. ■ PANIFICACIÓN; PANIFICADOR, RA.

PANIQUE m. Murciélago propio de Oceanía, del tamaño del conejo, y de pelo rojizo. Es herbívoro, de carne comestible y piel apreciada en peletería.

PANISLAMISMO m. Doctrina política que aspira a la agrupación de todo el mundo islámico.

PANIZO m. Planta herbácea de la familia gramíneas, con tallo erguido, hojas surcadas por una nerviación blanca, flores agrupadas en espigas y frutos en cariópsides ovales. Es originaria de Oriente. • Planta gramínea de hojas anchas, panojas violáceas y frutos en cariópside. Es originaria de la India. • Maíz. • *Chile.* Criadero de minerales. • *Chile.* Persona de la que se obtiene gran provecho. • **negro.** Zahína, planta gramínea. • Semilla de esta planta.

PANJAB → Punjab.

PANJÍ m. Árbol de hojas estrechas, flores axilares y frutos ovoides. Despiden un profundo aroma. Se llama también árbol del Paraíso.

PAJIM C. de la India, cap. del est. de Goa; 42 900 hab.

PANKHURST, *Emmeline* (1858-1928) Sufragista brit., fundadora de la Unión Femenina Social y Política.

PANKOW Barrio NE de Berlín, sede del gobierno de la antigua República Democrática Alemana.

PANLOGISMO m. *Fil.* Doctrina según la cual la realidad es completamente inteligible. El término se aplica, pralm., a la doctrina de Hegel.

PANMIXIA f. *Biol.* Cruzamiento o apareamiento de todos los individuos de una pob., que se realiza al azar, de modo que cualquier organismo tenga la misma probabilidad de fecundar o fecundarse con todos los demás (y, de ser posible, incluso consigo mismo).

PANO m. *Ling.* Familia de lenguas de América del Sur que comprende tres grupos de tribus, en Perú, Bolivia y Brasil. El más numeroso se extiende por la orilla derecha del Amazonas, desde el Huallaga hasta el Jutai. Otros dos núcleos p. se localizan al SO de Cusco y en la zona comprendida entre los r. Madre de Dios y Mamoré.

PANOCHA f. Panoja. • fam. *Méx.* Órgano sexual femenino. • *Amér. Centr.* Mujer pequeña y gruesa.

PANOJA f. *Bot.* Inflorescencia en panícula formada por un eje engrosado donde se disponen las flores en situación periférica. • P. ext., infrutescencia que resulta de ella. • Racimo de uvas u otra fruta. • Conjunto de tres o más boquerones u otros pescados pequeños, que se fríen pegados por las colas.

PANOLI adj. y s. fam. Díc. de la persona simple y sin voluntad.

PANONIA Ant. región de Europa central. Corresponde a la parte oriental de Austria, a Croacia y a parte de Hungría.

PANÓNICA, *Llanura* Extensa planicie del centro de Europa que ocupa parte de Hungría, Croacia, Rumania, Austria, Eslovaquia y la Rep. Checa. Representa una gran cuenca de subsidencia entre los Alpes, al O y S, y los Cárpatos, al N y E.

PANONIO, NIA adj. y s. De la Panonia.

PANOPLIA f. Armadura completa. • Colección de armas artísticamente dispuestas. • Parte de la arqueología que estudia las armas de mano y las armaduras antiguas. • Tabla, gralte. en forma de escudo, donde se colocan floretes, sables y otras armas de esgrima.

PANORAMA m. Vista pintada en un gran cilindro hueco, en cuyo centro hay una plataforma circular, aislada, para los espectadores, y cubierta para hacer invisible la luz cenital. • P. ext., vista de un horizonte muy dilatado. • fig. Perspectiva; visión de conjunto o a distancia. ■ PANORÁMICO, CA.

PANORMITANO, NA adj. y s. De Palermo.

PANOSO, SA adj. Harinoso.

PANQUEQUE (del ing. *pancake)* m. *Amér.* Torta delgada y blanda, de harina, leche, huevos, mantequilla y azúcar. Se rellena con mermelada, miel, etc.

PANTAGRUÉLICO, CA adj. Hablando de comidas, díc. de las cantidades excesivas.

PANTALÁN m. Muelle o embarcadero para barcos de poco tonelaje, que avanza algo en el mar.

PANTALLA f. Mampara que reduce la intensidad de un foco radiante. • Superficie sobre la que se proyectan imágenes. • *Amér.* Paipái, soplillo, instrumento para hacer o hacerse aire. • *Argent.* Cartelera de menor tamaño, que se coloca junto al borde de las aceras o en las esquinas de las calles. • *Comp.*

Leopoldo **Panero**

Pangolín

Emmeline **Pankhurst**

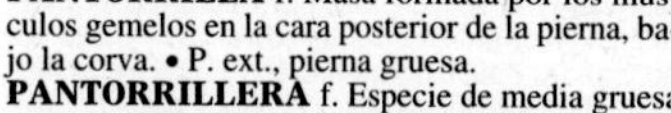

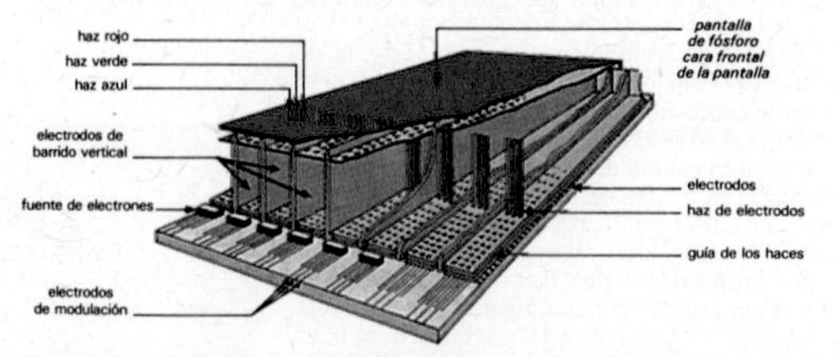

Esquema de una **pantalla fluorescente** basada en un tubo de rayos catódicos extraplano

Dispositivo de *output* en el que se visualizan las informaciones que el usuario digita en el teclado o que la misma computadora genera. • **fluorescente.** *Fís.* Parte final del tubo de rayos catódicos, donde el haz de electrones produce luminosidad.

PANTALÓN m. Prenda de vestir que se ciñe al cuerpo en la cintura y baja cubriendo total o parcialmente, y por separado, ambas piernas. Se usa más en pl. • Prenda interior femenina. • **bombacho.** El que lleva al término de cada pernera un puño o goma para ajustarlo a la pierna.

PANTALONERO, RA m. y f. Persona que cose o confecciona pantalones. • *Méx.* Pantalón de charro.

PANTANAL f. Tierra pantanosa.

PANTANAL Región de América Meridional, sit. entre Brasil y Bolivia, cuyo nombre se debe al carácter inundable de sus tierras por la cuenca del alto Paraguay. Está limitada al N por la sierra dos Parecis y al E por la de Maracajú y Bodequena, que constituyen parte de la Meseta Brasileña. Ganadería. Algodón, arroz. Manganeso, hierro.

PANTANO m. Hondonada donde se recogen y naturalmente se detienen las aguas, con fondo más o menos cenagoso. • Gran depósito de agua, que se forma gralte. cerrando la boca de un valle. • fig. Dificultad, óbice, estorbo grande. ■ PANTANOSO, SA.

Pantera negra

PANTASANA f. Arte de pesca de arrastre de superficie, que consiste en un cerco de redes caladas a plomo, rodeadas de otras redes horizontales, en el cual quedan presos los peces.

PANTEÍSMO m. *Fil.* Sistema de los que creen que la totalidad del universo es el único Dios. ■ PANTEÍSTA; PANTEÍSTICO, CA.

PANTEÓN m. Templo que los gr. y rom. consagraban a todos sus dioses. • Monumento funerario para el enterramiento de varias personas. • *Amér.* Cementerio. ■ *Amér.* PANTEONERO.

PANTERA f. *Zool.* Leopardo cuyas manchas circulares de la piel son todas anilladas. • *Miner.* Ágata amarilla, moteada de pardo o rojo, imitando la piel de la pantera. • **negra.** Leopardo de pelaje de este color, que se encuentra pralm. en Java.

PANTERAS Negras *(Black Panthers Party)* Organización extremista de los negros norteam., fundada en 1966 por H. P. Newton y B. Seale, que postula la utilización de la violencia como medio de liberación de la comunidad negra.

PANTOCRÁTOR (gr., «omnipotente») m. Sobrenombre dado a Zeus, y aplicado post. a las representaciones de Cristo sentado en un trono y rodeado de una mandorla o aureola ovalada.

Papagayo

PANTÓGRAFO m. Instrumento para copiar, ampliar o reducir un plano o dibujo. • *Ferr.* Dispositivo articulado que, en las locomotoras eléctricas, sirve para captar la corriente eléctrica que alimenta los motores.

PANTOJA de la Cruz, *Juan* (1553-1608) Pintor esp. Discípulo de Sánchez Coello y seguidor de su tipo de retrato cortesano. *Felipe II, Ana de Austria niña, Nacimiento de Cristo.*

PANTÓMETRA f. Especie de compás de proporción. • *Top.* Instrumento para medir ángulos horizontales.

PANTOMIMA f. Representación teatral en que la palabra se sustituye por gestos y actitudes. • fig. Simulación, ficción.

PANTOQUE m. *Mar.* Parte casi plana del casco de un barco, que forma el fondo junto a la quilla.

PANTORRA f. fam. Pantorrilla. Suele usarse en plural.

PANTORRILLA f. Masa formada por los músculos gemelos en la cara posterior de la pierna, bajo la corva. • P. ext., pierna gruesa.

PANTORRILLERA f. Especie de media gruesa que se usaba para abultar las pantorrillas.

PANTOTÉNICO m. Sustancia compuesta por ácido pantoténico y beta-alanina. Es un componente del grupo de las vitaminas B, indispensable para el metabolismo, que actúa como producto intermedio en la síntesis de la coenzima A.

PANTUFLA f. o **PANTUFLO** m. Calzado, especie de chinela o zapato sin orejas ni talón, que para mayor comodidad se usa en casa.

PANTY (voz ing.) o **PANTI** m. Prenda femenina consistente en un par de medias unidas a modo de leotardo.

PANUCHO m. *Méx.* Tortilla de maíz rellena con fríjoles y carne.

PANUCO m. *Chile.* Puñado de harina tostada que se come en seco.

PÁNUCO Río de México; 600 km. Nace en el est. de México. Atraviesa la sierra Madre Oriental con el nombre de Moctezuma; sigue hacia el NO, donde recibe varios afl. (Temporal, Claro). Desemboca en el golfo de México, cerca de Tampico.

PANUDO adj. *Cuba.* Aplícase al fruto del aguacate, cuando su carne es consistente, que es como más se aprecia.

PANZA f. Barriga o vientre. Aplícase comúnmente al muy abultado. • Parte saliente de ciertas vasijas o de otras cosas. • *Zool.* Primera de las cuatro cavidades en que se divide el estómago de los rumiantes. ■ PANZÓN, NA; PANZUDO, DA.

PANZADA f. Golpe que se da con la panza. • fam. Hartazgo o atracón.

PANZALEO adj. y s. Díc. de los campesinos del Ecuador andino. Se les supone descendientes de los chibchas.

PAÑAL m. Sabanilla o pedazo de lienzo en que se envuelve a los niños de teta. • Faldón o caídas de la camisa. • pl. Envoltura de los niños de teta. • fig. Primeros principios de la crianza y nacimiento, especialmente en orden a la calidad. • fig. Niñez. • Principio de cualquier cosa. • **Estar** uno **en pañales.** • fig. y fam. Tener poco o ningún conocimiento de una cosa.

PAÑETE m. Paño de mala calidad. • *Col.* Capa de enlucido que se da a las paredes. • pl. Calzoncillos usados por los pescadores.

PAÑÍA m. *Amér. Centr.* Compañero.

PAÑO m. Tela de lana muy tupida y con pelo corto. • Tela de diversas clases de hilos. • Ancho de una tela cuando varias piezas de ella se cosen unas al lado de otras. • Tapiz u otra colgadura. • Cualquier pedazo de lienzo u otra tela. • Mancha oscura de la piel, especialmente del rostro. • Excrecencia membranosa extendida sobre la córnea del ojo, que interrumpe la vista. • Accidente que disminuye el brillo o la transparencia de algunas cosas. • Enlucido o estuco que se da a las paredes. • Lienzo de pared. • *Mar.* Velas desplegadas del navío. • pl. Cualquier género de vestiduras. • *Esc.* y *Pint.* Ropas de amplio corte que forman pliegues.• **buriel.** El pardo, del color natural de la lana. • **de altar.** Mantel, lienzo para cubrir la mesa del altar. • **de lágrimas.** fig. Persona en quien se encuentra frecuentemente atención, consuelo o ayuda. • **de manos.** Toalla. • **de mesa.** Mantel de la mesa de comer. • **de tumba.** Cubierta negra que se tiende para las exequias. • **Paños calientes.** fig. y fam. Diligencias y buenos oficios que se aplican para templar el rigor o aspereza con que se ha de proceder en una materia. • fig. y fam. Remedios paliativos ineficaces. • **Paños menores.** Ropa interior. • **Paños tibios.** *Amér.* Remedios paliativos o que sólo sirven de consuelo. • Conocer uno el p. fig. y fam. Estar bien enterado de lo que se trata. ■ PAÑERÍA; PAÑERO, RA.

PAÑOL o **PANOL** m. *Mar.* Cualquiera de los compartimientos del buque, para guardar víveres, municiones, pertrechos, etc. ■ PAÑOLERO.

PAÑOLETA f. Prenda de vestir femenina, de forma triangular, que se lleva sobre los hombros. • Corbata estrecha de nudo, y del color de la faja, que usan los toreros.

PAÑOMANOS m. *Amér. Centr.* Toalla.

PAÑOSA f. fam. Capa de paño.

Pantocrátor procedente del ábside de San Clemente de Tahúll, Lleida. Museo de Arte de Cataluña, Barcelona (España)

PAÑUELETA f. *Amér. Centr.* Pañoleta.
PAÑUELO m. Pedazo de tela para diferentes usos. • El que se usa para limpiarse el sudor y las narices.
PAPA m. *Rel.* Sumo pontífice rom., vicario de Cristo y sucesor de san Pedro como cabeza visible de la Iglesia católica. • fam. Papá. • f. Patata, planta. • Patata, tubérculo. • fam. Tontería, vaciedad, paparrucha. • f. pl. Cualquier clase de comida. • Sopas blandas que se dan a los niños. • P. ext., cualquier clase de sopas blandas. • Masa blanda de barro o de otra cosa. • **de aire,** o **p. caribe,** o **voladora.** *Amér. Centr.* Planta dioscórea, con tubérculos aéreos y raíz comestibles. ■ PAPAL.
PAPÁ m. fam. Padre de uno o varios hijos. • pl. El padre y la madre.
PAPABLE adj. Díc. del cardenal a quien se reputa merecedor de la tiara. • fig. Se aplica al que se designa como sujeto probable para obtener un empleo.
PAPACHO m. *Méx.* Caricia, en especial la que se hace con las manos. ■ *Méx.* PAPACHAR.
PAPADA f. Abultamiento carnoso anormal que se forma debajo de la barba, o entre ella y el cuello. • Pliegue cutáneo que sobresale en el borde inferior del cuello de ciertos animales.
PAPADILLA f. Parte de carne que hay debajo de la barba.
PAPADO o **PAPAZGO** m. Dignidad de papa. • Tiempo que dura. • Conjunto de los papas.
PAPADOPOULOS, ***Georgios*** (1919-1999) Militar y político gr., pral. dirigente del golpe de Est. de 1967. En 1973 se proclamó presid. Destituido el mismo año.
PAPAFIGO m. Pájaro de plumaje verdoso. Se alimenta de insectos y canta muy bien, y enjaulado vive bastantes años. • En algunas partes, oropéndola. • *Mar.* Papahigo, vela.
PAPAGAYA f. Hembra del papagayo.
PAPAGAYO m. Ave de pico fuerte, grueso y encorvado, plumaje amarillo en la cabeza, verde en el cuerpo y encarnado en el encuentro con las alas. • Pez marino que vive entre las rocas y es comestible. • Planta vivaz de Brasil, de hojas grandes, flores blancas y fruto rojizo. • Víbora muy venenosa, de color verde, que vive en las ramas de los árboles de Ecuador. • Denunciador, soplón. • *Argent.* Botella apropiada para recoger la orina del varón encamado. • **de noche.** Guácharo, pájaro.
PÁPAGO, GA adj. y s. Díc. de una tribu amerindia que vive cerca del golfo de California, entre México y EE UU.
PAPAGOS, ***Alexandros*** (1883-1955) Militar y político gr. Jefe supremo del ejército, luchó en la II Guerra Mundial contra los it. (1940) y, en la guerra civil, contra los comunistas (1949). Jefe de gobierno (1952-1955).
PAPAHÍGO m. Gorro de paño que cubre el cuello y parte de la cara para resguardarlos de la intemperie. • Papafigo, ave.
PAPALÁN m. *Amér. Centr.* Árbol que se cría en lugares húmedos.
PAPALINA f. Gorra o birrete con dos puntas, que cubre las orejas. • Cofia de mujer, gralte. de tela ligera.
PAPALOAPÁN Río de México, que nace en la sierra de Juárez (Oaxaca), donde recibe el nombre de río Grande, que conserva hasta su unión con el Salado; 900 km de longitud.
PAPALOMOYO m. *Amér. Centr.* Mosca abundante en lugares cálidos, su picadura produce llagas.
PAPALOTE m. *Cuba* y *Méx.* Especie de cometa de papel. • (voz náhuatl) *Amér. Centr.* Mariposa.
PAPAMOSCAS m. Pájaro de color gris por encima, blanquecino por debajo con manchas pardas en el pecho, y cerdas negras en la comisura del pico. • fig. y fam. Papanatas.
PAPANATAS m. fig. y fam. Hombre simple y crédulo o demasiado cándido.
PAPANDREU, ***Andreas Georgios*** (1919-1996) Político gr., hijo de Georgios P. Formó parte del gobierno de su padre (1964-1965). Exiliado tras el golpe militar de 1967, organizó el que sería el Movimiento Panhelénico Socialista. Con él gobernó Grecia de 1981 a 1989 y de 1993 a 1996, en que, gravemente enfermo, dimitió el cargo. • ***Georgios*** (1888-1968) Político gr. En 1944 presidió un gobierno de unión nacional. Como dirigente de las fuerzas de Unión del Centro, fue primer ministro en 1964. Trató de despolitizar el ejército.
PAPANTLA Mun. de México, en el est. de Veracruz; 97 100 hab. Centro comercial. Ruinas precolombinas de Tajín.

Flor de *Meconopsis grandis,* planta de la familia **papaveráceas**

PAPAR tr. Comer cosas blandas sin masticar.
PÁPARO, RA adj. y s. Díc. del individuo de una tribu, ya extinguida, del istmo de Panamá. • m. Paleto, aldeano que se asombra y se pasma ante cualquier cosa. • m. pl. Tribu pápara.
PAPARRUCHA f. fam. Noticia falsa y desatinada, esparcida entre el vulgo. • fam. Especie, obra literaria, etc., insustancial y desafinada.
PAPASAL adj. y s. *Amér. Centr.* Pelo revuelto y crespo.
PAPATURRO m. *Amér. Centr.* Árbol de hojas redondas y fruto morado, del tamaño de las uvas y de sabor agradable. • **agrio.** *Amér. Centr.* Arbusto de flores grandes y fruto amarillo. • **blanco.** *Amér. Centr.* Arbusto de fruto poco apreciado.
PAPAVERÁCEO, A adj. y f. *Bot.* Díc. de plantas angiospermas dicotiledóneas, con jugo acre y olor fétido, hojas alternas sin estípulas, flores regulares y fruto capsular con semillas oleaginosas. • f. pl. *Bot.* Familia de estas plantas.
PAPAVERINA f. *Quím.* Alcaloide cristalino contenido en el opio, y que tiene acción antiespasmódica.
PAPAYA f. Fruto del papayo, de forma oblonga, hueco y que encierra las semillas en su concavidad. Su parte blanda es amarilla y dulce, y con ella, cuando es verde, se hace confitura. • *Amér.* Papayo. • fam. *Amér.* Partes sexuales femeninas.
PAPAYÁCEO, A adj. *Bot.* Caricáceo.
PAPAYO m. Árbol caricáceo de los países cálidos. Su látex, abundante, contiene un fermento que descompone las sustancias albuminoideas.
PAPEAR intr. Balbucir, tartamudear, hablar sin sentido. • fig. Comer.

Papamoscas

Papaya

Flores de *Lupinus polyphyllus,* planta de la familia **papilionáceas**

Papión

Plantas de **papiro**

PAPEETE C. de Tahití, cap. de la Polinesia fr.; 62 700 hab. Puerto exportador (copra). Aeropuerto internacional. Centro turístico.

PAPEL m. Hoja delgada formada pralm. por fibras de celulosa prensadas, a las que se añaden otras sustancias cuya naturaleza y proporción varían según los distintos usos a que se destina. • Pliego, hoja o pedazo de p. en blanco, manuscrito o impreso. • Conjunto de resmas, cuadernos o pliegos de papel. • Carta, credencial, título, documento o manuscrito de cualquier clase. • Impreso que no llega a formar libro. • fam. Periódico diario. Suele usarse en pl. • Parte de la obra dramática que ha de representar cada actor, y texto de la misma. • Personaje de la obra dramática representado por el actor. • fig. Carácter, representación con que se interviene en un asunto; función que se desempeña. • Documento comercial que contiene la obligación del pago de una cantidad. • Conjunto de valores mobiliarios que salen a negociación en el mercado. • pl. Documentos con que se acredita el estado civil o la calidad de una persona. • **biblia.** El muy fino, cuya materia prima es cáñamo, lino, algodón o esparto. • **canson.** El liso y resistente que se usa para dibujar, especialmente con tinta china. • **carbón.** El de seda tintado, que sirve para copias. • **cebolla.** El de seda muy fino. • **cuché.** El muy satinado y barnizado que se emplea pralm. en revistas y obras que llevan grabados o fotograbados. • **de barba** o **de barbas.** El de tina, que no está recortado por los bordes. • **de estaño.** Lámina muy delgada de este metal, en forma de p., que se usa para envolver algunos productos que conviene preservar del aire. • **de estraza.** P. muy basto, áspero, sin cola y sin blanquar. • **de filtro.** El poroso y sin cola, hecho con trapos de algodón lavados con ácidos diluidos y que se usa para liar cigarrillos. • fig. Materia muy fina, delicada y poco resistente. • **del Estado.** Diferentes documentos que emite el Estado reconociendo créditos a favor de sus tenedores. • **de lija.** Hoja de p. fuerte y áspero, con vidrio molido, arena cuarzosa o polvos de esmeril, encolados en una de sus caras. • **de música.** El pautado con pentagramas para escribir música. • **de pergamino.** El que tiene un baño de ácido sulfúrico y posteriormente otro de glicerina que lo impermeabiliza. • **de plata.** El de estaño, muy fino. • **de seda.** El muy fino, transparente y flexible. • **de tornasol.** El impregnado en la tintura de tornasol, que sirve como reactivo para reconocer los ácidos. • **higiénico.** El fino, apropiado para usos sanitarios. • **manilla.** El de seda. • **metalizado.** El que lleva adherida una capa de polvo metálico. • **mojado.** fig. y fam. Cualquier cosa inútil o inconsistente. • **moneda.** El que por autoridad pública sustituye al dinero en metálico y tiene curso como tal. • **pautado.** El que tiene pauta para aprender a escribir o pentagrama para la música. • **picado.** *Amér.* Confeti. • **pintado.** El de varios colores y dibujos que se emplea para empapelar paredes. • **quemado.** fam. *Amér. Centr.* Hombre casado. • **satinado.** El de superficie compacta y perfectamente alisada. • **secante.** El esponjoso y sin cola, que se emplea para enjugar lo escrito a fin de que no se emborrone. • **sellado.** El que tiene estampadas las armas de la nación, con el precio de cada pliego, y clase, como impuesto de timbre, y sirve para usos oficiales. • **social.** Pauta de comportamiento que se asocia a un determinado *status.* • **tela.** Tejido de algodón, muy fino, engomado por las dos caras y transparente, que se emplea para calcar dibujos. • **vegetal.** El sulfurizado, bastante transparente, que se usa para dibujos, planos, proyectos, etc. • **Hacer uno buen,** o **mal, p.** fig. Salir lucida o desairadamente en algún acto o negocio. • **Hacer el p.** fig. Fingir hábilmente una cosa; representar al vivo. • **Hacer** uno **su p.** fig. Cumplir con su cargo o ministerio o ser de provecho para una cosa.

* *Ind.* El p. fue inventado por los chinos hace casi 2000 años. La materia prima para fabricar p. es la madera, aunque también puede emplearse celulosa de otras procedencias. Para obtener p. a partir de madera hay que desprender las fibras de ésta, preparando la pasta por medios mecánicos o químicos. En la práctica se mezclan las dos pastas; p. ej., en el p. para periódicos domina la pasta mecánica.

PAPELEAR intr. Revolver papeles buscando en ellos una noticia u otra cosa. • fig. y fam. Pretender tener una función lucida en un acto.

PAPELEO m. Acción y efecto de papelear o revolver papeles. • Exceso de trámites en la resolución de un asunto.

PAPELERÍA f. Conjunto de papeles esparcidos y sin orden, y por lo común rotos y desechados. • Tienda en que se vende papel y objetos de escritorio.

PAPELERO, RA adj. y s. Farolero, papelón. • Persona que fabrica o vende papel. • f. Escritorio, mueble para guardar papeles. • Abundancia o exceso de papel escrito. • Fábrica de papel. • Cesto de los papeles.

PAPELETA f. Cédula. • Impreso en el que se hace constar la calificación obtenida en un examen. • fig. y fam. Asunto difícil de resolver. • **de empeño.** Resguardo que se da al que empeña una cosa para que pueda rescatarla mediante el pago de la cantidad convenida.

PAPELILLO m. Cigarro de papel. • Paquete de papel que contiene una pequeña dosis medicinal en polvo. • *Amér. Centr.* Planta herbácea de hojas grandes, blancas en la parte inferior.

PAPELINA f. Vaso para beber, estrecho por el pie y ancho por la boca. • Tela muy delgada, de urdimbre de seda fina con trama de seda basta. • Pequeño envoltorio de papel que contiene droga dura.

PAPELÓN, NA adj. y s. fam. Díc. de la persona que ostenta y aparenta más que es. • m. Papel en que se ha escrito acerca de algún asunto o negocio, y que se desprecia por algún motivo. • Cartón delgado hecho de dos papeles pegados. • *Amér.* Meladura ya cuajada en una horma cónica. • Papel ridículo o desairado.

PAPELONEAR intr. fam. Ostentar vanamente autoridad o valimiento.

PAPELORIO m. despect. Fárrago de papel o de papeles.

PAPELOTE m. despect. Papelucho. • Desperdicios de papel empleados para hacer una nueva pasta. • *Cuba.* Cometa, juguete infantil.

PAPELUCHO m. despect. Papel o escrito despreciable.

PAPEN, ***Franz von*** (1879-1969) Diplomático y político al. Canciller del III Reich (1932) y vicecanciller del primer gabinete de Hitler. Absuelto por el tribunal de Nuremberg (1946), un tribunal al. le condenó a ocho años de trabajos forzados, pero quedó en libertad en 1949.

PAPERA f. *Pat.* Inflamación del tiroides, bocio. • *Pat.* Inflamación de las glándulas salivales. • *Vet.* Tumor inflamatorio y contagioso que en los caballos jóvenes se produce a la entrada del conducto respiratorio o en los ganglios submaxilares. • pl. *Med.* Escrófulas, lamparones.

PAPIAMENTO m. *Ling.* Dialecto criollo de Curaçao, derivado, sobre todo, del criollo negro-portugués, con elementos de esp., antill. y hol.

PAPILA f. *Bot.* Cada una de las pequeñas prominencias cónicas que tienen ciertos órganos de algunos vegetales. • *Anat.* Cada una de las pequeñas prominencias cónicas formadas en la piel y en las membranas mucosas, especialmente de la lengua, por las ramificaciones nerviosas y vasculares. • *Anat.* Prominencia que forma el nervio óptico en el fondo del ojo y desde donde se extiende la retina. ■ PAPILAR.

PAPILIONÁCEO, A adj. De figura de mariposa. • adj. y f. *Bot.* Díc. de las plantas angiospermas dicotiledóneas, con fruto en legumbre y flores amariposadas, en racimo o espiga. • f. pl. *Bot.* Familia de estas plantas.

PAPILLA f. Papas que se dan a los niños. • fig. Cautela o astucia halagüeña para engañar a uno. • **Echar** uno **la primera p.** exp. fig. y fam. con que se encarece la intensidad de vómito.

PAPILOMA m. *Med.* Variedad de epitelioma caracterizada por el aumento de volumen de las papilas de la piel o de las mucosas, con induración de la dermis subyacente. • *Med.* Tumor pediculado en forma de botón o cabezuela. • Excrecencia de la piel por hipertrofia de sus elementos normales.

PAPIN, ***Denis*** (1647-1714) Físico fr. Inventor de la llamada *marmita de Papin,* predecesora de las autoclaves, y de un barco a vapor con rueda de paletas.

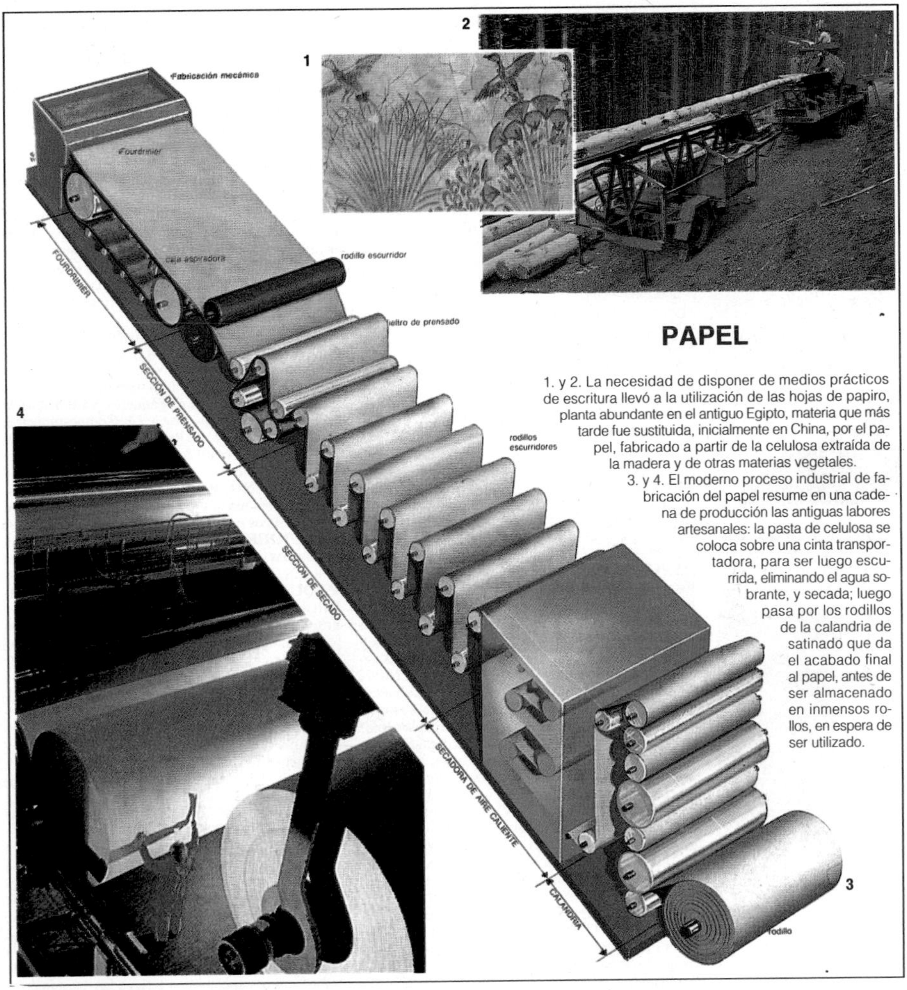

PAPEL

1. y 2. La necesidad de disponer de medios prácticos de escritura llevó a la utilización de las hojas de papiro, planta abundante en el antiguo Egipto, materia que más tarde fue sustituida, inicialmente en China, por el papel, fabricado a partir de la celulosa extraída de la madera y de otras materias vegetales.

3. y 4. El moderno proceso industrial de fabricación del papel resume en una cadena de producción las antiguas labores artesanales: la pasta de celulosa se coloca sobre una cinta transportadora, para ser luego escurrida, eliminando el agua sobrante, y secada; luego pasa por los rodillos de la calandria de satinado que da el acabado final al papel, antes de ser almacenado en inmensos rollos, en espera de ser utilizado.

PAPINI, ***Giovanni*** (1881-1956) Escritor it. Después de haber pasado por diversas ideologías, la *Historia de Cristo* marca su conversión al catolicismo. *Un hombre acabado, Gog, Cartas a los hombres, El libro negro, El juicio final.*

PAPIÓN m. Zambo, mono americano. • Simio catarrino de formas robustas y con hocico saliente que habita en el África subsahariana.

PAPIRO m. *Bot.* Planta ciperácea vivaz, indígena de Oriente, de hojas largas y estrechas, cañas cilíndricas, lisas, desnudas y terminadas por un penacho de espigas con flores pequeñas y verdosas. • Lámina sacada del tallo de esta planta y que empleaban los antiguos para escribir en ella.

PAPIROFLEXIA f. Plegado de papel para obtener figuras diversas.

PAPIROLADA f. fam. Pampirolada.

PAPIROLOGÍA f. Estudio filológico de los textos escritos en papiros.

PAPIROTADA f. o **PAPIROTAZO** m. Golpe en la cabeza, capirotazo.

PAPIROTE m. Capirote, capirotazo. • fig. y fam. Tonto, mentecato.

PAPISA f. de papa, primera autoridad de la Iglesia católica. Es una voz sin verdadera aplicación, que sólo se da a la fabulosa *papisa Juana*.

PAPISMO m. Nombre que los protestantes y cismáticos dan a la Iglesia católica, a sus organismos y doctrinas.

PAPISTA adj. y s. Nombre que algunos protestantes y ortodoxos dan al católico rom. porque obedece al papa. • fam. Partidario de la rigurosa observación de las disposiciones del sumo pontífice.

PAPO m. Parte abultada del animal entre la barba y el cuello. • Buche de las aves. • Nombre vulgar del bocio en las regiones donde es endémico • Cada uno de los pedazos de tela ahuecada o en figura de bollo, que sobresalía por entre las cuchilladas en trajes antiguos. • Porción de comida que se da de una vez al ave de rapiña. • *Amér. Centr.* Simple, bobo. • *Bot.* Vilano. • pl. Moda de tocado que usaron las mujeres, con unos huecos o bollos que cubrían las orejas.

PAPORRETA f. *Perú.* Repetición mecánica de lo que se ha memorizado sin comprenderlo. ■ *Perú.* PAPORRETEAR; PAPORRETERO, RA.

PAPPO o **PAPPUS** (s. IV) Matemático de Alejandría. Su *Colección matemática*, en ocho libros, recoge los conocimientos matemáticos de su época.

PÁPRIKA f. Variedad de pimentón muy fuerte, originaria de Hungría. • Salsa o condimento que se prepara con este pimentón.

PAPÚ adj. y s. Díc. de individuos de un pueblo australoide de Nueva Guinea e islas adyacentes de Indonesia oriental y Melanesia. • adj. Relativo a este pueblo y a la región que habita. • adj. y m. *Ling*. Lenguas malayo-polinesias de los papúes. • m. pl. Este mismo pueblo.

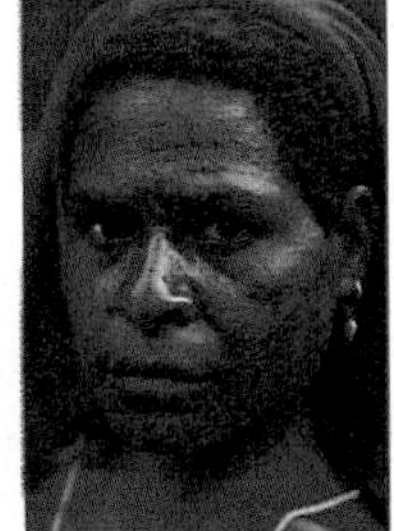

Mujer **papú**

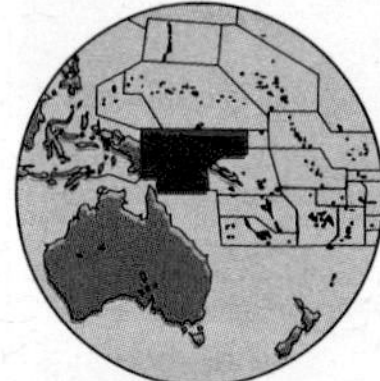

Papua-Nueva Guinea. Arriba, mapa de situación y bandera; abajo, silo en las islas Trobriand

PAPUA-NUEVA GUINEA

Superficie	462 840 km²
Población	4 496 000 hab. (9,7 hab./km²)
Recursos económicos	
Aceite de palma	240 000 t
Azúcar	46 000 t
Bananas	700 000 t
Batatas	470 000 t
Cabaña bovina	110 000 cabezas
Cabaña porcina	1 030 000 cabezas
Cacao	30 000 t
Café	65 000 t
Caucho	4 000 t
Cobre	205 000 t
Copra	120 000 t
Energía eléctrica	1 790 millones de kwh
Mandioca	115 000 t
Oro	60 000 kg
Plata	78 000 kg
Riqueza forestal	8 188 000 m³
Sorgo	1 000 t
Taro	220 000 t
Indicadores sociológicos	
PNB	4 976 millones de dólares
Renta per cápita	1 160 dólares
Esperanza de vida	58 años
Alfabetismo	72 %

PAPUA-NUEVA GUINEA *(Papua-New Guinea)* Estado independiente de Oceanía, integrado por la mitad oriental de la isla de Nueva Guinea y el arch. de Bismarck, las islas del Almirantazgo, Salomón septentrional, Entrecasteaux, Trobriand, Woodlark y Luisiada. En el sector neoguineano, se hallan las cadenas Bismarck y Owen Stanley. En la costa de Nueva Guinea oriental se halla la cord. Central. Cacahuetes, algodón, palma de coco, café, cacao, té, maíz, sorgo, arroz, batata. Madera, caucho. Cobre, oro, plata, platino. Etnias: papúes, melanesios, otros. Lenguas: motu, *pidgin-english. Rel.*: animismo, protestantismo, catolicismo. U. M.: kina. Cap., Port Moresby.
 * *Hist.* Entidad autónoma creada en 1973. Indep. desde 1975, en el seno de la Commonwealth. El jefe del Est. es la reina de Inglaterra, representada por un gobernador general. Tras las elecciones de 1985, Paias Wingti sucedió a Michael Somare como primer ministro. Aunque en 1992 renovó el cargo, en 1997 ganó Bill Skate. Ese mismo año, los secesionistas de Bougainville declararon una tregua.
PAPUASIA *(Territory of Papua)* Ant. territorio de la Federación australiana, compuesto por parte de la isla de Nueva Guinea, las islas Entrecasteaux, Trobriand y Woodlark, y el arch. de Luisiada. En 1973, junto con Nueva Guinea del Nordeste, formó el Est. de Papua-Nueva Guinea.
PÁPULA f. *Med.* Tumorcillo eruptivo que se presenta en la piel, sin pus ni serosidad.
PAQUEBOTE o **PAQUEBOT** m. Embarcación que lleva la correspondencia pública, y gralte. pasajeros, de un puerto a otro.

Elefantes africanos, mamíferos del ant. suborden **paquidermos**

PAQUETE, TA adj. *Amér.* Díc. de las personas bien vestidas y de los locales bien puestos. • adj. y m. fig. y fam. Díc. del que actúa con torpeza o desacierto. • Hombre que sigue rigurosamente las modas y va muy compuesto. • m. Lío o envoltorio bien dispuesto y no muy abultado de cosas de una misma o distinta clase. • Conjunto de cartas o papeles que forman mazo, o contenidos en un mismo sobre o cubierta. • Paquebote. • fig. Persona que, en una motocicleta, acompaña al conductor. • fig. y fam. Castigo, sanción. • *Art. Gráf.* Trozo de composición tipográfica en que entran aproximadamente mil espacios. • *Comp.* Programa o juego de programas que es considerado como estándar, es decir, que puede ser útil a más de un usuario y que, sin embargo, es susceptible de modificaciones. • fam. Órganos sexuales del hombre. • **de acciones.** Conjunto grande de acciones de una compañía, pertenecientes a un solo titular. • **postal.** El que se ajusta a las condiciones establecidas para ser enviado por correo.
PAQUETEAR intr. *Argent.* y *Ur.* Mostrarse ante los demás bien vestido.
PAQUETERÍA f. Género menudo de comercio que se guarda o vende en paquetes. • Comercio de este género. • *Argent., Par.* y *Ur.* Compostura en el vestir o en el arreglo de locales. • Conjunto de adornos o piezas de vestir que se pone una persona para ir bien vestida.
PAQUETERO, RA adj. y s. Que hace paquetes. • m. y f. Persona que se encarga de los paquetes de los periódicos para repartirlos entre los vendedores.
PAQUIDERMIA f. *Pat.* Espesamiento de la piel por causas diversas, como edemas o inflamaciones crónicas. • *Med.* Mixedema.
PAQUIDERMO adj. y m. *Zool.* Díc. del mamífero artiodáctilo, omnívoro o herbívoro, de piel muy gruesa y dura. • m. pl. *Zool.* Ant. suborden de estos animales; act. no constituye una categoría taxonómica.
PAQUISTANÍ adj. y s. De Pakistán.
PAQUITENO m. *Biol.* Una de las fases de la profase en la meiosis. En el p. los cromosomas se hallan parcialmente desenrollados y son dobles. Posibilita el intercambio genético.
PAR adj. Igual o semejante totalmente. • *Anat.* Díc. del órgano que corresponde simétricamente a otro igual. • *Arit.* Díc. del núm. divisible por dos. • m. Conjunto de dos magnitudes asociadas. • Título de alta dignidad en algunos Est. • *Arq.* Cada uno de los dos maderos que en un cuchillo de armadura tienen la inclinación del tejado. • *Fís.* Conjunto de dos cuerpos heterogéneos que en condiciones determinadas producen una corriente eléctrica. • f. pl. Placenta del útero. • **de fuerzas.** *Fís.* Sistema de dos fuerzas paralelas y de sentido contrario, de igual módulo, que producen un movimiento rotatorio. • **termoeléctrico.** Dispositivo para la medición de temperaturas especialmente elevadas, basado en el efecto Seebeck. • **A pares.** m. adv. De dos en dos.
PARA prep. con que se denota el fin o término a que se encamina una acción. • Hacia, denotando el lugar que es el término de un viaje o movimiento o la situación de aquél. • Se usa indicando el lugar o tiempo a que se difiere o determina el ejecutar una cosa o finalizarla. • Se usa también determinando el uso que conviene o puede darse a una cosa. • Se usa como partícula adversativa, significando el estado en que se halla actualmente una cosa, contraponiéndolo a lo que se quiere aplicar o se dice de ella. • Denota la relación de una cosa con otra, o lo que es propio o le toca respecto de sí misma. • Significando el motivo o causa de una cosa, por que, o por lo que. • Por, o a fin de. • Significa la aptitud y capacidad de un sujeto. • Junto con verbo, significa unas veces la resolución, disposición o aptitud de hacer lo que el verbo denota, y otras la proximidad o inmediación a hacerlo, y en este último sentido se junta con el verbo *estar.* • Junto con los pron. personales *mí, sí*, etc., y con algunos verbos, denota la particularidad de la persona, o que la acción del verbo es interior, secreta y no se comunica a otro. • Junto con algunos nombres, se usa supliendo el verbo *comprar*. • **P. con.** loc. prep. Respecto de. • **P. eso.** loc. que se usa despreciando una cosa, o por fácil o por inútil. • **P. que.** loc. conj. final que se usa con el sentido interrogativo y afirmativo, y vale respectivamente: para cuál fin u objeto, y pa-

ra el fin u objeto de que. En sentido interrogativo lleva acento la partícula *que*.

PARÁ m. *Amér. Centr.* Planta forrajera. ■ *Amér. Centr.* PARAZAL O PARASAL.

PARÁ Río de Brasil, una de las ramas del delta del Amazonas, formada por la unión de este río con el Tocantins.

PARÁ Est. de Brasil bañado por el Atlántico en su extremo NE; 1 246 833 km^2, 4 997 000 hab. Cap., Belém. Su parte central está ocupada por el valle inferior del Amazonas; al N aparece el Escudo de Guayana y al S la Meseta Brasileña. Avenado por el Amazonas, el Tocantins y el Pará. Clima ecuatorial, cálido y húmedo. Caucho, nuez de Pará, palma, algodón, arroz, caña de azúcar, café y tabaco.

PARABIÉN m. Felicitación.

PARABIOSIS f. *Biol.* Fenómeno de unión de dos embriones o de gran parte de ellos para el estudio del desarrollo y de la autonomía fisiológica embrionaria. Se trata de un tipo especial de injerto.

PARÁBOLA f. Narración de un suceso fingido, de la que se deduce, por comparación o semejanza, una verdad importante o una enseñanza moral. • *Geom.* Curva abierta, simétrica respecto de un eje, con un solo foco, y que resulta de cortar un cono circular recto por un plano paralelo a una generatriz que cortará a todas las otras en una sola hoja del cono. ■ PARABÓLICO, CA.

PARABOLANO m. Clérigo de la primitiva iglesia oriental. • El que usa de parábolas o ficciones. • fig. y fam. El que inventa o propaga noticias falsas o exageradas. • Embustero.

PARABOLIZAR tr. e intr. Representar, ejemplificar, simbolizar.

PARABOLOIDE m. *Geol.* Superficie cuadrática cuyas secciones por un plano paralelo a un eje son parábolas. • **elíptico.** *Geom.* Superficie convexa cuyas secciones planas son todas parábolas o elipses.

PARABRISAS m. Bastidor con vidrio que lleva el automóvil en su parte delantera. • Elemento parecido de otros vehículos.

PARACA m. fam. Paracaidista. • f. *Chile.* Brisa muy fuerte del Pacífico.

PARACAÍDAS m. Artefacto hecho de tela fuerte que al extenderse en el aire forma una sombrilla grande. Se usa para moderar la velocidad de caída de las personas y objetos que se arrojan desde las aeronaves. • P. ext., lo que sirve para evitar o disminuir el golpe de una caída desde un sitio elevado.

PARACAIDISMO m. Técnica del descenso con paracaídas desde aviones en vuelo. • Práctica militar o deportiva de esta técnica. ■ PARACAIDISTA.

PARACAS Cultura andina precolombina que se desarrolló en la costa meridional de Perú, en la península de Paracas, quizá entre el 1200 a. C. y el año 100 d. C. Se distinguen dos fases: Paracas-cavernas y Paracas-necrópolis. La primera, que aparece en la zona de Ica, recibe su denominación de las numerosas cavernas funerarias encontradas, con casi medio millar de momias, prendas de vestir, adornos de oro laminado, vasijas de cerámica, armas y otros objetos. Las cerámicas son incisas, de viva policromía, con dibujos geométricos y rectilíneos que muestran la influencia de la cerámica de Chavín. La segunda fase destaca por sus cámaras funerarias, en las que se hallaron finísimos tejidos en lana de vicuña y algodón, mantos bordados con un soberbio colorido y motivos diversos.

PARACASEÍNA f. Caseína insoluble originada por la acción del fermento lab sobre el caseinógeno.

PARACELSO, *Theophrastus Bombastus von Hohenheim*, llamado (1493-1541) Médico naturalista suizo, uno de los fundadores de la química farmacéutica.

PARACELSO, *Islas* (*Xishaqundao*) Grupo de islas e islotes en el mar de la China Meridional; 5,9 km^2. Deshabitadas, poseen interés económico por su riqueza en fosfatos y por la eventual existencia de petróleo.

PARACENTESIS f. *Cir.* Punción que se hace en el vientre para evacuar la serosidad acumulada anormalmente en la cavidad del peritoneo.

PARACHOQUES m. Pieza o aparato que llevan exteriormente los automóviles y otros vehículos, en las partes delantera y trasera, para amortiguar los efectos de los choques.

PARACINESIA f. *Med.* Lesión del sistema nervioso, variedad de apraxia, que ocasiona una dificultad en los movimientos voluntarios, o una falta de coordinación de los mismos.

PARÁCLITO o **PARACLETO** m. Nombre que se da al Espíritu Santo.

PARACRONISMO m. Anacronismo que consiste en suponer acaecido un hecho después del tiempo en que sucedió.

PARADERA f. Compuerta con que se quita el agua al caz del molino. • Clase de red siempre parada o dispuesta esperando la pesca a imitación de una almadraba.

PARADERO m. Lugar o sitio donde se para o se va a parar. • fig. Fin o término de una cosa. • *Cuba.* Estación o apeadero de ferrocarril. • *Col.* Parada de autobuses.

PARADIÁSTOLE f. *Ret.* Figura que consiste en usar en las cláusulas voces, de significación semejante, dando a entender que la tienen diversa.

PARADIGMA m. Ejemplo o ejemplar. • *Gram.* Conjunto de formas que sirven de modelo en los diversos tipos de flexión. • *Ling.* Conjunto virtual de elementos que pueden aparecer en un mismo contexto y en el mismo lugar. ■ PARADIGMÁTICO, CA.

PARADINA f. Monte bajo de pasto, donde suele haber corrales para el ganado lanar. • pl. Paredes ruinosas.

PARADISEIDO, DA adj. y m. *Zool.* Díc. de aves paseriformes afines a los cuervos, pero de plumaje vistoso, llamadas aves del paraíso. • m. pl. *Zool.* Grupo de estas aves.

PARADO, DA adj. Remiso, tímido o flojo en palabras o movimientos. • adj. y m. Desocupado o sin empleo. • *Amér.* Derecho o en pie. • *Chile* y *P. Rico.* Orgulloso, engreído. • f. Acción de parar o detenerse. • Lugar donde se para. • Fin del movimiento de una cosa, pralm. de la carrera. • Suspensión o pausa, pral. en la música. • Lugar donde se juntan las reses. • Lugar en que los asnos o caballos cubren a las yeguas. • Presa de un río. • Cantidad de dinero que en el juego se expone a una sola suerte. • *Esg.* Quite, mov. defensivo. • *Mil.* Formación de tropas para pasarles revista o hacer alarde de ellas en una solemnidad. • *Mil.* Reunión de la tropa que entra de guardia. • *Mil.* Paraje donde se reúne esta tropa. • *Bol., Chile, R. de la Plata* y *Ven.* Porte engreído. • **nupcial.** Comportamiento desarrollado por los machos de algunas especies animales durante la época de reproducción.

PARADOJA f. Especie extraña u opuesta a la común opinión y al sentir de los hombres. • *Fil.* Razonamiento aparentemente correcto del que se deduce una conclusión falsa contradictoria. • *Ret.* Figura que consiste en emplear exp. o fr. que envuelven contradicción. ■ PARADÓJICO, CA.

PARADOR, RA adj. Que para o se para. • Díc. del caballo o yegua que se para con facilidad, y del que lo hace bien, es decir, quedando cuadrado y en buena postura. • adj. y s. Díc. del jugador que para mucho. • m. Mesón.

PARAESTATAL adj. Díc. de las instituciones, organismos y centros que, por delegación estatal, cooperan a los fines del Est. sin formar parte de la administración pública.

PARAFASIA f. Trastorno del lenguaje, caracterizado por la sustitución o alteración de las palabras.

PARAFERNALES adj. pl. *Der.* Díc. de los bienes que lleva la mujer al matrimonio fuera de la dote y los que adquiere durante él por título lucrativo, como herencia o donación.

PARAFINA f. *Quím.* Mezcla de hidrocarburos alifáticos saturados, de fórmula general C_nH_{2n+2}. ■ PARAFINADO, DA.

PARAFINAR tr. Añadir parafina a una sustancia; impregnarla de ella.

PARÁFRASIS f. Explicación o interpretación amplificativa de un texto para ilustrarlo o hacerlo más claro o inteligible. • Traducción en verso en la cual se imita el original, sin verterlo con escrupulosa exactitud. ■ PARAFRASEAR; PARAFRÁSTICO, CA.

PARAFUEGO m. Cortafuego • Muro que rodea los hornos de vidrio.

Maqueta de un **paraboloide**

Paracaídas

Paracelso, en un óleo de Jan Van Scorel. Museo del Louvre, París

PARAGÉNESIS f. Asociación de minerales en series características con arreglo a su origen u orden de formación.
PARAGOGE f. *Gram.* Adición de un sonido al final de un vocablo.
PARAGOLPES m. *R. de la Plata.* Parachoques.
PARAGRAFÍA f. Forma especial de afasia que consiste en una confusión de los signos de la escritura.
PARÁGRAFO m. Párrafo.
PARAGUA Río de Venezuela, afl. del Caroní y subafluente del Orinoco; 580 km. Nace en la sierra de Pacaraima y desemboca en el Caroní, cerca de San Pedro.
PARAGUÁ Río de Bolivia, afl. izquierdo del Guaporé; 370 km.
PARAGUANÁ Pen. del N de Venezuela (est. Falcón), en el Caribe, unida al continente por el istmo de Médanos; 3 000 km². Ganado caprino. Refino de petróleo.

Paraguay. Panorámica de la ciudad de Asunción.

PARAGUARÍ Dpto. del S de Paraguay; 8 705 km², 230 012 hab. Cap., la c. hom. Llanura aluvial limitada al N por la cord. de los Altos. Lagos de Vera e Ipoá. Río Tebicuary. Caña de azúcar, algodón, tabaco, arroz, agrios, bananas. Ganadería vacuna. Explotación forestal. • C. de Paraguay, cap. del dpto. hom.; 7 279 hab.
PARAGUAS m. Utensilio para resguardarse de la lluvia, compuesto de un bastón y un varillaje cubierto de tela que puede extenderse. ■ PARAGÜERÍA; PARAGÜERO, RA.
PARAGUATÁN m. *Amér. Centr.* Árbol de las rubiáceas, de madera rosada, que admite pulimento, y de cuya corteza se hace una tinta roja.
PARAGUAY m. Papagayo del Paraguay, de plumaje verde manchado de colores vivos. • *Perú.* Penacho morado de la espiga del maíz.
PARAGUAY Río de América del Sur, pral. afl. del Paraná; 2 800 km de curso; 1 097 000 km² de cuenca. Nace en el Mato Grosso. Forma la frontera entre Paraguay y Brasil y, desde Asunción, la de Paraguay y Argentina. Prales. afl.: Tacuari, Piquirí, Miranda y Pilcomayo. Navegable, se utiliza para el transporte. Puertos de Fuerte Olimpo, Asunción y Formosa.
PARAGUAY Estado interior de América del Sur. Limita al N y NO con Bolivia, al S y O con Argentina y al E y NE con Brasil. Etnias: mestizos, guaraníes, criollos, al. Lenguas: cast. y guaraní (oficiales). *Rel.*: catolicismo (mayoritaria). U. M.: el guaraní. Cap.: Asunción. C. prales.: Ciudad del Este, Pedro Juan Caballero, Encarnación, Concepción.
* *Geog. física.* El terr. se divide en tres sectores: la Selva, al E del r. Paraguay, se caracteriza por la existencia de bajas alineaciones de colinas (sierra de Amambay, cord. Caaguazú) cubiertas por bosques tropicales; el Campo, a orillas del Paraguay, es una llanura de inundación muy favorable para los cultivos; el Chaco es una región llana que ocupa el 60 % de la superficie. La red hidrográfica está formada por el Paraguay y sus afl. (Jejuí Guazú, Tebicuary, Verde, etc.), el Pilcomayo y el Paraná. Clima tropical, cálido y húmedo. El Chaco es un

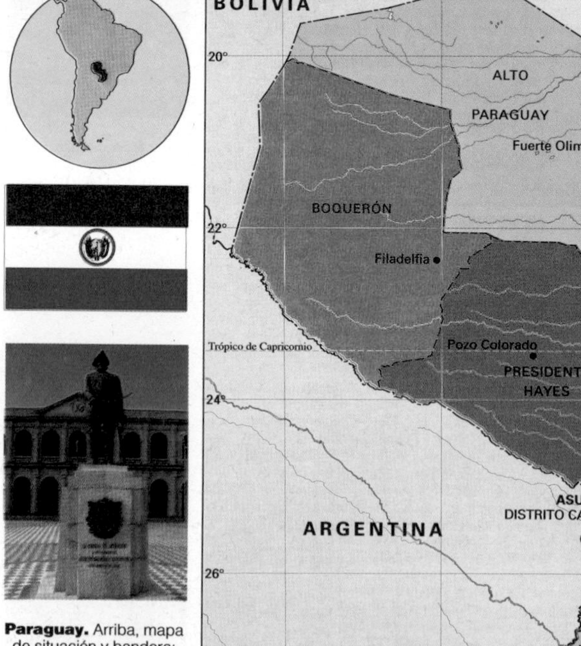

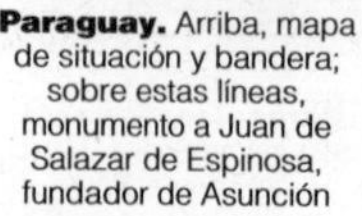

Paraguay. Arriba, mapa de situación y bandera; sobre estas líneas, monumento a Juan de Salazar de Espinosa, fundador de Asunción

territorio con una vegetación de espinosas y xerófilas; en cambio, las llanuras junto a los cursos fluviales forman densas selvas tropicales.

* *Geog. económica.* El pral. recurso económico reside en las actividades primarias; un 34,8 % de la pob. activa se dedica a la agricultura. La estructura latifundista ha impedido el aumento del nivel de vida para la mayor parte de la pob. Entre los cultivos de subsistencia destacan el maíz y la mandioca. Los productos comerciales son el algodón, junto al r. Paraguay; la caña de azúcar, al S, y el tabaco, obtenido pralm. en el dpto. de Caaguazú. También cabe destacar los cultivos de naranjas, bananas, ananás y oleaginosas. La explotación forestal proporciona imp. ingresos: la yerba mate y el quebracho, del que se obtiene el tanino, son las especies más imp., junto al cedro, el nogal y el mogano. La ganadería predomina en la región del Chaco y en el dpto. de Itapúa, y se orienta a la obtención de carne. Destacan las cabañas bovina, ovina y caballar. La riqueza del subsuelo todavía no está totalmente explotada. Se han realizado prospecciones petrolíferas en el Chaco. En Ibicúe se extrae manganeso y, en el Alto Paraná, cobre. La ind. está concentrada en Asunción y el dpto. Central y se dedica a la transformación de productos primarios (conservas, curtidos, producción de tanino y mate, manufacturas de tabaco, tejidos de algodón, maderas). Importante producción de energía hidroeléctrica (presas de Acaray, Itaipú –compartida con Brasil–, Yacyretá-Apipé –con Argentina–).

* *Geog. humana.* El Chaco apenas se halla poblado y las concentraciones humanas aparecen al S y SO, a lo largo de los cursos fluviales y del ferrocarril. La débil demografía paraguaya tiene su explicación en las graves pérdidas de pob. sufridas durante la guerra de 1864 a 1870 y la del Chaco. Étnicamente, el pueblo paraguayo presenta la peculiaridad de formar un grupo humano característico, fruto de la fusión del elemento autóctono guaraní y los hispanos asentados en la etapa colonial.

* *Org. pol.* Rep. unitaria, adopta el sistema de democracia representativa, participativa y pluralista, según establece la Constitución de 1992. El poder ejecutivo es ejercido por el Presidente, elegido cada 5 años, mientras que el poder legislativo recae en el Parlamento Nacional bicameral (Senado y Cámara de Diputados).

* *Hist.* Los guaraníes de la rama de los tupí forman el sustrato étnico de la pob. En 1537, Juan de Salazar y Espinosa fundó Nuestra Señora de la Asunción, origen de la actual cap. del país. En 1617 se creó la gobernación del Paraguay o del Guairá, con cap. en Asunción. En 1609 se instalaron los jesuitas, quienes organizaron las reducciones. Esta experiencia socioeconómica y cultural fue interrumpida con la expulsión de la orden en 1767. Al constituirse el virreinato del Río de La Plata (1776), la gobernación de Paraguay pasó a depender de Buenos Aires. En 1811 el país consumó sin sangre la indep. y se constituyó un gobierno provisional encabezado por F. Yegros. En 1813 un congreso general sustituyó la junta por dos cónsules, siendo los dos primeros Yegros y el doctor Francia. Este último fue declarado «dictador supremo» (1816-1840). Francia estableció un virtual cierre de fronteras que aisló al país. Carlos A. López (1844-1862) rompió el aislacionismo. Afianzó la agricultura, construyó el primer ferrocarril y los primeros hornos de fun

PARAGUAY

Recursos económicos	
Algodón	330 000 t
Arroz	125 000 t
Azúcar	120 000 t
Bananas	76 000 t
Batatas	106 000 t
Cacahuetes	44 000 t
Café	5 000 t
Caña de azúcar	2 799 000 t
Maíz	462 000 t
Mandioca	2 600 000 t
Naranjas	171 000 t
Soja	2 300 000 t
Tabaco	9 000 t
Trigo	125 000 t
Uva	23 000 t
Ganadería	
Cabaña bovina	9 788 000 cabezas
Cabaña caballar	370 000 cabezas
Cabaña ovina	386 000 cabezas
Cabaña porcina	2 660 000 cabezas
Riqueza forestal	
Madera	8 592 000 m^3
Yerba mate	64 000 t
Producción industrial	
Cemento	480 000 t
Cerveza	1 170 000 hl
Energía eléctrica	35 862 millones de kwh
Hilados de algodón	152 100 t
Tabaco	777 000 000 cigarrillos
Tanino	8 052 t
Indicadores sociológicos	
PNB	7 606 millones de dólares
Renta per cápita	1 570 dólares
Esperanza de vida	70,1 años
Alfabetismo	92,1 %

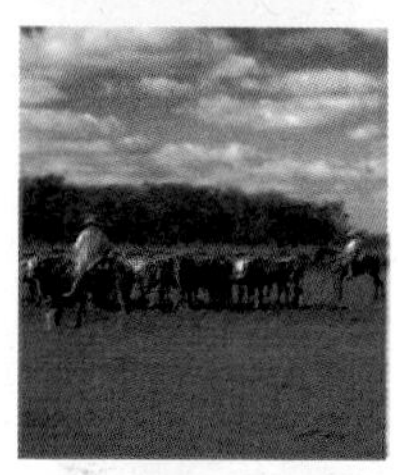

Paraguay. De arriba a abajo: gran represa de Itaipú; centro comercial en Ciudad del Este; ganado vacuno en el dpto. de Concepción.

División administrativa de **Paraguay**

Departamentos	*Km²*	*Población* [1]	*Densidad*	*Capital*	*Habitantes*
Alto Paraguay	82 349	11 816	0,1	Fuerte Olimpo	1 532
Alto Paraná	14 895	403 858	27,1	Ciudad del Este	133 893
Amambay	12 933	97 158	7,5	Pedro Juan Caballero	53 601
Boquerón	91 669	26 292	0,3	Filadelfia	1 685
Caaguazú	11 474	383 319	33,4	Coronel Oviedo	38 250
Caazapá	9 496	128 550	13,5	Caazapá	3 834
Canindeyú	14 667	96 826	6,6	Salto del Guairá	4 558
Central	2 465	864 540	350,7	Areguá	6 326
Concepción	18 051	166 946	9,2	Concepción	35 485
Guairá	3 846	162 244	42,2	Villarrica	27 673
Itapúa	16 525	375 748	22,7	Encarnación	55 359
La Cordillera	4 948	206 097	41,6	Caacupé	12 368
Misiones	9 556	88 624	9,3	San Juan Bautista	8 164
Ñeembucú	12 147	69 884	5,7	Pilar	19 151
Paraguarí	8 705	203 012	23,3	Paraguarí	7 279
Presidente Hayes	72 907	59 100	0,8	Pozo Colorado	3 100
San Pedro	20 002	277 110	13,8	San Pedro de Ycuamandyyú	4 625
Distrito Capital					
Asunción	117	502 426	4 294		
PARAGUAY	406 752	4 123 550 [2]	10,1	Asunción	502 426 [3]

[1] Según último censo (1992)
[2] Según estimaciones recientes 4 955 737 habitantes
[3] 794 166 hab. en la aglomeración urbana

Paraguay.
Luis González Macchi

Paraguay.
Iglesia de la Encarnación, en Asunción.

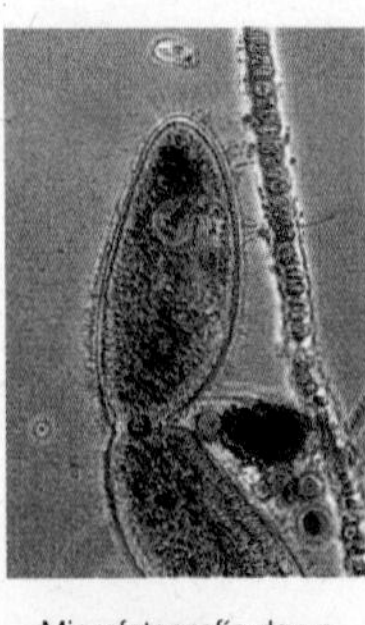

Microfotografía de un **paramecio** a punto de completar su reproducción por división simple

dición, y formó una flota mercante. Le sucedió su hijo, el mariscal F. Solano López. Consolidó la prosperidad del país, que se vio frenada con la guerra de la Triple Alianza (1864-1870). En ella Paraguay perdió las tres cuartas partes de su pob., casi la mitad del terr. y su industria. En los años siguientes alternaron en el poder el Partido Colorado y el Liberal. El lento proceso de recuperación iniciado se frustró con la guerra del Chaco (1932-1935) con Bolivia, que concluyó con la división del Chaco boreal entre ambos países. Después de un largo periodo en el que se sucedieron gobiernos civiles y militares, en las elecciones de 1954 fue elegido el general Alfredo Stroessner, único candidato, del Partido Colorado, reelegido durante 34 años. El 3 de febrero de 1989 el general Andrés Rodríguez puso fin a aquel régimen, prometiendo elecciones para el 1 de mayo en las que venció. Al concluir su mandato, en las elecciones de 1993 venció el candidato oficialista Juan Carlos Wasmosy. En 1998 le sucedió Raúl Alberto Cubas, también del Partido Colorado, pero en 1999 se vio forzado a dimitir y fue sustituido por Luis González Macchi. En mayo de 2000 fracasó un intento de golpe de est., abortado por la oposición de la sociedad civil y el ejército.

* *Arte*. Del precolombino destacan los restos de cerámica decorada. En el periodo colonial, la evangelización de los jesuitas implicó una gran actividad arquitectónica que asimiló el estilo colonial esp. (especialmente el barroco) y lo adaptó a sus propias necesidades. Las c. se proyectaron en retícula con una típica plaza cuadrada, en el centro de la cual se alzaba la iglesia (reducciones de Santa Trinidad, San Miguel, San Cosme). En el s. XIX el desarrollo artístico se centró en Asunción y se imitaron las construcciones neoclásicas fr. (palacio del Gobierno, iglesia de la Encarnación). Entre los artistas contemporáneos destacan el dibujante M. Delgado y los pintores C. Colombino y E. Murro.

* *Lit*. La literatura par. tuvo un nacimiento tardío. Los autores más imp. de la primera etapa que siguió a la indep. fueron M. A. Molas y N. Talavera. En la segunda mitad del s. XIX destacaron J. Segundo Decoud, J. Silvano Godoi, C. Báez, M. Gondra, M. Domínguez y los poetas, I. A. Pane, J. E. O'Leary y A. Guanes. Los cultivadores del modernismo fueron R. Barret, Fariña Núñez, M. Ortiz Guerrero, P. Max Instrán, L. Ramos Giménez y F. Recalde. Como destacados narradores de tema criollista cabe citar a J. N. González y J. Stefanich. Poetas vanguardistas fueron J. Pla y H. Campos Cervera, junto a los que sobresalen J. Correa, Rodríguez Alcalá, Pérez Chaves y E. Romero. Entre los narradores sobresalen G. Casaccia, J. S.Villarejo, A. Valdovinos, J. M. Rivarola y A. Roa Bastos.

PARAGUAYO, YA adj. y s. Del Paraguay. • m. *Cuba*. Machete de hoja larga y recta. • *Bol*. Rosquete hecho de azúcar, clavo y almidón. • f. Fruta semejante al pérsico, de sabor parecido, pero de forma aplastada.

PARAHÚSO m. Instrumento para taladrar, consistente en una barrena cilíndrica que recibe el movimiento de rotación de dos cuerdas o correas que se arrollan y desenrollan alternativamente, al subir y bajar un travesaño al cual están atadas. ■ PARAHUSAR.

PARAÍBA Est. del NE de Brasil; 53 958 km², 3 282 000 hab. Cap., João Pessoa. C. prales.: Campina Grande y Santa Rita. Formado por una zona mesetaria (sierra de Borborema) y una llanura aluvial. Ríos Paraíba del Norte y Piranhas. Clima cálido. Algodón, caña de azúcar, café, arroz, mandioca. Ganadería.

PARAÍBA del Norte *(Paraiba do Norte)* R. de Brasil; 300 km. Desemboca en el estuario de Mamanguape. • **del Sur** *(Paraiba do Sul)* Río de Brasil; 1 058 km. Nace en sierra del Mar (est. de São Paulo) y desemboca en el Atlántico.

PARAÍSO m. Lugar donde Dios puso a Adán. • El cielo de los ángeles y los justos. • Piso más alto de algunos teatros. • fig. Cualquier sitio muy ameno. • Árbol de flores lilas. Es venenoso y originario de Asia. • **terrenal.** Paraíso de Adán y Eva. ■ PARADISIACO, CA.

PARAÍSO, *El* Dpto. de Honduras, lindante con Nicaragua; 7 489 km², 346 468 hab. Cap., Yuscarán. C. pral.: Danli. Pertenece al área montañosa de la Sierra Madre centroamericana. Los ríos son tributarios del Atlántico (Guayambre y Jalán) y del Pacífico (Choluteca). Clima tropical. Café, caña de azúcar, bananas, cacao, frutales. Caoba, cedro. Ganadería. Oro (Agua Fría), plata (Yuscarán). Ind. agropecuaria.

PARAJE m. Lugar, sitio. • Estado, ocasión o disposición de una cosa.

PARAL m. Madero que sale de un mechinal o hueco de una fábrica y sostiene el extremo de un tablón de andamio. • Madero que se aplica oblicuo a una pared y sirve para asegurar el puente de un andamio.

PARALAJE f. *Astr*. Diferencia entre las posiciones aparentes que en la bóveda celeste tiene un astro, según el punto desde donde se supone observado. • **anua.** *Astr*. Diferencia de los ángulos que con el radio de la órbita terrestre hacen dos líneas dirigidas a un astro desde sus dos extremos. • **de altura.** *Astr*. Diferencia de los ángulos que forman con la vertical las líneas dirigidas a un astro desde el punto de observación y desde el centro de la Tierra. • **horizontal.** *Astr*. La de altura, cuando el astro está en el horizonte. ■ PARALÁCTICO, CA.

PARALALIA f. Forma de afasia que consiste en pronunciar un sonido distinto del que se pretende.

PARALELO, LA adj. y f. *Geom*. Díc. de las rectas o planos que cumplen la relación de paralelismo. • *Geom*. Circunferencia que se obtiene de la intersección entre una esfera y un plano paralelo a otro de referencia. • Correspondiente o semejante. • m. Comparación de una persona o una cosa con otra. • f. *Geom*. Línea paralela. • pl. *Dep*. Barras paralelas en que se hacen ejercicios gimnásticos.

PARALELEPÍPEDO m. *Geom*. Poliedro limitado por seis caras paralelas dos a dos, que son paralelogramos.

PARALELINERVIO, VIA adj. *Bot*. Díc. de las hojas que poseen las nerviaciones paralelas, sin existencia de una nerviación principal.

PARALELISMO m. *Geom*. Relación entre las rectas del plano o los planos del espacio, basada en la continuada igualdad de distancias entre dichas rectas o planos. • Forma de la poesía oriental a base de dos versos, en la que el segundo corresponde, contradice o completa al primero.

PARALELOGRAMO m. *Geom*. Polígono de cuatro lados paralelos dos a dos.

PARALEXIA f. Especie de ceguera verbal caracterizada por la trasposición de letras durante la lectura.

PARALIPÓMENOS m. pl. Dos libros canónicos del A. T., que son como el suplemento de los cuatro de los Reyes.

PARALIPSIS f. *Ret*. Preterición, figura que consiste en aparentar que se quiere omitir una cosa.

PARÁLISIS f. *Med*. Privación o disminución del movimiento de una o varias partes del cuerpo. • **infantil.** *Med*. Enfermedad infecciosa, contagiosa, que ataca de modo preferente a los niños, y cuya manifestación pral. es la parálisis fláccida e indolora de los músculos. ■ PARALÍTICO, CA.

PARALIZACIÓN f. fig. Detención que experimenta una cosa dotada de acción o de movimiento. ■ PARALIZAR.

PARALOGISMO m. Razonamiento falaz con apariencia de verdadero (→ sofisma). ■ PARALOGIZAR.

PARAMAGNETISMO m. *Fís*. Propiedad de algunas sustancias que se convierten en imanes mientras actúa sobre ellas un campo magnético exterior, y dejan de serlo cuando no están bajo la influencia del campo. ■ PARAMAGNÉTICO, CA.

PARAMARIBO Cap. y puerto pral. de Surinam, sobre el estuario del r. Surinam; 151 500 hab. Exportación de bauxita y productos agrícolas. Aeropuerto.

PARAMECIO m. Infusorio de la clase ciliados, de forma oval y alargada, con su única célula recubierta de cilios. Mide alrededor de 0,2 mm.

PARAMENTO m. Adorno o atavío con que se cubre una cosa. • Sobrecubierta o mantillas del caballo. • *Arq*. Cualquiera de las dos caras de una pared. • *Arq*. Cualquiera de las caras de un sillar labrado. ■ PARAMENTAR.

PARÁMETRO m. Constante arbitraria que aparece en la ecuación de una curva, superficie, etc. • *Comp*. Variable que puede tomar un valor diferente cada vez que se ejecuta una subrutina en la que se utiliza tal variable. Dentro de un programa, es una variable que toma un valor constante durante toda la ejecución del mismo. • *Miner*. Cada uno de los segmentos de un cristal que tiene como origen el de los ejes.

PARAMILITAR adj. De estructura y disciplina que imitan las del ejército.

PARAMNESIA f. Perturbación de la memoria caracterizada por la ilusión de reconocer algo que no se ha visto, o por la tendencia a suplir con la imaginación los fallos que pueda tener la memoria.

PÁRAMO m. Terreno yermo, raso y desabrigado. • fig. Cualquier lugar sumamente frío y desamparado. • *Bol., Col.* y *Ecuad.* Llovizna. ■ PARAMERA.

PARANÁ Est. de Brasil, junto al Atlántico, limítrofe con Paraguay y Argentina; 199 324 km^2, 9 168 000 hab. Cap., Curitiba. En su relieve se distinguen una franja costera, un territorio montañoso (Serra do Mar) y un sector mesetario que llega hasta el r. Paraná, colector de los r. Paranapanema, Ivaí, Piquirí e Iguazú. Clima cálido o templado, según la altitud. Bosques. Caña de azúcar, café. Ganado porcino. Ind. maderera. • C. y puerto de Argentina, cap. de la prov. de Entre Ríos; sit. a orillas del río Paraná; 277 338 hab. Comercio a través de su puerto fluvial. Ind. química, del cemento, de muebles, relojera, del calzado. Aeropuerto. Universidad. De 1853 a 1861, fue cap. de la rep. • Río de América del Sur; 4 500 km y 15 000 m^3 de caudal máximo. Nace en Brasil, de la unión del r. Grande con el Paranaíba. Forma la frontera paraguaya con Brasil y Argentina. Desemboca en el Atlántico por el estuario del Río de la Plata. Prales. afl.: Paraguay, Iguazú y Salado. Constituye una de las prales. vías de comunicación del subcontinente. Puertos prales.: Paraná, Santa Fe y Rosario (Argentina) y Encarnación (Paraguay).

PARANAÍBA Río de Brasil; 957 km. Nace en la sierra de Matta da Gorda (est. de Minas Gerais) y se une al r. Grande para formar el Paraná.

PARANAPANEMA R. de Brasil, afl. del Paraná; 900 km. Marca el límite entre los est. de São Paulo y Paraná.

PARANGONAR tr. Hacer comparación de una cosa con otra. • *Art. Gráf.* Justificar en una línea las letras, adornos, etc., de cuerpos desiguales. ■ PARANGÓN.

PARANINFO m. Padrino de las bodas. • El que anuncia una felicidad. • En las universidades, el que anunciaba la entrada del curso, estimulando al estudio con una oración retórica. • Salón de actos académicos en algunas universidades.

PARANOIA f. *Psiq.* Enfermedad mental que presenta un delirio crónico de persecución, grandeza, etc. ■ PARANOICO, CA.

PARANOIDE adj. Semejante a la paranoia. • Díc. de la psicosis o delirio que evoluciona de modo ilógico, incomprensible para un sujeto normal, y sin sistematización precisa.

PARANOMASIA f. Paronomasia.

PARANORMAL adj. Díc. de los fenómenos que estudia la parapsicología.

PARANZA f. Tollo, chozo o puesto donde el cazador de montería se oculta para esperar y tirar a las reses. • Pequeño corral de cañizo para coger peces.

PARAPARA f. *Ven.* Fruto del paraparo. Es negro y redondo.

PARAPARO m. *Ven.* Árbol de las sapindáceas, cuya corteza y parte exterior del fruto pueden usarse sustituyendo al jabón.

PARAPETARSE prnl. y tr. Resguardarse con parapetos. • prnl. fig. Precaverse de un riesgo por algún medio de defensa.

PARAPETO m. *Arq.* Pared o baranda que se pone para evitar caídas en los puentes, escaleras, etc. • *Mil.* Terraplén corto, formado sobre el pral., para defender a los soldados de los tiros que les pueden venir de frente.

PARAPLASMA m. *Biol.* Deutoplasma.

PARAPLEJÍA f. *Med.* Parálisis de los dos miembros inferiores. ■ PARAPLÉJICO, CA.

PARAPOCO com. fig. y fam. Persona poco avisada y corta de genio.

PARAPSICOLOGÍA f. Rama de la psicología que estudia las anomalías del conocimiento, como la percepción de sucesos pasados o futuros, o de los que no tienen justificación aparente. ■ PARAPSICÓLOGO, GA.

PARAR m. Juego de cartas en que se saca una para los puntos y otra para el banquero, y de ellas gana la primera que hace pareja con las que van saliendo de la baraja. • intr. y prnl. Cesar en el movimiento o en la acción. • intr. Ir a dar a un término o llegar al fin. • Recaer, venir o estar en dominio o propiedad de alguna cosa, después de otros dueños que la han poseído o por los cuales ha pasado. • Convertirse una cosa en otra distinta de la que se esperaba. • Habitar, hospedarse. • tr. Detener el movimiento o acción de uno. • Prevenir o preparar. • Arriesgar dinero u otra cosa de valor a una suerte del juego. • Hablando de los perros de caza, mostrarla, suspendiéndose al descubrirla, o con alguna otra señal. • tr. y prnl. Poner a uno en estado diferente del que tenía. • tr. *Esg.* Eludir con la espada el golpe del contrario. • P. ext., se dice en otros juegos y deportes. • prnl. Estar dispuestos a exponerse a un peligro. • fig. Detenerse la ejecución de un designio por algún obstáculo que se presenta. • Construido con la prep. *a* y el infinitivo de algunos verbos que significan acción del entendimiento, ejecutar dicha acción con atención y sosiego. • En algunas partes, estar de pie. • *Amér.* Ponerse de pie. • *Argent., Cuba, Ecuad.* y *Guat.* Prosperar, enriquecerse. • *Argent.* Caer de pie el jinete cuando es despedido por el caballo. • *Méx.* Despertar y levantarse. • *Amér.* Aguzar el oído, prestar atención a lo que se dice. • **la cola.** *Méx.* Salir de paseo. • **las patas.** *Amér. Centr.* y *Ant.* Morir. • **moña.** *Col.* Declararse vencido. • **Pararle** a uno **el gallo.** *Amér.* Hacerle frente, pararle el macho. • **Parársele** a uno **el pelo.** *Amér.* Ponérsele los pelos de punta a uno.

PARARRAYOS o **PARARRAYO** m. Dispositivo que se coloca sobre los edificios o los buques para preservarlos de los efectos del rayo. Consiste en una barra metálica puesta en comunicación con la tierra o con el agua mediante un cable conductor.

PARASELENE f. Halo luminoso que en ocasiones se forma alrededor de la Luna.

PARASIMPÁTICO, CA adj. y m. *Fisiol.* Díc. del sistema nervioso autónomo que no responde a órdenes del cerebro, formado por nervios motores, originados en el encéfalo, y fibras, originadas en la región pélvica, cuya sustancia intermediaria es la adrenalina.

PARASÍNTESIS f. *Gram.* Formación de vocablos en que intervienen la composición y la derivación. ■ PARASINTÉTICO, CA.

PARASITISMO m. *Biol.* Fenómeno de relación entre organismos de diferentes especies, en el cual uno de ellos se beneficia directamente del otro, que no obtiene ninguna ventaja de esta asociación. • fig. Situación de las personas que viven a costa de otras a manera de parásitos.

* *Biol.* Se puede considerar el p. como una relación de depredación entre el parásito y el huésped. Se distinguen dos clases de parásitos: 1) comensales, que no atacan directamente a la presa sino que se benefician de sus sustancias alimenticias o de excreción; sólo perjudiciales cuando por su gran núm. agotan el alimento del huésped y éste muere de inanición; 2) patógenos, cuya actuación sobre el huésped es de forma directa, nutriéndose de sus tejidos. Para que se pueda establecer un p. es necesario que los dos organismos vivan en el mismo ecosistema y que hayan evolucionados juntos.

PARÁSITO, TA adj. y m. *Biol.* Díc. de los seres que viven a expensas de otros llamados huéspedes. • fig. Díc. de los ruidos que perturban las transmisiones radioeléctricas. • m. fig. Persona que vive a expensas de otra o de otras, o que no es útil a la sociedad. • *Ling.* Elemento fónico adventicio, no etimológico; tales son los que aparecen en los casos de prótesis, epéntesis y paragoge. ■ PARASITAR; PARASITARIO, RIA; PARASITICIDA.

PARASITOLOGÍA f. Parte de la biología que estudia los seres parásitos y el parasitismo.

PARASOL m. Quitasol, sombrilla. • Distintos accesorios que se emplean con el fin de evitar los efectos de los rayos solares.

PARATA f. Bancal pequeño y estrecho, formado en un terreno pendiente, cortándolo y allanándolo, para sembrar o hacer plantaciones en él.

PARATAXIS f. *Gram.* Término con frecuencia empleado como sinónimo de coordinación.

PARATIFOIDEA f. *Pat.* Infección intestinal que ofrece la mayoría de los síntomas de la fiebre tifoidea y se diferencia de ella en originarse por un

El río **Paraná** en su desembocadura en el estuario del Río de la Plata

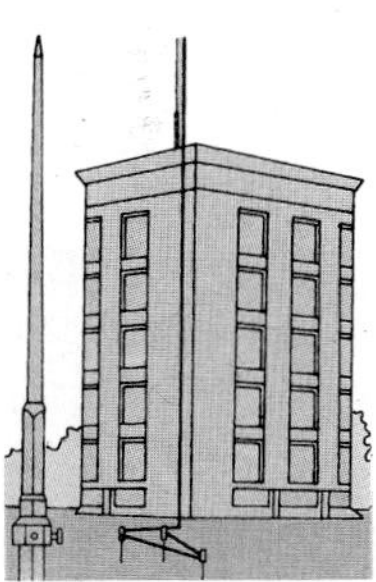

Esquema de un **pararrayos** y su instalación

Hongo **parásito** sobre una rama de rododendro

microbio distinto del específico de la tifoidea. ■ PARATÍFICO, CA.

PARATIROIDES adj. y f. *Anat.* Díc. de glándulas endocrinas que producen la hormona tiroidea, que eleva el nivel de calcio en el plasma, moviliza el calcio de los huesos y aumenta la excreción de fosfatos. Su falta condiciona la tetania hipocalcémica.

PARATOMÍA f. *Biol.* Mecanismo de reproducción asexual consistente en la fragmentación longitudinal del cuerpo de un animal.

PARATORMONA o **PARATHORMONA** f. *Fisiol.* Hormona segregada por las glándulas paratiroides, que regula el medio iónico de los tejidos y de la sangre.

Variedad de cultivos en las diferentes **parcelas** de las tierras de una granja irlandesa

PARATRAMAS m. En el telar mecánico, dispositivo de paro automático al romperse o terminarse la trama contenida en la lanzadera.

PARATROPISMO m. Tropismo que se caracteriza por disponerse el organismo u órgano afectado por el estímulo de perfil respecto a la dirección del mismo. Se opone al concepto de ortotropismo.

PARAVÁN m. Flotador especial que, remolcado entre dos aguas, protege los barcos contra las minas de contacto.

PARAVICINO y Arteaga, FRAY ***Hortensio Félix*** (1580-1633) Predicador trinitario esp. En 1617, Felipe IV le nombró predicador real. *Oraciones evangélicas*, *Obras póstumas*.

PARC, *Julio Le* (nacido 1928) Pintor arg. residente en París. Investigador del arte cinético y del *happening*.

PARCA f. *Mit.* Cada una de las tres diosas rom. que presidían el nacimiento, la vida y la muerte de los seres humanos. • fig. La muerte.

PARCELA f. Porción pequeña de terreno, de ordinario sobrante de otra mayor que se ha comprado, expropiado o adjudicado. • En el catastro, cada una de las tierras de distinto dueño que constituyen un pago o término. • Partícula, parte pequeña.

Pardillo

PARCELAR tr. Medir, señalar las parcelas para el catastro. • Dividir una finca grande para venderla o arrendarla en porciones más pequeñas. ■ PARCELACIÓN; PARCELARIO, RIA.

PARCHA f. Nombre genérico con que se conocen en algunas partes de América diversas plantas de la familia pasifloráceas. • **granadilla.** Planta de la familia pasifloráceas, propia de la América tropical, con tallos sarmentosos y trepadores, hojas gruesas y acorazonadas, flores olorosas, y fruto amarillento y con pulpa sabrosa.

PARCHE m. Pedazo de lienzo u otra cosa, en que se pega un ungüento, bálsamo, etc., y se pone en una herida o parte enferma del cuerpo. • Pedazo de tela, papel, piel, etc., que se pega sobre una cosa. • Cada una de las dos pieles del tambor. • fig. Tambor, instrumento músico. • fig. Cualquier cosa sobrepuesta y como pegada a otra, que desdice de la principal. • fig. Pegote o retoque mal hecho, especialmente en la pintura.

PARCHÍS m. Juego que se practica en un tablero con cuatro salidas, en el que cada jugador, provisto de cuatro fichas, trata de hacerlas llegar a la casilla central.

PARCIAL adj. Relativo a una parte del todo. • No cabal o completo. • Que juzga o procede con parcialidad, o que la incluye o denota. • adj. y s. Que sigue el partido de otro, o está siempre de su parte. • adj. Partícipe.

PARCIALIDAD f. Unión de algunos que se confederan para un fin, separándose del común y formando cuerpo aparte.• Conjunto de muchos, que componen una familia o facción separada del común. • Amistad, estrechez, familiaridad en el trato. • Prevención en favor o en contra de personas o cosas, en perjuicio de la neutralidad y rectitud de juicio.

Emilia **Pardo Bazán**

PARCIDAD f. Moderación, parquedad.

PARCIONERO, RA adj. Que tiene parte en una cosa. • Que entra a la parte con otros.

PARCO, CA adj. Corto, escaso o moderado en el uso o concesión de las cosas. • Sobrio, templado y moderado en la comida o bebida.

PARDAL adj. Aplícase a la gente de las aldeas, por andar regularmente vestida de pardo. • m. Leopardo. • Gorrión. • Pardillo, ave. • Anapelo. • fig. y fam. Hombre bellaco, astuto.

PARDEAR intr. Sobresalir el color pardo. • Ir tomando una cosa color pardo.

PARDELA f. Ave marina procelariforme de la familia proceláridos.

¡PARDIEZ! interj. fam. ¡Por Dios!

PARDILLO, LLA adj. y s. Aldeano, palurdo. • Persona simple y de pocos alcances. • Díc. de una clase de paño muy basto. • Díc. de una clase de vino, de baja calidad. • m. *Zool.* Ave paseriforme de la familia fringílidos, de plumaje pardo verdoso, abundante en los bosques de la Europa septentrional.

PARDO, DA adj. Del color de la tierra, o de la piel del oso común, intermedio entre blanco y negro, con tinte rojo amarillento, y más oscuro que el gris. • Oscuro, especialmente hablando de las nubes o del día nublado. • Aplícase a la voz que no tiene timbre claro y que es poco vibrante. • adj. y s. *Cuba, P. Rico* y *Ur.* Mulato, mestizo de negra y blanco o al contrario. • m. Leopardo. • **de Bismarck.** Colorante azoico que se obtiene cuando se acidula una disolución acuosa de nitrito sódico y *m*-fenilenodiamina. ■ PARDISCO, CA; PARDUSCO, CA.

PARDO, *El* Localidad de España, en la prov. de Madrid. En ella se encuentran el palacio hom., y el de la Zarzuela, residencia oficial de Juan Carlos I.

PARDO, *Manuel* (1834-1878) Político per. Fundador del Partido Civilista, dirigió la oposición al gobierno de Balta. Su mandato presidencial (1872-1876) se caracterizó por una crisis financiera que intentó remontar mediante el impuesto del salitre y la descentralización fiscal y administrativa. Murió asesinado. • **Bazán, *Emilia*** (1851-1921) Escritora esp. Influida por Zola y Balzac. *Viaje de novios*, *Los pazos de Ulloa*, *La madre Naturaleza*. • **Y Aliaga, *Felipe*** (1806-1868) Escritor y político per. Autor de comedias satíricas. *Frutos de la educación*, *Una huérfana en Chorrillos*. • **Y Barreda, *José*** (1864-1947) Político per., hijo de Manuel P. Candidato del Partido Civilista, alcanzó la presidencia de la rep. en 1904 y fue reelegido en 1915. La crisis económica y su política dictatorial le crearon un clima de impopularidad. Fue derrocado en 1919 por Leguía.

PARDUBICE C. de la Rep. Checa, en Bohemia; 93 800 hab. Centro industrial.

PARÉ, *Ambroise* (h. 1510-1590) Cirujano fr., llamado el «padre de la cirugía moderna». Fue el primero en aplicar la ligadura de las arterias para evitar hemorragias en las intervenciones quirúrgicas.

PAREADO, DA adj. *Métr.* Díc. de los dos versos que riman entre sí. • m. *Métr.* Estrofa de dos versos que riman entre sí.

PAREAR tr. Juntar, igualar dos cosas comparándolas entre sí. • Formar pares de las cosas, poniéndolas de dos en dos. • *Taur.* Poner banderillas al toro. ■ PAREO.

PARECENCIA f. Parecido, semejanza.

PARECER m. Opinión, juicio o dictamen. • Orden de las facciones del rostro y disposición del cuerpo. • intr. Aparecer o dejarse ver alguna cosa. • Opinar, creer. Suele usarse como impersonal. • Hallarse o encontrarse lo que se tenía por perdido. • prnl. Tener semejanza, asemejarse. • Tener determinada apariencia o aspecto. • **A lo que parece,** o **al p.** loc. conj. con que se explica el juicio o dictamen que se forma en una materia, según lo que ella propia muestra o la idea que suscita.

PARECIDO, DA adj. Díc. del que se parece a otro. • Con los adv. *bien* o *mal*, que tiene un aspecto físico con o sin atractivo. • Con el verbo *ser* y los adv. *bien* o *mal*, bien o mal visto. • m. Semejanza.

PARED f. Obra de fábrica levantada a plomo, con grueso, longitud y alt. proporcionados para cerrar un espacio o sostener las techumbres. • Tabique, pared delgada de ladrillos o adobes con yeso, que gralte. separa las piezas interiores de un edificio. • fig. Superficie plana y alta que forman las cebadas y los trigos cuando están bastante crecidos y cerrados. • fig. Conjunto de cosas o personas que se aprietan o unen estrechamente. • Cara o superficie lateral de un cuerpo. • *Min.* Cara lateral de una excavación. • **adiabática.** La superficie que en un sistema físico o químico no permite el intercambio de calor con el exterior o con otro sistema. • **celular.** *Biol.* Membrana rígida, producida por el citoplasma, que recubre las células por encima de la membrana ditoplasmática, a modo de esqueleto protector; es propia de los vegetales. • **diatérmana.** La superficie que en un sistema físico o químico permite la variación de los parámetros que definen un sistema termodinámico hasta que se alcanza el equilibrio térmico con otro u otros sistemas. • **maestra.** Cualquiera de las prales. y más gruesas que mantienen y sostienen el edificio. • **medianera.** La común a dos casas. • **De p.** loc. adj. Díc. de los objetos destinados a estar adosados a una pared o pendientes de ella. • **Entre cuatro paredes.** m. adv. fig. con que se explica que uno está retirado del trato de las gentes, o encerrado en su casa o cuarto. ■ PAREDAÑO, ÑA.

PAREDES, ***Mariano*** (1800-1856) Militar y político guat. En 1848 redujo el mov. independentista de Quezaltenango. Elegido presid. de la rep. en 1848, cedió el poder a Carrera en 1851. • **Y Arrillaga,** ***Mariano*** (1797-1849) Militar y político mex. Derrocó a Herrera y ocupó la presidencia de la rep. (enero-junio 1846). Intentó instaurar una monarquía.

PAREDÓN m. Pared que queda en pie, como ruina de un edificio antiguo. • Lugar donde se fusila a los condenados a muerte, gralte. junto a un muro o pared.

PAREJA f. Conjunto de dos personas o cosas que tienen alguna correlación o semejanza. • Cada una de estas personas o cosas considerada en relación con la otra. • Conjunto de dos funcionarios del orden público. • Conjunto de dos animales de la misma especie y distinto sexo. • Compañero o compañera en los bailes. • pl. En el juego de dados, los dos núm. o puntos iguales que salen de una tirada. • En los naipes, dos cartas iguales en núm. o semejantes en figura. • Arte de pesca compuesta de dos barcos que arrastran una red barredera de profundidad. • Carrera que dan dos jinetes juntos, sin adelantarse ninguno, por lo cual suelen ir con las manos unidas.

PAREJA, ***Juan de*** (h. 1610-1670) Pintor esp. En sus obras se aprecia una aguda captación de los personajes. *Vocación de san Mateo, Bautismo de Cristo.* • **Díez-Canseco,** ***Alfredo*** (1908-1993) Escritor ecuat. *Don Balón de Baba, Las pequeñas estaturas.*

PAREJERO, RA adj. y s. *Amér. Merid.* Díc. del caballo de carrera y en general de todo caballo excelente y veloz. • adj. *Ven.* Díc. de quien procura andar siempre acompañado de alguna persona calificada. • adj. y s. *P. Rico, R. Dom.* y *Ven.* Vanidoso, presumido. • adj. *Cuba.* Confianzudo, atrevido.

PAREJO, JA adj. Igual o semejante. • Liso, llano.

PAREL adj. *Mar.* Díc. del remo que boga al igual con otro de la banda opuesta de una misma bancada.

PAREMIA f. Refrán, proverbio, adagio, sentencia.

PAREMIOLOGÍA f. Tratado de refranes. ■ PAREMIOLÓGICO, CA; PAREMIÓLOGO, GA.

PARENDERA adj. y f. *Amér. Centr.* Paridera.

PARÉNESIS f. Exhortación o amonestación. ■ PARENÉTICO, CA.

PARÉNQUIMA m. *Bot.* Tejido vegetal de células esferoidales o cúbicas, separadas entre sí por meatos. • *Zool.* Tejido constituyente de los distintos órganos, formado por células diferenciadas. ■ PARENQUIMATOSO, SA.

PARENTAL adj. *Zool.* Díc. del comportamiento animal relativo al cuidado de las crías.

PARENTALIAS f. pl. En la ant. religión rom., fiestas en honor de los muertos.

PARENTELA f. Conjunto de todo género de parientes.

PARENTERAL adj. *Med.* Díc. de la administración de medicamentos por otra vía distinta a la digestiva o intestinal.

PARENTESCO m. Vínculo, conexión, enlace por consanguinidad o afinidad. • fig. Unión, vínculo o liga que tienen las cosas.

* *Antr.* La consanguinidad ha dejado de ser un lazo determinante. La sociología y la antropología moderna (Durkheim, Lévi-Strauss) ven el p. ante todo como una relación social o sistema de relaciones sociales, cuyas variantes dependen de los presupuestos predominantes en cada estructura social (jurídicos, económicos, religiosos, etc.).

PARÉNTESIS m. Oración o frase incidental, sin enlace necesario con los demás miembros del periodo, cuyo sentido interrumpe y no altera. • Signo ortográfico ( ) en que suele encerrarse esta oración o frase. • fig. Suspensión o interrupción.

PARERA, ***Blas*** (1773-1840) Músico y compositor esp. En 1813 escribió la música del himno nacional de Argentina.

PARESA f. Mujer de un par, dignidad.

PARESIA f. *Med.* Parálisis leve que consiste en la debilitación de las contracciones musculares.

PARESTESIA f. *Med.* Sensación o conjunto de sensaciones anormales, especialmente el hormigueo, adormecimiento o ardor que experimentan en la piel ciertos enfermos del sistema nervioso o circulatorio.

PARETO, ***Vilfredo*** (1848-1923) Economista y sociólogo it., discípulo y sucesor de Walras. Aplicó la formulación matemática a la teoría económica y dio a la sociología una metodología positivista. *Tratado de sociología general, Curso de economía política.*

PARGO m. Pagro.

PARHELIO m. o **PARHELIA** f. *Meteor.* Fenómeno luminoso que consiste en la aparición simultánea de varias imágenes del Sol reflejadas en las nubes y, gralte., dispuestas simétricamente sobre un halo.

PARHILERA f. *Arq.* Madero en que se afirman los pares y que forma el lomo de la armadura.

PARIA com. Individuo de la casta ínfima de los indios que siguen la ley de Brahma. • fig. Persona a quien se tiene por vil y excluida de las ventajas de que gozan las demás.

PARIA Golfo de la costa oriental de Venezuela, limitado al N por la pen. de Paria y cerrado al E por la isla de Trinidad.

PARIAMBO m. Pirriquio. • Pie de la poesía gr. y latina, que consta, como el baquio, de una sílaba breve y dos largas. • Pie de la poesía gr. y latina, que consta de una sílaba larga y cuatro breves.

PARIAS f. pl. Placenta del útero.

PARICIÓN f. Tiempo de parir el ganado.

PARICUTÍN Volcán de México, en Michoacán (cord. Neovolcánica); 2 771 m de alt.

PARIDA adj. y s. Díc. de la hembra que hace poco tiempo que parió. • f. fig. y fam. Idea intrascendente que se expone como fruto de una reflexión profunda.

PARIDAD f. Comparación de una cosa con otra por ejemplo o símil. • Igualdad de las cosas entre sí. • Condición de los núm. enteros múltiplos de dos. • Relación de una moneda con el patrón monetario internacional, o de monedas nacionales entre sí. • *Comp.* Sistema utilizado como medida de seguridad en las transmisiones de información o en la grabación de datos en la memoria. Consiste en el uso de un bit suplementario en cada palabra de la computadora, que indica si tiene un número par o impar de bits cuyo valor sea 1.

PARIDERA adj. Díc. de la hembra fecunda de cualquier especie. • f. Sitio en que pare el ganado, especialmente el lanar. • Acción de parir el ganado. • Tiempo en que pare.

PARIENTE, TA adj. y s. Respecto de una persona, díc. de cada uno de los ascendientes, descendientes y colaterales de su misma familia, por consanguinidad o afinidad. • adj. fig. y fam. Allegado, semejante o parecido. • m. y f. fam. El marido respecto de la mujer, y la mujer respecto del marido.

PARIETAL adj. Relativo a la pared, especialmente la de una cavidad o conducto del organismo. • adj. y m. *Anat.* Díc. del hueso plano, par, que forma la parte media de la bóveda craneana. • adj. y f. *Bot.* Díc. de plantas del orden parietales. • f. pl. *Bot.* Orden de plantas angiospermas dicotiledóneas, leñosas, arbustivas o herbáceas, con flores pentámeras caracterizadas por estar sus rudimentos seminales inmersos en la pared de los carpelos.

PARIETARIA f. Planta herbácea anual, de la fam. urticáceas, de hojas alternas, ásperas y lanceoladas, flores verdosas y fruto seco, envuelto por el perigonio. Se ha usado en cataplasmas.

PARIGUAL adj. Igual o muy semejante.

PARIHUELA f. Especie de angarillas compuestas de dos varas gruesas con unas tablas atravesadas en medio en forma de mesa o cajón, en las que se coloca la carga para llevarla entre dos. Se usa más en pl. • Cama portátil o camilla. Se usa más en pl.

PARIMA Cordillera de América Meridional, del Macizo Guayano-Brasileño, en el límite de Brasil y Venezuela.

Ilustración de la *Anatomía* de Ambroise **Paré** (s. XVI). Biblioteca Nacional, París

Juan de **Pareja,** por Velázquez. Metropolitan Museum, Nueva York

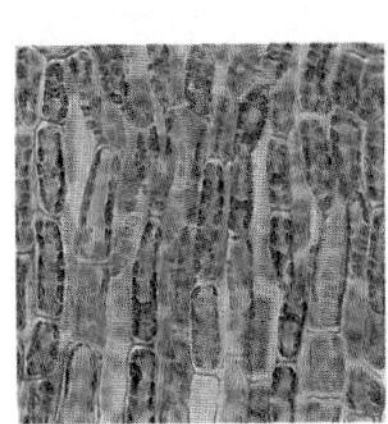

Tejido en empalizada en un **parénquima** foliar

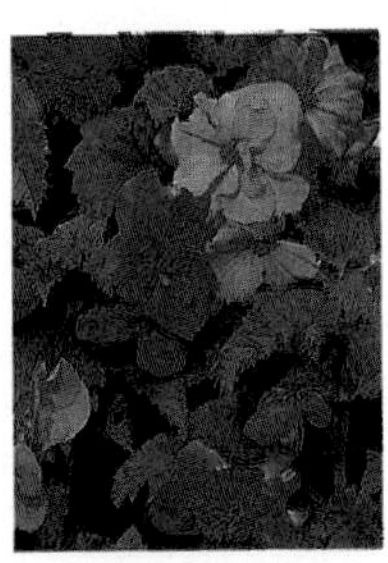

Begonia, planta del orden **parietales**

París. Vista aérea, con la avenida de los Campos Elíseos y la torre Eiffel al fondo

PARINACOCHAS Laguna de Perú, en el dpto. de Ayacucho; 64 km^2 de superficie.

PARINACOTA Prov. del N de Chile, en la región de Tarapacá; 5 200 hab. Cap., Putre. • Cerro de la cord. Occidental de los Andes, en el límite de Chile y Bolivia; 6 342 m de alt.

PARIPÉ m. fam. Ficción, simulación, engaño. • Hacer el p. Presumir.

PARIR intr. y tr. Expeler en tiempo oportuno, la hembra de cualquier especie vivípara, el feto que tenía concebido. • intr. Poner huevos las aves y otros animales. • tr. fig. Producir o causar una cosa otra, de cualquier modo que sea. • fig. Explicar bien y con acierto el concepto del entendimiento. • fig. Salir a luz o al público lo que estaba oculto o ignorado. ■ PARIDORA.

PARIS *Mit. gr.* Hijo de Príamo y Hécuba. Raptó a Helena, esposa de Menelao, lo que provocó la guerra de Troya, en el curso de la cual hirió a Aquiles y fue muerto por Filoctetes.

PARIS Gordillo, *Gabriel* (nacido 1910) Militar y político col. Participó en el golpe de Est. que derrocó a Rojas Pinilla (1957). Presid. de la junta militar (1957-1958).

PARÍS C. y cap. de Francia, del dpto. de París y de la región de Île-de-France; 2 152 400 hab. (9 318 800 hab. la agl. urb.). El núcleo inicial de la c. fue la isla de la Cité, en el Sena. Durante la segunda mitad del s. XIX se inició un imp. proceso de urbanización. La actividad industrial (construcciones automovilísticas y aeronáuticas, ind. química, electrónica) se desarrolla en la periferia. Desde el punto de vista artístico cabe señalar la iglesia de Saint-Germain-des-Prés, la catedral de Notre Dame, el palacio del Louvre, los Inválidos, la iglesia de la Madeleine, el edificio de la Ópera, la torre Eiffel, el edificio de la ORTF y el centro Pompidou. • ***Cuenca de P.*** Gran cubeta sedimentaria del N de Francia, enmarcada por los macizos de las Ardenas, los Vosgos y los macizos Central y Armoricano. Ríos: Sena, Loira, Mosa y Mosela. • ***Tratado de P.*** (10 febrero 1763) Firmado entre Francia, Inglaterra, España y Portugal, puso fin a la guerra de los Siete Años. • ***Tratado de P.*** (10 diciembre 1898) Firmado por España y EE UU, liquidó el imperio colonial esp.

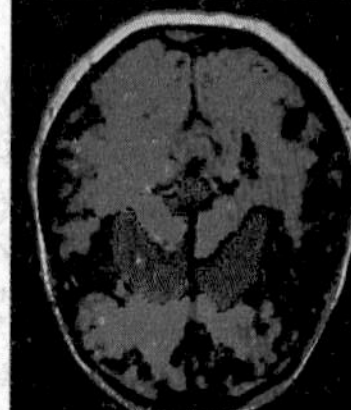
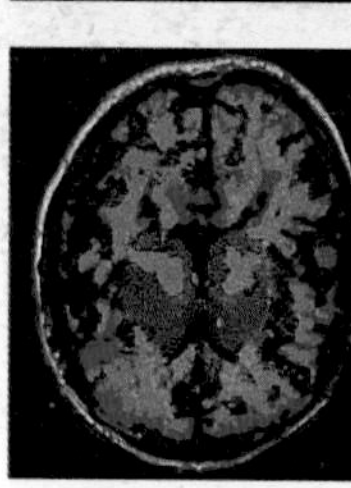

La enfermedad de **Parkinson.** Arriba, cerebro normal; abajo, cerebro afectado por dicha enfermedad

PARISIENA f. *Art. Gráf.* Carácter de letra de cinco puntos.

PARISIENSE, PARISIÉN o **PARISINO, NA** adj. y s. De París.

PARISILÁBICO, CA o **PARISÍLABO, BA** adj. y m. Se aplica al vocablo o al verso que consta de igual núm. de sílabas que otro.

PARITARIO, RIA adj. Díc. de los organismos compuestos por igual núm. de representantes de cada una de las partes interesadas, todos ellos con los mismos derechos.

PARK, *Chung Hee* → Chung Hee Park.

PARKER, *Charlie* (1920-1955) Saxofonista norteam. Creador del estilo *bop*.

PARKERIZACIÓN f. *Metal.* Proceso destinado a la protección de las aleaciones de hierro, que consiste en el recubrimiento de las mismas mediante una capa de sales de fósforo.

PARKHURST, *Helen* (1877-1959) Pedagoga norteam. Elaboró en 1912 un plan didáctico (*Laboratory Plan*), que más tarde modificó hasta establecer el plan Dalton, basado en la enseñanza individualizada.

Fachada de la catedral de **Parma**

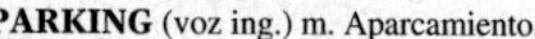

PARKING (voz ing.) m. Aparcamiento.

PARKINSON, *enfermedad de* Trastorno descrito por el médico ing. James Parkinson, y que se caracteriza por un temblor peculiar, rigidez muscular, lentitud en los movimientos voluntarios y cara inexpresiva.

PARLA f. Acción de parlar con desembarazo o expedición. • Verbosidad persuasiva y gracia en el hablar, labia. • Verbosidad insustancial.

PARLA Mun. de España en la prov. de Madrid; 69 193 hab. Núcleo industrial.

PARLADURÍA f. Expresión impertinente que desagrada.

PARLAMENTAR intr. Hablar o conversar unos con otros. • Tratar de ajustes; capitular para la rendición de una fuerza o plaza o para un contrato.

PARLAMENTARIO, RIA adj. Perteneciente al parlamento judicial o político. • m. Persona que va a parlamentar. • Ministro o individuo de un parlamento.

PARLAMENTARISMO m. *Pol.* Sistema de organización política en el que el parlamento ejerce el poder legislativo y fiscaliza la actuación del gobierno, cuyos miembros son responsables ante él.

* *Pol.* El p., que se presenta como el sistema clásico del equilibrio y colaboración de poderes, presupone teóricamente la existencia de un poder ejecutivo formado por el jefe del Est. y un gobierno encabezado por el primer ministro. El jefe del Est. no es responsable políticamente, limitándose el control político del parlamento a enjuiciar la actuación del gobierno, al que puede hacer caer mediante una moción de censura. Como réplica a este derecho, el gobierno puede disolver el parlamento y convocar nuevas elecciones. El parlamento ostenta el poder legislativo, pero el gobierno tiene la iniciativa de las leyes. Existen en la práctica varios tipos de regímenes parlamentarios.

PARLAMENTO m. Asamblea de los grandes del reino, que bajo los primeros reyes de Francia se convocaba para tratar negocios importantes. • Cada uno de los tribunales superiores de justicia que en Francia tenían además atribuciones políticas y de policía. • En gral., órgano o conjunto de órganos con funciones pralm. legislativas. • La Cámara de los Lores y la de los Comunes en Inglaterra. • P. ext., asamblea legislativa. • Razonamiento u oración que se dirigía a un congreso o junta. • Entre actores, relación larga en verso o prosa.

PARLANCHÍN, NA adj. y s. fam. Que habla mucho y sin oportunidad, o que dice lo que debía callar.

PARLAR intr. Hablar con desembarazo o expedición. • Hablar mucho y sin sustancia. • Cantar las aves. • tr. Revelar y decir lo que se debe callar o lo que no hay necesidad de que se sepa. ■ PARLANTE; PARLATORIO.

PARLERO, RA adj. Que habla mucho. • Que lleva chismes de una parte a otra, o dice lo que debiera callar, o guarda poco secreto en materia importante. • Aplícase también al ave cantora. • fig. Díc. de las cosas que de alguna manera dan a entender los afectos del ánimo o descubren lo que se ignoraba. • fig. Díc. de cosas que hacen ruido armonioso.

PARLOTEAR intr. fam. Hablar mucho y sin sustancia unos con otros, por diversión o pasatiempo. ■ PARLOTEO.

PARMA C. del N de Italia, en Emilia-Romaña, cap. de la prov. hom. Sit. a orillas del río Parma. 176 600 hab. Ind. alimentaria, mecánica, química. Universidad.

PARMELIÁCEO, A adj. y f. *Bot.* Díc. de líquenes de talo laminar, fragante, envés con rizoides, apotecios en el borde del haz y esporas pequeñas.

PARMÉNIDES de Elea (h. 540-450 a. C.) Filósofo gr. Escribió *Sobre la naturaleza*. Para él sólo es válido el conocimiento dado por la razón. De la naturaleza y de los hombres no tenemos conocimiento cierto, pues los conocemos por los sentidos.

PARMENTIER, *Antoine Augustin* (1737-1813) Farmacéutico y agrónomo fr. Difundió el cultivo de la patata en Francia. Inspector general del servicio de sanidad (1805-1813), introdujo en el ejército la vacuna antivariólica.

PARMESANO, NA adj. y s. De Parma. • f. Celosía oblicua que permite el paso de la luz, pero no de las vistas.

PARMIGIANINO, ***Francesco Mazzola,*** llamado IL (1503-1540) Pintor it. Autor de *La Madona del cuello largo,* paradigma de la estética manierista.
PARNAÍBA Río del N de Brasil; nace en la Sierra das Mangabeiras y desemboca en el Atlántico; 1 715 km. • C. y puerto de Brasil, en el NE (est. de Pianí); 57 000 hab. Centro comercial.
PARNASIANISMO m. *Lit.* Movimiento surgido en Francia, en el s. XIX, como respuesta de los poetas a la actitud de los novelistas realistas. En la primera etapa se agrupó en torno a la antología de Lemerre, «Parnaso contemporáneo» (1866) (T. Gautier, L. de Lisle, T. de Banville, Ch. Baudelaire). En el segundo parnaso (1871) destacan Sully-Prudhomme, J. M.ª Heredia, F. Coppée y C. Mendès; y en el tercero, A. France y P. Louys. ■ PARNASIANO, NA.
PARNASO m. fig. Conjunto de todos los poetas o de los de un pueblo o tiempo determinado. • fig. Colección de poesías de varios autores.
PARNASO *(Parnassos)* Macizo montañoso de Grecia, en Fócida, al NE de Delfos. Según la mitología, era la morada de Apolo y las Musas.
PARNÉ m. fam. Hacienda, caudal, bienes de cualquier clase.
PARNELL, ***Charles Stewart*** (1846-1891) Político irl. En 1879 fue elegido presid. de la Liga Agraria, organización que defendía la necesidad de la reforma agraria en Irlanda.
PARO m. Suspensión o término de la jornada industrial o agrícola. • Huelga. • Interrupción de un ejercicio o de una explotación industrial o agrícola por parte de los empresarios o patronos, en contraposición a la huelga de operarios. • *Econ.* Falta de trabajo lucrativo que afecta a un sector de las fuerzas productivas de un país, cuando la demanda de trabajo es insuficiente para absorber por completo la oferta. • *Zool.* Nombre genérico de diversos pájaros con pico recto y fuerte, alas redondeadas, cola larga y tarsos fuertes. • **carbonero** → Carbonero.
* *Econ.* El p. ha experimentado un gran incremento en los países industrializados (al punto de convertirse en su primer problema social) tras la crisis económica iniciada en 1973.
PARODIA f. Imitación burlesca de una obra literaria seria. • Cualquier imitación burlesca de una cosa seria. ■ PARODIAR; PARÓDICO, CA; PARODISTA.
PARÓNIMO, MA adj. Aplícase a cada uno de dos o más vocablos que tienen entre sí relación o semejanza. ■ PARONIMIA.
PARONIQUIEO, A adj. y s. *Bot.* Díc. de plantas de la familia cariofiláceas, herbáceas, ramosas y rastreras, de flores regulares, hermafroditas y fruto seco encerrado en el cáliz, con semillas de albumen amiláceo.
PARONOMASIA f. Semejanza entre dos o más vocablos que se diferencian por la vocal acentuada en cada uno de ellos. • Semejanza de distinta clase que entre sí tienen otros vocablos. • Conjunto de dos o más vocablos que forman paronomasia. • *Ret.* Figura que se emplea usando adrede en la cláusula voces de este género.
PARÓTIDA f. *Anat.* Glándula sit. debajo del oído y detrás de la mandíbula inferior.
PAROTIDITIS o **PAROTITIS** f. *Med.* Inflamación de la parótida, por infección debida a la baja de defensas o por epidemia (paperas) causada por un virus.
PAROXISMO m. Fase de una enfermedad en que los síntomas se manifiestan en su máx. agudeza. • Crisis repentina en que el paciente pierde la conciencia. • fig. Exaltación extrema de los afectos y pasiones . • fig. El más alto grado de algo. • *Geol.* Momento de mayor intensidad de un movimiento orogénico, sísmico, etc. ■ PAROXÍSTICO, CA.
PAROXÍTONO, NA adj. Díc. del vocablo llano o grave, es decir, aquel cuyo acento tónico recae en la penúltima sílaba.
PARPADEAR intr. Abrir y cerrar repetidamente los párpados. • Titilar, vacilar u oscilar la luminosidad de un cuerpo o de una imagen.
PARPADEO m. Acción de parpadear. • Vacilación de la luminosidad. • *Comp.* Intermitencia de una palabra o de una porción de texto dentro de una pantalla, produciéndose el efecto de encendido-apagado de aquélla.
PÁRPADO m. *Anat.* Cada uno de los repliegues músculo-membranosos, móviles, que recubren por delante el globo ocular, protegiéndolo del polvo, cuerpos extraños, etc.
PARPAR intr. Gritar el pato.
PARQUE m. Terreno cercado y con plantas, para la caza o para recreo. • Jardín extenso, con arbolado, en el interior o al lado de una ciudad. • Depósito o almacén de material vario. • Conjunto de aparatos o materiales destinados a un servicio público. • Zona de aparcamiento transitorio para automóviles y otros vehículos. • *Mil.* Lugar donde se colocan las municiones de guerra en los campamentos, y también aquel en que se sitúan los víveres y vivanderos. • Especie de plataforma con una barandilla, donde se deja a los niños pequeños para que se muevan sin peligro. • **de artillería.** Paraje en que se reúnen efectos pertenecientes a la artillería. • **nacional.** Territorio acotado por el Est. para que en él se conserven especies interesantes de la fauna y la flora. • **zoológico.** Lugar en que se conservan, cuidan y crían animales, para el conocimiento de la zoología.
PARQUÉ o **PARQUET** m. Entarimado de maderas finas, ensambladas, formando dibujos geométricos.
PARQUEDAD f. Moderación económica y prudente en el uso de las cosas. • Parsimonia.
PARRA f. Vid, y en especial la que está levantada artificialmente y extiende mucho sus vástagos. • *Amér. Centr.* Especie de bejuco que destila un agua que beben los caminantes. • **de Corinto.** Casta de vid originaria de Corinto, cuya uva no tiene granillos y hecha pasa es muy apreciada en el comercio. • **Subirse** uno a **la p.** fig. y fam. Encolerizarse. • fig. y fam. Darse importancia.
PARRA, ***Aquileo*** (1825-1900) Político col. Presid. de la rep. (1876-1878) como candidato liberal. Derrotó a los conservadores en la guerra civil. • ***Félix*** (1845-1919) Pintor mex., academicista. *Fray Bartolomé de las Casas, Galileo.* • ***Nicanor*** (nacido 1914) Poeta chileno. *Canciones sin nombre, Poemas y antipoemas.* • ***Teresa de la*** (1889-1936) Seud. de *Ana Teresa P. Sanojo,* escritora ven. *Ifigenia.* • ***Violeta*** (1917-1966) Cantautora chil., hermana de Nicanor P. Realizó una profunda investigación de la música de su país. Dio a sus canciones un marcado contenido social, logrando grandes éxitos por todo el mundo. Cultivó la pintura y la escultura. Se suicidó.
PARRAFADA f. fam. Conversación detenida y confidencial entre dos o más personas. • Periodo largo y reiterativo en un discurso, conversación, texto, etc. Se suele usar con sentido despectivo.
PARRAFEAR intr. Hablar sin gran necesidad y con carácter confidencial una persona con otra. ■ PARRAFEO.
PÁRRAFO m. Cada una de las divisiones de un escrito señaladas por la letra mayúscula al principio del renglón y punto y aparte al final del trozo de escritura. • Signo ortográfico (§) con que se denota cada una de estas divisiones.
PARRAL m. Conjunto de parras sostenidas con armazón de madera u otro artificio. • Sitio donde hay parras. • Viña que se ha quedado sin podar y cría muchos vástagos.
PARRANDA f. fam. Holgorio, fiesta, jarana. • Cuadrilla de personas que salen de noche tocando instrumentos de música o cantando, para divertirse. • **Andar de p.** Salir con amigos a divertirse. ■ PARRANDEAR; PARRANDEO; PARRANDERO, RA; PARRANDISTA.
PARRAR intr. Extender mucho sus ramas los árboles y plantas, al modo de las parras.
PARRAS Mun. de México, en el est. de Coahuila; 33 200 hab. Fábricas de conservas, licores, tejidos.
PARRESIA f. *Ret.* Figura que consiste en aparentar que se habla audazmente al decir cosas, ofensivas al parecer, y en realidad gratas para aquel a quien se dicen.
PARRICIDA adj. y s. Persona que mata a su padre, o a su madre, o a su cónyuge. • P. ext., persona que mata a alguno de sus parientes o de los que son tenidos por padres.
PARRICIDIO m. En significación estricta y p. ext., reciprocidad o equiparación legal, muerte violenta que uno da a su ascendiente, descendiente o cónyuge.

La Madona del cuello largo, tabla de Il **Parmigianino.** Galería de los Ufizzi, Florencia (Italia)

Detalle de *El* **Parnaso,** fresco de Rafael. Sala de la Segnatura, Vaticano

Rama de **parra**

Parrillada de carne en Montevideo

PARRILLA f. Utensilio de cocina formado de una rejilla de hierro con mango y pies, y a propósito para poner a la lumbre lo que se ha de asar. También se usa en pl. • Armazón de barras de hierro donde, en el hogar de los hornos de reverbero y de las máquinas de vapor, se quema el combustible. • Restaurante en el que se preparan asados a la vista de la clientela. • Botija ancha de asiento y estrecha de boca.

PARRILLADA f. Plato compuesto por pescados y mariscos asados a la parrilla. • **de carne.** Plato similar al anterior en su confección, pero compuesto de carnes y embutidos frescos.

PARROCHA f. Sardina chica.

PÁRROCO adj. y m. Sacerdote a quien se ha conferido una parroquia, en la cual ejerce la cura de almas bajo la autoridad del ordinario del lugar.

PARRÓN m. Parra o vid silvestre. • *Chile.* Parral, emparrado.

PARROQUIA f. Iglesia en que se administran los sacramentos y se atiende espiritualmente a los fieles de una feligresía. • Feligresía, conjunto de feligreses. • Territorio que está bajo la jurisdicción espiritual del cura párroco. • Clero destinado al culto y administración de sacramentos en una feligresía. • Conjunto de personas que acuden a surtirse de una misma tienda, que se sirven del mismo sastre, etc. • *Ven.* En el Distrito Federal, división administrativa que equivale al municipio. ▪ PARROQUIAL; PARROQUIANO, NA.

PARRY, ***William Edward*** (1790-1855) Explorador brit. Dirigió varias expediciones al polo Norte. *Cuatro viajes al polo Norte.*

PARSEC m. *Astr.* Unidad de medida de las distancias interestelares. Equivale a 3,26 años luz o a $3{,}09 \cdot 10^{13}$ km.

PARSI adj. y m. *Etn.* Díc. de los individuos de un pueblo que desciende de los persas seguidores de Zaratustra. • adj. Relativo a dicho pueblo. • m. Sistema de transcripción lingüística al persa de los textos en ant. pelvi. • m. pl. Pueblo parsi.

PARSIFAL o **PERCEVAL** Protagonista de la obra hom., de Wolfram von Eschenbach, inspirada en Chrétien de Troyes, según las leyendas de la Tabla Redonda y del Santo Grial.

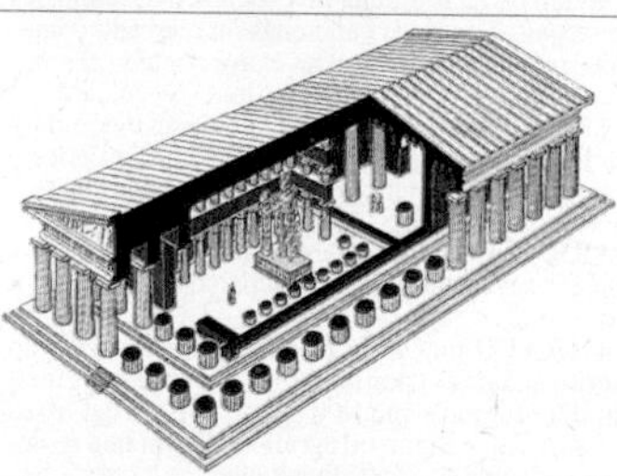

Partenón. A la derecha, reconstrucción ideal; abajo, parte de la columnata exterior

PARSIMONIA f. Frugalidad y moderación en los gastos. • Circunspección, templanza. • Flema, lentitud. ▪ PARSIMONIOSO, SA.

PARSISMO m. Nombre dado modernamente a la religión de Zaratustra profesada por el pueblo → parsi, cuyos miembros creen en la supremacía de Ormuz.

PARSONS, ***Charles Algernon*** (1854-1931) Ingeniero brit., inventor de la turbina de vapor que lleva su nombre. *La turbina de vapor.* • ***Talcott*** (1902-1979) Sociólogo norteam. Uno de los prales. teóricos del funcionalismo. *La estructura de la acción social, El sistema social.*

PARTE f. Porción indeterminada de un todo. • Cantidad o porción especial o determinada de un agregado numeroso. • Porción que se da a uno en repartimiento o cuota que le corresponde en cualquier comunidad o distribución. • Sitio o lugar. • Cada una de las divisiones prales. comprensivas de otras menores, que suele haber en una obra científica o literaria. • En ciertos gén. literarios, obra entera, pero relacionada con otra u otras que también se llaman partes. • Cada uno de los ejércitos, facciones, sectas, banderías, etc., que se oponen, luchan o contienden. • Cada una de las personas que contratan entre sí o que tienen participación o interés en un mismo negocio. • Cada una de las personas o grupos de ellas que contienden, discuten o dialogan. • Cada una de las palabras de que se compone un renglón. • Con la prep. *a* y el pron. *esta*, significa el tiempo presente o la época de que se trata, respecto del tiempo pasado. • Lado a que uno se inclina o se opone en cuestión, riña o pendencia. • Papel representado por un actor en una obra dramática. • Cada uno de los actores o cantantes de que se compone una compañía. • Cada uno de los aspectos en que se puede considerar una persona o cosa. • *Der.* Litigante. • Escrito, ordinariamente breve, que se envía a una persona para darle aviso urgente. • Comunicación de cualquier clase transmitida por el telégrafo o el teléfono. • Usado como adv., sirve para distribuir en la oración los extremos de ella. • Con la prep. *de* indica procedencia u origen. • f. pl. Prendas y dotes naturales que adornan a una persona. • Facción o partido. • Órganos de la generación. • **alícuota.** La que divide exactamente a un todo; como 3 respecto de 12. • **de la oración.** *Gram.* Cada una de las distintas clases de palabras que tienen en la oración diferente oficio. • **Partes de un conjunto A.** *Mat.* Cualquier subconjunto de *A*, incluidos el propio *A* y el conjunto vacío. Al conjunto de los subconjuntos de *A* se le llama conjunto de las p. de A, comúnmente designado por *P* (*A*). • **Dar p.** fr. Notificar, dar cuenta, avisar de lo sucedido. • Dar participación en un negocio. • **De p. de.** m. adv. En nombre de, o por orden de. • A favor de. • **En p.** m. adv. En algo de lo que pertenece a un todo. • **Entrar a la p.** Ir a la parte. • **Hacer uno de su p.** Aplicar los medios que están a su arbitrio, posibilidad o comprensión, para el logro de un fin. • **Hacer las partes.** Distribuir un todo en partes. • **Ir a la p.** Interesarse o tener parte con otra u otras personas en un negocio, trato o comercio. • **Llevar** uno **la mejor,** o **la peor, p.** Estar próximo a vencer, o a ser vencido. • Salir beneficiado, o perjudicado, de un asunto, negocio, etc. • **Por mi p.** m. adv. Por lo que a mí toca o yo puedo hacer. • **Por partes.** m. adv. Con distinción y separación de los puntos y circunstancias de la materia que se trata. • **Tener** uno **de su p.** a otro. Contar con su favor.

PARTEAR tr. Asistir el facultativo o la comadre a la mujer que está de parto.

PARTELUZ m. Ajimez.

PARTENER o **PARTENAIRE** com. Persona que forma pareja con otra en cualquier actividad, pero especialmente en un espectáculo.

PARTENOCARPIA f. *Agr.* y *Bot.* Fructificación sin fecundación, verificada natural o artificialmente para la obtención de frutos sin semillas.

PARTENOGÉNESIS f. *Biol.* Modo de reproducción por división reiterada de células sexuales femeninas no fecundadas. ▪ PARTENOGENÉTICO, CA.

PARTENÓN Templo erigido en honor de la diosa Atenea en la Acrópolis de Atenas, construido por Ictinos y Calícrates (447-438 a. C.) y decorado por Fidias. De orden dórico, con 70 × 31 m, tiene ocho columnas en la fachada pral. y diecisiete en las laterales.

PARTERO, RA m. y f. Persona con títulos legales que asiste a una parturienta. • f. Mujer que, sin tener estudios o titulación específicos, ayuda o asiste a la parturienta.

PARTERRE m. Cuadro de un jardín adornado con césped y flores.

PARTESANA f. Arma ofensiva, a modo de alabarda, con el hierro grande, ancho, cortante por ambos lados, adornado en la base con dos aletas y encajado en un asta de madera.

PARTIA Ant. región de Asia, al SE del mar Caspio, habitada por los partos.

PARTICIÓN f. o **PARTIMIENTO** m. Acción y efecto de partir o de repartir. • *Mat.* Una familia de subconjuntos no vacíos define una p. del conjunto cuando todo elemento del conjunto está en uno y sólo uno de los subconjuntos. • *Comp.* Zona de la memoria principal de una computadora que trabaja en multiprogramación que se reserva para contener uno de los programas que se está ejecutando junto con los datos con los que opera. Al trabajar así, una computadora puede tener varias divisiones, y cada una de ellas con todos los datos especificados.

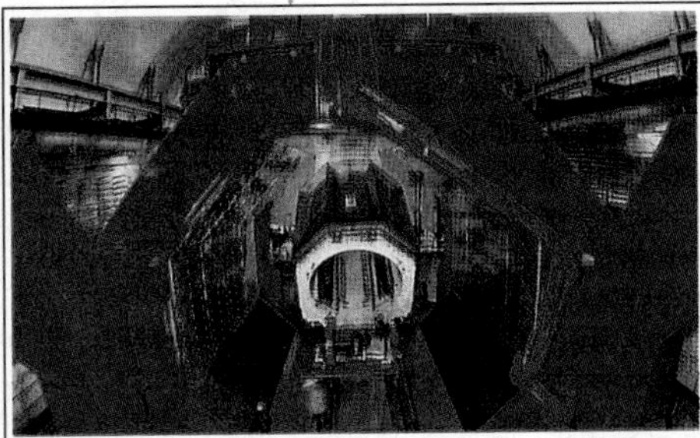

1

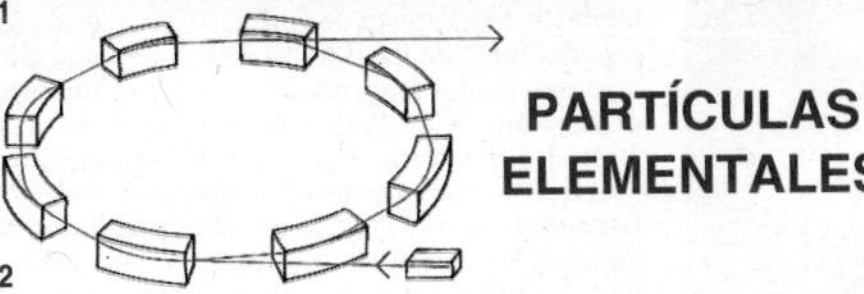

2

PARTÍCULAS ELEMENTALES

	Partícula	Símbolo	Carga eléctrica (en unidades de la carga	Espín (en unidades de h/π	Masa (en MeV: 1 MeV≅ el doble de la masa del electrón
LEPTONES	Electrón	e	−1	1/2	0.51
	Muón	μ	−1	1/2	106
	Tau	τ	−1	1/2	2.000
	Neutrino electrónico	ν_e	0	1/2	$<10^{-5}$
	Neutrino muónico	ν_μ	0	1/2	<0.5
	Neutrino tauónico	ν_τ	0	1/2	<100
QUARKS	Down	d	−1/3	1/2	8
	Up	u	2/3	1/2	4
	Strange	u	−1/3	1/2	200
	Charm	c	2/3	1/2	1.500
	Bottom	b	−1/3	1/2	5.500
	Top	t	2/3	1/2	>20.000
	Gluones	g	0	1	0
	Fotón	γ	0	1	0
	Bosones Vectoriales	W^+W^-	+1. −1	1	80.000
	Bosón Z	Z	0	1	90.000
	Higgs*	H^o	0	0	>20.000
	Gravitón*	G	0	2	0

* No han sido observadas experimentalmente (aún)

1. y 2. El estudio de los constituyentes fundamentales de la materia se realiza haciendo colisionar partículas aceleradas a altas velocidades en aceleradores de partículas, por los que circulan guiadas por campos magnéticos.
3. y 4. Los haces de partículas chocan en detectores que registran las trazas de las nuevas partículas formadas.

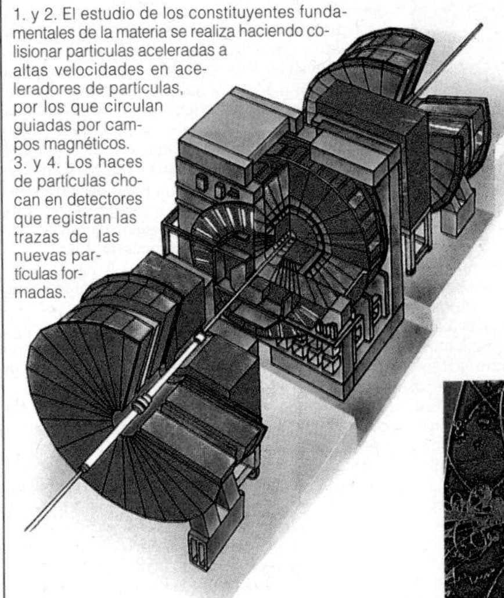

3

En la tabla figuran las partículas que actualmente se consideran como realmente fundamentales. Existen además todas sus antipartículas. No aparecen, por ejemplo, el protón y el neutrón porque están formados por quarks: el protón por dos quarks *up* y un quark *down* (uud), y el neutrón por un quark *up* y dos quarks *down* (udd). El protón y el neutrón son nucleones, partículas que junto a los pesados e inestables hiperones integran el grupo de los bariones, formados siempre por tres quarks. Los bariones y los mesones (kaones, piones, etc.), formados por un quark y un antiquark, integran el grupo de los hadrones, que sufren la interacción fuerte. Los leptones, que son realmente partículas fundamentales, no sufren esta interacción. Las partículas del último grupo de la tabla son las partículas transmisoras de las diferentes interacciones (fuerte, débil, electromagnética y gravitatoria).

4

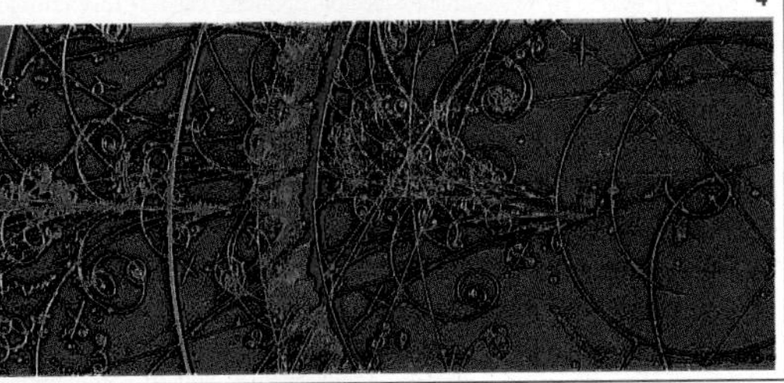

PARTICIPACIÓN f. Acción y efecto de participar. • Aviso o noticia que se da a uno. • Parte que se recibe de algo. • Cada fracción que se hace de un décimo de lotería, para jugar cantidades inferiores a la mínima oficial. • Tarjeta en la que se comunica un acontecimiento. • Intervención de los miembros de un grupo, empresa, etc., en la gestión de este mismo grupo o empresa, con poder decisorio.

PARTICIPAR intr. Tomar uno parte en una cosa. • Recibir una parte de algo. • Compartir, tener algo en común con otro u otros. • tr. Dar parte, informar, comunicar. ■ PARTÍCIPE.

PARTICIPIO m. *Gram.* Forma del verbo que participa ya de la índole del verbo, ya de la del adjetivo. Como tal, hace a veces oficio de nombre. Se divide en activo y pasivo. Suele llamarse de presente al primero y de pretérito al segundo. Algunos de los pasivos toman significación activa (*callado*, el que calla). ■ PARTICIPIAL.

PARTÍCULA f. Parte pequeña. • *Fís.* Cada uno de los corpúsculos que constituyen el átomo. • *Gram.* Parte indeclinable de la oración.

PARTICULAR adj. Propio y privativo de una persona o cosa. • Especial, extraordinario. • Singular o individual, como contrapuesto a universal o general. • adj. y s. Díc. del que no tiene título o empleo que lo distinga de los demás. • adj. Díc. del acto extraoficial o privado que ejecuta la persona que tiene oficio público. • Díc. de lo privado, de lo que no es de propiedad o uso públicos. • *Lóg.* Díc. de la proposición cuyo sujeto se toma sólo en una parte de su extensión. • m. Punto o materia de que se trata. • **En p.** m. adv. Distinta, singular o especialmente.

PARTICULARIDAD f. Singularidad, especialidad, individualidad. • Distinción que en el trato o cariño se hace de una persona respecto de otras. • Cada una de las circunstancias o partes menudas de una cosa.

PARTICULARISMO m. Preferencia excesiva que se da al interés particular sobre el general. • Propensión a obrar por el propio albedrío.

PARTICULARIZAR tr. Expresar una cosa con todas sus circunstancias y particularidades. • Hacer distinción especial de una persona en el afecto, atención o correspondencia. • Centrar la atención sobre un tema muy particular y concreto cuando se está tratando un asunto más general. • prnl. Distinguirse, singularizarse en una cosa. ■ PARTICULARIZACIÓN.

PARTIDARIO, RIA adj. y s. Que sigue un partido o bando, o entra en él. • Adicto a una persona o idea. • m. Paisano que hace la guerra de guerri-

Maniquí de un oficial de infantería alemana del s. XVIII con una **partesana**

llas, guerrillero. • En algunas zonas mineras, el que contrata o arrienda un modo especial de laboreo.

PARTIDAS, ***Las siete*** Compilación jurídica en cast. de Alfonso X el Sabio, iniciada h. 1251; es la sistematización del derecho más imp. de la E. Med.

PARTIDISMO m. Adhesión o sometimiento a las opiniones de un partido con preferencia a los intereses generales. • Falta de imparcialidad en un asunto en que se debería ser objetivo. ■ PARTIDISTA.

Partidas de ajedrez en un parque público

PARTIDO, DA adj. Generoso, liberal y que reparte con otros lo que tiene. • m. Parcialidad o coligación entre los que siguen una misma opinión o interés. • Provecho, ventaja o conveniencia. • Amparo, favor o protección. • En el juego, conjunto de compañeros que entran en él contra otros. • En el juego, ventaja que se da al que juega menos, como para compensar la habilidad del otro. • Trato, convenio o concierto. • Medio que se adopta para conseguir una cosa. • Distrito o territorio de una jurisdicción o administración que tiene por cabeza un pueblo principal. • Conjunto de personas que siguen y defienden una misma facción, opinión o causa. • En ciertos juegos, competencia concertada entre los jugadores. • *Argent.* En las prov. de Buenos Aires y Chaco, municipio. • *Dep.* Competición en que se enfrentan dos jugadores o dos equipos. • f. Acción de partir o salir de un punto. • Registro o asiento de bautismo, confirmación, matrimonio o entierro, que se escribe en los libros de las parroquias o del registro civil. • Copia certificada de alguno de estos registros. • Cada uno de los artículos y cantidades parciales que contiene una cuenta. • Cantidad o porción de un género de comercio; como trigo, aceite, madera, lencería. • Pequeño grupo de tropas que hace la descubierta o grupo de paisanos armados sin un mando militar superior. • Conjunto poco numeroso de gente armada, con organización militar u otra semejante. • Conjunto de personas de ciertos trabajos u oficios. • Cada una de las manos de un juego, o conjunto de ellas previamente convenido. • Cantidad de dinero que se atraviesa en ellas. • Conjunto de compañeros que juegan contra otros. • Núm. de manos de un mismo juego necesarias para que cada uno de los jugadores gane o pierda definitivamente. • fam. Comportamiento o proceder. Se usa gralte. con calificativo, o en tono exclamatorio. • Parte o lugar. • fig. Muerte del hombre. • **político.** *Pol.* Organización política, formada por personas de similar tendencia ideológica, cuyo objetivo es obtener el poder del Est. e imponer su programa político. • **Tomar p.** *Mil.* Alistarse en un ejército los que eran del contrario. • Hacerse de una bandería. • Determinarse o resolverse el que estaba suspenso o dudoso en decidirse. • **Partida de caza.** Excursión de varias personas para cazar. • **doble.** *Cont.* Método de cuenta y razón, en que se llevan a la par el cargo y la data.

* *Pol.* El origen de los p. políticos se basa en la creación de comités extraparlamentarios para elegir los representantes del poder legislativo. Surgieron así los p. de notables. Frente a ellos nacieron en el s. XIX los p. de masas, organizados por los socialistas. Los p. comunistas propugnaron un nuevo tipo de organización (centralismo democrático). En el s. XX surgieron los p. fascistas, fuertemente jerarquizados.

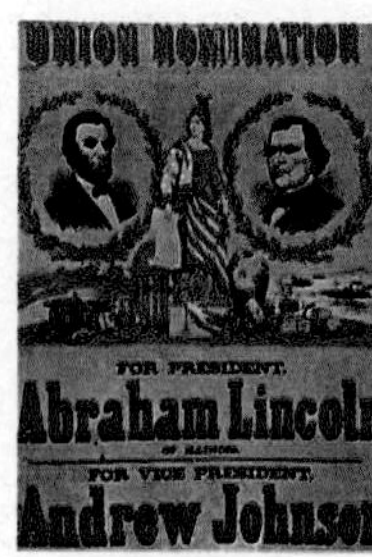

Cartel de propaganda electoral en favor de Abraham Lincoln, líder del **Partido Republicano** de EE UU que fue elegido presidente en 1860

PARTIDO Colorado Organización política ur., fundada en 1836 por el general Fructuoso Rivera. Gobernó casi todo el resto del siglo pasado, y el actual, hasta 1959. Retornó al poder en 1967 con Pacheco Areco y J. M.ª Bordaberry, depuesto por los militares en 1976. Volvió al poder con Julio M. Sanguinetti en 1984 y 1994, y con Jorge Batlle en 1999. • **Colorado** o **Asociación Nacional Republicana.** Partido político par. fundado en 1887 por Bernardino Caballero. Desde 1954 su jefe es A. Stroessner, quien fue presidente del país hasta 1989. • **Comunista de Chile** (*PCCH*). Organización política chil. fundada en 1922. Integró en 1970 la *Unidad Popular*. • **Comunista de China** (*PCCh*). Partido político fundado en Shanghai en 1921, con la fusión de diversos grupos marxistas. Tras la toma del poder (1949), ha sido el impulsor de la política del gobierno. • **Comunista de Cuba** (*PCC*). Partido único cub. Fundado en 1961, al integrar en una única organización los mov. revolucionarios.• **Comunista de España** (*PCE*). Partido político esp. fundado en 1921. En 1936 participó en el Frente Popular. Durante el franquismo aglutinó a la oposición clandestina. Legalizado en 1977. • **Comunista de la Unión Soviética** (*PCUS*). Partido político sov. continuador del Partido Bolchevique. En 1918 los bolcheviques lo denominaron Partido Comunista Bolchevique. Stalin suprimió el término bolchevique (1952), y el partido pasó a denominarse Partido Comunista de la Unión Soviética. • **Conservador.** Organización política col., surgida con la indep., representante de los terratenientes y de la extrema derecha. Ha compartido el poder con los liberales. • **De Acción Nacional.** Fuerza política mex. fundada en 1939 por banqueros y empresarios opuestos a Lázaro Cárdenas. De orientación conservadora, ganó las elecciones presid. en julio de 2000 de la mano de Vicente Fox. • **De Liberación Nacional.** Organización política cost., de tendencia socialdemócrata. Fundado en 1951. En 1986 su candidato Óscar Arias accedió a la presidencia del país. • **De Unidad Social Cristiana** (*PUSC*). Organización política cost., de tendencia socialcristiana. Fundado en 1983. • **Democracia Cristiana Guatemalteca** *(PDCG)*. Organización política guat. fundada en 1968. En 1985 ganó las elecciones y situó en la presidencia de la república a Vinicio Cerezo. • **Demócrata.** Organización política de EE UU fundada en 1828. En sus primeros años apoyó la esclavitud, lo que provocó la escisión que dio lugar al P. Republicano. De carácter liberal e imperialista. • **Demócrata Cristiano de Chile** (*PDC*). Organización política chil. fundada en 1967 por E. Frei, M. Garretón y B. Leighton. Ocupó el poder tras las elecciones de 1964. En 1973 respaldó el golpe de Pinochet, pero post. reclamó la normalización institucional. • **Febrerista Revolucionario** (*PFR*). Organización política par. nacionalista y de centro izquierda, fundada en 1951. • **Justicialista.** Organización política argent. fundada en 1945 y dirigida por Perón como sección del movimiento Justicialista. Su líder fue presid. de la rep. entre 1946 y 1955, año en que fue derrocado, y de 1973 a 1974. Clandestino de 1955 a 1973 y de 1976 a 1982. • **Liberal.** Organización política col. que, desde la indep., se ha alternado en el poder con el P. Conservador. Desde la formación del Frente Nacional (1958) hasta 1974 la alternancia ha sido rotativa. • **Nacional** o **Blanco.** Organización política ur. fundada en 1836 por el brigadier M. Oribe. De orientación conservadora, este siglo ha gobernado de 1959 a 1967. • **Popular.** Nombre que adoptó la organización política esp. Alianza Popular en 1989. Presidido por José M.ª Aznar desde 1990, ganó las elecciones en 1996 y 2000. • **Popular Cristiano** (*PPC*). Organización política per. fundada en 1968, como consecuencia de una escisión en el Partido Demócrata Cristiano. De tendencia conservadora, en los comicios de 1978 para elegir una asamblea constituyente obtuvo el segundo puesto. • **Republicano.** Organización política de EE UU, fundada en 1854 por enemigos de la esclavitud. Su primer presid. fue A. Lincoln. Apoyado en los industriales de la costa atlántica, evolucionó hacia la derecha. La elección de Ronald Reagan como presid. en 1980 y 1984 le devolvió la hegemonía. • **Revolucionario Institucional** (*PRI*). Una de las principales fuerzas políticas de México, fundada en 1929 con el nombre de Partido Nacional Revolucionario. Su denominación actual data de 1946. Desde su formación controló importantes sectores de la vida nacional, venciendo en todas las elecciones hasta 2000, año en que fue derrotado en las elecciones presidenciales por el PAN. • **Socialista de Chile** (*PSCH*). Organización política chil. fundada en 1933. En 1970 integró la *Unidad Popular* que impulsó a su líder S. Allende a la presidencia de la rep. Tras el golpe militar se organizó a nivel sindical. • **Socialista Obrero Español** (*PSOE*). Organización política fundada en 1879. Felipe González fue secretario general del partido entre 1976 y 1997. Ganó las elecciones de 1982, 1986, 1990 y 1993, siendo derrotado en 1996 por el Partido Popular.

PARTIDURA f. Crencha, raya.

PARTIR tr. Dividir una cosa en dos o más partes. • Hender, rajar. • Repartir o distribuir una cosa entre varios. • Romper o cascar los huesos de algunas frutas, o las cáscaras duras, para sacar su almendra. • Distinguir o separar una cosa de otra, determinando lo que a cada una pertenece. • Distribuir o dividir en clases. • *Mat.* Dividir, hallar cuántas veces una cantidad está contenida en otra. • intr. Tomar un hecho, una fecha o cualquier otro antecedente como base para un razonamiento o cómputo. • fig. Resolver o determinarse el que estaba suspenso o dudoso. • intr. y prnl. Empezar a caminar, ponerse en camino. • intr. fig. y fam. Desbaratar, desconcertar, anonadar a uno. • prnl. Dividirse en opiniones o parcialidades.

PARTISANO, NA adj. Díc. del miembro de cada una de las fuerzas irregulares que, durante la II Guerra Mundial, operaban en guerrillas contra las fuerzas al. de ocupación.

PARTITA f. Forma musical semejante a la sonata.

PARTITIVO, VA adj. Que puede partirse o dividirse. • *Gram.* Díc. del nombre y del adjetivo numeral que expresan división del todo en partes.

PARTITURA f. Texto de una obra musical.

PARTO, TA adj. y s. Díc. de individuos de un pueblo de origen indoeuropeo que se estableció en Irán en el primer milenio a. C. • m. *Fisiol.* Acción de parir. • El ser que ha nacido. • fig. Cualquier producción física. • fig. Producción d el entendimiento o ingenio humano, y cualquiera de sus conceptos declarados o dados a luz. • fig. Cualquier cosa especial que puede suceder y se espera que sea de importancia. ■ PARTURIENTA; PARTURIENTE.

* *Fisiol.* El p. es el conjunto de fenómenos mecánicos y fisiológicos que provocan la salida del feto y de sus anexos fuera de las vías genitales maternas, a partir del sexto mes de embarazo (si es antes se llama aborto).

PARUSÍA f. En el N. T., segunda venida de Cristo al mundo.

PARVADA f. *Agr.* Conjunto de parvas. • Pollada, conjunto de pollos recién nacidos.

PARVEDAD f. Pequeñez, poquedad, cortedad.

PARVERO m. Montón largo que se forma de la parva para aventarla.

PARVIFICAR tr. Amenguar el tamaño de alguna cosa. • tr. y prnl. Empequeñecer, escasear.

PARVO, VA adj. Pequeño. • f. Parvedad, corta porción de alimento. • Mies tendida en la era para trillarla, o después de trillada, antes de separar el grano. • Desayuno, entre la gente trabajadora. • fig. Montón o cantidad grande de una cosa.

PARVULARIO m. Establecimiento docente que se ocupa de la educación preescolar.

PARVULEZ f. Pequeñez, poquedad. • Sencillez, candor.

PÁRVULO, LA adj. De muy corta edad. • adj. y s. Niño pequeño. • fig. Inocente, fácil de engañar. • fig. Humilde, cuitado.

PAS *Quím.* Siglas de *paraaminosalicílico*, ácido orgánico obtenido a partir del meta-amino fenol, y que se usa en el tratamiento de la tuberculosis.

PASACALLE m. *Mús.* Danza de origen esp., de ritmo ternario o binario. • *Mús.* Marcha popular de compás muy vivo.

PASACARNE f. *Amér. Centr.* Alga de río, usada como pasto para el ganado.

PASADENA C. de EE UU, en el est. de California; 119 400 hab. Sit. en el á. metr. de Los Ángeles.

PASADERO, RA adj. Que se puede pasar con facilidad. • Medianamente bueno de salud. • Díc. de la cosa que es tolerable y puede pasar, aunque tenga defecto o tacha. • adj. y f. En las paredes de mampostería, díc. de la piedra que atraviesa toda la pared y sobresale en el paramento exterior. • adj. Que goza de mediana salud, belleza, etc. • m. Piedra para atravesar sobre el agua. • Cualquier cosa que se pone para atravesar una corriente. • f. Cada una de las piedras que sirve para atravesar un río, charco, arroyo, etc.

PASADILLO m. Especie de bordadura que pasa por ambos lados de la tela.

PASADIZO m. Paso estrecho que en las casas o calles sirve para ir de una parte a otra atajando camino. • fig. Cualquier otro medio que sirve para pasar de una parte a otra.

PASADO, DA adj. y s. Pretérito, tiempo verbal. • m. Tiempo que pasó; cosas que sucedieron en él. • Militar que ha desertado de un ejército, y sirve en el enemigo. • pl. Ascendientes y antepasados. • f. Acción de pasar de una parte a otra. • Paso geométrico. • Partida de juego. • fig. y fam. Mal comportamiento de una persona con otra. • Sitio por donde se pasa. • Puntada larga que se da en la ropa al remendarla. • Cada aplicación o capa que se da de una cosa. • En una labor de punto, hilera o vuelta. • Carrera de trabajo útil realizada por una máquina-herramienta sobre la pieza que está en curso de mecanización. • **De pasada.** m. adv. De paso.

PASADOR, RA adj. y s. Que pasa de una parte a otra. Díc. del que pasa contrabando de un país a otro. • m. *Mec. apl.* Dispositivo destinado a fijar de forma precisa la posición relativa de dos órganos mecánicos. • Cilindro de hierro o de cobre, que sirve a los fundidores para hacer tubos sin soldadura. • m. Especie de flecha o saeta muy aguda, que se disparaba con ballesta. • Barreta de hierro sujeta con grapas a una hoja de puerta, ventana, tapa, etc., y que sirve para cerrar corriéndola hasta hacerla entrar en un hembrilla fija en el marco. • Aguja grande que se usa para sujetar o recoger el pelo. • Especie de aguja o anilla que se pasa por las puntas de una corbata para mantenerla ceñida al cuello. • Broche que usaban las mujeres para mantener la falda en la cintura. • Imperdible que se clava en el pecho de los uniformes, y al cual se sujetan medallas. • Utensilio, gralte. cónico y de hojalata, con fondo agujereado de la misma materia o de tela metálica y que se usa para colar. • Utensilio para colar un líquido. • Botón suelto con que se abrochan dos o más ojales.

PASADURA f. Tránsito o pasaje de una parte a otra. • fig. Llanto convulsivo de algunos niños que llega a privarles brevemente de la respiración.

PASAJE m. Acción de pasar de una parte a otra. • Derecho que se paga por pasar por un paraje. • Sitio o lugar por donde se pasa. • Precio que se paga en los viajes marítimos y aéreos por el transporte de una o más personas. • Totalidad de los viajeros que van en un mismo buque o en un mismo avión. • Estrecho que está entre dos islas o entre una isla y la tierra firme. • Trozo o lugar de un libro o escrito, oración o discurso; texto de un autor. • Acogida que se hace a uno o trato que se le da. • Paso público entre dos calles. • Boleto o billete para un

De izquierda a derecha, Fernando de los Ríos, Pablo Iglesias y Julián Besteiro, fundadores del **Partido Socialista Obrero Español**. Óleo de Isabel Villar

Fragmento de una **partitura** autógrafa de una sinfonía de Haydn

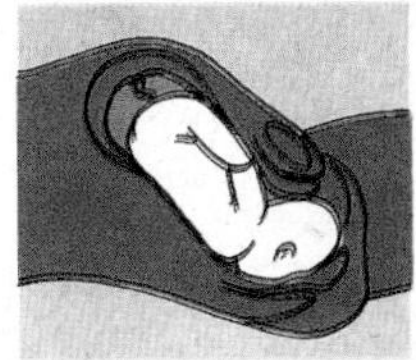

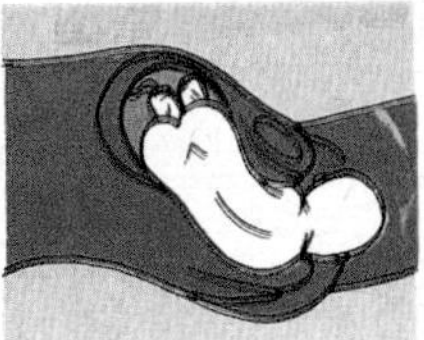

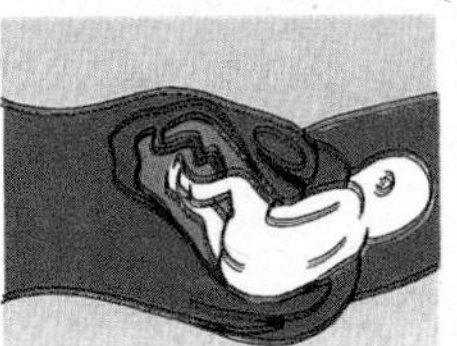

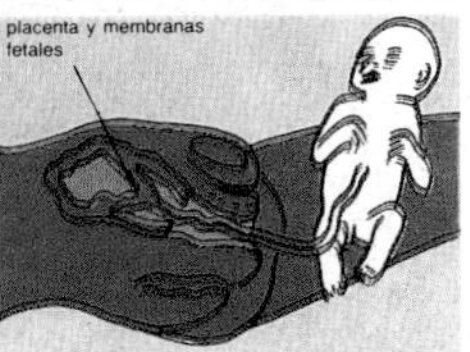

Posiciones sucesivas del feto durante el **parto**

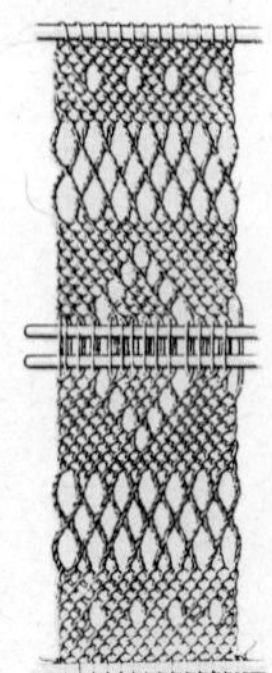

Pasamano trenzado mediante la sujeción de los hilos por dos barras fijas

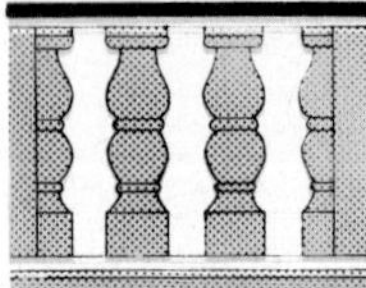

Pasamano de una balaustrada (en negro)

Blaise **Pascal**

viaje marítimo o aéreo. • *Argent.*, *Cuba* y *Méx.* Callejón con una sola salida. • *Col.* Casa de vecindad. • *Mús.* Tránsito o mutación hecha con arte, de una voz o de un tono a otro. • *Mús.* Sucesión rápida de notas en escalas, arpegios, etc.

PASAJERO, RA adj. Díc. del lugar por donde pasa continuamente mucha gente. • Que pasa de prisa o dura poco. • adj. y s. Que pasa o va de camino de un lugar a otro. • m. y f. Persona que, sin pertenecer a la tripulación, viaja en un barco, avión o transporte público.

PASAJUEGO m. En el juego de pelota, rechazo que a ésta se le da desde el resto, lanzándola en dirección contraria hasta el saque.

PASAMANO m. Género de galón o trencilla, cordones, borlas, flecos y adornos de oro, plata, seda, etc., para guarnecer los vestidos y otras cosas. • Listón que se coloca sobre las barandillas. • *Mar.* Paso que hay en los navíos de popa a proa, junto a la borda. • *R. de la Plata.* Correa situada en el interior de los vehículos de transporte público para que se sujeten los pasajeros. ʙ PASAMANERÍA; PASAMANERO, RA.

PASAMONTAÑAS m. Montera que puede cubrir toda la cabeza hasta el cuello, salvo los ojos y la nariz, y que se usa para defenderse del frío.

PASANTE adj. Que pasa. • *Her.* Díc. del animal que se pinta en el escudo en actitud de andar. • com. Persona que trabaja como auxiliar junto a un abogado. • Profesor, en algunas facultades, con quien van a estudiar los que están para examinarse. • El que pasa o explica la lección a otro.

PASANTÍA f. Ejercicio del pasante en las facultades y profesiones. • Tiempo que dura este ejercicio.

PASAPORTAR tr. Dar o expedir pasaporte. • Despedir a alguien, echarlo de donde está. • fig. Dar muerte, asesinar.

PASAPORTE m. Documento que permite el paso libre y seguro de un pueblo o país a otro. • Licencia que se da a los militares, con itinerario para que en los lugares se les asista con alojamiento y bagajes. • fig. Licencia franca o libertad de ejecutar una cosa.

PASAPURÉS m. Utensilio de cocina, que consiste en un recipiente con agujeros y una manivela que impulsa unas palas, cuya misión es convertir en puré ciertos alimentos.

PASAR tr. Llevar, conducir de un lugar a otro. • tr., intr. y prnl. Mudar, trasladar a uno de un lugar o de una clase a otros. • tr. Cruzar de una parte a otra. • Enviar, transmitir. • En determinados deportes, enviar el balón o la pelota a un compañero de equipo. • Junto con ciertos nombres que indican un punto limitado o determinado, ir más allá de él. • Penetrar o traspasar. • Hablando de géneros prohibidos o que adeudan derechos, introducirlos o extraerlos sin registro. • tr. y prnl. Exceder, aventajar, superar. • tr. e intr. Transferir una cosa de un sujeto a otro. • tr. Sufrir, tolerar. • Llevar una cosa por encima de otra, de modo que la vaya tocando. • Introducir una cosa por el hueco de otra. • Colar un líquido. • Cerner, cribar, tamizar. • Hablando de comida o bebida, deglutir, tragar. • No poner reparo en una cosa. • Omitir algo de lo que se debía decir o tratar. • Disimular o no darse por enterado de una cosa. • Estudiar privadamente con uno una materia. • Asistir al estudio de un abogado o acompañar al médico en sus visitas para adiestrarse en la práctica. • Explicar privadamente una materia a un discípulo. • Repasar el estudiante la lección. • Recorrer, leyendo o estudiando, un libro o tratado. • Leer o estudiar sin reflexión, o rezar sin devoción o sin atención. • Desecar una cosa al sol, o al aire o con lejía. • Moverse, trasladarse de un lugar a otro. • intr. Extenderse o comunicarse una cosa de unos a otros, como se dice de los contagios, y, a su semejanza, de otras cosas. • Mudarse o convertirse una cosa en otra, mejorándose o empeorándose. • Tener lo necesario para vivir. • En algunos juegos de naipes, no entrar, y en el dominó, dejar de poner ficha por no tener ninguna adecuada. • Conceder graciosamente algo. • Hablando de cosas inmateriales, tener movimiento o correr de una parte a otra. • Con la prep. *a.* y los infinitivos de algunos verbos y con algunos sustantivos, proceder a la acción de lo que significan tales verbos o nombres. • Con referencia al tiempo, ocuparlo. • Acabar la vida, morir una persona. • Hablando de las mercancías y géneros vendibles, valer o tener precio. • Vivir, tener salud. • Hablando de la moneda, ser admitida sin reparo o por el valor que le está señalado. • Durar o mantenerse aquellas cosas que se podrían gastar. • tr. y prnl. Cesar, acabarse una cosa. • tr. Ser tratado o manejado por uno un asunto. Díc. de los escribanos y notarios ante quienes se otorgan los instrumentos. • fig. Ofrecerse ligeramente una cosa al discurso o a la imaginación. • Seguido de la prep. *por*, tener concepto u opinión de. • tr. y prnl. Con la prep. *sin* y algunos nombres, no necesitar la cosa significada por ellos. • impers. Ocurrir, acontecer, suceder. • prnl. Tomar un partido contrario al que antes se tenía, o ponerse de la parte opuesta. • Acabarse o dejar de ser. • Olvidarse o borrarse de la memoria una cosa. • Perder la sazón o empezarse a pudrir los alimentos. • Perderse en algunas cosas la ocasión o el tiempo de que logren su actividad en el efecto. • Hablando de la lumbre de carbón, encenderse bien. • Exceder en una calidad o propiedad, o usar de ella con demasía. • Dejar salir gotas por sus poros, rezumar. • Entre los profesores de facultades, exponerse al examen o prueba en el consejo, juntas o universidades, para poder ejercitarlas. • En ciertos juegos, hacer más puntos de los que se han fijado para ganar, y en consecuencia perder la partida. • Hablando de aquellas cosas que encajan en otras, las aseguran o cierran, estar flojas o no alcanzar el efecto que se pretende. ʙ PASABLE.

PASARELA f. Puente pequeño o provisional. • En los buques de vapor, puentecillo transversal colocado delante de la chimenea.

PASATIEMPO m. Diversión y entretenimiento en que se pasa el rato.

PASATORO *(A)* m. adv. *Taur.* Díc. de la manera de dar la estocada al pasar el toro, y no recibiéndolo ni a volapié.

PASAVANTE m. Documento que da a un buque el jefe de las fuerzas navales enemigas para que no sea molestado en su navegación.

PASAVOLANTE m. Acción ejecutada ligeramente, o con brevedad y sin reparo.

PASCAL *Comp.* Lenguaje de programación de alto nivel con el que se puede realizar una programación totalmente estructurada.

PASCAL, *Blaise* (1623-1662) Filósofo, matemático y físico fr. Descubrió los fundamentos del cálculo infinitesimal y de las leyes de probabilidades. *Tratado del equilibrio de los líquidos*; *Provinciales,* en la que defendió el jansenismo; *Pensamientos*, notas preparatorias de un gran tratado teológico; varios tratados matemáticos. • **Principio de P.** *Fís.* La presión aplicada a un fluido contenido en un recipiente se transmite íntegramente a cada punto del mismo y de las paredes del recipiente. • **Teorema de P.** *Mat.* En un hexágono inscrito en una cónica, los tres puntos que se obtienen al intersectar cada par de lados opuestos están alineados.

PASCANA f. *Amér.* Etapa, descanso o parada en un viaje. • *Ecuad.* Tambo, mesón.

PASCHASIUS → Quesnel, Pasquier.

PASCO o **PAZCO** (voz náhuatl) adj. *Amér. Centr.* Desabrido. Díc. de las frutas y de la caña de azúcar.

PASCO Dpto. de Perú, en el centro del país; 25 319,59 km², 243 700 hab. Cap., Cerro de Pasco. El territorio pertenece al ámbito andino; la cord. de Huayhuash, al O, constituye el límite con el dpto. de Lima. La red hidrográfica corresponde a la cuenca del Amazonas (Marañón y Huallaga) y del Apurímac. Clima frío y seco en los altos valles andinos; durante todo el año el sector E presenta tendencias más cálidas y mayor pluviosidad, y alberga una vegetación de tipo tropical, en tanto que las sierras están cubiertas por pastos naturales. Papas, maíz, trigo, yuca. Vicuñas, llamas, ovinos. Plata, cinc, plomo, cobre, oro. • **Nudo de P.** Zona montañosa de los Andes del Perú (5 748 m de alt.) en la que convergen las cord. Blanca, Negra y Central. Origen de los r. Marañón y Huallaga. Se la denomina cord. de Huayhuash.

PASCÓN o **PAZCÓN** (voz náhuatl) m. *Amér. Centr.* Tamiz o cedazo para cerner tabaco.

PASCUA n. p. f. La más solemne fiesta de los heb., celebrada a la mitad de la luna de marzo, en memoria de la libertad de su cautiverio de Egipto. • En la Iglesia católica, fiesta de la Resurrección, que se celebra el domingo siguiente al plenilunio posterior al 20 de marzo. • Cualquiera de las solemnidades del nacimiento de Cristo, de la adoración de los Reyes Magos y de la venida del Espíritu Santo sobre el colegio apostólico. • fig. y fam. Alegría, regocijo. Se usa también en pl. • fam. irónico. Molestia, fastidio. Se usa pralm. con el verbo *hacer*. • pl. Tiempo desde Navidad hasta el día de Reyes inclusive. • **de flores,** o **florida.** La de Resurrección. • **del Espíritu Santo.** Pentecostés, fiesta católica. ■ PASCUAL.

PASCUA Isla de Chile, en el Pacífico, sit. a 3 760 km de la costa chil.; 162 km², 1 900 hab. Cap., Hanga-Roa. De origen volcánico; el cráter más alto de la isla es el Terevaka (500 m). Pesca; tabaco, caña de azúcar, coco, frutos tropicales. Descubierta por el ing. Roggeveen en 1722. Estuvo deshabitada hasta la mitad del s. XII, cuando fue ocupada por polinesios. De esta cultura son las grandes estatuas de roca volcánica, de una alt. de hasta 12 m, que representan la cabeza y el torso de figuras humanas.

PASCUA, ***Dorsal de*** Cresta submarina del Pacífico, con una profundidad máx. de 4 000 m (desde California hasta la Antártida).

PASCUALA ***(La)*** f. fam. *Guat.* y *Méx.* Masturbación.

PASE m. Acción y efecto de pasar. • Permiso que da un tribunal o superior para que se use de un privilegio, licencia o gracia. • Licencia por escrito para pasar algunos géneros de un lugar a otro, para transitar por algún sitio, para penetrar en un local, para viajar gratuitamente, etc. • Acción y efecto de pasar en el juego. • Cada uno de los movimientos que hace con las manos el magnetizador, ya a distancia, ya tocando ligeramente el cuerpo de la persona que quiere someter a su influencia. • Exequátur. • *Amér.* Pasaporte. • *Esg.* Finta, amago de golpe para engañar. • *Taur.* Cada una de las veces que el matador deja pasar al toro después de citarlo con la muleta.

PASEANDERO, RA adj. *Argent., Chile, Par.* y *Ur.* Persona que pasea con frecuencia.

PASEAR intr., tr. y prnl. Ir andando por distracción o por higiene. • intr. y prnl. Ir con iguales fines, ya a caballo, en carruaje, etc., ya por agua en una embarcación. • intr. Andar el caballo con movimiento o paso natural. • tr. Hacer pasear. • fig. Llevar una cosa de una parte a otra, o hacerla ver acá y allá. • prnl. fig. Discurrir acerca de una materia sin hacer pie en ella, o vagamente. • fig. Dicho de cosas no materiales, andar vagando. • fig. Estar ocioso.

PASEATA f. Paseo largo y fatigoso.

PASEÍLLO m. *Taur.* Desfile de las cuadrillas por el ruedo, dirigiéndose hacia la presidencia, antes de comenzar la lidia.

PASEO m. Acción de pasear o pasearse. • Lugar o sitio público para pasearse. • Distancia corta, que puede recorrerse paseando. • *Amér. Centr.* Mascarada, mojiganga que recorre las calles durante las fiestas populares. • **A p.** loc. fig. y fam. con que se manifiesta el desagrado o desaprobación de lo que alguien propone, dice, hace, etc. • **Dar un p.** Pasear.

PASERIFORME adj. y m. *Zool.* Díc. de aves de pequeño tamaño y distribución cosmopolita. • m. pl. *Zool.* Orden de aves caracterizada por poseer de 9 a 11 plumas remeras primarias en las alas y cuatro dedos en las patas. Comprende unas 5 000 especies.

PASERO, RA adj. Díc. de la caballería enseñada al paso. • m. y f. Persona que vende pasas. • f. Lugar donde se ponen a desecar las frutas para que se hagan pasas. • Operación de pasar algunas frutas. • Piedra que pasa o atraviesa una pared.

PASHTO m. *Ling.* Lengua irania oriental hablada por los pathanos o afganos. El p. es, con el persa, la lengua of. en Afganistán.

PASIBLE adj. Que puede o es capaz de padecer. ■ PASIBILIDAD.

PASIC, ***Nikola*** (1845-1926) Político yug. Primer ministro (1904), propugnó una política antiaustriaca. Firmó el pacto de Corfú (1917), en el que se preveía la creación de un Est. yug., y en 1921 fue nombrado primer ministro. Impuso la hegemonía de Servia dentro de la nueva federación.

PASIEGA f. Ama de cría especialmente de familias de alcurnia.

PASIFLORA f. Pasionaria, planta.

PASIFLORÁCEO, A adj. y f. *Bot.* Díc. de plantas trepadoras, con hojas alternas, flores regulares y fruto en baya; como la pasionaria.

PASILLO m. Pieza de paso, larga y angosta, de cualquier edificio. • Cada una de las puntadas largas sobre que se forman los ojales y otros bordados. • Cláusula de la Pasión de Cristo, cantada a muchas voces en los oficios solemnes de Semana Santa. • Pieza dramática breve, paso. • *Col.* y *Ecuad.* Composición musical popular para cantar y bailar. • *Col., Ecuad.* y *Pan.* Baile popular. • Composición músical con la cual se baila el p.

Monolitos megalíticos de la isla de **Pascua**

PASIÓN f. Acción de padecer. • P. ant., la de Cristo. • Lo contrario a la acción. • *Fil.* Una de las categorías de Aristóteles (contrapuesta a acción), que designa toda afección del ente. • Estado pasivo en el sujeto. • Cualquier perturbación o afecto intenso que domina sobre la razón y la voluntad. • Inclinación o preferencia muy vivas de una persona a otra. • Deseo o afición vehemente a una cosa. • Sermón sobre los tormentos y muerte de Jesucristo, que se predica en Semana Santa. • Parte de cada uno de los cuatro evangelios, que describe la p. de Cristo. • Composición musical inspirada en esta parte de alguno de los evangelios. ■ PASIONAL.

PASIONARIA f. Planta originaria de Brasil, con tallos ramosos trepadores, hojas pecioladas, flores olorosas verdes por fuera y azules por dentro y fruto amarillo con muchas semillas.

PASIONARIA → Ibárruri, Dolores.

PASIONCILLA f. Pasión pasajera o leve. • despect. Movimiento ruin del ánimo en contra de alguna persona.

PASIONISTA adj. y m. Miembro de una orden religiosa fundada en 1720 por san Pablo de la Cruz • adj. y f. Religiosa de la rama femenina de esta orden.

PASITO adv. modo. Con gran tiento, blandamente. • En voz baja.

PASITROTE m. Aire más rápido que el paso y más cómodo que el trote, que adoptan los asnos.

PASIVIDAD f. Calidad de pasivo. • Cualidad del metal que, merced a tratamientos superficiales, resiste la corrosión electroquímica.

PASIVO, VA adj. Díc. del sujeto que recibe la acción del agente, sin cooperar a ella. • Díc. del que deja obrar a los otros, sin hacer por sí cosa alguna. • Díc. del haber o pensión que disfrutan algunas personas en virtud de servicios que prestaron o del derecho ganado con ellos y que les fue transmitido. • *Der.* Díc. de los juicios, tanto civiles como criminales, con relación al reo o persona que es demandada. • *Gram.* Que implica o denota pasión. • m. *Cont.* Importe total de los débitos y gravámenes que tiene contra sí una persona o entidad, y también el coste o riesgo que contrapesa los provechos de un negocio.

PASMAR tr. y prnl. Enfriar mucho o bruscamente. • Hablando de las plantas, helarlas hasta el punto de secarlas y abrasarlas. • Ocasionar o causar suspensión o pérdida de los sentidos y del movimiento. • tr ., intr. y prnl. fig. Asombrar en extremo. • prnl. Contraer la enfermedad llamada pasmo. • *Chile.* Desmedrarse, encanijarse. • *Pint.* Empañarse los colores o los barnices. ■ PASMADO, DA; PASMAROTE; PASMÓN, NA; PASMOSO, SA.

PASMAROTA o **PASMAROTADA** f. fam. Cualquiera de los ademanes o demostración con que

Escribano soteño, ave del orden **paseriformes**

Flor de **pasionaria**

se aparenta la enfermedad del pasmo u otra. • fam. Cualquiera de los ademanes con que se aparenta admiración o extrañeza de una cosa que no lo merece.

PASMAZÓN m. *Méx.* Hinchazón que produce la silla en el lomo de la caballería. • *Amér.* Pasmo. • *Guat.* Haraganería. • *Ven.* Caída del fruto del cacao inmaduro.

Fases del **paso** lento de un caballo

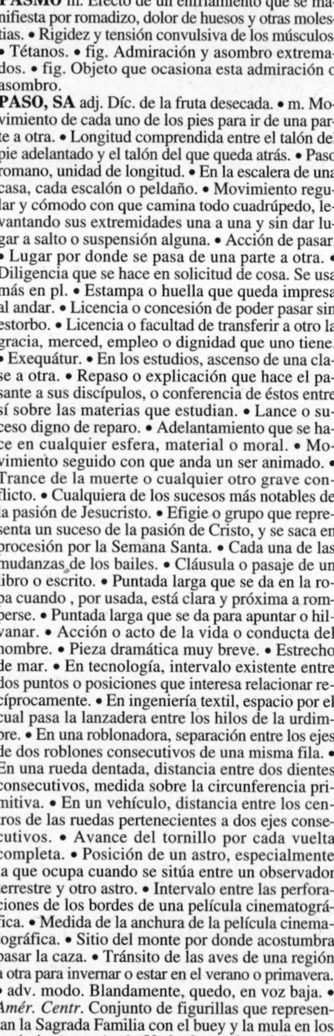

Paso procesional de la Semana Santa

PASMO m. Efecto de un enfriamiento que se manifiesta por romadizo, dolor de huesos y otras molestias. • Rigidez y tensión convulsiva de los músculos. • Tétanos. • fig. Admiración y asombro extremados. • fig. Objeto que ocasiona esta admiración o asombro.

PASO, SA adj. Díc. de la fruta desecada. • m. Movimiento de cada uno de los pies para ir de una parte a otra. • Longitud comprendida entre el talón del pie adelantado y el talón del que queda atrás. • Paso romano, unidad de longitud. • En la escalera de una casa, cada escalón o peldaño. • Movimiento regular y cómodo con que camina todo cuadrúpedo, levantando sus extremidades una a una y sin dar lugar a salto o suspensión alguna. • Acción de pasar. • Lugar por donde se pasa de una parte a otra. • Diligencia que se hace en solicitud de cosa. Se usa más en pl. • Estampa o huella que queda impresa al andar. • Licencia o concesión de poder pasar sin estorbo. • Licencia o facultad de transferir a otro la gracia, merced, empleo o dignidad que uno tiene. • Exequátur. • En los estudios, ascenso de una clase a otra. • Repaso o explicación que hace el pasante a sus discípulos, o conferencia de éstos entre sí sobre las materias que estudian. • Lance o suceso digno de reparo. • Adelantamiento que se hace en cualquier esfera, material o moral. • Movimiento seguido con que anda un ser animado. • Trance de la muerte o cualquier otro grave conflicto. • Cualquiera de los sucesos más notables de la pasión de Jesucristo. • Efigie o grupo que representa un suceso de la pasión de Cristo, y se saca en procesión por la Semana Santa. • Cada una de las mudanzas de los bailes. • Cláusula o pasaje de un libro o escrito. • Puntada larga que se da en la ropa cuando , por usada, está clara y próxima a romperse. • Puntada larga que se da para apuntar o hilvanar. • Acción o acto de la vida o conducta del hombre. • Pieza dramática muy breve. • Estrecho de mar. • En tecnología, intervalo existente entre dos puntos o posiciones que interesa relacionar recíprocamente. • En ingeniería textil, espacio por el cual pasa la lanzadera entre los hilos de la urdimbre. • En una roblonadora, separación entre los ejes de dos roblones consecutivos de una misma fila. • En una rueda dentada, distancia entre dos dientes consecutivos, medida sobre la circunferencia primitiva. • En un vehículo, distancia entre los centros de las ruedas pertenecientes a dos ejes consecutivos. • Avance del tornillo por cada vuelta completa. • Posición de un astro, especialmente la que ocupa cuando se sitúa entre un observador terrestre y otro astro. • Intervalo entre las perforaciones de los bordes de una película cinematográfica. • Medida de la anchura de la película cinematográfica. • Sitio del monte por donde acostumbra pasar la caza. • Tránsito de las aves de una región a otra para invernar o estar en el verano o primavera. • adv. modo. Blandamente, quedo, en voz baja. • *Amér. Centr.* Conjunto de figurillas que representan la Sagrada Familia con el buey y la mula en los nacimientos. • *Amér.* Vado de un río. • f. Uva seca. • Especie de afeite que usaban las mujeres. • fig. Cada uno de los mechones de cabellos cortos, crespos y ensortijados de los negros. • Canalillo entre bajos por el que pueden pasar los barcos. • **a nivel.** Sitio en que un ferrocarril se cruza con otro camino al mismo nivel. • **de comedia.** Lance, suceso o pasaje de un poema dramático. • fig. Suceso de la vida real que divierte o causa cierta novedad o extrañeza. • **de dos en dos.** *Amér.* Paso del caballo consistente en adelantar simultáneamente las dos patas del mismo lado. • **de estudio.** *Chile.* Sala de estudio. • **de garganta.** Inflexión de la voz, o gorjeo, en el canto. • **de la hélice.** Distancia entre dos puntos de esta curva, correspondientes a la misma generatriz. • **de programa.** *Comp.* El que se corresponde con la instrucción más elemental que una computadora puede ejecutar. Al ejecutar una instrucción más compleja, pueden ejecutarse varios pasos de programa. • **geométrico.** Medida de cinco pies, equivalente a 1 m y 393 mm. • **libre.** El que está desembarazado de obstáculos, peligros o enemigos. • **nadado.** *Cuba.* Paso del caballo que al andar echa hacia afuera las patas delanteras. • **picado.** *Amér.* Andadura del caballo suave y descansada. • **real.** *Cuba* y *P. Rico.* Vado de un camino real. • **redoblado.** *Amér.* Marcha militar acompañada con el redoble de tambores. • **troncado.** *P. Rico* y *R. Dom.* Paso torpe de la cabalgadura. • **A buen p.** m. adv. De prisa • **A cada p.** m. adv. fig. Repetidamente, a menudo. • **A ese p.** m. adv. fig. Según eso, de ese modo. • **Al p.** m. adv. Sin detenerse. • **Al p. que.** fig. Al mismo tiempo, a la vez. • **A p. de tortuga.** m. adv. fig. Con mucha lentitud. • **A pocos pasos.** m. adv. Cerca. • **Apretar el p.** fam. Alargar el paso. • **Ceder el p.** En el código de la circulación, detenerse un vehículo al encontrar una vía perpendicular a la que él recorre, por tener aquélla la preferencia. • Dejar una persona, por cortesía, que otra pase antes que ella. • **Cerrar el p.** fr. Embarazarlo o cortarlo. • fig. Impedir el progreso de un negocio. • **Dar pasos.** fig. Gestionar. • **De p.** m. adv. Al ir a otra parte. • fig. Al tratar de otro asunto. • fig. Ligeramente, de corrida. • *Argent.* y *Chile.* Díc. de la caballería que da el sobrepaso. • *Cuba, Perú* y *P. Rico.* Díc. del caballo que no trota. • **Llevar el p.** Seguirlo regularmente o acomodarlo al del acompañante. • **Marcar el p.** *Mil.* Figurarlo en su compás y duración sin avanzar ni retroceder. • **P. a p.** m. adv. Poco a poco, despacio, por grados. • *Comp.* Ejecución de un programa instrucción a instrucción con una parada entre una y otra, par a comprobar si los programas están bien construidos. • **P. por p.** m. adv. fig. Se usa para denotar la exactitud con que se mide un terreno o la dificultad y lentitud con que se hace o adquiere una cosa. • **Salir al p. de** una cosa. fig. Darse por enterado de ella o impugnar su veracidad o fundamento. • **Salir** uno **del p.** fig. y fam. Desembarazarse de cualquier manera de un asunto, compromiso, dificultad, apuro o trabajo. • **Salirle** a uno **al p.** Encontrarle de improviso o deliberadamente, deteniéndole en su marcha. • fig. Contrariarle, atajarle en lo que dice o intenta. • **Pasa de Corinto.** La que procede de uvas propias de esta región gr. y se distingue por su pequeño tamaño y por carecer de pepita.

PASO, *El* C. de EE UU, en el est. de Texas; 425 300 hab. Sit. junto al río Grande. Ind., ganadería y turismo. El tratado de Guadalupe Hidalgo dividió la c. en dos partes, de soberanía norteam. y mex. El sector mex. recibió el nombre de Ciudad Juárez.

PASO, *Fernando del* (nacido 1935) Escritor mex. Autor de poesías y de narrativa en la línea de Joyce. *José Trigo, Palinuro de México.* • ***Juan José*** (1758-1833) Político arg. Secretario del congreso de Tucumán, que proclamó la indep. (1816). • **Y Troncoso, *Francisco del*** (1842-1916) Historiador mex. Especializado en el periodo colonial. *Epistolario de Nueva España.*

PASO del Norte Ant. nombre de Ciudad Juárez, desde su fundación (1662) hasta 1888.

PASODOBLE m. Música de marcha, adaptada a la danza, que se usa en espectáculos taurinos y desfiles.

PASOLINI, *Pier Paolo* (1922-1975) Literato y cineasta it. Ideólogo comunista, escribió críticas sociales: *Los hijos de papá, Mujeres de Roma,* y obras poéticas: *La religión de mi tiempo.* Películas suyas son *Accatone, Mamma Roma, El Evangelio según san Mateo, Edipo rey, Teorema, Decamerón, Los Cuentos de Canterbury, Las mil y una noches* y *Saló.* Murió asesinado.

PASO-NIVEL m. *Chile* y *P. Rico.* Paso a nivel.

Estudio de mujer en el baño realizado al **pastel** por E. Degas

PASPA f. *Amér.* Escamilla que se levanta de la epidermis en el rostro o las manos.
PASPARTÚ o **PASSE-PARTOUT** m. Marco de cartón o madera para fotografías, dibujos, etc.
PASQUÍN m. Escrito anónimo que se fija en sitio público, con exp. satíricas contra el gobierno o contra una persona o corporación. ■ PASQUINADA; PASQUINAR.
PASTA f. Masa hecha de una o diversas cosas machacadas. • Masa trabajada con manteca o aceite y otras cosas, que sirve para hacer pasteles, hojaldres, empanadas, etc. • Pieza pequeña compuesta con masa de harina y otros ingredientes, recubierta a veces con mermelada, chocolate, etc. • Masa de harina de que se hacen fideos, tallarines, etc., y también cada uno de estos productos. • Designación genérica de estas variedades. • Porción de oro, plata y otro metal fundido y sin labrar. • Cartón que se hace de papel deshecho y machacado. • Masa que resulta de macerar y machacar el trapo, madera y otras materias para hacer papel. • Encuadernación de los libros que se hace de cartones cubiertos con pieles bruñidas y por lo común jaspeadas. • fam. Dinero. • *Pint.* Empaste, unión perfecta de los colores.
PASTACA f. *Amér.* Guiso de cerdo cocido con maíz.
PASTADERO m. Terreno donde pasta el ganado.
PASTAR tr. Llevar o conducir el ganado al pasto. • intr. Pacer, comer el ganado el pasto.
PASTAZA Prov. de Ecuador, limítrofe con Perú; 29 773 km^2; 41 811 hab. Cap., Puyo. Región llana, accidentada por la cord. de Llanganates. Sus r. pertenecen a las cuencas del Napo (Cononaco, Curaray), del Pastaza (Bobonaza) y del Tigre. Clima tropical húmedo. Té, yuca, bananas. Pesca fluvial. • Río de Ecuador y Perú; 643 km. Nace en la cord. Oriental de los Andes ecuat. y desemboca en el r. Marañón, en Perú.
PASTE m. *Amér. Centr.* Planta de la familia cucurbitáceas, cuyo fruto se usa como estropajo y esponja. • *Amér. Centr.* Especie de musgo usado para curar las almorranas.
PASTEAR intr. Pacer el ganado el pasto. • tr. Llevar a pastar el ganado.
PASTEL m. Masa cocida al horno, de harina y manteca, en que ordinariamente se envuelve crema o dulce, y a veces carne, fruta o pescado. • Pastelillo de dulce. • Hierba pastel. • Pasta hecha con las hojas verdes de la hierba pastel, que da color azul y sirve también para teñir de otros colores. • Lápiz compuesto de una materia colorante y agua de goma. • *Pint.* Pintura al p. • En el juego, fullería que consiste en preparar los naipes al barajarlos. • fig. y fam. Convenio secreto entre algunos con malos fines, o con excesiva transigencia. • fig. y fam. Persona pequeña y muy gorda. • *Mil.* Reducto irregular de cualquier figura acomodada al terreno. • **Descubrirse el p.** fig. y fam. Hacerse pública y manifiesta una cosa que se procuraba ocultar o disimular. ■ PASTELERÍA; PASTELERO, RA; PASTELISTA.
* *Pint.* La pintura al p. es una técnica pictórica que utiliza colores en polvo que se presentan mezclados con un aglutinante en forma de barritas. Los colores poseen un matiz fresco y aterciopelado. Como soporte se emplea el cartón, el papel granulado y, en algún caso, la tela. Fue una técnica muy utilizada en el s. XVIII.
PASTELEAR intr. fig. y fam. Contemporizar por miras interesadas. ■ PASTELEO.
PASTELILLO m. Pastel pequeño de carne, pescado o dulce.
PASTELÓN m. Pastel de carne. • *Chile.* Loseta grande de cemento usada para pavimentar.
PASTENCO, CA adj. y s. Díc. de la res recién destetada que empieza a pastar.
PASTERNAK, *Boris Leonidovich* (1890-1960) Escritor ruso. Su obra más famosa, la novela *Doctor Zhivago*, es un relato épico de la revolución de Octubre. Premio Nobel de Literatura en 1958, al que renunció.
PASTEUR, *Louis* (1822-1895) Químico y biólogo fr. Investigó sobre las fermentaciones y demostró que los microorganismos son los agentes de las enfermedades contagiosas. Descubrió el estafilococo y el estreptococo, y un nuevo sistema de esterilización (pasteurización). Ideó las vacunas.
PASTEURIZACIÓN o **PASTERIZACIÓN** f. Tratamiento bactericida selectivo, por medio del calor. Solamente destruye los microbios nocivos, que suelen ser más sensibles a la temperatura.
PASTEURIZAR o **PASTERIZAR** tr. Someter un líquido a un proceso de pasteurización.
PASTICHE (voz fr.) m. Composición literaria o pictórica con elementos tomados de un determinado artista, a imitación de su estilo. • Mezcla discordante de elementos.
PASTILLA f. Porción de pasta de distinta forma, tamaño y materia, en general pequeña y cuadrangular o redonda. • En sentido restringido, porción muy pequeña de pasta o de caramelo, compuesta de azúcar y alguna sustancia agradable. • Preparado farmacéutico en forma de pastilla. • Pieza metálica de pequeño tamaño, de diversas aplicaciones en mecánica. • Relieve de distintas formas que poseen las cubiertas de los neumáticos para evitar deslizarse o resbalar sobre el terreno.
PASTINACA f. Chirivía, planta. • *Zool.* Pez selacio marino, de cabeza puntiaguda, cuerpo aplastado, redondo, liso y sin aletas; de color amarillento, cola armada con un aguijón a manera de anzuelo, para defenderse. Su carne es comestible.

Louis **Pasteur,** retrato de Edelfet

Instalaciones de **pasteurización** de la leche

PASTINES m. pl. *Argent.* y *Ur.* Pasta para sopa.
PASTO m. Acción de pastar. • Hierba que el ganado pace en el mismo terreno donde se cría. Cualquier cosa que sirve para el sustento del animal. • Sitio en que pasta el ganado. Se usa más en pl. • fig. Materia que mantiene la actividad de los agentes que consumen las cosas; como el combustible. • fig. Hecho, noticia u ocasión que sirve para fomentar alguna cosa. • *Cet.* Porción de comida que se da de una vez a las aves. • **A todo p.** m. adv. Copiosamente y sin restricciones. • **De p.** loc. De uso diario y frecuente. ■ PASTIZAL.
PASTO C. del SO de Colombia, cap. del dpto. de Nariño; sit. al pie del volcán Galeras (4 400 m); 282 310 hab. Ind. textil y alimentaria. Universidad.
PASTOR, RA m. y f. Persona que guarda, guía y apacienta el ganado. • m. Prelado o cualquier otro eclesiástico que tiene súbditos y cuida de ellos. • **El Buen P.** Atributo que se da a Cristo.
PASTORA, *Edén* (nacido 1936) Político y guerrillero nic., llamado COMANDANTE CERO. Jefe de la guerrilla sandinista contra Somoza y viceministro en el gobierno sandinista, con el cual rompió en 1982. Jefe de la Alianza Revolucionaria Democrática, antisandinista.
PASTORAL adj. Pastoril. • Relativo a los prelados. • Relativo a la poesía en que se pinta la vida de los pastores. • f. Especie de drama bucólico, cuyos interlocutores son pastores y pastoras. • Carta pastoral.
PASTOREAR tr. Llevar los ganados al campo y cuidar de ellos mientras pacen. • fig. Vigilar los prelados a sus súbditos. • *R. de la Plata* y *Amér. Centr.* Fisgonear. • *R. de la Plata.* Enamorar a una mujer. ■ PASTOREO.

Pastinaca

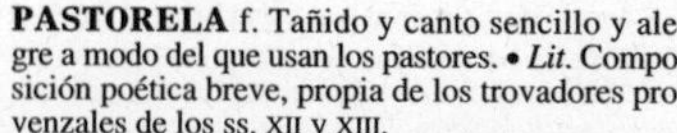

PASTORELA f. Tañido y canto sencillo y alegre a modo del que usan los pastores. • *Lit.* Composición poética breve, propia de los trovadores provenzales de los ss. XII y XIII.

PASTORIL adj. Propio o característico de los pastores. • *Lit.* Díc. de un gén. literario que exalta los sentimientos derivados de la contemplación de la naturaleza y los modos de vida campestre.

Danza **pastoril** en un grabado del *Libro de Horas* de Charles d'Orléans

PASTOSO, SA adj. Se aplica a las cosas que son suaves y blandas al tacto, a semejanza de la masa. • Díc. de la voz que sin resonancias metálicas es agradable al oído. • *Pint.* Pintado con buena masa y pasta de color. • *Amér.* Díc. del terreno que tiene buenos pastos. ■ PASTOSIDAD.

PASTRANA, ***Andrés*** (nacido 1954) Político col. Hijo de Misael Pastrana. En 1988 fue elegido alcalde de Bogotá. En 1998 venció en las elecciones presid. como candidato de la Gran Alianza por el Cambio. • **Borrero,** ***Misael*** (1924-1997) Político col. Diplomático y ministro, miembro del Partido Conservador. Presid. de la rep. entre 1970 y 1974.

PASTUEÑO adj. *Taur.* Díc. del toro que acude sin recelo al engaño.

PASTURA f. Pasto o hierba de que se alimentan los animales. • Porción de comida que se da de una vez a los bueyes. • Sitio con pasto o hierba.

PASTURAJE m. Lugar de pasto abierto o común. • Derechos con que se contribuye para poder pastar los ganados.

PASUDO, DA adj. y s. *Méx.* y *Ven.* Díc. del pelo ensortijado como el de los negros, y de la persona que tiene este pelo.

PASUSO, SA adj. *C. Rica.* y *Ur.* Pasudo.

PATA f. Pieza y pierna de los animales. • Pie, base o apoyo de algo. • Hembra del pato. • En las prendas de vestir, cartera, golpe, portezuela. • fam. Pierna. • Pie de un mueble. • **de banco.** fig. y fam. Despropósito. • **de cabra.** Instrumento de boj o de hueso con que los zapateros alisan los bordes de las suelas después de desvirarlas. • **de gallina.** Daño que tienen algunos árboles y consiste en grietas que, partiendo del corazón del tronco, se dirigen en sentido radial a la periferia. • **de gallo.** *Bot.* Planta gramínea anual con las cañas dobladas por la parte inferior, de unos 60 cm de alt., hojas largas y flores en espigas que forman panoja. • fig. y fam. Despropósito. • fig. Arruga con tres surcos divergentes, como los dedos de la pata de gallo, que se forma en el ángulo externo de cada ojo. • **galana.** fig. y fam. Persona coja o con una pierna encogida. • **A cuatro patas.** loc. adv. fam. A gatas. • **A la p. coja.** Juego de muchachos en que se salta llevando un pie en el aire. • **A la p. la llana,** o **a la p. llana,** o **a p. llana.** m. adv. Llanamente, sin afectación. • **A p.** m. adv. fam. A pie. • **Dormir a p. ancha.** fig. y fam. Dormir a pierna suelta. • **Estirar la p.** fig. y fam. Morir. • **Hacer p. ancha** o **la p. ancha** fr. fig. y fam. Hacer frente a una dificultad o peligro. • **Meter** uno **la p.** fig. y fam. Intervenir en alguna cosa con dichos o hechos inoportunos. • **Otra p. que le nace al cojo.** fr. fig. y fam. *Col.* Añadirse nuevas dificultades a las existentes. • **Patas arriba.** m. adv. fig. y fam. Al revés, o vuelto lo de abajo hacia arriba. • fig. y fam. Exp. con que se da a entender el desconcierto o trastorno de una cosa. • **Poner de patas,** o **de patitas, en la calle** a uno. fig. y fam. Despedirle echándole fuera de casa. • fig. y fam. Destituir a uno de su cargo o empleo. • **Tener** uno mala p. fig. y fam. Tener poca o mala suerte. • **Ver las patas a la sota.** fr. fam. Percibirse de un peligro.

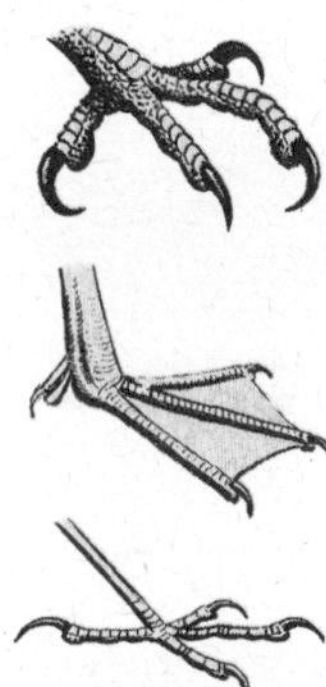

Diferentes tipos de **pata** de ave. De arriba abajo: de halcón; de palmípeda; de pinzón

PATABÁN m. *Cuba.* Manglar.

Panorámica de Comodoro Rivadavia, en la **Patagonia** argentina

PATACO, CA adj. y s. Patán, aldeano. • f. Aguaturma. • Tubérculo de la raíz de esta planta, de color rojizo amarillento, fusiforme, y con carne acuosa algo azucarada y comestible para el ganado.

PATACÓN m. Moneda de plata, de peso de una onza, y cortada con tijeras. • fam. Peso duro. • Moneda de cobre de valor de dos cuartos. • *Col.* y *Ven.* Rebanada frita de plátano verde.

PATADA f. Golpe dado con la planta del pie o con lo llano de la pata del animal. • fam. Paso, visita o gestión para un fin. • fig. y fam. Estampa, pista, huella. • **A patadas.** m. adv. fig. y fam. Con excesiva abundancia, por todas partes.

PATAGÓN, NA adj. y s. De Patagonia. • Díc. del pueblo amerindio del grupo lingüístico chon, actualmente extinguido, y que vivía en la Patagonia y la Tierra del Fuego.

PATAGONIA Región fisiográfica de América del Sur formada por la parte S de Chile y Argentina.

* *Geog.* Cabe distinguir tres sectores: los Andes patagónicos, cuya mayor alt. se alcanza en el volcán Lanín (3 776 m), y algunas de cuyas depresiones transversales están ocupadas por lagos glaciares; la P. argentina extraandina, formada por mesetas (pampas) que en ocasiones llegan a los 1 000 m y avenada por los ríos Negro, Chubut, Chico, etc., y la P. extraandina chilena, constituida por una estrecha faja entre los Andes y el Pacífico, con una costa acantilada muy recortada y numerosas islas. El clima de la región es frío. El sector N está cubierto por bosques, pero a medida que desciende hacia el S aparecen la estepa arbustiva y la sabana. Ind. de transformaciones pecuarias. Ganadería. Petróleo en Comodoro Rivadavia (Argentina).

* *Hist.* Descubierta por Vespucio en 1520 y habitada hasta mediados del s. XIX por grupos indígenas tehuelche. En el último tercio de este siglo se inició la colonización. En 1884 el Chubut fue declarado territorio nacional y comenzó la integración administrativa. En 1887 se construyó un primer ferrocarril y, en la década de 1910, otro que unió la región con Buenos Aires. Esto fue consecuencia del descubrimiento de petróleo en Comodoro Rivadavia (1907). En la prov. de Río Negro se hizo un plan de irrigación. En 1974 comenzó a funcionar en Puerto Madryn la mayor fábrica de aluminio de Argentina.

PATAGÓNICO, CA adj. Relativo a la Patagonia o a los patagones.

PATAGUA f. *Chile.* Árbol de la familia titiliáceas, con tronco recto y liso, hojas alternas, flores blancas axilares y fruto esférico capsular. Su madera es usada en carpintería.

PATAJÚ m. *Amér. Merid.* Planta de tallo herbáceo con grandes hojas que recogen en el tronco el agua de la lluvia, que mediante un pinchazo en la corteza se puede beber.

PATALEAR intr. Mover las piernas violentamente y con ligereza. • Dar patadas en el suelo con violencia y rapidez, debido a un enfado. ■ PATALEO.

PATALETA f. fam. Convulsión, especialmente cuando se cree que es fingida.

PATANCO m. *Cuba.* Planta de flores blancas y fruto pardo. Es espinosa y de púas venenosas.

PATANERÍA f. fam. Grosería, rustiquez, simpleza, ignorancia. ■ PATÁN.

PATANJALI o **PATAÑJALI** (s. II a. C.) Escritor, gramático y filósofo indio. *Gran comentario* (*Mahabhashya*), *Aforismo del yoga* (*Yogasutra*).

PATARATA f. Cosa ridícula y despreciable. • Expresión, demostración afectada y ridícula de un sentimiento o cuidado, o exceso en cortesías y cumplimientos. ■ PATARATERO, RA.

PATARROYO, ***Manuel Elkin*** (nacido 1946) Científico col. Director del Instituto Colombiano de Inmunología, creó una vacuna sintética contra la malaria (vacuna SPf66).

PATAS m. fam. El diablo. • adj. y s. *Amér. Centr.* Patituerto. • **Írsele las patas a uno.** *Amér. Centr.* Equivocarse, cometer un disparate.

PATASCA f. *Argent.* Guiso de cerdo cocido con maíz. • *Perú.* Disputa, pendencia.

PATASHÓ adj. y s. Díc. del pueblo amerindio que vivía en la cuenca alta del Jucurucú.

PATASTE (voz náhuatl) m. *Amér. Centr.* Árbol cuyo fruto es una nuez que contiene muchas semillas que se usan mezcladas con el cacao para preparar el chocolate.

PATATA f. Planta solanácea, originaria de América, de raíces fibrosas con gruesos tubérculos redondeados, carnosos, muy feculentos, que son uno de los alimentos más útiles para el hombre. • Cada uno de los tubérculos de esta planta. ■ PATATAL; PATATAR.

PATATERO, RA adj. Relativo a la patata. • adj. y s. Que se dedica al comercio de patatas. • adj. Díc. de la persona que con frecuencia se alimenta de patatas.

PATATÍN PATATÁN *(Que)* exp. fam. Alude a las argucias o disculpas del que no quiere entrar en razones.

PATATÚS m. fam. Enfermedad de cierta consideración, especialmente cuando es repentina.

PATAVINO, NA adj. y s. De Padua.

PATAY m. *Amér. Merid.* Pasta seca hecha del fruto del algarrobo.

PATE m. *Hond.* Árbol corpulento, cuya corteza se usa como medicamento.

PATÉ adj. *Her.* Díc. de la cruz cuyos extremos se ensanchan un poco.

PATÉ (voz fr.) m. Pasta elaborada a base de carne o hígado picado, gralte. de aves o de cerdo.

PATEADOR adj. y s. *Amér. Centr.* Novillo o caballo que da coces.

PATEAR tr. fam. Dar golpes con los pies. • Mostrar el público su desaprobación de un discurso, pieza teatral u otro espectáculo, golpeando con los pies en el suelo. • P. ext., cualquier exp. colectiva de rechazo. • *Amér.* Subirse un licor a la cabeza. • *Amér. Centr.* Dar coces. • fig. y fam. Tratar desconsideradamente y rudamente a uno, al reprenderle, al reprobar sus obras o al discutir con él. • intr. fam. Dar patadas en señal de enojo, dolor o desagrado. • fig. y fam. Estar sumamente encolerizado o enfadado. ■ PATEO.

PATECATL En la religión del ant. México, dios de las bebidas alcohólicas y de la medicina, cuyo nombre significa «Señor de la raíz del pulque».

PATENA f. Lámina o medalla grande, con una imagen esculpida que se pone en el pecho. • Platillo de metal en el cual se pone la hostia en la misa. • **Limpio como una p.,** o **más limpio que una p.** loc. fig. Muy aseado.

PATENTAR tr. Conceder y expedir patentes. • Obtenerlas, tratándose de las de propiedad industrial.

PATENTE adj. Manifiesto, visible. • fig. Claro, perceptible. • f. Título o despacho real para el goce de un empleo o privilegio. • Cédula que dan algunas cofradías o sociedades a sus individuos para que conste que lo son y para el goce de los privilegios o ventajas de ellas. • Cédula o despacho que dan los superiores a los religiosos para mudar de convento o ir de un sitio a otro. • Comida o refresco que hacen pagar los más ant. al que entra de nuevo en un empleo u ocupación. • Convite a los mozos de un pueblo del forastero que corteja a una moza. • Documento expedido por la hacienda pública, que acredita haber satisfecho determinada persona la cantidad que la ley exige para el ejercicio de algunas profesiones o industrias. • P. ext., cualquier testimonio que acredita una cualidad o mérito. • Derecho que adquiere el inventor o autor de algo, para disfrutar en exclusiva de los beneficios de su invento. • **de corso.** fig. Autorización que se tiene o se supone para realizar actos prohibidos a los demás. • **de invención.** Documento en que oficialmente se otorga un privilegio de invención y propiedad industrial de lo que el documento acredita. • **de navegación.** Despacho expedido a favor de un buque para autorizar su bandera y su navegación y acreditar su nacionalidad. • **de sanidad.** Certificación que llevan las embarcaciones que van de un puerto a otro, de haber o no haber peste o contagio en el paraje de su salida. ■ PATENCIA.

PATENTIZAR tr. Hacer manifiesta una cosa.

PÁTER m. fam. Cura, especialmente en el ejército. • **familias.** En el derecho rom., persona que ejercía el dominio en su casa.

PÁTERA f. Plato llano, utilizado en la antigüedad en ciertos ritos. • Ornamentación formada por hojas de acanto.

PATERA f. Barca de quilla plana y poco calado.

PATERNAL adj. Propio del afecto, cariño o solicitud de padre.

PATERNALISMO m. Tendencia a aplicar a las relaciones sociales, políticas, laborales, etc., formas de autoridad, protección y control parecidas a las que ejerce el padre en el seno de la familia tradicional. ■ PATERNALISTA.

PATERNIDAD f. Calidad de padre. • Tratamiento que en algunas religiones dan los religiosos inferiores a los padres condecorados de su orden, y que los seculares dan por reverencia a todos los religiosos en general.

PATERNO, NA adj. Relativo al padre, o propio suyo, o derivado de él.

PATERNÓSTER m. Oración del padrenuestro. • Padrenuestro, para la misa.

PATÉTICO, CA adj. Díc. de lo que es capaz de conmover e impresionar, o de producir sentimientos profundos. ■ PATETISMO.

PATHAN adj. y s. Díc. del individuo de las tribus de habla pashto que viven en el SE de Afganistán y en el NO de Pakistán. Son musulmanes mayoritariamente sunníes.

PATHÉ, *Charles* (1863-1957) Pionero de la fonografía y la cinematografía fr. Creó la producción industrializada de películas y el primer noticiario cinematográfico.

PATHET Lao Organización militar del Frente Patriótico de Laos. Fundada en 1950 por Sufanuvong. De carácter procomunista, se opuso al dominio político norteam. en la zona. En 1975 consiguió dominar todo el país.

PATHOS (voz gr.) m. Afección, pasión, emoción.

PATÍ m. *Argent.* Nombre de diversos peces de agua dulce de la familia pimelódidos, de cabeza aplanada y largos barbillones.

PATÍA Río del SO de Colombia. Nace en el dpto. de Cauca (cordillera Central) y desemboca en el Pacífico; 470 km.

PATIABIERTO, TA adj. fam. Que tiene las piernas torcidas e irregulares, y separadas una de otra.

PATIBULARIO, RIA adj. Que produce horror y espanto. • Relativo al patíbulo.

PATÍBULO m. Tablado o lugar en que se ejecuta la pena de muerte.

PATICOJO, JA adj. y s. fam. Cojo.

PATIDIFUSO, SA adj. y fam. Que se queda parado de asombro.

PATIESTEVADO, DA adj. y s. De piernas arqueadas.

PATIHENDIDO, DA adj. Aplícase al animal que tiene los pies hendidos o divididos en partes.

PATILLA f. Cierta postura de la mano izquierda en los trastes de la vihuela. • En algunas llaves de las armas de fuego, pieza que descansa sobre el punto para disparar. • Porción de barba que se deja crecer en cada uno de los carrillos. • Gozne de las hebillas. • Pieza donde se apoya, encaja o sujeta otra. • Pata, cartera, golpe o portezuela de las prendas de vestir. • Hierro plano y estrecho, terminado en punta por uno de sus extremos para sujetar, mediante clavos, algún madero o hierro. • Parte saliente de un madero para encajar en otro. • Aguja de marear, brújula. • *Col., P. Rico* y *Ven.* Sandía. • *Comp.* Terminal mecánico de conexión de un chip, con el que se conecta con todos los demás elementos de la computadora. • pl. El diablo. ■ PATILLUDO, DA.

PATIMULEÑO, ÑA adj. Que tiene el casco parecido al de la mula. Díc. pralm. del caballo.

PATÍN m. Petrel, ave. • Aparato para patinar que consiste en una plancha adaptable al calzado que lleva una cuchilla o ruedas, según sirva para ir sobre el hielo o sobre el pavimento. • Parte trasera del tren de aterrizaje de ciertos aviones. • Embarcación deportiva formada por dos flotadores unidos por tablas. • Parte de un mecanismo que flota sobre una superficie, ya para servir de guía, ya para frenar.

PÁTINA f. Especie de barniz duro, de color aceitunado, que por la acción de la humedad se forma en los objetos de bronce. • Tono suave que da el tiempo a las pinturas al óleo y a otros objetos.

PATINAR intr. Deslizarse con patines sobre el hielo o sobre un pavimento duro, llano y muy liso. • Deslizarse o resbalar las ruedas de un vehículo por falta de adherencia con el suelo o por defecto en el movimiento de las ruedas sobre los ejes. • Deslizarse de forma incorrecta un mecanismo sobre una superficie, por falta de adherencia. • fig. y

Planta de la **patata**

Pátera ritual ibérica de plata. Museo Arqueológico, Barcelona (España)

Patinar. El patinaje sobre hielo constituye una disciplina olímpica

fam. Perder la buena dirección o la eficacia en lo que se está haciendo o diciendo. • tr. Dar pátina a un objeto. ■ PATINADOR, RA; PATINAJE; PATINAZO.

PATINETE m. Juguete consistente en una plancha larga y estrecha con dos o tres ruedas, provista de una guía y un manillar.

PATINIR, *Joachim* (h. 1480-1524) Pintor renacentista flam. Uno de los renovadores del género paisajístico (*San Jerónimo, Tentaciones de San Antonio*). Las figuras de sus cuadros son gralte. de Metsys.

PATIÑO, *Simón Ituri* (1860-1947) Hombre de negocios y diplomático bol. Tras controlar varias minas se convirtió en miembro destacado del grupo oligárquico *La rosca*. Financió la guerra del Chaco (1932-1935).

Detalle de *Descanso en la huida a Egipto*, tabla de Joachim **Patinir.** Museo del Prado, Madrid

PATIO m. Espacio cerrado con paredes o galerías, que en las casas y otros edificios se deja al descubierto. • En los teatros, planta baja que ocupan las butacas o lunetas. • Espacio que media entre las líneas de árboles y el término o margen de un campo. • **de luces.** Espacio por el cual entra la luz a la escalera y al que dan las galerías o ventanas de los pisos de un edificio de viviendas. • **Pasarse al p.** fig. y fam. *Argent.* y *Ur.* Tomarse demasiada confianza.

PATITIESO, SA adj. fam. Díc. del que, por un accidente repentino, se queda sin sentido ni movimiento en las piernas o pies. • fig. y fam. Que se queda sorprendido por la novedad o extrañeza que le causa una cosa. • fig. y fam. Que por presunción o afectación anda muy erguido y tieso.

PATITUERTO, TA adj. Que tiene torcidas las piernas o patas. • fig. y fam. Díc. de lo que se desvía de la línea que debe seguir.

PATIVILCA R. de Perú; 110 km. Nace en la cordillera Blanca y desemboca en el Pacífico.

PATIZAMBO, BA adj. y s. Que tiene las piernas torcidas hacia afuera y junta mucho las rodillas.

PATNA C. de la India, cap. del est. de Bihar, junto al Ganges; 1 098 600 hab. Centro comercial y artesano. Ruinas de Pataliputra.

Pato de Pekin

PATO m. *Zool.* Nombre de numerosas especies de aves palmípedas anseriformes, de la familia anátidos. Tiene el pico más ancho en la punta que en la base, y en ésta más ancho que alto; su cuello es corto. • *Cuba.* Botella usada para recoger la orina del varón encamado. • fig. *P. Rico* y *Ven.* Hombre afeminado. • **criollo.** fig. *R. de la Plata.* Persona que se equivoca constantemente. • **cuchara.** Cuchareta, ave zancuda. • **de flojel.** Especie de gran tamaño, muy apreciada por su plumón, con el cual se fabrican colchas. • **negro.** Ave palmípeda, especie de p. con pico ancho, plumaje negro o pardo, pero blancas algunas plumas de las alas y dos manchas simétricas de la cabeza • **Pagar** uno **el p.** fig. y fam. Padecer o llevar pena o castigo no merecido.

PATOCHADA f. Disparate, despropósito, dicho necio o grosero.

PATOGENIA f. Parte de la patología, que estudia el modo de engendrarse un estado morboso. ■ PATOGÉNICO, CA.

PATOGENICIDAD f. Capacidad de un parásito para producir una determinada enfermedad.

PATÓGENO, NA adj. y m. Díc. de los organismos, gralte. microorganismos, capaces de producir una infección en el cuerpo de animales y plantas.

PATOGNOMÓNICO, CA adj. Díc. del síntoma que caracteriza y define una determinada enfermedad.

PATOGRAFÍA f. Descripción de las enfermedades.

PATOJO, JA adj. *Guat.* Muchacho.

PATOLOGÍA f. Parte de la medicina que estudia la naturaleza de las enfermedades, especialmente los cambios estructurales y funcionales que determinan en el organismo. • **vegetal.** Fitopatología. ■ PATOLÓGICO, CA; PATÓLOGO, GA.

PATÓN, NA adj. y fam. Que tiene grandes patas.

PATOS, *Laguna de los* *(Lagoa dos Patos)* Lago costero de Brasil, en Río Grande do Sul.

PATOSO, SA adj. Díc. de la persona que, sin serlo, presume de chistosa y aguda. • Díc. de la persona inhábil o desmañada.

PATOTA f. *Argent., Par.* y *Ur.* Pandilla de muchachos que cometen desmanes. ■ *Argent., Par.* y *Ur.* PATOTERO.

PATRAÑA f. Mentira o noticia fabulosa, de pura invención. ■ PATRAÑERO, RA.

PATRÁS *(Patrai)* C. y puerto de Grecia, al NO del Peloponeso, sobre el golfo hom.; 142 200 hab. Exportación de pasas y vinos, cítricos.

PATRIADA f. *R. de la Plata.* Movimiento político revolucionario arriesgado y, en especial, el que se hace invocando la necesidad de salvar a la patria. • Cualquier acción en que se arriesga algo, hecha en bien de los demás.

PATRIAR tr. *Argent.* Cortar a un caballo la mitad de su oreja derecha, para indicar que es propiedad del Est.

PATRIARCA m. Nombre que se da a algunos personajes del A. T., por haber sido cabezas de dilatadas y numerosas familias. • Título de dignidad de algunos obispos de iglesias prales. • Título de dignidad concedido por el Papa a algunos prelados sin ejercicio ni jurisdicción. • Cualquiera de los fundadores de las órdenes religiosas. • fig. Persona que por su edad y sabiduría ejerce autoridad moral en una familia o en una colectividad. ■ PATRIARCAL.

PATRIARCADO m. Dignidad de patriarca. • Territorio de la jurisdicción de un patriarca. • Tiempo que dura la dignidad de un patriarca. • Gobierno o autoridad del patriarca. • Organización social primitiva en la que la autoridad se ejerce por un varón jefe de cada familia. • Periodo de predominio de este sistema.

PATRICIADO m. Dignidad o condición de patricio. • Conjunto o clase de los patricios.

PATRICIO, CIA adj. y s. En la ant. Roma, descendiente de los primeros senadores. • adj. Relativo a los patricios. • m. Individuo que por su nacimiento, riqueza o virtudes descuella entre sus conciudadanos.

PATRICIO (372-461) Santo. Patrón de Irlanda.

PATRILINEALISMO m. Transmisión del nombre, la propiedad y la herencia por la línea masculina.

PATRILOCALISMO m. Práctica por la que la esposa pasa a vivir a la casa del marido o de los parientes de éste.

PATRIMONIALIDAD f. Derecho del natural de un país a obtener los beneficios eclesiásticos.

PATRIMONIO m. Hacienda que una persona ha heredado de sus ascendientes. • fig. Bienes propios adquiridos por cualquier título. • fig. Conjunto de elementos culturales, sociales, etc., comunes a una colectividad. • Patrimonio. ■ PATRIMONIAL.

PATRIO, TRIA adj. Relativo a la patria. • Relativo al padre o que proviene de él. • f. Nación considerada como unidad histórica a la que sus naturales se sienten vinculados. • Tierra natal o adoptiva a la que se pertenece por vínculos afectivos, históricos o jurídicos. • Lugar, ciudad o país en que se ha nacido. • P. ext., lugar en que florece determinada actividad. • **celestial.** Cielo o gloria. • **chica.** Lugar donde se ha nacido.

PATRIOTA com. Persona que tiene amor a su patria y procura todo su bien.

PATRIOTISMO m. Amor a la patria. • Sentimiento y conducta propios del patriota. ■ PATRIOTERÍA; PATRIOTERO, RA; PATRIÓTICO, CA.

PATRIPASIANO, NA adj. y s. Díc. de los herejes cristianos del s. II, de Noeto, que sostenían la unidad del Padre y el Hijo (monarquianismo).

PATRÍSTICO, CA adj. Relativo a la patrística. • f. Ciencia que estudia la doctrina, las obras y vidas de los Padres de la Iglesia. De hecho, equivale a la historia de la ant. literatura cristiana. Se inicia con san Isidoro de Sevilla (s. VII). Destacan Clemente de Roma, san Ambrosio, san Agustín, san Basilio, san Juan Crisóstomo, Cirilo de Alejandría, etc.

PATROCINAR tr. Defender, proteger, amparar, favorecer. ■ PATROCINADOR, RA; PATROCINIO.

PATROCLO *Mit. gr.* Hijo de Menecio, rey de los locrios. Acompañó a Aquiles en la guerra de Troya.

PATROLOGÍA f. Patrística. • Tratado sobre los Santos Padres. • Colección de sus escritos.

PATRÓN, NA m. y f. Defensor, protector. • Que tiene cargo de patronato. • Santo titular de una iglesia. • Protector escogido por un pueblo o congregación, ya sea un santo, ya la Virgen o Jesucristo. • Dueño de la casa donde uno se aloja. • Amo, señor. • m. El que manda y dirige un pequeño buque mercante. • Modelo de papel, cartón, etc., según el cual se corta una tela, plástico, piel, etc., para realizar distintas prendas u objetos. • Dechado que sirve de muestra para sacar otra igual. • Unidad que se toma como referencia para medir, valorar, etc. • Metal que se toma como tipo para la evaluación de la moneda en un sistema monetario. • Planta en que se hace un injerto. • **oro.** *Econ.* Sistema monetario basado en la equivalencia establecida por ley, a tipo fijo, entre una moneda y una cantidad de oro de determinada calidad.

* *Econ.* El sistema del p. oro parte del hecho de que cada unidad monetaria corresponde a cierta cantidad en metal, que los bancos centrales poseen para garantizar la convertibilidad del dinero circulante. La suspensión de la convertibilidad del dólar en oro (1971) supuso el fin del p. oro, sin que se haya llegado a un recambio aceptable.

PATRONAL adj. Relativo al patrono o al patronato. • adj. y f. Díc. de la clase capitalista que posee los medios de producción y, en especial, de las asociaciones de patronos constituidas para la defensa de sus intereses.

PATRONATO o **PATRONAZGO** m. Derecho, poder o facultad que tiene el patrono. • Corporación que forman los patronos. • Fundación de una obra piadosa. • Cargo de cumplir algunas obras pías, que tienen las personas designadas por el fundador. • Junta o consejo encargado de representar y administrar una institución o servicio.

PATRONEAR tr. Ejercer el cargo de patrón en una embarcación.

PATRONÍMICO, CA adj. Entre los gr. y rom. decíase del nombre que, derivado del perteneciente al padre u otro antecesor, se aplicaba al hijo u otro descendiente. • adj. y s. Díc. del apellido que antiguamente se daba en España a los hijos, formado del nombre de sus padres.

PATRONO, NA m. y f. Defensor, protector, amparador. • El que tiene derecho o cargo de patronato. • Patrón, santo titular, y amo y señor. • Señor del directo dominio de los feudos. • Persona que emplea obreros.

PATRULLA f. Partida de soldados u otra gente armada, en corto núm., que ronda para mantener el orden y seguridad. • Grupo de buques o aviones que prestan servicio en una costa, paraje de mar o campo minado, para la defensa o para observaciones meteorológicas. • Este mismo servicio. • Corto núm. de personas que van acuadrilladas.

PATRULLAR intr. Rondar una patrulla. • Prestar servicio de patrulla los buques o aviones. ■ PATRULLERO, RA.

PATTON, *George Smith* (1885-1945) General norteam. Durante la II Guerra Mundial dirigió el desembarco en África del Norte y en Sicilia.

PATUCA Río de Honduras; 500 km. Toma este nombre en la confluencia del Guayape con el Guayambre. Desemboca en el Caribe formando un delta.

PATUDO, DA adj. fam. Que tiene grandes patas o pies.

PATULEA f. fam. Soldadesca desordenada. • fam. Gente desbandada y maleante. • fam. Muchedumbre de chiquillos.

PATULECO, CA adj. *Amér.* Persona que tiene un defecto físico en los pies o en las piernas.

PATULLAR intr. Pisar con fuerza y desatentadamente. • fig. y fam. Dar muchos pasos para conseguir una cosa. • fam. Charlar.

PATURRO, RRA adj. *Col.* Rechoncho, chaparro.

PÁTZCUARO Mun. de México, en el est. de Michoacán, sit. al SO de Ciudad de México; 37 600 hab. Centro comercial y turístico. Destilerías.

PAU C. de Francia, cap. del dpto. de Pyrénées-Atlantiques, en Aquitania; 83 800 hab. La explotación del gas de Lacq ha impulsado el desarrollo industrial.

PAUJÍ (voz quechua) m. Fasianiforme parecido al pavo, caracterizado por tener una prominencia ovoide sobre el pico.

Pesca en **Pátzcuaro**

PAÚL adj. y m. Díc. del clérigo regular de la congregación de misioneros fundada en Francia por san Vicente de Paúl en el s. XVII. • m. Sitio pantanoso cubierto de hierbas.

PAÚL, *Felipe Fermín* (1774-1843) Político ven. Miembro del Congreso que en 1811 declaró la independencia de Venezuela. Ministro del Interior (1837) y de Justicia.

PAULAR m. Pantano o atolladero. • intr. Parlar o hablar.

PAULATINO, NA adj. Que procede u obra despacio o lentamente.

PAULI, *Wolfgang* (1900-1958) Físico aust. Investigó la teoría de la relatividad y de los cuantos. Estableció la hipótesis del neutrino y el principio de exclusión que lleva su nombre. Premio Nobel de Física en 1945 • **Principio de exclusión de P.** En un átomo no puede haber dos electrones con los mismos núm. cuánticos.

PAULICIANO, NA adj. y s. Díc. de los miembros de una secta neomaniquea de Armenia. Pueden deber su nombre a Pablo de Samosata o a su veneración por san Pablo.

PAULILLA f. Palomilla, mariposa nocturna.

PAULING, *Linus Carl* (1901-1994) Químico norteam. Investigaciones sobre la teoría del enlace químico y la estructura atómica. Activo luchador contra las explosiones nucleares. Premio Nobel de Química en 1954 y de la Paz en 1962. Premio Lenin.

PAULINIA f. Arbusto sapindáceo de flores blancas y fruto capsular ovoide, cuyas semillas se usan en Brasil para preparar una bebida refrescante y febrífuga.

Paulo III con sus sobrinos, retratados por Tiziano. Galería de Capodimonti, Nápoles (Italia)

PAULINO, NA adj. Relativo al apóstol san Pablo. • f. Carta de excomunión que se expide en los tribunales pontificios para descubrir cosas robadas u ocultadas. • fig. y fam. Reprensión áspera y fuerte. • fig. y fam. Carta ofensiva anónima.

PAULO I (700-767) Santo. Papa [757-767]. Prosiguió la política de alianza con los francos a fin de preservar la integridad de los Estados Pontificios frente al peligro lombardo. • **II** (*Pietro Barbo,* 1417-1471) Papa [1464-1471]. Contrario a las corrientes renacentistas, cerró la academia de Pomponio Leto y el colegio de los abreviadores. • **III** (*Alessandro Farnese*, 1468-1549) Papa [1534-1549]. Excomulgó a Enrique VIII. Convocó el Concilio de Trento (1535). Fue nepotista y protector de las artes y las letras. • **IV** (*Gian Pietro Carafa*, 1476-1559) Papa [1555-1559]. Persiguió las malas costumbres entre los eclesiásticos. Reorganizó la Inquisición. • **V** (*Camillo Borghese*, 1552-1621) Papa [1605-1621]. Promovió la reforma interna de la Iglesia. Publicó el *Rituale romanum*. Condenó las posiciones científicas de Copérnico. • **VI** → Pablo VI.

PAULUS, *Friedrich von* (1890-1957) Mariscal al. Portavoz de la resistencia al. contra Hitler, fue uno de los fundadores del Comité Nacional de Alemania Libre (1944).

PAUPERISMO m. Existencia de gran núm. de pobres en un Est., en particular cuando procede de causas permanentes. ■ PAUPÉRRIMO, MA.

Claustro de la cartuja de **Pavía**

PAUSA f. Breve interrupción del movimiento, acción o ejercicio. • Tardanza, lentitud. • *Mús.* Breve intervalo en que se deja de cantar o tocar. • *Mús.* Signo de la pausa en la música escrita. ■ PAUSADO, DA.

PAUSANIAS (m. h. 470 a. C.) Príncipe espartano. Participó en la batalla de Platea y en la conquista gr. de Bizancio. En Esparta impulsó una revuelta popular. • (s. II) Viajero y geógrafo gr. *Descripción de Grecia.*

PAUSAR intr. Interrumpir o retardar un movimiento, ejercicio o acción.

PAUTA f. Instrumento para rayar el papel en que se aprende a escribir. • Raya o conjunto de rayas hechas con este instrumento. • fig. Norma, modelo, guía. • fig. *Soc.* Esquema común de comportamiento en una pluralidad de personas.

PAUTADA f. Pentagrama.

PAUTAR tr. Rayar el papel con la pauta. • Señalar en el papel las rayas necesarias para escribir las notas musicales. • fig. Dar reglas o determinar el modo de ejecutar una acción.

PAVA f. Hembra del pavo. • fig. y fam. Mujer sosa y desgarbada. • Fuelle grande usado en hornos metalúrgicos. • Recipiente de metal con asa en la parte superior, tapa y pico, para calentar agua. • *Pan.* Sombrero de mujer, de ala ancha. • *Amér. Centr.* Flequillo de pelo recortado que echan sobre la frente las mujeres. • **de monte.** *Amér.* Ave gallinácea comestible, de plumas de color oscuro.

PAVADA f. Manada de pavos. • fig. y fam. Sosería, insulsez.

PAVANA f. Danza esp., grave, seria y de movimientos pausados. • Tañido de esta danza. • Especie de esclavina que usaron las mujeres.

PAVEAR tr. *Argent.*, *Par.* y *Ur.* Cometer o decir pavadas, tonterías o estupideces. • *Chile* y *Perú.* Burlarse. • *Ecuad.* y *Pan.* Faltar a clase los muchachos.

PAVELIC, ***Ante*** (1889-1959) Político fascista croata. Dictador de Croacia, Est. creado durante la II Guerra Mundial. Condenado a muerte por su colaboración con el Eje, se refugió en Argentina y, posteriormente, pasó a España.

PAVERO, RA m. y f. Persona que cuida de las manadas de pavos o anda vendiéndolos. • fig. y fam. Persona presumida.

PAVÉS m. Escudo oblongo que cubría casi todo el cuerpo del combatiente.

Pavo real

PAVESA f. Partecilla ligera que salta de una materia inflamada y se convierte en ceniza.

PAVESE, ***Cesare*** (1908-1950) Escritor it. Sus novelas muestran una sobria penetración de la realidad campesina y su intensa preocupación por el destino de los hombres. *El prisionero político*, *El camarada*, *El oficio de vivir*, *Tus países*, *La playa*, *Antes de que el gallo cante*, *Entre mujeres*.

PAVESINA f. Pavés pequeño.

PAVÍA f. *Bot.* Planta arbórea hipocastanácea, variedad del pérsico, cuyo fruto tiene la piel lisa y la carne jugosa y pegada al hueso. • Fruto de este árbol.

PAVÍA C. del N de Italia, en Lombardía, sit. junto al r. Tesino; 82 600 hab. Centro comercial. Ind. química, textil, mecánica. Universidad. • **Batalla de P.** Librada en 1525 entre esp. y fr., en ella cayó prisionero Francisco I de Francia.

PAVÍA Rodríguez de Alburquerque, ***Manuel*** (1827-1895) Militar español. Apoyó la política de Castelar y reprimió el movimiento cantonalista. Dirigió el golpe de Est. que acabó con la I República (1874).

PÁVIDO, DA adj. Tímido, medroso o lleno de pavor.

PAVIMENTAR tr. Solar, revestir el suelo con ladrillos u otros elementos. ■ PAVIMENTACIÓN; PAVIMENTO.

PAVIPOLLO m. Pollo del pavo.

PAVLODAR C. de la rep. de Kazakistán, a orillas del Irtish, cap. de la prov. hom.; 187 000 hab. Ind. químicas y mecánicas.

PAVLOV, ***Ivan Petrovich*** (1849-1936) Fisiólogo ruso. Descubridor del reflejo condicionado, mecanismo de adaptación a los estímulos del medio. Premio Nobel de Medicina en 1904.

PAVLOVA, ***Anna*** (1885-1931) Bailarina rusa. Contratada por Diaghilev, fue la más célebre solista de ballet clásico de principios de siglo.

PAVO m. Ave gallinácea, oriunda de América del Norte, de plumaje pardo verdoso con reflejos cobrizos, cabeza y cola cubiertos de carúnculas rojas. El p. doméstico es de menor tamaño y plumaje negro. • adj. y m. fig. y fam. Hombre soso o incauto. • m. fig. *Chile.* Pasajero clandestino, polizón. • **real.** Gallinácea oriunda de Asia. El macho tiene un plumaje muy vistoso; el de la hembra es blanco.

PAVO *Astr.* Constelación austral.

PAVÓN m. Pavo real. • Nombre de algunas mariposas, así llamadas por las manchas redondeadas de sus alas. • *Metal.* Capa fina de cloruros o sulfuros metálicos con que se reviste la superficie de los metales ferrosos para preservarla de la oxidación. • **diurno.** Mariposa diurna que tiene dos manchas redondas en las alas posteriores y otras dos en las anteriores. • **nocturno.** Mariposa nocturna de gran tamaño. Es de color pardo con manchas grises y cuatro ojos en las alas.

PAVÓN *Astr.* Pavo, constelación.

PAVÓN, ***Batalla de*** Acción bélica librada en las inmediaciones del arroyo Pavón, en la prov. de Santa Fe (Argentina), entre el ejército de la Confederación Argentina, al mando del general Urquiza, y el de la prov. de Buenos Aires, conducido por el general Mitre (17 septiembre 1861). Se decidió con el triunfo de las fuerzas porteñas.

PAVONADO, DA adj. Azulado oscuro. • m. *Metal.* Tratamiento que se da a las piezas de hierro o acero para preservarlas de la oxidación o para darles un aspecto determinado. • f. fam. Paseo breve u otra diversión semejante, que se toma por poco tiempo. • fig. Ostentación o pompa con que uno se deja ver.

PAVONAR tr. Dar pavón al hierro o al acero.

PAVONAZO m. *Miner.* Mineral formado por óxido doble de hierro y aluminio.

PAVONEAR intr. y prnl. Hacer uno vana ostentación de su gallardía o de otras prendas. • intr. fig. y fam. Traer a uno entretenido o hacerle desear una cosa. • tr. *Amér.* Enlazar un novillo por una pata. ■ PAVONEO.

PAVOR m. o **PAVURA** f. Temor, con espanto o sobresalto. ■ PAVORIDO, DA.

PAVORDEAR intr. Jabardear.

PAWNEE (*pauni, pani*) adj. y s. Díc. de individuos de un pueblo amerindio de la familia caddo. Originarios de Nebraska, residen actualmente en el est. de Oklahoma.

PAX *Mit.* Divinidad rom. de la paz, correspondiente a la gr. Eirene.

PAX Romana Organización internacional, creada en 1921, que agrupa a los universitarios católicos del mundo.

PAXTON, SIR ***Joseph*** (1803-1865) Jardinero y arquitecto brit. Proyecto del Palacio de Cristal de la Exposición Universal en Londres, de 1851.

PAYACATE m. *Méx.* Pañuelo grande, pañuelo de narices.

PAYADA f. *Amér.* Canto del payador. • **de contrapunto.** *Amér.* Certamen poético y musical de dos payadores.

PAYADOR m. *Argent.*, *Chile* y *Ur.* Cantor popular errante, que interpreta sus coplas acompañándose con la guitarra.

PAYAGUÁ m. *Argent.* y *Par.* Indio del grupo guaycurú que habitó el Chaco par. Actualmente queda sólo un pequeño reducto en la c. de Asunción.

• Dialecto hablado por estos indios. • adj. Relativo a estos indios o a su dialecto. • *Par.* P. ext., indio salvaje.
PAYÁN, ***Eliseo*** (1825-1895) Militar y político col. Vicepresid. (1886). Presid. en ausencia de Núñez (1887 y 1888), post. fue desterrado por éste.
PAYANAR (voz náhuatl) tr. *Méx.* Moler el maíz.
PAYAR intr. *Argent.* y *Chile.* Cantar payadas.
PAYASADA f. Acción o dicho propios de payaso. • fig. Acción ridícula o poco seria.
PAYASO m. Artista que actúa en espectáculos circenses y provoca la risa por medio de sus palabras, atuendo, acciones y gestos. • Persona de poca seriedad, propensa a hacer reír con sus dichos o hechos.
PAYASTE (voz náhuatl) adj. *Amér.* Áspero al tacto.
PAYÉ (voz guaraní) m. *Argent., Par.* y *Ur.* Brujería, hechizo. Amuleto.
PAYNO, ***Manuel*** (1810-1894) Diplomático y novelista mex., cónsul en España. *El fistol del diablo, Los bandidos de Río Frío, Compendio de la historia de México.*
PAYO, YA adj. y s. Aldeano. • Entre los gitanos, persona no gitana. • m. Campesino ignorante y rudo. • f. *Chile.* Composición poética dialogada que improvisan y acompañan a la guitarra los payadores.
PAYRÓ, ***Roberto*** (1867-1928) Novelista arg., de estilo realista y a menudo humorístico. *Pago chico, El casamiento de Laucha, El falso inca, Marco Severi.*
PAYSANDÚ Dpto. de Uruguay, limítrofe con Argentina; 13 922 km^2, 111 509 hab. Cap., la c. hom. Relieve formado por suaves ondulaciones que descienden hacia el r. Uruguay. En la Cuchilla de Haedo nace el Queguay Grande. Clima templado. Cereales, vid, lino. Ganadería. Explotación forestal. • C. de Uruguay, cap. del dpto. hom.; 74 575 hab. Puerto fluvial en el r. Uruguay. Centro comercial e industrial. Pesca.
PAYUELAS f. pl. Viruelas locas.
PAZ f. Situación y relación mutua de quienes no están en guerra. • Pública tranquilidad y quietud de los Est., en contraposición a la guerra o a la turbulencia. • Tratado o convenio que se concuerda entre las partes beligerantes para poner fin a una guerra. Se usa también en pl. • Sosiego y buena correspondencia de unos con otros, en contraposición a las riñas y pleitos. • Genio pacífico, sosegado y apacible. Reconciliación, vuelta a la amistad y a la concordia. Se usa más en pl. • Virtud que pone en el ánimo tranquilidad y sosiego, opuestos a la turbación y las pasiones. • **y salvo.** *Col.* Fórmula con que se denomina al certificado oficial expedido a una persona, de no deber nada al fisco. Usado también en pl. • **A la p. de Dios.** loc. fam. usada como saludo o despedida. • **Dejar en p.** a uno. No inquietarle ni molestarle. • **Descansar en p.** Morir y salvarse; conseguir la bienaventuranza. • **Estar en p.** En el juego, haber igualdad de puntos o ganancias; en las cuentas, estar pagada enteramente una deuda. • fig. Aplícase también al desquite o correspondencia de palabras o acciones en que intervienen dos sujetos. • **Poner p.** Mediar, interponerse entre los que riñen. • **Venir** uno **en son de p.** Venir sin ánimo de reñir, cuando se temía lo contrario.
PAZ, ***La*** Dpto. de Bolivia, fronterizo con Perú y Chile; 133 985 km^2, 1 900 786 hab. Cap., la c. hom. La cord. Real de los andes atraviesa el dpto. de NO a SE (alt. máx.: Illimani, 6 882 m; Illampú, 6 421 m); el lago Titicaca ocupa la parte centrooccidental. Al N se encuentra la llanura amazónica, avenada por el Beni. Clima frío y seco en el sector meridional y tropical en los llanos septentrionales. Cacao, café, algodón, caña de azúcar, maíz, vid, frutales, cebada, patatas. Estaño, volframio, plomo, cinc, cobre. Los grupos indígenas más imp. son los aymará, quechua y tupi-guaraní. • C. y cap. política de Bolivia y del dpto. hom., al SE del lago Titicaca y junto al r. Choqueyapu; 1 115 403 (a.m.); 713 378 hab. la c. Se halla sit. en el fondo de una cubeta del Altiplano, bordeada por la sierra del Calvario. Imp. centro comercial, industrial (alimentarias, textiles, mecánicas), financiero y cultural. Entre los monumentos destacan las iglesias de San Francisco, Santo Domingo, Santa Teresa y San Pedro, y el palacio de los marqueses de Villaverde. Fundada en 1548 por Alonso de Mendoza con el nombre de Nuestra Señora de la Paz, su desarrollo como centro político y administrativo se produjo con la división del Alto Perú (1776). Tras la indep., La Paz se constituyó, junto con Sucre, en una de las c. más imp. La rivalidad entre ambas desembocó en la guerra civil (1898), en la que triunfó La Paz y se convirtió en la cap. política de Bolivia.

Panorámica de la ciudad de **La Paz**

PAZ, ***La*** Dpto. de Honduras, limítrofe con El Salvador; 2 525 km^2, 148 174 hab. Cap., la c. hom.; c. pral.: Marcala. Relieve montañoso (sierra de Nahuaterique). Avenado por el Grande de Otoro, el Chinador, el Rancho Grande y el Palagua. Clima tropical de montaña. Trigo, maíz, café, caña, frutales. Ganadería vacuna. • Dpto. del centro de El Salvador, bañado por el Pacífico; 1 224 km^2, 288 022 hab. Cap., Zacatecoluca. La parte septentrional está ocupada por el Eje volcánico. Varios ríos, de curso breve, desembocan en el estero de Jaltepeque. Clima templado húmedo. Algodón, arroz, azúcar, café. Ganadería. Sal. Ind. de transformación de productos agropecuarios. • C. de Honduras, cap. del dpto. hom.; 11 238 hab. • C. de México, cap. del est. de Baja California Sur; 196 708 hab. Ind. conservera, curtiduría. Pesquería de perlas.
PAZ, ***Francisco M.*** (m. 1866) Militar y político arg. Intervino en la guerra contra Paraguay. • ***Ireneo*** (1836-1924) Escritor mex. Poesía y novela histórica. *Amor y suplicio, Leyendas históricas, La piedra del sacrificio.* • ***José María*** (1791-1854) Militar y político arg. Ministro de la Guerra en el gobierno de Lavalle (1828), se opuso al federalismo de Rosas. Formó la Liga Unitaria, pero fue hecho prisionero al marchar contra Estanislao López (1831). Pudo huir a Uruguay en 1839. Al producirse la rev. de 1852, dirigió la defensa de Buenos Aires frente al ejército de los Confederados. *Memorias póstumas.* • ***Juan Carlos*** (1897-1972) Compositor arg. Seguidor del dodecafonismo en obras como *Música para trío, Seis piezas orquestales, Solos para piano.* Fue uno de los fundadores del grupo Renovación y de la Sociedad Nueva Música. • ***Octavio*** (1914-1998) Diplomático y escritor mex. Como poeta se le considera el mejor lírico del México contemporáneo. *Raíz del hombre, Entre la piedra y la flor, Bajo la clara sombra, Libertad bajo palabra, La estación violenta, La centena, Posdata, Pasado en claro, Vuelta, Poesías.* Ha cultivado la crítica y el ensayo: *Las peras del olmo, Hombres de un siglo, Tiempo nublado,* y el drama: *La hija de Rapaccini.* Premio Cervantes en 1981 y Nobel de Literatura en 1990. • **Barahona,** ***Miguel*** (m. 1937) Político hond. Presid. de la rep. (1925-1929). Combatió con la ayuda de EE UU varios intentos de derrocamiento. • **Estenssoro,** ***Víctor*** (1907-2001) Político bol. Cofundador del Movimiento Nacional Revolucionario (1941). Nombrado candidato en las elecciones de 1951, triunfó por amplio margen, pero un complot militar le impidió asumir el cargo. Sin embargo, una rev. popular dirigida por Siles Suazo se impuso al ejército (1952) y le entregó el poder. Promovió la nacionalización de las minas y la reforma agraria. Reelegido en 1960, fue derribado por un golpe militar (1964). Exiliado desde entonces, se presentó a las elecciones presidenciales de 1979 y 1980, sin alcanzar la mayoría. Tras las elecciones de 1985, aunque no obtuvo los votos necesarios, fue designado nuevo presid. por el Congreso hasta 1989. • **Soldán,** ***Mariano Felipe*** (1821-1886) Político e historiador per.

José María **Paz**

Octavio **Paz**

Jaime **Paz Zamora**

Ministro de Relaciones Exteriores con Castilla (1858-1863) y de Justicia con Balta (1868-1872). *Historia del Perú independiente, 1819-27, Diccionario geográfico-estadístico del Perú.* • **Soldán y Unanue,** ***Pedro*** (1839-1895) Escritor per., conocido por JUAN DE ARONA. Autor de poesías satíricas. *Ruinas, Pasada pesada en posada.* • **Zamora,** ***Jaime*** (nacido 1939) Político bol., n. en Cochabamba. Lic. en Ciencias Sociales y Políticas fue elegido vice-presid. de la rep. en 1978 y 1980, año en que salió ileso en un atentado aéreo. Candidato por el Movimiento Izquierda Revolucionaria (MIR) en 1989, fue nombrado presid. por el Congreso gracias al apoyo de Acción Democrática Nacionalista, de Hugo Bánzer. Cesó en 1993.

PAZARDZIK C. de Bulgaria, cap. del distr. hom.; 77 800 hab. Centro industrial y administrativo.

PAZGUATO, TA adj. y s. Simple, que se pasma y admira de lo que ve u oye. ■ PAZGUATERÍA.

PAZO m. En Galicia, casa solariega, y especialmente la edificada en el campo.

PAZOS Kanki, ***Vicente*** (1779-h. 1851) Escritor y político bol. Partidario del mov. independentista, fue director en Buenos Aires del periódico *Crónica Argentina*, donde defendió las ideas republicanas, lo que le costó el destierro. *Cartas sobre las Provincias Unidas del Río de la Plata.*

PAZOTE m. Planta herbácea aromática, de la familia quenopodiáceas, originaria de América.

Pb *Quím.* Símb. del plomo.

P. C. *Comp.* Siglas de computadora personal.

Pd *Quím.* Símb. del paladio.

P. D. Abrev. de posdata.

PE f. Nombre de la letra *p.* • **De p. a pa.** m. adv. fig. y fam. Enteramente, desde el principio al fin.

PEACE Río de Canadá. Nace en las montañas Rocosas (Columbia Británica) y confluye con el río del Esclavo; 1 700 km.

PEAJE m. Derecho de tránsito que se abonaba durante la E. Med. por pasar por un puente, camino, etc. • Cantidad que cobra la empresa concesionaria de una autopista, canal, etc. • P. ext., lugar donde se recauda esta cantidad.

PEAL m. Parte de la media que cubre el pie. • Media sin pie que se sujeta a éste con una trabilla. • Paño con que se cubre el pie. • fig. y fam. Persona inútil, torpe, despreciable. • *Amér.* Cuerda o soga con que se amarran o traban las patas de un animal. • *Amér.* Lazo que se arroja a un animal para derribarlo.

PEANA f. Basa, apoyo o pie para colocar encima una figura u otra cosa. • Tarima que hay delante del altar, arrimada a él. • Elemento horizontal inferior del marco de una ventana.

PEANO m. *Amér. Centr.* Piano.

PEANO, ***Giuseppe*** (1858-1932) Matemático it. Autor de imp. trabajos de lógica matemática. Definió el núm. natural por medio de axiomas. • **Axiomas de P.** *Mat.* 1) Existe un conjunto N y, en él, el elemento 1; 2) existe una aplicación S de n en N tal que 1 no es de la forma $S(n)$ cualquiera que sea n de N; y 3) el único subconjunto de N que contiene a 1 y que con cada uno de sus elementos n contiene a $S(n)$, es el propio N.

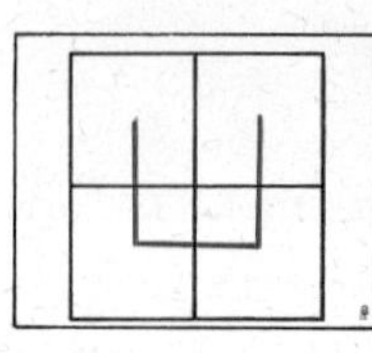

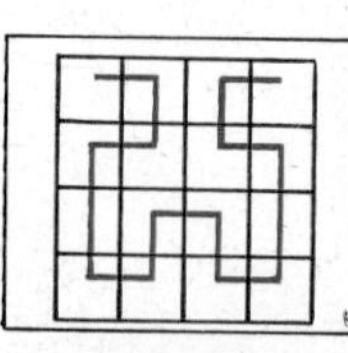

Primeras fases de la construcción de una curva de **Peano,** que llena todo el cuadrado

PEARL HARBOR Golfo de la isla de Oahu, en las Hawai. Base aeronaval de EE UU desde 1908. El ataque japonés contra ésta determinó la entrada norteam. en la II Guerra Mundial.

PEARSON, ***Lester Bowles*** (1897-1972) Político canadiense. Jefe del Partido Liberal (1958), fue elegido primer ministro en 1963. Dimitió en 1967 a raíz de la crisis de Quebec. Premio Nobel de la Paz en 1957.

PEATÓN, NA m. y f. Persona que va a pie. • m. Cartero encargado de la conducción a pie de la correspondencia entre pueblos cercanos.

PEBETE, TA m. y f. *Argent.* y *Ur.* Niño, chiquillo, muchacho. • m. Pasta hecha con polvos aromáticos, regularmente en forma de varilla, que encendida exhala un humo muy fragante. • Canutillo formado de una masa de pólvora y otros ingredientes, que sirve para encender los artificios de fuego. • fig. y fam. Cualquiera cosa que tiene mal olor.

PEBETERO m. Vaso para quemar perfumes.

PEBRAZO m. Hongo basidiomiceto de la familia agaricáceas. Es una seta con sombrerillo blanco-amarillento, carne compacta, pedicelo grueso y provisto de sericidad. Es comestible.

PEBRE amb. Salsa en que entran pimienta, ajo, perejil y vinagre. • En algunas partes, pimienta, especia. • m. *Chile.* Puré de patatas.

PECA f. Cualquiera de las manchas pequeñas y de color pardo que suelen salir en el cutis. ■ PECOSO, SA.

PECADO m. *Teol.* Violación del orden moral de origen divino. Se llama *original* al p. hereditario de la especie humana. Según su gravedad, el p. puede ser venial o mortal. Los pecados capitales son: soberbia, avaricia, lujuria, envidia, gula, ira y pereza. • Cualquier cosa que se aparta de lo recto y justo, o de lo que es debido. • Exceso o defecto en cualquier línea. • fig. y fam. El diablo. • Juego de naipes.

PEÇANHA, ***Nilo*** (1867-1924) Político bras. Vicepresid. de la rep. (1906-1909). Presid. (1909-1910).

PECAR intr. Quebrantar la ley de Dios. • Faltar absolutamente a cualquier obligación y a lo que es debido y justo, o a las reglas del arte o política. • Faltar a las reglas de cualquier línea. • Dejarse llevar de la afición a una cosa. • Dar motivo para un castigo o pena. • *Med.* Predominar o exceder un humor en las enfermedades. ■ PECADOR, RA; PECAMINOSO, SA.

PÉCARI m. *Zool.* Mamífero paquidermo que vive en los bosques de la América Meridional y cuya carne es muy apreciada; saíno.

PECBLENDA o **PECHBLENDA** f. *Miner.* Mena de uranio, en cuya composición entran varios metales raros y entre ellos el radio.

PECCATA minuta exp. fam. Error, falta o vicio leve.

PECE m. Lomo de tierra que queda entre cada dos surcos. • f. Tierra o mortero amasados para hacer tapias u otras construcciones.

PECEÑO, ÑA adj. Que tiene el color de la pez. • Díc. del caballo de este pelo. • Que sabe a la pez.

PECERA f. Vasija transparente que se llena de agua y sirve para tener a la vista uno o varios peces.

PECES *Astr.* Piscis, constelación.

PECHADA f. *Amér.* Golpe dado con el pecho o con los hombros. • Golpe que da el jinete con el pecho del caballo. • *Argent.* y *Chile.* Atropello, empujón.

PECHAR tr. Pagar tributo. • *Amér.* Sablear, estafar. • *Amér.* Dar pechadas. • intr. Asumir una carga o sujetarse a su perjuicio.

¡PECHE! o **¡PCHS!** interj. que denota indiferencia, displicencia o reserva.

PECHEAR tr. Embestir con el pecho a la manera de los gallos de pelea.

PECHENEGO, GA adj. y s. Díc. de los individuos de un pueblo nómada de origen mongol, que se estableció en el s. IX al N del mar Negro. Fueron casi exterminados en 1091 por los bizantinos.

PECHERO, RA adj. y s. Obligado a pagar o contribuir con tributo. • Plebeyo, por contraposición a noble. • m. Babero, para niños pequeños. • f. Pedazo de lienzo o paño que se pone en el pecho para abrigarlo. • Chorrera, guarnición de encaje de la camisa. • Parte de la camisa y otras prendas de vestir, que cubre el pecho. • fam. Parte exterior del pecho, especialmente en las mujeres. • fam. Espetera, pecho de la mujer.

PECHIAZUL m. Pajarillo de la familia túrdidos, caracterizado por la mancha de vivo azul celeste que los machos presentan en el pecho durante la época de celo.

PECHICHE m. *Ecuad.* Árbol que da una madera fina e incorruptible y una frutilla como la cereza, que se emplea para hacer dulce.

PECHINA f. Venera, concha de peregrino. • *Arq.* Cada uno de los cuatro triángulos esféricos que constituyen el anillo básico de una cúpula y cargan sobre los arcos torales.

PECHO m. Parte del cuerpo humano que se extiende desde el cuello hasta el vientre, y en cuya cavidad contiene el corazón y los pulmones. • Lo exterior de esta misma parte. • Parte anterior del tronco de los cuadrúpedos entre el cuello y las patas anteriores. • Cada una de las mamas de la mujer. • Repecho. • fig. Interior del hombre. • fig. Valor, esfuerzo, fortaleza y constancia. • fig. Calidad de la voz, o su duración y sostenimiento para cantar o perorar. • **amarillo.** *Amér. Centr.* Nombre de diversos pájaros insectívoros de pecho y vientre amarillos y alas y cabeza cenicientas. • **A p. descubierto.** m . adv. Sin armas defensivas, sin resguardo. • fig. Con sinceridad y nobleza.

PECHÓN, NA adj. *Méx.* Descarado, gorrón.

PECHOÑO, ÑA adj. y s. *Argent.* Santurrón.

PECHORA Río de Rusia; nace en los montes Urales Septentrionales y desemboca en el mar de Barents; 1 790 km.

PECHUGA f. Pecho de ave, que está como dividido en dos, a ambas partes del caballete. Suele usarse en pl. • Cada una de estas dos partes del pecho del ave. • fig. y fam. Pecho de hombre o mujer. • fig. y fam. Cuesta, pendiente. • fig. *Amér. Centr.* Desvergüenza, desenfado. • *Perú.* Egoísmo desmesurado.

PECHUGAZO m. Caída o encuentro de pechos.

PECHUGÓN, NA adj. y f. Díc. de la mujer de pecho abultado. • adj. y s. *Chile.* Díc. de la persona de mucho empuje y resolución. • *Amér.* Indelicado, sinvergüenza, gorrón. • m. Golpe fuerte que se da con la mano en el pecho de otro. • Pechugazo. • fig. Esfuerzo extremado o impulso fuerte.

PECHUGONADA f. *Perú.* Desvergüenza.

PECIENTO, TA adj. Del color de la pez.

PECILUENGO, GA adj. Díc. de la fruta que tiene largo el pezón del cual pende en el árbol.

PECINA f. Cieno negruzco que se forma en los charcos o cauces donde hay materias orgánicas en descomposición. ■ PECINOSO, SA.

PECINAL m. Charco de agua estancada o laguna que tiene mucha pecina.

PECIO m. Pedazo o fragmento de la nave que ha naufragado o porción de lo que ella contiene.

PECIOLO o **PECÍOLO** m. *Bot.* Parte de la hoja vegetal, con aspecto de tallo y que sirve de zona de inserción con el resto del vástago. ■ PECIOLADO, DA.

PECK, *Gregory* (nacido 1916) Actor cinematográfico norteam. *Duelo al sol, Matar a un ruiseñor,* con la que obtuvo un Óscar, *Recuerda, Vacaciones en Roma.*

PECKINPAH, *Sam* (1926-1984) Director cinematográfico norteam. *Grupo salvaje, La balada de Cable Hogue, Perros de paja, La huida, Junior Bonner, Convoy.*

PÉCORA f. Res o cabeza de ganado lanar. • fig. y fam. *P. Rico.* Puta. • **Mala p.** fig. y fam. Puta.

PECOS Río de EE UU, afl. del río Grande del Norte; atraviesa los est. de Nuevo México y Texas; 1 250 km.

PÉCS *(Fünfkirchen)* C. del S de Hungría; 175 000 hab. Centro minero. Ind. metalúrgica y química. Universidad.

PÉCTICO, CA adj. *Quím.* Díc. de polímeros de ácidos urónicos, de elevado peso molecular, que forman parte de las paredes celulares vegetales y en disolución acuosa dan lugar a jaleas muy resistentes a los agentes protectores del tracto gastrointestinal.

PECTINA f. *Quím.* Polisacárido de alto peso molecular, de naturaleza gélica y gran viscosidad.

PECTÍNEO m. *Anat.* Músculo del muslo que hace girar el fémur.

PECTINIFORME adj. *Bot.* y *Zool.* De figura de peine o dentado como él.

PECTORAL adj. Relativo al pecho. • *Anat.* Díc. de los músculos torácicos que intervienen en la respiración y en movimientos de hombros y brazos.

PECTOSA f. *Quím.* Sustancia contenida en los frutos sin madurar que por medio de fermentos y del agua hirviendo se convierte en pectina.

PECUARIO, RIA adj. Relativo al ganado.

PECULADO m. *Der.* Delito que consiste en el hurto de caudales del erario público, hecho por aquel a quien está confiada su administración.

PECULIAR adj. Propio o privativo de cada persona o cosa. ■ PECULIARIDAD.

PECULIO m. Hacienda o caudal que el padre o señor permitía al hijo o siervo para su uso y comercio. • fig. Dinero que particularmente tiene cada uno.

PECUNIA f. fam. Moneda o dinero. ■ PECUNIARIO, RIA.

PEDAGOGÍA f. Arte de enseñar o educar a los niños. • P. ext., y en general, lo que enseña y educa. ■ PEDAGÓGICO, CA.

* *Hist.* La revolución mental del Renacimiento, y post. las obras de Locke y Rousseau, prepararon el camino hacia la moderna p., que a finales del s. XVIII y principios del XIX aparece ya como ciencia independiente. Apoyándose en la sociología y en la psicología se crearon nuevos métodos (casas de niños, de Montessori; centros de interés, de Decroly; escuelas de trabajo, de Kerschensteiner; aplicación de tests, etc.), que en la actualidad cuentan con la aplicación de la cibernética, de los medios audiovisuales, etc.

PEDAGOGO, GA m. y f. Persona que instruye y educa niños. • Profesor oficial de niños. • Perito en pedagogía. • Maestro de escuela.

PEDAL m. Palanca que pone en movimiento un mecanismo al oprimirla con el pie. • *Mús.* En la armonía, sonido prolongado sobre el cual se suceden diferentes acordes. • *Mús.* Cada uno de los juegos mecánicos y de voces, movidos por los pies y que se corresponden con las teclas del órgano o piano para reforzar o debilitar la intensidad del sonido.

PEDALADA f. Cada uno de los impulsos que se dan con el pie a un pedal de bicicleta o de otro aparato.

PEDALEAR intr. Poner en movimiento un pedal. Díc. especialmente con referencia al de la bicicleta. ■ PEDALEO.

PEDALIÁCEO, A adj. y f. *Bot.* Díc. de las plantas angiospermas dicotiledóneas, herbáceas, de hojas simples, flores con ovario tetralocular y frutos en cápsula, pixidio o baya. • f. pl. *Bot.* Familia de estas plantas.

PEDÁNEO, A adj. Díc. de las autoridades administrativas cuya jurisdicción se extiende a aldeas o pequeños núcleos de población.

PEDANTE adj. y s. Aplícase al que por engreimiento se complace en hacer excesivo e inoportuno alarde de erudición. • m. Maestro que enseñaba a los niños la gramática yendo a las casas. ■ PEDANTERÍA; PEDANTESCO, CA; PEDANTISMO.

PEDANTEAR intr. Hacer, por ridículo engreimiento, inoportuno y vano alarde de erudición.

PEDAZO m. Parte o porción de una cosa separada del todo. • Cualquier parte de un todo físico o moral. • **Ser** uno un **p. de pan.** fig. y fam. Ser de condición afable y bondadosa.

PEDERASTIA f. *Psic.* Trastorno psicosexual consistente en la atracción erótica que siente el adulto por los niños. ■ PEDERASTA.

PEDERNAL m. *Geol.* Roca sedimentaria de origen químico constituida casi exclusivamente por sílice. Es de fractura astillosa y predominantemente gris o azulada. • fig. Cualquier cosa muy dura. ■ PEDERNALINO, NA.

PEDERNALES Prov. de la República Dominicana, fronteriza con Haití y bañada por el mar de las Antillas; 1 011 km², 18 800 hab. Cap., la c. hom. Accidentada por las estribaciones de la sierra de Baoruco. Ríos: Pedernales y Sabana Grande. Clima tropical seco. Café, caña de azúcar, cereales. Bauxita, sal. • C. de la República Dominicana, cap. de la prov. hom.; 7 880 hab. Sit. junto a la desembocadura del r. hom. Agricultura. Centro industrial.

PEDESTAL m. Cuerpo sólido, gralte. de figura de paralelepípedo rectangular, con basa y cornisa, que sostiene una columna, estatua, etc. • Pie o peana, especialmente la de cruces y cosas semejantes. • fig. Fundamento en que se asegura o afirma una cosa, o la que sirve de medio para alcanzarla.

PEDESTRE adj. Que anda a pie. • Díc. del deporte que consiste especialmente en andar y correr. • fig. Llano, vulgar, inculto, bajo.

PEDESTRISMO m. Conjunto de deportes pedestres.

PEDIATRÍA f. Parte de la medicina que se ocupa de los cuidados del niño y del tratamiento de sus enfermedades. ■ PEDÍATRA O PEDIATRA; PEDIÁTRICO, CA.

PEDICELARIO m. Apéndice de que están provistos muchos equinodermos. Suelen terminar en pinzas, que realizan la limpieza de la superficie externa del animal.

PEDICELO m. Columna carnosa que sostiene el sombrerillo de las setas.

PEDICULAR adj. Relativo al piojo. • Relativo al pedículo anatómico.

Pécari

Pecblenda

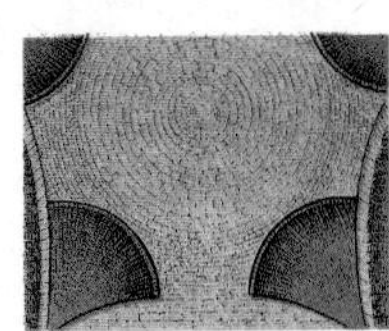

Pechinas de una cúpula (parte sombreada)

Pedestal de Benvenuto Cellini. Loggia dei Lanzi, Florencia (Italia)

Pedro II, emperador de Brasil, retrato de Batista da Costa

Estatua ecuestre de **Pedro I** de Castilla. Museo Arqueológico, Madrid

Estatua ecuestre de **Pedro I** el Grande en San Petersburgo (Rusia)

PEDÍCULO m. *Bot.* Pedúnculo de la hoja, flor o fruto. • *Fisiol.* Tallo que une una formación anormal.

PEDICULOSIS f. *Pat.* Enfermedad de la piel producida por el insistente rascamiento que motiva la abundancia de piojos.

PEDICURO, RA m. y f. Persona experta en podología.

PEDIDO m. Donativo o concesión que pedían los soberanos a sus vasallos y súbditos en caso de necesidad. • Tributo que se pagaba en los lugares. • Encargo de géneros hecho a un fabricante o vendedor. • Petición.

PEDIGRÍ o **PEDIGREE** m. Genealogía de un animal de raza. • Documento en que consta.

PEDILLANURA f. Forma de relieve plano, casi horizontal.

PEDILUVIO m. Baño de pies terapéutico. Se usa más en pl.

PEDIMENTO m. Petición. • *Der.* Escrito que se presenta ante un juez. • *Der.* Cada una de las solicitudes que en el escrito se formulan.

PEDIO, DIA adj. *Anat.* Relativo al pie.

PEDIPALPO m. *Zool.* Segundo par de apéndices de los artrópodos quelicerados, de función prensora.

PEDIR tr. Rogar o demandar a uno que dé o haga una cosa, de gracia o de justicia. • P. ant., pedir limosna. • Deducir uno ante el juez su derecho o acción contra otro. • Poner precio a la mercadería el que vende. • Requerir una cosa, exigirla como necesaria o conveniente. • Querer, desear o apetecer. • Proponer uno a los padres o parientes de una mujer el deseo o intento de que la concedan por esposa para sí o para otro. • En el juego de pelota y otros, preguntar a los que miran si el lance o jugada se ha hecho según las reglas o leyes del juego, constituyéndolos en jueces de la acción. • En el juego de naipes, obligar a servir la carta del palo que se ha jugado. • En el mismo juego, exigir o reclamar una o más cartas cuando es potestativo hacerlo. • Interrogar, preguntar. ■ PEDIGÜEÑO, ÑA.

PEDO m. Ventosidad que se expele del vientre por el ano. • fig. y fam. Borrachera. • **de lobo.** Bejín, hongo.

PEDOFILIA f. Pederastia.

PEDOGÉNESIS f. *Geol.* Formación y evolución de los suelos, paidogénesis.

PEDOLOGÍA f. Paidología. • *Geol.* Edafología.

PEDORREAR intr. Echar pedos repetidos. ■ PEDORREO; PEDORRERO, RA; PEDORRO, RRA.

PEDORRERA f. Frecuencia o muchedumbre de pedos. • pl. Calzones ajustados, llamados escuderiles porque usaban de ellos los escuderos.

PEDORRETA f. Sonido que se hace con la boca, imitando el pedo.

PEDRADA f. Acción de despedir o arrojar con impulso una piedra. • Golpe que se da con la piedra tirada. • Señal que deja. • fig. y fam. Exp. dicha para que otro se dé por aludido.

PEDRAL m. *Mar.* Piedra que atada a un cabo o a una red sirve para mantenerlos en posición vertical dentro del agua. Se usa más en pl.

PEDRAPLÉN m. Dique formado por piedras vertidas a granel.

PEDRARIAS Dávila (h. 1440-1531) Conquistador esp., cuyo nombre era Pedro Arias de Ávila. En 1513 fue nombrado gobernador general de Santa María la Antigua del Darién. Fundó en Panamá Nuestra Señora de la Ascensión. Sus actos de crueldad obligaron a trasladarle a Nicaragua, que administró hasta su muerte.

PEDREA f. Acción de apedrear o apedrearse. • Combate a pedradas. • Acto de caer piedra de las nubes. • fam. Conjunto de los premios menores de la lotería.

PEDREGAL m. Sitio cubierto de piedras sueltas.

PEDREGÓN m. *Chile* y *Col.* Pedrejón.

PEDREGOSO, SA adj. Díc. del terreno naturalmente cubierto de piedras. • adj. y s. Que padece mal de piedra.

PEDREIRA Pizarro, ***Antonio*** (1899-1939) Escritor puertorriq. Poemas y ensayos. *Insularismo.*

PEDREJÓN m. Piedra grande o suelta.

PEDRERA f. Cantera, sitio o lugar de donde se sacan las piedras.

PEDRERÍA f. Conjunto de piedras preciosas.

PEDRERO m. Cantero, el que labra las piedras. • Boca de fuego ant., especialmente destinada a disparar bolas de piedra. • Hondero.

PEDRISCAL m. Pedregal.

PEDRISCO m. o **PEDRISCA** f. Piedra o granizo muy crecido que cae de las nubes en abundancia. • Multitud de piedras arrojadas o tiradas. • Conjunto o multitud de piedras sueltas.

PEDRISQUERO m. Pedrisco, granizo.

PEDRIZO, ZA adj. Pedregoso.

PEDRO n. p. de varón que aparece en diversas loc. y exp. familiares. • **Jiménez.** Pedrojiménez, variedad de uva y vino. • **Como P. por su casa.** loc. fig. y fam. Con entera libertad y llaneza, sin miramiento alguno.

PEDRO nombre de varios monarcas.

ARAGÓN

PEDRO I (h. 1070-1104) Rey de Aragón y Navarra [1094-1104]. Sucedió a su padre, Sancho I Ramírez. Mantuvo la alianza con el Cid, y tomó a los ár. Huesca, Barbastro, Bolea, Almunientes y Piracés. • **II** ***el Católico*** (h. 1177-1213) Rey de la Corona de Aragón [1196-1213]. Heredó de Alfonso II el reino de Aragón, el principado de Cataluña y varios dominios en el Mediodía fr. Intervino en la batalla de las Navas de Tolosa (1212). Defendió a los albigenses frente a Inocencio III. Murió en la batalla de Muret. • **III** ***el Grande*** (1240-1285) Rey de la Corona de Aragón [1276-1285], hijo de Jaime I. Fue coronado rey de Sicilia. Martín IV organizó una cruzada contra él por apoyar a los angevinos. Murió cuando preparaba una expedición de castigo contra su hermano Jaime II de Mallorca. Dividió su reino entre sus hijos Alfonso y Jaime.• **IV** ***el Ceremonioso*** (1319-1387) Rey de la Corona de Aragón [1336-1387], hijo de Alfonso IV. Ayudó a Alfonso XI de Castilla en la reconquista del estrecho. Se apoderó de Mallorca (1343), Menorca e Ibiza. En 1356 se declaró la guerra entre él y Pedro I de Castilla y León. Aliado con Venecia, combatió con Génova y Pisa por el dominio de Cerdeña.

BRASIL

PEDRO I (1798-1834) Emp. de Brasil [1822-1831] y rey de Portugal [1826]. Su padre, Juan VI, le nombró regente de Brasil en 1821. Tras tomar partido por los nacionalistas brasileños, encabezó el movimiento revolucionario ya existente, y proclamó la indep. de Brasil (1822), país del que fue proclamado emp. constitucional. Una insurrección liberal, a la que se sumó el ejército, le obligó a abdicar. • **II** (1825-1891) Emp. de Brasil [1831-1889], hijo de Pedro I. Gobernó respetando los principios constitucionales y fue el árbitro de las diferencias entre liberales y conservadores. En 1865 se unió a la Triple Alianza, con Uruguay y Argentina, en la guerra contra Paraguay.

CASTILLA Y LEÓN

PEDRO I ***el Cruel*** (1334-1369) Rey de Castilla y de León [1350-1369], hijo de Alfonso XI. Su política le enfrentó a la nobleza que, encabezada por Enrique de Trastámara, se rebeló. Inició en 1356 la guerra contra Pedro IV el Ceremonioso. Fue muerto por Enrique después de la batalla de los campos de Montiel.

PORTUGAL

PEDRO I ***el Justiciero*** (1320-1367) Rey de Portugal [1357-1367]. Casó con la infanta cast. Constanza Manuel y post. con su amante Inés de Castro. • **II** (1648-1706) Regente [1667-1682] y rey [1683-1706] de Portugal. Destronó a su hermano Alfonso VI. Obtuvo la indep. de España en 1668.

RUSIA

PEDRO I Alexeievich, llamado EL GRANDE (1672-1725) Zar de Rusia [1682-1725], sucesor de Teodoro III. Convirtió a Rusia en la primera potencia del Báltico. Reorganizó la administración local, estableció el control del Est. sobre la Iglesia e impulsó la industria y el comercio. Mandó ejecutar a su hijo. • **III Fiedoróvich** (1728-1762) Zar de Rusia [1762]. Devolvió Prusia Oriental y Pomerania a los prusianos. Fue depuesto y le sucedió su esposa Catalina II.

YUGOSLAVIA

PEDRO I Karageorgevich (1844-1921) Rey de Servia [1903-1918] y de Yugoslavia [1918-1921]. Su política favorable a Rusia fue uno de los motivos de la I Guerra Mundial. • **II Karageorgevich** (1923-1970) Rey de Yugoslavia [1934-1945]. Se refugió en Gran Bretaña durante la invasión al. y ya no pudo volver a su país.

PEDRO Santo. El más destacado apóstol de Jesús, llamado Simón y Cefas. Era pescador en Betsaida. Cristo le nombró cabeza de la Iglesia. Escribió dos de las epístolas del N. T. En la primera persecución (Nerón), murió en el circo. • **Claver** (1581-1654) Santo. Jesuita esp. Misionero en América, se dedicó a evangelizar a los esclavos negros. Es patrón de Colombia. • **de Alcántara** (1499-1562) Santo. Religioso esp., fundador de los franciscanos descalzos. *Libro de la oración y meditación*. • ***el Ermitaño*** (1050-1115) Beato. Monje fr. Después del concilio de Clermont (1095), fue el organizador de la fracasada cruzada popular. • ***el Venerable*** o **de Montbois** (1092-1156) Abad de Cluny. Polemizó con san Bernardo de Claraval en la controversia entre cluniacenses y cistercienses. Tradujo el Corán al latín. • **Hispano** (m. 1277) Filósofo escolástico port. Fue papa con el nombre de Juan XXI. *Summulae logicales*. • **Lombardo** (1100-1160) Teólogo lombardo. Obispo de París en 1159. Sus *Libros de sentencias* fueron la base de la enseñanza teológica durante la época escolástica. • **Nolasco** (m. 1256) Santo. Religioso esp., de origen fr. Fundador de la orden de la Merced.

PEDRO CARBO C. de Ecuador, en la prov. de Guayas; 29 000 hab. Agricultura.

PEDRO JUAN CABALLERO C. de Paraguay, cap. del dpto. de Amambay; 37 300 hab. Café. Ganadería. Centro comercial.

PEDRO MARÍA MORANTES Pob. de Venezuela, en el est. Táchira; 35 900 hab. Forma parte de la agl. urb. de San Cristóbal.

PEDRUSCO m. fam. Pedazo de piedra sin labrar. • fam. y despect. Joya con brillantes o piedras preciosas.

PEDÚNCULO m. *Bot.* Porción de tallo que sostiene las inflorescencias, flores o frutos. • *Zool.* Prolongación del cuerpo, mediante la cual están fijos al suelo algunos animales de vida sedentaria. ■ PEDUNCULADO, DA.

PEEL, SIR ***Robert*** (1788-1850) Político brit. Ministro del Interior (1822-1830), fue elegido primer ministro en 1841. Reformó el sistema fiscal, otorgó derechos civiles a los judíos y fue partidario del librecambismo.

PEER intr. y prnl. Echar pedos.

PEGA f. Acción de pegar o conglutinar una cosa con otra. • Sustancia cualquiera que sirve para pegar. • Baño de pez que se da a ciertos vasos o vasijas. • Remiendo en el vestido. • fam. Chasco, engaño. • Pregunta capciosa o difícil de responder. • Obstáculo, contratiempo, dificultad, que se presenta de forma imprevista. • Urraca. • fam. Zurra, paliza. • *Min.* Acción de pegar fuego a un barreno. • *Cuba.* Trabajo. • *Chile*, *Col.*, *Cuba* y *Perú.* Liga para cazar pájaros. • *Chile.* Periodo de transmisión de las enfermedades contagiosas. • *Chile.* Edad en que culminan los atractivos de una persona. • *Chile.* Entretenimiento, jarana. • *R. de la Plata.* Acierto. • **reborda.** Alcaudón, pájaro. • **De p.** loc. adj. De mentira, falso, fingido. • **Estar en la p.** *Chile* y *R. de la Plata.* Estar en su mejor momento; conocer un secreto.

PEGADILLA f. *Col.* Colmena fabricada por abejas silvestres.

PEGADIZO, ZA adj. Pegajoso, que se pega. • Contagioso. • Que se graba en la memoria con facilidad. • Díc. de la persona que se arrima a otra para comer o divertirse a costa suya. • Postizo, agregado, imitado.

PEGADO, DA adj. *Amér. Centr.* Ebrio. • m. Parche o emplasto compuesto de cosas que se pegan.

PEGADOR m. *Cuba.* Rémora.

PEGADURA f. Acción de pegar. • Unión física o costura que resulta de haberse pegado una cosa con otra. • *Col.* y *Ecuad.* Pegata, burla.

PEGAJOSIDAD f. Glutinosidad, viscosidad.

PEGAJOSO, SA adj. Que con facilidad se pega. • Contagioso o que con facilidad se comunica. • fig. y fam. Suave, atractivo, meloso. • fig. y fam. Que con su excesiva familiaridad y caricias se hace fastidioso. • fig. y fam. Aplícase a los vicios que fácilmente se comunican, o cuyo atractivo con dificultad se desecha o resiste. • fig. y fam. Díc. de los oficios y empleos en que se manejan intereses, de los que fácilmente puede abusarse.

PEGAMENTO m. Sustancia propia para pegar o conglutinar.

PEGAMOSCAS f. Planta cariofilácea cuya flor tiene el cáliz cubierto de pelos pegajosos, en los cuales quedan pegados los insectos.

PEGA-PEGA f. *Amér. Centr.* Planta de la familia fabáceas, usada como forraje para el ganado.

PEGAR tr. Adherir, conglutinar una cosa con otra. • Unir una cosa con otra, atándola, cosiéndola, etc. • Arrimar o aplicar una cosa a otra, de modo que entre las dos no quede espacio alguno. • tr. y prnl. Comunicar uno a otro una cosa por el contacto, trato, etc. Díc. comúnmente de enfermedades contagiosas, vicios, costumbres u opiniones. • tr. fig. Castigar o maltratar a uno dando golpes. • Dar determinados golpes. • fig. Junto con algunos nombres, tiene la significación de los verbos que de éstos se forman. • intr. Asir o prender. • Causar efecto una cosa o impresionar. • Caer bien una cosa; combinar con otra; ser de oportunidad, venir al caso. • Estar una cosa próxima o contigua a otra. • Dar o tropezar en una cosa con fuerte impulso. • Asirse o unirse por su naturaleza una cosa a otra, de modo que sea dificultoso separarla. • Tratándose de versos, rimar uno con otro. • prnl. Darse golpes dos o más personas. • Hablando de guisos, quemarse por haberse adherido a la olla, cazuela, etc., alguna parte sólida de lo que cuece. • fig. Introducirse o agregarse uno a donde no es llamado o no tiene motivo para ello. • fig. Insinuarse una cosa en el ánimo, de modo que produzca en él complacencia o afición. • fig. Aficionarse o inclinarse mucho a una cosa, de modo que sea muy difícil dejarla o separarse de ella. • fig. y fam. Acompañado de algunos sustantivos (como ducha, susto, golpe), dárselos. • **Pegársela** a uno. fam. Chasquearle, burlar su buena fe o confianza. ■ PEGAMIENTO.

PEGASEO, A adj. Relativo al caballo Pegaso o a las musas.

PEGÁSIDES f. pl. Las musas.

PEGASIFORME adj. y m. *Zool.* Díc. de animales del orden pegasiformes. • m. pl. *Zool.* Orden de peces óseos actinopterigios, marinos, llamados vulgarmente dragones de mar.

PEGASO *Astr.* Pegasus, constelación.

PEGASO *Astron.* Nombre de una serie de tres satélites artificiales norteam., lanzados en 1965 para el estudio de los meteoritos en el espacio circunterrestre.

PEGASO *Mit. gr.* Caballo alado nacido de la sangre de Medusa cuando la decapitó Perseo. Zeus lo colocó entre las estrellas.

PEGASUS *Astr.* Constelación boreal, cuyas cuatro estrellas prales. forman un cuadrilátero.

PEGATINA f. fam. Adhesivo.

PEGMATITA f. *Geol.* Producto último de la consolidación de un magma que contiene grandes cristales.

PEGO m. Fullería que consiste en pegar disimuladamente dos naipes para que salgan como uno solo, cuando le convenga al tramposo. • fig. y fam. Ficción o artificio con que se engaña a alguien.

PEGOTE m. Emplasto que se hace de pez u otra cosa pegajosa. • Fruto del cadillo. • fig. Adición o intercalación inútil hecha en alguna obra literaria o artística. • fig. y fam. Chapuza, obra mal hecha, especialmente si se considera en relación con otras cosas bien hechas. • fig. y fam. Cualquier guisado u otra cosa que está muy espesa y se pega. • fig. y fam. Persona impertinente que no se aparta de otra, especialmente si ve ocasión de que se la invite a algo. • fig. y fam. Parche que se añade a algo con poca gracia.

PEGOTEAR intr. fam. Presentarse uno en las casas a las horas de comer, sin ser invitado.

PEGUAL m. *Amér. Merid.* Cincha con argollas

La vocación de san ***Pedro*** *y san Andrés;* detalle de un retablo del s. XV. Museo de Arte de Cataluña, Barcelona (España)

Pegaso, escultura del s. IV a. C.

Pegmatita

para sujetar animales o para transportar objetos pesados. • *Argent.* Sobrecincha.

PEGUERA f. Hoyo donde se quema leña de pino para sacar de ella alquitrán y pez. • En los esquileos, paraje donde se calienta la pez para marcar el ganado.

PEGUERO m. El que por oficio saca o fabrica la pez. • El que trata en ella.

PEGUJAL m. Peculio. • fig. Corta porción de siembra, ganado o caudal. • Pequeña porción de terreno que el dueño de una finca cede al guarda o encargado para que la cultive por su cuenta.

PEGUJALERO m. Labrador que tiene poca siembra o labor. • Ganadero que tiene poco ganado.

PEGUJÓN m. Conjunto de lanas o pelos a manera de ovillo o pelotón.

PEGUNTAR tr. Marcar o señalar las reses con pez derretida. ■ PEGUNTA.

PÉGUY, *Charles* (1873-1914) Escritor fr. Concilió cristianismo y socialismo. Fundó los *Cuadernos quincenales.* Autor de *Domrémy, Víctor María, Nuestra juventud, El misterio de la caridad de Juana de Arco.*

Peine de oro del s. V-III a. C. Museo del Ermitage, San Petersburgo (Rusia)

PEHLEVI adj. y m. Pelvi.

PEHUAJÓ Partido de Argentina, en la prov. de Buenos Aires, sit. en la Pampa meridional; 37 600 hab. Transformación de productos agropecuarios.

PEHUEN m. *Chile.* Araucaria, árbol.

PEHUENCHE adj. y s. *Chile.* Díc. del habitante de una parte de la cordillera de los Andes, gralte. como despectivo.

PEINA f. Peine convexo de mujer, peineta.

PEINADO, DA adj. fam. Díc. de la persona que se adorna con excesivo esmero. • fig. Díc. del estilo nimiamente cuidado. • m. Adorno y compostura del pelo. • *Ind.* Operación de peinar las fibras textiles antes de la hilatura que tiene por finalidad separar las fibras cortas de las más largas, para obtener una cinta con fibras de longitud semejante, capaz de dar un hilado de espesor determinado.

PEINADOR, RA adj. y s. Que peina. • m. Toalla o lienzo con tirilla ajustada, que puesto al cuello cubre el cuerpo del que se peina o afeita. • Bata ligera de mujer. • *Amér.*Tocador, mueble con espejo. • adj. y f. *Ind.* En el proceso de hilatura, máquina que realiza el → peinado.

PEINADURA f. Acción de peinar o peinarse. • Cabellos que salen o se arrancan con el peine.

PEINAR tr. y prnl. Desenredar, limpiar o componer el cabello. • tr. fig. Desenredar o limpiar el pelo o lana de algunos animales. • Cortar o quitar parte de piedra o tierra de una roca o montaña, escarpándola. • *Ind.* En la hilatura, eliminar las impurezas dejadas por la carda. • Agasajar a alguien para conseguir algún fin.

Pekín. Templo del Cielo

PEINAZO m. Listón o madero que atraviesa entre los largueros de puertas y ventanas para formar los cuarterones.

PEINE m. Utensilio que tiene muchos dientes espesos para limpiar y componer el pelo. • Carda, instrumento para cardar. • Barra que, como los peines, tiene una serie de púas, por entre las cuales pasan en el telar los hilos de la urdimbre. • Pieza metálica de algunas armas de fuego, que contiene una serie de proyectiles. • Enrejado con poleas de donde se cuelgan las decoraciones en los escenarios teatrales. • Empeine del pie. • fig. y fam. Púa, persona astuta. Tómase ordinariamente en mala parte. ■ PEINERO, RA.

PEINETA f. Peine convexo que usan las mujeres. • Borrén trasero de la silla vaquera.

PEIPUS (*Chud*) Lago del NE de Europa, en la frontera entre Rusia y Estonia; 3 853 km^2.

PEIRCE, *Charles Sanders* (1839-1914) Filósofo norteam. Su tratamiento del problema de la verdad dio origen al pragmatismo. *Principios de filosofía, Elementos de lógica, Metafísica científica.*

PEIRÓ, *Juan* (1887-1942) Anarcosindicalista esp. Secretario general de la CNT. Director de Solidaridad Obrera. Ministro de Industria (1936-1937). Murió fusilado. *Problemas y cintarazos.*

PEIXOTO, *Floriano* (1842-1895) Militar y político bras. Vicepresid. de la rep., sucedió a Fonseca en la presidencia (1891), por dimisión de éste. Tuvo que enfrentarse a la insurrección federalista de Río Grande del Sur.

PEJE m. Pez, animal acuático. • fig. Hombre astuto, sagaz e industrioso. • **araña.** Pez marino del orden escorpeniformes, de color castaño, con manchas negras en los costados y plateado por el vientre. Vive en el Mediterráneo y es comestible. • **diablo.** Escorpina.

PEJEGALLO m. *Chile.* Pez condroíctio, de cuerpo redondeado, sin escamas y con pellejo azulado. Tiene una especie de cresta.

PEJEPALO m. Abadejo sin aplastar y curado al humo.

PEJERREY m. Pez osteíctio perciforme, marino, de cuerpo fusiforme de color plateado, con dos bandas oscuras a lo largo de cada costado, cabeza casi cónica, aletas pequeñas y cola ahorquillada.

PEJESAPO m. Rape.

PEJIGUERA f. fam. Cualquier cosa que sin traernos gran provecho nos pone en dificultad.

PEJIVALLE m. Denominación de una especie de palmera de América Central.

PEKALONGAN C. de Indonesia, en la costa N de Java; 132 600 hab. Puerto exportador de azúcar, té, caucho y tabaco. Ind. textil y azucarera.

PEKÍN *(Beijing)* C. y cap. de la República Popular China, en el NE del país; 16 808 km^2, 10 819 407 hab. Presenta dos sectores diferenciados: la *ciudad tártara*, o interior, al N, y la *ciudad china* o exterior, al S, que todavía siguen amuralladas. En la primera destaca la ant. residencia imperial. La c. exterior está ligada a la vida comercial y registra gran densidad de pob. Fuera de las murallas se levantan, al O, los barrios residenciales, y en el E y el S se encuentran los prales. núcleos industriales (siderurgia, química, electrónica, textil). Conocida con el nombre de Ki desde el s. III a. C., ha sido la cap. del país en diferentes épocas.

PELA f. Peladura. • fam. En España, peseta. • pl. fam. Dinero, riqueza. • **Dar una p.** *Amér. Centr.* Dar una zurra.

PELADERA f. Pelada, alopecia. • *Amér. Centr.* y *Chile.* Murmuraciones.

PELADERO m. Sitio donde se pelan los cerdos o las aves. • fig. y fam. Sitio donde se juega con fullerías. • *Chile* y *Col.* Erial.

PELADILLA f. Almendra confitada. • Canto rodado pequeño.

PELADILLO m. Variedad del pérsico, cuyo fruto tiene la piel lustrosa y la carne dura y pegada al hueso. • Fruto de este árbol. • pl. Lana de peladas.

PELADO, DA adj. fig. Díc. de las cosas prales. o fundamentales que carecen de aquellas otras que naturalmente las visten, adornan, cubren o rodean. • Simple, escueto. • Díc. del núm. que consta de decenas, centenas o millares justos. • adj. y s. Díc. de la persona pobre o sin dinero. • m. y f. *Méx.* Persona de las capas sociales menos pudientes y de inferior cultura. • m. Acción y efecto de pelar o cortar el cabello. • Operación de pelar frutas por procedimientos industriales. • *Chile.* Borrachera. • f. Piel de carnero u oveja, a la cual se le arranca la lana después de la muerte de la res. • Fruto de un cacto, tuna, chula. • Alopecia o calvicie en placas redondeadas, con la piel muy lisa y brillante. • fam. Acción y efecto de pelar, cortar el cabello. • *Amér.* fam. Calva. • *Col.* Error. • fam. *Chile.* La muerte.

PELADURA f. Acción y efecto de pelar o descortezar una cosa. • Monda, hollejo, cáscara.

PELAFUSTÁN, NA m. y f. fam. Persona holgazana, perdida y pobretona.
PELAGATOS m. fig. y fam. Hombre de nivel económico o social bajo.
PELAGIANISMO m. Herejía cristiana, sostenida por Pelagio y condenada en varios concilios. • Conjunto de los pelagianos. ■ PELAGIANO, NA.
PELÁGICO, CA adj. Relativo al piélago. • *Biol.* Díc. de la fauna y flora (plancton y necton) que viven en la región p. • **Región p.** Porción del océano exterior a las plataformas continentales.
PELAGIO (h. 360-h. 427) Monje britano. En Roma abrazó la vida monástica y se entregó a una reforma moral que fue condenada por el papa Zósimo en 418. Para P. la perfección consistía en la observancia de la ley divina. La naturaleza humana, creada por Dios, era santa; siendo el hombre libre, sus virtudes y vicios se debían, no al pecado original, sino a su libre elección. *Exhortación a la esposa de Cristo*, *Comentario a las epístolas de San Pablo*, *Epistola ad Augustinum*.
PELAGOSCOPIO m. Aparato que sirve para estudiar el fondo del mar.
PELAGRA f. Síndrome carencial producido por un déficit de vitamina B_2, caracterizado por modificaciones de la piel en zonas expuestas a la luz, abundantes diarreas y trastornos neurológicos y psíquicos. Puede producir un estado letal caquéctico.
PELAIRE m. El que prepara la lana que ha de tejerse. ■ PELAIRÍA.
PELAJE m. Naturaleza y calidad del pelo o de la lana que tiene un animal. • fig. y fam. Disposición y calidad de una persona o cosa. Gralte. se usa en sentido despectivo.
PELAMBRE m. Porción de pieles que se meten en un depósito de agua y cal viva para que pierdan el pelo. • Conjunto de pelo en todo el cuerpo o en algunas partes de él. • Mezcla de agua y cal con que se pelan los pellejos en las tenerías. • Falta de pelo en las partes donde es natural tenerlo. • *Chile.* Crítica, calumnia.
PELAMBRERA f. Sitio donde se apelambran las pieles. • Porción de pelo o de vello espeso y crecido. • Alopecia.
PELAMEN m. fam. Conjunto de pelo, pelambre.
PELANAS m. fam. Persona inútil y despreciable; pelagatos.
PELANDRÚN, NA adj. *R. de la Plata* y *Par.* Haragán. • Tonto.
PELANDUSCA f. Puta.
PELAR tr. y prnl. Cortar, arrancar, quitar o raer el pelo. • tr. Desplumar, quitar las plumas al ave. • fig. Quitar la piel, la película o la corteza a una cosa. • fig. Quitar con engaño, arte o violencia los bienes a otro. • fig. y fam. Dejar a uno sin dinero. • fig. Criticar, murmurar, despellejar. • fig. y fam. Matar. • *Cet.* Comer el halcón a un ave que todavía tiene pluma. • *Amér. Centr.* Quemarse, escaldarse. • prnl. Perder el pelo por enfermedad u otro accidente. • **el diente** o la **mazorca.** *Amér. Centr.* Reírse. • **las guayabas.** *Amér. Centr.* Abrir mucho los ojos. • **rata.** *Amér. Centr.* Morirse. • **Duro de pelar.** loc. fig. y fam. Difícil de conseguir o ejecutar. • fig. y fam. Ejecutar alguna cosa con vehemencia, actividad o rapidez.
PELARGONIO m. Planta de la familia geraniáceas, de flores cigomorfas con diez estambres, que vive en África y en los países mediterráneos y comprende muchas especies designadas impropiamente con el nombre de geranios.
PELAYO (m. 737) Caudillo y rey de los astures. Tras la invasión musulmana de la pen. Ibérica, organizó un núcleo de resistencia. En 1722 derrotó en Covadonga al caudillo musulmán Alqama. Puso las bases del reino de Asturias.
PELAZÓN f. *Amér. Centr.* Pelonería.
PELDAÑO m. Cada una de las partes de un tramo de escalera, que sirve para apoyar el pie al subir o bajar por ella.
PELÉ Apodo de *Edson Arantes do Nascimento* (nacido 1940) Futbolista bras. Con su equipo nacional ha obtenido en tres ocasiones la copa del Mundo (1958, 1962 y 1970).
PELEA f. Combate, batalla, contienda. • Contienda o riña particular, aunque consista sólo en palabras injuriosas. • fig. Riña de los animales. • fig. Cuidado, fuerza o diligencia que se pone en vencer los apetitos y pasiones. • fig. Afán, fatiga o trabajo en la ejecución o consecución de una cosa.
PELEANO, NA adj. Díc. del tipo de volcán caracterizado por la emisión de lavas viscosas que solidifican rápidamente, taponando la chimenea volcánica y determinando una gran acumulación de gases cuya presión da lugar a grandes explosiones con formación de nubes ardientes. • Díc. de la erupción de este tipo de volcanes.
PELEAR intr. Batallar, combatir o contender con armas. • Contender o reñir, aunque sea sin armas o sólo de palabra. • fig. Luchar los brutos entre sí. • fig. Combatir entre sí u oponerse las cosas unas a otras. Díc. frecuentemente de los elementos. • fig. Resistir y trabajar por vencer las pasiones y apetitos, o combatir éstos entre sí. • fig. Afanarse, resistir o trabajar continuadamente por conseguir una cosa, o para vencerla o sujetarla. • prnl. Reñir dos o más personas a puñetazos. • fig. Enfadarse, enemistarse, separarse en discordia.
PELECANIFORME adj. y m. *Zool.* Díc. de animales del orden pelecaniformes. • m. pl. *Zool.* Orden de aves con grandes picos y membranas interdigitales.
PELECHAR intr. Echar los animales pelo o pluma. • Cambiar de pluma las aves. • fig. y fam. Comenzar a medrar, a mejorar de fortuna o a recobrar la salud. ■ PELECHO.
PELECÍPODO, DA adj. y m. Bivalvo.
PELÉE (*Montagne Pelée*, «monte pelado») Cima volcánica de la Martinica, al NO de la isla; 1 463 m. En 1902 una erupción destruyó la c. de Saint-Pierre y las localidades vecinas.

Retrato de **Pelayo.** Salón de Embajadores del Alcázar de Sevilla (España)

Vista de la Montagne **Pelée**

PELELE m. Muñeco de figura humana, hecho de paja o trapos • Traje de punto de una pieza que se pone a los niños para dormir. • fig. y fam. Persona simple o inútil.
PELEÓN, NA adj. Pendenciero, camorrista. • adj. y m. fam. Díc. del vino muy ordinario. • f. fam. Pendencia, cuestión, riña o contienda.
PELERINA f. Esclavina.
PELERO m. *Amér. Centr.* y *Chile*. Carona, pedazo de tela que se pone en el lomo de las caballerías.
PELETERÍA f. Oficio de adobar y componer las pieles finas o de hacer con ellas prendas de abrigo. • Comercio de pieles finas; conjunto o surtido de ellas. • Tienda donde se venden.
PELIAGUDO, DA adj. Díc. del animal que tiene el pelo largo y delgado. • fig. y fam. Díc. del negocio o cosa que tiene gran dificultad en su inteligencia o resolución. • fig. y fam. Aplícase al sujeto sutil o mañoso.
PELIBLANCO, CA adj. Que tiene blanco el pelo.
PELICANO, NA adj. Que tiene cano el pelo. • m. Pelícano.
PELÍCANO m. Ave palmípeda acuática, de 2 m de envergadura, con plumaje blanco y un pico muy largo y ancho con una membrana que forma una bolsa donde deposita los alimentos. • *Cir.* Gatillo para sacar dientes y muelas. • pl. *Bot.* Aguileña, planta.
PELICORTO, TA adj. Que tiene corto el pelo.
PELÍCULA f. Piel delgada y delicada. • Telilla que a veces cubre ciertas heridas y úlceras. • Hollejo. • Cinta de celuloide dispuesta para ser impresionada fotográficamente. • Cinta de celuloide que contiene una serie continua de imágenes fotográficas. • Asunto representado en dicha cinta. ■ PELICULAR; PELICULERO, RA.

Pelícano

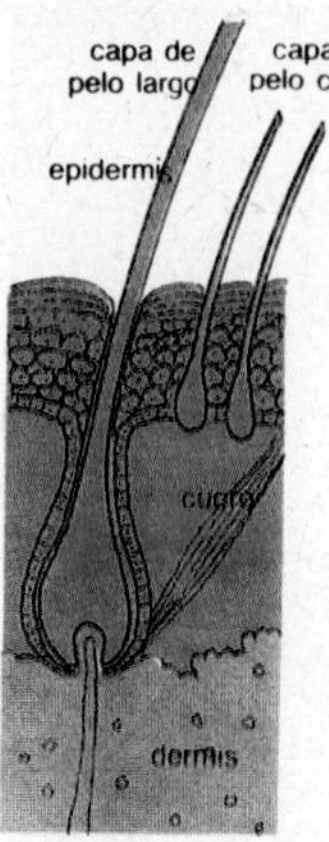

Sección de la epidermis humana, provista de dos capas de **pelo**

Peloponeso. Ruinas junto a la iglesia bizantina de Mistra

Pelota vasca, modalidad a mano

PELIGRO m. Riesgo o contingencia inminente de que suceda algún mal. • Paraje, paso, obstáculo u ocasión en que aumenta la inminencia del daño. ■ PELIGRAR; PELIGROSIDAD; PELIGROSO, SA.
PELILLO m. fig. y fam. Causa o motivo muy leve de desazón, y que se debe despreciar. Se usa más en pl. ■ PELILLOSO, SA.
PELIRROJO, JA adj. y s. Que tiene rojo el pelo.
PELIRRUBIO, BIA adj. Que tiene rubio el pelo.
PELITIESO, SA adj. Que tiene el pelo tieso y erizado.
PELITRE m. Planta de tallos inclinados y hojas laciñiadas, cuyo extracto se emplea como insecticida. • Raíz de esta planta.
PELITRIQUE m. fam. Cualquier cosa de poco valor.
PELLA f. Masa que se une y aprieta, regularmente en forma redonda. • Conjunto de los tallitos de la coliflor y otras plantas semejantes, antes de florecer. • Especie de pelota compuesta de mixtos, que en la artillería ant. se arrojaba para incendiar. • Masa de los metales fundidos o sin labrar. • Manteca del puerco tal como se quita de él. • Porción pequeña y redondeada de manjar blanco, merengue, etc., con que se adornan algunos platos de postre. • fig. y fam. Cantidad o suma de dinero, y más comúnmente la que se debe o defrauda. • *Min.* Masa de amalgama de plata que se obtiene al beneficiar con azogue minerales argentíferos.
PELLADA f. Porción de yeso o argamasa que un peón de albañil puede sostener en la mano, o con la llana. • Pella, masa.
PELLEGRINI, *Aldo* (1903-1974) Escritor arg., teórico del surrealismo. *La valija de fuego*, *Construcción de la destrucción*.• ***Carlos*** (1846-1906) Político arg. Presid. de la rep. (1890-1892), saneó la economía. Creador del Banco de la Nación (1891).
PELLEJA f. Piel del cuerpo del animal. • Cuero curtido con la lana o el pelo. • Toda la lana que se esquila de un animal. • fam. Puta.
PELLEJERÍA f. Lugar donde se adoban o venden pellejos. • Oficio o comercio de pellejero. • Conjunto de pieles o pellejos. • *Argent.* y *Chile*. Peligro.
PELLEJO m. Piel. • Odre. • fig. y fam. Persona ebria. • *Méx.* y *P. Rico*. Prostituta vieja y fea. • **Dar, dejar** o **perder,** uno **el p.** fig. y fam. Morir. • **Estar,** o **hallarse,** uno **en el p. de** otro. fig. y fam. Estar o hallarse en las mismas circunstancias o situación moral que otro. Por lo común se usa en sentido condicional.
PELLET (voz fr.) m. *Farm.* Comprimido protegido por una cubierta inatacable por los ácidos del jugo gástrico. • *Farm.* Comprimido sólido que se implanta en el tejido subcutáneo con el fin de que el organismo lo absorba lentamente.
PELLETIER, *Pierre Joseph* (1788-1842) Farmacéutico fr. Aisló, en colaboración con Caventou, la estricnina, la quinina y otros alcaloides.
PELLICA f. Cubierta o cobertor de cama hecho de pellejos finos. • Pellico hecho de pieles finas y adobadas. • Piel pequeña adobada.
PELLICER, *Carlos* (1899-1977) Poeta mex., vanguardista, de depurado estilo. *Camino*, *Recinto*, *Práctica de vuelo*.
PELLICO m. Zamarra de pastor.
PELLICO, *Silvio* (1789-1854) Escritor romántico it., célebre por su obra *Mis prisiones*, escrita en prisión durante la ocupación austr.
PELLÍN m. *Chile*. Especie de roble muy duro e incorruptible. • *Chile*. Corazón o cerno de ese mismo árbol. • fig. *Chile*. Persona o cosa muy fuerte y de gran resistencia.
PELLINGAJO m. *Argent.* y *Chile*. Estropajo.
PELLIZA f. Prenda de abrigo hecha o forrada de pieles finas. • Chaqueta de abrigo con el cuello y las bocamangas reforzadas de otra tela. • *Mil.* Dormán.
PELLIZCAR tr. y prnl. Asir con el dedo pulgar y cualquiera de los otros una pequeña porción de piel y carne, apretándola de suerte que cause dolor. • tr. Asir o herir leve o sutilmente una cosa. • Tomar o quitar pequeña cantidad de una cosa. • prnl. fig. y fam. Impacientarse. ■ PELLIZCO.
PELLÓN m. Vestido talar ant., que se hacía regularmente de pieles. • *Amér.* Pelleja curtida que, a modo de caparazón, forma parte del recado de montar.
PELLOTE m. Pellón, vestido talar.
PELLUZGÓN m. Porción de pelo, lana o estopa que se coge de una vez con todos los dedos.
PELMA m. fam. Cualquier cosa apretada más de lo conveniente. • Comida que se asienta en el estómago. • com. fam. Persona tarda en sus acciones y molesta. • pl. *Amér. Centr.* Pelma.
PELMATOZOO adj. y m. *Zool.* Díc. de equinodermos bentónicos, con boca y ano en la misma cara del cuerpo. • m. pl. *Zool.* Subtipo de estos animales que comprende una clase actual, la de los crinoideos, y algunas ya extintas.
PELMAZO, ZA m. Cualquier cosa apretada o aplastada más de lo conveniente. • Manjar o comida que se asienta en el estómago. • m. y f. fig. y fam. Persona tarda o pesada en sus acciones. • fig. y fam. Persona molesta, fastidiosa e importuna.
PELO m. *Anat.* Filamento cilíndrico, de naturaleza córnea, que nace y crece en los poros de la piel de casi todos los mamíferos y de algunos otros animales. Los p. pueden sufrir adaptaciones diversas: vibrisas de los felinos, con función táctil; púas de puerco espines y erizos; cuerno de rinoceronte, formado por p. aglutinados en una masa sólida, etc. • Conjunto de estos filamentos. • Cabello. • Pluma fina de las aves debajo del plumaje exterior. • Vello que tienen algunas frutas, como los melocotones, en la cáscara o pellejo, y algunas plantas en hojas y tallos. • Cualquier hebra delgada de lana, seda u otra cosa semejante. • Cuerpo extraño que se agarra a la punta de un instrumento para escribir y hace que la letra salga borrosa. • Muelle de poquísimo resalto en que descansa el gatillo de algunas armas de fuego cuando están montadas. • En los tejidos, parte que queda en su superficie sobresaliendo de la haz y cubre el hilo. • Capa, color de los caballos y otros animales. • Seda en crudo. • Raya opaca en las piedras preciosas, que les quita valor. • Raya o grieta por donde con facilidad saltan las piedras, el vidrio y los metales. • Enfermedad que padecen las mujeres en los pechos, cuando están criando. • Parte fibrosa de la madera, que se separa de las demás al cortarla o labrarla. • En el juego de trucos y de billar, levedad del contacto de una bola con otra cuando chocan oblicuamente. • fig. Cualquier cosa mínima o de poca importancia o entidad. • *Vet.* Enfermedad que padecen las caballerías en los cascos. • **de gato.** *Amér. Centr.* Llovizna. • **radical.** Filamento microscópico que existe en gran núm. en los extremos de las raíces de las plantas, y a través del cual se absorben las sustancias nutritivas. • **Pelos y señales.** fig. y fam. Pormenores y circunstancias de una cosa. • **A p.** m. adv. fam. Díc. de la manera de montar las caballerías, sin silla, albarda ni otras guarniciones. • fam. Desnudo. • **Al p.** fig. y fam. A tiempo, a propósito o a ocasión. • m. adv. Hacia el lado a que se inclina el pelo. • **De p. en pecho.** loc. fig. y fam. Díc. del hombre vigoroso, robusto y denodado. • **No tener** uno **p.,** o **un p. de tonto.** fig. y fam. Ser listo y avispado. • **No tener** uno **pelos en la lengua.** fig. y fam. Decir sin reparo lo que se piensa o siente, o hablar con demasiada libertad o desembarazo. • **No vérsele el p.** a uno. fig. y fam. Estar ausente de los lugares a donde se solía, o debía, acudir. • **P. a,** o **por, p.** m. adv. fig. y fam. Sin añadidura en los trueques o cambios de una cosa por otra. • **Ponérsele** a uno **los pelos de punta.** Erizársele el cabello. • fig. y fam. Sentir gran pavor. • **Por los pelos.** loc. En el último instante. • **Tomar el p.** a uno. fig. y fam. Burlarse de él aparentando elogiarle. ■ PELOSO, SA.
PELOBÁTIDO, DA adj. y m. *Zool.* Díc. de anfibios anuros, como los sapos de espuelas.
PELÓN, NA adj. y s. Que no tiene pelo o tiene muy poco. • fig. y fam. Que tiene muy escasos recursos económicos. • m. *Argent.* Durazno de piel lisa. • *Ven.* Equivocación.
PELONA f. Alopecia. • **La p.** fam. La muerte.
PELONERÍA f. fam. Pobreza, o escasez y miseria.
PELÓPIDAS (h. 420-364 a. C.) General tebano. Miembro del partido democrático de Ismenias, dirigió el golpe que expulsó a los espartanos de Tebas (378 a. C.). Murió, tras ser herido, en la batalla de Cinoscéfalos.
PELOPONENSE adj. y s. Del Peloponeso.
PELOPONESO o **MOREA** *(Peloponnesos, Moriás)* Pen. del S. de Grecia, bañada por el Jónico y

el Egeo; 21 379 km^2, 1 012 500 hab. Cap., Patrás. C. pral.: Kalamata. Relieve accidentado (Taigeto, 2 407 m). Ríos: Eurotas y Alfeiós. Cereales, vid, olivos. Ovinos, caprinos. Ind. alimentaria, textil, manufacturera, tabaquera, de la construcción. Fue ocupada por jonios, aqueos y dorios. Éstos últimos fundaron Esparta (s. IX a. C.). • ***Guerra del*** Enfrentamiento entre Esparta y Atenas (431-404 a. C.). Excluida Megara de los puertos atenienses, Esparta, cabeza de la Liga del P., proclamó rota la paz de los Treinta Años y Tebas, su aliada, atacó a Platea. La incapacidad o rivalidad entre los jefes atenienses, su desastre en Sicilia (415-413), la rebelión de los Cuatrocientos (411) y la unión de Persia y Esparta determinaron la derrota final de Atenas.

PELOSILLA f. Vellosilla, planta.

PELOTA f. Bola pequeña de material elástico, usada en ciertos juegos. • Balón. • Juego que se hace con ella. • Bola de materia blanda que se amasa fácilmente. • Batea de piel de vaca que usan en América para pasar los ríos personas y cargas. • *Cuba.* Deseo, pasión. • fig. y fam. Prostituta, ramera. • Acumulación de deudas o desazones de escasa entidad. • Giro bancario fraudulento. • com. Pelotillero. • f. pl. fam. Testículos. • **vasca.** Juego consistente en lanzar una p. contra un frontón, valiéndose de una pala, una cesta o las propias manos. Originario del País Vasco. • **En pelota,** o **en pelotas.** m. adv. fam. Desnudo, en cueros. • **Estar hecho p.** *R. de la Plata.* Hacerse polvo algo o alguien. • **Hinchar las p.** *R. de la Plata.* Sacar de quicio.

PELOTARI (voz euskera) com. Persona que tiene por oficio jugar a la pelota. • Jugador de pelota vasca.

PELOTAS C. y puerto de Brasil, en el est. de Rio Grande do Sul; 260 200 hab. Ind. conservera, textil, química y del calzado.

PELOTAZO m. Golpe dado con la pelota de jugar. • fam. Trago, copa.

PELOTE m. Pelo de cabra, que se emplea para rellenar muebles de tapicería y para otros usos.

PELOTEAR tr. Repasar y señalar las partidas de una cuenta, y cotejarlas con sus justificantes respectivos. • intr. Jugar a la pelota por entretenimiento, sin la formalidad de haber hecho partido. • fig. Arrojar una cosa de una parte a otra. • fig. Reñir dos o más personas entre sí. • fig. Disputar, controvertir o contender sobre una cosa. • tr. e intr. *Amér. Merid.* Pasar un río en la batea llamada pelota.

PELOTEO m. Giro bancario fraudulento cuyo fin es la obtención de un crédito, sin mediar relación comercial entre las personas que lo ponen en circulación.

PELOTERO, RA m. y f. Persona que fabrica pelotas para jugar. • Persona que las recoge en el juego. • *Amér.* Persona que juega a la pelota. • f. fam. Riña, contienda.

PELOTILLA f. Bolita de cera, armada de puntas de vidrio, de que usaban los disciplinantes. • **Hacer la p.** a una persona. fig. y fam. Adularla con miras interesadas.

PELOTILLERO, RA adj. y s. Servil, adulador, que hace la pelotilla.

PELOTÓN m. Conjunto de pelos o de cabellos unidos, apretados o enredados. • fig. Conjunto de personas sin orden y como en tropel. • *Mil.* Pequeña unidad de infantería que forma parte de una sección, y a las órdenes de un sargento o de un cabo.

PELOTUDO, DA adj. *Amér. Merid.* Papanatas, calzonazos, dejado, huevón.

PELTA f. Especie de escudo de cuero usado por los antiguos gr. y rom. • En los líquenes, apotecio plano y poco prominente. ■ PELTADO, DA.

PELTIER, *Jean Charles* (1785-1845) Físico fr. Autor de imp. trabajos sobre meteorología y termoelectricidad. • **Efecto P.** *Fís.* Fenómeno por el que se producen diferencias de temperatura entre las soldaduras de un circuito formado por metales distintos cuando pasa la corriente eléctrica.

PELTIGERÁCEO, A adj. y f. *Bot.* Díc. de plantas de la familia peltigeráceas. • f. pl. *Bot.* Familia de líquenes con talo membranoso y lobulado, con capa cortical continua, gonidios granulosos, y apotecios en la cara posterior.

PELTON, *Lester Allen* (1829-1908) Ingeniero norteam., inventor de la rueda hidráulica que lleva su nombre.

PELTRE m. *Metal.* Aleación de cinc, plomo y estaño.

PELUCA f. Cabellera postiza. • Melena.• fig. y fam. Persona que la trae o la usa. • fig. y fam. Reprensión acre y severa dada a un inferior.

PELUCHE m. Felpa. Es voz de origen fr.

PELUCÓN, NA m. y f. *Ecuad.* Persona de posición elevada. • *Chile.* Conservador.

PELUDEAR intr. *Argent.* Atascarse un carro en suelo blando. • *Argent.* Superar un contratiempo.

PELUDO, DA adj. Que tiene pelo. • m. Ruedo afelpado que tienen los espartos largos y majados. • *R. de la Plata.* Armadillo, animal. • *Argent., Bol., Par.* y *Ur.* Borrachera. • **Comer como p. de regalo.** fig. *Argent.* y *Ur.* Llegar de sorpresa.

PELUQUEAR tr. y prnl. *Amér.* Cortar el pelo a una persona. ■ *Amér.* PELUQUEADA.

PELUQUERÍA f. Establecimiento del peluquero. • Oficio de peluquero. • *Amér.* Barbería.

PELUQUERO, RA m. y f. Persona que tiene por oficio peinar, cortar el pelo o hacer y vender pelucas, rizos, etc. • Dueño de una peluquería. • f. fam. Mujer del peluquero.

PELUQUÍN m. Peluca pequeña o que sólo cubre parte de la cabeza. • Peluca con bucles y coleta que se usó a fines del s. XVIII y a principios del s. XIX. • **Ni hablar del p.** loc. adv. Fórmula de negación tajante por la que uno se niega a tratar un asunto.

Gentilhombre del s. XVIII con la característica **peluca** de la época

PELUSA f. Vello suave de algunas frutas. • Pelo menudo que con el uso se desprende de las telas. • Pequeñas fibras que se desprenden del papel y que forman una especie de polvillo. • Aglomeración de polvo que se forma debajo de los muebles o en lugares de poco paso. • fig. y fam. Envidia o celos de los niños.

PELUSILLA f. Vellosilla, planta.

PELVI o **PEHLEVI** adj. Díc. de la lengua de los parsis, y de lo escrito en ella. • m. *Ling.* Lengua de los parsis (iranio medio occidental), de que deriva el persa moderno.

PELVIMETRÍA f. *Med.* Conjunto de procedimientos empleados para la medición de la pelvis, con el fin de diagnosticar la mayor o menor dificultad con que se realizará el parto.

PELVIS f. *Anat.* Anillo óseo del extremo inferior del tronco, formado por los huesos coxales, sacro y cóccix. • **renal.** Reservorio excretor del riñón.

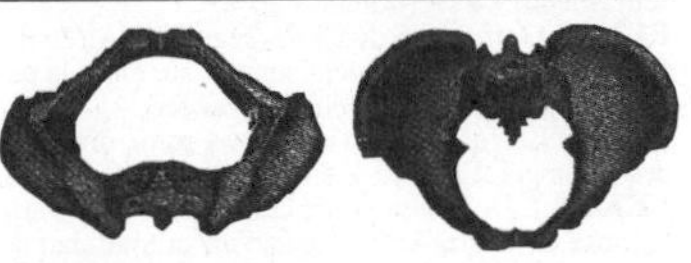

Caras superior e inferior de la **pelvis** femenina

PEMÁN, *José María* (1898-1981) Escritor esp. Autor del *Poema de la bestia y el ángel*, y de las obras dramáticas *El divino impaciente*, *Cisneros*.

PEMATANGSIANTAR o **PEMATANGSIANTAR** C. de Indonesia, al N de la isla de Sumatra; 150 400 hab. Centro comercial.

PEMBA Isla de Tanzania, en el Índico; 984 km^2, 205 900 hab. (pob. bantú y ár.); cap., Chake. Clavo, cocos, copra.

PENA f. Castigo impuesto al que ha cometido un delito o falta. • Cuidado, aflicción o sentimiento interior grande. • Dolor, tormento o sentimiento corporal. • Dificultad, trabajo. • Cada una de las plumas mayores del ave que, sit. en las extremidades de las alas o en el arranque de la cola, sirven pralm. para dirigir el vuelo. • *Col., C. Rica., Méx., Nic., Pan.* y *Ven.* Vergüenza. • *Amér.* Modestia. • **accesoria.** *Der.* La que se impone según ley, como inherente, en ciertos casos, a la principal. • **aflictiva.** *Der.* La de mayor gravedad, entre las de la clase primera, que señalaba el código penal. • **capital** o **de muerte.** La impuesta por los tribunales del Est., y que consiste en la privación de la vida. • **correccional.** *Der.* La de segunda clase que determinaba el código penal. • **del talión.** La que imponía al reo un daño igual al que él había causado. • fig. Perjuicio o daño, de intereses o moral, que sufre el que causó otro semejante. • **grave.** *Der.* Por oposición a las leves, cualquiera de las de mayor severidad señaladas por

José María **Pemán**

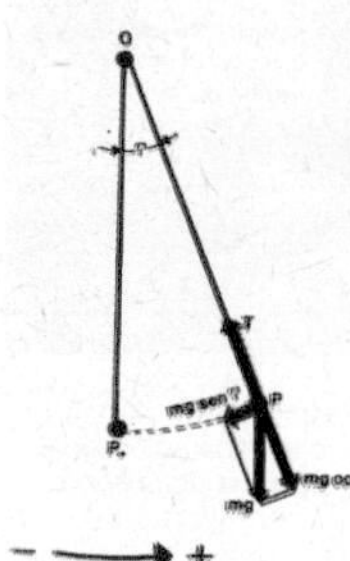

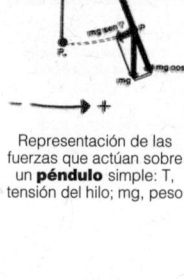

Representación de las fuerzas que actúan sobre un **péndulo** simple: T, tensión del hilo; mg, peso

Cordillera **Penibética.** Vista de Sierra Nevada, con el pico de la Veleta al fondo

la ley. • **leve.** *Der.* Cualquiera de las de menor rigor, como reprensión privada, arresto menor o multa pequeña, que la ley señala como castigo de las faltas. • **A duras, graves, o malas, penas.** m. adv. Con gran dificultad o trabajo. • **A penas.** m. adv. Apenas. ■ PENOSO, SA.

PENA, ***Alfonso Augusto Moreira*** (1847-1909) Político bras. Presid. (1906-1909). Impulsó la economía de su país.

PENACHO m. Grupo de plumas que tienen algunas aves en la cabeza. • Adorno de plumas que sobresale en los cascos o morriones, en el tocado de las mujeres, etc. • fig. Lo que tiene forma o figura de tal. • fig. y fam. Vanidad, presunción o soberbia.

PENADO, DA adj. Penoso o lleno de penas. • Difícil, trabajoso. • m. y f. Delincuente condenado a una pena.

PENAL adj. Relativo a la pena, o que la incluye. • Relativo al crimen. • Relativo a las leyes, instituciones o acciones destinadas a perseguir crímenes o delitos. • m. Cárcel.

PENALBA, ***Alicia*** (1913-1982) Escultora arg., de tendencia abstracta. Autora también de relieves y diseñadora de joyas.

PENALIDAD f. Trabajo aflictivo, molestia, incomodidad. • *Der.* Calidad de penable. • *Der.* Sanción impuesta por la ley penal, las ordenanzas, etc.

PENALISTA adj. y s. Díc. del jurisconsulto que se dedica con preferencia al estudio de la ciencia o derecho penal.

PENALIZAR tr. Imponer un castigo o sanción. ■ PENALIZACIÓN.

PENALTI o **PENALTY** (voz ing.) m. *Dep.* En algunos deportes, nombre que recibe la falta más grave. • *Dep.* Castigo con que se penaliza esa falta, que consiste en un lanzamiento libre desde un punto próximo a la meta contraria. • **De p.** loc. adj. fig. y fam. que se aplica a los matrimonios que se celebran forzados por embarazo.

PENANG *(George Town)* C. de Malaysia, en la isla de Penang; 250 600 hab. Centro comercial. Ind. metalúrgica.

PENAR tr. Imponer pena. • intr. Padecer, sufrir, tolerar un dolor o pena. • Padecer las penas de la otra vida en el purgatorio. • Agonizar mucho tiempo. • *Der.* Señalar la ley castigo para un acto u omisión. • *Chile* y *Perú.* Existir aparecidos en un lugar. • prnl. Afligirse, acongojarse, padecer una pena o sentimiento. ■ PENABLE.

PENAS Golfo del S de Chile (región de Aisén del General Carlos Ibáñez del Campo), sit. entre la península de Taitao y el arch. Guayaneco.

PENATES m. pl. Entre etruscos y rom., divinidades del hogar. Los rom. las vinculaban con los lares.

PENCA f. Hoja carnosa de ciertas plantas. • Parte carnosa de ciertas hojas cuando en su totalidad no lo son. • fig. Tira de cuero o vaqueta con que el verdugo azotaba a los delincuentes. • *Amér.* Racimo de plátanos. • *Argent.* Chumbera. • *C. Rica.* Borrachera. ■ PENCUDO, DA.

PENCK, ***Albrecht*** (1858-1945) Geógrafo y geólogo al. Estudió el glaciarismo alpino y definió las cuatro grandes glaciaciones (Günz, Mindel, Riss y Würm). *Morfología de la superficie terrestre, El glaciarismo en los Alpes alemanes.*

PENCO m. fam. Caballo flaco o matalón. • fig. y fam. Persona despreciable. • *Amér.* Penca de algunas plantas. • *Cuba.* Ramera.

PENCO C. y puerto de Chile (prov. de La Concepción), sit. en la bahía de Concepción; 32 400 hab. Centro industrial. Refinerías de azúcar.

PENDEJO m. Pelo que nace en el pubis y en las ingles. • fig. y fam. Hombre cobarde o pusilánime. • fig. y fam. Hombre tonto. • fig. y fam. Mujer de vida licenciosa. • fam. *R. de la Plata.* Adolescente que presume de adulto. ■ *Amér.* PENDEJADA.

PENDENCIA f. Contienda, riña de palabras o de obras. • *Der.* Estado de un juicio que está pendiente de resolución. ■ PENDENCIAR; PENDENCIERO, RA.

PENDENTIF (voz fr.) m. Cualquier joya o adorno que se lleva pendiente del cuello.

PENDER intr. Estar colgada, suspendida o inclinada alguna cosa. • Depender. • fig. Estar por resolver o terminarse un pleito o negocio.

PENDERECKI, ***Krzystof*** (nacido 1933) Compositor pol. Partidario de extremar las posibilidades sonoras de los instrumentos tradicionales. *Stabat Mater, Treno a la memoria de las víctimas de Hiroshima, La pasión según san Lucas.*

PENDIENTE adj. Que pende. • fig. Que está por resolver. • m. Arete. • Inclinación de las armaduras de los techos para el desagüe. • f. Cuesta o declive de un terreno. • *Geom.* Ángulo que forma un plano o línea con la horizontal.

PENDOL m. *Mar.* Operación para limpiar los fondos de una embarcación, cargando peso a una banda y descubriendo el fondo del costado opuesto. Se usa más en pl.

PÉNDOLA f. Pluma de ave. • Pluma de escribir. • Varilla o varillas metálicas que con sus oscilaciones regulan el movimiento de algunos relojes. • fig. Reloj que tiene péndola. • *Arq.* Cualquiera de los maderos de un faldón de armadura que van desde la solera a la lima tesa. • *Arq.* Cualquiera de las varillas verticales que sostienen el piso de un puente colgante. • *Amér. Centr.* Péndulo.

PENDOLAJE m. En las presas de mar, derecho de apropiarse de todos los géneros que están sobre cubierta.

PENDOLISTA com. o **PENDOLARIO** m. Persona que escribe con muy buena letra. • Memorialista.

PENDOLITA f. Muelle de acero del volante de un reloj.

PENDÓN m. Insignia militar que consistía en una bandera más larga que ancha. • Insignia militar, que se usaba para distinguir los regimientos, batallones y demás cuerpos del ejército. • Divisa o insignia de las iglesias y cofradías. • Vástago que sale del tronco pral. del árbol. • fig. y fam. Persona, especialmente mujer, muy alta, desvaída y desaliñada. • fig. y fam. Persona de vida irregular y desenfrenada. • fig. y fam. Mujer de vida licenciosa. • *Her.* Insignia semejante a la bandera, pero un tercio más larga que ella y redonda por el pendiente. • pl. Riendas para gobernar las mulas de guías.

PENDONEAR intr. Pindonguear.

PÉNDULO, LA adj. Que pende, pendiente. • m. *Fís.* Sistema capaz de oscilar alrededor de un punto o de un eje. • **de Foucault.** Sistema constituido por un hilo de suspensión largo del cual pende un cuerpo de gran masa. El plano de oscilación del p. varía debido al movimiento de rotación de la Tierra. • **elástico.** Sistema que oscila debido a fuerzas recuperadoras de tipo elástico. • **matemático.** Punto material que oscila suspendido de un hilo inextensible y sin peso, que cumple: las pequeñas oscilaciones tienen el mismo periodo; el periodo es directamente proporcional a la raíz cuadrada de la longitud del p., inversamente proporcional a la raíz cuadrada de la aceleración de la gravedad o independiente de su masa. ■ PENDULAR.

PENE m. *Anat.* Órgano genital masculino, eréctil. Se compone de un cuerpo en cuya extremidad anterior sobresale el glande, recubierto por un pliegue tegumentario, el prepucio, dos cuerpos cavernosos entre los que circula la vena, la arteria y el nervio dorsales del p., y el cuerpo esponjoso, en cuyo interior discurre la uretra.

PENEÁCEO, A adj. y f. *Bot.* Díc. de plantas con hojas opuestas, flores hermafroditas y frutos en drupa o cápsula, cuyas semillas carecen de albumen. • f. pl. Familia de estas plantas.

PENECA m. *Chile.* Estudiante que inicia las primeras letras. • f. Clase prepatoria en las escuelas.

PENÉLOPE *Mit. gr.* Hija de Icario y de Peribea, esposa de Ulises y madre de Telémaco. Esperó veinte años el regreso de Ulises y es famosa por su fidelidad.

PENEQUE adj. fam. Borracho, ebrio. • *Méx.* Tortilla rellena de queso y guisada con salsa de tomate.

PENETRABLE adj. Que se puede penetrar. • fig. Que fácilmente se penetra o se entiende. ■ PENETRABILIDAD.

PENETRACIÓN f. Acción y efecto de penetrar. • Inteligencia cabal de una cosa difícil. • Perspicacia de ingenio, agudeza. • *Dep.* Acción de rebasar las líneas defensivas del contrario. • En genética, frecuencia con que un determinado alelo se manifiesta externamente en el fenotipo del individuo que lo posee.

PENETRAR tr. Introducir un cuerpo en otro por sus poros. • Introducirse en lo interior de un espacio, aunque haya dificultad o estorbo. • Hacerse senir con violencia y demasiada eficacia una cosa. • fig. Llegar lo agudo del dolor, sentimiento u otro afecto a lo interior del alma. • tr., intr. y prnl. fig. Comprender el interior de uno, o una cosa dificultosa. ■ PENETRADOR, RA; PENETRANTE.

PÉNFIGO m. *Pat.* Nombre genérico de ciertas afecciones cutáneas caracterizadas por la erupción de ampollas.

PENIBÉTICA, *cordillera* Cord. del S de España, paralela a la costa, desde Gibraltar al cabo de Palos, y que forma parte del sistema Bético. Pico de Mulhacén (3 481 m), el más elevado de la pen. Ibérica.

PENIBÉTICO, CA adj. Relativo a la Penibética.

PENICILINA f. *Farm.* Antibiótico extraído del moho *Penicillium notatum.* Fue descubierta por Fleming en 1929. Posee poca toxicidad, pero puede producir sensibilizaciones alérgicas y abocar a un *shock* anafiláctico.

PENICILINASA f. *Biol.* Enzima producida por diversos microorganismos, que neutraliza la acción de la penicilina.

PENILLANURA f. Superficie de erosión originada sobre una zona de la superficie terrestre al final de un ciclo erosivo completo.

PENINOS, *montes* Alineación montañosa de Gran Bretaña, al N de Inglaterra. Alt. máx.: Cross Fell (891 m).

PENÍNSULA f. Porción de tierra rodeada de agua por todas partes menos por una, el istmo, que la une al continente o a otra tierra de extensión mayor.

PENINSULAR adj. y s. De una península. • adj. Relativo a una península.

PENIPLANACIÓN f. *Geol.* Proceso de formación de una penillanura.

PENIQUE *(penny)* m. Moneda ing., duodécima parte de un chelín hasta febrero de 1971, en que pasó a ser la centésima parte de una libra.

PENITENCIA f. *Rel.* Sacramento en el cual, por la absolución del sacerdote, se perdonan los pecados cometidos después del bautismo al que los confiesa. • Virtud que consiste enel dolor de haber pecado y el propósito de no pecar más. • Serie de ejercicios penosos con que uno procura la mortificación de sus pasiones y sentidos para satisfacer a la justicia divina. • Cualquier acto de mortificación interior o exterior. • Pena que impone el confesor al penitente para satisfacción del pecado o para preservación de él. • Dolor y arrepentimiento que se tiene de una mala acción. • Castigo público que imponía la Inquisición a algunos reos. ■ PENITENCIAL; PENITENCIAR.

PENITENCIADO, DA adj. y s. Castigado por la Inquisición. • adj. *Amér.* Encarcelado.

PENITENCIARÍA f. Establecimiento penitenciario en que los penados sufren condenas largas de privación de libertad. • Dignidad, oficio o cargo de penitenciario. • **Apostólica.** Tribunal eclesiástico de la corte de Roma, que acuerda y despacha las bulas y dispensas referentes a materias de conciencia.

PENITENCIARIO, RIA adj. Díc. del presbítero secular o regular que tiene la obligación de confesar en una canonjía o beneficio que lleva aneja esta obligación. • Díc. de cualquiera de los sistemas modernamente adoptados para castigo y corrección de los penados, y del régimen o del servicio de los establecimientos destinados a este objeto. • m. Cardenal presid. de la Penitenciaría Apostólica en Roma.

PENITENTE adj. Relativo a la penitencia. • com. Persona que hace penitencia. • Persona que se confiesa sacramentalmente. • Persona que va vestida de túnica en señal de penitencia.

PÉNJAMO Mun. del centro de México, en el est. de Guanajuato; 90 700 hab. Sit. en la región de El Bajío. Cereales y frutales, alfalfa, caña de azúcar. Ganado vacuno y porcino.

PENN, *Arthur* (nacido 1922) Director de cine norteam. *El milagro de Ana Sullivan, La jauría humana, Bonnie y Clyde, Pequeño gran hombre, La noche se muere, Missouri, Georgia.* • ***William*** (1644-1718) Colonizador ing. Militante del mov. cuáquero, obtuvo del rey Carlos II la cesión del territorio en el que fundó la colonia denominada Pennsylvania.

PENNER Río de la India. Nace en la meseta del Decán (Mysore) y desemboca en el golfo de Bengala, en la costa de Coromandel; 560 km.

PENNINERVIO, A adj. *Bot.* Díc. de las hojas que poseen las nerviaciones dispuestas en una rama pral. de la que salen lateralmente las ramas secundarias.

PENONOMÉ C. de Panamá, cap. de la prov. de Coclé; 67 901 hab. (en el distr.).

PENSACOLA C. de EE UU, en el NO del est. de Florida; 243 000 hab. Pesca. Ind. químicas y alimentarias. Astilleros.

PENSAMIENTO m. Potencia o facultad de pensar. • Acción y efecto de pensar. • Idea fundamental inicial o capital de una obra cualquiera. • Cada una de las ideas o sentencias notables de un escrito. • Conjunto de las ideas propias de una persona o colectividad. • fig. Sospecha, malicia, recelo. • *Bot.* Trinitaria, flor. • fam. Taberna. • *Esc. y Pint.* Bosquejo de la primera idea o invención de una composición. • **En un p.** m. adv. fig. Brevísima e instantáneamente. • **No pasarle** a uno **por el p.** una cosa. fig. No ocurrírsele, no pensar en ella.

PENSAR tr. Imaginar, considerar o discurrir. • Reflexionar, examinar con cuidado una cosa para formar dictamen. • Intentar o formar ánimo de hacer una cosa. • Echar pienso a los animales. • **Sin p.** m. adv. De improviso o inesperadamente. ■ PENSADO, DA; PENSADOR, RA; PENSATIVO, VA.

PENSEQUE m. fam. Error nacido de ligereza, descuido o falta de meditación.

PENSIL o **PÉNSIL** adj. Pendiente o colgado en el aire. • m. fig. Jardín delicioso.

PENSILVANIA *(Pennsylvania)* Estado del NE de EE UU; 117 348 km^2, 11 882 000 hab. Cap., Harrisburg. C. prales.: Pittsburgh y Filadelfia. Relieve formado por los montes Tuscarora y las montañas Azules. Ríos: Delaware, Susquehanna y Monongahela. Clima continental húmedo. Trigo, maíz. Bovinos. Hulla, hidrocarburos. Ind. siderúrgica. Estado de la Unión desde 1787.

PENSIÓN f. Renta o canon anual que perpetua o temporalmente se impone sobre una finca. • Cantidad anual que se asigna a uno por méritos o servicios propios o extraños, o bien por pura gracia del que la concede. • Pupilaje, casa donde se reciben huéspedes mediante precio convenido. • Precio del pupilaje. • Auxilio pecuniario que se concede para estimular o ampliar estudios o conocimientos. • fig. Trabajo, molestia o cuidado que lleva consigo la posesión de una cosa. • *Amér.* Pena, pesar.

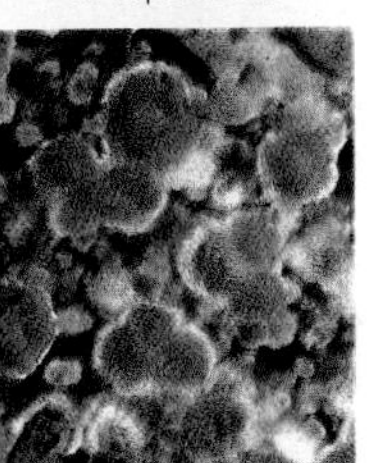

Penicilina. Arriba, microfotografía con luz polarizada de unos cristales de penicilina; abajo, *Penicillium,* hongo microscópico productor de la penicilina

William **Penn** establece un tratado con los indios. Óleo de Edward Hicks

PENSIONADO, DA adj. y s. Que tiene o cobra una pensión. • m. Colegio o establecimiento que acoge alumnos pensionistas.

PENSIONAR tr. Imponer una pensión o un gravamen. • Conceder pensión a una persona o establecimiento. • *Chile.* Molestarse.

PENSIONARIO m. El que paga una pensión. • Consejero, abogado o dignidad de letras en una república.

PENSIONISTA com. Persona que tiene derecho a percibir y cobrar una pensión. • Persona que está en un colegio o casa particular y paga cierta pensión por sus alimentos y enseñanza.

PENTADECÁGONO o **PENTEDECÁGONO, NA** adj. y m. *Geom.* Díc. del polígono de quince ángulos y quince lados.

PENTAEDRO m. *Geom.* Sólido que tiene cinco caras.

PENTAGONAL adj. *Geom.* Pentágono. • Relativo al pentágono.

PENTÁGONO, NA adj. y m. *Geom.* Se aplica al polígono de cinco lados y cinco ángulos.

Pensamientos

Panorámica aérea de **Peñíscola**

Peón de marfil del ajedrez de Carlomagno. Biblioteca Nacional, París

Peonía

Flor y fruto del **pepino**

PENTÁGONO Edificio del departamento de Defensa Nacional de EE UU, en Washington. • P. ext., este departamento.

PENTAGRAMA o **PENTÁGRAMA** m. *Mús.* Renglonadura formada con cinco rectas paralelas y equidistantes, sobre la cual se escribe la música.

PENTÁMERO, RA adj. *Bot.* Díc. del verticilo que consta de cinco piezas y de la flor que tiene corola y cáliz con este carácter. • adj. y m. *Zool.* Díc. de los insectos coleópteros que tienen cinco artejos en cada tarso. • m. pl. *Zool.* Suborden de estos animales.

PENTÁMETRO adj. y s. Díc. del verso de la poesía gr. y latina compuesto de dos pies, un espondeo y dos anapestos.

PENTANO m. *Quím.* Hidrocarburo saturado de cinco átomos de carbono. Los tres isómeros posibles son: *n*-pentano, *2*-metilbutano y *2-2*-dimetilpropano. Es un líquido incoloro e insoluble en agua, que forma parte del petróleo.

PENTARQUÍA f. Gobierno formado por cinco personas.

PENTASÍLABO, BA adj. y s. Que consta de cinco sílabas.

PENTATEUCO n. p. m. Parte de la Biblia, que comprende los cinco primeros libros canónicos del A. T., escritos por Moisés: Génesis, Éxodo, Levítico, Números y Deuteronomio. El P. muestra cómo Dios eligió a Abraham y a sus descendientes, y, por medio de Moisés, convirtió a los israelitas en un pueblo teocrático. Diversos autores y escuelas han puesto en duda que Moisés haya escrito el P.

PENTATHLON o **PENTATLÓN** m. *Dep.* Competición atlética que consta de cinco pruebas. Actualmente son: los 200 m lisos, los 80 m vallas, el lanzamiento de peso y los saltos de longitud y altura.

PENTAVALENTE adj. *Quím.* Que actúa con valencia cinco.

PENTECOSTALES m. pl. Grupo de Iglesias indep. de origen metodista, llamadas también pentecostistas, aparecidas en EE UU entre finales del s. XIX y principios del XX.

PENTECOSTÉS n. p. m. Fiesta de los judíos instituida en memoria de la ley que Dios les dio en el monte Sinaí, que se celebra cincuenta días después de la Pascua del Cordero. • Festividad de la Venida del Espíritu Santo que celebran las Iglesias cristianas y que tiene lugar cincuenta días después de la Pascua de Resurrección.

PENTÉLICO Monte de Ática, sit. entre Atenas y Maratón; famoso por sus mármoles blancos.

PENTENO m. *Quím.* Hidrocarburo olefínico (con un doble enlace) de cinco átomos de carbono.

PENTEO *Mit. gr.* Rey de Tebas, hijo de Equión y Agaves, que prohibió el culto a Dionisos en la ciudad. Murió descuartizado por su madre.

PENTESILEA *Mit. gr.* Hija de Ares y reina de las Amazonas. Acudió en socorro de Troya y Aquiles la mató.

PENTODO m. Válvula termoiónica de cinco electrodos: ánodo, cátodo, rejilla de control, rejilla-pantalla, y rejilla supresora. Se emplea en la amplificación de tensión y de potencia, tanto en audiofrecuencia como en radiofrecuencia.

PENTOSA f. *Quím.* Monosacárido de → átomos de carbono. Son p. importantes: la ribosa y desoxirribosa de los ácidos nucleicos; la ribulosa, que actúa en la fotosíntesis; la arabinosa, la xilosa y la xilulosa.

PENTOTHAL m. Anestésico usado en cirugía y para producir estados subnarcóticos con fines terapéuticos.

PENÚLTIMO, MA adj. y s. Inmediatamente anterior a lo último o postrero.

PENUMBRA f. Sombra débil entre la luz y la oscuridad, que no deja percibir dónde empieza la una o acaba la otra. • Región más clara que circunda la sombra de un objeto iluminado por una fuente no puntiforme. ■ PENUMBROSO, SA.

PENURIA f. Escasez, falta de las cosas más precisas o de alguna de ellas.

PENZA C. de Rusia; 527 000 hab. Ind. textil, mecánica, papelera.

PEÑA f. Piedra grande sin labrar, según la produce la naturaleza. • Monte o cerro peñascoso. • Corro o grupo de amigos o camaradas. • Nombre que toman algunos círculos de recreo.

PEÑAFLOR Pob. de Chile (prov. de Santiago); 10 700 hab. Centro agrícola.

PEÑASCO m. Peña grande y elevada. • Tela llamada así por ser de mucha duración. • Múrice, molusco. • *Anat.* Porción muy dura del hueso temporal de los mamíferos, que encierra el oído interno. ■ PEÑASCAL; PEÑASCOSO, SA.

PEÑASQUEAR tr. *Chile.* Apedrear.

PEÑÍSCOLA f. ant. Península.

PEÑÍSCOLA Mun. de España, en la prov. de Castellón; 3 300 hab. En su fortaleza se retiró en 1415 el antipapa Benedicto XIII (Pedro de Luna).

PEÑOLA f. Pluma de ave para escribir.

PEÑÓN m. Monte peñascoso.

PEÑUELAS Mun. de Puerto Rico, en el distr. de Mayagüez; 20 500 hab.

PEÓN m. Peatón, persona que camina o anda a pie. • Jornalero, obrero no especializado. • Infante o soldado de a pie. • Juguete de madera de figura cónica y terminada en una púa de hierro, al cual se arrolla una cuerda para lanzarlo y hacerlo bailar. • Cualquiera de las piezas del juego de damas; de las ocho negras y ocho blancas, respectivamente iguales, del ajedrez, y de algunas de otros juegos de tablero. • Árbol de la noria o de cualquier otra máquina que gira como ella. • Colmena. • Pie de la poesía gr. y latina que se compone de cuatro sílabas, cualquiera de ellas larga y las demás breves. • *Taur.* Peón de brega. • *Amér.* Bracero agrícola. • fam. *Méx.* Piojo. • **caminero.** Obrero destinado a la conservación y reparo de los caminos públicos. • **de brega.** *Taur.* Torero subalterno que ayuda al matador durante la lidia.

PEONADA f. Obra que un peón o jornalero hace en un día. • Conjunto de peones que trabajan en una obra.

PEONAJE m. Conjunto de peones o soldados de infantería. • Conjunto de peones que trabajan en una obra.

PEONAR intr. *Argent.* Trabajar como peón.

PEONÍA f. Saltaojos, planta ranunculácea, ornamental. • *Amér. Merid.* y *Cuba.* Planta leguminosa, con flores blancas o rojas en espiga y semillas en vaina, gruesas, esféricas y de un rojo vivo con un lunar negro. Es medicinal, y sus semillas se usan para confeccionar collares, pulseras y rosarios.

PEONZA f. Peón, trompo. • Juguete semejante al peón, pero sin punta de hierro, y que se hace bailar azotándolo con un látigo. • fig. y fam. Persona chiquita y bulliciosa.

PEOR adj. comp. de malo. De mala condición o de inferior calidad respecto de otra cosa con que se compara. • adv. modo comp. de mal. Más mal, de manera más contraria a lo bueno o lo conveniente. • **P. que peor.** exp. que se usa para significar que lo que se propone por remedio o disculpa de una cosa, la empeora. ■ PEORÍA.

PEORIA C. de EE UU, en el est. de Illinois, puerto fluvial sobre el río Illinois; 342 000 hab. el área urb. Centro industrial.

PEPA (Hipocorístico del n. p. f. Josefa) f. Nombre popular que se dio a la constitución esp. de 1812, promulgada el día de San José.

PEPE m. fam. Melón malo, como pepino. • *Bol.* Lechugino. • **Estar muy p. con** uno. *Amér. Centr.* Mostrarle amistad y confianza.

PEPE (Hipocorístico del n. p. m. José) m. **Como un P.** m. adv. fig. y fam. Puntualmente, sin dilación.

PEPE, *Guglielmo* (1783-1855) Militar it. Jefe del ejército al proclamarse el régimen constitucional en Nápoles (1820). En 1848 luchó contra los austr. Se distinguió en la defensa de Venecia.

PEPENAR (voz náhuatl) tr. *Amér. Centr.* Recoger, levantar con la mano.
PEPI I Tercer rey de la VI dinastía egipcia (h. 2423-2190 a. C.), última del Imperio Antiguo. Casó con dos hijas de un noble provinciano, lo cual demuestra el debilitamiento de la monarquía. • **II** Hijo del anterior y sucesor de su hermano Merenré. Durante su reinado Egipto perdió totalmente la cohesión.
PEPINILLO m. Pepino todavía no desarrollado, adobado en vinagre. • *Amér. Centr.* Arbusto de flores moradas y fruto comestible.
PEPINO m. Planta herbácea anual de la familia cucurbitáceas, con tallos blandos, rastreros, vellosos; hojas pelosas, partidas en lóbulos agudos; flores amarillas, y fruto pulposo, cilíndrico, amarillo cuando está maduro, y antes verde; interiormente blanco y con multitud de semillas. Es comestible. • Fruto de esta planta. • fig. Cosa insignificante, de poco o ningún valor. Se usa más en fr. como **No dársele a** uno **un p.** de, o **por,** una cosa • **del diablo.** Cohombrillo, planta cucurbitácea.• **mango.** *Amér. Centr.* Planta de frutos comestibles, originaria de Guatemala. ▪ PEPINAR.
PEPINO *el Breve* (h. 715-768) Rey de los francos [751-768]. Depuso al último monarca merovingio y se proclamó rey. Se anexionó Aquitania. Dividió el reino entre sus hijos, Carlomagno y Carlomán.
PEPITA f. Tumorcillo que las gallinas suelen tener en la lengua. • Simiente de algunas frutas. • *Amér.* Almendra de cacao. • Trozo rodado de oro u otros metales nativos, que suele hallarse en los terrenos de aluvión.
PEPITO m. *Amér.* Lechugino. • Bocadillo pequeño de carne.
PEPITORIA f. Guisado que se hace con todas las partes comestibles del ave, o sólo con los despojos, y cuya salsa tiene yema de huevo. • fig. Conjunto de cosas diversas y sin orden.
PEPLA f. fam. Persona, o cosa, llena de defectos.
PEPLO m. Especie de vestidura exterior, sin mangas, que bajaba de los hombros a la cintura, formando caídas en punta por delante. La usaban las mujeres gr.
PÉPTICO, CA adj. Relativo a la digestión gástrica. • Relativo a la pepsina.
PEPÓN, NA adj. *Perú.* Barrigudo. • m. Sandía, fruto. • f. Muñeca grande de cartón o trapo.
PEPÓNIDE f. *Bot.* Fruto carnoso unido al cáliz, con una sola celda y muchas semillas adheridas a tres placentas.
PEPSINA f. Enzima proteolítica, segregada en el hígado para facilitar la digestión de la albúmina.
PEPSINÓGENO m. Proteína que se origina en la mucosa gástrica y que actúa como sustancia precursora de la pepsina.
PEPTIDASA f. Enzima proteolítica que hidroliza los enlaces peptídicos.
PÉPTIDOS m. pl. Productos de la digestión de las proteínas, formados por la reunión de varias moléculas de aminoácidos.
PEPTIZACIÓN f. Disgregación de un gel en el medio dispersante para dar una dispersión coloidal o sol.
PEPTONAS f. pl. Productos resultantes de las proteínas por la acción de la pepsina.
PEQUÉN m. *Chile.* Ave rapaz, diurna, muy semejante a la lechuza. • *Chile.* Especie de empanada.
PEQUEÑEZ f. Calidad de pequeño • Infancia, corta edad. • Cosa de poco momento, de leve importancia. • Mezquindad, ruindad.
PEQUEÑO, ÑA adj. Corto, limitado. • De muy corta edad. • fig. Bajo, abatido y humilde, como contrapuesto a poderoso y soberbio. • fig. Corto, breve o de poca importancia, aunque no sea corpóreo. • En p.m. adv. Con proporciones reducidas.
PEQUEÑOBURGUÉS, SA adj. y s. De la pequeña buguesía. • despect. Que tiene muchos prejuicios.
PEQUINÉS, SA adj. y s. De Pekín. • adj. y m. Díc. de una raza de perros de capricho, de pequeño tamaño y largo y suave pelaje.
PER prep. insep. que refuerza o aumenta la significación de las voces a que se antepone. • *Quím.* Pref. que entre varios compuestos de un mismo elemento denota que éste actúa con la mayor valencia posible.
PER cápita m. adv. latina. Por cabeza, individualmente.
PER se exp. latina. Por sí o por sí mismo. Se usa en lenguaje filosófico.
PERA f. Fruto del peral, carnoso, y de tamaño y forma variables. Contiene unas semillas ovaladas, chatas y negras. Es comestible. • Recipiente de goma en forma de pera usado para impulsar líquidos, aire, etc. • Llamador de timbre o interruptor de luz, de forma parecida a una pera. • fig. Porción de pelo que se deja en la barba, perilla. • fig. Renta o destino lucrativo o descansado. • *Vet.* Inflamación de la membrana que tiene el ganado lanar entre las dos pezuñas de las patas anteriores.
PERÁCIDO m. *Quím.* Oxiácido o derivado ácido de un metal, que posee más oxígeno.
PERADA f. Conserva que se hace de la pera rallada. • Bebida alcohólica que se obtiene por fermentación del zumo de la pera.
PERAL m. Árbol de la familia rosáceas, de hojas puntiagudas, flores blancas en corimbos, y por fruto la pera. Su madera se aprecia mucho para escuadras, reglas y plantillas de dibujo. • Madera de este árbol. ▪ PERALEDA; PEREDA.
PERAL y Caballero, ***Isaac*** (1851-1895) Militar y científico esp. Prosiguió los estudios de Monturiol sobre la navegación submarina, y en 1885 dio a conocer su invento de un submarino.
PERALEJO m. *Amér. Centr.* Árbol de la familia malpigiáceas, de hojas ovales y flores amarillas, usado en curtiduría.
PERALTA Azurdia, ***Enrique*** (1908-1997) Militar y político guat. Presid. (1963-1966) tras el golpe de Est. que derrocó a Ydígoras. Suprimió la constitución. Derrotado en las elecciones de 1978. • **Y Barnuevo,** ***Pedro*** (1663-1743) Polígrafo y poeta per. Escribió sobre numerosas disciplinas científicas. *Lima fundada.*
PERALTAR tr. *Arq.* Levantar la curva de un arco, bóveda o armadura más de lo que corresponde al semicírculo. • Levantar el carril exterior en las curvas de ferrocarriles, o el pavimento en el borde exterior de la curva de una calle o carretera. ▪ PERALTADO, DA; PERALTE.
PERALTO m. Altura, dimensión de alto a bajo.
PERAVIA Prov. de la República Dominicana, bañada por el Atlántico; 1 622 km², 185 400 hab. Cap., Baní. Atravesada por la sierra de Ocoa. Ríos: Ocoa, Baní y Niazo. Café, arroz, caña de azúcar, frutales. Salinas.
PERBORATO m. *Quím.* Sal de boro en la que este elemento tiene valencia 75.
PERCA f. Pez teleósteo fluvial, cubierto de escamas duras, verdoso en el lomo, plateado en el vientre y dorado con seis o siete fajas negruzcas en los costados. Es de carne comestible. • Raño, pez marino.
PERCAL m. Tela de algodón sencilla, aprestada con cierto brillo, gralte. estampada.
PERCALA f. *Amér. Centr.* Muselina.
PERCALINA f. Percal de un solo color.
PERCÁN m. *Chile.* Moho que se forma en diversas sustancias vegetales y animales.
PERCANCE m. Utilidad o provecho eventual sobre el sueldo o salario. Se usa más en pl. • Contratiempo, daño, perjuicio imprevisto.
PERCATAR intr. y prnl. Advertir, considerar, cuidar. • prnl. Darse cuenta clara de algo, tomar conciencia de ello.
PERCEBE m. *Zool.* Crustáceo cirrípedo de largo pedúnculo, de carne muy apreciada, con el que se fija al sustrato. • fig. y fam. Torpe o ignorante.
PERCEBIMIENTO m. Apercibimiento.
PERCEPCIÓN f. Acción y efecto de percibir. • Aprehensión de la realidad por medio de los datos recibidos por los sentidos. • Idea, acto del entendimiento.
PERCEPTIBLE adj. Que se puede comprender o percibir. • Que se puede recibir o cobrar. ▪ PERCEPTIBILIDAD.
PERCEVAL, ***Julio Miguel Adolfo*** (1903-1963) Compositor arg. Profesor del Colegio Nacional de Bellas Artes. *Cuarteto de cuerdas, Cantata de la fundación de Buenos Aires.*
PERCHA f. Madero o estaca larga y delgada, que regularmente se atraviesa en otras para sostener una cosa. • Pieza o mueble de madera o metal con colgaderos en que se pone ropa, sombreros u otros objetos. • Palo largo, con pie de apoyo y colgaderos en la parte superior. • Acción y efecto de perchar el

Perro **pequinés**

Peral

Perca

paño. • Lazo de cazar perdices u otras aves. • Especie de bandolera que usan los cazadores para colgar en ella las piezas que matan. • Alcándara. • Perca, pez. • *Mar.* Brazal, madero.
PERCHAR tr. Colgar el paño y sacarle el pelo con la carda.
PERCHERO m. Conjunto de perchas o lugar en que las hay. • Mueble con varias perchas para colgar sombreros, abrigos, etc.
PERCHERÓN, NA adj. y s. Díc. del caballo o yegua perteneciente a una raza fr. muy idónea para arrastrar grandes pesos.
PERCHÓN m. Pulgar de la vid en el cual ha dejado el podador más yemas de las convenientes.
PERCHONAR intr. Dejar perchones en las vides. • Armar perchas o lazos en el paraje donde concurre la caza.
PERCIBIR tr. Recibir una cosa y entregarse de ella. • Recibir por uno de los sentidos las especies o impresiones del objeto. • Comprender o conocer una cosa. ■ PERCEPTIVO, VA; PERCEPTOR, RA; PERCIBO.
PÉRCIDO, DA adj. y m. *Zool.* Díc. de animales de la familia pércidos. • m. pl. *Zool.* Familia de peces perciformes, que comprende no sólo las percas, sino también las luciopercas y otras especies vecinas. Todos los p. son fluviales y se distribuyen por todo el hemisferio N.

Dos ejemplares de lubina, pez del orden **perciformes**

PERCIFORME adj. y m. *Zool.* Díc. de animales del orden perciformes. • m. pl. *Zool.* Orden de 8 000 especies de peces, con aletas espinosas, escamas rugosas y vejiga natatoria sin contacto con el exterior.
PERCOCHO m. *Hond.* Tela o vestido muy sucio.
PERCUDIR tr. Maltratar o ajar la tez o el lustre de las cosas. • Penetrar la suciedad en alguna cosa.
PERCUSIÓN f. Golpe, choque de un cuerpo contra otro. • *Fís.* Producto de la intensidad de una fuerza por el tiempo que dura su acción. • *Mús.* Conjunto de instrumentos en los que el sonido se produce al golpear un objeto. • *Med.* Método de exploración de las cavidades torácica y abdominal.
PERCUTÁNEO, A adj. Que tiene lugar en la piel o a través de ella.
PERCUTIR tr. Golpear.
PERCUTOR o **PERCUSOR** m. Parte de un arma de fuego que produce el disparo al incidir sobre la cápsula fulminante.
PERDEDERO m. Ocasión o motivo de perder. • Lugar por donde se zafa la liebre perseguida.

Perdiz común

PERDER tr. Dejar de tener o no encontrar uno la cosa que poseía, sea por descuido del poseedor, sea por desgracia. • Desperdiciar, disipar o malgastar una cosa. • No conseguir lo que se espera, desea o ama. • Ocasionar un daño a las cosas, desmejorándolas o desluciéndolas. • Ocasionar a uno daño en la honra o en la hacienda. • Dejar escapar o desperdiciar una oportunidad. • Verse privado de algo, física o moralmente. • tr. e intr. Dicho de juegos, batallas, oposiciones, pleitos, etc., no obtener lo que en ellos se disputa. • Padecer un daño, ruina o disminución en lo material, inmaterial o espiritual. • Dejar escapar poco a poco su contenido un recipiente. • tr. Decaer del concepto, crédito o estimación en que se estaba. • Junto con algunos nombres, faltar a la obligación de lo que significan o hacer una cosa en contrario. • Tratándose de una tela, desteñirse, bajar de color cuando se lava. • prnl. Errar uno el camino o rumbo que llevaba. • No hallar camino ni salida. • fig. No hallar modo de salir de una dificultad. • fig. Conturbarse o arrebatarse sumamente por un accidente, sobresalto o pasión, de modo que no pueda darse razón de sí. • fig. Entregarse ciegamente a los vicios. • fig. Borrarse la especie o ilación en un discurso. • fig. No percibirse una cosa por el sentido que a ella concierne, especialmente el oído y la vista. • prnl. y tr. fig. No aprovecharse una cosa que podía y debía ser útil, o aplicarse mal para otro fin. • prnl. fig. Naufragar o irse a pique. • fig. Ponerse a riesgo de perder la vida o sufrir otro grave daño. • fig. Amar mucho o con ciega pasión a una persona o cosa. • fig. Dejar de tener uso o estimación las cosas que se apreciaban o se ejercitaban. • fig. Padecer un daño o ruina espiritual o corporal. • Hablando de las aguas corrientes, ocultarse o filtrarse debajo de tierra o entre peñas o hierbas. ■ PERDEDOR, RA; PERDIDOSO, SA.

Perejil

PERDICIÓN f. Acción de perder o perderse. • fig. Ruina o daño grave en lo temporal o espiritual. • fig. Pasión desenfrenada de amor. • fig. Condenación eterna. • fig. Desarreglo en las costumbres o en el uso de los bienes temporales. • fig. Causa o sujeto que ocasiona un grave daño.
PÉRDIDA f. Carencia, privación de lo que se poseía. • Daño o menoscabo que se recibe en una cosa. • Cantidad o cosa perdida. • Escape de un fluido. También se usa en pl. • pl. Hemorragia, y especialmente metrorragia.
PERDIDO, DA adj. Que no tiene o no lleva destino determinado. • m. y f. Persona sin provecho o sin moral. • **Perdido por** una persona. fig. Ciegamente enamorado de ella.
PERDIDO, *monte* Pico de España, en los Pirineos de Aragón (prov. de Huesca); 3 355 m.
PERDIGAR tr. Soasar la perdiz o cualquier otra ave o vianda para que se conserve algún tiempo sin dañarse. • Preparar la carne en cazuela con alguna grasa para que esté más sustanciosa. • fig. y fam. Disponer una cosa para un fin.
PERDIGÓN m. Pollo de la perdiz. • Perdiz nueva. • Perdiz macho que emplean los cazadores como reclamo. • Cada uno de los granos de plomo que forman la munición de caza. • fam. El que pierde mucho en el juego. • fig. y fam. Mozo desatentado y de poco juicio, que malbarata su hacienda.
PERDIGONADA f. Tiro de perdigones. • Herida que produce.
PERDIGONERA f. Bolsa en que los cazadores llevaban los perdigones.
PERDIGUERO, RA adj. Díc. del animal que caza perdices. • adj. y s. Díc. de diversos perros adecuados para la caza de la perdiz, aunque no limitados a ella. • m. Recovero que compra la caza de los cazadores para revenderla.
PERDIZ f. Ave galliforme, con cuerpo grueso, cuello corto, cabeza pequeña y plumaje de color ceniciento rojizo en las partes superiores, más vivo en la cabeza y el cuello. Su carne es muy estimada. • **nival.** Ave gallinácea poco mayor que la perdiz común, que tiene plumas hasta las uñas, y el plumaje blanco. En verano toma color gris amarillento con manchas negras. • **cordillerana.** *Chile.* Especie andina más pequeña que la europea, de alas puntiagudas y tarsos robustos y reticulares por delante. No es comestible. • **pardilla.** Ave gallinácea, parecida a la perdiz común, pero con el pico y las patas de color gris y el plumaje pardo oscuro, amarillento rojizo en la cabeza, gris con rayas negras en el cuello y pecho, y manchado de pardo castaño en medio del abdomen. Es común en Europa.
PERDÓN m. Remisión de la pena merecida, de la ofensa que se recibe o de alguna deuda u obligación pendiente. • Indulgencia, remisión de los pecados. • fam. Gota de aceite, cera u otra cosa que cae ardiendo. • pl. Obsequios que se traen de una romería, tales como frutas secas , dulces y otras golosinas. • **Con p.** m. adv. Con licencia o sin nota ni reparo.
PERDONAR tr. Remitir la deuda, ofensa, falta, delito u otra cosa que toque al que redime. • Exceptuar a uno de lo que comúnmente se hace con todos, y de la obligación que tendría por la ley general. • Precedido del adv. *no*, atribuye gran intensidad a la acción del verbo que seguidamente se expresa o se supone. • fig. Renunciar a un derecho, goce o disfrute.
PERDONAVIDAS m. fig. y fam. Baladrón que ostenta guapezas y se jacta de valentía o atrocidades.
PERDULARIO, RIA adj. y s. Sumamente descuidado en sus intereses o en su persona. • Vicioso incorregible.
PERDURABLE adj. Perpetuo o que dura siempre. • Que dura mucho tiempo. • f. Sempiterna, tela de lana basta.
PERDURAR intr. Durar mucho, mantenerse, persistir en el mismo estado. ■ PERDURACIÓN.
PEREBA f. *Argent.* Cicatriz.
PERECEAR tr. fam. Dilatar, retardar, diferir una cosa.
PERECER intr. Acabar, fenecer o dejar de ser. • fig. Padecer un daño, trabajo, fatiga o molestia de una pasión que reduce al último extremo. • fig. Padecer una ruina espiritual, especialmente la extrema de la eterna condenación. • fig. Tener suma po-

breza. • prnl. fig. Desear con ansia una cosa. Se construye con la prep. *por.* • fig. Padecer con violencia un afecto o pasión. ■ PERECEDERO, RA; PERECIMIENTO.

PEREDA, *José María de* (1883-1906) Novelista esp. De su obra, una muestra del realismo imperante en su tiempo, destacan *Peñas arriba, Sotileza, Don Gonzalo González de la Gonzalera, La Montálvez.* • **Asbún, *Juan*** (nacido 1931) Militar y político bol. Participó en el golpe de Est. que derrocó a Torres. Elegido presid. en las elecciones de 1978, que fueron anuladas. Nuevamente presid. tras un golpe de Est., fue derrocado por un contragolpe.

PEREDO, *Guido* llamado INTI (1932-1969) Guerrillero bol. Uno de los dirigentes d e la guerrilla guevarista (1967). Murió enfrentado a la policía. Era hermano de ***Roberto*** (COCO) ***Peredo,*** quien murió en similares circunstancias (1967).

PEREGRINACIÓN f. Viaje por tierras extrañas. • Viaje que se hace a un santuario por devoción o voto. • fig. La vida humana como paso a la eterna.

PEREGRINAJE m. Peregrinación. • fig. y fam. Serie de paseos y viajes que hay que realizar de una parte a otra para conseguir o resolver algo.

PEREGRINAR intr. Andar por tierras extrañas. • Ir en romería a un santuario por devoción o por voto. • fig. Estar en esta vida, de paso para la eterna.

PEREGRINO, NA adj. Díc. del que ada por tierras extrañas. • adj. y s. Díc. de la persona que por devoción o por voto va a visitar un santuario. • adj. Hablando de aves, que pasan de un lugar a otro. • Animales o cosas que proceden de un país extraño. • fig. Extraño, especial, raro o pocas veces visto. • fig. Adornado de singular hermosura, perfección o excelencia. • fig. Que está en esta vida mortal y pasa a la eterna. • f. *Cuba.* Arbusto euforbiáceo que da unas flores rojas. Existen diversas variedades.

PEREION m. *Zool.* Cefalotórax de los crustáceos, comúnmente cubierto por un caparazón.

PEREIRA C. de Colombia, cap. del dpto. de Risaralda; 412 134 hab. Centro cafetero. Ind. textiles, siderúrgicas y alimentarias. Universidad.

PEREIRA, *Arístides María* (nacido 1924) Político de Cabo Verde. Con Amílcar Cabral fundó el Partido Africano para la Independencia de Guinea y Cabo Verde. Secretario gral. del partido (1973), en 1975 fue elegido presid. de la rep. Reelegido en 1980 y 1986. • ***Gabriel Antonio*** (1794-1861) Político ur. Fue uno de los firmantes de la declaración de indep. (1825). Se enfrentó a la sublevación conservadora de César Díaz (1857-1858), apoyó el programa de unión de blancos y colorados y fue elegido presid. en 1859 • ***Nuno Alvares*** (1360-1431) Político port. Héroe de la batalla de Aljubarrota (1385), donde fue derrotado el monarca castellano Juan I. • **Da Silva, *João Manuel*** (1817-1898) Escritor bras. *Religión, amor y patria* y *Jerónimo de Corte-Reale* son sus prales. novelas, de corte romántico; *Historia de la fundación del imperio brasileño.* • **De Souza, *Washington Luis*** (1869-1957) Político bras. Presid. de la rep. (1926-1930). Derrocado por G. Vargas. • **Dos Santos, *Nelson*** (nacido 1928) Director de cine bras., iniciador del *cinema novo. Vidas secas.*

PÉREIRE, *Jacob Émile* (1800-1875) Industrial fr. En 1835 se asoció con Rotschild para la construcción de ferrocarriles en Francia. En 1852 fundó el *Crédit Mobilier*, que quebró en 1867.

PEREJIL m. Planta herbácea vivaz, de la familia umbelíferas, con tallos angulosos y ramificados, hojas lustrosas, partidas en tres gajos lobulados; flores blancas o verdosas y semillas menudas, parduscas y con venas finas. • fig. y fam. Adorno y compostura excesivos, especialmente en los tocados femeninos. Se usa más en pl. • pl. fig. y fam. Títulos o signos de dignidad o empleos que, junto con otro pral., condecoran a un sujeto. • **de mar** o **marino.** Hinojo marino. • **de monte.** Oreoselino. • **de perro.** Cicuta menor.

PERENDECA f. fam. Puta.

PERENDENGUE o **PELENDENGUE** m. Pendiente, arete. • P. ext., cualquier otro adorno mujeril de poco valor. • pl. Adornos, atavíos. • fig. Requilorios, dificultades, trabas.

PERENNE o **PERENE** adj. Continuo, incesante, sin intermisión. • *Bot.* Que vive más de dos años.

PERENNIDAD f. Perpetuidad.

PERENNIFOLIO, LIA adj. y m. *Bot.* Díc. de los vegetales superiores cuyas hojas perduran más de una época vegetativa y que poseen follaje perpetuo.

PERENTORIO, RIA adj. Díc. del último plazo que se concede, o de la final resolución que se toma en cualquier asunto. • Concluyente, decisivo, determinante. • Urgente, apremiante.

PERES, *Shimon* (nacido 1923) Político israelí. Primer ministro interino (1977). Presid. de un gobierno de coalición (1984-1986). Viceprimer ministro (1986-1990), ministro de Asuntos Exteriores (1986-1988) y de Finanzas (1988-1990). Como primer ministro (1995-1996), continuó las negociaciones iniciadas por Y. Rabin para lograr la paz en Próximo Oriente. Premio Nobel de la Paz en 1994, con Y. Rabin y Y. Arafat.

PERESTROIKA (voz rusa) f. Término empleado para referirse a las reformas políticas y económicas impulsadas en la antigua URSS a partir de mediados de los años ochenta por Mijail Gorbachov.

PEREYNS, *Simon* (h. 1530-h. 1600) Pintor flam. Maestro de los pintores de Nueva España del s. XVI, desarrolló su trabajo en México.

PEREYRA, *Carlos* (1871-1943) Historiador mex. En su obra estudia a fondo la presencia de España en América. *La obra de España en América, La conquista de las rutas oceánicas, La huella de los conquistadores, Hernán Cortes.*

PÉREZ, *Antonio* (1540-1611) Político esp. Secretario particular de Felipe II. En 1578 ordenó, con el visto bueno del rey, el asesinato de Juan de Escobedo. Tuvo que huir y se refugió en Aragón, de donde pasó a Francia. • ***Carlos Andrés*** (nacido 1922) Político ven. En 1945 participó en el golpe de Est. que elevó a Betancourt a la presidencia. Derrocado éste, fue expulsado. En 1952 entró clandestinamente en el país para luchar contra la dictadura de Marcos Pérez. En 1968 fue nombrado secretario general del partido Acción Democrática. Al asumir Betancourt de nuevo la presidencia, fue ministro de Relaciones Interiores. Presid. de la rep. (1974-1979), nacionalizó la ind. petrolera. Elegido de nuevo presid. en 1988, fue suspendido de sus funciones en mayo 1993, por presunta malversación de fondos; encarcelado en mayo 1994. • ***José Joaquín*** (1801-1889) Político chil. Presid. de la rep. (1861-1871) liberal moderado. Declaró la guerra a España por la cuestión de las islas Chincha (1865). • ***Juan Bautista*** (1869-1952) Político ven. Presid. (1929-1931). Dimitió por su incapacidad de resolver la crisis económica. • **Alfonso, *Juan Pablo*** (1903-1979). Economista y político ven. Creador de la OPEP. *El Pentágono petrolero, Venezuela y su petróleo.* • **Balladares, *Ernesto*** (nacido 1946) Político pan. Presid del Partido Revolucionario Democrático (PRD), ha sido ministro en diversas ocasiones. Presid. de la rep. entre 1994 y 1999. • **Bonalde, *Juan Antonio*** (1845-1892) Poeta ven. Neorromántico y precursor del modernismo. *Estrofas, Ritmos.* • **Castellano, *José María*** (1743-1815) Naturalista ur. Observaciones sobre agricultura. • **De Ayala, *Ramón*** (1888-1962) Novelista, ensayista y poeta esp. Su obra lírica (*La paz del sendero, El sendero innumerable)* es de fondo ideológico y conceptual. A partir de la novela *Belarmino y Apolonia* se aparta del realismo y aparecen los personajes-símbolo *(Los trabajos de Urbano y Simona, Tigre Juan).* • **De Cuéllar, *Javier*** (nacido 1920) Diplomático per. Secretario general de las Naciones Unidas entre 1981 y 1991. En 1995 concurrió a las elecciones presid. en su país, siendo derrotado por A. Fujimori. En noviembre de 2000 fue nombrado primer ministro por el pres. V. Paniagua. • **De Guzmán, *Alonso,*** llamado EL BUENO → Guzmán el Bueno. • **Del Pulgar, *Hernán*** (1451-1531). Historiador esp. Se distinguió por su valor en las guerras de Granada. *Breve parte de las hazañas del excelente nombrado Gran Capitán.* • **Esquivel, *Adolfo*** (nacido 1931) Pacifista arg. Secretario gral. de Justicia y Paz y miembro de la Asamblea Permanente de los Derechos Humanos, fue expulsado del Ecuador y encarcelado en Argentina por sus campañas en favor de los derechos humanos. Premio Nobel de la Paz en 1980. • **Freire, *Osmán*** (1878-1920) Compositor chil. que residió muchos años en Buenos Aires. Autor de melodías criollas (*¡Ay, ay, ay!*). • **Galdós, *Benito*** (1878-1910) Escritor esp. Su obra puede clasificarse en tres ciclos. El primero está formado por los *Episodios Nacionales.* Un segundo, cuyo tema es la vida de la clase media y el pueblo bajo de Madrid, incluye *Miau.*

Pinos, árboles **perennifolios** pertenecientes a la clase coníferas

Ernesto **Pérez Balladares**

Javier **Pérez de Cuéllar**

Perezoso

Máquina **perforadora** neumática

Detalle del friso del altar de Zeus Sóter de **Pérgamo,** reconstruido en el Museo Pérgamo de Berlín

La de Bringas, *Misericordia* y *Fortunata y Jacinta*. Un tercer ciclo lo forman sus «novelas de tesis»: *Doña perfecta*, *La familia de León Roch*, *Gloria*. Abordó también el teatro: *Electra*, *El abuelo*, *La loca de la casa*.• **Godoy, *Ricardo Pío*** (1905-1982). Militar per. Autor del golpe de Est. de 1962. Presid. de la junta militar (1962-1963). • **Jiménez, *Marcos*** (1914-2001) Militar y político ven. En 1952 se presentó como candidato a la presidencia de la rep., y aunque no consiguió ganar las elecciones, el régimen militar, con el respaldo de la asamblea nacional, le proclamó presid. Instauró una fuerte dictadura, sostenida por los grandes beneficios del petróleo. En 1958 fue derrocado por un levantamiento popular, apoyado por parte del ejército. • **Lugín, *Alejandro*** (1870-1926) Novelista y periodista esp. *La casa de la Troya y Currito de la Cruz*. • **Rosales, *Vicente*** (1807-1886) Poeta romántico chil. *Recuerdos del pasado*. • **Villaamil, *Jenaro*** (1807-1854). Pintor esp., célebre por su colección de litografías *España artística y monumental*.

PEREZA f. Resistencia o repugnancia a trabajar o a cumplir las obligaciones del cargo o estado de cada uno. • Flojedad, descuido o lentitud en las acciones o movimientos.

PEREZOSO, SA adj. Tardo, lento o pesado en el movimiento o la acción. • adj. y s. Negligente, descuidado o flojo en hacer lo que debe. • m. *Zool.* Mamífero desdentado, arborícola, de pelaje gris, que vive en las selvas de América Central y Meridional. • *Ur.* Silla de tijera con asiento y respaldo de lona.

PERFECCIONAR tr. y prnl. Acabar enteramente una obra, dándole el mayor grado posible de bondad o excelencia. • Completar los requisitos para que un acto civil, especialmente un contrato, tenga plena fuerza jurídica. ■ PERFECCIONAMIENTO; PERFECTIBLE.

PERFECCIONISTA adj. y s. Díc. de la actitud que tiende a la perfección propia o exige la ajena, y de la persona que la adopta. • m. pl. Adeptos de un movimiento religioso norteam. fundado en 1836 por John Humphrey Noyes.

PERFECTIVO, VA adj. Que da o puede dar perfección. • *Gram.* Díc. de los verbos, o de las formas y exp. verbales que enuncian acciones terminadas.

PERFECTO, TA adj. Que tiene el mayor grado posible de bondad o excelencia en su línea. • Antepuesto a la denominación de una cualidad o de un defecto, que lo posee en grado máx.; por ej., un perfecto sinvergüenza. • Sin ningún fallo. • *Der.* De plena eficacia jurídica. • *Mat.* Díc. de los subconjuntos cerrados de un espacio euclídeo, cuyos puntos son todos de acumulación. Equivalentemente puede decirse que se trata de conjuntos cerrados que carecen de puntos aislados. • adj. y m. *Gram.* Forma verbal que, dentro de un paradigma, expresa acción acabada o consumida. En castellano, estos tiempos son compuestos de verbo auxiliar y participio. La mayoría de gramáticos consideran también como p. al pretérito indefinido, por su carácter absoluto.

PERFICIENTE adj. Que perfecciona.

PERFIDIA f. Deslealtad, traición o quebrantamiento de la fe debida.

PÉRFIDO, DA adj. y s. Desleal, infiel o traidor; que falta a la fe que debe.

PERFIL m. Adorno sutil y delicado, especialmente el que se pone al canto extremo de una cosa. • Cada uno de los trazos delgados que se hacen con la pluma al escribir o dibujar. • Postura en que no se deja ver sino una sola de las dos mitades laterales del cuerpo. • Aspecto peculiar o llamativo con que una cosa se presenta ante la vista o la mente. • Figura que representa un cuerpo cortado real o imaginariamente por un plano longitudinal o transversal. • *Ind.* Barra de gran longitud, obtenida por laminación o extrusión. • Contorno aparente de la figura. • pl. Complementos y retoques con que se remata una obra o una cosa. • fig. Miramientos en la conducta o en el trato social. • **aerodinámico.** Forma que debe tener un cuerpo en movimiento a través de un fluido para disminuir la formación de remolinos. • **alar.** *Aer.* Figura obtenida por la sección perpendicular al eje del ala de un avión. • **De perfil.** loc. adv. De lado.

* *Aer.* A través del estudio del p. alar se determinan las fuerzas de sustentación, las resistencias y el par aerodinámico.

* *Ind.* Los p. de aluminio, plástico y goma suelen obtenerse por extrusión. Los de acero laminados en caliente se emplean en la construcción. Los de acero laminados en frío, aluminio, acero inoxidable o latón, se emplean en carpintería metálica.

PERFILAR tr. Dar, presentar el perfil o sacar los perfiles a una cosa. • fig. Afinar, hacer con primor, rematar esmeradamente una cosa. • tr. y prnl. fig. Dar forma a algo que se tenía esbozado en la mente. • prnl. Colocarse de perfil. • fig. y fam. Aderezarse, componerse. ■ PERFILADO, DA; PERFILADURA.

PERFILÓMETRO m. Dispositivo óptico para el control de la correcta ejecución de realizaciones mecánicas que dan como resultado formas complicadas. • Aparato para conocer la rugosidad final de las superficies mecanizadas.

PERFOLIADO, DA adj. *Bot.* Díc. de la hoja cuya base rodea el tallo, sin formar tubo.

PERFORACIÓN f. Acción y efecto de perforar. • Serie de taladros practicados, p. ej., en la banda de papel de una monotipia, para el dentado de los sellos de correo, etc. • *Comp.* Pequeño orificio efectuado sobre una cinta de papel o sobre una tarjeta, como representación de un bit de valor 1. • **petrolífera.** *Ing.* La que se efectúa a través del subsuelo para alcanzar un yacimiento de petróleo.

* *Ing.* El método de p. más utilizado es el sistema hidráulico Rotary, en el que el movimiento del taladro se transmite a través de una columna de tubos por cuyo interior desciende el fluido que sirve para elevar a la superficie los detritos de la p.

PERFORADOR, RA adj. y s. Que perfora u horada. • f. Taladro que se emplea para hacer agujeros. • adj. y f. *Ing.* Díc. de la máquina que sirve para perforar. • **de cinta de papel.** *Comp.* Aparato para realizar perforaciones en cinta de papel, a razón de 6 caracteres por cm., con una velocidad que varía entre 15 y 150 caracteres por seg. • **de percusión.** *Ing.* P. constituida por una barra de acero (barrena) a la que un sistema de accionamiento le confiere un movimiento de percusión con el que se practica el orificio. • **de rotación.** *Ing.* P. en la que el instrumento perforante está formado por un extremo de acero duro con bordes cortantes y dotado de un movimiento de rotación. • **de tarjetas.** *Comp.* Aparato para realizar perforaciones en tarjeta o ficha, hasta 80 caracteres como máximo, a una velocidad que varía entre 100 y 500 fichas por min.

PERFORAR tr. Agujerear una cosa atravesándola. • Agujerear una cosa atravesando alguna capa. • Manejar la perforadora de fichas o de cintas.

PERFORISTA com. Persona que maneja una máquina perforadora de fichas o cintas.

PERFORMANCE (voz ing.) f. Marca, récord. • Denominación de los *tests* de apreciación de funciones mentales no verbales. Permiten analizar la capacidad intelectual de personas que no saben leer o tienen dificultad para ello. • *Econ.* Operación económica y rendimiento que se obtiene de la misma.

PERFUMADOR, RA adj. y s. Perfumista. • m. Perfumadero. • Pulverizador para esparcir perfumes.

PERFUMAR tr. y prnl. Sahumar, aromatizar una cosa, quemando materias olorosas. • tr. fig. Dar o esparcir cualquier olor bueno. • intr. Exhalar perfume, fragancia, olor agradable.

PERFUME m. Sustancia aromática que puesta al fuego exhala un humo fragante y oloroso. • El mismo humo u olor que exhalan las materias olorosas. • fig. Cualquier sustancia, natural o de composición química, que exhala buen olor. • fig. Cualquier olor bueno o muy agradable. ■ PERFUMERO, RA; PERFUMISTA.

PERFUMEAR tr. Echar perfumes.

PERFUMERÍA f. Oficina donde se preparan perfumes o se adoban las ropas o pieles con olores. • Ind. química dedicada a la obtención de materias primas para elaborar perfumes, y a la fabricación y comercialización de éstos. • Tienda donde se venden. • Conjunto de productos y materias de esta industria.

PERFUSIÓN f. Baño, untura. • *Biol.* Caudal sanguíneo que pasa por un órgano.

PERGAL m. Recorte de las pieles de que se hacen las túrdigas para abarcas.

PERGAMINO m. Piel de la res, raída, adobada y estirada, que sirve para diferentes usos. • Título o documento escrito en pergamino. • pl. fig. Antecedentes nobiliarios de una familia o de una persona.

PERGAMINO C. de Argentina, en la prov. de Buenos Aires; 68 600 hab. Sit. en la Pampa húmeda. Centro agropecuario. Ind. metalúrgicas y alimentarias.

PÉRGAMO Ant. c. del NO de Asia Menor, en la prov. de Misia. En el s. III a. C. fue la cap. de los atálidas. Post. fue organizada como ciudad-estado gr. Tuvo una biblioteca que contenía más de 200 000 volúmenes.

PERGENIO m. *Chile*, *Col.* y *Ur.* Rapazuelo.

PERGEÑAR tr. Disponer o ejecutar una cosa con más o menos habilidad.

PERGEÑO m. Traza, apariencia, disposición exterior de una persona o cosa.

PÉRGOLA f. Armazón para sostener una planta. • Galería formada por una serie de columnas sobre las que se apoyan horizontalmente travesaños, a modo de emparrado. • Jardín sobre la techumbre de algunas casas.

PERGOLESI, ***Giovanni Battista*** (1710-1736) Compositor it. Sus obras más imp. son la *Misa en fa mayor* y el *Stabat Mater*, aunque su genio se manifiesta especialmente en la música teatral: *El hermano enamorado*, *La serva padrona*.

PERHIDROL m. *Quím.* Solución acuosa de peróxido de hidrógeno (agua oxigenada) al 30 %.

PERI prep. insep. que significa *alrededor*.

PERI, *Jacopo* (1561-1633) Compositor it. Director de música de los Médicis. *Dafne y Eurídice*. Creador del recitativo. • **Rossi, *Cristina*** (nacida 1941) Escritora ur. Cuentos infantiles, poemas y novelas. *Evohé*, *La rebelión de los niños*, *La mañana después del diluvio*, *La nave de los locos*.

PERIANTO m. *Bot.* Conjunto de las envolturas estériles de la flor, normalmente constituido por el cáliz, formado por hojas poco transformadas, verdes, y la corola, de hojas más transformadas, gralte. coloreadas, para atraer insectos polinizadores.

PERIASTRO m. *Astr.* Punto de la órbita de un cuerpo celeste que se encuentra a la mínima distancia del astro en torno al cual gravita.

PERICARDIO m. *Anat.* Membrana que rodea la cavidad pericárdica, en la que se aloja el corazón. Es un resto del mesodermo primitivo. En el hombre consta de la hoja visceral y la parietal.

PERIAMBO m. Pariambo, pirriquio.

PERICARDITIS f. *Pat.* Inflamación aguda o crónica del pericardio.

PERICARPIO o **PERICARPO** m. *Bot.* Pared del fruto, en cuyo interior se hallan las semillas.

PERICIA f. Sabiduría, práctica, experiencia y habilidad en una ciencia o arte.

PERICIAL adj. Relativo al perito. • m. Funcionario del cuerpo de aduanas.

PERICICLO m. *Bot.* Capa celular externa del cilindro medular de raíces y tallos.

PERICLES (h. 495-429 a.C.) Político ateniense. Posiblemente hizo comenzar la construcción de la gran muralla que unía Atenas al Pireo. En 450 a. C. propuso una ley que limitaba la ciudadanía ateniense a los niños cuyos padres ya fueran ciudadanos. Entre los años 443 y 430 a. C. se convirtió en el máx. dirigente de la política ateniense. La guerra contra Esparta le apartó del panorama político. Acusado de desfalco, su proceso fue sobreseído y, probablemente en el año 429 a. C., fue de nuevo elegido estratega.

PERICLITAR intr. Peligrar, estar en peligro; decaer, declinar.

PERICO m. Tocado de pelo postizo que adornaba la parte delantera de la cabeza. • *Zool.* Ave psitaciforme con pico róseo, ojos encarnados de contorno blanco y plumaje abigarrado. Es originaria de Cuba y América Meridional. • En el juego del truque, caballo de bastos. • fig. Abanico grande. • fig. Espárrago grande. • fig. Mujer de vida airada. • fig. Vaso para excrementos. • *Col.* Café con un poco de leche. • *Amér. Centr.* Piropo, elogio. • *Col.* y *Ecuad.* Borracho. • *Méx.* Charlatán. • pl. *Col.* Huevos revueltos. • **Hablar como un p.** *P. Rico.* Hablar mucho. • **ligero.** Perezoso, mamífero.

PERICÓN, NA adj. y s. Aplícase al que suple por todos, y más comúnmente, hablando del caballo o mula que en el tiro hace a todos los puestos. • Abanico muy grande. • *Argent.* y *Ur.* Baile popular.

PERICONDRIO m. Capa de tejido conjuntivo, que rodea y protege ciertas formaciones cartilaginosas de los animales superiores.

PERICOT, *Luis* (1899-1978) Historiador esp. *España primitiva*, *La cueva del Parpalló*.

PERICOTE m. *Amér. Merid.* Rata de la familia cricétidos que vive en las copas de árboles andinos.

PERICRÁNEO m. *Anat.* Membrana fibrosa que cubre exteriormente los huesos del cráneo.

PERIDIO m. Formación membranosa estéril indehiscente, que recubre los aparatos esporíferos de algunos hongos ascomicetes.

PERIDOTITA f. *Geol.* Roca plutónica constituida esencialmente por olivino y plagioclasa cálcica.

PERIDOTO m. Mineral granujiento o cristalino, silicato de magnesio y hierro, de color verde, brillo céreo, poco menos duro que el cuarzo y que suele encontrarse entre las rocas volcánicas.

PERÍDROMO m. Galería que rodea un edificio.

PERIECO, CA adj. y s. Aplícase al morador del globo terrestre con relación a otro que ocupa un punto del mismo paralelo que el primero y diametralmente opuesto a él. Suele usarse en pl.

PERIFERIA f. Circunferencia, contorno de un círculo. • Contorno de una figura curvilínea. • fig. Espacio que rodea un núcleo cualquiera.

PERIFÉRICO, CA adj. Relativo a la periferia • adj. y m. *Comp.* Aparato, dispositivo o unidad que no forma parte de la unidad central de una computadora, pero que, conectado con ésta, sirve para almacenar información o como dispositivo de entrada o salida de datos. Son p. las pantallas, las unidades de disco, las perforadoras, las impresoras, etc.

PERIFOLLO m. Planta de tallos finos, ramosos y hojas muy recortadas y aromáticas, usadas como condimento. • pl. fig. y fam. Adornos excesivos o de mal gusto.

PERIFORME adj. En forma de pera. • Díc. de algunos adornos y remates que tienen dicha figura.

PERÍFRASI o **PERÍFRASIS** f. *Ret.* Circunlocución. ■ PERIFRASEAR.

PERIFRÁSTICO, CA adj. Relativo a la perífrasis; abundante en perífrasis. • *Gram.* Díc. de una determinada forma de conjugación.

PERIGALLO m. Pellejo que pende excesivamente de la barba o de la garganta. • Cinta de color llamativo que llevaban las mujeres en la cabeza. • Especie de honda hecha de un simple bramante. • fig. y fam. Persona alta y delgada.

PERIGEO m. Punto en que la Luna o un satélite artificial se hallan más próximos a la Tierra.

PERIGLACIAR adj. *Geol.* Díc. del sistema de erosión cuyo pral. agente erosivo es el hielo.

PERIGONIO m. *Bot.* Conjunto de las hojas transformadas que rodean los verticilos fértiles de las flores que carecen de sépalos y pétalos.

PÉRIGORD Región histórica de Francia, sit. al SO del macizo Central. Rutas con restos prehistóricos (Les Eyzies, Lascaux). Los yacimientos de hierro dieron lugar a una ant. ind. metalúrgica, hoy modernizada.

PERIHELIO m. *Astr.* Punto en que un planeta, cometa u otro objeto celeste se halla más próximo al Sol.

PERIJÁ o **MOTILONES PERIJÁ** Cordillera de América del Sur, sit. en la frontera entre Colombia y Venezuela. Forma la rama occidental de la terminación norandina.

PERILINFA f. *Fisiol.* Líquido plasmático protector que rodea al laberinto membranoso.

PERILLA f. Adorno en figura de pera. • Parte superior del arco que forman por delante los fustes de la silla de montar. • Porción de pelo que se deja crecer en la punta de la barba. • Extremo del cigarro puro, por donde se fuma. • **de la oreja.** Parte inferior no cartilaginosa de la oreja. • **De p.,** o **de perillas.** m. adv. fig. y fam. A propósito o a tiempo.

PERILLÁN, NA s. y adj. fam. Persona pícara, astuta. El femenino es poco usado. • *Cuba.* Baile antiguo.

PERIMETRÍA f. Examen y medición de los límites del campo visual.

PERIMÉTRICO, CA adj. Relativo al perímetro. • Relativo a la perimetría.

PERÍMETRO m. Contorno de cualquier superfi-

Giovanni Battista **Pergolesi**

Busto de **Pericles.** Museo Británico, Londres

Perifollo

Périgord. Sala de los toros en la gruta de Lascaux

cie. • Barrios extremos de una agl. urb. • *Geom.* Long. del contorno de una figura.

PERIMIR intr. *Der. Argent.* y *Col.* Prescribir el procedimiento a causa de haber transcurrido el término dispuesto legalmente sin que las partes hayan hecho gestiones.

PERIMISIO m. *Anat.* Trama de tejido conectivo que rodea los elementos contráctiles del tejido muscular.

PERÍNCLITO, TA adj. Grande, heroico, ínclito en sumo grado.

PERINEO m. *Anat.* Espacio que media entre el ano y las partes sexuales. ■ PERINEAL.

PERINEUMONÍA f. Neumonía cortical.

PERINOLA f. Peonza pequeña que baila cuando se hace girar rápidamente con dos dedos un manguillo que tiene en la parte superior. • Adorno en figura de perinola. • fig. y fam. Mujer pequeña de cuerpo y vivaracha.

PERIODICIDAD f. Calidad de periódico. • *Biol.* Fenómeno por el cual ciertas funciones biológicas de los organismos aparecen de un modo más o menos rítmico.

PERIÓDICO, CA adj. Que se reproduce a intervalos regulares. • adj. y m. Díc. del impreso que se publica regularmente. • adj. y f. *Arit.* Díc. de la fracción decimal formada por un grupo de cifras que se repite infinitamente. • *Fís.* Díc. de los fenómenos cuyas fases se repiten con regularidad.

PERIODICUCHO m. despect. Periódico de poca calidad y con pocos lectores.

PERIODISMO m. Conjunto de actividades relacionadas con la selección, elaboración y transmisión de información por los medios de comunicación. • Oficio y estudios del periodista. ■ PERIODÍSTICO.

PERIODISTA com. Profesional de la información al servicio de un medio informativo (prensa, radio, televisión, etc.).

PERIODO o **PERÍODO** m. Mínimo intervalo de tiempo invertido por un fenómeno periódico para volver a pasar por las mismas posiciones o adquirir los mismos valores en las funciones horarias. • Intervalo de tiempo. • Ciclo menstrual. • *Arit.* Cifra o grupo de cifras que se repiten indefinidamente, después del cociente entero, en ciertas divisiones inexactas. • *Fís.* Tiempo que tarda un fenómeno periódico en recorrer todas sus fases. • *Gram.* Conjunto de oraciones que, enlazadas unas con otras, tienen un sentido completo. • Tiempo que duran ciertos fenómenos que se observan en el curso de las enfermedades. • *Mús.* Fragmento melódico que posee unidad. • *Geol.* División cronológica de segundo orden (por ej., triásico, jurásico y cretácico, los tres periodos de la era secundaria) a la que corresponde, como subdivisión estratigráfica, el sistema. • **de revolución.** Tiempo que tarda un satélite, natural o artificial, o cualquier otro cuerpo que gira en torno a un eje o a otro cuerpo al que está ligado por leyes mecánicas, en recorrer una vuelta completa en torno a su centro de atracción, o sea, en describir una órbita o revolución. • **de rotación.** En un movimiento de rotación, intervalo de tiempo que transcurre entre dos pasos sucesivos del cuerpo por su trayectoria. • **juliano.** El de 2 439 695 días, iniciado en el año 4712 a. C. y que terminará en el 3267 d. C.; corresponde al producto de los 28 años del ciclo solar por los 19 años del ciclo lunar y por los 15 de la indicción romana.

PERIODOTO m. *Min.* Silicato de magnesio y hierro, verde amarillento y de brillo céreo.

PERIOSTIO m. *Anat.* Membrana fibrosa adherida a los huesos, que sirve para su nutrición y renovación.

PERIOSTITIS f. *Pat.* Proceso inflamatorio del periostio.

PERIPATÉTICO, CA adj. y s. *Fil.* Que sigue la filosofía o doctrina de Aristóteles. • Relativo a este sistema o secta. • fig. y fam. Ridículo o extravagante en sus dictámenes o máximas.

PERIPATO m. Sistema filosófico de Aristóteles. • Conjunto de los que profesan las doctrinas de Aristóteles.

PERIPECIA f. En el drama o cualquier otra composición análoga, mudanza repentina de situación. • fig. Accidente de esta misma clase en la vida real.

PERIPLO m. Circunnavegación. Empléase únicamente como término de geografía antigua. • Obra ant. en que se cuenta o refiere un viaje de circunnavegación.

PERÍPTERO, RA adj. y m. Díc. del templo clásico rodeado por columnas que deja paso entre éstas y el muro.

PERIPUESTO, TA adj. fam. Que se adereza y viste con demasiado esmero y afectación.

PERIQUEAR intr. *Amér. Centr.* Galantear. • Ant. Charlar.

PERIQUETE m. fam. Brevísimo espacio de tiempo. Suele usarse en el modo adv. en un periquete.

PERIQUITO m. Ave psitaciforme, de pequeño tamaño, y plumaje verde o azulado, barrado en la cabeza. Procede de Australia. • **Hablar periquitos.** fig. y fam. *Chile.* Hablar pestes de una persona.

PERISCIO, CIA adj. y s. Díc. del habitante de las zonas polares, en torno del cual gira su sombra cada 24 horas en la época del año en que no se pone el Sol en dichas zonas. Suele usarse en pl.

PERISCOPIO m. Dispositivo óptico constituido por un conjunto de lentes y de prismas de reflexión total que permite la observación de objetos sit. fuera de la trayectoria de la visión directa. ■ PERISCÓPICO, CA.

PERISODÁCTILO adj. y m. *Zool.* Díc. de los mamíferos con dedos terminados en pesuño; como el caballo, el rinoceronte y el tapir. • m. pl. *Zool.* Orden de estos animales.

PERISOLOGÍA f. Vicio de la elocución, que consiste en repetir o amplificar inútilmente los conceptos, abusando de perífrasis.

PERISPERMA o **PERISPERMO** m. *Bot.* Tejido nutricio del embrión vegetal, formado a partir de elementos originados de la nucela, por fuera del saco embrional.

PERISPORIO m. *Bot.* Capa externa de las esporas más evolucionadas, que se sitúa por fuera del endosporio y del exosporio.

PERISTA m. Comprador de cosas robadas.

PERISTALSIS f. *Fisiol.* Movimiento de contracción propio de los conductos provistos de fibras circulares y longitudinales.

PERISTÁLTICO, CA adj. *Fisiol.* Que tiene la propiedad de contraerse. Díc. pralm. del movimiento de contracción que hacen los intestinos para impulsar los materiales de la digestión y expeler los excrementos.

PERÍSTASIS f. Tema, asunto o argumento del discurso.

PERISTILO m. Entre los ant., lugar o sitio rodeado de columnas por la parte interior. • Galería de columnas que rodea un edificio o parte de él.

PERÍSTOLE f. *Fisiol.* Acción peristáltica del conducto intestinal.

PERISTOMA m. *Bot.* Borde de la cápsula del esporogonio de los musgos en forma de boca o embudo rodeado por dientes, que queda al descubierto tras la caída de la caliptra y del opérculo protectores.

PERITACIÓN f. Trabajo o estudio que hace un perito.

PERITAJE m. Peritación. • Estudios que hay que cursar para ser perito.

PERITECIO m. *Bot.* Cuerpo fructífero redondeado y cerrado, propio de algunos grupos de hongos.

PERITO, TA adj. y s. Sabio, experimentado, hábil, práctico en una ciencia o arte. • m. El que en alguna materia tiene título de tal, conferido por el Est. • *Der.* El que, poseyendo especiales conocimientos teóricos o prácticos, informa, bajo juramento, al juzgador sobre puntos litigiosos en cuanto se relacionan con su especial saber o experiencia.

PERITONEO m. *Anat.* Membrana serosa que reviste la cavidad abdominal formando pliegues que envuelven las vísceras sit. en ella. ■ PERITONEAL.

PERITONITIS f. *Pat.* Inflamación aguda o crónica del peritoneo, gralte. por penetración en la cavidad peritoneal de bacterias o toxinas procedentes del tubo digestivo a través de una perforación de su pared.

PERJUDICADO, DA adj. *Der.* Díc. de efectos o títulos de crédito, en especial de las letras de cambio, cuya eficacia se disminuye por la omisión de formalidades que deben amparar las respectivas acciones.

PERJUDICAR tr. y prnl. Ocasionar daño material o moral. ■ PERJUDICIAL.

Periquito

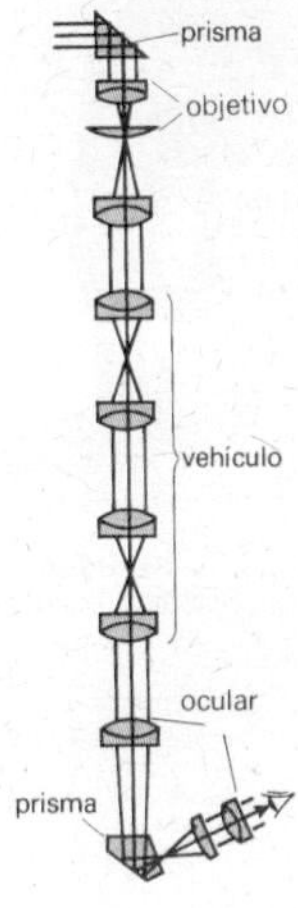

Esquema del **periscopio** de un submarino

Pesuño de caballo, mamífero **perisodáctilo**

PERJUICIO m. Efecto de perjudicar o perjudicarse. • *Der*. Ganancia lícita que deja de obtenerse, o deméritos o gastos que se ocasionan por acto u omisión de otro, y que éste debe indemnizar, a más del daño o detrimento material causado por modo directo. • **Sin p.** m. adv. Dejando a salvo.
PERJURAR intr. y prnl. Jurar en falso. • Faltar a la fe ofrecida en el juramento. • intr. Jurar mucho o por vicio, o por añadir fuerza al juramento.
PERJURIO m. Juramento en falso. • Quebrantamiento de la fe jurada. B PERJURO, RA.
PERKINS, *Anthony* (1932-1992) Actor cinematográfico norteam. *Psicosis, El proceso, Psicosis 2.*
PERLA f. Concreción esferoidal y nacarada que se forma en ciertos moluscos, especialmente en la madreperla. Muy apreciada en joyería. • fig. Persona de excelentes prendas, o cosa preciosa o exquisita en su clase. • fig. Especie de píldora, a veces hueca y llena de sustancia. • fig. En el juego del tresillo, reunión de la espada, la malilla y el rey o el punto. • **cultivada** o **artificial.** Aquella que resulta de la introducción artificial del cuerpo extraño (nácar) que la origina. • **De perlas.** m. adv. Muy oportuno o adecuado. B PERLADO, DA; PERLERÍA; PERLERO, RA; PERLÍFERO, RA; PERLINO, NA.
PERLAS, *archipiélago de las* Arch. de Panamá, sit. en el golfo de Panamá (océano Pacífico). Está constituido por 39 islas y gran cantidad de islotes. La mayor isla es la del Rey.
PERLESÍA f. Privación o disminución del movimiento de partes del cuerpo. • Debilidad muscular acompañada de temblor.
PERLITA f. *Geol*. Vidrio volcánico grisáceo y de brillo nacarado, que se origina mediante enfriamiento rápido de rocas fundidas. • *Metal*. Mezcla de ferrita y de carburo de hierro que aparece durante el proceso de enfriamiento lento de la austenita.
PERLÓN m. Nombre comercial de una fibra textil sintética perteneciente al grupo de las poliamidas.
PERLONGAR intr. *Mar*. Ir navegando a lo largo de una costa. • *Mar*. Extender un cabo para que se pueda tirar de él.
PERM C. de la rep. de Rusia; 1 056 000 hab. Refinerías de petróleo. Fábrica de motores de aviación. Entre 1940 y 1957 se la designó con el nombre de Molotov.
PERMANÁ m. *Bol*. Chicha cruceña de primera calidad.
PERMAFROST m. Estrato del suelo que permanece helado durante todo el año.
PERMALLOY m. *Metal*. Aleación, esencialmente de hierro y níquel, cuya permeabilidad magnética es muy elevada.
PERMANECER intr. Mantenerse sin mutación en un mismo lugar, estado o calidad.
PERMANENCIA f. Duración firme, constancia, perserverancia, estabilidad, inmutabilidad. • Estancia en un lugar o sitio. • Estudio vigilado por el profesor de un instituto o escuela, tarea por la que dicho profesor recibe una remuneración especial.
PERMANENTE adj. Que permanece. • adj. y f. fam. Díc. de la ondulación artificial del cabello que se mantiene durante largo tiempo.
PERMANGANATO m. *Quím*. Sal del ácido permangánico. El más importante es el potásico, uno de los oxidantes utilizados con más frecuencia en el laboratorio y en la industria.
PERMEABILIDAD f. Calidad de permeable. • *Fís*. Velocidad con la que una sustancia atraviesa una membrana permeable. • **magnética.** *Fís*. Factor de proporcionalidad entre la inducción e intensidad magnéticas.
PERMEABLE adj. Que puede ser penetrado por el agua u otro fluido. • *Fís*. Que puede ser atravesado por una radiación, un campo eléctrico, etc. • Persona, organización, etc., que puede ser influida por las ideas, hábitos, etc., de otra.
PERMEASA f. *Biol*. Agente de transporte activo de sustancias a través de la membrana celular, de propiedades parecidas a las de las enzimas.
PÉRMICO, CA adj. *Geol*. Díc. de la capa o terreno superior y más moderno que el carbonífero. • m. *Geol*. Periodo de formación de dicho terreno. Es el más moderno de la edad primaria.
PERMISIÓN f. Acción de permitir. • Permiso. • *Ret*. Figura que se comete cuando el que habla finge permitir o dejar al arbitrio ajeno una cosa.
PERMISIVIDAD f. Condición de permisivo. • *Fís*. En un campo eléctrico, cociente de dividir la inducción por la intensidad.
PERMISIVO, VA adj. Que permite.
PERMISO m. Licencia o consentimiento para hacer o decir una cosa. • Licencia para abandonar temporalmente el trabajo, los estudios o las obligaciones militares. • En las monedas, diferencia consentida entre su ley o peso efectivo y el que exactamente se les supone.
PERMISTIÓN f. Mezcla de algunas cosas, por lo común líquidas.
PERMITIR tr. y prnl. Dar su consentimiento, el que tenga autoridad competente, para que otros hagan o dejen de hacer una cosa. • tr. No impedir lo que se pudiera y debiera evitar. • En la escolástica y en la oratoria, conceder una cosa como si fuese verdadera. • No impedir Dios una cosa mala; aunque sin voluntad directa de ella. • Hacer posible. • prnl. Tomarse la libertad de hacer o decir una cosa. B PERMISIBLE; PERMISIONARIO, RIA; PERMITIDERO, RA.
PERMO-TRÍAS m. *Geol*. Término con el que frecuentemente se designa al conjunto de los tiempos geológicos correspondientes a los periodos pérmico y triásico.
PERMUTA f. Resignación o renuncia que dos eclesiásticos hacen de sus beneficios en manos del ordinario, con súplica recíproca para que dé libremente al uno el beneficio del otro. • Cambio, entre dos beneficiados u oficiales públicos, de los empleos que respectivamente tienen.
PERMUTACIÓN f. *Ling*. En glosemática, cambio entre dos partes de una misma cadena, que produce otro cambio en el plano opuesto, de forma que si éste se ha operado en la expresión incide en el contenido, y viceversa. • *Mat*. Para los elementos $a_1,..., a_n$ de un conjunto finito *A*, es toda aplicación biyectiva de *A* en *A*.
* *Mat*. Si se fija una ordenación de los elementos de *A*, la p. puede identificarse con el conjunto ordenado formado por la imagen del primer elemento de *A*, la del segundo, etc. El núm. de p. de un conjunto de n elementos es $n!=n(n-1)(n-2)...2\cdot 1$. El símb. *n!* se lee «*n* factorial» o «factorial de *n*».
PERMUTAR tr. Cambiar una cosa por otra, sin que en el cambio intervenga dinero. • Variar la disposición u orden en que estaban dos o más cosas.
PERMUTITA f. Producto sintético que se usa en la descalcificación de las aguas y en la refinación del azúcar.
PERNA f. Molusco acéfalo propio de los mares tropicales, de concha rugosa y negruzca en su parte externa, y nacarada por dentro.
PERNADA f. Golpe que se da con la pierna, o movimiento violento que se hace con ella. • *Mar*. Rama, ramal o pierna de algún objeto.
PERNAMBUCO Est. del NE de Brasil, junto al Atlántico; 101 023 km², 7 303 000 hab. Cap., Recife. C. pral.: Olinda. Relieve constituido por una amplia llanura litoral a la que sucede un sector de mesetas y colinas. Los ríos son afl. del San Francisco o desembocan directamente en el océano. Clima cálido. Café, algodón, tabaco. Ganadería extensiva. Entre 1630 y 1654 estuvo bajo dominio neerlandés. En la década de 1950 hubo un imp. movimiento campesino.

Pernambuco. Vista de Recife

PERNEAR intr. Mover violentamente las piernas. • fig. y fam. Andar mucho y con fatiga en la solicitud o diligencia de un negocio. • fig. y fam. Impacientarse o irritarse por no lograr lo que se desea.
PERNERA f. Parte del pantalón que cubre cada pierna.

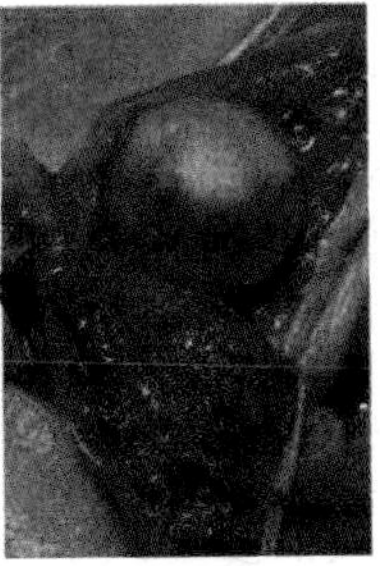

Perla en el interior de una ostra

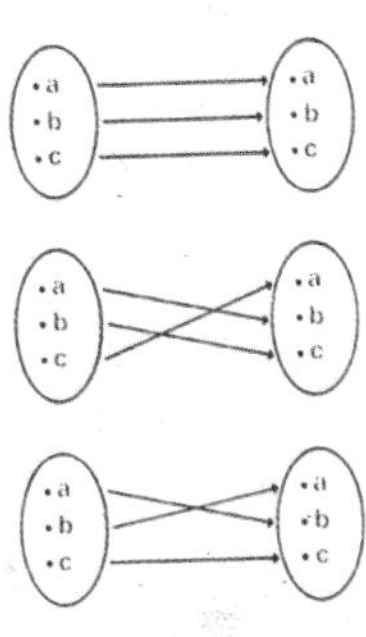

Ejemplos de **permutaciones** de un conjunto de tres elementos

PERNICIOSO, SA adj. Gravemente dañoso y perjudicial.
PERNIL m. Anca y muslo del animal. • P. ant., el del puerco. • Parte del pantalón que cubre cada pierna.
PERNIO m. Gozne que se pone en las puertas y ventanas para que giren las hojas.
PERNIQUEBRAR tr. y prnl. Romper, quebrar una pierna, o las dos.
PERNO m. Pieza de metal, larga, cilíndrica, con cabeza redonda por un extremo y que por el otro se asegura con una chaveta o una tuerca, o bien por un remache. Se usa para afirmar piezas de gran volumen. • Pieza del pernio o gozne en que está la espiga.

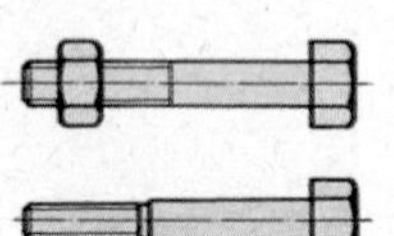

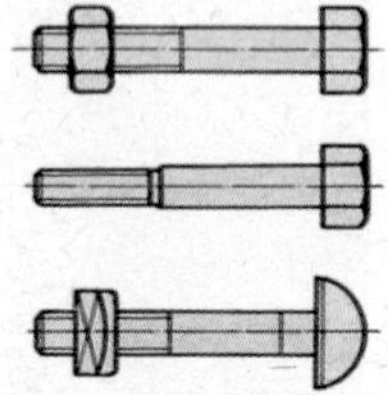

Distintos tipos de **pernos**

PERNOCTAR intr. Pasar la noche en determinado lugar, fuera del propio domicilio.
PERO conj. adversativa con que a un concepto se contrapone otro diverso o ampliativo del anterior. • Se emplea a principio de cláusula sin referirse a otra anterior, sólo para dar énfasis o fuerza expresiva a lo que se dice. • Sino, conj. adversativa. • m. fam. Defecto, dificultad o reparo. • Variedad de manzano, cuyo fruto es más largo que grueso. • Fruto de este árbol.
PEROGRULLADA f. fam. Verdad o especie que por notoriamente sabida es necedad o simpleza el decirla. B PEROGRULLESCO, CA.
PEROJO, *José del* (1843-1908) Escritor esp. de origen cub. Defendió la autonomía de Cuba. *Ensayos de política colonial.*
PEROL m. Vasija de metal, de figura semiesférica, que sirve para cocer diferentes cosas.
PEROLA f. Perol más pequeño que el ordinario.
PEROLERO m. *Ven.* Hojalatero.
PERÓN, *Juan Domingo* (1895-1974) Militar y político arg. Participó en el golpe militar que derrocó a Hipólito Yrigoyen (1930). Conductor del Grupo de Oficiales Unidos que preparó el golpe militar de junio de 1943, pasó a ocupar la secretaría de Trabajo y Previsión durante la presidencia del general Ramírez, y supo atraerse a las masas trabajadoras con la ayuda de Eva Duarte. Vicepresid. tras el golpe que derrocó a Ramírez (octubre de 1943), impuso a Farrell en la presidencia. En 1945 fue destituido y confinado, pero la movilización de los trabajadores hizo que volviera a su puesto. En 1946 fue elegido presid. de la rep., y reelegido en 1951. Derrocado por un golpe militar en 1955. Tras un largo exilio en España, fue elegido presidente por tercera vez en los comicios de 1973.

Juan Domingo **Perón**

PERONÉ m. *Anat.* Hueso largo y delgado que, junto con la tibia, forma el esqueleto de la pierna.
PERONISMO m. Mov. político surgido en Argentina a raíz de la primera presidencia de Juan Domingo Perón (1946-1955). → Justicialismo. B PERONISTA.
PERONÓSPORA f. *Bot.* Nombre común de los hongos parásitos productores de los mildius de distintas plantas.
PERORACIÓN f. Última parte del discurso, en que se hace la enumeración de las pruebas y se trata de mover con más eficacia que antes el ánimo del auditorio. • En sentido restrictivo, parte exclusivamente patética de la peroración.
PERORAR intr. Pronunciar un discurso u oración. • fam. Hablar uno en la conversación familiar como si estuviera pronunciando un discurso. • fig. Pedir con instancia.
PERORATA f. Oración o razonamiento molesto o inoportuno.
PEROSI, *Lorenzo* (1872-1956) Compositor it., impulsor del renacimiento del oratorio en Italia. Autor de música coral religiosa, salmos, motetes y de 30 misas.
PÉROTIN (m. d. de 1238) Compositor fr. Sus piezas Viderunt y Sederunt le revelan com o uno de los fundadores de la polifonía y como introductor de imp. innovaciones rítmicas y formales.
PÉROUSE, *Jean François de Galaup,* CONDE DE LA (1741-1788) Navegante fr. Descubrió el estr. de su nombre, que separa las islas de Hokkaido y Sajalín.
PEROXIÁCIDO m. *Quím.*Oxiácido que contiene en su molécula el grupo —O—O. Por acción del agua se descompone dando p. de hidrógeno.
PEROXIDASA f. *Quím.* Enzima de oxidorreducción que cataliza las reacciones de aceptación de electrones o de hidrógeno por parte de los peróxidos.
PERÓXIDO m. *Quím.* Óxido cuya proporción de oxígeno es superior a la normal. • **de hidrógeno.** *Quím.* Agua oxigenada, H_2O_2. • **de nitrógeno.** *Quím.* Dióxido de nitrógeno, NO_2, gas de color pardo claro.
PERPENDICULAR adj. y s. *Geom.* Díc. de toda recta o plano que corta a otra recta o plano en un ángulo de 90°. B PERPENDICULARIDAD.
PERPENDÍCULO m. Plomada, pesa de metal.
PERPETRAR tr. Cometer, consumar. Aplícase sólo a delito o culpa grave. B PERPETRACIÓN.
PERPETUAR tr. y prnl. Hacer perpetua o perdurable una cosa. • Dar a las cosas una larga duración. B PERPETUACIÓN.
PERPETUIDAD f. Duración sin fin. • fig. Duración muy larga o incesante.
PERPETUO, TUA adj. Que dura y permanece para siempre. • Aplícase a ciertos cargos vitalicios. • f. Planta herbácea anual, de la familia amarantáceas, de tallo ramoso, hojas vellosas, flores reunidas en cabezuela y fruto en forma de caja con una semilla. Las flores, moradas o anacaradas, una vez cogidas, persisten meses enteros sin padecer alteración.
PERPIAÑO adj. *Arq.* Resaltado a manera de cincho. • m. Piedra que atraviesa toda la pared.
PERPIÑÁN (cat., *Perpinyà;* fr., *Perpignan*) C. del SE de Francia; cap., del dpto. de Pyrénées-Orientales (Languedoc-Rosellón); 111 700 hab. Centro comercial y turístico. Pequeña ind. Catedral. Fundada en el s. X, se convirtió en cap. del condado del Rosellón hasta que en 1172 pasó a formar parte de la Corona de Aragón. Fue durante un tiempo cap. del reino de Mallorca. Francesa tras la paz de los Pirineos (1659).
PERPLEJIDAD f. Irresolución, confusión de lo que se debe hacer en una cosa. B PERPLEJO, JA.
PERQUIRIR tr. Investigar, buscar una cosa con cuidado y diligencia.
PERRADA f. Conjunto de perros. • fig. y fam. Acción que se comete faltando bajamente a la fe prometida o a la debida correspondencia.
PERRAULT, *Charles* (1628-1703) Escritor fr., promotor de la polémica entre «antiguos y modernos». Autor de *Cuentos de mamá oca.*
PERRERA f. Lugar donde se encierran los perros. • Vehículo para recoger los perros vagabundos. • Departamento que hay en los trenes para llevar perros. • Empleo u ocupación que tiene mucho trabajo o molestia y poca utilidad. • *Col.* Pulguera. • fam. Mal pagador. • fam. Rabieta.
PERRERÍA f. Muchedumbre de perros. • fig. Conjunto o agregado de personas malvadas. • fig. Exp. o demostración de enojo, enfado o ira. • Acción mala o inesperada contra uno, jugarreta.
PERRERO m. El que cuida o tiene a su cargo los perros de caza. • El que es muy aficionado a tener o criar perros. • Empleado municipal encargado de recoger los perros vagabundos.
PERRET, *Auguste* (1874-1954) Arquitecto fr. En 1902 construyó el primer edificio con estructura de hormigón armado. Teatro de los Campos Elíseos, Escuela Nacional de Música de París, etc.
PERRICHOLI, *Micaela Villegas,* llamada LA (s. XVIII) Actriz per., amante del virrey del Perú, Manuel de Amat.
PERRILLO m. Gatillo de las armas de fuego. • Pieza de hierro, en forma de mediacaña arqueada y con dientes finos en la parte interior, que se pone a las caballerías muy duras de boca.
PERRIN, *Jean-Baptiste* (1870-1942) Físico-químico fr. Realizó un estudio muy completo del movimiento browniano en suspensiones coloidales. Autor de la primera determinación exacta del número de Avogadro.
PERRO, RRA adj. fig. y fam. Muy malo, indigno. • m. *Zool.* Mamífero doméstico de la familia cánidos. Tiene olfato muy fino y es inteligente y fiel al hombre. • fig. Persona despreciable. • adj. y s. fig. Hombre tenaz, firme y constante en alguna opinión o empresa. • f. Hembra del perro. • fig. y fam. Borrachera. • fam. Rabieta de niño. • fam. Idea fija. • m. fig. Engaño o daño que se irroga a uno en un ajuste o contrato, o incomodidad y desconveniencia que se le ocasiona haciéndole esperar mucho

PERRO

El perro es un mamífero carnicero doméstico que, precisamente debido a su especial relación con el hombre, se ha convertido en cosmopolita. La variedad de razas de perro que existe es muy grande, siendo muchas de ellas relativamente recientes, producto de cruces realizados por criadores. Los perros guardianes y pastores (1), descendientes del *Canis familiaris metris optimae*; pueden ser fácilmente entrenados para realizar multitud de tareas (lazarillos, policias, etc.). Los descendientes del *Canis familiaris intermedius*, apropiados para el rastreo y el cobro de la caza (2), constituyen un grupo heterogéneo en cuanto al tamaño y el pelaje. Los ojeadores, sabuesos, terriers y galgos (3) descienden del *Canis familiaris palustris*, y se caracterizan por la rapidez de su carrera. Para la protección personal se utilizan perros musculosos y de gran talla (4), descendientes del *Canis familiaris iniostranzewi*.

1

2

3

4

***Perseo** mostrando la cabeza de Medusa,* bronce de B. Cellini. Logia de los Lanzi, Florencia (Italia)

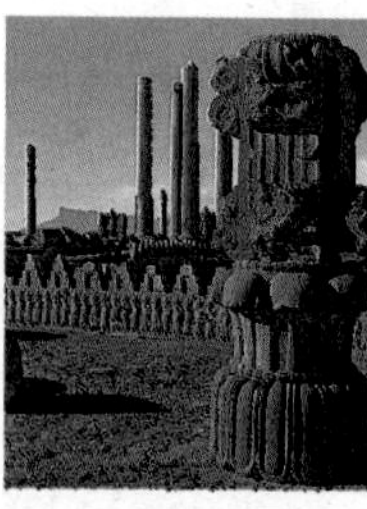
Ruinas de **Persépolis.** Al fondo, la Apadana de Darío y Jerjes

John Joseph **Pershing**

tiempo o causándole otra vejación. • **alano.** El de raza cruzada que se considera producida por la unión de dogo y lebrel. • **albarraniego.** En algunas partes, perro de ganado trashumante. • **braco.** Perro perdiguero. • **caliente.** fig. y fam. Bocadillo de salchicha. • **cobrador.** El que tiene la habilidad de traer a su amo el animal que cae al tiro, o de coger el que huye malherido. • **danés.** El que participa de los caracteres de lebrel y mastín. • **de aguas.** El de una raza que se cree originaria de España, con cuerpo esbelto, cuello corto, cabeza redonda, hocico agudo, orejas caídas, y pelo abundante, rizado y blanco. • **de busca.** El que sirve para seguir la caza. • **de casta.** El que no es cruzado. • **de lanas.** Perro de aguas; perro faldero. • **de muestra.** El que se para al ver u olfatear la pieza de caza, como mostrándosela al cazador. • **de presa.** Perro dogo. • **de Terranova.** Raza de perro de aguas, de gran tamaño, pelo largo, sedoso y ondulado, de color blanco, con grandes manchas negras y cola algo encorvada hacia arriba. • **desnudo.** Variedad que carece completamente de pelo y tiene las orejas pequeñas y rectas, el hocico pequeño y puntiagudo y el cuerpo gordo y de color oscuro. • **dogo.** El de cuerpo y cuello gruesos y cortos, pecho ancho, cabeza redonda, hocico obtuso, labios gordos, cortos en el centro y colgantes por ambos lados, orejas pequeñas con la punta doblada, patas muy robustas, y pelaje gralte. leonado, corto y recio. • **faldero.** El que por ser pequeño puede estar en las faldas de las mujeres. • **galgo.** Casta del perro muy ligero, con la cabeza pequeña, los ojos grandes, el hocico puntiagudo, las orejas delgadas y colgantes, el cuerpo delgado y el cuello, la cola y las patas largos. • **gozque.** Perro pequeño muy sentido y ladrador. • **jateo.** Perro raposero. • **lebrel.** Variedad que se distingue por tener el labio superior y las orejas caídas, el hocico recio, el lomo recto, el cuerpo largo y las piernas retiradas atrás. • **lebrero.** El que sirve para cazar liebres. • **marino.** Cazón, pez. • **mastín.** El grande, fornido, de cabeza redonda, orejas pequeñas y caídas, ojos encendidos, boca rasgada, dientes fuertes, cuello corto y grueso, pecho ancho y robusto, manos y pies recios y nervudos y pelo largo algo lanoso. • **mudo.** Mapache. • **pachón.** El de raza muy parecida a la del perdiguero, pero con las piernas más cortas y torcidas, la cabeza redonda y la boca muy grande. • **perdiguero.** El de talla mediana, con cuerpo recio, cuello ancho y fuerte, cabeza fina, hocico saliente, labios colgantes, orejas muy grandes y caídas, patas altas y nervudas, cola larga y pelaje corto y fino. • **podenco.** El de cuerpo algo menor, pero más robusto que el del lebrel, con la cabeza redonda, las orejas tiesas, el lomo recto, el pelo medianamente largo, la cola enroscada y las manos y pies pequeños, pero muy fuertes. • **quitador.** El que está enseñado a quitar la caza a los otros para que no la despedacen o se la coman, y traerla a la mano. • **raposero.** Perro de pelo corto, con orejas grandes, caídas y muy dobladas. • **rastrero.** El de caza, que la busca por el rastro. • **sabueso.** Variedad de podenco, algo mayor que el común y de olfato muy fino. • **tomador.** El que coge bien la pieza. • **ventor.** El de caza, que sigue a ésta por el olfato y viento. • **viejo.** fig. y fam. Hombre sumamente cauto, advertido y prevenido por la experiencia. • **zarcero.** Perro pequeño y corto de pies, que entra con facilidad en las zarzas a buscar la caza. • **zorrero.** Perro raposero. • **A otro p. con ese hueso.** exp. fig. y fam. con que se repele al que propone artificiosamente una cosa incómoda o desagradable, o cuenta algo que no debe creerse. • **A p. flaco todas,** o **todo, son pulgas.** Refrán. Que al pobre mísero y abatido suelen afligirle todas las adversidades. • **Como perros y gatos.** loc. adv. fig. y fam. con que se explica el aborrecimiento que algunos se tienen. • **Morir** uno **como un p.** fig. Morir sin dar señales de arrepentimiento. • Morir solo, olvidado de todos. • **Muerto el p. se acabó la rabia.** Refrán con que se da a entender que cesando una causa cesan con ella sus efectos. • **Tratar** a uno **como a un p.** fr. fig. y fam. Maltratarle, despreciarle. ■ PERRUNO, NA.

* *Zool.* El p. es el primero de los animales domésticos conocidos (desde el mesolítico). Se reconocen unas 300 razas, que difieren en morfología, tamaño y pelaje. Los prales. rasgos comunes son la posesión de una dentición adaptada a una dieta cárnica y una serie de proporciones métricas características en los huesos.

PERSA adj. y s. De Persia. • m. *Ling.* Idioma hablado en dicha nación; pertenece al subgrupo iranio, dentro del gran grupo indoiranio. • **azul.** Raza de gato caracterizada por el largo y sedoso pelaje, de color gris azulado. Es una de las llamadas razas de angora.

PERSECUCIÓN f. Acción de perseguir o insistencia en hacer o procurar daño. • *Rel.* P. ant., cada una de las crueles y sangrientas que ordenaron algunos emperadores rom. contra los cristianos en los tres primeros siglos del cristianismo. • fig. Instancia enfadosa y continua con que se acosa a uno a fin de que condescienda a lo que de él se solicita.

PERSÉFONE *Mit. gr.* Hija de Zeus y de Deméter, y diosa reina de los muertos y de los infiernos. Los rom. la identificaron con Proserpina.

PERSEGUIR tr. Seguir al que va huyendo, con ánimo de alcanzarle. • fig. Seguir o buscar a uno en todas partes de forma continuada. • fig. Molestar, fatigar, dar que padecer o sufrir a uno; procurar hacerle el daño posible. • fig. Solicitar con frecuencia, instancia o molestia. • Proceder judicialmente contra uno. P. ext., se aplica a las faltas y delitos. ■ PERSECUTORIO, RIA; PERSEGUIMIENTO.

PERSEIDAS f. pl. *Astr.* Estrellas fugaces cuyo punto radiante está en la constelación de Perseo.

PERSEO *Astr.* Perseus, constelación septentrional cerca y al oriente de Andrómeda.

PERSEO *Mit. gr.* Hijo de Zeus y de Dánae, rey de Tirinto y fundador de Micenas. Lo caracterizaban el casco, las sandalias aladas, la espada y el escudo.

PERSÉPOLIS Ant. c. persa, la más imp. del Irán ant., que ocupa una terraza de 130 000 m². Contiene el complejo monumental de los reyes aqueménidas

PERSEUS o PERSEO *Astr.* Constelación del hemisferio boreal cuyas estrellas más importantes son: Mirfak, supergigante; Algol, binaria; Menjib, supergigante.

PERSEVERAR intr. Mantenerse constantemente en la prosecución de lo comenzado. • Durar permanentemente o por largo tiempo. ■ PERSEVERANCIA.

PERSHING, ***John Joseph*** (1860-1948) Militar norteam. Durante la I Guerra Mundial dirigió el ejército de su país en la campaña de Francia. *Mis experiencias en la Guerra Mundial.*

PERSIA Denominación histórica del actual Est. de → Irán.

PERSIANA f. Especie de celosía, formada de tablillas fijas o movibles y colocadas de forma que dejen paso al aire y no al sol. • Tela de seda con varias flores grandes tejidas, y diversidad de matices. ■ PERSIANISTA.

PERSIANO, NA adj. y s. De Persia, persa.

PERSICARIA f. Duraznillo, planta.

PÉRSICO, CA adj. Persa, relativo a Persia. • m. *Bot.* Árbol frutal de la familia rosáceas, originario de Persia y cultivado en España. Tiene las hojas aovadas y aserradas, las flores de color rosa y el fruto en drupa con el hueso lleno de arrugas asurcadas. • Fruto de este árbol.

PÉRSICO, ***golfo*** Brazo del océano Índico, sit. entre las costas de Irán y las de la pen. Arábiga.

PERSIGNAR tr. y prnl. Signar, hacer la señal de la cruz. • Signar y santiguar a continuación. • prnl. fig. y fam. Manifestar uno, haciéndose cruces, admiración, sorpresa o extrañeza. • fig. y fam. Comenzar a vender.

PÉRSIGO m. Pérsico, árbol y su fruto.

PERSISTENCIA f. Insistencia, constancia en el intento o ejecución de una cosa. • Duración permanente de una cosa. • Fenómeno que se da siempre que una sensación no desaparece instantáneamente cuando cesa la estimulación que la ha originado.

PERSISTIR intr. Mantenerse firme en una cosa. • Durar por largo tiempo. ■ PERSISTENTE.

PERSONA f. Individuo de la especie humana. • Hombre o mujer cuyo nombre se ignora o se omite. • Hombre de prendas, capacidad, disposición y prudencia. • Personaje de una obra literaria. • *Fil.* Supuesto inteligente. • *Gram.* Accidente que consiste en las distintas inflexiones con que el verbo denota si el sujeto de la oración es el que habla, o aquel a quien se habla, o aquel de que se habla. Las personas se llaman, respectivamente, primera, segunda y tercera, y las tres constan de singular y pl. • *Gram.* Nombre sustantivo relacionado mediata o inmediatamente con la acción del verbo. • *Teol.* El Padre (*primera p.*), el Hijo (*segunda p.*) y el Espíritu Santo (*tercera p.*) • **agente.** *Gram.* La que ejecuta la acción del verbo. • **grata.** La que se acepta. Díc. más comúnmente en estilo o lenguaje diplomático. • **jurídica.** *Der.* Ser o entidad capaz de derechos y obligaciones aunque no tiene existencia individual física; como las corporaciones, asociaciones, sociedades y fundaciones. • **paciente.** *Gram.* La que recibe la acción del verbo. • **Primera p.** *Gram.* La que habla de sí misma en el discurso. • **Segunda p.** *Gram.* Aquella a quien se dirige el discurso. • **Tercera p.** *Gram.* La persona o cosa de que se habla. • Tercero, intermediario.

PERSONADO, DA adj. *Bot.* Díc. de la corola bilabiada cuando el labio inferior tiene una prominencia que cierra la garganta corolina. • m. Prerrogativa que uno tiene en la Iglesia católica, sin jurisdicción alguna ni oficio, pero con renta eclesiástica. • Persona que tiene esta prerrogativa.

PERSONAJE m. Persona importante o famosa. • Cada uno de los seres humanos, sobrenaturales o simbólicos, ideados por el escritor, y que como dotados de vida propia toman parte en la acción de una obra literaria. • Personado, beneficio eclesiástico compatible con otro.

PERSONAL adj. Relativo a la persona. • Que se refiere a una sola persona. • Subjetivo. • *Gram.* Relativo a la persona gramatical, tanto si se refiere al pron. como a las formas verbales. • *Gram.* Referido al verbo, díc. también de los modos que tienen una flexión propia para indicar las personas gramaticales; tales son el indicativo, subjuntivo, potencial e imperativo. Se opone a impersonal y a no personal. • adj. y f. *Dep.* En baloncesto, díc. de la falta que comete el jugador que sujeta, empuja o toca de algún modo al adversario para impedir su avance. • Conjunto de las personas que pertenecen a determinada clase, corporación o dependencia. • Conjunto de los obreros o empleados de una empresa. • fam. Gente, público. • Capítulo de las cuentas de ciertas oficinas, en que se consigna el gasto del p. de ellas. • **No p.** *Gram.* Díc. de cada una de las formas del verbo que carecen de flexión personal, como el infinitivo, el gerundio y el participio.

PERSONALIDAD f. Diferencia individual que constituye a cada persona y la distingue de otra. • Persona destacada en una actividad o ambiente social. • *Psic.* Conjunto de cualidades que constituyen a la persona o supuesto inteligente. • *Der.* Aptitud legal para intervenir en un negocio o para conocer en un juicio.

* *Psic.* Los rasgos de la p. son: inteligencia, carácter, temperamento y constitución. Se considera escindida en varios niveles de funcionamiento inde-pen-diente: consciente, subconsciente o inconsciente.

PERSONALISMO m. Sátira o agravio dirigidos a una persona que se designa expresamente. • Adhesión a una persona o a las tendencias que ella representa, especialmente en política. • Tendencia a subordinar el interés común a miras personales. • Tendencia filosófica que considera a la persona como valor absoluto. ■ PERSONALISTA.

PERSONALIZAR tr. Incurrir en personalismos hablando o escribiendo. • *Gram.* Usar como personales verbos impersonales.

PERSONARSE prnl. Avistarse. • Presentarse personalmente en una parte. • *Der.* Comparecer como parte interesada en un juicio o pleito. ■ PERSONACIÓN; PERSONAMIENTO.

PERSONERÍA f. *Der.* Persona jurídica. • **jurídica.** *Argent.* Entidad, asociación, sociedad empresarial, etc., cuyo funcionamiento se rige por leyes y estatutos aprobados por la autoridad competente.

PERSONERO m. *Amér.* El que gestiona negocios ajenos.

PERSONIFICAR tr. Atribuir vida, acciones o cualidades propias del ser racional al irracional, o a las cosas inanimadas, incorpóreas o abstractas. • Representar persona determinada un suceso, sistema, opinión, etc. • Representar una persona un defecto o una cualidad. • tr. y prnl. Representar en los discursos o escritos, bajo alusiones o nombres supuestos, personas determinadas. ■ PERSONIFICACIÓN.

PERSPECTIVA f. Arte de representar en una superficie los objetos, en la forma y disposición con que aparecen a la vista. • Obra o representación ejecutada con este arte. • fig. Conjunto de objetos que desde un punto determinado se presentan a la vista del espectador, especialmente cuando están lejanos y llaman la atención por el efecto agradable o melancólico que producen. • fig. Apariencia o representación engañosa y falaz de las cosas. • fig. Contingencia que puede preverse en el curso de algún negocio. Se usa más en pl. • **aérea.** Aquella que por la disminución de tamaños y la graduación de tonos representa el alejamiento de las figuras y objetos. • **caballera.** Modo convencional de representar los objetos en un plano y como si se vieran desde lo alto. • **lineal.** Aquella en que sólo se representan los objetos por las líneas de sus contornos.

Las leyes de la ***perspectiva.*** Grabado de A. Durero

PERSPECTIVISMO m. Término creado por Teichmüller para designar la posibilidad de considerar el mundo desde diversos puntos de vista, igualmente válidos.

PERSPICACIA f. Agudeza y penetración de la vista. • fig. Penetración de ingenio o entendimiento. ■ PERSPICAZ.

PERSPICUO, CUA adj. Claro, transparente y terso. • fig. Díc. de la persona que se explica con claridad, y del mismo estilo inteligible. ■ PERSPICUIDAD.

PERSUADIR tr. y prnl. Inducir, mover, obligar a uno con razones a creer o hacer una cosa. ■ PERSUASIÓN; PERSUASIBLE; PERSUASIVO, VA; PERSUASOR, RA; PERSUASORIO, RIA.

PERTENECER intr. Tocar a uno o ser propia de él una cosa, o serle debida. • Ser cosa del cargo, ministerio u obligación de uno. • Referirse o hacer relación una cosa a otra, o ser parte integrante de ella. ■ PERTENECIENTE.

PERTENENCIA f. Acción o derecho que uno tiene a la propiedad de una cosa. • Espacio o término que toca a uno por jurisdicción o propiedad. • Unidad de medida superficial para las concesiones mineras, cuya extensión está reducida a un cuadrado de una hectárea. • Cosa accesoria o consiguiente a la pral., y que entra con ella en la propiedad. Se usa más en plural.

PERTH C. de Australia, cap. del est. Australia Occidental; 969 000 hab. Centro comercial e industrial. Oro.

Casas típicas de **Perth**

PÉRTICA f. Medida agraria de longitud que equivale aprox. a 2,70 m.

PÉRTIGA f. o **PERTIGAL** m. Vara larga. • En atletismo, vara que se usa para darse impulso en los saltos de altura.

PÉRTIGO m. Lanza del carro.

PERTINACIA f. Obstinación, terquedad o tenacidad en mantener una opinión, una doctrina o resolución. • fig. Grande duración o persistencia.

PERTINAX, ***Publio Helvio*** (126-193) Emperador rom. [193]. Las reformas que intentó implantar provocaron una sublevación, que finalizó con su asesinato.

PERTINAZ adj. Obstinado, terco o muy tenaz en su dictamen o resolución. • fig. Muy duradero.

PERTINENTE adj. Perteneciente a una cosa. • Díc. de lo que viene a propósito. • *Der.* Conducente o concerniente al pleito. ■ PERTINENCIA.

PERTINI, ***Alessandro*** (1896-1990) Político it. socialista. Presid. de la rep. (1978-1985).

PERTRECHAR tr. Abastecer de pertrechos. • tr. y prnl. fig. Disponer o preparar lo necesario para la ejecución de una cosa.

PERTRECHO m. Munición, arma y cualquier otro instrumento, máquina, etc., necesario para el uso de los soldados y defensa de las fortificaciones o de los buques de guerra. Se usa más en pl. • P. ext., instrumento necesario para cualquier operación.

PERTURBACIÓN f. Acción y efecto de perturbar o perturbarse. • *Astr.* Variaciones que experimentan los astros en su movimiento a lo largo de la órbita. • **de la aguja.** *Mar.* Desviación que se produce en la dirección de la aguja magnética, por la acción combinada del hierro del buque.

PERTURBAR tr. y prnl. Inmutar, trastornar el orden y concierto de las cosas o su quietud y sosiego. • tr. Impedir el orden del discurso del que va hablando. • prnl. Perder el juicio una persona.

Salto con **pértiga**

1

2

Perú. 1. Vista parcial de las ruinas de Machu Picchu. 2. Plaza y estatua del general San Martín, en Lima

PERÚ ***(Valer una cosa un)*** fig. y fam. Ser de mucho precio o estimación.

PERÚ *(República del Perú)* Estado del centro-O de América Meridional, junto al Pacífico y sobre los Andes y la Amazonia. Se extiende entre los 0° 1' y 48" y los 18° 20' 50" de latitud sur. Limita al NO con Ecuador, al NE con Colombia, al E con Brasil, al SE con Bolivia, al S con Chile y al O con el Pacífico. Grupos étnicos: amerindios (49 %), mestizos (33 %), criollos (12 %), negros y mulatos (6 %). Lenguas: castellano y quechua (of.), aymará y otras variantes. *Rel.*: catolicismo (75 %), animismo. U. M.: nuevo sol. Cap.: Lima. C. prales.: Arequipa, Chiclayo, Trujillo, Piura, Cuzco, Iquitos, Huancayo.

* *Geog. física.* El terr. está constituido por: el mar territorial de 200 millas; la cord. de los Andes, dividida en Occidental, Central y Oriental, y el semillano amazónico.Tiene ocho regiones naturales: 1) La región Chala, Costa o Llano Costanero. Se eleva hasta una alt. de 500 m. Linda con el océano Pacífico. Incluye las 200 millas de mar territorial y las islas marinas. Es árida (desierto de Sechura e Ica). En el S predominan las superficies andinas. 2) La región Yunga, Quebrada o Valle Interandino cabalga sobre los Andes y es de dos tipos: la Yunga marítima, en el declive occidental, que se eleva desde 500 hasta 2 300 m; y la Yunga fluvial, en el declive oriental, desde 1 000 hasta 2 300 m. Clima ardiente y asoleado. Región seca. 3) La región Quechua o región Templada, que se extiende a ambos lados de las cadenas de los Andes, desde 2 300 a 3 500 m. Clima templado favorable para la agricultura. 4) La región Suni, Jalca o Parámo, que se extiende a ambos lados de todas las cadenas de los Andes. Relieve muy variado. Clima frío, que limita la agricultura. 5) La región Puna, Altoandina o altiplano, que corresponde a la meseta andina y se extiende también a ambos lados de las cadenas de los Andes, desde 4 000 hasta 4 800 m. Superficies llanas u onduladas, truncadas o seccionadas por las aguas. Clima muy frío. La agricultura sube hasta 4 300 m. 6) La región Janca «Cordillera» o Muy Alta Montaña, sit. en el remate del declive andino. Las cumbres prales. son el Nevado de Huascará n, 6 768 m; Yerupajá, 6 632 m; Coropuna, 6 613 m; Ampato, 6 310 m, y Salcantay, 6 271 m. 7) La región Rupa-Rupa o Selva alta, sit. en el flanco oriental de los Andes, entre 400 y 1 000 m. Presenta una sucesión de valles, lomas y llanuras. Clima cálido. Suelo propicio para la agricultura y la ganadería. 8) La región Omagua, Selva baja o Amazonia, sit. al E del país, entre los 80 y los 400 m. Por ella transcurren el Amazonas y sus afl. Clima cálido y lluvioso. Hay tres sistemas fluviales: 1) La vertiente del Pacífico, con 54 ríos de régimen variable (Tumbes, Chira, Rímac, Tambo); 2) La vertiente del Atlántico o vertiente del Amazonas (Amazonas, que hasta su confluencia con el Marañón recibe los nombres de Apurímac, Ene, Tambo y Ucayali; Marañón, Morona, Pastaza, Napo, Putumayo, Yavari, Urubamba, etc.); 3) La vertiente del Titicaca, lago navegable sit. a 3 810 m. Ríos: Coata, Ramis, Suches, Desaguadero, etc.

* *Geog. económica.* País agrícola y minero, empeñado en un intenso desarrollo de sus industrias pesquera y forestal. Posee climas muy variados, que permiten producir más de 300 especies vegetales comestibles. Las de mayor significación económica son el arroz, cebada, trigo, centeno, sorgo, avena, etc. También destacan la papa, la vid y diversas legumbres. Entre los cultivos industriales son imp. el algodón, caña de azúcar, café, cacao y tabaco, y entre los frutales, los agrios, la piña y la manzana. Un 54 % de su terr. está cubierto de vegetación arbórea y arbustiva, distribuida en tres zonas madereras: la oriental amazónica, la nordoccidental (dpto. de Tumbes, Piura y Lambayeque) y la andina.

Mapa de situación y bandera de **Perú**

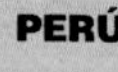

PERÚ

Recursos económicos	
Arroz	814 000 t
Algodón	115 000 t
Ananás	53 000 t
Batatas	180 000 t
Cacao	11 000 t
Café	82 000 t
Caña de azúcar	62 000 ha
Cebada	100 000 t
Maíz	669 000 t
Mandioca	440 000 t
Naranjas	165 000 t
Patatas	1 450 000 t
Sorgo	31 000 t
Tabaco	3 000 t
Trigo	128 000 t
Uva	47 000 t
Vino	100 000 hl
Ganadería	
Alpacas	1 169 000 cabezas
Cabaña bovina	3 630 000 cabezas
Cabaña caballar	660 000 cabezas
Cabaña caprina	1 900 000 cabezas
Cabaña porcina	1 600 000 cabezas
Cabaña ovina	11 250 000 cabezas
Llamas	650 000 cabezas
Riqueza forestal	8 096 000 m^3
Pesca	6 875 072 t
Producción minera	
Antimonio	278 t
Bismuto	635 t
Carbón	145 000 t
Cinc	628 000 t
Cobre	381 000 t
Estaño	7 000 t
Gas natural	1 200 millones de m^3
Guano	90 000 t
Hierro	2 181 000 t
Indio	3 333 kg
Molibdeno	2 000 t
Oro	6 850 kg
Petróleo	6 897 000 t
Plata	1 769 200 kg
Plomo	200 000 t
Sal	354 000 t
Selenio	12 000 kg
Tungsteno	1 372 t
Producción industrial	
Acero	284 000 t
Ácido sulfúrico	183 000 t
Azúcar	550 000 t
Cemento	2 184 000 t
Cerveza	5 732 000 hl
Energía eléctrica	13 817 000 000 kwh
Fertilizantes	28 000 t
Fibras sintéticas	34 000 t
Hierro colado	225 000 t
Neumáticos	637 000 unidades
Papelera	311 000 t
Tabaco	2 672 000 000 millones de cigarrillos
Indicadores sociológicos	
PNB	38 295 millones de dólares
Renta per cápita	1 020 dólares
Esperanza de vida	64 años
Alfabetismo	87 %

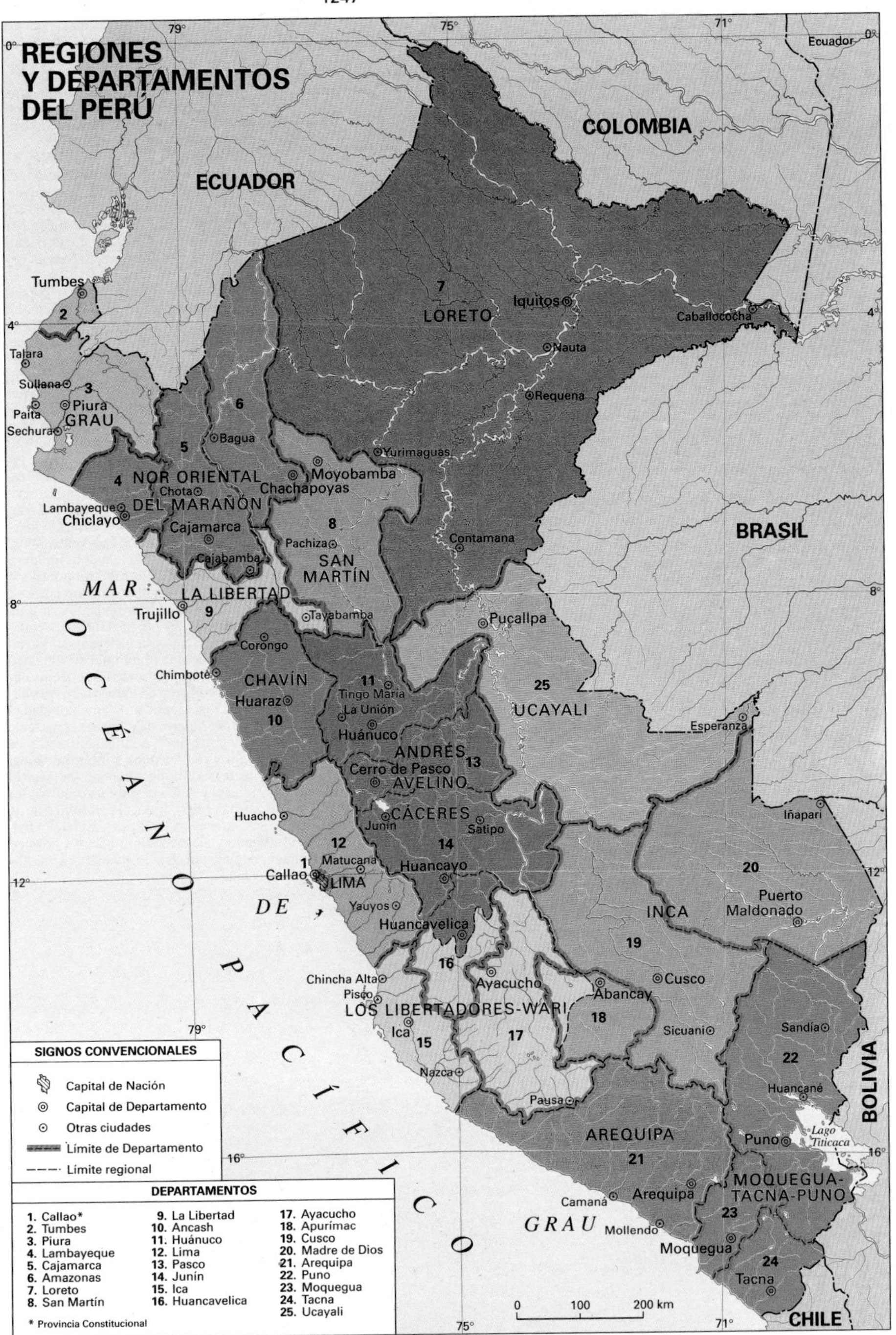

Destacan gran número de especies, sobre todo el cedro, mogamo, palisandro, copal y eucalipto. El sector pecuario está compuesto por ovinos, caprinos, bovinos y los camélidos: llama y alpaca. La pesca es una industria desarrollada en los últimos treinta años a base de unas cuantas especies marinas, pralte. la anchoveta. Ha experimentado una renovación tras el agotamiento de esta especie en los años 1976-1977. Los prales. puertos pesqueros son Paita, Chimbote, El Callao, Ilo y Pisco, donde también se alzan plantas frigoríficas y conserveras. El potencial minero es muy grande. Los prales. recursos son el petróleo, que se extrae sobre todo en el N y la Selva; cobre (Toquepala, Quellaveco, Cua-

Perú. Arriba, el río Amazonas cerca de Iquitos; abajo, proclamación solemne de la independencia (1821), a cargo de San Martín

jone, Michiquillay, Cerro Verde, Cobriza); plata, plomo, cinc, oro, hierro, carbón, vanadio, bismuto, antimonio y molibdeno. El sector industrial ha sufrido una crisis, que afecta especialmente al sector manufacturero. Destacan las ind. textiles (algodón), tabaquera, siderometalúrgica y alimentarias, centradas pralm. en el eje Lima-El Callao.

* *Geog. humana*. La pob. ha experimentado un rápido incremento desde el s. XIX (2 millones en 1836; 7,2 en 1940), debido al alto índice de natalidad. La estructura de la pob. demuestra que se trata de un país joven, ya que más del 51 % de los habitantes tienen menos de 20 años. Dada la extensión territorial, la densidad sigue siendo baja. Existe un gran contraste entre algunos núcleos de alta concentración poblacional, en los sectores costeros, y extensas zonas interiores, casi deshabitadas.

* *Org. pol.* Conforme a la constitución de 1979, Perú es una rep. unitaria de tipo presidencialista. El presid., elegido cada cinco años por sufragio universal, ejerce el poder ejecutivo, y el legislativo está en manos del congreso o parlamento, formado por el senado y la cámara de los diputados, cuyos miembros también se eligen por voto directo para un periodo de cinco años.

* *Hist.* Época precolonial. Diversas culturas se desarrollaron en el Perú. La más imp. fue la inca. La civilización inca se desarrolló entre los ss. XII-XVI. Su entorno geográfico comprendió los actuales terr. de Perú, Bolivia, Ecuador, parte de Chile, parte del N arg., un sector de la selva bras. y parte de Colombia. Basándose en la propiedad colectiva de la tierra, constituyó una confederación centralizada de tribus, con un régimen vertical en lo político, planificación económica y estratificación social. El tahuantinsuyo o imperio inca, erosionado por luchas internas, fue fácilmente conquistado por Pizarro (1532-1533). **Época colonial.** Durante el s. XVI, P. fue escenario de guerras civiles entre los conquistadores esp. En 1542 se establecieron el virreinato y la Real Audiencia de Perú. La explotación y el régimen de trabajo impuesto a la pob. indígena durante la época colonial determinaron un fuerte descenso demográfico y originaron insurrecciones. Entre ellas, la más imp. fue la de Túpac Amaru (h. 1780). **Independencia.** El proceso independentista se inició tardíamente, por la fortaleza del virreinato y la existencia de una oligarquía criolla poco discriminada socialmente respecto a los peninsulares. San Martín desembarcó en Paracas (1819) y fácilmente llegó a Lima, donde proclamó la indep.el 28 de julio de 1821. A partir de entonces la naciente rep. vivió un largo periodo de inestabilidad y de caudillaje militar y civil. **Época contemporánea.** Desde el protectorado unipersonal de San Martín (1821-1822) hasta el último gobierno del siglo, López de Romaña (1899-1903), el país tuvo más de sesenta presid., la mayoría militares. El nuevo Est. se fue afirmando y alcanzando momentos de auge económico. Algunos hechos influyeron en ello: li-

División administrativa de **Perú**

Departamentos	*Km²*	*Población*	*Densidad*	*Capitales*	*Habitantes* [1]
Amazonas	39 249,13	376 300	9,59	Chachapoyas	15 785
Ancash	35 041,39	1 024 600	29,24	Huaraz	67 538
Apurímac	20 895,79	409 500	19,6	Abancay	46 997
Arequipa	63 345,23	999 000	15,77	Arequipa	629 064
Ayacucho	43 814,8	517 800	11,82	Ayacucho	105 918
Cajamarca	34 022,88	1 343 500	39,49	Cajamarca	92 447
Cusco (Cuzco)	71 891,97	1 103 500	5,35	Cusco (Cuzco)	255 568
Huancavelica	22 131,5	413 800	18,7	Huancavelica	31 523
Huánuco	37 722,24	717 700	19,03	Huánuco	118 814
Ica	21 327,86	607 600	28,49	Ica	161 501
Junín	44 409,67	1 113 200	25,52	Huancayo	279 839
La Libertad	24 794,56	1 365 700	55,08	Trujillo	537 458
Lambayeque	14 231,3	1 008 500	70,86	Chiclayo	393 418
Lima	34 801,59	6 931 600	199,17	Lima [2]	6 345 856
Loreto	368 851,95	798 700	2,16	Iquitos	274 759
Madre de Dios	85 182,63	74 100	0,87	Puerto Maldonado	27 354
Moquegua	15 813,46	137 700	8,71	Moquegua	38 837
Pasco	25 319,59	243 700	9,62	Cerro de Pasco	54 148
Piura	35 892,49	1 467 500	40,89	Piura	272 231
Puno	72 012,27	1 143 400	15,88	San Carlos de Puno	91 467
San Martín	51 253,31	643 200	12,55	Moyobamba	24 800
Tacna	15 983,13	246 100	15,4	Tacna	174 336
Tumbes	4 669,36	173 600	37,18	Tumbes	72 616
Ucayali	102 410,55	366 900	3,58	Pucallpa	172 286
Prov. const. de El Callao	146,98	699 600	4 759,83	El Callao	699 600
PERÚ	1 285 215,63	23 946 800	18,6	Lima	

[1] Proyecciones de población para 1996 [2] Aglomeración urbana Lima Metropolitana (Lima-Callao).

Perú. Ruinas de la fortaleza de Sacsahuamán

quidación del último foco de la dominación hispana en la batalla de Ayacucho (1824); separación del Alto Perú (Bolivia, 1825), formación de la Confederación Peruboliviana, prontamente liquidada; presidencia de Ramón Castilla (1845-1851; 1855-1862); la prosperidad económica originada por la explotación del salitre, el cultivo y producción industrial de la caña de azúcar y la extracción de guano; gobierno del coronel Balta (1868-1872); segundo gobierno de Mariano I. Prado (1876-1879), bajo cuyo mandato estalló la guerra del Pacífico (1879-1883), en la que se perdió el salitre de Tarapacá, Arica y, por un tiempo, Tacna; rev. y segunda presidencia de N. de Piérola (1895-1899), fundador del partido demócrata; presidencia de Eduardo López de Romaña (1899-1903), representante de poderosos sectores económicos, con el cual se cierra el s. XIX. La primera mitad del s. XX está marcada por la dictadura de Augusto B. Leguía (1908-1912; 1919-1930) y el surgimiento de la Alianza Popular Revolucionaria Americana (APRA), fundada por Haya de la Torre en 1924. Con el primero se afianzó el poder de la burguesía. Ello promovió un aparente progreso material y el aumento de la dependencia exterior. Haya de la Torre se transformó en líder de un movimiento de masas, de signo antiimperialista y reformista. Leguía fue derrocado por el general Sánchez Cerro (1930), que un año después ganó las elecciones y declaró ilegal al APRA. Murió víctima de un atentado en 1933. Entre esta fecha y 1939 ocupó el poder el general Benavides, que prorrogó ilegalmente su mandato tras anular las elecciones ganadas por el APRA (1936). En 1939 triunfó M. Prado Ugarteche y en 1945 una coalición de izquierdas, incluido el APRA, llevó al poder a Bustamante Rivero. En 1948, el general M. Odría dio un golpe militar, y tras las elecciones se hizo elegir presid. por seis años. En los comicios de 1956 volvió al poder Prado Ugarteche. En 1962 un golpe de est. anuló unas elecciones en las que ganó Haya de la Torre. En las de 1963 Fernando Belaúnde Terry se impuso a Haya de la Torre. Belaúnde intentó imponer un programa de reformas que se vio trabado por la oposición del congreso y de los terratenientes. Como síntoma del malestar social existente, aparecieron guerrillas campesinas. La posición del gobierno ante la negociación de un nuevo contrato con la *International Petroleum Company* actuó como detonante del proceso que en 1968 condujo al derrocamiento de Belaúnde y a la instauración del régimen militar de Velasco Alvarado. Éste inició una política de rescate de los recursos económicos del país y llevó a cabo la reforma agraria (1969). En 1975 fue derribado por el general Morales Bermúdez. El proyecto de crear un mov. en torno a las fuerzas armadas fue sustituido por un acercamiento a los partidos políticos y la convocatoria de elecciones para la Asamblea constituyente (1978), que dieron el triunfo al APRA. Las elecciones presid. se celebraron en 1980, resultando vencedor F. Belaúnde Terry, de Acción Popular. Apareció poco después Sendero Luminoso, grupo terrorista cuyas actividades se focalizaron en el centro del país. El deterioro social y económico aumentó en este período. En 1983, A. Barrantes fue elegido alcalde de Lima, consiguiendo Izquierda Unida su primer triunfo en las urnas. En 1985, Alan García (APRA) fue elegido presid. e inició un gobierno rechazando las condiciones del FMI y realizando una política económica basada en controles y subsidios, produciéndose un crecimiento económico

Gobernantes de **Perú**

Época precolombina	
s. XII	Manco Cápac
	Sinchi Roca
	Lloque Yupanqui
s. XIII	Mayta Cápac
	Cápac Yupanqui
s. XIV	Inca Roca
	Yahuar Huaca
	Viracocha
1438	Pachacútec Yupanqui
1471	Túpac Yupanqui
1493	Huayna Cápac
1528	Huáscar y Atahualpa
1532	Manco Inca II
1536	Fin de la dinastía Inca
Periodo colonial	
1544	Blasco Núñez de Vela (primer virrey)
1821	José de la Serna (último virrey)
Independencia	
1821	José de San Martín
1822	Gobierno de Junta provisional
1823	José de la Riva Agüero
1823	José B. de Tagle
1824	Simón Bolívar
1826	Andrés Santa Cruz
1827	José de la Mar
1829	Agustín Gamarra
1833	Luis José de Orbegozo
1835	Felipe S. Salaverry
1836	Andrés Santa Cruz
1839	Agustín Gamarra
1841	Manuel Menéndez
1842	Juan C. Torrico
1842	Francisco de Vidal
1843	Manuel I. de Vivanco
1844	Domingo Elías
1844	Justo Figuerola
1844	Manuel Menéndez
1845	Ramón Castilla
1851	José Rufino Echenique
1856	Ramón Castilla
1862	Miguel San Román
1863	Pedro Díez Canseco
1863	Juan Antonio Pezet
1865	Pedro Díez Canseco
1865	Mariano I. Prado
1868	Pedro Díez Canseco
1868	José Balta
1872	Tomás Gutiérrez
1872	Manuel Pardo
1876	Mariano I. Prado
1879	Luis La Puerta
1879	Nicolás de Piérola
1881	Fco. García Calderón
1881	Lisardo Montero
1883	Miguel Iglesias
1886	Andrés Av. Cáceres
1890	R. Morales Bermúdez
1894	Justiniano Borgoño
1894	Andrés Av. Cáceres
1895	Manuel Candamo (Junta)
1895	Nicolás de Piérola
1899	E. López de Romaña
1903	Manuel Candamo
1904	Serapio Calderón
1904	José Pardo y Barreda
1908	Augusto B. Leguía
1912	Guillermo Billinghurst
1914	Oscar R. Benavides
1915	José Pardo y Barreda
1919	Augusto B. Leguía
1930	Manuel Ponce
1930	L. M. Sánchez Cerro
1931	Ricardo Leoncio Elías
1931	Gustavo A. Jiménez
1931	D. Samanez Ocampo (Junta)
1931	L. M. Sánchez Cerro
1933	Oscar R. Benavides
1939	M. Prado Ugarteche
1945	J. L. Bustamante R.
1948	Manuel A. Odría
1956	M. Prado Ugarteche
1962	Junta Militar
1963	F. Belaúnde Terry
1968	J. Velasco Alvarado
1975	F. Morales Bermúdez
1980	F. Belaúnde Terry
1985	Alan García
1990	Alberto Fujimori
2000	Valentín Paniagua
2001	Alejandro Toledo

entre 1986-1987. El Congreso aprobó en 1987 la nacionalización de la banca, los seguros y las financieras, empeorando la situación económica. En las elecciones de 1990 venció Alberto Fujimori, del movimiento CAMBIO 90, frente a M. Vargas Llosa. En 1992, disolvió el Parlamento y el Senado, y convocó elecciones para la reforma de la Constitución. La nueva Constitución se aprobó en 1993 y Fujimori fue reelegido en 1995. En mayo de 2000 se celebraron elecciones en las que, tras la retirada en la segunda vuelta de A. Toledo, Fujimori obtuvo la victoria. Sin embargo, la crisis política, agravada por escándalos de fraude y corrupción, forzó su dimisión, pasando a ocupar la presidencia Valentín Paniagua. En 2001 se celebraron nuevas elecciones en las que Alejandro Toledo se impuso a Alan García en la segunda vuelta (junio), y fue elegido presidente de la república.

Perú. Alejandro Toledo

* *Lit.* Aunque de carácter oral, existió una literatura quechua y aymará, que se prolongó después de la conquista. La lucha mantenida por los incas contra los conquistadores esp. quedó reflejada en la poesía en torno a la muerte de Atahualpa. La conquista esp. dio origen a una serie de crónicas históricas en cast. (*Comentarios reales,* del Inca Garcilaso de la Vega, ss. XVI-XVII). En el s. XVII cabe citar a J. del Valle y Caviedes y a Juan de Espinosa Medrano, el cual escribió un drama bíblico en quechua (*Auto sacramental del hijo pródigo*) y *Apologético en favor de don Luis de Góngora.* En el s. XVIII sobresalen Pablo de Olavide y el poeta Melgar. *El lazarillo de ciegos caminantes* ofrece un vivo retrato de la América hispana de esta época.

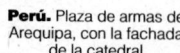

Perú. Plaza de armas de Arequipa, con la fachada de la catedral

Después de la indep., la literatura per. se inclinó más hacia la tradición hispana que hacia el indigenismo. Ascensio Segura y Cordero llevó al teatro las tesis del criollismo, y Pardo y Aliaga destacó como autor de comedias costumbristas. Imp. autores románticos fueron Carlos Augusto Salaverry y Ricardo Palma. La derrota en la guerra del Pacífico originó una literatura centrada en el análisis de los problemas sociales (M. González Prada). M. de Carbonera Cabello y C. Matto de Turner iniciaron el naturalismo. El modernismo se impuso a principios del s. XX y contó con Clemente Palma, José Santos Chocano, José M. Eguren y Gálvez Barrenechea. Abraham Valdemor es el autor de la novela indigenista *Los hijos del sol.* Cierta influencia modernista se percibe en la obra de César Vallejo, considerado, tras la publicación en 1922 de su libro de poemas *Trilce*, como el máx. representante del vanguardismo latinoamericano. Otros poetas imp. son J. C. Mariátegui, Peña Barrenechea, Luis F. Xamar. Entre los progresistas destacan López Albújar, García Calderón, Rosa Arciniega, Ciro Alegría y José M. Argüedas. Un nuevo enfoque en el análisis de la realidad queda patente en la obra de Mario Vargas Llosa, quien mostró un perfecto dominio de la técnica narrativa y abrió caminos de renovación estilística. En la crítica literaria y la historia destacan R. Porras Barrenechea, J. Basadre y L.F. Xamar; como ensayistas, A. Orrego, V.R. Haya de la Torre y J.C. Mariátegui. Sobresalen en la narrativa per. de los últimos años, además de Vargas Llosa, A. Bryce Echenique, J.R. Ribeyro, José A. Bravo, Gregorio Martínez, Osvaldo J. Salazar, Harry Beleván Manuel Scorza y Alonso Cueto. Destacados poetas son César Moro, Martín Adán, Emilio A. Westphalen, M. Moreno Jimeno, Carlos G. Belli, Antonio Cisneros, Antonio Cilloniz, José Watanabe, Vladimir Herrera, A. Sánchez León y Enrique Verástegui. En el campo del ensayo cabe resaltar la figura de Julio Ortega, y el balance crítico sobre la realidad per. realizado por dieciséis intelectuales, titulado *Perú: identidad nacional* (1980).

* *Arte.* En la etapa precolombina, la primera cultura con manifestaciones artísticas de cierta trascendencia fue la desarrollada en los centros de Chavín de Huántar y Cupinisque (850-500 a. C.). En ella apareció la arquitectura en piedra. Hacia 500-300 a. C. se iniciaron las construcciones de terrazas y el riego. Al periodo llamado floreciente (300 a. C.-500 d. C.) se deben las cerámicas nazca y mochica. Entre 500 y 1000, la cultura de Tiahuanaco introdujo la arquitectura monumental (puerta del Sol), orientada entre 1000 y 1400 hacia la construcción de ciudades fortificadas. La cultura chimú de esta época ofrece una interesante cerámica. El imperio inca alcanza su plenitud entre 1440 y 1532. Perfecciona las obras de ingeniería y aporta grandes innovaciones en la arquitectura y el urbanismo (Machu Picchu). En el s. XVI predominó el renacimiento arquitectónico de orientación plateresca, con reminiscencias góticas (iglesia de Santo Domingo, en Lima). Aparte de Lima, los focos renacentistas fueron Ayacucho y Cuzco (catedral). Durante los ss. XVII-XVIII, si se exceptúan algunos focos más propiamente indígenas como Arequipa (estilo mestizo), dominó el barroco (iglesia de la Compañía, Cuzco; palacio del marqués de Torre Tagle, Lima). Además de Cuzco y Lima, es de destacar el barroco de Cajamarca, cuyo conjunto forma una de las muestras más bellas del Perú virreinal (catedral, iglesia de Belén). La reconstrucción de Lima, después del terremoto de 1746, se realizó bajo un criterio fr., cercano al rococó (iglesia de los Nazarenos). En la escultura y la pintura del s. XVII arraigó el estilo de la escuela barroca sevillana. Entre los escultores de este siglo destacan M. Huamán y Machucama y J. T. Tuyrú Túpac. En pintura cabe destacar la actividad desplegada en Lima a finales del s. XVI y principios del XVII por los it. Pérez de Alesio y A. Medoro. Las principales escuelas fueron las de Lima y Cuzco. En el s. XIX se produjo una crisis artística, patentizada en la imitación del arte fr. Se construyeron numerosos edificios de estilo neoclásico. En pintura predominaron el romanticismo y el academicismo. En los inicios del s. XX la arquitectura adoptó formas modernistas. Frente a ellas reaccionaron R. Marquina (urbanización de la plaza de San Martín, en Lima) y J. Álvarez Calderón, y adoptaron un estilo que cabalgaba entre el funcionalismo y el estilo mestizo de Arequipa. En los últimos años destacan L. Miró, C. Ciriani, M. Rodrigo, F. Cooper Llosa, E. Nicolini, A. Córdova, J. Crousse, J. García Bryce, M. A. Llona, D. Robles Rivas, etc. En el campo de la escultura, que empezó a abandonar el academicismo, destacan L. Agurto, R. Espino y L. Valdetaro, Roca Rey, A. Guzmán, J. Piqueras y F. Sánchez. En pintura, después de una etapa posromántica (T. Castro, Baca Flor), D. Hernández introdujo las nuevas corrientes europeas, que se conjugaron con la influencia de los muralistas mexicanos (C. Calvo, T. Núñez, J. M. Ugarte). Entre los últimos abstractos sobresalen Szyszlo, Pereiza y Dávila. Post. son S. Gutiérrez, R. Grau, H. Braun, Tilsa, V. Shinki, A. Maro y L. Arias Vega.

Perú. De arriba abajo, el palacio de Torre Tagle, clásico de la arquitectura colonial limeña; estandarte español arrebatado por los independentistas en la batalla de Ayacucho; jarrón mochica

PERÚ, *Virreinato del* Circunscripción creada por Carlos V en 1542. Comprendía el ámbito que actualmente ocupan Perú, Bolivia, Ecuador, parte de Colombia y de Chile, N arg. y parte de la selva bras. El objetivo de su creación fue hacer cumplir las Leyes Nuevas (1542), que tendían a suprimir los abusos cometidos en el tratamiento a los indígenas por los funcionarios de la Corona, y trasladar a estas tierras el sistema centralizador imperante en la metrópoli. Blasco Núñez de Vela fue el primero de una larga nómina de virreyes, que se clausuró en 1821 con José de la Serna e Hinojosa. En 1776 se creó el virreinato del Río de la Plata a expensas del Perú. Una importante insurrección indígena, acaudillada por José Gabriel Condorcanqui (Túpac Amaru), estalló en 1780 y fue sangrientamente reprimida.

PERUBOLIVIANA, *Confederación* Organización conjunta de los est. constituidos dentro de Perú (Estado Sur peruano y Estado Norte peruano) con Bolivia, sancionada en el Congreso de Tacna (1837). Andrés Santa Cruz, presid. de Bolivia, lo fue también de la Confederación. Los recelos de Chile y Argentina ante esta unión jurídico-política condujeron a la guerra. En la batalla de Yungay (1839) las fuerzas chil. derrotaron a los ejércitos de Santa Cruz, y en febrero del mismo año la Confederación se disolvió.

PERUETANO m. Peral silvestre, cuyo fruto es pequeño y de sabor acerbo. • Fruto de este árbol. • fig. Porción saliente y puntiaguda de una cosa.

PERUGIA C. de Italia central, cap. de la prov. hom. y de la región de Umbría; 144 400 hab. Ind. textiles, mecánicas y farmacéuticas. Universidad.

PERUGINO, *Pietro Vannucci,* llamado IL (h. 1448-1523) Pintor it., representante del estilo florentino renacentista. *El Arcángel y Tobías, Entrega de las llaves, Virgen con san Juan Bautista y san Sebastián.*

PERULERO, RA adj. y s. Peruano. • m. y f. Persona que ha ido desde Perú a España, y especialmente la adinerada. • m. Vasija de barro, pequeña de base, ancha de barriga y estrecha de boca.

PERUZZI, *Baldassare* (1481-1536) Pintor, arquitecto y decorador it. Colaboró con Pinturicchio y Rafael, y construyó la Villa Farnesia de Roma.

PERVERSIDAD f. Suma maldad o corrupción de las costumbres o de la calidad o estado debido.

PERVERSIÓN f. Acción de pervertir o pervertirse. • Estado de error o corrupción de costumbres.

• Modificación patológica de las tendencias afectivas y éticas normales, que se traduce en comportamientos extraños, inmorales y antisociales.

PERVERTIR tr. Perturbar el orden o estado de las cosas. • tr. y prnl. Viciar con malas doctrinas o ejemplos las costumbres, la fe, el gusto. ■ PERVERSO, SA; PERVERTIMIENTO.

PERVIBRADOR m. *Const.* Vibrador que, introducido en la masa de hormigón, aumenta su compacidad y resistencia.

PERVINCA f. Planta arbustiva de la familia apocináceas, con tallo sarmentoso, hojas lanceoladas, flores pequeñas y frutos en folículos con semillas provistas de vilano.

PERVIVIR intr. Seguir viviendo a pesar del tiempo o de las dificultades. ■ PERVIVENCIA.

PERVULGAR intr. Divulgar, hacer público y notorio. • Promulgar, publicar solemnemente o divulgar.

PESA f. Pieza de determinado peso, usada para determinar el que tienen las cosas, equilibrándolas con ella en una balanza. • Pieza de peso suficiente que, colgada de una cuerda, se emplea para dar movimiento a ciertos relojes, o de contrapeso para subir y bajar lámparas, etc. • *Amér. Centr.* Carnicería. • **dineral.** Cualquiera de las pesas con que se pesan las monedas de oro y plata.

PESABEBÉS m. Balanza para pesar a niños pequeños.

PESACARTAS m. Balanza automática de un solo platillo, para pesar cartas.

PESADEZ f. Calidad de pesado. • Pesantez. • fig. Obesidad. • fig. Terquedad o impertinencia propia del que es de suyo molesto y enfadoso. • fig. Cargazón, exceso, duración desmedida. • fig. Molestia, trabajo, fatiga.

PESADEZA f. *Amér. Centr.* Pesadez.

PESADILLA f. Opresión del corazón y dificultad de respirar durante el sueño. • Ensueño angustioso y tenaz. • fig. Preocupación grave y continua.

PESADO, DA adj. Que pesa mucho. • P. ext., muy denso. • fig. Obeso. • fig. Hablando del sueño, intenso, profundo. • fig. Cargado de humores, vapores o cosa semejante. • fig. Tardo o muy lento. • fig. Molesto, enfadoso, impertinente. • fig. Ofensivo, sensible. • fig. Duro, áspero e insufrible. • *Quím.* Díc. del agua de fórmula D_2O, en la que D es el deuterio (isótopo del hidrógeno, de masa atómica 2). • f. Cantidad que se pesa de una vez. • Acción y efecto de pesar.

PESADO, ***José Joaquín*** (1801-1861) Literato y político mex. De filiación conservadora, su poesía refleja un hondo sentimiento cristiano. *Poesías.*

PESADUMBRE f. Pesadez, calidad de pesado. • Injuria, agravio. • fig. Molestia o desazón. • Motivo o causa del pesar.

PÉSAME m. Expresión del sentimiento que uno tiene por la pena o aflicción de otro.

PESAR m. Sentimiento o dolor interior que molesta y fatiga el ánimo. • Dicho o hecho que causa sentimiento o disgusto. • Arrepentimiento o dolor de una cosa mal hecha. • intr. Tener gravedad o peso. • Tener mucho peso. • fig. Tener una cosa estimación o valor; ser digna de mucho aprecio. • fig. Causar un hecho o dicho arrepentimiento o dolor. Se usa sólo, en las terceras personas con los pron. *me, te, se, le,* etc. • fig. Hacer fuerza en el ánimo la razón o el motivo de una cosa. • Determinar el peso o la masa de un cuerpo. • tr. Examinar con atención o considerar con prudencia las razones de una cosa para hacer juicio de ella. • **A p.** m. adv. Contra la voluntad o gusto de las personas y, p. ext., contra la fuerza o resistencia de las cosas; no obstante. Pide la prep. *de* cuando la voz que inmediatamente le sigue no es un pron. posesivo. • **Mal que me, te, le, nos, os, les pese.** loc. adv. Mal de mi, de tu, de su, de nuestro, de vuestro grado. • **Pese** a. loc. adv. A pesar. ■ PESAJE; PESAROSO, SA.

PESARIO m. Nombre de diversas prótesis que se introducen en la vagina para corregir malposiciones uterinas o para evitar la fecundación.

PESARO C. de Italia, cap. de la prov. de Pesaro y Urbino; 90 500 hab. Centro comercial, industrial y de comunicaciones.

PESCA f. Acción y efecto de pescar. • Oficio y arte de pescar. • Lo que se pesca o se ha pescado. • **de altura.** La que se efectúa en aguas relativamente cercanas al litoral. • **de bajura.** La que se efectúa por pequeñas embarcaciones en las proximidades de la costa. • **de gran altura.** La que se efectúa en aguas muy retiradas en cualquier lugar del océano. ■ PESQUERO, RA.

* *Ind.* La p. se practica pralm. con fines nutricios. Con los desperdicios de las fábricas de conservas y especies de escaso valor se fabrica harina de pescado. Los aceites de pescado son ricos en ácidos grasos y en vitaminas, por lo que se emplean con fines terapéuticos o en la fabricación de jabón.

PESCADILLA f. Cría de la merluza que no ha adquirido aún su desarrollo normal.

PESCADO m. Pez comestible sacado del agua por cualquiera de los procedimientos de pesca. • En algunas partes, pez, pescado de río. • Abadejo salado. ■ PESCADERÍA; PESCADERO, RA.

PESCADOR, RA adj. y s. Que pesca. • m. Pejesapo.

PESCADORES, ***Islas (Penghugundao)*** Arch. de Taiwan; 127 km^2, 105 000 hab. Pesca y ganadería.

PESCANTE m. Pieza saliente sujeta a una pared, a un poste, etc., y que sirve para sostener alguna cosa. • Brazo de una grúa. • En los vehículos de tracción animal, asiento exterior desde donde el cochero gobierna las mulas o los caballos. • Delantera del automóvil desde donde lo gobierna el conductor. • En los teatros, tramoya que sirve para hacer bajar o subir en el escenario personas o figuras.

PESCAR tr. Sacar o tratar de sacar del agua peces y otros animales útiles al hombre. • Sacar alguna cosa del fondo del mar o del lecho de un río. • fig. y fam. Contraer una dolencia o enfermedad. • fig. y fam. Coger, agarrar o tomar cualquier cosa. • fig. y fam. Coger a uno en las palabras o en los hechos, cuando no lo esperaba, o sin prevención. • fig. y fam. Lograr o conseguir astutamente lo que se pretendía o anhelaba.

PESCARA C. de Italia central, en los Abruzos, cap. de la prov. hom.; 131 500 hab. Puerto sobre el Adriático. Ind. química.

PESCOCEAR tr. *Amér.* Dar pescozones. • *Chile.* Asir a alguien por el cuello.

PESCOZÓN m. o **PESCOZADA** f. Golpe que se da con la mano en el pescuezo o en la cabeza.

PESCUEZO m. Parte del cuerpo animal desde la nuca hasta el tronco. • fig. Altanería, vanidad o soberbia.

PESCUÑO m. *Agr.* Cuña gruesa y larga con que se aprietan la esteva, reja y dental que tiene la cama del arado.

PESEBRE m. Especie de cajón donde comen las bestias. • Sitio destinado para este fin. • *Astr.* Cúmulo de estrellas sit. en la constelación del Cangrejo.

PESEBRERA f. Disposición u orden de los pesebres en las caballerizas. • Conjunto de ellos.

PESETA f. Ant. unidad monetaria de España. • **columnaria.** La labrada en América, que valía cinco reales de vellón.

PESETADA f. *Amér.* Chasco.

PESGUA f. *Ven.* Árbol cuyas hojas secas son aromáticas.

PESHAWAR C. de Pakistán, sit. cerca del paso de Khyber; 555 000 hab. Activo centro comercial.

PESIAR intr. Echar maldiciones y reniegos.

PESIMISMO m. *Fil.* Tendencia que sostiene el predominio, absoluto o relativo, en la existencia hu-

San Benito, tabla de **Perugino.** Museo del Vaticano

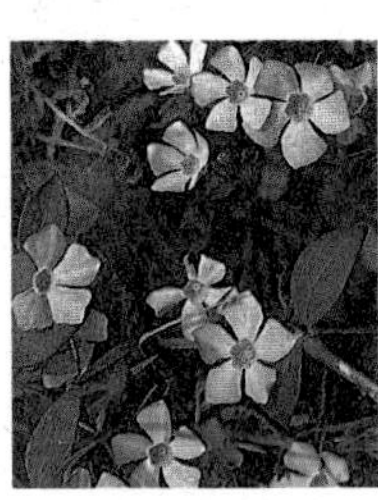

Pervinca

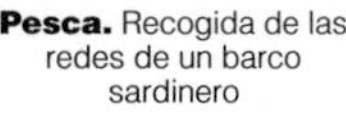

Pesca. Recogida de las redes de un barco sardinero

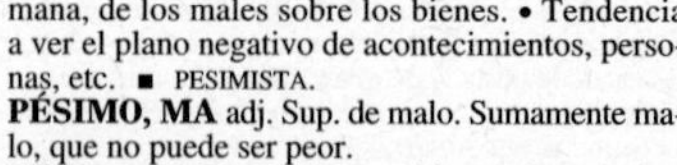

mana, de los males sobre los bienes. • Tendencia a ver el plano negativo de acontecimientos, personas, etc. ■ PESIMISTA.

PÉSIMO, MA adj. Sup. de malo. Sumamente malo, que no puede ser peor.

PESO m. *Fís.* Fuerza de atracción gravitatoria ejercida por un astro sobre un cuerpo. • El que por ley o convenio debe tener una cosa. • El de la pesa o conjunto de pesas que se necesitan para equilibrar en la balanza un cuerpo determinado. • Pesa del reloj. • Cosa pesada. • Objeto pesado que sirve para hacer presión o para equilibrar una carga. • *Dep.* El que arroja en la báscula cada boxeador antes del combate, y con arreglo al cual se le clasifica en una u otra categoría. • Moneda imaginaria que en el uso común se suponía valer quince reales de vellón. • Balanza u otro utensilio para pesar. • Unidad monetaria de varios países de América y de Filipinas. • fig. Entidad, sustancia e importancia de una cosa. • fig. Fuerza y eficacia de las cosas no materiales. • fig. Carga o gravamen que uno tiene a su cuidado. • fig. Cargazón o abundancia de humores en una parte del cuerpo. • **andino.** Unidad de cuenta establecida por el Grupo Andino en 1984, de valor fijo e independiente del dólar. • **atómico.** *Quím.* Relación entre la masa de un átomo y la de otro que se toma como unidad. • **bruto.** El total, tara incluida. • **corrido.** Peso algo mayor que el justo. • **equivalente.** *Quím.* Fracción del p. atómico o molecular de un elemento o de un compuesto, respectivamente, que en una reacción determinada sirve como unidad o corresponde al p. de otra sustancia que se toma como unidad de medida para dicha reacción. • **específico.** *Fís.* Cociente entre el peso de un cuerpo y el volumen que ocupa. • **gallo.** *Dep.* El boxeador profesional que pesa menos de 53 kg 524 g, y el no profesional que no pasa de los 54 kg. • **ligero.** *Dep.* El boxeador profesional que pesa menosde 61 kg 235 g, y el no profesional que no pasa de los 62 kg. • **molecular.** *Quím.* Suma de los p. atómicos de todos los átomos que forman una molécula. • **muerto.** *Mar.* Carga máxima de un barco mercante, que comprende, además del peso de la carga comercial, el de combustible, agua, víveres, dotación y pasaje. • **neto.** El que resta del peso bruto, deducida la tara. • **pesado.** *Dep.* El boxeador profesional que pesa más de 79 kg 378 g, y el no profesional que rebasa los 80 kg. • **pluma.** El boxeador profesional que pesa menos de 57 kg 152 g, y el no profesional que no pasa de los 58 kg. • **Caerse** una cosa **de su p.** fr. fig. con que se denota su mucha razón o la evidencia de su verdad. • **De p.** loc. Con el peso cabal que debe tener una cosa por su ley. • fig. Díc. de la persona juiciosa, sensata o influyente. • fig. Díc. de una razón o un motivo de valor decisivo o poderoso.

Flores de lino de los Alpes, de cinco **pétalos**

* *Fís.* El p. es directamente proporcional a la masa y a la aceleración de la gravedad. Unidades de medida: pondio = 980 dinas = 9,8 × 10^{-3} newtons.

* *Quím.* **Peso atómico.** En 1960 se convino en tomar como referencia el isótopo 12 del C. Los valores no enteros de los p. atómicos se deben a que gralte. los elementos están constituidos por distintos isótopos. • **Peso equivalente.** Depende del tipo de reacción en la que el elemento interviene y es la cantidad de un elemento capaz de reaccionar con un átomo gramo de H o con medio átomo gramo de O.

Petirrojo

PESPUNTE m. Labor de costura, con puntadas unidas, que se hacen volviendo la aguja hacia atrás después de cada punto, para meter la hebra en el mismo sitio por donde pasó antes. ■ PESPUNTAR; PESPUNTEAR.

PESQUERA f. Sitio o lugar donde frecuentemente se pesca. • Presa, muro para detener el agua.

PESQUERÍA f. Trato o ejercicio de los pescadores. • Acción de pescar. • Pesquera, sitio donde frecuentemente se pesca.

PESQUIS m. fam. Cacumen, agudeza.

PESQUISA f. Información o indagación que se hace de una cosa para averiguar la realidad de ella o sus circunstancias. ■ PESQUISAR; PESQUISIDOR, RA.

PESSÕA, ***Epitácio da Silva*** (1865-1942) Político bras. Presid. de la rep. (1919-1923). Miembro del Tribunal de La Haya (1924-1930). • ***Fernando*** (1888-1935) Poeta modernista port., en lengua port. e ing. *Mensagem, Epithalamium.*

Entierro durante la gran epidemia de **peste** del s. XIV (peste negra). Detalle de una miniatura de la *Crónica de Gilles le Muisis.* Biblioteca Real, Bruselas

PEST → Budapest.

PESTALOZZI, ***Johann Heinrich*** (1746-1827) Pedagogo suizo. Precursor de la escuela activa. *Leonardo y Gertrudis.*

PESTAÑA f. Cada uno de los pelos que hay en los bordes de los párpados. • Adorno angosto que se pone al canto de las telas o vestidos, que sobresale algo. • Orilla o extremidad del lienzo, que dejan las costureras para que no se vayan los hilos en las costuras. • Parte saliente y angosta en el borde de alguna cosa, en la orilla de un papel o una plancha de metal. • pl. *Bot.* Pelos rígidos que están colocados en el borde de dos superficies opuestas, sin hacer parte ni de una ni de otra. • **vibrátil.** *Biol.* Cilio.

PESTAÑEAR intr. Mover los párpados. • fig. Tener vida. ■ PESTAÑEO.

PESTE o **PESTILENCIA** f. *Pat.* Enfermedad contagiosa endoepidémica, producida por el bacilo *Pasteurella pestis.* • Mal olor. • fig. y fam. Excesiva abundancia de cosas en cualquier línea. • *Chile.* Viruelas. • *Col.* Catarro. • **aviar.** Enfermedad contagiosa propia de las aves de corral, de curso rápido y elevada mortandad. • **bovina.** Enfermedad infecciosa epidémica que ataca a los rumiantes. • **porcina.** Enfermedad contagiosa que ataca a los cerdos jóvenes; cursa con trastornos nerviosos, respiratorios y digestivos. ■ PESTÍFERO, RA; PESTILENTE.

* *Pat.* La p. se transmite al hombre a través de roedores y pulgas infectadas. Existen tres formas: *p. ganglionar* o *bubónica,* que cursa con fiebre, postración e infarto ganglionar general; *p. pulmonar,* que cursa con neumonía grave, casi siempre mortal, y la *p. cutánea,* que implica la formación de pústulas, fiebre, delirio y colapso. Contra la p. se utilizan los sueros, las vacunas y la estreptomicina.

PESTICIDA m. Sustancia empleada para combatir los organismos que constituyen plagas.

PESTILLO m. Pasador con que se asegura una puerta, corriéndolo a modo de cerrojo. • Pieza prismática que sale de la cerradura por la acción de la llave o a impulso de un muelle y entra en el cerradero. • fig. *P. Rico.* Novio, cortejador.

PESTIÑO m. Fruta de sartén, hecha con harina y huevos batidos, y bañada con miel.

PESUÑA f. Pezuña.

PESUÑO m. Cada uno de los dedos, cubierto con su uña, de los animales ungulados.

PETACA f. Arca a propósito para formar el tercio de la carga de una caballería. Se ha usado mucho en América. • Estuche para llevar cigarros o tabaco picado, o para llevar una botella pequeña y plana con licor. • Esa misma botella. • *Amér.* Joroba.

PÉTAIN, ***Philippe Omer*** (1856-1951) Mariscal y político fr. Participó en la defensa de Verdún durante la I Guerra Mundial. En 1940 fue primer ministro y presid. del gobierno colaboracionista de Vichy. Tras la derrota al. (1945), fue procesado y confinado en Yeu.

PÉTALO m. *Bot.* Cada una de las hojas transformadas que forman la corola de la flor.

PETANCA f. Variedad del juego de bochas.

PETAQUEAR intr. *Col.* Embrollar.

PETAQUITA f. *Col.* Enredadera de flores rosadas.

PETAR tr. fam. Agradar, complacer.

Petén. Centro arqueológico de Tikal

PETARDEAR tr. *Mil.* Batir una puerta con petardos. • fig. Estafar, engañar, pedir algo de prestado con ánimo de no volverlo.

PETARDO m. *Mil.* Morterete que, afianzado en una plancha de bronce, se sujeta a una puerta después de cargado, y se le da fuego para hacerla saltar con la explosión. • Hueso, cañuto o cosa semejante, que se llena de pólvora y se ataca y liga fuertemente para que, prendiéndole fuego, produzca una gran detonación. • fig. Estafa, engaño, petición de una cosa con ánimo de no volverla. ■ PETARDERO; PETARDISTA.

PETARE C. de Venezuela, en el est. Miranda; 245 300 hab. En la conurbación de Caracas.

PETATE (voz náhuatl) m. Esterilla de palma, usada en los países cálidos para dormir sobre ella. • Lío de la cama, y la ropa de cada marinero, soldado o penado. • Saco de lona que en los viajes sirve a soldados y marineros para llevar sus efectos. • *Ven.* Esterilla de palma con la que los campesinos hacen cestas, canastos, petacas, sombreros, etc. • fam. Equipaje de cualquier persona que va a bordo. • fig. y fam. Hombre despreciable. • **De a p.** fam. *Guat.* Excelente, muy bueno. • **Dejar a uno** en el p. fig. *Amér. Centr.* Desacreditarle, infamarle; dejarle en la miseria. • **Liar uno el p.** fig. y fam. Mudar de vivienda; ser despedido de un trabajo. • fig. y fam. Morir.

PETATERÍA f. *Amér.* Esterería.

PETATILLO m. *Amér. Centr.* Ladrillo de color rojo, pequeño y cuadrado, usado para embaldosar. • *Amér. Centr.* Tejido de esparto o paja usado para fabricar sillas.

PETAURISTA f. Gran ardilla arborícola asiática, que posee una membrana entre las patas que le permite planear.

PETECO m. *Argent.* Hombre pequeño y pesado.

PETÉN Dpto. del N de Guatemala; 35 854 km², 224 884 hab. Cap., Flores. Sit. en la parte meridional de la pen. del Yucatán. Comprende una extensa llanura accidentada por los montes Chiapas y los Mayas. Clima tropical lluvioso. Maíz, fríjoles, tabaco, henequén. Explotación forestal. Sede del Viejo Imperio maya, posee imp. restos de aquella civilización (templos de Tikal, Uaxactún, etc.).

PETÉN-ITZÁ Lago de Guatemala, en el dpto. de Petén; unos 99 km². La isla de Flores, con la cap. del dpto. y del mun., se halla en uno de sus brazos.

PETENERA f. Aire popular parecido a la malagueña.

PETEQUIA f. *Pat.* Mancha de color rojizo que se forma en la piel, y que no desaparece por la presión del dedo. ■ PETEQUIAL.

PETERBOROUGH C. de Gran Bretaña, en Inglaterra; 115 400 hab. Ind. automovilística.

PETERSON, *Roger* (nacido 1908) Ornitólogo norteam. Especializado en las faunas esp. y mex. *Guía de campo de las aves de México.*

PETICIÓN f. Acción de pedir. • Cláusula u oración con que se pide. • *Der.* Escrito que se presenta ante un juez, pedimento. ■ PETICIONARIO, RIA.

PETICIONAR tr. *Amér.* Presentar una petición a las autoridades.

PETIGRÍS m. Ardilla común. Es nombre sólo usado en el comercio de pieles.

PETIMETRE, TRA m. y f. Persona que cuida demasiado de su compostura y de seguir las modas.

PÉTION, *Anne Alexandre Sabès,* llamado ***Alexandre*** (1770-1818) Militar y político haitiano. Proclamó la República de Haití, de la cual fue nombrado presid. vitalicio (1807-1818).

PETIRROJO m. Ave paseriforme cuyo nombre se debe al color rojizo de las plumas del pecho. Pequeño, de canto melodioso, vive en setos y jardines.

PETISCO, CA adj. Raquítico, marchito, rugoso.

PETITORIO, RIA adj. Relativo a la petición o súplica, o que la contiene. • m. fam. Petición repetida o impertinente. • *Farm.* Cuaderno impreso de los medicamentos simples y compuestos de los que debe haber surtido en las boticas. • f. fam. Petición, acción de pedir. • Palabras con que se pide.

PETIZO, ZA o **PETISO, SA** adj. *Amér.* Pequeño, de poca altura. • m. *Amér.* Caballo de poca alzada. • m. y f. *Amér.* Persona de baja estatura. • **de los mandados.** *Argent.* y *Ur.* Caballo que en las estancias se usa para efectuar recados y compras. • Mandadero, chico que en las casas suele hacer toda clase de trabajos.

PETO m. Armadura del pecho. • Adorno o vestidura que se pone en el pecho para entallarse. • Parte opuesta a la pala y en el otro lado del ojo, que tienen algunas herramientas. • *Cuba.* Pez de gran tamaño, de color azul por el lomo y pálido por el vientre; es comestible. • Porción ventral del caparazón de las tortugas, llamada también plastrón.

Petra. Templo excavado en la roca

PETÖFI, *Sandor* (1823-1949) Poeta romántico húng., considerado el mayor lírico de su país. *Frondas de ciprés, Janos el valeroso, Canto nacional.*

PETORCA Prov. del centro de Chile, en la región de Valparaíso; 4 728,9 km², 62 337 hab. Cap., La Ligua.

PETRA f. *Chile.* Planta mirtácea con muchas ramas, hojas anchas y flores blancas, dispuestas en panículo. La baya es negra y de sabor agradable. Sus hojas y corteza son medicinales, y el polvo de ellas se usa como insecticida.

PETRA (ár., *Selah,* «la roca») C. de Transjordania meridional. Fue cap. del reino nabateo y más tarde de prov. rom. de Arabia.

PETRARCA, *Francesco* (1304-1374) Poeta y humanista it. Su producción en latín es más numerosa que la escrita en lengua vulgar: *Epistolae, Africa, De viris illustribus, De vita solitaria. Secretum,* la más imp. de todas, es un diálogo en tres partes. En el *Cancionero* canta su amor hacia Laura de Noves. *Los Triunfos* es una visión alegórica.

PETRARQUISTA adj. y s. Admirador de Petrarca, o imitador de su estilo poético. • adj. Relativo a Petrarca.

PETREL m. Nombre común de distintas aves marinas del orden procelariformes. A veces se emplea como sinónimo de paíño. Otras veces designa al p. buceador, de la familia pelecanoídidos.

PETRIFICAR tr. y prnl. Transformar o convertir en piedra, o endurecer una cosa de modo que lo parezca. • fig. Dejar a uno inmóvil de asombro, miedo, etc. ■ PETRIFICACIÓN.

PETRODÓLAR m. *Econ.* Dólar perteneciente a los excedentes monetarios de los países productores de petróleo obtenidos de la venta de crudos.

PETROGRADO Nombre de Leningrado entre 1914 y 1924.

PETROGRAFÍA f. *Geol.* Ciencia que estudia las

Francesco **Petrarca,** por Justo de Gante (s. XV). Palacio Ducal de Urbino, Italia

rocas, especialmente en sus aspectos descriptivos y clasificatorios.

PETROLEAR tr. Pulverizar con petróleo alguna cosa. • Bañar en petróleo alguna cosa. • intr. Abastecerse de petróleo un buque.

Producción mundial de **petróleo** (en miles de t)

Prales. productores	
Arabia Saudita	401 000
EE UU	336 000
Rusia	316 000
Irán	179 000
China	146 000
Venezuela	143 000
México	140 000
Noruega	125 000
Reino Unido	119 000
Emiratos Árabes Unidos	104 000
Kuwait	101 000
Nigeria	91 000
Canadá	85 000
Indonesia	74 000
Total mundial	3 032 000

Petunia

PETRÓLEO m. Líquido aceitoso, de color oscuro, olor característico, más ligero que el agua, constituido por una mezcla de hidrocarburos líquidos naturales, que se encuentra gralte. almacenado en rocas del interior de la corteza terrestre. B PETROLÍFERO, RA.

* *Geol.* De las diferentes hipótesis acerca del origen del p., la más verosímil parece ser la que le atribuye un origen por transformación de restos de sustancias orgánicas, dado su contenido de sustancias ópticamente activas. La formación de un yacimiento comprende las siguientes fases: 1) génesis de los hidrocarburos en el interior de las rocas madres; 2) migración primaria del p. originado en la fase anterior a las denominadas rocas de almacén; 3) dentro de la roca almacén, el p. puede sufrir una migración secundaria, hasta alcanzar las condiciones adecuadas para su acumulación en las denominadas trampas petrolíferas que impiden su dispersión. En ocasiones, los yacimientos subterráneos presentan manifestaciones superficiales, como emanaciones gaseosas y acumulaciones de asfaltos.

PETROLEOQUÍMICA f. Petroquímica.

PETROLERO, RA adj. Relativo al petróleo. • adj. y s. Díc. de la persona que, con fines subversivos, incendia o trata de incendiar por medio del petróleo. • m. y f. Persona que vende petróleo al por menor. • m. Buque cisterna destinado al transporte de petróleo bruto o refinado.

PETROLOGÍA f. *Geol.* Ciencia que estudia las rocas de la corteza terrestre, especialmente en sus aspectos de naturaleza y origen.

PETRÓMIDO adj. y m. *Zool.* Díc. de animales de la familia petrómidos. • m. pl. *Zool.* Familia de mamíferos roedores, integrada por una sola especie, la rata rupestre o de pedregal, que vive en África.

PETROMIZONTE adj. y m. *Zool.* Díc. de animales del orden petromizontes. • m. p l. *Zool.* Orden de vertebrados ciclóstomos, que comprende las lampreas de agua dulce y marinas.

PETRONILA (1136-1174) Reina de Aragón. Hija de Ramiro II el Monje, quien la casó (1150) con Ramón Berenguer IV, conde de Barcelona. Este enlace unió los reinos de Aragón y Cataluña.

PETRONIO, *Cayo* (m. hacia 65) Escritor latino. Su novela *Satiricón* es un interesante documento sobre la decadencia de la aristocracia rom.

PETROPAVLOVSK C. de Kazakistán; 226 000 hab. Ind. maderera.

PETROPAVLOVSK-KAMCHATSKI C. de Rusia, en el Extremo Oriente; 269 000 hab. Ind. conservera.

PETRÓPOLIS C. de Brasil, en el est. de Río de Janeiro; 241 900 hab. Sit. al NE de Río de Janeiro. Ind. textiles y metalúrgicas. Ant cap. del est. (1894-1903).

PETROQUÍMICO, CA adj. Relativo a la petroquímica. • adj. y s. Especialista en petroquímica. • f. Ind. que utiliza el petróleo o el gas natural como materias primas para la obtención de productos químicos.

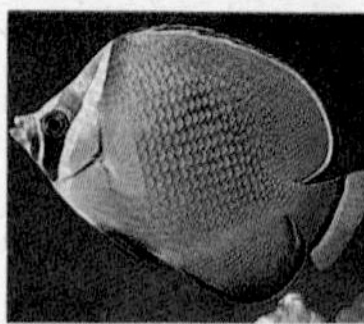

Diversos tipos de **peces.** De arriba abajo: trucha de arroyo; torillo; pez mariposa; raya

PETTORUTI, *Emilio* (1894-1971) Pintor arg. Evolucionó del cubismo al futurismo abstracto. Premio Guggenheim de Las Dos Américas en 1956.

PETTY, SIR ***William*** (1623-1687) Médico y economista irl. Precursor de la estadística y de la demografía. *Anatomía de Irlanda.*

PETULANCIA f. Insolencia, atrevimiento o descaro. • Vana y ridícula pretensión. B PETULANTE.

PETUNIA f. Planta ornamental, originaria de América, con tallo verdoso, hojas lanceoladas, flores con cáliz tubuloso y corola gralte. de color violeta.

PEUCO m. *Chile.* Ave rapaz diurna, de color variable según la edad y el sexo, dominando el gris ceniza.

PEÚCO m. Calcetín o botita de lana para los niños de corta edad. Se usa más en pl.

PEUMO m. *Chile.* Árbol lauráceo, de hoja aovada y fruto rojizo, de pulpa comestible.

PEYNADO, *Jacinto Bienvenido* (1878-1940) Político dom. Presid. provisional de la rep. después del derrocamiento de Vázquez (1930). Vicepresid. y ministro del Interior con Trujillo.

PEYORATIVO, VA adj. Que empeora. Díc. pralm. de los conceptos morales.

PEYOTE m. *Méx.* Cactácea venenosa medicinal.

PEYROU, *Manuel* (1902-1974) Escritor arg. Novelas policíacas. *La noche repetida, Marea de fervor.*

PEYTON, *Francis* (1879-1970) Científico norteam. Descubrió que el cáncer puede ser producido por un virus. Premio Nobel de Medicina en 1968.

PEZ f. Sustancia viscosa, negra o muy oscura, residuo de la destilación del alquitrán, brea, petróleo bruto, etc. • Excremento de los niños recién nacidos. • m. *Zool.* Animal vertebrado acuático, con respiración gralte. branquial y cuerpo recubierto de escamas. Los p. carecen de patas y poseen, en cambio, aletas. Los caracteres indicados no permiten, con todo, una definición de valor absoluto, lo que se debe también al hecho de que constituyen un grupo heterogéneo. • fig. Montón alargado de trigo en la era, o cualquier otro bulto de la misma figura. • fig. y fam. Cosa que se adquiere con utilidad y provecho, especialmente cuando ha costado mucho trabajo. • **aguja.** Nombre aplicado a muchos de los p. del orden signatiformes, por su cuerpo delgado y tubular. • **alga.** Nombre vulgar de un p. signatiforme, caracterizado por los numerosos apéndices filamentosos y laminares que se proyectan de su cuerpo. • **ángel.** Nombre de varias especies de p. marinos perciformes, de brillante colorido, que viven en los fondos coralinos. También se da este nombre a algunas especies fluviales del mismo orden, con el cuerpo comprimido lateralmente y largas aletas filamentosas. • **araña.** Perciforme, llamado también víbora de mar, que vive en los fondos litorales. Posee una espina venenosa en el opérculo. • **arquero.** Perciforme que vive en los ríos de la India y Malasia; debe su nombre a su habilidad para capturar insectos disparándoles gotas de agua. • **ballesta.** Plectognato, con la piel cubierta de escudetes, cuerpo comprimido y la primera aleta dorsal sostenida por fuertes radios espinosos. • **cofre.** Tetrodontiforme que vive en los mares tropicales y del que se conocen numerosas especies, caracterizadas por un cuerpo recubierto por una coraza de pequeñas placas hexagonales. • **de cristal.** Perciforme localizado en las costas tropicales del océano Índico, y cuyo cuerpo es transparente. El nombre se aplica así mismo a varias especies fluviales de otras familias. • **de cuatro ojos.** Especie de agua dulce que vive en América tropical, y cuyos ojos poseen un doble sistema de lentes. • **del diablo.** Especie de gobio. • **de San Pedro.** Gallo, pez marino. • **erizo.** Tetrodontiforme que vive en los mares tropicales, y cuyo cuerpo se halla cubierto de espinas. • **espada.** Perciforme que vive en alta mar, en las regiones templadas del Globo. Su cuerpo se caracteriza por la presencia de una aguda prolongación ósea en la mandíbula superior. • **espátula.** Acipenseriforme del que se conocen dos especies fluviales, localizadas una en América del Norte y otra en China. Su nombre se debe a la presencia de una prolongación en forma de espátula en la mandíbula superior. • **gato.** Cipriniforme cuyo nombre se debe a la posesión de largas barbillas filamentosas y muy sensibles junto

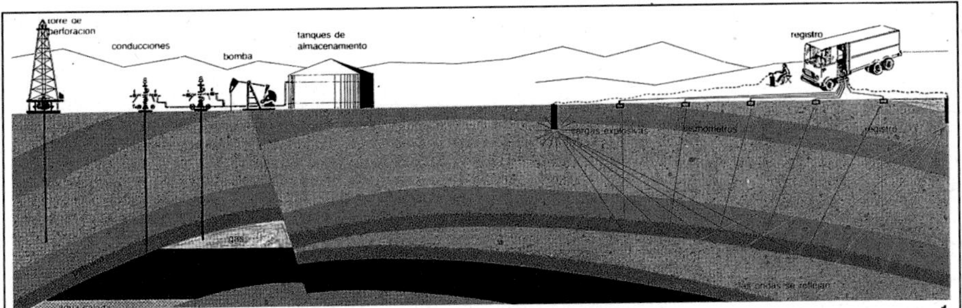

PETRÓLEO

1. El petróleo es el resultado de la degradación bacteriológica de organismos acuáticos, vegetales y animales acumulados en capas sedimentarias. Se encuentra a menudo entre una capa de hidrocarburos gaseosos y una capa de agua salada más densa que él. Para localizarlo se realizan prospecciones petrolíferas, comúnmente con métodos sismográficos: se hace detonar una serie de cargas explosivas y se registran mediante sismógrafos las vibraciones del terreno.
2. La explotación de yacimientos situados bajo el fondo del mar exige la instalación de plataformas petrolíferas.

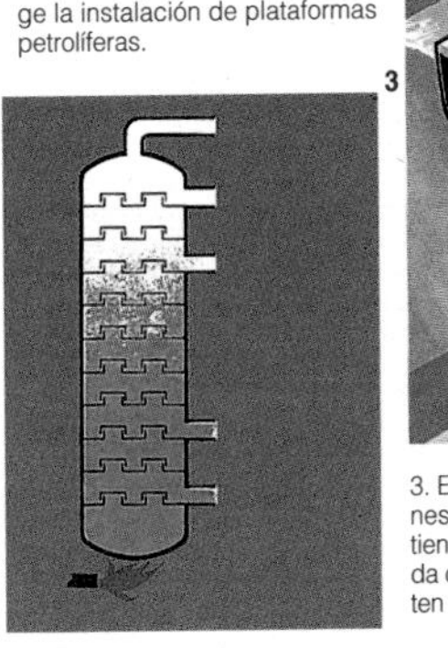

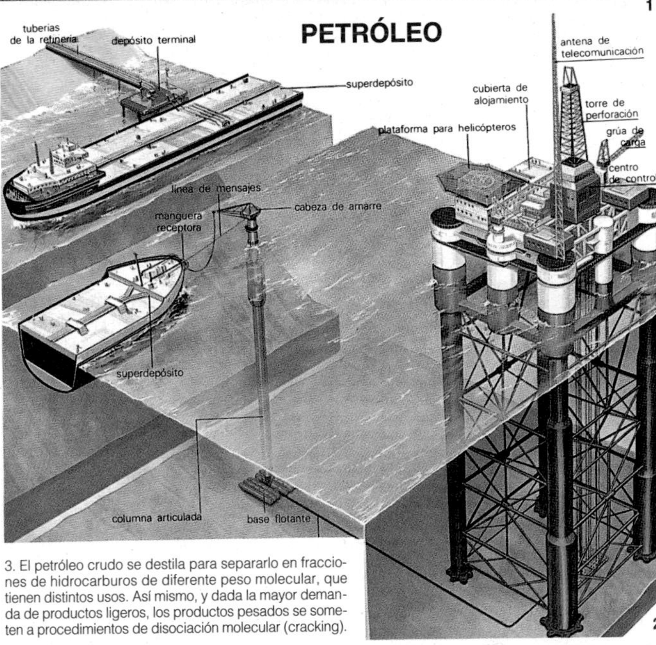

3. El petróleo crudo se destila para separarlo en fracciones de hidrocarburos de diferente peso molecular, que tienen distintos usos. Así mismo, y dada la mayor demanda de productos ligeros, los productos pesados se someten a procedimientos de disociación molecular (cracking).

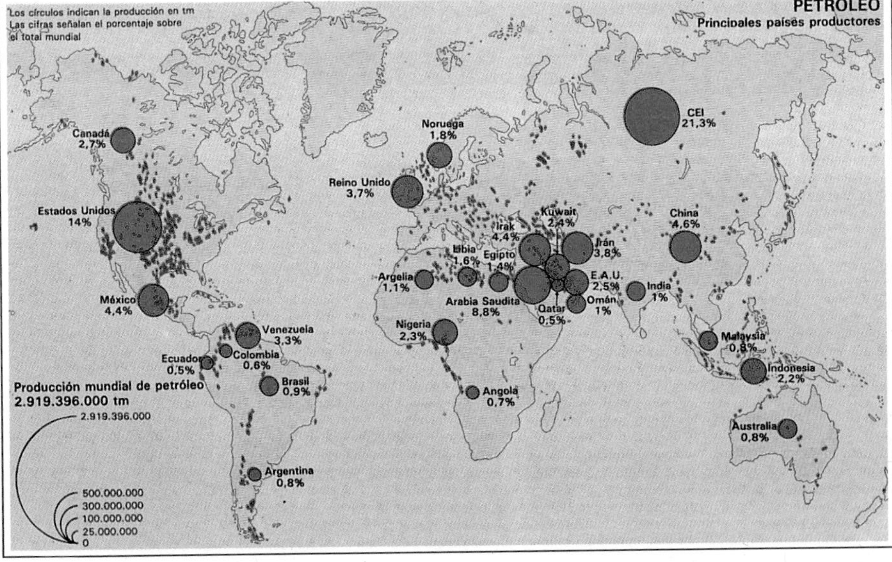

Phnom Penh. Templo budista Vat Phnom

F. **Pi i Margall,** por José Sánchez Pescador. Ateneo de Madrid

Piamonte. Vista de Turín

a la boca. • **globo.** Tetrodontiforme que puede hinchar notablemente su cuerpo. • **gordo.** fig. y fam. Persona de mucha importancia o muy acaudalada. • **hija.** Pintarroja. • **luna.** Tetrodontiforme que vive en alta mar y alcanza grandes dimensiones. • **mariposa.** Nombre que reciben diversos peces a causa de sus aletas torácicas, que remedan grandes alas, o de su brillante colorido. Los más conocidos son los que integran la familia quetodóntidos. • **martillo.** Escualiforme que vive en los fondos marinos tropicales, cerca de las costas. Su cabeza se dilata en dos excrecencias que la asemejan a la de un martillo. • **murciélago.** Nombre que se da a distintos p., de los órdenes perciformes y lofiiformes, a causa de sus aletas torácicas, dorsal y anal, extendidas a manera de alas. • **negro de Alaska.** Pez esociforme que vive en las aguas dulces próximas al Ártico. • **payaso.** Perciforme de la familia pomacéntridos, de vistosa coloración anaranjada y blanca. • **piloto.** Perciforme de la familia carángidos, que presenta la costumbre de seguir o preceder en sus desplazamientos a los grandes p., cetáceos y navíos. • **sierra.** Elasmobranquio rayiforme, propio de los mares tropicales pero que se aventura a menudo en aguas más frías. Posee un largo apéndice provisto de dientes a ambos lados. • **sol.** Nombre que reciben diversas especies de p., bien a causa de su cuerpo redondeado, bien debido a una mancha oscura y circular que presentan en su parte posterior o anterior. • **vela.** Perciformeque presenta una aleta dorsal sumamente desarrollada, que emerge del agua a manera de una vela. • **volador.** Nombre de diversos p. beloniformes, caracterizados por el gran desarrollo de sus aletas pelvianas y torácicas, que les sirven para volar sobre el agua. • **zorro.** Escualiforme muy parecido al marrajo, dotado de una cola asimétrica en la que el lóbulo dorsal es excepcionalmente largo.

* *Zool.* El término engloba a cuatro clases de vertebrados: los agnatos, o vertebrados sin mandíbulas; los peces acorazados de la era primaria, y las dos grandes clases actuales, los de esqueleto óseo u osteíctios, y los de esqueleto cartilaginoso o condroíctios. El cuerpo de los p. suele estar recubierto de escamas. Las aletas forman los órganos más característicos de los p. y tienen función propulsora o estabilizadora. La anatomía interna de los p. corresponde a la de los vertebrados en general. El tubo digestivo comienza en la boca y es semejante al de los demás vertebrados. En los p. óseos, el ano y el sistema urogenital desembocan independientemente, mientras que en los cartilaginosos existe una cloaca. El aparato respiratorio es branquial. Las branquias están constituidas por conjuntos de laminillas muy vascularizadas, sostenidas por los arcos branquiales y comunicadas con la faringe y con el exterior. El aparato circulatorio es bastante simple: el corazón consta sólo de dos cavidades y no recibe más que sangre venosa. El sistema nervioso y los órganos de los sentidos son similares a los de los demás vertebrados. Casi todos los p. son unisexuales. La regla general entre los p. es el oviparismo, pero no faltan especies vivíparas. La fecundación es gralte. externa. Los huevos poseen abundantes reservas de vitelo. El desarrollo suele ser directo y no implica otros cambios que el aumento de tamaño.

PEZ austral → Volador. *Piscis Austrinus.* • **volador.** *Astr.* Constelación cuya denominación latina es *Volans.*

PEZA, *Juan de Dios* (1852-1910) Poeta romántico mex. *Cantos del hogar.*

PEZET, *Juan Antonio* (1810-1879) Militar y político per. Presid. (1863-1865). Fue derrocado a causa del mov. popular de oposición que originó su política.

PEZIZAL adj. y f. *Bot.* Díc. de hongos del orden pezizales. • f. pl. *Bot.* Orden de hongos ascomicetos con aparato esporífero carnoso, a veces coriáceo, en forma discal o globosa, con himenio encerrado en la seta.

PEZÓN m. Ramita que sostiene la hoja, la inflorescencia o el fruto en las plantas. • Eminencia cónica, eréctil, situada en el centro de la mama de las hembras y en la que desembocan los conductos galactóforos. • Extremo del eje, que sobresale de la rueda en los carros y coches. • Palo de unos 40 cm de largo por 5 de grueso, que se encaja perpendicularmente en el extremo del pértigo y en el cual se ata el yugo. • En los molinos de papel, extremo y remate del árbol. • fig. Punta o cabo de tierra o de cosa semejante. • fig. Parte saliente de ciertas frutas, como el limón.

PEZONERA f. Pieza de hierro que en los carruajes atraviesa la punta del eje para que no se salga la rueda. • Pieza redonda de diversos materiales, con un hueco en el centro, que usan las mujeres para formar o proteger los pezones cuando crían.

PEZPITA f. Aguzanieves, pizpita.

PEZUELA y Sánchez, *Joaquín de la* (1761-1830) Militar y administrador colonial esp. Virrey del Perú (1816), ante el avance de las fuerzas revolucionarias cedió su puesto al general La Serna (1821).

PEZUÑA f. Uña endurecida y engrosada en que terminan los dedos de los mamíferos ungulados y en la que se apoya el peso del cuerpo. En los équidos se denomina casco.

PFANDL, *Ludwig* (1881-1942) Romanista al. *Introducción al Siglo de Oro, Los grandes místicos españoles, Juana la Loca, Felipe II.*

PFENNIG m. Moneda al., centésima parte del marco.

PFITZNER, *Hans* (1869-1949) Compositor al. Intentó la síntesis entre Wagner, Schumann y Brahms. Autor de la ópera *Palestrina.*

PFORZHEIM C. de Alemania, en el land de Baden- Württemberg; 104 000 hab. Centro industrial.

pH *Quím.* Magnitud que expresa el grado de acidez (pH menor que 7) o de alcalinidad (pH mayor que 7) de una solución.

PHAM Van Dong (nacido 1906) Político comunista vietnamita. Participó en la fundación del Vietminh. Primer ministro tras la reunificación vietnamita (1976-1987).

PHANOTRÓN m. *Electr.* Componente electrónico consistente en un recipiente de vidrio o acero que contiene gas a baja presión, y un ánodo y un cátodo termoiónicos.

PHI f. Vigésima primera letra del alfabeto gr. (φ), que se pronuncia *fi.* En latín se representa por *ph*, y en los idiomas neolatinos con estas mismas letras, o sólo con *f*, como en castellano.

PHILIPE, *Gérard* (1922-1959) Actor fr. Intérprete de obras dramáticas (*Calígula, El Cid, Lorenzaccio*) y de películas (*La belleza del diablo, Las maniobras del amor*).

PHILLIPS, *Wendel* (1811-1884) Político norteam. Presid. (1865) de la Sociedad Antiesclavista, defendió los derechos de los indígenas. Contrario a la anexión de Texas y a la guerra con México.

PHNOM PENH Cap. de Camboya, al S del país; 400 000 hab. Puerto fluvial sobre el Mekong. Centro agrícola, comercial e industrial. En 1975, su asedio y captura por los khmers rojos supuso el final del régimen de Lon Nol.

PHOENIX C. de EE UU, cap. del est. de Arizona; 983 400 hab. (2 122 100 la agl. urb.). Ind. alimentaria, curtidos.

PHOENIX *Astr.* Constelación que se encuentra al E de la estrella *Achernar.* Su denominación castellana es Fénix.

PHOT m. *Fís.* Unidad de iluminación en el sistema cegesimal. Es la intensidad luminosa de una superficie alumbrada por un flujo de un lumen/cm^2.

PHYLUM m. Categoría taxonómica que en botánica corresponde a la división, y en zoología al tipo.

PI f. Decimosexta letra del alfabeto gr. (π), que corresponde a la que en cast. se llama *pe.* • *Mat.* Núm. trascendente, de valor aproximado 3,1416, que representa la razón, constante, entre una circunferencia y su diámetro.

PI i Margall, *Francesc* (1824-1901) Político esp. Dirigente del partido Republicano y defensor del federalismo. Fue presid. de la I República (abril-julio 1873). *Las nacionalidades.*

PIACENZA → Plasencia.

PIADOSO, SA adj. Benigno, blando, misericordioso, que se inclina a la piedad y conmiseración. • Aplícase a las cosas que mueven a compasión o se originan de ella. • Religioso, devoto.

PIAF, *Édith Giovanna Gassion,* llamada ***Édith*** (1915-1963) Cantante fr., de voz profunda y desgarrada. Popularizó *La vie en rose, Je ne regrette rien, Milord.*

PIAFAR intr. Alzar el caballo, ya una mano, ya

otra, dejándolas caer con fuerza y rapidez casi en el mismo sitio de donde las levantó.

PIAGET, ***Jean*** (1896-1980) Psicólogo y pedagogo suizo. Son imp. sus estudios sobre psicología genética. Se dedicó pralte. al estudio de la evolución mental en el niño, y defendió que la mentalidad infantil es cualitativamente distinta de la adulta. *El lenguaje y el pensamiento en el niño, La psicología de la inteligencia, Introducción a la epistemología genética, Psicología y pedagogía.*

PIAL m. *Amér.* Lazo.

PIALA f. *Argent.* y *Chile.* Lazada que se tira a las patas de un animal.

PIALAR tr. *Amér.* Apealar.

PIAMADRE o **PIAMÁTER** f. *Anat.* La más interna de las tres membranas que constituyen las meninges.

PIAMONTE *(Piemonte)* Región de Italia, fronteriza con Francia y Suiza; 25 399 km², 4 302 600 hab. Cap., Turín. Relieve accidentado por el Mont Blanc (4 807 m). Ríos: Po, Dora y Tanaro. Vinos. Ind. automovilística, mecánica, química. Energía eléctrica.

PIAMONTÉS, SA adj. y s. Del Piamonte.

PIAN (voz tupí o guaraní) m. Enfermedad contagiosa, propia de los países cálidos, caracterizada por la erupción de la cara, manos, pies y regiones genitales, de unas excreciones blancas o rojas, susceptibles de ulcerarse. Afecta sobre todo a los jóvenes de raza negra.

PIAN, PIAN o **PIAN, PIANO** m. adv. fam. Poco a poco, a paso lento.

PIANISSIMO (voz it.) adv. modo. *Mús.* Término que indica una extrema suavidad en la ejecución.

PIANO (voz it.) adv. modo. *Mús.* Con sonido suave y poco intenso. • fam. Suavemente, despacio.

PIANO m. Instrumento músico de teclado y cuerdas percutidas. Se compone pralm. de cuerdas metálicas, de diferente longitud y diámetro, que ordenadas de mayor a menor en una caja sonora, y heridas por macillos, producen sonidos claros y vibrantes, tanto más o menos intensos cuanto es más o menos fuerte la pulsación de las teclas. • **de cola.** El que tiene la caja de resonancia en posición horizontal. • **de manubrio.** Organillo. ■ PIANISTA; PIANÍSTICO, CA.

PIANOLA f. Piano que puede tocarse mecánicamente por pedales o por medio de corriente eléctrica. • Aparato que se une al piano y sirve para ejecutar mecánicamente las piezas preparadas al objeto.

PIAPIA f. *Amér. Centr.* Especie de urraca muy dañina para la agricultura.

PIAPOCO adj. y s. Díc. del pueblo amerindio que vive junto al r. Guaviare, en Venezuela.

PIAR intr. Emitir algunas aves, y especialmente el pollo, cierto gén. de sonido o voz. • fig. y fam. Llamar, clamar con anhelo, deseo o insistencia por una cosa. ■ PIADA.

PIAR, ***Manuel Carlos*** (1782-1817) Patriota ven. Miembro de la Junta de Caracas, colaboró en la destitución del capitán general Emparán y se alistó en el ejército patriota, del que fue proclamado jefe (1814). Tras las victorias de El Juncal y San Félix, se opuso a la dirección de Bolívar, pero fue ejecutado.

PIARA f. Manada de cerdos, y p. ext. la de yeguas, mulas, etc.

PIARDA adj. y s. Díc. del pueblo amerindio que vive junto al r. Orinoco.

PIASTRA f. Moneda de plata, de valor variable según los países que la usan.

PIAUÍ Est. del NE de Brasil, limitado al N por el Atlántico; 251 273 km², 2 657 000 hab. Cap., Teresina; c. pral.: Parnaíba. El relieve está formado por una llanura baja en la que desemboca el Parnaíba. Clima cálido. Algodón, caña de azúcar, tabaco, fríjoles, mandioca y sisal. Maderas tintóreas y para la construcción.

PIAZZETTA, ***Giovanni Battista*** (1682-1754) Pintor veneciano. Su juego de luces se aleja del rico colorido veneciano. *Aparición de la Virgen a san Felipe Neri.*

PIAZZI, ***Giovanni*** (1746-1826) Astrónomo it. Descubridor del asteroide Ceres y autor de un catálogo de estrellas.

PIAZZOLLA, ***Ástor*** (1921-1992) Compositor y músico arg. Ha enriquecido el tango con influencias del jazz. *Tres movimientos sinfónicos, Tango en fa* (ballet).

PIBE, BA m. y f. *Argent.* Pebete, muchacho, niño.

PIBERÍO m. *Argent.* Conjunto de pibes.

PIC m. En la baraja fr., pica. Se usa más en pl.

PICA f. Especie de lanza larga, compuesta de un asta con un hierro pequeño y agudo en el extremo superior. • Garrocha del picador de toros. • Escoda con puntas piramidales en los canteros para labrar piedra no muy dura. • Medida para profundidades, equivalente a 14 pies, o sea 3,89 m. • Soldado armado de pica. • Uno de los palos de la baraja francesa. Se usa más en pl. • *Col.* y *Perú.* Resentimiento. • *P. Rico.* Ruleta instalada en pabellones o quioscos construidos alrededor de la iglesia, para celebrar fiestas patronales. • *Pat.* Perversión del sentido del gusto, que induce a comer materias extrañas no comestibles, e incluso repugnantes.

PICABIA, ***Francis*** (1879-1953) Pintor fr., de origen esp. Participó en el mov. cubista y, con M. Duchamp, creó el dadaísmo. Evolucionó hacia la abstracción. *Máquinas irónicas, ¿Cuál es el título?, No quiero pintar más, Parada amorosa.*

PICACERO, RA adj. Aplícase a las aves de rapiña, que cazan picazas. • *Chile, Ecuad.* y *Perú.* Comezón.

PICACHO m. Punta aguda, a modo de pico, que tienen algunos montes y riscos.

PICACULO m. *Amér.* Tijereta o cortapicos, insecto.

PICADERO m. Lugar donde los picadores adiestran y trabajan los caballos, y las personas aprenden a montar. • Madero con una muesca en medio donde los carpinteros aseguran las cuñas y otros palos que adelgazan con la azuela. • Hoyo que hacen los gamos escarbando el suelo con las manos, al mismo tiempo que se aguzan los cuernos contra los árboles en la época del celo o ronca. • *Mar.* Cada uno de los maderos cortos que se colocan a lo largo del eje longitudinal de un dique o grada, y en sentido perpendicular al mismo, para que sobre ellos descanse la quilla del buque. • fig. y fam. Lugar que se destina a entrevistas amorosas.

PICADILLO m. Cierto gén. de guisado que se hace picando carne cruda con tocino, verduras y ajos, y cociéndolo y sazonándolo todo con especias y huevos batidos. • Lomo de cerdo, picado, que se adoba para hacer chorizos.

PICADO, DA adj. Díc. del patrón que se traza con picaduras para señalar el dibujo, entre las encajeras. • Aplícase a lo que está labrado con picaduras o sutiles agujerillos puestos en orden. • *Amér.* Casi ebrio, calamocano. • m. Picadillo, cierto guisado. • *Aer.* Movimiento del avión cuando empieza a descender, que puede ser más o menos acentuado según el ángulo que la línea de vuelo forme con el horizonte. • *Mús.* Modo de ejecutar una serie de notas interrumpiendo momentáneamente el sonido entre unas y otras. • *Amér.* Borracho. • f. Picotazo. • Picadura, punzada. • *Amér.* Vado estrecho. • *Amér.* Senda abierta en un bosque. • *Chile* y *Perú.* Carbunclo del ganado.

PICADO Michalski, ***Teodoro*** (1900-1960) Político cost., conservador. Presid. (1944-1948). Originó una guerra civil al negarse a reconocer a Ulate como nuevo presid. electo.

PICADOR m. El que tiene el oficio de domar y adiestrar caballos. • *Taur.* Torero de a caballo que pica con garrocha a los toros. • Tajo de cocina. • *Min.* El que tiene por oficio arrancar el mineral por medio del pico u otro instrumento semejante. • *Amér.* El que abre picadas.

PICADURA f. Acción y efecto de picar una cosa. • Pinchazo. • En los vestidos o calzado, cisura que artificiosamente se hace para adorno o para conveniencia. • Mordedura o punzada de un ave o un insecto o de ciertos reptiles. • Tabaco picado para fumar, que, según lo esté en filamentos o en partículas informes, se llama en hebra o al cuadrado. • Principio de caries en la dentadura.

PICAFIGO m. Papafigo, pájaro.

PICAFLOR m. Pájaro mosca. • fig. *Amér.* Tenorio, seductor.

PICAMADEROS m. *Zool.* Nombre común de diversas aves de la familia pícidos o pájaros carpinteros, adaptadas a la caza de insectos que viven en

Piano de cola

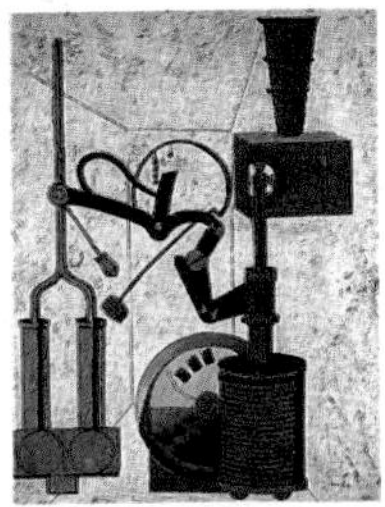

Parada amorosa, óleo de F. **Picabia.** Colección particular, Chicago (EE UU)

Picamaderos

la madera o bajo las cortezas. Su pico es muy largo y la lengua larga y vermiforme.

PICANA f. *Amér. Merid.* Aguijada, vara para aguijar a los bueyes. • *R. de la Plata.* Carne del cuarto trasero en el ganado vacuno. • Porra electrificada. • Tortura que se lleva a cabo con dicha porra.

PICANEAR tr. *Amér. Merid.* Aguijar, picar a los bueyes con la aguijada.

PICANTE adj. Que pica. • fig. Aplícase a lo dicho con cierta acrimonia o mordacidad, que, por tener en el modo alguna gracia, se suele escuchar con gusto, o a lo que expresa ideas o conceptos un tanto libres. • m. Acerbidad o acrimonia que tienen algunas cosas, que avivan el sentido del gusto. • fig. Acrimonia o mordacidad en el decir. • *Amér.* Guiso aderezado con mucho pimiento.

PICANTERÍA f. *Perú.* Lugar donde se venden pralm. guisos picantes.

PICAPEDRERO m. Cantero, el que labra las piedras.

PICAPICA f. Polvos, hojas o pelusilla vegetales que, aplicados sobre la piel de las personas, causan una gran comezón. Proceden de varias clases de árboles amer.

PICAPLEITOS m. fam. Pleitista. • fam. Abogado sin pleitos, que anda buscándolos. • fam. Abogado enredador y rutinario. • fam. y despect. Abogado.

PICAPORTE m. Instrumento para cerrar de golpe las puertas y ventanas. • Llave con que se abre el picaporte. • Llamador, aldaba.

Portada de la edición de la novela **picaresca** *Guzmán de Alfarache,* publicada en Amberes en el año1681

PICAR tr. Herir leve y superficialmente con instrumento punzante. • *Taur.* Herir el picador al toro en el morrillo con la garrocha, procurando detenerlo cuando va a arremeter al caballo. • Punzar o morder las aves, los insectos y ciertos reptiles. • Cortar o dividir en trozos muy menudos. • Tomar las aves la comida con el pico. • Morder el pez el cebo puesto en el anzuelo para pescarlo; y p. ext., acudir alguien a un engaño o caer en él. • tr. e intr. Causar o producir escozor o comezón en alguna parte del cuerpo. • Enardecer el paladar ciertas cosas excitantes; como la pimienta, la guindilla, etc. • Comer uvas de un racimo tomándolas grano a grano. • tr. Espolear. • Adiestrar el picador al caballo. • Herir con la punta del taco de suela la bola de billar, de modo que tome movimientos distintos de los ordinarios. • Recortar o agujerear papel o tela haciendo dibujos. • En los transportes públicos, taladrar el revisor los billetes de los pasajeros con un sacabocados especial. • Golpear con herramienta adecuada la superficie de las piedras para labrarlas, o la de las paredes para revocarlas. • tr. e intr. fig. Mover, excitar o estimular. • tr. fig. Enojar y provocar a otro con palabras o acciones. • fig. Desazonar, inquietar, estimular. Díc. regularmente de los juegos. • *Mar.* Cortar con hacha u otro instrumento cortante. • *Mar.* Precipitar la boga. • *Mar.* Hacer funcionar una bomba. • *Mil.* Seguir al enemigo que se retira, atacando la retaguardia de su ejército. • *Mús.* Hacer sonar una nota de manera muy clara, dejando un cortísimo silencio que la desligue de la siguiente. • *Pint.* Concluir con algunos golpecitos graciosos y oportunos una cosa pintada. • intr. Calentar mucho el sol. • Tomar una ligera porción de uno o varios manjares. • Abrir un libro a la ventura para disertar sobre el punto que aparezca a la vista. • fig. Empezar a obrar o tener su efecto algunas cosas no materiales. • fig. Tener ligeras o superficiales noticias de las facultades, ciencias, etc. • fig. Junto con la prep. *en*, tocar, llegar, rayar. • prnl. Agujerearse la ropa por la acción de la polilla. • Dañarse o empezar a pudrirse una cosa, y también avinagrarse el vino o carcomerse las semillas. • Díc. también de los animales que están en celo por haber conocido hembra. • Agitarse la superficie del mar formando olas pequeñas a impulsos del viento. • fig. Ofenderse, enfadarse o enojarse a causa de alguna palabra o acción ofensiva o indecorosa. • fig. Preciarse, jactarse de alguna cualidad o habilidad que se tiene. • fig. Dejarse llevar de la vanidad creyendo poder ejecutar lo mismo o más que otro en cualquier línea. • *Aer.* Descender un avión con trayectoria aproximadamente perpendicular al suelo. • *Amér.* Emborracharse. • **Picárselas.** fig. *Arg.* Irse rápidamente. ■ PICAJOSO, SA; PICOTADA; PICOTAZO; *Amér.* PICOTÓN.

Mary **Pickford**

Gertrude Stein, óleo de Pablo Ruiz **Picasso.** Metropolitan Museum, Nueva York (EE UU)

PICARDEAR tr. Enseñar a alguno a hacer o decir picardías. • intr. Decirlas o ejecutarlas. • Retozar, enredar, hacer travesuras. • prnl. Resabiarse, adquirir algún vicio o mala costumbre.

PICARDÍA f. Acción baja, ruindad, vileza, engaño o maldad. • Bellaquería, astucia o disimulo en decir o hacer una cosa. • Travesura de muchachos, chasco, burla inocente. • Intención o acción deshonesta o impúdica. • Junta o gavilla de pícaros. • pl. Dichos injuriosos, denuestos.

PICARDÍA *(Picardie)* Región del N de Francia; 19 400 km^2, 1 810 700 hab. Cap., Amiens. Comprende los dptos. de Aisne, Oise y Somme. Constituida por una meseta avenada por el Somme y sus afl. Clima templado. Cereales, remolacha, forrajes. Ind. textil.

PICARDO, DA adj. y s. De Picardía. • m. *Ling.* Dialecto del fr. hablado en Picardía.

PICARESCO, CA adj. Relativo a los pícaros. • *Lit.* Aplícase a las obras literarias en que se pinta la vida de los pícaros, y a este género de literatura. • f. Junta de pícaros. • Profesión de pícaros.

* *Lit.* Como gén. literario se inicia en España en el s. XVI, cobrando gran auge en el Siglo de Oro. Las primeras grandes obras fueron el *Lazarillo de Tormes* (anónimo, 1544) y el *Guzmán de Alfarache,* de Mateo Alemán (1559-1604). Todas las obras participan de la misma estructura: una sucesión de episodios, encadenados únicamente por la presencia del pícaro. La búsqueda de originalidad obligó a los autores post. a extender el área geográfica en que se mueve el protagonista *(La vida del Buscón, llamado don Pablos,* Quevedo, 1620).

PÍCARO, RA adj. Bajo, ruin, doloso, falto de honra y vergüenza. • Astuto, taimado. • adj. fig. Dañoso y malicioso en su línea. • m. *Lit.* Tipo de persona descarada, traviesa, bufona y de mal vivir, representada en las obras de la literatura picaresca.

PICARÓN, NA adj. Muy pícaro. • m. *Chile* y *Perú.* Especie de buñuelo.

PICASSO, *Pablo Ruiz* (1881-1973) Pintor, escultor, grabador y ceramista esp. Estudió en la Escola de la Llotja de Barcelona y en la Academia de San Fernando de Madrid. En 1901 realizó su primer viaje a París. Su obra entre esta fecha y 1904 constituye la denominada «época azul» (*Viejo judío, Guitarrista ciego, El loco, Planchadora, Muchacha de la corneja*). En 1904 fijó su residencia en París y entró en la «época rosa»: *El aseo, Caballos en el baño, Retrato de la señora Canals, Los volatineros, Acróbata y joven equilibrista, Los dos hermanos, Retrato de Gertrude Stein, Les demoiselles d'Avignon.* En 1909 inicia su etapa cubista (*La fábrica de Horta*), la cual sufre un nuevo cambio en 1913 con el uso del collage. En los años 20 vuelve a un cierto realismo figurativo (*Dos mujeres que corren por la playa*). Este periodo culmina con la *Mujer sentada en la playa.* En 1930 abre un taller de escultura. En 1937 pinta el *Guernica.* Post. se entrega a la litografía y a la cerámica, y expresa su concepción pacifista de la vida (*Paloma de la paz*). En su última época realiza interpretaciones de pintores del pasado (serie de *Las meninas*).

PICATOSTE m. Rebanadilla de pan tostada con manteca o frita.

PICAZO, ZA adj. y m. Díc. del caballo o yegua de color blanco y negro. • f. Urraca. • m. Picotazo.

PICAZÓN f. Desazón y molestia que causa una cosa que pica en alguna parte del cuerpo. • fig. Enojo, desabrimiento o disgusto.

PICAZUROBA f. Ave galliforme parecida a la tórtola.

PICCARD, *Auguste* (1884-1962) Físico suizo. Realizó dos ascensiones a la estratosfera, llegando a 15 781 y a 16 000 m de alt. También efectuó inmersiones en el batiscafo de su invención, alcanzando 3 150 m.

PICCINNI, *Niccolò* (1728-1800) Compositor it. de óperas. *Rolando*, *Atys*, *Ifigenia en Táuride*.

PICCOLI, *Michel* (nacido 1925) Actor cinematográfico y teatral fr. *La gran comilona*, *Dillinger ha muerto*, *Tamaño natural*, *Bella de día*.

PICEA f. Árbol parecido al abeto común, con hojas puntiagudas y piñas delgadas y colgantes al extremo de las ramas superiores.

PÍCEO, A adj. De pez o parecido a ella.

PICHA f. fam. Pene, miembro viril.

PICHAGUA f. *Ven.* Fruto del pichagüero.

PICHAGÜERO m. *Ven.* Árbol de la fam. bignoniáceas. • *Ven.* Especie de calabaza.

PICHANA f. *Argent.* Escoba rústica hecha con un manojo de ramitas.

PICHANGA f. *Col.* Escoba.

PICHE m. *Amér. Centr.* Ave parecida al gorrión, muy abundante en ríos y lagunas.

PICHEL m. Vaso alto y redondo, ordinariamente de estaño, algo más ancho del suelo que de la boca y con su tapa engoznada en el remate del asa.

PICHI m. Vestido femenino sin mangas y escotado, cuya parte superior es, a veces, un peto con tirantes. • *Chile.* Arbusto de la familia solanáceas de flores blancas. Se usa en medicina como diurético.

PICHI m. *Argent.* y *Chile.* Pipí, pis, orina. • fam. *Bol.* Pene.

PICHICATO adj. *Amér.* Cicatero.

PICHICHIO m. *Amér. Centr.* Planta de frutos venenosos, usados para matar cucarachas.

PICHICHO m. *Argent.* Perrito.

PICHICIEGO m. *Amér. Merid.* Pequeño armadillo que carece de cola; las placas cubren tan sólo su dorso y tiene un escudo córneo sobre los cuartos traseros. • *Argent.* Corto de vista.

PICHINCHA f. *Amér.* Suerte, ganga.

PICHINCHA Macizo volcánico de Ecuador (prov. de Pichincha), sit. en la cordillera Occidental de los Andes. Comprende el Guagua Pichincha (4 783 m) y el Rucu Pichincha.

PICHINCHA Prov. del centro-N de Ecuador; 12 914 km^2; 1 756 228 hab. Cap., Quito. Atravesada por los ramales Oriental y Occidental de los Andes: Cayambe (5 790 m), Antisana (5 704 m), Pichincha (4 794 m). Ríos: Guayllabamba y Pita. Su carácter andino y ecuatorial genera diversidad de microclimas. Maíz, habas tubérculos, Ganadería bovina. Imp. centro industrial (textil, alimentaria, metalúrgica).

PICHIRUCHE m. *Chile.* Persona insignificante.

PICHOA f. *Chile.* Planta euforbiácea, de raíz gruesa, hojas alternas, ovaladas y oblongas que terminan en umbelas trífidas. Es purgante.

PICHÓN, NA m. Pollo de la paloma. • m. y f. fig. y fam. Nombre que suele darse a las personas en señal de cariño.

PICHULA intr. *Chile* y *Perú.* Miembro viril.

PICHULEAR intr. *Chile.* Engañar. • *Argent.* y *Ur.* Hacer negocios de poca importancia.

PÍCIDO, DA adj. y m. *Zool.* Díc. de animales de la familia pícidos. • m. *Zool.* Familia de aves piciformes, en la que se incluyen 210 especies, la mayoría de las cuales corresponden a los → picamaderos.

PICIO n. p. m. que aparece en la exp. fig. y fam. • **más feo que P.**, aplicada a la persona extraordinariamente fea.

PICKFORD, *Mary* (1893-1979) Seud. de *Gladys Mary Smith.* Actriz de cine norteam., dedicada también a la producción. Su carrera concluyó al llegar el sonoro. *Cenicienta*, *Madame Butterfly*, *Papaíto piernas largas*.

PICK-UP (voz ing.) m. *El.* Aparato destinado a convertir las oscilaciones acústicas, grabadas en un disco fonográfico, en variaciones de tensión y de corriente en un circuito eléctrico, mediante una aguja que entra en vibración al recorrer el surco del disco, y hace variar el flujo inducido en una bobina.

PICNIC (voz ing.) m. Comida campestre.

PÍCNICO, CA adj. y s. *Med.* Díc. del tipo morfológico caracterizado por el predominio de las formas redondas. Los p. tienen tendencia a la obesidad, a la ciclotimia y a la psicosis maniacodepresiva.

PICNÓMETRO m. Aparato para determinar la densidad de cuerpos líquidos y sólidos. Es un recipiente de vidrio aforado, provisto de termómetro.

PICNONÓTIDO, DA adj. y m. *Zool.* Díc. de animales de la familia picnonótidos. • m. pl. *Zool.* Familia de aves paseriformes, en la que se incluyen los bulbules, de canto melodioso y alegre, que viven pralm. en África.

PICO– Pref. que indica la billonésima parte de una unidad (10^{-12}).

PICO m. *Zool.* Órgano sit. junto a la boca de ciertos animales y que se encarga de la prensión del alimento. • Parte puntiaguda que sobresale en la superficie o en el borde de alguna cosa. • Herramienta de cantero, con dos puntas opuestas aguzadas, y provista de un mango largo de madera. • Instrumento formado por una barra de hierro o acero, encorvada, aguda por un extremo y con un ojo en el otro para enastarla en un mango de madera. Usado para cavar, remover piedras, etc. • Punta acanalada que tienen en el borde algunas vasijas, para que se vierta con facilidad el líquido que contengan, y en los candiles y velones, para que la mecha no arda más de lo necesario. • Cúspide aguda de una montaña. • Montaña de cumbre puntiaguda. • Parte pequeña en que una cantidad excede a un núm. redondo. • Cantidad indeterminada de dinero. • fig. y fam. Boca de una persona. • Pinza de las patas delanteras de los crustáceos. • fig. y fam. Elocuencia, facilidad de expresión. • Punta o porción de ganado. • *Chile.* Crustáceo de forma semejante a la cabeza del ave de su nombre y de carne blanca y sabrosa. • Órgano chupador de los hemípteros, que consiste en un tubo que contiene cuatro cerdas largas y punzantes. • Pájaro carpintero. • **barreno.** Pájaro carpintero. • **carpintero.** Pájaro carpintero. • **de cigüeña.** *Bot.* Planta herbácea anual, de la familia geraniáceas, con tallos velludos, hojas pecioladas y flores amoratadas. • **de oro.** fig. Persona que habla bien. • **verde.** Ave trepadora de plumaje verdoso y penacho encarnado. • **Callar** o **cerrar** uno **el,** o **su, p.** fig. y fam. Callar. • fig. y fam. Disimular, o no darse por entendido de lo que sabe. • **Limpiar el p.** fr. fig. y fam. *Cuba.* Matar a alguien.

PICO Isla volcánica de las Azores; 433 km^2, 33 000 hab. Ganadería y viñedos.

PICO della Mirandola, *Giovanni* (1463-1494) Filósofo it., uno de los principales humanistas. Concibió al hombre como suprema realidad de la naturaleza. *Conclusiones philosophicae, cabalisticae et theologicae.*

PICOFEO m. *Col.* Tucán, ave.

PICOGORDO m. Ave paseriforme de pico robusto, con el que parte semillas y granos, que vive en los bosques mixtos y matorrales de Europa.

PICOLA f. Especie de pico pequeño de cantero.

PICOLEZNA m. *Amér. Merid.* Pajarillo de plumaje pardusco, de la familia furnáridos.

PICÓN, NA adj. Díc. del caballo, mulo o asno cuyos dientes incisivos superiores sobresalen de los inferiores, por lo cual no pueden cortar bien la hierba. • m. Chasco, zumba o burla que se hace a uno para picarle e incitarle a que ejecute una cosa. • Picajoso. • *Zool.* Pez pequeño de agua dulce, que tiene el hocico puntiagudo. • Especie de carbón muy menudo hecho de ramas de encina, jara o pino, que sólo sirve para los braseros. • *Col.* Hablador. • **Estar uno p.** *Amér. Centr.* Estar bebido.

PICÓN, *Jacinto Octavio* (1852-1923) Periodista y novelista esp., de tendencia anticlerical y erótica. *Lázaro, Sacramento, Juanita Tenorio.* • **Salas, *Mariano*** (1901-1965) Escritor ven., cultivador del ensayo y la novela. *De la conquista a la independencia, literatura venezolana.*

Diferentes tipos de **pico** de ave

Giovanni **Pico della Mirandola**

Picogordo

PICONERO, RA m. y f. El que fabrica o vende el carbón llamado picón. • m. Picador de toros.
PICOR m. Escozor que resulta en el paladar por haber comido alguna cosa picante. • Picazón, desazón que produce en el cuerpo algo que pica.
PICORETO, TA adj. *Amér.* Picotero.
PICORNELL y Gomila, ***Juan Mariano*** (1759-1825) Político esp. Participó en la conspiración de San Blas (1795). Recluido en América, se puso en contacto con los revolucionarios amer., siendo nombrado intendente de policía de Caracas (1811).
PICOSEGUNDO m. Unidad de medida de tiempo, equivalente a 10^{-12} segundos.
PICOSO, SA adj. Díc. del que está muy picado o señalado de viruelas.
PICOTA f. Rollo o columna de piedra o de fábrica, que había a la entrada de algunos lugares, donde se exponían las cabezas de los ajusticiados, o los reos. • Variedad de cereza de forma algo apuntada, consistencia carnosa y escasa adherencia al pedúnculo. • fig. Parte superior, en punta, de una torre o montaña muy alta.

Huesos del **pie**

PICOTEAR tr. Golpear o herir las aves con el pico. • Picar, comer de diversas cosas y en ligeras porciones. • intr. fig. Mover de continuo la cabeza el caballo, de arriba hacia abajo y viceversa. • fig. y fam. Hablar mucho y de cosas inútiles e insustanciales. • prnl. fig. y fam. Contender o reñir las mujeres entre sí, diciéndose palabras más o menos desagradables. ■ PICOTEADO, DA; PICOTERO, RA.
PICOTIJERA m. Ave de unos 50 cm de largo, de plumaje blanco y negro, y pico con su mitad inferior más desarrollada, con el que «espuma» la superficie del mar volando a pocos cm de ella, para capturar peces. Vive en las costas de América, África y Asia.
PÍCRICO, ***ácido*** m. *Quím.* Compuesto orgánico, llamado también trinitrofenol, que cristaliza en hojuelas de color amarillo débil y cuya disolución acuosa es de color a marillo intenso. Funde a 122 °C y detona si se calienta rápidamente. Forma sales muy bien cristalizadas de color amarillo o rojo.
PICTO, TA adj. y s. Díc. de individuos de un ant. pueblo precelta que se instaló en Escocia hacia el año 1000 a. C. • adj. Relativo a dicho pueblo. • m. pl. Este mismo pueblo.
PICTOGRAFÍA f. Escritura ideográfica que consiste en dibujar toscamente los objetos que han de explicarse con palabras. ■ PICTOGRÁFICO, CA.
PICTOGRAMA m. Ideograma, signo de la escritura de figuras o símbolos.
PICTOR *Astr.* Constelación que presenta una fuente de radiaciones cósmicas de una frecuencia aprox. de 18 megaciclos por seg. Su denominación cast. es Pintor, o Caballete del Pintor.

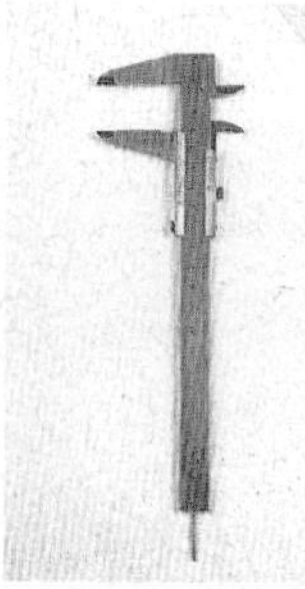
Pie de rey

PICTÓRICO, CA adj. Relativo a la pintura. • Adecuado para ser representado en pintura.
PICUDO, DA adj. Que tiene pico. • Hocicudo. • fig. y fam. Díc. de la persona que habla mucho e insustancialmente. • m. Espetón, hierro largo y delgado.
PIDÉN m. *Chile.* Ave de color aceitunado por encima y rojizo por el vientre, domesticable y de canto melodioso. Frecuenta las riberas.
PIDGIN-ENGLISH (voz ing.) m. Idioma mixto, de base ing., difundido por Extremo Oriente y Melanesia. Existen dos tendencias: el chino y el melanesio, muy utilizado y con tendencia a convertirse en un neomelanesio.
PIDÓN, NA adj. y s. fam. Pedigüeño.
PIE m. Extremidad de cualquiera de los dos miembros inferiores del hombre, que sirve para sostener el cuerpo y andar. • *Zool.* Extremo de los miembros locomotores de los animales, que se mantiene en contacto con el suelo. • Base o parte en que se apoya alguna cosa. • Tallo de la planta y tronco del árbol. • La planta entera. • Poso, hez, sedimento. • Masa cilíndrica de uva ya pisada en el lagar y que se coloca debajo de la prensa para exprimirla y sacar el mosto. • Lana estambrada para las urdimbres. • Imprimación que se usa en los tintes para asegurar y dar permanencia al color definitivo. • En las medias, calcetas o botas, parte que cubre el pie. • Cada una de las partes, de dos, tres o más sílabas, de que se compone y con que se mide un verso en aquellas poesías que atienden a la cantidad. • Cada uno de los metros que se usan para versificar en la poesía castellana. • En el juego, el último en orden de los que juegan, a distinción del primero, llamado mano. • Palabra con que termina lo que dice un personaje en una representación dramática, cada vez que a otro le toca hablar. • Medida de longitud usada en muchos países, aunque con varia dimensión. • Regla, planta, uso o estilo. • Parte final de un escrito, y espacio en blanco que queda en la parte inferior del papel, después de terminado. • Nombre o título de una persona o corporación a la que se dirige un escrito y que se pone al pie de éste. • Explicación o comentario breve que se pone debajo de un grabado. • Parte sobre que se forma una cosa. • Parte opuesta en algunas cosas a la que es pral. en ellas, que llaman cabecera. Se usa más en pl. • Ocasión o motivo de hacerse o decirse una cosa. • *Chile.* Seña, parte del precio que se anticipa en una compra como prenda de seguridad. • Cada una de las partes inferiores de un mueble, que lo sustentan. • pl. Con los adjetivos *muchos*, *buenos* y otros semejantes, agilidad y ligereza en el caminar. • **ambulacral.** Ambulacro. • **de altar.** Emolumentos que se dan a los curas y otros ministros eclesiásticos por las funciones que ejercen. • **de atleta.** *Pat.* Enfermedad de la piel que aparece en los p., gralte. entre los dedos, y está originada por hongos. Se caracteriza por enrojecimiento y aparición de grietas y vesículas. • **de corredera.** P. de rey. • **de imprenta.** Indicación, en una publicación, del impresor o editor, lugar y año de la impresión. • **de león.** Planta herbácea anual, de la familia rosáceas, con tallos erguidos, hojas plegadas y hendidas en cinco lóbulos dentados, y flores verdosas. • **de liebre.** Variedad de trébol, de tallo delgado, muy ramoso, hojas puntiagudas y flores encarnadas y vellosas. • **derecho.** Pieza vertical de madera o hierro que, aislada o formando parte de un entramado, soporta las cargas que sobre ella se apoyan. • Cualquier madero que se usa en posición vertical. • **de rey.** Instrumento con escala o patrón fijo rectilíneo, para medir grosores, diámetros, etc. • **forzado.** Verso o rima fijados de antemano para una composición. • **plano.** Defecto del p. debido a la escasa curvatura de su planta. • **quebrado.** Verso corto, de cinco sílabas como máx. y gralte. de cuatro, que alterna con otros más largos. • **valgo.** P. que se apoya en el suelo por su borde interno. • **varo.** P. que se apoya en el suelo por su borde externo. • **A cuatro pies.** m. adv. A gatas. • **Al p.** m. adv. Cercano, próximo, inmediato a una cosa. • fig. Cerca o casi. • **Al p. de la letra.** m. adv. Literalmente, con gran exactitud. • **A pie.** m. adv. Andando. • **A pie firme.** m. adv. Sin moverse o apartarse del sitio que se ocupaba. • fig. Constante o firmemente, o con seguridad. • **A p. juntillo,** o a **pies juntillas.** m. adv. Con los p. juntos. • fig. Firmemente, con gran porfía y terquedad. • A la letra. • **A p. llano.** m. adv. Sin escalones. • fig. Fácilmente, sin embarazo ni impedimento. • **A p. quedo.** m. adv. Sin mover los p. • fig. Sin trabajo ni esfuerzo. • **Con buen p.** m. adv. fig. Con suerte. • **Con mal p.** m. adv. fig. Con mala suerte. • **Con pies de plomo.** m. adv., fig. y fam. Despacio, con cautela y prudencia. • **Con p. derecho.** m. adv. fig. Con buen agüero, con buena fortuna. • **Con un p. en el hoyo,** o **la tumba.** m. adv. fig. y fam. Cercano a la muerte, por vejez o por enfermedad. • **De a p.** loc. adj. Díc. de los soldados, guardas, monteros y otros, que para sus ocupaciones no usan caballo, por contraposición a los que lo tienen. • fig. y fam. Del pueblo llano. • **De p.,** o **de pies.** m. adv. En pie. • **En buen p.** m. adv. fig. En buen estado, en el orden debido. • fig. Con buen pie. • **En p.** m. adv. con que se denota que uno se ha levantado ya de la cama restablecido de una enfermedad, o que no hace cama por ella. • Empléase también para explicar la forma de estar o ponerse uno derecho, erguido o afirmado sobre los pies. • fig. Con permanencia y duración, sin destruirse ni acabarse. • fig. Constante y firmemente. • **En p. de guerra.** loc. adv. Díc. del ejército que en tiempo de paz se halla preparado como si fuese a entrar en campaña. • **P. a tierra.** exp. que se usa para mandar a uno que se apee de la caballería. • Se extiende al que está en un lugar alto para decirle que baje. • loc. Desmontado del caballo. • **Por pies.** m. adv. Corriendo, alejándose rápidamente de un lugar.

Piedad de Miguel Ángel. Basílica de San Pedro, Vaticano

PIE negro *(Blackfoot)* adj. y s. Díc. de individuos de un pueblo indígena norteam. de la familia algonquina. Subsisten unos 9 000 individuos, en las reservas de Alberta (Canadá) y Montana. • m. pl. Este mismo pueblo.

PIECK, *Wilhelm* (1876-1960) Político al. Cofundador del Partido Comunista al. y organizador de la Semana Roja de Berlín (1919). Presid. de la extinta RDA (1948).

PIEDAD f. Virtud que inspira por el amor a Dios devoción a las cosas santas; y por el amor al prójimo, actos de abnegación y compasión. • Amor entrañable que consagramos a los padres y a objetos venerados. • Lástima, misericordia, conmiseración. • Representación en pintura o escultura del dolor de la Virgen al sostener el cadáver de Cristo descendido de la cruz.

PIEDAD CABADAS, *La* o **LA PIEDAD** C. de México, en el est. de Michoacán; 52 400 hab. Centro agropecuario.

PIEDEMONTE m. *Geol.* Área de acumulación suavemente inclinada al pie de un macizo.

PIED-NOIR (voz fr.) adj. y s. Díc. de individuos argelinos de origen europeo. Tras la indep. de Argelia, muchos emigraron a Francia o a España.

PIEDRA f. Sustancia mineral, más o menos dura y compacta, que constituye las rocas. • Piedra labrada con alguna inscripción o figura. • Cálculo urinario. • Granizo grueso. • Lugar donde se dejaban los niños expósitos. • Pedernal de las armas de chispa. • Aleación de hierro y cerio empleada para producir la chispa en los encendedores de bolsillo. • Muela de molino. • **angular.** La que en los edificios hace esquina, juntando y sosteniendo dos paredes. • fig. Base o fundamento pral. de una cosa. • **berroqueña.** Granito, roca muy dura. • **ciega.** La preciosa que no tiene transparencia. • **de afilar,** o **de amolar.** Asperón. • **de cal.** Caliza. • **de chispa.** Pedernal. • **de escándalo.** fig. Origen o motivo de escándalo. • **de fuego.** *Amér. Centr.* Piedra de chispa. • **de lumbre.** Pedernal. • **de moler.** *Amér. Centr.* Piedra plana donde se muele el maíz. • **de pipas.** Espuma de mar. • **de toque.** Jaspe granoso, generalmente negro, que emplean los plateros para toque. • fig. Lo que conduce al conocimiento de la bondad o malicia de una cosa. • **filosofal.** La materia con que los alquimistas pretendían hacer oro artificialmente. • **fina.** Piedra preciosa. • **fundamental.** La primera que se pone en los edificios. • fig. Origen y principio de donde dimana una cosa, o que le sirve como de base y fundamento. • **imán.** Magnetita, mineral de hierro. • **infernal.** Nitrato de plata. Se emplea en cirugía para quemar y destruir carnosidades. • **pómez.** Vidrio volcánico muy poroso y ligero debido a la liberación de los gases que contenía la lava de la que procede. Se usa para pulimentar, en construcción y para la fabricación de papel. • **preciosa.** *Miner.* La fina, dura, rara, transparente o translúcida, y que, tallada, se emplea en adornos de lujo. • **Hallar** uno la **p. filosofal.** fig. Hallar modo oculto de hacer caudal. • **No dejar,** o **no quedar, p. sobre p.** fr. fig. con que se da a entender la completa destrucción y ruina de un edificio, ciudad o fortaleza. • **Poner la primera p.** Efectuar la ceremonia de asentar la piedra fundamental en un edificio notable que se quiere construir. • fig. y fam. Dar principio a una pretensión o negocio. • **Tirar** uno **la p. y esconder la mano.** fig. Hacer daño a otro, ocultando que se lo hace. • **Tirar** uno **piedras a,** o **sobre, su propio tejado.** fig. y fam. Conducirse de modo perjudicial a sus intereses.

PIEDRAS, *Las* C. de Uruguay, en el dpto. de Canelones, en la llanura del Río de la Plata; 66 584 hab. Ind. agropecuaria. Cría del ñandú.

PIEDRAS NEGRAS C. de México, en el est. de Coahuila, junto al río Grande del Norte; 46 700 hab. Centro minero (hierro y carbón) e industrial.

PIEL f. *Anat.* Revestimiento externo del cuerpo humano y de algunos animales. Consta de dos capas: la dermis, en la que terminan los vasos y nervios y que contiene las glándulas sudoríparas y sebáceas, y la epidermis, recubierta externamente por una capa córnea protectora. • Cuero curtido. • *Bot.* Epicarpio de ciertos frutos. • **de Rusia.** Piel adobada a la cual se da olor agradable y permanente por medio de un aceite sacado de la corteza del abedul. • **roja.** Nombre dado por los europeos a los indígenas de América del Norte. • **Ser uno de la,** o **la p. del diablo.** fig. y fam. Ser muy travieso y revoltoso.

PIÉLAGO m. Parte del mar, que dista mucho de la tierra. • *Mar.* • fig. Lo que por su abundancia y copia es dificultoso de enumerar y contar.

PIELITIS f. *Pat.* Inflamación de la pelvis renal.

PIELONEFRITIS f. *Pat.* Inflamación de la pelvis y del intersticio renal.

PIENSO m. Alimento seco que se da al ganado. • En general, alimento para el ganado.

PIERCE, *Franklin* (1804-1869) Político norteam. Presid. de EE UU (1853-1857). Firmó el compromiso de Kansas-Nebraska, por el que cada est. podía mantener o abolir la esclavitud.

PIERNA f. En el hombre, parte de la extremidad inferior comprendida entre la rodilla y el pie. • P. ext., toda la extremidad inferior. • Muslo de los cuadrúpedos y aves. • Cada una de las dos piezas, agudas por uno de sus extremos, que forman el compás. • fig. Tratando de ciertas cosas, la que junto con otras forma o compone un todo. • En los tejidos, desigualdad o falta de rectitud en las orillas o en el corte. • Trazo de la escritura de algunas letras, como la *M* y la *N*, que va de arriba abajo. • **A la p.** m. adv. Díc. del caballo cuando anda de costado. • **A p. suelta,** o **tendida.** m . adv. fig. y fam. con que se explica que uno posee o disfruta una cosa con quietud y sin cuidado.

PIERO della Francesca → Francesca.

PIERO di Cosimo, *Piero di Lorenzo,* llamado (1462-1521) Pintor florentino. Colaboró con su maestro, Cosimo Rosselli, en la capilla Sixtina. *Prometeo*, *Venus*, *Marte y el Amor*, *El descubrimiento de la miel.*

PIÉROLA, *Nicolás de* (m. 1857) Naturalista, jurisconsulto y político per. Diputado y secretario del congreso (1827), ministro de Hacienda (1852). • ***Nicolás de*** (1839-1913) Político per., hijo del anterior. Ministro de Hacienda en el gobierno Balta (1869-1871), se opuso a los intereses de la obligarquía guanera, por lo que fue desterrado (1872). Regresó durante la guerra con Chile y se proclamó presid. (1879), pero hubo de exiliarse tras la derrota militar de 1881. La rev. de 1894 le llevó de nuevo a la presidencia (1895-1898), desde donde saneó la Hacienda.

PIERRE C. de EE UU, cap. del est. de Dakota del Sur; 12 900 hab.

PIERROT Personaje de las pantomimas francesas, adaptación del *Pedrolino de la commedia dell'arte* it.

PIETERMARITZBURG C. de la República Sudafricana, cap. de la prov. de Natal; 179 000 hab. Ind. mecánica, química y alimentaria.

PIETISMO m. Mov. religioso luterano al. del s. XVII. Sus fundadores, P. J. Spener y A. H. Francke, consideraban la piedad como pral. fin de la religión. ■ PIETISTA.

PIEZA f. Pedazo o parte de una cosa. • Moneda de metal. • Alhaja, herramienta, utensilio o mueble trabajados con arte. • Cada una de las partes que suelen componer un artefacto. • Porción de tejido que se fabrica de una vez. • Cualquier sala o aposento de una casa. • Espacio de tiempo o lugar. • Animal de caza o pesca. • Porción de terreno cultivado perteneciente a un dueño. • Cada uno de los objetos que componen un conjunto; o cada unidad de ciertas cosas o productos que pertenecen a una misma especie. • Bolillo o figura de madera, marfil u otra materia, que sirve para jugar a las damas, al ajedrez y a otros juegos. • Obra dramática. • Composición suelta de música vocal o instrumental. • Con calificativo encomiástico, cosa sobresaliente. • **de artillería.** Cualquier arma de fuego no portátil. • **de autos.** *Der.* Conjunto de papeles cosidos, pertenecientes a una causa o pleito. • **Quedarse** uno **de una p.,** o **hecho una p.** fig. y fam. Quedarse sorprendido, suspenso o admirado por ver u oír algo extraordinario o no esperado.

PIEZGO m. Parte correspondiente a cualquiera de las extremidades del animal de cuyo cuero se ha hecho el odre. • fig. Todo cuero adobado o aderezado para transportar líquidos.

PIEZOELECTRICIDAD f. *Fís.* Fenómeno que se presenta en muchos cristales y que consiste en producir una corriente eléctrica cuando se ejerce una presión sobre ellos. ■ PIEZOELÉCTRICO, CA.

Piedra pómez

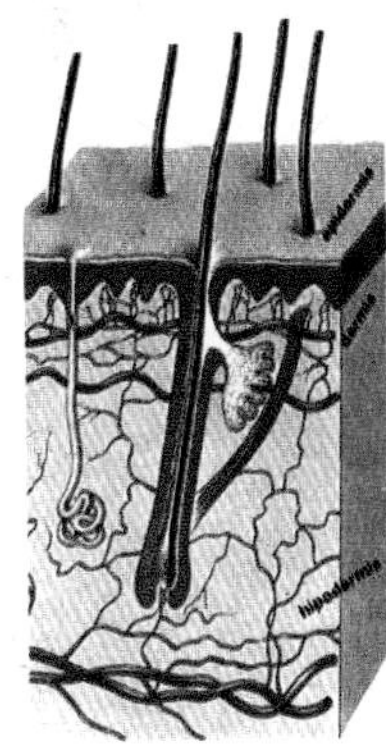

Representación esquemática de la **piel**

Tabla de tema mitológico de **Piero di Cosimo**

PIEZÓMETRO m. *Fís.* Instrumento para medir coeficientes de compresibilidad de sólidos, líquidos o gases.

PÍFANO m. Flautín de tono muy agudo, usado en las bandas militares. • Persona que toca este instrumento.

PIFIA f. Golpe en falso que se da con el taco en la bola de billar o de trucos. • fig. y fam. Error, descuido, paso o dicho desacertado. • *Chile* y *Perú.* Burla, escarnio, rechifla.

Pigargo

PIFIAR intr. Hacer que se oiga demasiado el soplo del que toca la flauta travesera, que es un defecto muy notable. • tr. Hacer una pifia en el billar o en los trucos.

PIGALLE, *Jean Baptiste* (1714-1785) Escultor fr. *El amor y la amistad, Mausoleo de Mauricio de Sajonia.*

PIGARGO m. Ave falconiforme de la familia accipítridos que vive en las costas o en las cercanías de ríos y lagos.

PIGMALIÓN *Mit. gr.* Rey de Chipre. Afrodita hizo que se enamorase de una estatua de marfil que él había creado, y a la que convirtió en mujer (Galatea). P. se casó con ella y de esta unión nació Pafos.

PIGMENTO m. Sustancia que posee color propio por reflexión de determinadas longitudes de onda del espectro visible. ■ PIGMENTACIÓN; PIGMENTAR; PIGMENTARIO, RIA.

PIGMEO, A adj. y s. *Etn.* Díc. del individuo de un grupo racial diferenciado que se caracteriza por su pequeña estatura, inferior a 1,50 m, piel oscura y cabello lanoso y crespo. Los p. africanos habitan en Ruanda y Burundi, N de Zaire (cuenca del Ituri), Camerún y Gabón, y suman entre 100 000 y 150 000 personas. Los p. asiáticos, o negritos, se hallan esparcidos por Filipinas (atas), pen. de Malaca (semang), islas Andamán (mincopíes) e interior de Nueva Guinea. • adj. y fig. Muy pequeño o insignificante.

Pila bautismal y ángel, obra de H. Gerhard (1596). Iglesia de San Miguel, Munich (Alemania)

PIGNORAR tr. Empeñar, dar en prenda. • *Econ.* Constituir un elemento del activo en garantía real de un préstamo o de un crédito. ■ PIGNORACIÓN; PIGNORATICIO, CIA.

PIGRICIA f. Pereza, ociosidad, negligencia, descuido. • *Amér.* Insignificancia. ■ PIGRE; PIGRO, GRA.

PIHUELA f. Correa con que se guarnecen y aseguran los pies de los halcones y otras aves. • fig. Embarazo o estorbo que impide la ejecución de una cosa. • pl. fig. Grillos con que se aprisiona a los reos.

PIHUELO m. *Chile.* Correa que sujeta la espuela.

PIJA f. fam. Pene, miembro viril.

PIJADA f. Pijotería.

PIJAMA m. Prenda para dormir, ligera y de tela lavable, compuesta de chaqueta o blusa y pantalón. En algunos países de América suele usarse como femenino.

PIJAO adj. y s. *Amér. Merid.* Díc. de un pueblo que vivió en el valle del Magdalena y que llegó hasta el valle del Cauca.

PIJE m. *Chile.* Cursi.

PIJO, JA adj. fam. Díc. de las personas cursis, especialmente si son jóvenes y con dinero. • m. fam. Pene, miembro viril.

PIJOTA f. Pescadilla.

PIJOTEAR intr. *Argent.*, *Col.* y *Ur.* Demorar un pago.

PIJOTERÍA f. Menudencia molesta; dicho o pretensión desagradable.

PIJOTERO, RA adj. Díc. despectivamente de lo que produce hastío, cansancio o molestias. • *Col.*, *Cuba* y *Méx.* Mezquino, cicatero.

Pilar de la cripta del Mausoleo de San Víctor, Marsella (Francia)

PILA f. Pieza grande de piedra o de otra materia, cóncava y profunda, donde cae o se echa el agua para varios usos. • Montón, rimero o cúmulo que se hace poniendo una sobre otra las piezas de que consta una cosa. • fig. Parroquia o feligresía. • *Fís.* Generador de corriente eléctrica que utiliza la energía liberada en una reacción química. • *Metal.* Receptáculo en la delantera de los hornos de fundición, en el cual cae el metal fundido. • **atómica.** Reactor nuclear. • **bautismal.** P. para administrar el sacramento del bautismo. • **Daniell.** Generador reversible de energía eléctrica consistente en un electrodo de cinc sumergido en una disolución de iones Zn^2, y otro de cobre colocado en una disolución de iones Cu^2. • **de Leclanché.** La constituida por un electrodo de cinc y otro de carbón rodeado de dióxido de manganeso, sumergidos en una disolución al 20 % de cloruro amónico. • **de mercurio.** Tipo de p. seca de cinc, que posee óxido mercúrico como despolarizador. • **voltaica.** Cilindro formado por varios discos de cobre, cinc y otros metales, colocados alternativamente y separados por una almohadilla de trapo o cartón empapada en una disolución ácida, unidos el primer disco de cinc con el último de cobre con un hilo metálico que conduce la corriente eléctrica.

PILADO, DA adj. *Col.* Fácil. • f. Mezcla de cal y arena que se amasa de una vez. Porción de paño que se abatana de una vez. • Pila, montón de cosas iguales.

PILAPILA f. *Chile.* Planta de la familia malváceas, de tallo rastrero y hojas grandes, usada en medicina.

PILAR m. Pilón, fuente pública a veces adosada a la pared. • Abrevadero. • Hito o mojón que se pone para señalar los caminos. • Especie de pilastra, sin proporción fija entre su grueso y su alt., que se pone aislada en un edificio, o sirve para sostener otra fábrica o armazón cualquiera. • fig. Persona que sirve de amparo. tr. • *Amér. Centr.* Descascar maíz, café, etc., en el pilón.

PILAR Pob. de Argentina, en la prov. de Buenos Aires; 71 400 hab. Ind. agropecuaria. • C. de Paraguay, cap. del dpto. de Ñeembucú; 13 100 hab.

PILASTRA f. *Arq.* Elemento de sostén, de sección cuadrangular, que sobresale de una pared o muro.

PILATOS o **PILATO, *Poncio*** (s. I) Procurador rom. de Judea (26-36). Según el Evangelio, tuvo una actuación decisiva en el proceso y condena de Jesús.

PILATUNA f. *Chile* y *Col.* Acción indecorosa, jugarreta, pillería.

PILCA f. *Amér. Merid.* Tapia hecha con piedras y barro.

PILCHA f. *Chile* y *Ur.* Prenda del recado de montar. • *Argent.*, *Chile* y *Ur.* Prenda de vestir pobre o en mal estado. • *Argent.* Cualquier prenda de vestir.

PILCHE m. *Perú.* Jícara o vasija de madera.

PILCOMAYO Río de América meridional, afl. del Paraguay; 1 100 km. Nace en Bolivia, atraviesa la cord. Oriental de los Andes y separa Paraguay y Argentina hasta desembocar en el r. Paraguay, cerca de Asunción.

PÍLDORA f. Bolita que se hace mezclando varios medicamentos con un excipiente para administrar por vía oral. • fig. y fam. Pesadumbre o mala nueva que se da a uno. • **Dorar la p.** fig. y fam. Suavizar con artificio y blandura la mala noticia que se da a uno o la contrariedad que se le causa.

PÍLEO m. Especie de gorra que usaban los rom., distintivo de los hombres libres. • Capelo de cardenal. • *Bot.* Parte del cuerpo fructífero de los hongos superiores, en forma de sombrerillo, que constituye la parte superior de la seta.

PILETA f. Pila pequeña que solía haber en las casas para tomar agua bendita. • Pila de cocina o de lavar. • Abrevadero. • *Argent.* Piscina. • *Min.* Sitio para recoger las aguas dentro de las minas.

PILGUANEJO m. *Méx.* Chiquillo desarrapado. *Méx.* y *Hond.* Mequetrefe, infeliz.

PILÍFERO, RA adj. Provisto de pelos.

PILILO, LA m. y f. *Argent.* y *Chile.* Persona andrajosa, sucia.

PILINQUE adj. *Méx.* Arrugado.

PILLAJE m. Hurto, latrocinio, rapiña. • *Mil.* Robo, saqueo hecho por los soldados en país enemigo.

PILLAR tr. Hurtar, robar. • Coger, agarrar o aprehender una cosa. • Alcanzar o atropellar embistiendo. • fam. Coger a uno en engaño o descubrir éste. • Sobrevenir a uno alguna cosa, cogerlo desprevenido, sorprenderlo. • Coger, hallar o encontrar a uno en determinada situación, temple, etc. • tr. e intr. Hallarse en determinada situación local respecto de la persona que es complemento directo; coger.

PILLEAR intr. fam. Hacer vida de pillo, o proceder habitualmente como tal.

PILLERÍA f. fam. Gavilla de pillos. • fam. Calidad de pillo. • fam. Pillada.

PILLO, LLA adj. y s. fam. Díc. de la persona que consigue lo que quiere a base de pequeños engaños.

• adj. y m. fam. Pícaro, granuja. • fam. Sagaz, astuto. • m. *Zool.* Ave zancuda, especie de ibis, blanco con manchas negras, patas y cuello muy largos, pico grueso, convexo y puntiagudo.

PILLOPILLO m. *Chile.* Árbol, especie de laurel, de forma piramidal y flores blanquecinas dioicas. Su corteza interior es purgante y vomitiva.

PILME m. *Chile.* Coleóptero de color negro, muy pequeño, perjudicial para las huertas.

PILNIAK, *Boris* Seud. de *Boris Andreievich Vogan* (1894-h. 1940) Escritor sov. Desapareció en una depuración estalinista. *El año de la miseria, El árbol rojo, El Volga desemboca en el mar Caspio.*

PILO m. Arma arrojadiza, especie de lanza o venablo. • *Chile.* Arbusto de hojas menudas y flo-res amarillas. Su cáscara es un vomitivo muy enérgico.

PILÓN m. Receptáculo de piedra de las fuentes, que se usa como abrevadero, lavadero, etc. • Especie de mortero de madera o de metal, para majar granos u otras cosas. • Pan cónico de azúcar refinado. • Pesa movible que pende del brazo mayor del astil de la romana, y determina el peso de las cosas. • Montón o pila de cal mezclada con arena y amasada con agua, que se deja algún tiempo en figura piramidal para que fragüe mejor cuando se emplee. • Montón en que se colocan las hojas de tabaco para que alcancen su maduración. • Portada de los templos del ant. Egipto.

PILON, *Germain* (h. 1537-1590) Escultor fr. del Renacimiento. Su obra deriva del realismo de finales de la E. Med. y anuncia el dramatismo barroco. Tumba de Enrique II y Catalina de Médicis.

PILONGO, GA adj. Díc. de lo que es extremadamente alto y flaco. • adj. y f. Díc. de una determinada clase de castaña.

PÍLORO m. *Anat.* Orificio de comunicación entre el estómago y el duodeno, provisto de un esfínter. Regula el paso del contenido del estómago al duodeno.

PILORRIZA f. *Bot.* Órgano constituido por varias capas de células que protegen el ápice radical de las plantas superiores.

PILOSO, SA adj. Peludo. • Relativo al pelo.

PILOT m. *Comp.* Lenguaje de programación concebido para la enseñanza. Su utilización no requiere ningún conocimiento de computación. Permite la construcción de programas de enseñanza bastante complejos.

PILOTAJE m. Acción de pilotar. • Ciencia y arte del piloto. • Cierto derecho que pagan las embarcaciones por los servicios de los pilotos prácticos. • Tipo de fundamento constituido por el conjunto de pilotes hincados en el suelo para afirmar los cimientos.

PILOTAR o **PILOTEAR** tr. Dirigir un buque, especialmente a la entrada o salida de puertos, barras, etc. • Dirigir un automóvil, globo, avión, etc.

PILOTE m. Estaca que se hinca en tierra para consolidar los cimientos.

PILOTO adj. Díc. de lo que sirve para modelo o prueba. • adj. y m. Díc. de la lámpara que sirve para indicar el funcionamiento de un aparato eléctrico. • Cada una de las luces de posición de un vehículo. • m. Persona que gobierna y dirige un buque, un avión, un coche de carreras o un globo. • El segundo de un buque mercante. • fig. El que guía una empresa,una investigación o un estudio. • **automático.** Autopiloto. • **de altura.** El que sabe dirigir la navegación en alta mar por las observaciones de los astros.

PILSEN → Plzen.

PILSUDSKI, *Józef* (1867-1935) Político y militar pol. Fue provisionalmente jefe del Est. al concluir la I Guerra Mundial. En 1926 dio un golpe de Est. e impuso una dictadura conservadora.

PILTRAFA f. Parte de carne flaca, que casi no tiene más que el pellejo. • pl. P. ext., residuos de viandas y desechos de otras cosas. • fig. y fam. Persona débil.

PILUCHO, CHA adj. *Chile.* Desnudo.

PIMA adj. y s. Díc. del pueblo mex. de la familia pima-cora que vive en el SO de EE UU y en el est. de Sonora, en México.

PIMENTAL m. Terreno sembrado de pimientos.

PIMENTEL, *Francisco* (1832-1893) Erudito mex. Indigenista. *Cuadro comparativo de las lenguas indígenas de México, Historia crítica de la poesía en México.*

PIMENTERO m. Planta arbustiva de la familia piperáceas, con flores bracteadas y frutos en baya. Toda la planta tiene sabor picante y de ella se obtienen la pimienta negra y la pimienta blanca.

PIMENTÓN m. aum. de pimiento. • Polvo que se obtiene moliendo pimientos encarnados secos. • En algunas partes, pimiento, fruto.

PIMIENTA f. Fruto del pimentero. Es una baya, rojiza, de unos 4 mm de diámetro, que cuando se seca adquiere un color pardo o negruzco; contiene una semilla blanca. Es aromática, ardiente, de gusto picante, y muy usada para condimento. • Cosecha de pimientos. • **blanca.** Aquella a que se le ha quitado la corteza y queda de color casi blanco. • **de Cayena.** Planta herbácea de la familia solanáceas, con hojas lanceoladas, flores blancas y frutos en bayas amarillas y rojizas. • **falsa.** Fruto del turbinto. Es una baya redonda, negra y de un olor y gusto parecidos al de la p. común. • **inglesa.** Malagueta seca y molida, después de haberle quitado la corteza y semillas. • **larga.** Fruto de un pimentero asiático, de hojas largas y flores amarillentas. Se ha usado en medicina. • **loca.** Sauzgatillo. • **negra.** Aquella que conserva la película o corteza. • **silvestre.** Sauzgatillo. • Fruto de esta planta.

Pimentero

PIMIENTILLA f. *Hond.* Arbusto de la familia verbenáceas, que segrega la cera vegetal.

PIMIENTO m. Planta herbácea anual de la familia solanáceas, con hojas ovales, flores blancas y frutos muy picantes en baya hueca. • Fruto de esta planta. • Arbusto de la pimienta, pimentero. Pimentón, p. molido. • Roya, hongo parásito de varios vegetales. • **de bonete.** P. morrón. • **de cerecilla.** Guindilla. • **de cornetilla.** Variedad que tiene la forma de un cucurucho con la punta encorvada. • **de hocico de buey.** Morrón. • **de la India.** Solanácea originaria de América Meridional, semejante al p. común, de fruto redondeado en su ápice y de menor tamaño. • **loco** o **montano.** Sauzgatillo. • **morrón.** Variedad de p. muy carnosa y algo dulce.

Pimientos

PIMPANTE adj. Rozagante, garboso.

PIMPINELA f. Nombre común a diversas especies de plantas de las familias rosáceas y umbelíferas. • **blanca.** Umbelífera con tallo estriado, hojas pinnatisectas, flores blancas y frutos en aquenios lampiños; tiene raíces con propiedades resolutivas. • **mayor.** Rosácea con hojas lampiñas y compuestas, flores agrupadas en espigas y frutos en aquenios protegidos por el receptáculo, muy endurecido. • **menor.** Umbelífera con tallo folioso, hojas compuestas, flores agrupadas en umbelas y raíces diuréticas. • **negra.** P. mayor.

PIMPLAR tr. y prnl. fam. Beber vino.

PIMPOLLECER intr. Echar renuevos o pimpollos las plantas.

PIMPOLLO m. Pino nuevo. • Árbol nuevo. • Vástago o tallo nuevo de las plantas. • Rosa por abrir. • fig. y fam. Niño o niña, y también el joven o la joven que se distinguen por su belleza.

PIMPÓN m. Ping-pong.

PINABETE m. Planta arbórea de la familia abietáceas o pináceas, con hojas planas, ramas obtusas y piñas erguidas.

PINACATE m. *Méx.* Escarabajo de color negruzco y hediondo que suele criarse en lugares húmedos.

PINÁCEO, A adj. y f. *Bot.* Díc. de plantas de la familia pináceas. f. pl. *Bot.* Familia de plantas gimnospermas coníferas, arbóreas, de gran tamaño, con hojas perennes; flores monoicas, y semillas desnudas, a veces encerradas en piñas o conos. Suministran madera, aceites esenciales, resinas y piñones.

PINACOTECA f. Galería o museo de pintura.

PINÁCULO m. Parte superior y más alta de un edificio o templo. • Remate en la arquitectura gótica y, p. ext., en otros estilos; suele ser un adorno piramidal o cónico. • fig. Parte más elevada de una ciencia o de otra cosa inmaterial. • fig. Apogeo, cumbre.

PINAL, *Silvia* (nacida 1932) Actriz cinematográfica mex. *Viridiana, El ángel exterminador.*

PINAR DEL RÍO Prov. de Cuba, en el extremo O de la isla; 10 860 km², 678 000 hab. Cap., la c. hom. C. prales.: Candelaria y La Palma. Tabaco, caña de azúcar, arroz, frutales. Cobre (Matahambre).

Pináculo

Pingüino

Otario de California, mamífero del suborden **pinnípedos**

Detalle de las ramas y las inflorescencias de un **pino**

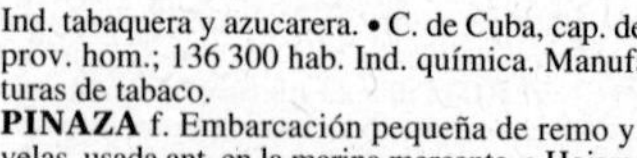

Ind. tabaquera y azucarera. • C. de Cuba, cap. de la prov. hom.; 136 300 hab. Ind. química. Manufacturas de tabaco.

PINAZA f. Embarcación pequeña de remo y de velas, usada ant. en la marina mercante. • Hojarasca del pino y demás coníferas.

PINCARRASCO m. Especie de pino de tronco tortuoso, corteza de color pardo rojizo, hojas largas, y piñas de color canela.

PINCEL m. Instrumento con que el pintor asienta los colores en el lienzo. Se forma introduciendo en un cañón de pluma, madera o metal, los pelos de la cola de una ardilla, fuina, marta u otro animal, ajustándolos o puliéndolos. • Cualquiera de las plumas que los vencejos tienen debajo de la segunda pluma del ala. • f. Mano o sujeto que pinta. • fig. Obra pintada. • fig. Modo de pintar. • **electrónico.** *Electr.* Haz de electrones que, producido entre un ánodo y un cátodo sometidos a una gran diferencia de potencial, es desviado por campos eléctricos y magnéticos, dando lugar a una imagen en una pantalla fluorescente.

PINCELADA f. Trazo o golpe que el pintor da con el pincel. • fig. Exp. compendiosa de una idea o de un rasgo muy caracterizado.

PINCELAR tr. Pintar puertas, cuadros, etc. • Retratar, hacer retratos.

PINCHACO m. *Argent.* Tapir.

PINCHAR tr. y prnl. Picar, punzar o herir con una cosa aguda o punzante. • tr. fig. Picar, estimular. • Enojar. • intr. Sufrir una rueda un pinchazo. Se emplea referido al ocupante u ocupantes de un vehículo automóvil. • **No pinchar ni cortar.** fig. y fam. Tener poco valimiento o influjo en un asunto. ■ PINCHADURA.

PINCHAÚVAS m. fig. y fam. Pillete que en los mercados come la granuja, picándola con un alfiler, palillo u otro instrumento. • fig. y fam. Hombre despreciable.

PINCHAZO m. Punzadura o herida que se hace con instrumento o cosa que pincha. • En un neumático, orificio por donde se produce pérdida de aire. • fig. Hecho o dicho con que se mortifica a uno, o se le incita a que tome una determinación.

PINCHE com. Persona que presta servicios auxiliares en la cocina. • adj. fig. *Méx.* Desgraciado, despreciable. • m. *Argent.* Empleado de oficina.

PINCHITO m. Manjar en pequeñas porciones que suele tomarse ensartado en un palillo o pincho, gralte. como aperitivo. • **moruno.** Pinchito preparado con pequeños trozos de carne, ensartados en un pincho y asados con un condimento picante.

PINCHO m. Aguijón o punta aguda de hierro u otra materia. • Pinchito. ■ PINCHUDO, DA.

PINCHÓN m. Pinzón, pájaro.

PINCHULEAR intr. *Argent.* Adornar con esmero.

PINDÁRICO, CA adj. Propio y característico del poeta gr. Píndaro.

PÍNDARO (518-438 a. C.) El más imp. de los poetas líricos gr. Escribió himnos, peanes (cantos guerreros), ditirambos, trenos (cantos fúnebres) y sus famosos *Epinicios* u *Odas triunfales.*

PINDLING, *Lynden* (nacido 1930) Político de las Bahamas. Primer ministro desde 1973, reelegido en 1977, 1982 y 1987.

PINDO Cordillera del NO de Grecia; se extiende desde el Epiro hasta la Tesalia. Alt. máx.: Smolikas (2 637 m).

PINEAL adj. Relativo a la epífisis. • adj. y f. *Anat.* Díc. de la glándula endocrina sit. bajo el extremo posterior del cuerpo calloso.

PINEDA, *Laureano* (s. XIX) Político nic. Presid. de la rep. (1851-1853). Se enfrentó al pronunciamiento liberal de Muñoz. Estableció la capitalidad en Managua. • ***Mariana*** (1804-1831) Heroína esp. Acusada de favorecer a los liberales, se le incautó una bandera con el lema «ley, libertad, igualdad», y fue ejecutada. • **Duque, *Roberto*** (nacido 1910) Compositor col. *Trío, Diez bagatelas.*

PINENO m. *Quím.* Hidrocarburo que se halla en la esencia de trementina. Se utiliza para la fabricación de lacas.

PINERO m. Trabajador portuario que carga y descarga madera. • *Bol., Chile* y *Perú.* Carpintero que trabaja el pino.

PINGA f. vulg. *Amér.* Pene.

PINGAJO m. fam. Harapo o jirón que cuelga de alguna parte.

PINGAR intr. Pender, colgar. • Gotear lo que está empapado en algún líquido. • Brincar, saltar. • tr. Inclinar.

PINGO m. fam. Pingajo. • fam. Mujer despreciable. • pl. fam. Vestidos de mujer cuando son de poco precio, aunque estén en buen uso o sean nuevos. • vulg. *Argent.* Miembro viril. • *Chile.* Caballo malo. • *Méx.* El diablo.

PINGOROTA f. La parte más alta y aguda de las montañas y otras cosas elevadas. ■ PINGOROTUDO, DA.

PING-PONG m. Juego de tenis de mesa en el que se emplea una pequeña pelota de celuloide y paletas de madera.

PINGUCHO m. *Chile.* Almuerzo ligero.

PINGUE m. Embarcación de carga, cuyas medidas aumentan en la bodega para que quepan más géneros.

PINGÜE adj. Craso, gordo, mantecoso. • fig. Abundante, copioso, fértil.

PINGÜINO m. Ave de alas cortas, vientre blanco y dorso negro, extinguida en el s. XIX, semejante al actual pájaro bobo, el cual ha recibido el nombre incorrecto de p.

PINGULLO m. *Ecuad.* Flauta de 3 o 6 agujeros.

PINGUOSIDAD f. Grasa, crasitud, untosidad.

PINILLA Fábregas, *José Manuel* (1919-1979) Político y militar pan. Participó en el golpe de Est. que derrocó a Arias (1968). Presid. de la junta militar (1968-1970).

PINILLO m. Planta herbácea anual, de la familia labiadas, con hojas perfoliadas y flores amarillas. Toda la planta despide un olor parecido al del pino. • Mirabel, planta.

PINITO m. Cada uno de los primeros pasos que da el niño o el convaleciente. Se usa más en pl. y con el verbo *hacer.* • pl. fig. Primeros pasos que se dan en un arte o ciencia.

PINJANTE adj. y s. Díc. de la joya que se trae colgando. • *Arq.* Aplícase al adorno que cuelga de un techo o bóveda. ■ PINJAR.

PINNADO, DA o **PINADO, DA** adj. *Bot.* Díc. de la hoja compuesta de hojuelas insertas a uno y otro lado del peciolo, como las barbas de una pluma.

PINNÍPEDO adj. y m. *Zool.* Díc. de animales del suborden pinnípedos. • m. pl. *Zool.* Suborden de mamíferos carnívoros, del que forman parte las especies adaptadas a la vida acuática, conocidas vulgarmente como focas o morsas.

PINO, NA adj. Muy pendiente o muy derecho. • m. *Bot.* Nombre común de las especies gimnospermas del gén. *Pinus.* • Madera de los árboles de estas especies. • *poét.* Nave, embarcación. • f. Mojón terminado en punta. • Cada uno de los trozos curvos de madera que forman en círculo una rueda. • *Amér.* Puñetazo, golpe. • **alerce.** Alerce. • **araucaria, brasileño, misionero,** o **Paraná.** Planta arbórea originaria de Argentina y Brasil. • **chileno.** Árbol de madera muy apreciada que produce piñones comestibles, originario de Chile y Argentina. • **de abeto.** Pinabete. • **de cargo.** Pieza de madera de hilo, de 10 varas de longitud con una escuadría de 18 pulgadas de tabla por 12 de canto. • **En p.** m. adv. En pie, derecho, sin caer. ■ PINAR; PIÑARIEGO, GA; PINEDA; *Amér. Merid.* PINEDO.

* *Bot.* Las ramas de los p. son de dos tipos, unas largas y persistentes, y otras pequeñas y caedizas que agrupan hojas aciculares persistentes. Las flores, unisexuales, están agrupadas en amentos las masculinas y en estróbilos las femeninas. Fruto falso en cono o piña.

PINO y Rosas, *Joaquín del* (1727-1804) Administrador esp. Virrey del Río de la Plata (1801). • **Suárez, *José María*** (1869-1913) Político mex. Colaborador de Madero, quien le nombró vicepresid. Escribió poemas. *Melancolías.*

PINOCHA f. Hoja o rama del pino.

PINOCHET Ugarte, *Augusto* (nacido 1915) Militar y político chil. En 1968 ascendió a general. En 1973 fue el pral. organizador del golpe que derribó al gobierno constitucional de S. Allende. Presidió la Junta Militar que asumió el poder el 11 de septiembre. En junio de 1974 fue nombrado jefe supremo del Est. El referéndum constitucional de 1980 prorrogó su mandato hasta 1989. En 1988 convocó un plebiscito cuyo resultado estableció la celebración de elecciones en 1989, en las que su partido no logró la mayoría. En 1998 cesó como Comandante en jefe del Ejército y fue designado senador vitalicio, pero ese mismo año fue detenido en Londres a instancias de la justicia española. Tras afrontar un largo proceso de extradición, en marzo de 2000 pudo regresar a Chile, donde se dictó su procesamiento (enero 2001).

PINOL o **PINOLE** o **PINOLILLO** (voz náhuatl) m. *Amér. Centr.* Bebida refrescante hecha con harina de maíz tostado, azúcar, cacao, etc. • **Hacer una cosa p.** *Amér. Centr.* Pulverizarla.

PINOLATE m. *Amér.* Bebida fermentada hecha con pinol y azúcar.

PINOLE (voz náhuatl) m. Mezcla de polvos de vainilla y otras especies. Se utilizaba para dar sabor y olor al chocolate.

PINOLERO, RA adj. y s. *Amér. Centr.* De Nicaragua.

PINREL m. fam. Pie. Se usa más en pl.

PINSAPO m. Planta arbórea de la familia pináceas, de hojas aciculares, estróbilos con carpelos más cortos que las escamas protectoras, y piñas erguidas.

PINTA f. Mancha o señal pequeña en el plumaje, pelo o piel de los animales, y en la masa de los minerales. • Adorno en forma de lunar o mota, con que se matiza alguna cosa. • Gota de agua o de otro líquido. • Medida cuya capacidad varía, según los países y a veces dentro de un país, según sea para líquidos o para áridos. • Carta que al comienzo de un juego de naipes se descubre y que designa el palo de triunfos. • *Argent.* Color de los animales. • *Argent.* Linaje, casta. • fig. Señal o muestra exterior por donde se conoce la calidad buena o mala de personas o cosas. • También se aplica a la muestra de ciertas cosechas. • pl. Juego de naipes, especie del que se llama del parar. • Tifus. • m. Sinvergüenza.

PINTADILLO m. Jilguero.

PINTADO, DA adj. Naturalmente matizado de diversos colores. • Pintojo. • f. *Zool.* Ave gallliforme afr. de la familia numídidas, de cabeza calva. Su carne es comestible. • Acción de pintar en las paredes letreros, gralte. de contenido político o social. • Letrero o conjunto de letreros de dicho carácter que se han pintado en un determinado lugar. • **Pintado,** o **como pintado.** fig. Con los verbos *estar, venir* y otros, ajustado y medido; muy a propósito. • **El más p.** loc. adj. fam. El más hábil, prudente o experimentado . • fig. El de más valer.

PINTALABIOS m. Barrita de pintura para los labios.

PINTAMONAS com. fig. y fam. Pintor de corta habilidad.

PINTANA, ***La*** C. de Chile, en el á. metr. de Santiago; 89 700 hab.

PINTAR tr. Representar o figurar un objeto en una superficie, con las líneas y los colores convenientes. • Cubrir con un color la superficie de las cosas. • Escribir, formar la letra, y también señalar o trazar un signo ortográfico. • Con sujeto que sea un palo de la baraja, señalar que éste es el triunfo en el juego. • fig. Descubrir o representar viva y anidamente personas o cosas por medio de la palabra. • fig. Fingir, engrandecer, ponderar o exagerar una cosa. • *Min.* Labrar la boca de un barreno, emboquillar. • intr. y prnl. Empezar a tomar color y madurar ciertos frutos. • Mostrarse la pinta de las cartas cuando se talla. • fig. y fam. Empezar a mostrarse la cantidad o la calidad buena o mala de una cosa. • fig. En frases negativas o interrogativas que envuelven negación, importar, significar, valer. • prnl. Darse colores y afeites en el rostro. ■ PINTOR.

PINTARRAJAR o **PINTARRAJEAR** tr. y prnl. fam. Pintar excesivamente o sin gusto. • prnl. Maquillarse el rostro o pintarse en exceso. ■ PINTARRAJO.

PINTARROJA f. Pez selacio de piel gris con manchitas oscuras. También llamada lija o pez lija, por su piel áspera. Su carne no es muy apreciada.

PINTER, ***Harold*** (nacido 1930) Dramaturgo brit., heredero del «teatro del absurdo». *La habitación, El guardián, La fiesta del cumpleaños.* Autor de guiones cinematográficos: *El sirviente, Accidente.*

PINTIPARAR tr. Asemejar, hacer parecida una cosa a otra. fam. Comparar una cosa con otra.

PINTO, ***Aníbal*** (1825-1884) Político chil. Elegido presid. como candidato de la Alianza liberal (1876-1881), declaró la guerra a Perú y Bolivia (guerra del Pacífico). • ***Francisco Antonio*** (1785-1858) Político chil. Vicepresid. y presid. de la rep. tras la renuncia de Freire (1827). Dimitió en 1829, presionado por los conservadores. • **Balsemão,** ***Francisco*** (nacido 1937) Político port. Ministro en el gobierno de Sá Carneiro, ocupó el cargo de primer ministro (hasta 1983) tras la muerte de aquél en accidente de aviación (1981).

PINTOJO, JA adj. Que tiene pintas o manchas.

PINTÓN, NA adj. Díc. de las uvas y otros frutos cuando van tomando color al madurar. • Aplícase al ladrillo que no está perfecta e igualmente cocido. • m. Gusanillo que pica el tallo del maíz para penetrar en él y deja la planta lacia y amarillenta. • Enfermedad de la planta de maíz, causada por el referido gusanillo.

PINTONEAR intr. Enverar las frutas.

PINTORESCO, CA adj. Relativo a la pintura. • Se aplica a las cosas que presentan un interés pictórico. • fig. Díc. del lenguaje, estilo, etc., con que se pintan viva y animadamente las cosas. • fig. Estrafalario, chocante, original. ■ PINTORESQUISMO.

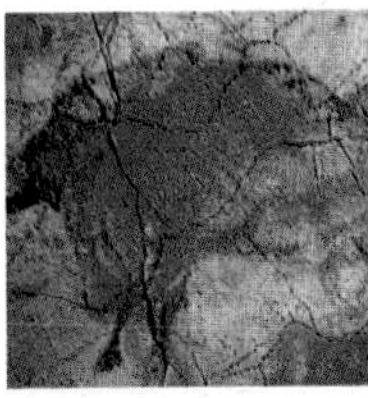

1

2

3

4

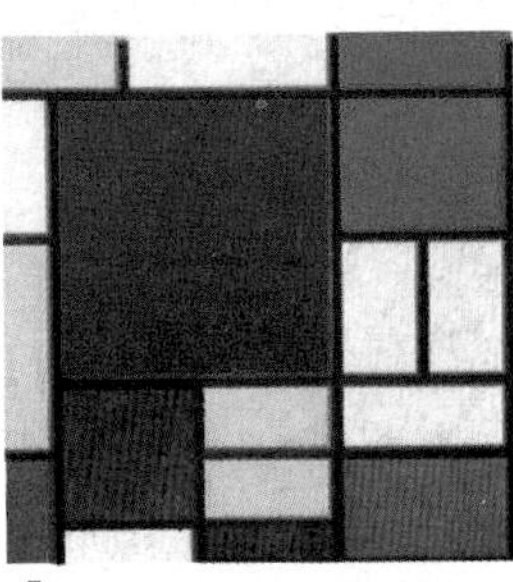

5

Hitos de la **pintura.**
1. Pinturas rupestres de Altamira. 2. Egipto, pinturas funerarias.
3. Pompeya, Villa de los Misterios. 4. Barroco, *Rapto de las hijas de Leucipo*, de Rubens.
5. Arte abstracto, óleo de Mondrian

PINTURA f. Arte de pintar. • Tabla, lámina o lienzo en que está pintada una cosa. • La misma obra pintada. • Color preparado para pintar. • fig. Descripción o representación viva y animada de personas o cosas por medio de la palabra. • **a la aguada.** Aguada, dibujo o pintura hecha con colores disueltos en agua. • **al fresco.** La que se hace en paredes y techos con colores disueltos en agua de cal y extendidos sobre una capa de estuco fresco. • **al óleo.** La hecha con colores desleídos en aceite secante. • **al pastel.** La que se hace sobre papel con lápices blandos, pastosos y de colores variados. • **al temple.** La hecha con colores preparados con líquidos glutinosos y calientes, como agua de cola. • **rupestre.** La prehistórica que se encuentra en rocas o en cavernas. • **vítrea.** La hecha con colores preparados, usando el pincel y endureciéndolos al fuego. • **No poder ver** a uno **ni en p.** fam. Tenerle gran aversión.

* *Arte.* En la prehistoria se cubrían ya las paredes de las cuevas con representaciones pictóricas. Del naturalismo del paleolítico (Lascaux, Altamira) se pasó en la época mesolítica a un grafismo esquemático que desembocó, al llegar el mesolítico, en una pintura geométrica. Las civilizaciones anteriores a la gr. decoraron palacios y templos con pinturas murales al fresco y a la cola. Apenas quedan restos de la pintura gr., pero sabemos que la etrusca y la rom. derivan de ella. El artista rom., inclinado al realis-

Pinzón

mo, gustó de las grandes escenografías murales. En Bizancio se esquematizaban las figuras y se concentraba toda la expresión en los rostros (San Vital de Ravena). El románico llevó a la máx. expresión la actitud antinaturalista: esquematización de las figuras y expresionismo estático y mayestático. En los templos góticos se desarrolló el arte de las vidrieras y la p. sobre tablas; en la Italia del N, la p. adquirió un mayor sentido de la proporción y del volumen (S. Martini, Giotto); en Flandes, las composiciones al óleo ganaban en dinamismo y colorido. Con el Renacimiento se acentuó el realismo, y la luz y la perspectiva se consideraron factores muy imp. (Masaccio, Uccello). La vida cotidiana y la mitología fueron los temas preferidos. Un deseo de simplificación y una reacción realista serían la tónica del s. XVI (Leonardo, Rafael). La crisis del Renacimiento llegó con el manierismo, al convertir la perfección clásica en la estilización intelectualizada; ello preparó el camino hacia el barroco (Pontormo, Bronzino, Brueghel, Greco). La tendencia naturalista, el afán de movimiento y el gusto por lo teatral llenan este periodo, junto al realismo iniciado por Caravaggio y extendido a la escuela esp. (Ribera, Zurbarán), que culmina en Velázquez y Rubens. La p. de género culminó en Rembrandt, Hals y Vermeer. El neoclasicismo, en el s. XIX, idealizó la naturaleza y el dibujo estuvo por encima del color (David, Ingres). Goya fue un precursor de nuevos caminos. Tras él, el romanticismo restituyó el color, el movimiento y el exotismo. El realismo propugnó una vuelta a la temática contemporánea. Al margen del arte oficial surgieron en París: el impresionismo (precursor de la gran revolución pictórica del s. XX), el puntillismo (Seurat), el simbolismo y la obra de Van Gogh, Toulouse-Lautrec y Gauguin. En el s. XX el fauvismo (Matisse, Dufy), el cubismo (Picasso, Braque), el futurismo (Balla) y el expresionismo (Munch, Klee) llevarían a la desintegración de la forma. La primacía de lo estrictamente pictórico o intelectual conduciría a la abstracción cromática (Kandinsky) o geométrica (Mondrian). Del movimiento dadaísta surgiría el surrealismo (Ernst, Masson, Dalí). Durante las últimas décadas han aparecido nuevas tendencias, como el *action-painting*, el *op-art*, el *pop-art*, etc.

Piñas de pino negro

PINTURERO, RA adj. y s. fam. Díc. de la persona que alardea ridícula o afectadamente de bien parecida, fina o elegante.

PINTURICCHIO, *Bernardino di Betto,* llamado ***Il*** (h. 1454-1513) Pintor it. Se dedicó a la pintura mural (habitaciones Borgia del Vaticano y Biblioteca Piccolomini) y al óleo (*Retrato de un muchacho*).

PINUCA f. *Chile.* Marisco de piel gruesa, coriácea; blanco, pardusco y arrugado.

PÍNULA f. Tablilla metálica de los instrumentos topográficos y astronómicos, que sirve para dirigir visuales por una abertura.

PIN-UP (voz ing.) f. Muchacha de gran atractivo sexual que posa como modelo fotográfico.

PINYIN m. Transcripción de los caracteres chinos al alfabeto latino, adoptada oficialmente desde 1958 en la Rep. Popular China.

Pío VI

PINZA f. Instrumento cuyos extremos se aproximan para sujetar alguna cosa. • Último artejo de algunas patas de ciertos artrópodos, formado con dos piezas que pueden aproximarse entre sí. • Pliegue de una tela terminado en punta. • pl. Instrumento de metal, a manera de tenacillas, que sirve para coger o sujetar cosas menudas.

PINZAR tr. e intr. Sujetar con pinzas. • Hacer pinzas en un vestido. • Plegar con algo muelle, con los dedos, etc., a manera de pinzas, una cosa.

PINZÓN m. Ave paseriforme fringílida, de plumaje rojo oscuro en cara, pecho y abdomen, y pardo rojizo en el lomo.

PINZÓN, *Martín Alonso Yáñez* (1440-1493) Marino esp., colaborador de C. Colón. Fue capitán de la carabela *Pinta*, con la que realizó descubrimientos por su cuenta. • ***Vicente Yáñez*** (m. 1519) Navegante esp. Integró con su hermano Martín la primera expedición de Colón. Post. llegó a Brasil y descubrió las desembocaduras del Amazonas y del Orinoco. En 1508 buscó un estr. que condujera a la región de las especias.

Pío X

PIÑA f. Fruto del pino y otros árboles. Es de figura aovada y se compone de varias piezas leñosas, triangulares, colocadas en forma de escama a lo largo de un eje común, cada una con dos piñones y rara vez uno. • Ananás. • Mazorca del maíz, especialmente cuando carece de farfolla. • Tejido blanco mate, transparente y finísimo, que los filipinos fabrican con los filamentos de las hojas del abacá. • fig. Conjunto de personas o cosas unidas o agregadas estrechamente. • *Min.* Masa esponjosa de plata, de figura cónica, que queda en los moldes donde se destila en los hornos la pella sacada de minerales argentíferos. • *R. de la Plata.* Puñetazo, golpe. • **de América,** o **americana.** Ananás. • **de ciprés.** Fruto de este árbol, que es redondo, leñoso, con superficie desigual, color bronceado, con muchas semillas negras y menudas.

PIÑAL m. *Amér.* Plantío de piñas o ananás.

PIÑATA f. Olla, vasija. • Olla o cosa semejante, llena de dulces, que en algunas fiestas populares suele colgarse para que algunos de los concurrentes, con los ojos vendados, procuren romperla con un palo.

PIÑEN m. *Chile.* Suciedad del cuerpo.

PIÑERA, *Virgilio* (1912-1979) Escritor cub., precursor en América de la literatura del absurdo. *Pequeñas maniobras*, *El filántropo*, *Las furias*.

PIÑO m. Diente. Suele usarse en pl.

PIÑÓN m. Simiente del pino. • Almendra comestible de la semilla del pino piñonero. • *Bot.* Arbusto euforbiáceo de las regiones cálidas de América, con hojas acorazonadas, flores en cima y fruto carnoso con semillas crasas. • En las armas de fuego, pieza en que estriba la patilla de la llave cuando está para disparar. • Rueda dentada pequeña, maciza, que gralte. engrana con otra mayor o con una cadena de transmisión. • **de la India.** Planta de la familia euforbiáceas, originaria de América Meridional, cuyas semillas se usan como purgante.

PIÑONEAR intr. Sonar con el roce el piñón y la patilla de la llave de algunas armas de fuego cuando éstas se montan. • Castañetear el macho de la perdiz cuando está en celo. ■ PIÑONEO.

PIÑONERO adj. Díc. del pino que da piñones comestibles. m. • Pinzón real.

PIÑUELA f. Tela o estofa de seda. • *Bot.* Gálbula del ciprés. • *Ecuad.* Planta bromeliácea, parecida al cacto, que se emplea para cercar potreros o fincas rústicas.

PÍO, A adj. Devoto, inclinado a la piedad, dado al culto de la religión. • Benigno, blando, misericordioso, compasivo. • Díc. del caballo, mulo o asno de pelo blanco, con manchas de otro color cualquiera. • m. Voz que forma el pollo de cualquier ave. También se usa esta voz para llamarlos a comer. • fam. Deseo vivo y ansioso de una cosa. • **Ni p.** fig. Nada, ni palabra.

PÍO IV (*Gian Angelo de Medici* 1499-1565) Papa [1559-1565]. Reunió de nuevo el Concilio de Trento (1562-1563), revisó el *Índice* de Paulo IV y publicó la *Professio fidei Tridentina*. • **V** (*Antonio Ghislieri*, 1504-1572) Papa [1566-1572]. Publicó el *Catecismo romano* o *Catecismo del Concilio de Trento* y creó la Liga Santa que triunfó en Lepanto contra los turcos (1571). • **VI** (*Giannangelo Braschi*, 1717-1799) Papa [1775-1799]. No pudo impedir que las tropas del Directorio ocuparan los Estados Pontificios. Hecho prisionero, murió en Francia. • **VII** (*Gregorio Luigi Barnaba Chiaramonti*, 1742-1823) Papa [1800-1823]. Firmó un concordato con Francia y coronó a Napoleón, pero los Estados Pontificios fueron incorporados al Imperio. Condenó el liberalismo. • **IX** (*Giovanni Maria Mastai Ferretti*, 1792-1878) Papa [1846-1878]. Proclamó el dogma de la Inmaculada Concepción, condenó el liberalismo, el racionalismo y el socialismo, y convocó el Vaticano I. Al ocupar Roma Víctor Manuel II, se declaró prisionero en El Vaticano. • **X** (*Giuseppe Melchiorre Sarto*, 1835-1914) Papa [1903-1914]. Se opuso a la ley de separación de la Iglesia y el Est. Condenó el movimiento de reforma interna de la Iglesia en el decreto *Lamentabili* y en la encíclica *Pascendi*. Promovió Acción Católica. • **XI** (*Achille Ratti*, 1857-1939) Papa [1922-1939]. Firmó con Mussolini los acuerdos de Letrán. Promovió la Acción Católica. Reformó la liturgia, centralizó las misiones y creó Radio Vaticano. Condenó los excesos del nazismo y del comunismo. • **XII** (*Eugenio Pacelli*, 1876-1958) Papa [1939-1958].

Se negó a condenar el nazismo. Inició algunas reformas: misas vespertinas, autorización de la lengua vernácula, etc. Definió el dogma de la Asunción de María. Firmó concordatos con España y Portugal.
PIOCHA f. Joya que se colocaba en los tocados femeninos. • Flor artificial, hecha de plumas de aves. • Herramienta con una boca cortante, para desprender los revoques de las paredes.
PIOGENIA f. *Pat.* Formación de pus.
PIÓGENO, NA adj. y m. Díc. de los gérmenes patógenos infecciosos capaces de producir pus.
PIOJILLO m. Insecto malófago, que vive parásito sobre las aves.
PIOJO m. Insecto malófago de color pardo, cuerpo ovalado y chato, seis patas de dos artejos y boca con tubo que sirve para chupar. • Vive parásito sobre los mamíferos. • Piojillo. *Col.* Garito. • **de mar.** Crustáceo de figura ovalada, cabeza cónica, seis segmentos torácicos, seis pares de patas y abdomen rudimentario. Vive parásito sobre los grandes mamíferos marinos. ■ PIOJENTO, TA; PIOJOSO, SA.
PIOLA f. Cuerda delgada, cordel. • *Mar.* Cabito formado de dos o tres filásticas.
PIOLAR intr. Pipiar los pollos o los pájaritos.
PIOLET m. Especie de pico de mango corto, que se utiliza en alpinismo.
PIOLÍN m. *Amér.* Cordel delgado.
PIOMBO, *Sebastiano Luciani,* llamado ***del*** (h. 1485-1547) Pintor veneciano. Adoptó la «gran manera» de los frescos giorgionescos para pintar sus Santos de San Bartolomé del Rialto. Decoró la Villa Farnesina.
PIÓN, NA adj. Que pía mucho o con exceso. • m. *Fís.* En atomística, tipo de mesón pesado, que puede tener carga positiva o negativa, o bien ser neutro.
PIONCO, CA adj. *Chile.* Desnudo.
PIONEER Serie de pequeñas sondas espaciales interplanetarias lanzadas por EE UU.
PIONERO, RA m. y f. Persona que inicia la exploración de nuevas tierras. • El que da los primeros pasos en alguna actividad humana. • adj. y m. *Biol.* Díc. de los organismos colonizadores de los ecosistemas, sit. en la base de la sucesión ecológica.
PIONÍA f. Semilla del bucare, parecida a la alubia, redonda, dura y de brillante color encarnado con manchitas negras.
PIONONO m. Dulce cilíndrico hecho de bizcocho y relleno de crema.
PIORNO m. Gayomba, arbusto. • Citiso, codeso. ■ PIORNAL.
PIORREA f. Derrame de pus. • **alveolar.** Inflamación purulenta del periostio, que recubre los alveolos dentarios.
PIOSIS f. *Pat.* Formación de pus.
PIPA f. Tonel para transportar o guardar vino o licores. • Utensilio para fumar, consistente en una cazoleta en que se coloca el tabaco, y una caña provista de una boquilla por la que se aspira el humo. • Lengüeta de las chirimías, por donde se echa el aire. • Flautilla de alcacer, pipiritaña. • Espoleta de una bomba o granada. • Pepita de fruta. • Simiente de girasol. • Anfibio anuro de la familia pípidos, que vive en Venezuela y las Guayanas. Su rasgo más peculiar es la incubación de los huevos, que son colocados por el macho en la espalda de la hembra, donde quedan alojados en unas depresiones que pronto se obturan. • *Amér. Centr.* Barriga. • *C. Rica.* Fruto del cocotero. • *C. Rica.* fig. y fam. Cabeza.
PIPAR intr. Fumar en pipa.
PIPE m. *Amér. Centr.* Amigo, camarada.
PIPELINE (voz ing.) m. Oleoducto.
PIPERÁCEO, A adj. y f. *Bot.* Díc. de plantas angiospermas dicotiledóneas de hojas gruesas, flores en botón sin corola y fruto en baya con semilla de albumen cartilaginoso o carnoso. • f. pl. Familia de estas plantas.
PIPERACINA f. Compuesto orgánico heterocíclico saturado, de naturaleza básica, que se usa como diurético y antihelmíntico.
PIPERINA f. *Quím.* Alcaloide extraído de los frutos no maduros de la pimienta negra.
PIPERMÍN o **PIPERMINT** m. Licor de menta.
PIPETA f. Tubo de vidrio terminado en punta por un extremo, que sirve para trasvasar y medir pequeños volúmenes de líquidos.
PIPI m. fam. Pipiolo. • fam. Piojo, insecto hemíptero parásito de los mamíferos.
PIPÍ m. Pitpit, pájaro. • En lenguaje infantil, orina, y también, pene.
PIPIÁN m. *Amér.* Guiso de carnero, gallina, pavo u otra ave, con tocino y almendra machacada.
PIPIAR intr. Piar las aves cuando son pequeñas o de poco tiempo.
PIPIL (voz náhuatl) adj. y s. Díc. de un pueblo que vive en Guatemala, Honduras y El Salvador. • Dialecto nahua hablado por dicho pueblo.
PIPILA f. *Méx.* Pava, hembra del pavo.
PIPINTE (voz náhuatl) m. *Amér. Centr.* Valiente.
PIPIOLA f. *Méx.* Especie de abeja muy pequeña.
PIPIOLO m. fam. Principiante, novato o inexperto. • fam. Persona muy joven. • Nombre dado a un grupo político chil. de carácter liberal y democrático, constituido en 1823.
PIPIRICIEGO o **PIPICIEGO** adj. y s. *Amér. Centr.* Corto de vista, cegato.
PIPIRIGALLO m. Planta herbácea vivaz, forrajera, con tallos torcidos, hojas compuestas, flores encarnadas, olorosas y fruto de una sola semilla.
PIPIRIJAINA f. fam. Compañía de cómicos de la legua.
PIPIRITAÑA f. Flautilla que suelen hacer los muchachos con las cañas del alcacer.
PIPO m. Ave trepadora, de plumaje negro manchado de blanco, y rojizo en la parte superior del lomo. Anida sobre los árboles y se alimenta de insectos. • *Col.* Porrazo.
PIPÓN, NA adj. *Amér.* Satisfecho, harto. • *Amér.* Gordo. • *Argent.* Pipa grande. • *Ecuad.* Díc. del empleado que cobra un sueldo sin trabajar.
PIPONCHO, CHA adj. *Col.* Satisfecho, harto.
PIPUDO, DA adj. Excelente, inmejorable.
PIQUE m. Resentimiento, desazón, o disgusto ocasionado de una disputa u otra cosa semejante. • Empeño en hacer una cosa por amor propio o por rivalidad. • Acción y efecto de picar poniendo señales en un libro, etc. • *Mar.* Varenga en forma de horquilla, que se coloca a la parte de proa. • Nigua. • *Amér.* Ají. • *Argent.* Senda abierta en un bosque. • **A p.** m. adv. Cerca, a riesgo, en contingencia. *Mar.* • Díc. de la costa que forma como una pared, o cuya orilla está cortada a plomo. • **Echar a p.** *Mar.* Hacer que un buque se sumerja en el mar. • fig. Destruir o acabar una cosa. • **Irse a p.** *Mar.* Hundirse en el agua una embarcación u otro objeto flotante.
PIQUÉ m. Tela de algodón con diversos tipos de labor.
PIQUER, *Andrés* (1711-1772) Médico y filósofo esp. Médico de cámara de Fernando VI. *Tratado de las calenturas, La lógica moderna, Física moderna racional y experimental.* • ***Concha,*** llamada ***Conchita*** (1908-1990) Tonadillera y actriz cinematográfica esp. *El negro que tenía el alma blanca.*
PIQUERA f. Agujero que se hace en las colmenas para que las abejas puedan entrar y salir. • Agujero que tienen en uno de sus dos frentes los toneles y alambiques, para que abriéndolo pueda salir el líquido. • Agujero que en la parte inferior de los altos hornos sirve para dar salida al metal fundido. • Canutillo de la mecha de encender. • Ventana o rompimiento hecho en la pared de un jaraíz que da a la calle, para descargar por él los carros de uva. • Herida en las carnes. • *Cuba.* Parada de taxis.
PIQUERO m. Soldado que servía en el ejército con la pica. • *Chile, Ecuad.* y *Perú.* Ave palmípeda, de pico recto puntiagudo. • Alcatraz.
PIQUET, *Nelson* (nacido 1952) Automovilista bras. Campeón del mundo de Fórmula 1, en 1981, 1983 y 1987.
PIQUETA f. Zapapico. • Herramienta de albañilería, con mango de madera y dos bocas opuestas, una plana como de martillo, y otra aguzada como de pico.
PIQUETAZO m. *Amér.* Picotazo, pinchazo.
PIQUETE m. Golpe o herida de poca importancia hecha con instrumento agudo o punzante. • Agujero pequeño que se hace en las ropas u otras cosas. • Jalón pequeño. • *Mil.* Grupo poco numeroso de soldados que se emplea en diferentes servicios extraordinarios. • fig. y fam. Grupo de huelguistas que intentan convencer a los que trabajan de la conveniencia de unirse a la huelga. • Grupo similar que se encarga de diversas funciones en el transcurso de una manifestación, revuelta, etc. • *Col.* Merienda campestre.

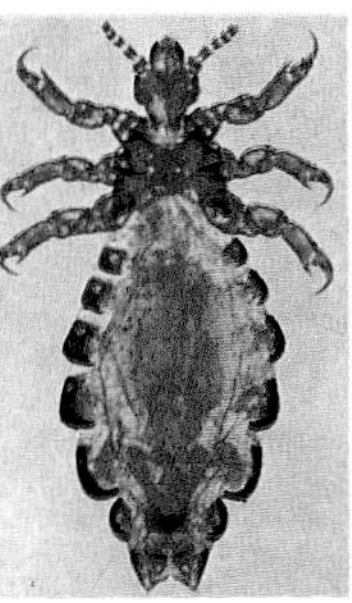

Microfotografía de un **piojo**

Hojas de peperonia, planta de la familia **piperáceas**

Piquero

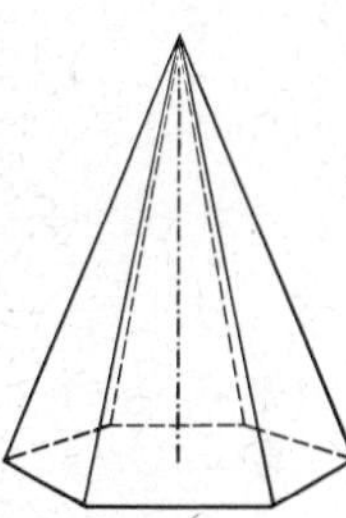

Pirámide hexagonal regular

Piraña

Pirargirita

El capitán Kidd, retrato de Howard Pyle, pintor especializado en temas de **piratas**

PIQUILLÍN m. *Argent.* Árbol ramnáceo de cuya fruta se hace arrope y aguardiente.

PIQUÍN m. *Chile.* Pizca. • *Perú.* Novio, galán.

PIQUITUERTO m. Ave paseriforme fringílida de mandíbulas encorvadas, con las cuales saca los piñones de las piñas y los parte.

PIRA f. Hoguera en que ant. se quemaban los cuerpos de los difuntos y las víctimas de los sacrificios. • fig. Hoguera.

PIRACICABA C. de Brasil, en el est de São Paulo; sit. a orillas del río Piracicaba; 175 600 hab. Elaboración de azúcar y vinos.

PIRAGUA f. Embarcación larga y estrecha, algo mayor que la canoa, construida ahuecando un tronco de árbol. • Embarcación muy ligera que se usa en los ríos y en algunas playas. Se realizan con ella competiciones deportivas. • *Amér. Merid.* Planta trepadora de la familia aráceas, con tallos escamosos, hojas grandes, lanceoladas y flores en espiga, envueltas por una espata de color amarillento. ■ PIRAGÜERO.

PIRAGÜISMO m. Deporte consistente en navegar con piragua, canoa o kayak.

PIRALA, *Antonio* (1824-1903) Historiador esp. Su obra es un material básico para el estudio del s. XIX esp. *Historia de la guerra y de los partidos liberal y carlista, aumentada con la regencia de Espartero, Historia contemporánea: anales desde 1843 hasta la conclusión de la actual guerra civil.*

PIRAMIDAL adj. De figura de pirámide. • *Anat.* Díc. de cada uno de los músculos pares, sit. el uno en la parte anterior e inferior del vientre, y el otro en la posterior de la pelvis y superior del muslo. • fig. y fam. Colosal.

PIRÁMIDE f. *Anat.* Formación anatómica de configuración semejante a una pirámide. • *Arq.* Monumento arquitectónico definido por su forma geométrica. • P. ant., ciertas tumbas que construyeron los ant. egipcios y también ciertos templos que levantaron diversos pueblos americanos. • *Geom.* Sólido que tiene por base un polígono y cuyas caras son triángulos que se unen en un punto llamado vértice y forman un ángulo poliedro. • **de edades** o **de población.** Gráfica de la distribución de la población, por edades y sexos, en un momento dado. • **óptica.** La que forman los rayos ópticos prales., que tiene por base el objeto y por vértice el punto impresionado en la retina. • **regular.** *Geom.* La que tiene por base un polígono regular y por caras triángulos isósceles iguales. • **truncada.** Tronco de pirámide. ■ PIRAMIDADO, DA.

* *Arq.* En el ant. Egipto, las p. eran de base cuadrangular. En el interior se abrían una serie de corredores que conducían a las cámaras funerarias. Las más imp. son las de Keops, Kefrén y Micerino. Las p. americanas son escalonadas, divididas en varios cuerpos. En la plataforma superior, los aztecas colocaban una o dos estatuas de dioses delante de un templo. No son p. funerarias, con la excepción de Palenque. Sus muros están decorados con frisos y relieves, a menudo relacionados con el calendario solar. Las zonas horizontales de la p. representan las zonas del cielo. Destacan las de Tenochtitlán, Teotihuacán, Tenayuca, del Sol, Kukulcán y de Tajín.

* *Geom.* El volumen de una p. es un tercio del volumen del prisma de iguales base y altura, es decir, un tercio del área de la base por la altura.

PIRANDELLO, *Luigi* (1867-1936) Escritor it. Entre sus mejores obras: las novelas *El difunto Matías Pascal y Uno, ninguno y cien*; y los dramas, *Seis personajes en busca de autor* y *Enrique IV*, en los que renueva la técnica teatral. Premio Nobel de Literatura en 1934.

PIRANÓMETRO m. *Fís.* Instrumento basado en las propiedades del par termoeléctrico y que sirve para medir la cantidad de energía emitida por el Sol u otras fuentes energéticas.

PIRANTRENO m. Colorante anaranjado de tina.

PIRANTRONA f. Colorante rojo anaranjado, obtenido por reacción del benzoílo sobre el pireno en presencia de cloruro de aluminio.

PIRAÑA f. Pez osteíctio cipriniforme muy voraz y exclusivamente carnívoro. Habita en la América tropical.

PIRARGIRITA f. Mineral que es una importante mena de plata.

PIRARSE prnl. fam. Fugarse, irse. • **Pirárselas.** loc. fam. Pirarse.

PIRATA adj. Relativo al pirata o a la piratería. • Díc. de lo que funciona o se realiza sin autorización legal. • m. y f. Persona que comete actos de piratería. • fig. Persona que se enriquece robando. • fig. Persona que se aprovecha del trabajo de otros o se apropia de las obras ajenas. ■ PIRÁTICO, CA.

PIRATAS, *Costa de los* (ing., *Trucial Oman*; ár. *Oman As Sulh)* Ant. protectorado brit. (1853-1971), sit. al E de la pen. de Arabia. En 1971 se convirtió en la federación independiente de los Emiratos Árabes Unidos.

PIRATERÍA f. Ejercicio de pirata. • Robo o presa que hace el pirata. • fig. Robo o destrucción de los bienes de otro. • **aérea.** Secuestro de un avión.

PIRAYA f. *Amér.* Piraña.

PIRCA f. *Amér. Merid.* Pared de piedra en seco.

PIRCAR tr. *Amér. Merid.* Cerrar un paraje con muro de piedra en seco.

PIRCO m. *Chile.* Guiso de fríjoles, maíz y calabaza.

PIRCÚN m. *Chile.* Arbustillo cuya raíz es purgante y emética.

PIRENAICO, CA adj. y s. De los montes Pirineos o que habita en ellos.

PIRENNE, *Henri* (1862-1935) Historiador belga. *Las ciudades de la Edad Media, Historia de Bélgica, Historia universal.*

PIRENO m. Hidrocarburo aromático formado por cuatro núcleos bencénicos encadenados. Se encuentra en la brea de hulla, es incoloro y funde a 156 °C.

PIRENOIDE m. Orgánulo citoplasmático de las algas verdes alrededor del cual se deposita el almidón.

PIRENOMICETE adj. y m. Díc. de hongos parásitos o saprófitos; como el cornezuelo del centeno. • Orden de estos hongos.

PIREO, *El* (*Peiraieus*) C. de Grecia, puerto de Atenas. Centro industrial y comercial que forma parte de la Gran Atenas.

PIRÉTICO, CA adj. Febril.

PIRETÓGENO, NA o **PIRÓGENO, NA** adj. y m. Que produce fiebre.

PIRETOLOGÍA f. Parte de la patología que estudia las fiebres denominadas esenciales.

PIRETRINA f. Principio activo del pelitre, que tiene aplicación como insecticida.

PIREXIA f. *Med.* Fiebre esencial no sintomática.

PIRGÜIN m. *Chile.* Especie de sanguijuela de una pulgada de largo. Enfermedad causada por este parásito.

PIRHELIÓMETRO m. Instrumento para medir la energía solar que llega a una unidad de superficie terrestre.

PIRI m. *R. de la Plata.* Toldo.

PÍRICO, CA adj. Relativo al fuego, y especialmente a los fuegos artificiales.

PIRIDINA f. *Quím.* Líquido incoloro, de olor penetrante y desagradable, que hierve a 115,5 °C y es miscible con el agua. Es un excelente disolvente de sustancias orgánicas.

PIRIDÍN-NUCLEÓTIDO m. Nucleótido formado por una base piridínica, una aldosa y ácido ortofosfórico.

PIRIDOXAL m. Sustancia orgánica cíclica, que en forma de fosfato actúa como coenzima del metabolismo de los aminoácidos.

PIRIDOXINA f. Sustancia de carácter vitamínico, también llamada adermina o vitamina B_6, necesaria como coenzima para el funcionamiento de los sistemas de transaminación y descarboxilación de aminoácidos.

PIRIMIDINA f. Anillo hexagonal, esqueleto de las bases pirimidínicas que intervienen en la formación de los ácidos nucleicos.

PIRINCHO m. Garrapatero.

PIRINEOS o **PIRINEO** (cat., *Pirineu*; fr. *Pyrénées*) Cordillera de la pen. Ibérica que se extiende entre el Cantábrico y el Mediterráneo, formando frontera entre España y Francia. En el P. axial aparecen los puntos más elevados (Maladeta, 3 308 m; Aneto, 3 404 m; Posets, 3 375 m). • **Paz de los P.** Tratado entre España y Francia, firmado en 1659, por el que se daba fin al enfrentamiento iniciado en 1635. España perdía el Rosellón, el Conflent y parte de la Cerdaña y algunas c. de Flandes, Hainaut y

Luxemburgo. Luis XIV renunciaba al trono esp. y se unía en matrimonio a la hija de Felipe IV, María Teresa.

PIRITA f. *Miner.* Mineral brillante, de color amarillo oro, y tan duro que da chispas con el eslabón. Es un sulfuro de hierro. • **magnética.** Mineral compuesto de protosulfuro y bisulfuro de hierro, de color amarillo bronce con visos pardos o rojizos, magnético y fusible. ■ PIRITOSO, SA.

PIRLA f. Perinola.

PIROCLÁSTICO, CA adj. Díc. de productos magmáticos proyectados en fragmentos bajo la acción explosiva de los gases.

PIROCLORO m. Óxido complejo de niobio, tántalo y titanio, con sodio y calcio, que cristaliza en el sistema cúbico; color pardo; brillo intenso.

PIROELECTRICIDAD f. *Fís.* Propiedad de algunos sólidos que presentan polaridad eléctrica al variar su temperatura.

PIROFILITA f. Mineral blando y flexible que se usa en diversas ind.

PIROFÓRICO, CA adj. Que se inflama al ponerse en contacto con el aire. • Que produce chispas al ser golpeado.

PIRÓFORO, RA adj. y s. *Quím.* Díc. de la sustancia que se inflama al contacto con el aire.

PIROFOSFATASA f. Enzima que actúa sobre el enlace del ácido pirofosfórico con obtención de parte de la energía que se halla acumulada.

PIROGALOL m. Fenotriol-1, 2 y 3. Sólido que cristaliza en agujas blancas y sirve como revelador en fotografía y en análisis de gases para fijar el oxígeno. ■ PIROGÁLICO, CA.

PIROGÉNESIS f. *Fís.* Producción de calor.

PIROGENIA f. Propiedad de las endotoxinas bacterianas de producir una elevación de la temperatura corporal en los mamíferos.

PIROGRABADO m. Procedimiento para grabar o tallar la superficie de la madera por medio de un punzón incandescente. • Talla o grabado así obtenidos.

PIROLÁCEO, A adj. y f. Díc. de plantas herbáceas, perennes y verdes todo el año, o bien son hierbas sin clorofila, saprofíticas. Se conocen cerca de 40 especies, propias del hemisferio boreal. • f. pl. Familia de estas plantas.

PIROLEÑOSO, SA adj. Díc. de un líquido obtenido por destilación seca de la madera. Contiene pralm. ácido acético, acetona y metanol. • **Ácido p.** Subproducto de la destilación seca de la madera, que contiene una pequeña parte de ácido acético puro.

PIRÓLISIS f. Transformación de un compuesto químico en una o más sustancias diferentes por medio, únicamente, de calor.

PIROLOGÍA f. Estudio del fuego y de sus aplicaciones.

PIROLUSITA f. Óxido de manganeso. Es un mineral de color gris oscuro a negro y brillo metálico, que constituye la mena más importante de manganeso.

PIROMAGNETISMO m. *Fís.* Variación de ciertas propiedades magnéticas causada por cambios en la temperatura.

PIROMANCIA o **PIROMANCÍA** f. Adivinación supersticiosa por el color, chasquido y disposición de la llama. ■ PIROMÁNTICO, CA.

PIROMANÍA f. Tendencia patológica a la provocación de incendios. ■ PIRÓMANO, NA.

PIRÓMETRO m. Instrumento para medir temperaturas elevadas.

PIROMORFITA f. Mineral de color verde, amarillo verdoso, pardo o incoloro. Es un fosfato de plomo clorado que cristaliza en el sistema hexagonal.

PIROPO m. Variedad de granate, de color rojo, muy apreciada como piedra fina. • Rubí, carbúnculo. • fam. Lisonja, requiebro, especialmente el dirigido a una mujer. ■ PIROPEAR.

PIROSCOPIO m. *Fís.* Termómetro diferencial, para el estudio de los fenómenos de reflexión y de radiación del calor.

PIROSFERA f. Zona compuesta de masas candentes, que se creía ocupaba el centro de la Tierra.

PIROSIS f. Sensación de ardor detrás del esternón producida por el paso del contenido gástrico al esófago, gralte. en decúbito o cuando se inclina el cuerpo hacia adelante.

PIROTECNIA f. Arte que trata de todo género de invenciones de fuego. ■ PIROTÉCNICO, CA.

PIROVANO, *Ignacio* (1842-1895) Cirujano arg., el más imp. de su época en América Latina.

PIROXENO m. *Min.* Silicato ferromagnésico, de estructura fibrosa; como la broncita y la augita.

PIROXILINA f. Éster nítrico de la celulosa. Más conocido como nitrocelulosa o algodón pólvora.

PIROXILO m. Producto de la acción del ácido nítrico sobre una materia semejante a la celulosa, como madera, algodón, etc.

PIRRARSE prnl. fam. Desear con vehemencia una cosa. Sólo se usa con la preposición *por.*

PÍRRICO, CA adj. Díc. del triunfo o victoria obtenidos con más daño del vencedor que del vencido. • adj. y f. Díc. de una danza usada en la Grecia ant. y en la cual se imitaba un combate.

PIRRIQUIO m. Pie de la poesía gr. y latina, compuesto de dos sílabas breves.

PIRRO II (h. 319-272 a. C.) Rey de Epiro [295-272 a. C.]. Yerno de Tolomeo I Soter, rey de Egipto, extendió los dominios de Epiro al S de Iliria. Emprendió una guerra contra Roma para auxiliar a la c. gr. de Tarento. Su táctica guerrera consiguió imponerse en Heraclea (280 a. C.) y Asculum (279 a. C.), pasando a Sicilia. La alianza en su contra de Roma y Cartago representó su derrota en Benevento.

PIRRÓFITO, TA adj. y s. Díc. de algas unicelulares con plastos amarilloverdosos, paredes celulósicas, dos flagelos, y de reproducción asexual. • m. pl. División vegetal que agrupa a estas algas.

PIRROL m. Sistema cíclico de fórmula general C_4H_5N, líquido incoloro, de olor a cloroformo. Sintetizado a partir del ácido succínico y glicocola, forma parte de las porfirinas.

PIRRÓN de Elis (h. 360-270 a. C.) Filósofo gr., considerado el fundador del escepticismo clásico. Proclamó la necesidad de suspender todo juicio a fin de conseguir un estado de indiferencia, verdadero objetivo moral del sabio.

PIRRONISMO m. Escepticismo. ■ PIRRÓNICO, CA.

PIRROTINA f. Sulfuro de hierro de color rosado y brillo metálico, que se utiliza para la obtención de azufre destinado a la fabricación de ácido sulfúrico.

PIRUCHO, CHA adj. *R. de la Plata.* Díc. del niño delgado o débil. • m. *Amér. Centr.* Díc. de los cuerpos pequeños y cónicos, terminados en punta.

PIRUETA f. Cabriola, brinco que dan los que danzan. • Voltereta. • Vuelta rápida que se hace dar al caballo, obligándole a alzarse de manos y a girar apoyado sobre los pies. ■ PIRUETEAR.

PIRUJA f. Mujer joven, libre y desenvuelta. • *Méx.* Prostituta.

PIRULÍ m. Caramelo, gralte. de forma cónica o cilíndrica, con un palito que sirve de mango.

PIRÚVICO, CA adj. *Bioq.* Díc. de un ácido orgánico importante para el metabolismo de los hidratos de carbono. Es una sustancia poco estable, líquida e incolora, hidrosoluble y de olor penetrante.

PIS m. En lenguaje infantil, pipí, orina.

PISA f. Acción de pisar. • Porción de aceituna o uva que se estruja de una vez en el molino o lagar. • *Cuba.* En los ingenios, lugar donde el buey pisa el barro que se usará para purificar el azúcar. • fam. Zurra de patadas que se da a uno.

PISA C. de Italia, en Toscana; 104 200 hab. Sit. a orillas del Arno. Ind. textil, mecánica y fabricación de vidrio. Nudo de comunicaciones. Universidad. Catedral, baptisterio y campanile (célebre torre inclinada) del s. XII.

PISAC Localidad de Perú, en el dpto. de Cuzco; 1 600 hab. Ruinas de una ant. ciudad inca.

PISADA o **PISADURA** f. Acción y efecto de pisar. Huella o señal que deja estampada el pie en la tierra. • Patada.

PISANELLO, *Antonio Pisano* llamado (h. 1395-h. 1455) Dibujante, pintor y medallista it. Sus composiciones participan del preciosismo decorativo y de la minuciosidad detallística propia de finales del gótico. Autor de una serie de medallones con la efigie de personajes de las cortes it. *San Jorge y la princesa, Lionnello d'Este.*

PISANO, *Andrea* (1295-1349) Escultor y arquitecto it., autor de gran parte de la obra escultórica del campanile de Florencia. • ***Giovanni*** (h. 1248-h.

Pirineos. Vista del pico de Aneto

Pirita

Torre inclinada de **Pisa**

Presunto retrato de una princesa de la casa de Este, tabla de **Pisanello**

1314) Escultor it. Asimiló las tendencias del primer estilo gótico, confiriéndoles un sello muy personal. Post. desarrolló un estilo basado en la tradición toscana (catedral de Siena), y en las orientaciones del gótico fr. (púlpito de San Andrés de Pistoia).

PISAPAPELES m. Utensilio que se pone sobre los papeles para que no se muevan.

PISAR tr. Poner el pie sobre alguna cosa. • Apretar o estrujar una cosa con los pies o a golpe de pisón o maza. • En las aves, cubrir el macho a la hembra. • fig. *Amér. Centr.* y *Méx.* Fornicar. • Cubrir en parte una cosa a otra. • Tratándose de teclas o de cuerdas de instrumentos de música, apretarlas con los dedos. • fig. Hollar con los pies. • fig. Entrar en un lugar o permanecer en él. • fig. y fam. Anticiparse a otro con habilidad o audacia, en el logro o disfrute de un objetivo determinado. • Pisotear moralmente a uno, tratar mal, humillar. • intr. En los edificios, estar el suelo o piso de una habitación fabricado sobre otra. • *Argent.* Equivocarse. ■ PISADOR, RA.

Piscicultura. Pilas de cultivo de una piscifactoría

PISCA f. *Col.* Mujer de vida licenciosa. • *Col.* y *Ven.* Hembra del pavo.

PISCATOR m. Título de los ant. calendarios milaneses. • Especie de almanaque con pronósticos meteorológicos.

PISCATOR, *Erwin* (1893-1966) Director teatral al. En los años veinte puso en escena, en Berlín, obras en las que desarrolló una estética que desembocaría en el teatro épico de Brecht. Fundó en EE UU el *Dramatic Workshop*.

PISCATORIO, RIA adj. Relativo a la pesca o a los pescadores. • adj. y f. Se aplica a la égloga o composición poética en que se pinta la vida de los pescadores.

PISCES → Piscis.

PISCICULTURA f. Arte de repoblar de peces los ríos y los estanques; de dirigir y fomentar la reproducción de los peces y mariscos. ■ PISCÍCOLA; PISCICULTOR, RA.

PISCIFACTORÍA f. Establecimiento de piscicultura.

PISCIFORME adj. De forma de pez.

PISCINA f. Estanque que se suele hacer en los jardines para tener peces. • Estanque donde pueden bañarse a la vez diversas personas.

PISCIS n. p. m. *Astr.* Duodécimo y último signo o parte del Zodiaco, que el Sol recorre aparentemente al terminar el invierno. • *Astr.* Constelación zodiacal que se halla delante del mismo signo y un poco hacia el E. • **Austrinus** Pequeña constelación austral que se distingue por la estrella Fomalhaut (φ), de 1.ª magnitud y sit. a unos 23 años luz de distancia.

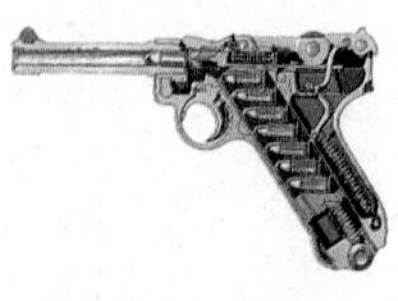

Pistola automática. Situación del cargador y mecanismo de disparo

PISCÍVORO, RA adj. y s. Que se alimenta de peces, ictiófago.

PISCLE m. *Méx.* Caballo malo, matalón.

PISCO m. Aguardiente fabricado originalmente en Pisco (Perú). • Botija en que se exporta este aguardiente. • *Amér.* Engreído. • *Col.* Uno de los nombres que recibe el pavo. • *Ven.* Ebrio.

PISCO C. de Perú, cap. de la prov. hom., en el dpto. de Inca; 53 400 hab. Sit. en la bahía hom. Centro comercial, de comunicaciones e industrial. Puerto pesquero y exportador.

PISCOLABIS m. fam. Ligera refacción que se toma entre dos comidas prales. • *Amér.* Aguardiente que se toma como aperitivo.

PISHPEK (ant. *Frunze*) C. y cap. de Kirguisistán; 616 000 hab. Sit. al pie de la cord. de Kirguisia. Ind. alimentaria, del automóvil, de maquinaria agrícola.

PISIFORME adj. Que tiene la figura de guisante. adj. y m. Díc. de uno de los huesos del carpo.

PISINGALLO m. *Argent.* Variedad de maíz.

PISÍSTRATO (h. 600-527 a. C.) Tirano de Atenas. Conquistó Salamina y en 561 a. C. se autonombró tirano. Le sucedieron sus hijos Hipias e Hiparco.

Busto de **Pitágoras.** Museo Capitolino, Roma

PISO m. Nivel o alt. uniforme del suelo de las habitaciones de una casa. • Pavimento natural o artificial de las habitaciones, calles, caminos, etc. • Conjunto de habitaciones que constituyen vivienda independiente en una casa de varios altos. • Cada una de las plantas de un edificio que consta de varias. • Habitación de un seglar en un monasterio mediante ciertos convenios con los superiores. • Suela del zapato. • *Min.* Conjunto de labores subterráneas a una misma profundidad. • *Geol.* Unidad cronoestratigráfica que corresponde a la sucesión de materiales depositados en un cierto lugar (localidad tipo del p.) durante una edad determinada. • **de vegetación.** Tipo de vegetación propio de una zona, en relación con la alt. de ésta. • **nival.** Zona de vegetación sit. en las altas montañas, por encima del límite inferior de las nieves, con muy pocas plantas superiores y una cierta importancia de musgos y líquenes.

PISOLITA f. Sedimento calizo que se forma, en manantiales de agua caliente, en torno a un cuerpo de pequeñas dimensiones.

PISOLITO m. *Geol.* Concreción esférica u ovalada de tamaño superior a 2 mm.

PISÓN m. Instrumento de madera pesado y grueso, de figura de cono truncado y con mango, que sirve para apretar la tierra, piedras, etc. • *Amér.* Pisotón.

PISÓN, *Cayo Calpurnio* (m. 65) Político rom. Dirigió una conspiración contra Nerón, en la que intervinieron Séneca y Lucano. Se suicidó.

PISONAZO m. *Amér.* Pisotón.

PISONEAR tr. Apisonar.

PISOTEAR tr. Pisar repetidamente, maltratando o ajando una cosa. • fig. Humillar, maltratar de palabra a una o más personas. ■ PISOTEO.

PISOTÓN m. Pisada fuerte sobre el pie de otro.

PISPORRA f. *Amér. Centr.* Excrecencia que se forma en algunos árboles.

PISSARRO, *Camille* (1831-1903) Pintor fr., nacido en las Antillas. Impresionista, se inclinó hacia el puntillismo.

PISSIS Volcán de los Andes arg., sit. entre las prov. de La Rioja y Catamarca; 6 779 m de alt.

PISTA f. Huella o rastro que dejan los animales en la tierra por donde han pasado. • Sitio dedicado a las carreras y demás ejercicios, en los picaderos, circos, velódromos e hipódromos. • Camino, carretera. • Calzada de hormigón muy resistente de los aeródromos. • Cada una de las grabaciones independientes que pueden efectuarse en una cinta magnetofónica. • fig. Conjunto de indicios o señales que pueden conducir a la averiguación de algo. • *Comp.* Cada una de las bandas capaces de recibir información en un dispositivo magnético. Se trata de bandas longitudinales en cintas magnéticas, o circunferencias concéntricas en un disco, o coaxiales en un tambor magnético.

PISTACHE m. Dulce o helado que se prepara con el fruto del pistachero.

PISTACHERO m. Alfóncigo, árbol.

PISTACHO m. Fruto del alfóncigo. • Pistachero. • *Méx.* Cacahuete.

PISTAR tr. Machacar, aprensar una cosa o sacarle el jugo. ■ PISTURA.

PISTE m. *Col.* Maíz para la mazamorra.

PISTERO, RA adj. *Amér.* Díc. de la persona aficionada al dinero. • m. Vasija en forma de taza, con un asa y caño que le sirve de pico, usada para dar líquidos a los enfermos que no pueden incorporarse. • m. fig. *Col.* Hematoma alrededor del ojo, producido por un golpe. • f. *Amér.* Monedero, bolsillo para llevar dinero.

PISTILO m. *Bot.* Órgano del gineceo de las flores femeninas o hermafroditas, constituido por la soldadura en recipiente de uno o más carpelos u hojas fértiles. Consta de tres partes diferenciadas: ovario, estilo y estigma.

PISTO m. Jugo que se saca de la carne de ave machacándola o prensándola. • Fritada de pimientos, tomates, huevo, cebolla o de otros manjares, picados y revueltos. • *Amér. Centr.* Dinero. • fig. Mezcla confusa de especies en una oración o en un escrito. • **Darse p.** fam. Darse importancia.

PISTOIA C. de Italia, cap. de la prov. hom.; 91 200 hab. Centro comercial e industrial.

PISTOLA f. Arma ligera de tiro tenso y de repetición, que utiliza la fuerza expansiva de los gases de cada disparo para abrir el cierre, expulsar la vaina, armar el sistema de percusión y comprimir el muelle recuperador. ■ PISTOLERA; PISTOLERO.

PISTOLADA f. fam. *Ven.* Tontería.

PISTOLETAZO m. Disparo hecho con pistola. Ruido originado por el mismo. Herida o estrago producido.

PISTOLETE m. Arma de fuego más corta que la pistola. • Cachorrillo.

PISTÓN m. Émbolo. • Parte o pieza central de la

cápsula, donde está colocado el fulminante. • Llave en forma de émbolo que tienen diversos instrumentos musicales.
PISTONUDO, DA adj. vulgar. Muy bueno, superior, estupendo.
PISTUDO, DA adj. *Amér. Centr.* Acaudalado, rico.
PISUICAS m. *Amér. Centr.* El diablo.
PISUSA o **PIUSA** f. *Amér.* Mujerzuela.
PITA f. Planta amarilidácea, oriunda de México, con hojas o pencas radicales, carnosas, con espinas. De una de sus variedades se fabrica el pulque. • Hilo que se hace de las hojas de esta planta. • Voz que se usa repetida para llamar a las gallinas. • Gallina, ave. • Silba. • *Amér.* **Enredar la p.** Embrollar un asunto o negocio.
PITACO m. Bohordo de la pita.
PITADA f. Sonido o golpe de pito. • fig. Salida de tono, o concepto inoportuno o extravagante.
PITÁGORAS (ss. VI-V a. C.) Filósofo y matemático gr. Iniciador de la filosofía idealista. Según P., los números constituyen la sustancia de las cosas, ya que cada cosa guarda una relación numérica que la distingue de las demás, y una ciencia exacta sólo puede obtenerse por medio de los números. • **Teorema de P.** En todo triángulo rectángulo, la suma de las áreas de los cuadrados construidos sobre los catetos iguala al cuadrado construido sobre la hipotenusa.
PITAGÓRICO, CA adj. y s. Que sigue la escuela, opinión o filosofía de Pitágoras. • adj. Relativo a ella.
PITAGORISMO m. *Fil.* Escuela de los seguidores de Pitágoras que se extiende hasta el s. IV. Descubrieron la rotación y traslación de la Tierra, y el papel del cerebro como órgano central de la vida psíquica.
PITAHAYA f. *Amér.* Planta cactácea, trepadora y de flores encarnadas o blancas. Algunas dan fruto comestible.
PITAJAÑA f. *Chile.* Planta cactácea, cuyos tallos serpean ciñéndose a otras plantas; flores amarillas, que se abren al anochecer y despiden olor como de vainilla.
PITANGA f. *Argent.* Árbol mirtáceo de hojas olorosas, fruto comestible y corteza astringente. • Fruto de este árbol.
PITANZA f. Distribución que se hace diariamente de una cosa, ya sea comestible o pecuniaria. • Ración de comida que se distribuye a los que viven en comunidad o a los pobres. • fam. Alimento cotidiano. • fam. Precio o estipendio que se da por una cosa. • fam. *Amér.* Ganga.
PITAÑA f. Legaña.
PITAR intr. Tocar o sonar el pito. • fig. y fam. Hablando de personas o cosas, dar el rendimiento que de ellas se esperaba. • fig. y fam. Tener una situación de preeminencia o autoridad. • tr. Dar una pita a alguno, manifestar desagrado contra él pitándole o silbándole en una reunión o espectáculo público. • Pagar lo que se debe. • *Amér. Merid.* Fumar cigarrillos. • *Chile.* Engañar a uno, burlarse de él.
PITARRILLA f. *Amér. Centr.* Chicha de maíz.
PITCAIRN Colonia insular de Gran Bretaña, sit. en Polinesia, al SE de Nueva Zelanda; 4,6 km^2 y 59 hab., descendientes mezclados de polinesios y marinos del navío brit. *Bounty.*
PITE m. *Col.* y *Ecuad.* Pedacito de alguna cosa. • *Col.* Juego que consiste en lanzar monedas contra una pared, de modo que caigan lo más apartadas posible de ésta.
PITEAR intr. *Amér.* Pitar. • **Piteárselas**. *Amér.* Irse.
PITEAS o **PYTHEAS** (s. IV a. C.) Navegante, geógrafo y astrónomo gr. Se cree que fue el primero en relacionar la Luna con las mareas. *Descripción del océano.*
PITECÁNTROPO o **PITHECANTHROPUS** m. *Antr.* Grupo de homínidos fósiles posteriores al australopiteco, que vivieron durante el pleistoceno medio. Los p. se caracterizan por una capacidad craneana alta. Sus yacimientos están sit. en Java, Borneo, China, Italia (Liguria) y Kenia. • Homínido de este grupo.
PITECOIDEO adj. y m. *Zool.* Díc. de mamíferos primates entre los que se incluyen los monos propiamente dichos y el hombre. • m. pl. Suborden de estos animales.
PITESTI C. de Rumania, cap. del distr. de Arges; 149 700 hab. Centro comercial, industrial y de comunicaciones. Petróleo.
PITEZNA f. Pestillo de hierro de los cepos, que al más leve contacto se dispara y hace que quede preso el animal.
PITIÁCEO, A adj. y f. Díc. de hongos de la familia pitiáceas. • f. pl. Familia de hongos ficomicetes peronosporales, parásitos, que atacan las plantas.
PÍTICO, CA adj. Relativo a Apolo, pitio. • Díc. de certámenes artísticos y deportivos que se celebraban, en Delfos, en honor de Apolo Pitio.
PITIDO m. Silbido del pito o de los pájaros.
PITILLERA f. Cigarrera que se ocupa en hacer pitillos. • Petaca para guardar pitillos.
PITILLO m. Cigarrillo. • *Cuba.* Cañutillo, planta.
PÍTIMA f. Socrocio que se aplica sobre el corazón. • fig. y fam. Borrachera, embriaguez.
PITIMINÍ m. Variedad de rosal, y rosa menuda que produce. • **De p.** loc. fig. Muy pequeño, insignificante, de poca importancia.
PITIRIASIS f. Enfermedad cutánea, causada por un hongo y caracterizada por zonas de descamación fina y furfurácea.
PITIYANQUI com. despect. *P. Rico.* Díc. de las personas que imitan todo lo norteam.
PITO m. Flauta pequeña, como un silbato, de sonido agudo. • Persona que toca este instrumento. • Vasija pequeña de barro, que produce un sonido semejante al gorjeo de los pájaros cuando, llena de agua, se sopla por el pico. • *Zool.* Picarro, pájaro carpintero. • *Zool.* Garrapata amarillenta, con una mancha encarnada en el dorso, común en las sabanas de América Meridional. Ataca al hombre y le produce con su picadura una comezón insoportable. • Taba con que juegan los muchachos. • Cigarrillo de papel. • fig. Cosa insignificante. • fig. y fam. Pene.

Pito real

PITOITOY m. *Amér.* Ave ciconiforme de las costas; de plumaje compacto, oscuro por el lomo y blanco con manchas por el vientre.
PITOL, *Sergio* (nacido 1933) Escritor mex. Autor de relatos basados en recuerdos personales. *El infierno de todos, Los climas, No hay tal lugar, Del encuentro nupcial.*
PITÓN m. Cuerno que empieza a salir a los animales; como el cordero, cabrito, etc., y también la punta del cuerno de toro. • Tubo cónico que arranca de la parte inferior del cuello en los botijos, pisteros y porrones , y sirve para moderar la salida del líquido. • Renuevo del árbol cuando empieza a abotonar. • Bohordo de la pita, pitreo, pitaco. • Adivino, mago, hechicero. • adj. y m. *Zool.* Nombre de varias serpientes de la familia boidos, sin dientes venenosos y que matan a sus presas por constricción.

Pitón

PITÓN *Mit. gr.* Serpiente de cien cabezas que custodiaba el santuario de la Madre Tierra, en Delfos.
PITONISA f. Sacerdotisa de Apolo, que daba los oráculos en el templo de Delfos. • Encantadora, hechicera.
PITORREARSE prnl. Burlarse de otro. ■ PITORREO.
PITORRO adj. y m. Díc. del carnero con cuernos fuertes y largos. • Pitón de los botijos.
PITOSPORÁCEO, A adj. y f. Díc. de plantas angiospermas dicotiledóneas, arbustivas, resinosas, con hojas simples y enteras, flores pentámeras, regulares, hermafroditas, dicarpelares y frutos en cápsula o en baya. • f. pl. Familia de estas plantas.
PITOTE m. Confusión, barullo.
PITPIT m. Pájaro con plumaje ceniciento verdoso y con manchas pardas, pero amarillento en la garganta y el pecho y blanco en el abdomen.
PITT, *William,* CONDE DE CHATHAM, llamado EL VIEJO (1708-1778) Político brit. Miembro del partido *whig.* Presidió el gabinete durante la guerra de los Siete Años. En 1761 presentó la dimisión, al no secundar Jorge III la invasión de España. Entre 1766 y 1768 formó nuevo gobierno. • ***William,*** llamado EL JOVEN (1759-1806) Político brit., hijo del anterior. Primer ministro en 1783. Tras su victoria en los comicios de 1784 reorganizó la administración. En 1801 dejó el poder al negarse el rey a admitir a los irl. en el parlamento.

William **Pitt** el Joven, por G. Healy. Museo de Versalles, París

PITTI Familia de la aristocracia florentina, rival de los Médicis en el s. XV.
PITTSBURGH C. de EE UU, en Pensilvania, a orillas del Ohio; 423 900 hab. (2 263 900 hab. la aglomeración urbana). Ind. siderúrgica. Dos universidades.
PITUCO, CA adj. *Chile.* Flacucho.

Vista aérea de **Pittsburgh**

PITUITA f. *Anat.* Humor de las mucosas y especialmente de la nariz. • Moco.
PITUITARIO, RIA adj. Que contiene o segrega pituita. • f. *Anat.* y *Fisiol.* Glándula endocrina sit. en la base del encéfalo.
* *Fisiol.* La p. fabrica por lo menos diez productos hormonales distintos: tirotropina, que actúa sobre la tiroides: corticotropina, que actúa sobre las glándulas suprarrenales; somatotropina, que acelera el crecimiento; hormona estimulante del folículo; hormona luteinizante; prolactina; vasopresina y oxitocina.
PITUSO, SA adj. y s. Pequeño, gracioso, lindo, refiriéndose a niños.
PIUCHEN m. *Chile.* Vampiro. • *Chile.* Boliche.
PIUCO, CA adj. *Chile.* Huraño.
PIULAR intr. Piar el pollo. • Suspirar o clamar por una cosa. ▪ PIULIDO.
PIUQUÉN m. *Chile.* Especie de avutarda, de carne muy estimada.

Pizarra

PIURA Dpto. de Perú, fronterizo con Ecuador; 35 892,49 km^2, 1 467 500 hab. Cap., la c. hom. C. prales.: Chulucanas, Sullana, Talara y Paita. Sit. a orillas del Pacífico, su terr. pertenece a la llanura costera, con el desierto de Sechura al S. En el sector oriental aparecen las estribaciones andinas (Cerro Viejo, 3 934 m). La red hidrográfica tributa en el Amazonas (Huancabamba) y en el Pacífico (Chira y Piura). La costa goza de un clima subtropical, mientras que las alt. presentan rasgos frios. Cereales, patatas, algodón, caña de azúcar. Ganadería vacuna y caprina. Pesca. Petróleo (Talara y Lobitos). • C. de Perú, cap. del dpto. hom.; 272 231 hab. Sit. a orillas del río hom. Centro comercial y agrícola. Ind. del jabón, velas y cueros; desmotado de algodón. Fundada en 1532 por F. Pizarro. En 1912, destruida por un terremoto.
PIVEL Devoto, *Juan E.* (nacido 1911) Historiador y político ur. Dirigente del Partido Blanco. *Historia de los partidos políticos en el Uruguay, Historia de la República Oriental del Uruguay 1830-1930.*
PIVOT (voz ing.) com. En baloncesto, jugador cuya misión es situarse bajo los tableros, con el fin de capturar, y en su caso aprovechar, los rebotes que se produzcan. • m. Pivote.
PIVOTANTE adj. Díc. de la raíz que consta de una porción principal, con geotropismo positivo, de la que salen lateralmente multitud de ramas perpendiculares. Se denomina también raíz axonomorfa.
PIVOTAR intr. Girar sobre un pivote.
PIVOTE m. *Mec. apl.* Extremo inferior de un árbol vertical sobre el que gira el mismo apoyándose en un tejuelo. • fig. Punto de apoyo.
PIXEL m. *Comp.* Elemento más pequeño de una pantalla al que se le puede dar intensidad y color. Equivale al significado de un punto. Cuantos más p. haya en la pantalla de una computadora, más resolución poseerá ésta.
PÍXIDE f. *Rel.* Caja pequeña en que se guarda la hostia consagrada o que se lleva a los enfermos.
PIXIDIO m. *Bot.* Fruto sincárpico en cápsula que consta de opérculo y urna.
PIYAMA amb. *Amér.* Pijama.

Francisco **Pizarro**

PIZARNIK, *Alejandra* (1936-1972) Poetisa arg. *Árbol de Diana, Extracción de la piedra de la locura.*
PIZARRA f. Denominación genérica de diversos tipos de rocas metamórficas de grano fino, constituidas esencialmente por cuarzo, mica y clorita. • Encerado o tablero sobre el que se puede escribir o dibujar con tiza. • **arcillosa.** Roca sedimentaria de grano fino y estructura hojosa. • **bituminosa.** Roca sedimentaria de grano fino y color oscuro, que posee componentes inorgánicos (cuarzo y silicatos) y un alto contenido en materia orgánica. ▪ PIZARRAL; PIZARREÑO, ÑA; PIZARRERO; PIZARROSO, SA.
PIZARRÍN m. Barrita de lápiz o de pizarra que se usa para escribir o dibujar en las pizarras de piedra. • fig. y fam. Pene.
PIZARRO, *Francisco* (1478-1541) Conquistador esp. Partió para el Nuevo Mundo en 1502. Tomó parte en la expedición de Ojeda y en la de Balboa. Con Almagro y F. Luque, fundó en Panamá una compañía para efectuar exploraciones (1524). Tras el fracaso de su primer viaje al Perú, emprendió un segundo viaje (1526), en el que se dirigió hacia el S. En el tercer viaje (1531) fundó San Miguel de Piura (1532) y la c. de Lima, a la que llamó Ciudad de los Reyes (1535). Entró en Cajamarca y apresó a Atahualpa. La disputa con Almagro por la c. del Cuzco terminó con la ejecución de éste, y una conspiración almagrista acabó con la vida de P. • ***Gonzalo*** (1502-1548) Conquistador esp., hermano del anterior. Participó en la campaña del Perú, fue gobernador de Quito y acaudilló una sublevación de los encomenderos. • ***Hernando*** (1502-1578) Conquistador esp., hermano de los anteriores. Participó en la conquista del Perú y obtuvo la gobernación de Cuzco. • ***Juan*** (1505-1536) Conquistador esp., hermano de los anteriores. Participó en la conquista del Perú. Murió al intentar reconquistar Cuzco. • ***Pedro*** (1514-1571) Cronista esp., primo de Francisco P. *Relación del descubrimiento y conquista de Perú.*
PIZARRÓN m. *Amér.* Pizarra, encerado.
PIZCA f. fam. Porción mínima o muy pequeña de una cosa.
PIZCAR tr. fam. Pellizcar. ▪ PIZCO.
PIZPIRETA o **PIZPERETA** adj. fam. Aplícase a la mujer viva, pronta y aguda.
PIZPIRIGAÑA f. Juego con que se divierten los muchachos, pellizcándose suavemente en las manos unos a otros.
PIZPITA f. o **PIZPITILLO** m. Aguzanieves.
PIZZA (voz it.) f. Plato típico de la cocina it. Es una especie de torta de masa de pan en la que se disponen diversas viandas, y que se cuece al horno. ▪ PIZZERÍA.
PIZZETTI, *Ildebrando* (1880-1968) Compositor it., autor de una abundante obra para orquesta (*Concierto de verano, Cantos invernales*) y operística: *Fedra, Asesinato en la catedral.*
PIZZICATO (voz it.) adj. *Mús.* Se aplica al sonido que se obtiene en los instrumentos de arco pellizcando las cuerdas con los dedos. • m. *Mús.* Trozo de música que se ejecuta de esta forma.
PL/1 m. *Comp.* Lenguaje de programación de alto nivel que se creó como alternativa a los lenguajes Algol, Fortran y Cobol. Se utiliza normalmente en computadoras de una gran potencia, aunque existe también una visión para microcomputadoras.
PLA, *Josefina* (1909-2000) Ceramista y escritora par., de origen esp. Autora de poemas, relatos y obras teatrales. *Satélites oscuros, El espejo, Una novia para José Vaí.* • ***Josep*** (1897-1981) Escritor esp., autor de obras en cat. y en cast. Es notable su obra como narrador y paisajista literario. Cultivó también los géneros histórico y literario. *El cuaderno gris, Homenots (Grandes tipos).*
PLACA f. Chapa o insignia del agente de policía. • *Comp.* Soporte donde se montan los circuitos electrónicos. En las p. de una computadora se encuentran los chips de memoria, los microprocesadores, etc. Son de vidrio o de baquelita. • *Metal.* Cuerpo aplanado y rígido que puede tener un espesor apreciable, pero con predominio de las otras dos dimensiones. • Lámina, plancha o película que se forma o está superpuesta en un objeto. • Electrodo de un tubo de vacío con potencial positivo respecto al cátodo. • Vidrio cubierto en una de sus caras por una capa de sustancia alterable por la luz y en la que puede obtenerse una prueba negativa. • Pequeña

plancha que se coloca en la puerta de las casas con el nombre y profesión de quienes las ocupan. • *Amér.* Manchas en la piel producidas por alguna enfermedad. • *Argent.* Patente de automóviles y vehículos en general. • **giratoria.** Armazón circular de hierro, giratoria y cubierta de planchas con carriles que forman dos o más vías cruzadas, y que sirve en las estaciones de ferrocarril para hacer que los vagones cambien de vía. • **nuclear.** Placa fotográfica especial para visibilizar trayectorias de partículas nucleares rápidas.

PLACARD m. *R. de la Plata.* Armario.

PLACEAR tr. Destinar algunos géneros comestibles a la venta por menor en el mercado. • Publicar o hacer manifiesta una cosa.

PLACEBO m. *Med.* Sustancia que, careciendo de acción terapéutica, produce efectos curativos en el enfermo, si éste la recibe convencido de su eficacia.

PLÁCEME m. Felicitación.

PLACENCIA, ***Alfredo R.*** (1875-1930) Poeta mex. Místico y existencialista, de estilo innovador. *El libro de Dios, El paso del dolor.*

PLACENTA f. *Anat.* Órgano redondeado y aplastado, intermediario, durante la gestación, entre la madre y el feto. Una de sus caras se adhiere a la superficie interior del útero y de la otra nace el cordón umbilical. • *Bot.* Parte del fruto a la que están unidas las semillas. • *Bot.* Borde del carpelo, en el que se insertan los óvulos. ■ PLACENTARIO, RIA.

PLACENTACIÓN f. *Bot.* Disposición de la placenta o de las placentas en el ovario o en la hoja carpelar.

PLACENTERO, RA adj. Agradable, apacible, alegre.

PLACER m. Depósito sedimentario clástico, característico de ambientes fluviales y de playas. • Arenal donde la corriente de las aguas depositó partículas de oro. • *Amér.* Pesquería de perlas. • *Cuba.* Campo yermo, o terreno plano y descubierto, en el interior o en las inmediaciones de una ciudad. • Emoción agradable, ligada a la satisfacción de una tendencia. • Voluntad, consentimiento, beneplácito. • Diversión, entretenimiento. • tr. Agradar o dar gusto.

PLACERO, RA adj. Relativo a la plaza. • adj. y s. Aplícase a la persona que vende en la plaza los géneros y cosas comestibles. • fig. Díc. de la persona ociosa que se anda en conversación por las plazas.

PLACETAS Mun. de Cuba (prov. de Villa Clara); 74 800 hab. Ingenios azucareros.

PLÁCIDO, DA adj. Quieto, sosegado. • Grato, apacible. ■ PLACIDEZ.

PLÁCITO m. Parecer, dictamen, sentido.

PLACODERMO, MA adj. y m. Díc. de animales de la clase placodermos. • m. pl. Clase de vertebrados housepisciformes, extinguidos, que tenían armadura y esqueleto interno óseos.

PLAFÓN m. *Arq.* Plano inferior del saliente de una cornisa.

PLAGA f. Calamidad grande que aflige a un pueblo. • Daño grave o enfermedad que sobreviene a una persona. • Úlcera, llaga. • fig. Cualquier infortunio, trabajo, pesar o contratiempo. • fig. Abundancia de una cosa nociva. Suele decirse también, aunque impropiamente, de las que no lo son. • fig. Azote que aflige a la agricultura. • Clima, espacio entre dos paralelos. • Rumbo, dirección.

PLAGAR tr. y prnl. Llenar o cubrir a alguna persona o cosa de algo nocivo o no conveniente.

PLAGIAR tr. Entre los ant. romanos, comprar a un hombre libre sabiendo que lo era y retenerlo en servidumbre, o utilizar un siervo ajeno como si fuera propio. • fig. Copiar en lo sustancial obras ajenas, dándolas como propias. • *Amér.* Apoderarse de una persona para obtener rescate por su libertad. ■ PLAGIARIO, RIA.

PLAGIO m. Acción y efecto de plagiar. Se aplica especialmente a la apropiación de frases, asuntos o pensamientos de otros autores.

PLAGIOCLASA f. Mineral del grupo de las plagioclasas. • pl. Grupo de minerales, de la familia feldespatos, constituido por mezclas isomorfas de albita y anortita.

PLAGIÓSTOMO, MA adj. y m. Díc. de los individuos de una subclase de peces cartilaginosos que tienen la boca transversal y en la parte inferior del cuerpo, y orificios branquiales a cada lado. • m. pl. Subclase de esos peces.

PLAGIOTROPISMO m. Tipo de crecimiento horizontal de las ramas de las plantas arbóreas o bien de los tallos rastreros.

PLAGUICIDA adj. y m. Díc. del agente que combate las plagas del campo.

PLAN m. Altitud o nivel. • Intento, proyecto, estructura. • Extracto o escrito en que por mayor se apunta una cosa. • *Econ.* Determinación de algunos objetivos precisos y de los medios que deben emplearse para alcanzarlos en un plazo dado. • Conjunto de medidas tomadas a escala gubernamental, nacional o regional, para conseguir determinados objetivos económicos o sociales. • Programa de estudios o de actividades que engloba una carrera, una obra, etc. • Representación gráfica de un terreno o de una construcción. • fam. Actitud. • fam. Situación, estado de las cosas. • fig. y fam. • Persona con la que se mantienen relaciones sexuales pasajeras. • *Mar.* Parte inferior y más ancha del fondo de un buque en la bodega. • *Min.* Conjunto de labores de la mina a una misma profundidad. • **de estudios.** Conjunto de enseñanzas y prácticas que han de cursarse para cumplir un ciclo de estudios u obtener un título. • **económico.** Exposición ordenada y sistemática de los objetivos económicos que se plantea un gobierno y de los medios para alcanzarlos. • **quinquenal.** Instrumento económico sov. que tiene por finalidad la elaboración de programas económicos. **En pl. de.** loc. fam. En actitud de, con ganas de.

PLANA f. Cada una de las dos caras o haces de una hoja de papel. • Escrito que hacen los niños en una cara del papel en que aprenden a escribir. • Porción extensa de país llano. • Llana, herramienta. • *Art. Gráf.* Conjunto de líneas ya ajustadas de que se compone cada página. • **mayor.** *Mil.* Órgano de trabajo formado por jefes, oficiales y otros individuos, al servicio de una unidad básica.

PLANADA f. Llanada.

PLANADOR m. Oficial de platero que con el martillo aplana sobre el tas la vajilla y piezas lisas. • *Art. Gráf.* El que aplana y pule las planchas para grabar.

PLANARIA f. Animal platelminto, acuático, de vida libre, con notable capacidad de regeneración.

PLANAZO m. *Amér. Centr.* Cintarazo.

PLANCHA f. Placa metálica obtenida a partir de la laminación de lingotes. Las p. pueden ser de acero, cobre, cinc, latón, plomo, estaño, aluminio o hierro cincado. • Aparato eléctrico de hierro, liso y acerado por su cara inferior, que en la superior tiene un asa por donde se coge para planchar la ropa mediante el calor. • Acción y efecto de planchar la ropa. • Conjunto de ropa planchada. • En gimnasia, postura horizontal del cuerpo en el aire, sin más apoyo que el de las manos asidas a un barrote. • En natación, posición del cuerpo flotando de espaldas. • Placa de metal que se usa para asar determinados alimentos. • fig. y fam. Desacierto o error por el cual la persona que lo comete queda en situación desairada o ridícula. Dintel de madera que cierra un vano. • *Art. Gráf.* Reproducción estereotípica o galvanoplástica preparada para la impresión. • *Mar.* Tablón con travesaños que se pone como puente entre la tierra y una embarcación, o entre dos embarcaciones. • **de blindaje.** Cada una de las piezas metálicas, de gran dureza y resistencia, con las cuales se protegen contra los proyectiles los navíos de guerra y otros artefactos militares.

PLANCHAR tr. Pasar la plancha caliente sobre la ropa blanca algo húmeda o sobre otras prendas, para estirarlas, asentarlas o darles brillo. Quitar las arrugas a la ropa por procedimientos mecánicos. ■ PLANCHADO, DA; PLANCHADOR, RA.

PLANCHART, ***Enrique*** (1849-1953) Escritor ven., de la llamada generación del 18. *Poemas a Mucky Götz, Dos suites en verso blanco.*

PLANCHAZO m. Desacierto o error.

PLANCHEAR tr. Cubrir una cosa con planchas o láminas de metal.

PLANCHETA f. Aparato topográfico para trazar visuales, dirigidas por medio de una alidada, a diversos puntos del terreno.

PLANCK, ***Max*** (1858-1947) Físico alemán. Realizó estudios y trabajos sobre termodinámica, radiación del cuerpo negro, electricidad y mecánica, y es el autor de la teoría de los cuantos, que ha revolu-

Fósil de un **placodermo**

Salida de una **plancha** de acero durante el proceso de laminación en caliente

Max **Planck**

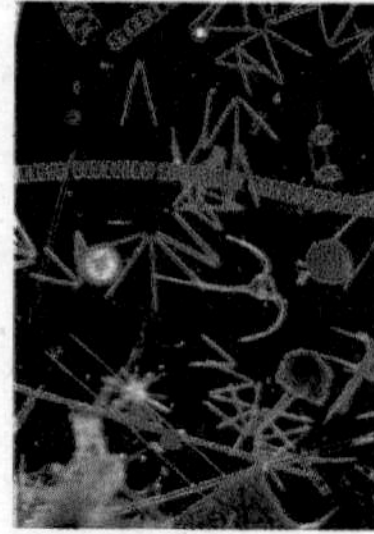

Plancton marino visto al microscopio

cionado la física moderna. Premio Nobel en 1918.

PLANCO m. Planga, ave.

PLANCTON m. *Biol.* Conjunto de organismos de pequeño tamaño que viven suspendidos en el agua marina, en los ríos y en los lagos.

* *Biol.* Según su pertenencia al reino vegetal o animal, se distingue entre fitoplancton y zooplancton. Los organismos del p. flotan pasivamente en el agua, a diferencia de los del necton, que nadan activamente. Entre el fitoplancton predominan las diatomeas y los dinoflagelados. Los organismos que predominan en el zooplancton son los copépodos. Las sales disueltas en el agua, los residuos orgánicos y los alimentos producidos por la fotosíntesis sostienen a los organismos del fitoplancton, que a su vez sirven de alimento a los miembros del zooplancton. Importancia especial tienen unos crustáceos del p., las eufasias, de algunos cm de largo, que constituyen la base de la alimentación de las ballenas.

PLANEADOR m. Aeroplano dotado de alas fijas y que carece de motor.

PLANEAR tr. Trazar o formar el plan de una obra. • Hacer planes o proyectos. • intr. Descender un avión en planeo. ■ PLANEAMIENTO; PLANEO.

PLANETA m. *Astr.* Cada uno de los nueve cuerpos mayores que giran en torno al Sol. • Cuerpo mayor que gira alrededor de una estrella. • **secundario.** Satélite.

* *Astr.* Con respecto a la Tierra, los p. del sistema solar se clasifican en: *a)* interiores, Mercurio y Venus; y *b)* exteriores, Marte, Júpiter, Saturno, Urano, Neptuno y Plutón.

PLANÍMETRO m. Instrumento para medir áreas de figuras planas.

PLANISFERIO m. Carta en que la esfera celeste o la esfera terrestre están representadas en un plano.

PLANNING (voz ing.) m. Plan de trabajo industrial que consiste en la previsión, comprobación y regulación del tiempo invertido en las distintas operaciones que comprende la fabricación de una cosa.

PLANO, NA adj. Llano, liso, sin estorbos ni tropiezos. • *Mat.* Perteneciente o relativo al p. • *Mat.* Superficie determinada por tres puntos no alineados. • Representación a escala en la que aparecen indicados todos los detalles de edificios, cultivos, límites de propiedades, etc. • *Cin.* Fragmento de una película que corresponde a una sola toma de vista. • **de coordenadas.** *Mat.* Cada uno de los tres p. que se cortan en un punto y sirven para determinar la posición de los puntos del espacio por medio de líneas paralelas a sus intersecciones mutuas. • **de incidencia.** *Ópt.* El rayo incidente a una superficie y la normal a la misma. • **de nivel.** El paralelo al nivel del mar. • **de polarización.** P. perpendicular a las oscilaciones eléctricas de una onda de luz polarizada, que contiene las oscilaciones del campo magnético. • **inclinado.** Máquina simple que permite elevar cargas mediante esfuerzos relativamente reducidos. • **reticular.** En cristalografía, el determinado por tres puntos de un cristal que no se hallan en una misma fila reticular.

Planetas (datos orbitales)

Planeta	Semieje mayor (en U. A.*)	Distancia al Sol (en millones de km)	Revolución sidérea		Velocidad orbital (en km/s)	Excentricidad	Inclinación
			años	días			
Mercurio	0,387	57,91		87,97	47,88	0,206	7° 0' 15"
Venus	0,723	108,21		224,50	35,02	0,007	3° 23' 40"
Tierra	1	149,6	1	0,006	29,76	0,017	0° 0' 0"
Marte	1,523	227,9	1	321,73	24,12	0,093	1° 50' 59"
Júpiter	5,203	778,3	1	314,94	13,05	0,048	1° 18' 17"
Saturno	9,539	1 427	29	166,95	9,64	0,056	2° 29' 22"
Urano	19,182	2 869,6	84	4	6,81	0,047	0° 46' 23"
Neptuno	30,058	4 496,7	164	289	5,44	0,009	1° 46' 22"
Plutón	39,757	5 947,61	250	255,6	4,73	0,253	17° 8' 2"

* U. A. = unidades astronómicas

Planeador

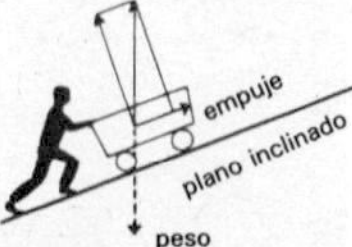

Descomposición de fuerzas sobre un **plano**

PLANETARIO, RIA adj. Díc. del sistema formado por el conjunto de todos los planetas que giran en torno al Sol. • Díc. del movimiento análogo al que describen los planetas alrededor del Sol. • m. Reproducción del movimiento de planetas y estrellas, por proyección de un foco luminoso sobre una bóveda a imagen de la celeste.

PLANETOIDE m. Asteroide.

PLANGA f. Ave rapaz diurna, con plumaje de color blanco negruzco y algunas manchas blancas redondeadas. Vive de la caza, pero temporalmente acude a las lagunas en busca de peces.

PLANICIE f. Llanura, terreno sin altos ni bajos.

PLANIFICACIÓN f. Acción y efecto de planificar. • Plan general, científicamente organizado y frecuentemente de gran amplitud, para obtener un objetivo determinado. • **económica.** Decisión económica que establece los programas de producción, los objetivos a alcanzar y las etapas de financiación y puesta a punto del programa, y que regula el mecanismo del mercado, de los precios y de los salarios. • **familiar.** Conjunto de métodos de control de natalidad llevados a cabo para conseguir una política demográfica determinada.

PLANIFICAR tr. Trazar los planos para la ejecución de una obra. • Hacer plan o proyecto de una acción. • Someter a planificación.

PLANILLA f. *Amér. Centr.* Cuenta, lista o nómina.

PLANIMETRÍA f. Parte de la topografía que enseña a representar una porción de la superficie terrestre en un plano.

PLANOCOCO m. Célula aislada móvil responsable de uno de los tipos de reproducción asexual de las algas azules o esquizofíceas.

PLANTA f. Parte inferior del pie sobre la que se sostiene el cuerpo. • Vegetal. • Esqueje, pimpollo o vástago tierno de un árbol, arbusto o hierba, plantados o a punto de plantar. • Lugar plantado de árboles y otras plantas. •Proyección perpendicular sobre un plano horizontal de un edificio, máquina, finca, etc. • Especial y artificiosa postura de los pies para esgrimir, danzar o andar. • Proyecto que se hace para asegurar el acierto y buen logro de una pretensión. • Plan que determina las diversas dependencias y empleados de una oficina, universidad u otro establecimiento. • Cada uno de los pisos o altos de un edificio. • Fábrica central de energía; especialmente central eléctrica. • Figura que forman sobre el terreno los cimientos de un edificio o la sección horizontal de las paredes en cada uno de los diferentes pisos. • Diseño de esta figura. • Conjunto de labores sit. en la mina a una misma profundidad. • En perspectiva, pie de la perpendicular bajada desde un punto al plano horizontal. • *Méx.* Estrofa con estribillo con que comienza la valona. • **baja.** Piso bajo de un edificio. • **Buena p.** fam. Buena presencia. • **De p.** o **de nueva p.** m. adv. De nuevo, desde los cimientos. • **Hacer plantas.** *Hond.* Fingir que se va a hacer algo. • *Guat.* Hacer monadas.

PLANTACIÓN f. Acción de plantar. • Conjunto de lo plantado. • Gran explotación agrícola de un solo cultivo.

PLANTADOR, RA adj. y s. Que planta. • *Argent.* Colono o dueño de una plantación. • m. Instrumento pequeño de hierro que usan los hortelanos para plantar.
PLANTAGENET Dinastía fr. que reinó en Inglaterra entre 1154 y 1485. Se dividió en dos rivales, lo que dio origen a la llamada guerra de las Dos Rosas.
PLANTAGINÁCEO, A adj. y f. *Bot.* Díc. de plantas angiospermas dicotiledóneas, herbáceas, de hojas sencillas, flores en espigas, y fruto en caja. • f. pl. Familia de estas plantas.
PLANTAR adj. Relativo a la planta del pie. • tr. Meter en tierra una planta o un vástago, esqueje, etc., para que arraigue. También se plantan los tubérculos y los bulbos. • Poblar de plantas un terreno. • fig. Fijar y poner derecha y enhiesta una cosa. • fig. Asentar o colocar una cosa en el lugar en que debe estar para usar de ella. • fig. Establecer un sistema, institución, ordenación, reforma, etc. • fig. Fundar, establecer. • fig. y fam. Tratándose de golpes, darlos. • fig. y fam. Poner o introducir a uno en una parte contra su voluntad. • fig. y fam. Dejar a uno burlado o abandonarle. • fig. y fam. Decir a uno tales claridades o injurias, que se quede aturdido y sin acertar a responder. • prnl. *Amér. Centr.* Engalanarse, ataviarse. • fig. y fam. Ponerse de pie firme ocupando un lugar o sitio. • fig. y fam. Llegar con brevedad a un lugar, o en menos tiempo del que regularmente se gasta. • fig. y fam. Pararse un animal en términos de que cuesta mucho trabajo hacerle salir del punto en que lo hace. • prnl. e intr. fig. y fam. En algunos juegos de cartas, no querer más de las que se tienen. • prnl. fig. Resolverse a no hacer o a resistir alguna cosa.
PLANTE m. Acción de plantarse. • Acuerdo entre varias personas para exigir o rechazar enérgicamente alguna cosa.
PLANTEAR tr. Tantear, trazar o hacer planta de una cosa para procurar el acierto en ella. • fig. Tratándose de sistemas, instituciones, reformas, etc., establecerlos o ponerlos en ejecución. • tr. y prnl. Tratándose de problemas matemáticos, temas, dificultades o dudas, proponerlos, suscitarlos o exponerlos. • fig. Enfocar la solución de un problema, tanto si se llega a obtenerla como si no. ■ PLANTEAMIENTO; PLANTEO.
PLANTEL m. Criadero de plantas. • Conjunto de plantas jóvenes. • *Amér.* Escuela, institución de enseñanza. • fig. Establecimiento, lugar o reunión de gente, en que se forman personas hábiles o capaces en algún ramo del saber, profesión, ejercicio, etc. • fig. Estas mismas personas.
PLANTIFICAR tr. Establecer sistemas, instituciones, reformas, etc. • fig. y fam. Tratándose de golpes, darlos. • Poner a uno en alguna parte contra su voluntad. • prnl. fig. y fam. Plantarse, llegar pronto a un lugar. ■ PLANTIFICACIÓN.
PLANTÍGRADO, DA adj. y s. Díc. de los cuadrúpedos que al andar apoyan en el suelo toda la planta de los pies y las manos.
PLANTILLA f. Suela sobre la cual los zapateros arman el calzado. • Pieza con que interiormente se cubre la planta del calzado. • Soleta de lienzo u otra tela, que se echa en la parte inferior de los pies de las medias y calcetines cuando están rotos. • Pieza pral. donde se fijaban y guarnecían todos los demás hierros de la llave del arcabuz y otras armas de fuego. • Pieza de hierro terminada en arco de círculo, usada como patrón para dar a las llantas de los carruajes la curvatura conveniente. • Pieza o plancha utilizada como modelo para reproducir, resiguiéndolas, superficies con su misma forma. • Plano reducido, o porción del plano total, que se saca de una obra. • Relación de dependencias y empleados de una oficina, universidad, etc. • Conjunto de empleados y trabajadores fijos de una empresa. • fig. y fam. Arrogancia o fanfarronería. • Resumen, ordenado por categorías, de los puestos que deben estar provistos en cada uno de los servicios públicos y cuerpos que los desempeñan. • En astrología, figura o tema celeste. • *Carp.* Montea, dibujo de tamaño natural de una obra o parte.
PLANTÍO, A adj. Aplícase a la tierra o sitio plantado o que se puede plantar. • m. Acción de plantar. • Lugar recién plantado de vegetales. • Conjunto de estos vegetales.
PLANTÓN m. Pimpollo o arbolito nuevo que ha de ser trasplantado. • Estaca o rama de árbol plantada para que arraigue. • Soldado a quien, como castigo, se obligaba a estar de guardia en un puesto, sin relevarlo a hora regular. • Persona destinada a guardar la puerta exterior de una casa, oficina, etc. • Comisionado de apremio.
PLAÑIDERO, RA adj. Lloroso y lastimero. • f. Mujer pagada que iba a llorar a los entierros.
PLAÑIR intr., tr. y prnl. Gemir y llorar, sollozando o clamando. ■ PLAÑIDO, DA.
PLAQUÉ m. Chapa de oro o plata sobrepuesta a la superficie de otro metal de menos valor.
PLAQUETA f. *Fisiol.* Elemento celular de la sangre, redondeado u ovalado, que en el hombre se halla en núm. de 200 000 a 300 000 por mm^3.
* *Fisiol.* Las p. se forman en la médula ósea y se vierten en la sangre, donde actúan en la coagulación, tapando la salida de la sangre y liberando sustancias vasoconstrictoras y coagulantes. Tras un periodo de vida variable se destruyen en el bazo.
PLASENCIA (*Piacenza*) C. del N de Italia, en Emilia-Romaña; 106 400 hab. Sit. a orillas del Po. Centro comercial e industrial.
PLASMA f. Ágata de color verde oscuro. • m. *Biol.* Sustancia orgánica fundamental en la que se materializa la vida de los seres animales y vegetales. • *Fís.* Estado de la materia que se caracteriza por haber sido los electrones de un gas acelerados hasta separarse de los átomos • **germinal.** Conjunto de las células reproductoras de los organismos pluricelulares. • **sanguíneo.** Líquido fundamental de la sangre, en el que están inmersas las células sanguíneas, compuesto por agua (90 %), sales minerales, monosacáridos, proteínas, grasas, vitaminas y hormonas. ■ PLASMÁTICO, CA.
PLASMACÉLULA f. Tipo de célula que se encuentra normalmente en la médula ósea, en los tejidos intersticiales de ciertos órganos y en los tejidos granulomatosos.
PLASMAGÉN m. Partícula presente en el citoplasma de la célula, dotada de capacidad reproductora y portadora de caracteres hereditarios.
PLASMA-JET m. Motor iónico cuyo funcionamiento se basa en la utilización de la energía cinética de un chorro de plasma, o sea, de un gas fuertemente ionizado.
PLASMALÓGENO m. Glicérido que contiene glicerina esterificada con un ácido graso, con ácido ortofosfórico y con una cadena grasa, ampliamente distribuido por tejidos animales.
PLASMAR tr. Formar una cosa o trabajar una materia, particularmente el barro. • Reflejar o expresar de una forma concreta una cosa inmaterial. • tr. y prnl. Manifestarse o expresarse algo de una forma determinada.
PLASMODESMO m. Filamento citoplasmático que mantiene la unión entre células contiguas.
PLASMODIO m. Animal protozoo que es el agente causante de la malaria o paludismo. La transmisión suele efectuarla un mosquito del género *Anopheles.* • Conjunto de células en que se han eliminado las membranas celulares.
PLASMÓLISIS f. Reducción del volumen celular y contracción del protoplasma al introducir una célula en una solución hipertónica.
PLASTA f. Cualquier cosa que está blanda. • Cosa aplastada. • Excremento del ganado. • fig. y fam. Lo que está hecho sin regla ni método.
PLASTE m. Masa hecha de yeso mate y agua de cola, para llenar los agujeros y hendeduras de una cosa que se ha de pintar. • **de carpintero.** Masa hecha de cola y serrín para tapar agujeros de los objetos de madera.
PLASTIA f. Intervención quirúrgica que consiste en reconstruir una zona corporal.
PLÁSTICA f. Arte de plasmar o modelar figuras. • P. ext., todas las artes figurativas. • Efecto estético que producen algunas formas.
PLASTICIDAD f. Capacidad de un material para sufrir deformaciones plásticas, y no elásticas, antes de su rotura.
PLÁSTICO, CA adj. Relativo a la plástica. • Capaz de ser modelado. • Díc. del material que mediante compresión puede cambiar de forma y conservar ésta de manera permanente. • adj. y m. *Quím.* Díc., genéricamente, de un gran núm. de materia-

Plantación de tulipanes en los Países Bajos

Eduardo III de Inglaterra (s. XIV), monarca de la dinastía de los **Plantagenet**

Oso polar, mamífero **plantígrado**

les artificiales muy diversos, constituidos por macromoléculas, obtenidas por polimerización o policondensación. • Se aplica a las artes que trabajan con las tres dimensiones de la forma, como la arquitectura, la escultura, la cerámica, etc. P. ext., se aplica también a la pintura. • **explosivo.** Explosivo de alta potencia, que se obtiene amasando un explosivo potente, pentrita o exógenos puros y en polvo, con un aceite mineral y aditivos especiales que le proporcionan adherencia.

* *Quím.* Los p. se dividen en dos grandes clases, según el efecto del calor: p. termoendurecidos, con una estructura molecular reticulada o reticulable y que sometidos a la acción del calor experimentan primero una fase de reblandecimiento que permite su moldeo y después una fase de endurecimiento provocada por una reacción química irreversible; y p. termoplásticos, de estructura molecular lineal, que sometidos a la acción del calor experimentan un reblandecimiento y después se endurecen.

Plástico. Fotografía microscópica de fibras de nailon

PLASTIFICADO, DA adj. y m. Acción y efecto de plastificar • m. *Art. Gráf.* Recubrimiento de las hojas impresas por una capa de plástico, con el fin de darles mayor resistencia y brillo.

PLASTIFICAR tr. Revestir o impregnar un objeto de material plástico. ■ PLASTIFICACIÓN; PLASTIFICANTE.

PLASTO m. *Bot.* Orgánulo citoplasmático propio de las células vegetales. Los p. pueden ser portadores de pigmentos (cromatóforos) o no (leucoplastos). Los más importantes son los primeros, divididos, según los pigmentos, en cloroplastos y cromoplastos. Los p. se dividen y transmiten a las células hijas de un modo autónomo.

El transbordador *Atlantis*, despegando desde su **plataforma de lanzamiento** en Cabo Cañaveral

PLASTOGÉN m. Sistema portador de caracteres ligados a los plastos vegetales.

PLASTOIDE m. Corpúsculo de naturaleza albuminoide, propio de las células epidérmicas de ciertas plantas carnívoras.

PLASTOLITA m. Mezcla formada con materias plásticas y perclorato potásico, que forma parte de los propergoles sólidos.

PLASTÓMERO m. Materia plástica de la familia de los compuestos llamados altos polímeros, que, mezclados con adecuados ingredientes, dan los plásticos.

PLASTOQUINONA f. Enzima de oxidorreducción, de naturaleza quinónica, que se ha aislado de los cloroplastos.

PLASTOTIPIA f. *Art. Gráf.* Proceso análogo a la estereotipia, consistente en la reproducción de una matriz en relieve mediante materiales plásticos. Utilizando materias plásticas especiales se obtiene una prematriz termoendurecible, y de ésta se consiguen los clisés por moldeo y polimerización de un termoplástico o por vulcanización de una lámina de caucho.

PLATA f. *Quím.* Elemento químico de símb. Ag, n. a. 47, p. a. 107,88. • fig. Moneda o monedas de plata. • fig. Dinero en general. • fig. Alhaja que conserva su valor intrínseco, aunque pierda la hechura o adorno. • fig. Lo que sin ser gravoso es de valor y utilidad en cualquier tiempo que se use de ello. • Uno de los dos metales de que se usa en el blasón y se significa por el fondo blanco del escudo o de la partición en que se pone. • adj. Plateado, de color semejante al de la plata. • **agria.** Mineral muy friable, de color gris y brillo metálico, que se compone de plata, azufre y antimonio. • **córnea.** Mineral decolor amarillento, dúctil y de aspecto córneo, que se compone de cloro y plata. • **de piña.** Piña, masa esponjosa de este metal. • **encantada.** Obsidiana de color verde aceitunado, algo traslúcida por los bordes y cubierta la superficie de una sustancia vítrea de color blanco nacarado. • **gris.** Mineral cristalino, brillante y de color gris oscuro, que se compone de plata y azufre. • **mexicana.** La acuñada fuera de las casas de la moneda, aunque de ley igual a la legítima. • **nativa.** La que en estado natural y casi pura se halla en algunos terrenos. • **quebrada.** Moneda de plata a cuyo valor, respecto de otra de su clase, se agregaba un quebrado; como el realito columnario. • **seca.** Mineral de plata que en la amalgamación no se junta con el azogue. • **Como una p.** loc. fig. y fam. Limpio y hermoso, reluciente. • **En p.** m. adv. fig. y fam. Brevemente, sin rodeos ni circunloquios. • fig. y fam. En sustancia, en resolución, en resumen. • **Platas rojas.** Grupo de minerales argentíferos cuyos principales términos son proustita, pirargirita, xantocon y pirostipnita. ■ *Amér.* PLATUDO, DA.

* *Quím.* La p. es un metal de color blanco, brillo metálico con alto poder reflectante, dúctil y maleable, de dureza 2,5 a 3, que cristaliza en el sistema cúbico. Para su extracción se emplea la amalgama: la p., nativa o en forma de cloruro, se tritura y se agita con agua y mercurio.

PLATA, *Mar del* → Mar del Plata.

PLATA, *Río de la* → Río de la Plata.

PLATA, *La* C. de Argentina, cap. de la prov. de Buenos Aires; 542 567 hab. Sit. en el estuario del Río de la Plata. Su pral. función es la administrativa, aunque a ésta se suman las actividades comerciales e industriales. En el barrio de la Ensenada posee un puerto al que se llega por un canal de 4 200 m. Nudo de comunicaciones. Fundada en 1882 por Dardo Rocha. Entre 1952 y 1955 se le dio el nombre de Eva Perón.

PLATAFORMA f. Máquina para señalar y cortar los dientes de las ruedas de engranajes. • Tablero horizontal, descubierto y elevado sobre el suelo. • Terreno llano, de mayor elevación que el que le rodea. • Suelo superior, a modo de azotea, de las torres, reductos y otras obras. • Vagón descubierto y con bordes de poca alt. en sus cuatro lados. • Parte anterior y posterior de los vagones de pasajeros. • Construcción metálica que se asienta sobre un fondo marino para facilitar la perforación de pozos petrolíferos. • fig. Apariencia, pretexto, colorido. • fig. Causa o ideal cuya representación toma un sujeto para algún fin, gralte. interesado. • **continental.** Zona marina que rodea el continente con una anchura media de 65 km y profundidad de hasta 180-200 m. Representa el 7 % de la superficie de los océanos. Es la zona de mayor importancia pesquera. • **de lanzamiento.** Conjunto de estructuras construidas para el lanzamiento de vehículos espaciales.

PLATANÁCEO, A adj. y f. *Bot.* Díc. de árboles de hojas palmeadas y fruto en aquenio. • f. pl. *Bot.* Familia de estos árboles.

PLATANAZO m. *Amér. Centr.* Costalada.

PLATANERO, RA adj. Relativo al plátano. • *Cuba* y *P. Rico.* Díc. del viento moderado que tiene, sin embargo, fuerza suficiente para desarraigar los plátanos. • m. y f. Plátano, banano. • m. *Col.* El que cultiva plátanos o negocia con su fruto. • f. Platanar.

PLÁTANO m. Árbol platanáceo de amplia copa, tronco de corteza lisa, hojas caedizas y alternas y fruto globoso con numerosos aquenios y abundantes pelos. • Planta herbácea de grandes dimensiones e inflorescencia arracimada. • Fruto de esta planta; baya alargada de corteza lisa, que en algunos países americanos se llama banana. • **Caerse uno de p.** *Ven.* Caerse de bruces. • **Tener uno la mancha del p.** *C. Rica.* Haber nacido en el país. Se usa para indicar mala suerte. ■ PLATANAL o PLATANAR.

Plátano

PLATEA f. Patio o parte baja de los teatros. • P. ext., patio de butacas de las salas de proyección cinematográfica.

PLATEADO, DA adj. De color semejante al de la plata. • m. *Metal.* Operación de recubrimiento directo, o por vía electrolítica, de objetos metálicos con plata.

PLATEAR tr. Dar o cubrir de plata una cosa. ■ PLATEADOR, RA; PLATEADURA.

PLATEAU, *Joseph* (1801-1883) Físico belga. Inventó el fenaquispiscopio (1832), aparato que permitía crear la ilusión del movimiento mediante una rápida sucesión de imágenes.

PLATELMINTO adj. y m. *Zool.* Díc. de gusanos, parásitos en su mayoría, de cuerpo aplanado, sin aparato circulatorio ni respiratorio. • m. pl. Clase de estos animales.

PLATENSE adj. y s. De La Plata. • Rioplatense.

PLATERESCO, CA adj. y m. *Arte.* Díc. del estilo que se manifestó en las artes esp., sobre todo en arquitectura, de finales del s. XV al último tercio del XVI.

* *Arte.* El p. adaptó las orientaciones suntuosas del gótico final a la temática decorativa renacentista, y utilizó los medallones, la columna alabastrada y el almohadillado. Destacan la casa de las Conchas y la fachada de la universidad de Salamanca;

y los arquitectos Siloé, Covarrubias y A. de Vandelvira.

PLATERÍA f. Arte y oficio de platero. • Obrador en que trabaja el platero. • Tienda en que se venden obras de plata u oro.

PLATERO, RA adj. Díc. de la caballería de pelaje blanquecino o ligeramente agrisado. • m. Artífice que labra la plata. • El que vende objetos labrados de plata u oro, o joyas con pedrería.

PLÁTICA f. Conversación. • Razonamiento o discurso que hacen los predicadores, superiores o prelados.

PLATICAR tr. e intr. Conversar, hablar unos con otros, conferir o tratar de un negocio o materia.

PLATIJA o **PLATUJA** f. Pez osteíctio marino semejante al lenguado, de color pardo con manchas amarillentas en la cara superior.

Vista de **La Plata**

PLATILLO m. Pieza pequeña de figura semejante al plato, cualquiera que sea su uso y la materia de que esté formada. • Cada una de las dos piezas en forma de plato que tiene la balanza. • En ciertos juegos de naipes, recipiente, por lo común de forma circular, donde los jugadores ponen, en moneda o en fichas, la cantidad que se atraviesa en cada mano. • Esta misma cantidad. • Guisado compuesto de carne y verduras picadas. • Extraordinario que comen los religiosos en sus comunidades los días festivos. • fig. Objeto o asunto de murmuración. • pl. *Mús.* Instrumento de percusión constituido por dos chapas metálicas circulares que se golpean una contra otra.

PLATÍMETRO m. Aparato inventado por Thomson para estudiar la capacidad inductora específica. Está formado por dos condensadores cilíndricos de igual capacidad, cuyas armaduras tienen comunicación metálica.

PLATINA f. Platino. • Parte del microscopio en la que se coloca el objeto que se quiere observar. • Disco de vidrio deslustrado, o de metal, y perfectamente plano para que ajuste en su superficie el borde del recipiente de la máquina neumática. • Cassette. • *Art. Gráf.* Mesa fuerte y ancha, forrada de una plancha bien lisa de hierro, bronce o cinc, que sirve para ajustar, imponer y acuñar las formas. • *Art. Gráf.* Superficie plana de la prensa o máquina de imprimir, sobre la cual se coloca la forma.

PLATINAR tr. Cubrir un objeto con una capa de platino. ■ PLATINADO, DA.

PLATINO m. *Quím.* Elemento químico de símb. Pt y n. a. 78. Es un metal de aspecto muy parecido al de la plata. Se emplea en la fabricación de aparatos para altas temperaturas, en odontología y joyería. ■ PLATINÍFERO, RA; PLATINISTA.

PLATINOIDE m. Aleación de diversos metales para fabricar material eléctrico de gran resistencia.

PLATINOTIPIA f. Procedimiento fotográfico que da imágenes positivas sobre papel sensibilizado con sales de platino. • Cada una de las pruebas así obtenidas.

PLATIRRINIA f. Anchura exagerada de la nariz.

PLATIRRINO, NA adj. y m. Díc. de los primates del grupo de los platirrinos. • m. pl. Grupo de monos pitecoideos, llamados también monos del Nuevo Mundo, por hallarse localizados en América Central y del Sur.

PLATO m. Vasija baja y redonda, con una concavidad en medio y borde comúnmente plano alrededor, que se emplea para servir las viandas y comer en él y para otros usos. • Platillo de la balanza. • Vianda o manjar que se sirve en los platos. • Manjar preparado para ser comido. • fig. Comida u ordinario que cada día se gasta en comer. • fig. Platillo, tema de murmuración. • *Arq.* Ornato que se pone en el friso del orden dórico. • **fuerte.** El pral. de una comida. • fig. El asunto o intervención más importante en una serie de ellos. • **llano.** Aquel menos hondo que el sopero, en que se come cualquier manjar que no sea la sopa o cosa parecida, ni los postres. • **sopero.** Plato hondo para comer en él la sopa. • **tendido.** *Amér. Centr.* Plato llano. • **trinchero** o **trinchante.** El que sirve para trinchar en él los manjares. • **volador.** *Amér.* Ovni.• **Comer en un mismo p.** fr. fig. y fam. Tener dos o más personas gran amistad o confianza. • **No haber quebrado,** o **roto,** uno **un p.** fr. fig. y fam. Tener el aspecto o la impresión de no haber cometido ning una falta. • **Ser,** o **no ser, p. del gusto** de uno. fr. fig. y fam. Serle o no grata una persona o cosa.

PLATÓ m. Cada uno de los recintos de un estudio cinematográfico, que sirven de escenario en el rodaje de las películas.

PLATÓN m. *Amér. Centr.* Fuente.

PLATÓN (h. 427-347 a. C.) Filósofo gr., cuyo verdadero nombre era *Aristocles.* Intentó instaurar en Siracusa una rep. dirigida por filósofos, y fundó la Academia de Atenas. Se dedicó a la literatura y a la docencia en su Academia. El origen de su pensamiento hay que buscarlo en su teoría política (expuesta en *La república* y *Las leyes*). Su rep. utópica se compone de tres estamentos sociales: la clase trabajadora y artesana, la militar y la dirigente. Cada una de estas clases posee una función determinada. Sostuvo la existencia de dos mundos distintos: el de las ideas y el de las cosas, mundo inteligente y mundo sensible. Dios es el intermediario entre los dos mundos, y las cosas son representaciones imperfectas de las ideas. Sus diálogos se agrupan en tres periodos: de juventud (*Apología de Sócrates, Critón, Gorgias*), de madurez (*Fedón, El banquete, La república*) y los últimos (*Parménides, El sofista, Timeo, Las leyes*).

PLATÓNICO, CA adj. y s. Que sigue la escuela y filosofía de Platón. • adj. Relativo a ella. • P. ext., puramente ideal. • Desinteresado, honesto.

PLATONISMO m. Filosofía de Platón y, p. ext., toda aquella que admite la existencia de una realidad inteligible distinta a la vez del mundo sensible y de las producciones del espíritu humano.

PLATOTIPIA f. *Art. Gráf.* Proceso consistente en la reproducción de una matriz en relieve mediante materiales termoplásticos o termoendurecidos, según interese una matriz flexible o rígida.

PLATT, *Onville Hitchcok* (1827-1905) Político norteam., instigador de la enmienda parlamentaria que lleva su nombre. • **Enmienda P.** Anexo introducido en 1901 en la constitución cubana por el cual EE UU controlaba la política exterior y tenía derecho a intervenir en los asuntos internos. Derogada en 1934.

PLATTFORMING o **PLATFORMING** (voz ing.) m. Proceso de transformación de la gasolina pesada (tratada a 500-520 °C y a presiones de 30 a 55 atmósferas, en presencia de hidrógeno) en gasolina con elevado número de octanos (87 a 95).

PLAUEN C. de Alemania, en el land de Sajonia; 78 200 hab. Centro industrial.

PLAUSIBLE adj. Digno o merecedor de aplauso. • Atendible, admisible, recomendable. ■ PLAUSIBILIDAD.

PLAUSIVO, VA adj. Que aplaude.

PLAUTO, *Tito Maccio* (254-184 a. C.) Comediógrafo latino. Su originalidad reside en la fuerza expresiva de su lenguaje, tomado del habla popular. *Amphitryo, Captivi, Aulularia, Miles gloriosus.*

PLAYO, YA adj. *Méx.* y *R. de La Plata.* Poco profundo, plano. • m. *Ecuad.* Alicate. • f. Ribera del mar o de un río grande, formada de arenales en superficie casi plana. • Porción de mar contigua a esa ribera. • *Amér.* Espacio amplio y despejado en ciertas industrias o poblaciones.

PLAY-BACK (voz ing.) m. *Cin.* Sonido que se graba previamente a una actuación para que el actor, cantante, etc., pueda centrarse en la interpretación mímica, simulando la voz.

PLAY-BOY (voz ing.) m. Hombre de vida regalada, preocupado sólo por su aspecto y sus relaciones sociales y sentimentales.

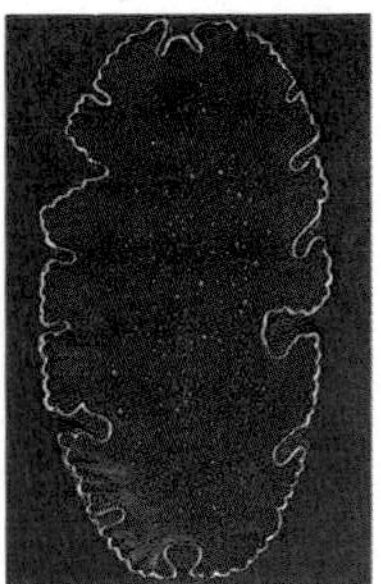

Turbelario policlado, gusano de la clase **platelmintos**

Platija

Mono aullador, primate del grupo **platirrinos**

Platón, en un busto de la época clásica. Museo Pío, Ciudad del Vaticano

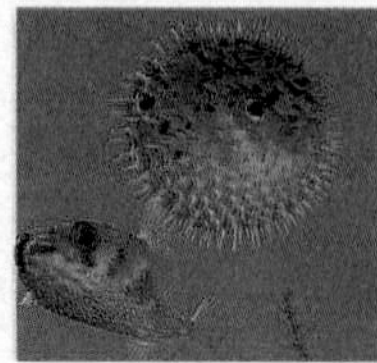

Pez erizo, perteneciente al suborden **plectognatos,** en su estado normal e hinchado de agua y aire

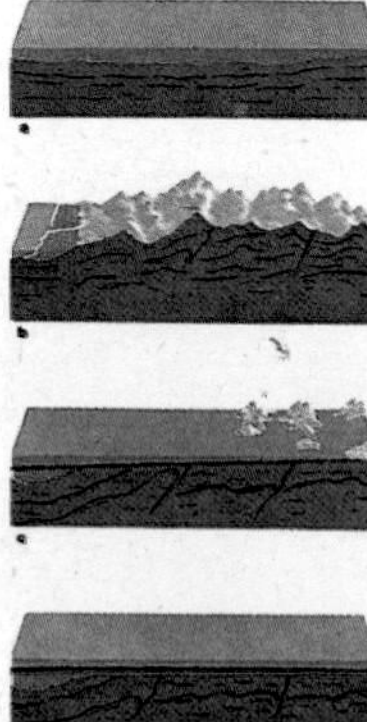

Evolución de un **plegamiento:** a) antes del plegamiento, estratos horizontales en el fondo del mar; b) emersión, formación de los pliegues; c) inmersión de la región; d) formación de una nueva cubierta de estratos

PLAYERO, RA adj. Relativo a la playa. • adj. y s. Díc. de las prendas de vestir apropiadas para la playa. • m. y f. Persona que conduce desde la playa el pescado para venderlo. Suele usarse en pl.

PLAZA f. Lugar ancho y espacioso dentro de poblado. • Aquel donde se venden los mantenimientos y se tiene el trato común de los vecinos y comarcanos, y donde se celebran las ferias, los mercados y fiestas públicas. • Lugar fortificado. • Sitio determinado para una persona o cosa. • Espacio, sitio o lugar. • Oficio, ministerio, puesto o empleo. • Población en que se hacen operaciones considerables de comercio por mayor, y pralm. de giro. • Gremio o reunión de negociantes de una plaza de comercio. • Suelo del horno. • **de abastos.** Plaza, mercado. • **de armas.** Población fortificada según arte. • Sitio o lugar en que se acampa y forma el ejército cuando está en campaña, o en el que se forman y hacen el ejercicio las tropas que están de guardia en una plaza. • Ciudad o fortaleza que se elige en el paraje donde se hace la guerra, a fin de poner en ella las armas y demás pertrechos militares para el tiempo de la campaña. • **de toros.** Circo donde se lidian toros. • **fuerte.** Plaza de armas. • **Sentar p.** Entrar a servir de soldado.

PLAZA, ***Juan Bautista*** (1898-1965) Organista y compositor ven. Estudioso de la música colonial. *Contrapunteo puyero, Pequeña ofrenda lírica.* • ***Nicanor*** (1844-1918) Escultor chil. formado en París. *Caupolicán, La Quimera.* • ***Salvador de la*** (1896-1970) Político y sindicalista ven. Miembro de la comisión de reforma agraria (1958). *La formación de las clases sociales en Venezuela.* • ***Victorino de*** (1840-1919) Político arg. Vicepresid. (1910). Presid. a la muerte de Sáenz Peña (1914-1916). • **Gutiérrez, *Leónidas*** (1866-1932) Militar y político ecuat. Presid. de la rep. (1901-1905 y 1912-1916), su política de reformas liberales condujo a la laicización del Est. • **Lasso, *Galo*** (1906-1987) Político y diplomático ecuat. hijo del anterior. Ministro de Defensa (1938-1940), embajador en Washington (1944-1946), presid. de la rep. (1948-1952). Jefe de misiones de paz de la ONU en Hungría, Congo, Líbano y Chipre. Secretario general de la OEA (1968-1975).

PLAZO m. Término o tiempo señalado para una cosa. • Vencimiento del término. • Cada parte de una cantidad pagadera en dos o más veces.

PLAZOLETA f. Espacio, a manera de plazuela, que suele haber en jardines y alamedas.

PLAZUELA f. Plaza pequeña.

PLAZUELETA f. *Amér. Centr.* Plazoleta.

PLEAMAR o **PLENAMAR** f. *Mar.* Fin de la creciente del mar. • Tiempo que ésta dura.

PLEBE f. Una de las clases sociales de la ant. Roma, en la que se englobaba la gran mayoría de la población. • despect. P. ext., el pueblo. ■ PLEBEYO; PLEBEYEZ.

PLEBISCITO m. Ley que la plebe de Roma establecía a propuesta de su tribuno. • Resolución tomada por todo un pueblo a pluralidad de votos. • Consulta al voto popular directo para que apruebe la política de poderes excepcionales. ■ PLEBISCITARIO, RIA.

PLECA f. *Art. Gráf.* Filete pequeño y de una sola raya.

PLECÓPTERO, RA adj. y m. Díc. de insectos de color pardusco, larvas acuáticas y adultos alados. • m. pl. Orden de estos animales.

PLECTÉNQUIMA m. Sistema de filamentos unidos entre sí por la masa gelatinosa de las membranas secundarias de las células que los componen.

PLECTOGNATO adj. y m. Díc. de peces de mandíbula superior fija y piel con placas óseas; como el orbe y el pez luna. • m. pl. Suborden de estos peces.

PLECTRO m. Palillo o púa que usaban los antiguos para tocar instrumentos de cuerda. • fig. En poesía, inspiración, estilo.

PLEGADERA f. Instrumento a manera de cuchillo, para plegar o cortar papel.

PLEGADOR, RA adj. y s. Que pliega. • f. Máquina utilizada en calderería para plegar o doblar chapas.

PLEGAMIENTO m. Acción y efecto de plegar o plegarse. • *Geol.* Efecto producido en la corteza terrestre por el movimiento conjunto de rocas sometidas a presión lateral. • **alpino.** Conjunto de movimientos orogénicos que desde el jurásico superior han originado las Rocosas, los Andes, el Atlas, la Bética, los Pirineos, los Alpes, los Cárpatos, el Cáucaso y el Himalaya. • **herciniano.** El acaecido durante el paleozoico superior, que originó en Europa una gran cord. que comprende los relieves de Cornualles, Bretaña, los Vosgos, Selva Negra, etc., y afectó a los Urales, Apalaches, Andes, etc. • **huroniano.** → huroniano.

PLEGAR tr. y prnl. Hacer pliegues en una cosa. • tr. Doblar e igualar con la debida proporción los pliegos de que se compone un libro que se ha de encuadernar. • En el arte de la seda, revolver la urdimbre en el plegador para ponerla en el telar. • prnl. fig. Doblarse, ceder, someterse. ■ PLEGABLE; PLEGADIZO, ZA; PLEGADO, DA.

PLEGARIA f. Súplica humilde y ferviente para pedir una cosa. • Señal que se hace con la campana en las iglesias, al mediodía, para la oración.

PLEISTOCENO, NA adj. y m. Díc. de la subdivisión de la era cuaternaria, de algo más de un millón de años, que corresponde al desarrollo de los australopitecos, pitecantrópidos e inicio de los neandertaloides.

PLEITA f. Faja o tira de esparto trenzado en varios ramales, o de pita, palma, etc., que sirve para hacer esteras, sombreros, etc.

PLEITEAR tr. Litigar judicialmente sobre una cosa. ■ PLEITISTA.

PLEITESÍA f. Rendimiento, muestra reverente de cortesía.

PLEITO m. Contienda, diferencia, disputa, litigio judicial entre partes. • Contienda, lid o batalla que se determina por las armas. • Disputa, riña o pendencia doméstica o privada. • Proceso sobre cualquier causa. • **civil.** *Der.* Aquel en que se litiga sobre una cosa, hacienda, posesión, empleo o regalía. • **criminal.** *Der.* Causa, proceso.

PLEJÁNOV, ***Gueorgui Valentínovich*** (1856-1918) Socialista ruso. Frustrada la rev. de 1905, se apartó de las tesis de Lenin, y propuso colaborar con la revolución liberal. Se opuso a la rev. de 1917.

PLENARIO, RIA adj. Lleno, entero, cumplido, que no le falta nada. • *Der.* Parte del proceso criminal que empieza cuando concluye el sumario, y durante el cual se exponen los cargos y las defensas en forma contradictoria. • m. Pleno, reunión o junta general de una corporación.

PLENILUNIO m. Luna llena.

PLENIPOTENCIA f. Poder pleno que se concede a otro para ejecutar, concluir o resolver una cosa. ■ PLENIPOTENCIARIO, RIA.

PLENITUD f. Totalidad, integridad o calidad de pleno. • Abundancia o exceso de un humor en el cuerpo.

PLENO, NA adj. Completo, lleno. • Total; con su máx. intensidad. • m. Reunión o junta gral. de una corporación. • f. *P. Rico.* Canto y baile popular.

PLEOCASIO m. Tipo de ramificación cimosa en la que no existe un eje principal de crecimiento indefinido.

PLEOCROÍSMO m. Propiedad que tienen algunos cristales de presentar diversas coloraciones.

PLEOMORFISMO m. Doctrina biológica del s. XIX que sostenía que los microorganismos tenían una gran capacidad de variación morfológica y fisiológica.

PLEON m. *Zool.* Abdomen de los crustáceos, formado por varios segmentos, cada uno de los cuales lleva un par de apéndices pequeños.

PLEONASMO m. *Gram.* Figura de construcción que consiste en el uso de vocablos innecesarios para el recto y cabal sentido de ella, pero con los cuales se da gracia o vigor a la expresión. • Demasía o redundancia viciosa de palabras. ■ PLEONÁSTICO, CA.

PLEPA f. fam. Persona, animal o cosa que tiene muchos defectos en lo físico o en lo moral.

PLESIOSAURIO m. Reptil de la era secundaria, de cuerpo aplanado y largo (unos 9 m), adaptado a la vida acuática por medio de extremidades en forma de aletas.

PLETINA f. Pieza de hierro más ancha que gruesa, de 2 a 4 mm de espesor.

PLETINADO m. Operación de la forja para la obtención de una sección rectangular de lados muy desiguales.

PLÉTORA f. Exceso de sangre o de otros humores en el cuerpo. • fig. Abundancia excesiva de alguna cosa ■ PLETÓRICO, CA.
PLEURA f. Membrana serosa que envuelve al pulmón, con la función de facilitar el deslizamiento de los pulmones en la cavidad torácica. • fam. Pleuresía. ■ PLEURAL.
PLEURESÍA f. Inflamación, aguda o crónica, de la pleura. • **exudativa.** La que, generalmente, es consecuencia de una tuberculosis pulmonar. • **purulenta.** Cuando el líquido del derrame contiene pus. • **seca.** P. con formación de adherencias entre las dos hojas pleurales, consecuencia de exacerbaciones catarrales.
PLEURÍTICO, CA adj. y s. Que padece pleuresía. • adj. Relativo a la pleura.
PLEURITIS f. Pat. Inflamación de la pleura.
PLEUROCAPSAL adj. y f. Díc. de algas azules con membrana gelatinosa, que forman colonias. • f. pl. Orden de estas algas.
PLEURODINIA f. *Pat.* Dolor en los músculos de las paredes del pecho.
PLEURODIRO, RA adj. y m. Díc. de animales del suborden pleurodiros. • m. pl. Suborden de quelonios o tortugas, que tienen capacidad de ocultar la cabeza bajo el caparazón moviéndola hacia un lado.
PLEURONECTIFORME adj. y m. Díc. de animales del orden pleuronectiformes. • m. pl. Orden de peces actinopterigios, llamados también heterosomados, que se distinguen por su adaptación a la vida en el fondo marino. Pertenece a este orden el lenguado.
PLEURONECTO m. *Zool.* Platija, pez.
PLEUROTREMADO, DA adj. y m. Díc. de animales del grupo pleurotremados. • m. pl. Grupo de peces cartilaginosos cuyas hendiduras branquiales se hallan a los lados del cuerpo. El grupo se llama también selacios y escualiformes.
PLEVEN (ant., *Plevna*) C. de Bulgaria, sit. al N de los Balcanes; 135 900 hab. Ind. metalúrgica y textil.
PLEVEN, *René* (1901-1993) Político fr. Al concluir la II Guerra Mundial se convirtió en el pral. dirigente de la Unión Democrática y Socialista de la Resistencia. Presid. del gobierno (1950-1951, 1951-1952).
PLEXIGLÁS m. Nombre comercial de una materia plástica, polímero del metacrilato de metilo. Se utiliza como sustituto del vidrio.
PLEXO m. *Anat.* Red formada por varios filamentos nerviosos o vasculares entrelazados. • **sacro.** *Anat.* El constituido por las anastomosis que forman entre sí la mayoría de las ramas nerviosas sacras. • **solar.** *Anat.* Red nerviosa que rodea a la arteria aorta ventral.
PLÉYADE f. fig. Grupo de personas señaladas, especialmente en las letras, que desarrollan su actividad en la misma época.
PLÉYADE (fr. *Pléiade*) Grupo de siete poetas fr. del s. XVI: Ronsard, Du Bellay, Baïf, Jodelle, Rémy Belleau, Pontus de Thyard y Daurat, que encarnan el renacimiento lírico en su país.
PLÉYADES *Mit. gr.* Las siete hijas de Atlas y Pleyone, llamadas también Atlántidas. Al perseguirlas el cazador Orión, Zeus las convirtió en estrellas.
PLÉYADES o **PLÉYADAS, *Las*** *Astr.* Conglomerado abierto, sit. en la constelación Taurus. La estrella más brillante, Alcione, es una gigante cuyo brillo es 1 400 veces el del Sol.
PLICA f. Sobre cerrado y sellado en que se conserva algún documento o noticia que no debe publicarse hasta una fecha determinada. • *Med.* Enfermedad que consiste en una aglutinación del pelo de modo que no se puede desenredar ni cortar sin que la sangre brote.
PLIEGO m. Porción de papel de forma cuadrangular y doblada por medio. • P. ext., la hoja de papel que no se expende ni se usa doblada. • Conjunto de páginas de un libro o folleto cuando, en el tamaño de fábrica, no forman más que un pliego. • Papel o memorial que contiene las condiciones o cláusulas de un contrato. • Carta, oficio o documento de cualquier clase que, cerrado, se envía de una parte a otra. • Conjunto de papeles contenidos en un mismo sobre o cubierta. • **de cargos.** Resumen de las faltas que aparecen en un expediente contra el funcionario a quien se le comunica para que pueda contestar defendiéndose.
PLIEGUE m. Doblez o surco. • Tela doblada sobre sí misma. • *Geol.* Deformación de los estratos de las zonas superficiales de la corteza terrestre debido a la cual éstos pierden su primitiva horizontalidad y se ondulan. • **mongólico** o **palpebral.** El formado en el párpado inferior; característico de la raza amarilla.
PLINIO el Joven, *Cayo P. Cecilio Secundo,* llamado (61-113) Escritor latino, sobrino de Cayo P. Secundo. *Panegírico de Trajano.* • **El Viejo, *Cayo P. Secundo,*** llamado (22-79) Escritor latino. *Historia natural.*
PLINTO m. *Arq.* Parte cuadrada inferior de la basa. • Base cuadrada de poca altura. • *Dep.* Aparato gimnástico consistente en varios cajones de madera colocados unos encima de otros, y que se usa en ejercicios de salto.
PLIOCENO, NA adj. y m. *Geol.* Díc. del cuarto y último periodo de la era terciaria (de 12 millones a 600 000 años de antigüedad). Coincidió con el cambio de clima que condujo a las grandes glaciaciones cuaternarias.
PLISADORA f. Máquina especial para plisar tejidos, por medio del calor y la presión.
PLISAR tr. Hacer que una tela quede formando pliegues iguales y muy menudos.
PLOCEIDO, DA adj. y m. Díc. de animales de la familia ploceidos. • m. pl. Familia de aves paseriformes, que comprende 375 especies de pajarillos granívoros, de pico grueso, corto y cónico, originarios del Viejo Mundo.
PLOCK C. de Polonia, cap. del voivoidato hom.; 114 500 hab. Sit. junto al Vístula. Centro industrial. Refinería de petróleo.
PLOIDÍA f. Fenómeno por el que varía el número de cromosomas de un núcleo, célula o individuo.
PLOIESTI o **PLOESTI** C. de Rumania, en Valaquia; 229 900 hab. Imp. centro petrolífero. Ind. químicas.
PLOMADA f. Barrita de plomo que sirve a los artífices para señalar o reglar una cosa. • Pesa de plomo o de otro metal, cilíndrica o cónica, colgada de una cuerda, que sirve para señalar la línea vertical. • Sonda para medir la profundidad de las aguas. • Azote hecho de correas, en cuyo remate había unas bolas de plomo. • Conjunto de plomos que se ponen en la red para pescar. • Acción y efecto de plomear. • Golpe o herida de los perdigones. • Plancha de plomo que se colocaba sobre el oído del cañón, para preservar la pólvora de la humedad y evitar que por descuido pudiese inflamarse la carga.
PLOMBAGINA f. Grafito.
PLOMERÍA f. Arte de fundir y trabajar el plomo. • Cubierta de plomo que se pone en los edificios. • Almacén o depósito de plomos. • Taller del plomero.
PLOMERO m. El que trabaja o fabrica cosas de plomo. • *Amér.* Fontanero.
PLOMO m. *Quím.* Elemento químico de símb. Pb, n. a. 82 y p. a. 207,21. Se emplea en la fabricación de cañerías, como metal de soldar, en imprenta, etc. Su pral. mena es su sulfuro, la galena. • Plomada, pesa de metal. • fig. Cualquier pieza o pedazo de p., como son las pesas o los que se ponen en las redes y en otras cosas para darles peso. • fig. Fusible. Suele usarse en pl. • fig. Bala de las armas de fuego. • fig. y fam. Persona pesada y molesta. • adj. y m. Díc. del discurso pesado y soporífero. • **blanco.** Carbonato de p. • **corto.** El mezclado con arsénico, que se usa en la fabricación de perdigones para que la munición resulte redonda y sin los apéndices o colas que produce el p. puro. • **de obra.** El argentífero. • **dulce.** El refinado. • **pobre.** El escaso en plata. • **rico.** El abundante en plata. • **A plomo.** m. adv. Verticalmente. • fig. A punto, con oportunidad, al pelo. ■ PLOMÍFERO, RA; PLOMIZO, ZA; PLOMOSO, SA; PLÚMBEO; PLÚMBICO, CA.
PLOTINO (205-270) Filósofo gr. Se trasladó a Roma h. el año 244 y fundó su propia escuela. Fiel a Platón, P. escinde la realidad en dos esferas: la inteligente (Ideas) y la sensible (cosas). *Eneadas.*
PLOTTER m. *Comp.* Periférico gráfico de salida que permite realizar trabajos gráficos al ser controlado por una computadora. Puede dibujar cualquier tipo de gráfico por complejo que sea.

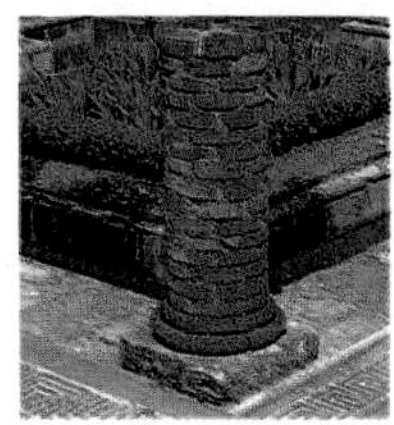
Plinto

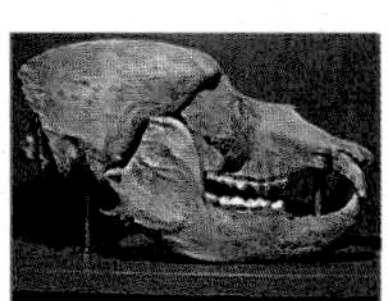
Plioceno. Cráneo fósil de *Ursus spelaens*

Tejedor, ave paseriforme de la familia **ploceidos**

Pluma. Arriba, partes de que se compone una pluma; abajo, barbas de pluma vistas con aumento

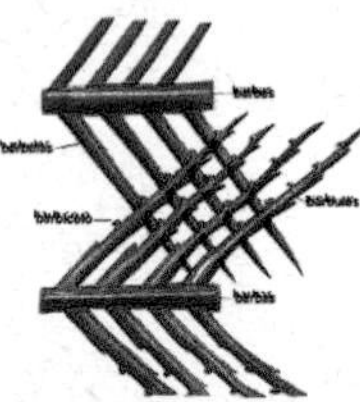

PLOVDIV C. de Bulgaria en la orilla derecha del Maritza; 367 200 hab. Centro comercial e industrial.

PLÜCKER, *Julius* (1801-1868) Matemático y físico al. Impulsor de la geometría analítica, investigó el magnetismo y los rayos catódicos. • **Fórmulas de P.** Grupo de fórmulas que relacionan entre sí diversos elementos de una curva algebraica plana.

PLUMA f. *Zool.* Estructura cutánea presente en el cuerpo de las aves, que, integrando el plumaje, recubre totalmente la piel. La función del plumaje es sobre todo de aislante térmico. • Conjunto de plumas. • Instrumento para escribir, formado en principio por una p. de ave, cortada por la extremidad del cañón, y luego por otras piezas análogas, con una laminilla metálica en su extremo. • Pluma preparada para servir de adorno, o adorno hecho de plumas. • Pluma artificial hecha a imitación de la verdadera. • Concha interna de algunos cefalópodos, como la jibia y el calamar. • fig. Cada una de las virutas que se sacan al tornear. • fig. Mástil de una grúa. • fig. Habilidad o destreza caligráfica. • fig. Escritor, autor de libros u otros escritos. • fig. Estilo o manera de escribir. • fig. Profesión del escritor. • fig. y fam. Ventosidad, pedo. • m. Dibujo hecho con pluma o instrumento semejante. • **atómica.** *Amér. Centr.* Bolígrafo. • **de agua.** Unidad de medida que sirve para aforar las aguas, y cuya equivalencia varía mucho según los países. • **de carga.** Grúa simple, colocada sobre la cubierta de un barco, que permite la carga y descarga de mercancías desde la bodega del barco hasta el muelle, y viceversa. • **de mar.** Pólipo colonial cuyo nombre se debe a su semejanza con una p. Es un antozoo del grupo de los corales y gorgonias, relativamente frecuente en los fondos arenosos litorales. • **de Santa Teresa.** Planta crasa de origen mex. • **en sangre.** La de las aves que no tienen el cañón seco, y por el humor rojo que suelen tener, se llama así. • **estilográfica.** La de mango hueco lleno de tinta que fluye a los puntos de ella y evita el empleo del tintero. • **fuente.** *Amér. Centr.* Pluma estilográfica. • **fuerte.** Pluma estilográfica. • **Al correr de la p.** o **a vuela p.** loc. adv. fig. Con los verbos *escribir, componer* y otros semejantes, muy deprisa, a merced de la inspiración, sin detenerse a meditar. ■ PLÚMEO, A; PLUMERÍA; PLUMERÍO; PLUMOSO, SA.

* *Zool.* Las p. del ave adulta son de tres tipos: el plumón, que constituye una capa aislante; las p. de contorno, que son las p. típicas y constan de un eje, llamado raquis, habitualmente hueco y rígido, del que salen unos hilos laterales, las barbas, y nacen en ciertas zonas llamadas pterilias; y las p. filiformes, que parecen pelos y se encuentran en pocas aves.

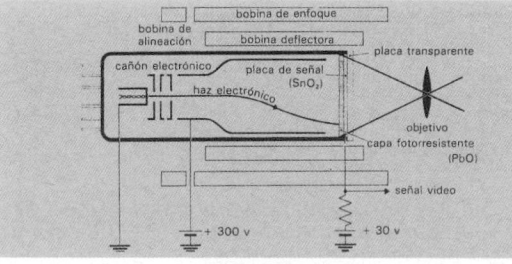

Esquema de un **plumbicón**

PLUMADO, DA adj. Que tiene pluma. • f. Acción de escribir una cosa corta. • Rasgo que se hace sin levantar la pluma del papel. • *Cet.* Plumas que comen los halcones.

PLUMAJE m. Conjunto de plumas que adornan y visten al ave. • Penacho de plumas que se pone por adorno en los sombreros, morriones y cascos. • *Cet.* Clase de pluma con que se distinguen las diversas especies de aves de caza.

PLUMAZO m. Colchón o almohada grande llena de pluma. • Trazo fuerte de pluma y especialmente el que se hace para tachar lo escrito. • **De un plumazo.** m. adv. fam. Modo expeditivo de suprimir una cosa.

PLUMAZÓN f. Conjunto de plumas de un ave. • Conjunto de plumas de un adorno.

PLUMBAGINA f. Plombagina.

PLUMBAGINÁCEO, A adj. y f. Díc. de plantas con hojas esparcidas, simples; flores agrupadas en cabezuela, en racimos o en cimas, hermafroditas, y frutos en aquenio o en cápsula. • f. pl. Familia de estas plantas.

PLUMBICÓN m. Tubo para la toma de vistas de televisión, que utiliza una capa conductora formada por monóxido de carbono.

PLUM-CAKE (voz ing.) m. Pastel de bizcocho, con pasas y otros ingredientes.

PLUMEAR tr. *Pint.* Formar líneas con el lápiz o la pluma, para sombrear un dibujo. • Escribir con pluma. ■ PLUMEADO, DA.

PLUMERILLA f. *R. de la Plata.* Mimosa de flor roja.

PLUMERO m. Mazo de plumas sujetas a un mango, que se usa para quitar el polvo. • Vaso o caja donde se ponen las plumas. • Plumaje, penacho de plumas.

PLUMIER (voz fr.) m. Estuche o caja donde los escolares guardan sus utensilios para escribir.

PLUMÍFERO, RA adj. Que tiene o lleva plumas. • adj. y s. despect. El que tiene por oficio escribir. • Autor de obras publicadas, especialmente literarias.

PLUMIÓN m. Plumón, pluma muy delgada.

PLUMÓN m. Pluma muy delgada, semejante a la seda, que tienen las aves debajo del plumaje exterior. • Colchón lleno de esta pluma.

PLÚMULA o **PLUMILLA** f. *Bot.* Parte del embrión vegetal contenido en el interior de una semilla, que corresponde a los esbozos del tallo o vástago.

PLURAL adj. *Gram.* Díc. del núm. que se refiere a dos o más personas o cosas. • **elíptico.** *Gram.* El que amplía su significado con respecto al singular. • **enfático.** *Gram.* El que sustituye al singular, pero sin modificar su sentido.

PLURALIDAD f. Multitud grande de algunas cosas, o el mayor núm. de ellas. • Calidad de ser más de uno.

PLURALISMO m. *Fil.* Teoría que supone la realidad compuesta por principios diferentes y no reducibles a unidad. • *Pol.* Doctrina que preconiza la coexistencia de varias tendencias políticas y que fundamenta las democracias formales. El p., en lo político, se opone al totalitarismo. ■ PLURALISTA.

PLURALIZAR tr. Dar núm. pl. a palabras que ordinariamente no lo tienen. • Referir o atribuir una cosa que es peculiar de uno a dos o más sujetos, pero sin generalizar.

PLURICELULAR adj. *Biol.* Díc. de la planta o del animal formado por muchas células.

PLURIEMPLEO m. Desajuste social caracterizado por la necesidad de que una parte de la pob. laboral deba desempeñar a un tiempo varios empleos u oficios.

PLURIVALENCIA f. Pluralidad de valores que tiene una cosa.

PLUS m. Gratificación o sobresueldo que suele darse a la tropa en campaña y en otras circunstancias extraordinarias. • Cualquier gaje suplementario u ocasional.

PLUS ULTRA loc. latina. Más allá.

PLUS-CAFÉ m. *Amér. Centr.* Copa de licor que se toma después de comer.

PLUSCUAMPERFECTO adj. y m. *Gram.* Díc. del tiempo que anuncia que una cosa estaba ya hecha o podía estarlo cuando otra se hizo.

PLUSMARCA f. *Dep.* Resultado que supera a los anteriores de su misma categoría o sexo, y que se reconoce oficialmente si se cumplen unas condiciones reglamentarias. ■ PLUSMARQUISTA.

PLUSVALÍA f. Incremento del valor de una cosa debido a circunstancias que no dependen de la voluntad del dueño. • *Econ.* En la teoría marxista, beneficio que obtiene el empresario. Se expresa por la diferencia entre el valor de la fuerza del trabajo y el de los productos obtenidos por el uso de ésta. Aunque A. Smith y D. Ricardo trataron ya el tema, fue Marx quien le dedicó una atención más precisa con el fin de extraer conclusiones sociológicas. En base a la apropiación que el empresario hace de la p., Marx elaboró su crítica del capitalismo.

PLUTARCO (h. 50-h. 120) Escritor gr. que residió en Roma. *Vidas paralelas.*

PLÚTEO m. Cada uno de los cajones, tablas o estantes de un armario de libros.

PLUTO *Mit. gr.* Dios de la riqueza, hijo de Jasón y de Deméter.
PLUTOCRACIA f. Preponderancia de los ricos en el gobierno del Est. • Predominio de la clase más rica de un país. B PLUTÓCRATA; PLUTOCRÁTICO, CA.
PLUTÓN *Mit. gr.* Dios de los infiernos, hijo de Cronos y de Rea, y hermano de Zeus.
PLUTÓN *Astr.* El planeta más pequeño (2 300 km de diámetro, y $5,5 \times 10^{34}$ kg de masa) y el más lejano del sistema solar, de órbita muy excéntrica, con un periodo de revolución de 248,7 años. Tiene un único satélite, Caronte.
PLUTONIO m. *Quím.* Elemento de símb. Pu y n. a. 94, transuránido que no existe en la naturaleza, de color blanco, paramagnético y mal conductor del calor y la electricidad. Tiene la propiedad de fisionarse.
PLUTONISMO m. *Geol.* Teoría que atribuye la configuración del globo terrestre a la acción del fuego interno. B PLUTONIANO, NA; PLUTÓNICO, CA.
PLUVIAL adj. Relativo a la lluvia. • Díc. de los periodos de lluvia en una región determinada. • m. *Zool.* Ave caradriforme afr. Suele posarse encima de los cocodrilos para comer sus parásitos.
PLUVIOMETRÍA f. *Meteor.* Estudio de la distribución geográfica y estacional de las lluvias.
PLUVIÓMETRO m. Aparato para medir la lluvia que cae en lugar y tiempo dados.
PLUVIONIVAL adj. Díc. del régimen de alimentación de una cuenca fluvial, caracterizado por el predominio de las lluvias sobre las nieves.
PLUVIOSIDAD f. Abundancia de precipitaciones; suele medirse por la cantidad de agua de lluvia caída durante el año en un punto determinado.
PLUVIOSO, SA adj. Lluvioso. • m. Quinto mes del calendario republicano fr.
PLYMOUTH C. de Gran Bretaña, en el condado de Devon; 243 900 hab. Puerto en la desembocadura del Tamar. Base naval. Centro comercial.
PLZEN (al., *Pilsen*) C. de la Rep. Checa, cap. de Bohemia Occidental; 174 600 hab. Centro industrial (fábricas Skoda). Cervezas. Cristalería.
P. M. Abrev. de *post meridiem,* después del mediodía.
Pm *Quím.* Símb. del promecio o prometeo.
Po *Quím.* Símb. del polonio.
PO Río de Italia septentrional; 652 km. Nace en el monte Viso y desemboca en el Adriático, formando un delta. Afl.: Dora, Baltea, Tesino, Adda, Oglio. • **Llanura del P.** (*Pianura Padana*) Planicie del N de Italia que comprende el Piamonte, Lombardía, Emilia-Romaña y Véneto. Avenada por el Po y sus afl.
POA f. *Bot.* Hierba gramínea abundante en praderas y pastizales.
POÁS Volcán cuyo cráter es el más grande del mundo. Sit. en la prov. de Alajuela, en Costa Rica (2 700 m sobre el nivel del mar).
POBLACHO m. despect. Pueblo ruin y destartalado.
POBLACIÓN f. Acción y efecto de poblar. • Núm. de personas que componen un pueblo, prov., nación, etc. • *Biol.* Conjunto de organismos de una misma especie y que ocupan un área de extensión relativamente pequeña, que depende de la movilidad, tamaño y capacidad de difusión de los individuos. • **activa.** Conjunto de personas que suministran mano de obra disponible u otra prestación para la producción de bienes y servicios. • **Densidad de p.** Núm. de individuos de una zona en relación a la extensión de ésta (hab./km^2). • Ciudad, villa o lugar.
* *Soc.* La variación de la p. depende del índice de natalidad, del índice de mortalidad y de las migraciones. La diferencia entre el índice de natalidad y el de mortalidad determina el crecimiento vegetativo, que muestra la tendencia demográfica de la p. La geografía de la p. estudia la composición de ésta según los orígenes geográficos, la estructura por edades, la distribución entre los diferentes sectores de actividad, etc., así como la relación entre los recursos disponibles en un espacio y el total de la p. La demografía lleva a cabo un estudio específico de la p. Hasta el s. XVIII la p. mundial se vio fuertemente azotada por el hambre y las epidemias. Desde esta fecha inició un crecimiento sostenido. Para el año 2000 se prevé una p. mundial de 7 000 millones de hab., la mayor parte de los cuales vivirán en las áreas subdesarrolladas, y el envejecimiento de la p. de las áreas desarrolladas.
POBLADO, DA m. Población, ciudad, villa o lugar. • f. *Amér. Merid.* Multitud alborotada.
POBLADOR, RA adj. y s. Que puebla. • Fundador de una colonia.
POBLANO, NA adj. y s. Del est. mex. de Puebla. • adj. y s. *Amér.* Lugareño, campesino.
POBLAR tr. e intr. Fundar uno o más pueblos. • tr. Ocupar con gente un sitio para que habite o trabaje en él. • P. ext., díc. de animales y cosas. • Procrear mucho. • prnl. Brotar, crecer, aumentar.
POBRE adj. Necesitado, menesteroso y falto de lo necesario para vivir, o que lo tiene con mucha escasez. • Escaso y que carece de alguna cosa para su entero complemento. • fig. Infeliz, desdichado y triste. • fig. Pacífico, quieto y de buen genio e intención; corto de ánimo y espíritu. • *Der.* Persona que reúne las circunstancias exigidas por la ley para concederle los beneficios de la defensa gratuita en el enjuiciamiento civil o criminal. • com. Mendigo. • **de solemnidad.** El que lo es de notoriedad.
POBRERÍA o **POBRETERÍA** f. Conjunto de pobres. • Escasez o miseria en las cosas.
POBRERO m. El que en las comunidades tiene el encargo de dar limosna a los pobres.
POBRETE, TA adj. y s. Desdichado, infeliz, abatido. • fam. Díc. del sujeto inútil y de corta habilidad, ánimo o espíritu, pero de buen natural. • f. fig. y fam. Ramera.
POBRETEAR intr. Comportarse como pobre.
POBRETÓN, NA adj. y s. Muy pobre.
POBREZA f. Necesidad, estrechez, carencia de lo necesario para el sustento de la vida. • Falta, escasez. • Dejación voluntaria de todo lo que se posee, de la cual hacen voto solemne los religiosos el día de su profesión. • Escaso haber de la gente pobre. • fig. Falta de magnanimidad, de gallardía, de nobleza del ánimo.
POCATERRA, ***José Rafael*** (1888-1955) Escritor y político ven. Presid. del congreso y ministro de Trabajo tras la muerte de Gómez. *Cuentos grotescos, Memorias de un venezolano de la decadencia.*
POCERO m. El que fabrica o hace pozos o trabaja en ellos. • El que limpia pozos negros o cloacas.
POCERÓN m. *Amér. Centr.* Charco.
POCHO, CHA adj. Descolorido, quebrado de color. • Díc. de lo que está podrido o empieza a pudrirse. • Díc. de la persona floja de carnes o de mala salud. • fig. Muy bueno, excelente. • adj. y s. *Méx.* Díc. de los individuos de origen hispánico que habitan EE UU. • *Chile.* Rechoncho. • *Chile.* Torpe. • *Chile.* Truncado, sin punta. • m. *Méx.* Variedad del castellano, con gran número de palabras ing. castellanizadas, hablado por los pochos.
POCHOTE m. *C. Rica* y *Hond.* Árbol silvestre malváceo, espinoso, y cuyo fruto encierra una materia como algodón, con que se rellenan almohadas.
POCILGA f. Establo para ganado de cerda. • fig. y fam. Cualquier lugar hediondo y asqueroso.
POCILLO m. Tinaja o vasija empotrada en la tierra para recoger un líquido. • Pequeña vasija de loza; jícara.
PÓCIMA f. Cocimiento medicinal de materias vegetales. • fig. Cualquier bebida medicinal. • fig. Bebida de sabor desagradable.
POCIÓN f. Cualquier líquido que se bebe. • Líquido compuesto que se bebe, especialmente el medicinal.
POCO, CA adj. Escaso, limitado y corto en cantidad o calidad. • m. Cantidad corta o escasa. • adv. cantidad. Con escasez, menos de lo regular o preciso. • Empleado con verbos expresivos de tiempo, denota corta duración. • Se antepone a otros adv., denotando idea de comparación. • f. *Amér. Centr.* Juego de naipes. • **A p.** m. adv. A breve término; corto espacio de tiempo después. • **De p. más o menos.** exp. fam. que se aplica a las personas o cosas despreciables o de poca estimación. • **P. a p.** m. adv. Despacio, con lentitud. • De corta en corta cantidad. • **P. más o menos.** m. adv. Con corta diferencia. • **Por p.** m. adv. con que se da a entender que apenas faltó nada para que sucediese una cosa. • **Sobre p. más o menos.** m. adv. Poco más o menos. • Aproximadamente.
POCOMAN adj. y s. Díc. de un pueblo del grupo maya que vive en el E de Guatemala.

Pluvial

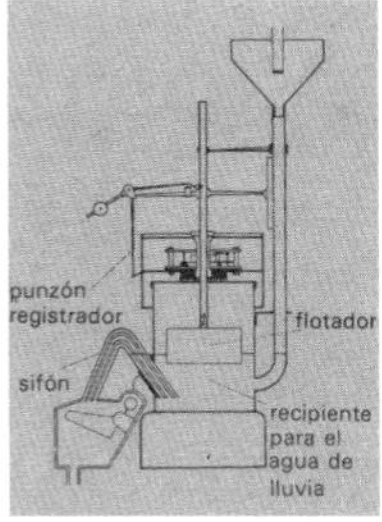

Esquema de un **pluviómetro**

Cráter del volcán **Poás**

POCOYO m. *Nic.* Ave nocturna que canta al borde de los caminos.

PODADERA f. Herramienta acerada, con corte curvo y mango de madera, que se usa para podar.

PODAGRA f. Gota, particularmente la del pie. • Planta trepadora, parásita del lino.

PODAR tr. Cortar o quitar las ramas superfluas de los árboles, vides y otras plantas. ■ PODA.

PODAXINAL adj. y m. *Bot.* Díc. de hongos con aparato esporífero epigeo, formado por una gleba atravesada por una columna de tejido estéril (columela). • m. pl. *Bot.* Orden de estos hongos.

PODAXONÁCEO, A adj. y f. *Bot.* Díc. de hongos con micelio estromatoso y resistente y peridios pedicelados elipsoidales. • f. pl. *Bot.* Familia de estos hongos.

PODAZÓN f. Tiempo o sazón de podar los árboles.

PODENCO, CA adj. y s. Díc. del perro parecido al lebrel, con cabeza redonda, orejas tiesas, el pelo largo y cola enroscada. Es ágil para la caza.

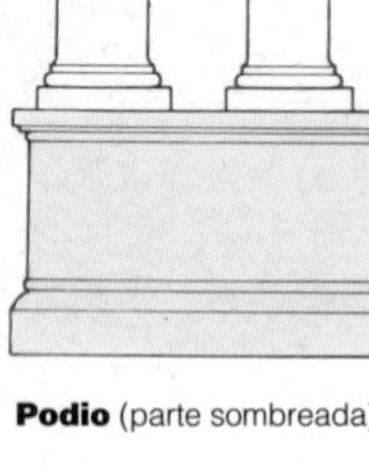

Podio (parte sombreada)

PODER m. Situación de quien posee los medios de hacer alguna cosa, o de imponer una actuación determinada a otras personas. • Fuerzas de un Est., en especial las militares. • *Der.* Autorización que una persona extiende a otra para que concluya en su nombre uno o varios negocios jurídicos, que producen efectos como si la primera hubiera actuado. Se usa más en pl. • Posesión actual o tenencia de una cosa. • Fuerza, vigor, capacidad, posibilidad, poderío. • Suprema potestad, rectora y coactiva del Est. • pl. fig. Facultades, autorización para hacer una cosa. • tr. Tener expeditas la facultad o potencia de hacer una cosa. • Tener facilidad, tiempo o lugar de hacer una cosa. También se usa con negación. • impers. Ser contingente o posible que suceda una cosa. • **absoluto** o **arbitrario.** Despotismo. • **absorbente.** *Fís.* Fracción de energía que absorbe una superficie sobre la que incide una radiación. • **calórico.** *Fís.* En un combustible, cantidad de calor desarrollada durante la combustión de un gramo de una muestra del mismo. • **constituyente.** El que corresponde al Est. para organizarse, dictando y reformando sus constituciones. • **difusor.** *Ópt.* Fracción de luz incidente difundida por una superficie. • **dióptrico.** *Ópt.* En una lente esférica o en un sistema dióptrico centrado, valor inverso de la distancia focal. • **dispersivo.** *Ópt.* Relación que proporciona la desviación angular producida por un prisma óptico de una cierta sustancia, en las regiones extremas del espectro luminoso. • **ejecutivo.** En los gobiernos representativos, el que tiene a su cargo gobernar el Est. y hacer observar las leyes. • **emisivo.** *Fís.* Cantidad de energía radiante que emite un cuerpo por unidad de superficie y de tiempo. • **judicial.** El que ejerce la administración de justicia. • **legislativo.** Aquel en que reside la potestad de hacer y reformar las leyes. • **liberatorio.** Fuerza liberatoria. • **moderador.** El que ejerce el jefe supremo del Est., sea rey o presidente. • **político.** *Pol.* Capacidad de un individuo, un grupo o una clase social para gobernar una sociedad, o para influir decisivamente en los gobernantes. El término equivale también al conjunto de autoridades que gobiernan una nación. • **real.** Autoridad real. • **resolutivo.** P. separador. • **separador.** *Ópt.* Valor recíproco de la mínima distancia que debe existir entre dos puntos para que, mediante un sistema óptico, se observen separados. • **A más no p.** m. adv. con que se explica que uno ejecuta una cosa impelido y forzado y sin poder excusarlo ni resistirlo. • **A p. de.** m. adv. A fuerza de, o con repetición de actos. • A fuerza de, con abundancia de una cosa. • **A todo p.** m. adv. Con todo vigor o esfuerzo posible. • **De p. a p.** m. adv. con que se da a entender que una cosa se ha disputado o contendido de una parte y otra con todas las fuerzas disponibles para el caso. • **No p. con** uno. No poder sujetarlo ni reducirlo a la razón. • **No p. con** alguien, o algo. fig. Sentir repugnancia hacia una persona o cosa. • **No p. más.** fr. con que se expresa la precisión de realizar algo. • Estar fatigado de hacer algo, no poder continuar. • **No p. menos.** Ser necesario o preciso. • **No p. valerse.** Hallarse uno en estado de no poder remediar el daño que le amenaza o evitar una acción. • No tener expedito el uso de un miembro. • **No p. tragar** a uno. fig. Tenerle aversión. • **No p. ver** a uno. fig. Aborrecerle. • **P.** a uno. fam. Tener más fuerza que él. • **Por p.** m. adv. Con intervención de un apoderado. ■ PODEROSO, SA.

Edgar Allan **Poe**

PODER Negro → Black Power.

PODERHABIENTE com. Persona que tiene poder o facultad de otra para representarla, administrar una hacienda, etc.

PODERÍO m. Facultad de hacer o impedir una cosa. • Hacienda, bienes y riquezas. • Poder, dominio, señorío, imperio. • Potestad, facultad, jurisdicción. • Vigor, facultad o fuerza grande.

PODESTÁ (voz it.) m. En la baja E. Med., primer magistrado de algunas c. it., con poderes ejecutivos y judiciales. • Bajo el régimen fascista it., funcionario gestor de la municipalidad y del sindicato.

PODESTÁ, *Blanca* (1899-1967) Actriz teatral arg., ganadora de diversos premios de interpretación. • ***José*** (1856-1937) Actor ur., radicado en Argentina. Fundador del teatro popular argentino.

PODGORICA C. de Montenegro y cap. de esta rep.; 95 000 hab. Sit. junto al r. Moraca. Destruida durante la II Guerra Mundial, se levantó junto a ella, en 1945, la ciudad de Titogrado, que fue la cap. hasta que en 1992, cambió su nombre por el de la antigua ciudad.

PODGORNY, *Nikolái* (1903-1983) Político sov. Miembro del comité central del PCUS. Presid. del presidium en 1965, reelegido en 1970 y destituido en 1977.

PODICEPEDIFORME adj. y m. *Zool.* Díc. de aves primitivas que tienen las patas sit. muy atrás en su cuerpo y penachos en la cabeza. • m. pl. *Zool.* Orden de estos animales.

PODICEPÍTIDO, DA adj. y m. *Zool.* Díc. de animales de la familia podicepítidos. • m . pl. *Zool.* Única familia de aves acuáticas del orden podicepediformes, llamadas vulgarmente somormujos.

PODIO o **PODIUM** m. *Arq.* Pedestal largo en que se apoyan varias columnas. • *Dep.* Tarima en la que se colocan, para recibir los trofeos, los primeros clasificados en una competición. • Plataforma o tribuna en la que se sitúa la presidencia de un acto. • Lugar desde el que el director de una orquesta realiza su función durante la ejecución de una obra. • En las discotecas, plataforma ligeramente elevada sobre la pista de baile.

PODOCARPÁCEO, A adj. y f. *Bot.* Díc. de plantas gimnospermas, coníferas, parecidas a los pinos. • f. pl. *Bot.* Familia de estas plantas, que agrupa a multitud de especies amer.

PODOFTALMO, MA adj. y m. *Zool.* Díc. de los crustáceos dotados de ojos pedunculados. • m. pl. *Zool.* Ant. grupo en el que se incluía a estos crustáceos.

PODOLOGÍA f. *Med.* Estudio de las enfermedades de los pies. ■ PODÓLOGO, GA.

PODÓMETRO m. Aparato, en forma de reloj de bolsillo, para medir el núm. de pasos dados por la persona que lo lleva.

PODRE f. Putrefacción de algunas cosas. • Pus.

PODRECER tr., intr. y prnl. Pudrir.

PODREDUMBRE f. Putrefacción o corrupción material de las cosas. • Cosa podrida. • Corrupción moral. • fig. Sentimiento hondo y no comunicado. • Enfermedad de los vegetales.

PODREDURA o **PODRICIÓN** f. Putrefacción, corrupción de las cosas.

PODRIR tr. y prnl. Pudrir. ■ PODRIDERO; PODRIMIENTO.

POE, *Edgar Allan* (1809-1849) Escritor norteam. Se distinguió como poeta, crítico y autor de cuentos políticos y de terror. *El cuervo, Doble asesinato en la calle Morgue, El hundimiento de la casa Usher, El escarabajo de oro, Aventuras de Arthur Gordon Pym.*

POEMA m. *Lit.* Obra en verso, o perteneciente por su gén. a la esfera de la poesía. Se pueden establecer los tipos siguientes: *p. épico,* que expresa sentimientos externos del poeta; *p. lírico,* que expresa los sentimientos internos del poeta; *p. dramático,* nombre que recibe la obra teatral. • Suele también tomarse por poema épico. • **sinfónico.** *Mús.* Obra para orquesta desarrollada por una idea poética u obra literaria. ■ POEMÁTICO, CA.

POEMA de la Creación Obra acádica, titulada en el idioma original *Enuma elish* («Cuando en lo alto»), la más representativa de la literatura religiosa mesopotámica.

POEMARIO m. Conjunto o colección de poemas.

POESÍA f. Exp. artística de la belleza sujeta a la medida y cadencia del verso. • Arte de componer obras poéticas. • Arte de componer versos y obras en verso. • Gén. de producciones del entendimiento humano, cuyo fin inmediato es expresar lo bello por medio del lenguaje, y cada una de las variedades de este gén. • *Lit.* Obra o composición en verso, especialmente la que pertenece al gén. lírico. • Cierto encanto o cualidad de lo que eleva el sentimiento o la imaginación, produciendo una emoción estética y afectiva.

* *Lit.* Horacio llama a los poetas «intérpretes de los dioses», teoría que llega hasta nuestros días. El verso permite destacar los aspectos tonales, rítmicos y acentuales propios del lenguaje. Hay que buscar el valor intrínseco de la p. en las posibilidades significativas del lenguaje y en la fusión de imágenes separadas que hace la metáfora.

POETA m. El que compone obras poéticas y está dotado de las facultades necesarias para componerlas. • El que hace versos.

POETASTRO m. Mal poeta.

POÉTICO, CA adj. Relativo a la poesía. • Propio o característico de la poesía. • Que encierra o contiene poesía. • f. *Lit.* Poesía, arte de componer obras poéticas. • Obra o tratado sobre los principios y reglas de la poesía.

* *Lit.* La p. tiende a elaborar categorías que permitan la comprensión de la obra. Pretende estudiar los tipos de gén. y la historia de la literatura; y el estudio del discurso literario como principio generativo de una infinidad de textos. Nació en Grecia. En las primeras épocas las teorías estudiaban las relaciones entre la obra y el universo. En los ss. XVII y XVIII las teorías se interesaron sobre todo por la relación obra y lector. El romanticismo pusó el énfasis en el autor. En el s. XX, la p. apareció como disciplina. Destacan el formalismo ruso, la escuela morfológica, el *New Criticism* y el estructuralismo.

POETISA f. Mujer que compone obras poéticas y está dotada de las facultades necesarias para componerlas. • Mujer que hace versos.

POETIZAR intr. Hacer o componer versos u obras poéticas. • tr. Embellecer alguna cosa con el encanto de la poesía; darle carácter poético.

POEY y Aloy, *Felipe* (1799-1891) Naturalista y escritor cub. *Ictiología cubana.*

POGGIO, *Gian Francesco* (1380-1459) Humanista it. Su producción incluye diálogos filosóficos como *De varietate fortunae, De miseria humanae conditionis*, sátiras, y una *Historia florentina.*

POGONÓFORO, RA adj. y m. *Zool.* Díc. de animales invertebrados deuterostomas, también llamados braquiados, de cuerpo largo y delgado, provisto de una corona de tentáculos en su parte anterior. Carecen de boca y ano, y de aparatos digestivo y respiratorio. Viven en los fondos marinos, a gran profundidad. • m. pl. *Zool.* Tipo o clase aislada de estos animales.

POGROMO (ruso, *pogrom*) m. Movimiento popular antisemítico de la segunda mitad del s. XIX y principios del XX, promovido por las autoridades zaristas, acompañado de pillajes y matanzas.

POINCARÉ, *Henri* (1854-1912) Matemático, físico y filósofo fr. Destacan sus trabajos matemáticos sobre la teoría de funciones de variable compleja y topología algebraica. • ***Raymond*** (1860-1934) Político fr. Presid del gobierno (1912-1913) y de la rep. (1913-1920). De nuevo presid. del gobierno entre 1922 y 1924, ordenó la ocupación del Ruhr. Volvió a ocupar el cargo de 1926 a 1929.

POÍNO m. Codal que sirve de encaje y sustenta las cubas en las bodegas.

POINTE-À-PITRE C. y puerto pral. de Guadalupe, en las Antillas fr.; 30 000 hab. Destilerías, refinerías de azúcar, tabaco.

POINTER adj. y m. Díc. de una raza de perro de tamaño medio y de tipo bracoide, gralte. empleado como perro de muestra. Su pelo es corto y liso, las orejas caídas y el olfato muy desarrollado.

POIQUILOSMÓTICO, CA adj. y m. *Zool.* Díc. de los animales cuya presión osmótica corporal sigue las oscilaciones de la salinidad del medio, de modo que no pueden resistir grandes variaciones de salinidad sin sufrir alteraciones metabólicas e incluso la muerte.

POIQUILOTERMO, MA adj. y m. *Zool.* Díc. de los animales cuya temperatura no puede regularse y depende estrictamente de la del ambiente. Son los llamados animales de sangre fría.

POISE m. *Fís.* Unidad de viscosidad en el sistema CGS.

POISEUILLE, *Jean-Louis Marie* (1799-1869) Médico y físico fr. Autor de imp. trabajos sobre el ascenso de los líquidos en los tubos capilares, el régimen laminar o estacionario y la viscosidad.

POITEVINO, NA adj. y s. De la región fr. de Poitou. • m. *Ling.* Dialecto hablado en el Poitou, vinculado a la lengua provenzal.

POITIER, *Sidney* (nacido 1924) Actor cinematográfico norteam. Oscar de interpretación en 1963 por *Los lirios del valle. Adivina quién viene esta noche, Porgy and Bess, En el calor de la noche.*

POITIERS C. de Francia, cap. del dpto. de Vienne y del dpto. de Poitou-Charentes; ant. cap. de Poitou; 78 900 hab. Aserraderos. Universidad.

POITOU Ant. región de Francia que se extiende por el N y el SO, respectivamente, de las actuales circunscripciones de Poitou-Charentes y Países del Loira. De 1152 a 1422 fue dominio de los Plantagenet ing.

POITOU-CHARENTES Circunscripción de acción regional de Francia, junto al Atlántico; 25 810 km², 1 595 100 hab. Cap., Poitiers. C. pral.: La Rochelle. Terr. llano, accidentado en el centro por el umbral del Poitou. Clima templado oceánico. Cereales, forrajes, vid. Ganadería.

PÓKER m. Póquer.

POL Pot (1928-1998) Político camboyano. Durante la II Guerra Mundial se unió al Vietminh y al comunismo camboyano. Uno de los prales. dirigentes al iniciarse la guerra civil. Diputado y primer ministro (1976), fue depuesto en 1979.

Perro de raza **pointer**

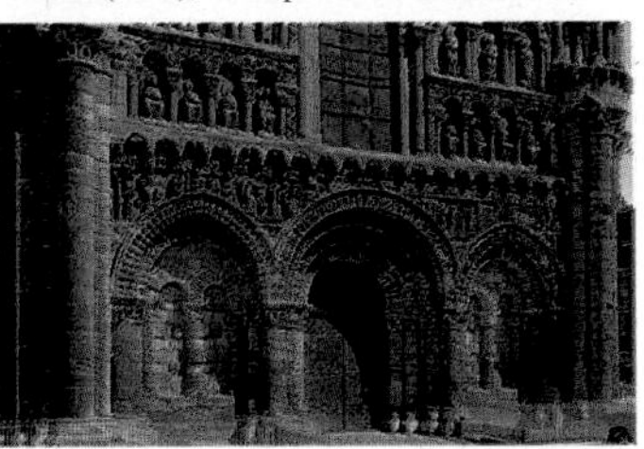

Poitiers. Fachada de la catedral

POLACO, CA adj. y s. De Polonia. • adj. y s. Díc. del partido político que gobernó en España, desde 1850 a 1854. • m. *Ling.* Lengua de los polacos, una de las eslavas.

POLACRA f. *Mar.* Buque de cruz, de dos o tres palos enterizos y sin cofas.

POLAINA f. Especie de media calza que cubre la pierna hasta la rodilla.

POLANSKI, *Roman* (nacido 1933) Director de cine polaco, n. en París. Sus primeras obras se caracterizan por un profundo estudio de los personajes. *El cuchillo en el agua, Repulsión, Cul-de-sac, El baile de los vampiros, La semilla del diablo, Macbeth, Chinatown, Tess, Piratas, Frenético.*

POLAR adj. Relativo a los polos. • f. *Geom.* Para una cónica, respecto a un punto cualquiera del plano, es la recta que pasa por los puntos de intersección determinados por la cónica y las tangentes a la misma trazadas desde el punto.

POLAR f. Estrella Polar o Polaris.

POLARIDAD f. *Fís.* Propiedad que tienen los agentes físicos de acumularse en los polos de un cuerpo y de polarizarse. • Tendencia de una molécula a ser repelida o atraída por cargas eléctricas. • fig. Condición de lo que tiene propiedades o potencias opuestas, en partes o direcciones contrarias, como los polos.

POLARIMETRÍA f. Procedimiento de análisis en que se emplea el polarímetro.

POLARÍMETRO m. *Fís.* Aparato para medir el giro del plano de polarización de la luz provocado por una sustancia ópticamente activa.

Roman **Polanski**

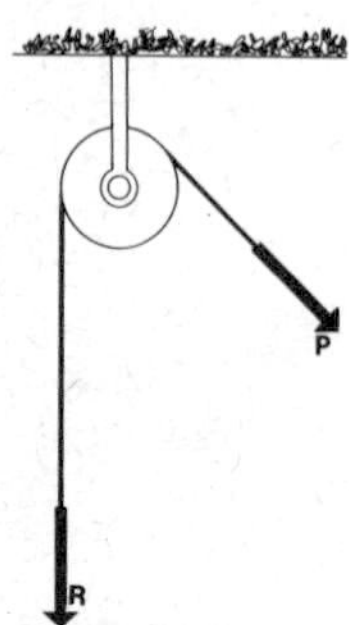

Diagrama de fuerzas en una **polea** fija

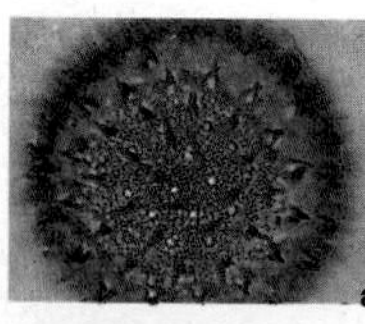
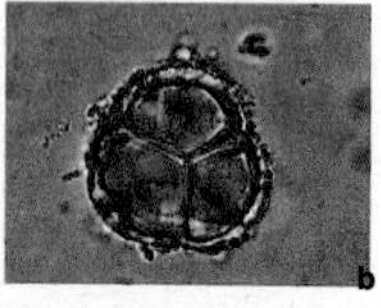
Microfotografías de dos granos de **polen.**
a. *Lavatera trimestris;*
b. *Erica arborea*

Flor de magnolia, planta del orden **policárpicas**

POLARIS o **POLAR** *Astr.* La estrella más brillante de la Osa Menor. Es una estrella doble, que posee un movimiento de revolución muy lento.

POLARIS Nombre de un misil autopropulsado norteam., con cabeza atómica, que puede ser disparado desde submarinos sumergidos.

POLARISCOPIO m. *Fís.* Instrumento para averiguar si un rayo de luz emana directamente de un foco o está ya polarizado.

POLARIZACIÓN f. Acción y efecto de polarizar o polarizarse. • *El.* Establecimiento de una diferencia de potencial entre dos conductores. • **de la luz.** *Ópt.* Propiedad de algunos rayos que se propagan según direcciones perfectamente definidas al atravesar un cierto medio.

POLARIZAR tr. *Ópt.* Modificar los rayos luminosos por medio de refracción o reflexión, de tal manera que queden incapaces de refractarse o reflejarse de nuevo en ciertas direcciones. • prnl. *El.* Hablando de una pila eléctrica, disminuir la corriente que produce, por aumentar la resistencia del circuito a consecuencia del depósito de hidrógeno sobre uno de los electrodos. • fig. Concentrar la atención o el ánimo en una cosa. ■ POLARIZADOR, RA.

POLARÓGRAFO o **POLARÍGRAFO** m. *Quím.* Aparato para analizar de modo electroquímico las soluciones, registrando automáticamente las curvas de potencial-densidad de corriente.

POLAROGRAMA m. Diagrama obtenido mediante un polarógrafo, que está constituido por una curva en forma de escalón.

POLAROID m. Nombre comercial de una materia plástica que contiene gran número de cristales, orientados de forma que sus ejes prales. son paralelos. Se usa en óptica.

POLAVIEJA, ***Camilo García Polavieja,*** MARQUÉS DE (1838-1914) Militar y político esp. En 1890 fue nombrado gobernador y capitán general de Cuba. En 1892 fue enviado a Filipinas, donde derrotó a los independentistas. Ministro de la Guerra en 1899 con Silvela.

POLCA f. Danza de origen bohemo, de mov. rápido. • Música de este baile. • **alemana.** Chotis.

PÓLDER m. En Países Bajos, terreno ganado al mar y que se dedica al cultivo.

POLE, ***Reginald*** (1500-1558) Prelado ing. Presidió el concilio de Trento (1542). Arzobispo de Canterbury (1555) durante el reinado de María Tudor.

POLEA f. Máquina simple que consiste en una rueda acanalada en su circunferencia y móvil alrededor de un eje. Por la canal o garganta pasa una cuerda o cadena en uno de cuyos extremos actúa la potencia y en el otro la resistencia. • Rueda metálica de llanta plana que se usa en las transmisiones por correas. • *Mar.* Motón de dos cuerpos, uno prolongación del otro, y cuyas roldanas están en el mismo plano.

POLÉMICA f. Arte que enseña los ardides con que se debe atacar o defender cualquier plaza. • Teología dogmática. • Controversia por escrito sobre materias teológicas, políticas, literarias, etc. ■ POLÉMICO, CA; POLEMISTA; POLEMIZAR.

POLEMONIÁCEO, A adj. y f. *Bot.* Díc. de plantas herbáceas, normales o trepadoras, hojas compuestas o simples, flores hermafroditas y fruto en cápsula con semillas aladas. • f. pl. *Bot.* Familia de estas plantas.

POLEMONIO m. Planta herbácea de la familia polemoniáceas, con tallos rollizos, hojas sentadas y lanceoladas; flores olorosas, de corola azul, morada o blanca, y fruto de tres celdas.

POLEN m. *Bot.* Espora masculina de las plantas superiores. Los granos de p. están rodeados y protegidos por una pared de dos capas, y presentan gralte. acúleos o demás adaptaciones para facilitar la polinización.

POLENTA f. Gachas de maíz. • Plato it. a base de harina de maíz y patata, con manteca y queso.

POLEO m. *Bot.* Planta herbácea anual, de la familia labiadas, con hojas pequeñas, pecioladas, casi redondas y dentadas, y flores azuladas o moradas. Tiene olor agradable, es estomacal. • fam. Jactancia y vanidad en el andar o hablar. • fam. Viento frío o recio.

POLEO, ***Héctor*** (1918-1989) Pintor ven. Influido por el muralismo mex. *Los tres comisarios, La boda, Familia andina.*

POLESIE Región de Rusia, sit. en la zona occidental de la llanura rusa y recorrida por el Pripiat, afl. del Dniéper.

POLIADELFOS adj. Díc. de los estambres de una flor cuando están soldados entre sí por sus filamentos. Sólo se usa en pl.

POLIALCOHOL m. *Quím.* Sustancia que presenta varias funciones alcohólicas.

POLIAMIDA f. *Quím.* Producto de la reacción de condensación en cadena de moléculas de aminoácidos o de diaminas con ácidos dicarboxílicos.

POLIANDRIA f. Forma de matrimonio en la que una mujer puede estar unida a dos o más esposos al mismo tiempo. • *Bot.* Díc. de la planta cuya flor tiene varios estambres.

POLIANTEA f. Colección o agregado de noticias en materias diferentes y de distintas clases.

POLIAQUENIO m. Fruto compuesto, formado por la concrescencia de varios aquenios sobre el tálamo floral engrosado y jugoso.

POLIARQUÍA f. Gobierno de muchos.

POLIBÁN m. Bañera de dimensiones reducidas, con un asiento que permite bañarse sentado.

POLIBIO (204-122 a. C.) Historiador gr., radicado en Roma. Su *Historia universal* refiere la dominación del mundo bajo un imperio único y la política rom.

POLICÁRPICO, CA adj. y f. *Bot.* Díc. de plantas con flores provistas de cáliz y corola o de periantio petaloide, y ovario formado por varios carpelos. • f. pl. *Bot.* Orden de estas plantas.

PÓLICE m. Dedo pulgar.

POLICHINELA m. *Pulcinella*, personaje de la *Commedia dell'Arte* it. Representa el tipo de burgués napolitano, satírico y grosero. • Títere con una gran joroba, en el teatro de marionetas. • P. ext., cualquier títere del teatro de marionetas, e incluso este mismo teatro.

POLICÍA f. Buen orden que se observa y guarda en las ciudades y repúblicas, cumpliéndose las leyes u ordenanzas establecidas para su mejor gobierno. • Cuerpo encargado de vigilar por el mantenimiento del orden público y la seguridad de los ciudadanos. • Cortesía, urbanidad en el trato de costumbres. • Limpieza, aseo. • m. Agente de policía.

POLICIACO, CA o **POLICÍACO, CA** adj. Relativo a la policía. A veces se usa en sentido despectivo. • Díc. del gén. novelesco o cinematográfico que, sobre un tema de crimen o gangsterismo, desarrolla una trama en la que predominan la intriga o la acción.

POLICIAL adj. Relativo a la policía. • *Amér. Centr.* Agente de policía.

POLICLETO (segunda mitad del s. v a. C.) Escultor gr. del llamado primer arte clásico. Elaboró una teoría de la proporción del cuerpo humano cuyo canon se halla en sus dos figuras del *Discóforo* y *Diadumeno*.

POLICLÍNICA f. Establecimiento privado con distintas especialidades médicas y quirúrgicas.

POLICONDENSACIÓN f. *Quím.* Procedimiento de obtención de polímeros, que se aplica cuando el resultado de la condensación de dos moléculas es otra molécula con grupos terminales susceptibles de reaccionar como antes.

POLICOPIADOR adj. y m. o **POLICOPISTA** adj. y s. *Bol.* Multicopista.

POLÍCRATES (m. 552 a. C.) Tirano de Samos [533-522 a. C.]. Construyó una importante flota y se apoderó de algunas c. de la Jonia. Orontes, sátrapa de Sardes, lo hizo crucificar.

POLICROÍSMO m. *Ópt.* Fenómeno de reflexión-refracción por el que una sustancia presenta colores diferentes, los cuales dependen de la dirección de los rayos luminosos que sobre ella inciden.

POLICROMO, MA o **POLÍCROMO, MA** adj. De varios colores. ■ POLICROMÍA.

POLICRUZAMIENTO m. Fecundación al azar entre individuos seleccionados y aislados por completo del resto de la población.

POLICULTIVO m. Forma de cultivo que consiste en una diversificación de los mismos en una explotación agrícola.

POLIDEPORTIVO, VA adj. y m. Díc. de la instalación que permite la práctica de varios deportes.

POLIDIPSIA f. *Pat.* Necesidad de beber con frecuencia y abundantemente.

POLIDRUPA f. *Bot.* Fruto colectivo constituido por la unión concrescente de todas las pequeñas drupas formadas a partir de una sola flor.
POLIEDRO adj. *Geom.* Díc. del ángulo sólido • m. *Geom.* Figura sólida limitada por un cierto núm. de polígonos llamados caras. ■ POLIÉDRICO, CA.
POLIENÉRGIDA f. *Biol.* Conjunto de varias enérgidas o núcleos rodeados de una porción de citoplasma.
POLIESTIRENO m. *Quím.* Producto de la polimerización del estireno. Sólido vítreo y transparente, muy empleado en la ind. de los plásticos.
POLIÉSTER m. *Quím.* Polímero de un éster que se obtiene por condensación de diácidos orgánicos con polialcoholes. Es una resina termoestable, que se usa en la fabricación de pinturas, barnices, etc.
POLIETILENO m. *Quím.* Polímero del etileno, sólido, blanco, traslúcido y flexible, de considerable inercia química.
POLIFACÉTICO, CA adj. Que ofrece varias facetas o aspectos. • P. ext., se aplica a las personas de variada condición o de múltiples aptitudes.
POLIFAGIA f. *Pat.* Hambre canina, necesidad anormal de comer. ■ POLÍFAGO, GA.
POLIFÁSICO, CA adj. Que presenta varias fases sucesivas. • *El.* Díc. de la corriente alterna, constituida por la combinación de varias corrientes monofásicas de igual periodo, pero desfasadas.
POLIFEMO *Mit. gr.* Cíclope gigante, hijo de Neptuno. Desdeñado por la ninfa Galatea, aplastó con una roca a Acis, su rival. Ulises se libró de él embriagándole y cegando su único ojo.
POLIFONÍA f. *Mús.* Superposición de dos o más partes vocales instrumentales, cuyo desarrollo es a la vez horizontal (contrapunto) y vertical (armonía). ■ POLIFÓNICO, CA; POLÍFONO, NA.
POLÍGALA f. Planta de la familia poligaláceas, que se usa contra el reumatismo.
POLIGALÁCEO, A adj. y f. *Bot.* Díc. de plantas angiospermas dicotiledóneas, leñosas o herbáceas, de hojas sencillas, flores hermafroditas y fruto en cápsula o en drupa con semillas de albumen carnoso o nulo. • f. pl. *Bot.* Familia de estas plantas.
POLIGALIA f. Exceso de secreción láctea en las hembras.
POLIGAMIA f. Estado o calidad de polígamo. • Régimen familiar en el que una persona, de uno u otro sexo, está unida a más de un cónyuge. Comprende la poliandria y la poliginia. • Forma de relación del animal que se aparea con más de un individuo durante la época de cría. • Característica de los vegetales que poseen en la misma planta flores unisexuales y hermafroditas, como sucede con el fresno. ■ POLIGÁMICO, CA; POLÍGAMO, MA.
POLIGENIA f. *Biol.* Fenómeno de actuación de muchos genes sobre un mismo carácter, del que cada uno de ellos no determina más que un pequeñísimo efecto.
POLIGENISMO m. Doctrina que admite variedad de orígenes en la especie humana, en contraposición al monogenismo. ■ POLIGENISTA.
POLIGINIA f. Forma de matrimonio en la que un hombre puede estar unido, simultáneamente, a dos o más esposas reconocidas. • *Bot.* Díc. de la planta cuya flor tiene muchos pistilos. ■ POLIGÍNICO, CA.
POLIGLOTÍA f. Conocimiento práctico de diversos idiomas.
POLIGLOTISMO m. Dominio de varios idiomas. ■ POLÍGLOTO, TA O POLIGLOTO, TA.
POLIGNAC, *Jules Auguste Armand Marie* (1780-1847) Político fr. Presid. del gobierno (1829-1830), inició la penetración fr. en Argelia y provocó la revolución de 1830.
POLIGNOTO (ss. VI-V a. C.) Pintor gr., autor de frescos en la Acrópolis de Atenas y en la *lesché* de Delfos, actualmente desaparecidos.
POLIGONÁCEO, A adj. y f. *Bot.* Díc. de plantas angiospermas dicotiledóneas, arbustos o hierbas de tallos y ramas nudosas, hojas sencillas y alternas; flores hermafroditas, o unisexuales por aborto, cuyos frutos son cariópsides o aquenios con una sola semilla de albumen harinoso. • f. pl. *Bot.* Familia de estas plantas.
POLIGONAL adj. *Geom.* Relativo al polígono. • adj. y f. *Geom.* Díc. de la línea quebrada. • *Bot.* Díc. de plantas angiospermas dicotiledóneas, de flores actinomorfas, con periantio o perigonio y ovario súpero y unilocular. • f. pl. *Bot.* Orden de estas plantas. Comprende la familia poligonáceas.
POLÍGONO, NA adj. Poligonal. • m. *Geom.* Región del plano limitada por un núm. finito de segmentos de recta (lados), que se unen por sus extremos (vértices). • Sector de una zona urbanizada que se destina a un fin concreto. • **cóncavo.** Aquel cuyo perímetro puede ser cortado en más de dos puntos por una recta trazada en su mismo plano. • **convexo.** Aquel cuyo perímetro no puede ser cortado en más de dos puntos por una recta trazada en su mismo plano. • **de tiro.** Campo permanente de tiro.
* *Geom.* Cada vértice de un p. es común a dos lados y el núm. de vértices coincide con el de lados. La distancia del centro de un p. regular (lados y ángulos iguales) a uno cualquiera de los vértices toma el nombre de radio del p. y coincide con el de la circunferencia circunscrita.
POLIGRAFÍA f. Criptografía. • Arte de descifrar los escritos criptográficos. • Ciencia del polígrafo. ■ POLIGRÁFICO, CA.
POLÍGRAFO, FA m. y f. *C. Rica.* Multicopista. • Persona que se dedica al estudio y cultivo de la poligrafía o criptografía. • Autor que escribe sobre materias diferentes.
POLIHÍBRIDO, DA adj. y m. *Biol.* Díc. del organismo heterocigoto para multitud de caracteres sujetos a dominancia o a herencia intermedia.
POLILLA f. Mariposa nocturna pequeña y cenicienta, con alas estrechas y cabeza amarillenta. Anida en la lana, tejidos, pieles, papel, etc. • Larva de este insecto. • fig. Lo que destruye insensiblemente una cosa.
POLIMASTIA f. Presencia de más de dos mamas.
POLIMATÍA f. Sabiduría que abarca conocimientos diversos.
POLIMERASA f. *Biol.* Enzima que regula la obtención de macromoléculas por polimerización.
POLIMERIZACIÓN f. *Quím.* Adición o condensación repetida de muchos monómeros para formar macromoléculas, gralte. con pérdida de agua. La p. es un proceso importante para la formación de polisacáridos, proteínas y ácidos nucleicos. Biológicamente se realiza gracias a la acción de las polimerasas.
POLÍMERO, RA adj. Formado por varias partes, gralte. iguales entre sí. • adj. y m. *Quím.* Díc. del producto formado por macromoléculas.
POLIMETRÍA f. Variedad de metros en una misma composición poética. ■ POLIMÉTRICO, CA.
POLIMIXINA f. *Med.* Antibiótico de naturaleza polipeptídica, que actúa contra los microorganismos gramnegativos destruyendo su membrana celular.
POLIMNIA *Mit. gr.* Una de las nueve Musas. Presidía la declamación, la poesía lírica, la retórica y los himnos y cantos.
POLIMORFÍA f. *Quím.* Fenómeno consistente en el hecho de que una misma sustancia puede tomar distintas formas cristalinas o distintas estructuras moleculares, según las condiciones eventuales. Según sea la transformación reversible o no, se denominará enantiotropa o monotropa, respectivamente.
POLIMORFISMO m. *Biol.* Fenómeno por el cual dos o más formas de una especie coexisten en un mismo hábitat. • *Miner.* Proceso por el cual una misma roca puede presentar retículos cristalinos diversos, dando lugar a dos o más especies minerales con características físicas muy distintas. • *Quím.* Polimorfía.
POLIMORFO, FA adj. Que puede tener varias formas. • Díc. de las sustancias que sin variar la fórmula química pueden presentarse en una o más modificaciones cristalinas según la temperatura. • **Sistema p.** Conjunto de fases p. de una misma sustancia.
POLÍN m. Rodillo que sirve para trasladar sobre él alguna cosa de peso, haciéndolo rodar. • Trozo de madera prismático, de longitud variable, que sirve en los almacenes para levantar del suelo diversos objetos.
POLINESIA Región de Oceanía, formada por las islas indep. de Tonga, Nauru y Samoa; las Cook y Niue, dependientes de Nueva Zelanda; las Australes, Sociedad, Marquesas, Tuamotú y Gambier, que forman la P. Fr.; el terr. fr. de Wallis y Futuna; Phoenix y Line, de Gran Bretaña; Hawai y Samoa Americana, pertenecientes a EE UU, y la isla de Pascua, de Chile. Generalmente también se incluye en la P. a Nueva Zelanda. • **Francesa** (*Polyné-*

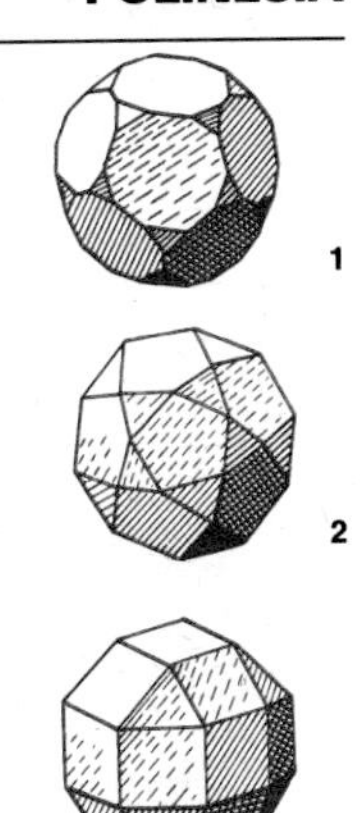

Ejemplos de **poliedros:** 1. dodecaedro truncado; 2. icosidodecaedro; 3. rombocubooctaedro

Clavel silvestre *(Dianthus glacialis)*, planta de la familia **poligonáceas**

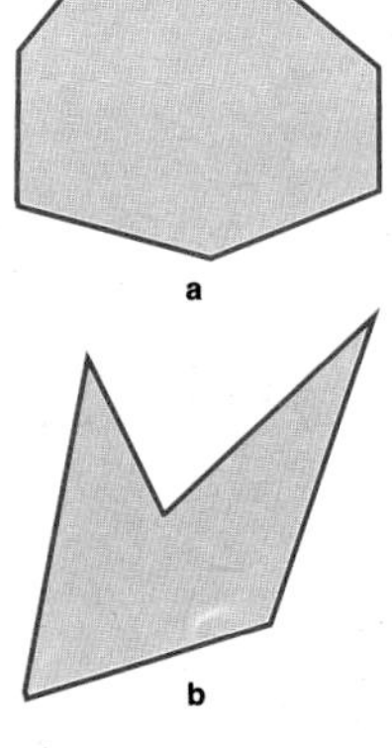

Polígono. a. convexo; b. cóncavo

Polinización entomógama

Polípero de madreporario

Polipodio

sie Française) Terr. fr. de ultramar, formado por las islas de la Sociedad, Marquesas, Australes, Tuamotú y Gambier, y Clipperton; 4 007 km², 166 800 hab. Cap., Papeete.

POLINESIO, SIA adj. y s. Díc. de individuos, mezcla de etnias de procedencia europea y mongoloide, que viven en las islas del Pacífico centrooccidental y en Nueva Zelanda. • De Polinesia. • Relativo a la etnia polinesia. • m. *Ling*. Lengua del grupo austronésico o malayopolinésico. • m. pl. Grupo étnico polinésico.

* *Hist*. Los austronesios partieron desde el este de Asia (I milenio a. C.) en dos oleadas prales.: la primera estaba formada por gentes meridionales y dejaron sus huellas en Indochina, Filipinas, Indonesia, Nueva Guinea y restantes islas de Melanesia; la segunda salió post. de China y pasó por Filipinas y las Molucas. Estos mov. marítimos continuaron hasta el s. XIV.

POLINEURITIS f. *Pat*. Afectación simultánea de varios nervios periféricos, que se debe pralm. a un trastorno de su metabolismo.

POLINIO m. *Bot*. En las orquídeas y las plantas de la familia asclepiadáceas, conjunto de dos sacos polínicos que permanecen unidos y que son transportados de este modo para la fecundación de las flores.

POLINIZACIÓN f. *Bot*. Proceso de unión del grano de polen con el óvulo sit. en el interior del gineceo de la flor, previo a la verdadera fecundación.

* *Bot*. La p. puede ser anemógama, hidrógama o entomógama, según que los granos de polen sean transportados por el aire, agua o insectos, respectivamente.

POLINOMIO m. *Mat*. Exp. algebraica de la forma $a_0 + a_1x ... + a_nx^n$ en la que $a_0, a_1, ..., a_n$ se denominan coeficientes y son elementos de un cuerpo K, y *n* es un núm. natural que recibe el nombre de grado del p. en el caso de que sea no nulo. Cada término $a_0, a_1x..., a_nx^n$ es un monomio.

* *Mat*. Todo p. es el resultado de efectuar formalmente ciertas operaciones de suma y producto entre elementos del cuerpo y un nuevo elemento *x* adjuntado al mismo. La utilidad pral. de los p. reside en el hecho de que al ser *x* un elemento sin relación alguna con el cuerpo base, cualquier igualdad establecida entre p. resulta válida si se sustituye la variable por un elemento cualquiera del cuerpo.

POLINOSIS f. Trastorno alérgico producido por el polen.

POLINUCLEAR adj. Que posee varios núcleos. • m. *Fisiol*. Tipo de leucocito con núcleo lobulado y citoplasma incoloro, con granulaciones.

POLINUCLEÓTIDO m. *Biol*. Molécula formada por la polimerización de nucleótidos. Los más imp. son el ARN y el ADN.

POLIO m. Zamarrilla, planta. • f. fam. Poliomielitis.

POLIOMIELITIS f. *Pat*. Grupo de enfermedades, agudas o crónicas, ocasionadas por lesiones en las astas anteriores de la médula. Causa atrofia y parálisis de los músculos correspondientes a las lesiones medulares.

POLIPASTO m. *Mec. apl*. Dispositivo formado por un cierto núm. de poleas fijas y un número igual (o inferior en una unidad) de poleas móviles, y una cadena que enlaza unas con otras, utilizado para elevar cargas.

POLIPÉPTIDO m. *Quím*. Molécula polímera formada por la unión, mediante enlace peptídico, de varias moléculas de aminoácidos. Su peso molecular es inferior a 10 000. Algunos p. son hormonas, como la insulina y la paratormona.

POLÍPERO o **POLIPERO** m. Estructura calcárea o córnea que constituye el esqueleto de algunas colonias de pólipos, como los corales y madréporas. Cada p. tiene numerosos alveolos, que albergan a sendos pólipos.

POLIPÉTALA adj. *Bot*. Díc. de las corolas con muchos pétalos, y de las flores cuyas corolas tienen este carácter.

POLIPLOIDE adj. y m. *Biol*. Díc. de los núcleos, células o individuos que presentan una dotación cromosómica superior a la característica de su especie o estirpe celular.

POLIPLOIDÍA f. Fenómeno que afecta a los individuos poliploides.

PÓLIPO m. *Zool*. Una de las dos formas alternantes de los celentéreos, que vive fija en el fondo de las aguas. • Pulpo. • *Med*. Tumor pediculado de las membranas mucosas. • *Zool*. Individuo adulto de la clase de los celentéreos antozoos.

POLIPODIÁCEO, A adj. y f. *Bot*. Díc. de plantas de la familia polipodiáceas. • f. pl. *Bot*. Familia de pteridófitos rizomatosos con frondes sin peciolos, pinnadas, multitud de segmentos, esporangios sit. en el envés, agrupados en soros provistos o no de indusio, y gametófito de pequeño tamaño.

POLIPODIO m. *Bot*. Helecho de la familia polipodiáceas, que presenta frondes pinnadas provistas de soros terminales, y rizoma con propiedades laxantes y aperitivas.

POLIPORÁCEO, A adj. y f. *Bot*. Díc. de hongos con aparato esporífero carnoso e himeneo esponjoso. • f. pl. *Bot*. Familia de estos hongos.

POLÍPTICO m. En la ant. Roma, tablilla para escribir, compuesta por varias piezas. • Pintura o relieve que consta de más de tres paneles articulados.

POLIPTOTON f. Traducción, figura o licencia poética.

POLIQUETO, TA adj. y m. *Zool*. Díc. de gusanos anélidos, de cuerpo alargado, vermiforme. Pueden ser fitófagos o depredadores, filtradores o sedimentívoros. El aparato reproductor es simple, la fecundación es externa, y el desarrollo se efectúa a través de larvas trocóforas típicas. • m. pl. *Zool*. Clase de estos animales.

POLIRRITMIA f. *Mús*. Utilización simultánea de varios ritmos distintos. Característica de la música afr., pasó a América (especialmente a Brasil y las Antillas). Ha influido en el desarrollo de ciertas tendencias del *jazz*.

POLIRRIZO, ZA adj. *Gram*. Díc. del verbo que presenta distintas raíces en su paradigma.

POLIS f. Ciudad-estado gr., cuyos orígenes se remontan a la época arcaica. Tras la crisis de las monarquías, la p. evolucionó hacia la formación de un núcleo democrático. La p. estaba formada por la c. y el campo que la rodeaba. La c. era la sede del gobierno.

POLISACÁRIDO m. *Quím*. Glúcido completo formado por polimerización mediante enlace glucosídico.

* *Quím*. Los p. son sustancias de gran peso molecular, hidrófilas, insolubles en agua, en la que, en caliente, producen suspensiones coloidales (engrudos). Se sintetizan, sobre una matriz preformada, por unión de monosacáridos activados en presencia de complejos enzimáticos.

POLISARIO, *Frente* → Frente Polisario.

POLISEMIA f. *Ling*. Tipo de fenómeno semántico que consiste en que una misma forma fonética puede poseer diversas significaciones que presentan cierta proximidad.

POLISÉPALO, LA adj. *Bot*. De muchos sépalos. Díc. de las flores o de sus cálices.

POLISÍLABO, BA adj. y m. Díc. de la palabra que consta de varias sílabas.

POLISÍNDETON m. *Ret*. Figura que consiste en emplear repetidamente las conjunciones para dar fuerza o energía a la exp. de los conceptos.

POLISINTÉTICO, CA adj. *Ling*. Díc. de la lengua en que se unen diversas partes de la fr. formando palabras de muchas sílabas.

POLISÓN m. Armazón que, atado a la cintura, se ponían las mujeres para que abultasen los vestidos por detrás.

POLISTA adj. y s. Jugador de polo.

POLISTILO, LA adj. *Arq*. Que tiene muchas columnas. • *Bot*. Que tiene muchos estilos.

POLISULFURO m. *Quím*. Compuesto del azufre con metales o radicales metálicos, en cuya molécula existen varios átomos de azufre (de 2 a 7) en forma de cadena.

POLITBURÓ m. Oficina política del Comité Central del partido comunista en la extinta URSS.

POLITÉCNICO, CA adj. Que abraza muchas ciencias o artes. • adj. y m. Díc. del centro de enseñanza en el que se estudian distintas ciencias y artes. • Díc. de algunas escuelas técnicas.

POLITEÍSMO m. *Rel*. Doctrina religiosa que admite la pluralidad de dioses. ■ POLITEÍSTA.

POLITENO m. *Quím*. Producto de la polimerización del etileno.

POLITICASTRO m. despect. Político inepto o de ruines propósitos.
POLÍTICO, CA adj. Relativo a la doctrina política. • Relativo a la actividad política. • adj. y s. Versado en las cosas del gobierno y negocios del Est. • adj. Cortés, educado. • Cortés con frialdad y reserva, cuando se esperaba un trato más cordial. • Hábil para tratar con la gente o para resolver determinados asuntos que implican trato con la gente. • Aplicado a un nombre significativo de parentesco por consanguinidad, denota el correspondiente parentesco por afinidad. • f. Arte, doctrina u opinión del gobierno de los Est. • Actividad de los que rigen o aspiran a regir los asuntos públicos. • Cortesía. • P. ext., arte con que se conduce un asunto. * *Hist.* El término tuvo su origen en Grecia. Maquiavelo introdujo una mentalidad realista en el análisis del poder y en la adaptación de medios a los fines de la comunidad. Bodino y Hobbes fueron los teóricos de la monarquía absoluta, y Montesquieu el propugnador de la separación de poderes (legislativo, ejecutivo y judicial). Con sus teorías y las de J-J. Rousseau (soberanía del pueblo, contrato social) se inicia la época del liberalismo político.
POLITIQUEAR intr. Intervenir o brujulear en política. • Tratar de política con superficialidad o ligereza. • despect. Hacer política de intrigas y bajezas. ■ POLITIQUEO.
POLITIZAR tr. y prnl. Inculcar una conciencia política. • Hacer que un asunto adquiera carácter político. ■ POLITIZADO, DA.
POLITONALIDAD f. *Mús.* Método armónico moderno que consiste en el empleo simultáneo de varias tonalidades. Su uso sistemático se debe, pralm., a Milhaud.
POLITOPO m. *Geom.* Porción limitada de un espacio, cualquiera que sea el núm. de dimensiones de éste.
POLITRICÁCEO, A adj. y f. *Bot.* Díc. de musgos con talo entero, grande, con filoides distintos en la base y en la parte apical, perigonio solitario sostenido por un filamento, peristoma denticulado y opérculo gralte. acuminado. • f. pl. *Bot.* Familia de estos musgos.
POLITRICAL adj. y f. *Bot.* Díc. de musgos que poseen diferenciación hística, peristoma dentado y esporogonios filamentosos. • f. pl. *Bot.* Orden de estos musgos, que comprende especies de distribución mundial englobadas en una sola familia, las politricáceas.
POLITRÓPICO, CA adj. y f. *Fís.* Díc. de la evolución termodinámica de un gas, caracterizada por la constancia o por la variación (según una ley) de alguna de las magnitudes características de dicho gas.
POLITZER, *Georges* (1903-1942) Filósofo marxista fr., de origen húngaro. Intentó sentar las bases de una psicología cuyo protagonista fuera el hombre total en relación con su medio físico y social. *Elementos fundamentales de filosofía.*
POLIURETANO m. *Quím.* Polímero esponjoso obtenido a partir de un poliéster, que se usa en la fabricación de plásticos, como resina y en recubrimientos protectores.
POLIURIA f. *Med.* Secreción y excreción de gran cantidad de orina.
POLIVALENTE adj. Dotado de varias valencias o eficacias. • *Med.* Se aplica pralm. a las vacunas y sueros curativos cuando poseen acción contra varios microbios.
POLIVINILO m. *Quím.* Resina termoplástica. • **Cloruro de p.** *Quím.* Plastómero obtenido por polimerización del cloruro de vinilo, designado internacionalmente por las siglas PVC. Es muy empleado en la industria de los plásticos.
PÓLIZA f. Libranza para percibir o cobrar algún dinero. • Guía o instrumento que acredita ser legítimos, y no de contrabando, los géneros y mercancías que se llevan. • Papeleta de entrada para alguna función. • Pasquín, papel anónimo o cartel clandestino. • Documento justificativo del contrato en seguros, operaciones de bolsa y otras negociaciones comerciales. • Sello suelto con que se satisface el impreso del timbre en determinados documentos.
POLIZIANO, *Angelo Ambrogini*, llamado IL (1454-1494) Humanista y poeta it. En lengua vulgar escribió diversos poemas de gran perfección formal *(Estancias para un torneo)* y una obra de teatro *(Orfeo).*
POLIZÓN m. Sujeto ocioso que anda de corrillo en corrillo. • El que se embarca clandestinamente.
POLIZONTE m. despect. Agente de policía.
POLIZOO adj. y m. Briozoo.

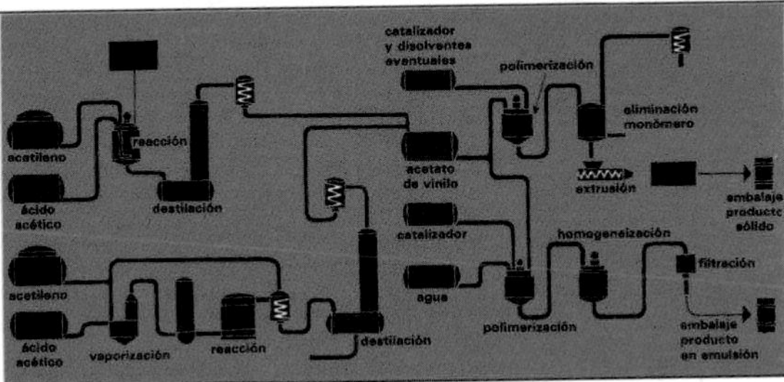

Esquema del proceso de obtención de acetato de **polivinilo**

POLJE m. Depresión de contorno irregular y de grandes dimensiones, que se encuentra en las regiones kársticas y que se origina mediante procesos de disolución.
POLK, *James Knox* (1795-1849) Político norteam. Líder de los demócratas del S, fue presid. de la Unión en 1845-1849. Propició la guerra contra México (1846-1848), resultado de la cual fue la anexión por EE UU de Texas, Nuevo México, Utah, Arizona, Nevada y California.
POLLA f. Gallina nueva, medianamente crecida, que no pone huevos o que hace poco tiempo que ha empezado a ponerlos. • *Amér.* Apuesta en una carrera de caballos. • *Amér.* Carrera de caballos donde se apuesta. • fig. y fam. Mocita. • fig. y fam. Pene. • **de agua.** Ave zancuda del tamaño de la codorniz y con plumaje algo parecido. • Pequeña zancuda semejante a la fúlica o al rascón. • Ave zancuda, con plumaje rojizo, verdoso en las partes superiores y ceniciento azulado en las inferiores.
POLLACK, *Sydney* (nacido 1932) Director cinematográfico norteam. *Danzad, danzad malditos, Las aventuras de Jeremiah Johnson, Tootsie, Memorias de África.*

Il **Poliziano,** por Doménico Ghirlandaio. Iglesia de la Trinidad, Florencia (Italia)

POLLADA f. Conjunto de pollos que de una vez sacan las aves, particularmente las gallinas.
POLLAIUOLO, *Antonio Benci*, llamado DEL (h. 1432-1498) Pintor y escultor it. que sobresalió también en otras artes decorativas, como la orfebrería. De sus esculturas destacan *Hércules y Anteo;* y de las pinturas, *San Sebastián.*
POLLASTRE m. fig. y fam. Jovenzuelo que se las echa de hombre.
POLLAZÓN f. Echadura de huevos que de una vez empollan las aves. • Pollada, conjunto de pollos de cada cría.
POLLEAR intr. Empezar un muchacho o muchacha a hacer cosas propias de los jóvenes.
POLLERO, RA m. y f. Persona que tiene por oficio criar o vender pollos. • f. Lugar o sitio en que se crían los pollos. • Especie de cesto de mimbres o red, angosto de arriba y ancho de abajo, que sirve para criar los pollos y tenerlos guardados. • Andador para niños, hecho de mimbres, que tenía forma de campana. • Falda que las mujeres se ponían sobre el guardainfante y encima de la cual se asentaba la basquiña o la saya. • *Amér.* Falda externa del vestido femenino.
POLLINO, NA m. y f. Cría del asno. • P. ext., cualquier borrico. • s. y adj. fig. Persona simple, ignorante o ruda. • f. *P. Rico.* Flequillo.
POLLITO, TA m. y f. fig. y fam. Niño o niña de corta edad.
POLLO m. Cría que sacan de cada huevo las aves, y particularmente las gallinas. • fig. y fam. Persona de pocos años. • fig. y fam. Hombre astuto y sagaz. • *Cet.* Ave que no ha mudado aún la pluma. • fig. y fam. Esputo. • **tomatero.** El de gallina, cuando sale de la segunda muda o pelecho. ■ POLLERÍA.
POLLOCK, *Jackson* (1912-1956) Pintor norteam. En sus inicios, su obra figurativa refleja influencias de Picasso y Matisse: *Macho y hembra, Pasífae.* En

Polla de agua

El emperador Hsuan-Tung jugando al **polo** (copia según Chao Meng Fu). Pintura china sobre seda. Museo de Arte e Historia, Bruselas

Marco **Polo** entrega un presente a Qubilay Jan

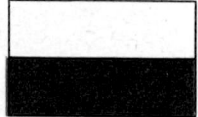

Mapa de situación y bandera de **Polonia**

1950 inicia un periodo de formas circulares abstractas en blanco y negro (*Eco*) y de grandes telas coloreadas *(Convergencia, Postes azules, Abismo y océano color gris)*.

POLLUELA f. *Zool.* Ave gruiforme de la familia rállidos, parecida a la polla de agua, pero más pequeña, y de plumaje gris en el vientre y pardo en el dorso.

POLO m. Cualquiera de los dos extremos del eje de rotación o de un diámetro máx. de una esfera o cuerpo redondeado. • En geometría analítica o proyectiva, polar. • *Geog.* Extremos del eje imaginario de rotación de la Tierra. • Región contigua a un polo terrestre. • fig. Nombre comercial de un helado en forma de prisma o tronco de pirámide cuadrangular, que se sujeta por un palillo hincado en su base. • fig. Aquello en que estriba una cosa y sirve como fundamento a otra. • fig. Término absolutamente opuesto a otro. • Deporte que se practica a caballo, entre dos equipos, y que consiste en impulsar una pelota hasta la meta contraria con un mazo. • Jersey de cuello camisero que se abrocha hasta la altura del pecho. • Cada una de las partes extremas de una célula, órgano u organismo. • *El.* Cada uno de los bornes del circuito de un generador, que sirven para conectar éste con el exterior. • Cualquiera de los dos puntos opuestos de un cuerpo, en los cuales se acumula en mayor cantidad la energía de un agente físico; como el magnetismo en los extremos de un imán. • **acuático.** Waterpolo. • **antártico.** P. Sur. • **ártico.** P. Norte. • **austral.** P. Sur. • **boreal.** P. Norte. • **celeste.** *Astr.* Cada uno de los puntos en los que la prolongación del eje terrestre corta a la esfera celeste. • **de desarrollo.** P. industrial. • **de un círculo en la esfera.** Cualquiera de los dos extremos del diámetro perpendicular al plano del círculo mismo. • **geográfico.** Cada uno de los puntos en los que el eje de la Tierra corta la superficie terreste.• **gnomónico.** Punto determinado en la superficie o faz del reloj de sol por la intersección con ella de la línea paralela al eje del mundo, tirada por la extremidad del gnomon. • **magnético.** Carga magnética. • En geo física, cada uno de los puntos en los que el teórico eje geomagnético corta la superficie terrestre. • **negativo.** *El.* En un generador o una máquina de corriente continua, polo de menor potencial. • **Norte.** Extremo septentrional del eje imaginario de rotación de la Tierra. • **positivo.** *El.* En un generador o una máquina de corriente continua, polo de mayor potencial. • **Sur.** Extremo meridional del eje imaginario de rotación de la Tierra.

POLO, *Marco* (1254-1324) Viajero veneciano. En 1271 inició un viaje a la China, cuya descripción le haría famoso. En la corte del emp. Qubilay Jan llegó a ocupar cargos de importancia. • **De Ondegardo, *Juan*** (m. 1574) Corregidor de Cuzco e historiador esp. Estudió la cultura incaica. *Relación del notable daño que resulta de no guardar a los indios sus fueros, De los errores y supersticiones de los indios.*

POLOCHIC R. de Guatemala; 240 km. Nace en el cerro de Xucanelo y desemboca en el lago Izabal.

POLOLEAR tr. *Amér.* Molestar. • *Chile.* Galantear, requebrar.

POLOLO m. *Chile.* Insecto fitófago que al volar produce un zumbido como el moscardón. • fig. *Chile.* El que sigue o pretende a una mujer.

POLONÉS, SA adj. y s. Polaco. • f. Danza cortesana de origen pol., de movimiento moderado y ritmo ternario, muy marcado. • Música de esta danza. • Prenda de vestir femenina, a modo de gabán corto ceñido a la cintura y guarnecido con pieles.

Polonia. Vista de la plaza Sukiennice de Cracovia

POLONIA

Superficie	312 685 km²
Población	38 802 000 hab. (124 hab./km²)
Recursos económicos	
Avena	1 495 000 t
Cebada	3 279 000 t
Centeno	5 899 000 t
Lino	3 000 t
Patatas	24 891 000 t
Tabaco	57 000 t
Trigo	8 668 000 t
Ganadería y derivados	
Cabaña bovina	7 306 000 cabezas
Cabaña caballar	600 000 cabezas
Carne	2 582 000 t
Leche	11 705 000 t
Riqueza forestal	18 554 000 m³
Pesca	460 229 t
Producción minera	
Carbón	133 933 000 t
Cinc	151 000 t
Cobre	423 600 t
Lignito	66 770 000 t
Plata	1 064 t
Plomo	51 600 t
Producción industrial	
Acero	11 890 000 t
Ácido sulfúrico	1 452 000 t
Azúcar	1 696 000 t
Cerveza	14 099 000 hl
Fertilizantes	1 385 000 t
Hierro colado	6 932 000 t
Naval	225 000 t
Indicadores sociológicos	
PNB	107 829 millones de dólares
Renta per cápita	2 790 dólares
Esperanza de vida	72 años
Alfabetismo	99 %

POLONIA *(Polska Rzeczpospolita Ludowa)* Estado de Europa centrooriental, sit. entre los ríos Oder y Bug, los Cárpatos y el Báltico. Limita con el Báltico, Lituania, Ucrania, Rep. Checa, Eslovaquia y Alemania. República Popular. Lenguas: polaco (of.), al. *Rel.:* cristianismo católico (mayoritaria), ortodoxo y protestante, judaísmo. U. M.: el zloty. Cap.: Varsovia. C. prales.: Lodz, Cracovia, Wroclaw, Poznan, Gdansk.

* *Geog.* En conjunto, su suelo es poco elevado. Los Cárpatos pol. están divididos en dos grandes secciones, Beskides Orientales y Beskides Occidentales, alineados en altas crestas (Babia Gora, 1 725 m). Al SO se elevan los Sudetes. En el N se encuentran numerosos lagos de origen glaciar. Los puertos más imp. son Szczecin, Kolobrzeg, Gdynia y Gdansk. El pral. río es el Vístula, que recibe numerosos afl. (Nida, San, Wieprz, Pilica, Bug, etc.). El r. Oder u Odra discurre por su terr. antes de formar la frontera con Alemania, y recibe el Warta engrosado por el Notec. Clima continental. La base productiva es en buena parte la agricultura (centeno, trigo, cebada, avena, patatas, remolacha azucarera). Ganadería porcina y bovin a. Carbón (Alta Silesia), lignito, cobre, plomo y azufre, gas natural, sal gema. Destaca la ind. metalúrgica, la maquinaria eléctrica y agrícola y de material ferroviario, la ind. automovilística, los astilleros (Gdansk, Gdynia y Szczecin) y las ind. textil y química.

* *Hist.* Polonia fue invadida por tribus germánicas y eslavas, por los hunos y por los ávaros. En el s. X, el príncipe Mieszko I sentó las bases del Estado pol. El s. XVI fue el siglo de oro del Est. polaco-lituano. La rebelión de los cosacos de Ucrania, en 1648, propició la intervención rusa en P. En 1772 la intervención conjunta de Rusia, Prusia y Austria impuso el primer reparto de Polonia (1772). Austria se anexionó Galitzia y gran parte de la Pequeña Polonia; Rusia, Lituania; y Prusia, Pomerania oriental. Aprovechando la guerra entre Rusia y Turquía,

la dieta votó una nueva constitución monárquica, pero de nuevo intervinieron Rusia y Prusia, que impusieron un nuevo reparto (1793). Rusia recibió gran parte de Lituania, Ucrania occidental, Volinia y Podolia; y Prusia, Posnania, Danzig y Thorn. Aún se produjo un tercer reparto (1795), tras el fracaso de la rebelión de 1794, que supuso la desaparición de P. como nación. Al finalizar la I Guerra Mundial, durante la cual fue invadida por fuerzas al. y austr., P. se declaró indep. El general Pilsudski asumió la jefatura del Est. Recuperó una parte de Bielorrusia y se proclamó dictador (1926). En 1939 Hitler invadió P. Durante la II Guerra Mundial fue ocupada por Alemania y la URSS. Finalizada ésta, el comité de liberación nacional se convirtió en un gobierno provisional que derivó en la creación de una democracia popular, que llevó a cabo reformas basadas en el modelo de la URSS. El levantamiento popular de Poznan (1956) abrió un periodo de liberalización. La caída de Gomulka (1970) y su sustitución por Gierek se debió a las protestas por la falta de libertades y la carestía de los productos básicos. En 1980 se produjo una gran oleada de huelgas, dirigidas por el sindicato Solidaridad y su líder L. Walesa, que consiguieron reformas profundas. Gierek fue sustituido por S. Kania y éste por el general Jaruzelski, quien en 1981 dio un golpe de estado con la ayuda del ejército. La constitución fue reformada y se perdieron parte de las conquistas sociales anteriores. En 1985 Jaruzelski cedió la jefatura del gobierno a Z. Messner y asumió la del Est., manteniendo la secretaría general del Partido Obrero Unificado Polaco. En 1988 las huelgas obligaron al gobierno a legalizar Solidaridad y a convocar elecciones en 1989, que dieron la presidencia a Walesa (1990) hasta 1995 cuando los ex comunistas liderados por Alexander Kwasniewski asumieron la presidencia del país. La derecha nacionalista y católica recuperó el poder con Jerzy Buzek como primer ministro (1998) y un año después P. entró en la OTAN. En octubre de 2000 se celebraron elecciones presidenciales y A. Kwasniewski fue reelegido presid., mientras que en las elecciones generales de septiembre de 2001 se impuso la coalición de izquierdas liderada por Leszek Miller.

POLONIO m. *Quím.* Elemento de símb. Po y n. a. 84. Sin isótopos estables; elevada radiactividad.

POLONSKY, *Abraham* (nacido 1910) Director cinematográfico norteam. *La fuerza del mal, El valle del fugitivo, Romance de un ladrón de caballos.*

POLOSTE m. *Amér. Centr.*Pedazo de barro.

POLTAVA C. de Europa Oriental, en la rep. de Ucrania; 302 000hab. Centro agrícola.

POLTRÓN, NA adj. Flojo, perezoso, haragán, enemigo del trabajo. • f. Sillón amplio y confortable, de brazos bajos.

POLTRONIZARSE prnl. Apoltronarse.

POLUCIÓN f. Emisión seminal espontánea, durante el sueño, gralte. unida a sueños eróticos. • Acto carnal deshonesto. • Contaminación intensa del aire, agua, etc., con sustancias extrañas, producida por residuos de procesos industriales o biológicos. • En sentido moral, corrupción, profanación.

POLUTO, TA adj. Sucio, inmundo.

PÓLUX *Astr.*Una de las dos estrellas prales. de la constelación de Géminis.

POLVAREDA f. Polvo que se levanta de la tierra por el viento o por otra causa cualquiera. • fig. Efecto causado entre las gentes por dichos o hechos que las alteran o apasionan.

POLVAZAL m. *Amér. Centr.* Polvareda.

POLVERA o **POLVORERA** f. Vaso de tocador, que sirve para contener los polvos y la borla con que suelen aplicarse.

POLVO m. Parte más menuda y deshecha de la tierra muy seca, que con cualquier movimiento se levanta en el aire . • Lo que queda de otras cosas sólidas, moliéndolas hasta reducirlas a partes muy menudas. • Porción de cualquier cosa menuda o reducida a polvo que se puede tomar de una vez con las yemas de los dedos pulgar e índice. • Partículas de sólidos que flotan en el aire y se posan sobre los objetos. • fam. Coito. • pl. Maquillaje en polvo que se aplica sobre el cutis; antiguamente se usó también sobre el cabello o la peluca. • **cósmico.** *Astr.* Materia difundida o condensada que forma parte de las nebulosas, constituida por los gases interestelares, los aglomerados de partículas (de 1 000 Å de diámetro) y el polvo cósmico propiamente dicho. • **de arroz.** El obtenido de esta semilla, muy usado antiguamente como cosmético. • **de batata.** Dulce que se hace con pulpa de batata cocida, amasada y a la que se añade almíbar, canela, limón y vainilla. • **de capuchino.** El de las semillas de la cebadilla. • **de esmeril.** El que se usa para pulimentar el mármol. • **de tierra.** Cola de caballo, planta. • **de la madre Celestina.** fig. y fam. Modo secreto y maravilloso con que se hace una cosa. • **de salvadera.** Arenilla. • **de Soconusco.** Pinole. • **Echar un p.** fam. Realizar el acto sexual. • **Estar** uno **hecho p.** fig. y fam. Sentirse abatido por las adversidades, preocupaciones o falta de salud. • **Hacer p.** una cosa. fig. y fam. Deshacerla o destruirla por completo. • **Hacer morder el p.** a uno fig. Rendirle, vencerle en la pelea, matándole o derribándole. ʙ POLVORIENTO, TA; POLVOROSO, SA.

PÓLVORA f. *Quím.* Explosivo compuesto por varias sustancias susceptibles de desarrollar súbitamente una poderosa fuerza expansiva, con desprendimiento de una gran masa gaseosa a elevada temperatura por efecto de una reacción química. • fig. Conjunto de fuegos artificiales que se disparan en una celebridad. • fig. Mal genio de uno, que con ligero motivo u ocasión se irrita y enfada. • fig. Viveza, actividad y vehemencia de una cosa. • **clorada.** Mezcla de clorato potásico y nitrotolueno. • **de algodón.** La que se hace con la borra de esta planta, impregnada de los ácidos nítrico y sulfúrico. • **negra.** Compuesta por nitrato potásico (75 %), carbón vegetal (12,5 %) y azufre (12,5 %). • **picrada.** P. que contiene ácido pícrico. • **sorda.** fig. Sujeto que hace daño a otro u otros sin estrépito y con gran disimulo.

POLVOREAR tr. Echar, esparcir o derramar polvo o polvos sobre una cosa.

POLVORÍN m. Pólvora muy menuda y otros explosivos, que sirven para cebar las armas de fuego. • Frasquito en que se lleva la pólvora. • Lugar o edificio convenientemente dispuesto para guardar la pólvora y otros explosivos.

POLVORISTA m. Pirotécnico.

POLVORIZAR tr. Esparcir polvos sobre una cosa. • Pulverizar. ʙ POLVORIZACIÓN.

POLVORÓN m. Torta, gralte. pequeña, de harina, manteca y azúcar, cocida en horno fuerte y que se deshace en polvo al comerla.

POMA f. Fruta de árbol. • Manzana, fruto. • Casta de manzana pequeña y chata, de color verdoso y de buen gusto. • Vaso en que se queman perfumes. • Pomo para perfumes y cajita en que se lleva. • Especie de bola que se compone de varios simples, por lo común odoríferos.

POMA de Ayala, *Felipe Huamán* (1534-1615) Cronista per., nieto de Tupac Yupanqui. *Nueva Crónica, Buen gobierno.*

POMÁCEO, A adj. y f. *Bot.* Díc. de plantas rosáceas, con hojas gralte. alternas, flores hermafroditas, fruto en pomo y semilla sin albumen. • f. pl. *Bot.* Familia de estas plantas.

POMACO, CA adj. y s. Díc. de los individuos de lengua búlgara y religión musulmana que viven en los montes Ródope. • m. *Ling.* Dialecto del búlgaro. • m. pl. Pueblo pomaco.

POMADA f. Preparado medicamentoso de uso externo, presentado en forma de masa blanda en la que los principios activos están incluidos en una mezcla de grasas animales.

POMAR m. Sitio o huerta donde hay árboles frutales, especialmente manzanos.

POMARROSA f. Fruto del yambo, de color amarillento con partes rosadas, sabor dulce y olor de rosa.

POMBAL, *Sebastião José de Carvalho e Melo,* MARQUÉS DE (1699-1782) Político port. En 1755 fue nombrado primer ministro por José I. Dirigió el país siguiendo los postulados del despotismo ilustrado. En 1781 fue apartado del poder.

POMBERO m. *Argent.* y *Par.* Duende del que se dice que protege a los pájaros y a los cocuyos y rapta a los niños que los persiguen.

POMBO, *Rafael* (1833-1912) Poeta y crítico col. *Preludio de primavera, Eva de los aires, La hora de las tinieblas.*

POMELO m. Planta arbórea de la familia rutáceas o aurantiáceas, de copa redondeada, hojas simples, ovaladas, y frutos amarillos, de sabor agridulce, empleados frescos o en confitura. • Fruto de esta planta. • *Amér.* Toronja.

Polonia. Casas antiguas del centro de Varsovia

Polonia. Alexander Kwasniewski

Pomelo

Manzana, fruto en **pomo**

La marquesa de **Pompadour,** retrato de Boucher

Vista general de **Pompeya**

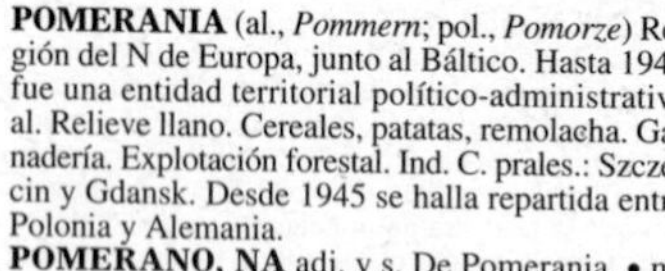

POMERANIA (al., *Pommern*; pol., *Pomorze*) Región del N de Europa, junto al Báltico. Hasta 1945 fue una entidad territorial político-administrativa al. Relieve llano. Cereales, patatas, remolacha. Ganadería. Explotación forestal. Ind. C. prales.: Szczecin y Gdansk. Desde 1945 se halla repartida entre Polonia y Alemania.

POMERANO, NA adj. y s. De Pomerania. • m. Lulú.

POMO m. *Bot.* Fruto de ciertas rosáceas, como el membrillo, el manzano, etc., constituido por un cuerpo apergaminado, resultado de la concreción de los tejidos internos de los carpelos. • Frasco pequeño para perfumes. • Pieza redondeada que sirve de tirador para puertas, armarios, etc. • Ramillete de flores.

POMOL m. *Méx.* Tortilla de harina de maíz.

POMOLOGÍA f. *Agr.* Estudio de los frutos cultivables y comestibles.

POMONA *Mit.* Diosa etrusca y rom. de los huertos, los árboles frutales y el otoño.

POMPADOUR, *Jeanne Antoinette Poisson,* MARQUESA DE (1721-1764) Dama fr., amante de Luis XV y favorecida después por el rey, quien la nombró marquesa. Alentó la publicación de la Enciclopedia.

POMPEYA Ant. c. de Campania, sit. cerca del Vesubio. Sepultada en el año 79 por la erupción del volcán. Fundada por los oscos en el s. VIII a. C., en el 80 a. C. pasó a ser colonia rom. Las excavaciones han revelado la forma de vida y el arte rom.

POMPEYANO, NA Relativo a Pompeyo Magno o a sus hijos. • adj. y s. Partidario de aquél o de éstos. • De Pompeya.

POMPEYO, *Sexto* (75 a. C.-35 a. C.) Hijo de Pompeyo Magno. Continuó la lucha contra César y fue derrotado en Munda (45 a. C.) y en Mesina (36 a. C.). • **Magno, *Cneo*** (*Pompeyo el Grande*, 106 a. C.-48 a. C.) Noble rom. Nombrado cónsul en 84. En 60 formó el primer triunvirato con César y Craso. Quiso privar a César de su poder y tuvo que huir a Grecia.

POMPIDOU, *Georges Jean Raymond* (1911-1974) Político fr. De Gaulle le nombró jefe de gobierno (1962-1968). Al retirarse éste de la política, fue elegido presid. de la rep. (1969-1974).

POMPO, PA adj. *Col.* Romo, sin filo. • f. Acompañamiento suntuoso y de gran aparato, que se hace en una función. • Fausto, vanidad y grandeza. • Procesión solemne. • Burbuja de aire que forma el agua. • Ahuecamiento que se forma con la ropa, cuando toma aire. • Rueda que hace el pavo real, extendiendo y levantando la cola. • *Mar.* Bomba para elevar agua.

POMPONIO, *Sexto* (s. II) Jurisconsulto rom. *Liber ad Quintum Mucium, Liber ad edictum praetoris.*

POMPOSO, SA adj. Ostentoso, magnífico, grave y autorizado. • Hueco, hinchado. • fig. Díc. del lenguaje, estilo, etc., ampuloso y grandilocuente. ■ POMPOSIDAD.

PÓMULO m. Hueso y prominencia de cada una de las mejillas. • Parte del rostro correspondiente a este hueso.

PONASÍ m. *Cuba.* Arbusto silvestre, de flores de color rojo oscuro. Es venenoso, pero se usa en medicina convenientemente preparado.

PONCE C. y puerto de Puerto Rico, cap. del distrito hom.; 176 100 hab. Exportación de azúcar y tabaco. Ind. alimentarias.

PONCE, *Aníbal* (1898-1938) Escultor arg. De ideología marxista, vivió exiliado en México. *La vejez de Sarmiento, Educación y lucha de clases.* • ***Manuel María*** (1882-1948) Compositor mex. *Balada mexicana, Chapultepec, Concierto del Sur.* Autor de canciones populares, entre ellas la famosa *Estrellita.* • **De León, *Juan*** (1460-1521) Conquistador esp. Participó en la conquista de la Española y de Borinquén (Puerto Rico). Nombrado gobernador en 1510, fue depuesto al año siguiente a causa de las sublevaciones de los indígenas contra el sistema de encomiendas. En 1513 llegó a la pen. que llamó Florida. • **Enríquez, *Camilo*** (1912-1976) Político ecuat., conservador. Fundador del Partido Social Cristiano. Presid. (1956-1960).

PONCELET, *Jean Victor* (1788-1867) Geómetra fr. Se ocupó preferentemente de la geometría proyectiva. Se le debe el imp. principio de dualidad o de P., por el que todo enunciado de geometría proyectiva plana permanece válido si se sustituyen los puntos por rectas, éstas por puntos y viceversa.

PONCHADA f. Cantidad de ponche dispuesta para beberla juntas varias personas. • *Argent., Chile* y *Ur.* Lo que cabe en un poncho. • *Argent., Chile* y *Ur.* Gran cantidad de cosas.

PONCHE m. Bebida que se hace mezclando ron u otro licor espiritoso con agua, limón y azúcar. A veces se le añade té.

PONCHERA f. Vaso, gralte. semiesférico, con pie, en el cual se prepara el ponche.

PONCHIELLI, *Amilcare* (1834-1886) Compositor it., autor de óperas: *La Gioconda, Los moros de Venecia, Marion Delorme.*

PONCHO, CHA adj. Manso, perezoso, dejado, flojo. • m. *Amér.* Prenda de abrigo que consiste en una manta cuadrangular de lana tosca, con una abertura en el centro, por donde pasa la cabeza, y que cuelga desde los hombros hasta la cintura. • Especie de capote de monte. • Capote militar con mangas y esclavina, ceñido al cuerpo con cinturón.

PONCIL o **PONCÍ** adj. y m. Díc. de una especie de limón o cidra agria y de corteza muy gruesa.

PONDERACIÓN f. Calidad de ponderado. • Exageración o encarecimiento de una cosa. • Acción de pesar una cosa. • Compensación o equilibrio entre dos pesos. • En estadística, valor que se atribuye a los diferentes elementos de un índice a fin de obtener resultados válidos.

PONDERAL adj. Relativo al peso.

PONDERAR tr. Determinar el peso de una cosa. • Examinar con cuidado algún asunto. • Exagerar, encarecer. • Contrapesar, equilibrar. ■ PONDERABLE; PONDERADO, DA.

PONDERATIVO, VA adj. Que pondera o encarece una cosa. • Díc. de la persona que tiene por hábito ponderar o encarecer mucho las cosas.

PONDEROSO, SA adj. Que pesa mucho. • fig. Grave, circunspecto y bien considerado. ■ PONDEROSIDAD.

PONDICHERRY *(Puttuchcheri)* Terr. del SE de la India que limita al E con el golfo de Bengala; 480 km², 807 000 hab. Cap., la c. hom.; 202 600 hab. Terrenos aluviales y llanos, con clima tropical monzónico. Arroz, caña de azúcar y mijo.

PONDO m. *Ecuad.* Tinaja.

PONEDERO, RA adj. Que se puede poner o está para ponerse. • Díc. de las aves que ya ponen huevos. • m. Nidal, lugar destinado para que pongan huevos las gallinas y otras aves. • Lugar en que se halla el nidal de la gallina.

PONEDOR, RA adj. Que pone. • Díc. del caballo o yegua enseñado a levantarse de manos, sosteniéndose en el aire sobre las piernas. • adj. y s. Díc. de las aves que ya ponen huevos. • m. El que ofrece precio en subastas, postor, licitador.

PONENCIA f. Encargo dado al ponente; función de ponente. • Persona o comisión designada para actuar como ponente. • Informe o dictamen dado por el ponente • Comunicación o propuesta sobre un tema concreto que se somete al examen y resolución de una asamblea.

PONENDERA f. *Amér. Centr.* Ponedora, dicho de las gallinas.

PONENTE adj. y s. Díc. del magistrado, funcionario o miembro de un cuerpo colegiado o asamblea a quien se designa para hacer relación de un asunto y proponer la resolución.

PONER tr. y prnl. Colocar en un sitio o lugar una persona o cosa, o disponerla en el lugar o grado que debe tener. • Disponer una cosa con lo que necesita para algún fin. • Contar o determinar. • Admitir un supuesto o hipótesis. • Apostar una cantidad. • Obligar a uno a que ejecute una cosa contra su voluntad. • Dejar una cosa a la resolución, arbitrio o disposición de otro. • Escribir una cosa en el papel. • Soltar o deponer el huevo las aves. • tr. y prnl. Dedicar a uno a un empleo u oficio. • tr. Representar una obra de teatro; proyectar una película. • En el juego, arriesgar una cantidad de dinero. • Aplicar, adaptar. • Tratándose de nombres, motes, etc., aplicarlos a personas o cosas. • Trabajar para un fin determinado. • tr. y prnl. Exponer a uno a una cosa desagradable o mala. • tr. Escotar o concurrir con otros, dando cierta cantidad. • Añadir voluntariamente una cosa a la narración. • En algunos juegos de naipes, tener un jugador la obligación de meter en el fondo una cantidad igual a la que habría de percibir si ganara. • Tratar a uno mal de palabra. • Montar, establecer, instalar. • Hacer que una cosa funcione; conectar. • Enviar una carta, establecer una comunicación. • Con la prep. *a* y el infinitivo de otro verbo, empezar a ejecutar la acción de lo que el verbo significa. • Con la prep. *en* y algunos nombres, ejercer la acción de los verbos a que los nombres corresponden. Algunas veces se usa sin la prep. *en.* • Con la prep. *por* y algunos nombres, valerse o usar para un fin de lo que el nombre significa. • Con algunos nombres, causar lo que los nombres significan. • Con los nombres *ley, contribución* u otros semejantes, establecer, imponer o mandar lo que los nombres significan. • Con algunos nombres precedidos de las palabras *de, por, cual, como,* tratar a uno como expresan los mismos nombres, que unas veces se toman en sentido recto y otras en el irónico. • tr. y prnl. Con ciertos adj. o exp. calificativas, hacer adquirir a una persona la condición o estado que estos adj. o exp. significan. • prnl. Oponerse a uno; hacerle frente o reñir con él. • Vestirse o ataviarse. • Mancharse o llenarse. • Compararse, competir con otro. • Hablando de los astros, ocultarse debajo del horizonte. • Llegar a un lugar determinado. • fam. Introduciendo discurso directo, equivale en ocasiones a decir. • **P. bien** a uno. fig. Darle estimación y crédito en la opinión de otro, o deshacer la mala opinión que se tenía de él. • fig. Suministrarle medios, caudal o empleo con que viva holgadamente. • **P. colorado** a uno. fig. y fam. Avergonzarle. También se usa como prnl. • **P. en claro.** Averiguar o explicar con claridad algo confuso. • **P. mal** a uno. Enemistarle, perjudicarle, haciéndole perder la estimación con chismes y malos informes. • **P. por encima.** Preferir, subordinar a una cosa otras. • **P. tibio** a uno. loc. fig. y fam. Hablar mal de él o reprenderle ásperamente. • **Ponerse al corriente.** fr. Enterarse, adquirir el conocimiento necesario.

PÓNEY m. Nombre que se da a ciertos caballos de poca alzada.

PONFERRADA Mun. esp., en la prov. de León; 61 575 hab. Volframio y carbón.

PONFERRADA, *Juan Óscar* (nacido 1908) Escritor arg., ganador de numerosos premios de poesía y teatro. *Flor mitológica, El trigo es de Dios.*

PÓNGIDO, DA adj. y m. *Zool.* Díc. de animales de la familia póngidos. • m. pl. *Zool.* Familia de primates pitecoideos, antropomorfos, que comprende las formas emparentadas directamente con el hombre, tales como el orangután, el gorila y el chimpancé, y, para algunos autores, también los gibones, además de numerosas especies fósiles.

PONGO m. Especie de orangután. • *Bol., Chile, Ecuad.* y *Perú.* Indio que hace oficios de criado. • *Bol., Chile, Ecuad.* y *Perú.* Indio que trabaja en una finca y que está obligado a servir al propietario a cambio de que éste le permita sembrar una fracción de su tierra. • *Ecuad.* y *Perú.* Paso angosto y peligroso de un río.

PONIATOWSKA, *Elena* (nacida 1933) Escritora y periodista mex., de origen fr. *La noche de Tlatelolco; Querido Diego, te abraza Quiela.*

PONIATOWSKI Familia noble pol.; destacan en ella: **Estanislao II *Augusto*** (1732-1798), último rey de Polonia; **Józef** (1763-1813), príncipe. Éste fue nombrado por Napoleón ministro de la Guerra del ducado de Varsovia.

PONIENTE adj. Barbiponiente. • m. Occidente, punto cardinal. • Viento que sopla de la parte occidental.

PONQUÉ m. *Cuba* y *Ven.* Especie de torta hecha con harina, manteca, huevos y azúcar.

PONSON du Terrail, *Pierre-Alexis* (1829-1871) Novelista fr. Cultivó el gén. folletinesco. *Rocambole.*

PONTA DELGADA Cap. de las Azores, sit. en la isla de San Miguel; 21 800 hab. Puerto. Centro turístico.

PONTA GROSSA C. de Brasil, en el est. de Paraná; 152 600 hab. Ind. alimentarias.

PONTANA f. Cada una de las losas que cubren el cauce de un arroyo o de una acequia.

PONTAZGO m. Derechos que se pagan en algunas partes para pasar por los puentes.

PONTEAR tr. Fabricar o hacer un puente, o echarlo sobre un río o brazo de mar para pasarlos.

PONTECORVO, *Gillo* (nacido 1919) Director cinematográfico it. *La larga calle azul, La batalla de Argel, Queimada, Operación Ogro.*

PONTEDERIÁCEO, A adj. y f. *Bot.* Díc. de plantas acuáticas, con rizoma rastrero, hojas radicales, anchas, flores amarillas o azules, y frutos en cajas indehiscentes con semillas de albumen amiláceo. • f. pl. *Bot.* Familia de estas plantas.

PONTEVEDRA Prov. esp., en la com. autón. de Galicia, limítrofe con Portugal; 4 477 km^2, 915 104 hab. Cap., la c. hom. C. prales.: Vigo, Villagarcía de Arosa, Redondela, Tuy. Rías de Arosa, Pontevedra y Vigo. Río Miño. Pesca. Maíz, patatas, centeno, cultivos hortícolas. Ganado vacuno, porcino. Estaño, volframio. Ind. conservera, cárnica, de la piel. • C. de España, cap. de la prov. hom., 74 287 hab. Sit. al fondo de la ría de Pontevedra. Su puerto exterior es Marín. Ind. derivadas de la madera, metalúrgicas, químicas y conserveras.

PONTIANAK C. y puerto de Indonesia, en la costa occidental de la isla de Borneo, cap. de Kalimantan Occidental ; 304 800 hab. Puerto exportador. Centro comercial.

PONTIFICADO m. Dignidad de pontífice. • Tiempo que dura esta dignidad. • Tiempo que un obispo permanece en el gobierno de su diócesis.

PONTIFICAL adj. Relativo al pontífice. • Relativo a un obispo o arzobispo. • m. Conjunto de ornamentos que sirven al obispo para la celebración de los oficios divinos. También se usa en pl. • Libro que contiene las ceremonias pontificias y las de las funciones episcopales. • Renta de diezmos eclesiásticos que corresponde a cada parroquia. • Misa solemne celebrada por un obispo o arzobispo, revestido de los ornamentos pontificales.

PONTIFICAR intr. Celebrar funciones litúrgicas con rito pontifical. • fig. Dogmatizar, afirmar con presunción, presentando como innegables principios sujetos a examen.

Póney Shetland

Panorámica de **Pontevedra,** con la plaza de la Herrería en primer término

PONTÍFICE m. Magistrado sacerdotal que presidía los ritos en la ant. Rom. • Obispo o arzobispo de una diócesis. • P. ant., prelado supremo de la Iglesia católica rom. ■ PONTIFICIO, CIA.

PONTO Euxino Ant. nombre del mar Negro.

PONTÓN m. Barco chato para pasar los ríos o construir puentes. • Puente formado de maderos o de una sola tabla. • **flotante.** Barca hecha de maderos unidos. ■ PONTONERO.

PONTORMO, *Jacopo Carrucci,* llamado ***Il*** (1494-1557) Pintor manierista it. En su obra (*Descendimiento, Visitación*) se observa una aproximación a Durero y un estudio profundo de Miguel Ángel.

PONZOÑA f. Sustancia que tiene en sí cualidades nocivas a la salud, o destructivas de la vida. • fig. Doctrina o práctica nociva y perjudicial a las buenas costumbres. ■ PONZOÑOSO, SA.

POO, *Fernando* (s. XV) Explorador port. Descubrió la isla de su nombre (1472), en la actualidad Bioko.

POOL (voz ing.) m. *Econ.* Asociación temporal de empresas, gralte. dentro de un mismo sector industrial, cuyo objetivo es asegurar un mercado o mantener unos precios.

POOLE C. de Gran Bretaña, en Inglaterra, en el condado de Dorset; 118 900 hab. Centro industrial. Astilleros. Puerto.

POONA C. de la India, en el est. de Maharashtra; 1 203 400 hab. Centro militar, industrial y comercial. Universidad.

Detalle de *Retrato de una dama,* por Il **Pontormo.** Instituto de Arte, Francfort (Alemania)

POOPÓ Lago de Bolivia, en la prov. de Oruro; 3 130 km^2. Sit. a 3 690 m de alt., comunica el lago Titicaca con el Coipasa. En medio del lago se halla la isla de la Panza.

POP (voz ing.) adj. y m. Díc. de la música ligera electrificada y con fondo rítmico.

POP Art Tendencia artística desarrollada en EE UU, pralm. durante la década de los 60. Consistente en un neofigurativismo que ha desenmascarado los significados ocultos de los objetos que nos rodean. Destacan Rauschenberg, Warhol, Lichtenstein y Segal.

POPA f. Parte posterior de las naves, donde se coloca el timón o están las cámaras o habitaciones principales.• fig. y fam. Culo, asentaderas. • **De popa a proa.** m. adv. fig. Entera o totalmente.

POPA *Astr.* Puppis, constelación.

POPAYÁN C. de Colombia, al O de la cordillera Central, cap. del dpto. de Cauca; 200 989 hab. Ind. alimentarias y madereras. Universidad.

POPE m. Sacerdote de la iglesia ortodoxa.

Alexander **Pope**

POPE, *Alexander* (1688-1744) Poeta neoclásico ing. Además de su *Essay on Criticism,* las *Pastorales* y su *Ensayo sobre el hombre*, lo mejor de su obra lo constituye el poema *El rizo robado*, en que satiriza humorísticamente a la alta sociedad ing. de su tiempo. Sus seguidores formaron la escuela denominada filosófica.

POPEA, *Sabina* (m. 65) Emperatriz rom. Amante de Nerón, consiguió que éste repudiara a Octavia y se casase con ella (62).

POPEL adj. *Mar.* Díc. de la cosa que está sit. más a popa que otra u otras con que se compara.

POPELÍN m. o **POPELINA** f. Tejido delgado y fino, de algodón o seda, de trama más gruesa que la urdimbre.

POPLÍN m. *Amér. Centr.* Muselina de lana.

POPLÍTEO, Aadj. *Anat.* Perteneciente a la corva.

POPOCATÉPETL Volcán de México. Sit. en la cordillera Neovolcánica, al SE de Ciudad de México; 5 452 m.

POPOCHO, CHA adj. *Col.* Repleto, harto. • *Col.* Plátano de baja calidad.

POPOL Vuh Escrito que registra las tradiciones mitológicas (creación del hombre y del mundo) y el pensamiento de los mayas quichés, y noticias de los pueblos indígenas de Guatemala. Llamado también *Libro del Consejo*. Es obra anónima, al parecer del s. XVI; se conserva en una transcripción en caracteres latinos y en una traducción cast., ambas del s. XVII, debidas a fray Francisco Ximénez.

POPOLOCA adj. y s. Díc. de un pueblo amerindio que vive en el est. de Puebla, en México.

POPOLUCA adj. y s. Díc. de un pueblo amerindio que vive en los est. de Veracruz y Oaxaca, en México.

POPOTE m. Especie de paja, similar al bálago, con la que en México hacen escobas. ■ *Méx.* POPOTAL.

POPPER, *Karl Raimund* (1902-1994) Filósofo neopositivista austr. Interesado por la lógica y la metodología científica, ha introducido el concepto de «falsabilidad» (posibilidad de toda proposición científica de ser rechazada por un hecho concreto comprobado). *La sociedad abierta y sus enemigos, La miseria del historicismo, La lógica de la investigación científica.*

Vista del volcán **Popocatépetl**

POPULACHERÍA f. Fácil popularidad que se alcanza entre el vulgo halagando sus pasiones.

POPULACHO m. despect. Lo ínfimo de la plebe. • La multitud en revuelta o desorden. ■ POPULACHERO, RA.

POPULACIÓN f. Población, acción y efecto de poblar.

POPULAR adj. Relativo al pueblo. • adj. y s. Del pueblo o de la plebe. • adj. Que gusta al pueblo. • Que está muy difundido entre el pueblo.

POPULARIZAR tr. y prnl. Acreditar a una persona o cosa, extender su estimación en el concepto público. • Dar carácter popular a una cosa. • Divulgar, dar a conocer entre mucha gente. ■ POPULARIDAD; POPULARIZACIÓN.

POPULISMO m. *Pol.* Doctrina que se propone defender los intereses del pueblo en su conjunto, sin distinguir entre clase obrera, pequeña burguesía y campesinado. Como mov. organizado nació en Rusia en 1860. Post. han aparecido otros tipos de p., especialmente en América Latina (getulismo en Brasil, aprismo en Perú, justicialismo en Argentina) y países del Tercer Mundo, vinculados a la personalidad carismática de un líder. ■ POPULISTA.

POPULOSO, SA adj. Aplícase a la provincia, ciudad, villa o lugar muy poblados.

POPURRÍ o **POPURRI** m. *Mús.* Composición formada de fragmentos o temas de obras diversas. • Conjunto de cosas diversas.

POPUSA f. *Bol., Guat.* y *Salv.* Tortilla de maíz rellena de queso o de trocitos de carne.

POQUEDAD f. Escasez, cortedad o miseria; corta porción o cantidad de una cosa. • Timidez, pusilanimidad y falta de espíritu. • Cosa de ningún valor o de poca entidad.

POQUELIN, *Jean-Baptiste* → Molière.

PÓQUER m. Juego de naipes de origen norteam.; es juego de envite, y gana el que, con los cinco naipes que recibe, reúne la combinación superior de las varias establecidas. • Juego semejante al anterior, que se juega con cinco dados.

PÓQUIL m. *Chile* Hierba de la familia compuestas, cuyas flores se emplean para teñir de amarillo.

POR prep. con que se indica la persona agente en las oraciones en pasiva. • Se junta con los nombres de lugar para determinar tránsito por ellos. • Indica tiempo o lugar aproximados. • En clase o calidad de. • Se usa para de notar la causa. • Se usa para denotar el medio de ejecutar una cosa. • Denota el modo de ejecutar una cosa. • Se usa para denotar el precio o cuantía. • A favor o en defensa de alguno. • En lugar de. • En juicio u opinión de. • Junto con algunos nombres, denota que se da o reparte con igualdad una cosa. • *Mat.* Denota multiplicación. • También denota proporción. • Úsase para comparar entre sí dos o más cosas. • En orden a, o acerca de. • Sin, cuando equivale a no. • Se pone muchas veces en lugar de la prep. *a* y el verbo *traer* u otro, supliendo su significación. • Con el infinitivo de otros verbos, denota la acción futura de estos mismos verbos. • **Por donde.** m. adv. Por lo cual. • **Por que.** loc. conj. causal. Porque. • loc. conj. final. Porque, para que. • **Por qué.** m. adv. interrog. Por cuál razón, causa o motivo. Úsase con interrogació n y sin ella.

PORCELANA f. Especie de loza fina, trasparente y lustrosa. • Vasija o figura de porcelana. • Esmalte blanco con algo de azul que usan los plateros. • Color blanco mezclado de azul. • *Zool.* Molusco marino de concha lisa y brillante.

PORCELANITA f. Roca compacta, frágil, brillante y listada de diversos colores.

PORCENTAJE m. Tanto por ciento; proporción de una cantidad en relación a otra que se calcula sobre la centena. ■ PORCENTUAL.

PORCHE m. Soportal, cobertizo. • Espacio alto y por lo común enlosado que hay delante de algunos templos y palacios.

PORCICULTURA f. Arte de criar cerdos. ■ PORCICULTOR, RA.

PORCINO, NA adj. Perteneciente al puerco. • m. Puerco pequeño. • Chichón.

PORCIÓN f. Cantidad separada de otra mayor. • Pequeña cantidad de algo. • Cada una de las partes en que se divide un todo. • fig. Cantidad de vianda que diariamente se da a uno para su alimento, y especialmente la que se da en las comunidades. • Prebenda de una iglesia catedral o colegial. • fam. Núm. considerable e indeterminado de personas o cosas. • fig. y fam. Cantidad grande de una cosa. • Cuota individual en cosa que se distribuye entre varios partícipes.

POP ART

1. *En guardia*, lienzo en tres paneles de R. Lichtenstein, colección Guggenheim, Nueva York. Pintado en 1968, en el momento álgido de la guerra del Vietnam, su tema es, según su autor, «nuestro sistema industrial y militar».
2. Una de las muchas versiones que pintó A. Warhol del bote de sopa preparada Campbell's.
3. *Sin título*, óleo, seda, tinta, metal y plástico sobre lienzo, de R. Rauschenberg. Pintura de 1963 que incorpora una caja de metal con agujeros y una tapa de plástico.
4. *Paraíso*, grupo de esculturas al aire libre de un parque de Estocolmo, obra de Niki de Saint Phalle y Tingueley.
5. *La sheer*, óleo sobre lienzo de Jones.
6. *Caja de pasteles I*, pintura al esmalte sobre nueve esculturas de yeso en una vitrina, obra de C. Oldenburg.

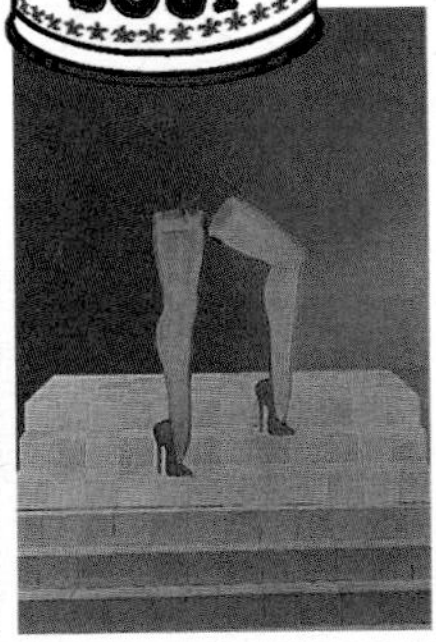

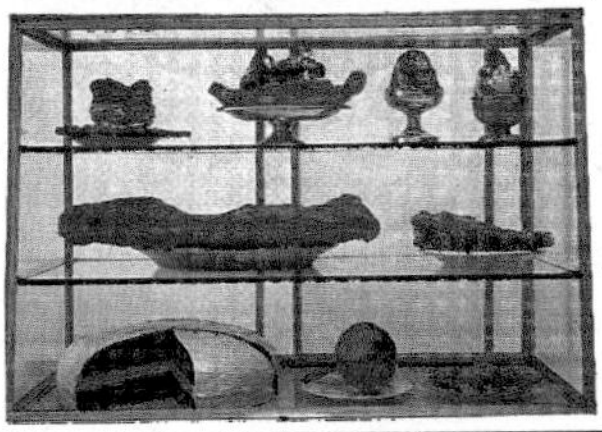

PORCIPELO m. fam. Cerda fuerte y aguda del puerco.
PORCUNO, NA adj. Relativo al puerco. • Cochinero. • Porcino. • Díc. de los frutos que son malos o se dan a los puercos.
PORCUPINA f. Tipo de máquina abridora horizontal empleada en la hilatura del algodón, para limpiar de impurezas los copos de algodón.
PORDIOSEAR intr. Mendigar o pedir limosna de puerta en puerta. • fig. Pedir porfiadamente y con humildad una cosa. ■ PORDIOSEO O PORDIOSERÍA; PORDIOSERO, RA.
PORFÍA f. Acción de porfiar. • **A p.** m. adv. Con emulación, a competencia.
PORFIADO, DA adj. y s. Terco, obstinado; que se mantiene en sus puntos de vista. • *Amér. Centr.* Dominguillo.
PORFIAR intr. Disputar obstinadamente y con tenacidad. • Importunar con repetición y porfía por el logro de una cosa. • Continuar insistentemente una acción para el logro de un intento en que se halla resistencia. ■ PORFIADOR, RA.
PÓRFIDO, DA adj. y m. *Geol.* Díc. de la roca eruptiva con grandes fenocristales de cuarzo o feldespato alcalino, inmersos en una pasta microcristalina. ■ PORFÍDICO, CA.
PORFIRIATO m. Periodo de la historia de México que abarca la dictadura de Porfirio → Díaz (1877-1911).
PORFIRINA f. *Biol.* Grupo prostético de muchos cromoproteidos, como la hemoglobina, las clorofilas, los citocromos, etc., constituido por cuatro anillos pirrólicos unidos entre sí, que acomplejan, en el centro, un átomo metálico.
PORFIRIO (h. 232-h. 304) Filósofo gr., nacido en Tiro. Neoplatónico. Trató de armonizar las filosofías de Platón, Aristóteles y Plotino. *Isagoge, Introducción a las categorías.*
PORÍFERO, RA adj. y m. Díc. de animales pluricelulares de estructura muy simple, conocidos comúnmente como esponjas.
PORLAMAR C. de Venezuela, en el est. de Nueva Esparta, sit. en la costa sudoriental de la isla Margarita; 32 000 hab. Pesquerías de perlas. Ind. conservera de pescado.
PORMENOR m. Reunión de circunstancias menudas y particulares de una cosa. Suele usarse en pl. • Cosa o circunstancia secundaria en un asunto.
PORMENORIZAR tr. Describir o enumerar minuciosamente.
PORNO adj. fam. Apócope de pornografía.
PORNOCRACIA f. Gobierno mediatizado por la influencia de las cortesanas.
PORNOGRAFÍA f. Tratado acerca de la prostitución. • Carácter obsceno de obras literarias o artísticas. • Obra literaria o artística de este carácter. • Conducta o acción obscenas. ■ PORNOGRÁFICO, CA; PORNÓGRAFO.
PORO m. Espacio entre las moléculas de un cuerpo. • Intersticio entre las fibras, granos o partículas de una materia sólida. • Orificio, en la piel de los mamíferos, que constituye el conducto excretor de las glándulas sudoríparas. • *R. de la Plata.* Calabaza en forma de pera y con cuello, que sirve para diversos usos, especialmente para cebar mate. ■ POROSIDAD; POROSO, SA.
PORONGA f. *Amér. Centr.*Vasija para contener agua.
PORONGO m. *Amér.* Calabaza usada para guardar líquidos. • *Amér. Centr.* Especie de caracol grande. • *Perú.* Vasija de hojalata con tapa y asa, para contener leche. ■ *Perú.* PORONGUERO.
POROPORO m. *Amér. Centr.* Árbol de flores amarillas, cuya savia se usa para curar la ictericia.
PORORÓ m. *Amér. Merid.* Rosetas de maíz.
POROROCA m. *R. de la Plata.* Macareo.

Porcelana Meissen de 1720

POROTO (voz quechua) m. *Amér. Merid.* Especie de alubia, en numerosas variedades de diverso color y tamaño. • *Amér. Merid.* Guiso que se hace con este vegetal. • fig. *Amér.* Persona insignificante. • pl. *Chile.* La comida común de todos los días. • fig. *Amér.* Ojos. • **Anotarse un p.** *Argent.*, *Par.* y *Ur.* Apuntarse un tanto en un juego. • Tener acierto en algo. • **No valer un p.** *Amér. Merid.* No valer nada.
PORQUE conj. causal. Por causa o razón de que. • conj. final. Para que.
PORQUÉ m. fam. Causa, razón o motivo. • fam. Ganancia, retribución.

Port Elizabeth. Vista del puerto

PORQUERA adj. y f. Díc. de una clase de lanzas cortas. • f. Lugar o sitio en que se encaman y habitan los jabalíes en el monte.
PORQUERÍA f. fam. Suciedad, inmundicia o basura. • fam. Cosa sucia, vieja o rota. • fam. Acción sucia o indecente. • fam. Grosería, desatención y falta de educación o respeto. • fam. Cualquier cosa de poco valor. • fam. Cosa mal hecha, chapucera o de fabricación defectuosa. • fam. Golosina, u otra cosa comestible pero perjudicial para la salud.
PORQUERIZA f. Sitio o pocilga donde se crían y recogen los puercos.
PORQUERIZO o **PORQUERO** m. El que guarda los puercos.
PORQUETA f. Cochinilla, crustáceo.
PORRA f. Clava. • Cachiporra. • Arma contundente formada por un cilindro de acero revestido de caucho, con una empuñadura. • Martillo de bocas iguales y mango largo algo flexible, que se maneja con las dos manos a la vez. • Fruta de sartén semejante al churro, pero más gruesa. • fig. y fam. Vanidad, jactancia o presunción. • fig. y fam. Sujeto pesado, molesto o porfiado. • m. *Amér. Merid.* Muchacho impertinente. • fig. Entre muchachos, el último en el orden de jugar. • **A la p.** loc. fig. y fam. A paseo. • **¡Porra!**, o **¡Porras!** interj. fam. de disgusto o enfado.

Port Moresby. Vista de la bahía

PORRADA f. Porrazo, golpe dado con la porra. • P. ext., el que se da con la mano o con un mismo instrumento. • fig. Porrazo, golpe recibido. • fig. y fam. Disparate. • Conjunto o montón de cosas, cuando es muy abundante.
PORRAL m. Terreno plantado de puerros.
PORRAS, *Belisario* (1858-1942) Político pan. Presid. (1912-1916, 1918 y 1920-1924). Impulsó la economía de su país. • ***Diego de*** (1678-h. 1776) Arquitecto guat. Casa de la Moneda, convento de la Recolección. • **Barrenechea, *Raúl*** (1900-1960) Historiador y político per. Ministro de Asuntos Exteriores (1958-1960). *Archivo diplomático peruano, El inca Garcilaso de la Vega.*
PORRAZO m.Golpe dado con la porra. • P. ext., golpe dado con otro instrumento. • El que se recibe por una caída, o por topar con un cuerpo duro. • *Ecuad.* Porrada, conjunto abundante de cosas.
PORREAR intr. fam. Insistir con pesadez en una cosa; machacar, molestar a uno.
PORRERÍA f. fam. Necedad, tontería. • fam. Tardanza, pesadez.
PORRETA f. Hojas verdes del puerro. • P. ext., las de ajos y cebollas, y la primeras que brotan de los cereales antes de formarse la caña. • **En p.** m. adv. fam. En cueros.
PORRETADA f. Conjunto o montón de cosas de una misma especie.
PORRILLA f. Martillo con que los herradores labran los clavos; es de dos brazos arqueados, con mango de madera. • Tumor de naturaleza huesosa, que se forma en las articulaciones de los menudillos de las caballerías y bueyes.
PORRINO m. Simiente de los puerros. • Planta del puerro criada en sementero, cuando está en disposición de trasplantarse.
PORRO m. Puerro. • fam. Cigarrillo hecho mezclando tabaco y alguna droga, como el hachís.
PORRO, *Ignazio* (1801-1875) Topógrafo y óptico it., inventor de diversos aparatos topográficos y del sistema de prismas en los anteojos.
PORRÓN, NA adj. fig. y fam. Pelmazo, pachorrudo, tardo. • m. Vasija de barro de vientre abultado, para agua. • Vasija de vidrio, con un cuello por donde se ase y un largo pitorro que arranca de la parte más abultada, y que se usa para beber vino a chorro. • *Zool.* Ave anseriforme marina de la familia anátidas, caracterizada por su capacidad para chapotear sobre el agua al levantar el vuelo y para bucear.

Fuente en el jardín de la Villa Aldobrandini (Frascati, Italia), obra de Giacomo Della **Porta**

PORT ARTHUR C. de China. → Lüshun.
PORT ELIZABETH C. de la República Sudafricana, en la prov. de El Cabo; 386 600 hab. Puerto. Ind. textil y del automóvil.
PORT LOUIS Cap. del Est. y de la isla Mauricio, sit. en la costa NO de la isla; 139 400 hab. Puerto exportador. Ind. azucareras. Jardín botánico.
PORT MORESBY Cap. y puerto pral. de Papua-Nueva Guinea; 144 000 hab. Centro industrial. Refinería de petróleo. Astilleros. Puerto exportador.
PORT OF SPAIN Cap. de Trinidad y Tobago; 67 900 hab. Exportación de cacao y azúcar.
PORT SAID *(Bur Said)* C. y puerto del Egipto, sit. en la entrada del canal de Suez; 342 000 hab. Astilleros; refinerías de petróleo. Ind. químicas y del tabaco.
PORT SUDÁN C. y puerto de Sudán, sit. a orillas del mar Rojo; 207 000 hab. Refinería de petróleo.
PORTA f. *Mil.* Mandilete. • *Mar.* Cada una de las aberturas, a modo de ventanas, en los costados y la popa de los buques.
PORTA, *Giacomo Della* (h. 1535-1602) Arquitecto it. Representa el paso del renacimiento al barroco. Realizó la cúpula de San Pedro proyectada por Miguel Ángel.
PORTAAVIONES m. *Mil.* Buque destinado al transporte de aviones y dotado de una plataforma que sirve de pista para la elevación y recogida en plena navegación.
PORTABANDERA f. Especie de bandolera para llevar la bandera cómodamente.
PORTABILIDAD adj. y f. *Comp.* Propiedad de un *software* para ser utilizado en varias computadoras.
PORTACAJA f. Correa de donde se cuelga el tambor o caja para poderlo tocar.
PORTACARABINA f. Bolsa para llevar la carabina en la silla de montar.
PORTACHUELO m. Boquete abierto en la convergencia de dos montes.
PORTACINCHA m. Cada una de las correas de la silla de montar, donde se abrochan las correas de la cincha. Se usa más en pl.
PORTADA f. Ornato de arquitectura que se hace en las fachadas prales. de los edificios suntuosos. • *Art. Gráf.* Primera plana de los libros impresos. • División que de cierto núm. de hilos de seda se hace para formar la urdimbre. • fig. Frontispicio o cara pral. de cualquier cosa.
PORTADILLA f. *Art. Gráf.* Anteportada. • *Art. Gráf.* En el interior de una obra dividida en varias partes, hoja en que sólo se pone el título de la parte inmediata siguiente.
PORTADOR, RA adj. y s. Que lleva o trae una cosa de una parte a otra. • m. Tabla con un mango sobre la cual se llevan los platos de vianda u otra cosa. • Tenedor de efectos públicos o valores comerciales que no son nominativos, sino transmisibles sin endoso, por estar emitidos a favor de quienquiera que sea poseedor de ellos. • Persona que lleva e su cuerpo el germen de una enfermedad y actúa como propagador de la misma.
PORTAEQUIPAJE o **PORTAEQUIPAJES** m. Espacio que, cubierto por una tapa, suelen tener los automóviles de turismo para guardar la rueda de repuesto, las herramientas y el equipaje. • Baca de los automóviles.
PORTAESTANDARTE m. Oficial que lleva el estandarte de un regimiento de caballería.
PORTAFIRMAS m. Libro donde se colocan las cartas que se tienen que firmar.
PORTAFOLIOS m. Cartera, carpeta o bolsa para guardar documentos o papeles.
PORTAFUSIL m. Correa para llevar el fusil y otras armas de fuego colgadas del hombro.
PORTAHELICÓPTEROS m. *Mil.* Buque para el transporte de helicópteros.
PORTAL adj. Relativo a la vena porta. • m. Zaguán o primera pieza de la casa, por donde se entra a las demás, y en la cual está la puerta principal. • Soportal, atrio cubierto. • Pórtico de un templo o de un edificio suntuoso. • Puerta de una ciudad. • *Amér. Centr.* Portal de Belén. • **de Belén.** Nacimiento, belén.

PORTALADA f. Portada del muro del patio de las casas señoriales.
PORTALÁMPARA o **PORTALÁMPARAS** m. Accesorio que sostiene la bombilla eléctrica y establece el contacto entre ésta y la red. • Aparato apropiado para sostener una lámpara.
PORTALEÑA adj. y s. Anteportada o portadilla de un libro. • f. *Mar.* Cañonera, tronera, portañola.
PORTALES, *Diego* (1793-1837) Político chil. Líder del grupo de los estanqueros, representó los intereses de los terratenientes. Impuso la constitución de 1833, y desde 1835 implantó un régimen dictatorial. Derrocado por un golpe militar y fusilado.
PORTALIBROS m. Correas en que los escolares llevan sus libros y cuadernos.
PORTALIGAS m. Liguero, prenda interior femenina.
PORTALIRA m. Poeta, liróforo.
PORTALLAVES m. *Méx.* y *Ven.* Llavero, anillo de metal para llevar las llaves.
PORTALÓN m. Puerta grande de los palacios, que cierra un patio descubierto. • *Mar.* Abertura en el costado de un buque para la entrada y salida de personas y cosas.
PORTAMANTAS m. Par de correas con las que se sujetan las mantas de viaje.
PORTAMINAS m. Lápiz estilográfico cuyo hueco interior encierra minas de grafito, que se hacen salir al exterior por medio de distintos mecanismos.
PORTAMONEDAS m. Bolsita o cartera para llevar dinero suelto.
PORTANTE adj. y s. Díc. de los cuadrúpedos que amblan. • adj. Díc. del aire de ambladura. • m. Ambladura. • Andares y piernas del hombre. • **Dar el p.** a uno. fig. y fam. Despedirlo. • **De p.** loc. adv. A paso ligero, deprisa.
PORTANTILLO m. Paso menudo y apresurado de un animal, y particularmente del pollino.
PORTANUEVAS com. Persona que trae o da noticias.
PORTAÑOLA f. *Mar.* Cañonera, tronera.
PORTAÑUELA f. Tira de tela con que se tapa la bragueta o abertura que tienen los calzones o pantalones por delante.
PORTAOBJETO m. Pieza del microscopio en que se coloca el objeto para observarlo.
PORTAPAQUETES m. Accesorio que se coloca tras el asiento de bicicletas o motos para transportar pequeños paquetes.
PORTAPLUMAS m. Mango en que se coloca la pluma metálica para escribir.
PORTAR tr. Traer el perro al cazador la pieza cobrada, herida o muerta. • prnl. Con los adv. *bien, mal* u otros parecidos, comportarse de la manera que se indica. • Proceder con liberalidad y franqueza. • Tratarse con decencia y lucimiento en el ornato de su persona y casa. • P. ext., distinguirse, quedar con lucimiento en cualquier empeño. • intr. *Mar.* Recibir bien el viento. Díc. de las velas y del aparejo.
PORTARRETRATO m. Marco para colocar retratos.
PORTÁTIL adj. y s. Movible y fácil de transportar. • m. Lamparilla portátil.
PORT-AU-PRINCE → Puerto Príncipe.
PORTAVIANDA f. *Amér. Centr.* Portaviandas.
PORTAVIANDAS m. Fiambrera de cacerolas sobrepuestas.
PORTAVOZ m. *Mil.* Bocina que usan los jefes para mandar la maniobra al tender los puentes militares. • fig. El que representa a una colectividad o lleva su voz. • fig. Funcionario autorizado para divulgar oficiosamente la opinión del gobierno acerca de un asunto determinado.
PORTAZGO o **PORTAJE** m. Derechos que se pagan por pasar por un sitio determinado de un camino. • Sitio donde se cobran.
PORTAZO m. Golpe recio que se da con la puerta, o el que ésta da movida del viento. • Acción de cerrar la puerta con violencia para desairar a uno.
PORT-BLAIR C. de la India, cap. del terr. de Andamán y Nicobar; 74 800 hab.
PORTE m. Acción de portear o conducir algo por un precio convenido. • Cantidad que se da o paga por llevar o transportar una cosa de un lugar a otro. Se usa más en pl. • Modo de portarse en conducta y acciones. • Buena o mala disposición de una persona, y mejor o peor impresión que causa. • Calidad o nobleza de la sangre. Grandeza, dimensiones o capacidad de una cosa.
PORTEAR tr. Conducir de una parte a otra una cosa por el porte o precio convenido. • prnl. Pasarse de una parte a otra. • intr. Dar portazos las puertas y ventanas, o darlos con ellas. ■ PORTEADOR, RA; PORTEO.
PORTELA Valladares, *Manuel* (1868-1952) Político conservador esp. Ministro de Fomento (1923) y presid. del gobierno de la II República en 1935.
PORTENTO m. Cualquier cosa, acción o suceso singular que por su extrañeza o novedad causa admiración o terror. • Persona que destaca en algo de forma extraordinaria. ■ PORTENTOSO, SA.
PORTEÑO, ÑA adj. y s. De Buenos Aires (Argentina), Puerto Carreño (Colombia) y Valparaíso (Chile).
PORTERÍA f. Pabellón, garita o pieza del zaguán de los edificios o establecimientos donde se halla el portero. • Empleo u oficio de portero. • Vivienda del portero. • *Dep.* En el juego del fútbol y otros semejantes, marco rectangular formado por dos postes y un larguero, por el cual ha de entrar el balón para marcar tantos.
PORTERO, RA adj. Aplícase al ladrillo que no se ha cocido bastante. • m. y f. Persona que tiene a su cuidado el guardar, cerrar y abrir las puertas, el aseo del portal o de otras habitaciones, etc. • *Dep.* Jugador que en algunos deportes defiende la portería de su bando. • **automático** o **electrónico.** En los edificios de viviendas, conjunto de interfonos y timbres que sustituyen al portero.
PORTES Gil, *Emilio* (1891-1978) Político mex. Ministerio del interior (1924). Presid. provisional de la rep. después del asesinato del general Obregón (1928-1930). Ministro de Relaciones Exteriores (1934-1936), *El conflicto entre el poder y el clero.*
PORTEZUELA f. Puerta de carruaje. • Entre sastres, cartera, golpe.
PÓRTICO m. Sitio cubierto y con columnas que se construye delante de los templos u otros edificios suntuosos. • Galería con arcadas o columnas a lo largo de un muro de fachada o de patio.
PORTIER m. Cortina de tejido grueso que se pone ante las puertas interiores de las casas.
PORTILLA f. Paso, en los cerramientos de las fincas rústicas, para carros, ganados o peatones. Tiene a veces barrera o bances con que interceptar el tránsito. • *Mar.* Cada una de las aberturas de los costados de los buques, cerradas con un cristal grueso, que sirven para dar claridad y ventilación.
PORTILLO m. Abertura que hay en las murallas, paredes o tapias. • Postigo o puerta chica en otra mayor. • En algunas pob., puerta no pral. por donde no puede entrar cosa que haya de adeudar derechos. • Camino angosto entre dos alturas. • fig. Cualquier paso o entrada que se abre en un muro, vallado, etc. • fig. Mella o hueco que queda en una cosa quebrada. • fig. Entrada o salida que, para la consecución de alguna cosa, queda abierta por falta de cuidado o de medios.
PORTILLO CABRERA, *Alfonso Antonio* (nacido 1951) Político guat. Líder del Frente Republicano Guatemalteco (FRG), venció en las elecciones presidenciales de diciembre de 1999.
PORTINARI, *Cándido* (1903-1962) Pintor bras. Influido por el muralismo mex. Murales del palacio de la ONU en Nueva York, de la iglesia de Minas Gerais y de la catedral de Belo Horizonte.
PORTLAND adj. y m. Díc. de una variedad de cemento.
PORTLAND Parroquia de Jamaica; 814 km^2, 70 800 hab.
PORTLAND C. de EE.UU, en el est. de Oregón; 366 400 hab. En la confluencia de los r. Willamette y Columbia. Centro comercial, industrial y financiero. Universidad de Columbia.
PÔRTO ALEGRE C. y puerto del SE de Brasil, cap. del est. de Rio Grande do Sul; 1 263 000 hab. Sit. a orillas del Guaíba. Pral. centro comercial y exportador del S del país. Ind. química, textil, del cemento, del calzado. Universidad. Aeropuerto.
PÔRTO VELHO C. de Brasil, cap. del est. de Rondônia; 286 000 hab. Sit. junto al r. Madeira. Centro administrativo y comercial. Aeropuerto.
PORTOBELO C. de Panamá; actualmente cuenta tan sólo con 600 hab. Fundada en 1597 por F. Valverde y Mercado con el nombre de San Felipe de

Portaaviones

Portada de la antigua Fábrica de Tabacos de Sevilla (España)

Portería de hockey

Mapa de situación y bandera de **Portugal**

Portobelo. Puerto de escala de las flotas procedentes de España y de embarque hacia la metrópoli. Fue, por ello, objeto de la codicia de los piratas ing. Las reformas económicas del s. XVIII determinaron su decadencia.

PORTOCARRERO, *Luis Manuel Fernández de* (1635-1709) Eclesiástico y político esp. Miembro de la junta de regencia que gobernó el país desde la muerte de Carlos II (1700) hasta la llegada de Felipe V. • ***René*** (1912-1985) Pintor cub., abstracto. Entre sus obras predominan las marinas y los retratos. • **Lasso de la Vega, *Melchor***, CONDE DE LA MONCLOVA (1639-1705) Militar y administrador colonial esp. Virrey de Nueva España (1686-1688) y del Perú (1689-1705).

PORTOLÁ, *Gaspar de* (1717-1784) Conquistador esp. Gobernador de la Baja California, expulsó a los jesuitas.

PORTÓN m. Puerta que separa el zaguán del resto de la casa.

PORTO-NOVO Cap. de Benin; 144 000 hab. Puerto exportador (aceite de palma, copra y algodón).

PORTORRIQUEÑO, ÑA adj. y s. Puertorriqueño.

PORTOVIEJO C. de Ecuador, cap. de la prov. de Manabí; 132 927 hab. Sit. junto al río hom. Centro comercial agrícola. Ind. artesanal. Universidad.

PORT-ROYAL Abadía fr. de monjas cistercienses fundada en 1204 en el valle de Chevreuse. Trasladada a París, desapareció (1711) por orden de Clemente XI al negarse las monjas a desechar el jansenismo.

PORTSMOUTH C. de Gran Bretaña, al S. de Inglaterra (Hampshire); 179 400 hab. Puerto y base naval. Astilleros.

PORTUARIO, RIA adj. Relativo al puerto de mar o a las obras del mismo.

PORTUGAL *(República Portuguesa)* Estado de Europa, en el extremo O de la Pen. Ibérica. Limita al N y al E con España, y al S y O con el Atlántico. Incluye en sus límites políticos los arch. de Azores y Madeira. Lengua: port. (of.). *Rel.*: catolicismo (mayoría), protestantismo. U. M.: euro. Cap.: Lisboa. C. prales: Oporto, Coimbra, Amadora, Setúbal.

* *Geog. física.* Desde el punto de vista morfológico se trata de una prolongación del relieve esp. El N es la zona más montañosa. La máx. alt. (Malhão, 1 991 m) se encuentra en la sierra de Estrella. A partir del Tajo el relieve sólo queda alterado por las sierras de San Mamed, de Monchique y Caldeirão. La red hidrográfica corresponde a los cursos inferiores del Miño, Duero, Tajo y Guadiana, y a los r. port. Vouga, Mondego y Sado. El litoral es bajo y rectilíneo. El clima es continental y oceánico.

* *Geog. económica.* En el campo port. conviven el minifundio, en el N, y el latifundio, en el S. Los productos prales. son el trigo, el maíz, las patatas, la vid (Oporto), el olivo, los productos hortícolas y frutícolas. La ganadería presenta escaso desarrollo. Primer productor mundial de corcho. Las actividades pesqueras son muy imp. La ind. gira en torno a la transformación de los productos primarios (ind. algodonera, conservas de pescado, elaboración de vinos y aceites). Otras ramas imp. son la siderurgia y la metalurgia (cobre, estaño, plomo, aluminio). Lisboa y Oporto están dotadas de un equipamiento industrial en el que figuran plantas para la producción de cemento, petroquímicas y de energía eléctrica. El turismo es una imp. fuente de divisas.

* *Hist.* Los primeros focos de civilización datan del 3000 a. C. El terr. port. fue invadido por celtas, lusitanos, rom., suevos, visigodos y árabes. El Est. port. tuvo su origen en el condado Portucalense, que en el s. XI fue cedido por Alfonso VI de Castilla a su hija Teresa. Un hijo de ésta, Alfonso Henriques, asumió la titularidad del reino con el nombre de Alfonso I (1139). En el s. XIII se inició una etapa de crecimiento económico, frenado por la guerra civil de finales del XIV. Con la nueva dinastía salida de esta guerra, la de Avis, tuvo lugar el impulso marítimo que transformó a P. en una potencia colonial. A la conquista de Ceuta (1415) siguió el periplo por el litoral africano hasta el cabo de Buena Esperanza. En menos de un siglo los terr. ultramarinos incluían zonas de África, Asia y América. La Corona centró su política expansiva en el N de África, que se materializó en la expedición del rey Sebastián a Marruecos (1578). Este monarca murió sin descendencia y la corona pasó a Felipe II de España (1580). En 1640 el descontento culminó con la nueva indep. La explotación colonial se centró en Brasil hasta su emancipación en 1822. En 1820 estalló una revolución liberal que elaboró una nueva constitución. Al morir Juan VI se planteó la rivalidad entre sus hijos y entre liberales y conservadores, hasta que en 1851 se hizo con el poder un movimiento militar (el Regeneracionismo). En 1910 se proclamó la rep. Tras un periodo de inestabilidad y pronunciamientos militares, el mariscal Carmona se hizo elegir presid. (1928) y llamó al ministerio de finanzas a Oliveira Salazar, con cuyo nombramiento como primer ministro se inició la dictadura (1932), en la que se mezclaban elementos del fascismo con los de la doctrina social católica. En 1968 Salazar fue sustituido por Marcelo Caetano. El 25 de abril 1974, el Movimiento de las Fuerzas Armadas derribó la dictadura. Se creó una Junta Nacional de Seguridad presidida por el general Spínola. Tras el derrocamiento de la dictadura se implantó un régimen democrático. Las elecciones de 1985 dieron la mayoría al Partido Socialdemócrata de Anibal Cavaco Silva, que se propuso la puesta al día de las estructuras económicas y logró la integración en la CEE en 1986. En las elecciones legislativas de 1995 los socialistas, liderados por António Guterres, llegaron al poder. Presidente desde 1986, el socialista Mario

Portugal. Arriba, vista de los muelles de Lisboa sobre el río Tajo; abajo, monumento al condestable Nuno Alvares Pereira, en el monasterio de Batalha

Portugal. Puente sobre el río Duero en la ciudad de Oporto

PORTUGAL

Superficie	91 985 km²
Población	9 943 000 hab. (108 hab./km²)
Recursos económicos	
Aceite de oliva	26 000 t
Aceitunas	201 000 t
Naranjas	160 000 t
Trigo	259 000 t
Uva	9 000 000 t
Vino	7 210 000 hl
Ganadería	
Cabaña bovina	1 288 000 cabezas
Cabaña porcina	2 416 000 cabezas
Cabaña ovina	6 200 000 cabezas
Riqueza forestal	
Corcho	154 000 t
Madera	11 293 000 m³
Pesca	253 927 t
Producción minera	
Azufre	95 000 t
Carbón	147 700 t
Mármol	344 000 m³
Oro	149 kg
Pirita	244 000 t
Uranio	24 t
Producción industrial	
Ácido sulfúrico	58 000 t
Cemento	7 476 000 t
Energía eléctrica	31 380 000 000 kwh
Hilados de algodón	94 100 t
Indicadores sociológicos	
PNB	96 689 millones de dólares
Renta per cápita	9 740 dólares
Esperanza de vida	75 años
Alfabetismo	90 %

Soares cedió su cargo a Jorge Sampaio en las elecciones pres. de 1996. En 1998 Lisboa fue sede de la Exposición Universal y se celebraron dos referéndums sobre la legalización del aborto y la regionalización de P. en los que perdió la propuesta gubernamental. A pesar de ello, los socialistas conservaron el apoyo del electorado: A. Guterres fue reelegido primer ministro en 1999, y J. Sampaio renovó su mandato presidencial en 2001.

* *Arte*. Salvo algunos restos rom., las manifestaciones artísticas más ant. datan del s. VII. Del románico destacan las catedrales de Coimbra y Lisboa y la iglesia de los Templarios; y del gótico, el monasterio de Alcobaça y el estilo manuelino. Del s. XVI son la Concepción y el claustro del monasterio de Thomar. El palacio de Mafra es el pral. exponente del barroco. En el s. XX destaca el arquitecto R. Lino. En escultura, destacan el arte funerario en el s. XIV, el estilo manuelino y los policromados del s. XVII. La figura más imp. del s. XVIII es Machado de Castro. Después del neoclasicismo del s. XIX, la escultura evolucionó con Gamairo, Pomar y Rocha. De la pintura medieval destaca Nuno Gonçalves. En el s. XVI sobresale Jorge Afonso. En el s. XVIII predominaron las corrientes fr. e it. En el s. XIX cabe citar a Sequeira, y en el XX, a Negreiros, Viana, Vieira de Silva, Bertholo y Charrua.

* *Lit*. Las más ant. manifestaciones literarias en lengua port. corresponden a la escuela galaicoportuguesa (cantigas). H. 1350 se sitúa la creación de la obra que inició el amplio ciclo de los libros de caballerías: el *Amadís de Gaula*, atribuido a Vasco de Lobeira. En el s. XV sobresalen B. Ribeiro, Gil Vicente, C. Falcão y García Resende. Gil Vicente fue, en su *Trilogía de las barcas*, el iniciador y la figura máx. del teatro portugués. En otro terreno destaca la figura de Fernão Lopes, cronista mayor del reino. Alfonso V el Africano se reunió un brillante plantel de humanistas: Sá de Miranda, A. de Ferreira, D. Bernardes y Agostinho da Cruz. Luis Vaz de Camoens llevó a su culminación la poesía renacentista, y con *Os Lusiadas*, creó la épica nacional. Mientras, la novela caballeresca continuaba vigente, con obras como el celebrado *Palmerín de Inglaterra*, de F. de Morais, y Jorge de Montemor o Montemayor revitalizaba, con su *Diana*, el gén. pastoril. Importantísima en el s. XVI fue la historia, con nombres como João de Barros, F. Lopes de Castanheda y los cronistas Damião de Gois, F. de Andrade, J. Osorio, Bernardo da Cruz. El s. XVII trajo una profunda decadencia. El s. XVIII está dominado por las figuras de los poetas F. M. do Nascimento, A. D. da Cruz e Silva y M. Barbosa du Vocage. En el romanticismo port. destacan Almeida Garret, A. Herculano, C. Castelo Branco y J. Diniz. La reacción llegó encabezada por el novelista naturalista Eça de Queiroz, y los poetas Antero de Quental y Teófilo Braga. João de Deus, Guerra Junqueiro, Duarte Gomes Leal y E. de Castro son otros grandes poetas; en novela citar a Teixeira de Queirós y Raúl Brandão; mención aparte merece el historiador J. P. Oliveira Martins. En el s. XX destacan los poetas Teixeira de Pascoaes, M. Beirão, A. Sardinha, F. Pessoa, J. Régio y M. Torga, y los novelistas A. Ribeiro, J. M. Ferreira de Castro, J. Paço de Arcos, J. Cardoso Pires y J. Saramago (primer Premio Nobel portugués, en 1998).

PORTUGALETE Mun. esp., en la prov. de Vizcaya; 54 071 hab. Sit. en la desembocadura del Nervión. Centro industrial. Puerto.

PORTUGUÉS, SA adj. y s. De Portugal. • m. *Ling*. Lengua hablada por 90 millones de personas, en Portugal y sus ant. dominios coloniales (Brasil, Angola, Mozambique, Guinea-Bissau, etc.). • Moneda que circulaba en España h. 1570.

PORTUGUESA Est. de Venezuela; 15 200 km^2, 786 232 hab. Cap. Guanare. C. prales.: Acarigua y Araure. A excepción del sector NO, que forma parte del piedemonte andino, el terr. pertenece a la región de los Llanos occidentales. El sist. hidrográfico pertenece a la cuenca del Orinoco; entre los prales. r. destacan Cojedes, Guanare y Portuguesa. Clima tropical. La vegetación dominante es la sabana, pero en las partes altas domina la selva tropical. Arroz, maíz, caña de azúcar, ajonjolí, tabaco y algodón. Centrales azucareras y elaboración de aceite. Aserraderos y fábricas de muebles (Acarigua, Araure). • R. de Venezuela, de la cuenca del Orinoco; 550 km. Nace en la sierra Portuguesa, riega la región de los Llanos y desemboca en el Apure, cerca de San Fernando.

PORTUGUESISMO m. Voz o giro propios de la lengua portuguesa.

PORTULACÁCEO, A adj. y f. *Bot*. Díc. de plantas angiospermas dicotiledóneas, herbáceas o fruticosas, con hojas carnosas, flores hermafroditas y fruto en cápsula. • f. pl. *Bot*. Familia de estas plantas.

PORTULANO m. En la E. Med., colección de cartas marinas.

PORVENIR m. Suceso o tiempo futuro.

PORVENIR, *El* C. de Panamá, cap. de la Comarca de San Blas.

POS prep. insep. que significa *detrás* o *después de*. • Se usa como adv. con igual significación en el m. adv. *en pos*. • m. Postre de las comidas.

POSADA f. Casa propia de cada uno, donde habita o mora. • Mesón. • Casa de huéspedes. • Campamento. • Alojamiento que se da a una persona. • *Méx*. Fiesta popular navideña.

POSADA, *José Guadalupe* (1852-1913) Grabador mex. Innovador del grabado, influyó en los muralistas. *Escándalo de balazos*.

POSADAS C. de Argentina, cap. de la prov. de Misiones; 219 824 hab. Puerto fluvial en el r. Paraná. Ind. cárnicas y textiles.

POSADAS, *Gervasio Antonio de* (1757-1833) Político arg. Miembro del segundo triunvirato (1813). Director supremo de las Provincias Unidas (1814-1816), dimitió ante la oposición de Rondeau.

POSADERO, RA m. y f. Persona que tiene casa de posadas. • m. Asiento cilíndrico hecho de espadaña o de soga de esparto. • Sieso. • f. pl. Nalgas.

POSAR intr. Alojarse u hospedarse en una posada o casa particular. • Descansar, asentarse o reposar. • intr. y prnl. Hablando de las aves u otros animales que vuelan, detenerse, asentarse en un lugar o sobre una cosa después de haber volado. • Aterrizar un avión o un aparato astronáutico. • intr. Permanecer en determinada postura para retratarse o para servir de modelo a un pintor, escultor o fotógrafo. • tr. Soltar la carga que se trae a cuestas, para descansar o tomar aliento. • prnl. Depositarse en el fondo las partículas sólidas que están en suspensión en un líquido, o caer el polvo sobre las cosas o en el suelo.

POSBÉLICO, CA adj. Posterior a una guerra.

POSDATA o **POSTDATA** f. Lo que se añade a una carta ya concluida y firmada.

POSE f. Postura, postura, actitud. • Actividad afectada.

POSEER tr. Tener uno en su poder una cosa. • Tener un conocimiento suficiente sobre algo. • Tener una cosa como dueño, y no a sabiendas de que pertenezca a otro ni por cesión o tolerancia del propietario. • fig. Tener un hombre relación sexual con una mujer. • prnl. Dominarse uno a sí mismo.

POSEÍDO, DA adj. y s. Poseso. • fig. Díc. del que ejecuta acciones malvadas. • Engreído, pagado de sí mismo. • Muy influido o dominado por una idea o una pasión.

POSEIDÓN *Mit. gr*. Hijo de Cronos y de Rea, y hermano de Zeus. En la división del mundo le correspondió el mar, en cuyo fondo tenía su palacio.

POSESIÓN f. Acción y efecto de poseer. • Ejercicio de un derecho real, independientemente de que este derecho exista o no. • Estado de la persona cuya voluntad se ve anulada por la influencia de un espíritu maléfico o demonio. • Cosa poseída. Díc. pralm. de las fincas rústicas. • Territorio sit. fuera de las fronteras de una nación, pero que le pertenece por convenio, ocupación o conquista. Se usa más en pl. ■ POSESIONAR.

POSESIVO, VA adj. Relativo a la posesión. • adj. y m. *Gram*. Díc. de una clase de pronombre.

POSESO, SA adj. y s. Díc. de la persona que padece posesión, apoderamiento del espíritu por una obsesión; endemoniado.

POSESORIO, RIA adj. Relativo a la posesión, o que la denota. • *Der*. Se aplica al juicio en que se discute la mera posesión de una cosa.

POSGUERRA f. Tiempo inmediato a la terminación de una guerra y durante el cual subsisten las perturbaciones ocasionadas por la misma.

POSIBILIDAD f. Aptitud, potencia u ocasión para ser o existir las cosas. • Aptitud o facultad para hacer o no una cosa. • Medios, caudal o hacienda de uno. Se usa más en pl. • Medios adecuados para la consecución de un fin. Se usa más en pl.

Portugal.
Jorge Sampaio

Portugal.
António Guterres

Templo de **Poseidón** en Posidonia, antigua colonia griega del sur de Italia

Stuart Mill, uno de los pensadores más influyentes del **positivismo,** por George Walls. National Gallery, Londres

Póster. Cartel de propaganda de los años 30 de una marca de cava española

Postillón

POSIBILISMO m. Doctrina política que pretende la evolución de ideas e instituciones con independencia de las formas de gobierno. ■ POSIBILISTA.

POSIBILITAR tr. Facilitar y hacer posible una cosa dificultosa y ardua.

POSIBLE adj. Que puede ser o suceder; que se puede ejecutar. • m. Posibilidad, facultad, medios disponibles para hacer algo. • pl. Bienes, rentas o medios que uno posee o goza. Se usa también en singular.

POSICIÓN f. Figura, actitud o modo en que alguno o algo está puesto. • Acción de poner. • Categoría o condición social de cada persona respecto de las demás. • Acción y efecto de poner. • Situación o disposición. • Estado que en el juicio determinan, para el demandante como para el demandado, las acciones y las excepciones o defensas utilizadas respectivamente. • Cada una de las preguntas que cualquiera de los litigantes ha de contestar bajo juramento, ante el juzgador, estando citadas para este acto las otras partes. • Punto fortificado o naturalmente ventajoso para los lances de la guerra. • **aparente de un astro.** *Astr.* La constituyen las coordenadas del astro referidas al equinoccio de una época y corregidas del efecto de aberración y del de paralaje, si ésta es conocida. • **de memoria.** *Comp.* Cada una de las unidades elementales que pueden contener información en la memoria central, definidas mediante direcciones. • **media de un astro.** *Astr.* La constituyen las coordenadas del astro referidas al equinoccio medio, es decir, prescindiendo de la nutación, sin que se tengan en cuenta los efectos de aberración y de paralaje. • **militar.** La del soldado cuando se cuadra. • **verdadera de un astro.** *Astr.* Como la aparente, pero sin efectuar la corrección por el efecto de aberración.

POSITIVADO, DA m. *Fot.* Proceso de exposición de un negativo sobre un papel que contiene una emulsión fotosensible, y su revelado. ■ POSITIVAR.

POSITIVISMO m. Calidad de atenderse a lo positivo. • Demasiada afición a las comodidades y goces materiales. • *Fil.* Sistema que admite únicamente el sistema experimental. • **lógico.** *Fil.* Doctrina del Círculo de Viena y escuelas afines. Se le llama también empirismo lógico y neopositivismo. ■ POSITIVISTA.

* *Fil.* El p. defiende la reducción de lo cognoscible a la experiencia inmediata de la realidad (empirismo) y establece relaciones formales entre los hechos para la elaboración de leyes, sistematiza y jerarquiza las ciencias a partir de la matemática y reduce la filosofía a la sociología. Destacan Taine, Renan, S. Mill, H. Spencer, Wundt, W. Weber y la corriente estructural-funcional.

POSITIVO, VA adj. Cierto, efectivo, verdadero y que no ofrece duda. • Aplícase al derecho o ley divina o humana promulgados, en contraposición pralm. del natural. • Díc. del que busca la realidad de las cosas, sobre todo en cuanto a los goces de la vida, por contraposición al que se paga de esperanzas, aplausos y lisonjas. • Díc. del núm. real mayor que cero. • Afirmativo, en contraposición de negativo. • m. Prueba fotográfica que se obtiene de un negativo que reproduce los tonos originales.

PÓSITO m. Instituto de carácter municipal, destinado a almacenar granos y prestarlos a los labradores y vecinos en épocas de escasez. • Lugar en que se guarda dicho grano. • P. ext., ciertas asociaciones formadas por cooperación o mutuo auxilio entre personas de clase humilde.

POSITÓN o **POSITRÓN** m. *Fís.* Partícula elemental con carga eléctrica igual a la del electrón, pero positiva. Se suele encontrar libre y normalmente resulta de la desintegración atómica de materiales radiactivos artificiales.

POSITURA f. Postura, colocación. • Estado o disposición de una cosa.

POSMA f. fam. Pesadez, flema, cachaza. • adj. y s. fig. y fam. Persona lenta y pesada en su modo de obrar.

POSMODERNIDAD f. Término proveniente del campo de la crítica de arte (→ posmodernismo), usado para designar el carácter de la cultura occidental del s. XX tras la crisis de los conceptos y valores del pensamiento moderno procedentes de la Ilustración y del historicismo.

POSMODERNISMO m. Tendencia de las artes plásticas, originada en una corriente arquitectónica (Ventori, Friedman), caracterizada por un rechazo de las vanguardias más recientes y el énfasis en la forma. Postula el individualismo, el eclecticismo, y una revalorización de actividades como el diseño, la moda, el cómic, etc. ■ POSMODERNO, NA.

POSNANIA Región histórica pol. Formó parte de Prusia desde el s. XVIII hasta después de la I Guerra Mundial. Hitler la anexionó a Alemania en 1939 y deportó a gran parte de la pob. pol. Al final de la II Guerra Mundial fue reintegrada a Polonia.

POSO m. Sedimento del líquido contenido en una vasija. • Descanso, quietud, reposo. • fig. Huella, sedimento o residuo que un suceso deja en el espíritu.

POSOLOGÍA f. *Med.* Parte de la terapéutica que trata de las dosis en que deben administrarse los medicamentos.

POSÓN m. Posadero, especie de asiento.

POSPONER tr. Poner o colocar a una persona o cosa después de otra. • fig. Apreciar a una persona o cosa menos que a otra. ■ POSPOSICIÓN; POSPOSITIVO, VA.

POST prep. Pos.

POST SCRIPTUM loc. latina. Posdata. Se usa con valor de s. masc.

POSTA f. Conjunto de caballerías prevenidas a distancia de dos a tres leguas, para que, mudando los tiros, los correos y otras personas caminen con toda diligencia. • Casa o lugar donde están las postas. • Distancia que hay de una posta a otra. • Tajada o pedazo de carne, pescado u otra cosa. • Bala pequeña de plomo, mayor que los perdigones. • En los juegos de envite, porción de dinero que se envida y pone sobre la mesa. • Tarjetón con un letrero conmemorativo. • Dibujo de ornamentación compuesto de líneas curvas en forma de onzas, volutas o eses unidas. • m. Persona que iba por la posta a una diligencia, propia o ajena.

POSTAL adj. Concerniente al ramo de correos. • adj. y f. Se aplica a la tarjeta que, con un sello de correos, se usa como carta sin sobre.

POSTDILUVIANO, NA adj. Posterior al diluvio universal.

POSTDORSAL adj. *Fon.* Díc. del sonido cuya articulación se forma pralm. con la parte posterior del dorso de la lengua. • adj. y f. Díc. de la letra que representa este sonido, como la *h*.

POSTE m. Madero, piedra o columna puesta verticalmente como apoyo o señal.

POSTEMA f. *Med.* Absceso supurado. • fig. Persona pesada o molesta.

POSTEMILLA f. *Amér. Merid.* Flemón, inflamación de las encías.

PÓSTER m. Voz de origen ing. para designar un tipo de cartel publicitario, que muchas veces se usa como elemento decorativo.

POSTERGAR tr. Hacer sufrir atraso, dejar atrasada una cosa. • Tener en menos o apreciar a una persona o cosa menos que a otra. • Perjudicar a un empleado dando a otro más moderno el ascenso u otra recompensa que por su antigüedad correspondía al primero. ■ POSTERGACIÓN.

POSTERIDAD f. Descendencia o generación venidera. • Fama póstuma.

POSTERIOR adj. Que fue o viene después, o está o queda detrás. ■ POSTERIORIDAD.

POSTFIJO adj. y m. o **POSFIJO** m. Sufijo.

POSTGLACIAR adj. *Geol.* Díc. del periodo del cuaternario, posterior a la última glaciación, durante el cual se fundió la mayor parte del casquete glaciar europeo. El periodo p. se inició hace aprox. 8 500 años.

POSTIGO m. Puerta falsa. • Puerta fabricada en una pieza sin tener división ni más de una hoja, la cual se asegura con llave, cerrojo, picaporte, etc. • Puerta chica abierta en otra mayor. • Cada una de las puertecillas que hay en las ventanas o puertaventanas. • Tablero con bisagras o goznes para cubrir la parte encristalada de una puerta o ventana. • Puerta no pral. de una ciudad o villa.

POSTILLA f. Costra de las llagas o granos cuando se secan. • Acotación o glosa de un texto, apostilla. ■ POSTILLOSO, SA.

POSTILLÓN m. Mozo que iba a caballo delante

de los que corrían la posta, o montado en una caballería de las delanteras del tiro de un carruaje.

POSTIMPRESIONISMO m. Nombre dado a las tendencias pictóricas posteriores al impresionismo e influidas por éste. ■ POSTIMPRESIONISTA.

POSTÍN m. Entono, boato, importancia afectados o sin fundamento. ■ POSTINERO, RA.

POSTIZO, ZA adj. Que no es natural ni propio, sino agregado, imitado, fingido o sobrepuesto. • m. Añadido de pelo que sirve para suplir la falta o escasez de éste.

POSTMERIDIANO, NA o **POSMERIDIANO, NA** adj. Relativo a la tarde, o que es después de mediodía. • m. *Astr.* Cualquiera de los puntos del paralelo de declinación de un astro, al O del meridiano del observador.

POSTÓNICO, CA adj. y s. Se aplica a los elementos de la palabra que siguen a la sílaba tónica.

POSTOPERATORIO, RIA adj. *Cir.* Relativo a lo que sucede con posterioridad a la operación. • adj. y m. Díc. del periodo que sigue inmediatamente a la operación.

POSTOR m. Licitador. • En cinegética, el que coloca a cada tirador en su puesto.

POSTPALATAL o **POSPALATAL** adj. *Fon.* Díc. del sonido para cuya pronunciación choca la raíz de la lengua contra el velo del paladar. • adj. y f. Díc. de la letra que representa este sonido.

POSTRAR tr. Rendir, humillar o derribar una cosa. • tr. y prnl. Enflaquecer, debilitar, quitar el vigor y las fuerzas. • prnl. Hincarse de rodillas humillándose por tierra. ■ POSTRACIÓN.

POSTRE adj. Postrero. • m. Fruta, dulce y otras cosas que se sirven al fin de las comidas o banquetes. • **A la p.** o **al p.** m. adv. A lo último, al fin.

POSTREMO, MA o **POSTRIMERO, RA** adj. Postrero o último.

POSTRER adj. Apócope de postrero. Se usa siempre antepuesto al sustantivo.

POSTRERO, RA adj. Último en una serie. • Último en el lugar. • f. *Amér. Merid.* La que da la vaca, la más rica en grasa.

POSTRIMER adj. Apócope de postrimero.

POSTRIMERÍA f. Último periodo o últimos años de la vida. • Cada uno de los novísimos del hombre. • Periodo último de la duración de una cosa.

POSTULADO m. Proposición cuya verdad se admite sin pruebas y que sirve de base en ulteriores razonamientos.

POSTULADOR m. En derecho canónico, cada uno de los capitulares que postulan. • El que por comisión legítima de parte interesada solicita en la curia romana la beatificación y canonización de una persona venerable.

POSTULANTA f. Mujer que pide ser admitida en una comunidad religiosa.

POSTULANTE p. a. de postular. • adj. y s. Que postula. • m. Aspirante a ser admitido en una orden o congregación religiosa.

POSTULAR tr. Pedir, pretender. • Pedir para prelado de una iglesia a un sujeto que, según derecho, no puede ser elegido. • Proponer uno o más postulados. ■ POSTULACIÓN.

PÓSTUMO, MA adj. Que nace después de la muerte del padre. • Díc. del libro que se publica después de la muerte de su autor. • Díc. de los elogios, honores, etc., que se tributan a un difunto.

POSTURA f. Planta, figura, situación o modo en que está puesta una persona, animal o cosa. • Acción de plantar árboles o plantas. • Precio legal que se pone a las cosas comestibles. • Precio que el comprador ofrece por una cosa que se vende o arrienda. • Pacto, convenio. Porción o cantidad que se suele apostar entre dos sobre si una cosa será o no será. • Huevo de ave. • Acción de ponerlo. • Planta o arbolillo que se trasplanta. • En los juegos de azar, cantidad que arriesga un jugador en cada suerte.

POTA f. Molusco cefalópodo semejante al calamar.

POTABLE adj. Que se puede beber. • fig. y fam. Aceptable, pasable. ■ POTABILIDAD; POTABILIZACIÓN; POTABILIZAR.

POTAJE m. Caldo de olla u otro guisado. • P. ant., legumbres guisadas para el mantenimiento en los días de abstinencia. • Legumbres secas. • Bebida o brebaje en que entran muchos ingredientes. • fig. Conjunto de varias cosas inútiles mezcladas y confusas.

POTALA f. *Mar.* Piedra que, atada a la extremidad de un cabo, sirve para hacer fondear embarcaciones menores. • *Mar.* Buque pesado y poco marinero.

POTAMOGETONÁCEO, A adj. y f. *Bot.* Díc. de plantas angiospermas monocotiledóneas, acuáticas, dulceacuícolas o marinas, con tallo y hojas sumergidas, estípulas y flores verdes y fruto en poliaquenio. • f. pl. *Bot.* Familia de estas plantas.

POTASA f. Nombre comercial del carbonato potásico. • **cáustica.** Hidróxido potásico. Se prepara por electrólisis del cloruro potásico. Es muy soluble en agua, delicuescente y absorbe dióxido de carbono del aire formando carbonato potásico.

POTASIO m. *Quím.* Elemento de símb. K y n. a. 19, metal alcalino de gran poder de reacción, muy ligero y de brillo comparable al de la plata, aunque al aire se oxida rápidamente. ■ POTÁSICO, CA.

POTE m. Vaso de barro, alto, para beber o guardar los licores y otros preparados. • Tiesto en que se plantan y tienen las flores y hierbas olorosas. • Vasija redonda, gralte. de hierro, con barriga y boca ancha y con tres pies, que sirve para cocer viandas. • fig. y fam. Puchero, gesto que precede al llanto.

POTEMKIN o **POTIOMKIN,** ***Grigori Alexándrovich*** (1739-1791) Político y militar ruso, favorito de Catalina II. Anexionó Crimea a Rusia. Sus proyectos de expansión originaron la segunda guerra ruso-turca.

POTENCIA f. Capacidad para ejecutar una cosa o producir un efecto. • Fuerza, vigor. • Imperio, dominación. • Capacidad generativa. • Poder y fuerza de un Est. • P. ant., cualquiera de las tres facultades del alma, de conocer, querer y acordarse, que son entendimiento, voluntad y memoria. • Nación o Estado soberano. • *Fil.* Capacidad pasiva para recibir el acto. • *Fil.* Lo que está en potencia y no en acto. • *Fís.* Energía que absorbe o cede un dispositivo en la unidad de tiempo. • *Mat.* Resultado de efectuar una potenciación. • *Mec. apl.* Fuerza motora de una máquina. • **de un generador.** *El.* Producto de la fuerza electromotriz producida por la intensidad de corriente suministrada. • **de un sistema óptico.** *Ópt.* Valor recíproco de la distancia focal imagen. • **eléctrica en corriente continua.** *El.* Producto de la intensidad de corriente por la diferencia de potencial. Unidades: wat = amperio · volt; wat-hora = energía que proporciona un wat durante una hora.

* *Fís.* La p. es una magnitud que relaciona el trabajo realizado por una máquina y el tiempo empleado en realizarlo.

* *Geom. P. de un punto respecto de una circunferencia.* Valor numérico de la posición relativa de un punto respecto de una circunferencia. Para un punto p, una circunferencia C, y un haz de cuerdas de C que pasen por p, producto de las distancias de p a los puntos de intersección de cada una de las cuerdas.

POTENCIACIÓN f. Acción y efecto de potenciar. • *Mat.* Operación que representa el producto de un núm. (base) por sí mismo tantas veces como indica otro (exponente) que se sitúa volado, a la derecha del primero. • *Mat.* P. ext., cualquier operación cuya estructura formal sea como la anterior, aunque la base y el exponente sean diferentes.

POTENCIAL adj. Que tiene o encierra en sí potencia; relativo a ella. • Díc. de las cosas que tienen la virtud o eficacia de otras y equivalen a ellas. • Que puede suceder o existir, en contraposición de lo que existe. • Fuerza o poder disponibles de determinado orden. • *Gram.* Díc. del modo del verbo que expresa la acción como posible. • m. *Mat.* Función que tiene por base una variable independiente y por exponente una constante. • **crítico.** *Fís.* Energía mínima necesaria para hacer saltar un electrón desde una órbita normal a la inmediata superior. • **de acción.** *Fisiol.* Diferencia de p. entre dos áreas del axón de una neurona. • **de ionización.** *Fís.* Energía necesaria para separar un electrón de un átomo. • **Barrera de p.** *Fís.* Energía mínima necesaria que ha de poseer un electrón para escapar de un metal. • **Diferencia de p. entre dos puntos** *a* y *b*. *El.* Trabajo realizado por la unidad de carga contra las fuerzas eléctricas, cuando una carga se desplaza de *a* a *b*. Su unidad es el voltio.

Postimpresionismo. *Iglesia de Auvers-sur-Oise,* óleo de Van Gogh. Museo de Orsay, París

Embajadores holandeses **postrados** ante el rey del Congo, según una copia italiana de un grabado del s. XVIII

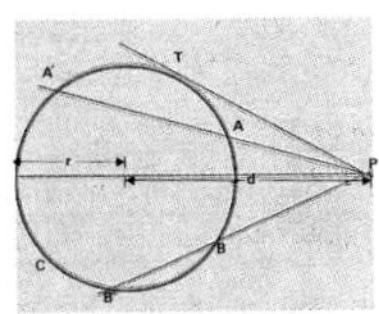

La **potencia** del punto P respecto a la circunferencia C es igual a $\overline{PA} \cdot \overline{PA'} = (d+r)\,(d-r)$

POTENCIALIDAD f. Capacidad de la potencia, independiente del acto. • Equivalencia de una cosa respecto de otra en virtud o eficacia.
POTENCIAR tr. Comunicar potencia a una cosa o incrementar la que ya tiene. • Impulsar, fomentar.
POTENCIÓGRAFO m. Aparato empleado en análisis químico para realizar valoraciones volumétricas.
POTENCIÓMETRO m. *El.* Dispositivo para medir diferencias de potencial. • P. ext., divisor de tensión para regular el volumen de un amplificador.

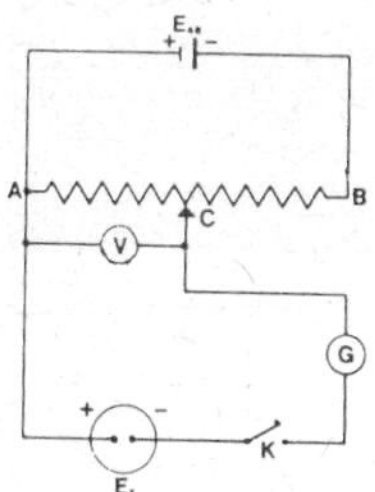

Esquema de un **potenciómetro**

POTENTADO m. Príncipe o soberano indep., pero que toma investidura de otro príncipe superior. • Cualquier persona poderosa y opulenta.
POTENTE adj. Que tiene poder, eficacia o virtud para una cosa. • Díc. del que tiene capacidad y medios de dominar. • Díc. del que tiene grandes riquezas. • Díc. del hombre capaz de engendrar. • Fuerte, vigoroso. • fam. Grande, abultado, desmesurado.
POTENZA f. *Her.* Palo que, puesto horizontalmente sobre otro, forma con él la figura de una T.
POTENZA C. de Italia, cap. de la prov. hom.; 65 700 hab. Sit. junto al r. Basento. Centro comercial agrícola. Nudo ferroviario.
POTENZADO, DA adj. Se aplica a la cruz que tiene pequeños travesaños en sus cuatro extremidades. • *Her.* Aplícase a las piezas terminadas en una potenza.
POTERA f. Aparejo para pescar calamares.
POTERNA f. Puerta menor que las prales., que conduce al interior de una fortaleza.
POTESTAD f. Dominio, poder, jurisdicción o facultad que se tiene sobre una cosa. • Potentado. • pl. *Teol.* Espíritus bienaventurados que forman el sexto coro. • **Patria p.** Autoridad que los padres tienen, con arreglo a las leyes, sobre sus hijos no emancipados. ▪ POTESTATIVO, VA.
POTIGUARA adj. y s. Díc. de un pueblo amerindio que vive en Brasil, entre los r. Paruahyba y Paraíba.

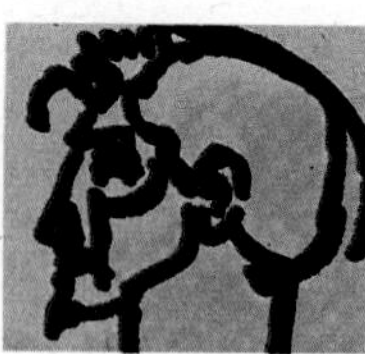
Autorretrato de Ezra **Pound**

POTINGUE m. fam. y festivo. Cualquier bebida de botica. • fam. Bebida de sabor o aspecto desagradables. • fam. Maquillaje, producto de cosmética.
POTO (voz mapuche) m. *Perú.* Vasija de pequeñas dimensiones para contener líquidos. • *Amér. Merid.* Nalgas, trasero.
POTOCO, CA adj. y s. *Chile.* Bajo, gordo.
POTOMAC Río de EE UU. Nace en los montes Apalaches y desemboca en la bahía de Chesapeake; 640 km.
POTORILLO m. Arbusto papilionáceo de flores encarnadas, propio de la América tropical.
POTOSÍ m. fig. Riqueza extraordinaria. • **Valer una cosa un p.** fr. fig. y fam. Valer mucho.
POTOSÍ Dpto. de Bolivia, fronterizo con Argentina y Chile; 118 218 km^2, 645 889 hab. Cap., la c. hom. El terr. forma parte del Altiplano y se halla atravesado de N a S por la cordillera Oriental o Real de los Andes; el sector NO está ocupado por el salar de Uyuni, que contiene imp. depósitos de sal. R. prales.: Grande de Lípez y Pilcomayo. Clima frío y seco. Vegetación xerófila. Cereales, patatas, quinua. Ovejas, llamas, alpacas. Plomo, cinc, sal y estaño. • C. de Bolivia, cap.del dpto. hom.; 112 291 hab. Sit. en la cordillera Oriental de los Andes, a 4 040 m de alt. Centro comercial y minero. Fundada en 1545, después del descubrimiento en Cerro Rico de valiosas minas de plata. • Cerro de Bolivia (4 739 m), en la cordillera Real u Oriental de los Andes, donde se hallaban las más imp. minas de plata de la América colonial.
POTRA f. Yegua desde que nace hasta que muda los dientes de leche. • Hernia. • fam. Hernia en el escroto. • fig. y fam. Buena suerte. ▪ POTROSO, SA.
POTRADA f. Reunión de potros de una yeguada o de un dueño.
POTRANCA f. Yegua que no pasa de tres años.
POTRANCO m. *Amér. Merid.* Potro.
POTREAR intr. Lozanear como los potros. • tr. fam. Molestar, mortificar a una persona.
POTRERAJE m. *Amér. Merid.* Cantidad que se paga por tener un animal en un potrero.
POTRERO m. El que cuida de los potros. • Sitio para la cría y pasto de ganado caballar. • *Amér.* Finca rústica, cercada, para la cría y sostenimiento de toda especie de ganado. • *Amér.* Parcela en una finca rústica. • fig. *Argent.* Terreno sin edificar donde juegan los muchachos.

El martirio de san Erasmo, óleo de Nicolas **Poussin.** Museo del Vaticano

POTRO m. Caballo desde que nace hasta que muda los dientes de leche. • Aparato de madera en el cual sentaban a los procesados, para obligarles a declarar por medio del tormento. • Máquina de madera donde se sujetan los caballos para herrarles o curarles. • Hoyo que los colmeneros abren en tierra para partir los peones.
POTSDAM C. de Alemania; 136 600 hab. Centro comercial. Ind. químicas, textiles y construcción de locomotoras. • **Conferencia de P.** Reunión celebrada tras finalizar la II Guerra Mundial (17 julio-2 agosto 1945) por Truman, Churchill (sustituido por Attlee) y Stalin para completar los acuerdos de Yalta y precisar las condiciones que debían imponerse a las potencias del Eje.
POTT, ***Percival*** (1714-1788) Cirujano ing. Autor de importantes estudios sobre la enfermedad de la vértebras que lleva su nombre.
POTTER, ***Paulus*** (1625-1654) Pintor y grabador neerlandés. Uno de los más célebres animalistas de la escuela holandesa. *Toro*, *Granja*, *Ganado en un paisaje tempestuoso*.
POULANTZAS, ***Nicos*** (1936-1979) Sociólogo gr. *Hegemonía y dominación en el Estado moderno*, *Poder político y clases sociales en el Estado capitalista*, *Fascismo y dictadura*.
POULENC, ***Francis*** (1899-1963) Compositor fr., del Grupo de los Seis. Autor de obras religiosas: *Letanías a la Virgen negra de Rocamadour*, *Misa*; operísticas: *Las tetas de Tiresias*, *Diálogos de carmelitas*, ballets y música instrumental: *Concierto campestre*.
POUND, ***Ezra*** (1885-1972) Poeta norteam. Su aversión por una América puritana y materialista le llevó a hacer propaganda fascista durante la II Guerra Mundial, y fue internado en un hospital psiquiátrico. Ensayos de crítica y literatura. Autor de *Cantos pisanos*.
POURBUS Familia de pintores flamencos. **Pierre** (1523-1584) introdujo en Brujas el manierismo. **Frans** EL VIEJO (1545-1581), hijo de Pierre, trabajó en Amberes, donde pintó *La resurrección de Lázaro* y *La boda del pintor* Hoefnagel (1571). Su hijo, **Frans** EL JOVEN (1569-1622) realizó numerosos retratos.
POUSSIN, ***Nicolas*** (1594-1665) Pintor del barroco clasicista fr. Trabajó en París y en Roma. Pintó cuadros de paisaje histórico y temas mitológicos. *San Mateo y el ángel*, *Triunfo de Flora*, la serie de los *Siete encantamientos*, y *Eliezer y Rebeca*.
POVEDA Burbano, ***Alfredo*** (1926-1990) Militar y político ecuat. Encabezó el mov. que depuso a Guillermo Rodríguez Lara (1976). Presidió un triunvirato militar que, con la convocatoria de un plebiscito (1978) y de elecciones presidenciales (1979), restauró el orden constitucional.
POWER, ***Tyrone*** (1914-1958) Actor cinematográfico norteam. *El signo del Zorro*, *Sangre y arena*, *Testigo de cargo*.
POYATA f. Vasar o anaquel que sirve para poner vasos y otras cosas. • Repisa.
POYO m. Banco que suele estar arrimado a las paredes.
POZA f. Charca o concavidad en que hay agua detenida. • Pozo de un río, paraje donde éste es más profundo. • Balsa o alberca para macerar el cáñamo o el lino.
POZA RICA DE HIDALGO Mun. de México, en el est. de Veracruz; 169 600 hab. Petróleo.
POZAL m. Cubo con que se saca el agua del pozo. • Brocal del pozo. • Vasija empotrada en la tierra para recoger líquidos.
POZANCO m. Poza que queda en las orillas de los ríos al retirarse las aguas después de una avenida.
POZNAN (al., *Posen*) C. de Polonia, a orillas del Warta; 574 100 hab. Centro industrial. Perteneció a Prusia (1793), al gran ducado de Varsovia (1807-1813), de nuevo a Prusia (1815) y pasó a Polonia en 1919.
POZO m. Perforación vertical en la tierra, profunda y de boca relativamente estrecha, cuya finalidad suele ser la extracción de agua. • Sitio donde los ríos tienen mayor profundidad. • En el juego de la

oca, casa de la cual no sale el jugador que cayó en ella por su suerte hasta que entre en ella otro. • Hoyo profundo, aunque esté seco. • fig. Cosa llena, profunda o completa en su línea. • *Par.* y *Ur.* Bache, depresión en una carretera. • *Col.* Lugar de un río apropiado para bañarse. • *Mar.* Parte de bodega de un buque, que corresponde verticalmente a cada escotilla. • *Mar.* Sentina o parte de bodega que corresponde a la caja de bombas. • *Mar.* Distancia o profundidad que hay desde el canto de la borda hasta la cubierta superior en las embarcaciones que no tienen combés. • *Mar.* Compartimiento o depósito que en los barcos pesqueros se forma para conservar vivos los peces. • *Min.* Hoyo profundo para extraer mineral, para acceso y ventilación de las minas, etc. • **artesiano.** Pozo por el que fluye a presión el agua procedente de una capa permeable comprimida entre otras dos impermeables. • **de nieve.** Excavación seca donde se guarda y conserva la nieve para el verano. • **negro,** o **ciego,** o **muerto.** El que para depósito de aguas inmundas se hace junto a las casas. • **petrolífero.** Perforación vertical, cilíndrica y muy profunda, efectuada en las capas superficiales de la corteza terrestre y que alcanza un yacimiento petrolífero.

POZO COLORADO C. de Paraguay, cap. del dpto. Presidente Hayes. Ind. alimentaria.

POZOL m. *C. Rica* y *Hond.* Pozole.

POZOLE m. *Méx.* Guiso de maíz tierno, carne y chile con mucho caldo. • *Méx.* Bebida hecha de maíz morado y azúcar.

POZUELO m. *Amér. Merid.* Pocillo, vasija para tomar chocolate.

POZUELO DE ALARCÓN Mun. de España, en la prov. de Madrid; 60 120 hab. Industria.

POZUELOS C. de Venezuela, en el est. Anzoátegui; 80 800 hab. Sit. en el á. metr. de Puerto la Cruz. Coco y maíz.

POZZUOLI C. y puerto del S de Italia, en la Campania; sit. en la entrada del golfo de Nápoles; 71 100 hab. Centro comercial, industrial y turístico.

Pr *Quím.* Símb. del praseodimio.

PRACRITO o **PRÁCRITO** m. *Ling.* Nombre común a varias lenguas populares de la India, contemporáneas o derivadas del sánscrito (h. 250 a. C.).

PRACTICABLE adj. Que se puede practicar o poner en práctica. • Transitable. • En el decorado teatral, díc. de la puerta u otro accesorio que no es meramente figurado, sino que puede usarse.

PRACTICANTE adj. Que practica. • adj. y s. Que profesa y practica su religión. • m. El que posee título para el ejercicio de la cirugía menor. • El que por tiempo determinado se instruye en la práctica de la cirugía y medicina. • com. Persona que en los hospitales hace las curas o administra a los enfermos las medicinas ordenadas por el facultativo de visita. • Persona que en las farmacias está encargada, bajo la dirección del farmacéutico, de la preparación y despacho de los medicamentos.

PRACTICAR tr. Ejercitar una cosa que se ha aprendido. • Usar o ejercer continuadamente una cosa. • Ejecutar, hacer, llevar a cabo.

PRÁCTICO, CA adj. Relativo a la práctica. • Que produce una utilidad material inmediata. • Se aplica a las facultades que enseñan el modo de hacer una cosa. • Experimentado, versado y diestro en una cosa • m. El que por conocimiento del lugar en que navega dirige a ojo el rumbo de las embarcaciones, llamándose *p. de costa*, o *de puerto*, respectivamente, según sea en una o en otro donde ejerce su profesión. • Ejercicio de cualquier arte, facultad o trabajo. • Destreza adquirida con este ejercicio. • Uso continuado, costumbre o estilo de una cosa. • Modo o método que particularmente observa uno en sus operaciones. • Aplicación de una idea o doctrina; contraste experimental de una teoría. • **En la práctica.** loc. adv. En la realidad.

PRACTICÓN, NA m. y f. fam. Persona diestra en una facultad, por haberla practicado.

PRADEJÓN m. Prado de corta extensión.

PRADERA f. Bioma propio de las zonas templadas y subtropicales, caracterizado por una cubierta herbácea densa que se transforma, en determinadas condiciones climáticas, en sabana y en estepa.

PRADERA, ***María Dolores Fernández Pradera,*** llamada *M.ª Dolores* (nacida 1920) Cantante esp. Actriz teatral y cinematográfica, a partir de los años 60 se ha dedicado a interpretar, con un estilo elegante y personal, canciones latinoamericanas.

PRADERAS, ***Las*** o **PRADERA,** ***La*** Región de los EE UU, sit. entre las Montañas Rocosas, al O, y la llanura del Misisipí, al E. R.: Misuri, Arkansas y Colorado. Oro, hulla, petróleo, lignito. Agricultura.

PRADERÍA f. Conjunto de prados.

PRADIAL m. Noveno mes del calendario republicano fr.

PRADILLA, ***Francisco*** (1846-1921) Pintor esp. Autor de temas históricos. *Doña Juana la Loca*, *La rendición de Granada*.

PRADO o **PRADAL** m. Tierra muy húmeda o de regadío, en la cual se deja crecer o se siembra la hierba para pasto de los ganados. • Sitio ameno que sirve de paseo en algunas poblaciones. ■ PRADEÑO, ÑA.

PRADO, ***Lo*** C. de Chile, sit. en el á. metr. de Santiago; 126 500 hab.

PRADO, ***Museo del*** Fundado en Madrid, en 1785, por Fernando VII. Posee una imp. colección de pintura flamenca primitiva, Rubens, Van Dyck, y de la escuela veneciana. En lo que se refiere a la pintura esp., es la pral. pinacoteca del mundo.

PRADO, ***Mariano*** (s. XIX) Político salv. Jefe de Est. (1826), se opuso a la política de Arce, presid. de la Confederación Centroamericana, e invadió Guatemala (1827). Vicepresid. de la Confederación (1830) y de nuevo jefe de Est. en El Salvador (1832-1833). • ***Mariano Ignacio*** (1826-1901) Político y militar per. Presid. de la rep. (1865-1868), obtuvo el apoyo de Chile, Bolivia y Ecuador en la guerra contra España. De nuevo presid. (1876-1879), dimitió ante la marcha desfavorable de la guerra del Pacífico frente a Chile. • ***Pedro*** (1886-1952) Escritor y diplomático chil. Fundador de la revista Los Diez. Escribió poemas en prosa: *Los pájaros errantes*; novelas: *Alsino*; y la tragedia en prosa *Androvar*. • **Y Ugarteche,** ***Manuel*** (1889-1967) Político per. Hijo de Mariano Ignacio P., fundó la Unión Parlamentaria, posteriormente llamada Movimiento Democrático Pradista. Presid. (1939-1945), con el apoyo del APRA fue elegido de nuevo presid. en 1956, pero fue derrocado por un golpe militar en 1962.

Interior de una de las salas del Museo del **Prado**

PRADOS, ***Emilio*** (1899-1962) Poeta esp. de carácter intimista. Residió en América desde 1939. *Canciones del farero*, *Llanto subterráneo*, *Llanto de sangre*, *Mínima muerte*, *Memoria del olvido*, *El dormido en la yerba*, *Jardín cerrado*.

PRAGA (*Praha*) C. y cap. de la República Checa, en el centro de Bohemia, junto al Moldava; 1 189 800 hab. Su estratégica situación en el cruce de los grandes ejes de comunicación de Europa central y la cercanía a la cuenca Kladno han favorecido el desarrollo de la ind. (metalúrgica, mécanica, automóviles, química). • **Círculo lingüístico de P.** Grupo de investigación lingüística fundado en 1926 por N. Trubetzkoy, R . Jakobson y otros, seguidores de las tesis de Saussure. Trataron de establecer la lingüística como una ciencia independiente.

Praga. Iglesia de Nuestra Señora de Tyn

PRAGMATICISMO m. Nombre dado por el filósofo norteam. Ch. S. Pierce a su propia doctrina (1905), para diferenciarla del pragmatismo de W. James.

PRAGMÁTICO, CA adj. Relativo al pragmatismo. • adj. Práctico; opuesto a teórico o especulativo. • adj. y s. *Der.* Se aplica al autor jurista que interpreta o glosa las leyes nacionales. • f. Ley que se diferencia de las reales órdenes en las fórmulas de su publicación. • Edicto imperial. • **Sanción p.** Disposición legislativa que dicta un rey en materia sucesoria para asegurar el trono a sus descendientes varones o, en su defecto, hembras.

PRAGMATISMO m. *Fil.* Doctrina surgida en EE UU a finales del s. XIX, bajo la influencia de Pierce, y que tuvo en W. James a su máx. exponente. Para ellos la validez de la verdad proviene de sus consecuencias prácticas; es decir, de su utilidad como instrumento de la acción humana. Filósofos destacados: F. C. S. Schiller y J. Dewey. ■ PRAGMATISTA.

PRAIA Cap. del arch. port. de Cabo Verde, en la isla de São Tiago; 49 600 hab. Puerto exportador de café y plátanos.

PRAJÁPATI En la religión brahmánica, el principio creador y protector del universo. Se identifica con Brahma.

PRAMPOLINI, ***Enrico*** (1894-1956) Pintor it. adherido al mov. futurista, del que evolucionó hacia la abstracción. *Perspectiva aérea, Organismo en el espacio.*

PRANDTAUER, *Jakob* (1660-1726) Arquitecto austr. Autor de la abadía de Melk, uno de los edificios más colosales del barroco.

PRÁNGANA f. *Méx.* y *P. Rico.* Miseria, pobreza. • **Estar en la p.** fr. fig. y fam. *Méx.* y *P. Rico.* Estar sin dinero.

La abadía benedictina de Melk, construida por Jakob **Prandtauer** en 1702-1727

PRAO m. *Mar.* Embarcación malaya de poco calado, muy larga y estrecha.

PRASEODIMIO m. *Quím.* Elemento de símb. Pr. y n. a. 59. Metal lantánido, bastante activo, usado para colorar cristales de amarillo.

PRASIO m. Cristal de roca en cuya masa se encierran muchos cristales de silicato de magnesia, cal y hierro.

PRAT Chacón, *Arturo* (1848-1879) Marino chil. Durante la guerra del Pacífico protagonizó la gesta de Iquique, en la que perdió la vida. En Valparaíso se levanta un monumento en su memoria. • **de la Riba, *Enric*** (1870-1917) Político, jurisconsulto y escritor esp. Primer presid. de la *Mancomunitat de Catalunya.* Autor de *La Nacionalitat catalana* y *Per Catalunya i l'Espanya gran.*

PRAT DE LLOBREGAT o **EL PRAT DE LLOBREGAT** Mun. esp., en Cataluña (prov. de Barcelona); 63 255 hab. Ind. textil, del papel y química. Aeropuerto internacional de Barcelona.

PRATENSE adj. Que se produce o vive en el prado. • Perteneciente o relativo al prado.

PRATI, *Edmundo* (1889-1970) Escultor ur., fundador del periódico David. *Al general José San Martín, A los fundadores de la Patria.*

PRATICULTURA f. Parte de la agricultura que trata del cultivo de los prados.

PRATO C. de Italia, en Toscana, sit. al NO de Florencia; 161 700 hab. Centro textil y cultural.

PRATOLINI, *Vasco* (1913-1991) Novelista it. *Crónica familiar, El barrio, Crónica de los pobres amantes, Las muchachas de San Frediano.*

PRATS, *Carlos* (1915-1974) Militar y político chil. Ministro del Interior (1972-1973) y de Defensa (1973) en el gobierno de Allende. Tras el golpe de Pinochet se exilió en Buenos Aires, donde fue asesinado.

Hermes llevando a Dioniso niño, copia antigua de una escultura de **Praxíteles.** Museo Arqueológico de Olimpia, Grecia

PRATT, *Hugo* (1927-1995) Dibujante de cómics it. Creador del personaje Corto Maltés.

PRAVEDAD f. Iniquidad, perversidad, corrupción de costumbres.

PRAVO, VA adj. Perverso, de malas costumbres.

PRÁXEAS (s. II) Hereje asiático, establecido en Roma. Jefe de una secta antitrinitaria. Tertuliano le combatió en su obra *Adversus Praxeam* («Contra Práxeas»).

PRAXIS f. Práctica, en oposición a teoría o teórica. • Término introducido por Marx para designar el proceso de cambio y transformación en la realidad objetiva por la actividad humana, entendido el hombre como ser histórico y social.

PRAXÍTELES (390-330 a. C.) Escultor gr., máx. representante de la nueva escuela ática. *Venus de Cnido, Eros, Apolo Sauróctonos* y *Hermes llevando a Dioniso.*

PRAYER, *Book of Common* (ing., «Libro de la oración común») Libro litúrgico oficial usado en todas las iglesias de la comunión anglicana.

PRE Prep. insep. que denota antelación, prioridad o encarecimiento.

PREADAMITA m. Supuesto antecesor de Adán. Se usa más en pl.

PREAGÓNICO, CA adj. Díc. de lo que precede a la agonía; próximo a ella.

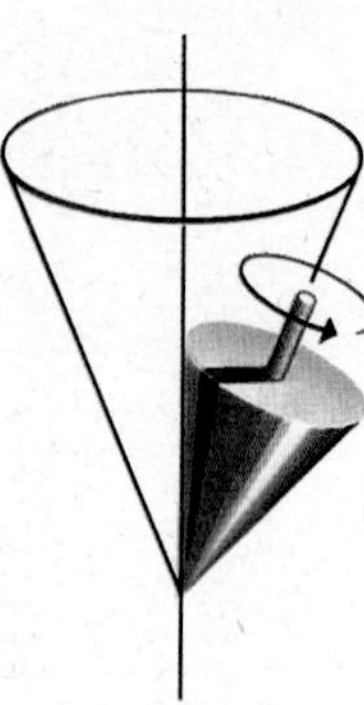

Movimiento de **precesión** de una peonza

PREÁMBULO m. Exordio, aquello que se dice antes de dar principio a lo que se trata de narrar, probar, mandar, pedir, etc. • Rodeo o digresión impertinente antes de entrar en materia o de empezar a decir claramente una cosa.

PREÁTICO, CA adj. Díc. de los filósofos y escuelas de Grecia anteriores al florecimiento cultural de Atenas, cap. de Ática, en el s. V a. C.

PREAVISO m. *Der.* Obligación de cada una de las partes contratantes de notificar con antelación a la otra su deseo de rescindir el contrato, sea éste laboral, de arrendamiento o de otro tipo.

PREBENDA f. Renta aneja a un canonicato u otro oficio eclesiástico. • fig. y fam. Oficio o ministerio lucrativo y poco trabajoso. ■ PREBENDADO, DA.

PREBENDAR tr. Conferir prebenda a uno. • intr. y prnl. Obtenerla.

PREBISCH, *Raúl* (1901-1986) Economista arg. Secretario general de CEPAL (1948-1962) y de UNCTAD (1964-1969). Ha escrito varios libros de economía.

PREBOSTE m. Sujeto que es cabeza de una comunidad y la preside o gobierna.

PRECALENTADOR m. Calentador previo de aire, que se usa para aumentar el rendimiento de las calderas.

PRECALENTAR tr. Calentar previamente. • Calentar una materia antes de someterla a una operación o tratamiento determinado. • tr. y prnl. *Dep.* Realizar una serie de ejercicios físicos para poner los músculos en forma antes de una competición. ■ PRECALENTAMIENTO.

PRECÁMBRICO, CA adj. y m. *Geol.* Díc. del conjunto de los tiempos geológicos anteriores al cámbrico, en los que se produjeron los primeros grandes plegamientos. Faltan casi por completo los restos fósiles, a causa del notable metamorfismo a que fueron sometidos todos los terrenos de aquella era.

PRECANDIDATO, TA m. y f. *Amér.* Postulante a la candidatura de un partido político.

PRECARIO, RIA adj. De poca estabilidad o duración. • *Der.* Que se tiene sin título, por tolerancia o por inadvertencia del dueño. ■ PRECARISTA.

PRECAUCIÓN f. Reserva, cautela para cortar o prevenir los inconvenientes, embarazos o daños que pueden temerse. ■ PRECAUTORIO, RIA.

PRECAVER tr. y prnl. Prevenir un riesgo, daño o peligro, para guardarse de él y evitarlo. ■ PRECAVIDO, DA.

PRECEDENCIA f. Anterioridad, prioridad de tiempo; anteposición, antelación en el orden. • Preferencia en el lugar y asiento y en algunos actos honoríficos. • Primacía, superioridad.

PRECEDENTE adj. Que precede o es anterior y primero en el orden de la colocación o de los tiempos. • m. Antecedente, acción o circunstancia anterior que sirve para juzgar hechos posteriores. • Resolución anterior en caso igual o semejante.

PRECEDER tr. e intr. Ir delante en tiempo, orden o lugar. • tr. Anteceder o estar antepuesto. • fig. Tener una persona o cosa preferencia, primacía o superioridad sobre otra.

PRECEPTIVO, VA adj. Que incluye o encierra en sí preceptos; de cumplimiento obligado. • f. Conjunto de preceptos aplicables a determinada materia. • **literaria.** Tratado normativo de retórica y poética. La p. estudia las nociones de estética, métrica, estrofas, figuras poéticas, clasificación de los gén. literarios y la oratoria.

PRECEPTO m. Mandato u orden que el superior intima o hace observar y guardar al inferior o súbdito. • Cada una de las instrucciones o reglas que se dan o establecen para el conocimiento o manejo de un arte o facultad. • Por ant., cada uno de los del Decálogo o de los mandamientos de la ley de Dios. ■ PRECEPTISTA; PRECEPTOR, RA; PRECEPTUAR.

PRECES f. pl. Versículos de la Sagrada Escritura, con las oraciones destinadas por la Iglesia para pedir a Dios socorro en las necesidades. • Ruegos, súplicas. • Oraciones dirigidas a Dios, a la Virgen o a los santos. • Súplicas o instancias con que se pide y obtiene una bula o despacho de Roma.

PRECESIÓN f. *Ret.* Figura de dicción en que se deja incompleta una frase para que se sobreentienda. • *Fís.* Movimiento cónico de rotación de carácter giroscópico. • **de los equinoccios.** *Astr.* Movimiento de la Tierra, determinado por la atracción gravitacional del Sol y la Luna sobre la protuberancia ecuatorial terrestre, que altera el de rotación y determina una variación periódica de los polos celestes y un desplazamiento gradual de los equinoccios.

PRECIAR tr. Apreciar. • prnl. Vanagloriarse, presumir de algo. ■ PRECIADO, DA.

PRECINTA f. Tira, por lo regular de cuero, que se pone en las esquinas de los cajones para darles firmeza. • Tira de papel impreso que en las aduanas se aplica a las cajas de tabacos de regalía. • *Mar.* Tira con que se cubren las junturas de las tablas de los buques. ■ PRECINTAR.

PRECINTO m. Acción y efecto de precintar. • Ligadura sellada con que se atan a lo largo y a lo ancho cajones, baúles, fardos, paquetes, legajos, etc.

PRECOLOMBINO

1. Figurilla de cerámica maya, perteneciente al estilo jaina del periodo clásico tardío. Colección Barbáchano Ponce, México.
2. Jarro mixteca de Mihuatlán (Oaxaca, México). Museo de Historia Natural, Nueva York (EE UU).
3. Calendario azteca extraído del Códice Borgiano. Biblioteca Vaticana.
4. Figura de oro y cobre chibcha. Museo del Oro, Bogotá.
5. Vasija de barro en forma de llama macho del periodo Tiahuanaco de la Costa. Museo Nacional de Antropología y Arqueología, Lima.
6. Cabeza de piedra del santuario de Chavín, emplazado en el actual Perú.
7. Discos para las orejas de turquesa, concha y oro pertenecientes a la cultura mochica. Museo Rafael Largo Herrera, Lima.

PRECIO m. Valor pecuniario en que se estima una cosa. • fig. Estimación o crédito. • fig. Esfuerzo o sufrimiento que sirve de medio para conseguir una cosa, o que se presta y padece por ella. • **alzado.** Precio total de una cosa, que se ajusta sin detallar conceptos. • **de coste.** El que tiene en cuenta la retribución a los factores de producción y los gastos de transporte, mantenimiento, embalaje y publicidad; la diferencia entre este precio y el de venta es el beneficio. • **fijo.** El que se señala a una mercancía y no admite regateo.
PRECIOSISMO m. Nombre dado a un estilo literario y artístico usado en Francia durante el s. XVII, análogo al culteranismo en España. • P. ext., estilo extremadamente cuidado o refinado. ■ PRECIOSISTA.
PRECIOSO, SA adj. Excelente, digno de estimación y aprecio. • De mucho valor o de elevado coste. • fig. Chistoso, festivo, decidor, agudo. • fig. y fam. Hermoso. ■ PRECIOSIDAD.
PRECIOSURA f. fam. Persona o cosa bonita.
PRECIPICIO m. Despeñadero por cuya proximidad es peligroso andar. • Caída precipitada y violenta. • fig. Ruina espiritual.
PRECIPITACIÓN f. Prisa extremada. • *Meteor.* Agua procedente de la atmósfera, que en forma sólida o líquida se deposita sobre la superficie de la tierra. • *Quím.* Separación de una sustancia insoluble, originada ésta por una reacción química, en el seno de una disolución.
PRECIPITADO, DA adj. Atropellado, alocado, inconsiderado. • m. *Quím.* Materia que por resultado de reacciones químicas se separa del líquido en que estaba disuelta y se deposita en el fondo.
PRECIPITANTE adj. Que precipita. • m. *Quím.* Agente que determina la precipitación.
PRECIPITAR tr. y prnl. Despeñar, arrojar o derribar desde un lugar alto. • tr. Atropellar, acelerar. • fig. Exponer a uno o incitarle a una ruina espiritual o temporal. • *Quím.* Producir en una disolución una materia sólida que cae al fondo de la vasija. • prnl. fig. Acudir a un sitio muy deprisa. • Lanzarse irreflexivamente y sin prudencia a ejecutar o decir una cosa. ■ PRECIPITOSO, SA.
PRECIPITINA f. *Fisiol.* Anticuerpo específico de la sangre, formado a partir de la fracción de gammaglobulinas, capaz de actuar contra los antígenos correspondientes inactivándolos por medio de una precipitación.
PRECIPUO, PUA adj. Señalado o principal.
PRECISA f. *Amér. Merid.* Prisa. ■ *Amér. Merid.* PRECISADO; PRECISARSE.
PRECISAR tr. Fijar o determinar de modo preciso. • Obligar, forzar sin excusa a ejecutar una cosa. • intr. Ser necesario o imprescindible.
PRECISIÓN f. Obligación o necesidad indispensable. • Determinación, exactitud, puntualidad, concisión. • Tratándose del lenguaje, estilo, etc., concisión y exactitud rigurosa. • *Lóg.* Abstracción o separación mental que hace el entendimiento de dos cosas realmente idénticas, en virtud de la cual se concibe la una como distinta de la otra.
PRECISO, SA adj. Necesario, indispensable. • Puntual, fijo, exacto, cierto, determinado. • Distinto, claro y formal. • Tratándose del lenguaje, estilo, etc., conciso y exacto. • *Lóg.* Abstraído o separado por el entendimiento.
PRECITADO, DA adj. Antes citado.
PRECLARO, RA adj. Ilustre, famoso y digno de admiración y respeto.
PRECLÁSICO, CA adj. Díc. de lo que antecede a lo clásico en artes y en letras.
PRECOCIDO, DA adj. Díc. de alimentos previamente sometidos a un proceso de cocción y luego desecados, que para su consumición no precisan más que la adición de agua.
PRECOGNICIÓN f. Conocimiento anterior.
PRECOLOMBINO, NA adj. y s. Díc. de lo relativo a América, antes de su descubrimiento por Cristóbal Colón, especialmente el arte.
* *Arte.* Los dos grandes núcleos artísticos p. son Perú y las altiplanicies andinas, y la América Central y México. a) *Perú y regiones andinas*: el arte per. puede dividirse en tres periodos: 1000 a 400 a. C.,

Balanza de **precisión** con sensibilidad del orden de 0,001 mg

cultura de Chavín; 400 a. C. a 1000 d. C., culturas mochica y nazca; 1000 a 1532, cultura de Tiahuanaco e imperio inca. En Chavín se desarrolla la escultura, cerámica y orfebrería, con el tema dominante de una cabeza de felino con colmillos, y la arquitectura. El arte mochica se caracteriza por la cerámica pintada, vasijas antropomorfas y zoomorfas, con un anillo tubular. La cultura nazca, de tejedores y ceramistas, aporta gran variedad cromática y motivos estilizados de composición varia. En Tiahuanaco (Bolivia): escultura en piedra y cerámica pintada. La de estilización de la figura humana da el característico cuerpo pequeño y gran cabeza rectangular (Tiahuanaco). En el imperio inca destacan grandes conjuntos urbanos (Machu-Picchu). En todas las regiones per. se fabrican objetos de terracota y metal. b) *México y América Central*: el arte se puede clasificar en tres periodos, tras una larga prehistoria, y abarca aprox. de 300 a. C. a 1521 d. C. El primero cuenta con cuatro centros prales.: Monte Albán, Veracruz, Teotihuacán y las c. mayas; el segundo, con los territorios totonacas, el imperio tolteca y las áreas mixtecas; y e l tercero corresponde al imperio azteca (1325-1521). El centro religioso de Monte Albán presenta templos sobre pirámides truncadas, estelas de piedra en las entradas de las tumbas, cerámica antropomórfica y decoración mural de templos. La cultura de La Venta aporta una escultura en piedra y jade, y colosales cabezas pétreas. En Teotihuacán destacan las grandes pirámides que sirven de base a los templos del Sol y de la Luna. A esta zona pertenece el complejo de La Ciudadela, con el templo de Quetzalcóatl. Los mayas edificaron centros urbanos de plano idéntico: en el centro, un núcleo religioso administrativo, del que partían, en forma radial, callejas y casas. La base de sus templos es la pirámide truncada escalonada, base de un templo rectangular de fachada decorada. Estelas de temas religiosos y esculturas en el interior de los templos (Palenque,Yachilán). Representaciones del dios-serpiente y motivos geométricos simbólicos (Uxmal, Chichén-Itzá). El arte totonaca está representado en El Tajín, con la gran pirámide calendario, de 365 nichos. Los mixtecas, en Mitla, construyeron templos con plataforma; objetos policromados de cerámica y ajuares funerarios de orfebrería. La arquitectura y escultura de la región de Tula pertenece a los toltecas, con un estilo que se verá modificado en Chichén-Itzá: templos de techo plano con altares de sacrificio. Aportan los patios de columnas y los pilares en forma de serpiente. El arte azteca alcanza gran perfección en la escultura, con las estatuas que representan a sus dioses (Quetzalcóatl). Los manuscritos describen hechos históricos, leyendas, etc. Los tarascos del NO de México moldeaban figuras de terracota.

San Vicente Ferrer, **predicador.** Detalle de un retablo del Maestro del Grifo. Museo de Bellas Artes, Valencia (España)

PRECONCEBIR tr. Establecer previamente y con sus pormenores algún pensamiento o proyecto que ha de ejecutarse.

PRECONIZAR tr. Encomiar, tributar elogios públicamente a una persona o cosa. • Recomendar, defender o aconsejar algo que se considera de interés. ■ PRECONIZACIÓN.

PRECONOCER tr. Prever, conjeturar, conocer anticipadamente una cosa.

PRECORDIAL adj. *Anat.* Díc. de la región o parte del pecho que corresponde al corazón.

PRECOZ adj. Díc. del fruto temprano, prematuro. • fig. Se aplica al niño que posee un desarrollo intelectual, físico o moral superiores a los propios de su edad; por ant., díc. del que despunta en talento, agudeza, valor de ánimo u otra prenda estimable. También se aplica a estas mismas cualidades. ■ PRECOCIDAD.

PRECURSOR, RA adj. y s. Que precede o va delante. • adj. fig. Que profesa o enseña doctrinas o acomete empresas que no hallarán acogida sino en tiempo venidero.

PREDACIÓN f. Captura de presas vivas como fuente de alimentación. ■ PREDADOR, RA.

PREDATORIO, RIA adj. Concerniente al acto de hacer presa. • Concerniente al robo o al saqueo.

PREDECESOR, RA m. y f. Persona que precedió a otra en una dignidad o cargo. • Ascendiente de una persona.

PREDECIR tr. Anunciar por revelación, ciencia o conjetura, algo que ha de suceder. ■ PREDICCIÓN.

Materiales **prefabricados** para la construcción

PREDESTINACIÓN f. Destinación anterior de una cosa. • *Teol.* Ordenación de la voluntad divina con que desde la eternidad tiene elegidos a los que han de lograr la gloria.

PREDESTINACIONISMO m. Doctrina según la cual Dios decide la salvación o condenación del hombre, con independencia de la voluntad y actos de éste. Nació de una interpretación errónea de san Agustín.

PREDESTINAR tr. Destinar anticipadamente una cosa para un fin. • *Teol.* Destinar y elegir Dios desde la eternidad a los que por medio de su gracia han de lograr la gloria. ■ PREDESTINADO, DA.

PREDETERMINAR tr. Determinar o resolver con anticipación una cosa. ■ PREDETERMINACIÓN.

PRÉDICA f. Sermón o plática. • P. ext., perorata, discurso vehemente.

PREDICADO m. *Lóg.* Lo que se afirma del sujeto en una proposición. • *Gram.* Junto con el sujeto, elemento indispensable para la formación de la oración. Puede considerarse como lo dicho acerca del sujeto. El p. puede ser nominal o verbal. El primero está expresado por un adjetivo o por un sustantivo o por cualquier otra frase o expresión que tenga sentido de éstos. El p. es verbal, cuando lo que dice del sujeto expresa una acción o fenómeno del mismo. ■ PREDICATIVO, VA.

PREDICAMENTO m. *Lóg.* Cada una de las clases o categorías a que se reducen todas las cosas o entidades físicas. • Dignidad, opinión, lugar o grado de estimación que uno ha merecido por sus obras.

PREDICAR tr. Publicar, hacer patente y clara una cosa. • Pronunciar un sermón. • Alabar con exceso. • fig. Reprender agriamente. • fig. y fam. Amonestar a uno para persuadirle de algo. ■ PREDICABLE; PREDICACIÓN; PREDICADOR, RA.

PREDILECCIÓN f. Cariño con que se distingue a una persona entre otras. ■ PREDILECTO, TA.

PREDIO m. Heredad, hacienda, tierra o posesión inmueble. ■ PREDIAL.

PREDISPONER tr. y prnl. Preparar, disponer anticipadamente algo o a alguien para un fin determinado. • Influir sobre uno en favor o en contra de algo o de alguien. ■ PREDISPOSICIÓN.

PREDNISONA f. *Farm.* Sustancia artificial esteroide, derivada de las hormonas de las cápsulas suprarrenales, de gran poder antiinflamatorio.

PREDOMINAR tr. e intr. Prevalecer, preponderar. • fig. Exceder mucho en alt. una cosa respecto de otra. ■ PREDOMINIO.

PREDORSAL adj. Sit. en la parte anterior de la espina dorsal. • *Fon.* Díc. del sonido en cuya articulación interviene pralm. la parte anterior del dorso de la lengua. • adj. y f. Díc. de la letra que representa este sonido.

PREELEGIR tr. Elegir con anticipación; predestinar.

PREEMINENCIA f. Privilegio, exención, ventaja o preferencia que goza uno respecto de otro por razón o mérito especial. ■ PREEMINENTE.

PREENCENDIDO m. *Mec. apl.* Fenómeno que tiene lugar en los motores endotérmicos de encendido por chispa cuando ciertas partes de la cámara alcanzan una temperatura excesiva y encienden la mezcla antes de que salte la chispa de la bujía.

PREESTABLECIDO, DA adj. Díc. de lo establecido por ley o reglamento con anterioridad a un momento determinado.

PREEXCELSO, SA adj. Sumamente ilustre, grande y excelso.

PREEXISTIR intr. *Fil.* Existir antes, o realmente, o con antelación de naturaleza u origen. ■ PREEXISTENCIA.

PREFABRICADO, DA adj. y m. Díc. de los elementos fabricados fuera de la obra, efectuándose en ésta sólo la colocación.

PREFACIO o **PREFACIÓN** m. Prólogo o introducción de un libro. • Parte de la misa que precede inmediatamente al canon.

PREFECTO m. Entre los rom., título de varios jefes militares o civiles. • Ministro que preside y manda en un tribunal, junta o comunidad eclesiástica. • Persona a quien compete cuidar de que se desempeñen debidamente ciertos cargos. • En Francia, gobernador de un departamento. ■ PREFECTURA.

PREFERENCIA f. Primacía, ventaja o mayoría que una persona o cosa tiene sobre otra. • Elección de una cosa o persona entre varias; inclinación favorable o predilección hacia ella.

PREFERIR tr. y prnl. Dar la preferencia; gustar más. • Exceder, aventajar. • prnl. Gloriarse, jactarse. ■ PREFERIBLE.

PREFIGURAR tr. Representar anticipadamente una cosa. ■ PREFIGURACIÓN.

PREFIJACIÓN f. *Gram.* Modo de formar nuevas voces por medio de prefijos.

PREFIJAR tr. Determinar, señalar o fijar anticipadamente una cosa.

PREFIJO, JA adj. y m. *Gram.* Díc. del afijo que va antepuesto. • m. En la comunicación telefónica automática, signos que se marcan antes del núm. del abonado con quien se quiere hablar.

PREFLORACIÓN f. *Bot.* Disposición relativa de los sépalos y pétalos de una flor dentro del capullo. Se trata de un carácter taxonómico.

PREFORMISMO m. *Biol.* Doctrina que sostiene que todos los elementos del cuerpo de los animales se encuentran ya formados en las células sexuales que les dan origen.

PREFULGENTE adj. Muy resplandeciente y lúcido.

PREGONAR tr. Publicar en voz alta algo para que todos lo sepan. • Publicar a voces la mercancía que se vende. • fig. Publicar lo que estaba oculto o lo que debía callarse. • fig. Alabar en público los hechos, virtudes o cualidades de una persona. • Proscribir. ■ PREGÓN; PREGONERO, RA.

PREGUNTA f. Demanda o interrogación que se hace para que uno responda lo que sabe de un negocio u otra cosa. • pl. Interrogatorio.

PREGUNTAR tr. y prnl. Interrogar o hacer preguntas a uno para que responda lo que sabe sobre un asunto. • Exponer en forma interrogante una cuestión, bien para indicar duda o bien para vigorizar la exp., cuando se reputa imposible o absurda la respuesta. ■ PREGUNTÓN, NA.

PREHELÉNICO, CA adj. y s. Concerniente a la Grecia anterior a la civilización de los ant. helenos.

PREHISPÁNICO, CA adj. y s. Díc. de la América anterior a la conquista y colonización esp., y de sus pueblos, lenguas y civilizaciones; → precolombino.

PREHISTORIA f. Ciencia que estudia la evolución de la especie humana desde su aparición sobre la Tierra hasta el descubrimiento de la escritura. La única fuente de conocimiento de que dispone es la arqueología, o sea, el estudio de los restos obtenidos en excavaciones. La p. se ha dividido en la Edad de Piedra (Paleolítico, Mesolítico y Neolítico) y en la Edad de los Metales (Edad del Bronce y del Hierro).

PREHISTÓRICO, CA adj. y s. Relativo al periodo estudiado por la prehistoria. • fig. Anticuado, viejo.

* *Arte.* La escultura se considera la manifestación más ant. Se inicia en el paleolítico superior. Junto a ella aparece el arte rupestre. Durante el mesolítico predominan las formas geométricas y microlíticas y decaen las técnicas del hueso y la piedra; el arte evoluciona hacia el esquematismo del neolítico. Con el nacimiento de la agricultura y el sedentarismo aparece la cerámica. El descubrimiento de la metalurgia dará lugar a la cultura megalítica (dólmenes, menhires).

PREHOMÍNIDO m. Primate fósil que tiene caracteres simiescos y humanos. Los p. constituyen un conjunto evolutivo de formas que se sitúan alrededor de la aparición del hombre. Su representante pral. es el *Ramapithecus.*

PREISLÁMICO, CA adj. Relativo a los pueblos que formaban parte del Islam, en la época en que aún no se habían incorporado a esta comunidad religiosa.

PREJUDICIAL adj. *Der.* Que requiere o pide decisión anterior y previa a la sentencia de lo principal. • *Der.* Díc. de la acción o excepción que ante todas las cosas se debe examinar y definir.

PREJUZGAR tr. Juzgar de las cosas antes del tiempo oportuno, o sin tener de ellas cabal conocimiento. ■ PREJUICIO; PREJUDICIO.

PRELACIÓN f. Antelación o preferencia con que una cosa debe ser atendida respecto de otra con la cual se compara.

PRELADA f. Superiora de un convento de religiosas.

PRELADO m. Superior eclesiástico constituido en una de las dignidades de la Iglesia, como abad, obispo, arzobispo, etc. • Superior de un convento o comunidad eclesiástica. ■ PRELACÍA; PRELATICIO, CIA; PRELATURA.

PRELIMINAR adj. Que sirve de preámbulo para tratar sólidamente una materia. • adj. y s. fig. Que antecede o se antepone a una acción, empresa, litigio, etc. • m. Cada uno de los artículos generales que sirven de fundamento para el ajuste y tratado de paz definitivo entre las potencias contratantes o sus ejércitos. Se usa más en pl.

PRELUDIAR intr. y tr. *Mús.* Probar, ensayar un instrumento o la voz, por medio de escalas u otros floreos, antes de comenzar la pieza principal. • tr. fig. Preparar o iniciar una cosa, darle entrada.

PRELUDIO m. Lo que precede y sirve de entrada, preparación o principio a una cosa. • *Mús.* Lo que se toca o canta para ensayar la voz, probar los intrumentos o fijar el tono, antes de comenzar la ejecución de una obra musical. • *Mús.* Composición musical independiente, destinada a preceder la ejecución de otras obras. • *Mús.* Obertura o sinfonía.

PREM Tinsulanonda (nacido 1920) Político thailandés. Primer ministro de 1980 a 1988.

PREMATRIMONIAL adj. Que precede al matrimonio o se realiza antes de él. Aplícase especialmente a la relación sexual.

PREMATURO, RA adj. Que no está en sazón. • Que ocurre antes de tiempo. • adj. y s. Díc. del niño que nace entre los 6 y 8 meses y medio de gestación, o del que al nacer no llega a los 2 kg y medio de peso.

PREMEDITAR tr. Pensar reflexivamente una cosa antes de ejecutarla. • *Der.* Proponerse perpetrar un delito, tomando al efecto disposiciones previas. ■ PREMEDITACIÓN.

PREMENSTRUAL adj. Que precede a la menstruación. Se aplica especialmente a la serie de síntomas o trastornos que se presentan en la mujer los días anteriores a la menstruación.

PREMIAR tr. Remunerar, galardonar con mercedes, privilegios, empleos o rentas los méritos y servicios de uno. ■ *Amér.* PREMIACIÓN.

PREMIER (voz ing.) m. Presid. del consejo de ministros en Gran Bretaña.

PREMINGER, *Otto* (1906-1986) Director de cine austr., nacionalizado norteam. *Laura, El hombre del brazo de oro, Anatomía de un asesinato, Éxodo, Tempestad sobre Washington, El rapto de Bunny Lake, El factor humano.*

PREMIO m. Recompensa, galardón o remuneración que se da por algún mérito o servicio. • *Psic.* Recompensa que, lo mismo que el castigo, se emplea como refuerzo del aprendizaje durante el proceso educativo del niño, para estimular tanto su conducta como su aplicación escolar. • Vuelta, demasía, cantidad que se añade al precio o valor por vía de compensación o de incentivo. • Aumento de valor dado a algunas monedas o por el curso del cambio internacional. • Cada uno de los lotes sorteados en la lotería nacional. • Nombre de determinadas competiciones deportivas, concursos literarios, etc.

PREMIOSO, SA adj. Tan ajustado o apretado que dificultosamente se puede mover. • Gravoso, molesto. • Que apremia o estrecha. • fig. Rígido, estricto. • fig. Díc. de la persona falta de agilidad, tarda, lenta para la acción o la expresión. • fig. Díc. también del lenguaje o estilo que carece de espontaneidad y soltura. ■ PREMIOSIDAD.

PREMISO, SA adj. Prevenido, propuesto o enviado con anticipación. • *Der.* Que precede. Sólo tiene uso en algunas fórmulas jurídicas. • f. *Lóg.* Cada una de las dos primeras proposiciones del silogismo, de donde se infiere y saca la conclusión. • fig. Señal o indicio por donde se infiere una cosa o se viene en conocimiento de ella.

PREMOCIÓN f. Moción anterior, que inclina un efecto u operación.

PREMOLAR adj. y s. *Anat.* Díc. de los molares que en la dentición del mamífero adulto han reemplazado a los de la primera dentición.

PREMONICIÓN f. Presentimiento, presagio; advertencia moral. ■ PREMONITOR, RA; PREMONITORIO, RIA.

PREMONSTRATENSE o **PREMOSTRATENSE** adj. y s. Díc. de la orden de canónigos regula-

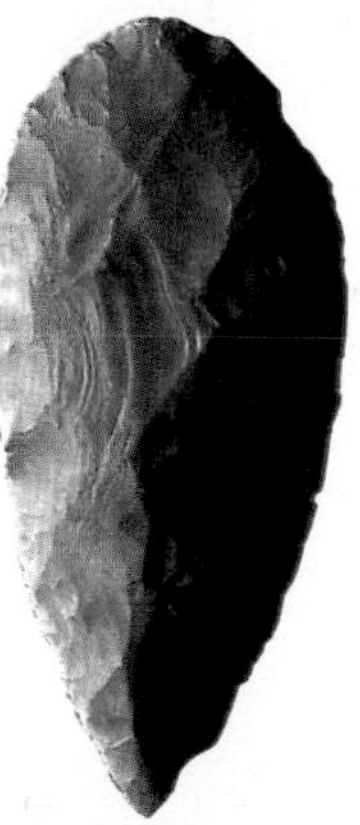

Prehistoria.
De arriba abajo: punta de lanza del Paleolítico Inferior. Museo Moravo, Brno (Rep. Checa); Venus de Willendorf, del Paleolítico Superior. Museo de Historia Natural, Viena; pintura rupestre del Neolítico, en la Cova dels Cavalls de Valltorta, Castellón (España)

Mecanismo de una **prensa** manual

res fundada por San Norberto (1119), y de los individuos que la profesan.

PREMORIR intr. *Der.* Morir una persona antes que otra. ■ PREMORIENCIA.

PREMUNIR tr. *Amér.* Proveer de alguna cosa para conseguir algún fin.

PREMURA f. Aprieto, apuro, prisa, urgencia, instancia.

PRENATAL adj. Que existe o se produce antes del nacimiento.

PRENDA f. Cosa mueble que se sujeta especialmente a la seguridad o cumplimiento de una obligación. • Cualquiera de las alhajas, muebles o enseres de uso doméstico. • Cualquiera de las partes que componen el vestido y calzado. • Lo que se da o hace en señal, prueba o demostración de una cosa. • fig. Cualquier cosa no material que sirve de seguridad y firmeza para un fin. • fig. Lo que se ama intensamente. • fig. Cada una de las buenas partes, cualidades o perfecciones, así del cuerpo como del alma, con que la naturaleza adorna a una persona. • pl. Cierto juego que consiste en decir y hacer los concurrentes una cosa, y paga p. el que no la hace bien.

PRENDAR tr. Sacar una prenda o alhaja para la seguridad de una deuda o para la satisfacción de un daño. • Ganar la voluntad y agrado de uno. • prnl. Aficionarse, enamorarse de una persona o cosa. ■ PRENDAMIENTO.

PRENDEDERO m. Cualquier instrumento que sirve para prender o asir una cosa. • Broche con que las mujeres sujetan diversas prendas del vestido. • Cinta o tira de tela usada para asegurar el pelo.

PRENDEDOR, RA m. y f. Persona que prende. • m. Cualquier instrumento que sirve para prender. • Instrumento para prender papeles. • Broche que se usa como adorno, o para sujetar alguna prenda.

PRENDER tr. Asir, agarrar, sujetar una cosa. • Sujetar dos cosas entre sí, por medio de prendedor, alfiler o puntada. • Asegurar a una persona privándola de la libertad, y pralm. ponerla en la cárcel. • Hacer presa una cosa en otra. • Cubrir o fecundar el macho, o fecundarse la hembra. • Hablando del fuego, de la luz o de cosas combustibles, encender o incendiar. • tr. y prnl. Adornar, ataviar, engalanar a una mujer. • intr. Arraigar la planta en la tierra. • intr. y tr. Empezar a ejecutar su cualidad o comunicar su virtud una cosa a otra. *Díc.* del fuego cuando se empieza a cebar en una materia. ■ PRENSIÓN.

Prerrafaelismo. A la derecha, *El taller del carpintero*, óleo de J. Everett Millais; abajo, detalle de *La glorieta azul*, óleo de D. G. Rossetti

PRENDIDO m. Adorno de las mujeres, especialmente el de la cabeza. • Patrón o dibujo picado que sirve de regla para hacer los encajes. • Parte del encaje hecha sobre lo que ocupa el dibujo.

PRENDIMIENTO m. Acción de prender; prisión, captura.

PRENOCIÓN f. *Fil.* Primer conocimiento de las cosas.

PRENOMBRE m. Nombre que entre los rom. precedía al de familia.

PRENOTAR tr. Notar con anticipación.

PRENSA f. *Mec. apl.* Máquina para comprimir un material entre dos cabezales. • fig. Imprenta. • fig. Conjunto de las publicaciones periódicas y especialmente las diarias. • **hidráulica.** *Mec. apl.* Instrumento que básicamente consiste en dos depósitos, de áreas muy distintas, que se comunican por su fondo. Si en el émbolo que cierra el depósito menor se ejerce una presión, ésta se transmitirá íntegramente al émbolo que cierra el depósito mayor. • **Dar a la p.** Imprimir y publicar una obra. • **Entrar,** o **meter, en p.** Comenzar la tirada del impreso. • **Tener** uno **buena,** o **mala, p.** fig. Tener uno buena o mala fama. ■ PRENSISTA.

* *Mec. apl.* Las p. se diferencian de los martillos en que dan una presión lenta, de acción extendida y permanente, con lo que se consigue que la deformación alcance las fibras internas de la pieza.

PRENSAESTOPAS m. Pieza metálica roscada con que se aprieta la estopa de un grifo.

PRENSAR tr. Apretar algo por cualquier procedimiento. • fig. Apretujar a muchas personas en un espacio demasiado reducido. ■ PRENSADO, DA; PRENSADURA.

PRENSERO m. *Col.* Cada uno de los individuos que en los ingenios sirven para introducir la caña en los trapiches.

PRENSIL adj. Que sirve para asir o coger.

PRENSORA adj. y f. *Zool.* Díc. de las aves de mandíbulas robustas, la superior encorvada desde la base, y las patas con dos dedos dirigidos hacia atrás. Act. se denominan psitaciformes • f. pl. *Zool.* Orden de estas aves.

PRENUNCIAR tr. Anunciar de antemano.

PREÑADO, DA adj. y f. Díc. de la mujer, o de la hembra de cualquier especie, que ha concebido y tiene el feto o la criatura en el vientre. • adj. fig. Díc. de la pared que está desplomada y forma como una barriga, por lo cual amenaza ruina. • fig. Lleno o cargado. • fig. Que incluye en sí una cosa que no se descubre. • m. Preñez, embarazo y tiempo que dura. • Feto o criatura en el vientre materno.

PREÑAR tr. Fecundar o hacer concebir a la hembra. • fig. Llenar, henchir.

PREÑEZ f. Embarazo de la mujer. • Tiempo que dura. • fig. Estado de un asunto que no ha llegado a su resolución. • fig. Confusión, oscuridad incluida en una cosa que la da a conocer de algún modo.

PREOCUPACIÓN f. Anticipación o prevención que una cosa obtiene o merece. • Juicio o primera impresión que hace una cosa en el ánimo de uno, de modo que estorba para admitir otras especies. • Ofuscación del entendimiento causada por pasión, por error de los sentidos, por educación o por el ejemplo de aquellos con quienes tratamos. • Cuidado, desvelo, previsión de alguna contingencia azarosa o adversa.

PREOCUPAR tr. Ocupar anticipadamente una cosa, o prevenir a uno en la adquisición de ella. • fig. Prevenir el ánimo de uno, de modo que dificulte el asentir a otra opinión. • tr. y prnl. Poner el ánimo en cuidado, embargarlo, mantenerlo fijo en un problema, un asunto o una contingencia. • prnl. Estar prevenido o encaprichado en favor o en contra de una persona, opinión u otra cosa.

PREOPERATORIO, RIA adj. Díc. del periodo que precede a una intervención quirúrgica y de la serie de cuidados, exámenes y medidas que se toman para realizar la operación.

PREORDEN m. *Mat.* Relación que cumple las propiedades de una relación de orden salvo la antisimétrica.

PREORDINAR tr. *Teol.* Determinar Dios y disponer todas las cosas *ab aeterno* para que tengan su efecto en los tiempos debidos.

PREPALATAL adj. *Fon.* Se aplica al sonido que se pronuncia aplicando el dorso de la lengua a la parte anterior del paladar. • Se aplica a la letra que representa este sonido.

PREPARACIÓN f. o **PREPARAMIENTO** m. Acción y efecto de preparar o prepararse. • Conjunto de conocimientos que se tienen sobre una materia. • *Biol.* Muestra que se ha tratado de una forma especial para ser analizada a través del microscopio, rayos X, etc.

PREPARADO, DA adj. y s. Díc. de la droga o medicamento preparado. • *Comp.* Díc. de cualquier periférico cuando se encuentra en condiciones de establecer un diálogo con la computadora.

PREPARADOR, DA m. y f. Persona que prepara. • *Dep.* Entrenador.

PREPARAR tr. Prevenir, disponer y aparejar una cosa para que sirva a un efecto. • Prevenir a un sujeto o disponerle para una acción. • Enseñar a alguien determinada materia o la forma de llevar a cabo una acción. • Hacer las operaciones necesarias para obtener un producto; disponer la ejecución o prevenir el advenimiento de un hecho. • Templar la fuerza del principio activo de las medicinas hasta reducirlas al grado conveniente para la curación. • prnl. Disponerse, prevenirse y aparejarse para ejecutar una cosa o con algún otro fin determinado. ■ PREPARATIVO, VA; PREPARATORIO, RIA.

PREPONDERAR intr. Pesar más una cosa respecto de otra. • fig. Prevalecer o hacer más fuerza una opinión u otra cosa que aquella con la cual se compara. • fig. Ejercer una persona o un conjunto de ellas influjo dominante o decisivo. ■ PREPONDERANCIA.

Vista parcial de la **presa** de Orellana sobre el río Guadiana, en Badajoz, España

PREPONER tr. Anteponer o preferir una cosa a otra.

PREPOSICIÓN f. *Gram.* Parte invariable de la oración, cuyo oficio es denotar el régimen o relación que entre sí tienen dos palabras o términos. Se las clasifica en fuertes (*a, de, con*) y débiles *(contra, según)*; y en propias e impropias. Las más usadas e inequívocamente preposicionales son las débiles. También se usan como sufijos. • **inseparable.** *Gram.* Prefijo, afijo inseparable. ■ PREPOSITIVO, VA.

PREPOSICIONAL adj. Díc. de la voz que tiene caracteres propios de las preposiciones o puede usarse como tal. • Relativo a la preposición. • Díc. del sintagma que se introduce en una oración por medio de una preposición.

PREPÓSITO m. Primero y pral. en una junta o comunidad. Actualmente se llaman así los superiores de algunas comunidades religiosas.

PREPOSTERAR tr. Trastocar el orden de algunas cosas, poniendo después lo que debía estar antes. ■ PREPOSTERACIÓN; PREPOSTERO, RA.

PREPOTENCIA f. Poder superior al de otros, o gran poder. ■ PREPOTENTE.

PREPUCIO m. *Anat.* Piel móvil que cubre el bálano. • **del clítoris.** Pliegue mucoso formado por los labios menores que cubren el clítoris.

PRERRAFAELISMO m. Movimiento estético nacido en Gran Bretaña en el s. XIX y definido por Ruskin, que quiso imitar el estilo de los pintores it. anteriores a Rafael. No fue un movimiento puramente pictórico. ■ PRERRAFAELISTA O PRERRAFELITA.

PRERROGATIVA f. Privilegio, gracia o exención de que uno goza. • fig. Atributo de excelencia o dignidad muy honrosa en cosa inmaterial. • Facultad importante de algunos de los poderes supremos del Estado.

PRERROMANO, NA adj. Anterior al dominio o civilización de los ant. rom.

PRERROMANTICISMO m. *Lit.* Movimiento de reacción frente al neoclasicismo y a las reglas preceptistas, que se produjo en Europa a mediados del s. XVIII. *Werther*, de Goethe; *Manon Lescaut*, del abate Prévost, y *La nueva Eloísa*, de Rousseau, son obras típicas del prerromanticismo. ■ PRERROMÁNTICO, CA.

PRESA f. Acción de prender o tomar una cosa. • Animal cazado por otro, al que sirve de alimento. • Cosa apresada o robada. • Botín de guerra. • Acequia o zanja de regar. • *Const.* Muro de fábrica que se destina a la contención de las aguas o acumulación con objeto de producir energía, facilitar el regadío, etc. • Conducto por donde se lleva el agua para dar movimiento a las ruedas de los molinos u otras máquinas hidráulicas. • Tajada, pedazo o porción pequeña de una cosa comestible. • Cada uno de los colmillos o dientes agudos y grandes que tienen en ambas quijadas algunos animales. • Lance de lucha o juego en que el luchador sujeta e inmoviliza al contrario, llave. • *Cet.* Ave prendida por halcón u otra ave de rapiña. • *Cet.* Uña del halcón u otra ave de rapiña. • **de caldo.** Pisto, jugo de carne machacada y prensada, especialmente para enfermos.

PRESAGIO m. Señal que indica, previene y anuncia un suceso favorable o contrario. • Especie de adivinación o conocimiento de las cosas futuras por las señales que se han visto o por movimiento interior del ánimo que las previene. ■ PRESAGIAR.

PRESBICIA f. Deficiencia total o parcial en la acomodación del ojo. También llamada vista cansada. ■ PRÉSBITA O PRÉSBITE.

PRESBITERIANA Reformada, *Iglesia* → Cameroniano.

PRESBITERIANISMO m. *Rel.* Término con que se designan todas las Iglesias protestantes nacidas del calvinismo, o que hicieron suyas sus doctrinas, las cuales no aceptan otra autoridad que la de los presbíteros en el gobierno de sus comunidades. Se oponen, por tanto, a las que admiten la autoridad dimanada de las asambleas de los fieles (congregacionalistas) o la del obispo (episcopalianos). ■ PRESBITERIANO, NA.

PRESBITERIO m. Parte de la iglesia inmediata al altar. • Reunión de los presbíteros con el obispo.

PRESBÍTERO m. Clérigo ordenado de misa, o sacerdote. ■ PRESBITERADO; PRESBITERAL.

PRESBURGO Ant. nombre de → Bratislava. • **Tratado de P.** Tratado de paz firmado en 1805 entre Napoleón y el emp. de Austria, Francisco II, por el cual Francia se anexionó el Véneto y parte de Istria, y Dalmacia, Baviera y Württemberg se convirtieron en reinos, y Baden en gran ducado.

PRESCIENCIA f. Conocimiento de las cosas futuras.

PRESCINDIR intr. Hacer abstracción de una persona o cosa; pasarla por alto, omitirla. • Abstenerse, privarse de ella, evitarla. ■ PRESCINDENCIA.

PRESCRIBIR tr. Preceptuar, ordenar, determinar una cosa. • intr. *Der.* Extinguirse un derecho, una acción o una responsabilidad. • *Der.* Adquirir un derecho real o extinguirse un derecho o acción por el transcurso del tiempo en las condiciones previstas por la ley. • Concluir o extinguirse una carga, obligación o deuda por el transcurso de cierto tiempo. ■ PRESCRIPCIÓN.

PRESEA f. Alhaja, joya o cosa preciosa.

PRESENCIA f. Asistencia personal, o estado de la persona que se halla delante de otra u otras o en el mismo paraje que ellas. • P. ext., asistencia o estado de una cosa que se halla delante de otra u otras o en el mismo paraje que ellas. • Talle, figura y disposición del cuerpo. • Representación, pompa, fausto. • fig. Memoria actual de una especie, o representación de ella. • **de ánimo.** Serenidad o tranquilidad que conserva el ánimo, así en los sucesos adversos como en los prósperos. ■ PRESENCIAL.

PRESENCIAR tr. Hallarse presente a un acontecimiento, ver algo que está ocurriendo.

PRESENIL adj. *Med.* Díc. de los estados o fenómenos de apariencia senil, pero ocurridos antes de la vejez.

PRESENTACIÓN f. Acción y efecto de presentar o presentarse. • Fiesta particular que celebra la Iglesia católica el 21 de noviembre, en conmemoración de que fue María Santísima presentada a Dios por sus padres en el templo. • Parte del feto que se encaja en la pelvis y aparece al exterior en el parto.

PRESENTADOR, RA adj. y s. Que presenta. • m. y f. Persona que presenta y comenta un espectáculo, un espacio radiofónico o un programa televisivo.

PRESENTALLA f. Exvoto.

PRESENTAR tr. y prnl. Hacer manifestación de una cosa; ponerla en la presencia de uno. • tr. Dar graciosa y voluntariamente a uno una cosa. • Proponer a un sujeto para una dignidad, oficio o beneficio eclesiástico. • Introducir a uno en la casa o en el trato de otro. • Colocar provisionalmente una cosa para ver el efecto que produciría colocada definiti-

***Presentación** de María en el templo*, fresco de Giotto. Capilla de los Scrovengni, Padua (Italia)

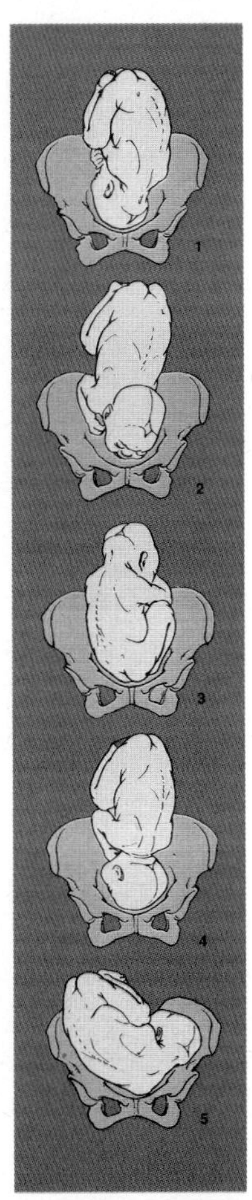

Formas de **presentación** que adopta el feto intrauterino: 1. de vértice; 2. de cara; 3. de nalgas; 4. de frente; 5. de hombro

Altímetro barométrico, instrumento que determina la altura a partir de la **presión atmosférica.** Incluye un termómetro para efectuar las correspondientes correcciones

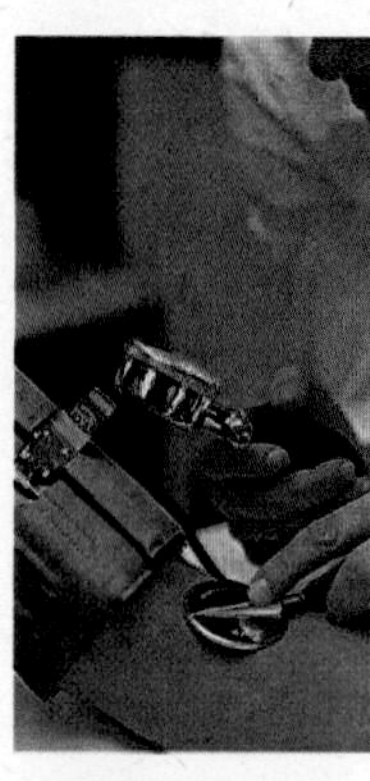

Medición de la **presión sanguínea** mediante un esfigmomanómetro, un estetoscopio y un manguito de presión

vamente. • Dar a conocer al público un libro, un programa, un espectáculo, etc. • Hablando de excusas, ofrecerlas; hablando de quejas, exponerlas. • tr. y prnl. Dar o darse a conocer dos personas, diciendo su nombre. • prnl. Ofrecerse voluntariamente a la disposición de una persona para un fin. • Comparecer en algún lugar o acto. • Comparecer ante un jefe o autoridad de quien se depende. • Comparecer en juicio. • Aparecer, mostrarse; producirse, surgir. ■ PRESENTABLE; PRESENTADO, DA.

PRESENTE adj. Que está delante o en presencia de uno, o concurre con él en el mismo sitio. • Díc. del tiempo en que actualmente está uno cuando refiere una cosa. • *Gram.* Tiempo del verbo que expresa la realización del acontecimiento como contemporánea al momento de hablar. • m. Don, alhaja o regalo que una persona da a otra en señal de reconocimiento o de afecto. • **Al p.,o de p.** m. adv. Ahora, cuando se está diciendo o tratando. • En la época actual. • **Mejorando lo p.** Exp. que se emplea por cortesía cuando se alaba a una persona delante de otra . • **Por él, por la,** o **por lo,** p.m. adv. Por ahora, en este momento.

PRESENTIR tr. Antever intuitivamente lo que ha de suceder. • Adivinar una cosa antes que suceda, por algunos indicios o señales que la preceden. ■ PRESENTIMIENTO.

PRESERVAR tr. y prnl. Poner a cubierto anticipadamente a una persona o cosa, de algún daño o peligro. ■ PRESERVACIÓN.

PRESERVATIVO, VA adj. y m. Que tiene virtud o eficacia de preservar. • m. Bolsa cilíndrica, gralte. de goma o caucho, con la que se cubre el pene durante el coito para evitar la fecundación o el contagio venéreo.

PRESIDENCIA f. Dignidad, empleo o cargo de presidente. • Acción de presidir. • Sitio que ocupa el presidente o su oficina o morada. • Tiempo que dura el cargo. ■ PRESIDENCIAL.

PRESIDENCIABLE adj. *Amér.* Persona que se considera apta para ocupar la presidencia de un país o de una institución, o que puede llegar a presid. por su fuerza política.

PRESIDENCIALISMO m. *Pol.* Sistema de gobierno en que el presid. de la rep. es también primer ministro, sin depender del respaldo parlamentario. ■ PRESIDENCIALISTA.

PRESIDENTA f. La que preside. • Mujer del presidente.

PRESIDENTE adj. Que preside. • m. El que preside. • Cabeza o superior de un consejo, tribunal, junta o sociedad. • En las repúblicas, el jefe electivo del Est., normalmente por un plazo fijo. • Entre los rom., juez gobernador de una provincia. • En algunas religiones, el que sustituye al prelado. • Maestro que, puesto en la cátedra, asiste al discípulo que sustenta un acto literario.

PRESIDENTE HAYES Dpto. del centro-O de Paraguay, sit. en la región del Chaco, entre los r. Paraguay y Pilcomayo, y limitado al SO por Argentina; 72 907 km^2, 38 200 hab. Cap., Pozo Colorado. Está formado por una extensa llanura con abundantes esteros en los márgenes fluviales. Clima subtropical y vegetación boscosa y del tipo sabana. Caña de azúcar, algodón y maíz. Ganadería. Ind. siderúrgica.

PRESIDIO m. Guarnición de soldados que se pone en las plazas, castillos y fortalezas para su custodia y defensa. • Ciudad o fortaleza que se puede guarnecer de soldados. • Establecimiento penitenciario en que cumplen sus condenas los penados por graves delitos. • Conjunto de presidiarios de un mismo lugar. • Pena señalada para varios delitos, con diversos grados de rigor y de tiempo. • fig. Auxilio, ayuda, socorro, amparo. ■ PRESIDARIO; PRESIDIARIO.

PRESIDIR tr. Tener el primer lugar en una asamblea, corporación, junta o tribunal, o en un acto o una empresa. • Asistir el maestro, desde la cátedra, al discípulo que sustenta un acto literario. • Predominar, tener una cosa pral. influjo.

PRESÍDIUM m. En la desaparecida URSS, comité elegido por el Soviet Supremo; constituye el órgano del poder ejecutivo del país.

PRESILLA f. Cordón pequeño, de seda u otra materia, en forma de lazo, con que se prende o asegura una cosa. • Cierta especie de lienzo. • Entre sastres, costurilla de puntos unidos que se pone en los ojales y otras partes para que la tela no se abra.

PRESIÓN f. Acción y efecto de apretar o comprimir. • *Fís.* Fuerza que ejerce un cuerpo sobre cada unidad de superficie. • fig. Fuerza o coacción que se hace sobre una persona o colectividad. • **atmosférica.** *Fís.* Fuerza que el aire ejerce sobre los cuerpos que se hallan en la atmósfera. • **de combustión.** *Fís.* La producida en la cámara de combustión de los motores endotérmicos. • **de radiación.** *Fís.* La ejercida por los fotones emergidos de un manantial luminoso al chocar con un obstáculo. • **sanguínea.** *Fisiol.* La que ejerce la sangre circulante sobre las paredes de los vasos.

PRESIONAR tr. Ejercer presión sobre alguna persona o cosa. • Ejercer presión sobre el enemigo para hacerle abandonar sus posiciones.

PRESLEY, ***Elvis*** (1935-1977) Cantante de *rock and roll* norteam. Protagonizó algunas películas. *El barrio contra mí.*

PRESO, SA adj. y s. Díc. de la persona que sufre prisión.

PRESOCRÁTICO, CA adj. Díc. de los filósofos y escuelas de Grecia anteriores a Sócrates. Se les clasifica en → preáticos y → sofistas.

PRESOSTATO o **PRESÓSTATO** m. Dispositivo que mantiene constante la presión de un fluido en una canalización o un depósito.

PRESOV C. de Eslovaquia; 80 500 hab. Centro comercial e industrial.

PRESPORA f. *Bot.* Área lisa y transparente del citoplasma de las células próximas a esporular y que gradualmente se convierte en una espora típica.

PRESTACIÓN f. Cosa o servicio exigido por una autoridad. • Cosa o servicio que un contratante da o promete al otro. • Renta, tributo o servicio pagadero al señor, al propietario o a alguna entidad corporativa.

PRESTAMISMO m. Actividad del que presta dinero. • **laboral.** Reventa de mano de obra, que se efectúa alquilándola previamente a bajo precio, entre obreros parados. ■ PRESTAMISTA.

PRÉSTAMO m. Dinero que el Est. o una corporación toma de los particulares con una garantía, empréstito. • Dinero o valor que toma un particular para devolverlo. • Terreno donde se excava el volumen necesario para completar con el material de los desmontes el de los terraplenes de un camino, explanación, etc. • *Der.* Denominación contractual genérica que abarca las dos especies de mutuo o simple préstamo y comodato.

PRESTANCIA f. Excelencia, superior calidad. • Aspecto de distinción. ■ PRESTANTE.

PRESTAR tr. Entregar a uno dinero u otra cosa para que por algún tiempo tenga el uso de ella, con la obligación de restituir igual cantidad o la cosa misma. • Ayudar, asistir o contribuir al logro de una cosa. • Dar o comunicar. • Junto con los nombres *atención, paciencia, silencio*, etc., tener u observar lo que estos nombres significan. • intr. Aprovechar, ser útil o conveniente para la consecución de un intento. • Dar de sí, extendiéndose. • prnl. Ofrecerse, allanarse, avenirse a una cosa. ■ PRESTATARIO, RIA.

PRESTE m. Sacerdote que celebra la misa cantada, asistido del diácono y el subdiácono.

PRESTE, ***Juan*** Legendario monarca cristiano de la E. Med., cuyo reino se suponía en África o Asia. Los port. le identificaron con el negus de Abisinia.

PRESTES, ***Luis Carlos*** (1898-1990) Político bras. Comunista, encabezó el movimiento revolucionario de la Alianza Nacional Libertadora (1935), por lo que fue encarcelado (1935-1945). Su postura colaboracionista motivó la escisión de los partidarios de la lucha armada. Secretario general del partido comunista bras. (1945-1980), en 1984 fue expulsado del mismo. • **De Albuquerque,** ***Julio*** (1882-1946) Político bras. Gobernador de São Paulo (1927-1930). Vencedor en las elecciones de 1930, tuvo que exiliarse a causa de la insurrección de Getulio Vargas.

PRESTEZA f. Prontitud, diligencia y brevedad en hacer o decir una cosa.

PRESTIDIGITACIÓN f. Arte o habilidad para hacer juegos de manos y otros embelecos para distracción del público. ■ PRESTIDIGITADOR, RA.

PRESTIGIO m. Fascinación que se atribuye a la magia o es causada por medio de un sortilegio. • Engaño, ilusión o apariencia con que se embauca a alguien. • Ascendiente, influencia, autoridad. • Realce, estimación, renombre, buen crédito. ■ PRESTIGIAR; PRESTIGIOSO, SA.

PRESTISSIMO (voz it.) adv. modo. *Mús.* Término que indica un ritmo muy rápido. • m. *Mús.* Pieza o movimiento musical ejecutada con dicho ritmo.

PRESTO, TA adj. Pronto, diligente, ligero en la ejecución de una cosa. • Aparejado, pronto, preparado o dispuesto para ejecutar una cosa o para un fin. • adv. tiempo. Luego, al instante, con gran prontitud y brevedad. • *Mús.* Con movimiento muy rápido. • m. *Mús.* Composición musical o parte de ella que se ejecuta con este movimiento.

PRESTON C. de Gran Bretaña, en Inglaterra, cap. del condado de Lancashire; 143 700 hab. Sit. a orillas del mar de Irlanda. Centro industrial.

Pretoria. Fachada del Palacio de Justicia, en la Plaza de la Iglesia

PRESUMIR tr. Sospechar, juzgar o conjeturar una cosa por tener indicios o señales para ello. • intr. Vanagloriarse, tener alto concepto de sí mismo. ■ PRESUMIBLE; PRESUMIDO, DA.

PRESUNCIÓN f. Acción y efecto de presumir. • *Der.* Cosa que por ministerio de la ley se tiene como verdad. • **de hecho y de derecho.** *Der.* La que tiene carácter absoluto o preceptivo, en contra de la cual no vale ni se admite prueba. • **de ley,** o **de solo derecho.** *Der.* La que por ordenamiento legal se reputa verdadera, en tanto que no exista prueba en contrario. ■ PRESUNTUOSO, SA.

PRESUPONER tr. Dar antecedentemente por sentada, cierta, notoria y constante una cosa para pasar a tratar de otra. • Hacer cálculo previo o presupuesto de gastos e ingresos. ■ PRESUPOSICIÓN.

PRESUPUESTAR tr. Formar el cómputo de los gastos e ingresos que han de resultar en un negocio. • Incluir una partida en el presupuesto del Est. o de una corporación. ■ PRESUPUESTARIO, RIA.

PRESUPUESTO m. Motivo, causa o pretexto con que se ejecuta una cosa. • Supuesto o suposición. • Cómputo anticipado del coste de una obra, y también de los gastos o de las rentas de un hospital, ayuntamiento u otro cuerpo, y aun de los generales de un Est., o de un departamento.

PRESURA f. Opresión, aprieto, congoja. • Prisa, prontitud y ligereza. • Ahínco, porfía. • Cuajo.

PRESURIZACIÓN f. *Aer.* Método consistente en mantener en las cabinas de los aviones que vuelan a gran alt. una presión atmosférica adecuada para el organismo de sus ocupantes. ■ PRESURIZADO; DA; PRESURIZAR.

PRESUROSO, SA adj. Pronto, ligero, veloz.

PRETAL m. Petral.

PRETENCIOSO, SA o **PRETENSIOSO, SA** adj. Presuntuoso, presumido.

PRETENDER tr. Querer conseguir algo. • Hacer diligencias para conseguir algo. • Cortejar un hombre a una mujer. • Intentar, procurar. • Afirmar algo de cuya realidad se duda. ■ PRETENDIDO, DA.

PRETENDIENTE, TA adj. y s. Que pretende o solicita una cosa. • m. El que pretende o corteja a una mujer. • Príncipe que reivindica un trono al que cree tener derecho.

PRETENSAR tr. *Const.* En las obras de hormigón armado, someter los elementos estructurales a un sistema de tensiones de sentido opuesto a las que deberán soportar, antes de su colocación en la obra. ■ PRETENSADO, DA.

PRETENSIÓN f. Solicitud para conseguir una cosa que se desea. • Derecho bien o mal fundado que uno juzga tener sobre una cosa. • Aspiración, a veces excesivamente ambiciosa o fuera de lugar. Se usa también en pl.

PRETERICIÓN f. Acción y efecto de preterir. • En la filosofía ant., forma de lo que no existe de presente, pero que existió en algún tiempo. • *Der.* Omisión, en la institución de herederos, de uno que ha de suceder forzosamente, según la ley. • *Ret.* Figura que consiste en aparentar que se quiere omitir o pasar por alto aquello mismo que se dice expresa o encarecidamente.

PRETERIR tr. Hacer caso omiso de una persona o cosa. • *Der.* Omitir en la institución de herederos a los que lo son forzosos, sin desheredarlos expresamente en el testamento.

PRETÉRITO, TA adj. Díc. de lo que ya ha pasado. • adj. y s. *Gram.* Tiempo pretérito. • **imperfecto.** *Gram.* Tiempo que indica haber sido presente la acción del verbo, coincidiendo con otra acción ya pasada. • **indefinido.** *Gram.* Expresa una acción totalmente finalizada en el momento en que se habla. • **perfecto.** *Gram.* Tiempo que denota ser ya pasada la significación del verbo. Dividido en simple y compuesto. • **pluscuamperfecto.** *Gram.* Enuncia que una cosa estaba ya hecha, o podía estarlo cuando otra se hizo.

PRETERMISIÓN f. Omisión. • *Ret.* Preterición.

PRETERMITIR tr. Dejar a un lado, omitir.

PRETERNATURALIZAR tr. y prnl. Alterar, trastornar el ser o estado natural de una cosa. ■ PRETERNATURAL.

PRETEXTA f. Toga que usaron algunas personas en la ant. Roma. Era blanca y orlada por abajo con una lista de púrpura.

PRETEXTO m. Motivo o causa simulada o aparente que se alega para hacer una cosa o para excusarse de no haberla ejecutado. ■ PRETEXTAR.

PRETI, ***Mattia*** (1613-1699) Pintor it. que adoptó la técnica del claroscuro de Caravaggio. Su estilo se concretaría en un decorativismo barroco. *Cristo resucitado y santos.*

PRETIL m. Murete o vallado que se pone en los puentes y en otros parajes para preservar de caídas. • P. ext., sitio llano, calzada o paseo a lo largo de un p.

PRETINA f. Correa o cinta con hebilla o broche para sujetar en la cintura ciertas prendas de ropa. • Cintura donde se ciñe la p. • Parte de las ropas que se ciñe y ajusta a la cintura. • fig. Lo que ciñe o rodea una cosa.

PRETÓNICO, CA adj. Protónico.

PRETOR m. Magistrado rom. que ejercía jurisdicción en Roma o en las provincias. ■ PRETURA.

PRETORIA C. de la República Sudafricana, cap. del Transvaal y sede del gobierno; 528 400 hab. Centro industrial. Fundada, en 1855, por Pretorius, primer pres. de la República de Transvaal.

PRETORIAL adj. Relativo al pretor. • Díc. de la audiencia que, en Indias, no dependía del virrey.

PRETORIANISMO m. Influencia política abusiva ejercida por algún grupo militar.

PRETORIANO, NA adj. Relativo al pretor. • adj. y m. Se aplica a los soldados de la guardia personal de los ant. emp. rom.

PRETORIO, RIA adj. Concerniente al pretor. • m. Palacio donde habitaban y donde juzgaban las causas los pretores rom. o los presid. de las provincias. ■ PRETORIENSE.

PRETORIUS, ***Andries Wilhelmus Jacobus*** (1798-1853) Político sudafricano. Fundó la Rep. de Natal y, al anexionársela los brit., marchó al Transvaal, donde fundó una rep. • ***Marthinus*** (1819-1901) Político sudafricano, hijo del anterior. Primer presid. de la rep. de Transvaal. Se opuso a la ocupación brit.

PREVALECER intr. Sobresalir una persona o cosa; tener alguna superioridad o ventaja entre otras. • Conseguir, obtener una cosa en oposición de otros. • Arraigar las plantas y semillas en la tierra. • fig. Crecer y aumentar una cosa no material.

La gloria de los santos, óleo de Mattia **Preti.** Museo del Prado, Madrid

Pretorianos en un relieve del s. II d. C. Museo del Louvre, París

PREVALER intr. Prevalecer. • prnl. Valerse o servirse de una cosa.

PREVARICAR intr. Delinquir los funcionarios públicos, dictando o proponiendo resolución de manifiesta injusticia. • P. ext., cometer uno cualquier otra falta menos grave en el ejercicio de sus deberes. • fam. Desvariar, decir desatinos. ■ PREVARICACIÓN; PREVARICADOR, RA; PREVARICATO.

PREVENCIÓN f. Preparación y disposición que se hace anticipadamente para evitar un riesgo o ejecutar una cosa. • Provisión de mantenimiento o de otra cosa que sirve para un fin. • Concepto, por lo común desfavorable, que se tiene de una persona o cosa. • Puesto de policía o vigilancia de un distrito, donde se lleva preventivamente a las personas que han cometido algún delito o falta. • Der. Acción y efecto de prevenir el juez las primeras diligencias. • *Mil.* Guardia del cuartel, que cela el orden y policía de la tropa. • *Mil.* Lugar donde está.

El general **Prim,** por Casado del Alisal

PREVENIDO, DA adj. Apercibido, dispuesto, aparejado para una cosa. • Provisto, abundante, lleno. • Próvido, advertido, cuidadoso.

PREVENIR tr. Preparar, aparejar y disponer con anticipación las cosas necesarias para un fin. • Prever, ver, conocer de antemano o con anticipación un daño o perjuicio. • Precaver, evitar, estorbar o impedir una cosa. • Advertir, informar o avisar a uno de una cosa. • Imbuir, impresionar, preocupar el ánimo o voluntad de uno, induciéndole a prejuzgar personas o cosas. • Anticiparse a un inconveniente, dificultad u objeción. Ordenar y ejecutar un juzgado las diligencias iniciales o preparatorias de un juicio. • Instruir las primeras diligencias para asegurar los bienes y las resultas de un juicio. • prnl. Disponer con anticipación. ■ PREVENTIVO, VA; PREVENTORIO.

PREVER tr. Ver con anticipación. • Conocer, conjeturar por algunas señales o indicios lo que ha de suceder. • Disponer o preparar medios contra futuras contingencias. ■ PREVISIBLE; PREVISIÓN ; PREVISOR, RA.

PREVERBIO m. *Gram.* Elemento que, como pref., se antepone a un verbo y que, al igual que un adv., ejerce un efecto modificador sobre él.

PRÉVERT, *Jacques* (1900-1977) Poeta y guionista de cine fr. Entre sus colecciones figuran: *Palabras, Espectáculo, La lluvia y el buen tiempo, Fatras y Hebdromedarios*. Escribió guiones para Carné y Cayatte.

PREVIO, VIA adj. Anticipado, que va delante o que sucede primero. • m. *Cin.* Grabación del sonido antes de tomar la imagen.

PRÉVOST d'Exiles, *Antoine-François*, llamado ABATE PRÉVOST (1679-1763) Escritor fr., benedictino. Alcanzó gran éxito con su obra *Historia del caballero Des Grieux y de Manon Lescaut*, precursora del romanticismo.

Násico, mamífero del orden **primates**

PREZ amb. Honor, estima o consideración que se adquiere o gana con una acción gloriosa. • Opinión pública de la excelencia de uno en una profesión o arte.

PRÍAMO *Mit. gr.* Hijo de Laomedonte y rey de Troya. Luchó contra las Amazonas y defendió Troya del asedio de los gr.

PRIAPISMO m. *Pat.* Erección continua y dolorosa del miembro viril, sin apetito venéreo.

PRÍAPO *Mit. gr.* Dios de los campos, huertos y rebaños, y señor de la fuerza genésica y de la lascivia.

PRIAPULOIDEO, A adj. y m. *Zool.* Díc. de animales de la clase priapuloideos. • m. pl. *Zool.* Clase de animales invertebrados, marinos, vermiformes, del tipo de los asquelmintos.

PRICE, *George Cadle* (nacido 1919) Político de Belice. Primer ministro entre 1961-1984, período en que consiguió la indep. del país (1981), y entre 1989-1993. • ***Vincent*** (1911-1993) Actor cinematográfico norteam. *Los crímenes del museo de cera, La caída de la casa Usher*. • **Mars, *Jean*** (1876-1969) Antropólogo y sociólogo haitiano. *Así habla el tío*.

PRIESTLEY, *John Boynton* (1894-1984) Novelista y dramaturgo brit. *La herida del tiempo, Los buenos compañeros, Esquina peligrosa, Llama un inspector*. • ***Joseph*** (1723-1804) Teólogo y químico brit., descubridor del nitrógeno y del sistema respiratorio de los vegetales.

PRIETO, TA adj. Aplícase al color muy oscuro y que casi no se distingue del negro. • Apretado, peligroso. • fig. Mísero, escaso, codicioso.

PRIETO, *Guillermo* (1818-1897) Escritor mex., cantor de la indep. y de los tipos populares de su país. *Romancero nacional, Musa callejera*. • ***Indalecio*** (1883-1962) Político esp. Encabezó el ala centrista del partido socialista. Durante la República y la guerra civil fue ministro en varias ocasiones. Impulsó con Azaña el Frente Popular. • ***Joaquín*** (1786-1854) Militar y político chil. Elegido presid. de la rep. (1831-1836), bajo su mandato se promulgó la constitución de 1833. Fue reelegido (1836-1841) y declaró la guerra a la Confederación Peruboliviana (1836). • **Figueroa, *Luis Beltrán*** (nacido 1902) Político y pedagogo ven. Secretario de la Junta Revolucionaria de gobierno (1945-1948) y presid. del Senado (1963-1964). Fundador del Movimiento Electoral del Pueblo. *Problemas de la educación venezolana*. • **Pradillo, *Guillermo*** (1818-1897) Escritor y político mex., liberal. Considerado el cronista del México del s. XIX. *La musa callejera, El susto de Pinganillas*.

PRIGOGINE, *Ilya* (nacido 1917) Físico y químico belga de origen sov. Investigó la mecánica estadística de los procesos irreversibles y los estados termodinámicos. Premio Nobel de Química en 1977.

PRIM, *Juan* (1814-1870) Militar y político esp. Fue capitán general de Puerto Rico (1847) e intervino en México (1862). Como jefe del gobierno, tras la revolución de 1868, buscó un nuevo rey para España.

PRIMA DONNA f. *Mús.* Término it. que equivale a «primera dama». Se utiliza desde los inicios de la ópera para realzar la figura de la cantante, y se identifica con el de diva.

PRIMACÍA f. Superioridad, ventaja o excelencia que una cosa tiene con respecto a otra de su especie. • Dignidad o empleo de primado.

PRIMADO m. Primer lugar, grado, superioridad o ventaja que una cosa tiene respecto de otras de su especie. • Prelado con jurisdicción sobre los arzobispos y obispos. • Primacía.

PRIMAL, LA adj. y s. Aplícase a la res ovejuna o cabría que tiene más de un año y no llega a dos. • m. Cordón o trenza de seda.

PRIMAR intr. Recompensar con el pago de una cantidad que se añade a la estipulada de antemano.

PRIMARIO, RIA adj. Principal o primero en orden o grado. • adj. y m. *El.* Respecto de una bobina de inducción u otro aparato semejante, díc. de la corriente inductora y del circuito por donde fluye. • *Geol.* Relativo a uno o varios de los terrenos sedimentarios más antiguos. • Paleozoico. • m. Catedrático de prima.

PRIMATE adj. y m. *Zool.* Díc. de mamíferos de organización superior, plantígrados, con extremidades terminadas en cinco dedos provistos de uñas de los cuales el pulgar es oponible a los demás, por lo menos en los miembros torácicos. • m. pl. *Zool.* Orden de estos animales, del que existen unas 200 especies, casi todas en las regiones tropicales.

PRIMAVERA f. Estación del año, que astronómicamente empieza en el equinoccio del mismo nombre y termina en el solsticio de verano. • Época templada del año correspondiente en el hemisferio boreal a los meses de marzo, abril y mayo, y en el austral a los de septiembre, octubre y noviembre. • *Bot.* Planta herbácea perenne, de hojas arrugadas y ásperas al tacto y flores amarillas. • Cierto tejido de seda sembrado y matizado de flores de varios colores. • fig. Cualquier cosa vistosamente varia y de hermoso colorido. • fig. Tiempo en que una cosa está en su mayor vigor y hermosura. • adj. y s. fig. y fam. Díc. de la persona simple, cándida o fácil de engañar. ■ PRIMAVERAL.

PRIMER adj. Apócope de primero. Sólo se usa antepuesto a un sustantivo masculino en singular.

PRIMERIZO, ZA adj.y s. Que hace por vez primera una cosa, o es novicio o principiante en un arte, profesión o ejercicio. • adj. y f. Díc. especialmente de la hembra que pare por primera vez.

PRIMERO, RA adj. y s. Díc. de la persona o cosa que precede a las demás de su especie en orden, tiempo, lugar, situación, clase o jerarquía. • adj. Excelente, grande y que sobresale y excede a otros. • Antiguo, y que antes se ha poseído y logrado. • Con referencia a una serie de términos ya mencionados en el discurso, díc. del que lo ha sido antes que el otro u otros. • adj. y f. *Aut.* Díc. de la marcha que se usa en el arranque de un vehículo, y que es la de menor velocidad. • adv. tiempo. Primeramente. • Antes, más bien, de mejor gana, con más o mayor gusto. Se usa para contraposición adversativa de una cosa que se pretende o se intenta. • **De primera.** loc. fig. y fam. Sobreentendiéndose clase, calidad, etc., sobresaliente en su línea.

PRIMICIA f. Fruto primero de cualquier cosa. • Prestación de frutos y ganados que además del diezmo se daba a la Iglesia. • pl. fig. Principios o primeros frutos de cualquier cosa no material.

PRIMIGENIO, NIA adj. Primitivo, originario.

PRIMÍPARA f. Hembra que pare por primera vez.

PRIMITIVISMO m. Condición, mentalidad, tendencia o actitud propia de los pueblos primitivos. • Tosquedad, rudeza, elementalidad. • Carácter peculiar del arte o literatura primitiva. • Tendencia pictórica que se inspira en el estilo de los artistas primitivos.

PRIMITIVO, VA adj. Primero en su línea, o que no tiene origen de otra cosa. • Relativo a los orígenes. • adj. y s. *Antr.* Díc. de los pueblos de civilización poco desarrollada, y de los individuos que los componen. • Rudimentario, elemental, tosco. • adj. *Gram.* Díc. de las palabras que no derivan de otra. • adj. y m. *Arte.* Díc. del arte y el artista anteriores al renacimiento clásico.

* *Antr.* Las sociedades p. se caracterizan por la falta de escritura, la tecnología rudimentaria, la estructura social simple, la falta de una teología estructurada y la formación de comunidades pequeñas.

PRIMO, MA adj. Primero. • Primoroso, excelente. • adj. y m. *Mat.* Díc. de un núm. entero de un polinomio que no puede descomponerse en factores que sean enteros o polinomios (a excepción de 1 y del propio número o polinomio), respectivamente. • m. y f. Respecto de una persona, hijo o hija de su tío o tía. Si es hijo de tío carnal se llama p. hermano o carnal; si de tío segundo, p. segundo, y así sucesivamente. • fam. Persona incauta que se deja engañar o explotar fácilmente. • adv. modo. En primer lugar. • f. Primera de las cuatro partes iguales en que dividían los rom. el día artificial. • Una de las siete horas canónicas, que se dice después de laudes. • *Mús.* En algunos instrumentos de cuerda, la que es primera en orden y la más delgada de todas, que produce un sonido muy agudo. • *Cet.* Halcón hembra. • Cantidad que el cesionario de un derecho o una cosa da al cedente por añadidura del coste originario. • Premio concedido, a fin de estimular operaciones de conveniencia pública o que interesan al que lo concede. • Complemento salarial que se da a un trabajador para estimular su rendimiento y aumentar la productividad. • Suma que en ciertas operaciones de bolsa se obliga el comprador a plazo a pagar al vendedor por el derecho a rescindir el contrato. • Precio que el asegurado paga al asegurador, de cuantía unas veces fija y otras proporcional. • *Mat.* Signo (') que se pone después de una letra, por ej., *a'*, *b'*, y que se lee *a prima*, *b prima*. • **Hacer el primo.** fig. y fam. Dejarse engañar fácilmente. ■ PRIMADA.

PRIMO de Rivera, *Fernando* (1831-1921) Militar y político esp. Apoyó la Restauración. Capitán general de Filipinas (1897-1898) y ministro de la Guerra (1907, 1917) • ***José Antonio*** (1903-1936) Político esp., hijo del dictador. Elaboró una doctrina social y política ultraconservadora, asimilable al fascismo. En 1933 fundó Falange Española. Elegido diputado en 1933. Detenido en Alicante, su apoyo al alzamiento militar de 1936 determinó su juicio y condena a muerte. • ***Miguel*** (1870-1930) Militar y político esp. En 1923, con el implícito apoyo de Alfonso XIII, organizó un golpe de Est., asumiendo poderes dictatoriales. Su pral. triunfo fue la pacificación de Marruecos. En 1929 se enfrentó al complot militar de Sánchez Guerra y a la crisis de la peseta. Esto le haría dimitir en 1930.

PRIMOGÉNITO, TA adj. y s. Aplícase al hijo que nace primero. ■ PRIMOGENITURA.

PRIMOR m. Destreza, habilidad, esmero o excelencia en hacer o decir una cosa. • Artificio y hermosura de la obra ejecutada con él. ■ PRIMOREAR; PRIMOROSO, SA.

PRIMORDIAL adj. Primitivo, primero. Aplícase al principio fundamental de cualquier cosa.

PRIMORDIO m. *Bot.* Estadio inicial de desarrollo de un órgano. • **seminal.** Óvulo contenido en el ovario de las flores.

PRIMORIE o **TERRITORIO DEL LITORAL** Territorio de Rusia, en Udmurtia; 165 900 km², 2 136 000 hab. Cap., Vladivostok. Soja, remolacha azucarera. Plomo, cinc, oro, estaño. Ind. naval, refinerías.

PRÍMULA f. Primavera, planta.

PRIMULÁCEO, A adj. y f. *Bot.* Díc. de plantas de la familia primuláceas. • f. pl. *Bot.* Familia de plantas angiospermas dicotiledóneas, herbáceas, con hojas esparcidas, flores hermafroditas, y fruto en cápsula.

PRÍNCEPS adj. Príncipe, aplicado a la primera edición de una obra.

PRINCESA f. Mujer del príncipe. • La que por sí goza o posee un estado que tiene título de principado.

PRINCETON C. de EE UU, en el est. de Nueva Jersey; 13 800 hab. Universidad de fama mundial por su sección de ciencias físicas y matemáticas.

PRINCIP, *Gavrilo* (1894-1918) Patriota servio, autor de la muerte en Sarajevo de Francisco Fernando de Habsburgo (1914), pretexto para el inicio de la I Guerra Mundial.

PRINCIPADO m. Título o dignidad de príncipe. • Territorio o lugar sobre el que recae este título. • Territorio o lugar sujeto a la potestad de un príncipe. • Primacía, ventaja o superioridad con que una cosa excede en alguna calidad a otra con la cual se compara. • pl. Espíritus bienaventurados que forman el séptimo coro.

PRINCIPAL adj. Díc. de la persona o cosa que tiene el primer lugar en estimación o importancia y se antepone y prefiere a otras. • Ilustre, esclarecido en nobleza. • Díc. del que es el primero en un negocio o en cuya cabeza está. • Esencial o fundamental, por oposición a accesorio. • Aplicado a edición, príncipe. • adj. y f. *Gram.* Díc. de la oración que no depende de otra ni de ningún elemento oracional; en la oración compuesta, la que tiene un valor subordinante respecto a otra u otras que dependen lógica y gramaticalmente de ella. • adj. y m. Díc. del piso que en los edificios se halla sobre el bajo o sobre el entresuelo. • m. Capital de una obligación o censo, en oposición a rédito, pensión o canon. • *Der.* Poderdante, con respecto a su apoderado.

PRÍNCIPE adj. Díc. de la primera edición de una obra de la que se hicieron varias. • m. El primero y más excelente, superior o aventajado en una cosa. • P. ant., hijo primogénito del rey, heredero de su corona. • Individuo de familia real o imperial. • Soberano de un Est. • Título de honor que dan los reyes. • Cualquiera de los grandes de un reino o monarquía. • **consorte.** El esposo de una soberana reinante. • **de Asturias.** Título que se da al hijo del rey que es inmediato sucesor de la corona de España. • **de Gales.** El heredero de la corona de Inglaterra. • **de la Iglesia.** Cardenal. • **de los apóstoles.** San Pedro. ■ PRINCIPESCO, CA.

PRÍNCIPE Isla volcánica del golfo de Guinea; 128 km², 5 000 hab. Cap. San Antonio. → Santo Tomé y Príncipe.

PRÍNCIPE EDUARDO, *isla del* *(Prince Edward Island)* Prov. marítima de Canadá que ocupa la isla hom.; 5 660 km², 130 000 hab. Cap. Charlottetown. Relieve llano. Costa con numerosos puertos naturales. Clima frío. Vegetación forestal. Patatas, cereales y forrajes. Ganado vacuno y zorros plateados. Pesca. Ind. de transformación agrícola.

PRINCIPIAR tr. y prnl. Comenzar, dar principio a una cosa. ■ PRINCIPIANTA; PRINCIPIANTE.

PRINCIPIO m. Primer instante del ser de una cosa. • Punto que se considera como primero en una extensión o cosa. • Causa primitiva o primera de una cosa. • Cualquiera de los platos que se sirven en la comida entre el entrante y los postres. • Cualquiera de las primeras proposiciones o verdades por donde se empiezan a estudiar las facultades. • Cualquier cosa que entra con otra en la composición de un cuerpo. • Norma o idea fundamental que rige el pensamiento o la conducta. Se usa más en pl. • *Fís.* Ley general que se establece empíricamente. • **de contradicción.** *Fil.* Enunciado lógico consistente en aceptar la imposibilidad de que una cosa

Primavera

Miguel
Primo de Rivera

Iglesia de estilo británico en la isla del **Príncipe Eduardo**

Prismáticos

Busto de Marco Aurelio
Probo

Elefante asiático, mamífero del orden
proboscidios

sea y no sea al mismo tiempo. • **Principios inmediatos.** *Biol.* Cuerpos de constitución química definida, en los que puede descomponerse una sustancia determinada. • **Al p.** m. adv. Al empezar una cosa. • **En p.** m. adv. Díc. de lo que se acepta o acoge en esencia, sin que haya entera conformidad en la forma o los detalles.

PRINGAR tr. Empapar con pringue el pan u otro alimento. • Estrujar con pan algún alimento pringoso. • tr. y prnl. Manchar con pringue. • tr. fam. Herir haciendo sangre. • fig. y fam. Denigrar, infamar. • intr. fig. y fam. Tomar parte en un negocio o dependencia. • prnl. fig. y fam. Interesarse uno indebidamente en el caudal, hacienda o negocio que maneja. • fig. y fam. Participar en un negocio sucio. ■ PRINGOSO, SA.

PRINGUE amb. Grasa que suelta el tocino u otra cosa semejante sometida a la acción del fuego. • fig. Suciedad, grasa o porquería que se pega a la ropa o a otra cosa. ■ PRINGOSO, SA.

PRINZAPOLCA R. de Nicaragua; 251 km. Nace en la cordillera Isabela y desemboca en el Caribe.

PRÍO Socarrás, *Carlos* (1903-1977) Político cub. Primer ministro (1945-1947), ministro de Trabajo (1947-1948) y presid. (1948-1952). Derrocado por Batista.

PRION m. *Biol.* Agente infeccioso que contiene una forma anormal de glicoproteína y que se considera causante de ciertas enfermedades nerviosas, como la encefalopatía espongiforme bovina.

PRIONODONTE m. *Pal.* Especie de armadillo fósil de gran tamaño.

PRIOR adj. En lo escolástico, díc. de lo que precede a otra cosa en cualquier orden. • m. En algunas religiones, superior o prelado ordinario del convento. • En otras, segundo prelado después del abad. • Dignidad que hay en algunas iglesias catedrales. • En algunos obispados, párroco o cura.

PRIORA f. Superiora de algunos conventos de religiosas. • En algunas órdenes, religiosa que tiene el gobierno y mando después de la superiora.

PRIORAL adj. Relativo al prior o a la priora.

PRIORATO m. Oficio, dignidad o empleo de prior o priora. • Distrito o territorio en que tiene jurisdicción el prior. • En la orden benedictina, casa en que habitan monjes pertenecientes a un monasterio pral. • Nombre que se da a ciertos monasterios. • Vino tinto que se elabora en la comarca del mismo nombre, en la prov. de Tarragona (España).

PRIORAZGO m. Priorato, oficio y dignidad de prior o priora.

PRIORIDAD f. Anterioridad de una cosa respecto de otra, o en tiempo o en orden. • Anterioridad o precedencia de una cosa a otra que depende o procede de ella, y no al contrario. • Preferencia. ■ PRIORITARIO, RIA.

PRIPIAT R. de Europa, afl. del Dniéper; atraviesa los pantanos de Pinsk, en Bielorrusia; 810 km.

PRISA f. Prontitud o rapidez con que sucede o se ejecuta una cosa. • Rebato, escaramuza o pelea muy encendida y confusa. • Concurso grande al despacho de una cosa. • Entre sastres y otros oficiales, concurrencia de muchas obras. • Muchedumbre, tropel. • **A p.** m. adv. Aprisa. • **A toda p.** m. adv. Con la mayor prontitud. • **Correr p.** una cosa. Ser urgente. • **Dar p.** Instar y obligar a uno a que ejecute una cosa con presteza y brevedad. • **De p.** m. adv. Deprisa. • **De p. y corriendo.** m. adv. Con la mayor celeridad, atropelladamente, sin detención o pausa alguna.

PRISCAL m. Lugar en el campo donde se recogen los ganados por la noche.

PRISCILIANO (m. 385) Heresiarca y prelado hispanorromano, oriundo de Galicia. No hacía distinción de Personas en la Trinidad y no admitía la existencia del Verbo ni de la Encarnación.

PRISCO m. Albérchigo, árbol. • Fruto de este árbol.

PRISIÓN f. Acción de prender, asir o coger. • Cárcel o sitio donde se encierra a los presos. • *Cet.* Presa que hace el halcón volando a poca altura. • *Cet.* Atadura con que están presas las aves de caza. • fig. Cualquier cosa que ata o detiene físicamente. • fig. Lo que une estrechamente las voluntades y afectos. • *Der.* Pena de privación de libertad, inferior a la reclusión y superior a la de arresto. • pl. Grillos, cadenas y otros instrumentos con que en las cárceles se aseguraba a los delincuentes.

PRISIONERO, RA m. y f. Militar u otra persona que en tiempo de guerra cae en poder del enemigo. • fig. El que está como cautivo de un afecto o pasión. • **de guerra.** El que se entrega al vencedor precediendo capitulación.

PRISMA m. *Geom.* Sólido limitado por dos polígonos iguales y paralelos y por tantos paralelogramos como lados tienen dichos polígonos. • *Ópt.* P. triangular de cristal, que se usa para producir la reflexión, la refracción y la descomposición de la luz.

PRISMÁTICO, CA adj. De forma de prisma. • Relativo al prisma. • m. pl. *Ópt.* Instrumento constituido por dos anteojos acoplados que proporcionan una visión binocular aumentada de objetos lejanos.

PRISTE m. *Zool.* Pez sierra, pez marino selacio, de cuerpo fusiforme, color fusco, y en la mandíbula superior un espolón semejante a una espada.

PRÍSTINO, NA adj. Antiguo, primero, primitivo, original.

PRIVACIÓN f. Acción de despojar, impedir o privar. • Carencia o falta de una cosa en el sujeto capaz de tenerla. • Pena con que se desposee a uno del empleo, derecho o dignidad que tenía, por un delito que ha cometido. • Ausencia del bien que se desea.

PRIVADO, DA adj. Que se ejecuta a vista de pocos, familiar y domésticamente, sin formalidad ni ceremonia alguna. • Particular y personal de cada uno. • m. El que tiene privanza.

PRIVANZA f. Primer lugar en la gracia y confianza de un príncipe o alto personaje, y p. ext., de cualquiera otra persona.

PRIVAR tr. Despojar a uno de una cosa que poseía. • Destituir a uno de un empleo, ministerio, dignidad, etc . • Prohibir o vedar. • tr. y prnl. Quitar o suspender el sentido, como sucede con un golpe violento u olor sumamente vivo. • intr. Tener privanza. • Tener general aceptación de una persona o cosa. • prnl. Dejar voluntariamente una cosa de gusto, interés o conveniencia.

PRIVATIVO, VA adj. Que causa privación o la significa. • Propio y peculiar singularmente de una cosa o persona, y no de otras.

PRIVILEGIO m. Gracia o prerrogativa que concede el superior, exceptuando o libertando a uno de una carga o gravamen, o concediéndole una exención de que no gozan otros. • Documento en que consta la concesión del mismo. ■ PRIVILEGIADO, DA; PRIVILEGIAR.

PRO prep. insep. que tiene su recta significación de *por* o *en vez de* (como en *pronombre*), o la de *delante* en sentido fig. (como en *proponer*); o denota más ordinariamente publicación (como en *proclamar*); continuidad de acción, impulso o movimiento hacia adelante (como en *procrear, promover, propasar*); negación o contradicción (como en *proscribir)*; sustitución (como en *procónsul*). • amb. Provecho. • **El p. y el contra.** fr. con que se denota la confrontación de lo favorable y lo adverso de una cosa. • **En p.** m. adv. En favor.

PRO INDIVISO loc. adj. latina. *Der.* Díc. de los caudales o de las cosas singulares que están en comunidad, sin dividir.

PROA f. *Mar.* Parte delantera del casco de una nave, con la cual corta las aguas. • P. ext., parte delantera de otros vehículos.

PROBABILIDAD f. Verosimilitud o fundada apariencia de verdad. • Calidad de probable. • *Mat.* Medida del grado de ocurrencia de un suceso.

* *Mat.* Para una experiencia cualquiera realizada al azar, con un núm. finito de resultados posibles, y susceptible de ser repetida indefinidamente, es un núm. real comprendido entre cero y uno, obtenido mediante el cociente entre el núm. de resultados favorables al suceso y el núm. total de resultados posibles. La teoría de la p. se aplica a la física, la ingeniería, la organización de empresas, la psicología, etc.

PROBABILISMO m. *Teol.* Doctrina según la cual en la calificación de la bondad o malicia de las acciones humanas se puede lícita y seguramente seguir la opinión probable, en contraposición de la más probable. ■ PROBABILISTA.

PROBABILÍSTICO, CA adj. *Mat.* Relativo a la probabilidad.

PROBABLE adj. Verosímil, o que se funda en razón prudente. • Que se puede probar. • Díc. de aquello que hay buenas razones para creer que se verificará o sucederá.

PROBACIÓN f. Prueba. • En las órdenes regulares, prueba de la vocación de los novicios antes de profesar.
PROBADO, DA adj. Acreditado por la experiencia. • Díc. de la persona que ha sufrido con paciencia grandes adversidades. • *Der.* Acreditado como verdad por los autos.
PROBADOR, RA adj. y s. Que prueba. • m. En tiendas y talleres de costura, aposento en que los clientes se prueban los trajes o vestidos.
PROBANZA f. Averiguación o prueba que jurídicamente se hace de una cosa. • Cosa o conjunto de ellas que acreditan una verdad o un hecho.
PROBAR tr. Hacer examen y experimento de las cualidades de personas o cosas. • Examinar si una cosa está arreglada a la medida, muestra o proporción de otra a que se debe ajustar. • Justificar, manifestar y hacer patente la certeza de un hecho o la verdad de una cosa con razones, instrumentos o testigos. • Gustar una pequeña porción de un manjar o líquido. • intr. Con la prep. *a* y el infinitivo de otros verbos, hacer prueba, experimentar o intentar una cosa. • Ser a propósito o convenir una cosa, o producir el efecto que se necesita. Regularmente se usa con los adv. *bien* o *mal*. ■ PROBADURA.
PROBATORIO, RIA adj. Que sirve para probar o averiguar la verdad de una cosa. • f. *Der.* Término concedido por la ley o por el juez para hacer las pruebas.
PROBATURA f. fam. Ensayo, prueba.
PROBETA f. Manómetro de mercurio para averiguar el grado de enrarecimiento del aire en la máquina neumática. • Máquina para probar la calidad y la potencia de la pólvora. • Tubo de vidrio, cerrado por un extremo y destinado a contener líquidos o gases. • Vasija rectangular y de poco fondo usada por los fotógrafos. • Muestra de cualquier sustancia o material para probar su resistencia, elasticidad, etc.
PROBIDAD f. Bondad, rectitud de ánimo, hombría de bien, integridad y honradez en el obrar. ■ PROBO, BA.
PROBLEMA m. Cuestión que se trata de aclarar; proposición dudosa. • Conjunto de hechos o circunstancias que dificultan la consecución de algún fin. • *Mat.* Proposición dirigida a averiguar el modo de obtener un resultado cuando ciertos datos son conocidos.
PROBLEMÁTICO, CA adj. Dudoso, incierto, o que se puede defender por una u otra parte. • f. Conjunto de problemas pertenecientes a una ciencia o actividad determinadas.
PROBO, *Marco Aurelio* (232-282) Emperador rom. [276-282]. Fue proclamado emp. por las legiones de Siria. Murió asesinado por sus soldados.
PROBÓSCIDE f. *Zool.* Prolongación nasal o bucal en forma de trompa o pico, propia de algunos animales.
PROBOSCIDIO adj. y m. *Zool.* Díc. de animales del orden proboscidios. • m. pl. *Zool.* Orden de mamíferos terrestres de gran tamaño, piel gruesa y dura, pelo escaso y apéndice nasal convertido en una larga trompa, que alcanzó su máx. variedad y expansión durante el plioceno, pero que en la actualidad se limita a las dos especies de elefantes.
PROCACIDAD f. Desvergüenza, insolencia, atrevimiento. • Dicho o hecho desvergonzado. ■ PROCAZ.
PROCAÍNA f. *Farm.* Anestésico local que suele administrarse asociado a la penicilina.
PROCARIOTA m. *Biol.* Microorganismo del grupo procariotas. • pl. *Biol.* Grupo de microorganismos carentes de estructura celular típica, sin membrana nuclear ni orgánulos citoplasmáticos; como los virus, las algas azules y las bacterias o esquizomicetes.
PROCÁVIDO, DA adj. y m. *Zool.* Díc. de animales de la familia procávidos. • m. pl. *Zool.* Única familia del orden de mamíferos hiracoideos, de tamaño algo mayor que un conejo, distribuidos por África y SO de Asia.
PROCEDENCIA f. Origen, principio de donde nace o se deriva una cosa. • Punto de salida o escala de un barco, cuando llega a término de su viaje. También se usa con relación a otros vehículos y aun a personas. • Conformidad con la moral, la razón o el derecho. • *Der.* Fundamento legal y oportunidad de una demanda, petición o recurso.

Procesión de Semana Santa en Cáceres (España)

PROCEDENTE adj. Que procede, dimana o trae su origen de una persona o cosa. • Arreglado a la prudencia, a la razón o al fin que se persigue. • Conforme a derecho, mandato, práctica o conveniencia.
PROCEDER m. Modo, forma y orden de portarse y gobernar uno sus acciones bien o mal. • intr. Ir en realidad o figuradamente algunas personas o cosas unas tras otras guardando cierto orden. • Seguirse, nacer u originarse una cosa de otra, física o moralmente. • Portarse y gobernar uno sus acciones bien o mal. • Pasar a poner en ejecución una cosa a la cual precedieron algunas diligencias. • Continuar la ejecución de algunas cosas que piden trato sucesivo. • Ser conforme a razón, derecho, mandato, práctica o conveniencia.
PROCEDIMIENTO m. Acción de proceder. • Método de ejecutar algunas cosas. • *Der.* Actuación por trámites judiciales o administrativos.
PROCELA f. poét. Borrasca, tormenta.
PROCELÁRIDO, DA adj. y m. *Zool.* Díc. de animales de la familia proceláridos. • m. pl. *Zool.* Familia de aves procelariformes, abundantes en el hemisferio S, en la que se incluyen las 53 especies actuales de pardelas y petreles.
PROCELOSO, SA adj. Borrascoso, tormentoso.
PRÓCER adj. Alto, eminente o elevado. • m. Persona distinguida e importante, o constituida en alta dignidad.
PROCESADOR m. *Comp.* Dispositivo electrónico que controla las operaciones que deben efectuarse en una computadora. Forma la unidad central de proceso.
PROCESAR tr. Formar autos y procesos. • *Der.* Declarar y tratar a una persona como presunto reo de delito. • *Ind.* Someter alguna cosa a elaboración, transformación, etc. ■ PROCESADO, DA; PROCESAMIENTO.
PROCESIÓN f. Acción de proceder una cosa de otra. • Acto de ir ordenadamente de un lugar a otro muchas personas con algún fin público y solemne, por lo común religioso. • fig. y fam. Una o más hileras de personas o animales que van de un lugar a otro. ■ PROCESIONAL.
PROCESIONARIA f. Nombre común a las larvas de varias especies de lepidópteros que se desplazan en hileras; causan grandes estragos en los árboles.
PROCESO m. Progreso, acción de ir adelante. • Transcurso del tiempo. • Conjunto de las fases sucesivas de un fenómeno natural o de una operación artificial. • *Der.* Agregado de los autos y demás escritos en cualquier causa civil o criminal. • *Der.* Causa criminal. ■ PROCESAL.
PROCIÓNIDO, DA adj. y m. *Zool.* Díc. de animales de la familia prociónidos. • m. pl. *Zool.* Familia de mamíferos carnívoros, localizados preferentemente en las regiones tropicales y subtropicales, entre los cuales se cuentan los pandas, mapaches y coatíes.
PROCLAMA f. Notificación pública. • Alocución política o militar, de viva voz o por escrito.
PROCLAMACIÓN f. Publicación de un decreto, bando o ley, que se hace solemnemente para que llegue a noticia de todos. • Actos públicos y ceremonias con que se declara e inaugura un nuevo reinado, principado, etc. • Alabanza pública y común.

Procesionarias del pino en su nido

Panda menor, mamífero de la familia **prociónidos**

El emperador Pedro I aclamado tras la **proclamación** de la independencia de Brasil

PROCLAMAR tr. Publicar en alta voz una cosa para que se haga notoria a todos. • Declarar solemnemente el principio o inauguración de un reinado, etc. • Aclamar, dar voces la multitud en honor de una persona. • Conferir a una voz algún cargo. • fig. Dar señales inequívocas de un afecto, pasión, etc. • prnl. Declararse uno investido de un cargo, autoridad o mérito.

PROCLISIS f. *Gram.* Unión de una palabra proclítica a la que le sigue.

PROCLÍTICO, CA adj. *Gram.* Díc. de la voz monosílaba que sin acentuación prosódica, se liga en cláusula con el vocablo subsiguiente.

PROCLIVE adj. Inclinado o propenso a una cosa. ▪ PROCLIVIDAD.

PROCLO (410-485) Filósofo gr., neoplatónico. *Elementos de teología, Elementos de física, Comentarios.*

PROCÓNSUL m. Gobernador de una prov. entre los rom., con jurisdicción e insignias consulares. ▪ PROCONSULADO; PROCONSULAR.

PROCORDADO adj. y m. *Zool.* Díc. de animales del grupo procordados. • m. pl. *Zool.* Grupo de cordados inferiores que engloba a los que carecen de columna vertebral y de cráneo, por lo que también se llama *acranios.*

Producción en serie. Cadena de montaje de una fábrica de automóviles

PROCREAR tr. Engendrar, multiplicar una especie. ▪ PROCREACIÓN.

PROCTOLOGÍA f. Rama de la medicina que estudia las enfermedades del recto. ▪ PROCTÓLOGO, GA.

PROCUNA Montes, *Luis* (nacido 1923) Torero mex. de gran popularidad. Retirado en 1974.

PROCURA f. Cargo de procurador. • Cuidado asiduo en los negocios.

PROCURACIÓN f. Cuidado o diligencia con que se trata o maneja un negocio. • Comisión o poder que uno da a otro para que en su nombre haga o ejecute una cosa. • Oficio o cargo de procurador. • Procuraduría, oficina.

PROCURADOR, RA adj. y s. Que procura. • m. El que en virtud de poder o facultad de otro ejecuta en su nombre una cosa. • El que, con la necesaria habilidad legal, ejerce ante los tribunales la representación de cada interesado en un juicio. • En las comunidades, sujeto por cuya mano corren las dependencias económicas de la casa, o los negocios o diligencias de su provincia. • m. y f. En las comunidades religiosas, persona que tiene a su cargo el gobierno económico del convento. • **de los tribunales.** El que representa legalmente los intereses de otro ante los tribunales. ▪ PROCURADURÍA.

PROCURAR tr. Hacer diligencias o esfuerzos para conseguir lo que se desea. • Ejercer el oficio de procurador. • tr. y prnl. Facilitar una cosa a alguien.

PRODIGAR tr. Disipar, gastar pródigamente o con exceso y desperdicio una cosa. • Dar con profusión y abundancia. • fig. Tratándose de elogios, favores, etc., dispensarlos profusa y repetidamente. • prnl. Excederse indiscretamente en la exhibición personal. ▪ PRODIGALIDAD.

PRODIGIO m. Suceso extraño que excede los límites regulares de la naturaleza. • Cosa especial, rara o primorosa en su línea. • Milagro. ▪ PRODIGIOSIDAD; PRODIGIOSO, SA.

PRÓDIGO, GA adj. y s. Disipador, gastador, manirroto. • adj. Que desprecia generosamente la vida u otra cosa estimable. • Muy dadivoso. • Que produce en abundancia.

PRÓDROMO m. Principio de una obra o acontecimiento. • *Pat.* Conjunto de signos o síntomas que se presentan en el comienzo de una enfermedad o que indican su pronta instauración.

PRODUCCIÓN f. Acción de producir. • Cosa producida. • Acto o modo de producirse. • Acto o conjunto de actos mediante los cuales se crea riqueza, en sus diversos procesos de extracción, obtención y transformación. • *Econ.* Actividad que transforma determinados bienes en otros que poseen una utilidad mayor. • Suma de los productos del suelo o de la ind. obtenidos al finalizar una determinada actividad productiva. • *Biol.* En un ecosistema, biomasa de productores primarios que sirve para sostener los niveles tróficos de los organismos heterótrofos superiores. • **en serie.** *Ind.* Método de fabricación en el que las unidades se producen en conjuntos iguales y normalizados. • **Medios de p.** *Econ.* Conjunto de elementos utilizados por los individuos para realizar su trabajo. • **Modo de p.** *Econ.* Forma en que una sociedad determinada produce los bienes necesarios para su vida material. Según Marx, creador del concepto, la historia puede ser dividida a grandes rasgos según el modo de producción dominante en cada época: asiático, antiguo, feudal y capitalista.

* *Ind.* **P. en serie.** Se caracteriza por su automatismo, por la supresión de las labores manuales de ajuste y rectificación, y por el rendimiento óptimo de la maquinaria. En los talleres para la p. en serie, las máquinas fabrican, en gran núm., una misma pieza, y trabajan en condiciones de precisión tales que no se requiere una rectificación posterior; si alguna pieza es defectuosa, simplemente se desecha.

PRODUCIR tr. Engendrar, procrear, criar. Díc. propiamente de las obras de la naturaleza, y por extensión de las del entendimiento. • Dar, llevar, rendir fruto los terrenos, árboles, etc. • Rentar, rendir interés, utilidad o beneficio una cosa. • fig. Procurar, originar, ocasionar. • fig. Fabricar, elaborar cosas útiles. • *Der.* Exhibir, presentar, manifestar uno a la vista y examen aquellas razones o motivos que pueden apoyar su justicia. • prnl. Explicarse, darse a entender por medio de la palabra. • Acaecer, suceder. ▪ PRODUCIBILIDAD; PRODUCIBLE; PRODUCTIBILIDAD; PRODUCTIBLE; PRODUCTIVO, VA.

PRODUCTIVIDAD f. Calidad de productivo. • Capacidad o grado de producción por unidad de trabajo, superficie de tierra cultivada, equipo industrial, etc.

PRODUCTO m. Cosa producida. • Objeto resultante del trabajo ejercido sobre una primera materia. • *Mat.* Resultado de hacer un núm. *a* tantas veces mayor como unidades indica otro núm. *b.* • **escalar.** *Mat.* Ley de composición externa que a cada par de vectores de un espacio euclídeo hace corresponder un núm. real, que es el p. de sus módulos por el coseno del ángulo que forman. • **vectorial.** *Mat.* El p. de dos vectores es un nuevo vector, perpendicular al plano formado por los vectores y de módulo igual al p. de los módulos de los vectores por el valor absoluto del seno del ángulo que forman.

PRODUCTOR, RA adj. y s. Que produce. • m. y f. Cada una de las personas que intervienen en la producción, desde el jefe o director de la empresa hasta el trabajador manual. • En teatro, cine y televisión, persona que organiza la realización de una obra y aporta el capital necesario.

PROEJAR intr. Remar contra la corriente o la fuerza del viento que embiste a la embarcación por la proa.

PROEL adj. *Mar.* Díc. de lo que está cerca de la proa. • m. *Mar.* Marinero que en las embarcaciones va en proa.

PROEMIO m. Prólogo o introducción de un discurso o de un libro. ▪ PROEMIAL.

PROENZIMA f. *Biol.* Sustancia orgánica que, por medio de transformaciones químicas, se convierte en una enzima.

PROEZA f. Hazaña, valentía o acción valerosa.

PROFANAR tr. Tratar una cosa sagrada sin el debido respeto, o aplicarla a usos profanos. • fig. Deslucir, desdorar, deshonrar, prostituir, hacer uso indigno de cosas respetables. ■ PROFANACIÓN; PROFANAMIENTO.

PROFANIDAD f. Calidad de profano. • Exceso en el fausto o pompa exterior.

PROFANO, NA adj. Que no es sagrado ni sirve a usos sagrados, sino puramente secular. • Que es contra la reverencia debida a las cosas sagradas. • adj. y s. Libertino o muy dado a las cosas del mundo. • adj. Inmodesto, deshonesto en el atavío o compostura.• adj. y s. Que carece de conocimientos y autoridad en una materia.

PROFASE f. *Biol.* Primera fase de la mitosis, en la que se hacen visibles los cromosomas y desaparecen la membrana nuclear y los nucléolos.

PROFECÍA f. Comunicación de un oráculo divino, que el profeta transmite, sobre sucesos o cosas que afectan al bien espiritual. • Vaticinio sobre los hechos que se cumplirán. • Cada uno de los libros canónicos del A. T. en que se contienen los escritos de cualquiera de los profetas mayores. • fig. Juicio o conjetura que se forma de una cosa por las señales que se observan de ella. • pl. Libro canónico del A. T. en que se contienen los escritos de los doce profetas menores. ■ PROFÉTICO, CA; PROFETISA.

PROFECTICIO, CIA adj. *Der.* Díc. del peculio o de los bienes que adquiere el hijo que vive bajo la patria potestad.

PROFERIR tr. Pronunciar, decir, articular palabras.

PROFESAR tr. Ejercer una ciencia, arte, oficio, etc. • Enseñar una ciencia o arte. • Obligarse en una orden religiosa a cumplir los votos propios de su instituto. • Ejercer una cosa con inclinación voluntaria y continuación en ella. • Creer, confesar. • fig. Sentir algún afecto, inclinación o interés y perseverar voluntariamente en ellos. ■ PROFESO, SA.

PROFESIÓN f. Empleo, facultad u oficio que cada uno tiene y ejerce públicamente. ■ PROFESIONAL.

PROFESIONALISMO m. Cultivo o utilización de ciertas disciplinas, artes o deportes, como medio de lucro.

PROFESOR, RA m. y f. Persona que ejerce o enseña una ciencia o arte. • Músico que forma parte de una orquesta, banda de música, etc. ■ PROFESORADO.

PROFETA m. El que posee el don de profecía. • fig. El que por algunas señales conjetura y anuncia acontecimientos futuros.

PROFÉTICOS, *Libros* Nombre de los escritos de la Biblia relacionados con la inspiración profética. Según el canon católico, los libros de los profetas mayores son los de Isaías, Jeremías, Ezequiel y Daniel.

PROFETISMO m. Tendencia de algunos filósofos y escritores de religión, pralm. ant., a profetizar.

PROFETIZAR tr. Anunciar o predecir las cosas distantes o futuras, en virtud del don de profecía. • fig. Conjeturar o hacer juicios del éxito de una cosa por algunas señales que se han observado.

PROFILAXIS o **PROFILAXIA** o **PROFILÁCTICA** f. *Med.* Conjunto de medidas destinadas a preservar de enfermedades físicas o mentales a un individuo o a una colectividad. ■ PROFILÁCTICO, CA.

PRÓFUGO, GA adj. y s. Fugitivo. Díc. pralm. del que huye de la justicia o de otra autoridad legítima.

PROFUNDIDAD f. Calidad de profundo. • Lugar o parte honda de una cosa. • Dimensión de los cuerpos perpendicular a una superficie dada. • fig. Hondura o penetración y viveza del pensamiento y de las ideas. • **de campo.** *Fot.* Distancia máx. entre los puntos que aparecen en los límites de la zona nítida sobre la placa fotográfica.

PROFUNDIZAR tr. Cavar una cosa para que esté más honda. • tr. e intr. fig. Discurrir con la mayor atención y examinar o penetrar una cosa para llegar a su perfecto conocimiento.

PROFUNDO, DA adj. Que tiene el fondo muy distante de la boca o borde de la cavidad. • Más cavado y hondo que lo regular. • Extendido a lo largo, o que tiene gran fondo. • Díc. de lo que penetra mucho o va hasta muy adentro. • fig. Intenso, o muy vivo y eficaz. • fig. Difícil de comprender. • fig. Tratándose del entendimiento, de las cosas a él concernientes o de sus producciones, extenso, vasto, que penetra o ahonda mucho. • fig. Díc. de la persona cuyo entendimiento ahonda o penetra mucho. • Muy humilde. • m. Profundidad. • La parte más honda de una cosa. • Lo más íntimo de uno. • poét. Mar. • poét. Infierno.

PROFUSIÓN f. Abundancia en lo que se da, expende, derrama, etc. • Prodigalidad, abundancia excesiva, superfluidad. ■ PROFUSO, SA.

PROGENIE o **PROGENITURA** f. Casta, generación o familia de la cual se origina o desciende una persona. • Descendencia, conjunto de hijos.

PROGENITOR m. Pariente en línea recta ascendente de una persona.

PROGESTÁGENO m. *Biol.* Sustancia orgánica capaz de transformarse en hormonas que actúan en el embarazo.

PROGESTERONA f. *Biol.* Hormona sexual de naturaleza esteroide originada en el cuerpo lúteo, cuya función consiste en la regulación de la actividad glandular sexual, provocando la regeneración y el crecimiento de la mucosa uterina para la implantación del óvulo y el mantenimiento del embarazo normal. Estimula así mismo el crecimiento de las células secretoras de las glándulas mamarias.

PROGIMNASMA m. *Ret.* Ensayo o ejercicio preparatorio.

PROGNATO, TA adj. y s. Díc. de la persona que tiene salientes las mandíbulas.

PROGNOSIS f. Conocimiento anticipado de algún suceso. • Pronóstico, previsión.

PROGRAMA m. Edicto, bando o aviso público. • Declaración previa de lo que se piensa hacer en alguna materia u ocasión. • *Comp.* Conjunto de instrucciones secuenciales, correspondientes a un algoritmo escrito en cualquier lenguaje de programación, con las que se puede realizar un trabajo determinado mediante la ejecución de tales instrucciones por la computadora. • **de prueba.** P. normalizado que puede emplearse en distintas computadoras para ensayar sus distintas características de velocidad, eficacia y precisión. • **de servicio.** El que no forma parte del sistema operativo, pero sí del *software* del sistema. • **de usuario.** P. creado por el usuario para resolver los problemas individuales del mismo. • **ensamblador.** P. que permite convertir en lenguaje máquina un programa escrito en lenguaje de bajo nivel. • **principal.** P. que lleva el control del proceso y que lo transfiere a otra parte del p. llamada subprograma. ■ PROGRAMÁTICO, CA.

PROGRAMACIÓN f. Acción y efecto de programar. • Conjunto de los programas diarios de un centro de radio o televisión. • *Comp.* Técnica de confección de programas. • **estructurada.** Cuando se divide el programa en bloques que se irán definiendo en forma descendente hasta completarlo. • **lógica.** Tipo de p. en el cual las sentencias son lógicas, tales como implicaciones lógicas, proposiciones lógicas, etc.

PROGRAMADOR, RA adj. y s. Que prepara un programa. • m. y f. *Comp.* Persona versada en técnica de programación y que confecciona programas para computadoras.

PROGRAMAR tr. Formar programas, previa declaración de lo que se piensa hacer y anuncio de las partes de que se ha de componer un acto o espectáculo, o una serie de ellos. • Preparar los datos previos indispensables para obtener la solución de un problema mediante una calculadora electrónica, o disponer las instrucciones codificadas para un ordenador. • Organizar cualquier actividad.

PROGRESIÓN f. Acción de avanzar o proseguir una cosa. • *Mat.* Cierto tipo de sucesiones numéricas. • **aritmética.** *Mat.* Cualquier sucesión numérica en la que los términos se obtienen ordenadamente del primero sumando repetidamente una cierta cantidad. • **geométrica.** *Mat.* Sucesión numérica en la que el cociente entre un término cualquiera y el que le precede es constante.

PROGRESO m. Acción de ir hacia adelante. • Aumento, adelantamiento, perfeccionamiento. • Movimiento de desarrollo y perfeccionamiento de la civilización y de las instituciones sociales y políticas. ■ PROGRESAR; PROGRESISMO; PROGRESISTA; PROGRESIVO, VA.

Profeta. De arriba abajo: Isaías, Jeremías y Ezequiel, tres profetas mayores pintados por Miguel Ángel en la Capilla Sixtina (Vaticano)

Prometeo *trayendo el fuego*, óleo de Jan Cossiers. Museo del Prado, Madrid

PROGRESO C. de México, en el est. de Yucatán; 22 100 hab. Importante centro exportador, comercial, agrícola y ganadero.

PROGRESO, *El* Dpto. de Guatemala, sit. en el centro-este del país; 1 922 km², 115 469 hab. Cap., Guastatoya. Sierras de Chiacús y de las Minas. Río Motagua. Clima tropical. Tabaco, caña de azúcar, café y frutales. Ganadería vacuna. Pral. ind. del cemento del país e ind. derivadas agropecuarias. • C. de Honduras, en el dpto. de Yoro, en el valle de Sula; 30 400 hab. Centro comercial bananero. Aeropuerto.

PROHIBICIÓN f. Acción y efecto de prohibir. • **La p.** Periodo (1919-1933) en que estuvo vigente en EE UU una disposición conocida como *ley seca,* que prohibía la fabricación, venta y consumo de bebidas alcohólicas (5 % de alcohol). • Esta misma disposición o ley.

PROHIBICIONISMO m. Política que tiende a prohibir o limitar la importación de ciertos artículos. • Movimiento que en EE UU condujo a la prohibición de bebidas alcohólicas.

PROHIBIR tr. Vedar o impedir el uso o ejecución de una cosa. ■ PROHIBITIVO, VA.

PROHIJAR tr. Adoptar por hijo. • fig. Acoger como propias las opiniones o doctrinas ajenas. ■ PROHIJACIÓN; PROHIJAMIENTO.

PROHOMBRE m. En los gremios de los artesanos, cada uno de los maestros a los que, por su probidad y conocimientos, se elegía para el gobierno del gremio. • El que goza de especial consideración entre los de su clase.

PROÍS o **PROÍZ** m. *Mar.* Piedra u otra cosa en tierra, en que se amarra la embarcación. • *Mar.* Amarra que se da en tierra para asegurar la embarcación.

PRÓJIMA f. fam. Mujer de poca estimación pública o de dudosa conducta.

PRÓJIMO m. Cualquier hombre respecto de otro.

PROKOFIEV, *Serguéi Sergueievich* (1891-1953) Compositor ruso. Su extensa obra es síntesis de romanticismo e impresionismo, y abrió vías hacia el vanguardismo. *El amor de las tres naranjas, El ángel de fuego, Un hombre auténtico, Alejandro Nevski.*

PROKOP, *Andreas,* llamado EL GRANDE (h. 1380-1434) Patriota checo. Líder de los taboritas a la muerte del jefe husita Jan Zizka (1424). Fue derrotado y muerto en Lipany.

PROKOPIEVSK C. de Rusia, en Siberia; 274 000 hab. Centro minero.

PROLAPSO m. *Pat.* Descenso o caída de un órgano o víscera por debajo del nivel normal.

PROLE f. Linaje o descendencia de uno.

PROLEGÓMENO m. Tratado que se pone al principio de una obra o escrito, para establecer los fundamentos generales del mismo. Se usa más en pl.

PROLEPSIS f. *Ret.* Anticipación, previsión de objeciones.

PROLETARIADO m. *Soc.* Clase social propia del sistema fundamentado en el capitalismo y que se caracteriza por su posición subsidiaria en los procesos de producción y distribución de bienes, a pesar de constituir la fuerza fundamental de trabajo.

PROLETARIO, RIA adj. y m. Díc. del que carece de bienes. • fig. Plebeyo, vulgar. • m . En la ant. Roma, ciudadano pobre que únicamente con su prole podía servir al Estado. • Individuo de la clase indigente. • Trabajador, obrero asalariado.

PROLETARIZACIÓN f. Asimilación progresiva al proletariado de grupos sociales de la pequeña burguesía, como consecuencia del proceso capitalista de acumulación y concentración del capital.

PROLIFERAR intr. Reproducirse en formas semejantes. • fig. Multiplicarse algo abundantemente. ■ PROLIFERACIÓN; PROLÍFICO, CA.

PROLIJO, JA adj. Largo, dilatado con exceso. • Demasiadamente cuidado o esmerado. • Impertinente, pesado, molesto.

PROLINA f. *Biol.* Sustancia componente de las proteínas que forman parte de los seres vivos.

PROLOG m. *Comp.* Lenguaje de programación cuyas instrucciones representan frases lógicas, y que presenta una estructura totalmente distinta a la de los lenguajes simbólicos de alto nivel.

PRÓLOGO m. Discurso antepuesto a un libro, para dar noticia de la finalidad de la obra. • Discurso que en el teatro gr. y latino solía preceder al poema dramático. • Primera parte de algunas obras dramáticas y novelas, en la cual se representa una acción de que es consecuencia la pral. que se desarrolla después. • fig. Lo que sirve como de exordio o principio para ejecutar una cosa. ■ PROLOGAR; PROLOGUISTA.

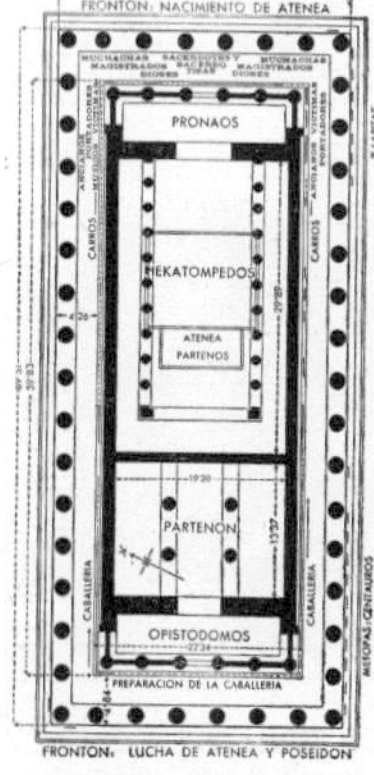

Planta del Partenón de Atenas en la que aparece el **pronaos**

PROLONGAR tr. y prnl. Alargar, dilatar o extender una cosa a lo largo. • Hacer que dure una cosa más tiempo de lo regular. ■ PROLONGACIÓN; PROLONGADO, DA; PROLONGAMIENTO.

PROLUSIÓN f. Preludio o introducción de un discurso o tratado.

PROMEDIAR tr. Igualar o repartir una cosa en dos partes iguales o que lo sean con poca diferencia. • intr. Interponerse entre dos o más personas para ajustar un negocio. • Llegar a su mitad un intervalo de tiempo determinado. • Calcular un promedio.

PROMEDIO m. Punto en que una cosa se divide por la mitad o casi por la mitad. • Término medio, suma de varias cantidades dividida por el núm. de ellas.

PROMESA f. Expresión de la voluntad de dar a uno o hacer por él una cosa. • Ofrecimiento hecho a Dios o a sus santos de ejecutar una obra piadosa. • fig. Augurio, indicio de señal que hace esperar algún bien. • *Der.* Ofrecimiento solemne, equivalente al juramento, de cumplir bien los deberes de un cargo o función que va a ejercerse. • *Der.* Contrato preparatorio de otro más solemne o detallado al cual precede.

PROMESANTE com. *Argent.* y *Chile.* Persona que cumple una promesa religiosa. ■ *Argent.* PROMESAR.

PROMETAFASE f. *Biol.* Estadio de la división nuclear o cariocinesis, cuyas manifestaciones más conspicuas son la reabsorción de la membrana nuclear o carioteca, la separación de los centrosomas hijos, y la formación, entre éstos, del huso acromático.

PROMETEO *Mit. gr.* Titán, hijo de Japeto y de Climene. Zeus le castigó por haber robado el fuego celeste, con el que dio vida al hombre de barro que había creado. Heracles le salvó del suplicio.

PROMETER tr. Obligarse a hacer, decir o dar alguna cosa. • Asegurar la certeza de lo que se dice.• intr. Dar una persona o cosa buenas muestras de sí para lo venidero. • prnl. Esperar una cosa o mostrar gran confianza de lograrla. • Ofrecerse uno al servicio o culto de Dios o de sus santos. • rec. Darse mutuamente palabra de casamiento, por sí o por tercera persona. ■ PROMETEDOR, RA; PROMETIDO, DA.

PROMETIO o **PROMECIO** m. *Quím.* Elemento de símb. Pm, n. a. 61, p. a. d el isótopo más estable 145. Es uno de los elementos de las tierras raras o lantánidos. Se emplea como trazador radiactivo.

PROMINENTE adj. Que se levanta sobre lo que está a su inmediación o alrededores. • fig. Destacado, ilustre. ■ PROMINENCIA.

PROMISCUAR intr. Comer en días de cuaresma y otros en que la Iglesia lo prohíbe, carne y pescado en una misma comida. • fig. Participar indistintamente en cosas heterogéneas u opuestas, físicas o inmateriales.

PROMISCUIDAD f. Mezcla, confusión; suele referirse especialmente a la vida en común de varias personas de distintos sexos y edades. ■ PROMISCUO, CUA.

PROMISIÓN f. Promesa de hacer o cumplir algo fijado. • *Der.* Oferta o promesa de dar o de hacer, acerca de la cual no ha mediado estipulación o pacto con la persona a quien favorece o interesa. ■ PROMISORIO, RIA.

PROMITENTE adj. *Amér.* Que promete.

PROMOCIÓN f. Acción de promover. • Conjunto de los individuos que al mismo tiempo han obtenido un grado, empleo o título. • Elevación o mejora de las condiciones de vida, de productividad, intelectuales, etc.

PROMOCIONAR tr. intr. y prnl. Promover, mejorar alguien en su situación, cargo, etc. • tr. Dar impulso a una idea, producto, empresa, etc.

PROMONTORIO m. Altura considerable de tierra. • fig. Cualquier cosa que hace demasiado bulto y causa gran estorbo. • Altura considerable de tierra que avanza dentro del mar.

PROMOVER tr. Iniciar o adelantar una cosa, procurando su logro. • Elevar a una persona a una dignidad o empleo superior al que tenía. ■ PROMOTOR, RA.

PROMULGAR tr. Publicar una cosa solemnemente, hacerla saber a todos. • fig. Hacer que una cosa se divulgue y propague mucho en público. • *Der.* Publicar formalmente una ley u otra disposición de la autoridad. ■ PROMULGACIÓN.

PRONACIÓN f. Movimiento del antebrazo que hace girar la mano de afuera a adentro presentando el dorso de ella. ■ PRONADOR.

PRONAOS m. *Arq.* En los templos ant., pórtico que había delante del santuario.

PRONEFROS m. *Zool.* Tipo primitivo de aparato excretor de los vertebrados. Se encuentra en los embriones de todos los vertebrados.

PRONO, NA adj. Excesivamente inclinado a una cosa. • Que está echado sobre el vientre.

PRONOMBRE m. *Gram.* Parte de la oración que suple al nombre o lo determina. • **demostrativo.** Aquel con que material o intelectualmente se demuestran o señalan personas, animales o cosas. Los p. esencialmente demostrativos son tres: *este*, *ese* y *aquel*. Aplícase el primero a lo que está cerca de la persona que habla; el segundo, a lo que está cerca de la persona a quien se habla, y el tercero, a lo que está lejos de una y otra. • **indeterminado.** El que vagamente alude a personas o cosas; como *alguien*, *nadie*, *uno*, etc. • **personal.** El que directamente representa personas, animales o cosas. Consta de las tres personas gramaticales, en cada una de las cuales son respectivamente nominativos *yo*, *tú*, *él* y además tiene las formas esencialmente reflexivas, *se*, *sí*, propias de la tercera persona. El p. personal es la única parte de la oración en que en castellano cambia de estructura al declinarse. Se antepone y pospone al verbo en todas sus formas: las que en el dativo y en el acusativo no admiten preposición: *me*, *nos*, *te*, *os*, *le*, *lo*, *les*, *los*, *la*, *las* y *se*. Cuando van pospuestas, se emplean como sufijos. *Me*, *nos*, *se* y *os* son las únicas que pueden emplearse con verbos reflexivos y recíprocos o usados como tales. • **posesivo.** El que denota posesión o pertenencia. Son los siguientes: *mío*, *mía* y *nuestro*, *nuestra*, de primera persona; *tuyo*, *tuya*, *vuestro*, *vuestra* de la segunda persona, y *suyo*, *suya*, de la tercera; respectivamente, denotan lo que pertenece a cada una de estas tres personas o es propio de ellas. • **relativo.** El que se refiere a persona, animal o cosa de que anteriormente se ha hecho mención; como *quien*, *cuyo*, *cual* y *que*.

* *Gram.* La verdadera naturaleza del p. es su significación y función ocasional, es decir, una partícula vacía de significado que puede ser llenada con el que el hablante proponga. Existen p. que en ocasiones funcionan como adjetivos, y en otras como sustantivos. Bajo esta denominación se agrupa un heterogéneo, aunque limitado, número de palabras, entre las que distinguiremos: p. personales, posesivos, demostrativos, relativos, interrogativos e indefinidos. Cabe incluir también los p. numerales, que indican cantidad, y que la gramática tradicional consideraba adjetivos.

PRONOMINADO adj. *Gram.* Díc. del verbo que tiene por complemento un pronombre.

PRONOMINAL adj. *Gram.* Relativo al pronombre o que participa de su índole o naturaleza. • *Gram.* Pronominado.

PRONOSTICAR tr. Conocer por algunos indicios lo futuro. • Manifestar este conocimiento.

PRONÓSTICO m. Acción y efecto de pronosticar. • Señalar por donde se conjetura una cosa futura. • Calendario en que se incluye el anuncio de los fenómenos astronómicos y meteorológicos. • *Med.* Juicio del médico acerca del curso de una enfermedad, deducido de los síntomas observados. • **reservado.** *Med.* El que se reserva el médico, a causa de las contingencias posibles en el curso de una lesión.

PRONTITUD f. Celeridad y presteza en la ejecución de algo. • Viveza de ingenio o de imaginación. • Viveza de genio, precipitación.

PRONTO, TA adj. Veloz, ligero. • Dispuesto para la ejecución de una cosa. • m. fam. Movimiento repentino del ánimo a impulsos de una pasión u ocurrencia inesperada. • fam. Ataque repentino y aparatoso de algún mal. • adv. modo. Presto, prontamente. • adv. tiempo. Con anticipación al momento fijado, oportuno o acostumbrado; con sobra de tiempo. • **Al p.** m. adv. En el primer momento o a primer a vista. • **De p.** m. adv. Apresuradamente, sin reflexión. • m. adv. De repente. • **Por de p.** o **por lo p.** m. adv. Interinamente, en el entretanto, provisionalmente.

PRONTUARIO m. Resumen en que se notan varias cosas a fin de tenerlas presentes cuando se necesiten. • Compendio de las reglas de una ciencia o arte.

El coronel Riego marcha al frente de sus tropas tras el **pronunciamiento** (1 enero 1820) en que proclamó la constitución de Cádiz de 1812

PRONUNCIACIÓN f. Acción y efecto de pronunciar. • Parte de la ant. retórica, que enseñaba a moderar y arreglar el semblante y acción del orador.

PRONUNCIAMIENTO m. *Pol.* Alzamiento o rebelión militar contra el gobierno, promovido por un jefe del ejército u otro caudillo, que intenta imponer por la fuerza las opiniones de amplios sectores que son ignorados por el gobierno. • *Der.* Cada una de las declaraciones, condenas o mandatos del juez.

PRONUNCIAR tr. Emitir y articular sonidos para hablar. • tr. y prnl. Determinar, resolver. • fig. Sublevar, levantar, rebelar. • tr. *Der.* Publicar la sentencia o auto. • prnl. Manifestarse en favor o en contra de algo o de alguien. • Abultar.

PRONY, *Gaspar-François Clair-Marie Riche*, BARÓN DE (1755-1839) Físico e ingeniero fr. Inventó el freno dinamométrico que lleva su nombre.

PROPAGACIÓN DE LA FE, *Sagrada Congregación de la* → Propaganda Fide.

PROPAGANDA f. Acción o efecto de dar a conocer una cosa con el fin de atraer adeptos o compradores. • Material que se usa con este fin. • Asociación cuyo fin es propagar doctrinas, opiniones, etc. • fam. *Amér.* Información interesada o tendenciosa. ■ PROPAGANDISTA.

PROPAGANDA Fide, *Sacra Congregatio de* Organismo vaticano encargado de la difusión de la religión católica. Fundado por Gregorio XV en 1622.

PROPAGAR tr. y prnl. Multiplicar por generación u otra vía de reproducción. • fig. Extender, dilatar o aumentar una cosa. • fig. Extender el conocimiento de una cosa o la afición a ella. ■ PROPAGACIÓN.

PROPÁGULO m. *Biol.* Órgano o porción de órgano de un ser pluricelular que sirve para la reproducción asexual de dicho ser.

PROPALAR tr. Divulgar una cosa oculta.

PROPANO adj. y m. *Quím.* Díc. de un hidrocarburo saturado de tres carbonos. Es un gas incoloro, inflamable, que se halla en el gas natural. Sirve como combustible. ■ PROPANERO, RA.

PROPAROXÍTONO, NA adj. *Gram.* Esdrújulo.

PROPASAR tr. Pasar más adelante de lo debido. • tr. y prnl. Excederse uno de lo razonable en lo que hace o dice.

PROPEDÉUTICO, CA adj. Relativo a la propedéutica. • f. Enseñanza preparatoria para el estudio de una disciplina.

PROPENDER intr. Inclinarse uno a una cosa por afición. ■ PROPENSIÓN; PROPENSO, SA.

PROPERGOL m. *Quím.* Mezcla líquida o sólida formada por un combustible y un comburente, y destinada a la alimentación de los motores cohetes.

* *Quím.* Los p. sólidos, de menor eficacia, se uti-

Cartel de **propaganda** llamando a alistarse en el ejército de EE UU

lizan para la propulsión de misiles de grandes dimensiones, en tanto que los p. líquidos se utilizan en los casos en que se requieren potencias elevadísimas, como en los vehículos de lanzamiento para vuelos espaciales.

PROPICIACIÓN f. Acción y efecto de propiciar. • Acción agradable a Dios, con que se le mueve a piedad y misericordia.

PROPICIAR tr. Ablandar, aplacar la ira de uno, haciéndole favorable, benigno y propicio. • Atraer o ganar el favor o la benevolencia de alguno. • Favorecer la ejecución de algo. ■ PROPICIO, CIA.

PROPICIATORIO, RIA adj. Que tiene virtud de hacer propicio. • m. Lámina cuadrada de oro, con que en la ley ant. se cubría el Arca del Testamento. • Reclinatorio, mueble para arrodillarse.

Dogones de Mali realizando un sacrificio **propiciatorio** para conseguir la lluvia

PROPIEDAD f. Derecho o facultad de disponer de una cosa con exclusión del ajeno arbitrio, y de reclamar la devolución de ella si está en poder de otro. • Cosa que es objeto del dominio, sobre todo si es inmueble o raíz. • Atributo o cualidad esencial de una persona o cosa. • fig. Semejanza o imitación perfecta. • fig. Defecto contrario a la pobreza religiosa, en que incurre el profeso que usa de una cosa como propia. • *Fil.* Propio, accidente necesario e inseparable. • *Gram.* Significado o sentido peculiar y exacto de las voces o frases. • *Mús.* Cada una de las tres especies de hexacordos que se usaron en el solfeo del canto llano.

PROPIENDA f. Cada una de las tiras de lienzo que se fijan en los bandos del bastidor para bordar.

PROPIETARIO, RIA adj. y s. Que tiene derecho de propiedad sobre una cosa, y especialmente sobre bienes inmuebles. • adj. Que tiene cargo u oficio que le pertenece. • Díc. del religioso que incurre en el defecto contrario a la pobreza que profesó.

PROPILEO m. Vestíbulo de un templo o palacio; peristilo de columnas.

Propileo de la acrópolis de Atenas

PROPINA f. Gratificación que, como muestra de satisfacción, se da sobre el precio convenido por un servicio. • Gratificación pequeña con que se recompensa un servicio eventual. • **De p.** m. adv. fa m. Por añadidura.

PROPINAR tr. Dar a beber. • Ordenar, administrar una medicina a alguien. • fig. Maltratar, pegar a uno.

PROPINCUO, CUA adj. Allegado, cercano, próximo. ■ PROPINCUIDAD.

PROPIO, PIA adj. Perteneciente a uno que tiene la facultad exclusiva de disponer de ello. • Característico, peculiar de cada persona o cosa. • Conveniente, adecuado. • Natural, en contraposición a postizo o accidental. • Mismo. • adj. y s. *Fil.* Díc. del accidente que se sigue necesariamente o es inseparable de la esencia y naturaleza de las cosas. • m. Persona que expresamente se envía de un punto a otro con carta o recado. • Heredad, casa o hacienda que tiene una ciudad, villa o lugar para satisfacer los gastos públicos. Se usa más en pl.

PROPIOCEPTOR m. *Biol.* Órgano sensorial que transmite información del interior del organismo a los centros nerviosos elaboradores.

PROPLASTO m. *Biol.* Corpúsculo celular indiferenciado que se encuentra en los tejidos meristemáticos activos.

PROPÓLEOS m. Sustancia cérea con que las abejas bañan las colmenas o vasos.

PROPONER tr. Manifestar con razones una cosa para conocimiento de uno, o para inducirle a adoptarla. • tr. y prnl. Determinar o hacer propósito de ejecutar o no una cosa. • En las escuelas, presentar los argumentos en pro y en contra de una cuestión. • tr. Presentar a uno para un empleo o beneficio. • Hacer una propuesta a alguien con la intención de que la acepte. • Hacer una proposición.

PROPORCIÓN f. Disposición, conformidad o correspondencia debida de las partes de una cosa con el todo o entre cosas relacionadas entre sí. • Disposición u oportunidad para hacer o lograr una cosa. • Coyuntura, conveniencia. • Tamaño. • Importancia, dimensión. • *Mat.* Igualdad entre dos razones, que será aritmética o geométrica según sean las razones de una u otra especie.

* *Mat.* En una proporción $a/b = c/d$, a, d se llaman extremos y b, c medios; estos cuatro núm. gozan de la propiedad $ab = bc$. La p. se llama *aritmética* o *geométrica* según sean las razones de una u otra especie. Los núm. de un conjunto son directamente proporcionales a los de otro conjunto cuando el cociente entre dos homólogos es constante, y son inversamente proporcionales cuando su producto es constante, o sea, dados los conjuntos $A\ (a, b, c, ...)$ y $A'\ (a', b', c', ...)$ se tiene proporcionalidad directa $(a/a' = b/b' = c/c' = ...)$, proporcionalidad inversa $(aa' = bb' = cc' = ...)$.

PROPORCIONAL adj. Relativo a la proporción o que la incluye en sí. • *Gram.* Díc. del nombre o del adj. numeral que expresa cuántas veces una cantidad contiene en sí otra inferior. • *Mat.* Díc. de las magnitudes que están en proporción, sea directa o inversa.

PROPORCIONAR tr. Disponer y ordenar una cosa con la debida correspondencia o proporción en sus partes. • tr. y prnl. Disponer adecuadamente las cosas, a fin de conseguir lo que se desea. • Facilitar, poner a disposición de uno lo que necesita o le conviene. ■ PROPORCIONADO, DA; PROPORCIONALIDAD.

PROPOSICIÓN f. Acción y efecto de proponer. • *Lóg.* Oración, palabra o palabras que expresan un concepto cabal. • *Mat.* Enunciación de una verdad demostrada o que se trata de demostrar. • *Ret.* Parte del discurso, en que se enuncia o expone aquello de que se quiere convencer y persuadir a los oyentes. • **afirmativa.** Aquella cuyo sujeto está contenido en la extensión del predicado. • **disyuntiva.** La que expresa la incompatibilidad de dos o más predicados en un sujeto. • **negativa.** Aquella cuyo sujeto se toma en una parte de su extensión. • **universal.** Aquella cuyo sujeto se toma en toda su extensión.

PROPÓSITO m. Ánimo o intención de hacer o de no hacer una cosa. • Objeto, mira. • Materia de que se trata. • **A p.** m. adv. con que se expresa que una cosa es proporcionada u oportuna para lo que se desea o para el fin a que se destina. • **De p.** m. adv. Con intención determinada; voluntaria y deliberadamente. • **Fuera de p.** m. adv. Sin venir al caso, sin oportunidad o fuera de tiempo.

PROPRETOR m. Magistrado rom. a quien después del año de la pretura, volvían a nombrar pretor.

PROPUESTA f. Proposición o idea que se manifiesta y ofrece a uno para un fin. • Consulta de uno o más sujetos hecha al superior para un empleo o beneficio. • Consulta de un asunto o negocio a quien lo ha de resolver.

PROPUGNAR tr. Defender, amparar.

PROPULSANTE adj. y m. *Astron.* Díc. de la sustancia que es fuente de energía y fluido de trabajo para los motores cohete. • **sólido.** El que en forma de granos o como polvo prensado se usa en los cohetes no dirigidos.

* *Astron.* Los p. sólidos pueden ser: heterogéneos, constituidos por la mezcla de un oxidante sólido finamente pulverizado, con un p. líquido que se solidifica al polimerizarse; u homogéneos, de mayor empleo, que constan de compuestos químicos que contienen elementos combustibles y oxidantes.

PROPULSAR tr. Impeler hacia adelante. • Rechazar, repulsar.

PROPULSIÓN f. Acción de propulsar o impeler. • Acción y efecto de propulsar o rechazar. • **a chorro.** *Aer.* Procedimiento empleado para que un avión, proyectil, cohete, etc., avance en el espacio por efecto de la reacción.

PROPULSOR, RA adj. y s. Que propulsa o impele. • Díc. de los órganos mecánicos que sirven para la propulsión.

PRORRATA f. Cuota o porción que toca a uno de lo que se reparte entre varios.

PRORRATEAR tr. Repartir una cantidad, obligación o carga entre varios, según la parte que proporcionalmente toca a cada uno. ■ PRORRATEO.

PRÓRROGA o **PRORROGACIÓN** f. Continuación de una cosa por un tiempo determinado, superior al fijado primitivamente

PRORROGAR tr. Continuar, dilatar, extender una cosa por tiempo determinado. • Suspender, aplazar.

PRORRUMPIR intr. Salir con ímpetu una cosa. • fig. Proferir repentinamente y con fuerza una voz, suspiro u otra demostración de dolor o pasión vehemente.

PROSA f. Estructura y forma que toma naturalmente el lenguaje para expresar los conceptos, y no está sujeta, como el verso, a medida y cadencia determinadas. • Lenguaje prosaico en la poesía. • fig. y fam. Exceso de las palabras para decir cosas poco o nada importantes. • fig. Aspecto o parte de las cosas que se opone al ideal y a la perfección de ellas. ■ PROSADO, DA; PROSISTA.

PROSAICO, CA adj. Relativo a la prosa, o escrito en prosa. • Díc. de la obra poética que adolece de prosaísmo. • fig. Vulgar, anodino, falto de elevación e interés.

PROSAÍSMO m. Defecto de la obra en verso, que consiste en la falta de armonía o entonación poéticas, o en la demasiada llaneza de la exp., o en la insulsez y trivialidad del concepto. • fig. Insulsez y trivialidad en el fondo de las obras en prosa.

PROSAPIA f. Ascendencia, linaje o generación de una persona.

PROSCENIO m. En el ant. teatro gr. y latino, lugar entre la escena y la orquesta, y en el cual estaba el tablado en que representaban los actores. • Parte del escenario más inmediata al público.

PROSCRIBIR tr. Echar a uno del territorio de su patria, comúnmente por causas políticas. • fig. Excluir, prohibir el uso de una cosa. ■ PROSCRIPCIÓN; PROSCRITO, TA.

PROSEAR intr. *Ur.* Conservar. ■ *Ur.* PROSEO.

PROSECRETARIO m. *Amér.* Vicesecretario.

PROSEGUIR tr. Seguir, continuar, llevar adelante lo que se tenía empezado. ■ PROSECUCIÓN.

PROSELITISMO m. Celo de ganar prosélitos. ■ PROSELITISTA.

PROSÉLITO m. Persona convertida a la religión católica y en general a cualquier religión. • fig. Partidario ganado para cualquier facción, parcialidad o doctrina.

PROSÉNQUIMA m. *Biol.* Tejido fibroso de los animales y de los vegetales.

PROSIFICAR tr. Poner en prosa una composición poética. ■ PROSIFICACIÓN.

PROSIMIO adj. y m. *Zool.* Díc. de animales del grupo prosimios. • m. pl. *Zool.* Grupo de primates inferiores, que incluye los subórdenes de los tupayoideos, lemuroideos y tarsioideos.

PROSOBRANQUIO adj. y m. *Zool.* Díc. de moluscos gasterópodos, con branquias anterocordiales. • m. pl. *Zool.* Subclase de estos moluscos.

PROSODEMA m. *Ling.* Unidad fonológica que combina de modo diverso los rasgos fónicos de tono, intensidad, timbre y duración.

PROSODIA f. *Gram.* Parte de la gramática tradicional que estudia la correcta pronunciación y acentuación. • Estudio de los rasgos fónicos que afectan a la métrica, especialmente de los acentos y de la cantidad. • *Ling.* Parte de la fonología dedicada al estudio de los rasgos fónicos que afectan a unidades inferiores o superiores al fonema. ■ PROSÓDICO, CA.

PROSOPOGRAFÍA f. *Ret.* Descripción del exterior de una persona o de un animal.

PROSOPOPEYA f. *Ret.* Figura que consiste en atribuir a las cosas inanimadas o abstractas, acciones y cualidades propias del ser animado, o bien en poner el escritor palabras en boca de personas verdaderas o fingidas. • fam. Afectación de gravedad y pompa.

PROSPECCIÓN f. *Ing.* Conjunto de métodos y técnicas empleadas en la búsqueda de yacimientos de minerales útiles, aguas subterráneas e hidrocarburos líquidos o gaseosos. • *Cuba.* Reconocimiento general que se hace para descubrir enfermedades latentes o incipientes. ■ PROSPECTAR.

PROSPECTIVO, VA adj. Que se refiere al futuro. • f. Ciencia que prevé el futuro a través de un estudio de las causas que intervienen en la evolución de los hechos y que favorecen la aceleración de los mismos.

PROSPECTO m. Exposición o anuncio breve que se hace al público sobre una obra, escrito, espectáculo, mercancía, etc. • Impreso que acompaña a un medicamento o algún otro producto, en que se indica su composición, aplicaciones, etc.

PROSPERAR tr. Ocasionar prosperidad. • intr. Tener o gozar prosperidad. • fig. Tener aceptación una idea, opinión o doctrina y ponerse en práctica.

PROSPERIDAD f. Curso favorable de las cosas; buena suerte o éxito en lo que se emprende, sucede u ocurre. • Bienestar material, mejora económica. ■ PRÓSPERO, RA.

PRÓSPERO de Aquitania (390-463) Santo. Teólogo y escritor fr. Escribió contra los semipelagianos y una *Crónica*. Fue secretario del papa León I Magno.

PRÓSTATA f. *Anat.* Órgano glandular, propio del sexo masculino, sit. en la porción inicial de la uretra por debajo de la vejiga urinaria, que segrega un líquido que, durante la eyaculación, se mezcla con el esperma y favorece el avance y supervivencia de los espermatozoides. ■ PROSTÁTICO, CA.

PROSTATITIS f. *Pat.* Inflamación de la próstata.

PROSTERNARSE prnl. Postrarse. ■ PROSTERNACIÓN.

PRÓSTESIS f. *Gram.* Prótesis, adición de un sonido al principio de un vocablo.

PROSTÉTICO, CA adj. *Gram.* Protético. • Grupo p. *Biol.* Para una enzima, fracción no proteica de ésta.

PROSTÍBULO m. Casa de prostitución. ■ PROSTIBULARIO, RIA.

PROSTITUCIÓN f. Acción y efecto de prostituir o prostituirse. • Comercio sexual con ánimo de lucro.

PROSTITUIR tr. y prnl. Exponer públicamente a todo género de torpeza y sensualidad. • Entregar o inducir a alguien a la prostitución; dedicarse a ella. • fig. Deshonrar, vender uno su empleo, autoridad, etc., por interés o por adulación. • prnl. fig. Envilecerse o degradarse para obtener una ventaja material. ■ PROSTITUTO, TA.

PROSUDO, DA adj. *Ecuad.* Díc. de la persona que se da importancia, gralte. por causas fútiles.

PROTACTINIO m. *Quím.* Elemento de símb. Pa, n. a. 91 y p. a. 226,05. Es un metal de la serie de los actínidos, que no se encuentra en la naturaleza. Se obtiene por medio de transmutaciones radiactivas.

PROTAGONISTA com. Personaje pral. de la acción de una obra literaria, cinematográfica, etc. • P. ext., persona que en un suceso cualquiera tiene la parte principal. ■ PROTAGONIZAR.

PROTÁGORAS de Abdera (h. 480-410 a. C.) Filósofo sofista gr. A causa de su tratado *Acerca de los dioses*, fue expulsado de Atenas. Postuló que el hombre era la medida de todas las cosas.

PROTALO m. *Bot.* Pequeño órgano vegetal laminar, a veces casi microscópico, que representa la fase gametofítica en el ciclo biológico de los pteridófitos superiores o helechos.

PROTAMINA f. *Biol.* Proteína que se aísla del esperma de los peces, en el que se encuentra asociada a sustancias ácidas.

PROTANDRIA f. *Biol.* Situación de los animales hermafroditas que actúan como machos en las épocas juveniles de su desarrollo y como hembras en estadios más tardíos.

PRÓTASIS f. Primera parte del poema dramático; exposición. • *Ret.* Primera parte del periodo en que queda pendiente el sentido, que se completa o cierra en la segunda, llamada apódosis.

PROTEÁCEO, A adj. y f. *Bot.* Díc. de plantas de la familia proteáceas. • f. pl. *Bot.* Familia de plantas angiospermas dicotiledóneas que comprende arbustos de hojas esparcidas, simples, coriáceas, con flores hermafroditas y frutos en aquenio, folículo o drupa con semillas aladas.

PROTEASA f. *Biol.* Enzima del grupo de las hidrolasas, gralte. con misiones digestivas, que es específica para la hidrólisis de las proteínas y de los péptidos.

PROTECCIONISMO m. *Econ.* Política económica que favorece ciertos productos nacionales mediante la imposición de elevadas tarifas aduaneras a los productos extranjeros de la misma clase. En el s. XIX se propugnó como medida contraria al librecambismo. ■ PROTECCIONISTA.

PROTECTOR, RA adj. y s. Que protege. • Que por oficio cuida de los derechos o intereses de una comunidad. • En determinadas asociaciones, díc. del socio que coopera económicamente en su sostenimiento. • m. Protegedientes.

PROTECTORADO m. Dignidad, cargo o virtud de protector y su ejercicio. • Parte de soberanía que un Est. ejerce en territorio que no ha sido incorporado plenamente al de su nación y en el cual exis-

Gálago gigante, primate del grupo **prosimios**

Caliostoma, molusco de la subclase **prosobranquios**

Prospección petrolífera en Texas

ten autoridades propias de los pueblos autóctonos. • Territorio en que se ejerce esta soberanía compartida. • Alta dirección e inspección que se reserva el poder público sobre las instituciones de beneficencia particular. • Conjunto de autoridades que ejercen tal potestad.

PROTEGER tr. Amparar, favorecer, defender. • Resguardar una cosa de un posible daño o peligro. ■ PROTECCIÓN; PROTEGIDO, DA.

PROTEICO, CA adj. Que cambia de formas o, p. ext., de ideas. • *Quím.* Proteínico.

PROTEIDO m. *Biol.* Heteroproteína constituida por la unión de una proteína típica y un grupo prostético de naturaleza no proteínica.

PROTEÍNA f. *Biol.* Principio inmediato cuaternario, constituido pralm. por carbono, nitrógeno, oxígeno e hidrógeno, formando monómeros (aminoácidos) que se unen por enlace peptídico. ■ PROTEÍNICO, CA.

* *Biol.* La misión de las p. en los organismos es de naturaleza plástica e integran la mayor parte del cuerpo vivo; sin embargo, cuando se ingieren en gran cantidad se pueden oxidar para dar energía, suministrando 4,1 calorías por gramo.

Cobra de anteojos, serpiente del grupo **proteroglifos**

PROTEINASA f. *Biol.* Enzima que cataliza la escisión hidrolítica de las proteínas. Las p. forman parte del grupo de las proteasas.

PROTEINOGRAMA m. Resultado del análisis cuantitativo y cualitativo de las proteínas del plasma sanguíneo.

PROTEO m. fig. Hombre que cambia frecuentemente de opiniones y afectos.

PROTEO *Mit. gr.* Dios marino, hijo de Tetis y de Océano (o Poseidón), el cual le dio el don de la profecía.

PROTEROGLIFO, FA adj. y m. *Zool.* Díc. de animales del grupo proteroglifos. • m. pl. *Zool.* Grupo de serpientes de dientes venenosos provistos de un surco en su cara anterior. Son p. las cobras, mambas y serpientes coral.

PROTERVIA f. Obstinación en la maldad, perversidad. ■ PROTERVO, VA.

PROTÉSICO, CA adj. Relativo a la prótesis. • m. Ayudante de odontólogo encargado de preparar prótesis dentales.

PRÓTESIS f. Procedimiento mediante el cual se repara artificialmente la falta de un órgano o parte de él. • Aparato con que se verifica esta sustitución. • *Gram.* Metaplasmo que consiste en añadir una o más letras eufónicas al principio de un vocablo. ■ PROTÉTICO, CA.

PROTESTA f. Acción y efecto de protestar. • Promesa con aseveración o atestación de ejecutar una cosa. • *Der.* Declaración jurídica que se hace para que no se perjudique el derecho que uno tiene.

PROTESTANTE adj. Que protesta. • Relativo al protestantismo. • adj. y s. Que sigue el luteranismo o cualquiera de sus ramas. • adj. Relativo a los miembros de estas confesiones religiosas. • Relativo a alguna de las iglesias cristianas formadas como consecuencia de la Reforma.

PROTESTANTISMO m. *Rel.* Denominación común de las iglesias nacidas de la Reforma. El nombre obedece a la «protesta» de catorce c. luteranas y cinco príncipes contra la determinación de la dieta de Spira (1529) de restaurar el culto de la Iglesia católica.

PROTESTAR tr. Declarar el ánimo que uno tiene en orden a ejecutar una cosa. • Confesar públicamente la fe y creencia que uno profesa y en que desea vivir. • Con la prep. *de*, aseverar con ahínco y con firmeza. • Con la prep. *contra*, negar la validez o legalidad de un acto, tachándolo de vicios o. • Hacer el protesto de una letra de cambio. ■ PROTESTATIVO, VA.

PROTESTO m. Acción y efecto de protestar. • Requerimiento, ante notario, a quien no quiere pagar una letra de cambio o aceptarla, para que la pague o razone su negativa. • Testimonio por escrito del mismo requerimiento.

PRÓTIDO m. *Biol.* Principio inmediato cuaternario, constituido en su mayor parte por carbono, oxígeno, hidrógeno y nitrógeno. Los p. comprenden dos grandes grupos de sustancias: las proteínas y los proteidos.

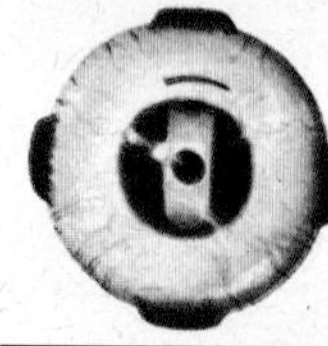
Fases sucesivas de la introducción de una **prótesis** ocular (lente acrílica) en la cámara anterior del ojo

PROTISTA o **PROTISTO** m. *Biol.* Nombre acuñado por Haeckel para designar el conjunto de los grupos sit. en la base de los reinos animal y vegetal. Comprende las algas, hongos, protozoos y, para algunos autores, también los mixomicetes.

PROTOÁNTROPO m. Tipo que engloba las formas más ant. del género *Homo*, representadas en Asia por el sinántropo, en Europa por el euántropo de Mauer, y en África por el *Atlanthropus mauritanicus* de Ternifine.

PROTOCANÓNICO, CA adj. y s. Díc. de los libros de la Biblia que se incluyeron inmediatamente en el canon de las Sagradas Escrituras, porque nunca se impugnó su inspiración divina, a diferencia de los deuterocanónicos.

PROTOCOLIZAR tr. Incorporar al protocolo una escritura matriz u otro documento que requiera esta formalidad. ■ PROTOCOLIZACIÓN.

PROTOCOLO m. Serie ordenada de escrituras matrices y otros documentos que un notario o escribano autoriza y custodia con ciertas formalidades. • Acta o cuaderno de actas relativos a un acuerdo, conferencia o congreso diplomático. • P. ext., regla ceremonial diplomática o palatina establecida por decreto o por costumbre: etiqueta que debe guardarse en ciertos actos oficiales. ■ PROTOCOLAR; PROTOCOLARIO, RIA.

PROTÓFITO, TA adj. y m. *Bot.* Díc. de vegetales del grupo protófitos. • m. pl. *Bot.* Grupo de vegetales inferiores que comprende todas las formas unicelulares que, agrupadas, no constituyen tejidos diferenciados ni pseudoparénquimas. Incluye, en sentido estricto, las algas de organización no talófita y los procariotas.

PROTOFLOEMA m. *Bot.* Conjunto de las células primordiales que van a originar el tejido vascular liberiano de los vegetales.

PROTOGINIA f. *Biol.* Situación de los animales hermafroditas que actúan como hembras en las épocas juveniles de su desarrollo y como machos en estadios más tardíos.

PROTOHISTORIA f. Periodo anterior a la historia, basada únicamente en tradiciones o inducciones. ■ PROTOHISTÓRICO, CA.

PROTÓLISIS f. *Quím.* Reacción ácido-base, consistente en el intercambio de un protón.

PROTOMÁRTIR m. Primer mártir. • Nombre que se suele aplicar a san Esteban.

PROTOMEDICATO m. Tribunal formado por los protomédicos y examinadores, que reconocía la suficiencia de los que aspiraban a ser médicos. • Empleo o título honorífico de protomédico.

PROTOMÉDICO m. Cada uno de los médicos del tribunal de protomedicato.

PROTÓN m. *Fís.* Partícula elemental nuclear de carga positiva y masa de 1,00759 unidades másicas.

PROTONEURONA f. Neurona pral. de una vía nerviosa sensitiva.

PROTÓNICO, CA adj. Díc. del sonido o sílaba átona que en el vocablo precede a la tónica. • Relativo al protón.

PROTOPLANETA m. Cada uno de los fragmentos de la primitiva nebulosa madre del sistema solar a partir de los cuales se formaron los planetas.

PROTOPLASMA m. *Biol.* Término que designa el contenido vivo de la célula.

PROTOPLASTO m. *Biol.* Unidad básica funcional de las células u organismos pluricelulares que están rodeados por una pared rígida.

PROTÓPTERO m. Pez dipnoo afr. de agua dulce, que puede respirar utilizando la vejiga natatoria.

PROTÓRAX m. *Zool.* El primero de los tres segmentos del tórax de los insectos.

PROTOSTOMA adj. y m. *Zool.* Díc. de animales del grupo protostomas. • m. pl. *Zool.* Grupo de animales metazoos, bilaterales, en los que la boca del adulto corresponde al blastoporo del embrión.

PROTOTIPO m. Ejemplar original o primer molde en que se fabrica una figura u otra cosa. • fig. El más perfecto ejemplar y modelo de una virtud, vicio o cualidad.

PROTÓXIDO m. *Quím.* Ant. nombre dado, en una serie de óxidos del mismo elemento, al que contiene la mínima cantidad de oxígeno.

PROTOXILEMA m. *Bot.* Conjunto de las células primordiales que van a originar el tejido vascular leñoso de los vegetales.

PROTOZOO o **PROTOZOARIO, RIA** adj. y m. *Zool.* Díc. de animales del subreino protozoos. • m.

pl. *Zool.* Subdivisión del reino animal, con categoría de subreino, que comprende animales unicelulares.

* *Zool.* La delimitación del grupo es difícil, ya que muchos de sus miembros presentan características propias de plantas y otros muestran un indicio de organización pluricelular. La morfología es muy variada: en principio las formas flotantes tienden a adquirir una simetría central, y las fijas al sustrato una simetría radial, pero no faltan las especies asimétricas. La forma de los esqueletos es también muy variada: en los dinoflagelados, el esqueleto consiste en un conjunto de placas de naturaleza celulósica, dispuesta siempre con arreglo a un patrón característico de cada especie; en los foraminíferos suele consistir en una o varias cámaras, gralte. esferoidales, perforadas por numerosos poros: los radiolarios tienen un caparazón de sílice muy perforado, que semeja un tejido de encaje. Su nutrición y hábitat obedecen a la misma regla general de diversidad.

Ilustración de un texto **protestante** de 1538 contra el clero católico

PROTRÁCTIL adj. Díc. de la lengua de algunos animales que puede proyectarse mucho fuera de la boca, como en el camaleón.

PROTROMBINA f. *Biol.* Sustancia existente en la sangre, precursora de la trombina, en la cual se transforma en la primera fase de la coagulación sanguínea.

PROTUBERANCIA f. Prominencia más o menos redonda. • **anular** o **cerebral.** *Anat.* Eminencia del bulbo en la cara inferior del encéfalo. • **solar.** *Astr.* Proyección de materia solar que se eleva a partir de la cromosfera hacia la corona.

PROTUTOR m. Cargo familiar establecido por el código civil para intervenir las funciones de la tutela y asegurar su recto ejercicio.

PROUDHON, ***Pierre-Joseph*** (1809-1865) Pensador fr., teórico del socialismo libertario. Señaló que la contradicción fundamental oponía a la sociedad trabajadora con el aparato del Est., y con ello sentó las bases del anarquismo. Contrario al capitalismo y a cualquier sociedad estatalizada, plasmó su modelo social en la sociedad autogestionaria libremente federada en una estructura integrada por reducidas y múltiples unidades productivas y de convivencia. Denunció la naturaleza alienante de la política. *¿Qué es la propiedad?*, *Sistemas de las contradicciones económicas*, o *Filosofía de la miseria*, *Teoría de la propiedad.*

PROUST, ***Marcel*** (1871-1922) Escritor fr. El conjunto pral. de su obra tiene como título general *En busca del tiempo perdido*, y es un estudio del poder destructor del tiempo y de la posibilidad de su recuperación por medio de la obra de arte. Es peculiar su estilo, táctil e impresionista, y el lento fluir de la acción, interrumpida por las digresiones y los análisis psicológicos de los personajes.

PROUSTITA f. *Miner.* Sulfoarseniuro de plata, que cristaliza en el sistema ditrigonal; color rojo y brillo metálico. Es una importante mena de plata.

PROUT, ***William*** (1785-1850) Químico y médico brit. Supuso que todos los elementos químicos estaban constituidos por átomos de hidrógeno *(hipótesis de Prout).*

PROVECHO m. Beneficio o utilidad. • Adelantamiento en las ciencias, artes o virtudes. • pl. Aquellos emolumentos que se adquieren fuera del sueldo. • **Buen p.** Exp. fam. con que se explica el deseo de que una cosa sea útil o conveniente a la salud o bienestar de uno. • **De p.** loc. Díc. de la persona o cosa útil. ■ PROVECHOSO, SA.

PROVECTO, TA adj. Antiguo, adelantado, o que ha aprovechado en una cosa. • Maduro, entrado en años.

PROVEEDOR, RA adj. Que provee. • m. y f. Persona que tiene a su cargo proveer a ejércitos, casas de comunidad, etc.

PROVEEDURÍA f. Cargo y oficio de proveedor. • Casa donde se guardan y distribuyen las provisiones.

PROVEER tr. y prnl. Prevenir, juntar y tener listos los mantenimientos u otras cosas necesarias para un fin. • tr. Disponer, resolver, dar salida a un negocio. • Poner en un empleo o cargo un ocupante. • tr. y prnl. Suministrar o facilitar lo necesario o conveniente para un fin. • tr. *Der.* Dictar un juez o tribunal una resolución que no sea la sentencia definitiva. ■ PROVEIMIENTO.

PROVEÍDO m. Resolución judicial interlocutoria o de trámite.

PROVENIR intr. Nacer, proceder, originarse una cosa de otra. ■ PROVENIENCIA.

PROVENZA (*Provence*) Región histórica del SE de Francia, a la que por razones geográficas se unen el condado de Venaissin y el de Niza. Actualmente corresponde con la circunscripción de acción regional Provenza-Costa Azul. Fue prov. rom. y parte del reino franco. Por el matrimonio de una condesa franca y Ramón Berenguer III, conde de Barcelona, P. pasó al reino de Aragón. Incorporada a Francia en 1481.

PROVENZA-ALPES-COSTA AZUL (*Provence-Alpes-Côte d'Azur)* Circunscripción de acción regional de Francia, a orillas del Mediterráneo; 31 400 km², 4 257 900 hab. Cap., Marsella. C. prales: Niza, Toulon, Cannes. Terr. constituido por los Alpes Marítimos y los Prealpes, la llanura deltaica del Ródano y la Costa Azul. Clima mediterráneo. Agricultura. Ind. petroquímica, construcciones navales mecánicas. Turismo.

PROVENZAL adj. y s. De Provenza. • m. *Ling.* Lengua de oc. • *Ling.* Lengua de los provenzales, tal como se habla hoy.

* *Lit.* El p. tiene una de las más antiguas literaturas romances, cuyo campo abarca casi exclusivamente la poesía, que en los ss. XI-XIII conoció gran esplendor. Esta poesía de tema amoroso podía ser cantada, por lo que sus artífices fueron los trovadores. En la segunda mitad del s. XIII se difundió por Italia y España. En el s. XIV la escuela de Tolosa intentó resucitar la poesía trovadoresca con sus juegos florales. En el s. XIX, la literatura p. alcanzó un renacimiento llamado felibrismo, fundado por Mistral (1854).

PROVENZALISMO m. Vocablo, giro o modo de hablar peculiares de la lengua provenzal.

PROVERBIAL adj. Relativo al proverbio o que lo incluye. • Muy notorio.

PROVERBIO m. Sentencia breve, adagio o refrán. • Agüero o superstición. • Obra dramática cuyo objeto es poner en acción un proverbio o refrán. ■ PROVERBIAR; PROVERBISTA.

PROVERBIOS, ***Libro de los*** Escrito sapiencial del A. T., atribuido tradicionalmente a Salomón, aunque contiene partes posteriores a él.

PROVIDENCE C. de EE UU, cap. del est. de Rhode Island; 160 700 hab. Puerto petrolero. Centro industrial.

PROVIDENCIA f. Disposición anticipada o prevención que conduce al logro de un fin. • Previsión y cuidado que Dios tiene de sus criaturas. • fig. Dios, el Ser Supremo. • *Der.* Resolución del juez, en que no van expresos los motivos. ■ PROVIDENCIAL; PROVIDENTE; PRÓVIDO, DA.

PROVIDENCIA C. de Chile, en el á. metr. de Santiago; 114 300 hab. Centro residencial.

PROVIDENCIA Isla de Colombia. → San Andrés.

PROVIDENCIALISMO m. Doctrina según la cual todo sucede por disposición de la Divina Providencia. ■ PROVIDENCIALISTA.

PROVIDENCIAR tr. Dar disposiciones para lo que se va a hacer. • Dar disposiciones después de un hecho para concertar algo o remediar un daño. • *Der.* Dar el juez por sí una disposición para resolver cuestiones accidentales o de trámite.

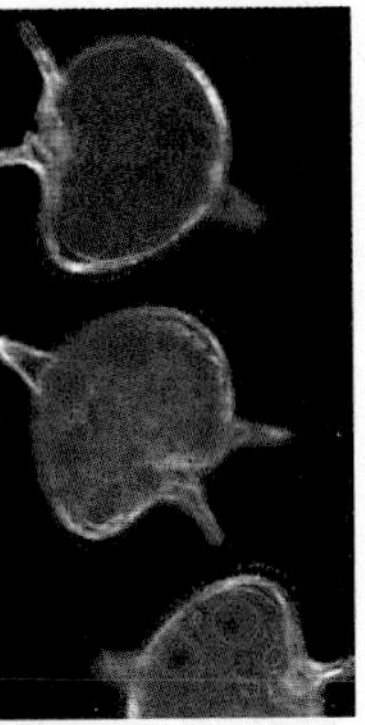

Peridinios, **protozoos** radiolarios que forman parte del placton marino

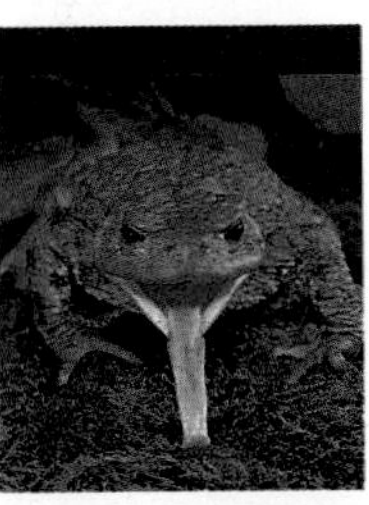

Sapo capturando a su presa con velocísimos movimientos de su lengua **protráctil**

Provenza-Alpes-Costa Azul. Puerto de Niza

Proyector usado en los comienzos del cine

La emperatriz Josefina, retrato de Pierre **Prud'hon.** Museo del Louvre, París

PROVINCIA f. División territorial y administrativa. • En la ant. Roma, territorio conquistado fuera de Italia y administrado por un gobernador. • Conjunto de casas o conventos de religiosos que ocupan determinado territorio.

PROVINCIAL adj. Relativo a una provincia. • m. Religioso que tiene el gobierno y superioridad sobre todas las casas y conventos de una provincia. ■ PROVINCIALATO.

PROVINCIALA f. Superiora religiosa que en ciertas órdenes gobierna las casas religiosas de una provincia.

PROVINCIALISMO m. Predilección que gralte. se da a los usos, producciones, etc., de la prov. en que se ha nacido. • *Ling.* Voz o giro que únicamente tiene uso en una prov. o comarca de un país o nación.

PROVINCIANISMO m. Estrechez de espíritu y apego excesivo a la mentalidad o costumbres particulares de una prov. o sociedad cualquiera, con exclusión de las demás. ■ PROVINCIANO, NA.

PROVINCIAS UNIDAS Estado federado formado en 1579 por la parte septentrional de Países Bajos. Desapareció en 1795 al ser conquistado el país por las tropas fr.

PROVINCIAS UNIDAS DE CENTROAMÉRICA → Centroamérica, Provincias Unidas de.

PROVISIÓN f. Acción y efecto de proveer. • Conjunto de víveres u otras cosas que se tienen prevenidas para algo. Se usa más en pl. • Medida tomada para prevenir algo. • Despacho o mandamiento que en nombre del rey expedían algunos tribunales.

PROVISIONAL adj. No definitivo.

PROVISOR m. Proveedor. • Juez eclesiástico en quien el obispo delega su autoridad para la determinación de los pleitos. ■ PROVISORATO.

PROVISORA f. En los conventos de religiosas, la que cuida de la provisión de la casa.

PROVISORIO, RIA adj. *Amér.* Provisional. • pl. Díc. de los que son de un bando político.

PROVISTA f. *Argent.* Conjunto de comestibles.

PROVITAMINA f. Cualquier tipo de sustancia que, incorporada en un organismo por su sencillo cambio químico, se transforma en una vitamina.

PROVOCADOR, RA adj. Que provoca, incita o estimula. • adj. y s. Díc. del agente policiaco que, en situaciones de inestabilidad social, se mezcla entre el pueblo y finge posturas radicales para identificar a los elementos hostiles al gobierno.

PROVOCAR tr. Excitar, incitar, inducir a uno a que ejecute una cosa. • Irritar o estimular a uno con palabras u obras para que se enoje. • Facilitar, ayudar. • Mover o incitar a algo. • Tratar de despertar deseo sexual en alguien. • fam. Vomitar lo contenido en el estómago. ■ PROVOCACIÓN; PROVOCATIVO, VA.

PROXENETA com. Alcahuete, mediador que favorece y procura relaciones sexuales ilícitas. ■ PROXENÉTICO, CA; PROXENETISMO.

PROXIMA Centauri *Astr.* La estrella más cercana al sistema solar en la constelación *Centaurus*.

PRÓXIMO, MA adj. Cercano, que dista poco.

PROYECCIÓN f. Acción y efecto de proyectar. • Imagen que por medio de un foco luminoso se arroja o fija temporalmente sobre una superficie plana. • *Geom.* Para un punto *O* del plano y una recta *r*, también del plano, que no pasa por *O*, es la transformación que a cada punto *P* del plano, distinto de *O*, le hace corresponder el punto *P'* de *r* que está alineado con él y con *O*. • *Psic.* Mecanismo psicológico de defensa consistente en atribuir inconscientemente a otros y a percibir en el mundo exterior las propias pulsiones y los conflictos internos. • Sesión cinematográfica. • **cilíndrica.** Representación de los puntos de una esfera sobre un cilindro circunscrito, que desarrollado constituye un mapa. • **cónica.** Intersección con un plano de los rayos proyectantes de los puntos de una figura, desde otro punto llamado centro de proyección.

PROYECTAR tr. Lanzar, dirigir hacia adelante o a distancia. • Idear, trazar, disponer o proponer el plan y los medios para la ejecución de una cosa. • tr. y prnl. Hacer visible sobre un cuerpo o una superficie la figura o la sombra de otro. • tr. *Geom.* Formar sobre una pantalla la imagen óptica amplificada de diapositivas, películas u objetos opacos. • Trazar líneas rectas desde todos los puntos de un sólido u otra figura, según determinadas reglas, hasta que encuentren una superficie, por lo común plana. ■ PROYECTANTE.

PROYECTIL m. Cuerpo que debido a la velocidad inicial con que es lanzado puede alcanzar un objetivo y producir efectos sobre él.

PROYECTIVIDAD f. *Geom.* Transformación proyectiva que conserva la razón doble.

PROYECTIVO, VA adj. *Geom.* Relativo a la proyección. • *Psic.* Se aplica a los métodos o técnicas de estudio de la personalidad que se basan en el análisis de la proyección psicológica.

PROYECTO, TA adj. Representado en perspectiva. • m. Idea que se tiene de algo que se piensa hacer y de cómo hacerlo. • Designio o pensamiento de ejecutar algo. • Conjunto de escritos, cálculos y dibujos que se hacen para dar idea de cómo ha de ser y lo que ha de costar una obra de arquitectura, ingeniería, etc. • Redacción provisional de una ley, un reglamento, etc. ■ PROYECTISTA.

PROYECTO APOLO *Astron.* Programa espacial norteam. cuyo objetivo pral. era el desembarco del hombre en la Luna.

* *Astron.* El p. Apolo se desarrolló desde 1966 a 1972. Después de diez vuelos preparatorios (*Apolo I* a *Apolo X*), el 20 de julio de 1969 el módulo lunar *Eagle*, de la misión *Apolo XI*, pilotado por Armstrong y Aldrin, consiguió alunizar y el hombre pisó por vez primera la Luna. En las siguientes misiones (*Apolo XII* al *XVII*) se recogieron muestras lunares y se realizaron experimentos científicos.

PROYECTOR m. Instrumento para proyectar imágenes sobre una pantalla. • Aparato óptico con el que se obtiene un haz luminoso de gran intensidad.

PROYECTURA f. *Arq.* Vuelo, lo que sobresale del paramento de una pared.

PRUDENCIA f. *Teol.* Una de las cuatro virtudes cardinales. • Moderación en el comportamiento para acomodarlo a lo que es sensato o exento de peligro. ■ PRUDENTE.

PRUDENCIAL adj. Relativo a la prudencia. • Díc. del cálculo que se realiza con aproximación. • Díc. de una cantidad de algo, que resulta suficiente.

PRUDENCIO, ***Aurelio Clemente*** (348-h. 405) Poeta hispanolatino. Se le considera el primer poeta cristiano. *Cathemerinon*, *Peristephanon*, *Hamartigenia*.

PRUD'HON, ***Pierre*** (1758-1823) Pintor fr. Cultivó el tema mitológico (*El rapto de Psique*) y el retrato (*La emperatriz Josefina*).

PRUEBA f. Acción y efecto de probar. • Razón, argumento, con que se pretende mostrar una cosa. • Indicio o muestra de una cosa. • Ensayo o experiencia que se hace de una cosa. • Cantidad pequeña de un conjunto que se destina para un examen o análisis. • *Arit.* Operación que se ejecuta para averiguar la exactitud de otra ya hecha. • *Der.* Justificación de la verdad de los hechos controvertidos en un juicio. • *Art. Gráf.* Muestra de la composición tipográfica, que se saca en papel ordinario para corregir y apuntar en ella las erratas que tiene. • P. ext., se llaman así las muestras del grabado y de la fotografía. • **A p. de agua, de bomba,** etc. m. adv. Aplícase a lo que por su perfecta construcción, firmeza y solidez es capaz de resistir al agua, a las bombas, etc.

PRUINA f. *Bot.* Capa, gralte. de color gris blanquecino, que desaparece por frotación y que recubre diversos órganos vegetales. Tiene misiones impermeabilizantes y protectoras.

PRUNEDA, ***Alfonso*** (1879-1957) Médico mex. Impulsor de la medicina preventiva. *Higiene de los trabajadores*, *La salud*.

PRUNÉLIDO, DA adj. y m. *Zool.* Díc. de animales de la familia prunélidos. • m . pl. *Zool.* Familia de aves paseriformes, insectívoras, de plumaje pardo y pico fino. Son propias de las regiones montañosas de Europa y Asia.

PRUNESCENCIA f. *Bot.* Fenómeno típico de algunos órganos vegetales, que segregan gránulos, filamentos o placas de cera al exterior de su epidermis.

PRURIGO m. *Med.* Nombre genérico de ciertas afecciones cutáneas, caracterizadas por pápulas cubiertas de costras negruzcas.

PRURITO m. Comezón viva y prolongada. • fig. Empeño en hacer algo de la mejor forma posible, por amor propio.

Vista de una céntrica calle de Danzig (actual Gdansk), capital de la antigua **Prusia Occidental**

PRUSIA (al., *Preussen)* Nombre de una entidad político-territorial al., que por motivos históricos ha sufrido variaciones en extensión y límites. En principio se designó así territorio sit. al SE del Báltico entre los ríos Niemen y Vístula, el litoral y los lagos Masuria (→ P. Oriental). Dicho territorio se convirtió, bajo la dinastía al. Hohenzollern, en ducado pol. (1525) y en reino soberano (1701). A partir de entonces, el término se aplicó no sólo a la P. estricta sino a todas las posesiones de los Hohenzollern en Alemania. En el imperio al. surgido en 1871 P. comprendía: P. Oriental, P. Occidental, Brandeburgo, Pomerania, Posnania, Silesia, Sajonia, Schleswig-Holstein, Hannover (hoy, Baja Silesia), Westfalia, Hesse-Nassau y Renania. • **Occidental** *(Westpreussen)* Prov. del ant. reino de Prusia, sit. entre la Pomerania al. y P. Oriental. Cap., Danzig. Perteneció a P. de 1772 a 1919. Reincorporada a Alemania por Hitler en 1939; restituida a Polonia en 1945. • **Oriental** *(Ostpreussen)* Prov. del ant. reino de Prusia, sit. entre las cuencas del bajo Niemen y del bajo Vístula. Cap., Königsberg. Primitivo núcleo organizador del est. prusiano. En 1945 fue dividida entre Polonia y la antigua URSS.

PRUSIANO, NA adj. y s. De Prusia. • fam. y despect. Partidario de la disciplina rígida.

PRUSIATO m. *Quím.* Combinación compleja de hierro, que contiene cinco grupos CN y un grupo cualquiera en el complejo.

PRÚSICO adj. Nombre con que también se conoce el ácido cianhídrico.

PRUT Río de Europa oriental; 950 km. Nace en el N de los Cárpatos Orientales (Ucrania), y desagua en el Danubio cerca de Galati.

PRZEMYSL C. de Polonia, en Galitzia; 64 900 hab. Importante plaza fuerte austr. durante la I Guerra Mundial.

PSAMMÉTICO I (s. VII a. C.) Faraón de Egipto [665-610 a. C.] Fundador de la XXVI dinastía, llamada saíta. Expulsó a los asirios y consiguió de nuevo la unificación del Alto y Bajo Egipto.

PSEUDO adj. Seudo, supuesto.

PSI f. Vigésima tercera letra del alfabeto gr., que equivale a *ps*.

PSICASTENIA f. Neurosis caracterizada por la falta de autocontrol, depresión y tendencia a las obsesiones.

PSICOANÁLISIS m. *Med.* y *Psic.* Método de exploración o tratamiento de ciertas enfermedades nerviosas o mentales, puesto en práctica por S. Freud, y basado en el análisis retrospectivo de las causas morales y afectivas que determinaron la enfermedad. • *Psic.* Doctrina que sirve de base a este tratamiento, en la que se concede importancia decisiva a la permanencia en lo subconsciente de los impulsos instintivos reprimidos por la conciencia.

* *Psic.* Hacia 1890, S. Freud sentó los fundamentos del psicoanálisis: la personalidad psíquica se halla escindida en dos niveles, consciente e inconsciente. El consciente representa sólo una delgada capa que se extiende sobre la parte mayor y más significativa de la vida psíquica: el inconsciente. La personalidad se rige por dos principios: el principio de placer y el principio de realidad. Las pulsiones reprimidas no permanecen pasivas en el inconsciente, sino que pugnan por salir a la superficie, siendo controladas por un mecanismo de censura. En virtud de esa censura, lo inconsciente sólo accede indirectamente a la conciencia, a través de perturbaciones neuróticas o psicopáticas, en forma de símbolos, en los sueños y en los actos fallidos (errores, torpezas, lapsus, olvidos, etc.) a través de la fantasía, o bien aplicando la energía de esos impulsos a objetivos distintos de los originarios, y socialmente estimables «sublimación». El p. como doctrina psicológica ha sido discutido y ampliado por los discípulos de Freud: Adler, Jung, Rank, Reich, quienes, a su vez, crearon escuelas propias.

PSICOANALIZAR tr. y prnl. Someter a tratamiento psicoanalítico. ▪ PSICOANALISTA.

PSICODÉLICO, CA adj. Relativo a la manifestación de elementos psíquicos que en condiciones normales están ocultos, o a la estimulación interna de potencias psíquicas. • Causante de esta manifestación o estimulación. Díc. pralm. de ciertas drogas, especialmente las alucinógenas.

PSICODIAGNÓSTICO m. Diagnóstico de las enfermedades de tipo psiquiátrico. • Exploración de la personalidad y de sus posibles trastornos, por medio de ciertas técnicas y de tests.

PSICODRAMA m. Técnica psicoterapéutica, ideada por Moreno (1921), que utiliza la improvisación de escenas dramáticas por un grupo de pacientes.

PSICOFÁRMACO m. Medicamento que actúa sobre la actividad cerebral superior, como sedante o como estimulante.

PSICOFÍSICA f. Ciencia que estudia las relaciones entre las estimulaciones físicas y las sensaciones, sin tener en cuenta los intermedios fisiológicos.

PSICOFISIOLOGÍA f. *Psic.* Conjunto de estudios en el que se establece una estrecha colaboración entre los métodos y el lenguaje de la fisiología como ciencia analítica de las funciones y de los de la psicología como ciencia del comportamiento.

PSICOLOGÍA f. Ciencia que estudia la conducta de los seres vivos. • Manera de sentir de una persona o de un pueblo. ▪ PSICOLÓGICO, CA; PSICÓLOGO, GA.

* El mayor interés de la p. se centra en la conducta humana, aunque también abarca el comportamiento de los animales. Puede esquematizarse la evolución de la p. en las siguientes tendencias: *Psicofisiología* (Wundt), *funcionalismo* (W. James, J. Dewey), *reflexología* (Pavlov), *behaviorismo* (Watson), que ha evolucionado con los neoconductistas (Tolman, Thorndike, Hull y Skinner), *p. de la Gestalt*, *psicoanálisis* y *p. genética* (Piaget). Para medir los caracteres y las aptitudes personales, la p. ha creado los *tesis* mentales. Los primeros aparecieron en la década de 1880. Post., Binet y Simon (1905) presentaron la primera escalera métrica de la inteligencia, Spearman enunció la teoría del factor G y Terman sugirió la denominación de coeficiente de inteligencia. En los años 20 aparecieron nuevos tests que se aplicaron al mundo del trabajo, y a la orientación escolar y profesional. En la década siguiente, Rorschach, Murray (TAT) y Wechsler dan a conocer sus tests. Desde la II Guerra Mundial se ha generalizado su aplicación. Actualmente el psicodiagnóstico está extendido a todas las ramas de la p. aplicada.

PSICOLOGISMO m. *Fil.* Tendencia a reducir los problemas filosóficos a la psicología y a considerar esta ciencia como núcleo y fundamento de la reflexión filosófica.

PSICOMETRÍA f. Conjunto de los métodos de medición indicativa utilizados dentro del campo de la psicología.

PSICOMOTRICIDAD f. Relación entre las funciones motoras del organismo humano y los factores psicológicos que intervienen en ellas, condicionando su desarrollo.

PSICONEUROSIS f. *Pat.* Estado caracterizado por trastornos funcionales neuropsíquicos que no se acompañan de alteración anatómica.

Sigmund Freud, creador del **psicoanálisis**

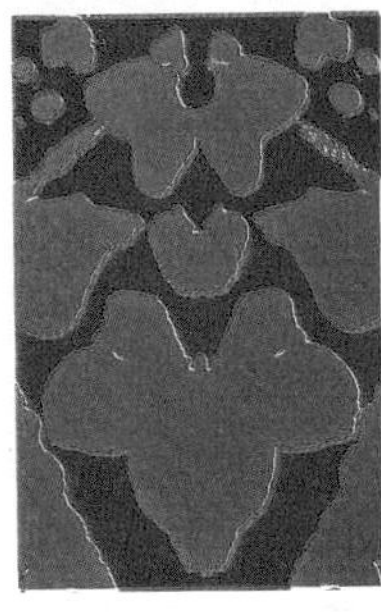

Psicodiagnóstico. Imagen utilizada en el test de Rorschach, basado en la interpretación de manchas

Amor y **Psique,** óleo de Gérard. Museo del Louvre, París

Guacamayos, aves del orden **psitaciformes**

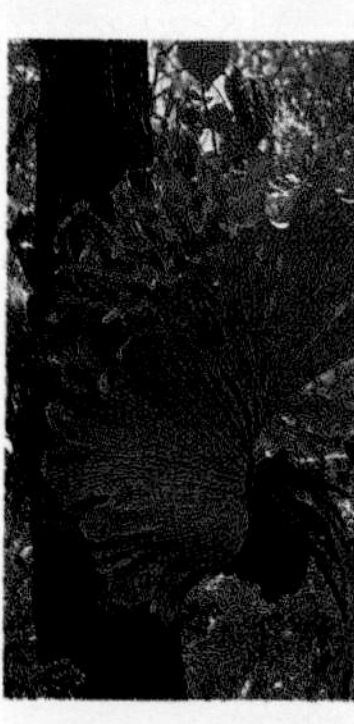
Frondes de *Platycerium superbum*, planta epífita de la familia **pteridófitas**

PSICÓPATA com. *Psiq.* Enfermo psíquico afecto de psicopatía. Los p. son individuos inestables, impulsivos y difíciles.
PSICOPATÍA f. Enfermedad mental.
PSICOPATOLOGÍA f. Estudio de los trastornos psíquicos.
PSICOPEDAGOGÍA f. Conjunto de métodos educativos que tienen en cuenta la singularidad de cada alumno y valoran sus rasgos psicológicos, afectivos, aptitudinales y de personalidad.
PSICOSIS f. *Psiq.* Enfermedad psíquica grave, caracterizada por la pérdida de contacto con lo real y por la alteración profunda del lazo interhumano (inadaptación social). Existen varios tipos de p.: esquizofrenia, p. maniacodepresiva y delirios.
PSICOSOMÁTICO, CA adj. Relativo a los componentes psíquico y orgánico de la personalidad. • *Med.* Díc. de la medicina que se ocupa del cuerpo y del psiquismo.
PSICOTECNIA f. Rama de la psicología que tiene por objeto explorar y clasificar las aptitudes de los individuos mediante pruebas adecuadas. ■ PSICOTÉCNICO, CA.
PSICOTERAPIA f. *Med.* Tratamiento de las enfermedades mentales.
PSICRÓMETRO m. *Fís.* Higrómetro que se compone de dos termómetros ordinarios, uno de los cuales tiene la bola humedecida con agua.
PSIFLORÁCEO, A adj. y f. *Bot.* Díc. de plantas angiospermas dicotiledóneas, herbáceas, trepadoras, de hojas simples o compuestas, flores regulares, gralte. hermafroditas, solitarias o agrupadas en racimos, y frutos en baya o cápsula. • f. pl. *Bot.* Familia de estas plantas.
PSILOFITINA adj. y f. *Bot.* Díc. de plantas de la clase psilofitinas. • f. pl. *Bot.* Clase de plantas pteridófitas fósiles, los vegetales terrestres más ant., que aparecieron en el silúrico y se extinguieron en el carbonífero.
PSILOMELANA f. *Miner.* Óxido básico de bario y manganeso, que contiene pequeñas cantidades de otros metales; negro con brillo submetálico.
PSIQUE f. La vida espiritual de la naturaleza humana. *Mit. gr.* Personificación del alma, cuya historia alegórica fue narrada por Apuleyo. ■ PSICOGÉNICO, CA; PSÍQUICO, CA.
PSIQUIATRÍA f. Rama de la medicina en la que se estudian y tratan las actitudes, desviaciones, manifestaciones, formas de ser, síntomas y enfermedades que afectan a la vida psíquica de la persona. ■ PSIQUÍATRA O PSIQUIATRA; PSIQUIÁTRICO, CA.
PSIQUISMO m. Conjunto de los caracteres y funciones de orden psíquico.
PSITACIFORME adj. y m. *Zool.* Díc. de aves del orden psitaciformes. • m. pl. *Zool.* Orden de aves, que incluye 315 especies, de cabeza grande, cuello corto, plumaje vistoso, pico grande y ganchudo y patas con dos dedos dirigidos hacia adelante y dos hacia atrás. Su distribución es tropical, abundando especialmente en las selvas del hemisferio Sur.
PSITACISMO m. Estado del espíritu en que uno habla sin saber lo que dice. • Método de enseñanza, fundado en el ejercicio de la memoria verbal.
PSITACOSIS f. *Pat.* Enfermedad infecciosa de los papagayos y loros, que puede transmitirse al hombre.
PSICÓPTERO, RA adj. y m. *Zool.* Díc. de insectos de pequeño tamaño que viven entre papeles viejos. • m. pl. *Zool.* Orden de estos animales.
PSORIASIS f. Erupción cutánea en forma de placas rojas cubiertas de escamas.
Pt *Quím.* Símb. del platino.
PTAH En la religión del ant. Egipto, personificación de la fuerza creadora, dios de los escultores y herreros.
PTERIDINA f. *Biol.* Sustancia pigmentaria que se encuentra en las alas de los lepidópteros, en la orina, en los extractos de mosca del vinagre y en la jalea real. En ciertas plantas unicelulares, las p. ejercen la acción de hormonas del crecimiento.
PTERIDÓFITO, TA adj. y f. *Bot.* Díc. de plantas criptógamas de generación alternante, como los helechos, propias de zonas húmedas y cálidas. • f. pl. *Bot.* Familia de estas plantas.
PTERIGIO, A adj. y m. *Zool.* Díc. de los vertebrados provistos de aletas, y confinados en el medio acuático.
PTERIGIÓN m. Proceso ocular caracterizado por la formación de un repliegue triangular en la conjuntiva, que al opacificarse puede comprometer la función visual.
PTERODÁCTILO m. *Pal.* Especie de reptil volador, de gran tamaño y del cual se han hallado restos fósiles.
PTERÓPODO, DA adj. y m. *Zool.* Díc. de moluscos gasterópodos dotados de una especie de aletas aptas para la natación, como la mariposa de mar. • m. pl. *Zool.* Orden de estos moluscos.
PTEROSAURIO, RIA adj. y m. *Pal.* Díc. de reptiles voladores, de la era secundaria. Entre ellos se cuentan los pterodáctilos.• m. pl. *Pal.* Orden de estos reptiles.
PTIALINA f. *Fisiol.* Enzima presente en la secreción salival que hidroliza el almidón.
PTIALISMO m. *Pat.* Aumento de la secreción salival.
PTOLOMEO → Tolomeo.
PTOSIS f. *Pat.* Caída de un órgano por debajo de su posición normal.
Pu *Quím.* Símb. del plutonio.
¡PU! interj. que expresa repugnancia. ¡Puf!
PÚA f. Cuerpo delgado y rígido que acaba en punta aguda. • Vástago de un árbol que se introduce en otro para injertarlo. • Diente de un peine. • Cada uno de los ganchitos o dientes de alambre de la carda. • Chapa triangular de carey para tocar la bandurria o la guitarra. • Cada uno de los pinchos de espinas del erizo, puerco espín, etc. • Hierro del trompo. • fig. Causa no material de sentimiento y pesadumbre. • fig. y fam. Persona sutil y astuta.
PUADO m. Conjunto de las púas de un peine o de otra cosa que las tenga.
PUAR tr. Hacer púas en un peine u otro objeto que deba tenerlas.
PUB (voz ing.) m. Establecimiento donde se sirven bebidas alcohólicas.
PUBERTAD o **PUBESCENCIA** f. *Fisiol.* Fase de maduración de los órganos sexuales, que se traduce por un desarrollo de los caracteres sexuales secundarios, como el vello púbico, los pechos en las niñas y múltiples modificaciones morfológicas y psicológicas. ■ PÚBER; PÚBERO, RA.
PUBESCER intr. Llegar a la pubertad. ■ PUBESCENTE.
PUBIS o **PUBES** m. *Anat.* Parte inferior del vientre, que en la especie humana se cubre de vello a la pubertad. • *Anat.* Hueso de los mamíferos adultos unidos al ilion y al isquion para formar el innominado. ■ PUBIANO, NA.
PUBLICACIÓN f. Acción y efecto de publicar. • Obra literaria o artística publicada.
PUBLICANO m. Entre los rom., cobrador de impuestos.
PUBLICAR tr. Divulgar una noticia que se quiere hacer llegar a todos. • Insertar en un periódico o revista un artículo, anuncio, etc. • Hacer patente y manifiesta al público una cosa. • Revelar o decir lo que estaba secreto u oculto y se debía callar. • Correr las amonestaciones para el matrimonio y las órdenes sagradas. • Difundir por medio de la imprenta o de otro procedimiento cualquiera un escrito, libro, etc.
PUBLICIDAD f. Calidad o estado de público. • Conjunto de medios que se emplean para divulgar o extender la noticia de las cosas o de los hechos. • Forma de comunicación social que anuncia o da a conocer un servicio o un producto incitando a su uso o consumo. ■ PUBLICITARIO, RIA.
PUBLICISTA com. Autor que escribe del derecho público, o persona muy versada en esta ciencia. • Persona que escribe para el público, gralte. de varias materias. • Agente de publicidad.
PÚBLICO, CA adj. Notorio, patente, manifiesto, visto o sabido por todos. • Vulgar, común y notado de todos. • Aplícase a la potestad, jurisdicción y autoridad para hacer una cosa, como contrapuesto a privado. • Perteneciente a todo el pueblo. • Sometido al examen de gentes ajenas al círculo de la intimidad. • m. Común del pueblo o ciudad. • Conjunto de las personas que participan de unas mismas aficiones o con preferencia concurren a determinado lugar. • Conjunto de las personas reunidas en determinado lugar para asistir a un espectáculo o con otro fin semejante. • Área social de comunicación constituida por un grupo de individuos, en escasa o nula

PUBLICIDAD

1. La publicidad es hoy una técnica de comunicación social de importancia fundamental para cualquier actividad comercial. Su expansión la ha convertido en un elemento sustancial del paisaje urbano.
2. y 3. Reclamo constante a los consumidores, la publicidad inunda la prensa y los medios audiovisuales, y las marcas comerciales buscan de forma estratégica estar presentes en los lugares donde pueden lograr la atención de grandes públicos, como en el mundo del deporte.
4. El éxito de las modernas tácticas publicitarias, no sólo para transmitir información sino también para orientar la conducta de sus receptores, ha llevado a los partidos políticos a adoptarlas en sus campañas.
5. El mundo del comercio al por menor es uno de los sectores que más dependen de la publicidad para su supervivencia.

relación interpersonal, unidos momentáneamente por un interés común.
PUCALLPA C. de Perú, cap. del dpto. de Ucayali; 172 286 hab. Sit. junto al r. Ucayali. Centro industrial. Ind. Maderera.
PUCARA o **PUCARÁ** (voz quechua) m. *Bol.* y *Perú.* Especie de fortificación precolombina.
PUCARÁ C. de Perú, en la prov. de Lampa; 6 000 hab. Imp. restos arqueológicos de los ss. III a. C.-VII d. C.
PUCCINÁCEO, A adj. y f. *Bot.* Díc. de hongos de la familia puccináceas. • f. pl. *Bot.* Familia de hongos uredinales con ciclo biológico complejo que necesita dos huéspedes distintos y la existencia de diversos tipos de esporas. Comprende miles de especies, todas ellas perjudiciales para la agricultura.
PUCCINI, ***Giacomo*** (1858-1924) Compositor de óperas it., el pral. representante del verismo. *Il Tabarro, Gianni Schicchi, Manon Lescaut, La Bohème, Tosca, Madama Butterfly, Turandot.*
PUCHA *Amér.* interj. para indicar asombro o indignación.
PUCHADA f. Cataplasma que se hace con harina desleída a modo de puches.
PUCHERA f. fam. Olla, cocido español.
PUCHERAZO m. Golpe dado con un puchero. • fam. Fraude electoral que consiste en computar votos no emitidos en una elección.
PUCHERO m. Vasija de barro o porcelana de panza abultada, cuello ancho y un asa, que sirve para cocer la comida. • Olla, cocido esp. • fig. y fam. Alimento diario y regular. • fig. y fam. Gesto o movimiento que precede al llanto. Se usa más en pl.
PUCHES amb. pl. Gacha, cocido de harina con agua, sal y otros ingredientes.
PUCHO m. *Amér. Merid.* Punta, colilla, cabo o extremidad de alguna cosa. • *Amér.* Poco, cantidad muy pequeña. • **Sobre el p.** *R. de la Plata.* Enseguida.
PUCHUELA f. *Ecuad.* Cosa de poca importancia.
PUDDING (voz ing.) m. Budín.
PUDELADO m. *Metal.* Procedimiento para la fabricación de hierro dulce, que emplea carbón de piedra o de hulla para el afino. • adj. Díc. del hierro fabricado mediante este procedimiento.
PUDELAR tr. *Metal.* Hacer dulce el hierro colado, quemando parte de su carbono en hornos de reverbero. ■ PUDELACIÓN.
PUDENDO, DA adj. Torpe, feo, que debe causar vergüenza.
PUDIBUNDEZ f. Afectación o exageración del pudor. ■ PUDIBUNDO, DA.
PUDICICIA f. Honestidad, castidad. ■ PÚDICO, CA.
PUDIENTE adj. y s. Poderoso, rico, hacendado.
PUDÍN m. Budín.
PUDINGA f. *Geol.* Conglomerado constituido por cantos rodados cementados.
PUDOR m. Honestidad, modestia, recato. ■ PUDOROSO, SA.
PUDOVKIN, ***Vsiévolod Ilariónovich*** (1893-1953) Director de cine sov. Su trilogía *La madre, El fin de San Petersburgo* y *Tempestad sobre Asia* trata de la toma de conciencia política. *El desertor, Suvórov* y *El regreso de Vasili Bortnikov.*
PUDRICIÓN f. o **PUDRIMIENTO** m. Putrefacción.

Giacomo **Puccini**

PUDRIDERO m. Sitio o lugar en que se pone una cosa para que se pudra o corrompa. • Cámara destinada a los cadáveres antes de colocarlos en el panteón.

PUDRIR tr. y prnl. Resolver en podre una cosa; corromperla y dañarla. • fig. Consumir, molestar, impacientar. • intr. y prnl. Haber muerto, estar sepultado.

Grupo de viviendas de los indios **pueblo,** en Nuevo México (EE UU)

PUDÚ m. *Chile.* Especie de antílope de pequeño tamaño, de color pardo. El macho está provisto de cuernos pequeños y rectos.

PUEBLA f. Siembra que hace el hortelano de cada género de verduras o legumbres.

PUEBLA Est. de México; 33 919 km², 5 070 346 hab. Cap., Puebla de Zaragoza. El sector central está ocupado por el extremo oriental de la cord. Neovolcánica, donde se halla enclavada la cuenca de Puebla Nevada; al N de la cord. aparece el extremo sur de la sierra Madre Oriental y, al SO, la depresión del Balsas, cerrada al E por la sierra Madre de Oaxaca. Ríos prales.: Atoyac y Mixteco, pertenecientes a la cuenca del Balsas, y Tecolutla, que desemboca en el golfo de México. La vegetación es abundante y boscosa (encina, cedro, caoba y fresno). La agricultura representa una imp. fuente de recursos (caña de azúcar, café, tabaco, frutales, cereales, productos hortícolas). Ind. textil, de transformación de productos agrícolas, etc. Poblado en época precolombina por los indios totonacas, éstos apoyaron a Cortés en su lucha contra los aztecas. A mediados del s. XVI el territorio se constituyó en prov. y en el s. XVIII se estableció en él una intendencia. En 1824, convertido en est. de la federación mexicana.

PUEBLA DE ZARAGOZA C. de México, cap. del est. de Puebla; 1 346 176 hab. Sit. en la cordillera Neovolcánica, al pie del Popocatépetl y del Iztaccíhuatl, a orillas del r. Atoyac. Centro comercial, industrial y de comunicaciones.

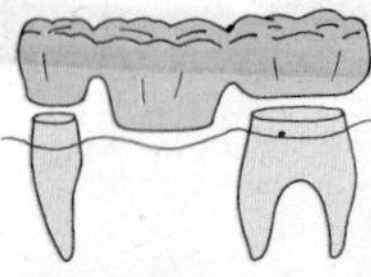

Puente dental que se fija a los dientes sanos

PUEBLADA f. *Amér. Merid.* Motín, tumulto.

PUEBLE m. Conjunto de obreros que trabajan en una mina.

PUEBLERINO, NA adj. Relativo a un pueblo pequeño o aldea. • adj. y s. De un pueblo pequeño o que habita en él. • adj. y fig. Díc. de la persona que se asombra ante cualquier avance científico o que tiene dificultades para desenvolverse en sociedad.

PUEBLERO, RA adj. *Argent.* y *Ur.* Díc. de los que viven en una ciudad, en oposición a campesino.

PUEBLO m. Población, ciudad, villa o lugar. • Población pequeña. • Conjunto de personas de un lugar, región o país. • Gente común de un pueblo. • Nación, país con gobierno independiente. • Conjunto de personas de diversas nacionalidades con un Estado común. • adj. y s. *Etn.* Díc. de individuos pertenecientes a un conjunto de pueblos amerindios (hopi, queres, taño, zuñi), de cultura común, que viven en regiones desérticas del SO de EE UU, en Arizona y Nuevo México. Hablan lenguas pertenecientes a diferentes grupos (shoshone, koka-siux, uto-azteca, etc.). • adj. Relativo a este pueblo.

Puerco espín

PUELCHE adj. y s. Díc. del individuo de un pueblo amerindio que habitó en la Pampa arg.; hacia el s. XVIII, los p. fueron absorbidos por la lengua y la cultura araucana. En la actualidad su núm. es muy reducido. • adj. Concerniente a dicho pueblo. • m. *Chile.* Viento que sopla de la cordillera de los Andes hacia poniente. • m. pl. Pueblo puelche.

PUENTE m. *Const.* Estructura de madera, piedra, ladrillo, cemento, hierro u hormigón armado que se construye para que exista continuidad en todo el ancho transversal de un camino, interrumpido por la presencia de obstáculos que no es posible suprimir, como ríos, torrentes, brazos de mar y otras carreteras, o para salvar un desnivel excesivo. • Suelo que se hace poniendo tablas sobre barcas, u otros cuerpos flotantes, para pasar un río. • Tablilla colocada perpendicularmente en la tapa de los instrumentos de arco, para mantener levantadas las cuerdas. • *Mús.* Cordal, pieza de los instrumentos de cuerda que en la parte inferior de la tapa sujeta las cuerdas. • Cada uno de los dos palos o barras horizontales que en las galeras o carros aseguran por la parte superior las estacas verticales de uno y otro lado. • Conjunto de los dos maderos horizontales en que se sujeta el peón de la noria. • Pieza metálica, gralte. de oro, que usan los dentistas para sujetar en los dientes naturales los artificiales. • Día o días que entre dos festivos o sumándose a uno festivo se aprovechan para vacación. • *Arq.* Cualquiera de los maderos que se colocan horizontalmente entre otros dos, verticales o inclinados, o entre un madero y una pared. • *El.* Aparato para medir potenciales, resistencias e intensidades eléctricas. • *El.* Conductor eléctrico que pone en comunicación dos o más circuitos. • Ejercicio gimnástico que consiste en formar un arco con el cuerpo doblado hacia atrás, descansando sobre las manos y los pies. • Cada una de las cubiertas que llevan batería en los buques de guerra. • *Mar.* Plataforma estrecha y con baranda que, colocada a cierta alt. sobre la cubierta, va de banda a banda, y desde la cual puede el oficial de guardia comunicar sus órdenes a los diferentes puntos del buque. • **de Varolio.** Órgano sit. en la parte inferior del encéfalo, y que sirve de conexión entre el cerebro, el cerebelo y la médula oblonga. • **de Wheatstone.** Dispositivo inventado en 1843 por el físico brit. Charles Wheatstone, que se utiliza para efectuar medidas, rápidas y precisas, de resistencias. • **desfasador.** Dispositivo utilizado para producir una diferencia de fase en una tensión monofásica. • **flotante.** El que cruza un río o corriente de agua, apoyado en barcazas o flotadores. • **levadizo.** El tendido sobre el foso de los castillos medievales, que podía levantarse e impedir el paso. • **rectificador.** Montaje consistente en cuatro diodos rectificadores conectados a las terminales del secundario de un transformador, con el fin de obtener corriente continua. • **transbordador.** El que soporta un carro, del cual va colgada la barquilla transbordadora.

* *Constr.* Un p. descansa sobre los estribos (en los extremos) y las pilas (intermedios), sobre los que se apoyan los arcos, vigas, armaduras o cables, que a su vez soportan el tablero, sobre el cual se tiende la vía férrea, firme de la carretera, etc. Los bordes laterales del tablero se cierran por medio de pretiles.

PUENTE ALTO C. de Chile, en la prov. de Santiago; 126 300 hab. Sit. a orillas del r. Maipo. Ind. textil.

PUENTE Uceda, ***Luis de la*** (h. 1920-1965) Político per. Fundador del Movimiento de Izquierda Revolucionaria (1959).

PUENTECILLA f. *Mús.* Puente en los instrumentos de arco. • *Mús.* Cordal de dichos instrumentos.

PUERCA f. Hembra del puerco. • Cochinilla, crustáceo. • Escrófula. • Pieza de pernio o gozne en que está el anillo. • Lomo entre surco y surco de la tierra arada. • adj. y f. fig. y fam. Mujer desaliñada, sucia, que no tiene limpieza. • fig. y fam. Mujer grosera, sin cortesía ni educación.

PUERCADA f. *Amér. Centr.* Porquería, suciedad.

PUERCO m. Cerdo, animal. • adj. y m. fig. y fam. Hombre desaliñado, sucio, que no tiene limpieza. • fig. y fam. Hombre grosero, sin cortesía ni educación. • fig. y fam. Hombre ruin, interesado, venal. Jabalí. • **espín** o **espino.** Mamífero roedor de la familia histrícidos, que se caracteriza por las largas espinas (pelos transformados) que ostenta en su dorso y que sirven de eficaz defensa.

PUERICIA f. Edad que media entre la infancia y la adolescencia.

PUERICULTURA f. Conjunto de los cuidados del niño en los primeros meses de vida. ■ PUERICULTOR, RA.

PUERIL adj. Relativo al niño o a la puericia. • fig. Fútil, trivial, infundado, ingenuo. ■ PUERILIDAD.

PUÉRPERA f. Mujer recién parida.

PUERPERIO m. *Fisiol.* Periodo comprendido desde el parto hasta el retorno de la menstruación, de unas seis semanas de duración, caracterizado por la lactancia y la evolución de los órganos genitales hacia su estado normal. ■ PUERPERAL.

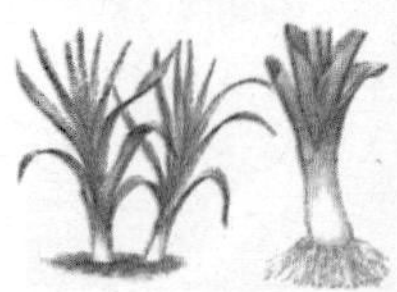

Puerro

PUERRO m. Planta herbácea anual, de la familia liliáceas, cuyo bulbo se usa en el arte culinario y en medicina popular.

PUERTA f. Vano de forma regular abierto en pared, cerca o verja, desde el suelo hasta la alt. conveniente, para entrar y salir. • Armazón de madera, hierro u otra materia que, engoznada, sirve para impedir la entrada y salida. • Cualquier agujero que sirve para entrar y salir. • fig. Camino, principio o entrada para entablar una pretensión u otra cosa. • *Dep.* Portería, meta. • *Dep.* Espacio limitado por dos palos entre los que debe pasar el deportista en pruebas de slalom. • **cochera.** Aquella por donde pueden entrar y salir vehículos. • **excusada** o **falsa.** La que no está en la fachada pral. de la casa, y sale a un paraje excusado • **franca.** Entrada o salida libre que se concede a todos. • **trasera.** fig. La que se abre en la fachada opuesta a la principal. • fig. y festivo. Ano. • **vidriera.** La que tiene vidrios o cristales. • **A p. cerrada.** m. adv. fig. En secreto. • **Dar a uno con la p. en la cara** o **en las narices.** fig. y fam. Desairarle, negarle bruscamente lo que pide o desea.

PUERTAVENTANA f. Contraventana.

PUERTO m. *Const.* Lugar en la costa, defendido de los vientos y dispuesto para seguridad de las naves y para las operaciones de tráfico y armamento. • Ciudad que tiene puerto de mar. • Garganta o boquete que da paso entre montañas. • P. ext. montaña o cordillera que tiene una o varias de estas gargantas. • fig. Asilo, amparo o refugio.

PUERTO ARGENTINO (ant. *Puerto Soledad*) C. y puerto arg. en la isla Soledad, una de las dos islas prales. que conforman el arch. de las islas Malvinas. 1 000 hab. Centro comercial. Escenario de combates entre Argentina y Gran Bretaña en 1982.

PUERTO AYACUCHO C. de Venezuela, cap. del est. Amazonas; 28 200 hab. Sit. a orillas del Orinoco. Puerto exportador.

PUERTO BAQUERIZO MORENO Cap. de la prov. ecuat. de Galápagos, sit. al SO de Isla San Cristóbal; 3 023 hab. Aeropuerto. Turismo.

PUERTO BARRIOS C. y puerto de Guatemala, cap. del dpto. de Izábal; 29 095 hab. Pral. puerto exportador del país (café, bananas, algodón).

PUERTO CABELLO C. y puerto de Venezuela, en el est. Carabobo; 72 100 hab. Exportaciones de café, cacao, tabaco, etc. Ind. alimentarias, del calzado, de la madera y del tabaco.

PUERTO CARREÑO C. de Colombia, cap. del dpto. de Vichada; 6 370 hab. Sit. en la confluencia de los r. Orinoco y Meta. Puerto fluvial. Aduana. Aserraderos.

PUERTO CORTÉS C. de Honduras, en el dpto. de Cortés; 29 000 hab. Sit. en el golfo de Honduras. Primer puerto exportador del país.

PUERTO DE SANTA MARÍA Mun. de España, en la prov. de Cádiz; 72 460 hab. En la costa atlántica. Agricultura, ganadería. Pesca. Ind. vitivinícola.

PUERTO FRANCISCO DE ORELLANA C. de Ecuador, cap. de la prov. de Orellana.

PUERTO INÍRIDA C. de Colombia, cap. del dpto. de Guainía; 14 035 hab. Ind. del caucho.

PUERTO LA CRUZ C. de Venezuela, en el est. Anzoátegui; 82 000 hab. Importante puerto, terminal de tres oleoductos. Refinerías y exportación de petróleo. Forma una agl. urb. con Barcelona y Guanta.

PUERTO LEMPIRA C. de Honduras, cap. del dpto. de Gracias a Dios; 2 033 hab.

PUERTO MALDONADO C. de Perú, cap. del dpto. de Madre de Dios; 27 354 hab. Centro comercial cauchero. Lavaderos de oro. Puerto fluvial.

PUERTO MONTT C. y puerto del centro-sur de Chile, cap. de la región de Los Lagos; 120 300 hab. Centro comercial. Ind. conserveras, azucareras y de maquinaria textil. Aeropuerto.

PUERTO NATALES C. de Chile, cap. de la prov. de Última Esperanza; 17 700 hab. Sit. al S del país. Ind. de congelación de carnes. Puerto.

PUERTO PLATA Prov. del N de la República Dominicana; 1 881 km², 228 100 hab. Cap., la c. hom. Accidentada por la cord. Septentrional (Diego de Ocampo, 1 220 m). Clima tropical. Caña de azúcar, café, tabaco, algodón. Cría de bovinos (llanos de Yasica). • C. de la República Dominicana, cap. de la prov. hom.; 45 300 hab. Constituye el puerto más imp. de la costa. Exportación de café, caña de azucar, tabaco y otros productos básicos.

PUERTO PRESIDENTE STROESSNER Nombre de la actual Ciudad del Este (Paraguay).

PUERTO PRÍNCIPE *(Port-au-Prince)* Cap. de Haití; 684 300 hab. Pral. puerto exportador del país (café, cacao, algodón y cuero). Refinería de azúcar, destilerías, ind. textil. Aeropuerto.

PUERTO RICO (*Estado Libre Asociado de Puerto Rico*; ing., *Commonwealth of Puerto Rico*) Isla de América Central, la más oriental de las Grandes Antillas. Forma, con éstas, el confín del mar Caribe. Con las pequeñas islas limítrofes de Vieques, Culebra, Mona y varios islotes, constituye un Estado autón. vinculado a EE UU. También se le denomina Borinquen. Etnias: descendientes de esp. y afr., norteam. Lenguas: español e ing. *Rel.*:catolicismo (mayoría), protestantismo. U. M.: el dólar. Cap.: San Juan. C. prales.: Bayamón, Ponce.

* *Geog. física.* La isla de Puerto Rico, al igual que las demás Grandes Antillas, representa los puntos más elevados de una desaparecida cordillera. Paralela al N de la isla, corre la fosa de Puerto Rico (9 200 m). El 70 % de la superficie es montañoso, debido a la cord. Central, que casi atraviesa la isla de O a NE. Los picos más altos son Cerro de Punta (1 338 m) y Cerro Rosa (1 267 m), aunque el más conocido es el Yunque (1 065 m). La cord. divide la isla en dos zonas muy diferenciadas. La vertiente septentrional, bañada por el Atlántico, recibe el soplo de los vientos alisios, y tiene una pluviosidad considerable. La vertiente meridional, bañada por el Caribe, es bastante más seca. Ríos prales.: La Plata, Grande de Arecibo y Grande de Loiza. A pesar de su situación tropical, el clima se atempera con la alt. y los vientos. Se distinguen tres regiones de vegetación natural: la del bosque litoral, donde crecen el mangle, los cocoteros, las uvas playeras, los almendros y los pinos australianos; la del bosque húmedo, donde crecen el yagrumo, la palma de sierra, el helecho gigante, el ausubo , el capá y el aceitillo; y la región de bosque seco espinoso, donde crecen el cacto, el almácigo, la ceiba, el tamarindo y el jobo.

* *Geog. económica.* La agricultura está muy condicionada por la naturaleza del terreno y el índice de pluviosidad. En la zona costera N se cultiva ca-

PUERTO RICO

Superficie	9 103 km²
Población	3 809 000 hab. (418,4 hab./km²)
Recursos económicos	
Ananás	60 000 t
Bananas	68 000 t
Batatas	9 000 t
Café	13 000 t
Caña de azúcar	17 000 ha
Mandioca	3 000 t
Nuez de coco	5 000 t
Tabaco	1 000 t
Ganadería	
Cabaña bovina	599 000 cabezas
Cabaña caballar	23 000 cabezas
Cabaña caprina	20 000 cabezas
Cabaña porcina	209 000 cabezas
Pesca	2 062 t
Producción industrial	
Azúcar	67 000 t
Cemento	1 302 000 t
Cerveza	625 000 hl
Energía eléctrica	15 328 millones de kwh
Sal	41 000 t
Indicadores sociológicos	
PNB	28 340 millones de dólares
Renta per cápita	7 660 dólares
Esperanza de vida	75 años
Alfabetismo	89,7 %

Puerto Rico. Arriba, mapa de situación; abajo, vista aérea de San Juan

Puerto Rico. Monumento a Colón, en San Juan

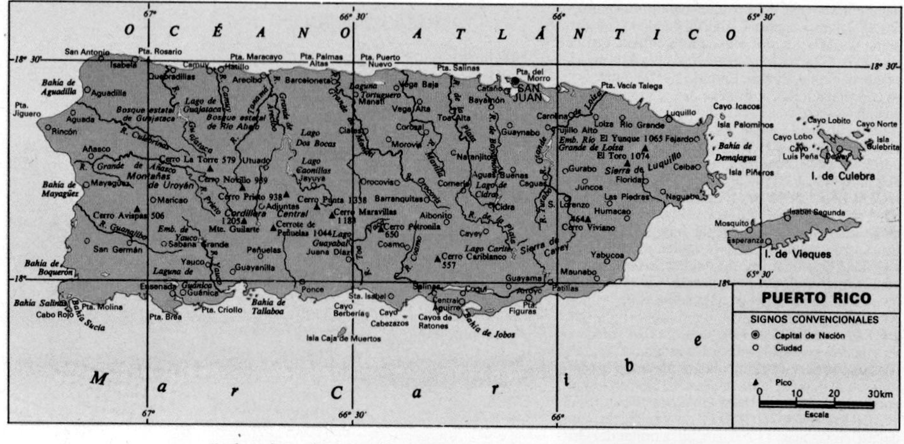

ña de azúcar, piña, gramíneas, agrios y frutas tropicales. La zona de alt. es cultivada por pequeños terratenientes que siembran tabaco y hortalizas. La zona S no es muy propicia para la agricultura, a pesar de que la irrigación permite cultivar la caña de azúcar y la piña. Durante la colonización se produjo una imp. deforestación. Ganadería bovina, suina y caprina. Crianza de caballos. La pesca es abundante. El suelo es pobre en minerales; sólo existen pequeñas cantidades de cobre y níquel. Se producen artículos para el consumo, piezas mecánicas de precisión, elementos para la industria electrónica y materiales de construcción. La ind. petroquímica se ha desarrollado en la costa S, con imp. instalaciones para el refinado de petróleo y la producción de derivados. Puerto Rico exporta azúcar, ron, tabaco, tejidos, productos químicos, manufacturas varias, etc.

Puerto Rico. Detalle de la fachada de la catedral de Ponce

* *Hist*. Los primeros habitantes de Puerto Rico fueron los taínos. La isla fue descubierta por Colón en 1493 y fue llamada San Juan Bautista. Juan Ponce de León fue su primer gobernador. Fue víctima de los ataques de caribes y piratas. En los ss. XVII y XVIII conoció gran prosperidad. Desde la emancipación de las otras colonias esp. en América, se le permitió comerciar con otros países. En 1868 estalló el mov. revolucionario conocido como «grito de Lares» (1868), que fracasó. En 1873 fue abolida la esclavitud. El mov. autonomista, dirigido por Muñoz Rivera, logró en 1897 la Carta Autónoma, que no entró en vigor porque pocos meses después estalló la guerra hispano-norteamericana. En octubre de 1898 la isla pasó a manos de un gobierno militar de los EE UU. Año y medio después se formó un gobierno civil bajo estricto control norteam. En 1917 se aprobó en Washington la ley Jones por la que se concedía la ciudadanía americana a todos los puertorriq. que no manifestasen su deseo de conservar otra. Siguieron unos años de crecimiento económico, frenado por el *crac* de 1929. Comenzó el éxodo hacia Nueva York. La situación se mantuvo hasta la II Guerra Mundial, durante la cual la industria bélica creó muchos puestos de trabajo. Esta época coincide con el desarrollo del Partido Popular Democrático, creado por Muñoz Marín, que se mantuvo en el poder desde 1944 a 1976, con la sola excepción de 1968-1972 en que venció el Partido Nuevo Progresista. En 1952 se proclamó el Estado libre asociado de Puerto Rico y se aprobó una constitución. En 1967 se celebró un referéndum en el que el 60 % de los puertorriq. votaron a favor del Estado libre asociado frente a las opciones indep. o de la estatalidad federada. El gobernador elegido en 1976, Romero Barceló, desarrolló su campaña sobre la base de que P. se convirtiera en un est. de la Unión, y el presid. norteam. G. Ford propuso al Congreso que decidiera esta incorporación pero la oposición de la pob. hizo que el gobierno norteam. pospusiera la decisión. Barceló fue reelegido en 1980 y en 1984 sustituido por Rafael Hernández Colón, del Partido Popular Democrático (PPD), partidario de una línea de mayor afirmación puertorriqueña, que logró el re-

Puerto Rico. Panorámica de la fortaleza de San Felipe del Morro, en San Juan

conocimiento del español como único idioma oficial (1991). En las elecciones para gobernador (1992) venció Pedro Rosselló, del Partido Nuevo Progresista (PNP), de tendencia anexionista, una de cuyas primeras medidas fue restituir el inglés como idioma oficial junto al español (1993). Reelegido en 1996, Rosselló convocó un referéndum (1998) en el que se decidió mantener la condición de Estado asociado. En noviembre de 2000 Sila María Calderón, del Partido Popular Democrático, fue elegida gobernadora.

* *Arte*. La arquitectura militar esp. legó los fuertes de San Felipe del Morro, Santa Catalina y San Jerónimo, el castillo de San Cristóbal y el palacio de La Fortaleza. La arquitectura civil tiene cuatro periodos: El *colonial sanjuanero,* con construcciones residenciales de dos plantas, con el típico balcón de hierro forjado; el estilo *colonial pueblerino,* caracterizado por una amplia plaza rectangular con la iglesia a un lado y al otro el ayuntamiento; el *residencial horizontal.* Tras los terremotos de 1867, los habitantes de San Juan emigraron hacia la zona playera y construyeron casas terreras. La especulación del suelo ha provocado la aparición del estilo *residencial de tipo vertical,* con grandes edificios. En pintura han destacado José Campeche en el s. XVIII (*El sitio de San Juan por los británicos*), Ramón Frade (1875-1954), y, post., L. Homar, R. Tufiño y J. Rechani. En escultura sobresale el arte de los santeros, cuya figura más imp. fue Z. Cajigas.

* *Lit*. Los taínos crearon una literatura oral. Durante los primeros s. de la colonización destacan la *Memoria descriptiva de Puerto Rico*, debida a J. Troche y Ponce de León; y la *Descripción de la isla y ciudad de Puerto Rico*, de D. de Torres Vargas. La primera gran historia de Puerto Rico la escribió fray Íñigo Abbad y La sierra *(Historia geográfica, civil y natural de la isla de San Juan Bautista de Puerto Rico)*. Durante el s. XIX, E. M. de Hostos escribió varios tratados de filosofía y sociología; S. Brau, obras históricas y novelas, y M. Zeno Gandía novelas de acendrado criollismo. Destacaron también varios maestros de la prosa periodística (Muñoz Rivera, M. Abril, M. Braschi). La poesía alcanzó su

máximo esplendor a finales del s. XIX y principios del XX, con obras de J. de Diego, A. Tapia, J. Gualberto Padilla y J. Gautier Benítez *(Canto a Puerto Rico)*. En el s. XX sobre salen E. Belaval y F. Arriví como dramaturgos, W. Braschi y A. Díaz Alfaro como cuentistas, A. S. Pedreira como ensayista, y R. Marqués y E. Laguerre como novelistas y autores de obras dramáticas. La poesía se ha enriquecido con la obra de L. Llorens Torres y L. Palés Matos *(Tun Tun de Pasa y Grifería)*. Cabe mencionar entre las poetisas a Julia de Burgos y Clara Lair. En los últimos años destacan el novelista L. Rafael Sánchez y la poetisa A. M. Dávila.

PUERTORRIQUEÑO, ÑA adj. y s. De Puerto Rico.

PUES conj. causal que denota causa, motivo o razón. • Toma carácter del condicional en giros como éste: *Pues el mal es ya irremediable, llévalo con paciencia.* • Es también continuativa. *Repito, pues, que hace lo que debe.* • Empléase igualmente como ilativa. *¿No quieres oír mis consejos?, pues tú lo llorarás algún día.* • Con interrogación se emplea también sola para preguntar lo que se duda, equivaliendo a *¿cómo?* o *¿por qué?* • Empléase a principio de cláusula para apoyarla. • Toma carácter de adv. de afirmación, equivaliendo a *sí,* empleada en este sentido como respuesta. • Tiene además otras varias aplicaciones.

PUESTO, TA adj. Con los adv. *bien* y *mal,* bien vestido o al contrario. • m. Sitio o espacio que ocupa una cosa. • Lugar o paraje señalado para la ejecución de una cosa. •Tiendecilla, gralte. ambulante, o paraje en que se vende al por menor. • Empleo, dignidad, oficio o ministerio. • Sitio para ocultarse el cazador. • Campo u otro lugar ocupado por tropa o individuos de ella o de la policía en actos del servicio. • Destacamento permanente de guardia civil. • f. Acción y efecto de poner o ponerse. • Acción de ponerse un astro. • En el juego de la banca y otros de naipes, cantidad que pone la persona que pierde, para que se dispute en la mano o manos siguientes. • En el juego de la banca y otros de naipes, cantidad que apunta cada uno de los jugadores. • Posta, tajada de carne o pescado. • Puja, licitación, oferta de un precio superior al que otros ofrecen en una subasta o almoneda. • Postura, huevo y acción de ponerlo. • Periodo de producción de huevos de una gallina u otra ave de corral. • **puesta a punto.** Operación que consiste en disponer un mecanismo de forma que esté listo para entrar en funcionamiento. • **puesta de largo.** Fiesta en que una joven se presenta en sociedad. • **Puesto que.** m. conj. adversativa. Aunque. • m. conj. causal. Pues. A veces tiene un valor continuativo.

PUEYRREDÓN, ***Juan Martín de*** (1776-1850) Militar arg. Héroe de la guerra de la indep. de su país, ocupó la jefatura del ejército del Alto Perú (1811-1812) y ejerció el mando entre 1816 y 1819. Obligado a dimitir a causa de una insurrección federalista.

PUF m. Taburete bajo, cilíndrico, forrado de cuero u otro material.

PUFENDORF, ***Samuel*** BARÓN VON (1632-1694) Jurista e historiador al. Postuló la existencia de un derecho natural, que se fundamenta en la razón. *De iure naturae et gentium.*

PUFO m. fam. Estafa, engaño, petardo.

PUGACHEV o **PUGACHOV,** ***Yemelián Ivánovich*** (h. 1726-1775) Guerrillero ruso. Dirigió una sublevación de los cosacos y campesinos. Se hizo pasar por el zar Pedro III Fiodoróvich, y declaró depuesta a la zarina. Fue derrotado y ejecutado.

PUGET, ***Pierre*** (1620-1694) Escultor fr., formado en Italia junto a Pietro da Cortona. Autor del *Milón de Crotona,* del jardín de Versalles.

PUGILATO m. Contienda o pelea a puñadas entre dos o más hombres. • fig. Disputa en que se extrema la porfía. ■ PÚGIL.

PUGILISMO m. Boxeo. ■ PUGILISTA; PUGILÍSTICO, CA.

PUGLIA Nombre it. de → Apulia.

PUGLIESE, ***Osvaldo*** (nacido 1904) Compositor de tangos y pianista arg. *Arrabal, La mariposa.*

PUGNA f. Batalla, pelea. • Oposición de persona a persona o entre naciones, bandos o parcialidades.

PUGNAR intr. Batallar, contender o pelear. • fig. Solicitar con ahínco, procurar con eficacia. • fig. Porfiar con tesón. ■ PUGNANTE.

PUGNAZ adj. Belicoso, guerrero. ■ PUGNACIDAD.

PUIG, ***Manuel*** (1932-1990) Novelista y guionista de cine arg. *La traición de Rita Hayworth, Boquitas pintadas, El beso de la mujer araña.* • **Casauranc,** ***José Manuel*** (1888-1939) Político y escritor mex. Autor de poemas, novelas, cuentos y escritos políticos. *Poemas de espíritu y de carne, De la vida, La aspiración suprema de la Revolución mexicana.* • **I Cadafalch,** ***Josep*** (1867-1956) Arquitecto, historiador y político esp. Presid. de la *Mancomunitat* de Cataluña (1917-1924). *La arquitectura románica en Cataluña.*

Juan Martín de **Pueyrredón**

PUJAMIENTO m. Abundancia de humores, y más comúnmente de sangre.

PUJANZA f. Fuerza grande para impulsar o ejecutar una acción; vigor con que crece algo.

PUJAR tr. Aumentar los licitadores el precio puesto a una cosa que se vende o se arrienda. • Hacer fuerza. • intr. Tener dificultad en explicarse. • Vacilar y detenerse en la ejecución de una cosa. ■ PUJA; PUJANTE.

PUJAVANTE m. Instrumento de que usan los herradores para cortar el casco a las bestias.

PUJO m. Sensación muy penosa, que consiste en la gana frecuente de evacuar el vientre o de orinar, con gran dificultad de lograrlo y acompañada de dolores. • fig. Deseo o ansia de lograr un propósito. • fig. y fam. Conato.

PUJOL, ***Jordi*** (nacido 1930) Político esp. En 1974 fundó *Convergència Democràtica de Catalunya.* Ocupó la presidencia de la Generalitat (gobierno autónomo de Cataluña) en 1980, siendo reelegido en 1984, 1988, 1992, 1995 y 1999.

PULCINELLA m. → Polichinela.

PULCRITUD f. Esmero en el adorno y aseo de la persona y también en la ejecución de un trabajo manual delicado. • fig. Delicadeza, esmero extremado en la conducta, la acción o el habla. ■ PULCRO, CRA.

PULGA f. *Zool.* Insecto afaníptero, de unos 2 mm de largo, de color negro rojizo, cabeza pequeña, antenas cortas, boca con mandíbula en forma de trompa, y patas fuertes, largas y a propósito para dar saltos. • Peón muy pequeño con que juegan los niños. • **acuática.** Pequeño crustáceo de 1 mm que pulula en aguas estancadas. • **Tener** uno **malas pulgas.** fig. y fam. Tener mal genio, ser poco sufrido. ■ PULGOSO, SA.

Pulga

PULGADA f. Doceava parte del pie, que equivale a algo más de 23 mm. • Medida ing. equivalente a 25,4 mm.

PULGAR adj. y m. Dedo primero y más grueso de los de la mano. • m. Parte de sarmiento que se deja en las vides para que broten los vástagos.

PULGAR, ***Hernando del*** (1436-1493) Historiador esp. *Claros varones de Castilla, Glosas a las coplas de Mingo Revulgo.*

PULGARADA f. Golpe que se da apretando el dedo pulgar. • Cantidad que puede tomarse entre un dedo cualquiera y el pulgar. • Pulgada.

PULGÓN m. Insecto hemíptero, de cuerpo ovoide y con dos tubillos en el abdomen, por donde segrega un líquido azucarado. Las hembras y sus larvas viven parásitas sobre las hojas de las plantas.

PULGUERA f. Lugar donde hay muchas pulgas. • Zaragatona, hierba.

PULGUERO m. *Amér.* Pulguera. • fig. *Amér.* Cárcel.

PULGUIENTO adj. *Amér.* Lleno de pulgas.

PULGUILLAS m. fig. y fam. Hombre bullicioso que se resiente de todo.

PULICÁN m. Gatillo, instrumento para extraer dientes; sacamuelas.

PULIDERO m. Pulidor de trapo o cuero.

PULIDOR, RA adj. y s. Que pule. • m. y f. Instrumento con que se pule una cosa. • m. Pedacito de trapo o de cuero suave que cuando se devana se tiene entre los dedos. • f. Maquina para dar a las superficies metálicas trabajadas un aspecto especular.

PULIMENTAR tr. Pulir, alisar y dar lustre.

PULIMENTO m. Acción y efecto de pulimentar. • Sustancia que sirve para pulimentar. • *Ind.* Procedimiento por el que se obtienen superficies con el mínimo grado de rugosidad.

PULIR tr. Alisar o dar tersura y lustre a una cosa. • Componer, alisar o perfeccionar una cosa, dán-

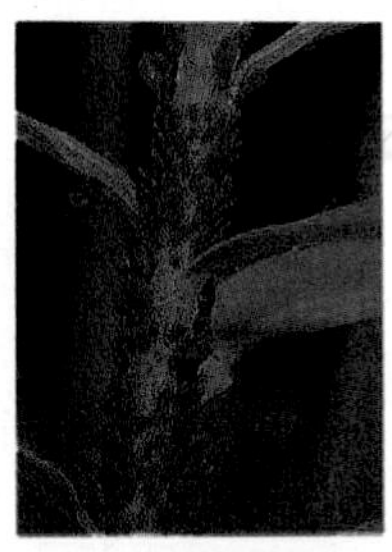
Pulgón

Pulpo

Distintos tipos de **pulsadores** eléctricos

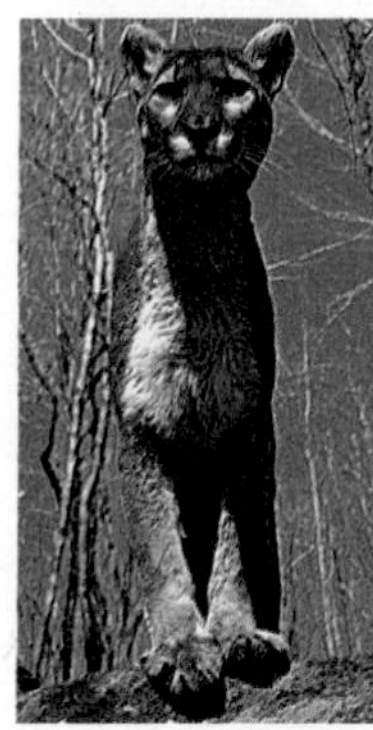

Puma

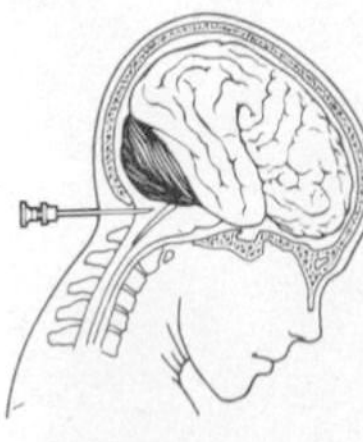

Punción para la toma de muestras de líquido cefalorraquídeo

dole la última mano. • tr. y prnl. Adornar, aderezar, componer. • fig. y fam. Derrochar, dilapidar. • fig. y fam. Malvender o empeñar. • fig. Quitar a uno la rusticidad instruyéndole en el trato civil y cortesano. • tr. fig. y fam. Robar. ■ PULIDEZ; PULIDO, DA.

PULITZER, *Joseph* (1847-1911) Periodista norteam., nacido en Budapest. Fundador de la escuela de periodismo de la universidad de Columbia y de los premios que llevan su nombre.

PULLA f. Palabra o dicho obsceno. • Dicho con que indirectamente se reconviene a una persona. • Expresión aguda y picante dicha con prontitud. • *Col.* Machete. • Planga, ave. ■ PULLISTA.

PULLMAN (voz ing.) m. Autocar de lujo, de grandes dimensiones. • Cierto vagón de ferrocarril, lujoso y confortable.

PULLMAN, *George Mortimer* (1831-1897) Industrial norteam. Introductor en los trenes del coche-cama, el coche-restaurante y el coche-salón, que llevan su nombre.

PULLÓVER (voz ing.) m. Jersey, con mangas o sin ellas y escotado en punta.

PULMÓN m. *Anat.* Órgano de la respiración de los vertebrados que viven o pueden vivir fuera del agua. • Órgano de la respiración de ciertos arácnidos, parecido a las branquias. • Cavidad respiratoria de algunos moluscos. • **de acero.** *Med.* Cámara destinada a provocar los movimientos respiratorios mediante la presión del aire.

* *Anat.* En el hombre, el p. es un órgano par, en forma de semicono, que ocupa la mayor parte de la cavidad torácica. El p. está constituido por numerosos y pequeños sacos de aire, los alvéolos, en cuyas paredes existe una fina y rica red de capilares sanguíneos.

PULMONADO, DA adj. y m. *Zool.* Díc. de los animales de la subclase pulmonados. • m. pl. *Zool.* Subclase de moluscos gasterópodos que viven en tierra firme y en aguas dulces; como caracoles y babosas. Carecen de branquias y poseen cuatro tentáculos en la cabeza. Pueden tener concha o carecer de ella. Son hermafroditas; su desarrollo es directo, sin fase larvaria.

PULMONARIA f. *Bot.* Planta herbácea vivaz, de la familia borragináceas, usada como pectoral. • *Bot.* Liquen coriáceo cuya superficie, con depresiones, semeja un pulmón cortado.

PULMONÍA f. Inflamación del pulmón o de una parte de él. ■ PÚLMONIACO, CA o PULMONÍACO, CA.

PULPA f. Parte mollar de las carnes, o carne pura, sin huesos ni ternilla. • Carne o parte mollar de la fruta. • Médula o tuétano de las plantas leñosas. • En la ind. conservera, la fruta fresca, una vez deshuesada y triturada. • En la ind. azucarera, residuo de la remolacha después de extraer el jugo azucarado. • Pasta de papel. ■ PULPOSO, SA.

PULPEJO m. Parte carnosa y mollar de un miembro pequeño del cuerpo humano, y más comúnmente, parte de la palmade la mano, de la que sale el dedo pulgar. • Sitio blando y flexible de los cascos de las caballerías en la parte inferior y posterior.

PULPERÍA f. *Amér.* Tienda donde se venden diferentes géneros para el abasto, y géneros de droguería, mercería, etc.

PULPERO, RA m. y f. Persona que tiene pulpería. • m. Artefacto para obtener pulpas.

PULPETA f. Tajada que se saca de la pulpa de la carne.

PÚLPITO m. Plataforma pequeña que hay en las iglesias para la predicación. • fig. En las órdenes religiosas, empleo de predicador.

PULPO m. *Zool.* Molusco cefalópodo dotado de ocho tentáculos provistos de ventosas, y boca con pico córneo. • Correaje elástico a modo de tentáculos que sirve para sujetar maletas en la baca.

PULQUE m. *Méx.* Bebida espiritosa que se obtiene haciendo fermentar aguamiel, agave, etc. ■ *Méx.* PULQUERÍA; *Méx.* PULQUERO, RA.

PULSACIÓN f. Acción de pulsar. • Cada uno de los latidos de la arteria. • Movimiento periódico de un fluido. • Acción de tocar las teclas de un piano, órgano, clave, etc., o de pulsar las cuerdas de una guitarra, arpa, etc. • *Fís.* Interferencia producida por dos trenes de ondas de igual amplitud, pero de frecuencia ligeramente distinta, que se propagan en el mismo lugar.

PULSADA f. Pulsación de una arteria.

PULSADOR, RA adj. y s. Que pulsa. • m. Llamador o botón de un timbre eléctrico. • Botón o teclado que pone en marcha un motor o un mecanismo.

PULSAR m. *Astr.* Formación estelar que aparece como un manantial de radiaciones radioeléctricas procedentes de una zona celeste cercana a la Tierra. • tr. Tocar, golpear. • Reconocer el estado del pulso o latido de las arterias. • fig. Tantear un asunto para descubrir el medio de tratarlo. • intr. Latir la arteria, el corazón u otra cosa que tiene movimiento sensible. ■ PULSÁTIL; PULSATIVO.

PULSATILA f. Planta de raíz leñosa, hojas segmentadas, flor solitaria y frutillo indehiscente con larga cola pelosa.

PULSEAR intr. Probar dos personas, asida mutuamente la mano derecha y puestos los codos en lugar firme, quién de ellas tiene más fuerza en el pulso.

PULSERA f. Venda con que se sujeta en el pulso de un enfermo algún medicamento confortante. • Guedeja que cae sobre la sien. • Cerco de metal o de otra materia, con piedras preciosas o sin ellas, o formado de sartas de perlas, corales, etc., que se lleva en las muñecas por adorno.

PULSÍMETRO m. Esfigmómetro.

PULSIÓN f. *Psic.* Según la teoría psicoanalítica, tendencia a la realización o rechazo de ciertos actos. Las p. más imp. son las que emergen de las necesidades orgánicas básicas (hambre, sed, etc.).

PULSO m. Parte de la muñeca donde se siente el latido de la arteria. • Fuerza que reside en la muñeca. • Seguridad o firmeza en la mano para ejecutar una acción con acierto. • *Fisiol.* Expansión rítmica de la pared arterial, que traduce la contracción sistólica del corazón y que puede palparse con los dedos en todas las arterias superficiales sit. sobre un plano resistente. • fig. Tiento o cuidado en un negocio. • **A p.** m. adv. Haciendo fuerza con la muñeca y la mano y sin apoyar el brazo en parte alguna para levantar o sostener una cosa. • fig. Con el propio esfuerzo, sin ayuda de nadie y venciendo dificultades.

PULSÓMETRO m. Bomba aspirante-impelente que funciona con vapor y sin émbolo.

PULSORREACTOR m. Motor de reacción consistente en una tobera cuya entrada está provista de válvulas móviles.

PULTÁCEO, A adj. Que es de consistencia blanda. • Que tiene apariencia de podrido o gangrenado, o que lo está.

PULULAR intr. Empezar a brotar y echar renuevos o vástagos un vegetal. • Originarse, provenir o nacer una cosa de otra. • Abundar, multiplicarse brevemente. • fig. Abundar en un paraje personas o cosas.

PULVERIZADOR m. Aparato que reduce a polvo o a partículas muy tenues un cuerpo líquido o sólido para proyectarlo en alguna dirección.

PULVERIZAR tr. y prnl. Reducir a polvo una cosa. • Reducir un líquido a partículas muy tenues a manera de polvo. • tr. Deshacer por completo una cosa incorpórea. ■ PULVERIZACIÓN.

PULVERULENTO, TA adj. Polvoriento.

PULVÍNULO m. *Bot.* Engrosamiento sit. en la base del peciolo de algunas hojas, que produce movimientos de la lámina foliar por cambios en el contenido de agua.

¡PUM! Voz que se usa para expresar ruido, explosión o golpe.

PUMA m. *Zool.* Mamífero félido amer., de pelaje leonado, de color uniforme y más claro en el vientre. Muy ágil, trepa fácilmente a los árboles para cazar pequeños mamíferos y aves, y se adapta fácilmente a la cautividad.

PUMACAHUA, *Mateo* (1736-1815) Cacique per. Luchó al lado de los esp. contra Tupac Amaru. Se pasó al bando independentista en el alzamiento de Cuzco (1814). Murió ejecutado.

PUMA-MAQUI m. *Amér.* Madera usada para construir guitarras.

PUNA f. *Argent.*, *Bol.*, *Chile* y *Perú.* Nombre dado a las tierras del Altiplano andino, entre los 3 000 y los 5 000 m de alt. Se caracteriza por una morfología suavemente ondulada y clima frío, con poca pluviosidad que da lugar a una vegetación baja y escasa. La hidrografía endorreica determina la formación de lagos (Titicaca) y de depósitos salinos. Llamas, alpacas, vicuñas. Agricultura de subsistencia. • *Amér.* Gran extensión de terreno raso y yermo. • *Amér.* fig. Soroche.

PUNA (*Poona*) C. de la India. en el estado de Maharashtra, al SE de Bombay; 1 203 400 hab. Centro industrial. Universidad.

PUNÁ Isla de Ecuador; 920 km². Sit. en el golfo de Guayaquil, frente a la desembocadura del Guayas. Pesca.

PUNAKHA C. de Bután, cap. de invierno del país; 34 000 hab. Centro comercial.

PUNCHA f. Púa, espina, punta delgada y aguda.

PUNCHAR tr. Picar, punzar.

PUNCHING-BALL (voz ing.) m. Pelota de cuero, colgada del techo, para entrenamiento de los boxeadores.

PUNCIÓN f. *Cir.* Operación, gralte. para la obtención de muestras líquidas, que consiste en abrir los tejidos con un instrumento punzante y cortante a la vez. • Herida ocasionada por un objeto punzante. ■ PUNCIONAR.

PUNDONOR m. Punto de honor, punto de honra; aquel estado en que consiste la honra, prestigio o crédito de uno. ■ PUNDONOROSO, SA.

PUNGIR tr. Herir de punta, punzar. • fig. Herir las pasiones el ánimo. ■ PUNGIMIENTO; PUNGITIVO, VA.

PUNICÁCEO, A adj. y f. *Bot.* Díc. de las plantas de la familia punicáceas. • f. pl. *Bot.* Familia de plantas angiospermas dicotiledóneas, que comprende especies arbóreas, de hojas simples, flores hermafroditas, cáliz y corola coloreada, estambres divididos, carpelos cerrados, y fruto en balausta. La especie más conocida es el granado.

PÚNICAS, *Guerras* Denominación que reciben las tres guerras que enfrentaron a cartagineses y rom. (264-146 a. C.). • **primera g. p.** (264-241). Se desarrolló en Sicilia y en el terr. cartaginés en África, y finalizó con la victoria rom. en las islas Égates y Lípari. • **segunda g. p.** (218-201). Cartago emprendió desde 237 la conquista de España. En 226, fijó con Roma el r. Ebro como límite a su expansión. La toma de Sagunto por Aníbal desencadenó la guerra. Aníbal se dirigió a Italia, cruzando los Alpes, y venció en Tesino, Trebia (218), Trasimeno (217) y Cannas (216), obteniendo apoyo de varios pueblos de la confederación rom., de Macedonia y de Siracusa. Roma contraatacó en España (206) y en África, donde Escipión venció en Zama (202), firmándose la paz, que prohibía a Cartago atacar a los aliados de Roma. • **tercera g. p.** (149-146). Al atacar Cartago al númida Masinisa, Roma inició la guerra sin previo aviso. Tras un asedio de tres años, Cartago cayó ante Escipión Emiliano (146), que la arrasó y vendió a sus hab. como esclavos.

PÚNICO, CA adj. y s. Cartaginés, de Cartago.

PUNIR tr. Castigar. ■ PUNIBLE; PUNCIÓN; PUNITIVO, VA.

PUNJAB (*Panjab*, «país de los cinco ríos») Región del NO de la India y NE de Pakistán; aprox. 300 000 km² y 77 000 000 de hab. Extensa llanura sit. entre las estribaciones del Himalaya, al N, y el desierto de Thar, al S. Avenada por los r. Jhelum, Chenab, Ravi, Byas y Sutlej. Clima árido. Se halla dividido desde 1947 entre Pakistán y la India (est. de Punjab y Haryana). • Est. del NE de la India; 50 362 km², 20 190 800 hab. Cap., Chandigarh. Corresponde al sector noroccidental del Punjab indio. Búfalos, bovinos, caprinos y ovinos. Agricultura. Ind. textil. • Prov. del NE de Pakistán; 205 345 km², 47 116 000 hab. Cap., Lahore. Carbón, sal, petróleo. Agricultura. Ind. textil, metalúrgica, del cemento. El punjabí es lengua indoaria.

PUNK adj. y s. Mov. juvenil de la década de los setenta, musical y de protesta ante el convencionalismo. Usa vestidos y adornos estrafalarios, cabellos teñidos y peinado antinatural, con accesorios incrustados en el cuerpo.

PUNO Dpto. de Perú fronterizo al E con Bolivia; 72 012,27 km², 1 143 400 hab. Cap., la c. hom. Situado en el Altiplano, está accidentado por la cord. de Carabaya, al N, y el lago Titicaca, al SE. La red hidrográfica pertenece a la cuenca del Amazonas (Inambari, Tambopata) y a la del Titicaca (Ilave, Azángaro). Clima frío. Patatas, cebada, arroz, café, caña de azúcar. Ovinos, vicuñas y llamas. Pesca en el lago Titicaca. • C. de Perú, cap. del dpto. hom., sit. en la orilla occidental del lago Titicaca, a 3 852 m de alt.; 91 467 hab. Puerto lacustre más alto del mundo. Importante centro comercial agropecuario. Artesanía de la lana de alpacas y vicuñas. Conservas de pescado.

Flores (a la izquierda) y frutos (abajo) de granado, planta de la familia **punicáceas**

PUNTA f. Extremo agudo de un arma u otro instrumento. • Extremo de una cosa. • Colilla, resto del cigarro. • Pequeña porción de ganado que se separa del hato. • Asta del toro. • Lengua de tierra que penetra en el mar. • Extremo de cualquier madero, opuesto al raigal. • Sabor que va tirando a agrio en una cosa. • Parada que hace el perro ante la caza. • fig. Tratándose de cualidades morales o intelectuales, algo, un poco. • *Cuba.* Hoja de tabaco pequeña de exquisito aroma y superior calidad. • pl. Encaje que forma ondas o puntas en una de sus orillas. • Primeros afl. de un río. • Clavo. • *Amér.* Cierto núm. de personas o cosas. • *Argent.* Cabecera de un río. • **de ganado.** *Amér. Centr.* Manada. • **A p. de lanza.** m. adv. fig. y fam. Vestido de uniforme, de etiqueta o con el mayor esmero. • **Estar de p.** uno **con** otro. fig. y fam. Estar encontrado o reñido con él. • **Tener** uno una cosa **en la p. de la lengua.** fig. Estar a punto de decirla. • fig. Estar a punto de acordarse de una cosa y no dar en ella.

PUNTA ARENAS C. del S de Chile, cap. de la región de Magallanes y Antártica Chilena; 119 700 hab. Sit. en el estr. de Magallanes. Ind. conservera, maderera y de curtidos. Refinería de petróleo. Puerto exportador.

PUNTA del Este C. de Uruguay, en el dpto. de Maldonado; 6 500 hab. Centro turístico. Escenario de varias conferencias internacionales.

PUNTA GORDA R. de Nicaragua; 120 km. Nace en la cord. Yolaina y desemboca en la bahía de San Juan del Norte.

Plato del s. III a. C. que muestra el uso de los elefantes en el ejército de Aníbal durante la segunda guerra **púnica.** Museo de Villa Giulia, Roma.

PUNTADA f. Cada uno de los agujeros hechos con la aguja en la tela, cuero u otra materia que se va cosiendo. • Espacio que media entre dos de estos agujeros próximos entre sí. • fig. Alusión que se hace en una conversación para recordar una cosa. • fig. y fam. Pulla, indirecta. • fig. Dolor punzante.

PUNTAL adj. y m. *Amér. Centr.* Díc. del toro que tiene los cuernos sin cortar. • m. Madero hincado en firme para sostener la pared o el edificio que amenaza ruina. • *Min.* Elemento empleado en la entibación. • Prominencia de un terreno en forma de punta. • fig. Apoyo, fundamento. • fig. Elemento principal. • *Mar.* Alt. de la nave desde su plan hasta la cubierta pral. o superior. • *Ven.* Merienda ligera.

PUNTANO, NA adj. De la c. arg. de San Luis.

PUNTAPIÉ m. Golpe que se da con la punta del pie.

Vista aérea de **Punta del Este**

Figuras diversas en **puntillas** de bolillos

Puntillismo. *Bañistas en Asnières*, óleo de Georges Seurat, National Gallery, Londres

PUNTARENAS Prov. de Costa Rica, bañada por el Pacífico y limítrofe con Panamá; 11 277 km^2, 338 384 hab. Cap., la c. hom. Comprende parte de la pen. de Nicoya, la i. de Chira y la pen. de Osa. Relieve formado por las estribaciones de las cord. de Guanacaste y de Talamanca, y la cadena exterior de la sierra Madre centroamericana. Clima tropical. Bananas, cereales, leguminosas. Ganadería. Pesca. Oro. • C. de Costa Rica, cap. de la prov. hom; 92 360 hab. Sit. en el golfo de Nicoya, constituye un imp. puerto. Exportación de productos agrícolas. Pesca. Ind. alimentaria, mecánica.

PUNTAZO m. Herida hecha con la punta de un arma o de otro instrumento semejante. • Herida penetrante menor que una cornada, causada por una res vacuna al cornear. • fig. Pulla, indirecta.

PUNTEADURA f. *Biol.* Orificio de comunicación entre dos células vegetales, continuación o no de un plasmodesmo, que atraviesa las capas primarias y secundarias de la membrana de secreción pero no la lámina media.

PUNTEAR tr. Marcar, señalar puntos en una superficie. • Comprobar una relación, gralte. numérica, colocando una señal en cada concepto comprobado. • Dibujar, pintar o grabar con puntos. • Trazar la trayectoria de un móvil a partir de algunos de los puntos de la misma. • Coser o dar puntadas. Tocar la guitarra u otro instrumento semejante hiriendo las cuerdas cada una con un dedo. • Compulsar una cuenta partida por partida. • Embestir una res vacuna con derrotes cortos y repetidos. ■ PUNTEADO, DA; PUNTEO.

PUNTERÍA f. Acción de apuntar un arma arrojadiza o de fuego. • Dirección del arma apuntada. • Destreza del tirador para dar en el blanco.

PUNTERO, RA adj. Aplícase a la persona que hace bien la puntería con un arma • m. Punzón para señalar una cosa. • Cincel de boca puntiaguda y cabeza plana que usan los canteros. • Persona que descuella en cualquier actividad. • *Dep.* En algunos deportes, el que juega en primera línea. • *Argent.* y *Col.* Animal que va delante de las manadas. • f. Remiendo, en el calzado, y renovación, en los calcetines y medias, de la parte que cubre la punta del pie. • Sobrepuesto o contrafuerte de piel que se coloca en la punta de la pala del calzado. • fam. Puntapié.

PUNTIAGUDO, DA adj. Que tiene aguda la punta.

PUNTILLA f. Encaje fino que se utiliza como adorno en prendas de vestir. • Instrumento, a manera de cuchillito, sin mango, con punta redonda para trazar, en lugar de lápiz. • Cachetero, puñal. • **Dar la p.** *Taur.* Apuntillar. • fig. y fam. Rematar, causar finalmente la ruina deuna persona o cosa. • **De puntillas.** m. adv. Andar pisando con las puntas de los pies y levantando los talones.

PUNTILLAZO m. fam. Puntapié.

PUNTILLERO m. *Taur.* Cachetero, torero que remata al toro.

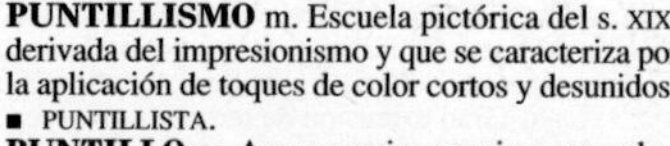

PUNTILLISMO m. Escuela pictórica del s. XIX, derivada del impresionismo y que se caracteriza por la aplicación de toques de color cortos y desunidos. ■ PUNTILLISTA.

PUNTILLO m. Amor propio excesivo que se basa muchas veces en hechos nimios. • *Mús.* Signo que consiste en un punto que se pone a la derecha de una nota y aumenta en la mitad su duración y valor. ■ PUNTILLOSO, SA.

PUNTILLÓN m. fam. Puntapié.

PUNTO m. Señal de dimensiones poco perceptibles, que por combinación de un color con otro, o por elevación o depresión, se forma en una superficie. • Granito de metal que tienen junto a la boca las armas de fuego, para que haga oficio de mira. • En las armas de fuego, piñón, pieza en que estriba la pastilla de la llave cuando está para disparar. • Cada una de las puntadas que en las obras de costura se van dando para hacer una labor sobre la tela. • Cada uno de los agujeros hechos con la aguja de coser. • Cada una de las lazadillas o nuditos de que se forma el tejido de las medias, géneros elásticos, etc. • Precedido de la prep. *de*, díc. de las telas o prendas hechas con esos puntos o lazadillas. • Rotura pequeña que se hace en las medias por soltarse alguna de estas lazadillas. • Cada una de las diversas maneras de trabar y enlazar entre sí los hilos que forman ciertas telas. • Medida longitudinal, duodécima parte de la línea. • Cada una de las partes de dos tercios de centímetro de longitud en que se divide el cartabón de los zapateros. • *Art. Gráf.* Unidad de medida tipográfica, duodécima parte del cícero y equivalente a unos 37 cienmilímetros. • Sitio, lugar de referencia. • Valor que, según el núm. que le corresponde, tiene cada una de las cartas de la baraja o de las caras del dado. • Valor convencional que se atribuye a las cartas de la baraja en ciertos juegos de naipes. • Unidad de tanteo, en algunos ejercicios, como exámenes, oposiciones, etc. • Unidad de tanteo en los concursos y en competiciones deportivas. • El que apunta contra el banquero en algunos juegos de azar. • Cosa muy corta, parte mínima de una cosa. • La menor cosa, la parte más pequeña o la circunstancia más menuda de una cosa. • Grado, nivel, estado, instante, etc., en el que en un cuerpo o sistema se produce un determinado fenómeno característico o que interesa individualizar. • Instante, momento, porción pequeñísima de tiempo. • Ocasión oportuna, momento favorable. • Vacación, suspensión de los negocios o estudios por algún tiempo. • Cada una de las cuestiones que salen, sacadas a la suerte o picando en un libro, para que elija el que ha de leer en la oposición. • Cada uno de los asuntos o materias diferentes de que se trata en un sermón, discurso, conferencia, etc. • Parte o cuestión de una ciencia. • Lo sustancial o pral. en un asunto. • Fin o intento de cualquier acción. • Estado actual de cualquier asunto. • Estado perfecto que llega a tomar cualquier cosa que se elabora al fuego. • Hablando de las cualidades morales buenas o malas, extremo o grado a que éstas pueden llegar. • Hablando del honor o la honra, estado o aspecto en que la gente cree consisten éstos, pundonor. • fig. y fam. Persona de cuidado. • fig. y fam. Individuo. • *Amér. Centr.* Baile popular. • Grado de una escala, especialmente aquel en que tiene lugar algún cambio. • *Mat.* Término genérico que designa los elementos de cualquier espacio geométrico, en particular los elementos de un espacio afín, euclídeo o proyectivo. • *Mar.* Lugar señalado en la carta de marear, que indica dónde se cree que se halla la nave, por la distancia y rumbo o por las observaciones astronómicas. • Punzada de dolor al lado del corazón. • *Mús.* En los instrumentos, tono determinado de consonancia para que estén acordes. • Nota ortográfica que se pone sobre la *i* y la *j*. • Signo ortográfico (.) con que se indica el fin del sentido gramatical y lógico de un periodo o de una sola oración. Se coloca también después de algunas abreviaturas. • **adherente.** *Mat.* En un subconjunto A de un espacio euclídeo R^n, se dice que un p. p es adherente a A cuando para todo núm. real positivo r existen puntos en A cuya distancia a p es menor que r. • **cardinal.** Cada uno de los cuatro que dividen el horizonte en otras tantas partes iguales. • **crítico.** *Fís.* En termodinámica, p. de una isoterma que corresponde a la presión, volumen y temperatura críticos. • **crudo.** fig. y fam. Momento preciso en que sucede una cosa. Se usa comúnmente con la partícula *a* o el art. *el*. • **de acumulación.** *Mat.* En un subconjunto *A* de un espacio euclídeo, un p. *p* del espacio se dice de acumulación de *A* si para cualquier núm. real positivo *r* existe al menos un *p*. en *A*, que no coincide con *p*, cuya distancia a *p* es menor que *r*. • **de apoyo.** *Fís.* Lugar fijo sobre el cual estriba una palanca u otra máquina, para que la potencia pueda vencer la resistencia. • **de caramelo.** Grado de concentración que se da al almíbar por medio de la cocción y en virtud de la cual, al enfriarse, se endurece, convirtiéndose en caramelo. • **de condensación.** *Fís.* Temperatura a la que un gas se convierte en líquido, a la presión atmosférica. Coincide con el p. de ebullición. • **de costado.** Dolor con punzadas al lado del corazón. • **de entrada.** *Comp.* Instrucción concreta a partir de la cual se reanuda un programa después de haberse producido una interrupción. • **de inflexión.** *Mat.* Todo p. de una curva en el que está definida la tangente y ésta atraviesa la curva. • **de interrupción.** *Comp.* Dirección de memoria, especificada por el usuario, que pertenece a un programa y en la que la ejecución del mismo se detendrá para poder determinar los valores de las variables y de algunos estados de la computadora. • **de nieve.** P. en que la clara de huevo batida adquiere espesor y contoma como antecedente y fundamento para tratar o deducir una cosa. • **de reposo.** El determinado por las componentes de funcionamiento en una válvula de vacío o en un transistor. • **de rocío.** *Fís.* Temperatura a la que el vapor de agua contenido en una cierta cantidad de aire se convierte en vapor saturado. • **de solidificación.** *Fís.* Temperatura a la que un líquido se transforma en sólido, a la presión atmosférica. Coincide con el p. de fusión. • **de vista.** fig. Cada uno de los modos de considerar un asunto u otra cosa. • **equinoccial.** Cada uno de los dos, el de primavera y el de otoño, en que la eclíptica corta el ecuador. • **fijo.** *Fís.* Cada uno de los dos puntos, elegidos convencionalmente de acuerdo con alguna propiedad característica, con que se determina una escala de temperaturas. • **interior.** *Mat.* En un subconjunto *A* de un espacio euclídeo, díc. que un p. *x* es interior al conjunto *A* cuando para cierto núm. real $r > 0$ todos los p. del espacio cuya distancia a *x* es menor que *r* están en *A*. • **muerto.** *Mec. apl.* Cualquiera de los dos puntos de la trayectoria recorrida por la manivela de un motor, en los que la manivela y la biela están alineadas y el pistón no ejerce presión de rotación sobre el manubrio. • *Mec. apl.* Posición de los engranajes de la caja de cambio en que el movimiento del árbol del motor no se transmite al mecanismo que actúa sobre las ruedas. • fig. Estado de un asunto o negociación que por cualquier motivo no puede llevarse adelante. • **neurálgico.** Aquel en que el nervio se hace superficial, o en donde nacen las ramas cutáneas del mismo. • fig. Parte de un asunto especialmente delicado, importante y difícil de tratar. • **normal de ebullición.** *Fís.* Temperatura a la que hierve un líquido cuando se le suministra calor, a la presión atmosférica. • **normal de fusión.** Temperatura a la que funde un sólido cuando se le suministra calor a la presión atmosférica. • **radiante.** P. de la esfera celeste en el que convergen aparentemente las trayectorias de un enjambre meteórico. • **triple.** *Fís.* Punto de un diagrama presión-temperatura en que coexisten los estados sólido, líquido y gaseoso de una sustancia. Es característico del tipo de sustancia. • **y aparte.** El que se pone cuando termina párrafo y el texto continúa en otro renglón. • **y coma.** Signo ortográfico (;) con que se indica pausa mayor que en la coma, y menor que con los dos puntos. • **y seguido.** El que se pone cuando termina un periodo y el texto continúa inmediatamente después del punto en el mismo renglón. • **Puntos conjugados.** En un péndulo físico, el p. soporte y el centro de oscilación. • *Ópt.* Los de un objeto y sus correspondientes imágenes. • **Puntos fijos.** *Fís.* Valores arbitrarios de dos temperaturas de referencia utilizados para fijar el p. cero y el valor de la unidad en las escalas de medida de la temperatura. • **Puntos nodales.** Puntos que poseen la propiedad de que a todo rayo objeto que pase por uno de ellos le corresponde como conjugado un

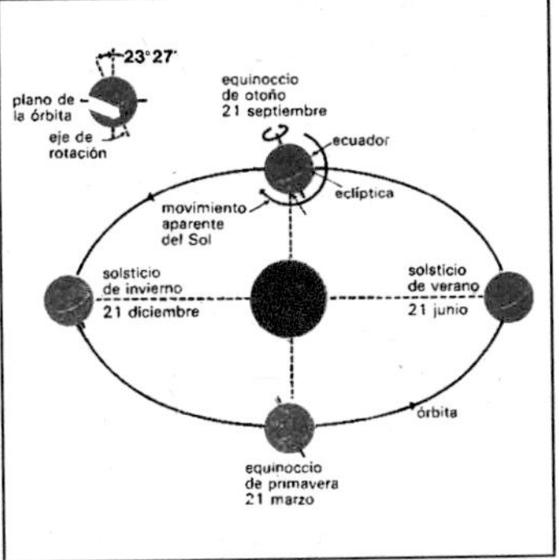

Diagrama de las posiciones de la Tierra respecto al Sol en que se observan los **puntos equinocciales**

rayo paralelo que pasa por el otro p. nodal. • **Puntos suspensivos.** Signo ortográfico (...) con que se denota quedar incompleto el sentido de una oración o cláusula de sentido cabal, para indicar temor o duda, o lo inesperado y extraño de lo que ha de expresarse después. • **Dos puntos.** Signo ortográfico (:) con que se indica haber terminado completamente el sentido gramatical, pero no el sentido lógico. • **Medio p.** Arco o bóveda cuya curva está formada por un semicírculo exacto, esto es, por un arco de 180 grados. • **A p.** m. adv. Dispuesto, listo. • A tiempo, oportunamente. • **Dar en el p.** fig. Dar en la dificultad. • **En p.** m. adv. Sin sobra ni falta. • **Estar a p.** Estar próxima a suceder una cosa. • **No perder p.** fig. Proceder con atención y diligencia. • **Ponerle los puntos** a una cosa. fig. y fam. Proponerse intervenir en lo referente a ella. • **Poner los puntos sobre las íes.** fig. y fam. Acabar o perfeccionar una cosa con gran minuciosidad.

PUNTO FIJO C. del NO de Venezuela, en el est. Falcón; 53 000 hab. Sit. en la pen. de Paraguaná. Pesca. Refinerías de petróleo.

PUNTOSO, SA adj. Que tiene muchas puntas. • Que tiene punto de honra. • Puntilloso.

PUNTUACIÓN f. Acción y efecto de puntuar. • Conjunto de los signos que sirven para puntuar.

PUNTUAL adj. Pronto, diligente, exacto en hacer las cosas a su tiempo y de llegar a los sitios a la hora convenida. • Indubitable, cierto. • Conforme, conveniente, adecuado. • Relativo al punto. ■ PUNTUALIDAD.

PUNTUALIZAR tr. Grabar con exactitud cada cosa en la memoria. • Referir un suceso o descubrir una cosa con todas sus circunstancias. • Dar la última mano a una cosa; perfeccionarla. • *Der.* Concretar los derechos y deberes de los contratantes con anterioridad a la celebración del contrato.

Arcos de medio **punto**

PUNTUAR tr. Poner en la escritura los signos ortográficos. • Ganar puntos, unidad de tanteo en algunos juegos. • Entrar en el cómputo de los puntos una prueba o competición. • Dar una calificación cuantitativa a una prueba o examen.

PUNTURA f. Herida con instrumento o cosa que punza. • *Vet.* Sangría que se hace en la cara plantar del casco de las caballerías.

PUNZANTE adj. Que punza. • fig. Hiriente, mordaz, incisivo, excesivamente irónico.

PUNZAR tr. Herir de punta. • fig. Avivarse un dolor de cuando en cuando. • fig. Hacerse sentir interiormente una cosa que aflige el ánimo. ■ PUNZADA; PUNZADURA.

PUNZÓ m. Color rojo muy vivo.

PUNZÓN m. Instrumento de hierro que remata en punta. Sirve para abrir ojetes y para otros usos. • En ciertos oficios y artes, instrumento de acero templado y de forma puntiaguda que sirve para hacer agujeros. • Instrumento de acero que tiene una figura de realce, la cual, hincada por presión o percusión, queda impresa en el troquel de monedas, medallas, etc. • En calderería, herramienta macho de acero que utilizan las máquinas punzonadoras. • Pitón, cuerno que empieza a salir a los animales.

PUNZONADO m. *Metal.* Operación utilizada en calderería para producir agujeros de diferentes formas y tamaños en piezas metálicas, aplicable a materiales maleables y dúctiles.

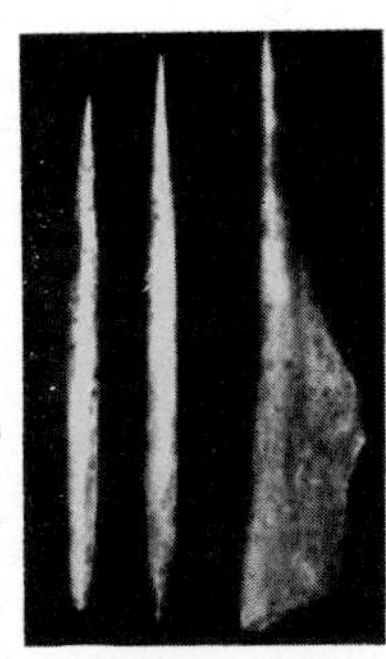

Punzones del solutrense superior hallados en Gandía, España

Puñal de hierro y bronce procedente de Tiermes, Soria (España)

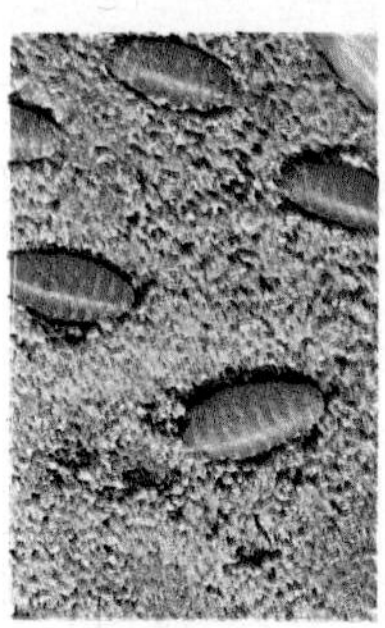
Pupas de mosca

PUNZONADORA f. Máquina que se emplea para realizar el punzonado de forma mecánica.
PUÑADA f. Puñetazo, golpe dado con la mano cerrada.
PUÑADO m. Porción de cualquier cosa que cabe en el puño o en la mano. • fig. Escaso núm. de personas o de cosas. • **A puñados.** m. adv. fig. Abundantemente, cuando debe ser con escasez; o al contrario, escasa y cortamente, cuando debe ser con abundancia.
PUÑAL m. Arma ofensiva de acero, de 20 a 30 cm de largo, terminada en punta. ■ PUÑALERO.
PUÑALADA f. Golpe que se da de punta con el puñal u otra arma semejante. • Herida que resulta de este golpe. • fig. Pena muy grande causada a una persona. • **Coser a puñaladas** a uno. fig. y fam. Darle muchas puñaladas.
PUÑETA f. fam. Tontería, nimiedad. • fam. *Amér.* Masturbación. ■ PUÑETERO, RA.
PUÑETAZO m. Golpe que se da con el puño de la mano.
PUÑETE m. Puñetazo. • Manilla, pulsera.
PUÑO m. Mano cerrada. • Puñado. • Parte de la manga de la camisa y de otras prendas de vestir, que rodea la muñeca. • Adorno de encaje o tela fina, que se pone en la bocamanga. • Mango de algunas armas blancas. • Parte por donde ordinariamente se coge el bastón, el paraguas o la sombrilla. • *Mar.* Cualquiera de los vértices de los ángulos de las velas. • pl. fig. y fam. Fuerza, valor. • **Apretar los puños.** fig. y fam. Esforzarse mucho en algo. • **A p. cerrado.** m. adv. Tratándose de golpes, con el puño. • **Como un p.** loc. adv. fig. y fam. con que se pondera que una cosa es muy grande entre las que regularmente son pequeñas; o al contrario, que es muy pequeña entre las que debían ser grandes. • **Meter en un p.** a uno. fig. y fam. Confundirlo, intimidarlo, dominarlo.
PUPA f. Erupción en los labios. • Postilla que queda cuando se seca un grano. • En el lenguaje infantil, cualquier daño o dolor corporal.• *Zool.* Ninfa; fase en el desarrollo embrionario metamórfico de ciertos insectos. ■ PUPOSO, SA.
PUPILA f. Huérfana menor de edad, respecto de su tutor. • Prostituta. • *Anat.* Abertura circular en el centro del iris, a través de la cual pasa la luz al interior del ojo. • *Ópt.* Abertura de un diafragma o de un sistema óptico.
PUPILAJE m. Cualidad de pupilo. • Estado de aquel que está sujeto a la voluntad de otro porque le mantiene. • Casa de huéspedes. • Precio que se paga por estar hospedado.
PUPILAR adj. Relativo al pupilo. • Relativo a la pupila del ojo.
PUPILO, LA m. y f. Persona que se hospeda en casa particular por precio ajustado. • Huérfano o huérfana menor de edad, respecto de su tutor. ■ PUPILERO, RA.
PUPIN, ***Michael Idvorsky*** (1858-1935) Físico e ingeniero norteam, de origen serbio. Perfeccionó los sistemas de transmisión de la telegrafía y la telefonía transcontinentales.
PUPINIZACIÓN f. *Ing.* Procedimiento preconizado por Michael Idvorsky Pupin para disminuir el amortiguamiento de la transmisión en las líneas telegráficas telefónicas.
PUPITRE m. Mueble de madera, con tapa en forma de plano inclinado, para escribir sobre él.
PUPO m. *Amér.* Ombligo.
PUPPIS o **POPA** *Astr.* Constelación que junto con *Vela* y *Carina* formaba la ant. constelación *Argo Navis*.
PURACÉ Volcán de Colombia, sit. en la cordillera Central de los Andes, cerca de Popayán; 4 800 m de alt.
PURANA m. Cada uno de los 18 poemas que contienen la teogonía y cosmogonía de la India antigua.
PURASANGRE m. y adj. Caballo de una raza que deriva del cruce del árabe con los del N de Europa.
PURCELL, ***Henry*** (1658-1695) Compositor brit. Gran autor dramático (*Dido y Eneas*, *La reina de las hadas*, *La tempestad*), destacan también sus obras de cámara y música sacra (*Te Deum*).
PURÉ m. Pasta de legumbres u otras cosas comestibles, cocidas y pasadas por colador. • Sopa formada por esta pasta desleída en caldo.
PUREAR intr. fam. Fumar cigarro puro.
PURERA f. Cigarrera, estuche para cigarros.
PUREZA f. Calidad de puro. • fig. Virginidad, doncellez.
PURGA f. Medicina que se toma para descargar el vientre. • fig. Residuos que en algunas operaciones industriales se han de eliminar o expeler. • Acción y efecto de purgar o purgarse. • fig. *Pol.* Operación propia de los regímenes totalitarios, o de partidos políticos del mismo carácter, que consiste en la eliminación de aquellos elementos que se consideran indeseables o sospechosos.

Purificaciones rituales en el río Ganges

PURGACIÓN f. Acción y efecto de purgar o purgarse. • Sangre menstrual. • Blenorragia. Se usa más en pl. • *Der.* Refutación de notas o indicios inculpadores contra una persona.
PURGANTE adj. Que purga. • adj. y m. *Farm.* Díc. del fármaco de acción mecánica o química que, introducido por vía oral, acelera la expulsión del contenido intestinal; como el aceite de ricino, la fenolftaleína, el sulfato magnésico y el agar-agar.
PURGAR tr. Limpiar, purificar una cosa, quitándole todo aquello que no le conviene. • Satisfacer con una pena en todo o en parte lo que uno merece por su culpa o delito. • Padecer el alma las penas del purgatorio para purificarse de las huellas del pecado y poder entrar en la gloria. • tr. y prnl. Dar al enfermo una medicina purgante. • tr., intr. y prnl. Evacuar un humor. • tr. Borrar uno su culpa con un castigo o sacrificio, expiar. • fig. Purificar, acrisolar. • fig. Corregir, moderar las pasiones. • Desvanecer los indicios o sospechas que hay contra una persona. • Depurar a uno mediante un expediente para rehabilitarle en el ejercicio de un cargo. • prnl. fig. Libertarse de cualquier cosa no material que causa perjuicio. ■ PURGAMIENTO; PURGATIVO, VA.
PURGATORIO, RIA adj. Purgativo. • m. *Teol.* Lugar donde las almas de los que mueren en gracia purgan sus culpas. • fig. Cualquier lugar donde se pasa la vida con trabajo y penalidad. • Trabajo penoso o padecimiento.
PURÍ adj. y s. Díc. del pueblo amerindio que vivía en el alto curso del Paraíba y del Doce, en Brasil.
PURIDAD f. Pureza, calidad de puro. • Secreto.
PURIFICACIÓN f. Acción y efecto de purificar o purificarse. • Fiesta que el día 2 de febrero celebra la Iglesia en memoria de la presentación de Jesús en el templo por su madre. • Cada uno de los lavatorios con que en la misa se purifica el cáliz.
PURIFICADOR, RA adj. y s. Que purifica. • m. Paño de lino, con el cual se enjuaga y purifica el cáliz cuando el sacerdote ha consumido el agua y el vino de la segunda purificación. • Lienzo que usa el sacerdote en el altar para limpiarse los dedos.
PURIFICAR tr. y prnl. Quitar de una cosa lo que le es extraño, dejándola en el ser y perfección que debe tener según su calidad; limpiar de impurezas. • Limpiar de toda imperfección una cosa no material. • Acrisolar Dios las almas por medio de las aflicciones y trabajos. • tr. Rehabilitar para el servicio del Est. a los impurificados por causas políticas. • tr. y prnl. En la ley ant., ejecutar las ceremonias prescritas por ella para dejar libres de ciertas impurezas a personas o cosas. • prnl. Cumplirse o suprimirse la condición de que un derecho dependía o que lo modificaba. ■ PURIFICATORIO, RIA.
PURIM f. La fiesta más alegre del calendario judío, se celebrada en los primeros días de marzo y conmemora la liberación de los hebreos de Persia y Media.

PURIN-NUCLEÓTIDO m. *Quím.* Nucleótido formado por una base púrica (adenina, guanina, etc.), un azúcar pentósico aldósico (ribosa o desoxirribosa) y ácido ortofosfórico.
PURINA f. *Quím.* Sistema cíclico formado por cuatro átomos de nitrógeno y cinco de carbono del que derivan el ácido úrico y algunas bases nitrogenadas, como la adenina y la guanina, que intervienen en la formación de nucleótidos en general y de los ácidos nucleicos en particular.
PURISCAR intr. *Amér. Centr.* Comenzar a florecer los frijoles.
PURÍSIMA n. p. f. Advocación de la Virgen María que alude a su Inmaculada Concepción.
PURISMO m. *Ling.* Tendencia a eliminar del idioma los giros y vocablos de origen extranjero y los neologismos. • *Arte.* Tendencia a permanecer fiel a determinados principios estéticos.
PURISTA adj. Que escribe o habla con pureza. • adj. y s. Díc. del que, por afán de ser puro en la manera de escribir o de hablar, adolece de afectación viciosa. • Partidario del purismo artístico.
PURITANISMO m. Secta y doctrina religiosa, rama del protestantismo, aparecida en Inglaterra en el siglo XVII, muy rigurosa en su doctrina y moral. • P. ext., díc. de la exagerada escrupulosidad en el proceder. • Calidad de puritano.
PURITANO, NA adj. y s. Díc. de las personas que en Inglaterra, hacia 1564, aspiraban a una doctrina más pura que la propuesta por la Iglesia anglicana. La restauración de los Estuardos les obligó a emigrar a Nueva Inglaterra. Son p. los cuáqueros, presbiterianos, baptistas, metodista s, etc. • adj. Relativo a los puritanos. • adj. y s. fig. Díc. de la persona que real o afectadamente profesa con rigor las virtudes públicas o privadas y hace alarde de ello; rígido, austero.
PURO, RA adj. Libre y exento de toda mezcla de otra cosa. • Transparente, diáfano. • Que procede con desinterés en el desempeño de un empleo o en la administración de justicia. • Que no incluye ninguna condición, excepción o restricción ni plazo. • Casto, ajeno a la sensualidad. • adj. y m. Díc. de ciertos cigarros. • adj. fig. Solo, no acompañado de otra cosa. • fig. Tratándose del lenguaje o del estilo, correcto, exacto, ajustado a las leyes gramaticales y al mejor uso, exento de voces y construcciones extrañas o viciosas. Díc. también de las personas.
PUROMICINA f. *Farm.* Antibiótico, cuya acción pral. es la inhibición de la síntesis proteica a nivel de los ribosomas.
PÚRPURA f. Materia colorante rojizoviolácea que sirvió en la antigüedad para teñir ropas por el procedimiento de la tina, y que en aquella época se obtenía a partir de un molusco. Químicamente es el dibromoíndigo simétrico. • El mismo molusco utilizado para obtener dicha materia. • Tela, de lana, teñida con este tinte; formaba parte de las vestiduras propias de sumos sacerdotes, cónsules, reyes, etc. • fig. Prenda de vestir, de este color o roja, que forma parte del traje característico de emperadores, reyes, cardenales, etc. • fig. Color rojo subido que tira a violado. • fig. Dignidad imperial, real, consular, cardenalicia, etc. • fig. Sangre humana. • Afección caracterizada por hemorragias cutáneas y roturas vasculares que originan manchas rojas en la piel. • **de Casio.** *Quím.* Precipitado morado que se forma cuando una disolución de una sal de oro se trata con otra de cloruro estannoso. ■ PURPÚREO, A.
PURPURADO m. Cardenal, prelado.
PURPURAR tr. Teñir de púrpura. • Vestir de ella.
PURPÚREA f. Lampazo, planta.
PURPUREAR intr. Mostrar una cosa el color de púrpura que en sí tiene. • Tirar a purpúreo.
PURPURINO, NA adj. Purpúreo. • f. Sustancia colorante roja del grupo del antraceno, extraída de la raíz de la rubia. • Polvo de bronce o de metal blanco, que se aplica a las pinturas para dorarlas o platearlas.
PURRELA f. Vino último e inferior de los que se llaman aguapié.
PURRIELA f. fam. Cosa de mala calidad o de poco valor.
PURRÓN Fase cultural mex., del periodo prehistórico (2500-1900 a. C.). Comprende la instalación en el valle de Tehuacán de los primeros agricultores.
PURULENCIA f. Supuración. ■ PURULENTO, TA.
PURÚS *(Purus)* Río de Sudamérica, afl. del Amazonas; 3 000 km. Nace en Perú y discurre por Brasil.
PUS m. Exudado producido por una inflamación purulenta; está constituido por leucocitos y células muertas. • adj. *Amér.* Díc. del color del chocolate claro.
PUSÁN C. de la República de Corea; 3 160 000 hab. Pral. puerto del país. Ind. metalúrgica y textil.
PUSHKIN, *Alexander Sergueievich* (1799-1837) Escritor romántico ruso. Sus obras prales. son los poemas *Ruslan y Ludmila* y *El prisionero del Cáucaso*, el drama histórico *Boris Godunov*, las novelas *La dama de picas* y *La hija del capitán*, y la primera novela psicológica rusa, *Eugenio Oneguin*.
PUSH-PULL (voz ing.) adj. *Ing.* Designación de ciertas monturas o conexiones de dos elementos electrónicos en contrafase.
PUSHTO m. Lengua irania, → pashto.
PUSILÁNIME adj. y s. Falto de ánimo y valor para tolerar las desgracias o para intentar cosas grandes. ■ PUSILANIMIDAD.
PÚSTULA f. Lesión cutánea formada por una vesícula, llena de pus, que da lugar a una prominencia sobre la superficie de la piel. ■ PUSTULOSO, SA.
PUSUQUEAR intr. *Argent.* Vivir de gorra.
PUSZTA (húng. «desierto») f. Nombre de la zona esteparia de la gran llanura húngara (al O de Debrecen). Ganadería.
PUTADA f. fam. Mala pasada. • Desdicha.
PUTAÍSMO m. Vida, ejercicio de prostituta. • Reunión de prostitutas. • Casa de prostitución.
PUTATIVO, VA adj. Reputado o tenido por padre, hermano, etc., no siéndolo.
PUTEAR o **PUTAÑEAR** intr. fam. Frecuentar el trato con putas. • fam. Ejercer la prostitución. • tr. fig. y fam. Maltratar o explotar a alguien. ■ PUTEAR.
PUTERÍA f. Putaísmo. • fig. y fam. Arrumaco o zalamería femenina. • fig. y fam. Mala intención, a veces disimulada astutamente.
PUTIFAR En la Biblia, oficial de la corte de Egipto, a quien fue vendido José.
PUTIN, *Vladimir* (nacido 1952) Político ruso. Nombrado primer ministro en 1999, sucedió a B. Yeltsin como presid. interino a finales de ese mismo año. En marzo de 2000 revalidó su cargo con la victoria en las elecciones presidenciales.
PUTO, TA adj. que se usa como calificación denigratoria, aunque por antífrasis puede resultar encarecedor. • m. Hombre que tiene relaciones sexuales con otro hombre. • adj. y m. fig. y fam. Hombre astuto y malintencionado. • f. Prostituta, ramera, mujer pública. ■ PUTERO; PUTESCO, CA.
PUTREFACCIÓN f. Acción y efecto de pudrir o pudrirse. • Podredumbre. ■ PUTREFACTIVO, VA; PUTREFACTO, FA.
PUTRESCINA f. *Quím.* Amina biógena bacteriana derivada de la ornitina, que se desprende en la putrefacción de los cadáveres.
PÚTRIDO, DA adj. Podrido, corrompido. • Acompañado de putrefacción. ■ PUTRIDEZ.
PUTRÍLAGO m. Materia pultácea producida por la necrosis de los tejidos gangrenados.
PUTSCH (voz al.) m. Golpe de Est.; levantamiento revolucionario de carácter político.

Granjeros **puritanos** en el óleo *Gótico americano* de Grant Wood

Monumento a Alexander Sergueievich **Pushkin** en Pskov (Rusia)

Buitres alimentándose de cadáveres de animales **putrefactos**

Vista de **Pyongyang**

PUTUMAYO Dpto.de Colombia; 24 885 km^2, 264 291 hab. Cap., Mocoa. Limítrofe con Ecuador y Perú. El sector O forma parte del ámbito andino (cerro Patascoy, 4 000 m). El resto del terr. pertenece a la llanura amazónica. Los r. son tributarios del Putumayo y del Caquetá. Clima tropical húmedo. Cereales, arroz. Vacunos. Explotación forestal, pralm. caucho. • **P.** o **Içá** Río de América Meridional, afl. del Amazonas por la margen izquierda; 1 600 km. Nace en Colombia, cerca del nudo andino de Los Pastos y discurre en dirección SE hasta Puerto Asís, donde se hace navegable. Después de formar frontera entre Colombia y Ecuador y entre Colombia y Perú, penetra en Brasil, donde toma el nombre de Içá y se une al Amazonas. Sus afl. prales. son el Igara Paraná, el Campuya y el Yaguas.

PUTUTO o **PUTUTU** (voz aymará) m. *Bol.* y *Perú.* Instrumento musical consistente en una especie de concha.

PUVIS de Chavannes, ***Pierre*** (1824-1898) Pintor fr., renovador de la pintura decorativa y simbolista. Murales del Panteón de París, sobre la vida de santa Genoveva.

PUYA f. Punta acerada que en una extremidad tienen las varas o garrochas de los picadores y vaqueros, con la cual estimulan o castigan a las reses. • fig. Broma o dicho mortificante. • *Chile.* Planta bromeliácea, de la que existen varias especies.

PUYADOR m. *Guat.* y *Hond.* Picador de toros.

PUYANA, ***Rafael*** (nacido 1931) Clavecinista col. Ha recibido numerosos premios internacionales.

PUYAR tr. *Amér.* Herir con puya.

PUYAZO m. *Taur.* Herida que se hace con la puya del picador.

PU-YI (1906-1967) Nombre que tomó Chuantung, último emp. de China [1908-1912]. Emp. de Manchukuo en 1934, fue entregado por los rusos en 1949 a las autoridades chinas.

PUYO adj. *Argent.* Díc. del poncho o capote basto de lana más corto que el ordinario. • *Guat.* Pobre, sin dinero.

PUYO Cap. de la prov. ecuat. de Pastaza, en el NO de la prov.; en la margen derecha del r. Puyo; 14 438 hab. Puerto fluvial. Centro comercial de la región.

PUZOLANA f. o **PUZOL** m. *Geol.* Roca volcánica de la misma composición que el basalto, que se encuentra en Puzol (Italia), y que, mezclada con cal, sirve para hacer mortero hidráulico.

PUZZLE (voz ing.) m. Rompecabezas, juego.

PYM, ***John*** (1584-1643) Político ing. Se enfrentó con el autoritarismo de Carlos I. Éste intentó arrestarlo, lo que dio origen a la guerra civil (1642).

PYONGYANG C. del O de la República Democrática Popular de Corea, cap. del país; 1 700 000 hab. Imp. concentración industrial fomentada por la proximidad de las minas de carbón. Ind. siderúrgica, mecánica, textil, etc. Universidad.

PYXIS o **BRÚJULA** *Astr.* Pequeña constelación austral de la que sólo destacan tres estrellas.

Q

Vista de la ciudad de **Quebec,** capital del Canadá francófono

Q f. Decimooctava letra del abecedario esp. y decimocuarta de sus consonantes. Su nombre es *cu* y su sonido equivale al de *k.* • *Fís.* Símb. de la cantidad de calor.

q *Fís.* Símb. del quintal y de la carga eléctrica.

QABUS Ibn Said (nacido 1940) Político de Omán. En 1970 derrocó a su padre y se convirtió en sultán de su país.

QATAR *(Dawlat al-Qatar)* Est. del golfo Pérsico que limita al S con Arabia Saudita y los Emiratos Árabes Unidos. Lo constituye una pequeña pen. calcárea, orientada de N a S, cuyo terr. es un desierto en su mayor parte. Clima árido. Pesca. Petróleo y gas natural. Monarquía. Grupos étnicos o nac.: ár. y minoría negra. *Rel.*: islamismo (sunnita); C. pral.: Doha, la capital.

QATAR

Superficie 11 437 km²	
Población 561 000 hab. (39 hab./km²)	
Recursos económicos	
Cemento	470 000 t
Gas natural	13 500 000 000 m³
Pesca	5 087 t
Petróleo	18 174 000 t
Indicadores sociológicos	
PNB	7 448 millones de dólares
Renta per cápita	11 600 dólares
Esperanza de vida	71 años
Alfabetismo	79 %

* *Hist.* Dependiente del sultanato de Omán desde la desmembración del califato oriental, Q. pasó a depender de Bahrein hasta 1868. En 1916 se convirtió en protectorado brit. En 1968 Q. ingresó en la Federación de Emiratos Árabes y en 1971 accedió a la indep. En 1972 un golpe de Est. sustituyó al emir Ahmad ibn Alí por su sobrino, Khalifa ibn Hamad al-Tani. El desembarco de Q. en la isla de Facht al-Dibel avivó el conflicto con Bahrein. En 1990 Q. tomó parte activa en la coalición contra Irak.

QIQIHAR C. de China, en Manchuria; 1 232 000 hab. Centro industrial. Nudo ferroviario.

QOM C. de Irán, al SO de Teherán; 247 200 hab. Ind. textil.

QUADROS, ***Janio*** (1917-1992) Político bras. Gobernador de São Paulo (1955-1959), fue elegido presid. de la rep. en 1961. Dimitió a los pocos meses.

QUANTUM m. *Fís.* Cuanto; cantidad mínima de energía que puede emitirse, propagarse o absorberse. Su pl. es *quanta.*

QUARK m. *Fís.* Cada una de las seis partículas elementales hipotéticas y sus correspondientes antipartículas que constituyen la materia.

QUASAR m. *Astr.* Objeto celeste cuya emisión energética de radioondas es algunos centenares de veces superior a la emitida por las galaxias.

QUASIMODO, ***Salvatore*** (1901-1968) Poeta it. de la escuela hermetista. *Agua y tierras, Día tras día, La tierra incomparable.* Premio Nobel en 1959.

QUATTROCENTO Término aplicado al s. XV, inicio del movimento artístico y literario que condujo al Renacimiento it. ■ QUATTROCENTISTA.

QUBILAY Jan (1214-1294) Emp. mongol [1260-1294]. Dio fin a la conquista de la China Sung y fijó su cap. en Pekín. Fomentó las ciencias y las artes, impulsó las obras públicas y organizó la administración. Marco Polo estuvo a su servicio.

QUE Pron. relativo que con esta sola forma conviene a los géneros masculino, femenino y neutro y a los números sing. y pl. • A veces equivale a otros pronombres precedidos de preposición. • pron. interr. Agrupado o no con un nombre sustantivo, inquiere o pondera la naturaleza, cantidad, intensidad, etc., de algo. Se usa con acento prosódico y ortográfico. • pron. excl. Agrupado con un sustantivo o seguido de la preposición de y un sustantivo, encarece la naturaleza, cantidad, calidad, intensidad, etc. de algo. Úsase con acento prosódico y ortográfico. • adv. prnl. excl. Agrupado con adjetivos, adverbios y locuciones adverbiales, encarece la calidad o intensidad y equivale a *cuán.* Usado con acento prosódico y ortográfico. • conj. copulativa que enlaza un verbo con otro. • Sirve también para enlazar con el verbo otras partes de la oración. • Forma parte de varios modos adverbiales y conjuntivos: *a menos que; con tal que.* • Se emplea también como conj. comparativa, causal, disyuntiva, ilativa y final.

QUEBEC *(Québec)* Prov. del E de Canadá. Ocupa la pen. del Labrador, excepto la zona E; 1 540 680 km², 6 899 000 hab. Cap., la c. hom. El valle del San Lorenzo es el eje socioeconómico de la prov. Forrajes y pastos. Ganadería. Producción forestal y minera. • C. de Canadá, cap. de la prov. hom; 164 600 hab. (645 500 hab. la agl. urb.). Sit. en el estuario del r. San Lorenzo. Ind. textiles.

QUEBRACHO m. *Amér.* Nombre de varias especies de árboles de madera muy dura.

QUEBRADIZO, ZA adj. Fácil de quebrarse. • fig. Delicado de salud • fig. Frágil.

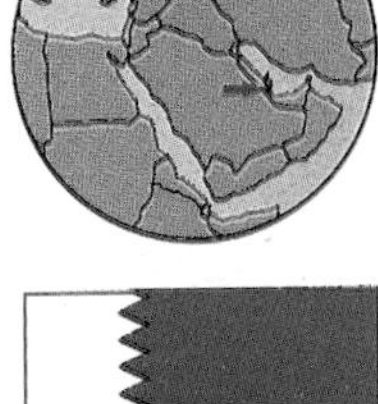

Qatar. Arriba, mapa de situación y bandera; abajo, vista de Doha

Quebrantahuesos

Campesino **quechua**

Escorpión, artrópodo del orden **quelicerados**

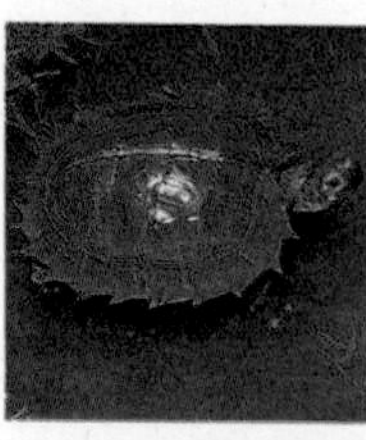
Tortuga, reptil del orden **quelonios**

QUEBRADO, DA adj. y s. Que ha hecho bancarrota o quiebra. • Que padece quebradura o hernia. • Quebrantado, debilitado. • Aplicado a un terreno, camino, etc., desigual, tortuoso. • adj. y m. *Arit.* Díc. del núm. que expresa una fracción. • adj. y f. Díc. de la línea formada por varios segmentos de recta unidos. • f. Paso entre montañas. • Quiebra, hendedura de la tierra. • *Amér.* Riachuelo que corre por el fondo de ésta.
QUEBRADURA f. Hendedura, rotura o abertura. • Hernia, pralm. en el escroto.
QUEBRAJA f. Grieta, rendija, raja.
QUEBRAJAR tr. y prnl. Hender parcialmente, resquebrajar. ■ QUEBRAJOSO, SA.
QUEBRANTAHUESOS m. Ave falconiforme de la familia accipítridos.
QUEBRANTAPIEDRAS f. Planta herbácea de la familia paroniquiáceas, usada en medicina por su acción diurética.
QUEBRANTAR tr. Romper, separar con violencia las partes de un todo. • tr. y prnl. Cascar o hender una cosa. • Machacar o reducir una cosa sólida, pero sin triturarla. • Violar o profanar algo sagrado, seguro o coto. • fig. Violar una ley u obligación. • fig. Vencer una dificultad. • prnl. Experimentar las personas algún malestar. ■ QUEBRANTADOR, RA; QUEBRANTADURA; QUEBRANTAMIENTO.
QUEBRANTO m. fig. Descaecimiento, desaliento, falta de fuerza. • fig. Lástima, conmiseración, piedad. • fig. Grande pérdida o daño.
QUEBRAR tr. Romper. • Violar una ley u obligación. • tr. y prnl. Doblar o torcer. • tr. fig. Interrumpir o estorbar la continuación de una cosa no material. • Cesar en el comercio por sobreseer en el pago corriente de las obligaciones contraídas y no alcanzar el activo a cubrir el pasivo. • prnl. Herniarse.
QUEBRAZÓN f. *Amér.* Destrozo grande de objetos de vidrio y loza.
QUECHE m. Embarcación de origen hol., de un solo palo.
QUECHEMARÍN m. Embarcación pequeña de dos palos, con velas al tercio.
QUECHOL m. *Méx.* Flamenco, ave palmípeda.
QUECHUA o **QUICHUA** adj. y s. *Hist.* Díc. del individuo de una familia de pueblos indígenas sudamericanos extendidos desde época precolombina por la región andina del Perú y Bolivia. • *Ling.* Díc. de la lengua hablada por estos indios. • adj. Relativo a estos indígenas y a su lengua.
* *Hist*, Los q., descendientes de las culturas mochica y chimu, fueron, a partir del s. XIII, vasallos del imperio inca. Su economía se basa en la agricultura y en la orfebrería. Los cultivos se adaptan al medio geográfico, desde las zonas altas de los Andes a la costa del Pacífico. Los q. siguen construyendo sus casas con adobe y han mantenido sus creencias, tradiciones, así como su organización social, el *ayllu*, y su idioma.
QUECHUISMO m. Palabra o giro de la lengua quechua, empleado en otra lengua.
QUEDA f. Hora de la noche, que se anunciaba con toque de campana, para que los vecinos se recogieran. • **Toque de q**. Llamada a silencio de la tropa. En época de guerra o en estado de sitio, aviso dado a la población para que a una determinada hora se retire a sus hogares.
QUEDAR intr. y prnl. Estar, detenerse en un lugar o estado. • intr. Subsistir, permanecer o restar parte de una cosa. • Precediendo a la preposición *por*, resultar las personas con algún cargo, obligación o derecho que antes no tenía. • Cesar, terminar, acabar, convenir definitivamente en una cosa. • Seguido de la prep. *por* y un verbo en infinitivo, faltar algo para terminar una cosa. • tr. y prnl. Junto con la preposición *con*, retener en su poder una cosa. ■ QUEDADA.
QUEDO, DA adj. Quieto. • adv. modo. Con voz baja o que apenas se oye. • Con tiento.
QUEENSLAND Est. del NE de Australia, en la costa del Pacífico; 1 727 200 km^2; 2 505 100 hab. Cap., Brisbane. Comprende parte de la meseta interior australiana y la Gran Cordillera Divisoria que lo atraviesa de SE a N-NO. Clima tropical. Piña y caña de azúcar en la costa y cría de corderos en la zona árida.
QUEHACER m. Ocupación, negocio.
QUEILITIS f. *Pat.* Inflamación de los labios.
QUEJA f. Expresión de dolor, pena o sentimiento. • Resentimiento, desazón, descontento. • Acusación ante juez o tribunal competente contra los responsables de un delito. • Reclamación. ■ QUEJIDO.
QUEJAR tr. Aquejar. • prnl. Expresar con la voz dolor o pena. • Manifestar resentimiento. • Presentar querella. ■ QUEJICA; QUEJICOSO, SA; QUEJOSO, SA.
QUEJIGO m. Árbol fagáceo, especie de roble, de hoja marcescente. • Roble que todavía no ha alcanzado su desarrollo regular. ■ QUEJIGAL.
QUEJITAS adj. fam. *Guat.* Quejumbroso.
QUEJUMBRE f. Queja frecuente y, por lo común, sin gran motivo. ■ QUEJUMBROSO, SA.
QUELA f. *Zool.* Pinza que se desarrolla en las extremidades de algunos artrópodos.
QUELACIÓN f. Reacción química que conduce a la formación de un quelato.
QUELATO m. *Quím.* Compuesto químico de coordinación cuyo ligante se coordina con el ion central mediante puntos de fijación *en pinza*.
QUELEA f. Pájaro granívoro africano perteneciente a la familia ploceidos.
QUELENQUELEN m. *Chile.* Planta medicinal poligalácea.
QUELICERADO, DA adj. y m. *Zool.* Díc. de vertebrados del subtipo quelicerados. • m. pl. *Zool.* Subtipo de artrópodos que comprende las formas provistas de quelíceros. Comprende las clases merostomas, pantópodos y arácnidos.
QUELÍCERO m. *Zool.* Cada uno de los apéndices que en número de dos se encuentran a ambos lados de la boca en ciertos artrópodos.
QUELÍFERO m. Arácnido de pequeño tamaño, que suele vivir entre libros o papeles.
QUELITE (voz náhuatl) m. *Méx.* Bledo.
QUELOIDE m. *Med.* Hipertrofia del tejido cicatricial que se manifiesta por un relieve en la superficie cutánea de color violáceo.
QUELONIO, NIA adj. y m. *Zool.* Díc. de reptiles del orden quelonios. • m. pl. *Zool.* Orden de reptiles con cuatro extremidades cortas, desdentados y con el cuerpo protegido por una concha dura que cubre la espalda y el pecho; como la tortuga, el carey y el galápago.
QUELTEHUE m. *Chile.* Teruteru.
QUELVACHO m. *Zool.* Pez escualiforme con espinas dorsales recorridas por una acanaladura en ambos lados.

Vista de Surfers Paradise, en **Queensland**

QUEMA f. Incendio, fuego, combustión. • *Argent.* Lugar en las afueras de una población donde se queman basuras. • **Huir de la q**. uno. fr. fig. Apartarse de un peligro. • fig. Esquivar un compromiso.
QUEMADA f. Parte de monte quemado. • *Amér. Centr.* Quemadura.
QUEMADA, *La* Yacimiento arqueológico mex., en el est. de Zacatecas, de la cultura de Teotihuacán (ss. IX-XII).
QUEMADOR, RA adj. y s. Que quema. • Incendiario. • m. *Ing.* Dispositivo que poseen las calderas para introducir el combustible en la cámara de combustión.
QUEMADURA f. *Med.* Lesión producida en los tejidos por acción del calor en sus diversas formas. • Señal, llaga, ampolla o impresión producida por

el calor o una sustancia cáustica. • Enfermedad de las plantas ocasionada por cambios grandes y bruscos de temperatura. • Tizón, honguillo.

QUEMAJOSO, SA adj. Que pica como quemado.

QUEMAR tr. y prnl. Abrasar con fuego. • Calentar con mucha actividad. • Secar una planta el excesivo calor. • Destruir un objeto o un tejido orgánico la acción de un agente químico. • Causar una sensación de ardor, una cosa caliente, picante o urticante. • fig. Malbaratar. • tr. y prnl. fig. y fam. Impacientar o desazonar a uno. • intr. Estar excesivamente caliente una cosa. • prnl. Padecer o sentir mucho calor. • fig. Padecer la fuerza de una pasión o afecto. • intr. y prnl. fig. Gastarse o desanimarse por haber trabajado mucho para obtener algo y no haberlo logrado. ■ QUEMADERO, RA; QUEMADO, DA.

QUEMARROPA ***(A)*** m. adv. Tratándose de un disparo, desde muy cerca. • De forma brusca.

QUEMAZÓN f. Calor excesivo. • fig. y fam. Desazón moral por un deseo no logrado.

QUEMOSIS f. Tumefacción edematosa de la conjuntiva ocular.

QUENA f. *Amér. Merid.* Flauta o caramillo de origen inca.

QUENEAU, *Raymond* (1903-1976) Escritor fr. Surrealista. *Zazie en el metro.*

QUENOPODIÁCEO, A adj. *Bot.* Díc. de las plantas angiospermas dialipétalas con hojas carnosas y flores verdes. • f. pl. Familia de estas plantas.

QUEPIS m. Gorra, ligeramente cónica y con visera horizontal, que, como prenda de uniforme, usan los militares en algunos países.

QUERABDÍ adj. y s. Díc. de un pueblo amerindio, actualmente casi extinguido, que vivía al N del actual Buenos Aires.

QUERANDÍ adj. y s. Individuo de las tribus amerindias que ocuparon la margen derecha del río Paraná (Argentina). Fueron destruidos al oponerse a los colonizadores. • m. Lengua de estos indígenas. • adj. Relativo a los querandíes o a su lengua.

QUERARGIRITA f. Cloruro de plata, que cristaliza en el sistema cúbico; color blanco y brillo diamantino. Importante mena de plata.

QUERATINA f. *Quím.* Sustancia córnea proteica, uno de los principales constituyentes de la piel.

QUERATITIS f. Inflamación de la córnea.

QUERATODERMIA f. *Med.* Dermatosis caracterizada por engrosamiento de la capa córnea de la palma de las manos y de la planta de los pies.

QUERATOMA m. *Med.* Lesión de la piel considerada precancerosa, caracterizada por una mancha pigmentada y engrosamiento.

QUERATOPLASTIA f. *Med.* Intervención quirúrgica basada en el injerto de la córnea.

QUERATOSIS f. Afección de la piel, caracterizada por un engrosamiento de la capa córnea.

QUERCIA, *Jacopo della* (1374-1438) Escultor it. Influyó sobre Miguel Ángel.

QUERCUS m. Género de plantas arbóreas de la familia fagáceas o cupulíferas, flores agrupadas en amentos y frutos rodeados por una cúpula protectora (glande o bellota). Comprende la encina, el roble y el alcornoque.

Quemador de vaporización

QUERELLA f. Queja. • Discordia. • *Der.* Acusación ante el juez o tribunal competente. ■ QUERELLARSE.

QUEREMEL, *Miguel Ángel* (1900-1939) Poeta ven. *Trayectoria, Tabla, Santo y seña.*

QUERENCIA f. Acción de amar o querer bien. • Inclinación del hombre y de ciertos animales a volver al sitio en que se han criado. • Este mismo sitio. ■ QUERENCIOSO, SA.

QUERENDÓN, NA adj. *Amér.* Muy cariñoso. • m. y f. fam. Amante, querido.

QUERER m. Cariño, amor. • tr. Desear o apetecer. • Amar, tener cariño, voluntad o inclinación a una persona o cosa. • Tener voluntad o determinación de ejecutar una cosa. • Resolver, determinar. Pretender, intentar o procurar. • Ser conveniente una cosa a otra; requerirla. • Pedir o exigir algo.

QUERESA f. Cresa.

QUERÉTARO Est. de México. Sit. en el centro del país; 11 769 km²; 1 402 010 hab. Cap. la c. hom. Se distinguen dos sectores: la zona SO corresponde a la Altiplanicie meridional y la NE a la Sierra Madre Oriental. Clima templado en las zonas altas y cálido en el resto. Cereales, forrajes, caña de azúcar y frutales. Minas de plata, cobre, hierro. • C. de México, cap. del est. hom.; 639 839 hab. Imp. centro comercial e industrial. Talla de piedras preciosas.

QUERIDO, DA m. y f. Amante.

QUERMES m. Insecto hemíptero parecido a la cochinilla, que vive en la coscoja. • Mezcla rojiza, de óxido y sulfuro de antimonio, que se emplea como medicamento.

QUEROCHA f. Conjunto de huevos que pone la reina de las abejas. ■ QUEROCHAR.

QUERONEA Ant. ciudad de Grecia, sit. en el O de Beocia, a orillas del Cefiso. • **Batallas de Q.** Nombre dado a las diversas batallas que se produjeron en este lugar. Filipo II de Macedonia derrotó a los ejércitos confederados de Tebas y Atenas (338 a. C.). La segunda de ellas enfrentó a Roma con el rey del Ponto (86 a. C.).

QUEROSÉN m. *Amér.* Queroseno.

Querétaro. Patio del Palacio Federal

QUEROSENO m. Fracción del petróleo bruto que destila, aprox., entre 150 y 300 °C. Se emplea como carburante.

QUEROSÍN m. *Ecuad., Nic.* y *Pan.* Queroseno.

QUERSONESO m. Transcripción de la voz gr. que significa *península.*

QUERUB o **QUERUBE** m. poét. Querubín.

QUERUBÍN m. Espíritu celeste perteneciente al segundo coro de la suprema jerarquía angélica. • fig. Serafín, persona de singular belleza.

QUERUSCO, CA adj. y s. Díc. de individuos de un pueblo germánico que habitaba entre el Elba y el Weser. Su jefe, Arminio, derrotó a los romanos el 9 d.C., pero cayó ante Germánico en el 16. • adj. Relativo a este pueblo.

QUESADILLA f. Pastel compuesto de queso y masa. • Pastelillo relleno de almíbar, conserva u otro manjar. • *Amér.* Empanada de maíz rellena de queso y azúcar.

QUESEAR intr. Hacer quesos.

QUESILLO m. *Amér.* Requesón.

QUESIQUÉS m. Cosa que se pregunta, difícil de averiguar o de explicar.

Querargirita

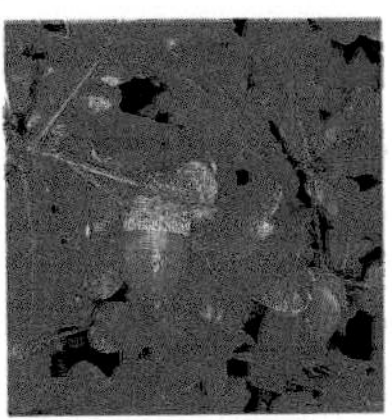

Hojas y frutos de carvallo (***Quercus** robur*), un tipo de roble muy común

Estatua del León de **Queronea,** sobre la fosa de los soldados que perecieron en la batalla

QUESNAY, *François* (1694-1774) Médico y economista fr. Cirujano de la corte de Luis XV. En 1758 publicó su *Tableau économique*. Fundador de la escuela de los fisiócratas.

QUESNEL, *Pasquier* (1634-1719) Teólogo jansenista fr. El papa Clemente XI condenó sus obras. *Reflexiones morales*.

QUESO m. Ind. Alimento obtenido por la coagulación de la caseína de la leche. Se fabrica con leche de vaca, oveja o cabra. ■ QUESERÍA; QUESERO, RA.

QUETA f. Cerda rígida, que se proyecta de la superficie del cuerpo en algunos animales.

QUETODÓNTIDO, DA adj. y m. *Zool.* Díc. de peces de la familia quetodóntidos. • m. pl. *Zool.* Familia de peces perciformes que viven pralm. en los arrecifes coralinos.

QUETOFORAL adj. y f. *Bot.* Díc. de algas verdes clorofíceas, uninucleadas, con un filamento erecto y ramificado que contiene los órganos reproductores. • f. pl. *Bot.* Orden de estas algas.

QUETOGNATO, TA adj. y m. *Zool.* Díc. de animales invertebrados, marinos, cuya cabeza está provista de quetas en forma de gancho. • m. pl. *Zool.* Clase de estos animales.

QUETÓPODO adj. y m. *Zool.* Gusano del grupo quetópodos. • m. pl. *Zool.* Grupo de anélidos que poseen quetas (poliquetos y oligoquetos).

QUETTA C. de Pakistán, cap. del Beluchistán; 285 000 hab. Sit. cerca de la frontera afgana.

QUETZAL m. Ave trogoniforme de América tropical; plumaje de color verde tornasolado y rojo. • Unidad monetaria de Guatemala.

Quetzal

QUETZALCÓATL *Mit.* Pral. dios del panteón náhuatl. Su nombre significa «serpiente emplumada», bajo cuya forma se le veneró.

QUETZALTENANGO Dpto. de Guatemala; 1 951 km², 503 857 hab. Cap., la c. hom. Sit. entre el eje volcánico guatemalteco-salvadoreño y la llanura costera del Pacífico. Regado por los r. Samalá, Naranjo y Tilapa. Clima templado frío en las montañas y cálido en la costa. Cereales, caña de azúcar y café. Ganadería. • C. de Guatemala, la segunda más imp. del país y cap. del dpto. hom.; 90 801 hab. Centro comercial e industrial y nudo de comunicaciones.

QUEULE m. *Chile.* Planta arbórea combretácea. • Fruto de esta planta.

QUEVEDO y Villegas, *Francisco de* (1580-1645) Escritor y polígrafo esp. Figura cumbre del conceptismo barroco. Su obra contiene una crítica feroz de las instituciones y la política de su tiempo. Fue encarcelado por sus ideas. *La vida del Buscón, llamado don Pablos* (novela picaresca), *Política de Dios, gobierno de Cristo, tiranía de Satanás* (política), *Los sueños*. ■ QUEVEDESCO, CA.

Francisco de **Quevedo**

QUEVEDOS m. pl. Lentes de forma circular con armadura para sujetarlos a la nariz.

QUEZADA, *Armando* (nacido 1902) Escultor mex., autor de las seis estatuas en bronce de los *Niños héroes* (museo de Chapultepec).

QUEZÓN, *Manuel Luis* (1878-1944) Político filipino. Luchó contra la ocupación esp. y norteam. Elegido presid. de la Commonwealth filipina en 1935 y 1941.

QUEZÓN CITY o **CIUDAD QUEZÓN** C. de Filipinas, en la isla de Luzón; 1 165 900 hab. Cap. del país de 1948 a 1976.

¡QUIA! interj. fam. con que se denota incredulidad o negación.

QUIACA f. *Chile.* Árbol de hojas lanceoladas, y flores pequeñas y blancas.

QUIANTI m. Vino común, pero muy estimado, que se elabora en la Toscana.

QUIASMA m. Conjunto, reunión o punto de contacto de dos partes, cosas u órganos que forman cruz. • En genética, figura cruciforme que presentan los cromosomas homólogos.

QUIASMATIPIA f. Teoría citogenética que explica la recombinación genética mediante la formación de quiasmas entre los filamentos de cromosomas homólogos.

QUIASTONEURIA f. Fenómeno de torsión del saco visceral de los moluscos gasterópodos.

QUIBDÓ C. de Colombia, cap. del dpto. de Chocó, a orillas del Atrato; 113 473 hab. Centro comercial. Puerto exportador.

QUIBEY m. Planta de las Antillas, herbácea, de la familia lobeliáceas, de flores blancas y fruto seco.

Figura de **Quetzalcóatl**

QUICHÉ adj. y s. *Etn.* Individuo de un pueblo amerindio de Guatemala, de origen maya, que ocupa el terr. que va desde la costa del Pacífico hasta el valle alto del r. Motagua. • adj. y s. Relativo a este pueblo o a su cultura. • adj. y m. Grupo lingüístico maya que incluye las lenguas habladas por las tribus quiché, cakchiquel, tzuthuil, poconchi, etc. • m. *Amér. Centr.* Empanada de queso.

* *Etn.* En época precolombina, los q. habitaban la pen. del Yucatán y las zonas limítrofes a la actual Guatemala, hasta la costa del Pacífico. Fueron sometidos por los esp. El origen y desarrollo de su civilización se encuentra recogido en el *Popol Vuh*, su libro sagrado, escrito en maya-quiché.

QUICHÉ Dpto. de Guatemala, fronterizo al N con México; 8 378 km², 631 785 hab.; cap., Santa Cruz del Quiché. Accidentado por las sierras de Chamá, de Chuacús, separadas por el valle alto del Chixoy, o Negro. Clima templado en las alt. y tropical en las zonas bajas. Caña de azúcar, café, cereales y leguminosas. Ganadería. Oro, plata, plomo y estaño.

QUICHUA adj. y s. Quechua.

QUICIAL m. Madero que asegura las puertas y ventanas por medio de pernios y bisagras. • Quicio de puertas y ventanas. ■ QUICIALERA.

QUICIO m. Parte de las puertas o ventanas en que entra el espigón del quicial. • **Fuera de q.** m. adv. fig. Fuera del orden o estado regular. • **Sacar de q.** a uno. fr. fig. Exasperarle.

QUICK-FREEZING (voz ing.) m. Método de conservación de legumbres y frutas por congelación muy rápida.

QUID m. Esencia, razón, porqué de una cosa.

QUID divinum exp. latina con que se designa la inspiración propia del genio.

QUID pro quo exp. latina con la cual se da a entender que una cosa se sustituye con otra equivalente. • m. Error que consiste en tomar a una persona o cosa por otra.

QUÍDAM m. fam. Sujeto a quien se designa indeterminadamente. • fam. Sujeto despreciable y de poco valer.

QUIEBRA f. Rotura o abertura de una cosa por alguna parte. • Fallo, posibilidad de fracaso. • Pérdida o menoscabo de una cosa. • *Geog.* Hendedura o abertura de la tierra en los montes o la que causan excesivas lluvias en los valles. • *Der.* Acción y efecto de quebrar un comerciante. • Juicio para calificar y liquidar la situación del que ha quebrado.

QUIEBRAHACHA m. Jabí, árbol.

QUIEBRO m. Ademán que se hace con el cuerpo, como quebrándolo por la cintura. • Adorno musical que consiste en acompañar una nota de otras muy ligeras.

QUIEN pron. relativo que con esta sola forma conviene a los géneros masculino y femenino, y cuyo pl. es *quienes*. Se refiere a personas y cosas, pero más gralte. a las primeras. • pron. relativo con antecedente implícito. Equivale a la persona que, *aquel que*.

QUIENQUIERA pron. indet. Persona indeterminada, alguno, sea el que fuere.

QUIESCENCIA f. *Biol.* Cese temporal del desarrollo o actividad frente a factores desfavorables del medio.

QUIETAR tr. y prnl. Sosegar. ■ QUIETACIÓN.
QUIETE f. Hora o tiempo que en algunas comunidades se da para descanso.
QUIETISMO m. Inacción, quietud. • Teoría mística que exalta la pasividad del alma para alcanzar la perfección. Defendida por M. de Molinos (s. XVII), fue condenada por la Iglesia católica. ■ QUIETISTA.
QUIETO, TA adj. Que no tiene o no hace movimiento. • fig. Pacífico, tranquilo. • fig . No dado a los vicios, especialmente al de la lujuria.
QUIETUD f. Carencia de movimiento. • fig. Sosiego, reposo, descanso.
QUIF m. Hachís.
QUIJADA f. Cada una de las mandíbulas de los vertebrados que tienen dientes.
QUIJAL o **QUIJAR** m. Quijada. • Muela de la boca.
QUIJARUDO, DA adj. Que tiene grandes y abultadas las quijadas.
QUIJERA f. Hierro que guarnece el tablero o cureña de la ballesta. • Cada una de las dos correas de la cabezada del caballo.
QUIJERO m. Lado en declive de la acequia.
QUIJO m. Cuarzo que en los filones sirve regularmente de matriz al mineral de oro o plata.
QUIJONES m. pl. Planta herbácea de la familia umbelíferas, de flores blancas y frutos en aquenio.
QUIJONGO m. *Col.* Tambor hecho con un tronco de árbol, con uno de sus extremos cubierto de piel. • *C. Rica* y *Nic.* Instrumento musical de cuerda.
QUIJOTE m. Pieza de la armadura que cubría y defendía el muslo. • Parte de las ancas de las caballerías. • fig. Hombre excesivamente puntilloso. • fig. Hombre idealista que no sabe avenirse con las opiniones y costumbres corrientes. • fig. Hombre que quiere ser juez de causas nobles aunque no le atañan. ■ QUIJOTADA; QUIJOTERÍA; QUIJOTESCO, CA; QUIJOTISMO.
QUILA f. *Chile.* Especie de bambú.
QUILATAR tr. Aquilatar. ■ QUILATADOR.
QUILATE m. Unidad de peso para el oro y las piedras preciosas, de valor variable alrededor de los 205 mg. • Cada una de las partes en peso de oro puro que hay, sobre las 24 del total, en cualquier aleación de este metal.

Laboratorio de análisis **químico**

QUILATERA f. Instrumento para apreciar los quilates de las perlas.
QUILÍFERO, RA adj. Díc. de cada uno de los vasos linfáticos de los intestinos que absorben el quilo y lo conducen al canal torácico.
QUILIFICAR tr. y prnl. Convertir el quimo en quilo. ■ QUILIFICACIÓN.
QUILLA f. *Ing. naval.* Pieza que va de proa a popa por la parte más baja de un barco. • Parte saliente y afilada del esternón de las aves.
QUILLA del navío Carina, constelación.
QUILLACINGA adj. y s. Díc. de un pueblo amerindio que vive en el SO de Colombia y el N de Ecuador.
QUILLANGO m. *Argent.* Manta formada de pieles cosidas que usan los indígenas.
QUILLAY m. *Argent.* y *Chile.* Árbol de la familia rosáceas, de cuya corteza se extrae un polvo usado como jabón.
QUILLOTA Prov. del centro de Chile, en la región de Valparaíso; 189 100 hab. Cap., la c. hom. • C. de Chile, cap. de la prov. hom.; 61 300 hab.
QUILLOTRA f. fam. Amiga, amante, querida.
QUILLOTRANZA f. fam. Trance, conflicto.
QUILLOTRAR tr. fam. Excitar, estimular. • tr. fam. Gustar mucho. • fam. Meditar. • tr. y prnl. fam. Engalanar. • prnl. fam. Quejarse.
QUILLOTRO m. fam. Estímulo. • fam. Indicio. • fam. Amorío. • fam. Adorno. • fam. Amigo.
QUILMA f. En algunas partes, costal.
QUILMES Partido de Argentina, en la prov. de Buenos Aires; 446 600 hab. Centro industrial.
QUILO m. Kilo, unidad de peso. • Emulsión de consistencia casi líquida que se obtiene en el intestino por transformación digestiva del quimo. • *Chile.* Arbusto poligonáceo cuyas raíces tienen usos medicinales. Fruto de este arbusto. ■ QUILOSO, SA.
QUILOMBO m. *R. de la Plata.* Desorden. • *Ven.* Choza, cabaña campestre. • *Chile, Perú* y *R. de la Plata.* Lupanar. • En Brasil, terr. ocupado por esclavos fugados que se reorganizaban según los esquemas africanos.
QUILOMICRÓN m. Cada uno de los pequeños glóbulos de grasa envueltos de proteínas que se originan por agregación de las moléculas que atraviesan el epitelio mucoso intestinal.
QUILÓPODO, DA adj. y m. *Zool.* Díc. de artrópodos de la clase quilópodos. • m . pl. *Zool.* Clase de miriápodos, conocidos vulgarmente como ciempiés.
QUILPUÉ C. de Chile, en la prov. de Valparaíso; 95 300 hab. Centro industrial.
QUILQUIL m. *Chile.* Helecho arbóreo.
QUILTRO m. *Chile.* Perro gozque.
QUILURIA f. Presencia de grasa en la orina.
QUIMBA f. *Amér.* Contoneo. • *Amér.* Especie de calzado.
QUIMBÁMBARAS f. pl. *Cuba.* y *P. Rico.* Quimbambas.
QUIMBAMBAS f. pl. Sitio lejano o impreciso.
QUIMBAYA o **QUIMBAYÁ** adj. y s. Pueblo amerindio de Colombia que habitaba en el valle del Cauca.
QUIMBO m. *Cuba.* Machete.
QUIMERA f. *Biol.* Individuo que posee de modo estable, además de las células propias, células de otro individuo. • Pez cartilaginoso de la subclase holocéfalos. • fig. Creación imaginaria tomada como realidad . • fig. Pendencia, riña o contienda. ■ QUIMÉRICO, CA; QUIMERISTA.
QUIMERA *Mit. gr.* Hija de Tifón y de Equidna. Era un ser monstruoso, de cabeza y cuerpo de león, vientre de cabra y cola de dragón.
QUIMERIZAR intr. Forjar quimeras, fantasías.
QUÍMICO, CA adj. Relativo a la química. • Por contraposición a físico, concerniente a la composición de los cuerpos. • m. y f. Persona que profesa la química o tiene en ella especiales conocimientos. • f. Ciencia que estudia la composición y propiedades de la materia, sus transformaciones y las correspondientes variaciones de energía.
QUIMIFICAR tr. y prnl. Convertir el alimento en quimo. ■ QUIMIFICACIÓN.
QUIMIL m. *Méx.* Lío de ropa; maleta.
QUIMIOCEPTOR, RA → Quimiorreceptor.
QUIMIOLUMINISCENCIA f. Producción de luz por una reacción química, como en el caso de las luciérnagas.
QUIMIOPROFILAXIS f. Prevención de las enfermedades infecciosas por medio de sustancias químicas.
QUIMIORRECEPTOR, RA adj. y s. *Fisiol.* Díc. de los receptores sensitivos capaces de captar estímulos químicos.
QUIMIOSÍNTESIS f. Proceso anabólico por el cual ciertos organismos obtienen la energía de reacciones de oxidorreducción.
QUIMIOTAXIS f. *Biol.* Movimiento condicionado por estímulos químicos.
QUIMIOTERAPIA f. Tratamiento de las enfermedades por medios químicos.
QUIMIOTRÓFICO, CA adj. y s. *Biol.* Díc. de los seres que obtienen los productos necesarios para su nutrición mediante síntesis química de los mismos.
QUIMIOTROPISMO m. Tropismo que responde a estímulos de naturaleza química.

Escolopendra, artrópodo de la clase **quilópodos**

Botella y casco de oro del tesoro de los **quimbaya**

Escultura de una **quimera del** Pekín

Mujeres japonesas ataviadas con **quimono**

Rama de **quino**

Manuel **Quintana**

QUIMO m. Especie de papilla constituida por los alimentos parcialmente digeridos en el estómago.
QUIMOGRAFÍA f. *Med.* Registro radiográfico de las fases sucesivas de un órgano vivo.
QUIMONO m. Túnica de origen japonés, de algodón o seda, de una sola pieza y con anchas mangas, que se sujeta a la cintura.
QUIMOSINA f. Enzima del estómago de los terneros que transforma el caseinógeno soluble de la leche en caseína insoluble.
QUIMOTRIPSINA f. Enzima segregado por el páncreas que contribuye a la digestión de las proteínas y de los polipéptidos.
QUIMOTRIPSINÓGENO m. Precursor químico de la tripsina, elaborado en el páncreas.
QUINA f. *Med.* Droga que se halla en la corteza de varias especies de quino, que se utiliza como tónica, antifebrífuga, etc. ■ QUINADO, DA.
QUINAL m. *Mar.* Cabo grueso que en malos tiempos se encapilla en la cabeza de los palos. • *Col.* y *Perú.* Quino.
QUINALDINA f. Base nitrogenada que se encuentra en la brea de hulla junto con la quinoleína.
QUINAR tr. fam. *Cuba.* Vencer con argumentos.
QUINARIO adj. y m. Compuesto de cinco elementos, unidades o guarismos. • *Mat.* Sistema de numeración que tiene por base el número cinco.
QUINASA f. Enzima que activa la transferencia de grupos fosfóricos procedentes gralte. del ATP.
QUINATZIN Tlaltecatzin (ss. XIII-XIV) Rey chichimeca. Impulsor de la economía y de la cultura, situó la capitalidad en Texcoco.
QUINCALLA f. Objeto de metal, gralte. de escaso valor, como imitaciones de joyas, etc. ■ QUINCALLERÍA; QUINCALLERO, RA.
QUINCE adj. Diez y cinco. • adj. y m. Decimoquinto ordinal. • m. Conjunto de signos o cifras con que se representa el número quince.
QUINCENA f. Espacio de quince días. • Paga que se recibe cada quince días. • *Mús.* Intervalo de dos octavas. ■ QUINCENAL; QUINCENARIO, RIA.
QUINCENO, NA adj. Decimoquinto, ordinal.
QUINCEY, *Thomas de* (1785-1859) Escritor brit. *Confesiones de un inglés fumador de opio, El asesinato considerado como una de las bellas artes.*
QUINCHA f. *Amér. Merid.* Tejido o trama de junco con que se afianza un techo o pared de paja, totora, cañas, etc. • *Chile.* Pared hecha de cañas y de barro. • *Col.* Tomenejo, colibrí, ave.
QUINCHAMALÍ m. *Chile.* Planta medicinal, de la familia santaláceas.
QUINCHAR tr. *Amér. Merid.* Cubrir o cercar con quinchas.
QUINCHIHUE m. *Amér. Merid.* Planta anual, de color verde claro, pelada, olorosa y medicinal.
QUINCHONCHO m. Arbusto de las leguminosas de semillas comestibles.
QUINCUAGENA f. Conjunto de cincuenta cosas de una misma especie.
QUINCUAGENARIO, RIA adj. Que consta de cincuenta unidades. • adj. y s. Que tiene cincuenta años cumplidos.
QUINCUAGÉSIMO, MA adj. Que sigue inmediatamente en orden al (o a lo) cuadragésimo nono. • adj. y s. Díc. de cada una de las cincuenta partes iguales en que se divide un todo.
QUINDE m. *Amér.* Colibrí.
QUINDÉCIMO, MA adj. y s. Quinzavo.
QUINDENIO m. Espacio de quince años. ■ QUINDENIAL.
QUINDÍO Dpto. de Colombia; 1 845 km^2, 495 212 hab. Cap., Armenia. De relieve montañoso, comprende parte de la cord. Central de los Andes. Clima templado húmedo. Café, bananas, caña de azúcar. Ganadería. Ind. textil.
QUINDÍO, *Nevado del* Pico de la cord. Central Andina, en Colombia; 5 150 m.
QUINE, *Willard van Orman* (1908-2000) Filósofo y matemático estadoun. *Lógica matemática, El sentido de la nueva lógica, Los métodos de la lógica, La búsqueda de la verdad.*
QUINESIOLOGÍA f. Conjunto de procedimientos terapéuticos encaminados a restablecer la normalidad de los movimientos del cuerpo humano. ■ QUINESIÓLOGO, GA.
QUINESITERAPIA o **KINESITERAPIA** f. *Méd.* → Cinesiterapia.
QUINETINA f. Hormona del crecimiento de las plantas que se caracteriza por los procesos de división celular.
QUINFA f. *Col.* Sandalia.
QUINGENTÉSIMO, MA adj. Que sigue inmediatamente en orden al (o a lo) cuadringentésimo nonagésimo nono. • adj. y s. Díc. de cada una de las 500 partes iguales en que se divide un todo.
QUINGO m. *Amér.* Zigzag, ese.
QUINGOMBÓ m. Planta herbácea de la familia malváceas, cultivada en América.
QUINIELA f. Juego de apuestas en varios deportes como el fútbol, la pelota vasca, las carreras de galgos y de caballos, etc. • Impreso en el que se escriben estas apuestas. • *Amér. Merid.* Juego de azar que consiste en apostar a la última o a las últimas cifras del número premiado en la lotería. • pl. Conjunto de estas apuestas. ■ QUINIELISTA.
QUINIENTISTA adj. Relativo al s. XVI.
QUINIENTOS, TAS adj. Cinco veces ciento. • Que sigue al cuadringentésimo nonagésimo nono. • Díc. de cada una de las 500 partes en que se divide un todo. • m. Signos o cifras con que se representa el número quinientos.
QUININA f. Alcaloide que se extrae de la corteza del quino y que abunda en la quina. Se usa como droga preventiva y curativa del paludismo.
QUINN, *Antonio Rodolfo Oaxaca,* llamado ***Anthony*** (1916-2001). Actor estadoun. n. en Chihuahua (México). *¡Viva Zapata!, La Strada, Zorba el griego, Los dientes del diablo.*
QUINO m. Árbol americano del que hay varias especies de la familia rubiáceas, del que se extrae la quina.
QUINO (nacido 1932) Seud. de *Joaquín Salvador Lavado.* Dibujante arg. creador del personaje *Mafalda.*
QUÍNOLA f. En cierto juego de naipes, lance pral., que consiste en reunir cuatro cartas de un palo. • fam. Rareza, extravagancia. • pl. Juego de naipes cuyo lance pral. es la q. ■ QUINOLEAR.
QUINOLEÍNA f. *Quím.* Sustancia orgánica derivada del alquitrán, usada en fotografía y en medicina.
QUINONA f. Compuesto dicetónico aromático que se origina por oxidación de los orto- y para- difenoles.
QUINQUÉ m. Lámpara de doble corriente de aire y petróleo por combustible, con tubo de cristal y gralte. con bomba o pantalla.
QUINQUEFOLIO m. Planta arbustiva de la familia rosáceas, de flores amarillas y frutos en aquenio.
QUINQUELA Martín, *Benito* (1890-1977) Pintor arg. Obras murales (casa del Pueblo). Decoró una parte del barrio de la Boca (Buenos Aires).
QUINQUELINGÜE adj. Que habla cinco lenguas. • Escrito en cinco idiomas.
QUINQUENIO m. Período de cinco años. • Plus que incrementa cada cinco años el salario de un trabajador. ■ QUINQUENAL.
QUINQUINA f. Quina, corteza del quino y líquido que se extrae de la misma.
QUINTA NORMAL C. de Chile, en la reg. Metropolitana de Santiago; 127 500 hab.
QUINTACOLUMNISTA com. Persona afiliada a la quinta columna de un país.
QUINTADA f. fam. Novatada.
QUINTAESENCIA f. Quinta esencia, lo más puro, refinado y acendrado de alguna cosa. • Última esencia o extracto de alguna cosa.
QUINTAESENCIAR tr. Refinar, apurar.
QUINTAL m. Ant. unidad de peso de cien libras que, en Castilla y en Sudamérica, equivale a 46 kg. • Pesa de 100 libras. • **métrico.** Unidad de peso igual a 100 kg.
QUINTALERO, RA adj. Que pesa un quintal.
QUINTANA f. Quinta, casa de recreo en el campo. • *Med.* Fiebre intermitente cuyos accesos se repiten cada cinco días.
QUINTANA, *Manuel* (1836-1906) Jurisconsulto y político arg. Opuso al panamericanismo la fórmula *América para la humanidad.* Presid. de la rep. (1904-1906).
QUINTANA ROO Est. de México; 50 350 km^2, 873 804 hab. Cap. Chetumal. Sit. en el extremo oriental de la pen. de Yucatán, a orillas del mar Caribe, limita al S con Belice. Relieve suave. Regado por el r. Hondo. Clima tropical con gran pluviosi-

dad. Explotación forestal, cereales y frutos tropicales. Ganadería. Ruinas de Cobá y Tulum.

QUINTANA Roo, *Andrés* (1787-1851) Político y escritor mex. Participó en la guerra de indep. Fundó el diario *El federalista.*

QUINTANILLA Quiroga, *Carlos* (1888-1964). Militar y político bol. Presid. de la rep. (1939-1940).

QUINTANTE m. Instrumento astronómico para las observaciones marítimas, que consiste en un sector de círculo, graduado, de 72 grados.

QUINTAÑÓN, NA adj. y s. fam. Centenario.

QUINTAR tr. Sacar por suerte uno de cada cinco. • Sacar por suerte los nombres de los que han de servir en la tropa en clase de soldados. • intr. Llegar al número de cinco. ■ QUINTADOR, RA.

QUINTERÍA f. Casa de campo para labor.

QUINTERNO m. o **QUINTERNA** f. Cuaderno de cinco pliegos.

QUINTERO m. El que tiene arrendada una quinta. • Mozo o criado de labrador.

QUINTERO → Álvarez Quintero • ***Rodolfo*** (nacido 1910) Sindicalista y antropólogo ven., marxista. *Elementos para una sociología del trabajo; Venezuela, la cultura del petróleo.* • **Parra, *José Humberto*** (1902-1984) Historiador ven. Arzobispo de Acrida y de Caracas. *Sobre las huellas de los héroes, Páginas de cronista.*

QUINTETO m. Estrofa de cinco versos de arte mayor y rima consonante. • *Mús.* Composición a cinco voces o instrumentos, y conjunto que la ejecuta.

QUINTIL m. Quinto mes del año romano.

QUINTILIANO, *Marco Fabio* (35-95) Retórico latino. Compuso *De institutione oratoria*, un plan de enseñanza de la oratoria.

QUINTILLA f. Estrofa de cinco versos de arte menor y rima consonante.

QUINTILLIZO, ZA adj. Díc. de cada uno de los hermanos nacidos de un parto quíntuple.

QUINTILLO m. Juego de baraja entre cinco.

QUINTO, TA adj. y s. Que sigue inmediatamente en orden al (o a lo) cuarto. • Díc. de cada una de las cinco partes iguales de un todo. • m. Recluta. • *Chile* y *Méx.* Moneda de cinco centavos. • f. Casa de recreo en el campo. • *Mil.* Reemplazo anual para el ejército. • *Mús.* Intervalo de cinco notas. • pl. *Mil.* Operaciones del reclutamiento.

QUINTÓN del Rosario, *José Ignacio* (1881-1925) Compositor puertorriq. *Cuarteto en re mayor.*

QUINTRAL m. *Bot.* Nombre común de algunas plantas de la familia lorantáceas, parásitas de los árboles. • *Chile.* Muérdago de flores rojas, de cuyo frutose extrae la liga. • *Chile.* Cierta enfermedad que sufren las sandías y porotos.

QUINTUPLICAR tr. y prnl. Hacer cinco veces mayor una cantidad. ■ QUINTUPLICACIÓN.

QUÍNTUPLO, PLA adj. y m. Que contiene un número cinco veces exactamente.

QUINUA f. *Amér.* Planta de la familia quenopodiáceas, de frutos comestibles.

QUINZAVO, VA adj. y s. Díc. de cada una de las quince partes iguales en que se divide un todo.

QUIÑADO, DA adj. *Perú.* Que tiene agujeros o señales. • Señalado de viruelas.

QUIÑAR tr. *Perú.* Hacer hoyos pequeños en la madera.

QUIÑAZO m. *Amér.* Encontrón.

QUIÑÓN m. Parte que uno tiene con otros en una cosa productiva. Díc. regularmente de las tierras que se reparten para sembrar. ■ QUIÑONERO.

QUIÑONES, *Francisco Mariano* (1830-1908) Político puertorriq. Presid. del gobierno autónomo en 1898.

QUIÑÓNEZ Molina, *Alfonso* (1874-1950) Político salv. Vicepresid. (1915-1923). Presid. de la rep. (1923-1927).

QUÍOS *(Chios)* Isla de Grecia sit. en el mar Egeo, 904 km^2, 49 900 hab. Olivos, cereales y vid. Pesca.

QUIOSCO m. Pequeña construcción consistente en una cúpula sostenida por delgadas columnas, apropiada para lugares de recreo al aire libre. • Pabellón o edificio pequeño que se sitúa en lugares públicos para la venta de periódicos, flores, etc.

QUIOTE m. *Méx.* Bohordo del maguey o pita.

QUIPO m. Cada uno de los ramales de cuerdas, con diversos nudos y varios colores, con que los ant. peruanos suplían la falta de escritura.

QUIQUE m. *Amér. Merid.* Especie de comadreja.

QUIQUIRIQUÍ m. Voz imitativa del canto del gallo. • fig. y fam. Persona que quiere gallear.

QUIRAGRA f. Gota de las manos.

QUIRGUIZ adj. y s. Kirguís.

QUIRIE m. Kirie.

QUIRIGUA Ant. c. maya, sit. en el dpto. de Izábal, en Guatemala, junto al r. Motagua.

QUIRINAL Nombre de una de las siete colinas donde se asentaba la ant. Roma. Actualmente, emplazamiento del palacio del Q., residencia de los jefes de Est. italianos.

QUIRINO *Mit.* Dios de la guerra. Fue, con Júpiter y Marte, una de las prales. deidades del panteón de Roma.

QUIRINO, *Elpidio* (1890-1956) Político filipino. Se distinguió en la resistencia contra los japoneses. Presid. de la rep. (1948-1953).

QUIRITE m. Ciudadano de la ant. Roma.

QUIRÓFANO m. Sala de operaciones quirúrgicas.

QUIROGA, *Elena* (1921-1995) Escritora esp. *La soledad sonora, Viento del Norte, Presente profundo.* Desde 1983 hasta su muerte fue miembro de la Real Academia. • ***Horacio*** (1878-1937) Escritor ur. Logró sus mejores éxitos con sus colecciones de cuentos. *Anaconda, Los desterrados, Cuentos de amor, locura y muerte, Cuentos de la selva.* • ***Juan Facundo*** (1793-1835) Militar y político arg. Federalista, se opuso a la constitución unitaria de 1826. Fue apodado EL TIGRE DE LOS LLANOS. • ***María de los Dolores Rafaela***, llamada SOR PATROCINIO (h. 1809- 1891) Religiosa esp. Ejerció notoria influencia sobre la reina Isabel II. • ***Rodrigo*** (1512-1580) Militar esp. Tomó parte en la conquista de Perú y de Chile. Fue gobernador de Chile (1565-1567; 1575-1580). • ***Vasco de*** (h. 1470-1565) Eclesiástico esp. Defendió a los indígenas de los abusos de los encomenderos. Obispo de Michoacán (1534). • **Ramírez, *Jorge*** (nacido 1960) Político bol. Miembro de Acción Democrática Nacionalista (ADN). Ministro de Finanzas (1990-1993), accedió a la vicepresidencia en 1997. En agosto de 2001 fue nombrado presid. tras la renuncia de Bánzer.

QUIRÓGRAFO, FA adj. y m. Díc. del documento contractual que no está autorizado por notario, ni lleva otro signo oficial o público. ■ QUIROGRAFARIO, RIA.

QUIROMANCIA o **QUIROMANCÍA** f. Método adivinatorio por lectura de las rayas de la mano. ■ QUIROMÁNTICO, CA.

QUIRÓN *Astr.* Cuerpo celeste, descubierto en 1977, de cuya naturaleza se sabe muy poco.

QUIRÓN *Mit. gr.* Hijo de Cronos y Filira. Era el centauro más sabio, y educó a semidioses y héroes.

QUIRÓPTERO m. *Zool.* Animal del orden quirópteros. • m. pl. *Zool.* Orden de mamíferos placentarios, compuesto por especies adaptadas al vuelo, llamadas murciélagos. Se caracterizan por la membrana alar o patagio.

QUIRÓS, *Ángel Fernando de* (1799-1862) Poeta per. *Delirios de un loco, Maldiciones al Sol.*

QUIROTECA f. Guante para la mano.

QUIRQUINCHO m. *Amér. Merid.* Especie de armadillo, con cuyo carapacho se hacen charangos.

QUIRÚRGICO, CA adj. Relativo a la cirugía.

QUIRURGO m. Cirujano.

QUISA f. *Méx.* Especie de pimienta. • *Bol.* Plátano maduro, pelado y tostado.

QUISCA f. *Chile.* Quisco. • Espinas de este árbol.

QUÍSCALO m. *Amér.* Ave tropical paseriforme, de la familia ictéridos.

QUISCO m. *Chile.* Especie de cacto espinoso.

QUISCUDO, DA adj. *Amér.* De pelo duro y cerdoso.

QUISICOSA f. fam. Enigma o acertijo de pregunta equívoca y respuesta difícil de averiguar.

QUISLING, *Vidkun* (1887-1945) Político nor. Ministro de guerra (1931-1933), fundó el partido pro nazi *Nasjonal Samiling.* Jefe del gobierno colaboracionista (1942). Ejecutado tras la liberación (1945).

QUISPE Tito, *Diego* (1611-?) Pintor per., barroco. *Inmaculada, La Sagrada Familia.*

QUISQUEYA Nombre amerindio de la isla La Española.

QUISQUIDO, DA adj. *Argent.* Estreñido.

QUISQUILLA f. Reparo o dificultad de poca importancia. • Camarón, crustáceo.

QUISQUILLOSO, SA adj. y s. Que se para en quisquillas. • Susceptible.

QUISQUIS (s. XVI) Guerrero inca, general de las tropas de Huayna Cápac y lugarteniente de Atahual-

Paisaje de la isla **Quíos**

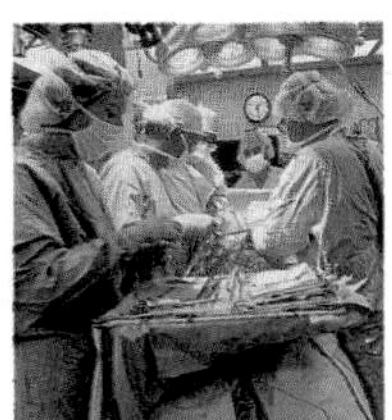

Quirófano

Murciélago, mamífero del orden **quirópteros**

pa. Tomó Cuzco tras derrotar al emp. inca Huáscar. Combatió contra los esp.

QUISTARSE prnl. Hacerse querer.

QUISTE m. Cavidad patológica con un contenido líquido o semilíquido y un revestimiento interno. • *Zool.* Resistencia que asumen ciertos animales de reducido tamaño frente a condiciones desfavorables del medio. • *Bot.* Resistencia que adoptan algunos vegetales, también denominada ciste.

QUITA f. Remisión que de la deuda o parte de ella hace el acreedor al deudor.

QUITAIPÓN m. Quitapón.

QUITAMANCHAS m. Producto para quitar manchas.

QUITAMIEDOS m. Listón o cuerda que, a modo de pasamanos, se coloca en lugares elevados donde hay peligro de caer.

QUITANIEVES f. Máquina para quitar la nieve de carreteras, caminos, etc.

QUITANZA f. Recibo que se da al deudor cuando paga.

QUITAPIEDRAS amb. Pieza metálica sit. ante las ruedas delanteras de una locomotora para apartar cualquier obstáculo que pueda entorpecer su paso.

Quito. Arriba, vista de la ciudad; a la derecha, fachada frontal de la iglesia de la Compañía de Jesús

QUITAPÓN m. Adorno que suele ponerse en la testera de las cabezas del ganado de carga.

QUITAR tr. Tomar una cosa separándola y apartándola de otras, o del lugar o sitio en que estaba. • Desempeñar lo que estaba en prenda o garantía. • Hurtar. • Impedir o estorbar. • Prohibir. • Derogar, abrogar una ley, sentencia, etc. • Suprimir un empleo u oficio. • Obstar, impedir. • Despojar o privar de una cosa. • Libertar o desembarazar a uno de una obligación. • prnl. Dejar una cosa o apartarse totalmente de ella. • Irse, separarse de un lugar. B QUITADOR, RA.

QUITASOL m. Parasol.

QUITASOLILLO m. *Cuba.* Planta umbelífera rastrera. • *Cuba.* Hongo comestible.

QUITASUEÑO m. fam. Lo que causa preocupación o desvelo.

QUITE m. *Esg.* Movimiento defensivo con que se detiene o evita el ofensivo. • *Taur.* Suerte que ejecuta un torero para librar a otro del peligro en que se halla por la acometida del toro. • **Estar al q.** fr. Estar preparado para acudir en defensa de alguno.

QUITEÑO, ÑA adj. y s. De Quito.

QUITERÓN m. *Electr.* Dispositivo electrónico, todavía en experimentación, que constituye un prototipo de transistor superconductor.

QUITILPE m. *Argent.* Caballo albino. • Especie de lechuza.

QUITINA f. *Quím.* Polisacárido de sostén que forma parte de la cutícula de muchos invertebrados y de la membrana celular de los hongos. B QUITINOSO, SA.

QUITINASA f. Enzima glucosidolítico, que se halla en el jugo gástrico de los caracoles y otros invertebrados .

QUITO C. de Ecuador, cap. del país y de la prov. de Pichincha; 1 100 847 hab. Situada en la falda oriental del volcán Pichincha, se extiende por el altiplano Chillogallo, el cual está enmarcado en la denominada Hoya Central Occidental del Guayllabamba en la cordillera occidental de los Andes. Transcurre por Q. el Machángara, afluente del Guayllabamba. Dos circunstancias confieren peculiaridad a la c.: la elevada altitud de su asentamiento (2 818 m sobre el nivel del mar) y el hecho de ser, entre las capitales del mundo, la más cercana a la línea del ecuador (aprox. 20 km al N de la zona urbana). Además de centro administrativo y político, Q. concentra buena parte de las empresas comerciales del país. En el espacio urbano también está instalado un variado complejo de industrias, destacando las elaboraciones textiles, la maderera, y las de procesamientos metalúrgicos y mecánicos. Q. es el nudo de las comunicaciones terrestres en la disposición radial de las mismas, destacando la línea férrea que la une con la c. puerto de Guayaquil. Por la c. pasa un tramo de la carretera panamericana (1 397 km en el país). El aeropuerto Mariscal Sucre, de primer orden, está dotado de las instalaciones necesarias para atender el tránsito aéreo internacional. Por el contenido arquitectónico y artístico del centro histórico, el de mayor extensión en el área latinoamericana, fue declarada por la UNESCO, en 1978, «Patrimonio cultural de la Humanidad».

* *Hist.* El primitivo asentamiento de Q. es bastante anterior a la llegada de los españoles. Los estudios arqueológicos revelan que ya existía con anterioridad a la presencia de los indios caras. En tiempos del inca Huayna Cápac fue capital del reino de Quito, y una de las del imperio de Tahuantinsuyo en oposición a la supremacía de Cusco. En el reparto dispuesto por Huayna, Q. le correspondió a Atahualpa, en tanto que Huáscar gobernaba Cusco. En 1532, cuando Atahualpa había prevalecido sobre Huáscar, los españoles conquistaron Q. En el mismo lugar que incendió Rumiñahui, intentando ocultar los tesoros del inca, Sebastián de Belalcázar fundó, a finales de 1534, la Villa de San Francisco de Quito. En dos décadas la c. había adquirido considerable importancia como cap. de un reino dependiente del virreinato del Perú, con la instalación del obispado y la creación de la real audiencia. En 1718 la presidencia de Q. pasó a depender de Santa Fe de Bogotá. La presencia en el siglo de congregaciones y misiones evangelizadoras, además de los funcionarios de la conquista, dio origen a los conjuntos edificios de carácter típicamente colonial de lo que fue el traslado de los estilos imperantes en Europa, de los que se conservan extraordinarias muestras en el templo de la Compañía de Jesús, la catedral, el palacio de Gobierno y el arzobispal. El conjunto urbano colonial se completó con la creación de avenidas y paseos, y la instalación de plazas y parques con emplazamiento de obras escultóricas y estatuarias. A principios del s. XIX (1809), la c. expulsó a las autoridades españolas en el preludio de lo que, en 1822 con la batalla de Pichincha, representaría el triunfo definitivo de la causa independentista.

QUITÓN m. Molusco anfineuro que tiene la concha de ocho piezas.

QUITRIDIAL adj. y m. Díc. de hongos ficomicetes cuyo aparato vegetativo está constituido por una sola célula. • m. pl. Orden de estos hongos.

QUITRIDINÁCEO, A adj. y f. Díc. de hongos ascomicetes parásitos de plantas acuáticas. • f. pl. Familia de estos hongos.

QUITU adj. y s. Díc. de un pueblo amerindio que vivía en la zona de Quito.

QUIVIRA C. mítica de América del N en la que, según se creía, existían fabulosas riquezas.

QUIZÁ o **QUIZÁS** adv. de duda con que se denota posibilidad.

QUMRÁN Región ribereña del NO del mar Muerto. En las ruinas de Jirbet Qumrán, en 1947, se encontraron los «manuscritos del mar Muerto» (copias del A. T.).

Vista de las cuevas de **Qumrán**

QUÓRUM m. Número de individuos necesario para que tome ciertos acuerdos un cuerpo deliberante. • Proporción de votos favorables que requiere un acuerdo.

QWERTY m. *Comp.* Nombre que recibe el teclado de una computadora en el que la disposición de las teclas de la primera fila sigue, de izquierda a derecha, la misma disposición que el nombre.

R

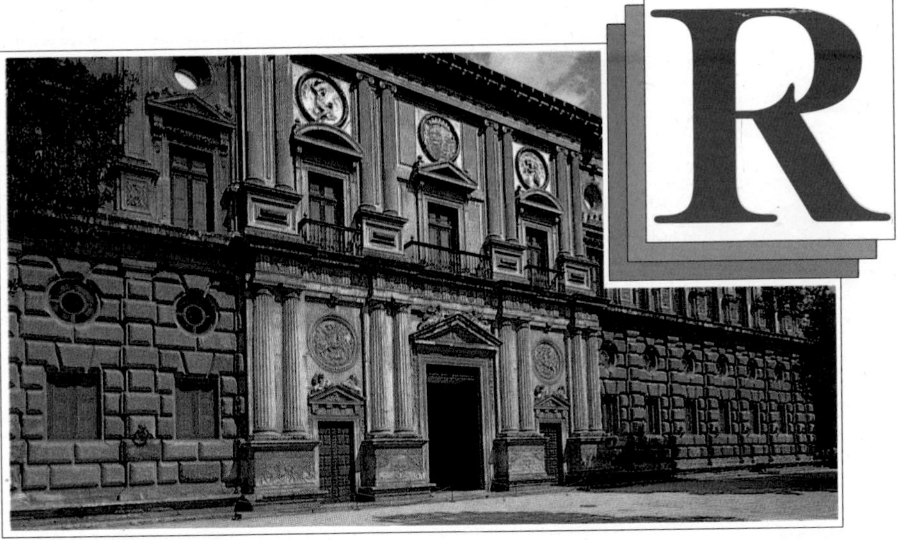

Renacimiento. Fachada del Palacio de Carlos V en Granada, España

R f. Decimonovena letra del abecedario esp., y decimoquinta de sus consonantes. Su nombre es *erre.* Tiene dos sonidos: uno suave, de una sola vibración apicoalveolar sonora, y otro fuerte, con dos o más vibraciones. Para representar el suave empléase una sola *r.* El fuerte se expresa también con *r* sencilla al principio del vocablo y siempre que va después de *b*, aunque no forme sílaba, o de *l, n* o *s*, y signifícase con dos *rr* o *r* duplicada en cualquier otro caso. • *Fís.* Símbolo del roentgen. • *Fís.* Símbolo de la constante de los gases perfectos. • *Quím.* Símb. de un radical orgánico cualquiera.

RA En la ant. religión egipcia, pral. deidad cósmica, idéntica al Sol. En el mundo de los muertos, juzgaba y protegía, sobre todo a los reyes.

Ra *Quím.* Símb. del radio.

RAAB C. de Hungría. → Györ.

RABA f. Cebo que empleaban los pescadores, hecho con huevas de bacalao.

RABADA f. Cuarto trasero de las reses.

RABADÁN m. Mayoral que cuida y gobierna todos los hatos de ganado de una cabaña, y manda a los zagales y pastores. • Pastor que gobierna uno o más hatos de ganado, a las órdenes del mayoral de una cabaña.

RABADILLA f. Punta o extremidad del espinazo, formada por la última pieza del hueso sacro o por todas las del cóccix. • En las aves, extremidad movible en donde están las plumas de la cola.

RABAL, *Francisco* (1925-2001) Actor teatral y cinematográfico esp. *Nazarín, Viridiana, El eclipse, Llanto por un bandido, Belle de jour, Cabezas cortadas, Los santos inocentes, Padre nuestro.*

RABANERO, RA adj. fig. y fam. Aplícase al vestido corto. • fig. y fam. Díc. de los ademanes y modo de hablar ordinarios y desvergonzados. • m. y f. Persona que vende rábanos. • f. fig. y fam. Mujer desvergonzada u ordinaria. • Bandeja pequeña en la que se sirven los rábanos a la mesa.

RABANILLO m. *Bot.* Planta herbácea crucífera, con hojas partidas en lóbulos, flores blancas o amarillas, fruto seco en vainilla y raíz fusiforme. Es hierba nociva y muy común en los sembrados. • fig. Sabor del vino repuntado. • fig. y fam. Carácter adusto. • fig. y fam. Deseo vehemente e inquieto de hacer una cosa.

RABANIZA f. Simiente del rábano. • *Bot.* Planta herbácea, crucífera, con hojas lanuginosas, radicales y partidas en lóbulos agudos; flores blancas, y fruto seco en vainilla ensiforme, con muchas semillas menudas.

RÁBANO m. *Bot.* Planta herbácea de la familia crucíferas, con hojas en forma de lira, flores de color violeta o blanco, frutos en silicua cónica y raíces comestibles. Es originaria de Asia. • Raíz de esta planta. • **Tomar** uno **el r. por las hojas.** fig. y fam. Centrarse en lo accesorio o secundario, olvidando lo principal. B RABANAL.

RABANO, Mauro (780-856) Beato. Polígrafo al., cuya obra más imp. es *Del Universo*, especie de enciclopedia en la que recogió la cultura de la época.

RABÁRBARO m. Ruibarbo, planta.

RABASA, *Emilio* (nacido 1925) Político mex. Embajador en EE UU (1970). Ministro de Asuntos Exteriores (1970-1975) con Echevarría, renunció por discrepancias con éste.

RABAT *(Er Rabat)* C. de Marruecos, cap. del país; 518 600 hab. Sit. a la izquierda de la desembocadura del Bou Regreg. Fundada en 1150 por los almohades y conquistada en 1248 por los benimerines, recibió en el s. XVII los moriscos expulsados de España. En 1912 se convirtió en la cap. del protectorado fr. de Marruecos, carácter que conservó al acceder el país a la independencia.

RABAZUZ m. Extracto del juego de la raíz del orozuz o regaliz.

RABDÍTIDO, DA adj. y s. *Zool.* Díc. de los nematodos del orden rabdítidos. • m. pl. *Zool.* Orden de nematodos fásmidos, con un esófago que presenta un gran bulbo basal. Algunos son parásitos.

RABDOCELO, LA adj. y m. *Zool.* Díc. de los platelmintos del orden rabdocelos. • m. pl. *Zool.* Orden de platelmintos turbelarios cuyo intestino es sencillo y en forma de saco (a veces puede faltar).

RABDOMA m. *Zool.* Bastón refractario formado de rabdómeros rodeados por las células retinulares del omatidio de los artrópodos.

Rábano

Vista de **Rabat**

François **Rabelais**

Colón en **La Rábida**, según un óleo de Cabral Bejarano

Rabihorcado

RABDOMANCIA f. Sistema ant. de adivinación mediante el empleo de una varita mágica. • Arte de los zahoríes o buscadores de aguas y minerales subterráneos.
RABDÓMERO m. *Zool.* Formación articular central refractante de la retínula de los omatidios de los artrópodos.
RABDOMIÓLISIS f. *Pat.* Destrucción del músculo estriado, que se observa en el curso de algunas enfermedades enzimáticas.
RABDOMIOMA m. *Pat.* Mioma de fibras estriadas.
RABDOMONADAL adj. y f. *Bot.* Díc. de las algas del orden rabdomonadales. • f. pl. *Bot.* Orden de euglenofíceas que son incoloras y saprófitas.
RABDOPLÉURIDO, DA adj. y m. *Zool.* Díc. de los hemicordados del orden rabdopléuridos. • m. pl. *Zool.* Orden de hemicordados pterobranquiados que forman auténticas colonias en las que los individuos se hallan unidos orgánicamente entre sí.
RABEAR intr. Menear el rabo.
RABEL m. Instrumento musical pastoril, pequeño, de hechura como la del laúd y compuesto de tres cuerdas. • Instrumento musical que consiste en una caña y un bordón, entre los cuales se coloca una vejiga llena de aire. • fig. y fest. Trasero.
RABELAIS, *François* (h. 1494-1553) Escritor fr. Médico, profesor de anatomía, eclesiástico, es un arquetipo del humanista del Renacimiento. *Aventuras del gigante Gargantúa y de su hijo Pantagruel.*
RABERA f. Parte posterior de cualquier cosa. • Tablero de la ballesta, de la nuez abajo. • Lo que queda después de aventado y cribado el trigo y otras semillas.
RABERÓN m. Extremo superior del tronco de un árbol cortado para hacer madera.
RABÍ m. Título con que los judíos honran a los sabios de su ley. • Rabino, maestro hebreo que interpreta la Sagrada Escritura.
RABI, *Isaac Isidor* (1898-1988) Físico norteam., nacido en Austria. Autor de trabajos sobre las propiedades eléctricas y magnéticas del núcleo del átomo. Premio Nobel de Física en 1944.
RABIA f. *Pat.* Enfermedad mortal producida por un virus que ataca al sistema nervioso, y que se transmite al hombre por medio de la saliva de animales rabiosos. • Roya que padecen los garbanzos. • fig. Ira, enojo, enfado grande. • **Tener r.** a una persona. fig. y fam. Tenerle odio o mala voluntad. ■ RÁBICO, CA; RABIOSO, SA.
RABIACANA f. Arísaro, planta.
RABIAMARILLO m. *Amér.* Gulungo, ave.
RABIAR intr. Padecer rabia. • fig. Padecer un vehemente dolor, que obliga a prorrumpir en quejidos o gritos. • Tener muchas ganas de hacer algo. • fig. Ponerse o estar rabioso, enfadado. • fig. Exceder en mucho a lo usual.
RABIAZORRAS m. fam. Solano, viento.
RABICANO, NA adj. Que tiene cerdas blancas en el rabo.
RABICORTO, TA adj. Díc. del animal que tiene corto el rabo. • fig. Aplícase a la persona que vistiendo faldas o ropas talares las usa más cortas de lo regular. • m. Nombre común de diversos mamíferos marsupiales, propios de América Meridional.
RÁBIDA, *La* Convento franciscano sit. a 5 km de la c. esp. de Huelva (Andalucía), fundado en el s. XV. En él residió algún tiempo Cristóbal Colón, antes y durante la preparación de su travesía oceánica.
RÁBIDO, DA adj. Violento, airado. • f. Fortaleza religiosa y militar musulmana, que estaba sit. en las zonas fronterizas de los reinos hispanocristianos.
RABIETA f. fig. y fam. Enfado o enojo por un motivo pequeño.
RABIGRUESO m. *Zool.* Marsupial de pequeño tamaño, de cola gruesa y abultada en su extremo.
RABIHORCADO m. Ave pelecaniforme marina, de cola larga y ahorquillada, que abunda en los océanos tropicales.
RABIJUNCO m. Ave pelecaniforme marina, tropical, cuya cola está formada por dos plumas delgadas y muy largas.
RABILARGO, GA adj. Díc. del animal que tiene largo el rabo. • m. *Zool.* Ave paseriforme de la familia córvidos parecida a la urraca.
RABILLO m. Pecíolo. • Pedúnculo. • Cizaña, planta. • Mancha negra que se advierte en los granos de los cereales cuando están atacados por el tizón. • Trabilla del chaleco y del pantalón. • Prolongación de una cosa en forma de rabo. • **Mirar con el r. del ojo.** fam. Mirar de lado, disimulando.
RABIN, *Yitzhak* (1922-1995) Militar y político israelí. Jefe del estado mayor en la guerra de los Seis Días (1967). En 1974 fue elegido primer ministro. Un escándalo financiero le obligó a dimitir (1977). Reelegido en 1992. Premio Nobel de la Paz en 1994 con Y. Arafat y S. Peres. Asesinado en Tel Aviv por un miembro de la extrema derecha israelí.
RABINAL adh.y s. Díc. de un pueblo amerindio que vive en el S de Guatemala, en el dpto. de Baja Verapaz.
RABINCHO, CHA adj. *Argent.* y *Ecuad.* Sin mango. • *Argent., Ecuad.* y *Par.* Díc. del animal que tiene la cola cortada.
RABINISMO m. Doctrina que siguen y enseñan los rabinos. ■ RABINISTA.
RABINO m. Maestro heb. que interpreta la Sagrada Escritura. • Doctor del culto judaico, situado al frente de una comunidad. ■ RABÍNICO, CA.
RABIÓN m. Corriente del río en los parajes donde se hace muy violenta e impetuosa.
RABISALSERA adj. fam. Díc. de la mujer que tiene mucha viveza y desenvoltura.
RABIZA f. Punta de la caña de pescar, en la que se pone el sedal. • *Mar.* Cabo unido por un extremo a un objeto para facilitar su manejo o sujeción al sitio que convenga.
RABO m. Cola, extremidad de la columna vertebral de algunos animales, especialmente la de los cuadrúpedos. • Rabillo, pezón o pedúnculo de hojas y frutos. • fig. y fam. Cualquier cosa que cuelga a semejanza de la cola de un animal. • fig. y fam. Trapo u otra cosa que por burla se prende por detrás del vestido de otro. • fig. Lo que queda después de aventado o cribado el trigo u otras semillas. • **de junco.** Palmípeda amer. de plumaje verde de reflejos dorados en el lomo y vientre, amarillo intenso en las alas y la cola, azulado en el penacho de la cabeza. • **del ojo.** fig. Ángulo del ojo. • **de zorra.** Planta de la familia gramíneas, con hojas purpurescentes, flores agrupadas en panojas y frutos en cariópside. • **Ir** o **salir** uno **con el r. entre las piernas.** fr. fig. y fam. Quedar vencido y avergonzado o humillado. • **Mirar** a uno **con el r. del ojo.** fig. y fam. Mostrarse cauteloso o severo con él en el trato, o quererle mal. ■ RABOSO, SA; RABUDO, DA.

Radar para el seguimiento de satélites

RABÓN, NA adj. Díc. del animal de rabo corto o sin rabo. • f. *Amér.* Mujer que acompaña a los soldados. • **Hacer rabona.** fam. Hacer novillos.
RABOPELADO m. Zarigüeya.
RABOSEAR tr. Ajar o estropear una cosa.
RABOTADA f. fam. Grosería.
RABOTEAR tr. Desrabotar, cortar el rabo. ■ RABOTEO.
RÁBULA m. Abogado indocto y charlatán.
RÁCANO adj. y s. fam. Avaro, tacaño. • fam. Díc. del que rehúye el trabajo.
RACCORD (voz fr.) m. *Cin.* Continuidad espacial o temporal entre dos planos consecutivos de forma que ambos planos tengan una adecuada relación entre sí.

RACÉMICO, CA adj. *Quím.* Díc. del compuesto constituido por la unión de dos moléculas de isómeros ópticamente activos y que no desvía el plano de la luz polarizada.

RACEMOSO, SA adj. *Bot.* Díc. de la ramificación lateral que se verifica por crecimiento ilimitado del eje pral. y por crecimiento cada vez más reducido de las ramas laterales de orden mayor. • *Bot.* Díc. de la inflorescencia que presenta ramificación de este tipo.

RACHA f. Ráfaga de viento. • fig. y fam. Periodo breve de fortuna, más comúnmente en el juego. • fig. y fam. Concurrencia de cosas de la misma clase, favorables o desfavorables, en poco tiempo. • Raja, parte de un leño. • *Min.* Astilla grande de madera. ■ RACHEADO, DA.

RACHMANINOV, *Serguéi Vasilievich* (1873-1943) Compositor y pianista ruso. Dotado de una gran sensibilidad y lirismo, sigue la línea de Chaikovski. Autor de conciertos para piano, sinfonías y óperas.

RACIAL adj. Relativo a la raza.

RACIMA f. Conjunto de racimos pequeños que no se recogen al vendimiar.

RACIMAL adj. Relativo al racimo. • adj. y m. Díc. de diversas variedades de trigo.

RACIMAR tr. En algunas partes, rebuscar la racima. • prnl. Arracimarse.

RACIMO m. Porción de uvas o granos que produce la vid presos a unos piecezuelos, y éstos a un tallo que pende del sarmiento. P. ext., díc. de otras frutas. • fig. Conjunto de cosas menudas dispuestas con alguna semejanza de racimo. • *Bot.* Inflorescencia constituida por un eje pral., que puede terminar con una flor, y por varias flores laterales pedunculadas que se disponen como ramas de segundo orden. ■ RACIMADO, DA; RACIMOSO, SA.

RACINE, *Jean* (1639-1699) Poeta dramático fr. Historiador de la corte de Luis XIV, su obra constituye la cumbre de la dramaturgia fr. neoclásica. *Andrómaca, Británico, Berenice, Bayaceto, Mitrídates, Ifigenia, Fedra, Esther, Atalía.*

RACIOCINAR intr. Usar del entendimiento y la razón para conocer y juzgar. ■ RACIOCINACIÓN.

RACIOCINIO m. Facultad de inferir un juicio desconocido a partir de otro u otros conocidos. • Argumento o discurso.

RACIÓN f. Parte o porción alimentaria que constituye la comida de un individuo para una sola vez. • Estipendio, en dinero o en especie, que se asigna a los miembros de una milicia. • Porción de cada vianda que en las casas de comida se da por determinado precio. • Prebenda en alguna iglesia catedral o colegial. • Copa, medida de líquidos.

RACIONABILIDAD f. Facultad intelectiva que juzga de las cosas con razón.

RACIONAL adj. Relativo a la razón. • Arreglado a ella. • adj. y s. Dotado de razón. • *Mat.* Se aplica al núm. que puede escribirse en forma fraccionaria, y a la exp. algebraica que no contiene radicales. • m. Ornamento sagrado que llevaba puesto en el pecho el sumo sacerdote de la ley antigua. • Contador mayor de la casa real de Aragón. ■ RACIONALIDAD.

RACIONALISMO m. *Fil.* Doctrina filosófica cuya base es la omnipotencia e independencia de la razón humana. • Doctrina que pone el origen de las ideas en la razón y no en la experiencia. ■ RACIONALISTA.

* *Fil.* En la antigüedad fueron racionalistas varias escuelas gr. Pero el r. por antonomasia es el iniciado por Descartes en el s. XVII y sus prales. representantes son, además de él, Malebranche, Spinoza, Leibniz y Wolff. Esta corriente se considera opuesta al empirismo, aunque Kant y otros autores intentaron una síntesis entre estas tendencias. ■ RACIONALISTA.

RACIONALIZAR tr. Reducir a normas o conceptos racionales. • Organizar el trabajo de manera que aumente la productividad o reduzca los costos. • *Mat.* Convertir una exp. irracional en racional. ■ RACIONALIZACIÓN.

RACIONAR tr. y prnl. *Mil.* Distribuir raciones o proveer de ellas a las tropas. • Someter los artículos de primera necesidad a una distribución limitada en caso de escasez. ■ RACIONAMIENTO.

RACIONERO m. Prebendado que tenía ración en una iglesia catedral o colegial. • El que distribuye las raciones en una comunidad.

RACIONISTA com. Persona que goza sueldo o ración pra mantenerse de ella. • En el teatro, actor de ínfima clase.

RACISMO m. *Soc.* Doctrina que sostiene la superioridad de una raza sobre las demás. ■ RACISTA.

RACOR m. Pieza metálica con dos roscas internas en sentido inverso, que sirve para unir tubos y otros perfiles cilíndricos. • P. ext., pieza de otra materia que se enchufa sin rosca para unir dos tubos.

RAD m. *Fís.* Unidad de dosis energética de radiación referida a la unidad de masa de la sustancia absorbente. Equivale a 100 ergios/gramo.

RADA f. Bahía, ensenada.

RADAL m. *Chile.* Árbol proteáceo de hojas aovadas, flores blancas, cubiertas de un vello rojizo y madera muy apreciada para muebles.

RADAMANTO *Mit. gr.* Hijo de Zeus y de Europa. Juez de los infiernos.

RADAR (siglas de *radio detection and ranging*) m. *Ing.* Sistema para detectar, mediante el empleo de ondas electromagnéticas, un obstáculo alejado, y aparato utilizado para aplicar este sistema. Es capaz, asimismo, de medir distancias. ■ RADARISTA.

* *Electr.* El principio de funcionamiento del r. consiste en una antena orientable de gran directividad que emite señales sinusoidales de alta frecuencia. Si en el trayecto de la onda electromagnética se interpone un obstáculo, parte de la energía radiada se refleja, volviendo a la antena emisora. Un receptor conectado a ella la traduce en un impulso de una cierta duración. Un adelanto importante lo constituye el *r. de barrido electrónico*, también llamado r. gobernado en fase, en el que no se distingue la clásica antena parabólica en giro incesante barriendo con su haz de microondas todo el horizonte en busca de objetos lejanos; un banco plano de pequeñas antenas idénticas, cada una capaz de transmitir y recibir señales, ocupa el lugar del reflector cóncavo. El r. no se mueve: la señal se desvía de un banco a otro electrónicamente, orientada mediante el principio de interferencia de ondas.

RADCLIFFE, *John Ashworth* (nacido 1902) Físico brit. Investigador de varios fenómenos relacionados con las ondas electromagnéticas y de las zonas inferiores de la capa D de la ionosfera, desarrolló una teoría del «desvanecimiento» (*fading*).

RADCLIFFE-BROWN, *Alfred Reginald* (1881-1955) Antropólogo brit. Uno de los primeros antropólogos que utilizó el concepto de estructura social, entendida como conjunto sistemático de relaciones sociales. Precursor del estructuralismo en las ciencias sociales. *Los habitantes de las islas Andamán, La organización social de las tribus australianas, Estructura y función en la sociedad primitiva.*

RADEK, *Karl Sobelsohn*, llamado ***Karl*** (1885-después de 1937) Político y periodista sov. Miembro del comité central del PCUS, fue uno de los prales. dirigentes de la III Internacional. Acusado de alta traición, fue condenado a trabajos forzados.

RADETZKY von Radetz, *Joseph* (1766-1858) Militar austr. Dirigió las tropas de ocupación austr. en el reino lombardo-véneto y derrotó a los piamonteses en Custozza (1848) y Novara (1849).

RADHA *Mit.* En el hinduismo, pastora, esposa de Ayanaghosta. Krishna la raptó y convirtió en su amante tras ensalzarla a la categoría de diosa.

RADIACIÓN f. *Fís.* Emisión de ondas o corpúsculos materiales por parte de una fuente. • *Mat.* En el espacio ordinario, conjunto de todos los planos o rectas que pasan por un punto, que suele llamarse vértice. • **cósmica.** *Astr.* Flujo de partículas, mayoritariamente protones, de origen estelar. • **de sincrotón.** *Fís.* R. electromagnética emitida por partículas cargadas en movimiento que siguen una línea curva. • **electromagnética.** *Fís.* Emisión de ondas electromagnéticas. • **infrarroja.** *Fís.* La electromagnética que corresponde a la región del espectro cuya frecuencia es del orden de 10^{13} hertz. • **monocromática.** *Fís.* La constituida por una sola frecuencia, gralte. en la región visible del escpectro electromagnético. • **solar.** *Fís.* La electromagnética emitida por el Sol al espacio exterior. • **térmica.** *Fís.* Emisión de energía en forma de ondas electromagnéticas, que tiene lugar en cualquier cuerpo que se encuentre a una cierta temperatura. • **ultravioleta.** *Fís.* La que

Yitzhak **Rabin**

Grana o uva de América, hierba robusta con flores y frutos en **racimo**

Jean **Racine**

corresponde al espectro solar en la zona de onda corta, y que llega hasta la zona de los rayos X.

RADIACTIVIDAD o **RADIOACTIVIDAD** f. *Fís.* Propiedad de ciertos átomos consistente en la desintegración de sus núcleos con emisión de partículas atómicas y radiaciones electromagnéticas. Descubierta en 1896 por Becquerel, quien comprobó que los minerales de uranio emitían radiaciones capaces de impresionar placas fotográficas. Post., el estudio de la radiación emitida por los cuerpos radiactivos condujo al establecimiento de tres tipos de r.: → rayos alfa, beta y gamma. ■ RADIACTIVO, VA O RADIOACTIVO, VA.

RADIADO, DA adj. *Bot.* Díc. de lo que tiene sus diversas partes sit. alrededor de un punto o de un eje. • adj. y m. *Zool.* Animal metazoo cuyo cuerpo presenta una simetría radial primaria. • m. pl. *Zool.* Grupo de estos animales, que comprende los antiguamente llamados celentéreos.

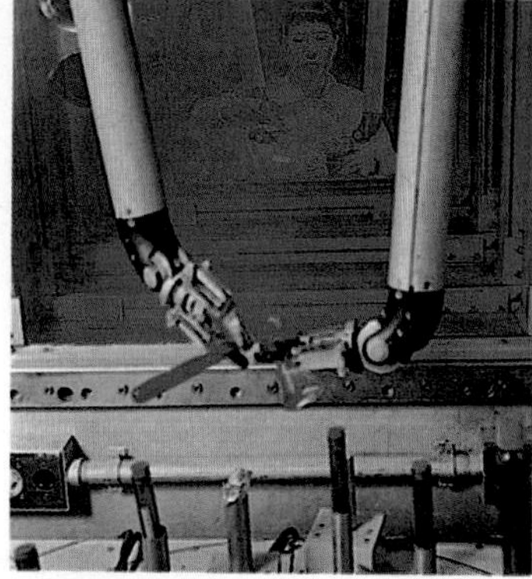

Radiactividad. Arriba, Marie Curie, que descubrió la emisión radiactiva en el radio y el polonio; a la derecha, manipulación a distancia de materiales radiactivos

RADIADOR, RA adj. Que radia o irradia. • m. Aparato de calefacción cuya forma exterior es adecuada para facilitar la radiación. • *El.* Dispositivo destinado a la emisión de energía radiante. • *Ing.* Cambiador de calor destinado a la disipación del calor procedente de un motor de combustión interna u otra máquina necesitada de refrigeración.

RADIAL adj. *Geom.* Relativo al radio. • *Zool.* Díc. de la simetría que presentan ciertos animales como los celentéreos, las esponjas y los equinodermos, que poseen centro y varios ejes de simetrización. • *Fís.* En cinemática, y respecto a un punto *P* cualquiera de una trayectoria curvilínea, díc. de la dirección representada por la recta que une el punto *P* con el centro de curvatura de la curva en dicho punto. • *Fís.* En cinemática, díc. de la componente de la velocidad de un punto móvil según la dirección del radio de curvatura. • *Astr.* En el caso del movimiento de las estrellas, se considera como velocidad r. la componente de su velocidad en la dirección determinada por la estrella y el punto de observación.

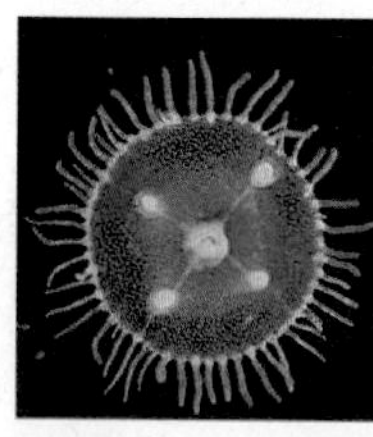

Umbrela de hidromedusa, que presenta simetría **radial**

RADIÁN m. *Geom.* Unidad de medida de arcos, equivalente a la abertura de un arco de circunferencia cuya longitud es igual al radio con que ha sido trazado.

RADIANCIA f. *Fís.* Flujo de radiación por unidad de ángulo sólido o por unidad de área proyectada sobre una superficie.

RADIANTE adj. Que radia o irradia. • adj. y m. *Astr.* Díc. del punto de la esfera celeste del que parecen partir las trayectorias de un enjambre meteórico. • fig. Brillante, resplandeciente.

RADIAR tr. Difundir por medio de la telefonía sin hilos discursos, noticias, música, etc. • *Col., P. Rico* y *R. de la Plata.* Dar de baja. • tr. e intr. Emitir rayos de luz, o calor, o energía de otra clase, como la atómica. • tr. Tratar una lesión con rayos X.

RADIATION *Astr.* Serie de satélites de observación destinados a medir la radiación solar.

RADICACIÓN f. Acción y efecto de radicar o radicarse. • fig. Establecimiento, larga permanencia, práctica y duración de un uso, costumbre, etc. • *Mat.* Operación inversa de la potenciación, por la que se obtiene un resultado (raíz), que elevado a un exponente dado por el índice, da el radicando.

RADICAL adj. Relativo a la raíz. • fig. Fundamental, de raíz. • Total, de forma completa. • adj. y s. Partidario de reformas extremas, especialmente dentro del sistema democrático. • Díc. de cualquier parte de una planta que nace inmediatamente de la raíz. • *Gram.* Concerniente a las raíces de las palabras. • *Gram.* Aplícase a las letras de una palabra que se conservan en otro u otros vocablos que de ella proceden o se derivan. • adj. y m. *Mat.* Aplícase al signo ($\sqrt{\ }$) con que se indica la radicación. • m. *Gram.* Parte que queda de una palabra variable al quitarle la desinencia. • *Quím.* Átomo o grupo de átomos que se considera como base para la formación de combinaciones.

RADICALISMO m. Doctrina que sostiene principios fijos y definidos, sin admitir términos intermedios. • Conjunto de ideas y doctrinas que propugnan grandes reformas en diversos órdenes. • P. ext., modo extremado de tratar los asuntos.

RADICANDO m. *Mat.* Núm. del cual se ha de extraer la raíz.

RADICAR intr. y prnl. Arraigar, echar raíces. • Estar o encontrarse ciertas cosas en determinado lugar. • fig. Estribar, basarse, consistir.

RADICÍCOLA adj. *Bot.* y *Zool.* Díc. del animal o el vegetal que vive sobre las raíces de una planta.

RADICIFLORO, RA adj. *Bot.* Díc. de las plantas cuyas flores se originan del extremo de la base del tallo, de modo que aparentemente se originan de la raíz.

RADÍCULA f. *Bot.* Parte del embrión de la planta. Al desarrollarse, constituye la raíz. ■ RADICOSO, SA; RADICULAR.

RADICULITIS f. *Pat.* Afección inflamatoria de las raíces de los nervios espinales y, más exactamente, del segmento comprendido entre la médula espinal y el orificio de conjunción vertebral.

RADIESTESIA f. Arte de percibir las radiaciones electromagnéticas del ambiente y hallar, a veces, los cuerpos emisores, por medio de péndulos o varillas que oscilan ante estos cuerpos.

RADIO o **RADIUM** m. *Anat.* Hueso largo que ocupa la parte externa del antebrazo. Se articula con el húmero y la muñeca. • *Geom.* En una circunferencia o en una superficie esférica, segmento que une el centro con un punto cualquiera de las mismas. • Rayo de la rueda. • *Quím.* Elemento de símb. Ra, n. a. 88 y p. a. 226,05. • *Zool.* Cualquiera de los elementos simétricos en que puede dividirse el cuerpo de los animales de simetría radial. • m. y f. Apócope de radiotecnia, radiodifusión, radiograma, etc. • f. Conjunto de conocimientos y técnicas relativas a la construcción de radiorreceptores y a la radiodifusión. • *Amér.* Radiodifusión. • *Amér.* Aparato radiorreceptor. • **de acción.** Máx. alcance o eficacia de un agente o instrumento. • Distancia máx. que un vehículo marítimo, aéreo o terrestre puede cubrir regresando al lugar de partida sin reabastecerse. • **medular.** *Bot.* Conjunto de los tejidos de reserva de la médula de las plantas sit. a modo de r. de una rueda. • **vector.** *Geom.* En una curva focal, segmento de recta que une un foco con un punto cualquiera de la curva. • *Geom.* En las coordenadas polares, distancia de un punto cualquiera al polo. • **Enlace r.** *Electr.* Sistema de telecomunicación basado en la propagación de ondas electromagnéticas en el espacio libre. Se trata de sistemas con gran número de canales, fundados en el principio de la multiplicación por codificación de frecuencias.

* *Quím.* Descubierto en 1898 por los esposos Curie, el r. se encuentra en los minerales de uranio, especialmente en la pecblenda y carnotita. Es un metal blanco, brillante, que se oxida rápidamente al exponerlo al aire; todas sus sales son luminosas en la oscuridad. Las radiaciones emitidas por el metal y sus sales ionizan los gases, impresionan placas fotográficas y atraviesan cuerpos opacos. Sus sales se han usado en radioterapia.

RADÍO, A adj. Errante, que anda vagando.

RADIOAFICIONADO, DA m. y f. Persona que, por afición, se dedica a la emisión y recepción por radio, en bandas de frecuencias especiales.

RADIOALINEACIÓN m. Dispositivo para indicar a un buque o a un avión la línea a seguir para acceder al puerto o a la pista de aterrizaje.

RADIOALTÍMETRO m. *Aer*. Instrumento para medir la distancia avión-suelo, basado en el principio del radar.
RADIOASISTENCIA f. *Electr*. Sección de la radiotecnia aplicada a facilitar la navegación aérea y la marítima.
RADIOASTRONOMÍA f. *Astr*. Parte de la astrofísica que investiga los cuerpos celestes del sistema solar, de las galaxias y de las metagalaxias basándose en las emisiones radioeléctricas producidas por esos cuerpos.
RADIOBALIZA f. *Aer*. En la señalización de una ruta aérea, dispositivo radioeléctrico compuesto de una baliza con un aparato emisor de ondas dirigidas que difunde señales.
RADIOBIOLOGÍA f. Ciencia que estudia los efectos de las radiaciones sobre los organismos vivos y los mecanismos que los determinan.
RADIOCARBONO m. Isótopo radiactivo del carbono, C^{14}, que se utiliza en investigaciones cronológicas (paleontología, arqueología) y fisiológicas.
RADIOCINEMATOGRAFÍA f. *Med*. Técnica exploratoria basada en la aplicación de la cinematografía a la radiología, lo que permite captar la imagen en sus diversas modificaciones a lo largo de la exploración. Constituye una gran ayuda en el estudio funcional de ciertos órganos.
RADICOMUNICACIÓN f. Técnica para establecer comunicación entre dos o más puntos, terrestres o no, mediante ondas electromagnéticas. Las más imp. son: radiotelefonía, radiotelegrafía, radiodifusión, televisión y por radar.
RADIOCRISTALOGRAFÍA f. *Fís*. Ciencia que estudia la estructura de los sólidos por la difracción que producen en radiaciones (rayos X, etc.).
RADIOCRONOLOGÍA f. Conjunto de las técnicas para determinar la edad de un material, basadas en una valoración de las dosis de un elemento radiactivo contenido en dicho material. El método más utilizado hasta el momento es el del radiocarbono o C^{14}.
RADIODERMITIS f. *Pat*. Lesión cutánea producida por la exposición a radiaciones ionizantes. En su aparición tiene importancia el grado de radiosensibilidad individual, regional y tisular.
RADIODIAGNÓSTICO m. *Med*. Aplicación de los rayos X al diagnóstico médico.
RADIODIFUSIÓN f. Transmisión y difusión de programas radiados desde una emisora utilizando unas frecuencias fijas y unas potencias muy elevadas. Se inició en Pittsburgh (EE UU), en 1920.
RADIOECOLOGÍA f. Ciencia que estudia los efectos de las radiaciones sobre las relaciones entre los organismos vivos y el medio, así como los efectos ecológicos y destino de los radioisótopos.
RADIOELECTRICIDAD f. *Electr*. Parte de la electrónica que trata de la generación, propagación y recepción de ondas hertzianas. ■ RADIOELÉCTRICA, CA.
RADIOEMISOR, RA adj. y s. Emisor radiofónico. • *Fís*. Emisor de radiaciones.
RADIOESCUCHA o **RADIOYENTE** com. Persona que oye las emisiones radiotelefónicas y radiotelegráficas.
RADIOESPECTRÓGRAFO m. *Astr*. Aparato empleado para obtener en cada instante el espectro de las emisiones radiantes.
RADIOESTIMULACIÓN f. *Med*. Aplicación de rayos X administrados a dosis débiles, con el objeto de obtener fenómenos de estimulación funcional, no seguidos de un efecto inverso, a nivel del órgano irradiado.
RADIOFARO m. Estación radiotelegráfica emplazada en algunos faros para orientar los barcos y aviones.
RADIOFOCO m. *Astr*. En radioastronomía, punto de la esfera celeste en el que se produce una emisión de ondas electromagnéticas.
RADIOFONÍA f. *Fís*. Estudio de la transmisión de sonidos por medio de ondas hertzianas.
RADIOFÓSFORO m. *Fís*. Isótopo radiactivo del fósforo, P^{32}, utilizado fundamentalmente en investigaciones fisiológicas y en terapéutica.
RADIOFOTOGRAFÍA f. *Med*. Técnica radiológica en la que el examen diagnóstico se realiza sobre fotografías de imágenes fluoroscópicas del individuo en observación.
RADIOFRECUENCIA f. Cualquiera de las frecuencias de las ondas electromagnéticas empleadas en la radiocomunicación.
RADIOFUENTE f. *Astr*. En radioastronomía, región del cielo, galáctica o extragaláctica, de la que se captan radioondas.

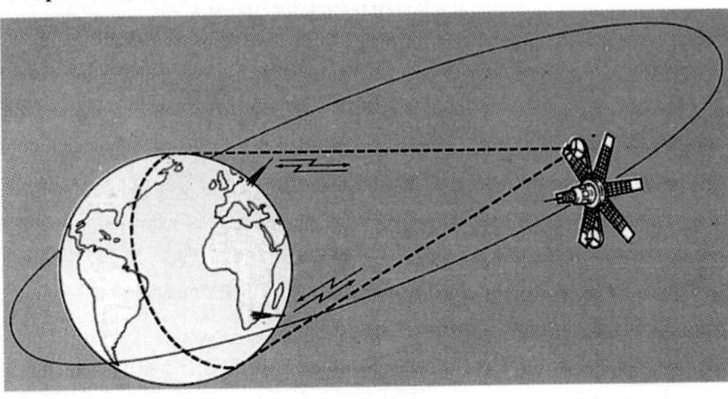
Esquema de **radiocomunicación** por medio de satélite

RADIOGONIOMETRÍA f. Determinación de la posición de una nave o de una estación radioemisora mediante el radiogoniómetro.
RADIOGONIÓMETRO m. En la navegación, aérea o marítima, radiorreceptor, capaz de determinar la posición de una nave. También se aplica para la localización de emisoras de radio.
RADIOGRAFÍA f. Procedimiento para hacer fotografías por medio de los rayos X, tras atravesar un cuerpo. • Imagen fotográfica así obtenida.
RADIOGRAFIAR tr. Transmitir por medio de la telegrafía o telefonía sin hilos noticias, discursos, etc. • Hacer radiografías.
RADIOGRAMA m. En telecomunicaciones, radiotelegrama, es decir, telegrama transmitido por radio. • Prueba fotográfica sobre papel especial obtenida con los rayos X.
RADIOGRAMOLA f. Mueble que contiene un aparato receptor de radio y un gramófono eléctrico sin bocina exterior.
RADIOGUÍA m. *Astr*. En el campo de los misiles o proyectiles dirigidos, guía efectuada con telemandos accionados mediante transmisión por radio.
RADIOINMUNIZACIÓN f. *Med*. Adaptación de un organismo o de un tejido del mismo a las radiaciones ionizantes, con lo que adquiere mayor resistencia a dichas radiaciones.
RADIOINTERFERÓMETRO m. Radiotelescopio para localizar los satélites y las ondas procedentes del espacio exterior.
RADIOISÓTOPO m. *Quím*. Isótopo radiactivo de un elemento, que se produce artificialmente mediante bombardeo con partículas de elevada energía.
RADIOLA f. *Col*. Radiogramola.
RADIOLARIO adj. y m. *Zool*. Díc. de protozoos del grupo radiolarios. • m. pl. *Zool*. Orden, subclase o clase de protozoos rizópodos, gralte. marinos, cuyos esqueletos forman un encaje de complicada simetría radial.
RADIOLARITA f. *Geol*. Roca sedimentaria silícea, de considerable dureza, de brillo graso y de color rojo, verde o negro. Es una roca de origen orgánico, formada por acumulación de caparazones de protozoos.
RADIOLISIS f. *Quím*. Descomposición de sustancias mediante radiaciones ionizantes.
RADÍOLO m. *Zool*. Espina de los erizos de mar y de los equinodermos en general.
RADIOLOCALIZACIÓN f. Localización de un objeto mediante ondas hertzianas.
RADIOLOGÍA f. *Med*. Estudio de las radiaciones ionizantes en sus aplicaciones al diagnóstico y tratamiento de enfermedades. ■ RADIÓLOGO, GA.
RADIOMETALOGRAFÍA f. Uso de los rayos X para el estudio de la estructura de los metales y el control de las piezas metálicas una vez fabricadas.
RADIÓMETRO m. Instrumento náutico para determinar la altura de los astros. • Aparato para medir la intensidad de las radiaciones.
RADIONAVEGACIÓN f. Tipo de navegación, aérea, marítima o espacial, por el que la situación y velocidad de la nave se determina mediante instalaciones radiorreceptoras y radiotransmisoras.

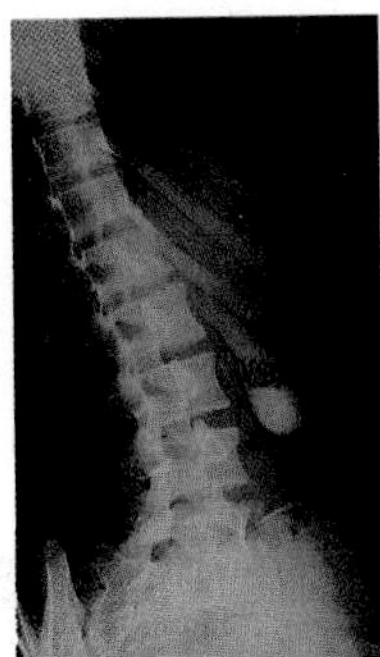
Radiografía en la que se aprecian cálculos biliares

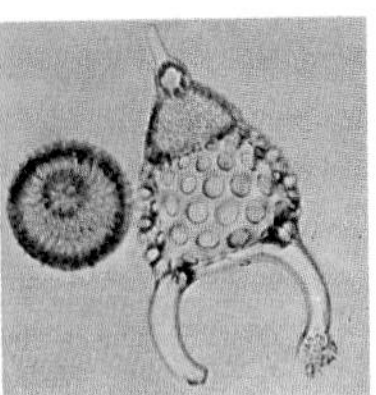
Radiolarios

RADIOONDA f. Onda electromagnética, empleada en radioelectricidad, cuya frecuencia se halla comprendida entre 10^5 y 10^8 hertz.
RADIOQUÍMICA f. Ciencia que estudia la aplicación de los radioisótopos a los problemas teóricos y tecnológicos de la química.
RADIORRECEPTOR, RA adj. Capaz de recibir o transmitir radioondas. • adj. y m. *El.* y *Electr.* Aparato que capta señales radioeléctricas moduladas y las transforma en señales audibles.
RADIOSCOPIA f. *Med.* Método de diagnóstico basado en el examen de la imagen obtenida, sobre una pantalla fluorescente, por el paso de los rayos X a través del cuerpo.
RADIOSENSIBILIDAD f. *Biol.* Sensibilidad específica que poseen las células y los tejidos, sanos o patológicos, frente a la acción de las radiaciones ionizantes.
RADIOSOL m. *Astr.* Representación o imagen del Sol obtenida a través de los datos suministrados por las observaciones radioastronómicas.
RADIOSONDA f. *Meteor.* Aparato que llevan los globos sonda para poder transmitir a una estación receptora las características de temperatura y presión de las altas capas atmosféricas. ■ RADIOSONDEO.
RADIOTAQUÍMETRO m. Aparato utilizado en la técnica del radar para la determinación de velocidades.
RADIOTECNIA f. Parte de la electrónica formada por el conjunto de técnicas de transmisión de información a distancia, mediante ondas electromagnéticas. ■ RADIOTÉCNICO, CA.
RADIOTELEFONÍA f. Conexión telefónica entre dos puntos, terrestres o no, mediante radioondas. ■ RADIOTELEFÓNICO, CA; RADIOTELEFONISTA.
RADIOTELÉFONO m. Teléfono sin hilos, formado por una radioemisora con un receptor acoplado, lo cual permite la comunicación bilateral con otra estación.
RADIOTELEGRAFÍA f. Telegrafía sin hilos cuyas señales se transmiten mediante radioondas. ■ RADIOTELEGRÁFICO, CA.
RADIOTELEGRAFISTA com. Persona que se ocupa en la instalación, conservación y servicio de aparatos de radiocomunicación.
RADIOTELEGRAMA m. Telegrama cuyo origen o destino es una estación móvil, transmitido por las vías de radiocomunicación.
RADIOTELESCOPIO m. *Astr.* Instrumento para la detección de las ondas radioeléctricas emitidas por los astros. Consta de una antena colectora que focaliza la radiación procedente del exterior sobre otra antena que la transmite a un circuito amplificador.

Radiotelescopio de Jodrell Bank, Manchester (Inglaterra)

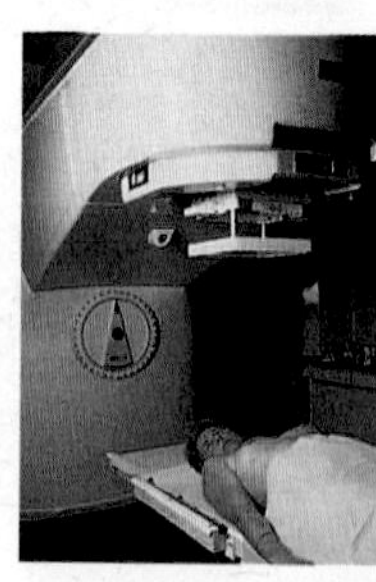

Radioterapia. Arriba, esquema del tratamiento de un tumor cerebral; abajo, paciente recibiendo tratamiento de un tumor de mama

RADIOTERAPIA f. *Med.* Uso de radiaciones con fines terapéuticos, sean estimulantes, sean antineoplásicos. Existen tres tipos prales.: *roentgenterapia* (con rayos X), *gammaterapia* (con rayos gamma) y *betaterapia* (con rayos beta); la *radiumterapia* utiliza el radio, que emite los tres tipos de radiaciones.
RADIOTORIO m. *Quím.* Isótopo radiactivo de la serie del torio. Su p. a. es 228. Tiene una vida media de 1,9 años.
RADIOTRANSMISIÓN f. Transmisión efectuada mediante ondas hertzianas.
RADIOTRANSMISOR m. Aparato empleado en radiotelegrafía y radiotelefonía para producir y enviar las ondas portadoras de señales o de sonidos.
RADOM C. de Polonia, al S de Varsovia; 213 500 hab. Ind. química, metalúrgica y textil.
RADOMO m. Cubierta en forma de cúpula construida con materiales plásticos destinada a proteger las antenas de radio o de radar de los agentes atmosféricos.
RADÓN m. *Quím.* Elemento de símb. Rn, n. a. 86 y p. a. 222. Es un gas noble y radiactivo.
RADOSLAVOV, *Vasili* (1854-1929) Político búlg. Jefe del gobierno durante el reinado del zar Fernando, decidió la intervención de Bulgaria en la I Guerra Mundial y atacó Servia (1915), aliándose con los Imperios centrales. Dimitió en 1918, poco antes de que Bulgaria firmara el armisticio.
RADUGA *Aeron.* Nombre del primer satélite sov. de telecomunicaciones con órbita geoestacionaria, lanzado en diciembre de 1975.
RÁDULA f. *Zool.* Lengua córnea de los moluscos.
RAEDER, *Erich* (1876-1960) Almirante al. Se distinguió en la I Guerra Mundial en la batalla de Jutlandia, y en la II en el desembarco en Noruega. Condenado a cadena perpetua en Nuremberg, salió en libertad en 1955.
RAEDERA f. Instrumento para raer. • Tabla semicircular con que el abañil rae el yeso amasado que se pega en los lados del cuezo. • *Min.* Azada pequeña, de pala semicircular, usada para recoger el mineral y los escombros. • *Agr.* Pequeña reja que ciertos arados de vertedera llevan delante de la reja principal y la cuchilla. • Herramienta empleada en la explotación de resinas; consiste en una lámina de hierro encorvada en gancho y provista de un largo mango. • *Prehist.* Herramienta de lasca, con uno de sus bordes trabajado para que resulte cortante.
RAER tr. Quitar cortando y raspando la superficie, pelos, barba, vello, etc., de una cosa, con instrumento áspero o cortante. • Rasar, igualar con el rasero. • fig. Extirpar enteramente una cosa. ■ RAEDIZO, ZA; RAEDURA.
RAF (siglas de *Royal Air Force, «reales fuerzas aéreas»*) Nombre del ejército del aire brit.
RAFA f. Raza, grieta en el casco de las caballerías. • Cortadura hecha en el quijero de la acequia.
RAFAEL Ángel que, en el *Libro de Tobías*, declara que es uno de los siete arcángeles que están siempre en presencia de la gloria de Dios.
RAFAEL Nombre con que es conocido *Raffaello Santi* o *Sanzio* (1483-1520) Pintor y arquitecto del Renacimiento it. Tras trabajar en el taller del Perugino, en Florencia entró en contacto con Leonardo y Miguel Ángel. De esa época datan sus primeras madonas. En 1508 el papa Julio II le llamó a Roma para decorar algunas estancias del Vaticano: frescos de la llamada *Stanza della Segnatura* y los de la estancia de Heliodoro. Como arquitecto, R. sustituyó a Bramante en las obras de la basílica de San Pedro. *Virgen del jilguero, La bella jardinera.*
RAFAELA C. de Argentina, en la prov. de Santa Fe; 53 300 hab. Centro comercial agropecuario. Ind. textil y alimentaria.
RÁFAGA f. Movimiento violento del aire, de poca duración. • Golpe de luz vivo e instantáneo. • Conjunto de proyectiles que en sucesión rapidísima lanza un arma automática. • fig. Conjunto de antecedentes, intereses, hábitos o efectos que ligan a uno a un sitio, o que constituyen la esencia de una cosa. • *Argent.* y *Guat.* Repetición de un mismo resultado en un juego. • *Guat.* Entrega a plazo.
RAFAÑOSO, SA adj. *Argent.* Basto, sucio.
RAFE f. *Bot.* Sutura que arranca del hilo de la semilla madura procedente de óvulos anátropos y que contiene el haz conductor que procede del funículo. • *Bot.* Sutura entre dos órganos fusionados.
RAFIA f. Nombre común de las palmeras del gén. *Raphia*, de la familia palmáceas, propias del N de África y productoras de una fibra resistente. • Esta misma fibra.
RAFIDIO m. *Bot.* Cristal, gralte. de oxalato cálcico, con forma de aguja, que se forma en las células vegetales como producto metabólico. Los r. desempeñan una función defensiva frente a los moluscos.
RAFIDIÓPTERO, RA adj. y m. *Zool.* Díc. de los insectos pertenecientes al orden rafidiópteros. • m. pl. *Zool.* Orden de insectos caracterizados por una metamorfosis completa y un protórax largo. A menudo son llamados moscas serpiente.
RAFINOSA f. *Quím.* Trisacárido constituido por galactosa, glucosa y fructosa, muy extendido en el reino vegetal.
RAFLESIÁCEO, A adj. y f. *Bot.* Díc. de plantas de la familia raflasiáceas. • f. pl. *Bot.* Familia de plantas dicotiledóneas, desprovistas de clorofila, que viven parásitas de las raíces de otras plantas.
RAFTING (voz ingl.) m. Deporte de aventura que consiste en el descenso de un grupo de personas en balsa neumática por aguas rápidas.
RAGA f. *Bol.* Burla, broma.
RAGLAN, *James Henry* (1788-1855) Mariscal brit. Intervino en las luchas contra Napoleón a las órdenes de Wellington. Dirigió las tropas brit. durante la guerra de Crimea (1854).
RAGOUT (voz fr.) m. Guiso de carne con patatas, guisantes, zanahorias, etc.
RAGTIME (voz ingl.) m. Nombre dado a fines del s. XIX a cierto tipo de música afroamericana. El *jazz* de la primera época recibió en ocasiones este nombre.
RAGUA f. Remate superior de la caña de azúcar.

Virgen del jilguero, tabla de **Rafael.** Galería de los Uffizi, Florencia (Italia)

RAGUSA C. de Italia, en Sicilia, cap. de la prov. hom.; 67 500 hab. Refinería de petróleo.
RAHEZ adj. Vil, bajo, despreciable.
RAHMAN, *Ziaur* (1934-1981) Militar y político de Bangla Desh. En 1977 se convirtió en el hombre fuerte del país y en presid. por las elecciones de 1978. Murió asesinado en una revuelta militar.
RAHNER, *Karl* (1904-1984) Teólogo catól. al. En su obra *Escritos teológicos*, aplica el existencialismo a la especulación teológica.
RAICEAR intr. *Amér. Centr.* y *Ven.* Arraigar.
RAICILLA f. Cada una de las fibras o filamentos que nacen del cuerpo pral. de la raíz de una planta. • Raicita.
RAICITA f. *Bot.* Órgano del embrión de la planta, del que se forma la raíz.
RAID (voz ing.) m. Incursión militar rápida en terreno enemigo.
RAIDO, DA adj. y m. *Zool.* Díc. de los peces elasmobranquios de la familia raidos o ráyidos o rájidos. • m. pl. *Zool.* Familia de elasmobranquios de forma romboidal, con aletas pectorales muy desarrolladas y un pedúnculo caudal. Viven en los fondos arenosos y fangosos marinos.
RAÍDO, DA adj. Díc. de cualquier tela muy gastada por el uso. • fig. Desvergonzado.
RAIGAL adj. Relativo a la raíz. • Extremo del madero que corresponde a la raíz del árbol.
RAIGAMBRE f. Conjunto de raíces de los vegetales. • fig. Conjunto de antecedentes, intereses, hábitos o efectos que ligan a alguien a un sitio, o que constituyen la esencia de una cosa.
RAIGÓN m. Raíz de las muelas y los dientes. • **del Canadá.** *Bot.* Árbol papilionáceo, con hojas dos veces pinadas, flores dioicas y legumbre gruesa.
RAÍL m. Carril de las vías férreas.
RAIMIENTO m. Raedura. • Descaro.
RAIMUNDO IV (*Raimundo de Saint-Guilles*; 1042-1105) CONDE DE TOLOSA [1093-1105]. Tomó parte en la primera cruzada y murió en el asedio de Trípoli. • **V** (1134-1194) CONDE DE TOLOSA [1148-1194]. Se enfrentó a la familia vizcondal de los Trencavel, a los que impuso su autoridad, y se apoderó de Nimes. • **VI** (1156-1222) CONDE DE TOLOSA [1194-1222]. Su actitud tolerante ante los albigenses le enemistó con el papa Inocencio III. Aliado de Pedro II de Aragón, la derrota de éste en Muret determinó la caída de Toulouse, que más tarde pudo recuperar. • **VII** (1197-1249) CONDE DE TOLOSA [1222-1249]. Perdió gran parte de sus territorios que fueron tomados por el rey fr. Luis VIII. Fue el último conde de Tolosa.
RAIMUNDO *de Fitero* (1090-1163) Santo. Monje cisterciense fr. Fundador de la orden de Calatrava. • ***De Penyafort*** → Ramon de Penyafort.
RAINALDI, *Carlo* (1611-1691) Arquitecto it. Discípulo de Bernini, es autor de dos iglesias gemelas de Roma: *Santa Maria in Montesanto* y *Santa Maria dei Miracoli.*
RAINWATER, *James* (1917-1986) Físico estadoun. Participó en la construcción de la primera bomba atómica. Premio Nobel de Física en 1975, con Bohr y Motelson.
RAÍZ f. *Bot.* Órgano vegetal de las plantas superiores, gralte. hipogeo, que sirve para fijar el organismo en el suelo y para absorber de éste el agua y las sales minerales necesarias para el metabolismo vegetal. • Bien inmueble, finca, tierra, edificio, etc. Se usa más en pl. • fig. Parte de cualquier cosa, de la cual, quedando oculta, procede lo que está manifiesto. • fig. Parte inferior o pie de cualquier cosa. • Origen o principio de que procede una cosa. • *Mat.* Resultado de efectuar una radicación. En cierto sentido las voces «raíz» y «radicación» son sinónimas. En general se habla de r. *n*-sima de un núm. *x*: $\sqrt[n]{x}$; si $n = 2$ se habla de r. cuadrada, escribiéndose $\sqrt{x}$ en lugar de $\sqrt[n]{x}$ si $n = 3$, se habla de r. cúbica. • *Gram.* Elemento más puro y simple de una palabra, o sea la parte que de ella queda después de quitarle las desinencias, sufijos y prefijos. • Parte de los dientes de los vertebrados que está engastada en los alveolos. • **aérea.** *Bot.* La que se forma a partir de una rama. • **adventicia.** *Bot.* La que se provoca en el vástago por inducción. • **de una ecuación.** *Mat.* Valor que hay que dar a la incógnita si existen varias, para que se cumpla la igualdad que expresa la ecuación. • **A r.** m. adv. fig. Con proximidad, inmediatamente. • Por la r. o junto a ella. • **De r.** m. adv. fig. Enteramente, o desde el principio hasta el fin de una cosa.
* *Bot.* El ápice vegetativo de la r. se halla protegido y lubrificado por un órgano llamado caliptra o pilorriza. En contacto con ésta se halla el meristema primario responsable del crecimiento y, a continuación, la zona de los pelos radicales o absorbentes. Las r. de las monocotiledóneas se desarrollan a modo de cabellera (r. fasciculadas); en las dicotiledóneas, en cambio, existe una r. pral. y otras secundarias (r. axonomorfas).

Flor de raflesia de Arnold, planta de la familia **raflesiáceas**

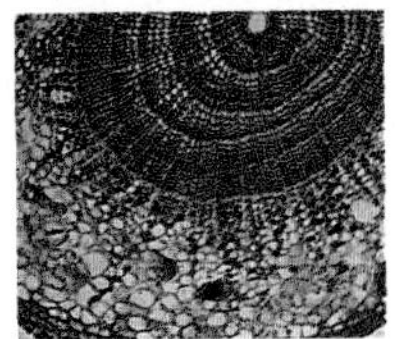

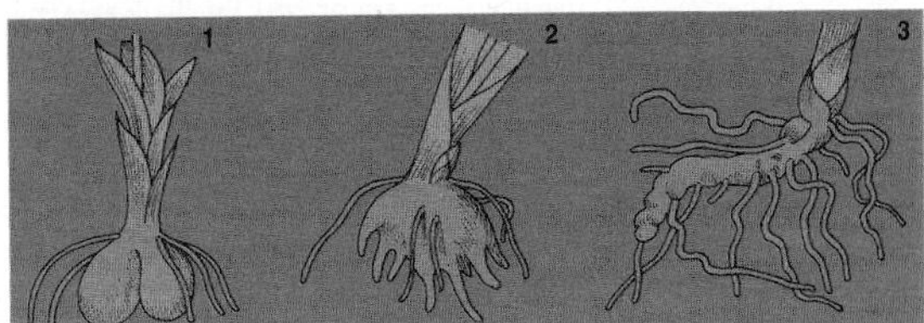

Raíz. Arriba, sección transversal de una raíz joven correspondiente a una conífera; abajo, algunos órganos subterráneos asociados con las raíces: 1. bulbos; 2. tubérculos; 3. rizomas

RAJA f. Una de las partes de un leño que resulta de abrirlo al hilo con hacha. • Hendedura, abertura o quiebra de una cosa. • Pedazo que se corta a lo largo o a lo ancho de una cosa. • fig. y fam. Órgano sexual femenino.
RAJÁ m. Título de los príncipes de la India.
RAJADA f. *Méx.* Cobardía.
RAJADILLO m. Confitura de almendras.
RAJANTE adj. *Argent.* Urgente.
RAJAR tr. Dividir en rajas. • tr. y prnl. Hender, partir, abrir. • intr. fig. y fam. Decir o contar muchas mentiras, jactándose de valiente. • fig. y fam. Hablar mucho. • prnl. fig. y fam. Volverse atrás, no cumplir la palabra dada o desistir del propósito formado. • tr. *Amér.* Huir. • *Amér. Centr.* Gastar mucho. ■ RAJADIZO, ZA; RAJADO, DA; RAJADOR.
RAJASTHAN Est. del NO de la India; 342 214 km², 43 880 600 hab. Cap., Jaipur. La zona occidental está constituida por el desierto de Thar y la oriental por la meseta del Decán. Al O el clima es árido, y al E se dan lluvias de tipo monzónico. La actividad económica se basa en la agricultura.
RAJATABLA *(A)* m. adv. Con todo rigor, de un modo absoluto, cueste lo que cueste.
RAJE m. *Argent.* Huida.
RAJETEAR tr. *Argent.* Resquebrajar.
RAJO m. *Amér.* Desgarrón.
RAJÓN, NA adj. y s. *Amér. Centr.* Que falta a su palabra. • *Amér. Centr.* Fanfarrón. ■ RAJONADA.
RAJPUTA adj. y s. Díc. de individuos de un pueblo guerrero del NO de la India, que dio nombre a Rajputana. • adj. Relativo a este pueblo. • m. pl. Este mismo pueblo.
RAJPUTANA Ant. región del NO de la India que

Rajasthan. Vista parcial de la ciudad de Jaisalmer

Francisco II **Rakoczi**

Rama con su mujer Sita y su hermano Lakshmana. Fragmento de una pintura de finales del s. XVIII

Ramiro II de Asturias y León en una miniatura del tumbo A de la Biblioteca de la catedral de Santiago de Compostela (España)

estaba formada por 23 est. feudales, una soberanía y un dominio.

RAJUELA f. Piedra delgada y sin labrar que se emplea en obras que exigen poco cuidado.

RAKOCZI Familia húng., originaria de Bohemia. Entre sus miembros destacan: **Segismundo** (1544-1608), **Jorge I** (1593-1648) y **Jorge II** (1621-1660) príncipes de Transilvania; y **Francisco I** (1645-1676) y **Francisco II** (1676-1735). Este último depuso a los Habsburgo en 1707, pero fue derrotado en Trencsen.

RÁKOSI, ***Mátyás*** (1892-1963) Político húng. Secretario general del partido comunista, fue miembro del gobierno de Bela Kun. Presid. del gobierno (1952-1953).

RAKOVSKI, ***Kristián Gueórguievich*** (1873-después de 1938) Político sov. de origen búlg. Tuvo un imp. papel en la conquista de Ucrania por los bolcheviques. En 1938 se le condenó a trabajos forzados.

RÁKSHASA m. En la mitología hindú, cada uno de los espíritus del mal que interrumpen la paz en el momento de ofrecer sacrificios a los dioses.

RALEA f. Especie, género, calidad. • despect. Aplicado a personas, raza, casta o linaje. • Presa acostumbrada de las aves de rapiña. ■ RALEÓN, NA.

RALEAR intr. Hacerse rala una cosa perdiendo la intensidad, opacidad o solidez que tenía. • No granar enteramente los racimos de las vides. • Descubrir uno su mala inclinación y ralea.

RALEIGH C. de EE UU, cap. del est. de Carolina del Norte; 208 000 hab. Centro de investigaciones nucleares.

RALEIGH, SIR ***Walter*** (1552-1618) Pirata y colonizador ing. Favorito de la reina Isabel I, exploró la costa norteam. y fundó Virginia. Condenado a muerte por presiones diplomáticas esp.

RALENTÍ (voz fr.) m. Régimen más débil de un motor. • Disminución de energía o de intensidad. • *Cin.* Cámara lenta.

RÁLIDO, DA adj. y m. *Zool.* Díc. de aves de la familia rálidos. • m. pl. *Zool.* Familia de aves gruiformes que viven en marismas y cañaverales, como indican sus largos dedos adaptados para caminar sobre la vegetación flotante.

RALLADOR m. Utensilio de cocina, compuesto de una chapa llena de agujerillos de borde saliente, que sirve para rallar.

RALLADURA f. Surco que deja el rallo en la parte por donde ha pasado, y, p. ext., cualquier surco menudo. • Lo que queda rallado.

RALLAR tr. Desmenuzar una cosa restregándola con el rallador. • fig. y fam. Molestar, fastidiar.

RALLENTANDO (voz it.) m. adv. y m. *Mús.* Disminuyendo la velocidad.

RALLO m. Rallador. • P. ext., cualquier otra chapa con iguales agujeros, que sirve para otros usos. • Vasija de barro para contener agua.

RALLY (voz ing.) m. Competición automovilística, motorística o aérea, en la que la regularidad tiene tanta importancia como la velocidad.

RALO, LA adj. Díc. de las cosas cuyas partes están muy separadas por estar poco pobladas o espesas. ■ RALEZA.

RAM (siglas de *Random Acces Memory*, memoria de acceso directo) *Comp.* Tipo de memoria de lectura/escritura en la que un acceso a una posición no depende de la información anterior o posterior a la requerida. La memoria interna de una computadora es de acceso directo.

RAM Mohan Roy (1772-1883) Pensador religioso indio. Creó un monoteísmo sin culto divino, o deísmo racionalista. Propagó sus ideas por medio del Brahmasamaj.

RAMA f. Cada una de las partes que nacen del tronco o tallo pral. de la planta, y en las cuales brotan por lo común las hojas, las flores y los frutos. • fig. Serie de personas que traen su origen de un mismo tronco. • Cada una de las subdivisiones de un arte o una ciencia. • fig. Parte secundaria de una cosa que nace o se deriva de otra cosa principal. • Cerco de hierro con que se aprieta el molde en la imprenta. • **Andarse** uno **por las ramas.** fig. y fam. Detenerse en lo menos sustancial de un asunto, dejando lo más importante. • **En r.** m. adv. con que se designa el estado de ciertas materias antes de recibir su última manufactura. ■ RÁMEO, A.

RAMA Héroe nacional hindú, protagonista de la epopeya *Ramayana*. Simboliza la perfección conyugal, la valentía heroica y la autoridad justiciera.

RAMA, ***Ángel*** (1926-1983) Escritor ur. Novelas y ensayos. *Tierra sin mapa, La generación crítica.* • ***Carlos*** (1921-1981) Historiador ur., hermano del ant. *Historia del movimiento obrero y social latinoamericano contemporáneo.*

RAMADA f. Ramaje. • *Amér.* Cobertizo, toldo.

RAMADÁN m. Noveno mes del año lunar de los mahometanos, quienes durante sus treinta días observan riguroso ayuno.

RAMADIER, ***Paul*** (1886-1961) Político fr. Durante la II Guerra Mundial se opuso a Pétain y luchó en la Resistencia. En 1947 fue presid. de gobierno, cargo del que dimitió.

RAMAJE m. Conjunto de ramas o ramos.

RAMAKRISHNA (1834-1886) Místico y reformador hinduista. Propuso la unidad esencial de todas las religiones. R. no dejó nada escrito y fueron sus discípulos quienes redactaron sus enseñanzas y las propagaron.

RAMAL m. Cada uno de los cabos de que se componen las cuerdas, sogas, pleitas y trenzas. • Ronzal asido al cabezón de una bestia. • Cada uno de los diversos tiros que concurren en la misma meseta de una escalera. • Parte que arranca de la línea pral. de un camino, acequia, mina, cordillera, etc. • fig. Parte o división que nace de otra principal.

RAMALAZO m. Golpe que se da con el ramal. • Señal que deja el golpe dado con el ramal. • fig. Pinta o señal que sale en el rostro o en otra parte del cuerpo por un golpe o por enfermedad. • fig. Dolor que aguda e improvisadamente acomete a lo largo de una parte del cuerpo. • fig. Adversidad que sobrecoge y sorprende a uno. • fig. Ramo de locura. • fig. Ráfaga de viento, de lluvia, etc. • fig. y fam. Chispazo, destello; sensación o sentimiento repentino, intenso y efímero.

RAMALEAR intr. Seguir bien la bestia al que la lleva del ramal.

RAMAN, SIR ***Chandrasekhara Venkata*** (1888-1970) Físico hindú. Premio Nobel de Física en 1930 por descubrir el efecto que lleva su nombre. • **Efecto R.** *Fís.* Fenómeno consistente en la emisión de dos haces de rayos diferentes de los de la radiación difundida, que aparecen al iluminar con luz monocromática un líquido transparente.

RAMANANDA (s. XV) Filósofo hindú. Fundó la secta de los ramanandíes, que venera a Rama y combate la desigualdad de las castas.

RAMANUJA (1017-1137) Reformador religioso y pensador hinduista. Elaboró un teísmo que expuso en el *Sribhasya*.

RAMAYANA *(Las gestas de Rama)* Epopeya hindú, escrita en sánscrito. Atribuido a Valmiki, el poema ha sufrido a través de los tiempos diversas refundiciones hasta adquirir la forma en que hoy se le conoce.

RAMAZÓN f. Conjunto de ramas separadas de los árboles.

RAMBLA f. Lecho natural de las aguas pluviales cuando caen copiosamente. • Artefacto en que se colocan los paños para enramblarlos. • En algunos lugares, paseo con andén central y árboles. • *Amér.* Muelle, andén a orillas del mar.

RAMBLAZO m. Sitio por donde corren las aguas de los turbiones y avenidas.

RAMEADO, DA adj. Díc. del dibujo o pintura que representa ramos, especialmente en tejidos, papeles, etc.

RAMEAU, ***Jean-Philippe*** (1683-1764) Compositor fr. Su *Tratado de la armonía* hace de él uno de los más imp. innovadores de la historia de la música. Su producción abarca obras de carácter religioso y dramático (óperas).

RAMÉE, ***Pierre de la,*** llamado PETRUS RAMUS (1515-1572) Filósofo y matemático fr. Atacó el sist. de Aristóteles y a los aristotélicos de la Sorbona. Murió asesinado en la «noche de San Bartolomé».

RAMERA f. Prostituta. ■ RAMERÍA.

RAMGOOLAM, SIR ***Sewoosagur*** (1900-1985) Político de Mauricio. Primer ministro de la colonia (1964), fue jefe de gobierno desde la indep. (1968) hasta 1982. En 1983 fue nombrado gobernador general, cargo que conservó hasta su muerte.

RAMIFICACIÓN f. Acción y efecto de ramificarse. • fig. Conjunto de consecuencias necesarias de algún hecho o acontecimiento. • *Bot.* Modelo de crecimiento de las plantas por desarrollo de las yemas laterales. • División y extensión de las venas, arterias o nervios que nacen de un mismo principio o tronco. • fig. Subdivisión. • Rama o parte que nace de otra principal.

RAMIFICARSE prnl. Esparcirse y dividirse en ramas una cosa. • fig. Propagarse, extenderse las consecuencias de un hecho o suceso.

RAMILLETE m. Ramo pequeño de flores o hierbas olorosas formado artificialmente. • fig. Plato de dulces que forman un conjunto elevado y vistoso. • fig. Adorno compuesto de figuras y piezas de mármol o metales labrados que se ponen sobre las mesas en donde se sirven comidas suntuosas. • fig. Colección de cosas bonitas o selectas. • Conjunto de flores que forman una cima o copa contraída. ■ RAMILLETERO, RA.

RAMINA f. Hilaza del ramio.

RAMIO m. Planta de la familia urticáceas, con hojas esparcidas, flores masculinas con cáliz partido y femeninas agrupadas en glomérulos axilares, y frutos en aquenio. Es originaria de China y se cultiva por las fibras textiles que se obtienen de sus tallos. ■ RAMIAL.

RAMÍREZ, *Francisco* (1786-1821) Militar arg. Caudillo de Entre Ríos y Corrientes. Tomó Buenos Aires en 1820. • ***Ignacio*** (1819-1879) Político y periodista mex. Usó el seud. de EL NIGROMANTE. Ministro de Justicia con Porfirio Díaz. *Don Simplicio, Lecturas de historia política de México.* • ***José Fernando*** (1804-1871) Político mex. Ministro de Asuntos Exteriores con Maximiliano. *Notas y esclarecimientos de la conquista de México del Sr. Prescott.* • ***Norberto*** (m. 1856) Político nic. Presid. de El Salvador (1840-1841) y de Nicaragua (1849-1851). • ***Pedro Pablo*** (1884-1962) Militar arg. Asumió la jefatura del gobierno tras derrocar a Castillo (1943-1944). • ***Sergio*** (nacido 1942) Político y escritor nic. Elegido vicepresid. en 1984. *Tiempo de fulgor, De tropeles y tropelías.* • **De Fuenleal, *Sebastián*** (m. 1547) Administrador colonial esp. Oidor de Granada y Santo Domingo. Inició la sustitución del servicio personal en las encomiendas por el tributo indígena. • **Necochea, *Hernán*** (1917-1980) Historiador chil., especializado en la historia del mov. obrero y la economía de su país. *Historia del movimiento obrero en Chile, Antecedentes económicos de la independencia de Chile.* • **Vázquez, *Pedro*** (nacido 1919) Arquitecto y diseñador mex. Escuelas prefabricadas, Museo Nacional de Antropología, Museo de Arte Moderno. *4.000 años de arquitectura mexicana.*

RAMIRO Nombre de diversos monarcas:

ARAGÓN

RAMIRO II el Monje (m. 1157) Rey de Aragón [1134-1137]. Sucedió en el trono a su hermano Alfonso I el Batallador. Su hija Petronila casó con el conde de Barcelona Ramón Berenguer IV, a quien el monarca dejó el gobierno de Aragón.

ASTURIAS Y LEÓN

RAMIRO I (791-850) Rey de Asturias [842-850]. Durante su reinado las tropas del emir de Córdoba Abd al-Rahman II incendiaron León. • **II** (m. 951) Rey de León [931-951]. Dirigió una expedición sobre Madrid y consiguió derrotar a los musulmanes cordobeses en Osma (933) y en Simancas (939), y repobló las tierras del Tormes. • **III** (961-985) Rey de León [966-984]. Durante los días de su reinado, Zamora y Simancas fueron saqueadas por Almanzor, que poco después derrotó en Rueda (981) a la coalición formada por R. con navarros y castellanos. A partir de su reinado la monarquía se convirtió en hereditaria.

RAMITO m. Cada una de las subdivisiones de los ramos de una planta.

RAMIZA f. Conjunto de ramas cortadas. • Lo que se hace de ramas.

RAMNÁCEO, A adj. y f. *Bot.* Dícese de las plantas de la familia ramnáceas. • f. pl. *Bot.* Familia de las plantas angiospermas dicotiledóneas, con hojas esparcidas u opuestas, simples, enteras o dentadas; flores hermafroditas y frutos en baya, drupa o sámara.

RAMNAL adj. y f. *Bot.* Díc. de las dicotiledóneas del orden ramnales. • f. pl. *Bot.* Orden de dicotiledóneas de flores actinomorfas y cíclicas, que comprende las ramnáceas y las vitáceas.

RAMO m. Rama de segundo orden o que sale de la rama madre. • Rama cortada del árbol. • Conjunto o manojo de flores, ramas o hierbas o de unas y otras cosas, ya sea natural, ya artificial. • Ristra de ajos o cebollas. • fig. Cada una de las partes en que se considera dividida una ciencia, arte, industria, etc. • fig. Síntoma o indicio de algún mal. • Acceso o ataque de una enfermedad.

RAMOJO m. Conjunto de ramas cortadas de los árboles, especialmente cuando son pequeñas.

RAMON de Penyafort (h. 1175-1275) Santo. Religioso dominico cat. Confesor del rey Jaime I el Conquistador, predicó en favor de la conquista de Mallorca. En 1235 consiguió del papa la aprobación de la orden de la Merced.

RAMÓN m. Ramojo que cortan los pastores para apacentar los ganados en tiempo de nieves o de sequía. • Ramaje que resulta de la poda de los árboles.

RAMÓN Berenguer I el Viejo (h. 1024-1076) Conde de Barcelona [1035-1076]. Heredero de un amplio territorio, realizó fructíferas campañas contra los musulmanes, repoblando la Segarra y los Llanos de Urgel. Durante su reinado se promulgó el núcleo inicial de los *Usatges*, primer código feudal europeo. • **II Cap d'Estopes** (1053-1082) Conde de Barcelona [1076-1082]. Heredó el condado de Barcelona junto con su hermano, con el que siempre mantuvo discrepancias. Aliado al rey taifa de Sevilla, dirigió una expedición contra el reino de Murcia. • **III el Grande** (1082-1131) Conde de Barcelona [1096-1131]. Incorporó a sus posesiones los condados de Besalú y Provenza y obtuvo el vasallaje del condado de Carcasona-Razés. Consiguió también varias victorias marítimas, aunque no consiguió apoderarse de Mallorca. • **IV** (1114-1162) Conde de Barcelona [1131-1162] y príncipe de Aragón [1137-1162]. En 1137 recibió de Ramiro II el Monje la mano de su hija recién nacida Petronila y obtuvo el gobierno del reino aragonés. Con Alfonso VII, rey castellanoleonés, firmó el tratado de Tudellén, por el que Aragón se reservaba el derecho de reconquista sobre Valencia y Murcia. Este conde fue el introductor del Císter en Cataluña. • **Borrell** (972-1018) Conde de Barcelona [992-1018] Hijo de Borrell II, heredó los condados de Barcelona, Ausona y Gerona. Tuvo que hacer frente a las incursiones musulmanas.

RAMÓN y Cajal, *Santiago* (1852-1934) Médico esp., autor de imp. trabajos sobre la histología del sist. nervioso, fundador de la histología, de la micrología y autor de la doctrina de la neurona. Premio Nobel de Medicina en 1906.

RAMONEAR intr. Podar, cortar las puntas de las ramas de los árboles. • Pacer los animales las hojas y las puntas de los ramos de los árboles.

RAMOS, *Fidel* (nacido 1928) Político filipino. Ministro de Defensa durante la presidencia de Corazón Aquino, a quien sucedió en 1992. • ***Graciliano*** (1892-1953) Novelista bras. *Angustias, Vidas secas.* • ***Samuel*** (1897-1959) Filósofo mex. Ministro de Instrucción Pública (1931). *Hipótesis, Hacia un nuevo humanismo, Historia de la filosofía en México.* • **Arizpe, *Miguel*** (1775-1843) Político mex. Defensor de la indep. de Nueva España en las Cortes de Cádiz. Fue diputado en el Congreso Constituyente mex. (1824). • **Carrión, *Miguel*** (1845-1915) Poeta y dramaturgo esp. Libretos de zarzuelas *(La bruja, La tempestad)* y comedias *(Los señoritos)*. • **Martínez, *Alfredo*** (1875-1946) Pintor mex., impresionista. Precursor de los muralistas. • **Mejía, *José M.ª*** (1842-1914) Médico, sociólogo y escritor arg. *La locura en la historia, Rosas y su tiempo, Neurosis de los hombres célebres.*

RAMOSO, SA adj. Que tiene muchos ramos o ramas.

RAMPA f. Calambre de los músculos. • Superficie en gral. plana o helicoidal dispuesta para el desplazamiento de una fuerza con intervención de otra. • P. ext., terreno o calzada en pendiente. • **de lanzamiento.** Dispositivo que se emplea en algunos misiles, para la operación de lanzamiento. Consta de unas guías por las que el misil se desliza bajo el impulso de un cohete auxiliar o de un motor principal.

RAMPANTE adj. *Her.* Aplícase al animal que está en el escudo de armas con la mano abierta y las

Ramiro III de Asturias y León según un códice del siglo X

Ramón Berenguer I y su esposa en una miniatura del *Liber Feudorum Maior* del siglo XII. Archivo de la Corona de Aragón, Barcelona (España)

Ramón Berenguer IV en una miniatura de la *Genialogía de los reyes de Aragón*. Monasterio de Poblet, Tarragona (España)

Santiago **Ramón y Cajal**

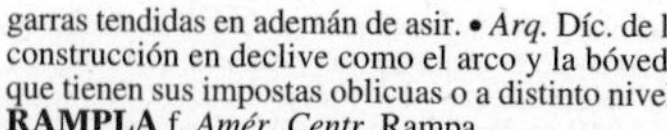

Ramsés II, estatua de su templo funerario en Abu Simbel

garras tendidas en ademán de asir. • *Arq.* Díc. de la construcción en declive como el arco y la bóveda que tienen sus impostas oblicuas o a distinto nivel.

RAMPLA f. *Amér. Centr.* Rampa.

RAMPLING, *Charlotte* (nacida 1946) Actriz cinematográfica brit. *La caída de los dioses, El portero de noche, Recuerdos, Veredicto final.*

RAMPLÓN, NA adj. Aplícase al calzado tosco y de suela muy gruesa y ancha. • fig. Tosco, vulgar, chabacano. • m. Especie de taconcillo que se forma en la cara interior de las herraduras, para suplir en las caballerías defectos de los cascos. ■ RAMPLONERÍA.

RAMPOLLO m. Rama que se corta del árbol para plantarla.

RAMSAY, SIR ***William*** (1852-1916) Químico escocés. Descubrió, en Cleve, el helio; con Rayleigh, la presencia del argón en la atmósfera, y con Soddy el radón y el helio como productos de la desintegración del radio. Premio Nobel de Química en 1904.

RAMSDEM, *ocular de* *Ópt.* Ocular astronómico positivo formado por dos lentes colocadas de modo que el intervalo óptico es igual a 2/3 de la distancia focal.

RAMSÉS I (m. 1304 a. C.) Faraón de Egipto, fundador de la XIX dinastía. Hijo de una poderosa familia de Tanis, su brillante carrera en el ejército le elevó al trono. • **II** (h. 1301-h. 1224 a. C.) Faraón egipcio de la XIX dinastía. Durante su reinado, Egipto aumentó espectacularmente su poderío. Fue un gran constructor de monumentos y templos. • **III** (1198-1166 a. C.) Segundo faraón de la XX dinastía. Realizó una imp. reforma adm. y en los cuadros del estado. Mandó construir el gran templo de Medinet Habu y su tumba en el valle de los Reyes. • **IV** al **XII** Fueron los últimos faraones de la XX dinastía y reinaron de 1166 a 1085 a. C. Sólo se sabe de ellos que durante su reinado el imperio egipcio declinó progresivamente.

RAMULLA f. Leña menuda. • Conjunto de ramas cortadas.

Rana común

RANA f. *Zool.* Nombre que designa a numerosas especies de anfibios anuros, en especial a las del gén. *Rana.*

* *Zool.* Las r. adultas miden unos 8 cm de largo, son de color verdoso, pardo o rojizo, carecen de cuello y las patas posteriores están adaptadas al salto. Se alimentan de pequeños insectos que cazan al vuelo proyectando la lengua al exterior. De los huevos salen los renacuajos, de vida acuática, que más tarde sufrirán una metamorfosis.

RANAL adj. y f. *Bot.* Díc. de las plantas del orden ranales. • f. pl. *Bot.* Orden de plantas dicotiledóneas caracterizadas por la disposición helicoidal de las hojas florales y el número indeterminado de las mismas.

RANCAGUA C. de Chile, cap. de la región del Libertador General Bernardo O'Higgins; 189 800 hab. Sit. en el valle Longitudinal. Centro comercial. Ind. conserveras.

RANCAJADA f. Desarraigo; acción de arrancar de cuajo las plantas, sembrados, etc.

RANCAJO m. Punta o astilla de cualquier cosa que se clava en la carne.

RANCÉ, *Armand* (1626-1700) Religioso fr. Reformador de la orden del Cister, quienes le siguieron recibieron el nombre de trapenses.

RANCHEAR intr. y prnl. Formar ranchos en una parte o acomodarse en ellos. ■ RANCHEADERO.

RANCHERÍA f. Conjunto de ranchos o chozas que forman un poblado. • Cocina de los cuarteles, donde se guisa el rancho.

RANCHERO, RA adj. *Amér.* Relativo al rancho. • adj. y m. *Argent.* Visitador de las mujeres que viven en un rancho. • m. y f. Persona que gobierna un rancho o que trabaja en él. • Persona que guisa el rancho. • *Amér.* Hacendado. • *Amér.* Granjero, ganadero. • f. *Argent.* Danza con aire de mazurca. • *Méx., Perú* y *Ven.* Canción popular.

Flores de aguileña, planta de la familia **ranunculáceas**

RANCHO m. Comida que se hace para muchos en común, y que gralte. se reduce a un solo guisado. • Personas que toman a un tiempo esta comida. • Lugar despoblado donde se albergan diversas familias o personas. • fig. y fam. Unión familiar de algunas personas separadas de otras y que se juntan a hablar o tratar alguna materia particular. • Choza o casa pobre con techumbre de ramas o paja. • Granja donde se crían caballos y otros cuadrúpedos. • fam. *R. de la Plata.* Canotié. • *Mar.* Cada grupo de marineros que alterna en las faenas y servicios. • **Hacer r. aparte.** fig. y fam. Formar varias personas un grupo aparte dentro de otro mayor.

RANCHUELO C. de Cuba, en la prov. de Villa Clara; 26 000 hab. Agricultura. Ind. alimentaria.

RANCIEDAD o **RANCIDEZ** f. Calidad de rancio, dicho de los alimentos y de las cosas antiguas. • Cosa anticuada.

RANCIO, CIA o **RANCIOSO, SA** adj. Díc. del vino y los comestibles grasientos que con el tiempo adquieren sabor y olor más fuertes, mejorándose o echándose a perder. • fig. Díc. de las cosas ant. y de las personas apegadas a ellas. • Anticuado, pasado de moda. • m. Calidad de rancio. • Tocino rancio. • Suciedad grasienta de los paños mientras se trabajan. ■ RANCIAR.

RANCLARSE prnl. *Ecuad.* Escaparse, fugarse. ■ *Ecuad.* RANCLA.

RANCO Lago de Chile, en la región de Los Lagos; 390 km^2. Está sit. entre el valle Longitudinal y el piedemonte andino.

RAND m. Unidad monetaria de la República Sudafricana. • Unidad monetaria del arch. de Tristán de Cunha.

RANDA f. Especie de encaje para adornar vestidos. • m. fam. Ratero, granuja. ■ RANDADO, DA.

RANFÁSTIDO, DA adj. y m. *Zool.* Díc. de aves de la familia ranfástidos. • m. pl. *Zool.* Familia de aves piciformes propias de las selvas de América Meridional y Central de enorme pico y vistoso colorido.

RANFLA f. *Amér.* Rampa, plano inclinado.

RANGEL, *Rafael* (1877-1909) Parasitólogo ven. *Teorías del sistema nervioso.*

RANGER (voz ing.) m. Componente de un cuerpo especial del ejército, dedicado a combatir las guerrillas.

RANGÍFERO m. Reno, animal mamífero.

RANGO m. Índole, clase, categoría, calidad. • Lugar que se ocupa dentro de una jerarquía. • *Mat.* En el cálculo matricial, número máx. de columnas linealmente independientes que posee una matriz. • *Mat.* En un sistema de ecuaciones lineales, núm. máx. de ecuaciones independientes del sistema. • *Mat.* En un conjunto finito de vectores de un espacio vectorial, núm. máx. de vectores linealmente independientes. • *Amér.* Situación social elevada. • *Amér.* Rumbo, esplendidez.

RANGOSO, SA adj. *Chile.* Rumboso, generoso.

RANGUA f. Tejuelo, pieza en que se apoya el gorrón de un eje vertical.

RANGÚN *(Rangoon)* C. y cap. de Myanma; 2 459 000 hab. Gran puerto del océano Índico. Centro industrial y comercial. Universidad.

RÁNIDO, DA adj. y m. *Zool.* Díc. de anfibios de la familia ránidos. • m. pl. *Zool.* Familia de anfibios anuros, que engloba las 470 especies actuales de ranas.

RANIERO III (nacido 1923) PRÍNCIPE DE MÓNACO, sucesor de su abuelo materno Luis II por renuncia de su madre, Carlota de Mónaco. En 1956 casó con la actriz norteam. Grace Kelly.

RANILLA f. Parte del casco de las caballerías más blanda y flexible que el resto. • *Vet.* Enfermedad del ganado vacuno, que consiste en cuajársele sangre en los intestinos.

RANK, *Otto* (1884-1939) Psicoanalista austr., discípulo de Freud. Editor y uno de los fundadores de la revista *Imago. El trauma del nacimiento.*

RANKE, *Leopold von* (1795-1886) Historiador al. *Historia de los pueblos romanos y germánicos de 1494 a 1535, Historia de los Papas en la época moderna.*

RANKER m. *Geol.* Suelo desaturado y ácido, con un horizonte humífero bien desarrollado que, con frecuencia, forma un límite neto con el material mineral. Se forma a expensas de una roca silicatada y es característico de las montañas húmedas.

RANKINE, *William John Macquorn* (1820-1872) Físico e ingeniero escocés. Realizó estudios en el campo de la termodinámica. • **Ciclo de R.** *Fís.* Ciclo termodinámico reversible, consistente en la sucesión de estados que recorre la sustancia de trabajo (agua) en una máquina de vapor. • **Escala R.** *Fís.* Escala absoluta de temperaturas, también llamada escala Kelvin, cuyo cero coincide con el cero absoluto y cuyos grados son iguales que los de la escala centígrada.

Vuelo de las aves

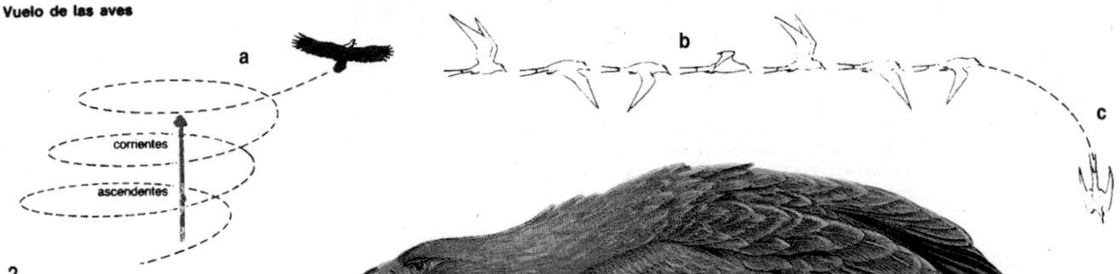

RAPAZ

1. Las rapaces o aves de rapiña son aves carniceras, de garras y pico fuertes y recurvados. El grupo incluye dos órdenes: las rapaces nocturnas o estrigiformes (búho, lechuza, etc.) y las rapaces diurnas o falconiformes (águila, halcón, zopilote, cóndor, etc.).
2. Las aves pueden volar planeando (a), en vuelo batido (b) o en picado (c), siendo el primero de estos tipos de vuelo característico de las rapaces, que pueden cernerse durante largo tiempo y aprovechar las corrientes de aire caliente para ascender en espiral.
3. El águila real es una de las rapaces más bellas; su majestuosidad y su buena vista son proverbiales.

RANUNCULÁCEO, A adj. y f. *Bot.* Díc. de plantas de la familia ranunculáceas. • f. pl. *Bot.* Familia de plantas angiospermas dicotiledóneas, con hojas esparcidas u opuestas, enteras o hendidas; flores hermafroditas solitarias, y frutos en aquenios, folículos o bayas.
RANURA f. Canal estrecho y alargado que se abre en un material, para hacer un ensamble, guiar una pieza movible. • *Comp.* Cada uno de los zócalos que puede tener una computadora, en los cuales se introducen placas o tarjetas impresas.
RANURADOR, RA adj. Que ranura. • adj. y f. Díc. de la máquina que se usa en carpintería para machihembrar tablas de madera.
RANURAR tr. Hacer ranuras.
RAÑA f. Garfios para pescar pulpos en fondo de rocas. • Terreno de monte bajo.
RAÑO m. *Zool.* Pez marino teleósteo del suborden acantopterigios, de color amarillo y rojo amarillento. • Garfio de hierro con mango de madera, para arrancar de las peñas ostras, lapas, etc.
RAP m. Estilo musical neoyorkino, que se caracteriza por su ritmo muy marcado y el empleo del habla en lugar del canto.
RAPA f. Flor del olivo.
RAPABARBAS m. fam. Barbero.
RAPACEJO, JA m. y f. Persona joven. • m. Alma de hilo, cáñamo o algodón, sobre la cual se tuerce estambre, seda o metal para formar los cordoncillos de los flecos.
RAPADURITAS f. pl. *Guat.* Dulce de azúcar envuelto en hoja de maíz.
RAPALLO C. y puerto de Italia, en Liguria; 27 400 hab. Sit. en el golfo de Génova. Estación balnearia. • **tratados de R.** Nombre de dos tratados internacionales. El primero entre Italia y Yugoslavia (1920) sobre fronteras y el segundo entre Alemania y la URSS (1922) sobre deudas y neutralidad.
RAPANTE adj. Que rapa o hurta. • *Her.* Rampante.
RAPAPIÉS m. Buscapiés, cohete.
RAPAPOLVO m. fam. Reprensión áspera.
RAPAR tr. y prnl. Rasurar o afeitar las barbas. • tr. Cortar el pelo al rape. • fig. y fam. Hurtar o quitar con violencia alguna cosa. ■ RAPADOR, RA; RAPADURA; RAPAMIENTO.
RAPAVELAS m. Sacristán, monaguillo u otro dependiente de una iglesia.
RAPATÁCEO, A adj. y f. *Bot.* Díc. de las plantas de la familia rapatáceas. • f. pl. *Bot.* Familia de plantas vivaces, de flores hermafroditas y fruto en cápsula.
RAPAZ adj. Inclinado o dado al robo, hurto o rapiña. • adj. y f. Díc. del ave de rapiña. • f. pl. *Zool.* Ant. orden de estas aves; actualmente corresponde a los órdenes falconiformes y estrigiformes. • m. Muchacho joven. ■ RAPACERÍA; RAPACIDAD.
RAPE m. Pez teleósteo lofiforme, con cabeza grande, redonda y aplastada, que vive en los fondos marinos. Su carne es muy apreciada. • fam. Corte de la barba hecho deprisa y sin cuidado. • **Al r.** m. adv. A la orilla o casi a raíz.
RAPÉ m. Tabaco en polvo para aspirar.
RÁPIDO, DA adj. Que tarda poco en realizar algo. • Que dura poco tiempo. • Hecho con ligereza, por encima, sin profundizar. • Díc. de un tipo de acero utilizado para la fabricación de herramientas que trabajan por arranque de virutas. • m. Corriente fluvial cuyas aguas se deslizan a gran velocidad a causa del pronunciado desnivel de su lecho. • Zapatero remendón. ■ RAPIDEZ.
RAPINGACHO m. *Perú.* Tortilla de queso.
RAPIÑAR tr. fam. Robar o quitar una cosa como arrebatándola. ■ RAPIÑA.
RÁPITA f. Rábida.
RAPO m. Raíz del nabo.
RAPÓNCHIGO m. Planta herbácea de la familia campanuláceas, con raíz carnosa y comestible.
RAPÓNTIGO m. Nombre común de algunas especies de plantas herbáceas de la familia poligonáceas, que se cultivan por sus usos medicinales.

Rape

El ***rapto*** *de las sabinas,* grupo escultórico de Juan de Bolonia. Loggia dei Lanzi, Florencia (Italia)

Rascacielos en Singapur

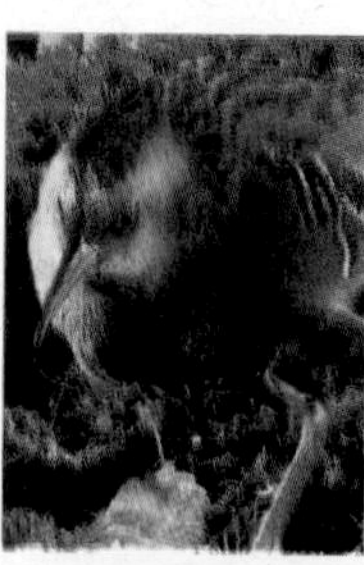
Rascón

RAPOSA f. Zorra, hembra del zorro. • fig. y fam. Persona astuta. • *Cuba.* Recipiente para contener hortalizas.
RAPOSEAR intr. Usar de ardides o trampas. ■ RAPOSERÍA; RAPOSERO.
RAPOSERA f. Zorrera, cueva de zorros.
RAPOSILLA *Astr.* Constelación, también llamada Zorro, cuya denominación latina es *Vulpecula.*
RAPOSO m. Zorro, animal. • fig. y fam. Hombre taimado y astuto. • **ferrero.** Zorro propio de los países glaciales, de pelaje espeso, largo y de color gris azulado, muy estimado en peletería. ■ RAPOSUNO, NA.
RAPPEL m. *Dep.* Técnica utilizada por los alpinistas para salvar grandes desniveles.
RAPS m. *Bot.* Planta oleaginosa de importancia económica por el aceite comestible que se extrae de sus semillas.
RAPSODIA f. En la ant. Grecia, parte de un poema épico, que se solía recitar de una sola vez. • Centón, obra literaria. • *Mús.* Pieza compuesta de trozos de temas populares o de otras obras, improvisaciones, etc. ■ RAPSODA.
RAPTAR tr. Sacar a una mujer violentamente o con engaño de la casa de sus padres. • Secuestrar a una persona cualquiera, p. e. para obtener un rescate. ■ RAPTOR.
RAPTO m. *Der.* Acción de raptar. • Obcecación, impulso súbito y violento provocado por un estado pasional. • Éxtasis, estado del alma. • Accidente que priva del sentido.
RAQUE m. Acto de recoger los objetos perdidos en las costas por algún naufragio o echazón. • *Cuba.* Ganga.
RAQUEAR intr. Andar al raque, buscar restos de naufragios. • *Cuba.* Robar. ■ RAQUERO, RA.
RAQUEL Meller (1888-1962) Seud. de *Francisca Marqués López* Cantante y actriz esp. Triunfó en París y Nueva York con las canciones *El Relicario* y *La Violetera.* En el cine interpretó *Carmen* y *Violetas imperiales.*
RAQUETA f. Bastidor de madera, con mango y enrejado de cuerdas para juegos de pelota, tenis, etc. • Juego de pelota en que se usa la pala. • Jaramango. • Utensilio para mover el dinero en las mesas de juego. ■ RAQUETERO, RA; RAQUETISTA.
RAQUIANESTESIA f. *Med.* Método de anestesia parcial consistente en inyectar mediante punción lumbar, en los espacios subaracnoideos, una sustancia que, al actuar directamente sobre la médula, provoca la anestesia de las regiones inervadas por los nervios subyacentes.
RAQUIODONTO, TA adj. y m. Díc. de las serpientes comedoras de huevos, que presentan hipófisis bien desarrolladas en las vértebras torácicas anteriores que actúan a modo de dientes.
RAQUIS m. Raspa o eje de una espiga. • *Bot.* Eje de crecimiento limitado sobre el que se insertan a ambos lados un núm. determinado de folíolos que constituyen una hoja compuesta. • *Zool.* Parte de una pluma, que no se halla introducida en el tegumento. • *Anat.* Columna vertebral.
RAQUITISMO m. o **RAQUITIS** f. *Pat.* Afección crónica de la infancia producida por una avitaminosis D, debida a una falta de insolación o a una disfunción de las paratiroides. Se caracteriza por deformación ósea debida a descalcificación de los huesos y de los cartílagos de crecimiento. ■ RAQUÍTICO, CA.
RAQUÍTOMO m. *Cir.* Instrumento para abrir el conducto vertebral sin interesar la médula.
RARA AVIS Exp. latina utilizada para indicar la rareza o singularidad de una persona o cosa.
RAREFACER tr. y prnl. Rarificar. ■ RAREFACCIÓN.
RARIFICAR tr. y prnl. Enrarecer, hacer menos denso un cuerpo gaseoso.
RARO, RA adj. Extraordinario, poco común o frecuente. • Escaso en su clase o especie. • Insigne, sobresaliente. • Extravagante, propenso a singularizarse. • Aplicado a gases, que tiene poca densidad y consistencia. • f. *Amér. Merid.* Ave del tamaño de la codorniz, dañosa en las huertas y sembrados. ■ RAREZA.
RAS m. Igualdad en la superficie o la alt. de las cosas.
RASANTE adj. Que rasa. • f. Línea de una calle o camino considerada en su inclinación o paralelismo respecto del plano horizontal. • **Cambio de r.** Punto en que se unen dos tramos de carretera o de una línea ferroviaria de distinta pendiente.
RASAR tr. Igualar con el rasero. • Pasar rozando ligeramente un cuerpo con otro. • prnl. Ponerse rasa o limpia una cosa, como el cielo sin nubes. ■ RASADURA.
RASCA adj. *Argent.* Díc. de la persona desaseada. • *Amér.* Borrachera.
RASCABUCHAR intr. *Cuba* y *Méx.* Fisgar.
RASCACHO m. Pez perciforme de la familia escorpénidos, de color pardusco, provisto de espinas conectadas con glándulas venenosas. Su carne es apreciada.
RASCACIELOS m. Edificio de gran alt. Los r. son nota dominante de las grandes aglomeraciones urbanas de hoy.
RASCADERA f. Rascador, instrumento para rascar. • fam. Raedera para limpiar las caballerías.
RASCADO, DA adj. *Amér. Centr.* Audaz. • De mal genio. • Desaseado.
RASCADOR m. Cualquiera de los varios instrumentos que sirven para rascar la superficie de un metal, la piel, etc. • Instrumento de hierro que se usa para desgranar el maíz y otros frutos análogos. • Instrumento para encender los fósforos.
RASCALINO m. Tiñuela, cuscuta.
RASCAR tr. y prnl. Refregar o frotar fuertemente la piel con una cosa aguda o áspera, y por lo regular con las uñas. • tr. Arañar, herir ligeramente con las uñas. • Limpiar con rascador. • prnl. *Amér.* Emborracharse. ■ RASCADURA; RASCAMIENTO.
RASCATRIPAS com. Persona que con poca habilidad toca un instrumento de arco.
RASCAZÓN f. Comezón o picazón que incita a rascarse. • *Ven.* Orgía.
RASCLE m. Arte para la pesca del coral.
RASCÓN, NA adj. Áspero al paladar. • m. *Zool.* Ave zancuda de la familia rállidos, propia de lugares pantanosos. • *Mar.* Rozamiento de la quilla de una embarcación con un bajo. • *Méx.* Bravucón.
RASCUACHE adj. *Guat.* Pobre. • *Méx.* Mezquino.
RASCUÑAR tr. Herir ligeramente con las uñas o con un instrumento cortante. ■ RASCUÑO.
RASEL m. *Mar.* Parte estrecha de los extremos del barco.
RASERA f. Rasero. • Paleta de metal para volver fritos y otros alimentos.
RASERO m. Palo cilíndrico que sirve para rasar las medidas de los áridos. • **Por el mismo r.** m. adv. fig. Con rigurosa igualdad, sin la menor diferencia.
RASGADO, DA adj. Díc. del balcón o ventana grande que se abre mucho y tiene mucha luz. • Díc. de los ojos que tienen la comisura de los párpados muy prolongada. • m. Rotura de una tela.
RASGADURA f. o **RASGÓN** m. Acción y efecto de rasgar.
RASGAR tr. y prnl. Romper o hacer pedazos, sin el auxilio de ningún instrumento. • tr. Rasguear. • **Rasgarse las vestiduras.** fig. Escandalizarse.
RASGO m. Línea trazada al escribir o al dibujar. • Aspecto distintivo del carácter de una persona. • fig. Acción de alguien realizada en un impulso afectivo. • pl. Facciones del rostro.
RASGUEAR tr. Tocar la guitarra u otro instrumento rozando varias cuerdas con los dedos. • intr. Hacer rasgos al escribir.
RASGUÑAR tr. Arañar o rascar con las uñas. • Dibujar, bosquejar. ■ RASGUÑO.
RASHT C. del N de Irán, en el delta del río Sefid; 189 000 hab. Centro comercial. Ind. textiles y alimentarias.
RASILLA f. Tela de lana, delgada y parecida a la lamparilla. • Ladrillo delgado.
RASIÓN f. Rasuración, acción de raer.
RASMILLAR tr. *Chile* y *Ecuad.* Rasguñar.
RASMUSSEN, *Knud* (1879-1933) Explorador danés. Dirigió cinco expediciones al Ártico amer. y estudió la vida y civilización de los esquimales.
RASO, SA adj. Plano, liso. • Aplícase al asiento sin respaldo. • Díc. del que no tiene un título que le distinga. • Sin nubes ni nieblas. • Que pasa o se mueve a poca alt. del suelo. • m. Tela de seda muy lisa y brillante, llamada también satén. • Llano alto y despejado de un monte. • f. Abertura o raleza en las

telas endebles y mal tejidas. • **Al r.** m. adv. En el campo o a cielo descubierto.
RASPA f. Filamento del cascabillo del grano del trigo y de otras gramíneas. • Cuerpo extraño que se agarra a la pluma de escribir. • En los pescados, cualquier espina. • En algunas partes, grumo o gajo de uvas. • En algunos frutos, zurrón, cáscara. • fam. *Amér*. Reproche, reprimenda. • Zuro, corazón de la mazorca de maíz. • Eje o pedúnculo común de las flores y frutos de una espiga o un racimo. • *Cuba*. Restos de comida pegados al recipiente. • *Méx*. Raspadura. • *R. de la Plata*. Ladrón. ■ RASPUDO.
RASPADO, DA adj. *Amér. Centr*. Desvergonzado, descarado. • m. Acción y efecto de raspar. • *Cir*. Legrado. • f. *Méx*. Reprimenda.
RASPADURA f. Acción y efecto de raspar. • Lo que raspando se quita de la superficie. • *Amér*. Azúcar sin purificar. • *Cir*. Legrado.
RASPAJO m. Escobajo de uvas.
RASPAR tr. Raer ligeramente una cosa quitándole alguna parte superficial. • Picar el vino u otro licor al paladar. • Hurtar, quitar una cosa. • Rasar, rozar ligeramente. • intr. *Ven*. Largarse, marcharse. ■ RASPADOR; RASPAMIENTO.
RASPEAR intr. Correr con aspereza y dificultad la pluma. • tr. Reprender, reconvenir.
RASPILLA f. Planta herbácea de la familia borragináceas, con tallos tendidos, angulosos, hojas lanceoladas, flores azules y frutos en tetraquenio.
RASPÓN m. Rasponazo. • *Col*. Sombrero de paja que usan los campesinos. • *Amér*. Reconvención áspera. • *Amér*. Desolladura.
RASPONAZO m. Lesión o erosión superficial causada por un roce violento.
RASPOSO, SA adj. Díc. de lo que es áspero al tacto. • *Argent*. Miserable. • *Méx*. Bromista.
RASPUTÍN, *Grigori Yefímovich* (1872-1916) Monje ruso. Con dotes de taumaturgo se ganó el favor de la zarina Alejandra y del débil Nicolás II. Odiado por la nobleza murió a manos de unos aristócratas.
RASQUIÑA f. *Amér*. Picor.
RASQUETA f. Planchuela de hierro, con mango de madera, que se usa para raer y limpiar superficies. • *Amér*. Almohaza.
RASQUETEAR tr. *Amér*. Limpiar el pelo de las caballerías con rasqueta, almohaza.
RASTACUERO m. *Amér*. Persona ostentosa y vulgar.
RASTATT *(Rastadt)* C. de la Alemania, en el Est. de Baden-Württemberg; 29 200 hab. Ind. cervecera. • **Tratado de R.** (1714) Firmado por Francia y el Imperio austrohúngaro, fue el tratado que junto a los de Utrecht puso fin a la guerra de sucesión esp.
RASTRA f. Rastro, instrumento con púas para recoger hierba y otras cosas. • Vestigio, señal o indicio que deja una cosa. • Narria, cajón de carro para arrastrar cosas de gran peso. • Grada, rastrillo. • Recogedor de mieses. • Cualquier cosa que va colgando y arrastrando. • Sarta de cualquier fruta seca. • fig. Resulta de una acción que obliga a restitucióndel daño causado o a la pena del delito, o trae otros inconvenientes. • Entre ganaderos, cría de una res. • **A rastras.** m. adv. Arrastrando. • fig. De mal grado, obligado o forzado.
RASTRALLAR tr. Restallar el látigo.
RASTREAR tr. Seguir el rastro o buscar alguna cosa por él. • Llevar arrastrando por el fondo del agua una rastra, un arte de pesca u otra cosa. • fig. Inquirir, indagar, averiguar una cosa. • intr. Hacer alguna labor con el rastro. • Ir por el aire, pero casi tocando el suelo. ■ RASTREADOR, RA; RASTREO.
RASTREL m. Ristrel, listón de madera.
RASTRELLI, *Bartolomeo Francesco* (h. 1700-1771) Arquitecto it., hijo de ***Bartolomeo Carlo*** (h. 1675-1744), escultor. Desarrolló su carrera en Rusia (iglesia de San Andrés, en Kiev; palacio de Invierno en San Petersburgo).
RASTRERO, RA adj. Que va arrastrando. • Aplícase a las cosas que van por el aire, pero casi tocando el suelo. • fig. Bajo, vil y despreciable. • Díc. del tallo de una planta que, tendido por el suelo, echa raicillas de trecho en trecho. • m. El que trabaja en el rastro o lugar donde se matan las reses. • f. *Mar*. Arrastradera, ala del trinquete.
RASTRILLA f. Rastro que tiene el mando en una de las caras estrechas del travesaño.
RASTRILLADA f. Todo lo que se recoge o se barre de una vez con el rastrillo o rastro. • *Amér*. Huella de hombre o animal en el campo.
RASTRILLAJE m. Maniobra que se ejecuta con la rastra o rastrillo.
RASTRILLAR tr. Limpiar el lino o cáñamo de la arista o estopa. • Recoger con el rastro. • Pasar la rastra por los sembrados. • Limpiar de hierba con el rastrillo las calles de los parques y jardines. • *Argent*. Preparar el fusil para disparar. ■ RASTRILLADO, DA; RASTRILLADOR, RA.
RASTRILLO m. Tabla con dientes de alambre grueso sobre los que se pasa el lino o cáñamo para apartar la estopa y separar bien las fibras. • Estacada, verja o puerta de hierro que defiende la entrada de una fortaleza o de un establecimiento penal. • Pieza de las armas de chispa en que hiere el pedernal. • Rastro, instrumento para recoger hierba, paja, etc. • Pieza de la cerradura.
RASTRO m. Instrumento compuesto de un mango largo, cruzado en uno de sus extremos por un travesaño armado de púas y que sirve para recoger hierba, paja, broza, etc. • Herramienta a manera de azada que tiene dientes y sirve para extender piedra partida y para usos análogos. • Vestigio, señal o indicio que deja una cosa. • Mugrón, sarmiento que se entierra. • Lugar destinado en las poblaciones para vender en ciertos días de la semana la carne por mayor. • Matadero de reses. • fig. Señal o vestigio que queda de una cosa.
RASTROJAR tr. Arrancar el rastrojo.
RASTROJERA f. o **RASTROJAL** m. Conjunto de tierras que han quedado de rastrojo. • Temporada en que los ganados pastan los rastrojos.
RASTROJO m. Residuo de las cañas de la mies, que queda en la tierra después de segar. • El campo después de segada la mies y antes de recibir nueva labor. • *Col*. Bosque de arbustos.
RASURA f. Acción y efecto de rasurar. • Raedura. • pl. Tártaro de la vasija donde fermenta el mosto.
RASURACIÓN f. Acción y efecto de rasurar. • Acción y efecto de raer.
RASURAR tr. y prnl. Raer el pelo del cuerpo, especialmente de la barba y el bigote.
RATA f. *Zool*. Mamífero roedor de la familia múridos, que mantiene con el hombre una relación de comensalismo. La rata común o de alcantarilla puede constituir una plaga temible y transmitir enfermedades. • Coleta de pelo pequeña y muy delgada. • Parte proporcional. • *Col*. y *Pan*. Porcentaje. • m. fam. El ratero que hurta. • **de mar.** Pez teleósteo acantopterigio, de cabeza voluminosa con los ojos dirigidos hacia arriba y mandíbula inferior prominente. • **de trompa.** Pequeño mamífero insectívoro afr. semejante a un ratón.
RATAFÍA f. Licor alcohólico aromático, hecho a base de alcohol, jugo de frutas y azúcar.
RATANIA f. Planta arbustiva de la familia poligaláceas, con hojas sedosas y flores rojas. Muy común en los Andes bol. y per. • Raíz de esta planta.
RATEAR tr. Disminuir o rebajar a proporción. • Distribuir, repartir proporcionalmente. • Hurtar con destreza cosas pequeñas. • intr. Andar arrastrándose con el cuerpo pegado a la tierra. • Marchar irregularmente un motor por defecto en el reglaje del sistema de encendido. ■ RATEO.
RATEL m. Mamífero carnívoro de la familia mustélidos, semejante a un tejón. Destruye las colmenas silvestres para devorar su miel.
RATERÍA f. Hurto de cosas de poco valor. • Acción de hurtarlas con maña y cautela. • Bajeza o ruindad en los tratos o negocios.
RATERO, RA adj. y s. Díc. del ladrón que hurta con habilidad y cautela cosas de poco valor. • adj. Que va arrastrando. • Que va por el aire, bajo, a ras del suelo. • Bajo, vil, despreciable.
RATHENAU, *Walter* (1867-1922) Político al. Ministro de Reconstrucción (1921) y de Asuntos Económicos (1922), su política económica le enfrentó a nacionalistas y antisemitas. Murió en un atentado.
RATICIDA m. Sustancia empleada para exterminar ratas y ratones.
RATIFICAR tr. y prnl. Aprobar actos, palabras o escritos dándolos por valederos y ciertos. • tr. Confirmar cualquier acuerdo o tratado. ■ RATIFICACIÓN; RATIFICATORIO, RIA.

Grigori Yefímovich
Rasputin

Palacio de Invierno de San Petersburgo, proyectado por Bartolomeo Francesco
Rastrelli

Rata

Maurice **Ravel**

Regalo, escultura de Man **Ray**

Satyajit **Ray**

Raya

RATIGAR tr. Atar y asegurar con una soga el rátigo después que se ha colocado en el carro.
RÁTIGO m. Carga del carro.
RATIHABICIÓN f. *Der.* Declaración de la voluntad de uno aprobando y confirmando un acto que otro hizo por él.
RATISBONA *(Regensburg)* C. y puerto de Alemania, sit. a orillas del Danubio, en el est. de Baviera; 126 700 hab. Ind. químicas y electrotécnicas. Construcciones navales. Universidad. En 1541 se celebró en R. la Dieta que intentó establecer un compromiso entre catól. y protestantes.
RATITE m. *Zool.* Ave del grupo ratites. • m. pl. *Zool.* Grupo de aves primitivas, no voladoras, cuyo esternón carece de quilla. Corresponde al grupo antes denominado corredoras.
RATO, TA adj. *Der.* Díc. del matrimonio celebrado válidamente pero no consumado. • m. En algunas partes, ratón. • Intervalo de tiempo, y especialmente, cuando es corto. • Momento vivido con placer o disgusto. • Trecho o distancia. • **A ratos.** m. adv. A veces. • Con algunas intermisiones de tiempo. • **Pasar el r.** fam. No aprovecharse el tiempo.
RATÓN m. *Zool.* Mamífero roedor de la familia múridos que se encuentra en todas las agrupaciones humanas, aunque no es tan dañino como la rata. • *C. Rica.* Bíceps. • *Comp.* Periférico que sirve para desplazar el cursor por la pantalla y para accionar los menúes de los programas. • *Mar.* Piedra puntiaguda y cortante que está en el fondo del mar y roza los cables. • **almizclero.** Desmán, mamífero insectívoro. • **de biblioteca.** fig. Erudito que con asiduidad escudriña muchos libros. • **de mar.** Gusano marino de la clase poliquetos, que recuerda la forma y movimientos del ratón. • **marsupial.** Mamífero de la familia dasiúridos, orden marsupiales, semejante al ratón común.
RATONA f. Hembra del ratón.
RATONAR tr. Morder o roer los ratones una cosa. • prnl. Ponerse enfermo el gato de comer ratones.
RATONERO, RA adj. Ratonil. • m. *Zool.* Ave falconiforme de la familia accipítridos, de hasta 60 cm de largo. • f. Trampa para cazar ratones. • Agujero que hace el ratón. • Madriguera de ratones. • *Amér.* Cuchitril. • fig. Trampa.
RATSIRAKA, *Didier* (nacido 1936) Militar y político malgache. Jefe del Consejo de la Rev. Socialista, fue presidente de la rep. (1975-1993). En 1997 fue elegido de nuevo.
RATZEL, *Friedrich* (1844-1904) Geógrafo al., fundador de la antropogeografía. *Geografía política, Antropogeografía.*
RAU Siglas de *República Árabe Unida.* Est. formado en 1-II-1958 mediante la unión voluntaria de Egipto y Siria. En 8-III-1958 el Yemen se federó con la RAU, constituyéndose el *Estado Árabe Unido*, que tuvo un carácter más nominal que real. Después del golpe militar de 1961, Siria y Yemen se separaron, quedando la denominación de RAU como nombre oficial de Egipto.
RAUCO, CA adj. Ronco, afónico.
RAUDAL m. Caudal de agua abundante y de curso rápido. • fig. Abundancia de cosas que rápidamente concurren o se derraman.
RAUDO, DA adj. Rápido, violento, precipitado. • f. Cementerio árabe.
RAULÍ m. *Chile.* Árbol de la familia fagáceas, de hasta 50 m de alt., de hojas aserradas, y fruto erizado.
RAUSCHENBERG, *Robert* (nacido 1925) Pintor norteam. Uno de los prales. representantes del *pop art* en su país. Gran Premio de la Bienal de Venecia en 1964. *Odalisca, Mercado negro.*
RAVAISSON-MOLLIEN, *Félix* (1813-1900) Filósofo fr. *Ensayo sobre la metafísica de Aristóteles, El hábito.*
RAVANA En la mitología hindú y en la epopeya *Ramayana*, demonio soberano de los rakshasas y rey de la isla de Lanka (Ceilán).
RAVEL, *Maurice* (1875-1937) Compositor fr. Seguidor primero de Fauré y Debussy, fue un innovador en la melodía, la armonía y el ritmo. *Dafnis y Cloe* (ballet); *Rapsodia española, Bolero* (sinfónicas). Compuso también música de cámara y piezas para piano: *Espejos, Juegos de agua, Mamá oca.*
RAVENA *(Ravenna)* C. del N de Italia, en Emilia-Romaña, cap. de la prov. hom.; 136 300 hab. Sit. cerca de la costa adriática. Industria del cemento. Centro petroquímico. Antigua cap. del imperio de Occidente (402).
RAVENALA f. Árbol de la familia musáceas, originario de Madagascar, notable por su belleza.
RAVENÉS, SA adj. y s. De Ravena.
RAVIOLES o **RAVIOLIS** m. pl. Pequeños trozos de pasta que se rellenan con picadillo de carne, pescado o verdura.
RAWALPINDI C. del N de Pakistán, en el Punjab; 928 000 hab. Imp. base militar. Centro comercial con Cachemira. Centro industrial. Refino de petróleo. Aeropuerto.
RAWLINGS, *Jerry* (nacido 1947) Militar y político de Ghana. Dirigió los golpes de Est. de 1979 y 1981. Presid. de la rep. desde 1982.
RAWLINSON, SIR ***Henry Creswicke*** (1810-1895) Orientalista brit. Descifró la escritura cuneiforme de Persia y Asiria. *Las inscripciones cuneiformes de Asia occidental.*
RAWSON C. de Argentina, cap. de la prov. de Chubut; 100 132 hab. Centro comercial, administrativo e industrial. Puerto pesquero.
RAY, *Man* (1890-1976) Pintor y fotógrafo norteam. Junto a Duchamp y Picabia, introdujo en Nueva York el mov. dadaísta. En París entró en contacto con los surrealistas y creó algunos objetos-pinturas evocativos: *Estudio de boca sobre una hoja de plomo.* Fue un notable investigador de la técnica fotográfica. • ***Nicholas*** Seud. de *Raymond Nicholas Kienzle* (1911-1979) Director de cine norteam. *Johnny Guitar, Rebelde sin causa, Amarga victoria, Los dientes del diablo.* • ***Satyajit*** (1921-1992) Director de cine indio. *El lamento del sendero, El invencible, El mundo de Apu.*
RAYA f. Señal larga y estrecha que por combinación de un color con otro, por pliegue o por hendedura poco profunda, se forma en un cuerpo cualquiera. • Término, confín o límite de una nación, prov., región o distrito; y también lindero de un predio si tiene mucha extensión. • Término que se pone a una cosa. • Vereda ancha que se hace o deja para que no se propaguen los incendios. • Cada uno de los puntos o tantos que se ganan en determinados juegos, y que comúnmente se apuntan con rayas. • Señal que resulta en la cabeza de dividir los cabellos con el peine, echando una parte de ellos hacia un lado y otra hacia el lado opuesto. • Cada una de las estrías en espiral que se hacen en el ánima de las armas de fuego para que el proyectil corra forzado por ellas y tenga mayor alcance. • Señal del alfabeto Morse, de duración equivalente a tres puntos. • Guión algo más largo que se usa para separar oraciones gramaticales incidentales o indicar el diálogo en los escritos. • *Méx.* Salario. • *Zool.* Pez elasmobranquio marino del orden rayiformes o batoideos. ■ RAYOSO, SA.
RAYADO m. Conjunto de rayas o listas de una tela, papel, etc. • *R. de la Plata.* Loco.
RAYADOR, RA adj. Que raya. • adj. y f. *Art. Gráf.* Díc. de la máquina que sirve para rayar papel. • m. *Amér. Merid.* Ave que tiene el pico muy aplanado y delgado y la mandíbula superior mucho más corta que la inferior. • *Méx.* Pagador de una hacienda.
RAYANO, NA adj. Que confina con alguna cosa. • Cercano, con semejanza a lo que se nombra.
RAYAR tr. Hacer o tirar rayas. • Tachar lo manuscrito o impreso con rayas. • Subrayar. • intr. Confinar una cosa con otra. • Con las voces *alba, día, luz, sol*, precedidas de art., amancer, alborear. • fig. Sobresalir o distinguirse. • fig. Asemejarse una cosa a otra. • prnl. Formarse rayas sobre una superficie debido al roce con otro cuerpo.
RAYERO m. *Argent.* Juez de raya en las carreras de caballos.
RAYLEIGH, *John William Strutt* (1842-1919) Físico brit. En colaboración con Ramsay, descubrió el argón (1895). Premio Nobel de Física en 1904. • **Ley de R.** *Fís.* Principio que regula la absorción de la radiación por parte de un gas molecular; según esta ley el coeficiente de absorción del gas es inversamente proporcional a la cuarta potencia de la longitud de onda de la radiación que lo atraviesa.
RAYNAUD, *enfermedad de* *Pat.* Enfermedad funcional de las arterias, caracterizada por la evolución hacia la gangrena a través de crisis de vasoconstricción seguidas por una fase de vasodilatación. Se localiza en los dedos, en forma simétrica.
RAYO m. Cada una de las líneas de propagación

de la energía que parte de un foco emisor. • Línea de luz que procede de un cuerpo luminoso. • *Meteor.* Descarga o chispa eléctrica de gran intensidad que se origina por la atracción de cargas eléctricas contrarias existentes en la atmósfera. A la estela luminosa producida por un rayo se la denomina relámpago. • Cada una de las piezas que a modo de radios del círculo unen el cubo a las pinas de una rueda. • fig. Persona muy viva y pronta de ingenio; persona pronta y ligera en sus acciones. • fig. Dolor penetrante y momentáneo. • fig. Estrago, infortunio o castigo improviso y repentino. • **incidente.** *Ópt.* Parte del rayo de luz desde el objeto hasta el punto donde se refracta o refleja. • **reflejado.** *Ópt.* El que experimenta una reflexión. • **reflactado.** *Ópt.* El que experimenta una refracción. • **visual.** Línea recta que va desde el ojo al objeto. • **Rayos alfa** (α). *Fís.* Los que constituyen la radiación emitida por los núcleos de los elementos radiactivos, formada por núcleos de helio, siendo poco penetrantes. • **beta** (β). *Fís.* Los que constituyen la radiación emitida por los núcleos de los elementos radiactivos, formada por electrones, siendo más penetrantes que los r. alfa. • **canales.** *Fís.* Los constituidos por partículas materiales cargadas positivamente. • **catódicos.** *Fís.* Corriente de electrones emitidos por un filamento incandescente, de modo que puede elevar la temperatura de los cuerpos sometidos a su bombardeo, penetrar en sólidos y producir r. X. • **cósmicos.** *Astr.* Los que constituyen la radiación cósmica. • **gamma** (γ). *Fís.* Los que constituyen la radiación electromagnética, emitida por los núcleos de los elementos radiactivos. • **infrarrojos.** *Fís.* Los que constituyen la radiación infrarroja. • **Roentgen.** Rayos X. • **ultravioleta.** *Fís.* Los que constituyen la radiación electromagnética originada en los tubos de descarga al chocar un haz de r. catódicos con el ánodo.

Ravena. Baptisterio de la catedral

RAYÓN m. *Quím.* Nombre de diversas fibras textiles artificiales obtenidas a partir de la celulosa regenerada. Si el hilo de r. se corta en tramos, se obtiene el r. en rama, que puede tejerse con el algodón.

RAYUELA f. Juego que consiste en lanzar una piedra lo más cerca posible de una raya hecha en el suelo. • Juego que consiste en mover una piedra empujándola con el pie, por unos recuadros dibujados en el suelo. • *Amér.* Tejo.

RAYUELO m. Agachadiza, ave.

RAZA f. Casta o linaje. • *Biol.* Unidad taxonómica inferior a la especie, relacionada gralte. con una distribución geográfica, que comprende a los individuos intraespecíficos que se hallan aislados del resto de individuos de la misma especie. • Lista, en el paño u otra tela, en que el tejido está más claro que en el resto. • fig. Calidad de algunas cosas, especialmente la que contraen en su formación. • **Razas humanas.** *Antr.* Divisiones taxonómicas de la especie *Homo sapiens.* ■ RAZADO, DA.

* *Biol.* La r. comprende todas las agrupaciones que se pueden reconocer en el ámbito de la especie, a condición de que sean debidas a factores genéticos. Las r. suelen ser fecundas entre sí, cosa que no ocurre entre las especies.

* *Antr.* La tipología de las razas presenta gran complejidad, derivada de la inexistencia de razas puras. El cruzamiento entre razas (mestizaje) ha sido una constante histórica. Además del mestizaje se puede hablar de evolución de las razas a partir de un supuesto tronco común, merced a la capacidad adaptativa que es la cultura. Una raza está formada por poblaciones y éstas por individuos, pertenecientes todos a una misma especie y que tienen unos rasgos que se perpetúan por herencia. La cultura, característica de la especie humana, a veces enfatiza la diferencia entre razas y aumenta las simplemente físicas. En cualquier caso, las clasificaciones raciales resultan hasta cierto punto arbitrarias, ya que en cada caso dependen del criterio de clasificación elegido. El elevado número de seres vivos existentes, llevó a realizar clasificaciones agrupando a aquellos individuos que presentaban rasgos comunes. La clasificación de Linneo (1707-1778), que atendía a criterios tanto biológicos como etnológicos y psicológicos, marcó el inicio de la actual clasificación científica, que distingue cuatro grandes grupos raciales (negroides, mongoloides, caucasoides o euroasiáticos y autraloides) subdividido a su vez en varios subgrupos.

RAZAK, ***Abdul*** (1922-1976) Político de Malaysia. Viceprimer ministro al constituirse Malaysia (1963), en 1970 sucedió al primer ministro. Murió en el ejercicio de ese cargo.

RAZIA o **RAZZIA** f. Incursión de gente armada en territorio enemigo, con propósito de saqueo y pillaje. • Redada de policía.

RAZÓN f. Facultad o principio de explicación de la realidad. • *Fil.* Facultad de discurrir. • Palabras o frases con que se expresa el discurso. • Argumento o demostración que se aduce en apoyo de alguna cosa. • Motivo o causa. • Orden y método en una cosa. • Justicia, rectitud en las operaciones, o derecho para ejecutarlas. • Equidad en las compras y ventas. • Cuenta, relación, cómputo. • *Mat.* Resultado de la comparación entre dos cantidades. • **de Estado.** Razón para hacer cierta cosa las personas relacionadas con el gobierno de un país, fundada en la conveniencia política. • **natural.** Potencia discursiva del hombre. • **social.** Nombre y firma por las cuales es conocida una compañía mercantil. • **A r.** m. adv. Al respecto, al precio de. • **Dar r.** Noticiar, informar. • **En r. a** o **de.** m. adv. Por lo que pertenece o toca a alguna cosa. • **Principio de r. suficiente.** Principio según el cual nada es sin que haya una r. para que sea, o sin que haya una r. que explique que sea. Se atribuye a Leibniz su más completa descripción.

RAZONABLE adj. Arreglado, justo, conforme a razón. • fig. Justo, regular, suficiente en calidad o en cantidad. • adj. y s. Díc. de la persona que atiende a razones o que actúa de forma sensata.

RAZONAMIENTO m. Acción y efecto de razonar. • Serie de conceptos encaminados a demostrar una cosa, o a persuadir o mover a oyentes o lectores. • Raciocinio.

RAZONAR intr. Deducir unas ideas de otras para llegar a ciertas conclusiones. • Hablar, de cualquier modo que sea. • tr. Tratándose de dictámenes, cuentas, exponer, aducir las razones o los documentos en que se apoyan. ■ RAZONADO, DA; RAZONADOR, RA.

Rb *Quím.* Símb. del rubidio.

Re *Quím.* Símb. del renio.

RE Prep. insep. que denota reintegración o repetición; aumento; oposición o resistencia; movimiento hacia atrás; negación o inversión del significado del simple, como *des*; encarecimiento. • m. *Mús.* Nota, la segunda de la escala de *do.*

REA *Mit. gr.* Hija de Urano y de Gea, esposa de su hermano Cronos, hermana de los Titanes y madre de Zeus, Poseidón, Hades, Deméter, Hera y Hestia. • *Astr.* Quinto satélite de Saturno. • ***Silvia***

Tipos de algunas de las principales **razas.** De arriba abajo: australoide, caucasoide nórdica, negroide y mongoloide

En el sistema mecánico constituido por un hombre que empuja una vagoneta, las fuerzas F_1', F_2', F_3', F_4' y F_5' son las fuerzas de **reacción**, respectivamente, de F_1, F_2, F_3, F_4 y F_5

Mit. Hija de Numitor, rey de Alba Longa, madre de Rómulo y Remo.

REABRIR tr. y prnl. Volver a abrir lo que estaba cerrado.

REACCIÓN f. Acción que resiste o se opone a otra acción, obrando en sentido contrario a ella. • Respuesta del organismo a una excitación o estímulo. • Periodo de calor y frecuencia de pulso que en algunas enfermedades sucede al frío. • *Pol.* Tendencia tradicionalista, opuesta a las innovaciones. Designa también el conjunto de sus partidarios. • *Fís.* Fuerza de igual magnitud pero de distinto sentido que otra, llamada *acción*, de la que es consecuencia. • Acción orgánica que propende a contrarrestar la influencia de un agente morbífico. • *Quím.* Acción recíproca entre dos o más cuerpos, de la cual resultan otro u otros diferentes de los primitivos. • *Fís.* **en cadena.** *Fís.* y *Quím.* La que da origen a productos que por sí mismos ocasionan una reacción igual a la primera y así sucesivamente. • **nuclear.** *Fís.* Transformación de un núcleo atómico por interacción con otros núcleos o partículas elementales.

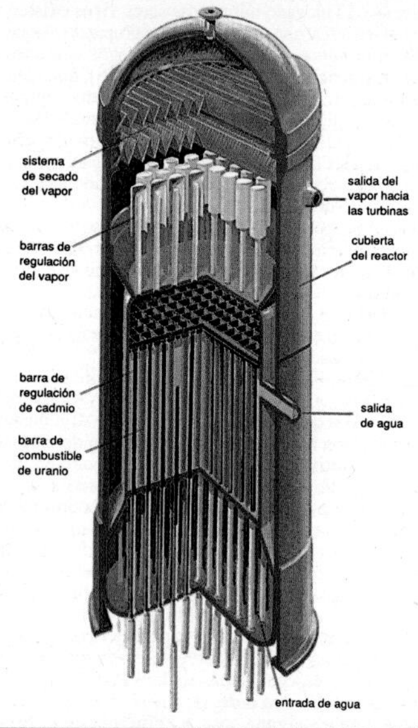

Esquema de un **reactor** nuclear

REACCIONAR intr. Actuar un ser por reacción de la actuación de otro. • Empezar a recobrar uno la actividad fisiológica que tenía perdida en apariencia. • Mejorar uno en su salud. • Salir de la postración. • Defenderse o rechazar un ataque o agresión. • Oponerse a algo que se cree inadmisible. • Cambiar de opinión o conducta ante un dato o hecho nuevo. • *Fís.* Producir un cuerpo una fuerza igual y contraria a la que actúa sobre él. • *Quím.* Actuar una sustancia en combinación con otra, produciendo una o varias nuevas sustancias.

REACCIONARIO, RIA adj. y s. Que propende a restablecer lo abolido. • Díc. de la persona que se opone a todo cambio o evolución de los sistemas sociales y económicos.

REACIO, CIA adj. Inobediente, remolón, renuente. • Que se resiste a hacer algo o a dejar que se actúe sobre él.

REACTANCIA f. *Electr.* Componente de la impedancia de un circuito de corriente alterna debido a la existencia de una autoinducción o una capacidad.

REACTIVACIÓN f. Acción y efecto de reactivar. • Recrudecimiento de los síntomas de una enfermedad latente al iniciarse un tratamiento específico.

REACTIVAR tr. Volver a activar.

REACTIVIDAD f. Capacidad para reaccionar frente a una causa concreta.

Ronald **Reagan**

REACTIVO, VA adj. Que produce reacción. • m. *Quím.* Sustancia que interviene activamente en una reacción. • *Quím.* En análisis, compuesto que produce fenómenos característicos que permiten el reconocimiento o la valoración de la sustancia examinada.

REACTOR, RA adj. Que reacciona. • m. Motor de reacción. • Avión que usa motor de reacción. • **atómico.** R. nuclear. • **nuclear.** *Fís.* Aparato o instalación para obtener energía atómica a partir de la desintegración de un material fisionable, como el uranio. Todo r. nuclear consta de combustible nuclear, moderador, reflector, barras de control, fluido refrigerante, envoltura metálica y muro de hormigón, sistema de alimentación y sistema complementario.

READAL adj. y f. *Bot.* Díc. de plantas del orden readales. • f. pl. *Bot.* Orden de plantas angiospermas dicotiledóneas, con hojas esparcidas, flores hermafroditas, y frutos gralte. en cápsula.

READAPTAR tr. y prnl. Adaptar de nuevo. • Reeducar, especialmente cuando las condiciones normales de un individuo se han visto alteradas por un accidente, lesión, reclusión. ■ READAPTACIÓN.

READING C. de Inglaterra, cap. del condado de Berkshire; 123 700 hab. Ind. alimentarias y mecánicas. Universidad.

READMISIÓN f. Admisión por segunda o más veces. • Entrada de impulsos eléctricos ya amplificados en un circuito amplificador con el fin de obtener una nueva amplificación.

READMITIR tr. Volver a admitir.

REAFIRMAR tr. y prnl. Afirmar de nuevo.

REAGAN, *Ronald* (nacido 1911) Político norteam. Actor cinematográfico de profesión, inició su carrera política en 1962 al afiliarse al Partido Republicano. Gobernador de California (1966-1974), fue elegido presid. en 1980 y reelegido en 1984. R., que llegó a la Casa Blanca con el objetivo de recuperar el liderazgo militar para EE UU, ha llevado a cabo una política exterior más agresiva que la de sus predecesores (intervenciones militares en Líbano, Libia y golfo Pérsico, invasión de Granada, hostigamiento a Nicaragua). Aunque ha apoyado planes de rearme nuclear (Iniciativa de Defensa Estratégica o «guerra de las galaxias»), en 1988 firmó un imp. tratado con la URSS para la reducción de los arsenales nucleares de ambas potencias. Cesó en 1989.

REAGINA f. *Fisiol.* Anticuerpo sérico perteneciente a las inmunoglobulinas, que aparece espontáneamente en individuos genéticamente predispuestos.

REAGRUPAR tr. y prnl. Agrupar de nuevo o de modo diferente. ■ REAGRUPACIÓN; REAGRUPAMIENTO.

REAJUSTAR tr. Volver a ajustar. • Por eufemismo, aumentar o subir precios, salarios, impuestos. ■ REAJUSTE.

REAL adj. Que tiene existencia verdadera y efectiva. • Relativo al rey o a la realeza. • Que procede de la autoridad del rey. • *Mar.* Decíase del navío de tres puentes y más de ciento veinte cañones. • adj. y m. *Mat.* Díc. de todo núm. que no es complejo. • Realista, partidario de la monarquía. • adj. y fig. Regio, grandioso, suntuoso. • fig. y fam. Muy bueno. • m. Campamento de un ejército, y especialmente el lugar donde está la tienda del rey o del general. Suele usarse en pl. • Campo donde se celebra una feria. • Moneda de plata castellano-leonesa creada en tiempos de Pedro I el Cruel. • Cuarta parte de la peseta. • Unidad monetaria de Brasil, desde 1994. • *Amér.* Moneda fraccionaria de distinto valor. • pl. *Amér. Centr.* Dinero. • **de minas.** *Méx.* Pueblo en cuyo distrito hay minas de plata.

REAL, *cordillera* Conjunto montañoso de Bolivia, en la parte oriental de los Andes. Alt. prales.: Illampú (6 421 m) e Illimani (6 882). En su parte occidental se abre el lago Titicaca.

REALCE m. Adorno o labor que sobresale en una superficie. • fig. Lustre, grandeza sobresaliente. • *Pint.* Parte del objeto iluminado, donde más activa y directamente tocan los rayos luminosos.

REALENGO, GA adj. Díc. de las ciudades y tierras que estaban sometidas directamente al poder real. • *Amér.* Vago. • *Méx.* y *P. Rico.* Sin dueño.

REALERA f. *Amér. Centr.* Especie de cuchillo usado por los campesinos.

REALERO m. despect. *R. de la Plata.* Taxista.

REALEZA f. Dignidad o soberanía real.
REALIA (voz latina) m. pl. *Ling.* Conjunto de elementos externos al sistema de una lengua, pero que a lo largo de la historia influyen sobre ella.
REALIDAD f. *Fil.* Existencia real y efectiva de una cosa. El concepto de r. equivale a ser, o existir, en contraposición a la apariencia o la mera posibilidad. Pero, dado que hay varias clases de ser, habrá también otras tantas clases de r. • **virtual** *Ing.* Sistema de inteligencia artificial que permite reconstruir y luego emitir imágenes y sensaciones táctiles similares a las que experimenta un ser humano. Para ver las imágenes y sentir las texturas, el usuario debe ponerse unos cascos y guantes especiales, a través de los cuales recibe la información sensorial.
REALIMENTACIÓN f. Característica de los sistemas de control y regulación de los servosistemas por la que la información tomada a la salida de los mismos provoca una modificación correctiva en el funcionamiento del sistema. Se utiliza también la voz ing. *feed-back.*
REALISMO m. *Fil.* Doctrina o sist. de los filósofos que atribuían realidad a las ideas generales. • Sist. estético que asigna como fin a las obras artísticas o literarias la imitación de la naturaleza. • **mágico.** Tendencia destinada a conferir nueva dimensión a la «ilusión de la realidad». • **socialista.** *Arte.* Las teorías de Marx y Plejánov sobre el arte condujeron a planteamientos estéticos específicamente socialistas, que en la década de 1920 empezaron a tomar cuerpo en las aportaciones teóricas y prácticas de autores como G. Lukács, B. Brecht, M. Gorki y otros. La misión del arte era para ellos concienciadora y revolucionaria, y su objetivo había de ser la crítica de la soc. burguesa, representada de modo realista. ■ REALISTA.
* *Lit.* Como mov. literario, el r. surge a mediados del s. XIX como reacción a la estética del romanticismo y está fundado en la observación de la soc. circundante. Suele señalarse como fecha de su aparición el éxito en Francia de las novelas de Balzac y en Gran Bretaña de las de Dickens. Pero el r. en su sentido más estricto es posterior a estos autores. Su apogeo en lit. corresponde a las últimas décadas del s. XIX y se manifiesta como un medio de crítica social, de técnica verista y de intención antiburguesa. Entre sus fig. más destacadas: Maupassant, Daudet y los Goncourt en Francia; Tolstoi, Gorki y Dostoievski en Rusia; Galdós, Pardo Bazán, Pereda, etc. en España; G. Keller en Alemania; Eliot, Thackeray y Bennett en Gran Bretaña y los escandinavos Ibsen y Strindberg.
REALIZAR tr. y prnl. Efectuar, hacer real y efectiva una cosa. • tr. Vender, convertir en dinero mercancías u otros bienes. • Dirigir una película o un programa de televisión. • prnl. Desarrollar o cumplir una persona sus aspiraciones. ■ REALIZACIÓN; REALIZADOR, RA.
REALQUILAR tr. Tomar en alquiler una vivienda o parte de ella, de otra persona que a su vez la tiene arrendada. ■ REALQUILADO, DA.
REALZAR tr. y prnl. Levantar o elevar una cosa más de lo que estaba. • tr. Labrar de realce. • tr. y prnl. fig. Ilustrar o engrandecer. • *Pint.* Tocar de luz una cosa.
REANIMACIÓN f. Acción y efecto de reanimar. • *Mex.* Conjunto de técnicas terapéuticas encaminadas a volver a su estado normal los centros vitales del organismo cuando éstos se han alterado.
REANIMAR tr. y prnl. Confortar, dar vigor, restablecer las fuerzas. • fig. Infundir ánimo y valor al que está abatido.
REANUDAR tr. y prnl. fig. Renovar o continuar el trato, estudio, trabajo, conferencia, etc., que se había interrumpido.
REAPARECER intr. Volver a aparecer o a mostrarse. ■ REAPARICIÓN.
REAPRETAR tr. Volver a apretar. • Apretar mucho.
REARAR tr. Volver a arar.
REARGÜIR tr. Argüir de nuevo sobre el mismo asunto. • Redargüir.
REARMAR tr. y prnl. Equipar nuevamente con armamento militar o reforzar el que ya existía. ■ REARME.
REASEGURO m. Contrato por el cual un asegurador toma a su cargo un riesgo ya cubierto por otro asegurador, sin alterar lo convenido entre éste y el asegurado. ■ REASEGURAR.
REASUMIR tr. Volver a tomar lo que antes se tenía o se había dejado. • Tomar en casos extraordinarios una autoridad superior las facultades de los demás. ■ REASUNCIÓN.
REATA f. Cuerda o correa que ata y une dos o más caballerías una detrás de otra. • Hilera de caballerías que van de reata. • Mula tercera que se añade al carro o coche de camino para tirar por delante. • *Mar.* Conjunto de vueltas espirales y contiguas que se da a un palo o a un cable, con otro cabo. • *Ecuad.* Cinta de algodón. • **Dar r.** *Amér. Centr.* Azotar. • **De r.** m. adv. Formando reata. • fig. y fam. Uno en pos de otro.
REATAR tr. Volver a atar. • Atar apretadamente. • Atar dos o más caballerías para que vayan las unas detrás de las otras. ■ REATADURA.
REATO m. Obligación de reparar o expiar la pena correspondiente al pecado, aun después de perdonado.
RÉAUMUR, ***René Antoine*** (1683-1757) Físico y naturalista fr. Inventó en 1730 el termómetro de alcohol con una escala de 0-80 (*escala R.*) y descubrió el vidrio opaco blanco conocido con el nombre de *porcelana de R.*
REAVENTAR tr. Volver a aventar o a echar al viento una cosa.
REAVIVAR tr. y prnl. Volver a avivar o avivar intensamente.
REBABA f. Porción de materia sobrante que sobresale irregularmente en sus bordes.
REBABAR tr. Quitar la rebaba.
REBAJAR tr. Hacer más bajo el nivel o superficie horizontal de un terreno u otro objeto. • Hacer nueva baja de una cantidad en las posturas. • Disminuir el precio de venta de una cosa. • Disminuir la alt. de un arco o bóveda a menos de lo que corresponde al semicírculo. • *Fot.* Reducir la intensidad de la imagen. • *Pint.* Aclarar un color. • tr. y prnl. fig. Humillar, abatir. • prnl. *Mil.* Quedar dispensado del servicio un militar. ■ REBAJA; REBAJADO, DA; REBAJADOR, RA; REBAJAMIENTO.
REBAJO m. Parte del canto de un madero u otra cosa, donde se ha disminuido el espesor por medio de un corte o ranura.
REBALAJE m. Remolino que forman las aguas al chocar con un obstáculo cualquiera. • Reflujo del agua del mar en las playas. • Zona de la playa donde ocurre el reflujo. • Escalón que el reflujo forma en la arena y cerca de la orilla.
REBALSA f. Porción de agua, que, detenida en su curso, forma balsa. • Porción de humor detenido en una parte del cuerpo.
REBALSAR tr., intr. y prnl. Detener y recoger el agua u otro líquido, de manera que haga balsa. • tr. y prnl. *Argent., Chile* y *Ur.* Desbordar el agua de una balsa los muros de ésta. ■ REBALSE.
REBANADA f. Porción delgada, ancha y larga que se saca de una cosa, y especialmente del pan, cortando de un extremo al otro.
REBANAR tr. Hacer rebanadas una cosa o de alguna cosa. • Cortar o dividir una cosa de una parte a otra.
REBANCO m. *Arq.* Segundo banco o zócalo que se pone sobre el primero.
REBAÑADERA f. Utensilio con que se sacan cosas caídas en un pozo.
REBAÑAR tr. Juntar y recoger alguna cosa sin dejar nada. ■ REBAÑADURA.
REBAÑO m. Hato grande de ganado, especialmente del lanar. • fig. Congregación de los fieles respecto de sus pastores espirituales. • fig. y fam. Conjunto de personas que se conducen de forma gregaria.
REBASAR tr. Pasar o exceder de cierto límite. • *Mar.* Pasar, navegando, más allá de un estorbo o peligro. ■ REBASADERO.
REBATE m. Reencuentro, combate, pendencia.
REBATIÑA f. Acción de disputarse unos a otros una cosa lanzada para que sea cogida por quien pueda hacerlo.
REBATIR tr. Rechazar o contrarrestar la fuerza o violencia de uno. • Volver a batir. • Batir mucho. • Redoblar, reforzar. • Rebajar de una suma una cantidad. • Impugnar, refutar. • fig. Resistir, rechazar. • *Esg.* Desviar la espada o sable del contrario. ■ REBATIBLE; REBATIMIENTO.
REBATO m. Llamada precipitada a los vecinos de uno o más pueblos, hecha por medio de campana u otra señal, con el fin de defenderse cuando sobreviene un peligro. • fig. Alarma o conmoción ocasionada por algún acontecimiento repentino. • Ataque repentino.

Realidad virtual

Realismo. Arriba, *El aventador*, de J. F. Millet. National Gallery, Londres; abajo, *La lavandera*, de H. Daumier. Museo del Louvre, París

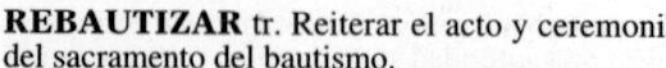

Rebeca y su familia. Miniatura de un códice del siglo XIII

Rebeco

Rebozo. *Dama con velo,* óleo de A. Roslin. Museo Nacional de Estocolmo

REBAUTIZAR tr. Reiterar el acto y ceremonia del sacramento del bautismo.
REBECA Personaje bíblico, esposa de Isaac y madre de Esaú y Jacob.
REBECO m. Gamuza, especie de antílope.
REBELARSE prnl. Levantarse contra la autoridad. • Romper cierta amistad o apartarse de ella. • fig. Oponer resistencia.
REBELDE adj. Indócil, desobediente, opuesto con tenacidad. • fig. Díc. del corazón o de la voluntad que no se rinde a los obsequios, y de las pasiones que no ceden a la razón. • Díc. de las enfermedades resistentes a los remedios. • adj. y s. Que se rebela o subleva, faltando a la obediencia debida. • Díc. de la persona difícil de educar o del animal que no se deja domesticar o amaestrar. • Díc. de las cosas que resultan difíciles de dominar. • *Der.* Díc. del que por no comparecer en el juicio, o por tener incumplida alguna orden o intimación del juez, es declarado por éste en rebeldía.
REBELDÍA f. Calidad de rebelde. • Acción propia del rebelde. • *Der.* Estado procesal del que, siendo parte en un juicio, no acude al llamamiento que formalmente le hace el juez o deja incumplidas las intimaciones de éste. • **En r.** m. adv. *Der.* En situación jurídica de rebelde.
REBELIÓN f. Acción y efecto de rebelarse. • *Der.* Delito contra el orden público, penado por la ley ordinaria y por la militar.
REBELÓN, NA adj. Aplícase al caballo o yegua que rehúsa volver a uno o a ambos lados moviendo la cabeza para eludir el efecto de la rienda.
REBENCUDO, DA adj. *Cuba.* Testarudo.
REBENQUE m. Látigo de cuero con el cual se castigaba a los galeotes. • Látigo recio de jinete. • *Mar.* Cuerda o cabo cortos. ■ REBENCAZO.
REBINA f. Tercia, tercera cava de las viñas.
REBINAR tr. Binar por segunda vez, dar a la tierra la tercera vuelta de arado. • Cavar por tercera vez la viñas.
REBISABUELO, LA m. y f. Tatarabuelo, tercer abuelo.
REBISNIETO, TA m. y f. Tataranieto, tercer nieto.
REBLANDECER tr. y prnl. Ablandar una cosa o ponerla tierna. ■ REBLANDECIMIENTO.
REBOBINAR tr. Volver a enrollar el hilo de una bobina. • Cambiar los arrollamientos de un motor eléctrico. • Arrollar hacia atrás el carrete o la bobina de una película fotográfica o cinematográfica, o de una cinta magnetofónica. ■ REBOBINADO, DA.
REBOCIÑO o **REBOCILLO** m. Mantilla o toca corta usada por las mujeres para rebozarse. • Toca ligera de lienzo banco, ceñida a la cabeza y al rostro.
REBOJO m. Residuo, desecho de algunas cosas, en especial de pan.
REBOLLEDO o **REBOLLAR** m. Sitio poblado de rebollos.
REBOLLIDURA f. Bulbo en el alma de un cañón mal fundido.
REBOLLO m. Planta arbórea, de hasta 25 m de alt., con hojas rígidas y frutos en bellota, también denominada marojo. • Brote de las raíces del melojo.
REBOLLUDO, DA adj. Fuerte, robusto, macizo.
REBOMBAR intr. Sonar ruidosa o estrepitosamente.
REBOÑO m. Suciedad o fango depositado en el cauce del molino.
REBORDE m. Saliente a lo largo del borde de una cosa. ■ REBORDEADOR; REBORDEAR.
REBOSAR intr. y prnl. Derramarse un líquido por encima de los bordes de un recipiente en que no cabe. • intr. y tr. Estar un lugar muy lleno de algo. • fig. Abundar con demasía una cosa. • intr. fig. Dar a entender con ademanes o palabras lo mucho que en lo interior se siente. ■ REBOSADERO; REBOSADURA O REBOSAMIENTO.
REBOTADERA f. Peine de hierro con que se levanta el pelo del paño que se ha de tundir.
REBOTADO, DA adj. y s. Díc. de la persona que ha abandonado su estado religioso o su actividad profesional.
REBOTAR intr. Botar repetidamente un cuerpo elástico, ya sobre el terreno, ya chocando con otros cuerpos. • Botar la pelota en la pared después de haber botado en el suelo. • Retroceder o cambiar de dirección un cuerpo en movimiento por haber chocado con un obstáculo. • tr. Redoblar o volver la punta de una cosa aguda. • Levantar con la rebotadera el pelo del paño que se va a tundir. • Resistir un cuerpo a otro forzándole a retroceder, rechazar. • tr. y prnl. Alterar el color y calidad de una cosa. • fam. Conturbar, sofocar, poner fuera de sí a una persona. ■ REBOTACIÓN; REBOTADURA.
REBOTE m. Acción y efecto de rebotar un cuerpo elástico. • Cada uno de los botes que después del primero da el cuerpo que rebota. • *Comp.* Vibraciones que se producen al abrir o cerrar un interruptor mecánico. Para eliminar estas vibraciones o ruidos molestos se usa un dispositivo de hardware o de software llamado *debouncing*. • **De r.** m. adv. fig. De rechazo, de resultas.
REBOTICA f. Habitación auxiliar de la farmacia que está detrás de ella. • Trastienda.
REBOTÓN m. Segunda hoja que echa la morera cuando la primera ha sido cogida.
REBOZAR tr. y prnl. Cubrir casi todo el rostro con la capa o manto. • tr. Bañar una vianda en huevo batido, harina, pan rallado, miel, etc.
REBOZO m. Modo de llevar la capa o manto cubriéndose con él el rostro. • Rebociño, mantilla. • fig. Simulación, pretexto. • *Méx.* Manto cuadrado usado por las mujeres.
REBOZUELO m. Hongo basidiomiceto de la familia agaricáceas, con sombrerillo amarillento o blanquecino en forma de embudo, muy apreciado en gastronomía.
REBRAMAR intr. Volver a bramar. • Bramar fuertemente. • Responder a un bramido con otro. ■ REBRAMO.
REBRINCAR intr. Brincar con alborozo.
REBROTAR tr. Volver a brotar las plantas. • Volver a vivir o ser lo que había perecido o se había amortiguado. ■ REBROTE.
RÉBSAMEN, ***Enrique Conrado*** (1857-1904) Pedagogo suizo, renovador de la enseñanza mex. Vivió en México desde 1885. *Guía metodológica para maestros y alumnos.*
REBUDIAR intr. Roncar el jabalí cuando siente gente o le da el viento de ella. ■ REBUDIO.
REBUFAR intr. Volver a bufar. • Bufar con fuerza. ■ REBUFE.
REBUFO m. Efecto que se produce cerca de la boca de fuego de un arma cuando, inmediatamente después de la salida del proyectil, salen los gases de la carga de proyección.
REBUJADO, DA adj. Enmarañado, enredado; en desorden.
REBUJAL m. Núm. de cabezas que en un rebaño exceden de 50 o de un múltiplo de 50.
REBUJAR tr. Envolver o cubrir algunas cosas.
REBUJINA o **REBUJIÑA** f. fam. Alboroto, bullicio popular.
REBUJO m. Embozo usado por las mujeres. • Envoltorio hecho descuidadamente. • Rebojo, redisuo o desecho de algunas cosas.
REBULL, ***Santiago*** (1827-1902) Pintor mex. Murales del castillo de Chapultepec. • **i Torroja,** ***Joan*** (1899-1981) Escultor y dibujante esp. Formó parte del grupo *Els evolucionistes.*
REBULLICIO m. Bullicio grande.
REBULLIR intr. y prnl. Empezar a moverse lo que estaba quieto.
REBULTADO, DA adj. Abultado, de mucho bulto.
REBUMBAR intr. Zumbar la bala de cañón. ■ REBUMBIO.
REBURUJAR tr. fam. Cubrir o revolver una cosa haciéndola un rebujo.
REBURUJÓN m. Rebujo, envoltorio mal hecho.
REBUSCA f. Acción y efecto de rebuscar. • Fruto que queda en los campos después de alzada la cosecha. • fig. Desecho, lo de peor calidad.
REBUSCAMIENTO m. Rebusca, acción y efecto de rebuscar. • Falto de fluidez, espontaneidad o naturalidad.
REBUSCAR tr. Escudriñar o buscar con cuidado. • Recoger el fruto que queda en los campos después de alzadas las cosechas. ■ REBUSCADOR, RA; REBUSCO.
REBUTIR tr. Embutir, rellenar.
REBUZNO m. Voz del asno. ■ REBUZNAR.
RECABAR tr. Alcanzar, conseguir con instancias

o súplicas lo que se desea. • Pedir alguien para sí lo que cree que le corresponde.
RECABARREN, ***Luis Emilio*** (1876-1924) Político chil. Fundador del Partido Obrero Socialista Chileno (1912).
RECABITA adj. y s. Díc. del individuo de una tribu israelita que vivía en estado seminómada, no acudía a las pob. sino en caso de peligro, y se abstenía de beber vino.
RECADO m. Mensaje o respuesta que de palabra se da o se envía a otro. • Memoria o recuerdo de la estimación o cariño que se tiene a una persona. • Regalo, presente. • Provisión de cosas compradas para el consumo diario. • Conjunto de objetos necesarios para hacer ciertas cosas. • Documento que justifica las partidas de una cuenta. • Precaución, seguridad. • *Art. Gráf.* Conjunto de tipos, signos, etc., que se aprovechan de un pliego para otro. • *Taur.* Aviso. • *Amér.* Conjunto de piezas que forman una montura. • *Nic.* Picadillo para rellenar empanadas. ■ RECADERO, RA.
RECAER intr. Volver a caer. • Caer nuevamente enfermo de una misma dolencia. • Reincidir en vicios, errores, etc. • Ser atribuida o adjudicada cierta cosa a alguien. ■ RECAÍDA.
RECALAR tr. y prnl. Penetrar poco a poco un líquido por los poros de un cuerpo seco, dejándolo húmedo o mojado. • fig. Aparecer por algún sitio una persona; ir a parar alguien a un lugar determinado. • intr. *Mar.* Llegar el buque, después de una navegación, a la vista de un punto de la costa. • Llegar el viento o la mar al punto en que se halla un buque o a otro lugar determinado. ■ RECALADA.
RECALCADO m. *Metal.* Operación de forja, inversa al estirado, que tiene por objeto disminuir la longitud de la pieza con el consiguiente aumento de sección.
RECALCAR tr. Ajustar, apretar mucho una cosa con otra o sobre otra. • Llenar mucho de una cosa un receptáculo, apretándola para que quepa más cantidad de ella. • fig. Tratándose de palabras, decirlas con lentitud y exagerada fuerza de exp. para que no pueda quedar duda alguna acerca de lo que con ellas quiere darse a entender. • intr. *Mar.* Aumentar la inclinación de un buque con respecto a la escora máxima alcanzada. • prnl. fig. y fam. Repetir una cosa muchas veces, como recreándose con las palabras. • fig. y fam. Ensancharse o extenderse uno en el asiento. ■ RECALCADA; RECALCADURA.
RECALCIFICAR tr. *Med.* Restaurar, por medio de una acción terapéutica, las sales de cal en los tejidos del organismo.
RECALCITRAR intr. Retroceder, volver atrás los pies. • fig. Resistir a obedecer una orden, un consejo. • fig. Excitar el ardor sexual. ■ RECALCITRANTE.
RECALENTAR tr. Volver a calentar. • Calentar demasiado. • *Metal.* Calentar un metal sin que la temperatura alcance a transformar su estructura, y enfriarlo luego, con el fin de eliminar gases y tensiones internos. • tr. y prnl. Causar excitación sexual. • prnl. Tratándose de ciertos frutos, echarse a perder por el excesivo calor. • Alterarse las maderas por la descomposición de la savia. • Tomar una cosa más calor del que conviene para su uso. • Elevarse la temperatura de una pieza mecánica de fricción o rodamiento. ■ RECALENTAMIENTO.
RECALESCENCIA f. *Fís.* Desarrollo de calor producido durante el enfriamiento de una sustancia.
RECALVASTRO, TRA adj. despec. Calvo desde la frente a la coronilla.
RECALZAR tr. *Agr.* Arrimar tierra alrededor de las plantas o árboles. • Hacer un recalzo. • Pintar sobre un dibujo. ■ RECALCE.
RECALZO m. Recalzón. • Reparo que se hace en los cimientos de un edificio ya construido.
RECALZÓN m. Pina de refuerzo que, sobrepuesta a la ordinaria de la rueda del carro, suple a la llanta de hierro.
RECAMAR tr. Bordar de realce. ■ RECAMADO, DA; RECAMADOR, RA.
RECÁMARA f. Cuarto dispuesto a continuación de la cámara, destinado para guardar los vestidos o alhajas de un personaje, especialmente yendo de camino. • *Min.* Sitio en el interior de una mina destinado a contener los explosivos. • Hornillo de la mina de guerra. • En las armas de fuego, lugar del ánima del cañón, en el cual se coloca la carga y el proyectil. • fig. y fam. Cautela, reserva, segunda intención. • *Amér.* Alcoba o aposento.
RECAMARERA f. *Méx.* Doncella o criada.
RECAMBIAR tr. Hacer segundo cambio o trueque. • Girar letra de resaca. • Colocar una pieza de recambio.
RECAMBIO m. Acción y efecto de recambiar. • Repuesto de piezas de una máquina, aparato o instrumento. • *Biol.* Renovación constante y periódica de todos los componentes bioquímicos y, por tanto, estructurales y oligodinámicos de un ser vivo.
RECAMO m. Recamado. • Especie de alamar hecho de galón, cerrado con una bolita al extremo.
RECANCANILLA f. fam. Modo de andar los muchachos como cojeando. • fig. y fam. Fuerza de expresión que se da a las palabras para que las note y comprenda bien el que las escucha.
RECANTACIÓN f. Refractación de algo.
RECANTÓN m. Poste de piedra para resguardar de los carruajes las esquinas de los edificios.
RECAPACITAR tr. y intr. Volver a pensar en una cosa, con detenimiento.
RECAPITULACIÓN f. Acto de recapitular. • **Regla de la r.** *Biol.* Hipótesis, hoy desacreditada, según la cual el embrión, a lo largo de su desarrollo, permite averiguar esquemáticamente la historia evolutiva del grupo al que pertenece.
RECAPITULAR tr. Resumir lo que por escrito o de palabra se ha expresado con extensión.
RECAREDO I (m. 601) Rey de los visigodos [586-601]. Durante su reinado, la monarquía visigoda se incorporó al catolicismo (III concilio de Toledo, 598), lo que fue un paso más en el proceso de romanización.
RECARGAR tr. Volver a cargar. • Aumentar carga. • Hacer nuevo cargo o inculpación a una acusado. • fig. Obligar a alguien a hacer demasiado trabajo. • fig. Agravar una cuota de impuesto u otra prestación que se adeuda. • fig. Adornar con exceso una persona o cosa. • tr. y prnl. *Med.* Aumentar la calentura. ■ RECARGO.
RECATAR tr. y prnl. Encubrir u ocultar lo que no se quiere que se vea o se sepa. • tr. Catar por segunda vez. • prnl. Mostrar recelo en tomar una resolución. ■ RECATA; RECATADO, DA; RECATO.
RECATEAR tr. Regatear, discutir el precio de una cosa; revender. • Rehusar la ejecución de una cosa.
RECATÓN, NA adj. Que vende al por menor. • Que regatea el precio mucho. • m. Regatón, cuento o virola de bastones y lanzas.
RECAUCHUTAR o **RECAUCHAR** tr. Reparar la cubierta del neumático de una rueda con parches de caucho. ■ RECAUCHUTADO, DA.
RECAUDACIÓN f. Acción de recaudar. • Cantidad recaudada. • Tesorería u oficina destinada para la entrega de caudales públicos. ■ RECAUDATORIO, RIA.
RECAUDAR tr. Cobrar o percibir caudales o efectos. • Asegurar, poner o tener en custodia, guardar. ■ RECAUDADOR; RECAUDAMIENTO.
RECAUDO m. Recaudación, acción de recaudar. • Precaución, cuidado. • Caución, fianza.
RECAVAR tr. Volver a cavar.
RECAZO m. Guarnición de la espada y de otras armas blancas. • Parte del cuchillo opuesta al filo.
RECCIÓN f. *Gram.* Régimen, dependencia entre elementos gramaticales.
RECEBO m. Arena o piedra muy menuda que se extiende sobre el firme de una carretera para igualarlo y consolidarlo. • Cantidad de líquido que se echa en los toneles que han sufrido alguna merma. ■ RECEBAR.
RECECHAR tr. Observar cuidadosamente con un fin, especialmente en la caza a espera. • Cazar andando cautelosamente, a fin de sorprender la pieza.
RECELADOR adj. y m. Díc. del caballo que se utiliza para comprobar si las yeguas están en celo. ■ RECELA; RECELAMIENTO; RECELO; RECELOSO, SA.
RECELAR tr. y prnl. Temer, desconfiar y sospechar. • tr. Poner el caballo frente a la yegua para incitarla o disponerla a que admita el burro garañón.
RECENSIÓN f. Noticia o reseña de una obra literaria o científica. ■ RECENSOR, RA.
RECENTADURA f. Porción de levadura que se deja reservada para fermentar otra masa.

Rebozuelo

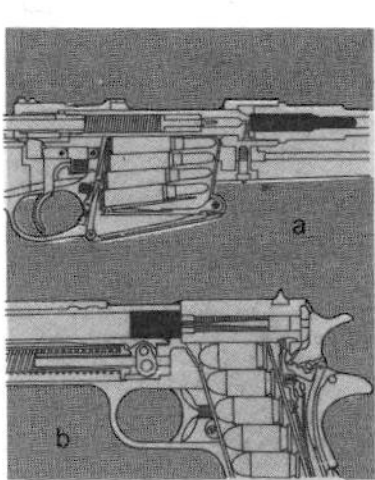

Recámara. a. de fusil; b. de pistola

Detalle de *La conversión de **Recaredo***, óleo de A. Muñoz Degrain. Palacio del Senado, Madrid

Recesvinto en una miniatura del Códice Albendense. Biblioteca de El Escorial, Madrid

RECENTAL adj. y s. Díc. del cordero y del ternero lechales.
RECENTAR tr. Poner en la masa la porción de levadura que se dejó reservada para fermentar. • prnl. Renovarse.
RECEÑIR tr. Volver a ceñir.
RECEPCIÓN f. Acción y efecto de recibir. • Admisión en un empleo, oficio o sociedad. • Despacho de un hotel u otro alojamiento público, en que se atiende a los clientes que llegan. • Ceremonia en que desfilan por delante de un rey o alto personaje ciertas personalidades. • Fiesta de etiqueta celebrada en una casa particular. • *Der.* Examen de los testigos. ■ RECEPCIONISTA.
RECEPTA f. Libro en que se llevaba la razón de las multas impuestas por el Consejo de Indias.
RECEPTÁCULO m. Cavidad susceptible de contener cualquier sustancia. • fig. Acogida, asilo, refugio. • *Bot.* Órgano floral que sirve de zona de inserción para las hojas florales o para toda una inflorescencia. • P. ext., cualquier órgano animal o vegetal que sirve para sostener o contener otros órganos o distintas sustancias.
RECEPTAR tr. *Der.* Ocultar o encubrir delincuentes o cosas que son materia de delito. • tr. y prnl. Recibir, acoger. ■ RECEPTADOR, RA.
RECEPTIVIDAD f. Capacidad de recibir. ■ RECEPTIVO, VA.
RECEPTO m. Retiro, asilo, lugar de seguridad.
RECEPTOR, RA adj. y s. Que recepta o recibe. • Díc. del motor que recibe la energía de un generador a distancia. • En electrónica, acústica, óptica, etc., díc. de todo aparato o sistema capaz de recibir señales. • *Biol.* Díc. de los órganos de los sentidos.
* *Biol.* En los vertebrados se habla de esteroceptores, que recogen información del medio ambiente, y de propioceptores, que la obtienen del medio interno. Son esteroceptores los r. de sensibilidad táctil, los de presión y temperatura, los de dolor, los auditivos, los visuales, etc. Los propioceptores, son los de la sensibilidad en los músculos, los del equilibrio, etc. Los viscerales (sensación de hambre, sed, apetito sexual, respiración, etc.) suelen llamarse interoceptores.
RECEPTORÍA f. Tesorería. • Oficio u oficina del receptor. • Despacho o comisión que lleva el receptor. • Comisión que se da a las justicias ordinarias para practicar ciertas diligencias judiciales, que por lo común se encargan a receptores.
RECERCADOR, RA adj. y s. Que recerca. • m. Herramienta para cincelar.
RECERCAR tr. Volver a cercar. • Cercar.
RECESAR intr. *Amér.* Cesar temporalmente en sus actividades una corporación. • *Perú.* Disolver un parlamento.
RECESIÓN f. Fase de crisis económica que precede a un periodo de depresión. • **de las galaxias.** *Astr.* Movimiento de alejamiento de las galaxias exteriores.
RECESIVO, VA adj. Que se retira, retrocede o se desvía. • adj. y s. *Biol.* Díc. de los caracteres hereditarios que no se manifiestan en el fenotipo del individuo que los posee, pero que pueden aparecer en la descendencia de éste.
RECESO m. Separación, apartamiento, desvío. • *Amér.* Suspensión, cesación, vacación.
RECESVINTO (m. 672) Rey de los visigodos [653-672]. Promulgó el *Liber iudiciorum*, que igualaba jurídicamente a godos e hispanorromanos.
RECETA f. Prescripción facultativa. • Nota escrita de esta prescripción. • Entre contadores, relación de partidas que se pasa de una contaduría a otra. • fig. Nota que comprende aquello de que debe componerse una cosa, y el modo de hacerla. • Fórmula apropiada para conseguir algo. • fig. y fam. Memoria de cosas que se piden.
RECETAR tr. Prescribir un medicamento, con expresión de su dosis, preparación y uso. • fig. y fam. Pedir alguna cosa de palabra o por escrito.
RECETARIO m. Nota de todo lo que el médico ordena que se suministre al enfermo, tanto de alimentos como de medicinas. • Conjunto de recetas, o notas en las que se indica el modo de hacer una cosa. • Libro de medicinas usuales y de su composición.
RECETOR m. Receptor. • Tesorero que recibe caudales públicos. ■ RECETORÍA.

Vista de **Recife**

RECHAZAR tr. Resistir un cuerpo a otro, forzándole a retroceder en su curso o movimiento. • *Med.* Reaccionar el organismo de forma negativa frente a la introducción de un cuerpo extraño, y tender a su eliminación; tal sucede especialmente en el caso de órganos trasplantados. • fig. No aceptar a una persona. • fig. Resistir al enemigo, obligándolo a ceder. • fig. Contradecir lo que otro expresa o no admitir lo que propone u ofrece. • fig. Rehusar o denegar una petición. ■ RECHAZO.
RECHIFLAR tr. Silbar con insistencia. • prnl. Burlarse de alguien, ridiculizarlo. ■ RECHIFLA.
RECHINAR intr. Hacer o causar una cosa un sonido desagradable por ludir con otra. • fig. Entrar mal o con disgusto en una cosa que se propone o dice, o hacerla con repugnancia. • prnl. *Amér. Centr.* Quemarse. ■ RECHINAMIENTO.
RECHISTAR intr. Chistar, decir algo o iniciar una voz. Se usa más en sentido negativo.
RECHONCHO, CHA adj. fam. Díc. de la persona o animal gruesos y de poca altura.
RECHUPE m. *Metal.* Defecto de los lingotes consistente en la oclusión de bolsas de aire en su interior, debido a un enfriamiento excesivamente rápido.
RECHUPETE *(De)* loc. fam. Muy exquisito y agradable.
RECIARIO m. Gladiador sin coraza cuyas armas eran la red, el puñal y el tridente.
RECIBÍ m. Fórmula usada en documentos para expresar que se ha recibido lo que en ellos se declara.
RECIBIDOR, RA adj. y s. Que recibe. • m. Antesala o vestíbulo.
RECIBIMIENTO m. Recepción, acción y efecto de recibir. • Acogida buena o mala que se hace al que viene de fuera. • En algunas partes, antesala. • En otras, sala principal. • Visita general en que una persona recibe a sus amistades. • En algunas partes, altar que se hace en las calles para las procesiones del Santísimo Sacramento, donde ha de haber estación. • Manifestación de agrado o desagrado con que se recibe públicamente a una persona.
RECIBIR tr. Tomar uno lo que le dan o le envían. • Percibir una cantidad. • Sustentar, sostener un cuerpo a otro. • Padecer uno el daño que otro le hace o casualmente le sucede. • Admitir dentro de sí una cosa a otra. • Admitir, aceptar, aprobar una cosa. • Admitir uno a otro en su compañía o comunidad. • Admitir visitas una persona. • Esperar o hacer frente al que acomete, con ánimo y resolución de resistir o rechazarle. • Asegurar con yeso u otro material un cuerpo que se introduce en la obra. • prnl. Tomar uno una investidura o un título académico. ■ RECIBIDERO, RA.
RECIBO m. Acción y efecto de recibir. • En algunas partes, antesala. • En otras partes, sala principal. • Recibidor, pieza de entrada a una vivienda. • Recibimiento, visita general en que una persona recibe a todas las de su amistad. • Documento por el cual quien lo firma declara haber recibido alguna cosa o una cantidad en metálico.
RECICLAJE m. Recuperación y reutilización de un producto, como el papel, el vidrio, etc. • Conjunto de enseñanzas complementarias que actualizan la formación de los profesionales. • P. ext., puesta al día.
RECICLAR tr. Someter repetidamente una materia a un mismo ciclo, para ampliar o incrementar los efectos de éste.
RECIDIVA f. *Med.* Reaparición de una enfermedad padecida anteriormente y que ya parecía curada. ■ RECIDIVAR.
RECIEDUMBRE f. Fuerza, fortaleza o vigor.
RECIÉN adv. tiempo. Sucedido poco antes. Se usa siempre antepuesto a los participios pasivos.
RECIENTE adj. Nuevo, fresco o acabado de hacer.
RECIFE (ant. *Pernambuco*) C. del NE de Brasil, cap. del est. de Pernambuco; 1 290 000 hab. Puerto exportador de productos tropicales. Ind. químicas, textiles, alimentarias, del papel y del calzado. Universidad. Aeropuerto.
RECINCHAR tr. Fajar una cosa con otra, ciñéndola.
RECINTO m. Espacio comprendido dentro de ciertos límites.
RECIO, CIA adj. Fuerte, robusto, vigoroso. • Grueso, gordo o abultado. • Áspero, duro de genio. •

Duro, grave, difícil de soportar. • Díc. del terreno grueso y sustancioso. • Hablando del tiempo climatológico, riguroso, rígido. • Veloz, impetuoso. • adv. modo. Con reciedumbre. • Con rapidez, ímpetu o precipitación.

RÉCIPE m. Palabra que, con el significado de tómese, encabeza abreviadamente (R/) las recetas médicas. • fam. Receta médica. • fig. y fam. Desazón o disgusto que se da a uno.

RECIPIENDARIO m. El que es recibido solemnemente en una corporación para formar parte de ella.

RECIPIENTE adj. Que recibe. • m. Cavidad o utensilio en que puede contenerse algo. • Vaso donde se reúne el líquido que destila un alambique. • Campana de vidrio o cristal que, colocada sobre la platina de la máquina neumática, cierra el espacio en que se hace el vacío.

RECIPROCACIÓN f. Reciprocidad. • Manera de ejercerse la acción del verbo recíproco.

RECIPROCAR tr. Hacer que dos cosas se correspondan. • Responder a una acción con otra semejante. • prnl. Corresponderse una cosa con otra.

RECIPROCIDAD f. Correspondencia mutua de una persona o cosa con otra. • *Antr.* Intercambio mutuo de bienes y servicios entre personas o grupos domésticos, característico de muchas sociedades no estatales y presente también en las relaciones económicas de nuestra misma sociedad de una manera periférica. • *Hist.* Resultado de un acuerdo entre Est. por el que se establece una igualdad de privilegios.

RECÍPROCO, CA adj. Igual en la correspondencia de uno a otro. • adj. y s. *Gram.* Díc. de los pron. y verbos de las oraciones que tienen por sujeto dos o más personas, cada una de las cuales ejerce una acción sobre las otras y la recibe de ellas. • *Mat.* Inverso; al operar dos elementos recíprocos o inversos se obtiene el elemento unidad.

RECITÁCULO m. Escena, lugar donde ant. se recitaba.

RECITADO m. Composición musical usada en la poesía narrativa y en los diálogos.

RECITAL m. Audición o concierto ofrecido por uno o varios artistas o instrumentistas.

RECITANTE, TA m. y f. Comediante o farsante.

RECITAR tr. Referir, contar o decir en voz alta un discurso u oración. • Decir o pronunciar de memoria y en voz alta, versos, discursos, etc. ■ RECITACIÓN.

RECITATIVO, VA adj. y m. Díc. de la declamación que es un término medio entre la recitación y el canto.

RECIURA f. Calidad de recio. • Rigor del tiempo o de la estación.

RECKLINGHAUSEN C. de la Alemania, en el est. de Renania Septentrional-Westfalia; 118 000 hab. Sit. en la cuenca hullera del Ruhr. Ind. química y metalúrgica. Puerto en el canal Rin-Herne.

RECLAMAR intr. Clamar contra una cosa. • Resonar. • tr. Clamar o llamar con repetición o insistencia. • Pedir con derecho o con insistencia. • Llamar a las aves con el reclamo. • *Der.* Llamar una autoridad a un prófugo, o pedir el juez competente el reo o la causa en que otro entiende indebidamente. • tr. y prnl. Llamarse unas a otras ciertas aves de una especie. • intr. *Mar.* Izar una vela o halar un aparejo hasta que las relingas de aquélla o los guarnes de éste queden muy tensos. ■ RECLAMACIÓN.

RECLAME m. *Mar.* Cajera de los cuellos de los masteleros. • *Amér.* Anuncio publicitario.

RECLAMO m. Ave amaestrada que se lleva a la caza para que con su canto atraiga otras de su especie. • Voz con que un ave llama a otra de su especie. • Instrumento para llamar a las aves en la caza imitando su voz. • Sonido de este instrumento. • Voz o grito con que se llama a uno. • Señal hecha en los impresos o manuscritos para atraer la atención del lector. • Artificio publicitario para atraer y retener la atención en una dirección prevista. • fig. Cualquier cosa que atrae. • *Der.* Reclamación contra lo que es injusto.

RECLE o **RECÉSIT** o **RECRE** m. Tiempo que se permite a los prebendados no asistir al coro.

RECLINAR tr. y prnl. Inclinar el cuerpo, o parte de él, apoyándolo sobre alguna cosa. • Inclinar una cosa apoyándola sobre otra. ■ RECLINACIÓN; RECLINATORIO.

RECLUIR tr. y prnl. Encerrar o poner en reclusión. ■ RECLUSO, SA.

RECLUS, *Elisée* (1830-1905) Geógrafo y teórico anarquista fr. *Nueva geografía universal, El hombre y la tierra.*

RECLUSIÓN f. Retiro o encierro. • Sitio en que uno está recluido. • *Amér. Centr.* Cárcel de mujeres. • *Der.* Pena privativa de libertad, que debe cumplirse en establecimientos penitenciarios de régimen menos severo que el de la prisión.

RECLUSORIO m. Reclusión, sitio en que uno está recluido.

RECLUTA m. Mozo alistado voluntariamente en el ejército. • P. ext., mozo alistado por sorteo para el servicio militar. • P. ext., soldado muy bisoño. • f. Alistamiento. • *Argent.* Acción de reunir el ganado disperso.

RECLUTAR tr. Alistar reclutas. • P. ext., buscar o allegar gente para una obra o un propósito determinado. ■ RECLUTADOR; RECLUTAMIENTO.

RECOBRAR tr. Recuperar, volver a tomar o adquirir lo que antes se tenía o poseía. • prnl. Repararse de un daño recibido. • Desquitarse, reintegrarse de lo perdido. • Recuperarse de la enajenación del ánimo o de los sentidos, o de un accidente o enfermedad. ■ RECOBRO.

RECOCER tr. Volver a cocer. • *Metal.* Caldear los metales para que adquieran de nuevo la ductilidad o el temple que suelen perder al trabajarlos. • tr. y prnl. Cocer mucho una cosa. • fig. Atormentarse, consumirse interiormente por la vehemencia de una pasión. ■ RECOCIDO, DA.

RECOCHINEARSE prnl. Burlarse de alguien de forma reiterada o con cierto ensañamiento. ■ RECOCHINEO, A.

RECOCHO, CHA adj. y s. Muy cocido.

RECOCINA f. Cuarto auxiliar y contiguo a la cocina.

RECODAR intr. y prnl. Recostarse a descansar sobre el codo. • intr. Formar recodo un río, un camino, etc. ■ RECODADERO.

RECODO m. Ángulo o revuelta que forman las calles, caminos, ríos, etc., torciendo la dirección que traían.

RECOGEDOR, RA adj. Que recoge o da acogida a uno. • m. Pala con la que se recoge la basura o las barreduras del suelo.

RECOGER tr. Volver a coger. • Juntar personas o cosas separadas o dispersas. • Hacer la recolección de los frutos. • Encoger, estrechar o ceñir. • Coger una cosa y guardarla, especialmente al terminar de usarla o al final de un trabajo. • Ir juntando y guardando poco a poco, especialmente el dinero. • Dar asilo, acoger a uno. • Encerrar a uno por loco o insensato. • Suspender el uso o curso de una cosa para enmendarla o para que no tenga efecto. • fig. Obtener los resultados de una actuación anterior. • fig. Retener algo que se ha visto u oído. • prnl. Retirarse, acogerse a una parte. • Apartarse de la comunicación y trato con las gentes. • Ceñirse, moderarse, reformarse en los gastos. • Retirarse a dormir o descansar. • Retirarse a casa. • fig. Apartarse o abstraerse el espíritu de todo lo terreno que le pueda impedir la meditación o contemplación. ■ RECOGEDERO.

RECOGIDO, DA adj. Que tiene recogimiento y vive retirado del trato y comunicación de las gentes. • Aplícase al animal que es corto de tronco. • Reducido, que ocupa poco espacio. • adj. y f. Díc. de la mujer que vive retirada en determinada casa, con clausura voluntaria o forzosa. • f. Acción y efecto de recoger. • Suspensión del uso o curso de una cosa. • **Recogida de datos.** *Comp.* Acción de reunir la información que se va a procesar en un punto central del sistema.

RECOLAR tr. Volver a colar un líquido.

RECOLECCIÓN f. Acción y efecto de recolectar. • Recopilación, resumen o compendio. • Cosecha de los frutos. • Cobranza, recaudación de frutos o dineros. • En algunas religiones, observancia más estrecha de la regla que la que comúnmente se guarda. • Convento o casa en que se guarda y observa más estrechez que la común de la regla. • fig. Casa particular en que se observa recogimiento. • Recogimiento y atención a Dios y a las cosas divinas.

El tenor José Carreras, durante un **recital**

Estructura de **recocido** de una aleación de acero y latón

Recolectar. Proceso de recolección mecánica de algodón en Georgia (EE UU)

RECOLECTAR tr. Juntar personas o cosas dispersas. • Recoger la cosecha. ■ RECOLECTOR.
RECOLEGIR tr. Colegir, juntar, reunir.
RECOLETO, TA adj. Díc. del convento o casa en que esta práctica se observa. • fig. Díc. del lugar retirado y solitario. • adj. y s. Aplícase al religioso que guarda recolección u observancia estrecha de la regla. • fig. Díc. del que vive con retiro y abstracción, o viste modestamente.
RECOMBINACIÓN f. *Biol.* Mecanismo de intercambio genético entre los filamentos de ADN de los cromosomas homólogos de una determinada célula. Se verifica en la profase de la primera división meiótica.
RECOMENDAR tr. Encargar, pedir o dar orden a uno para que tome a su cuidado una persona o asunto. • Hablar o interceder por uno, elogiándolo. • Aconsejar a alguien una cosa que le beneficia. • tr. y prnl. Hacer digno de aprecio o estima a uno. ■ RECOMENDABLE; RECOMENDACIÓN; RECOMENDATORIO, RIA.
RECOMENZAR tr. Volver a comenzar.
RECOMERSE prnl. Concomerse.
RECOMPENSAR tr. Compensar el daño hecho. • Retribuir o remunerar un servicio. • Premiar un beneficio o favor, virtud o mérito. ■ RECOMPENSA; RECOMPENSABLE.
RECOMPONER tr. Componer de nuevo, reparar.
RECOMPOSICIÓN f. Acción y efecto de recomponer. • *Ling.* Reconstrucción de un elemento de una palabra compuesta según la forma de uno de los componentes simples.
RECÓN m. *Biol.* Unidad genética de recombinación dentro de un gen. Se establece por las distintas frecuencias de recombinación para un determinado carácter.
RECONCENTRAR tr. y prnl. Introducir, internar una cosa en otra. • Reunir en un punto, como centro, lo que estaba esparcido. • tr. fig. Disimular, ocultar o callar profundamente un sentimiento o afecto. • prnl. fig. Abstraerse, ensimismarse. ■ RECONCENTRACIÓN; RECONCENTRAMIENTO.
RECONCILIAR tr. y prnl. Volver a la amistad o hacer que vuelvan a ser amigas dos o más personas que habían dejado de serlo. • Restituir al seno de la Iglesia a uno que se había separado de sus doctrinas. • tr. Oír una breve o ligera confesión. • Bendecir un lugar sagrado, por haber sido violado. • prnl. Confesarse de algunas culpas ligeras u olvidadas en otra confesión que se acaba de hacer. ■ RECONCILIACIÓN.
RECONCOMERSE prnl. Impacientarse por la picazón o molestia análoga. • fig. Impacientarse por una molestia moral. ■ RECONCOMIO.
RECÓNDITO, TA adj. Muy escondido, reservado y oculto. ■ RECONDITEZ.
RECONDUCIR tr. *Der.* Prorrogar tácita o expresamente un arrendamiento. ■ RECONDUCCIÓN.
RECONFORTAR tr. Confortar de nuevo o con energía y eficacia.
RECONOCER tr. Examinar con cuidado a una persona o cosa para enterarse de su identidad, naturaleza y circunstancias. • Registrar, mirar por todos sus lados o aspectos una cosa para acabarla de comprender o para rectificar el juicio antes formado sobre ella. • Registrar, para enterarse del contenido, un baúl, maleta, etc., como se hace en las aduanas y administraciones de otros impuestos. • *Pol.* En las relaciones internacionales, aceptar un nuevo estado de cosas. • Examinar de cerca un campamento, fortificación o posición militar del enemigo. • Confesar con cierta publicidad la dependencia, subordinación o vasallaje en que se está respecto de otro, o la legitimidad de la jurisdicción que ejerce. • Confesar la certeza de lo que otro dice o la obligación de gratitud que se le debe por sus beneficios. • Considerar, advertir o contemplar. • Dar uno por suya, confesar que es legítima, una obligación en que suena su nombre. • Distinguir de las demás personas a una, por sus rasgos propios. • Construido con la prep. *por*, conceder a uno, con la conveniente solemnidad, la cualidad y relación de parentesco que tiene con el que ejecuta este reconocimiento, y los derechos consiguientes. • Construido con la prep. *por*, acatar como legítima la autoridad, superioridad o cualquier otra cualidad de uno. • *Med.* Examinar a una persona para averiguar el estado de su salud o para diagnosticar una presunta enfermedad. • prnl. Dejarse comprender por ciertas señales una cosa. • Confesarse culpable de un error, falta, etc. • Tenerse uno a sí propio por lo que es en realidad, hablando de mérito, talento, fuerzas, recursos, etc. ■ RECONOCEDOR, RA; RECONOCIDO, DA.
RECONOCIMIENTO m. Acción y efecto de reconocer o reconocerse. • Gratitud. • **de formas.** *Comp.* Disciplina desarrollada dentro del marco de la inteligencia artificial, dedicada especialmente al análisis de los mecanismos mentales que intervienen en la adquisición y reconocimiento de la información proporcionada por el mundo exterior, así como en la elaboración de sistemas informáticos capaces de realizar estas mismas funciones.
RECONQUISTA f. Acción y efecto de reconquistar. • P. ant., se conoce con ese nombre el proceso llevado a cabo por los reinos cristianos de la pen. Ibérica para recuperar el territorio ocupado por los musulmanes (711-1492). Se considera formalmente que la R. occidental se inicia con la batalla de Covadonga en 718, afianzándose en los reinos de Asturias, León y Castilla; la R. oriental (corona catalanoaragonesa) se inicia en los valles pirenaicos en la primera mitad del s. IX. La R., ya unidos los reinos de la Pen., terminó en 1492 con la conquista de Granada por los Reyes Católicos.
RECONQUISTA C. de Argentina, en la prov. de Santa Fe; 33 100 hab. Ind. alimentarias.
RECONQUISTAR tr. Volver a conquistar una plaza, prov. o reino. • fig. Recuperar algo que se había perdido.
RECONSIDERAR tr. Volver a considerar.
RECONSTITUIR tr. y prnl. Volver a constituir, rehacer. • Dar o devolver a la sangre y al organismo sus condiciones normales. ■ RECONSTITUCIÓN.
RECONSTITUYENTE adj. Que reconstituye. • adj. y m. Díc. del medicamento que ayuda a la reconstitución del organismo.
RECONSTRUCTOR, RA adj. Que reconstruye. • **espacial dinámico.** *Med.* Nueva técnica de exploración radiológica que permite ver los órganos en tres dimensiones y en movimiento. Su pral. aplicación consiste en obtener una visión tridimensional del corazón y de la distribución y movimiento de la sangre en este órgano y en los pulmones.
RECONSTRUIR tr. Volver a construir. • Recomponer las partes que faltan a un edificio. • Rehacer algo que se ha roto o descompuesto en partes. • fig. Unir, evocar recuerdos o ideas para completar el conocimiento de un hecho o el concepto de una cosa. ■ RECONSTRUCCIÓN; RECONSTRUCTIVO, VA.
RECONTAR tr. Contar o volver a contar el núm. de cosas. • Referir, narrar.
RECONTENTO, TA adj. Muy contento. • m. Gran contento o alegría.
RECONVALECER intr. Volver a convalecer.
RECONVENIR tr. Reprender a uno, arguyéndole ordinariamente con su propio hecho o palabra. • *Der.* Ejercitar el demandado acción contra el promovedor del juicio. ■ RECONVENCIÓN.
RECONVERTIR tr. Hacer volver a su estado primero o a su creencia anterior aquello que había sufrido una transformación. ■ RECONVERSIÓN.
RECOPILACIÓN f. Compendio, resumen o reducción breve de una obra o un discurso. • Colección de escritos diversos. • Colección ordenada de las disposiciones legislativas vigentes. • **de Leyes de los Reinos de Indias.** *Hist.* Nombre que recibe la r. de las disposiciones legales dicta-

Reconquista. De arriba abajo: pendón tomado a los musulmanes en la batalla de las Navas de Tolosa. Monasterio de las Huelgas, Burgos; detalle del mural de la conquista de Mallorca. Palacio Aguilar, Barcelona; episodio de la conquista de Granada. Talla en madera de la catedral de Toledo

das por la corona de Castilla, concernientes a la administración de los terr. del Nuevo Mundo y que fue promulgada en la época de Carlos II (1680), manteniéndose en vigencia durante toda la etapa colonial. Con anterioridad, se habían intentado otras muchas r., unas de carácter local y otras gral., que recogieran la gran cantidad de disposiciones legales iniciadas a partir de 1492 con las capitulaciones de Santa Fe.

RECOPILAR tr. Juntar en compendio, recoger o unir diversas cosas. Díc. especialmente de escritos literarios. ■ RECOPILADOR, RA.

RÉCORD (voz ing.) m. Marca, proeza deportiva, comprobada oficialmente, que supera el resultado de las anteriores. • P. ext., cualquier cosa que supera un logro anterior.

RECORDAR tr. e intr. Traer a la memoria una cosa. • Retener algo en la memoria. • tr., intr. y prnl. Excitar y mover a uno a que tenga presente una cosa de que se hizo cargo o que tomó a su cuidado. • tr. y prnl. Parecerse una persona o una cosa a otra. • Sugerir un hecho otro que tiene alguna característica semejante. ■ RECORDABLE; RECORDACIÓN; RECORDATIVO, VA.

RECORDATORIO, RIA adj. Díc. de lo que sirve para recordar. • m. Aviso, advertencia para hacer recordar alguna cosa. • Esquela con que se conmemora algún suceso. • Impreso breve en que con fines religiosos se recuerda la fecha de la primera comunión, votos, etc. de una persona.

RECORRER tr. Con nombre que exprese espacio o lugar, ir o transitar por él. • Pasar una cosa por un sitio. • Registrar, examinar con la mirada. • Repasar o leer ligeramente un escrito. • Reparar lo que estaba deteriorado. • *Art. Gráf.* Justificar la composición pasando letras de una línea a otra, a consecuencia de enmiendas o de variación en la medida de la página. • intr. Recurrir, acudir o acogerse.

RECORRIDO m. Espacio que ha recorrido, recorre o ha de recorrer una persona o cosa. • Acción de repasar lo que está deteriorado. • fig. y fam. Reprensión o corrección a uno por una falta. • *Art. Gráf.* Acción y efecto de recorrer lo compuesto. • *Mat.* Conjunto de todos los valores alcanzados por una función.

RECORTABLE adj. Que se puede recortar. • m. Papel o cartulina con dibujos para que los niños lo recorten.

RECORTADO, DA adj. Díc. de aquellas cosas cuyo contorno presenta muchos entrantes y salientes. • *Bot.* Díc. de las hojas y otras partes de las plantas cuyos bordes tienen muchas desigualdades. • m. Recorte, acción y efecto de recortar. • Figura recortada de papel.

RECORTADURA f. Recorte, acción y efecto de recortar. • pl. Recortes, porciones sobrantes de lo que se corta.

RECORTAR tr. Cortar o cercenar lo que sobra en una cosa. • Cortar el papel u otra cosa en varias figuras. • Quitar una parte de una cosa. • *Pint.* Señalar los perfiles de una figura.

RECORTE m. Acción y efecto de recortar. • Cosa recortada. • Noticia de un periódico que se recorta. • *Guat., Méx.* y *Nic.* Crítica de una persona ausente. • *Taur.* Regate para evitar la cogida del toro. • pl. Porciones excedentes que por medio de un instrumento cortante se separan de cualquier materia.

RECORVAR tr. y prnl. Poner corvo. ■ RECORVO, VA.

RECOSER tr. Volver a coser. • Componer, zurcir o remendar la ropa, y especialmente la blanca.

RECOSTAR tr. y prnl. Reclinar la parte superior del cuerpo el que está de pie o sentado. • Inclinar una cosa sobre otra. ■ RECOSTADERO.

RECOVA f. Compra de huevos, gallinas, etc. que se hace por los pueblos para revenderlas. • Paraje público en que se venden aves domésticas. • Cuadrilla de perros de caza. • *Amér.* Mercado temporal. ■ RECOVERO, RA.

RECOVECO m. Vuelta y revuelta de un callejón, pasillo, arroyo, etc. • fig. Rodeo de que uno se vale para conseguir un fin. • *Méx.* Adorno muy complicado.

RECREAR tr. Crear o producir de nuevo alguna cosa. • tr. y prnl. Divertir, alegrar o deleitar. ■ RECREACIÓN; RECREATIVO, VA.

RECRECER tr. e intr. Aumentar, acrecentar una cosa. • intr. Ocurrir u ofrecerse una cosa de nuevo. • prnl. Reanimarse, cobrar bríos.

RECREMENTO m. *Fisiol.* Humor que, después de segregado, vuelve a ser absorbido por el organismo para ciertos fines vitales. ■ RECREMENTICIO, CIA.

RECREO m. Acción de recrearse o divertirse. • Suspensión de la clase para descansar o jugar los escolares. • Sitio apto para diversión. • *Amér. Centr.* Concierto diurno ejecutado por una banda militar en un jardín público.

RECRÍA f. Procedimiento para la obtención de ejemplares o animales selectos, mediante cruce de razas o inseminación artificial.

RECRIAR tr. Fomentar, a fuerza de pasto y pienso, el desarrollo de potros u otros animales criados en región distinta. • fig. Dar a un ser nuevos elementos de vida y fuerza para su completo desarrollo.

RECRIMINAR tr. Reprender, censurar a una persona su comportamiento. • Responder a cargos o acusaciones con otros u otras. • prnl. Reprocharse algo dos o más personas. ■ RECRIMINACIÓN.

RECRISTALIZACIÓN f. *Quím.* Proceso durante el cual se repiten varias veces las operaciones de cristalización de una sustancia, a fin de obtenerla con un mayor grado de pureza. • *Metal.* Cambio rápido de la estructura cristalina de un metal debido a una variación de la temperatura.

RECRUDECER intr. y prnl. Tomar nuevo incremento un mal, material o inmaterial, después de haber empezado a remitir o ceder. ■ RECRUDECIMIENTO O RECRUDESCENCIA.

RECRUJIR intr. Crujir mucho.

RECRUZAR tr. Cruzar de nuevo o cruzar dos veces.

RECTANGULAR adj. Relativo al ángulo recto. • Que tiene uno o más ángulos rectos. • Que contiene uno o más rectángulos. • Que tiene forma de rectángulo.

RECTÁNGULO adj. y m. que tiene los ángulos rectos. • *Geom.* Cuadrilátero cuyos cuatro ángulos son rectos.

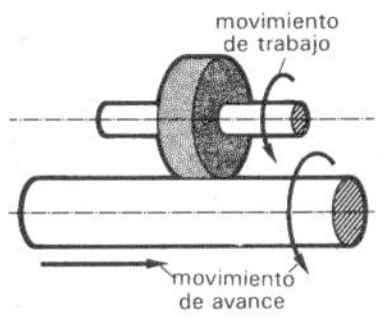

Rectificado. Movimientos de la herramienta de trabajo y de avance de la pieza trabajada

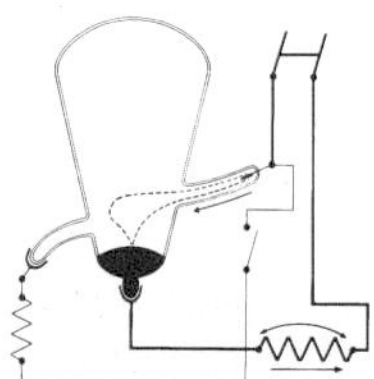

Rectificador. Arriba, grupo de rectificadores de vapor de mercurio; abajo, esquema de su funcionamiento

RECTIFICACIÓN f. Acción y efecto de rectificar o rectificarse. • *El.* Obtención de una tensión continua a partir de otra alterna. • *Quím.* Destilación fraccionada de un líquido para purificarlo o separar sus componentes. • *Mat.* A partir de un arco de curva, obtención de un segmento de recta de la misma longitud; cálculo de la longitud de un segmento de curva. • *Mec. apl.* Rectificado. • *Top.* Proyección de una fotografía oblicua sobre una superficie horizontal de referencia.

RECTIFICADO m. *Mec. apl.* Corrección definitiva de una superficie arrancando virutas muy finas La herramienta empleada es la rectificadora.

RECTIFICADOR, RA adj. Que rectifica. • *Quím.* Díc. de una columna de destilación para efectuar la rectificación. • adj. y m. *El.* Díc. de las máquinas estáticas que convierten la corriente alterna en continua y viceversa. • adj. y f. *Mec. apl.* Máquina empleada en el rectificado. • m. *El.* Circuito que convierte la corriente alterna en continua. • *Mec. apl.* Operario especializado en el manejo de una rectificadora. • *Top.* Instrumento de fotogrametría para la rectificación de fotogramas.

RECTIFICAR tr. Reducir una cosa a la exactitud que debe tener. • Contradecir a otro en lo que ha dicho, por considerarlo erróneo. • *El.* Convertir una corriente eléctrica alterna en una corriente continua.

• Tratándose de una línea curva, hallar una recta cuya longitud sea igual a la de aquélla. • *Quím.* Purificar los líquidos. • prnl. Enmendar uno sus actos o su proceder. ■ RECTIFICATIVO, VA.

RECTILÍNEO, A adj. Que se compone de líneas rectas o sigue la dirección de una recta. • fig. Se aplica a algunos caracteres de personas rectas o muy justas, a veces con exageración.

RECTITUD f. Distancia más breve entre dos puntos o términos. • Calidad de recto. • fig. Calidad de justo. • fig. Recta razón o conocimiento práctico de lo que debemos hacer o decir. • fig. Exactitud o justificación en las operaciones.

Cerámica de la cultura **recuay**

RECTO, TA adj. Que no se inclina ni a un lado ni a otro. • fig. Justo, severo y firme en sus resoluciones. • fig. Díc. del sentido literal de las palabras, a diferencia del figurado. • fig. Díc. del folio o plana de un libro que, abierto, queda a la derecha del lector. El opuesto se llama verso o vuelto. • adj. y f. *Geom.* Díc. de la línea recta. • adj. y m. *Anat.* Díc. de la última porción del intestino de los gusanos, artrópodos, moluscos, procordados y vertebrados, que termina en el ano. En los mamíferos forma parte del intestino grueso; sit. a continuación del colon, se abre al exterior por el ano, contribuyendo al reflejo de la defecación. • *Geom.* Díc. del ángulo de noventa grados. • f. *Geom.* En la geometría clásica, línea que daba la distancia más corta entre dos puntos. • Tramo recto de una carretera, pista, etc. ■ RECTAL.

* *Geom.* Las definiciones de recta son muy diversas, según el modo elegido para desarrollar la geometría y de los supuestos de los que se parta. Una propiedad que caracteriza las r. de cualquier geometría es la de quedar determinadas por dos de sus puntos o, equivalentemente, que dos r. nunca tienen en común más de un punto si son distintas.

Recuento de votos tras una votación

RECTOCELE m. *Pat.* Prominencia del recto en la vagina, de la que desplaza la pared posterior. Las dos paredes, rectal y vaginal, se adosan sin interposición de peritoneo.

RECTOCOLITIS f. *Pat.* Inflamación simultánea del recto y del colón.

RECTOR, RA adj. y s. Que rige o gobierna. • m. y f. Persona a cuyo cargo está el gobierno de una parroquia, hospital, comunidad o colegio. • m. Párroco o cura propio. • Autoridad máx. en una universidad y su distrito. ■ RECTORADO; RECTORAL; RECTORÍA.

RECTOSCOPIA f. *Med.* Examen de la cavidad rectal e incluso de la S ilíaca, con la ayuda de un instrumento específico llamado rectoscopio.

RECTOTOMÍA f. *Cir.* Incisión del recto para alcanzar la cavidad de la pelvis menor; por ejemplo, para la evacuación de un absceso.

RECUA f. Conjunto de animales de carga, que sirve para trajinar. • fig. y fam. Gran cantidad de cosas que van o siguen unas detrás de otras. ■ RECUERO, RA.

RECUADRAR tr. Cuadrar o cuadricular.

RECUADRO m. Comportamiento o división en forma de cuadro o cuadrilongo, en un muro u otra superficie. • Porción de un espacio limitada por una línea en forma de cuadro.

RECUAJE m. Tributo pagado por razón del tránsito de las recuas.

RECUARTA f. Una de las cuerdas de la vihuela.

Pescador lanzando la **red** en el lago Catemaco, México

RECUAY Cultura preincaica que se desarrolló en el Altiplano N del Perú, en el Callejón de Huaylas. Al parecer, su época de apogeo corresponde al s. VI. Artísticamente, su manifestación más imp. es la cerámica. Destacan las representaciones zoomorfas y antropomorfas aisladas o en vasijas.

RECUBRIMENTO m. Acto de recubrir. • Material para recubrir. • *Mat.* En un espacio euclídeo, familia de subconjuntos con respecto a otro subconjunto cuando todo elemento de este último pertenece también a uno, por lo menos, de los primeros.

RECUBRIR tr. Volver a cubrir. • Cubrir una cosa con otra. • Retejar, recorrer los tejados cubriendo las tejas que faltan.

RECUDIMIENTO o **RECUDIMIENTO** m. Despacho y poder que se da al arrendador para cobrar las rentas que están a su cargo.

RECUDIR tr. Pagar o asistir a uno con una cosa que le toca y debe percibir. • intr. Resaltar, resurtir o volver una cosa al paraje de donde salió primero.

RECUELO m. Lejía muy fuerte. • Café cocido por segunda vez.

RECUENTO m. Cuenta o segunda enumeración que se hace de una cosa. • Inventario.

RECUERDO, DA adj. *Amér.* Despierto. • m. Proceso de reestimulación de unas imágenes o experiencias mnémicas, que implica una sucesión sistemática de tales imágenes o experiencias. • Nueva dosis de una vacuna que se administra a fin de mantener o aumentar los efectos inmunizadores de la vacuna anterior. • fig. Cosa que se regala en testimonio de buen afecto. • pl. Saludo afectuoso a un ausente por escrito o por medio de otra persona.

RECUESTAR tr. Demandar o pedir. ■ RECUESTA.

RECUESTO m. Lugar que está en declive.

RECULAR intr. Cejar o retroceder. • fig. y fam. Ceder uno de su dictamen u opinión. ■ RECULADA.

RECULO, LA adj. Aplícase al pollo o gallina que no tiene cola.

RECULONES *(A)* m. adv. fam. Reculando.

RECUÑAR tr. Arrancar piedra o mineral por medio de cuñas.

RECUPERACIÓN f. Acción y efecto de recuperar o recuperarse. • *Ind.* Operación cuyo fin consiste en recobrar sustancias químicas o materias primas y en aprovechar al máx. los combustibles.

RECUPERADOR, RA adj. y s. Que recupera. • adj. y m. *Ind.* Díc. del aparato destinado a recuperar el calor perdido en diferentes operaciones en las que interviene la energía calorífica.

RECUPERAR tr. Volver a tomar o adquirir lo que antes se tenía. • tr. e intr. Realizar un trabajo, estudio, etc., que por diversas razones no se hizo o no se asimiló cuando correspondía. • fig. Aprovechar el tiempo que antes se desperdició. • tr. y prnl. Volver a la normalidad física o psíquica. • prnl. Volver en sí. ■ RECUPERABLE; RECUPERATIVO, VA.

RECURA f. Cuchillo para recurar, con hoja de dos cortes en forma de sierra.

RECURAR tr. Formar y aclarar las púas de los peines con la recura.

RECURRENCIA f. Obtención de los términos de una sucesión a partir de los anteriores mediante cierta ley.

RECURRIR intr. Acudir a un juez o autoridad con una demanda o petición. • Buscar en una persona o cosa remedio o solución de algo. • Volver una cosa al lugar de donde salió. • *Der.* Entablar recurso contra una resolución. ■ RECURRENTE; RECURRIBLE.

RECURSIVIDAD f. *Comp.* Capacidad de un subprograma de llamarse a sí mismo; constituye un método para analizar problemas muy útil en programación.

RECURSO m. Acción y efecto de recurrir. • Medio a que se recurre para algo. • Vuelta o retorno de una cosa al lugar de donde salió. • Memorial, solicitud, petición por escrito. • *Der.* Acción que concede la ley al interesado en un juicio o en otro procedimiento para reclamar contra las resoluciones. • pl. Bienes, medios de subsistencia. • Elementos de que una colectividad puede echar mano para acudir a una necesidad o llevar a cabo una empresa. • fig. Elementos o medios de que uno dispone para salir airoso de una empresa. • fig. Expedientes, arbitrios.

RECUSAR tr. Negarse a admitir o aceptar una cosa, o considerar a una persona carente de aptitud o imparcialidad. • Poner tacha legítima al juez, al oficial, al perito que con carácter público interviene en un procedimiento o juicio, para que no actúe en él. ■ RECUSACIÓN.

RED f. Aparejo de mallas para pescar, cazar, cercar, sujetar, etc. • Labor o tejido de mallas. • Redecilla para el pelo. • *Comp.* Conjunto de nodos conectados entre sí. Pueden formar r. locales, privadas o públicas. • *Dep.* Tejido de malla que se emplea para separar dos campos, limitar una portería, etc. • Verja o reja. • Lugar donde se vendía pan u otras cosas que se daban por entre verjas. • fig. Ardid o engaño de que uno se vale para atraer a otro. • fig. Conjunto de calles que afluyen a un mismo punto. • fig. Conjunto sistemático de caños, hilos conductores, vías de comunicación, o agencias y servicios, para determinado fin. • fig. Conjunto de establecimientos comerciales, industriales, de distribución etc., que tienen una relación entre sí. • fig. Conjunto de personas que se organizan para un fin determinado. • fig. Conjunto y trabazón de cosas que obran en favor o en contra de un fin o de un intento. • **cristalina.** *Miner.* Plano que, desde el punto de vista de la estructura interna de un cristal, forma un conjunto de puntos materiales distribuidos en direcciones determinadas. • **de araña.** Telaraña. • **Ethernet.** *Comp.* Red de computadoras en la que no hay nodo de control y en la que los nodos se van colocando a lo largo de un cable transmisor. ■ REDERO, RA.

RED RIVER Río de EE UU; 2 000 km. Nace en el Llano Estacado y desemboca en el golfo de México por un ramal secundario, mientras que el brazo pral. se une al Misisipí.

REDACCIÓN f. Acción y efecto de redactar. • Texto redactado. • Lugar u oficina donde se redacta. • Conjunto de redactores de una publicación periódica, de una editorial, etc.

REDACTAR tr. Dar forma escrita a la exp. de una cosa. ■ REDACTOR, RA.

REDADA f. Lance de red. • fig. y fam. Conjunto de personas, animales o cosas que se toman o cogen de una vez. • Acción policial que consiste en apresar a muchas personas de una vez.

REDAJE m. *Ecuad.* Red, intrincamiento.

REDAÑO m. *Anat.* Prolongación del peritoneo, que cubre por delante los intestinos. • Mesenterio, • pl. fig. Fuerzas, brío, valor.

REDAR tr. Echar la red de pescar.

REDARGUCIÓN f. Acción de redargüir. • Argumento convertido contra el que lo hace.

REDARGÜIR tr. Convertir el argumento contra el que lo hace. • Contradecir, impugnar una cosa por algún vicio que contiene.

REDAYA f. Red para pescar en los ríos.

REDECILLA f. Tejido de mallas con el que se hacen las redes. • Bolsa de malla para recoger el pelo o adornar la cabeza. • Segunda de las cuatro cavidades en que se divide el estómago de los rumiantes.

REDECIR tr. Repetir con insistencia uno o más vocablos.

REDEDOR m. Contorno, territorio. • **Al** o **en r.** m. adv. Alrededor.

REDEJÓN m. Redecilla grande.

REDENCIÓN f. Acción y efecto de redimir o redimirse. • P. ant., la que Jesucristo hizo del género humano por medio de su pasión y muerte, y que constituye el dogma fundamental del cristianismo. • fig. Remedio, recurso, refugio.

REDENTOR, RA adj. y s. Que redime. • m. P. ant., Jesucristo. • En las órdenes de la Merced y la Trinidad, religioso que rescataba a los cautivos cristianos que estaban en poder de los sarracenos.

REDENTORISTA adj. Relativo a la Congregación del Santísimo Redentor, fundada por san Alfonso María de Ligorio. • adj. y s. Miembro de dicha congregación.

REDESCUENTO m. Nuevo descuento de valores o efectos mercantiles adquiridos por operación análoga.

REDFIEL, ***Robert*** (1897-1958) Antropólogo norteam., estudioso de la sociedad mex. *La sociedad campesina y su cultura: aproximación antropológica a la civilización.*

REDFORD, ***Robert*** (nacido 1937) Actor y director cinematográfico norteam. *El valle del fugitivo, El golpe, Las aventuras de Jeremiah Johnson, El gran Gatsby, Memorias de África.* En 1980 dirigió *Gente corriente,* Óscar a la mejor película y a la mejor dirección.

REDGRAVE, SIR ***Michael*** (1908-1985) Actor teatral y cinematográfico brit. *El americano tranquilo, La soledad del corredor de fondo.* • ***Vanessa*** (nacida 1937) Actriz de cine y política brit. Protagonista de *Blow-up, La última carga, Camelot, Isadora, Julia.* Activa militante feminista trotskista, se ha presentado como candidata en varias elecciones.

REDHIBIR tr. Anular el comprador la venta por no haberle manifestado el vendedor el vicio o gravamen de la cosa vendida. ■ REDHIBICIÓN; REDHIBITORIO, RIA.

REDICHO, CHA adj. fam. Aplícase a la persona que habla pronunciando las palabras con una perfección afectada.

REDICIÓN f. Repetición de lo que se ha dicho.

REDIL m. Aprisco vallado.

REDILAR tr. Amajadar, reunir el ganado menor en una tierra de labor para que la abone.

REDIMIR tr. Comprar de nuevo una cosa que se había vendido o tenido. • Dejar libre una cosa hipotecada, empeñada o sujeta a otro gravamen. • tr. y prnl. Rescatar o sacar de esclavitud al cautivo mediante precio. • Librar de una obligación o extinguirla. • fig. Poner término a algún vejamen, dolor, penuria u otra adversidad o molestia.

REDINGOTE m. Capote de poco vuelo, con mangas ajustadas, muy usado en la primera mitad del s. XIX.

REDISTRIBUIR tr. Volver a distribuir. • Modificar distributivamente la renta nacional entre diversos elementos de producción o entre las distintas clases sociales, con el fin de nivelar las diferencias económicas demasiado acusadas. ■ REDISTRIBUCIÓN.

RÉDITO m. Renta o beneficio que rinde un capital periódicamente o en un plazo único.

REDITUAR tr. Rendir, producir utilidad, periódica o renovadamente. ■ REDITUABLE.

REDIDIVO, VA adj. Aparecido, resucitado, vuelto a la vida.

REDOBLADO, DA adj. Díc. del hombre fornido y no muy alto. • Díc. también de aquello que es más grueso o resistente que de ordinario.

REDOBLANTE m. Tambor de caja prolongada, sin bordones en la cara inferior, usado en bandas militares. • Músico que toca este instrumento.

REDOBLAR tr. y prnl. Doblar o aumentar una cosa el doble de lo que antes era. • tr. Intensificar el esfuerzo, la atención, etc. • Volver la punta del clavo o cosa semejante en dirección opuesta a la de su entrada. • Repetir, reiterar, volver a hacer una cosa. • intr. Tocar redobles en el tambor. ■ REDOBLADURA O REDOBLAMIENTO.

REDOBLE m. Acción y efecto de redoblar. • Toque vivo y sostenido, que se produce golpeando rápidamente el tambor con los palillos.

REDOBLEGAR tr. Doblegar o redoblar.

REDOBLÓN, NA adj. y s. Aplícase al clavo, perno o cosa semejante que puede y ha de redoblarse. • m. Cobija, teja de cubierta.

REDOLADA f. Comarca de varios pueblos o lugares que tienen alguna unidad natural o de intereses.

REDOLOR m. Dolorcillo tenue y sordo que se siente después de un padecimiento.

REDOMA f. Vasija de vidrio, de cuerpo abombado y cuello largo y estrecho.

REDOMADO, DA adj. Muy cauteloso y astuto. • Total, completo, consumado, perfecto. Suele usarse como intensificador de sentido.

REDOMÓN, NA adj. *Amér.* Aplícase a la caballería no domada por completo.

REDON, ***Odilon*** (1840-1916) Pintor y litógrafo fr. Precursor del mov. surrealista. Autor de dibujos, óleos y litografías. *Entre sueños, Las flores del mal.*

REDONDEAR tr. y prnl. Dar forma redonda a una cosa. • tr. Hablando de cantidades, prescindir de fracciones para completar unidades de cierto orden. • fig. Sanear un caudal, un negocio o una finca, liberándolos de gravámenes, deudas, riesgos u otras menguas o desventajas. • prnl. fig. Adquirir uno bienes o rentas que le proporcionen el bienestar deseado. • fig. Descargarse de toda deuda o cuidado, acomodándose a lo que se tiene propio. ■ REDONDEADO, DA; REDONDEO.

REDONDEL m. fam. Círculo o circunferencia. • Especie de capa redonda por la parte inferior. • Espacio destinado a la lidia, en las plazas de toros.

Robert **Redford** en un fotograma de *Todos los hombres del presidente*

Vanessa **Redgrave** en un fotograma de *Blow-up*

El ojo, como un balón extraño, se dirige hacia el infinito, litografía de Odilon **Redon**

REDONDILLA f. *Métr.* Combinación de cuatro versos octosílabos, de los cuales riman el primero con el último y el segundo con el tercero. • Díc. de la letra de mano o imprenta que es derecha y circular.

Ruinas de la **reducción jesuítica** de San Ignacio, Misiones (Argentina)

REDONDO, DA adj. De figura circular o semejante a ella. • De figura esférica o semejante a ella. • Díc. del terreno adehesado y que no es común. • Díc. de la cantidad a la que se ha añadido o quitado una parte fraccionaria. • Díc. del trozo de carne de vacuno que esá adherido a la contratapa y tiene forma cilíndrica. • adj. fig. Se aplica a la persona de calidad originaria igual por sus cuatro linajes ascendentes. • fig. Claro, sin rodeo. • fig. Perfecto, acabado, sin dejar cabos sueltos. • adj. y f. Letra redonda. • m. Cosa de forma circular o esférica. • Perfil de sección circular. • fig. y fam. Moneda corriente. • f. fig. Comarca. • Dehesa o coto de pasto. • *Mús.* Semibreve. • **A la redonda.** m. adv. Alrededor. ▪ REDONDEZ.

REDONDÓN m. fam. Círculo o figura orbicular muy grande.

REDOPELO o **REDROPELO** m. Pasada que a contrapelo se hace con la mano al paño. • fig. y fam. Riña entre muchachos con palabras u obras.

REDOR m. Rededor, alrededor. • Ruedo de un vestido talar. • Esterilla redonda.

REDOVA f. Danza pol. menos viva que la mazurca. • Música de esta danza.

REDOX adj. y m. *Quím.* Díc. de fenómenos, de valores numéricos, etc., que hacen referencia a una reducción y a una oxidación simultáneas.

REDRO adj. lugar. fam. Atrás o detrás. • m. Anillo que se forma cada año en las astas del ganado lanar y del cabrío.

Orson Wells en un fotograma de *El tercer hombre,* filme de Carol **Reed**

REDROJO m. Cada uno de los racimos pequeños que van dejando atrás los vendimiadores. • Fruto o flor tardía, que echan por segunda vez las plantas y que por ser fuera de tiempo no suele llegar a sazón. • fig. y fam. Muchacho enclenque y que medra poco.

REDUCCIÓN f. Acción y efecto de reducir o reducirse. • Pueblo de indios cristianos. • *Biol.* Proceso citológico por el que algunas células de los organismos se quedan con la mitad del núm. de cromosomas normal en la especie. • *Mat.* Método de resolución de sistemas de ecuaciones por eliminación simultánea de ecuaciones e incógnitas.

* *Quím.* Disminución del núm. de oxidación de un átomo o grupo de átomos combinados mediante una reacción adecuada. El elemento compuesto que se reduce gana electrones (oxidante), que son cedidos por otro elemento o compuesto que se oxida (reductor). • **cromática.** *Biol.* Proceso por el que las células gonadales reproductoras reducen a la mitad su dotación cromosómica para que la célula hija tenga un número de cromosomas normal. • **gamética.** *Biol.* Reducción cromosómica de los gametos. • **Reducciones jesuíticas.** *Hist.* Centros de población india regentados por los jesuitas, en los que se llevó a cabo entre principios del s. XVII y la segunda mitad del s. XVIII una nueva experiencia de colonización religiosa en la América esp. Hacia 1610 se crearon las primeras r. que, aunque dependían de la corona, tenían un desarrollo autónomo. El régimen económico era comunitario, no existía el latifundio y el trato humanitario de los jesuitas atrajo a los indígenas. La expulsión de la Orden en 1767 conllevó la destrucción de los centros.

Detalle de *San Hugo visitando el* **refectorio,** óleo de Zurbarán. Museo de Bellas Artes, Sevilla (España)

REDUCIDO, DA adj. Estrecho, pequeño, limitado. • **Reducia al horizonte.** Distancia horizontal que existe entre dos puntos sit. a distinta alt.

REDUCIDOR, RA m. y f. *Argent.* y *Chile.* Perista.

REDUCIR tr. Volver una cosa al lugar donde antes estaba o al estado que tenía. • Disminuir de tamaño, de importancia, de extensión, etc. • Mudar una cosa en otra equivalente. • Cambiar moneda. • Resumir un discurso, narración, etc. • Dividir un cuerpo en partes menudas. • Disminuir la velocidad, especialmente de un vehículo, o la potencia de un motor. • Hacer que un cuerpo pase del estado sólido al líquido o al de vapor, o al contrario. • Sujetar a la obediencia a los que se habían separado de ella. • Persuadir o atraer a uno con razones y argumentos. • Restablecer en su situación natural los huesos dislocados o rotos, o bien las partes que forman los tumores herniosos. • Convertir en perfecta la figura imperfecta de un silogismo. • Expresar el valor de una cantidad de unidades de especie distinta de la dada. • Hacer una figura o dibujo más pequeño, guardando la misma proporción en las medidas que tiene otro mayor. • *Quím.* Descomponer un cuerpo en sus principios o elementos. • *Quím.* Efectuar una reducción. • tr. y prnl. Comprender, incluir o arreglar bajo cierto núm. o cantidad. • prnl. Moderarse, arreglarse o ceñirse en el modo de vida o porte. • Resolverse por motivos poderosos a ejecutar una cosa. ▪ REDUCIBLE; REDUCIMIENTO; REDUCTIBLE.

REDUCTO m. Obra de campaña, cerrada, que suele constar de parapeto y una o más banquetas.

REDUCTONA f. *Quím.* Fragmento de la molécula de azúcar tratada con álcali en caliente. Se caracteriza por su gran poder reductor bioquímico.

REDUCTOR, RA adj. Que reduce. • adj. y m. *Quím.* Sustancia que, en una reacción, es capaz de ceder electrones a otra sustancia que se llama oxidante. • **de presión.** Dispositivo que permite, en las instalaciones de fluidos, el empleo del fluido a una presión inferior a la existente en la red. • **de revoluciones.** *Ing.* Mecanismo para disminuir la velocidad angular de un eje, aumentando al mismo tiempo el par transmitido. • **de velocidades.** R. de revoluciones.

REDUNDANCIA f. Excesiva abundancia de cualquier cosa en cualquier línea. • Recurso expresivo obtenido con la insistencia o repetición de un concepto.

REDUNDAR intr. Rebosar, salirse una cosa de sus límites o bordes por demasiada abundancia. Suele emplearse hablando de líquidos. • Resultar o venir a parar una cosa en beneficio o daño de alguno.

REDUPLICAR tr. Aumentar una cosa al doble de lo que antes era. • Repetir, volver a hacer una cosa, reiterarla. ▪ REDUPLICACIÓN.

REDUVIO m. Insecto hemíptero que se cría en las casas sucias.

REED, SIR ***Carol*** (1906-1976) Director de cine brit. Durante la II Guerra Mundial dirigió los documentales *El camino hacia adelante* y *La verdadera gloria.* Destacó en el gén. policiaco. *Larga es la noche, El tercer hombre, Oliver.* • ***John*** (1887-1920) Periodista norteam. Testigo de la rev. mex. Perseguido en EE UU por comunista, se exilió a la URSS. *México insurgente, Diez días que conmovieron el mundo.*

REEDIFICAR tr. Volver a edificar o construir de nuevo lo arruinado a lo que se derriba con tal intento. ▪ REEDIFICACIÓN.

REEDITAR tr. Volver a editar. ▪ REEDICIÓN.

REEDUCAR tr. Volver a enseñar, mediante una serie de técnicas, el uso de los miembros u otros órganos, perdido o viciado por ciertas enfermedades. ▪ REEDUCACIÓN.

REELEGIR tr. Volver a elegir. ▪ REELECCIÓN.

REEMBARCAR tr. y prnl. Volver a embarcar. • prnl. fig. Volverse a meter en un asunto. ▪ REEMBARQUE.

REEMBOLSAR tr. y prnl. Devolver a una persona una cantidad desembolsada por ella. ▪ REEMBOLSABLE.

REEMBOLSO m. Acción y efecto de reembolsar o reembolsarse. • **Contra r.** m. adv. Díc. del envío por correo de una mercadería o recibo cuyo importe debe hacer efectivo el destinatario.

REEMISOR m. Pequeña estación radiodifusora, compuesta por un receptor y un emisor de poca frecuencia, empleada para cubrir zonas locales.

REEMPLAZAR tr. Sustituir una cosa por otra. • Suceder a uno en el empleo, cargo o actividad.

REEMPLAZO m. Acción y efecto de reemplazar. • Sustitución que se hace de una persona o cosa por otra. • Renovación parcial del contingente del ejército activo en los plazos establecidos por la ley. • Hombre que entra a servir en lugar de otro en la milicia.

REENCARNACIÓN f. Acción y efecto de reencarnar o reencarnarse. • Ant. creencia en la posibilidad de renacer en otro cuerpo tras la muerte.

REENCARNAR intr. y prnl. Volver a encarnar.

REENCONTRAR tr. y prnl. Volver a encontrar. • prnl. fig. Recobrar una persona cualidades, facultades, hábitos, etc., que había perdido.

REENCUENTRO m. Acción y efecto de reencontrar o reencontrarse. • Encuentro de dos cosas que chocan una con otra. • Choque de tropas enemigas en corto núm., que mutuamente se buscan y se encuentran.
REENGANCHAR tr. y prnl. Volver a enganchar o atraer a uno a que siente plaza de soldado ofreciéndole dinero. ■ REENGANCHAMIENTO; REENGANCHE.
REENGENDRAR tr. Volver a engendrar. • fig. Dar nuevo ser espiritual o de gracia.
REENTRADA f. *Astron.* Fase de regreso a la Tierra de los vehículos espaciales.
REENVIAR tr. Enviar alguna cosa que se ha recibido. ■ REENVÍO.
REENVIDAR tr. Envidar sobre lo enviado.
REENVITE m. Envite que se hace sobre otro.
REESTRENAR tr. Volver a estrenar; díc. especialmente de películas u obras teatrales, cuando vuelven a proyectarse o representarse pasado algún tiempo de su estreno. ■ REESTRENO.
REESTRUCTURAR tr. Modificar la estructura de una obra, proyecto, organización, etc. ■ REESTRUCTURACIÓN.
REEXAMINAR tr. Volver a examinar. ■ REEXAMINACIÓN.
REEXPEDIR tr. Expedir algo que se ha recibido. ■ REEXPEDICIÓN.
REEXPORTAR tr. Exportar lo que se había importado. ■ REEXPORTACIÓN.
REEXPOSICIÓN f. *Mús.* En algunas formas musicales, repetición de la exposición prescindiendo de alguno de sus elementos.
REFACCIÓN f. Alimento ligero que se toma para reparar las fuerzas. • Restitución que se hacía al estado eclesiástico de aquella porción con que había contribuido a los derechos reales de que estaba exento. • Gratificación que se daba a los militares en compensación del mayor precio de los víveres, a causa de la contribución de consumos, de la cual estaban exentos. • fam. Lo que en cualquier venta se da al comprador sobre la medida exacta, como añadidura. • Compostura o reparación de lo estropeado. • *Cuba.* Gasto que ocasiona al propietario el sostenimiento de una finca.
REFACCIONAR tr. *Amér.* Restaurar o reparar un edificio.
REFACCIONARIO, RIA adj. Relativo a la refacción. • Díc. de los créditos que proceden de dinero invertido en fabricar o reparar una cosa, con provecho no solamente para el sujeto a quien pertenece, sino también para otros acreedores o interesados en ella.
REFAJO m. Falda de tejido grueso usada por algunas mujeres encima de las enaguas.
REFALSADO, DA adj. Falso, engañoso.
REFECCIÓN f. Refacción, alimento ligero para reparar fuerzas. • Compostura, reparación de lo estropeado.
REFECTORIO m. Comedor de las comunidades religiosas y algunos colegios. ■ REFECTOLERO.
REFEREE (voz ing.) m. *Dep.* Referí.
REFERENCIA f. Narración o relación de una cosa. • Relación, dependencia o semejanza de una cosa respecto de otra. • Indicación en un escrito del lugar, del mismo o de otro, al que se remite al lector. • Datos que suelen encabezar una carta comercial, y que el destinatario debe citar en su respuesta. • Noticia que se tiene sobre algo. • Informe que acerca de la probidad, solvencia u otras cualidades de un tercero da una persona a otra. Suele usarse en el ejercicio comercial, y más en pl.
REFERENDO o **REFERÉNDUM** m. Procedimiento jurídico por el que se someten al voto popular leyes o actos administrativos cuya ratificación por el pueblo se propone. • Despacho en que un agente diplomático pide a su gobierno nuevas instrucciones sobre algún punto importante.
REFERÍ m. *Dep.* En algunos juegos de pelota, árbitro.
REFERIR tr. Dar a conocer, de palabra o por escrito, un hecho verdadero o ficticio. • tr. y prnl. Dirigir, encaminar u ordenar una cosa a cierto y determinado fin u objeto. • Poner en relación personas o cosas. • prnl. Remitirse, atenerse a lo dicho o hecho. • Aludir. ■ REFERENTE.
REFIGURAR tr. Representarse uno de nuevo en la imaginación la especie de lo que antes había visto.
REFILÓN (De) m. adv. Oblicuamente, de soslayo, al sesgo. • fig. De paso, de pasada.
REFINACIÓN o **REFINADURA** f. *Ind.* Proceso de eliminación de impurezas de ciertos productos.
REFINADO, DA adj. fig. Sobresaliente, exquisito, distinguido, exento de vulgaridad. • fig. Extremado en la maldad. • m. *Ind.* Refinación.

Refinería de petróleo

REFINAMIENTO m. Esmero. • Dureza o crueldad refinada. • Detalle exquisito, de buen gusto.
REFINAR tr. Hacer más fina o más pura una cosa, separando las impurezas y materias heterogéneas. • fig. Perfeccionar una cosa adecuándola a un fin determinado. • prnl. fig. Abandonar modales toscos por otros más pulidos. ■ REFINADOR, RA.
REFINERÍA f. *Ind.* Complejo dedicado a la refinación de petróleo, alcohol, azúcar, etc.
REFINO, NA adj. Muy fino y acendrado. • m. *Ind.* Refinación.
REFIRMAR tr. Apoyar una cosa sobre otra; estribar. • Confirmar, ratificar.
REFISTOLERO adj. y s. *Méx.* y *Cuba.* Presumido, orgulloso. • *Ven.* Embrollón.
REFITOLERO, RA adj. y s. Que cuida del refectorio. • fig. y fam. Entremetido, cominero.
REFLECTAR intr. Reflejar, oponiendo una superficie lisa, la luz, el calor, el sonido o algún cuerpo elástico. ■ REFLECTANTE.
REFLECTOR, RA adj. Sustancia, aparato, sistema, etc. capaz de reflejar energía. • adj. y m. *Ópt.* Telescopio cuyo objetivo es un espejo, con lo que se consiguen objetivos de dimensiones muy superiores a las posibles en las lentes. • Aparato de superficie bruñida para reflejar los rayos luminosos a grandes distancias. • Aparato de iluminación para señales, vehículos aéreos o marinos, etc.

Telescopio **reflector** construido por Newton en 1668

REFLEJAR intr. y prnl. Hacer retroceder o cambiar de dirección la luz, el sonido o algún cuerpo elástico, oponiéndoles una superficie lisa. • tr. Reflexionar. • Manifestar o hacer patente una cosa. • prnl. fig. Dejarse ver una cosa en otra. ■ REFLEXIBLE.

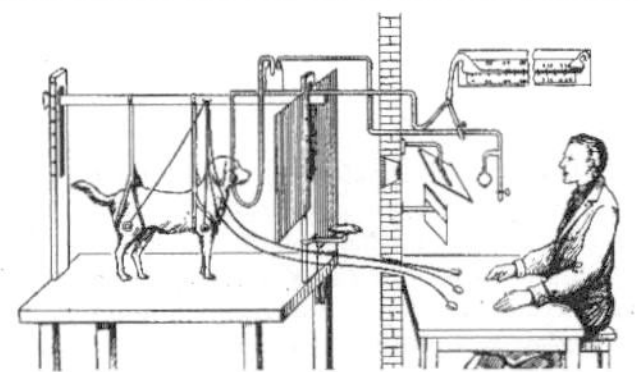

Instalación ideada por I. P. Pavlov para el estudio de los **reflejos** condicionados de un perro en condiciones de aislamiento

REFLEJO, JA adj. Que ha sido reflejado. • Aplícase al conocimiento o consideración que se ha formado de una cosa para reconocerla mejor. • adj. f. *Gram.* Díc. de la oración pasiva construida con el pron., reflexivo *se* y un verbo en voz activa. • m. Luz reflejada. • Brillo, destello; viso. • Representación, imagen, muestra. • *Fisiol.* Respuesta involuntaria, de carácter motor, glandular o emocional, como consecuencia de la aplicación de un estímulo. El acto r. consta de una unidad receptora, una neurona aferente con una o más sinapsis en la médula espinal, una neurona eferente y un órgano efector. Al recibirse el estímulo, la respuesta se elabora en la médula a un nivel inconsciente; el cerebro sólo tiene consciencia de la respuesta después de haberse efectuado. • **condicionado.** Respuesta refleja a un estímulo que previamente no la desencadenaba, por aprendizaje debido a la repetición de éste con otro que sí la desencadena. • **enterogástrico.** Disminución de la motricidad gástrica debido a la excitación nerviosa producida por los productos de la digestión proteica. • **gastrocólico.** Estimulación de las contracciones del recto por distensión de las paredes del estómago. • **miotático.** Contracción del músculo, por vía refleja, por la dilatación del mismo. • **ovulador.** Fenómeno de ovulación que se da en los conejos y en otros mamíferos estimulado por el coito. • **postural.** El que se verifica para regular la postura del cuerpo.

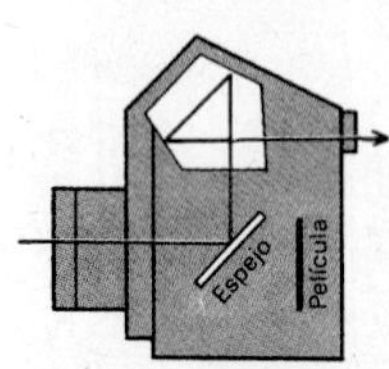

Recorrido de la luz en una cámara **réflex**

RÉFLEX adj. y f. *Fot.* Díc. de la cámara en la que el objeto se observa mediante el visor y la imagen dada por el objetivo se refleja sobre un vidrio esmerilado.

REFLEXIÓN f. *Fís.* Cambio de dirección que experimenta un sistema ondulatorio en su trayectoria al incidir en una superficie reflectante. • fig. Acción y efecto de reflexionar. • fig. Advertencia o consejo para convencer o persuadir. • *Gram.* Manera de ejercerse la acción del verbo reflexivo. • **óptica.** *Fís.* Aquélla en que el sistema ondulatorio es un haz de luz.

REFLEXIONAR intr. y prnl. Volver a considerar una cosa detenidamente y con profundidad.

REFLEXIVO, VA adj. Que refleja o reflecta. • Acostumbrado a hablar y a obrar con reflexión. • *Gram.* Díc. del verbo o de la oración en que el sujeto es a la vez agente y paciente. • *Gram.* Díc. del pron. que cumple función de complemento directo o indirecto (me, te, se, nos, os). • **Relación reflexiva.** *Mat.* Díc. de la relación binaria que relaciona cada elemento consigo mismo.

Detalle de un grabado en madera de Lucas Cranach el Joven en el que aparece Lutero predicando la **Reforma**

REFLEXOLOGÍA f. *Fisiol.* Término propuesto por Pavlov para designar la parte de la fisiología que estudia los reflejos.

REFLEXOMETRÍA f. *Méd.* Término que designa las relaciones que existen entre los caracteres de ciertos reflejos observados en el individuo sano y los caracteres de los mismos reflejos modificados por la enfermedad.

REFLEXOTERAPIA f. *Med.* Método terapéutico que permite actuar a distancia y por vía refleja sobre una lesión, interviniendo sobre una zona alejada de las partes afectadas, excitándola, anestesiándola o suprimiendo una causa patológica de irritación.

REFLORECER intr. Volver a florecer los campos o a echar flores las plantas. • fig. Recobrar una cosa inmaterial el lustre y estimación que tuvo. ■ REFLORECIMIENTO.

REFLUIR intr. Volver hacia atrás o hacer retroceso un líquido. • fig. Redundar, resultar o venir a parar una cosa en beneficio o daño de alguno.

REFLUJO m. Flujo de un líquido en sentido inverso al flujo anterior. • Movimiento de descenso de la marea.

REFOCILAR tr. y prnl. Recrear, alegrar. Díc. de las cosas que calientan y dan vigor. • Divertir groseramente o causar una alegría maligna. ■ REFOCILACIÓN; REFOCILO.

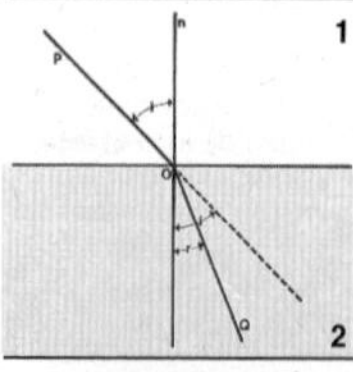

Refracción. El rayo PO, al pasar del medio 1 al medio 2, se refracta. El rayo OQ es el rayo refractado. El índice de refracción relativo es

$$n_{12} = \frac{V_1}{V_2} = \frac{\text{sen } i}{\text{sen } r}$$

REFORMA f. Proyecto o ejecución de algo que proporciona mejoras o innovaciones a una cosa. • n. p. f. *Hist.* Rev. religiosa, con derivaciones políticas, económicas, morales y sociales, promovida a principios del s. XVI por disidentes de la Iglesia católica. • **agraria.** Cambio operado en las estructuras agrícolas de un país o región, con el fin de lograr mayor rendimiento de la tierra y mejoras económicas y sociales para los campesinos. • ***Guerra de*** Conflicto civil de México (1858-1860), que enfrentó a liberales y conservadores, resultando vencedor el liberal Benito Juárez.

* *Hist.* Los prales., representantes del mov. fueron Lutero en Alemania, Calvino y Zwinglio en Suiza y Knox en Escocia, fundadores de las confesiones llamadas protestantes, cuya actividad ideológica y social fue uno de los elementos que integraron la plataforma de ruptura de la soc. feudal. Desde el punto de vista religioso, los reformadores aspiraban a modificar las estructuras de la Iglesia y de la soc. según los principios del cristianismo primitivo, superando el férreo aparato teológico de la escolástica. Los príncipes al., que apoyaban la R. contra la política catól. del emp. Carlos I, lograron que la Dieta de Augsburgo sancionara el reconocimiento de la nueva religión, que arraigó con fuerza en Inglaterra, Escocia, Checoslovaquia, Suiza, Países Bajos y parte de Alemania y Francia.

REFORMADO, DA adj. y m. Decíase del militar que no estaba en actual ejercicio de su empleo. • adj. y s. Protestante, miembro de una religión reformada. • Religioso de una orden reformada. • **Iglesia reformada.** Calvinismo.

REFORMAR tr. Volver a formar, rehacer. • Reparar, restaurar, restablecer, reponer. • Arreglar, corregir, enmendar, poner en orden. • Restituir una orden religiosa u otro instituto a su primitiva observancia. • Extinguir, deshacer un establecimiento o cuerpo. • Privar del ejercicio de un empleo. • Quitar, cercenar, minorar o rebajar en el número o cantidad. • prnl. Enmendarse, arreglarse o corregirse. • Contenerse, moderarse o reportarse uno en lo que dice o ejecuta. ■ REFORMABLE; REFORMACIÓN; REFORMADOR, RA; REFORMATIVO, VA.

REFORMATORIO, RIA adj. Que reforma o arregla. • m. Establecimiento penitenciario de tipo correccional donde se trata de modificar la conducta de algunos jóvenes.

REFORMING (voz ing.) m. *Ind.* Proceso térmico a que se somete la gasolina para aumentar su índice de octano.

REFORMISMO m. *Pol.* Doctrina política socialista, de carácter moderado, que procura la instauración gradual de las ideas socialistas desde los medios proporcionados por las instituciones políticas democráticas (→ revisionismo). ■ REFORMISTA.

REFORZADO, DA adj. Que tiene refuerzo. • adj. y m. Díc. de cierta especie de cinta que se cose sobre una prenda de vestir.

REFORZADOR, RA adj. Que refuerza. • m. *Fot.* Baño que sirve para reforzar o hacer más clara una imagen débil.

REFORZANTE adj. Que refuerza. • m. fam. Medicamento que aumenta el tono general del organismo.

REFORZAR tr. Añadir nuevas fuerzas a una cosa. • Fortalecer o reparar lo que padece ruina. • tr. y prnl. animar, alentar, dar espíritu.

REFRACCIÓN o **REFRINGENCIA** f. *Fís.* Cambio de dirección que experimenta un sistema ondulatorio en su trayectoria al pasar desde un medio a otro de distinta refringencia. • **astronómica.** La que experimentan los rayos luminosos durante su recorrido a través de la atmósfera terrestre. • **Doble r.** *Fís.* Propiedad de ciertos cristales de duplicar las imágenes de los objetos. • **Índice de r. de un medio.** *Fís.* Razón entre las velocidades de propagación de la luz en el vacío y en el medio considerado. • **Índice de r. relativo.** *Fís.* Razón entre los índices de r. de dos medios.

REFRACTAR o **REFRINGIR** tr. y prnl. Hacer que cambie de dirección el rayo de luz que pasa oblicuamente de un medio a otro de diferente densidad. ■ REFRACTIVO, VA; REFRACTO, TA; REFRANGIBILIDAD; REFRANGIBLE.

REFRACTARIO, RIA adj. Aplícase a la persona que rehúsa cumplir una promesa u obligación. • Opuesto, rebelde a aceptar una idea, opinión o costumbre. • adj. y m. *Ind.* Díc. del material sólido que resiste la acción del fuego y temperaturas superiores a 1 580 °C sin fundirse, deformarse ni descomponerse. Los materiales r. deben resistir también las alternativas y cambios de temperatura entre los distintos puntos de su masa sin agrietarse.

REFRACTÓMETRO m. Instrumento para medir índices de refracción absolutos. Se utiliza en investigación química, física, astronómica, etc., y en diversas ind.

REFRACTOR, RA adj. Que refracta. • m. Anteojo astronómico.

REFRÁN m. Dicho de uso común que contiene un consejo o moraleja y en el que se relacionan por lo menos dos ideas. En su origen, estrofa que aparece varias veces en un poema. ■ REFRANESCO, CA; REFRANISTA.

REFRANERO m. Libro en el que se recopilan refranes, aforismos, adagios, etc.

REFREGAR tr. y prnl. Frotar una cosa con otra. • tr. fig. y fam. Dar en cara a uno con una cosa que le ofende, insistiendo en ella. ■ REFREGADURA; REFREGAMIENTO.
REFREGÓN m. fam. Acción de refregar o refregarse. • *Mar.* Ráfaga, movimiento violento del aire.
REFREÍR tr. Volver a freír. • Freír mucho o muy bien una cosa. • Freírla demasiado.
REFRENAR tr. Sujetar y reducir al caballo con el freno. • tr. y prnl. fig. Contener, reportar, reprimir o corregir. ■ REFRENADA; REFRENAMIENTO.
REFRENDAR tr. Autorizar un despacho u otro documento por medio de la firma de persona hábil para ello. • Revisar un pasaporte y anotar su presentación. • fig. Corroborar, aceptar o afirmar algo. • fig. y fam. Volver a ejecutar o repetir la acción que se había hecho. ■ REFRENDACIÓN.
REFRENDARIO o **REFERENDARIO** m. El que con autoridad pública refrenda o firma, después del superior, un despacho.
REFRENDATA f. Firma del refrendario.
REFRENDO m. Acción y efecto de refrendar. • Testimonio que acredita haber sido refrendada una cosa. • Firma puesta en los decretos al pie de la del jefe del Est. por los ministros.
REFRENTADO m. *Ind.* Obtención de superficies planas mediante arranque de viruta, con ayuda del torno, de la mandrinadora o de la fresadora.
REFRENTAR tr. Aplanar una superficie mediante la operación del refrentado.
REFRESCAR tr. y prnl. Atemperar, moderar, disminuir o rebajar el calor de una cosa. • tr. fig. Renovar, reproducir una acción. • fig. Renovar un sentimiento, dolor o costumbre antiguos. • Hacer recordar a uno algo que tenía olvidado. • intr. fig. Tomar fuerzas, vigor o aliento. • Templarse o moderarse el calor del aire. Se usa con nombre que signifique tiempo. • intr. y prnl. Tomar el fresco. • Beber frío o helado, o cosa atemperante, aunque sea al temple natural. ■ REFRESCADURA O REFRESCAMIENTO; REFRESCANTE.
REFRESCO m. Alimento ligero que se toma para fortalecerse y continuar en el trabajo. • Bebida fría o del tiempo. • Agasajo de bebidas, dulces, etc., que se da en las visitas, reuniones, etc. • **De r.** m. adv. De nuevo.
REFRIEGA f. Reencuentro o combate de poca importancia.
REFRIGERACIÓN f. Enfriamiento artificial de un cuerpo, que se obtiene al poner éste en contacto con otros cuerpos capaces de absorber calor. • *Mec. apl.* En los motores térmicos de combustión interna, conjunto de dispositivos para mantener la temperatura de los diferentes órganos entre límites aceptables a efectos de resistencia. • Refrigerio, alimento ligero.
REFRIGERADOR, RA adj. Que refrigera. • adj. y s. Díc. de los aparatos e instalaciones que se destinan a producir y conservar bajas temperaturas.
REFRIGERANTE adj. y m. Que refrigera. • m. Corbato. • Sustancia que hace descender la temperatura. • Aparato para disminuir la temperatura de un fluido.
REFRIGERAR tr. Hacer más fría una habitación u otra cosa. • Enfriar en cámaras especiales, hasta una temperatura próxima a cero grados, alimentos, productos, etc., para su conservación. • tr. y prnl. fig. Reparar las fuerzas con un refrigerio. ■ REFRIGERATIVO, VA.
REFRIGERIO m. Alivio que se siente con lo fresco. • fig. Alivio o consuelo en cualquier apuro, incomodidad o pena. • fig. Alimento ligero que se toma para reparar las fuerzas.
REFRINGENTE adj. Que refringe. • **Ángulo r.** Ángulo de refracción. • **Poder r.** *Fís.* Relación entre el flujo lumínico incidente sobre una superficie que separa dos medios de distinta refringencia y el flujo luminoso refractado.
REFRITO m. Aceite frito con ajo, cebolla, pimentón y otros ingredientes que se añaden en caliente a algunos guisos. • fig. Cosa rehecha o de nuevo aderezada. Suele decirse de la refundición de un texto escrito que aprovecha elementos de otro.
REFUCILAR intr. *Argent.* y *Ecuad.* Relampaguear. ■ *Argent.* y *Ecuad.* REFUCILO.
REFUERZO m. Mayor grueso que, en totalidad o en cierta parte, se da a una cosa para hacerla más resistente. • Reparo que se pone para fortalecer y afirmar una cosa. • Socorro o ayuda que se presta en ocasión o necesidad. • *Psic.* Cada uno de los estímulos que apoyan el proceso de aprendizaje tras la respuesta del sujeto que aprende. • pl. *Mil.* Tropas que se añaden a otras para aumentar su potencia.
REFUGIADO, DA m. y f. Persona que, debido a la guerra, a las persecuciones políticas, a la condena o al deseo de huir de un peligro, busca amparo fuera de su país. Diversos organismos internacionales se han preocupado de dar protección a los r., entre ellos el Alto Comisariado de las Naciones Unidas para los Refugiados, creado en 1951.
REFUGIAR tr. y prnl. Acoger o amparar a uno, sirviéndole de resguardo y asilo.
REFUGIO m. Asilo, acogida o amparo. • Lugar adecuado para refugiarse. • Hermandad dedicada al servicio y socorro de los pobres. • Burladero, zona sit. dentro de la calzada, reservada para los peatones y convenientemente protegida del tránsito rodado. • Cabaña o edificación sit. en la montaña o en los caminos para guarecerse en caso necesario. • **antiaéreo.** Construcción destinada a proteger de los ataques aéreos. • **atómico.** Recinto concebido para protegerse de las explosiones atómicas.
REFULGIR intr. Resplandecer, emitir fulgor. ■ REFULGENCIA; REFULGENTE.
REFUNDIR tr. Volver a fundir o liquidar los metales. • fig. Dar nueva forma y disposición a una obra de ingenio. • tr. y prnl. fig. Comprender o incluir. • intr. fig. Redundar, resultar o venir a parar una cosa en beneficio o daño de alguno. • prnl. *Amér.* Perderse. ■ REFUNDICIÓN.

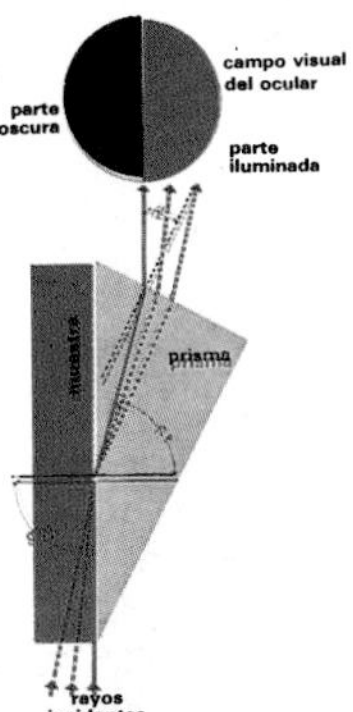

Esquema del **refractómetro** de Abbe

Refugiados kurdos huidos de Irak tras la guerra del Golfo

REFUNFUÑAR intr. Emitir voces confusas o palabras mal articuladas o entre dientes, en señal de enojo o desagrado. ■ REFUNFUÑADURA; REFUNFUÑO.
REFUTACIÓN f. Acción y efecto de refutar. • Argumento o prueba cuyo objeto es destruir las razones del contrario. • Parte del discurso donde se rebaten los argumentos del contrario.
REFUTAR tr. Contradecir, rebatir con argumentos o razones lo que otros dicen. ■ REFUTABLE; REFUTATORIO, RIA.
REGADERA f. Recipiente portátil a propósito para regar. • Acequia, reguera. • pl. Ciertas tablillas por donde viene el agua a los ejes de las grúas para que no se enciendan.
REGADERO m. Acequia, reguera.
REGADÍO, A adj. y m. Se aplica al terreno que se puede regar. • m. Terreno que está dedicado al cultivo de plantas que necesitan riego.
REGADOR, RA adj. y s. Que riega. • m. Punzón con punta curva para señalar las púas de los peines. • m. *Col.* Regadera. • *Chile.* Unidad de medida del agua de riego.
REGADURA f. Riego que se hace de una vez.
REGAIFA f. Torta, hornazo. • Piedra por donde, en los molinos de aceite, corre el líquido que sale de la aceituna molida.
REGAJO m. Charco que se forma de un arroyuelo. • El mismo arroyuelo.
REGALA f. *Mar.* Tablón que forma el borde de las embarcaciones.
REGALADO, DA adj. Suave o delicado. • Placentero, deleitoso. • fig. y fam. Baratísimo. • f. Caballeriza real donde estaban los caballos de regalo. • Conjunto de caballos que la componían.

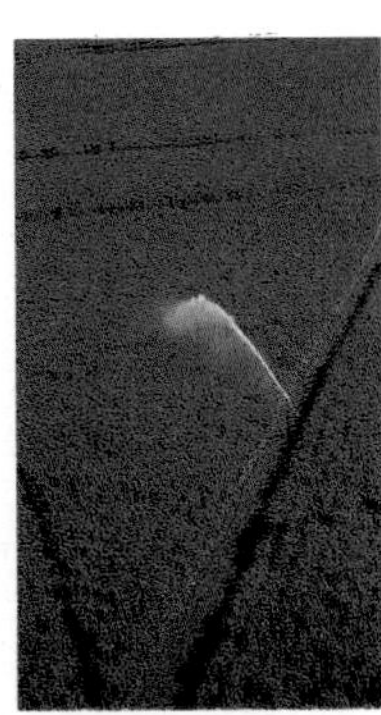
Regadío

Esquema del proceso de **regeneración** en la hidra. A partir de los dos segmentos del animal seccionado (*a*), se reconstruyen dos animales completos (fases *b, c, d, e* y *f*)

REGALADO, *Tomás* (1860-1906) Militar y político salv. Presid. de la rep. (1899-1903). Murió en un enfrentamiento militar con Guatemala.
REGALADOR, RA adj. y s. Que regala o es amigo de regalar. • m. Palo cubierto con una soguilla de esparto de que se sirven los boteros para alisar y limpiar las corambres por la parte de afuera.
REGALAR tr. Dar a uno graciosamente una cosa en muestra de afecto o consideración o por otro motivo. • Halagar, acariciar o hacer expresiones de afecto y benevolencia. • tr. y prnl. Recrear o deleitar. • Liquidar con el calor una cosa sólida, congelada o pastosa; derretir. • prnl. Tratarse bien, procurando tener las comodidades posibles. ■ REGALAMIENTO.
REGALÍA f. Reeminencia, prerrogativa que en virtud de suprema potestad ejerce un soberano en su Est. o reino. Propia de la E. Med. • Privilegio que la Santa Sede concede a los soberanos en algún punto relativo a la disciplina de la Iglesia. Más usado en pl. • fig. Cualquier tipo de privilegio. • fig. Ingresos extras de un empleado. • *Amér*. Regalo. • *Cuba* y *Méx*. Anticipo que percibe el arrendador por un contrato de arriendo. • *Ven*. Belleza, bondad. • pl. *Amér*. Derechos pecuniarios que por la explotación de una obra o patente por un tercero, percibe un autor o inventor.
REGALILLO m. Manguito, rollo de piel que usan las señoras para abrigarse las manos.
REGALISMO m. Doctrina política que defiende las regalías o prerrogativas del Est. frente a la Iglesia. ■ REGALISTA.
REGALIZ m. o **REGALIZA** f. Planta arbustiva de la familia papilionáceas, cuyo rizoma se utiliza como edulcorante y pectoral, constituyendo el palo dulce. • Raíz de esta planta. • Barrita o pastilla elaborada con el jugo de dicha raíz.
REGALO m. Dádiva que se hace voluntariamente o por costumbre. • Gusto o complaciencia que se recibe. • Comida o bebida delicada y exquisita. • Conveniencia, comodidad o descanso que se procura en orden a la persona.
REGALÓN, NA adj. fam. Que se cría o se trata con mucho regalo.
REGALONEAR tr. *Argent*. y *Chile*. Mimar. ■ REGALONERÍA.
REGAÑADIENTES *(A)* n. adv. Con disgusto o repugnancia de hacer una cosa.
REGAÑAR intr. Producir el perro cierto sonido, sin ladrar y mostrando los dientes. • Abrirse el hollejo o corteza de algunas frutas cuando maduran. • Dar muestras de enfado con palabras y gestos. • fam. Contender o disputar altercando de palabra o de obra, reñir con otro. • tr. fam. Reprender, reconvenir.
REGAÑINA f. Reprimenda. • Disputa, riña.
REGAÑIR intr. Gañir reiteradamente.
REGAÑO m. Palabras ásperas y gesto del rostro con que se expresa enfado o disgusto. • fam. Reprimenda.
REGAÑÓN, NA adj. y s. fam. Díc. de la persona que regaña sin motivo suficiente. • fam. Díc. del viento NO.
REGAR tr. Esparcir agua sobre una superficie, para beneficiarla, limpiarla o refrescarla. • Atravesar un río o canal una comarca o territorio. • fig. Esparcir, desparramar alguna cosa a semejanza de la siembra. ■ REGABLE; REGADIZO, ZA.
REGATA f. Canal o roza que se abre en una pared para empotrar una instalación o anclar un elemento. • Surco por donde se conduce el agua a las eras en las huertas y jardines. • Carrera de velocidad entre embarcaciones ligeras, a remo o vela.
REGATE m. Movimiento pronto y rápido que se hace hurtando el cuerpo a una parte u otra. • fig. y fam. Escape o recurso hábilmente buscado para salvar una dificultad. • *Dep*. Acción y efecto de regatear.
REGATEAR tr. Discutir el comprador y el vendedor el precio de una cosa. • Revender, vender por menor los comestibles que se han comprado por mayor. • fig. y fam. Escatimar, rehusar la ejecución de una cosa. • intr. Hacer regates. • Hacer regatas, carreras de velocidad. • *Dep*. En los deportes de pelota, evitar el acoso de un jugador contrario, engañándolo con un movimiento o ademán, y avanzando con la pelota. ■ REGATEO; REGATERÍA; REGATERO, RA.
REGATO m. Arroyuelo de riego. • Remanso poco profundo.
REGATÓN, NA adj. y s. Que vende por menor los comestibles comprados por mayor. • Que regatea mucho. • m. Casquillo, cuento o virola que se pone en el extremo inferior de las lanzas, bastones, etc., para dar mayor firmeza. • Hierro en forma de ancla o de gancho y punta, que tienen los bicheros en uno de sus extremos.
REGATONEAR tr. Comprar por mayor para revender por menor. ■ REGATONERÍA.
REGAZAR tr. Arregazar, remangar las faldas.
REGAZO m. Cavidad de la falda desde la cintura hasta la rodilla cuando se está sentada. • Parte del cuerpo donde se forma esta cavidad. • fig. Cosa que recibe en sí a otra, dándole amparo, gozo o consuelo.
REGENCIA f. Acción de regir o gobernar. • Empleo de regente. • gobierno de un país durante la minoría de edad, la incapacidad temporal o la ausencia de su soberano, por una persona denominada regente. • Tiempo que dura tal gobierno. • **Estilo R.** *Arte*. Estilo que prevaleció en Francia durante la r. de Felipe de Orleáns.
REGENERACIÓN f. Tratamiento químico-mecánico mediante el cual se vuelven utilizables productos viejos e inservibles. • *Biol*. Proceso por el cual ciertos organismos pueden volver a formar porciones del cuerpo que han sido separadas accidentalmente. En casos límite, una porción del cuerpo puede regenerar un individuo completo. • *Fís*. En un reactor nuclear, conversión de un material fértil en un material fisible, cuando la proporción de conversión es mayor que uno. • *Ing*. Aprovechamiento del calor de los gases residuales de combustión para calentar aire. ■ REGENERADO, DA.
REGENERACIONISMO m. Mov. ideológico esp., formado a raíz de la pérdida de las últimas colonias. Sus prales., propulsores fueron Joaquín Costa y Macías Picavea, que propugnaron la descentralización adm. y la modernización de la enseñanza, entre otras reformas.
REGENERADOR, RA adj. y s. Que regenera. • m. *Ing*. Calentador de aire por aprovechamiento del calor de los gases residuales.
REGENERAR tr. y prnl. Dar nuevo ser a una cosa que degeneró; restablecerla o mejorarla. • fig. Hacer que una persona se aparte de un vicio. • tr. Someter un producto a un procedimiento de regeneración.
REGENSBURG C. de la Alemania → Ratisbona.
REGENTA f. Mujer del regente.
REGENTAR tr. Desempeñar temporalmente ciertos cargos o empleos. • Ejercer un cargo ostentando superioridad. • Ejercer un empleo o cargo de honor.
REGENTE adj. Que rige o gobierna. • m. y f. Persona encargada de la regencia de un país. • m. Magistrado que presidía una audiencia territorial. • En las religiones, el que gobierna y rige los estudios. • En algunas ant. escuelas y universidades, catedrático trienal. • Sujeto que estaba habilitado para regentar ciertas cátedras. • En las imprentas, farmacias, etc., el que sin ser el dueño lleva su mando.
REGENTEAR tr. Regentar un cargo ostentando superioridad.
REGGIO DI CALABRIA C. de Italia, en Calabria, cap. de la prov. hom.; 178 200 hab. Sit. en el estr. de Mesina. Ind. mecánica, textil y química.
REGGIO NELL'EMILIA C. de Italia, en Emilia-Romaña, cap. de la prov. hom.; 130 200 hab. Mercado agrícola. Ind. alimentarias y confecciones.
REGICIDIO m. Muerte violenta dada al monarca a su consorte, o al príncipe heredero o al regente. ■ REGICIDA.
REGIDOR, RA adj. y s. Que rige o gobierna. • Concejal que no ejerce ningún otro cargo municipal. • Traspunte. ■ REGIDORÍA O REGIDURÍA.
RÉGIMEN m. Modo de gobernarse o regirse en una cosa. • Constituciones, reglamentos o prácticas de un gobierno en general. • Conjunto de condiciones regulares y estables que acompañan o causan una sucesión de fenómenos. • Conjunto de las variaciones que experimenta el caudal de un río. • *Gram*. Dependencia que entre sí tienen las palabras

en la oración. • *Gram.* Prep. que pide cada verbo, o caso que pide cada preposición. • Regulación sistemática de la dieta y de los hábitos, con algún propósito determinado. • *Fís.* En mecánica de fluidos, cada uno de los modelos que representan una forma determinada de circular un fluido por un conducto. • *Ing.* Condiciones de trabajo que caracterizan el funcionamiento de una máquina o bien de un mecanismo genérico. • **alimentario.** *Biol.* Tipo particular de alimentación que sigue cada una de las especies animales. • **Antiguo R.** Nombre con el que se conoce el gobierno anterior a la Revolución fr. (*Ancien Régime*).

REGIMENTAR tr. Reducir a regimientos varias compañías o partidas sueltas.

REGIMIENTO m. Acción y efecto de regir o regirse. • Cuerpo de regidores en el concejo o ayuntamiento de una población. • Oficio o empleo de regidor. • *Mil.* Unidad homogénea de cualquier arma o cuerpo. • *Amér.* Multitud de gente.

La **regente** María Cristina de Borbón jura la Constitución española en 1833

REGINA C. de Canadá, cap. de la prov. de Saskatchewan; 175 000 hab. Centro ferroviario, industrial y comercial. Refino de petróleo.

REGIO, GIA adj. Real, relativo al rey o a la realeza. • fig. Suntuoso, grande, magnífico.

REGIOMONTANO, NA adj. y s. De Monterrey.

REGIOMONTANO, *Johann Müller*, llamado (1436-1476) Astrónomo y matemático alemán Fundó, en Nuremberg, el primer observatorio de Europa (1471).

REGIÓN f. *Geog.* Porción de territorio determinada por caracteres étnicos o circunstancias especiales de clima, producción, topografía, administración, gobierno, etc. • Espacio que, según la filosofía ant., ocupa cada uno de los cuatro elementos. • fig. Todo espacio de gran extensión. • *Biol.* Cada una de las zonas biogeográficas en que se dividen los reinos biogeográficos. • *Mat.* Parte del plano limitada por líneas, y parte del espacio limitada por planos. • Cada una de las partes en que se considera dividido el cuerpo de los animales. • pl. Partes en las que se divide un mapa o una gráfica. ■ REGIONAL.

* *Geog.* Hay varias formas y niveles a los que puede aplicarse el concepto de r. Antes del s. XIX se seguía un criterio histórico-político. La escuela fr., con Vidal de la Blache, dio primacía a las características físicas. En la actualidad, la escuela norteam. considera la r. como un marco de estudio, un contexto territorial socioeconómico para la ordenación del territorio.

REGIONALISMO m. Amor y apego a la propia región y a sus cosas. • *Pol.* Tendencia o doctrina según las cuales en el gobierno de un Est. debe atenderse especialmente al modo de ser y a las aspiraciones de cada región. • Vocablo o giro privativo de una región determinada. ■ REGIONALISTA.

REGIONARIO, RIA adj. y s. Díc. del oficial eclesiástico que tenía a su cargo la administración de algunos asuntos en determinado distrito. • Obispo regionario.

REGIR tr. Dirigir, gobernar o mandar. • Guiar, llevar o conducir una cosa. • *Gram.* Tener una palabra bajo su dependencia otra palabra de la oración gramatical. • *Gram.* Pedir una palabra tal o cual prep., caso de la declinación o modo verbal. • *Gram.* Pedir o representar una prep. este o el otro caso. • intr. Estar vigente. • Funcionar bien un artefacto u organismo. • *Mar.* Obedecer la nave al timón, volviendo la proa en dirección contraria a la que tiene la pala de éste. • intr. y prnl. Traer bien gobernado el vientre, descargarlo.

REGISTRADO, DA adj. Díc. de un invento, marca comercial, etc., cuando para proteger la propiedad sobre él, ha sido inscrito en un registro oficial al respecto.

REGISTRADOR, RA adj. Que registra. • Díc. del aparato que anota las indicaciones variables de su función propia. • m. Funcionario que tiene a su cargo algún registro público. • Persona que está a la entrada de un lugar para reconocer los géneros y mercancías que entran o salen.

REGISTRAR tr. Mirar, examinar una cosa con cuidado y a fondo. • Declarar mercancías, géneros o bienes para que sean examinados o anotados. • Transcribir o extractar en los libros de un registro público las resoluciones de la autoridad o los actos jurídicos de los particulares. • Poner una señal o registro entre las hojas de un libro, para algún fin. • Anotar, señalar. • Inscribir mecánicamente en un disco, cilindro, cinta, etc., las diferentes fases de un fenómeno. • Grabar sonidos en disco o cinta, para que luego puedan ser reproducidos. • Marcar un aparato ciertos datos propios de su función, como cantidades o magnitudes. • fig. Tener un edificio vistas sobre un predio vecino. • *Comp.* Almacenar datos digitales. • prnl. Presentarse o matricularse. • Ocurrir o producirse ciertas cosas.

REGISTRO m. Acción de registrar. • Lugar desde donde se puede registrar o ver algo. • Pieza que en el reloj u otra máquina sirve para disponer o modificar su movimiento. • Abertura para examinar lo que está subterráneo o empotrado en un muro, pavimento, etc. • Padrón y matrícula. • Protocolo notarial. • Lugar y oficina en donde se registra. • Asiento que queda de lo que se registra. • Cédula en que consta haberse registrado una cosa. • Libro donde se apuntan noticias o datos. • Cordón, cinta u otra señal que se pone entre las hojas de los libros para manejarlos y consultarlos mejor. • Pieza movible del órgano para modificar el timbre o la intensidad de los sonidos. • Cada gén. de voces del órgano. • En el piano, mecanismo que sirve para esforzar o apagar los sonidos. • *Art. Gráf.* Correspondencia entre las dos caras de una hoja impresa. • Agujero del hornillo, que en las operaciones químicas sirve para dar fuego e introducir el aire. • Porción de la memoria de un calculador electrónico apta para efectuar operaciones lógicas y aritméticas. • **civil.** Registro en que se hacen constar los nacimientos, matrimonios, defunciones y demás hechos relativos al estado civil de las personas. • **de la propiedad.** Aquel en que se inscriben todos los bienes raíces de un partido judicial, con expresión de sus dueños. • **de la propiedad industrial.** El que sirve para registrar patentes de invención o de introducción, marcas de fábrica, nombres comerciales y recompensas industriales. • **de la propiedad intelectual.** El que tiene por objeto inscribir y amparar los derechos de autores, traductores o editores de obras científicas, literarias o artísticas. • **lógico.** *Comp.* Conjunto de uno o más campos que forman un grupo de datos similares relacionados entre sí. Una colección de registros es un fichero. • **mercantil.** El que sirve para la inscripción de actos y contratos del comercio.

REGLA f. Instrumento de una materia rígida, delgada y de forma rectangular, para trazar líneas rectas. • Normas de una orden religiosa. • Norma que ha de regir la conducta de los hombres, en el estudio de una ciencia, en la práctica de un arte, o en la ejecución de alguna cosa. • Razón que debe servir de medida y a que se han de ajustar las acciones para que resulten rectas. • Moderación, templanza, medida, tasa. • Pauta de la escritura. • Orden y concierto invariable que guardan las cosas naturales. • Menstruación. • *Mat.* Método de hacer una operación. • **de cálculo.** Instrumento de pequeño tamaño para efectuar de modo mecánico cálculos rápidos, basado en el empleo de escalas logarítmicas. Se compone de una regla graduada de corredera, con un cursor transparente, y de una rejilla móvil que se desliza a lo largo de la ranura de aqué-

Soldados del **regimiento** de húsares de la escolta de San Martín

El papa Inocencio III confirmando la **regla** de San Francisco de Asís en un fresco de Giotto. Basílica de Asís, Italia

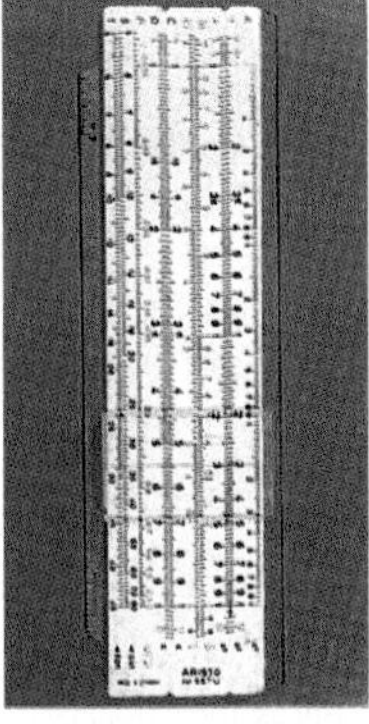

Regla de cálculo

lla. • **de oro, de proporción** o **de tres.** La que enseña a determinar una cantidad desconocida, por medio de una proporción de la cual se conocen dos términos entre sí homogéneos, y otro tercero de la misma especie que el cuarto que se busca. • **En r.** m. adv. fig. Como es debido. • **Las cuatro reglas.** Las cuatro operaciones fundamentales: suma, resta, multiplicación y división.

REGLA *Astr.* Norma, constelación.

REGLADO, DA adj. Templado o parco en comer o beber. • Sujeto a precepto, ordenación o regla. • Díc. comúnmente del ejercicio de autoridad pública cuando las disposiciones vigentes no lo han dejado al discrecional arbitrio de ésta. • *Geom.* Díc. de las superficies en las que por cada uno de sus puntos pasan una o más rectas totalmente contenidas en la superficie.

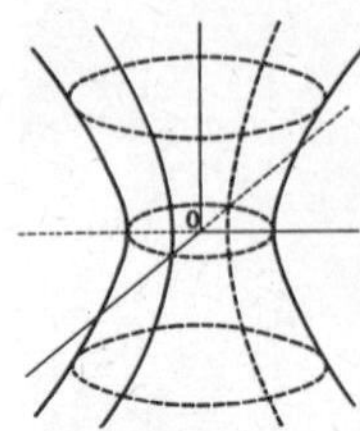

Hiperboloide de una hoja, ejemplo de superficie **reglada**

REGLAJE m. Regulación o reajuste de las piezas de un mecanismo para mantenerlo en perfecto estado de funcionamiento. • Puesta a punto del sistema de encendido de un motor de explosión.

REGLAMENTAR tr. Sujetar a reglamento una cosa. ■ REGLAMENTACIÓN; REGLAMENTARIO, RIA; REGLAMENTISTA.

REGLAMENTO m. Colección ordenada de reglas o preceptos. • Norma, emanada del poder ejecutivo, cuya finalidad es desarrollar los preceptos de una ley.

REGLAR adj. Relativo a una regla o instituto religioso. • tr. Tirar o hacer líneas o rayas derechas, valiéndose de una regla o por cualquier otro medio. • Reglamentar. • Medir o componer las acciones conforme a regla. • prnl. Medirse, templarse, reducirse o reformarse.

REGLETA f. *Art. Gráf.* Planchuela de metal que sirve para regletear. • **de conexiones.** *El.* Pequeña tabla de material aislante, en cuyos bordes hay varias lengüetas para el anclaje de los hilos de conexión.

REGLETEAR tr. *Art. Gráf.* Espaciar la composición tipográfica poniendo regletas entre los renglones.

REGLÓN m. Regla grande que usan los albañiles para dejar planos los suelos y las paredes.

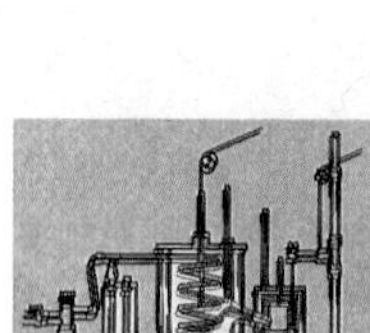
Esquema del calorímetro de **Regnault** para la determinación de calores específicos de gases

REGNAULT, *Victor* (1810-1878) Físico y químico fr. Autor de importantes trabajos sobre los coeficientes de dilatación y de capacidad calofírica.

REGNÍCOLA adj. y s. De un reino. • m. Escritor de las cosas peculiares de su patria.

RÉGNIER, *Henri de* (1864-1936) Novelista y poeta fr. *Poemas antiguos y novelescos, El pasado viviente.*

REGOCIJAR tr. y prnl. Alegrar, recrear, causar o recibir gusto o placer. ■ REGOCIJADO, DA.

REGODEARSE prnl. fam. Entregarse con avidez a un placer grosero. • fam. Alegrarse con malignidad con un chasco, mala situación, etc., de una persona. • fam. Hablar o estar de chacota. • *Amér. Merid.* Mostrar remilgos. ■ REGODEO.

REGOJO m. Pedazo o porción de pan que queda de sobra en la mesa después de haber comido. • fig. Muchacho poco desarrollado físicamente.

REGOLAJE m. Buen humor en las personas.

REGOLDAR intr. Eructar.

REGOLDO m. Castaño borde o silvestre. ■ REGOLDANO, NA.

REGOLFAR intr. y prnl. Retroceder el agua contra su corriente, haciendo un remanso. • intr. Cambiar la dirección del viento por la oposición de algún obstáculo.

Vista de Torelló (detalle), óleo de Darío de **Regoyos**

REGOLFO m. Vuelta o retroceso del agua o del viento contra su curso. • Seno o cala en el mar, comprendida entre dos cabos o puntas de tierra.

REGOLITA f. Manto superficial de productos de alteración de la roca viva.

REGONA f. Reguera grande.

REGORDETE, TA adj. fam. Díc. de la persona o de la parte de su cuerpo, pequeña y gruesa.

REGOSOL m. *Geol.* Nombre dado a los suelos poco evolucionados sobre material no consolidado. Son pobres en materia orgánica y característicos de las pendientes donde el rejuvenecimiento por la erosión interviene de forma intensa.

REGOSTARSE prnl. Arregostarse, engolonisarse.

REGOSTO m. Regusto, deseo de repetir lo que se empezó a gustar o gozar.

REGOYOS, *Darío de* (1857-1918) Pintor esp. Evolucionó desde un naturalismo tenebrista hasta el impresionismo. Son notables sus paisajes y bodegones.

REGRACIAR tr. Mostrar uno su agradecimiento de palabra, o con otra expresión.

REGRESAR intr. Volver al lugar de donde se partió. En América, también se usa como prnl. • *Der.* Volver a entrar, con sujeción a las leyes canónicas, en posesión del beneficio que se había cedido o permutado. ■ REGRESIVO, VA; REGRESO.

REGRESIÓN f. *Geol.* Fenómeno mediante el cual un medio generador de depósitos se retira de la zona que ocupaba. Se dice gralte. del mar. • *Ling.* Derivación regresiva. • *Mat.* Función que expresa la variación conjunta, o covariación, de dos variables aleatorias. • *Psic.* Retorno a actividades y formas de satisfacción inmaduras, correspondiente a etapas infantiles del desarrollo de la personalidad, aparentemente superadas. • **Curva de r.** Línea ideal, de carácter promedio, hacia la cual tienden los puntos del diagrama de dispersión que toman los valores de dos variables aleatorias sometidas a estudio. • **Ley de la r.** Ley genética, enunciada por Galton, según la cual la intensidad de un determinado carácter en un individuo es más próxima al valor medio de la población de lo que era en sus progenitores.

REGRUÑIR intr. Gruñir mucho.

REGÜELDO m. Acción y efecto de regoldar. • fig. Cardencha imperfecta que sale en el tallo de la principal.

REGUERA f. Conducto o canal para conducir el agua del riego.

REGUERO m. Corriente, a modo de chorro o de arroyo pequeño, que se hace de una cosa líquida. • Línea o señal continuada que queda de una cosa que se va vertiendo. • Reguera.

REGUILETE m. Rehilete, flechilla de papel.

REGULACIÓN f. *Biol.* Mantenimiento de las constantes vitales dentro del intervalo óptimo para el metabolismo. • *Ing.* Control o adaptación de una magnitud de salida a un valor constante o deseado en función de una magnitud de entrada.

* *Biol.* Los mecanismos de r. son varios: receptores de estímulos internos, que modulan diversos órganos efectores por vía nerviosa; inhibiciones enzimáticas; etc. Todos ellos contribuyen de un modo u otro a adaptarse, y en su caso reaccionar, frente a las variaciones de los factores que forman el medio externo de los órganos, tejidos y células del ser vivo.

* *Ing.* La r. puede se manual, automática y electrónica. Según la forma de intervención a lo largo del tiempo, se distinguen varios tipos de r.: la del *todo o nada (on-off)*, la *r. escalonada* y la *r. continua.*

REGULADOR, RA adj. Que regula. • adj. y m. *Biol.* Díc. de los genes encargados de la síntesis de sustancias represoras, que actúan favoreciendo o inhibiendo el funcionamiento de un operón. • *Ing.* Díc. de todo dispositivo que sirve para controlar, ordenar o normalizar los efectos de una máquina o de un proceso. • m. Reloj de pared con péndulo de compensación. • *Mús.* Signo en forma de ángulo agudo que sirve para indicar que la intensidad del sonido se ha de aumentar o disminuir gradualmente.

REGULAR tr. Medir, ajustar o computar una cosa por comparación o deducción. • Ajustar, reglar o poner en orden una cosa. • adj. Ajustado y conforme a regla, ley o norma establecida. • Ajustado, medido, arreglado en las acciones y modo de vivir. • Estable, que no presenta cambios bruscos. • De tamaño o condición media o inferior a ella. • adj. *Geom.* Díc. de todo polígono que es equilátero y equiángulo a la vez. • *Geom.* Díc. del poliedro cuyas caras son polígonos r. iguales entre sí y cuyos ángulos diedros son iguales. • *Mat.* Díc. del elemento de un conducto dotado de una operación interna simplificable respecto a esa operación. • *Mat.* Díc. del conjunto de un espacio topológico en que para cada elemento del conjunto y para cada entorno de este elemento existe, en el conjunto, un entorno cerrado del elemento contenido en el primer entorno citado. • *Mat.* En cálculo matricial, díc. de la matriz cuadrada cuyo determinante es no nulo y que tiene, por consiguiente, inversa. • *Gram.* Se aplica a la palabra derivada, o formada de otro vocablo, según la regla de formación seguida gralte. por las de su clase. • adj. y s. Se aplica a las personas que viven bajo una regla o instituto religioso, y a lo que pertenece a su estado. • adv. modo. No muy bien. ■ REGULADO, DA; REGULATIVO, VA.

REGULARIDAD f. Calidad de regular. • Exacta observancia de la regla o instituto religioso. • Puntualidad.

REGULARIZAR tr. y prnl. Reglar, ajustar o poner en orden una cosa. • tr. Saldar una cuenta o balance. ■ REGULARIZACIÓN.

RÉGULO m. Señor de un Estado pequeño. • Basilisco, animal fabuloso. • Reyezuelo, pájaro. • Parte más pura de los minerales después de separadas las impuras.

RÉGULO, *Marco Atilo* (s. III a. C.) Cónsul rom. (267 y 256 a. C.). Venció en diversas ocasiones a los cartagineses, quienes, al final, le derrotaron e hicieron prisionero.

REGULUS *Astr.* Estrella de primera magnitud, en la constelación de Leo.

REGURGITAR intr. Expeler por la boca, sin esfuerzo o sacudida de vómito, sustancias sólidas o líquidas contenidas en el esófago o en el estómago. • Salir un líquido del continente o del vaso, por excesiva repleción o abundancia. • Retroceder el contenido de un conducto, siguiendo una dirección contraria a la del avance normal. ■ REGURGITACIÓN.

REGUSTO m. Gusto o sabor que queda de la comida o bebida. • fig. Impresión que queda de otras cosas, físicas o morales.

REHABILITAR tr. y prnl. Devolver, a un enfermo o a un disminuido físicamente, la capacidad de valerse por sí mismo. • Restituir los derechos u honores a una persona que fue desposeída de ellos. ■ REHABILITACIÓN.

REHACER tr. Volver a hacer lo que se había deshecho. • Reformar, refundir. • tr. y prnl. Reponer, reparar, restablecer lo disminuido o deteriorado. • prnl. Reforzarse, fortalecerse o tomar nuevo brío. • fig. Serenarse, dominar una emoción, mostrar tranquilidad. ■ REHACIMIENTO.

REHALA f. Rebaño de ganado lanar de diversos dueños y conducido por un solo mayoral. • Jauría de perros de caza mayor. ■ REHALERO.

REHARTAR tr. y prnl. Hartar mucho.

REHECHO, CHA adj. De estatura mediana, grueso, fuerte y robusto.

REHELEAR intr. Ahelear, tener o dar una cosa sabor amargo como el de la hiel. ■ REHELEO.

REHÉN m. Persona que queda en poder del enemigo como prenda del cumplimiento de un pacto. • Plaza, castillo o cosa semejante, que se pone por fianza o seguro.

REHENCHIR tr. y prnl. Volver a henchir una cosa reponiendo lo que se había menguado. • tr. Rellenar de cerda, pluma, lana o cosa semejante algún mueble o parte de él. ■ REHENCHIDO, DA; REHENCHIMIENTO.

REHERIR tr. Rebatir, rechazar. ■ REHERIMIENTO.

REHERRAR tr. Volver a herrar con la misma herradura, aunque con clavos nuevos.

REHERVIR intr. y tr. Volver a hervir. • intr. fig. Encenderse, enardecerse o cegarse a causa de una pasión. • prnl. Hablando de las conservas, fermentarse y agriarse.

REHIELO m. *Fís.* Fenómeno por el cual el agua procedente de la fusión del hielo vuelve a solidificarse.

REHILADILLO m. Hiladillo, cinta estrecha.

REHILAMIENTO m. *Fon.* Vibración que se produce en el punto de articulación de algunas consonantes y que suma su sonoridad a la originada por las vibraciones de las cuerdas vocales.

REHILANDERA f. Molinete de viento, juguete de niños.

REHILAR tr. Hilar demasiado o torcer mucho lo que se hila. • intr. Moverse una persona o cosa como temblando. • Vibrar ciertas armas arrojadizas, como la flecha, cuando van zumbando a causa de su rapidez. • intr. y tr. *Fon.* Pronunciar con rehilamiento ciertas consonantes sonoras. ■ REHÍLO.

REHILERO o **REHILETE** m. Flechilla con púa en un extremo y papel o plumas en el otro, que se lanza por diversión para clavarla en un blanco. • *Taur.* Banderilla. • Volante para el juego de raquetas. • fig. Dicho malicioso, pulla. ■ REHILETERO.

REHOGAR tr. Sofreír una vianda a fuego lento y muy tapada.

REHOLLAR tr. Pisotear o volver a pisar.

REHOYAR intr. Renovar el hoyo hecho antes para plantar árboles.

REHOYO m. o **REHOYA** f. Barranco u hoyo profundo.

REHUIR tr., intr. y prnl. Retirar, apartar una cosa como con temor, sospecha o recelo de un riesgo. • tr. e intr. Eludir hacer o manifestar algo. • Evitar el trato con una persona determinada. • tr. Repugnar o llevar mal una cosa. • Rehusar o excusar el admitir algo. • intr. Entre cazadores, volver a huir o correr la res por las mismas huellas. ■ REHUIDA.

REHUMEDECER tr. y prnl. Humedecer bien.

REHUNDIDO m. Vaciado, fondo que queda en el neto del pedestal después de la faja o moldura.

REHUNDIR tr. y prnl. Hundir o sumergirse una cosa en lo más hondo de otra. • tr. Ahondar, hacer más honda una cavidad. • Refundir, volver a fundir los metales. • fig. Gastar sin provecho ni medida.

REHUSAR tr. Excusar, no querer o no aceptar una cosa. • Rechazar una petición.

REICH (al., «imperio») P. ant., el Est. o imperio germ. • **Primer R.** o **Sacro Imperio Romano Germánico.** (962-1806) Desde Otón I el Grande hasta la constitución de la Confederación del Rin y renuncia del emp. Francisco II a la corona. • **Segundo R.** (1871-1918) Promovido por Bismarck, fue un Est. imperialista fundamentado en la fuerza militar y la expansión económica. Terminó con el advenimiento de la Rep. de Weimar. • **Tercer R.** (1933-1945) Fundado por Hitler, siguió una política totalitaria, racista y anexionista. Se extinguió con una derrota total.

REICH, *Wilhelm* (1897-1957) Psicoanalista austr. nacido en Galitzia. Residió en EE UU desde 1939. Fue discípulo y colaborador de Freud y el primero en relacionar el pensamiento marxista con el psicoanálisis. *La función del orgasmo, La revolución sexual, Psicología de masas del fascismo.*

REICHENBACH, *Hans* (1891-1953) Filósofo al. Fundador de la Escuela de Berlín. Su doctrina se conoce como empirismo probabilístico. *Átomo y cosmos, Teoría de la probabilidad.*

REICHSRAT En el imperio austr., nombre del consejo imperial (1848-1861) y, después, del parlamento austr. (1861-1918). • En Alemania, órgano legislativo de la República de Weimar (1919-1933).

REICHSTAG Dieta del Sacro Imperio Romano Germánico (s. XII), disuelta al desaparecer el Imperio en 1806. En 1867 se restableció como órgano legislativo y durante la Rep. de Weimar tuvo el control del gobierno. Hitler puso fin a su carácter representativo.

REICHSTEIN, *Tadeus* (1897-1996) Bioquímico suizo, de origen pol. Premio Nobel de Medicina en 1950 por sus estudios sobre los derivados de la cortisona.

REID, *Thomas* (1710-1796) Filósofo escocés. Fundó una soc. filosófica de la que surgió la escuela escocesa del sentido común. *Ensayo sobre las fuerzas del conocimiento humano.*

REIDO, DA adj. y m. *Zool.* Díc. de aves de la familia reidos. • m. pl. *Zool.* Familia de aves reiformes, integrada por dos especies sudamericanas de ñandúes.

REIDY, *Alfonso Eduardo* (1909-1964) Arquitecto bras. Colaborador de Le Corbusier, es el autor del conjunto residencial Pedregulho y del museo de Arte Moderno, ambos en Río de Janeiro.

Rehabilitación del capitán Alfred Dreyfus

Guillermo II, káiser del Segundo **Reich**

Tropas alemanas desfilan por las calles de Viena, tras la anexión de Austria al Tercer **Reich**

Ñandú común, ave del orden **reiformes**

REIFICACIÓN f. Función operativa de la inteligencia que transforma conceptos abstractos en realidades concretas, en objetos.

REIFORME adj. y m. *Zool.* Díc. de los individuos de un orden de aves de gran tamaño, incapaces de volar, pero excelentes corredoras. • adj. Relativo a estas.• m. pl. *Zool.* Orden de dichas aves.

REILAR tr. Moverse una cosa como temblando.

REIMPLANTACIÓN f. *Cir.* Operación que consiste en volver a colocar en su lugar un órgano seccionado, extirpado o desprendido.

REIMPORTAR tr. Importar lo que se había exportado. ▪ REIMPORTACIÓN.

REIMPRIMIR tr. Volver a imprimir, o repetir la impresión de una obra o escrito. ▪ REIMPRESIÓN.

REIMS C. de Francia, en el dpto. del Maine, cap. de la circunscripción Champaña-Ardenas; 206 400 hab. Centro textil y vinícola (champaña). Catedral gótica del s. XIII. En esta c. se firmó en 1945 la capitulación que puso fin a la II Guerra Mundial.

REINA f. Esposa del rey. • Mujer que gobierna un país bajo la fórmula monárquica. • Pieza del juego de ajedrez, la más imp. después del rey. • *Zool.* Hembra fértil en ciertos insectos sociales a cuyo cargo corre el desove y la reproducción en la colonia. • fig. Mujer, animal o cosa del gén. femenino que, por su excelencia, sobresale entre las demás de su clase o especie. • **del bosque.** Planta cactácea, de tallo suculento, espinoso, con costillas agudas que sostienen grupos de espinas negras y amarillas; flores grandes, y frutos en baya. Es originaria de Brasil. • **de los prados.** Planta rosácea, de hojas hendidas y denticuladas, flores agrupadas en cimas corimbiformes, y frutos en folículo. Sus flores se usan como tónicas y contra la hidropesía.

Catedral de **Reims**

REINA, ***La*** C. de Chile, en el área metropolitana de Santiago; 89 100 hab.

REINA, ***Carlos Roberto*** (nacido 1925) Político hond. Hombre de leyes, vinculado a la defensa de los derechos humanos. Candidato del Partido Liberal, obtuvo la victoria en las elecciones a la presid. de noviembre de 1993, asumiendo la jefatura de la Rep. hasta 1998. • ***Manuel*** (1855-1906) Poeta esp. Su preocupación por la forma y musicalidad del verso le hace bordear el modernismo. *Andantes y allegros, El jardín de los poetas.* • **Barrios,** ***José María*** (1853-1898) Militar y político guat. Presid. de la rep. [1892-1898]. Pereció durante una sublevación.

REINA ADELAIDA Arch. del S. de Chile, sit. en el Pacífico, al NO del estr. de Magallanes. Las prales. islas son Manuel Rodríguez, Juan Guillermo y Pedro Montt. Pesca.

REINA CARLOTA, ***Archipiélago de la*** *(Queen Charlotte Islands)* Arch. de Canadá (Columbia Británica). Sit. en el Pacífico. Ganadería y pesca.

REINA ISABEL, ***Islas de la*** *(Queen Elisabeth Islands)* Sector del arch. ártico de Canadá. Comprende los arch. Sverdrup y Parry, y la isla de Ellesmere.

REINACH, ***Salomon*** (1858-1932) Arqueólogo fr. Miembro de la escuela fr. de Atenas. *La necrópolis de Myrina, Viaje arqueológico a Grecia y al Asia Menor, El origen de los arios.*

REINADO m. Espacio de tiempo en que gobierna un rey o una reina. • P. ext., aquel en que predomina o está en auge alguna cosa.

REINAL m. Cuerdecita muy fuerte de cáñamo compuesta de dos ramales retorcidos.

REINAR intr. Regir un rey o príncipe un Est. • Dominar o tener predominio una persona o cosa sobre otra. • fig. Prevalecer una cosa. ▪ REINADOR, RA.

Abeja **reina** saliendo de su celda

REINCIDENCIA f. Reiteración de una misma culpa o defecto. • *Der.* Circunstancia agravante de la responsabilidad criminal, que consiste en haber sido el reo condenado antes por delito análogo al que se le imputa.

REINCIDIR intr. Volver a caer o incurrir en un error, falta o delito.

REINCORPORAR tr. y prnl. Volver a incorporar, agregar o unir a un cuerpo político o moral lo que se había separado de él. • Volver a incorporar a una persona a un empleo, servicio, actividad, etc. ▪ REINCORPORACIÓN.

REINETA f. Manzana reineta. • Nombre común de diversas aves paseriformes, de forma elegante y de agradable canto, que habitan en América Meridional.

REINGRESAR intr. Volver a ingresar. • Entrar en la atmósfera terrestre un vehículo espacial. ▪ REINGRESO.

REINHARDT, ***Max*** Seud. de *Max Goldmann* (1873-1943) Director de teatro y de cine austr. Realizó espectáculos como *Edipo rey*, de Sófocles, y *Julio César*, de Shakespeare. En cine dirigió *Sueño de una noche de verano.*

REINO m. Territorio o Est. regido o gobernado por un rey. • Cualquiera de las prov. de un Est. que antiguamente tuvieron su rey propio y privativo. • Diputados o procuradores que con poderes del r. lo representaban o hablaban en su nombre. • Cada uno de los tres grandes grupos en que se consideraban distribuidos todos los seres en la ant. historia natural: r. animal, r. vegetal y r. mineral. • *Biol.* Cada una de las dos grandes divisiones taxonómicas en que se han venido clasificando los seres vivos: r. animal y r. vegetal. En la actualidad, dado que las fronteras entre el animal y el vegetal son poco claras, se tiende a clasificar los seres vivos en un r. → procariota y otro → eucariota. • *Biogeogr.* Cada una de las tres grandes regiones geográficas en que se divide el mundo vivo: arctogea, neogea y notogea. • fig. Espacio real o imaginario en que actúa algo material o inmaterial.

REINO UNIDO DE GRAN BRETAÑA E IRLANDA DEL NORTE *(United Kingdom of Great Britain and Northern Ireland)* Nombre oficial del reino formado por Gran Bretaña e Irlanda del Norte (→ Gran Bretaña).

REINSTALAR tr. y prnl. Volver a instalar. ▪ REINSTALACIÓN.

REINTEGRAR tr. Restituir o satisfacer íntegramente una cosa • Reconstituir la mermada integridad de una cosa. • Poner la póliza o estampilla en los documentos en que legalmente es obligatorio. • tr. y prnl. Volver a ejercer una actividad, incorporar de nuevo a una colectividad o situación social o económica. • prnl. Recobrarse enteramente de lo que se había perdido, o dejado de poseer. ▪ REINTEGRACIÓN.

REINTEGRO m. Acción y efecto de reintegrar. • Pago de un dinero o especie que se debe. • En la lotería nacional, premio igual a la cantidad jugada. • Póliza que según la ley se debe poner en un documento.

REÍR intr. y prnl. Manifestar alegría y regocijo con la exp. de la mirada y con determinados movimientos de la boca y otras partes del rostro. • intr., tr. y prnl. fig. Hacer burla o menosprecio. • intr. y prnl. fig. Producir gozo o alegría algunas cosas de aspecto agradable. • tr. Celebrar con risa alguna cosa. • prnl. fig. y fam. Empezar a romperse o abrirse la tela del vestido, camisa u otras cosas, por muy usadas o por la calidad de la misma tela. ▪ REIDOR, RA.

REIS (voz port.) m. pl. Moneda fraccionaria de Brasil y Portugal. Mil r. constituyen un cruzeiro o un escudo.

REISZ, ***Karel*** (nacido 1926) Director de cine brit., de origen chec. Miembro del *Free cinema*, *Sábado noche, domingo mañana, Isadora, El jugador, Nieve que quema, La mujer del teniente francés.*

REITER m. Pieza de alambre de 1 cg de masa, susceptible de ser colocada en una cualquiera de las divisiones de la escala graduada de una balanza de precisión, que permite medir milésimas y diezmilésimas de gramo.

REITERACIÓN f. Acción y efecto de reiterar o reiterarse. • *Der.* Circunstancia que puede ser agravante, derivada de anteriores condenas del reo, por delitos de índole diversa del que se juzga.

REITERAR tr. y prnl. Volver a decir o ejecutar; repetir una cosa. ▪ REITERATIVO, VA.

REIVINDICAR tr. Exigir o defender aquello a lo que se tiene derecho. • *Der.* Reclamar o recuperar uno lo que por razón de dominio u otro motivo le pertenece. • Rehabilitar a uno en su fama o reputación. ▪ REIVINDICACIÓN; REIVINDICATORIO, RIA.

REIYUKAI Grupo religioso de origen budista, fundado en 1925. Sus miembros, unos tres millones, practican el culto a los antepasados.

REJA f. Conjunto de barras paralelas o entrecruzadas que se colocan en ventanas y aberturas para seguridad o adorno. • Instrumento de hierro, que es parte del arado y sirve para remover y romper la tierra. • fig. *Agr.* Labor o vuelta que se da a la tierra con el arado. ■ REJERÍA; REJERO.

REJADO m. Verja, enrejado.

REJAL m. Pila de ladrillos colocados de canto y cruzados unos sobre otros.

REJALGAR m. *Bot.* Planta herbácea rizomatosa de la familia aráceas. Sus hojas y rizomas son acres, expectorantes y purgantes, y los frutos ligeramente venenosos. • *Miner.* Sulfuro de arsénico. Cristaliza en el sistema monoclínico y es de color rojo.

REJAZO m. *Amér. Centr.* Latigazo.

REJADA o **REJIADA** f. *Amér. Centr.* Zurra.

REJEGO, GA adj. *Amér. Centr.* Reacio, remiso. • adj. y f. *Cuba.* Vaca mansa.

REJERA f. *Mar.* Calabrote, cable, boya o ancla con que se procura mantener en posición conveniente un buque.

REJILLA f. Celosía, red, tela metálica, etc., que se pone en ventanillas, puertas, etc. • P. ext., ventanilla de confesonario, ventanillo de puerta de casa o cualquier otra abertura pequeña cerrada con r. • Tejido hecho con tiras de tallos vegetales flexibles y resistentes. Sirve para respaldos y asientos de sillas. • Rejuela, braserillo. • Armazón de barras de hierro, que sostiene el combustible en el hogar de las hornillas, máquinas de vapor, etc. • Tejido en forma de red que se coloca sobre los asientos en el ferrocarril para depositar cosas menudas y de poco peso. • *Electr.* Electrodo de las válvulas electrónicas situado entre el ánodo y el cátodo, que se emplea para regular el flujo de electrones entre ambos. • *Ing.* Malla de hilos metálicos que se intercala en una conducción para fluidos con el fin de impedir el paso de partículas sólidas de dimensiones superiores a las del paso de la malla.

REJIÑOL m. Pito de barro en forma de pájaro que contiene agua y por cuyo pico se sopla imitando el gorjeo de los pájaros.

REJO m. Punta o aguijón de hierro, y p. ext., punta o aguijón de otra especie; como el de la abeja. • Clavo o hierro redondo con que se juega al herrón. • Hierro que se pone en el cerco de las puertas. • fig. Robustez o fortaleza. • *Bot.* En el embrión de la planta, órgano de que se forma la raíz. • Tira de cuero. • Soga, cuerda. • *Amér.* Azote, látigo. • *Cuba* y *Ven.* Soga o pedazo de cuero que sirve para atar el becerro a la vaca, o para maniatar reses. • *Ecuad.* Ordeño, acción de ordeñar. • *Ecuad.* Conjunto de vacas de ordeño.

REJÓN m. Barra de hierro cortante que acaba en punta. • *Taur.* Asta de madera, con una moharra en la punta que sirve para rejonear. • Especie de puñal. • Púa del trompo. ■ REJONAZO.

REJONCILLO m. Rejón para los toros.

REJONEAR tr. *Taur.* En el toreo a caballo, herir con el rejón al toro, quebrándolo en él por la muesca que tiene cerca de la punta. ■ REJONEADOR, RA; REJONEO.

REJUELA f. Braserito en forma de arquilla y con rejilla en la tapa, para calentarse los pies.

REJUNTAR tr. y prnl. Juntar. • tr. Repasar y tapar con mortero o argamasa las juntas de un paramento. ■ REJUNTADO, DA.

REJUVENECER tr., intr. y prnl. Remozar, dar a uno la fortaleza y vigor que se suelen tener en la juventud. • Tratar médicamente para compensar el desgaste natural de una función orgánica: tono muscular, reproducción, etc. • tr. fig. Renovar, modernizar o dar actualidad a lo desusado, olvidado o postergado. ■ REJUVENECIMIENTO.

RELABRAR tr. Volver a labrar una piedra o madera. ■ RELABRA.

RELACIÓN f. Referencia que se hace de un hecho. • Finalidad de una cosa. • Conexión, correspondencia de una cosa con otra. • *Fil.* Categoría, fundamental en Aristóteles y la escolástica, que define la referencia o el orden de una cosa con respecto a otra. • Conexión, correspondencia, trato, comunicación de una persona con otra. Se usa más en pl. • Relato o informe, de palabra o por escrito. • Lista o enumeración de varias cosas o de nombres de personas. • En el poema dramático, trozo largo que dice un personaje, ya para contar o narrar una cosa, ya con cualquier otro fin. • Informe que un auxiliar hace de lo sustancial de un proceso o de alguna incidencia en él, ante un tribunal o juez. • *Gram.* Conexión o enlace entre dos términos de una misma oración. • pl. Las amorosas con propósito matrimonial. • **binaria.** *Mat.* Subconjunto del producto cartesiano de dos conjuntos dados. A las r. binarias, se las llama también correspondencias. • **de equivalencia.** *Mat.* Relación binaria que cumple las propiedades reflexiva, simétrica y transitiva. • **de orden.** *Mat.* Relación binaria que cumple las propiedades reflexiva, transitiva y antisimétrica. • **nucleoplasmática.** *Biol.* Razón entre el volumen celular y el volumen nuclear, que tiende a ser constante en cada tipo de célula. • **Relaciones públicas.** Actividad profesional cuyo fin es informar sobre personas, empresas, etc., tratando de prestigiarlas y de captar voluntades a su favor. ■ RELACIONAL.

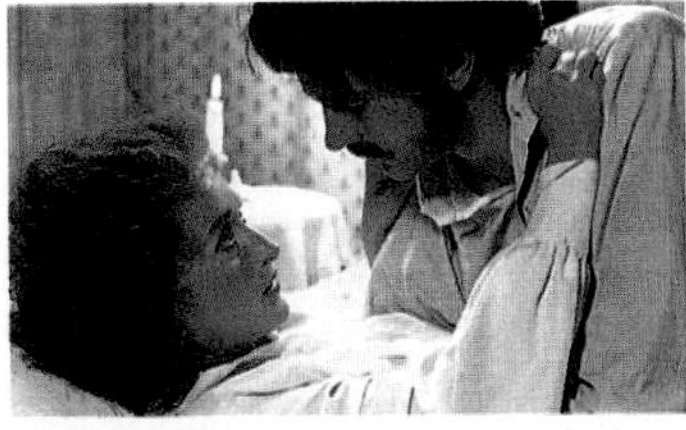

Fotograma de la película *La mujer del teniente francés,* de Karel **Reisz**

RELACIONAR tr. Hacer relación de un hecho. • tr. y prnl. Poner en relación personas o cosas. • prnl. Tener relación varias cosas entre sí. • fig. Trabar relaciones de amistad, negocios, sociales, etc.

RELACIONERO m. El que hace o vende coplas o relaciones.

RELAJACIÓN f. Acción y efecto de relajar o relajarse. • Hernia. • Pérdida de tensiones que sufre un material que ha estado sometido a una deformación constante. • fig. Disminución en el interés, la aplicación, etc. • **Oscilaciones de r.** *Fís.* Oscilaciones periódicas que expresadas gráficamente toman formas no sinusoidales.

Ventana con **reja** en una calle de Antigua (Guatemala)

RELAJANTE adj. Que relaja. • adj. y m. Díc. del medicamento que relaja. • *Chile.* Díc. de la bebida o la comida muy azucarada.

RELAJAR tr. y prnl. Aflojar, laxar o ablandar. • fig. Hacer menos severa o rigurosa la observancia de las leyes, reglas, estatutos, etc. • tr. Relevar de un voto, juramento u obligación. • Entregar el juez eclesiástico al secular un reo digno de pena capital. • Aliviar o disminuir a uno la pena o castigo. • fig. Esparcir o divertir el ánimo con algún descanso. • prnl. Laxarse o dilatarse una parte del cuerpo del animal, por debilidad o por una fuerza o violencia que se hizo. • Formársele a uno hernia. • fig. Viciarse, distraerse o estragarse en las costumbres. ■ RELAJAMIENTO.

RELAJO m. Desorden, falta de seriedad, barullo. • Holganza, laxitud en el cumplimiento de las normas. • Degradación de costumbres.

RELAMER tr. Volver a lamer. • prnl. Lamerse los labios una o muchas veces. • fig. Saborear de antemano algo que satisface. • fig. Componerse excesivamente el rostro. • fig. Gloriarse o jactarse de lo que se ha ejecutado, mostrando el gusto de haberlo hecho.

RELAMIDO, DA adj. Díc. del que tiene el rostro muy rasurado o compuesto con cosméticos. • Afectado, excesivamente pulcro. • Díc. de la obra artística, especialmente en pintura, que se caracteriza por estar demasiado acabada.

RELÁMPAGO m. *Meteor.* Fenómeno luminoso que acompaña a un rayo. • Rayo entre dos nubes. • fig. Cualquier fuego o resplandor repentino. • fig. Cualquier cosa que pasa ligeramente o es pronta en sus operaciones. • fig. Especie viva, pronta, aguda e ingeniosa. • Se usa en aposición para denotar la rapidez, carácter repentino o brevedad de alguna cosa. • Especie de nube que se les forma a los caballos en los ojos.

RELAMPAGUEAR intr. Haber relámpagos. • fig. Arrojar luz o brillar mucho con algunas intermisiones. Suele decirse de los ojos muy vivos o iracundos. ■ RELAMPAGUEO.

RELANCE m. Segundo lance, redada o suerte. • Suceso causal y dudoso. • En los juegos de envite,

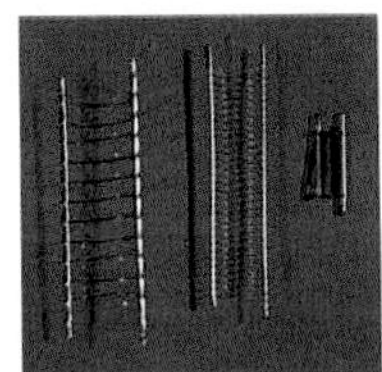

Rejilla. Arriba, diversos tipos de rejillas de válvulas termoiónicas; sobre estas líneas, disposición de montaje de las rejillas en un tubo electrónico

Relatividad. Arriba, Albert Einstein, creador de la teoría de la relatividad; abajo, deflexión de un rayo luminoso causada por la masa del Sol

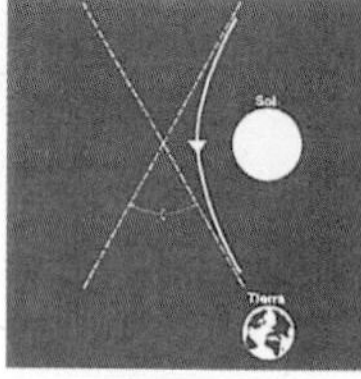

suerte que sigue a otras. • Acción de relanzar, volver a echar en el cántaro una cédula.

RELANZAR tr. Repeler, rechazar. • Volver a echar en el cántaro la célula, en las elecciones que se hacen por insaculación.

RELAPSO, SA adj. y s. Que reincide en un pecado de que ya había hecho penitencia, o en una herejía de que había abjurado.

RELATAR tr. Referir o dar a conocer un hecho. • Hacer relación de un proceso o pleito.

RELATIVIDAD f. Calidad de relativo. • *Fís.* Conjunto de leyes y enunciados que rigen los fenómenos físicos en relación con observadores dotados de movimiento relativo entre sí.

* *Fís.* El desarrollo de la física en el presente siglo ha supuesto el establecimiento de los límites de validez de las teorías de Newton. En 1887, Michelson, en colaboración con Morley, realizó un experimento con el fin de detectar el movimiento de la Tierra a través del éter, pero que puso de manifiesto que la velocidad de la luz era la misma en todas las direcciones (isotropía de la luz), o sea, la velocidad de la luz es independiente del movimiento del foco emisor. Einstein generalizó entonces el *principio de r. de la mecánica clásica* («los fenómenos mecánicos se rigen por las mismas leyes en todos los sistemas de referencia inerciales») afirmando que «las leyes de los fenómenos físicos son idénticas en todos los sistemas de coordenadas inerciales». Lorentz introdujo una hipótesis según la cual tanto la distancia entre dos puntos del espacio como el intervalo de tiempo entre dos sucesos, son magnitudes que dependen del estado de movimiento del observador. En consecuencia, la longitud y el tiempo son magnitudes que pierden el carácter absoluto que les atribuía la mecánica clásica. Lo mismo ocurre con la masa de una partícula o un cuerpo en general, que depende de la velocidad, *V*, según la exp.: $m_o / \sqrt{1-V} /c^2$ obsérvese que *m* aumenta con *V*, así, si una partícula alcanzase la velocidad de la luz su masa sería infinita (m_o masa en reposo). Igualmente se deduce que toda masa es equivalente a una cantidad de energía $E = mc^2$, siendo c la velocidad de la luz en el vacío. Minkowski imaginó un sistema de referencia con tres coordenadas espaciales *x, y, z*, y una cuarta coordenada *t*, el tiempo perpendicular a las otras tres. Se obtiene así un medio continuo tetradimensional llamado espacio-tiempo. Lo expuesto hasta aquí se denomina *teoría especial de la r.*, que afecta a todos los fenómenos físicos excepto la gravitación. La *teoría general de la r.*, elaborada por Einstein entre 1912 y 1917, proporciona la ley de la gravitación y sus relaciones con las otras fuerzas de la naturaleza. En ella, Einstein afirma que la materia, la energía y los estados de movimiento acelerado de los sistemas de referencia, son la causa de que el universo (espacio-tiempo) deje de ser de Minkowski para transformarse en un universo con curvatura. La gravitación es una cuestión de estructura geométrica del universo, que se deforma en presencia de la materia y de la energía, y de los distintos es tados de movimiento de los sistemas de referencia.

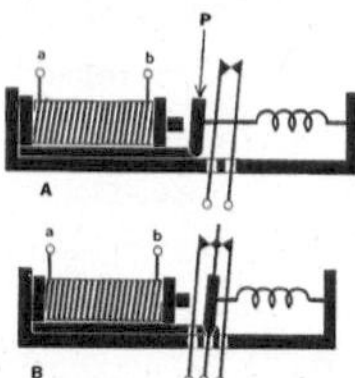

Relé electromecánico interruptor (A) y conmutador (B). Cuando circula corriente por la bobina ab se genera un campo magnético que atrae a la pieza P

RELATIVISMO m. *Fil.* Corriente y actitud que niegan toda verdad o valor moral absolutos, afirmando la dependencia de una y otro con respecto a las circunstancias en que son establecidos. ■ RELATIVISTA.

RELATIVO, VA adj. Que hace relación a una persona o cosa. • Que no es absoluto. • En poca cantidad o intensidad. • *Gram.* Díc. del pron. que sirve de nexo entre dos oraciones o elementos de una oración, como *que, cual, quien, cuyo*. • **Oración de r. o adjetiva.** *Gram.* Proposición subordinada que funciona como complemento de un sustantivo o como complemento de un verbo copulativo o nominal: *ser, estar* o *parecer*, y tiene, por lo tanto, valor de adj.: atributo o aposición.

RELATO m. Conocimiento que se da, gralte. detallado, de un hecho. • Narración, cuento.

RELATOR, RA adj. y s. Que relata o refiere una cosa. • m. Letrado cuyo oficio es hacer relación de los autos o expedientes en los tribunales superiores. • m. y f. Persona que en un congreso o asamblea hace relación de los asuntos tratados. ■ RELATORÍA.

RELAVAR tr. Volver a lavar o purificar más una cosa.

RELAX m. Relajamiento muscular. • P. ext., bienestar, comodidad.

RELAXINA f. *Fisiol.* Hormona sexual femenina que se forma probablemente en el mismo ovario.

RELAZAR tr. Enlazar o atar con varios lazos o vueltas.

RELÉ o **RELEVADOR** m. *El.* Dispositivo electromecánico para regular y dirigir la corriente de un circuito, utilizando una pequeña corriente auxiliar que circula por el circuito del propio dispositivo. • *El.* Dispositivo térmico constituido por una resistencia atravesada por la corriente de mando y por una lámina bimetálica que se curva, debido al calor desprendido por la resistencia, abriendo o cerrando el circuito.

RELEER tr. Leer de nuevo o volver a leer una cosa.

RELEGAR tr. Entre los ant. rom., desterrar a un ciudadano sin privarle de los derechos de tal. • Desterrar de un lugar. • fig. Apartar, posponer. ■ RELEGACIÓN.

RELEJAR intr. Formar releje la pared.

RELEJE m. Rodada o carrilada. • Sarro que se cría en los labios o en la boca. • Faja estrecha y brillante que dejan los afiladores a lo largo del corte de las navajas. • Distancia de la parte superior de un parámetro en talud a la vertical que pasa por su pie. • Resalte que suelen tener algunas piezas de artillería en la recámara, estrechándola por la parte donde está la pólvora.

RELENTE m. Humedad que en noches serenas se nota en la atmósfera. • fig. y fam. Sorna, frescura.

RELENTECER intr. y prnl. Ablandarse algunas cosas.

RELEVACIÓN f. Acción y efecto de relevar. • Alivio o liberación de la carga que se debe llevar o de la obligación que se debe cumplir. • *Der.* Exención de una obligación o un requisito.

RELEVANTE adj. Sobresaliente, excelente. Importante, significativo. ■ RELEVANCIA.

RELEVAR tr. Hacer de relieve una cosa. Exonerar de un peso o gravamen, y también de un empleo o cargo. • Remediar o socorrer. Absolver, perdonar o excusar. • fig. Exaltar o engrandecer una cosa. • Mudar una centinela o cuerpo de tropa que da una guardia o guarnece un puesto. • P. ext., reemplazar, sustituir a una persona con otra en cualquier empleo o comisión. • Pintar una cosa de manera que parezca que sale fuera o tiene bulto. • intr. *Esc.* Resaltar una figura fuera del plano. ■ RELEVO.

RELIABILITY (voz ing.) *Ind.* Término que expresa el grado de confianza o seguridad de funcionamiento de un dispositivo.

RELICARIO m. Lugar para guardar reliquias. • Caja o estuche para guardar reliquias. • *Amér.* Medallón.

RELICTO, TA adj. Díc. de los bienes dejados por un fallecido. • adj. y s. Aplícase a los seres de otras épocas cuya representación actual es muy escasa.

RELIEVAR tr. *Col.* Relevar, hacer de relieve.

RELIEVE m. Lo que resalta sobre un plano. • *Esc.* Técnica consistente en realizar figuras u ornamentos sobre un fondo plano. • *Geol.* Conjunto de formas estructurales y accidentes, que constituyen la parte más superficial de la corteza terrestre. • pl. Residuos de lo que se come. • **Alto r.** *Esc.* R. en el que las figuras salen del plano más de la mitad de su bulto. • **Bajo r.** *Esc.* R. en que las figuras re-

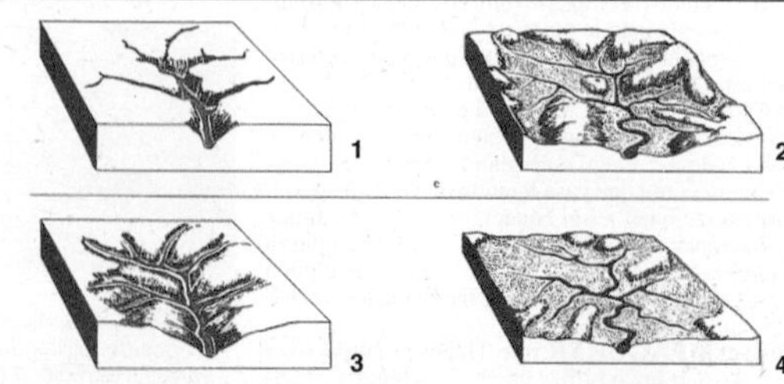

Fases sucesivas de la evolución de un **relieve:** 1. estadio inicial; 2. de madurez; 3. de senilidad; 4. penillanura

saltan poco del plano. • **Medio r.** *Esc.* R. en que las figuras salen del plano la mitad de su grueso. • **Dar r.** a algo. Darle importancia.
RELIGA f. Porción de metal que se añade en una liga para alterar sus proporciones.
RELIGAR tr. Volver a atar. • Ceñir más estrechamente. • Volver a ligar un metal con otro. ■ RELIGACIÓN.
RELIGIÓN f. Conjunto de creencias, mitos o dogmas acerca de la divinidad y de prácticas rituales para darle culto. • Obligación de conciencia, cumplimiento de un deber. • **católica.** La revelada por Jesucristo y conservada por la Santa Iglesia Rom. • **reformada**. Orden religiosa en que se ha restablecido su primitiva disciplina. • Protestantismo. • **Entrar en r**. Tomar el hábito en un instituto religioso. • **Guerras de r**. (1562-1598) Guerras que enfrentaron en Francia a católicos y calvinistas. La causa fue que la difusión del calvinismo en Francia en el s. XVI, chocó con la intransigencia de los catól., que desencadenaron la guerra. Ésta terminó con la paz de Vervins en 1598.
* *Rel.* La r. es, objetivamente, la suma de deberes, ritos y verdades destinados a venerar a la divinidad; subjetivamente, la inclinación habitual a la divinidad que se expresa con la admisión de los dogmas, moral y ritual que sirven para confesar el dominio supremo de la divinidad. Por su origen, se llama *natural* o *sobrenatural*, según si para su conocimiento basta la razón o si es precisa la revelación. Por la multiplicidad de elementos se llama *politeísta* o *monoteísta*, según si admite la existencia de varios dioses o de uno solo.

Principales **religiones** (número de adeptos)

cristianos	1 833 000 000
católicos	1 026 000 000
protestantes	374 000 000
ortodoxos	170 000 000
musulmanes	971 000 000
hinduistas	733 000 000
budistas	314 000 000
confucionistas	193 000 000
religiones tribales	97 000 000
sijs	18 800 000
hebreos	17 800 000
sintoístas	3 200 000

RELIGIONARIO m. Protestante.
RELIGIOSIDAD f. Calidad de religioso. • Práctica y esmero en cumplir las obligaciones religiosas. • Puntualidad, exactitud en hacer, observar o cumplir una cosa.
RELIGIOSO, SA adj. Relativo a la religión o a quienes la profesan. • Que tiene religión, y particularmente que la profesa con celo. • Fiel y exacto en el cumplimiento del deber. • Moderado, parco. • adj. y s. Que ha tomado hábito en una orden r. regular.
RELIMAR tr. Volver a limar.
RELIMPIAR tr. y prnl. Volver a limpiar. • Limpiar mucho. ■ RELIMPIO, PIA.
RELINCHAR tr. Emitir con fuerza su voz el caballo. ■ RELINCHADOR, RA.
RELINCHIDO o **RELINCHO** m. Voz del caballo. • fig. Grito de fiesta o de alegría en algunos lugares.
RELINDO, DA adj. Muy lindo o hermoso.
RELINGA f. Cada una de las cuerdas en que van colocados los plomos y corchos con que se calan y sostienen las redes en el agua. • *Mar.* Cabo con que se refuerzan las orillas de las velas.
RELINGAR tr. Coser o pegar la relinga. • *Mar.* Izar una vela hasta poner tirantes sus relingas de caída. • intr. *Mar.* Moverse la relinga con el viento.
RELIQUIA f. Residuo que queda de un todo. Se usa más en pl. • *Bot.* Planta localizada en un área muy reducida y separada del resto de áreas de la misma especie. • Parte del cuerpo de un santo, o lo que por haberle tocado se considera digno de veneración. • fig. Vestigio de cosas pasadas. • fig. Dolor o achaque habitual que queda como secuela de una enfermedad o accidente.

Guerras de **religión.** Matanza de protestantes por católicos en Vassy (Francia), ocurrida en 1562

RELLANAR tr. Volver a allanar una cosa. • prnl. Arrellanarse.
RELLANO m. Porción horizontal en que termina cada tramo de escalera. • Llano que interrumpe la pendiente de un terreno.
RELLENAR tr. Escribir en un impreso los datos que se piden en los espacios en blanco dejados en él. • Llenar de carne picada u otros ingredientes un ave u otro manjar. • tr. y prnl. Volver a llenar, parcial o enteramente, una cosa. • fig. y fam. Dar de comer hasta la saciedad. ■ RELLENO, NA.
RELOJ m. Máquina dotada de movimiento uniforme, que sirve para medir el tiempo o dividir el día en horas, minutos y segundos. Según sus dimensiones, colocación o uso, el r. se denomina de torre, de pared, de sobremesa, de bolsillo, de muñeca, etc. • pl. Pico de cigüeña, planta. • **de agua**. Clepsidra. • **de arena**. Artificio que se compone de dos ampolletas unidas por el cuello, y sirve para medir el tiempo por medio de la arena que va cayendo de una a otra. • **de cuarzo** o **electrónico**. Tipo de reloj que aprovecha la propiedad que tiene el cuarzo de deformarse muy escasamente frente a las variaciones de temperatura. Básicamente consta de un oscilador de cuarzo, divisor de frecuencia, fase de potencia, motor paso a paso, célula de pila para la alimentación y dispositivo para la señalización; el principal avance es el uso de circuitos lógicos integrados, con un elevado número de transistores, que permiten dividir la frecuencia de oscilación del cuarzo hasta 1 Hz y que poseen una memoria considerable. • **de péndola**. El movido por las oscilaciones de un péndulo. • **de pulsera**. El que se lleva en la muñeca formando parte de una pulsera. • **de sol**. Artificio ideado para señalar las horas del día por medio de la variable iluminación de un cuerpo expuesto al sol, o por medio de la sombra que un gnomon o estilo arroja sobre una superficie, o con auxilio de un rayo de luz proyectado sobre aquella superficie • **despertador.** R. provisto de aparato sonoro para despertarse a la hora que se desea. • **interno**. *Comp.* Reloj que se encuentra en el interior de una computadora y que, a la vez que proporciona la hora, sincroniza todas las operaciones que la computadora efectúa. • **Contra r**. loc. adj. *Dep.* Modalidad de carrera ciclista en que los corredores toman la salida de uno en uno, con un intervalo de tiempo igual para todos. • fig. Díc. de lo que se hace en poco tiempo, o con prisas.
RELOJ *Astr.* Horologium, constelación austral.
RELOJERÍA f. Arte de hacer relojes. • Taller donde se venden. • Mecanismo que pone en funcionamiento un dispositivo a una hora determinada.
RELOJERO, RA m. y f. Persona que hace, compone o vende relojes. • f. Mueblecillo o bolsa para poner o guardar el reloj de bolsillo. • Mujer del relojero.
RELUCHAR intr. fig. Luchar mutua y porfiadamente.
RELUCIR intr. Despedir o reflejar luz una cosa. • Lucir mucho o resplandecer una cosa. • fig. Sobresalir por su valor o mérito. • **Sacar o salir a r**. fig. y fam. Mencionar inesperadamente algo.

1

2

Reloj. 1. reloj de sol en un edificio de Cambridge (Inglaterra) del s. XVI; 2. reloj de 1670. Museo Victoria y Alberto, Londres

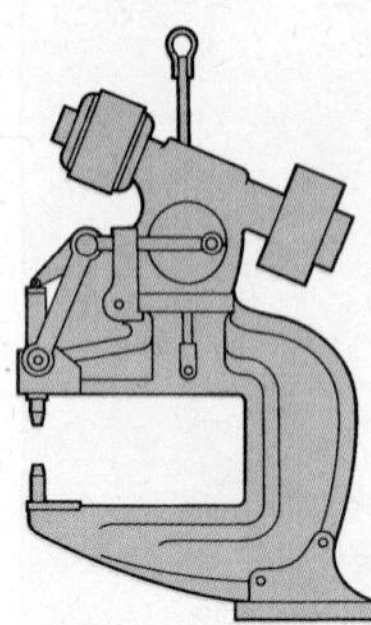
Remachadora

Mujer bañándose en un arroyo, tabla de **Rembrandt.** National Gallery, Londres

Barco fenicio de **remos** y vela

RELUCTANCIA f. *Fís.* Resistencia que ofrece un circuito al flujo magnético. • P. ext., resistencia frente a algo. ■ RELUCTANTE.
RELUMBRAR intr. Dar viva luz una cosa o alumbrar con exceso.
RELUMBRO o **RELUMBRÓN** m. Golpe de luz vivo y pasajero. Oropel. • **De relumbrón**. m. adv. Más aparente que verdadero.
RELVAR tr. *Agr.* Levantar el barbecho. ■ RELVA.
REM (siglas de *Roentgen Equivalent Man*) m. *Biol.* Unidad de medida de las radiaciones ionizantes absorbidas por el hombre.
REMACHADOR, RA adj. y s. Que remacha. • f. *Ing.* Máquina para remachar. Las r. pueden ser de cuatro tipos: hidráulicas, neumáticas, eléctricas y electrohidráulicas.
REMACHAR tr. Machacar la punta o la cabeza del clavo ya clavado, para mayor firmeza. • Percutir el extremo del roblón colocado en el correspondiente taladro hasta formarle cabeza que le sujete y afirme. • fig. Recalcar, afianzar lo dicho o hecho. Sujetar con remaches. • prnl. *Col.* Guardar silencio. ■ REMACHADO, DA.
REMACHE m. Acción y efecto de remachar. • Clavija de metal, que después de pasada por los taladros de las piezas que ha de asegurar, se remacha para que no salga. • Lance del juego de billar en que la bola herida por el taco va a chocar contra otra pegada a la banda, para hacer carambola con la tercera. • *Col.* Tenacidad.
REMALLAR tr. Componer, reforzar las mallas.
REMANDAR tr. Mandar una cosa muchas veces.
REMANECER intr. Aparecer de nuevo e inopinadamente.
REMANENTE m. Residuo de una cosa.
REMANGA f. Arte para la pesca del camarón, consistente en una bolsa de red con plomos en el borde y dos varas que sirven para que el pescador, cogiendo una en cada mano, arrastre la red para que entren en ella los camarones.
REMANGAR tr. Levantar, recoger hacia arriba las mangas o la ropa. • prnl. fig. y fam. Tomar enérgicamente una resolución.
REMANGO m. Arremango. • Parte de ropa plegada que se recoge en la cintura al remangarse. • fig. y fam. Disposición para desenvolverse con habilidad en algún trabajo.
REMANSARSE prnl. Detenerse o suspenderse el curso o la corriente de un líquido.
REMANSO m. Detención de la corriente del agua u otro líquido. • fig. Flema, pachorra, lentitud.
REMAR intr. Trabajar con el remo para impeler la embarcación en el agua. • fig. Trabajar con continua fatiga y gran afán en una cosa. ■ REMADOR, RA; REMADURA.
REMARCABLE adj. Notable, sobresaliente.
REMARCAR tr. Volver a marcar.
REMARQUE, *Erich Maria* (1898-1970) Seud. de *Erich Paul Kramer* Novelista al. Autor de *Sin novedad en el frente*, novela realista y antiheroica, sobre la I Guerra Mundial.
REMATADO, DA adj. Díc. de la persona que se halla en tan mal estado, que es poco menos que imposible su remedio. • Condenado por fallo ejecutorio a alguna pena.
REMATAR tr. Acabar o finalizar una cosa. • Poner fin a la vida de la persona o del animal que está en trance de muerte. • Dejar la pieza el cazador enteramente muerta del tiro. • Afianzar la última puntada, al coser una prenda. • Hacer remate en la venta o arrendamiento de una cosa. • *Amér. Merid.* Subastar. • intr. Terminar o fenecer. • prnl. Perderse, acabarse o destruirse una cosa. ■ *Amér. Merid.* REMATADOR, RA; REMATAMIENTO, REMATANTE.
REMATE m. Fin o cabo, extremidad o conclusión de una cosa. • Adorno que se coloca sobre la parte superior de las construcciones arquitectónicas, muebles, etc. • Adjudicación que se hace de los bienes que se venden en subasta o almoneda al comprador de mejor puja. • *Amér. Merid.* Subasta.
REMBOLSAR tr. Reembolsar. ■ REMBOLSO.
REMBRANDT, *Harmenszoon van Rijn* (1606-1669) Pintor neerlandés, uno de los prales. representantes del barroco, maestro del claroscuro y de los contrastes de luz y sombra. Creador de lo que se ha llamado la sombra luminosa. Realizó retratos, paisajes realistas, composiciones bíblicas y mitológicas y fue el creador de una nueva forma de retrato de grupo, característico de la pintura hol. del s. XVII. Autor de óleos, grabados y dibujos. *Lección de anatomía del doctor Tulp, La Cena de Emaús, Los síndicos de los pañeros, Ronda nocturna.*
REMECEDOR m. El que varea y menea los olivos para que suelten la aceituna. • Palo largo con una tabla en uno de sus extremos, y que sirve para mover el vino de las tinajas.
REMECER tr. y prnl. Mover reiteradamente una cosa de un lado a otro.
REMEDAR tr. Imitar o contrahacer una cosa. • Seguir uno las mismas huellas y ejemplos de otro. • Hacer uno las mismas acciones y ademanes que otro hace, en son de burla.
REMEDIAR tr. y prnl. Poner remedio al daño, repararlo. • Socorrer una necesidad o urgencia. • tr. Librar, apartar o separar de un riesgo. • Evitar o estorbar que se ejecute una cosa de que se sigue daño contra la voluntad de alguno.
REMEDIO m. Medio que se toma para reparar un daño o inconveniente. • Enmienda o corrección. • Recurso, auxilio o refugio. • Todo lo que en las enfermedades sirve para producir un cambio favorable. • Permiso, en el peso de las monedas. • Recurso contra las resoluciones judiciales. • **No haber**, o **no quedar, r.** o **más r.** Ser preciso.
REMEDIÓN m. Función con que en el teatro se suple la anunciada, cuando ésta no puede ejecutarse.
REMEDIR tr. Volver a medir. ■ REMEDICIÓN.
REMEDO m. Imitación de una cosa, especialmente cuando no es perfecta la semejanza.
REMELLADO, DA adj. Que tiene mella. Díc. pralm. de los labios, y de los ojos que la tienen en los párpados. • adj. y s. Díc. de la persona que tiene uno de estos defectos.
REMELLAR tr. Raer el pelo de las pieles.
REMELLÓN, NA adj. y s. fam. Que tiene muchas mellas.
REMEMORAR o **REMEMBRAR** tr. Recordar, traer a la memoria. ■ REMEMBRANZA; REMEMORACIÓN; REMEMORATIVO, VA.
REMENDAR tr. Reforzar con remiendo lo que está viejo o roto. • Corregir o enmendar. • Aplicar, apropiar o acomodar una cosa a otra para suplir lo que le falta.
REMENDÓN, NA adj. y s. Que tiene por oficio remendar. Díc. especialmente de los sastres y zapateros de viejo.
REMENEO m. Movimientos rápidos y continuos del cuerpo.
REMENSA m. En Cataluña, durante la E. Med., campesino adscrito a la tierra, que para librarse de sus obligaciones debía pagar una redención.
REMERA adj. y f. *Zool.* Díc. de cada una de las plumas grandes en que terminan las alas de las aves.
REMESA f. Remisión que se hace de una cosa de una parte a otra. • La cosa enviada en cada vez.
REMESAR tr. y prnl. Mesar repetidas veces la barba o el cabello. • tr. Hacer remesas de dinero o géneros.
REMESÓN m. Acción de arrancar el cabello o la barba. • Porción de pelo arrancado. • Carrera corta que el jinete hace dar al caballo, obligándole a pararse bruscamente.
REMETER tr. Volver a meter. • Meter más adentro. • Hacer pasar los hilos de la urdimbre entre las mallas de los lizos. ■ REMETIDO, DA.
REMEZÓN m. *Amér.* Terremoto ligero o sacudimiento breve de la tierra.
REMIEL m. Segunda miel que se saca de la caña dulce.
REMIENDO m. Pedazo de paño u otra tela, que se cose a lo que está viejo o roto. • Obra de poca importancia hecha para añadir un complemento a otra. • En la piel de los animales, mancha de distinto color que el fondo. • fig. Composición, enmienda o añadidura que se introduce en una cosa. • Obra impresa de corta extensión. ■ REMENDADO, DA.
REMIGE f. *Zool.* Remera del ala de las aves.
REMILGARSE prnl. Repulirse y hacer ademanes y gestos con el rostro. ■ REMILGADO; REMILGO.
RÉMINGTON m. Fusil que se carga por la recámara, inventado por E. Remington.
REMINGTON, *Eliphalet* (1793-1861) Inventor norteam. fundador de una fábrica de armas de fuego. • ***Philo*** (1816-1889) Industrial norteam. hijo del

anterior. Introdujo diversas mejoras en los rifles e incluyó entre los productos de la factoría familiar maquinaria agrícola, así como máquinas de coser y de escribir.

REMINISCENCIA f. Acción de representarse u ofrecerse a la memoria una cosa que pasó. • Facultad con que traemos a la memoria aquellas cosas que teníamos olvidadas. • *Lit.* y *Mús.* Lo que es muy semejante a lo compuesto anteriormente por otro autor.

REMIRAR tr. Volver a mirar o reconocer con reflexión y cuidado lo que ya se había visto. • prnl. Esmerarse o poner mucho cuidado en lo que se hace o resuelve. • Mirar o considerar una cosa complaciéndose o recreándose en ella. ■ REMIRADO, DA.

REMISIÓN f. Acción de perdonar una pena, delito, pecado, etc. • Atenuación momentánea de los síntomas de una enfermedad o disminución de sus efectos. • Indicación, en un escrito, del lugar del mismo o de otro escrito a que se remite al lector.

REMISO, SA adj. Flojo, dejado o detenido en la resolución o determinación de una cosa. • Aplícase a las calidades físicas que tienen escasa actividad.

REMISORIA f. Despacho con que el juez remite la causa o al preso a otro tribunal. Se usa más en pl.

REMITE m. Nota que en una carta o paquete indica el nombre de quien lo envía.

REMITIDO m. Artículo o noticia cuya publicación se inserta en un periódico mediante pago. Suele llevar al final una R.

REMITIR tr. Enviar una cosa a determinada persona de otro lugar. • Perdonar, alzar la pena, eximir o libertar de una obligación. • Dejar, diferir o suspender. • Indicar en un escrito otro lugar del mismo o de distinto escrito donde consta lo que atañe al punto tratado. • tr., intr. y prnl. Ceder o perder una cosa parte de su intensidad. • tr. y prnl. Dejar al juicio o dictamen de otro la resolución de una cosa. • prnl. Atenerse a lo dicho o hecho, o a lo que ha de decirse o hacerse, por uno mismo o por otra persona, de palabra o por escrito. ■ REMISIBLE; REMISIVO, VA; *Amér.* REMISOR, RA; REMISORIO, RIA; REMITENTE.

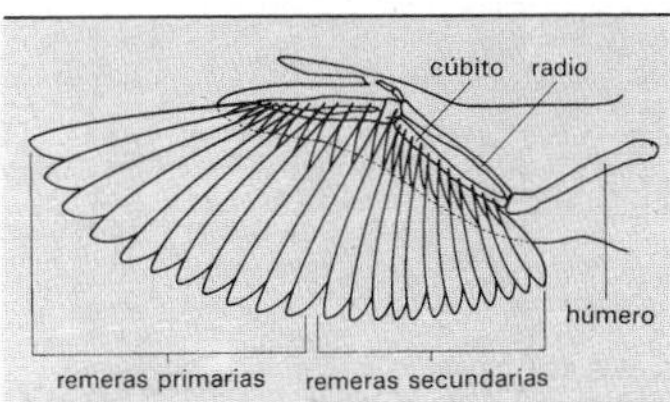

Parte del esqueleto del ala de un ave que muestra la posición de las plumas **remeras**

REMO m. Util de longitud proporcionada a la embarcación en que se usa, que sirve para propulsarla por efecto de un movimiento de palanca. Consta de una pala, la cual se introduce y apoya en el agua, y la caña, que se articula a la regala de la embarcación. • Deporte que se practica con embarcaciones movidas a remo. • Brazo o pierna, en el hombre y en los cuadrúpedos. Se usa más el pl. • En las aves, cada una de las alas. Se usa más en pl. • Pena de remar en las galeras. • fig. Trabajo grande y continuado en cualquier línea. • **A r. y sin sueldo**. m. adv. fig. y fam. Trabajando mucho y sin utilidad. • **A r. y vela**. m. adv. fig. y fam. Con presteza, con toda diligencia. ■ REMERO, RA.

REMO *Mit.* Entre los rom. hijo de Marte y de Rea Silvia, y hermano gemelo de Rómulo.

REMOJAR tr. Empapar en agua o poner en remojo una cosa. • fig. Convidar a beber a los amigos para celebrar algo. • *Amér.* Dar propina. ■ REMOJADERO; REMOJO.

REMOJÓN m. Acción y efecto de mojar o mojarse, mojadura.

RÉMOL m. Pez óseo parecido al rodaballo, pero de menor tamaño.

REMOLACHA f. Planta de la familia quenopodiáceas, con hojas grandes, ovaladas, flores agrupadas en glomérulos que forman espigas, y frutos en aquenio. Sus raíces fusiformes y carnosas, de color morado, amarillo o blanco son comestibles y se usan para la fabricación de azúcar. • Raíz de esta planta. ■ REMOLACHERO, RA.

REMOLAR m. Maestro o carpintero que hace remos. • Taller en que se hacen remos.

REMOLCAR tr. Llevar una embarcación u otra cosa sobre el agua, tirando de ella por medio de un cabo o cuerda. • P. ext., llevar por tierra un vehículo a otro. • fig. Arrastrar, hacer que alguien haga una cosa sin sentirse inclinado a ello. ■ REMOLCADOR, RA.

REMOLER tr. Moler mucho una cosa. • *Chile* y *Perú.* Jaranear, divertirse. • *Perú.* Fastidiar, molestar. ■ REMOLIMIENTO.

REMOLIDO m. *Min.* Mineral menudo que mezclado con ganga ha de someterse al lavado para purificarlo.

REMOLIENDA f. fam. *Chile* y *Perú.* Jarana.

REMOLINAR intr. y prnl. Hacer o formar remolinos una cosa. • Juntarse en grupos desordenadamente muchas personas.

REMOLINEAR tr. Mover una cosa alrededor en forma de remolino. • intr. y prnl. Remolinarse las personas.

REMOLINO m. Movimiento giratorio y rápido del aire, el agua, el humo, etc. • Grupo de pelos que nacen formando una espiral. • fig. Amontonamiento de gente. • fig. Disturbio o alteración.

REMOLÓN, NA adj. y s. Flojo, pesado y que huye del trabajo maliciosamente. • m. Colmillo de la mandíbula superior del jabalí. • Cualquiera de las puntas con que termina la corona de las muelas de las caballerías.

REMOLONEAR intr. y prnl. Rehusar moverse, deternerse en hacer o admitir una cosa, por flojedad y pereza.

REMOLQUE m. Acción y efecto de remolcar. • Cabo o cuerda que se da a una embarcación para remolcarla. • Cosa que se lleva remolcada por mar o por tierra. • **A r.** m. adv. Remolcando. • fig. Aplícase a la acción poco espontánea, ejecutada a impulso de otra persona.

REMÓN, *José Antonio* (1908-1955) Político y militar pan. Presid. de la rep. (1952-1955). Realizó una gestión política pronorteam. Fue asesinado cuando negociaba un nuevo acuerdo con EE UU sobre el canal de Panamá.

REMONDAR tr. Limpiar o quitar de nuevo lo inútil o perjudicial de una cosa. • Podar.

REMONTA f. Compostura del calzado cuando se le pone de nuevo el pie o las suelas. • Rehenchido de las sillas de las caballerías. • Parche que se pone al pantalón de montar para evitar su desgaste en el roce con la silla. • Compra, cría y cuidado de las caballerías para proveer al ejército. • Establecimiento destinado a la compra, cría y cuidado del ganado para los institutos militares.

REMONTAR tr. Ahuyentar, espantar. Díc. propiamente de la caza que, acosada y perseguida, se oculta en lugares montuosos. • Proveer de nuevos caballos a la tropa o a la caballeriza de algún personaje. • Rehenchir o recomponer una silla de montar. • Echar nuevos pies o suelas al calzado. • Subir una pendiente, sobrepasarla. • Navegar aguas arriba en una corriente. • fig. Superar algún obstáculo o dificultad. • tr. y prnl. fig. Elevar, encumbrar, sublimar. • Elevar en el aire una cometa. • prnl. Subir en general, ir hacia arriba, en sentido recto y figurado. • *Amér.* Refugiarse en los montes los esclavos o los indígenas. • Subir o volar muy alto las aves. • Enojarse, irritarse. • fig. Ir hasta el origen de una cosa. ■ REMONTAMIENTO.

REMONTE m. Acción y efecto de remontar o remontarse. • *Dep.* Variedad del juego de pelota en que se usa la cesta de remonte.

REMONTISTA m. Militar empleado en un establecimiento de remonta. • com. *Dep.* Pelotari que juega al remonte.

REMOQUE m. fam. Palabra picante.

REMOQUETE m. Moquete o puñada. • fig. Dicho agudo y satírico. • fam. Cortejo o galanteo. • Apodo que se da a uno.

RÉMORA f. Pez acantopterigio, que se adhiere fuertemente a embarcaciones o a otros peces. • fig. Lastre, cosa que dificulta una acción.

REMORDER tr. Morder reiteradamente. • Exponer por segunda vez a la acción del ácido partes

Remolacha. Arriba, remolacha de huerta; sobre estas líneas, remolacha azucarera

Peces **rémora** adheridos a un tiburón

determinadas de la lámina que se graba al agua fuerte. • fig. Inquietar, alterar o desasosegar interiormente una cosa. • prnl. Manifestar con una acción exterior el sentimiento reprimido que interiormente se padece. ■ REMORDEDOR, RA; REMORDIMIENTO.

REMOSQUEARSE prnl. fam. Mostrarse receloso a causa de lo que se oye o advierte.

REMOSTAR intr. y tr. Echar mosto en el vino añejo. • prnl. Mostear los racimos de uva antes de llegar al lagar. • Díc. también de otras frutas que se maltratan y pudren en contacto de unas con otras. Estar dulce el vino, o saber a mosto. ■ REMOSTO.

REMOTIDAD f. *Amér. Centr.* Lejanía o lugar distante.

REMOTO, TA adj. Distante o apartado. • fig. Que es verosímil, o está muy distante de suceder.

REMOVER tr. y prnl. Pasar o mudar una cosa de un lugar a otro. • Conmover, alterar o revolver alguna cosa o asunto.• tr. Quitar, apartar u obviar un inconveniente. • Deponer o apartar a uno de su empleo o destino. ■ REMOCIÓN; REMOVIMIENTO.

REMOZAR tr. y prnl. Reformar algo dándole un aspecto más nuevo o moderno. ■ REMOZAMIENTO.

REMPLAZAR tr. Reemplazar. ■ REMPLAZO.

REMPUJAR tr. Hacer fuerza contra alguna cosa para moverla. • Echar a uno a empellones. ■ REMPUJO; REMPUJÓN.

REMSCHEID C. de Alemania, en Renania Septentrional-Westfalia; 121 800 hab. Ind. metalúrgica, química y textil.

REMUDAR tr. y prnl. Reemplazar a una persona o cosa con otra. • tr. Cambiar. • Mudar la ropa o el vestido. • Trasplantar un vegetal. ■ REMUDA O REMUDAMIENTO.

REMUGAR tr. Rumiar.

REMULLIR tr. Mullir mucho.

REMUNERAR tr. Recompensar, premiar, galardonar. ■ REMUNERACIÓN; REMUNERATIVO, VA; REMUNERATORIO, RIA.

REMUSGO m. Barrunto o vislumbre que se tiene por algún indicio. • Vientecillo tenue, frío y penetrante.

RENACER intr. Volver a nacer. • fig. Adquirir nuevas fuerzas o ánimos para empezar nueva vida.

RENACIMIENTO m. *Arte.* Periodo de la hist. del occidente europeo en que se produjo una imp. renovación artística. Abarca, según los países, del s. XV a mediados del s. XVI. • Culto e imitación de la antigüedad grecolatina. ■ RENACENTISTA.

* *Arte* e *Hist.* El término R., con las implicaciones que actualmente tiene, procede de la época de la Ilustración, y en concreto de Voltaire, que lo situó como uno de los puntos culminantes de la historia de la humanidad en pos de la razón y el progreso. Para Michelet, el R. sería el descubrimiento del mundo y del hombre. Las transformaciones de la época renacentista se basan en la consolidación del sist. capitalista comercial y del Est. moderno. La creación de ejércitos permanentes, la aparición de las monarquías absolutas, los descubrimientos geográficos, concebidos desde el principio como empresas comerciales, eran elementos de un mundo cambiante, cuyos límites se ampliaban repentinamente. En este marco se inscribe el fenómeno del → Humanismo (retorno a las fuentes clásicas), que caracterizó el primer R. En el terreno científico, el descrédito del dogma escolástico llevó a un reflorecimiento de la experimentación (Vesalio), o a una puesta en cuestión de las verdades admitidas (Copérnico). La renovación de las artes basada en una aproximación a la Antigüedad clásica, surgió a principios del s. XV en tierras it. El foco fue Florencia y luego Roma, aunque muchos artistas que trabajaron en ella fueron florentinos. Al creador del s. XV se le empezó a considerar más como un hombre de ideas que como un simple manipulador de materiales, y así nació el artista ilustrado del R. que, protegido por un mecenas, era tan capaz de esculpir una estatua como de escribir poesías. Aparece el arquitecto o el pintor teorizador (Alberti y Leonardo da Vinci) y el cronista de arte (Vasari). La nueva concepción del arte implicaba una ruptura total con las creaciones artísticas del gótico internacional. Las fuentes de esa renovación fueron la Antigüedad clásica, en especial la rom., entendida como el ideal anhelado. Paralelamente al fenómeno florentino, en Flandes se produjo también un r. artístico. Pero mientras en Italia los primeros en abandonar la tradición fueron los escultores (Donatello) y los arquitectos (Brunelleschi), en Flandes la ruptura más temprana se dio en la pintura (Van Eyck, Van der Weyden). En el s. XVI, las nuevas generaciones pictóricas (Perugino, Carpaccio) abandonan de manera gradual la preocupación por la antigüedad, y los estilos de las distintas escuelas regionales van divergiendo hasta llegar a una pintura que, apoyándose en el platonismo en boga, pretende buscar la belleza absoluta. El proceso culmina en las grandes figuras de Miguel Ángel y Rafael, que cierran el R. pleno, ya entrado el siglo.

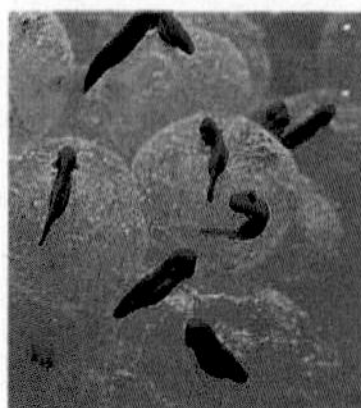

Fases sucesivas de la metamórfosis de un **renacuajo**

RENACUAJO m. Fase larvaria de los anfibios anuros, que respira por branquias, carece de patas, y presenta un cuerpo dividido en una gran cabeza y una cola potente. • fig. Se aplica como epíteto cariñoso al niño pequeño.

RENADÍO m. Sembrado que retoña después de cortado en hierba.

RENAIXENÇA Nombre que se da al renacimiento de las letras catalanas en el s. XIX. Cronológicamente posterior al romanticismo, es consecuencia directa de éste.

RENAL adj. Relativo a los riñones.

RENAN, *Ernest* (1823-1892) Filólogo, historiador y filósofo fr. Su positivismo se refleja en las críticas meramente científicas, en su *Historia de los orígenes del cristianismo.*

RENANIA *(Rheinland)* Región histórica del O de Alemania, limítrofe con Francia, Luxemburgo, Bélgica y Países Bajos y configurada por el r. Rin. Una de sus c., Aquisgrán, fue la cap. del imperio de Carlomagno. • **Septentrional-Westfalia** *(Nordrhein-Westfalen)* Est. de Alemania limítrofe con Bélgica y Países Bajos; 34 070 km^2, 17 350 000 hab. Cap., Düsseldorf. C. prales.: Colonia, Dortmund, Duisburgo. Yacimientos carboníferos en la cuenca del Ruhr. • **R.-Palatinado** *(Rheinland-Pfalz)* Est. de Alemania, fronterizo con Bélgica, Luxemburgo y Francia; 19 849 km^2, y 3 770 000 hab. Cap., Maguncia. C. prales.: Ludwigshafen y Mannheim. Imp. área de viñedos en los valles del Mosela y el Rin.

RENANO, NA adj. Díc. de los territorios sit. en las orillas del Rin.

RENANO, *macizo Esquistoso* Macizo de Alemania que se extiende de E a O a continuación de las Ardenas. El Rin y sus afl., el Mosela y el Lahn, discurren por él encajados en profundos valles.

RENARD, *Jules* (1864-1910) Escritor fr. Describe la vida con un impresionismo seco y agudo. *Diario, Pelo de zanahoria, El pan conyugal.*

RENATO I, *el Bueno* (1409-1480) Duque de Bar, Lorena y Anjou, conde de Provenza y rey titular de Nápoles, donde se enfrentó a Alfonso V de Aragón (1442).

Renato I el Bueno, retrato de Nicolás Froment. Museo del Louvre, París

RENAU, *Josep* (1907-1982) Pintor esp. Se dedicó a la confección de carteles publicitarios. Vivió en México de 1939 a 1958. *La función social del cartel publicitario.*

RENAUDOT, *Theophraste* (1586-1653) Médico y periodista fr. Precursor del periodismo en Francia, fundó *La Gazette* y dirigió el *Mercure Français.*

RENAULT, *Louis* (1877-1944) Industrial fr., uno de los más importantes fabricantes de automóviles de Francia.

RENCA C. de Chile, en el á. metr. de Santiago; 114 600 hab.

RENCILLA f. Riña de palabras, discordia, desacuerdo del que queda algún encono. ■ RENCILLOSO, SA.

RENCO, CA adj. y s. Rengo, cojo. • Díc. del ciclán, rencoso, que tiene un solo testículo.

RENCONTRAR tr. Reencontrar.

RENCOR m. Resentimiento arraigado y tenaz. ■ RENCOROSO, SA.

RENCOSO adj. Díc. del que tiene un solo testículo, ciclán, renco.

RENCUENTRO m. Reencuentro.

RENDAJE m. Conjunto de riendas y demás correas de que se compone la brida de las cabalgaduras.

RENDAJO m. Arrendajo, ave.

RENDAR tr. *Agr.* Binar, dar segunda reja a la tierra o segunda cava a las viñas. ■ RENDA.

RENDIBÚ m. Acatamiento, agasajo.

RENACIMIENTO

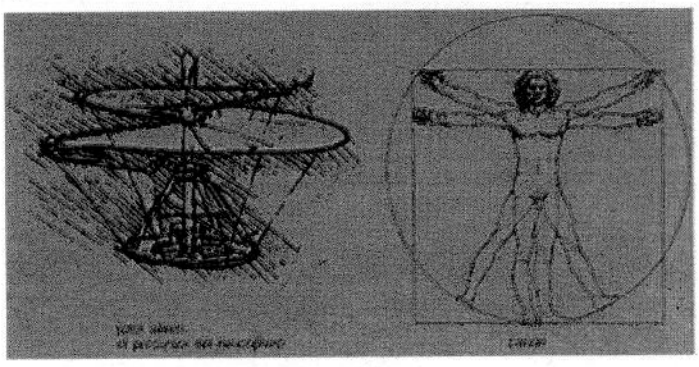

1. Fachada del palacio Strozzi, empezado por Benedetto da Maiano (1489) y continuado por el Cronaca.
2. Detalle de *Retrato de mujer*, óleo sobre tabla de Roger van der Weyden (1464). National Gallery, Washington.
3. *Esclavo atlante*, mármol de Miguel Ángel (1519-1534). Galería de la Academia, Florencia.
4. El *tempieto* de San Pedro en Montorio de Roma, obra de Bramante (1502).
5. Dibujos de Leonardo da Vinci, prototipo del hombre polifacético del Renacimiento.
6. Planisferio del cielo de Copérnico, quien en 1543 propuso la teoría heliocéntrica que más tarde confirmaría Galileo.
7. Campesinos y nobles del Renacimiento.

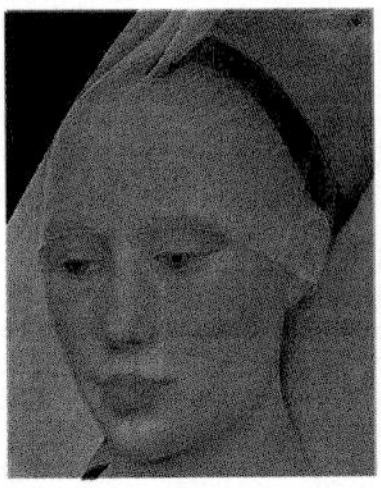

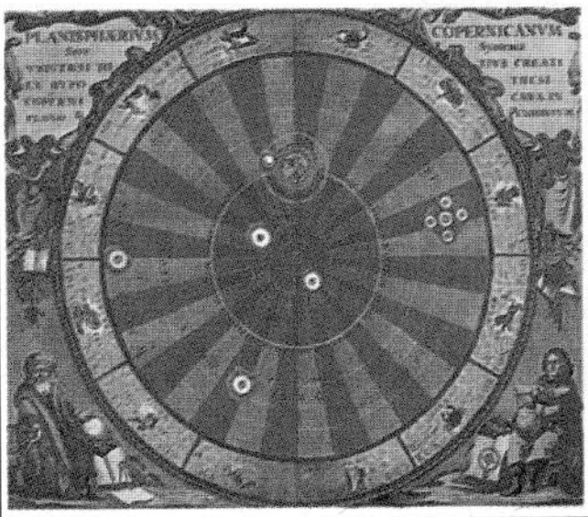

RENDICIÓN f. Acción y efecto de rendir o rendirse. • Rendimiento, producto o utilidad de una cosa. • Cantidad de moneda que no ha obtenido del gobierno la autorización para su circulación.

RENDIJA f. Hendedura, raja o abertura larga y angosta.

RENDIMIENTO m. Rendición, fatiga, cansancio. • Sumisión, subordinación, humildad. • Obsequiosa expresión de la sujeción a la voluntad de otro en orden a servirle o complacerle. • Producto o utilidad que da una cosa. • *Fís*. En un sistema funcionando a régimen, relación entre el valor de la magnitud cedida y el de la magnitud absorbida.

RENDIR tr. Vencer, obligar al enemigo a que se entregue. • Dar a uno lo que le toca, o restituirle aquello de que se le había desposeído. • Dar fruto o utilidad una persona o cosa. • Vomitar o devolver la comida. • Dar, entregar. • *Amér*. Cundir. • *Mar*. Terminar, llegar a su fin un crucero, viaje, etc. • *Mil*. Entregar, hacer pasar una cosa al cuidado o vigilancia de otro. • *Mil*. Hacer con ciertas cosas actos de sumisión y respeto. • tr. y prnl. Sujetar, someter una cosa al dominio de uno. • Cansar, fatigar, vencer. • prnl. *Mar*. Romperse un palo, mastelero o verga. ■ RENDIDO, DA.

RENDSINA (voz pol.) f. *Geol*. Suelo poco lixiviado, con un primer horizonte profundo y humífero y un segundo poco desarrollado. La roca madre suele ser caliza.

RENÉ, *Albert* (nacido 1935) Político de Seychelles, presid. de la rep. desde 1977; reelegido en 1984.

RENEGAR tr. Negar con instancia una cosa. • Detestar, abominar. • intr. Pasarse de una religión o culto a otro. • Blasfemar. • fig. y fam. Decir injurias o hablar mal de uno. ■ RENEGADO, DA; RENEGÓN, NA.

RENEGREAR intr. Negrear intensamente. ■ RENEGRIDO, DA.

RENGÍFERO m. Rangífero, reno.

RENGLE m. o **RENGLERA** f. Ringlera, fila de cosas una detrás de otra.

RENGLÓN m. Serie de palabras o caracteres escritos o impresos en línea recta. • fig. Renta, utilidad o beneficio. • pl. fig. y fam. Cualquier escrito o impreso. • **A r. seguido**. fig. y fam. A continuación.

RENGLONADURA f. Conjunto de líneas señaladas en el papel, para escribir sobre ellas los renglones.

RENGO, GA adj. y s. Cojo por lesión en las caderas.

RENGUERA f. *Amér. Merid.* Cojera. ■ RENGUEAR.

RENI, *Guido* (1575-1642) Pintor it. Alcanzó gran popularidad como autor de temas religiosos. *Ecce Homo, Santiago.*

RENIEGO m. Blasfemia. • fig. y fam. Maldición o dicho injurioso contra otro.

RENINA f. *Fisiol*. Enzima de la corteza renal cuya secreción produce hipertensión arterial.

RENIO m. *Quím*. Elemento de símb. Re, n. a. 75 y p. a. 186,22. Notable por su elevada resistividad y su gran poder de emisión de electrones.

RENITENCIA f. Estado de la piel, cuando se halla tersa, tirante y lustrosa. • Resistencia que se pone a hacer algo o consentirlo. ■ RENITENTE.

RENNELLA, *Cosme* (1889-1940) Aviador ecuat. Pionero de las líneas de vuelo regular en su país.

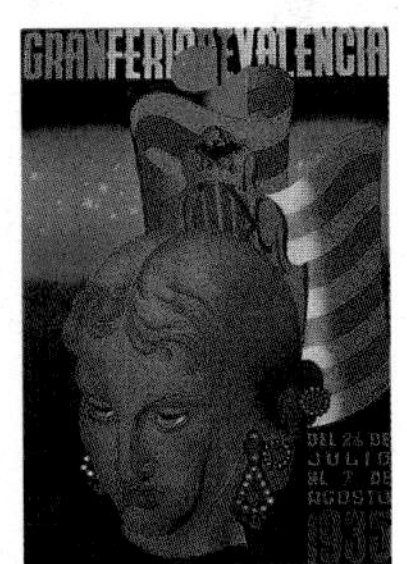

Cartel de J. **Renau**

Renos

RENNER, ***Karl*** (1870-1950) Político austr. Canciller después de la I Guerra Mundial, lo fue de nuevo al concluir la II. Presid. de la rep. en 1945-1950.
RENNES C. de Francia, cap. del dpto. de Ille-et-Vilaine y de la región de Bretaña; 245 100 hab. Centro comercial e industrial.
RENNINA f. *Fisiol.* Fermento presente en el estómago, también llamado fermento lab y quimosina. Transforma el caseinógeno de la leche en caseína insoluble.
RENO m. Especie de ciervo de los países septentrionales, con astas muy ramosas. Sirve como animal de tiro para los trineos.
RENO C. del O de EE UU, en el est. de Nevada; 100 800 hab. Centro comercial. Famosa por sus salas de juego y por las facilidades que en ella se dan para la obtención rápida de divorcios.
RENOIR, ***Jean*** (1894-1979) Director de cine fr., hijo del pintor Pierre Auguste R. Fue el gran maestro del realismo poético. *La golfa, La gran ilusión, La bestia humana, La regla del juego, El testamento del doctor Cordelier.* • ***Pierre Auguste*** (1841-1919). Pintor fr., uno de los prales. del impresionismo. La pintura de R., influida al principio por Courbet, alcanza su primer logro en 1867 con *Lisa*, obra en la que ya aparecen los dos temas preferidos del pintor: la luz y el cuerpo femenino. Mantuvo con Monet una amistad que les llevó a compartir hallazgos técnicos. *El palco, El columpio, Moulin de la Galette, Bañistas secándose.*

El Moulin de la Galette, óleo de Pierre Auguste **Renoir.** Museo de Orsay, París

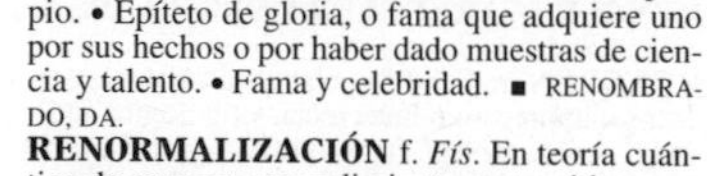

RENOMBRE m. Apellido o sobrenombre propio. • Epíteto de gloria, o fama que adquiere uno por sus hechos o por haber dado muestras de ciencia y talento. • Fama y celebridad. ■ RENOMBRADO, DA.
RENORMALIZACIÓN f. *Fís.* En teoría cuántica de campos, procedimiento matemático para llegar a resultados finitos a partir de series divergentes.
RENOUVIER, ***Charles*** (1815-1903) Filósofo fr. Defendió la teoría de que la metafísica no es una ciencia posible. *Manual de la filosofía moderna, Los dilemas de la metafísica pura.*
RENOVAR tr. y prnl. Hacer como de nuevo una cosa, o volverla a su primer estado. • Restablecer o reanudar una relación u otra cosa que se había interrumpido. • tr. Remudar, poner de nuevo o reemplazar una cosa. • Trocar una cosa vieja, o que ya ha servido, por otra nueva. • Reiterar o publicar de nuevo. ■ RENOVACIÓN.
RENOVERO, RA m. y f. Usurero, logrero.
RENQUEAR intr. Andar como renco, meneándose a un lado y a otro. • fig. No acabar de decidirse a ejecutar un acto o a tomar una resolución. • fig. Tener dificultades en algún negocio, quehacer, etc. ■ RENQUEO.
RENQUERA f. *Amér.* Cojera.
RENTA f. Beneficio periódico que produce una cosa o lo que de ella se cobra. • Cantidad de dinero o especies que paga un arrendatario. • Deuda pública, gasto público o título que la representan. ■ RENTÍSTICO, CA; RENTOSO, SA.
RENTAR tr. Producir o rendir beneficio o utilidad anualmente una cosa. • *Amér.* Alquilar. ■ RENTABILIDAD; RENTABLE; RENTADO, DA.
RENTERÍA *(Errenderi)* Mun. esp., en la prov. de Guipúzcoa; 39 663 hab. Agricultura.
RENTERO, RA adj. Que paga algún tributo. • m. y f. Colono que arrienda una posesión o finca rural. • m. El que hace postura a la renta o la arrienda.
RENTISTA com. Persona que tiene conocimiento o práctica en materias de hacienda pública. • Persona que percibe renta procedente de papel del Estado. • Persona que pralm. vive de sus rentas.
RENTO m. Renta pagada por el arrendatario de una finca.
RENUENCIA f. Repugnancia que se muestra a hacer una cosa. ■ RENUENTE.
RENUEVO m. Vástago que echa el árbol después de podado o cortado. • Acción y efecto de renovar o renovarse. ■ RENOVAL.
RENUNCIA f., o **RENUNCIACIÓN** f., o **RENUNCIAMIENTO** m. Acción de renunciar. • Instrumento o documento que contiene la renuncia. • Dimisión o dejación voluntaria de una cosa que se posee, o del derecho a ella.
RENUNCIAR tr. Hacer dejación voluntaria, dimisión o apartamiento de una cosa que se tiene o del derecho y acción que se puede tener. • Desistir de hacer una cosa. • Despreciar o abandonar. • Faltar a las leyes de algunos juegos de naipes, por no servir al palo que se juega teniendo carta de él. ■ RENUNCIABLE.
RENUNCIATARIO m. Aquel a cuyo favor se ha hecho una renuncia.
RENUNCIO m. Falta que se comete renunciando en algunos juegos de naipes. • fig. y fam. Mentira o contradicción en que se coge a uno.
RENVALSO m. Rebajo que se hace en el canto de las hojas de puertas y ventanas para que encajen en el marco o unas con otras. ■ RENVALSAR.
REÑIDERO m. Sitio destinado a la riña de animales, y pralm. a la de los gallos.
REÑIR intr. Contender o disputar altercando de obra o de palabra. • Contender con armas. • Desavenirse, enemistarse. • tr. Reprender o corregir a uno con algún rigor o amenaza. • Tratándose de desafíos, batallas, etc., ejecutarlos, llevarlos a efecto. ■ REÑIDO, DA; REÑIDOR, RA; REÑIDURA.
REO, A m. y f. Persona, acusada de un delito, que está siendo juzgada. • El demandado en juicio civil o criminal. • m. Trucha de mar, pez marino. • Vez, turno.
REOBASE f. *Fisiol.* Intensidad mínima de corriente eléctrica, aplicada sobre tejido muscular o nervioso, para alcanzar el umbral de excitación.
REOCA ***(Ser la)*** exp. fam. que se aplica a las cosas extraordinarias y a las personas notables o de comportamiento sorprendente.
REÓFORO m. Borne. • *El.* Cada una de las clavijas de un tubo de vacío, que sirven para conectarlo al zócalo del aparato.
REÓGRAFO m. *El.* Instrumento para medir corrientes eléctricas que varían rápidamente.
REOJO ***(Mirar de)*** fr. Mirar disimuladamente dirigiendo la vista por encima del hombro. • fig. Mirar con prevención hostil o enfado.
REOLOGÍA f. *Fís.* Parte de la mecánica que estudia la elasticidad, plasticidad y viscosidad de la materia.
REÓMETRO m. *El.* Instrumento para medir las corrientes eléctricas. • Aparato para medir la velocidad de una corriente de agua.
REORGANIZAR tr. y prnl. Volver a organizar una cosa. ■ REORGANIZACIÓN; REORGANIZADOR, RA.
REORRECEPTOR, RA adj. y s. *Zool.* Díc. de los órganos cutáneos de los sentidos de ciertos anfibios y de los peces, que reciben estímulos del agua corriente.
REOSCOPIA m. *El.* Instrumento para comprobar la existencia de corrientes eléctricas.
REÓSTATO m. *El.* Instrumento que sirve para hacer variar la resistencia en un circuito eléctrico. ■ REOSTÁTICO, CA.
REOTAXIA f. o **REOTROPISMO** m. *Zool.*

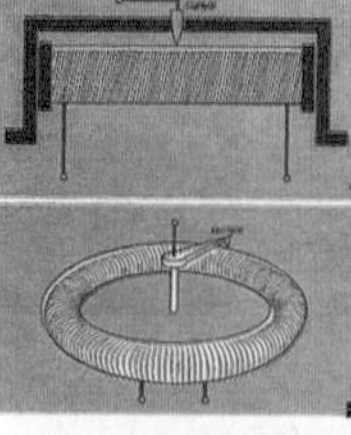
Reostato lineal (1) y circular (2)

Movimiento que presentan diversos animales acuáticos, por el cual tienden a dirigirse en contra de la corriente.
REOVIRUS m. *Med.* Virus enterítico y respiratorio que puede provocar encefalitis y encefalomielitis.
REP (siglas de *Roentgen Equivalent Physical*) Equivalente físico del roentgen. Cantidad de radiaciones ionizantes que produce, por gramo de aire, el mismo núm. de pares de iones de los dos signos y la misma energía que un roentgen; es aplicable a todas las radiaciones ionizantes.
REPACER tr. Pacer el ganado la hierba hasta apurarla.
REPAGAR tr. Pagar cara o con exceso una cosa.
REPAJO m. Sitio cerrado con arbustos o matas.
REPANOCHA ***(Ser la)*** Ser la → reoca.
REPANTIGARSE o **REPANCHIGARSE** prnl. Arrellanarse en el asiento, y extenderse para mayor comodidad.
REPAPILARSE prnl. Rellenarse de comida, saboreándose y relamiéndose con ella.
REPARACIÓN f. Desagravio, satisfacción completa de una ofensa, daño o injuria. • Arreglo de una cosa material estropeada. • *Biol.* Mecanismo genético en virtud del cual los organismos pueden corregir las alteraciones producidas en el ADN por agentes mutágenos o enzimas, con objeto de mantener la invariabilidad del mensaje genético. • **Reparaciones de guerra**. *Hist.* Conjunto de prestaciones económicas que los Est. vencidos se comprometen a pagar a los vencedores como indemnización después de una guerra. Tuvo grandes repercusiones la r. de guerra que fue condenada a pagar Alemania al fin de la I Guerra Mundial.
REPARADA f. Movimiento extraño que hace el caballo, apartando de pronto el cuerpo.
REPARADO, DA adj. Reforzado, proveído. • Bizco, o que tiene otro defecto en los ojos.
REPARADOR, RA adj. y s. Que repara o mejora una cosa. • Que propende a notar defectos frecuentemente y con nimiedad. • adj. Que restablece las fuerzas y da aliento o vigor. • Que desagravia o satisface por alguna culpa. • Díc. de la caballería que tiene el vicio de hacer reparadas.
REPARAMIENTO m. Reparo. • Reparación.
REPARAR tr. Componer, aderezar o enmendar el menoscabo que ha padecido una cosa. • Mirar con cuidado, notar, advertir una cosa. • Atender, considerar o reflexionar. • Enmendar, corregir o remediar. • Desagraviar, satisfacer al ofendido. • Oponer una defensa contra el golpe, para librarse de él. • Remediar o precaver un daño o perjuicio. • Restablecer las fuerzas. • Dar la última mano a su obra el vaciador para quitarle los defectos que saca del molde. • tr. y prnl. Suspenderse o detenerse por razón de algún inconveniente u obstáculo. • intr. Pararse, detenerse o hacer alto en una parte. • prnl. Contenerse o reportarse. ■ REPARABLE; REPARATIVO, VA.
REPARISTO adj. *Amér. Centr.* Reparón.
REPARO m. Restauración o remedio. • Obra que se hace para restaurar un edificio. • Advertencia, nota, observación sobre una cosa. • Duda, dificultad o inconveniente. • Confortante que se pone al enfermo en la boca del estómago, para darle vigor. • Cualquier cosa que se pone por defensa o resguardo. • Mancha o señal en el ojo o en el párpado. • *Esg.* Parada o quite.
REPARÓN, NA adj. *Amér Centr.* Que propende exageradamente a poner reparos o defectos a las cosas.
REPARTICIÓN f. Acción de repartir. • *Amér.* Rama de la administración pública.
REPARTIDOR, RA adj. y s. Que reparte o distribuye. • adj. y m. Díc. de la pieza que distribuye en partes iguales las fuerzas de atracción de los electroimanes. • m. En un sistema de riegos, sitio en que se reparten las aguas. • Encargado de repartir los asuntos en los tribunales.
REPARTIMIENTO m. Acción y efecto de repartir. • Instrumento en que consta lo que a cada uno se ha repartido. • Contribución o carga con que se grava a los que voluntariamente, por obligación o necesidad la consienten. • Oficio y oficina del repartidor de los tribunales. • **de indios.** Reparto de un número determinado de indios que la corona esp. cedía a los colonizadores para premiar la conquista.
* *Hist.* El r. de indios, término usado indistintamente al de encomienda, fue una medida impuesta por las circunstancias (necesidad de la corona esp. de premiar a los conquistadores, deseos de éstos de enriquecerse con rapidez, etc.) que, según Bartolomé de Las Casas en su *Historia de las Indias*, se aplicó de manera oficial a partir de una disposición de la Reina Católica de 1503, por la que ordenaba al gobernador de La Española repartir indios entre los esp. para que trabajasen para ellos por un periodo de dos o tres años. El r. dio lugar a graves abusos, y para los indígenas resultó una carga muy gravosa.
REPARTIR tr. Distribuir entre varios una cosa dividiéndola por partes. • Clasificar, ordenar. • Señalar o atribuir partes a un todo. • Extender una materia sobre una superficie. • Adjudicar los papeles a los actores que han de representar una obra. • Cargar una contribución o gravamen por partes. • Dar a cada cosa su oportuna colocación o el destino conveniente. • tr. y prnl. Distribuir por lugares distintos o entre personas diferentes. ■ REPARTIDERO, RA; REPARTO.
REPASADERA f. Garlopa con hierro para sacar perfiles en la madera.
REPASADOR m. *Amér.* Lienzo para secar platos.
REPASADORA f. Mujer que se ocupa en repasar o carmenar la lana.
REPASAR tr. e intr. Volver a pasar por un mismo sitio o lugar. • tr. Esponjar y limpiar la lana para cardarla después de teñida. • Volver a mirar, examinar, estudiar o registrar una cosa. • Reconocer muy por encima un escrito, pasando por él la vista ligeramente o de corrida. • Recoser, dar pasos a la ropa que lo necesita. • Examinar una obra ya terminada, para corregir sus imperfecciones. • Mezclar el mineral de plata con azogue y magistral, y pisarlo todo hombres o caballerías, hasta conseguir la amalgamación. • prnl. Rezumarse un recipiente.
REPASATA f. fam. Reprensión, corrección.
REPASO m. Acción y efecto de repasar. • Estudio ligero que se hace de lo que se tiene visto o estudiado. • Reconocimiento de una cosa después de hecha, para ver si le falta o sobra algo. • fam. Reprensión, corrección a uno.
REPASTAR tr. Añadir harina, agua u otro líquido a una pasta, para amasarla de nuevo. • Añadir agua al mortero que se ha resecado, para volver a amasarlo. • Volver el ganado a pastar. • intr. Volver a dar pasto al ganado. ■ REPASTO.
REPATRIAR tr., intr. y prnl. Hacer que uno regrese a su patria. ■ REPATRIACIÓN; REPATRIADO, DA.
REPECHAR intr. Subir por un repecho.
REPECHO m. Cuesta bastante pendiente y no muy larga.
REPEINADO, DA Muy cuidadosamente peinado. • Acicalado con exceso o afectación.
REPEINAR tr. y prnl. Volver a peinar o peinar por segunda vez.
REPELA f. *Amér. Centr.* Recolección de los granos de café que quedan en las matas después de la cosecha.
REPELADURA f. Segunda peladura.
REPELAR tr. Tirar del pelo o arrancarlo. • Hacer dar al caballo una carrera corta. • Cortar las puntas a la hierba. • Cercenar, quitar, disminuir. • Pelar totalmente una cosa. • *Méx.* Objetar.
REPELENTE adj. Que repele. • Impertinente, sabelotodo. • Repulsivo.
REPELER tr. Arrojar, lanzar o echar de sí una cosa con impulso o violencia. • Rechazar una idea, proposición o aserto.
REPELLAR tr. Arrojar pelladas de yeso o cal a la pared que se está construyendo o reparando.
REPELLER (voz ing.) m. *Electr.* Electrodo polarizado negativamente, que en el klystrón rechaza los electrones que han atravesado las cavidades del tubo y provoca el mov. oscilatorio de los mismos.
REPELLO m. *Amér. Centr.* Capa de barro con que se recubre una pared.
REPELO m. Lo que no va al pelo. • Parte pequeña de cualquier cosa que se levanta contra lo natural. • Conjunto de fibras torcidas de una madera. • fig. y fam. Riña o encuentro ligero. • fig. y fam. Repugnancia que se muestra al ejecutar una cosa. ■ REPELOSO, SA.

Firma del tratado de Versalles (28 junio 1919), que al término de la Primera Guerra Mundial impuso a Alemania el pago de onerosas **reparaciones de guerra**

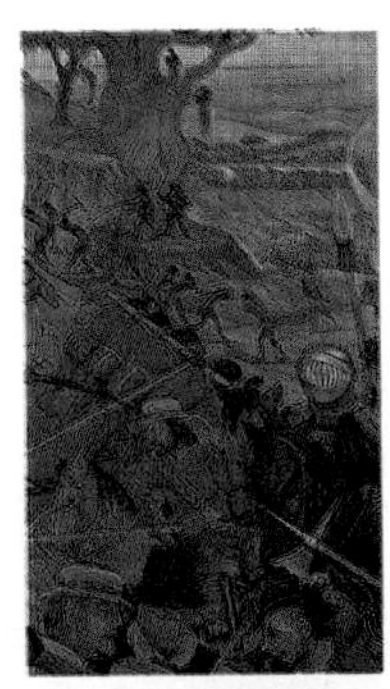
Repartimiento de indios. Fragmento de un mural de Diego Rivera que muestra la explotación a que eran sometidos los indígenas

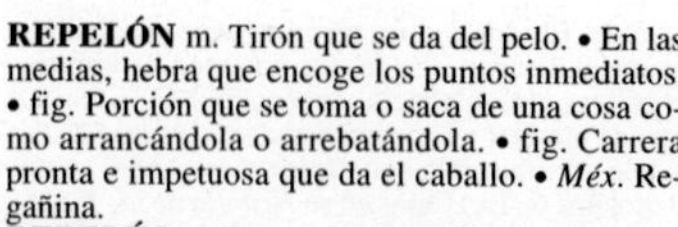

Repetidor de alta montaña

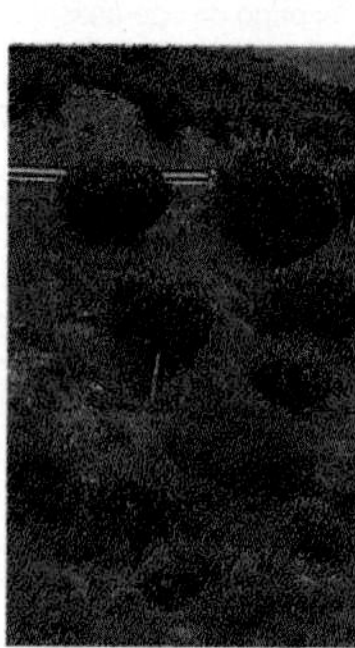

Repoblación forestal en una ladera

Repollo

REPELÓN m. Tirón que se da del pelo. • En las medias, hebra que encoge los puntos inmediatos. • fig. Porción que se toma o saca de una cosa como arrancándola o arrebatándola. • fig. Carrera pronta e impetuosa que da el caballo. • *Méx.* Regañina.

REPELÚS m. Repugnancia que inspira algo o temor indefinido.

REPELUZNO m. Escalofrío leve y pasajero. • Repelús. Aversión a las cosas o personas.

REPENSAR tr. Volver a pensar con detención, reflexionar.

REPENTE m. fam. Movimiento súbito o no previsto. • **De r.** m. adv. Prontamente, sin preparación, sin discurrir o pensar. ■ REPENTINO, NA.

REPENTISTA com. Improvisador.

REPENTIZAR intr. Ejecutar a la primera lectura un instrumentista o un cantante piezas de música. • Hacer si n preparación un discurso, poesía, etc.

REPEOR adj. y adv. modo. fam. Mucho peor.

REPERCUTIR intr. o **REPERCUDIR** intr. y tr. Retroceder o cambiar de dirección un cuerpo al chocar con otro. • prnl. Reverberar. • Producir eco el sonido. • fig. Trascender, causar efecto una cosa en otra ulterior. • tr. Rechazar, repeler, hacer que un humor o secreción retroceda o refluya hacia atrás. ■ REPERCUSIÓN; REPERCUSIVO, VA.

REPERIQUETE m. fam. *Méx.* Adorno cursi.

REPERPERO m. *Amér. Centr.* Desorden, barahúnda.

REPERTORIO m. Libro abreviado en que se hace mención de cosas notables, remitiéndose a lo que se expresa en otros escritos. • Conjunto de obras que tiene preparadas para representarlas o ejecutarlas una compañía teatral, un músico, etc. • Colección o recopilación de obras o de noticias de una misma clase. • **de instrucciones**. *Comp.* Conjunto de instrucciones que forman parte de un lenguaje de programación.

REPESAR tr. Volver a pesar una cosa. ■ REPESO.

REPESCA f. Examen especial para alumnos que han suspendido en la convocatoria ordinaria.

REPETICIÓN f. Acción y efecto de repetir o repetirse. • Mecanismo que sirve en el reloj para que dé la hora siempre que se toca un muelle. • Obra de escultura y pintura repetida por el mismo autor. • *Der.* Acción del que ha sido desposeído, obligado o condenado, contra tercera persona que haya de reintegrarle o responderle. • *Ret.* Figura que consiste en repetir expresamente palabras o conceptos.

REPETIDOR, RA adj. Que repite. • Díc. especialmente del alumno que repite curso o una asignatura. • m. y f. Persona que repasaba a otro la lección que leyó o explicó el maestro, o que tomaba primero a otro la lección que le fue señalada. • adj. y m. Díc. del dispositivo que se intercala a lo largo de una línea de telecomunicación con objeto de recibir, amplificar y corregir las señales para que sea posible retransmitirlas a los receptores terminales.

REPETIR tr. Volver a hacer lo que se había hecho, o decir lo que se había dicho. • *Der.* Reclamar contra tercero, a consecuencia de evicción, pago o quebranto que padeció el reclamante. • intr. Hablando de manjares o bebidas, venir a la boca el sabor de lo que se ha comido o bebido. • prnl. Díc. del artista que usa en sus obras de unas mismas actitudes, grupos, etc.

REPICAR tr. Picar mucho una cosa. • Volver a picar o punzar. • En el juego de los cientos, contar un jugador noventa puntos antes que cuente uno el contrario. • tr. e intr. Tañer o sonar repetidamente y con cierto compás las campanas en señal de fiesta o regocijo. • Díc. además de otros instrumentos. • prnl. Picarse, preciarse, presumir de una cosa.

REPICOTEAR tr. Adornar un objeto con picos, ondas o dientes. ■ REPICOTEADO, DA.

REPINALDO m. Variedad de manzana de gran tamaño, mucho olor y sabor exquisito.

REPINARSE prnl. Remontarse, elevarse.

REPINTAR tr. Pintar sobre lo ya pintado. • prnl. Pintarse o maquillarse excesivamente. • Señalarse la letra de una página en otra por estar reciente la impresión.

REPIPI adj. Afectado, pedante, redicho.

REPIQUE m. Acción y efecto de repicar o repicarse. • fig. Riña, disputa de poca importancia.

REPIQUETE m. Repique vivo y rápido de campanas. • Lance o reencuentro.

REPIQUETEAR tr. Repicar con mucha viveza las campanas u otro instrumento sonoro. • prnl. fig. y fam. Reñir dos o más personas diciéndose mutuamente palabras ofensivas. ■ REPIQUETEO.

REPISA f. Ménsula empleada para sostener un objeto o adorno, o también, para servir de piso a un balcón.

REPISAR tr. Volver a pisar. • Apretar con pisón, especialmente la tierra. • fig. Encomendar ahincadamente una cosa a la memoria. • intr. Hacer asiento una obra.

REPISO m. Vino de inferior calidad que se hace de la uva repisada.

REPIZCAR tr. y prnl. Pellizcar repetidamente.

REPLANA f. *Perú.* Jerga de delincuentes.

REPLANTAR tr. Volver a plantar en el suelo o sitio que ha estado plantado. • Trasplantar un vegetal desde el sitio en que está a otro. ■ REPLANTACIÓN.

REPLANTEAR tr. Trazar en el terreno o sobre el plano de cimientos la planta de una obra ya estudiada y proyectada. • Volver a plantear un asunto sobre bases nuevas. ■ REPLANTEO.

REPLANTIGARSE prnl. *Amér. Centr.* Repantigarse.

REPLEGAR tr. Plegar o doblar muchas veces. • tr. y prnl. Retirarse en buen orden las tropas avanzadas.

REPLETAR tr. Rellenar, colmar. • prnl. Ahitarse, hartarse. ■ REPLECIÓN; REPLETO, TA.

RÉPLICA f. Acción de replicar. • Expresión, argumento o discurso con que se replica. • Copia de una obra artística que reproduce con exactitud la original. • Segundo escrito del actor en el juicio de mayor cuantía para impugnar la contestación y la reconvención, si la hubo, y fijar los puntos litigiosos. • *Amér. Centr.* Examinador.

REPLICACIÓN f. Acción y efecto de replicar. • *Biol.* Mecanismo genético consistente en la duplicación de una molécula de ADN por copia de otra existente que actúa de molde.

REPLICAR intr. Instar o argüir contra la respuesta o argumento. • Presentar el actor en juicio ordinario el escrito de réplica. • intr. y tr. Responder como repugnando lo que se dice o manda. ■ REPLICADOR, RA; REPLICÓN, NA.

REPLICATO m. Réplica. • Réplica del actor a la respuesta del reo.

REPLIEGUE m. Pliegue doble. • Acción y efecto de replegarse las tropas.

REPO m. *Chile.* Arbusto de las verbenáceas, especie de arrayán de gran tamaño.

REPOBLACIÓN f. Acción y efecto de repoblar o repoblarse. • Conjunto de árboles o especies vegetales en terrenos repoblados. • **forestal**. Replantación de árboles para regenerar montes o recuperar zonas vegetales.

REPOBLAR tr. y prnl. Volver a poblar.

REPODAR tr. Recortar los troncos o ramas que al podar no quedaron bien cortados.

REPODRIR tr. y prnl. Repudrir.

REPOLLAR intr. y prnl. Formar repollo.

REPOLLO m. Especie de col de hojas firmes, comprimidas y abrazadas formando una especie de cabeza. • Grumo o cabeza redonda que forman algunas plantas, apiñándose sus hojas unas sobre otras. ■ REPOLLUDO, DA.

REPONER tr. Volver a poner; construir, colocar a una persona o cosa en el empleo, lugar o estado que antes tenía. • Reemplazar lo que falta o lo que se había sacado de alguna parte. • Responder, replicar. • Volver a poner en escena una obra dramática ya estrenada en una temporada anterior. • Retrotraer la causa o pleito a un estado determinado o reformar un auto o providencia el juez que lo dictó. • prnl. Recobrar la salud o la hacienda. • Serenarse, tranquilizarse. ■ REPOSICIÓN.

REPORTAJE m. Información periodística, gráfica o literaria, hecha por un reportero que ha sido testigo de los hechos que relata. • Cortometraje documental sobre un tema de actualidad.

REPORTAR tr. y prnl. Refrenar, reprimir o moderar una pasión de ánimo o al que la tiene. • tr. Alcanzar, conseguir, lograr, obtener. • Traer o llevar. • Pasar una prueba litográfica a la piedra para multiplicar las tiradas de un mismo dibujo. ■ REPORTACIÓN; REPORTAMIENTO.

REPORTE m. • Noticia. • Noticia malintencionada que puede indisponer a las personas. • Prueba de litografía que sirve para multiplicar las tiradas.

REPORTEAR tr. *Amér.* Hacer una entrevista o un reportaje gráfico.

REPORTERIL adj. Relativo al reportero o a su oficio.

REPORTERO o **REPÓRTER** adj. y s. Díc. del periodista que busca la noticia sobre el terreno y la transmite al diario. ■ REPORTERISMO.

REPORTISTA m. Litógrafo muy práctico en reportar pruebas.

REPOSADERO m. Pileta colocada en la parte exterior de los hornos, para recibir el metal fundido que sale por la piquera.

REPOSAPIÉS m. Estribera para apoyar los pies en una motocicleta.

REPOSAR intr. Descansar, dar intermisión a la fatiga o al trabajo. • intr. y prnl. Descansar, durmiendo un breve sueño. • Permanecer en quietud y paz y sin alteración una persona o cosa. • Estar enterrado, yacer. • Tratándose de líquidos, posarse. ■ REPOSADO, DA; REPOSO.

REPOSERA f. *R. de la Plata.* Tumbona.

REPOSITORIO m. Lugar donde se guarda una cosa.

REPOSTADA f. Respuesta desabrida o grosera.

REPOSTAR tr. y prnl. Reponer provisiones, pertrechos, combustible, etc.

REPOSTERÍA f. Arte y oficio del repostero. • Productos de este arte. • Establecimiento donde se hacen y venden dulces, pastas, fiambres, embutidos y algunas bebidas. • En algunas partes, despensilla en que se guardan provisiones de esta clase. • Lugar donde se guarda lo que pertenece al servicio de mesa.

REPOSTERO, RA m. y f. Persona que tiene por oficio hacer pastas, dulces y algunas bebidas. • m. El que tenía a su cargo en los palacios el orden de los objetos pertenecientes a un ramo de servicio. • Paño cuadrado o rectangular, con emblemas heráldicos. • Marinero que está al servicio personal de un jefe u oficial de marina. • *Amér. Centr.* Respondón.

REPREGUNTA f. Segunda pregunta que hace al testigo el litigante al que lo presenta, para contrastar o apurar su veracidad, o bien para completar la indagación.

REPRENDER o **REPREHENDER** tr. Corregir, amonestar a uno. ■ REPREHENSIBLE O REPRENSIBLE; REPRENDEDOR, RA; REPRENSOR, RA.

REPRENSIÓN o **REPREHENSIÓN** f. Acción de reprender. • Expresión o razonamiento con que se reprende. • Pena que se ejecuta amonestando al reo.

REPRESA f. Acción de represar o recobrar. • Obra o construcción para contener o regular el curso de las aguas. • Lugar donde las aguas están detenidas o almacenadas. • fig. Acción de reprimir un impulso o pasión.

REPRESALIA f. Daño infligido, especialmente al enemigo, como venganza por la injuria sufrida de él. Se usa más en pl. • Retención de los bienes de una nación con la cual se está en guerra, o de sus individuos. Se usa más en pl. • Medida o trato de rigor que, sin llegar a ruptura violenta de relaciones, adopta un Est. contra otro para responder a los actos o determinaciones adversos de éste. Se usa más en pl. • P. ext., el mal que un particular causa a otro, en venganza o satisfacción de un agravio.

REPRESAR tr. y prnl. Detener o estancar el agua corriente. • tr. Recobrar de los enemigos la embarcación que habían apresado. tr. y prnl. • fig. Detener, contener, reprimir.

REPRESENTACIÓN f. Acción y efecto de representar o representarse. • Nombre antiguo de la obra dramática. • Autoridad, dignidad, carácter de la persona. • Figura, imagen o idea que sustituye a la realidad. • Súplica o proposición apoyada en razones o documentos, que se dirige a un príncipe o superior. • Conjunto de personas que representan a una entidad, colectividad o corporación. • Derecho de una persona a ocupar, para la sucesión en una herencia o mayorazgo, el lugar de otra persona difunta. • **de los Hacendados.** *Hist.* Nombre que recibió el documento redactado por Mariano Moreno el 30 de septiembre de 1809, dirigido al virrey del Río de la Plata, Cisneros, por el que Moreno se erigía en defensor y representante de la causa de hacendados y labradores contra los agravios fiscales y políticos del virreinato.

REPRESENTANTA f. Comedianta, actriz.

REPRESENTAR tr. y prnl. Hacer presente una cosa con palabras o figuras que la imaginación retiene. • tr. Informar, declarar o referir. • Manifestar uno el afecto de que está poseído. • Recitar o ejecutar en público una obra dramática. • Sustituir a uno o hacer sus veces. • Ser imagen o símbolo de una cosa, o imitarla perfectamente. • Aparentar una persona determinada edad. ■ REPRESENTADOR, RA; REPRESENTANTE; REPRESENTATIVIDAD; REPRESENTATIVO, VA.

REPRESIÓN f. Acción y efecto de represar o represarse. • Acción y efecto de reprimir, especialmente hechos políticos, sociales, culturales, etc., contrarios al poder establecido. • Defensa automática e inconsciente mediante la cual rechaza el «yo» una motivación, emoción o idea, penosa o peligrosa, y tiende a disociarse de ella. • Proceso psicológico consciente y voluntario que consiste en renunciar a la satisfacción de un deseo que no está de acuerdo con el «yo» ético o social.

REPRESOR, RA adj. y s. Que reprime. • adj. y m. *Biol.* Díc. del gen que interviene directamente sobre la síntesis de sustancias que regulan o inhiben la acción de determinados genes.

REPRIMIR tr. y prnl. Contener, refrenar, templar o moderar. ■ REPRESIVO, VA; REPRIMENDA.

REPRISAR tr. *Amér.* Reponer un espectáculo.

REPRISE (voz fr.) f. Aceleración. • Reestreno.

REPROBAR tr. No aprobar, dar por malo. ■ REPROBABLE; REPROBACIÓN; REPROBATORIO, RIA.

RÉPROBO, BA adj. Condenado a las penas eternas. • adj. y s. Condenado por su heterodoxia religiosa. • P . ext., díc. de la persona apartada de la convivencia por razones distintas de las religiosas.

REPROCHAR tr. y prnl. Reconvenir, echar en cara. ■ REPROCHABLE; REPROCHADOR, RA; REPROCHE.

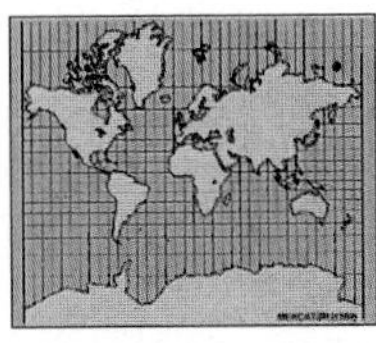

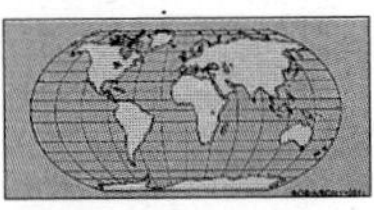

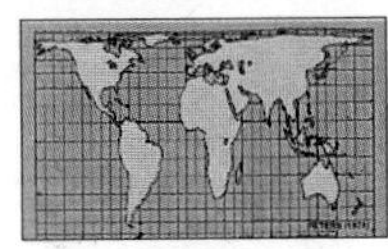

Tres tipos distintos de **representación** cartográfica. De arriba abajo: de Mercator (1569), de Robinson (1961) y de Peters (1974)

Representación de *El mercader de Venecia*, de William Shakespeare

REPRODUCCIÓN f. Acción y efecto de reproducir o reproducirse. • Cosa reproducida. • *Biol.* Conjunto de fenómenos por los cuales los seres vivos originan otros análogos.

* *Biol.* La r. puede ser asexual o sexual. En la primera, el nuevo ser procede de masas de células vegetativas que hacen vida independiente (r. vegetativa) o bien procede de esporas (esporulación). La r. vegetativa es muy utilizada en agricultura; en los metazoos adopta las formas de gemación y escisión. La esporulación sólo se da en los vegetales y los protozoos. La r. sexual permite el intercambio y recombinación de material biológico entre los individuos, que producen normalmente dos clases de células germinativas llamadas gametos; éstos han de fusionarse en el acto de la fecundación para que se desarrolle el nuevo ser. Si los dos gametos son morfológicamente iguales, se habla de isogamia, forma que se presenta en algunos protozoos y en determinadas algas y hongos. Cuando los dos gametos son diferentes, se habla de anisogamia; al más grande se le llama macrogameto o gameto femenino,

mientras que al otro, diminuto y de gran movilidad, se le llama microgameto o gameto masculino. La anisogamia extrema se llama oogamia y tiene lugar en las plantas superiores y en los metazoos. Si la formación del nuevo individuo se realiza exclusivamente a partir del gameto femenino, se llama partenogénesis.

REPRODUCIR tr. y prnl. Volver a producir o producir de nuevo. • tr. Volver a hacer presente lo que antes se dijo y alegó. • Procrear. • Sacar copia, en uno o en muchos ejemplares, de una obra de arte, objeto arqueológico, etc., por diversos procedimientos.

REPRODUCTIVO, VA adj. Que produce beneficio o provecho.

REPRODUCTOR, RA adj. y s. Que reproduce. • adj. y f. Díc. de las máquinas automáticas para reproducir en una ficha parte o todas las perforaciones existentes en una ficha determinada. • m. y f. Animal destinado a mejorar su raza. • **Aparato r.** *Zool.* Conjunto de órganos que en los animales realizan las distintas fases de reproducción sexual.

* *Zool.* Un aparato r. diferenciado, completo, está compuesto de gónadas y de conductos para la expulsión de los gametos, y aparece en los animales de simetría bilateral a expensas del mesodermo embrionario. Casi todos los animales poseen dos gónadas, pero algunos poseen una sola y otros las poseen en gran número. Los conductos reproductores o gonoductos tienen la función primordial de permitir la expulsión de los gametos, pero a menudo se desarrollan en ellos estructuras peculiares, por ejemplo para la protección y alimentación del embrión durante su desarrollo, o bien órganos especiales destinados a realizar la fecundación, cuando ésta es interna. En el macho, éstos son los llamados órganos copuladores, que cuando están atravesados por el conducto reproductor reciben el nombre de penes. En la hembra, la porción del oviducto adaptada para recibir el órgano copulador se llama vagina.

REPROGRAFÍA f. Reproducción de documentos por diversos medios. ■ REPROGRÁFICO, CA.

REPROMISIÓN f. Promesa repetida.

REPROPIARSE prnl. Resistirse la caballería a obedecer al que la rige. ■ REPROPIO, PIA.

REPRUEBA f. Nueva prueba sobre la que ya se ha dado.

REPS (voz fr.) m. Tela de seda o lana, fuerte y bien tejida, que se usa para tapizar.

REPTAR intr. Andar arrastrándose como algunos reptiles. ■ REPTACIÓN.

REPTIL o **RÉPTIL** m. *Zool.* Animal de clase reptiles. • m. pl. *Zool.* Clase de vertebrados tetrápodos, de temperatura variable, cuyos huevos se hallan provistos de amnios y alantoides, y cuya piel, carente de glándulas mucosas, está recubierta por escamas.

* *Zool.* La forma de los reptiles actuales suele ser alargada, de acuerdo con su sistema de locomoción, en el que predomina la reptación. Sus extremidades no alcanzan mucho desarrollo o incluso se atrofian (serpientes). La boca presenta dientes muy simples (saurios, cocodrilos, muchas serpientes) o bien carece de ellos (tortugas). La respiración es siempre pulmonar, naciendo las crías en tierra. La mayoría son ovíparos, pero existen especies ovovivíparas (víboras) y aun vivíparas. La dependencia de la temperatura interna respecto a la ambiental hace que abunden en las regiones tropicales. El grupo de los r. ha colonizado los ambientes más diversos.

REPÚBLICA f. Estado, cuerpo político. • *Pol.* Forma de gobierno representativo en que la soberanía reside en el pueblo, personificado éste por un jefe supremo llamado presidente. • Causa pública, lo común o su utilidad. • División administrativa mayor de algunos Estados.

* *Pol.* Se nos habla ya de r. en la antigüedad (c. gr., Roma, Baja E. Med.), pero en su concepto más moderno, nació con las rev. burguesas de los ss. XVII-XVIII. En la actualidad, la mayoría de países están gobernados por una r., que puede ser presidencialista (EE UU, Francia) o parlamentaria (Italia), aunque el concepto de r. acoge también la posibilidad de regímenes autoritarios, sin pluralismo político (caso de la antigua República Social Italiana creada por Mussolini). Las r. socialistas (llamadas también democracias populares) presentan un partido único, gralte., el comunista (China), aunque se mantienen las elecciones periódicas y la división en los tres poderes políticos. Las reformas emprendidas en algunos de estos países (los de la ant. URSS) dieron como fruto la descomposición de este rígido esquema.

República. Arriba, *Árbol de la libertad*, cartel de 1793. Museo de l'Affiche, París; sobre estas líneas, cartel alegórico de la II República Española. Archivo Histórico Nacional, Salamanca (España)

REPÚBLICA ÁRABE UNIDA *(RAU)* Federación de Egipto y Siria creada en 1958 y disuelta en 1961. Egipto mantuvo oficialmente tal denominación hasta 1971.

REPUBLICANISMO m. Condición de republicano. • Sistema político que proclama la forma republicana para el gobierno de un Est. • Afección a esta forma de gobierno.

REPUBLICANO, NA adj. Relativo a la rep. • adj. y s. Aplícase al ciudadano de una rep. • Partidario de este género de gobierno.

REPÚBLICO m. Hombre de representación en los oficios públicos. • Persona versada en la dirección de los Est. o en materia política. • Buen patricio.

REPUBLIQUETAS, ***Las*** Terr. del Alto Perú que estuvieron sometidos a un caudillo de 1810 a 1816, y que cayeron en manos de los realistas.

REPUDIAR tr. Rechazar algo, no aceptarlo. • Desechar o repeler la mujer propia. • Renunciar, hacer dejación. ■ REPUDIACIÓN; REPUDIO.

REPUDRIR tr. y prnl. Pudrir mucho. • prnl. fig. y fam. Consumirse mucho interiormente, de callar o disimular un sentimiento o pesar.

REPUESTO, TA adj. Apartado, retirado, escondido. • m. Prevención de comestibles u otras cosas para cuando sean necesarias. • Pieza o parte de un mecanismo que se tiene dispuesta para sustituir a otra, recambio. • Aparador o mesa en que está preparado todo lo necesario para el servicio de la comida o cena. • Pieza o cuarto donde se pone el aparador. • En juegos de naipes, cantidad que pone el que pierde para disputarse en la mano siguiente.

REPUGNANCIA f. Oposición o contradicción entre dos cosas. • Tedio, aversión a las cosas o personas. • Aversión que se siente o resistencia que se opone a consentir o hacer una cosa. • *Fil.* Incompatibilidad de dos atributos o cualidades de una misma cosa.

REPUGNAR tr. y prnl. Ser opuesta una cosa a otra. • tr. Contradecir o negar una cosa. • Rehusar, hacer de mala gana una cosa o admitirla con dificultad. • *Fil.* Implicar o no poderse unir y concertar dos cosas o cualidades. • intr. Causar tedio o aversión.

REPUJAR tr. Labrar a martillo chapas metálicas, cuero u otra materia, de modo que resulten figuras en relieve. ■ REPUJADO.

REPULGADO, DA adj. fig. y fam. Falto de naturalidad, afectado.

REPULGAR tr. Hacer repulgos.

REPULGO m. Pliegue que como remate se hace a la ropa en los bordes. • Borde labrado que hacen a las empanadas o pasteles alrededor de la masa. • Cicatriz fruncida y saliente de las heridas de las personas y de los cortes de los árboles. • fig. y fam. Recelo e inquietud de conciencia que siente el hombre sobre la bondad o necesidad de algún acto suyo.

REPULIR tr. Volver a pulir una cosa. • tr. y prnl. Acicalar, componer con demasiada afectación. ■ REPULIDO, DA.

REPULLO m. Rehilete, flechilla. • Movimiento violento del cuerpo, especie de salto que se da por sorpresa o susto. • fig. Demostración exterior y violenta de sorpresa.

REPULSAR tr. Desechar, repeler o despreciar una cosa. • Condenar enérgicamente una conducta o una acción. ■ REPULSA.

REPULSIÓN f. Acción y efecto de repeler. • Repulsa. • Repugnancia, aversión. • Fuerza que tiende a separar cargas eléctricas del mismo signo.

REPULSIVO, VA adj. Que tiene acción o virtud de repulsar. • Que causa repulsión.

REPUNTA f. Punta o cabo de tierra, más saliente que otros inmediatos. • *Amér.* Acción y efecto de repuntar. • fig. Indicio o primera manifestación de alguna cosa. • fig. y fam. Desazón, disgusto ligero.

1 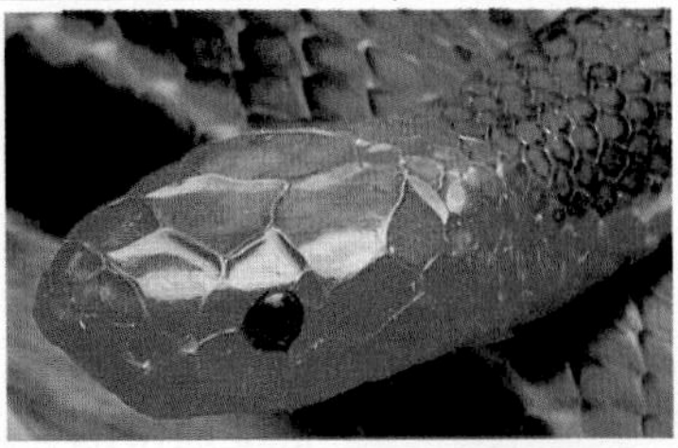 2

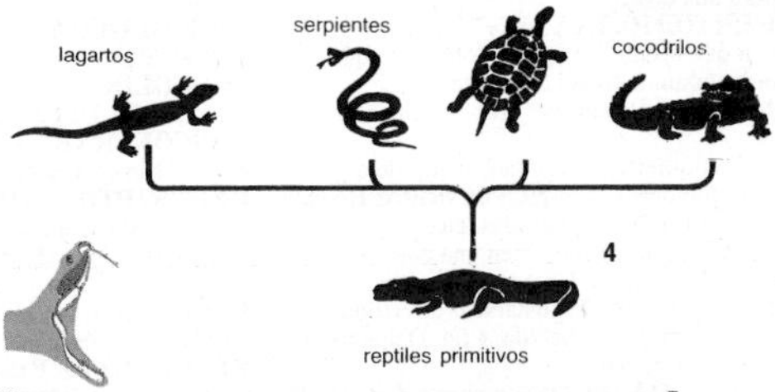

tortugas

serpientes

lagartos

cocodrilos

4

reptiles primitivos

REPTILES

1. Los cocodrilos son los reptiles más corpulentos y desarrollados. Dotados de una verdadera armadura de escamas y de una mandíbula poderosa, se mueven mejor en el agua (arriba) que en tierra (abajo).
2. y 3. Hay gran variedad de ofidios, reptiles carentes de extremidades, algunos de ellos venenosos gracias a una glándula que inyecta veneno a través de unos colmillos huecos.

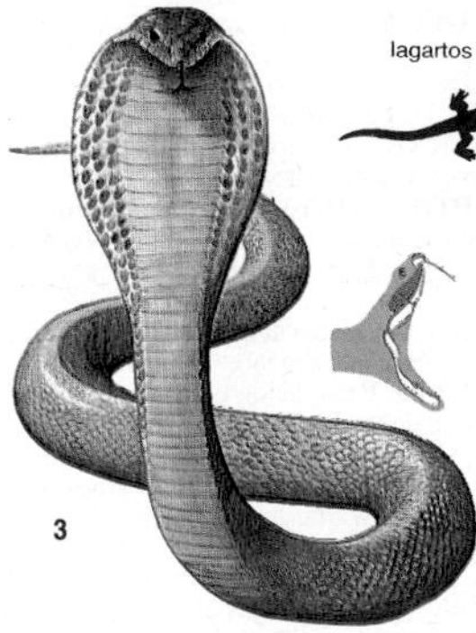

3 5 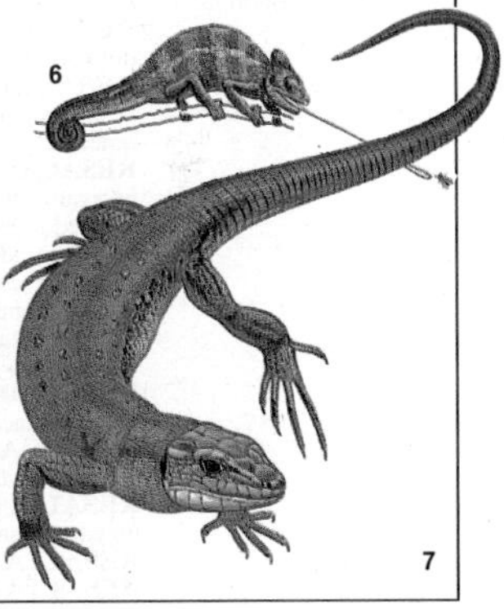 6 7

4. A partir de los primitivos reptiles evolucionaron los cuatro órdenes actuales: cocodrilianos, quelonios, ofidios y saurios, que viven tanto en la tierra como en el agua.
5. Los quelonios constituyen un tipo de reptil que ha evolucionado muy poco en 180 millones de años. Están protegidos por un caparazón de naturaleza dérmica y algunos pueden llegar a vivir más de 100 años.
6. y 7. Dotados de una piel cubierta de escamas dérmicas cornificadas, los saurios abarcan gran variedad de especies, que se han adaptado a los medios más dispares.

REPUNTAR intr. Empezar el ascenso o descenso de la marea. • Empezar a manifestarse una cosa. • prnl. Empezar a picarse el vino. • *Amér.* Elevarse el precio de una cosa o el ritmo de una actividad cuando se había registrado previamente una caída. • *Amér. Merid.* Aparecer alguien de improviso. • *R. de la Plata.* Volver a las posturas que se tenían anteriormente. • fig. y fam. Indisponerse levemente una persona con otra. • tr. *Argent., Méx.* y *Ur.* Reunir los animales dispersos en un campo para dirigirlos a algún lugar.
REPUNTE m. Acción y efecto de repuntar. • m. *R. de la Plata.* Alza de precios en la Bolsa.
REPURGAR tr. Volver a limpiar o purificar una cosa.
REPUTACIÓN f. Opinión que se tiene de una persona. • Fama que uno tiene como sobresaliente en una ciencia, arte o profesión.
REPUTAR tr. y prnl. Juzgar o hacer concepto del estado o calidad de una persona o cosa. • tr. Apreciar o estimar el mérito.
REQUEBRAR tr. Volver a quebrar. • fig. Lisonjear a una mujer alabando sus atractivos. • fig. Adular, lisonjear. ■ REQUEBRADOR, RA.
REQUECHO m. *R. de la Plata.* Cosa de poco valor.
REQUEMAR tr. y prnl. Volver a quemar. • Tostar con exceso. • Privar de jugo a las plantas, haciéndoles perder su verdor. • tr. Causar en la lengua una sensación molesta de calor o picor. • tr. y prnl. fig. Hablando de la sangre o de los humores del cuerpo humano, encenderlos excesivamente. • prnl. fig. Dolerse interiormente y sin darlo a conocer. ■ REQUEMADO, DA.
REQUENETE adj. *Ven.* Regordete.
REQUERIR tr. Intimar, avisar o hacer saber una cosa con autoridad pública. • Reconocer o examinar el estado en que se halla una cosa. • Solicitar, pretender, explicar uno su deseo o pasión amorosa. • Inducir, persuadir. ■ REQUERIDOR, RA; REQUERIMIENTO; REQUIRENTE.
REQUESÓN m. Masa blanca y mantecosa que se obtiene mediante la coagulación de la leche. • Cuajada que se saca de los residuos de la leche después de hecho el queso.
REQUETE Pref. que intensifica la significación de algunos adjetivos y adverbios.
REQUETÉ m. Cuerpo de voluntarios que lucharon en las guerras civiles esp. en las filas del carlismo. • adj . y s. Díc. del individuo afiliado a este cuerpo, aun en tiempo de paz. • adj. Relativo a dicho cuerpo y a sus miembros.
REQUIEBRO m. Acción y efecto de requebrar. • Dicho o expresión con que se requiebra. • *Min.* Mineral vuelto a quebrantar para reducirlo a trozos de tamaño aproximadamente igual.
RÉQUIEM m. Oración o misa que se ofrece por los difuntos. • Obra musical compuesta sobre este texto.
REQUIÉSCAT IN PACE exp. latina que significa «descanse en paz», y se aplica en la liturgia como despedida a los difuntos, en las inscripciones tumularias, etc.
REQUILORIO m. fam. Formalidad nimia e innecesario rodeo en que suele perderse el tiempo antes de hacer o decirlo que es obvio, fácil y sencillo. Se usa más en pl.
REQUINTAR tr. Pujar la quinta parte en los arrendamientos después de rematados y quintados. • Sobrepujar, aventajar mucho. • *Mús.* Subir o bajar cinco puntos una cuerda o tono. • *Amér.* Tensar una cuerda. • P. ext. Apretar mucho cualquier cosa.
REQUINTO m. Segundo quinto que se saca de una cantidad de que se había extraído ya la quinta

Repujado. Parte inferior de un cofre de ágatas, del s. X. Cámara Santa de la catedral de Oviedo, España

Reses vacunas en un rancho de California (EE UU)

parte. • Puja de quinta parte que se hace en los arrendamientos después de haberse rematado y quintado. • Tributo extraordinario que se impuso a los indígenas del Perú. • Clarinete pequeño y de tono agudo. • Especie de guitarrillo.

REQUISA f. Revista o inspección de las personas o de las dependencias de un establecimiento. • Recuento y embargo que se hace de cosas necesarias en tiempo de guerra u otras circunstancias.

REQUISICIÓN f. Facultad de la autoridad para atribuirse la posesión de bienes particulares, en caso de graves necesidades militares y civiles. ■ REQUISAR.

REQUISITO m. Circunstancia o condición necesaria para una cosa.

REQUISITORIO, RIA adj. y s. Aplícase al despacho en que un juez requiere a otro para que ejecute un mandamiento del demandante.

REQUIVE m. Arrequive, labor o adorno en un vestido.

RES f. Cualquier animal cuadrúpedo de algunas especies domésticas o salvajes. • **de vientre**. Hembra paridera en los rebaños, vacadas, etc.

RESABER tr. Saber muy bien una cosa.

RESABIAR tr. y prnl. Hacer tomar un vicio o mala costumbre. • prnl. Disgustarse o desazonarse. • Saborear la comida o la bebida. • fig. Deleitarse en las cosas que agradan.

RESABIDO, DA adj. Que se precia de entendido. • *Amér. Centr.* Que tiene resabios.

RESABIO m. Sabor desagradable que deja una cosa. • Vicio o mala costumbre que se toma o adquiere.

RESACA f. Movimiento en retroceso de la ola que ha avanzado hasta la orilla. • Letra de cambio que el tenedor de otra, que ha sido protestada, gira a cargo del librador o de uno de los endosantes, para reembolsarse de su importe y de los gastos de protesto y recambio. • Malestar físico, pasajero, que se experimenta como consecuencia de haber bebido en exceso. • *Amér. Centr.* Especie de aguardiente.

RESALADO, DA adj. fig. y fam. Que tiene mucha sal, gracia y donaire.

RESALGA f. Caldo que resulta en la pila donde se hace la salazón de pescados.

RESALIR intr. Sobresalir parte de un edificio de un paramento o fachada.

RESALLAR tr. Volver a sallar. ■ RESALLO.

RESALTAR intr. Botar repetidamente un cuerpo elástico. • Desprenderse una cosa de donde estaba fija. • Sobresalir en parte un cuerpo de otro en los edificios u otras cosas. • fig. Distinguirse, sobresalir o destacarse mucho una cosa de otra.

RESALTE m. Resalto, saliente de una cosa.

RESALTO m. Acción y efecto de resaltar o rebotar. • Parte que sobresale de la superficie de una cosa. • Modo de cazar al jabalí, disparándole cuando se para a reconocer de quién huye.

RESALUDAR tr. Corresponder a la salutación, cortesía o atención de una persona. ■ RESALUTACIÓN.

RESALVO m. Vástago que al rozar un monte se deja en cada mata como el mejor para formar un árbol.

Reseda

RESANAR tr. Cubrir con oro las partes de un dorado que han quedado defectuosas. • Reparar los desperfectos que en su superficie presenta una pared, un mueble, etc. • Eliminar la parte dañada de una tabla, una fruta, etc.

RESARCIR tr. y prnl. Indemnizar, reparar, compensar un daño, perjuicio o agravio. ■ RESARCIBLE; RESARCIMIENTO.

RESBALADERO, RA adj. Díc. de lo que resbala o se escurre fácilmente. • Díc. del paraje en que se puede resbalar. • m. Lugar resbaladizo. • Cosa que expone a un desliz moral.

RESBALAR intr. y prnl. Escurrirse, deslizarse. • fig. Incurrir en un desliz. • fig. Ser indiferente. ■ RESBALADIZO, ZA o RESBALOSO, SA; RESBALADOR, RA; RESBALADURA.

RESBALERA f. Lugar resbaladizo.

RESBALÓN o **RESBALAMIENTO** m. Acción y efecto de resbalar o resbalarse. • Indiscreción, desliz. • Pestillo que tienen algunas cerraduras y que queda encajado en el cerradero por la presión de un resorte.

RESCACIO m. Pez marino acantopterigio, con los huesos infraorbitarios muy desarrollados y la cabeza con espinas, que se esconde en la arena.

RESCALDAR tr. Escaldar de nuevo.

RESCAÑO m. Resto o parte de alguna cosa.

RESCATAR tr. Recobrar por un precio concertado o mediante la fuerza, a una persona o cosa que estaba en poder de otro. • Cambiar o trocar oro u otros objetos preciosos por mercancías ordinarias. • fig. Recobrar el tiempo o la ocasión perdidos. • tr. y prnl. fig. Redimir la vejación. ■ RESCATADOR, RA; RESCATE.

RESCAZAf. Escorpina, pez.

RESCINDIR tr. Dejar sin efecto un contrato, obligación, etc. ■ RESCINDIBLE; RESCISIÓN; RESCISORIO, RIA.

RESCOLDERA f. Pirosis, sensación de quemadura en el estómago o en la faringe.

RESCOLDO m. Brasa menuda resguardada por la ceniza. • fig. Escozor, recelo o escrúpulo.

RESCONTRAR tr. Compensar en las cuentas una partida con otra. ■ RESCUENTRO.

RESCRIPTO m. Decisión del papa, de un emperador o de cualquier soberano para resolver una consulta o responder a una petición. ■ RESCRIPTORIO, RIA.

RESECAR tr. y prnl. Secar mucho. • tr. *Cir.* Efectuar la resección de un órgano. ■ RESECACIÓN.

RESECCIÓN f. Extirpación quirúrgica de la totalidad o parte de un órgano o tejido.

RESECO, CA o **RESEQUIDO, DA** adj. Demasiado seco. • Flaco, enjuto, de pocas carnes. • m. Parte seca del árbol o arbusto. • Sensación de sequedad en la boca. • Sensación molesta en la boca.

RESEDA f. Planta herbácea anual, de las resedáceas, con tallos ramosos, hojas alternas, enteras o partidas en tres gajos, y flores amarillentas. • Flor de esta planta. • Gualda, planta.

RESEDÁCEO, A adj. y f. Díc. de plantas dicotiledóneas de hojas alternas, enteras con estípulas glandulosas, flores en espigas, fruto capsular y semillas sin albumen. • f. pl. Familia de estas plantas.

RESEGAR tr. Volver a segar lo que dejaron los segadores de heno. • Recortar los tocones a ras del suelo.

RESEGUIR tr. Quitar a los filos de las espadas las ondas, resaltos o torceduras.

RESELLAR tr. Volver a sellar la moneda u otra cosa. • prnl. fig. Pasarse de uno a otro partido. ■ RESELLO.

RESEMBRAR tr. Volver a sembrar por haberse malogrado la primera siembra.

RESENTIRSE prnl. Sentir dolor o molestia física a consecuencia de alguna dolencia pasada. • Empezar a flaquear o sentirse una cosa. • fig. Tomar como descortesía o falta de afecto algo que se hace o dice a uno. ■ RESENTIDO, DA; RESENTIMIENTO.

RESEÑA f. Revista que se hace de la tropa. • Nota que se toma de las señales más distintivas del cuerpo de una persona, de un animal o de otra cosa para conocerlo fácilmente. • Noticia y examen somero de una obra literaria. • Noticia breve en un periódico.

RESEÑAR tr. Hacer una reseña. • Examinar algún libro u obra literaria y dar noticia crítica de ellos.

RESERO, RA m. y f. Persona que cuida de las reses. • *Argent.* Persona que compra reses.

RESERPINA f. *Farm.* Alcaloide extraído de la raíz de la *Rauwolfia serpentina,* que se emplea en terapéutica como tranquilizante y en el tratamiento de la hipertensión arterial.

RESERVA f. Guarda o custodia que se hace de una cosa o prevención de ella para que sirva a su tiempo. • Guarda, retención de plazas en un hotel, restaurante, espectáculo, etc. • Reservación o excepción. • Prevención o cautela para no descubrir algo que se sabe o piensa. • Discreción, circunspección. • Fondo monetario constituido obligatoriamente por ciertas entidades financieras con fines de garantía. • Acción de reservar solemnemente el Santísimo Sacramento. • Parte del ejército o armada de un Estado, que no está en servicio activo. • Cuerpo de tropas que no toma parte en una campaña o en una batalla hasta que se considera necesario o conveniente su auxilio. • Declaración que hace el juez de que la resolución que dicta no perjudicar á derecho alguno. • m. Sustituto en algún equipo. • **de caza.** La que se destina a la protección de especies animales en trance de desaparecer. • **mental.** Salvedad que se hace mentalmente al jurar, prometer, comprometerse o asentir a algo. • **Reservas indias**. En EE UU, territorios destinados exclusivamente a la pob. indígena. • **R. de**. m. adv. Con el propósito, con la intención de. • **De r.** loc. adj. Díc. de lo que se tiene dispuesto para suplir alguna falta. • Díc. de la sustancia almacenada en las células de las plantas o de los animales y es utilizada por el organismo para su nutrición, en caso necesario, transformándose en productos asimilables. • **Sin r.** m. adv. Abierta o sinceramente, con franqueza, sin disfraz. ■ RESERVATIVO, VA; RESERVISTA.

RESERVACIÓN f. Acción y efecto de reservar. • *Amér.* Reserva de plaza en un hotel, espectáculo, etc. • *Amér.* Reserva de indios.

RESERVADO, DA adj. Cauteloso, reacio en manifestar su interior. • Comedido, discreto, circunspecto. • Que se reserva o debe reservarse. • m. En algunas partes, sacramento de la Eucaristía que se guarda en el sagrario. • Compartimiento de un coche de ferrocarril, de un edificio, etc., que se destina sólo a personas o a usos determinados.

RESERVAR tr. Guardar algo para el futuro. • tr. y prnl. Dejar para después lo que se podía o se debía ejecutar o comunicar en el momento presente. • Destinar un lugar o una cosa, de un modo exclusivo, para uso o persona determinados. • Exceptuar, dispensar de una ley común. • Separar o apartar uno algo de lo que se distribuye, reteniéndolo para sí o para entregarlo a otro. • Retener o no comunicar una cosa o el ejercicio o conocimiento de ella. • Encubrir, ocultar, callar una cosa. • Conservar discrecionalmente, en algunos juegos de naipes, ciertas cartas que no hay obligación de servir. • Encubrir el Santísimo Sacramento, que estaba manifiesto. • prnl. Conservarse o irse deteniendo para mejor ocasión. • Precaverse, guardarse, desconfiar de uno.

RESERVÓN, NA adj. fam. Que guarda excesiva reserva, bien por cautela o con malicia. • Díc. del toro que no muestra condición en acudir a las suertes.

RESFRIADERA f. *Cuba.* Enfriadero, fresquera.

RESFRIADO m. Estado morboso, originado por la exposición al frío o a la humedad, que provoca normalmente el catarro de las mucosas aéreas. • Enfriamiento, catarro. • Riego que se da a la tierra cuando está seca y dura, para poderla arar.

RESFRIANTE m. Depósito que refrigera el serpentín del alambique.

RESFRIAR tr. Enfriar. • tr. y prnl. fig. Entibiar, templar el ardor o fervor. • intr. Empezar a hacer frío. • prnl. Contraer resfriado. • fig. Entibiarse, disminuirse el amor a la amistad. ■ RESFRIADURA; RESFRIAMIENTO.

RESFRÍO m. Acción y efecto de resfriarse uno. • Acción y efecto de resfriar, refrescar. • *Argent.* Catarro, enfriamiento, resfriado.

RESGUARDAR tr. Defender o reparar. prnl. Cautelarse, precaverse o prevenirse contra un daño.

RESGUARDO m. Guardia, seguridad que se pone en una cosa. • Seguridad que por escrito se hace en las deudas o contratos. • Documento donde consta esta seguridad. • Guarda o custodia de un paraje, un litoral o una frontera para que no se introduzca contrabando o matute. • Cuerpo de empleados destinados a este servicio. • Distancia prudencial que por precaución toma el buque al pasar cerca de un punto peligroso.

RESIDENCIA f. Acción y efecto de residir en un lugar. • En ecología, conjunto de factores físicos y químicos que determinan el ambiente donde puede vivir una determinada especie animal o vegetal. • Lugar en que se reside. • Casa de jesuitas donde residen algunos individuos formando comunidad, y que no es colegio ni casa profesa. • Casa donde viven en comunidad individuos de otras órdenes religiosas. • Casa donde, sujetándose a determinada reglamentación, residen y conviven personas afines por la ocupación, el sexo, el estado, la edad, etc. • Establecimiento público donde se alojan viajeros o huéspedes estables. • Espacio de tiempo que debe residir el eclesiástico en el lugar de su beneficio. • Cargo de ministro residente. • Acción y efecto de residenciar. • Proceso o autos formados al que ha sido residenciado. • Edificio donde una autoridad o corporación tiene su domicilio o donde ejerce sus funciones.

RESIDENCIAL adj. Aplícase al empleo o beneficio que pide residencia personal. • Díc. de la parte de una ciudad donde residen las clases más acomodadas.

RESIDENCIAR tr. Investigar un juez la conducta que otro juez o una determinada persona ha observado en el desempeño de un cargo público. • P. ext., pedir cuentas en otras materias.

RESIDENTE adj. Que reside. • adj. y s. Díc. de ciertos funcionarios o médicos que viven en el lugar en donde tienen el cargo o empleo.

RESIDIR intr. Vivir habitualmente en un lugar. • Asistir uno personalmente en determinado lugar por razón de su empleo, dignidad o beneficio, ejerciéndolo. • fig. Estar en una persona cualquier cosa inmaterial. • fig. Estar o radicar en un punto o en una cosa el quid de aquello de que se trata.

RESIDUAL adj. Relativo al residuo o que lo constituye. • **Corriente r.** La que circula a través de un diodo termiónico cuando la tensión anódica es nula.

RESIDUO m. Parte o porción que queda de un todo. • Lo que resulta de la descomposición o destrucción de una cosa. • Resultado de la operación de restar. • **halogénico**. *Quím.* Lo que queda de la molécula de un ácido inorgánico cuando se quita el hidrógeno sustituible por metales.

RESIEMBRA f. Acción y efecto de resembrar. • Siembra que se hace en un terreno sin dejarlo descansar.

RESIGNACIÓN f. Entrega voluntaria que uno hace de sí poniéndose en las manos y voluntad de otro. • Renuncia de un beneficio eclesiástico. • Conformidad, tolerancia y paciencia en las adversidades.

RESIGNAR tr. Renunciar a un beneficio eclesiástico o hacer dimisión de él a favor de un sujeto determinado. • Entregar una autoridad el mando a otra en determinadas circunstancias. • prnl. Conformarse, someterse, entregar su voluntad, condescender. ■ RESIGNA; RESIGNATARIO.

RESILIENCIA f. *Metal.* Resistencia que opone un cuerpo a la ruptura por choque o percusión. Se expresa en kpm/cm^2.

RESINA f. Nombre común a los aceites esenciales de origen isoprenoide cuando se oxidan en presencia del aire. Se pueden obtener por incisión en el tallo de diversas plantas que poseen vasos resiníferos especiales; pero también pueden ser de origen animal o mineral. • **Resinas fósiles**. *Miner.* Carburos naturales presentes en depósitos carbonosos de gimnospermas y angiospermas. • **fotosensibles.** *Fot.* Sustancias plásticas que permiten la previa sensibilización de superficies metálicas, de vidrio, esmalte, etc. • **sintéticas**. R. obtenidas por los procedimientos químicos de polimerización indefinida o de policondensación. Se usan pralm. en la industria de los plásticos y, recientemente, en terapéutica como agentes de depuración y desmineralización del agua. ■ RESINÍFERO, RA; RESINOSO, SA.

RESINAR tr. Sacar resina a ciertos árboles haciendo incisiones en el tronco. ■ RESINACIÓN; RESINERO, RA.

RESINIFICAR tr. y prnl. Transformar en resina.

RESISAR tr. Sisar de nuevo las medidas de vino, vinagre y aceite.

RESISTENCIA f. Acción y efecto de resistir o resistirse. • fig. Oposición a hacer algo. • Organización de patriotas para luchar contra el enemigo de un país invadido. • Causa que se opone a la acción de una fuerza. • Fuerza que se opone al movimiento de una máquina y ha de ser vencida por la potencia. • Dificultad que opone un conductor al paso de la corriente. • Elemento que se intercala en un circuito para dificultar el paso de la corriente o para hacer que ésta se transforme en calor. • *Biol.* Fenómeno por el cual ciertos organismos que eran especialmente sensibles a determinadas sustancias químicas ganan cierta inmunidad frente a las mismas. • fig. Renuencia en hacer alguna cosa. • **aerodinámica.** *Aer.* Componente de la fuerza que el aire ejerce sobre un cuerpo que avanza por la atmósfera, paralela a la velocidad de dicho cuerpo. • **de materiales.** Ciencia que estudia las reacciones y deformaciones que experimentan los materiales sometidos a acciones mecánicas externas. • **eléc-**

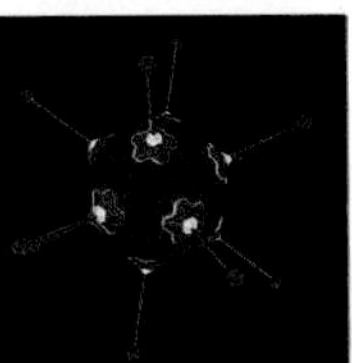

Imagen generada por computadora de un adenovirus del tipo que provoca el **resfriado** común

Vertido de **residuos** incontrolado

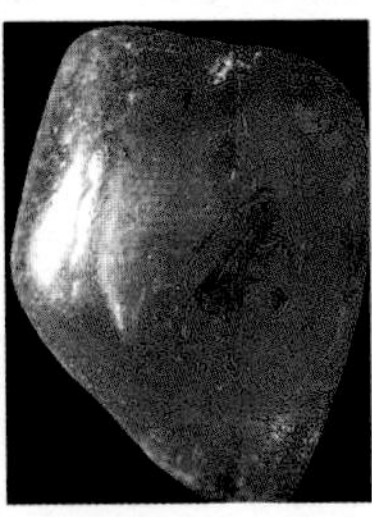

Coleóptero del oligoceno en un bloque de ámbar, **resina** de conífera fósil

Exploración de un encéfalo por **resonancia magnética nuclear**

Silla bretona de **respaldo** alto de finales del s. XV. Museo de Artes Decorativas, París

trica. Constante de proporcionalidad que existe entre la diferencia de potencial de dos puntos de un circuito conductor, y la intensidad que circula. • **específica**. Resistividad. • **mecánica**. Fuerza o fuerzas que se oponen al movimiento de un cuerpo. • **pasiva.** Cualquiera de las que en una máquina dificultan su movimiento y disminuyen su efecto útil.

RESISTENCIA Conjunto de acciones contra los ocupantes nazis o fascistas llevadas a cabo a lo largo de la II Guerra Mundial, en diversos países de Europa. Estos mov. tuvieron carácter de guerra de guerrillas, especialmente, en la Europa oriental.

RESISTENCIA C. de Argentina, cap. de la prov. del Chaco; 297 646 hab. Sit. a la derecha del río Negro. Centro comercial e industrial.

RESISTENTE adj. Que resiste o se resiste. • com. Miembro de la Resistencia.

RESISTERO m. Siesta, horas de más calor en el verano. • Calor causado por la reverberación del sol. • Lugar en que especialmente se nota este calor.

RESISTIR intr. y prnl. Oponerse un cuerpo o una fuerza a la acción o violencia de otra. • intr. Repugnar, contrariar, rechazar, contradecir. • tr. Tolerar, aguantar o sufrir. • Combatir las pasiones, deseos, etc. • prnl. Bregar, forcejar. ■ RESISTIBLE; RESISTIDOR, RA; RESISTIVO, VA.

RESISTIVIDAD f. Resistencia de un conductor por unidad de longitud y de superficie. • **acústica.** Capacidad de un medio para oponerse al paso de las perturbaciones sonoras. • **térmica**. Capacidad que posee un cuerpo para oponerse al paso del calor.

RESISTOR m. *Electr.* Componente de los circuitos eléctricos cuya resistencia tiene un valor mucho mayor que el correspondiente a los puntos e hilos de conexión del circuito. Pueden ser de carbón o empaste.

RESITA C. de Rumania, cap. del distr. de Caras Severin; 101 900 hab. Carbón, hierro y manganeso. Ind. siderometalúrgicas y de maquinaria.

RESMA f. Conjunto de 20 manos o 500 pliegos de papel.

RESMILLA f. Paquete de 20 cuadernillos de papel de cartas.

RESNAIS, *Alain* (nacido 1922) Director de cine fr. Realizó cortometrajes sobre arte (*Van Gogh, Guernica*, etc.) antes de su consagración. *El año pasado en Marienbad, Hiroshima mon amour, Mi tío de América, La vie est un roman, Mélo.*

RESOBADO, DA adj. Díc. de los temas o asuntos de conversación o literarios muy trillados.

RESOBRAR intr. Sobrar mucho.

RESOBRINO, NA m. y f. Hijo de sobrino carnal.

RESOL m. Reverberación del sol. • Resina obtenida en la primera etapa de la producción de la baquelita.

RESOLANO, NA adj. y f. Díc. del sitio donde se toma el sol sin que moleste el viento. • f. *Amér.* Irradiación de luz y calor que producen los rayos solares en los lugares sombreados. • *Amér.* Reverberación del sol, resol.

RESOLUCIÓN f. Acción y efecto de resolver o resolverse. • Ánimo, valor o arresto. • Actividad, prontitud, viveza. • Decreto, providencia, auto o fallo de autoridad gubernativa o judicial. • Fin de un proceso morboso, tumefacción, edema, etc., por curación más o menos espontánea. • *Mús.* Paso de un acorde disonante a otro consonante, y también este último acorde con relación al anterior. ■ RESOLUTORIO, RIA.

RESOLUTIVO, VA adj. Aplícase al orden o método en que se procede analíticamente o por resolución. • adj. y m. *Med.* Que tiene virtud de resolver.

RESOLUTO, TA adj. Díc. del que obra con decisión y firmeza. • Díc. del que tiene desenvoltura, facilidad y destreza. • Compendioso, abreviado, sucinto.

RESOLVER tr. Tomar determinación fija y decisiva. • Resumir, epilogar, recapitular. • Desatar una dificultad o dar solución a una duda. • Hallar la solución de un problema. • Deshacer, destruir. • Analizar, dividir física o mentalmente un compuesto en sus partes o elementos, para reconocerlos cada uno de por sí. • tr. y prnl. Deshacer un agente natural alguna cosa cuyas partes separa destruyendo su unión. • Hacer que se disipe, desvanezca, exhale o evapore una cosa. • prnl. Arrestarse a decir o hacer una cosa. • Reducirse, venir a parar una cosa en otra. • Terminar por curarse espontáneamente una inflamación, tumefacción o edema. ■ RESOLUBLE.

RESOLLAR intr. Resoplar, respirar fuertemente, haciendo ruido. • fig. Dar noticia de sí un ausente o el que ha estado callado.

RESONADOR, RA adj. Que resuena. • m. Cuerpo sonoro dispuesto para entrar en vibración cuando recibe ondas acústicas de determinada frecuencia y amplitud. • **eléctrico**. Aparato para descubrir las oscilaciones eléctricas.

RESONANCIA f. *Fís.* Fenómeno propio de los sistemas oscilantes sometidos a la acción de una fuerza exterior periódica. • Sonido producido por percusión de otro. • Prolongación del sonido, que se va disminuyendo por grados. • Cada uno de los sonidos elementales que acompañan al pral. en una nota musical y comunican timbre particular a cada voz o instrumento. • Partícula elemental que se produce en la desintegración de una partícula o en las colisiones de alta energía entre partículas. • fig. Gran divulgación de algo. • **atómica**. *Fís.* Fenómeno de interacción entre los átomos y la radiación electromagnética que se produce sólo para valores muy precisos de la frecuencia de esta última. • **magnética nuclear**. *Fís.* Fenómeno en virtud del cual determinados núcleos atómicos, cuando son colocados en el seno de un campo magnético exterior, tienden a alinearse con él, siendo capaces de absorber energía si se les irradia con microondas apropiadas, pasando a lo que se denomina un estado excitado a través de un fenómeno de resonancia. La aplicación de la RMN en la espectroscopia representa un importante avance en el desarrollo de los métodos de diagnóstico en medicina.

RESONAR intr. y tr. Hacer sonido por repercusión o sonar mucho. • fig. Tener repercusión o importancia. ■ RESONACIÓN.

RESOPLIDO o **RESOPLO** m. Resuello fuerte. fig. Respuesta brusca. ■ RESOPLAR.

RESORBER tr. Recoger dentro de sí una persona o cosa un líquido que ha salido de ella misma. ■ RESORCIÓN.

RESORCINA f. Conjunto aromático perteneciente a los fenoles bivalentes usado en medicina por sus propiedades antiinflamatorias y queratoplásticas.

RESORTE m. Muelle. • Fuerza elástica de una cosa. • fig. Medio para lograr un fin.

RESPAHILAR intr. fam. Moverse rápida y atropelladamente.

RESPALDAR m. Parte del asiento en que descansan las espaldas. • Derrame de savia producido en los troncos d e los árboles por golpes violentos. • tr. Sentar, notar o apuntar algo en el respaldo de un escrito. • fig. Proteger, amparar, apoyar, garantizar. • prnl. Inclinarse de espaldas o arrimarse al respaldo de la silla o banco. • *Vet.* Despaldarse una caballería.

RESPALDO m. Parte de la silla o banco, en que descansan las espaldas. • Espaldera o pared para resguardar las plantas. • Vuelta del papel o escritos, en que se anota alguna cosa. • Lo que allí se escribe. • fig. Apoyo moral, garantía.

RESPE o **RÉSPED** o **RÉSPEDE** m. Lengua de la culebra o víbora. • Aguijón de la abeja o avispa. • fig. Intención malévola en las palabras.

RESPECTAR defect. Tocar, pertenecer, decir relación, atañer.

RESPECTIVO, VA adj. Que atañe a persona o cosa determinada; correspondiente. • Dicho de los miembros de una serie, que tienen correspondencia, por unidades o grupos, con los miembros de otra serie. ■ RESPECTIVAMENTE o RESPECTIVE.

RESPECTO m. Razón, relación o proporción de una cosa con otra. • **Al r.** m. adv. A proporción, a correspondencia, respectivamente. • **Con r.** o **r. a** o **de**. m. adv. Respectivamente.

RESPELUZAR tr. y prnl. Despeluznar, descomponer el pelo.

RESPETABLE adj. Digno de respeto. Considerable, grande. • m. fam. Público del teatro, toros u otros espectáculos. ■ RESPETABILIDAD.

RESPETAR tr. Tener respeto. • Tener miramiento, consideración. • intr. Tocar, pertenecer, atañer. ■ RESPETADOR, RA; RESPETIVO, VA; RESPETUOSO, SA.

RESPETO m. Obsequio, veneración, acatamiento que se hace a uno. • Miramiento, consideración, atención, causa o motivo particular. • Cualquier cosa que se tiene de prevención o repuesto. • pl. Manifestaciones de acatamiento que se hacen por cortesía.

RÉSPICE m. fam. Respuesta seca y desabrida. • fam. Represión corta, pero fuerte.

RESPIGAR tr. Coger las espigas que los segadores han dejado. ■ RESPIGADOR, RA.

RESPIGHI, *Ottorino* (1879-1936) Compositor it. Sus poemas sinfónicos destacan por su colorido instrumental. *Fuentes de Roma, Pinos de Roma, Vidrieras de iglesia.*

RESPIGÓN m. Padrastro que sale en los dedos. • Llaga que se hace a las caballerías en los pulpejos.

RESPINGAR intr. Sacudirse la bestia y gruñir. • fam. Elevarse el borde de la falda o de la chaqueta. • fig. y fam. Resistir, hacer gruñendo lo que se manda.

RESPINGO m. Acción y efecto de respingar. • Sacudida violenta del cuerpo. • fig. y fam. Contestación brusca o desconsiderada. • *Chile* y *Méx.* Frunce, arruga.

RESPINGONA adj. fam. Aplicado a la nariz, que tiene la punta dirigida hacia arriba.

RESPINGUE m. *Amér. Centr.* Respingo.

RESPIRACIÓN f. *Biol.* Proceso de oxidación-reducción por el cual los organismos vivos oxidan los principios inmediatos para la obtención de energía. • Entrada y salida del aire en un lugar cerrado. • **acuática**. La que se verifica en el agua por captación del oxígeno disuelto en ella (por branquias o cutáneamente). • **aérea**. La que se verifica directamente del oxígeno atmosférico (mediante pulmones, tráqueas o cutáneamente). • **artificial.** Conjunto de ejercicios destinados a restablecer las condiciones correctas de ventilación pulmonar cuando ésta se encuentra comprometida.

* *Biol.* La verdadera r. se da en el interior de la célula *(r. celular)*, por medio de las mitocondrias y peroxisomas. En la r. aerobia se gasta oxígeno y se elabora dióxido de carbono, proceso que realizan la mayor parte de los animales y vegetales, aunque en éstos, durante el día, se da un intercambio gaseoso inverso, debido al fenómeno de la fotosíntesis. La r. anaerobia, en cambio, se verifica sin oxígeno (fermentación), siendo propia de algunos vegetales inferiores (bacterias, hongos), de animales que viven en lugares pobres en oxígeno (barro) y de los parásitos internos. En el hombre se distinguen dos clases: la *r. externa*, intercambio gaseoso entre el aire de los alveolos y la sangre, y la *r. interna*, intercambio gaseoso entre la sangre y los tejidos.

RESPIRADERO m. Abertura por donde entra y sale el aire. • Lumbrera, tronera. • Abertura de las cañerías para dar salida al aire. • fig. Rato de descanso en el trabajo. • fam. Órgano o conducto de la respiración.

RESPIRAR intr. y tr. Absorber el aire los seres vivos, por pulmones, branquias, tráqueas, etc., tomando parte de las sustancias que lo componen, y expeliéndolo modificado. • intr. Exhalar, despedir de sí un olor. • fig. Animarse, cobrar aliento. • fig. Tener salida o comunicación con el aire externo o libre un fluido que está encerrado. • fig. Descansar, aliviarse del trabajo, salir de la opresión. • fig. y fam. Pronunciar palabras, hablar. • Tener de manera ostensible la persona de quien se habla, la cualidad o el estado de ánimo a que se alude. ■ RESPIRABLE; RESPIRADOR, RA.

RESPIRATORIO, RIA adj. Que sirve para la respiración o la facilita. • **Aparato r.** *Zool.* Conjunto de órganos que en un animal se encargan de tomar el oxígeno del aire y cederlo, bien al medio interno para que lo lleve a las células, bien directamente a éstas para que puedan llevar a cabo la degradación metabólica de los alimentos. • **Cadenas r.** *Biol.* Sistemas oxidativos presentes en los organismos aerobios, que tienen como función primordial utilizar la energía química contenida en las sustancias reducidas para la producción de → ATP a través de los sistemas de fosforilación oxidativa. Constituyen el mecanismo básico de la respiración a nivel celular.

* *Zool.* El aparato r. elimina también el anhídrido carbónico producido por las células y, en muchos casos, participa en la excreción de agua y de sales y sustancias diversas. El intercambio gaseoso se realiza a través de una superficie respiratoria altamente permeable al oxígeno y al dióxido de carbono. En los animales más simples coincide con la superficie del cuerpo (respiración cutánea), mientras que en animales más avanzados se organiza en un verdadero aparato r., que responde a dos tipos básicos, según que funcione en medio acuático (branquias) o en el aire (pulmones, tráqueas). Además, cabe destacar el sistema r. de muchos animales que viven en ambientes carentes de oxígeno: en este caso la respiración se efectúa en todo el cuerpo, recurriendo a una forma peculiar de fermentación de los alimentos. En muchos animales coexisten sistemas respiratorios de diversos tipos.

RESPIRO m. Acción y efecto de respirar. • fig. Rato de descanso en el trabajo, para volver a él con nuevo aliento. • fig. Alivio, descanso en medio de una fatiga, pena o dolor. • fig. Prórroga que obtiene el deudor al expirar el plazo convenido para pagar.

RESPIS m. *Amér. Centr.* Réspice, reprensión.

RESPLANDECER intr. Despedir rayos de luz o lucir mucho una cosa. • fig. Sobresalir en algo. • fig. Demostrar alegría o satisfacción el rostro de alguien. ■ RESPLANDECIMIENTO.

RESPLANDINA f. fam. Regaño, represión fuerte.

RESPLANDOR m. Luz muy clara que despide un cuerpo luminoso. • fig. Brillo de algunas cosas. • fig. Esplendor o lucimiento. • *Amér.* Diadema.

RESPONDEDOR, RA adj. y s. Que responde. • adj. y m. *Ing.* Díc. de un aparato empleado en navegación aérea y marítima para indicar puntos determinados de la costa, buques, faros, aerovías, etc. Está basado en el principio del radar.

RESPONDER tr. Contestar, satisfacer a lo que se pregunta o propone. • Contestar uno al que le llama o al que toca a la puerta. • Contestar al billete o carta que se ha recibido. • Corresponder con su voz los animales o aves a la de los otros de su especie o al reclamo artificial que la imita. • Satisfacer el argumento, duda, dificultad o demanda. • Cantar o recitar en correspondencia con lo que otro canta o recita. • Replicar a un pedimento o alegato. • Replicar. • intr. Corresponder, repetir el eco. • Corresponder, mostrarse agradecido. • fig. Rendir o fructificar. • fig. Dicho de las cosas inanimadas, surtir el efecto que se desea o pretende. • Corresponder con una acción a la realizada por otro. • Corresponder, guardar proporción o igualdad una cosa con otra. • Replicar, ser respondón. • Mirar, caer, estar situado en un lugar, edificio, etc., hacia una parte determinada. • Estar uno obligado u obligarse a la pena y resarcimiento correspondientes al daño causado o a la culpa cometida. • Asegurar una cosa como garantizando la verdad de ella.

RESPONDÓN, NA adj. y s. fam. Que tiene el vicio de replicar irrespetuosamente.

RESPONSABILIDAD f. Capacidad u obligación de responder de los actos propios, y en algunos casos de los ajenos. • **civil.** Obligación de reparar o indemnizar las consecuencias de actos perjudiciales para terceros. • **penal.** Principio por el cual se impone la pena a quien ha cometido algún delito.

RESPONSABILIZAR tr. Hacer a una persona responsable de alguna cosa, atribuirle responsabilidad en ella. • prnl. Asumir la responsabilidad de alguna cosa.

RESPONSABLE adj. Díc. de la persona que pone cuidado y atención en lo que hace o dice. • adj. y s. Culpable de algo.

RESPONSIÓN f. Pilastra que guarda correspondencia con una columna.

RESPONSIVO, VA adj. Relativo a la respuesta. • f. *Méx.* Fianza.

RESPONSO m. Responsorio que, separado del rezo, se dice por los difuntos. • fam. Reprensión, reprimenda. ■ RESPONSAR O RESPONSEAR.

RESPONSORIO m. Ciertas preces y versículos que se dicen en el rezo.

RESPUESTA f. Satisfacción a una pregunta, duda o dificultad. • Réplica, refutación o contradicción de lo que otro dice. • Contestación a una carta o escrito. • Acción con que uno corresponde a la de otro. • Para un sistema físico, cociente entre la magnitud de salida y la de entrada. Si el sistema es un amplificador, la curva de respuesta se aproxima a la de Gauss.

RESQUEBRAJAR tr. y prnl. Causar grietas o hendeduras en algunas cosas como la madera, el barro, yeso, cemento, etc. ■ RESQUEBRADURA; RES-

Ottorino **Respighi**

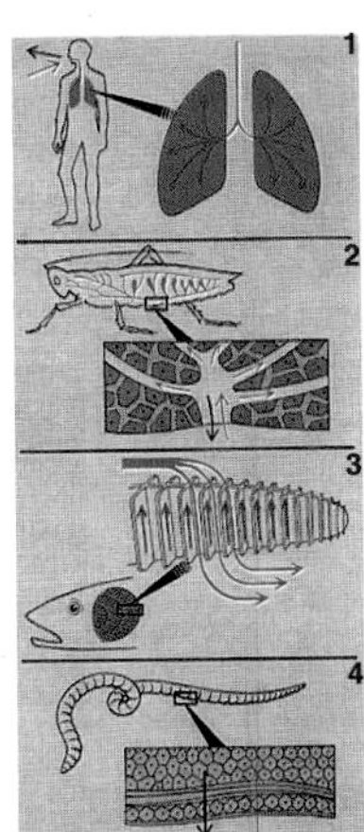

Distintos órganos de la **respiración.**
1. pulmones; 2. tráqueas; 3. branquias; 4. piel

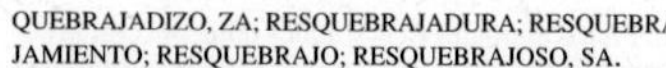

QUEBRAJADIZO, ZA; RESQUEBRAJADURA; RESQUEBRAJAMIENTO; RESQUEBRAJO; RESQUEBRAJOSO, SA.

RESQUEBRAR intr. y prnl. Empezar a quebrarse, henderse o saltarse una cosa. ■ RESQUEBRADURA.

RESQUEMAR tr. e intr. Causar algunos alimentos o bebidas en la lengua y paladar un calor picante y mordaz. • tr. y prnl. Quemar o tostar con exceso. • tr. fig. Producirse en el ánimo una impresión de desazón o resentimiento. ■ RESQUEMOR.

RESQUEMAZÓN o **REQUEMAZÓN** f., o **RESQUEMO** o **REQUEMAMIENTO** m. Acción y efecto de resquemar. • Calor picante que producen en la lengua y paladar algunos alimentos o bebidas. • Sabor y olor desagradables que adquieren los alimentos resquemándose al fuego.

RESQUICIO m. Abertura entre el quicio y la puerta. • P. ext., cualquier otra hendedura pequeña. • *Amér.* Rastro, señal. • *Cuba, P. Rico* y *Ven.* Trozo muy pequeño. • fig. Pequeña posibilidad para salir de un apuro.

RESTA f. Operación que tiene por objeto hallar la diferencia entre una magnitud mayor (minuendo) y otra menor (sustraendo). • Residuo, resultado de la operación de restar. ■ RESTANTE.

RESTABLECER tr. Volver a establecer una cosa o ponerla en el estado que tenía antes. • prnl. Recuperarse de una dolencia u otro daño. ■ RESTABLECIMIENTO.

RESTADO, DA adj. Arrestado, audaz, arrojado.

RESTALLAR intr. Chasquear, estallar una cosa. • Crujir, hacer fuerte ruido.

RESTAÑADERO m. Estuario.

RESTAÑAR tr. Volver a estañar. • tr., intr. y prnl. Estancar, parar o detener el curso de un líquido. Díc. especialmente del derrame de la sangre. • intr. Restallar. ■ RESTAÑADURA.

RESTAÑASANGRE f. Ágata roja, cornalina, alaqueca.

RESTAÑO m. Acción y efecto de restañar. • Remanso o estancamiento de las aguas. • Especie de tela ant. de plata u oro parecida al glasé.

RESTAR tr. Sacar una parte de alguna cosa. • Disminuir, rebajar, cercenar. • *Dep.* En el juego de pelota y en el tenis, devolver el saque de los contrarios o del contrario. • Arriesgar. • *Arit.* Hallar la diferencia entre dos cantidades. • intr. Faltar o quedar.

RESTAURACIÓN f. Restablecimiento en un país de un régimen político derrocado anteriormente, en especial si ese régimen es monárquico. • Periodo histórico que comienza con esta reposición. • Reparación de un edificio, estatua, monumento, etc.

* *Hist.* En España, periodo en que se restauró la monarquía borbónica (1875-1923) tras la I Rep. El sist. funcionó gracias a la creación de dos partidos que se turnaron en el poder, mediante la restricción del sufragio primero y la manipulación de las elecciones después. Las limitaciones de este sist. residían en su naturaleza oligárquica, proclive a la corrupción, y en su incapacidad para integrar las nuevas fuerzas surgidas de la rev. liberal.

Restauración de la monarquía en España. Entrada de Alfonso XII en Madrid el 15 de enero de 1875

Restauración. Figura de los frescos de la Capilla Sixtina en proceso de limpieza

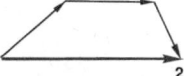

RESTAURANTE adj. y s. Que restaura. • m. Establecimiento donde se sirven comidas.

RESTAURAR tr. Recuperar o recobrar. • Reparar, renovar o volver a poner una cosa en el estado o estimación que antes tenía. • Reparar una pintura, escultura, edificio, etc., del deterioro que ha sufrido. ■ RESTAURADOR, RA; RESTAURATIVO, VA.

RESTINGA f. Punta o lengua de arena o piedra debajo del agua y a poca profundidad.

RESTINGAR m. Sitio o paraje en que hay restingas.

RESTITUCIÓN f. Acción y efecto de restituir. • Operación de obtener el levantamiento topográfico de un terreno a partir de fotografías. ■ RESTITUIDOR.

RESTITUIR tr. Volver una cosa a quien la tenía antes. • Restablecer o poner una cosa en el estado que antes tenía. • prnl. Volver uno al lugar de donde había salido. ■ RESTITUIBLE; RESTITUTORIO, RIA.

RESTO m. Residuo, parte que queda. • Cantidad que en los juegos de envite se señala para ser jugada. • Jugador que devuelve la pelota al saque. • Sitio desde donde se resta, en el juego de pelota. • Acción de restar en el juego de pelota. • Residuo, resultado de la operación de restar. • pl. Restos mortales. • **Restos mortales.** El cuerpo humano después de muerto.

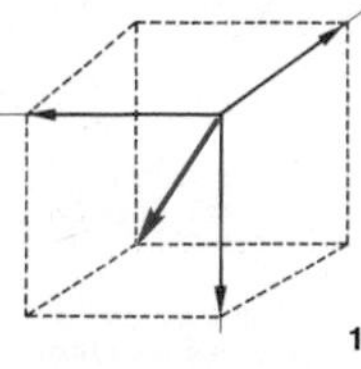

Resultantes de un sistema de fuerzas. 1. no coplanarias; 2. coplanarias

RESTREGAR tr. Estregar mucho y con ahínco. ■ RESTREGADURA O RESTREGAMIENTO; RESTREGÓN.

RESTREPO, *Antonio José* (1855-1933) Escritor y político col. Representante ante la Sociedad de Naciones. *Al pueblo colombiano, Prosas medulares, Cancionero de Antioquia.* • ***Carlos E.*** (1867-1937) Político col. Presid. de la rep. (1910-1914). Con posterioridad, fue ministro de gobierno y embajador ante la Santa Sede. • ***José Félix*** (1760-1832) Independentista col. Miembro de las asambleas de Antioquia y Cúcuta. Impulsor de la abolición de la esclavitud. • ***José Manuel*** (1781-1863) Político e historiador col. Participó en la guerra de la indep. (1811-1827). *Historia de la revolución de la república de Colombia.*

RESTRIBAR intr. Estribar o apoyarse con fuerza.

RESTRICCIÓN f. Limitación o modificación. • pl. Medidas que en tiempos de escasez se imponen para el racionamiento de determinados artículos.

RESTRILLAR tr. *Perú* y *P. Rico.* Restallar.

RESTRINGIR tr. Ceñir, circunscribir, reducir a menores límites. • Apretar, constreñir, restriñir. ■ RESTRICTIVO, VA; RESTRICTO, TA; RESTRINGIBLE.

RESTRIÑIR tr. Apretar, constreñir. ■ RESTRIÑIMIENTO.

RESUCITAR tr. Volver la vida a un muerto. • fig. y fam. Restablecer, renovar, dar nuevo ser a una cosa. • intr. Volver uno a la vida. ■ RESUCITACIÓN; RESUCITADOR, RA.

RESUDAR intr. Sudar ligeramente. • Orearse los árboles tendidos para que pierdan la humedad superflua, antes de trabajarlos. • intr. y prnl. Salir al exterior un líquido por los poros e intersticios de un cuerpo, rezumar. ■ RESUDACIÓN; RESUDOR.

RESUELLO m. Aliento o respiración, especialmente la violenta. • *Argent.* Pausa.

RESUELTO, TA adj. Decidido, audaz, arrojado. • Pronto, diligente, expedito.

RESULTA f. Efecto, consecuencia. • Lo que definitivamente se resuelve en una deliberación o conferencia. • Vacante en un empleo, por ascenso del que lo tenía. • pl. Consignaciones que, con crédito en un presupuesto, no pudieron pagarse durante su vigencia y pasan en concepto especial a otro presupuesto. • **De resultas.** m. adv. Por consecuencia.

RESULTADO m. Efecto y consecuencia de un hecho, operación o deliberación.

RESULTANDO m. *Der.* Cada uno de los fundamentos de hecho enumerados en sentencias o autos judiciales, o en resoluciones gubernativas.

RESULTANTE adj. Que resulta. • adj. y f. Díc. de una fuerza, de un momento, de un movimiento, etc., que equivale al conjunto de otros varios.

RESULTAR intr. Redundar, ceder o venir a parar una cosa en provecho o daño de una persona o de algún fin. • Nacer, originarse o venir una cosa de otra. • Aparecer, manifestarse o comprobarse una cosa. • Llegar a ser. • Tener buen o mal resultado. • Resaltar o resurtir. • Producir agrado o satisfacción.

RESUMEN m. Acción y efecto de resumir. • Exposición resumida de un asunto o materia. • **En r.** m. adv. Resumiendo, recapitulando.

RESUMIDERO m. *Amér.* Rezumadero, sumidero.

RESUMIR tr. y prnl. Reducir a términos breves y precisos, o considerar tan sólo y repetir abreviadamente, lo esencial de un asunto o materia. • Repetir el actuante el silogismo del contrario. • prnl. Convertirse, comprenderse, resolverse una cosa en otra.

RESUNTA f. *Col.* Resumen.

RESUPINACIÓN f. Fenómeno de torsión propio de las flores de las plantas de la familia orquidáceas por el cual todos los órganos quedan en una posición diametralmente opuesta a la primitiva debido a un giro de 180º.

RESURGENCIA f. Acción y efecto de volver a la superficie un curso de agua subterránea.

RESURGIR intr. Surgir de nuevo, volver a aparecer. • Resucitar. ■ RESURGIMIENTO.

RESURRECCIÓN f. Acción de resucitar. • Por excelencia, la de Jesucristo. • **de la carne.** En la religión católica, dogma de fe según el cual todos los hombres volverán a la vida en el día del juicio final.

RESURTIDA f. Rechazo o rebote de una cosa.

RESURTIR intr. Retroceder un cuerpo de resultas del choque con otro. ■ RESURTIVO, VA.

RETABLO m. Conjunto o colección de figuras pintadas o de tallas, que representan en serie una historia o suceso. • Obra de arquitectura que compone la decoración de un altar. ■ RETABLERO, RA.
RETACAR tr. Herir dos veces la bola con el taco, en el juego de trucos y billar. • Hacer más compacta una cosa, o ponerla más apretada.
RETACEAR tr. Dividir en retazos. • Recortar. • Hacer retazos de una cosa. • fig. *Amér. Merid.* Escatimar, disminuir mezquinamente. ■ RETACEO; RETACERÍA.
RETACO m. Escopeta corta muy reforzada en la recámara. • En el juego de trucos y billar, taco más corto que los regulares. • fig. Persona rechoncha.
RETAGUARDIA f. *Mil.* Cuerpo de tropa que cubre las marchas y movimientos de un ejército. • *Mil.* En tiempos de guerra, la zona no ocupada por los ejércitos. • **A r.** m. adv. Rezagado, postergado.
RETAHÍLA f. Serie de muchas cosas.
RETAJAR tr. Cortar en redondo una cosa. • Volver a cortar la pluma de ave para escribir. • Circuncidar. ■ RETAJO.
RETAL m. Pedazo sobrante de una tela, piel, chapa metálica, etc. • Conjunto de estos pedazos.
RETALHULEU Dpto. del SO de Guatemala; 1 856 km², 188 764 hab. Cap., la c. hom. Sit. en la llanura costera del Pacífico y bordeado al N por el Eje Volcánico. Clima tropical. Ríos prales.: Tilapa y Samalá. Cultivos tropicales. Ganadería. Puerto pral. Champerico (pesca). • C. del SO de Guatemala, cap. del dpto. hom., sit. en las estribaciones del Eje Volcánico; 27 563 hab. Centro administrativo y comercial. Manufactura de productos agrícolas e ind. de la construcción.
RETALIACIÓN f. *Amér.* Represalia, desquite.
RETALLAR tr. Volver a pasar el buril por las rayas de una lámina ya gastada. • Dejar o hacer retallos en un muro.
RETALLECER intr. Volver a echar tallos las plantas.
RETALLO m. Resalto que queda en el paramento de un muro por la diferencia de espesor de dos de sus partes sobrepuestas. • Nuevo tallo, pimpollo.

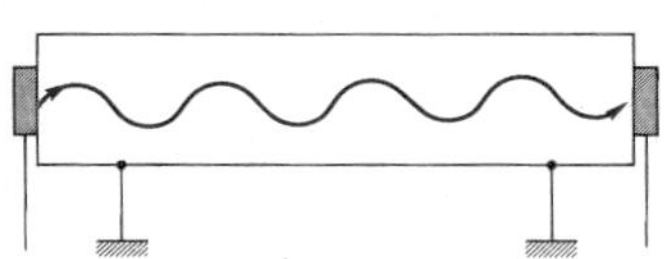

Elementos constitutivos de una línea de **retardo**

RETAMA f. Mata leguminosa, con muchas verdascas o ramas delgadas, largas, flexibles, de color verde ceniciento; hojas muy escasas; flores amarillas en racimos, y fruto de vaina. ■ RETAMAL O RETAMAR; RETAMERO, RA.
RETAMILLA f. *Méx.* Agracejo, planta.
RETAMO m. *Amér.* Retama.
RETAMÓN m. Piorno, planta.
RETAR tr. Desafiar, provocar a duelo, batalla o contienda. • fam. Reprender, echar en cara. • *Chile.* Insultar, denostar. ■ RETADOR, RA.
RETARDADOR, RA adj. y s. Que retarda. • Díc. de un tipo de freno empleado en los camiones basado en el uso de corrientes de Foucault.
RETARDAR tr. y prnl. Diferir, detener, entorpecer, dilatar. ■ RETARDACIÓN; RETARDATIVO, VA; RETARDATRIZ.
RETARDO m. Demora, tardanza, detención. • *Comp.* Desfase de tiempo que se da a una señal respecto a otra tratada simultáneamente en los circuitos. • **Línea de r.** Dispositivo que en un sistema de megafonía sirve para registrar magnéticamente y reproducir la modulación con un retraso de varios milisegundos.
RETARTALILLAS f. pl. Retahíla de palabras.
RETASAR tr. Tasar por segunda vez. • Rebajar el justiprecio de las cosas puestas en subasta y no rematadas. ■ RETASA O RETASACIÓN.
RETAZAR tr. Hacer piezas o pedazos una cosa. • Dividir el rebaño en hatajos.
RETAZO m. Retal o pedazo de una tela. • fig. Trozo o fragmento de un razonamiento o discurso.
RETEJAR tr. Recorrer los tejados, poniendo tejas que les faltan. • fig. y fam. Proveer de vestido o calzado al que lo necesita. ■ RETEJADOR; RETEJO.
RETEJER tr. Tejer unida y apretadamente.
RETEMBLAR intr. Temblar con movimiento repetido.
RETEMPLAR tr. y prnl. *Amér.* Comunicar más energía, reanimar.
RETÉN m. Prevención o repuesto que se tiene de una cosa. • *Mil.* Tropa armada dispuesta en cuarteles para cuando las circunstancias lo requieren.
RETENCIÓN f. Acción y efecto de retener. • Proceso de aprendizaje que da lugar a la consolidación de hábitos adquiridos. • Detención anormalmente prolongada que se hace en el cuerpo humano, de materias destinadas a ser expelidas. • Parte o totalidad retenida de un salario u otro haber.
RETENER tr. Detener, conservar, guardar en sí. • Conservar en la memoria una cosa. • Conservar el empleo que se tenía cuando se pasa a otro. • Suspender en todo o en parte el pago del salario, u otro haber que uno ha devengado. • Imponer prisión preventiva, arrestar. • Asumir un tribunal superior la jurisdicción para ejercitarla por sí, con exclusión del inferior. • prnl. Moderarse. ■ RETENEDOR, RA; RETENIMIENTO.
RETENIDA f. Cuerda, palo, etc., que sirve para contener o guiar un cuerpo en su caída.
RETENTAR tr. Volver a amenazar o resentirse de enfermedad, dolor o accidente que se padeció ya.
RETENTIVO, VA adj. y s. Díc. de lo que tiene virtud de retener. • f. Memoria, facultad de acordarse.
RETEÑIR tr. Volver a teñir del mismo o de otro color alguna cosa. • intr. Dar sonido vibrante el metal o el cristal, retiñir.
RETESAR tr. Atirantar, tensar, endurecer una cosa. ■ RETESAMIENTO.
RETESO m. Acción y efecto de retesar. • Teso pequeño, ligera elevación del terreno.
RETESTINAR tr. Penetrar la suciedad en alguna cosa.
RETIA Ant. prov. del imperio rom. Comprendía los terr. de los actuales Grisones (Suiza), Tirol (Austria) y S de Baviera (Alemania). Su cap., *Augusta Vindelicorum*, es la actual Augsburgo.
RETICENCIA f. Acción de callar una cosa de aquello que se dice, pero dejándola entender. • Figura expresiva que consiste en dejar incompleta una frase, dando, sin embargo, a entender el sentido de lo que no se dice. ■ RETICENTE.
RÉTICO, CA adj. y s. Relativo a la Retia. • m. Lengua de origen latino hablada en lo que fue la ant. Retia. • Retorromano.
RETÍCULA f. Retículo. • Red de puntos que, en cierta clase de fotograbado, reproduce la imagen mediante la mayor o menor densidad de dichos puntos.
RETICULADO, DA o **RETICULAR** adj. De figura de redecilla o red.
RETÍCULO m. Tejido en forma de red, en especial el filamentoso de las plantas. • Conjunto de dos o más hilos cruzados o paralelos que se ponen en aparatos ópticos para precisar la visual o para efectuar mediciones topográficas. • *Biol.* Red de fibras de ciertos tejidos o de filamentos citoplasmáticos o nucleares. • *Mat.* Estructura abstracta formada por un conjunto A y una relación de orden definida en él, de modo que para cualquier par a, b de elementos de A existen los extremos superior e inferior del conjunto $[a, b]$. • *Miner.* Conjunto de puntos, ordenado geométricamente en el espacio, que son centros de equilibrio de los átomos y de las moléculas constituyentes de la materia cristalina. • *Zool.* Redecilla. • **de difracción.** Sistema de medición de la longitud de onda de radiaciones monocromáticas, constituido por un gran número de rendijas paralelas y equidistantes. • **espacial** o **cristalino.** *Crist.* Disposición reticular de las unidades estructurales de un cristal.
RETÍCULO o **RETICULUM** Constelación austral cercana a de la Gran Nube de Magallanes.
RETICULOCITO m. *Biol.* Eritrocito de pequeño tamaño, que al teñirse presenta un aspecto reticular, debido al resto de la cromatina del núcleo de los eritroblastos.

La ***Resurrección,*** miniatura del siglo XV

Retablo mayor de la basílica del monasterio de El Escorial

Retama

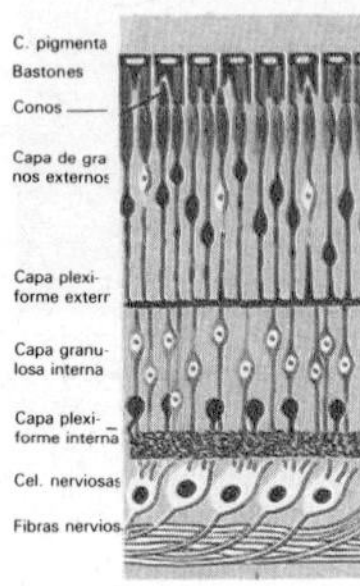

Estructura de la **retina** ocular

Cicerón, maestro de la **retórica** latina y universal

RETICULOENDOTELIAL adj. *Fisiol.* Díc. del sistema formado por elementos estructurales de origen mesenquimático, constituido esencialmente por células de diversos tipos (histiocitos), diseminadas en las regiones más diversas del organismo y dotadas de actividad fagocitaria.

RETICULOSARCOMA m. *Pat.* Proliferación maligna e invasora del tejido reticuloendotelial que provoca tumores de la médula ósea, del brazo, hígado, etc., y que produce metástasis.

RETICULOSIS f. *Pat.* Término bajo el cual se agrupan afecciones caracterizadas por la proliferación de los elementos propios del sistema reticuloendotelial.

RETINA f. Membrana interior del ojo, en la cual se reciben las impresiones luminosas y se representan las imágenes de los objetos.

RETINAR tr. Manipular con la lana en las fábricas de paños.

RETINENO m. Sustancia pigmentaria derivada del caroteno, que se presenta como un aldehído de la vitamina A.

RETINITIS f. Inflamación de la retina.

RETINOBLASTOMA m. Tumor maligno, conocido comúnmente como glioma de la retina.

RETINTE m. Segundo tinte que se da a una cosa. • Retintín.

RETINTÍN o **RETÍN** m. Sonido que deja en los oídos la campana u otro cuerpo sonoro. • fig. y fam. Tonillo y modo de hablar para zaherir a uno. ■ RETINTINEAR.

RETINTO, TA adj. De color castaño muy oscuro. Díc. de ciertos animales.

RETÍNULA f. *Zool.* El elemento más interno del omatidio de los artrópodos, formado por un grupo de células pigmentadas alargadas.

RETIÑIR intr. Dar sonido vibrante el metal o el cristal.

RETIRACIÓN f. Acción y efecto de retirar. • Molde para imprimir por la segunda cara el papel que está ya impreso por la primera.

RETIRADO, DA adj. Distante, apartado, desviado. • adj. y s. *Mil.* Díc. del militar que deja el servicio, conservando algunos derechos. • Persona jubilada. • f. Acción y efecto de retirarse. • Terreno o sitio que sirve de acogida segura. • *Mil.* Retreta. • Terreno que se va descubriendo y quedando en seco cuando cambia el cauce natural de un río. • *Mil.* Acción de retroceder en orden, apartándose del enemigo.

RETIRAR tr. y prnl. Apartar o separar una persona o cosa de otra o de un sitio. • tr. Apartar de la vista una cosa, reservándola u ocultándola. • Obligar a uno a que se aparte, o rechazarle. • Estampar por el revés el pliego que ya lo está por la cara. • intr. Tirar, parecerse, asemejarse una cosa a otra. • prnl. Apartarse o separarse del trato, comunicación o amistad. • Irse a dormir. • Irse a casa. ■ RETIRAMIENTO.

RETIRO m. Acción y efecto de retirarse. • Lugar apartado y distante del bullicio de la gente. • Recogimiento, abstracción. • Ejercicio de devoción que consiste en retirarse durante un tiempo para orar y meditar. • Situación del militar retirado. • Sueldo del mismo. • Pensión de un jubilado.

RETO m. Provocación o incitación al duelo o desafío. • Acción de amenazar. • Dicho o hecho con que se amenaza. • *Amér.* Regañina. • *Chile.* Insulto.

RETOBADO, DA adj. *Amér.* Indómito, obstinado. • *Amér. Central, Ecuad.* y *Méx.* Que hace las cosas de mala gana. • *Col., Perú* y *R. de la Plata.* Rencoroso.

RETOBAR tr. *Argent.* Forrar o cubrir con cuero, especialmente las boleadoras y el cabo del rebenque. • *Chile.* Envolver o forrar los fardos con cuero o con arpillera, encerado, etc. • prnl. *Argent.* Ponerse displicente y en actitud de reserva excesiva.

RETOBEAR intr. fam. *Guat.* Porfiar.

RETOBO m. *Col.* y *Hond.* Desecho, cosa inútil. • *Amér.* Forro de cuero. • Resabio, vicio.

RETOCAR tr. Volver a tocar. • Tocar repetidamente. • Dar a un dibujo, cuadro o fotografía ciertos toques de pluma o de pincel para quitarle imperfecciones. • Restaurar las pinturas deterioradas. • fig. Recorrer y dar la última mano a cualquier cosa. • tr. y prnl. Perfeccionar el afeite o arreglo de la mujer. ■ RETOCADO, DA; RETOCADOR, RA.

RETOÑAR o **RETOÑECER** intr. Volver a echar vástagos la planta. • fig. Reproducirse o repetirse una cosa.

RETOÑO m. Vástago o tallo que echa de nuevo la planta. • fig. y fam. Hijo de corta edad.

RETOQUE m. Pulsación rápida y frecuente. • Nueva mano que se da a cualquier otra para quitar sus faltas o componer ligeros desperfectos. Díc. pralm. de las pinturas. • Amago de un ataque o de ciertas enfermedades.

RETOR m. Tela de algodón fuerte y ordinaria, en la que la trama y urdimbre están muy torcidas.

RETORCER tr. y prnl. Torcer mucho una cosa. • tr. fig. Emplear un argumento contra el mismo que lo ha empleado antes. • fig. Interpretar errónea o exageradamente algo que se dice. • prnl. Hacer movimientos expresivos de un fuerte dolor, un ataque de risa, etc. ■ RETORCEDURA; RETORCIJO; RETORCIMIENTO.

RETORCIDO, DA adj. fam. Díc. de la persona de intención sinuosa. • m. Especie de dulce que se hace de diferentes frutas.

RETORCIJÓN m. Retorcimiento o retorsión grandes, especialmente de alguna parte del cuerpo.

RETORICAR intr. Hablar según las leyes y usos de la retórica. • tr. Usar de retóricas o de una retórica impropia.

RETÓRICO, CA adj. Relativo a la retórica. • adj. y s. Versado en retórica. • f. Arte de bien decir, de dar al lenguaje eficacia para deleitar, persuadir o conmover. Siguiendo la tradición latina, la r. se entiende como el arte de la oratoria. Los primeros maestros de esta disciplina fueron los gr. y su manual más significativo la *Retórica* de Aristóteles. En Roma cultivaron el gén. Cicerón y Quintiliano, quienes dividieron la r. en cinco partes: invención, disposición, elocución, memoria y pronunciación.

RETORNAR tr. Devolver, restituir. • Volver a torcer una cosa. • Hacer que una cosa retroceda o vuelva atrás. • intr. y prnl. Volver al lugar o a la situación en que se estuvo. ■ RETORNAMIENTO.

RETORNELO m. Repetición de la primera parte del aria, villancico o canción.

RETORNO m. Acción y efecto de retornar. • Paga o recompensa del beneficio recibido. • Cambio o trueque. • **de carro.** *Comp.* Tecla que se utiliza para finalizar cualquier entrada de datos. Al ser pulsada, el cursor se desplaza de una línea a la siguiente.

RETORROMÁNICO, CA o **RETORROMANO, NA** adj. y s. Grupo de lenguas neolatinas habladas en ciertas zonas de Suiza, Austria e Italia. Los lingüistas it. prefieren denominarlo ladino. Comprende tres variantes: occidental, central y oriental. De ellas, la primera (romanche) es una lengua hablada por unas 50 000 personas y, en 1938, fue declarado cuarto idioma oficial de Suiza.

RETORSIÓN f. Acción y efecto de retorcer. • fig. Acción de devolver a uno el mismo daño que de él se ha recibido. ■ RETORSIVO, VA.

RETORTA f. Vasija con cuello largo encorvado, utilizada en los laboratorios de química. • Tela de hilo entrefina y de gran consistencia con la trama y urdimbre muy torcidas.

RETORTERO m. Vuelta alrededor. • Cerco, mancha que rodea una cosa. • **Traer** a uno **al r.** fr. fam. Traerle a vueltas de un lado a otro.

RETORTIJAR tr. Ensortijar o retorcer mucho.

RETORTIJÓN m. Ensortijamiento o retorsión de una cosa. • **de tripas.** Dolor breve y vehemente que se siente en ellas.

RETOSTADO, DA adj. De color oscuro.

RETOSTAR tr. Volver a tostar algo o hacerlo en demasía.

RETOZAR intr. Saltar y brincar alegremente. • intr. y tr. Entregarse a juegos amorosos. • prnl. fig. Excitarse algunas pasiones. ■ RETOZADOR, RA; RETOZADURA; RETOZO; RETOZÓN, NA.

RETRACCIÓN f. Acción y efecto de retraer. • Disminución progresiva de la sección de los sólidos que actúan como estructuras. • *Mat.* Aplicación inyectiva de un conjunto en uno de sus subconjuntos propios.

RETRACTAR tr. y prnl. Revocar expresamente lo que se ha dicho. • Ejercitar el derecho de retracto. ■ RETRACTABILIDAD; RETRACTABLE; RETRACTACIÓN.

RETRÁCTIL adj. Díc. de las partes del cuerpo que

un animal puede retraer, quedando ocultas. • Díc. del tren de aterrizaje de un avión que puede ocultarse durante el vuelo. ■ RETRACTILIDAD.

RETRACTO m. Derecho que compete a ciertas personas para quedarse, por el tanto de su precio, con la cosa vendida a otro. • *Mat.* Conjunto imagen de una retracción.

RETRADUCIR tr. Traducir de nuevo o volver a traducir al idioma primitivo.

RETRAER tr. Volver a traer. • Reproducir una cosa en imagen o en retrato. • Ejercitar el derecho de retracto. • tr. y prnl. Apartar o disuadir de un intento. • prnl. Acogerse, refugiarse, guarecerse. • Retirarse, retroceder. • Hacer vida retirada. • Apartarse deliberada y temporalmente un partido o colectividad de sus funciones políticas. ■ RETRAÍDO, DA; RETRAIMIENTO.

RETRANCA f. Correa ancha, a manera de ataharre. • *Amér.* Freno de un vehículo.

RETRANCAR tr. Frenar con la retranca.

RETRANQUEAR tr. Remeter el muro de fachada en la planta o plantas superiores de un edificio. ■ RETRANQUEO.

RETRANSMITIR tr. Volver a transmitir. • Transmitir desde una emisora de radiodifusión lo que se ha transmitido a ella desde otro lugar. ■ RETRANSMISIÓN.

RETRASADO, DA adj. Díc. de la persona, planta o animal que no ha llegado al desarrollo normal de su edad. • **mental.** Individuo cuyo desarrollo mental presenta un retraso anormal con respecto a su edad. Se le llama, igualmente, deficiente mental.

RETRASAR tr. y prnl. Atrasar, diferir o suspender la ejecución de una cosa. • intr. Ir atrás o a menos en alguna cosa.

RETRASO m. Acción y efecto de retrasar. • *Electr.* Lentitud de respuesta de un dispositivo con relación a una señal de entrada determinada. Aparece debido a la presencia de elementos capaces de almacenar cierta energía.

RETRATAR tr. Hacer el retrato de una persona o cosa mediante el dibujo, la pintura, escultura o fotografía. • Imitar, asemejarse. • Describir con exacta fidelidad una cosa. • tr. y prnl. Hacer la descripción del aspecto físico o del carácter de una persona. • Retractar.

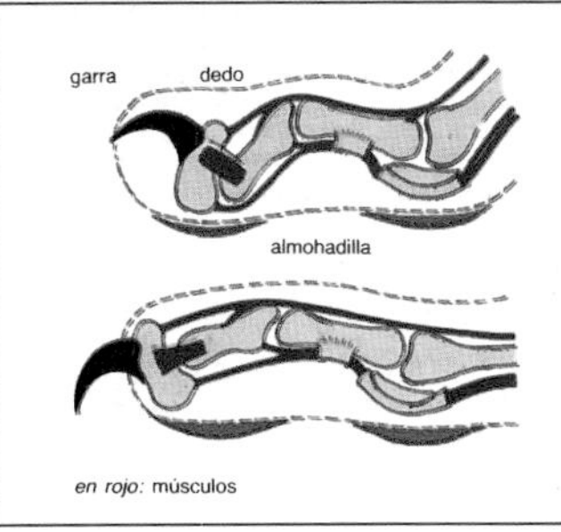

Garra **retráctil** de un felino

RETRATERÍA f. *Amér.* Taller del fotógrafo.

RETRATO m. Pintura, dibujo, escultura, grabado o fotografía que representa alguna persona o cosa. • Descripción de la figura o carácter de una persona. • Lo que se asemeja mucho a una persona o cosa. ■ RETRATADOR, RA; RETRATISTA.

* *Arte.* Los escultores egipcios ya practicaron este gén. artístico, que más tarde fue una especialidad del arte rom. A fines del s. XIV y principios del XV, con el realismo borgoñón (escultura funeraria) y con el Renacimiento (pint. y esc.), este arte recibió un nuevo impulso y surgieron grandes fig. en los ss. XVI (Tiziano), XVII (Rembrandt) y XVIII (Goya). Con la aparición de la fotografía, el gén. evolucionó hacia la desintegración de la forma (Van Gogh), hacia la subjetividad y la introspección psicológica (Picasso, Dalí).

RETRECHAR intr. Retroceder, recular el caballo.

RETRECHERÍA f. fam. Artificio o maña para evitar hacer algo. ■ RETRECHERO, RA.

RETREPARSE prnl. Echar hacia atrás la parte superior del cuerpo. • Recostarse en la silla de tal modo, que ésta se incline hacia atrás. ■ RETREPADO, DA.

RETRETA f. *Mil.* Toque que se usa para marchar en retirada y para avisar a la tropa que se recoja por la noche al cuartel. • Fiesta nocturna en la cual recorren las calles tropas con faroles, músicas, etc. • fig. fam. *Amér.* Tanda, serie, retahíla. • *Amér.* Función de música al aire libre.

RETRETE m. Habitación con las instalaciones necesarias para evacuar la orina y los excrementos.

RETRIBUIR tr. Recompensar o pagar un servicio, favor, etc. ■ RETRIBUCIÓN; RETRIBUTIVO, VA.

RETRILLAR tr. Volver a trillar lo ya trillado.

RETRO Apócope de *retrógrado.* • adj. y s. fam. Anticuado, reaccionario.

RETROACCIÓN f. Acción hacia atrás. • Realimentación.

RETROACTIVO, VA adj. Díc. de lo que tiene aplicación, efectividad o fuerza sobre lo pasado. ■ RETROACTIVIDAD.

RETROCARGA *(De)* loc. adj. Díc. de las armas de fuego que se cargan por la parte inferior de su mecanismo.

RETROCEDER intr. Volver hacia atrás.

RETROCESIÓN f. Retroceso, acción y efecto de retroceder. • Acción y efecto de ceder a uno el derecho o cosa que él había cedido antes.

RETROCESO m. Acción y efecto de retroceder. • Mov. del cañón de una arma en sentido opuesto al del proyectil. • Recrudecimiento de una enfermedad. • *Comp.* Operación que consiste en hacer retroceder el cursor un espacio en la pantalla.

RETROCOHETE m. Cohete de retroacción, es decir, de acción dirigida en sentido opuesto al del movimiento.

RETROGRADACIÓN f. Acción de retrogradar un planeta. • *Quím.* Reordenación a escala molecular que tiene lugar entre los polímeros en fase acuosa dispersa, al descender la temperatura y en situación de reposo.

RETROGRADAR intr. Ir hacia atrás, retroceder. • Retroceder aparentemente los planetas en su órbita, vistos de la Tierra.

RETRÓGRADO, DA adj. Que retrograda. • Díc. del movimiento aparente de oriente hacia occidente que efectúan los planetas exteriores después de su primera estación, cerca de la oposición. • fig. Partidario de instituciones políticas o sociales propias de tiempos pasados y que no acepta el progreso.

RETRONAR intr. Producir un estruendo retumbante.

RETROPILASTRA f. Pilastra que se pone detrás de una columna.

RETROPROPULSIÓN f. Propulsión aplicada en sentido contrario a la velocidad para hacerla disminuir.

RETROPULSIÓN f. Desaparición de un exantema, inflamación o tumor agudo, que se reproduce en un órgano distante.

RETROSPECCIÓN f. Mirada o examen retrospectivo. ■ RETROSPECTIVO, VA.

RETROTRAER tr. y prnl. Retroceder con la memoria a un tiempo pasado para tomarlo como punto de partida de un hecho, narración, etc. • Fingir que una cosa sucedió en un tiempo anterior a aquel en que realmente ocurrió. ■ RETROTRACCIÓN.

RETROVENDER tr. *Der.* Volver el comprador una cosa al mismo de quien la compró, devolviéndole éste el precio. ■ RETROVENTA.

RETROVERSIÓN f. Desviación hacia atrás de algún órgano del cuerpo.

RETROVISOR m. Espejo pequeño colocado en la parte anterior de un vehículo para que el conductor vea lo que hay detrás de él.

RETRUCAR intr. Hacer un retruque. • *Argent.* Replicar, cuando se manda o dice algo.

RETRUÉCANO m. Inversión de los términos de una proposición en otra subsiguiente para que el sentido de esta última forme antítesis con el de la anterior. • También suele aplicarse a otros juegos de palabras. • Figura retórica que consiste en aquella inversión de términos.

RETRUQUE o **RETRUCO** m. En el billar, golpe que la bola herida vuelve a dar en la que la hirió después de dar en la banda. • Segundo envite en

Retrato. Arriba, un panadero y su mujer en un fresco de Pompeya; abajo, *Inocencio X*, óleo de Velázquez.

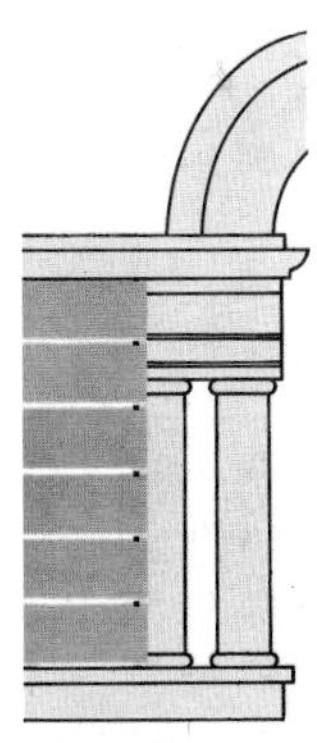

Retropilastra

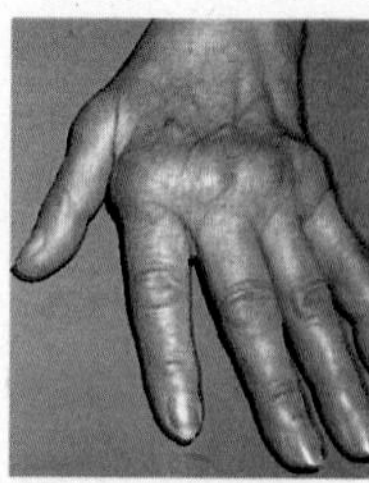
Mano de un paciente afecto de **reumatismo** articular agudo

Vista de la población de Sainte-Benoit, en la isla de **Reunión**

Paul Julius **Reuter**

contra del primero, en el juego del truque. • *Argent.* Réplica. • **De r.** m. adv. *Chile.* De rechazo, de resultas.

RETUMBAR intr. Resonar mucho o hacer gran estruendo una cosa. ▪ RETUMBANTE; RETUMBO.

RETUNDIR tr. Igualar la superficie de un muro. • *Med.* Repeler, repercutir.

RETZ, *Jean François Paul de Gondi*, ***cardenal de*** (1613-1679) Político y escritor fr. Contrario a Richelieu, participó en la conjura del conde de Soissons (1641). Fue uno de los instigadores de la sublevación de la Fronda (1648-1652). *Memorias.*

RETZIUS, ***Anders Adolf*** (1796-1860) Anatomista y antropólogo sueco. Autor de trabajos sobre el diámetro craneano y el índice cefálico.

REUBICABLE adj. *Comp.* Díc. del programa que puede cargarse en cualquier lugar de la memoria para después ser ejecutado.

REUCHLIN, ***Johannes*** (1455-1522) Humanista, filólogo y exegeta al. Con Erasmo, promotor del estudio del hebreo y el gr. en Occidente.

REUCLINIANO, NA adj. y s. Díc. del que sigue la pronunciación gr. de Reuchlin, fundada pralm. en el uso de los gr. modernos.

REUMÁTIDE f. Dermatosis originada o sostenida por el reumatismo.

REUMATISMO m., o **REUMA** o **REÚMA** amb. Enfermedad que se manifiesta por dolores musculares y articulares, y que está causada por el frío y la humedad. ▪ REUMÁTICO, CA.

REUNIÓN f. Acción y efecto de reunir o reunirse. • Conjunto de personas reunidas. • *Mat.* Dada una colección de conjuntos, conjunto formado por los elementos que pertenecen por lo menos a uno de estos conjuntos. Se designa por el símb. $\cup$ y verifica las propiedades conmutativa y asociativa.

REUNIÓN Isla del arch. de las Mascareñas que constituye un dpto. fr. de Ultramar; 2 510 km², 525 000 hab. Cap., Saint-Denis. Sit. en el océano Índico, al E de Madagascar. Clima tropical. Ind. azucareras, destilerías de ron. Anexionada a Francia en 1643.

REUNIR tr. y prnl. Volver a unir. • Juntar, congregar, amontonar.

REUNTAR tr. Volver a untar.

REUS C. de España, en la prov. de Tarragona; 90 993 hab. Centro comercial agrícola. Avicultura. Construcciones mecánicas.

REUTER, ***Fritz*** (1810-1874) Escritor al. Sospechoso de alta traición, fue condenado a muerte; Federico Guillermo III le conmutó esta pena por la de treinta años de reclusión. *El tiempo de los campesinos.* • ***Ludwig von*** (1869-1943) Almirante al. Tras la capitulación de Alemania ordenó hundir su flota en Scapa Flow (1919). • ***Paul Julius*** (1816-1899) Agente de publicidad brit. de origen al. En 1851 creó en Londres la *Agencia R.*, una de las más imp. oficinas de información de la actualidad.

REUTHER, ***Walter Philip*** (1907-1970) Sindicalista norteam. Presid. del Congreso de Organizaciones Industriales (CIO). Vicepresidente de la AFL-CIO, dimitió en 1967 por la política regresiva del presid. de esta confederación, George Meany.

REVACUNAR tr. y prnl. Vacunar al que ya está vacunado. ▪ REVACUNACIÓN.

REVÁLIDA f. Acción y efecto de revalidarse. • Examen final para obtener un título.

REVALIDAR tr. Ratificar, dar nuevo valor y firmeza a una cosa. • prnl. Realizar un examen general al finalizar ciertos estudios. ▪ REVALIDACIÓN.

REVALORIZAR tr. Devolver a una cosa el valor o estimación que había perdido.

REVALUACIÓN f. Aumento del valor de un bien o de una moneda. ▪ REVALUAR.

REVANCHA f. Desquite, venganza, represalia.

REVECERO, RA adj. Que alterna o se remuda. • m. y f. Mozo o moza que cuida del ganado de revezo.

REVEILLÓN o **REVELLÓN** m. Fiesta que se celebra la noche de fin de año.

REVEJECER intr. y prnl. Avejentarse, ponerse viejo antes de tiempo. ▪ REVEJIDO, DA.

REVELACIÓN f. Manifestación de una verdad oculta. • P. ant., la manifestación divina. El conjunto de verdades comunicadas por Dios y que el hombre no alcanza con su inteligencia, constituyen la r. La judeocristiana y la musulmana se apoyan en libros sagrados (A. y N. T. y Corán).

REVELADO m. Proceso mediante el cual se hace visible la imagen latente negativa que se ha producido en la placa o película fotográfica impresionada en la cámara, y también imagen latente positiva que de aquel negativo se obtiene al hacer la copia o la ampliación.

REVELADOR, RA adj. y s. Que revela. • m. Líquido que sirve para revelar la placa fotográfica. • **de Hertz.** *Electr.* Aparato constituido por un resonador con un espinterómetro conectado en paralelo. Con la llegada de la onda el resonador entra en oscilación y, si la energía es suficiente, se obtiene una chispa entre las esferas del espinterómetro.

REVELAR tr. y prnl. Descubrir o manifestar lo secreto o ignorado. • tr. *Rel.* Manifestar Dios a los hombres lo futuro o oculto. • Hacer visible la imagen impresa en la placa fotográfica. ▪ REVELABLE; REVELAMIENTO.

REVELER tr. Alejar lo que causa una enfermedad en un órgano importante del cuerpo, trasladándolo hacia otro órgano menos importante.

REVELLÍN m. Obra exterior que cubre la cortina de un fuerte. • Saliente a modo de vasar en la campana de la chimenea.

REVENAR intr. Echar brotes los árboles por la parte en que han sido podados. ▪ REVENO.

REVENDER tr. Volver a vender lo que se ha comprado. ▪ REVENDEDERA; REVENDEDOR, RA; REVENTA.

REVENGA, ***José Rafael*** (1781-1852) Político ven. Colaborador de Bolívar en la guerra de indep. americana. Ministro de Relaciones Exteriores (1826) y de Estado (1827) de la Gran Colombia. Opuesto al secesionismo de Páez, se exilió en 1830. Volvió al gobierno en 1848 en los ministerios de Interior y Relaciones Exteriores, dimitió por discrepancias con Monagas.

REVENIDO m. Tratamiento térmico que se da a los aceros para disminuir su dureza y resistencia, aumentar su tenacidad y eliminar las tensiones internas.

REVENIMIENTO m. Acción y efecto de revenir o revenirse. • Hundimiento parcial del terreno de una mina.

REVENIR intr. Retornar o volver una cosa a su estado propio. • prnl. Encogerse, consumirse una cosa poco a poco. • Acedarse o avinagrarse. • Expulsar una cosa hacia afuera la humedad que tiene. • Ponerse una masa blanda y correosa con la humedad o el calor. • fig. Ceder en lo que se sostenía con empeño.

REVENTADERO m. Lugar escabroso o terreno

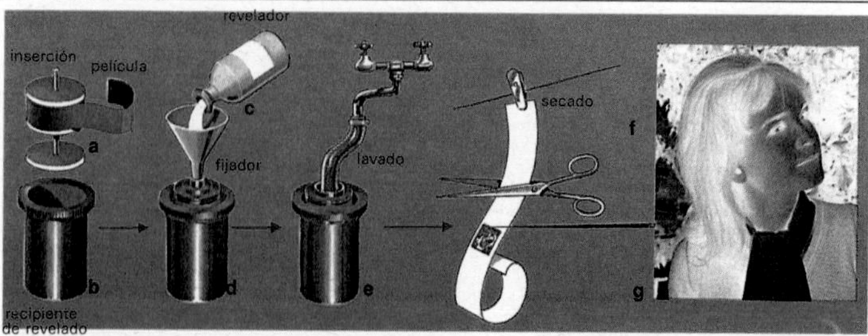

Revelado. En un cuarto oscuro se coloca la película en el tanque de revelado. Seguidamente, se llena el recipiente de revelador. Después se baña con fijador y por último se lava y seca.

muy pendiente. • fig. Trabajo grande y penoso. • *Chile*. Lugar donde rompen las olas del mar.

REVENTAR intr. y prnl. Abrirse una cosa por impulso interior. • intr. Deshacerse en espuma las olas del mar por la fuerza del viento o por el choque contra los peñascos o playas. • Brotar, nacer o salir con ímpetu. • fig. Tener ansia o deseo vehemente de una cosa. • fig. y fam. Estallar una pasión violentamente. • fam. Morir violentamente. • tr. Deshacer o desbaratar una cosa aplastándola con violencia. • fig. Fatigar mucho a uno con exceso de trabajo. • fig. y fam. Molestar, cansar, enfadar. • fig. y fam. Causar gran daño a una persona. • fig. y fam. Hacer fracasar un espectáculo o acto público gritando, pateando o criticándolo desfavorablemente. • tr. y prnl. Hacer enfermar o morir a un caballo al someterle a un esfuerzo excesivo. ■ REVENTADOR.

REVENTAZÓN f. Acción y efecto de reventar una cosa por impulso interno. • *Argent*. Estribo, contrafuerte de una sierra.

REVENTÓN adj. Díc. de ciertas cosas que revientan o parece que van a reventar. • m. Acción y efecto de reventar una cosa. • fig. Cuesta muy pendiente. • fig. Aprieto grave en que uno se halla. • fig. Fatiga o trabajo grande. • *Amér*. Afloramiento a la superficie del terreno de un filón o capa mineral. • *Amér*. Empujón.

REVER tr. Volver a ver o examinar con cuidado una cosa. • Ver un tribunal superior el pleito visto y sentenciado en otra sala del mismo. • prnl. Mirarse en una persona o cosa, complaciéndose en ella.

REVERBERACIÓN f. Acción y efecto de reverberar. • Calcinación hecha en el horno de reverbero. • Fenómeno acústico que consiste en la intensificación del sonido a causa de las múltiples reflexiones que sufre antes de llegar al oído.

REVERBERAR intr. Hacer reflexión la luz de un cuerpo luminoso en otro bruñido, o el sonido en una superficie que no lo absorba. ■ *Amér. Centr.* REVERBEREAR.

REVERBERO m. Cuerpo de superficie bruñida en que la luz reverbera. • Farol que hace reverberar la luz. • Horno en que el material a tratar es calentado indirectamente por medio de una bóveda que, al caldearse por los gases calientes del hogar, proyecta una fuerte radiación sobre las piezas. • *Amér*. Cocinilla, infiernillo.

REVERDECER intr. y tr. Cobrar nuevo verdor los campos o plantíos que estaban mustios o secos. • fig. Renovarse o tomar nuevo vigor.

REVERENCIA f. Respecto o veneración que tiene una persona a otra. • Inclinación del cuerpo en señal de respeto. • Tratamiento que se da a los religiosos condecorados. ■ REVERENCIABLE; REVERENCIAL; REVERENTE.

REVERENCIAR tr. Respetar o venerar.

REVERENDAS f. pl. Cartas dimisorias en las cuales un prelado de facultad a su súbdito para recibir órdenes de otro. • Prendas del sujeto, que le hacen digno de estimación y reverencia.

REVERENDÍSIMO, MA adj. sup. de reverendo. Aplícase como tratamiento a cardenales, arzobispos y otras altas dignidades eclesiásticas.

REVERENDO, DA adj. Digno de reverencia. • fam. Demasiado circunspecto. • adj. y s. Aplicábase antiguamente como tratamiento a las personas de dignidad, tanto seculares como eclesiásticas; hoy sólo se aplica a las religiosas.

REVERÓN, *Armando* (1889-1954) Pintor ven., impresionista. Formado en Caracas y en España. Lleva su nombre una bienal de arte.

REVERSA f. *Amér*. Marcha atrás de un vehículo.

REVERSIBILIDAD f. Calidad de reversible. • Fenómeno que se da al repetirse la acción en sentido inverso.

REVERSIBLE adj. Que puede o debe revertir. • *Mec*. Díc. de una transmisión que puede ponerse en movimiento actuando sobre uno cualquiera de los cuerpos enlazados por ella. • *Biol*. Díc. de la alteración de una función o de un órgano cuando puede volverse a su estado normal. • Díc. de la reacción química que puede tener lugar en ambos sentidos.

REVERSIÓN f. Restitución de una cosa al estado que tenía. • Fenómeno genético por el cual un mutante logra, por nueva mutación, el genotipo y fenotipo anteriores. • *Der*. Acción y efecto de revertir.

REVERSO m. Revés, espalda. • En las monedas y medallas, haz opuesta al anverso. • **El r. de la medalla.** fig. Persona que es la antítesis de otra con quien se la compara.

REVERTER intr. Rebosar o salir una cosa de sus límites.

REVERTIR intr. Volver una cosa al estado o condición que tuvo antes. • Venir a parar una cosa en otra. • Volver una cosa al dueño que tuvo antes.

REVÉS m. Espaldaz o parte opuesta de una cosa. • Golpe que se da a otro con la mano vuelta. • Golpe que da con la mano vuelta el jugador a la pelota para volverla. • Golpe que se da con la espada diagonalmente, partiendo de izquierda a derecha. • fig. Infortunio, desgracia o contratiempo. • fig. Cambio brusco en el trato o carácter de alguien. • **Al r.** m. adv. Al contrario.

REVESA o **REVEZA** f. *Mar*. Corriente derivada de otra pral. y de distinta dirección a la de ésta.

REVESADO, DA adj. Difícil, intrincado, oscuro o poco inteligible. • fig. Travieso, indomable.

REVESAR tr. Vomitar lo contenido en el estómago.

REVESTIMIENTO o **REVESTIDO** m. Acción y efecto de revestir. • Capa o cubierta con que se resguarda o adorna una superficie.

REVESTIR tr. y prnl. Vestir una ropa sobre otra. Díc. especialmente del sacerdote cuando sale a decir misa, por ponerse sobre el vestido los ornamentos. • tr. Cubrir con un revestimiento. • fig. Adornar la expresión o escrito con galas retóricas o conceptos complementarios. • Disfrazar la realidad de una cosa añadiéndole adornos. • Afectar o simular, especialmente en el rostro, una pasión que no se siente. • fig. Presentar una cosa determinado aspecto, cualidad o carácter. • prnl. fig. Imbuirse o dejarse llevar de algún prejuicio. • fig. Engreírse o envanecerse. • Poner a contribución, en trance difícil, la energía del ánimo que viene al caso.

REVEZAR tr. y prnl. Reemplazar, sustituir a otro.

REVEZO m. Acción de revezar. • Cosa que reveza. • Par de mulas, caballos o bueyes con que se releva el par que trabaja.

REVIEJO, JA adj. Muy viejo. • m. Rama reseca de un árbol.

REVIENTACABALLO m. *Cuba*. Quibey, planta venenosa.

REVIERNES m. Cada uno de los siete viernes siguientes a la Pascua de Resurrección.

REVILLA, *Manuel de la* (1846-1881) Escritor esp. *Principios de literatura general, El naturalismo en el arte, Teatro español.*

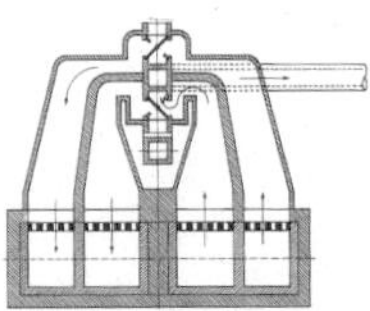

Esquema de un horno de **reverbero** de solera abierta

Reverso de una moneda acuñada en Ampurias, en el siglo IV a. C.

Revestimiento. Losetas de fibra de sílice que protegen a la Lanzadera Espacial del calor que se genera cuando reentra en la atmósfera

REVILLAGIGEDO Arch. de México, sit. en el Pacífico, que forma parte del est. de Colima; 107 km^2, 1 500 hab. Constituido por seis islas de origen volcánico. Depósitos de guano.

REVINDICAR tr. Reivindicar.

REVIRADO, DA adj. Díc. de las fibras de los árboles que están retorcidas y describen espirales alrededor del eje o corazón del tronco, por lo cual su madera resulta defectuosa para piezas rectas y tablas.

REVIRAR tr. Torcer. • *Amér*. En ciertos juegos, doblar las apuesta. • intr. *Mar*. Volver a virar.

REVISAR tr. Ver con atención y cuidado. • Someter una cosa a nuevo examen, para cerciorarse de que es correcta o, en caso contrario, proceder a su modificación o reparación. ■ REVISABLE; *Amér*. REVISACIÓN O REVISADA; REVISIÓN.

Portada de un ejemplar de la **revista** británica *Punch*

Revolución china. Cartel conmemorativo de la entrada en Pekín de Mao Tse-tung

Revolución de Julio. *La libertad guiando al pueblo*, óleo de E. Delacroix que evoca las jornadas de julio de 1830. Museo del Louvre. París

REVISIONISMO m. Corriente del marxismo que se propone adaptar el pensamiento de Marx a determinadas realidades socioeconómicas y políticas, prescindiendo de los elementos revolucionarios de aquél. ■ REVISIONISTA.

REVISITA f. Nuevo reconocimiento o registro que se hace una cosa.

REVISOR, RA adj. Que revisa o examina con cuidado una cosa. • m. y f. El que tiene por oficio revisar o reconocer. • En los ferrocarriles y autobuses, agente encargado de revisar y marcar los billetes de los viajeros. ■ REVISORÍA.

REVISTA f. Segunda vista o examen hecho con cuidado y diligencia. • Inspección que un jefe hace de las personas o cosas sometidas a su autoridad o a su cuidado. • Examen que se hace y publica de producciones literarias, representaciones teatrales, funciones, etc. • *Mil.* Formación de las tropas para que un general o jefe las inspeccione. • Publicación periódica con escritos sobre una o varias materias. • Espectáculo escénico de tono ligero, en el que se combinan partes habladas y musicales en una serie de cuadros sueltos. • Nuevo juicio criminal ante segundo jurado cuando el tribunal de derecho aprecia error evidente o deficencia grave no subsanada en el veredicto del primero. • **Pasar r.** fr. Ejercer un jefe las funciones de inspección que le corresponden. • Examinar con cuidado una serie de cosas.

REVISTAR tr. Pasar revista.

REVISTERO, RA m. y f. Persona encargada de escribir revistas o reseñas en un periódico. • Pequeño mueble utilizado para contener revistas y periódicos.

REVITALIZAR tr. Dar nueva fuerza o consistencia a una cosa.

REVIVIDERO m. Sitio donde se aviva la simiente de los gusanos de seda.

REVIVIFICAR tr. Vivificar, reavivar. ■ REVIVIFICACIÓN.

REVIVIR intr. Resucitar, volver a la vida. • Volver en sí el que parecía muerto. • fig. Renovarse o reproducirse una cosa. • Evocar, recordar.

REVIVISCENCIA f. Acción y efecto de revivir. • Fenómeno propio de algunas especies animales y vegetales por el que vuelven a la vida activa tras una etapa de vida latente o muerte aparente.

REVOCACIÓN f. Acción y efecto de revocar. • Anulación, sustitución o enmienda de orden o fallo por autoridad distinta de la que había resuelto. • Acto jurídico que deja sin efecto otro anterior por la voluntad del otorgante.

REVOCADURA f. Revoque. • *Pint.* Porción del lienzo de un cuadro tapada por el grueso del marco.

REVOCAR tr. Dejar sin efecto una concesión, un mandato o una resolución. • Disuadir a uno de un propósito, o de una intención. • Enlucir o pintar de nuevo por la parte que está al exterior las paredes de un edificio. • tr. e intr. Hacer retroceder ciertas cosas. ■ REVOCABILIDAD; REVOCABLE; REVOCADOR, RA.

REVOCATORIO, RIA adj. Díc. de lo que revoca o invalida. • f. *Amér.* Revocación.

REVOCO m. Acción y efecto de revocar o retroceder. • Revoque. • Cubierta de retama que suele ponerse en las seras del carbón.

REVOLAR intr. y prnl. Dar segundo vuelo al ave. • intr. Volar haciendo giros.

REVOLCADERO m. Sitio donde habitualmente se revuelcan los animales.

REVOLCADO m. *Guat.* Guiso de pan tostado, chile, tomate y otros condimentos.

REVOLCAR tr. Derribar a uno y darle vueltas en el suelo maltratándole. • fig. y fam. Vencer al adversario en una discusión, competición, etc. • fam. Reproba, suspender en un examen. • prnl. Echarse sobre una cosa refregándose en ella. • fig. Obstinarse en una cosa. ■ REVOLCÓN; REVUELCO.

REVOLEAR intr. Volar haciendo giros. • tr. *Argent.* Hacer girar a rodeabrazo una correa, lazo, etc., o ejecutar molinetes con cualquier objeto.

REVOLETEAR intr. *Amér.* Revolotear.

REVOLOTEAR intr. Volar dando vueltas o giros en poco espacio. • Venir una cosa por el aire dando vueltas. • tr. Arrojar una cosa a lo alto con ímpetu, de modo que parece que da vueltas. ■ REVOLOTEO.

REVOLTIJO o **REVOLTILLO** m. Conjunto compuesto de muchas cosas, sin orden ni método. • Conjunto de tripas de carnero u otra res. • fig. Confusión o enredo. • Guiso a base de huevos, tomate, pimientos, etc., revueltos.

REVOLTÓN m. Bovadilla del techo de una habitación. • Sitio en que una moldura cambia de dirección, como en los rincones.

REVOLTOSO, SA adj. y s. Sedicioso, alborotador, rebelde. • adj. Travieso, enredador. • Que tiene muchas vueltas y revueltas.

REVOLUCIÓN f. *Soc.* Cambio profundo, en ocasiones violento, provocado en las instituciones políticas de una nación. • Giro o vuelta que da una pieza sobre su eje. • Movimiento de un astro en todo el curso de su órbita. • Movimiento rotatorio de un cuerpo, de un plano, de una línea alrededor de un eje. • Conmoción y alteración de los humores. • Transformación de las estructuras sociales, económicas y políticas de un país, a la que, histórica y sociológicamente, se accede a través de dos vías principales: la *r. burguesa*, denominación que se da al conjunto de revoluciones que acabaron con el Antiguo Régimen en los ss. XVII, XVIII y XIX, instaurando una nueva clase social dirigente y el sistema de producción capitalista (tiene como modelos la *r. fr.* en el terreno político, y la *r. ing.* en el industrial); y la *r. socialista*, nombre dado a la serie de movimientos sociales dirigidos por el proletariado (el modelo sería la *r. rusa*) y que incluiría la *r. permanente* como medio para su implantación a escala mundial, condición indispensable para la construcción del socialismo. ■ REVOLUCIONARIO, RIA.

REVOLUCIÓN china. *Hist.* Proceso antiimperialista, antifeudal y más tarde socialista, que tiene su origen en las reivindicaciones de los patriotas chinos durante el s. XIX y que culminó con la victoria comunista en 1949. • **cubana** *Hist.* Proceso histórico que tuvo lugar a partir del año 1956 y que culminó en 1959 con el derrocamiento de la dictadura de Fulgencio Batista y Zaldívar y la instauración de un régimen socialista. • **cultural proletaria.** *Hist.* Mov. de masas desencadenado en China en 1966 como expresión popular e intelectual de rechazo frente a la creciente hegemonía de la burocracia estatal en la soc. • **de Julio.** *Hist.* Insurrección que se desarrolló en París en julio de 1830 y que repercutió en Europa motivando la aparición de mov. liberales y revolucionarios. • **española de 1868.** *Hist.* Mov. revolucionario que destronó a Isabel II. • **francesa.** *Hist.* Proceso revolucionario fr. (1789-1799) que puso fin al régimen señorial y a la supremacía política de las clases privilegiadas del Antiguo Régimen y que culminó con la toma del poder político por parte de la burguesía. La causa fue la inadecuación de las instituciones sociales y políticas en relación con la realidad económica: el nacimiento de una potente burguesía que dominaba gran parte de los resortes económicos del país, pero que, a causa del sist. institucional que favorecía el inmovilismo nobiliario, veía frenada su expansión. A esto hay que añadir los nuevos valores ideológicos (Ilustración) que se difundieron en la soc. fr. y los problemas financieros que atravesaba el Est. fr. Todo ello, más la falta de un claro programa político por parte de la realeza, incapacitaron a ésta para controlar los acontecimientos que se produjeron. La rev. de 1789 fue dirigida por una minoría burguesa (apoyada por una facción liberal de la nobleza y el clero) y sostenida y empujada por el proletariado urbano y el campesinado. • **industrial.** *Hist.* Conjunto de transformaciones económicas y sociales que caracterizaron el proceso de industrialización acaecido en Inglaterra entre 1760 y 1820. El término r. i. fue utilizado por primera vez por J. A. Blanqui en 1837. A partir de entonces la alianza entre las palabras «revolución» e «industrial» se utilizó ya de modo natural en los escritos de la época. Varias son las teorías sobre la r. i. Según Toynbee, habría marcado la ruptura con el pasado histórico anterior. Esta teoría no tuvo demasiada repercusión en la historiografía anglosajona, influenciada por la obra del economista Alfred Marshall, para el que la r. i. no se presentó como un periodo de ruptura, sino como un lento proceso evolutivo. Toynbee sí influyó en los análisis que autores marxistas (Hobsbawn, Kula, Vilar) hicieron sobre el tema. La historiografía marxista vio en la r. i. el desarrollo de las fuerzas productivas enmarcadas dentro de unas determinadas relaciones de producción. La combinación de ambos elementos, que sólo se dieron de manera espontánea en Inglaterra, fue el punto de partida del proceso de industrialización. • **inglesa.** *Hist.* Nombre que se da al proceso de transformación política que experimentó Inglaterra en el s. XVII y cuyo resultado fue el triunfo del parlamento burgués sobre la monarquía absoluta. La r. ing. se desarrolló en dos etapas: la primera tuvo lugar durante el reinado de Carlos I (1625-1649) y la segunda durante el de Jacobo II (1685-1688), tras la restauración de los Estuardo. • **mexicana.** *Hist.* Periodo de la historia de Méx. (1910-1920) en que se consumó la caída del porfiriato y la consolidación de la burguesía en el poder. En sus comienzos, el mov. revolucionario se concretó en el plan de San Luis Potosí, formulado por Francisco Madero en 1910, que acogía las aspiraciones de sectores muy diversos de la pob.: los campesinos, los obreros industriales y la burguesía excluida del poder económico por la oligarquía directamente ligada a Díaz. La sublevación armada tomó la forma de levantamientos espontáneos. En Morelos se alzaron los campesinos dirigidos por Zapata; Pancho Villa se alzó en Chihuahua y Madero se puso al frente del mov. en febrero de 1911. En mayo Díaz se exilió, y en noviembre Madero resultó elegido presid., teniendo que hacer frente durante su mandato a los zapatistas, en abierta rebelión al comprobar que no se procedía a la reforma agraria, y a la contrarrevolución, promovida por el embajador de EE UU, para proteger los intereses económicos de su país en México. Finalmente, Victoriano Huerta, apoyado por EE UU, se hizo con el poder, hizo asesinar a Madero y se autonombró presid. Esto dio lugar a nuevos levantamientos: Carranza en Coahuila, Villa en Chihuahua y Obregón en Sonora en la zona N, mientras que en Morelos Zapata realizaba la distribución de tierras entre los campesinos pobres. Huerta se exilió en 1914, pero la convención de Aguascalientes reveló las diferencias ideológicas y de programa entre los constitucionales: Zapata propugnaba la rev. campesina, Villa tendía a asegurarse su bienestar personal y Carranza, apoyado por Obregón, defendía un programa claramente burgués. Derrotado Villa, Zapata continuó luchando hasta su muerte en 1919. Carranza fue elegido presid. en 1917 y destituido en 1920 por un golpe que llevó a la presid. a Obregón. • **rusa.** *Hist.* Proceso revolucionario que puso fin al zarismo y consolidó el primer Est. socialista de la historia. Este proceso se desarrolló en tres fases; las dos primeras de signo democrático burgués y la tercera socialista. Su causa fundamental fue la incompatibilidad del Est. zarista con las exigencias de la soc. moderna. La rev. de 1905 surgió como consecuencia de la derrota de Rusia en la guerra ruso-japonesa (1904-1905), aunque tuvo en conjunto consecuencias economicosociales más profundas. La rev. de febrero de 1917 (marzo según el calendario gregoriano) constituye la segunda rev. democrática burguesa en Rusia. La causa directa de su estallido fueron las enormes pérdidas humanas de Rusia durante la I Guerra Mundial, así como el descontento gral. provocado por el hambre y el caos económico. Diversas huelgas y manifestaciones tuvieron lugar en Petrogrado, Moscú, Bakú y Nizhni Novgorod. El 25 de febrero la huelga se hizo gral. y el 27 la guarnición de Petrogrado se sublevó contra el zar. Tras la abdicación de Nicolás II, Lenin y Trotsky en las *Tesis de abril* sentaron los fundamentos del programa revolucionario socialista: paz inmediata, tierra para los campesinos y el poder para los *soviets*. Las mociones bolcheviques, tras graves enfrentamientos con el gobierno provisional, obtuvieron la mayoría en Petrogrado el 31 de agosto. Al día siguiente se proclamó la rep. y en septiembre Trotsky fue elegido presid. del *soviet* de la cap. En octubre cayó el gobierno provisional, y el congreso de los *soviets* aprobó el mismo mes los decretos presentados por Lenin, referentes a la paz sin anexiones y la expropiación sin indemnizaciones de las propiedades agrícolas. • **Revoluciones de 1848.** *Hist.* Conjunto de mov. revolucionarios que se desarrollaron casi simultáneamente en una serie de países europeos. Entre las causas comunes que lo produjeron tenemos: la crisis económica, la difusión de las ideas liberales y nacionalistas, etc. La evolución de estas rev. fue distinta según las peculiaridades sociales y políticas de cada país.

Revolución mexicana. Francisco Madero, quien encabezó el levantamiento contra el porfiriato

Revolución francesa. Juramento del Juego de Pelota

REVOLUCIONAR tr. Provocar un estado de revolución. • Imprimir más o menos revoluciones en un tiempo determinado a un cuerpo que gira o al mecanismo que produce el movimiento.

REVOLUTA f. *Amér. Centr.* Revuelta.

REVÓLVER m. Arma corta automática con una recámara rotativa en forma de tambor con capacidad para cinco o seis cartuchos. • En las cámaras cinematográficas y en los microscopios, pieza giratoria con varios objetivos. • adj. y m. *Mec. apl.* Tipo de torno que dispone las diversas herramientas en una torre giratoria a modo de r.

REVOLVER tr. Menear una cosa de un lado a otro; moverla alrededor o de arriba abajo. • Mirar o registrar moviendo y separando algunas cosas. • Alterar, excitar, hacer que la gente se subleve o promueva disturbios. • Discurrir, imaginar o cavilar en varias cosas o circunstancias. • Meter en pendencia, pleito, etc. • Alterar el buen orden y disposición de las cosas. • tr. y prnl. Envolver una cosa en otra. • Volver la cara al enemigo para embestirle. • Dar una cosa vuelta entera hasta llegar al punto de donde salió. • tr., intr. y prnl. Volver el jinete al caballo en poco terreno y con rapidez. • Volver a andar lo andado. • prnl. Moverse de un lado a otro. • Hacer mudanza al tiempo, ponerse borrascoso. • Hacer su carrera un astro, retornando a un punto de su órbita.
■ REVOLVEDOR, RA; REVOLVIMIENTO.

REVOQUE m. Acción y efecto de revocar las paredes. • Mezcla de cal y arena u otro material análogo con que se revoca.

REVOTARSE prnl. Votar lo contrario de lo que se había votado antes.

REVUELO m. Segundo vuelo que dan las aves. •

Revolución rusa. *Con Lenin,* óleo de Serov

Revoluciones de 1848. *El pueblo en las Tullerías,* litografía que reproduce la ocupación popular de ese palacio. Biblioteca Nacional, París

Revólver

Reyezuelo

Vuelta y revuelta del vuelo. • Movimiento de muchas aves, u otras cosas, volando. • fig. Turbación o agitación. • *Amér.* Salto que da el gallo en la pelea asestando el espolón al adversario y sin usar el pico. • **De r.** m. adv. fig. Como de paso.

REVUELTAS, *José* (1914-1976) Escritor mex. Militó en varios partidos marxistas y los temas sociales se reflejan en sus obras: *Los muros del agua, El luto humano, Los errores* (novelas); *Dios en la tierra, Dormir en tierra* (ensayos); *Israel, La otra* (teatro). • ***Silvestre*** (1899-1940) Compositor mex. *Tres cuartetos de cuerda, Siete canciones, La Coronela, Colorines, Alcancías, Janitzio, Sensemaya.*

REVUELTO, TA adj. Aplícase al caballo que se vuelve con presteza y docilidad en poco terreno. • Desordenado. • Revoltoso, travieso. • Intrincado, difícil de entender. • f. Segunda vuelta o repetición de la vuelta. • Alboroto, alteración, sedición. • Riña, pendencia. • Punto en que una cosa empieza a cambiar su dirección, y este mismo cambio. • Vuelta o cambio de un parecer a otro.

REVUELVEPIEDRAS m. Ave marina zancuda, de pico cónico y tan fuerte, que con él revuelve las piedras para buscar los moluscos.

REVULSIÓN f. Medio curativo de algunas enfermedades internas, que consiste en producir congestiones o inflamaciones en la superficie de la piel o las mucosas, mediante diversos agentes físicos, químicos y aun orgánicos, para aliviar el estado inflamatorio de estructuras profundas.

REVULSIVO, VA o **REVULSORIO, RIA** adj. y m. Díc. del medicamento que produce la revulsión. • Díc. también de los vomitivos y purgantes. • adj. fig. Que es beneficioso aunque cause sufrimiento o repugnancia.

Vista de **Reykjavik**

REXISMO m. Mov. político católico, derechista, fundado en Bélgica por León Degrelle, en 1935. Al terminar la II Guerra Mundial fue perseguido por su colaboracionismo con los nazis.

REY m. Monarca o príncipe soberano de un reino. En los Estados de la antigüedad el r. podía ejercer la doble función de jefe militar y religioso. • Pieza principal del juego de ajedrez. • Carta de la baraja, que tiene pintada la figura de un rey. • Abeja maesa o reina. • fam. El que guarda los puercos. • En ciertos juegos, el que manda. • Se emplea como apelativo cariñoso. • fig. Hombre, animal o cosa del género masculino, que sobresale entre los demás de su clase o especie. • **de codornices.** Ave zancuda que acompaña a las codornices en sus migraciones. • **de Romanos.** Título dado en el imperio de Alemania a los emp. nuevamente elegidos, antes de su coronación en Roma, y a los príncipes designados por los electores del imperio para heredar la dignidad imperial. • **Reyes magos.** Lo que, guiados por una estrella, fueron de Oriente a adorar al Niño Jesús.

REY, *Fernando* (1917-1994), seud. de *Fernando Casado d'Arambillet.* Actor de cine esp., *Locura de amor; Eugenia de Montijo; Cómicos; Viridiana; El discreto encanto de la burguesía; Ese oscuro objeto del deseo; Elisa, vida mía; Bearn.* • ***Florián*** (1896-1962) Director de cine esp., seud. de *Antonio Martínez del Castillo.* El mejor realizador de cine mudo esp. *La aldea maldita, Carmen la de Triana.* • **Pastor, *Julio*** (1888-1962) Matemático e investigador esp. *Análisis algebraico, Lecciones de álgebra, Teoría de funciones, Historia de la matemática* (en colaboración con Babini).

REY Sol → Luis XIV de Francia.

REYERTA f. Contienda, riña, discusión violenta.

REYES, *Alfonso* (1889-1959) Escritor y diplomático mex. Presid. de la Academia Mex. de la Lengua, cultivó todos los gén. literarios: la poesía *(Infancia)*, el teatro *(Ifigenia cruel)*, la prosa *(Visiones de Anáhuac)* y el ensayo *(Cuestiones de estética)*. • ***Bernardo*** (1850-1913) Militar y político mex. Candidato en las elecciones de 1911, intentó un golpe de Est. contra Francisco Madero, por lo que fue encarcelado. Murió en el golpe militar de 1913 que derrocó a Madero. • ***Neftalí Ricardo*** → Neruda. • ***Salvador*** (1899-1970) Escritor chil. Premio Nacional de Literatura 1967. *El matador de tiburones, Mónica Sánders, Los amantes desunidos.* • **Ferreira, *Jesús*** (1882-1977) Pintor mex. Gouaches. *Muerte con sandía.* • **Heroles, *Jesús*** (1921-1985) Historiador y político mex. Secretario de Gobernación (1976-1978), *La idea del Estado de derecho, Las ideas democráticas en México.* • **Prieto, *Rafael*** (1850-1921) Militar y político col. Durante la guerra civil de 1885 participó en el bando legitimista. Elegido presid. de la rep. en 1904, instauró de hecho una dictadura. En 1909 fue derrocado por un pronunciamiento conjunto de liberales y conservadores.

Master Hare, óleo de Joshua **Reynolds.** Museo del Louvre, París

REYES, *Libro de los* Escritos del A. T. Refieren la historia de Israel desde la entronización de Salomón hasta el desierto de Jerusalén. Son escritos anónimos, que incorporaron noticias, tradiciones y fuentes preexistentes.

REYEZUELO m. Ave paseriforme de la familia sílvidos, que tiene una mancha amarilla o anaranjada sobre la cabeza. Es un pajarillo minúsculo que vive en los bosques frondosos.

REYKJAVIK C. y cap. de Islandia; 87 100 hab. Sit. en la costa SO de la isla, junto a la bahía de Faxa, su pral. puerto. Centro comercial. Conservas de pescado. Ind. mecánica y textil. Universidad.

REYLES, *Carlos* (1868-1938) Escrito ur. *El embrujo de Sevilla, El terruño, El gaucho Florido.*

REYMONT, *Wladyslaw Stanislaw* (1867-1925) Escritor pol. Su obra maestra, *Los campesinos*, constituye una epopeya nacional novelada. Premio Nobel en 1924. *La comedianta, La tierra prometida, Al borde del abismo, Lili.*

REYNAUD, *Charles-Émile* (1844-1918) Inventor fr. Perfeccionó el zoótropo e inventó el praxinoscopio, al que dio nombre de teatro óptico. Creador de los dibujos animados. *Pobre Pierrot.* • ***Paul*** (1878-1966) Político fr. En 1940 reemplazó a Daladier en la presidencia del gobierno. Se opuso a los proyectos de armisticio de Pétain, pero finalmente tuvo que dimitir. En 1958 defendió la entrega del poder al general De Gaulle.

REYNOLDS, *Gregorio* (1882-1948) Poeta bol., pral. figura del modernismo en su país. *Quimeras, Redención, Beni, Illimani, Arco Iris.* • ***Joshua*** (1723-1792) Pintor brit. Retratista de gran fama, a lo largo de su carrera fue solicitado por la nobleza y la corte. *Lord Heathfield, Edad de la inocencia.* • *Mary Frances*, llamada ***Debbie*** (nacida 1932) Cantante, bailarina y actriz cinematográfica norteam., nacida en El Paso. • ***Osborne*** (1842-1912) Ingeniero y físico brit., célebre por sus investigaciones sobre hidrodinámica y aerodinámica. • **Número de R.** El que sirve para indicar si el flujo de un fluido a través de un tubo es o no laminar. Es igual al producto de la densidad del fluido por la velocidad media por el diámetro del tubo y dividido por la viscosidad.

REYNOSA C. del NE de México, en el est. de Tamaulipas; 206 500 hab. Sit. a orillas del r. Grande. Centro comercial. Refinerías de petróleo.

REZA Pahlavi (1878-1944) Sah de Irán [1925-1941]. Inició la modernización del país y puso las bases para la creación de una ind. nac. • ***Muhammad*** (1919-1980) Sah [1941] y emp. del Irán [1967]. Aunque al principio instauró una monarquía constitucional, más tarde ilegalizó la oposición y comenzó un periodo de dictadura. En 1978 la insurrección popular, alentada por sectores democráticos y sobre todo por los puritanos chiítas, se enfrentó al régimen del sah, que en 1979 abandonó el país.

REZADOR, RA adj. y s. Que reza mucho. • f. *Ur.* Mujer que tiene por oficio rezar en los velorios.

REZAGADO, DA adj. *Amér.* Atrasado. • *Méx.* y *Perú.* Díc. de las cartas que no han reclamado en el correo sus destinatarios.

REZAGAR tr. Dejar atrás una cosa. • Atrasar la ejecución de una cosa. • prnl. Quedarse atrás.

REZAIYEH C. del NO de Irán; 164 000 hab. Mercado agrícola. • Lago salino del NO de Irán, sit. en una cuenca endorreica. Zona petrolífera.

REZANDERO, RA adj. y s. *Amér.* Rezador.

REZAR tr. Orar, dirigir oral o mentalmente a Dios o a los santos alabanzas o súplicas. • Leer o decir con atención el oficio divino o las horas canónicas. • Recitar la misa, una oración, etc., en contraposición a cantarla. • fam. Decir o decirse en un escrito una cosa. • intr. fig. y fam. Gruñir, refunfuñar.

REZNO m. Garrapata. • Larva de un insecto díptero que vive parásito sobre el buey y otros mamíferos. • Ricino, planta.

REZO m. Acción de rezar. • Oficio eclesiástico que se reza diariamente. • Conjunto de los oficios particulares de cada festividad. ■ REZADO.

REZÓN m. Ancla pequeña, de cuatro uñas y sin cepo, que sirve para fondear embarcaciones menores.
REZONDRAR intr. *Perú.* Injuriar.
REZONGAR intr. Gruñir, refunfuñar a lo que se manda. • *Amér. Centr.* Reñir. ■ REZONGADOR, RA; REZONGLÓN, NA, REZONGÓN, NA; *Amér. Centr.* REZONGO; REZONGUERO, RA.
REZUMAR tr. y prnl. Dicho de un cuerpo, dejar pasar a través de sus poros o intersticios gotitas de algún líquido. • intr. Dicho de un líquido, salir al exterior en gotas a través de los poros o intersticios de un cuerpo. • prnl. fig. y fam. Tener una persona alguna cualidad de forma muy destacada.
Rf *Quím.* Símb. del ruterfordio.
Rh *Quím.* Símb. del rodio.
Rh, factor *Med.* Grupo de antígenos presentes en los glóbulos de la sangre de ciertos individuos de la especie humana.
* *Med.* Los individuos Rh^+ se diferencian de los Rh^- por la presencia del antígeno D en la sangre, por lo que estos últimos poseen la capacidad de formar anticuerpos (anti-D) cuando se les inyectan células D-positivas. Este factor puede dar lugar a accidentes de transfusión cuando personas Rh^- que han recibido alguna vez sangre Rh^+ se han sensibilizado contra ella y vuelven a recibirla. También se presentan problemas de incompatibilidad en los matrimonios entre varones Rh^+ y hembras Rh^-, que se solucionan con transfusiones totales de sangre al hijo recién nacido o con la administración de una gammaglobulina específica en las 48 primeras horas del parto de un hijo Rh^+.
RHEE, *Ree Syn Man*, llamado ***Syngman*** (1875-1965) Político coreano. Al término de la II Guerra Mundial ganó las elecciones de Corea del Sur y con el apoyo norteam. implantó un régimen dictatorial.
RHETIENSE adj. y s. *Geol.* Piso de transición entre el triásico y el jurásico inferior.
RHO f. Decimoséptima letra del alfabeto gr. (ρ), que corresponde a la que en el nuestro se llama *erre*.
RHODE ISLAND Est. del NE de EE UU, en Nueva Inglaterra; 3 140 km², 1 003 000 hab. Cap., Providence. Sit. en la costa atlántica. Clima templado. Agricultura, ganadería y pesca. Est. de la Unión desde 1790.
RHODES, *Cecil John* (1853-1902) Hombre de negocios y colonizador brit. Creó dos compañías que controlaban las minas de oro y diamantes del N de Transvaal, que recibió más tarde el nombre de Rhodesia.
RHODESIA → Zimbabwe.
RHONE Río de Europa. → Ródano.
RÍA f. Valle fluvial encajado que ha sido invadido por las aguas marinas y que queda influido por el régimen de las mareas.
RIACHO o **RIACHUELO** m. Río pequeño y de poco caudal.
RIAD C. de Arabia Saudita. → Riyadh.
RIADA f. Avenida, inundación, crecida.
RIAÑO, *Diego de* (m. 1534) Arquitecto esp., una de las figuras prales. del plateresco. Ayuntamiento de Sevilla.
RIART, *Luis Alberto* (1881-1953) Político par. Presid. provisional en 1924.
RIAZÁN *(Rjazan)* C. de Rusia; 494 000 hab. Sit. junto al r. Oka. Centro industrial y agropecuario.
RIBA f. Ribazo. • Ribera, acequia.
RIBA, *Carles* (1893-1959) Poeta y humanista esp. en lengua catalana. Ha influido extraordinariamente en los poetas de la siguiente generación. *Estances, Del joc i del foc, Elegies de Bierville, Salvatge cor, Esbós de tres oratoris.*
RIBALDO, DA adj. y s. Pícaro, granuja. • Rufián de mujeres públicas. • m. Soldado de ciertos cuerpos ant. europeos de infantería.
RIBALTA, *Francisco* (1564-1628) Pintor esp., creador de la escuela barroca valenciana. Pinturas de *Porta Coeli*, del colegio del Patriarca y retablo de Algemesí, en Valencia.
RIBAS, *José Félix* (1775-1815) Patriota ven. Uno de los dirigentes de la junta de Caracas, donde defendió la idea de la indep. Se unió a Bolívar en la campaña militar de 1813 y venció en Niquitao, Los Horcones y Vigirima. Tras la caída de Maturín (1814), fue hecho prisionero y fusilado.
RIBAZO m. Porción de tierra con alguna elevación y declive, que se encuentra a los lados de un río.
RIBAZÓN f. Arribazón, afluencia de peces hacia la costa.
RIBBENTROP, *Joachim von* (1893-1946) Político y diplomático al. Afiliado al partido nazi, se ganó la confianza de Hitler. Como ministro de Asuntos Exteriores, firmó con la URSS el pacto germanosoviético de 1939. El tribunal de Nuremberg le condenó a muerte.
RIBEIRÃO PRETO C. de Brasil, en el est. de São Paulo; 318 400 hab. Centro comercial e industrial. Nudo ferroviario.
RIBEIRO, *Aquilino* (1885-1963) Escritor port., militante izquierdista. *El jardín de los tormentos, Corren faunos por los bosques, Cuando los lobos aúllan.* • ***Bernardim*** (h. 1500-1552) Poeta y novelista port. Autor de *Menina e moça*, novela caballeresca y pastoril. • ***Darcy*** (1922-1997) Antropólogo y político bras. Impulsó numerosas iniciativas culturales y una campaña para erradicar el analfabetismo (1958). Ministro de Educación (1961), fundó y organizó la nueva universidad de Brasilia. Al ser derrocado Goulart, se exilió en Uruguay. *El proceso civilizatorio.*
RIBERA f. Margen y orilla del mar o río. • P. ext., tierra cercana a los ríos, aunque no esté a su margen. • Ribero. • Huerto cercado que linda con un río. ■ *Amér.* RIBERANO, NA; RIBEREÑO, ÑA.
RIBERA, *Alonso de* (1560-1617) Administrador esp. Gobernador de Chile (1601-1617). • ***José de***, llamado EL ESPAÑOLETO (1591-1652) Pintor esp. Uno de los grandes maestros del realismo barroco. *Martirio de San Andrés, La Trinidad, San Jerónimo.* • ***Pedro de*** (1683-1742) Arquitecto barroco esp., autor del puente de Toledo y la fachada del antiguo Hospicio en Madrid. • **Y Tarragó, *Julián*** (1858-1934) Arabista esp., iniciador de la historia de la cultura islámica. *Cancionero de Abén Cuzmán, La música de las cantigas.*
RIBERIEGO, GA adj. Aplícase al ganado que no es trashumante. • Ribereño. • adj. y s. Díc. de los dueños de este género de ganado.
RIBERO m. Vallado de estacas, cascajo y céspedes que se hace a la orilla de las presas para que no se salga y derrame el agua.
RIBETE m. Cinta o cosa análoga con que se adorna y refuerza la orilla del vestido, calzado, etc. • Añadidura que se pone a una cosa como complemento o adorno. • fig. Detalle que se añade a una conversación o escrito para darle amenidad.
RIBETEADO adj. fig. Díc. de los ojos cuando los párpados están irritados.
RIBETEAR tr. Poner ribetes. ■ RIBETEADOR, RA.
RIBEYRO, *Julio Ramón* (1929-1994) Escritor per. Autor de cuentos, *Los gallinazos sin plumas*; novelas, *Cambio de guardia*; obras de teatro, *El último diente*; y ensayos, *Prosas apátridas.*
RIBOFLAVINA f. *Biol.* Vitamina B_2, que desempeña un imp. papel en el contexto del metabolismo.
RIBONUCLEASA f. *Biol.* Enzima proteica importante en la determinación de la secuencia de nucleótidos en las cadenas de ARN.
RIBONUCLEICO, CA adj. → ARN.
RIBONUCLEOPROTEIDO m. *Biol.* Macromolécula que contiene ARN y proteína.

Muhammad **Reza Pahlavi**

Rezo. Fieles musulmanes orando en dirección a La Meca

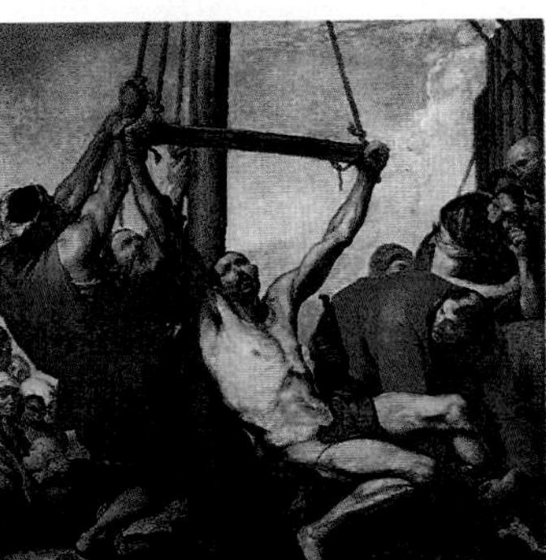

Martirio de San Bartolomé, óleo de José de **Ribera.** Museo del Prado, Madrid

Ricardo II

Retrato de Antonio **Ricardos.** Museo del Ejército, Madrid

El cardenal de **Richelieu,** por Philippe de Champaigne. National Gallery, Londres

RIBOSA f. *Biol.* Monosacárido del tipo aldósico, del grupo de las pentosas, que interviene como componente fundamental de diversos nucleótidos.

RIBOSOMA f. *Biol.* Cada uno de los orgánulos del plasma celular, compuestos por ARN y proteínas,que traducen el mensaje genético en la síntesis de las proteínas.

RIBULOSA f. *Biol.* Pentosa parecida a la ribosa, que interviene activamente en la fotosíntesis.

RICACHO, CHA o **RICACHÓN, NA** m. y f. fam. Persona muy rica y vulgar en su trato.

RICALDE Gamboa, *Graciano* (1873-1942) Matemático mex. Calculó el recorrido del cometa Halley.

RICARDO I *Corazón de León* (1157-1199) Rey de Inglaterra [1189-1199]. Se rebeló contra su padre Enrique II y se alió al rey de Francia, Felipe II, con quien participó en la tercera cruzada. Se apoderó de Chipre. • **II** (1367-1400) Rey de Inglaterra [1377-1399]. Hijo del PRÍNCIPE NEGRO, sucedió en el trono a su abuelo Eduardo III. Partidario de la paz con Francia, hizo frente al partido de los barones. Destronado por su primo Enrique de Lancaster. • **III** (1452-1485). Rey de Inglaterra, último de los Plantagenet [1483-1485]. Se impuso como rey tras deshacerse de los hijos de su hermano Eduardo IV. Murió durante la guerra de las Dos Rosas.

RICARDO, *David* (1772-1823) Economista brit. de la escuela clásica. Su lógica rigurosa y la búsqueda de la verdad objetiva han sido la base de las tentativas del neoliberalismo y de los análisis de Marx acerca del capitalismo. *Principios de economía política.*

RICARDOS, *Antonio* (1727-1794) Militar esp. Recibió en 1764 la misión de reformar el ejército de Nueva España. Ascendido a teniente general (1771), creó el colegio para oficiales de Ocaña (1773).

RICCI, *Mateo* (1552-1610) Misionero jesuita it. Fue enviado a la India y a China. Trató de hacer compatibles las doctrinas de Confucio y de la religión católica. En China es conocido con el nombre de *Li-ma-teu. La verdadera doctrina de Dios.*

RICE, *Elmer* (1892-1967) Dramaturgo norteam., encuadrado en el mov. realista-determinista. *La máquina de sumar, Escena callejera, El suburbano, Entre dos mundos, Nosotros, el pueblo.*

RICHARD, *Dickinson Woodruff* (1895-1973) Médico norteam. Introdujo nuevos métodos para hacer el diagnóstico cardiaco más certero. Premio Nobel de Medicina en 1956. • ***Theodore William*** (1868-1928) Químico norteam. Perfeccionó la técnica de la determinación gravimétrica de los pesos atómicos de los elementos. Recibió el Premio Nobel en 1914.

RICHARDSON, *Henry Hobson* (1838-1886) Arquitecto norteam. Su obra, que tuvo gran influencia en la escuela de Chicago, está dominada por las formas pesadas y monumentales con grandes ventanales. • ***Samuel*** (1689-1761) Escritor ing. Sus obras tuvieron un resonante éxito en la soc. del s. XVII, significando el triunfo del sentimentalismo. *Pamela o la virtud recompensada, Clarisa Harlowe.* • ***Tony*** (1928-1991) Director de cine brit. Uno de los prales. representantes del *Free cinema, Mirando hacia atrás con ira, Un sabor a miel, La soledad del corredor de fondo, Tom Jones.* • ***Owen, Williams*** (1879-1959) Físico brit. Sus numerosos trabajos y el descubrimiento del *efecto R.* (emisión de electrones por metales calientes) le valieron el Premio Nobel en 1928.

RICHELIEU, *Armand Emmanuel du Plessis,* DUQUE DE (1766-1822) Político fr. Primer ministro de Luis XVIII (1815-1818). Firmó el segundo tratado de París. • ***Armand Jean du Plessis,*** CARDENAL DE (1582-1642) Cardenal y político fr. Presid. del consejo real de Luis XIII en 1624, su política int. se centró en el reforzamiento del est. monárquico a través del sometimiento a la nobleza y de los protestantes, mientras que en política ext. destacó su lucha constante contra el poder europeo de los Habsburgo. Su gobierno preparó el camino de Francia hacia el absolutismo monárquico. • ***Louis François Armand de Vignerot du Plessis,*** DUQUE DE (1696-1788) Mariscal de Francia. Participó en la guerra de los Siete Años, durante la cual consiguió apoderarse de Menorca (1756).

RICHMOND C. de EE UU, cap. del est. de Virginia; 203 000 hab. Sit. a orillas del r. James. Centro financiero, comercial e industrial. Cap. de la Confederación en la guerra de Secesión (1861-1865).

RICHMOND UPON THAMES C. de Gran Bretaña, en Inglaterra; 174 000 hab. Centro residencial del Gran Londres.

RICHTER, *escala de* Escala de intensidad de seísmos elaborada basándose en logaritmos de base 10. La intensidad de los efectos del seísmo se calcula multiplicando la magnitud de dicha escala por 1,5.

RICHTER, *Burton* (nacido 1931) Físico norteam. Descubridor, con D. Ting, de unas partículas llamadas *mesones neutros.* Premio Nobel en 1976. • ***Franz Xaver*** (1709-1789) Compositor checo. Su producción comprende 70 sinfonías, 34 misas, 16 salmos, motetes y música de cámara. • ***Jean Paul Friedrich*** → Jean, Paul. • ***Jeremias Benjamin*** (1762-1807) Químico al. Descubrió la ley de los pesos equivalentes que lleva su nombre.

RICHTHOFEN, *Ferdinand Paul Wilhelm,* BARÓN VON (1833-1905) Geólogo y geógrafo al. Definió el objeto material de la geografía como estudio y descripción del plano superior terrestre. *China.* • ***Manfred von*** (1892-1918) Aviador al. Obtuvo numerosas victorias a lo largo de la I Guerra Mundial y fue considerado el mejor piloto de caza al. Murió en una acción de guerra. *El barón rojo.*

RICIAL o **RIZIAL** adj. Aplícase a la tierra en que, después de cortado el trigo verde, vuelve a retoñar. • Díc. de la tierra sembrada de verde para que se lo coma el ganado.

RICICULTURA f. Cultivo del arroz.

RICINO m. Planta arbustiva euforbiácea, cultivada por su valor ornamental y por sus semillas, que proporcionan un aceite laxante.

RICKERT, *Heinrich* (1863-1936) Filósofo al. neokantiano. Su investigación se centró en la fundamentación de las ciencias culturales y de la teoría de los valores. *Introducción a los problemas de la filosofía de la historia.*

RICKETTSIA f. *Biol.* Nombre común a un grupo de organismos intermedios entre las bacterias y los virus, que producen enfermedades infecciosas, como el tifus.

RICKETTSIOSIS f. *Pat.* Grupo de enfermedades infecciosas del hombre y de los animales, causadas por rickettsias. Se transmiten generalmente al hombre mediante artrópodos.

RICLA, *Ambrosio Funes de Villalpando Abarca de Bolea,* CONDE DE (1720-1780) Militar y político esp. Participó en las campañas de Italia y Portugal y fue nombrado capitán gral. de Cuba (1763) y más tarde de Cataluña (1767).

RICO, CA adj. y s. Que tiene mucho dinero o bienes cuantiosos. • adj. Abundante, opulento. • Gustoso, sabroso. • Muy bueno. • Aplícase a las personas como expresión de cariño. ■ RICAMENTE; RICURA.

RICOHOMBRE m. El que antiguamente pertenecía a la nobleza de España.

RICOTA f. *Amér.* Requesón.

RICTUS m. Contracción de los labios que da a la boca el aspecto de la risa.

RIDGWAY, *Matthew Bunker* (1895-1993) General norteam. Sucedió a MacArthur en Corea (1951) y, en 1952, fue nombrado jefe supremo de las fuerzas de la NATO en Europa. Jefe del Estado Mayor del Ejército de EE UU (1953-1955).

RIDICULIZAR tr. Burlarse de una persona o cosa.

RIDÍCULO, LA adj. Que por su rareza o extravagancia resulta involuntariamente cómico. • Escaso, de poca estimación. • Extraño y de poco aprecio. • Nimiamente delicado o reparón. • m. Situación ridícula en que cae una persona. • Ridiculez, burla. • Bolsa manual que usaban las señoras. ■ RIDICULEZ; *Amér. Centr.* RIDICULEZA.

RIEFENSTAHL, *Leni* (nacida 1902) Actriz y directora de cine al. Amiga personal de Hitler quien la nombró asesora cinematográfica del partido nazi. Autora de documentales. *La luz azul, Olimpiada.*

RIEGO m. Acción y efecto de regar. • Suministro de agua a las tierras de labor, a fin de humedecer o preparar el suelo para el mejor desarrollo de las plantas que se cultivan en él; puede ser por aspersión, por infiltración lateral o por inundación. • **sanguíneo.** Cantidad de sangre que nutre los órganos o la superficie del cuerpo.

RIEGO, *El* Fase cultural de la prehistoria amer. (7200-5200 a. C.), descubierta en el valle de Tehuacán, México. Los pueblos de esta civilización trabajaban la piedra y eran agricultores.
RIEGO, *Rafael de* (1785-1823) Militar esp. de ideas liberales. En 1820 se pronunció a favor de la constitución de 1812, iniciando así el mov. que obligó a Fernando VII a declararse rey constitucional.
RIEHL, *Alois* (1844-1924) Filósofo austr. neokantiano. Su pensamiento es próximo al realismo crítico. *Lógica y teoría del conocimiento.*
RIEL m. Barra pequeña de metal en bruto. • Carril de una vía férrea.
RIEL, *Louis David* (1844-1885) Político can. Mestizo de origen fr. Encabezó la resistencia mestiza en Red River y estableció un gobierno provisional en Fort Garry (Winnipeg).
RIELAR intr. poét. Brillar con luz trémula. • Temblar, vibrar.

El Capitolio de **Richmond**, Virginia

RIELERA f. Molde de hierro donde se echan los metales para reducirlos a rieles o barras.
RIEMANN, *Georg Friederich Bernhard* (1826-1866) Matemático al. Introductor de la geometría elíptica o de R., estableció las bases de la geometría diferencial y realizó importantes trabajos sobre la teoría de la integración, funciones de variable compleja y teoría analítica de los números primos.
RIENDA f. Cada una de las dos correas que sirve para gobernar la caballería. Se usa más en pl. • fig. Sujeción, moderación en acciones o palabras. • pl. fig. Gobierno, dirección de una cosa. • **Aflojar las r.** fr. fig. Aliviar, disminuir el trabajo, o ceder en la vigilancia y cuidado de lo que está a cargo de uno. • **Dar r. suelta.** fr. fig. Dar libre curso.
RIENZO o **RIENZI, *Cola di*** (1313-1354) Político it. Se propuso restaurar la grandeza del imperio rom. y obtuvo poderes dictatoriales. Murió asesinado.
RIESGO m. Contingencia o posibilidad de que suceda un daño, desgracia o contratiempo. • Cada una de las contingencias que pueden ser objeto de un contrato de seguro. ▪ *Amér.* RIESGOSO, SA.
RIF Cordillera del N de Marruecos junto a la costa mediterránea, entre la desembocadura del Muluya al E y el estrecho de Gibraltar al O; alt. pral.: Tidighin, 2 452 m.
RIFA f. Juego que consiste en sortear una cosa entre varios. • Contienda, pendencia.
RIFAIYYA Fraternidad religiosa islámica aparecida en el s. XII por obra del jurisconsulto iraquí al-Rifai (1120-1182), a quien los chiíes tienen por santo. Se extendió por Irak, Turquía, Siria y Egipto.
RIFAMPICINA f. *Farm.* Antibiótico semisintético que se emplea en el tratamiento de la tuberculosis.
RIFAR tr. Efectuar el juego de la rifa. • intr. Reñir, enemistarse con uno. • prnl. *Mar.* Romperse una vela. • fam. Disputarse entre dos o más personas una cosa. ▪ RIFADOR, RA; RIFADURA.
RIFEÑO, ÑA adj. De Rif.
RIFLE m. Fusil automático con el ánima del cañón rayada para imprimir un movimiento de rotación al proyectil. ▪ *Amér.* RIFLERO.
RIFT m. Fosa o sistema de fosas tectónicas. • **medio-oceánico.** Fosa tectónica que ocupa la parte central de las dorsales oceánicas.
RIFT Valley Sist. de depresiones tectónicas terciarias que se extienden de N a S desde la fosa siriopalestina hasta Mozambique. Da lugar a regiones naturales diferenciadas.
RIGA C. y cap. de Letonia; 915 000 hab. Sit. en el golfo hom. Puerto del Báltico. Centro comercial. Astilleros. Universidad. Ocupada por los nazis en 1941, entre 1944-1991 estuvo bajo dominio sov. • ***Golfo de R.*** Entrante de la costa E del mar Báltico, sit. al S del golfo de Finlandia.
RIGANELLI, *Agustín* (1890-1949) Escultor arg. *Monumento a Florencio Sánchez,* Buenos Aires; *Plus Ultra,* Palos de Moguer.
RIGAUD, *André* (1761-1811) Militar haitiano. Se autoproclamó dictador del S de Haití (1799). Fundó una rep. de mulatos en 1810. • ***Hyacinthe François*** (1659-1743) Pintor fr. Retratista de la corte y de la aristocracia. Retratos de Luis XIV, Luis XV, Felipe V de España, duquesa de Orleáns.
RIGIDEZ f. Calidad de rígido. • *Psiq.* Rasgo de la personalidad que se opone a la flexibilidad. El sujeto rígido carece de agilidad psíquica, tiene opiniones y principios inmutables, es impermeable a los argumentos de los demás, su egocentrismo le impide ponerse en lugar de otro. • *Const.* y *Fís.* Relación entre la carga soportada y la deformación producida en un elemento o un conjunto estructural. • **dieléctrica.** *Electr.* La diferencia de potencial que soporta un dieléctrico sometido a una descarga eléctrica en un condensador bajo los efectos de una tensión. Dicho valor indica la resistencia a la perforación del dieléctrico, que caracteriza sus propiedades aislantes.
RÍGIDO, DA adj. Inflexible, que no se puede doblar o torcer. • fig. Riguroso, severo.
RIGODÓN m. Danza de ritmo binario y movimiento vivo, de origen provenzal.
RIGOR m. Nimia y escrupulosa severidad. • Aspereza en el genio o en el trato. • Último término a que pueden llegar las cosas. • Intensidad, vehemencia. • Propiedad y precisión. • Rigidez preternatural de los tejidos fibrosos, que los hace inflexibles e impide los movimientos del cuerpo. • Frío intenso que entra de improviso en el principio de algunas enfermedades.
RIGORISMO m. Exceso de severidad, pralm. en materias morales. • Sistema o doctrina en que domina la moral rigorista. ▪ RIGORISTA.
RIGOROSO, SA o **RIGUROSO, SA** adj. Áspero y acre. • Muy severo, cruel. • Austero, rígido. • Extremado, duro de soportar. • Díc. del tiempo o de la temperatura cuando son muy extremados.
RIGSDAG o **RIKSDAG** Nombre del parlamento en Dinamarca y Suecia.
RIG-VEDA La colección más ant. y principal, de los *Vedas*, compuesta en sánscrito ant. h. 1500-1000 a. C. Canta alabanzas a fenómenos naturales personificados: fuego (Agni), Sol (Surya), etc.
RIJA f. Fístula que se hace debajo del lagrimal. • Pendencia o alboroto.
RIJEKA C. del NO de Croacia, en el Adriático; 158 300 hab. Primer puerto del país. Refinería de petróleo. Astilleros. Es la ant. Fiume it.
RIJO m. Conato o propensión a lo sensual.
RIJOSO, SA o **RIJADOR, RA** adj. Pronto, dispuesto para reñir. • Alborotado en vista de la hembra. • Lujurioso, sensual.
RIKOV, *Alexéi Ivánovich* (1881-1938) Político sov. Fue uno de los dirigentes de la Rev. de Octubre (1917). Ocupó varios cargos políticos. Acusado de trotskista, fue ejecutado.
RIKSMAAL m. Lengua literaria de Noruega, llamada actualmente bokmaal *(lengua de los libros).* Es una variante del danés.
RILAR intr. Temblar, tiritar. • prnl. Estremecerse.
RILKE, *Rainer Maria* (1875-1926) Poeta chec. Escribió en lengua al. Influido al principio por Maeterlinck, sus obras reflejan la búsqueda constante de una participación íntima en las realidades concretas de la vida. *Libro de horas, Nuevas poesías, Cuadernos de Malte, Laurids Brigge.*
RIMA f. *Lit.* Total o parcial identidad acústica, entre dos o más versos, de los fonemas situados a partir de la última vocal acentuada. • Montón de cosas. • Hendidura.
RIMAC R. de Perú; 120 km. Nace en los Andes y desemboca en el Pacífico.
RIMAR intr. Componer en verso con rima. • Ser una palabra asonante o consonante de otra. • tr.

Jeremias Benjamin **Richter**

Ricino

Conducción de agua de **riego**

Luis XIV por H. **Rigaud.** Museo del Prado, Madrid

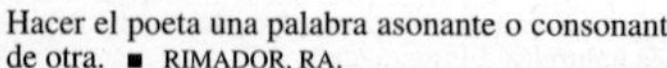

Nikolai Andreievich **Rimski-Korsakov**

Hacer el poeta una palabra asonante o consonante de otra. ■ RIMADOR, RA.

RIMBAUD, ***Arthur*** (1854-1891) Poeta fr. Ejerció gran influencia sobre los poetas simbolistas y surrealistas. *El barco ebrio, Canción de la torre más alta* (poemas). *Una temporada en el infierno, Las iluminaciones* (prosa).

RIMBOMBANTE adj. Que rimbomba. • adj. fig. Ostentoso, llamativo. ■ RIMBOMBANCIA.

RIMBOMBAR intr. Retumbar, resonar. ■ RIMBOMBE O RIMBOMBO.

RIMERO m. Conjunto de cosas puesta una sobre otras.

RIMINI C. del NE de Italia, en la Emilia-Romaña; 129 500 hab. Sit. en la desembocadura del Marecchia. Balneario. Centro industrial.

RÍMMEL m. Nombre comercial de un cosmético que se aplica a las pestañas.

RIMSKI-KORSAKOV, ***Nikolai Andreievich*** (1844-1908) Compositor ruso. En su producción instrumental destacan: *Capricho español. Scherezade, La gran pascua rusa.* En la temática de óperas y poemas sinfónicos muestra su gusto por la mitología de la Rusia pagana. Óperas: *La novia del zar, El zar Saltan, Sadko.*

RIN (al., *Rhein*; fr., *Rhin*; neerlandés, *Rijn*) Río de Europa occidental. Nace en los Alpes suizos, atraviesa Alemania en dirección N y desemboca en aguas neerlandesas del mar del Norte; 1 326 km. Navegable desde Basilea hasta el mar. El valor económico de este río es enorme, por ser una imp. vía de comunicación y transporte.

RINANTO m. Gallocresta, planta.

RINCHE, CHA adj. *Chile.* Colmado, pleno.

RINCOCÉFALO, LA adj. y m. Díc. de los animales del orden rincocéfalos. • m. pl. Orden de reptiles que comprende una sola especie, la tuátera, o esfenodonte de Nueva Zelanda, pero que alcanzó su apogeo durante la era secundaria.

RINCOCELO adj. y m. Nemertino.

RINCÓN m. Ángulo entrante que se forma en el encuentro de dos superficies o de dos paredes. • Escondrijo o lugar retirado. • Espacio pequeño. • fig. y fam. Domicilio o habitación usada como retiro por alguien. • fig. Residuo de alguna cosa que queda olvidado en un lugar apartado. • *Perú.* Valle angosto. • *R. de la Plata.* Valle delimitado por la confluencia de dos ríos.

Rinoceronte

RINCONADA f. Ángulo entrante que se forma en la unión de dos casas, calles o caminos, o entre dos montes.

RINCONERA f. Mesita, armario o estante pequeños, que se colocan en un rincón. • Parte de muro comprendida entre un ángulo de la fachada y el hueco más próximo.

RINCÓPIDO, DA adj. y m. Díc. de las aves de la familia rincópidos. • m. pl. Familia de aves caradriformes integrada por tres especies marinas, propias de las cosas de América, África y sur de Asia. Se caracterizan por su pico formado por dos mitades desiguales.

RINDE m. *Argent.* Rendimiento, producto que da una cosa.

RINENCÉFALO m. *Anat.* Porción del cerebro relativa al sentido del olfato.

RING (voz ing.) m. Plataforma en que se desarrollan los combates deportivos de boxeo y lucha.

RINGLA f., **RINGLE** o **RINGLERA** f. Fila de cosas puestas unas tras otras.

RINGLERO m. Cada una de las líneas del papel pautado para aprender a escribir.

RINGLETE m. *Col.* Rehilete, molinete. • *Amér.* Persona de mucha actividad.

RINGLETEAR intr. *Chile* y *Col.* Corretear, callejear.

RINGORRANGO m. fam. Rasgo de pluma exagerado e inútil. Se usa más en pl. • fig. y fam. Adorno superfluo y extravagante. Se usa más en pl.

RINITIS f. Inflamación aguda o crónica de la mucosa nasal. • **aguda catarral.** Es el resfriado común, que consiste en la inflamación catarral de la mucosa nasal. • **alérgica.** Enfermedad que se caracteriza por estornudos, rinorrea, edema de la mucosa nasal, prurito de los ojos y lagrimeo.

Panorámica de la bahía de Guanabara y la ciudad de **Río de Janeiro**

RINOCERONTE m. *Zool.* Cualquiera de las cinco especies de mamíferos perisodáctilos que se integran en la familia rinocerótidos. Su cuerpo está protegido por una gruesa epidermis que les da un aspecto acorazado; sobre el hocico presenta uno o dos cuernos, muy codiciados por cazadores furtivos, por lo que se encuentra en peligro de extinción.

RINOCERÓTIDO, DA adj. y m. → perisodáctilo; → rinoceronte.

RINOCRÍPTIDO, DA adj. y m. Díc. de las aves de la familia rinocríptidos. • m. pl. Familia de aves paseriformes, de las regiones templadas de América meridional.

RINOFARINGE f. *Anat.* Parte nasal de la faringe, donde se halla la amígdala faríngea y el orificio de las trompas de Eustaquio.

RINOFIMA m. *Pat.* Hipertrofia de la nariz debida al engrosamiento de la piel y al desarrollo de las glándulas sebáceas.

RINOLALIA f. *Pat.* Voz nasal debida a un defecto de las fosas nasales o por una afección. Puede ser *abierta,* si se debe a una perforación o a una excesiva amplitud de las fosas nasales, y *cerrada,* si se debe a la estenosis de las mismas.

RINOLOGÍA f. Parte de la patología que estudia las enfermedades de las fosas nasales. ■ RINÓLOGO, GA.

RINOPLASTIA f. Operación de cirugía plástica en la que se repara parte de la nariz o se forma una completamente nueva.

RINORREA f. Secreción abundante de moco nasal.

RINOSCOPIA f. Exploración visual del interior de las fosas nasales, mediante un instrumento llamado especulum.

RIÑA f. Pelea, pendencia, reyerta.

RIÑÓN m. *Anat.* Órgano par, en forma de judía, situado por detrás del peritoneo, a la altura de las últimas costillas. • *Arq.* Cada una de las regiones de un arco o bóveda que, sobre la línea de arranque, se disponen entre un tercio y dos tercios de altura. • fig. Interior o centro de un terreno, sitio, asunto, etc. • Trozo redondeado de mineral, contenido en otro de distinta naturaleza. • pl. Parte del cuerpo que corresponde a la pelvis. • **Costar un r.** fr. fig. y fam. Costar mucho.

* *Anat.* El r. está constituido por el tejido renal, encargado de la formación de la orina y compuesto de nefronas que actúan de filtro.

RIÑONADA f. Tejido adiposo que envuelve los riñones. • Lugar del cuerpo en que están los riñones. • Guisado de riñones. • fig. y fam. Mucho dinero.

Ríos más largos del mundo

Nombre	*Longitud (km)*
Nilo-Kagera	6 671
Amazonas-Ucayali	6 480
Misisipí-Misuri	6 020
Yang Tse-kiang	5 800
Ob-Irtish	5 410
Hoang-ho	4 845
Congo	4 650
Mackenzie-Athabasca	4 600
Amur	4 500
Mekong	4 500
Lena	4 400
Níger	4 160
Yeniséi	4 000

RÍO m. *Geog.* Corriente de agua continua y más o menos caudalosa que va a desembocar en otra corriente, en un lago o en el mar. • fig. Gran abundancia de una cosa. • fig. Afluencia de personas.

* *Geog.* El origen de un r. puede ser un manantial, un lago o los ventisqueros de nieve derretida. En el recorrido de un r. hay que distinguir tres tramos: curso alto (cerca del nacimiento), curso medio y curso bajo (cerca de la desembocadura). Si la corriente marina se opone al r. pueden formarse deltas por la depositación de arenas y limos.

RÍO, ***Dolores del*** (1905-1982) Seud. de *Dolores Asúnsolo,* actriz cinematográfica mex. que ha trabajado en Hollywood, México y Argentina. *María Candelaria, La malquerida, Los hijos de Sánchez.*

RÍO BLANCO Pob. de México, en el est. de Veracruz, próxima a Orizaba. • **Sucesos de R. B.** Con-

RÍO

Los ríos son los colectores de las aguas corrientes continentales y se originan en manantiales, ventisqueros o lagos. En su curso alto, cerca de su nacimiento, discurren por terrenos en pendiente y, como resultado de la erosión, dan origen a profundos valles en V, al tiempo que incorporan las aguas de tributarios que descienden por las laderas (3) o abriéndose paso a través de gargantas (1). Cuando las aguas descienden bruscamente, se forman cascadas y cataratas (4), que con el tiempo, debido a la erosión del fondo irán retrocediendo. En el curso medio del río, el terreno es más llano y las pendientes son suaves. En esta zona los ríos transportan gran cantidad de materiales y a menudo adoptan un curso sinuoso, dando lugar a meandros (2 y 5). El barro y el limo arrastrados por el río se depositan en la desembocadura y, si no existen fuertes corrientes o mareas que arrastren tales sedimentos,

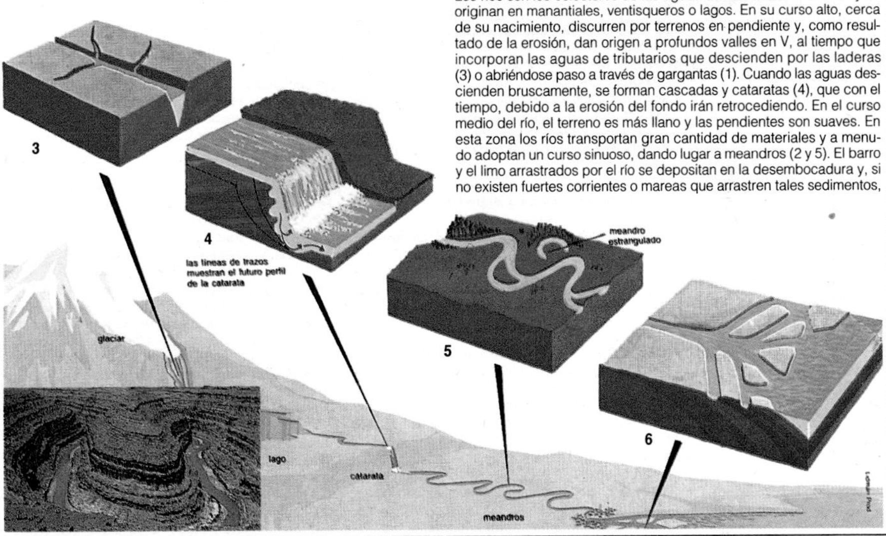

flicto obrero planteado en dicho pueblo mex. en enero 1907. La causa fue la oposición de los patronos, apoyados por Porfirio Díaz, a acceder a las peticiones de los obreros, muchos de los cuales fueron ametrallados por el ejército.

RÍO BRANCO C. de Brasil, cap. del est. de Acre; 197 000 hab. Sit. a orillas del r. Acre, afl. del Amazonas. Mercado agropecuario.

RÍO BRAVO C. de México, en el est. de Tamaulipas; 71 000 hab. Sit. cerca de la frontera con EE UU. Ganadería. Agricultura.

RÍO CUARTO C. de Argentina, en la prov. de Córdoba; 110 300 hab. Centro industrial.

RÍO DE JANEIRO *(Rio de Janeiro)* Estado del S de Brasil, a orillas del Atlántico; 43 305 km^2, 13 880 000 hab. Cap., la c. hom. C. prales.: Niteroi y Nova Iguaçú. Clima tropical y vegetación de bosque denso. • C. de Brasil, capital del estado hom.; 5 336 000 hab. Sit. en la bahía de Guanabara, presenta una alternancia de montículos graníticos como el Concorvado y el Pan de Azúcar, con playas y llanuras. Puerto de gran actividad comercial. Refinería de petróleo. Primer centro turístico del país. Cap. federal hasta 1960, en que Brasilia pasó a ser la cap. del país.

RÍO DE LA PLATA Estuario de América meridional, formado por la unión de los r. Paraná y Uruguay en su desembocadura, sit. entre la costa arg. a la derecha y la ur. a la izquierda, 280 km de long., 40 km de ancho en la parte int. y 222 km en la desembocadura y 20 m de profundidad. • **Virreinato del R. de la P.** La creación de este virreinato en 1776 puede incluirse en la política de reformas iniciada por los Borbones en España. La creciente influencia brit. y port. en la región y la importancia económica de los puertos de Montevideo y Buenos Aires fueron factores decisivos en el surgimiento del virreinato. La cap. fue Buenos Aires, que vio crecer su importancia con las disposiciones adm. de la Corona.

RÍO GALLEGOS C. de Argentina, cap. de la prov. de Santa Cruz; 79 033 hab. Puerto. Centro comercial. Pesca.

RÍO GRANDE C. de Brasil, en el estado de Rio Grande do Sul; 70 000 hab. Puerto. Centro industrial.

RÍO GRANDE Mun. de Puerto Rico; 45 648 hab.

RIO GRANDE do Norte Est. del NE de Brasil, a orillas del Atlántico; 53 167 km^2, 2 336 000 hab. Cap., Natal. Clima cálido y seco. Mandioca, mijo. Comercialización del algodón y la caña de azúcar. • **do Sul.** Est. del SE de Brasil, lindante con Argentina y Uruguay, y bañado al E por el Atlántico; 280 674 km^2, 9 265 000 hab. Cap., Pôrto Alegre. Clima subtropical. Arroz, mandioca, trigo, vid y tabaco. Ganadería bovina y ovina.

RÍO MUNI o **MBINI** Prov. de Guinea Ecuatorial, formada por un sector continental y las islas de Corisco, Elobey Grande y Elobey Chico; 26 017 km^2, 240 800 hab. Cap., Bata. El sector E es montañoso. R. prales.: Muni, Benito y Campo. Clima ecuatorial. Cacao, café, palma. Explotación forestal.

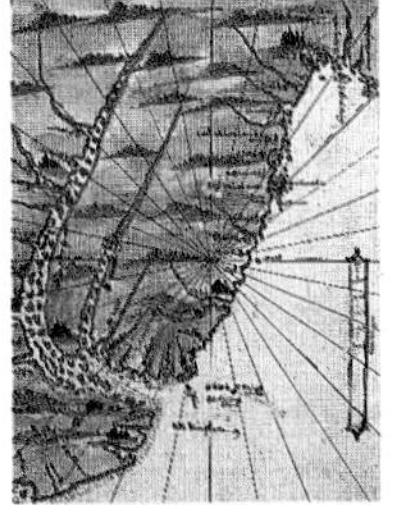

Mapa del **Río de la Plata** del siglo XVIII

Doma de caballos en una estancia de la provincia argentina de **Río Negro**

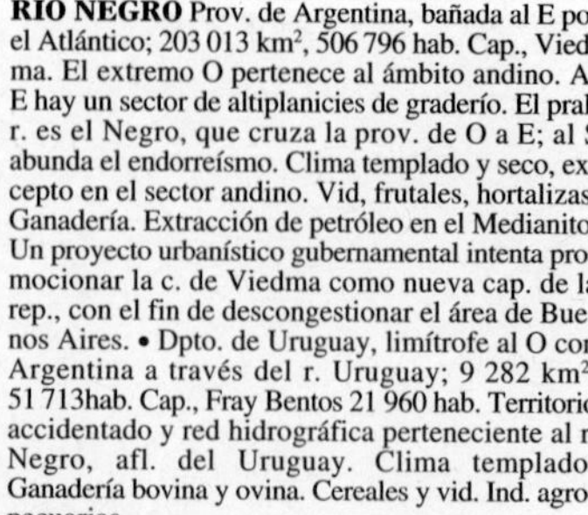

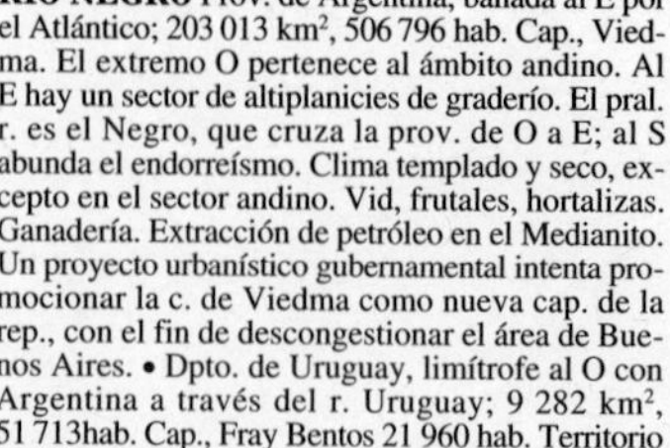

RÍO NEGRO Prov. de Argentina, bañada al E por el Atlántico; 203 013 km², 506 796 hab. Cap., Viedma. El extremo O pertenece al ámbito andino. Al E hay un sector de altiplanicies de graderío. El pral. r. es el Negro, que cruza la prov. de O a E; al S abunda el endorreísmo. Clima templado y seco, excepto en el sector andino. Vid, frutales, hortalizas. Ganadería. Extracción de petróleo en el Medianito. Un proyecto urbanístico gubernamental intenta promocionar la c. de Viedma como nueva cap. de la rep., con el fin de descongestionar el área de Buenos Aires. • Dpto. de Uruguay, limítrofe al O con Argentina a través del r. Uruguay; 9 282 km², 51 713hab. Cap., Fray Bentos 21 960 hab. Territorio accidentado y red hidrográfica perteneciente al r. Negro, afl. del Uruguay. Clima templado. Ganadería bovina y ovina. Cereales y vid. Ind. agropecuarias.

RÍO PIEDRAS C. de Puerto Rico; 463 300 hab. Ha sido incorporada a la cap. San Juan.

RÍO SAN JUAN Dpto. de Nicaragua, limítrofe al S con Costa Rica, bañado al E por el Caribe y al O por el lago Nicaragua; 7 402 km², 52 200 hab. Cap., San Carlos. Clima tropical. Explotación forestal. Pesca.

RÍO TERCERO C. de Argentina, en la prov. de Córdoba; 34 700 hab.

RIOBAMBA C. de Ecuador, cap. de la prov. de Chimborazo; 94 505 hab. Sit. a 2 750 m de altitud. Sede de la primera asamblea constituyente (1830). Centro comercial y agrícola. Artesanías, ind. del cuero, cemento. Universidad técnica.

RIOHACHA C. de Colombia, cap del dpto. de La Guajira; 107 329 hab. Sit. junto al Caribe, cerca de la desembocadura del Ranchería. Puerto. Agricultura. Ganadería. Pesca. Centro comercial. Aeropuerto.

RIOJA, ***La*** Com. autón. y prov. del N de España; 5 034 km², 264 941 hab. Cap., Logroño. Sit. en el valle del Ebro, presenta dos sectores: la Sierra y el Valle. Clima frío. Bosques de hayas y robles. Cereales, patatas y sobre todo vid, cuyos caldos tienen un gran prestigio. Ind. conservera. C. prales.: Haro y Calahorra.

Riolita

RIOJA, ***La*** Prov. del N de Argentina, limítrofe en su extremo NO con Chile; 89 680 km², 220 729 hab. Cap., la c. hom. Territorio accidentado por los Andes, con cimas muy elevadas al O. Al S se extienden las llanuras accidentadas por la sierra de Los Llanos. Cereales, forrajes, olivos, vid y frutales. Ganadería bovina y ovina. Oro, cobre, níquel, plata, carbón y tungsteno. Ind. de transformación agropecuaria. • C. de Argentina, cap. de la prov. hom.; 106 281 hab. Sit. al pie de la sierra de Velasco. Centro comercial. Ind. alimentaria y textil.

RIOJANO, NA adj. y s. De la Rioja.

RIOLITA f. Roca volcánica constituida mineralógicamente por cuarzo, feldespato y mica; su composición es muy semejante a la del granito.

RIONEGRINO, NA adj. De Río Negro.

RIOPLATENSE adj. y s. Del Río de la Plata.

RÍOS, ***Los*** Prov. de Ecuador; 7 175 km², 527 559 hab. Cap., Babahoyo. Sit. entre la vertiente occidental de los Andes y la cuenca del Guayas. Clima tropical semihúmedo. Pasturas. Banano, arroz, maíz, cacao.

Fernando de los **Ríos**

RÍOS, ***Fernando de los*** (1879-1949) Intelectual y político socialista esp. En 1919 ingresó en el PSOE. Fue uno de los firmantes del pacto de San Sebastián y ministro de Justicia en el gobierno provisional de 1931. • **Montt,** ***Efraín*** (nacido 1927) Militar guat. Presid. de la Junta Militar tras el golpe de est. de 1982, se proclamó presid. de la rep. el mismo año, pero fue desplazado del poder en 1983 por el general Oscar Humberto Mejía Víctores. • **Morales,** ***Juan Antonio*** (1888-1946) Político chil., dirigente del Partido Radical. Presid. de la rep. (1942-1946) como representante del Frente Popular. • **Rosas,** ***Antonio de los*** (1812-1873) Político esp. del partido moderado, se enfrentó en el congreso a la regencia de Espartero. En 1856 participó en la fundación de la Unión liberal. En 1869 apoyó la monarquía de Amadeo de Saboya. • **Y Nostench,** ***Blanca de los*** (1859-1956) Escritora esp. *Estudio biográfico y crítico de Tirso de Molina; La novia del marinero, Esperanzas y recuerdos* (poesía); *De la mística y la novela contemporánea* (crítica).

RIOSTRA f. Elemento secundario de una estructura o armazón, destinado a mantener puntos fijos en los elementos principales. ▪ RIOSTRAR.

RIPIA f. Tabla delgada, desigual y sin pulir. • Costero tosco del madero aserrado.

RIPIAR tr. Enripiar. • *Ant.* y *Col.* Desmenuzar, hacer trizas.

RIPIO m. Residuo que queda de una cosa. • Materiales de obra de albañilería desechados que se utilizan para rellenar huecos. • Palabra superflua que se emplea con el solo objeto de completar el verso. • Conjunto de palabras inútiles en un escrito o discurso. ▪ RIPIOSO, SA.

RIPPERDÁ, ***Johan Willem,*** BARÓN Y DUQUE DE (1680-1737) Aventurero neerlandés, llegó a ocupar cargos de responsabilidad en la política de España.

RIPSTEIN, ***Arturo*** (nacido 1944) Director cinematográfico mex. *Tiempo de morir, El castillo de la pureza, Cadena perpetua, La viuda negra.*

RIQUELME, ***Alonso*** (s. XVI) Conquistador esp. Tesorero de Pizarro. Regidor perpetuo de Lima (1537).

RIQUER, ***Martí de*** (nacido 1914) Crítico y erudito esp. Ha estudiado la literatura provenzal medieval, la catalana y la obra de Cervantes. Premio Príncipe de Asturias de Ciencias Sociales en 1997.

RIQUEZA f. Calidad de rico. • Abundancia de bienes o de dinero. • Conjunto de cualidades o atributos excelentes. • Lujo o esplendor. • **nacional.** Conjunto de bienes económicos de un país.

RISA f. Fenómeno esencialmente humano que suele expresar bienestar y alegría y que consiste en una contracción de los músculos faciales acompañada de una espiración convulsiva, brusca y más o menos prolongada. • Lo que mueve a reír. • **Caerse, mearse, morirse, reventar, de r.** uno. fr. fig. y fam. Reír con vehemencia y con movimientos descompasados.

RISADA f. Risa sonora.

RISARALDA Dpto. de Colombia; 4 140 km², 844 184 hab. Cap., Pereira. C. prales.: Santa Rosa de Cabal y La Virginia. Accidentado el sector O por la cord. Occidental y el extremo E por la Central, entre ambas discurre el valle de R., pral. colector del dpto. Clima templado. Café y caña de azúcar. Explotación forestal. Ind. alimentarias.

RISCO m. Peñasco alto y escarpado. • Fruta de sartén, hecha con pedacitos de masa rebozados en miel. ▪ RISCAL; RISCOSO, SA.

RISHON, ***Modelo*** *Fís.* Modelo teórico en virtud del cual todas las partículas elementales se pueden obtener mediante combinaciones de elementos pertenecientes a dos especies fundamentales.

RISI, ***Dino*** (nacido 1917) Director de cine it. Sus obras muestran una corrosiva ironía sobre la sociedad: *La marcha sobre Roma, La escapada, Vida difícil, Perfume de mujer, Fantasma de amor.*

RISIBILIDAD f. Facultad de reír. ▪ RISIBLE.

RISORGIMENTO *Hist.* Mov. cultural y político que surgió en Italia de 1815 a 1870. Se centraba en torno a la idea de unificación de los est. it. en una sola nación. La fig. más conocida es Mazzini, perteneciente a la corriente más radical. Otras fig. imp. fueron Cavour y Garibaldi.

RISOTADA f. Carcajada, risa estrepitosa.

RISPAR intr. *Hond.* Marchar rápidamente de un sitio.

RÍSPIDO, DA adj. Áspero, rudo.

RISPO, PA adj. Ríspido. • Arisco, intratable.

RISS adj. y m. Díc. del tercer periodo glaciar del cuaternario europeo, desarrollado hace aprox. cien mil años, y comprendido entre las interglaciares mendel-riss y riss-würm.

RISTRA f. Conjunto de ajos o cebollas atados uno a continuación de otro trenzando sus tallos. • fig. y fam. Conjunto de ciertas cosas colocadas unas tras otras.

RISTRE m. Hierro del peto de la armadura, donde se afianzaba el cabo de la manija de la lanza.

RISTREL m. Listón grueso de madera.

RISUEÑO, ÑA adj. Que muestra risa. • Que con facilidad se ríe. • fig. De aspecto deleitable, o capaz de infundir alegría. • fig. Próspero, favorable.

RITA de Casia (1381-1457) Santa. Canonizada en 1900. Patrona de las causas imposibles o desesperadas.

RITACUVA, ***alto de*** Pral. altitud de la sierra Nevada del Cocuy, en Colombia; 5 493 m.

RITIDOSIS f. *Pat.* Afección caracterizada por la existencia de numerosas arrugas cutáneas que dan al hombre joven el aspecto de un anciano.
RITMICIDAD f. Periodicidad con que se presentan ciertos fenómenos.
RITMO m. División perceptible del tiempo o del espacio en intervalos iguales. • Frecuencia periódica de un fenómeno. • Metro o verso. • *Mús.* Sucesión regular de los tiempos fuertes y débiles, ordenación y proporción de los sonidos en el tiempo. ■ RÍTMICO, CA.
RITO m. Costumbre o ceremonia. • *Chile.* Manta gruesa de hilo burdo. • *Rel.* Conjunto de reglas establecidas para el culto y ceremonias religiosas.
* *Rel.* Por su finalidad, los r. pueden ser mágicos o estrictamente religiosos. Los r. aparecen en toda clase de religiones y casi siempre con gran aparato y solemnidad. En el cristianismo, denota la pertenencia a una iglesia dada, que tiene ceremonial propio y muchas veces se tiene por sinónimo de liturgia.
RITORNELLO (voz it.) m. Frase musical que precede o sigue al canto. • Repetición del tema o de parte de él.
RITT, ***Martin*** (nacido 1920) Director cinematográfico norteam. *Más fuerte que la vida, El ruido y la furia, Norma Rae.*
RITTER, ***Karl*** (1779-1859) Geógrafo al. Con Humboldt, es el fundador de la moderna ciencia geográfica. *Geografía universal.*
RITUAL adj. Relativo al rito. • m. Conjunto de ritos de una religión o de una iglesia.
RITUALIDAD f. Observancia de las formalidades prescritas para hacer una cosa.
RITUALISMO m. Secta protestante inglesa que concede gran importancia a los ritos y tiende a conservar algunas prácticas y ceremonias propias del catolicismo. • fig. Exagerada sujeción a las normas formales establecidas. ■ RITUALISTA.
RIUS, *Eduardo del Río,* llamado ***Eduardo*** (nacido 1937) Dibujante y humorista mex. Entre sus historietas se destacan *Los supermachos* y *Los agachados,* con gran contenido crítico y social.
RIVA Agüero, ***José Mariano de la*** (1783-1858) Historiador y político per. Tras la indep. del Perú, R. fue nombrado por San Martín prefecto de Lima. Sin embargo encabezó la oposición a la política de éste, consiguiendo proclamarse el primer presid. de la rep. en 1823. Tuvo entonces que enfrentarse con Tagle y Portocarrero y con Bolívar, por lo que intentó pactar con los realistas, pero fue detenido y desterrado (1823). Tras formarse la Confederación Peruboliviana (1837), fue durante un tiempo presid. del est. Norperuano (1838-1839). *Manifestación histórica y política de la revolución de América.* • **Palacio,** ***Vicente*** (1832-1896) Político y escritor mex. Cultivó la poesía *(El Escorial),* el ensayo *(Establecimiento del cristianismo en Nueva España)* y, sobre todo, la novela histórica *(Monja, casada, virgen y mártir)* y el cuento *(Cuentos del general).*
RIVADAVIA, ***Bernardino*** (1780-1845) Político arg. Integró la junta de gobierno formada en 1811, tras la rev. de mayo de 1810. Representó los intereses de la oligarquía portuaria bonaerense y de la política de Gran Bretaña en el Río de la Plata. Tras una estancia en Europa, volvió y se puso al frente del partido unitario, que postulaba la hegemonía de Buenos Aires y la exclusividad de las rentas aduaneras en perjuicio de las demás prov., lo que dio lugar a guerras civiles entre unitarios y federales. Presid. de la rep. en 1826, se vio obligado a dimitir por querer imponer la constitución unitaria.
RIVALIDAD f. Oposición entre dos o más personas que aspiran a obtener una misma cosa. • Enemistad. ■ RIVAL; RIVALIZAR.
RIVAROL, ***Antoine*** (1753-1801) Literario y periodista fr. de origen it. Célebre por su genio satírico hostil a la Revolución. *Discurso sobre la universalidad de la lengua francesa.*
RIVAROLA, ***Cirilo Antonio*** (m. 1878) Político par. Miembro del triunvirato de 1869. Presid. de la rep. (1870), tuvo que reprimir un levantamiento. Murió asesinado.
RIVAS Dpto. de Nicaragua, limítrofe al S con Costa Rica y sit. en el istmo hom., entre el océano Pacífico al O y el lago de Nicaragua al E; 2 190 km², 149 800 hab. Cap., Rivas. Relieve accidentado. Ríos tributarios del lago Nicaragua y del Pacífico. Clima tropical. Caña de azúcar, café, cacao y algodón. Ind. de transformación agropecuaria. • C. de Nicaragua, cap del dpto. hom.; 14 300 hab. Sit. en el istmo hom.
RIVAS, *Ángel de Saavedra,* DUQUE DE (1791-1865) Dramaturgo y poeta esp. Su obra representa la evolución hacia el romanticismo. *Don Álvaro o la fuerza del sino.*
RIVERA f. Arroyo, pequeño caudal de agua continua que corre por la tierra. • Cauce por donde corre.
RIVERA Dpto. de Uruguay, limítrofe al E con Brasil; 9 370 km², 98 472 hab. Cap., la c. hom. Relieve suavemente ondulado. Río pral.: Tacuarembó, tributario del r. Negro. Clima templado. Cereales, agrios y frutales. Ind. agropecuaria. • C. de Uruguay, cap. del dpto. hom.; 62 873 hab. Sit. en la frontera con Brasil, con quien mantiene un imp. intercambio comercial.
RIVERA, ***Diego*** (1886-1957) Pintor mex., uno de los prales. muralistas de su país. Estudió en Europa desde 1907 hasta 1921. Sus obras de este periodo muestran un acusado interés por el cubismo sintético (*El guerrillero,* 1915) y por los fresquistas it. del *Quattrocento.* Durante la década de los 20 recibió numerosos encargos del gobierno mex. para realizar grandes composiciones murales (palacio Nacional y palacio de Bellas Artes de Ciudad de México) en las que abandonó las corrientes del momento para crear un estilo nac. que reflejara la historia del pueblo mex. y, a la vez, el espíritu socialista de la rev. En la década de los 30 trabajó en EE UU (decoración del Instituto de Arte de Detroit y del Rockefeller Center de Nueva York). • ***Fructuoso*** (h. 1788-1854) Militar y político ur. Primer presid. del nuevo est. ur. (1830-1834). Le sucedió Oribe, pero se sublevó contra éste y se inició una guerra civil de la que surgieron los partidos blanco y colorado. R. fue fundador de este último. • ***José Eustasio*** (1889-1928) Escritor col. Su obra capital, *La Vorágine,* está considerada como una de las mejores novelas de la literatura hispanoamericana. • ***Pedro de*** (m. 1744) Administrador colonial esp. Capitán general del reino de Guatemala (1732-1734). *Diario y derrotero de lo caminado, visto y observado.* • **Carvallo,** ***Julio Adalberto*** (1921-1973) Militar y político salv. Presid. de la rep. (1961-1967), tras el derrocamiento de Lemus. • **Paz,** ***Mariano*** (1804-1849) Político guat. Jefe del est. (1839). Proclamó la indep. de Guatemala respecto a América Central.
RIVERO, ***Mariano Eduardo*** (1792-1857) Matemático y químico per. Fundó la Escuela de Minas, en Venezuela. Descubrió la sepiolita y la humboldtina. Fue cónsul general de su país en Bélgica, donde publicó *Antigüedades peruanas.* • ***Nicolás María*** (1814-1878) Político esp. Presid. de las Cortes en 1869 y en 1872, en abril 1873 participó en la sublevación de los radicales de Madrid contra el gobierno del presid. de la rep., Figueras.
RIVIERA Nombre dado a una estrecha franja de la costa it. que se extiende desde Ventimiglia hasta La Spezia. Centro turístico.
RIYADH *(Ar-Riyadh)* Cap. de Arabia Saudita; 666 800 hab. Sit. en un fértil oasis del Nedjed. Refinería de petróleo.
RIZADO m. Acción y efecto de rizar o rizarse. • Operación similar al curvado, consistente en arrollar en forma de rizo o de bucle el extremo de una plancha de metal.
RIZAL y Alonso, ***José*** (1861-1896) Médico y escritor filipino. Conspiró contra la dominación española y fue apresado y condenado a muerte. *El filibusterismo, Noli me tangere.*
RIZAR tr. Formar en el pelo ondas, bucles, etc. • Hacer en las telas, papel o cosa semejante dobleces menudos. • tr. y prnl. Mover el viento la mar, formando olas pequeñas. • prnl. Ondularse el pelo naturalmente.
RIZI, FRAY ***Juan*** (1595-1681) Pintor esp. Considerado, aparte de Velázquez y junto con Pereda, el pintor más notable de la corte de Felipe IV.
RIZO, ZA adj. Ensortijado o hecho rizos naturalmente. • m. Mechón de pelo curvado en espiral. • Acrobacia del avión, que consiste en describir un círculo vertical. • f. Rastrojo del alcacer. • Residuo que, por estar duro, dejan en los pesebres las caballerías. • Destrozo o estrago que se hace en una cosa.

Bernardino **Rivadavia**

El duque de **Rivas** retratado por F. Madrazo. Museo Romántico, Madrid

Revolucionarios mexicanos en un mural de Diego **Rivera**

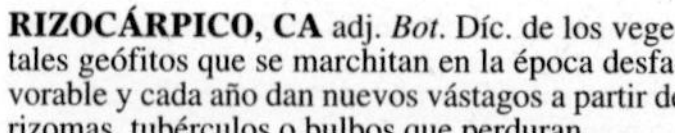

RIZOCÁRPICO, CA adj. *Bot.* Díc. de los vegetales geófitos que se marchitan en la época desfavorable y cada año dan nuevos vástagos a partir de rizomas, tubérculos o bulbos que perduran.
RIZODERMIS f. *Bot.* Capa unicelular de tejido protector que rodea las porciones jóvenes de la raíz.
RIZÓFAGO, GA adj. y s. Díc. de los animales que se alimentan de raíces.
RIZÓFITO m. *Bot.* Vegetal con raíces, como los pteridófitos y espermatófitos.
RIZOFORÁCEO, A adj. y f. Díc. de las plantas de la familia rizoforáceas. • f. pl. Familia de dicotiledóneas del orden mirtifloras, arbóreas, con raíces aéreas, y cuyas semillas pueden echar raíces dentro del fruto colgado de la planta madre. Comprende los mangles.
RIZOIDE adj. Semejante a una raíz. • m. Falsas raíces de ciertas algas, hongos, musgos, helechos, etc.
RIZOMA m. *Bot.* Tallo subterráneo de crecimiento longitudinal, engrosado por la existencia de sustancias de reserva, que contiene un número indeterminado de yemas.
RIZÓPODO, DA adj. y m. *Zool.* Díc. de los animales del grupo rizópodos. • m. pl. *Zool.* Clase de protozoos de citoplasma desnudo que les permite un movimiento por pseudópodos, utilizados en la locomoción y en la captura de alimentos.
RIZOSFERA f. *Ecol.* Parte del suelo que rodea el sistema radicular de una planta, formando el microambiente de las raíces.
RMN → Resonancia magnética nuclear.
Rn *Quím.* Símb. del radón.
RNA Siglas anglosajonas del ARN o ácido ribonucleico.
RO Voz de uso repetitivo para arrullar a los niños.
ROA Bárcena, ***José María*** (1827-1908) Escritor mex. Poesía, novela e historia. *Poesías líricas, varios cuentos, Recuerdos de la invasión norteamericana.* • **Bastos,** ***Augusto*** (nacido 1917) Escritor par. Relatos y novelas. *Los pies sobre el agua, Hijo de hombre, Yo, el Supremo, Contravida.*
ROANO, NA adj. Aplícase a la caballería cuyo pelo está mezclado de blanco, gris y bayo.
ROANOKE C. de EE UU, en el est. de Virginia; 100 000 hab. (179 000 la agl. urb.). Ind. química y metalúrgica.
ROAST-BEEF m. Rosbif.
ROATÁN C. de Honduras, en la isla hom.; 3 091 hab. Cap. del dpto. de Islas de la Bahía.
ROB m. *Farm.* Arrope o zumo de frutos maduros, mezclado con miel o azúcar cocido.
ROBADERA f. Traílla para igualar los terrenos.
ROBADIZO m. Tierra que el agua roba fácilmente. • Arroyada que se forma donde ha sido robada la tierra por el agua.
ROBALIZA f. Hembra del róbalo.
ROBALO o **RÓBALO** m. Lubina.
ROBAR tr. Apoderarse de una cosa ajena mediante el empleo de la violencia. En América se usa como prnl. • Tomar para sí lo ajeno de cualquier modo que sea. • Raptar, sacar a una mujer violentamente de la casa paterna. • Llevarse los ríos y corrientes parte de la tierra por donde pasan. • Redondear una punta o achaflanar una esquina. • En algunos juegos de cartas y de dominó, tomar naipes o fichas de entre los que quedan por repartir. • fig. Atraer con eficacia el afecto o ánimo.
ROBBE-GRILLET, ***Alain*** (nacido 1922) Escritor y cineasta fr. Principal teórico del *nouveau roman.* Entre sus novelas: *El mirón, La celosía, El año pasado en Marienbad, La casa de citas, Dijn.* En cine colaboró primero con Resnais y después pasó a dirigir sus guiones: *El Edén y después, El juego con el fuego.*
ROBBIA, ***Andrea della*** (1435-1525) Escultor florentino, sobrino y discípulo de Luca della R. Entre sus obras destacan los medallones de los niños expósitos del Hospital de los Inocentes de Florencia. • ***Luca della*** (h. 1400-1482) Escultor y ceramista florentino. Destacó como escultor en mármol (*Cantoría* de la catedral de Florencia), pero sus obras quedaron en segundo plano ante la libertad expresiva de Donatello.
ROBDA f. Robla, tributo.
ROBELLÓN m. Especie de hongo comestible.

Virgen con el Niño y santos, relieve en mármol de Luca della **Robbia.** Piere di Pomino, La Rufina (Italia)

Maximilien de **Robespierre**

Roble. Árbol, hojas y frutos

ROBERTO (s. XI) Santo. Monje fr., fundador de la orden del Císter.
ROBERTO II ***el Piadoso*** (h. 970-1031) Rey de Francia [996-1031]. Hijo de Hugo I Capeto, consiguió incorporar Borgoña a sus dominios (1016). • ***Coureheuse*** (h. 1054-1134) Duque de Normandía [1087-1106]. Hijo de Guillermo I el Conquistador, disputó el trono de Inglaterra a su hermano, pero fue vencido en Rochester.
ROBERTO Belarmino (1542-1621) Santo. Prelado y teólogo it. Jesuita, colaboró con el papa Paulo V en la organización de las congregaciones rom. *Disputationes de controversiis christianae fidei adversus huius temporis haereticos.*
ROBERTS, ***Elizabeth Madox*** (1886-1941) Escritora norteam. *Negro es el pelo de mi fiel amor, La gran pradera.*
ROBERTSONIANO, NA adj. *Biol.* Díc. de los fenómenos de fisión y fusión en los cromosomas, que dan como resultado un aumento o disminución de su número en los gametos de una determinada especie.
ROBESPIERRE, ***Maximilien de*** (1758-1794) Político fr. Diputado por el tercer est. en los Estados Generales (1789). Jefe de los jacobinos, contribuyó a la caída de los girondinos y propugnó la creación de un Comité de salvación pública, a través del cual instauró el régimen del Terror. El 9 Termidor (27 julio) el Comité fue derribado por la Convención, y R. fue guillotinado al día siguiente.
ROBEZO m. Gamuza, rebeco.
ROBIGO En la mit. rom. dios campestre que defendía a los cereales del anubio o tizón.
ROBÍN m. Orín o herrumbre de los metales.
ROBIN Hood o **ROBÍN de los Bosques** Personaje legendario ing., jefe de una banda de proscritos que vagó por los bosques de Sherwood en tiempos de Ricardo Corazón de León.
ROBINIA f. Planta de la familia papilonáceas, con hojas pinnadas y flores blancas o rosadas. Originaria de América del Norte.
ROBINSON, ***Edward G.*** (1893-1973) Seud. de *Emmanuel Goldenberg*, actor de cine norteam., de origen rumano, especialista en papeles de gángster. *Hampa dorada, El último gángster, Cayo Largo, Odio entre hermanos.* • ***Edwin Arlington*** (1869-1935) Poeta norteam. Su obra más importante es la trilogía formada por *Merlín, Lancelot* y *Tristán*, sobre la leyenda del rey Arturo. • SIR ***Robert*** (1886-1975) Químico brit. Realizó investigaciones sobre la estructura de los pigmentos de las plantas y sobre los alcaloides. Premio Nobel en 1947.
ROBLA f. Tributo en especies que pagaban los ganaderos trashumantes al dejar a fin de verano los pastos de las sierras. • Comida con que se obsequia al terminar un trabajo a los que lo han ejecutado.
ROBLAR tr. Doblar o remachar una pieza de hierro para que esté firme. ■ ROBLADURA.
ROBLE m. Nombre común de las especies de plantas arbóreas de la familia fagáceas, de hojas caducas y madera muy estimada, sobre todo en construcciones navales, por su resistencia a la humedad. De la corteza se extraen tanino y quercina, utilizado como curtiente el primero y en medicina, como astringente, la segunda. • Madera de este árbol. • fig. Persona o cosa fuerte, recia y de gran resistencia. • **albar.** Especie con hojas pubescentes por el envés y frutos en glande o bellota sin pedúnculo o con pedúnculo corto. • Especie con hojas dentadas, lobuladas, y frutos con escamas cortas y pedúnculos largos. • **cerquino.** Especie con hojas lobuladas, tomentosas por el envés, y frutos en glande. • **quejigo.** Especie con hojas lanceoladas, coriáceas, brillantes por la haz, y frutos en glande. ■ ROBLEDA O ROBLEDAL; ROBLEDO; ROBLIZO, ZA.
ROBLEDO DE CHAVELA Mun. de España, en la prov. de Madrid; 2 000 hab. Estación de seguimiento espacial.
ROBLEDO, ***Jorge*** (m. 1546) Conquistador esp. Fundó las c. de Santa Ana de los Caballeros, Cartago y Santa Fe de Antioquia. Nombrado teniente gobernador de Antioquia, fue hecho prisionero por el ejército de Belalcázar, gobernador de Popayán, y fue ejecutado.
ROBLES, ***Francisco*** (1811-1893) Militar y político ecuat. Ministro de la Guerra con Urbina (1851-1856). Presid. de la rep. (1857-1859). Derrocado

por García Moreno. • ***Marco Aurelio*** (1906-1990) Político pan. Presid. de la rep. (1964-1968). Se enfrentó a un conflicto de competencias con la Asamblea Nacional. • **Godoy, *Armando*** (nacido 1923) Director cinematográfico per. *La muralla verde, Espejismo*. • **Pezuela, Manuel** (1810-1862) Político mex. Presid. provisional de la rep. (1858-1859). Fusilado por los juaristas.

ROBLÓN m. Especie de clavo de hierro que después de pasado por los taladros de las piezas que ha de asegurar se remacha por el extremo opuesto. • Lomo que en tejado forman las tejas por su parte convexa. • Cobija, teja que cubre las dos canales sobre las cuales se coloca.

ROBLONAR tr. Sujetar con roblones remachados. ■ ROBLONADO, DA; ROBLONADORA.

ROBO m. Acción y efecto de robar. • Cosa robada. • En algunos juegos de naipes o en el dominó, número de cartas o de fichas que se roban. • Delito que consiste en robar.

Robots de soldadura en la cadena de montaje de una fábrica de automóviles

ROBOAM Rey de los judíos (h. 930-913 a. C.) Hijo de Salomón. Su tiranía provocó la escisión de diez de las doce tribus, que constituyeron el reino de Israel.

ROBORAR tr. Dar fuerza y firmeza a una cosa. • fig. Corroborar, reforzar con razones o argumentos.

ROBOT m. Término derivado de la voz checa «robota» (trabajo impuesto o programado), que designa un autómata susceptible de realizar actividades semejantes a las del hombre.

ROBÓTICA f. *Comp.* Estudio de la construcción, ensamblaje, generación, programación y uso de los robots y autómatas en general.

* *Comp.* Los robots son dispositivos compuestos de sensores que reciben datos de entrada y que pueden estar conectados a la computadora. Ésta, al recibir la información de entrada, ordena al robot que efectúe una determinada acción. Los robots pueden disponer de microprocesadores que ordenen al propio robot, en cuyo caso éste a su vez una computadora. Una de las finalidades de la r. es su intervención en los procesos de fabricación en cadena.

ROBOTIZACIÓN f. Mecanización del trabajo que sustituye al obrero por un robot.

ROBRA f. Agasajo del comprador o del vendedor a los que intervienen en una venta.

ROBUSTECER tr. y prnl. Dar robustez. ■ ROBUSTECIMIENTO.

ROBUSTO, TA adj. Fuerte, vigoroso. • Que tiene fuertes miembros y firme salud. ■ ROBUSTEZ.

ROCA f. *Geol.* Agregado natural de minerales que forma parte de la corteza terrestre. • Piedra dura y sólida. • Peñasco que se levanta en la tierra o en el mar. • fig. Cosa muy dura, firme y constante. ■ ROCOSO, SA.

* *Geol.* Las r. se dividen en tres grupos: eruptivas o endógenas, sedimentarias o exógenas y metamórficas. Los principales minerales que intervienen en la composición de las r. son sílice, silicatos, micas, piroxenos, anfíboles y carbonatos.

ROCA, *Cabo de* Cabo de Portugal, al O de Lisboa; punto más occidental de Europa.

ROCA, *Julio Argentino* (1843-1914) Militar y político arg. Sucedió a Nicolás Avellaneda en la presidencia de la rep. (1880-1886). Ministro del Interior durante la presidencia de Pellegrini (1890-1892). De nuevo presid. de la rep. (1898-1904), firmó con Chile un acuerdo sobre límites fronterizos (1902) y dio su apoyo a la doctrina Drago (1902). • ***Vicente Ramón*** (1792-1858) Político ecuat. Presid. de la rep. (1845-1849). Rechazó un intento de invasión de Flores.

ROCADERO m. Coroza, capirote. • Armazón que en la parte superior de la rueca sirve para poner el copo que se ha de hilar. • Envoltura que se pone en esta parte para asegurar el copo.

ROCAFUERTE, *Vicente* (1783-1847) Político liberal ecuat. Educado en Europa. Fue diputado en las cortes de Cádiz (1812) y representante diplomático de México en Londres (1824-1829). Fue el primer presid. ilustrado ecuat. (1835-1839); creador del primer sistema educativo nacional.

ROCALLA f. Conjunto de fragmentos de rocas desprendidos por la acción del tiempo o del agua, o que han saltado al labrar las piedras. • Abalorio grueso. • Decoración típica del rococó, que imita las rocas y productos rústicos de la naturaleza. • Jardín de piedras con plantas resistentes a la sequedad. ■ ROCALLOSO, SA.

ROCAMBOLA f. Planta de la familia liliáceas, que se usa para condimento en sustitución del ajo.

ROCAMBOLE Protagonista de las obras del novelista fr. Ponson du Terrail, personificación del hombre en cuya existencia se suceden las más complicadas aventuras.

ROCAMBOLESCO, CA adj. Extraordinario, increíble, inverosímil por lo complicado.

ROCAMBOR m. *Amér.* Juego de naipes similar al tresillo.

ROCARD, *Michel* (nacido 1930) Político fr. En 1960 contribuyó a crear el Partido Socialista Unificado y en 1968 respaldó la insurgencia estudiantil. En 1974 ingresó en el Partido Socialista de Mitterrand y en 1981 fue nombrado ministro de Planificación y Desarrollo Regional, y posteriormente de Agricultura (1983-1984). Tras las elecciones de 1988 fue primer ministro hasta 1991. Ha defendido sus tesis socialdemócratas en *Hablar en plata*.

ROCE m. Acción y efecto de rozar. • fig. Trato o comunicación frecuente con algunas personas. • fig. Enfado leve o tensión en las relaciones humanas.

ROCERAS f. pl. Leñas bajas que se obtienen por roza de los arbustos y matas.

ROCERÍA m. *Col.* Roza, desmonte, derribo.

ROCES, *Wenceslao* (1897-1992) Político esp., comunista. Exiliado en México de 1939 a 1976, fue profesor univesitario y traductor de Hegel y Marx.

ROCHA Dpto. de Uruguay, fronterizo al E con Brasil y bañado al S por el Atlántico; 10 551 km^2, 70 292 hab. Cap., la c. hom. Clima templado y lluvioso. Cría de bovinos y ovinos. • C. de Uruguay, cap. del dpto. hom.; 26 021 hab. Centro comercial. Ind. maderera y alimentaria.

ROCHA, *Dardo* (1838-1921) Militar y político arg. Gobernador de la prov. de Buenos Aires (1881-1884). Fundador de La Plata (1882). • ***Glauber*** (1939-1981) Director cinematográfico bras., de estilo vanguardista y gran aliento lírico. *Barravento, Dios y el diablo en la tierra del sol, Cabezas cortadas*.

ROCHAR tr. Rozar la tierra limpiándola de matas. • *Chile.* Sorprender a alguno en alguna cosa ilícita. ■ ROCHA.

ROCHE, *límite de* *Astr.* Distancia mínima a que puede encontrarse un satélite para no ser destruido por las fuerzas de marea inducidas por la presencia del planeta alrededor del cual gira.

ROCHEFOUCAULD, *François,* DUQUE DE LA (1613-1680) Escritor fr. Adversario de Richelieu y de Mazarino. *Máximas*.

ROCHELA f. *Amér.* Bulla, algazara.

ROCHELA, *La (La Rochelle)* C. del O de Francia, cap. del dpto. de Charente-Maritime; 75 800 hab. Sit. a orillas del Atlántico. Puerto pesquero y comercial. Astilleros. Ind. conservera.

ROCHESTER C. de EE UU, en el est. de Nueva York; 241 700 hab. Sit. al S del lago Ontario. Aparatos ópticos y fotográficos. Universidad.

ROCHO m. Ave fabulosa a la cual se atribuye desmesurado tamaño y extraordinaria fuerza.

ROCIADA f. Acción y efecto de rociar. • Rocío. • Hierba con el rocío, que se da como medicina al ganado caballar. • fig. Conjunto de cosas que se esparcen al arrojarlas. • fig. Murmuración que se extiende a muchas personas. • fig. Reprensión áspera.

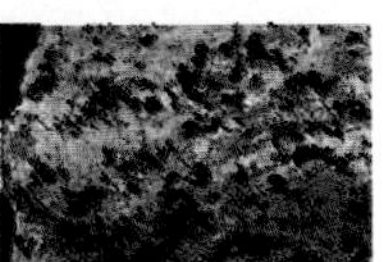

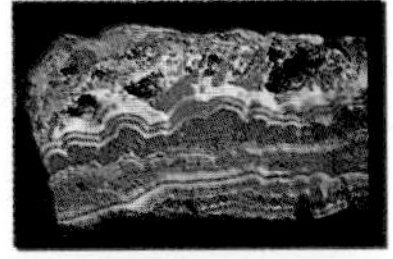

Ejemplos de tres tipos de **rocas.** De arriba abajo: granito (eruptiva), caliza (sedimentaria) y gneis (metamórfica)

Julio Argentino **Roca**

Rococó. Arriba, *La carta de amor*, óleo de H. Fragonard. Colección Frick, Nueva York (EE UU); abajo, el palacio Zwinger de Dresde (Alemania)

ROCIADERA f. Regadera, vasija para regar.
ROCIADOR m. Brocha o escobón para rociar la ropa. • *Ecuad.* Pulverizador.
ROCIAR intr. Caer sobre la tierra el rocío o la lluvia menuda. • tr. Esparcir en gotas menudas un líquido. • fig. Arrojar algunas cosas de modo que caigan diseminadas. • fig. Gratificar el jugador a quien le prestó dinero en la casa de juego. ■ ROCIADO, DA; ROCIADURA O ROCIAMIENTO.
ROCÍN o **ROCINO** m. Caballo de mala traza y pequeño. • Caballo de trabajo. • fig. y fam. Hombre tosco e ignorante. ■ ROCINAL; ROCINIEGO, GA.
ROCINANTE m. fig. Por alusión al caballo de don Quijote, rocín matalón.
ROCÍO m. *Fís.* Condensación de vapor de agua originado cuando éste se halla en contacto con una superficie más fría. El r. atmosférico es el resultado de la condensación en noches cálidas con notable enfriamiento del terreno; si la temperatura desciende mucho, el r. puede dar lugar a la escarcha. • Gotas de agua producidas por el r. • Lluvia corta y pasajera. • fig. Gotas menudas esparcidas sobre una cosa para humedecerla. • **Punto de r.** Temperatura para la cual la presión parcial de la humedad en el aire es igual a la presión del vapor del agua.
ROCIÓN m. Salpicadura violenta de agua del mar, producida por el choque de las olas contra un obstáculo cualquiera.
ROCK and roll Estilo musical que, nacido en los años 50, contó en su difusión con el auge de los medios de comunicación y se expandió a todo el mundo. Los prolegómenos los establecieron los músicos negros (Chuck Berry, Fats Domino, etc.) que venían de la herencia del *Rythm and blues*. Entre los blancos, Bill Haley fue el pionero y Elvis Presley lo asentó y convirtió en fenómeno de masas. En los años 70 se crearon a partir del rock multitud de géneros y subgéneros.
ROCKEFELLER, *John Davison* (1839-1937) Industrial norteam. Fundador de la *Standard Oil.* En 1882 dominó toda la ind. petrolífera norteam. • ***John Davison*** (1874-1960) Hijo del anterior. Donó a la ONU el terreno sobre el que se construyó el edificio de la organización. • ***Nelson Aldrich*** (1908-1979) Político norteam. Vinculado al mundo de los negocios a través del monopolio fundado por su abuelo, John Davison R., se convirtió en uno de los prales. dirigentes del partido republicano y fue gobernador de Nueva York desde 1958 durante varios periodos. Vicepresid. con Ford (1974-1976).
ROCKWELL (voz ingl.) m. Díc. de un tipo de ensayo para la determinación de la dureza de los aceros templados y de la máquina con la que se realiza.
ROCKY MOUNTAINS → Rocosas, montañas.
ROCOCÓ adj. y s. *Arte.* Díc. del estilo artístico surgido en Francia en el s. XVIII, que aportó una ornamentación de base naturalista e inspiración chinesca. Los prales. difusores de este estilo fueron los ornamentistas franceses, y aunque en rococó se construyeron edificios religiosos (Alemania, Austria), y se decoraron salones palaciegos (España), su mejor campo de aplicación fue la porcelana. A través de ella puede seguirse la evolución del estilo.
ROCOSAS, *montañas* *(Rocky Mountains) Geog.* Sist. montañoso de América Septentrional, que se extiende de N a S por el sector occidental, desde Alaska a México. Este sist., que data del jurásico, está formado por una sucesión de cord. y cuencas. Por su elevada altura (sectores de más de 4 000 m) tiene gran incidencia climática. Poblada de coníferas en su parte N, en la central y meridional presenta grandes extensiones desérticas.
ROCOTE m. *Amér.* Planta y fruto de una especie de ají grande, de la familia solanáceas.
RODA f. Robla, tributo. • Pieza gruesa y curva que forma la proa de la nave.
RODABALLO m. Pez pleuronectiforme de mediano tamaño y carne muy apreciada, que habita los fondos costeros. • fig. y fam. Hombre astuto.
RODADERO, RA adj. Rodadizo. • Que está en disposición o figura para rodar. • m. Terreno pedregoso y con fuerte declive en el que se producen desprendimiento de tierras y guijarros.
RODADO, DA adj. Díc. de la caballería que tiene manchas más oscuras que el color general de su pelo. • Aplícase al periodo, cláusula o frase que se distingue por su fluidez o facilidad. • adj. y s. Díc. de los pedazos de mineral desprendidos de la veta y esparcidos por el suelo. • m. *Argent.* y *Chile.* Cualquier vehículo de ruedas.

Rodas. Ruinas de la acrópolis de Lindos

RODADOR, RA adj. Que rueda o cae rodando. • m. *Amér.* Mosquito que cuando se llena de sangre cae como la sanguijuela. • Rueda, pez.
RODAJA f. Pieza circular y plana, de madera, metal u otra materia. • Tajada circular de algunos alimentos. • Estrella de la espuela. • fam. Rosca, carnosidad.
RODAJE m. Conjunto de ruedas. • Impuesto o arbitrio sobre los carruajes. • Acción de impresionar una película cinematográfica. • Primer periodo de la vida de los motores o de los mecanismos en los que tienen lugar fases de máximo rozamiento entre los diferentes órganos. • Circulación del avión en tierra en las fases de aterrizaje y despegue. • *Argent.* Medida de la rueda de un automóvil.
RODAL m. Lugar o espacio pequeño que por alguna circunstancia particular se distingue de lo que le rodea. • Mancha, conjunto de plantas que diferencian un terreno de los colindantes. • Parte de una cosa con distinto color del general.
RODALÁN m. *Chile.* Planta de la familia enoteráceas, con tallos rastreros, flores blancas y cápsulas aovadas.
RODAMIENTO m. Cojinete de bolas, de rodillos o de agujas de acero templado, montados en un juego de anillos con el objeto de reducir el rozamiento de estos últimos.
RÓDANO *(Rhône)* Río de Europa. Nace en los Alpes suizos y desemboca en terreno fr., en un amplio delta en el Mediterráneo; 812 km.
RÓDANO-ALPES *(Rhône-Alpes)* Circunscripción de acción regional del SE de Francia, limítrofe con Suiza e Italia; 43 698 km², 5 350 700 hab. Reúne los valles fluviales, sobre todo a lo largo del Ródano. C. prales.: Lyon, la cap., Saint-Étienne y Grenoble. Gran actividad hotelera. Ind. metalúrgica, química y textil.
RODAPELO m. Redopelo.
RODAPIÉ m. Paramento con que se cubren alrededor los pies de las camas, mesas y otros muebles. • Friso, zócalo de una pared. • Tabla, celosía o enrejado que se pone en la parte inferior de la barandilla de los balcones.
RODAPLANCHA f. Abertura que divide el paletón hasta la tija, y permite a la llave rodar en la plancha que forma la guarda de la cerradura.
RODAR intr. Dar vueltas un cuerpo alrededor de su eje. • Moverse una cosa por medio de ruedas. • Caer dando vueltas. • fig. No tener una cosa colocación fija. • fig. Ir de un lado para otro sin fijarse en sitio determinado. • fig. Abundar. • fig. Andar inútilmente en pretensiones. • fig. Suceder unas cosas a otras. • tr. Hacer que rueden ciertas cosas. • Hablando de películas cinematográficas, impresionarlas o proyectarlas. • Someter un mecanismo al periodo de rodaje. ■ RODADIZO, ZA; RODADURA, RODANTE.
RODAS *(Rhodos)* Isla de Grecia, en el mar Egeo; 1 400 km², 67 100 hab. Sit. junto a la costa de Turquía. Agricultura mediterránea. La cap., Rodas, 41 400 hab., está sit. al N de la isla. Conquistada por los dorios hacia el 1 000 a. C., formó parte del imperio macedonio y del rom., a cuya caída pasó a pertenecer a Bizancio. En 1974 fue restituida a Grecia. • **Coloso de R.** Una de las siete maravillas del mundo. Gigantesca estatua de Apolo, en bronce, erigida ant. a la entrada del golfo hom.
RÓDEA f. Paño de cocina.
RODEABRAZO, *(A)* m. adv. Dando una vuelta al brazo para despedir o arrojar una cosa con él.
RODEAR intr. Andar alrededor. • Ir por camino más largo que el ordinario. • fig. Usar de rodeos en lo que se dice. • tr. Poner una o varias cosas alrededor de otra. • Cercar una cosa. • Hacer dar vuelta a una cosa. • *Amér.* Reunir el ganado mayor en un sitio determinado, arreándolo desde los distintos lugares en donde pace. • prnl. Revolverse, rebullirse, removerse, volverse.
RODELA f. Escudo redondo y delgado que cubría el pecho a los que peleaban con él. • *Chile.* Rodaja, rosca. ■ RODELERO.
RODENO, NA adj. De color rojizo. Aplicado a

tierras, rocas, etc., que tira a rojo. • Díc. de una variedad de pino. ■ RODENAL.
RODEO m. Acción de rodear. • Camino más largo o desvío del camino derecho. • Vuelta que se da para librarse de quien persigue. • Sitio donde se reúne el ganado mayor. • Procedimiento de recoger el ganado para cercarlo, y poder marcas las reses jóvenes. • *Amér.* Deporte que consiste en montar a pelo potros salvajes o reses vacunas bravas y hacer otros ejercicios de destreza como arrojar el lazo, etc. • Pez osteíctio cipriniforme, de cuerpo aplanado y color oliváceo. • fig. Manera indirecta de hacer alguna cosa, a fin de eludir las dificultades que presenta. • fig. Manera de decir una cosa, valiéndose de circunloquios.
RODEÓN m. Vuelta en redondo.
RODERO, RA adj. Relativo a la rueda o que sirve para ella. • m. El que cobraba el tributo de la roda o robla. • f. Carril, rodada. • Camino abierto por el paso de los carros a través de los campos. • Rueda que encaja en el eje, sin tener el cubo guarnecido con buje de hierro.

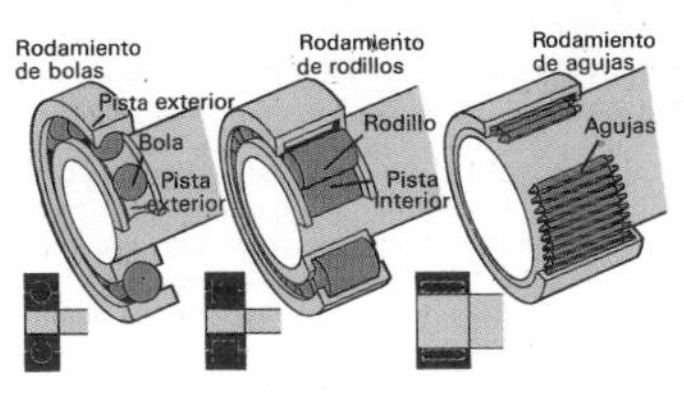

Los tres tipos de **rodamientos**

RODÉS, *Luis* (1881-1939) Jesuita y astrónomo esp. *El firmamento, La electroscopia.*
RODETE m. Rosca que con las trenzas del pelo se hacen las mujeres en la cabeza. • Rosca de lienzo u otra materia que se pone en la cabeza para cargar y llevar sobre ella un peso. • Chapa circular de la cerradura, que permite girar únicamente la llave cuyas guardas se ajustan a ella. • Rueda horizontal, debajo del pescante, donde gira el juego delantero del coche. • Pieza giratoria cilíndrica achatada y de canto plano sobre el cual pasan las correas sin fin en diferentes maquinarias. • Rueda hidráulica horizontal con paletas planas. Rotor de una turbina de gas o vapor.
RODEZNO m. Rueda hidráulica con paletas curvas y eje vertical. • Rueda dentada que engrana con la que está unida a la muela de la tahona.
RODILLA f. Región de unión del muslo con la pierna. Está constituida por la articulación del fémur con la tibia, por la rótula, y por las epífisis inferior del fémur y superiores de la tibia y peroné. • En los cuadrúpedos, unión del antebrazo con la caña. • Rodete para llevar pesos en la cabeza. • Paño basto que sirve para limpiar. • **De rodillas.** m. adv. Con las rodillas dobladas y apoyadas en el suelo. • fig. En tono suplicante.
RODILLADA f. Rodillazo. • Golpe que se recibe en la rodilla. • Inclinación o postura de la rodilla en tierra.
RODILLAZO m. Golpe dado con la rodilla.
RODILLERO, RA adj. Relativo a las rodillas. • f. Cualquier cosa que se pone para comodidad, defensa o adorno de la rodilla. • Remiendo en la parte de los pantalones correspondiente a la rodilla. • Convexidad que llega a formar el pantalón en la parte que cae sobre la rodilla. • Herida que se hacen las caballerías al caer de rodillas. • Cicatriz de esta herida.
RODILLO o **RODO** m. Madero redondo y fuerte que se hace rodar por el suelo para llevar sobre él una cosa de mucho peso. • Cilindro pesado que se hace rodar para allanar y apretar la tierra. • Cilindro que se emplea para dar tinta en las imprentas. • Cilindro de madera para alisar la masa en la cocina.
RODIMENIÁCEO, A adj. y f. Díc. de algas rojas marinas, con talo macizo constituido por filamentos paralelos de células cortas, que se reproducen por oogonios y por esporogonios. • f. pl. Familia de estas algas.
RODIN, *Auguste* (1841-1917) Escultor fr. Tras un viaje a Italia, la potencia, la expresividad y el nervio de la producción de Miguel Ángel, se unieron en él a un afán de confundir forma y materia, por lo que en ocasiones se le ha considerado como un escultor impresionista. *Estatua de Balzac, El ídolo, El beso, El pensador, Los burgueses de Calais.*
RODIO, DIA adj. y s. De Rodas. • Aplícase a la más antigua ley marítima acerca de la echazón. • m. *Quím.* Elemento de símb. Rh, n. a. 45, p. a. 102,91 y densidad 12,42 g/cm^3. Metal muy duro y muy resistente a la acción de los agentes químicos; se emplea en revestimientos de crisoles, de espejos, porcelanas y en las aleaciones para la fabricación de objetos de laboratorio.
RODIOTA adj. De Rodas.
RODÓ, *José Enrique* (1872-1917) Escritor, periodista y político ur. Afiliado al partido colorado. Aún tiene vigencia su mensaje *Ariel*, dirigido a la juventud del continente sudamericano. *Motivos de Proteo, Jacobinismo y liberalismo.*
RODOBACTERIA f. *Biol.* Nombre común a las bacterias pseudomonadales de coloración roja. Se dividen en dos grupos: las del azufre (tiorrodáceas) y las no sulfúricas (atiorrodáceas).
RODOCROSITA f. *Miner.* Carbonato de manganeso que cristaliza en el sistema trigonal y de dureza 4. Es de color rosa y se explota como mena del manganeso.
RODODAFNE f. Adelfa, arbusto. • Flor de este arbusto.
RODODENDRO m. Nombre común de varias plantas ericáceas de flores rojizas y ligeramente vellosas.
RODÓFITO, TA o **RODOFÍCEO, A** adj. y m. Díc. de las algas de la división rodófitos. • m. pl. División de algas con rodoplastos, propias de aguas marinas cálidas y profundidades medias donde llega poca luz.
RODOLFO, *Lago* Lago de África oriental al NO de Kenia, en el ramal oriental de la fosa de Rift Valley; 10 250 km^2.
RODOLFO (1858-1889) Archiduque de Austria-Hungría; hijo y heredero del emp. Francisco José. Apareció muerto junto a su amante María Vetsera, en el castillo de Mayerling.
RODOLFO I de Habsburgo (1218-1291) Señor de la Suiza al. y emp. germ. [1273-1291]. Creó el nuevo Est. de la Gran Austria, que quedó así vinculada a los Habsburgo. • **II de Habsburgo** (1552-1612) Archiduque de Austria, rey de Hungría [1572-1608] y Bohemia [1575-1611] y emp. de Alemania [1576-1612]. Su hermano Matías le fue arrebatando poco a poco todos sus territorios. A su muerte sólo conservaba el título de emp.
RODOMIEL m. Jarabe compuesto de miel y agua de rosas.
RODONITA f. *Min.* Inosilicato de manganeso y calcio, que cristaliza en el sistema triclínico y constituye, junto con la wolastonita, la pectolita y la bustamita, el grupo de los pitoxenoides. Pulimentada, constituye una piedra ornamental de delicados colores.
RÓDOPE (búlg., *Rodopi*; gr., *Rodhopi*) Macizo montañoso de los Balcanes. Alcanza 2 925 m de alt., con el monte Musala.
RODOPSINA f. Púrpura visual, colorante sensible a la luz, constituida por una proteína llamada opsina y por el retineno o aldehído de vitamina A.
RODOREDA, *Mercè* (1909-1983) Escritora esp. en lengua catalana. *La plaça del Diamant, El carrer de les Camèlies, Jardí vora el mar, La meva Cristina i altres contes.*
RODRIGA f. Rodrigón, tutor de una planta.
RODRIGO (m. 711) Último rey visigodo de Hispania [710-711]. Su corto reinado se vio inmerso en las constantes luchas con los vascones. Desapareció tras la batalla de Guadalete, a la que acudió para intentar detener la invasión de Tariq.
RODRIGO, *Joaquín* (1902-1999) Compositor esp. Intenta enlazar su obra con los maestros renacentistas esp. Es muy famoso su *Concierto de Aranjuez* para guitarra y orquesta. • **Díaz de Vivar.** → Cid Campeador.
RODRIGÓN m. Vara o caña que se clava al pie de una planta y sirve para sostenerla.

La primavera eterna, obra de Auguste **Rodin.** Museo del Ermitage, San Petersburgo (Rusia)

Rododendro

Rodrigo en una copia del siglo XI de la obra *Semblanza de reyes.* Biblioteca Nacional, Madrid

RODRIGUES, ***Amalia*** (1920-1999) Cantante y folklorista port., gran intérprete de fados. • ***Joaquim José,*** (1913-1997) Pintor port. Principal representante del vanguardismo luso. • **Alves,** ***Francisco de Paula*** (1848-1919) Político bras. Presid. de la rep. (1902-1906). Reelegido en 1918.

RODRÍGUEZ, ***Abelardo*** (1889-1967) Militar y político mex. Durante la rev. luchó contra Huerta. Presid. de la rep. (1932-1934), tras la renuncia de Ortiz Rubio, propugnó una política de reformas sociales y educativas. Gobernador del est. de Sonora (1943-1947). • ***Andrés*** (1923-1997) Militar par. hijo de esp. General de división derrocó a su consuegro Stroessner de la presidencia (febrero de 1989). Tras un gobierno provisional, venció en las elecciones democráticas de mayo. Cesó en 1993. • ***Gabriel*** (1827-1901) Economista y político esp. Senador por Puerto de Rico, contribuyó a la constitución de la Sociedad Abolicionista Española. *Libertad de importación, De los sistemas contrarios a la libertad de comercio.* • ***José Joaquín*** (1838-1917) Político cost. Presid. de la rep. (1890-1894). • ***Juan Manuel*** (1795-1826) Político salv. Primer jefe de est. de El Salvador (1824). • ***Lorenzo*** (1704-1774) Arquitecto mex., de orig. esp. El más famoso representante de la arq. barroca mex. Capilla del Sagrario de la catedral de México. • ***Miguel Ángel*** (nacido 1940) Político cost. Miembro del Partido Unidad Social Cristiana (PUSC) fue ministro de Planificación y de la Presidencia. Ocupó la presid. de la Rep. entre 1998 y 2002. • ***Silvio*** (nacido 1946) Cantante cub. Uno de los creadores de la Nueva Trova. • ***Ventura*** (1717-1785) Arquitecto esp. Está considerado como uno de los máx. representantes de la arquitectura académica setecentista. Es autor de la iglesia de San Marcos de Madrid. De sus obras civiles destaca el palacio de Liria de Madrid. • **De la Fuente,** ***Félix*** (1928-1980) Médico esp. Destacó por su labor divulgadora del mundo de la naturaleza, en especial el de los animales, a través del medio televisivo. • **Erdoiza,** ***Manuel*** (1785-1818) Patriota chil. Alistado en el ejército del general San Martín, se encargó de la defensa de Santiago de Chile y tuvo destacada participación en la victoria de Maipú (1818). Fue, sin embargo, fusilado por orden de O'Higgins. • **Galván,** ***Ignacio*** (1816-1842) Escritor mex., uno de los iniciadores del romanticismo en su país. *Profecía de Guatimoc; Mora, ángel caído* (poesía); *El privado del virrey* (teatro). • **Lara,** ***Guillermo*** (nacido 1923) Militar y político ecuat. En 1972 lideró un golpe de Est. que derrocó a Velasco Ibarra y estableció un gobierno reformista que intentó la modernización socioeconómica dirigida por el Est. En 1976 fue desplazado del poder por una junta militar. • **Marín,** ***Francisco*** (1885-1943) Escritor y erudito esp. Cultivó el periodismo con el seud. de *El Bachiller Francisco de Osuna*. Compuso *Madrigales* y recopiló temas folclóricos en *Cantos populares españoles*. Publicó numerosas ediciones críticas de obras de Cervantes, Baltasar del Alcázar, etc. • **Torices,** ***Manuel*** (1788-1816) Político col., independentista. Vicepresid. (1816) del gobierno de Las Provincias Unidas. • **Velasco,** ***Luis*** (1839-1919) Escritor chil. Autor de comedias *(Por amor y por dinero)* y de poesías románticas. • **Zeledón,** ***José Joaquín*** (1838-1917) Político cost. Presid. electo (1890-1894). Intentó disolver el parlamento (1892).

Andrés **Rodríguez**

Fachada principal de la Capilla del Sagrario Metropolitano (Ciudad de México), obra de Lorenzo **Rodríguez**

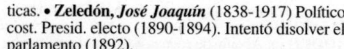

Ratón de monte, mamífero del orden **roedores**

ROEDOR, RA adj. Que roe. • Que conmueve o agita el ánimo. • adj. y s. *Zool.* Díc. de los mamíferos del orden roedores. • m. pl. *Zool.* Orden de euterios con incisivos planos, cortados en bisel, y de crecimiento y desgaste continuos.

* *Zool.* Los r. comprenden tres subórdenes actuales: los histricomorfos (puercoespines, cobayas), los miomorfos (ratas, ratones) y los esciuromorfos (ardillas, marmotas, castores).

ROEL m. Pieza redonda en los cuarteles del escudo heráldico. • Cristal circular de una ventana.

ROELAS, ***Juan de las*** (1560-1625) Pintor esp. de la escuela sevillana. Destacó en cuadros de altar. *La liberación de San Pedro, Martirio de San Andrés.*

ROEMER, ***Olav*** (1644-1710) Físico y astrónomo danés. Autor de la primera medición de la velocidad de la luz: *método de R.*

ROENTGEN m. Cantidad de radiación X que al atravesar 1 cm^3 de aire en condiciones normales de presión y temperatura, da lugar a la aparición, por ionización, de una carga electrostática igual a 1 franklin.

ROENTGEN, ***Wilhelm Konrad von*** → Röntgen.

ROENTGENTERAPIA f. *Patol.* Radioterapia con rayos X producidos por tubos radiógenos. Se entiende por r. tradicional aquella que usa tensiones máximas de 250 kV; en la actualidad se usan también radiaciones de energía superiores a 1 MeV.

ROER tr. Raspar con los dientes una cosa dura, arrancando parte de ella. • Quitar la carne de un hueso con los dientes. • Comerse las abejas las celdas maestras o realeras, después de haberlas cerrado. • fig. Gastar poco a poco una cosa. • fig. Molestar o atormentar interiormente. B ROEDURA.

ROETE m. Vino medicinal de zumo de granadas.

ROF Carballo, ***Juan*** (nacido 1906) Psiquiatra y escritor esp. Miembro de la Real Academia en 1983. *Medicina y actividad creadora, Mito e realidade da terra nai* (en gallego), *Entre el silencio y la palabra, Teoría y práctica psicosomática*.

ROGAR tr. Pedir por gracia o favor una cosa. • Instar con súplicas.

ROGATIVO, VA adj. Que incluye ruego. • f. *Rel.* Oración pública católica, acompañada gralte. de procesiones, en solicitud de remedio a alguna desgracia. Se usa más en pl.

ROGATORIA f. *Amér.* Rogativa.

ROGERS, *Virginia Katherine McMath*, llamada ***Ginger*** (1908-1995) Actriz y bailarina norteam. Formó pareja en el cine con F. Astaire. *Ritmo loco, Espejismo de amor* (Óscar de interpretación).

RÖHM, ***Ernst*** (1887-1934) Político al. Jefe de las SA (1930) y ministro sin cartera (1933). Por su radicalismo, Hitler lo hizo asesinar.

ROÍDO, DA adj. Carcomido. • fig. y fam. Muy escaso. • fig. y fam. Tacaño.

ROIG de Leuchsenring, ***Emilio*** (1889-1964) Historiador cub. Miembro de la Academia de la Historia. *La doctrina Monroe y el pacto de la Liga de las naciones, Historia de La Habana.*

ROJAS, ***Fernando de*** (m. 1541) Escritor esp. De su vida sólo se sabe que fue bachiller y probablemente de ascendencia judía. Autor de *La Celestina* o *Tragicomedia de Calisto y Melibea*, escrita en forma de pieza dramática. Obra que ha ejercido una continuada influencia en la literatura posterior. • ***José Antonio*** (1713-1816) Patriota chil. Uno de los autores de la fracasada conspiración republicana de 1780. Tras el éxito de la reacción realista (1814), fue confinado en la isla de Juan Fernández. • ***Manuel*** (1896-1973) Escritor chil. Autor que representa, ante el costumbrismo, el hallazgo de una nueva estructura narrativa: el subjetivismo psicológico. *Hombres del Sur, Hijo de ladrón, Mejor que el vino.* • ***María Eugenia*** (nacida 1934) Política col. Hija y pral. colaboradora de Gustavo Rojas Pinilla, desde 1970 se convirtió en la cabeza de la Alianza Nacional Popular (ANAPO). Fracasó en su intento de ganar la presidencia en los comicios de 1974. • ***Ricardo*** (1882-1957) Escritor arg. Autor de poesías, novelas y ensayos. *El país de la selva, Los lises de blasón, Historia de la literatura argentina.* • **González,** ***Francisco*** (1903-1951) Escritor mex. Su obra cabe situarla en el límite entre la narración anecdótica revolucionaria y la novela social. *La negra Angus-*

tias, Los Tarascos, El diosero. • **Paúl, *Juan Pablo*** (1829-1905) Político ven. Presid. de la rep. (1888-1890), llevó a cabo una política de concordia nacional. • **Pinilla, *Gustavo*** (1900-1975) Militar y político col. En 1953 encabezó el golpe de Est. contra el presid. Laureano Gómez y fue elegido presid. de la rep. por la asamblea nac. en 1954. Derrocado en 1957 por el ejército, se presentó de nuevo a las elecciones en 1970, pero fue derrotado. • **Zorrilla, *Francisco de*** (1607-1648) Autor dramático esp. Imitador del estilo calderoniano, escribió obras trágicas y cómicas. *Del rey abajo, ninguno; Entre bobos anda el juego.*

ROJO, JA adj. y m. Encarnado muy vivo. Es el primer color del espectro solar. • adj. De color parecido al oro. • Díc. del pelo de un rubio muy vivo, casi colorado. • Díc. de lo que toma este color por su alta temperatura, y p. ext., de lo que está muy caliente. • *Pol.* Díc. de personas de ideas izquierdistas. • adj. y s. En la guerra civil esp. denominación dada por los nacionalistas a los republicanos. • m. Color utilizado en señales de peligro o detención. ■ ROJAL; ROJEAR; ROJIZO, ZA.

ROJO, *mar* *(Bahr al-Arman)* Mar que separa el continente afr. de la pen. Arábiga. 470 000 km^2, 30-320 km de anchura. La apertura del canal de Suez le dio la máxima imp. como vía de comunicación.

ROJO, *río* *(Song Koi* o *Song Nhi Ha)* Río del SE asiático; 1 200 km. Nace en las montañas de Yunnan, en China, y desemboca en Vietnam, formando un amplio delta, en el golfo de Tonkin.

ROJO, *Vicente* (nacido 1932) Pintor mex. de origen esp. Adscrito al abstraccionismo. *La gran señal, Negaciones, México bajo la lluvia.* • **Y Lluch, *Vicente*** (1894-1966) Militar esp. Jefe del estado mayor republicano durante la guerra civil esp.

ROKHA, *Carlos Díaz Loyola*, llamado ***Pablo de*** (1894-1968) Poeta chil. Sus posiciones marxistas y revolucionarias, que predicó por toda América, se reflejaron en sus obras. *Los gemidos, Satanás.*

ROKOSSOVSKI, *Konstantin Konstantinovich* (1896-1968) Mariscal sov. de origen pol. Participó en las dos guerras mundiales, distinguiéndose en la II en las batallas de Moscú (1941) y Stalingrado (1943).

ROL m. Lista, nómina o catálogo. • Licencia que lleva el capitán de un buque, en la cual consta la lista de la marinería. • Papel, carácter, representación. → Rol-status.

ROLAR intr. *Mar.* Dar vueltas en círculo. • *Amér.* Alternar, relacionarse, tener trato o relaciones. • *Amér.* Conversar.

ROLDÁN o **ROLANDO** (fr., *Roland*) Héroe del ciclo legendario de Carlomagno. M. en Roncesvalles (778). Su vida fue cantada por la épica medieval. → *Canción de Roldán.*

ROLDÁN, *Amadeo* (1900-1939) Compositor y violinista cub., n. en París. Fundador del Cuarteto de La Habana, desde 1932 dirigió la orquesta filarmónica. *Poema negro* para cuarteto de cuerda, *Motivos de son, La Rebambaramba, El milagro de Anaquillé.* • ***Pedro*** (1624-1700) Escultor esp., barroco. Retablo del Hospital de la Caridad de Sevilla (*Entierro de Cristo*). Su hija **Luisa** (1656-1704), llamada LA ROLDANA, destacó en la estatuaria policromada *(Desposorios de santa Catalina).*

ROLDANA f. Rodaja por donde corre la cuerda en una garrucha.

ROLDAR intr. y tr. Rondar, circular.

ROLDE m. Rueda o corro.

ROLDÓS, *Jaime* (1941-1981) Político ecuat., de corte reformista; se proyectó internacionalmente con propuestas latinoamericanistas. Elegido presid. en 1979, murió en un accidente de aviación que truncó su carrera populista.

La batalla de Roncesvalles, episodio de la *Canción de* **Roldán**

ROLEO m. Voluta de capitel. • Ornamento.

ROLETA f. *Amér. Centr.* Ruleta.

ROLLAND, *Romain* (1886-1944) Escritor y musicólogo fr. Premio Nobel de Literatura en 1916. Autor de biografías: *Beethoven, Miguel Ángel, Gandhi.* En teatro su obra más famosa es la «trilogía de la rev.» *(Danton, Los lobos, El 14 de Julio).* La obra capital de R. es *Juan Cristóbal,* en la que analiza la soc. de su tiempo.

ROLLAR tr. Arrollar, poner en forma de rollo.

ROLLE, *Michel* (1652-1719) Matemático fr. que se dedicó preferentemente a la teoría de ecuaciones. • **Teorema de R.** Teorema de cálculo infinitesimal según el cual si una función continua y derivable en un determinado intervalo toma valores iguales en los extremos de éste, existe por lo menos un punto en el que se anula la derivada de la función.

ROLLETE m. *Amer. Centr.* Rodete.

ROLLETERO m. *Amer. Centr.* Especie de cesto con asas para guardar las tortillas.

ROLLING Stones, *the* Conjunto brit. formado en 1962 que, sin renunciar a ser un grupo de *rhythm and blues*, se convirtió en la mejor banda de la historia del rock. A partir de su primer gran éxito, *Satisfaction*, han realizado gran número de álbumes: *Aftermath, Beggar's banquet, Let it bleed, Sticky fingers, Exile on Main Street, Tattoo you.*

ROLLIZO, ZA adj. Redondo en figura de rollo. • Robusto y grueso. • m. Madero en rollo.

ROLLO m. Cualquier materia que toma forma cilíndrica por rodar o dar vueltas. • Cilindro de materia dura que sirve para diferentes usos. • Madero redondo descortezado pero sin labrar. • Porción de tejido, papel, etc., que se tiene enrollada en forma cilíndrica. • Columna de piedra que antiguamente era insignia de jurisdicción y que en muchos casos servía de picota. • Pieza de autos escrita ante los tribunales superiores. • Canto rodado de figura casi cilíndrica. • Película fotográfica enrollada en forma cilíndrica. • Bobina de película cinematográfica. • fig. Persona o cosa fastidiosa, pesada. • fig. Discurso, explicación, película, etc., largo, pesado y aburrido. ■ ROLLISTA.

ROLLÓN m. Acemite, especie de afrecho.

ROLLONA f. fam. Niñera.

ROLLS-ROYCE Fábrica brit. de automóviles y motores de aviación, creada en Manchester en 1904.

ROLO m. *Col.* y *Ven.* Rodo, rodillo de imprenta. • *Ven.* Garrote. • **Pasar el r.** *P. Rico.* Desaprobar algo, no aceptarlo.

ROL-STATUS, *sistema del* En la escuela sociológica estructural-funcional, coordenadas que determinan la sit. de un individuo o un grupo en la estructura social. Fueron los funcionalistas norteam. Parsons y Merton, quienes teorizaron la síntesis de los conceptos *rol* y *status*, ya tratados por separado por Durkheim y Weber.

ROM (siglas de *Read Only Memory*, memoria de sólo lectura). *Comp.* memoria separada de la memoria central. La información que contiene es permanente, no se puede modificar, sólo leer; su configuración técnica permite una gran rapidez de acceso, por lo que se usa para contener programas o rutinas estándares, unidades de compilación, etc.

ROMA Cap. de Italia, de la región del Lacio y de la prov. hom. Sit. junto al r. Tíber, su gran expansión urbana se efectuó a partir de 1870, tras convertirse en cap. del país; 2 775 250 hab. (3 761 067 la agl. urb.). El sector terciario ocupa a gran parte de la pob., aunque existe también una creciente ind.

* *Hist.* Al parecer, Roma fue fundada h. 754 o 750 a. C. como resultado de la fusión de los latinos y sabinos del Lacio con los etruscos. El gobierno de la nueva c. se confió a un senado formado por los jefes de las distintas *gens* y a un rey electivo. Al lado de estas *gens* iba aumentando, a causa de un mov. migratorio, la plebe, desprovista de derechos políticos. A fines del s. VI a. C. una revuelta nobiliaria abolió la monarquía e instauró la rep. aristocrática, que duró hasta el año 38 a. C. y que se distinguió de la expansión exterior del pueblo rom. y por la lucha de la plebe por obtener derechos ciudadanos. Tras una serie de guerras civiles promovidas por los jefes militares, Octavio consiguió imponerse. Con el rango de emperador, se hizo con el gobierno absoluto de todas las prov. y de la c. de R. El llamado Alto Imperio consolidó

Ginger **Rogers**

Cultivos de arroz en el delta del río **Rojo**

Rollo de Sotopalacios, Burgos, España

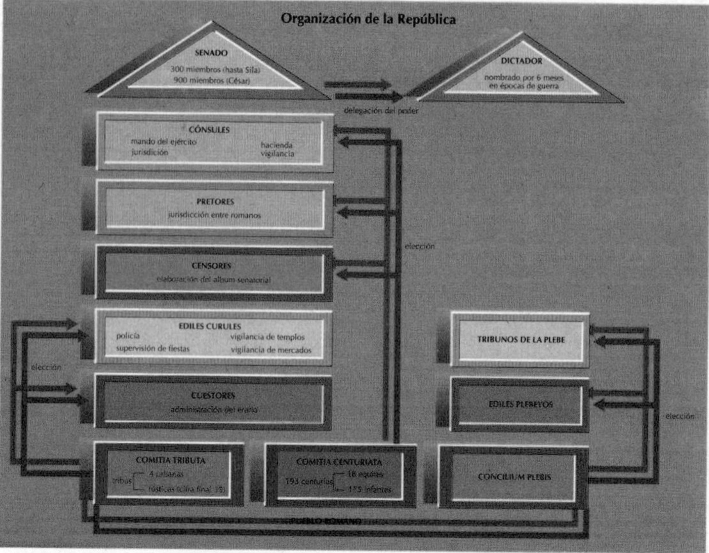

Roma.
Arriba, a la izquierda, estatua en la residencia de Adriano en Tívoli; a la derecha, esquema de la organización de la república romana; sobre estas líneas, a la izquierda, vista de la plaza Navona; a la derecha, el Coliseo

la dominación rom. en el mundo ant. y, tras un periodo de anarquía militar, con Diocleciano se inicia el Bajo Imperio, del que destaca la cristianización de los rom. y la presión de los bárbaros en las fronteras. A fines del s. IV, a la muerte de Teodosio, el Imperio quedó dividido entre sus hijos Honorio y Arcadio. El Imperio rom. de Oriente o bizantino, se mantuvo hasta fines de la E. Med. (1453). El de Occidente cayó bajo la oleada de invasiones bárbaras (476). A la caída del Imperio, la c. de R. asumió la función de centro de cristianismo y sede pontificia.

* *Arte.* El primer arte rom. nació en el s. II a. C. por contacto con la cultura helenística del S de Italia. *Arq.* De la época republicana se conservan los templos de la Fortuna y de Vesta, de estilo gr. Durante el Imperio se dio mayor importancia al urbanismo (plazas, foros) y a los juegos (anfiteatros, teatros, circos) y se acentuó el gusto por lo monumental (termas de Caracalla y Diocleciano). *Esc.* La estatuaria, aunque inspirada en la gr., tiene un sentido rom. Se cultiva también el bajorrelieve y la escultura funeraria. Otros relieves celebran batallas y triunfos (arco de Tito, columna Trajana). *Pint.* Apenas nos han llegado ejemplos, y hemos de basarnos casi exclusivamente en los frescos hallados en Pompeya y Herculano, de clara inspiración helénica.

* *Lit.* Como ocurrió en el arte, la producción literaria en latín no se desarrolló hasta entrar en contacto con la lit. gr. El primer autor de importancia fue Ennio, que escribió un poema épico sobre la historia de R. La comedia contó con dos grandes autores: Plauto y Terencio. En prosa destacan Tito Livio, Cicerón, César, Salustio, Cátulo y Lucrecio. La poesía alcanzó el mayor auge con el Imperio: Virgilio, Ovidio, Horacio. En el periodo siguiente, llamado edad de plata, predominan los escritores hispánicos: Séneca, Marcial, Lucano, Quintiliano, etc. En prosa, Petronio, Tácito (que crea un nuevo estilo de historia), Suetonio y Plinio el Viejo.

* *Rel.* La rel. gr. influyó en la rom. a través de los etruscos y la Magna Grecia. Júpiter se identificó con Zeus y dominó a los restantes dioses, que también encontraron su paralelo con los dioses gr. En el culto rom. se distinguía el culto público (templos) y el privado. La religiosidad rom. rechazó los intentos de expansión de los primeros cristianos, pero la nueva creencia se afianzó en R. tras la conversión de Constantino y pasó a jugar un imp. papel en la historia de la c.

ROMA Nombre de dos personajes mitológicos rom. La primera era una diosa, hija de Esculapio. La segunda fue la heroína que dio nombre a la c. de Roma.

ROMADIZO m. Catarro de la membrana pituitaria.

ROMAGNA → Emilia-Romaña.

ROMAICO, CA adj. Relativo a la Grecia moderna y en especial a su lengua.

ROMAINS, *Jules* (1885-1972) Seud. de *Louis Farigoule* escritor fr. de copiosa producción. Autor de novela, teatro, poesía y ensayo. *Knock o el triunfo de la medicina, La vida unánime.*

ROMÁN y Reyes, *Víctor Manuel* (1877-1950) Político nic. Presid. de la rep. (1947-1950), títere de la familia Somoza.

ROMANA, *La* Prov. del SE de la República Dominicana, bañada al S por el Caribe; 558 km^2, 162 400 hab. Cap., la c. hom. Clima tropical. Ca-

ROMÁNICO

1

2

3

5

4
6

7

1. El románico (ss. XI-XIII) fue un estilo artístico marcado por la religiosidad medieval. *Virgen con el Niño*, talla policromada del s. XII. Museo de Arte de Cataluña, Barcelona (España).
2. Tímpano de la portada occidental de la iglesia del priorato de Saint-Pierre, Carennac (Francia), obra del s. XII.
3. Detalle de la *Virgen prudente*, fresco del s. XII. Museo de Arte de Cataluña, Barcelona (España).
4. Capitel de Santa María la Real de Mave, Palencia (España), del s. XII. Los capiteles de las iglesias eran verdaderas enciclopedias visuales para una mayoría de iletrados.
5. Ábside de la basílica de los Santos María y Donato en Murano (s. XII), Venecia (Italia).
6. y 7. Campesinado, clero y nobleza se constituyeron en los órdenes sociales inamovibles de la Europa medieval.

ña de azúcar. Cría de bovinos. Transformación de productos agropecuarios. • C. de la República Dominicana, cap. de la prov. hom.; 91 571 hab. Puerto pesquero y comercial. Refinerías de azúcar. Ind. del calzado.

ROMANADOR m. Encargado del matadero para comprobar el peso de las reses.

ROMANATO m. *Arq.* Especie de alero volteado que cubre las buhardas.

ROMANCE adj. Díc. de cada una de las lenguas que vienen del latín. • Novela o libro de caballerías en prosa o verso. • Aventura amorosa. • Composición poética de origen anónimo y popular, genuinamente esp., formada por una serie ilimitada de versos octosílabos en los que sólo riman los pares en asonante. • **de ciego.** R. poético sobre un suceso o historia que cantaban y vendían los ciegos por la calle. • **Hablar** un **en r.** fr. fig. Explicarse con claridad y sin rodeos. ■ ROMANCERESCO; ROMANCERISTA; ROMANCESCO, CA; ROMANCISTA.

* *Lit.* Los primeros romances escritos aparecen en el s. XV y se llaman r. viejos, aunque según Menéndez Pidal, con anterioridad existieron otros de tradición oral. Los r. se han cultivado casi sin interrupción a través de toda la historia de la lit. esp. Cuando el r. tiene menos de ocho sílabas recibe los nombres de endecha, si los versos constan de siete sílabas, y romancillo, si tienen menos de siete. Se llama r. heroico al que está constituido por versos de once sílabas.

ROMANCEAR tr. Traducir al romance. • Dar otra forma a una oración cast. para traducirla al latín. • *Chile.* Galantear. • *Chile.* Charlar. ■ ROMANCEADOR, RA.

ROMANCERO, RA m. y f. Persona que canta romances. • m. *Lit.* Colección de romances. Hasta la mitad del s. XVI no hay noticia de recopilación de romances. Entre las colecciones antiguas son notables el *Cancionero de romances* (1550) y el *Romancero general* del s. XVII. Entre las colecciones modernas destacan las de Durán, Wolf y Hofman y Menéndez Pidal, agrupados en romances viejos, romances eruditos y romances artísticos.

ROMANCHE m. Lengua retorrománica que se habla en el cantón suizo de los Grisones.

ROMANCILLO m. Romance con versos de menos de ocho sílabas.

ROMANEAR tr. Pesar con la romana. • Trasladar pesos de un lugar a otro del buque para perfeccionar la estiba. • intr. Hacer una cosa más contrapeso al lado en que está colocada.

ROMANESCO, CA adj. Relativo a los romanos, o a sus artes o costumbres. • Novelesco.

ROMANIA f. Conjunto de países de lengua latina y cultura rom., posteriormente románica, surgido al desmembrenarse el imperio rom.

ROMÁNICO, CA adj. y s. Aplícase al estilo artístico que dominó en Europa durante los ss. XI, XII y parte del XIII y especialmente a su arquitectura caracterizada por el empleo de arcos de medio punto, bóvedas de cañón y molduras robustas.

* *Arte. Arq.* Tras el accidentado s. X, una pujante actividad constructiva, favorecida por el renacer económico y cultural que siguió al año 1 000, se extendió por la Europa medieval, dando lugar a un estilo arquitectónico que unificó las diversas escuelas prerrománicas y que pronto adquirió un carácter uniforme. De estructuras robustas y sobrias, fue el

FLOR DE VARIOS ROMANCES NUEVOS, Y CANCIONES. Agora nuevamente recopilados de diversos autores, por el Bachiller Pedro Moncayo natural de Borja. EN HUESCA. Impressos con licencia, por Iuan Perez de Valdiuielso, Impressor de la Universidad. 1589.

Portada de un **romancero** del s. XVI

Álvaro de Figueroa y Torres, conde de **Romanones**

Romanticismo. Arriba, *El sembrado*, óleo de J. Constable. National Gallery, Londres; abajo, *Escena de la matanza de Quíos*, óleo de E. Delacroix. Museo del Louvre, París

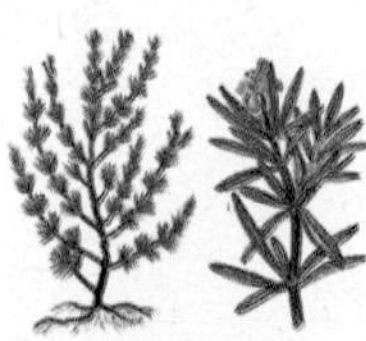

Romero

estilo de los castillos y los grandes monasterios. Los maestros de obra lombardos, propagaron por toda Europa un nuevo programa de arquitectura religiosa, basado en la construcción de un tipo de iglesia sencilla con tres naves y cubierta de madera, cuyo exterior se caracterizaba por la irregularidad de la sillería y la presencia casi constante de dos motivos decorativos: los arquecillos ciegos y las bandas lombardas (pilastras adosadas al muro). Para evitar los peligros de incendio, las bóvedas de piedra, ya utilizadas en la Roma imperial, fueron sustituyendo a las de madera y con ello quedó sentada una de las más imp. transformaciones que experimentó la arquitectura. Entre las iglesias más imp. cabe citar: Santa María de Ripoll, San Trófimo de Arlés, La Madalena de Vezelay, Santiago de Compostela, etc. *Esc.* En el periodo r. la escultura cobró una importancia fundamental como medio didáctico al servicio del poder religioso. La escultura, primaria y solemne, triunfa en los capiteles de los claustros (Vezelay, Salamanca), en los pórticos (tímpanos, dinteles, arquivoltas, etc.) y en las imágenes de talla. El material utilizado para las imágenes es por lo general la madera que después se policroma. *Pint.* A diferencia de la arquitectura y la escultura, la pintura no supuso ningún cambio radical durante el r. La pintura al fresco o sobre tabla, de tema religioso, constituye una adaptación de los mosaicos bizantinos. La fig. central de la decoración del ábside mayor, es siempre el Pantocrátor (San Isidoro de León, San Clemente de Tahúll), sustituido a veces por la *Maiestas Mariae* (Santa María de Tahúll, etc.).

* *Ling.* Se entiende por lenguas r. al conjunto de lenguas indoeuropeas que tienen su origen en la evolución natural del latín hablado: castellano, catalán, dalmático, francés, gallego, italiano, portugués, provenzal, retorrománico, rumano y sardo. Corresponden geográficamente a aquellas regiones donde la romanización fue más intensa, es decir, a casi todos los países que forman parte del imperio rom.

ROMANILLA f. *Ven.* Cancel corrido, a manera de celosía, que se usa en las casas.

ROMANISMO m. Conjunto de instituciones, cultura o tendencias políticas de Roma.

ROMANISTA adj. y s. Versado en el derecho romano. • Conocedor de lenguas románicas.

ROMANIZAR tr. Difundir la civilización, leyes y costumbres rom., o la lengua latina. • prnl. Adoptar la civilización rom. o la lengua latina. ■ ROMANIZACIÓN.

ROMANO, NA adj. y s. De Roma. • De cualquiera de los países de que se componía el antiguo imperio rom. • adj. Aplícase a la religión católica y a lo perteneciente a ella. • adj. y m. Aplícase también a la lengua latina. • f. Instrumento para pesar, compuesto de una palanca de brazos desiguales, con el fiel sobre el punto de apoyo.

ROMANO, *Giulio Peppi,* llamado GIULIO (h. 1492-1546) Pintor, arquitecto y decorador it. Discípulo predilecto de Rafael. Autor de la decoración del *Palacio de Té* en Mantua, del que también fue arquitecto.

ROMANONES, *Álvaro de Figueroa y Torres,* CONDE DE (1863-1950) Político esp. Tras el asesinato de Canalejas en 1912, ocupó la presidencia del Consejo y encabezó uno de los sectores en que se dividió el partido liberal. De nuevo en la presidencia en 1915, mantuvo la neutralidad española en la I Guerra Mundial. Ministro de Gracia y Justicia en el gobierno de concentración nacional de 1918, presidido por Maura. Ministro de Estado en el Gobierno de García Prieto y primer ministro (1918-1919). Era presid. del senado cuando se produjo el golpe de est. de Primo de Rivera (septiembre 1923), al que manifestó su hostilidad. Volvió a ejercer cargos ministeriales durante los gobiernos de Berenguer y Aznar. *Las últimas horas de una monarquía, Notas de una vida, Y sucedió así.*

ROMANOV Dinastía que reinó en Rusia desde Miguel II Fedorovich (1613-1645) hasta Nicolás II (1894-1917).

ROMANTICISMO m. Mov. intelectual surgido en Europa occidental en la primera mitad del s. XIX que dio lugar a diversas manifestaciones de carácter filosófico, político y artístico.

* *Arte.* El artista romántico se inspiró en el pasado, sin apenas aportar nuevas formas artísticas. En arquitectura el gótico representaba la mejor expresión del pasado idílico. En Gran Bretaña se construyó el edificio del Parlamento de Londres. En España el mov. impulsó a restaurar obras medievales. En escultura cabe citar a Rude como representante máximo del espíritu romántico, mientras en pintura el verdadero manifiesto del mov. lo constituye la obra de Delacroix, las *Matanzas de Quíos*. En España, el r. se identificó con un resurgir del barroco y tuvo en Goya su máximo representante.

* *Fil.* El pensamiento romántico que empezó a desarrollarse a fines del s. XVIII, surgió como un mov. de rechazo a las soluciones filosóficas y sociales propuestas por la Ilustración y, en consecuencia, como una reacción frente al racionalismo y al empirismo, que constituían el fundamento filosófico de aquélla. Los rasgos que tipifican el r. como modo de ver la vida, la historia y la soc. son cuatro: reivindicación de la posibilidad de un conocimiento irracional; anteposición de lo particular sobre lo general; afirmación del carácter dialéctico de la realidad y el conocimiento y un historicismo absoluto con el reconocimiento de la peculiaridad de cada etapa histórica. Destacaron Hegel y Fichte.

* *Lit.* El r. Tuvo especial importancia como mov. literario. La Pléyade de autores románticos pueden clasificarse en cuatro generaciones: a) La de Walter Scott, Chateaubriand y los idealistas al., caracterizada por su labor de ruptura; b) La de Byron, Lamenais, Stendhal y Martínez de la Rosa, entre otros, que fue la del r. propiamente dicho; c) La generación de Shelley, Carlyle, Ranke, Heine, Hugo, Lamartine, Dumas, el duque de Rivas, etc., autores que reflexionaron sobre el propio r. y son los más característicos representantes del mov.; d) La generación de Dickens, Mazzini, Poe, Espronceda, Larra y Zorrilla, autores que acusaban una conciencia de crisis.

* *Mús.* El r. musical surge como antítesis del clasicismo y aparecen los géneros líricos y descriptivos. En el nuevo lenguaje musical surgió el tema o *idea central* (Berlioz), compaginándose con el *leitmotiv* (Wagner) y la expansión del recitativo (Verdi). Entre los prales. representantes del r. musical cabe citar a Chopin, Paganini, Schubert, Schumann, Liszt, Mendelssohn, Rimski-Korsakov, etc. Entre la generación operística romántica: Wagner, *(Sigfried, Tristán e Isolda)*, Bellini *(Norma, Los puritanos)*, Donizetti *(Lucía de Lamermoor)*, Rossini *(Guillermo Tell)* y Verdi *(El trovador, La fuerza del destino, Rigoletto)*.

ROMÁNTICO, CA adj. Relativo al romanticismo. • Sentimental, generoso, fantástico, soñador. • adj. y s. Díc. del escritor que da a sus obras el carácter del romanticismo. • Partidario del romanticismo.

ROMANZA f. Composición lírica, amorosa o narrativa. • Composición musical de carácter sencillo y tierno.

ROMAÑA → Emilia-Romaña.

ROMAZA f. Nombre común de diversas especies de plantas de la familia poligonáceas, con hojas radicales, lanceoladas, flores dioicas o hermafroditas, y frutos en aquenio trigonal.

RÓMBICO, CA adj. Que tiene forma de un rombo. • Díc. del sistema cristalográfico que se caracteriza porque sus formas holoédricas tienen tres ejes binarios perpendiculares entre sí. Sus constantes critalográficas son $a = \beta = \gamma = 90°$; $a \neq b = 1 \neq c$.

ROMBO m. *Geom.* Cuadrilátero con los cuatro lados iguales. Los dos pares opuestos son iguales entre sí, por lo que se trata de un caso particular de paralelogramo. El área del r. es la mitad del producto de las longitudes de sus diagonales. • Rodaballo, pez. • *Amér. Centr.* Remiendo.

ROMBOIDE m. Paralelogramo cuyos lados y ángulos opuestos son iguales dos a dos, con los lados y ángulos contiguos desiguales. ■ ROMBOIDAL.

ROMEA, *Julián* (1818-1863) Actor dramático esp. Obtuvo grandes éxitos por España y América interpretando obras como *don Álvaro o la fuerza del sino* y *Traidor, inconfeso y mártir*. Escribió un *Tratado de declamación*.

ROMEO, A adj. y s. Griego bizantino.

ROMERAJE m. Romería o peregrinación.

ROMERÍA f. Viaje o peregrinación, especialmente la que se hace por devoción a un santuario. • Fiesta

popular que con meriendas, bailes, etc., se celebra en el campo inmediato a algún santuario el día de la festividad religiosa del lugar. • fig. Gran número de personas que afluye a un sitio.
ROMERIEGO, GA adj. Aficionado a las fiestas de las romerías.
ROMERILLO m. *Cuba.* Nombre de varias especies de plantas de la familia compuestas, de flores blancas o amarillas. Algunas se utilizan en medicina y como pasto para el ganado vacuno.
ROMERINA f. Planta herbácea de la familia cistáceas; ramas tomentosas; hojas lineales; flores blancas y frutos en cápsulas brillantes.
ROMERO, RA adj. y s. Díc. del peregrino que va en romería con bordón y esclavina. • Que participa en una romería o fiesta. • adj. Díc. del caballo tordillo de matiz sonrosado. • m. Pez marino malacopterigio subranquial, con tres aletas dorsales y un filamento corto pendiente de la mandíbula inferior. • Pez marino acantopterigio, con la aleta dorsal larga y dos bandas cartilaginosas junto a la cola. • Planta herbácea de la familia labiadas, aromática, de hojas blanquecinas por el envés, flores de color lila o blanco, y frutos en aquenios. De sus hojas se obtiene una apreciada esencia. ■ ROMERAL.
ROMERO, *Carlos Humberto* (nacido 1924) Militar y político salv. Ministro de Defensa (1972-1976). Elegido presid. en 1977 en comicios cuestionados por la oposición. Un golpe militar reformista puso fin a su mandato en 1979. • ***Emilio*** (n. 1899) Político y geógrafo per. Embajador y ministro en varias ocasiones. *Geografía económica del Perú, Geografía del Pacífico suramericano.* • ***Francisco*** (1891-1962) Filósofo arg. Su labor filosófica, que recibió influencias de Dilthey, Scheler, Hartmann y Ortega y Gasset, se centró en la antropología cultural y en la filosofía de la cultura. *Filosofía de la persona, Estudio de historia de las ideas.* • ***José Rubén*** (1890-1952) Escritor mex. *La vida inútil de Pito Pérez, Rosenda.* • ***Óscar Arnulfo*** (1917-1980) Eclesiástico salv. Comprometido en posiciones contrarias a la represión, murió asesinado. • **De Torres, *Julio*** (1880-1930) Pintor esp. Cultivó el tema andaluz de modo simbólico. Su tema preferido es la mujer. *Musa gitana, El retablo del amor, El poema de Córdoba.* • **García, *Manuel Vicente*** (1864-1914) Escritor ven., autor de novelas (*Peonía, Marcelo*) y narraciones que reflejan los ambientes rurales de su país.
ROMMEL, *Erwin* (1891-1944) Mariscal al. A partir de 1940 dirigió con gran pericia el *Afrika Korps* en Libia, aunque fue derrotado por Montgomery en El Alamein. Dirigió en Normandía las fuerzas que se opusieron a la invasión. Acusado por Hitler de formar parte de un complot contra él, se suicidó.
ROMNEY, *George* (1734-1802) Pintor brit. Se dedicó casi exclusivamente al retrato. *Lady Hamilton, Muerte de Wolfe.*
ROMO, MA adj. Obtuso y sin punta. • De nariz pequeña y poco puntiaguda.
ROMPECABEZAS m. Arma ofensiva compuesta de dos bolas pesadas sujetas a los extremos de un mango corto y flexible. • fig. y fam. Problema o acertijo de difícil solución. • Juego de paciencia que consiste en componer determinada figura combinando cierto número de pedacitos en cada uno de los cuales hay una parte de la figura.
ROMPECOCHES m. Tela de lana basta y muy tupida.
ROMPEDERA f. Punzón grande para abrir agujeros en el hierro candente. • Criba de piel, que se usa en las fábricas de pólvora.
ROMPEGALAS com. fam. Persona desaliñada y mal vestida.
ROMPEHIELOS m. Buque acondicionado para la navegación por mares en los que abunda el hielo. Tiene casco muy resistente, roda poderosa, gran potencia de máquinas y puede llevar una hélice a proa.
ROMPEHUELGAS com. Obrero que ocupa el puesto de un huelguista o que no se suma a la huelga.
ROMPENUECES m. Cascanueces.
REOMPEOLAS m. Dique avanzado en el mar, para procurar abrigo a un puerto o rada.
ROMPER tr. y prnl. Separar con violencia las partes de un todo, deshaciendo su unión. • Quebrar o hacer pedazos una cosa. • Gastar, destrozar. • Hacer una abertura en un cuerpo o causarla hiriéndolo. • tr. Deshacer un cuerpo de gente armada. • Roturar. • fig. Traspasar el coto, límite o término. • fig. Dividir o separar por breve tiempo la unión o continuidad de un cuerpo fluido, al atravesarlo. • fig. Interrumpir la continuidad de algo no material. • fig. Atravesar el sol las nubes o la niebla. • fig. Abrir espacio suficiente para pasar por un sitio obstruido. • fig. Interrumpir al que está hablando, o cortar la conversación. • fig. Quebrantar la observancia de la ley, contrato u otra obligación. • intr. Reventar las olas. • fig. Empezar, tener principio, iniciar. • fig. Partir la caza hacia un lado, saliéndose del ojeo o del camino que se esperaba había de llevar. • fig. Resolverse a la ejecución de una cosa en que se hallaba dificultad. • fig. Cesar de pronto un impedimento físico. • fig. Prorrumpir o brotar. • fig. Abrirse las flores. ■ ROMPEDERO, RA; ROMPEDOR, RA; ROMPEDURA; ROMPIBLE.
ROMPESACOS m. Planta gramínea, que produce granos bermejos, puntiagudos por ambas extremidades.
ROMPEZARAGÜELLES m. Planta amer. compuesta, de flor blanca y semilla negra, con vilano. Es aromática y medicinal.
ROMPIENTE adj. Que rompe. • m. Bajo, escollo o costa donde, cortado el curso de la corriente de un río o el de las olas, rompe y se levanta el agua.
ROMPIMIENTO m. Acción y efecto de romper. • Quiebra o abertura en un cuerpo sólido. • Telón recortado que en una decoración de teatro deja ver otro u otros en el fondo. • fig. Desavenencia o riña. • Comunicación entre dos excavaciones subterráneas. • Porción de fondo de un cuadro, donde se pinta una abertura que deja ver un objeto lejano.
ROMPOPE o **ROMPOPO** m. *Amér. Centr.* y *Méx.* Bebida que se confecciona con aguardiente, leche, huevos, azúcar y canela.
RÓMULO Según la leyenda, fundador de Roma. Hijo de Marte y Rea Silvia y hermano gemelo de Remo, a quien mató, erigiéndose en rey único de la ciudad.
RÓMULO Augústulo (s. V) Último emp. rom. de Occidente, destronado por Odoacro en 476.
RON m. Licor alcohólico de olor y sabor fuertes destilado de una mezcla fermentada de melazas y zumo de caña de azúcar.
RONCADOR, RA adj. y s. Que ronca. • m. Pez marino acantopterigio, de color negruzco, con líneas amarillas desde las agallas hasta la cola.
RONCADORA f. *Bol.* y *Ecuad.* Espuela de rodaja muy grande, usada para montar a caballo.
RONCAL m. Ruiseñor.
RONCAR intr. Hacer ruido bronco con la respiración cuando se duerme. • Llamar el gamo a la hembra, cuando está en celo. • fig. Hacer un ruido sordo o bronco ciertas cosas, como el mar, el viento, etc. • fig. y fam. Echar bravatas amenazando. ■ RONQUIDO.
RONCE m. fam. Roncería, halago.
RONCEAR intr. Entretener o retardar la ejecución de una cosa por hacerla de mala gana. • fam. Halagar para lograr un fin. • Moverse lentamente una embarcación. • tr. *Amér.* Atisbar cautelosamente.
RONCERÍA f. Tardanza o lentitud en hacer lo que se manda. • fam. Expresión de halago o cariño, para conseguir un fin. • Movimiento lento de la embarcación. ■ RONCERO, RA.
RONCESVALLES Puerto de montaña en los Pirineos, en Navarra (entre España y Francia). En él, el ejército de Carlomagno fue atacado y derrotado, en 778, por los vascos.
RONCHA f. Pápula de urticaria o la producida por una picadura de insecto. • Cardenal, equimosis. • fig. y fam. Perjuicio económico a consecuencia de un engaño. • Tajada delgada de cualquier cosa, cortada en redondo.
RONCHAR tr. Ronzar, mascar cosas duras. • Crujir un alimento cuando se masca, por estar falto de sazón. • intr. Hacer o causar ronchas en el cuerpo.
RONCO, CA adj. Que tiene o padece ronquera. • Aplícase también a la voz o sonido áspero y bronco. • *Cuba.* Pez marino de color azul, con fajas azules y amarillas. • f. Grito que da el gamo cuando está en celo. • Brama, tiempo en que está en celo el gamo. • fam. Bravuconería o bravata. Se usa más en pl.

Detalle del panel *Gran Capitán* de *El poema de Córdoba* de Julio **Romero de Torres.** Museo Julio Romero de Torres, Córdoba (España)

Erwin **Rommel**

La Loba del Capitolio, obra etrusca de comienzos del s. V a. C. Los gemelos **Rómulo** y Remo, añadidos en el s. XV, se atribuyen a Antonio del Pollaiuolo

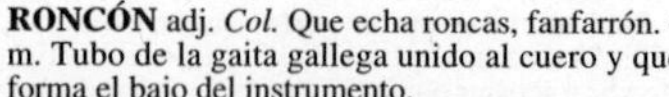

José **Rondeau**

Franklin D. **Roosevelt**

Rosa

RONCÓN adj. *Col.* Que echa roncas, fanfarrón. • m. Tubo de la gaita gallega unido al cuero y que forma el bajo del instrumento.

RONDA f. Acción de rondar. • Grupo de personas que andan rondando. • Reunión nocturna de mozos para tocar y cantar por las calles. • Espacio que hay entre la parte inferior del muro y las casas de una plaza fuerte. • Camino inmediato al límite de una población. • En varios juegos, vuelta o suerte de todos los jugadores. • fam. Distribución de copas de vino o de cigarros a personas reunidas en corro. • *Argent.* y *Chile.* Juego del corro.

RONDADOR, RA adj. Que ronda. • m. *Ecuad.* Especie de zampoña, siringa.

RONDALLA f. Cuento, patraña. • Conjunto musical formado por hombres que van cantando y tocando por las calles.

RONDANA f. *Amér. Centr.* Roldana.

RONDAR tr. e intr. Andar de noche vigilando una población para impedir los desórdenes. • Andar de noche paseando por las calles. • Pasear los mozos por las calles donde viven las mozas a quienes galantean. • intr. Visitar los diferentes puestos de una plaza fuerte o campamento para vigilar el servicio. • tr. fig. Dar vueltas alrededor de una cosa. • fig. y fam. Andar tras de uno para conseguir de él una cosa. • fig. y fam. Amagar, empezar a sentir una cosa.

RONDEAU, *José* (1773-1844) Patriota y militar ur., de origen arg. Director supremo de las Provincias Unidas del Río de la Plata (1815; 1819-1820), fue elegido, en 1828, presid. del Uruguay independiente.

RONDEL m. Composición poética corta en que se repite al final el primer verso o las primeras palabras.

RONDÍN m. Ronda que hace regularmente un cabo para celar la vigilancia de los centinelas. • Sujeto destinado en los arsenales de marina para vigilar e impedir los robos.

RONDÍS o **RONDIZ** m. Mesa o plano principal de una piedra preciosa.

RONDÓ m. Composición musical cuyo tema se repite o insinúa varias veces. • Estrofa de la métrica francesa que presenta dos modalidades principales: r. simple, estrofa de trece versos distribuidos en dos partes diferenciadas por la rima, y r. redoblado o perfecto, de veinte versos separados de cuatro en cuatro.

RONDÓN *(De)* m. adv. Intrépidamente y sin reparo. • **Entrar en r.** uno. fr. fig. y fam. Entrar de repente sin llamar ni ser llamado.

RONDÔNIA Est. del centro-O de Brasil, limítrofe con Bolivia; 238 378 km^2, 1 021 000 hab. Cap., Pôrto Velho. Clima cálido y húmedo en la zona N, que forma parte de la llanura amazónica, y templado y seco en el resto. Caucho, arroz, banana, caña de azúcar.

RONGIGATA f. Rehilandera, juguete.

RONQUEAR intr. Estar ronco. • tr. Trocear o partir atunes u otros animales marinos. • Amenazar con jactancia.

RONQUEDAD f. Aspereza o bronquedad de la voz o del sonido.

RONQUERA f. Afección de laringe, que cambia el timbre de la voz haciéndolo bronco y poco sonoro.

RONRÓN m. *Amér. Centr.* Especie de escarabajo pelotero. • *Amér. Centr.* Bramadera, juguete.

RONRONEAR intr. Producir el gato una especie de ronquido, en señal de satisfacción. ■ RONRONEO.

RONSARD, *Pierre de* (1524-1585) Poeta fr. Jefe del grupo conocido como *La Pléyade*, se propuso renovar los temas de inspiración y las formas de la poesía. *Amores, Sonetos.*

RÖNTGEN, *Wilhelm Konrad von* (1845-1923) Físico al. Descubrió los rayos X, por lo que recibió en 1901 el premio Nobel.

RONZA *(Ir a la)* fr. Sotaventarse una embarcación por tener mucho abatimiento.

RONZAL m. Cuerda que se ata al pescuezo o a la cabeza de las caballerías para sujetarlas. • *Mar.* Palanca, palanquín.

RONZAR tr. Comer una cosa quebradiza partiéndola ruidosamente con los dientes. • Mover una cosa pesada ladeándola con palancas. • intr. Roncear.

ROÑA f. Sarna del ganado lanar. • Porquería pegada fuertemente. • Moho de los metales. • Corteza del pino. • fig. Dañomoral contagioso. • fig. y fam. Mezquindad, roñería. • fig. Tirria, ojeriza. • fig. y fam. Farsa, treta, maula. • com. fig. y fam. Persona roñosa, tacaña. ■ ROÑICA; ROÑOSO, SA.

ROÑERÍA f. fam. Miseria, tacañería, mezquindad.

ROOSEVELT, *Franklin Delano* (1882-1945) Político norteam. Perteneciente al partido demócrata, fue elegido presid, en 1932. Hizo frente a la recesión que siguió a la crisis de 1929 con una nueva política económica, el *New Deal*, consistente en un amplio programa de obras públicas. Reelegido en 1936 y 1940, en 1941 decidió la intervención de EE UU en la II Guerra Mundial. • ***Theodore*** (1858-1919) Político norteam. miembro del partido republicano. Presid. tras el asesinato de McKinley, fue elegido después en 1904. Desarrolló una política imperialista apoyando el intervencionismo en Iberoamérica.

ROPA f. Cualquier prenda de tela y especialmente la que se usa para vestir. • Vestidura distintiva de un determinado cargo o profesión. • **blanca.** La de uso doméstico. • **interior.** Conjunto de prendas que se llevan debajo del vestido o de las prendas exteriores. • **A quema r.** m. adv. Tratándose del disparo de un arma de fuego, desde muy cerca. • fig. De improviso, inopinadamente.

ROPAJE m. Vestido y especialmente la ropa suntuosa usada en ceremonias solemnes. • Conjunto de ropas. • fig. Forma, modo de expresión, lenguaje.

ROPERÍA f. Oficio de ropero. • Tienda donde se vende ropa hecha. • Habitación donde se guarda la ropa de una comunidad. • Empleo de guardar la ropa y cuidar de ella.

ROPERO, RA m. y f. Persona que vende ropa. • Persona destinada a cuidar de la ropa de una comunidad. • m. Armario o cuarto donde se guarda ropa. • Asociación benéfica destinada a distribuir ropas entre los necesitados.

ROPÓN m. Ropa larga que regularmente se pone suelta sobre los demás vestidos. • Especie de acolchado que se hace cosiendo unas telas gruesas sobre otras, o colocándolas dobladas. • *Chile.* Amazona, traje que usan las mujeres para montar a caballo.

ROQUE adj. Dormido. Se usa con los verbos *estar* o *quedarse*. • m. Torre del ajedrez.

ROQUE (1295-1378) Santo. Nacido en Montpellier. Consagró su vida a socorrer a los apestados.

ROQUEDA f. o **ROQUEDAL** m. Lugar abundante en rocas.

ROQUEDO m. Peñasco o roca.

ROQUEFORT m. Queso de leche de oveja y pan enmohecido originario del poblado fr. Roquefort-sur-Souizon, pral. centro productor del mismo.

ROQUEÑO, ÑA adj. Aplícase al sitio o paraje lleno de rocas. • Duro como roca.

ROQUERO, RA adj. Relativo a las rocas o que se cría sobre ellas. • m. Ave paseriforme de la familia muscicápidos. Tiene el tamaño de un tordo, y vive en lugares agrestes y rocosos.

ROQUES Archipiélago de Venezuela, formado por 45 islas, a unos 13 km de Caracas. Pesca y salinas.

ROQUETA f. Especie de atalaya, que se construía dentro del recinto de una plaza fuerte.

ROQUETE m. Especie de sobrepelliz de mangas cortas. • Hierro de la lanza del torneo, que terminaba con tres o cuatro puntas separadas. • Figura del escudo en forma de triángulo.

RORAIMA Estado del N de Brasil, limítrofe con Venezuela y Guyana; 225 017 km^2, 130 000 hab. Cap., Boa Vista. Accidentado al N, el S pertenece a la llanura amazónica. Clima tropical al N y ecuatorial en la llanura. Ganadería y agricultura de subsistencia. Oro y diamantes.

RORCUAL m. Cetáceo de 18 a 25 m de longitud, con 70 a 110 surcos en la garganta y el vientre y coloración asimétrica (gris por encima, blanca por debajo). • **azul.** Cetáceo que puede medir 30 m y pesar 150 t; es de color pizarra oscuro o gris azulado, con manchas pálidas. Es el mayor de los animales conocidos.

RORE, *Cyprien de* (1516-1565) Compositor flamenco. Maestro de capilla en San Marcos de Venecia. *Pasión según san Juan.*

RORRO m. fam. Niño de pecho.

RORSCHACH, *Hermann* (1884-1922) Psiquiatra suizo, autor de un test proyectivo considerado el más seguro y completo para conocer los trastornos psíquicos y estudiar la personalidad.

ROS, *Antonio* (nacido 1899) Oftalmólogo y escritor esp., autor de numerosas obras relacionadas con su especialidad. • **De Olano,** *Antonio* (1808-1886) Militar, político y literato esp., n. en Caracas. *El doctor Lañuela.*

ROSA f. Nombre común a diversas especies de plantas arbustivas del género *Rosa*, así como a sus flores. P. ext. se da el nombre a otras especies parecidas que son de otros géneros, incluso sin pertenecer a la familia rosáceas. → Rosal. • Mancha redonda de color rosado que suele salir en el cuerpo. • Lazo de cintas o cosa que imita la forma de una rosa. • Cualquier cosa formada con alguna semejanza a esta figura. • Diamante rosa. • Cometa crinito. • Fruta de sartén hecha con masa de harina. • *Arq.* Rosetón. • *Amér.* Rosal, planta. • pl. Rosetas de maíz. • m. Color rosa. • **del azafrán.** Flor de azafrán. • **de los vientos.** Círculo que tiene marcados alrededor los 32 rumbos en que se divide la vuelta del horizonte. • **de té.** La de color amarillo o algo anaranjado cuyo olor se parece al del té.

ROSA, *Monte* Macizo de los Alpes Peninos, en la frontera ítalo-suiza; 4 638 m.

ROSA, *Salvatore* (1615-1673) Pintor, poeta y músico it. Su pintura estuvo dominada por un gran amor a la naturaleza y al movimiento. *Batalla de caballería, La selva de los prudentes.* • **De Lima** (1586-1617) Santa. Religiosa dominica per., de origen esp. Patrona de Lima, de América y de las Indias orientales.

ROSÁCEO, A adj. De color parecido al de la rosa. • adj. y f. Díc. de las plantas de la familia rosáceas. • f. pl. Familia de plantas dicotiledóneas, con hojas esparcidas, flores hermafroditas, pentámeras, y frutos en aquenio, cinorrodon, polidrupa o folículos.

ROSADELFA f. Azalea. • Rododendro, arbolillo.

ROSADO, DA adj. Aplícase al color de la rosa. • Compuesto con rosas. • Díc. de la bebida helada que está a medio cuajar. • *Argent., Chile* y *Col.* Rubicán. • f. Escarcha o rociada.

ROSAL m. *Bot.* Nombre común de diversas especies de plantas arbustivas del género *Rosa*, familia rosáceas. Los r. de jardín se han originado por selección e hibridación a partir de diversas especies, como *r. amarillo, r. de China, r. de pitiminí, r. silvestre, r. trepador*, etc. • *Amér.* Rosalera, plantío de rosales. • m. pl. *Bot.* Orden de dicotiledóneas que comprende, entre otras familias, las crasuláceas, rosáceas, mimosáceas y papilionáceas. ■ ROSALEDA O ROSALERA.

ROSALES, *Eduardo* (1836-1873) Pintor esp. que cultivó el gén. histórico. *El testamento de Isabel la Católica, La muerte de Lucrecia.* • ***Diego de*** (1603-1677) Historiador esp., jesuita. Evangelizó a los araucos. *Historia general del reino de Chile, Flandes indiano.* • ***Luis*** (1910-1992) Poeta esp. Su poesía, de corte clásico y gracia popular, ha evolucionado hacia una tendencia intimista. *Abril, Rimas.*

ROSANILINA f. *Quím.* Base carbinólica, que calentada con anilina y un ácido débil, e introduciendo un radical fenilo en cada grupo amino, origina una materia colorante azul, el azul de anilina.

ROSARIERA f. Cinamomo, planta.

ROSARINO, NA adj. y s. De Rosario.

ROSARIO m. Rezo de la Iglesia, en que se conmemoran los 15 misterios de la Virgen Santísima, recitando después de cada uno un padrenuestro, diez avemarías y un gloriapatri. • Sarta de cuentas que sirve para hacer el rezo del mismo nombre. • fig. Sarta, serie. • Junta de personas que rezan el rosario. • Este mismo acto colectivo de devoción. • Máquina para elevar agua, especie de noria. • fig. y fam. Espinazo, espina dorsal. • **Acabar como el r. de la aurora.** fr. fig. y fam. que se dice cuando los individuos de una reunión se desbandan tumultuariamente.

ROSARIO C. de Argentina, en la prov. de Santa Fe; 957 300 hab. (agl. urb.) Sit. sobre el r. Paraná, tiene un imp. puerto que durante el s. XIX dio gran importancia a la c. La función industrial se ha situado en zonas suburbanas, mientras que el centro tiene una importancia comercial, administrativa y cultural. R. formó parte de la Liga federal impulsada por Argentina y fue escenario de las luchas contra la política hegemónica del puerto de Buenos Aires. A partir de 1854 fue declarada puerto de las prov. del interior. Una ley de derechos aduaneros (1857) y la construcción de un puerto (1859) impulsaron su desarrollo.

ROSARSE prnl. Sonrosarse.

ROSAS, *Juan Manuel de* (1793-1877) Militar, político y hombre de negocios arg. Una de las fig. más controvertidas de la historia del Río de la Plata. Gobernador de la prov. de Buenos Aires en 1832, contó con el apoyo de los grandes ganaderos, de los militares y de los sectores populares. Volvió al poder en 1835 y gobernó dictatorialmente hasta 1852. Su política fue nacionalista, aunque no federalista. Suprimió el liberalismo aduanero y los privilegios del capitalismo brit., pero su política rural apoyó a los grandes terratenientes. En 1852, una sublevación del partido colorado apoyada por Uruguay y Brasil terminó con la hegemonía de R., en la batalla de Monte Caseros.

ROSBIF m. Carne de vaca soasada.

Membrillero del Japón, planta de la familia **rosáceas**

Rosario. Puerto fluvial sobre el río Paraná

ROSCA f. Máquina que se compone de tornillo y tuerca. • Resalto helicoidal en un tornillo o tuerca. • Cualquier cosa redonda y rojiza que, cerrándose, forma un círculo u óvalo, dejando en medio un espacio vacío. • Pan o bollo de esta forma. • Carnosidad de las personas gruesas alrededor del cuello, las muñecas y las piernas. • Cada una de las vueltas de una espiral, o el conjunto de ellas. • Faja de material que forma un arco o bóveda. • *Chile.* Rodete para llevar pesos en la cabeza. • *Perú.* Hombre afeminado. • **Hacer la r.** a uno. fr. fig. y fam. Rondarle, halagarle para obtener algo. • **Pasarse de r.** fr. No entrar bien un tornillo en la rosca de su tuerca. • fig. Excederse. ■ ROSQUEADO, DA.

ROSCADO, DA adj. En forma de rosca. • *Mec. apl.* Ejecución de una rosca a lo largo de una superficie cilíndrica lisa. Para ello se emplean los roscadores, fresadoras para roscas, tornos de roscar, laminadoras de roscas y rectificadoras de roscas.

ROSCADOR, RA adj. Que rosca. • adj. y f. Díc. de la máquina que tiene por objeto realizar el roscado mediante machos de roscar.

ROSCAR tr. Labrar las espiras de un tornillo. • Atornillar, enroscar.

ROSCIO, *Juan Germán* (1759-1821) Abogado y patriota ven. Partidario de la indep., redactó el *Manifiesto que hizo al mundo la Confederación de Venezuela.* Presidió el congreso de Angostura y fue presid. de Venezuela (1819) y de la Gran Colombia. *Triunfo de la libertad sobre el despotismo.*

ROSCO m. Roscón o rosca de pan.

ROSCÓN m. Bollo en forma de rosca grande.

ROSEAR intr. Mostrar color parecido al de la rosa. ■ RÓSEO, A.

ROSELLÓN (cat., *Rosselló*; fr., *Rousillon*) Ant. comarca cat. transpirenaica, perteneciente a Francia desde 1659. Clima mediterráneo. Cultivo de la vid. Turismo. La pob., de unas 335 000 personas, es en su mayoría de origen cat. Prales. c.: Perpiñán, Prades, Rivesaltes y Port-Vendres.

ROSELLONÉS, SA adj. y s. Del Rosellón.

ROSENBERG, *Alfred* (1893-1946) Político y filósofo al. Pral. teórico de la doctrina racista nazi, fue autor de *El mito del siglo XX.* El tribunal de Nuremberg le condenó a muerte.

Juan Manuel de **Rosas**

Rosellón. Panorámica de Vernet-Les-Bains

Rosetón de la catedral de Amiens

ROSENBERG, ***Caso*** Proceso político llevado a cabo en EE UU en 1950 contra los físicos norteam. Julius Rosenberg y su esposa Ethel Greenglass, acusados de espionaje en favor de la URSS. A pesar de que su culpabilidad no pudo ser probada, fueron condenados a muerte y ejecutados (1953).

ROSENBLAT, ***Ángel*** (1902-1984) Lingüista ven. *Lengua literaria y lengua popular en América, Buenas y malas palabras.*

ROSENBLUETH, ***Emilio*** (nacido 1925) Ingeniero mex., especialista en sistemas de arquitectura antisísmica. Premio Príncipe de Asturias de Investigación Científica y Técnica en 1985.

ROSÉOLA f. *Pat.* Erupción cutánea de color rojo debida a un aumento del flujo sanguíneo arterial en los vasos superficiales. • **infantil.** *Pat.* Enfermedad benigna infantil caracterizada por dicha erupción.

ROSERO, RA m. y f. Persona que trabaja en la recolección de rosas del azafrán. • m. *Ecuad.* Postre típico del día del Corpus, compuesto de almíbar, especias y esencias con agua y trozos de piña.

ROSETA f. Mancha rosada en las mejillas. • Rallo de la regadera. • Pieza de metal fija en el extremo de la barra de la romana. • Arete o zarcillo adornado con una piedra preciosa rodeada de otras pequeñas. • Costra de cobre puro, de color de rosa, que se forma en las pilas de los hornos de afino echando agua fría sobre el metal fundido. • pl. Granos de maíz que al tostarse se abren en forma de flor.

ROSETA *(Rashid)* C. de Egipto y puerto fluvial en el Nilo; 40 000 hab. Durante la expedición de Napoleón en 1799, se descubrió allí la llamada *piedra de R.*, cuya inscripción trilingüe fue el punto de partida de la egiptología.

ROSETÓN m. Ornamento circular que se pone en una ventana calada, en las iglesias románicas o góticas. • Adorno circular que se coloca en los techos.

ROSI, ***Francesco*** (nacido 1922) Director de cine it. Su producción, muy cercana al documental *Salvatore Giuliano*, analiza la problemática del poder y su corrupción. *El caso Mattei, Lucky Luciano.*

ROSICLER m. Color de la aurora. • Plata roja.

ROSILLO, LLA adj. Rojo claro. • Díc. de la caballería cuyo pelo está mezclado de blanco, negro y castaño.

ROSITAS f. pl. Rosetas de maíz. • **De r.** m. adv. fam. De balde, sin esfuerzo alguno.

Virgen con el Niño riendo, terracota de Antonio **Rossellino.** Museo Victoria y Alberto, Londres

ROSKILDE C. y puerto de Dinamarca, en la isla de Seeland; 49 100 hab. Ant. cap. del país (ss. x-xii). • **Paz de R.** Paz que se concertó en 1658 entre Dinamarca y Suecia, país que obtuvo a expensas del primero Escania, Hallan y Blekinge.

ROSMARINO, NA adj. Rojo claro. • m. Romero, planta.

ROSMARO m. Morsa, especie de foca.

ROSMINI-SERBATI, ***Antonio*** (1797-1855) Filósofo it., pral. representante del ontologismo, que se funda en la posibilidad de conocer la realidad absoluta del mundo. *Nuevo ensayo sobre el origen de las ideas.*

ROSO adj. Raído, sin pelo. • Rojo.

ROSOLI o **ROSOLÍ** m. Licor compuesto de aguardiente rectificado, mezclado con azúcar, canela, anís u otros ingredientes olorosos.

ROSÓN m. Rezno, insecto.

ROSQUETE m. Rosquilla grande. • *Amér. Centr.* Dulce de harina de maíz, en forma de ladrillo pequeño.

ROSQUILLA f. Masa dulce en forma de rosca pequeña que se fríe a fuego vivo y se espolvorea con azúcar. • Cualquier larva de las que se enroscan al verse en peligro. ▪ ROSQUILLERO, RA.

ROSS, ***Barrera de*** Acumulación de hielos flotantes de la Antártida que se extiende frente al mar de Ross desde la Tierra Victoria al E, a la Tierra de Marie Byrd al O; más de 700 km. • ***Mar de R.*** Brazo del S del océano Pacífico, en el océano Antártico. Sit. entre la Tierra Victoria y la de Marie Byrd.

ROSS, SIR ***James Clark*** (1800-1860) Marino brit., sobrino de John R. Exploró la Antártida, donde descubrió la Tierra Victoria. • SIR ***John*** (1777-1856) Marino brit. Descubrió la pen. de Boothia y la Tierra del Rey Guillermo, en las regiones árticas.

James **Rothschild,** uno de los banqueros de esa dinastía

ROSSELLINI, ***Roberto*** (1906-1977) Director de cine it. Su obra *Roma, ciudad abierta* (1945), realizada en los escenarios auténticos de la Italia recién liberada, señala el inicio del neorrealismo it. A partir de 1964 dedicó sus esfuerzos a la televisión. *Paisá, Alemania año cero, Strómboli, Te querré siempre.*

ROSSELLINO, ***Antonio*** (1427-1479) Escultor it. del *Quattrocento*. De su producción destaca el conjunto de capilla-sepulcro del cardenal de Portugal, obra maestra del preciosismo. • ***Bernardo*** (1409-1464) Arquitecto y escultor it. del *Quattrocento*, hermano de Antonio. Construyó el palacio Ruccellai en Florencia, según dibujos y planos de Alberti.

ROSSEN, ***Robert*** (1908-1966) Director y guionista cinematográfico norteam. *Cuerpo y alma, El político, Lilith.*

ROSSETTI, ***Dante Gabriel*** (1828-1882) Poeta y pintor brit. de origen it. Su pintura acusa un cierto decadentismo, patente en la rigidez de sus figuras y en lo irreal de sus ambientes. *Infancia de la Virgen.*

ROSSI, ***Aldo*** (1931-1997) Arquitecto it. Museo Bonnefanten de Maastricht (Países Bajos). • ***Luigi*** (1598-1663) Compositor it. Autor de óperas de gran brillantez armónica y rítmica como *El palacio encantado, Orfeo.* • ***Pellegrino*** (1787-1848) Político it. Apoyó la política de Murat en Italia y, tras el fracaso de éste, hubo de refugiarse en Suiza.

ROSSINI, ***Gioacchino Antonio*** (1792-1868) Compositor it., una de las prales. fig. de la ópera en el s. xix. *El contrato de matrimonio, El barbero de Sevilla, La urraca ladrona, La italiana en Argel, Semíramis, Otelo, Un turco en Sicilia, Guillermo Tell.*

ROSTAND, ***Edmond*** (1868-1918) Poeta y dramaturgo fr. Representante de la reacción idealista contra el realismo que privaba en el teatro de su tiempo. *La samaritana, Chantecler, El aguilucho, Cyrano de Bergerac.* • ***Jean*** (1894-1977) Biólogo y escritor fr. Se dedicó al estudio de la herencia y de los fenómenos de partenogénesis. *Etapas de la historia de la biología, ¿Puede modificarse al hombre?, Carnet de un biólogo.*

ROSTICERÍA f. *Méx.* y *Nic.* Establecimiento donde se asan y se venden carnes.

ROSTOCK C. de Alemania, en Mecklemburgo; 241 300 hab. Sit. en el estuario del Warnow. Primer puerto del país. Astilleros. Ind. maderera.

ROSTOV DEL DON C. de Rusia, cap. de la prov. de Rostov; 986 000 hab. Sit. en la desembocadura del Don, junto al mar de Azov. Astilleros. Refinerías de petróleo. Ind. alimentaria. Universidad.

ROSTRADO, DA o **ROSTRAL** adj. Que remata en una punta semejante al pico del pájaro o al espolón de la nave.

ROSTRATÚLIDO, DA adj. y m. Díc. de las aves de la familia rostratúlidos. • m. pl. Familia de aves caradriformes compuesta por dos especies de falsas becadas cuyas costumbres corresponden a las de los rascones.

ROSTRO m. Pico del ave. • P. ext., cosa en punta parecida a él. • Cara de las personas. • Espolón de las naves antiguas. • Espolón de la nave. • **Tener r.** fr. fig. y fam. Ser muy atrevido u osado.

ROSTROPÓVICH, ***Mstislav*** (nacido 1917). Violoncelista y director de orquesta ruso.

ROSWITHA o **HROSVITH** (h. 935-1000) Primera escritora conocida de la literatura al. Compuso en latín piezas directamente inspiradas en Terencio.

ROTACIÓN f. *Astr.* Movimiento de los astros al girar en torno a ejes que pasan por los centros de gravedad de sus masas. • Movimiento de giro de nuestro planeta alrededor de su propio eje, en sentido oeste-este, determinando la sucesión de los días y las noches. • *Biol.* y *Quím.* Fenómeno por el cual las sustancias químicas con algún átomo de carbono asimétrico pueden desviar el plano de la luz polarizada que incide sobre su disolución, bien hacia la derecha (sustancias dextrógiras), bien hacia la izquierda (levógiras). • *Mat.* Giro. • *Mec. apl.* Movimiento por el que todos los puntos de un cuerpo rígido describen arcos de igual amplitud pertenecientes a circunferencias cuyos centros se hallan en una misma recta (eje de r.). • **de cultivos.** *Agr.* Sucesión metódica de cultivos en una determinada parcela; repetición continuada de dicha sucesión.

ROTACISMO m. Conversión del sonido *s* en *r* en posición intervocálica.

ROTAR intr. Rodar, girar. ■ ROTATORIO, RIA.
ROTATIVO, VA adj. Que da vueltas. • adj. y f. *Art. Gráf.* Díc. de la máquina de imprimir en la cual la composición se dispone en un cilindro. El papel pasa entre dos pares de cilindros que lo imprimen por las dos caras. • m. P. ext., periódico impreso en estas máquinas.
ROTAVAPOR m. Evaporador rotatorio, consistente en un matraz que gira sobre su eje y se calienta conectado a una bomba de vacío.
ROTEN m. Rota, planta. • Bastón hecho del tallo de esta planta.
ROTERÍA f. *Chile.* Conjunto de rotos, plebe.
ROTHSCHILD Familia de banqueros judíos de origen al. El fundador del negocio fue **Mayer Amschel R.** (1743-1812) que, como cambista de monedas y objetos de oro, reunió gran fortuna, que le permitió crear una vasta red comercial y financiera en Europa. Aunque en el s. XX su importancia ha decaído, aún puede considerarse una de las familias prales. del mundo de las finanzas.
ROTÍFERO, RA adj. y m. *Zool.* Díc. de los animales de la clase rotíferos. • m. pl. *Zool.* Clase de asquelmintos, de tamaño muy pequeño, que poseen una corona de cilios y un órgano masticador (el mástax) característico.
ROTO, TA adj. Andrajoso. • Aplícase al sujeto licencioso. • m. *Chile.* Individuo de la clase más baja del pueblo. • fam. despect. *Argent.* y *Perú.* Apodo con que se designa al chil. • *Méx.* Petimetre del pueblo. • *Ecuad.* Mestizo de español e indígena. • f. Derrota, rumbo que lleva una embarcación. • Fuga de un ejército vencido. • Tribunal de la corte rom., en el cual se deciden en grado de apelación las causas eclesiásticas de todo el orbe católico. • Planta de la familia palmáceas de hojas lisas y flexibles; zarcillos espinosos; flores de tres pétalos, y fruto abayado y rojo. Vive en los bosques de la India y otros países de oriente, y de su tallo se hacen bastones. • **de la nunciatura apostólica.** Tribunal supremo eclesiástico de última apelación en España, compuesto de jueces españoles. ■ ROTAL.
ROTOGRABADO m. Procedimiento de impresión de grabados en rotativa.
ROTONDA f. Templo, edificio o sala de planta circular rematada gralte. por una cúpula.
ROTOR adj. Que gira. • m. Órgano principal animado de rotación continua que se halla en máquinas dotadas de órganos caracterizados por permanecer fijos. • Órgano de sustentación de un autogiro, que está constituido por un sistema de palas giratorias cuyo movimiento se debe a la acción relativa del viento.
ROTOSO, SA adj. *Amér.* Roto, desharrapado.
ROTTERDAM C. de Países Bajos, en Holanda Meridional; 554 300 hab. (1 025 500 la agl. urb.). Sit. junto al r. Nieuwe Maas. La actividad portuaria, la más imp. del Atlántico, se ve favorecida por el intenso tráfico de import. (sobre todo petróleo) y export. y por modernas instalaciones portuarias. Ind. alimentaria, siderúrgica, metalúrgica, química. Imp. colección de pintura neerlandesa en el museo Boymans Van Beuningen.
RÓTULA f. *Anat.* Hueso plano y redondeado móvil, que se encuentra incluido en el tendón del músculo cuádriceps femoral y que está situado por delante de la extremidad inferior del fémur. • *Méc. apl.* Articulación que consiste en un casquete esférico cóncavo que se apoya sobre una esfera y permite que una de las partes quede fija mientras la otra pueda girar y formar con la anterior ángulos variables. • Cada uno de los pequeños trozos en que se divide una masa medicamentosa.
ROTULADOR, RA adj. y s. Que rotula y sirve para rotular. • m. Lápiz con punta de fieltro y depósito interior, especial para rotular.
ROTULAR tr. Poner un rótulo. • adj. Perteneciente o relativo a la rótula. ■ ROTULACIÓN.
ROTULATA f. Colección de rótulos. • fam. Rótulo, título.
RÓTULO m. Título, encabezamiento, letrero. • Cartel público para dar noticia o aviso de una cosa. • *Comp.* Carácter o conjunto de caracteres que se utilizan para identificar una sentencia, un dato, o un conjunto de ellos.
ROTUNDO, DA adj. Redondo. • fig. Aplicado al lenguaje, lleno y sonoro. • fig. Completo, preciso y terminante. • f. Rotonda, construcción de planta circular. ■ ROTUNDIDAD.
ROTURA f. Rompimiento, acción y efecto de romper. • Contrarrotura. • Raja o quiebra de un cuerpo sólido.
ROTURAR tr. Arar por primera vez las tierras incultas. ■ ROTURACIÓN; ROTURADOR, RA.
ROUAULT, *Georges* (1871-1958) Pintor y grabador fr. Su temática en un principio es expresión de la problemática social. Luego interpretará temas religiosos. *Cristo y los pecadores.*
ROUBAIX C. de Francia, en el dpto. de Nord; 110 000 hab. Centro industrial y textil.
ROUEN C. de Francia → Ruán.
ROUGET de Lisle, *Claude Joseph* (1760-1836) Poeta fr. Compositor de la letra y música de la Marsellesa.
ROUND (voz ing.) m. Asalto, cada una de las partes en que se divide una pelea de boxeo.
ROUSSEAU, *Henri Julien,* llamado EL ADUANERO (1844-1910) Pintor fr., pral. exponente del arte *naïf. La gitana dormida, La guerra, El sueño.* • ***Jean-Jacques*** (1712-1778) Escritor y filósofo suizo, en lengua fr. Su obra autobiográfica *Confesiones y divagaciones de un paseante solitario*, nos presenta a un hombre contradictorio, a alguien que se tuvo a sí mismo como su propio enemigo. En 1750 la Academia de Dijon le otorgó el primer premio por su *Discurso sobre las ciencias y las artes.* Otras obras de gran trascendencia fueron *Discurso sobre los orígenes de la desigualdad entre los hombres, Contrato social* y *Emilio*, obras en las que exhorta al desarrollo de las dimensiones naturalmente buenas del hombre en orden a la consecución de un nuevo estado social. El *Contrato social* influyó notablemente en la Rev. Fr. • ***Théodore*** (1812-1867) Pintor fr., uno de los creadores de la escuela de Barbizon, predecesora del impresionismo. *El abrevadero.*
ROUSSEL, *Albert* (1869-1937) Compositor fr. Discípulo de César Franck. Compuso música sinfónica y de cámara. Sus *Evocaciones* para solistas, coros y orquestas están inspiradas en el Extremo Oriente.
ROUX, *René Paul Émile* (1853-1933) Bacteriólogo fr. Uno de los fundadores de la sueroterapia moderna.
ROVELLÓN m. Nombre común de diversas especies de hongos de la familia agaricáceas, comestibles.
ROWLAND, *Henry Augustus* (1848-1901) Físico norteam. Elaboró la rejilla cóncava para el espectroscopio; estableció el valor del ohmio y descubrió los efectos magnéticos de la conversión de la electricidad.
ROXANA (m. 311 a. C.) Esposa de Alejandro Magno, de quien tuvo un hijo póstumo (Alejandro VI). M. asesinada por Casandro.
ROXLO, *Carlos* (1861-1926) Político, parlamentario y escritor ur. *Estrellas fugaces, Fuegos fatuos, Cantos a la tierra, Historia crítica de la literatura uruguaya.*
ROYA f. Nombre común a diversos hongos parásitos de los vegetales y a las enfermedades que en ellos producen.
ROYALTY (voz ing.) f. Tasa que se paga por la utilización industrial de una obra literaria, artística o técnica, o por la explotación de un terreno, mina, pozo petrolífero, etc.
ROYO, *Arístides* (nacido 1939) Político pan. Ministro de Educación (1973-1978). Presid. (1978-1980). Dimitió tras la muerte de Torrijos.
ROZA f. Acción y efecto de rozar. • Tierra rozada para sembrar en ella.
ROZADERA f. Especie de guadaña para quitar matas y hierbas inútiles.
ROZADURA f. Acción y efecto de ludir una cosa con otra. • Enfermedad de los árboles a consecuencia de haberse desprendido del líber la corteza. • Herida superficial de la piel.
ROZAGANTE adj. Aplícase a la vestidura vistosa y muy larga. • fig. Vistoso, ufano.
ROZAMIENTO m. Roza. • fig. Disensión o disgusto leve entre dos personas o entidades. • *Mec.* Resistencia que se opone a la rotación o al deslizamiento de un cuerpo sobre otro.

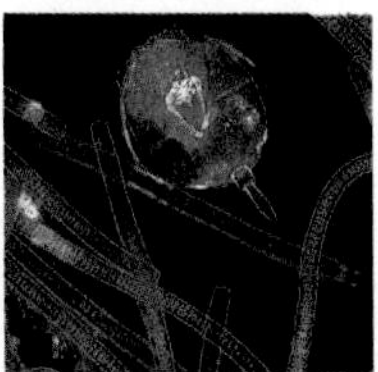

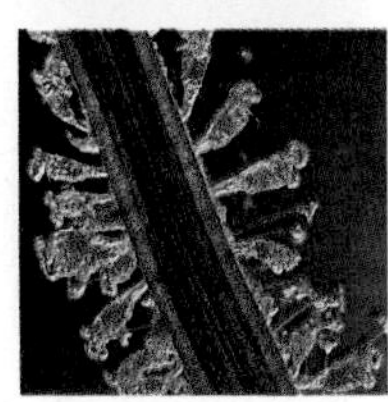

Rotífero. Arriba, rotífero perteneciente al género *Lecane*; sobre estas líneas, *Philodina roseola*, rotífero dulceacuícola adherido a una alga junto a vorticelas

Jean-Jacques **Rousseau**

René Paul Émile **Roux**

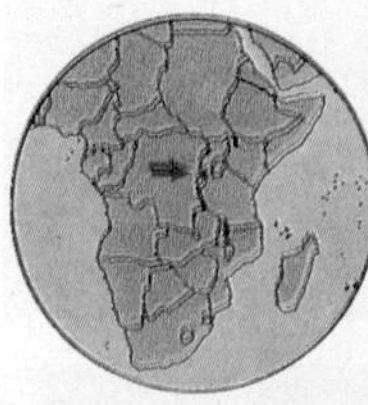

Ruanda. Arriba, mapa de situación y bandera; abajo, alfarero camino del mercado

ROZAR tr. Limpiar las tierras de las matas y hierbas inútiles. • Cortar leña menuda o hierba para aprovecharse de ella. • Cortar los animales con los dientes la hierba para comerla. • Raer la superficie de una cosa. • Entonar el cantante con inseguridad o con voz poco clara una nota determinada. • *Const.* Abrir algún hueco o canal en un paramento. • tr. e intr. Pasar una cosa tocando y oprimiendo ligeramente la superficie de otra o acercándose mucho a ella. • prnl. Tropezarse o herirse un pie con otro. • fig. Tratarse o tener entre sí dos o más personas familiaridad y confianza. • fig. Embarazarse en las palabras, pronunciándolas mal o con dificultad. • fig. Tener una cosa semejanza o conexión con otra. ■ ROZADOR, RA.

ROZAS DE MADRID, LAS Mun. de España, en la prov. de Madrid; 45 280 hab.

RUANDA

Superficie 26 338 km²

Población 7 738 000 hab. (294 hab./km²)

Recursos económicos	
Arroz	2 000 t
Batatas	1 100 000 t
Cabaña bovina	465 000 cabezas
Cabaña ovina	250 000 cabezas
Cabaña porcina	80 000 cabezas
Café	22 000 t
Energía eléctrica	166 000 000 kwh
Estaño	200 t
Maíz	71 000 t
Mandioca	250 000 t
Mijo	1 000 t
Patatas	150 000 t
Riqueza forestal	5 660 000 m³
Sorgo	72 000 t

Indicadores sociológicos	
PNB	1 128 millones de dólares
Renta per cápita	180 dólares
Esperanza de vida	42 años
Alfabetismo	60 %

ROZNAR tr. Comer con ruido. • Ronzar. • intr. Rebuznar.

ROZNIDO m. Ruido que, al roznar, se hace con los dientes. • Rebuzno.

ROZNO m. Borrico.

ROZÓN m. Especie de guadaña, corta y gruesa, que sirve para rozar árgoma, zarzas, etc.

RPG (*Report Program Generator*) *Comp.* Lenguaje de programación usado en gestión de empresas.

Las tres gracias, óleo de Pieter Paul **Rubens.** Museo del Prado, Madrid

RSFSR En la extinta URSS, siglas de la República Socialista Federativa Soviética de Rusia.

RSSA En la extinta URSS, siglas de República Socialista Soviética Autónoma.

RTL (siglas de *Register Transfer Language*, lenguaje de transferencia entre registros) *Comp.* Lenguaje que describe el funcionamiento físico (*hardware*) de la computadora y que está basado en las operaciones entre registros internos.

RTOS (siglas del *Real Time Operating System*, sistema operativo en tiempo real) *Comp.* Sistema operativo de una computadora que hace que cualquier consulta o demanda de datos por parte de uno o varios usuarios sea contestada de forma inmediata.

Ru *Quím.* Símb. del rutenio.

RÚA f. Calle de un pueblo. • Camino carretero.

RUÁN *(Rouen)* C. de Francia, cap. del dpto. de Seine-Maritime y de la región de la Alta Normandía; 380 200 hab. Puerto y nudo de comunicaciones con el interior. Ind. textil, química, alimentaria, metalúrgica, etc.

RUANDA *(République Rwandaise, Republika y'u Rwanda)* Estado del África central. Limita al N con Uganda, al O con la República Democrática del Congo, al E con Tanzania y al S con Burundi. Ocupa una meseta de 1 600 m de alt. media, que desciende gradualmente hacia el lago Victoria al E. El pral. río es el Kagera, que traza la frontera oriental. Clima ecuatorial. Vegetación herbácea. Caza mayor, amparada en el parque nac. del Kagera. Café, té, tabaco y cacahuete. Ganadería bovina y ovina. Estaño, tungsteno y gas natural. Transformación de productos agropecuarios. Grupos étnicos o nacionales: hutu, tutsi y twas. Lenguas: fr. y kinya rwanda (of.) *Rel.*: catolicismo y animismo. U.M.: el franco de Ruanda. Cap., Kigali.

* *Hist.* Habitado desde ant. por los batwa, más tarde aparecieron los hutu, que introdujeron una agricultura primitiva. Hacia el s. XV los tutsi, ganaderos, se impusieron a los agricultores y crearon una estructura semifeudal. El primer contacto con los europeos se produjo en 1858 y R., en la conferencia de Berlín, fue asignada al África Oriental Alemana. A la colonización al. siguió la belga. En 1962 se declaró la indep. La inestabilidad política generada por los enfrentamientos entre las tribus hutu y tutsi propició un golpe de Est. militar (1973), encabezado por el general J. Habyalimana. En 1975 se creó el Movimiento Revolucionario Nacional para el Desarrollo (MNRD), partido único. J. Habyalimana, jefe del Est. y del gobierno fue reelegido en 1983. Su asesinato, en 1994, desencadenó una cruenta guerra civil entre hutus y tutsis. Aunque en 1998 se inició un juicio contra los autores del genocidio de 1994, prosiguieron los enfrentamientos entre ambas etnias.

RUANDA-URUNDI Ant. terr. de África central, perteneciente desde 1885 a Alemania y desde 1919 a Bélgica. Tras la indep. (1962) se dividió en dos Est.: → Ruanda y → Burundi.

RUANO, NA adj. Roano. • f. Tejido de lana. • Manta raída. • *Col.* y *Ven.* Especie de capote de monte o poncho.

RUAR intr. Andar por calles y sitios públicos.

RUB AL JALI Gran desierto de arena del S de la pen. arábiga, que se extiende por Arabia Saudita y por territorios de Yemen, Omán y los Emiratos Árabes Unidos.

RUBEFACCIÓN f. *Pat.* Rubicundez producida en la piel por la acción de un medicamento o por alteraciones de la circulación sanguínea. ■ RUBEFACIENTE.

RUBELITA f. *Min.* Variedad de turmalina de color rojo, que se emplea como piedra preciosa. También es conocida con los nombres de *siberita* y *rubí de Siberia*.

RUBENS, *Pieter Paul* (1577-1640) Pintor flam., uno de los principales maestros del arte barroco. En Italia trabajó al servicio del duque de Mantua, y en esa época aprendió de Rafael y Leonardo el arte de la composición, de Caravaggio la luz, y de Miguel Ángel la grandiosidad; en Madrid conoció a Velázquez. A pesar de tantas influencias R. creó un estilo muy personal, gracias a su gran imaginación. Los temas tratados por Rubens son muy variados: religiosos (*La adoración de los reyes*), mitológicos (*Las tres gracias*), retratos (*El cardenal infante*), etc.

RÚBEO, A adj. Que tira a rojo.

RUBÉOLA f. *Pat.* Enfermedad vírica, generalmente benigna, contagiosa, febril, con erupción y linfadenopatía, peligrosa en mujeres embarazadas.
RUBESCENTE adj. Que tira a rojo.
RUBÍ m. *Miner.* Variedad de corindón de color rojo, considerado como una piedra preciosa de gran valor económico. • **de Bohemia.** Cristal de roca sonrosado. • **de Brasil.** Topacio del Brasil. • **espinela.** Espinela. • **oriental.** Corindón carmesí o rojo.
RUBÍ Mun. de España en la prov. de Barcelona (Cataluña); 54 085 hab.
RUBIÁCEO, A adj. y f. Díc. de las plantas de la familia rubiáceas. • f. pl. Familia de plantas dicotiledóneas, con hojas simples, flores regulares, hermafroditas, y frutos en cápsula, baya, drupa o diaquenio. Comprende más de 4 000 especies, entre ellas los cafetos, los quinos y las ipecacuanas.
RUBIAL adj. Que tira al color rubio. Díc. de tierras y plantas. • adj. y s. pl. fam. Díc. de la persona rubia y, por lo común, joven. • m. Campo o tierra donde se cría la rubia, planta. • adj. y f. Díc. de las plantas del orden rubiales. • f. pl. Orden de plantas angiospermas dicotiledóneas, con hojas opuestas, flores regulares con ovario ínfero, y frutos en baya, drupilanio, cápsula, aquenio, etc. Entre sus familias más imp. se cuentan las rubiáceas, caprifoliáceas, valerianáceas y dipsacáceas, con muchas especies medicinales y de interés económico.
RUBICÁN, NA adj. Aplícase al caballo o yegua que tiene el pelo mezclado de blanco y rojo.
RUBICÓN Ant. río de Italia, tributario del Adriático, que actualmente se identifica con el Fiumicino. Julio César lo atravesó con sus tropas en 49 a. C., iniciando la guerra civil contra Pompeyo.
RUBICUNDEZ f. Calidad de rubicundo. • *Med.* Color rojo o sanguíneo que se presenta como fenómeno morboso en la piel y en las membranas mucosas.
RUBICUNDO, DA adj. Rubio que tira a rojo. • Aplícase a la persona de buen color y que parece gozar de buena salud. • Díc. del pelo que tira a colorado.
RUBIDIO m. *Quím.* Elemento de símbolo Rb, n. a. 37 y p. a. 85,48. Es un metal alcalino, sit. en el subgrupo Ia de la tabla periódica. Tiene gran actividad química, por lo que se emplea para eliminar los últimos vestigios de gases en los tubos de vacío y también en células fotoeléctricas.
RUBIERA f. *Ven.* Calaverada, travesura. • *P. Rico.* Diversión, jira.
RUBIFICAR tr. Poner colorada una cosa o teñirla de color rojo.
RUBIFICACIÓN f. *Geol.* Enrojecimiento de los suelos debido a una deshidratación o deshidroxilación de los óxidos de hierro ligados a las arcillas, provocada por una desecación más o menos brusca del medio. La r. se debe al color de la hematita, que se forma cuando el hierro se libera por alteración rápida.
RUBINSTEIN, ***Anton Grigoriévich*** (1829-1894) Pianista y compositor ruso, influido por el romanticismo al. Óperas (*Fomka el loco, Los Macabeos*), seis sinfonías, cinco conciertos, etc. • ***Arthur*** (1889-1983) Pianista pol., especialista como intérprete de la obra de Chopin.
RUBIO, BIA adj. De color rojo claro parecido al del oro. Díc. especialmente del cabello de este color y de la persona que lo tiene. Díc. también del tabaco que tiene este color y de las labores hechas con él. • m. Pez teleósteo marino, del suborden acantopterigios, de cabeza cubierta de láminas duras, con hocico saliente y partido; vientre plateado; aletas pectorales azules, de color amarillo rojizo las demás, y delante de las primeras tres apéndices delgados y cilíndricos. • pl. *Taur.* Centro de la cruz en el lomo del toro. • f. Pececillo teleósteo de agua dulce, del suborden fisóstomos, de cuerpo cubierto de menudas escamas, manchado de pardo y rojo, y con una pinta negra en el arranque de la cola. • automóvil con la carrocería total o parcialmente de madera en su color natural y que suele tener una puerta en la parte posterior. • Planta de la familia rubiáceas, de hojas lanceoladas, flores amarillentas; fruto carnoso y raíces largas y rojizas. Es originaria de Oriente y sirve para preparar un colorante rojo muy usado en tintorería. • Raíz de esta planta.
RUBLO m. Unidad monetaria, dividida en cien kopeks, de uso en la mayoría de países de la CEI.
RUBONA f. Goma elástica oxidada. Se obtiene a partir del caucho en bruto, que se disuelve en benceno, tetracloruro de carbono u otro disolvente.
RUBOR m. Color encarnado o rojo muy encendido. • Color que por una afluencia de sangre sube al rostro; ocasionado gralte. por un sentimiento de vergüenza. • fig. Vergüenza. ■ RUBOROSO, SA.
RUBORIZAR tr. Causar rubor o vergüenza. • prnl. Teñirse de rubor una persona. • fig. Sentir vergüenza. ■ RUBORIZADO, DA.
RÚBRICA f. Rasgo o conjunto de rasgos de forma determinada que cada uno pone en su firma, después del nombre. • Epígrafe o rótulo; se le dio este nombre porque en los libros antiguos solía escribirse con tinta roja. • Cada una de las reglas que enseñan la ejecución y práctica de las ceremonias y ritos de la iglesia católica en los oficios divinos y funciones sagradas. • Conjunto de estas reglas. • **lemnia.** Bol arménico. • **sinóptica.** Minio. • Bermellón.
RUBRICAR tr. Poner uno su rúbrica, vaya o no precedida del nombre de la persona que la hace. • Suscribir, firmar un despacho o papel y ponerle el sello de aquel en cuyo nombre se escribe. • fig. Suscribir o dar testimonio de una cosa.
RUBRO, BRA adj. Encarnado, rojo. • m. *Amér.* Rúbrica, epígrafe o rótulo.
RUC m. Rocho, ave fabulosa.
RUCA f. Planta silvestre crucífera, erguida, ramosa, con flores violáceas y frutos en forma de silicuas cilíndricas. • *Argent.* y *Chile.* Choza de los indios y, p. ext., cualquier covacha o cabaña que sirve de refugio.
RUCCI, ***José Ignacio*** (1925-1973) Sindicalista y político arg. En 1970 fue nombrado secretario general de la CGT. Dirigente opuesto a los Montoneros, fue asesinado poco antes de que Perón asumiera la presidencia por última vez.
RUCIAR intr. *Amér. Centr.* Rociar.
RUCIO, CIA adj. y s. De color pardo claro, blanquecino o canoso. Aplícase a las bestias. • adj. fam. Díc. de la persona entrecana. • *Chile.* Aplícase a la persona rubia.
RÜCKERT, ***Friedrich*** (1788-1866) Poeta y dramaturgo al. *Sonetos acorazados, Primavera de amor, Canciones de los niños muertos.*
RUCO, CA adj. *Amér. Centr.* Viejo, inútil. Aplicado especialmente a las caballerías, matalón.
RUDA f. Planta de la familia rutáceas, con rizoma ramificado, hojas pecioladas y triangulares, flores regulares agrupadas en cimas, y frutos en cápsula. Se cultiva por sus aplicaciones como sudorífica, emenagoga y antihelmíntica, y para la fabricación de esencias. • **cabruna.** Galega.
RUDE, ***François*** (1784-1855) Escultor fr., representante del romanticismo. Realizó obras de carácter monumental (*La Marsellesa*, para el Arco de Triunfo de París) y retratos (busto de Gaspar Monge).
RUDERAL adj. y m. Díc. de las plantas que viven en los suelos ricos en nitrógeno, cerca de las habitaciones humanas, entre los escombros, al margen de los caminos, etc.
RUDIMENTO m. Embrión de un ser orgánico. • Parte de un ser orgánico imperfectamente desarrollada. • pl. Primeros estudios de cualquier ciencia o profesión. ■ RUDIMENTAL O RUDIMENTARIO, RIA.
RUDO, DA adj. Tosco, sin pulimento. • Que no se ajusta a las reglas del arte. • Díc. del que tiene dificultad grande para percibir o aprender lo que estudia. • Descortés, grosero. • Riguroso, violento, impetuoso.
RUDOLF, ***Konrad*** (m. 1732) Arquitecto y escultor al. Autor del portal mayor de la catedral de Valencia.
RUECA f. Instrumento para hilar, compuesto de una vara delgada con un rocadero hacia la extremidad superior. • fig. Vuelta o torcimiento de una cosa.
RUEDA f. Máquina elemental, de forma circular y de pequeño espesor respecto a su diámetro, que puede girar sobre su eje. Puede actuar como elemento de traslación de un móvil apoyado en ella, mediante movimiento de rotadura, o ser un órgano para transmitir un movimiento a otro. • Círculo o corro formado de algunas personas o cosas. • Signo rodado. • Pez marino del orden plectognatos, de forma casi circular; una aleta dorsal y otra anal, ambas

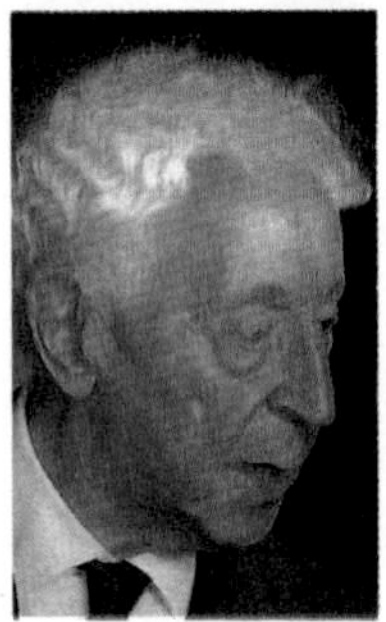
Arthur **Rubinstein**

Flores de **ruda**

Mujer hilando con una **rueca** en una pintura del s. XVII

Rugby

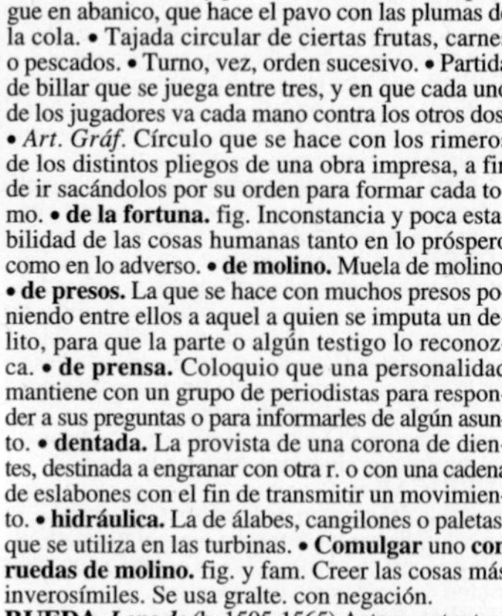

Ruibarbo

Ruiseñor

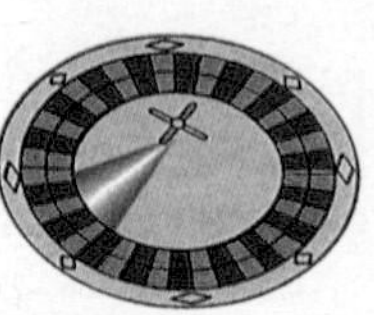

Ruleta

iguales y juntas con la caudal; boca pequeña, de mandíbulas unidas, y piel fosforescente. • Despliegue en abanico, que hace el pavo con las plumas de la cola. • Tajada circular de ciertas frutas, carnes o pescados. • Turno, vez, orden sucesivo. • Partida de billar que se juega entre tres, y en que cada uno de los jugadores va cada mano contra los otros dos. • *Art. Gráf.* Círculo que se hace con los rimeros de los distintos pliegos de una obra impresa, a fin de ir sacándolos por su orden para formar cada tomo. • **de la fortuna.** fig. Inconstancia y poca estabilidad de las cosas humanas tanto en lo próspero como en lo adverso. • **de molino.** Muela de molino. • **de presos.** La que se hace con muchos presos poniendo entre ellos a aquel a quien se imputa un delito, para que la parte o algún testigo lo reconozca. • **de prensa.** Coloquio que una personalidad mantiene con un grupo de periodistas para responder a sus preguntas o para informarles de algún asunto. • **dentada.** La provista de una corona de dientes, destinada a engranar con otra r. o con una cadena de eslabones con el fin de transmitir un movimiento. • **hidráulica.** La de álabes, cangilones o paletas, que se utiliza en las turbinas. • **Comulgar** uno **con ruedas de molino.** fig. y fam. Creer las cosas más inverosímiles. Se usa gralte. con negación.

RUEDA, ***Lope de*** (h. 1505-1565) Actor y autor teatral esp. Recorrió España representando sus propias obras. Destacaron sus «pasos» o piezas cortas de raigambre popular. *Las aceitunas, El convidado.* • ***Salvador*** (1857-1933) Poeta esp., precursor del modernismo. *Cantos de la vendimia, Aires españoles, Piedras preciosas.*

RUEDO m. Acción de rodar. • Parte puesta alrededor de una cosa. • Refuerzo o forro con que se guarnecen interiormente por la parte inferior los vestidos talares. • Estera pequeña y redonda. • Esterilla afelpada o de pleita lisa, aunque sea larga o cuadrada. • Círculo o circunferencia de una cosa. • Contorno, límite, término. • Redondel de la plaza de toros. • *Argent.* Suerte en el juego.

RUEGO m. Súplica, petición.

RUEZNO m. Corteza exterior del fruto del nogal.

RUFA f. *Perú.* Especie de traílla o cogedor para allanar las tierras.

RUFFINI, ***Paolo*** (1765-1822) Matemático it., autor de imp. trabajos en el campo del álgebra. • **Teorema de R.** Regla práctica para el cálculo del cociente de un polinomio P(x) por el binomio $(x\text{-}a)$.

RUFIÁN m. Hombre que vive a costa de las prostitutas. • Hombre despreciable que se dedica al engaño o al fraude.

RUFO, FA adj. Rubio, rojo o bermejo. • Que tiene el pelo ensortijado.

RUFO, ***Juan*** (h. 1547-h. 1620) Escritor esp., autor del poema épico *La Austríada*, que es una versificación de la *Historia de las guerras de Granada* de Diego Hurtado de Mendoza.

RUGBY (voz ing.) m. Variedad del fútbol en la que dos equipos de quince miembros cada uno se disputan la posesión de un balón de forma oval. • **fútbol americano.** Variante del r. que se practica en EE UU, en la que los equipos son de 13 jugadores en vez de 15 y en el que varían algo las reglas.

RUGE, ***Arnold*** (1803-1880) Político al. Fundador del órgano de la izquierda hegeliana (1837), sus ideas democráticas le obligaron exiliarse. Al producirse la rev. de 1848 regresó a Alemania, donde fue elegido diputado para el parlamento de Francfort, pero hubo de huir de nuevo en 1850. Se mostró partidario de la política de Bismarck.

RÜGEN Isla de Alemania, en el mar Báltico; 926 km², 65 000 hab. Cap., Bergen. La isla está unida al continente por un dique artificial. Ganadería. Pesca.

RUGIDO m. Voz del león. • fig. Grito o dicho del hombre colérico y furioso. • fig. Estruendo. • fig. Ruido intestinal.

RUGINOSO, SA adj. Mohoso o con herrumbre u orín.

RUGIR intr. Bramar el león. • fig. Bramar una persona enojada. • Crujir o rechinar, y hacer ruido fuerte. • impers. Sonar una cosa, o empezarse a decir y saberse lo que estaba ignorado.

RUGOSIDAD f. Calidad de rugoso. • Arruga.

RUGISÍMETRO m. Aparato para medir la rugosidad de una superficie.

RUGOSO, SA adj. Que tiene arrugas, arrugado.

RUHMKORFF, ***Heinrich Daniel*** (1803-1877) Físico al. Constructor de numerosos aparatos electromagnéticos, galvanómetros, etc. Ideó el carrete de inducción que lleva su nombre.

RUHR Río de Alemania, afl. del Rin; 232 km. Riega la cuenca hullera e industrial hom. • ***Cuenca del R.*** Imp. cuenca hullera e industrial de Alemania. Comprende numerosos centros urbanos e industriales, como Düsseldorf, Essen y Duisburgo. Durante la II Guerra Mundial fue duramente bombardeada.

RUIBARBO m. Nombre común a diversas plantas herbáceas o arbustivas de las familias poligonáceas y ranunculáceas. • Raíz de estas plantas.

RUIDO m. *Fís.* Perturbación sonora compuesta por un conjunto de sonidos de amplitud, frecuencia y fase variables y cuya mezcla suele provocar una sensación sonora desagradable al oído. El concepto de r. ha adquirido una gran importancia en el amplísimo sector de la técnica radioeléctrica y electrónica. • fig. Litigio, discordia. • fig. Apariencia grande en las cosas que de hecho no tienen sustancia. • fig. Novedad o extrañeza que inmuta el ánimo. • **de partición.** *El.* El producido por la distribución irregular de la corriente entre dos o más electrodos positivos. ■ RUIDOSO, SA.

RUIN adj. Vil, despreciable. • Pequeño, desmedrado y humilde. • Díc. de la persona de malas costumbres y procedimientos. • Aplícase también a las mismas costumbres o cosas malas. • Mezquino y avariento. • Díc. de los animales falsos y de malas mañas. • m. Extremo de la cola de los gatos. ■ RUINDAD.

RUINA f. Acción de caer o destruirse una cosa. • fig. Pérdida grande de los bienes de fortuna. • fig. Destrozo, perdición, decadencia. • fig. Causa de esta caída, decadencia o perdición, en lo físico como en lo moral. • Planta de la familia escrofulariáceas, con hojas lampiñas, flores de color amarillo y violeta, y frutos en cápsula. Es picante y antiescorbútica. • pl. Restos de uno o más edificios arruinados. ■ RUINOSO, SA.

RUINAR tr. y prnl. p. us. Arruinar.

RUIPÓNTICO m. Planta de la familia poligonáceas, con hojas radicales, flores blancas, fruto seco, y raíz semejante a la del ruibarbo.

RUISEÑOR m. Ave paseriforme de la familia muscicápidos, de plumaje oscuro y apagado, y canto melodioso y variado.

RUIZ, ***Nevado del*** Volcán de Colombia, en la cordillera Central; 5 400 m de alt. En 1985 su entrada en actividad provocó una avalancha de lodo que causó más de 25 000 víctimas.

RUIZ, ***Juan*** → Arcipreste de Hita. • **Cortines,** ***Adolfo*** (1892-1973) Político mex. Inició su actividad pública durante el periodo de la rev., apoyando la constitución de 1917. Diputado en 1937, fue secretario del Interior durante la presidencia de Miguel Alemán (1948). Como candidato del Partido Revolucionario Institucional, sucedió a Alemán en la presid. (1952). Bajo su mandato (1952-1958) se otorgó el voto a las mujeres. • **De Alarcón,** ***Juan*** → Alarcón. • **De Alda,** ***Julio*** (1897-1936) Militar esp., uno de los integrantes de la dotación del *Plus Ultra*, aparato que atravesó el Atlántico, desde Palos de Moguer (actualmente Palos de la Frontera) hasta Buenos Aires. • **De Apodaca,** ***Juan*** (1754-1835) Marino y administrador esp. Capitán general de Cuba, impulsó la construcción de barcos en los astilleros de La Habana y mejoró las finanzas. Desde 1815 fue virrey de Nueva España, donde sofocó la rebelión de Francisco Xavier Mina, a quien hizo fusilar. • **De Gamboa,** ***Martín*** (h. 1531-h. 1593) Administrador esp. Gobernador de Chile (1580-1583), suprimió las prestaciones personales de los indígenas. • **De Montoya,** ***Antonio*** (1584-1651) Jesuita esp., nacido en Lima. Misionero en Paraguay. *Gramática de la lengua guaraní.* • **Tagle,** ***Francisco*** (m. 1860) Político chil. Dirigente de los aristócratas, fue miembro de la junta de gobierno (1829). Presid. interino de la rep. (1830). • **Zorrilla,** ***Manuel*** (1833-1895) Político esp. Perteneciente al partido progresista, participó en el levantamiento de 1866, y en 1868 colaboró con Prim en el golpe que derrocó a Isabel II.

RULAR intr. y tr. Rodar.

RULERO m. *Argent.* y *Ur.* Rulo cilíndrico para rizar el cabello.

RUMANIA

Superficie 237 500 km^2

Población 22 750 000 hab. (96 hab./km^2)

Recursos económicos	
Cebada	2 951 000 t
Lino	52 000 t
Maíz	10 493 000 t
Patatas	1 900 000 t
Soja	179 000 t
Tabaco	34 000 t
Trigo	5 442 000 t
Ganadería	
Búfalos	180 000 cabezas
Cabaña bovina	5 381 000 cabezas
Cabaña caballar	670 000 cabezas
Cabaña ovina	14 062 000 cabezas
Cabaña porcina	12 003 000 cabezas
Riqueza forestal	17 321 000 m^3
Pesca	127 659 t
Producción minera	
Bauxita	200 000 t
Cobre	27 000 t
Gas natural	33 300 millones de m^3
Hierro	386 000 t
Lignito	40 000 000 t
Petróleo	6 791 000 t
Plomo	16 000 t
Producción industrial	
Acero	7 115 000 t
Ácido sulfúrico	1 111 000 t
Aluminio	168 000 t
Cemento	7 405 000 t
Fertilizantes	1 249 000 t
Hierro colado	4 525 000 t
Tejidos de lana	106 millones de m^2
Indicadores sociológicos	
PNB	31 079 millones de dólares
Renta per cápita	1 340 dólares
Esperanza de vida	70 años
Alfabetismo	96 %

Rumania. Capilla Bolnita, en el monasterio de Cozia (s. XVI)

RULETA f. Juego de azar para el que se usa una rueda horizontal giratoria dividida en 36 casillas radiales. Haciendo girar la rueda y lanzando en sentido inverso una bolita, al cesar el movimiento gana el número de la casilla donde queda la bola. • *Mat.* Curva descrita, a modo de cicloide, por un punto ligado a una curva que rueda sin deslizar sobre otra. • **rusa.** Prueba que consiste en girar el tambor de un revólver con una sola bala, y dispararse después con él en la sien.

RULETERO, RA adj. y s. *Amér.* Juerguista. • m. y f. *Amér.* Dueño de la ruleta.

RULFO, *Juan* (1918-1986) Novelista mex. Dirigió el dpto. editorial del Instituto Nacional Indigenista de México. Autor de *El llano en llamas* (1953), colección de quince cuentos en los que analiza el paisaje jaliscence, y de *Pedro Páramo* (1955), novela que le consagró como uno de los mejores prosistas mex.

RULO m. Bola gruesa o cosa redonda que rueda fácilmente. • Piedra en forma de cono truncado, sujeta por un eje horizontal, que gira con movimientos de rotación y traslación en los molinos de aceite y en los de yeso. • Rizo del cabello. • Pequeño cilindro hueco y perforado al que se arrolla el cabello para rizarlo. Se usa más en pl. • *Chile.* Secano, tierra de labor sin riego.

RULOT (del fr. *roulotte*) f. Carruaje grande, donde habitan los que llevan una vida errante. • Remolque de automóvil acondicionado para vivienda.

RUMA f. *Chile* y *Perú.* Montón, rimero.

RUMANIA *(România)* Est. de Europa oriental. Limita al N y NE con Ucrania y Moldavia, al S con Bulgaria, al E con el mar Negro y al O con Hungría y Servia. República. Grupos étnicos: rumanos (87,8 %), húngaros (8,5 %), alemanes (2 %) y otros. Lenguas: rum. (of.), húng. y al. *Rel.*: cristianismo ortodoxo (mayoría), catolicismo, protestantismo, judaísmo. U.M.: el leu. Cap. Bucarest. C. prales.: Iasi, Timisoara, Brasov.

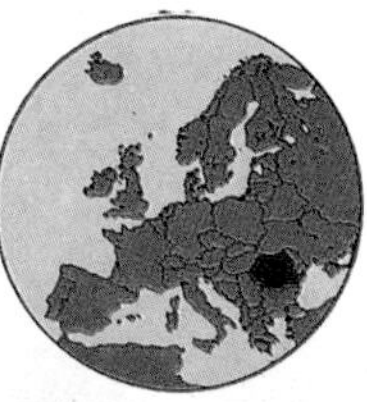

Rumania. Arriba, mapa de situación y bandera; abajo, Palacio de Congresos, en Bucarest

* *Geog. física.* El relieve lo forman tres grandes sectores: la meseta de Transilvania en la parte central; los Cárpatos, divididos en dos grupos: orientales o moldavos y meridionales o válacos, y la gran llanura rum. La red hidrográfica pertenece al Danubio. Entre sus afl., el Prut, Mures, Olt y siret. Clima continental que varía con la alt. La zona del mar Negro es más suave.

* *Geog. económica.* Trigo, maíz, patatas, remolacha, lino. Ganadería bovina, ovina y porcina. Pesca en el Danubio. Petróleo en la zona de Ploiesti, Boldesti y Pitesti y gas natural en Transilvania. La ind. ha recibido gran impulso después de la II Guerra Mundial y tras la nacionalización de los diversos sectores. Ind. siderúrgica, mecánica, química.

* *Hist.* La actual Rumania, llamada Dacia por los rom., fue convertida en colonia por Trajano en 107. A partir de la retirada de los rom., presionados por los godos (271), se inició un largo periodo de invasiones (godos, hunos, lombardos, etc.) que terminó cuando los reyes de Hungría ampliaron sus dominios hasta el mar Negro ganando para el mundo occidental a los rum. Los principados de Moldavia y Valaquia, formados en la E. Med., quedaron sometidos a los turcos a principios del s. XVI. Este dominio provocó la decadencia económica del país y los levantamientos en el campo se sucedieron. En el s. XVIII austr. y rusos liberaron el país de los turcos, y Moldavia y Valaquia se convirtieron en protectorados rusos. La aparición del nacionalismo rum. hizo estallar la rev. de 1848 que, a pesar de su fracaso, evidenció el ansia de unidad nac. El Est. rum. consiguió su plena soberanía en 1877 y fue reconocido por las potencias europeas. En la I Guerra Mundial, tras una difícil neutralidad, el gobierno rum. declaró la guerra a las potencias centrales con el deseo de incorporarse Transilvania. Los tratados de paz de Saint Germain y Trianon concedieron ese territorio a R. Durante la II Guerra Mundial, la alianza al III Reich llevó a R. a rendirse

Rumania. Ion Iliescu

sin condiciones a los rusos. En 1947, la monarquía existente desde 1862 abdicó y R. se convirtió en República Popular situada dentro de la órbita sov. La constitución de 1965 proclamó la República Socialista de Rumania, que se distanció en sus relaciones con países del bloque occidental, a causa de la política seguida por la URSS. En 1974 la asamblea nacional creó el cargo de presid. de la rep., que recayó en Nicolae Ceausescu, presid. del consejo de Est. desde 1967. Ceausescu mantuvo una férrea dictadura. La grave crisis del país desembocó en un levantamiento popular en 1989. Ceausescu fue concondenado y ejecutado. Ion Iliescu fue nombrado presid. provisional (confirmado 1990; reelegido 1992). Este tuvo que hacer frente sin éxito a la crisis económica y social que fue el origen de su derrota en las elecciones de 1996, año en que accedió a la pres. Emil Constantinescu, quien, aunque inició una política de austeridad económica y de apertura hacia Occidente, debió hacer frente a una grave crisis interna. Las elecciones presidenciales de diciembre de 2000 propiciaron el regreso a la pres. de Ion Iliescu.

Rosa de los vientos dividida en 32 **rumbos**

* *Arte y Lit.* Tras la época de invasiones, se abrió un fructífero periodo para el arte rum., bajo la égida del imperio bizantino. Las manifestaciones artísticas más frecuentes fueron la arquitectura y la pintura (tanto mural como sobre tabla). En Transilvania fue frecuente la arquitectura en madera (ss. XII-XIII). En siglos posteriores destaca esencialmente la actividad pictórica. Entre los monumentos más imp., la iglesia de Iasi y el monasterio de Dragormina (ambos del s. XVII). En pintura la estética realista y después la impresionista se reflejaron en imp. figuras. Entre los pintores contemporáneos destacan Bunescu, Cincurencu y Macovei, y entre los escultores, Constantin Brancusi. En la historia de la literatura rum. se refleja la continua lucha, que se plantea también en el campo político, para insertarse al ámbito cultural de Oriente o al de Occidente. Por ello no se puede hablar de literatura nacional hasta el s. XVII. A fines del s. XVIII se consolida la tendencia histórico-latinista y en el s. XIX surge una generación que se agrupa en torno a la revista *Juventud*, que engloba a autores de gran talla (M. Eminescu, I. L. Caragiale, I. Creange). En el s. XX hay que distinguir dos grupos de escritores rum.: los que escriben en su idioma (E. Camilar, M. Prada, P. Dumitriu), y los que lo hacen en otros (Cioran, Eliade, Ionesco en fr.; Busuioceanu en esp., etc.).

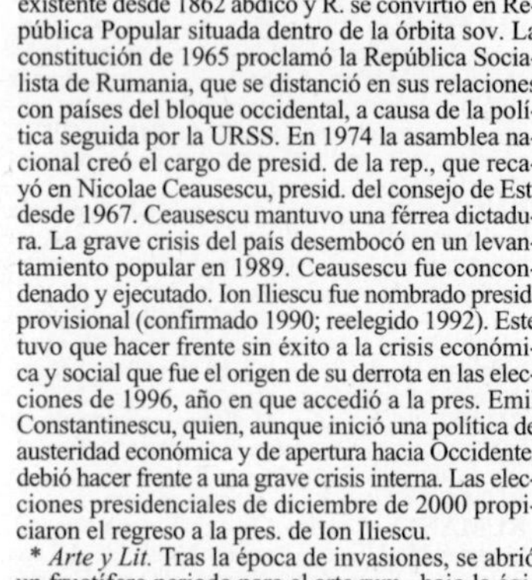

Caracteres **rúnicos** en una piedra conservada en el Museo Histórico Nacional de Estocolmo

RUMANO, NA adj. y s. De Rumania. • m. Lengua rumana.

RUMAZÓN f. *Mar.* Arrumazón, conjunto de nubes.

RUMBA f. *Ant.* Francachela. • *Cuba.* Cierto baile popular y la música que le acompaña.

RUMBATELA f. *Cuba* y *Méx.* Francachela, parranda.

RUMBAR intr. *Col.* Zumbar, hacer ruido bronco. • *Chile.* Rumbear, seguir un rumbo. • tr. y prnl. *Col.* y *Hond.* Tirar, arrojar.

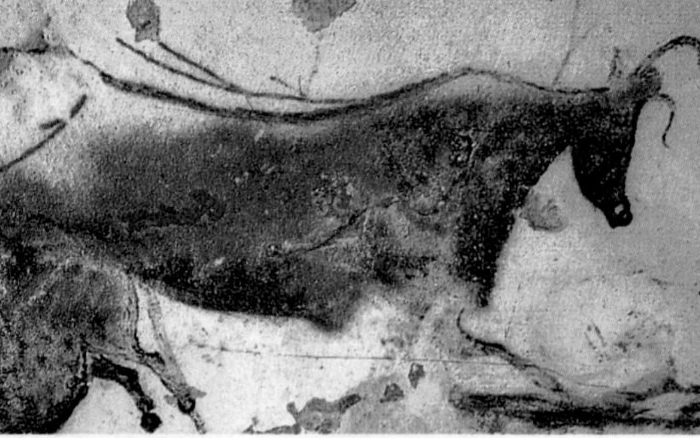

Pintura **rupestre** de la cueva de Lascaux, Francia

RUMBEADOR m. *Argent.* Baquiano, que rumbea.

RUMBEAR intr. *Amér.* Orientarse, tomar el rumbo, encaminarse hacia un lugar. • *Nic.* Hacer rumbos o remiendos. • *Cuba.* Andar de rumba o parranda. • Bailar la rumba.

RUMBO m. Dirección considerada o trazada en el plano del horizonte, y pralm. cualquiera de las comprendidas en la rosa náutica. • Camino que uno se propone seguir en lo que intenta o procura. • fig. y fam. Pompa, ostentación. • fig. y fam. Garbo, desprendimiento. • *Guat.* Parranda, francachela. • *Col.* Pájaro mosca. • *Nic.* Remiendo. • *Her.* Losange con un agujero redondo en el centro. • *Mar.* Abertura que se hace artificialmente en el casco de la nave. • *Mar.* Pedazo de tabla que se echa en el astado o en la cubierta de la nave cuando se ve que aquella parte no es capaz de recibir estopa.

RUMBOSO, SA o **RUMBÁTICO, CA** adj. fam. Pomposo y magnífico. • fam. Desprendido.

RUMEN m. Panza, primer compartimiento del estómago de los rumiantes.

RUMFORD, *Benjamin Thompson*, SIR, CONDE DE (1753-1814) Científico y militar norteam. Efectuó imp. estudios sobre termodinámica.

RUMÍ m. Nombre dado por los moros a los cristianos.

RUMI, *Djalal al-Din* (1210-1273) Poeta místico persa, fundador de la orden de los derviches mewlevis. Su obra maestra es el *Mathnawi* (los dísticos), donde expone la doctrina del sufismo.

RUMIANTE adj. Que rumia. • adj. y m. *Zool.* Díc. de mamíferos del suborden rumiantes. • m. pl. *Zool.* Suborden de mamíferos artiodáctilos que integra todas las especies capaces de rumiar.

* *Zool.* Todos los r. son herbívoros y han llegado a una adaptación extrema a este régimen de alimentación. La hierba se corta por la presión de los incisivos inferiores contra la encía y se almacena de forma rápida en la panza, donde sufre una fermentación parcial. El alimento vuelve a la boca, donde es objeto de una masticación lenta, para seguir el proceso digestivo en los restantes departamentos (redecilla, libro y cuajar).

RUMIAR tr. Masticar los rumiantes por segunda vez los alimentos que ya estuvieron en la primera cavidad estomacal. • fig. y fam. Considerar despacio y pensar con reflexión y madurez una cosa. • fig. y fam. Rezongar, refunfuñar. ■ RUMIA; RUMIADURA.

RUMIÑAHUI Pico de Ecuador, en la cordillera Occidental; 4 722 m de alt.

RUMIÑAHUI (m. 1534) Consejero militar de Atahualpa, nacido en Quito. Lideró la resistencia contra los esp. (1533-1534). Destruyó Quito antes de morir.

RUMO m. Primer aro de los cuatro con que se aprietan las cabezas de los toneles o cubas.

RUMOR m. Voz que corre entre el público. • Ruido confuso de voces. • Ruido vago, sordo y continuado. ■ RUMOROSO, SA.

RUMOR, *Mariano* (1915-1990) Político it. Miembro del partido democratacristiano desde 1943, fue presid. del gobierno en cinco ocasiones consecutivas, desde diciembre 1968 hasta octubre 1974.

RUMORAR intr. *Amér.* Correr un rumor.

RUMOREARSE impers. Correr un rumor entre la gente.

RUMPIATA f. *Chile.* Arbusto de la familia sapindáceas, con hojas alternas, amarillentas, y fruto capsular.

RUNA f. Cada uno de los caracteres que empleaban en la escritura los antiguos escandinavos. ■ RÚNICO, CA; RUNO, NA.

RUNCHO m. *Col.* Especie de zarigüeya.

RUNDSTEDT, *Gerd von* (1875-1953) Mariscal al. Uno de los autores del plan de ocupación de Francia por la Wehrmacht (1940). Intervino en la campaña de Rusia. Jefe de las fuerzas del O, fue derrotado en las Ardenas (1944).

RUNDÚN m. *Argent.* Pájaro mosca. • *Argent.* Juguete parecido a la bramadera.

RUNFLA f. fam. Serie de varias cosas de una misma especie. • fig. Muchedumbre de personas o cosas.

RUNGE, *Philipe Otto* (1777-1810) Pintor y poeta al., uno de los prales. románticos de su país. *Las horas del día, Los niños, Hulsenbeck.*

RUNGO, GA adj. *Hond.* Aplícase a la persona pequeña.

RUNGUE m. *Chile.* Manojo de palos para revolver el grano que se tuesta en la callana. • pl. *Chile.* Troncos o tronchos despojados de sus hojas.

RUNRÚN m. Zumbido, ruido o sonido continuado y bronco. • Ruido confuso de voces. • fam. Voz

que corre entre el público. • *Argent.* y *Chile.* Bramadera, juguete. • *Chile.* Ave de plumaje negro, con las remeras blancas; vive a orillas de los ríos.
RUNRUNEARSE impers. Correr el rumor, o runrún, susurrarse.
RUNRUNEO m. Acción de runrunear o runrunearse. • Runrún, ruido confuso e insistente de algo.
RUPANCO Lago de Chile, en la X región de Los Lagos. Centro turístico.
RUPERTO, *Roberto* llamado EL PRÍNCIPE (1619-1682) Almirante ing. y conde palatino del Rin. Tomó parte en la guerra de los Treinta Años contra los ejércitos imperiales. Al producirse la Restauración ing. fue nombrado primer lord del Almirantazgo.
RUPESTRE adj. Díc. de algunas cosas relativas a las rocas. • *Arte.* Se aplica especialmente a las pinturas y dibujos prehistóricos existentes en algunas rocas y cavernas.

RUSIA o FEDERACIÓN RUSA

Superficie 17 075 400 km²

Población 148 249 000 hab. (8,6 hab./km²)

Recursos económicos	
Bovinos	39 696 000 cabezas
Energía eléctrica	875 914 millones de m³
Patatas	37 300 000 t
Pesca	3 780 538 t
Petróleo	315 764 000 t
Riqueza forestal	160 900 000 m³
Trigo	30 118 000 t
Gas natural	582 988 millones de m³

Indicadores sociológicos	
PNB	331 948 millones de dólares
Renta per cápita	2 240 dólares
Esperanza de vida	65 años

RUPIA f. Unidad monetaria principal de diversos países asiáticos (India, Pakistán, Afganistán, Sri Lanka, Indonesia, Nepal) y afr. (Mauricio, Seychelles). • *Pat.* Enfermedad de la piel, caracterizada por la aparición de ampollas grandes y aplastadas.
RUPICABRA o **RUPICAPRA** f. *Zool.* Gamuza, mamífero.
RUPTOR m. Dispositivo que permite obtener la chispa de la bujía, en los motores de explosión. Es un interruptor intermitente, colocado en la bobina de alimentación de la bujía.
RUPTURA f. Acción y efecto de romper o romperse. • Rompimiento de relaciones entre las personas. • *Pol.* Sustitución radical de un régimen por otro muy distinto.
RURAL adj. Relativo al campo y a las labores de él. • Tosco, apegado a cosas lugareñas.
RURIK (m. 879) Caudillo de los grupos varegos que se establecieron en Nóvgorod h. 862. Fundador de la monarquía rusa.
RURRUPATA f. *Chile.* Nana, canto.
RUSCO m. Planta arbustiva de la familia esmiláceas, con ramas cilíndricas, cladodios que sostienen las verdaderas hojas, flores verduscas o amarillentas, frutos en bayas rojas, con rizoma de características diuréticas.
RUSE C. de Bulgaria, cap. del distr. hom.; 178 900 hab. Sit. junto al Danubio. Puerto fluvial. Centro industrial y de comunicaciones. Astilleros.
RUSEL m. Tejido de lana asargado.
RUSENTAR tr. Poner rusiente.
RUSHDIE, *Salman* (nacido 1947) Escritor angloindio en lengua inglesa. *Hijo de la medianoche, Vergüenza, Los versos satánicos.*
RUSIA Extensa región natural del extremo oriental de Europa, que forma parte del est. hom. → Rusia o Federación Rusa.
RUSIA o **FEDERACIÓN RUSA** *(Rossija* o *Rossijskaja Federacija)* Est. de Europa oriental y Asia, el de mayor extensión del mundo. Limita con Finlandia, el mar Báltico, Letonia, Estonia, Lituania, Polonia, Bielorrusia y Ucrania, al O; el océano Glacial Ártico, al N.; el océano Pacífico al E y China, Mongolia, Kazajstán, Azerbaiján, Georgia y los mares Caspio y Negro, al S.

* *Geog. fís.* R. comprende cuatro zonas fisiográficas: 1) la llanura rusa, que se extiende por gran parte de Europa oriental y está delimitada por los Urales al E y los Cárpatos, los montes de Crimea y del Caúcaso al S. En general, constituye una gran área de sedimentación con una alt. media entre los 300-400 m. Se halla accidentada por algunos macizos como los Timanes, los Uvales, las colinas del Volga, las de Valdái y las alturas de R. central. El N de la llanura, de origen glaciar, se caracteriza por el predominio de la tundra y los bosques de coníferas y abedules. El centro, zona de transición entre el bosque y la estepa, constituye el pral. sector ind. del país. En el S y SE aparecen zonas de estepa y semidesierto, con excelentes tierras de cultivo. 2) Los Urales y la Siberia occidental. Los Urales constituyen una alineación montañosa que separa la llanura rusa de la amplia depresión de Siberia occidental, extendiéndose esta última hasta el r. Yeniséi. La máxima alt. de los Urales se alcanza en el Naródnaia (1 894 m). 3) Siberia central y oriental, que constituye una vasta área de mesetas, que ocupa unos 2 000 km de E a O y 2 500 km de N a S. 4) El Extremo Oriente ruso, que comprende los montes del Asia nordoriental (Verjoiansk, Cherski y Kolimá), las regiones sit. alrededor del mar de Siberia oriental, mar de Bering, mar de Ojotsk y mar del Japón. La red hidrográfica de R., muy extensa, está formada por numerosos r., entre ellos el Volga, Ural, Don, Dniéper, Dniéster, Niemen, Onega, Dvina, Pechora, Obi, Yeniséi, Lena, Kolimá, etc., todos imp. vías de comunicación y fuente de energía para la alimentación de plantas hidroeléctricas. Abundan las cuencas lacustres (Ladoga, Onega, Ilmen, Peipus y Baikal). Clima continental con inviernos muy fríos y fuertes heladas; las regiones meridionales sit. cerca del mar Negro y del Caspio registran un clima más suave.

* *Geog. econ.* Las grandes regiones económicas se corresponden con las zonas fisiográficas: 1) en la zona occidental y septentrional de la llanura rusa destacan los cultivos de lino y la ganadería para la producción de carne y derivados; junto al Báltico se desarrolla una imp. actividad pesquera y más al N se extiende un gran sector forestal. La minería está representada por la extracción de hierro, níquel y cobre en la pen. de Kola. En San Petersburgo se implantan ind. mecánicas, químicas y farmacéuticas. Pero la pral. zona ind. se localiza en la región central de la llanura rusa y junto al Volga. Los focos más imp. radican en Ivanovo (textiles), Yaroslavl (química diferenciada), en el área de Moscú (electrotecnia, automóviles, química farmacéutica) y en el Volga; Nizhnii Nóvgorod (mecánicas), Samara (refinería) y Volgogrado (maquinaria, metalurgia pesada). 2) La región de los Urales y Siberia occidental posee en un sector meridional una gran zona dedicada al cultivo de cereales sobres sus ricos suelos, y también destaca por los imp. yacimientos de carbón y hierro que han favorecido la implantación de un gran centro siderúrgico en Magnitogorsk. 3) Siberia oriental, antiguamente una región ganadera, ha experimentado un gran proceso de industrialización gracias a su potencial hidroeléctrico,

Rusia. Arriba, la catedral de San Basilio, en Moscú; abajo, mapa de situación y bandera

Rusia. Cosechadoras en un campo de trigo

Rusia. Arriba, *Pedro el Grande en la batalla de Poltava*, pintura de T. Goddfried (Museo Estatal Ruso de San Petersburgo).

Rusia. Arriba, Boris Yeltsin; sobre estas líneas, Vladimir Putin

Literatura **rusa.** Retrato de Tolstoi, obra de Ilia Repin

que ha permitido la implantación de ind. pesadas. 4) Por último, la región de Extremo Oriente presenta una gran actividad pesquera, junto al sector agropecuario y la extracción de carbón.

* *Geog. humana.* El considerable contingente humano de R. está compuesto por distintos pueblos (más de cien nacionalidades y etnias). El poblamiento, desigualmente repartido, se concentra en el sector occidental. Grupos étnicos: rusos (81,5 %), tártaros (3,8 %), ucranianos (3 %), chuvashios (1,2 %), bashkirios (0,9 %), bielorrusos (0,8 %), mordovianos (0,7 %), etc. Lenguas: ruso (of.), tártaro, chuvashio, bashkir, chechén, yakuto, mordoviano, etc. *Rel.*: cristianismo ortodoxo ruso (mayoritario), cristianismo católico uniato, judaísmo, islamismo, etc. U. M.: nuevo rublo. Cap.: Moscú. C. prales.: San Petersburgo, Nizhnii Novgorod.

* *Org. pol.* Administrativamente R. está formada por 89 «sujetos de la Federación»: 21 repúblicas, 49 prov. *(oblast)*, 1 prov. autónoma, 6 territorios *(krai)*, 10 circunscripciones autónomas *(okrugi)* y 2 ciudades (Moscú y San Petersburgo). El 12 diciembre 1993 se aprobó en referéndum una nueva constitución.

* *Hist.* El origen de R. está en la sucesión de pueblos nómadas que crearon poderosos imperios en las regiones meridionales. En el N y centro, inmensas regiones fueron colonizadas por los eslavos. El primer est. ruso parece que lo configuraron los varegos (rama sueca de los vikingos) y su cap. fue Kiev (882). La estructura social era piramidal: príncipe, propietarios rurales (boyardos), comunidades urbanas, campesinos libres y esclavos. La vida económica se basaba en una agricultura de intensas talas y roturaciones y en una abundante pesca. A lo largo del s. XIII se sucedieron las invasiones mongoles. En 1237 Moscú fue incendiada y tres años después los mongoles tomaron Kiev. Durante los ss. XIII-XIV, se forjó entre los est. rusos un sentimiento nacional basado en una religiosidad común, y Moscú se convirtió en un imp. centro religioso y político. En 1547, el príncipe Iván el Terrible tomó el título de zar y reafirmó su poder autocrático frente a los boyardos, apoyado por la pequeña nobleza. La dinastía de los Romanov, que permanecería en el poder hasta el s. XX, se inició con Miguel III en 1613. De estos tres ss. de zares Romanov, es de destacar la labor de modernización del país que llevó a cabo Pedro I el Grande (1682-1725); la política exterior expansionista de Catalina II (1762-1796) y la invasión napoleónica en tiempo de Alejandro I (1801-1825). Bajo Alejandro III (1881-1894) y su hijo Nicolás II (1894-1917), R. se convirtió en una imp. potencia económica, pero las condiciones infrahumanas en que vivía el proletariado ruso aumentaron las posibilidades revolucionarias. El enfrentamiento de R. con Japón y la derrota rusa, dieron lugar a la rev. de 1905, primer eslabón de la → rev. rusa, que llevó a la constitución de la → URSS (1917-1991). Rep. federal desde el nacimiento de la URSS, en 1991 eligió como presidente a B. Yeltsin, el cual proclamó la soberanía de la Federación Rusa e impulsó la creación de la CEI (1991). Al disolverse la URSS heredó su potencial militar y el lugar que ésta ocupaba en el Consejo de Seguridad de la ONU. La pugna por el poder se clarificó en 1993, al vencer Yeltsin la oposición del parlamento, al que disolvió y venció militarmente. En las elecciones de dic. de 1993 quedó patente el alza de los partidos ultraderechistas y de los comunistas. Éstos últimos se convirtieron en la primera fuerza de la Duma tras las elecciones de dic. de 1995, lo que significó un nuevo revés para Yeltsin, cuyo prestigio se vio comprometido por la violenta represión que el ejército ruso llevó a cabo en Chechenia durante la guerra en esta república rusa. No obstante, tras ganar las elecciones de 1996, Yeltsin fue reelegido pres. de la Federación Rusa. Sin embargo, la grave crisis económica que azotó el país en 1998 agravó la inestabilidad política con sucesivos cambios en la jefatura del gobierno (V. Chernomirdin, A. Kiriyenko, E. Primakov, S, Stepashin). En 1999 estalló una nueva guerra en Chechenia, y el 31 de diciembre de ese mismo año Yeltsin dimitió y cedió la presid. interina al entonces primer ministro Vladimir Putin. En marzo de 2000 se celebraron nuevas elecciones presidenciales, en las que se impuso Vladimir Putin por un amplio margen.

RUSIA, ***Campaña de*** Conjunto de mov. bélicos en terr. ruso, tras la invasión de éste por Napoleón (24 junio 1812). El avance fr. fue rápido pero con notables pérdidas. A pesar ocupar Moscú (incendiado, 14-15 septiembre), la resistencia rusa forzó la retirada de los fr., que sufrieron gran número de bajas.

RUSIA, ***Gran*** Nombre aplicado antaño a la Moscovia o Rusia europea propiamente dicha.

RUSIA, ***Pequeña*** Ant. denominación de Ucrania, abandonada casi por completo tras la instauración del régimen sov. y el reconocimiento por parte de éste de la nacionalidad y el Est. ucranianos.

RUSIA BLANCA → Bielorrusia.

RUSIA NEGRA Ant. denominación con que se designaba la zona correspondiente al O de Bielorrusia.

RUSIA ROJA Nombre con que se conoció la parte oriental de Galitzia, en la actual Ucrania.

Lección de piano, óleo de Santiago **Rusiñol**

RUSIENTE adj. Que se pone rojo o candente con el fuego.

RUSIÑOL, ***Santiago*** (1861-1931) Pintor y escritor esp. (en lengua catalana). *Anant pel món, L'illa de la calma, L'auca del senyor Esteve*. Exponente del modernismo pictórico catalán, destacó como paisajista.

RUSKIN, ***John*** (1819-1900) Crítico de arte brit. Defensor de las obras de arte que exaltan la naturaleza y la religiosidad. *Pintores modernos, Las piedras de Venecia, La Biblia de Amiens.*

RUSO, SA adj. y s. De Rusia. • m. Lengua r.

* *Arte.* En el campo de la arquitectura, las primeras iglesias, datables del s. XI (Santa Sofía de Kiev y Santa Sofía de Nóvgorod), tomaron como modelo las bizantinas; esta influencia predominó hasta el s. XV. A partir del s. XV Moscú se convirtió en el centro artístico del país. La construcción del conjunto del Kremlin se debe a artistas it., quienes conservaron las tradiciones bizantinas en el tratamiento del interior de los edificios pero adoptaron elementos italianizantes. En el s. XVI la arquitectura adoptó un carácter nacionalista y a partir del s. XVII la llegada de arquitectos occidentales implicó la adopción del barroco; éste fue el estilo predominante en las construcciones de la nueva cap., San Petersburgo, alzada (1703) según los planos del fr. Leblond. Los artistas fr. e it. continuaron trabajando en el país dentro del estilo clasicista. A su lado destacó la personalidad del arquitecto ruso A. Zajárov, autor del Almirantazgo de Moscú. En el campo de la pintura la influencia de los mosaicos y los frescos bizantinos se consolidó gracias a la permanencia de artistas gr. y a la formación de las escuelas pictóricas de Nóvgorod, Pskov y Moscú. Al lado de este arte de origen bizantino, los pintores rusos desarrollaron otro netamente nacional, el de los iconos, que alcanzó su máximo esplendor en el s. XV. Dentro del academicismo vigente en Europa en los inicios del s. XIX, los pintores rusos destacaron como retratistas. A partir de 1870 un grupo de pintores creó la llamada sociedad de Ambulantes, que defendía un naturalismo social. Como contrapartida se creó en 1890 un grupo que propugnaba una pintura más liberal, abierta a las novedades occidentales. La religión ortodoxa prohibía las imágenes esculpidas, lo que impidió el desarrollo de la escultura hasta el s. XVII. Sólo la talla de madera gozó siempre de originalidad y tradición (muebles, cajas pintadas, etc.). Las tendencias arquitectónicas de vanguardia fueron rechazadas tras el triunfo de la rev. El Est. propugnó un estilo tradicionalista. A

partir de 1920 el arte no figurativo (Malevich, Pevsner, Gabo, Kandinsky) cayó en desgracia, desarrollándose el realismo socialista.

* *Lit.* En Kiev se centralizó y desarrolló desde los ss. IX-XIII el mov. de unificación religiosa y cultural. La literatura de esta época es folklorista y de tradición oral (cantos religiosos y rituales, proverbios, cuentos populares, etc.). Unida a esta tradición, aparece una canción épica destinada a realzar las hazañas de los héroes, las *bylinas*. Esta tradición popular se mantiene durante siglos en nuevas series de canciones que culminan la obra del s. XVIII, *Dumas*. En la literatura escrita, el periodo de Kiev presenta gran número de obras religiosas, didácticas e históricas, aunque la obra más imp. y representativa de la época sea el anónimo *Canto de la expedición de Igor*, amplio poema épico-lírico. Con la dinastía Romanov, se plantea la necesidad de una profunda europeización. Durante el reinado de Pedro el Grande se producen, a partir de modelos europeos, grandes reformas en el campo de la literatura. A finales del s. XVIII penetraron en R. nuevas corrientes estéticas: sentimentalismo y prerromanticismo, impulsadas por Krylov y Karamzin, precursores de Pushkin, quien restaura la lírica y la épica popular. Los mov. realistas y naturalistas agrupan los nombres de Turguéniev, Dostoievsky, Tolstoi y Gorki. La lista de grandes escritores puede aumentarse con Goncharov, Leskov y el polémico Bakunin. El teatro se suma al mov. realista y culmina en la obra de Chejov. La rev. de 1917 produce un cambio de orientación político y cultural de amplias consecuencias. En la literatura r. contemporánea destacan el simbolismo revolucionario (A. Blok), el futurismo (Maiakovski, Pasternak, Esemin); el realismo socialista (Pilniak, Babel, Ivanov, Makarenko, Ostrosusky, Sholojov), y figuras como Ehrenburg, Evtushenko, Nabokov y Soljenitsin (estos dos últimos largo tiempo en el exilio).

RUSO-JAPONESA, ***Guerra*** (1904-1905) Conflicto entre Rusia y Japón en los terr. de Manchuria y Corea. Japón atacó, sin previa declaración de guerra, a la flota rusa en Port-Arthur. Vencidos los rusos en Manchuria, tuvieron que replegarse y aceptar el tratado de paz de Portsmouth (1905), por el que cedían al Japón la pen. de Liaotung, con Port-Arthur, y la mitad meridional de Sajalin, reconociendo además el protectorado japonés en Corea.

RUSSELL, LORD ***Bertrand Arthur William*** (1872-1970) Filósofo, matemático y ensayista brit. Catedrático en Cambridge, en 1916 fue apartado de su puesto por sus actividades antibelicistas. En la misma trayectoria, en 1953, creó junto a Einstein el Movimiento Pugwash para oponerse a los peligros de la guerra atómica y a la política de bloques. Publicó numerosos ensayos políticos, pedagógicos, etc. Premio Nobel de Literatura en 1950. Sus trabajos en matemáticas culminaron con la publicación de *Principia Mathematica*, en colaboración con Whitehead, obra en la que sentaba las bases de la moderna lógica formal. • ***Charles Taze*** (1852-1916) Fundador religioso adventista y promotor de la Asociación de Estudiantes de la Biblia, llamada Testigos de Jehová, desde 1931. • ***John,*** CONDE (1792-1878) Político brit. Propugnó la ley de la reforma del parlamento de 1832. Ministro de Guerra y de Colonias, llegó a primer ministro (1846-1852).

RUSTEMÍ adj. y s. Díc. de individuos de una dinastía fundada en 761 en el Magreb, por Abd al-Rahman ibn Rustum, el cual se declaró independiente del califa.

RÚSTICO, CA adj. Perteneciente o relativo al campo, propio de las gentes del campo. • fig. Tosco, grosero. • m. Hombre del campo. • **En r.** m. adv. Tratándose de encuadernaciones de libros, con cubierta de papel o cartón. ■ RUSTICIDAD.

RUSTIR tr. En algunas zonas de España, asar, tostar. • *Ven.* Soportar con paciencia trabajos y penas.

RUT Mujer moabita, antepasada del rey David y, por consiguiente, del Mesías prometido. • **Libro de R.** Uno de los libros del A. T. Consta de cuatro capítulos y narra la historia de R. con sencilla naturalidad. No se sabe con certeza quién fue su autor, aunque algunos lo atribuyen a Samuel.

RUTA f. Rota o derrota de un viaje. • Itinerario. • fig. Derrotero, medio para lograr un propósito.

RUTÁCEO, A adj. y f. Díc. de las dicotiledóneas de la familia rutáceas. • f. pl. *Bot.* Familia de dicotiledóneas, gralte. aromáticas, hermafroditas y con fruto en drupa o baya, como la ruda y la angostura.

Guerra **ruso-japonesa.** Desembarco japonés en Liaodung según una litografía de la época. Biblioteca Nacional, París

Bertrand **Russell**

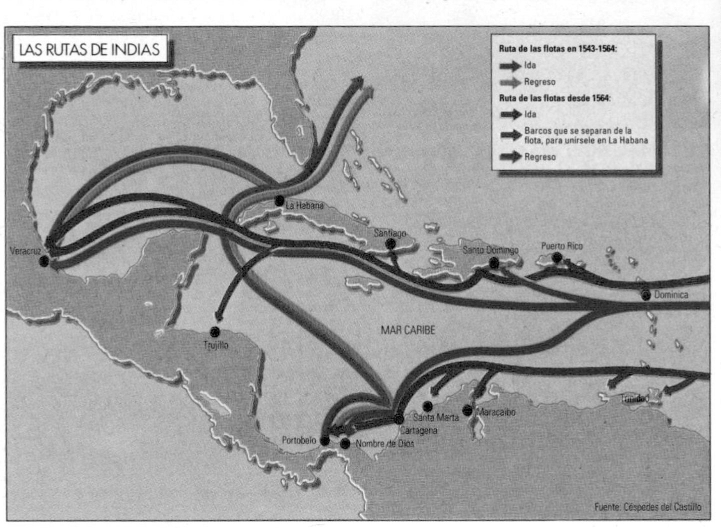

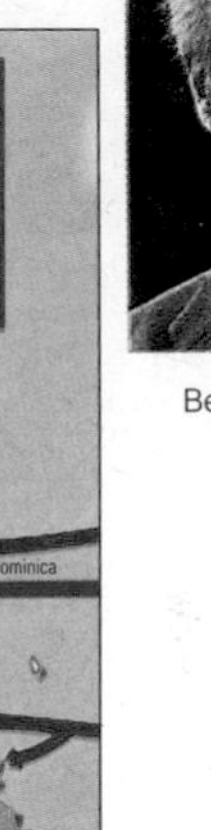

Rutas seguidas por las flotas de Indias

RUTENIO m. *Quím.* Elemento de símb. Ru, n. a. 44, p. a. 101,1 que se emplea para revestimientos de cerámica y como endurecedor de otros metales. Se encuentra libre en el platino nativo.

RUTENO, NA adj. y s. Ant. nombre dado a los ucranianos, especialmente a los catól. que vivían en las áreas étnicamente ucranianas y dependientes del imperio austro-húngaro.

RUTERFORDIO m. Elemento químico radiactivo, que se obtiene artificialmente, de n. a. 104, símb. Rf.

RUTHERFORD m. *Fís.* Unidad de intesidad radiactiva. Es la intesidad que corresponde a la cantidad de sustancia en la que se desintegran un millón de átomos por segundo.

RUTHERFORD, LORD ***Ernest*** (1871-1937) Científico brit., nacido en Nueva Zelanda. Sus investigaciones son la base fundamental de la teoría atómica; determinó las radiaciones α, β y γ y descubrió el protón. Premio Nobel de Química en 1908.

Flor de bergamoto, planta de la familia **rutáceas**

RUTILAR intr. Brillar como el oro, o resplandecer y despedir rayos de luz. ■ RÚTILO, LA.

RUTILIO, *Rufo Publio* (h. 154-h. 78 a. C.) Político y jurisconsulto rom. Tomó parte del cerco a Numancia (134-133 a. C.). Es autor de unas *Memorias*. • **Namaciano, *Claudio*** (s. V) Poeta latino de las Galias. Su *Itinerarium de reditu suo* (Itinerario de retorno) es de gran interés para el conocimiento de la época.

RUTILO m. *Miner.* Óxido de titanio, de color rojizo, brillante, que cristaliza en el sistema tetragonal. • Pez ciprínido de agua dulce.

RUTINA f. Costumbre inverterada, hábito adquirido de hacer las cosas por mera práctica y sin razonarlas. • *Comp.* Pequeño programa que nunca se ejecuta como programa individual, aunque podría hacerse, y que siempre forma parte de otro programa principal desde el cual se accede al anterior. • **de diagnóstico.** *Comp.* Rutina que se utiliza para hacer elementos de un equipo con el fin de detectar un posible fallo del mismo. ■ RUTINARIO, RIA; RUTINERO, RA.

Vista de Rhenen, óleo de Salomon van **Ruysdael.** Museo del Louvre, París

RUVUMA o **ROVUMA** Río de África oriental. Nace en el lago Malawi y desemboca en el océano Índico; 900 km.

RUWENZORI Macizo de África centrooriental, sit. entre los lagos Eduardo y Presidente Mobutu, y que separa Zaire de Uganda.

RUYSDAEL, *Jacob van* (h. 1628-1682) Pintor neerlandés. *Campo de trigo, El molino de Wijck bij Duursteede*. • ***Salomon van*** (h. 1600-1670) Pintor neerlandés. Su obra destaca por sus efectos lumínicos. *Orilla del río, Posada de pueblo, Paisaje fluvial con pescadores*.

RUZICKA, *Leopold* (1887-1976) Químico suizo de origen yugoslavo. Premio Nobel en 1939 por sus descubrimientos sobre las hormonas masculinas, los polimetilenos y los terpenos.

RYDBERG, *Johannes Robert* (1854-1919) Físico sueco. Realizó valiosos estudios sobre la estructura atómica de los elementos químicos a través de sus espectros. • **Constante de R.** Valor que figura en la expresión matemática del número de ondas asociado a la emisión o absorción de un fotón de energía que tiene lugar cuando un electrón pasa de una órbita a otra.

RYDZ-SMIGLY, *Edward* (1886-1944) Mariscal pol. Hombre fuerte del gobierno en 1936, en 1939 obtuvo el mando del ejército, pero fracasó en el intenso de detener el avance al.

RYSWICK (actualmente *Rijswijk*) C. de Países Bajos; 49 200 hab. • **Tratado de R.** *Hist.* Acuerdos concluidos en 1697 entre Francia por una parte y las Provincias Unidas, Inglaterra, España y el Imperio por la otra. Por ellos, Francia se comprometía a devolver a España y al Imperio una serie de tierras y reconocía la dinastía ing. de los Orange.

RYTI, *Risto Keikki* (1889-1959) Político finl. Elegido primer ministro en 1939, firmó la paz con la URSS (1940) y fue nombrado presid. de la rep. (1940). En 1941 reemprendió la guerra contra la URSS, que concluyó con la derrota final (1944). Condenado como responsable de la guerra (1946).

RYUKYU Arch. de Japón; 2 263 km^2, 1 263 000 hab. C. pral.: Naha. Sit. entre el mar de China y el océano Pacífico, lo forman unas 70 islas que se extienden entre la gran isla de Kyushu y Taiwan. Ocupado por EE UU desde finales de la II Guerra Mundial, fue devuelto a Japón en 1972.

RZESZOW C. de Polonia, cap. del voivodato hom.; 138 000 hab. Sit. junto al r. Wistok. Centro industrial. Petróleo.

S

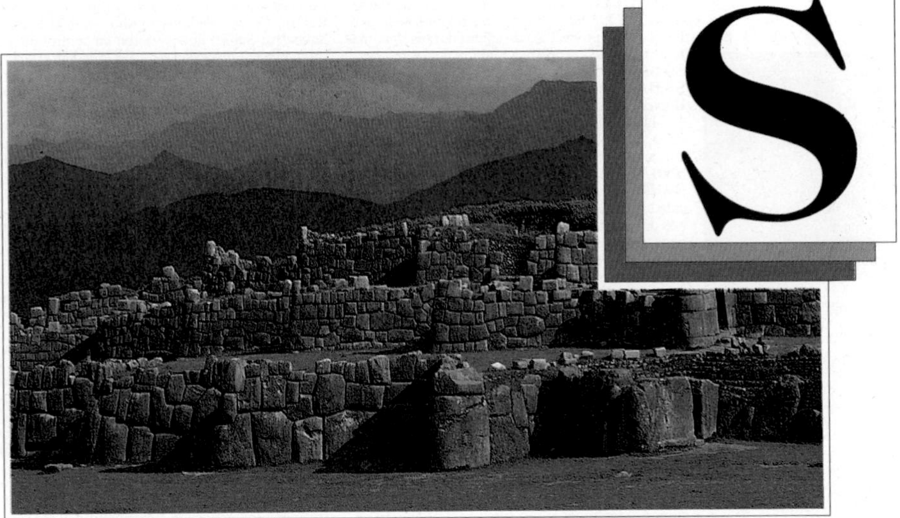

Ruinas de la fortaleza incaica de **Sacsahuamán,** en las proximidades de Cusco (Perú)

S f. Vigésima letra del abecedario esp., y decimosexta de sus consonantes. Su nombre es *ese.* • *Fís.* Símb. del siemens o mho. • *Fís.* Símb. del segundo. • *Fís.* Símb. del espín. • Abrev. de siglo. • *Quím.* En mayúscula, símb. del azufre. • En mayúscula, símb. del punto cardinal, de la dirección o del polo Sur.

Sa *Quím.* Símb. del samario.

S. A. Abrev. de sociedad anónima.

SA Siglas de *Sturm Abteilung* («sección de asalto»), organismo creado en alemania por el Partido Nacionalsocialista, con carácter paramilitar (1921). Su excesivo poder llevó a Hitler a ordenar la ejecución de sus dirigentes («noche de los cuchillos largos», 1934) y a supeditarlo a las SS.

SÁ, *Mem de* (1500-1572) Administrador port. Gobernador general del Brasil (1557-1572). Expulsó a los fr. • **Carneiro, *Francisco*** (1934-1980) Político port. Fundó el Partido Popular Democrático. Venció en los comicios de 1979 con una coalición conservadora y fue nombrado primer ministro. Murió al año siguiente en un accidente de aviación. • **Da Bandeira,** *Bernardo de Sá Nogueira de Figueiredo,* MARQUÉS DE (1795-1876) Político port. Presid. del gobierno de Luis I en dos ocasiones. Abolió la esclavitud en las colonias y vendió bienes del clero. • **De Miranda, *Francisco*** (h. 1485-1558) Poeta y humanista port. Escribió canciones, sonetos, elegías, sátiras y églogas, con las que dio a conocer a Petrarca en Portugal. *Estrangeiros* y *Os Vilhalpandos.* • **E. Benevides, *Salvador Correia de*** (1594-1688) Almirante y funcionario port. Participó en la reconquista de Bahía (1625) y de Angola (1645). Fracasó en la reorganización de las capitanías bras.

SAAD, *Pedro* (1903-1981) Político ecuat. de origen libanés. Secretario gral. del Partido Comunista.

SAADÍ *(Mucharrif al-Din)* (h. 1184-1290) Poeta lírico persa, de enorme popularidad y cuya influencia ha perdurado en Oriente. *Plantel de árboles, El jardín de las rosas.*

SAADYAH ben Yosef al-Fayyumí (882-942) Escritor y filósofo judío egipcio. En sus escritos fundió la cultura heb. con la islámica y la clásica. *Libros de la lengua, Libro de las creencias y los dogmas.*

SAARBRÜCKEN (fr. *Sarrebruck*) C. de Alemania, cap. del est. del Sarre; 188 800 hab. Sit. a orillas del Sarre. Centro minero e industrial. Universidad.

SAAREMAA Isla de la rep. de Estonia, sit. al NO del golfo de Riga; 2 714 km^2, 65 000 hab. Ganadería.

SAARINEN, *Eliel* (1873-1950) Arquitecto norteam. de origen finl. Pabellón de Finlandia en la Exposición Universal de París; edificios del Chicago Tribune y de la Cranbrook Foundation.

SAAVEDRA, *Ángel* → Rivas, DUQUE DE. • ***Bautista*** (1870-1939) Político bol. Miembro de la junta de gobierno (1920). Presid. de la rep. (1921-1925), su política fue dictatorial y favorable a la penetración de capital norteam. • ***Cornelio de*** (1761-1829) Militar y político arg. Fue en 1810 uno de los dirigentes de la rev. de Mayo y ocupó la presidencia de las dos primeras juntas de gobierno. En 1814, acusado de conspiración, se exilió. Rehabilitado, fue nombrado jefe del estado mayor del ejército (1818). • ***Francisco de*** (1746-1819) Político y militar esp. Intendente de Caracas (1783). Secretario de Hacienda (1797) de Godoy, al que post. reemplazó, y miembro de la Junta Central (1808) y del Consejo de Regencia (1810). • **Fajardo, *Diego de*** (1584-1648) Diplomático y escritor esp. *Empresas políticas* o *Idea de un príncipe cristiano.* • **Guzmán, *Antonio de*** (s. XVI) Escritor mex. Autor de un canto sobre la conquista del terr. mexicano por Cortés. *El peregrino indiano.* • ***Lamas, Carlos*** (1878-1959) Político y jurisconsulto arg. Ministro de Asuntos Exteriores, presidió la conferencia de paz del Chaco (1935) y puso fin al conflicto entre Bolivia y Paraguay. Premio Nobel de la Paz en 1936.

SABA Ant. Est. preislámico, sit. al SO de la pen. Arábiga. Dominó gran parte de la Arabia meridional y monopolizó el comercio de las especias procedentes de Oriente. De cultura semita, su cap. fue Marib.

SABACIO Dios frigio y tracio. Al pasar su culto a Grecia y Roma se le tuvo por hijo de Zeus y Perséfone, y se le identificó con Dioniso.

Estación central de Helsinki, obra de Eliel **Saarinen**

Paisaje de **sabana** en Uganda

Ernesto **Sábato**

*Las **sabinas** intervienen para detener la guerra entre su pueblo y Roma* (detalle), óleo de David. Museo del Louvre, París

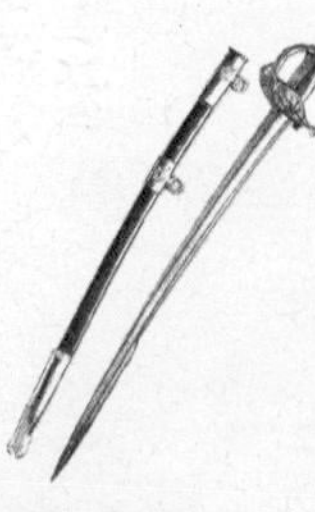

Sable y su vaina

SABADELL C. de España, en la prov. de Barcelona; 185 798 hab. Primer centro fabril de la pen. Ibérica en la producción de tejidos de lana. Ind. metalúrgica y de la construcción.

SÁBADO m. Séptimo y último día de la semana.

SABAH Est. de Malaysia, en el N de la isla de Borneo; junto con Sarawak forma Malaysia Oriental; 73 711 km², 176 400 hab. Cap., Kota Kinabalu. Café, coco, caucho. Explotación forestal. Ind. agropecuaria.

SABALAR m. Red para pescar sábalos.

SABALERA f. *Metal.* Rejilla de hierro, o bóveda calada, donde se coloca el combustible en los hornos de reverbero. • Arte de pesca, parecido a la jábega, para pescar sábalos.

SÁBALO m. Pez teleósteo marino del orden clupeiformes, con cuerpo en forma de lanzadera, cabeza pequeña, boca grande, lomo amarillento, cuerpo blanco y aletas cenicientas rayadas de azul.

SABANA (voz caribe) f. Llanura, en especial si es muy dilatada, sin vegetación arbórea. • **Estar uno en la s.** fig. y fam. *Ven.* Estar sobrado de recursos, ser feliz.

SÁBANA f. Cada una de las dos piezas de lienzo de tamaño suficiente para cubrir la cama y colocar el cuerpo entre ambas. • Manto que usaban los heb. y otros pueblos de Oriente. • Sabanilla de altar.

SABANA-CAMAGÜEY Archipiélago de Cuba, formado por unas 400 islas y cayos.

SABANAZO m. *Cuba.* Sabana o pradera de reducidas proporciones.

SABANDIJA f. Cualquier reptil pequeño o insecto, especialmente de los repulsivos y molestos. • fig. Persona despreciable.

SABANEAR intr. *Amér.* Recorrer la sabana para buscar y reunir el ganado, o para vigilarlo.

SABANERO, RA adj. y s. Habitante de una sabana. • m. *Amér.* Hombre encargado de sabanear. • *Zool.* Pájaro muy parecido al estornino, que vive en las praderas de américa septentrional y en las Antillas, y es muy apreciado por su carne. • f. *Ven.* Especie de culebra que vive en las sabanas y limpia el terreno de sabandijas.

SABANETA C. de la República Dominicana, cap. de la prov. de Santiago Rodríguez; 9 200 hab. Centro administrativo, comercial y agrícola.

SABANILLA f. Cualquier pieza de lienzo pequeña. • Pieza de lienzo con que se cubre el altar.

SABAÑÓN m. Rubicundez, hinchazón o ulceración de la piel, pralm. de las manos, pies y orejas, con ardor y picazón, causada por el frío.

SABARA f. *Ven.* Niebla muy diáfana.

SABAT Ercasty, *Carlos* (1887-1982) Poeta ur. En su obra sitúa al hombre como un elemento más entre las fuerzas de la naturaleza. *Pantheos, Poemas del hombre, Los adioses.*

SABÁTICO, CA adj. Relativo al sábado. • Se aplicaba al año de cada siete, en que los heb. dejaban descansar sus tierras, viñas y olivares. • Díc. del año de licencia con sueldo que algunas universidades conceden a su personal docente cada siete años.

SABATIER, *Paul* (1854-1914) Químico fr. Destacan sus estudios sobre los procesos catalíticos en las síntesis orgánicas. Premio Nobel de Química en 1912, con V. Grignard.

SABATINA f. Oficio divino propio del sábado. • Lección compuesta de todas las de la semana, que los estudiantes solían dar el sábado. • Ejercicio literario que se usaba los sábados entre los estudiantes a fin de acostumbrarse a defender conclusiones. • *Chile.* Zurra, felpa.

SABATINI, *Francesco* (1722-1797) Arquitecto it., afincado en España. Autor de la Puerta de Alcalá de Madrid y de la actual sede del ministerio de Hacienda.

SABATINO, NA adj. Relativo al sábado o ejecutado en él.

SABATIZAR intr. Guardar el descanso del sábado. ■ SABATISMO.

SÁBATO, *Ernesto* (nacido 1911) Físico y escritor arg., autor de ensayos y novelas. En 1983 fue nombrado presid. de la Comisión de investigación sobre personas desaparecidas durante la dictadura arg. Obtuvo el Premio Cervantes en 1983. *Uno y el universo, El túnel, Sobre héroes y tumbas, Sartre contra Sartre, Antes del fin* (memorias).

al-SABBAH Nombre de la dinastía reinante en Kuwait. Fundada en 1756 por el sheikh Sabbah Abdul Rahim, sus descendientes (Abd Allah al-Salim y Sabbah al-Salim) no ejercieron un control directo sobre el territorio hasta alcanzar la indep. (1961).

SABBAT → Shabbat.

SABEÍSMO m. Religión de los sabeos, que daban culto a los astros, pralm. al Sol y a la Luna.

SABELA f. Gusano marino sedentario, de la clase anélidos, frecuente en las costas esp., que vive dentro de un tubo quitinoso segregado por el propio animal.

SABELIANISMO m. Doctrina de Sabelio.

SABÉLICO, CA adj. Relativo a los sabinos o samnitas.

SABELIO, LIA m. y f. Individuo de una tribu que vivía en los Apeninos centrales.

SABELIO (s. III) Heresiarca it. o libio, fundador del sabelianismo. En Roma defendió la existencia de un solo Dios, que se manifiesta en las personas de la Trinidad con nombres distintos.

SABEO, A adj. y s. Díc. del individuo perteneciente al ant. Est. de Saba. Mahoma los toleró y equiparó por su monoteísmo a los judíos y cristianos, o «gentes del Libro». Más tarde tomaron el nombre de mandeos. • adj. Relativo a esta ant. región de Arabia. • m. *Ling.* Lengua y alfabeto de los sabeos. Alcanzó su máx. desarrollo entre los ss. XII-VII a. C. y el V d. C.

SABER m. Conocimiento. • Ciencia o facultad. • tr. Conocer una cosa, o tener noticia de ella. • Ser docto en alguna cosa. • Tener habilidad para una cosa, o estar instruido y diestro en un arte o facultad. • intr. Estar informado de la existencia, paradero o estado de una persona o cosa. • Ser muy sagaz. • Tener sabor una cosa. • Tener una cosa semejanza o apariencia de otra. • Tener una cosa proporción, aptitud o eficacia para lograr un fin. • Sujetarse o acomodarse a una cosa. ■ SABEDOR, RA; SABELOTODO; SABIDILLO, LLA; SABIDO, DA.

SABIÁCEO, A adj. y f. *Bot.* Díc. de plantas angiospermas dicotiledóneas de hojas simples y esparcidas, o bien compuestas y pinnadas; flores hermafroditas o polígamas, regulares, pentámeras, y frutos en drupa. • f. pl. *Bot.* Familia de estas plantas, propias de las zonas cálidas del hemisferio boreal.

SABICÚ m. *Cuba.* Árbol leguminoso.

SABIDURÍA f. Conducta prudente en la vida o en los negocios. • Conocimiento profundo en ciencias, letras o artes. • Noticia, conocimiento.

SABIDURÍA, *Libro de la* Escrito sapiencial del A. T., titulado *Sabiduría de Salomón* en la Septuaginta y *Sabiduría* en la Vulgata.

SABIENDAS *(A)* m. adv. De un modo cierto. • Con conocimiento y deliberación.

SÁBILA f. *Ant.* Áloe, planta.

SABINA Ant. región de Italia central, cercana a Roma, habitada por los sabinos.

SABINES, *Jaime* (1926-1999) Poeta mex. vanguardista. *La señal, Recuento de poemas.*

SABINILLA f. *Chile.* Arbusto rosáceo, de fruto carnoso comestible.

SABINO, NA adj. Rojo claro, rosillo, aplicado a las caballerías. • adj. y s. Díc. de los individuos de un pueblo indoeuropeo de la Italia ant., que habitaba entre el Tíber y los Apeninos. • f. Arbusto o árbol cupresáceo de poca alt., de hojas escamosas, reducidas, fruto negro azulado, y madera roja y olorosa.

SABIO, BIA adj. y s. Díc. de la persona que posee sabiduría. • De buen juicio, cuerdo. • adj. Aplícase a las cosas que instruyen o que contienen sabiduría. • Aplícase a los animales que tienen muchas habilidades. • **Los siete sabios de Grecia.** Nombre de siete filósofos de la ant. Grecia, mencionados por Platón: Tales de Mileto, Pítaco, Bías, Solón, Cléobulo, Misón y Quilón. ■ SABIHONDEZ O SABIONDEZ; SABIHONDO, DA O SABIONDO, DA.

SABIR m. Lengua mixta que permite comunicarse a dos comunidades de hablas distintas. Cuando adquiere una cierta estructura gramatical, se llama *pidgin.*

SABLAZO m. Golpe dado con sable. • Herida hecha con él. • fig. y fam. Acto de sacar dinero a uno, pidiéndoselo sin intención de devolverlo.

SABLE m. Arma blanca corva y por lo común de un solo corte. • fig. y fam. Habilidad para sacar dinero a otro o vivir a su costa.

SABLEAR intr. fig. y fam. Dar sablazos, sacar dinero con maña. ■ SABLEADOR, RA; SABLISTA.
SABLÓN m. Arena gruesa.
SABOGA f. Sábalo, pez.
SABOGAL, *José* (1888-1956) Pintor per., influido por el muralismo mex. *Los cachimbos*.
SABONERA f. Sayón, mata.
SABONETA f. Reloj de bolsillo cuya tapa se abre apretando un muelle.
SABOR m. Sensación que ciertos cuerpos producen en el órgano del gusto. • fig. Impresión que una cosa produce en el ánimo. • fig. Propiedad que tienen algunas cosas de parecerse a otras con que se las compara. • Cualquiera de las cuentas que se ponen en el freno, junto al bocado, para refrescar la boca del caballo. Se usa más en pl. • *Fís.* Propiedad característica de cada uno de los seis tipos de quarks que se conocen. Hay seis sabores distintos: *u, d, c, s, t*, y *b*.
SABOREAR tr. Dar sabor a una cosa. • fig. Cebar, atraer con halagos, razones o interés. • tr. y prnl. Percibir detenidamente y con deleite el sabor de lo que se come o se bebe. • fig. Apreciar detenidamente y con deleite una cosa grata. • prnl. Comer o beber una cosa despacio, con ademán y expresión de particular deleite. • fig. Deleitarse con detención y ahínco en las cosas que agradan. ■ SABOREAMIENTO; SABOREO.
SABOTAJE m. Daño o deterioro que en la maquinaria, productos, etc., se hace como procedimiento de lucha contra los patronos, contra el Est. o contra las fuerzas de ocupación en conflictos sociales o políticos. • fig. Oposición u obstrucción disimulada contra proyectos, órdenes, decisiones, ideas, etc. ■ SABOTEAR.
SABOYA *(Savoie)* Región histórica del SE de Francia. Se asienta sobre diversas formaciones relacionadas con los Alpes. Comprende los dptos. de Savoie y Haute-Savoie. En ella se asentaron los burgundios. Formó parte del reino de Lotario I. Aunque fue incorporada al Sacro Imperio Romano Germánico, estaba gobernada por la casa de Saboya. Anexionada a Francia en 1796, pasó definitivamente a ésta en 1860. • **Casa de S.** Familia noble it., cuyo origen se remonta al s. XI. Tras la unificación de Italia, Víctor Manuel II fue proclamado rey. La casa de s. se mantuvo en el trono hasta la proclamación de la rep. en 1946.
SABOYANO, NA adj. y s. De Saboya.
SABROSEAR prnl. *Amér. Centr.* Relamerse de gusto.
SABROSO, SA adj. Sazonado y grato al sentido del gusto. • fig. Delicioso, gustoso, deleitable al ánimo. • fam. Ligeramente salado.
SABROSÓN, NA adj. *Amér. Centr.* Díc. de la persona o cosa agradable y alegre.
SABUCO o **SABUGO** m. Saúco. ■ SABUCAL o SABUGAL.
SABUCO, *Miguel* (m. 1588) Filósofo esp. *Nueva filosofía de la naturaleza del hombre*.
SABUESO m. Variedad de perro podenco, que destaca por la finura de su olfato. Existen numerosas razas, de las cuales la más conocida es la de San Huberto, con orejas colgantes y hocico arrugado. • fig. Policía, detective, etc. • fig. Persona hábil para averiguar cosas.
SÁBULO m. Arena gruesa y pesada. ■ SABULOSO, SA.
SABURRA f. *Fisiol.* Secreción mucosa espesa que se acumula en las paredes del estómago. • Capa blanquecina que cubre la lengua por efecto de dicha secreción. ■ SABURRAL; SABURROSO, SA.
SACA f. Acción y efecto de sacar. • Exportación de frutos o de géneros de un país a otro. • Acción de sacar los estanqueros de la tercena los efectos que después venden al público. • Copia autorizada de un documento protocolizado. • Costal muy grande de tela fuerte, más largo que ancho. • *Amér. Centr.* Lugar donde se fabrica aguardiente clandestinamente.
SACABOCADO o **SACABOCADOS** m. Instrumento con boca hueca y cortes afilados, que sirve para taladrar. • fig. Medio eficaz con que se consigue lo que se pretende o se pide.
SACABOTAS m. Tabla con una muesca en la cual se encaja el talón de la bota para descalzarse.
SACABUCHE m. Especie de trompeta que se alarga y acorta para que haga la diferencia de voces. • Músico que toca este instrumento. • *Méx.* Cuchillo de punta.
SACACORCHOS m. Instrumento consistente en una espiral que sirve para quitar los tapones de corcho a las botellas.
SACACUARTOS m. fam. Sacadineros.
SACADA f. Territorio que se ha separado de un mun., de un país. etc. • *Chile.* Saca, sacamiento.
SACADILLA f. Batida de caza que coge poco terreno.
SACADINERO o **SACADINEROS** m. fam. Espectáculo o chuchería de poco valor, que atrae a la gente incauta. • com. fam. Persona que tiene arte para sacar dinero al público con cualquier tipo de engañifa.
SACADURA f. Corte que hacen los sastres en sesgo para que siente bien una prenda. • *Chile.* Saca o sacamiento.
SACALIÑA f. Garrocha, vara. • fig. Socaliña.
SACAMANCHAS com. El que tiene por oficio sacar manchas, quitamanchas. • m. Producto para sacar manchas.
SACAMANTECAS com. fam. Criminal que despanzurra a sus víctimas.
SACAMUELAS com. Persona que tiene por oficio sacar muelas. • fig. Persona que habla mucho e insustancialmente, charlatán. • fig. Embaucador.
SACAPELOTAS m. Instrumento para sacar balas, usado por los ant. arcabuceros. • fig. Persona despreciable.
SACAPUNTAS m. Instrumento para afilar los lápices.
SACAR tr. Poner una cosa fuera del lugar en que estaba encerrada o contenida. • Quitar, apartar a una persona o cosa del sitio o condición en que se halla. • Averiguar, resolver una cosa por medio del estudio. • Conocer, descubrir, hallar por señales e indicios. • Hacer con fuerza o con maña que uno diga o dé una cosa. • Extraer de una cosa alguno de los principios o partes que la componen. • Elegir por sorteo o por votos. • Ganar por suerte una cosa, o ganar al juego. • Conseguir, obtener una cosa. • Alargar, adelantar una cosa. • Exceptuar, excluir. • Copiar o trasladar lo que está escrito. • Mostrar, manifestar una cosa. • Quitar. • Citar, nombrar. • Producir, inventar, imitar una cosa. • Desenvainar. • *Dep.* Hablando de la pelota o del balón, dar a éstos el impulso inicial, sea al comienzo del partido o en los lances que así lo exijan. • *Dep.* En el juego de pelota, arrojarla desde el rebote que da en el saque hacia los contrarios que la han de volver. • Tratándose de citas, notas, autoridades, etc., de un libro o texto, apuntarlas o escribirlas aparte. • Tratándose de apodos, motes, faltas, etc., aplicarlos, atribuirlos. • intr. Con la prep. *de* y los pron. personales, hacer perder el juicio, enajenar. • Con la misma prep. y un sustantivo o adj., librar a uno de lo que éstos significan. • **adelante.** Dicho de persona, protegerla en su crianza, educación o empresas; dicho de asuntos o negocios, llevarlos a feliz término. • **en claro** o **en limpio.** Deducir claramente, en sustancia, en conclusión. • **la jícara.** *Amér. Centr.* Adular. • **raja.** *Amér. Centr.* Obtener provecho de algo. ■ SACADOR, RA; SACAMIENTO.
SACÁRIDOS m. pl. *Quím.* Ant. denominación de los hidratos de carbono, carbohidratos o glúcidos.
SACARÍFERO, RA adj. Que produce o contiene azúcar. Díc. pralm. de las plantas.
SACARIFICACIÓN f. *Quím.* Proceso mediante el cual un polisacárido se transforma en azúcar fermentable. El almidón sufre esta transformación por la acción de una enzima, la diastasa, que se extrae de la malta obtenida por germinación artificial de los granos de cebada.
SACARIFICAR tr. *Quím.* Convertir por hidrólisis las sustancias sacarígenas en azúcar.
SACARÍGENO, NA adj. *Quím.* Díc. de las sustancias capaces de convertirse en azúcar, como las féculas y la celulosa.
SACARIMETRÍA f. *Quím.* Método para determinar la concentración de sacarosa en las soluciones.
SACARÍMETRO m. Areómetro utilizado en sacarimetría. • Polarímetro para la determinación cuantitativa del azúcar que se halla disuelto en un líquido.

Manuel Filiberto de **Saboya**

Perro **sabueso**

Sacabocados

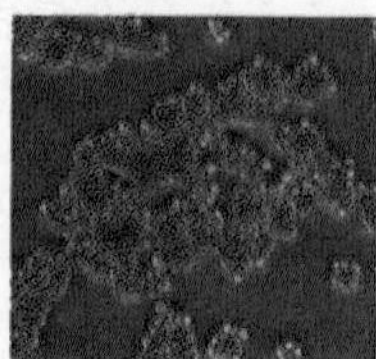
Microfotografía de una colonia de *Saccharomyces cereviciae*, hongos **sacaromicetos** que constituyen la levadura de la cerveza

El **sacramento** de la extremaunción, según miniatura de la *Miscelánea Médica* de Roger de Salerno

El Capitolio de **Sacramento**, California

SACARINA f. *Quím.* Polvo cristalino, blanco, inodoro, de sabor dulce; carece de valor alimentario. Químicamente es la imida cíclica del ácido *o*-sulfobenzoico, que se obtiene a partir del tolueno.

SACARINO, NA adj. Que tiene azúcar. • Que se asemeja al azúcar.

SACAROMICETO m. Hongo ascomiceto microscópico que interviene en la fermentación de los azúcares. Se usa más en pl.

SACAROSA f. *Quím.* Azúcar ordinario. Es un disacárido que desvía el plano de polarización de la luz hacia la derecha y cuya molécula está formada por la unión de una molécula de *d*-glucosa y otra de *d*-fructosa. Se hidroliza fácilmente y se convierte en sus dos monosacáridos constituyentes dando lugar al azúcar invertido, abundante en la miel.

SACASA, ***Juan Bautista*** (1874-1946) Político nic. Perteneciente al Partido Liberal, se alió con Solórzano contra Chamorro. Elegido presid. (1932), fue derrocado en 1936 por Anastasio Somoza. • ***Roberto*** (1840-?) Político nic. Presid. (1889-1891). Derrocado por Celaya (1893).

SACASEBO m. *Cuba.* Planta herbácea silvestre que sirve de pasto al ganado.

SACATEPÉQUEZ Dpto. de Guatemala; 465 km^2, 196 537 hab. Cap., Antigua. Accidentado por la sierra Madre (volcanes del Fuego, del Agua y Acatemango). Ríos: Pensativo (que se desborda a menudo e inunda la c. de Antigua), Guacalate y Sacatepéquez. Clima templado. Café, caña de azúcar, cereales, hortalizas, legumbres. Ganado vacuno y caballar. Ind. de carácter secundario.

SACATINTA m. Arbusto de la familia acantáceas, del cual se extrae un tinte violeta.

SACCHETTI, ***Giovanni Battista*** (m. 1764) Arquitecto it., neoclásico. Trabajó en la corte esp. al servicio de los Borbones. Participó en la construcción de los palacios de La Granja y Real de Madrid.

SACCO y Vanzetti, ***caso*** Proceso judicial y político que tuvo lugar en EE UU (1920-1927) y que culminó con la ejecución de dos trabajadores anarquistas it., Nicola Sacco y Bartolomeo Vanzetti.

SACERDOCIO m. *Rel.* Dignidad, estado, ejercicio y ministerio del sacerdote. • fig. Consagración activa y celosa al desempeño de una profesión o ministerio elevado y noble.

SACERDOTAL adj. Relativo al sacerdocio o al sacerdote.

SACERDOTE m. Hombre dedicado y consagrado a hacer, celebrar y ofrecer sacrificios. • En la religión católica, hombre que ha recibido las órdenes requeridas para celebrar la misa. • **Sumo s.** Príncipe de los sacerdotes israelitas, cabeza rectora de los levitas y, en el periodo postexílico, del pueblo.

SACERDOTISA f. Mujer dedicada a ofrecer sacrificios a ciertas deidades gentílicas y cuidar de sus templos.

SÁCERE m. Arce, árbol.

SACHAR tr. *Agr.* Escardar la tierra sembrada, para quitar las malas hierbas. ■ SACHADURA.

SACHER-MASOCH, ***Leopold von*** (1836-1895) Novelista austr. En sus obras aparecen ciertas perversiones que originaron el término masoquismo. *Las mesalinas de Viena, La Venus de las pieles.*

SACHO m. Instrumento de hierro en figura de azadón pequeño, que sirve para sachar. • *Chile.* Instrumento formado por un armazón de madera con una piedra, usado como ancla.

SACHS, ***Hans*** (1494-1576) Poeta al. Dedicó un himno a Lutero: *El ruiseñor de Wittenberg.* Sus *Farsas de Carnaval* representan escenas de la vida cotidiana. • ***Nelly*** (1891-1970) Escritora al. Premio Nobel de Literatura en 1966, con S. Agnon. *Las moradas del infierno, Eclipse de estrellas.*

SACIAR tr. y prnl. Satisfacer el hambre o la sed, o hacer que alguien coma hasta no poder más. • fig. Satisfacer plenamente ambiciones, deseos, curiosidades, etc. ■ SACIABLE; SACIEDAD.

SACIÑA f. Sargatillo, especie de sauce.

SACO m. Receptáculo de tela, cuero, papel, etc., por lo común de forma rectangular o cilíndrica, abierto por arriba. • Lo contenido en él. • Vestidura tosca y áspera de paño burdo o sayal. • Vestido corto que usaban los ant. rom. en tiempo de guerra, excepto los varones consulares. • Especie de gabán grande, y en general vestidura holgada, que no se ajusta al cuerpo. • Medida ing. para áridos, algo mayor que un hectolitro. • fig. Cualquier cosa que en sí incluye otras muchas. • Acción de entrar en una plaza o lugar para saquearlo. • *Dep.* En el juego de pelota, saque. • *Amér.* Chaqueta, americana. • *Argent.* Abrigo de mujer amplio y de largo mediano. • *Mar.* Entrada del mar en la tierra, especialmente cuando su boca es muy estrecha con relación al fondo. • **de dormir.** Funda acolchada, a modo de saco, que usan para dormir los montañeros, excursionistas, turistas, etc. • **embrional.** Esporófito femenino de las plantas fanerógamas angiospermas, sit. en el interior del óvulo de la flor. • **Entrar,** o **meter, a s.** Saquear. • **Meterse en el s.** *Cuba.* Embriagarse. • **Ponerse** uno **en el s.** *Méx.* Darse por aludido. • **Ser un s. de huesos.** *Argent., Ecuad.* y *P. Rico.* Ser muy flaco. ■ SACCIFORME.

SACO y López, ***José Antonio*** (1797-1879) Escritor y sociólogo cub. Diputado, mantuvo una actitud ambigua respecto a la indep. de su país. *Historia de la esclavitud.*

SACOLEVITA m. *Col.* Chaqué.

SACOMANO m. Saqueo.

SACRAMENTAL adj. Relativo a los sacramentos. • Díc. de los remedios que tiene la Iglesia para sanar el alma. Se usa más como m. pl. • fig. Acostumbrado, consagrado por la ley o la costumbre. • m. Individuo de una cofradía. • f. Cofradía dedicada a dar culto al Santísimo Sacramento.

SACRAMENTAR tr. y prnl. Convertir totalmente el pan en el cuerpo de Jesucristo en el sacramento de la eucaristía. • tr. Administrar a un enfermo el viático y la extremaunción, y a veces la penitencia. • fig. Ocultar, disimular, esconder. ■ SACRAMENTACIÓN.

SACRAMENTARIO, RIA adj. y s. Díc. de la secta de los protestantes y de los individuos de esta secta, que al nacer la Reforma negaron la presencia real de Jesucristo en la eucaristía. • m. Libro litúrgico empleado hasta el s. IX.

SACRAMENTO m. *Rel.* Signo sensible de un efecto interior y espiritual que Dios obra en nuestras almas. • Cristo sacramentado en la hostia. • **del altar.** El eucarístico. • **Últimos sacramentos.** Los de la penitencia, eucaristía y extremaunción que se administran a alguien en peligro de muerte.

SACRAMENTO C. de EE UU, cap. del est. de California; 369 400 hab. (1 481 100 hab. la agl. urb.). Sit. junto a la confluencia de los r. Sacramento y American. Ind. metalúrgica y alimentaria. Puerto fluvial. • Río de EE UU, en el est. de California. Nace en el monte Shasta y desemboca en la bahía de San Francisco; 620 km.

SACRAMENTO, ***Colonia del*** Plaza militar fundada en 1680 por M. Lobo en nombre de Portugal. Sit. en un puerto natural sobre el Río de la Plata, su fundación marcó el comienzo de la expansión port. hacia el O. Fue motivo de un pleito entre Portugal y España. Por el tratado de San Ildefonso (1777) pasó a dominio esp.

SACRE m. Ave rapaz parecida al gerifalte. • Ant. pieza de artillería. • fig. Ladrón.

Sacatepéquez. Panorámica de las ruinas del convento de Santa Clara

Sacrificio humano azteca. Grabado de la *Historia de las Indias,* de Diego Durán

SACRIFICAR tr. Hacer sacrificios. • Matar, degollar las reses para el consumo. • fig. Poner a una persona o cosa en algún riesgo o trabajo en provecho de un interés. • prnl. Dedicarse, ofrecerse a Dios. • fig. Sujetarse con resignación a una cosa violenta o repugnante.

SACRIFICIO m. Ofrenda a una deidad en señal de homenaje o expiación. • Acto del sacerdote al ofrecer en la misa el cuerpo de Cristo bajo las especias de pan y vino. • fig. Peligro o trabajo graves a que se somete a una persona. • fig. Acción a que uno se sujeta con gran repugnancia por consideraciones que a ello le mueven. • fig. Acto de abnegación inspirado por la vehemencia del cariño. • fig. y fam. Operación quirúrgica muy cruenta y peligrosa. • **del altar.** El de la misa.

SACRILEGIO m. Lesión o profanación de cosa, persona o lugar sagrados. ■ SACRÍLEGO, GA.

SACRISTÁN m. El que en las iglesias tiene a su cargo ayudar al sacerdote en el servicio del altar y cuidar de la iglesia y sacristía. • Dignidad eclesiástica a cuyo cargo estaba la custodia y guarda de los vasos, vestiduras y libros sagrados. • Faldellín con aros para ahuecar las faldas. ■ SACRISTANIÍA.

SACRISTÁN, ***Manuel*** (1922-1985) Teórico marxista esp. Fundador de las revistas *Materiales* y *Mientras Tanto.* Autor de *Filosofía, Introducción a la lógica y al análisis formal.*

SACRISTANA f. Mujer del sacristán. • Religiosa destinada en su convento a cuidar de la sacristía y proveer de lo necesario para el servicio de la iglesia.

SACRISTÍA f. Lugar, en las iglesias, donde se revisten los sacerdotes y están guardadas las cosas pertenecientes al culto. • Empleo de sacristán.

SACRO, CRA adj. Sagrado. • *Anat.* Referente a la región en que está situado el hueso sacro. • m. *Anat.* Hueso impar y plano, formado por cinco vértebras, sit. en la región lumbar sobre el cóccix y que forma la pelvis. • f. Cada una de las tres hojas que se ponían en los altares para que el sacerdote pudiese leer sin recurrir al misal.

SACRO Imperio Romano Germánico Imperio fundado en 962 y que se prolongó hasta 1806. Agrupaba los reinos de Germania, Italia y Borgoña. Constituía una unidad religiosa encabezada por el emperador como protector de la cristiandad. A partir de 1440 la elección recayó en la casa de Habsburgo.

SACROBOSCO, ***Juan de*** (m. 1256) Nombre latinizado de *John Hollywood,* astrónomo y matemático ing. *Sphaera mundi.*

SACROSANTO, TA adj. Que reúne las cualidades de sagrado y santo.

SACSAHUAMÁN Ant. fortificación incaica, sit. entre los r. Rodadero y Hutanai, en Cuzco (Perú). La construcción está sobre un cerro, y es de planta triangular. Forman los muros grandes bloques de piedra encajados. En sus ruinas pueden verse aún las escalinatas y bancos tallados en piedra, una especie de gradas y las murallas. El recinto comunicaba antiguamente con el Coricancha (actual templo de Santo Domingo). Cerca de la fortaleza se encuentra la pendiente de roca pulida, llamada «rodadero».

SACUDIÓN o **SACUDÓN** m. *Amér. Centr.* Sacudida fuerte.

SACUDIR tr. y prnl. Mover con brusquedad una cosa a una y otra parte. • Arrojar, tirar o despedir una cosa o apartarla violentamente de sí. • tr. Golpear una cosa o agitarla en el aire con violencia para quitarle el polvo, enjugarla, etc. • Golpear, dar golpes. • prnl. Desembarazarse de una persona, trabajo, compromiso, etc., que fastidia o enoja. ■ SACUDIDA; SACUDIDOR, RA; SACUDIDURA.

al-SADAT, ***Anwar*** (1918-1981) Militar y político egipcio. Presid. a la muerte de Nasser. En 1973 inició una guerra contra Israel. Tras el alto el fuego, firmó con los israelíes los acuerdos de Camp David (1978). Murió en un atentado. Premio Nobel de la Paz en 1978.

SADE, ***Donatien Alphonse François,*** MARQUÉS DE (1740-1814) Escritor fr. En sus obras se describen ciertas degeneraciones sexuales que han dado origen al término sadismo. *Justina o las desgracias de la virtud, Alina y Valcour, Los 120 días de Sodoma.*

SADHU m. Asceta o sabio hinduista.

SADI adj. y s. Díc. de individuos de una dinastía que reinó en Marruecos en los ss. XVI-XVII. Los prales. miembros fueron **Muhammad I** y **Abd al-Malik,** quien se enfrentó al ejército port. del rey don Sebastián (1578).

SADISMO m. Trastorno psicosexual del que provoca su propia excitación cometiendo actos de crueldad en otra persona. ■ SÁDICO, CA.

SADOMASOQUISMO m. Complejo psicosexual de pulsiones agresivas dirigidas contra otro (sadismo) o contra uno mismo (masoquismo). Existe un s. psíquico, manifestado en las torturas ocasionadas por uno a sí mismo.

SADOQ Sumo sacerdote israelita, descendiente de Aarón. Apoyó a Salomón contra las pretensiones de Adonías, y se convirtió en el único sumo sacerdote.

SADOWA Localidad de la Rep. Checa, en Bohemia, escenario (3 de julio 1866) de una batalla entre prusianos y austr. el uso del fusil de aguja decidió la victoria prusiana.

SADUCEÍSMO m. Doctrina de los saduceos.

SADUCEO, A adj. y s. Díc. del individuo de cierta secta de judíos pertenecientes a la aristocracia sacerdotal.

SÁENZ, ***Guido*** (nacido 1929) Reconocido crítico teatral y actor cost., cronista de viajes, ensayista y director de programas culturales televisados. Ministro de Cultura, Juventud y Deporte (1976). Premio Nacional de Difusión Cultural «Joaquín García Monge» en 1983. • **De Heredia,** ***José Luis*** (1911-1992) Director de cine esp. En los años de la posguerra fue el realizador esp. más cotizado y premiado. *Raza; El escándalo; El destino se disculpa; Mariona Rebull; Franco, ese hombre.* • **De Thorne,** ***Manuela*** (1793-1849) Patriota ecuat., amante de Bolívar. Participó en la conspiración de Lima (1817). • **Peña,** ***Luis*** (1822-1907) Político arg. Presid. de la rep. (1892-1895), reprimió duramente el mov. radical. • **Peña,** ***Roque*** (1851-1914) Político arg. Elegido presid. de la rep. (1910), bajo su mandato se sancionó el establecimiento del sufragio universal, secreto y obligatorio (1912).

SAETA f. Arma arrojadiza, disparada con arco, que consiste en un asta delgada y ligera, con punta afilada de hierro u otra materia en uno de sus extremos, y, a veces, en el opuesto algunas plumas cortas para impedirle que cabecee. • Manecilla del reloj. • Brújula, flechilla que se vuelve hacia el polo magnético. • Punta del sarmiento, que queda en la cepa cuando se poda. • Copla breve y sentenciosa que para excitar a la devoción o la penitencia se canta en las iglesias o en las calles durante ciertas solemnidades religiosas. • Jaculatoria o copla que una persona canta en las procesiones. • *Bot.* Nombre común de algunas plantas herbáceas de la familia alismatáceas. ■ SAETERO, RA.

SAETA *Astr. Sagitta,* constelación.

SAETEAR tr. Asaetear. ■ SAETADA O SAETAZO.

SAETERA f. Aspillera que en los castillos servía para disparar saetas. • fig. Ventanilla estrecha.

Otón el Grande, emperador del **Sacro Imperio Romano Germánico**

Anwar al-**Sadat**

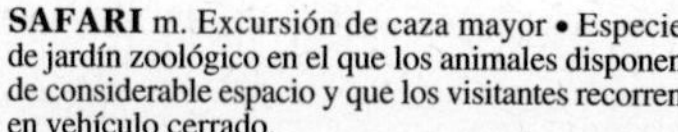

Práxedes Mateo **Sagasta**

SAFARI m. Excursión de caza mayor • Especie de jardín zoológico en el que los animales disponen de considerable espacio y que los visitantes recorren en vehículo cerrado.

SAFAWI adj. y s. Díc. de individuos de una dinastía persa que reinó de 1502 a 1736. Fundada por **Ismail I,** quien tomó el título de sah (1502). Le sucedieron **Tahmasp I, Abbas I el Grande, Tahmasp II** y **Abbas III,** con el que concluyó la dinastía.

SAFENA adj. y f. *Anat.* Díc. de cada una de las dos venas que van a lo largo de la pierna.

SAFI C. de Marruecos, en el Atlántico; 197 300 hab. Puerto exportador de fosfatos. Pesca. Ind. conservera y textil.

SÁFICO, CA adj. y s. Díc. de un tipo de estrofa y verso. La invención del verso s. se atribuye a la poetisa Safo. Catulo lo introdujo en la versificación latina. Fue el origen del endecasílabo esp.

SAFIO m. *Cuba.* Pez parecido al congrio.

SAFISMO m. Homosexualidad femenina.

SAFO Poetisa gr. del s. VI a. C. Estableció en Lesbos una academia poética para muchachas. Su poesía es una pura expresión del sentimiento producido por el amor y la belleza.

SAGA f. Mujer que se finge adivina y hace encantos o maleficios. • *Lit.* Cada una de las leyendas poéticas contenidas en su mayor parte en las dos colecciones de primitivas tradiciones heroicas y mitológicas de la ant. Escandinavia, llamadas los Eddas.

SAGA Prefectura de Japón, en la isla de Kyushu; 2 440 km², 878 000 hab. Cap., la c. hom (170 000 hab.). Ind. metalúrgica y textil.

SAGAN, ***Carl*** (1934-1996) Astrofísico estadoun. Estudió los campos de la planetología y la exobiología. Destacó como divulgador científico en televisión y con sus libros: *Los dragones del Edén* (premio Pulitzer, 1978), *Cometas.* • ***Françoise*** (nacida 1935) Escritora fr. Autora de *Buenos días, tristeza, Una cierta sonrisa, Las maravillosas nubes, El caballo desvanecido.*

SAGARRA, ***Josep M.ª*** (1894-1961) Poeta y dramaturgo esp., en lengua cat. Poesía: *El comte Arnau.* Teatro: *L'hostal de la Glòria, El cafè de la Marina.* Novela: *Vida privada.*

SAGASTA, ***Práxedes Mateo*** (1825-1903) Político esp. Uno de los promotores de la rev. de 1868. Desde 1885 se turnó en el poder con Cánovas.

Hoja **sagital**

SAGAZ adj. Avisado, astuto, que previene las cosas. • Díc. del perro que saca por el rastro la caza.
■ SAGACIDAD.

SAGINAW C. de EE UU (Michigan), junto al río hom.; 219 700 hab. Ind. metalúrgica.

SAGITA f. *Geom.* Porción de recta comprendida entre el punto medio de un arco de círculo y el de su cuerda.

SAGITAL adj. De figura de saeta.

SAGITARIA f. *Bot.* Saeta.

SAGITARIO m. El que combate con arco y saetas.

SAGITARIO → Sagittarius.

SAGITTA *Astr.* Pequeña constelación sit. en la Vía Láctea, por encima de *Altair.*

SAGITTARIUS *Astr.* Constelación zodiacal austral que aparece superpuesta en gran parte a la Vía Láctea. Contiene diversas nebulosas gaseosas; las más conocidas son Trífide, Laguna y Omega. • Noveno signo del Zodiaco.

SAGRA, ***Ramón de la*** (1798-1871) Naturalista, sociólogo y político esp. Profesor en la universidad de La Habana, propugnó la abolición de la esclavitud. Diputado en 1837 y 1856. Seguidor del pensamiento de Saint-Simon. *Historia física, política y natural de la isla de Cuba, Lecciones de economía social.*

SAGRADO, DA adj. Díc. de las cosas dedicadas a Dios y al culto divino. • Que por alguna relación con lo divino es venerable. • Relativo a la divinidad o a su culto. • fig. Que por su destino o uso es digno de veneración y respeto. • Entre los ant., decíase de todo aquello que con gran dificultad se podía alcanzar por medios humanos. • m. Lugar privilegiado de refugio para los delincuentes. • Cualquier recurso o sitio que asegura de un peligro.

Sagú

SAGRARIO m. Parte interior del templo en que se reservan o guardan las cosas sagradas. • Lugar donde se guarda y deposita a Cristo sacramentado. • En algunas iglesias catedrales, capilla que sirve de parroquia.

SAGRERA, ***Guillem*** (h. 1370-1454) Arquitecto y escultor mallorquín, una de las figuras más notables del gótico tardío. Maestro mayor de las catedrales de Perpiñán (Francia) y de Palma de Mallorca. También trabajó en Nápoles.

SAGÚ m. Planta tropical de la familia de las palmáceas; el tronco tiene una médula abundante en fécula, y el palmito es comestible. • *Amér. Centr.* y *Cuba.* Planta herbácea de hojas lanceoladas, flor blanca y raíz y tubérculos que contienen una fécula muy nutritiva. • Fécula amilácea que se obtiene de la médula de la palmera del mismo nombre, y se usa como alimento.

SAGUA LA GRANDE C. de Cuba, en la prov. de Villa Clara, junto al río hom.; 41 300 hab. Ind. química y azucarera.

SAGAIPÉ m. *Argent. Par.* y *Ur.* Gusano parásito que causa grandes estragos en el ganado lanar.

SAGUIA ELHAMRA Uadi del Sahara Occidental; 620 km. Nace en Ed Demariyin y desemboca en el Atlántico.

SAGUNTINO, NA adj. y s. De Sagunto.

SAGUNTO o **SAGUNT** *(o Morvedre)* C. de España, en la prov. de Valencia; 58 135 hab. Ind. siderúrgica. Tomada por Aníbal en 21 a. C., hecho que ocasionó la segunda guerra púnica. • **Pronunciamiento de S.** Sublevación militar dirigida por el general Martínez Campos (1874), que inició la Restauración de la monarquía esp. en la persona de Alfonso XII.

SAH m. Rey de Persia o del Irán.

SAHAGÚN, ***Bernardino de*** (h. 1500-1590) Eclesiástico e historiador esp., llamado *Francisco Rivera.* Llegó a Nueva España en 1529. Enseñó cast. y latín a sus alumnos aztecas, con cuya ayuda compiló un estudio de la cultura azteca precolombina (*Códice florentino*). Su *Historia general de las cosas de la Nueva España* constituye un estudio etnológico moderno.

Macizo de Ahaggar en el **Sahara** argelino

SAHARA *(ár., Sahra)* Región desértica de cerca de 8 600 000 km², sit. en la parte septentrional del continente afr. y limitada por la cord. del Atlas, el Atlántico, la región del Sudán y los desiertos líbico y arábigo. Clima extremadamente seco y cálido. Hidrografía formada por ríos de curso intermitente, junto a los que crece la vegetación. Yacimientos minerales, petrolíferos y de gas. • **Occidental.** Territorio occidental de África, bañado por el Atlántico y limítrofe con Marruecos, Argelia y Mauritania; 266 000 km², 100 000-300 000 hab., nómadas. Cap., El Aaiún. Cebada, palmeras datileras. Ganadería. Pesca. Sal (Dakhla), fosfatos (Bu Craa). Ant. colonia esp., fue ocupada en 1975 por Marruecos y Mauritania. El Frente Polisario proclamó en 1976 la indep. del terr. como República Árabe Saharaui Democrática, manteniendo una guerra de guerrillas contra las fuerzas de ocupación. En 1978 Mauritania se retiró del territorio. En 1988 Marruecos y el Frente Polisario aceptaron un plan de paz de la ONU, que incluía la celebración de un referéndum de autodeterminación. Fijado por Marruecos para el año 1992, no ha llegado a celebrarse.

SAHARANPUR C. de la India, en el est. de Uttar Pradesh; 295 400 hab. Centro agrícola e industrial (talla de madera).

SAHARAUI o **SAHARAUÍ** adj. y s. Del Sahara.

SAHARIANO, NA adj. Relativo al Sahara. • f. Especie de chaqueta delgada y de color claro.

SAHEL m. En Marruecos, viento del desierto.

SAFARI FOTOGRÁFICO

1. y 2. La protección de las especies animales en peligro ha llevado a crear reservas y parques naturales, como los de los Volcanes (Ruanda) o de Ngorongoro (Kenia).
3. y 4. Asimismo, se ha impuesto la sustitución de los antiguos safaris de caza por safaris fotográficos, para proteger el ecosistema animal, en peligro por la caza furtiva, conservando sin embargo el antiguo espíritu de aventura.
5. y 6. África, en especial las sabanas a ambos del ecuador (Tanzania y Kenia, sobre todo), es el continente preferido para los safaris fotográficos, por la gran riqueza en especies animales que posee.

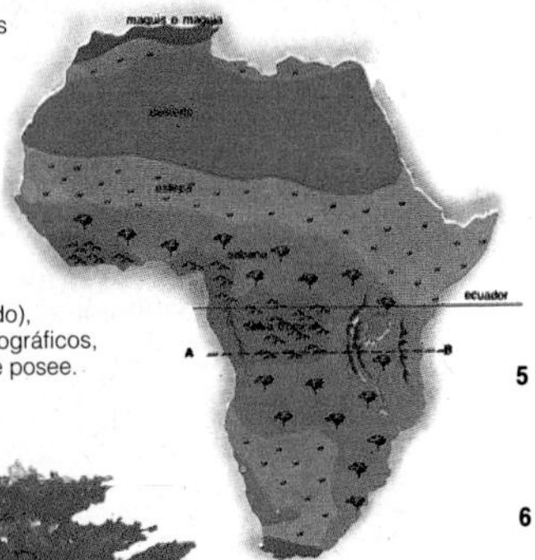

SAHEL Región de colinas en el N de África, que bordea las llanuras interiores, muy pobladas. Destacan los *sahels* de Orán y Argel (Argelia) y los de Susa y Sfax (Tunicia). • Región de África tropical que se alarga sobre el límite S del Sahara, desde el Atlántico al mar Rojo, afectando zonas de Mauritania, Malí, Níger, Chad, Sudán y Etiopía.

SAHIB (ár. «señor») m. Tratamiento que en la India se da a los europeos y a las personas de alta condición.

SAHORNARSE prnl. Escocerse o irritarse una parte del cuerpo. ■ SAHORNO.

SAHUMADO, DA adj. fig. Díc. de cualquier cosa que siendo buena por sí, resulta más estimable por la adición de otra que la mejora. • fam. *Amér.* Ahumado, achispado.

SAHUMADOR m. Perfumador, vaso para quemar perfumes. • Utensilio para enjugar la ropa.

SAHUMAR tr. y prnl. Dar humo aromático a una cosa. • tr. *Chile.* Dar a un objeto un baño de oro o de plata.

SAHUMERIO m. o **SAHUMADURA** f. Acción y efecto de sahumar o sahumarse. • Humo que produce una materia aromática que se echa en el fuego. • Esta misma materia.

SAICHÓ (767-822) Fundador religioso japonés, llamado *Dengyo Daishi*. Introdujo el tendai-shu, secta budista china.

SAIGA m. Antílope de las regiones desérticas de Asia central, de hocico provisto de un filtro para retener el polvo y la arena del desierto.

SAIGO Takamori (1828-1877) Militar y político japonés. En 1867 ingresó en el nuevo gobierno de Mutsu-Hito, pero se opuso a la occidentalización de Japón (1873) en Satsuma. Fue derrotado y se suicidó.

SAIGÓN → Ho Chi Minh, Ciudad.

SAÍN m. Grosura de un animal. • Grasa de pescado. • Grasa que con el uso suele salir en los paños, sombreros, etc.

SAINAR tr. Engordar a los animales. • intr. Sangrar.

SAINETE m. Pedacito de gordura, de tuétano o sesos que los halconeros o cazadores de volatería daban al halcón. • Salsa que se pone a ciertos manjares. • *Lit.* Obra dramática, gralte. cómica y con personajes populares, que tiene la necesaria extensión para ser representada independientemente. • fig. Cosa delicada y gustosa al paladar. • fig. Sabor suave y delicado de un manjar. • fig. Lo que aviva y realza el mérito de una cosa, ya de por sí

Sahara Occidental. Vista de El Aaiún

Andrei **Sajarov**

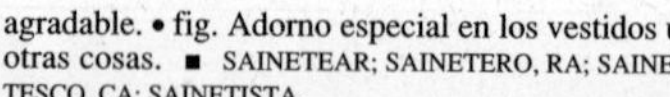

agradable. • fig. Adorno especial en los vestidos u otras cosas. ■ SAINETEAR; SAINETERO, RA; SAINETESCO, CA; SAINETISTA.

SAÍNO m. Mamífero hiracoideo sin cola, provisto de una glándula que segrega un humor fétido.

SAINT ALBANS C. de Gran Bretaña, en Inglaterra, en el á. metr. de Londres; 50 900 hab. Centro industrial.

SAINT CATHERINES C. de Canadá, junto al lago Ontario; 124 000 hab. Centro industrial.

SAINT CRHISTOPHER Isla de las Pequeñas Antillas. → San Cristóbal.

SAINT GEORGE'S o **SAINT GEORGE** Cap. del Est. antill. de Granada; 27 000 hab. Puerto exportador de los productos isleños.

SAINT HELENS C. de Gran Bretaña, en Inglaterra; 98 800 hab. Centro industrial.

SAINT JOHN C. de Canadá, en Nueva Brunswick, en la bahía de Fundy; 80 500 hab. Puerto exportador. Centro comercial e industrial. • Río de Canadá y EE UU; 720 km. Desemboca en la bahía de Fundy, en el océano Atlántico. También llamado Saint Jean.

SAINT JOHN'S o **SAINT-JEAN** C. de Canadá, cap. de la isla de Terranova; 96 000 hab. Puerto pesquero. Construcciones navales. Ind. alimentarias.

SAINT JOHN'S o **SAINT JOHN** Cap. antill. de Antigua y Barbuda; 30 000 hab. Exportación de azúcar.

SAINT KITTS Isla de las Pequeñas Antillas → San Cristóbal.

SAINT LOUIS C. de EE UU, en el est. de Misuri; 453 100 hab. (2 356 500 la agl. urb.). Centro de comunicaciones. Ind. siderúrgicas y aeronavales. Refino de petróleo.

SAINT LUCIA Isla y Est. de las Pequeñas Antillas. → Santa Lucía.

SAINT PAUL C. de EE UU, cap. del est. de Minnesota; 272 200 hab. Forma parte de la conurbación de → Minneápolis.

SAINT PETERBURGH C. de EE UU, en el est. de Florida; 237 000 hab. Centro turístico.

SAINT VINCENT Isla de las Pequeñas Antillas. → San Vicente.

SAINT-CYRAN, *Jean Duvergier de Hauranne,* ABAD DE (1581-1643) Teólogo jansenista fr., notable experto en patrística. Proporcionó cierto matiz místico al jansenismo y combatió a los jesuitas y a los calvinistas. *Oeuvres de Petrus Aurelius.*

SAINT-DENIS C. y cap. de Reunión; 109 600 hab. Ind. azucareras. Aeropuerto.

SAINT-DENIS C. de Francia, en el á. metr. de París; 97 000 hab. Centro industrial.

SAINTE-BEUVE, ***Charles-Augustin*** (1804-1869) Crítico literario y escritor fr., afecto al romanticismo y reconocido como el mejor crítico de su época. *Retratos literarios, Retratos contemporáneos, Charlas de los lunes, Port-Royal.*

La ópera de Dresde, capital de **Sajonia**

SAINT-ÉTIENNE C. de Francia, cap. del dpto. del Loire, en la región Ródano-Alpes; 205 000 hab. (331 500 la agl. urb.). Centro industrial.

SAINT-EXUPÉRY, ***Antoine de*** (1900-1944) Aviador y novelista fr., representante de la generación de 1920, *Vuelo nocturno, Piloto de guerra, Tierra de hombres, La ciudadela, El pequeño príncipe.*

SAINT-GERMAIN-EN-LAYE C. de Francia, sit. en la región parisina, en el dpto. de Yvelines. En ella se han firmado varios tratados. El último, en 1919, supuso la desaparición del imp. austrohúngaro. Lo firmaron Austria y los Aliados.

SAINT-JOHN Perse Seud. de *Alexis Saint-Léger* (1887-1975) Diplomático y poeta fr., de un lirismo rico en imágenes. Premio Nobel de Literatura en 1960. *Anábasis, Exilio, Crónica.*

SAINT-JUST, ***Louis Antoine Léon de*** (1767-1794) Político fr. Colaboró con Robespierre en la política del Terror. Reorganizó las tropas que combatieron en Fleurus (1794). Murió en la guillotina.

SAINT-LAURENT, ***Louis Stephen*** (1882-1973) Político can. Sucedió a Mackenzie King como primer ministro (1948-1957), esforzándose por aumentar la autonomía de Canadá.

Sal gema

SAINT-MARTIN (neerlandés, *Sint Maarten*) Isla de las Pequeñas Antillas, repartida desde 1648 entre Francia (52 km², 5 000 hab.; cap., Marigot) y Países Bajos (34 km², 1 600 hab.; cap. Philipsburg). Caña de azúcar.

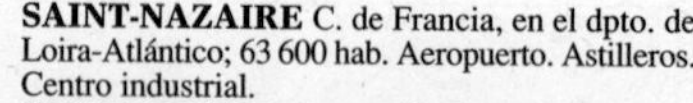

SAINT-NAZAIRE C. de Francia, en el dpto. de Loira-Atlántico; 63 600 hab. Aeropuerto. Astilleros. Centro industrial.

SAINT-PIERRE, ***Bernardin de*** → Bernardin de Saint-Pierre, Henri.

SAINT-PIERRE ET MIQUELON → San Pedro y Miquelón.

SAINT-SAËNS, ***Camille*** (1835-1921) Compositor neoclásico fr. Autor de la *Sinfonía con órgano*, del *Trío en fa*, de los poemas sinfónicos *Faetón, Danza macabra*, etc., y de las óperas *Sansón y Dalila, Enrique VIII.*

SAINT-SIMON, *Claude Henri de Rouvroy,* CONDE DE (1760-1825) Pensador socialista fr., precursor de la sociología. Ideólogo del Tercer Estado, no supo distinguir las contradicciones entre burguesía y proletariado. Consideraba como clase fundamental la de los productores (industriales, técnicos y trabajadores manuales). *Introducción a los trabajos científicos del s. XX, El sistema industrial.* • *Louis de Rouvroy,* DUQUE DE (1675-1755) Político e historiador fr.. *Memorias* relatan el periodo histórico del reinado de Luis XIV y la minoría de Luis XV.

SÁINZ de la Maza, ***Regino*** (1897-1981) Guitarrista esp., profesor del Conservatorio de Madrid. Autor de piezas para guitarra. *Zambra gitana, Alegrías.* • **de Robles,** ***Federico Carlos*** (1899-1982) Escritor esp., inserto en el movimiento postmodernista. *Historia de las universidades y monasterios de España, Grandes figuras de la Humanidad.* • **Rodríguez,** ***Pedro*** (1897-1986) Erudito esp. Ministro de Educación Nacional en 1939, se distanció del franquismo. Ejerció la crítica literaria. *Documentos para la historia de la crítica literaria en España, La mística española.*

SAIPAN Isla perteneciente al arch. de las Marianas, en el Pacífico; 122 km², 45 000 hab. Base naval de EE UU.

SAIS Ant. c. del Bajo Egipto, en el delta del Nilo, cap. del imp. con las dinastías saítas (ss. VII-VI a. C).

SAITAMA Prefectura de Japón, en la isla de Honshu; 3 799 km², 6 405 000 hab. Cap., Urawa.

SAJA f. Peciolo del abacá, del cual se extrae el filamento textil. • Cortadura hecha en la carne.

SAJADOR m. Sangrador, el que se dedicaba a hacer sangrías. • *Cir.* Escarificador.

SAJALIN Isla de Rusia, en el mar de Ojotsk; 87 100 km², 616 000 hab. Cap., Iuzhno Sajalinsk. Carbón, petróleo. Pesca. Estuvo dividida entre Rusia y Japón. Pertenece a Rusia desde 1945.

SAJAMA Cumbre volcánica de Bolivia, sit. en los Andes Occidentales; 6 520 m de alt.

SAJAR tr. Cortar en la carne. ■ SAJADURA.

SAJAROV, ***Andrei Dmitrievich*** (1921-1989) Físico y disidente sov. Fundador del Comité Ruso para la Defensa de los Derechos Humanos (1970). *Ideas sobre el progreso, la coexistencia pacífica y la libertad intelectual.*

SAJÓN, NA adj. y s. Díc. de individuos de un ant. pueblo germánico establecido junto a la desembocadura del Elba. Llegaron a Gran Bretaña en el s. III, y ocuparon el S y el SE de Inglaterra. El resto se extendió por Alemania. • De Sajonia. • adj. Relativo a este pueblo. • Relativo a este país de Europa.

SAJONIA *(Sachsen)* Nombre dado sucesivamente a un ant. ducado de Alemania del N, a un ducado del Elba meridional y a un electorado del Elba superior, post. erigido en reino y rep. Desde 1512 a 1896 se designó con ese nombre el círculo imperial de la Alta y Baja S., los principales de Turingia, una prov. prusiana, y un estado al. (Baja S.). • Est. del E de Alemania; 18 341 km², 4 770 000 hab. Cap., Dresde. • **S.-Anhalt** *(Sachsen-Anhalt)* Est. del E de Alemania; 20 607 km², 2 880 000 hab. Cap., Magdeburgo. • **Baja S.** *(Niedersachsen)* Est. del N de Alemania; 47 351 km², 7 390 000 hab. Cap., Hannover. C. pral.: Brunswick. Ind. automovilística, química, textil y mecánica.

SAJONIA-WEIMAR, ***Bernardo,*** DUQUE DE (1604-1639) General al., uno de los prales. jefes militares protestantes durante la guerra de los Treinta Años.

SAJONIENSE adj. y m. *Geol.* Díc. del piso pérmico inferior, comprendido entre el autuniense y el turingiense.

SAJUMAYA f. *Cuba.* Cierta enfermedad del ganado porcino.

SAJURIANA f. *Chile* y *Perú*. Baile ant. que se baila entre dos, zapateando y escobillando el suelo.
SAKAI C. de Japón, en la isla de Honshu; 818 400 hab. Sit. en la bahía de Osaka. Ind. textil (sedas, lana), metalúrgica, de porcelanas.
SAKARYA Río de Turquía. Nace en la meseta de Anatolia y desemboca en el mar Negro; 650 km. Escenario de la derrota gr. frente a los turcos en 1921.
SAKE m. Bebida alcohólica japonesa elaborada con arroz fermentado.
SAKI m. *Amér. Merid.* Mono de pequeño tamaño y de costumbres arborícolas.
SAKTI f. En la religión hinduista, encarnación del principio femenino de la creación cósmica o energía activadora inmamente en la divinidad.
SAKTISMO m. Designación de la creencia en la sakti como conjunto de doctrinas y prácticas religiosas, basadas filosóficamente en los *tantras*. Es un culto esotérico en el que se venera a las saktis de Siva.
SAL f. *Miner.* Cloruro sódico. • *Quím.* Compuesto químico resultante de sustituir los iones H^+ (protones) de los ácidos por iones metálicos o radicales positivos. • fig. Agudeza, gracia en el habla. • fig. Garbo, gracia en los ademanes. • *Amér. Centr.* Desgracia. • **amoniaco.** Cloruro amónico. Es un sólido cristalino, blanco, soluble en agua, que se emplea para limpiar superficies metálicas, en la fabricación de pilas eléctricas, etc. • **infernal.** Nitrato de plata. • **marina.** La común, que se obtiene de las aguas del mar. • **prunela.** Mezcla de nitrato de potasa con un poco de sulfato, la cual se obtiene echando azufre en polvo en el nitrato fundido.
* *Quím.* Una s. también puede definirse como el resultado de sustituir los hidroxilos de las bases por restos ácidos. Las s. que tienen átomos de hidrógeno sustituibles se llaman ácidas; las que no los tienen, neutras. Las sales básicas son aquellas en que no todos los hidroxilos han sido sustituidos.
* *Miner.* Una de las s. más importantes es el cloruro sódico, sal gema o sal común, utilizada para condimentar y conservar alimentos. Cristaliza en el sistema regular, formando grandes yacimientos terrestres. Se encuentra en gran cantidad en el agua de mar.
SALA f. Pieza pral. de la casa. • Aposento de grandes dimensiones. • Pieza donde se constituye un tribunal de justicia para celebrar audiencia. • Conjunto de los jueces que forman un tribunal de alzada. • **de fiestas.** Local en el que se sirven bebidas y se ofrece un espectáculo, por lo común frívolo. Suele tener pista de baile.
SALABRE m. Arte de pesca menor, consistente en un bolso de red sujeto a una armadura con mango, o provisto de cordeles para lanzarlo y volcarlo.
SALACIA *Mit.* Diosa romana del mar, esposa de Neptuno.
SALACIDAD f. Inclinación vehemente a la lascivia.
SALACOT m. Sombrero ligero usado en Filipinas y otros países cálidos, hecho de un tejido de tiras de caña, o de filamento de nito.
SALACROU, *Armand* (1899-1989) Dramaturgo fr., autor de obras que revelan su preocupación por los problemas que afectan al hombre actual. *La desconocida de Arras, El espejo.*
SALADAR m. Lagunajo en que se cuaja la sal en las marismas. • Terreno esterilizado por abundar en él las sales. • Salobral, terreno salobreño.
SALADERÍA f. *Argent.* Ind. de salar carnes.
SALADERO m. Casa o lugar destinado para salar carnes o pescados.
SALADILLA f. Planta salsolácea, parecida a la barrilla, que crece en terrenos salobreños.
SALADINO I (1138-1193) Sultán ayubí de Egipto [1171-1193] y de Siria [1174-1193]. Ocupó Siria y expulsó a los cruzados de Jerusalén (1187). Contra él se organizó la tercera cruzada.
SALADO, DA adj. Díc. del terreno estéril por demasiado salitroso. • Aplícase a los manjares que tienen más sal de la necesaria. • fig. Gracioso, agudo o chistoso. • *Amér.* Desgraciado, infortunado. • *Argent.* y *Chile.* fig. Caro, costoso. • m. Caramillo, planta. • **negro.** Zagua, arbusto.
SALADO Río de Argentina central; 1 200 km. Nace en Ojos del Salado, en los Andes. Hasta su desembocadura en el Colorado, toma los nombres de Bermejo, Desaguadero, Salado y Chadileuveu. • Río de Argentina, afl. del Plata; 700 km. Nace en una serie de lagunas del NO de la prov. de Buenos Aires y desemboca en la bahía de Samborombón. • **Del Norte** Río de Argentina, afl. del Paraná; 2 000 km. Nace en una serie de ríos y torrentes originados en la puna y recorre la llanura del Chaco.
SALADO Río esp., en la prov. de Cádiz, que desemboca en la ensenada de Lances (Atlántico). Escenario de la batalla (1340) en la que los reyes cristianos vencieron a los benimerines de Abu-l-Hassan Alí.
SALAMÁ C. de Guatemala, cap. del dpto. de Baja Verapaz; 10 403 hab. Centro comercial, agrícola y ganadero. Cerámica y confección.
SALAMANCA f. *Chile.* Cueva natural que hay en algunos cerros y en la que se dice que celebran las brujas sus aquelarres. • *Argent.* Salamandra de cabeza chata.
SALAMANCA Prov. esp., en la com. autón. de Castilla y León, en el extremo O de la Meseta septentrional, limítrofe con Portugal; 12 336 km², 353 020 hab. Cap., la c. hom. Accidentada por las estribaciones del sistema Central. Ríos Tormes, Huebra, Yeltes y Águeda. Clima continental. Cereales, patatas, algarrobas, remolacha azucarera, forrajes. Ganado ovino y bovino. Estaño, uranio, volframio. Ind. textil y de transformaciones agropecuarias. • C. de España, cap. de la prov. hom; 159 225 hab. Sit. junto al r. Tormes. Ind. textil, mecánica, química, alimentaria. Universidad.
SALAMANCA C. de México, en el est. de Guanajuato; 75 000 hab. Ind. química y textil. Refinerías de petróleo.
SALAMANCA Isla de Colombia, en el dpto. de Magdalena; 250 km². Parque Nacional.
SALAMANCA, *Daniel* (1863-1935) Político bol. Miembro de la junta de gobierno (1920). Presid. de la rep. (1931-1934), tuvo que afrontar la guerra del Chaco. • ***José,*** MARQUÉS DE (1811-1883) Financiero y político esp. Inicialmente influido por el liberalismo, se afilió al partido de los puritanos. Desempeñó la cartera de Hacienda en los gobiernos de Pacheco y Gutiérrez Calderón (1847) y García Goyena (1847). Llevó a cabo la construcción de la línea ferroviaria Madrid-Aranjuez, cuya concesión obtuvo.
SALAMANDRA f. Batracio urodelo de piel lisa, de color negro intenso con manchas amarillas simétricas. • Ser fantástico considerado como espíritu elemental del fuego. • Especie de calorífero de combustión lenta. • **acuática.** Tritón.
SALAMANDRIA f. Salamanquesa.
SALAMANQUEJA f. *Col., Ecuad.* y *Perú.* Salamanquesa.
SALAMANQUÉS, SA adj. y s. Salmantino. • f. *Zool.* Saurio gecónido, con cuerpo comprimido y ceniciento, piel tuberculosa y unas laminillas debajo de cada dedo. Vive en las grietas de los edificios. • **de agua.** Salamandra acuática.
SALAMANQUINO, NA adj. y s. Salmantino. • f. *Chile.* Lagartija.
SALAMBÓ Diosa fenicia identificable con la Astarté gr. y la Tanit cartaginesa.
SALAME m. *Amér.* Embutido hecho con carne vacuna y carne y grasa de cerdo, que se come crudo. • *Argent.* Tonto, persona de escaso entendimiento.
SALAMÍN m. *Argent.* y *Ur.* Salame delgado.
SALAMINA Isla gr. del mar Egeo, en el golfo de Egina; 101 km², 21 000 hab. En sus aguas se libró (480 a. C.) la batalla naval entre la coalición gr. y los persas.
SALAMUNDA f. Planta timeleácea.
SALAN, *Raoul Louis* (1899-1984) Militar fr. Exigió a De Gaulle la permanencia fr. En Argelia. Fracasado el *putsch de Argel* (1961), fue condenado a cadena perpetua. En 1968 fue amnistiado.
SALANDRA, *Antonio* (1853-1931) Político it. Como presid. del gobierno, en 1915 declaró la guerra a los imperios centrales. Nombrado senador por Mussolini.
SALANGANA f. Pájaro que abunda en Filipinas y otros países del Extremo Oriente, cuyos nidos contienen ciertas sustancias gelatinosas comestibles.
SALAR tr. Echar en sal, curar con sal carnes, pescados y otras sustancias. • Sazonar con sal, echar la sal conveniente a un manjar. • Echar más sal de la

Saladino hace encarcelar a los cruzados. Miniatura de la Biblioteca Nacional de París

Patio de Escuelas de **Salamanca** (España)

Salamandra

Salinas

Carlos **Salinas de Gortari**

Detalle del relieve del pedestal del trono de **Salmanasar III.** Museo Iraquí, Bagdad

necesaria. • tr. y prnl. *Cuba* y *Hond.* Manchar, deshonrar. • *C. Rica, Méx.* y *P. Rico.* Desgraciar, echar a perder. • m. Saladar. ■ SALADURA.

SALARIO m. Según la definición clásica, precio del trabajo realizado por un obrero o empleado. • Para Marx, precio de la fuerza de trabajo. • En gral., remuneración, en dinero o en especie, por un trabajo o servicio. ■ SALARIAL; SALARIAR.

SALARRUÉ, *Salvador Salazar Arrué,* llamado (1899-1975) Escritor, pintor y político salv. Narraciones de tono indigenista. *Cuentos de barro, O'Yarkandal, Cuentos de cipotes.*

SALAS, ***Manuel*** (1755-1841) Político y economista chil. Partidario de la indep., fue elegido miembro del Congreso de 1811. Prisionero de los realistas en 1814 y 1817. • **Barbadillo,** ***Alonso Jerónimo de*** (1581-1635) Escritor esp., autor de obras satíricas y picarescas. *La ingeniosa Elena, hija de Celestina; Don Diego de noche.*

SALAVARRIETA, ***Policarpa*** (1795-1817), llamada LA POLA. Patriota de la indep. col. Acusada de espionaje, fue ejecutada.

SALAVERRÍA, ***José María*** (1873-1940) Ensayista y periodista esp. En su obra exalta los valores nacionales. *Vieja España, Martín Fierro y el criollismo español.*

SALAVERRY, ***Carlos Augusto*** (1831-1890) Poeta y dramaturgo per. de tendencia romántica. *Diamantes y perlas, El pueblo y el tirano.* • ***Felipe Santiago*** (1806-1836) Militar y político per. Destituyó a Orbegoso y se autoproclamó jefe supremo de la rep. (1835). Murió fusilado.

SALAZ adj. Muy inclinado a la lujuria.

SALAZAR, ***Adolfo*** (1890-1958) Compositor y crítico musical esp. Exiliado en 1937, dirigió el Conservatorio Nacional de México. Autor de *Paisajes, Estampas, Don Juan de los infiernos.* Escribió: *Música y sociedad en el s.* XX, *La música en la sociedad europea.* • ***Ambrosio de*** (ss. XVI-XVII) Escritor esp. Preceptor de Luis XIII de Francia. Autor de numerosas obras didácticas. *Secretos de la gramática española.* • ***Antonio de Oliveira*** (1889-1970) Político port. Ministro de finanzas con Carmona, en 1932 fue nombrado presid. del Consejo. En 1933 promulgó la constitución del *Estado Novo,* de inspiración fascista. Sustituido por enfermedad en 1968. • ***Vicente Lucio*** (s. XIX) Político ecuat. Vicepresid. de la rep. (1892). Presid. al renunciar Cordero (1893), fue derrocado poco después. • **Bondy,** ***Sebastián*** (1924-1965) Escritor, periodista y autor teatral per. *No hay isla feliz, Flora Tristán, Lima la horrible.* • **De Espinosa,** ***Juan*** (1508-1560) Conquistador esp. Fundador de Santa María de la Asunción (1537), actual cap. de Paraguay. • **Y Baquijano,** ***Manuel*** (1777-1850) Militar y político per. Vicepresid. de la rep. (1827 y 1828-1829). Presid. del consejo de Est. (1834-1835).

SALAZÓN f. Acción y efecto de salar o curar con sal. • Acopio de carnes o pescados salados. • Ind. y tráfico que se hace con estas conservas.

SALBANDA f. *Min.* Capa que separa el filón de la roca estéril.

SALBUTAMOLOL m. *Farm.* Estimulante parcialmente selectivo para los receptores B_2 del pulmón, que se utiliza en el tratamiento del asma bronquial.

SALCANTAY Cumbre andina de Perú, en el dpto. de Cuzco; 6 271 m de alt.

SALCEDO Prov. de la República Dominicana; 494 km², 109 400 hab. Cap., la c. hom. Al N está accidentada por la cordillera Septentrional; el resto del terr. corresponde a los valles del Yuna y del Camú. Clima tropical. Extensos bosques. Maíz, café, cacao, tabaco, plátanos. • C. de la República Dominicana, cap. de la prov. hom.; 10 316 hab.

SALCHICHA f. Embutido, en tripa delgada, de carne de cerdo que se consume en fresco. • *Mil.* Globo dirigible usado por el ejército fr. durante la I Guerra Mundial.

SALCHICHERÍA f. Tienda donde se venden embutidos.

SALCHICHÓN m. Embutido de jamón, tocino y pimienta, prensado y curado, que se come en crudo.

SALCOCHAR tr. Cocer carnes, pescados, legumbres u otros alimentos, sólo con agua y sal. ■ *Amér. Merid.* SALCOCHO.

SALDANHA, *João Carlos d'Oliveira Daun,* DUQUE DE (1790-1870) Político port. Dirigió el gobierno en 1835-1836, 1846-1849 y 1851-1856.

SALDAR tr. Liquidar enteramente una cuenta. • Vender a bajo precio una mercancía para desprenderse pronto de ella. ■ SALDISTA.

SALDÍAS, ***Adolfo*** (1849-1914) Historiador y político arg. *Historia de la Confederación Argentina, Papeles de Rosas.*

SALDO m. Pago o finiquito de deuda u obligación. • Cantidad que de una cuenta resulta a favor o en contra de uno. • Resto de mercancías que el fabricante o el comerciante venden a bajo precio para desprenderse pronto de ellas.

SALEDIZO, ZA adj. Saliente, que sobresale. • m. Parte que sobresale de la pared maestra.

SALEGA f. Salegar, donde se da sal al ganado.

SALEGAR m. Sitio en que se da sal a los ganados en el campo. • intr. Tomar el ganado la sal que se le da.

SALEM C. de la India, en el est. de Madrás; 308 700 hab. Tejidos de algodón y seda.

SALEM C. y puerto de EE UU, cap. del est. de Oregón; 107 800 hab. Famosa por una despiadada persecución de brujas, en 1692.

SALEMA f. Salpa, pez.

SALEP m. Fécula que se saca de los tubérculos del satirión y de otras orquídeas.

SALERA f. Piedra o recipiente de madera en que se echa la sal para que la coma el ganado.

SALERNO C. de Italia, en Campania, cap. de la prov. hom.; 155 800 hab. Centro agrícola. Ind. textil, alimentaria. Durante la II Guerra Mundial fue el lugar de desembarco de las tropas angloamericanas (1943).

SALERO m. Vaso en que se sirve la sal en la mesa. • Sitio donde se guarda la sal. • Salegar, donde se da sal al ganado. • Base sobre que se arman los saquetes de metralla. • fig. y fam. Gracia, donaire. • fig. y fam. Persona con gracia o donaire. ■ SALEROSO, SA.

SALESA adj. y s. Díc. de la religiosa de la orden de la Visitación de Nuestra Señora, fundada en el s. XVII por san Francisco de Sales y santa Juana Francisca Fremiot de Chantal.

SALESIANO, NA adj. y s. Díc. del religioso de la Sociedad de san Francisco de Sales, congregación fundada por san Juan Bosco, en 1859. • adj. Relativo a dicha congregación.

SALFORD C. de Gran Bretaña, en Inglaterra (condado de Lancashire); 98 000 hab. Forma parte de la aglomeración urbana de Manchester. Ind. textiles y metalúrgicas.

SALGADA o **SALGADERA** f. Orzaga, planta.

SALGAR tr. Dar sal al ganado.

SALGAR, ***Eustorgio*** (1831-1885) Político col. Presid. de la rep. (1870-1872), representante de la burguesía. Ministro de la Guerra (1876) y de Relaciones Exteriores (1878 y 1884).

SALGARI, ***Emilio*** (1862-1911) Novelista it., que cultivó el gén. de viajes y aventuras. *Los piratas de la Malasia, El corsario negro.*

SALI Nombre que recibe el río Dulce, en Argentina, al atravesar la prov. de Tucumán.

SALICÁCEO, A o **SALICÍNEO, A** adj. y f. *Bot.* Díc. de árboles y arbustos angiospermos dicotiledóneos, de hojas sencillas, flores dioicas en espiga y fruto en cápsula. • f. pl. *Bot.* Familia de estas plantas.

SALICAL adj. y f. *Bot.* Díc. de plantas del orden salicales. • f. pl. *Bot.* Orden de dicotiledóneas monoclamídeas, leñosas o arbustivas, con flores unisexuales y fruto en cápsula, que comprende únicamente la familia silicáceas.

SALICARIA f. Planta herbácea anual, de la familia litráceas. Se emplea como astringente.

SALICILATO m. *Quím.* Sal o éster del ácido salicílico.

SALICÍLICO, ***ácido*** m. *Quím.* Oxiácido aromático que paraliza la fermentación (conservación de alimentos). Su derivado acetilado es la aspirina y su éster metílico se emplea en perfumería.

SALICINA f. *Quím.* Glucósido que se extrae de la corteza y de las flores del sauce, y que constituye un remedio clásico contra resfriados y dolores reumáticos.

SÁLICO, CA adj. Relativo a los salios o francos. • Ley sálica.

SALIDERO, RA adj. Amigo de salir, andariego. • m. Salida, espacio para salir.

SALIDIZO m. *Arq.* Parte del edificio que sobresale fuera de la pared maestra en la fábrica.
SALIDO, DA adj. Aplícase a lo que sobresale en un cuerpo más de lo regular. • Díc. de las hembras de algunos animales cuando están en celo. • fam. Se aplica a la persona excitada sexualmente. • f. Acción de salir o salirse. • Parte por donde se sale fuera de un sitio o lugar. • Campo contiguo a un pueblo. • Parte que sobresale en alguna cosa. • Despacho o venta de los géneros. • Partida de data o de descargo en una cuenta. • fig. Escapatoria, pretexto. • fig. Medio o razón con que se vence un argumento, dificultad o peligro. • fig. Fin o término de un negocio o dependencia. • fig. y fam. Ocurrencia, dicho agudo. • *Comp.* Cualquier información que se obtiene de una computadora, ya sea a través de pantalla o a través de la impresora, o incluso aquella que puede obtenerse grabada en un dispositivo de almacenamiento externo.
SALIENTE adj. Que sale. • m. Oriente, levante. • Parte que sobresale en una cosa.
SALIERI, *Antonio* (1750-1825) Compositor it., residente en Viena. Maestro de la capilla imperial, fundó el Conservatorio de Viena. Autor de óperas y música religiosa. *Armida, Semíramis, Axurre d'Ormus.*
SALIFICABLE adj. *Quím.* Díc. de la sustancia capaz de combinarse con un ácido o con una base para formar una sal.
SALIFICAR tr. *Quím.* Convertir en sal una sustancia. ■ SALIFICACIÓN.
SALINA f. Mina de sal común. • Establecimiento donde se beneficia la sal obtenida por evaporación de las aguas del mar u otras aguas salinas.
SALINAS C. de Puerto Rico, en el distr. de Guayama; 28 500 hab. Agricultura. Pesca.
SALINAS, *Francisco de* (1513-1590) Músico esp. Ciego desde niño, fue organista de la catedral de León. • ***Pedro*** (1892-1951) Poeta y crítico esp. *Presagios, Seguro azar, La voz a ti debida, Razón de amor, El contemplado, Jorge Manrique o tradición y originalidad, Literatura española del siglo XX.* • **De Gortari, *Carlos*** (nacido 1948) Político mex. Titulado por la universidad de Harvard, desempeñó cargos de gestión económica en la administración pública. Candidato oficial del PRI (Partido Revolucionario Institucional) a la presidencia de la rep. en las elecciones de 1988, resultó vencedor, con un programa basado en la renovación de las estructuras de la nación.
SALINAS GRANDES Desierto de Argentina, al O de la Pampa; 20 000 km^2. Yacimientos de sal.
SALINERO, RA adj. Relativo a la salina. • *Taur.* Díc. del toro que tiene el pelo jaspeado de colorado y blanco. • m. y f. Persona que fabrica, extrae o transporta sal, o que trafica con ella.
SALINGER, *Jerome David* (nacido 1919) Novelista norteam. *El cazador oculto; Fanny y Zooey; Izad alto esa viga, carpinteros; Seymour.*
SALINIDAD f. Calidad de salino. • Concentración salina de un agua natural, continental o marina.
SALINO, NA o **SALÍFERO, RA** adj. Que naturalmente contiene sal. • Que participa de los caracteres de la sal común. • Manchado de pintas blancas; aplícase a la res vacuna.
SALIO, LIA adj. Relativo a los sacerdotes de Marte. • m. Sacerdote de Marte en la Roma antigua. • adj. y s. Díc. del individuo de uno de los ant. pueblos francos que habitaban en las orillas del río Yssel, en Germania.
SALIPIRINA f. *Farm.* Salicilato de antipirina, usado para combatir las neuralgias y como antipirético.
SALIR intr. y prnl. Pasar de la parte de adentro a la de afuera. • intr. Partir de un lugar a otro. • Desembarazarse o librarse de algún lugar estrecho, peligroso o molesto. • Libertarse, desembarazarse de algo que ocupa o molesta. • Aparecer, manifestarse, descubrirse. • Nacer, brotar. • Tratándose de manchas, quitarse, borrarse, desaparecer. • Sobresalir, estar una cosa más alta o más afuera que otra. • Descubrir uno su índole, idoneidad o aprovechamiento. • Nacer, proceder, traer su origen una cosa de otra. • Ser uno, en ciertos juegos, el primero que juega. • Deshacerse de una cosa vendiéndola o despachándola. • Darse al público. • Decir o hacer una cosa inesperada o intempestiva. • Ocurrir, sobrevenir u ofrecerse de nuevo una cosa. • Importar, costar una cosa que se compra. • Tratándose de cuentas, resultar, de la oportuna operación aritmética, que están bien hechas o ajustadas. • Con la prep. *de* y algunos nombres, como *juicio, sentido, tino* y otros semejantes, perder el uso dé lo que los nombres significan. También se usa con el adv. *fuera* antes de la prep. *de.* • Venir a ser, quedar. • Tener buen o mal éxito. • Hablando de las estaciones y otras partes de tiempo, finalizar. • Parecerse, asemejarse. • Cesar en un oficio o cargo. • Ser elegido o sacado por suerte o votación. • Ir a parar, tener salida a punto determinado. • Adelantarse una embarcación a otra; aventajarla en andar cuando navegan juntas. • intr. y prnl. Con la prep. *con* y algunos nombres verbales, mostrar o iniciar inesperadamente lo que los nombres significan. • Apartarse, separarse de una cosa o faltar a ella. • prnl. Derramarse por una rendija o rotura el contenido de una vasija o receptáculo. • Rebosar un líquido al hervir. • Tener una vasija o depósito alguna rendija o rotura por la cual se derrame el contenido. • En algunos juegos, hacer los tantos o las jugadas necesarios para ganar.
SALISBURY, *Robert Gascoyne Cecil,* MARQUÉS DE (1830-1903) Político brit., miembro del Partido Conservador. Representó a su país en la conferencia de Constantinopla. Primer ministro en varias ocasiones.
SALITRE m. Nitro. • Cualquier sustancia salina, especialmente la que aflora en tierras y paredes. • *Chile.* Nitrato de Chile. • *Bot.* Planta herbácea de la familia franqueniáceas, con hojas opuestas, flores pequeñas blancas o rosadas, y frutos secos. Vive en las zonas áridas y salinas de América Meridional. Otras especies parecidas son europeas, asiáticas y australianas. ■ SALITRADO, DA; SALITRAL; SALITRERÍA; SALITRERO, RA; SALITROSO, SA.
SALIVA f. *Fisiol.* Humor alcalino, acuoso, algo viscoso, segregado por glándulas de la cavidad bucal de los vertebrados terrestres y de los insectos. ■ SALIVOSO, SA.
SALIVADERA f. En algunas partes, escupidera.
SALIVAL adj. *Anat.* Díc. de cada una de las glándulas anexas a la cavidad bucal destinadas a la secreción de la saliva.
SALIVAR intr. Arrojar saliva.
SALIVAZO o **SALIVAJO** m. Porción de saliva que se escupe de una vez.
SALIVERA f. Sabor unido al freno del caballo. Se usa más en pl.
SALK, *Jones Edward* (1914-1995) Bacteriólogo norteam., descubridor de una vacuna contra la poliomielitis.
SALLE, *René Robert Cavelier,* SEÑOR DE LA (1643-1687) Explorador fr. Tomó posesión de Luisiana. Murió asesinado por sus compañeros de expedición.
SALMANASAR Nombre de cinco reyes de Asiria que gobernaron entre los ss. XIII-VIII a. C., enfrentados en continuas luchas con los pueblos vecinos.
SALMANTINO, NA adj. y s. De Salamanca.
SALMEAR intr. Rezar o cantar los salmos.
SALMER m. *Arq.* Piedra del machón o muro, cortada en plano inclinado, de donde arranca un adintelado o escarzano.
SALMERA adj. Díc. de la aguja de enjalmar.
SALMERÓN adj. y s. Díc. de una variedad de trigo que ahíja poco y tiene la espiga grande.
SALMERÓN, *Nicolás* (1838-1908) Político esp. Tras la rev. de 1868 defendió el federalismo y la I Internacional. Presid. de la I Rep. Dimitió a causa del levantamiento cantonalista.
SALMO m. Cántico religioso de los ant. hebreos. • **Libro de los S.** Colección de himnos religiosos hebreos del A. T., llamada también *Salterio.* Consta de 150 himnos; las traducciones orientales agregan uno más. Divididos en cinco libros (*Salmos* 1-40; 41-71; 72-88; 89-105 y 106-150). Su composición se atribuye a David, Asaf, Etán, hijos de Coré, etc. ■ SALMISTA.
SALMODIA f. Canto usado en la Iglesia para los salmos. • fig. y fam. • Canto monótono. ■ SALMODIAR.
SALMÓN m. *Zool.* Pez teleósteo del orden clupeiformes, de carne rojiza y sabrosa. Nace en los ríos, alcanza la adultez en el mar y retorna para el desove. • adj. Díc. del color de la carne de este pez y de lo que tiene este color. ■ SALMONADO, DA.

Salmer (parte sombreada) en el arranque de un arco

Nicolás **Salmerón**

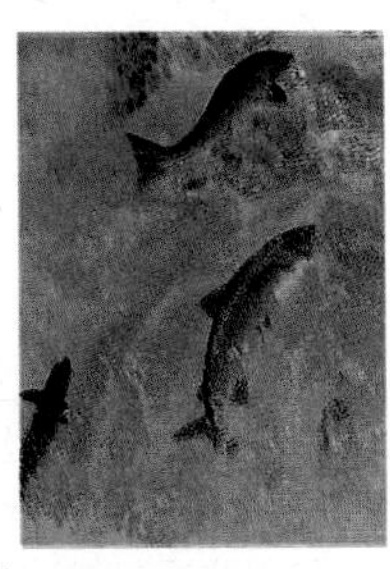
Salmones remontando un río

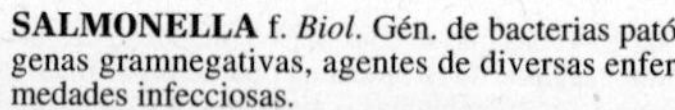

Salomé con la cabeza de Juan el Bautista. Mosaico del s. XIII. Basílica de San Marcos, Venecia, Italia

El juicio de **Salomón** en una miniatura gótica de la Biblia de Alba. Palacio de Liria, Madrid

Mapa de situación y bandera de **Salomón**

SALMONELLA f. *Biol.* Gén. de bacterias patógenas gramnegativas, agentes de diversas enfermedades infecciosas.

SALMONELOSIS f. *Pat.* Síndrome de carácter preferentemente gastrointestinal producido por esquizomicetes del gén. *Salmonella.*

SALMONERA f. Red para pescar salmón. • Rampa que se construye en los ríos para facilitar la subida de los salmones.

SALMONETE m. Pez teleósteo marino del orden perciformes; es comestible y abunda en el Mediterráneo.

SALMÓNIDO adj. y m. *Zool.* Díc. de los peces teleósteos fisóstomos con el cuerpo cubierto de escamas adherentes, excepto en la cabeza. • m. pl. *Zool.* Familia de estos animales.

SALMOREJO m. Salsa compuesta de agua, vinagre, aceite, sal y pimienta.

SALMUERA f. Agua cargada de sal. • Agua que sueltan las cosas saladas.

SALNAVE, ***Silvayn*** (1827-1870) Militar y político haitiano. Dirigente del partido de los «Lagartos». Presid. (1867-1869) tras derrocar a Geffrard. Derribado y fusilado por Nissage-Saget, dirigente de los «Papagayos».

SALOBRAL adj. Salobreño, aplicado a las tierras. • m. Terreno salobreño.

SALOBRE adj. Que tiene sabor de alguna sal. • Díc. de las aguas que tienen cierta salinidad.

SALOBREÑO, ÑA adj. Aplícase a la tierra que es salobre o contiene alguna sal en abundancia.

SALOL m. *Farm.* Éster fenílico del ácido salicílico, que se ha aplicado en el tratamiento del reumatismo articular, neuralgias, etc.

SALOMA f. Son cadencioso con que acompañan los marineros y otros operarios su faena. ■ SALOMAR.

SALOMÉ Princesa judía, hija de Herodes Filipo y de Herodías; obtuvo de su tío Herodes Antipas la cabeza de san Juan Bautista.

SALOMON, ***Lysius*** (1815-1888) Político haitiano. Presid. de la rep. (1879-1888). Derrocado por Télémaque. Reprimió varias insurrecciones liberales.

SALOMÓN m. fig. Hombre de gran sabiduría.

SALOMÓN (s. X a. C.) Rey de Israel [h. 971-929 a. C.]. Hijo de David. Portotipo del rey sabio y esplendoroso. Se le atribuye una copiosa producción literaria. • **Odas de S.** Himnos religiosos anónimos escritos en gr. entre los ss. I-II. Son de orientación agnóstica y muestran la necesidad de vivir con pureza.

SALOMÓN *(Solomon Islands)* Estado insular en el arch. de Melanesia formado por las islas Salomón. Cap., Honiara. Estado asociado a la Commonwealth. Lenguas: ing. (of.), *pidgin-english. Rel.*: protestantismo (mayoritario), catolicismo. U.M.: dólar de S. • Arch. de Melanesia, formado por las islas Salomón y las islas Bougainville y Buka, que pertenecen a Papua-Nueva Guinea.

SALOMÓN

Superficie 28 369 km²

Población 378 000 hab. (13 hab./km²)

Recursos económicos	
Batatas	63 000 t
Copra	31 000 t
Nuez de coco	225 000 t
Pesca	49 236 t
Riqueza forestal	468 000 m³

Indicadores sociológicos	
PNB	341 millones de dólares
Renta per cápita	910 dólares
Esperanza de vida	63 años
Alfabetismo	76 %

* *Hist.* Descubiertas por Á. de Mendaña en 1568. La parte S del arch. fue ocupada por los brit. en 1893 y 1898-1899, mientras que las islas de Bougainville y Buka fueron anexionadas por Alemania hasta la ocupación australiana de 1914. Ocupadas por los japoneses en la II Guerra Mundial. El grupo de las Salomón se declaró indep. en 1978.

SALOMÓNICO, CA adj. Relativo a Salomón.

SALÓN m. Sala. pieza pral. de la casa, que en ocasiones hace también de comedor. • Mobiliario de este aposento. • Pieza de grandes dimensiones donde celebra sus juntas alguna corporación. • Cualquier local espacioso y despejado.

SALÓNICA *(Zessaloniki)* C. de Grecia, en Macedonia; 406 000 hab. Puerto en el golfo hom. Centro industrial. • Golfo de Grecia, en el mar Egeo, al NO de la pen. Calcídica.

SALPA f. *Zool.* Pez teleósteo marino, acantopterigio, abundante en el Mediterráneo. • *Zool.* Animal marino colonial del subtipo procordados.

SALPICADERO m. Tablero colocado en la parte delantera de algunos carruajes para proteger de las salpicaduras al conductor. • En los automóviles, tabique que separa el habitáculo destinado a los viajeros del motor. • Panel de instrumentos de un automóvil.

SALPICAR tr. e intr. Esparcir en gotas pequeñas un líquido o sustancia pastosa. • tr. y prnl. Mojar o manchar con un líquido o sustancia pastosa que salpica. • tr. fig. Esparcir varias cosas, como rociando con ellas una superficie u otra cosa. • fig. Pasar de unas cosas a otras, sin continuación ni orden, dejándose algunas en medio. ■ SALPICADURA.

SALPICÓN m. Guiso de carne, pescado o marisco desmenuzado, con pimienta, sal, aceite, vinagre y cebolla. • Fiambre de trozos de pescado o marisco codimentados con cebolla, sal y otros ingredientes. • fig. y fam. Cualquier otra cosa hecha pedazos menudos. • Acción y efecto de salpicar. • *Ecuad.* Bebida fría preparada con jugo de frutas. • **de frutas**. *Col.* Mezcla de trozos de diferentes frutas, en su propio jugo o en otro líquido.

SALPIMENTAR tr. Adobar una cosa con sal y pimienta. • fig. Amenizar, hacer sabrosa una cosa con palabras o hechos.

SALPINGITIS f. *Pat.* Inflamación de una o ambas trompas de Falopio. • *Pat.* Inflamación de la trompa de Eustaquio.

SALPRESAR tr. Aderezar con sal una cosa, apretándola para que se conserve.

SALPULLIDO m. Erupción leve y pasajera en el cutis. • Señales que dejan en el cutis las picaduras de las pulgas. ■ SALPULLIR.

SALSA f. Mezcla de varias sustancias comestibles desleídas, que se hace para aderezar la comida. • fig. Cualquier cosa que mueve o excita el gusto. • Música con ritmos afrolatinos, surgida entre los inmigrantes caribeños en Nueva York. • **blanca.** La que se hace con harina y manteca que se han dorado al fuego. • **mahonesa** o **mayonesa.** La que se hace batiendo yema de huevo con aceite crudo. • **rubia.** La que se hace rehogando harina en manteca o aceite. • **tártara.** La que se hace con yemas de huevo, aceite, vinagre o limón y diversos condimentos.

SALSERA f. Vasija para servir salsa. • Salserilla.

SALSERILLA f. Taza pequeña para mezclar ingredientes, licores, colores, etc.

SALSIFÍ m. Planta herbácea bienal, de la familia compuestas, de raíz fusiforme, blanca y comestible. • **de España** o **negro.** Escorzonera.

SALSOLÁCEO, A adj. *Bot.* Quenopodiáceo.

SALT Siglas de *Strategic Arms Limitation Talks* (Conversaciones sobre limitación de armas estratégicas). Negociaciones entre EE UU y la URSS para la reducción de sus arsenales nucleares, iniciadas en 1969 en Helsinki. En 1972, 1979 y 1987 se firmaron acuerdos que limitan el despliegue de misiles nucleares de ambas potencias.

SALT LAKE CITY C. de EE UU, cap. del est. de Utah; 160 000 hab. Ind. textil; refinerías de petróleo.

SALTA Prov. de Argentina, limítrofe con Bolivia, Paraguay y Chile; 155 488 km², 866 771 hab. Cap., la c. hom. La parte occidental de la prov. pertenece al dominio andino, donde destacan la Puna-ya (Llullaillaco, 6 739 m) y las sierras Subandinas (2 000-2 500 m). El sector oriental corresponde a la llanura del Chaco. Ríos Bermejo y Salado. Clima frío y seco en las montañas y tropical en los llanos. Cereales, tabaco, vid, caña de azúcar, algodón, agrios, hortalizas. Ganado ovino, vacuno, caprino. Petróleo, gas natural, hierro, bismuto, azufre. Ind. de transformaciones agropecuarias, refino de minerales, química. • C. de Argentina, cap. de la prov. hom.; 373 857 hab. Sit. en el piedemonte andino.

Centro agrícola y comercial. Ind. del cemento y la madera. Refinería de petróleo. Ferrocarril trasandino. Fundada por Hernando de Lerma (abril 1582), con el nombre de Ciudad de Lerma, en el valle de Salta, en 1584 tomó el nombre actual. En 1783 fue elevada a la condición de intendencia, y desde 1814 a la de prov. Fue escenario de las luchas independentistas, destacándose en ellas el caudillo Martín Güemes y el general Manuel Belgrano. Éste derrotó a las tropas realistas en la batalla de S. (febrero 1813), afirmando la revolución en la frontera norte.

SALTABANCO o **SALTABANCOS** m. Charlatán que vendía sus mercancías en la vía pública. • Jugador de manos, titiritero.

SALTADO, DA adj. Saltón. Aplícase a los ojos.

SALTADOR, RA adj. Que salta. • m. y f. Persona especializada en saltos gimnásticos, acrobáticos, etc. • m. Comba, cuerda para saltar.

SALTAMONTES m. Insecto ortóptero de la familia acrídidos, de alas membranosas, que da grandes saltos con las patas posteriores. Algunas especies pueden constituir una plaga para la agricultura.

SALTAOJOS m. Peonía, planta perenne ranunculácea con flores grandes purpúreas.

SALTAR intr. Levantarse del suelo con impulso y ligereza, para dejarse caer en el mismo sitio o para pasar a otro. • Arrojarse desde una altura para caer de pie. • Moverse una cosa de una parte a otra, levantándose con violencia. • Salir un líquido hacia arriba con ímpetu, como el agua en el surtidor. • Romperse o quebrantarse violentamente una cosa. • Desprenderse una cosa de donde estaba unida o fija. • fig. Hacerse reparable o sobresalir mucho una cosa. • fig. Ofrecerse repentinamente una cosa a la imaginación o a la memoria. • fig. Picarse o resentirse, dándolo a entender exteriormente. • fig. Irrumpir inesperadamente en la conversación. • Ascender a un puesto más alto que el inmediatamente superior sin haber ocupado éste. • fig. Dejar uno contra su voluntad el puesto o cargo que desempeñaba. • fig. Hacerse notar una cosa por su extremada limpieza. • tr. Salvar de un salto un espacio o distancia. • Cubrir el macho a la hembra, dicho de ciertas especies de cuadrúpedos. • Pasar de una cosa a otra, dejándose las que debían suceder por orden o por opción. • En los juegos de damas, ajedrez y tablas, levantar una pieza o figura y pasarla de una casilla a otra por encima de otras figuras. • En el juego del monte, apuntar a una de las cuatro cartas que hay en la mesa, colocando el tanto en el ángulo interior superior de la carta. • tr. y prnl. fig. Omitir voluntariamente o por inadvertencia parte de un escrito, leyéndolo o copiándolo.

SALTARELO m. Danza ant. esp., cuyo origen se remonta a las danzas báquicas de la campiña rom.

SALTARÍN, NA adj. y s. Que danza o baila. • fig. Díc. de la persona inquieta, que salta y se mueve mucho. • **del fango.** m. *Zool.* Pez perciforme de la familia góbidos, notable por su capacidad para arrastrarse sobre el fango.

SALTARREGLA f. Instrumento formado por dos reglas movibles alrededor de un eje, que trazan ángulos de diferentes aberturas; falsa escuadra.

SALTEAR tr. Asaltar, acometer, especialmente a los viajeros o caminantes para robarles. • Acometer. • Hacer una cosa discontinuamente sin seguir el orden natural, o saltando y dejando sin hacer parte de ella. • Tomar una cosa anticipándose a otro. • fig. Causar una impresión fuerte y viva en el ánimo. • fig. Sobrevenir de pronto. • Sofreír un manjar a fuego vivo en manteca o aceite hirviendo. ■ SALTEADOR, RA; SALTEO.

SALTEÑO, ÑA adj. y s. De Salta. • De Salto.

SALTERIO m. Libro canónico del A. T., que consta de 150 salmos. • Libro de oro que contiene sólo los salmos. • Parte del breviario que contiene las horas canónicas de toda la semana, menos las lecciones y oraciones. • Rosario, rezo. • Instrumento consistente en una caja prismática de madera sobre la cual se extienden hileras de cuerdas metálicas.

SALTÍGRADO, DA adj. Díc. del animal que anda a saltos.

SALTILLO C. de México, cap. del est. de Coahuila; 577 352 hab. Centro agrícola e industrial: textil, de maquinaria agrícola, del papel y celulosa.

SALTO m. Acción y efecto de saltar. • Juego de muchachos, en el cual saltan por encima de uno que se pone encorvado. • Lugar que no se puede pasar sino saltando. • Despeñadero muy profundo. • Salto de agua. • Espacio comprendido entre el punto desde donde se salta y aquel a que se llega. • Palpitación violenta del corazón. • Asalto, acción y efecto de asaltar. • fig. Tránsito de una cosa a otra, sin tocar las intermedias entre ambas. • fig. Omisión de una parte de un escrito, leyéndolo o copiándolo. • fig. Ascenso a puesto superior, sin pasar por los medios. • fig. y fam. Infidelidad conyugal. • *Comp.* Cierto tipo de instrucción existente en algunos lenguajes, que sirve para interrumpir el proceso secuencial de ejecución de un programa para realizar un salto de una o más instrucciones. • *Mat.* Discontinuidad. • **condicional.** *Comp.* Salto en la ejecución de un programa, pero que se producirá sólo si se cumple una determinada condición. • **de agua.** Caída de agua producida por un desnivel repentino. • **de fase.** *Mec.* Inversión de la oscilación de una onda al incidir sobre una superficie reflectora. • **de mata.** fig. Huida o escape por temor del castigo. • **de papel.** *Comp.* En el avance de una impresora cuando está imprimiendo, adelanto de varias líneas hasta colocarse en una específica, condicionado por el programa que se está ejecutando. • **mortal.** fig. Salto que dan los volatineros lanzándose de cabeza y dando una vuelta en el aire para caer de pie. • **Al s.** m. adv. *Cuba.* Al momento, en el contacto. • **A s. de mata.** loc. adv. Huyendo y recatándose.

SALTO Dpto. del NO de Uruguay, limítrofe con Argentina; 14 163 km², 117 597 hab. Cap., la c. hom. El territorio corresponde al macizo cristalino bras., en el que se alzan las cuchillas de Belén, Daymán y Haedo. Ríos Arapey Grande, Arapey Chico y Daymán, de la cuenca del Uruguay. Clima templado. Cereales, vid, agrios. Cría de ovinos y bovinos. Ind. conservera, curtidos. • C. de Uruguay, cap. del dpto. hom., sit. a orillas del Uruguay; 93 120 hab. Puerto fluvial. Ind. agropecuarias (conservas de carne, curtidos, lana).

SALTO DEL GUAIRÁ C. de Paraguay, cap. del dpto. de Canendiyú; 2 100 hab.

SALTÓN, NA adj. Que anda a saltos o salta mucho. • Díc. de algunas cosas que sobresalen más de lo regular. • *Chile* y *Col.* Sancochado, medio crudo. • m. Saltamontes. • Cresa que suelen criar el tocino y el jamón.

SALTYKOV-SCHEDRIN, ***Mikhail*** (1826-1889) Narrador ruso. Sus obras describen satíricamente la sociedad rusa del s. XIX. *La familia Golovliev.*

SALUD f. Estado en que el ser orgánico ejerce normalmente todas sus funciones. • Libertad o bien público o particular de cada uno. • Estado de gracia espiritual. • Salvación. • pl. Actos y expresiones corteses. • **Beber a la s.** de uno. Brindar a su salud. • **Curarse** uno **en s.** fig. Precaverse de un daño ante la más leve amenaza. • **¡Salud!** interj. fam. con que se saluda a uno o se le desea un bien.

SALUDA m. Besalamano.

SALUDABLE o **SALUBRE,** o **SALUTÍFERO, RA** adj. Que sirve para conservar la salud corporal. • fig. Provechoso para un fin.

SALUDAR tr. Dirigir a otro, al encontrarlo o despedirse de él, palabras corteses, interesándose por su salud o mostrándole respeto. • Mostrar a otro benevolencia y respeto mediante señales formularias. • Proclamar a uno rey, emperador, etc. • Enviar saludos. • Adquirir las primeras nociones de una materia. ■ SALUDO.

SALUÉN *(Salwen)* Río del SE de Asia. Nace en Tíbet oriental y desemboca en el mar de Andamán; 2 500 km.

SALUMBRE f. Especie de espuma rojiza que produce la sal.

SALUS *Mit.* Diosa rom. que personificaba la salud y prosperidad del Estado.

SALUSTIO Nombre de *Caius Sallustius Crispus* (85-35 a. C.) Historiador latino. *La conjuración de Catilina, La guerra de Yugurta.*

SALUTACIÓN f. Acción y efecto de saludar. • Parte del sermón en el cual se saluda a la Virgen.

SALVA f. Prueba que se hacía de la comida y bebida servida a los reyes y grandes señores. • Saludo, bienvenida. • Salutación hecha con armas de fuego. • Serie de cañonazos consecutivos de fogueo disparados en señal de honores o saludos. • Disparo simultáneo de varias piezas idénticas de artillería.

Vista de la iglesia de San Jorge en la ciudad de **Salónica**

Salpas

Vista de la plaza 9 de Julio en la ciudad de **Salta**

Saltamontes

La *Fontana de Trevi* (Roma), obra de Nicola **Salvi**

Salvia

Samarcanda. La madrasa (antigua escuela islámica) de Shirdar

• Prueba que hacía uno de su inocencia exponiéndose a un breve peligro. • Juramento, promesa solemne. • Salvilla. • **de aplausos.** Aplausos nutridos en que prorrumpe una concurrencia.

SALVABARROS m. Pieza de un vehículo destinada a evitar las salpicaduras de barro.

SALVACIÓN f. Acción y efecto de salvar o salvarse. • Consecución de la gloria y bienaventuranza eternas.

SALVADERA f. Vaso en que se tenía la arenilla para enjugar lo escrito.

SALVADO m. Cáscara del grano desmenuzada por la molienda. Utilizado pralm. para alimento del ganado.

SALVADOR C. del E de Brasil, cap. del est. de Bahía; 2 056 000 hab. Imp. puerto exportador. Ind. textil, química, del cemento, harinera, naval, de refino de petróleo. Fundada en 1549 por T. de Souza con el nombre de San Salvador de Bahía de Todos los Santos. Primera cap. del Brasil, decayó cuando la capitalidad se trasladó a Río de Janeiro (1863).

SALVADOR, RA adj. y s. Que salva. • m. P. ant., Jesucristo.

SALVADOR, *El* → El Salvador.

SALVADORÁCEO, A adj. y f. *Bot.* Díc. de plantas angiospermas dicotiledóneas, leñosas, arbustivas, con frutos aromáticos y madera usada para fabricar mondadientes. • f. pl. *Bot.* Familia de esas plantas.

SALVAGUARDAR tr. Defender, amparar.

SALVAGUARDIA m. Guardia que se monta especialmente para custodia de ciudades y propiedades comunes. • Señal que en tiempo de guerra se ponía a la entrada de los pueblos o de las casas, para que los soldados las respetasen. • Documento o distintivo que se entrega a alguien para que no sea detenido. • Custodia amparo, garantía.

SALVAJE adj. Aplícase a las plantas silvestres y sin cultivo. • Díc. del animal que no es doméstico. • Aplícase al terreno montuoso, áspero, inculto. • adj. y s. Díc. de los pueblos y de los individuos que viven en estado primitivo y a los que no ha llegado todavía la civilización. • fig. Violento, irrefrenable. B SALVAJADA; SALVAJISMO.

SALVALEÓN DE HIGÜEY C. de la República Dominicana, cap. de la prov. de La Altagracia; 35 500 hab. Centro agrícola y maderero.

SALVAMANTELES m. Pieza de cristal, loza, madera o tela que se pone en la mesa debajo de las fuentes, botellas, vasos, etc.

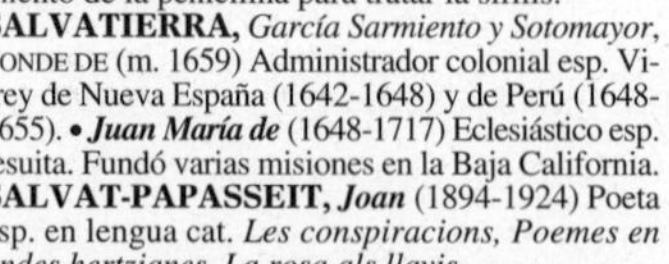

SALVAR tr. y prnl. Librar de un riesgo o peligro; poner en seguro. • tr. Dar Dios la gloria y bienaventuranza eterna. • Evitar un inconveniente, impedimento, dificultad o riesgo. • Exceptuar, dejar aparte, excluir una cosa de lo que se dice o se hace de otra u otras. • Vencer un obstáculo, pasando por encima o a través de él. • Recorrer la distancia que media entre dos lugares. • Rebasar una alt. elevándose por encima de ella. • Poner al fin de la escritura o instrumento una nota para que valga lo encomendado o añadido entre renglones o para que no valga lo borrado. • Exculpar, probar jurídicamente la inocencia o libertad de una persona o cosa. • intr. Hacer la salva a la comida o bebida de los reyes y grandes señores. • prnl. Alcanzar la gloria eterna. B SALVAMIENTO.

SALVARSAN m. *Farm.* Compuesto orgánico de los arsenobenzoles, empleado antes del descubrimiento de la penicilina para tratar la sífilis.

SALVATIERRA, *García Sarmiento y Sotomayor*, CONDE DE (m. 1659) Administrador colonial esp. Virrey de Nueva España (1642-1648) y de Perú (1648-1655). • ***Juan María de*** (1648-1717) Eclesiástico esp. jesuita. Fundó varias misiones en la Baja California.

SALVAT-PAPASSEIT, *Joan* (1894-1924) Poeta esp. en lengua cat. *Les conspiracions, Poemes en ondes hertzianes, La rosa als llavis.*

SALVAVIDAS m. Aparato con que los náufragos pueden salvarse sobrenadando. • **Botes.** Bote insumergible que obligatoriamente deben llevar las embarcaciones, para ser utilizado cuando el barco corre serio peligro.

SALVEDAD f. Razonamiento que se emplea como excusa o limitación de lo que se va a decir o hacer. • Nota por la cual se salva una enmienda en un documento.

SALVI, *Nicola* (1697-1751) Arquitecto y escultor it. barroco, famoso por su *Fontana de Trevi*, en Roma.

SALVIA f. Mata de la familia labiadas, de hojas estrechas, aromáticas y amargas, flores azuladas en espiga y fruto seco con una semilla; el cocimiento de sus hojas se usa como sudorífico y astringente. • *Argent.* Planta de la familia verbenáceas, olorosa, cuyas hojas se emplean para preparar una infusión estomacal.

SALVILLA f. Bandeja con una o varias encajaduras para asegurar las copas o tazas. • *Chile.* Angarillas, vinagreras.

SALVINIÁCEO, A adj. y f. *Bot.* Díc. de las plantas de la familia salviniáceas. • f. pl. *Bot.* Familia de plantas herbáceas acuáticas (helechos acuáticos), que viven en las aguas dulces estancadas.

SALVO, VA adj. Ileso, librado de un peligro. • Exceptuado, omitido. • adv. modo. Excepto, fuera de.

SALVOCHEA, *Fermín* (1842-1907) Anarquista esp. Alcalde de Cádiz (1871), en 1873 presidió el comité del cantón gaditano. Fundó el diario *El Socialista.*

SALVOCONDUCTO m. Documento expedido por una autoridad para que el que lo lleva pueda transitar sin riesgo. • fig. Libertad para hacer algo sin temor de castigo.

SALYUT *Astr.* Primera estación espacial tripulada lanzada por los soviéticos en 1971. Post. se han lanzado otras S. Para el transporte de los tripulantes entre la Tierra y la estación se han empleado las astronaves *Soyuz.*

SALZACH Río de Austria. Nace en el est. de Salzburgo y desemboca en el r. Inn; 220 km.

SALZBURGO *(Salzburg)* Est. de Austria; 7 154 km^2, 449 300 hab. Cap., la c. hom. Accidentado por los Prealpes de Salzburgo y la cadena del Alto Tauern. Ganadería. Madera. Hierro, cobre. Ind. siderúrgica, electroquímica y alimentaria. Turismo. • C. de Austria, cap. del est. hom.; 139 400 hab. Cuna de Mozart, en cuyo honor se celebra anualmente un renombrado festival de música.

SALZILLO, *Francisco* (1707-1783) Escultor esp. de la escuela murciana. Se especializó en pasos procesionales (las *Angustias*, el *Prendimiento*, la *Oración en el huerto*). Destacó en el campo de los nacimientos.

SAM (Siglas de *surface to air missile*, «misil tierra-aire») Denominación que se da, habitualmente, a los misiles antiaéreos.

SAM, *Tirésias Augustin Simon* (s. XIX) Político haitiano. Presid. de la rep. (1896-1902). Su mandato transcurrió en una época de gran inestabilidad política y económica. • ***Villbrun Guillaume*** (m. 1915) Militar y político haitiano. Presid. (1910-1915) tras derrocar a Théodore. Murió asesinado, hecho que dio pie a EE UU para imponer un protectorado que se mantuvo hasta 1934.

SAMAGO m. Albura o parte más blanda de las maderas. • Interior del cuerpo de los animales.

SAMANÁ Prov. de la República Dominicana, bañada por el océano Atlántico; 989 km^2, 72 500 hab. Cap., Santa Bárbara de Samaná. Se extiende por la península hom. y el delta del Yuna. Clima tropical. Bosque tropical y manglar. Coco, cacao y arroz.

SAMANI adj. y s. Díc. de individuos de una dinastía irania que reinó en Transoxiana y Khorasán (875-1000). Fue fundada por Ismail ibn Ahmad.

SAMANIEGO, *Félix M.ª de* (1745-1801) Escritor esp. Algunas de sus *Fábulas* son originales; otras imitación de las de Esopo, Fedro y La Fontaine. *La cigarra y la hormiga, La zorra y el busto.*

SÁMANO, *Juan de* (1754-1820) Militar y administrador esp. Virrey de Nueva Granada (1817-1819), fue responsable de la ejecución de muchos patriotas, entre ellos de la heroína Policarpa Salavarrieta.

SAMAR Isla de Filipinas, en el arch. de las Visayas; 13 429 km^2, 1 115 000 hab. Terreno montañoso, con abundantes bosques. Arroz, maíz y cocoteros. Explotación forestal. Hierro.

SÁMARA f. *Bot.* Fruto seco, indehiscente, con pocas semillas y pericarpio extendido a manera de ala; como el del olmo y el fresno.

SAMARA (ant. Kuibishev) C. de la rep. de Rusia; 1 250 000 hab. Ind. mecánica, petroquímica. Cap., provisional de la extinta URSS (1941-1942).

SAMARANCH, *Juan Antonio* (nacido 1920) Deportista y político esp. Presid. del Comité Olímpico Internacional entre 1980 y 2001.

SAMARCANDA o **SAMARKANDA** C. de Uzbekistán, cap. de la prov. hom.; 266 800 hab. Centro agrícola e industrial. Fue cap. del imperio de Tamerlán.

SAMOA	
Superficie 2 831 km²	
Población 166 000 hab. (59 hab./km²)	
Recursos económicos	
Bananas	10 000 t
Cabaña bovina	26 000 cabezas
Cabaña porcina	179 000 cabezas
Cacao	1 000 t
Copra	24 000 t
Nuez de coco	130 000 t
Pesca	1 500 t
Riqueza forestal	131 000 m³
Indicadores sociológicos	
PNB	184 millones de dólares
Renta per cápita	1 120 dólares
Esperanza de vida	68 años
Alfabetismo	97 %

SAMARIA Ant. c. de Palestina, cap. del reino de Israel. Fundada h. 880 a. C. por el rey Omri. En el s. IV a. C. la c. estableció un nuevo culto, rival de Jerusalén en el monte Garizim. • (ár., *Samira*; heb., *Shomron*) Región histórica del centro de Palestina. La zona de S. pasó a Jordania en la guerra de 1948, y fue conquistada por los israelíes en 1967.
SAMARIO m. *Quím.* Elemento químico de símb. Sm, n. a. 62 y p. a. 150,35. Algunos de sus isótopos están entre los productos de la fisión del uranio.
SAMARITANO, NA adj. y s. De Samaria. Los s. formaban un grupo étnico resultado de la mezcla de israelitas con asirios establecidos en Samaria después de ser conquistada por Sargón II (722 a. C.). • Sectario del cisma de Samaria, por el cual las diez tribus de Israel rechazaron ciertas prácticas y doctrinas de los judíos.
SAMARRÁ C. de Irak, a orillas del Tigris; 17 000 hab. Fundada por los abasíes (s. IX). En ella se desarrolló una cultura protohistórica (5 000 a. C.) que creó una cerámica de gran calidad.
SAMBA (voz bras.) f. Baile popular bras., de origen afr., de mov. rápido y compás binario sincopado.
SAMBAQUÍ (voz guaraní) m. Nombre indígena de unas sepulturas prehistóricas del N de Brasil.
SAMBENITO m. Capotillo o escapulario que se ponía a los penitentes reconciliados por la Inquisición. • Letrero que se ponía en las iglesias con el nombre y castigo de los penitenciados. • fig. Mala nota que queda de una nación. • fig. Difamación, descrédito.
SAMBUCA f. Ant. instrumento música de cuerda, semejante al arpa. • Máquina ant. de guerra, formada por una armazón de maderos y una plataforma levadiza, que subía y bajaba movida por cuerdas.
SAMBUMBIA f. *Cuba.* Bebida de miel de caña, agua y ají. • *Méx.* Refresco hecho de piña, agua y azúcar. • fig. *Col.* Mazamorra, cosa disgregada.
SAMFAN, *Khieu* (nacido 1931) Político camboyano. Jefe del est. Khmer (1976-1978) fue derrocado por las fuerzas de Heng Samrin, apoyadas por tropas vietnamitas.
SAMIO, MIA adj. y s. De Samos.
SAMMARTINI, *Gian Battista* (1689-1775) Compositor it. Influyó en la evolución de la sinfonía hacia su forma clásica. Autor de óperas y música sacra. Algunas obras suyas y de su hermano **Giuseppe** (1693-1751) son de difícil atribución.
SAMNITA o **SAMNITE** adj. y s. Díc. de los ant. pobladores itálicos de la Italia central, establecidos en los Apeninos; formaban una confederación de tribus. Hablaban un dialecto osco.
SAMOA Estado de Oceanía, en la Polinesia, formado por las islas de Savaii, Upolu y diversos islotes. Relieves de origen volcánico y montañoso (monte Silisili, 1 844 m). Clima tropical. Bananas, palmeras cocoteras, cacao. Cabaña bovina y porcina. Explotación forestal. Monarquía. Etnia: polinesia. Lenguas: samoano e inglés (oficiales). *Rel.:* protestantismo (mayoritaria), catolicismo. U.M.: el tala. Cap., Apia. Indep. desde 1962 con el nombre de Samoa Occidental. Ese mismo año Malietoa Tanumafili II asumió la jefatura del Est. con carácter vitalicio. En 1997 adoptó el nombre de Samoa.
SAMOA Americana Arch. de EE UU, sit. en Oceanía (Polinesia); 199 km², 34 000 hab. Cap., Pago Pago. Bananas, palmeras cocoteras. Pesca. En un referéndum de 1972 la pob. rechazó el autogobierno.
SAMORY, *Turé* (h. 1830-1900) Militar y político sudanés. Creó un cuerpo de infantería y adoptó el título de *almani* (jefe religioso). Entre 1870 y 1875 ocupó la región de Uasulu. Murió en el exilio (Gabón).
SAMOS Isla de Grecia, en el Egeo, del arch. de las Espóradas Meridionales; 778 km², 40 500 hab. Cap., la c. hom. Conquistada por jonios, atenienses y turcos. Integrada a Grecia en 1923.
SAMOSATA Ant. c. del N de Siria, junto al Éufrates. Fue cap. del reino de Comagene (s. III a. C.). Imp. papel estratégico en la E. Med., en la lucha entre Bizancio y los árabes.
SAMOTANA f. *Amér. Centr.* Alboroto, algazara.
SAMOTRACIA Isla gr., en el NE del Egeo; 180 km², 4 000 hab. En el templo dedicado a los dioses Cabiri se encontró la estatua de la Niké o Victoria alada.
SAMOTRACIO, CIA adj. y s. De Samotracia.
SAMOVAR m. En Rusia, recipiente de cobre en el que hierve el agua destinada a preparar el té.
SAMOYEDO, DA adj. Díc. de una raza de perros de labor. • adj. y s. Díc. de individuos de un pueblo mongol de Siberia, de lengua afín a las ugrofinesas. • m. *Ling.* Grupo de lenguas urálicas.
SAMPAIO, *Jorge* (nacido 1939) Abogado y político socialista port. Alcalde de Lisboa (1989-1995). En 1996 fue nombrado presid. de Portugal, siendo reelegido en enero de 2001.
SAMPÁN m. Embarcación ligera de remos o de velas, usada en Extremo Oriente.
SAMPAYO, *Aníbal* (nacido 1927) Cantautor ur. *Río de los pájaros, Patrón, Cielito del prisionero.*
SAMPER, *Ernesto* (nacido 1950) Político colombiano. Miembro del Partido Liberal, fue diputado a la asamblea de Cundinamarca (1984), concejal de Bogotá y senador (1986); así mismo fue embajador en España (1992). En 1994 fue elegido presid. de la república, cargo que desempeñó hasta 1998.
SAMRIN, *Heng* (nacido 1934) Militar y político de Camboya. Líder del Frente Nacional de Salvación, derrocó el régimen del Pol Pot con ayuda de tropas vietnamitas y accedió a la jefatura del Est. (1979).
SAMSUN C. de Turquía, puerto en el mar Negro, cap. de la prov. hom.; 280 100 hab. Ind. tabaquera.
SAMUEL Último juez de Israel y uno de sus profetas, hijo de Eqanah y Ana. Ungió reyes a Saúl y a David. La tradición judía le atribuye los libros bíblicos que llevan su nombre. • **Libros de S.** Dos libros históricos del A. T. que la tradición atribuye a S. Narran las historias de Samuel, Saúl y David.
SAMUGA f. Jamuga, silla de tijera para montar a mujeriegas en las caballerías.
SAMURAI m. En el ant. sistema feudal japonés, militar noble que estaba al servicio de los daimios. Dominaron el gobierno desde fines del s. XI. Tras la restauración imperial (1868) perdieron toda su influencia.
SAMURO m. *Col.* y *Ven.* Aurora, zopilote.
SAN adj. Apócope de santo. Se usa solamente ante nombres propios de santos, salvo los de Tomás, o Tomé, Toribio y Domingo.
SAN Río de Polonia. Nace en los montes Beskides y desemboca en el Vístula; 450 km.
SAN AGUSTÍN, *cultura de* Área cultural del S de Colombia, en las fuentes del r. Magdalena, cuyo máx. esplendor fue entre 600-100 a. C. Son características sus estatuas antropomorfas y zoomorfas.
SAN ANDRÉS TUXTLA C. de México, en el est. de Veracruz; 32 300 hab. Sit. junto a la costa del golfo de México. Centro comercial.
SAN ANDRÉS Y PROVIDENCIA Dpto. de Colombia; 44 km², 61 047 hab. Cap., San Andrés (55 125 hab.). Comprende el arch. hom., formado por las islas de San Andrés, Providencia y Santa Catalina, y varios islotes (Roncador, Quitasueño, Bajo Nuevo y Serranilla). Sit. en la costa del mar Caribe, frente a Nicaragua. El relieve es llano. Clima cálido. Cocos, maíz, aguacates, caña de azúcar. Pesca. Ind. derivada del coco y de la pesca.
SAN ANTONIO Cabo de Argentina, en el Atlántico. Constituye el extremo S del estuario del Río de la Plata. • Cabo de Cuba que constituye el extremo O de la isla.

Notable **samaritano**

Mapa de situación y bandera de **Samoa**

Samovar

Ernesto **Samper**

Perro de raza **San Bernardo**

Mapa de situación y bandera de **San Cristobal y Nevis**

Vista parcial de la fachada del palacio de La Granja de **San Ildefonso**

SAN ANTONIO C. del S de EE UU, en Texas; 785 400 hab. Sit. a orillas del río hom. Refinerías de petróleo. Ind. metalúrgica, química y textil.
SAN ANTONIO Prov. del centro de Chile, en la región de Valparaíso; 111 697 hab. Cap., la c. hom. • C. de Chile. cap. de la prov. hom.; 65 000 hab. Puerto exportador de cobre.
SAN ANTONIO DE LOS BAÑOS C. de Cuba, en la prov. de La Habana; 25 700 hab. Manufacturas de tabaco. Ind. azucarera y textil.
SAN BARTOLOMÉ, ***Noche de*** Matanza ordenada por Carlos IX contra los hugonotes de toda Francia. Tuvo lugar en la noche del 24 agosto 1572, pralm. en París. Murieron unas 3 000 personas.
SAN BAUDILIO DE LLOBREGAT o **SANT BOI DE LLOBREGAT** Mun. de España, en la prov. de Barcelona; 78 005 hab. Sit. junto al r. Llobregat. Centro agrícola e industrial.
SAN BERNARDINO C. de EE UU, en el est. de California; 1 558 200 hab. en la agl. urb. Sit. al E de Los Ángeles. Ind. química y metalúrgica.
SAN BERNARDO m. Raza de perro de labor, de tipo molosoide y gran tamaño, provisto de espeso pelaje. Utilizado en algunos monasterios de los Alpes como guía y para rescatar viajeros perdidos en la nieve. • adj. y s. Díc. del perro de esta raza.
SAN BERNARDO C. de Chile, cap. de la prov. de Maipo (región metropolita de Santiago); 148 000 hab. Ind. químicas, alimentarias y metalúrgicas.
SAN CARLOS C. de Filipinas, sit. al E de la isla de Negros; 101 200 hab. Ind. textiles y alimentarias.
SAN CARLOS C. de Venezuela, cap. del est. Cojedes 37 900 hab. Centro ganadero y forestal. • C. de Chile, en la prov. de Ñuble; 45 000 hab. Ind. azucarera y maderera. C. de Nicaragua, cap. del dpto. de Río San Juan; 3 100 hab.
SAN CARLOS DE BARILOCHE → Bariloche.
SAN CARLOS DE PUNO → Puno.
SAN CARLOS DE ZULIA Mun. de Venezuela, en el est. Zulia; 32 800 hab. Centro comercial.
SAN CRISTÓBAL Prov. de la República Dominicana, bañada al S por el Caribe; 1 243 km², 368 600 hab. Cap., la c. hom. La cordillera Central ocupa los sectores N y O, de donde parten los ríos Nigua, Ozama y Jaína. Extensos mantos forestales. Arroz, cacao, café y, sobre todo, caña de azúcar, la cual alimenta una ind. de transformación. Cría de bovinos. Explotación forestal. Cobre. • C. de la República Dominicana, cap. de la prov. hom.; 58 520 hab. Sit. al S de la isla. Centro comercial. Ind. de transformaciones agrarias. • C. de Venezuela, cap. del est. Táchira; 242 167 hab. Sit. a orillas del Torbes. Centro comercial y mercado ganadero. Ind. alimentarias y de la construcción. • C. de Argentina, en la prov. de Santa Fe; 11 825 hab. Sit. en la Pampa. • Isla de Ecuador, sit. al O del arch. de Galápagos; 520 km², 2 900 hab. Suelos minerales de origen volcánico con afloramientos rocosos. Clima tropical semiárido. C. pral., Puerto Baquerizo Moreno. Aeropuerto. Turismo científico.
SAN CRISTÓBAL DE LAS CASAS Mun. de México, en el est. de Chiapas; 32 800 hab. Ind. textil y alimentaria.
SAN CRISTÓBAL Y NEVIS (*Federation of Saint Kitts and Nevis*) Est. insular de las Pequeñas Antillas, miembro de la Commonwealth. Comprende las islas San Cristóbal y Nevis, y el islote de Sombrero. Clima tropical. Algodón, caña de azúcar, cereales. Grupos étnicos: mayoría de ascendencia africana. Lenguas: inglés (of.), criollo inglés. *Rel.*: protestantismo, catolicismo. U. M.: dólar Caribe Este. Cap.: Basseterre.
* *Hist.* La isla de Anguila se declaró indep. en 1967 y fue ocupada en 1969 por tropas brit.; en 1980 fue separada del est. asociado San Cristóbal-Nevis-Anguila, entidad que con su nombre actual accedió a la indep. en 1983. Denzil Douglas ocupa el cargo de primer ministro desde 1995.
SAN DIEGO C. de EE UU, en el est. de California; 875 500 hab. (1 861 800 la agl. urb.). Ind. de construcciones navales y aeronáuticas.
SAN FELIPE C. de Chile, cap. de la prov. de San Felipe de Aconcagua; 26 100 hab. • C. de Venezuela, cap. del est. Yaracuy; 57 500 hab. Centro comercial y agrícola. Ind. agropecuarias.
SAN FELIPE DE ACONCAGUA Prov. del centro de Chile, en la región de Valparaíso; 116 403 hab. Cap., San Felipe. Cereales, legumbres, tabaco. Ganadería. Cobre, caolín, oro, plata. Ind. tabaquera y vinícola.
SAN FELIPE DE PUERTO PLATA C. de la República Dominicana, cap. de la prov. de Puerto Plata; 45 348 hab. Agricultura Ind. alimentaria, fosforera y maderera.

SAN CRISTÓBAL Y NEVIS

Superficie	269 km²
Población	42 000 hab. (156 hab./km²)
Recursos económicos	
Azúcar	21 000 t
Cerveza	17 200 hl
Pesca	212 t
Turismo	96 400 visitantes
Indicadores sociológicos	
PNB	212 millones de dólares
Renta per cápita	5 170 dólares
Esperanza de vida	69 años
Alfabetismo	90 %

SAN FERNANDO C. de Chile, cap. de la prov. de Colchagua; 34 200 hab. Ind. agropecuaria.
SAN FERNANDO C. de España, en la prov. de Cádiz; 85 882 hab. Centro agropecuario. Ind. naval y alimentaria. Observatorio astronómico.
SAN FERNANDO DE APURE C. de Venezuela, cap. del est. Apure; 57 300 hab. Puerto fluvial. Centro ganadero y agrícola. Ind. alimentarias.
SAN FERNANDO DEL VALLE DE CATAMARCA C. de Argentina, cap. de la prov. de Catamarca; 110 489 hab. Centro com. agrícola. Vinos y aguardientes. Catedral neoclásica donde se venera la Virgen del Valle, patrona de Catamarca.
SAN FRANCISCO Río de Brasil. Nace en la sierra Canasta, en el est. de Minas Gerais, y desemboca en el Atlántico; 3 000 km.
SAN FRANCISCO C. de Argentina, en la prov. de Córdoba; 51 900 hab. Ind. alimentaria.
SAN FRANCISCO (ant. *Gotera*) C. de El Salvador, cap. del dpto. de Morazán; 20 500 hab.
SAN FRANCISCO C. del O de EE UU, en el est. de California; 679 000 hab. (3 250 000 la agl. urb.). Sit. en la pen. meridional de la bahía hom. Puerto de importancia mundial. Ind. siderúrgica, textil, química, mecánica, naval. Fundada por el misionero esp. Juan B. de Anza (1776), formó parte del territorio mex. hasta que fue conquistada por las tropas norteam. en 1846. Incorporada a EE UU tras la firma del tratado de Guadalupe-Hidalgo (1848). Destruida por un terremoto (1906), fue reconstruida y es una de las c. más imp. del país. • **Bahía de S. Francisco** Bahía de EE UU, en la costa del Pacífico, en California. • **Conferencias de S. Francisco.** Acabada la II Guerra Mundial, la c. fue sede de dos reuniones internacionales. En la primera (25 abril-26 junio 1945) se aprobó la creación de las Naciones Unidas. Post. (4-8 septiembre 1951), delegados de 48 países ajustaron el tratado de paz con Japón.
SAN FRANCISCO DEL RINCÓN Mun. de México, en el est. de Guanajuato; 50 100 hab. Cereales. Ganadería porcina. Ind. alimentaria y textil.
SAN FRANCISCO DE MACORÍS C. de la República Dominicana, cap. de la prov. de Duarte; 64 906 hab. Sit. en el valle del Cibao. Ind. químicas, mecánicas y alimentarias.
SAN GOTARDO (fr. *Sant-Gothard*; al., *Sankt Gotthard*) Macizo de Suiza, en los Alpes Centrales. Alt. máx.: Pizzo Rotondo (3 192 m). En él nacen los r. Ródano, Rin, Reuss, Tesino, etc. Túnel de 15 km construido en el s. XIX.
SAN HUBERTO m. Raza de perros de caza.
SAN ILDEFONSO o **LA GRANJA,** o **LA GRANJA DE SAN ILDEFONSO** Mun. esp., en la prov. de Segovia; 4 900 hab. Bosques. Cereales y hortalizas. Residencia veraniega de los reyes de España a partir de Felipe V. Entre sus edificios destacan el sitio real de La Granja y la Colegiata.
SAN ISIDRO Partido de Argentina, en la prov. de Buenos Aires; 289 200 hab.
SAN JOAQUÍN Comuna de Chile, en el á. metr. de Santiago; 129 500 hab.

SAN JORGE, *Canal de* (*Saint George*) Estr. entre Irlanda y el País de Gales, que comunica el mar de Irlanda con el Atlántico; 160 km de longitud.
SAN JORGE, *Golfo de* Golfo de Argentina, en el Atlántico. Se extiende desde la isla Leones, al N, hasta el cabo Tres Puntas, al S, entre las prov. de Chubut y Santa Cruz. Petróleo.
SAN JORGE R. de Colombia, afl. del Magdalena; 400 km. Nace en la cordillera Occidental y desemboca al S de Magangué.
SAN JORGE D'EL MINA Ant. factoría de la Costa de Oro (actual Ghana). A lo largo del s. XVI fue el centro pral. del comercio del oro africano. Los neerlandeses la convirtieron en 1637 en un mercado de esclavos.
SAN JOSÉ Dpto. de Uruguay, sit. junto al estuario del Río de la Plata; 4 992 km^2, 96 664 hab. Cap. la c. hom. Accidentado por la Cuchilla Grande. Río San José. Cereales, girasol, frutales, hortalizas. Imp. cabaña lanar y vacuna. • C. de Uruguay, cap. de dpto. hom.; 34 552 hab. Centro agropecuario.
SAN JOSÉ Prov. del centro de Costa Rica; 4 960 km^2 1 105 844 hab. Cap., la c. hom. La parte septentrional está accidentada por la cordillera Central, y el E y SE por la cordillera de Talamanca. Clima tropical. Río pral.: Grande de Tárcoles, Café, caña de azúcar, tabaco, cereales. Ganado vacuno, porcino. Avicultura. Ind. azucarera, láctea, textil, química, mecánica. • C. de Costa Rica, cap. de la prov. hom. y de la nación; 305 278 hab. Sit. a 1 100 m de alt. sobre el nivel del mar, registra un clima tropical suavizado por la alt. Centro comercial e ind.: maquinaria agrícola, muebles, materiales para la construcción, textiles. Fundada en 1738, es cap. de la nación desde 1823.
SAN JOSÉ C. de EE UU, en el est. de California; 636 600 hab. (1 295 100 la agl. urb.). Sit. a orillas del r. Coyote. Ind. conservera, productos químicos, cemento.
SAN JOSÉ DE GUANIPA C. de Venezuela, en el est. Anzoátegui, junto al r. Guanipa; 35 000 hab. Agricultura. Ganadería.
SAN JOSÉ DE LAS LAJAS C. de Cuba, prov. de La Habana; 27 000 hab. Centro comercial.
SAN JOSÉ DEL GUAVIARE C. de Colombia, cap. del dpto. de Guaviare; 38 415 hab.
SAN JUAN Río de América Central. Emisario del lago Nicaragua, sirve de frontera entre Nicaragua y Costa Rica, y desemboca en el mar Caribe; 200 km. • Río de Colombia. Nace en el cerro de Caramanta (cordillera Occidental) y desemboca en el Pacífico; 380 km.
SAN JUAN Prov. de Argentina, limítrofe al O con Chile; 89 651 km^2, 529 920 hab. Cap., la c. hom. Limita con las prov. de La Rioja, San Luis y Mendoza, y al O con Chile. Accidentada por la cordillera andina (Mercedario, 6 770 m) y la precordillera. Ríos Bermejo, Zanjón y San Juan. Clima árido y vegetación xerófila. Vid, olivo y productos frutícolas y hortícolas en los sectores regados. Cría de ovinos y bovinos. Cobre (El Pachón), plomo y cinc. Ind. oleícola y vinícola. • C. de Argentina, cap. de la prov. hom. Sit. junto al r. San Juan y en el centro del mayor oasis de la prov.; 119 399 hab. Ind. alimentaria y de materiales para la construcción. Frecuentemente afectada por seísmos, en 1944 hubo de ser reconstruida. Centro comercial. Universidad.
SAN JUAN Prov. de la República Dominicana; 3 561 km^2, 264 700 hab. Cap., San Juan de la Maguana. Relieve montañoso que culmina en el pico Duarte (3 175 m). El río más imp. es el San Juan. Arroz, habichuelas, café, caña de azúcar, tabaco, plátanos, maní. Vacuno, porcino y equino. Oro.
SAN JUAN C. y cap. de Puerto Rico; 437 745 hab. La parte ant. de la c. está emplazada sobre una pequeña isla. Puerto exportador. Centro administrativo, cultural y turístico. Imp. centro de comunicaciones entre el Atlántico y el Caribe. Ind. textil, alimentaria, del tabaco. Refinería de petróleo. Universidad. Base naval norteam. El pueblo original fue fundado en 1508 por Ponce de León.
SAN JUAN BAUTISTA C. de Paraguay, cap. del dpto. de Misiones; 6 900 hab.
SAN JUAN DE LA MAGUANA C. de la República Dominicana, cap. de la prov. de San Juan; 49 800 hab.
SAN JUAN DE LOS MORROS C. de Venezuela, en el est. Cuárico; 57 200 hab. Centro adm.
SAN JUAN DE LOS REMEDIOS C. de Cuba, en la prov. de Villa Clara; 14 000 hab. Ind. azucarera, de conservas vegetales y mecánica.
SAN JUAN DEL RÍO C. de México, en el est. de Querétaro; 54 000 hab. Agricultura. Plata.
SAN JUAN-RÍO PIEDRAS Distr. de Puerto Rico; 820 000 hab. Cap., San Juan. Agricultura. Ganadería. Ind. textil y del petróleo.
SAN LORENZO Golfo de Canadá, en el Atlántico. sit. entre Terranova y la pen. de Nueva Escocia. • (*Saint Lawrence*) Río de América Septentrional, emisario de los cinco Grandes Lagos. Después de cruzar el lago Ontario, desemboca en el golfo hom., donde forma un estuario; 3 100 km. Forma frontera entre Canadá y EE UU.
SAN LORENZO Yacimiento arqueológico mex., en el est. de Veracruz. Restos olmecas.
SAN LORENZO C. de Puerto Rico, en el distr. de Humacao; 35 163 hab. Agricultura tropical. Ganadería. Ind. tabaquera.
SAN LUCAS Isla de Costa Rica, en la prov. de Puntarenas, sit. en el golfo de Nicoya.
SAN LUIS Prov. de Argentina, sit. en el centro del país; 76 748 km^2, 286 334 hab. Cap., la c. hom. El sector septentrional es montañoso, con la sierra de San Luis, al E, y las sierras de Cantanal, Quijadas y Alto Pencoso, al O. El sector meridional es una gran llanura pampeana. R. prales.: Desaguadero y Salado. Clima templado seco y vegetación xerófila. Centeno, maíz, algodón, productos hortofrutícolas, vid y olivos. La pral. riqueza reside en la cría de bovinos y ovinos y en la explotación de yacimientos de volframio, uranio, oro, azufre. • C. de Argentina, cap. de la prov. hom.; 121 146 hab. Centro comercial y agrícola. Núcleo de comunicaciones.
SAN LUIS Mun. de Cuba, en la prov. de Santiago de Cuba; 80 200 hab. Ind. azucarera.
SAN LUIS POTOSÍ Est. del N de México; 62 848 km^2, 2 296 363 hab. Cap., la c. hom. C. prales.; Valles y Matehuala. El territorio está ocupado al N por la altiplanicie Septentrional, al S por la Meridional y al E por la sierra Madre Oriental. R. prales.: Pánuco, Verde y Santa María. Clima árido, tropical al E. Vegetación esteparia y bosques al E. En los valles orientales se cultivan cereales, café, caña de azúcar, algodón y frutales. Ganadería vacuna, caprina y avicultura. Plomo, cinc, cobre, plata. Ind. alimentaria, siderúrgica, química y textil. • C. de México, cap. del est. hom.; 669 353 hab. Centro minero, comercial, agropecuario y nudo de comunicaciones. Ind. siderúrgica, química, metalúrgica, alimentaria, textil, papelera, tabaquera.
SAN LUIS RÍO COLORADO C. de México, en el est. de Sonora; 50 000 hab. Sit. en el NO del desierto de Sonora. Centro comercial. Aduanas.
SAN MARCOS Dpto. de Guatemala, bañado al S por el Pacífico y fronterizo al O con México; 3 791 km^2, 645 418 hab. Cap., la c. hom. La mitad septentrional está ocupada por la sierra Madre (alt. máx.: volcán Tajumulco, 4 220 m y volcán Tacana, 4 093 m). Ríos Suchiate y Naranjo. Clima frío y lluvioso al N y cálido al S. Vegetación tropical. Economía agrícola (cereales, hortalizas, frutales, café, caña de azúcar, cacao) y ganadera. Ind. de transformaciones agropecuarias y textil. • C. de Guatemala, cap. del dpto. hom.; 8 851 hab. Centro agrícola.

SAN MARINO

Superficie	60,57 km^2	
Población	25 600 hab. (420 hab./km^2)	
Recursos económicos		
Turismo		3 345 381 visitantes
Indicadores sociológicos		
PNB		1 266 millones de dólares
Renta per cápita		24 620 dólares
Esperanza de vida		79 años

SAN MARINO, *República de* (*Repubblica di San Marino*) Estado europeo, enclavado en terr. it., entre Emilia-Romaña y las Marcas, al pie del monte

El Teatro Nacional de **San José**, Costa Rica

Plaza del 25 de Mayo en **San Juan,** Argentina

El Capitolio de **San Juan,** Puerto Rico

Mapa de situación y bandera de **San Marino**

Titanio, ramal de los Apeninos, y cerca del Adriático. Clima mediterráneo. Vid, trigo, frutas. Manufacturas de tejidos, papel y pieles. Ind. de la talla de piedra. Pral. fuente de ingresos, turismo e ind. derivadas. Lengua: it. *Rel.*: catolicismo. U. M.: euro. Cap.: San Marino (4 200 hab.).

* *Hist.* Desde finales del s. IX consta la existencia de una rep. libre de San Marino. Tras la unificación it., la rep. se puso bajo la protección de Italia. El ejecutivo lo ostenta un Consejo de Est., presidido por dos «capitanes-regentes», que se eligen cada seis meses. El legislativo reside en un Consejo Grande y General de 60 miembros.

Retrato del general José de **San Martín** en su vejez

SAN MARTÍN u **O'HIGGINS** Lago de América Meridional, en los Andes patagónicos, fronterizo entre Argentina y Chile; 1 013 km^2.

SAN MARTÍN Dpto. de Perú, limítrofe con los dptos. de Loreto, Huánuco, Libertad y Amazonas; 51 253,31 km^2, 643 200 hab. Cap., Moyobamba. C. pral.: Tarapoto. El terr. está atravesado, al O por la cordillera Central y, al NE, por la Oriental. Al E se encuentra una región llana que está avenada por el Huallaga, tributario del Amazonas, y sus afl. (Mayo, Sisa, Huallabamba, Saposoa, Mishollo, Tocache, Biabo y Uchiza). Clima cálido y húmedo en las llanuras y suave en las montañas. Yuca, maíz, arroz, café, tabaco y caña de azúcar. Ganadería. Sal gema. El desarrollo económico se ve frenado por la escasez de comunicaciones.

SAN MARTÍN, *José Francisco de* (1778-1850) Militar y político arg. pasó parte de su infancia y juventud en España. Al tener conocimiento del movimiento de Mayo en Buenos Aires (1811), se trasladó a Londres, donde tomó contacto con las logias formadas por Miranda. En 1812 se embarcó hacia Buenos Aires. Se le encomendó la misión de formar el cuerpo de granaderos y el ejército de los Andes. Tras derrotar a los esp. en la batalla de San Lorenzo (1813), concibió el plan de conquistar Perú desde Chile, y fue nombrado gobernador intendente de Cuyo. En enero de 1817 inició el paso de los Andes y, tras vencer en Chacabuco y Maipú, entró en Santiago de Chile, entregando el poder a O'Higgins. Interesados los porteños en aplastar la revolución artiguista de las Provincias Unidas y la resistencia contra el monopolio portuario bonaerense, Buenos Aires negó su apoyo a San Martín para su campaña en Perú. Se mantuvo neutral frente a los problemas políticos del Río de la Plata y, a finales de 1819, regresó a Chile. En 1821 ocupó la cap. del Perú, proclamando la indep. Se entrevistó con Bolívar en Guayaquil (1826), pero no hubo acuerdo en la nueva forma de gobierno de las nuevas rep. En 1829 fijó su residencia en Francia.

San Salvador. La plaza de la Libertad

SAN MARTÍN TEXMELUCAN Mun. de México, en el est. de Puebla; 52 200 hab. Explotación forestal. Ind. textil.

SAN MIGUEL Dpto. de El Salvador, bañado al S por el Pacífico y limítrofe al N con Honduras; 2 077 km^2, 471 341 hab. Cap., la c. hom. de N a S se distinguen la sierra Madre, la altiplanicie Central la cordillera Costera y la llanura litoral. R. prales.: Torola y Sesori, Al N, y Grande de San Miguel, al S. Clima tropical. Vegetación de sabana y bosque en la montaña. Algodón, henequén, caña de azúcar, tabaco, café, cereales y frutos tropicales. Ganadería bovina, ovina, porcina. Avicultura. • C. de El Salvador, cap. del dpto. hom.; 182 800 hab. Sit. junto al r. Grande de San Miguel. Centro industrial.

SAN MIGUEL DE TUCUMÁN C. de Argentina, cap. de la prov. de Tucumán; 473 014 hab. Centro administrativo, comercial e industrial. Universidad. Aeropuerto.

San Sebastián. La bahía de la Concha y el monte Igueldo

SAN MIGUEL y Valledor, *Evaristo*, DUQUE DE (1785-1862) Militar y político esp. Escribió el himno de Riego. En 1822 fue jefe del gobierno. Ministro de la Guerra en 1837 y con Espartero (1841-1842).

SAN NICOLÁS Mun. de Cuba, en la prov. de La Habana; 18 700 hab. Ind. azucarera.

SAN NICOLÁS DE LOS ARROYOS C. de Argentina, en la prov. de Buenos Aires; 98 500 hab. Ind. de frigoríficos, depósitos y elevadores de grano. • **Acuerdo de S. Nicolás.** Convenio de los gobernadores de prov., convocado por Urquiza después de la batalla de Caseros (1852). Buenos Aires no reconoció el acuerdo y quedó al margen de la lucha contra la Confederación Argentina.

SAN NICOLÁS DE LOS GARZA Mun. de México, en el est. de Nuevo León; 113 100 hab. Cereales y cítricos.

SAN PEDRO Dpto. de Paraguay; 20 002 km^2, 277 100 hab. Cap., San Pedro de Ycuamandyyú, C. prales.: Itacurubí del Rosario y San Estanislao. Territorio llano. Red hidrográfica del r. Paraguay (Ypané, Jejuí Guazú). Clima tropical. Mate, mandioca, tabaco, agrios. Su riqueza se basa en la cría de vacunos y la explotación forestal. • C. de Argentina, en la prov. de Jujuy; 37 100 hab. Sit. en el valle de San Francisco. • Volcán de los Andes chilenos, en la II Región de Antofagasta; 5 974 m de alt.

SAN PEDRO, *Diego de* (s. XV) Escritor esp., que ejerció cierta influencia en *La Celestina*. Autor de *Tratado de amores de Arnalte y Lucenda*.

SAN PEDRO DE MACORÍS Prov. de la República Dominicana, a orillas del Caribe; 1 166 km^2, 193 200 hab. Cap., la c. hom. Es una llanura costera. Ríos Macorís, Soco y Cumayasa. Clima tropical lluvioso. El cultivo de la caña de azúcar es la pral. fuente económica. Ganado vacuno. Ind. azucarera. • C. de la República Dominicana, cap. de la prov. hom.; 78 562 hab. Centro azucarero.

SAN PEDRO DE YCUAMANDYYÚ C. de Paraguay, cap. del dpto. de San Pedro; 4 625 hab.

SAN PEDRO Y MIQUELÓN Dpto. fr. de ultramar que comprende varias islas del Atlántico, sit. al S de Terranova; 242 km^2, 6 000 hab. Cap., San Pedro. Pesca del bacalao. Ganadería. Los fr. se establecieron en ellas en 1670. Posteriormente pasaron a dominio británico, si bien en 1814 volvieron a poder de Francia.

SAN PETERSBURGO C. y puerto importante en el Báltico, en la rep. de Rusia, junto a la desembocadura del r. Neva; 4 876 000 hab. Construcciones mecánicas, electrometalúrgicas, ind. textil, química; astilleros; exportación de madera. Cap. del imperio ruso hasta 1918, se llamó Petrogrado entre 1914 y 1924. Palacio de Invierno (con el museo del Ermitage), catedral de San Isaac, Universidad, fortaleza de Pedro y Pablo. Por votación popular, cambió de nuevo en 1991 su nombre de Leningrado por el de San Petersburgo.

SAN QUINTIN *(Saint-Quentin)* C. de Francia, en Picardía, en el dpto. de Aisne; 63 600 hab. Ind. textil y metalúrgica. Escenario de una imp. batalla entre tropas esp. y fr. (1557).

SAN RAFAEL C. de Argentina, en la prov. de Mendoza; 71 000 hab. Fábricas de licores y jabón.

SAN RAMÓN C. de Chile, en el á metr. de Santiago; 113 700 hab.

SAN REMO *(Sanremo)* C. de Italia, en Liguria; 62 100 hab. Centro comercial. Centro turístico de la Riviera. Festival anual de música ligera.

SAN ROMÁN, *Miguel de* (1802-1863) Militar y político per. Participó en las luchas independentistas e intervino en las campañas de Bolivia y Colombia (1828). Sucedió a Castilla en la presidencia (1862).

SAN SALVADOR Dpto. de El Salvador; 886 km^2, 1 936 290 hab. Cap., la c. hom. C. prales.: Mejicanos y Soyapango. Sit. en la cord. Costera. Río Lempa. Clima templado cálido. Bosques y sabana. Café, caña de azúcar, algodón, cereales, hortalizas, frutales. Ganadería. Centrales azucareras, elaboración de café. Ind. textil, mecánica, química. • C. y cap. de El Salvador y del dpto. hom.; 422 600 hab. Sit. en el valle de Quezaltepeque. Clima tropical suave. Centro comercial (exportación de caña de azúcar, café) e industrial (alimentaria, textil, química, de la construcción). Universidad. Fundada en Bermuda por el esp. Diego de Alvarado (1524), fue trasladada h. 1540 a su ubicación actual. Fue cap. de la República Federal Centroamericana.

SAN SALVADOR o **WATLING** Isla de las Bahamas; 80 000 hab.

SAN SALVADOR DE JUJUY o **JUJUY** C. de Argentina, cap. de la prov. de Jujuy; 229 520 hab. Sit. junto al r. Grande. Centro comercial y administrativo. Ind. alimentaria.

SAN SEBASTIÁN o **DONOSTIA** C. de España, en el país Vasco, cap. de la prov. de Guipúzcoa; sit. en la desembocadura del r. Urumea; 176 908 hab. En el s. XIX fue un imp. centro turístico. Ind. metalúrgica, alimentaria y química. • **Pacto de San**

Sebastián. Acuerdo firmado en esta ciudad entre políticos republicanos el 17 de agosto de 1930, para preparar el advenimiento de la rep.
SAN SEBASTIÁN DE LOS REYES Mun. de España en la prov. de Madrid; 57 632 hab.
SAN VICENTE Dpto. de El Salvador; 1 184 km², 159 165 hab. Cap., la c. hom. La cordillera Costera lo atraviesa de E a O (alt. máx.: volcán S. Vicente, 2 243 m). Avenada por el r. Lempa y por afl. del Titihuapa. Clima tropical. Vegetación de bosque tropical y, en la costa, manglar. Cereales, café, caña de azúcar, algodón, bananas. Ganado vacuno. Explotación forestal. Ind. de transformaciones agropecuarias (centrales azucareras, elaboración de café, textiles). • C. de El Salvador, cap. del dpto. hom.; 45 800 hab. Centro comercial y agrícola. Ind. agropecuarias.

SAN VICENTE Y LAS GRANADINAS

Superficie	388 km²
Población	123 000 hab. (317 hab./km²)
Recursos económicos	
Banana	80 000 t
Nuez de coco	20 000 t
Pesca	8 370 t
Indicadores sociológicos	
PNB	187 millones de dólares
Renta per cápita	1 830 dólares
Esperanza de vida	69 años
Alfabetismo	85 %

SAN VICENTE Y LAS GRANADINAS *(Saint Vicent and the Grenadines)* Est. de la Commonwealth, compuesto por la isla San Vicente y por las Granadinas Septentrionales (Bequia, Mustique, Canonuan, etc.). Sit. en las Pequeñas Antillas, forma parte de las islas Windward (Barlovento). De origen volcánico, su máx. alt. es el volcán Soufrière (1 234 m). Clima tropical. Bananas, algodón y azúcar. Producción de copra. Pesca. Turismo. Grupos étnicos: ascendencia africana (mayoría), mixta. Lenguas: ing. (of.), criollo inglés. *Rel.*: protestantismo (mayoría), catolicismo. U. M.: dólar Caribe Este. Cap., Kingstown.
* *Hist.* Obtuvo la independencia en 1979. Las elecciones celebradas este mismo año dieron la mayoría al laboralista Milton Cao. En 1983 apoyó la invasión de Granada por tropas norteam. Desde 1984 ocupa el cargo de primer ministro James Mitchell, del Nuevo Partido Democrático.
SANA C. y cap. de la Rep. de Yemen; 277 800 hab. Sit. en el centro-N del país. Ind. artesanal (orfebrería y tejidos). Centro administrativo y religioso.
SANACO, CA adj. *Cuba.* Bonachón.
SANAGA Río del Camerún; 520 km. Nace en el macizo de Adamaoua y desemboca en el golfo de Biafra.
SANALOTODO m. Cierto emplasto de color negro. • fig. Medio o remedio que se intenta aplicar a todo.
SANANERÍA f. *P. Rico.* Abobamiento.
SANANO, NA adj. *Cuba* y *P. Rico.* Tonto, corto de entendimiento.
SANAPHANT m. *Electr.* Circuito similar al sanatrón, del que sólo difiere en las conexiones entre sus dos tubos.
SANAR tr. Restituir a uno la salud que había perdido. • intr. Recobrar el enfermo la salud.
SANATORIO m. Establecimiento que recibe enfermos, en régimen de internado, para el tratamiento de enfermedades que requieren cuidados especiales.
SANATRÓN m. *Electr.* Generador de formas de onda derivado del phantastrón. Está dotado de un segundo pentodo que tiene la función de amplificar el impulso del mando enviado al supresor del phantastrón y el impulso negativo de la rejilla de control.
SANAVIRÓN, NA adj. y s. Díc. del indígena amer. que en la época de la conquista esp. habitaba en el S de Santiago del Estero y en el N de la actual prov. de Córdoba, en la Rep. Argentina. • m. Lengua de estos indios.
SANCA f. *Bol.* Excremento de ganado usado como combustible.
SANCHECIA f. *Perú.* Cierta planta escrofulariácea.
SANCHES, *Francisco* (1551-1623) Médico y filósofo port. Nominalista y escéptico en filosofía, en medicina fue partidario de la disección anatómica. *Que nada se sabe.*
SANCHEZ, *Alberto* → Alberto. • ***Florencio*** (1875-1910) Periodista y autor dramático ur. Su estilo es realista, próximo al naturalismo. *La gringa, Los muertos, La pobre gente.* • ***Francisco del Rosario*** (m. 1851) Patriota dom. En 1844 tomó parte, junto a Juan Pablo Duarte, en la liberación de Santo Domingo de la dominación haitiana. • ***Luis Alberto*** (nacido 1900) Escritor y político per., penetrante crítico y excelente prosista. Miembro del APRA. Elegido senador en 1963, 1980 y 1985. Primer vicepresid. de la rep. desde 1985. *Los poetas de la Revolución, Literatura peruana, Historia General de América.* • ***Manuel María*** (1882-1935) Político y escritor ecuat. Ministro de Educación. Tuvo un importante papel en la abolición de la ley de Concertaje, que representó el fin de la servidumbre indígena. • ***Néstor*** (nacido 1935) Escritor arg. Sus obras de narrativa se distinguen por su fantasía. *Nosotros dos; Siberia blues; El amor, los Orsinis y la muerte; Cómico de la lengua.* • ***Tomás Antonio*** (1723-1802) Erudito esp. Autor de *Colección de poesías castellanas anteriores al s. XV*, donde se editaba por primera vez el *Cantar de Mio Cid.* • **Agesta, *Luis*** (nacido 1914) Jurista esp., uno de los prales. inspiradores del constitucionalismo franquista. *Historia del constitucionalismo español, El concepto de Estado en el pensamiento español del siglo XVI.* • **Albornoz, *Claudio*** (1893-1984) Historiador medievalista y político esp. Terminada la guerra civil se exilió a Argentina. En la Universidad de Buenos Aires se dedicó a la docencia. Entre 1959 y 1970 fue presid. de la rep. esp. en el exilio. Premio Príncipe de Asturias en 1984. *España, un enigma histórico; Jalones en la modernización de España; Siete ensayos.* • **Barbudo, *Antonio*** (nacido 1910) Escritor esp. *Entre dos fuegos, Una pregunta sobre España, Estudios sobre Unamuno y Machado, La segunda época de Juan Ramón Jiménez.* • **Cerro, *Luis*** (1894-1933) Político y militar per. Derrocó al presid. Leguía (1930). Elegido presid. (1931), reprimió los partidos de izquierda. Murió en atentado. • **Coello, *Alonso*** (1531-1588) Pintor esp. Fue el mejor retratista de la corte de Felipe II. *Felipe II, Príncipe Carlos, Isabel Clara Eugenia.* Cultivó la pintura religiosa. • **Cotán,** FRAY ***Juan*** (h. 1560-1627) Pintor esp., uno de los pintores de bodegones más imp. Introdujo el tenebrismo en Andalucía. *Mártires cartujos, Episodios de la fundación de la Cartuja.* • **De las Brozas, *Francisco*** conocido por EL BROCENSE (1523-1601) Humanista esp. La Inquisición le procesó debido a sus ideas erasmitas. Autor de estudios de gramática gr. y latina y de obras científicas. • **De Lozada, *Gonzalo*** (nacido 1930) Político bol., graduado en Filosofía y Letras. Fue diputado y senador por el dpto. de Cochabamba, y ministro del Planeamiento y Coordinación (1986 a 1988). Se presentó a las elecciones de 1989, y de nuevo a las de 1993, en las que el Congreso le designó para la presid. de la nación como candidato del Movimiento Nacionalista Revolucionario (M.N.R.), cargo que mantuvo hasta 1997. • **De Tagle, *Francisco Manuel*** (1782-1847) Poeta y político mex. Redactó el Acta de indep. y diversas odas patrióticas. • **De Toca, *Joaquín*** (1852-1942) Político esp. Miembro del Partido Conservador, fue jefe del gobierno (julio-diciembre 1919), pero se vio obligado a dimitir al enfrentarse con el ejército, al que pedía responsabilidades por su intervención en Marruecos. • **Elia, *Santiago*** (nacido 1911) Arquitecto arg. Uno de los fundadores del estudio SEPRA. Mercado de San Cristóbal y edificios de los periódicos *La Nación* y *La Razón*, en Buenos Aires. • **Ferlosio, *Rafael*** (nacido 1927) Novelista esp. *Industrias y andanzas de Alfanhuí, El Jarama.* Premio Nadal en 1955. • **Guerra, *José*** (1859-1935) Político esp., del Partido Conservador, ocupó la presidencia del gobierno de marzo a diciembre de 1922. Restableció las garantías constitucionales. Se puso al frente (1929) de una frustrada conspiración contra Primo de Rivera. • **Hernández, *Fidel*** (nacido 1917) Militar y político salv. Ministro del Interior durante la presidencia de Rivera. Presid. de la rep. (1967-1972). • **Ramírez, *Juan*** (m. 1811) Caudillo dom. Dirigente de la sublevación contra los fr., que restableció la soberanía esp.

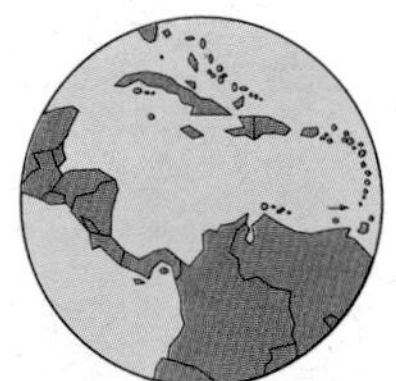

San Vicente y las Granadinas. Arriba, mapa de situación y bandera; abajo, vista del puerto de Kingstown

Isabel Clara Eugenia, óleo de A. **Sánchez Coello**. Museo del Prado, Madrid

Sancho IV de Castilla administrando justicia. Miniatura de *Castigos e documentos del rey D. Sancho*. Biblioteca Nacional, Madrid

SÁNCHEZ RAMÍREZ Prov. de la República Dominicana; 1 174 km², 139 600 hab. Cap., Cotuí. Sit. en el centro del país, está accidentada al S por las estribaciones de la cordillera Central; el resto del terr. corresponde a la Vega Real y está avenado por los r. Yuna y Camú. Clima tropical. Vegetación forestal. Arroz, cacao, maní fruticultura. Ganadería vacuna. Cobre, pirita, grafito.

SANCHO, CHA m. y f. *Méx.* Cordero, borrego, carnero, de cualquier edad. • *Méx.* Animal doméstico manso.

SANCHO Nombre de diversos reyes medievales.

ARAGÓN

SANCHO I Ramírez (1043-1094) Rey de Aragón [1063-1094] y de Navarra [1076-1094], sucesor de Ramiro I. Alfonso VI de Castilla le disputó la corona de Navarra. Se enfrentó a las tropas del Cid y participó en la defensa de Toledo.

CASTILLA Y LEÓN

SANCHO I el Craso (h. 935-966) Rey de León [956-966], sucesor de Ordoño III. La nobleza le destronó. Pactó con el califa Abd al-Rahman y pudo recuperar el trono. Murió envenenado. • **I García** (m. 1017) Conde de Castilla [995-1017], sucesor de García Fernández. Conquistó Córdoba y puso en el trono a Sulayman ibn al-Hakam, quien le dio imp. plazas en el valle del Duero, que le dieron la indep. respecto a León. • **II el Fuerte** (h. 1037-1072) Rey de Castilla [1065-1072] tras la muerte de Fernando I. Provocó la llamada guerra de los Tres Sanchos. Reunió las coronas de León, Castilla y Galicia. Asesinado en el asedio a Zamora, donde se había sublevado doña Urraca. • **IV el Bravo** (1258-1295) Rey de Castilla [1284-1295]. Casó con María de Molina, pero tuvo que aceptar la nulidad de su matrimonio por el papa, y se enemistó con los Lara y los infantes de la Cerda. Tomó Tarifa en 1292.

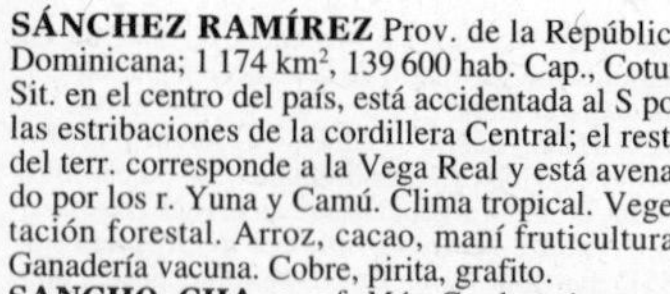

Aarón en el **sanctasanctórum** del tabernáculo de los hebreos. Miniatura de una Biblia del s. X, Colegiata de San Isidoro, León (España)

NAVARRA

SANCHO I Garcés (m. 926) Rey de Pamplona [905-926]. Inició la dinastía Jimena. Conquistó Tudela, Huesca, San Esteban de Gormaz y recuperó las tierras riojanas. Unió su reino al de Aragón con el matrimonio de su hijo. • **II Garcés, *Abarca*** (m. 994) Rey de Pamplona y conde de Aragón [970-994]. Derrotado por los musulmanes en San Esteban de Gormaz y en Rueda. Fundó los monasterios de San Millán de la Cogolla y San Andrés de Ciruña. • **III el Mayor** (h. 992-1035) Rey de Pamplona y conde de Aragón [h. 1000-1035], conde de Sobrarbe-Ribagorza [h. 1018-1035] y conde de Castilla [1029-1035]. En 1027 incorporó el condado de Castilla. Los condes de Cataluña y Gascuña le presentaron vasallaje. Favoreció la insurrección de los nobles gallegos y consiguió que Bermudo III le rindiera vasallaje. • **IV el de Peñalén** (h. 1040-1076) Rey de Pamplona [1054-1076], sucesor de García IV. Se enfrentó a Sancho II de Castilla, que invadió Navarra, y a Alfonso VI de Castilla, que invadió La Rioja. Murió asesinado. • **V de Navarra** → Sancho I Ramírez, rey de Aragón. • **VI el Sabio** (m. 1194) Rey de Navarra [1150-1194]. Firmó tratados con Castilla y Aragón para evitar la división de Navarra. La ocupación de Logroño, Burgos y la Rioja, abrió de nuevo el conflicto con Castilla. • **VII el Fuerte** (m. 1234) Rey de Navarra [1194-1234], sucesor del anterior. Participó en la batalla de las Navas de Tolosa.

SANCHOPANCESCO, CA adj. Propio de Sancho Panza, personaje creado por Cervantes, que encarna el buen sentido popular frente a los desvaríos fantásticos de su señor. • Prosaico, falto de ideales.

SANCIÓN f. Estatuto o ley. • Acto solemne por el que el jefe del Est. confirma una ley o estatuto. • Pena que la ley establece para el que la infringe. • Mal dimanado de una culpa y que es como su castigo. • Aprobación que se da a cualquier acto, uso o costumbre.

SANCIONAR tr. Dar fuerza de ley a una disposición. • Aprobar cualquier acto, uso o costumbre. • Aplicar una sanción o castigo.

SANCIROLE m. Sansirolé, papanatas.

George **Sand** ataviada a la española, retrato de A. Charpentier

SANCLEMENTE, *Manuel Antonio* (1814-1902) Político col., conservador. Presid. (1898-1900), contra la opinión del Congreso. Derrocado tras la sublevación liberal de 1899.

SANCO m. *Chile.* Gachas de harina tostada. • *Argent.* Guiso hecho con harina, sangre de res, grasa y cebolla. • fig. *Chile.* Barro muy espeso.

SANCOCHAR tr. Cocer mal los alimentos, dejándolos medio crudos y sin sazonar.

SANCOCHO m. Vianda a medio cocer. • *Amér.* Olla de carne, yuca, plátano y otros ingredientes.

SANCTASANCTÓRUM m. Parte interior y más sagrada del tabernáculo de los heb. y del templo de Jerusalén. • fig. Lo que para una persona es de singularísimo aprecio. • fig. Lo muy reservado y misterioso.

SANCTI SPÍRITUS Prov. de Cuba; 6 775 km², 420 000 hab. Cap., la c. hom. Tabaco, café, cacao. • C. de Cuba, cap. de la prov. hom.; 97 500 hab.

SANCTIS, *Francesco de* (1817-1883) Crítico it., iniciador de la crítica literaria moderna. Su método resalta la importancia del factor psicológico. *Historia de la literatura italiana.*

SANCTUS m. Parte de la misa en que dice el sacerdote tres veces esta palabra después del prefacio y antes del canon.

SAND, *George* Seud. de *Aurore Daupin* (1804-1876) Escritora fr. De ideas socialistas, defendió los derechos de la mujer. *Valentina, El pantano del diablo, François le Champi, Un invierno en Mallorca.*

SANDALIA f. Calzado compuesto de una suela que se asegura con correas o cintas.

SÁNDALO m. Planta herbácea olorosa, de la familia de las labiadas, con tallo ramoso, hojas pecioladas, elípticas y lampiñas, y flores rosáceas. Es originaria de Persia. • Árbol semejante al nogal.

SANDÁCARA f. Resina que se saca del enebro y de otras coníferas, y que se usa para barnices y en polvo con el nombre de grasilla. • Rejalgar.

SANDBURG, *Carl* (1878-1967) Poeta norteam. Sus *Poemas de Chicago* le convierten en el escritor más representativo de la «escuela de Chicago». *Humo y acero; Buenos días, América: El pueblo, sí.*

SANDE, *Francisco de* (m. 1602) Administrador colonial esp. Gobernador de Guatemala (1592-1596) y de Nueva Granada (1597-1602), se caracterizó por su despotismo y brutalidad.

SANDEZ f. Calidad de sandio. • Tontería, simpleza, necedad.

SANDÍA Yacimiento en gruta del paleolítico norteam., que da nombre a un estadio cultural en el est. de Nuevo México. Su antigüedad es de unos 10 000 años, siendo la facies más antigua de América septentrional.

SANDÍA f. Planta herbácea anual, cucurbitácea, con tallo flexible, velloso y rastrero; hojas partidas, flores amarillas, y fruto grande, de corteza verde y carne encarnada, con muchas pepitas negras. • Fruto de esta planta. ■ SANDIAR.

SANDINISTA adj. y s. Denominación dada a personas o movimientos adictos a la ideología nacionalista y progresista del nic. A. C.Sandino. En sentido más estricto se aplica a los guerrilleros del Frente Sandinista de Liberación Nacional (FSLN), organización fundada en 1960. En 1979 consiguieron vencer a las fuerzas somocistas y crear una Junta de Reconstrucción nacional con una notable presencia de s. En las elecciones de 1984 consiguieron 67 de los 96 escaños y D. Ortega fue elegido presid. de la rep.

SANDINO, *Augusto César* (1893-1934) Patriota y revolucionario nic. Se levantó contra la intervención de las tropas norteam. en su país y contra los convenios firmados por Chamorro y Moncada con EE UU. Luchó durante siete años con su ejército de campesinos y llegó a controlar los dptos. de Chinandega, Estelí, Jinotega y Nueva Segovia. Fue asesinado por la Guardia Nacional, cuyo jefe era Anastasio Somoza.

SANDOVAL, *Francisco Gómez de* → Lerma, duque de. • ***Gonzalo de*** (1497-1527) Conquistador esp. Destacó en la conquista de México. Dirigió la retirada durante la Noche Triste (1520). Participó en el sitio de Tenochtitlán y fundó Medellín, en la costa del Pacífico. • ***José León*** (1789-1854) Político nic. Jefe de Est. (1845-1847). Trasladó la capitalidad a Granada. Su mala administración causó mov. de protesta. • ***Prudencio de*** (1552-1620) Historiador

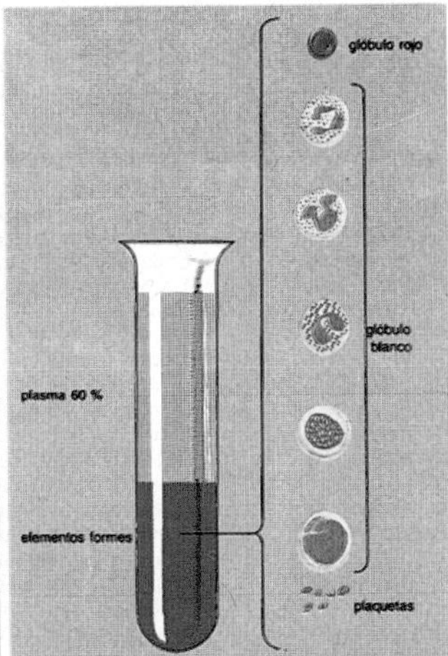

SANGRE

1. La sangre está compuesta por un elemento líquido (plasma) y elementos celulares, que se dividen en tres grupos: los glóbulos rojos o hematíes, los glóbulos blancos o leucocitos, de los que existen diversos tipos, y las plaquetas o trombocitos.
2. Células de la sangre observadas con un microscopio electrónico de barrido. En la parte inferior, puede observarse un glóbulo rojo, el resto corresponde a distintos tipos de glóbulos blancos.

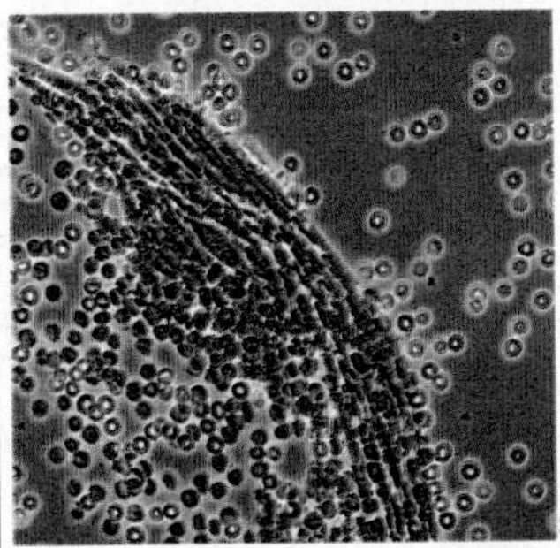

3. La coagulación de la sangre se debe a la conversión del fibrinógeno de las plaquetas en hilos de fibrina, que se polimerizan formando una red en la que quedan atrapados las células sanguíneas y el suero.
4. Los glóbulos rojos transportan oxígeno desde los pulmones a los orgános del cuerpo. El transporte lo lleva a cabo la hemoglobina, cuyo elemento activo es el hierro.

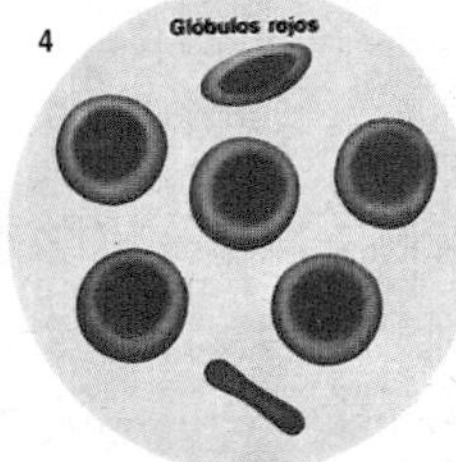

5. Los glóbulos blancos se presentan en diferentes tipos: granulocitos (neutrófilos, acidófilos y basófilos), monocitos y linfocitos. Todos ellos tienen un papel en el sistema defensivo del organismo y su número aumenta rápidamente cuando existe una infección.

esp., benedictino. Fue cronista real. *Historia de la vida y hechos del emperador Carlos V.*

SANDUNGA f. fam. Gracia, donaire. • *Chile, Col.* y *P. Rico.* Jarana, parranda. • Danza popular mex. ■ SANDUNGUERO, RA.

SANDWICH (voz ing.) m. Emparedado. • **Detector nuclear en s.** *Fís.* El constituido por estratos alternos de una sustancia absorbente, intercalados con capas de emulsión fotográfica sensibles al paso de la partícula que se quiere detectar. • **Día s.** *Amér.* Jornada laboral entre dos festivas.

SANDWICH, *Islas* → Hawai.

SANEADO, DA adj. Díc. de los bienes, la renta o el haber que están libres de cargas o descuentos.

SANEAR tr. Asegurar el reparo del daño que puede sobrevenir. • Reparar o remediar una cosa. • Dar condiciones de salubridad a un terreno, edificio, etc. • *Der.* Indemnizar el vendedor al comprador de todo el perjuicio que haya experimentado por vicio de la cosa comprada, o por haber sido perturbado en la posesión.

SANEDRÍN m. Ant. consejo de los judíos, donde se dilucidaban los asuntos religiosos y de Est. • Lugar donde se reunía este consejo. • fig. Junta o reunión para tratar de algo que se quiere dejar oculto.

SANFUENTES, *Juan Luis* (1858-1930) Político chil. Presid. de la rep. (1915-1920), tuvo que enfrentarse a una conspiración militar en 1919. • ***Salvador*** (1817-1860) Escritor y político chil. Ministro de Instrucción Pública y de Justicia. *El bandido, Santiago y Lucía, Memorias de un solitario.*

SANGALLO Familia de arquitectos y escultores it. de los ss. XV-XVI, que difundieron el clasicismo renacentista. **Giuliano Giamberti da** (1443-1516) dirigió las obras de la basílica de San Pedro. **Antonio Giamberti** (1453-1534) llamado EL VIEJO, realizó el castillo de Sant'Angelo. **Antonio Cordini** (1483-1546) llamado EL JOVEN, construyó el palacio Farnesio.

SANGAY Volcán de Ecuador, sit. en la cordillera Oriental de los Andes; 5 230 m. de alt.

SANGER, *Frederick* (nacido 1918) Químico brit. Identificó la estructura de la insulina. Premio Nobel de Química en 1958 y en 1980.

SANGRADERA f. Lanceta. • Vasija para recoger la sangre de una sangría. • fig. Acequia de riego que se deriva de otra corriente de agua. • fig. Compuerta por donde se da salida al agua sobrante de un caz. • En algunas partes, sangría del brazo.

SANGRADOR m. Hombre que tenía por oficio sangrar. • fig. Abertura que se hace para dar salida a los líquidos contenidos en un depósito.

SANGRADURA f. Sangría del brazo. • Cisura de la vena. • fig. Salida que se da a las aguas de un río o canal, o de un terreno encharcado.

SANGRAR tr. Abrir o punzar una vena y dejar salir determinada cantidad de sangre. • fig. Dar salida a un líquido en todo o en parte, abriendo conducto por donde corra. • Resinar. • fig. y fam. Hurtar, sisar, tomando disimuladamente parte de un todo. • *Art. Gráf.* Empezar un renglón más adentro que los otros de la plana, como se hace habitualmente con el primero de cada párrafo. • intr. Arrojar sangre. • prnl. Hacerse dar una sangría. ■ SANGRADO, DA.

SANGRE f. *Fisiol.* Líquido que circula por el interior de los vasos sanguíneos de los animales superiores gracias a la acción impulsante del corazón. • fig. Linaje o parentesco. • **azul.** fig. Sangre o linaje noble. • **de horchata.** Díc. del calmoso que no se altera por nada. • **fría.** Serenidad, tranquilidad del ánimo. • **ligera.** *Amér.* Díc. de la persona simpática. • **negra.** Sangre venosa. • **pesada.** *Amér.* Díc. de la persona antipática, chinchosa. • **roja.** Sangre arterial. • **A s. fría.** m. adv. Con premeditación y cálculo, una vez pasado el arrebato de la cólera. • **A s. y fuego.** m. adv. Con todo rigor, sin dar cuartel, sin perdonar vidas ni haciendas, talándolo o des-

Fachada principal y planta de la villa Médicis, realizada por G. da **Sangallo.** Poggio a Caiano, Toscana, Italia

truyéndolo todo. • **Chupar la s.** fig. y fam. Ir quitando o mermando la hacienda ajena en provecho propio. • **De s. caliente.** loc. adj. Díc. de los animales cuya temperatura no depende de la del ambiente y es, por lo general, superior a la de éste. • **De s. fría.** loc. adj. Díc. de los animales cuya temperatura es la del ambiente. • **Llevar** una cosa **en la s.** fig. Ser innata o hereditaria. • **Mala s.** fig. y fam. Carácter avieso o vengativo de una persona. • **Media s.** Caballo híbrido, uno de cuyos padres puede calificarse de pura sangre. • **Sudar s.** fig. y fam. Realizar un gran esfuerzo para lograr algo. ■ SANGUÍFERO, RA; SANGUINOSO, SA.

* *Fisiol.* La s. está compuesta por una disolución compleja, dentro de la cual se hallan elementos de naturaleza celular (glóbulos blancos, glóbulos rojos y plaquetas). El plasma está compuesto en un 90 % por agua y, el resto, por diversas sustancias disueltas, como sales minerales, proteínas (fibrinógeno, gammaglobulina, etc.), azúcares, grasas, hormonas, vitaminas, etc.; desprovisto de fibrinógeno y los iones calcio y magnesio, se denomina suero. La cantidad normal de sangre viene a ser de unos 5 l en el varón y un poco menos en la mujer. La s. se renueva continuamente por la acción de los centros productores (→ hematopoyesis), que son la médula ósea, los ganglios linfáticos, el bazo y el sistema reticulohistocitario; su color es rojo vivo (s. arterial) o rojo azulado (s. venosa). Sus principales funciones consisten en el transporte del oxígeno indispensable para todas las células del organismo, desde los pulmones a cada uno de los elementos celulares; el transporte de las sustancias alimenticias desde los órganos de digestión o de reserva a todos los tejidos con necesidades energéticas o plásticas; el transporte de sales minerales indispensables y de vitaminas; la conducción de las hormonas desde sus glándulas de origen a sus centros de reacción; el suministro de agua a todas las células; la creación y transporte de los anticuerpos y otras sustancias de defensa contra invasiones microbianas; la eliminación del dióxido de carbono y otros productos tóxicos, y el mantenimiento de la temperatura corporal a un nivel óptimo para la vida.

Detalle de una **sangría.** Decoración del vaso conocido con el nombre de *Aryballos Peytel.* Museo del Louvre, París

SANGREGORDA adj. y s. Díc. de la persona cachazuda, que tiene mucha pachorra.

SANGRÍA f. Acción y efecto de sangrar. • Parte de la articulación del brazo opuesta al codo. • fig. Salida que se da a las aguas de un río o canal. • Corte o brecha superficial que se hace en un árbol para que fluya la resina. • fig. Regalo que se solía hacer a la persona que se sangraba. • fig. Extracción o hurto de una cosa, que se hace por pequeñas partes, especialmente en el caudal. • fig. Bebida refrescante que se compone de agua y vino con azúcar y limón. • *Art. Gráf.* Acción y efecto de sangrar o empezar un renglón más adentro de los otros. • *Metal.* En los hornos de fundición, chorro de metal al que se da salida.

SANGRIENTO, TA adj. Que echa sangre. • Teñido en sangre o mezclado con sangre. • Sanguinario. • Que causa efusión de sangre. • De color de sangre. • fig. Que ofende gravemente.

SANGRIZA f. Menstruo de la hembra.

SANGRÓN, NA adj. *Cuba* y *Méx.* Antipático, molesto.

SANGUARAÑA f. *Perú.* Danza popular. • pl. *Argent., Ecuad.* y *Perú.* Giro, circunloquio en la conversación.

SANGUAZA f. Sangre corrompida. • fig. Líquido del color de la sangre acuosa, que sale de algunas legumbres o frutas.

SANGÜEÑO m. Cornejo, arbusto.

SANGÜESA f. Frambuesa.

SANGÜESO f. Frambueso.

SANGUIFICACIÓN f. *Fisiol.* Función que consiste en la oxidación de la hemoglobina, en cuya virtud la sangre venosa se convierte en arterial.

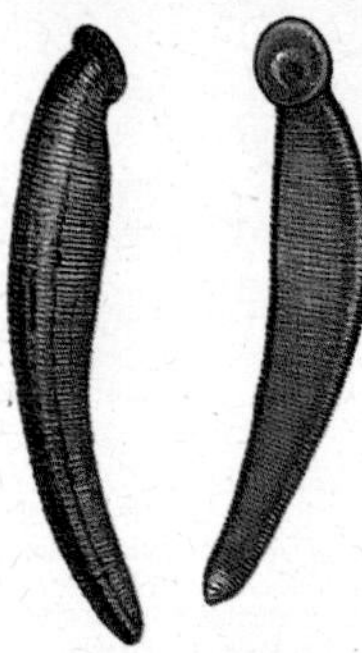

Sanguijuela

SANGUIJUELA f. Anélido casi cilíndrico, de cuerpo contráctil y boca chupadora, que vive en lagunas, pozos y arroyos; se alimenta de la sangre de los animales a que se agarra. • fig. y fam. Persona que va poco a poco sacando a uno el caudal.

SANGUILY, ***Julio*** (1846-1906) Independentista cub. Desterrado en 1895, tras el grito de Baire. • ***Manuel*** (1848-1925) Patriota cub., hermano del anterior. Participó en la guerra de los Diez Años (1868-1878) y en la de indep. (1895-1898). *Un insurrecto cubano en la corte.*

SANGUINARIO, RIA adj. Feroz, vengativo, que se goza en derramar sangre. • f. Piedra semejante al ágata, de color de sangre. • **mayor.** Centinodia, planta poligonácea. • **menor.** Nevadilla, planta.

SANGUÍNEO, A adj. De sangre. • Que contiene sangre o abunda en ella. • De color de sangre. • Relativo a la sangre. • *Antr.* Díc. del biotipo corpulento y rubicundo, de temperamento violento e irritable. • **Grupo s.** *Fisiol.* Cada una de las categorías en las cuales se clasifican todos los individuos según la variedad de aglutinógenos y de aglutininas que poseen sus hematíes y sus sueros.

* *Fisiol.* Los distintos grupos s. se reúnen en sistema (*AB0, Rh*, etc.) Según el sistema *AB0*, los individuos tienen en sus glóbulos rojos aglutinógeno (antígeno) *A, B*, los dos o ninguno, denominándose respectivamente sus grupos *A, B, AB* y *0*. Los individuos *A* originan anticuerpos que reaccionan con el antígeno *B*; los *B* sintetizan aglutinina que aglutina el antígeno *A*; los *AB* no crean este tipo de anticuerpos, y los *0* pueden formar los dos. De este modo un individuo *A* puede recibir sangre *A* o *0*; los *B, B* o *0*; los *AB, A, B, AB* o *0*; los *0* solamente *0*. Por ello el grupo s. *0* es donador universal y el *AB*, receptor universal.

Julio María **Sanguinetti**

SANGUINETTI, ***Julio María*** (nacido 1936) Político ur. dirigente del Partido Colorado por el que fue elegido diputado (1963-1972). Ministro de Industria y Comercio (1969-1971) y de Educación y Cultura (1972). En 1983 encabezó la facción Unidad y Reforma dentro de su partido y fue nombrado secretario general. Vencedor en las elecciones de 1984, fue presid. de la rep. hasta 1989. Elegido presid. de nuevo en 1994, ocupó el cargo hasta el año 2000, en que fue sucedido por Jorge Batlle.

SANGUINO, NA adj. Sanguíneo. • adj. y f. Díc. de una variedad de naranja cuya pulpa es de color rojizo. • m. Aladierna, arbusto. • Cornejo, arbusto. • Lápiz rojo y oscuro fabricado con hematíes. • Dibujo hecho con este lápiz.

SANGUINOLENTO, TA adj. Que echa sangre. • Mezclado con sangre. ■ SANGUINOLENCIA.

SANGUIÑUELO m. Cornejo, arbusto.

SANGUJA f. Sanguijuela.

SANHAYA adj. y s. Díc. de los individuos pertenecientes a una tribu beréber del Magreb, tradicionalmente rival de la tribu de los cenete. Fueron el origen de la dinastía beréber de los almorávides.

SANÍCULA f. Planta herbácea, umbelífera común en los sitios frescos.

SANIDAD f. Calidad de sano. • Calidad de salubre. • Conjunto de servicios ordenados para preservar la salud de los habitantes de una nación, provincia o municipio.

SANIDINA f. *Miner.* Feldespato potásico, fase estable a alta temperatura de dicho compuesto. Su peso específico es 2,5; dureza 6; color blanquecino. Cristaliza en el sistema monoclínico.

SANIE o **SANIES** f. *Med.* Icor, humor que fluye de las llagas. ■ SANISO, SA.

SANÍN Cano, ***Baldomero*** (1861-1957) Crítico y diplomático col. Autor de ensayos. *Indagaciones e imágenes; Letras colombianas; Tipos, obras, ideas.*

SANITARIO, RIA adj. Relativo a la sanidad. • m. y f. Individuo del cuerpo de sanidad militar. • Funcionario de sanidad civil • m. *Col.* Retrete.

SANJINÉS, ***Jorge*** (nacido 1936) Director cinematográfico bol. *La sangre del cóndor, El coraje del pueblo, El enemigo principal..*

SANJUANEÑO, ÑA adj. Sanjuanero, aplicado a algunas frutas.

SANJUANERO, RA adj. Se aplica a algunas frutas que maduran por san Juan y al árbol que las produce. • adj. y s. De San Juan de los Remedios (Cuba).

SANJUANINO, NA adj. y s. De San Juan (Argentina).

SANJUANISTA adj. y s. Díc. del individuo de la orden militar de San Juan de Jerusalén.

SANJURJO, ***José*** (1872-1936) Militar esp. Se sublevó contra la II República (1931). Muerto en accidente cuando se incorporaba a la jefatura del alzamiento militar de 1936.

SANKARA (778-h. 830). Reformador religioso y filósofo indio, llamado también *Sankaracharya.*

Creía que la salvación se logra con el conocimiento acertado y justo de la indentidad entre el alma individual (*atman*) y el alma suprema (*Brahma*). • ***Thomas*** (1944-1987) Político y militar de Burkina Faso. Primer ministro tras el golpe de Est. del general Ouédraogo (1982). Durante su mandato el país adoptó la actual denominación (ex Alto Volta). Muerto en el golpe de Est. de Campaore.

SANLÚCAR DE BARRAMEDA Mun. esp. en la comunidad de Andalucía, prov. de Cádiz; 61 088 hab. De su puerto de Bonanza salieron Colón (tercer viaje a América en 1498) y la expedición de Magallanes (1519).

SANLUISERO, RA adj. Relativo a la prov. arg. de San Luis.

SANMARTÍN m. Época próxima a las fiestas de San Martín (11 noviembre), en que suele hacerse la matanza del cerdo. • Esta matanza.

SANNAZZARO, ***Jacopo*** (1456-1530) Poeta it. Autor de sonetos y obras breves de ambiente cortesano. *Arcadia*.

SANO, NA adj. Que goza de perfecta salud. • Seguro, sin riesgo. • Saludable. • fig. Sin daño o corrupción. • fig. Libre de error o vicio. • fig. Sincero, de buena intención. • **y salvo.** loc. adj. Sin lesión, enfermedad ni peligro.

SANROMA Tova de la Riva, ***Jesús María*** (nacido 1903) Pianista puertorriq., uno de los más imp. del presente siglo.

SANSCRITO, TA o **SÁNSCRITO, TA** adj. y m. Díc. de la última fase de la ant. lengua literaria de la India. Del grupo indoeuropeo, deriva de los *Vedas*. Del s. parten todos los dialectos de la India. Consta de 48 letras. La gramática más ant. es la de Panini. En s. se escribieron el *Ramayana* y el *Mahabharata*. ■ SANSCRITISTA.

SANS-CULOTTE (voz. fr.) adj. y s. Nombre dado por los nobles a los revolucionarios de la Revolución Francesa, por haber sustituido éstos los calzones cortos *(culottes)* por pantalones.

SANSEACABÓ Exp. fam. con que se da por terminado un asunto.

SANSIMONISMO m. Conjunto de la teorías sociales de Claude Henri de Rouvroy, CONDE DE → Saint-Simon. ■ SANSIMONIANO, NA.

SANSIROLÉ com. fam. Bobalicón, papanatas.

SANSÓN m. fig. Hombre muy forzudo.

SANSÓN Juez de Israel. Dotado de una gran fuerza, que radicaba en sus cabellos. Fue rapado, mientras dormía, por Dalila y capturado por los filisteos. Habiéndole crecido la cabellera, derribó las columnas del templo de Dagón y pereció con los filisteos allí congregados.

SANSOVINO, ***Andrea Contucci***, llamado ***Il*** (h. 1467-1529) Escultor y arquitecto florentino. Autor del grupo del *Bautismo de Jesús*, en la puerta central del Baptisterio de Florencia. • ***Jacobo Tatti***, llamado ***Il*** (1486-1570) Escultor y arquitecto it. Introdujo el Renacimiento rom. en Venecia. Dirigió la urbanización de la Plaza de San Marcos y construyó la Biblioteca Marciana.

SANTA Río de Perú; 328 km. Nace en la laguna de Conócocha y desemboca en el Pacífico, junto a Chimbote.

SANTA ALIANZA → Alianza

SANTA ANA Dpto. de El Salvador, limítrofe con Guatemala y Honduras; 2 023 km², 541 197 hab. Cap., la c. hom. El N está accidentado por la cordillera de Metapán-Alotepeque, y el S por las estribaciones de la cordillera Central. Red hidrográfica del Lempa. Clima tropical. Vegetación de bosques de caducifolias. Café, caña de azúcar, agrios, frutas tropicales. Ganadería. Explotación forestal. Ind. derivadas y metalúrgicas. • C. de El Salvador, cap. del dpto. hom.; 202 300 hab. Sit. en las estribaciones de la cordillera Central, junto al Sauce. Centro ind. y comercial.

SANTA ANNA, ***Antonio López de*** (1794-1876) Militar y político mex. Participó en las luchas independentistas. En 1822 encabezó una insurrección triunfante contra Iturbide. En 1833 derrocó A. Bustamante y fue elegido presid., delegando el cargo en favor de Gómez Farias. En 1836, los tejanos se declararon independientes sin que la intervención de S. pudiera evitarlo. En 1846, los mex. intentaron recuperar Texas, pero S. fue de nuevo derrotado. EE UU se apropió de la mitad del territorio mex. y Santa Anna fue desterrado. Volvió como dictador (1853-1855) y firmó con EE UU el tratado de Mesilla. Definitivamente destituido por la rev. de Ayutla (1855).

SANTA BÁRBARA Dpto. de Honduras, limítrofe con Guatemala; 5 024 km², 373 068 hab. Cap., la c. hom. Accidentado por las sierras de Gallinero, Espíritu Santo, Grita, Colinas y Antima. Ríos Chamelecón, Ulúa y Jicatuyo. Clima tropical. Café, tabaco, caña de azúcar, cereales. Cría de vacunos. Explotación forestal. Plomo, antimonio, oro. Ind. alimentarias. • C. de Honduras, cap. del dpto. hom.; 10 503 hab.

SANTA BÁRBARA DE SAMANÁ C. de la República Dominicana, cap. de la prov. de Samaná; 5 000 hab.

SANTA CATARINA Est. del S de Brasil, bañado por el océano Atlántico y limítrofe con Argentina; 95 318 km², 4 402 000 hab. Cap., Florianópolis. Se extiende por la altiplanicie brasileña, enmarcada por la Serra do Mar y la Serra Geral. Los ríos son afl. del Uruguay o desaguan en el Atlántico. Clima de tipo tropical.

SANTA CLARA C. de Cuba, cap. de la prov. de Villa Clara; 203 700 hab. Mercado de tabaco y azúcar. Ind. agropecuarias y metalúrgicas.

SANTA COLOMA DE GRAMANET o **SANTA COLOMA DE GRAMENET** Mun. de España, en la prov. de Barcelona; 123 175 hab. Sit. junto al r. Besós, forma parte de la agl. urb. de Barcelona. Centro industrial.

SANTA CRUZ Prov. del S de Argentina, bañada por el Atlántico y limítrofe con Chile; 243 943 km², 154 964 hab. Cap., Río Gallegos. C. prales.: Puerto de Santa Cruz, Puerto de San Julián y Puerto Deseado. La parte occidental pertenece al sector andino y cuenta con numerosos lagos (Argentino, Viedma, Pueyrredón, Buenos Aires). El monte San Lorenzo (3 076 m) y el Fitz Roy (3 405 m) son las cumbres más elevadas de la zona andina. El sector oriental forma parte de la Patagonia. Ríos Deseado, Chico, Santa Cruz, Coig y Gallegos. Clima frío y seco. Vegetación esteparia y bosques de caducifolias en las estribaciones andinas. Agricultura poco desarrollada. Ganadería. Carbón. Ind. cárnicas. • R. de Argentina. Nace en los lagos Viedma y Argentino y desemboca en el Atlántico, en la Bahía Grande; 382 km.

SANTA CRUZ Dpto. de Bolivia, limítrofe con Brasil y Paraguay; 370 621 km², 1 364 389 hab. Cap., Santa Cruz de la Sierra. Accidentado en el extremo O por las estribaciones de la sierra de Cochabamba; el resto corresponde al sector de altiplanos. Ríos San Miguel, Ichilo, Río Grande y Paraguá. Clima tropical y vegetación xerófila. Maíz, arroz, caña de azúcar, café, frutos tropicales. La pral. riqueza reside en la extracción de petróleo en el área SO. Ind. de transformaciones agrícolas y refino.

SANTA CRUZ *(Saint-Croix)* Isla de las Pequeñas Antillas, en el arch. de las Vírgenes (EE UU); 207 km², 49 700 hab. Caña de azúcar. Ganadería. Descubierta por Colón (1493), fue posesión fr., danesa y, finalmente, cedida a EE UU en 1917.

SANTA CRUZ, ***Alonso de*** (1505-1567) Cosmógrafo esp. Formó parte de la expedición de Cabot al Río de la Plata. *Islario general del mundo*. • ***Andrés*** (1792-1865) Militar y político per. Participó en las batallas de Pichincha (1822) y Junín (1824). En 1826 fue designado presid. del Consejo de Gobierno de Perú, y en 1828 presid. de Bolivia. En un intento de llevar a la práctica las ideas federalistas de Bolívar, proclamó la Confederación Peruboliviana (1837-1839), que fue derrotada por tropas chil. y arg. en Yungay (1839). Disuelta la Confederación, se refugió en Ecuador. Tras fracasar en un intento de reconquista, fue desterrado a Europa.

SANTA CRUZ, MARQUÉS DE → Bazán, Álvaro.

SANTA CRUZ DE LA SIERRA C. De Bolivia, cap. del dpto. de Santa Cruz; 694 616 hab. Sit. a orillas del Piray. Centro agrícola, comercial e industrial.

SANTA CRUZ DE TENERIFE Prov. esp., en la com. autón. de Canarias, sit. frente a las costas atlánticas de África; 3 170 km², 772 449 hab. Comprende las islas de Tenerife, La Palma, Gomera y Hierro. En Tenerife se encuentra el volcán Teide (3 718 m), la máx. alt. del territorio esp. Clima muy

Sanidina

Sansón derribando el templo de los filisteos. Miniatura de una Biblia del s. XV

Santa Ana. Fachada en estilo neogótico de la catedral

Antonio López de **Santa Anna**

suave. Maíz, trigo, cebada, plátanos, tomates, patatas. Ind. tabaquera, alimentaria, turística. • C. de España, cap. de la com. auton. de Canarias (compartida con Las Palmas de Gran Canaria) y de la prov. hom., sit. en la isla de Tenerife; 203 787 hab. Ant. puerto de La Laguna, emplazado al pie de la cordillera Anaga. Núcleo comercial. Ind. tabaquera, química, material de construcción. Refino de petróleo. Imp. puerto. Turismo.
SANTA CRUZ DEL QUICHÉ C. de Guatemala, cap. del dpto. de Quiché; 14 352 hab. Centro agropecuario. Alfarería. Ind. maderera. Aeropuerto. Turismo.

Napoleón en su destierro en **Santa Elena,** según un grabado conservado en la Biblioteca Marmottan de Bolonia, Italia

SANTA ELENA *(Saint Helena)* Isla brit. del Atlántico, a 1 800 km de la costa de África; 122 km², 5 000 hab. Cap., Jamestown. Napoleón fue desterrado a la isla en 1815 y murió en ella en 1821.
SANTA ELENA POCO UNIC Yacimiento arqueológico mex., en Chiapas. Pirámides mayas.
SANTA FE Prov. del centro de Argentina; 133 007 km², 2 797 293 hab. Cap., la c. hom. Formada por una llanura inclinada de NO a SE. Al N del río Salado se extiende una llanura boscosa con sectores pantanosos y clima tropical, que pertenece al Chaco. Al S, la llanura pampeana goza de un clima templado, con temperaturas suaves y vegetación herbácea. Los ríos más imp. son el Paraná y su afl. el Salado. La economía se basa en las actividades agropecuarias, apoyadas en la abundancia de pastos. Ganado vacuno, lanar y porcino. Trigo maíz, lino, caña de azúcar, algodón, tabaco. Ind. molinera, lechera, papelera y química; todas ellas centradas en Rosario. Refinería de petróleo. • C. de Argentina, cap. de la prov. hom., sit. junto a la confluencia de los r. Salado y Paraná; 442 214 hab. Puerto sobre el Paraná. Centro industrial (sector alimentario, textil, químico), administrativo y comercial.

Vista aérea de la ciudad de **Santa Fe**

SANTA FE C. de EE UU, cap. del est. de Nuevo México; 55 900 hab. Centro administrativo. Formó parte de México a partir de 1821, pero en 1846 fue tomada militarmente por los norteam.
SANTA FE DE BOGOTÁ Ant. nombre de → Bogotá.
SANTA ISABEL, ***Nevado de*** Montañas de Colombia (dpto. de Tolima), que forman parte de la cordillera Central de los Andes; 5 100 m de alt.
SANTA LUCÍA Mun. de España, en la prov. de Las Palmas, en la isla de Gran Canaria; 40 127 hab.
SANTA LUCÍA Est. insular de las Pequeñas Antillas, del grupo de las Windward (Barlovento), miembro de la Commonwealth. De origen volcánico, presenta su máx. alt. en el monte Gimie (950 m). Bosques. Clima tropical. Agricultura. Pesca. Turismo. Pob. de origen africano (mayoría). Lenguas: ing. (of.), criollo fr. *Rel.*: catolicismo. U. M.: dólar Caribe Este. Cap., Castries. Indep. en 1979, desde 1982 es primer ministro John Compton.
SANTA LUCÍA R. de Uruguay; 230 km. Nace en el dpto. de Lavalleja y desemboca en el Río de la Plata, junto a Santiago Vázquez.
SANTA LUCÍA COTZUMALGUAPA Mun. de Guatemala, en el dpto. de Escuintla, 37 000 hab. Restos arqueológicos de las culturas pipil y teotihuacana.
SANTA MARGARITA Isla de México, en el O de Baja California; 40 km de longitud y 7 km de anchura. C. pral.: Puerto Cortés.
SANTA MARÍA Nombre de la nave utilizada por Colón en su primer viaje a América.

Mapa de situación y bandera de **Santa Lucía**

SANTA MARÍA, ***cultura de*** Yacimiento arqueológico (ss. X-XIV) del NO de Argentina, en el valle homónimo.
SANTA MARÍA, Volcán de Guatemala (dpto. de Quetzaltenango), sit. en el eje volcánico costero; 3 772 m de alt.

SANTA LUCÍA

Superficie 616 km²
Población 151 000 hab. (245 hab./km²)

Recursos económicos	
Bananas	155 000 t
Copra	6 000 t
Nuez de coco	33 000 t
Pesca	974 t
Indicadores sociológicos	
PNB	380 millones de dólares
Renta per cápita	2 500 dólares
Esperanza de vida	71 años
Alfabetismo	82 %

SANTA MARÍA, C. de Brasil, en el est. de Rio Grande do Sul; 161 000 hab. Sit. al O de Porto Alegre. Centro ferroviario. Ind. textil.
SANTA MARÍA, ***Andrés de*** (1860-1945) Pintor col., impresionista. Autor de retratos, paisajes y temas históricos. *Retrato de monseñor Carrero, El lavadero del Sena.* • ***Domingo*** (1825-1889). Político chil. Presid. de la rep. (1881-1886). Firmó tratados de amistad con Argentina y España, y acordó con Perú la paz que puso fin a la guerra del Pacífico.
SANTA MARTA C. de Colombia, cap. del dpto. de Magdalena; 279 958 hab. Sit. a orillas del Caribe, al pie de la Sierra → Nevada de Santa Marta. Plantaciones de bananeros. Ind. alimentaria y del plástico. Puerto. Fundada en 1525. Lugar donde murió Simón Bolívar.
SANTA ROSA Dpto. del sector meridional de Guatemala, junto a la costa del Pacífico; 2 955 km², 284 669 hab. Cap., Cuilapa. El relieve está formado por las estribaciones de la sierra Madre Centroamericana y por una amplia llanura costera pantanosa. Clima tropical. Vegetación de bosques y sabanas. Café, algodón y cereales. Ganadería. Ind. agropecuaria.
SANTA ROSA C. de Argentina, cap. de la prov. de La Pampa; 78 057 hab. Centro agropecuario, administrativo y comercial.
SANTA ROSA DE CABAL C. de Colombia, en el dpto. de Risaralda; 31 700 hab. Centro agropecuario. Oro.
SANTA ROSA DE COPÁN C. de Honduras, cap. del dpto. de Copán; 19 680 hab. Ind. tabaquera.
SANTA ROSA DE OSOS Altiplanicie de Colombia, en el dpto. de Antioquía. Oro.
SANTA SEDE Residencia del gobierno de la Iglesia católica. • Potestad del papa como sucesor de san Pedro.
SANTABÁRBARA f. *Mar.* Pañol o paraje destinado en las embarcaciones para custodiar la pólvora. • *Mar.* Cámara por donde se comunica o baja a este pañol.
SANTACRUCEÑO, ÑA adj. y s. De Santa Cruz o de Santa Cruz de Tenerife.
SANTAFEREÑO, ÑA adj. y s. De Santa Fe de Bogotá.
SANTAFESINO, NA o **SANTAFECINO, NA** adj. y s. De Santa Fe (Argentina).
SANTALÁCEO, A adj. y f. *Bot.* Díc. de las plantas angiospermas dicotiledóneas, que tienen hojas sin estípulas; flores pequeñas, sin pétalos y con el cáliz colorido, y fruto drupáceo con una semilla de albumen carnoso. • f. pl. *Bot.* Familia de estas plantas.
SANTALAL adj. y f. *Bot.* Díc. de plantas angiospermas dicotiledóneas, gralte. parásitas. • f. pl. *Bot.* Orden de estas plantas que comprende familias como las santaláceas y las lorantáceas.
SANTAMARÍA, ***Pueblo de*** (h. 1350-1435) Eclesiástico y político esp. Judío converso (1390), fue consejero del papa Benedicto XIII. Nombrado obis-

po de Burgos (1415), sobresalió por su fanatismo religioso y se le ha atribuido la redacción de la pragmática de 1412 contra los judíos. *Las siete edades del mundo.*

SANTANA, ***Manuel*** (nacido 1938) Tenista esp. Ganador del Roland Garros (1961 y 1964), de Forest Hills (1965) y Wimbledon (1966). • ***Pedro*** (1801-1864) Político dom. Formó parte de la sociedad secreta La Trinitaria, fundada por Juan Pablo Duarte para luchar contra Bover. A la caída de éste (1843), la pob. esp. de la isla lo eligió presid. (1844). Derrotó a los fr. en Azúa. Reelegido en 1849, 1853 y 1858. En 1861 decidió la incorporación de Santo Domingo a España.

SANTANDER C. esp., cap. de la com. autón. y de la prov. de Cantabria; 185 410 hab. Sit. junto al Cantábrico, se extiende por la bahía hom. y la playa del Sardinero, separadas por la pen. de la Magdalena. El crecimiento urbano data del s. XIX y se hace efectivo en función de las actividades ganaderas, las instalaciones turísticas, la ind. siderúrgica y alimentaria y la importancia del puerto, salida natural de Castilla. • Bahía esp., sit. en el Cantábrico. Puerto natural de la c. hom.

SANTANDER Dpto. del NE de Colombia; 30 537 km², 1 811 741 hab. Cap., Bucaramanga. C. pral.: Barrancabermeja. Relieve muy variado en el que destacan el valle del Magdalena, y al E las estribaciones de la cordillera Oriental. Clima cálido y lluvioso en las tierras bajas, y templado y seco en la montaña. Red fluvial del Magdalena. Tabaco, caña de azúcar, algodón, cacao, piña, trigo, cebada, maíz y frutales. Ganado vacuno y porcino. Refinerías de petróleo.

SANTANDER, ***Francisco de Paula*** (1792-1840) Militar y político col. Inicialmente secundó los planes independentistas de Bolívar y participó en la batalla de Boyacá. Fue designado vicepresid. de Cundinamarca (actual Colombia). Elegido vicepresid. de la Gran Colombia (1821), asumió la presid. en ausencia del Libertador. Se enfrentó después a Bolívar. En junio de 1824 firmó un tratado de comercio y navegación con Gran Bretaña y defendió la presidencia de EE UU en el congreso de Panamá, convocado por Bolívar. Sus partidarios planearon el asesinato de Bolívar (septiembre 1828) y S., condenado a muerte por ello, obtuvo autorización para exiliarse. Tras la caída de Bolívar, regresó para hacerse cargo de la presidencia de la rep. En 1837 le sucedió José Ignacio Márquez.

SANTANDERINO, NA adj. y s. De Santander.

SANTAREM C. de Portugal, cap. del distrito hom.; 16 800 hab. Ant. pob. lusitana, fue ocupada por fenicios, romanos y musulmanes. Reconquistada en 1184.

SANTATERESA f. Nombre vulgar de la mantis religiosa; es un insecto del orden mantoideos, con las patas delanteras prensoras, largas y robustas; mide 6-7 cm.; la hembra suele devorar al macho tras el acoplamiento.

SANTAYANA, ***George*** (1863-1952) Filósofo norteam., de origen esp. Autor de novelas y poesía. *El sentimiento de la belleza, Los reinos del ser. La vida de la razón.*

SANT'ELIA, ***Antonio*** (1888-1916) Arquitecto it. futurista. Proyectos para la *Cittá Nuova*, exhibidos en 1914 en Milán; proyecto de Como. Sus principios están expuestos en el *Manifiesto de la arquitectura futurista.*

SANTELMO n. p. m. Fuego de Santelmo. • m. fig. Salvador, favorecedor en algún apuro.

SANTERÍA f. Calidad de santero o santurrón, beatería. • *Argent.* Tienda en que se venden imágenes de santos y otros objetos religiosos. • *Cuba.* Brujería.

SANTERO, RA adj. y s. Díc. de la persona que tributa un culto exagerado o supersticioso a las imágenes. • m. y f. Persona que cuida de un santuario. • Persona que pide limosna, llevando de casa en casa la imagen de un santo. • Persona que pinta o esculpe imágenes de santos, y también la que los vende. • *Cuba.* Auxiliar del ladrón. • f. Mujer del santero.

SANTI y García, ***Mario*** (nacido 1911) Escultor cub. Monumento funerario a José Martí, en Santiago de Cuba.

SANTIAGO n. p. Grito con que los esp. invocaban a su patrón Santiago al empezar la batalla. • m. Acometimiento en la batalla. • Lienzo de mediana calidad que se fabrica en Santiago de Compostela.

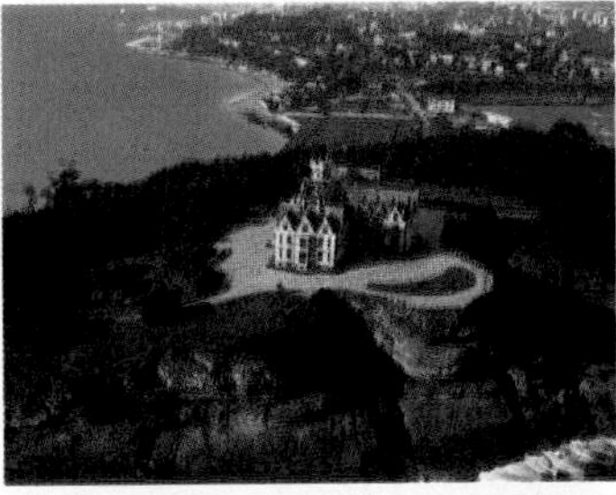

El palacio de la Magdalena de **Santander,** Cantabria (España)

SANTIAGO R. de Ecuador y Perú; 300 km. Nace de la unión de los r. Paute y Zamora y desemboca en el Marañón. • R. de Ecuador; 150 km. Nace en Los Andes Occidentales y desemboca en el Pacífico.

SANTIAGO Prov. del centro-norte de la República Dominicana; 3 112 km², 688 800 hab. Cap., Santiago de los Caballeros. El relieve es muy accidentado; entre la cordillera Septentrional al N y la cordillera Central al S, el valle del Cibao constituye una llanura aluvial de tierras fértiles. Clima tropical, con vegetación boscosa. Arroz, maíz, tabaco, plátanos y caña de azúcar. Ganado vacuno y porcino.

SANTIAGO C. y cap. de Chile y de la región metropolitana de S.; 5 170 293 hab. Sit. en el centro del país, en el valle del Mapocho. El desarrollo urbano se ha realizado a lo largo de las prales. vías de comunicación: la avenida de la Independencia y la alameda de B. O'Higgins. A las funciones políticas, administrativas y comerciales se añade una imp. industria (mecánica, metalúrgica, textil, eléctrica), favorecida por el papel de la c. como centro de comunicaciones del país, en relación con los puertos de San Antonio y Valparaíso y con la carretera Panamericana. Fundada en 1541 por Pedro de Valdivia con el nombre de Santiago de Nuevo Extremo. En 1609 se convirtió en sede de la audiencia de charcas. Durante la etapa colonial, su importancia derivó pralm. del comercio. Centro de los movimientos independentistas de 1810. A finales del s. XIX y comienzos del XX inició un acelerado desarrollo industrial y demográfico. • ***Área metropolitana de*** Prov. de Chile, en la región metropolitana de Santiago; 4 364 500 hab. • ***Región metropolitana de*** Región del centro de Chile; 15 348,8 km², 5 170 293 hab. Cap., Santiago. Accidentada al E por la barrera montañosa de los Andes, con alt. como el Tupungato (6 565 m) y los volcanes San José (5 880 m) y Maipo (5 290 m). Clima templado. Ríos Maipo y su afl. el Mapocho. Del cultivo del trigo y la vid se ha pasado a una horticultura intensiva. Ganadería estabulada, dedicada a la producción de leche. Ind. alimentaria, textil, metalúrgica, extendida por el área suburbana de la capital.

Santiago de Chile. Vista de la capital con los Andes al fondo

SANTIAGO o **SANTIAGO DE COMPOSTELA** C. de España, en la prov. de La Coruña, cap. de la com. autón. de Galicia; 87 807 hab. Sit. entre los r. Tambre y Ulla. Centro comercial y turístico. Orfebrería y platería. Ind. mecánica, maderera y alimentaria. Destaca su catedral gótica (ss. XI-XIII). Universidad. Fue uno de los centros prales. del regionalismo gallego. • **Camino de S.** Ruta medieval que desde Roncesvalles, Somport, Irún y Tolosa seguían los peregrinos a S. de Compostela. Su origen se remonta al s. XI, en el que se halló un sepulcro que se identificó con el del apóstol Santiago el Mayor. Ya en el s. XII tenía un carácter religioso, cultural y economicosocial.

SANTIAGO, ***Miguel de*** (1630-1673) Pintor ecuat., máx. representante de la escuela quiteña. *Vida de san Agustín.*

SANTIAGO, ***el Mayor*** (s. I) Uno de los doce apóstoles, hermano de san Juan Evangelista. Predicó el Evangelio, y fue muerto por orden de Herodes Agripa (h. 42). La tradición le sitúa predicando en España. Venerado como patrón de España. • ***El menor*** (s. I) Uno de los doce apóstoles, hijo de Cleofás y María, primo de Cristo y hermano de Judas, Simón y José. Obispo de Jerusalén hasta su lapidación en el año 62. • **Epístola de S.** Carta del N. T., perteneciente al grupo de las «católicas».

Catedral de **Santiago de Compostela**

Cruz de los caballeros de la orden de **Santiago**

El marqués de **Santillana,** por Jorge Inglés. Colección Duque del Infantado

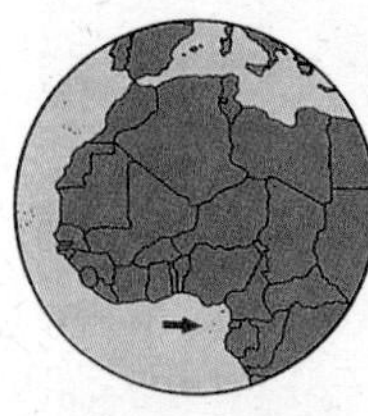

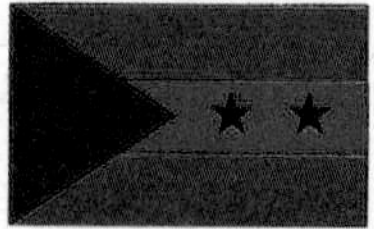

Mapa de situación y bandera de **Santo Tomé y Príncipe**

SANTIAGO, ***orden militar de*** Fundada h. 1170, su finalidad era proteger y dar hospitalidad a quienes peregrinaban a Santiago, así como combatir a los musulmanes. Participó en la reconquista de la Meseta meridional y Andalucía. ■ SANTIAGUISTA.

SANTIAGO DE CUBA Prov. del O. de Cuba; 6 187 km^2, 968 000 hab. Cap., la c. hom. Café, ron. • C. de Cuba, cap. de la prov. hom.; 434 500 hab. Centro comercial de una rica vega agrícola y ganadera. Ind. de transformación agrícola (azúcar, dátiles, chocolate, tabaco, etc.), que ha dado paso a otros sectores, como el químico y el metalúrgico. Imp. actividad portuaria. Fundada por Diego de Velázquez en 1514. Escenario de la resistencia contra España (1898) y del asalto castrista al cuartel de Moncada (1953).

SANTIAGO DE LOS CABALLEROS C. de la República Dominicana, cap. de la prov. de Santiago; 316 041 hab. Centro agrícola. Ind. de tabaco, ron y serrerías.

SANTIAGO DE SURCO C. del Perú, en el dpto. de Lima, sit. junto al r. Rímac; 147 800 hab. Centro comercial agrícola y ganadero. Ind. alimentarias.

SANTIAGO DE VERAGUAS C. de Panamá, cap. de la prov. de Veraguas; 66 748 hab. (en el distr.). Ind. maderera.

SANTIAGO DEL ESTERO Prov. del centro-norte de Argentina, sit. en la región del Gran Chaco; 136 351 km^2, 672 301 hab. Se conservan las lenguas quechua y guaraní. Cap., la c. hom. Está formada por una gran llanura, accidentada al O por las estribaciones de la Precordillera andina; al SO se extiende una región deprimida ocupada por las Salinas Grandes. Ríos Salado y Dulce. Abundantes regiones pantanosas (esteros). Clima seco y cálido. Vegetación de carácter xerófilo. Algodón (la mayor riqueza de la región), caña de azúcar, tabaco, cereales. Gran producción ganadera, pralm. vacuna y lanar. Explotación forestal (quebracho). Ind. algodonera y alimentaria. • C. del NO de Argentina, cap. de la prov. hom.; 201 709 hab. Sit. en la orilla derecha del r. Salado. Pral. centro comercial, industrial (textil), turístico, cultural y administrativo de la prov.

SANTIAGO IXCUINTLA Mun. de México, en el est. de Nayarit; 84 600 hab. Agricultura, ganadería y explotación forestal.

SANTIAGO RODRÍGUEZ Prov. del NO de la República Dominicana; 1 020 km^2, 61 100 hab. Cap., la c. hom., también llamada San Ignacio de Sabaneta. Sit. en el extremo O del valle de Cibao, está accidentada, al S, por la cordillera Central, donde nacen varios afl. que desembocan en el Yaques del Norte. Clima cálido y vegetación xerófila en el valle. Tabaco, arroz, café. Ganadería. Explotación forestal. Ind. alimentaria, maderera, de curtidos. • C. de la República Dominicana, cap. de la prov. hom.; 9 200 hab.

SANTIAGUENSE adj. y s. De la prov. dom. de Santiago o de su cap., Santiago de los Caballeros.

SANTIAGUEÑO, ÑA adj. Aplícase a la fruta que madura por Santiago y al árbol que la produce. • adj. y s. De la c. o de la prov. arg. de Santiago del Estero.

SANTIAGUERO, RA adj. y s. De Santiago de Cuba.

SANTIAGUÉS, SA adj. y s. De Santiago de Compostela.

SANTIAGUILLO Laguna de México, en el est. de Durango, al pie de la sierra Madre Occidental; 1 790 km^2.

SANTIAGUINO, NA adj. y s. De Santiago de Chile.

SANTIAMÉN ***(En un)*** m. adv. fig y fam. En un decir amén, en un instante.

SANTIDAD f. Calidad de santo. • Tratamiento honorífico que se da al papa.

SANTIDAD, ***Iglesias de la*** Confesiones protestantes nacidas en EE UU a finales del s. XIX. Buscan la perfección ética y religiosa. Las más imp.: Iglesia Peregrina de la S., Iglesia de Dios e Iglesia del Nazareno.

SANTIFICAR tr. Hacer a uno santo por medio de la gracia. • Consagrar a Dios una cosa. • Hacer venerable una cosa por la presencia o contacto de lo que es santo. • Reconocer al que es santo, honrándolo y sirviéndolo como a tal. • tr. y prnl., fig. y fam. Justificar, disculpar a alguien. ■ SANTIFICACIÓN.

SANTIGUAR tr. y prnl. Hacer con la mano la señal de la cruz desde la frente al pecho y desde el hombro izquierdo al derecho. • tr. Hacer supersticiosamente cruces sobre uno, diciendo ciertas oraciones. • fig. y fam. Castigar o maltratar a uno de obra. • prnl. fig. y fam. Hacerse cruces, maravillarse.

SANTILLÁN, ***Ramón de*** (1791-1863) Político esp. Impulsó la creación del Banco de España, del que fue primer gobernador. • *Sinesio García Fernández,* llamado ***Diego Abad de*** (1897-1983) Anarquista esp. En Argentina influyó en la central sindical FORA. Como delegado de la FAI, se integró en el Comité Central de Milicias Antifascistas de Cataluña. Consejero de Economía de la Generalitat en 1936. *Por qué perdimos la guerra.*

SANTILLANA o **SANTILLANA DEL MAR** Mun. de España, en la com. autón. de Cantabria; 3 900 hab. Es monumento nacional. En las cercanías están las cuevas de Altamira.

SANTILLANA, *Íñigo López de Mendoza,* MARQUÉS DE (1398-1458) Literato y político esp. En *Carta proemio al condestable D. Pedro de Portugal* expone sus gustos literarios. *Canciones, Decires y Serranillas, Comedieta de Ponça, Infierno de los enamorados, Sonetos fechos al itálico modo, Doctrinal de privados, Diálogo de Bías contra Fortuna.*

SANTÍSIMO, MA adj. sup. de santo. • Aplícase al papa como tratamiento honorífico. • **El Santísimo.** n. p. m. Cristo en la Eucaristía.

SANTISTEBAN, *Diego Benavides,* CONDE DE Administrador colonial esp. Virrey del Perú (1661-1664). Estableció la Ordenanza de Obrajes, que imponía prestaciones de trabajo a los indígenas.

SANTO, TA adj. y s. Díc. de la persona a quien la iglesia declara tal. • Aplícase a la persona de especial virtud y ejemplo. • adj. Perfecto y libre de toda culpa. • Díc. de lo que está especialmente consagrado a Dios. • Aplícase a lo que es venerable por algún motivo de religión. • Díc. de los seis días de la Semana Santa que siguen al domingo de Ramos. • Conforme a la ley de Dios. • Sagrado, inviolable. • Aplícase a algunas cosas que traen al hombre especial provecho. • Aplícase a la Iglesia católica. • Con ciertos nombres, encarece el significado de éstos. • También se usa en superlativo. • m. Imagen de un santo. • fam. Viñeta, grabado, estampa. • Respecto de una persona, festividad del santo cuyo nombre lleva. • *Chile.* Remiendo. • *Mil.* Nombre de s. que, con la seña, comunica diariamente el jefe de una guardia a los que han de hacerla. • **A s. de qué.** m. adv. Con qué motivo, a fin de qué, con qué pretexto.

SANTO ANDRÉ C. de Brasil, en el est. de São Paulo; 552 800 hab. Ind. metalúrgica, química, mecánica y alimentaria.

SANTO DOMINGO C. y cap. de la República Dominicana; 1 313 177 hab. Sit. al S del país, en el Llano Oriental, junto a la desembocadura del Ozama. Aparte de las funciones administrativas, realiza una imp. función portuaria y de centro comercial de una amplia región agrícola. Ind. siderúrgica, química y alimentaria; refinado de petróleo y astilleros, todo ello centrado en el área suburbana. Fundada por Bartolomé Colón en 1496. Cap. del país desde 1844.

SANTO SEPULCRO, ***orden del*** Fundada por Godofredo de Bouillon en 1099. Establecieron su casa matriz en Calatayud y en 1155, en tiempos del rey castellano-leonés Alfonso VII, se introdujeron en Castilla.

SANTO Tomás, ***Domingo de*** (1499-1571) Eclesiástico esp., dominico. Estudioso de la cultura indígena, es autor de una *Gramática* del quechua.

SANTO TOMÉ DE GUAYANA → Ciudad Guayana.

SANTO TOMÉ Y PRÍNCIPE, ***República de*** *(República de São Tomé e Principe)* Est. de África, en el golfo de Guinea; 964 km^2, 98 000 hab. Formado por las islas de Santo Tomé y Príncipe. Grupos étnicos: negroafricanos, mulatos, portugueses. Lenguas: port. (of.), portugués-criollo. *Rel.:* catolicismo. U. M.: la dobra. Cap., Santo Tomé. Cacao, café, palma de aceite y plátanos. Ganadería bovina y ovina. El arch. fue descubierto por los port. a finales del s. XV, convirtiéndose en un imp. mer-

SANTO TOMÉ Y PRÍNCIPE

Superficie 964 km^2

Población 137 000 hab. (142 hab./km^2)

Recursos económicos

Aceite de palma	1 500 t
Cabaña bovina	4 000 cabezas
Cabaña caprina	5 000 cabezas
Cabaña ovina	2 000 cabezas
Cabaña porcina	2 000 cabezas
Cacao	4 000 t
Copra	4 000 t
Nuez de coco	22 000 t
Pesca	3 000 t

Indicadores sociológicos

PNB	45 millones de dólares
Renta per cápita	350 dólares
Esperanza de vida	64 años
Alfabetismo	54 %

cado de esclavos. En 1975 logró la indep. y se constituyó en República Democrática, con Manuel Pinto da Costa como presid. y Miguel Trovoada como primer ministro. Éste fue sustituido por Pinto da Costa, tras ser acusado de participar en un intento de golpe de Estado. (1979). M. Pinto da Costa fue reelegido en 1980 y 1985. Hasta que, en 1991, fue elegido Miguel Trovoada.

SANTÓN m. El que profesa vida austera y penitente fuera de la religión cristiana. • fig. y fam. Hombre hipócrita o que aparenta santidad. • fig. y fam. Persona muy autorizada o muy influyente en una colectividad determinada.

SANTÓNICO, CA adj. Relativo a los santones. • m. *Bot.* Planta perenne de la familia compuestas, de fruto amargo y cuyas cabezuelas tienen propiedades vermífugas.

SANTORAL m. Libro que contiene vidas o hechos de santos. • Libro de coro que contiene los introitos y antífonas de los oficios de los santos. • Lista de los santos cuya festividad se conmemora en cada uno de los días del año.

SANTOS C. de Brasil, en el est. de São Paulo, sit. en la parte NO de la isla de São Vicente; 416 800 hab. la agl. urb. Puerto exportador de café. Ind. siderúrgica y mecánica.

SANTOS, ***Los*** Prov. de Panamá, sit. al SE de la pen. de Azuero, junto al Pacífico; 3 805,5 km^2, 79 600 hab. Cap., Las Tablas. Accidentada por el macizo de Canajagua y el valle del Tonosí. Ríos Tonosí y Guararé. Maíz, arroz, frutales, tabaco. Ganado vacuno y caprino. Oro, sal, carbón, cal. Artesanía. Ind. derivadas.

SANTOS, ***Eduardo*** (1888-1974) Político col. Presid. del Partido Liberal (1936-1938). Presid. de la rep. (1938-1942). • ***Francisco*** (m. h. 1700) Escritor costumbrista esp., autor de novelas picarescas. *Los gigantes en Madrid por defuera.* • ***José Eduardo dos*** (nacido 1942) Político angoleño. Activo luchador por la indep. de su país, en 1979 accedió a la presidencia. • ***Máximo*** (1847-1889) Militar y político ur. Ministro de la Guerra con Vidal. Presid. de la rep. (1882-1886), llevó a cabo una política totalitaria y despótica. Desterrado en 1887. • **Atahualpa,** ***Juan*** (1710-h. 1756) Caudillo per. Al frente de una sublevación indígena se proclamó descendiente de Atahualpa, adoptando el título de *Apu Inca.* • **Dumont,** ***Alberto*** (1873-1932) Aeronauta bras. Entre 1898 y 1928 residió en París, donde realizó el primer vuelo en un globo dirigible lleno de hidrógeno, impulsado por un pequeño motor de gasolina.

SANTUARIO m. Templo en que se venera la imagen o reliquia de un santo de especial devoción. • Parte anterior del tabernáculo, separada por un velo del sanctasanctórum. • fig. *Col.* Tesoro.

SANTUCHO, ***Roberto Mario*** (1936-1976) Político arg. En 1967 formó un grupo guerrillero para unirse a Guevara en Bolivia, y de él surgió el Ejército Revolucionario del Pueblo. Murió en un enfrentamiento con el ejército.

SANTULÓN, NA adj. y s. *Amér. Centr.* Santurrón.

SANTURCE *(Santurtzi)* Mun. de España, en la prov. de Vizcaya; 49 976 hab. Forma parte del Gran Bilbao. Puerto pesquero y comercial. Ind. metalúrgica y de la construcción.

SANTURRÓN, NA adj. y s. Nimio y exagerado en los actos de devoción. • adj. Gazmoño, hipócrita que aparenta ser devoto. ■ SANTURRONERÍA.

SANUSI adj. y s. Díc. de los individuos de una cofradía militar y religiosa musulmana. En 1837 se fundó la primera *zawiya* (escuela religiosa) en La Meca, de donde pasó a Libia. Disuelta en 1930, volvió a actuar temporalmente durante el reinado del rey Idris, sucesor de su fundador. En 1969, tras el derrocamineto de éste, fue suprimida.

SANZ, ***Miguel*** (1754-1814) Patriota ven. Fundador y director del periódico *Semanario*, pionero en la defensa de la causa independentista amer. • **Del Río,** ***Julián*** (1814-1869) Filósofo esp., representante del krausismo. Su docencia y su obra explican gran parte de la evolución universitaria esp. en la segunda mitad del s. XIX. *Lecciones sobre el sistema de la filosofía.*

SAÑA f. Furor, enojo ciego. • Intención rencorosa y cruel. ■ SAÑUDO, DA.

SAO adj. y s. Díc. de un pueblo negroafricano que habitaba en el delta del r. Chari, en la región del Chad. • m. Labiérnago, arbusto. • *Cuba.* Sabana poco extensa con algunos matorrales o grupos de árboles.

SÃO BERNARDO DO CAMPO C. de Brasil, en el est. de São Paulo; 425 800 hab. Sit. en el á. metr. de Sao Paulo. Centro industrial.

SÃO FRANCISCO R. de Brasil; 3 161 km. Nace en la sierra de Canastra, en Minas Gerais, y desemboca en el Atlántico.

SÃO GONÇALO C. de Brasil, en el est. de Río de Janeiro; 615 000 hab. Ind. siderúrgica, alimentaria y tabaquera.

SÃO JOAO DE MERITI C. de Brasil, en el est. de Río de Janeiro; 398 700 hab. Barrio dormitorio de Río de Janeiro. Ind. siderúrgica y textil.

SÃO JORGE Isla de carácter volcánico, en el arch. de las Azores; 238 km^2, 16 000 hab. Ganadería y cultivos tropicales.

SÃO JOSÉ DOS CAMPOS C. de Brasil, en el est. de São Paulo; 288 000 hab. Fabricación de misiles y carros blindados.

SÃO LUIS o **SÃO LUIS DE MARANHÃO** C. de Brasil, cap. del est. de Maranhao; 996 000 hab. Ind. textil y tabaquera.

SÃO MIGUEL Isla volcánica, la mayor y más poblada del arch. de las Azores; 747 km^2, 330 300 hab. Cap., Ponta Delgada. Ganadería.

SÃO PAULO Est. federal del SE de Brasil, junto al Atlántico; 248 256 km^2, 32 684 000 hab. Cap., la c. hom. C. prales.: Santos, Campinas. Accidentado por las sierras de Paranapicaba do Mar y Mantiqueira. Clima tropical. Río Paraná y sus afl. Café, algodón, arroz, naranjas, yuca, plátanos, maíz. Carbón, hierro, uranio. Ind. textil, mecánica, siderúrgica, del cemento, del calzado, automovilística, papelera, tabaquera. • C. del Brasil, cap. del est. hom.; 9 480 000 hab. El origen de su expansión se basó en el café. Ind. textil, mecánica, química. Imp. centro comercial, financiero y cultural.

SÃO VICENTE Isla del arch. de Cabo Verde; 227 km^2; 31 500 hab. Producción de algodón y dátiles. Cap. Mindelo.

SAONA *(Saône)* Río de Francia; 480 km. Nace cerca de Épinal y desemboca cerca de Lyon.

SAOSHYANT En la religión irania, el Salvador que luchará contra las fuerzas del Mal para contribuir al establecimiento del reino de Ahura Mazdah.

SÁPIDO, DA adj. Aplícase a la sustancia que tiene algún sabor. ■ SAPIDEZ.

SAPIENCIA f. Sabiduría. ■ SAPIENCIAL.

SAPILLO m. Ránula, tumor. • *Cuba.* y *Ven.* Especie de afta que padecen en la boca algunos niños de pecho.

SAPINDÁCEO, A adj. y f. *Bot.* Díc. de plantas dicotiledóneas, con hojas agrupadas de tres en tres; flores en espiga y fruto capsular. • f. pl. *Bot.* Familia de estas plantas.

SAPINO m. Abeto, árbol.

SAPIR, ***Edward*** (1884-1939) Lingüista norteam. Estudioso de las lenguas amerindias. *El lenguaje.*

SAPITUNTÚN m. *Amér. Centr.* Juego consistente en saltar de cuclillas, imitando a los sapos.

Santón hindú

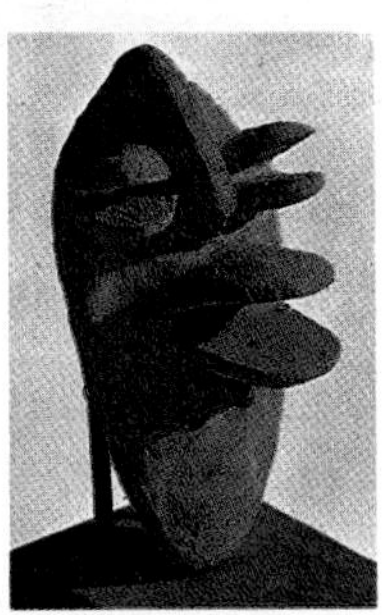

Estatuilla de arcilla **sao** en forma de máscara

Panorámica de la ciudad de **São Paulo**

Sapo común

Saponita

Pablo de **Sarasate**

Sardina

SAPO m. Batracio anuro de cuerpo rechoncho, ojos saltones, extremidades cortas y piel verde y llena de verrugas. • fam. Cualquier bicho cuyo nombre se ignora. • fig. Persona con torpeza física. • *Argent.* y *Chile.* Juego de la rana. • *Chile.* Chiripa en el juego de billar. • *Cuba.* Pez pequeño, de cabeza grande y boca muy hendida, que vive en la desembocadura de los ríos. • **marino.** Pejesapo.

SAPONÁCEO, A adj. Jabonoso.

SAPONARIA f. Jabonera, planta cariofilácea.

SAPONIFICACIÓN f. *Quím.* Reacción inversa a la esterificación, consistente en la escisión hidrolítica de los ésteres en sus componentes: ácidos orgánicos y alcoholes. • **Índice de s.** *Quím.* Número de mg de potasa necesarios para saponificar completamente los ácidos grasos contenidos en 1 g de grasa o aceite lubricante.

SAPONIFICAR tr. *Quím.* Convertir en jabón un cuerpo graso, por la combinación de los ácidos que contiene con un álcali u otros óxidos metálicos.

SAPONINA f. Nombre común a varios glucósidos vegetales que, diluidos en agua, producen una espuma parecida a la de los jabones.

SAPONITA f. Hidrosilicato de magnesio y aluminio; sustancia amorfa, muy blanda, blanca o grisácea, untuosa al tacto. Se usa en la fabricación de porcelana.

SAPOR o **SAHPUR I** Rey sasánida de Persia [241-272]. Representó un constante problema para Roma en la lucha por el control de Armenia y Mesopotamia. • **II o de Sahpur II** Rey de Persia [310-379]. Convirtió el mazdeísmo en religión oficial y se enfrentó con los emp. Constancio II y Juliano.

SAPORÍFERO, RA adj. Que causa o da sabor.

SAPOTÁCEO, A adj. y f. *Bot.* Díc. de arbustos y árboles dicotiledóneos, con hojas alternas, enteras y coriáceas, flores axilares, y frutos en drupa o en baya. • f. pl. *Bot.* Familia de estas plantas.

SAPPORO C. de Japón, cap. de la isla de Hokkaido; 1 671 800 hab. Ind. metalúrgica, textil, alimentaria. Universidad. Sede de los Juegos Olímpicos de Invierno en 1972.

SAPRÓFAGO, GA adj. *Zool.* Díc. de ciertos animales que se alimentan de materias orgánicas en descomposición o putrefacción.

SAPRÓFITO, TA adj. *Bot.* Díc. de las plantas que viven a expensas de sustancias orgánicas en descomposición o sobre partes muertas de otras plantas. • En bacteriología, díc. de los microbios que viven normalmente en el organismo, a expensas de las materias en putrefacción, y que pueden dar lugar a enfermedades. ■ SAPROFITISMO.

SAPROLEGNIÁCEO, A adj. y f. *Bot.* Díc. de hongos de la familia saprolegniáceas. • f. pl. *Bot.* Familia de hongos oomicetales, parásitos y saprófitos, con micelio unicelular ramificado.

SAPROPEL m. Limo rico en compuestos orgánicos, que se origina por descomposición en ambiente reductor de fitoplancton y zooplancton.

SAPUQUÍ adj. y s. Díc. del pueblo amerindio que vive al S de Puerto Sastre, en Paraguay.

SAQALIBA com. En al-Andalus, nombre dado a los esclavos, y en especial a los de origen europeo. Algunos de ellos llegaron a formar taifas propias.

SAQUE m. Acción de sacar; díc. particularmente en el juego de pelota. • Raya o sitio desde el cual se saca la pelota. • El que saca la pelota. • *Col.* Fábrica clandestina de aguardiente. • **de esquina.** *Dep.* En el fútbol, el que se hace desde una esquina del terreno de juego por un jugador del bando atacante. • Lance similar en otros deportes. • **Tener buen s.** fig. y fam. Comer o beber mucho de cada vez.

SAQUEAR tr. Apoderarse violentamente los soldados de lo que hallan en un paraje. • Entrar en una plaza o lugar robando cuanto se halla. • fig. Apoderarse de todo o la mayor parte de aquello de que se habla. ■ SAQUEO.

SAQUILADA f. Cantidad que se lleva en un saco no lleno.

SARA Personaje bíblico, esposa de Abraham y madre de Isaac.

SARABAÍTA adj. y s. Decíase del monje que no se sujetaba a la vida regular de los anacoretas y cenobitas, y que moraba en las c. con dos o tres compañeros, sin regla ni superior.

SARAGAT, *Giuseppe* (1898-1988) Político it. Dirigente socialista, fue nombrado ministro sin cartera y presid. de la Asamblea Constituyente. Fundador del Partido Socialista de Trabajadores Italianos (post. Partido Socialdemócrata). Presid. de la rep. (1964-1971). Presid. del Partido Socialdemócrata desde 1975. Senador vitalicio.

SARAGUATE m. *Amér. Centr.* Especie de mono.

SARAIVA DE CARVALHO, *Otelo* (nacido 1936) Militar y político port. Estratega del golpe militar de 1975. Candidato de la extrema izquierda en las elecciones de 1980. En 1984 fue encarcelado, y acusado de terrorista.

SARAJEVO C. y cap. de Bosnia-Herzegovina; 447 700 hab. Centro industrial y de artesanía. En S. fue asesinado el archiduque Francisco Fernando de Austria (1914), hecho que desencadenó la I Guerra Mundial.

SARAMPIÓN m. *Pat.* Enfermedad infectocontagiosa, causada por un virus, que incide pralm. en la infancia.

SARANDÍ m. *Argent.* y *Ur.* Arbusto euforbiáceo, de ramas largas y flexibles.

SARANSK C. de Rusia, cap. de la rep. autónoma de Mordvinia; 307 000 hab. Ind. mecánica y de productos alimenticios.

SARAO m. Reunión nocturna en que hay baile o música.

SARAPE m. *Méx.* Especie de frazada de lana o colcha de algodón de colores vivos por lo general; algunas veces con una abertura para pasar la cabeza. Se lleva a modo de capa o como cobija de abrigo. • Especie de capote de monte.

SARAPIA f. *Amér. Merid.* Árbol de la familia leguminosas, cuya madera se emplea en carpintería y su semilla para aromatizar el rapé y preservar la ropa de polilla. • Fruto de este árbol.

SARASA m. fam. Hombre afeminado, marica.

SARASATE, *Pablo de* (1844-1908) Violinista y compositor esp. Compuso transcripciones de aires populares. Su virtuosismo como violinista le dio fama mundial.

SARATOV C. de Rusia, cap. de la prov. hom.; 899 000 hab. Sit. a orillas del bajo Volga. Explotación de gas natural. Refinerías de petróleo.

SARAVIA, *Aparicio* (1856-1904) Político y militar ur. Caudillo del Partido Nacional, dirigió dos revoluciones, en 1897 y 1904. Luchó por el voto secreto y la representación proporcional.

SARAVIADO, DA adj. *Col.* y *Ven.* Dicho de las aves, pintado, mosqueado.

SARAWAK Est. de Malaysia, sit. al NO de la isla de Borneo; 124 449 km^2, 1 294 800 hab. Cap. Kuching. Arroz, sagú, maíz, especias. Pesca. Caucho, madera. Oro, plata, petróleo. Integrado en Malaysia en 1963.

SARAZO, ZA adj. *Col., Cuba, Méx.* y *Ven.* Zarazo, aplícase al maíz que empieza a madurar. • *P. Rico.* Aplícase al agua del coco maduro, y p. ext., a todo éste. • *Amér.* Aplícase al fruto que empieza a madurar.

SARCASMO m. Burla sangrienta, ironía mordaz con que se insulta, humilla o ridiculiza cruelmente a alguien. • *Ret.* Figura que consiste en emplear esta especie de ironía o burla. ■ SARCÁSTICO, CA.

SARCOCELE m. *Med.* Tumor duro y crónico del testículo.

SARCÓFAGO m. Sepulcro, obra de piedra en que se da sepultura a un cadáver.

SARCOIDOSIS f. *Pat.* Enfermedad crónica caracterizada por la proliferación de infiltrados benignos de estructura tuberculosa en diversos tejidos del cuerpo.

SARCOLEMA m. *Anat.* Membrana muy fina que envuelve a cada una de las fibras musculares.

SARCOMA m. *Pat.* Tumor maligno constituido del tejido conjuntivo embrionario.

SARCÓMERO m. Unidad funcional de la fibra muscular, estriada.

SARCOPLASMA m. *Anat.* Citoplasma de las células musculares, en particular de las fibras estriadas.

SARCOPTERIGIO, GIA adj. y m. *Zool.* Díc. de los peces de la subclase sarcopterigios. • m. pl. *Zool.* Subclase de peces óseos cuyos miembros poseen aletas pares implantadas en un muñón carnoso. Parece que se trata de un grupo primitivo que dio origen a los vertebrados superiores.

SARCOSEPTO m. *Zool.* Cada uno de los septos mesentéricos que se hallan en el interior de la cavidad gastrovascular de los pólipos de los antozoos.

SARCOSINA f. *Quím.* Aminoácido que, por metilación, origina la betaína y por aminooxidación da lugar al ácido glioxílico.

SARCOSOMA m. *Anat.* Cada uno de los pequeños gránulos existentes en las miofibrillas de las fibras musculares estriadas.

SARDANA f. Danza popular de Cataluña.

SARDANÁPALO Legendario rey de Asiria, mencionado por los historiadores gr., que lo identifican con Asurbanipal.

SARDES Ant. c. de Asia Menor, cap. del reino de Lidia. Fue centro de intercambios entre persas y helenos. Definitivamente arrasada por Tamerlán (1402).

SARDESCO, CA adj. y s. Aplícase al caballo o asno pequeño. • adj. fig. y fam. Díc. de la persona de mal carácter.

SARDINA f. Pez teleósteo marino del orden clupeiformes, parecido al arenque, pero menor y de carne más delicada. • **arenque.** Arenque. ■ SARDINERO, RA.

SARDINAL m. Red que se mantiene entre dos aguas en posición vertical para pescar sardinas.

SARDINEL m. *Constr.* Obra de ladrillos sentados de canto y de modo que coincida en toda su extensión la cara de uno con la del inmediato. • *Col.* Escalón que forma la acera con la calzada.

SARDINETA f. Porción que se corta al queso en todo lo que sobresale del molde donde se hace. • Adorno formado por dos galones apareados y terminados en punta. • Papirotazo que se da en la mano.

SARDIO m. *Miner.* Ágata amarillenta, sardónice.

SARDO, DA adj. y s. De Cerdeña. • adj. Díc. del ganado vacuno cuya capa tiene mezcla de negro, blanco y colorado. • m. *Miner.* Ágata amarillenta, sardónice. • *Ling.* Lengua indoeuropea del grupo románico, hablada en la isla de Cerdeña. • f. Matorral. • Caballa, pez.

SARDONIA adj. fig. *Med.* → Risa sardonia. • f. *Bot.* Especie de ranúnculo cuyo jugo produce en los músculos de la cara una contracción que imita la risa.

SARDÓNICE o **SARDONIO** m., o **SARDÓNIQUE** f. *Miner.* Sardónica, ágata amarillenta.

SARDÓNICO, CA adj. fig. *Med.* → Risa sardónica. • Relativo a la sardonia. • f. *Miner.* Ágata de color amarillento con zonas oscuras.

SARDUY, *Severo* (1937-1993) Escritor cub. Sus novelas se caracterizan por la riqueza en experimentaciones verbales. *Gestos, De dónde son los cantantes, Cobra, Bing-Bang, Barroco.*

SARGA f. Tela cuyo tejido forma unas líneas diagonales. • Tela pintada para adornar o decorar las paredes. • *Bot.* Arbusto salicáceo de tronco delgado, hojas estrechas, flores verdosas y fruto capsular ovoide. Es común en las orillas de los ríos. ■ SARGAL.

SARGADILLA f. Planta perenne quenopodiácea, con tallo rojizo y hojas carnosas terminadas por un pelo blanquecino y cardoso.

SARGASSUM *Bot.* Gén. de algas de la familia fucáceas, con talo complejo que asemeja el cormo de una planta superior, filoides lanceolados de los que surgen aerocistos para la flotación, cauloides que parecen verdaderos tallos, y rizoides colgantes. Comprende varias especias marinas, conocidas con los nombres de sargazos y uvas de mar.

SARGATILLO m. Especie de sauce.

SARGAZO m. *Bot.* Alga marina de la que hay varias especies, alguna tan abundante que en el océano Atlántico cubre una gran superficie, la cual recibe el nombre de mar de los Sargazos.

SARGAZOS, *mar de los* Región del Atlántico Norte, limitada al N y O por la corriente del Golfo. Su nombre proviene del de los sargazos que lo cubren.

SARGENT, *John Singer* (1856-1925) Pintor norteam. Después de una etapa impresionista se dedicó al retrato, y post. evolucionó hacia el academicismo. *Madame X; Clavel, lirio, rosa; Henry James.*

SARGENTO m. *Mil.* Individuo de la clase de tropa, que tiene empleo superior al de cabo, y, bajo la inmediata dependencia de los oficiales, cuida del orden, administración y disciplina de una compañía o parte de ella.

SARGO m. Pez teleósteo marino, perciforme, de color plateado con fajas transversales negras.

SARGÓN I *el Grande* o **SARRUKIN** (h. 2600 a. C.) Rey semita de Acad. Creador del primer imperio conocido. Llegó a controlar la zona oriental de Anatolia, el O de Irán, Elam y Asiria. • **II** (722-705 a. C.) Rey de Asiria. Fue probablemente un usurpador, aunque también podría tratarse de un hijo de Teglatfalasar III. En el año 710 a. C. conquistó Babilonia y construyó en Asiria una nueva cap., Dur Sarrukin (Fortaleza de Sargón), la actual Khorsabad.

SARI m. Vestido tradicional que usan las mujeres de la India.

SARIAMA f. *Argent.* Ave zancuda, de color rojo oscuro, con un copete pequeño.

SARILLA f. Mejorana, planta labiada.

SARKIS, *Elías* (1924-1985) Político libanés. Director general de la presidencia (1962-1966), gobernador del Banco del Líbano, y presid. del país (1976-1982).

SÁRMATA adj. y s. Díc. de individuos de una tribu indoeuropea emparentada con los escitas. Empujados por los germanos, se asentaron en terr. rom. o fueron absorbidos por godos, hunos y vándalos.

SARMENTAR intr. Recoger los sarmientos podados.

SARMENTERA f. Lugar donde se guardan los sarmientos. • Acción de sarmentar.

SARMENTICIO, CIA adj. Decíase de los primitivos cristianos, porque se dejaban quemar a fuego lento con sarmientos.

SARMIENTO m. Vástago de la vid, largo, delgado, flexible y nudoso. ■ SARMENTOSO, SA.

SARMIENTO, *Domingo Faustino* (1811-1888) Político, escritor y educador arg. Se opuso al régimen de Rosas y tuvo que exiliarse. Desde 1855 se incorporó al partido de Mitre. Presid. de la rep. (1868-1874), fomentó la educación, organizó el magisterio e impulsó la expansión del ferrocarril. Tuvo que hacer frente a las insurrecciones de los caudillos montoneros y al asesinato de Urquiza. Autor de *Facundo.* • FRAY ***Martín*** Nombre religioso de *Pedro José García Balboa* (1695-1771). Benedictino esp. Orador y polígrafo, destacan sus trabajos de botánica. *Demostración crítico-apologética del Teatro Crítico Universal.* • **De Gamboa, *Pedro*** (1532-1592) Navegante esp. Dirigió la expedición al Pacífico sur (1567). Fundó fuertes en el estrecho de Magallanes. Desapareció en un viaje a México con su escuadra. *Historia de los incas.* • **Y Valladares, *José,*** CONDE DE MOCTEZUMA Y DE TULA (1643-1708) Administrador colonial esp. Virrey de Nueva España (1696-1701), encazó el funcionamiento de las minas. Casado con una nieta de Moctezuma.

SARNA f. *Pat.* Enfermedad contagiosa, que consiste en multitud de vesículas y pústulas diseminadas por el cuerpo, producidas por el ácaro, las cuales causan viva picazón.

SARNEY, *José* (nacido 1930) Político bras. Estuvo ligado al partido oficialista PDS, del que fue presid., y con anterioridad había sido gobernador de Maranhao y senador por su partido. En 1984 se unió a los disidentes del régimen. Al año siguiente fue elegido vicepresid. de la rep., pero la enfermedad y posterior muerte del presid. Tancredo Neves le llevaron a ocupar la presidencia del Brasil (1985-1990).

SAROS m. *Astr.* Período de tiempo algo superior a 18 años (6 585,32 días), a partir del cual se reproducen casi exactamente los fenómenos relacionados con los eclipses.

SAROYAN, *William* (1908-1981) Escritor norteam. Premio Pulitzer en 1934. *Mi nombre es Aram, La comedia humana* (novelas); *Las buenas personas, Los mejores años de nuestras vidas* (teatro).

SARPULLIR tr. y prnl. Salpullir. ■ SARPULLIDO.

SARRACENIÁCEO, A adj. y f. *Bot.* Díc. de plantas insectívoras con hojas transformadas en ascidios para la captura de los insectos. Son propias de lugares pantanosos. • f. pl. *Bot.* Familia de estas plantas.

SARRACENO, NA o **SARRACÍN, NA** o **SARRACINO, NA** adj. y s. De la Arabia occidental, u oriundo de ella. • Moro, mahometano.

SARRACINA f. Pelea entre muchos, especialmente cuando es confusa o tumultuaria. • P. ext., riña o pendencia en que hay heridos o muertos.

Prisma de arcilla con textos del rey **Sargón II,** procedente de Khorsabad. Museo Iraquí, Bagdad

Domingo Faustino **Sarmiento**

Microfotografía del ácaro causante de la **sarna**

Sarre. Vista parcial de Saarbrücken

Jean-Paul **Sartre**

Triunfo de Sapor I, emperador de la dinastía **sasánida.** Bajorrelieve en Bisapur, Irán

Satélite artificial

SARRATEA, ***Manuel de*** (1774-1849) Político arg. Formó parte del primer triunvirato (1811-1813). Sustituido por Rondeau a causa de sus disidencias con Artigas.

SARRAUT, ***Albert*** (1872-1962) Político fr. Diputado radicalsocialista, fue nombrado gobernador general de Indochina (1911-1914; 1916-1919). Ocupó la jefatura del gobierno en 1933-1936.

SARRAUTE, ***Nathalie*** (1900-1999) Novelista fr. Representante del *nouveau roman. Tropismos, Los frutos de oro.*

SARRAZIN, ***Albertine*** (1937-1967) Novelista fr., de obra autobiográfica. *El astrágalo, La fuga, El atajo.*

SARRE *(Saarland)* Est. de Alemania, limítrofe con Luxemburgo y Francia; 2 570 km^2, 1 075 000 hab. Cap., Saarbrücken. C. prales.: Neunkirchen y Saarlouis. Imp. centro industrial, gracias a la rica cuenca hullera. Desde el Tratado de Versalles dependió económicamente de Francia. Un referéndum (1955) se opuso a la «internacionalización» del territorio. Unida a Alemania en 1956. • (al., *Saar)* Río de Alemania y de Francia. Formado por el S. Blanco y el S. Rojo, desemboca en el Mosela; 240 km.

SARREBRUCK Nombre fr. de la c. de → Saarbrücken, en Alemania.

SARRIA f. Red basta que se usa para recoger y transportar la paja.

SARRIETA f. Espuerta honda y alargada en que se echa de comer a las bestias.

SARRILLO m. Estertor del moribundo. • Aro, planta.

SARRO m. Sedimento que dejan en las vasijas algunos líquidos. • Sustancia amarillenta que se adhiere al esmalte de los dientes. • Saburra de la lengua. • Roya de los cereales. ■ SARROSO, SA.

SARTA f. Serie de cosas sometidas por orden en un hilo, cuerda, etc. • fig. Porción de gente o de cosas que van unas tras otras. • fig. Serie de sucesos o cosas no materiales, iguales o análogas.

SARTAL m. Sarta, serie.

SARTÉN f. Utensilio de cocina, gralte. de metal, de forma redonda y poco alto, con un mango largo, que sirve para freír, tostar o guisar. • Sartenada. • **Tener** uno **la s. por el mango.** fig. y fam. Predominar, asumir el pral., manejo y autoridad en una cosa.

SARTENADA f. Lo que de una vez se fríe en la sartén, o lo que cabe en ella.

SARTENAZO m. Golpe que se da con la sartén. • fig. y fam. Golpe recio dado con una cosa.

SARTENEJA f. *Amér.* Grieta que se forma con la sequía en un terreno arcilloso.

SARTENEJAL m. *Ecuad.* Parte de la sabana en que abundan las sartenejas y donde la vegetación es escasa.

SARTO, ***Andrea del*** (1486-1531) Pintor florentino, discípulo de Leonardo da Vinci. *La Caridad, Madonna del Sacco.*

SARTORIO m. *Anat.* Músculo de la región anteroexterna del muslo, que se extiende desde la espina ilíaca hasta la extremidad superior de la tibia.

SARTRE, ***Jean-Paul*** (1905-1980) Pensador y escritor fr. Como novelista y autor dramático, su producción más destacada la constituyen *La náusea, Las moscas, A puerta cerrada, Muertos sin sepultura, La prostituta respetuosa.* En ellas ya plantea el existencialismo ateísta, que reaparece en sus ensayos filosóficos (*Los caminos de la libertad*). La primera etapa de su pensamiento es típicamente existencialista (*El ser y la nada*). En la década de 1950 evoluciona hacia el marxismo *(Crítica de la razón dialéctica).* Su ruptura con el marxismo oficial se plasmó en su ensayo *El fantasma de Stalin.* Rechazó el Nobel de Literatura en 1964. Participó activamente en la rebelión del «mayo de 1968».

SAS-B *Astron.* Siglas de *Small Astronomy Satellite B*, que designan el ingenio *Explorer 48*, lanzado en 1972 y equipado especialmente para el estudio de la radiación gamma en el espacio.

SASÁNIDA adj. y s. Díc. de los miembros de una dinastía persa (ss. III-VII) que recogió la herencia aqueménida y desapareció con la conquista ár. (636).
 * *Arte.* La arquitectura tuvo formas monumentales (palacios de Sapor I y de Bishapur, s. III). La escultura constituye la más genuina expresión del arte s., a través de sus bajorrelieves rupestres. Destacan las escenas de luchas y cacerías. Notable orfebrería (copas de Cosroes I, s. VI).

SASEBO C. y puerto de Japón, en la isla de Kyushu; 251 000 hab. Centro industrial. Base naval. Minas de carbón.

SASKATCHEWAN Prov. central del Canadá, fronteriza con EE UU; 652 330 km^2, 989 200 hab. Cap., Regina. Avena, cebada, centeno, lino, maíz, forrajes. Ganadería. Oro, plata, cobre, petróleo, gas natural. Industria alimentaria, papelera. Turismo. • Río del Canadá; 1 900 km. Formado por dos ramales que nacen en las montañas Rocosas. Desagua en el lago Winnipeg.

SASKATOON C. de Canadá, en la prov. de Saskatchewan; 154 000 hab. Centro comercial.

SASSARI C. de Italia, en Cerdeña, cap. de la prov. hom.; 120 000 hab. Centro comercial. Ind. alimentarias. Plomo y cinc.

SASSETA, *Stefano di Giovanni di Consolo*, llamado ***Il*** (1392-1451) Pintor it. de la escuela sienesa. Autor de dos retablos de la catedral de Siena; del políptico de San Domenico de Cortona; de la *Visión de Santo Tomás* y del pentáptico de la catedral de Siena.

SASSONE, ***Felipe*** (1884-1959) Periodista y dramaturgo per. Residió casi siempre en España. *El miedo de los felices, Volver a vivir, Una mujer sola.*

SASSOU Nguesso, ***Denis*** (nacido 1930) Político y militar congoleño, miembro del Consejo de Estado (1976-1977). En 1979 accedió a la presidencia de la república.

SASTRA f. Mujer del sastre. • La que tiene oficio de sastre.

SASTRE m. El que tiene por oficio cortar y coser trajes.

SASTRE, ***Alfonso*** (nacido 1926) Dramaturgo esp. *Escuadra hacia la muerte, La mordaza, La cornada.* Ensayos: *Revolución y crítica de la cultura.* • ***Marcos*** (1809-1887) Escritor y pedagogo arg., de origen ur. Redactor jefe de *El federal.*

SASTRERÍA f. Oficio de sastre. • Taller y tienda de sastre.

SATÁN o **SATANÁS** n. p. m. El demonio, el diablo.

SATÁNICO, CA adj. Relativo a Satanás; propio y característico de él. • fig. Extremadamente perverso.

SATANISMO m. Culto real o supuesto a Satanás. • Perservidad.

SATÉLITE m. *Astr.* Cuerpo celeste animado de un movimiento de traslación en torno, gralte., de un planeta. • fam. Oficial menor de justicia. • fig. Persona o cosa que depende de otra y experimenta todas sus vicisitudes, o la sigue y acompaña de continuo como dependiente de ella. • *Biol.* Pequeña porción de un cromosoma que, a modo de apéndice, queda unida a dicho cromosoma por una o dos constricciones. • *Mec. apl.* Rueda dentada de un engranaje, que gira libremente sobre un eje para transmitir el movimiento de otra rueda dentada. • *Mec. apl.* En los automóviles, piñón dentado de los diferenciales. • adj. y s. *Pol.* Díc. despectivamente de un Est. dominado política y económicamente por otro Est. más poderoso. • Díc. de una pob. situada fuera del recinto de una ciudad importante, pero vinculada a ésta. • **artificial.** *Astr.* Artefacto tripulado o automático colocado en órbita alrededor de un cuerpo celeste. • **Ácido desoxirribonucleico s.** *Biol.* Fracción variable del ADN cromosómico de diferente densidad de flotación en un gradiente de cloruro de cesio que el resto del genoma.
 * *Astr.* Un s. artificial es un cuerpo lanzado desde la superficie terrestre y dotado de una velocidad tangencial que le obliga a circular en torno a la Tierra, de modo que la atracción de ésta equilibre constantemente la fuerza centrífuga producida por el movimiento curvilíneo. Con fines comerciales y militares; hay s. artificiales de reconocimiento, de revelación y de amenaza bélica directa. Las aplicaciones civiles son más prometedoras: s. meteorológicos, de telecomunicaciones y para la navegación. Como s. meteorológicos resultan muy útiles los s. geoestacionarios, que describen una órbita completa por encima del ecuador en 24 horas exactas, dando la impresión de estar fijos sobre un de-

terminado punto de la superficie terrestre. Los s. de fotorreconocimiento y de vigilancia oceánica, y la mayoría de los de inteligencia electrónica, se sitúan en órbitas bajas; por otra parte, la importancia que adquirían en caso de conflicto entre potencias, ha hecho que se conviertan en el principal objetivo de las armas antisatélites.

SATELIZAR tr. y prnl. *Astron.* Lanzar al espacio un cuerpo, para que se transforme en satélite artificial. B SATELIZACIÓN.

SATEM adj. *Ling.* Díc. de lenguas indoeuropeas ant. opuestas a las lenguas centum, que convirtieron la consonante velar *k* en la sibilante *s.* • *Ling.* Díc. del grupo de estas lenguas.

SATÉN m. Tela de seda o algodón semejante al raso, pero de inferior calidad.

SATI m. Costumbre hinduista de quemar a la viuda en la pira funeraria de su marido. Abolida en 1829, perduró hasta finales del siglo pasado.

SATIE, *Erik* (1866-1925) Compositor fr. Intentó crear el arte desnudo con obras de gran originalidad. *Embriones disecados, Tres gimnopedias; Parade, Relâche* (ballets) y el oratorio *Sócrates*, sobre textos de Platón.

SATÍN m. Madera amer. semejante al nogal. • *Amér. Centr.* Raso.

SATINAR tr. Dar al papel o a la tela tersura y lustre por medio de la presión. B SATINADO, DA; SATINADOR, RA.

SATIRIASIS f. Estado de exaltación morbosa de las funciones genitales, propio del sexo masculino.

SATIRIO m. Mamífero roedor, que habita a orillas de los arroyos y nada muy bien.

SATIRIÓN m. Planta herbácea de la familia orquidáceas, de cuya raíz puede sacarse salep.

SATIRIZAR intr. Escribir sátiras. • tr. Zaherir y motejar.

SÁTIRO, RA adj. desus. y s. Mordaz, propenso a zaherir. • m. Composición escénica lasciva. • fig. Hombre lascivo. • *Mit. gr.* Monstruo o semidiós con cuerpo de hombre y cuernos y patas de macho cabrío. • f. *Lit.* Composición poética, o de otro gén., cuyo objetivo es censurar acremente o poner en ridículo. En España alcanzó su apogeo en el s. XVIII, y en el XIX con la s. política canalizada por los periódicos. • Discurso o dicho agudo y mordaz, dirigido a este fin. B SATÍRICO, CA.

SATISFACCIÓN f. Acción y efecto de satisfacer o satisfacerse. • *Rel.* Parte del sacramento de la penitencia, que consiste en pagar con obras de penitencia la pena debida por nuestras culpas. • Razón o acción con que se responde enteramente a una queja. • Presunción, vanagloria. • Confianza o seguridad del ánimo. • Cumplimiento del deseo o del gusto.

SATISFACER tr. Pagar enteramente lo que se debe. • Hacer una obra que merezca el perdón de la pena debida. • Aquietar las pasiones del ánimo. • Saciar un apetito, pasión, etc. • Dar solución a una duda o a una dificultad. • Deshacer un agravio u ofensa. • Premiar con equidad los méritos que se tienen hechos. • prnl. Vengarse de un agravio. • Volver por su propio honor el que estaba ofendido. • Aquietarse y convencerse con una eficaz razón de una duda o queja. B SATISFACTORIO, RIA; SATISFECHO, CHA.

SATIVO, VA adj. Que se cultiva, a distinción de la silvestre.

SATO, *Eisaku* (1901-1975) Político jap. Secretario general del Partido Democrático Liberal. Primer ministro (1964-1972). Premio Nobel de la Paz en 1974.

SÁTRAPA m. En la ant. Persia, gobernador de una prov. Al principio tenía tan sólo carácter civil. • fig. y fam. Individuo que lleva una vida fastuosa o gobierna despóticamente. • fig. y fam. Hombre astuto. B SATRAPÍA.

SATU MARE C. del NO de Rumania, cap. del distr. hom.; 125 000 hab. Sit. junto al r. Some. Centro comercial e industrial.

SATURACIÓN f. Acción y efecto de saturar o saturarse. • En cibernética, estado de un sistema en el que un incremento en la magnitud a regular no provoca una acción correctora. • *Ópt.* Grado de luminosidad de un color. Se expresa por el cociente entre la luminosidad de un color y la de la luz blanca. • **Curva de s.** *Fís.* La que delimita la zona de equilibrio líquido-vapor, en el diagrama *p-v* de una sustancia real.

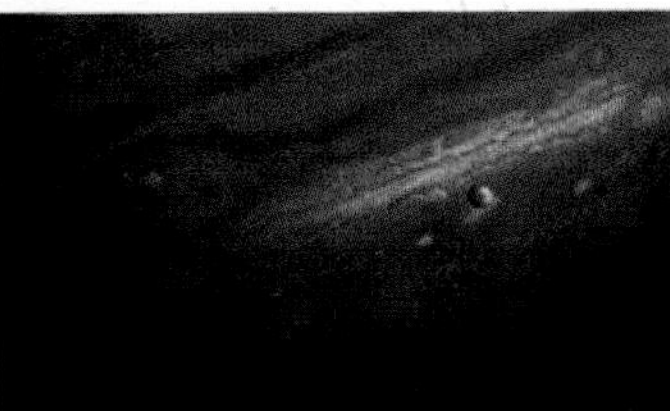

Imagen de los **satélites** Ío y Europa con el planeta Júpiter al fondo

Satélites del sistema solar

Planeta	*Satélite*	*Diámetro (en km)*	*Distancia al planeta (miles de km)*	*Descubrimiento Autor*	*Fecha*
TIERRA	Luna	3 476	384		
MARTE	Fobos	23	9	Hall	1877
	Deimos	13	23	Hall	1877
JÚPITER	Metis	20	128	*Voyager*	1979
	Adrastea	40	129	*Voyager*	1979
	Amaltea	200	181	Barnard	1892
	Tebas	90	222	*Voyager*	1979
	Ío	3 630	422	Galileo	1610
	Europa	3 138	671	Galileo	1610
	Ganimedes	5 262	1 070	Galileo	1610
	Calisto	4 800	1 883	Galileo	1610
	Leda	15	11 090	Kowal	1974
	Himalia	180	11 480	Perrine	1904
	Lisitea	40	11 720	Nicholson	1938
	Elara	80	11 740	Perrine	1905
	Ananke	30	21 200	Nicholson	1951
	Carme	40	22 600	Nicholson	1938
	Pasífae	40	23 500	Melotte	1908
	Sinope	40	23 700	Nicholson	1914
SATURNO	Pan	20	134	Showalter	1990
	Atlas	40	138	*Voyager*	1980
	Prometeo	80	139	*Voyager*	1980
	Pandora	100	142	*Voyager*	1980
	Epimeteo	120	151	Fountain	1980
	Jano	190	151	Dollfus	1966
	Mimas	394	186	Herschel	1789
	Encelado	502	238	Herschel	1789
	Calipso	25	295	Pascu	1980
	Telesto	25	295	Reitsema	1980
	Tetis	1 048	295	Cassini	1684
	Helena	30	377	Lecacheux	1980
	Dione	1 120	377	Cassini	1684
	Rea	1 530	527	Cassini	1672
	Titán	5 150	1 222	Huygens	1655
	Hiperión	270	1 481	Bond	1848
	Japeto	1 435	3 561	Cassini	1671
	Febe	220	12 950	Pickering	1898
URANO	Cordelia	40	50	*Voyager*	1986
	Ofelia	50	54	*Voyager*	1986
	Bianca	50	59	*Voyager*	1986
	Crésida	60	62	*Voyager*	1986
	Desdémona	60	63	*Voyager*	1986
	Julieta	80	65	*Voyager*	1986
	Porcia	80	66	*Voyager*	1986
	Rosalinda	60	70	*Voyager*	1986
	Belinda	60	75	*Voyager*	1986
	Puck	170	86	*Voyager*	1985
	Miranda	485	130	Kuiper	1948
	Ariel	1 160	191	Lassell	1851
	Umbriel	1 190	266	Lassell	1851
	Titania	1 610	436	Herschel	1787
	Oberón	1 550	583	Herschel	1787
NEPTUNO	Náyade	50	48	*Voyager*	1989
	Thalassa	90	50	*Voyager*	1989
	Despina	140	52	*Voyager*	1989
	Galatea	160	62	*Voyager*	1989
	Larisa	200	73	*Voyager*	1989
	Proteo	420	117	*Voyager*	1989
	Tritón	2 720	355	Lassell	1846
	Nereida	340	5 540	Kuiper	1949
PLUTÓN	Caronte	1 200	20	Christy	1978

Fotografía de **Saturno** enviada por la sonda Voyager I

SATURAR tr. Hartar y satisfacer de comida o de bebida, saciar. • Hacer funcionar un aparato, circuito, etc., a su máx. rendimiento. • Alcanzar un sistema, un estado de no reacción frente a un cambio. • tr. y prnl. Disolver en un disolvente la máx. cantidad posible de un soluto, a la temperatura en que se hace la operación. ■ SATURADOR, RA.

SATURNAL adj. Relativo a Saturno. • f. Orgía. • f. pl. Ant. fiestas populares que se celebraban anualmente en Roma en honor de Saturno.

SATURNINO, NA adj. Díc. de la persona de carácter triste y taciturno. • Relativo al plomo. • *Med.* Aplícase a las enfermedades producidas por intoxicación con una sal de plomo.

SATURNIO, NIA adj. Saturnal. • f. Lepidóptero nocturno de la familia satúrnidos, de gran tamaño y manchas ocelares en las alas.

SATURNISMO m. *Pat.* Enfermedad crónica producida por intoxicación con sales de plomo.

SATURNO En la ant. religión rom., dios de la actividad agrícola de la siembra.

SATURNO *Astr.* Segundo planeta del sistema solar en cuanto a dimensiones y el más lejano de los 5 planetas visibles a simple vista. Su rotación tiene un periodo de 10 horas 14 minutos y es muy característico su sistema de anillos, formado por diversas clases de partículas y por polvo cósmico.

SATURNO *Astron.* Denominación de una serie de cohetes propulsores norteam. destinados a la puesta a punto y al lanzamiento de las naves cósmicas *Apolo*, estaciones orbitales tripuladas, satélites artificiales tripulados, etc.

Sauce

SAUCE o **SALCE** m., o **SALGUERA** f., o **SALGUERO,** o **SAUZ,** o **SAZ** m. Árbol salicáceo de ramas erectas, hojas lanceoladas, angostas y sedosas, flores sin cáliz ni corola y fruto capsular. • **blanco.** Sauce. • **cabruno.** Árbol salicáceo, que difiere del sauce blanco por tener las hojas mayores, ovaladas, con ondas en el margen y lanuginosas por el envés. • **de Babilonia** o **llorón.** Árbol salicáceo, con tronco grueso, copa amplia, ramas y ramillas muy largas, flexibles y péndulas, y hojas lampiñas, muy estrechas. ■ SALCEDA O SALCEDO; SAUCEDA O SAUCEDAL; SAUCERA; SAUZAL.

SAUCILLO m. Centinodia, planta.

SAÚCO m. *Bot.* Arbusto caprifoláceo de hojas compuestas, de olor desagradable y sabor acre, flores blancas, y fruto en bayas negruzcas. Se usa en medicina como diaforético y resolutivo. • Segunda tapa de que se componen los cascos de los pies de los caballos. • **falso.** *Chile.* Árbol de hojas pecioladas, compuestas de cinco hojuelas lanceoladas, aserradas; umbelas compuestas de tres a cinco flores.

SAUD Ibn Abdelaziz (1905-1969) Soberano de arabia Saudita [1953-1964], hijo de Ibn Saud. Mantuvo al país bajo un régimen semifeudal. Fue derrocado por su hermano Faysal en 1964.

SAUDADE (voz gallegoport.) f. Soledad, nostalgia, añoranza. ■ SAUDOSO, SA.

SAUERBRUCH, *Ferdinand* (1875-1951) Cirujano al., creador de los métodos fundamentales para la cirugía de los órganos torácicos.

El rey **Saúl,** en una miniatura del s. XII

SAÚL (s. XI a. C.) Primer rey de Israel, ungido por Samuel. Se suicidó al ser derrotado por los filisteos.

SAULO Nombre con que era conocido san Pablo antes de su conversión.

SAUNA f. Baño de vapor, típico de Finlandia, extendido actualmente por numerosos países. • Establecimiento público donde se pueden tomar estos baños. • Habitación donde se toma la sauna.

SAURA, *Antonio* (1930-1998) Pintor esp. Evoluciona desde un inicial surrealismo, hasta la exp. dolorosa de la imagen del ser humano, atormentado y oprimido. *Retratos imaginarios, Las crucifixiones, Las multitudes, Novisaurias.* • ***Carlos*** (nacido 1932) Director de cine esp. *Los golfos, La caza, Ana y los lobos, La prima Angélica, Cría cuervos, Mamá cumple cien años, Bodas de sangre, Carmen, El Dorado, Flamenco, Goya en Burdeos.*

SAURIO adj. y m. *Zool.* Díc. de los reptiles que gralte. tienen cuatro extremidades cortas, mandíbulas con dientes, cola larga y piel escamosa o cubierta de tubérculos. • m. pl. *Zool.* Orden de estos reptiles.

SAUSSURE, *Ferdinand de* (1857-1913) Lingüista suizo, fundador del método estructural con el *Curso de lingüística general*, confeccionado por sus discípulos después de su muerte. Distinguió entre la palabra, hecho individual, y la lengua, hecho social. Definió el signo lingüístico como combinación de significante (imagen acústica) y significado (ideológico). Así mismo, propuso el estudio de dos dimensiones de la lengua: sincrónica y diacrónica.

SAUZGATILLO m. Arbusto verbenáceo de ramas mimbreñas y flores azules en racimos.

SAVAII Isla de Samoa Occidental, la mayor del arch.; 1 715 km^2, 41 500 hab. De origen volcánico, su alt. máx. es el Silisili (1 857 m). Clima cálido. Plátano, cacao y cocos. Pesca.

SAVANNAH C. de EE UU, en el est. de Georgia; 110 300 hab. Sit. junto al río hom., es puerto exportador de maderas y algodón.

SAVARY, *Anne Jean Marie René,* DUQUE DE ROVIGO (1774-1883) Militar y político fr. Napoleón le encargó el traslado de Fernando VII a Francia. En 1808 asumió la dirección de los ejércitos fr. en la Pen. Ibérica.

SAVE *(Sava)* Río de Eslovenia. Nace en los Alpes Cárnicos y desemboca en el Danubio; 721 km.

SAVIA f. *Bot.* Líquido del sistema vascular de las plantas, del cual toman las células las sustancias necesarias para su nutrición. Se distingue entre *s. bruta* o ascendente (vasos leñosos) y *s. elaborada* o descendente (vasos cribosos). • fig. Energía, elemento vivificador.

SAVIGNY, *Friedrich Karl von* (1779-1861) Jurista al., fundador de la escuela histórica del derecho. *Historia del derecho romano en la Edad Media.*

SAVONA C. de Italia, cap. de la prov. hom., en Liguria; 72 400 hab. Puerto. Centro comercial e industrial.

SAVONAROLA, *Girolamo* (1452-1498) Predicador reformista it. Ingresó en la orden de Santo Domingo. Cuando las tropas del rey fr. Carlos VIII invadieron Italia se convirtió en el jefe político de Florencia, a la que sometió un régimen teocrático. Atacó frecuentemente al papa Alejandro VI. Sus enemigos florentinos le condenaron a muerte y fue ahorcado.

SAXÁTIL adj. *Bot.* y *Zool.* Que se cría entre peñas o está adherido a ellas.

SÁXEO, A adj. De piedra.

SAXÍFRAGA o **SAXIFRAGA** f. Planta saxifragácea, de flores blancas en corimbo. • Sasafrás, árbol lauráceo.

SAXIFRAGÁCEO, A adj. y f. *Bot.* Díc. de plantas dicotiledóneas, de hojas alternas u opuestas, flores hermafroditas de cinco pétalos y fruto capsular de dos divisiones con semillas de albumen carnoso. • f. pl. *Bot.* Familia de estas plantas.

SAXOFÓN o **SAXÓFONO** m. Instrumento músico de viento, de cobre, con tubo cónico y sistema de llaves, parecido al oboe. Uno de los instrumentos característicos del jazz.

SAY, *Jean Baptiste* (1767-1832) Economista fr. Conocido por su ley de los mercados: «toda oferta genera su propia demanda». *Tratado de economía política, Cartas a Malthus.*

SAYA f. Falda, refajo o enagua. • Vestidura talar ant., especie de túnica.

SAYAL m. Tela de lana burda.

SAYAMA f. *Ecuad.* Especie de culebra.

SAYIL Centro arqueológico mex., en el est. de Yucatán. Restos mayas de los ss. XI-X.

SAYO m. Prenda de vestir holgada y sin botones que cubría el cuerpo hasta la rodilla. • fam. Cualquier vestido.
SAYÓN m. En la E. Med., ministro de justicia que hacía las citaciones y ejecutaba los embargos. • Verdugo, ejecutor de la justicia. • Cofrade que va en las procesiones de Semana Santa vestido con una túnica larga. • fig. y fam. Hombre de aspecto feroz. • *Bot.* Planta herbácea, quenopodiácea, de color ceniciento por las escamitas que la cubren; hojas lanceoladas, flores en espiga y brácteas fructíferas.
SAYRI Túpac (s. XVI) Soberano inca [1542-1558], hijo de Manco Inca y hermano de Túpac Amaru. Se convirtió al cristianismo en 1558.
SAYUELA f. Camisa de estameña que usan los frailes de algunas órdenes. • Funda de bayeta con la que se cubre la jaula del perdigón cuando se saca al campo. • adj. Díc. de cierta variedad de higuera.
SAYULA-ZACOALCO Yacimiento arqueológico mex., junto al lago hom., en Jalisco. Cerámica y construcciones prehispánicas.
SAZÓN f. Punto o madurez de las cosas, o estado de perfección en su línea. • Ocasión, tiempo oportuno o coyuntura. • Gusto y sabor que se percibe en los manjares. • **A la s.** m. adv. Entonces, en aquella ocasión. • **En s.** m. adv. Oportunamente, a tiempo.
SAZONAR tr. Dar sazón al manjar. • tr. y prnl. Poner las cosas en la sazón, punto y madurez que deben tener. ■ SAZONADO, DA.
Sb *Quím.* Símb. del antimonio.
Sc *Quím.* Símb. del escandio.
SCALA, *Teatro de la* Teatro de la Ópera de Milán, edificado entre 1776 y 1778.
SCALIGERA o **DELLA Scala** Familia de príncipes it., pertenecientes al partido gibelino, que fueron señores de Verona de 1277 a 1387.
SCAMOZZI, *Vincenzo* (1522-1616) Arquitecto renacentista it. Destaca su labor como urbanista. Plaza fuerte de Palmanova y teatro de Sabbioneta.
SCANDERBERG, *Jorge Castriota* (h. 1403-1468) Patriota alb. Rehén del sultán otomano Murat II, fue educado por éste. Tras la derrota del ejército otomano por los húngaros en Nis (1443), abandonó al sultán y se hizo fuerte en Kroya, proclamándose príncipe por los albaneses (1444).
SCANNER → Escáner.
SCAPA Flow Bahía de las islas Orcadas, en el N de Escocia. Durante la I Guerra Mundial fue la base naval brit. de mayor importancia.
SCARLATTI, *Alessandro* (1660-1725) Compositor de óperas it. Maestro de la capilla real de Nápoles. *Mitridates Eupator, El triunfo de la libertad, Escipión en España.* Autor también de cantatas, salmos, oratorios y música de cámara. • ***Domenico*** (1685-1757) Compositor it., hijo del anterior. Maestro de capilla en San Pedro de Roma. Fijó su residencia en Madrid. Precursor de la moderna técnica pianística. *Ejercicios, Sonatas para clave.*
SCARRON, *Paul* (1610-1660) Escritor fr. Autor de poemas burlescos, sátiras y obras teatrales. *La novela cómica.*
SCELBA, *Mario* (1901-1991) Político it. Junto con De Gasperi, reconstruyó el Partido Demócrata Cristiano. Jefe del Gobierno (1954-1955).
SCHACHT, *Hjalmar* (1877-1970) Financiero y político al. Ministro de Economía (1934-1937). Apoyó a Hitler. Acusado de crímenes de guerra, fue absuelto.
SCHAEFFER, *Pierre* (1910-1995) Compositor fr., pionero de la música concreta. *Suite para 14 instrumentos, Orfeo* (ópera), *Continuo.*
SCHAERBEEK C. de Bélgica, que forma parte de la Gran Bruselas; 105 900 hab. Ind. química, textil y metalúrgica.
SCHAERER, *Eduardo* (1873-1941) Político par. Presid. de la rep. (1912-1916). Activó la economía del país.
SCHAFF, *Adam* (nacido 1913) Filósofo marxista pol. Ha estudiado cuestiones gnoseológicas, la filosofía del lenguaje y la relación entre marxismo y filosofía. *Introducción a la semántica, La alienación como fenómeno social, ¿Qué futuro nos aguarda?*
SCHALLY, *Andrew Victor* (nacido 1926) Bioquímico pol., nacionalizado norteam. Identificó la hormona que regula la secreción de las hormonas luteinizantes. Premio Nobel de Medicina en 1977, con R. Guillermin y R. Yalow.
SCHAUDINN, *Friedrich* (1871-1906) Biólogo al., descubridor, con Hoffman, del agente productor de la sífilis.
SCHAWLOW, *Arthur Leonard* (1921-1999) Físico norteam. Contribuyó a la invención del láser. Premio Nobel de física en 1981, con Bloembergen y Siegbahn, por sus trabajos sobre espectroscopia.
SCHEEL, *Walter* (nacido 1919) Político al. del partido liberal democrático (FDP), impulsor de la *Ostpolitik.* Presid. de la rep. (1974-1979).
SCHEELE, *Karl Wilhelm* (1742-1786) Químico sueco. Aisló el oxígeno y descubrió el cloro, la glicerina y compuestos de arsénico.
SCHEELITA f. *Miner.* Wolframato de calcio, que cristaliza en el sistema tetragonal; peso específico 6; translúcida o transparente, con brillo vítreo y fluorescente a la luz ultravioleta.
SCHEIDEMANN, *Philipp* (1865-1939) Político al. Impulsó la rep. y ocupó la jefatura del gobierno (1919). Dimitió por desacuerdo con el tratado de Versalles.
SCHEIDT, *Samuel* (1587-1654) Compositor y organista al. Maestro de capilla del margrave de Brandeburgo. *Tabulatura nova.*
SCHEIN, *Johann Hermann* (1586-1630) Compositor al. Su obra constituye un punto intermedio en la transición desde Schütz hasta J. S. Bach.
SCHELER, *Max* (1874-1928) Filósofo al. Aplicó el método fenomenológico de Husserl al estudio de la vida ética y emocional. Descubrió la sociología del saber. *Escritos sobre sociología y teoría sobre la concepción del mundo, Las formas del saber y la comunidad, El formalismo en la ética y la ética material de los valores.*
SCHELLING, *Friedrich Wilhem Joseph* (1775-1854) Filósofo al., representante del «idealismo alemán». En su pensamiento se distinguen tres fases: la filosofía de la identidad, la del espíritu y la positiva. *Sobre la posibilidad de la filosofía, Sobre el Yo como principio de la filosofía o sobre lo Absoluto en la ciencia humana, Sistema del idealismo trascendental, Filosofía del arte, Investigaciones sobre la esencia de la libertad humana.*
SCHERCHEN, *Hermann* (1891-1966) Músico al. Director de orquesta, fue un importante investigador experimental.
SCHERZO (it. «broma» o «capricho») m. *Mús.* Movimiento de carácter vivo y brillante. Introducido en las formas de sonata y sinfonía por Beethoven, fue utilizado por los románticos.
SCHIAPARELLI, *Giovanni Virginio* (1835-1910) Astrónomo it. Descubrió el asteroide Hesperia.
SCHICK, *René* (1909-1966) Político nic. Ministro de Asuntos Exteriores (1961-1962). Presid. de la rep. (1966). Títere de la familia Somoza. Murió antes de concluir su mandato.
SCHIEMANN, *reacción de Quím.* Método para introducir un átomo de flúor de sustitución en un sistema aromático.
SCHILLER, *Friedrich von* (1759-1805). Dramaturgo, poeta e historiador al. Entre sus piezas dramáticas destaca la trilogía sobre *Wallenstein: La doncella de Orleáns, Guillermo Tell, Los bandidos y Don Carlos.* De su obra lírica cabe citar *La canción de la campana* y sus *Baladas.* Como historiador son notables la *Historia del levantamiento de los Países Bajos* y la *Historia de la guerra de los Treinta Años.*
SCHLEGEL, *August Wilhelm von* (1767-1845) Filósofo y crítico literario al. *Arión, Biblioteca india, Teatro español, Historia de la lengua y la poesía alemanas.* • ***Friedrich von*** (1772-1829) Crítico e historiador al., hermano del anterior. *Sobre la lengua y la filosofía de los hindúes, Historia de la literatura antigua y moderna.*
SCHLEICHER, *Kurt von* (1882-1934) Militar y político al. Sucedió a Von Papen como canciller (1932). Hitler le hizo asesinar en la jornada del 30 de junio de 1934.
SCHLEIERMACHER, *Friedrich Ernst Daniel* (1768-1834) Teólogo al. Su defensa de la religión como ideal romántico inspiró al protestantismo liberal. *Discursos sobre la religión, Monólogos.*
SCHLESINGER, *John* (nacido 1926) Director de cine brit. *Darling, Lejos del mundanal ruido, Cowboy de medianoche* (Óscar en 1969), *Marathon man.*
SCHLESWIG (danés, *Slesvig*) Región del centro-

Fachada iluminada de **La Scala** de Milán

Goethe y **Schiller** (derecha). Monumento en honor de ambos dramaturgos ante el Teatro Nacional de Weimar (Alemania)

August Wilhelm von **Schlegel**

Franz Peter **Schubert**

N de Europa, correspondiente al sector meridional de la pen. de Jutlandia. En 1920, tras un plebiscito, el S. fue dividido entre Dinamarca y Alemania.

SCHLESWIG-HOLSTEIN Est. del N de Alemania; 15 731 km², 2 630 000 hab. Cap., Kiel. C. prales.: Flensburgo y Rendsburgo. Ocupa el S de la pen. de Jutlandia. El canal de Kiel lo cruza de E a O. Cebada, centeno, trigo, avena, patatas. Caballos. Ind. textil, fundiciones de hierro y acero, astilleros. Tras el tratado de Versalles, el Schleswig septentrional pasó definitivamente a Dinamarca.

SCHLICK, ***Moritz*** (1882-1936) Filósofo positivista al. En ética se inclinó por un cierto eudemonismo. *Teoría general del conocimiento.*

SCHLIEFFEN, ***Alfred,*** CONDE VON (1833-1913) Mariscal al. Autor de un plan de guerra para dominar Francia a través de Bélgica y detener el avance ruso durante la I Guerra Mundial.

SCHLIEMANN, ***Heinrich*** (1822-1890) Arqueólogo al. Basándose en los relatos de Homero pudo localizar Troya. Post. excavó en Micenas y Tirinto. *Troya y sus ruinas, Micenas y Tirinto.*

SCHLÖNDORFF, ***Volker*** (nacido 1939) Director de cine al. *El honor perdido de Katharina Blum, Tiro de gracia, El tambor de hojalata, El amor de Swan.*

SCHMIDT, ***anteojo de*** *Ópt.* Anteojo reflector provisto de una lente correctora circular, que elimina la aberración esférica.

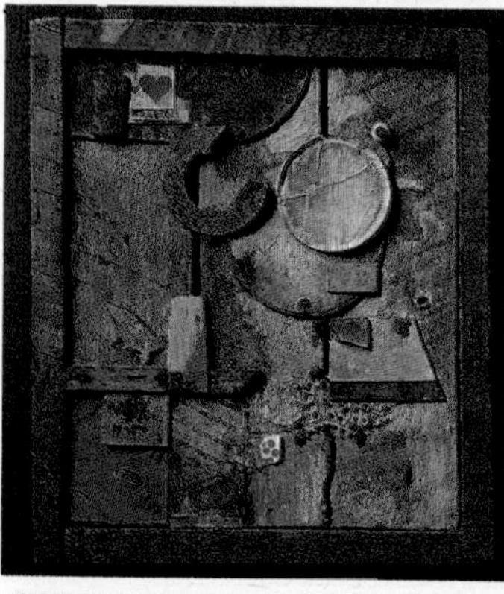

Merzbild Rossfett, assemblage y óleo sobre madera de Kurt **Schwitters.** Museo de Arte e Historia, Ginebra

SCHMIDT, ***Helmut*** (nacido 1918) Político al., de filiación socialdemócrata. En 1974, tras la dimisión de W. Brandt, fue elegido canciller de la RFA. Sustituido por H. Kohl en 1983. • ***Wilhelm*** (1862-1954) Etnólogo y lingüista al. Realizó estudios comparativos entre la estructura de las lenguas y civilizaciones.

SCHMITT, ***Florent*** (1870-1958) Compositor fr. Rrepresentante del impresionismo. *Antonio y Cleopatra, Espejismos, Salmo XLVI*, para coro y orquesta; y el ballet *La tragedia de Salomé*. • ***Karl*** (1888-1985) Jurista al. Profesor de derecho político, aportó la base jurídica al régimen totalitario de Hitler.

SCHNEIDER, ***Eugène*** (1805-1875) Industrial fr. Inventor del acero que lleva su nombre. Ministro de Comercio (1851). • ***Reinhold*** (1903-1958) Escritor católico al., autor de poemas y estudios históricos, filosóficos, literarios y religiosos. *Felipe II, Teresa de España, Los Hohenzollern.* • *Rosemary Albach-Retty*, llamada ***Romy*** (1938-1982) Actriz cinematográfica austr. Destacó en la interpretación de papeles románticos (*Sissi*). *El proceso, Luis II de Baviera, Lo importante es amar, La muerte en directo.*

SCHOLA Cantorum (lat. «escuela de cantores») Agrupación fundada por san Gregorio Magno para enseñar el canto eclesiástico. • Academia de música fundada en París (1896) por D'Indy, Guilmant y Bordes.

SCHÖMBERG, ***Frédéric Armand,*** DUQUE DE (1615-1690) Mariscal de Francia, de origen al. Participó en las batallas de las Dunas y de Villaviciosa (1665). Post. estuvo al servicio de Guillermo III de Nassau y del rey de Inglaterra.

SCHÖNBERG, ***Arnold*** (1874-1951) Compositor austr. Influido en sus comienzos por Brahms y Wagner, evolucionó hacia el expresionismo y el dodecafonismo. Este hallazgo le convierte en uno de los músicos más imp. del s. XX. *La noche transfigurada, Pierrot Lunaire, Variaciones para orquesta.*

SCHONGAUER, ***Martin*** (h. 1445-1491) Pintor y grabador al. De influencia holandesa, su maestría se manifiesta pralm. en el grabado. *Las vírgenes prudentes.*

SCHOPENHAUER, ***Arthur*** (1788-1860) Filósofo al. Mantuvo que para el conocimiento de las cosas en sí sólo existe la conciencia, la cual se nos aparece como Voluntad. Ésta se manifiesta en cada ser como tendencia a oponerse a su propia destrucción. De este modo quiere S. fundamentar su pesimismo absoluto. *La cuádruple raíz del principio de razón suficiente, El mundo como voluntad y representación, Sobre la voluntad en la naturaleza, Sobre la libertad humana, El fundamento de la moral.*

SCHOTTKY, ***efecto*** *Electr.* Fenómeno por el cual, en una válvula termoiónica, la emisión catódica de electrones tiene lugar con fluctuaciones variables, originando una fuente de ruido.

SCHRÖDER, ***Gerhard*** (nacido 1944) Político al. Líder del Partido Socialdemócrata Alemán (SPD), venció en las elecciones generales de 1998, y sustituyó a H. Kohl en la cancillería.

SCHRÖDINGER, ***Erwin*** (1887-1961) Físico austr. Uno de los fundadores de la mecánica cuántica. Premio Nobel de Física en 1933. • **Ecuación de S.** *Fís.* Ecuación fundamental de la mecánica cuántica que proporciona las funciones de onda asociadas a los sistemas cuánticos.

SCHUBERT, ***Franz Peter*** (1797-1828) Compositor austr. Es un romántico por sus hallazgos armónicos y por sus modulaciones sutiles e incesantes. Alcanza la máx. perfección en las obras cortas, especialmente en los *lieder*. Además compuso ocho sinfonías (entre ellas la *Inacabada*), música de cámara y numerosas obras para piano (*Impromptus, Momentos musicales*).

SCHULTEN, ***Adolf*** (1870-1960) Historiador y arqueólogo al. Trabajó sobre todo en España, donde excavó las ruinas de Numancia.

SCHULZ, ***Charles*** (1922-2000) Dibujante norteam. Creador de los personajes Charlie Brown. Snoopy, etc.

SCHUMAN, ***Robert*** (1886-1963) Político fr. Jefe del gobierno (1947-1948). Impulsó la creación de la CECA. Presid. de la Asamblea Parlamentaria de Estrasburgo (1958-1960). • ***William Howard*** (nacido 1910) Compositor norteam. Es autor de 8 sinfonías, ballets (*Viaje de noche, Judith*), y óperas *(El gran Casey)*. Por *Una canción libre*, obtuvo el premio Pulitzer en 1943.

SCHUMANN, ***Clara Wieck*** (1819-1896) Pianista al., esposa de R. S. Difusora de las obras de Beethoven, Listz, Chopin y también las de su marido. • ***Robert*** (1810-1856) Compositor y crítico al. Destacan el *Concierto para piano;* las *Sinfonías*, los *lieder* y las pequeñas piezas para piano (*Romanzas, Baladas, Caprichos*).

SCHUMPETER, ***Joseph Alois*** (1883-1950) Economista austr. afincado en EE UU. Autor de *Capitalismo, socialismo y democracia*, obra maestra del neopositivismo. *Historia del análisis económico.*

SCHUSCHNIGG, ***Kurt von*** (1897-1977) Político austr. Sucedió a Dollfus en la cancillería. Hitler exigió su dimisión y fue deportado a Dachau.

SCHÜTZ, ***Heinrich*** (1585-1672) Compositor al. Conjugó el espíritu nórdico con la polifonía veneciana. *Musicalia ad chorum sacrum, Oratorio de Navidad, Dafne* (ópera).

SCHWANN, ***Theodor*** (1810-1882) Naturalista al., el primero en exponer la teoría de la célula como unidad fundamental del organismo.

SCHWARZENBERG, ***Felix,*** PRÍNCIPE VON (1800-1852) Político austr. Nombrado canciller (1848), se mostró partidario de la abdicación del emp. Fernando I y ayudó a Francisco José I a obtener el trono imperial. Hizo redactar una constitución de carácter liberal (1849), que abolió en 1851.

SCHWARZKOPF, ***Norman*** (nacido 1935) Militar norteam. Veterano de la guerra del Vietnam, mandó las fuerzas de EE UU en la guerra del Golfo (1991).

SCHWARZWALD Montes de Alemania → Selva Negra.

SCHWEITZER, ***Albert*** (1875-1965) Pastor protestante, médico y organista fr. Alcanzó gran renombre por su labor en la población Lambarene (Gabón), donde fundó un hospital. Premio Nobel de la Paz en 1935.
SCHWERIN C. de Alemania, cap. del distrito hom. (8 772 km², 591 700 hab.); 125 500 hab. Ind. maderera, alimentaria y del tabaco.
SCHWIND, ***Moritz von*** (1804-1871) Pintor al. de tendencia romántica. Entre sus obras figura la decoración de la Ópera de Viena.
SCHWITTERS, ***Kurt*** (1887-1948) Pintor al. Realizó *collages* (*merz*). Creó los *merzbau*, en los que tendió a confundir la arquitectura, la pintura y la escultura. *Merzbild Rossfett.*
SCHYGULLA, ***Hanna*** (nacida 1943) Actriz cinematográfica al. *El matrimonio de María Braun, Lili Marlen, Historia de Piera.*
SCIASCIA, ***Leonardo*** (1921-1989). Escritor it. Ensayos: *Regalpetra, El consejo de Egipto.* Novelas: *El día de la lechuza, El contexto, Todo modo.*
SCILLY, ***Islas*** Arch. de Gran Bretaña, sit. en el océano Atlántico, al SO de la pen. de Cornualles, en Inglaterra; 16,5 km², 2 300 hab.
SCOLA, ***Ettore*** (nacido 1931) Director de cine it. *Una jornada particular, La terraza, La noche de Varennes, La sala de baile, La familia.*
SCOOTER (voz ing.) m. Motocicleta ligera en la que el conductor va sentado, en lugar de ir montado a horcajadas como en las motocicletas normales.
SCORPIUS o **ESCORPIO** *Astr.* Constelación zodiacal, muy brillante, cuya cabeza y larga cola son fácilmente distinguibles.
SCORSESE, ***Martin*** (nacido 1942) Director de cine norteam. *Malas calles, Taxi driver, El último vals, Toro salvaje, El color del dinero, La última tentación de Cristo, La edad de la inocencia.*
SCORZA, ***Manuel*** (1928-1983) Novelista per. Describe la vida dura y amarga de la población andina con realismo poético. *Historia de Garabombo el invisible, Redoble por Rancas, La danza inmóvil.*
SCOTLAND Yard Nombre de la policía metropolitana de Londres.
SCOTT, ***Ridley*** (nacido 1939) Director de cine brit. *Los duelistas, Alien, el octavo pasajero, Blade runner, Alien III.* • ***Robert Falcon*** (1868-1912) Explorador brit. Realizó varias expediciones a la Antártida. En 1912 alcanzó el polo Sur, pero murió en el viaje de regreso. *El viaje del Discovery.* • ***Walter*** (1771-1832) Poeta y novelista escocés. Sus primeras obras (*Cantos de la frontera escocesa, La dama del lago*) reflejan su interés por las leyendas de su país; pero fue la novela histórica del gén. que le consagró (*El anticuario, Rob Roy, Waverley, La novia de Lammermoor, Ivanhoe, Quentin Durward*). Influyó sobre los escritores románticos. • ***Winfield*** (1786-1866) Militar y político norteam. Estuvo al mando de las operaciones en la guerra contra México y negoció la firma del tratado de Guadalupe-Hidalgo (1848).
SCRANTON C. de EE UU, en Pensilvania; 104 000 hab. (234 000 la agl. urb.). Ind. siderúrgica y metalúrgica.
SCRIABIN, ***Alexandr*** (1872-1915) Compositor ruso. Sus obras poseen un carácter místico. Autor de tres poemas para orquesta, sinfonías y obras para piano.
SCRIBE, ***Eugène*** (1791-1861) Dramaturgo fr. Autor de teatro de «vaudeville» y libretos de ópera; destacan sus comedias *Matrimonio de conveniencia, La calumnia, El secretario y el cocinero, Adrienne Lecouvreur.*
SCRIPT (voz ing.) com. *Cin.* Anotador.
SCUDÉRY, ***Madeleine de*** (1607-1701) Novelista fr., considerada como la sacerdotisa de los cenáculos preciosistas de su época. *Clelia, El gran Ciro.*
SCULPTOR *Astr.* Constelación que se encuentra al E de Fomalhaut, la estrella más brillante de *Piscis Austrinus.*
SCUNTHORPE C. de Gran Bretaña, en Inglaterra; 66 400 hab. Centro industrial.
SCUTARI → Escutari.
SCUTUM *Astr.* Constelación sit. entre las de *Aquila* y *Sagittarius*, visible en verano.
Se *Quím.* Símb. del selenio.
SE Forma reflexiva del pron. personal de tercera persona. Se usa en dativo y acusativo en ambos gén. y núm. y no admite preposición. Puede usarse proclítico y enclítico. Sirve además para formar oraciones impersonales y de pasiva.
SEABORG, ***Glenn Theodore*** (1912-1999) Químico norteam. Descubrió con MacMillan el plutonio 238 y colaboró en el descubrimiento de otros elementos. Premio Nobel de Química en 1951, junto con E. MacMillan.
SEAGA, ***Edward Philip*** (nacido 1930) Político jamaicano. Líder del partido laborista, fue elegido primer ministro en 1980 y reelegido en 1983.
SEASAT *Astron.* Primer satélite exclusivamente oceaonográfico lanzado por la NASA en 1978. Estuvo activo durante unos tres meses.
SEATO → Organización del Tratado del Sudeste Asiático.
SEATTLE C. de EE UU, en el est. de Washington, sit. en la bahía Elliot (océano Pacífico); 493 800 hab. (1 607 500 la agl. urb.). Ind. mecánica, aeronáutica.
SEBÁCEO, A adj. Que participa de la naturaleza del sebo o se parece a él. • *Anat.* Díc. de cada una de las glándulas cutáneas cuyos conductos excretores terminan en los poros.
SEBASTIÁN (m. 288) Santo. Mártir cristiano; oficial de la guardia pretoriana. Diocleciano ordenó que muriera asaeteado.
SEBASTIÁN (1554-1578) Rey de Portugal [1557-1578]. Sucedió en el trono a su abuelo Juan III el Piadoso. Murió en la batalla de Alcazarquivir (la batalla de los tres reyes). Le sucedió en el trono su tío el cardenal Enrique.
SEBASTIÁN VIZCAÍNO Bahía de México, en el Pacífico, en Baja California.
SEBASTIANI DE LA PORTA, ***Horace François,*** CONDE DE (1772-1851) Militar y político fr. Durante la guerra de la independencia esp. dirigió el IV ejército fr. Ministro de Asuntos Exteriores (1830-1832) con Luis Felipe.
SEBASTOPOL *(Sevastopol)* C. Ucrania, en la pen. de Crimea; 341 000 hab. Base naval. Astilleros. Ind. mecánica. • **Sitios de S.** En 1854 las fuerzas anglo-franco-turcas sitiaron a los rusos en S. También se conoce con este nombre el asedio al. a S. en noviembre 1941-julio 1942.
SEBE f. Cercado de estacas altas entretejidas con ramas largas.
SEBERG, ***Jean*** (1938-1979) Actriz cinematográfica norteam. *Buenos días, tristeza; Al final de la escapada.*
SEBESTÉN m. Arbolito borragináceo, de hojas persistentes, flores blancas y fruto amarillento, de cuya pulpa se obtiene un mucílago usado como emoliente y pectoral. • Fruto de este arbolito.
SEBO m. Grasa sólida y dura que se saca de los animales herbívoros. • Cualquier clase de gordura. • **Hacer s.** *R. de la Plata.* Haraganear. ■ SEBOSO, SA.
SEBORO m. *Bol.* Cangrejo de agua dulce.
SEBORREA f. *Pat.* Aumento de la secreción de las glándulas sebáceas de la piel.
SECADERO, RA adj. Díc. de las frutas, tabaco, etc., aptos para conservarse secos. • m. Lugar para poner a secar una cosa. • *Ind.* Instalación para el secado de sustancias sólidas, basada en la capacidad de absorción de humedad que posee una corriente de aire caliente y a la que se hace circular en contacto con el material a secar.
SECADO m. Acción y efecto de secar o secarse. •

Martin **Scorsese** y la actriz Michelle Pfeiffer durante el rodaje de *La edad de la inocencia*

Sigourney Weaver en *Alien III*, un filme de Ridley **Scott**

Don **Sebastián,** rey de Portugal

Secadero de café

Angelo **Secchi**

Ind. Operación de eliminar agua de una sustancia sólida mediante aire seco y caliente a temperatura inferior a la de ebullición.

SECADOR, RA adj. Que seca. • m. *Amér. Merid.* Enjugador de ropa. • *Salv.* y *Nic.* Paño de cocina para secar los platos y la vajilla. • m. y f. Nombre de diversos aparatos y máquinas para secar las manos, el cabello, la ropa, etc.

SECAM m. Procedimiento de patente fr. para la transmisión televisiva de imágenes en color.

SECANO m. Tierra de labor que no tiene riego. • Banco de arena o islita árida próxima a la costa. • fig. Cualquier cosa que está muy seca.

SECANTE adj. y s. Que seca. • Que corta. • m. Preparación que se añade a las pinturas, barnices, etc., para acelerar su secado. • adj. y f. *Geom.* Díc. de toda recta que corta a una curva sin serle tangente o de dos curvas que se cortan sin ser tangentes. • *Trig.* Cociente entre la hipotenusa y un cateto contiguo. • adj. y m. *Mat.* Díc. del conjunto que tiene puntos comunes con otro conjunto.

SECANTOIDE f. *Geom.* Curva que se obtiene como representación cartesiana de la función secante trigonométrica.

SECAR tr. y prnl. Eliminar la humedad de un cuerpo, dejar o quedar seca una cosa. • fig. Fastidiar, aburrir. • prnl. Enjugarse la humedad de una cosa evaporándose. • Quedarse sin agua un río, una fuente, etc. • Perder una planta su verdor, vigor o lozanía. • Enflaquecer y extenuarse una persona o un animal. • fig. Tener mucha sed. • fig. Embotarse, perder agudeza o eficacia los sentidos, la sensibilidad, el ánimo. ■ SECADÍO, A; SECAMIENTO.

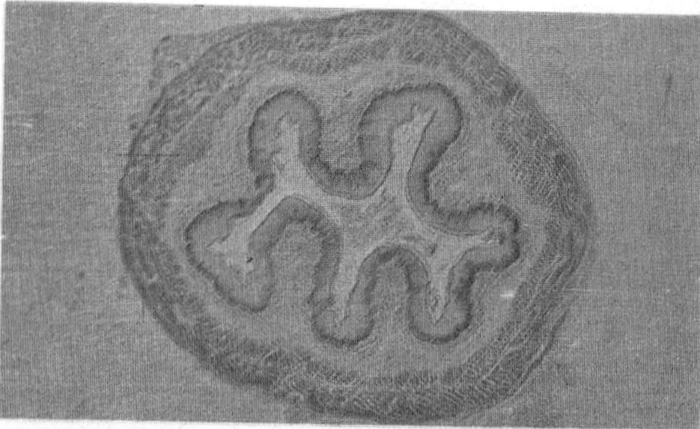
Sección transversal del esófago

SECCHI, *Angelo* (1818-1878) Astrónomo it., jesuita. Autor de la primera clasificación espectral de las estrellas.

SECCIÓN f. Separación que se hace en un cuerpo sólido con instrumento cortante. • Cada una de las partes en que se divide o considera dividido un todo continuo o un conjunto de cosas. • Cada uno de los grupos en que se divide o considera dividido un conjunto de personas. • *Biol.* Dibujo resultante al cortar un organismo por un plano, para mostrar su estructura interna. • *Geom.* Intersección de una superficie o un sólido con otra superficie. • **áurea.** *Geom.* División de un segmento en dos partes tales que una de ellas sea media proporcional entre todo el segmento y la otra parte. • **cónica.** *Geom.* Cualquier curva obtenida como sección plana de un cono circular mediante un plano que no pase por el vértice. Las s. cónicas son la elipse, la hipérbola y la parábola. • **eficaz.** *Fís.* Probabilidad de absorción de un neutrón por parte de un cuerpo. Es la relación entre la absorción relativa y el número de núcleos de dicho cuerpo absorbente.

SECCIONADOR, RA adj. Que secciona. • m. *El.* Aparato capaz de abrir o cerrar circuitos —sometidos o no a una tensión—, que está recorrido por una corriente de intensidad relativamente elevada.

SECCIONAR tr. Fraccionar, dividir en secciones.

SECESIÓN f. Separación de una parte de un Est. para constituir un nuevo Est. independiente o para asociarse a otro Est. • Apartamiento, retraimiento de los negocios públicos. • ***guerra de*** Conflicto que, en los EE UU, enfrentó entre 1861-1865 a los est. del N, industriales y demócratas, partidarios de la abolición de la esclavitud, y los est. del S, agrícolas, aristócratas y esclavistas. Elegido Lincoln, conocido antiesclavista, como presid. de EE UU, en 1861 los est. esclavistas se constituyeron en est. confederados de América, con cap. en Richmond, y Jefferson Davis como presid. La ofensiva sudista en Pensilvania fue detenida en Gettysburg (1863). Nombrado Grant comandante en jefe del ejército nordista (1864), confió a Sherman la campaña del O. Tras cuatro años de violenta lucha, el general sudista Lee capituló en Appomatox (1865), y pocos días después lo hacía Johnston en Durham.

Guerra de **Secesión.** Escena de la batalla naval de Hampton Roads

SECESIONISMO m. Tendencia u opinión favorable a la secesión política. ■ SECESIONISTA.

SECESO m. Deposición de vientre.

SECHURA Desierto del NO de Perú; 10 000 km^2. Importantes yacimientos petrolíferos.

SECO, CA adj. Que carece de jugo o humedad. • Falto de agua. • Díc. de los guisos en que se prolonga la cocción hasta que quedan sin caldo. • Falto de verdor o lozanía. • Tratándose de las plantas, muerto. • Aplícase a las frutas de cáscara dura, como avellanas, nueces, etc., y también a aquellas a las cuales se quita la humedad para que se conserven; como higos, pasas, etc. • Flaco o de muy pocas carnes. • Díc. también del tiempo en que no llueve. • fig. Aplícase a lo que está solo, sin alguna cosa accesoria que le dé mayor valor o estimación. • fig. Áspero, poco cariñoso en el modo o trato. • fig. Riguroso, estricto. • fig. En sentido místico, poco fervoroso en la virtud y falto de devoción en los ejercicios del espíritu. • fig. Aplicado al entendimiento, árido, estéril. • fig. Díc. del aguardiente puro. • Dicho del vino u otros licores, opuesto a dulce. • fig. Tratándose de ciertos sonidos, ronco, áspero. • fig. Díc. del golpe fuerte, rápido y que no resuena. • *Mús.* Díc. del sonido brevísimo y cortado. • m. *Chile.* Coscorrón, puñetazo. • *Chile.* Cachada, golpe que se da en un trompo con el hierro de otro. • f. Sequía. • Periodo en que se secan las pústulas de ciertas erupciones cutáneas. • Infarto de una glándula. • Banco de arena cubierto por el agua. • *R. de la Plata.* Cara de una moneda opuesta a la que tiene grabada una imagen. • **A secas.** m. adv. Solamente, sin otra cosa alguna. • **Dejar** a uno, o **quedar** uno, **seco.** fig. y fam. Dejarle, o quedar, muerto en el acto. • **En seco.** m. adv. Fuera del agua o de un lugar húmedo. • fig. De repente.

SECRECIÓN f. Apartamiento, separación. • Acción y efecto de secretar. • **interna.** *Med.* Conjunto de hormonas elaboradas en las glándulas endocrinas.

SECRETAR tr. *Fisiol.* Salir de un tejido, órgano o glándula materias elaboradas por ellos y que el organismo utiliza en el ejercicio de alguna función. ■ SECRETOR, RA; SECRETORIO, RIA.

SECRETARÍA f. Cargo de secretario. • En un organismo, oficina donde se llevan asuntos administrativos. • Conjunto de los funcionarios o empleados de esta oficina.

SECRETARIADO m. Secretaría, destino o cargo de secretario. • Carrera o profesión de secretario o secretaria. • Secretaría u oficina del secretario. • Cuerpo o conjunto de secretarios.

SECRETARIO, RIA adj. Díc. de la persona a la que se comunica algún secreto. • m. y f. Persona que en una corporación, asociación u organismo se encarga pralm. de mantener las relaciones de la entidad, informar al presid. o a la junta rectora, levantar actas de las reuniones, custodiar documentos y resolver los asuntos de trámite. • Persona al servicio de otra que gralte. se ocupa de su correspondencia y asuntos administrativos. • m. En la E. Mod., persona de la confianza del monarca, a quien auxiliaba en las funciones de gobierno. • *Amér.* Ministro. • *Zool.* Ave rapaz, única especie integrante de la familia sagitáridos. Se denomina también serpentario. Su plumaje es blanco, con algunas zonas grises o negras, y sus patas son desmesuradamente largas. • f. Mujer del secretario. • La que hace oficio de secretario. • **de Estado.** Jefe de un departamento ministerial, que en algunos casos tiene categoría de ministro; en EE UU equivale a ministro de Asuntos Exteriores. • **general.** Jefe de algunos partidos políticos. ■ SECRETARIAL.

SECRETEAR intr. fam. Hablar en secreto una persona con otra. ■ SECRETEO.

SECRETER m. Escritorio, mueble con tablero para escribir y cajoncitos para guardar papeles.
SECRETINA f. *Fisiol.* Hormona gastrointestinal de naturaleza polipeptídica, segregada por la mucosa de la parte superior del intestino, que estimula la secreción del jugo pancreático.

Campo de trigo, el más ampliamente difundido de los cultivos de **secano**

SECRETO, TA adj. Oculto, ignorado. • Callado, reservado. • m. Lo que cuidadosamente se tiene reservado y oculto. • Reserva, sigilo. • Despacho de las causas de fe, en las cuales entendía secretamente el tribunal de la Inquisición. • Conocimiento que exclusivamente alguno posee de la virtud o propiedades de una cosa. • Cosa arcana o muy recóndita que no se puede comprender y negocio muy reservado, misterio. • Escondrijo que suelen tener algunos muebles. • En algunas cerraduras, mecanismo cuyo manejo es preciso conocer de antemano para poder abrirlas. • *Mús.* Tabla armónica del órgano, del piano, etc. • f. Examen que se hacía en algunas universidades para tomar el grado de licenciado. • Sumaria o pesquisa secreta que se hace a los residenciados. • Cada una de las oraciones que se dicen en la misa después del ofertorio y antes del prefacio. • fam. Policía secreta. • **a voces.** fig. y fam. Misterio que se hace de lo que ya es público, o secreto que se confía a muchos. • **de Estado.** El que no puede revelar un funcionario público sin incurrir en delito. • **profesional.** Deber que tienen los miembros de determinadas profesiones de no descubrir los hechos que han conocido en el ejercicio de su profesión.
SECTA f. Doctrina particular enseñada por un maestro que la halló o la explicó, y seguida o defendida por otros. • Conjunto de creyentes de una doctrina particular o de fieles a una religión que el que habla considera falsa.
SECTARIO, RIA adj. y s. Que profesa y sigue una secta. • Secuaz, fanático e intransigente de un partido o de una idea. ■ SECTARISMO.
SECTOR m. *Comp.* Cada una de las zonas en que se dividen físicamente las pistas de un disco o tambor. Puede contener físicamente parte de un registro lógico, uno o varios; es la unidad física más pequeña de almacenamiento o registro físico. • *Geom.* Porción de círculo comprendida entre un arco y los dos radios que pasan por sus extremidades. • Escaños del homiciclo parlamentario en que se sientan los individuos de un mismo partido o ideología. • fig. Parte de una clase o de una colectividad que presenta caracteres peculiares. • **esférico.** *Geom.* Porción de esfera comprendida entre un casquete y la superficie cónica formada por los radios que terminan en su borde.
SECUAZ adj. y s. Que sigue el partido, doctrina u opinión de otro.
SECUELA f. Consecuencia o resulta de una cosa.
SECUENCIA f. Prosa o verso que se dice en ciertas misas, después del gradual. • Continuidad, sucesión ordenada. • Serie o sucesión de cosas que guardan entre sí cierta relación. • *Cin.* Sucesión no interrumpida de planos o escenas que en una película se refieren a una misma parte o aspecto del argumento. • *Mat.* Conjunto de números u operaciones ordenados de tal modo que cada uno determine el siguiente. • *Mús.* Progresión o marcha armónica. • Sucesión de un conjunto de operaciones que constituyen un programa. • *Bioq.* Orden en que están unidos los monómeros en una molécula polímera. * *Biol.* Las proteínas, como los ácidos nucleicos, difieren entre sí por el número, abundancia relativa y secuencia de sus componentes (aminoácidos y nucleótidos, respectivamente). Además, la s. de nucleótidos en el ADN de los cromosomas de una célula lleva la información genética para la s. de las proteínas que esta célula debe formar (código genético).
SECUENCIAL adj. Relativo a la secuencia. • **Acceso s.** *Comp.* Tipo de acceso tal que se llega a la información deseada después de haber recorrido todos los datos que puedan preceder a la información almacenada objeto de acceso.
SECUESTRAR tr. Depositar judicial o gubernativamente una alhaja en poder de un tercero hasta que se decida a quién pertenece. • Embargar judicialmente. • Aprehender indebidamente a una persona para exigir dinero por su rescate o para otros fines. • P. ext., acción similar en que se retiene un avión, tren, etc. ■ SECUESTRACIÓN; SECUESTRADOR, RA.
SECUESTRO m. Acción y efecto de secuestrar. • Bienes secuestrados. • *Cir.* Fragmento de hueso necrosado que subsiste en el cuerpo separado de la parte viva. • *Der.* Depósito judicial.
SÉCULA *(Para)* o **para in sécula,** o **sécula sin fin,** o **sécula seculórum** fr. adv. Para siempre jamás.
SECULAR adj. Seglar. • Que sucede o se repite cada siglo. • Que dura un siglo, o desde hace siglos. • adj. y s. Díc. del clero o sacerdote que vive en el siglo, a distinción del que vive en clausura.
SECULARIZACIÓN f. Transferencia de bienes eclesiásticos a personas o entidades públicas con fines utilitarios o profanos. • Autorización concedida a un religioso para que pueda vivir fuera de clausura. ■ SECULARIZAR.
SECUNDAR tr. Ayudar, favorecer.
SECUNDARIO, RIA adj. Segundo en orden y no pral., accesorio. • *El.* Respecto de una bobina de inducción u otro aparato semejante, díc. de la corriente inducida y del circuito por donde fluye. • *Geol.* Díc. de cualquiera de los terrenos triásicos, jurásicos y cretáceos o de su conjunto. • *Geol.* Díc. de la segunda de las grandes eras en que se divide la historia geológica de la Tierra; era mesozoica. • *Quím.* Díc. del átomo de carbono o nitrógeno de un compuesto orgánico unido directamente a otros dos átomos de carbono. • *Quím.* Díc. también de toda función química unida a un carbono o a un hidrógeno secundario. • adj. y m. *Astr.* Díc. del menor de dos astros que forman un sistema binario.
SECUNDINA f. *Bot.* Pared interna de los rudimentos seminales del ovario de las flores. • *Zool.* Cada uno de los anejos fetales que se expulsan durante el parto, tras la salida del recién nacido.
SED f. Gana y necesidad de beber. • fig. Necesidad de agua o humedad que tienen ciertas cosas. • fig. Apetito o deseo ardiente de una cosa. ■ SEDIENTO, TA.
SEDA f. Líquido viscoso, segregado por ciertas glándulas de algunos artrópodos. Se solidifica en contacto con el aire, formando hebras finísimas y flexibles. • Hilo formado con varias de estas hebras producidas por el gusano de seda. • Cualquier obra o tela hecha de seda. • Cerda de algunos animales, especialmente del jabalí. • **Ruta de la s.** Camino que seguían las caravanas que transportaban la s. desde China al Mediterráneo. Desde Antioquía y Tiro atravesaba el N de Persia y Afganistán. Una de las más imp. vías comerciales de la E. Med. ■ SEDEÑO, ÑA; SEDERO, RA; SEDOSO, SA.
SEDADERA f. Instrumento para asedar el cáñamo.

Pareja de **secretarios**

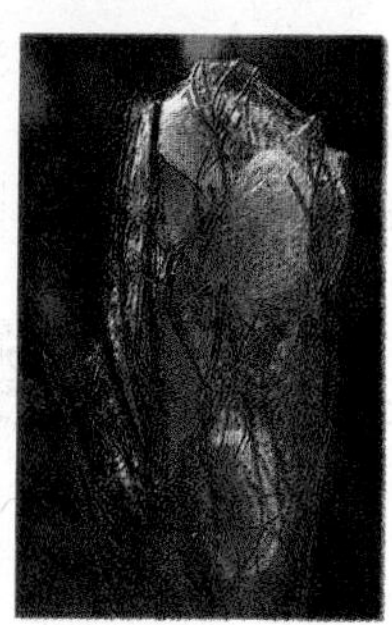

Seda. De arriba abajo: gusano de seda envolviéndose lentamente en su capullo; capullo y crisálida del gusano de seda; a la izquierda, tejido de seda de manufactura mudéjar granadina. Museo Textil de Barcelona, España

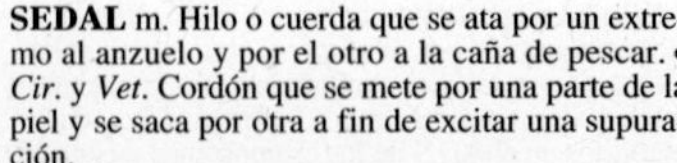

Templo dórico de **Segesta**

SEDAL m. Hilo o cuerda que se ata por un extremo al anzuelo y por el otro a la caña de pescar. • *Cir.* y *Vet.* Cordón que se mete por una parte de la piel y se saca por otra a fin de excitar una supuración.

SEDÁN m. Automóvil cerrado, de capota o cubierta fija.

SEDANTE adj. Que seda. • fig. Que calma o sosiega el ánimo. • adj. y m. *Farm.* Nombre genérico de los medicamentos que calman el dolor o la excitación de un órgano. ■ SEDANCIA.

SEDAR tr. Apaciguar, sosegar, calmar. ■ SEDACIÓN; SEDATIVO, VA.

SEDE f. Asiento o trono de un prelado que ejerce jurisdicción. • Cap. de una diócesis. • Diócesis. • Jurisdicción y potestad del sumo pontífice. Llámase también Santa Sede. • **apostólica.** Jurisdicción y potestad del papa.

SEDECÍAS (s. VI a. C.) Último rey de Judá [598-587 a. C.]. Colocado en el trono por Nabucodonosor, se rebeló contra éste, quien tomó Jerusalén y le hizo prisionero.

SEDENTARIO, RIA adj. Díc. del oficio o vida de poco movimiento. • Díc. del pueblo o tribu que se dedica a la agricultura, asentado en un lugar, por oposición al nómada. • *Zool.* Díc. de animales que permanecen fijos en un sustrato o en un hábitat determinado. • adj. y m. *Zool.* Díc. de los poliquetos del grupo sedentarios. • m. pl. *Zool.* Grupo de poliquetos que viven fijos.

SEDENTE adj. Que está sentado.

SEDERÍA f. Mercadería de seda. • Conjunto de ellas. • Su tráfico. • Tienda donde se venden géneros de seda.

Segismundo III

SEDICENTE adj. Se aplica irónicamente a la persona que se da a sí misma un nombre sin convenirle el título o condición que se la atribuye.

SEDICIÓN f. Alzamiento colectivo y violento contra la autoridad, el orden público o la disciplina militar sin llegar a la gravedad de la rebelión. ■ SEDICIOSO, SA.

SEDIENTES adj. pl. Díc. de los bienes raíces.

SEDIMENTACIÓN f. Separación de los componentes de una suspensión por acción de la gravedad. • *Geol.* Proceso mediante el cual se depositan en zonas superficiales de la corteza terrestre los materiales a partir de los cuales se formarán los sedimentos.

SEDIMENTAR tr. y prnl. Depositar sedimento un líquido. • prnl. Formar sedimento las materias suspendidas en un líquido. ■ SEDIMENTARIO, RIA.

SEDIMENTO m. Materia que, habiendo estado suspendida en un líquido, se posa en el fondo por su mayor gravedad.

SEDUCIR tr. Persuadir a alguien con promesas o engaños para que haga cierta cosa, gralte. mala o perjudicial. • Inducir de esta forma una persona a otra para que tenga relaciones sexuales con ella. • Cautivar el ánimo, atraer mucho. ■ SEDUCCIÓN; SEDUCTIVO, VA; SEDUCTOR, RA.

SEEBECK, *Thomas Johann* (1770-1831) Físico y médico al. Descubrió la termoelectricidad e ideó un polariscopio. • **Efecto S.** *El.* Corriente que aparece en un circuito formado por dos metales distintos al someter las dos soldaduras a temperaturas diferentes (fundamento de los pares termoeléctricos).

SEECKT, *Hans von* (1866-1936) Militar al. Designado comandante en jefe del ejército (1920). Obligado a dimitir (1926), colaboró con los nazis.

SEELAND Isla de Dinamarca → Sjaelland.

SEFARDÍ o **SEFARDITA** adj. y s. Díc. del judío oriundo de España, o del que, sin proceder de España, acepta las prácticas religiosas que en el rezo mantienen los judíos esp. Su presencia en España se remonta a los primeros siglos de la era cristiana. Fueron expulsados por los Reyes Católicos. En un número estimado de unos 150 000 se expandieron pralm. por los países europeos. • m. *Ling.* Dialecto judeoespañol hablado por los judíos sefardíes. Es una derivación del cast. del s. XV, y también se conoce con el nombre de *ladino.*

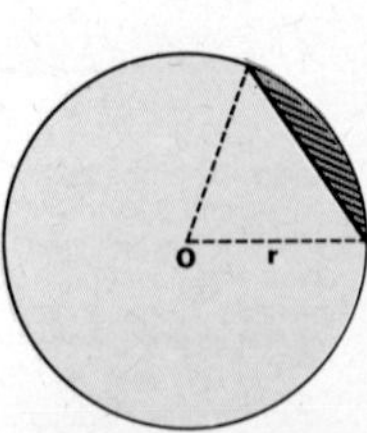

Segmento circular

SEFERIS, *Giorgios* (1900-1971) Poeta gr. Premio Nobel de Literatura en 1963. *Leyendas, Diario de a bordo, Mythistorema, El rey de Asina.*

SEGADERA f. Hoz para segar.

SEGADOR, RA adj. Que siega. • adj. y f. Díc. de la máquina que sirve para cortar hierba. • m. *Zool.* Pequeño arácnido de patas muy largas, cuerpo redondeado y vientre aovado, comprimido y rugoso. • f. *Agr.* Cualquier máquina usada para segar.

SEGAL, *George* (1926-2000) Escultor norteam., uno de los prales. representantes del *pop art.* Crea esculturas de yeso blanco moldeadas sobre seres vivientes. *Hombre sentado a la mesa, Habitación de un motel.*

SEGALE, *Juan* (1870-1931) Físico mex. Inventor de un receptor de radio.

SEGALL, *Lasar* (1891-1957) Pintor bras., de origen ruso. Atraído por el expresionismo al., plasmó en sus telas el drama judío. *Recuerdos de Vilna, Mangue, Los bosques.*

SEGANTINI, *Giovanni* (1858-1899) Pintor it. Representante del neoimpresionismo (*Primavera en los Alpes*). Influido post. por el simbolismo y el puntillismo.

SEGAR tr. Cortar mieses o hierba con la hoz, la guadaña o cualquier máquina a propósito. • Cortar de cualquier manera, y especialmente lo que sobresale o está más alto. • fig. Cortar, impedir bruscamente el desarrollo de algo. ■ SEGAZÓN.

SEGESTA Ant. c. gr., en Sicilia. Ruinas de un templo dórico del s. V a. C., y de un teatro de mediados del s. III a. C.

SEGHERS, *Daniel* (1590-1661) Pintor flam., barroco. Numerosas representaciones barrocas de Cristo, la Virgen y san Ignacio.

SEGHERS o **SEGERS, *Hércules Pietersz*** (1590-1640) Pintor hol. De su obra destacan los paisajes, resueltos con la técnica del claroscuro, muy afín al gusto barroco. *Río en un valle.*

SEGISMUNDO I Jagellón, EL VIEJO (1467-1548) Gran duque de Lituania, rey de Polonia [1506-1548]. Hijo de Casimiro IV, introdujo reformas administrativas y judiciales. • **II Augusto Jagellón** (1520-1572) Rey de Polonia y gran duque de Lituania [1548-1572]. Incorporó Livonia a Lituania por el tratado de Vilna. • **III Vasa** (1566-1632) Rey de Polonia [1587-1632] y de Suecia [1592-1599]. Para poder reinar en Suecia tuvo que respetar el luteranismo. • **De Luxemburgo** (1368-1437) Rey de Hungría [1387-1437], rey de romanos [1411-1433], rey de Bohemia [1419-1437] y emperador germánico [1433-1437]. Vencido por los turcos en 1396.

SEGLAR adj. Relativo a la vida, estado o costumbre del siglo o mundo. • adj. y s. Laico.

SEGMENTACIÓN f. *Biol.* División reiterada de la célula huevo de animales y plantas, en virtud de la cual se constituye un cuerpo pluricelular que es la primera fase del embrión. • *Comp.* Operación que permite dividir el programa en partes, denominadas segmentos, de modo que sólo se halle en memoria el segmento a procesar, evitando así el almacenamiento de todo el programa en la memoria principal durante su ejecución.

SEGMENTO m. Pedazo o parte cortada de una cosa. • *Comp.* Parte de un programa que se carga de una sola vez en memoria. • *Geom.* Parte de la recta determinada por dos puntos del plano o del espacio, limitada por estos dos puntos. • *Mec. apl.* Cada uno de los arcos elásticos de metal que encajan en las ranuras circulares del émbolo y se ajustan a las paredes del cilindro. • *Zool.* Cada una de las partes dispuestas en serie lineal de que está formado el cuerpo de los gusanos y artrópodos. • **circular.** *Geom.* Región de un círculo comprendida entre una cuerda y su arco. • **esférico.** *Geom.* Región de una esfera limitada por un casquete o una zona esféricos y su base o bases. • **lineal.** *Geom.* Parte de una línea limitada por dos de sus puntos. ■ SEGMENTADO, DA; SEGMENTAR.

SEGNI, *Antonio* (1891-1972) Político it. Miembro del Partido Demócrata-cristiano. Jefe del gobierno (1955-1957 y 1959-1960). Presid. de la rep. (1962-1964).

SEGOVIA Prov. de España, en la com. autón. de Castilla y León, sit. en la submeseta Norte; 6 949 km², 147 188 hab. Cap., la c. hom. Sierras de Ayllón, Somosierra, Guadarrama y Malagón. Cereales, leguminosas, remolacha azucarera. Ganadería ovina. Explotación forestal. Caolín, feldespato. Ind. de transformaciones agropecuarias. • C. España, cap. de la prov. hom.; 54 375 hab. Sit. a orillas del r. Eresma, en el punto de contacto entre la sierra y la llanura. Centro administrativo, comercial e industrial. Famoso acueducto romano.

SEGOVIA, ***Andrés*** (1893-1987) Guitarrista esp. Actuó en recitales y conciertos en todo el mundo, con un repertorio que incluía transcripciones de obras para laúd, mandolina o clave, de Couperin, Rameau, Bach, Moreno Torroba, Falla, etc.
SEGOVIANO, NA adj. y s. De Segovia.
SEGRE, ***Corrado*** (1836-1924) Geómetra it. Fue una de las figuras de la escuela it. de geometría algebraica.
SEGREGACIÓN f. Acción y efecto de segregar o segregarse. • **independiente.** *Biol.* Separación al azar de los alelos que determinan la herencia. • **racial.** Aislamiento que dentro de una comunidad se impone a los miembros de un grupo étnico. ■ SEGREGACIONISTA.
SEGREGAR tr. y prnl. Separar o apartar una cosa de otra u otras. • Secretar, excretar, expeler. • Aislar o separar a determinados miembros de una comunidad. ■ SEGREGATIVO, VA.
SEGUETA f. Sierra de marquetería. ■ SEGUETEAR.
SEGUÍ, ***Antonio*** (nacido 1934) Pintor, grabador y escultor arg. Miembro de la Nueva Figuración, su obra refleja irónicamente los temas cotidianos. Ha recibido importantes premios internacionales. • ***Salvador,*** llamado EL NOI DEL SUCRE (1890-1923) Dirigente anarcosindicalista esp. Defendió el antiparlamentarismo de la CNT y su carácter político. Asesinado por pistoleros del gobierno. *Anarquismo y sindicalismo.*
SEGUIDILLA f. *Métr.* Composición de cuatro o de siete versos, de los cuales son heptasílabos y libres el primero, el tercero y el sexto, y pentasílabos y asonantes el segundo y el cuarto entre sí y el quinto y el séptimo por su parte. • pl. Aire popular esp. • Baile con este aire. • fig. y fam. Diarrea.
SEGUIDO, DA adj. Continuo, sucesivo, sin intermisión de lugar o tiempo. • Que está en línea recta. • adv. modo. De seguida. • f. Acción y efecto de seguir. • Cierto baile antiguo. • **De seguida.** m. adv. Consecutiva o continuamente. • Inmediatamente. • **En seguida.** m. adv. Inmediatamente después en el tiempo o en el espacio.
SEGUIDOR, RA adj. y s. Que sigue. • m. Pauta para escribir. • **catódico.** *Electr.* Dispositivo que actúa como amplificador de potencia, constituido por un triodo o un pentodo, un ánodo conectado a la batería y una impedancia entre cátodo y masa.
SEGUIMIENTO m. Acción y efecto de seguir o seguirse. • **automático por radar.** *Electr.* Operación que ejecutan aparatos especiales de radar, en la que una vez localizado un objetivo móvil consigue mantener contacto electrónico con el mismo.
SEGUIR tr. e intr. Ir después o detrás de uno. • tr. Dirigir la vista hacia un objeto que se mueve y mantener la visión de él. • ir en busca de una persona o cosa. • Proseguir en lo empezado. • Ir en compañía de uno. • Profesar una ciencia, arte o estado. • Cursar determinados estudios. • Observar atentamente el curso de un negocio o los movimientos de una persona o cosa. • Tratar o manejar un negocio o pleito, haciendo las diligencias conducentes para su logro. • Conformarse, convenir, ser del dictamen o parcialidad de una persona. • Perseguir, acosar o molestar a uno. • Imitar o hacer una cosa por el ejemplo que otro ha dado de ella. • Dirigir una cosa por camino o método adecuado, sin apartarse del intento. • prnl. Inferirse o ser consecuencia una cosa de otra. • Suceder una cosa a otra por orden, turno o núm., o ser continuación de ella.
SEGÚN prep. Conforme o con arreglo a. • Toma carácter de adv., denotando relaciones de conformidad, correspondencia o modo, y equivaliendo más comúnmente a *con arreglo* o *en conformidad a lo que*, o a *como*. • Con proporción o correspondencia a. • De la misma suerte o manera que. • Por el modo en que. • Precediendo inmediatamente a nombres o pron. personales, significa: con arreglo o conforme a lo que opinan o dicen las personas de que se trate. • Con carácter adverbial, y en frases elípticas, indica eventualidad o contingencia.
SEGUNDAR tr. Repetir uno un acto que acaba de hacer. • intr. Ser segundo o seguirse al primero.
SEGUNDARIO, RIA adj. Secundario.
SEGUNDERO, RA adj. Díc. del segundo fruto que dan ciertas plantas dentro del año. • m. Manecilla que señala los segundos en el reloj.
SEGUNDO, DA adj. y s. Que sigue inmediatamente en orden al o a lo primero. • m. Persona que en una institución sigue en jerarquía al jefe o principal. • Unidad de tiempo. Es la ochenta y seis mil cuatrocientasava parte del día solar medio. • *Geom.* Unidad angular sexagesimal, cada una de las 60 partes iguales en que se divide el minuto de circunferencia. • f. En las cerraduras y llaves, vuelta doble que suele hacerse en ellas. • Segunda intención. Se usa más en pl. • *Alg.* Signo (") que se pone después de una letra. • *Mús.* En algunos instrumentos de cuerda, la que está después de la prima. • *Mús.* Intervalo formado entre dos notas consecutivas de la escala.

Vista de **Segovia**

SEGUNDOGÉNITO, TA adj. y s. Díc. del hijo o hija nacidos después del primogénito o primogénita. ■ SEGUNDOGENITURA.
SEGUNDÓN m. Hijo segundo de la casa. • P. ext., cualquier hijo no primogénito.
SEGUR f. Hacha grande. • En la ant. Roma, hacha que llevaban los lictores como insignia de su poder. • Hoz o guadaña para segar.
SÉGUR, *Sophie Rostopchine,* CONDESA DE (1799-1874) Escritora fr., de origen ruso. *Nuevos cuentos de hadas para niños, Memorias de un asno.*
SEGURA y Cordero, ***Manuel Ascensio*** (1805-1871) Escritor per., costumbrista. *El sargento Canuto, El resignado.*
SEGURIDAD f. Calidad de seguro. • Fianza u obligación de indemnidad a favor de uno. • **de los datos.** *Comp.* Cualquier método utilizado para proteger los datos almacenados en los dispositivos de almacenamiento externo contra el acceso a ellos de personas no autorizadas.

Andrés **Segovia**

SEGURO, RA adj. Libre y exento de todo daño o riesgo. • Indubitable y en cierta manera infalible. • Firme, que no está en peligro de faltar o caerse.• Desprevenido, ajeno de sospecha. • m. Seguridad, certeza, confianza. • Lugar o sitio libre de todo peligro. • Contrato por el cual una persona se obliga a resarcir pérdidas o daños que ocurran en las cosas que corren un riesgo. • Salvoconducto o permiso que se concede para ejecutar algo. • Muelle o mecanismo destinado en algunas armas de fuego a evitar que se disparen solas. • fam. Seguridad social. • **En seguro.** m. adv. En salvo. • A salvo. • **A buen seguro,** o **de seguro.** m. adv. Ciertamente, en verdad. • **Sobre seguro.** m. adv. Sin aventurarse a ningún riesgo.
SEIBAL Yacimiento arqueológico de Guatemala, en el dpto. de El Petén. Restos mayas de los ss. X-III a. C.
SEIBO, ***El*** Provincia de la República Dominicana; 1 659 km², 96 900 hab. Cap., la c. hom. Sit. junto al Atlántico. Accidentado por la cordillera Central. R. Rosco. Agricultura. • **Santa Cruz de El S.** C. de la República Dominicana, cap. de la prov. hom.; 13 500 hab. Centro comercial agrícola.
SEICHE m. Onda estacionaria formada por el viento o por incremento de la presión atmosférica en lagos, golfos, bahías, etc.
SEIFERT, ***Iaroslav*** (1901-1986) Poeta chec. *Los brazos de Venus, Cantos sobre Praga, La columna de la peste, Toda la belleza de esta tierra.* Premio Nobel de Literatura en 1984.
SEIGNETTE, ***sal de*** *Quím.* Tartrato doble de sodio y potasio.
SEIPEL, ***Ignaz*** (1876-1932) Político y eclesiástico austr. Canciller en tres ocasiones. Reprimió con dureza la insurrección socialista de Viena (1927).

Antena de radar para el **seguimiento** de aviones de un aeropuerto

SEIS adj. Cinco y uno. • adj. y s. Sexto, ordinal. • m. Signo o conjunto de signos con que se representa el núm. seis. • Naipe que tiene seis señales. • Ficha del dominó que tiene seis puntos. • Cada uno de los seis regidores que ciertos lugares diputaban para el gobierno político y económico o para un asunto particular. • *P. Rico.* Baile popular, especie de zapateado.

SEISAVO, VA adj. y m. Cada una de las seis partes en que se divide un todo. • *Geom.* Díc. del polígono hexágono.

SEISCIENTOS, TAS adj. Seis veces ciento. • Sexcentésimo, ordinal. • m. Conjunto de signos con que se representa el núm. seiscientos.

SEISILLO m. *Mús.* Conjunto de seis notas iguales que se deben cantar o tocar en el tiempo correspondiente a cuatro de ellas.

SEÍSMO m. *Geol.* Movimiento vibratorio que se origina en el interior de la Tierra y que se propaga en todas direcciones en forma de ondas elásticas, denominadas ondas sísmicas.

* *Geol.* El punto del interior de la Tierra donde se origina un s. o terremoto es el hipocentro o foco, y el punto de la superficie terrestre donde presenta la máx. intensidad es el epicentro. En el estudio de un s., lo primero que interesa determinar es la localización del epicentro y la profundidad a que se halla el hipocentro, lo que se consigue estudiando los sismogramas obtenidos mediante sismógrafos. Se distinguen dos tipos fundamentales de ondas sísmicas: las preliminares, divididas a su vez en longitudinales y transversales, y las superficiales, divididas a su vez en ondas Rayleigh y ondas Love. Las longitudinales (ondas P) son las más rápidas y son de compresión o de distensión; las transversales (ondas S) son de cizalladura. En la actualidad se utilizan dos parámetros para determinar la importancia intrínseca de los s.: la magnitud y la intensidad. La magnitud establece la cantidad de energía liberada en el foco, y la escala de magnitudes comprende diez grados, de 0 a 9, siendo cada grado diez veces superior al anterior. La intensidad se basa en el estudio y evaluación de los efectos producidos por el s.; será máxima en las proximidades del epicentro y disminuirá a medida que nos alejemos de éste. Con el fin de intentar establecer una distribución geográfica de los s. lo más exacta posible, se utiliza el denominado *índice de sismicidad*, que expresa el núm. anual de sacudidas sísmicas en una zona determinada que se producen por cada 100 000 km^2 de superficie. La pral. zona sísmica actual es el conjunto de cordilleras, fosas abisales y arcos insulares que bordean el océano Pacífico.

Tiburón gris, pez del orden **seláceos**

Busto de Antíoco III el Grande, monarca de la dinastía **seléucida.** Museo del Louvre, París

Clasificación de los **seísmos**

MICROSEÍSMO

1. Movimientos no registrados por todos los aparatos, notados tan sólo por algunos observadores ejercitados.

MACROSEÍSMO

2. Todos los aparatos registran el seísmo. El movimiento es percibido por algunas personas en reposo.
3. Gran número de personas en reposo sienten el movimiento. La duración y dirección son percibidas.
4. El seísmo es notado por gran número de personas en movimiento. Algunos objetos se mueven: puertas, ventanas; crujen los muebles.
5. Todo el mundo siente la sacudida. Movimiento de objetos fijos: muebles, camas. Las campanillas se agitan.
6. Despertar brusco de las personas dormidas. Oscilación de las lámparas, de los relojes de pared; movimiento sensible de los árboles.
7. Caída de algunos cacharros, platos, vasos. Los relojes públicos se paran.
8. Caída de chimeneas; algunos muros se agrietan.
9. Ruina parcial o total de algunos edificios.
10. Desastre, ciudades destruidas. Trastornos de las capas terrestres, grietas y fallas en la superficie. Hundimientos en las montañas.

SEJE m. *Amér. Merid.* Árbol de la familia palmáceas, semejante al coco, pero menos grueso y más bajo, de copa ancha, y fruto puntiagudo, del cual se extrae aceite.

SELA → Sistema Económico Latino Americano.

SELÁCEO, A o **SELACIO, CIA** adj. y m. *Zool.* Díc. de los peces marinos cartilaginosos de piel muy áspera y numerosos dientes triangulares. • m. pl. *Zool.* Orden de estos peces.

SELAGINELA f. *Bot.* Planta criptógama pteridófita, de hojas pequeñas y escamosas, y con esporas de dos tipos.

SELECCIÓN f. Acción y efecto de seleccionar. • Conjunto de personas o cosas seleccionadas. • **artificial.** Elección de los animales y plantas destinada a conseguir la creación de nuevas razas o el mejoramiento de las ya existentes. • **natural.** *Biol.* Fenómeno evolutivo que favorece determinada información genética beneficiosa en detrimento de otra que puede llegar a desaparecer. ▪ SELECTO, TA.

SELECCIONADOR, RA adj. y s. Que selecciona. • m. y f. *Dep.* Persona que selecciona a los deportistas que deben integrar un equipo.

SELECCIONAR tr. Elegir, escoger.

SELECTIVO, VA adj. Que implica selección. • Díc. del aparato radiorreceptor que permite escoger una onda de longitud sin que perturben la audición otras ondas próximas. ▪ SELECTIVIDAD.

SELECTOR, RA adj. y m. Que selecciona o clasifica. • *El.* Díc. del dispositivo que permite seleccionar ciertos impulsos para que sean sometidos a una acción determinada. • En telefonía, díc. del dispositivo empleado en la conmutación de las centrales telefónicas para la conexión del aparato de llamada con el llamado. • m. Pedal que en las motocicletas sirve para cambiar las velocidades.

SELENE *Mit. gr.* Diosa de la noche, hija de Hiperión y Tía.

SELENGA Río de Asia central, en Siberia. Nace en Mongolia y, tras penetrar en Siberia, desemboca en el lago Baikal; 1 200 km.

SELENIO m. *Quím.* Elemento de símb. Se, n. a. 34 y p. a. 78,96. Es un no metal con varias formas alotrópicas, utilizado en cinematografía y televisión, y como color en cerámica.

SELENITA com. Nombre aplicado a los imaginarios habitantes de la Luna. • f. Espejuelo, yeso cristalizado.

SELENIURO m. *Quím.* Cuerpo resultante de la combinación del selenio con un radical simple o compuesto.

SELENOGRAFÍA f. Parte de la astronomía que trata de la descripción de la Luna. ▪ SELENÓGRAFO.

SELENOSIS f. Manchita blanca en las uñas.

SELENOSTATO m. *Astr.* Aparato para la observación astronómica de la Luna. Mediante un movimiento de relojería, sincronizado con el movimiento del astro, el aparato se mantiene enfocado constantemente durante las observaciones directas o fotográficas.

SELÉUCIDA adj. y s. Díc. de individuos de una dinastía helenística fundada h. 305 a. C. por Seleuco I Nicátor. Gobernó un país que, con centro en Siria, abarcaba desde Mesopotamia hasta el Mediterráneo.

SELEUCO I Nicátor (h. 355-280 a. C.) Sátrapa de Babilonia y fundador de la dinastía de los seléucidas [305-280 a. C.]. Tras la victoria en Ipso, su reino tuvo salida al mar. Incorporó Asia Menor. • **II Calínico** (265-226 a. C.) Rey seléucida [246-226 a. C.]. Perdió Batracia y Asia Menor y durante su reinado nació el reino parto.

SELFACTINA f. Máquina de hilar que efectúa de modo intermitente y automático el último estiraje, torcido y bobinado de los hilos textiles.

SELF-CONTROL (voz ing.) m. Autocontrol, dominio de sí mismo, autodominio conseguido mediante la educación.

SELF-GOVERNMENT (voz ing.) m. Autogobierno de un pueblo. En derecho administrativo se utiliza a veces como descentralización.

SELF-MADE-MAN (voz ing.) m. Denominación del hombre que se ha hecho a sí mismo, gracias a sus propios esfuerzos.

SELF-SERVICE (voz ing.) m. Autoservicio; se aplica especialmente a ciertos restaurantes.

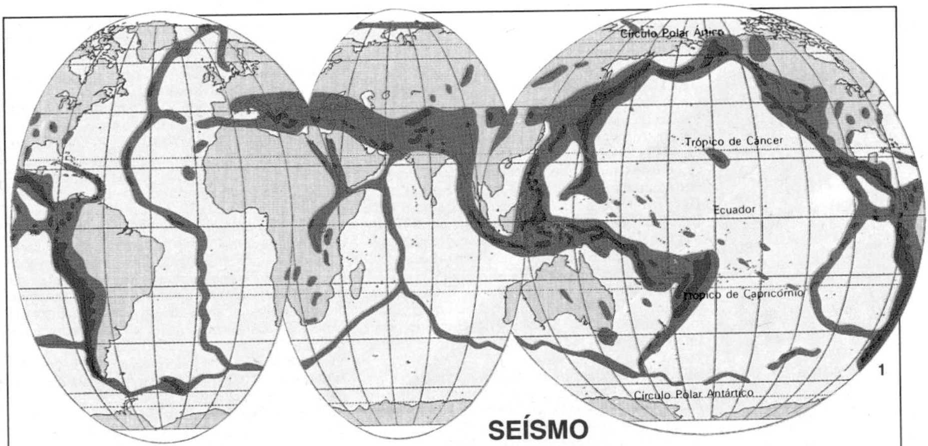

1

SEÍSMO

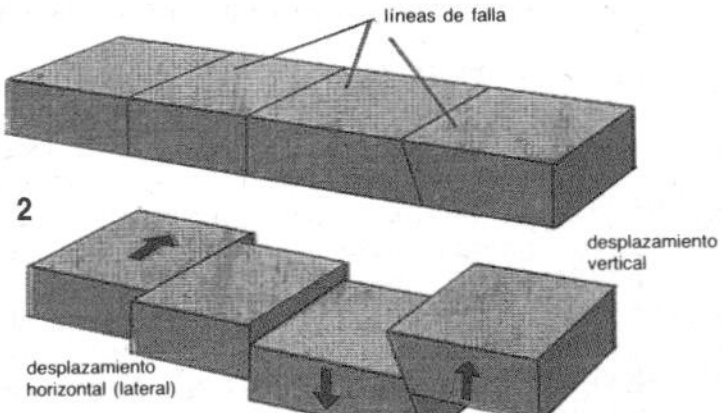

1. El 95 % de los seísmos se producen en la franja transversal que atraviesa la cuenca mediterránea y en el cinturón de fuego del Pacífico. El mapa recoge la distribución de los epicentros sísmicos, que son los puntos de la corteza terrestre en que se proyectan los hipocentros o focos de los seísmos, los cuales se hallan situados generalmente a profundidades de unas pocas decenas de kilómetros.
2. Los seísmos se deben a desplazamientos originados a lo largo de las líneas de falla geológicas, que a su vez son consecuencia de tensiones producidas en las placas que forman la corteza terrestre.
3. Los maremotos (seísmos que tiene su epicentro en el mar) dan lugar a la formación de grandes olas llamadas tsunamis, que pueden alcanzar los 30 m de altura y producen grandes destrozos en las zonas costeras.

2

3

4. y 5. Para registrar los temblores del suelo en un punto se emplean los sismógrafos, constituidos esencialmente por una masa suspendida de un muelle y un soporte fijado al suelo; un punzón ligado a la masa oscilante traza sobre un cilindro giratorio una curva (sismograma) que registra en cada instante el desplazamiento relativo de la masa respecto al suelo.
6. Estos edificios semidestruidos testimonian la fuerza del terremoto que asoló Ciudad de México en 1985.
7. La perspectiva muestra el constraste que marca la falla de San Andrés entre el paisaje de *bad land* y la llanura cultivada al fondo. Esta falla, que corre desde San Francisco (EE UU) hacia el SE es responsable de la elevada sismicidad de la zona.

4

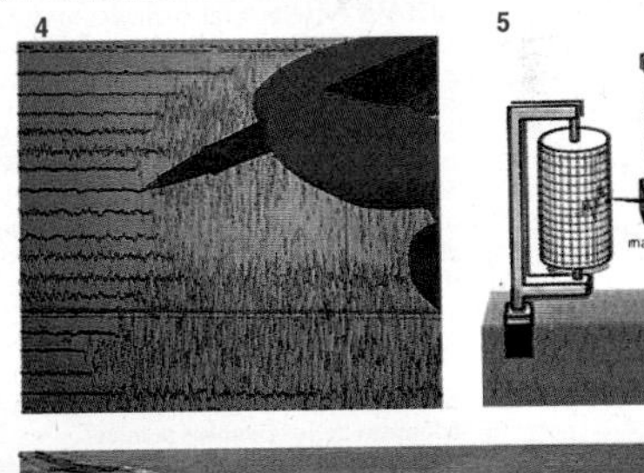

5

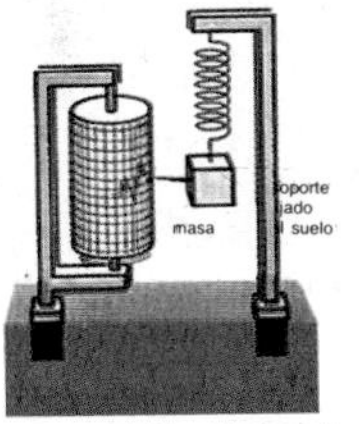

6

7

Selim I

Sellos de una colección particular

Arte **selyúcida.** Detalle del portal de la madrasa Buyuk Karatay, en Konya (Turquía)

SELGAS y Carrasco, ***José*** (1822-1882) Escritor esp. Como poeta lírico canta la inocencia, la naturaleza y la religiosidad. *Flores y espinas, La primavera y el estío.*

SELIM o **SALIM I** ***el Cruel*** (1467-1520) Sultán otomano [1512-1520]. Obligó a su padre, Bayeceto II, a abdicar en su favor (1512). Conquistó Tabriz, Armenia, Alta Mesopotamia, Siria y Egipto. • **II** (1524-1574) Sultán otomano [1566-1574]. Conquistó Chipre a los venecianos (1571), pero fue derrotado en Lepanto (1571) por la Santa Liga. • **III** (1761-1808) Sultán otomano. Ayudado por Gran Bretaña, combatió la invasión de Egipto por las tropas fr. (1798-1802), pero, al firmarse la paz, estableció lazos amistosos con Napoleón. Murió asesinado por orden de su primo, Mustafá IV.

SELLAR tr. Imprimir el sello. • fig. Estampar, imprimir o dejar señalada una cosa en otra o comunicarle determinado carácter. • fig. Concluir, poner fin a una cosa. • fig. Cerrar, tapar, cubrir. ■ SELLADURA.

SELLERS, ***Peter*** (1925-1980) Actor brit. *La Pantera Rosa; El guateque; El estrafalario prisionero de Zenda; Bienvenido, Mr. Chance.*

SELLÉS, ***Eugenio*** (1842-1926) Autor dramático esp., realista, de la escuela de Echegaray. *El nudo gordiano, La mujer de Lot.*

SELLO m. Utensilio que sirve para estampar las armas, divisas o cifras en él grabadas. • Lo que queda estampado, impreso y señalado con el mismo sello. • Disco de metal o de cera que, estampado con un sello, se ponía pendiente en ciertos documentos de importancia. • Trozo pequeño de papel, con timbre oficial, que se pega a ciertos documentos y a las cartas. • Oficina donde se estampa y pone el sello a algunos escritos para autorizarlos. • El que sella. • Carácter distintivo comunicado a una cosa. • *Farm.* Conjunto de dos obleas redondas entre las cuales se cierra una dosis de medicamento. • **de Salomón.** Estrella de seis puntas formada por dos triángulos equiláteros cruzados. • *Bot.* Planta herbácea liliácea, de flores blancas y rizoma empleado como vulnerario y astringente.

SELTZ n. p. Denominación que se da al agua carbónica artificial. Debe su nombre al agua mineral de Nieder-Selters, en Alemania.

SELVA f. Terreno extenso, inculto y muy poblado de árboles. • fig. Abundancia desordenada de una cosa; confusión, cuestión intrincada. • **tropical.** La propia del clima tropical, de exuberante y frondosa vegetación. • **virgen.** La que es difícilmente penetrable. ■ SELVÁTICO, CA; SELVOSO, SA.

SELVA NEGRA (al. *Schwarzwald*) Macizo montañoso del SO alemán. Alt. máx.: Feldberg (1 493 m). Cubierto de bosques de abetos y pinos.

SELVICULTURA f. Silvicultura.

SELYÚCIDA o **SELJÚCIDA** o **SELYUQUÍ** adj. y s. Díc. de individuos de una dinastía turca fundada por Salyuq ibn Duqaq, jefe de la tribu uguz de Yand. Su nieto Tugrï Beg consiguió dominar el sector oriental del califato abasí (s. XI). La dinastía se subdividió pronto en cinco grupos: los **s. mayores** (1038-1157), los **s. de Irak** (1118-1194), los **s. de Kirman** (1041-1186), los **s. de Siria** (1078-1117) y los **s. de Asia Menor** (1081-1302).

SEM Hijo de Noé, hermano de Cam y Jafet. Es el epónimo de los pueblos semitas.

SEMA m. *Ling.* → Semema.

SEMÁFORO m. Telégrafo óptico de las costas, para comunicarse con los buques por medio de señales. • Aparato eléctrico de señales luminosas para regular la circulación automovilística. • P. ext., otros sistemas de señales ópticas. ■ SEMAFÓRICO, CA.

SEMANA f. Serie de siete días naturales consecutivos, empezando por el domingo y acabando por el sábado. • Periodo septenario de tiempo, sea de días, meses, años o siglos. • fig. Salario ganado en una semana. • fig. Una de las muchas variedades del juego del infernáculo. • **corrida.** *Chile.* A efectos del cobro de salarios, semana completa, aunque en ella haya días festivos intermedios. • **grande, mayor,** o **santa.** La última de la cuaresma, desde el domingo de Ramos hasta el de Resurrección. • **inglesa.** Régimen semanal de trabajo que termina a mediodía del sábado. • **Trágica.** *Hist.* Insurrección social que, centrada en Barcelona, tuvo lugar en julio 1909. Su estallido fue motivado por el llamamiento de reservistas para la guerra de Marruecos. ■ SEMANAL.

SEMANTEMA m. *Ling.* Elemento portador de un contenido semántico que expresa una idea o representación léxica, en oposición a morfema, que expresa relaciones gramaticales.

SEMÁNTICO, CA adj. Relativo a la significación de las palabras. • f. *Comp.* Estudio de la relación entre los símbolos utilizados en las instrucciones y su significado. • *Ling.* Estudio de la significación de las palabras.

* *Ling.* La s. tradicional ha investigado las causas del cambio semántico y sus clasificaciones. La s. estructural sincrónica divide el vocabulario en sectores, formados por palabras interrelacionadas, de modo que el valor de cada una de ellas depende de sus relaciones con las demás. Las gramáticas generativas y transformacionales le han dado gran impulso.

SEMARANG C. de Indonesia, cap. de la prov. de Java central; 1 027 000 hab. Puerto exportador. Ind. metalúrgica, textil y del calzado.

SEMASIOLOGÍA f. *Ling.* Semántica, estudio del significado de las palabras. • *Ling.* Estudio semántico que, partiendo del signo y de sus relaciones, llega a la determinación del concepto. ■ SEMASIOLÓGICO, CA.

SEMBLANTE m. Representación de algún estado de ánimo en el rostro. • Cara o rostro humano. • fig. Apariencia y representación del estado de las cosas, sobre el cual formamos el concepto de ellas.

SEMBLANTEAR tr. *Amér.* Mirar a uno cara a cara para penetrar sus intenciones.

SEMBLANZA f. Bosquejo biográfico.

SEMBRADÍO, A adj. Díc. del terreno destinado o a propósito para sembrar.

SEMBRADO m. o **SEMBRADA** f. Tierra sembrada, hayan o no germinado y crecido las semillas.

SEMBRADORA o **SEMBRADERA** f. Máquina para sembrar.

SEMBRAR tr. Dispersar las semillas en el suelo para su posterior germinación y aprovechamiento de los vegetales cultivados. • fig. Desparramar, esparcir. • fig. Dar motivo, causa o principio a una cosa. • fig. Colocar sin orden una cosa para adorno de otra. • fig. Esparcir, publicar una noticia para que se divulgue. • fig. Hacer algunas cosas para que produzcan fruto. ■ SEMBRADURA.

SEMEJA f. Semejante o parecido. • Señal, muestra, indicio. Se usa más en pl.

SEMEJANTE adj. y s. Que semeja o se parece a una persona o cosa. • adj. Úsase con sentido de comparación o ponderación. • Empleado con carácter de demostrativo, equivale a *tal.* • *Geom.* Díc. de las figuras del plano o del espacio cuando existe una semejanza que transforma una en otra. • m. Semejanza, imitación. • Prójimo, cualquier hombre respecto a uno.

SEMEJANZA f. Calidad de semejante. • *Fís.* Correspondencia de comportamientos entre dos objetos distintos. • *Mat.* Aplicación lineal en un espacio métrico afín tal que, para dos puntos cualesquiera x e y de este espacio, $f(x)f(y)^2 = k^2xy^2$, siendo k una constante característica de la semejanza. • **Ley de la s.** *Med.* Uno de los fundamentos de la medicina homeopática, según el cual un tóxico administrado a dosis ínfimas puede curar las afecciones que tienen síntomas parecidos a los provocados por el tóxico administrado a grandes dosis.

SEMEJAR intr. y prnl. Parecerse una persona o cosa a otra; tener conformidad con ella.

SEMEMA m. *Ling.* Cada una de las clases de unidades significativas en el plano del contenido, conocidos con el nombre de semas. Los sememas son una clase de semas. Éstos son el núcleo significativo de cada lexema o morfema considerado como valor constante.

SEMEN m. *Fisiol.* Líquido producido por las glándulas genitales masculinas cuando se une a la secreción propia de la próstata. • *Bot.* Semilla de los vegetales.

SEMENOV, ***Nikolai Nikolaievich*** (1896-1986) Químico sov. Premio Stalin en 1941 por sus estudios de cinética química. Premio Nobel de Química en 1956 con C. N. Hinshelwood.

SEMENTAL adj. Relativo a la siembra o semen-

tera. • adj. y m. Aplícase al animal macho que se destina a la reproducción.
SEMENTAR tr. Sembrar en la tierra.
SEMENTERA f. Acción y efecto de sembrar. • Tierra sembrada. • Cosa sembrada. • Tiempo a propósito para sembrar. • fig. Origen y principio de que se originan y propagan algunas cosas.
SEMENTERO m. Saco en que se llevan los granos para sembrar. • Sementera.
SEMENTINO, NA adj. Relativo a la simiente.
SEMESTRE adj. Semestral. • m. Espacio de seis meses. • Renta, sueldo, etc., que se cobra o que se paga al fin de cada semestre. ■ SEMESTRAL.
SEMIAUTOMÁTICO, CA adj. y f. *Ing*. Díc. del mecanismo que sólo efectúa automáticamente una parte de las operaciones. • Díc. del arma que efectúa automáticamente todas las operaciones, salvo la acción de disparar.
SEMIBREVE f. *Mús*. Nota musical que vale un compasillo entero.
SEMICADENCIA f. *Mús*. Paso sencillo de la nota tónica a la dominante.
SEMICILINDRO m. Cada una de las dos mitades del cilindro separadas por un plano que pasa por el eje. ■ SEMICILÍNDRICO, CA.
SEMICÍRCULO m. *Geom*. Cada una de las dos mitades del círculo separadas por un diámetro. ■ SEMICIRCULAR.
SEMICIRCUNFERENCIA f. *Geom*. Cada una de las dos mitades de la circunferencia.
SEMICONDUCTOR, RA adj. y m. *Electr*. Díc. de los elementos sólidos que presentan una conductibilidad electrónica menor que la de los metales.
* *Electr*. Las propiedades prales. de los s. son: posibilidad de grandes variaciones de las densidades de portadores de carga por encima de los valores de equilibrio (gracias a la existencia simultánea de electrones y huecos); disminución de la resistividad al aumentar la temperatura; grandes variaciones de la resistividad por la presencia de impurezas. Existen fundamentalmente tres tipos de s.: los *s. intrínsecos*, como el germanio y el silicio, que conducen la corriente eléctrica debido a su estructura atómica; los *s. extrínsecos*, los más utilizados, que son el resultado de añadir a los anteriores impurezas que aumentan su resistividad; los *s. amorfos*, entre los cuales se encuentran los vidrios calcógenos (prácticamente insensibles a la inclusión de impurezas químicas) y los vidrios pníctidos, cuyo componente principal es un elemento de la columna 5 del sistema periódico.
SEMICONSERVA f. Alimentos envasados en recipientes cerrados, sin previa esterilización, que se conservan por tiempo limitado, merced a la adición de sal común, vinagre, aceite, almíbar, o mediante el ahumado, la deshidratación, etc.
SEMICONSONANTE adj. y f. *Fon*. Aplícase a las vocales *i, u*, en principio de diptongo o triptongo, y más propiamente cuando en dicha posición se pronuncian con sonido de duración momentánea, improlongable, y con abertura articulatoria y timbre más próximo a consonante que a vocal.
SEMICORCHEA f. *Mús*. Nota cuyo valor es la mitad de una corchea.
SEMICROMÁTICO, CA adj. *Mús*. Díc. del gén. musical que participa del diatónico y del cromático.
SEMICULTISMO m. Palabra influida por el latín, o por lengua culta, que no ha realizado completamente su evolución fonética normal. ■ SEMICULTO, TA.
SEMIDESIERTO m. Tipo especial de vegetación constituida en las zonas más secas de las estepas.
SEMIDESINTEGRACIÓN, *periodo de* *Fís*. Intervalo de tiempo necesario para que el núm. de átomos de una muestra de un elemento radiactivo se reduzca a la mitad.
SEMIDIÁMETRO m. *Geom*. Cada una de las dos mitades de un diámetro separadas por el centro. • **de un astro.** *Astr*. Ángulo formado por dos visuales dirigidas una a su centro y otra a su limbo.
SEMIDIESEL m. *Aut*. Motor Diesel que requiere un sistema de encendido eléctrico.
SEMIDIÓS, SA m. y f. Entre los ant. gr. y rom., héroe que, por sus grandes hazañas, presentaban como descendiente de alguno de sus dioses.
SEMIDÍTONO m. *Mús*. Intervalo de un tono y un semitono mayor.
SEMIEJE m. *Geom*. Longitud del segmento que une el centro a cada uno de los vértices de una cónica (en el plano) o de una cuádrica (en el espacio). • *Geom*. Cada uno de dichos segmentos. • *Aut*. Cada uno de los dos ejes que accionan una rueda motriz.
SEMIESFERA f. Hemisferio. ■ SEMIESFÉRICO, CA.
SEMIESPACIO m. *Geom*. Cada una de las dos partes en que un plano divide al espacio ordinario. Se dice que es cerrado o abierto según que en él se incluya o no, respectivamente, el plano.
SEMIESPECIE f. *Biol*. Grupo taxonómico intermedio entre especie y subespecie. • Población en posición intermedia dentro del proceso de especiación.
SEMIESTERILIDAD f. *Biol*. Fenómeno por el cual gran parte de los gametos potenciales que puede originar un individuo no se forman o no son viables, debido a alteraciones cromosómicas o genéticas.
SEMIFINAL f. *Dep*. Cada una de las dos penúltimas competiciones del campeonato o concurso, que se gana por eliminación del contrario y no por puntos. También se usa en pl.
SEMIFLÓSCULO m. *Bot*. Cada una de las flores que están sit. en la periferia de una cabezuela y cuya corola se prolonga en forma de lámina o lengüeta.
SEMIFORME adj. A medio formar, no del todo formado.
SEMIFUSA f. *Mús*. Nota musical cuyo valor es la mitad de una fusa.
SEMIGRUPO m. *Álg*. Conjunto dotado de una operación interna asociativa.
SEMILIBRE adj. y s. En la E. Med., persona que estaba vinculada a otra por relaciones de dependencia.
SEMILLA f. Parte de la planta que la reproduce cuando germina. • fig. Cosa que es causa u origen de que proceden otras. • pl. Granos que se siembran, exceptuados el trigo y la cebada.
SEMILLAZO m. *Amér. Centr*. Balazo.
SEMILLERO m. Sitio donde se siembran los vegetales que después han de trasplantarse. • Sitio donde se conservan, para estudio, colecciones de diversas semillas. • fig. Origen y principio de que nacen o se propagan algunas cosas.
SEMILUNAR adj. Que tiene figura de media luna. • adj. y m. *Anat*. Díc. de un hueso del carpo, sit. entre el escafoides y el piramidal.
SEMILUNIO m. Mitad de una lunación.
SEMINAL adj. Relativo al semen. • Relativo a la semilla.
SEMINARIO, RIA adj. desus. Seminal. • m. Semillero de vegetales. • Casa o lugar destinado para educación de niños y jóvenes. • Clase en que se reúne el profesor con los discípulos para realizar trabajos de investigación. • Organismo docente en que, mediante el trabajo en común de maestros y discípulos, se adiestran éstos en la investigación de alguna disciplina. • fig. Semillero, origen de algunas cosas. ■ SEMINARISTA.
SEMINÍFERO, RA adj. *Anat*. Que produce o contiene semen. • *Bot*. Que produce o contiene semillas.
SEMÍNIMA f. *Mús*. Nota que vale la mitad de una mínima. • pl. fig. Menudencias, minucias.
SEMINOLA Adj. y s. Pueblo amerindio que vivía en el curso bajo del Misisipí, act. desplazado a Oklahoma donde vive en reservas.
SEMIOLOGÍA f. Ciencia que estudia todos los sistemas de signos. • Estudio de los signos dentro de la vida social.
* *Ling*. F. de Saussure ideó esta disciplina para encuadrar en ella a la lingüística. Pertenece al dominio de la s. el estudio de los signos que son motivados, los carentes de intención comunicativa, los asistemáticos, los que se expresan en la dimensión del espacio, los formados por elementos continuos, los signos no articulados o de simple articulación. También pertenecen a la s. los sustitutivos del lenguaje hablado: alfabetos fonéticos, de sordomudos, de telegrafía; los ideográficos, fórmulas científicas; señales de circulación; mapas, etc.
SEMIORUGA adj. Díc. de los vehículos provistos de un sistema de tracción, que se caracteriza porque el eje delantero y el sistema de dirección llevan ruedas, y los ejes posteriores son de rodamiento por cadenas.

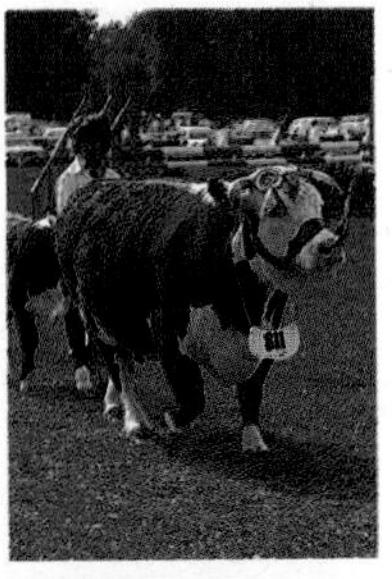

Toro **semental** de raza Hereford

Semilla. Arriba, semillas angulosas de armuelle; abajo, semillas de ricino

SEMIOTECNIA f. *Mús.* Conocimiento de los signos gráficos que sirven para la notación musical.
SEMIÓTICA f. Parte de la medicina que trata de los signos de las enfermedades. • Semiología. • Teoría general de los signos.
SEMIPALATINSK C. de Kazakistán, cap. de la prov. hom.; 317 000 hab. Sit. a orillas del r. Irtish. Mercado de productos agropecuarios. Ind. textiles y mecánicas.
SEMIPELAGIANO, NA adj. y s. Díc. del hereje que, siguiendo las opiniones sustentadas en el s. V por Fausto y Casiano, quería conciliar las ideas de los pelagianos con la doctrina ortodoxa sobre la gracia y el pecado original. ■ EMIPELAGIANISMO.
SEMIPERIODO m. *El.* Mitad del periodo correspondiente a un sistema de corrientes bifásicas. • **de vida biológica.** Tiempo que tarda en degradarse y renovarse la mitad de los materiales integrantes de un ser vivo, órgano, etc.
SEMIPERMEABLE adj. Díc. del cuerpo que es permeable tan sólo para determinados fluidos.
SEMIPESADO adj. y m. *Dep.* Díc. de una determinada categoría de peso en diversos deportes (boxeo, lucha, etc.).
SEMIPLANO m. *Geom.* Cada una de las dos regiones en que una recta divide el plano. Se dice que es abierto o cerrado según se considere, sin la recta que lo limita o con ella, respectivamente.
SEMIPRODUCTO m. *Mat.* Mitad de un producto.
SEMÍRAMIS Legendaria reina de Asiria y Babilonia, esposa del rey Ninos, a la muerte del cual rigió el imperio asirio.

Semíramis *construyendo Babilonia,* (detalle), óleo de E. Degas. Museo de Orsay, París

SEMIRRECTA f. *Geom.* Cada una de las dos partes en que un punto divide a una recta.
SEMIRREMOLQUE m. Remolque que se apoya y articula en el vehículo tractor y que carece de ruedas delanteras.
SEMIS m. Moneda rom. de valor de medio as.
SEMISÓTANO m. Vivienda o local que en parte está sit. bajo el nivel de la calzada.
SEMISUMA f. Resultado de dividir por dos una suma.
SEMITA adj. y s. Díc. de cada uno de los pueblos que, según la tradición, descienden de Sem, el hijo mayor de Noé. Entre los pueblos s. cabe destacar a los acadios, hebreos, cananeos, ár. y fenicios. • adj. Relativo a estos pueblos.
SEMÍTICO, CA adj. Relativo a los semitas. • *Ling.* Díc. de las lenguas de la familia camitosemítica. Las lenguas s. del grupo del N son el heb., fenicio, arameo, asirio y babilonio; y las del S, el ár. y las etiópicas. • f. pl. Conjunto de estas lenguas.
SEMITISMO m. Conjunto de las doctrinas morales, instituciones y costumbres de los pueblos semitas. • Giro o modo de hablar propio de las lenguas semitas. • Vocablo o giro de estas lenguas empleado en otras. ■ SEMITISTA.

Discurso de Cicerón en el **senado** romano. Fresco de Maccari (s. XIX). Palazzo Madama, Roma

SEMITONO m. *Mús.* Cada una de las dos partes desiguales en que se divide el intervalo de un tono. • **cromático** o **menor.** *Mús.* El que comprende dos comas. • **diatónico** o **mayor.** *Mús.* El que comprende tres comas.
SEMITRANSPARENTE adj. Casi transparente.
SEMITRINO m. *Mús.* Trino de corta duración, que comienza por la nota superior.
SEMIVIDA f. *Fís.* Tiempo que tardan en quedar reducidos a la mitad los átomos de un nucleido radiactivo.
SEMIVOCAL adj. y s. *Fon.* Se aplica a las vocales *i* o *u* al final de un diptongo. • *Fon.* Díc. de la consonante que puede pronunciarse sin que se perciba directamente el sonido de una vocal.
SEMMELWEIS, ***Ignaz Fülop*** (1818-1865) Médico húng. Descubrió que la fiebre puerperal es de carácter infeccioso y transmisible. Introductor de la antisepsia en obstetricia.
SEMNÓN, NA adj. y s. Díc. del individuo de un ant. pueblo germánico, perteneciente al grupo de los suevos, establecido entre el Elba y el Oder. • adj. Relativo a este pueblo. • m. pl. Este mismo pueblo.
SÉMOLA f. Trigo candeal sin su corteza. • Trigo quebrantado a modo de farro. • Pasta de harina de flor reducida a granos muy menudos y que se usa para sopa.
SEMOVIENTE adj. y s. Que se mueve por sí mismo. Como sustantivo, se usa también en pl.

Senarmontita

El **Sena** a su paso por París

SEMPERE y Guarinos, ***Juan*** (1754-1830) Político y escritor esp. Defensor del reformismo ilustrado. Durante la guerra de la Independencia formó parte de la Junta de Granada. Finalmente optó por José Bonaparte. *Consideraciones sobre las causas de la grandeza y de la decadencia de la monarquía española.*
SEMPITERNO, NA adj. Que durará siempre.
SEMPRÚN, ***Jorge*** (nacido 1923) Escritor, guionista de cine y político esp. Expulsado del PCE en 1964. Autor de las novelas *El gran viaje* y *Autobiografía de Federico Sánchez* (Premio Planeta en 1977). Ministro de Cultura en 1988.
SEN m. Arbusto de la familia leguminosas, parecido a la casia, usado como purgante. • Moneda fraccionaria de algunos países del Extremo Oriente.
SENA f. Conjunto de seis puntos señalados en una de las caras del dado.
SENA *(Seine)* Río de Francia. Nace en el dpto. de Côte d'Or y desemboca en el canal de la Mancha; 776 km.
SENADO m. Asamblea de patricios que formaban el Consejo supremo de la ant. Roma. • *Pol.* En diversos Est. modernos, la cámara alta, uno de los dos cuerpos legisladores. • Edificio o lugar donde los senadores celebran sus sesiones. • fig. Cualquier junta o concurrencia de personas graves y respetables. • fig. Público, auditorio, pralm. el que acude a una representación dramática.
* *Pol.* En los Est. en que existen dos cámaras, el s. se compone de miembros elegidos mediante sufragio directo o indirecto o de nobles (Inglaterra). Su origen está vinculado a la doctrina formulada por Montesquieu sobre la separación de poderes.
SENADOCONSULTO m. Decreto o determinación del ant. senado romano.
SENADOR, RA m. y f. Miembro de un senado. ■ SENADURÍA.
SENAQUERIB (m. 681 a. C.) Rey de Asiria [705-681 a. C.]. Hijo y sucesor de Sargón II, conquistó y destruyó Babilonia (689 a. C.)
SENARIO, RIA adj. *Mat.* Compuesto de seis elementos, unidades o guarismos. • *Mat.* De orden seis. • adj. y m. Díc. de una clase de verso latino.
SENARMONTITA f. *Min.* Óxido de antimonio, que se halla en cristales octaédricos, blancos.
SENATORIAL o **SENATORIO, RIA** adj. Relativo a un senado o a un senador.
SENCILLO, LLA adj. Que no tiene artificio ni composición. • Díc. de lo que tiene menos cuerpo que otras cosas de su especie. • Que carece de lujo y adornos. • Díc. del estilo que carece de artificio, y expresa ingenua y naturalmente los conceptos. • Díc. de la moneda pequeña, respecto de otra del mismo nombre, de más valor. • Que no ofrece dificultad. • fig. Incauto, fácil de engañar. • fig. Ingenuo en el trato, sin doblez ni engaño, y que dice lo que siente. • m. Menudo, dinero suelto. ■ SENCILLEZ.
SENDA f. o **SENDERO** m. Camino más estrecho

que la vereda, abierto pralm. por el tránsito de peatones. • fig. Procedimiento o medio para hacer algo.
SENDAI C. de Japón, cap. de la prefectura de Miyagi, en la isla de Honshu; 918 400 hab. Ind. metalúrgica. Universidad.
SENDER, *Ramón José* (1901-1982) Novelista esp. Premio Nacional de Literatura en 1935 por *Mr. Witt en el cantón.* Al finalizar la guerra civil se exilió a EE UU. *Las criaturas saturnianas, Novelas ejemplares de Cibola, El lugar de un hombre, La aventura equinoccial de Lope de Aguirre* y, especialmente, *Réquiem por un campesino español* y *Crónica del alba* son sus obras más importantes.
SENDERAR o **SENDEREAR** tr. Guiar por el sendero. • Abrir senda. • intr. fig. Echar por caminos extraordinarios en el modo de obrar o discurrir.
SENDIC, *Raúl* (1926-1989). Revolucionario ur., socialista. Fundador de los Tupamaros (1965) e impulsor de sindicatos campesinos. Encarcelado de 1972 a 1985. *Reflexiones sobre política económica.*
SENDOS, DAS adj. pl. Uno o una para cada cual de dos o más personas o cosas.
SÉNECA m. fig. Hombre de mucha sabiduría.
SÉNECA, *Lucio Anneo* (h. 3 a. C. -65 d. C.) Filósofo rom., nacido en Córdoba. Fue preceptor de Nerón, el cual le obligó a suicidarse. Es el más imp. pensador estoico rom. En su filosofía también se mezclan elementos pitagóricos, cínicos, platónicos y escépticos. *Cartas a Lucilio, Cuestiones naturales, Hércules furioso, Medea, Fedra, Apocolocyntosis.*
SENECTUD f. Ancianidad, último periodo de la vida del hombre.
SENEFELDER, *Alois* (1772-1834) Inventor de la litografía (1793) y de la litografía policroma (1826).
SENEGAL Río de África occidental, resultado de la unión del río Negro (Bafing) y del río Blanco (Bakhoy). Desemboca en el Atlántico; 1 700 km.
SENEGAL *(République du Sénégal)* Est. de África, limítrofe con Mauritania, Malí, Guinea, Guinea-Bissau y el Atlántico. Rodea el Est. de Gambia. Terr. formado por una amplia llanura, avenada por los r. Senegal, Gambia y Casamance. Clima tropical con altas temperaturas. Vegetación de especies xerófilas al N y tropical al S, con predominio de bosques densos en las zonas húmedas. La agricultura se practica sobre todo en la costa y en las zonas húmedas del S. Cacahuete, mijo, arroz, maíz, mandioca. Ganadería. Pesca (puerto de Dakar). Fosfatos de calcio y de aluminio, titanio y sal. Ind. de transformación de productos minerales y agropecuarios (aceite de cacahuete), químicas, textiles, de curtidos, alimentarias. Rep.. Etnias: wolof, fulbés, sereres, toucouleur, diolas y mandingos. Lenguas: fr. (of.), wolof, pular, etc. *Rel.:* Islamismo (85 %), catolicismo (3 %). U.M.: franco CFA. Cap.: Dakar.
* *Hist.* Antes del s. XI se inició la islamización con la penetración almorávide. Entre los s. XIII-XIV fue sometido al imperio del Malí. Descubierto por los port., éstos monopolizaron el comercio hasta el s. XVI; los dos ss. siguientes estaría dominado por neerlandeses e ing. En el s. XVIII los marabuts crearon una rep. independiente en la pen. de Cabo Verde. En la segunda mitad del s. XIX, Francia dominó a todas las tribus. El interés colonial del S. se centró en el cultivo del cacahuete. Tras la II Guerra Mundial aparecieron los primeros mov. sociopolíticos indígenas. Las elecciones de 1945 dieron el triunfo al Bloque Africano. En 1960 se alcanzaba la indep. Su primer presid. fue L. Sédar Senghor, líder socialista y panafricanista, quien gobernó de forma autoritaria y se mantuvo en el cargo hasta su renuncia en 1980. Le sustituyó Abdou Diouf, reelegido en 1983. Entre 1982-1989, S. se unió con Gambia en la confederación de Senegambia. Las reivindicaciones separatistas en Casamance (1982), al sur del país, culminaron con la explosión de un conflicto armado (1990) por la independencia de la región. Abdou Diouf, reelegido en 1993, fue derrotado en las elecciones presid. de 2000 por Abdoulaye Wade, del Partido Democrático Senegalés.
SENEGALÉS, SA adj. y s. Del Senegal.
SENEGAMBIA Confederación formada entre 1982-1989 entre Senegal y Gambia.
SENEQUISMO m. Norma de vida ajustada a los dictados de la moral y la filosofía de Séneca.
SENESCAL m. En algunos países, mayordomo mayor de la casa real. • Jefe o cabeza pral. de la nobleza.
SENESCENTE adj. Que empieza a envejecer. ■ SENESCENCIA.

SENEGAL

Superficie 196 722 km²
Población 9 404 000 hab. (48 hab./km²)

Recursos económicos	
Aceite de palma	6 000 t
Algodón	24 000 t
Arroz	155 000 t
Azúcar	90 000 t
Cabaña bovina	2 850 000 cabezas
Cabaña caballar	500 000 cabezas
Cabaña ovina	4 800 000 cabezas
Cacahuetes	791 000 t
Cemento	591 000 t
Energía eléctrica	769 000 000 kwh
Fosfatos	1 863 000 t
Mandioca	56 000 t
Mijo	667 000 t
Pesca	388 042 t
Riqueza forestal	5 105 000 m³
Sal	22 000 t
Indicadores sociológicos	
PNB	5 070 millones de dólares
Renta per cápita	600 dólares
Esperanza de vida	48 años
Alfabetismo	33 %

Senegal. Arriba, mapa de situación y bandera; a la izquierda, vista de Dakar desde el mar

SENEVOL m. *Quím.* Nombre de cada uno de los ésteres del ácido isotiociánico. A causa de su fuerte olor desagradable, pueden servir para investigar la presencia de aminas primarias.
SENGHOR, *Léopold Sédar* (1906-2001) Político y escritor senegalés. Fundó el Bloque Democrático Senegalés. Fue presid. de la asamblea legislativa de la Federación de Malí (1959-1960); presid. de Senegal (1960-1980) y promotor de una Internacional Socialista afr. *Antología de la poesía negra y malgache.*
SENGUERR R. de Argentina, en la Patagonia; 338 km.. Nace en los lagos La Plata y Fontana y desemboca en los lagos Mustera y Colhué-Huapi.
SENILIDAD f. Estado de debilitamiento fisiológico y mental que se alcanza con el paso de los años. ■ SENIL.
SENIOR (voz latina) adj. y s. Díc. del más ant.o de mayor edad, especialmente entre dos personas del mismo nombre. • *Dep.* Se aplica a la categoría superior atendiendo a la edad.
SENNA, *Ayrton* (1960-1994) Piloto de automóviles brasileño. Tres veces campeón mundial de fórmula 1.
SENNETT, *Mack* Seud. de *Michael Sinnot* (1880-1960) Director del cine norteam., de origen can. Uno de los fundadores de la compañía *Keystone*, para la que realizó cortometrajes de gran comicidad, basados en tipos fuertemente caracterizados y en el *gag.*
SENO m. Concavidad o hueco. • Pecho, mama de la mujer. • Matriz de la mujer y de las hembras de los mamíferos. • Parte de mar que se recoge entre dos cabos de tierra. • fig. Amparo, abrigo, protección y cosa que los presta. • Cavidad del interior de

Léopold Sédar **Senghor**

Fotograma de un filme de Mack **Sennett**

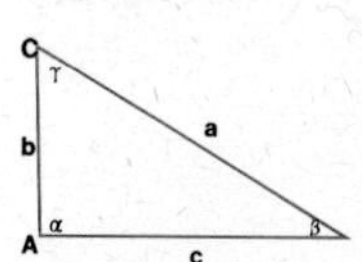

En el triángulo ABC, el **seno** del ángulo β es $sen\,\beta = \frac{b}{a}$

Sensitiva. Arriba, hojas en estado normal; abajo, las mismas hojas después de reaccionar a un estímulo táctil

un hueso o entre articulaciones. • Espacio comprendido entre los trasdoses de árcos o bóvedas contiguas. • Pequeña cavidad que se forma en la llaga. • Golfo de mar. • *Mar.* Curvatura que hace cualquier vela o cuerda no tirante. • *Mat.* Razón trigonométrica de un ángulo agudo en un triángulo rectángulo, que es el cociente entre el cateto opuesto y la hipotenusa. • adj. *Mat.* Díc. de la función y = *sen x*. • **carotídeo.** *Anat.* Formación vascular sit. en la región lateral del cuello, a nivel de la bifurcación de la arteria carótida primitiva, constituida por una pequeña dilatación de la porción inicial de la carótida interna. Importante zona de partida de reflejos nerviosos que regulan la presión arterial y la frecuencia cardíaca. • **paranasal.** *Anat.* Cada una de las cavidades excavadas en varios huesos, que están en comunicación con las fosas nasales. Su función es humidificar y calentar el aire inspirado y servir de caja de resonancia a los sonidos vocales. • **venoso.** *Anat.* Cada uno de los canales de las túnicas interna y media de las venas, sit. junto a los huesos o tejido fibroso que los rodea.

SENOJIL m. Henojil.

SENONIENSE adj. y m. *Geol.* Díc. del piso superior del cretácido, comprendido entre el turoniense y el daniense.

SENSACIÓN f. Captación por los sentidos de ciertas cualidades e impresiones. • Alteración producida en el ánimo por un suceso o noticia de importancia. ■ SENSACIONAL.

SENSACIONALISMO m. Tendencia de determinados medios de difusión a resaltar aquellas noticias que se considera causarán mayor impacto. ■ SENSACIONALISTA.

SENSATO, TA adj. Prudente, cuerdo, de buen juicio. ■ SENSATEZ.

SENSIBILIDAD f. Facultad de sentir, propia de los seres animados. • Propensión a dejarse llevar de los afectos de compasión y ternura, o capacidad para sentirlos. • Calidad de sensible a los agentes naturales. • En un instrumento de medida, valor mínimo de la magnitud medida, que es posible apreciar con él. • *Electr.* La mínima señal para la cual un receptor de radio es capaz de dar a la salida una señal utilizable. ■ SENSORIAL; SENSORIO, RIA.

SENSIBILIZAR tr. y prnl. Acrecentar la sensibilidad de personas o cosas. • Hacer consciente a una persona de los problemas colectivos de tipo cultural, político, social, etc. • tr. *Med.* Producir reacciones patológicas de hipersensibilidad. • Hacer sensibles a la acción de la luz ciertas materias usadas en fotografía.

SENSIBLE adj. Capaz de sentir física o moralmente. • Que puede ser conocido por medio de los sentidos. • Perceptible, manifiesto, patente al entendimiento. • Que causa sentimientos de pena o de dolor. • Díc. de la persona que se deja llevar fácilmente del sentimiento. • Díc. de las cosas que ceden fácilmente a la acción de ciertos agentes naturales. • adj. y f. *Mús.* Aplícase a la séptima nota de la escala diatónica.

SENSIBLERÍA f. Sentimentalismo exagerado o fingido. ■ SENSIBLERO, RA.

SENSITIVO, VA adj. Perteneciente a los sentidos corporales. • Capaz de sensibilidad. • Que excita la sensibilidad. • f. Planta mimosácea que si se le toca o sacude quedan las hojas por algún tiempo cual si estuvieran marchitas.

SENSITOMETRÍA f. Parte de la fotografía que estudia las emulsiones. ■ SENSITOMÉTRICO, CA.

SENSITÓMETRO m. *Fot.* Instrumento para medir la sensibilidad de las emulsiones.

SENSOMOTOR, RA adj. *Zool.* Díc. del aparato organular del citoplasma de diversos protozoos ciliados, con función coordinadora del movimiento de los cilios.

SENSOR adj. y m. En física y en tecnología, díc. de todo órgano, instrumento o sistema capaz de percibir una señal (mecánica, acústica, luminosa, calorífica, eléctrica o electrónica). • *Astron.* Díc. de un colector que se aplica al cuerpo de los astronautas para recoger datos biológicos de su organismo. • *Astron.* Díc. de ciertos elementos fotoeléctricos que se aplican a los vehículos espaciales con objeto de lograr una orientación automática hacia un objeto celeste luminoso.

SENSUAL adj. Sensitivo, relativo a los sentidos. • Aplícase a los gustos y deleites de los sentidos, a las cosas que nos incitan o satisfacen y a las personas aficionadas a ellos. • Relativo al apetito carnal.

SENSUALIDAD f. Calidad de sensual. • Sensualismo.

SENSUALISMO m. Propensión excesiva a los placeres de los sentidos. • *Fil.* Doctrina que pone exclusivamente en los sentidos el origen de las ideas, y cuyo máx. representante fue el filósofo fr. E. Condillac. ■ SENSUALISTA.

SENSUNTEPEQUE C. de El Salvador, cap. del dpto. de Cabañas; 38 100 hab. Accidentada por las elevaciones de la sierra de Cabañas. R. de los Pueblos. Agricultura. Ganadería. Cobre. Centro industrial y comercial.

SENTADO, DA adj. Juicioso, quieto. • *Bot.* Aplícase a las partes de la planta que carecen de pedúnculo. • f. Asentada. • Acción de permanecer sentadas en el suelo un grupo de personas por un largo periodo de tiempo, con objeto de manifestar una protesta o apoyar una petición.

SENTAMIENTO m. *Arq.* Asiento que hace una obra por la presión de unos materiales sobre otros.

SENTAR tr. y prnl. Poner a colocar a uno en silla, banco, etc., de manera que quede apoyado y descansando sobre las nalgas. • tr. fig. Dar por supuesta o cierta alguna cosa. • *Argent., Chile* y *Ecuador.* Parar un caballo por medio del freno, haciendo que levante las manos y se apoye sobre los cuartos traseros. • intr. fig. y fam. Tratándose de la comida o la bebida, recibirlas bien el estómago y digerirlas sin molestia. También se usa con negación y con los adv. *bien y mal.* • fig. y fam. Hacer provecho o daño. • fig. Cuadrar, convenir una cosa a otra o a una persona. • fig. y fam. Agradar a uno una cosa. También se usa con neg. y con los adv. *bien y mal.* • prnl. Asentarse.

SENTENCIA f. Dictamen o parecer que uno tiene o sigue. • Dicho grave y sucinto que encierra doctrina o moralidad. • Declaración del juicio y resolución del juez. • Decisión de cualquier controversia que da la persona a quien se ha hecho árbitro de ella. • *Comp.* Instrucción de un programa en lenguaje de alto nivel. Es una frase que puede desglosarse en varias operaciones elementales reconocibles y ejecutables por la unidad central de proceso.

SENTENCIAR tr. Dar o pronunciar sentencia. • Condenar por sentencia en materia penal. • Expresar el dictamen que decide a favor de una de las partes contendientes lo que se disputa. • fig. y fam. Destinar o aplicar una cosa para un fin.

SENTENCIOSO, SA adj. Aplícase al dicho o escrito que encierra moralidad o doctrina. • También se aplica al tono de la persona que habla con cierta afectada gravedad.

SENTIDO, DA adj. Que incluye o explica un sentimiento. • Díc. de la persona que se resiente u ofende con facilidad, o que es muy sensible. • m. Cada una de las aptitudes que tiene el alma de percibir, por medio de determinados órganos corporales, las impresiones de los objetos externos. • Entendimiento o razón, en cuanto discierne las cosas. • Modo particular de entender una cosa, o juicio que se hace de ella. • Inteligencia o conocimiento con que se ejecutan algunas cosas. • Razón de ser, finalidad. • Significación cabal de una proposición o cláusula. • Significado, o cada una de las distintas acepciones de las palabras. • Cada una de las varias interpretaciones que puede admitir un escrito, cláusula o proposición. • Dirección, trayectoria. • *Amér. Centr.* Sien. • **común.** En la psicología aristotélica, facultad interna, carente de órganos propios, que coordina los datos procedentes de los diversos sentidos para formar las sensaciones complejas dotándolas de unidad. El s. común como «acuerdo universal» fue el fundamento de la escuela escocesa de los ss. XVIII-XIX, para oponerse al escepticismo y al dogmatismo. • Facultad, que la generalidad de las personas tiene, de juzgar razonablemente de las cosas. • **del humor.** Capacidad para expresar o captar lo humorístico. • **de un vector AB.** *Mat.* El definido por la semirrecta que pasa por los puntos *A*, *B*, tomados en este orden. • **figurado.** Significación metafórica de una palabra o de una expresión. • **Con todos** mis, tus, sus **cinco sentidos.** loc. fig. y fam. Con toda atención, advertencia y cuidado. • fig. y fam. Con suma eficacia. • **De s. común.** Conforme

al buen juicio natural de las gentes. • **Perder** uno **el s.** Privarse, desmayarse.
SENTIMENTAL adj. y s. Que expresa o excita sentimientos afectivos. • Propenso a ellos. • Que afecta sensibilidad de un modo ridículo o exagerado. ■ SENTIMENTALISMO.
SENTIMIENTO m. Acción y efecto de sentir o sentirse. • Impresión que causan en el alma las cosas espirituales. • Estado del ánimo afligido por un suceso triste.
SENTINA f. *Mar.* Cavidad inferior de la nave, en la que se reúnen las aguas que se filtran por los costados y cubiertas del buque. • fig. Lugar lleno de inmundicias. • fig. Lugar donde abundan los vicios.
SENTIR m. Sentimiento del ánimo. • Dictamen, opinión, parecer o juicio de uno. • tr. Experimentar sensaciones producidas por causas externas o internas. • Oír o percibir con el sentido del oído. • Experimentar una impresión, placer o dolor, corporal o espiritual. • Lamentar, tener por dolorosa y mala una cosa. • Juzgar, opinar, formar parecer o dictamen. • Acomodar en la recitación las acciones exteriores a las expresiones o palabras, o darles el sentido que les corresponde. • Presentir, barruntar lo que ha de sobrevenir. Díc. especialmente de los animales que presienten la mudanza del tiempo y la anuncian con algunas acciones. • prnl. Formar queja una persona de alguna cosa. • Padecer un dolor o principio de un daño en parte determinada del cuerpo. • Seguido de determinados adj., hallarse o estar como éstos expresan. • Seguido de ciertos adj., considerarse, reconocerse. • Empezar a abrirse o rajarse una cosa. • Empezar a corromperse o pudrirse una cosa. Suele usarse en p. p. y con el verbo *estar*.
SENUFO, FA adj. y s. Díc. de un grupo étnico del África negra que ocupa un territorio en los límites de los Est. de Malí, Burkina Faso y Costa de Marfil. Destacan en la fabricación de máscaras y estatuas. Son más de un millón de individuos. • adj. Relativo a dicho grupo étnico. • m. pl. Este mismo grupo.
SENUSRET Nombre de tres faraones egipcios de la XII dinastía, que gobernaron entre 1860 y 1740 a. C.
SEÑA f. Nota o indicio para dar a entender una cosa. • Lo que está convenido entre dos o más personas para entenderse. • Señal o signo para acordarse. • Vestigio que queda de una cosa y la recuerda. • *Mil.* Palabra que acompañada del santo se da en la orden del día para que sirva de reconocimiento al recibir las rondas. • pl. Indicación del paradero y domicilio de una persona.
SEÑAL f. Marca o nota de las cosas para distinguirlas de otras. • Mojón que se pone para marcar un término. • Signo o medio que se emplea para luego acordarse de algo. • Nota o distintivo. • Signo, cosa que evoca la idea de otra. • Indicio inmaterial de una cosa. • Vestigio o impresión que queda de una cosa. • Cicatriz. • Imagen o representación de una cosa. • Prodigio o cosa extraordinaria. • Parte de precio que se anticipa como prenda de seguridad de que se estará a lo convenido. • Aviso para concurrir a un lugar determinado o para ejecutar otra cosa. • Magnitud de naturaleza física empleada en telecomunicaciones para transmitir una información. • *Med.* Accidente o especie que induce a hacer juicio del estado de la enfermedad. • **analógica.** *Electr.* Magnitud física variable en el tiempo de forma continua, que informa acerca de la evolución de un proceso en cada instante. • **de la cruz.** Cruz formada con dos dedos de la mano o con el movimiento de ésta, representando aquélla en que murió Jesucristo. • **digital.** *Electr.* La que sólo puede tomar determinados valores o símbolos y que expresa la evolución de un proceso en sucesivos intervalos de tiempo. • **horaria.** *Astr.* Cada una de las señales periódicas transmitidas por radio desde diversos observatorios, que durante la navegación facilitan la determinación de la longitud geográfica en el mar. • **En s.** m. adv. En prueba o prenda de una cosa.
SEÑALA f. *Chile.* Señal, indicando propiedad, que se hace al ganado mediante cortes en las orejas.
SEÑALADO, DA adj. Insigne, famoso. • f. *Argent.* Señala.
SEÑALAMIENTO m. Acción de señalar o determinar lugar, hora, etc., para un fin. • *Der.* Designación de día para un juicio oral o una vista.
SEÑALAR tr. Poner o estampar señal en una cosa para darla a conocer o distinguirla de otra, o para acordarse después de una especie. • Rubricar, firmar. • Llamar la atención hacia una persona o cosa, designándola con la mano o de otro modo. • Nombrar o determinar persona, día, hora, lugar o cosa para algún fin. • Fijar la cantidad que debe pagarse para atender a determinados servicios u obligaciones, o la que por cualquier motivo corresponde percibir a una persona o entidad. • Hacer una herida o señal en el cuerpo, particularmente en el rostro, que le cause imperfección o defecto. • Hacer el amago y señal de una cosa sin ejecutarla. • Hacer señal para dar noticia de una cosa. • En algunos juegos de naipes, tantear los puntos que cada uno va ganando. • prnl. Distinguirse o singularizarse, especialmente en materias de reputación, crédito y honra.
SEÑALERO m. *R. de la Plata.* Intermitente.
SEÑALIZAR tr. Colocar señales indicadoras en las carreteras y otras vías de comunicación. ■ SEÑALIZACIÓN.
SEÑERO, RA adj. Aplícase al territorio que tenía facultad de levantar pendón en las proclamaciones de los reyes. • Solo, separado de toda compañía. • Único, sin par.
SEÑOLEAR intr. Cazar con señuelo.
SEÑOR, RA adj. y s. Dueño de una cosa. • adj. fam. Noble y propio de señor. • fam. Antepuesto a algunos nombres, sirve para encarecer el significado de los mismos. • m. P. ant., Dios. • Cristo en el sacramento eucarístico. • Poseedor de estados y lugares. • Título nobiliario. • Tratamiento que se da a una persona real para dirigirse a ella por escrito o de palabra. • Término de cortesía que se aplica a cualquier hombre. • fam. Suegro. • f. Mujer del señor o dueño. • La que por sí posee un señorío. • Término de cortesía que se aplica a una mujer. • Mujer, esposa. • fam. Suegra. • **Nuestra S.** La Virgen María.
SEÑOREAR tr. Dominar o mandar en una cosa como dueño de ella. • Mandar uno imperiosamente y disponer de las cosas como si fuera dueño de ellas. • fig. Estar una cosa en situación superior o en mayor alt. del lugar que ocupa otra, como dominándola. • fig. Sujetar uno las pasiones a la razón, y mandar sobre las acciones propias. • fam. Dar a uno repetidas veces e importunamente el tratamiento de señor. • tr. y prnl. Apoderarse de una cosa. • prnl. Usar de gravedad y mesura en el porte, vestido o trato.
SEÑORÍA f. Tratamiento que se da a las personas a quienes compete por su dignidad. Persona a quien se da este tratamiento. • Señorío, dominio. • Soberanía de ciertos Est. particulares que se gobernaban como repúblicas. • Senado que gobernaba ciertos Est. independientes.
SEÑORIAL adj. Relativo al señorío. • Majestuoso, noble.
SEÑORÍO m. Dominio o mando sobre una cosa. • Territorio perteneciente al señor. • Dignidad de señor. • fig. Gravedad y mesura en el porte o en las acciones. • fig. Dominio y libertad en obrar, sujetando las pasiones a la razón. • fig. Conjunto de señores o personas de distinción. ■ SEÑORÓN, NA.
SEÑORITA f. Hija de un señor o de persona de representación. • Término de cortesía que se aplica a la mujer soltera. • fam. Ama, con respecto a los criados.
SEÑORITISMO m. Actitud social de la persona de clase alta que tiende a la ociosidad y a la presunción.
SEÑORITO m. Hijo de un señor o de persona de representación. • fam. Amo, con respecto a los criados. • fam. Joven acomodado y ocioso.
SEÑUELO m. Cualquier cosa que sirve para atraer las aves. • Cimbel, ave para atraer a otra. • fig. Cualquier cosa que sirve para atraer o inducir, con alguna falacia. • *Argent.* y *Bol.* Grupo de cabestros para conducir el ganado.
SEO f. Iglesia catedral.
SEO DE URGEL o **LA SEU D'URGELL** Mun. esp., en la prov. de Lleida; 10 100 hab. Centro administrativo y comercial. Sede episcopal (su obispo es copríncipe de Andorra). En el s. IX fue residencia de los condes de Urgel.

Mujer **senufa**

Señal. Arriba, banderas de aviso utilizadas en maniobras navales; abajo, señales de tráfico

Sepia

El mes de **septiembre.** Miniatura de los hermanos Limbourg, en *Las muy ricas horas del duque Berry*

Lucio **Septimio Severo**

SEOANE, *Luis* (1910-1979) Pintor y escritor esp. En 1936 se exilió a Argentina, donde había nacido. Ha cultivado la poesía y el ensayo. *Hato de exiliado, Comunicaciones mezcladas.*

SÉPALO m. *Bot.* Cada una de las divisiones del cáliz de la flor.

SEPARACIÓN f. Acción y efecto de separar o separarse. • Interrupción de la vida en común de los cónyuges, por conformidad de las partes o fallo judicial, sin que por ello desaparezca el vínculo matrimonial. • *Astron.* En un vehículo espacial, operación por la que se desprenden dos partes inicialmente acopladas. • **de bienes.** En el matrimonio, propiedad y administración de sus propios bienes por parte de cada uno de los cónyuges. • **de poderes.** *Pol.* Doctrina que establece la s. de los poderes legislativo, ejecutivo y judicial, como base indispensable para un gobierno democrático.

SEPARACIÓN DE CATALUÑA, *guerra de* Levantamiento secesionista catalán contra la monarquía esp. (1640-1652), causa, entre otros motivos, por la política centralista del conde duque de Olivares y la presión fiscal sobre los campesinos. La revuelta de los campesinos, iniciada con el Corpus de Sangre (7 junio 1640), dio a la guerra un carácter social, al cuestionar el predominio político y económico de la aristocracia señorial, fiel a la Corona esp. El presid. de la *Generalitat* de Cataluña, con predominio de la pequeña nobleza, declaró la guerra a España, y Pau Claris proclamó la rep. indep., incorporada a Francia en 1641. Debilitada la posición militar fr. por la guerra de la Fronda (1651), el ejército esp. asedió Barcelona, que cayó en octubre 1652. Felipe IV confirmó el respeto a los fueros cat. (1653), pero en la guerra con Francia, concluida por la paz de los Pirineos (1659), España perdió el Rosellón y parte de la Cerdaña.

SEPARAR tr. y prnl. Establecer distancia, o aumentarla, entre algo o alguien y una persona, lugar o cosa que se toman como punto de referencia. • tr. Formar grupos homogéneos de cosas que estaban mezcladas con otras. • Considerar aisladamente cosas que estaban juntas o fundidas. • Privar de un empleo, cargo o condición al que los servía u ostentaba. • Forzar a dos o más personas o animales que riñen, para que dejen de hacerlo. • prnl. Tomar caminos distintos personas, animales o vehículos que iban juntos o por el mismo camino. • Interrumpir los cónyuges la vida en común, sin que se extinga el vínculo matrimonial. • Renunciar a la asociación que se mantenía con otras personas y que se basaba en una actividad, o doctrina común. • Dicho de una comunidad política, hacerse autónoma respecto de otra a la cual pertenecía. • Retirarse uno de algún ejercicio u ocupación. ■ SEPARADO, DA; SEPARATIVO, VA.

SEPARATA f. Artículo o capítulo, publicado en una revista o en un libro, que se imprime y distribuye por separado.

SEPARATISMO m. Doctrina política que propugna la separación de algún territorio para alcanzar su independencia o anexionarse a otro país. • Partido defensor de esta doctrina. ■ SEPARATISTA.

SEPEDÓN m. Eslizón, reptil.

SEPELIO m. Acción de inhumar un difunto con ceremonias religiosas o civiles.

SEPIA f. *Zool.* Jibia, molusco. • Materia colorante que se saca de la jibia.

SEPIK Río pral. de Nueva Guinea, antiguamente llamado de la Emperatriz Augusta. Imp. por la calidad de las obras de arte de los habitantes de su cuenca.

SEPSIS f. Infección.

SEPTEMBRISTAS m. pl. Personas que participaron en las matanzas de presos en las cárceles de París, en septiembre de 1792.

SEPTENARIO, RIA adj. Aplícase al núm. compuesto de siete unidades, o que se escribe con siete guarismos. • Aplícase a todo lo que consta de siete elementos. • m. Tiempo de siete días.

SEPTENIO m. Tiempo de siete años.

SEPTENO, NA adj. Séptimo en orden. • Díc. de cada una de las siete partes de un todo. • f. Conjunto de siete cosas por orden.

SEPTENTRIÓN m. Polo ártico. • Lugar de la Tierra al lado del polo ártico. • Norte, punto cardinal del horizonte. • Viento del norte. ■ SEPTENTRIONAL.

SEPTENTRIÓN → Osa Mayor.

SEPTENTRIONAL, *altiplanicie* Región de México sit. entre el r. Bravo, al N. la sierra Madre oriental, al E, las sierras de Zacatecas, Gaudalcázar y Cerritos, al S, y la sierra Madre de Ocampo, al O. 1 100 m de alt. media. • ***Cordillera*** o ***Sierra de Montecristi.*** Cadena montañosa de la República Dominicana, junto a la costa N. Agricultura y ganadería.

SEPTETO m. *Mús.* Composición para siete instrumentos o siete voces. • *Mús.* Conjunto de estos siete instrumentos o voces.

SEPTICEMIA f. *Pat.* Gén. de enfermedades infecciosas, graves, producidas por el paso a la sangre de gérmenes patógenos procedentes de las supuraciones. ■ SEPTICÉMICO, CA.

SEPTICIDA adj. *Bot.* Díc. del fruto en cápsula que se abre por dehiscencia a lo largo de los tabiques que señalan el límite de los carpelos.

SÉPTICO, CA adj. *Med.* Que produce putrefacción o es causado por ella. • *Med.* Que contiene gérmenes patógenos. • **Fosa s.** Receptáculo excavado en el suelo en el que se recogen las aguas fecales para evitar su filtración.

SEPTIEMBRE o **SETIEMBRE** m. Noveno mes de nuestro calendario. Tiene treinta días.

SEPTIEMBRE Negro Organización palestina creada en 1971 a raíz de la matanza de palestinos ordenada por Husayn de Jordania en septiembre de 1970. Se le atribuye, entre otras acciones, el atentado en las Olimpiadas de Munich (1972).

SEPTIMANIA Nombre que recibió la ant. Narbonense rom. a causa de la instalación en ella de soldados de la séptima legión. En el s. X se convirtió en un ducado dependiente de los condes de Tolosa.

SEPTIMIO Severo, *Lucio* (146-211) Emperador rom. [193-211]. Elevado al trono por su ejército. Combatió a partos y caledonios, y reorganizó Mesopotamia.

SÉPTIMO, MA o **SÉTIMO, MA** adj. Que sigue inmediatamente en orden al o a lo sexto. • adj. y s. Díc. de cada una de las siete partes iguales en que se divide un todo. • f. Reunión, en el juego de los cientos, de siete cartas de valor correlativo. • *Mús.* Intervalo de una nota a la séptima ascendente o descendente de la escala.

SÉPTIMO Día, *Adventistas del* El mayor grupo adventista, nacido de la actividad de W. Miller. Descansan el sábado y consideran a E. White profetisa y fundadora de su denominación. Practicantes en EE UU, Brasil, etc.

SEPTINGENTÉSIMO, MA adj. Que sigue inmediatamente en orden al o a lo sexcentésimo nonagésimo nono. • adj. y s. Díc. de cada una de las 700 partes iguales en que se divide un todo.

SEPTISÍLABO, BA adj. De siete sílabas.

SEPTO m. Tabique que separa dos órganos o partes de un órgano vegetal o animal.

SEPTUAGENARIO, RIA adj. y s. Persona que ha cumplido la edad de setenta años y no llega a ochenta.

SEPTUAGÉSIMO, MA adj. Que sigue inmediatamente en orden al o a lo sexagésimo nono. • adj. y s. Díc. de cada una de las 70 partes iguales en que se divide un todo. • f. Domínica que celebra la Iglesia tres semanas antes de cuaresma.

SEPTUAGINTA Traducción gr. del A. T., llevada a cabo en Alejandría entre la primera mitad del s. III y bien entrado el II a. C. Se destinó a la comunidad judía.

SEPTUPLICAR tr. y prnl. Hacer séptupla una cosa; multiplicar por siete una cantidad. ■ SEPTUPLICACIÓN.

SÉPTUPLO, PLA adj. y m. Díc. de la cantidad que incluye en sí siete veces a otra.

SEPULCRO m. Obra que se construye levantada del suelo, para dar en ella sepultura al cadáver de una persona. • Urna o andas cerrada, con una imagen de Jesucristo difunto. • Hueco del ara donde se depositan las reliquias. • **Santo s.** Aquel en que estuvo sepultado Jesucristo. ■ SEPULCRAL.

SEPULTAR tr. Poner en la sepultura a un difunto. • tr. y prnl. fig. Sumir, ocultar alguna cosa como enterrándola.

SEPULTURA f. Acción y efecto de sepultar. •

Hoyo que se hace en tierra para enterrar un cadáver. • Lugar en que está enterrado un cadáver. ■ SEPULTURERO.

SEPÚLVEDA, ***Juan Ginés de*** (h. 1490-1574) Humanista esp., formado en Italia. Tomó partido en contra de Erasmo y defendió, frente al padre Las Casas, el derecho de los esp. a someter a los amerindios. *De iustis belli causis apud indos.*

SEQUEDAD f. Calidad de seco. • fig. Dicho o ademán áspero y duro.

SEQUEDAL o **SEQUERAL** m. Terreno muy seco.

SEQUERO m. Secano, tierra sin riego. • Cosa muy seca. • Secadero.

SEQUETE m. Pedazo de pan o bollo seco y duro. • Golpe seco que se da a una cosa para ponerla en movimiento o detenerla. • fig. y fam. Aspereza en el trato.

SEQUÍA f. Tiempo seco de larga duración.

SEQUILLO m. Bollo o rosquilla de masa azucarada.

SEQUÍO m. Tierra sin riego. • Cosa muy seca.

SÉQUITO m. Grupo de gente que acompaña y sigue a una persona. • Aplauso y benevolencia común en aprobación de las acciones o prendas de uno, de su doctrina u opinión.

SEQUOIA o **SECOYA,** o **SECUOYA** f. *Bot.* Gén. de plantas arbóreas, gimnospermas, de la familia curpesáceas, que comprende las mayores especies vegetales vivientes en la actualidad, capaces de alcanzar los 100 m de alt., con corteza rojiza, copa fusiforme, hojas lineales, y semillas aladas.

SER m. *Fil.* Esencia o naturaleza. • Entre, lo que es, existe o puede existir. • Valor, precio de las cosas. • Modo de existir. • *Gram.* Verbo sustantivo que afirma del sujeto lo que significa el atributo. • *Gram.* Verbo auxiliar que sirve para la conjugación de todos los verbos en la voz pasiva. • intr. Haber o existir. • Servir para una cosa. • Estar en lugar o situación. • Suceder o acontecer. • Valer, costar. • Pertenecer a la posesión o dominio de uno. • Corresponder, tocar. • Formar parte de una corporación. • Tener origen o naturaleza, hablando de los lugares o países. • Sirve para afirmar o negar en lo que se dice o pretende. • Junto con sustantivos, adjetivos o participios, tener los empleos, cargos, profesiones, propiedades, condiciones, etc., que aquellas palabras significan.

* *Fil.* La problemática del s. constituye uno de los ejes centrales de la filosofía y ha dado origen a la ontología. Para Aristóteles el s. no es ni un género ni una especie, sino que es aplicable a todo y cada cosa tiene ser de alguna cosa. Para Kant el s. no es un predicado real, y para Hegel, la falta de determinación del s. lo aproxima y lo identifica con la nada. En Marx, el s. solamente es tal cuando se halla relacionado con un contexto. De la relación dialéctica entre el s. y su entorno, surge la actividad. La filosofía contemporánea tiende a vincular el s. con la existencia (Bergson, Sartre).

SERA f. Espuerta grande, regularmente sin asas.

SERAFÍN m. Cada uno de los espíritus bienaventurados que forman el primer coro. • fig. Persona de singular hermosura. • Moneda de oro mandada acuñar en el s. XV por el sultán de Egipto al-Asraf. ■ SERÁFICO, CA.

SERAPIS o **SARAPIS** En la religión egipcia de la época helenística, deidad resultante de la unión sincrética de Osiris y Apis. Era dios de la fertilidad y la salud.

SERBA f. Fruto del serbal. Es de figura de pera pequeña, de color rojo con algo de amarillo.

SERBAL o **SERBO** m. Árbol rosáceo de flores blancas en corimbos axilares.

SERBIA (*Republika Srbija*) Rep. federada de Yugoslavia, limítrofe con Hungría, Rumania, Bulgaria, Macedonia, Albania, Bosnia-Herzegovina y Croacia. Alpes Dináricos y Cárpatos. R.: Morava, Danubio y Save. Cereales, remolacha, tabaco, ganadería. Madera. Cobre, antimonio, plomo, lignito, ind. alimentaria, textil, siderurgia, cemento. Cap., Belgrado. Invadida por el imperio austrohúngaro en la I Guerra Mundial, en 1918 se integró en la unión de serbios, croatas y eslovenos, bautizada luego como Yugoslavia. En 1991 combatió la secesión de Eslovenia y Croacia, para reafirmar su posición hegemónica, y en 1992 hizo lo mismo en Bosnia, cercando largo tiempo Sarajevo. Ese mismo año constituyó con Montenegro la Federación Yugoslava, que en 1995 firmó la paz con Croacia y Bosnia-Herzegovina (acuerdos de Dayton). En 1999, la política represiva del presid. Slobodan Milosevic contra la población albanesa de la prov. auton. de Kosovo provocó la intervención militar de la OTAN.

SERBIO, BIA adj. y s. De Serbia. • m. Idioma serbio.

SERBOCROATA adj. Relativo a Serbia y Croacia, común a serbios y croatas. • m. Lengua eslava meridional hablada en Serbia. • m. Variedad serbia del serbocroata.

SERDÁN, ***Aquiles*** (1876-1910) Político mex., colaborador de Madero. Murió en un levantamiento antiporfirista.

SEREGNI, ***Líber*** (nacido 1916) Militar y político ur. Renunció a su puesto de general (1969) para presentarse a las elecciones de 1971, como candidato del Frente Amplio. Encarcelado (1973-1984) tras el golpe de Est. de 1973.

SERENA, ***La*** C. de Chile, cap. de la IV Región de Coquimbo; 113 900 hab. Centro comercial, turístico e industrial.

SERENAR tr. intr. y prnl. Aclarar, sosegar, tranquilizar una cosa. • tr. y prnl. Enfriar agua al sereno. • Sentar o aclarar los licores turbios. • fig. Templar, moderar o cesar del todo en el enojo u otra pasión. • tr. fig. Apaciguar o sosegar disturbios.

SERENATA f. Música en la calle o al aire libre y durante la noche, para festejar a una persona. • Composición poética o musical destinada a este objeto. • Concierto nocturno y al aire libre, dado con voces e instrumentos. • Fastidiosa insistencia en algo.

SERENIDAD f. Calidad de sereno. • Título de honor de algunos príncipes.

SERENÍSIMO, MA adj. Aplícase en España como tratamiento a los príncipes hijos de reyes.

SERENO, NA adj. Claro, despejado de nubes o nieblas. • fig. apacible, sosegado, sin turbación física o moral. • m. Humedad de que durante la noche está impregnada la atmósfera. • f. Composición poética o musical de los trovadores, que solía cantarse de noche. • fam. Sereno, humedad de la atmósfera durante la noche.

SERERE adj. y s. Díc. del individuo de un pueblo negroafricano de raza sudanesa, que habita en Senegal. Su pob., agrícola, suma unos 265 000 individuos. • adj. Relativo a dicho pueblo. • Díc. de este mismo pueblo.

SERGIO (m. 638) Patriarca de Constantinopla, fundador de la secta monotelista.

SERGIPE Est. del NE de Brasil; 21 863 km^2, 1 429 000 hab. Cap. Aracajú. La zona occidental está formada por tierras altas; la central comprende una llanura sit. en las estribaciones de la meseta del est. de Bahía, y la oriental está constituida por la llanura litoral. Ríos San Francisco, Real y Vaza Barris. Clima tropical. Algodón, caña de azúcar, arroz, maíz, tabaco. Ganado lanar, vacuno. Ind. derivadas.

SERIAL adj. Relativo a una serie. • m. Obra radiofónica o televisiva que se difunde en emisiones sucesivas.

SERIAR tr. Poner en serie, formar series.

SERICICULTURA o **SERICULTURA** f. Ind. que tiene por objeto la producción de la seda.

SERICINA f. Proteína de apariencia gelatinosa que constituye la envoltura exterior de los hilos de seda bruta.

SÉRICO, CA adj. De seda.

SERIE f. Conjunto de cosas relacionadas entre sí y que se suceden unas a otras. • *Biol.* Jerarquía taxonómica entre las subsección y la especie. • *Ecol.* Sucesión de comunidades de sustitución en una determinada área hasta llegar a una relativa estabilidad de la comunidad en equilibrio con el ecosistema. • *Geol.* División estratigráfica de primer orden, a la que corresponde como subdivisión cronológica la época. • *Mat.* Expresión formal de la suma de los infinitos términos de una sucesión. • *Quím.* Sucesión de compuestos afines, agrupados de modo que uno de ellos difiere del siguiente por la adición de un radical a su molécula. • **de suelos.** *Geol.* Grupo de suelos con horizontes genéticos similares en lo referente a sus características diferenciales y a su localización en el perfil, pero no en la textura

Sequoia

Serbal

Sergipe. Iglesia y convento de San Francisco en São Cristovao

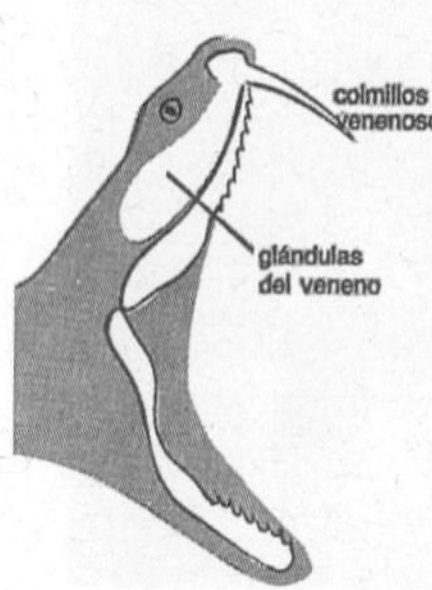

Cobra, **serpiente** venenosa cuya mordedura es mortal, y esquema de su aparato inoculador de veneno

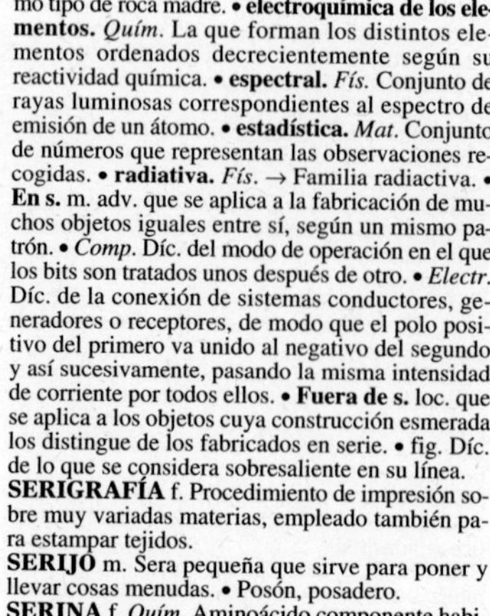

de su capa superficial, y que provienen de un mismo tipo de roca madre. • **electroquímica de los elementos.** *Quím.* La que forman los distintos elementos ordenados decrecientemente según su reactividad química. • **espectral.** *Fís.* Conjunto de rayas luminosas correspondientes al espectro de emisión de un átomo. • **estadística.** *Mat.* Conjunto de números que representan las observaciones recogidas. • **radiativa.** *Fís.* → Familia radiactiva. • **En s.** m. adv. que se aplica a la fabricación de muchos objetos iguales entre sí, según un mismo patrón. • *Comp.* Díc. del modo de operación en el que los bits son tratados uno después de otro. • *Electr.* Díc. de la conexión de sistemas conductores, generadores o receptores, de modo que el polo positivo del primero va unido al negativo del segundo y así sucesivamente, pasando la misma intensidad de corriente por todos ellos. • **Fuera de s.** loc. que se aplica a los objetos cuya construcción esmerada los distingue de los fabricados en serie. • fig. Díc. de lo que se considera sobresaliente en su línea.

SERIGRAFÍA f. Procedimiento de impresión sobre muy variadas materias, empleado también para estampar tejidos.

SERIJO m. Sera pequeña que sirve para poner y llevar cosas menudas. • Posón, posadero.

SERINA f. *Quím.* Aminoácido componente habitual de las proteínas presentes en los seres vivos. Es un aminoácido carboxílico neutro que posee un grupo alcohólico.

SERINGA f. *Amér.* Goma elástica.

SERIO, RIA adj. Grave, sentado. • Severo en el semblante, en el modo de mirar o hablar. • Real y sincero. • Grave, importante. • Contrapuesto a jocoso o bufo. • **En serio.** m. adv. Sin engaño, sin burla. ■ SERIEDAD.

SERIS adj. y s. Díc. del pueblo indígena que vive en la costa y en las islas del golfo de California, en el est. mex. de Sonora.

SERLIO, ***Sebastiano*** (1475-1554) Arquitecto renacentista it. En su tratado *Siete libros sobre arquitectura* dio una normativa para la construcción.

SERMÓN m. Predicación que tiene por objeto la enseñanza de la doctrina religiosa. • Amonestación o reprensión insistente y larga. • **de la montaña.** Discurso que pronunció Cristo en un monte próximo a Cafarnaúm.

Escena del retablo de Gualter, obra de Jaume **Serra.** Museo de Arte de Cataluña, Barcelona (España)

SERMONAR intr. Predicar, echar sermones.

SERMONEAR intr. Sermonar. • tr. Amonestar.

SERNA f. Porción de tierra de sembradura.

SERNA, ***Víctor de la*** (1896-1958) Escritor esp., hijo de Concha Espina. Cultivó el periodismo, el ensayo y la crítica de arte.

SERNA e Hinojosa, ***José de la*** (1770-1832) Administrador y militar esp. Nombrado virrey de Alto Perú (1821), no pudo frenar el avance independentista. Prisionero en la batalla de Ayacucho (1824).

SERODIAGNÓSTICO m. *Med.* Método de diagnóstico de las enfermedades infecciosas. Se basa en la propiedad de aglutinar los microbios específicos que posee el suero sanguíneo.

SEROGLOBULINA f. *Fisiol.* Globulina del suero sanguíneo.

SEROJA f. o **SEROJO** m. Hojarasca seca que cae de los árboles. • Residuo o desperdicio de la leña.

SEROLOGÍA f. *Biol.* Ciencia que estudia los sueros desde el punto de vista de la inmunidad.

SEROPOSITIVO, VA adj y s. Persona que presenta en su suero anticuerpos contra un agente infeccioso. Se aplica sobre todo a las personas contaminadas por el VIH del sida.

SEROPROFILAXIS f. *Med.* Prevención de las enfermedades mediante la administración de suero sanguíneo por vía parenteral.

SEROSEM m. *Geo.* Tipo de suelo de régimen árido, que engloba los suelos grises subdesérticos, poco coloreados por la débil alteración climática, que libera poco hierro, y el bajísimo contenido en materia orgánica.

SEROSIDAD f. Líquido que segregan ciertas membranas. • Humor que se acumula en las ampollas de la epidermis.

SEROSO, SA adj. Perteneciente, o semejante, al suero o a la serosidad. • Que produce serosidad.

SEROTERAPIA f. Sueroterapia.

SEROTONINA f. *Fisiol.* Amina biógena derivada del triptófano por descarboxilación y oxidación, que se encuentra en diversos tejidos animales y vegetales. Posee una notable importancia en el desarrollo normal de los procesos psíquicos.

Joan Manuel **Serrat**

SERPA f. Jerpa, sarmiento estéril.

SERPA Pinto, ***Alexandre Alberto da Rocha*** (1846-1900) Explorador port. Gobernador de Mozambique en 1889, trató de asegurar el dominio port. sobre el terr. comprendido entre Angola y Mozambique, pero la presión brit. obligó a Portugal a abandonar las orillas del Zambeze (1890).

SERPENS *Astr.* Constelación ecuatorial que está dividida en dos partes por *Ophiucus:* la *S. Caput* (cabeza) y la *S. Cauda* (cola). Su denominación cast. es *Serpiente*.

SERPENTARIA f. Dragoneta, planta. • **virginiana.** Aristoloquia procedente de América, cuya raíz se empleaba como tónica y aromática.

SERPENTARIO m. Recinto donde se conservan serpientes en cautiverio.

SERPENTEAR o **SERPEAR** intr. Moverse o extenderse, formando vueltas como la serpiente.

SERPENTÍN m. Instrumento de hierro en que se ponía la mecha o cuerda encendida para hacer fuego con el mosquete. • Pieza de acero en las llaves de las armas de fuego y chispa, con la cual se forma el movimiento y muelle de la llave. • Tubo enroscado de metal o de vidrio, que se emplea como refrigerante, para condensar los vapores y enfriar el condensado. • Variedad de mármol verde, serpentina. • Pieza ant. de artillería.

SERPENTINA f. Instrumento en que se ponía la mecha para disparar el mosquete. • Pieza de acero en las llaves de las armas de fuego. • Venablo ant. cuyo hierro forma ondas como la serpiente cuando se arrastra. • Tira arrollada de papel que se arroja en algunas fiestas, sujetándola por un extremo para que se desenrrolle. • Piedra de color verdoso, semejante al mármol en su dureza, utilizada en las artes decorativas. • Planta herbácea de la familia aráceas, con flores masculinas y femeninas insertas en la parte inferior del espádice, y frutos en baya. Se denomina también dragoncilla, serpentaria, etc., y su rizoma es medicinal. • Mineral del grupo serpentinas. • f. pl. Grupo de minerales, químicamente filosilicatos, de composición y características semejantes a las de las cloritas.

SERPENTINA f. Roca constituida por minerales del grupo serpentinas.

SERPIENTE f. Cualquiera de los reptiles del suborden ofidios. • **coral.** Nombre de distintas especies de serpientes venenosas amer. de la familia elápidos, de unos 1,50 m de long. máx.; colorido rojo y amarillo o blanco y negro. • **de anteojos.** Cobra. • **de cascabel.** Crótalo. • **de cola de escudo.** Cualquiera de las especies de la familia uropéltidos con una placa córnea que recubre el extremo de su cola. • **de cristal.** Lución. • **escupidora.** Nombre de una culebra afr. notable por su capacidad de escupir el veneno a gran distancia. • **látigo.** Especie de colúbrido de América Septentrional, que debe su nombre a su gran delgadez y longitud relativa. • **liana.** Especie asiática, de características similares a la anterior. • **rey.** Especie norteam. que recuerda, por su colorido, a las s. coral. • **voladora.** Especie asiática que, gracias al aplanamiento de su cuerpo, puede efectuar cortos vuelos, saltando de una rama a otra próxima.

SERPIGO m. *Pat.* Erupción de la piel que se extiende de forma serpenteante.

SERPOLLO m. Cada una de las ramas nuevas que brotan al pie de un árbol o en la parte por donde se le ha podado. • Retoño de una planta.

SERRA Familia de pintores de la escuela gótica cat. de finales del s. XIV. A ellos se debe la introducción del estilo sienés en Cataluña. Los más imp. fueron **Jaume** y **Pere.** A este último pertenece el retablo de *Todos los Santos.* • *Miquel Serra i Ferrer,* llamado FRAY ***Junípero*** (1713-1784) Eclesiástico y colonizador esp. Fundó misiones en San Diego de Alcalá (1767) y San Carlos de Monterrey (1770). Por su obra misionera se le considera el fundador de California.

SERRALLO m. Residencia de los príncipes musulmanes. • Lugar donde los mahometanos tienen sus mujeres. • fig. Lugar donde se cometen excesos sexuales.

SERRANÍA f. Terreno que se compone de montañas y sierras.

SERRANILLA f. Composición poética en versos de arte menor, cuyo argumento versa sobre el encuentro de un caballero y una pastora. Muy en boga en los ss. XIV-XV.

SERRANO, NA o **SERRANIEGO, GA** adj. y s. Que habita en una sierra, o nacido en ella. • adj. Relativo a las sierras o serranías, o a sus moradores. • f. Composición poética parecida a la serranilla.
SERRANO, *Francisco*, DUQUE DE LA TORRE (1810-1885) Político esp. Participó en varios pronunciamientos militares. En 1869 fue elegido presid. y regente. Fue presid. del gobierno con Amadeo de Saboya en 1872 y 1874. • ***Pablo*** (1916-1985) Escultor esp. Inicialmente se movió en el campo impresionista. De 1958 a 1960 realiza obras estilizadas y abstractas *(Problemática del espacio de los cuerpos, II)*. Post. su obra se humaniza y busca las formas que sugieren rocas o lugares prehistóricos *(Escultura)*.
SERRANO Elías, *Jorge* (nacido 1945) Político guat. Ingeniero industrial y doctor en ciencias de la Educación. Vivió y estudió en EE UU. En 1986 fundó el partido Movimiento de Acción Solidaria. Elegido presid. en 1991. En mayo de 1993, para disponer de mayor libertad constitucional, proclamó un autogolpe, que le costó el cargo y el exilio. • **Plaja, *Arturo*** (1909-1979) Escritor esp. Son destacables sus libros de poesía *Destierro infinito, Versos de guerra y paz, Galope de la suerte*. • **Poncela, *Segundo*** (1912-1976) Ensayista esp. *El pensamiento de Unamuno y Antonio Machado; su mundo y su obra*. • **Suñer, *Ramón*** (nacido 1901) Político esp. Como ministro de Asuntos Exteriores (1940-1942) se identificó con el Eje.
SERRAR tr. Cortar o dividir con sierra la madera u otra cosa.
SERRASUELO m. *P. Rico.* Árbol mirtáceo, de corteza agrietada y fruto en bayas globosas.
SERRAT, *Joan Manuel* (nacido 1943) Cantaautor esp. Se inició con el grupo *Els Setze Jutges* (1965). Ha grabado sus canciones en cat. y cast., alcanzando gran éxito en España y en América Latina. Ha musicado poemas de Machado, Miguel Hernández y Mario Benedetti. *Mediterráneo, Cada loco con su tema, El sur también existe*.
SERRÁTIL adj. *Med.* Díc. del pulso frecuente y desigual. • *Anat.* Díc. de la juntura que tienen dos huesos en figura de dientes de sierra.
SERRATO adj. y m. *Anat.* Aplícase al músculo que tiene dientes a modo de sierra.
SERRATO, *José* (1868-1960) Político y economista ur., del Partido Colorado. Presid. de la rep. (1923-1926), evolucionó hacia el conservadurismo.
SERRERÍA f. Taller mecánico para serrar madera.
SERRETA f. Mediacaña de hierro, con dientecillos, que se pone sujeta al cabezón sobre la nariz de las caballerías. • Galón de oro o plata dentado por uno de sus bordes. • Ave anseriforme de la familia anátida, provista de un pico, delgado y largo, aserrado en sus bordes.
SERRETAZO m. Tirón que se da a la serreta para castigar al caballo. • fig. Sofrenada, represión violenta.
SERRIJÓN m. Sierra o cordillera de poca extensión.
SERRÍN m. o **SERRADURAS** f. pl. Conjunto de partículas que se desprenden de la madera u otro material que se sierra.
SERRUCHAR tr. *Argent., Chile* y *P. Rico.* Aserrar con el serrucho. • *Argent.* y *Ur.* Realizar el acto sexual.
SERRUCHO m. Sierra de hoja ancha y con una sola manija. • *Cuba.* pez de cuerpo prolongado y con rostro en forma de sierra.
SERT, *Josep Lluís* (1902-1983) Arquitecto esp. Fundador del GATEPAC. En EE UU realizó el *Health Center* de Harvard y las viviendas de estudiantes en Massachusetts; en Bagdad, la embajada de EE UU, y en Barcelona, la Fundación Miró. • ***Josep Maria*** (1876-1945) Pintor esp. Se especializó en grandes murales. Pinturas de la catedral de Vic y de la sala del Consejo de la Sociedad de Naciones.
SERTAO (voz port.) m. *Brasil.* Región agreste, poco poblada, donde gralte. predomina la explotación ganadera con carácter extensivo.
SERTAO *(Sertão)* Región semiárida del NE de Brasil (est. de Piauí, Ceará, Río Grande del Norte, Paraíba, Pernambuco, Alagoas, Sergipe y Bahía).
SERTORIO, *Quinto* (h. 123-72 a C.) Militar y político rom. Fue pretor de la Hispania Citerior. Se hizo con el control de casi toda la pen. Ibérica e intentó un cierto autogobierno.
SÉRUSIER, *Paul* (1865-1927) Pintor fr. Difundió sus ideas con el grupo de los *nabis*, del que fue uno de sus creadores. Autor de *ABC de la pintura*.
SERVAL m. *Zool.* Mamífero carnívoro de la familia félidos, parecido al gato, pero de mayor tamaño, con la piel amarillenta manchada de negro.
SERVAN-SCHREIBER, *Jean Jacques* (nacido 1924) Político fr. Dirigente del partido radical, fue ministro de Reformas con Giscard (1974), pero fue cesado por oponerse a las pruebas nucleares. *El desafío americano, El desafío mundial*.
SERVATO m. Planta herbácea de la familia umbelíferas, con tallo erguido, hojas pecioladas, flores amarillas, y frutos seco y elipsoidal.
SERVENTESIO m. Género de composición de la poética provenzal, de asunto moral o político y a veces de tendencia satírica. • Cuarteto en que riman el primer verso con el tercero y el segundo con el cuarto.
SERVENTÍA f. *Cuba* y *Méx.* Camino que pasa por terrenos de propiedad particular, y que utilizan los habitantes de otras fincas.
SERVET, *Miguel* (1511-1553) Médico y teólogo esp., conocido también como *Miguel de Vilanova*. Descubrió la circulación de la sangre. Se opuso a Calvino. Fue perseguido y quemado en la hoguera, en Ginebra. *Christianismi restitutio*.
SERVIA → Serbia.
SERVICIAL adj. Que sirve con cuidado y diligencia. • Pronto a complacer y servir a otros. • m. Ayuda, lavativa. • *Bol.* Criado, sirviente.
SERVICIO m. Acción y efecto de servir. • Estado de criado o sirviente. • Servicio doméstico. • Mérito que se hace sirviendo. • Servicio militar. • Obsequio en beneficio de alguien. • Utilidad o provecho. • Orinal grande. • Lavativa, ayuda. • Cubierto que se pone a cada comensal. • Conjunto de vajilla y otras cosas, para servir la comida, el café, el té, etc. • Organización y personal destinados a cuidar intereses o satisfacer necesidades del público o de alguna entidad. • Función o prestación desempeñadas por estas organizaciones y su personal. • *Dep.* En el tenis, saque. • Retrete; cuarto de baño y de aseo. Se usa más en pl. • **militar.** El que se presta siendo soldado. • **público.** Entidad dedicada a cubrir necesidades colectivas. • **sanitario.** *Col.* Sanitario, retrete, letrina. • **secreto.** Cuerpo de agentes que, a las órdenes de un gobierno, se dedican a recoger datos e informes reservados.
SERVIDOR, RA adj. Que sirve. • m. y f. Persona que ejerce las funciones de un criado. • Persona adscrita al manejo de un arma, de una maquinaria o de otro artefacto. • Nombre que se da a sí misma una persona como tratamiento de modestia. • m. El que corteja y festeja a una dama. • Orinal.
SERVIDUMBRE f. Trabajo o ejercicio propio del siervo. • Estado o condición de siervo. • Conjunto de criados de una casa. • Sujeción grave u obligación inexcusable. • fig. Sujeción causada por las pasiones o afectos, que coarta la libertad. • *Der.* Derecho en predio ajeno que limita el dominio de éste.
SERVIL adj. Relativo a los siervos y criados. • Humilde y de poca estimación. • Rastrero, que obra con servilismo. • adj. y s. Apodo con que los liberales designaban a los absolutistas en el s. XIX.
SERVILISMO m. Ciega y baja adhesión a la autoridad de uno.
SERVILLA f. Zapatilla, calzado.
SERVILLETA f. Pieza de tela o papel que sirve para el aseo de cada comensal.
SERVILLETERO m. Aro en que se pone arrollada la servilleta.
SERVIO Tulio (s. VI a. C.) Sexto rey de Roma. Dividió la sociedad rom. en centurias y organizó el territorio en distritos o *tribus*.
SERVIR intr. y tr. Estar al servicio de otro. • Ejercer un empleo o cargo propio o en lugar de otro. • intr. Estar empleado en la ejecución de una cosa por mandato de otro, aun cuando lo que ejecute sea pena o castigo. • Estar sujeto a otro por cualquier motivo, aunque sea voluntariamente, haciendo lo que él quiere o dispone. • Ser un instrumento, máquina o cosa semejante a propósito para determinado fin. • Hacer las veces de otro en un oficio u ocupación. • Aprovechar, valer, ser de uso o utilidad. • Ser soldado en activo. • Asistir con naipe del mismo palo a quien ha jugado primero. • Sacar o

Fundación Maeght, obra de J. Ll. **Sert,** Saint-Paul-de-Vence, Francia

Serval

Miguel **Servet,** según un grabado de la Biblioteca Nacional, Madrid

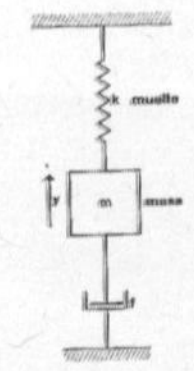

Servomecanismo. Sistema mecánico compuesto de un muelle, una masa oscilante y un elemento de rozamiento viscoso

Servosistema electromecánico para una cámara de televisión

Perro de raza **setter** inglés

El circo, óleo de Georges **Seurat.** Museo de Orsay, París

restar la pelota de modo que se pueda jugar fácilmente. • Asistir a la mesa trayendo los manjares o las bebidas. • Entre panaderos y alfareros, calentar el horno. • tr. *Rel.* Dar culto o adoración a Dios o a los santos. • Obsequiar a uno o hacer una cosa en su favor, beneficio o utilidad. • Cortejar o festejar a una dama. • Dar voluntariamente al gobierno una porción de dinero para las necesidades públicas. • tr. y prnl. Hacer plato o llenar el vaso o la copa al que va a comer o beber. • prnl. Querer o tener a bien hacer alguna cosa. • Valerse de una cosa para el uso propio de ella.

SERVOCROATA → Serbocroata.

SERVODIRECCIÓN f. *Mec. apl.* Mecanismo que se aplica en los grandes automóviles rápidos para facilitar la maniobra de la dirección. Puede ser hidráulica o neumática.

SERVOFRENO m. *Mec. apl.* Freno accionado por la energía de la propia máquina o por otro dispositivo puesto a punto por ella y gobernado por el operador. Los s. pueden ser básicamente de cuatro tipos: hidráulicos, eléctricos, de aire comprimido y de vacío o de presión.

SERVOMANDO m. *Mec. apl.* Mecanismo auxiliar que, accionado por una fuerza débil, la amplifica lo necesario para hacer funcionar un aparato.

SERVOMECANISMO m. *Mec. apl.* Sistema de mecanismos que gobiernan una determinada magnitud física en función de otra que actúa sobre el sistema, en el sentido de anular la diferencia entre el valor deseado para la primera y el obtenido realmente.

SERVOMOTOR m. *Mec. apl.* Órgano motor que acciona los elementos mecánicos en los servomecanismos. Los s. pueden ser eléctricos, hidráulicos, neumáticos y mixtos.

SERVOSISTEMA m. *Mec. apl.* Grupo general de sistemas de control en los que se integran los reguladores automáticos y los servomecanismos. Pueden ser de circuito abierto y de circuito cerrado; estos últimos, a su vez, pueden ser con reguladores de todo o nada *(on-off)*, con reguladores escalonados o con reguladores continuos.

SESADA f. Fritada de sesos. • Sesos de un animal.

SÉSAMO m. Planta herbácea de la familia gesneriáceas, con flores blanquecinas o rosáceas, frutos en cápsula y semillas oleaginosas, usadas para la obtención de aceite y en la alimentación. Es originaria de la India. Se llama también ajonjolí. • Pasta de nueces, almendras o piñones con ajonjolí.

SESEAR intr. Pronunciar la *z,* o la *c,* ante *e, i* como *s.* ■ SESEO.

SESENTA adj. Seis veces diez. • Sexagésimo, ordinal. • m. Conjunto de signos con que se representa el número sesenta.

SESENTAVO, VA adj. y s. Díc. de cada una de las 60 partes iguales en que se divide un todo.

SESENTÓN, NA adj. y s. fam. Sexagenario.

SESERA f. Parte de la cabeza del animal, en que están los sesos. • Seso, masa contenida en el cráneo.

SESGAR tr. Cortar o partir en sesgo. • Torcer a un lado o atravesar una cosa hacia un lado. ■ SESGADURA.

SESGO, GA adj. Torcido, cortado o situado oblicuamente. • fig. Grave o torcido en el semblante. • m. Oblicuidad o torcimiento de una cosa hacia un lado. • fig. Medio término que se toma en los negocios dudosos. • P. ext., curso o rumbo que toma un negocio. • f. Nesga de la tela. • **Al sesgo.** m. adv. Oblicuamente o al través.

SESÍ m. *Cuba* y *P. Rico.* Pez muy parecido al pargo, de aletas pectorales negras y cola amarilla.

SESIL adj. *Biol.* Díc. del órgano u organismo que se une directamente a otro órgano o al sustrato.

SESIÓN f. Cada una de las juntas de una corporación. • Acto, representación, proyección, etc., en que se exhibe ante el público un espectáculo íntegro y repetible. • Intervalo de tiempo en que alguien posa como modelo para un pintor, escultor, etc., o se somete a un tratamiento, una operación, etc. • fig. Conferencia o consulta entre varios para determinar una cosa.

SESIONAR intr. *Argent. Chile, Ecuad.* y *Perú.* Celebrar sesión una corporación. • Asistir a una sesión participando en sus debates.

SESO m. Cerebro, parte del encéfalo que está sit. delante y encima del cerebelo. • Masa de tejido nervioso contenida en la cavidad del cráneo. Se usa más en pl. • fig. Prudencia, madurez. • **Calentarse,** o **devanarse,** uno **los sesos.** fr. fig. Fatigarse meditando mucho en una cosa. • **Perder** uno **el s.** fr. fig. Perder el juicio.

SESQUI Voz latina que se usa para denotar una unidad y medida en peso o medida de las cosas.

SESQUIÁLTERO, RA adj. Aplícase a las cosas que contienen la unidad y una mitad de ella, y también a las cantidades que están en razón de tres a dos.

SESQUICENTENARIO m. Que tiene 150 años. • Conmemoración de un acontecimiento ocurrido 150 años atrás.

SESQUIÓXIDO m. *Quím.* Denominación ant. de los óxidos de metales trivalentes, es decir, cuando los subíndices del metal y del oxígeno son respectivamente 2 y 3.

SESTAO Mun. esp., en la prov. de Vizcaya; 38 100 hab. Forma parte de la agl. urb. de Bilbao. Centro industrial. Astilleros.

SESTEAR intr. Pasar la siesta durmiendo o descansando. • Recogerse el ganado durante el día en paraje sombrío para descansar. ■ SESTEADERO; SESTEO.

SESTERCIO m. Moneda de plata de los ant. rom.

SESTO SAN GIOVANNI C. de Italia, en Lombardía; 94 400 hab. Sit. en el á. metr. de Milán. Centro industrial.

SESUDO, DA adj. Que tiene seso; prudente, sensato. ■ SESUDEZ.

SET (voz ing.) m. *Dep.* En tenis, serie ininterrumpida de juego.

SET *Rel.* Tercer hijo de Adán y Eva.

SETA f. Nombre común del aparato esporífero de los hongos superiores. Suele constar de un pie y un sombrerillo, bajo el cual se encuentran los esporangios. • Seda, cerda. • fig. Moco del pabilo. ■ SETAL.

SETECIENTOS, TAS adj. Siete veces ciento. • Septingentésimo, ordinal. • m. Conjunto de signos con que se representa el número setecientos.

SETENAR tr. Sacar por suerte uno de cada siete.

SETENTA adj. Siete veces diez. • Septuagésimo, ordinal. • m. Conjunto de signos con que se representa el número setenta.

SETENTAVO, VA adj. y s. Díc. de cada una de las setenta partes en que se divide un todo.

SETENTÓN, NA adj. y s. fam. Septuagenario.

SETH *Rel.* Dios del periodo predinástico del ant. Egipto. Divinidad del mal, las tinieblas, la tempestad y las armas.

SETHI I (1312 a. C.-1298 a. C.) Segundo faraón de la XIX dinastía egipcia, hijo de Ramsés I. Durante su reinado, Egipto volvió a recuperar sus viejas posesiones en Asia.

SETO m. Cercado hecho de palos o varas entretejidas. • **vivo.** Cercado de separación formado por matas o arbustos vivos.

SETTER m. Nombre de tres razas de perros perdigueros, de pelaje largo y sedoso, y de talla media.

SETÚBAL C. del centro-sur de Portugal; 76 800 hab. Sit. en el estuario del Sado. Puerto pesquero. Ind. conservera. Astilleros.

SEUDOCELOMADO, DA adj. y m. Díc. de los metazoos bilaterales provistos de un falso celoma o seudoceloma.

SEUDOCÓDIGO m. *Comp.* Codificación arbitraria, utilizada a menudo en la realización de un programa, independiente de la estructura de la máquina pero vinculada al proceso, y cuyas instrucciones, escritas en lenguaje simbólico, no representan operaciones ejecutables por la máquina a efectos de procesamiento, por lo que deben ser traducidas al lenguaje de la máquina o a otro de alto nivel.

SEUDODOMINANCIA f. *Biol.* Expresión de un gen recesivo en ausencia de su alelo dominante.

SEUDOEPIGRÁFICO, CA adj. Díc. de la obra escrita atribuida a un autor supuesto.

SEUDOGÉN m. *Biol.* Región de ADN eucarótica de estructura homóloga a la de un gen, pero que presenta anomalías que impiden su expresión.

SEUDOHERMAFRODITA adj. y s. Díc. del individuo que tiene la apariencia del sexo contrario, conservando la gónada de su sexo verdadero. ■ SEUDOHERMAFRODITISMO.

SEUDOINSTRUCCIÓN F. *Comp.* Instrucción o sentencia perteneciente a un lenguaje de compilación que se mezcla con las restantes instrucciones básicas que dicho lenguaje debe compilar.

SEUDOMONADAL adj. y f. *Biol.* Díc. de bacterias del orden seudomonadales. • f. pl. *Biol.* Orden de bacterias constituido por bacilos, vibrios y espirilos gramnegativos. Se dividen en dos subórdenes: rodobacteríneas (bacterias fotosintéticas) y seudomonadíneas (no fotosintéticas).
SEUDÓNIMO, MA adj. Díc. del autor que oculta con un nombre falso el suyo verdadero. • Aplícase también a la obra de este autor. • m. Nombre empleado por un autor en vez del suyo verdadero.
SEUDÓPODO m. *Biol.* Expansión de citoplasma de los rizópodos y de las células ameboides de los metazoos, que sirve para la locomoción y captura de partículas.
SEÚL *(Soul)* C. y cap. de la República de Corea; 9 645 932 hab. Sit. a orillas del Han, fue reconstruida tras la guerra civil. Ind. alimentaria, mecánica, textil. Sede de los JJ OO de 1988.
SEURAT, *Georges* (1859-1891) Pintor fr. Sus obras pueden considerarse, junto a las de Signac, como las creadoras del puntillismo. *El baño, Un domingo de estío en la Grande Jatte*.
SEVERIDAD f. Rigor y aspereza en el modo y trato, o en del castigo y reprensión. • Exactitud y puntualidad en la observancia de una ley, precepto o regla. • Gravedad, seriedad, mesura. ■ SEVERO, RA.
SEVERINI, *Gino* (1883-1966) Pintor it. Participó en las corrientes futurista, impresionista, cubista y en el clasicismo del grupo *L'effort moderne. Expansión esférica de la luz, Bailarina azul.* Autor del estudio *Del cubismo al clasicismo*.
SEVERNAIA ZEMLIÁ → Tierra del Norte.
SEVERO, *Alejandro* (208-235) Emperador rom. [222-235]. Hizo frente a la invasión de Mesopotamia por los persas. Asesinado por sus soldados en Germania.
SEVICHE m. *Ecuad.* y *Perú.* Guiso que se hace con corvina fresca cocida con jugo de naranja.
SEVICIA f. Crueldad. • Tanto cruel.
SEVILLA Prov. de España, en la com. autón. de Andalucía; 14 001 km^2 1 705 320 hab. Cap., la c. hom. C. prales.: Écija, Utrera, Carmona. Valle del Guadalquivir. Accidentada por la sierra Morena y las estribaciones de la cordillera Subbética. Grandes latifundios. Cereales, remolacha, forrajes, olivo, vid, arroz. Ganadería bovina y equina. Carbón. Ind. alimentaria, metalúrgica, textil. • C. esp., cap. de la com. autón. de Andalucía y de la prov. hom., sit. junto al Guadalquivir; 697 487 hab. Actividad comercial favorecida por su función de puerto fluvial. Ind. alimentaria, textil, química, metalúrgica. Torre del Oro, Alcázar, Giralda. Conoció una época de gran esplendor bajo la dominación almohade (s. XII). Los Reyes Católicos establecieron en S. la Casa de Contratación de las Indias (1503). Sede de la Exposición Universal de 1992. • **Reino** o **taifa de S.** Estado surgido h. 1035 consecuencia de la desmembración del califato de Córdoba, al proclamarse independiente el cadí de S. Sobrevivió hasta la invasión almorávide (1091). • **Tratado de S.** Firmado por Francia, Gran Bretaña y España en 1729. El infante Carlos veía reconocidos sus derechos en Italia; en compensación, España reconocía a Gran Bretaña sus privilegios comerciales en América y le cedía Gibraltar y Menorca. En 1731 quedó invalidado al impedirse el paso de tropas esp. a Italia.
SEVILLA C. de Colombia, en el dpto. del Valle de Andes, 35 000 hab. Oro, plata y platino. Centro comercial agropecuario. Salinas. Ind. maderera.
SEVILLA DEL ORO C. de la audiencia de Quito, fundada por Juan de Salinas en el s. XVI.
SEVILLANO, NA adj. y s. De Sevilla (España). • Perteneciente a esta ciudad o a su prov. • f. pl. Aire musical propio de Sevilla, bailable. • Danza que se baila con esta música.
SÉVIRO m. Jefe de cada una de las seis decurias de los caballeros rom. • Cada uno de los seis individuos que en la época rom. componían ciertos cuerpos colegiados.
SÈVRES C. de Francia, sit. a orillas del Sena, cerca de París; 28 000 hab. Fábrica de cerámica y porcelana desde 1756. • **Tratado de S.** El firmado entre Turquía y los aliados el 10 agosto 1920. Supuso grandes pérdidas territoriales para Turquía.
SEXAGENARIO, RIA adj. y s. Que ha cumplido la edad de sesenta años y no llega a setenta.
SEXAGESIMAL adj. Aplícase al sistema de contar o subdividir de 60 en 60.
SEXAGÉSIMO, MA adj. Que sigue inmediatamente en orden al o a lo quincuagésimo nono. • adj. y s. Díc. de cada una de las 60 partes iguales en que se divide un todo. • f. Domínica segunda de las tres que se cuentan antes de la cuaresma.
SEXAGONAL adj. Hexagonal.
SEX-APPEAL (voz ing.) m. Atracción sexual que tienen algunas personas
SEXCENTÉSIMO, MA adj. Que sigue inmediatamente en orden al o a lo quingentésimo nonagésimo nono. • adj. y s. Díc. de cada una de las 600 partes iguales en que se divide un todo.
SEXDUCCIÓN f. *Biol.* Transferencia de genes entre bacterias por medio de los episomas (unidad genética que se puede multiplicar). Constituye un método de gran interés para el estudio de los mapas genéticos de ciertas bacterias.
SEXENIO m. Tiempo de seis años.
SEXISMO m. Actitud discriminatoria y despreciativa de las personas por su sexo.
SEXMO m. División territorial que comprende cierto número de pueblos asociados para la administración de bienes comunes.
SEXO m. *Biol.* Condición por la que se diferencian los machos y las hembras en la mayoría de las especies de animales y vegetales superiores. • Palabra que designa la sexualidad o conjunto de los fenómenos de la vida sexual. • Órganos sexuales. • **débil.** Las mujeres. • **fuerte.** Los hombres. • **Bello s.** Las mujeres. ■ SEXUAL.
* *Biol.* La proporción entre individuos de ambos s. se mantiene constante a lo largo del tiempo y, salvo factores exógenos, suele ser de 1:1. Ello se explica como un caso de cruzamiento para un carácter controlado por un par de genes alelomorfos con dominancia completa de uno sobre el otro. Uno de los dos sexos (masculino o femenino, según los casos) podría ser así heterocigoto para el alelo dominante, mientras que el otro sería siempre homocigoto para el alelo recesivo.
SEXOLOGÍA f. Ciencia de los problemas relativos a la sexualidad. ■ SEXÓLOGO, GA.
SEX-RATIO f. Relación numérica entre ambos sexos en el nacimiento.
SEX-SHOP (voz ing.) m. Establecimiento comercial dedicado a la venta de artículos relacionados con el sexo, especialmente de material pornográfico.
SEXTANTARIO, RIA adj. y s. Que tiene el peso de un sextante. • Díc. del as, moneda de la ant. Roma.
SEXTANTE m. Moneda de cobre de los ant. romanos. • *Mar.* y *Astr.* Instrumento para medir la distancia angular entre dos astros y la alt. de un astro sobre el horizonte.
SEXTANTE *Astr.* Constelación ecuatorial sit. por debajo de *Leo*, cuya denominación latina es *Sextans*.
SEXTETO m. *Mús.* Composición para seis instrumentos o seis voces. • *Mús.* Conjunto de estos seis instrumentos o voces.
SEXTILLA f. Combinación métrica de seis versos de arte menor.
SEXTILLO m. *Mús.* Conjunto de seis notas iguales que se ejecutan en el tiempo de cuatro.
SEXTINA f. Composición poética que consta de seis estrofas, de seis versos endecasílabos cada una, y de otra que sólo se compone de tres. • Cada una de las estrofas de seis versos endecasílabos que entran en esta composición. • Combinación métrica de seis versos endecasílabos en la cual aconsonantan el primero con el tercero y el segundo con el cuarto, y son pareados los dos últimos.
SEXTO, TA adj. Que sigue inmediatamente en orden al o a lo quinto. • adj. y s. Díc. de cada una de las seis partes iguales en que se divide un todo. • m. Libro en que están juntas algunas constituciones y decretos canónicos. • fam. Sexto mandamiento. • f. Tercera de las cuatro partes iguales en que dividían los rom. el día artificial. • En el rezo eclesiástico, una de las horas menores, que se dice después de la tercia. • *Mús.* Intervalo de una nota a la sexta ascendente o descendente en la escala.
SEXTO Empírico (ss. II-III d. C.) Médico y filósofo gr., uno de los prales. representantes del escepticismo.
SÉXTULA f. Moneda de cobre de los ant. rom.

Sevilla. Vista del centro histórico, con la Torre del Oro en primer término

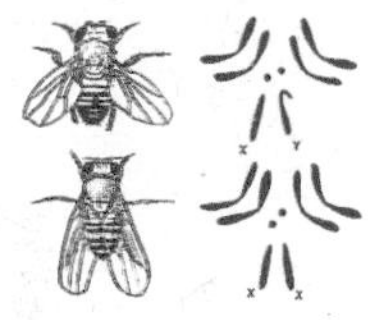
Cromosomas determinantes del **sexo** en la mosca del vinagre: XY, macho; XX, hembra

Sextante

Detalle de *El* ***sexteto*** o *El concierto español*, de Louis Michel Van Loo. Museo del Ermitage, San Petersburgo (Rusia)

SEXTUPLICAR tr. y prnl. Hacer séxtupla una cosa; multiplicar por seis una cantidad. ■ SEXTUPLICACIÓN.
SÉXTUPLO, PLA adj. y s. Que incluye en sí seis veces una cantidad.
SEXUADO, DA adj. *Biol.* Díc. de la planta del animal que tiene órganos sexuales bien desarrollados y apto para funcionar.
SEXUALIDAD f. *Biol.* Conjunto de condiciones anatómicas, fisiológicas y psicológicas que caracterizan a cada sexo.
* *Biol.* La s. constituye un proceso de intercambio de material genético en orden a la obtención de una descendencia con caracteres paternos y maternos, creando variabilidad en los hijos y proporcionando así la materia prima para la selección natural. En la especie humana, el desarrollo de la s. sobrepasa la actividad estrictamente reproductiva, interesando también al comportamiento cultural y psíquico.
SEXY (voz ing.) adj. Díc. de la persona dotada de mucho atractivo sexual, y de las cosas que ponen de relieve este atractivo.

Mapa de situación y bandera de **Seychelles**

SEYCHELLES

Superficie 453 km²

Población 75 304 hab. (166 hab./km²)

Recursos económicos	
Bananas	2 000 t
Cabaña bovina	2 000 cabezas
Cabaña porcina	19 000 cabezas
Copra	1 000 t
Fosfatos	5 000 t
Nuez de coco	3 000 t
Pesca	5 400 t
Indicadores sociológicos	
PNB	487 millones de dólares
Renta per cápita	6 620 dólares
Esperanza de vida	72 años
Alfabetismo	58 %

SEYCHELLES *(Replublic of Seychelles; République des Seychelles)* Estado de África, constituido por el arch. hom. e islas adyacentes, sit. en el Océano Índico. Comprende 88 islas e islotes de formación granítica y coralina. Clima tropical de tipo monzónico. Copra, caña de azúcar, café, especias. Vacunos porcinos. Fosfatos, cal. Etnias: criollos franceses, minorías negroafricana, india y malaya. Lenguas: ing. y fr. (of.), francés-criollo. *Rel.:* catolicismo. U.M.: la rupia de S. Cap., Port Victoria.
* *Hist.* Colonia brit. hasta 1976, en que pasó a constituirse en rep. independiente en el seno de la Commonwealth. El primer ministro James R. Mancham fue derrocado en 1977 por un golpe de estado dirigido por France-Albert René, quien instauró un régimen marxista (vigente hasta 1992). A pesar de sufrir varios intentos golpistas (1978, 1979, 1981, 1982) F.-A. René se mantuvo en el poder, siendo reelegido en 1984, 1989 y 1993.
SEYMOUR, ***Edward,*** CONDE DE HERTFORD Y PRIMER DUQUE DE SOMERSET (h. 1506-1552) Protector de Inglaterra a la muerte de Enrique VIII. Intentó consolidar la reforma protestante. Derrocado por Dudley (1549) y ejecutado. • ***Jane*** (1509-1537) Reina de Inglaterra. Tercera esposa de Enrique VIII y madre de Eduardo VI.
SEYSS-INQUART, ***Arthur*** (1892-1946) Político austr. Miembro del partido nazi, ocupó la cancillería de Austria (1938-1939) y fue comisario del Reich en Países Bajos. Fue condenado en Nuremberg y ahorcado.
SFORZA Familia noble it. que gobernó el ducado de Milán de 1450 a 1535. El creador de la riqueza de los S. fue **Muzio** (o **Giacomo**) **Attendolo** (1369-1424). Ayudó a Luis II, duque de Anjou, a conquistar Nápoles. Su hijo, **Francisco I** (1401-1466), se puso al servicio del duque de Milán. A la muerte de éste (1447), ocupó Milán, aseguró la indep. del ducado y consiguió Génova del rey fr. Luis XI. Otros miembros de la familia fueron **Galeazzo Maria, Juan Galeazzo, Ludovico el Moro, Maximiliano** y **Francisco II.**

William **Shakespeare**

SHA m. Sah.
SHABA Prov. del SE de la Rep. Dem. del Congo, denominado Katanga hasta 1971; 496 965 km², 3 874 000 hab. Cap., Lubumbashi. Algodón, aceite de palma, tabaco. Ganadería. Gran riqueza minera (cobre, cobalto, uranio, oro, plata, etc.). En 1960 M. Tshombé proclamó su indep., que fue sofocada en 1963. En 1977, 1978 y 1984 se produjeron nuevos conatos de secesión.
SHABBAT o **SABBAT** m. *Rel.* En la legislación mosaica, el séptimo día de la semana, consagrado al descanso.
SHAFIÍ adj. y s. Díc. de los seguidores de la escuela jurídica ortodoxa musulmana de al-Shafií. Prosperación en la E. Med., hasta que se impuso la escuela hanafí.
SAFIÍ, ***Muhammad ibn Idris ibn Al-Abbas al-*** (767-820) Juriconsulto musulmán, árabe de Palestina, fundador de la escuela jurídica ortodoxa de los shafiíes.
SHAFTESBURY, ***Anthony Ashley Cooper,*** CONDE DE (1625-1683) Político ing. Consiguió que se votara la ley del *Habeas corpus.* Murió exiliado en Amsterdam.
SHAGARI, ***Alhaji Shehu*** (nacido 1925) Político nigeriano. En 1979 accedió a la presidencia de la rep. Reelegido n 1983, fue derrocado ese mismo año por un golpe de Est. dirigido por el general M. Buhari.
SHAKER adj. y s. Díc. del fiel de una confesión religiosa brit., surgida entre los cuáqueros (1747) por obra de James y Jane Wardley. A. Lee fue su continuadora.
SHAKESPEARE, ***William*** (1564-1616) Dramaturgo, poeta y actor ing., una de las figuras más imp. de la literatura universal. En sus obras describe todos los sentimientos y pasiones humanas. De una primera etapa son *La Comedia de los errores, La fierecilla domada,* y, en poesía *Sonetos, Venus* y *Adonis, La violación de Lucrecia.* El segundo periodo es el de las grandes comedias (a excepción de la tragedia *Romeo y Julieta): el mercader de Venecia, Mucho ruido y pocas nueces, Como gustéis, Noche de Epifanía* y *Las alegres comadres de Windsor.* A este periodo sigue el de las grandes tragedias: *Hamlet, Otelo, El rey Lear, Macbeth*; y dramas históricos: *Julio César, Coriolano, Marco Antonio y Cleopatra, Ricardo III, Enrique IV.* Entre sus comedias de carácter fantástico destacan *El sueño de una noche de verano* y *La tempestad.*
SHAN adj. y s. Díc. del individuo de un pueblo tibetobirmano que vive en Birmania y en la prov. china de Yunnan.
SHAN Entidad nacional del E de Birmania; 158 222 km², 3 726 400 hab. Cap., Taunggyi. Ocupa una zona mesetaria. Río Saluén y sus afl. Arroz, adormidera, algodón. Diamantes, galena argentífera.
SHANG Ant. dinastía imperial que reinó en China durante el II milenio a. C. Su apogeo coincidió con la civilización del bronce.
SHANGHAI C. de China, junto al r. Whangpoo, al S del estuario del Yang Tsé; 6 186 km², 13 341 896 hab. Ind. textil, metalúrgica y siderúrgica. Puerto de intensa actividad com. Por el tratado de Nankín (1842), fue abierta a concesiones extranjeras. Ocupada por Japón en 1941-1945. Imp. foco izquierdista durante la rev. cultural y tras la muerte de Mao.
SHANIDAR Gruta de grandes proporciones sit. en el N de Irak, cerca de la frontera turca, donde se han descubierto restos de actividad humana datados entre 48 000 y 8 500 a. C.
SHANKAR, ***Ravi*** (nacido 1920) Músico hindú. De gran influencia en la música americana y europea de los años 60.
SHANNON Río de Irlanda; 368 km. Forma varios lagos (Allen, Ree, Derg) y desemboca en el Atlántico.
SHANSI o **SHANXI** Prov. del NE de China; 156 000 km², 28 759 014 hab. Cap., Taiyuan. Cereales, moreras, hortalizas. Ganadería. Carbón, hierro.
SHANTOU o **SWATOW** C. del S de China, en la pov. de Kuantung, a orillas del Han-kiang; 280 000 hab. Puerto comercial.
SHANTUNG o **SHANDONG** Prov. del E de China, junto al mar Amarillo; 153 300 km², 84 392 827 hab. Cap., Tsinan. Comprende una pen. rocosa. Cereales, batatas, tabaco. Arboricultura, algodón. Hierro, carbón.

SHARON, ***Ariel*** (nacido 1928) Político y militar israelí. Miembro del partido conservador Likud. Primer ministro (1975-1977). Ministro de Defensa (1977-1983). Cesado por sus implicaciones en las matanzas de palestinos en los campos de Sabra y Chatila. Derrotó a E. Barak en las elecciones generales de febrero de 2001 y fue elegido primer ministro.
SHASTRI, ***Lal Bahadur*** (1904-1966) Político indio. Apoyó el movimiento de Gandhi. En 1964 sucedió a Nehru como primer ministro.
SHATALOV, ***Vladir Alexandrovich*** (nacido 1927) Cosmonauta sov. Comandó de la nave *Soyuz IV* en el acoplamiento con la *Soyuz V* (1969).
SHAW, ***George Bernard*** (1856-1950) Escritor irl. en lengua ing. Escribió novelas y ensayos, pero fue en teatro donde produjo mejores obras. Premio Nobel de Literatura en 1925. *Hombre y superhombre, Volviendo a Matusalén, Fascinación, Cándida, Llegando a casarse, Lucha de sexos, Pigmalión, La primera obra de Fanny.*
SHEFFIELD C. de Gran Bretaña, en Inglaterra, a orillas del Don; 477 000 hab. Metalurgia, siderurgia (aceros finos y especiales) y cuchillería.
SHELLEY, *Mary Wollstonecraft Godwin*, por matrimonio ***Mary*** (1797-1851) Segunda esposa de P.B. Shelley, autora de la célebre novela de terror *Frankenstein o el Prometeo moderno.* • ***Percy Bysshe*** (1792-1822) Poeta brit. Sus ideas revolucionarias aparecieron en un panfleto titulado *La necesidad del ateísmo.* Autor de *La reina Mab, Alastor o el espíritu de la soledad, La revuelta del Islam, Oda al viento del oeste, Oda a la alondra, Epipsychidion, Hélade, Adonis, Prometeo desencadenado, Los Cenci.*
SHENSI o **SHENXI** Prov del NO de China; 205 600 km², 32 882 403 hab. Cap., Sian. Montes Chin Ling. Econ. agropecuaria. Ind. algodonera.
SHENYANG (ant. *Mukden*) C. de China, cap. de la prov. de Liaoning; 4 020 000 hab. Centro industrial. Fue cap. del Manchukuo (1931-1945).
SHEPARD, ***Alan Bartlett*** (1923-1998) Astronauta norteam. En 1961 realizó un vuelo cósmico suborbital (proyecto *Mercury*) de 15 minutos de duración.
SHERIDAN, ***Philip Henry*** (1831-1888) Militar norteam. Tomó parte en la guerra de Secesión al frente de los unionistas. Venció en las batallas de Cedar Creek y Five Forks. • ***Richard Brinsley*** (1751-1816) Político y dramaturgo brit., defensor de la Revolución Francesa. *Los rivales, La dueña, La escuela de la maledicencia.*

Shensi. Hilatura de algodón en Sian

SHERIFF m. En Gran Bretaña, representante de la Corona en los condados. • En EE UU, oficial electo que posee poderes judiciales.
SHERMAN, ***John*** (1823-1900) Político norteam., del Partido Republicano. En 1890 el congreso aprobó la *Sherman Act*, para proteger la economía contra los *trusts.* • ***William Tecumseh*** (1820-1891) General norteam. Participó en la guerra de Secesión a favor del Norte. En 1864 dirigió la «marcha hacia el mar», desde Atlanta hasta Savannah.
SHERPA adj. y s. Díc. del individuo de un grupo mongol que vive en el Nepal, al pie del Himalaya. Destacan como guías de alta montaña.
SHERWOOD, ***Robert Emmet*** (1896-1955) Dramaturgo norteam. *El camino de Roma, El puente de Waterloo, Abe Lincoln en Illinois, El bosque petrificado.*
SHETLAND o **ZETLAND** Arch. brit., sit. en el océano Atlántico, al N de las Orcadas; 1 429 km², 23 500 hab. Cap. Lerwick. Ganadería y pesca.
SHETLAND DEL SUR Arch. antártico que forma parte de la prov. arg. de Tierra del Fuego, Antártida e Islas del Atlántico Sur; base para las expediciones de captura de ballenas y focas.
SHIGA Prefectura de Japón, en la isla de Honshu; 4 016 km², 1 222 000 hab. Cap., Otsu.
SHIGELLOSIS f. *Pat.* Serie de síndromes morbosos, predominantemente gastrointestinales, producidos por una bacteria del género *Shigella.*
SHIHKIACHUANG o **SHIJIAZHUANG** C. de China, en la prov. de Hopei; 1 080 000 hab. Ind.
SHIKOKU Isla de Japón, la menor de las cuatro grandes del arch.; 18 780 km², 4 195 000 hab. C. prales.: Matsuyama y Takamatsu. Arroz, trigo, soja, caña de azúcar. Pesca. Cobre. Ind. textil, papelera.
SHILLONG C. de la India, cap. del est. de Meghalaya; 130 700 hab.
SHIMANE Prefectura de Japón, en la isla de Honshu; 6 629 km², 781 000 hab. Cap., Matsue.
SHIN-SHU Secta jap. derivada de la doctrina del Jodo o de la Tierra Pura. Fundada por Shinran (1173-1262), está basada en la fe concebida como pasividad total.
SHINTOÍSMO o **SINTOÍSMO** m. Religión primitiva y popular jap. Se basa en la veneración de seres, objetos y cuerpos denominado *kami* («superior», «divino»). Kami es, en los primeros tiempos, cuanto despierta un sentimiento fuera de lo corriente (Sol, Luna, fuerzas de la naturaleza, etc.). Presenta dioses de origen celestial (Izanagi, Izanami) y terrenal (Amaterasu, Suki-Yomi, Susanowo). Ninigi, hijo de Amaterasu, creó la dinastía imperial.
SHIPIBO adj. y s. Díc. del pueblo amerindio que vive junto al r. Ucayali, en la Amazonia per.
SHIRAZ C. de Irán, cap. de la prov. de Fars; 425 800 hab. Mercado agrícola. Ind. alimentarias. Artesanía.
SHIVA → Siva.
SHIZUOKA Prefectura de Japón, en la isla de Honshu; 7 773 km², 3 671 000 hab. Cap., la c. hom. (472 200 hab.). Ind. textil, metalúrgica (aluminio).
SHKÖDRA o **SHKODER** C. del N de Albania; 70 000 hab. Centro comercial agrícola. Ind. textil, alimentaria, maderera.
SHOCK (voz ing.) m. Brusco trastorno orgánico o psicológico, causado por un trauma, una agresión fisiológica, u otro estímulo similar.
SHOGUN m. En el ant. Japón, título dado a los generales y a los gobernadores militares que asumieron el poder que correspondía al emp.
SHOLOJOV, ***Mijail*** (1905-1984) Escritor sov. Premio Nobel de Literatura en 1965. *El Don apacible, Tierras roturadas, Combatieron por la patria.*
SHONKINITA f. *Miner.* Roca intrusiva de color gris muy oscuro, intermedia, compuesta esencialmente por un piroxeno augítico y por ortoclasa.
SHORAN m. *Electr.* Dispositivo de radionavegación basado en la determinación de la distancia entre el avión y dos radiofaros de posiciones conocidas.
SHORT (voz ing.) m. Pantalón muy corto. Se usa más en plural.
SHOSHON adj. y s. Díc. del individuo de un pueblo amerindio, de la familia lingüística uto-azteca, asentado en varios est. del O de EE UU. Hay unos 7 500 individuos, la mayoría confinados en reservas.
SHOSTAKOVICH, ***Dimitri*** (1906-1975) Compositor ruso. Autor de trece sinfonías, óperas, ballets, corales y música de cámara.
SHOW (voz ing.) m. Espectáculo, especialmente musical, que se ofrece en un teatro, cabaret, sala de fiestas, etc., o se televisa.
SHOWMAN (voz ing.) m. Animador, el que presenta un show.
SHEREVEPORT C. de EE UU, en el estado de Luisiana, a orillas del río Red; 185 000 hab. Petróleo, gas natural e ind. derivadas.
SHULTZ, ***George*** (nacido 1920) Político norteam. Secretario de Estado de 1982 a 1989.
SHUNT (voz ing.) m. *El.* Resistencia de valor pequeño que se coloca gralte. en derivación con los bornes de los aparatos de medida, con el fin de ampliar la escala de éstos.

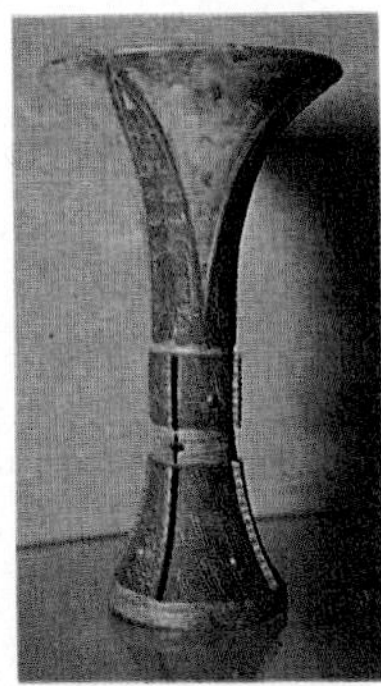
Vaso de bronce de la dinastía **Shang.** Metropolitan Museum, Nueva York

Islas **Shetland.** Iglesia episcopal de Lerwick

Shiraz. Interior de la mezquita Bakil

Siberia. Aspecto de la taiga

SI conj. que puede denotar condición, suposición, aseveración, duda o ponderación. • Precedida del adv. *como* o de la conj. *que*, se emplea en conceptos comparativos. • Precede al adv. de negación *no* en algunas frases. • Forma a veces con el mismo adv. de negación expresiones elípticas que equivalen a «de otra suerte» o «en caso diverso». • m. *Mús.* Séptima nota de la escala musical.
SÍ adv. afirmativo que se emplea más comúnmente respondiendo a pregunta. • Se usa para denotar especial aseveración. • Se emplea con énfasis para avivar la afirmación expresada por el verbo con que se junta. • Se usa como sustantivo por consentimiento o permiso, especialmente hablando de matrimonio. • Forma reflexiva del pron. personal de tercera persona. • **De por s.** m. adv. Separadamente cada cosa. • **De s.** m. adv. De suyo. • **Para s.** m. adv. Mentalmente o sin dirigir a otro la palabra. • **Por s. y ante s.** m. adv. Por propia deliberación.
S.I. Siglas de la Compañía de Jesús.
SIAL m. *Geol.* La → corteza continental, el estrato más externo de la Tierra.
SIAM, ***golfo de*** Golfo del SE de Asia, en el mar de China Meridional, entre las pen. de Indochina y Malaca.
SIAM Ant. nombre de Thailandia.
SIAMÉS, SA adj. y s. Del ant. Siam, hoy Thailandia. • Díc. de cada uno de los hermanos gemelos que nacen unidos por alguna parte del cuerpo. • Díc. del gato de raza siamesa. • adj. Díc. de una raza de gato doméstico, de pelaje suave y corto, y de color *beige* en casi todo el cuerpo. • m. Thailandés o thai, idioma siamés.
SIAN o **XIAN** C. de China, cap. de la prov. de Shensi; 2 390 000 hab. Ind. textil.
SIANG-KIANG Río de China meridional; 1 150 km. Nace en la prov. de Kuangsi Chuang y desagua en el Yang Tsé-kiang.
SIBARITA adj. y s. Díc. de la persona muy dada a los placeres exquisitos y al refinamiento. ■ SIBARITISMO.
SIBELIUS, ***Jan*** (1865-1957) Compositor finl., máx. exponente de la escuela musical de su país. Autor de siete sinfonías; poemas sinfónicos *(Finlandia, La hija de Pohjola)*; conciertos, piezas para piano, etc.
SIBELLINO, ***Antonio*** (1891-1960) Escultor arg. Ha evolucionado del cubismo y la abstracción al expresionismo figurativo. *Torso, Nacimiento.*

Sibila de Delfos, por Miguel Ángel. Fresco de la Capilla Sixtina, Ciudad del Vaticano

Pesca del atún en **Sicilia**

SIBERIA *(Sibir)* Región natural de la república de Rusia; se extiende desde los Urales al Pacífico y desde el Ártico a las montañas de Asia Central; 12 961 500 km², 36 667 000 hab. C. prales.: Novokuznetz, Krasnoyarsk, Jabárovsk y Vladivostok. La S. Occidental es una extensa llanura regada por el Obi y el Yeniséi; la S. Central está formada por mesetas, entre el Yeniséi y el Lena, y por fosas de hundimiento (lago Baikal). En la S. Oriental destacan los montes Verjoiansk, Cherski y Anadir (alt. máx.: Kliuchevskia, 4 850 m). Clima extremadamente continental. La vegetación predominante es la taiga. Cereales, remolacha azucarera, lino, cáñamo. Ganadería. Pesca. Hulla, hierro, petróleo. Energía hidroeléctrica. Ind. siderúrgica, metalúrgica, de transformación. • **Oriental,** ***mar de*** Porción del Ártico que se extiende desde el arch. de Nueva S. hasta la isla de Wrangel.
SIBERIANO, NA adj. y s. Natural de Siberia.
SIBILA f. Mujer sabia a quien los antiguos atribuyeron espíritu profético.
SIBILANTE adj. *Fon.* Díc. del sonido que se pronuncia como una especie de silbido. • Díc. de la letra que representa este sonido, como *s.*
SIBILINO, NA adj. Relativo a la sibila. • fig. Misterioso, oscuro con apariencia de importante.
SIBIU *(al. Hermannstadt)* C. de Rumania, en Transilvania; 172 100 hab. Ind. metalúrgica y maderera. Comercio.
SIBO adj. y s. Díc. del individuo de un pueblo tungú que habita en el Sinkiang (China). Los s. descienden de las guarniciones manchúes asentadas en el s. XVII.
SIBONEY adj. y s. Díc. del pueblo amerindio que poblaba las Antillas en época precolombina.
SIC adv. latino que se usa en impresos y manuscritos para dar a entender que una palabra es textual.
SICA, ***Vittorio de*** (1901-1975) Cineasta it. Como director estuvo vinculado al neorrealismo *(Umberto D, El ladrón de bicicletas, Milagro en Milán)*. Post. dirigió, entre otras, *Dos mujeres* y *El jardín de los Finzi-Contini*. Como actor destacó en *El general de la Rovère* y en numerosas comedias.
SICAMBRO, BRA adj. y s. Díc. del individuo de un pueblo germánico establecido inicialmente entre el Rin y el Wesser.
SICAMOR m. Ciclamor, árbol.
SICARDI, ***Francisco*** (1856-1927) Escritor arg. Naturalista, refleja en su obra la ciudad de Buenos Aires. *Libro extraño, La inquietud humana.*
SICARIO m. Asesino asalariado.
SICHUÁN Prov. de China → Szechuan.
SICIGIA f. *Astr.* Cada una de las dos posiciones en las que los centros de la Luna, de la Tierra y del Sol se encuentran alineados.
SICILIA Isla de Italia, la mayor del Mediterráneo, separada del continente por el estrecho de Mesina; 25 707 km², 4 966 400 hab. Cap., Palermo. C. prales.: Catania, Mesina y Siracusa. Volcán Etna (3 340 m). Trigo, agrios, cebada, olivo, vid. Ganadería ovina. Pesca. Petróleo, metano, azufre. Ind. petroquímica, química, alimentaria. • **Desembarco de S.** Operaciones militares de los aliados durante la II Guerra Mundial para recuperar S. (1943). El éxito de desembarco determinó la caída de Mussolini.
SICILIANO, NA adj. y s. De Sicilia.
SICLO m. Unidad de peso usada entre babilonios, fenicios y judíos. • Ant. moneda hebrea de plata.
SICOANÁLISIS amb. Psicoanálisis.
SICOFANTA o **SICOFANTE** m. Impostor, calumniador.
SICÓMORO m. Planta arbórea de la familia aceráceas, con hojas pecioladas, flores hermafroditas y frutos en disámara.
SICONO m. *Bot.* Fruto compuesto formado de un receptáculo suculento, como el higo.
SICOPATÍA f. Psicopatía. ■ SICÓPATA.
SICOSIS f. Psicosis.
SICOTE m. *Amér. Centr.* Suciedad, aplicado a los pies.
SICOTERAPIA f. Psicoterapia.
SÍCULO, LA adj. y s. De Sicilia.
SIDA (siglas de *síndrome de inmunodeficiencia adquirida*) Enfermedad vírica contagiosa que presenta distintas manifestaciones clínicas, caracterizada por una disminución de la capacidad inmunitaria del paciente, que se hace vulnerable a enfermedades que no constituirían una amenaza para personas cuyo sistema inmunitario funcionase normalmente, pero que en los individuos afectados adquieren carácter grave.
* *Pat.* Detectado en las ciudades de San Francisco, Los Ángeles y Nueva York (en drogadictos que se inyectaban por vía endovenosa), fue descrito como entidad clínica en 1981. El agente infeccioso es el

SIDA

1. y 2. El virus responsable del SIDA, el VIH, pertence a la familia de los retrovirus. La imagen de su virión o partícula virial que aquí se muestra ha sido generada por computadora. En su núcleo, junto con el ARN que lleva la información genética, se encuentra un enzima, la transcriptasa inversa. Cuando el virión se une a la superficie de una célula, la transcriptasa inversa sintetiza ADN correspondiente al ARN vírico. Este ADN se integra en los cromosomas de la célula hospedadora y permanece latente hasta que, tras ser activado, dirige la síntesis de nuevas partículas víricas. El virus destruye linfocitos T4, fundamentales para la defensa inmunitaria.

1

2

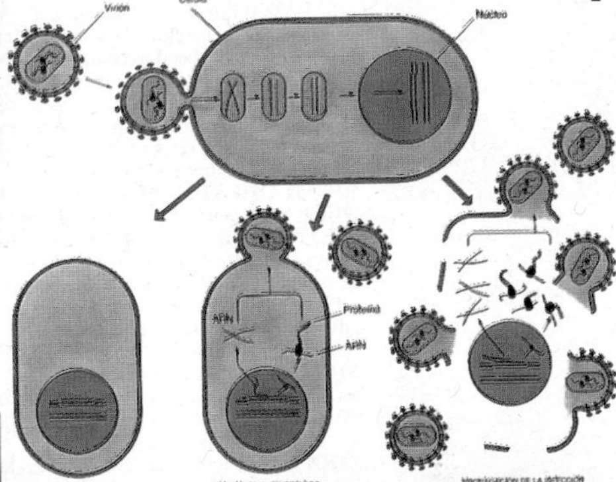

3. El cuadro recoge las vías de contagio de la enfermedad. La información del público es fundamental para prevenir el contagio.
4. y 5. La esperanza en la lucha contra el SIDA es desarrollar una vacuna. Se investigan diversas proteínas del virión como posibles antígenos. Imágenes trágicas, como la de este niño infectado por el SIDA, quizás sean dentro de pocos años algo del pasado.

3

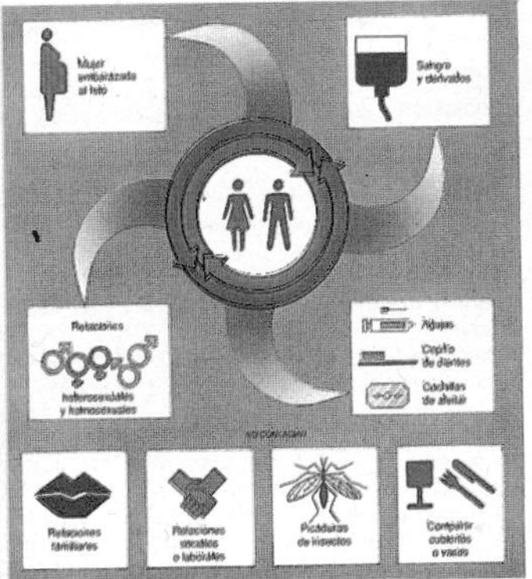

4

5

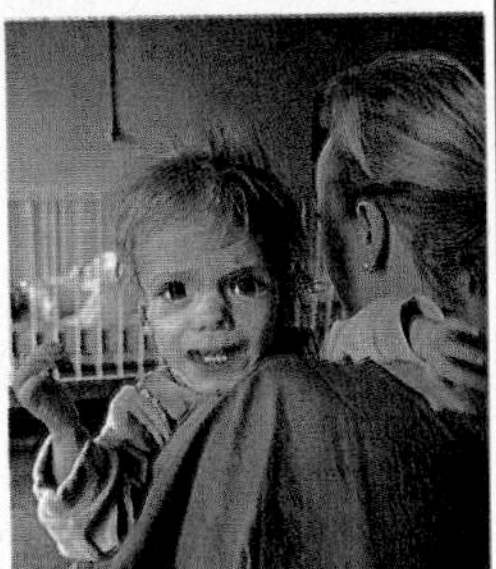

virus de la inmunodeficiencia humana o VIH, poseedor de una alta capacidad de mutación que le permite eludir la acción del sistema inmunitario, y que se transmite a través de la sangre y del semen. El periodo de incubación fluctúa entre seis meses y cinco años; los síntomas pueden ser muy variados, entre ellos infecciones, trastornos neurológicos y varios tipos de cáncer.

SIDECAR (voz ing.) m. Asiento, apoyado en una rueda, adosado a una motocicleta.

SIDERAL adj. Relativo a las estrellas o a los astros. ■ SIDÉREO, A.

SIDERITA f. *Bot.* Planta labiada a la que antiguamente se atribuían propiedades curativas en heridas producidas con hierro. • *Miner.* Carbonato de hierro, de color blanco y brillo vítreo, dureza 4-4,5 y que cristaliza en el sistema trigonal.

SIDERITO m. Meteorito de elevada densidad constituido por una aleación de hierro y níquel.

SIDEROLITO m. Tipo de meteorito constituido por una aleación de hierro-níquel y minerales silicatados.

SIDEROSA f. *Miner.* Siderita.

SIDEROSFERA f. Hipotética parte interna de la Tierra.

SIDEROSTATO m. *Astr.* Instrumento para mantener la dirección de las radiaciones procedentes de un astro, que participa de la rotación aparente de la esfera celeste.

SIDERURGIA f. *Metal.* Técnica que se utiliza para extraer el hierro y trabajarlo. ■ SIDERÚRGICO, CA.
* *Metal.* El hierro se obtiene por reducción de minerales que lo contienen en forma de óxido (magnetita, oligisto, limonita, siderita, etc.), para lo que se utiliza carbón o un gas reductor. Según el porcentaje final de carbono, se obtienen tres categorías de productos: hierro dulce (porcentaje mínimo de carbono), acero y fundición.

SIDNEY o **SYDNEY** C. de Australia, cap. del est. de Nueva Gales del Sur, en la bahía de Port Jackson; 3 335 000 hab. Imp. puerto. Ind. textil, metalúrgica, plásticos. De 1901 a 1927 fue la cap. de Australia. Elegida sede de las Olimpiadas del año 2000.

SIDNEY, ***George*** (nacido 1916) Director cinematográfico norteam. Dirigió pralm. comedias musicales. *Escuela de sirenas, Levando anclas.* • ***Philip*** (1554-1586) Político y escritor ing. Autor de *Arcadia*, novela histórica y pastoril, y de una colección de sonetos.

SIDÓN Ant. c. fenicia (actual Saida), sit. al N del río Litani. En ella se han hallado muestras de cerámica de la Edad del Hierro. Poseyó un imp.puerto y el mayor centro religioso fenicio: el templo de Eshmun. Ocupada por persas, róm., ár. y cruzados.

SIDRA f. Bebida alcohólica que se obtiene por la fermentación del zumo de manzana.

SIEGA f. Acción y efecto de segar las mieses. • Tiempo en que se siegan. • Mieses segadas.

SIEGBAHN, ***Kai M.*** (nacido 1918) Físico sueco, hijo de Manne Karl S. Premio Nobel de Física en 1981, con Schawlow y Bloembergen, por sus trabajos sobre la estructura del átomo. • ***Manne Karl*** (1886-1978) Físico sueco. Descubridor de la refracción de la luz. Premio Nobel en Física en 1924.

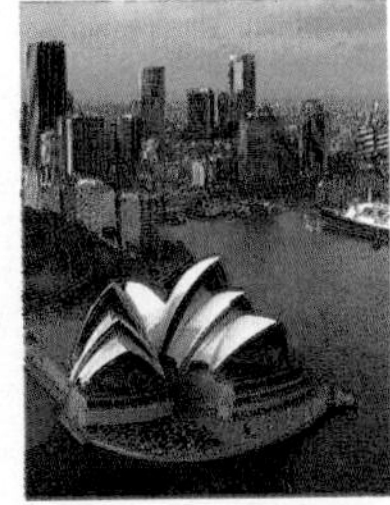

Sidney. Edificio de la Ópera en el puerto

SIEGEL, *Don* (1912-1991) Director cinematográfico norteam. *La invasión de los ultracuerpos, Código del hampa, Harry, el sucio, La fuga de Alcatraz.*

SIEGEN C. de Alemania, en el land de Renania Septentrional-Westfalia, junto al r. Sieg: 107 800 hab. Centro industrial.

SIEMBRA f. Acción y efecto de sembrar. • Tiempo en que se siembra. • Sembrado, tierra sembrada.

SIEMENS m. *El.* Unidad de medida de la conductancia eléctrica en el sistema Giorgi.

SIEMENS, *Werner von* (1816-1892) Ingeniero al. Descubrió el principio de la dinamo y fundó la sociedad Siemens y Halske, que instaló las primeras grandes líneas telegráficas europeas. • ***Wilhelm*** (1823-1883) Ingeniero e industrial al. Perfeccionó el proceso de obtención del acero. • **Método de S. Martin.** *Metal.* Procedimiento para la obtención de acero, que consiste en mantener a unos 1 500 ºC, durante 8-10 horas, una mezcla de fundición, chatarra y óxido de hierro en un horno de reverbero calentado por medio de gas pobre o por los gases desprendidos en el horno alto.

Vista de **Siena**

SIEMIANOWICE SLASKIE C. de Polonia; 80 900 hab. Centro minero y metalúrgico.

SIEMPRE adv. de tiempo. En todo o en cualquier tiempo. • En todo caso o cuando menos. • **Para s.** m. adv. Por todo tiempo o por tiempo indefinido. • **Por s.** m. adv. Perpetuamente. • S. jamás. m. adv. Siempre con sentido esforzado.

SIEMPRETIESO m. Tentetieso, dominguillo.

SIEMPREVIVA f. Nombre común a ciertas plantas de las familias carasuláceas, compuestas y plumbagináceas, algunas con propiedades medicinales y con flores que no se marchitan.

SIEN f. Cada una de las dos regiones laterales de la cabeza, comprendidas entre la mejilla, la frente, el ojo y el occipucio.

SIENA C. de Italia, en Toscana, cap. de la prov. hom; 60 200 hab. Maquinaria agrícola, ind. química. Turismo. Palacios e iglesias del s. XIII y del Renacimiento. Ant. colonia rom., quedó sometida al dominio lombardo y fue conquistada por Carlomagno (800). Post. estuvo conquistada por cónsules. Formó parte del ducado de Toscana.

SIENITA f. Roca intrusiva, leucócrata, compuesta por ortoclasa, una plagioclasa y uno o más minerales férricos.

SIENKIEWICZ, *Henryk* (1846-1916) Novelista pol. Premio Nobel de Literatura en 1905. *Quo Vadis, Los caballeros teutónicos, Micer Wolodyjowski.*

SIERO Mun. de España, en Asturias; 46 315 hab.

SIERPE f. Culebra de gran tamaño. • fig. Persona muy fea o muy colérica. • fig. Cualquier cosa que se mueve onduladamente. • Vástago que brota de las raíces leñosas.

Mapa de situación y bandera de **Sierra Leona**

SIERRA f. Herramienta que consiste en una hoja de acero de poco espesor, y con dientes agudos, que sirve para cortar diversos materiales. • Lugar donde se sierra. • Herramienta que consiste en una hoja de acero larga y estrecha, con borde liso, sujeta a un bastidor, y que sirve para dividir piedras duras con el auxilio de arena y agua. • Cordillera de poca extensión. • Cordillera de montes o peñascos cortados.

SIERRA Región geográfica de Perú, comprendida entre el límite de la región de la Costa y los 2 000 m de alt. del lado E de la cordillera Oriental de los Andes. La mayor parte del terr. se encuentra por encima de los 3 000 m de alt. pral. región ganadera y minera del país. La agricultura se asienta en los valles. • Región geográfica de Ecuador, que comprende las cord. Occidental y Oriental de los Andes. Cumbres nevadas: Chimborazo (6 310 m), Cotopaxi (5 897 m), Cayambe (5 790 m), Antisana (5 704 m). La presencia de los Andes y la latitud (paralelo 0º) determinan un mosaico climático con variados pisos ecológicos, desde el páramo hasta zonas tropicales. En ella se asienta el 46 % de la pob. del país.

SIERRA, *Justo* (1848-1912) Político y escritor mex. Fundó la universidad nacional de México. Su obra aborda todos los géneros.

SIERRA LEONA Estado de África occidental, limítrofe con Guinea, Liberia y el Atlántico. En su relieve se distingue un sector costero, formado por estuarios y albuferas, y una meseta central (alt. máx.: monte Loma 1 948 m). Ríos Roke, Sewa, Moa, y los dos Scarcies. Clima tropical. Manglar y palmeras en la costa, sabanas en las mesetas y bosque en las montañas. Arroz, maíz, mijo, batata, café, aceite de palma y cacao. Ganadería bovina. Imp. reservas forestales. Pesca en la costa septentrional. Diamantes (Kono, Kenema, Bo, Tongo), hierro, bauxita y rutilio. Ind. incipiente, (elaboración de aceite y refino de petróleo). República. Etnias: mendes, temnes, limbas y kurankos. Lenguas: ing. (of.), krio, mende, temne, etc. *Rel.:* animista (51 %), islámica (39 %), católica. U.M.: el leone. Cap., Freetown.

* *Hist.* Descubierta en 1462 por el port. Pedro de Sintra. Los port. se dedicaron a la trata de esclavos. En 1808 el país se convirtió en colonia brit. La penetración hacia el interior se realizó con la construcción del ferrocarril (1898-1908). A partir de 1902 la *United Africa Company* se hizo con el control del país. En 1961 obtuvo la indep. Al primer ministro Milton Margai, vencedor en las elecciones de 1962, le sucedió su hermano A. Margai (1964). Las elecciones de 1967 dieron el triunfo a Siaka Stevens, aunque un golpe militar le impidió tomar el poder. Al año siguiente, un contragolpe le permitió ocupar la primera magistratura. Gobernó dictatorialmente. En 1973 S. y Liberia formaron la Unión del Río Mano. En las elecciones de 1985 fue elegido J. Momoh. En 1992, tras el golpe de Est. de Yaya Kanu, se desencadenó una guerra entre el ejército y el Frente Unido Revolucionario que debastó el país. A. Tejan Kabba ganó las elecciones (1996), aunque fue depuesto por otro golpe de Est. en 1997. Retomó el poder al año siguiente, si bien continuó en estado de guerra.

SIERRA LEONA

Superficie 71 740 km²

Población 4 240 000 hab. (59 hab./km²)

Recursos económicos	
Aceite de palma	45 000 t
Agrios	75 000 t
Arroz	284 000 t
Bauxita	699 000 t
Cabaña bovina	360 000 cabezas
Cabaña ovina	302 000 cabezas
Cerveza	40 000 hl
Diamantes	255 000 quilates
Energía eléctrica	237 millones de kwh
Mandioca	219 000 t
Nuez de palma	29 000 t
Pesca	63 898 t
Riqueza forestal	3 247 000 m³
Rutilio	144 000 t
Tabaco	1 200 millones de cigarrillos
Indicadores sociológicos	
PNB	762 millones de dólares
Renta per cápita	180 dólares
Esperanza de vida	42 años
Alfabetismo	24 %

Sierra Leona. Centro de Freetown

SIERVO, VA m. y f. Esclavo. • Nombre que una persona se da a sí misma respecto de otra para mostrarle obsequio y rendimiento. • Persona que profesa en orden o comunidad religiosa.

* *Hist.* En la E. Med. existían los siervos del Est., los dedicados al servicio personal de un señor, y los

que trabajaban sus tierras. En la Baja E. Med., muchos de ellos se trasladaron a las ciudades y consiguieron la libertad. Su desaparición en Europa occidental fue obra de la Revolución Francesa (1789).
SIESO m. *Anat.* Parte inferior del recto en la cual se comprende el ano.
SIESTA f. Tiempo después del mediodía, en que aprieta más el calor. • Tiempo destinado para dormir o descansar después de comer. • Sueño que se toma después de comer.
SIETE adj. Seis y uno. • adj. y s. Séptimo, ordinal. Signo o conjunto de signos con que se representa el número siete. • m. Barrilete, instrumento de carpintería. • fam. Rasgón angular. • *Argent.* y *Col.* Ano. • **y media.** Cierto juego de naipes.
SIETE AÑOS, *guerra de los* Conflicto sostenido en 1756-1763 entre Inglaterra y Prusia contra Francia y Austria. Avanzado el primer año de lucha, Federico el Grande derrotó a fr. e imperiales en Rossbach y a los austr. en Leuthen. La intervención esp. no frenó los éxitos ing. La guerra terminó con las paces de París, entre ing. y fr., y de Hubertsburg, entre Austria y Prusia. Inglaterra se aseguró la supremacía en la India, recibió Canadá como colonia y consolidó su dominio de los mares
SIETECOLORES m. *Chile* y *Ecuad.* Pajarillo multicolor que habita en las orillas de lagos y lagunas.
SIETECUEROS m. *Col., Chile, Ecuad.* y *Hond.* Tumor que se forma en el talón del pie. • *C. Rica, Cuba* y *Perú.* Panadizo de los dedos.
SIETEMESINO, NA adj. y s. Aplícase a la criatura que nace a los siete meses de engendrada. • fam. Jovencito que presume de persona mayor.
SIETEÑAL adj. Que tiene siete años.
SIÉVERNAIA ZEMILIÁ → Tierra del Norte.
SIEYÈS, *Emmanuel Joseph* (1748-1836) Abate y político fr. Teórico de las aspiraciones políticas de la burguesía. Diputado en los Estados Generales, redactó el juramento del juego de pelota (1789). Formó parte del comité de Salvación pública y del Consejo de los Quinientos. Colaboró con Napoleón y fue uno de los artífices de la constitución de 1799.
SIFÍLIDE f. *Pat.* Dermatosis de origen sifilítico.
SÍFILIS f. *Pat.* Enfermedad infecciosa de tipo venéreo, ocasionada por el protozoo *Treponema pallidum.* Se manfiesta por erupciones cutáneas y mucosas, inflamaciones viscerales y lesiones degenerativas de diversos tejidos y órganos. El contagio es por vía directa (sobre todo en el curso de relaciones sexuales) o indirecta; también puede ser transmitida durante el embarazo de la madre luética al feto (s. congénita). ■ SIFILÍTICO, CA.
SIFILOGRAFÍA f. Parte de la patología que trata de las enfermedades sifilíticas.
SIFILOMA m. Tumor sifilítico.
SIFÓN m. Codo orientado hacia arriba, intercalado en una conducción hidráulica a presión. • Botella cerrada herméticamente con una tapa por la que pasa un sifón, cuyo tubo tiene una llave para cerrar o abrir el paso del agua carbónica que contiene. • Canal cerrado o tubo inferior a sus dos extremos. • *Zool.* Órgano tubular de salida y entrada de agua en los moluscos bivalvos.
SIFONÓFORO adj. y m. *Zool.* Díc. de los animales del orden sifonóforos. • m. pl. Orden de hidrozoos pelágicos que incluye especies que viven en colonias polimórficas de pólipos y formas medusoides.
SIFONÓGAMA f. *Bot.* Sinónimo de fanerógama, esto es, planta que posee tubo polínico.
SIFONOSTELA f. Cordón vascular central de algunos helechos, sit. en forma de tubo a lo largo del tallo.
SIFOSIS f. Joroba.
SIFUÉ m. Sobrecincha de las caballerías.
SIGER de Brabante (h. 1235-1284) Filósofo medieval, antagonista de Tomás de Aquino. Insistió en la posición entre las verdades reveladas y las asequibles por la razón. Sus doctrinas fueron condenadas. *Sobre la eternidad del mundo, Los imposibles.*
SIGILAR tr. Sellar, imprimir con sello. • Callar u ocultar una cosa. ■ SIGILACIÓN.
SIGILARIA f. Nombre de las plantas fósiles de la familia sigilariáceas, que contribuyeron a la formación de yacimientos de hulla del carbonífero.
SIGILO m. Utensilio para estampar en el papel los signos grabados que tiene. • Lo que queda estampado por él. • Secreto que se guarda de una cosa o noticia. ■ SIGILOSO, SA.
SIGILOGRAFÍA f. Ciencia que tiene por objeto el estudio de los sellos, tanto de sus matrices como de las improntas que de ellos se obtienen.
SIGLA f. Letra inicial que se emplea como abrev. • Rótulo o denominación que se forma con varias siglas. • Cualquier signo que sirve para ahorrar letras o espacio en la escritura.
SIGLO m. Intervalo de tiempo de cien años. • Seguido de la proposición *de* y un nombre de persona o cosa, tiempo en que destacó una persona o cosa. • Mucho o muy largo tiempo, indeterminadamente. • La vida civil, en oposición a la religiosa. • **de oro.** Edad de oro. • fig. Época de paz y prosperidad. • **En** o **por, los siglos de los siglos.** m. adv. Eternamente.
SIGMA f. Decimoctava letra del alfabeto gr. (Σ o σ). Corresponde a la *ese.* • *Anat.* S ilíaca o parte final del colon.
SIGMOIDEO, A adj. Aplícase a lo que por su forma se parece a la sigma. • **Válvulas sigmoideas.** *Anat.* Válvulas sit. a la salida del corazón.
SIGMOIDITIS f. *Pat.* Variedad de colitis segmentaria del colón sigmoideo. Si es aguda, su sintomatología es parecida a la de la apendicitis.
SIGNAC, *Paul* (1863-1935) Pintor fr. Sus temas preferidos fueron las marinas *(Entrada al puerto de Marsella).* Puso en práctica las teorías de Seurat *(puntillismo).* Escribió *De Delacroix al neoimpresionismo.*
SIGNÁCULO m. Sello o señal en lo escrito.
SIGNAR tr. Hacer, poner o imprimir el signo. • Poner uno su firma. • tr. y prnl. Hacer la señal de la cruz sobre una persona o cosa. • Hacer con los dedos índice y pulgar de la mano derecha cruzados, o sólo con el pulgar, tres cruces, la primera en la frente, la segunda en la boca y la tercera en el pecho. ■ SIGNATARIO, RIA.
SIGNATURA f. Señal que se pone a un libro o a un documento para indicar su colocación dentro de una biblioteca o un archivo. • *Art. Gráf.* Señal que el encuadernador pone al pie de la primera página de cada pliego.
SIGNIFICACIÓN f. Sentido de una palabra o frase. Es la lingüística tradicional, s. equivale a significado, sentido, contenido semántico, etc. • Objeto que se significa. • Importancia en cualquier orden.
SIGNIFICADO, DA adj. Conocido, importante, reputado. • m. Parte fundamental, junto al significante, del concepto de signo lingüístico: designa la idea o representación mental de lo nombrado. • Lo que se significa de algún modo.
SIGNIFICANTE adj. Que significa. • m. Parte fundamental, junto al significado, del concepto de signo lingüístico: se refiere a la representación gráfica o fonética del mismo.
SIGNIFICAR tr. Ser una cosa, por naturaleza, imitación, representación o indicio de otra. • Ser una palabra expresión de una idea o de una cosa material. • Manifestar una cosa. • intr. Representar, tener importancia. • prnl. Hacerse notar o distinguirse por alguna cualidad o circunstancia. ■ SIGNIFICATIVO, VA.
SIGNO m. Cosa que evoca en el entendimiento la idea de otra. • Cualquiera de los caracteres que se emplean en la escritura y en la imprenta. • Término con el que la moderna lingüística define la asociación de un significante y un significado. • Señal que se hace a modo de bendición. • Figura que los notarios agregan a su firma en los documentos públicos. • Hado o destino determinado por el influjo de los astros. • *Astr.* Cada una de las doce partes iguales en que se considera dividido el Zodiaco. • *Mat.* Señal que se usa en los cálculos para indicar, ya la naturaleza de las cantidades, ya las operaciones que se han de ejecutar con ellas. • *Mús.* Cualquiera de los caracteres con que se escribe la música. • **de puntuación.** Expresión gráfica de las pausas y de la entonación.
* *Ling.* El estudio del s. tiene su origen en F. de Saussure. Éste presenta el signo lingüístico como una entidad psíquica que une un concepto (significado) y una imagen acústica (significante). Según él, el s. se caracteriza por su arbitrariedad, su necesidad y su inmotivación. Hjelmslev, del Círculo lin-

El asalto inglés al castillo del Morro de La Habana, episodio de la guerra de los **Siete Años,** según un óleo de J. Rufo. Real Academia de Bellas Artes de San Fernando, Madrid

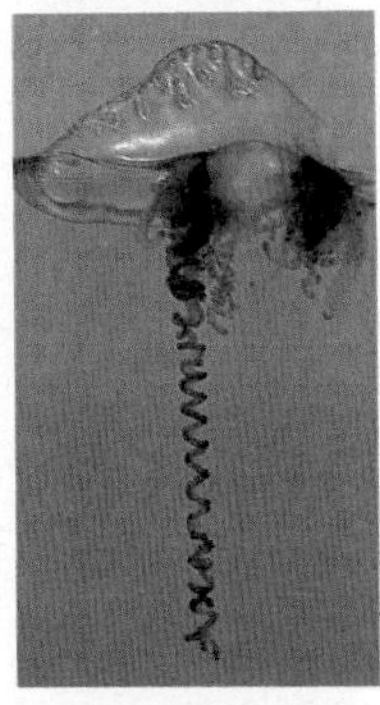

Carabela portuguesa o vejiga aretusa, invertebrado del orden **sifonóforos**

Detalle de *Entrada del puerto de Marsella,* óleo de Paul **Signac.** Centro Georges Pompidou, París

güístico de Copenhague, considera que el s. lingüístico se compone de tres infraestructuras; forma (fonología y fonética), función (sintaxis y morfología) y significación (semántica y lexicología).

SIGNORELLI, *Luca* (h. 1445-h. 1523) Pintor it. Creó un estilo de gran realismo (*Sagrada conversación*). Pintó los frescos de la capilla de San Bricio (Orvieto).

SIGUA f. *Cuba.* Árbol de la familia lauráceas, con hojas brillantes coriáceasa y fruto ovalado dispuesto en una cúpula de color rojo.

SIGUAPA f. *C. Rica* y *Cuba.* Ave de rapiña nocturna, pequeña, de plumaje pardo oscuro con pintas amarillas y penacho negro.

SIGÜENZA y Góngora, *Carlos de* (1645-1700) Escritor mex. De estilo barroco y ampuloso, escribió el poema épico *Piedad heroica de don Hernando Cortés.* Obras científicas. *Libra astronómica y filosófica.*

Sagrada Familia, tabla de Luca **Signorelli.** Galeria de los Uffizi, Florencia (Italia)

SIGUIENTE adj. Que sigue. • Ulterior, posterior.

SIHANUK, *Norodom* (nacido 1922) Político camboyano. Coronado rey en 1941, proclamó la indep. y luchó contra las ocupaciones japonesa y fr. En 1955 abdicó en favor de su padre y ejerció como primer ministro (1955-1960). Jefe del Est. (1960-1970, 1974-1976). Desde entonces dirigió la oposición antivietnamita y en 1991 regresó al país como presid. provisional. Reformada la constitución, en 1993, S. se convirtió de nuevo en rey del país.

SIJ o **SIKH** adj. y s. Díc. de los miembros de una comunidad religiosa del Punjab (India). Su fundador fue Nanak. Los s., se dividen en dos sectas: los *sahiydari* y los *kesadari.* En los últimos años los s. han realizado acciones para conseguir la indep. del Punjab. En 1984 el ejército indio ocupó violentamente su pral. centro de culto y foco de resistencia secesionista, el Templo de Oro de Amritsar, lo cual provocó fuertes disturbios (más de 1 500 muertos). En noviembre del mismo año, Indira Gandhi fue asesinada por miembros s. de su escolta.

Templo de Oro de Amritsar, centro sagrado de los **sijs**

SI-KIANG Río del S de China. Nace de una red fluvial procedente de la meseta de Yunnan-Kueichou. Desemboca en el mar de China Meridional; 1 600 km.

SIKKIM Est. de la India, limítrofe con China, Nepal y Bután; 7 299 km^2, 405 500 hab. Cap., Gangstok. Pertenece al ámbito del Himalaya meridional (Kanchenjunga, 8 585 m). Río Tista. Clima frío. Cardamomo, arroz, trigo, mijo, patatas, frutales. Explotación forestal. Cobre, hierro, grafito, oro, plata. Ind. de tipo artesanal. Protectorado brit. (1861-1947) e indio desde 1950, en 1975 se convirtió en el 22° estado de la Unión India.

SIKORSKI, *Wladyslaw* (1881-1943) Político pol. Jefe del gobierno (1922-1923). Tras el golpe de est. de Pilsudski (1921) se exilió en Francia. En 1939 fue nombrado jefe del gobierno en el exilio.

SIL Río de España; 225 km. Nace en la prov. de León, y desemboca en el r. Miño.

SILA, *Lucio Cornelio* (138 a. C.-78 a. C.) Militar y político rom. Designado cónsul (88 a. C.), representó los intereses aristocráticos frente a Mario, líder de los plebeyos, al que venció, proclamándose dictador.

Busto de Lucio Cornelio **Sila.** Museo Arqueológico, Venecia (Italia)

SÍLABA f. Sonido o sonidos articulados que constituyen un núcleo fónico entre dos depresiones sucesivas de la emisión de voz. • **postónica.** La átona que en el vocablo viene detrás de la tónica. • **protótina**. La átona que en el vocablo precede a la tónica. • **tónica.** La que tiene el acento prosódico. ■ SILÁBICO, CA.

* *Ling.* Para Jespersen, la s. es un sonido o grupo de sonidos limitados por dos depresiones de perceptibilidad. Saussure afirma que son núcleos que corresponde a los momentos de implosión-explosión-implosión, propios de la emisión. En su formación hay tres fases: inicial, desde la cerrazón de los órganos articulatorios hasta su mayor abertura; central, cuando la s. tiene el máx. de perceptibilidad; final, que tiende de la abertura a la cerrazón.

SILABARIO m. Librito o cartel con sílabas sueltas y palabras divididas en sílabas que sirve para enseñar a leer.

SILABEAR o **SILABAR** intr. y tr. Ir pronunciando separadamente cada sílaba. ■ SILABEO.

SÍLABO m. Índice, catálogo.

SILANO m. *Quím.* Combinación hidrogenada del silicio. Los s. son muy sensibles frente al agua y al oxígeno, y se polimerizan fácilmente.

SILAO Mun. de México, en el est. de Guanajuato, junto al r. hom.; 71 000 hab. Cereales, frutales. Ind. del calzado y textil.

SILBA f. Acción de silbar como desaprobación.

SILBANTE adj. Que silba. • *Fon.* Díc. del sonido que se pronuncia con una especie de silbido. • m. fam. Señorito pobre.

SILBAR intr. Dar o producir silbos o silbidos. • Agitar el aire produciendo un sonido como de silbo. • tr. e intr. fig. Manifestar desagrado el público, con silbidos u otras demostraciones ruidosas.

SILBATINA f. *Argent. Chile* y *Perú.* Silba, rechifla.

SILBATO m. Instrumento pequeño y hueco que soplando en él con fuerza suena como el silbo. • Rotura pequeña por donde respira el aire o se rezuma un líquido.

SILBIDO m. Acción y efecto de silbar. • **de oídos.** Sonido que se percibe en los oídos por causa de una indisposición.

SILBO m. Sonido agudo que hace el aire. • Sonido agudo que resulta de hacer pasar con fuerza el aire por la boca con los labios fruncidos o con los dedos colocados en ella convenientemente. • Sonido de igual clase que se hace soplando con fuerza en un cuerpo hueco, como silbato, llave, etc. • Voz aguda y penetrante de algunos animales; como la de la serpiente. • Silbato.

SILBÓN m. Ave palmípeda semejante a la cerceta, que vive en las costas y lanza un sonido fuerte.

SILENCIADOR, RA adj. Que silencia. • m. *Mec. apl.* Dispositivo amortiguador del ruido del escape de los gases en los motores de combustión interna o en las toberas de los de reacción. • Dispositivo de algunas armas de fuego para amortiguar el disparo.

SILENCIAR tr. Callar, pasar en silencio. • *Amér.* Acallar, imponer silencio.

SILENCIO m. Abstención de hablar. • fig. Falta de ruido. • fig. Efecto de no mencionar por escrito. • *Der.* Desestimación tácita de una petición o recurso por el mero vencimiento del plazo que la administración pública tiene para resolver. • *Mús.* pausa. • **En s.** m. adv. fig. Sin protestar, sin quejarse. ■ SILENCIOSO, SA; SILENTE.

SILEPSIS f. *Gram.* Figura de construcción que consiste en quebrantar las leyes de la concordancia en el género o el número de las palabras. • *Ret.* Tropo que consiste en usar a la vez una misma palabra en sentido recto y figurado.

SILES, *Hernando* (1882-1942) Político bol. presid. de la rep. (1926-1930). Derrocado por un golpe de est. motivado por la crisis económica. • **Salinas, *Luis Adolfo*** (nacido 1925) Político bol. Sucedió a René Barrientos en la jefatura del Est. (1969). En el mismo año fue derrocado por Alfredo Ovando y se exilió en Chile y post. en México. • **Zuazo, *Hernán*** (1914-1996) Político bol. Cofundador del Movimiento Nacional Revolucionario, fue elegido presid. de la rep. (1956-1960). Al volver del exilio triunfó en los comicios de 1979 y 1980, dejados sin efecto por el golpe de García Meza. En 1982 la presión popular obligó a devolverle el poder. En 1985 convocó elecciones anticipadas, que llevaron al poder a V. Paz Estenssoro.

SILESIA (pol., *Slask*; al., *Shlesien*) Región de Europa central, dividida actualmente entre Polonia y Checoslovaquia. C. prales.: Wrockaw (Breslau) Katowice, Chorzow y Zabre en Polonia, y Ostrava en Checoslovaquia. Delimitada por los Sudetes y los Beskides. La Baja S. posee gran riqueza agrícola, y la Alta s., una imp. cuenca hullera.

SILESIANO, NA o **SILESIO, SIA** adj. y s. De Silesia.

SÍLEX m. Roca sedimentaria compacta, compuesta de cuarzo y calcedonia, cuya elevada dureza la hizo ser un material muy utilizado por el hombre primitivo para la fabricación de sus armas y utensilios.

SÍLFIDE f. *Mit.* Para los germánicos, ninfa o espíritu del aire. Expresión femenina de silfo.

SILFO m. Ser fantástico, espíritu del aire para los cabalistas.

SILICATO m. *Quím.* Sal o éster de los diversos ácidos silícicos. • *Miner.* Mineral de la clase silicatos. • m. pl. *Miner.* Grupo de minerales constituidos esencialmente de silicio y oxígeno, asociados a otros elementos, como aluminio, calcio, hierro, magnesio, sodio, potasio, etc. Son los minerales dominantes en la corteza terrestre.

SÍLICE f. Combinación del silicio con el oxígeno. Es muy abundante en la naturaleza y se presenta en varias especies mineralógicas: cuarzo o cristal de roca, amatista, calcedonia, ágata, sílex, tridimita, cristobalita, etc. ■ SILÍCEO, A.

SILÍCICO, CA adj. Relativo a la sílice y a otros compuestos del silicio. • Díc. de un ácido inorgánico oxácido que se presenta en forma de una masa blanca gelatinosa.

SILICIO m. *Quím.* Elemento de símb. Si, n. a. 14 y p. a. 28,09. Es un no metal que se encuentra como dióxido (sílice, cuarzo, etc.) o como silicato en la mayoría de las rocas. Se usa para preparar siliconas y en la fabricación de chips y transistores.

SILICONA f. o **SILICÓN** m. *Quím.* Nombre genérico de compuestos macromoleculares análogos a las materias plásticas orgánicas, pero en cuyas moléculas el silicio reemplaza al carbono.

SILICOSIS f. *Pat.* Enfermedad pulmonar, de evolución lenta, debida a la inhalación de partículas de polvo de sílice. Se presenta en personas que trabajan en minas, canteras, fábricas de cerámica, etc.

SILICUA f. *Bot.* Fruto en cápsula dividida en dos por un falso tabique donde se insertan las semillas.

SILINGO, GA adj. y s. Díc. del individuo de un pueblo de raza germánica que habitó al N de Bohemia. • adj. Relativo a este pueblo.

SILIO Itálico, *Tiberio Catio* (m. 101) Poeta latino, autor del poema *Plunica*, sobre la segunda guerra púnica.

SILLA f. Asiento con respaldo, por lo general con cuatro patas, en el que sólo cabe una persona. • Aparejo para montar a caballo, formado por una armazón cubierta de cuero. • Asiento o trono de un prelado con jurisdicción. • Dignidad de papa y otras eclesiásticas. • fig. y fam. Ano. • **de la reina.** Asiento que forman entre dos con las cuatro manos, asiendo cada uno su muñeca y la del otro. • **de manos.** Vehículo con asiento para una persona, el cual, sostenido en dos varas largas, es llevado por dos hombres. • *Argent., Chile, Col.* y *C. Rica.* Silla de la reina. • **de montar.** S., aparejo para montar a caballo. • **de atijera.** La que tiene el asiento por lo general de tela y las patas cruzadas en aspa de manera que pueda plegarse. • **eléctrica.** S. dispueta para electrocutar a los reos de muerte. • **gestatoria.** S. portátil que usa el papa en ciertos actos de gran ceremonia.

SILLADA f. Relleno en la ladera de un monte.

SILLANPÄÄ, *Frans Eemil* (1888-1964) Novelista finl. Premio Nobel de Literatura en 1939. *El camino del hombre, Sol y vida, Santa Miseria.*

SILLAR m. Cada una de las piedras labradas que forman parte de una construcción de sillería. • Parte del lomo de la caballería, donde sienta la silla.

SILLERÍA f. Conjunto de sillas iguales o de sillas, sillones y canapés de una misma clase, con que se amuebla una habitación. • Conjunto de asientos unidos unos a otros. • Taller donde se fabrican sillas. • Tienda donde se venden. • Oficio de sillero. • Obra compuesta de sillares asentados unos sobre otros en hileras. • Conjunto de estos sillares. ■ SILLERO, RA.

SILLETA f. Vaso para excretar en la cama los enfermos. • Piedra sobre la cual se muele el chocolate. • *Chile, Perú* y *Ven.* silla, asiento.

SILLETAZO m. Golpe dado con una silla.

SILLICO m. Bacín, orinal.

SILLIMANITA f. *Miner.* Silicato de aluminio que cristaliza en el sistema rómbico, utilizado en cerámica refractaria.

SILLÍN m. Jamuga cómoda y lujosa. • Silla de montar ligera. • Asiento que tienen la bicicleta y otros vehículos análogos.

SILLITOE, *Alan* (nacido 1928) Escritor brit. Inspirador del *Free Cinema.* Su tema preferido es la situación de los obreros. *Noche de sábado y mañana de domingo, La soledad del corredor de fondo.*

SILLÓN m. Silla de brazos, mayor y más cómoda que la ordinaria. • Silla de montar usada por las mujeres. • *Amér.* Silla para mecerse.

SILO m. Construcción para el almacenamiento de cereales y forrajes o de productos químicos y minerales deteriorables. • fig. Cualquier lugar subterráneo, profundo y oscuro. • *Chile.* Alfalfa, trébol u otro pasto que se guarda para alimento del ganado.

SILOÉ, *Diego de* (m. 1563) Arquitecto y escultor renacentista esp., hijo de Gil de S. Escalera Dorada de la catedral de Burgos, torre en Santa María del Campo y parte de la catedral de Granada. • ***Gil de*** (s. XV) Escultor esp. Sepulcros de Juan II e Isabel de Portugal y del infante Alfonso, altar mayor de la cartuja de Miraflores.

SILOGISMO m. *Lóg.* Argumento que consta de tres proposiciones, la última de las cuales se deduce de las otras dos. El esquema del s. es un condicional enunciado en la forma siguiente: «si (premisa mayor) y (premisa menor), entonces (conclusión)». Consta de tres términos: mayor (P) o predicado de la conclusión, menor (S) o sujeto de la conclusión, y medio (M), repetido en las dos premisas y ausente de la conclusión.

SILOGÍSTICO, CA adj. Relativo al silogismo. • f. Teoría del silogismo.

* *Log.* Aristóteles fue el primero en estudiar el razonamiento silogístico, seguido por los escolásticos. Desde la E. Mod. se le da un tratamiento matemático. Ya en el s. XX el silogismo se incluye en la lógica de predicados y en la lógica de clases.

SILOGIZAR intr. Argüir con silogismos o hacerlos.

SILONE, *Ignazio* (1900-1978) Seud. del novelista it. *Secondo Tranquilli*, uno de los máx. representantes del realismo de la posguerra. *Fontamara, Vino y pan, El secreto de Lucas.*

SILOXANO m. *Quím.* Nombre de los productos intermedios entre los silanos y el dióxido de silicio. Se derivan de los silanos por sustitución de átomos de hidrógeno por oxígeno.

SILUETA f. Dibujo sacado siguiendo los contornos de la sombra de un objeto. • Forma que representa a la vista la masa de un objeto más oscuro que el fondo sobre el cual se proyecta. • Perfil.

SILÚRICO, CA o **SILURIANO, NA** adj. *Geol.* Relativo al periodo silúrico. • adj. y m. *Geolí.* Díc. del periodo de la era primaria o paleozoica, comprendido entre el ordoviciense y el devónico, durante el cual se inició la colonización de la tierra firme por parte de los seres vivos. También llamado gotlandiense.

SILÚRIDO, DA adj. y m. *Zool.* Díc. de los peces de la familia silúridos. • m. pl. *Zool.* Familia de cipriniformes de piel desnuda, depredadores habitantes de los fondos limosos.

SILURO m. *Zool.* Pez cipriniforme de la familia silúridos, de carne muy apreciada. • *Mar.* Torpedo automóvil.

SILVA f. Colección de varias materias o especies, escritas sin método ni orden. • Combinación métrica en que, ordinariamente, alternan con los versos endecasílabos los heptasílabos. • Composición poética escrita en silva.

SILVA, *Adhemar da* (nacido 1927) Atleta bras. Medalla de oro en Helsinki (1952) y en Melbourne (1956), en triple salto. • ***José Asunción*** (1865-1896) Poeta col. Precursor del modernismo. *Nocturnos.* • ***José Maria da,*** BARÓN DE RIO BRANCO (1845-1912) Político bras. Ministro de Asuntos Exteriores (1902-1912). • ***Medardo Ángel*** (1898-1919) Poeta ecuat., modernista. *El árbol del bien y del mal.* • **Henríquez, *Raúl*** (nacido 1907) Eclesiástico chil. Obispo de Valparaíso, arzobispo de Santiago desde 1961, y cardenal desde 1962. A partir de 1975 se destacó por su defensa de los derechos humanos. En 1978, promovió una acción conjunta con la iglesia arg. para evitar una guerra por el canal de Beagle. • **Herzog, *Jesús*** (1892-1985) Economista mex. Fundador de *Cuadernos americanos.* Autor de estudios sobre la economía mex. y los mov. campesinos. *El agrarismo mexicano y la reforma agraria, El pensamiento económico en México.* • **Paranhos, *José Maria*** (1819-1880) Político bras. Presid. del Consejo (1871-1875), aprobó la ley que liberaba a los hijos de esclavos. • **Valdés, *Fernán*** (1887-1975) Poeta y dramaturgo ur., perteneciente al movimiento denominado «nativismo». *Aguas del tiempo, Romanceros del sur* (poesía), *Santos Vega* (teatro).

SILVANO *Mit.* Semidios rom. Protegía a los cuidadores de rebaños, cazadores y animales silvestres.

SILVASA C. de la India, cap. del terr. de Dadra y Nagar Haveli; 6 900 hab.

SILVÁTICO, CA adj. Selvático.

SILVELA, *Francisco* (1834-1905) Político esp.

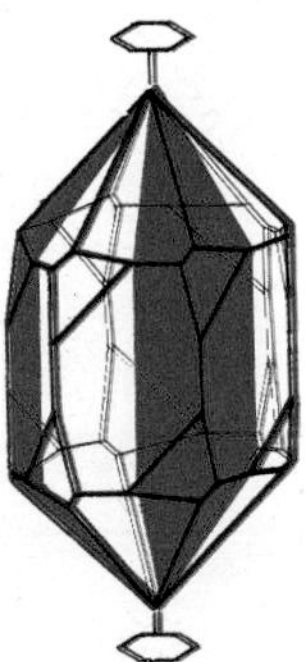

Cristal maclado de dióxido de **silicio** (cuarzo)

Silos para granos

Diego de **Siloé.** *Presentación de Jesús en el templo*, detalle del retablo del altar mayor de la capilla del Condestable, de la catedral de Burgos (España)

Presidió el gobierno regeneracionista de 1898 y el de 1902-1903. Creó el Instituto de Reformas Sociales.

SILVESTRE adj. Que se cría sin cultivo en selvas o campos. • Inculto, agreste y rústico.

SILVESTRE I (m. 335) Santo. Papa [314-335]. Su pontificado coincidió con el reinado de Constantino I el Grande. • **II** papa. → Gerberto de Aurillac.

SILVESTRE, *Manuel Fernández* (1871-1921) Militar esp. Durante la campaña de Marruecos desencadenó prematuramente un ataque contra Abd el-Krim, que concluyó en el desastre de Annual (1920).

SILVÍCOLA adj. Que habita en la selva.

SILVICULTURA f. Técnica botánica que se ocupa del aprovechamiento integral de las especies de los bosques. ■ SILVICULTOR.

SÍLVIDO, DA adj. y m. *Zool.* Díc. de las aves de la familia sílvidos. • m. pl. *Zool.* Familia de paseriformes insectívoras de pequeño tamaño, patas finas y pico fino y corto.

SILVINA f. Cloruro de potasio, de peso específico, 1,99 dureza 2, incoloro o blanco, que cristaliza en el sistema cúbico.

SIMA m. Término propuesto por Suess para designar la capa más profunda de la corteza terrestre. • f. Cavidad profunda en la tierra. • Cueva cuya entrada es una galería vertical. • Moldura.

SIMANCAS Mun. esp., en la prov. de Valladolid; 1 700 hab. Sede del Archivo General Histórico de España, fundado por Carlos I e instalado desde el s. XVI en el castillo de la villa.

SIMARUBA f. *Argent., Col.* y *C. Rica.* Árbol corpulento de la familia simarubáceas, cuya corteza se emplea como febrífugo.

SIMARUBÁCEO, A o **SIMARRUBÁCEO, A** adj. y f. *Bot.* Díc. de las plantas de la familia simarubáceas. • f. pl. *Bot.* Familia de dicotiledóneas arbustivas o arbóreas, con frutos en sámara, propias de regiones cálidas y tropicales.

SIMBIONTE adj. y m. *Biol.* Díc. de cada uno de los organismos de una simbiosis.

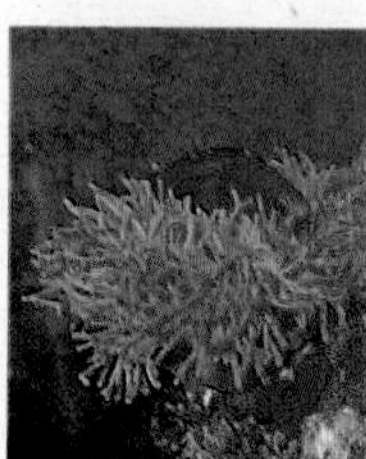

Simbiosis entre una actinia y el pez *Amphiprion ephippium*, que se refugia en ella en cuanto se alarma

SIMBIOSIS *Biol.* Asociación entre dos individuos de distinta especie, beneficiosa para ambos (mutualismo) o para uno de ellos (comensalismo). Puede darse entre dos animales, entre dos vegetales o entre un animal y un vegetal. Algunas s. son resultado de una íntima coevolución entre ambas especies. (s. fisiológica hereditaria). ■ SIMBIÓTICO, CA.

SIMBOL m. *Argent.* Gramínea de tallos largos y flexibles que se usa para hacer cestos.

SIMBOLISMO m. Sistema de símbolos con que se representa alguna cosa. • Nombre de diversas corrientes artísticas. ■ SIMBOLISTA.

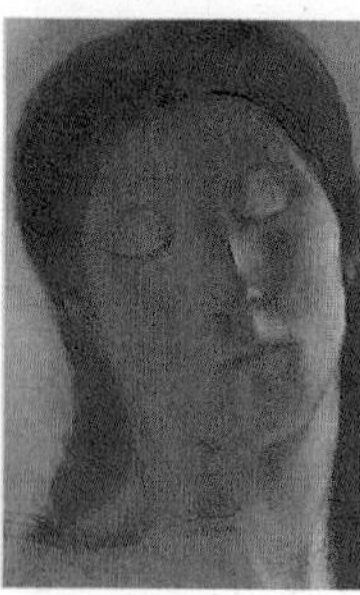

Simbolismo. *Los ojos cerrados*, óleo de Odilon Redon

* *Lit.* El s. fue un movimiento de tipo idealista que, a partir de 1885, surgió paralelamente en la literatura y las artes plásticas. El término apareció por primera vez en un manifiesto publicado en 1886 por el poeta Moréas, y designaba un arte que materializa mediante símbolos (formas) las ideas que genera el acto artístico. W. Blake, Baudelaire, Verlaine, Mallarmé y Rimbaud son sus precursores. Destacaron Régnier, Viélé-Griffin, Ghil, Fontainas, Ch. Cros, L. Tailhade, Corbière y Laforgue; además de los poetas belgas Maeterlinck, Verhaeren y Rodenbach. El teatro (Maeterlinck) consiguió éxitos más mayoritarios que la poesía. Consid. el punto de partida de la poesía del s. XX. A fines del s. XIX, rebasadas las fronteras de Francia, el grupo se dispersó.

* *Arte.* Los principios del s. pictórico, expuestos por Albert Aurier en el *Mercure de France*, en 1891, definían a la obra de arte como ideísta, simbolista, sintética, subjetiva y, en consecuencia, decorativa y emocional. Estos preceptos encontraron gran acogida en la Escuela de Pont-Aven (Gauguin, Sérusier); en los *nabis* (Bonnard, Vuillard, Rossel, Maurice Denis, Vallotton); y en la obra de Gustave Moreau, Puvis de Chavannes, E. Carrière y Fantin-Latour. En el campo de la escultura destaca Auguste Rodin con su *Puerta del Infierno*.

SIMBOLIZAR tr. Servir una cosa como símbolo de otra. ■ SIMBOLIZACIÓN.

SÍMBOLO m. Figura o divisa con que se representa un concepto, por alguna semejanza que el entendimiento percibe entre ambos. • Dicho sentencioso. • *Comp.* Carácter o conjunto de caracteres que sirve para representar una cantidad, operación, etc. • *Ling.* Clase especial de signos. Utilizado este término corrientemente como sinónimo de signo, no obstante, la lingüística estructural suele conferirle un contenido distinto, más restringido. • *Quím.* Letra o letras con que convencionalmente se designa un cuerpo simple. • *Num.* Emblemas o figuras accesorias que se añaden al tipo en las monedas y medallas. • Figura retórica que guarda estrecha relación con la metáfora. • **algebraico.** Letra o figura que representa un número variable o bien cualquiera de los entes para los cuales se ha definido la igualdad y la suma. ■ SIMBÓLICO, CA.

SIMBOLOGÍA f. Estudio de los símbolos. • Conjunto o sistema de símbolos.

SIMENON, *George* (1903-1989) Escritor belga en lengua fr. Creador del popular personaje del comisario Maigret.

SIMEÓN Segundo hijo de Jacob y de Lía. El territorio que correspondió a su tribu estaba dentro de los límites del perteneciente a Judá. • **El Estilita** (390-459) Santo. Anacoreta sirio que vivió más de cuarenta años en lo alto de una columna.

SIMEÓN I el Grande (m. 927) Jan de los búlgaros [893-927]. Se anexionó Macedonia septentrional (904). Creó una iglesia búlg. independiente. Considerado el fundador del imperio búlg. • **II** (nacido 1937) Rey de Bulgaria [1943-1946]. Terminada la II Guerra Mundial, fue destronado por un referéndum que proclamó la rep. En junio de 2001 venció en las elecciones generales y fue nombrado primer ministro.

SIMETRÍA f. Proporción adecuada de las partes de un todo. • Armonía de posición de las partes o puntos similares unos respecto de otros, y con referencia a punto, línea o plano determinado. • *Biol.* Conjunto de relac. geométricas que pueden establecerse en el plan de organización de un ser vivo. Las prales. formas son: central, radial, bilateral. • *Geom.* Transformación involutiva del plano o del espacio, que mantiene invariable la longitud de los segmentos y que, por ello, es un desplazamiento. Las prales. son: central, axial, especular. • *Mat.* En un espacio métrico afín, desplazamiento sin traslación cuya matriz asociada tiene determinante igual a −1. • **cristalina.** *Crist.* Repet. rítmica, según ciertas leyes, de las partículas constituyentes de un cristal. • **unitaria.** *Fís.* Sist. de clasificación mediante el cual se considera que un determinado conjunto de partículas elementales es en realidad un conjunto de estados distintos de una única partícula. ■ SIMÉTRICO, CA.

* *Crist.* La s. cristalina es una de las propiedades esenciales de la materia cristalina. Se distinguen cuatro operaciones principales: traslación, cuyo operador de s. en un vector; rotación (eje de rotación); reflexión (plano de s.); inversión (centro). Los operadores de s. de una figura se denominan elementos de s. Se denomina operación de s. al conjunto de movimientos mediante los cuales una figura toma una posición simétrica a la que inicialmente ocupaba. Cada operación de s. viene definida por su operador de s. que dirige el movimiento.

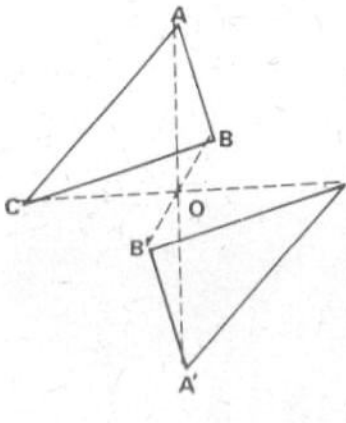

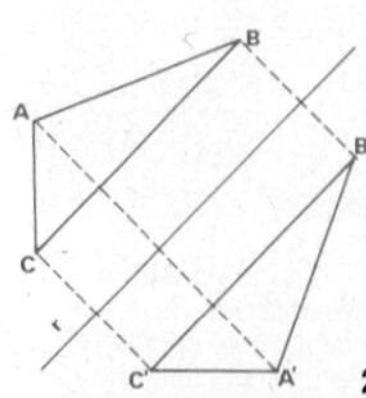

Simetría. 1. Central respecto al punto O; 2. axial respecto al eje r

SIMFEROPOL C. de Ucrania, cap. de Crimea; 331 000 hab. Ind. metalúrgica y alimentaria.

SIMIENTE f. Semilla. • Semen. • **de papagayos.** Alazor, planta.

SÍMIL, m. Comparación, semejanza entre dos cosas. • *Ret.* Figura que consiste en comparar expresamente una cosa con otra, para dar idea viva y eficaz de una de ellas. ■ SIMILAR.

SIMILICADENCIA f. *Ret.* Figura que consiste en emplear, al fin de dos o más cláusulas, palabras de terminación o de sonido semejante.

SIMILITUD f. Semejanza, parecido. • *Ing.* Técnica para el estudio de un fenómeno, basándose en otro fenómeno conocido que se toma como modelo. ■ SIMILITUDINARIO, RIA.

SIMILOR m. Aleación de cinc y cobre, que tiene el color y el brillo del oro.

SIMIO, A adj. y m. Díc. de los primates pertenecientes al suborden simios. • m. pl. Suborden de primates de uñas planas y cara pequeña desprovista de pelo. Suelen vivir en comunidad arborícola y son vegetarianos. ■ SIMIESCO, CA.

SIMITIS, *Costas* (nacido 1936) Político gr. Cofundador del PASOK. Ministro de Agricultura (1981-1985), de Economía (1985-1987) y de Industria (1993-1995). En enero de 1996 fue nombrado primer ministro, en sustitución de Papandreu.

SIMLA C. de la India, cap. del est. de Himachal Pradesh; 81 500 hab.

SIMMEL, *Georg* (1858-1918) Filósofo y sociólogo al. Con *Sociología*, introdujo el formalismo en las ciencias sociales. *Problemas de la filosofía de la historia, Problemas fundamentales de la filosofía.*

SIMÓN el Mago (s. I) Samaritano, partidario de la filosofía gnóstica, que pretendió comprar a Simón Pedro el poder de comunicarse con el Espíritu Santo. • **Macabeo** (m. 135 a. C.) Gran sacerdote judío que luchó contra los seléucidas de Demetrio Nicátor, consiguiendo la indep.

SIMONÍA f. Compra o venta ilícita de cosas espirituales o temporales inseparablemente anejas a las espirituales. • Propósito de efectuar dicha compra-venta. ■ SIMONIACO, CA O SIMONÍACO, CA.

SIMÓNIDES de Ceos (556 a. C.-467 a. C.) Poeta gr. Autor de elegías y epigramas.

SIMONOSEKI o **SHIMONOSEKI** C. y puerto de Japón, en la isla de Honshu; 269 200 hab. Ind. textil, metal. y conserv. Pesquerías. • **Paz de S.** La concertada entre China y Japón en 1895. China reconoció la indep. de Corea y cedió Formosa a Japón.

SIMPA f. *Argent.* y *Perú.* Trenza.

SIMPAR tr. *Argent.* Trenzar.

SIMPATÍA f. Inclinación afectiva entre personas, gralte. espontánea y mutua. • P. ext., análoga inclinación hacia animales o cosas, y la que se supone entre algunos animales. • Modo de ser y carácter de una persona que la hacen agradable o atractiva a las demás. • Relación de actividades fisiológicas y patológicas de algunos órganos que no tienen entre sí conexión directa. ■ SIMPATIZANTE; SIMPATIZAR.

SIMPÁTICO, CA adj. Que inspira simpatía. • Díc. de la cuerda de un instrumento musical que resuena por sí sola cuando se hace sonar otra. • adj. y m. *Anat.* Díc. de uno de los dos sistemas fundamentales (el otro es el parasimpático) de que consta el sistema nervioso vegetativo. Su función es la de preparar el organismo para la lucha y huida, y reforzar su capacidad de defensa. Sus centros nerviosos, motores y sensitivos están situados en la sustancia gris de la médula espinal torácico-lumbar.

SIMPATICOLÍTICO, CA adj. y m. *Farm.* Díc. de sustancias capaces de reducir los efectos de la estimulación de las fibras eferentes del simpático.

SIMPATICOMIMÉTICO, CA adj. y m. *Farm.* Díc. de las sustancias de acción análoga a la de las fibras eferentes del simpático.

SIMPÁTRICO, CA adj. *Biol.* Que tiene las mismas áreas de distribución geográfica, o áreas solapadas, por oposición a alopátrico. • **Especiación simpátrica.** *Biol.* Diferenciación progresiva de especies debida al desarrollo de comportamiento que imposibilitan un intercambio genético.

SIMPÉTALO, LA adj. y f. *Bot.* Díc. de las plantas de pétalos soldados formando una especie de tubo. • *Bot.* Díc. de la corola de pétalos soldados.

SIMPLADA f. *Amér. Centr.* Simpleza.

SIMPLE adj. Sin composición. • Sencillo, sin duplicar o sin reforzar. • Díc. de la copia de una escritura o cosa semejante que no está legalizada. • fig. Desabrido, falto de sazón y de sabor. • *Gram.* Díc. de la palabra que no se compone de otras de la misma lengua. • adj. y s. fig. Manso, apacible e incauto. • fig. Mentecato y de poco discurso. • m. *Farm.* Díc. del medicamento que no está mezclado con otro y que por lo gral. posee un solo principio activo.

SIMPLEZA f. Bobería, necedad.

SIMPLICIDAD f. Sencillez, candor. • Calidad de simple o sencillo.

SIMPLIFICAR tr. Hacer más sencilla o más fácil una cosa. ■ SIMPLICISTA; SIMPLIFICACIÓN.

SIMPLISTA adj. Que simplifica o tiende a simplificar. • m. y f. Persona entendida en simples, sustancias medicamentosas. ■ SIMPLISMO.

SIMPLOCÁCEO, A adj. y f. *Bot.* Díc. de las plantas de la familia simplocáceas. • f. pl. *Bot.* Familia de dicotiledóneas leñosas, con fruto en drupa, propias de países cálidos y subtropicales.

SIMPLÓN, NA adj. y s. Sencillo, ingenuo.

SIMPODIO m. *Bot.* Tipo de ramificación cimosa por crecimiento sucesivo de las yemas jóvenes. No existe, pues, un tallo principal (monopodio).

SIMPOSIO m. Conferencia o reunión en que se trata determinado tema.

SIMPSON, SIR ***James Young*** (1811-1870) Médico brit., el primero que utilizó el cloroformo como anestésico.

SIMULACIÓN f. Acción de simular. • *Comp.* Representación del funcionamiento de un determinado proceso por medio de la computadora. • *Der.* Alteración aparente de la causa, índole u objeto verdaderos de un acto o contrato. • *Ing.* Procedimiento especialmente utilizado para el estudio de los problemas mecánicos de difícil solución, mediante la resolución experimental de problemas análogos.

SIMULADOR, RA adj. y s. Que simula. • m. **de vuelo.** *Aer.* y *Aeron.* Aparato que reproduce en tierra las condiciones del vuelo de un avión o una aeronave.

SIMULACRO m. Imagen hecha a semejanza de una cosa o persona. • Especie que forma la fantasía. • *Ven.* Modelo, dechado. • *Mil.* Acción de guerra fingida para adiestrar las tropas.

SIMULAR tr. Representar una cosa, fingiendo o imitando lo que no es.

SIMULTANEAR tr. Realizar dos o más cosas al mismo tiempo. ■ SIMULTANEIDAD; SIMULTÁNEO, A.

SIMÚN m. Viento abrasador que suele soplar en los desiertos de África y de Arabia.

SIN prep. separativa y negativa que denota carencia o falta. • Fuera de o además de. • Cuando se junta con el infinitivo del verbo, vale lo mismo que *no* con su participio o gerundio. • prep. inseparable que significa unión o simultaneidad.

SINAGOGA f. *Rel.* Asamblea de fieles bajo la ant. ley judía. Tuvo sus gérmenes en el destierro babilónico y la destrucción del templo de Jerusalén. Su liturgia consta de la lectura e interpretación de la Ley, oraciones y recitales de salmos. • Lugar donde ejercen su culto los judíos. • fig. Conciliábulo.

SINAÍ Pen. de Egipto, sit. entre el Mediterráneo y el mar Rojo, formando este último los golfos de Akaba y Suez. Manganeso, hierro, petróleo. Forma parte del camino seguido por el pueblo hebreo desde Egipto a la Tierra Prometida. Ocupada por Israel en 1967, durante la guerra de los Seis Días. En 1980 las dos terceras partes del terr. fueron devueltas a Egipto.

SINALAGMÁTICO, CA adj. Díc. del contrato bilateral.

SINALEFA f. Enlace de sílabas por el cual se forma una sola de la última de un vocablo, que termina en vocal, y de la primera del siguiente, que empieza por vocal precedida o no de *h* muda.

SINALOA Est. de México, a orillas del Pacífico; 58 092 km^2, 2 534 835 hab. Cap., Culiacán. C. prales.: Mazatlán y Los Mochis. Comprende una llanura costera en la que se abren numerosas albuferas. Al NE está accidentado por las estribaciones de la sierra Madre Occidental (alt. máx.: Tarahumara, 2 719 m). Ríos prales.: Fuerte, Sinaloa, Culiacán, San Lorenzo, Piaxtla, Presidio. Clima tropical y semiárido en el N. Vegetación de carácter estepario, manglar en la costa y bosques en el interior. Economía agropecuaria. Maíz, algodón, caña de azúcar, cacahuetes, arroz y hortalizas. Ganadería bovina, porcina y caballar, pralm. en el N. Pesca. En el interior se practica la explotación forestal. Hierro, cobre, cinc, plomo y oro. Ind. de transformaciones agropecuarias, químicas y metalúrgicas. Conquistada por Nuño de Guzmán. Escenario de imp. acontecimientos durante la revolución mex. • R. de México; 500 km. Nace de la unión de los r. Nohinora y Besonapa, y desemboca en el golfo de California.

SINALOENSE adj. y s. Del est. mex. de Sinaloa.

SINÁN, *Rogelio* Seud. de *Bernardo Domínguez Alba* (1904-1994) Novelista y poeta pan., vanguardista. *Plenilunio, Onda.*

SINANDRO adj. y m. *Bot.* Díc. del órgano constituido por la unión de todos los estambres de una flor.

SINANGIO m. *Bot.* Órgano constituido por la unión o concrescencia de diversos esporangios.

SINANTO, TA adj. y f. Díc. de las plantas del orden sinantas. • f. pl. Orden de plantas angiospermas monocotiledóneas, caracterizadas por poseer las flores soldadas. Viven en América intertropical.

SINÁNTROPO m. Forma fósil de homínidos cuyos restos se hallaron en China. Vivieron hace unos 300 000 años, conocían el uso del fuego y confeccionaban grandes hachas de piedra.

SINAPISMO m. Cataplasma de harina de mostaza. • fig. Persona o cosa molesta.

Flores **simpétalas** de genciana

Simulación por computadora del satélite de teledetección *Spot*

Sinaí. Monasterio ortodoxo de Santa Catalina

SINAPSIS f. Conexión funcional entre dos neuronas para el transporte del impulso nervioso. ■ SINÁPTICO, CA.
SINARQUÍA g. Gobierno de varios príncipes, cada uno de los cuales administra una parte del Est. • P. ext., influencia decisiva de un grupo de empresas o de personas en los asuntos de un país.
SINARQUISMO m. Mov. político mex., de ideología fascista, surgido en 1937, en oposición al régimen de Cárdenas.
SINARTROSIS f. Nombre genérico de las articulaciones que no poseen movilidad.

Frank **Sinatra**

SINATRA, *Francis Albert Sinatra,* llamado ***Frank*** (1915-1998) Cantante y actor cinematográfico norteam. *De aquí a la eternidad, El hombre del brazo de oro. Un día en Nueva York, Como un torrente.*
SINATROÍSMO m. Figura retórica que consiste en la acumulación de palabras, o incluso frases, de significación correlativa.
SINCARIÓN m. *Biol.* Célula huevo o cigoto.
SINCATEGOREMÁTICO, CA adj. Díc. del término que no tiene significación propia.
SINCELEJO C. de Colombia, cap. del dpto. de Sucre; 148 410 hab. Mercado agropecuario.
SINCERAR tr. y prnl. Justificar la inculpabilidad de uno en el dicho o hecho que se le atribuye.
SINCERIDAD f. Veracidad, modo de expresarse libre de fingimiento. ■ SINCERO, RA.
SINCHI (voz quechua) m. *Perú.* Miembro de un cuerpo antiguerrillero de la Guardia Civil.
SINCHI Roca (s. XIII) Emp. inca, hijo de Manco Cápac. Su gobierno fue pacífico y autoritario.
SINCICIO o **SINCITIO** m. *Biol.* Masa citoplasmática de gran tamaño que contiene numerosos núcleos.
SINCLAIR, ***Upton*** (1878-1968) Escritor norteam. Socialista militante, su obra está marcada por sus convicciones políticas. *Los envenenadores de Chicago, El rey Carbón, Un patriota cien por cien, ¡No pasarán!* (sobre la defensa de Madrid durante la guerra civil esp.), *Petróleo, Boston* (sobre el caso Sacco-Vanzetti).
SINCLINAL adj. y m. *Geol.* Díc. del pliegue en el cual el buzamiento de los flancos es convergente hacia arriba.
SÍNCOPA f. *Gram.* Metaplasmo que consiste en suprimir una o más letras en medio de un vocablo. • *Mús.* Enlace de dos sonidos iguales, de los cuales el primero se halla en el tiempo o parte débil del compás, y el segundo en el fuerte.

Detalle de *Los* ***síndicos*** *de los pañeros,* cuadro de Rembrandt. Rijskmuseum, Amsterdam (Países Bajos)

SINCOPADO, DA adj. *Mús.* Díc. de la nota que está entre dos que valen juntas lo mismo que ella. • *Mús.* Díc. del ritmo o canto que tiene notas sincopadas.
SINCOPAR tr. *Gram.* y *Mús.* Hacer síncopa. • fig. Abreviar.
SÍNCOPE m. *Gram.* Síncopa. • *Pat.* Pérdida súbita y momentánea del conocimiento, acompañada de la no percepción de los latidos cardiacos y de la respiración.
SINCRETISMO m. *Ling.* Concentración de dos o más funciones gramaticales en una sola forma. • *Rel.* Movimiento religioso surgido de la fusión de religiones anteriores. ■ SINCRÉTICO, CA.
SINCROCICLOTRÓN m. *Fís.* Acelerador de partículas basado en el ciclotrón, pero más perfeccionado que éste.
SINCRÓNICO, CA adj. Díc. de las cosas que suceden al mismo tiempo. • Díc. del estudio de la estructura y función de una lengua en un periodo determinado de la misma.
SINCRONISMO m. o **SINCRONÍA** f. Circunstancia de ocurrir, suceder o verificarse dos o más cosas al mismo tiempo.
SINCRONIZADOR, RA adj. Que sincroniza. • m. *Aut.* Mecanismo que facilita el acoplamiento de los engranajes de ciertos cambios de velocidades. • *Electr.* Dispositivo para el acoplamiento de los alternadores en el momento del sincronismo.
SINCRONIZAR tr. Hacer que coincidan en el tiempo dos o más movimientos o fenómenos. ■ SINCRONIZACIÓN.
SÍNCRONO adj. Sincrónico. • *Comp.* Díc. del proceso que para su óptima ejecución depende de una señal del reloj, es decir, del tiempo.
SINCRONOSCOPIO m. *Electr.* Tipo de oscilógrafo de rayos catódicos en el cual el funcionamiento que da lugar a la representación oscilográfica está gobernado por el mismo fenómeno que se quiere examinar.
SINCROTRÓN m. *Fís.* Acelerador de partículas en el que éstas describen trayectorias circulares que se mantienen gracias a la aplicación de un campo eléctrico anular. Es una síntesis del ciclotrón y el betatrón. • **de gradiente cero.** *Fís.* Sincrotrón en el que los campos producidos por los imanes del anillo son uniformes.
SIND *(Sindh)* Región y prov. de Pakistán, junto al mar Arábigo; 147 913 km², 18 966 000 hab. Cap., Karachi. C. pral.: Hyderabad. Trigo, algodón. Ind. textil, metalúrgica.
SINDÁCTILO, LA adj. Díc. de los pájaros que tienen el dedo externo unido al medio hasta la penúltima falange, y el pico largo y ligero.
SINDÉRESIS f. Capacidad natural para juzgar rectamente.
SINDHI o **SINDI** m. Lengua indoirania hablada en el SE de Pakistán y en las regiones indias de Katchh y Kathiyavar.
SINDICADO m. Junta de síndicos.
SINDICAL adj. Relativo al síndico. • Relativo al sindicato.
SINDICALISMO m. Sistema de organización de la clase obrera fundamentado en la defensa de sus intereses económicos y sociales. ■ SINDICALISTA.
* *Hist.* El s. es una de las consecuencias de los cambios a que dio lugar la Revolución Industrial en el s. XIX, y síntesis de la teoría y la práctica del mov. obrero organizado en sindicatos. El precedente más imp. fue el mov. cartista brit., y las tesis asociacionistas de R. Owen. En la década de 1860 se da el mayor paso en la definición de los objetivos del s. y se constituyó la primera organización sindicalista con un proyecto global hacia el trabajo y la estructuración de la sociedad. Desde este primer complejo teórico y organizativo quedaron de manifiesto dos modelos de acción en el mundo del trabajo: el libertario (bakuninistas), que hacia del s. la forma exclusiva para la acción del mov. obrero; y el autoritario (marxistas), que propugnaba la dirección de aquella acción para los partidos políticos obreristas. En el transcurso de un siglo se han experimentado ambos modelos e infinitas variaciones (la desaparecida URSS, España, Gran Bretaña, EE UU, etc.). Con el posterior desarrollo de nuevos modelos productivos, las modificaciones sociopolíticas y geopolíticas del mundo después de la II Guerra Mundial, el papel de los sindicatos se ha modificado; menos internacionalistas y más gremialistas, paulatinamente han asumido nuevas funciones en las economías de escala y sobre todo en las políticas de concertación.
SINDICAR tr. Acusar o delatar. • Poner una tacha o sospecha. • Sujetar una cantidad de dinero o cierta clase de valores o mercancías a compromisos especiales para negociarlos o venderlos. • tr. y prnl. Agrupar a varias personas de una misma profesión, o de intereses comunes, para formar un sindicato. • prnl. Entrar a formar parte de un sindicato. ■ SINDICACIÓN; SINDICADO, DA.
SINDICATO m. Sindicado. • Asociación formada para la defensa de intereses económicos o políticos comunes a todos los asociados. Se aplica especialmente a las asociaciones obreras.
SÍNDICO m. Sujeto que en un concurso de acreedores o en una quiebra es el encargado de liquidar el activo y el pasivo del deudor. • El que tiene el dinero de las limosnas que se dan a los religiosos mendicantes. • Persona elegida por una corporación para cuidar de sus intereses. ■ SINDICATURA.
SÍNDROME m. *Med.* Conjunto de signos y síntomas que constituyen un estado patológico y caracterizan el cuadro clínico de una enfermedad.
SINE DIE loc. latina que indica la inexistencia de fecha o plazo.
SINE QUA NON exp. latina que se aplica a la condición sin la cual no se hará una cosa o se tendrá por no hecha.
SINÉCDOQUE f. *Ret.* Tropo que consiste en extender, restringir o alterar la significación de las palabras, para designar el todo por la parte o viceversa.
SINECURA f. Empleo o cargo retribuido que ocasiona poco o ningún trabajo.

SINEDRIO m. Consejo supremo de los judíos. • Sitio donde se reunía.
SINEMURIENSE adj. y m. *Geol.* Díc. del piso del jurásico inferior o liásico comprendido entre el hetangiense y el pleinsbaquiense.
SINEQUIA f. *Pat.* Soldadura patológica de órganos, o partes, próximos entre sí.
SINÉRESIS f. Licencia poética que consiste en diptongar vocales pertenecientes a sílabas distintas. • *Fís.* Fenómeno consistente en la contracción espontánea de un gel con separación de parte del líquido.
SINERGIA f. *Biol.* Interacción entre dos o más tipos de organismos, de modo que por lo menos uno de ellos se nutre o crece transformando productos del metabolismo de los demás, utilizando como vitamina alguna sustancia de desecho. • *Farm.* Cooperación para un fin concreto de los efectos de dos o más fármacos administrados conjuntamente, en particular de los antibióticos.
SINÉRGICO, CA adj. Relativo a la sinergia. • **Curva sinérgica.** Curva de aprovechamiento óptimo de las características de funcionamiento de un cohete (empleado como lanzador).
SINÉRGIDA f. *Bot.* Cada una de las dos células que, en el saco embrionario de los vegetales espermatófitos, rodean el óvulo.
SINESTESIA f. *Fisiol.* Sensación que se produce en una parte del cuerpo a consecuencia de un estímulo aplicado en otra parte del mismo. • *Psic.* Sensación subjetiva, propia de un sentido, determinada por otra sensación que afecta a un sentido diferente.
SINFÍN m. Infinidad, sinnúmero.
SINFISANDRIOS m. pl. *Bot.* Estambres de una flor cuando están soldados entre sí por sus filamentos y por sus anteras.
SÍNFISIS f. *Anat.* Conjunto de partes orgánicas que aseguran las relaciones de determinados huesos entre sí. • *Med.* Pegadura de dos órganos o tejidos a consecuencia de una inflamación.
SÍNFITO m. Consuelda, hierba.
SINFONÍA f. Conjunto de voces, de instrumentos, o de ambas cosas, que se unen a la vez. • *Mús.* Composición instrumental para orquesta, que consta de varios tiempos. • fig. Colorido acorde. ■ SINFÓNICO, CA; SINFONISTA.
* *Mús.* Como música instrumental colectiva aparece en el s. XVII. A las primeras s. de Albinoni, Scarlatti y Vivaldi, siguen las de Sammartini y la escuela vienesa (Haydn, Mozart). Hacia 1880 Beethoven incorpora al estilo sinfónico el uso de los motivos conductores. Le siguieron Schubert, Schumann, Mendelssohn, Brahms y Bruckner, al mismo tiempo que aparece la s. de programa. Otros imp. compositores de s. son Chaikovski, Dvorak, Sibelius, Frank, Mahler, etc.
SINGADERO m. *Ven.* Burdel.
SINGAMIA f. *Biol.* Unión de los gametos para la constitución de un cigoto. • *Biol.* Polinización cruzada. • *Biol.* Fecundación.
SINGAPUR (ing. *Singapore*) Est. insular de Asia, sit. en el extremo S de la pen. de Malaca, entre los estr. de Johore y Singapur. Terreno llano. Clima cálido y húmedo con influencias marinas. Vegetación representada por la selva y el manglar en la costa. Cocoteros, heveas y frutos tropicales. Pesca. Posee las fundiciones de estaño más imp. de Asia. Recientemente tuvo un gran crecimiento industrial y tecnológico. Exportaciones de caucho, productos petrolíferos, maquinaria, productos textiles, café. Turismo. República. Etnias: chinos (mayoría), malayos, indonesios, indios, pakistaníes. Lenguas: (of.) chino, malayo, tamil e ing. *Rel.*: taoísmo (29 %), budismo (27 %), islamismo (16 %), catolicismo, hinduismo. U.M.: dólar de S. Cap., Singapur.
* *Hist.* Hasta el s. XV estuvo sometido a la influencia del sultanato de Malaca. En 1511 arribó la expedición del port. Alburquerque. Los neerlandeses se establecieron en el s. XVII. En 1828 fue incorporado al imperio brit. Durante la II Guerra Mundial fue invadido por los japoneses. El arch. se convirtió en el Est. de S., miembro de la Commonwealth, en 1959. Tras su separación de la federación de Malaysia (1965) se estableció un régimen parlamentario autoritario de partido único por parte de la Acción del Pueblo. En 1993 Ong Teng Cheong, del mismo partido, se convirtió en el primer presidente elegido por votación directa.

SINGAPUR

Superficie 639 km²

Población 3 104 000 hab. (4 842 hab./km²)

Recursos económicos	
Bananas	1 000 t
Batatas	1 000 t
Cabaña caprina	1 000 cabezas
Cabaña porcina	190 000 cabezas
Cemento	2 199 000 t
Energía eléctrica	7 860 millones de kwh
Estaño	200 t
Mandioca	1 000 t
Nuez de coco	1 000 t
Pesca	13 661 t
Tabaco	11 760 millones de cigarrillos
Indicadores sociológicos	
PNB	79 831 millones de dólares
Renta per cápita	26 730 dólares
Esperanza de vida	70 años
Alfabetismo	89 %

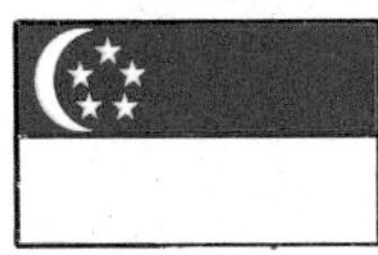

Singapur. Arriba, mapa de situación y bandera; abajo, vista de la plaza Raffles, en el centro de la capital

SINGAPUR C. de Asia, cap. del Est. hom., en la isla del mismo nombre; 1 327 500 hab. Sit. en el cruce del tráfico marítimo entre Europa, Extremo Oriente, Indonesia y Australia. Centro comercial. Ind. del caucho, textil, de alimentación. Refinerías de petróleo. Astilleros.
SINGAR intr. *Mar.* Remar con un remo armado en la popa de una embarcación para producir un movimiento de avance. • tr. *Cuba, R. Dom.* y *Ven.* Realizar el acto sexual. ■ SINGA.
SINGLADURA f. *Mar.* Distancia recorrida por una nave en 24 horas. • *Mar.* En las navegaciones, intervalo de 24 horas, que empiezan a contarse desde el mediodía.
SINGLAR intr. *Mar.* Navegar con un rumbo determinado.
SINGLE (voz ing.) adj. y m. Díc. del disco microsurco de 17 cm, normalmente con una sola canción por cada cara.
SINGULAR adj. Solo, sin otro de su especie. • fig. Extraordinario, raro o excelente. • adj. y s. *Argent.* Individuo, particular. • *Gram.* Categoría gramatical y morfema con el que expresamos la individualización de un objeto. Se opone a plural y, en según que lenguas, a dual. ■ SINGULARIDAD.
SINGULARIZAR tr. Distinguir o particularizar una cosa entre otras. • Dar núm. sing. a palabras que ordinariamente no lo tienen. • prnl. Distinguirse, apartarse del común.
SINGULTO m. Sollozo. • *Med.* Hipo, movimiento convulsivo del diafragma.
SINHUESO f. fam. Lengua, en cuanto es órgano de la palabra.
SÍNICO, CA adj. Chino, aplicado a las cosas.
SINIESTRO, TRA adj. Díc. de la parte o sitio que está a la mano izquierda. • fig. Avieso y malintencionado. • fig. Infeliz, funesto. • m. Propensión o inclinación a lo malo. Se usa más en pl. • Avería grave, o pérdida importante, que sufren las personas o la propiedad. • f. La mano izquierda.
SINING (*Xining*) C. de China, cap. de la prov. de Tsinghai; 364 000 hab. Centro comercial de productos agrícolas, lana y sal.
SINKIANG UIGUR (*Xinjiang Weiwver*) Región autónoma del NO de China; 1 600 000 km², 15 155 778 hab. Cap., Urumchi. C. prales.: Kashgar y Yarkand. Montes Kuenluen, Altin Tagh y Altái, y cordillera del Tian Shan (Pobiedi, 7 439 m). Trigo, maíz, mijo, sorgo, arroz, algodón. Ovinos, bovinos, camellos. Carbón, oro, volframio, cinc, plata, petróleo. Ind. textil, siderúrgica, química.
SINN Fein (gaélico, «nosotros solos») Nombre del partido nacionalista y republicano irl. fundado en 1902 por A. Griffith. En 1969 se reconstruyó como organización política del IRA.
SINNÚMERO m. Número incalculable de personas o cosas.
SINO m. Hado, circunstancia favorable o adversa.

Sinkiang Uigur. Mercado de ganado en Kashgar

• conj. adversativa con que se contrapone a un concepto negativo otro afirmativo. • Denota a veces idea de excepción. • Con la negación que le precede, suele equivaler a tan sólo. • Precedido del m. adv. *no sólo*, denota adición de otro u otros miembros a la cláusula.

SINÓDICO, CA adj. Relativo al sínodo. • *Astr.* Díc. del tiempo que transcurre entre dos instantes consecutivos en que un planeta ocupa una misma posición respecto al Sol.

SÍNODO m. Concilio de los obispos. • Junta de eclesiásticos que nombra el ordinario para examinar a los ordenandos y confesores. • Junta de ministros protestantes encargados de decidir sobre asuntos eclesiásticos. • *Astr.* Conjunción de dos planetas en el mismo grado de la eclíptica o en el mismo círculo de posición. ■ SINODAL.

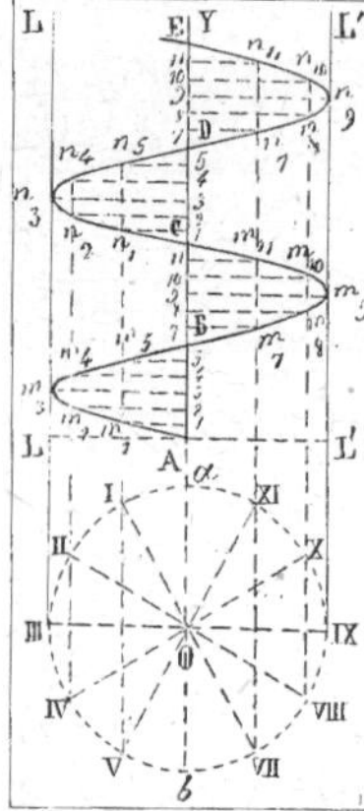

Curva **sinusoide**

SINOLOGÍA f. Estudio de la lengua, la literatura y las instituciones de China. ■ SINÓLOGO.

SINONIMIA f. Circunstancia de ser sinónimos dos o más vocablos. • *Ret.* Figura que consiste en usar adrede voces sinónimas para reforzar la exp. de un concepto.

SINÓNIMO, MA adj. y m. Díc. de los vocablos y exp. que tienen una misma o muy parecida significación.

SINOPLE o **SINOBLE** adj. y m. *Her.* Color que en pintura se representa por el verde y en el grabado por líneas oblicuas y paralelas a una que va desde el cantón diestro del jefe al siniestro de la punta.

SINOPSIS f. Disposición gráfica que muestra cosas relacionadas entre sí, facilitando su visión conjunta. • Exposición general de un asunto, en sus líneas esenciales. • Sumario o resumen. ■ SINÓPTICO, CA.

SINOVIA f. *Anat.* Humor viscoso que lubrica las articulaciones óseas. ■ SINOVIAL.

SINOVITIS f. *Pat.* Inflamación de la membrana serosa de las grandes articulaciones que segrega la sinovia.

SINRAZÓN f. Acción hecha contra justicia y fuera de lo razonable o debido.

SINSABOR m. Desabor. • fig. Pesar, desazón.

SINSONTE m. Pájaro amer. de canto muy variado y melodioso.

SINSORAS f. pl. *P. Rico.* Lugar lejano.

SINTAGMA m. *Gram.* Grupo de palabras que poseen unidad de función. Según su estructura se pueden dividir en s. endocéntricos (aquellos cuyo núcleo realiza la misma función que el sintagma) y s. exocéntricos (de núcleo regido por un enlace y que, por tanto, no realiza la misma función que el conjunto del sintagma). Según su función son nominales, adverbiales, preposicionales y verbales.

SINTAXIS f. *Gram.* Término con el que se nombra la parte de la gramática que estudia las oraciones y sus clases y, a veces, las significaciones o funciones de las formas que trata la morfología. ■ SINTÁCTICO, CA.

* *Gram.* Saussure afirma la unidad esencial precisa para el estudio del lenguaje y la imposibilidad de separar partes de la gramática, desde un punto de vista teórico. En la práctica la separación es conveniente; teóricamente, parece poco útil independizar el aspecto formal del funcional.

SINTERIZAR tr. *Metal.* Soldar o conglomerar metales pulverulentos sin alcanzar la temperatura de fusión. ■ SINTERIZACIÓN.

Jefe **sioux** de la provincia de Alberta, Canadá

SÍNTESIS f. Composición de un todo por la reunión de sus partes. • *Fil.* Operación mental consistente en reunir diversos elementos en un todo que no equivale simplemente a la yuxtaposición de los constitutivos. • *Psic.* El término se refiere al hecho de que toda vivencia compleja de la conciencia es la conjunción de otros muchos elementos psíquicos, pero con caracteres nuevos y distintos. • *Quím.* Formación de una sustancia compuesta mediante la combinación de otras más sencillas.

SINTETASA f. *Biol.* Nombre genérico de un grupo de enzimas que catalizan reacciones en las que se unen dos moléculas para dar lugar a la síntesis de una nueva sustancia. Catalizan reacciones endergónicas acopladas con la liberación de energía procedente de la escisión del ATP (u otro trifosfato similar) en AMP y pirofosfato.

SINTÉTICO, CA adj. Relativo a la síntesis. • Que procede por composición pasando de las partes al todo. • Díc. de productos obtenidos por procedimientos industriales, que reproducen la composición y propiedades de algunos cuerpos naturales.

SINTETIZADOR, RA adj. y s. Que sintetiza. • m. *Mús.* Aparato que, mediante un cuadro de mandos y usando circuitos integrados, duplica los sonidos de los instrumentos. • **de imágenes.** *Electr.* Sistema electrónico que forma imágenes a partir de formas y colores elementales. Consta de un dispositivo de entrada de datos (que deben formar la imagen) y de los parámetros de su transformación, una computadora para procesar estos datos y calcular las nuevas imágenes, y un dispositivo para visualizar las imágenes obtenidas.

SINTETIZAR tr. Hacer síntesis.

SINT-NIKLAAS C. de Bélgica, en la prov. de Flandes Oriental; 68 200 hab. Centro agrícola e industrial.

SINTOÍSMO → Shintoísmo.

SÍNTOMA m. Señal, indicio de una cosa que está sucediendo o que va a suceder. • *Med.* Fenómeno que aparece como consecuencia de una alteración funcional u orgánica en cualquier parte del organismo. ■ SINTOMÁTICO, CA.

SINTOMATOLOGÍA f. *Pat.* Estudio de los síntomas de las enfermedades.

SINTONÍA f. Resultado de efectuar una sintonización. • Fragmento musical con el que empiezan algunas emisiones de radio y televisión, y que le sirven de distintivo. • fig. Afinidad entre personas.

SINTONIZADOR, RA adj. Que sintoniza. • adj. y m. Díc. del sistema o dispositivo que permite aumentar o disminuir la longitud de onda propia del aparato receptor.

SINTONIZAR tr. En la telegrafía sin hilos, hacer que el aparato receptor vibre al unísono con el de transmisión. • Regular el circuito de un radiorreceptor para que su frecuencia coincida con la de la emisora que se desea captar. ■ SINTÓNICO, CA; SINTONISMO; SINTONIZACIÓN.

SINÚ Cultura precolombina de Colombia, localizada en la cuenca del r. hom., en el dpto. de Bolívar.

SINUOSIDAD f. Calidad de sinuoso. • Concavidad o hueco. • Concavidad que forma una cosa encorvada.

SINUOSO, SA adj. Que tiene senos, ondulaciones o recodos. • fig. Díc. del carácter de las acciones que tratan de ocultar el propósito o fin al que se dirigen.

SINUSITIS f. *Pat.* Inflamación purulenta de uno o más senos paranasales, con la consiguiente obstrucción, que impide el drenaje de las secreciones.

SINUSOIDAL adj. Que tiene forma de sinusoide o es parecida a esta curva. • *Mat.* Díc. de la exp. en la que una de las variables aparece bajo el símb. trigonométrico *sen*.

SINUSOIDE f. *Geom.* Curva plana de ecuación $y = sen\ x$; es la representación gráfica de la función trigonométrica seno.

SINVERGÜENCERÍA f. fam. Desfachatez, falta de vergüenza. ■ SINVERGONZÓN, NA; SIVERGONZONERÍA; SINVERGÜENZA.

SIÓN Nombre de una colina, junto a Jerusalén, que se hizo extensivo a esta ciudad.

SIONISMO m. Aspiración del pueblo judío a recobrar Palestina como patria. • Organización internacional de judíos para lograr este fin. ■ SIONISTA.

* *Hist.* L. Pinsker y T. Herlz fueron sus teóricos. Las asociaciones *Khoreré Sion* (Amantes de Sión) enviaron colonizadores a Palestina. En 1896 se celebró el primer congreso mundial del s., y en 1948 se creó el Est. de Israel. La ONU condenó el s. como una forma de racismo.

SIOUX adj. y s. Díc. del pueblo amerindio que vivía en los llanos del O del Misisipí, hasta las estribaciones orientales de las montañas Rocosas; por el N se extendían hasta el r. Saskatchewan (Canadá) y por el S hasta el Arkansas. Quedan unos 50 000 s. internados en reservas. Divididos en numerosas tribus: assiniboine, dakotas, minitari, mandan, crow, oto, ponca, omaha, kansas, iowa, misuri, osage, etc.

SIPEDÓN m. Sepedón.

SIPPLE, *síndrome de* *Pat.* Anomalía genética transmitida según el modo dominante autosómico, que se manifiesta con una asociación de un carcinoma medular de la glándula tiroides y de un feocromocitoma de la paratiroides.

SIPUNCOLOIDEO, A adj. y m. *Zool.* Díc. de los animales de la clase sipunculoideos. • m. pl. *Zool.* Clase de vermiformes no metaméricos, actualmente considerada como un tipo independiente afín al de los anélidos. Abarca unas 250 especies que habitan los fondos fangosos o arenosos marinos.

SIQUEIROS → Alfaro Siqueiros, David.

SIQUIATRÍA f. Psiquiatría.

SÍQUICO, CA adj. Psíquico.

SIQUIERA o **SIQUIER** conj. advers. que equivale a *bien que* o *aunque*. • Se usa como conj. distributiva, equivaliendo a *o, ya* u otra semejante. • adv. de cantidad y modo que más ordinariamente y en cierta forma equivale a *por lo menos* en conceptos afirmativos, y a *tan sólo* en conceptos negativos, y con el cual se expresa o denota en uno y otro caso idea de limitación o restricción.

SIR m. Entre los ing., título honorífico para designar a los caballeros y la pequeña nobleza.

SIRACUSA C. de Italia, cap. de la prov. hom., en Sicilia, a orillas del mar Jónico; 120 900 hab. Pesca. Centro comercial. En 1943 se firmó en la c. la capitulación de Italia ante los ejércitos aliados.

SIR-DARIÁ Río de Kazakistán; 2 900 km. Nace en la Alta Asia, donde se le llama Narím, y desemboca en el mar de Aral formando un delta.

SIRENA f. *Mit. gr.* Cualquiera de las ninfas marinas, con busto de mujer y cuerpo de ave, que extraviaban a los navegantes atrayéndolos con la dulzura de su canto. • *Zool.* Nombre que se daba a los mamíferos del orden sirenios. También se aplica este nombre, o el de tritón s., a un anfibio urodelo que vive en las aguas dulces del E de EE UU. • Instrumento para contar el núm. de vibraciones de un cuerpo sonoro en tiempo determinado. • Pito que se emplea en los buques, automóviles, fábricas, etc., para avisar.

SIRENIO adj. y m. *Zool.* Díc. de los mamíferos marinos que tienen el cuerpo pisciforme y terminado en una aleta caudal horizontal no dividida por escotadura alguna. • m. pl. *Zool.* Orden de estos animales.

SIRET Río de Rumania; 726 km. Nace en Bucovina y afluye al Danubio.

SIRGA f. *Mar.* Maroma. • **A la s.** m. adv. Modo de navegar una embarcación remolcada desde la orilla de un río por una cuerda o sirga. B SIRGAR.

SIRGO m. Seda torcida. • Tela hecha de seda.

SIRIA *(Al-Jumhuriya al-Arabiya as-Suriya)* Estado del Próximo Oriente, limítrofe con Turquía, Irak, Jordania, Israel, Líbano y el Mediterráneo. Al O aparece una franja litoral cerrada por el jebel Ansariye; entre éste y el jebel Zawiye se abre la fosa tectónica de El Ghab. Al SO aparecen las cadenas del Antilíbano y del Hermón (2 814 m), y una zona volcánica (Drouz, 1 735 m). Los sectores central y oriental están ocupados por una meseta. Ríos Orontes y Éufrates. Clima templado cálido en el litoral, y árido hacia el interior. Cereales, vid, olivo, agrios, hortalizas, algodón (Latakia), tabaco, remolacha azucarera. Ganadería ovina. Petróleo, cromo, manganeso, hierro, cobre, plomo y cinc. Ind. textil (hilados y tejidos de algodón y lana), de transformación agropecuaria (aceite, harineras, cerveza, azúcar, curtidos); metalúrgica, petroquímica y mecánica. República. Lengua: ár. *Rel.*: islamismo (75 %) y minorías cristiana, alauita, drusa. U.M.: la libra esterlina siriana. Cap., Damasco. C. prales.: Alepo, Homs, Hama.

* *Hist.* La pob. original era predominantemente semita. El país fue invadido por egipcios, hititas, heb., asirios, persas y por Alejandro Magno. El reino seléucida se fundó en 312 a. C. En el 64 a. C. pasó a ser prov. romana. Durante la etapa de dominio bizantino (330-634) numerosos cismas cristianos tuvieron su origen en S. Los califas Omeyas situaron su cap. en Damasco e hicieron de la región siriopalestina el centro del imperio. Tras la fundación del sultanato ayubí por Saladino (1174), S. pasó a dominio de los mamelucos de Egipto. La ocupación otomana duró de 1516 hasta finales del s. XVIII. Los egipcios conquistaron la región en 1833. Tras la desaparición del imperio otomano, Faysal I se proclamó rey (1920), pero tuvo que retirarse ante la oposición de Francia que, bajo la forma de mandato, obtuvo la administración de S. Conseguida la indep., las fuerzas francobritánicas no se retiraron hasta 1946. S. tomó parte en el conflicto árabe-israelí (1948-1949), tras lo cual se vio sacudida por diversos golpes de est. El apoyo del Baas (partido panárabe y socialista) a la creación de la República Árabe Unida (1954) provocó una fuerte oposición en Siria, y una revuelta puso fin a la unión egipcio-siria (1961). Los frecuentes incidentes fronterizos entre S. e Israel fueron una de las causas de la guerra de los Seis Días (1967), en el transcurso de la cual Israel ocupó los estratégicos montes del Golan. En 1970 Hafez al-Assad ocupó el poder mediante un golpe de est. En 1976 tropas sirias intervinieron en Líbano en el contexto de la guerra civil de este país, y ejerciendo un papel político que se acentuó a partir de 1983. Efectivamente, tras la invasión del S del Líbano por parte de Israel (1982), S. aumentó su control sobre imp. zonas del país y sobre las organizaciones palestinas opuestas a Arafat. El general H. al-Assad ejerció un poder hegemónico y controló la vida política del país hasta su muerte en junio de 2000, si bien se garantizó la continuidad del régimen con la designación de su hijo Bachar al-Assad como sucesor en la presidencia.

* *Arte.* La arquitectura propiamente siria se aprecia en las ruinas de Hama Atsana. Al periodo rom. se debe la urbanización de Damasco y Alepo; los templos de Júpiter y Baco (ss. II-III); la escultura de cárácter oficial; los mosaicos (Antioquía); y en el Bajo Imperio, con el cristianismo, una escuela artística de gran personalidad (monasterio de Simeón el Estilista y las iglesias de Turnamin, Bosra y Esra). Con el dominio bizantino y ár., el arte adoptó las características propias del de sus dominadores.

SIRIACO, CA o **SIRÍACO, CA** adj. y s. Sirio. • adj. y m. Díc. especialmente de la lengua hablada por los ant. sirios.

SIRINGA f. Especie de zampoña, compuesta de varios tubos de caña que forman escala musical y van sujetos unos al lado de otros. • *Bol.* y *Perú.* Árbol de la familia euforbiáceas, de cuyo tronco se extrae goma elástica.

SIRINGE f. *Zool.* Aparato de fonación que tienen las aves en el lugar en que la tráquea se bifurca para formar los bronquios.

SIRIO, RIA o **SIRO, RA** adj. y s. De Siria.

SIRIO *Astr.* La estrella más brillante del cielo, sistema binario que pertenece a la constelación del Can Mayor.

SIRIONO adj. y s. Díc. del individuo de un pueblo amerindio del E de Bolivia, perteneciente a la familia lingüística tupí-guaraní. • adj. Concerniente a dicho pueblo. • m. pl. Este mismo pueblo.

SIRK, *Douglas* (1900-1987) Director cinematográfico norteam., de origen danés. *Acorde final, Obsesión, Escrito sobre el viento, Imitación a la vida.*

SIROCO m. Viento del SE, cálido y seco, que sopla desde el desierto hacia la costa en toda la cuenca mediterránea de África.

SIRIA

Superficie 185 180 km²

Población 15 009 000 hab. (81 hab./km²)

Recursos económicos	
Algodón	372 000 t
Cabaña bovina	750 000 cabezas
Cabaña caprina	1 200 000 cabezas
Cabaña ovina	11 800 000 cabezas
Camellos	7 000 cabezas
Cebada	1 722 000 t
Cemento	4 009 000 t
Energía eléctrica	14 800 millones de kwh
Fosfatos	1 202 000 t
Gas natural	4 410 000 m³
Pesca	7 300 t
Petróleo	29 000 000 t
Sal gema	130 000 t
Tejidos de algodón	29 000 t
Trigo	4 193 000 t
Indicadores sociológicos	
PNB	15 780 millones de dólares
Renta per cápita	1 120 dólares
Esperanza de vida	70 años
Alfabetismo	71 %

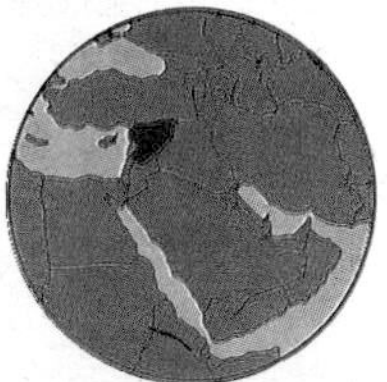

Mapa de situación y bandera de **Siria.**

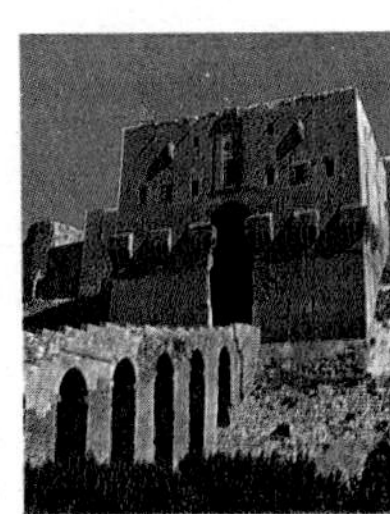

Siria. Arriba, mezquita de Tikyet Sultan Selim, en Damasco; abajo, ruinas de Alepo

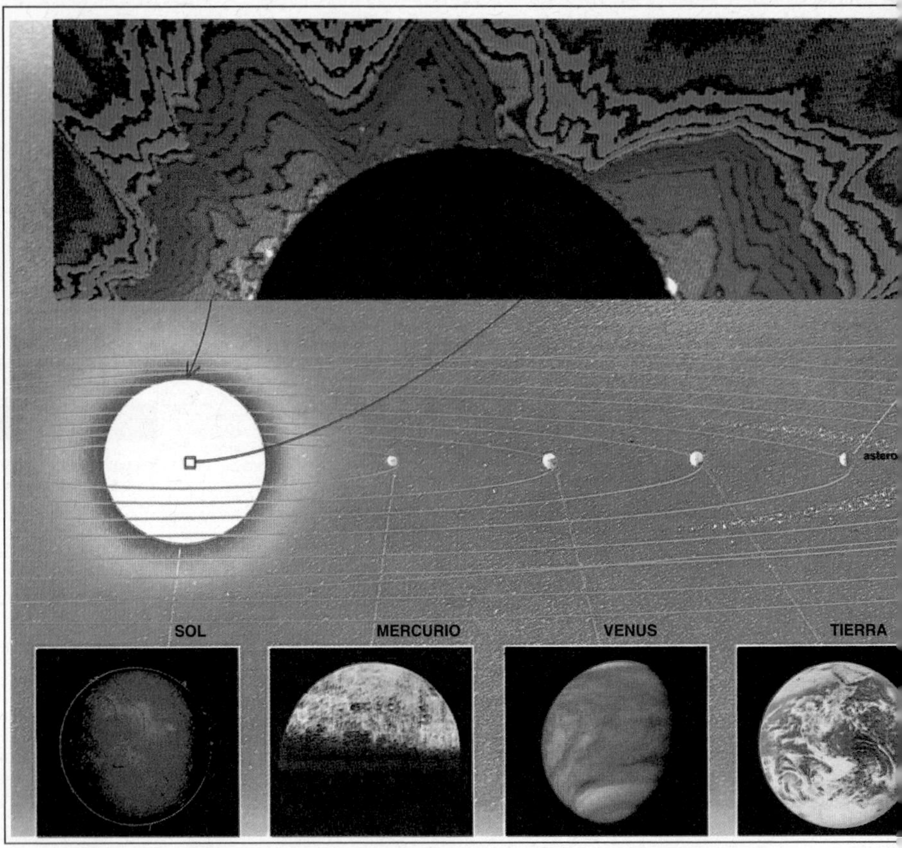

SOL MERCURIO VENUS TIERRA

SIRONI, ***Mario*** (1885-1961) Pintor it. Evolucionó del futurismo hacia un expresionismo de contenido social. Intervino en la fundación de *Novecento* (1922), grupo de tendencia fascista. *La guerra.*
SIROPE m. *Cuba.* Jarabe para endulzar bebidas refrescantes.
SIRTE f. Bajo de arena en el fondo del mar.
SIRTE Nombre de dos golfos del Mediterráneo, en la costa N de África, *el Gran S.*, en Libia, y *Pequeño S.*, en Túnicia.
SIRVENTÉS m. Serventesio, composición poética.
SIRVIENTA f. Mujer dedicada al servicio doméstico.
SIRVIENTE adj. Que sirve. • m. Servidor o criado. • Persona adscrita a un arma de fuego, máquina, etc.
SISA f. Parte que se defrauda o se hurta, especialmente en la compra diaria de comestibles y otras cosas. • Sesgadura hecha en la tela de las prendas de vestir para que ajusten bien al cuerpo.
SISAL m. Fibra textil obtenida de una especie de ágave que se cultiva en América.
SISAR tr. Cometer la defraudación el hurto llamado sisa. • Confeccionar sisas en las prendas de vestir.
SISEAR intr. y tr. Emitir repetidamente el sonido inarticulado de *s* y *ch*, por lo común para manifestar desaprobación. ■ SISEO.
SÍSIFO *Mit. gr.* Fundador y rey de Corinto, e hijo de Eolo. Por su ambición, Zeus le condenó a transportar eternamente una pesada piedra a lo alto de una colina.
SISIMBRIO m. Jaramago, planta.
SISLEY, ***Alfred*** (1839-1899) Pintor brit., activo en Francia. Paisajes impresionistas. *Camino de Sèvres, Le courant du Loing.*
SISMO m. Seísmo. ■ SÍSMICO, CA.
SISMÓGRAFO m. Instrumento que detecta y registra las ondas sísmicas originadas en un terremoto.

La guerra, óleo de Mario **Sironi**

SISMOGRAMA m. Registro obtenido por un sismógrafo durante un seísmo.
SISMOLOGÍA f. *Geol.* Rama de la geofísica que tiene por objeto el estudio de los terremotos o seísmos. ■ SISMOLÓGICO, CA.
SISMÓMETRO m. Instrumento para medir la fuerza de un seísmo.
SISMONASTIA f. *Bot.* Movimiento de las plantas debido a cambios reversibles de turgencias de las células, que se originan por estímulos físicos de contacto.
SISMONDI, ***Jean Simon de*** (1773-1842) Historiador, crítico y economista suizo, que influyó en el pensamiento de Marx. *Historia de las repúblicas italianas, Historia de los franceses, Estudio sobre las ciencias sociales.*
SISÓN, NA adj. y s. fam. Que sisa frecuentemente. • m. *Zool.* Ave de la familia otídidos, semejante a la avutarda. Vive en la Europa mediterránea.
SISTEMA m. Conjunto de reglas o principios sobre una materia relacionados entre sí. • Conjunto de cosas que, ordenadamente relacionadas entre sí, contribuyen a un fin determinado. • *Comp.* Conjunto de elementos interdependientes; conjunto de axiomas y reglas que determinan un perfecto desarrollo de sus funciones. • *Fisiol.* Conjunto de órganos que intervienen en alguna de las prales. funciones vegetativas. • *Fís.* y *Quím.* Cantidad de materia definida, limitada por alguna superficie real o imaginaria, que se somete a observación y experimentación. • *Geol.* División estratigráfica de segundo orden, a la que corresponde como subdivisión cronológica el periodo. • **abierto.** *Fís.* En termodinámica, aquél en el que hay flujo de materia a través de sus límites. • **aislado.** *Fís.* En termodinámica, aquel que no intercambia energía con el medio externo. • **astático.** El formado por dos agujas

MARTE SATURNO PLUTÓN JÚPITER URANO NEPTUNO

SISTEMA SOLAR

El sistema solar está constituido por: el Sol; los planetas, que se mueven en órbitas elípticas perturbadas a su alrededor; los satélites, que se mueven en torno a los planetas; los asteroides, que gravitan en orbitas comprendidas entre la de Marte y la de Júpiter; y los cometas, que se mueven en órbitas muy excéntricas. De los nueve planetas, la Tierra, que es el tercero contando a partir del Sol, es el único que alberga seres vivos.

imantadas que se colocan con los polos invertidos y los ejes paralelos para que aquél resulte insensible a la acción directriz de la Tierra. • **cristalográfico.** *Crist.* Cada una de las siete posibles agrupaciones de las clases de simetría. Se distinguen los siguientes: regular o cúbico, tetragonal, hexagonal, trigonal o romboédrico, rómbico, monoclínico y triclínico. • **de desarrollo.** *Comp.* Computadora que se utiliza para desarrollar el *software* o el *hardware* de otros sistemas. • **de ecuaciones.** *Mat.* Conjunto de dos o más ecuaciones que se satisfacen para los mismos valores de sus incógnitas. • **dedicado.** *Comp.* Computadora que sólo puede ejecutar las tareas para las cuales ha sido concebida. • **de gestión de ficheros.** *Comp.* Programa que, formando parte de un s. operativo, permite el manejo de ficheros de una forma transparente, es decir, sin tener en cuenta el tipo de la unidad en la que éstos se encuentran. • **de programación.** *Comp.* Conjunto formado por un lenguaje de programación y los programas que permiten traducirlo a lenguaje máquina. • **de tiempo compartido.** *Comp.* S. en el que el tiempo de ejecución de la unidad central de proceso es compartido entre varios programas para poder realizar varias tareas de forma concurrente. • **de unidades.** *Fís.* Conjunto de unidades de medida de magnitudes físicas, la mayor parte de las cuales derivan de tres que se toman como fundamentales. • **disperso.** *Fís.* Conjunto homogéneo formado por una sustancia que se reparte en el seno de otra en forma de partículas, pero sin llegar a un fraccionamiento molecular o iónico. • **distribuido.** *Comp.* Conjunto de computadoras repartidas espacialmente que funcionan de forma descentralizada, pero coordinadas entre sí por una red de conexiones que las vincula a un mismo marco organizativo. • **económico.** *Econ.* Organización social apta para el desempeño de la actividad económica. • **experto.** *Comp.* S. capaz de resolver problemas por deducción y demostrar el método empleado en la resolución. • **métrico decimal.** *Fís.* Conjunto de medidas basadas en el uso del metro, y en el cual las unidades de una misma naturaleza son 10, 100, 1 000, etc. veces mayores o menores que la unidad principal. • **minisolar.** *Astr.* S. caracterizado por poseer satélites y anillos en órbitas coplanarias con el plano ecuatorial del planeta. Se parecen al s. solar y se conocen, hasta el momento, tres. • **nervioso.** *Anat.* Conjunto de órganos destinados a regular la vida de relación y la vegetativa. • **operativo.** *Comp.* Programa o conjunto de programas que sirven para controlar todas las operaciones que puede efectuar una computadora, como por ejemplo asignación de memoria para los procesos en ejecución, etc. • **operativo en tiempo real.** *Comp.* S. operativo de una computadora que hace que cualquier consulta o demanda de datos por parte de uno o varios usuarios sea contestada de forma inmediata. • **óptico.** *Ópt.* Sucesión de dos o más superficies refringentes o reflectantes, utilizada para obtener la imagen de un objeto. • **periódico de los elementos.** *Quím.* → Tabla periódica. • **reticuloendotelial.** *Fisiol.* → Reticuloendotelial. • **social.** *Soc.* Conjunto de interacciones constituidas por individuos que se orientan entre sí para sus actividades sociales. • **solar** o **planetario.** *Astr.* S. formado por el Sol, los planetas, asteroides, cometas y meteoritos.

* *Astr.* El 99,86 % de la masa del s. solar está contenida en el Sol y la mayor parte de la masa restante está en Júpiter. El conjunto se considera como una esfera de radio 100 000 u. a., con centro en el Sol, que se mueve en una órbita casi circular alrededor del centro de la galaxia con un periodo estimado en unos 220 millones de años. El conjunto está regido por las leyes de Kepler y Newton.

Sismógrafo

Siva, bronce indio del s. XII

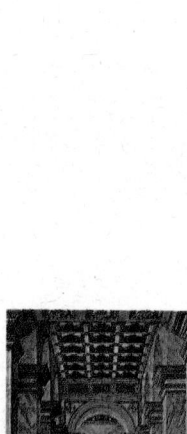

***Sixto IV** y el cardenal Riario,* fresco de Melozzo de Forlì. Estancias pontificias del Vaticano

SISTEMA Económico Latino Americano *(SELA)* Organismo constituido en 1975 por 25 Est. de América Meridional y Central. Se propone reforzar la cooperación regional, coordinar los organismos ya existentes, y organizar a los países productores de materias primas a fin de defender sus precios. Sede en Caracas.

SISTEMÁTICO, CA adj. Que sigue o se ajusta a un sistema. • Que procede por principios. • Relativo a la sistemática. • m. y f. Biólogo dedicado a la sistemática. • f. *Biol.* Ciencia que trata de la clasificación de los seres vivos. En la actualidad, la s. se divide en tres partes: la taxonomía (que se ocupa de los problemas teóricos), la nomenclatura (que comprende la parte normativa denominativa) y la clasificación (que comprende la parte aplicativa).

SISTEMATIZAR tr. Reducir a sistema. ■ SISTEMATIZACIÓN.

SÍSTILO adj. *Arq.* Díc. del edificio o monumento cuyos intercolumnios tienen cuatro módulos de claro.

SÍSTOLE f. Licencia poética que consiste en variar la posición del acento de una palabra. • *Anat.* Periodo de contracción cardiaca, especialmente de los ventrículos.

SISTRO m. Ant. instrumento musical de metal en forma de aro, atravesado por varillas.

SITACISMO m. Psitacismo. ■ SITÁCIDA.

SITACOSIS f. Psitacosis.

SITIAL m. Asiento de ceremonia.

SITIAR tr. Cercar una plaza o fortaleza para combatirla y apoderarse de ella. • fig. Poner a alguien en una situación tal que forzosamente tenga que acceder a lo que se le pide o exige. ■ SITIADOR, RA.

SITIERÍA f. *Cuba.* Ranchería, casería.

SITIERO, RA m. y f. *Cuba.* Casero, propietario de una pequeña finca rústica.

SITIO m. Acción y efecto de sitiar. • Lugar, espacio. • Paraje o terreno a propósito para alguna cosa. • Hacienda de recreo de un personaje. • *Argent.* y *Chile.* Solar. • *Cuba.* Finca rústica y pequeña.

SITO, TA adj. Situado o fundado.

SITTING Bull *(Toro Sentado)* (1831-1890) Jefe dakota norteam. Se sometió al gobierno de EE UU en 1888. Murió asesinado.

SITUACIÓN f. Acción y efecto de situar. • Disposición de una cosa respecto del lugar que ocupa. • Salario o renta sobre algunos bienes productivos. • Estado o constitución de las cosas y personas. • fam. Grupo o partido gobernante. • Conjunto de las circunstancias presentes en un momento.

SITUACIONISMO m. *Pol.* Movimiento revolucionario fr. surgido a principios de los años sesenta y que tuvo un gran impacto en mayo de 1968. Asimiló la naturaleza contestataria frente al consumismo y la cultura europea de los grupos de la izquierda extraparlamentaria, rechazando al mismo tiempo el modelo de los países socialistas.

SITUADO m. Salario, sueldo o renta señalados sobre algunos bienes productivos.

SITUAR tr. y prnl. Poner a una persona o cosa en determinado sitio o situación. • tr. Asignar o determinar fondos para algún pago o inversión.

SITWELL, *Edith* (1887-1964) Poetisa brit. *Comedias bucólicas, Canción de la calle, Canción del frío.*

SÍU m. *Chile.* Ave semejante al jilguero.

SIÚTICO, CA adj. fam. *Chile.* Díc. de la persona que presume de fina y elegante.

SIUX adj. y s. → Sioux.

SIVA En el brahmanismo y el hinduismo, tercer miembro de la trimurti, a la vez creador y destructor. Sus sectarios creen que es el tiempo, el Sol y la justicia, y que habita en el monte Kailas. Se le representa con tres o cinco cabezas, tres ojos, de dos a diez manos, cabello rojizo y cuello largo.

SIVAÍSMO m. *Rel.* Conjunto de sectas que practican la veneración de Siva. Las más imp. son: los smartas, el vedanta, el mimamsa, los trikas, los pashupatas, los virashaivas o lingayats y los saivasidhantas. Las escrituras sagradas tienen el nombre de *Ágamas.*

SIVAS C. de Turquía, en la orilla derecha del Kizilirmak, cap. de la prov. hom.; 197 300 hab. Minas de cobre.

SIVORI, *Eduardo* (1847-1918) Pintor arg., emotivo intérprete del paisaje y el hombre de la Pampa. *El despertar de la criada.*

SIXTINA, capilla Capilla del palacio Vaticano construida en 1473 por Giovanni de Dolci, según indicaciones de Sixto IV. En la decoración de los frescos de las paredes participaron notables artistas (Botticelli, Ghirlandaio, Perugino, etc.) Miguel Ángel decoró la bóveda (1508-1512) y el muro del fondo (1536), en el que compuso el Juicio Final.

SIXTO IV *(Francesco della Rovere,* 1414-1484*)* Papa rom. [1471-1484], sucesor de Paulo II. Guerreó contra Florencia. Inició la construcción de la capilla Sixtina. • **V** (*Felice Peretti,* 1520-1590) Papa rom. [1585-1590], sucesor de Gregorio XIII. Apoyó al partido católico fr. de los Guisa. Combatió la simonía y dividió la Curia en quince congregaciones.

SIYAD Barreh, *Mohamed* (1919-1995) Político y militar somalí. En 1969 tomó el poder mediante un golpe de est. En 1976 asumió también la jefatura del gobierno y del partido único. Reelegido en 1980 y 1986. Derrocado en 1991.

SIZRAN C. de la república de Rusia, a orillas del Volga; 173 000 hab. Yacimientos petrolíferos y de gas natural.

S.J. → S.I.

SJAELLAND Isla del arch. danés, sit. entre Suecia y la pen. de Jutlandia; 7 444 km^2, 2 142 100 hab. C. pral.: Conpenhague, cap. de Dinamarca. Agricultura y ganadería.

SJÖSTROM, *Victor* (1879-1960) Actor y director de cine sueco. Trabajó también en Hollywood. Dirigió *Terje Vigen, Los proscritos, La carrera fantasma, Juicio de Dios, El viento.* Como actor destacó en *Fresas salvajes*, de Ingmar Bergman.

SKAGERRAK Estr. en el mar del Norte, sit. entre la costa N de la pen. de Jutlandia y la costa S de Noruega; 50-145 km de ancho y 250 km de largo.

SKANDA En el hinduismo, dios de la guerra, hijo segundo de Siva y Parvati. Se le considera teológicamente emanación de Siva.

SKATE-BOARD (voz ing.) m. Tabla provista de cuatro ruedas para deslizarse sobre superficies lisas y duras, como deporte o diversión y también para hacer acrobacias.

SKELLEFTEA C. y puerto de Suecia, junto al Skelleftealv; 74 300 hab. Centro minero.

SKETCH (voz ing.) m. Breve escena, gralte. cómica, que se intercala en un programa de teatro, cine, radio o televisión, sin relación con el resto del espectáculo y estructura autónoma.

SKÍ m. Esquí.

SKIN, efecto *Electr.* Fenómeno en virtud del cual una corriente sinusoidal que circula a través de un conductor tiende a situarse sobre una capa superficial delgada del mismo, de modo que en la superficie del conductor la corriente posee mayor densidad. También se denomina efecto peculiar.

SKINNER, *Burrhus Frederich* (1904-1990) Psicólogo norteam., iniciador de la enseñanza programada. Ésta se basa en el fraccionamiento de las materias a unidades mínimas, en la comprobación inmediata de su asimilación y en el refuerzo positivo. *Ciencia y conducta humana, El análisis de la conducta.*

SKODA, *Emil* (1839-1900) Industrial checo, fundador de una de las más imp. fábricas europeas de armas y maquinaria pesada.

SKOPIE o **SKOPLIE** C. sit. en la pen. de los Balcanes, cap. de la República de Macedonia; 405 900 hab. Ind. metalúrgica y textil. En 1963 quedó casi destruida por un terremoto.

SKYLAB *Astr.* Satélite artificial de órbita terrestre, lanzado en 1973; primera estación orbital norteam. En 1979 cayó cerca de la costa occidental de Australia y se desintegró.

SLALOM m. Prueba de habilidad y velocidad en el deporte del esquí.

SLBM *(Submarine Launched Balistic Missile) Arm.* Misil balístico de lanzamiento submarino.

SLIP (voz ing.) m. Calzoncillos cortos. • Bañador o pantalón deportivo.

SLIVEN C. de Bulgaria, cap del distr. hom.: 100 600 hab. Centro industrial.

SLOGAN (voz ing.) m. Frase o fórmula breve que atrae la atención del público para propagar una idea o un producto.

SLOUGH C. de Gran Bretaña, en Inglaterra; 97 000 hab. Centro industrial.

SLOWACKI, *Juliusz* (1809-1849) Poeta romântico pol. Autor de poemas épicos y líricos. *Beniowski, Rey espíritu, Cartas a mi madre*.

SLUPSK C. de Polonia, cap. del voivodato hom., junto al lago Gardno; 91 800 hab. Centro industrial.

SLUTER, *Claus* (h. 1350-1406) Escultor hol., máx representante del realismo borgoñón. Esculturas del portal de la capilla de la cartuja de Champmol.

Sm *Quím.* Símb. del samario.

SMART CARD (exp. ing.) com. *Comp.* Tipo de tarjetas personales de plástico, semejantes a las de crédito, en cuyo interior se ha dispuesto un microprocesador que puede conectarse al introducir la tarjeta en equipos lectores especiales.

SMETANA, *Bedrich* (1824-1884) Compositor y pianista checo. *Mi patria* (poemas sinfónicos); *Los brandemburgueses en Bohemia, La novia vendida* (óperas).

SMITH, *Adam* (1723-1790) Economista y filósofo brit., nacido en Escocia. Con D. Ricardo es el fundador de la economía política. Analiza la ley del valor y enuncia la problemática de la división de clases. Heredero, ideológico de J. Bentham, S. considera el capitalismo como el estadio natural de las relaciones sociales. De hecho, fundó el liberalismo económico. En *Investigaciones sobre la naturaleza y causa de la riqueza de las naciones*, el *leissez faire* aparece como el motor del progreso económico. • ***Ian Douglas*** (nacido 1919) Político zimbabwés, de origen brit. Proclamó la indep. (1964) y la rep. (1970). En 1980 tuvo que ceder el poder a la mayoría negra. • ***Joseph*** (1805-1844) Líder religioso norteam. Fundador del mormonismo. Se presentó en 1844 a las elecciones presidenciales de la nación. Sus ideas sobre la poligamia y las luchas políticas y religiosas le llevaron a la cárcel y a su posterior linchamiento.

SMITHSONITA f. *Miner.* Carbonato de cinc, de la serie de la calcita, que cristaliza en el sistema trigonal.

SMM *(Solar Maximum Mission) Astron.* Satélite norteam., lanzado en 1980, con la misión de estudiar las erupciones solares.

SMOG (voz ing.) m. Mezcla de humo y niebla que se acumula sobre zonas urbanas e industriales.

SMOKING (voz ing.) m. Esmoquin, chaqueta de hombre.

SMOLENSK C. y puerto fluvial de Rusia, junto al Dniéper; 331 000 hab. Ind. textil. Centrales nucleares.

SMUTS, *Jan Christiaan* (1870-1950) Mariscal y político sudafricano. En 1917 formó parte del gabinete de guerra brit. Primer ministro de África del Sur (1919-1924, 1939-1948).

Sn *Quím.* Símb. del estaño.

SNACK-BAR (voz ing.) m. Cafetería y restaurante en el que se sirven comidas rápidas.

SNAKE Río de EE UU, afl. del Columbia; 1 450 km. Parte de su curso separa los est. de Oregón e Idaho.

SNELL *George Davis* (1903-1996) Biólogo norteam. Demostró el fundamento genético del rechazo de trasplantes. Premio Nobel de Medicina en 1980. • **Van Royen, *Willebrord*** (h. 1580-1626) Astrónomo y matemático hol. Formuló la ley de la refracción de la luz.

SNG (Siglas de *Substitute of Natural Gas*, «sustituto del gas natural») m. Combustible sintético que se puede obtener a partir de materias orgánicas, del carbón y de los productos petrolíferos.

SNIPE (voz ing.) m. Embarcación de regatas a vela para dos tripulantes.

SNOB com. Esnob.

SNORKEL adj. y m. Tubo retráctil que se eleva verticalmente de un submarino en inmersión o de un vehículo anfibio, para tomar aire para la respiración de los tripulantes y funcionamiento de los motores, así como expulsar los gases de combustión de éstos.

SNORRI Sturlusson (1179-1241) Poeta islandés. *Saga de los reyes de Noruega.*

SNYDERS, *Frans* (1597-1657) Pintor flam. Sus temas preferidos fueron la caza *(Concierto de aves)* y los bodegones.

SO m. fam. Se usa solamente seguido de adj. despect. con los cuales se increpa a alguna persona y sirve para reforzar la significación de aquéllos. • prep. Bajo, debajo de. • prep. insep. Sub. • interj. Se emplea para hacer que se detengan las caballerías.

SOARES, *Mario* (nacido 1925) Político socialista port. Su partido venció en las elecciones de 1975. Primer ministro (1976-1978 y 1983-1985). Elegido presid. en 1986, mantuvo su cargo hasta 1996.

SOBACO m. Concavidad que forma el arranque del brazo con el cuerpo. • Axila de una rama. • Cada espacio que deja en un cuadrado el círculo que se inscribe en él.

SOBADO, DA adj. y s. Aplícase al bollo o torta a cuya masa se ha agregado aceite o manteca. • adj. fig. Manido, muy usado. • m. Acción y efecto de sobar. • *C. Rica.* Especie de melcocha que se hace batiendo la miel de inferior calidad.

SOBAJAR tr. Manosear una cosa ajándola. • *Amér.* Humillar, abatir, rebajar. ■ SOBAJEO.

SOBAJEAR tr. *Ecuad.* Sobar, manosear.

SOBANDA f. Parte curva del tonel, que está más distante respecto del que lo mira.

SOBANDERO m. *Col.* Curandero que arregla los huesos dislocados.

SOBAQUERA f. Abertura que se deja en algunos vestidos, en la parte del sobaco. • Pieza con que se refuerza el vestido por la parte del sobaco. • *Amér. Centr.* y *Méx.* Sobaquina.

SOBAQUILLO (De) m. adv. Modo de poner banderillas dejando pasar la cabeza del toro y clavándolas el diestro hacia atrás. • Modo de lanzar piedras por debajo del otro brazo.

SOBAQUINA f. Sudor de los sobacos.

SOBAR tr. Manosear una cosa. • fig. Castigar, dando algunos golpes. • fig. Manosear a una persona. • fig. y fam. Molestar. • **la varita a alguien.** *Amér. Centr.* Destruirle. ■ SOBA; SOBADERO, RA.

SOBARBA f. Muserola, correa de la brida de una caballería. • Abultamiento carnoso debajo de la barba.

SOBARBADA f. Tirón de las riendas de la caballería. • fig. Reprensión áspera.

SOBARBO m. Álabe de una rueda hidráulica.

SOBARCAR tr. Poner debajo del sobaco una cosa. • Subir la ropa hacia los sobacos.

SOBEO m. Correa con que se ata al yugo la lanza del carro o el timón del arado.

SOBERADO m. *Amér.* Sobrado, desván.

SOBERANEAR intr. Mandar a modo de soberano.

SOBERANÍA f. Calidad de soberano. • Autoridad soberana, suprema. • Excelencia no superada en cualquier orden inmaterial. • Supremacía atribuida a un poder, grupo u orden jurídico. • **nacional.** La que corresponde al pueblo, de quien emanan todos los poderes del Est., aunque se ejerzan por representación.

SOBERANO, NA adj. Que ejerce la autoridad suprema e independiente. Aplicado a personas, se usa también como sustantivo. • Elevado, excelente y no superado. • m. Ant. moneda de oro en los Países Bajos e Inglaterra. • m. y f. Rey, reina o príncipe gobernante.

SOBERBIAR tr. *Ecuad.* Despreciar.

SOBERBIO, BIA adj. Que tiene soberbia o se deja llevar de ella. • Altivo, arrogante. • fig. Alto, magnífico, especialmente en las cosas inanimadas. • fig. Fogoso, orgulloso y violento. • f. Orgullo desmedido. • Estimación excesiva de sí mismo con menosprecio de los demás. • Deseo desmedido de ser preferido a otros. • Exceso en la magnificencia o pompa. • Cólera e ira expresadas con rabia.

SOBERMEJO, JA adj. Bermejo oscuro.

SOBERNA f. *Ecuad.* Sobrecarga.

SOBIJO o **SOBIJÓN** m. *Col.* Acción de sobar.

SOBINA f. Clavo de madera.

SOBÓN, NA adj. y s. fam. Muy aficionado a sobar. • Díc. de la persona que por su excesiva familiaridad, caricias o halagos se hace fastidiosa. • Díc. de la persona que procura eludir el trabajo.

SOBORDO m. *Mar.* Revisión de la carga de un buque para confrontar las mercancías con la documentación. • *Mar.* Libro en que el capitán del barco anota todos los efectos que constituyen el cargamento. • *Mar.* El mismo cargamento.

SOBORNAR tr. Corromper a uno con dádivas para conseguir de él una cosa.

SOBORNO m. Acción y efecto de sobornar. • Dádiva con que se soborna. • fig. Cualquier cosa que mueve el ánimo a complacer a otro. • *Amér.* Sobrecarga, peso añadido.

Joseph **Smith,** fundador del mormonismo

Cristales de **smithsonita**

Mario **Soares**

Máquina para la fabricación de **sobres**

Sello con **sobrecarga**

SOBOUL, ***Albert*** (1911-1982) Historiador fr. *La revolución francesa, Movimiento popular y gobierno revolucionario.*

SOBRA f. Exceso en cualquier cosa. • Injuria, agravio. • pl. Lo que queda de la comida al levantar la mesa. • P. ext., lo que sobra o queda de otras cosas. • Desperdicios o desechos. • **De s.** m. adv. Con exceso. • Por demás, sin necesidad.

SOBRADAR tr. Poner sobrado a los edificios.

SOBRADILLO m. Tejadillo sobre una ventana o un balcón.

SOBRADO, DA adj. Demasiado, que sobra. • Atrevido, audaz y licencioso. • Rico y abundante de bienes. • m. Desván. • En algunas partes, sobras o restos de la comida. Se usa más en pl. • *Argent.* Vasar. • adv. cantidad. De sobra.

SOBRANCERO, RA adj. y s. Aplícase al que está sin trabajar y que no tiene oficio determinado. • *Cuba* y *Ven.* Que sobra o excede en tamaño, cantidad o peso.

SOBRAR intr. Haber de una cosa más de lo que se necesita. • Quedar, restar. ■ SOBRANTE.

SOBRASADA o **SOBREASADA** f. Embutido grueso de carne de cerdo sazonada con sal y pimiento molido, que se hace en la isla esp. de Mallorca.

SOBRASAR tr. Poner brasas al pie del recipiente que está en el fuego.

SOBRE prep. Encima de. • Acerca de. • Además de. • Se usa para indicar aproximación en una cantidad o un número. • Cerca de otra cosa, con más alt. que ella y dominándola. • Con dominio y superioridad. • En prenda de una cosa. • En el comercio se usa para denotar la persona contra quien se gira una cantidad, o la población donde ha de hacerse efectiva. • En composición, o aumenta la significación, o añade la suya al nombre o verbo con que se junta. • A o hacia. • Se usa precediendo al nombre de la finca o fondo que tiene afecta una carga o gravamen. • Precedida y seguida de un mismo sustantivo, denota idea de reiteración o acumulación. • m. Cubierta, por lo común de papel, en que se incluye la carta, comunicación, tarjeta, etc., que ha de enviarse de una parte a otra. • Lo que se escribe en dicha cubierta.

SOBREABUNDAR intr. Abundar mucho. ■ SOBREABUNDANCIA.

SOBREAGUAR intr. y prnl. Andar o estar sobre la superficie del agua.

SOBREAGUDO, DA adj. y s. *Mús.* Díc. de los sonidos más agudos del sistema musical.

SOBREALIENTO m. Respiración difícil y fatigosa.

SOBREALIMENTAR tr. y prnl. Dar a uno más alimento del que necesita para su manutención. ■ SOBREALIMENTACIÓN.

SOBREALZAR tr. Alzar demasiado una cosa o aumentar su elevación.

SOBREAÑADIR tr. Añadir algo con exceso.

SOBREAÑAL adj. Aplícase a algunos animales de poco más de un año.

SOBREARAR tr. Repetir en una tierra la labor del arado.

SOBREARGO m. *Arq.* Arco construido sobre un dintel o umbral.

SOBREASAR tr. Volver a poner a la lumbre lo que está asado o cocido, para que se tueste.

SOBREBOTA f. *Amér. Centr.* Polaina de cuero curtido.

SOBRECALZA f. Especie de polaina.

SOBRECAMA f. Colcha.

SOBRECAÑA f. Tumor óseo que sobresale en la caña de las manos de las caballerías.

SOBRECARGA f. Lo que se añade a una carga regular. • Soga o lazo que se echa encima de la carga para asegurarla. • Impresión tipográfica hecha oficialmente sobre un sello para alterar su valor, conmemorar un suceso, etc. • *Arq.* Fuerza exterior que, aplicada a una construcción, la somete a un esfuerzo superior al normal. • fig. Nuevo motivo de sufrimiento, de preocupación, etc.

SOBRECARGAR tr. Cargar con exceso. • Coser por segunda vez una costura redoblando un borde sobre el otro.

SOBRECARGO m. *Mar.* El que en los buques mercantes lleva a su cuidado el cargamento. • Tripulante de avión que tiene a su cargo supervisar funciones auxiliares.

SOBRECARO, RA adj. Muy caro.

SOBRECEJA f. Parte de la frente inmediata a las cejas.

SOBRECEJO m. Ceño del rostro.

SOBRECENAR intr. Cenar por segunda vez.

SOBRECEÑO m. Ceño muy sañudo.

SOBRECERCO m. Cerco o guarnición con que se refuerza a otro.

SOBRECIELO m. fig. Dosel, toldo.

SOBRECINCHA f. o **SOBRECINCHO** m. Faja o correa de sujeción que pasa por debajo de la barriga de la cabalgadura y por encima del aparejo.

SOBRECLAUSTRA f. o **SOBRECLAUSTRO** m. Pieza o vivienda que hay encima del claustro.

SOBRECOGER tr. Coger de repente y desprevenido. • prnl. Sorprenderse, intimidarse. ■ SOBRECOGEDOR, RA; SOBRECOGIMIENTO.

SOBRECOSER tr. *Chile.* Coser sobre una costura.

SOBRECRECER intr. Crecer excesivamente.

SOBRECUBIERTA f. Segunda cubierta.

SOBRECUELLO m. Cuello sobrepuesto al de una prenda de vestir. • Collarín, alzacuello.

SOBREDICHO, CHA adj. Dicho arriba o antes.

SOBREDIENTE m. Diente que nace encima de otro.

SOBREDORAR tr. Dorar los metales, y especialmente la plata. • fig. Disculpar con razones aparentes una acción reprensible o una palabra maldicha.

SOBREEDIFICAR tr. Construir sobre otra edificación.

SOBREEMPEINE m. Parte de la polaina que cae sobre el empeine del pie.

SOBREENTENDER o **SOBRENTENDER** tr. y prnl. Entender una cosa que no está expresa, pero que no puede menos de suponerse según lo que antecede o la materia que se trata.

SOBREEXCITAR o **SOBREXCITAR** tr. y prnl. Aumentar o exagerar las propiedades vitales de todo el organismo o de una de sus partes. ■ SOBREEXCITACIÓN O SOBREXCITACIÓN.

SOBREFALDA f. Falda corta que se coloca como adorno sobre otra.

SOBREFAZ f. Cara exterior de las cosas. • Distancia que hay entre el ángulo exterior del baluarte y el flanco prolongado.

SOBREFLOR f. Flor que, por anomalía espontánea o por cultivo, nace en el centro de otra.

SOBREFUNDA f. *Amér. Centr.* Funda bordada que se pone durante el día a la almohada.

SOBREFUSIÓN f. *Fís.* Permanencia de un cuerpo en estado líquido a temperatura inferior a la de su fusión.

SOBREGIRAR tr. Exceder en un giro del crédito disponible. ■ SOBREGIRO.

SOBREHAZ f. Sobrefaz. • Lo que se pone encima de una cosa para taparla. • fig. Aspecto superficial de algo.

SOBREHERIDO, DA adj. Herido superficialmente.

SOBREHILAR tr. Dar puntadas sobre el borde de una tela cortada, para que no se deshilache. ■ SOBREHILADO; SOBREHILO.

SOBREHUESO m. Tumor duro que está sobre un hueso. • fig. Cosa que molesta o sirve de embarazo o carga.

SOBREHUMANO, NA adj. Que excede a lo humano.

SOBREIMPRESIÓN f. *Cin.* y *Fot.* Impresión, en un mismo soporte, de dos o más imágenes distintas.

SOBREJALMA o **SOBRENJALMA** f. Manta que se pone sobre la jalma.

SOBRELECHO m. *Arq.* Superficie inferior de la piedra, que descansa sobre el lecho de otra.

SOBRELLAVE f. Segunda cerradura que se añade a la puerta. • com. Persona que tiene la llave de esta segunda cerradura. ■ SOBRELLAVAR.

SOBRELLENAR tr. Llenar en abundancia. ■ SOBRELLENO, NA.

SOBRELLEVAR tr. Llevar uno una carga para aliviar a otro. • fig. Ayudar a sufrir los trabajos o molestias de la vida. • fig. Resignarse a ellos o aguantarlos el mismo paciente. • fig. Disimular y suplir los defectos de otro.

SOBREMADURACIÓN f. Retraso artificial de la fecundación.

SOBREMANERA adv. modo. En extremo, muchísimo, sobre manera.

SOBREMANO f. Tumor óseo que se desarrolla en los cascos delanteros de una caballería.
SOBREMESA f. Tapete que se pone sobre la mesa. • Tiempo que se permanece en la mesa después de haber comido.
SOBREMODO adv. modo. En extremo, sobremanera, sobre modo.
SOBREMONTE, *Rafael de* (1745-1827) Militar esp. Virrey de Río de la Plata (1804), huyó a Córdoba ante la invasión de Buenos Aires por los brit.
SOBREMUÑONERA f. *Art*. Banda semicilíndrica de hierro que sujeta la pieza montada e impide que se descabalgue en los disparos.
SOBRENADAR intr. Mantenerse encima de un líquido sin hundirse.
SOBRENATURAL adj. Que excede a las leyes de la naturaleza. • Extraordinario. • Que sólo se conoce por la fe.
SOBRENOMBRE m. Nombre que se añade a veces al apellido para distinguir a dos personas que tienen el mismo. • Calificativo con que se distingue a una persona.
SOBREPAGA f. Cantidad añadida a la paga ordinaria.
SOBREPAÑO m. Paño que se pone encima de otro.
SOBREPARTO m. Tiempo que sigue inmediatamente al parto. • Estado delicado de salud que suele sobrevenir después del parto.
SOBREPASAR tr. Rebasar un límite, exceder de él. • Superar, aventajar.
SOBREPEINE adv. modo. fam. Sobre peine.
SOBREPELO m. *Argent*. Sudadero, manta.
SOBREPELLIZ f. Vestidura blanca de lienzo fino que llevan sobre la sotana los eclesiásticos y los legos que sirven en las funciones de iglesia.
SOBREPIÉ m. Tumor óseo que en las caballerías se desarrolla en los cascos traseros.
SOBREPLÁN f. Cada una de las ligazones que refuerzan el forro interior del buque.
SOBREPONER tr. Añadir una cosa o ponerla encima de otra. • prnl. fig. Dominar los impulsos del ánimo o hacerse superior a las adversidades. • fig. Obtener superioridad una persona respecto de otra.
SOBREPRECIO m. Recargo en el precio.
SOBREPRIMA f. Incremento en la prima de un seguro.
SOBREPRODUCCIÓN f. Exceso de producción. • *Econ*. Producción de bienes superior a la demanda de los mismos.
SOBREPUERTA f. Pieza de madera que se coloca sobre las puertas tapando el arranque de las cortinas. • Cenefa que se pone sobre las puertas.
SOBREPUESTO m. Aplicación, adorno de distinta materia de aquella a la que se sobrepone. • Panal que forman las abejas después de llena la colmena, encima de la obra que hacen primero. • Vasija de barro o cesto de mimbre que se pone boca abajo y ajusta sobre los vasos de las colmenas, para que allí trabajen las abejas de dicho panal.
SOBREPUJANZA f. Pujanza excesiva.
SOBREPUJAR tr. Exceder una cosa o persona a otra en cualquier línea. ■ SOBREPUJAMIENTO.
SOBREQUILLA f. *Mar*. Madero formado de piezas, colocado de popa a proa por encima de la trabazón de las varengas.
SOBRERO, RA adj. Sobrante. • adj. y s. *Taur*. Aplícase al toro de reserva en una corrida. • m. y f. Persona que tiene por oficio hacer sobres.
SOBRERREALISMO m. *Arte*. Superrealismo.
SOBRERRIENDA f. *Amér*. Falsa rienda.
SOBRESALIENTA f. Sustituta, y en especial la comedianta que sustituye a otra.
SOBRESALIENTE adj. Que sobresale. • m. En los exámenes, calificación máx., superior a la de notable. • com. fig. Persona destinada a suplir la falta o ausencia de otra.
SOBRESALIR intr. Exceder una persona o cosa a otras en figura, tamaño, etc. • Aventajarse unos a otros; distinguirse entre ellos.
SOBRESALTAR tr. Saltar, venir y acometer de repente. • tr. y prnl. Asustar, alarmar a uno repentinamente. ■ SOBRESALTO.
SOBRESANAR intr. Cerrarse una herida sólo por la superficie. • fig. Paliar o disimular superficialmente un defecto.
SOBRESANO adv. modo. Con curación aparente o superficial. • fig. Afectada, fingida, disimuladamente.
SOBRESATURACIÓN f. *Fís*. Estado inestable propio de una disolución que contiene más soluto del correspondiente a la disolución saturada.
SOBRESCRIBIR tr. Escribir un letrero sobre una cosa. • Poner la dirección en la cubierta de las cartas. ■ SOBRESCRITO, TA.
SOBRESDRÚJULO, LA o **SOBREESDRÚJULO, LA** adj. y s. Aplícase a las voces que llevan un acento en la sílaba anterior a la antepenúltima.
SOBRESEER intr. Desistir de la pretensión o empeño que se tenía. • Cesar en el cumplimiento de una obligación. • intr. y tr. *Der*. Cesar en una instrucción sumarial; y p. est., dejar sin curso ulterior un procedimiento. ■ SOBRESEIMIENTO.
SOBRESELLO m. Segundo sello que se pone para dar mayor firmeza, garantía o autoridad. ■ SOBRESELLAR.
SOBRESEMBRAR tr. Sembrar sobre lo ya sembrado.
SOBRESOLAR tr. Poner una suela nueva en los zapatos, sobre las que están ya gastadas. • Poner nuevo pavimento o suelo sobre otro ya existente.
SOBRESTADÍA f. *Cont*. Cada uno de los días que pasan después de las estadías, y cantidad que se paga por tal demora.
SOBRESTANTE m. Capataz de una obra. ■ SOBRESTANTÍA.
SOBRESTIMAR tr. Estimar algo por encima de su valor.
SOBRESUELDO m. Retribución que se añade al sueldo fijo.
SOBRESUELO m. Suelo que se pone sobre otro.
SOBRETARDE f. Momentos antes de anochecer.
SOBRETENDÓN m. Tumor que suele formarse a las caballerías en los tendones flexores de las piernas.
SOBRETODO m. Prenda de vestir que, a modo de gabán ligero, se lleva sobre el traje.
SOBREVENIR intr. Suceder una cosa además o después de otra. • Venir de improviso. • Venir a la sazón, al tiempo de.
SOBREVERTERSE prnl. Verterse con abundancia.
SOBREVESTIR tr. Poner un vestido sobre el que se lleva.
SOBREVIDRIERA f. Alambrera, tela metálica, con que se resguarda una vidriera. • Segunda vidriera que se pone para mayor abrigo.
SOBREVIENTA f. o **SOBREVIENTO** m. Golpe de viento impetuoso. • fig. Furia, ímpetu. • fig. Sobresalto, sorpresa.
SOBREVIRAR intr. Tender el puente trasero de un vehículo automóvil, al tomar una curva, a desplazarse hacia el exterior de dicha curva. ■ SOBREVIRAJE.
SOBREVIVIR intr. Vivir uno más que otro. • fig. Seguir vivo después de un determinado suceso o plazo.
SOBREVOLAR tr. Volar sobre un lugar, ciudad, territorio, etc.
SOBREXCEDER o **SOBREEXCEDER** tr. Exceder, aventajar a otro.
SOBRINAZGO m. Parentesco de sobrino. • Nepotismo.
SOBRINO, NA m. y f. Respecto de una persona, hijo o hija de su hermano o hermana, o de su primo o prima. Los primeros se llaman carnales, y los otros, segundos, terceros, etc.
SOBRIO, BRIA adj. Moderado, especialmente en comer y beber. • Sin excesivos adornos, o sin adorno alguno. • fig. Moderado. ■ SOBRIEDAD.
SOBROS m. pl. *Amér. Centr*. Sobras, lo que queda de comida.
SOCA f. *Amér*. Último retoño de la caña de azúcar. • *Bol*. Brote de la cosecha del arroz. • *Ven*. Renuevo que echa el tabaco después de florecer. • fig. *Amér. Centr*. Borrachera. ■ *Amér. Centr*. SOCADO, DA.
SOCAIRE m. *Mar*. Abrigo que ofrece una cosa en su lado opuesto a aquél de donde sopla el viento. • **Al s.** Al abrigo o amparo de algo.
SOCALAR tr. *Amér*. Socolar, cortar la maleza alrededor de un árbol.
SOCALIÑA f. Ardid o maña con que se saca algo a alguien. ■ SOCALIÑAR.

Hombre ataviado con **sobrecuello** en un retrato de Frans Hals. Museo del Ermitage, San Petersburgo (Rusia)

Socas del arroz

SOCALZAR tr. *Const.* Reforzar los cimientos de un edificio o muro que amenaza ruina.

SOCAPA f. Pretexto que se toma para disfrazar la verdadera intención con que se hace una cosa.

SOCAPAR tr. *Amér.* Encubrir faltas ajenas.

SOCAR tr. *Amér. Centr.* Apretar. • prnl. fig. *Amér. Centr.* Emborracharse.

SOCARRA f. Acción de socarrar. • Socarronería.

SOCARRAR tr. y prnl. Quemar o tostar ligera y superficialmente una cosa.

SOCARRÉN m. Parte del alero del tejado que sobresale de la pared.

SOCARRENA f. Hueco, concavidad. • Hueco entre cada dos maderos de un suelo o un tejado.

SOCARRINA f. fam. Chamusquina, acción y efecto de socarrar.

SOCARRONERÍA f. Habilidad para hacer burla con palabras aparentemente serias o ingenuas. ■ SOCARRÓN, NA.

SOCAVA f. Acción y efecto de socavar. • Alcorque para el riego.

SOCAVAR tr. Excavar por debajo de alguna cosa, dejándola en falso y con riesgo de hundirse. ■ SOCAVACIÓN.

SOCAVÓN m. Cueva que se excava en la ladera de un cerro o monte. • Hoyo que queda en una superficie por hundimiento de una socava. • *Min.* Galería inclinada que parte de la superficie.

SOCAVONERO m. *Chile.* El que beneficia una mina por el procedimiento del socavón.

SOCAZ m. Trozo de cauce que hay debajo del molino o batán hasta la madre del río.

SOCHANTRE m. Director del coro en los oficios divinos

SOCHE m. Especie de ciervo. • Piel de dicho animal y, p. ext., piel sin pelo, de cordero, chivo o venado, curtida.

SOCHI C. de Rusia, a orillas del mar Negro; 310 000 hab. Estación balnearia. Ind. alimentarias.

SOCIABLE adj. Naturalmente inclinado al trato con otras personas. • Que es de trato fácil, o agradable. ■ SOCIABILIDAD.

SOCIAL adj. Relativo a la sociedad o a las clases sociales. • Relativo a una compañía o sociedad, o a los socios o compañeros, aliados o confederados.

SOCIALDEMOCRACIA f. *Pol.* Ideología política que propugna el tránsito del capitalismo al socialismo a través de un proceso de reformas graduales, mediante la vía parlamentaria y la gestión del propio capitalismo. Después de la II Guerra Mundial, la s. reasumió la gestión del capitalismo en los países escandinavos, en Alemania (finales de la década de los 60) y, periódicamente, en Francia y Gran Bretaña. ■ SOCIALDEMÓCRATA.

SOCIALISMO m. *Pol.* Sistema de organización social basado en el principio de la igualdad. ■ SOCIALISTA.

* *Hist.* El s. se articula pralm. a lo largo del s. XIX, a medida que se desarrolla la Revolución Industrial y con las revoluciones sociales del siglo. La disconformidad con las condiciones miserables de la clase trabajadora generó el s. utópico (Saint-Simon, Owen, Fourier). En torno al marco de las revoluciones de 1848 surgió un gran movimiento igualitarista que contó con Blanc, Tristán, Cabet, Blanqui y, especialmente, Proudhon. Fue decisiva la figura de Marx para la consolidación de las ideas socialistas. En torno a la I Internacional se polarizaron las dos grandes versiones: el s. libertario (Bakunin, Fanelli, Malatesta, Kropotkin) y la teoría de Marx, para quien el s. era una etapa intermedia para llegar a la desaparición de las clases y del Estado. En el s. XX surgieron, dentro del marxismo, diversas corrientes: el s. reformista (Kautsky), el leninismo (Lenin, Trotsky), y el consejismo (R. Luxemburg, A. Pannekoek).

Sociedad animal.
De arriba abajo: colmena de abejas; colonia de flamencos enanos; kudus, jirafas, gacelas y cebras compartiendo el lugar en que abrevan

SOCIALIZACIÓN f. Desarrollo de los rasgos individuales según las pautas sociales dominantes. • Proceso de colectivización o nacionalización de las empresas privadas.

SOCIALIZAR tr. Transferir al Est., u otro organismo colectivo, las propiedades, ind., etc., particulares. • Promover las condiciones sociales para que favorezcan el desarrollo integral de las facultades de los seres humanos.

SOCIEDAD f. Reunión mayor o menor de personas, familias, pueblos o naciones. • *Soc.* Agrupación de individuos con el fin de cumplir, mediante la mutua cooperación, todos o algunos de los fines de la vida. • Cada uno de los estados por los que ha pasado la evolución del género humano. • Buena sociedad, vida elegante. • Reunión de gentes para la tertulia, el juego u otras diversiones. • La de comerciantes, hombres de negocios o accionistas de alguna compañía. • **animal.** *Zool.* Agrupación de animales de la misma o de distinta especie. • **anónima.** La que se forma por acciones, con responsabilidad circunscrita al capital que éstas representan. • **comanditaria** o **en comandita.** Aquélla en que hay dos clases de socios: unos con derechos y obligaciones, como en la sociedad colectiva, y otros, llamados comanditarios, que tienen limitados a cierta cuantía su interés y su responsabilidad en los negocios comunes. • **comanditaria por acciones.** Aquélla en que el capital de los socios no colectivos está dividido y representado por acciones. • **conyugal.** La constituida por el marido y la mujer durante el matrimonio, por ministerio de la ley. • **cooperativa.** La que se forma para un objeto de utilidad común de los asociados. • **limitada** o **de responsabilidad limitada.** La que tiene el capital dividido en participaciones sociales, de modo que los socios no responden personalmente de las deudas sociales. • **regular colectiva.** La que se ordena bajo pactos comunes a los socios, y participando todos proporcionalmente de los mismos derechos y obligaciones, con responsabilidad indefinida. • **secreta.** Asociación formada por miembros que mantienen en secreto su afiliación a la misma. ■ SOCIETARIO, RIA.

* *Soc.* El concepto de s. comporta intrínsecamente el de relación, que puede ser cooperativa o forzada. En las *s. de cooperación* sus miembros compartían unos estatus equivalentes en un plano de igualdad social (comunismo primitivo). La aparición de las jerarquías señala la aparición de relaciones sociales forzadas o impuestas (Egipto, Grecia, Roma). En la E. Med., la s. se componía de tres estamentos: clero, nobleza y pueblo llano. Con la Revolución industrial y la caída del Antiguo Régimen, la posición social fundada en el linaje dejó paso a la valoración de la actividad social y la acumulación de bienes. La s. capitalista inaugura la s. de clases. Sus miembros se distinguen por su posición social respecto a la producción y a sus bienes, admitiendo la movilidad social.

* *Zool.* Los tipos de s. animales son muy variados; si están constituidas por animales de distinta especie, reciben el nombre de *consorcios* o *sinecias.* Un tipo de grupo social reducido, monoespecífico, es la familia. Menos elaboradas son aquellas s. en que a la concentración se une una cierta coordinación de movimientos (bandadas de ciertas aves o insectos, que se desplazan para emigrar). Casos complejos se dan en ciertos vertebrados superiores, que forman manadas, con jerarquía, coordinación en las tareas, y un territorio que les es propio (primates). Otros grupos dan lugar a s. de gran complejidad, con una jerarquía que se traduce incluso en diferencias morfológicas entre los miembros (abejas). El caso de máxima integración se da en las colonias, en las que todos los individuos están unidos de manera más o menos permanente por tejido vivo común (madréporas, briozoos). Entre los grandes grupos pluriespecíficos cabe considerar las biocenosis más vastas y las pob. animales que se hallan individualizadas genética y evolutivamente.

SOCIEDAD, *islas de la* Arch. volcánico de la Polinesia fr.; 1 647 km², 142 100 hab. Cap., Papeete. Formada por las islas del Viento, la pral. de las cuales es Tahití, y las de Sotavento. Cocoteros, árbol del pan. Pesca. Colocadas bajo protectorado fr. en el año 1887.

SOCIEDAD de Naciones Organización internacional creada en 1919 para mantener la paz y la cooperación entre los pueblos. Disuelta tras la creación de la Organización de las Naciones Unidas (1946).

SOCINIANISMO m. Herejía de Fausto Socino que negaba la Trinidad y la divinidad de Jesucristo. ■ SOCINIANO, NA.

SOCINO, *Fausto* (1539-1604) Teólogo it. Sobrino y propagador del pensamiento de Lelio. *Catecismo, De auctoritate Sanctae Scripturae, De Iesu Christo Servatore.* • ***Lelio*** (1525-1562) Teólogo protestante

it., cuyo verdadero apellido era *Sozzini*. Sus teorías antitrinitarias le indispusieron con católicos y protestantes.
SOCIO, CIA m. y f. Persona asociada con otra para algún fin. • Individuo de una sociedad o agrupación de individuos. • fig. y fam. Compañero, consorte. • **capitalista.** El que aporta capital a una empresa o compañía. • **industrial.** El que aporta a la compañía o empresa servicios personales.
SOCIOBIOLOGÍA f. Ciencia que estudia las bases biológicas del comportamiento social de los animales y del hombre.
SOCIOLOGÍA f. Ciencia que estudia los fenómenos sociales. ▪ SOCIOLÓGICO, CA; SOCIÓLOGO, GA.
* *Hist.* Comte fue el primero en utilizar el concepto de s., que entendía como ciencia de los hechos humanos, cuyo fin era buscar las leyes que rigen la historia con los métodos de las ciencias naturales. Marx desarrolló una metodología y un aparato conceptual singular, ajeno al empirismo. A principios del s. XX la s. cuenta con dos direcciones opuestas: el positivismo (Weber, Durkheim, Pareto) y el materialismo histórico (Lenin, R. Luxemburgo, Gramsci). Post. en el positivismo surgió el funcionalismo (Parsons, Merton) y el estructuralismo (Levy-Strauss). En el marxismo destacaron Gurvitch, la escuela de Frankfurt y un movimiento surgido tras la rebelión del «mayo francés» de 1968 (Mills, Birnbaum, Horowitz).
SOCIOMETRÍA f. *Soc.* Estudio de la determinación operativa de los conceptos y descripción cuantitativa de relaciones y fenómenos sociales. Su fundador es el psicólogo norteam. Jacob L. Moreno.
SOCIOTERAPIA f. *Psiq.* Terapia de los trastornos mentales a partir de la interacción entre el individuo y su entorno vital.
SOCOLA f. *Amér. Centr.* Acción de socolar un terreno. • *Chile.* Sembrado.
SOCOLAR tr. *Amér.* Desmontar, cortar las matas de un monte.
SOCOLLAR m. Paño que se coloca bajo el collarín de los animales.
SOCOLLONEAR tr. *Amér.* Sacudir violentamente. ▪ *Amér. Centr.* SOCOLLÓN.
SOCOLOR m. Pretexto para disimular el motivo de una acción.
SOCOMPA Volcán andino entre Argentina (prov. de Salta) y Chile (prov. de Antofagasta); 6 041 m.
SOCORO m. Sitio que está debajo del coro.
SOCORRER tr. Ayudar, favorecer en un peligro o necesidad. • Dar a uno a cuenta parte de lo que se le debe, o de lo que ha de devengar.
SOCORRIDO, DA adj. Díc. del que con facilidad socorre la necesidad de otro. • Acondicionado con las cosas útiles para resolver un problema en cualquier momento. • Díc. de los recursos que fácilmente sirven para solucionar una dificultad.
SOCORRISMO m. Organización y adiestramiento para prestar socorro en caso de accidente. ▪ SOCORRISTA.
SOCORRO m. Acción y efecto de socorrer. • Dinero, alimento u otra cosa con que se socorre. • Tropa que acude en auxilio de otra. • *Mil.* Provisión de municiones que se lleva a un cuerpo de tropa o a una plaza que la necesita.
SOCOTORA o **SOCOTRA** Isla de Yemen, sit. en el océano Índico; 3 626 km², 15 000 hab. Cap., Hadibu. Pesca. Dátiles. Incienso. Protectorado brit. hasta 1967.
SÓCRATES (h. 469-399 a. C.) Filósofo gr. Su peculiar modo de filosofar era el diálogo con sus conciudadanos. Estos diálogos constaban de dos partes: en la primera, mediante una serie de preguntas (*ironía*), desarmaba los prejuicios y los falsos razonamientos; en la segunda (*mayéutica*), con el mismo sistema de preguntas, ayudaba al nacimiento de una nueva verdad.
SOCRÁTICO, CA adj. Relativo a Sócrates o a su doctrina. • adj. y s. Díc. del seguidor de la filosofía de Sócrates.
SOCROCIO m. Emplasto en que entra el azafrán. • *Ecuad.* Especie de azucarillo ordinario.
SOCRÓSTICO, CA adj. *Amér. Centr.* Feo, horroroso.
SOCUCHO m. *Amér.* Aposento pequeño.
SODA f. Sosa. • Agua carbónica empleada como bebida (es anglicismo).
SODDY, SIR ***Frederick*** (1877-1956) Físico y químico brit. Descubrió la existencia de los isótopos. Premio Nobel de Química en 1921. • **Ley de S.** *Fís.* Si un cuerpo radiactivo emite partículas, cada núcleo pierde dos cargas positivas y cuatro unidades de masa, por lo que su n. a. disminuye en dos unidades y su p. a. en cuatro, retrocediendo dos lugares en la tabla periódica.
SODEMIA f. *Fisiol.* Concentración de sodio en la sangre. Aumenta (hipersodemia) en cardiopatías, enfermedades infecciosas y embarazo.
SÖDERBLOM, ***Nathan*** (1866-1931) Prelado luterano sueco, arzobispo de Uppsala y primado de Suecia. Premio Nobel de la Paz en 1930.
SODERTALJE C. de Suecia; 79 400 hab. Puerto en el canal del lago Mälar. Centro industrial.
SODI Pallarés, ***Ernesto*** (nacido 1919) Mineralógrafo y polígrafo mex. Autor de trabajos de botánica, química, criminología y arte. *Minerales mexicanos, Fiestas, ferias y tianguis en la República Mexicana.*
SODIO m. *Quím.* Elemento de símb. Na, n. a. 11 y p. a. 22,997. Es un metal alcalino muy difundido en la naturaleza, especialmente bajo forma de cloruro sódico o sal común. Desempeña un papel de gran importancia en el mantenimiento del equilibrio ácido-básico de los líquidos orgánicos, y en el metabolismo del agua en los tejidos y células. ▪ SÓDICO, CA.
SODOMA Ant. c. de Palestina, en el valle del bajo Jordán. Según el relato bíblico, a causa de la corrupción de sus habitantes, provocó la cólera divina y fue destruida, al mismo tiempo que Gomorra, bajo una lluvia de azufre y fuego.
SODOMA, ***Giovanni Antonio Bazzi,*** llamado ***Il*** (1477-1549) Pintor it. Autor de la *La vida de san Benito*, de frescos de la villa Farnesina y de grandes retablos *(Sagrada Familia)*. Influido por Leonardo y Rafael.
SODOMÍA f. Relación homosexual masculina. Se aplica particularmente al coito anal. ▪ SODOMÍTICO, CA.
SODOMITA adj. y s. De Sodoma. • adj. y m. Hombre homosexual.
SOEZ adj. Bajo, grosero, indigno, vil.
SOFÁ m. Asiento mullido con respaldo y brazos para dos o más personas.
SOFÁ-CAMA m. Mueble que sirve indistintamente de sofá y de cama.
SOFALDAR tr. Alzar las faldas. • fig. Levantar cualquier cosa para descubrir lo que encubre. ▪ SOFALDO.
SOFFÍA, ***José Antonio*** (1843-1886) Poeta chil. de la escuela romántica. *Michimalonco, Hojas de otoño, Bolívar y San Martín.*
SOFFICI, ***Mario*** (1900-1977) Actor y director cinematográfico arg. *Viento norte, Prisioneros de la tierra, Rosaura a las diez.*
SOFFIONI (voz it.) m. *Geol.* Fenómeno caracterizado por la emisión de vapor de agua, ácido bórico, anhídrido carbónico, amoniaco y metano, a unos 190 °C de temperatura y 4 atmósferas de presión, típico de zonas volcánicas.
SOFÍ m. Título que se dio a los reyes de la dinastía que gobernó en Persia desde 1502 a 1736. • adj. Sufí, partidario del sufismo.
SOFÍA C. y cap. de Bulgaria, sit. al pie del monte Vitosa; 1 182 900 hab. Ind. de maquinaria, elec-

Sede de la desaparecida **Sociedad de Naciones,** en Ginebra (Suiza)

Sócrates

San Sebastián, óleo de Il **Sodoma.** Palacio Pitti, Florencia (Italia)

Sofía. Catedral de Alejandro Nevski

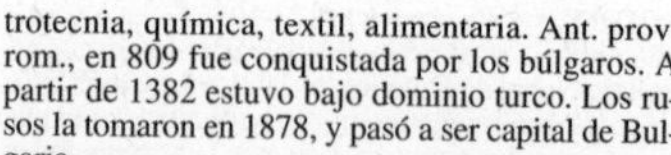

trotecnia, química, textil, alimentaria. Ant. prov. rom., en 809 fue conquistada por los búlgaros. A partir de 1382 estuvo bajo dominio turco. Los rusos la tomaron en 1878, y pasó a ser capital de Bulgaria.

SOFÍA de Grecia (nacida 1938) Reina de España. Hija de Pablo I de Grecia y de la reina Federica. En 1962 casó con Juan Carlos de Borbón, rey de España desde 1975.

Sófocles

SOFIÓN m. Bufido, demostración de enfado. • Especie de escopeta de boca ancha.

SOFISMA m. *Fil.* Silogismo, prueba o refutación aparentes, mediante los cuales se pretende confundir al contrario. Según Aristóteles, los s. se dividen en dos grupos: los que se deben a factores lingüísticos y los que dependen de otras causas.

SOFISMO m. Sufismo, cierta doctrina mahometana.

SOFISTA adj. Que se vale de sofismas. • m. En la Grecia ant., se llamaba así a todo el que se dedicaba a la enseñanza de retórica, gramática y filosofía.

SOFISTERÍA f. Uso de razonamiento sofísticos. • Estos mismos razonamientos.

SOFISTICAR tr. Falsear con sofismas un razonamiento. • Adulterar, falsificar algo en general. • fig. Dar exceso de artificio a una persona o cosa, quitándole naturalidad. ■ SOFISTICACIÓN.

SOFÍSTICO, CA adj. Relativo al sofisma o que incluye sofismas. • Aparente, fingido con sutileza. • f. Movimiento filosófico de Grecia (ss. V-IV a. C.) representado por los sofistas.

SOFITO m. Plano inferior del saliente de una cornisa o de otro cuerpo voladizo.

SOFLAMAR tr. Engañar a alguien con fingimientos o palabras afectadas. • fig. Dar a uno motivo para que se avergüence. • prnl. Tostarse con la llama lo que se asa. ■ SOFLAMA; SOFLAMERO, RA.

SOFOCAR tr. Ahogar, impedir la respiración. • Apagar, oprimir, dominar, extinguir. • fig. Acosar, importunar demasiado a uno. • tr. y prnl. fig. Abochornar, sonrojar. ■ SOFOCACIÓN.

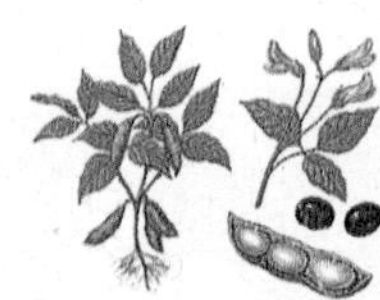

Soja

SOFOCLEO, A adj. Propio y característico de Sófocles, o que tiene semejanza con alguna de las dotes por las que se distinguen sus obras.

SÓFOCLES (496-406 a. C.) Poeta trágico gr. perfeccionó la técnica teatral con la introducción de un tercer actor y dio mayor importancia al decorado y al vestuario. *Electra, Filoctetes, Áyax, Las Traquinias, Edipo en Colona, Edipo rey* y *Antígona* son las únicas tragedias de S. que se conservan. Las figuras de *Edipo* y *Antígona* son las más representativas.

SOFOCO m. Efecto de sofocar o sofocarse. • Sensación de calor que suelen sufrir las mujeres en la época de la menopausia. • fig. Grave disgusto que se da o se recibe.

Puesta de **sol** sobre el mar

SOFOCÓN m. fam. Desazón, disgusto que sofoca.

SOFOMETRÍA f. Técnica de la medición de los ruidos.

SOFÍMETRO m. Aparato que, en telecomunicaciones, mide las tensiones eléctricas que producen ruidos parásitos en las líneas.

SOFONÍAS El noveno de los profetas menores, hijo de Kushí, tal vez descendiente del rey Ezequías. Su ministerio se cumplió durante el reinado de Josías. Es autor del libro hom. del A. T.

SOFOQUINA f. fam. Sofoco, gralte., intenso.

SÓFORA f. Árbol de las papilionáceas, de hojas compuestas y flores amarillas, en panojas colgantes; es originario de Oriente.

SOFREÍR tr. Freír ligeramente una cosa.

SOFRENAR tr. Reprimir el jinete a la caballería tirando violentamente de las riendas. • fig. Reprender con aspereza a uno. • fig. Reprimir una pasión del ánimo. ■ SOFRENADA.

SOFRITO m. Condimento de ciertos guisos, que se hace sofriendo cebolla, tomate u otros ingredientes.

SOFROLOGÍA f. Técnica psicoterapéutica que, valiéndose del hipnotismo, yoga u otros medios, pretende modificar determinados estados de la vida psíquica y vegetativa. ■ SOFRÓLOGO, GA.

SOFTWARE (voz ing.) m. *Comp.* Conjunto de programas que puede ejecutar una computadora. En general, se distingue entre el s. de base, que incluye el sistema operativo, los compiladores y ensambladores y el conjunto de programas y rutinas o subrutinas que hacen posible su funcionamiento, y la programación agregada por el usuario. • **de aplicación.** *Comp.* Conjunto de programas escritos en cualquier lenguaje de programación que sirven para resolver, mediante la computadora, los problemas de una aplicación determinada. • **del sistema.** *Comp.* Conjunto de programas que hacen que la computadora pueda ejecutar un programa escrito por el usuario. • **Ingeniería del s.** *Comp.* Parte de la computación que agrupa los aspectos teóricos, metodológicos y prácticos de la producción de s. en gran escala, así como del estudio cuantitativo y cualitativo de esta producción.

SOGA f. Cuerda gruesa de esparto. • Cuerda, medida de ocho varas y media. • Cierta medida de tierra. • Parte de un sillar o ladrillo que queda descubierta en el paramento de la fábrica. • m. fig. y fam. Hombre socarrón. • *Argent.* Tira de cuero para atar las caballerías. ■ SOGUERÍA; SOGUERO, RA.

SOGDIANA Región histórica del Asia central sov., que formaba parte del ant. imperio persa. Fue conquistada por Alejandro Magno, los seléucidas, el reino de Bactriana, los persas, los musulmanes y los turcos.

SOGDIANO, NA adj. y s. De la Sogdiana.

SOGNEFJORD Fiordo de Noruega, en la costa atlántica, al N de Bergen. Es el mayor del país y uno de los más bellos; 175 km de largo y 5-6 km de anchura.

SOGUEAR tr. *Agr.* Pasar una cuerda tirante por encima de las espigas, a fin de que se desprenda el rocío que las baña. • Atar a una bestia con el ronzal largo para que pueda pastar. • *Cuba.* Amansar. • intr. y prnl. *Col.* Burlarse de uno.

SOGUILLA f. Trenza delgada hecha con el pelo. • Trenza delgada de esparto. • m. Mozo que se dedica a transportar objetos de poco peso en mercados, estaciones, etc.

SOILIH, ***Alí*** (1937-1978) Político de Comores. Elegido presid. (1976), intentó aplicar un programa maoísta. Fue derrocado y asesinado.

SOJA f. Planta herbácea o arbustiva de las papilionáceas, procedente de Asia, cuyas semillas proporcionan un aceite comestible.

SOJO, ***Vicente Emilio*** (1887-1974) Compositor ven. Recopilador de música de la época colonial. Autor de composiciones religiosas. *Misa cromática, Requiem in memoriam patriae.*

SOJUZGAR tr. Dominar, mandar con violencia.

SOL m. *Astr.* Estrella amarilla de la Vía Láctea. • fig. Luz, calor o influjo del Sol. • fig. Tiempo que el Sol emplea en dar aparentemente una vuelta alrededor de la Tierra. • Cualquier estrella que, como el Sol, posee un sistema planetario. • *Fís.* Nombre genérico de las micelas o partículas coloidales en estado disperso. • Cierta variedad de encajes de labor antigua. • Ant. unidad monetaria de Perú. • En alquimia, oro, metal. • *Mús.* Nota musical, la quinta de la escala de *do.* • **ficticio.** Cuerpo hipotético que se supone recorre la eclíptica con movimiento uniforme. • **medio.** Cuerpo hipotético que se supone recorre el ecuador de modo uniforme. • **De s. a s.** m. adv. Desde que nace el Sol hasta que se pone.

* *Astr.* El S. es una estrella pulsante de periodo próximo a 2 h 40 m y velocidad de expansión de 3 m/s. Se calcula que la temperatura superficial aproximada es de unos 6 000 °C; aparece tan luminoso a consecuencia de su proximidad (distancia media de la Tierra al S., 149 600 000 km); su radio está calculado en 696 000 km.; el periodo verdadero de rotación es de 25 días. En los instantes inmediatamente anteriores y posteriores a la fase de totalidad del S. en un eclipse total, se observa una capa de gas relativamente delgada que sobresale de la fotosfera luminosa (atmósfera solar), llamada cromosfera por su coloración característica. Además, cuando la totalidad es completa, aparece la corona solar o capa más externa de la atmósfera del S., menos luminosa que el disco. Se emite la hipótesis de que la fotosfera está compuesta de columnas de gases ascendentes y descendentes a diversas temperaturas; en ella se observan granulaciones, cuya uniformidad es índice de las condiciones relativamente tranquilas de la superficie solar, sometida, sin embargo, a periódicas e intensas perturbaciones. Éstas, suelen aparecer como puntos más oscuros sobre el fondo de la granulación; se denominan poros y pueden aumentar rápidamente en núm. y en tamaño, desarrollándose en forma de manchas o grupos de manchas. La mayoría de los elementos que existen en la Tierra se encuentran también en el S., y todos en estado gaseoso. El más abundante es el hidrógeno, seguido del helio, carbono, nitrógeno, etc. Los satélites artificiales lanzados al espacio interplanetario han probado la existencia de un viento solar que se expande en el espacio y alcanza la Tierra. Así como las radiaciones electromagnéticas de longitudes de onda más cortas, rayos gamma, rayos X y radiaciones ultravioleta llegan a la Tierra con la velocidad de la luz, otras, compuestas de partículas altamente excitadas, viajan por el espacio hasta alcanzar la Tierra con una velocidad variable de 300 a 800 km/s. Estos enjambres de radiaciones están constituidos por gases ionizados (plasma), que la cromosfera y la corona proyectan hacia el espacio.

SOL *Mit.* Dios solar romano, equivalente al Helios griego.

SOL, *Piedra del* Calendario azteca consistente en un disco de lava basáltica de 3,5 m de diámetro, construido en época de Moctezuma II (s. XVI).

SOL naciente, *imperio del* Nombre con el que también se conoce a Japón.

SOLADO, DA adj. y s. Acción y efecto de solar. • m. Revestimiento de un piso con ladrillos, losas u otro material. • f. Paso de un líquido.

SOLANA f. Sitio o paraje donde el sol da de lleno. • Pieza de la casa más expuesta al sol.

SOLANA, *José Gutiérrez* (1885-1945) Pintor y escritor esp. Pintó una temática muy variada *(Las coristas, La murga)* y retratos *(Retrato de Azorín, Autorretrato).* Novelas: *Madrid, escenas y costumbres, La España Negra.* • **Madariaga, *Javier*** (nacido 1942) Político esp. Ministro en dif. gobiernos socialistas entre 1982 y 1995. En 1995 fue nombrado secretario general de la OTAN y en 1999 fue designado representante de Política Exterior y Seguridad Común (PESC) de la Unión Europea.

SOLANÁCEO, A adj. y f. *Bot.* Díc. de plantas de la familia solanáceas. • f. pl. *Bot.* Familia de dicotiledóneas con bayas de muchas semillas provistas de albumen carnoso, como la tomatera, patata y tabaco.

SOLANAS, *Fernando* (nacido 1936) Director cinematográfico arg. *La hora de los hornos, Los hijos de Fierro.*

SOLANERA f. Sol excesivo en algún sitio. • Efecto que produce en una persona el tomar mucho sol. • Paraje expuesto sin resguardo a los rayos solares.

SOLANINA f. Alcaloide esteroide, muy venenoso, contenido en algunas plantas solanáceas.

SOLANO m. Viento que sopla del E.

SOLAPA f. Parte del vestido, correspondiente al pecho, y que suele ir doblada hacia fuera. • fig. Ficción para disimular una cosa. • Prolongación lateral de la sobrecubierta de un libro, que se dobla hacia adentro. • Parte del sobre para cartas que sirve para cerrarlo. • *Vet.* Cavidad que hay en algunas llagas.

SOLAPADO, DA adj. fig. Díc. de la persona que habitualmente oculta sus intenciones, opiniones, etc. • m. En tecnología mecánica, acción y efecto de solapar dos o más piezas.

SOLAPAMIENTO m. *Biol.* Situación en la que una rama de una dicotomía crece más que la otra. • *Biol.* Fenómeno por el cual un mismo segmento de ADN puede codificar varios polipéptidos. • *Vet.* Solapa.

La murga, óleo de José Gutiérrez **Solana.** Colección Rivière, Barcelona (España)

SOLAPAR tr. Poner solapas a los vestidos. • Cubrir en parte una cosa a otra. • fig. Ocultar maliciosa y cautelosamente la verdad o la intención. • intr. Caer cierta parte del cuerpo de un vestido doblada sobre otra para adorno o mayor abrigo.

SOLAPEAR tr. *Col.* Sacudir a uno asiéndolo de la solapa.

SOLAPO m. Parte de una cosa que queda cubierta por otra, como las tejas del tejado. • fig. y fam. Sopapo, golpe.

SOLAR adj. Relativo al Sol. • m. Casa, descendencia, linaje noble. • Porción de terreno donde se ha edificado o que se destina a edificar en él. • *Amér. Centr.* Traspatio. • tr. Revestir el suelo de ladrillos, losas, etc. • Echar suelas al calzado. ■ SOLADOR, RA; SOLADURA.

SOLAR, *Alberto del* (1860-1920) Escritor chil. Cultivó la poesía, la novela indigenista y el ensayo. *Huincahual, El océano, El doctor Morris.*

SOLARES, *Enrique* (nacido 1910) Compositor guat. Su obra, instrumental y vocal, se inscribe en un estilo neoclásico. *Suite miniatura, Sonatina* para piano, *Partita* para orquesta de cuerda, *Te Deum.*

SOLARIEGO, GA adj. y s. Relativo al solar de antigüedad y nobleza. • En la E. Med. decíase del hombre libre que cultivaba las tierras de un señor. • adj. Aplícase a los fondos que pertenecen con pleno derecho a sus dueños. • Antiguo y noble.

Flores de petunia, planta de la familia **solanáceas**

SOLARIO, *Andrea* (hacia 1470-1520) Pintor it., de la escuela lombarda. En un principio trabajó en Venecia junto con su hermano **Cristóforo** (1460-1527), arquitecto y escultor. Recibió influencias de la pintura flamenca. *La Virgen del cojín verde.*

SOLÁS, *Humberto* (nacido 1942) Director cinematográfico cub. *Manuela, Lucía, Un día de noviembre, Cecilia.*

SOLAZ m. Descanso o recreo del cuerpo o del espíritu. • **A s.** m. adv. Con gusto y placer.

SOLAZAR tr. y prnl. o **SOLACEAR** tr. Dar solaz.

SOLAZO m. fam. Sol fuerte y ardiente.

SOLDADA f. Sueldo, salario o estipendio. • Haber del soldado.

SOLDADESCA f. Ejercicio y profesión de soldado. • Conjunto de soldados. • Tropa indisciplinada que comete desmanes.

SOLDADO m. El que sirve en la milicia. • Militar sin graduación. • fig. Defensor de alguna cosa, idea, etc. • **voluntario.** Soldado que se alista voluntariamente para el servicio en un arma o cuerpo.

SOLDADOR m. El que tiene por oficio soldar. • Instrumento con que se suelda.

SOLDADURA f. *Metal.* Acción y efecto de soldar. La s. puede ser de forja, de aleación, autógena al soplete, eléctrica y por aluminotermia. • Material

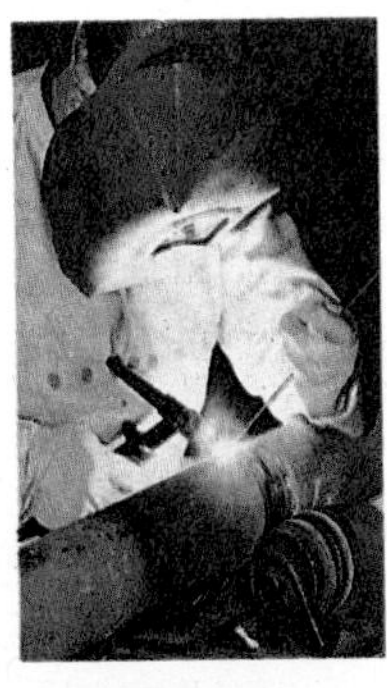

Soldadura al soplete de una conducción

que sirve para soldar. • Reparación o corrección de una cosa. • **a tope.** *Metal.* S. por resistencia para unir cables, varillas, etc. Los extremos a soldar se ponen en contacto sin presión, y se cierra el circuito; al calentarse, se sueldan a presión. • **al arco.** *Metal.* S. eléctrica con corriente continua en la que el electrodo se une al polo positivo de la máquina de soldar y las piezas a soldar al negativo. Al poner en contacto el electrodo y las piezas y luego apartar éste ligeramente, se ioniza el aire y se ceba el arco, que funde varilla y piezas. • **amarilla** o **dura.** *Metal.* S. de aleación de mayor resistencia que las blandas, con latón. • **autógena al soplete.** *Metal.* Aquélla en la que la unión se consigue por la fusión del material de las piezas mediante calentamiento con un soplete oxiacetilénico u oxhídrico. • **blanda.** *Metal.* S. de aleación a temperaturas relativamente bajas, empleando como instrumentos el soldador y la lámpara de soldar. • **continua.** *Metal.* S. por resistencia, que se utiliza cuando las superficies por unir deben dar s. estancas. • **de aleación.** *Metal.* Aquélla en que la unión se consigue interponiendo un tercer elemento entre los dos a soldar, sin que éstos lleguen a fundirse. • **de forja.** *Metal.* Aquélla en que la unión se consigue por reblandecimiento y compresión a alta temperatura (en fraguas y hornos). • **de plásticos.** *Tecnol.* Empleo del calor para unir películas o planchas de materiales termoplásticos. • **eléctrica.** *Metal.* La que emplea corriente eléctrica. • **por puntos.** *Metal.* S. por resistencia, para chapas que no deben dar uniones estancas. Las superficies se solapan y se colocan entre dos electrodos de cobre con punta de tungsteno, para evitar el desgaste. • **por resistenca.** *Metal.* La que se emplea para soldar chapas delgadas sin metal de aportación, con corriente alterna y por el efecto Joule.

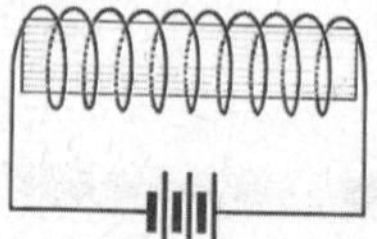

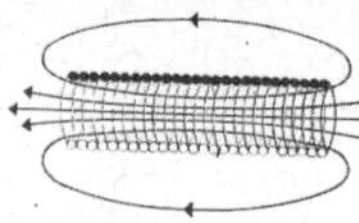

Dibujo de un **solenoide** (arriba) y de las líneas del campo magnético que crea (abajo)

Solimán II el Magnífico, según una miniatura turca del final de su reinado

SOLDÁN m. Sultán, especialmente los soberanos musulmanes de Persia y Egipto.

SOLDAR tr. Pegar sólidamente dos cosas, de ordinario con alguna sustancia igual o semejante a ellas. • fig. Enmendar y disculpar un desacierto con acciones o palabras.

SOLDEVILA, ***Ferran*** (1894-1971) Historiador esp. Especializado en la historia medieval catalana. *Història de Catalunya, Historia de España, Pedro el Grande, Los primeros tiempos del reinado de Jaime I.*

SOLDI, ***Raúl*** (1905-1994) Pintor arg., uno de los más importantes artistas contemporáneos de su país. Estudió en Milán. Decoró la cúpula del Teatro Colón de Buenos Aires, en 1966.

SOLEAR tr. y prnl. Tener expuesta al sol una cosa por algún tiempo.

SOLECISMO m. Falta de sintaxis, error cometido contra la exactitud o pureza de un idioma.

SOLEDAD f. Carencia voluntaria o involuntaria de compañía. • Lugar desierto, o tierra no habitada. • Pesar y melancolía que se sienten por la ausencia, muerte o pérdida de alguna persona o cosa. • Tonada andaluza de carácter melancólico, en compás de tres por ocho. • Copla que se canta con esta música. • Danza que se baila con ella.

SOLEDAD C. del N de Colombia, en el dpto. del Atlántico; 79 000 hab. Sit. junto al r. Magdalena, en el á. metr. de Barranquilla. Centro comercial y manufacturero. Aeropuerto.

SOLEJAR m. Solana, lugar expuesto al sol.

SOLEMNE adj. Díc. de los actos, fiestas, etc., que se celebran públicamente con gran pompa o esplendor. • Celebrado o hecho públicamente con pompa o ceremonias extraordinarias. • Formal, grave, firme, válido, acompañado de circunstancias importantes o de todos los requisitos necesarios. • Crítico, interesante, de mucha entidad. • Grave, majestuoso, imponente. • Encarece en sentido peyorativo la significación de algunos nombres.

SOLEMNIDAD f. Calidad de solemne. • Acto o ceremonia solemne. • Cada una de las formalidades que hacen solemne un acto. • *Der.* Conjunto de requisitos legales para la validez de ciertos instrumentos que la ley denomina públicos y solemnes.

SOLEMNIZAR tr. Celebrar de manera solemne un suceso. • Engrandecer, autorizar, aplaudir o encarecer una cosa.

SOLENOIDE m. *El.* Circuito formado por un conductor arrollado en hélice y cuyo extremo vuelve hacia atrás en línea recta paralela al eje de la hélice.

SOLENTINAME, ***islas*** Arch. de Nicaragua, en el lago Nicaragua. Formado por cuatro islas y unos 30 islotes.

SÓLEO m. *Anat.* Músculo de la pantorrilla unido a los músculos gemelos por su parte inferior para formar el tendón de Aquiles.

SOLER m. *Mar.* Entablado que tienen las embarcaciones en lo bajo del plan. • intr. Acostumbrar, hacer ordinariamente u ocurrir con frecuencia.

SOLER, ***Antonio*** (1729-1783) Compositor esp. Autor de sonatas para clave, conciertos para dos órganos y quintetos para órgano y cuerda. • ***Bartolomé*** (1894-1975) Novelista esp., de estilo costumbrista. *Marcos Villarí, Karú-Kinká, Patapalo, Los muertos no se cuentan.* • ***Miguel Estanislao*** (1783-1849) Militar arg. Participó en la revolución de Mayo. Jefe de las fuerzas que libraron la batalla de Cerrito. Gobernador de la prov. Oriental. Estuvo al mando del ejército de la cap. de Chile. Gobernador de la prov. de Buenos Aires (1820). Luchó en la guerra contra Paraguay.

SOLERA f. Madero horizontal sobre el que descansan o se ensamblan otros. • Madero de sierra de dimensiones varias según las regiones. • Piedra plana para sostener pies derechos. • Muela del molino que está fija debajo de la volandera. • Suelo del horno. • Superficie del fondo en canales y acequias. • Parte inferior de una galería de mina. • Terreno que está debajo de una galería. • Madre o lía del vino. • fig. Cualidad o cualidades de una persona, colectividad o cosa, gralte. recibidas por tradición, que le dan un carácter peculiar. • *Chile.* Encintado de las aceras. • *Méx.* Baldosa, ladrillo. • *R. de la Plata.* Vestido de mujer ligero y escotado.

SOLERCIA f. Habilidad, astucia, sagacidad.

SOLERÍA f. Material para solar. • Solado, revestimiento del piso. • Conjunto de cueros para hacer suelas.

SOLERTE adj. Sagaz, astuto.

SOLETA f. Pieza de tela con que se remienda la planta del pie de la media o del calcetín. • fam. Mujer descarada. • *Amér.* Sandalia rústica de cuero, usada por los campesinos.

SOLETAR o **SOLETEAR** tr. Echar soletas en las medias. ■ SOLETERO, RA.

SOLEVANTAR tr. y prnl. Levantar una cosa empujando de abajo arriba. • fig. Soliviantar. ■ SOLEVANTADO, DA; SOLEVANTAMIENTO.

SOLEVAR tr. y prnl. Sublevar. • tr. Levantar una cosa empujando de abajo arriba. ■ SOLEVACIÓN.

SOLFA f. Arte de solfear. • Conjunto o sistema de signos con que se escribe la música. • fig. Melodía y armonía musicales, o la combinación de ambas. • fig. y fam. Zurra de golpes.

SOLFATARA f. *Geol.* Grieta, en los terrenos volcánicos, por donde salen gases sulfurados y vapor de agua. • Emanación desprendida por tales grietas. • Terreno donde existen estas grietas y se producen dichas emanaciones.

SOLFEAR tr. Cantar una composición o ejercicio musical marcando el compás y pronunciando los nombres de las notas. • fig. y fam. Castigar a uno dándole golpes, zurrarle. • fig. y fam. Reprender de palabra o censurar algo insistentemente. ■ SOLFEO; SOLFISTA.

SOLFERINO, NA adj. De color morado rojizo.

SOLICITAR tr. Pedir o procurar obtener algo que se pretende, haciendo las diligencias necesarias. • Hacer diligencias o gestionar los asuntos propios o ajenos. • Requerir o procurar con insistencia los amores de una persona. • *Fís.* Atraer una o más fuerzas a un cuerpo, cada cual en su sentido. ■ SOLICITACIÓN, SOLICITADOR, RA.

SOLICITATIVO, VA adj. *Zool.* Díc. del tipo de conducta animal, exhibida por las crías de algunos vertebrados, que estimula en los padres el suministro de alimento, cuidados, limpieza, etc.

SOLIDARIDAD f. Modo de derecho u obligación adquiridos solidariamente. • Adhesión circunstancial a la causa o a la empresa de otros.

SOLIDARIDAD (*Solidarnosc*) Nombre del movimiento sindical surgido en Polonia en la huelga general de 1980. Dirigido por L. Walesa. Reconocido por el gobierno en 1981, fue post. ilegalizado.

SOLIDARIO, RIA adj. Aplícase a las obligaciones contraídas en común y a las personas que las contraen. • Adherido o asociado a la causa, empresa u opinión de otro. • *Mec. apl.* Díc. de la pieza rígidamente unida a otra.

SOLIDARIZAR tr. y prnl. Hacer a una persona o cosa solidaria con otra.

SOLIDEO m. Casquete que usan ciertos eclesiásticos para cubrirse la corona.

SOLIDEZ f. Calidad de sólido. • Volumen de un cuerpo.

SOLIDIFICACIÓN f. *Fís.* Paso de un cuerpo, por enfriamiento, del estado líquido al sólido.

SOLIDIFICAR tr. y prnl. Hacer sólido un cuerpo que no lo era.

SÓLIDO, DA adj. Firme, macizo, denso y fuerte. • fig. Asentado, establecido con razones fundamentales y verdaderas. ■ m. *Mat.* Porción del espacio limitado por superficies. • *Fís.* Cuerpo de forma y volumen constante y que presenta resistencia a la separación, pues la cohesión es mayor que la repulsión. • Ant. moneda rom.

SOLIHULL C. de Gran Bretaña, en Inglaterra; 111 500 hab. Centro industrial.

SOLILOQUIO m. Monólogo o discurso de una persona que no dirige a otra la palabra. • Lo que habla de este modo un personaje de obra teatral. ■ SOLILOQUIAL.

SOLIMÁN I Celebi (m. 1411) Sultán turco [1403-1411], hijo de Bayaceto I. Se enfrentó contra sus hermanos Mehmet y Musa. Murió en batalla contra este último. • **II el Magnífico** (1495-1566) Sultán otomano [1520-1566]. Se alió con Francisco I de Francia contra Carlos V. Se apoderó de Rodas, de gran parte de la costa afr., de Azerbaiján, Tabriz y Bagdad.

SOLIMÕES Nombre que recibe el r. Amazonas desde la frontera peruanobrasileña hasta Manaus.

SOLINGEN C. de Alemania, en el est. de Renania Septentrional-Westfalia; 158 400 hab. Cuchillería, material quirúrgico, baterías de cocina, maquinaria.

SOLIO m. Trono, silla real con dosel.

SOLÍPEDO adj. y m. *Zool.* Díc. del mamífero ungulado perisodáctilo, cuyas extremidades terminan en un solo dedo.

SOLIPSISMO m. *Fil.* Teoría que considera el propio yo, en el orden gnoseológico, como única realidad objetiva.

SOLÍS, ***Antonio de*** (1610-1686) Dramaturgo e historiador esp. *Historia de la conquista de México.* • ***Juan Díaz de*** → Díaz Solís. • **Folch de Cardona, *José*** (1716-1770) Militar y administrador esp. Virrey de Nueva Granada (1753-1761). Realizó el primer censo. • **Quiroga, *Roberto*** (1898-1967) Médico mex. Especialista en neuropsiquiatría infantil. Utilizó nuevas terapias para la mejora de los retrasos mentales.

SOLISTA com. *Mús.* Persona que ejecuta un solo de una pieza vocal o instrumental.

SOLITARIO, RIA adj. Desamparado, desierto. • adj. y s. Solo, sin compañía. • Retirado, que ama la soledad o vive en ella. • m. Diamante grueso que se engasta solo en una joya. • Juego, especialmente de naipes, que ejecuta una sola persona. • Ermitaño, crustáceo. • f. Silla de posta capaz para una sola persona. • *Zool.* Tenia, gusano intestinal.

SÓLITO, TA adj. Acostumbrado, que se suele hacer ordinariamente.

SOLITÓN m. *Fís.* Onda que, al propagarse, no se extiende ni se dispersa, de modo que conserva indefinidamente su forma y su tamaño.

SOLIVIANTAR tr. y prnl. Inducir a una persona a que tome una actitud rebelde u hostil. ■ SOLIVIANTADO, DA.

SOLIVIAR tr. Ayudar a levantar una cosa por debajo. • *Argent.* Hurtar. • prnl. Alzarse un poco el que está sentado o echado sin acabarse de levantar. ■ SOLIVIADURA; SOLIVIO.

SOLIVIÓN m. Esfuerzo de tracción para sacar una cosa oprimida por otra que tiene encima.

SOLJENITSIN, ***Aleksandr I.*** (nacido 1918) Escritor ruso. En sus novelas ha denunciado la situación en la desaparecida URSS. Premio Nobel de Literatura en 1970. La publicación en occidente de *El archipiélago Gulag* le llevó al exilio, que concluyó en 1994. *Un día en la vida de Iván Denisovich, Por el bien de la causa, Pabellón de cancerosos.*

Aleksandr I. **Soljenitsin**

SOLLA f. Pez parecido al lenguado.

SOLLADO m. *Mar.* Una de las cubiertas inferiores del buque.

SOLLAMAR tr. y prnl. Socarrar una cosa con la llama.

SOLLASTRE m. Pinche de cocina. • fig. Pícaro redomado.

SOLLERS, ***Philippe*** (nacido 1936) Escritor fr. Novelas experimentales. *Drama, Números, El paraíso, Mujeres.*

SOLLO m. Esturión, pez.

SOLLOZAR intr. Llorar entrecortadamente, con contracciones espasmódicas del diafragma, con emisiones bruscas del aire contenido en el pecho. ■ SOLLOZO.

SÓLO adv. modo. Sin otra cosa, de modo único.

SOLO, LA adj. Único en su especie. • Que está sin otra cosa o que se mira separado de ella. • Dicho de personas, sin compañía. • Que no tiene quien le ampare, socorra o consuele. • m. Paso de danza que se ejecuta sin pareja. • Solitario, juego que ejecuta una sola persona. • *Mús.* Composición que canta o toca una persona sola. • **A solas.** m. adv. Sin ayuda ni compañía de otro.

Solla

SOLOD o **SOLOTH** m. *Geol.* Suelo alcalino degradado que constituye la última fase de la evolución del → solonet, que conduce a una acusada acidificación de los horizontes superiores.

SOLOLÁ Dpto. de Guatemala; 1 061 km^2, 222 094 hab. Cap., la c. hom. Territorio montañoso perteneciente al Eje volcánico guatemalteco-salvadoreño; al S se halla el lago Atitlán. Los prales. ríos, tributarios del Pacífico, son el Nahualate y el Madre Vieja. Clima tropical. Maíz, trigo, hortalizas, café, cacao, caña de azúcar. Ganadería vacuna. Pesca. Turismo en el lago. Ind. textil. • C. y cap. del dpto. hom., sit. en las cercanías del lago Atitlán; 7 573 hab. Centro agropecuario. Ind. textil.

SOLOLATECO, CA adj. y s. De Sololá, en Guatemala.

Sololá. Vista del lago Atitlán

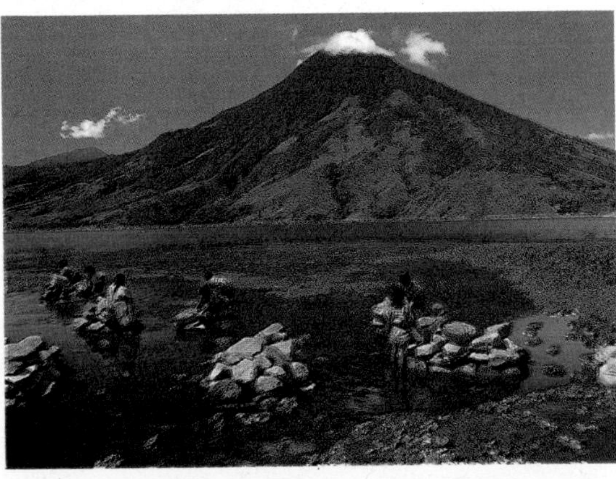

Busto de **Solón**

SOLOMILLO m. En los animales de matadero, capa muscular que se extiende por entre las costillas y el lomo.
SOLÓN (h. 640-h. 558 a. C.). Político ateniense. Nombrado arconte en 594 a. C. Dictó leyes para limitar el poder de la aristocracia y repartir equitativamente su participación en los esfuerzos de la guerra.
SOLONET o **SOLONETZ** m. *Geol.* Cualquier suelo alcalino y oscuro que se forma por lixiviación del → solontchak. El horizonte superior se halla parcialmente decolorado, limoso y mal estructurado.
SOLONTCHAK m. Cualquier suelo salino y pálido, típico de ciertas regiones semiáridas pobremente drenadas. Se distingue el s. cálcico y el s. sódico.
SOLÓRZANO, ***Carlos*** (1860-1936) Político nic., conservador. Elegido presid. en 1924, fue depuesto en 1926 por Chamorro. • ***Juan de*** (1575-1655) Administrador y jurista esp. Desde la audiencia de Lima, la fiscalía del Consejo de Indias y el Consejo de Castilla, humanizó las leyes reguladoras del trabajo indígena.
SOLOVIEV, ***Vladimir*** (1853-1900) Filósofo y novelista ruso. Sus *Tres diálogos* ejercieron gran influencia en los poetas simbolistas. *Principios filosóficos del conocimiento integral, El panmongolismo.*
SOLSTICIO m. *Astr.* Cada uno de los instantes en que el Sol alcanza los dos puntos de la eclíptica más alejados del ecuador. El s. de verano, en el hemisferio boreal, el 22 de junio; el s. de invierno, en el austral, el 22 de diciembre. ■ SOLSTICIAL.

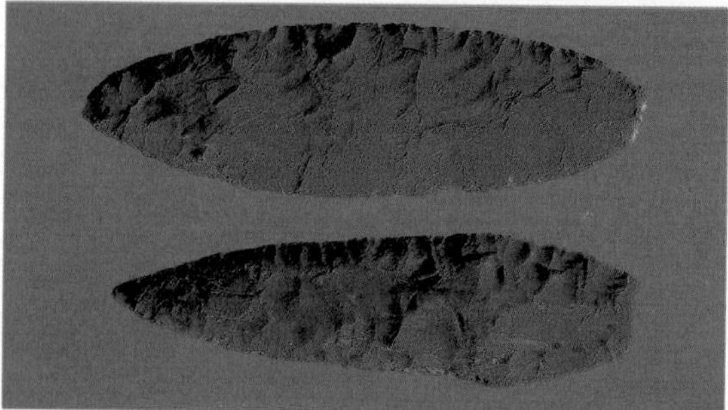
Puñales de sílex del periodo **solutrense**

SOLTANÍ m. Ant. moneda turca de oro fino.
SOLTAR tr. Desatar, desprender, dejar suelta una cosa. • Dejar salir involuntariamente una exp. o manifestación anímica, como risa, llanto, etc. • Explicar, descifrar, dar solución. • fam. Decir con violencia o franqueza algo que se sentía contenido o que debía callarse. • tr. y prnl. Dejar ir o dar libertad al que estaba detenido o preso. • Desasir lo que estaba sujeto. • Dar salida a lo que estaba detenido o confinado. • Con relación al vientre, hacerle evacuar con frecuencia. • prnl. fig. Adquirir agilidad y desenvoltura en la ejecución de algo. • fig. Empezar a hacer algunas cosas. ■ SOLTADIZO, ZA.
SOLTERO, RA adj. y s. Que no está casado, célibe. • adj. Suelto o libre. ■ SOLTERÍA.
SOLTERÓN, NA adj. y s. Soltero ya entrado en años.
SOLTURA f. Acción y efecto de soltar. • Agilidad, prontitud, facilidad con que se ejecuta una cosa. • fig. Disolución, libertad o desgarro. • fig. Facilidad y lucidez de dicción. • *Der.* Libertad acordada por el juez para un preso.
SOLUBILIDAD f. Cualidad de soluble. • *Fís.* Coeficiente de s., es decir, núm. de g de soluto que se requieren para saturar 100 g de disolvente.
SOLUBLE adj. Que se puede disolver o desleír. • fig. Que se puede resolver.
SOLUCIÓN f. Acción y efecto de disolver. • Acción y efecto de resolver una duda o dificultad. • Explicación que se da a una duda o razón que aclara la dificultad de un argumento. • En el drama y poema épico, desenlace. • Paga, satisfacción. • Desenlace o término de un proceso, negocio, etc. • Líquido en que se halla disuelta cualquier sustancia. • *Mat.* Cada una de las cantidades que satisfacen las condiciones de un problema o de una ecuación. • **de continuidad.** Interrupción o falta de continuidad.
SOLUCIONAR tr. Resolver un asunto, hallar solución o término a un negocio.
SOLUTIVO, VA adj. y m. Díc. del medicamento que laxa.
SOLUTO m. *Fís.* En una solución, el cuerpo disuelto.
SOLUTRENSE adj. y s. Díc. del periodo del paleolítico superior, entre el auriñaciense y el magdaleniense. Recibe su nombre de la localidad fr. de Solutré.
SOLVATACIÓN f. *Fís.* y *Quím.* Fenómeno por el cual los iones o moléculas de un soluto se hallan circundados de un modo estable por moléculas de disolvente.
SOLVAY, ***Ernest*** (1838-1922) Industrial belga a quien se debe un método para la obtención del carbonato sódico.
SOLVENCIA f. Acción y efecto de solver o resolver. • Carencia de deudas. • Capacidad de satisfacerlas.
SOLVENTAR tr. Arreglar cuentas, pagando la deuda a que se refieren. • Dar solución a un asunto difícil. ■ SOLVENTE.
SOLVER tr. desus. Resolver.
SOMA m. Parte del cuerpo constituida por la materia, para diferenciarla de la parte inmaterial o psíquica. • Conjunto de las células somáticas o no reproductoras de un organismo. • En la religión védica, sacrificio ritual celebrado con la bebida obtenida de la planta hom. • f. Harina gruesa.
SOMALÍ adj. y s. De Somalia. • Díc. del individuo perteneciente a un pueblo cuscítico que habita en Somalia y regiones vecinas. • adj. Relativo a este pueblo, o a Somalia.
SOMALIA *(Jardnhuuriyadda Soomaaliya)* Est. del África oriental, bañado por el golfo de Adén y el océano Índico y limítrofe con Djibuti, Etiopía y Kenia. Excepto la llanura costera de Guban, el N del país es montañoso y pertenece al dominio de los montes Ogo; hacia el interior predominan las mesetas. El S es llano y la costa baja y rectilínea. Ríos Shibeli y Yuba. Clima cálido. Vegetación de especies esteparias y bosques. Entre las producciones de subsistencia destacan el mijo, el sorgo, el maíz y la mandioca. La mayor parte de la tierra se dedica a los cultivos de exportación: plátanos y caña de azúcar. Caprinos, ovinos, camélidos y bovinos. Hierro (Alto Yuba) y yeso. Salinas. Ind. de transformación de productos agropecuarios (azúcar, conservas de carne, jabón, aceite, calzado, curtidos). República. Etnias: somalíes, minorías árabe y bantú. Lenguas: somalí (of.), ár., italiano e ing. *Rel.*: islámica. U. M.: chelín somalí. Cap.: Mogadiscio.

* *Hist.* Hasta sus tierras llegaron egipcios, gr. y ár. (s. VII). Los somalíes del N crearon un Est. propio. La colonización brit. se inició en 1884. Italia adquirió a Gran Bretaña la Trans-Yuba (1924) y ocupó la S. brit. (1940). Ambas zonas llegaron a la indep. en 1960. En 1969 un golpe de est. dio el po-

Somalia. Mercado en Genale

SOMALIA

Superficie 637 657 km²

Población 6 870 000 hab. (11 hab./km²)

Recursos económicos

Azúcar	20 000 t
Bananas	45 000 t
Cabaña bovina	5 200 000 cabezas
Cabaña caprina	12 500 000 cabezas
Cabaña ovina	13 500 000 cabezas
Camellos	6 200 000 cabezas
Dátiles	10 000 t
Energía eléctrica	259 000 000 kwh
Maíz	146 000 t
Mandioca	40 000 t
Pesca	16 300 t
Riqueza forestal	8 634 000 m³
Sal	1 000 t
Sésamo	25 000 t
Sorgo	136 000 t

Indicadores sociológicos

PNB	4 582 millones de dólares
Renta per cápita	500 dólares
Esperanza de vida	49 años
Alfabetismo	24 %

der al consejo supremo revolucionario de S., presidido por el gral. Siyad Barreh. La reivindicación de Ogaden provocó una guerra con Etiopía, terminada en derrota (1978). Siyad Barreh fue derrocado en 1991. En 1991 estalló una guerra civil que, con la sequía, ocasionó miles de muertos. Reunidos en El Cairo en 1997, la mayoría de clanes de la guerrilla acordaron la formación de un parlamento y de un nuevo gobierno. Sin embargo se mantuvieron los enfrentamientos en ciertas regiones del país.

SOMALIA FRANCESA Ant. nombre de la República de → Djibuti.

SOMANTA f. fam. Tunda, zurra.

SOMARE, *Michael Thomas* (nacido 1936) Político de Papua-Nueva Guinea. Primer ministro (1975-1980; 1982-1985).

SOMATAR tr. *Amér. Centr.* Dar una tunda, zurrar. • prnl. *Amér. Centr.* Caerse, dañarse gravemente.

SOMATÉN (cat., *Sometent*) m. En Cataluña, milicia que se reunía para perseguir a los criminales o defenderse del enemigo. Disuelto en 1978. ■ SOMATENISTA.

SOMÁTICO, CA adj. Relativo al soma. • *Med.* Se aplica al síntoma cuya naturaleza es eminentemente corpórea. • *Biol.* Se aplica a las células diploides de los organismos.

SOMATIZAR tr. *Psic.* Provocar un conflicto psíquico una afección orgánica o somática.

SOMATOLOGÍA f. Tratado sobre la estructura y funcionamiento fisiológico del cuerpo humano.

SOMATOSTATINA f. *Fisiol.* Polipéptido que inhibe el factor de desencadenamiento de la hormona hipofisaria del crecimiento.

SOMATOTROPINA f. *Fisiol.* Hormona del crecimiento originada en la adenohipófisis.

SOMBART, *Werner* (1863-1941) Economista al. Combatió el positivismo en economía. *El capitalismo moderno, El socialismo proletario.*

SOMBRA f. Oscuridad, falta de luz. Se usa más en pl. • Proyección oscura que un cuerpo lanza en el espacio, en dirección opuesta a aquella por donde viene la luz. • Imagen oscura que sobre una superficie cualquiera proyecta el contorno de un cuerpo opaco, interceptando los rayos directos de la luz. • Lugar, zona o región a la que no llegan las imágenes, sonidos o señales transmitidos por una emisora. • Espectro o aparición vaga y fantástica de la imagen de una persona ausente o difunta. • fig. Oscuridad, ignorancia. • fig. Asilo, favor. • fig. Apariencia o semejanza de una cosa. • fig. Mácula, defecto. • fig. y fam. Persona que sigue a otra por todas partes. • fam. Suerte, fortuna. • fam. Gracia, donaire. • *Amér. Merid.* Falsilla. • *Chile.* Sombrilla, quitasol. • **Sombras chinescas.** Espectáculo que consiste en unas figurillas que se mueven detrás de una cortina blanca, iluminadas por la parte opuesta a los espectadores. • **A la s.** loc. adv. fig. y fam. En la cárcel. • **Hacer s.** Impedir la luz. • fig. Impedir uno a otro prosperar o lucir. • fig. Favorecer y amparar uno a otro para que sea atendido y respetado. • **Ni por s.** m. adv. fig. De ningún modo. • **Sin s.** o **como sin s.** m. adv. Triste y desasosegado por la falta de algo habitual. • **Tener** uno **mala s.** fig. Ejercer mala influencia sobre los que le rodean. • fig. y fam. Ser desagradable y antipático.

SOMBRAJE m. Sombrajo, resguardo que hace sombra.

SOMBRAJO m. Resguardo de ramas, mimbres, esteras, etc., para hacer sombra. • fam. Sombra que hace uno poniéndose delante de la luz y moviéndose de modo que estorbe al que la necesita. Se usa más en pl.

SOMBRAR tr. Hacer sombra una cosa a otra.

SOMBREAR tr. Dar o producir sombra. • Poner sombra en una pintura o dibujo. ■ SOMBREADO, DA.

SOMBRERADA f. Lo que cabe en un sombrero.

SOMBRERAZO m. Golpe dado con el sombrero. • fam. Saludo muy ostensible, hecho quitándose el sombrero.

SOMBRERERÍA f. Oficio de hacer sombreros. • Taller donde se hacen. • Tienda donde se venden.

SOMBRERERO, RA s. Que hace sombreros o los vende. • f. Caja para guardar el sombrero. • *Bot.* Planta de la familia compuestas.

SOMBRERETE m. Caperuza de una chimenea. • Cualquier cosa que tenga la forma o función parecida a la del sombrero. • Sombrerillo de los hongos.

SOMBRERILLO m. Cestillo o capachillo que los presos colgaban de la reja del calabozo para recoger las limosnas de los transeúntes. • *Bot.* Píleo de los hongos agaricáceos y de otros de forma parecida. • *Bot.* Ombligo de Venus, planta crasulácea.

Mapa de situación y bandera de **Somalia**

Taller de **sombrerería** en un grabado del s. XIX

SOMBRERO m. Prenda de vestir, que sirve para cubrir la cabeza y consta gralte. de copa y ala. • Techo que cubre el púlpito. • *Bot.* Sombrerillo de los hongos. • **apuntado.** El de ala grande, recogida por ambos lados y sujeta con una puntada por encima de la copa. • **calañés.** El de ala vuelta hacia arriba y copa comúnmente baja en forma de cono truncado. • **castoreño.** El fabricado con el pelo del castor u otra materia parecida. • **chambergo** o **a lo chambergo.** El de copa más o menos acampanada y de ala ancha levantada por un lado. • **cordobés.** El de fieltro, de ala ancha y plana, con copa baja cilíndrica. • **de canal.** El que tiene levantadas y abarquilladas las dos mitades laterales de su ala en forma de teja. • **de candil** o **de tres candiles.** Sombrero de tres picos. • **de catite.** El calañés con copa alta. • **de copa** o **de copa alta.** El de ala estrecha y copa alta, casi cilíndrica y plana por encima, gralte. forrado de felpa de seda negra. • **de jipijapa.** El de ala ancha tejido con paja muy fina. • **de tres picos.** El que está armado en forma de triángulo. • El que, teniendo levantada y abarquillada el ala por terce-

Sombrillas de playa

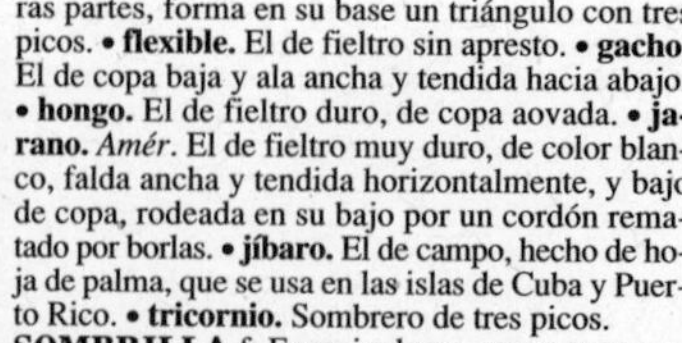

ras partes, forma en su base un triángulo con tres picos. • **flexible.** El de fieltro sin apresto. • **gacho.** El de copa baja y ala ancha y tendida hacia abajo. • **hongo.** El de fieltro duro, de copa aovada. • **jarano.** *Amér.* El de fieltro muy duro, de color blanco, falda ancha y tendida horizontalmente, y bajo de copa, rodeada en su bajo por un cordón rematado por borlas. • **jíbaro.** El de campo, hecho de hoja de palma, que se usa en las islas de Cuba y Puerto Rico. • **tricornio.** Sombrero de tres picos.

SOMBRILLA f. Especie de paraguas para resguardarse del sol.

SOMBRÍO, A adj. Díc. del lugar de poca luz en que frecuentemente hay sombra. • Díc. de la parte donde se ponen las sombras en la pintura, o de la misma figura sombreada. • fig. Tétrico, melancólico. • f. Terreno umbrío donde apenas da el sol.

SOMERO, RA adj. Casi encima o muy inmediato a la superficie. • fig. Ligero, superficial. • f. Cada una de las dos piezas fuertes de madera en que se apoyaba todo el juego en las máquinas antiguas de imprimir.

SOMETER tr. y prnl. Poner a una persona, tropa o facción, gralte. por la fuerza o por la violencia, bajo la autoridad o dominio de otras. • tr. Subordinar el juicio, decisión o afecto propios a los de otra persona. • Encomendar a una o más personas la resolución de un negocio o litigio. • prnl. *Amér. Centr.* Entrometerse. ▪ SOMETIMIENTO.

SOMIER m. Bastidor provisto de una tela metálica elástica sobre la que se coloca el colchón.

SOMME Río de Francia; desemboca en el canal de la Mancha; 235 km. • **Batallas del S.** Las libradas a orillas de este río durante las dos guerras mundiales. La primera consistió en una ofensiva francobritánica (1 julio-15 noviembre 1916). La segunda enfrentó a al. y fr. (5-10 junio 1940).

SOMMERFELD, *Arnold* (1868-1951) Físico y matemático al. Demostró matemáticamente la elipticidad de las órbitas atómicas.

SOMNÍFERO, RA adj. Que da o causa sueño.

SOMNÍLOCUO, CUA adj. y s. Que habla durante el sueño.

Somorgujo

SOMNOLENCIA f. Adormecimiento, pesadez física causada por el sueño. • Ganas de dormir. • fig. Pereza, falta de actividad.

SOMONTE m. Terreno sit. en la falda de un monte. • **De s.** loc adj. Basto, burdo, sin pulimento. • Díc. del mosto que aún no se ha convertido en vino. ▪ SOMONTANO, NA.

SOMORGUJAR tr. y prnl. Sumergir, chapuzar. • intr. Bucear bajo el agua.

SOMORGUJO o **SOMORGUJÓN,** o **SOMORMUJO** m. *Zool.* Ave podicepediforme que puede mantener por mucho tiempo sumergida la cabeza bajo el agua. Se alimenta de peces y de insectos.

SOMOTO C. de Nicaragua, cap. del dpto. de Madriz; 6 700 hab. Agricultura y ganadería. Centro comercial.

SOMOZA, *Anastasio,* llamado TACHO (1896-1956) Militar y político nic. Defendió los intereses de EE UU y consolidó su fortuna personal. Incitó la muerte de Sandino (1934). En 1937 destituyó al presid. y se instaló en el poder, gobernando hasta su muerte. Participó en el derrocamiento del presid. Jacobo Arbenz, de Guatemala. • **Debayle, *Anastasio,*** llamado TACHITO (1925-1980) Militar y político nic., hijo del anterior. Jefe de la Guardia Nacional, elegido presid. en 1967. Hubo de hacer frente a las guerrillas. Derogó la constitución (1971). En 1972 cedió el poder a un triunvirato. En 1974, reelegido presid. En 1978 la guerrilla sandinista le obligó a abandonar el país (1979). Murió víctima de un atentado en Paraguay. • **Debayle, *Luis*** (1922-1967) Político nic., hermano del anterior. Presid. de la rep. (1956-1963) tras la muerte de su padre. Se enfrentó a la guerrilla y a un amplio descontento popular.

Anastasio **Somoza Debayle**

SOMPESAR tr. Sopesar, tantear el peso de una cosa.

SOMPOPO m. *Hond.* Especie de hormiga amarilla. • *Hond.* Guiso de carne rehogada en manteca.

SON prep. insep. Sub. • m. Sonido, especialmente musical, que afecta agradablemente al oído. • fig. Noticia, fama. • fig. Pretexto, razón o motivo aparente. • fig. Tenor, modo o manera. • **Bailar** uno **al s. que le tocan.** fig. y fam. Acomodar la conducta propia a los tiempos y circunstancias. • **En s. de.** m. adv. fig. De tal modo o manera de. • A título de, con ánimo de.

SONADO, DA adj. Famoso, que tiene o ha tenido gran divulgación. • Díc. del boxeador que ha perdido facultades mentales como consecuencia de los golpes recibidos en los combates. • fam. Chalado. • f. Sonata.

SONAJA f. Par o pares de chapas de metal que, atravesadas por un alambre, se colocan en algunos juguetes o instrumentos rústicos para hacerlas sonar agitándolas. • Reglita transversal de la ballestilla. • pl. Instrumento rústico que consiste en un aro de madera delgada con varias sonajas.

SONAJEAR tr. Hacer sonar las sonajas, o producir un ruido semejante con otra cosa.

SONAJERA f. *Chile.* Sonaja y sonajero.

SONAJERO m. Juguete con sonajas o cascabeles, para entretener a los niños muy pequeños.

SONAMBULISMO o **SOMNAMBULISMO** m. Automatismo inconsciente que se manifiesta durante el sueño mediante actos más o menos coordinados (levantarse, caminar, etc.). ▪ SONÁMBULO, LA.

SONANTE adj. Que suena. • Sonoro. • *Fon.* Sonántico.

SONÁNTICO, CA adj. y f. *Fon.* Díc. de las consonantes líquidas y nasales con resonancia vocálica o vocal reducida, que pueden ser silábicas y desarrollar plenamente su característica vocálica.

SONAR adj. y m. Díc. de un sistema para la detección y radiolocalización de cuerpos sumergidos, que se basa en la emisión de ondas acústicas ultrasónicas cuya reflexión se recoge y traduce en datos. • intr. Hacer o causar ruido una cosa. • Tener una letra valor fónico. • Mencionarse, citarse. • Tener una cosa visos o apariencias de algo. • Suscitarse vagamente en la memoria alguna cosa ya oída anteriormente. • *Argent.* y *Ur.* Morir o padecer una enfermedad mental. • *Argent.* y *Par.* Fracasar. • *Argent.* Perder una posición o empleo, o perder en el juego, etc. • *Argent.* Sufrir las consecuencias de algún hecho o cambio. • tr. Hacer que una cosa emita un sonido. • tr. y prnl. Limpiar de mocos la nariz, haciéndolos salir con una espiración fuerte. • impers. Susurrarse, esparcirse rumores de una cosa. ▪ SONADERA; SONADOR, RA.

SONATA f. *Mús.* Composición instrumental formada por tres o cuatro tiempos.

SONATINA f. Sonata corta para piano o violín. Apareció hacia mediados del s. XVIII.

SONCLE m. *Méx.* Medida de leña equivalente a 400 leños.

SONDA f. Acción y efecto de sondar. • *Astron.* Vehículo espacial destinado a desarrollar misiones exploradoras de sondeo. En algunos casos (los Pioneer, los Voyager) incluso recorren órbitas abiertas que les llevan fuera del sistema solar. • *Ing.* Dispositivo utilizado para el análisis del subsuelo, que puede descender a grandes profundidades. • Aparato para medir la profundidad de las aguas marinas. • *Med.* Instrumento que se introduce en un conducto o cavidad del organismo con fines exploratorios o terapéuticos.

SONDA, *Islas de la* Arch. de Indonesia. Las islas más imp. son Sumatra, Java, Borneo y Célebes.

SONDALEZA f. Maroma que se cruza de una orilla a otra de un río, dividida con señales para determinar los lugares en que se han verificado sondeos.

SONDAR o **SONDEAR** tr. Echar el escandallo al agua para averiguar la profundidad y la calidad del fondo. • Averiguar la naturaleza del subsuelo con una sonda. • fig. Inquirir con cautela la intención o discreción de uno, o las circunstancias y estado de una cosa. • *Med.* Introducir en el cuerpo la sonda. ▪ SONDEO.

SONECILLO m. Son que se percibe poco. • Son alegre, vivo y ligero.

SONETEAR intr. Componer sonetos.

SONETICO m. Sonecillo que suele hacerse con los dedos sobre la mesa o cosa semejante.

SONETO m. *Métr.* Composición poética de 14 versos distribuidos en cuatro estrofas: dos cuartetos y dos tercetos. El s. es de arte mayor, y la rima de sus versos es consonante. Originario de Italia, a partir del romanticismo se hizo con toda clase de metros (alejandrinos, dodecasílabos, pentasílabos, etc.). ▪ SONETISTA.

SONDA ESPACIAL

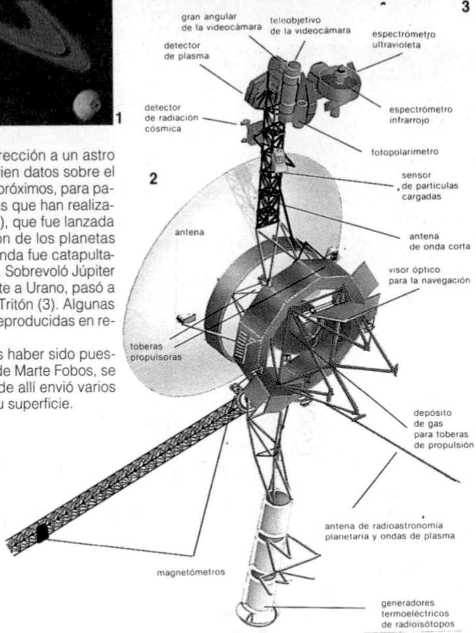

1., 2. y 3. Las sondas espaciales son ingenios que se lanzan en dirección a un astro del sistema solar para que desde su proximidad o su superficie envíen datos sobre el mismo. Las primeras sondas se enviaron hacia la Luna y los planetas próximos, para pasar después a explorar los planetas más lejanos. De entre las sondas que han realizado la exploración de los planetas exteriores, destaca la *Voyager II* (2), que fue lanzada al espacio el 20 de agosto de 1977, aprovechando una disposición de los planetas que se da una vez cada 176 años. Gracias a esta disposición, la sonda fue catapultada de un planeta al siguiente por efecto de sus campos gravitatorios. Sobrevoló Júpiter y sus principales satélites, y tras acercarse a Saturno y posteriormente a Urano, pasó a sólo 5 000 km de la atmósfera de Neptuno y a 38 000 de su satélite Tritón (3). Algunas de las fotografías que envió fueron reproducidas en revistas de todo el mundo (1).

4. La sonda soviética *Fobos*, tras haber sido puesta en órbita en torno al satélite de Marte Fobos, se situó a 50 m del satélite y desde allí envió varios módulos que se posaron en su superficie.

SONGE adj. y s. Díc. de los individuos de un grupo étnico afr. que habita en la zona oriental del Zaire, entre los r. Sankuru y Lomani.

SONGHAI o **SONGAY,** o **SONRHAI** adj. y s. Díc. de individuos de un pueblo melanoafricano que vive en la cuenca del Níger medio, especialmente en Malí. Unas 800 000 personas.

SONGHAI Imperio africano fundado por pueblos songhais en el Sudán occidental en el s. VII. En el s. XVI inició su decadencia.

SONGO, GA adj. *Col.* y *Méx.* Taimado, tonto. • f. *Amér.* Burla, ironía, sorna.

SONIDO m. Conjunto de vibraciones que puede estimular el oído. • Valor y pronunciación de las letras. • Hablando de las palabras, significación y valor literal que tienen en sí. • fig. Noticia, fama.

SONIO m. *Fís.* Unidad de sonoridad equivalente a 40 fonios.

SONIQUETE m. Sonecillo. • Sonsonete.

SONOBOYA f. *Mil.* Dispositivo que permite la localización de sumergibles desde el aire.

SONOCHAR intr. Velar en las primeras horas de la noche.

SONÓMETRO m. Monocordio. • *Fís.* Aparato para la medición de sonidos.

SONORA Est. del NO de México, a orillas del golfo de California y limítrofe al N con EE UU; 184 934 km^2, 2 213 370 hab. Cap., Hermosillo. C. Pral.: Ciudad Obregón. La sierra Madre Occidental ocupa el sector E; al N y NO aparece el desierto de S., continuación del Gran Desierto americano, mientras que la zona centro-S está ocupada por una llanura costera. Ríos Mayo, Yaqui, Sonora, Concepción y la desembocadura del Colorado, límite del est. Clima cálido y seco en la costa, frío en las montañas. Vegetación esteparia y bosques en las tierras altas. Trigo, algodón, maíz, arroz, hortalizas, caña de azúcar y vid. Ganadería bovina. Imp. riqueza pesquera. Cobre y manganeso en la sierra Madre. Ind. metalúrgica, química, textil y alimentaria. Tras la exploración del territorio por Nuño de Guzmán (1530), fue colonizado por F. Vázquez de Coronado (1540). En 1786 S. y Sinaloa fueron unidas en una intendencia. Tras la indep. (1821), se formó un solo Est. con ellas, separándolas definitivamente en 1830. Durante las luchas revolucionarias, S. fue el escenario de las primeras victorias de Obregón. Estuvo en manos de los villistas entre 1914-1915.

SONORENSE adj. y s. Del est. mex. de Sonora.

SONORIDAD f. Calidad de sonoro. • Cualidad de la sensación auditiva que permite la calificación de los sonidos.

SONORIZAR tr. Convertir una letra o articulación sorda en sonora. • *Cin.* Añadir sonido a una película cinematográfica. • *Fon.* Dar a una articulación sorda el carácter de sonora. ■ SONORIZACIÓN.

SONORO, RA adj. Que suena o puede sonar. • Que suena bien, o mucho, o de modo agradable. • Que despide bien, o hace que se oiga bien, el sonido. • *Fon.* Díc. del sonido que se produce con vibración de las cuerdas vocales.

SONREÍR intr. y prnl. Reírse un poco o levemente, y sin ruido, con un simple movimiento de labios. • fig. Ofrecer las cosas un aspecto alegre o gozoso. • fig. Mostrarse favorable para uno algún asunto, suceso, esperanza, etc. ■ SONRISA.

SONRODARSE prnl. Atascarse las ruedas de un carruaje.

SONROJAR tr. y prnl. Hacer salir los colores al rostro diciendo o haciendo algo que cause vergüenza. ■ SONROJO.

SONROSAR tr. y prnl. Dar color rosa a algo.

SONROSEAR tr. Sonrosar. • prnl. Sonrojarse.

SONSACAR tr. Sacar furtivamente algo por debajo del sitio en que está. • Solicitar secreta y cautelosamente a uno para que deje el servicio u ocupación que tiene en alguna parte y pase a otra, a ejercer el mismo o diferente empleo. • fig. Procurar

Mujer **songhai**

con maña que uno diga o descubra lo que sabe y reserva. ■ SONSACA; SONSACAMIENTO; SONSAQUE.
SONSEAR intr. *Chile* y *R. de la Plata*. Hacer tonterías.
SONSO, SA adj. Zonzo, soso, insulso.
SONSONATE Dpto. de El Salvador, junto al Pacífico; 1 226 km², 439 533 hab. Cap., la c. hom. C. pral.: Acajutla. La mitad N forma parte del Eje volcánico guatemalteco-salvadoreño (volcán Izalco, 1 885 m); el resto corresponde a la llanura costera. Ríos Grande, Banderas, Mandinga y Apancayo. Clima templado en las montañas y cálido en la costa. Vegetación de bosque y sabana; manglar en la costa. Algodón, caña de azúcar, café, tabaco, hortalizas, agrios, coco. Cría de bovinos, que alimentan una ind. derivada. • C. de El Salvador, cap. del dpto. hom.; 76 200 hab. Sit. en las proximidades del volcán Izalco. Mercado agropecuario.
SONSONETE m. Sonido que resulta de los golpes pequeños y repetidos que se dan en una parte, imitando un son de música. • fig. Ruido gralte. poco intenso, pero continuado, y desapacible. • fig. Tonillo o modo especial en la risa o palabras, que denota desprecio o ironía.

Soplador de vidrio

SONTAG, *Susan* (nacida 1933) Escritora y directora cinematográfica norteam. Novelas: *El benefactor; Yo, etcétera.* Ensayos: *Contra la interpretación, Sobre la fotografía.* Películas: *Dueto para caníbales.*
SONTO, TA adj. *Guat.* y *Hond.* Tronzo, que le falta una oreja.
SOÑAR tr. Representarse en la imaginación especies o sucesos durante el sueño. • fig. Discurrir fantásticamente y dar por cierto lo que no es. • intr. fig. Sentir anhelo por una cosa. ■ SOÑADOR, RA.
SOÑARRERA f. fam. Acción de soñar mucho. • fam. Sueño pesado. • fam. Soñera.
SOÑERA f. Propensión al sueño.
SOÑOLENCIA f. Somnolencia, pesadez de los sentidos causada por el sueño. ■ SOÑOLIENTO.
SOPA f. Pedazo de pan empapado en cualquier líquido. • Plato compuesto de rebanadas de pan, fécula, arroz, fideos, etc., y el caldo en que se han cocido. • Plato compuesto de un líquido alimenticio y de rebanadas de pan. • Pasta, fécula o verduras que se mezclan con el caldo en el plato de este mismo nombre. • pl. Rebanadas de pan que se cortan para echarlas en el caldo. • **boba.** Sopa que dan a los pobres en los conventos. • fig. Vida holgazana y a expensas de otro. Se usa más en la exp. *comer la sopa boba.* • **juliana** o **de hierbas.** La que se hace cociendo un caldo de verduras, cortadas en tiritas y conservadas secas. • **Sopas de ajo.** Las que se hacen de rebanadas de pan cocidas en agua, y aceite frito con ajos.

Soporte de un eje horizontal

SOPAIPA f. Masa frita y enmelada.
SOPAIPILLA f. *Amér.* Sopaipa, buñuelo frito y enmelado.
SOPALANCAR tr. Meter la palanca debajo de una cosa para levantarla o moverla.
SOPANDA f. Viga horizontal, apoyada por ambos extremos en jabalcones para fortificar otra que está encima. • Cada una de las correas anchas y gruesas empleadas para suspender la caja de los coches antiguos. • *Chile.* Colchón de muelles.
SOPAPEAR tr. fam. Dar sopapos. • fig. y fam. Sopetear, maltratar.
SOPAPINA f. fam. Zurra o tunda de sopapos.
SOPAPO m. Golpe que se da con la mano debajo de la papada. • fam. Bofetada.
SOPAR tr. Hacer sopa. • tr. y prnl. Poner a uno hecho una sopa. • prnl. *Argent.* Entremeterse.
SOPEAR tr. Sopar. • Pisar, hollar, poner los pies sobre una cosa. • fig. Supeditar, dominar o maltratar a uno. • intr. *Méx.* Comer un guiso con pedazos de tortilla.
SOPEÑA f. Concavidad que forma una peña por su parte inferior.
SOPERO, RA adj. y s. Díc. del plato hondo en que se come la sopa. • *Col.* Chismoso, entremetido. • f. Vasija honda en que se sirve la sopa.
SOPESAR o **SOSPESAR** tr. Levantar una cosa como para tantear el peso que tiene.
SOPETEAR tr. Mojar repetidas veces el pan en el caldo. • fig. Maltratar o ultrajar a uno. ■ SOPETEO.
SOPETÓN m. Pan tostado y mojado en aceite. • Golpe fuerte y repentino dado con la mano. • **De s.** m. adv. De improviso.

Sorgo

SOPICALDO m. Caldo con muy pocas sopas.
SOPIÉ m. Somonte.
SOPLADERO m. Abertura por donde sale con fuerza el aire de las cavidades subterráneas.
SOPLADO, DA adj. fig. y fam. Excesivamente pulido y compuesto. • fig. y fam. Estirado, engreído, entonado. • m. *Min.* Grieta muy profunda.
SOPLADOR, RA adj. Que sopla. • fig. Díc. del que excita, altera o enciende una cosa. • m. Sopladero. • Soplillo, abanico. • *Ecuad.* Apuntador de un teatro.
SOPLADURA f. Acción y efecto de soplar. • *Metal.* Defecto que presentan ciertas piezas fundidas, consistente en la oclusión de burbujas gaseosas en el interior de la pieza.
SOPLAMOCOS m. fig. y fam. Golpe que se da a uno en la cara.
SOPLAR intr. y tr. Despedir aire con violencia por la boca, alargando los labios un poco abiertos por su parte media. • intr. Arrojar aire con algún instrumento. • Correr el viento, haciéndose sentir. • tr. Apartar con el soplo una cosa. • Hurtar o quitar una cosa a escondidas. • fam. Hablando de bofetadas, cachetes y otros golpes semejantes, darlos. • fig. Inspirar o sugerir cosas. • fig. En el juego de damas y otros, quitar al contrario la pieza con que debió comer y no lo hizo. • fig. Sugerir a uno lo que debe decir y no acierta o ignora. • fig. Acusar o delatar. • tr. y prnl. Inflar una cosa con aire. • prnl. fig. y fam. Beber o comer mucho. • fig. y fam. Hincharse, engreírse, entonarse. • **¡Sopla!** interj. fam. con que se denota admiración o ponderación. ■ SOPLIDO.
SOPLEQUE m. *Argent.* Presuntuoso.
SOPLETE m. Aparato constituido por un tubo destinado a recibir por un extremo un flujo gaseoso que, al salir por el otro, se aplica a una llama, para dirigirla sobre el objeto que se quiere fundir o examinar. • Aparato constituido por dos tubos metálicos unidos por un extremo, de tal manera que cada uno de sus respectivos extremos finales se empalma a un conducto suministrador de gas. A la salida, combustible y comburente forman una mezcla detonante e inflamable, obteniéndose un dardo de gran poder calorífico.
SOPLILLO m. Aventador para avivar el fuego. • Cualquier cosa sumamente delicada o muy leve. • Especie de tela de seda muy ligera. • Bizcocho de pasta muy esponjosa. • *Cuba.* Una especie de hormiga. • *Chile.* Trigo aún no maduro que se come tostado.
SOPLO m. Acción y efecto de soplar. • *Electr.* Ruido. • fig. Instante o brevísimo tiempo. • fig. y fam. Aviso que se da en secreto y con cautela. • fig. y fam. Denuncia de una falta de otro, delación. • fig. y fam. Soplón. • **cardíaco.** Ruido perceptible por auscultación en diversas alteraciones cardiacas.
SOPLÓN, NA adj. y s. fam. Díc. de la persona que acusa en secreto y cautelosamente. • m. y f. *Amér. Centr.* Apuntador de teatro. • m. *Méx.* Gendarme, policía. • *Perú.* Miembro de la policía secreta.
SOPLONEAR tr. Soplar, acusar, delatar. ■ SOPLONERÍA.
SOPONCIO m. fam. Desmayo, congoja. • Sopa mal hecha.
SOPOR m. *Med.* Modorra morbosa, persistente. • Adormecimiento, somnolencia. ■ SOPORÍFERO, RA.
SOPORTAL m. Espacio cubierto que en algunas casas precede a la entrada principal. • Pórtico que tienen algunos edificios o manzanas de casas en sus fachadas y delante de las puertas.
SOPORTAR tr. Sostener o llevar sobre sí una carga o peso. • fig. Sufrir, tolerar.
SOPORTE m. Apoyo o sostén. • *Comp.* Material normalmente destinado a recibir información y mantenerla de forma que pueda ser leída por la computadora, como cintas, discos, etc. • *Her.* Cada una de las figuras que sostienen el escudo. • *Mec. apl.* Dispositivo para el sostenimiento de un eje. Está constituido por un cojinete y por una estructura destinada a fijar la posición de dicho cojinete con relación a un bastidor, pared fija o elemento similar. • *Quím.* Sustancia inerte sobre la que se fija una sustancia activa en una reacción. • adj. *Mat.* Díc. de la recta, plano, etc., que contiene elementos geométricos. •

de comportamiento. Conjunto de elementos del medio ambiente que refuerza y orienta en cada momento el comportamiento de un animal.
SOPRANO m. La voz más aguda de las voces humanas, tiple. • Hombre castrado. • com. Persona que tiene voz de soprano.
SOPUNTAR tr. Poner uno o varios puntos debajo de una letra, palabra o frase, para distinguirla de otra, para indicar que sobra o contiene error, o con cualquier otro fin.
SOQUETE m. *Amér.* Escarpín, calcetín corto.
SOR f. Hermana. Se usa precediendo al nombre de las religiosas. • prep. insep. Sub.
SORABO *(srbi)* adj. y s. Díc. del individuo de un pueblo eslavo que vive en Lusacia (Alemania). • adj. Relativo a dicho pueblo. • m. *Ling.* Lengua eslava hablada por parte del pueblo s. • m. pl. Este mismo pueblo. Los s. viven en Lusacia desde el s. IX. Suman unos 200 000 individuos.
SORATA, ***Nevado de*** Macizo de los Andes, en Bolivia, sit. al E del lago Titicaca, cuya cumbre de mayor alt. es el Illampú, con 6 550 m.
SORBER tr. Beber aspirando. • fig. Atraer hacia dentro de sí algunas cosas aunque no sean líquidas. • fig. Recibir o esconder una cosa hueca o esponjosa a otra, dentro de sí o en su concavidad. • fig. Absorber, tragar. • fig. Apoderarse el ánimo con avidez de alguna cosa apetecida. ■ SORBO.
SORBETE m. Helado a base de zumo de frutas o de agua, leche o yemas de huevo, al que se da cierto grado de congelación pastosa. • *Méx.* Sombrero de copa. • *P. Rico* y *Ur.* Cánula para sorber refrescos.
SORBONA, ***La*** *(Sorbonne)* Sede de la universidad de París. Su nombre procede de la Escuela de teología fundada por Robert de Sorbon en 1257.
SORCHE m. fam. Recluta, soldado.
SORCIÓN f. *Fís.* Absorción, por un cuerpo, de gases, vapores o diversas partículas disueltas en el medio circundante.
SORDA f. Agachadiza, ave zancuda. • *Mar.* Guindaleza sujeta en la roda de un barco.
SORDERA f. Privación o disminución de la facultad de oír.
SORDI, ***Alberto*** (nacido 1919) Actor cinematográfico it., especializado en papeles cómicos. *(Los inútiles, El gran atasco).* Ha dirigido también algunas películas: *Un italiano en Londres.*
SÓRDIDO, DA adj. Que tiene manchas o suciedad. • fig. Impuro, indecente o escandaloso. • fig. Mezquino, avariento. • *Méd.* Díc. de la úlcera que produce supuración icorosa. ■ SORDIDEZ.
SORDINA f. Pieza que sirve para disminuir la intensidad y variar el sonido de ciertos instrumentos. • Registro en los órganos y pianos, con que se produce el mismo efecto.
SORDINO m. Instrumento músico de cuerda, parecido al violín.
SORDO, DA adj. y s. Que no oye, o no oye bien. • adj. Callado, silencioso. • Que suena poco o sin timbre claro. • fig. Insensible a las súplicas o al dolor ajeno, o indócil a las persuasiones, consejos o avisos. • *Mar.* Aplícase a la mar o marejada que se experimenta en dirección diversa de la del viento reinante. • adj. y f. *Fon.* Díc. del sonido que se produce sin vibración de las cuerdas vocales.
SORDOMUDO, DA adj. y s. Privado por sordera nativa de la facultad de hablar. ■ SORDOMUDEZ.
SOREDIO m. *Bot.* Nombre común de los propágulos de los líquenes responsables de la multiplicación vegetativa de éstos.
SOREL, ***Georges*** (1847-1922) Escritor político fr., ingeniero de profesión. Se convirtió en teórico del sindicalismo revolucionario. *Reflexiones sobre la violencia, La ruina del mundo antiguo, Las ilusiones del progreso, Materiales para una teoría del proletariado.*
SORENQUE adj. *Méx.* Sordo.
SORGO m. Zahína, planta gramínea.
SORIA Prov. de España, en la com. autón. de Castilla y León; 10 287 km^2, 92 848 hab. Cap., la c. hom. Accidentada por el sistema Ibérico y las estribaciones de la cord. Central. Ríos Duero, Ucero, Rituerto, Jalón. Remolacha, forrajes. Ovinos, porcinos. Explotación forestal. Ind. de derivados agropecuarios. • C. de España, cap. de la prov. hom.; 33 597 hab. Sit. junto al Duero. Mercado regional (lana, cereales, ganado). Ind. alimentaria, maderera.
SORIANO, NA adj. y s. De Soria.
SORIANO Dpto. de Uruguay, limítrofe con Argentina a través del r. Uruguay; 9 008 km^2, 81 557 hab. Cap., Mercedes. Territorio llano, perteneciente al escudo brasileño. Red hidrográfica del Uruguay. Clima templado cálido. Actividad agropecuaria ampliamente desarrollada: trigo, maíz (región de Dolores), alfalfa, lino, girasol. Cría de bovinos. Ind. concentrada en Mercedes.
SORIANO, ***Osvaldo*** (1943-1997) Escritor arg. *Triste, solitario y final; No habrá más penas ni olvido, Una sombra ya pronto serás.*
SORITES m. *Lóg.* Silogismo complejo, compuesto de proposiciones encadenadas. El predicado de la antecedente pasa a ser sujeto de la siguiente.
SORNA f. Disimulo y burla con que se hace o se dice una cosa, ironía.

Soria. Calle comercial del centro de la ciudad

SORNAGUEAR tr. *Amér. Centr.* Sacudir violentamente.
SORO m. *Bot.* Conjunto de esporangios de los helechos.
SOROCABA C. de Brasil, en el est. de São Paulo; 269 900 hab. Mercado agrícola. Ind. textiles, químicas, metalúrgicas y alimentarias.
SOROCHE m. *Amér.* Mal de montaña. • *Bol.* y *Chile.* Galena, mineral. • *Chile.* Rubor.
SOROLLA, ***Joaquín*** (1863-1923) Pintor impresionista esp. Pintó temas históricos y anecdóticos *(El resbalón del monaguillo, El beso de la reliquia),* sociales *(¡Y aún dicen que el pescado es caro!, Trata de blancas),* niños en la playa o nadando *(Alegría del agua)* y un ciclo de pinturas para la Hispanic Society de Nueva York, con diversos temas. Medalla de honor en la Exposición Universal de París de 1900.
SOROSILICATO m. Mineral del grupo sorosilicatos. • m. pl. *Miner.* Grupo de silicatos cuya estructura está formada por grupos tetraédricos de SiO_4, unidos por un vértice, es decir, compartiendo un oxígeno, que dan lugar a radicales del tipo $Si_2O_7^{-6}$.
SOROZÁBAL, ***Pablo*** (1897-1988) Compositor esp., autor de populares zarzuelas. *Katiuska, La del manojo de rosas, La tabernera del puerto.*
SORPRENDER tr. Coger desprevenido. • Descubrir lo que otro ocultaba o disimulaba. • tr. y prnl. Conmover, maravillar con algo raro o incomprensible. ■ SORPRENDENTE; SORPRESA; *Amér.* SORPRESIVO, VA.
SORRA f. Arena gruesa que sirve de lastre. • Cada uno de los costados del vientre del atún.
SORREGAR tr. Regar accidentalmente un bancal el agua que pasa de la reguera o del bancal inmediato. ■ SORRIEGO.
SORRONGAR intr. *Col.* Rezongar.
SORROSTRADA f. Insolencia, descaro.
SORS, ***Fernando*** (1778-1839) Compositor y guitarrista esp. Sirvió al régimen del rey José I. Compuso varias óperas y ballets, entre los que destaca *Hércules y Onfalia.* Su *Método para guitarra* alcanzó gran difusión.
SORT m. *Comp.* Nombre genérico de los programas para clasificar u ordenar.
SORTEAR tr. Someter a la decisión de la suerte la adjudicación de una cosa. • *Taur.* Lidiar a pie,

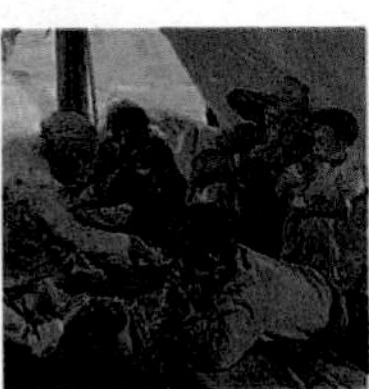

Detallle de *Comida en la barca,* óleo de Joaquín **Sorolla**

Sota de espadas

Sotabanco

Sotobosque de helechos

Robert **Southey**

hacer suertes a los toros o esquivar su acometida. • fig. Evitar con maña o eludir un compromiso, conflicto, riesgo o dificultad. ■ SORTEO.

SORTERO, RA m. y f. Agorero, adivino. • Cada una de las personas que juegan en un sorteo.

SORTIARIA f. Adivinación supersticiosa por cédulas o naipes.

SORTIJA f. Anillo, aro pequeño que se ajusta a los dedos. • Rizo de cabello, en figura de anillo. • Juego de muchachos que consiste en adivinar a quién ha dado uno de ellos una sortija.

SORTIJERO m. Platillo o cajita para guardar sortijas.

SORTILEGIO m. Adivinación que se hace por artes supersticiosas.

SOS prep. insep. Sub.

SOS Señal que, traducida en el código Morse, se transmite telegráficamente para indicar que un barco, aeronave, etc., se halla en peligro.

SOSA f. Barrilla, planta. • Cenizas de esta planta. • Nombre comercial del carbonato sódico. • *Miner.* Natrita. • **cáustica.** Nombre comercial del hidróxido sódico.

SOSA, *Mercedes* (nacida 1935) Cantante arg. testimonial y de temas folclóricos.

SOSAL o **SOSAR** m. Terreno en que abunda la sosa o barrilla.

SOSEGAR tr. y prnl. Aplacar, pacificar, aquietar. • fig. Aplacar o apaciguar las pasiones o alteraciones del ánimo. • intr. y prnl. Descansar, reposar, aquietarse o cesar la turbación o el movimiento. • intr. Dormir o reposar. ■ SOSEGADO, DA.

SOSEGATE m. *Argent.* y *Ur.* Cachete, coscorrón, puñetazo. • **Dar un s.** o **dar el s.** fig. y fam. *Argent.* y *Ur.* Apercibir a una persona, llamarla al orden.

SOSERÍA f. Insulsez, falta de gracia y de viveza. • Dicho o hecho insulso.

SOSERO, RA adj. Que produce sosa. • f. Sosería.

SOSIA m. Persona tan parecida a otra que puede ser confundida con ella.

SOSIEGA f. Sosiego, descanso después de una faena. • Trago de vino o de aguardiente que se toma durante la s. o antes de acostarse.

SOSIEGO m. Quietud, tranquilidad.

SOSÍGENES (s. I a. C.) Astrónomo y filósofo gr. de la escuela de Alejandría. Sugirió a Julio César la reforma del calendario llamada juliana.

SOSLAYAR tr. Poner una cosa ladeada para pasar una estrechura. • fig. Dejar de lado alguna dificultad.

SOSLAYO, YA adj. Soslayado, oblicuo. • **Al s.** m. adv. Oblicuamente. • **De s.** m. adv. Al soslayo. • De costado y perfilando bien el cuerpo para pasar por alguna estrechura.

SOSNOWIEC C. de Polonia, en la Alta Silesia; 146 100 hab. Yacimientos de hulla. Ind. química. Producción de vidrio y acero.

SOSO, SA adj. Que no tiene sal, o tiene poca. • fig. Carente de gracia y viveza. ■ SOSAINA.

SOSPECHAR tr. Creer o imaginar una cosa por conjeturas fundadas en apariencias o visos de verdad. • intr. Desconfiar, dudar. ■ SOSPECHA; SOSPECHOSO, SA.

SOSTÉN m. Acción de sostener. • Persona o cosa que sostiene. • fig. Apoyo moral, protección. • Prenda interior que usan las mujeres para sostener el pecho.

SOSTENER tr. y prnl. Sustentar, mantener firme una cosa. • tr. Sustentar o defender una proposición. • fig. Sufrir, tolerar. • fig. Prestar apoyo, dar aliento o auxilio. • Dar a uno lo necesario para su manutención.

SOSTENIDO, DA adj. *Mús.* Díc. de la nota cuya entonación excede en un semitono mayor a la de su sonido natural. • *Mús.* Precedido del adjetivo *doble*, díc. de la nota cuya entonación es dos semitonos más alta que la de su sonido natural. • fig. Duradero. • m. *Mús.* Signo que representa esta alteración del sonido natural de la nota o notas a que se refiere. • **Doble s.** *Mús.* Signo que representa esta doble alteración del sonido natural. ■ SOSTENIMIENTO.

SOTA f. Carta décima de cada palo de la baraja española. • Mujer insolente y desvergonzada. • m. *Chile.* Sobrestante o manigero.

SOTABANCO m. Piso habitable colocado por encima de la cornisa general de la casa. • Hilada que se coloca encima de la cornisa para levantar los arranques de un arco o bóveda.

SOTABARBA f. Barba que se deja crecer por debajo de la barbilla.

SOTACOLA f. Ataharre del aparejo del caballo.

SOTACORO m. Socoro, sitio debajo del coro.

SOTACURA m. *Argent., Chile* y *Col.* Coadjutor, eclesiástico que ayuda al párroco.

SOTAMONTERO m. El que hace las veces del montero mayor.

SOTANA f. Vestidura talar que usan algunos eclesiásticos. • fig. Estado eclesiástico. • fig. y fam. Somanta, zurra.

SOTANEAR tr. fam. Dar una sotana o zurra.

SÓTANO m. Parte subterránea, entre los cimientos de un edificio.

SOTARÁ Volcán de Colombia, en la cordillera Central; 4 850 m de alt. Nacimiento del r. Patía.

SOTAVENTO m. *Mar.* Costado de la nave opuesto al barlovento. • *Mar.* Parte que cae hacia ese lado.

SOTAVENTO, *Islas* Grupo de islas de las Pequeñas Antillas (Aruba, Curaçao, Bonaire, Los Roques, La Orchilla, La Tortuga y Margarita), sit. frente a la costa ven., el abrigo de los alisios. La misma denominación se aplica al grupo de las Leeward.

SOTAVENTO, *planicie costera de* Región fisiográfica de México, sit. entre la sierra Madre de Oaxaca y el golfo de México. Clima tropical lluvioso. Agricultura y ganadería.

SOTECHADO m. Cobertizo, techado.

SOTERRAÑO, ÑA adj. y s. Subterráneo.

SOTERRAR tr. Enterrar, poner una cosa debajo de tierra. • fig. Esconder o guardar una cosa de modo que no se advierta. ■ SOTERRAMIENTO.

SOTHO adj. y s. Díc. del individuo perteneciente a uno de los prales. grupos etnolingüísticos y culturales bantúes del S. de África.

SOTO m. Sitio que en las riberas o vegas está poblado de árboles y arbustos. • Sitio poblado de árboles y arbustos. • Sitio poblado de malezas, matas y árboles. • prep. insep. Debajo.

SOTO, *Domingo de* (1494-1560) Teólogo esp., dominico. Participó en el Concilio de Trento. *De iustitia et iure, De natura et gratia libri tres.* • ***Francisco*** (1789-1846) Político col. Gobernador de Pamplona (1819). Miembro del Congreso de Bogotá (1823-1826). Se opuso a la dictadura de Bolívar. • ***Hernando de*** (1500-1542) Conquistador esp. Se trasladó a América con la expedición de Pedro Dávila (1514). Participó en la conquista del Perú (1532). Logró una capitulación para conquistar Florida, pero la empresa fue catastrófica, muriendo S. en el Misisipí. • ***Jesús Rafael*** (nacido 1923) Artista plástico ven. En 1950 se instaló en París. Después de un periodo cubista y neoplasticista, se volcó hacia el arte cinético, en el que alcanzó sus mejores éxitos. *Vibraciones inmateriales, Progresión amarilla*; decoración interior del edificio de la UNESCO de París. • ***Marco Aurelio*** (1846-1908) Político hond. Colaboró en el derrocamiento de Medina. Presid. (1876-1883), estableció la constitución de 1880. • **Y Alfaro, *Bernardo*** (1854-1931) Político cost. Presid. de la rep. (1885-1889), su política de reformas educativas le enfrentó con la Iglesia.

SOTOBOSQUE m. Vegetación leñosa que crece bajo el estrato arbustivo superior de un bosque.

SOTOL m. *Méx.* Planta liliácea de la que se obtiene la bebida alcohólica homónima.

SOTOLE m. *Méx.* Palma gruesa y basta que se emplea para fabricar chozas.

SOTOMAYOR, *Alonso de* (m. 1610) Administrador colonial esp. Gobernador de Chile (1581-1592). Intentó someter a los araucanos. • **Baeza, *Emilio*** (1824-1894) Militar chil., comandante de las tropas que ocuparon Lima y Antofagasta (1881). • **Baeza, *Rafael*** (1823-1880) Político chil., hermano del anterior. Ministro de Defensa durante la guerra del Pacífico.

SOTRETA adj. y m. *R. de la Plata.* Díc. del caballo viejo. • adj. y com. *R. de la Plata.* P. ext., díc. de la persona que no sirve para nada.

SOTROZO m. Pasador de hierro, que atraviesa el pezón del eje para que no se salga la rueda de la cureña. • *Mar.* Pedazo de hierro hecho firme en las jarcias y en el cual se sujetan las jaretas.

SOTTO VOCE (exp. it.) m. adv. A sovoz, en voz baja. • *Mús.* De forma dulce y apagada.

SOTUTO m. *Bol.* Insecto díptero que deposita sus larvas en la piel del hombre.
SOUBLETTE, *Carlos* (1789-1870) Militar y político ven. tomó parte, junto a Bolívar, en la lucha por la indep. Presid. de la rep. (1837-1838 y 1843-1847).
SOUFFLOT, *Germain* (1713-1780) Arquitecto fr., influido por la antigüedad clásica y por la arquitectura gótica. Autor de la iglesia de Santa Genoveva, en París, post. convertida en Panteón nacional.
SOUFRIÈRE, *La* Volcán activo de la isla de Guadalupe; 1 467 m (máx. alt. de la isla).
SOULOUQUE, *Faustin* (1782-1867) Emp. de Haití. Participó en las insurrecciones contra los fr. Presid. de la rep. (1847), se hizo coronar emp. bajo el nombre de Faustino I (1849). Derrocado en 1859 y sustituido por el general Geffrard.
SOULT, *Nicolas Jeau de Dieu,* DUQUE DE DALMACIA (1769-1851) Militar y político fr. Participó en la guerra de la Independencia esp. No pudo retener el avance de los aliados en San Sebastián y se retiró a Francia. Post. fue presid. del consejo de ministros.
SOUSTELLE, *Jacques* (1912-1990) Político y etnólogo fr. Gobernador general de Argelia y ministro de Información con De Gaulle. Fundó el mov. Progreso y Libertad. Como etnólogo sobresalen sus estudios sobre etnología azteca. *El arte del México antiguo* y *México*.

Cápsula espacial **Soyuz** maniobrando para acloparse a una estación *Salyut*

SOUTH BEND C. de EE UU, sit. a orillas del río San José, en el est. de Indiana; 123 000 hab. (278 000 el á. metr.). Ind. siderometalúrgica.
SOUTH SHIELDS C. de Gran Bretaña, en Inglaterra, en Tyne and Wear; 87 200 hab. Puerto exportador en el mar del Norte. Astilleros. Siderurgia.
SOUTHAMPTON C. y puerto de Gran Bretaña, en los estuarios del Itchen y el Test, en Hampshire; 204 400 hab. Ind. metalúrgica, refinerías de petróleo, materiales eléctricos.
SOUTHEND ON SEA C. de Gran Bretaña, en el estuaro del Támesis, condado de Essex; 156 700 hab. Balneario. Ind. mecánicas.
SOUTHEY, *Robert* (1774-1843) Escritor e historiador brit., gran amigo del poeta Coleridge, que influyó en sus ideas políticas y literarias. *Juana de Arco* (poema), *Historia de la guerra peninsular*.
SOUTHPORT C. de Gran Bretaña, Inglaterra, en el Merseyside; 89 700 hab. Puerto en el mar de Irlanda. Centro turístico e industrial.
SOUTINE, *Chaïm* (1894-1943) Pintor fr., de origen lituano. Evolucionó del expresionismo oscuro de la serie de los *Monaguillos* o *Pasteleros* a la claridad de sus paisajes del S de Francia.
SOVIET (ruso, «consejo») m. Consejo o asamblea obrera. Formado por delegados elegidos por sufragio universal, que formaban los cuerpos legislativos y gubernamentales de la desaparecida URSS. Desde la rev. de febrero hasta octubre de 1917 controlaron el poder. Tras la rev., se convirtieron en la institución legislativa fundamental, hasta 1991.
SOVIÉTICO, CA adj. Relativo al soviet. • adj. y s. De la Unión Soviética.
SOVIETIZAR tr. Implantar el régimen soviético en un país. ■ SOVIETIZACIÓN.
SOVJOZ (voz rusa) m. En la extinta URSS, explotación agrícola estatal.
SOVOZ *(A)* m. adv. En voz baja y suave.
SOWETO C. de la República Sudafricana; 592 600 hab. Sit. en la periferia de Johannesburgo, es el *ghetto* negro más grande del país. En 1976 la represión de los disturbios raciales causó centenares de muertos.
SOYA f. Soja.
SOYAPANGO C. del centro de El Salvador; 38 600 hab. Centro comercial. Ind. azucarera.
SOYINKA, *Wole* (nacido 1934) Escritor nigeriano en lengua ing. Teatro satírico y experimental: *El león y la joya, Locos y especialistas, La muerte y el caballero del rey*. Premio Nobel de Literatura en 1986.
SOYUZ *Astron.* Serie de cápsulas espaciales sov. tripuladas, posteriores a las *Vostok* y *Voshod*. A partir del S. XI se ha producido el acoplamiento con las estaciones orbitales *Salyut* y, posteriormente, *Mir*. A finales de 1979 se introdujeron las naves *Soyuz-T*, más perfeccionadas.
SPAAK, *Paul Henri* (1899-1972) Político belga, socialista. Ministro de Asuntos Exteriores y primer ministro en varias ocasiones. Presidió la primera sesión de la ONU (1946), la asamblea consultiva del Consejo de Europa (1949-1951) y la CECA (1952-1954). Secretario general de la OTAN.
SPACE Shuttle *Aeron.* Primer vehículo espacial norteam. reutilizable. El término designa los diversos transbordadores o lanzaderas espaciales reutilizables del programa STS (sistema de transporte espacial).
SPADOLINI, *Giovanni* (1925-1994) Político it. Dirigente del Partido Republicano. Primer ministro (1981-1982). Fue ministro de Defensa (1983-1987) y presid. del Senado (1987-1994).
SPAGHETTI (voz it.) m. pl. Pasta alimenticia en forma de fideos largos y finos.
SPAHÍ m. Cuerpo turco de caballería ligera, creado en el s. XIV por Murad I. El ejército fr. lo adoptó en 1831.
SPALATO → Split.
SPANDAU Ant. c. de Alemania, distrito industrial de Berlín. En su cárcel fueron recluidos los criminales de guerra condenados por el tribunal de Nuremberg.
SPANIEL (voz ing.) adj. y m. Nombre que designa un grupo de razas de perros de talla media y pelo largo y sedoso, emparentados con los setter.
SPASSKY, *Boris* (nacido 1937) Ajedrecista sov. Campeón mundial juvenil en 1955. En 1972 consiguió el título mundial. Eliminado por V. Korchnói en 1978.
SPEAKER (voz ing.) m. En radio y televisión, profesional encargado de presentar o comentar programas; locutor. • En Gran Bretaña, presid. de la Cámara de los Comunes.
SPENCER, *Herbert* (1820-1903) Filósofo y sociólogo brit. En historia mantuvo principios evolucionistas. En sociología es considerado fundador del organicismo. *Principios de biología, Principios de psicología, Principios de ética, El estudio de la sociología*.
SPENGLER, *Oswald* (1880-1936) Filósofo, historiador y sociólogo al. En *La decadencia de Occidente*, muy difundida en la Alemania nacionalsocialista, muestra su concepto organicista de la historia.
SPENSER, *Edmund* (1552-1599) Poeta brit. *La reina de las hadas, El calendario del pastor, Cuento de la tía Hubbard, Colin Clout se vuelve a casa*.
SPEZIA, *La* C. it., en Liguria, cap. de la prov. hom.; 110 100 hab. Sit. en el golfo hom.; primera base naval militar de Italia. Puerto comercial. Astilleros. Refinerías de petróleo.
SPIELBERG, *Steven* (nacido 1947) Director cinematográfico norteam. *Tiburón, Encuentros en la tercera fase, En busca del arca perdida, E. T., El color púrpura, Hook, La lista de Schlindler*.
SPILIMBERGO, *Lino Eneas* (1896-1964) Pintor arg. En sus obras da exp. a volúmenes y planos mediante facetas geométricas de vibrante colorido y dibujo firme. *La planchadora*.
SPIN → espín.
SPÍNOLA, *Ambrosio de* → Espínola.
SPÍNOLA, *António* (1910-1996) Militar y político port. Participó en la rev. de 1974. Presid. de la rep. (1974). Intentó una sublevación militar en 1975.
SPINOZA, *Baruch de* (1632-1677) Filósofo neerlandés, descendiente de judíos cast. Su concepción metafísica es una de las mejores sistematizaciones unitarias de la realidad: la única sustancia, Dios,

Jovencita de azul, óleo de Chaïm **Soutine**

Steven **Spielberg**

Baruch de **Spinoza**

existe activa y eternamente por sí misma, y de ella conocemos la extensión y el pensamiento. Esto se manifiesta en sendos modos infinitos (mundo físico y mundo pensante), de los cuales participan todos los modos finitos (cuerpos y mentes). *Ética; Breve tratado sobre Dios, el hombre y la felicidad; Tratado de la reforma del entendimiento.*
SPITTELLER, *Karl* (1845-1924) Poeta y escritor suizo, en lengua al. Influido por Nietzsche. Premio Nobel de Literatura en 1919. *Extra-mundana, Imago, Primavera olímpica.*
SPITZ, *Mark* (nacido 1950) Nadador norteam. Fue la gran figura de los juegos olímpicos de Munich (1972) al obtener siete medallas de oro.

Sri Lanka. Arriba, mapa de situación y bandera; abajo, curioso sistema tradicional de pesca

SRI LANKA

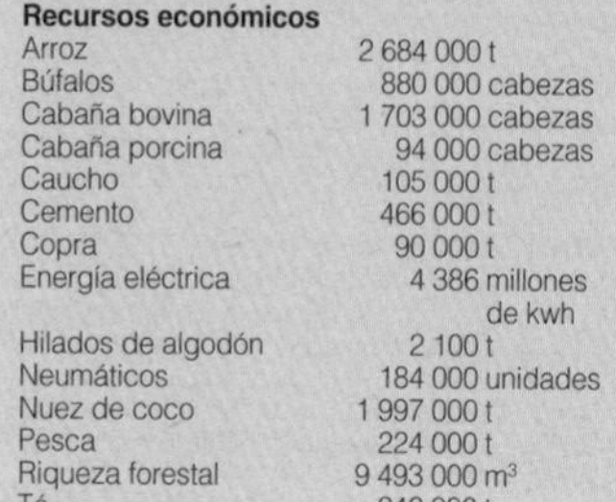

Superficie 65 610 km^2

Población 18 663 000 hab. (284 hab./km^2)

Recursos económicos	
Arroz	2 684 000 t
Búfalos	880 000 cabezas
Cabaña bovina	1 703 000 cabezas
Cabaña porcina	94 000 cabezas
Caucho	105 000 t
Cemento	466 000 t
Copra	90 000 t
Energía eléctrica	4 386 millones de kwh
Hilados de algodón	2 100 t
Neumáticos	184 000 unidades
Nuez de coco	1 997 000 t
Pesca	224 000 t
Riqueza forestal	9 493 000 m^3
Té	242 000 t
Indicadores sociológicos	
PNB	12 616 millones de dólares
Renta per cápita	700 dólares
Esperanza de vida	73 años
Alfabetismo	90 %

SPITZBERG (nor., *Svalbard*) Arch. del océano Glacial Ártico, al N de Noruega, nación a la que pertenece desde 1920; 62 000 km^2, 3 000 hab. Cap., Longyearbyen. Yacimientos de hulla.
SPITZER, *Leo* (1887-1960) Hispanista norteam. de origen al. Su obra *Lingüística e historia literaria* es una colección de estudios sobre las *jarchas*, el arcipreste de Hita, Cervantes y otros autores.
SPLIT (it., *Spalato* C. y puerto de la rep. de Croacia, junto al Adriático; 169 300 hab. Ind. naval y de materiales plásticos.
SPOHR, *Ludwig* (1784-1858) Compositor y violinista al. Compuso sinfonías, conciertos para piano, óperas *(Fausto, Ondina)* y cuartetos de cuerda.
SPOKANE C. de EE UU, en el est. de Washington, a orillas del río hom.; 173 700 hab. Ind. metalúrgica y maderera.
SPONSOR o **ESPÓNSOR** (voz ingl.) m. Persona o entidad que patrocina a alguien, en general un equipo deportivo, con fines publicitarios. ■ ESPONSORIZAR.
SPONTINI, *Gasparo* (1774-1851) Compositor it. de óperas, asentado en Francia. *La vestal, Hernán Cortés, Nurmahal, Inés de Hohenstaufen.*
SPOT (voz ing.) m. Película corta de carácter publicitario.
SPOTA, *Luis* (1925-1985) Periodista y escritor mex., director de varias publicaciones. Novelas de crítica social: *La sangre enemiga, La carcajada del gato.*
SPRINGFIELD C. de EE UU, cap. del Est. de Illinois; 105 200 hab. Mercado agropecuario. Ind. siderometalúrgicas y alimentarias. • C. de EE UU, en el est. de Massachusetts, a orillas del río Connecticut; 159 300 hab. Centro industrial.
SPRINGS C. del NE de la República Sudafricana; 100 100 hab. Minas de oro.
SPRINT (voz ing.) m. Carrera de velocidad cuya distancia es corta. • *Dep.* Esfuerzo máx. de un corredor.
SPRITE (voz ing.) m. *Comp.* Pequeña figura que aparece en la pantalla con mov. independiente, que es la base de la programación de videojuegos.

Stalin

SPUTNIK (ruso «satélite») *Astron.* Serie de satélites artificiales sov., con el primero de los cuales se inició, en 1957, la era de la astronáutica.
SPYRI, *Johanna* (1829-1901) Escritora suiza. Relatos para niños. *Heidi, En las montañas suizas.*
SQUARCIONE, *Francesco* (1297-1468) Pintor it. de la escuela paduana. En su taller se formaron Mantegna y Cosme Tura. *San Jerónimo.*
SQUASH (voz ing.) m. Juego que tiene lugar en una especie de frontón con cuatro paredes, y para el cual se usa una pelota de goma dura y una raqueta similar a la del tenis.
SQUATTER (voz ing.) m. En EE UU, colono que se instalaba en territorios desocupados y que se constituyó en el pionero de la expansión hacia el Oeste. • Díc. del individuo que ocupa casas deshabitadas. Como mov., esta ocupación de viviendas y casas deshabitadas se ha efectuado desde los años setenta, especialmente en EE UU, Gran Bretaña, Países Bajos y Sudáfrica. • En Australia este término designaba al propietario de rebaños de ovejas que se oponía a los colonos sedentarios.
SQUELCH (voz ing.) adj. *Electr.* Díc. de un tipo de circuito que permite la eliminación del ruido que existe a la salida del receptor cuando no se recibe señal alguna.
SQUID (voz ing.) m. *Mil.* Arma antisubmarina similar a la carga de profundidad, pero de mayor alcance y de orientación automática.
Sr *Quím.* Simb. del estroncio.
SRI Aurobindo, *Ghose* (1872-1950) Uno de los jefes espirituales del hinduismo del s. XX. Proporciona a sus partidarios principios místicos para que se afirmen ante la civilización actual.
SRI LANKA Estado de Asia, constituido por la isla hom., sit. en el océano Índico, al SE del extremo meridional de la India. La mayor parte de la isla está formada por una llanura, que comprende una altiplanicie (Pidurutalagala, 2 524 m). Excepto en el S y O hay lagunas litorales y ensenadas. Río Mahawelí Ganga. Clima cálido y húmedo. Arroz, té, palma de coco, canela. Explotación forestal (caucho). Ganado bovino y búfalos. Piedras preciosas, grafito. Ind. textil, química, alimentaria, manufacturas de tabaco. República. Etnias: cingaleses (75 %), tamiles y otros. Lenguas: cingalés (of.), tamil, ing. *Rel.:* budismo (69 %), hinduismo, cristianismo. U.M.: la rupia de S. Lanka. Cap., Colombo. C. prales.: Dehiwala-Mount Lavinia, Jaffna.
* *Hist.* Poblada por los veddas, en el s. VI a. C. un pueblo procedente de la India fundó el reino cingalés. En el s. III a. C. se introdujo el budismo - hinayana. Ocupada por chinos, port. (1505) y neerlandeses (1658). Desde 1802, colonia brit. Independiente dentro de la Commonwealth desde 1948. En 1949 se privó de voto a los tamiles, lo que provocó disturbios en 1959 y el asesinato del primer ministro Bandaranaike. Al año siguiente su esposa ganó las elecciones. En 1963 se realizaron nacionalizaciones. En 1965, D. Senanayake, de la Unidad Nacional, formó un gobierno con participación tamil. En 1971 estallaron imp. revueltas promovidas por la extrema izquierda. La rep. se proclamó en 1972, con el nombre de of. de S. Lanka. En 1978 J. Jayawardene accedió a la presidencia. A partir de 1979 el conflicto con la minoría tamil se radicalizó hasta adquirir, a mediados de los ochenta características de guerra civil. En 1985 la India repatrió 600 000 tamiles. A pesar de la elección de una nueva presidenta, Chandrika Bandanaraike en 1994, el conflicto tamil se agudizó.
SRINAGAR C. de la India, cap., compartida con Jammu, del est. de Jammu-Kashmir; 594 800 hab. Sit. junto al Jhelum, está construida sobre numerosos canales. Ind. sedera.
SS (siglas de las voces al. *Schutz Staffel*, «secciones de protección») Policía militarizada del partido nazi. Tuvo su origen en la guardia personal de Hitler. Creada en 1925 y dirigida por Himmler, capitaneó la purga de la SA y se encargó de la seguridad interior. Controló los campos de concentración y el exterminio de la pob. judía.
STÁBAT m. Himno compuesto por J. de Todi, dedicado a los dolores de la Virgen al pie de la cruz. • Composición musical para este himno.
STACK (voz ing.) m. *Comp.* Estructura de datos con acceso sólo al último dato introducido, que a

su vez es el único que se puede eliminar en cada operación.

STAEL *Germaine Necker*, BARONESA DE (1766-1817) Escritora fr., conocida como MADAME DE STAEL, precursora del romanticismo. *Delfina y Corina, Alemania, La literatura y sus relaciones con las instituciones sociales, Consideraciones sobre la revolución francesa.*

STAFFORD, *Thomas* (nacido 1930) Astronauta estadoun. Ha realizado diversos vuelos (*Gemini 6, Gemini 9 y Apolo 10*).

STALIN Seud. de *Jossif Vissarionovich Djougatchvili* (1879-1953) Político sov. Aunque no tuvo un papel destacado en la rev., en 1922 fue elegido secretario general. A la muerte de Lenin (1924) excluyó a Trotsky. Elaboró la teoría de la «construcción del socialismo en un solo país», y procedió a la estatalización total de la economía, al tiempo que acumulaba los cargos más imp. Entre 1934 y 1938 procedió a una drástica purga de los prales. cuadros históricos. En 1939 fue nombrado presid. del Consejo de Comisariados y, al estallar la II Guerra Mundial, generalísimo del ejército. Durante la guerra, disolvió la III Internacional.

STALINGRADO → Volgogrado. • **Batalla de S.** La más importante de las libradas durante la II Guerra Mundial (agosto 1942-31 enero 1943), que enfrentó a soviéticos y alemanes. Éstos capitularon.

STAMBOLIC, *Petar* (nacido 1912) Político yugoslavo. Organizador de la resistencia serbia en 1941. Miembro de la presidencia colegiada de la rep. (1974-1984); presid. (1982-1983).

Modelo de la locomotora *Rocket* de George **Stephenson**

STAMFORD C. de EE UU, en el est. de Connecticut, dentro del radio residencial de Nueva York; 108 700 hab. (206 500 el área metropolitana). Ind. química y metalúrgica.

STAMITZ, *Johann Wenzel Anton* (1717-1757) compositor al., uno de los creadores del estilo musical conocido como escuela de Mannheim.

STAND (voz ing.) m. Espacio que, en una feria o exposición, se reserva a cada uno de los participantes en la misma. • Pabellón o puesto comercial.

STANISLAVSKI, *Constantin* (1863-1938) Seud. de *Constantin Sergueievich Alexeiev* Actor y director escénico ruso, fundador del Teatro Artístico de Moscú. Elaboró un método de interpretación basado en el naturalismo psicológico.

STANLEY, *Henry Morton* Seud. de *John Rowlands* (1841-1904). Periodista y explorador brit. Tras culminar con éxito la búsqueda de David Livingstone en Tanganica (1871), exploró los lagos Victoria y Tanganica y el curso del Congo. • ***Wendell Meredith*** (1904-1971) Bioquímico norteam. Aisló el virus responsable del mosaico del tabaco. Premio Nobel de Química en 1946 con Northrop y Summer.

STANWYCK, *Barbara* (1907-1990) Actriz cinematográfica norteam. *Juan Nadie, Perdición, Las furias.*

STARK, *Johannes* (1874-1957) Físico al. Descubrió un importante efecto, según el cual las líneas espectrales, sometidas a la influencia de un campo eléctrico, se desdoblan. Premio Nobel de Física en 1919.

STAR-SYSTEM (voz ing.) m. Nombre que se da a un sistema de producción cinematográfica en que la película se construye a partir de un actor o una pareja de actores (estrellas) muy populares.

STARTER (voz ing.) m. *Aut.* Dispositivo para realizar o facilitar la puesta en marcha del motor. • *Dep.* En las carreras, juez de salida.

STATEN ISLAND Isla de EE UU, en el est. de Nueva York; 181 km², 295 000 hab. Forma parte del Gran Nueva York.

STATU QUO loc. latina usada como sustantivo para indicar el estado o situación de un problema de un momento determinado.

STATUS m. Posición o prestigio social de una persona o un grupo (→ rol-status).

STAUDINGER, *Hermann* (1881-1965) Químico al. Descubrió las cetenas. Premio Nobel de Química en 1953.

STAVANGER C. de Noruega, a orillas del fiordo de Bokna; 94 200 hab. Centro industrial y pesquero.

STAVROPOL Territorio de Rusia, formado en 1924. Comprende la prov. de Karacháievo-Cherkesia; 80 600 km², 2 715 000 hab. Cap., la c. hom. Cereales, patatas. Explotación forestal. Petróleo, gas natural. • C. de Rusia, cap. del terr. hom.; 293 000 hab. Ind. alimentarias y metalúrgicas.

STEELE, *Richard* (1672-1729) Escritor irl. Autor y crítico dramático. Confundador de los periódicos *The Spectator, The Guardian* y *The English-man*, es uno de los creadores del periodismo moderno. *Los amantes reservados, El amante mentiroso, El marido afectuoso.*

STEEN, *Jan* (1626-1679) Pintor hol. de género. Sintetizó el realismo de Hals con la alegría de vivir de Jordaens (*Alegres compañías*).

STEFAN-BOLTZMANN, *Ley de Fís.* Importante resultado físico que se expresa como sigue: la cantidad total de energía emitida por un cuerpo negro es proporcional a la cuarta potencia de la temperatura absoluta.

STEFANO, *Alfredo di* →Di Stefano, Alfredo.

STEIGER, *Rod* (nacido 1925) Actor cinematográfico estadoun. *En el calor de la noche, El hombre ilustrado, Waterloo, Inocentes con manos sucias.*

STEIN, *Gertrude* (1874-1946) Escritora y crítico de arte. Junto con su hermano Leo (1872-1947), impulsó la generación de cubistas de principios de siglo. Entre sus obras destaca *Autobiografía de Alice B. Toklas*; y de Leo, *ABC de la estética.* • ***Karl***, BARON VON (1757-1831) Político prusiano. Ministro de Comercio, atacó las barreras aduaneras internas e impulsó la ind. La oposición de los *junkers* a sus reformas le obligó a dimitir (1813).

STEINBECK, *John* (1902-1968) Novelista estadoun. Refleja en sus obras la crisis de 1929 en la vida del proletariado norteam. Premio Nobel de Literatura en 1962. *Las uvas de la ira, Tortilla Flat, Hombres y ratones. La luna se ha puesto, La perla, Al este del Edén.*

STEINER, *Jacob* (1796-1863) Geómetra al. Trabajó preferentemente en temas de geometría proyectiva. • **Teorema de S.** *Fís.* Establece que el momento de inercia de un cuerpo respecto a un eje cualquiera es igual a la suma del momento de inercia respecto a un eje paralelo al anterior que pase por el centro de gravedad, más el producto de la masa del cuerpo por el cuadrado de la distancia entre ambos ejes. • ***Rudolf*** (1861-1925) Filósofo y pedagogo austr., fundador de la antroposofía. Según S. el método científico es compatible con una visión sobrenatural del mundo. *Teosofía, La iniciación.*

STENDHAL Seud. de *Henri Beyle* (1783-1842) Escritor fr., una de las principales figuras del realismo. Novelas: *Rojo y negro, La cartuja de Parma, Armancia, Lucien Leuwen, La abadesa de Castro, Lamiel*; relato breve: *Vanina Vanini*; ensayos y trabajos biográficos: *Racine y Shakespeare, Del amor, Historia de la pintura en Italia, Vidas de Haydn, Mozart y Metastasio, Vida de Henri Brulard.*

STEPHENSON, *George* (1781-1848) Ingeniero brit., inventor de la locomotora de vapor y constructor del primer tren, que circuló de Stockton a Darlington (1825).

STERLITAMAK C. de Rusia, en la República autónoma de Bashkiria, a orillas del Belaia; 240 000 hab. Ind. mecánicas y alimentarias.

STERN, *Otto* (1888-1970) Físico de origen al., nacionalizado norteam. Premio Nobel de Física en 1943 por sus estudios sobre las propiedades mag-

Stavanger. Vista parcial de la ciudad

Richard **Steele**

Los holgazanes, óleo de Jan **Steen.** Museo del Ermitage, San Petersburgo (Rusia)

néticas de los átomos y la materialización de los fotones.

STERNBERG, ***Joseph von*** (1894-1969) Director de cine estadoun. de origen austr. *La ley del hampa, Los muelles de Nueva York, El ángel azul* (uno de los primeros éxitos del sonoro), *Marruecos, Fatalidad, El expreso de Shanghai, Capricho imperial.*

Stonehenge. Conjunto megalítico

STERNE, ***Lawrence*** (1713-1768) Escritor brit. La independencia de espíritu y un humor fino y agudo caracterizan su *Vida y opiniones de Tristram Shandy.*

STETTIN C. de Polonia → Szczecin.

STEVENS, ***George*** (1905-1978) Director de cine estadoun. *Raíces profundas, Gigante, Un lugar en el sol, El diario de Ana Frank.* • ***Siaka Probyn*** (1905-1988) Político de Sierra Leona. En 1967 asumió el cargo de primer ministro, y en 1971 proclamó la rep. y fue elegido presid., cargo que ocupó hasta 1985.

STEVENSON, ***Robert Louis*** (1850-1894) Escritor ing., famoso por sus novelas de acción y de aventuras. *La isla del tesoro, La flecha negra, Raptado, El señor de Ballantrae, El extraño caso del Dr. Jekyll y Mr. Hyde.*

STEWART, ***James*** Seud. de *James Maintland* (1908-1997) Actor cinematográfico estadoun. *Flecha rota, Dos cabalgan juntos, El hombre que mató a Liberty Valance, La ventana indiscreta, El hombre que sabía demasiado.*

STICK (voz ing.) m. Bastón del golf y del hockey.

STIJL, ***De*** Nombre de una revista neerlandesa fundada en 1917 po T. Van Doesburg. En torno a ella se congregaron gran número de artistas que reivindicaron la implantación de la abstracción geométrica.

STIL NOVO, ***Dolce*** Exp. utilizada por Dante en la *Divina Comedia* para designar una escuela de poetas it. que se caracterizó por una concepción espiritualista del amor.

STILB m. *Fís.* Unidad de luminancia, definida como la que presenta un foco luminoso que por cada cm^2 tiene una intensidad de una candela. Su símb. es Sb.

Johann **Strauss**

STILLER, ***Mauritz*** (1883-1928) Director de cine sueco. Con Sjöstrom, forma el tándem más importante del cine de su país en los años 20. *El tesoro del Arno, En los remolinos, La leyenda de Gösta Berling.*

STILWELL, ***Joseph Warren*** (1883-1946) General estadoun. Jefe del estado mayor de Chang Kai-shek. En 1945 mandó el ejército norteam. que combatió en el frente japonés.

STOCK (voz ing.) m. Provisión, surtido, reservas, existencias de cualquier bien, producto, valor o capital.

STOCKHAUSEN, ***Karlheinz*** (nacido 1928) Compositor al., al que se deben numerosas innovaciones que han permitido el desarrollo de la música serial. *Ciclos, Grupos, Carré, Estudios electrónicos I y II, Teletape.*

Richard **Strauss**

STOCKPORT C. de Gran Bretaña, a orillas del r. Mersey; 136 500 hab. Centro industrial.

STOCKTON C. y puerto de EE UU, en el est. de California, a orillas del r. San Joaquín; 117 600 hab. Mercado agrícola. Ind. metalúrgica y textiles.

STOKE ON TRENT C. de Gran Bretaña, en el condado de Stafford, a orillas del r. Trent; 252 400 hab. Hulla. Ind. metalúrgica.

STOKER, ***Abraham*** (1847-1912) Escritor irl., autor de *Drácula*, que originó numerosas versiones cinematográficas sobre la leyenda del vampiro.

STOKES m. *Fís.* Unidad de viscosidad cinemática en el sistema cegesimal. Su símb. es St.

STOKES, ***George Gabriel*** SIR (1819-1903) Físico y matemático brit., autor de estudios sobre la teoría de la fluorescencia y la mecánica de fluidos. • Ley de S. *Fís.* Establece que la resistencia *R*, opuesta por un fluido al movimiento de una esfera de radio *r*. es proporcional a la velocidad relativa.

STOKOWSKI, ***Leopold*** (1882-1977) Director de orquesta norteam., de origen polaco. Autor de diversas adaptaciones de obras de Bach.

STOLIPIN, ***Piotr Arkádievich*** (1862-1911) Político ruso. Ministro del Interior y presid. del Consejo (1906). Reprimió a la izquierda. Murió en un atentado.

STONEHENGE Monumento megalítico, sit. en Inglaterra, en el condado de Wilt, que data de la E. del Bronce.

STOP (voz ing.) m. Voz que indica parada, o punto en telegrafía.

STOPH, ***Willi*** (1914-1999) Político de al. Impulsó la aproximación de la RDA a la RFA. Presid. del Consejo de Estado (1973-1976) y jefe del gobierno de la desaparecida RDA entre 1976-1989.

STORM, ***Hans Theodor*** (1817-1888) Poeta y novelista al. *Historias y cantos del verano* (poesía), *Inmenso, Los hijos del senador, El hombre del caballo blanco* (narraciones).

STORNI, ***Alfonsina*** (1892-1938) Poetisa arg. de origen suizo. Con Lugones, es la máx. representante del modernismo en Argentina. *La inquietud del rosal, El dulce daño, Irremediablemente, Languidez.*

STOSS, ***Veit*** (h. 1438-1533) Escultor gótico al. Retablo de la iglesia de Nuestra Señora de Cracovia, tumba de Casimir Jagellon, *La salutación angélica.*

STRACHEY, ***Lytton*** (1880-1932) Escritor brit. Autor de una biografía de la reina Victoria. *Victorianos eminentes.*

STRADELLA, ***Alessandro*** (h. 1642-1682) Compositor it., que contribuyó a la evolución del aria, el oratorio y la cantata, añadiéndoles acompañamiento orquestal estructurado en forma de *concerto grosso.*

STRADIVARIUS o **STRADIVARI,** ***Antonio*** (1644-1737) El más famoso constructor de instrumentos de cuerda. La gran perfección de sus violines se debe al material, a la proporción de los elementos de caja y a los barnices.

STRAFFORD *Thomas Wentworth,* PRIMER CONDE DE (1593-1641) Político ing. Fracasó al intentar que el parlamento ing. apoyara económicamente a Carlos I en la guerra contra Escocia. Fue condenado a muerte.

STRALSUND C. de Alemania; 75 500 hab. Puerto en el mar Báltico. Centro comercial e industrial. Astilleros Universidad.

STRATFORD-UPON-AVON C. de Gran Bretaña, en el condado de Warwick, a orillas del Avon; 60 000 hab. en el municipio. Cuna de Shakespeare. Centro de interés turístico.

STRAUS, ***Oskar*** (1870-1954) Compositor austr., autor de numerosas operetas de gran éxito. *El soldado de chocolate.*

STRAUSS, ***David Friedrich*** (1808-1874) Teólogo protestante al., discípulo de Hegel. *Vida de Jesús.* • ***Johann*** (1825-1899) Compositor austr. famoso por sus valses *(El Danubio azul, Cuentos de los bosques de Viena, Vida de artista).* También es autor de óperas *(El murciélago, Cagliostro en Viena, El barón gitano).* • ***Richard*** (1864-1949) Compositor al. Virtuoso de la técnica orquestal y de la polifonía destaca asimismo por su genio dramático. Es el último gran romántico. Autor de poemas sinfónicos *(Don Juan, Muerte y transfiguración, Las travesuras de Till Eulenspiegel, Don Quijote)*, óperas *(Salomé, Electra, El caballero de la rosa, Arabella)*, melodías, música de cámara, lieder y ballets.

STRAVINSKI, ***Igor*** (1882-1971) Compositor ruso, nacionalizado fr. y post. estadoun., de gran influencia en la música del s. XX. *El pájaro de fuego, La consagración de la primavera, Pulcinella, Edipo rey, Sinfonía de los salmos, Trenos.*

STREAKING (voz ing.) m. Exhibición desnudista a la carrera, con fines contestarios.

STREEP, ***Meryl*** (nacida 1949) Actriz cinematográfica estadoun. *El cazador, Manhattan, Kramer contra Kramer, La decisión de Sophie* (Oscar de interpretación, 1982), *Silkwood, Memorias de África.*

STREISAND, ***Barbra*** (nacida 1942) Cantante y actriz norteam. *Hello, Dolly!; Una chica divertida*

(Oscar de interpretación, 1969); *¿Qué me pasa, doctor?* En 1983 dirigió e interpretó *Yentl.*

STRESEMANN, *Gustav* (1878-1929) Político al. Fundador del Partido Populista. Reprimió los movimientos comunistas y el *putsch* de Hitler. Hizo una política de acercamiento a los aliados. Premio Nobel de la Paz en 1926, con Briand.

STRESS (voz ing.) m. *Pat.* Conjunto de reacciones que genera el organismo al enfrentarse bruscamente con un agente nocivo. • Extenuación física.

STRINDBERG, *Johan August* (1849-1912) Dramaturgo y novelista sueco. *El cuarto rojo* es la primera obra naturalista sueca. Para el teatro escribió *Padre, La señorita Julia, La sonata de los fantasmas.*

STRIP-TEASE (voz ing.) m. Espectáculo público, gralte. con fondo musical, en que una persona se desnuda lenta y sugestivamente.

STROESSNER, *Alfredo* (nacido 1912) Político y militar par. Luchó en la guerra del Chaco (1932-1935). General en jefe del ejército, dirigió en 1954 un golpe de Est. que le convirtió en presid. de la nación. Reelegido cada cuatro años gobernó autoritariamente durante 34 años, hasta que el 3 de febrero de 1989 le derrocó el general Andrés Rodríguez, que convocó elecciones democráticas.

STROHEIM, *Erich von* (1885-1957) Director y actor de cine norteam., de origen austr. Su pintura despiadada de la alta sociedad le hizo famoso. *Esposas frívolas, Avaricia, La viuda alegre, La marcha nupcial, La reina Kelly.* Como actor intervino en muchas películas.

STROZZI Familia de banqueros florentinos, rival de los Médicis, adscrita al partido güelfo. Floreció entre los ss. XIV-XVI.

STROZZI, *Bernardo* (1581-1644) Pintor manierista it., llamado también EL CAPUCHINO O EL FRAILE GENOVÉS. *El dux Francesco Erizzo, El procurador Grimani, San Lorenzo.*

STRUENSEE, *Johann Friedrich*, CONDE DE (1737-1772) Médico y político danés, n. en Alemania. Médico de la corte de Christian VII, tras convertirse en amante de la reina Carolina Matilde, pasó a ser dictador del país. Fue decapitado.

STUPA m. Monumento funerario de origen indio que ha dado lugar a las pagodas.

STURM und Drang. (al., «tempestad e impulso») Mov. literario al. que se desarrolló entre 1770 y 1790 como reacción contra el racionalismo (Herder, Goethe y Schiller son sus prales. figuras).

STURZO, *Luigi* (1871-1959) Eclesiástico y político it. En 1919 fundó el partido Popular Italiano, del que deriva el actual Partido Demócrata Cristiano. *Italia y el fascismo, La Iglesia y el Estado.*

STUTTGART C. de Alemania, cap. del est. de Baden-Württenberg, junto al Neckar; 561 000 hab. Ind. textil química, metalúrgica. Construcciones mecánicas. Refino de petróleo.

SU prep. insep. Sub.

SU, SUS pron. posesivo de tercera persona en gén. masculino y femenino y en ambos números. Se usa solamente antepuesto al nombre.

SUABIA (al., *Schwaben*) Región histórica del S de Alemania, actualmente comprendida en los est. de Baviera y Baden-Württemberg. Su nombre deriva de los suevos. En 1500 pasó a formar parte de uno de los diez círculos en que Maximiliano dividió Alemania.

SUARÈS, *André* Seud. de *Félix Scantrel* (1866-1948) Escritor fr. Autor de las biografías de Tolstoi, Cervantes y Goethe. *El viaje del condottiero.*

SUÁREZ, *Francisco* (1548-1617) Filósofo, teólogo y jurista esp., uno de los renovadores de la escolástica de su tiempo *(Disputaciones metafísicas). Sobre el alma, Sobre las leyes.* • ***Isidoro*** (1799-1846) Militar arg. Colaborador de San Martín, emigró a Uruguay durante la dictadura de Rosas (1835). • ***Joaquín*** (1781-1868) Político ur. Participó en la insurrección independista de la Banda Oriental y post. se integró en las fuerzas artiguistas. Presid. interino de la rep. (1839), en sustitución de Rivera, y jefe del gobierno de la Defensa durante la llamada Guerra Grande. • ***Marco Fidel*** (1856-1927) Escritor y político col. Jefe del Partido Conservador, en 1918 fue presid. de la rep., cargo del que dimitió en 1921. Construyó el ferrocarril del Pacífico que lleva su nombre. • **Flammerich, *Germán*** (nacido 1907) Político ven. Presid. del gobierno (1950-1952) tras el asesinato de Carlos Delgado. Depuesto por Pérez Jiménez tras las elecciones de 1952. • **González, *Adolfo*,** DUQUE DE (nacido 1932) Político esp. Presid. del gobierno en 1976. Ganó las elecciones con Unión de Centro Democrático en 1977 y 1979. Dimitió en 1981. Fundó el Centro Democrático y Social. • **De Peralta, *Juan*** (1537-h. 1590) Historiador mex. *Tratado del descubrimiento de las Indias.*

SUARISMO m. Sistema escolástico contenido en las obras del jesuita esp. Francisco Suárez.

SUASORIO, RIA adj. Perteneciente a la persuasión o propio para persuadir.

SUAVE adj. Liso y blando al tacto. • Dulce, grato a los sentidos. • fig. Tranquilo, manso. • fig. Lento, moderado. • fig. Dócil, apacible. ■ SUAVIDAD.

SUAVIZADOR, RA adj. Que suaviza. • m. Útil de cuero para suavizar el filo de las navajas de afeitar.

SUAZO Córdoba, *Roberto* (nacido 1927) Médico y político hond. En 1981 fue elegido presid. de la rep., al resultar vencedor el partido liberal, desarrollando una política conservadora próxima a EE UU. En 1986 le sustituyó J. Azcona.

SUB JÚDICE *Der.* loc. latina con que se denota que una cuestión está pendiente de una resolución judicial. • fig. Díc. de toda cuestión opinable, sujeta a discusión.

SUBA f. *R. de la Plata.* Elevación de precios.

SUBACETATO m. *Quím.* Acetato básico de plomo.

SUBAFLUENTE m. Río o arroyo que desagua en un afluente.

SUBALPINO, NA adj. y s. Díc. del piso de vegetación situado gralte. entre 1 000 y 2 000 m de alt.

SUBALTERNO, NA adj. Inferior, o que está debajo de una persona o cosa. • Díc. del juicio (o proposición) particular, afirmativo o negativo, respecto de su universal correspondiente. • m. Empleado de categoría inferior. • Torero que forma parte de la cuadrilla de un matador. • Oficial cuyo empleo es inferior al de capitán.

SUBÁLVEO, A adj. y m. Que está debajo del álveo de un río o arroyo.

SUBARRENDAR tr. Dar o tomar en arriendo una cosa de otro arrendatario de la misma.

SUBARRIENDO o **SUBARRENDAMIENTO** m. Acción y efecto de subarrendar. • Contrato por el cual se subarrienda una cosa. • Precio en que se subarrienda. ■ SUBARRENDATARIO, RIA.

SUBASTAR tr. Vender efectos o contratar servicios, arriendos, etc., en pública subasta. ■ SUBASTA; SUBASTADOR, RA.

SUBBILULIUMA (m. h. 1341 a. C.) Rey hitita [h. 1380-h. 1341 a. C.]. Reconquistó Anatolia, ocupó Siria septentrional y disolvió el reino de Mitanni.

SUBCLASE f. Cada uno de los grupos en que se dividen las clases de plantas y animales.

SUBCLAVIO, VIA adj. Díc. de lo que en el cuerpo del animal está debajo de la clavícula.

SUBCOMISIÓN f. Grupo de individuos de una comisión que tiene un determinado cometido.

SUBCONSCIENCIA f. *Psic.* Capa de la conciencia psicológica, en la que se registran ciertos contenidos, que, aparentemente olvidados por el sujeto, determinan su conducta. La estudia el psicoanálisis.

SUBCONSCIENTE adj. Que se refiere a la subconsciencia, o que no llega a ser consciente. • m. Subconsciencia.

SUBCOSTAL adj. Que está debajo de las costillas.

SUBCUERPO m. *Mat.* Subconjunto k de un cuerpo K, el cual, al restringir las dos operaciones de K, adquiere también estructura de cuerpo.

SUBCUTÁNEO, A adj. Que está inmediatamente debajo de la piel.

SUBDELEGAR tr. Dar un delegado su potestad a otra persona. ■ SUBDELEGACIÓN; SUBDELEGADO, DA.

SUBDESARROLLO m. → Desarrollo, → Tercer Mundo.

SUBDIÁCONO m. Clérigo que ha recibido la primera de las órdenes mayores. ■ SUBDIACONADO; SUBDIACONAL.

SUBDIRECTOR, RA m. y f. Persona que sirve a las órdenes inmediatas del director o le sustituye en sus funciones. ■ SUBDIRECCIÓN.

SUBDISTINGUIR tr. Distinguir en lo ya distinguido.

Johan August **Strindberg**

Adolfo **Suárez González**

SÚBDITO, TA adj. y s. Sujeto a la autoridad de un superior con obligación de obedecerle. • m. y f. Natural o ciudadano de un país.

SUBDIVIDIR tr. y prnl. Dividir una parte señalada por una división anterior. ■ SUBDIVISIÓN.

SUBDOMINANTE f. *Mús.* Cuarta nota de la escala diatónica.

SUBDUPLO, PLA adj. *Mat.* Aplícase al núm. o cantidad que es mitad exacta de otro u otra.

SUBEMPLEO m. Insuficiente utilización de la mano de obra disponible, o de la capacidad de trabajo.

SÚBER m. Tejido secundario que sustituye la exodermis de las plantas que crecen en grosor.

SUBERIFICACIÓN f. *Bot.* Proceso de modificación de la membrana secundaria de las células vegetales, por el cual la celulosa se va sustituyendo paulatinamente por suberina, más impermeable, que impide la evaporación y transpiración de los órganos vegetales.

SUBERINA f. *Bot.* Sustancia lipídica, impermeable, que se halla en el corcho o súber de ciertos vegetales.

SUBEROSO, SA adj. Parecido al corcho.

SUBESPECIE f. Unidad taxonómica intraespecífica, utilizada en botánica y zoología para designar un conjunto de individuos de una especie diferenciados de otros pertenecientes a la misma.

Tres mans, escultura en madera y bronce de J. M. **Subirachs**

SUBESTIMAR tr. Estimar en menos de su valor.

SUBFEBRIL adj. Díc. del que tiene una temperatura anormal, comprendida entre 37,5 y 38 grados centígrados.

SUBFIADOR m. *Chile* y *Hond.* Fiador subsidiario.

SUBFUSIL m. Arma automática de tiro tenso, ligera y de gran velocidad de fuego, con un alcance de hasta 200 m.

SUBGÉNERO m. Cada uno de los grupos particulares en que se divide un género.

SUBGOBERNADOR m. Empleado inferior al gobernador y que le sustituye en sus funciones.

SUBIDERO, RA adj. Que puede subirse por él. • m. Lugar o paraje por donde se sube.

SUBIDO, DA adj. Díc. de lo más fino y excelente en su especie. • Díc. del color o del olor que impresiona fuertemente la vista o el olfato. • Muy elevado, que excede al término ordinario. • f. Acción y efecto de subir. • Sitio o lugar en declive, que va subiendo.

SUBÍNDICE m. Letra o núm. que, añadido a la derecha y algo más bajo a un símb. matemático, lo distingue de otros semejantes.

SUBINSPECTOR m. Jefe inmediato después del inspector. ■ SUBINSPECCIÓN.

SUBINTENDENTE m. El que sirve inmediatamente a las órdenes del intendente o le sustituye en sus funciones. ■ SUBINTENDENCIA.

SUBINTRAR intr. Entrar uno después o en lugar de otro. • *Cir.* Colocarse un hueso o fragmento de él debajo de otro. • *Med.* Comenzar una acción febril antes de terminar la anterior.

SUBIR intr. Pasar de un sitio o lugar a otro superior o más alto. • Cabalgar, montar. • Crecer en alt. ciertas cosas. • Ponerse el gusano en las ramas o matas para hilar el capullo. • Importar una cuenta. • Pasar a mejor categoría o empleo, o a mejor categoría económica o social. • fig. Agravarse o difundirse ciertas enfermedades. • intr. y tr. Elevar la voz o el sonido de un instrumento desde un tono grave a otro más agudo. • tr. Recorrer yendo hacia arriba, remontar. • Trasladar a una persona o cosa a lugar más alto que el que ocupaba. • Hacer más alta una cosa o irla aumentando hacia arriba. • Enderezar o poner derecha una cosa que estaba inclinada hacia abajo. • fig. Dar a las cosas más precio o mayor estimación de la que tenían. ■ SUBIMIENTO.

Submarinismo practicado con botella de oxígeno

SUBIRACHS, *Josep Maria* (nacido 1927) Escultor esp. Desde la esquematización monumentalista ha evolucionado hasta la geometrización. *Perfil*, fachada del Santuario de la Virgen del Camino.

SUBITÁNEO, A adj. Que sucede de improviso.

SÚBITO, TA adj. Improviso, repentino. • Precipitado o violento en las obras o palabras. • adv. modo. De manera súbita.

SUBJEFE m. El que hace las veces de jefe y sirve a sus órdenes.

SUBJETIVISMO m. *Fil.* Doctrina que reduce la validez de los juicios al sujeto que los emite. Es un componente importante del kantismo.

SUBJETIVO, VA adj. Relativo al sujeto pensante y no al objeto en sí mismo. • Que varía con los gustos, hábitos, modo de pensar, de cada uno; individual. ■ SUBJETIVIDAD.

SUBJUNTIVO adj. Relativo al modo subjuntivo. • m. *Gram.* Modo del verbo que expresa el hecho como un deseo, o como dependiente y subordinado a otro hecho. Significativamente, se emplea para indicar que la acción no está pensada como real, sino que es dudosa o deseada. Su campo semántico aumenta o se restringe si las lenguas que lo usan poseen o no otros modos afines.

SUBLEVAR tr. y prnl. Alzar en sedición o motín. • tr. fig. Excitar indignación, promover sentimiento de protesta. ■ SUBLEVACIÓN; SUBLEVAMIENTO.

SUBLIMACIÓN f. *Fís.* Transformación directa del estado sólido al gaseoso. • *Psic.* Transformación del impulso sexual original en uno secundario y socialmente positivo. ■ SUBLIMATORIO, RIA.

SUBLIMADO, DA adj. Que ha sido objeto de sublimación. • *Quím.* Sustancia obtenida por sublimación. • **corrosivo.** *Quím.* Sustancia venenosa, que resulta de la combinación de dos equivalentes de cloro con uno de mercurio.

SUBLIMAR tr. Engrandecer, exaltar, ensalzar. • tr. *Psic.* Transformar el impulso sexual en una acción gratificadora y socialmente positiva. • tr. y prnl. *Fís.* Pasar directamente del estado sólido al estado de vapor. A veces, designa también el proceso inverso.

SUBLIME adj. Excelso, eminente. ■ SUBLIMIDAD.

SUBLIMINAL adj. Carácter de aquellas actividades psíquicas de las que no se es consciente.

SUBLINGUAL adj. Relativo a la región inferior de la lengua.

SUBLITORAL adj. Díc. de la zona biotópica marina costera que suele permanecer sumergida, pero que, excepcionalmente, puede quedar descubierta en las grandes mareas.

SUBLUNAR adj. Que está debajo de la Luna. Se suele emplear con el significado de «terrenal».

SUBMARINISMO m. Teoría y práctica sobre la inmersión y exploración bajo el agua. ■ SUBMARINISTA.

SUBMARINO, NA adj. Que está bajo la superficie del mar. • m. Buque proyectado para su desplazamiento tanto en superficie como sumergido.

SUBMAXILAR adj. Díc. de lo que está debajo de la mandíbula inferior.

SUBMÚLTIPLO, PLA adj. y m. *Mat.* Díc. de un núm., o medida, contenido un núm. entero de veces en otro. Todo divisor de un núm. es submúltiplo de éste.

SUBNORMAL adj. y s. Que es inferior a lo normal. Se aplica especialmente a las personas cuya edad mental es sensiblemente inferior a la cronológica.

SUBNOTA f. *Art. Gráf.* Nota puesta a otra nota de un escrito o impreso.

SUBNUCLEAR adj. *Fís.* Díc. de las estructuras atómicas, en particular las partículas y campos de fuerza, que forman parte del núcleo, como los neutrones y los protones.

SUBOFICIAL m. *Mil.* Categoría comprendida entre las de oficial y clase de tropa.

SUBORBITAL adj. Díc. de la trayectoria más baja que la orbital, es decir, de una trayectoria en la que no se alcanza el equilibrio entre la fuerza de atracción terrestre y la fuerza centrífuga desarrollada por el móvil.

SUBORDEN m. Cada uno de los grupos taxonómicos en que se dividen los órdenes de animales y de plantas.

Submarino estadounidense *Trident* de propulsión nuclear navegando emergido

SUBORDINAR tr. y prnl. Poner personas o cosas bajo la dependencia de otras. • *Gram.* Regir un elemento gramatical a otro de categoría diferente. • *Gram.* Estar una oración en dependencia de otra. • tr. Clasificar algunas cosas como inferiores en orden respecto de otras. ■ SUBORDINACIÓN; SUBORDINADO, DA; SUBORDINANTE.
SUBPREFECTO m. Jefe o magistrado inmediatamente inferior al prefecto. ■ SUBPREFECTURA.
SUBPRODUCTO m. Producto secundario obtenido, además del pral., en un proceso industrial.
SUBPROGRAMA m. *Comp.* Conjunto de instrucciones que se utiliza entre varios puntos de un programa, o que puede insertarse en diferentes programas.
SUBRANQUIAL adj. Sit. debajo de las branquias.
SUBRAYAR tr. Señalar por debajo con una raya alguna letra, palabra o frase escrita, para llamar la atención sobre ella. • En los impresos, emplear el carácter cursivo u otro distinto del empleado gralte. en la impresión. • fig. Recalcar las palabras. ■ SUBRAYADO, DA.
SUBREGIÓN f. Zona biogeográfica que se localiza dentro de una región natural.
SUBREINO m. Cada uno de los grupos taxonómicos en que se dividen los reinos animal y vegetal.
SUBREPCIÓN f. Acción oculta y a escondidas. • *Der.* Ocultación de un hecho para obtener lo que de otro modo no conseguiría. ■ SUBREPTICIO, CIA.
SUBRIGADIER m. Oficial que desempeñaba las funciones de sargento segundo en el cuerpo de guardia de la persona del rey. • En escuelas navales, el aspirante distinguido, subordinado y auxiliar del brigadier.
SUBROGAR tr. y prnl. Sustituir o poner una persona o cosa en lugar de otra. ■ SUBROGACIÓN.
SUBSANAR tr. Disculpar un desacierto o delito. • Remediar un defecto, o resarcir un daño. ■ SUBSANACIÓN.
SUBSECRETARIO, RIA m. y f. Persona que sustituye o auxilia al secretario. • Jefe de un departamento ministerial. ■ SUBSECRETARÍA.
SUBSEGUIR intr. y prnl. Seguir una cosa inmediatamente a otra. ■ SUBSECUENTE; SUBSIGUIENTE.
SUBSIDENCIA f. Lento y gradual descenso de un fondo marino.
SUBSIDIARIO, RIA adj. Que se da o se manda en socorro o subsidio de uno. • *Der.* Aplícase a la acción o responsabilidad que suple o robustece a otra pral. en caso de fallar ésta.
SUBSIDIO m. Socorro o auxilio extraordinario. • Ayuda económica para atender ciertas necesidades individuales o colectivas. • Contribución impuesta al comercio y a la industria.
SUBSISTENCIA f. Permanencia, estabilidad y conservación de las cosas. • Conjunto de medios necesarios para el sustento de la vida humana. Se usa más en pl. • *Fil.* Complemento último de la sustancia, o acto por el cual una sustancia se hace incomunicable a otra.
SUBSISTIR intr. Permanecer, durar una cosa o conservarse. • Vivir, mantener la vida. • Estar en vigor.
SUBSOLAR tr. Remover el suelo por debajo de la capa arable. • Roturar a bastante profundidad, sin voltear la tierra.
SUBSUELO m. Terreno que está debajo de la capa laborable supeficial. • Parte profunda del terreno a la cual no llegan los aprovechamientos superficiales de los predios. • *Chile.* Sótano.
SUBTENDER tr. *Geom.* Unir una línea recta los extremos de un arco o de una línea quebrada.
SUBTENIENTE m. *Mil.* Oficial de categoría inmediatamente inferior a la de teniente.
SUBTENSA f. *Geom.* Cuerda que subtiende un arco.
SUBTERFUGIO m. Evasiva, escapatoria o excusa para salir de una situación difícil o embarazosa.
SUBTERRÁNEO, A adj. Que está debajo de tierra. • m. Espacio sit. debajo de tierra.
SUBTIPO m. Cada uno de los grupos taxonómicos en que se dividen los tipos de plantas y de animales.
SUBTÍTULO m. Título secundario que se pone a veces después del título principal. • *Cin.* Traducción resumida del diálogo, que aparece en la parte inferior de la pantalla. ■ SUBTITULAR.
SUBTROPICAL adj. Tipo de bioma o vegetación, constituido por bosques de árboles de hoja grande, con encinas perennes, tamarindos, magnolias, palmeras y viñedos, así como orquídeas y musgo negro. Se localiza en regiones de gran pluviosidad.

Corriente de agua **subterránea** en una cueva

Vista aérea de una zona **suburbana** de Seattle, EE UU

SUBTRÓPICO m. Territorio de transición entre el trópico y la zona templada.
SUBURBANO, NA adj. Aplícase al edificio, terreno o campo próximo a la ciudad. • Relativo a un suburbio. • m. Tren, gralte. subterráneo, que une un suburbio con el centro de la ciudad.
SUBURBIO m. Aglomeración urbana cerca de una ciudad.
SUBVENCIONAR tr. Otorgar a alguien una cantidad para que ejecute una obra o realice un servicio, gralte. de interés público. ■ SUBVENCIÓN.
SUBVENIR intr. Auxiliar, amparar. • Costear, sufragar el pago de ciertas instituciones privadas.
SUBVERTIR tr. Trastornar, perturbar, hacer que algo deje de marchar con normalidad. ■ SUBVERSIÓN; SUBVERSIVO, VA; SUBVERSOR, RA.
SUBYACENTE adj. Que yace o está debajo de otra cosa.
SUBYUGAR tr. y prnl. Avasallar, sojuzgar, dominar poderosa o violentamente. ■ SUBYUGACIÓN.
SUCCÍNICO adj. *Quím.* Díc. de un ácido orgánico bicarboxílico, que cristaliza en el sistema monoclínico. Originado en la fermentación alcohólica.
SUCCINO m. Ámbar.
SUCCIONAR tr. Chupar, extraer algún jugo o análogo con los labios. • Absorber. ■ SUCCIÓN.
SUCEDÁNEO, A adj. y m. Díc. de la sustancia que, por tener propiedades parecidas a las de otra, puede reemplazarla.

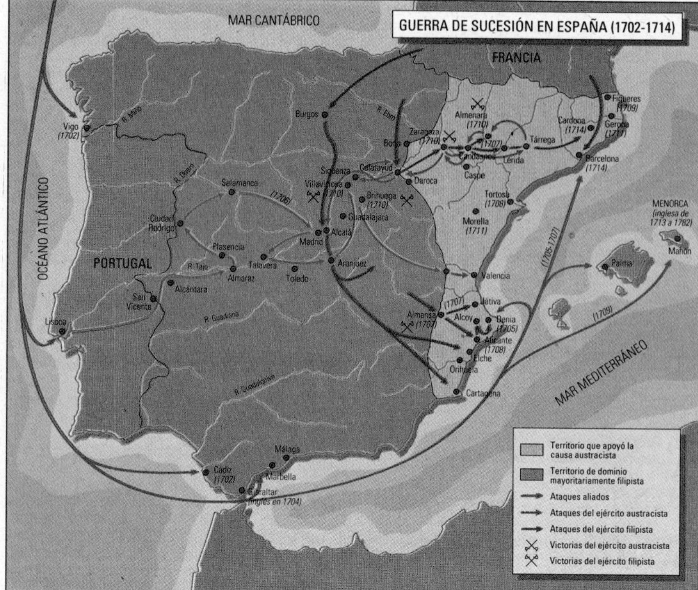

Sucesión vegetal en una zona de bosque caducifolio: a. manto de hierbas anuales; b. pradera perenne; c. arbustos; d. nogales, olmos y robles; e. vegetación climácica (hayas, chopos, etc.)

SUCEDER intr. Ocupar el lugar de una persona o cosa; sustituir a alguien en un cargo, empleo, etc. • Entrar como heredero o legatario en la posesión de los bienes de un difunto. • Descender, provenir. • impers. Producirse espontáneamente un hecho o suceso. ■ SUCEDIDO, DA; SUCESIVO, VA; SUCESOR, RA.

SUCESIÓN f. Entrada o continuación de una persona o cosa en lugar de otra. • Entrada como heredero o legatario en la posesión de los bienes de un difunto. • Descendencia o procedencia de un progenitor. • Conjunto de bienes, derechos y obligaciones transmisibles a un heredero o legatario. • Prole, descendencia directa. • *Biol.* Conjunto de sustituciones de fauna y flora en un ecosistema desde su inicio hasta la creación del clímax del país. • *Mat.* Conjunto ordenado de infinitos valores numéricos o algebraicos. • **de Cauchy.** *Mat.* Aquella cuyos términos se van agrupando entre sí a medida que aumenta el subíndice. • **de funciones.** *Mat.* Aquélla cuyos términos son funciones en lugar de núm. • **forzosa.** *Der.* La que está ordenada preceptivamente, de modo que el causante no pueda variarla ni estorbarla. • **intestada.** La que se verifica por ministerio de la ley y no por testamento. • **monótona.** *Mat.* Aquella que para cada par de elementos a_i, $a_i + k$ se cumple $a_i + k\ a_i$ (monótona, decreciente) o $a_i + k > a_i$ (monótona creciente). • **numérica.** Sucesión. • **testada.** *Der.* La que se regula por medio de testamento. • **universal.** La que transmite al heredero la totalidad o una parte alícuota de la personalidad civil y del haber íntegro del causante, haciéndole continuador o partícipe de cuantos bienes, derechos y obligaciones tenía éste al morir. • **Guerra de S. española.** *Hist.* Conflicto europeo (1701-1714) desencadenado tras la muerte de Carlos II de España. ■ SUCESORIO, RIA.

* *Biol.* Las s. tienden siempre al clímax con mayor o menor velocidad; la s. es, por tanto, un estadio dinámico que va desde la colonización inicial de la roca desnuda hasta la consecución del clímax. En las primeras fases se instaura un nivel de vida inferior, que va evolucionando hasta que los grandes depredadores culminan la pirámide ecológica. Finalmente, el ecosistema queda constituido por el conjunto de organismos que permiten, en aquellas condiciones ambientales, un mayor aprovechamiento de la energía solar.

* *Hist.* Enfrentó a Francia y España, que defendía los derechos de Felipe de Anjou (Felipe V), contra Inglaterra, las Provincias Unidas y el Imperio, que apoyaban al archiduque Carlos. Finalizó con las paces de Utrecht y Rastatt, que reconocían a Felipe V como rey de España.

SUCESO m. Cosa que sucede, especialmente cuando es de alguna importancia. • Transcurso o discurso del tiempo. • Éxito, resultado, término de un asunto. • Hecho delictivo o accidente desgraciado. • *Mat.* Cualquier acontecimiento al que se pueda asignar un núm. real llamado probabilidad, comprendido entre 0 y 1.

SUCHE adj. *Ven.* Agrio, duro, sin madurar. • m. *Ecuad* y *Perú.* Súchil. • *Chile.* despect. Empleado de última categoría, subalterno.

SUCHET, *Louis Gabriel* (1770-1826) Militar fr. Mariscal de Francia al servicio de Napoleón. En la guerra de la Independencia esp. consiguió el control de Cataluña y Valencia (1812). En 1814 firmó el armisticio y se retiró de España.

SÚCHIL m. *Méx.* Árbol apocináceo, de flores blancas con listas encarnadas, cuya madera se usa en la construcción.

SUCHITEPÉQUEZ Dpto. de Guatemala bañado por el Pacífico; 2 510 km^2, 307 187 hab. Cap., Mazatenango. El S está ocupado por el eje volcánico guatemalteco-salvadoreño (volcán Santo Tomás, 3 551 m); una zona de piedemonte da lugar a la llanura litoral. Ríos Icam, Nahualate y Siguacán. Clima tropical. Café, caña de azúcar, cacao, algodón, cereales. Ganado bovino. Explotación forestal. Pesca.

SUCHOU *(Suzhou)* C. del E de China, en la prov. de Kiangsu, junto al lago Tai; 681 000 hab. Comercio. Ind. sedera. Dotada de numerosos canales.

SÜCHOU *(Xuzhou)* C. del E de China, en el NE de la prov. de Kiangsu; 793 000 hab. Ind. textiles y alimentarias. Nudo de comunicaciones.

SUCINTARSE prnl. Ceñirse, ser sucinto.

SUCINTO, TA adj. Breve, compendioso.

SUCIO, CIA adj. Que tiene manchas o impurezas. • Que se ensucia fácilmente. • fig. Deshonesto u obsceno en acciones o palabras. • fig. Díc. del color confuso y turbio. • fig. Con daño, infección, imperfección o impureza. • adv. modo. fig. Hablando de algunos juegos, sin la debida observancia de sus reglas y leyes propias. ■ SUCIEDAD.

SUCO, CA adj. *Ecuad.* Pelirrojo. • *Perú.* Anaranjado. • m. Jugo. • *Bol, Chile* y *Ven.* Terreno fangoso.

SUCRE m. Unidad monetaria del Ecuador.

SUCRE Est. de Venezuela, bañado, al N, por el Caribe. Limita, al E, con los Est. Monagas y Anzoátegui; 11 800 km^2, 808 479 hab. Cap., Cumaná. C. pral.: Carúpano. Una falla separa el N del macizo

Oriental (alt máx., Turimiquire, 2 596 m). En el E se extiende una amplia zona pantanosa alrededor del golfo de Paria. R. prales.: Manzanares y Neverí al O, y San Juan al E. Clima tropical y bosque denso. En la costa predomina el manglar y en los sectores secos las especies xerófilas. Arroz, algodón, cacao, coco, copra, caña de azúcar y café. Pesca. Yeso (Macuro), azufre (El Pilar), hierro y asfalto (en Guanoco existe el mayor lago de asfalto del mundo), y en la pen. de Araya se explotan salinas. Ind. de transformaciones agrarias, conservera y de materiales de construcción. Turismo. Los puertos más imp. son los de Cumaná, Carúpano, Río Caribe y Güiria. • Dpto. de Colombia, a orillas del mar Caribe, limítrofe con los dptos. de Bolívar, Antioquia y Córdoba; 10 917 km^2, 701 105 hab. Cap., Sincelejo. C. pral.: Corozal. El N del terr. corresponde a la sabana de Bolívar y la suavidad de su relieve se ve alterada por la serranía de la María, de dirección NE-SO. La mitad S está ocupada por la depresión Momposina, en la que abundan los pantanos. Excepto los cursos del extremo N que desaguan directamente en el Caribe, los restantes lo hacen a través del Magdalena (San Jorge, Cauca, etc.). Clima tropical lluvioso. Arroz, cereales, tabaco. Ganadería caballar y vacuna. Pesca. Ind. química y del cemento (Tolú). El puerto de Coveñas está unido mediante un oleoducto a los yacimientos del Magdalena. La pob. se concentra en las zonas serranas del centro de la sabana. El terr. de este dpto. formaba anteriormente parte del dpto. de Bolívar, del que fue separado en 1966. • C. de Bolivia, cap. legal del país y del dpto. de Chuquisaca, sit. en la región del altiplano a 2 860 m de alt.; 131 769 hab. Presenta un trazado moderno que data de 1948, año en que hubo de ser reconstruida después del seísmo. El traslado de la sede del gobierno a La Paz ha provocado cierto estancamiento económico. Centro comercial e industrial (alimentarias, textiles, metalurgia, refino de petróleo). Las prales. manifestaciones artísticas datan del s. XVII (iglesias de San Miguel, San Agustín, La merced, Santo Domingo, y la catedral), excepto la iglesia de las Mónicas (s. XVIII). La casa del Cristo del Gran Poder es el edificio colonial más imp. Fundada por Pedro de Anzures (1538) con el nombre de La Plata. En 1559 fue convertida en sede de la audiencia de Charcas. Imp. centro cultural en el s. XVIII. Cap. de Bolivia desde 1839, esta condición le fue arrebatada por La Paz tras la guerra civil de 1898.

SUCRE, *Antonio José de* (1795-1830) Militar y político ven., héroe de la indep. hispanoamericana. Inicialmente colaboró con Miranda y Mariño, y post. fue lugarteniente de Bolívar. Fue comisionado para firmar la Paz de Trujillo (1820). Al quedar ésta sin efecto, S. jugó un papel fundamental en la última etapa de la lucha independentista. En 1824 emprendió con Bolívar la ofensiva contra las tropas realistas, que culminó en Ayacucho (diciembre 1824). Convocó el congreso de las prov. altoperuanas, que, en 1825, en Chuquisaca, resolvió fundar la República de Bolívar (después Bolivia), a quien se ofreció el poder supremo. En mayo de 1826 S. sucedió a Bolívar como presid. de la nueva rep. Consolidó su organización, pero tras la invasión del general per. Gamarra, renunció al mando y se exilió a Ecuador (1828). Apoyó la política de Bolívar y venció a La Mar en Tarqui (febrero 1829), pero fue asesinado en Pasto.

SUCTOR, RA adj. Que succiona. • adj. y m. *Zool.* Díc. de animales de la clase suctores.

SÚCUBO adj. y m. Díc. del espíritu, diablo o demonio que, según la superstición vulgar y bajo la apariencia de mujer, tiene trato carnal con un varón.

SUCUCHO m. Rincón, ángulo entrante. • *Amér.* Socucho, aposento pequeño.

SUCULENTO, TA adj. Jugoso, sustancioso, muy nutritivo. • *Bot.* Díc. de los tallos u hojas de las plantas que se hallan engrosados por depósitos de agua.

SUCUMBÍOS Prov. del N de Ecuador, en la Reg. Amazónica, limítrofe con Colombia; 18 327 km^2, 76 952 hab. Cap. Nueva Loja (13 165 hab.). Amplia llanura avenada por los afluentes y subafluentes del Amazonas. Clima ecuatorial.

SUCUMBIR intr. Ceder, rendirse, someterse. • Caer por efecto de una carga excesiva. • Morir, perecer. • *Der.* Perder el pleito.

Sucre (Bolivia). Fachada del antiguo palacio del gobierno

SUCURSAL adj. Díc. del establecimiento sit. en pob. distintas o en sitios distintos de una misma pob., respecto a la central de la que depende.

SUD m. Sur. Es forma usada en palabras compuestas.

SUDACIÓN f. Exudación. • *Med.* Exhalación de sudor, especialmente la abundante, provocada con fines terapéuticos.

SUDARERA f. Sudadero. • fam. Sudor copioso.

SUDADERO m. Paño con que se limpia el sudor. • Manta pequeña que se pone a las cabalgaduras debajo de la silla o aparejo. • Lugar acondicionado para darse baños de sudor. • Lugar donde hay mucha humedad y rezuma el agua.

Antonio José de **Sucre**

SUDAFRICANA, *República* (afrikaans, *Republiek van Suid-Afrika;* ing., *Republic of South Africa)* Estado del S de África, limítrofe al N con Namibia, Botswana y Zimbabwe; al E con Mozambique y Swazilandia; el océano Índico baña la costa S y SE, y el Atlántico la O. En su terr. está enclavado el est. de Lesotho. Lenguas: afrikaans e ing. (of.), idiomas bantúes. *Rel.:* Protestantismo, animismo, catolicismo, hinduismo. U.M.: el rand. Cap.: Ciudad de El Cabo (legislativa), Pretoria (administrativa), Bloemfontein (judicial). C. prales.: Johannesburgo, Durban, Port Elizabeth.

* *Geog. física.* El interior del terr. está formado por un conjunto mesetario; el borde oriental forma un pronunciado escarpe representado por la cordillera de Drakensberg, prolongado al S por el Nuweveldberg y el Zwartberg, entre los que se abre la depresión del Gran Karroo, y entre este último macizo y el Langeberg, la del Pequeño Karroo. Hacia la parte NO la meseta se abre hacia el desierto de Kalahari. Redes hidrográficas del Orange y Limpopo. Al E abundan los ríos cortos y caudalosos (Tugela, Kei, etc.). Clima en general continental. Abunda la vegetación forestal de tipo tropical; la sabana en las mesetas, y, al O, especies esteparias; manglar en la costa y bosque galería en los valles.

* *Geog. económica.* La agricultura destaca por la elevada mecanización y la diversidad de productos (maíz, trigo, avena, sorgo, patata, vid, agrios, caña de azúcar, algodón, frutos tropicales). Los blancos son propietarios de casi toda la tierra y ganado. La ganadería (ovina, bovina y caprina) es muy imp. Pesca abundante y explotación forestal. La minería es una de las prales. riquezas de la rep.: se extrae oro en el distrito de Witwatersrand, y en zonas del Transvaal, uranio, platino, plata, diamantes, cromo, cobre, estaño, níquel, etc. Gracias a la riqueza mineral, la ind. se halla muy desarrollada. Destaca la siderurgia (Petroria y Newcastle), base de las producciones mecánicas y montaje de automóviles; las fundiciones de estaño y cobre, y la química. el sector textil produce hilados y tejidos de algodón, y el alimentario conservas, harinas y productos lácteos.

* *Geog. humana.* Sólo el 19 % de la pob. es blanca (bóers y de origen brit.); el resto está formado por bantúes (67 %), más de la mitad confinados en reservas y ghettos, mestizos (11 %) y asiáticos (3 %). Las prales. naciones bantúes son la xosa, zulú, sotho septentrional y meriodional, bechuana, tsonga, suazi, indebele y venda. Los mestizos descienden pralm. de bóers, hotentotes, malayos y negros; y los asiáticos, de indios y chinos. Respecto a las razas no europeas existió una segregación racial institucionalizada hasta 1991.

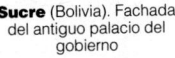

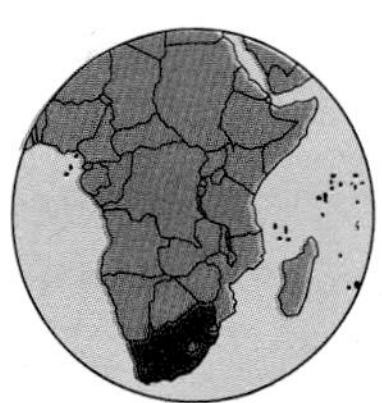

Mapa de situación y bandera de la **República Sudafricana**

República Sudafricana. Ayuntamiento de Ciudad de El Cabo

REPÚBLICA SUDAFRICANA

Superficie 1 224 736 km²

Población 42 446 000 hab. (35 hab./km²)

Recursos económicos	
Algodón	39 000 t
Maíz	4 670 000 t
Naranjas	731 000 t
Trigo	2 125 000 t
Ganadería y derivados	
Cabaña bovina	13 015 000 cabezas
Cabaña caprina	6 457 000 cabezas
Cabaña ovina	28 784 000 cabezas
Carne	1 249 000 t
Lana	35 000 t
Riqueza forestal	24 218 000 m³
Pesca	521 062 t
Producción minera	
Amianto	146 000 t
Antimonio	4 534 t
Carbón	183 581 000 t
Cinc	76 400 t
Cobre	193 000 t
Cromita	1 080 000 t
Diamantes	9 834 641 quilates
Estaño	492 t
Fosfato	2 880 000 t
Hierro	20 700 000 t
Manganeso	1 210 000 t
Níquel	31 000 t
Oro	524 000 kg
Plata	196 000 kg
Platino	183 925 kg
Plomo	95 800 t
Uranio	1 669 t
Vanadio	15 000 t
Producción industrial	
Acero	8 500 000 t
Automovilística	199 140 unidades
Azúcar	16 670 000 t
Cemento	7 068 000 t
Energía eléctrica	183 790 000 000 kwh
Fertilizantes	1 259 000 t
Hierro colado	6 050 000 t
Papelera	1 317 000 t
Vino	9 500 000 hl
Indicadores sociológicos	
PNB	13 918 millones de dólares
Renta per cápita	3 160 dólares
Esperanza de vida	58 años
Alfabetismo	82 %

República Sudafricana. Arriba, Nelson Mandela; a la derecha, vista de Johannesburgo

* *Hist.* Existen vestigios de una ant. pob., ya que allí se descubrieron los primeros ejemplares de australopitecinos, pitecántropos, neandertaloides y *Homo sapiens.* Más tarde aparecieron los bosquimanos, a los que se unieron (s. XIII a. C.) los hotentotes. Ambos fueron desplazados por los bantúes. La penetración europea se inició con descubrimiento del Cabo de Buena Esperanza por los port. (1487). Los neerlandeses se implantaron a mediados del s. XVIII, y los brit., desde 1795. Cuando se declaró la abolición de la esclavitud los bóers iniciaron su éxodo (Gran Trek) hacia el N y constituyeron el Estado Libre de Orange y la Rep. S. El descubrimiento de diamantes enfrentó a bóers y brit. La guerra finalizó con la anexión de Orange y Transvaal a la corona brit. (1902). En 1910 se creó la Unión Sudafricana, federación de colonias de El Cabo, Natal y las ant. rep. de los bóers. La segregación racial se inició jurídicamente en 1911 con la *Mines and Work Act*, que excluía a la pob. no blanca de los empleos cualificados, a la que sucedieron otras leyes discriminatorias. En 1948 el partido de los afrikaners, encabezados por Malan, ganó las elecciones y reforzó la política segregacionista. Los gobiernos siguientes, presididos por Strijdom y Verwoerd, continuaron idéntica política. En 1965 se constituyó la Rep. S., después de abandonar la Commonwealth. La resistencia negra contra el *apartheid* volvió a manifestarse en las huelgas de 1972, el aumento de las actividades guerrilleras y los sagrientos sucesos de Soweto (1976), en los que murieron centenares de personas a raíz de la oposición de la pob. negra a la obligatoriedad del idioma afrikaans. La tensión siempre ha rebrotado en el aniversario de la matanza de Soweto. La Rep. S. ha mantenido su modelo de desarrollo aislado, especialmente buscando el autoabastecimiento de armas, para lo cual ha contado con un discreto pero eficaz respaldo de las potencias occidentales. Respecto a Namibia, ocupada militarmente por la Rep. S., se pretendió legitimar esta situación convocando unas elecciones en 1978, cuyos resultados fueron rechazados por la opinión pública. En 1983 se permitió participar en las elecciones a mestizos y asiáticos. En 1985 se rompieron las negociaciones sobre las reformas del *apartheid*, hubo graves disturbios y se impuso censura de prensa. La concesión del Nobel de la Paz al arzobispo Desmond Tutu sólo favoreció tímidas mejoras. Tras años de inmovilismo bajo la presidencia de P.W. Botha, en 1989 fue elegido presidente el reformista F. W. De Klerk, que liberó al líder negro Nelson Mandela en 1990. En 1991 se abolió oficialmente el *apartheid* y en 1994 se realizaron las primeras elecc. libres y multirraciales, que llevaron a la presid. a N. Mandela y al CNA, el Congreso Nacional Africano. En 1996 se aprobó una nueva constitución. En las elecciones presidenciales de 1999, Thabo Mbeki, sucesor de Mandela, ganó por una amplia mayoría.

SUDAMERICANO, NA adj. y s. De América del Sur.

SUDÁN o **BILAD es Sudan** Región de África que se extiende desde el S del Sáhara hasta el ecuador, y desde Cabo Verde hasta el mar Rojo. Abarca Senegal, Malí, Nigeria, Chad, la Rep. Centroafricana y Sudán. Habitado por negroides, camitas y semitas.

SUDÁN, *República de* *(Jammhuriyat Addimuqratiya as-Sudan)* Estado del NE de África, limítrofe con Egipto, el mar Rojo, Etiopía, Kenia, Uganda, República Democrática del Congo, la República Centroafricana, Chad y Libia. En la región N (Nubia) el terr. es desértico y llano, con un reborde montañoso al E (yébel Oda, 2 559 m). El centro está formado por el Kordofán, región de relieve tabular en cuyo reborde O está el yébel Marra (3 088 m). El sector meridional constituye una cubeta accidentada al S (yébel Kinyeti, 3 187 m). Sistema hidrográfico perteneciente a la cuenca del r. Nilo, que atraviesa el país de S a N. Clima árido al N y tropical en el centro. Vegetación esteparia, sabana y selva. Se cultiva sorgo, mijo, algodón, caña de azúcar, sésamo, cacahuetes, plátanos y dátiles. Explotación forestal (goma arábiga). Ganadería bovina, caprina. Extracción de hierro, cromita, oro, manganeso y sal. Ind. de derivados agropecuarios, textil. República. Etnias: árabes (40 %), nilótico, camitas y otros. Lenguas: ár. (of.), dialectos camíticos, sudaneses y nilóticos. *Rel.:* animismo, islamismo. U.M.: la libra sudanesa. Cap., Jartum. C. prales.: Omdurman, Port-Sudán.

* *Hist.* Los primeros datos sobre S. proceden de los contactos de Egipto con el reino de Kus (III milenio). En el s. X a. C. los cusitas fueron desplazados por los saítas. La indep. del reino se mantuvo hasta la invasión de los pueblos nómadas. En el s. VII fue invadido por los ár. Los fung llegaron en el s. XV y expulsaron a aquéllos. En 1821 el país fue anexionado a Egipto y en 1899 se convirtió en una

SUDÁN

Superficie 2 505 813 km^2
Población 32 594 000 hab. (13 hab./km^2)

Recursos económicos	
Algodón (fibra)	131 000 t
Azúcar	549 000 t
Cabaña bovina	22 000 000 cabezas
Cabaña caprina	16 500 000 cabezas
Cabaña ovina	23 000 000 cabezas
Cacahuetes	630 000 t
Camellos	2 903 000 cabezas
Cemento	250 000 t
Cromita	3 000 t
Energía eléctrica	1 333 000 000 kwh
Goma arábiga	25 000 t
Pesca	44 245 t
Riqueza forestal	24 742 000 m^3
Sal	75 000 t
Sésamo	195 000 t
Sorgo	2 600 000 t
Indicadores sociológicos	
PNB	24 445 millones de dólares
Renta per cápita	800 dólares
Esperanza de vida	55 años
Alfabetismo	46 %

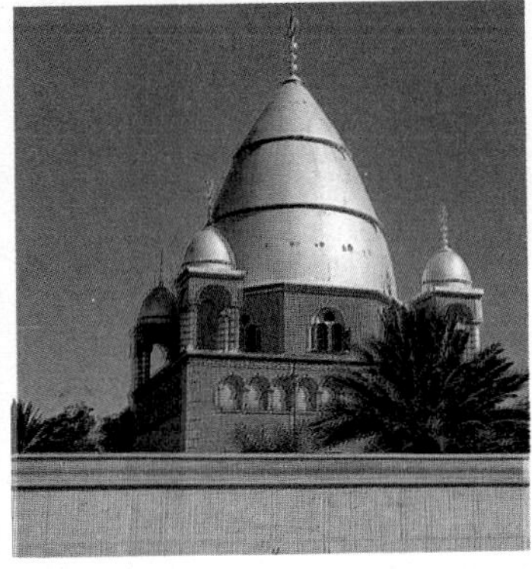
Sudán. Mausoleo del Mahdi, en Omdurman

colonia brit. En 1953 obtuvo la autodeterminación. El Partido Unionista ganó las elecciones de este año y proclamó la independencia en 1956. El mariscal Abbud dio un golpe de Est. en 1958. La inestable situación del país provocó una revolución popular (1964) encabezada por un Frente nacional unido. Post. un golpe militar colocó en el poder al general Jaffar al-Nimeiry (1969). Un intento de golpe de Est. en 1971, de tendencia procomunista, fue seguido de un contragolpe que mantuvo en el poder a al-Nimeiry, quien intentó hacer frente a los problemas crónicos del país (crecimiento económico negativo, guerrillas rebeldes en el S) gobernando dictatorialmente. En 1985 fue derrocado por un golpe de Est. que impuso un gobierno militar. Éste convocó elecciones en 1986, que ganó Sadiq al-Mahdi. En 1989 Ahmed al-Bachir dió un golpe de Est. y formó un Consejo de Mando Revolucionario que prohibió los partidos políticos. En junio de 1998 se votó una nueva constitución.

SUDÁN Meridional Región de Sudán que comprende los estados sureños de Alto Nilo, Bahr el Ghazal y Ecuatoria; 648 054 km^2, 5 271 200 hab. Cap., Juba. Río Bahr el Jebel o Nilo Blanco. Plátanos, sorgo, mandioca. Ganadería bovina.

SUDANÉS, SA adj. y s. De la región afr. del Sudán y de la rep. hom. • Díc. de individuos de una subraza melanoafricana integrada por pueblos de la región de sabanas extendida entre el Sáhara y las selvas ecuatoriales, de N a S, y del r. Senegal al Kordofán, de O a E. Los más imp. son: los wolof, serere, hausa, bambara y malinké, en su mayoría musulmanes. • f. pl. Familia de lenguas habladas en el golfo de Guinea, el O de la región del Sudán y el África central al N del Zaire. Comprende los grupos: atlántico-oeste, nigerosenegalés, songhai, voltaico, guineano, nigerocamerunés y ubangués.

SUDAR intr. y tr. Exhalar y expeler el sudor. • fig. Destilar los árboles, plantas y frutos algunas gotas de su jugo. • fig. Destilar agua a través de sus poros algunas cosas impregnadas de humedad. • fig. y fam. Trabajar con fatiga o desvelo, física o moralmente. • tr. Empapar en sudor. • fig. y fam. Conseguir una cosa con un gran esfuerzo. ■ SUDATORIO, RIA; SUDORÍFERO, RA O SUDORÍFICO, CA; SUDOROSO, SA.

Sudán. Grupo de guerreros nuba preparados para una competición de lucha

SUDARIO m. Lienzo que se pone sobre el rostro de los difuntos o en que se envuelve un cadáver. • **Santos.** El que cubrió el cuerpo de Cristo cuando la bajaron de la cruz.

SUDERMANN, Hermann (1857-1928) Escritor al. *Frau Sorge*, una de sus primeras novelas,es la mejor de sus obras. Su teatro aparece adscrito al naturalismo: *El honor, Piedra entre las piedras*.

SUDESTADA f. *Argent.* Viento con lluvia persistente que viene del SE.

SUDESTE m. Punto del horizonte, equidistante entre el S y el E. • Viento que sopla de esta parte.

SUDETES m. pl. Población de origen alemán establecida en Bohemia (actual República Checa) desde los siglos XII-XIII. Parte de este territorio fue anexionado al Reich en el año 1938. Recuperado en 1945 por Checoslovaquia, la población alemana fue expulsada.

SUDISTA adj. y s. Díc. del partidario de los est. del S durante la guerra de Secesión norteam.

SUDOESTE m. Punto del horizonte, equidistante entre el S y el O. • Viento que sopla de esta parte.

SUDOR m. *Fisiol.* Secreción propia de las glándulas sudoríparas de la piel de los vertebrados. • fig. Jugo que exudan las plantas. • fig. Gotas que destilan las cosas que contienen humedad. • fig. Trabajo y fatiga. • **Con el s. de la frente.** m. adv. fig. Con gran esfuerzo o trabajo. ■ SUDORIENTO, TA.

SUDORÍPARA adj. *Anat.* Díc. de cada una de las minúsculas glándulas, distribuidas por toda la piel, que segregan el sudor.

SUDRA m. Miembro de la más baja casta del brahmanismo, a la que pertenecen los campesinos y artesanos.

SUDSUDESTE m. Punto del horizonte equidistante entre el S y el SE. • Viento que sopla de esa parte.

SUDSUDOESTE m. Punto del horizonte equidistante entre el S y SO. • Viento que sopla de esa parte.

SUE, *Eugène* (1804-1854) Novelista fr. Alcanzó popularidad como autor folletinesco. *Los misterios de París, El judío errante, Matilde o memorias de una joven.*

Mapa de situación y bandera de **Sudán**

Mapa de situación y bandera de **Suecia**

SUECIA

Superficie 449 964 km²	
Población 8 863 000 hab. (19,7 hab./km²)	
Recursos económicos	
Avena	947 000 t
Cebada	1 793 000 t
Centeno	206 000 t
Patatas	1 074 000 t
Trigo	1 554 000 t
Ganadería y derivados	
Cabaña bovina	1 777 000 cabezas
Cabaña ovina	461 000 cabezas
Cabaña porcina	2 313 000 cabezas
Carne	553 000 t
Leche	3 304 000 t
Riqueza forestal	66 024 000 m³
Pesca	394 242 t
Producción minera	
Cinc	159 900 t
Cobre	80 000 t
Hierro	9 954 000 t
Oro	5 900 kg
Piritas	37 000 t
Plata	281 600 kg
Plomo	112 800 t
Tungsteno	180 t
Producción industrial	
Acero	4 953 000 t
Ácido nítrico	259 000 t
Ácido sulfúrico	928 000 t
Automovilística	339 715 unidades
Azúcar	387 000 t
Caucho sintético	24 400 t
Cerveza	5 087 000 hl
Energía eléctrica	142 889 millones de kwh
Hierro colado	2 812 000 t
Neumáticos	2 336 000 unidades
Papelera	6 868 000 t
Indicadores sociológicos	
PNB	209 720 millones de dólares
Renta per cápita	23 750 dólares
Esperanza de vida	78 años
Alfabetismo	100 %

Suecia. Vista de Estocolmo

Suecia. Vista de un grupo de casas unifamiliares, cerca de Västerås

SUECIA *(Sverige)* Estado del N de Europa, en la pen. escandinava. Limita con Noruega, Finlandia, el mar Báltico, y con Dinamarca a través del estrecho de Kattegat. Monarquía. Lengua: sueco. *Rel.:* protestantismo. U.M.: la corona. Cap., Estocolmo. C. prales.: Göteborg, Malmö, Uppsala.

* *Geof. física.* El extremo O está ocupado por el reborde montañoso de los Alpes escandinavos. Se distinguen tres regiones: el Norrland (N), Svealand, (centro) y Götaland (S). El Norrland presenta relieve montañoso (Kebnekaise, 2 117 m; Sulitjelma, 1 098 m); en el interior predominan formas glaciares *(fjell)*. Svealand constituye una región de lagos (Vänern, Vättern, Hjälmaren, Mälaren). S. meridional está formada por la altiplanicie de Smaland que da paso a una depresión, Götaland, en la que alternan lagos y pantanos, y en el extremo meridional, la región de Escania. Ríos Dal, Ljungan, Indals, Angerman, Ume, Skellefte, Pite, Kalix, etc. El N experimenta un clima glaciar; el resto tiene un clima continental. Tundra en el extremo N y bosques de coníferas y caducifolias al descender en latitud.

* *Geog. económica.* Hasta el último cuarto del s. XIX, S. permaneció como un país netamente rural, pero a partir de aquel momento, y tras la I Guerra Mundial, adquirió un gran desarrollo y empezó a explotar intensamente sus riquezas naturales. Se cultiva pralm. trigo, centeno, avena y patatas. El ganado más extensivo es el bovino, que alimenta la ind. de productos lácteos. La pesca, muy abundante en la costa occidental, presenta interés especial y se dedica pralm. a la captura del arenque y del bacalao. La explotación forestal es intensiva. El subsuelo es rico en minerales, hierro en Kiruna y Gällivare, cobre en Leipipir y Aitik, cinc y manganeso. Gran potencial hidroeléctrico. La actividad ind. está representada en primer lugar por la siderurgia, con centros prales. en Borlänge y el litoral báltico y especializada en la obtención de aceros especiales. También es imp. la ind. automovilística (Volvo, Saab), la de construcciones ferroviarias, la aeronáutica y la naval. El sector químico produce pralm. explosivos (fábrica «Nobel» en Vinterviken), fosfatos y cerillas. Otras indus.: maquinaria y accesorios, textil, papelera, maderera y alimentaria.

* *Hist.* En el s. IX los suecos participaron en las expediciones de los vikingos hacia Europa occidental y oriental, donde fundaron los principados de Nóvgorod y Kiev. Bajo la dinastía Folkung, iniciada en 1250, se fundó Estocolmo y se intensificaron las relaciones con la Hansa. Magnus Ladulas (1275-1290) consolidó la conquista de Finlandia. En 1319 se unificaron S. y Noruega. Post. la Unión de Kal mar concentró en Erik de Pomerania las coronas de S., Noruega y Dinamarca. La quiebra de la Unión supuso la indep. del país (1523). Gustavo I Vasa fue coronado rey, y propulsó la Reforma religiosa que determinó la ruptura con Roma (1527). La guerra de los Siete Años contra Polonia y Dinamarca fue favorable a S. Gustavo II Adolfo (1611) que impulsó la expansión en el Báltico e intervino en la guerra de los Treinta Años. El dominio del Báltico enfrentó a Rusia con S., con un saldo negativo para esta última, en la segunda década del s. XVIII. En este siglo se iniciaron una serie de reformas de carácter liberal. Gustavo III impulsó el desarrollo económico y social. A partir del Congreso de Viena (1815), S. adoptó una política exterior de neutralidad, mantenida hasta la actualidad. En las últimas décadas del s. XIX el desarrollo armónico de la industria y de la agricultura permitió crear la infraestructura necesaria para convertir a S., en el s. XX, en una potencia, con una industria altamente tecnificada y en el país con más alto nivel de vida de Europa. Se mantuvo neutral en las dos grandes guerras mundiales de este siglo, y sus gobiernos fueron de predominio socialdemócrata. En 1950 Gustavo V fue sucedido en el trono por Gustavo Adolfo VI, y a éste le sucedió en 1973 Carlos Gustavo XVI. El gobierno de Olof Palme (iniciado en 1968) se caracterizó por su apoyo al Tercer Mundo. En las elecciones de 1976, Palme no obtuvo la mayoría y una coalición de centroderecha formó gobierno, presidido hasta 1978 por Th. Falldin y, al romperse la coalición en este año, por Ola Ullsten Liberal). En 1979 retornó al poder Falldin. En 1982 le sucedió Olof Palme, asesinado en 1986 y sustituido por el vicepresid. Ingvar Carlsson. En 1991 resultó vencedor Karl Bildt, al frente de una coalición de centroderecha, que impulsó un programa de austeridad. En 1994 se aprobó su propuesta de adhesión a la Unión Europea. Las elecciones generales de este año dieron el triunfo a los socialdemócratas de I. Carlsson que presidió el gobierno hasta 1996, cuando fue sustituido por su compañero de partido Göran Persson.

* *Arte.* En la época del románico y del gótico se levantaron imp. catedrales. El Renacimiento fue introducido por el rey Gustavo Vasa. En el s. XVIII

se creó el «estilo gustaviano», de inspiración fr. El neoclasicismo se concretó en la construcción de grandes palacios. El academicismo se prolongó hasta la primera mitad del s. XIX y fue sustituido por el romanticismo. Ya en el s. XX, O. G. Carlsund fue el fundador del *Art concret* y apareció la «generación del 47». Han destacado especialmente los urbanistas.

* *Lit.* Hasta el s. XII no aparecen los primeros textos en sueco. Entre los ss. XIII y XIV los más imp. son los *Ejemplos*, obras breves de tema religioso. En el s. XV se escriben un gran número de crónicas históricas. En el Renacimiento destacan los poetas O. Rudbeck y G. Stiernhielm. En el s. XVIII sobresalen Triewald, Dalin, C. Nordenflucht, C. von Linné y Swedenborg. Del reinado de Gustavo III es el gran poeta Bellman. Escritores románticos son D. A. Atterbom, E. G. Geijer e I. Tegner. La figura central del naturalismo es J. A. Strindberg, junto con S. Lagerlöf. En el s. XX destaca la figura de P. Lagerkvist, poeta y novelista. La literatura sueca participa en el movimiento simbolista (Lidman y Malberg, Osterling), novela social-industrial (Nordström, E. Wagner), novela burguesa (Bergman y Von Krusenstjerna) y novela del proletariado (Moberg, Varnlund, Johnson).

SUECO, CA adj. y s. De Suecia. • m. Lengua germánica, del grupo escandinavo, hablada en Suecia y Finlandia.

SUEGRA f. Madre del marido respecto de la mujer, o de la mujer respecto del marido. • Parte más delgada y cocida de un pan, que suele corresponder a los extremos.

SUEGRO m. Padre del marido respecto de la mujer, o de la mujer respecto del marido.

SUELA f. Parte del calzado que toca al suelo. • Cuero vacuno curtido que se emplea para fabricar esta parte del calzado. • Pedazo de cuero que se pega a la punta del taco con que se juega al billar. • Lenguado, pez. • Zócalo, cuerpo inferior de un edificio u obra. • fig. Madero que se pone debajo de un tabique para levantarlo. • pl. En algunas órdenes religiosas, sandalias. • **No llegarle** a uno **a la s. del zapato.** Serle inferior en algún aspecto determinado.

SUELAZO m. fam. *Amér.* Batacazo, golpe dado contra el suelo.

SUELDA f. Consuelda, planta herbácea.

son la textura y la acidez. En el s. viven gran cantidad de bacterias, gusanos, artrópodos y hasta pequeños mamíferos que cooperan a su estructuración y enriquecimiento en materia orgánica.

SUELTO, TA adj. Ligero, veloz. • Poco compacto, disgregado. • Expedito, ágil. • Libre, atrevido. • Aplícase al que padece diarrea. • Díc. del lenguaje o del estilo fácil, corriente. • Separado y que no hace juego, ni forma con otras cosas la unión debida. • adj. y m. Aplícase a la moneda fraccionaria. • m. Escrito inserto en un periódico que no tiene la extensión del artículo, ni es mera gacetilla. • f. Acción y efecto de soltar. • Traba o atadura para las manos de las caballerías.

SUEÑO m. *Fisiol.* Acto de dormir. • Acto de representarse en la fantasía de uno, mientras duerme, sucesos o especies. • Estos mismos sucesos o especies que se representan. • Gana de dormir. • fig. Cosa fantástica y sin fundamento o razón. • m. pl. *Psic.* Producto de la actividad del psiquismo durante el sueño. • **eterno.** La muerte. • **invernal.** Estado letárgico, durante el invierno, de ciertos animales de las zonas templadas y frías. • **En sueños.** m. adv. Estando durmiendo.

* *Fisiol.* El s. es un estado fisiológico periódico del organismo, que consiste en una interrupción reversible de las actividades nerviosas asociadas a la vida de relación. Se manifiesta de forma característica en los vertebrados superiores y en el hombre, y su significado biológico es el de un predominio temporal en el organismo de los procesos de restauración, y la creación de las condiciones idóneas para el reposo de los elementos nerviosos que con su actividad mantienen el estado de vigilia. Durante el sueño tiene lugar una actividad cerebral semejante a la que existe en la vigilia, pero a un nivel más bajo; el análisis de los acontecimientos es escaso y lacunar; la memoria está llena de lagunas y el pasado es examinado confusamente, de forma no secuencial. Frente a la problemática de los s., la ciencia ha seguido dos orientaciones: la neurofisiológica, prescindiendo del contenido de los s.; y la psicológica, en la que el objeto de estudio puede ser este contenido, en un intento de lograr a través de su análisis una vía para el estudio de la personalidad humana.

Perfiles de dos tipos distintos de **suelo:** Arriba, suelo arenoso de escaso desarrollo; abajo, suelo típico de climas de elevada pluviometría

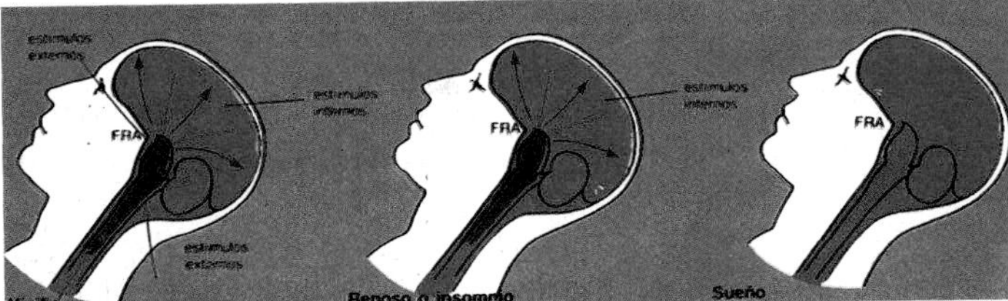

Diferentes niveles de funcionamiento de la formación reticular activadora (FRA), desde la vigilia hasta el **sueño**

SUELDACOSTILLA f. Vicarios, planta.

SUELDO m. Moneda antigua, de distinto valor según los tiempos y países. • Salario, cantidad que se percibe periódicamente por un trabajo o servicio prestado regularmente.

SUELO m. *Bot.* y *Agr.* Capa superior de la corteza terrestre, capaz de sostener vida vegetal. • fig. Superficie inferior de algunas cosas. • Asiento o poso que deja en el fondo una materia líquida. • Sitio o solar de un edificio. • Superficie artificial que se hace para que el piso esté sólido y llano. • Piso de un cuarto o vivienda. • Territorio, porción de superficie terrestre. • fig. Tierra o mundo. • *Der.* Terreno destinado a siembra o producciones herbáceas, en oposición al arbolado o vuelo del mismo. • pl. Grano que, recogida la parva, queda en la era.

* *Agr.* y *Bot.* El s. suministra el medio físico para el enraizamiento de las plantas, pero además sirve de depósito de agua y de iones minerales indispensables para el metabolismo. Es la capa superior de los terrenos, compuesta de la roca desintegrada, finamente dividida, conteniendo mayor o menor cantidad de material orgánico (humus); en ella se incluyen: el estrato superficial (horizonte A), el estrato de acumulación (horizonte B) y la parte superior del sustrato (horizonte C). Factores importantes del s.

SUERO m. Parte de un humor orgánico que permanece líquida después de la coagulación del mismo. • Líquido plasmático obtenido de la sangre de diversos animales a los que se ha provocado infección para la obtención de anticuerpos específicos; se utiliza en terapéutica para el tratamiento de algunas enfermedades bacterianas. • **de la verdad.** S. fisiológico al que se adicionan barbitúricos con objeto de disminuir el nivel de conciencia de la persona a quien se suministra. • **fisiológico.** Solución salina con una presión osmótica igual a la del plasma sanguíneo humano, que se compone de agua destilada y cloruro sódico al 9 %. • **sanguíneo.** Plasma-sanguíneo desprovisto de fibrinógeno, que contiene la mayor parte de las proteínas hemáticas.

SUEROTERAPIA f. Empleo terapéutico de sueros sanguíneos, especialmente los de animales inmunizados.

SUERTE f. Encadenamiento de los sucesos, considerado como fortuito o casual. • Circunstancia favorable. • Azar, casualidad a que se fía la resolución de una cosa. • Aquello que ocurre o puede ocurrir para bien o para mal de personas o cosas. • Estado, condición. • Género o especie de una cosa. • Manera o modo de hacer una cosa. • Cada uno de los lances de la lidia taurina. • Parte de tierra de labor, se-

parada de otras por sus lindes. • Con los números ordinales *primera, segunda, tercera*, etc., calidad respectiva de los géneros o de otra cosa.
* *Argent.* Carne, parte cóncava de la taba. • *Argent.* y *Ur.* Medida de superficie. • *Perú.* Billete de lotería. • **Caerle** a uno **en s.** una cosa. fr. Corresponderle por sorteo. • fig. Sucederle algo por designio providencial. • **De s. que.** fr. conjuntiva que indica consecuencia y resultado.

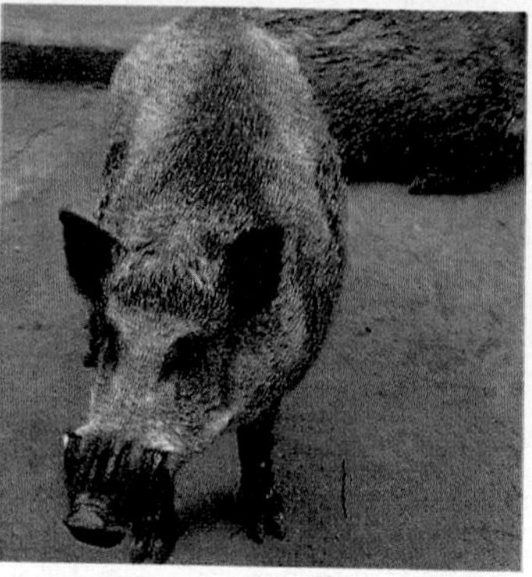

Jabalí, mamífero de la família **suidos**

SUERTERO, RA adj. *Amér.* Feliz, afortunado. • m. *Perú.* Vendedor ambulante de billetes de lotería.
SUESS, ***Edward*** (1831-1914) Geólogo austr., autor del primer estudio geológico general del planeta. *La faz de la Tierra.*
SUESTE m. Sudeste. • *Mar.* Sombrero impermeable de ala ancha y caída por detrás. • **Pegar un s.** *Amér. Centr.* Salir corriendo de repente.
SUÉTER m. Especie de jersey.
SUETONIO, ***Cayo*** (h. 70-h. 126) Historiador latino. *Vida de los doce Césares* (de Julio César a Domiciano), *De viris illustribus.*
SUÉVICO, CA adj. Relativo a los suevos.
SUEVO, VA adj. y s. Díc. de los individuos de un ant. pueblo germánico. En 248 fueron empujados por los hunos, desde la llanura de Pomerania, por el Danubio, hacia el Rin, y post. penetraron en la pen. Ibérica y se asentaron en el NO. Conquistaron Galicia y Portugal. En el s. VI, fueron absorbidos por los visigodos.
SUEZ C. y puerto de Egipto, en el golfo hom., al N del mar Rojo, cerca de la embocadura S del canal; 194 000 hab. Ind. química, refino de petróleo. La zona portuaria abarca Port Tawfiq y Port Ibrahim. • **Canal de S.** Vía marítima artificial que comunica el mar Rojo con el Mediterráneo, a través del istmo hom.; 164 km de longitud, y entre 80 y 150 m de anchura. Su construcción se inició en 1859, dirigida por Lesseps, y finalizó en 1869. En 1888 fue aprobado el estatuto internacional del canal. En 1956, Nasser lo nacionalizó. Entre 1967 y 1975 el canal estuvo cerrado a raíz de la guerra árabe-israelí. • **Golfo de S.** Bahía del extremo N del mar Rojo, entre la pen. del Sinaí y la costa afr. • **Istmo de S.** Faja de tierra que se interpone entre el mediterráneo y el mar Rojo, y une el NE de África con el Asia Anterior.
SUFANUVONG, ***Príncipe*** (1902-1995) Político laosiano. Durante la ocupación fr. del país (1946) organizó las guerrillas del Pathet Lao, que a partir de 1964 se enfrentaron al gobierno derechista de Suvanna Fuma. En 1975, presid. de Laos tras la proclamación de la Rep. Democrática Popular. Dimitió en 1986 por motivos de salud.
SUFETE o **SUFETAS** m. Cada uno de los dos magistrados supremos de Cartago y de otras reps. fenicias.
al-SUFI, ***Abd al-Rahman*** (903-986) Astrónomo ár., protegido por la dinastía de los Buidas. *Uranografía* o *Descripción de las estrellas fijas.*

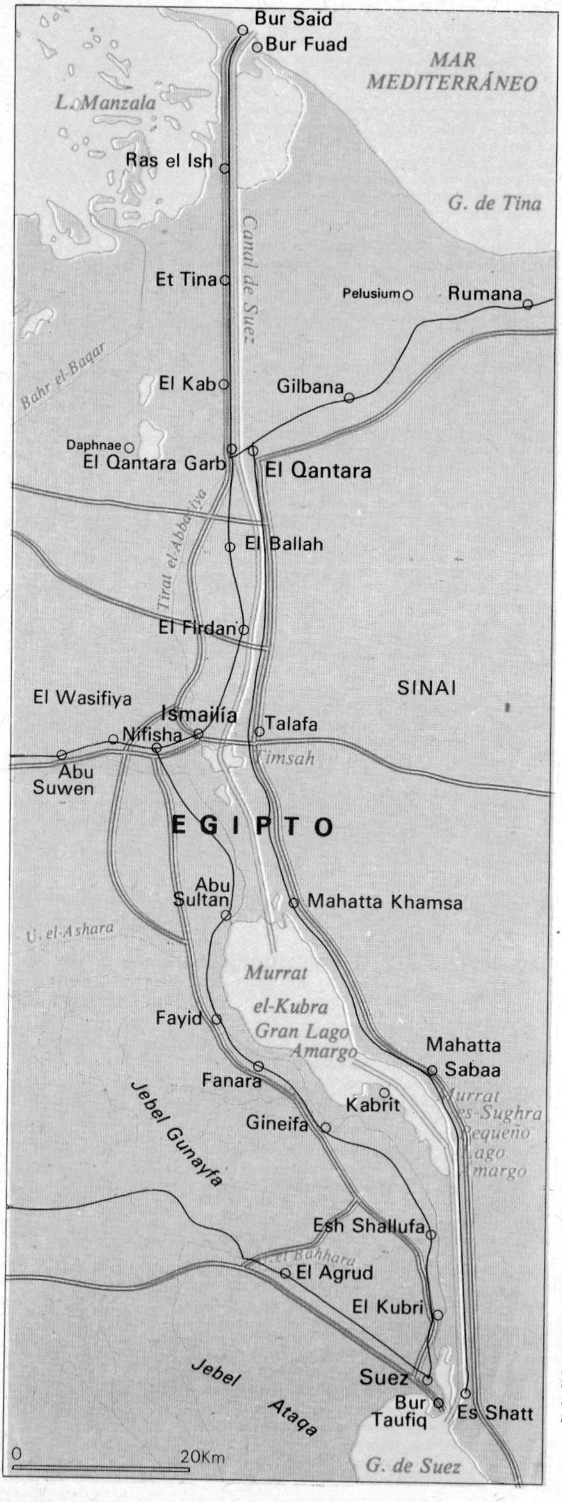

Trazado del **canal de Suez,** vía marítima artificial construida entre 1859-1869 para comunicar el mar Mediterráneo con el mar Rojo

SUFICIENCIA f. Capacidad, aptitud. • fig. despect. Engreimiento. ■ SUFICIENTE.

SUFISMO m. Doctrina religiosa mahometana, especialmente difundida en Persia, caracterizada por su ascetismo, con influencias panteístas. El s. arranca de las ideas de Ḥasan al-Basrí (m. 728). ■ SUFÍ; SUFISTA.

SUFRAGÁNEO, A adj. Que depende de la jurisdicción y autoridad de alguno. • Relativo a la jurisdicción del obispo sufragáneo.

SUFRAGAR tr. Ayudar o favorecer. • Costear, satisfacer. • intr. *Amér.* Votar a un candidato. Se usa seguido de la preposición *por.*

SUFRAGIO m. Ayuda, favor o socorro. • Obra buena que se aplica por las almas del purgatorio. • Voto, manifestación de la voluntad de uno. • Determinación expresa de la voluntad de uno mediante la emisión de un voto en el seno de la colectividad a la que pertenece. • pl. Consuetas. También se usa en singular.

SUFRAGISMO m. Mov. político que propugna la concesión del derecho de sufragio a la mujer. El s. cobró fuerza en Gran Bretaña en la segunda mitad del s. XIX, y adquirió carácter militante en 1903. En Gran Bretaña el voto femenino fue obtenido en 1928, y gradualmente se extendió a otros países. ■ SUFRAGISTA.

SUFRIDERO, RA adj. Sufrible. • f. Herramienta hembra, de acero, usada en las operaciones de taladrar o punzonar.

SUFRIR tr. Sentir, padecer un daño físico o moral. • Llevar con resignación un daño moral o físico. • Sostener, resistir. • Aguantar, tolerar. • Permitir, consentir. ■ SUFRIBLE; SUFRIDO, DA; SUFRIMIENTO.

SUFRÚTICE m. Planta que presenta un porte intermedio entre hierba y arbusto, con las partes inferiores del tallo lignificadas y las superiores herbáceas. ■ SUFRUTICOSO, SA.

SUGERIR tr. Inspirar a alguien alguna idea. • Insinuar a alguien lo que debe decir o hacer. • Evocar, traer algo a la memoria. ■ SUGERENCIA; SUGESTIVO, VA.

SUGESTIÓN f. Acción de sugerir. • Cosa sugerida. • Proceso psíquico por el cual una persona induce a otra, mediante hipnosis, a realizar actos no voluntarios.

SUGESTIONAR tr. Inspirar una persona a otra, hipnotizada, palabras o actos involuntarios. • Dominar la voluntad de una persona, llevándola a obrar en determinado sentido. • prnl. Experimentar sugestión.

SUHARTO (nacido 1921) Militar y político indonesio. Dirigió el golpe de est. en 1965 y diezmó la oposición de izquierdas (500 000 muertos). En 1966 asumió la jefatura del gobierno, y en 1968, tras lograr la renuncia de Sukarno, fue designado presid. de la rep. En 1998, en un contexto de crisis, la fuerte presión popular forzó su dimisión.

SUI GÉNERIS exp. lat. que denota que la cosa a que se aplica es de un género excepcional.

SUICIDARSE prnl. Quitarse voluntariamente la vida. ■ SUICIDA; SUICIDIO.

SUIDO, DA adj. y m. *Zool.* Díc. de los animales de la familia suidos. • m. pl. *Zool.* Familia de mamíferos artiodáctilos, caracterizados por su hocico terminado en disco carnoso y cartilaginoso que les permite hozar, como el cerdo.

SUINDÁ m. *Amér.* Ave, especie de lechuza, de color pardo claro.

SUINTILA (m. d. de 633) Rey de los visigodos [621-631]. Expulsó a los bizantinos de España. Depuesto por una rebelión encabezada por Sisenando.

SUIPACHA, ***batalla de*** Primer triunfo del ejército arg. (7 de noviembre de 1810) en la lucha por la independencia.

SUITÁ f. *Hond.* Planta gramínea que se utiliza como forraje y para cubrir techumbres.

SUITE (voz fr.) f. Composición instrumental constituida por una serie de piezas en el mismo tono, alternativamente lentas y rápidas, y con un ritmo binario y ternario. Alcanzó su apogeo en el s. XVIII, con Bach, Haendel, Rameau y D. Scarlatti.

SUIZA (al., *Schweiz;* fr., *Suisse;* it., *Svizzera)* Estado de Europa central, limítrofe con Alemania, Austria, Liechtenstein, Italia y Francia. República federal. Lenguas: al. (64,9 %), fr. (18,1 %), it. (11,9 %), romanche (0,8 %), todas of. *Rel.:* catolicismo (49,4 %) protestantismo (47,8 %). U. M.: el franco suizo. Cap., Berna. C. prales.: Zurich, Basilea, Ginebra, Lausana.

* *Geog. física.* País montañoso cuyas alineaciones presentan un sentido SO-NE. Al NO, el Jura (Tendre, 1 683 m) y en la zona central y meridional los Alpes, separados por el corredor Mittelland. En los rebordes del núcleo axial se levantan los Alpes Berneses (alt. máx.: Finsteraarhorn, 4 272 m; Aletschhorn, 4 195 m; Jungfrau, 4 159 m); los valles del Ródano y del Rin excavan un amplio surco e individualizan las regiones del Valais (Punta Dufour, 4 636 m) y del Rheintal, respectivamente. Lagos Thun, Brienz, Zug, Sarnen, Cuatro Cantones. Los prales. ríos de régimen navegable son el Inn, que desagua en el Danubio; el Tesino, que lo hace en el Po; el Ródano, y el Rin. Clima continental. La vegetación presenta una distribución por pisos: bosques, zonas de coníferas y pastos.

* *Geog. económica.* En la agricultura destaca la producción de trigo, cebada, patatas, vid, tabaco y frutales. Gran parte de la tierra se dedica a los pastos, lo cual favorece la ganadería (vacuna, ovina y

SUIZA

Superficie 41 285 km²

Población 7 116 000 hab. (172 hab./km²)

Recursos económicos	
Cebada	298 000 t
Colza	45 000 t
Maíz	243 000 t
Patatas	680 000 t
Remolacha azucarera	825 000 t
Trigo	623 000 t
Uva	154 000 t
Ganadería y derivados	
Cabaña bovina	1 762 000 cabezas
Cabaña ovina	437 000 cabezas
Cabaña porcina	1 611 000 cabezas
Leche	3 900 000 t
Queso	134 640 t
Riqueza forestal	4 974 000 m³
Producción minera	
Sal	305 000 t
Producción industrial	
Acero	850 000 t
Aluminio	24 200 t
Cemento	4 260 000 t
Cerveza	3 827 000 hl
Energía eléctrica	65 636 millones de kwh
Fibras sintéticas	72 600 t
Relojes	28 075 000 unidades exportadas
Papel	1 044 000 t
Tejidos de algodón	69 millones de m²
Vino	1 190 000 hl
Indicadores sociológicos	
PNB	286 014 millones de dólares
Renta per cápita	40 630 dólares
Esperanza de vida	78 años
Alfabetismo	100 %

Mapa de situación y bandera de **Suiza**

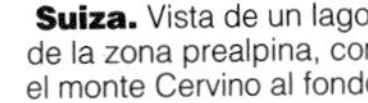

Suiza. Vista de un lago de la zona prealpina, con el monte Cervino al fondo

porcina). Extracción de hierro, manganeso y calizas. El sector industrial, muy especializado, posee un alto nivel tecnológico y gran concentración de capitales. Destacan la metalurgia (material ferroviario, máquinas-herramienta, maquinaria eléctrica y electrónica), la ind. relojera, la textil, la química (productos farmacéuticos, colorantes, fertilizantes), la alimentaria, el tabaco, la banca y el turismo.

* *Hist.* Habitada por la tribu celta de los helvecios en el I milenio a. C., fue anexionada por los rom. y ocupada por alemanes y burgundios. En el s. VI fue integrada al reino franco. En 1302, a la muerte del duque de Borgoña, pasó al Sacro Imperio. El país quedó dividido en diversos principados, el más imp. de los cuales fue el de los Zähringe. En 1218 pasó a dominio de los Habsburgo. En 1291 los cantones de Uri, Nidwalden y Schwyz se unieron en un pacto ofensivo-defensivo, que puede considerarse el acta de fundación de la Confederación suiza. Durante el s. XIV se unieron Lucerna, Zurich, Glaris, Zug y Berna. En el s. XVI se incorporaron nuevos cantones. En el s. XVI penetró la Reforma. Sólo el interés común en preservar sus libertades tradicionales mantuvo unida a la Confederación, de hecho dividida en ligas religiosas. En el congreso de Viena (1815) se proclamó la neutralidad perpetua de S, y por el pacto de Zurich (1815) la Confederación se amplió a 22 cantones. Los católicos formaron una liga aparte (Sonderbund) en 1845, pero fueron vencidos, lo que permitió a los liberales adueñarse del poder en los siete cantones e imponer una constitución federal (1848). Durante las dos guerras mundiales S. permaneció neutral. El consejo federal es elegido cada cuatro años por la asamblea federal, y entre sus miembros se elige cada año al presid. del consejo. En 1974 se creó el cantón del Jura. En 1992 la población de S., mediante referéndum, se manifestó contraria a la integración del país en el Espacio Económico Europeo. En 1997 Arnold Koller fue elegido presidente.

Suiza. Vista de Basilea

* *Arte.* La S. románica cuenta con imp. muestras arquitectónicas. Del gótico son las catedrales de Lausana, Ginebra y Berna. Del Renacimiento destacan el pintor Hans Holbein el Joven y el ayuntamiento de Lucerna. De la escultura del barroco sobresalen los Ritz. El romanticismo, iniciado por Füssli contó con muchos seguidores. En el s. XX, el simbolismo contó con Hodler; Amiet participó en el *Die Brücke*, y Vallotton en el grupo nabis. P. Klee inició el arte abstracto, y Le Corbusier, el funcionalismo.

* *Lit.* Uno de los problemas que presenta el estudio de la literatura suiza es el del idioma. Desde 1938 son cuatro las lenguas of.: al., fr., it., y romanche o retorromano. En lengua al. destacan, en el s. XVIII, S. Gessner y A. Haller. en la etapa realista aparecen los «clásicos suizos»: F. Meyer, J. Gotthelf y C. Spitteler. Entre los contemporáneos destacan dramaturgos de fama mundial (Dürrematt, Frisch y Meier). De los escritores que se expresan en fr. cabe citar a Rousseau y a Mme. de Stäel. Los contemporáneos más conocidos son Zermatten y Ramuz. La producción en it. es mucho menor (V. Abbondio, P. Bianconi, G. Zoppi). En última posición, debido a su pequeña producción, se sitúan los autores en romanche, sector que se dedica eminentemente a cultivar la poesía.

Ahmed **Sukarno**

SUIZO, ZA adj. y s. De Suiza. • m. El que formaba parte de la guardia suiza. • Bollo especial de harina, huevo y azúcar. • f. Soldadesca festiva de a pie vestida a la usanza de los antiguos tercios. • fig. Contienda, disputa, riña. • *Cuba.* Juego de la comba.

SUJECIÓN f. Acción de sujetar o sujetarse. • Unión con que una cosa está sujeta. • *Ret.* Figura que consiste en hacer el orador o el escritor preguntas a que él mismo responde. • *Ret.* Anticipación o prolepsis.

SUJETADOR, RA adj. y s. Que sujeta. • m. Sostén, prenda interior femenina.

SUJETAPAPELES m. Instrumento para sujetar papeles.

SUJETAR tr. y prnl. Dominar o someter a alguien a obediencia o disciplina. • tr. Agarrar, coger a alguien o algo con fuerza. • Aplicar a una cosa cualquier medio para que no caiga, no se separe o no se mueva.

SUJETO, TA adj. Expuesto o propenso a una cosa. • m. Asunto o materia sobre que se habla o escribe. • Persona innominada. • *Fil.* El espíritu humano considerado en oposición al mundo externo. • *Gram.* Palabra o palabras que indican aquello de lo cual el verbo afirma algo. • *Lóg.* Ser del cual se predica o anuncia alguna cosa.

SUJO, JA m. y f. despect. *Chile.* Sujeto, un cualquiera.

SUKARNO, *Ahmed* (1901-1970) Político indonesio. Fundador del Partido Nacionalista, proclamó la indep. (1945). Fue presid. de la rep. desde 1945. Practicó una política antiimperialista (conferencia de Bandung, 1955). Depuesto por el ejército (1967) que le desposeyó de todos sus cargos.

SULAWESI Nombre de indonesio de → Célebes.

SULFAMIDA f. *Farm.* Nombre común de ciertos fármacos de acción bacteriostática, ligeramente tóxicos y de intenso efecto terapéutico, derivados de la sulfanilamida. Son compuestos poco solubles, fácilmente absorbibles y eliminables por el riñón. Su eficacia está actualmente limitada debido a la resistencia adquirida por numerosos gérmenes.

SULFATAR tr. Aplicar a las plantas, especialmente a las vides, sulfato de cobre o de hierro para combatir las enfermedades criptogámicas. ■ SULFATACIÓN; SULFATADO, DA; SULFATADOR, RA.

SULFATE m. *Amér. Centr.* Sulfato de quinina.

SULFATILLO m. *Amér.* Planta de la familia melastomatáceas, de hojas acorazonadas y flores en panoja, de color morado.

SULFATO m. *Quím.* Sal o éster derivado del ácido sulfúrico. Algunos s. se encuentran en la naturaleza en cantidades notables (de magnesio, de calcio y de bario); en otros casos se producen mediante reacciones adecuadas. Existen s. neutros y s. ácidos o bisulfatos, según que se sustituyan los dos o uno solo de los átomos de hidrógeno del ácido sulfúrico, respectivamente.

SULFHÍDRICO, CA adj. *Quím.* Díc. de un ácido compuesto de azufre e hidrógeno. Es un gas venenoso que actúa como reductor enérgico.

SULFINIZACIÓN f. *Metal.* Tratamiento del acero mediante incorporación de azufre en una capa superficial, para aumentar su resistencia al desgaste.

SULFITO m. *Quím.* Sal derivada del ácido sulfuroso.

SULFOBACTERIA f. *Biol.* Nombre común de las bacterias del azufre, capaces de acumular este elemento en su interior.

SULFONATO m. *Qím.* Nombre genérico de una serie de sales de compuestos sulfurados orgánicos. Se emplean como detergentes por su tensoactividad.

SULFURAR tr. *Quím.* Combinar un cuerpo con el azufre. • tr. y prnl. fig. Irritar, encolerizar.

SULFÚREO, A adj. Relativo al azufre. • Que tiene azufre.

SULFÚRICO, CA adj. Sulfúreo. • fig. *Ecuad.* Irascible. • **Ácido s.** *Quím.* Líquido oleoso, incoloro e inodoro de fórmula H_2SO_4. • **Ácido s. fumante.** *Quím.* Disolución de anhídrido s. en ácidos., óleum. • **Anhídrido s.** *Quím.* Trióxido de azufre (SO_3), muy ávido de agua, con la que se combina para formar ácido s.

* *Quím.* El ácido s. es uno de los productos químicos más importantes por ser necesario su uso en casi todas las ind. químicas. Se combina enérgicamente con el agua, con gran desprendimiento de calor. Su poder deshidratante es tal que llega a apoderarse del hidrógeno y del oxígeno de las sustancias orgánicas, carbonizándolas. Es un oxidante enérgico. Comercialmente se conoce con el nombre de aceite de vitriolo.

SULFURO m. Cada una de las sales del ácido sulfhídrico.

SULFUROSO, SA adj. Que participa de las propiedades del azufre. • Que contiene azufre. • **Anhídrido s.** *Quím.* Dióxido de azufre (SO_2), gas irritante, que se desprende en emanaciones volcánicas, y constituye uno de los componentes del aire contaminado de las grandes urbes.

SÚLIDO adj. y m. *Zool.* Díc. de los animales de la familia súlidos. • m. pl. *Zool.* Familia de aves pelecaniformes que viven en acantilados y se alimentan de peces. Comprende los alcatraces.

SULLA f. Zulla, planta leguminosa que se utiliza para forraje.

SULLANA C. de Perú, cap. de la prov. hom., en el dpto. de Piura; 80 900 hab. Ind. textil, centro agropecuario.

SULLANENSE adj. y s. De Sullana, c. del Perú.

SULLIVAN, SIR ***Arthur Seymour*** (1842-1900) Compositor brit., célebre autor de operetas: *H.M.S. Pinafore, Los piratas de Penzance, El Mikado*. Mayor ambición artística muestran *El hijo pródigo, La leyenda dorada* e *Ivanhoe* (ópera). • ***Harry Stack*** (1892-1949) Psiquiatra norteam. Trató la esquizofrenia colectivamente. *La teoría interpersonal de la psiquiatría, Fusión de la psiquiatría con la ciencia social*. • ***Louis Henry*** (1856-1924) Arquitecto norteam. Realizó el *Auditorium Building* de Chicago y el *Wainwright Building* de San Luis (1891), primer rascacielos de armazón metálico.

SULLY-PROUDHOMME, ***René François Armand*** (1839-1907) Poeta fr., del grupo parnasiano. *Estancia y poemas, Las soledades, Los destinos, La justicia*. También escribió obras filosóficas: *La expresión en las bellas artes, ¿Qué se yo?* Premio Nobel de Literatura en 1901.

SULTÁN m. Título del emperador de los turcos. • Príncipe o gobernador mahometano. ■ SULTANATO; SULTANÍA; SULTÁNICO, CA.

SULTANA f. Mujer del sultán, o la que sin serlo goza de igual consideración. • Embarcación principal que usaban los turcos en la guerra.

SULÚ Uno de los mares de Insulindia de mayor profundidad (5 700 m), sit. entre Borneo y Filipinas. • **Archipiélago de S.** Conjunto de islas de Filipinas que separa el mar de Sulú y el de Célebes, constituyendo una prov.; 1 600 km^2, 360 600 hab. Cap., Joló.

SUMA f. *Mat.* Acción y resultado de sumar. • Agregado de muchas cosas. • Cantidad de dinero. • Lo más sustancial e importante de una cosa. • Compendio. • *Chile. Der.* Extracto de las peticiones contenidas en los escritos presentados a la autoridad y que va al principio de esos documentos. • **En s.** m. adv. En resumen. • **A lo s.** m. adv. A lo más. • Cuando más, si acaso. • **De s.** m. adv. De manera cabal, entera.

* *Mat.* En general, el término s. se adopta para indicar el hecho de que se consideran juntos, globalmente, varios entes asociados entre sí (aritméticos, algebraicos, etc.); pero la definición rigurosa, en los casos en que la palabra s. es utilizada, debe ser dada cada vez.

SUMANDO m. Elemento matemático que participa en cualquier operación de sumar.

Sumatra. Vista de un sector de la costa NE de la isla

SUMAR tr. Recopilar, compendiar, abreviar una materia que estaba extensa y difusa. • Reunir en una sola varias cantidades homogéneas. • Componer varias cantidades en total. • prnl. fig. Agregarse uno a un grupo o adherirse a una doctrina u opinión.

SUMARIO, RIA adj. Reducido a compendio; breve. • *Der.* Aplícase a determinados juicios civiles en que se procede brevemente. • m. Resumen, compendio. • *Der.* Conjunto de actuaciones encaminadas a preparar el juicio criminal. • f. *Der.* Proceso escrito. • *Der.* En el procedimiento criminal militar, sumario de actuaciones para preparar un juicio. ■ SUMARIAL; SUMARIAR.

SUMARÍSIMO, MA adj. *Der.* Díc. de cierta clase de juicios a los que señala la ley una tramitación brevísima.

SUMATRA *(Sumatera)* Isla de Indonesia, separada de Malaca por el estrecho hom. y de Java por el de la sonda; 473 606 km^2, 28 016 200 hab. C. prales.: Medan y Palembang, cap. respectivas de las regiones Septentrional y Meridional en que se divide la isla. Arroz, caña de azúcar, mandioca, maíz, cacahuetes, especias, café, palma de aceite. Caucho, sándalo, ébano. Carbón, petróleo, oro.

SUMBA Isla del archipiélago de la Sonda, que forma parte de la Rep. de Indonesia; 11 082 km^2, 251 100 hab. Cap., Waingapu. Palma, algodón y tabaco. Explotación forestal (sándalo). Ganadería.

SUMBAWA Isla del archipiélago de la Sonda, perteneciente a la Rep. de Indonesia; 14 500 km^2, 507 500 hab. Cap., Raba. Incluye el volcán Tambora (2 750 m) famoso por su erupción de 1815, en la que murieron unas 40 000 personas. Arroz, maíz y café. Ganadería.

SUMER o **SUMERIA** Ant. región de la Baja Mesopotamia, en las proximidades del golfo Pérsico, donde, entre los milenios V y II a. C., se desarrolló la civilización sumeria (→ sumerio).

SUMERGIR tr. y prnl. Meter una cosa debajo del agua o de otro líquido. • fig. Abismar, hundir. ■ SUMERGIBLE; SUMERSIÓN.

SUMERIO, RIA adj. y s. Díc. de los individuos de un ant. pueblo que ocupó parte de Mesopotamia durante el periodo calcolítico.

* *Hist.* y *Arte.* Fundaron las c. de Eridú, Eruk y Ur. Se expansionaron hasta Mari. El poder estuvo en manos de reyes-sacerdotes, y diversas ciudades-estado rivalizaron por la hegemonía. El pueblo de Sumer desapareció con la invasión amorrita. En sus construcciones usaron el adobe y el ladrillo. La escultura se caracteriza por las formas angulosas, rostros imberbes y narices aquilinas. Las tabletas del rey de Lagash son los relieves más famosos. Desarrollaron la escritura (pictográfica y cuneiforme).

SUMEROACÁDICA, ***religión*** Creencias del ant. pueblo sumerio. Sus dioses venían a ser expresión sublimada de los humanos. En el III milenio aparecieron dioses locales (Ningirsu, Inanna), el más imp. de los cuales era Enlil, divinidad de los reyes. Lo más característico de los templos son las torres de pisos, o escalonadas, llamadas *zigurats*.

SUMIDAD f. Ápice o extremo más alto de una cosa.

SUMIDERO m. Conducto o canal por donde se sumen las aguas.

SUMINISTRAR tr. Proveer a uno de algo que necesita. ■ SUMINISTRADOR, RA; SUMINISTRO.

SUMIR tr. y prnl. Hundir o meter debajo de la tierra o del agua. • tr. Consumir el sacerdote en la misa. • prnl. Hundirse o formar una concavidad anormal alguna parte del cuerpo. • fig. Sumergirse en una idea.

SUMISIÓN f. Acción y efecto de someter o someterse. • Sometimiento del juicio propio al de otro. • Subordinación manifiesta con palabras o acciones. • *Der.* Acto por el cual uno se somete a otra jurisdicción. ■ SUMISO, SA.

SUMISTA adj. Referente a la suma o compendio. • com. Persona práctica y diestra en contar y hacer sumas. • m. Persona que escribe sumas de alguna o algunas facultades. • Persona que sólo ha aprendido por sumas la teología moral.

SUMMUM (voz lat.) m. El colmo, lo sumo.

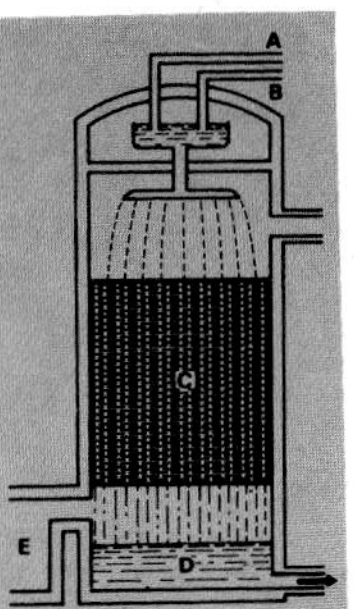

Esquema de una torre de Glover, utilizada en la obtención de ácido **sulfúrico** por el método de las cámaras de plomo: A. ácido procedente de las cámaras; B. H_2SO_4 nitroso; C. material resistente al ácido; D. H_2SO_4 concentrado; E. horno de piritas

Portada del programa de una representación de *Ivanhoe*, ópera de A. S. **Sullivan**

Gobernador de Lagash, escultura **sumeria** (hacia 2200 a. C.). Museo Británico, Londres

SUMNER, ***James Batcheller*** (1887-1955) Bioquímico norteam. Obtuvo en forma cristalizada la ureasa y otras enzimas. Premio Nobel en 1946 con Northrop y Stanley.

SUMO m. Lucha japonesa en la que pierde el primero que cae al suelo.

SUMO, MA adj. Supremo, altísimo, o que no tiene superior. • fig. Muy grande, enorme.

SUMOSCAPO m. *Arq.* Porción curva en que termina el fuste de la columna por la parte superior.

SÚMULAS f. pl. Compendio de los principios elementales de la lógica.

SUN Yat-Sen (1866-1925) Político nacionalista chino. En 1911 fundó el Kuomintang. Caída la dinastía, fue proclamado en Nanhí primer presid. de la Rep. China. Instaló un gobierno militar en Cantón, pero tuvo que exiliarse. Entró en Pekín en 1925.

Luchadores de **sumo**

SUNCHO m. Zuncho. • *Bol.* Arbusto de flores amarillas parecidas a la margarita. • *Argent.* y *Chile.* Chilca, arbusto cuyas hojas se usan en veterinaria.

SUNCIÓN f. Acción de sumir o consumir el sacerdote.

SUNCO, CA adj. y s. *Chile.* Manco.

SUNDERLAND C. y puerto de Gran Bretaña, a orillas del Wear; 196 200 hab. Yacimientos de carbón. Construcciones navales.

SUNG Dinastía china, fundada por Chao Kuangyin, que gobernó desde 960 hasta 1280.

SUNGARI Río de Manchuria que nace junto a la frontera de Corea y desemboca en el Amur; 1 490 km.

SUNNA f. Voz árabe que significa «tradición». Constituida por la suma de frases y hechos atribuidos a Mahoma, segunda fuente de conocimiento religioso y de derecho del Islam después del *Corán*.

SUNNÍ m. y adj. Nombre que se da en el islamismo a los ortodoxos, seguidores de la sunna.

SUNNITA m. Musulmán que observa las sunnas. • P. ext., seguidor de las tradiciones de los califas ortodoxos.

SUNTUARIO, RIA adj. Relativo al lujo.

SUNTUOSO, SA adj. Magnífico, grande y costoso. • Díc. de la persona magnífica en su gasto y porte. ■ SUNTUOSIDAD.

SUOMI Nombre oficial de Finlandia.

SUPEDITAR tr. Sujetar, oprimir con vigor o violencia. • fig. Dominar, sojuzgar, avasallar. • Subordinar una cosa a otra. • Condicionar una cosa al cumplimiento de otra. ■ SUPEDITACIÓN.

SÚPER m. Supercarburante. • Supermercado.

SUPERABUNDAR intr. Ser muy abundante. ■ SUPERABUNDANCIA; SUPERABUNDANTE.

SUPERAR tr. Sobrepujar, exceder, vencer. ■ SUPERABLE; SUPERACIÓN.

SUPERÁVIT m. *Cont.* Exceso del haber sobre el debe de cualquier cuenta. • En la administración pública, exceso de los ingresos sobre los gastos.

SUPERCARBURANTE m. Gasolina que posee un índice de octano superior al de la gasolina normal.

SUPERCEMENTO m. *Const.* Cemento portland con un pequeño aumento en la proporción de cal; de fraguado lento, se endurece con mayor rigidez.

SUPERCHERÍA f. Engaño, simulación, fraude.

SUPERCILIAR adj. *Anat.* Díc. del reborde en forma de arco que tiene el hueso frontal en la parte correspondiente a la sobreceja.

Tazón de cerámica de la dinastía **Sung**

SUPERCONDUCTIVIDAD f. Propiedad de ciertos metales consistente en la pérdida total de su resistencia eléctrica cuando son colocados por debajo de una determinada temperatura crítica. En tales condiciones no pueden ser atravesados por ningún flujo magnético. ■ SUPERCONDUCTOR.

SUPERDOMINANTE f. *Mús.* Sexta nota de la escala diatónica.

SUPEREMINENCIA f. Superioridad en eminente grado de una persona o cosa con respecto a otra. ■ SUPEREMINENTE.

SUPEREROGACIÓN f. Acción ejecutada sobre, o además de, los términos de la obligación.

SUPERESTRATO m. Lengua que se extiende por el territorio de otra lengua, y cuyos hablantes la abandonan para adoptar esta última, legando algunos rasgos a la lengua adoptada.

SUPERESTRUCTURA f. Parte de una construcción que está por encima del nivel del suelo. • Término empleado por Marx para designar la ideología en general de una sociedad, por contraposición a la infraestructura económica.

SUPERFEROLÍTICO, CA adj. fam. Excesivamente delicado, fino, primoroso.

SUPERFETACIÓN f. Concepción de un segundo feto durante el embarazo.

SUPERFICIAL adj. Relativo a la superficie. • Que está o se queda en ella. • fig. Aparente, sin solidez. • fig. Frívolo, sin fundamento. ■ SUPERFICIALIDAD.

SUPERFICIE f. Límite o término de un cuerpo, que lo separa o distingue. • *Geom.* Extensión en la que sólo se consideran dos dimensiones. • **de revolución.** *Geom.* La que resulta engendrada por una línea recta o curva plana que gira en el espacio alrededor de un eje contenido en su plano (s. cilíndrica, s. cónica, s. esférica). • **desarrollable.** *Geom.* La reglada que, sin dislocación de sus partes, se puede extender sobre un plano (s. cilíndrica, s. cónica). • **plana.** *Geom.* La que puede contener una línea recta en cualquier posición. • **reglada.** *Geom.* Aquélla sobre la cual se puede aplicar una regla en una o en más direcciones.

SUPERFLUO, FLUA adj. No necesario, que está de más. ■ SUPERFLUIDAD.

SUPERFOSFATO m. Fertilizante fosfatado, fácilmente soluble y, por tanto, muy asimilable por las plantas.

SUPERGÉN m. *Biol.* Región del cromosoma que tiene una serie de genes que nunca recombinan, de manera que dichos genes se transmiten juntos de generación en generación, como si se tratara de una unidad genética.

SUPERGIGANTE adj. y f. *Astr.* Díc. de las estrellas que en el diagrama de Hertzsprung-Russell ocupan la región de las estrellas comprendidas entre las clases espectrales A y M, con luminosidad absoluta inferior a –5.

SUPERHEMBRA f. *Biol.* Individuo cuya relación o índice entre cromosomas X y dotaciones de autosomas es superior al de las hembras normales.

SUPERHETERODINO adj. y m. *Electr.* Radiorreceptor en el que las señales eléctricas recogidas por la antena se mezclan con otras de frecuencia distinta, producidas por un oscilador local, con lo que se obtiene una señal de frecuencia igual a la diferencia, denominada frecuencia intermedia. Constituye el tipo de radiorreceptor que se emplea universalmente en telecomunicaciones, radar, etc.

SUPERHOMBRE m. En la filosofía de Nietzsche, tipo ideal de hombre, con unas cualidades morales muy superiores a las de los hombres comunes.

SUPERINTENDENTE m. y f. Persona a cuyo cargo está la dirección y cuidado de una cosa, con superioridad a las demás que sirven en ella. ■ SUPERINTENDENCIA.

SUPERIOR, RA adj. Díc. de lo que está más alto y en lugar preeminente respecto de otra cosa. • fig. Díc. de lo más excelente y digno, respecto de otras cosas de menos aprecio y bondad. • fig. Que excede a otras cosas en virtud, vigor o prendas. • fig. Excelente, muy bueno. • m. y f. Persona que dirige una congregación o comunidad, pralm. religiosa. ■ SUPERIORIDAD.

SUPERIOR, ***lago*** El mayor y más occidental de los Grandes Lagos amer., sit. en la frontera entre Canadá y EE UU; 84 131 km^2.

SULPERLATIVO, VA adj. y s. Muy grande y excelente en su línea. • Díc. del adjetivo o adverbio que expresa el grado mayor de su significación.

SUPERMACHO m. *Biol.* Individuo cuya relación o índice entre cromosomas X y dotaciones de autosomas es inferior al de los machos normales.

SUPERMERCADO m. Establecimiento de venta al por menor donde se expende una gran diversidad de artículos de consumo domésticos, y en el que el comprador se sirve a sí mismo.

SUPERNOVA adj. y f. *Astr.* Díc. de las estrellas que explotan repentinamente, llegando a alcanzar luminosidades absolutas variables de –10 a –15. Se han clasificado en cinco tipos, aunque la mayoría de las observadas hasta ahora pertenecen a los tipos I y II. Después de la explosión de una s., la materia que la constituye se separa en un residuo nebular en expansión y en un residuo estelar compacto, que puede ser un agujero negro o una estrella de neutrones.

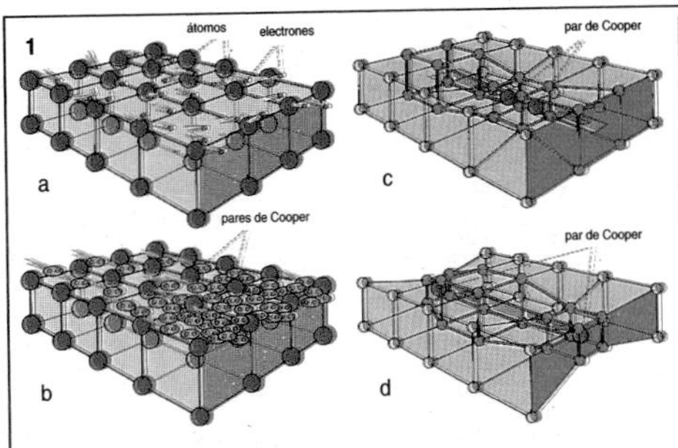

SUPERCONDUCTIVIDAD

2

1.Los electrones que circulan por un conductor chocan entre elllos y con los iones del material (a). En cambio, en un superconductor los electrones circulan asociados por parejas (pares de Cooper) sin encontrar resistencia (b). El paso de un electrón atrae localmente a los iones positivos y un segundo electrón es atraído por el exceso de cargas positivas (c). Los iones desplazados sobrepasan por impulso sus posiciones iniciales al regresar a ellas, y se deshace el par (d).
2. Los superconductores no se dejan penetrar por las líneas de fuerza de un campo magnético, pero más allá de cierta intensidad de éste, la superconductividad desaparece.

3

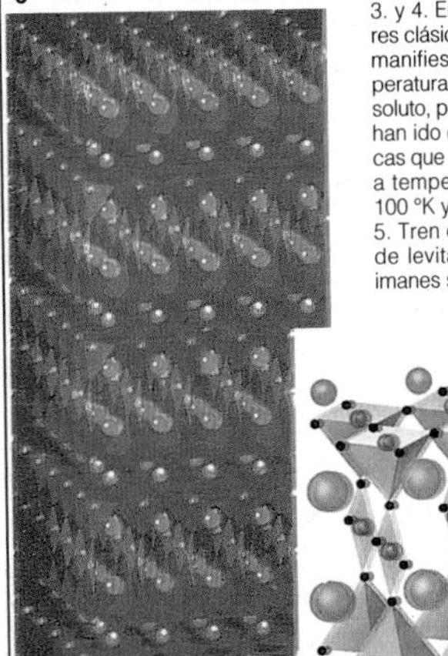

3. y 4. En los superconductores clásicos, esta propiedad se manifiesta únicamente a temperaturas próximas al cero absoluto, pero a partir de 1986 se han ido descubriendo cerámicas que son superconductoras a temperaturas del orden de 100 °K y aún superiores.
5. Tren experimental japonés de levitación magnética con imanes superconductores.

5

4

SUPERNUMERARIO, RIA adj. Que excede o está fuera del número establecido.
SÚPERO adj. *Bot.* Díc. del ovario que se encuentra en la parte superior del eje floral, encima de los restantes órganos que constituyen la flor.
SUPERPOBLACIÓN f. Exceso de población en un país.
SUPERPONER tr. y prnl. Sobreponer, poner encima. ■ SUPERPOSICIÓN.
SUPERSEXO m. *Biol.* Individuo que posee una dotación cromosómica tal que su relación de cromosomas sexuales y autocromosomas supera la normal para un determinado sexo y es mucho mayor que la del sexo contrario.
SUPERSÓNICO, CA adj. Díc. de la velocidad superior a la del sonido, y de lo que se mueve de este modo.
SUPERSTICIÓN f. Creencia extraña a la fe religiosa y contraria a la razón. • Excesiva fe o valoración respecto de una cosa. ■ SUPERSTICIOSO, SA.
SUPERVENCIÓN f. *Der.* Acción y efecto de sobrevenir nuevo derecho.
SUPERVENIR intr. Sobrevenir. ■ SUPERVENIENCIA.
SUPERVIELLE, *Jules* (1884-1960) Escritor fr., n. en Montevideo. *Gravitaciones, Francia desdichada* (poesía); *El hombre de la pampa* (novela).
SUPERVISAR tr. Ejercer la inspección superior en determinados casos. ■ SUPERVISIÓN.
SUPERVISOR, RA adj. y s. Que supervisa. • adj. y m. *Comp.* Díc. del programa que forma parte del sistema operativo de una computadora.
SUPERVIVENCIA f. Acción y efecto de sobrevivir. • Gracia concedida a uno para gozar una renta o pensión después de haber fallecido el que la obtenía. • fig. Lo que persiste después de haber desaparecido una cosa. ■ SUPERVIVIENTE.
SUPERYÓ m. En la teoría del psicoanálisis freudiano, una de las capas de la personalidad, que gravita sobre el yo, imponiéndole prejuicios, opiniones e ideales.
SUPINACIÓN f. Posición de una persona tendida sobre el dorso, o de la mano con la palma hacia arriba. • Movimiento del antebrazo que hace volver la mano hacia arriba. ■ SUPINADOR.
SUPINO, NA adj. Que está tendido sobre el dorso. • Referente a la supinación. • Díc. de la ignorancia que procede de negligencia del sujeto. • m. En la gramática latina, una de las formas nominales del verbo.
SÚPITO, TA adj. y fam. Impaciente. • *Chile, Col.* y *Méx.* Atontado, pasmado.
SUPLANTAR tr. Modificar un escrito con palabras o cláusulas que alteren el sentido original. • Ocupar con malas artes el lugar de otro. ■ SUPLANTACIÓN; SUPLANTADOR, RA.
SUPLE m. *Chile.* Aditamento a un madero que quedó corto. • fig. *Chile.* Anticipo sobre sueldos o jornales.
SUPLEFALTAS com. fam. Persona que suple faltas de otra.
SUPLEMENTARIO, RIA adj. Que sirve para suplir o completar una cosa. • *Geom.* Díc. de cada uno de los dos ángulos cuya suma vale 180º.
SUPLEMENTERO adj. y s. *Chile.* Vendedor ambulante de periódicos.
SUPLEMENTO m. Acción y efecto de suplir. • Complemento para convertir una cosa en íntegra o perfecta. • Hoja o cuaderno que publica un periódico o revista y cuyo texto es independiente del número ordinario. • *Geom.* Ángulo que falta a otro para sumar 180°. • *Geom.* Arco de este ángulo.
SUPLETORIO, RIA adj. Que suple. • Suplementario. • adj. y m. Díc. del aparato telefónico conectado a la línea de otro principal.

Cazabombardero cuyas alas se retiran hacia atrás al alcanzar velocidades **supersónicas**

Suplicio de Juana de Arco, estampa de las *Crónicas de Francia.* Biblioteca Nacional, París

Franz von **Suppé**

Mapa de situación y bandera de **Surinam**

SÚPLICA f. Acción y efecto de suplicar. • Escrito en que se suplica. • *Der.* Cláusula final de un escrito dirigido a la autoridad en solicitud de una resolución.

SUPLICACIÓN f. Súplica, petición. • *Der.* Apelación de la sentencia, interpuesta ante los tribunales superiores.

SUPLICAR tr. Rogar, pedir con humildad. • *Der.* Hacer la suplicación de una sentencia.

SUPLICATORIO, RIA adj. Que contiene súplica. • f. *Der.* Carta u oficio que pasa un tribunal o juez a otro superior.

SUPLICIO m. Lesión corporal, o muerte infligida como castigo. • fig. Lugar donde el reo padece este castigo. • Grave tormento, o dolor físico o moral.

SUPLIR tr. Completar lo que falta en una cosa o remediar la carencia de ella. • Reemplazar a alguien en un cometido. ■ SUPLENCIA; SUPLENTE.

SUPONER tr. Dar por sentada y existente una cosa. • Poner por hipótesis. • Fingir una cosa. • Implicar, traer consigo, significar. • intr. Tener más o menos importancia en algo.

SUPOSICIÓN f. Acción y efecto de suponer. • Lo que se supone o da por sentado. • Impostura o falsedad. • *Lóg.* Acepción de un término en lugar de otro. ■ SUPOSITIVO, VA.

SUPOSITORIO m. Forma medicamentosa sólida que se introduce por una cavidad natural del organismo y en la que el fármaco está rodeado por una sustancia que se funde por el calor.

SUPPÉ, *Franz von* (1819-1895) Compositor austr. de origen belga. Sus obras más conocidas son las oberturas *Poeta y aldeano, Caballería ligera.*

SUPRALITORAL adj. y m. Díc. de la zona faunística costera situada normalmente sobre el nivel del mar, pero que puede quedar cubierta por las mareas y las olas excepcionalmente grandes.

SUPRARRENAL adj. *Anat.* Situado encima de los riñones. • *Anat.* Díc. de cada una de las dos glándulas endocrinas sit. encima del polo superior de cada riñón.

SUPREMACÍA f. Grado supremo en cualquier línea. • Preeminencia, superioridad jerárquica.

SUPREMATISMO m. Nombre dado en 1913 por K. Malevich al arte de la abstracción geométrica que derivó del cubismo. Del s. derivan el elementalismo de Van Doesburg y el neoplasticismo de Mondrian.

SUPREMO, MA adj. Sumo, altísimo. • Que no tiene superior en su línea. • Refiriéndose al tiempo, último. • m. *Mat.* Extremo superior de un conjunto.

SUPRESOR, RA adj. Que suprime. • m. *Electr.* Electrodo, constituido por una espiral metálica, que se conecta entre la rejilla pantalla y el ánodo de los pentodos.

SUPRIMIR tr. Hacer cesar, hacer desaparecer. • Omitir, callar, pasar por alto. ■ SUPRESIÓN.

SUPRIOR, RA m. y f. Religioso que hace las veces del prior.

SUPUESTO, TA adj. Fingido, tomado en hipótesis. • m. Objeto, que no se expresa en la proposición, del que depende la verdad de ella. • Hipótesis. • *Fil.* Todo ser que es principio de sus acciones. • *Der.* Presupuesto en que se explican las operaciones de una participación. • **Por s.** m. adv. Con seguridad. • **S. que.** m. conj. causal y continuativo. Puesto que, aunque.

SUPURACIÓN f. *Pat.* Acción y efecto de supurar una inflamación, por la acción de gérmenes piógenos. Puede ser de tres tipos: absceso, flemón circunscrito y flemón difuso.

SUPURAR intr. Formar o echar pus una lesión orgánica. ■ SUPURATIVO, VA; SUPURATORIO, RIA.

SUR m. Punto cardinal del horizonte, diametralmente opuesto al N y que cae enfrente del observador o cuya derecha está el O; también se denomina mediodía. • Lugar de la Tierra o de la esfera celeste que cae del lado del polo antártico. • Viento sopla de la parte austral del horizonte. • ***Isla del*** (*South Island*) Una de las prales. islas que forman Nueva Zelanda; 151 215 km², 880 800 hab. • ***Mar del*** Nombre dado por Núñez de Balboa al océano Pacífico. Actualmente designa la zona S del Pacífico.

SUR, *mar del* Nombre dado por Núñez de Balboa al océano Pacífico. Actualmente designa la zona S del Pacífico.

SURA m. Cada una de las 114 lecciones o capítulos en que se divide el Corán.

SURÁ m. Tejido de seda fino y flexible.

SURABAYA o **SURABAJÁ** C. y puerto de la Rep. de Indonesia, en la isla de Java, cap. de la prov. de Java Oriental. Sit. en la desembocadura del Kali Mas; 2 027 900 hab. Centro comercial e industrial.

SURAKARTA (ant. *Solo*) C. de la Rep. de Indonesia, en la isla de Java; 469 900 hab. Centro comercial. Ind. textil y metalúrgica.

SURAMERICANO, NA adj. y s. de Suramérica o América del Sur.

SURAT C. y puerto de la India, en el est. de Gujarat, sit. a orillas del río Tapti; 776 900 hab. Ind. textil de seda y algodón.

SÚRBANA f. *Cuba.* Planta gramínea forrajera, de flores violáceas.

SURCALIFORNIANA Cordillera de México, en la pen. de Baja California.

SURCAR tr. Hacer surcos en la tierra. • Hacer rayas en alguna cosa parecidas a los surcos que se hacen en la tierra. • fig. Moverse sobre un fluido cortándolo.

SURCO m. Hendedura que se hace en la tierra con el arado. • Señal o hendedura prolongada que deja una cosa sobre otra. • Arruga en el rostro. • *Col.* Lomo, caballón.

SURCOREANO, NA adj. y s. De Corea del Sur.

SÚRCULO m. *Bot.* Vástago del que no han brotado otros.

SUREÑO, ÑA adj. Relativo al S. • Que está situado en la parte S de un país.

SURESTE m. Sudeste.

SURESTE, *planicie costera del* Región de México, en el golfo de México, que comprende los est. de Campeche, Tabasco y Veracruz, y parte de Oaxaca y Chiapas. Agricultura y ganadería. Petróleo.

SURFACTANTE adj. y m. *Fís.* y *Quím.* Díc. de las sustancias que modifican la tensión superficial del agua.

SURGIDERO m. Sitio o paraje donde fondean las naves.

SURGIR intr. Brotar el agua. • Fondear la nave. • fig. Alzarse, manifestarse, brotar, aparecer. ■ SURGIDOR, RA.

SURI m. *Argent.* y *Bol.* Ñandú, avestruz amer.

SURINAM *(Suriname)* Estado de América del Sur, bañado al N por el océano Atlántico y limítrofe al O con Guyana, al S con Brasil y al E con la Guayana fr. República. Etnias: criollos, indios, indonesios, minorías negras y amerindia. Lenguas: neerlandés (of.), inglés-criollo. *Rel.*: catolicismo,

SURINAM

Superficie 163 820 km²

Población 370 000 hab. (2 hab./km²)

Recursos económicos	
Aceite de palma	1 500 t
Arroz	190 000 t
Azúcar	2 000 t
Bananas	49 000 t
Bauxita	3 136 000 t
Cabaña bovina	98 000 cabezas
Cabaña caprina	11 000 cabezas
Cabaña ovina	10 000 cabezas
Cabaña porcina	30 000 cabezas
Cemento	50 000 t
Cerveza	117 000 t
Energía eléctrica	1 350 millones de kwh
Naranjas	14 000 t
Nuez de coco	11 000 t
Oro	30 kg
Riqueza forestal	149 000 m³
Tabaco	380 millone de cigarrillos

Indicadores sociológicos	
PNB	1 649 millones de dólares
Renta per cápita	3 610 dólares
Esperanza de vida	70 años
Alfabetismo	95 %

hinduismo, islamismo. U. M.: el florín de S. Cap.: Paramaribo.

* *Geog. física.* Se extiende sobre el macizo de las Guayanas (alt. máx.: Julianatop, 1 280 m). Los ríos tributan en el Atlántico, destacando el Surinam, el Marowjine y el Corantjin. Clima ecuatorial, mitigado por los vientos alisios. Vegetación tropical.

* *Geog. económica.* Los prales. cultivos son: café, caña de azúcar, agrios y palmera cocotera. Destaca la explotación forestal (el 95 % del terr. está cubierto por bosques). Del subsuelo se extrae, a lo largo del r. Surinam, gran cantidad de bauxita. Ind. de transformación de productos minerales y agrícolas.

* *Hist.* Antigua colonia neerlandesa, fue disputada por Gran Bretaña que llegó a ocuparla temporalmente (1799). En el s. XIX dependió económicamente de EE UU. En 1975 alcanzó la indep. El anterior gobernador, Johan Henri Eliza, fue investido como primer presid. H. Arron venció en las elecciones de 1977 y fue derrocado por un golpe de Est. en 1980, que llevó a la presidencia a H. Chin A. Sen. En 1990 un golpe de est. derribó al presid. electo Ransewak Kraag. Como protesta, el gobierno hol. suspendió su ayuda a S. y Venezuela rompió relaciones diplomáticas. En 1991 se celebraron elecciones libres, y en 1992 se logró la paz con los prales. grupos guerrilleros. El actual presid. es Ronald Venetiaan.

SURIPANTA f. Mujer que actuaba de corista o de comparsa en el teatro. • Prostituta.

SURMENAGE m. Galicismo que designa el agotamiento producido por un exceso de trabajo.

SUROCCIDENTAL, *planicie costera* Región de México, en la costa del Pacífico, que comprende los est. de Jalisco, Colima, Michoacán, Guerrero y Oaxaca. Agricultura, ganadería y pesca.

SUROESTE m. Sudoeste, punto del horizonte. • Viento que sopla de esta parte.

SURREALISMO o **SUPERREALISMO,** o **SUPRARREALISMO** m. Mov. artístico-literario, surgido en el primer cuarto del s. XX, que intenta expresar el pensamiento o los sentimientos puros, prescindiendo de cualquier idea lógica, moral o estética. ■ SURREALISTA.

* *Arte.* Las directrices del movimiento las definió A. Breton en 1924 al publicar el primer *Manifiesto del surrealismo.* A su consolidación contribuyó la revista poética *Littérature*, dirigida por P. Soupault, Louis Aragon, Breton, etc. El antecedente artístico y conceptual del s. fue el dadaísmo. En literatura estuvo estrechamente ligado a la poesía (B. Peret, Desnos, Ribemont-Desaignes). Entre los artistas que lo cultivaron destacan A. Artaud, F. Picabia, M. Duchamp, De Chirico, H. Arp. Y. Tanguy, Max Ernst, R. Magritte, P. Delvaux, J. Miró, S. Dalí, L. Buñuel y J. Cocteau.

SURSUDOESTE m. Viento medio entre el S y el SO. • Región situada hacia el sitio donde sopla este viento.

SURTIDERO m. Canal por donde desaguan los estanques. • Surtidor de agua.

SURTIDO, DA adj. Aplícase al artículo de comercio que se ofrece como mezcla de diversas clases. • m. Acción y efecto de surtir o surtirse. • Lo que se previene o sirve para surtir. • f. Paso o puerta pequeña que se hacía en las fortificaciones, por debajo del terraplén hasta el foso. • Rampa o plano inclinado hacia el mar en algunos muelles. • *Mar.* Varadero. • **De surtido.** loc. adj. De uso o gasto común.

SURTIDOR, RA adj. y s. Que surte o provee. • m. Chorro de agua que brota del suelo o de una fuente, especialmente hacia arriba. • Aparato extractor y medidor de gasolina u otro líquido contenido en un depósito.

SURTIR tr. y prnl. Proveer a uno de alguna cosa. • intr. Brotar, saltar, o simplemente salir el agua, y más en particular hacia arriba. ■ SURTIMIENTO.

SÚRTUBA f. *C. Rica.* Helecho gigante, cuya médula, que es blanca, se come asada.

SURUCUCÚ f. *Amér. Merid.* Serpiente venenosa de la familia crotálidos, llamada también crótalo mudo.

SURUMPE m. *Perú.* Inflamación de los ojos, debida a la reverberación del sol en la nieve.

SURUVI m. *Amér.* Pez de río, de carne sabrosa.

Surrealismo.
El encuentro inesperado,
obra de Magritte

SURVEYOR *Astron.* Serie de sondas automáticas norteam. destinadas a la exploración de la Luna, después de su aterrizaje en la superficie de la misma. Los S. desarrollaron sus actividades entre 1966 y 1968.

SUS prep. insep. Sub.

SUSA Ant. cap. de la región de Elam, sit. junto a la aldea persa de Shush; fundada en el V milenio, en S. residieron los primeros reyes persas. Palacio de Darío I. En ella se encontró el código de Hammurabi.

SUSCEPTIBILIDAD f. Calidad de susceptible. • **magnética.** Constante de proporcionalidad, sin dimensiones, que existe entre la intensidad del campo magnético que actúa sobre un cuerpo y la imanación que éste adquiere.

SUSCEPTIBLE o **SUSCEPTIVO, VA** adj. Capaz de recibir modificación o impresión. • Díc. de la persona que tiene tendencia exagerada a sentirse ofendida por el menor ataque a su amor propio.

SUSCITAR tr. Promover, provocar, causar. ■ SUSCITACIÓN.

SUSCRIBIR o **SUBSCRIBIR** tr. Firmar al fin de un escrito. • fig. Convenir con el dictamen de otro. • prnl. Obligarse a contribuir con otros al pago de una cantidad para cualquier obra. • tr. y prnl. Abonarse para recibir una publicación periódica. ■ SUSCRIPCIÓN; SUBSCRIPTOR, RA; SUBSCRITOR, RA; SUSCRIPCIÓN; SUSCRIPTOR, RA; SUSCRITOR, RA.

SUSLIK m. Mamífero roedor de la familia esciúridos. Es afín al perro de las praderas y abunda en las regiones esteparias de Asia central.

SUSLOV, *Mijáil Andrévich* (1901-1982) Político sov. Destacado ideológico, intervino en la lucha teórica contra el maoísmo, en la caída de Jruschov y en las crisis checoslovaca, afgana y pol.

SUSO adv. lugar. Asuso, arriba.

SUSOAYÁ m. *Argent.* Planta de raíz fusiforme, hojas alternas y flores amarillas.

SUSODICHO, CHA adj. Sobredicho.

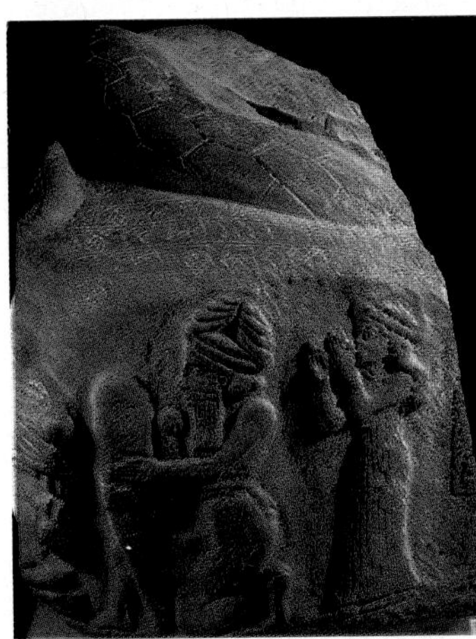

In-Shushinak, señor de **Susa,** según una estela votiva elamita. Museo del Louvre, París

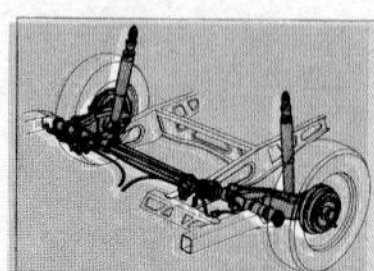
Esquema de la **suspensión** trasera de un automóvil

Vista de **Suva**

SUSPENDER tr. Levantar o detener una cosa en alto. • tr. Causar admiración, dejar embelesado el ánimo, el juicio, etc. • fig. Privar temporalmente a uno del sueldo o empleo. • fig. Negar la aprobación a un examinando hasta nuevo examen. • tr. y prnl. Detener por algún tiempo una acción u obra. • prnl. Asegurarse el caballo sobre las piernas con los brazos al aire.

SUSPENSE (voz ing.) m. En el cine o en una obra teatral o literaria, momento en que la acción o la incertidumbre del desenlace mantiene un estado de tensión o expectación impaciente en el espectador o lector.

SUSPENSIÓN f. Acción y efecto de suspender o suspenderse. • Censura eclesiástica o corrección gubernativa que en todo o en parte priva del uso del oficio, beneficio o empleo o de sus goces y emolumentos. • *Mec. apl.* Sistema elástico a través del cual se apoya un artefacto sobre su asiento. Adquiere especial interés en toda clase de vehículos; en los automóviles, la s. está integrada por los neumáticos, las ballestas y los amortiguadores, y su misión es absorber las trepidaciones e irregularidades del terreno y asegurar un contacto simultáneo de las ruedas con el suelo. • En las obras literarias o en ciertos espectáculos, suspense. • *Mús.* Prolongación de una nota que forma parte de un acorde, sobre el siguiente, produciendo disonancia. • En química-física, sistema heterogéno formado por una fase dispersante y otra dispersa, constituida por un sólido dividido en partículas visibles al microscopio. • *Ret.* Figura que consiste en diferir, para avivar el interés del oyente o lector, la declaración del concepto a que va encaminado y en que ha de tener remate lo dicho anteriormente. • *Teol.* Éxtasis, unión mística con Dios. • **coloidal.** Compuesto que resulta de disolver cualquier coloide en un líquido. • **de garantías.** Situación anormal en que, por motivos de orden público, quedan sin vigencia las garantías constitucionales. • **de pagos.** Situación en que se coloca ante el juez el comerciante que no puede temporalmente atender al pago puntual de sus obligaciones.

SUSPENSIVO, VA adj. Que tiene virtud o fuerza de suspender. • **Puntos suspensivos.** Signo ortográfico (...) que indica que no se ha completado la idea o el texto iniciados.

SUSPENSO, SA adj. Admirado, perplejo. • m. Nota de haber sido suspendido en un examen. • *Amér.* Suspensión, expectación impaciente o ansiosa por el desarrollo de una acción o suceso. • **En s.** m. adv. Diferida la resolución o su cumplimiento.

SUSPENSORES m. pl. *Amér.* Tirantes.

SUSPENSORIO, RIA adj. Díc. de los ligamentos o vendajes que sirven para sostener una parte del organismo. • m. Vendaje en forma de bolsa que sostiene el escroto en las afecciones testiculares o del cordón espermático.

SUSPICAZ adj. Propenso a concebir sospechas o a tener desconfianza. ■ SUSPICACIA.

SUSPIRAR intr. Dar suspiros. • Desear con ansia una cosa o amar vehementemente a una persona. ■ SUSPIRADO, DA.

SUSPIRO m. Aspiración lenta y prolongada seguida de una espiración, que suele denotar una emoción. • Golosina que se hace de harina, azúcar y huevo. • Pito pequeño de vidrio. • *Chile.* Trinitaria, pensamiento, flor. • *Argent.* y *Chile.* Nombre que se da a distintas especies de enredaderas, de la familia de las convolvuláceas. • *Mús.* Pausa breve y signo que la representa.

SUSQUEHANNA R. de EE UU; 750 km. Nace en los montes Apalaches y desemboca en el Atlántico.

SUSTANCIA o **SUBSTANCIA** f. Lo más importante o esencial de una cosa. • Cualquier materia. • Jugo que se extrae de ciertas materias alimenticias. • Ser, esencia de las cosas. • Parte nutritiva de los alimentos. • fig. y fam. Juicio, madurez. • *Fil.* Entidad o esencia que subsiste o existe por sí, aparte de lo que sea accidental. • **blanca.** La formada pralm. por la reunión de fibras nerviosas, que constituye la parte periférica de la médula espinal y la central del encéfalo. • **gris.** La formada pralm. por la reunión de cuerpos de células nerviosas, que constituye la porción central de la médula espinal y la superficial del encéfalo. • **intercelular.** Masa cementaria o formada por s. polímeras de elevado peso molecular, que, en los tejidos conectivos, se encuentra rodeando las células. • **Sustancias magnéticas.** *Fís.* Las que poseen valores elevados de su permeabilidad magnética. • **En s.** m. adv. En compendio.

SUSTANCIAL adj. Relativo a la sustancia. • Con valor o estimación, o con virtud nutritiva. • Díc. de lo esencial y más importante de una cosa.

SUSTANCIAR o **SUBSTANCIAR** tr. Compendiar, extractar. • *Der.* Conducir un asunto o juicio por la vía procesal adecuada hasta ponerlo en estado de sentencia. ■ SUBSTANCIACIÓN; SUBSTANCIAL; SUBSTANCIOSO, SA; SUSTANCIACIÓN; SUSTANCIAL; SUSTANCIOSO, SA.

SUSTANTIVACIÓN f. Empleo como sustantivo de palabras que no lo son.

SUSTANTIVAR o **SUBSTANTIVAR** tr. y prnl. *Gram.* Dar valor y significación de nombre sustantivo a otra parte de la oración y aun a locuciones enteras.

SUSTANTIVO, VA o **SUBSTANTIVO, VA** adj. Que tiene existencia real, independiente, individual. • m. Nombre sustantivo. ■ SUBSTANTIVIDAD; SUSTANTIVIDAD.

SUSTENTACIÓN f. Acción y efecto de sustentar. Puede conseguirse con medios de tipo aerostático (globos), aerodinámico (alas, rotores) o mediante propulsión (motores de reacción). • Sustentáculo. • *Ret.* Suspensión.

SUSTENTÁCULO m. Apoyo o sostén de una cosa.

SUSTENTANTE adj. Que sustenta. • m. Cada una de las partes que sustentan un edificio. • El que defiende conclusiones en acto público de una facultad.

SUSTENTAR tr. Proveer a uno del alimento necesario. • Conservar una cosa en su ser o estado. • Sostener una cosa para que no se caiga o se tuerza. • Defender o sostener determinada opinión. • *Aer.* Mantener un cuerpo en el aire, aplicándole una fuerza hacia arriba de valor igual al del peso del cuerpo. ■ SUSTENTADOR, RA; SUSTENTAMIENTO.

SUSTENTO m. Mantenimiento, alimento. • Lo que sirve para dar vigor y permanencia a una cosa. • Sostén o apoyo.

SUSTITUCIÓN o **SUBSTITUCIÓN** f. Acción y efecto de sustituir. • *Der.* Nombramiento de heredero o legatario que se hace en reemplazo de otro nombramiento de la misma índole. • *Quím.* Tipo de reacción en la que un átomo, ion o agrupación atómica es sustituido por otro: $AX + Y \rightarrow AY + X$.

SUSTITUIR o **SUBSTITUIR** tr. Poner a una persona o cosa en lugar de otra. ■ SUBSTITUTIVO, VA; SUSTITUIBLE; SUSTITUTIVO, VA.

SUSTITUTO, TA o **SUBSTITUTO, TA** m. y f. Persona que hace las veces de otra en empleo o servicio. • Heredero o legatario designado para cuando falta la sucesión del nombrado con prioridad a él, o para suplir con causa legítima el nombramiento.

SUSTO m. Impresión repentina de miedo o pavor. • fig. Preocupación vehemente por alguna adversidad o daño que se teme.

SUSTRACCIÓN o **SUBSTRACCIÓN** f. Acción y efecto de sustraer o sustraerse. • *Mat.* Operación, llamada también resta, por la cual, dados dos números a, b, llamados minuendo y sustraendo respectivamente, se calcula su diferencia d, esto es, aquel número cuya suma con b es a. ■ SUSTRACTIVO, VA.

SUSTRAENDO o **SUBSTRAENDO** m. *Mat.* Cantidad que ha de restarse de otra.

SUSTRAER o **SUBSTRAER** tr. Apartar, separar. • Hurtar, robar fraudulentamente. • *Mat.* Efectuar una sustracción. • prnl. Eludir, evitar una obligación, o aquello que se había proyectado o convenido.

SUSTRATO o **SUBSTRATO** m. *Fil.* Sustancia, entidad o esencia de una cosa. • Capa geológica debajo de otra superterrestre.

SUSURRAR intr. Hablar quedo, produciendo un murmullo. • fig. Moverse con ruido suave y remiso el aire, el agua de un arroyo, etc. • intr. y prnl. Empezarse a divulgar una cosa secreta. ■ SUSURRACIÓN; SUSURRADOR, RA; SUSURRO; SUSURRÓN, NA.

SUTÁS m. Cordoncillo con una hendidura en medio, que se usa para adorno.

SWAZILANDIA

Superficie 17 364 km²

Población 1 032 000 hab. (59 hab./km²)

Recursos económicos	
Agrios	80 000 t
Amianto	29 000 t
Ananás	13 000 t
Azúcar	482 000 t
Cabaña bovina	597 000 cabezas
Cabaña caprina	435 000 cabezas
Cabaña ovina	24 000 cabezas
Caña de azúcar	38 000 ha
Carbón	182 000 t
Diamantes	53 000 quilates
Energía eléctrica	568 000 000 kwh
Hierro	311 000 t
Maíz	76 000 t
Pasta de madera	170 000 t
Riqueza forestal	2 279 000 m³

Indicadores sociológicos	
PNB	1 051 millones de dólares
Renta per cápita	1 170 dólares
Esperanza de vida	57 años
Alfabetismo	77 %

SUTE adj. *Col.* y *Ven.* Enteco, canijo. • m. *Col.* Lechón, gorrino. • *Hond.* Especie de aguacate.
SUTIL adj. Delgado, delicado, tenue. • fig. Agudo, perspicaz.
SUTILEZA o **SUTILIDAD** f. Calidad de sutil. • fig. Dicho o concepto excesivamente agudo y falto de exactitud. • fig. Instinto de los animales.
SUTILIZAR tr. Adelgazar, atenuar. • fig. Limar, perfeccionar ideas, conceptos, etc. • fig. Discurrir ingeniosamente. ■ SUTILIZADOR, RA.
SUTLEJ *(Satlai)* Río de la India y Pakistán; 1 600 km. Nace en el Tíbet, en el lago Manasoravar. En el Punjab cambia de nombre y desemboca en el Indo.
SUTRA m. Colección de aforismos y reglas fáciles de recordar, que son la base de la enseñanza del ritual, de la gramática y de la filosofía hinduista.
SUTTNER, *Bertha Kinsky*, BARONESA DE (1843-1914) Escritora austr. Pacifista y autora de la novela *Abajo las armas*. Premio Nobel de la Paz en 1905.
SUTURA f. *Anat.* Articulación inmóvil de los huesos del cráneo y de la cara, que posee una pequeña cantidad de tejido fibroso interpuesto. • *Cir.* Cosido de los bordes de una solución de continuidad con el objeto de asegurar y acelerar su unión. • *Biol.* Soldadura que se halla a lo largo de un órgano, organismo, etc., gralte. como resultado de un crecimiento de torsión. ■ SUTURAR.
SUVA Cap. de las islas Fiji, sit. en la isla de Viti Levu; 54 900 hab. (80 200 la agl. urb.). Ind. alimentarias.
SUVANNA Fuma, PRÍNCIPE *Tiao* (1901-1984) Político laosiano. En 1945 participó en un gobierno provisional y post. fue primer ministro en varios periodos. Tras la proclamación de la rep. popular (1975), dimitió.
SUYO, SUYA, SUYOS, SUYAS Pron. posesivo de tercera persona, m. y f., en ambos números. • **De suyo.** m. adv. Sin sugestión ni ayuda ajena, de manera natural. • **Lo suyo.** loc. fam. con que se pondera la dificultad, o el mérito, de una cosa.
SUZUKI, *Zenzko* (nacido 1911) Político jap. Dirigente del partido liberal demócrata. Ministro en varias ocasiones. Primer ministro (1980-1982).
SVÁSTICA f. Diagrama en forma de cruz gamada, que formó parte de la bandera al. bajo el régimen de Adolfo Hitler.
SVEDBERG, *Theodor* (1884-1971) Químico sueco. Sus investigaciones se encaminaron pralm. a las dispersiones coloidales. Premio Nobel en 1976.
SVERDLOVSK C. de Rusia, cap. de la prov. hom.: 1 300 000 hab. Sit. en la vertiente E de los Urales. Ind. siderúrgica, metalúrgica, química textil.
SVERDRUP, *Harald* (1888-1957) Meteorólogo y oceanógrafo noruego. Realizó, acompañando a Amundsen, varias expediciones al Ártico, entre 1912 y 1924. Autor de imp. estudios oceanográficos.
SVEVO, *Italo* (1861-1928) Seud. del novelista it. *Ettore Schmitz*. Animado por Joyce, escribió su pral. obra, *La conciencia de Zeno*.
SVOBODA, *Ludvik* (1895-1979) Militar y político chec. En 1968 ordenó la pasividad del ejército y aceptó el tratado sobre la presencia de tropas sov. en el país. Presid. de la rep. (1968-1975).
SWAHILI o **SUAHELI** adj. y s. Díc. de los individuos de un pueblo negroide que vive en Tanzania y Kenia. Su idioma es *lingua franca* del África centrooriental y es el of. en Kenia y Tanzania.
SWANSEA C. y puerto de Gran Bretaña, en el país de Gales, sit. en la bahía hom.; 167 800 hab. Ind. metalúrgica, construcciones navales.
SWANSON, *Gloria* (1896-1983) Actriz cinematográfica norteam. *La intrusa, Reian Kelly, El crepúsculo de los dioses.*
SWAPO Siglas ing. de la *Organización del Pueblo del África del Sudoeste*, frente anticolonialista que lucha contra la dominación sudafricana en Namibia. Ha sido reconocida por la OUA y la ONU.
SWAZI adj. y s. Díc. de individuos pertenecientes a un pueblo bantú que habita en Swalizandia y en el Transvaal (Rep. Sudafricana).
SWAZI Bantustán de la Rep. Sudafricana, integrado por tres terr. del E de Transvaal separados entre sí y sit. en las cercanías de Swazilandia.
SWAZILANDIA *(Umbuso weSwatini*; ing., *Kingdom of Swaziland)* Estado del SE de África, limítrofe con Mozambique y la Rep. Sudafricana. El sector occidental está accidentado por las estribaciones de los montes Drakensberg. En el extremo E se encuentra la llanura costera del Índico. Ríos Komati, Usutu, Ingwavuma, que tributan en el Índico. Clima subtropical. Cultivo de sorgo, maíz, arroz, agrios y, sobre todo, caña de azúcar. Imp. actividad ganadera (bovinos y caprinos). Explotación forestal para la exportación. La pral. riqueza reside en la minería: amianto en Havelock, hierro, hulla, estaño y oro. Monarquía. Etnias: bantúes, swazis (mayoría), europeos. Lenguas: ing. (of.), isizulu. *Rel.*: animismo (40 %), protestantismo (34 %), catolicismo, U. M.: el lilangeni. Cap.: Mbabane.
* *Hist.* Los swazi se establecieron en S. a principios del s. XIX. En 1890 pasó a dominio conjunto de Transvaal e Inglaterra. Tras la guerra de los bóers, S. fue colocada bajo protectorado brit. (1903). En 1968 consiguió la indep. En 1973 el rey Sobuzha II anunció al país que quedaba abolida la constitución y suprimidos los partidos políticos. En 1976 designó al coronel M. Dbamini como primer ministro. El rey murió en 1982, sucediéndole su hijo Mswati III al cumplir los 18 años, en 1986.
SWENDENBORG, *Emanuel* (1688-1772) Hombre de ciencia, filósofo, teólogo y místico sueco. Sus escritos son la base de la fe de los swedenborgianos. *Arcana coelestia, La verdadera religión, Sabiduría angélica, Principios, Oeconomia regni animalis.*
SWEDENBORGIANO, NA adj. y s. Díc. de los adeptos a una denominación cristiana inspirada por Emanuel Swedenborg, también llamada Iglesia de la Nueva Jerusalén y Nueva Iglesia. Sus doctrinas esenciales son la divinidad de Jesucristo, la santidad del Verbo y la vida de amor al prójimo.
SWEELINCK, *Jan Pieterszoon* (1562-1621) Compositor neerlandés. Su producción comprende composiciones vocales y corales, y piezas para órgano y clave. Precursor de J. S. Bach.
SWIFT, *Jonathan* (1667-1745) Escritor irl., uno de los maestros de la prosa en lengua ing. Los *Viajes de Gulliver* son su libro de mayor fama, sátira dirigida contra la sociedad ing. y la civilización de su tiempo. *La batalla de los libros, El cuento del tonel.*
SWINBURNE, *Algernon Charles* (1837-1909) Poeta brit. *Cantos antes del alba.*
SWING m. En el boxeo, golpe dado de abajo arriba con un movimiento semicircular del brazo. • Elemento rítmico característico del *jazz*. La síncopa es uno de los elementos que más favorecen la aparición del *swing*.
SYCON adj. *Zool.* Díc. de un tipo de organización de algunas esponjas primitivas, en las cuales los coanocitos tapizan los canales que comunican la cavidad interna con el exterior.
SYDENHAM, *Thomas* (1624-1689) Médico ing.

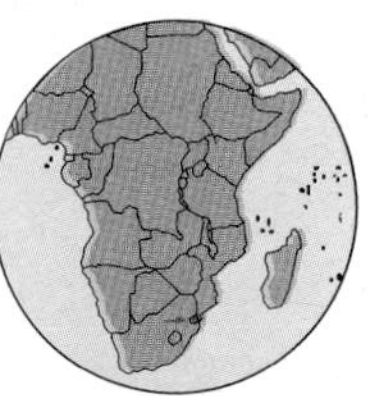

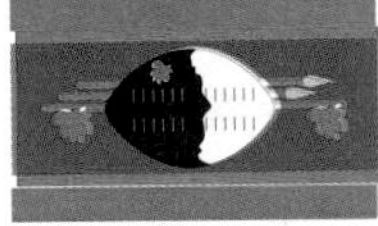

Mapa de situación y bandera de **Swazilandia**

Emanuel **Swedenborg**

Algernon Charles **Swinburne**

Realizó importantes estudios sobre el reumatismo y describió la corea que lleva su nombre.
SYDNEY C. de Australia, cap. del estado de Nueva Gales del Sur. → Sidney.
SYMPOSIUM m. Simposio.

Vista de **Szeged,** con el río Tisza

SYNCHRO adj. y m. *El.* Díc. de un inductor giratorio en el que el acoplamiento variable se obtiene cambiando la orientación relativa de los arrollamientos primarios.
SYNGE, *John Millington* (1871-1909) Dramaturgo irl. *El pozo de los santos, Jinetes hacia el mar, El fanfarrón del mundo occidental.* • ***Richard Laurence Millington*** (nacido 1914) Bioquímico brit. Introdujo el método de análisis cromatográfico, llamado de reparto sobre papel. Premio Nobel de Química en 1952, con Martin.
SYRACUSE C. de EE UU, en el est. de Nueva York, cerca del lago Ontario; 630 000 hab. Ind. química y metalúrgica.
SZCZECIN (al., *Stettin)* C. de Polonia, cap. del voivodato hom., a orillas del Oder; 390 800 hab. Activo puerto. Ind. siderúrgica, de cemento, fabricación de superfosfatos.
SZECHUAN *(Sichuan)* Prov. del SO de China; 560 000 km^2, 107 218 173 hab. Cap., Chengtu. Trigo, maíz, patatas, caña de azúcar. Sal carbón, hierro, petróleo, gas natural, oro. Ind. textil, alimentaria.
SZEGED C. del SE de Hungría, en la confluencia del Tisza con el Maros; 181 000 hab. Ind. textil, química y alimentaria.
SZEKLER (húng., *székely)* adj. y s. Díc. del individuo de un pueblo que vive en Transilvania (Rumania), en los valles del Mures y del Olt. Se le supone descendiente de los hunos, los ugrios o de un pueblo turco.
SZENT-GYÖRGYI, *Albert* (1893-1986) Bioquímico húng. Premio Nobel de Medicina en 1937 por su descubrimiento de la vitamina C.
SZYMANOWSKI, *Karol* (1882-1937) Compositor pol. Autor de óperas *(Hagith, El rey Roger)*, sinfonías, conciertos para violín, *Metopas* (para piano), *Mitos* (para violín), *Stabat Mater*.
SZYMBORSKA, *Wislawa* (nacida 1923) Poetisa polaca. Autora de *El fin y el comienzo, Por si acaso* y *La gente en el puente*. Premio Nobel de Literatura en 1996.

T

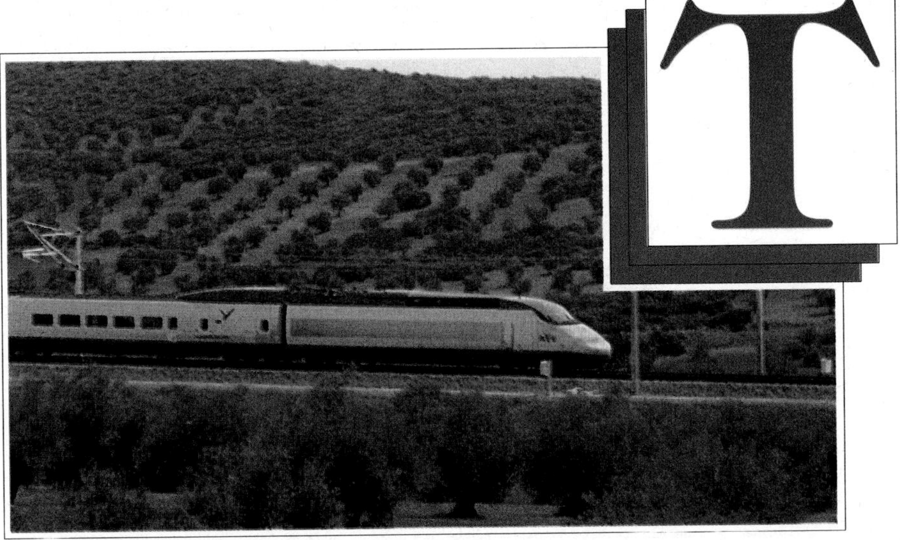

Tren de alta velocidad español (AVE)

T f. Vigésima primera letra del abecedario esp. y decimoséptima de sus consonantes. Su nombre es *te*. • *Fís.* Símb. de periodo y de temperatura absoluta. • *Fís.* En minúscula, símb. de tiempo y de temperatura ordinaria.
Ta *Quím.* Símb. del tántalo o tantalio.

Producción mundial de **tabaco** (en miles de t)

Prales. productores	
China	3 324
EE UU	710
India	512
Brasil	471
Turquía	230
Zimbabwe	209
Malawi	142
Indonesia	136
Italia	135
Grecia	129
Total mundial	6 513

TABA f. Astrágalo, hueso del pie. • Juego en que se tira al aire una taba de carnero y se gana o se pierde según en la posición que cae. • *Col.* Orificio en una cañería. • **Darle t.** a uno. *Méx.* Darle conversación. • **Menear t.** *Argent.* Cuadrar.
TABACALERO, RA adj. Relativo al cultivo, fabricación o venta del tabaco. • adj. y s. Díc. de la persona que cultiva tabaco. • Tabaquero. • f. *Méx.* Tabaquería.
TABACO m. *Bot.* Planta solanácea de porte herbáceo, anual, con tallo simple o ramificado, hasta de 2 m de alt., recubierto de pelos viscosos. Es originaria de América y se cultiva en los países cálidos. Se utiliza en medicina popular como drástica, emética y acre; contiene el alcaloide nicotina y un principio activo oloroso (nicocianina). • Hoja de esta planta, curada y preparada para sus diversos usos. • Polvo a que se reducen las hojas secas de esta planta para tomarlo por la nariz. • Cigarro puro. • Enfermedad de algunos árboles, que consiste en descomponerse la parte interior del tronco, convirtiéndose en un polvo pardusco o negro. • **Acabársele** a uno **el t.** *Argent.* y *Chile.* Acabársele el dinero.
TABAL m. Tambor, tamboril, atabal. • Barril en que se conservan las sardinas arenques, y en algunas partes, el boquerón descabezado o anchoa.
TABALADA f. fam. Tabanazo. • fam. Caída.
TABALEAR tr. y prnl. Menear o mecer una cosa de una parte a otra. • intr. Golpear con los dedos sobre una tabla o cosa semejante, imitando el toque del tambor. ■ TABALEO.
TABANAZO m. fam. Golpe que se da con la mano. • fam. Golpe de la mano abierta en la cara.
TABANCO m. Puesto o tenderete callejero. • *Amér. Centr.* Desván, sobrado.
TÁBANO m. *Zool.* Insecto díptero, de mayor tamaño que la mosca, que molesta con sus picaduras. • fig. Persona pesada y molesta. ■ TABANERA.
TABANQUE m. Rueda de madera que mueven con el pie los alfareros, para hacer girar el torno.
TABAQUE m. Cestillo de mimbre, en que se pone la fruta, la costura, etc. • Clavo algo mayor que la tachuela común.
TABAQUEADA f. *Bol.* Bola de tabaco y carne usada como señuelo para cazar cóndores.
TABAQUERÍA f. Tienda donde se vende tabaco. • *Cuba.* Taller donde se elaboran los cigarros puros.
TABAQUERO, RA adj. y f. Díc. de la persona que trabaja el tabaco, o que lo vende. • f. Caja para tabaco en polvo. • Caja o pomo con agujeros en su parte superior, para sorber el tabaco en polvo. • Receptáculo del tabaco en la pipa de fumar. • *Amér.* Petaca o bolsa para el tabaco picado. • *Amér.* Pañuelo de nariz.
TABAQUILLO m. *Amér.* Nombre vulgar dado a diversas plantas, por su aspecto o sus propiedades.
TABAQUISMO m. Intoxicación aguda o crónica producida por el abuso del tabaco.
TABAQUISTA com. Persona experta en tabacos. • Persona que toma mucho tabaco.
TABARDETE o **TABARDILLO** m. fig. y fam. Fiebre tifoidea. • fam. Insolación, enfermedad causada por el excesivo ardor del sol. • fig. y fam. Persona alocada, bulliciosa.
TABARDO m. Prenda de abrigo ancha y larga, de paño tosco. • Chaquetón de soldado.
TABARRA f. Lata, cosa impertinente y molesta.
TABARRO m. Tábano, insecto díptero.
TABASCO m. Salsa muy picante de pimienta o ají.
TABASCO Est. de México, limítrofe con Guatemala y bañado por el Caribe; 24 661 km², 1 889 367 hab. Cap., Villahermosa. Accidentado al S por la sierra Madre de Chiapas. Ríos San Pedro y San Pablo, Grijalva-Usumacinta y González. Clima tropical y vegetación de bosque denso. Caña de azúcar, café, plátanos, cacao, coco, cereales, habichuelas. Ganado bovino y porcino. Explotación forestal. Pesca. Transformaciones agropecuarias. Cuna de la cul-

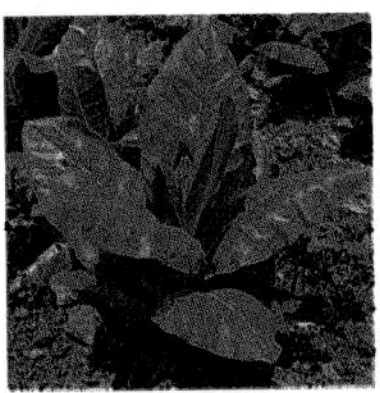

Flores y hojas del **tabaco**

Tábano. Insecto adulto y crisálida

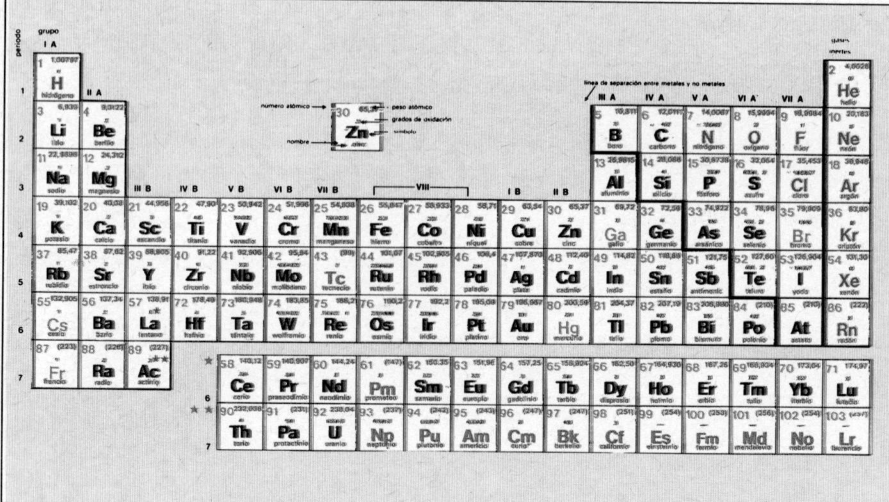

Tabla periódica

	1	2	3	4	5
1	1	2	3	4	5
2	2	4	6	8	10
3	3	6	9	12	15
4	4	8	12	16	20
5	5	10	15	20	25

1

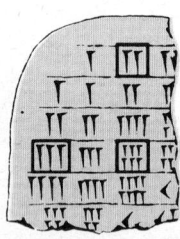

2

Tabla pitagórica:
1. con números arábigos.
2. con signos cuneiformes (sobre tablilla de arcilla)

tura olmeca de La Venta. Hernández de Córdoba recorrió sus costas en 1518. Un año después Hernán Cortes venció a los indígenas en la batalla de Centa. Fue base de operaciones para la conquista de México. F. de Montejo eliminó la resistencia indígena en T. , que pasó a formar parte de la audiencia de México, establecida en 1528. Tras la indep., T. constituyó un est. (1824). Fue transitoriamente ocupado por tropas del emp. Maximiliano (1863).

TABASQUEÑO, ÑA adj. y s. De Tabasco.

TABEAR intr. *Argent.* y *Guat.* Jugar a la taba. • fig. *Argent.* Estar de palique.

TABELLAR tr. Doblar y tablear las piezas de paño y demás tejidos de lana, de modo que queden sueltos los orillos para poder registrarlos con facilidad. • Marcar las telas o ponerles los sellos de fábrica.

TABERNA f. Local público, gralte. modesto, en el que se venden y consumen vino y otras bebidas alcohólicas, y algunas veces también comidas. ■ TABERNERO, RA; TABENERÍA.

TABERNÁCULO m. Lugar donde los heb. tenían colocada el arca de la Alianza. • Sagrario donde se guarda el Santísimo Sacramento. • Tienda en que vivían los ant. heb.

TABERNARIO, RIA adj. Propio de la taberna o de las personas que la frecuentan. • fig. Bajo, grosero.

TABES f. *Med.* Consunción, enflaquecimiento, extenuación. • **dorsal**. *Pat.* Enfermedad neurosifilítica que afecta la médula espinal, cuyos síntomas prales. son la ataxia y la pérdida de reflejos.

TABICA f. Tablilla que se coloca verticalmente para cubrir un hueco en el frente de alguna cosa.

TABICAR tr. Cerrar con tabique una cosa. • tr. y prnl. fig. Cerrar o tapar una cosa que debía estar abierta.

TABICÓN m. Tabique cuyo grosor no excede de 10 cm.

TÁBIDO, DA adj. Podrido o corrompido. • Extenuado por consunción.

TABINETE m. Tela arrasada, con trama de algodón y urdimbre de seda.

TABIQUE m. Pared delgada que se hace de cascotes, ladrillos o adobes. • P. ext. , división plana y delgada que separa dos huecos. • *Méx.* Ladrillo de base cuadrada.

TABIQUERÍA f. Conjunto o serie de tabiques.

TABLA f. Pieza de madera, plana, más larga que ancha, de poco grueso respecto a las demás dimensiones, y cuyas dos caras son paralelas entre sí. • Pieza plana y de poco espesor de alguna otra materia rígida. • Cara más ancha de un madero. • Dimensión mayor de una escuadría . • Diamante tabla. • Parte que se deja sin plegar en un vestido. • Doble pliegue ancho y plano que se hace por adorno en una tela. • Tablilla en que se comunica algo. • Índice que se pone en los libros, para que con mayor facilidad se busquen y hallen las materias o puntos que contienen. • Lista o catálogo de cosas puestas por orden sucesivo o relacionadas entre sí. • Cuadro de números o indicaciones, colocados de modo que pueda hallarse rápidamente un dato o el resultado de una operación. • Parte algo plana de ciertos miembros del cuerpo. • Faja de tierra. • Cuadro o plantel de tierra dispuesto para plantar legumbres, vides o árboles. • Tabla de agua o de río • Casa donde se registran las mercaderías que causan derechos en los puertos secos. • Mostrador de la carnicería. • Puesto público decarne. • Superficie del cuadro donde deben representarse los objetos y que se considera siempre como vertical. • Pintura hecha en tabla. • pl. Tablas reales. • Estado, en el juego de damas o en el de ajedrez, en el cual ninguno de los jugadores puede ganar la partida. • fig. Empate o estado de cualquier asunto que queda indeciso, entre dos competidores. Piedras en que se escribió la ley del Decálogo, que entregó Dios a Moisés en el monte Sinaí. • fig. Escenario del teatro. • fig. Soltura, naturalidad en cualquier actuación ante el público. • *Taur.* Barrera o valla que circunda el ruedo de la plaza de toros. • Tercio del ruedo inmediato a la barrera. • **de datos.** *Comp.* Lista o conjunto de listas en las que se especifican los datos de una determinada información. • **de salvación.** fig. Por comparación con la del náufrago, último recurso para salir de un apuro. • **de verdad.** *Comp.* T. en la que se especifican los valores de salida de una función u operación al aplicar ésta a dos valores de entrada. • *Lóg.* La utilizada para determinar mecánicamente la verdad o falsedad de una fórmula proposicional compuesta, una vez conocida la verdad o falsedad de las diversas proposiciones integrantes. • **periódica.** *Quím.* Aquella en que se disponen los elementos químicos, de modo que se agrupan los que poseen propiedades semejantes. • **pitagórica.** *Mat.* T. de multiplicación de los núm. dígitos dispuesta en forma de cuadro. • **A raja t.** m. adv. fig. y fam. Cueste lo que cueste, a toda costa, a todo trance, sin remisión.

TABLA Redonda Díc. del ciclo literario medieval originado en las leyendas célticas alusivas al rey Arturo y a sus caballeros, que se reunían en torno a una mesa redonda, en señal de igualdad.

TABLACHO m. Compuerta para detener el agua.

TABLADA f. *Argent.* Lugar donde se examina o fiscaliza el ganado que se destina al matadero.

TABLADA, *José Juan* (1870-1945) Escritor y diplomático mex. Introdujo formas japonesas en la poesía cast. *Li-Po, El jarro de flores, Hiroshigue.*

TABLADO m. Suelo plano formado de tablas. • Pavimento del escenario de un teatro. • Armazón

de tablas que cubre la escalera del carro. • Suelo de una cama sobre el que se tiende el colchón. • Patíbulo, cadalso.
TABLAJE m. Conjunto de tablas. • Garito, casa de juego.
TABLAJERÍA f. Vicio o costumbre de jugar a los tablajes. • Ganancia que se saca del garito. • Carnicería, tienda en que se vende carne.
TABLAJERO m. Carpintero que hace tablados. • Persona que cubre el precio de los asientos de los tablados para fiestas públicas. • Garitero, poseedor de un tablaje. • Carnicero, que vende carnes.
TABLAR m. Conjunto de tablas de huerta o de jardín. • Tabla de río. • Adral del carro.
TABLAS, ***Las*** C. de Panamá, cap. de la prov. de Los Santos; 22 116 hab. (en el distr.). Centro comercial agrícola y ganadero.
TABLAZO m. Golpe dado con una tabla. • Pedazo de mar o de río, extendido y de poco fondo.
TABLAZÓN f. Agregado de tablas. • Conjunto de tablas que componen la cubierta de una embarcación.
TABLEAR tr. Dividir un madero en tablas. • Dividir en tablas un terreno. • Igualar la tierra con la atabladera. • Reducir las barras cuadradas de hierro a figura de llanta, pletina o fleje. • Hacer tablas en la tela. ■ TABLEADO; TABLEO.
TABLERO adj. Díc. del madero a propósito para hacer tablas serrándolo. • m. Tabla o conjunto de tablas unidas por el canto, con una superficie plana y alisada, y barrotes atravesados por la cara opuesta o en los bordes, para evitar el alabeo. • Tabla de una materia rígida. • Palo o cureña de la ballesta. • Tabla cuadrada con cuadritos de dos colores alternados, para jugar al ajedrez o a las damas, o con otras figuras para jugar al chaquete, al asalto, a las tablas reales, etc. • Cuadro donde se reúnen los instrumentos o mandos de una máquina, fábrica, etc. • Mostrador de una tienda. • Casa de juego de los tahúres. • Mesa grande en que cortan los sastres. • Espacio o grupo de espacios de una huerta, tablar. • Suelo bien cimentado de una represa en un canal. • Cuadro de madera pintado de negro que se usa en las escuelas en lugar de encerado. • Especie de petrel común en los mares de las altas latitudes antárticas y que se distingue por el aspecto de su pluma pintada a manera de ajedrezado blanco y negro. • *Cuba*. Caja de madera en que los vendedores ambulantes llevan dulces y otros artículos. • Plano resaltado, liso, o con molduras, para ornato de algunas partes del edificio. • *Arq*. Parte plana que corona el capitel, ábaco. • Tablazón que se coloca en los cuadros formados por los largueros y peinazos de una hoja de puerta o ventana.
TABLESTACA f. Especie de pilote formado por una pieza, en forma de tabla terminada en punta, que se clava en el suelo por percusión.
TABLESTACADO m. Valla formada por tablestacas.
TABLETA f. Madera de sierra, especialmente la que se usa para entarimar. • Pequeña porción de una pasta medicinal. • Pastilla de chocolate. • *Argent*. Alfajor, cierto dulce.
TABLETEAR intr. Hacer chocar tabletas o tablas para producir ruido. ■ TABLETEADO; TABLETEO.
TABLILLA f. Tableta, pequeña tabla. • Tabla pequeña en la cual se expone al público una lista o un anuncio. • Cada uno de los trozos de baranda de la mesa de trucos o de billar comprendidos entre dos troneras. • *Cuba* y *Méx*. Tableta de chocolate.
TABLOIDE adj. y m. Díc. del periódico de dimensiones menores que las ordinarias, y con abundancia de grabados informativos.
TABLÓN m. Tabla gruesa. • Tablilla de anuncios. • fam. Borrachera. • *Amér*. Tierra destinada a cultivo.
TABLONCILLO m. Asiento de la fila más alta de las gradas y tendidos de las plazas de toros.
TABONUCO m. *P. Rico*. Árbol de la familia burseráceas, de cuyo tronco fluye una resina usada como incienso.
TABORITA → Husita.
TABRIZ C. de Irán, cap. del Azerbaiján oriental; 598 000 hab. Ind. artesanal. Centro comercial.
TABÚ m. *Antr*. Prohibición de comer o tocar algún objeto en algunas religiones de la Polinesia. • m. y adj. P. ext., objeto o tema que no se puede tocar.
TABUCCHI, ***Antonio*** (nacido 1943) Escritor it. *Sostiene Pereira, Nocturno hindú, La cabeza perdida de Damasceno Monteiro*.
TABUCO m. Aposento pequeño.
TABULADO, DA adj. Díc. de los datos gralte. numéricos, que se disponen en forma de tabla. • m. Tabulación. • adj. y m. *Pal*. Díc. de animales del grupo tabulados. • m. pl. *Pal*. Grupo de celentéreos exclusivamente fósiles, de posición sistemática incierta.
TABULADOR, RA adj. y m. Díc. de un dispositivo de una máquina de escribir que permite empezar las líneas a diferentes distancias del margen del papel. • *Comp*. Periférico que trabaja con tarjetas perforadas y, mediante instrucciones emitidas a través de paneles de control, lee los datos almacenados en la memoria, para imprimirlos después en forma de listados o tabulaciones sobre papel continuo o formularios indep. • adj. y f. Díc. de la máquina que escribe en caracteres ordinarios las indicaciones contenidas en tarjetas perforadas.
TABULAR adj. Que tiene forma de tabla. • tr. Expresar por medio de tablas, valores, magnitudes u otros datos. • *Comp*. Desplazar el cursor a una posición determinada, saltando varias posiciones de pantallas, para visualizar información a partir de esa posición. ■ TABULACIÓN.
TABURETE m. Asiento sin brazos ni respaldo para una persona. • Silla con el respaldo muy estrecho, guarnecida de vaqueta, terciopelo, etc.
TAC m. Ruido que producen ciertos movimientos acompasados.
TAC Siglas de → tomografía axial computarizada.
TACA f. Alacena pequeña. • *Chile*. Marisco comestible, de concha casi redonda.
TACACO m. *C. Rica*. Planta cucurbitácea trepadora cuyo fruto se come como verdura.
TACADA f. Golpe dado con el taco a la bola de billar. • Serie de carambolas hechas sin perder golpe. • *Mar*. Conjunto de los tacos de madera usados para algún fin.
TACANA f. Cierto mineral abundante en plata. • *Bol*. y *Col*. Escalón cultivado en las laderas andinas.
TACANA (voz quechua) adj. y s. Díc. del individuo de un grupo de tribus amerindias de la familia arahuaca que viven en la Amazonia brasileña.
TACANÁ Volcán sit. entre México y Guatemala, en la sierra Madre de Chiapas; 4 064 m.
TACANEAR tr. *Argent*. Aplastar.
TACAÑO, ÑA adj. y s. Miserable, ruin, mezquino. • Mirado, ahorrador con exceso. ■ TACAÑEAR; TACAÑERÍA.
TACAR tr. Señalar haciendo hoyo, mancha u otro daño. • *Col*. Herir la bola con el taco del billar.
TACATÁ m. Andador, gralte. metálico y con asiento de lona.
TACETA f. Calderito de cobre que sirve para trasegar el aceite en las almazaras.
TACHA f. Falta o defecto que se halla en una persona o cosa. • Clavo mayor que la tachuela común. • *Amér*. Tacho, vasija de metal. • En la fabricación de azúcar, aparato donde se evapora en vacío el jarabe hasta obtener una masa cristalizada. ■ TACHADOR, RA; TACHOSO, SA.
TACHADURA f. Acción y efecto de tachar lo escrito. • Tachón.
TACHAR tr. Poner en una cosa falta o tacha. • Borrar lo escrito. • Alegar contra un testigo algún motivo legal para que no sea creído en el pleito. • fig. Culpar, censurar, notar.
TACHERO m. *Amér*. Operario que maneja los tachos en la fabricación del azúcar. • *Amér*. Hojalatero. • *R. de la Plata*. Taxista.
TACHIGUAL m. *Méx*. Labor de encaje o ronda.
TÁCHIRA Est. de Venezuela, limítrofe al O con Colombia; 11 100 km², 998 498 hab. Cap., San Cristóbal. El territorio, atravesado por los Andes, pertenece a la cord. de Mérida, cuyas alt. se sitúan entre 3 000 y 4 000 m. Los únicos sectores llanos se encuentran en el extremo S, así como en el N y NO, donde hay unas tierras pantanosas, llamadas llanuras del Norte, que corresponden a la depresión del lago Maracaibo, a cuya cuenca pertenecen los cursos hidrográficos septentrionales (Táchira y La Grita); la otra vertiente desagua en el Orinoco (Uribante). Clima subtropical húmedo. Vegetación forestal.

Tristán e Isolda, personajes vinculados al ciclo bretón de los caballeros de la **Tabla Redonda**

Tabuladora de Hollerith de tarjetas perforadas (1890)

Taburete

Café, caña de azúcar, tabaco y frutales. Ganadería bovina y ovina. Asfalto, caliza, yeso y carbón. Ind. agropecuarias.

TACHO m. *Amér.* Vasija de metal, con asas, de fondo redondeado, que se usa para guisar. • *Amér.* Paila grande en que se acaba de cocer el melado y se le da el punto de azúcar. • *Amér.* Hoja de lata. • *Chile.* Cacerola de metal o de barro. • **Quitar el t.** *Argent.* Quitar toda esperanza.

TACHÓN m. Cada una de las rayas que se hacen sobre lo escrito para borrarlo. • Adorno de galón, cinta, etc., sobrepuesto en ropa o tela para adornarla. • Tachuela grande de cabeza dorada o plateada.

TACHONAR tr. Adornar una cosa sobreponiéndole tachones. • Clavetear con tachones.

TACHONERÍA f. Obra o labor de tachones.

TACHUELA f. Clavo corto y de cabeza grande. • *Amér.* Tacuaco, persona rechoncha. • *Col.* y *Cuba.* Especie de escudilla de metal que se usa para poner a calentar algunas cosas. • *Ven.* Taza de metal que se tiene en el tinajero para beber agua.

TACITA f. Taza pequeña. • **de plata.** fig. Díc. de lo que está muy limpio y acicalado.

TÁCITO, TA adj. Callado, silencioso. • Que no se oye o dice formalmente, sino que se supone.

TÁCITO, ***Cornelio*** (55-120) Historiador latino. Autor de *Agrícola, Germania, Historias y Anales;* las dos últimas sobre la historia de Roma.

TACITURNO, NA adj. Callado, que le molesta hablar. • fig. Triste melancólico. ʙ TACITURNIDAD.

TACIZO m. *Col.* Calabozo muy pequeño.

TACLOBO m. Molusco lamelibranquio de gran tamaño, que abunda en Filipinas y cuya concha tiene un hermoso aspecto.

Tacómetro electrónico portátil

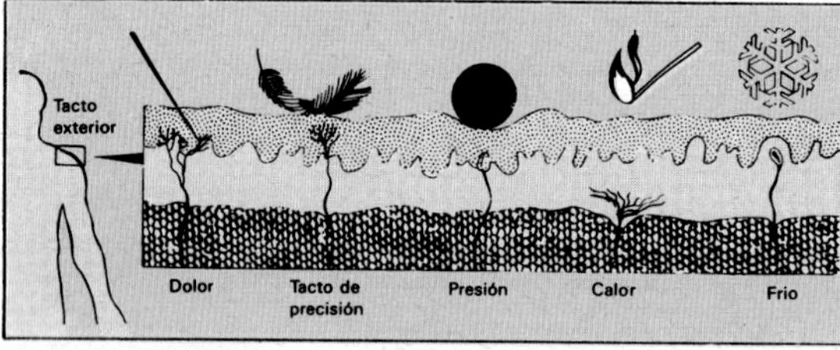

Sensaciones percibidas por el sentido del **tacto**

TACNA Dpto. de Perú, limítrofe con Chile y Bolivia y bañado por el océano Pacífico; 15 983,13 km², 246 100 hab. Cap., la c. hom. Accidentado por la cordillera Occidental de los Andes (Tutupaca, 5 806 m). Ríos Locumba, Sama, Caplina y Mauri. Clima templado en las montañas y cálido en la costa. Cereales, caña de azúcar, algodón, vid, frutales, tabaco. Bovinos, ovinos, llamas. Cobre. Ind. de derivados agropecuarios (destilerías de alcohol). • C. de Perú, cap. del dpto. hom.: 174 336 hab. Sit. en la confluencia de los r. Caplina y Usuchuma. Mercado agropecuario. Ind. derivadas. Fundada en 1615. Fue causa de fricción entre Chile, Bolivia y Perú, que culminó en la guerra del Pacífico. Pasó a poder de Chile en 1883. Restituida a Perú en 1929.

TACNEÑO, ÑA adj. y s. De Tacna.

TACO m. Pedazo de madera, metal u otra materia, corto y grueso, que se encaja en algún hueco. • Cualquier pedazo de madera corto y grueso. • Cilindro de trapo, estopa, arena u otra materia a propósito, con que se aprieta la carga del barreno. • Baqueta para atacar las armas de fuego. • Vara de madera con la cual se impelen las bolas del billar y de los trucos. • Lanza usada en el juego de estafermo y en el de la sortija. • Calendario formado por un conjunto de hojas de papel superpuestas, una por día • fig. y fam. Bocado o comida muy ligera que se toma fuera de las horas de comer. • fig. y fam. Trago de vino. • fam. Embrollo, lío. • fig. y fam. Voto, juramento; palabrota. • *Amér.* Tacón. • *Art. Gráf.* Trozo de madera para apretar las cuñas de la forma. • *Chile* y *Méx.* Atasco. • *Méx.* Especie de tortilla de carne. ʙ TACAZO.

TACOMA C. de EE UU, en el est. de Washington, a orillas del estr. de Puget; 151 300 hab. (411 000 el á. metr.). Exportación de madera. Ind. metalúrgica.

TACÓMETRO m. Aparato que permite medir la velocidad de rotación de un eje.

Mapa de situación y bandera de **Tadjikistán**

TACÓN m. Pieza más o menos alta, exteriormente unida a la suela del calzado en aquella parte que corresponde al talón. • *Art. Gráf.* Cuadro formado por unas barras, a las cuales se ajusta el pliego al colocarlo en la prensa. ʙ TACONAZO.

TACÓN, ***Miguel*** (1775-1855) Militar y político esp. Gobernador de Popayán (1810-1819) y de Cuba (1834-1838).

TACONEAR intr. Pisar causando ruido, haciendo fuerza con el tacón. • fig. Pisar con arrogancia. • fig. y fam. Realizar gestiones yendo de un sitio a otro. • tr. *Argent.* y *Chile.* Apisonar, aplastar, henchir, rellenar. ʙ TACONEO.

TACORA Volcán de los Andes chilenos; 5 980 m.

TACOTAL m. *C. Rica.* Matorral espeso. • *Hond.* Ciénaga, lodazal.

TÁCTICO, CA adj. Relativo a la táctica. • m. El que sabe o practica la táctica. • f. *Mil.* Conjunto de reglas a que se ajustan en su ejecución las operaciones militares. • fig. Sistema ideado y empleado hábilmente para conseguir un fin.

TACTISMO m. Movimiento de un organismo en respuesta a un estímulo recibido.

TACTO m. *Fisiol.* Sentido que reside en la piel, por el que se perciben las sensaciones mecánicas y térmicas de los cuerpos externos. • *Med.* Exploración de una superficie del cuerpo con las yemas de los dedos y sin oprimir con fuerza la parte explorada. • fig. Tino, acierto, destreza, maña. ʙ TÁCTIL.

TACUACHE m. *Cuba* y *Méx.* Pequeño mamífero marsupial de color gris, nocturno e insectívoro.

TACUACÍN m. *Amér. Centr.* y *Méx.* Zarigüeya, especie de zorra.

TACUACO f. *Chile.* Retaco, persona rechoncha.

TACUARA f. *Amér. Merid.* Guadua, planta gramínea; especie de bambú, de cañas fuertes y muy largas. ʙ *Amér. Merid.* TACUARAL.

TACUAREMBÓ Dpto. de Uruguay; 15 438 km², 84 919 hab. Cap., la c. hom. Accidentado por las cuchillas de Cañas, Salvañach, Once Cerros y Santo Domingo. Río Negro, que forma el embalse de Rincón del Bonete. Clima subtropical. Ganadería vacuna y lanar. Cereales, oleaginosas, frutales. Ind. agropecuaria. • C. de Uruguay, cap. del dpto. hom.; 45 892 hab. Mercado agropecuario. Ind. derivadas.

TACUBAYA Ant. mun. de México, en la actualidad un barrio de la cap. del país. En ella los generales Santa Anna, Paredes y Valencia firmaron las *Bases de T.* (1841). Post. (1859) fue escenario de la derrota de S. Delgado por L. Márquez.

TACURÚ m. *R. de la Plata.* Especie de hormiga pequeña. • *R. de la Plata.* Hormiguero alto y redondeado. • *R. de la Plata.* Cada uno de los montículos de tierra arcillosa que se encuentran en gran abundancia en los terrenos anegadizos del Chaco.

TACURUZAL m. *R. de la Plata.* Lugar donde abundan los tacurúes.

TADJIKISTÁN *(Respublikai Tojikiston)* Est. de Asia central, limítrofe al N con Kirguisistán, al E con China, al S con Afganistán y Pakistán, y al O con Uzbekistán. País muy montañoso, la parte oriental forma parte del Pamir, donde se alcanzan alt. de más de 7 000 m. R. Vajsh y Murgab. Algodón. Ind. agropecuaria, textil, siderúrgica, metalúrgica, química. Grupos étnicos: tadjikos, uzbekos, rusos. Lenguas: tadjiko (of.), ruso. *Rel.*: islamismo sunnita, cristianismo ortodoxo. U. M.: nuevo rublo. Cap., Dushanbe. C. pral.: Kirgán-Tiube.

TADJIKISTÁN

Superficie 143 100 km²	
Población 6 054 000 hab. (42,3 hab./km²)	
Indicadores sociológicos	
PNB	1 976 millones de dólares
Renta per cápita	340 dólares
Esperanza de vida	69 años
Alfabetismo	98 %

* *Hist.* Ant. terr. incorporado al imperio zarista, entre 1918-1921 pasó a control de los bolcheviques, repartiéndose el terr. entre Turquestán y Bujaria. Reagrupado en 1924, como rep. dependiente de

Uzbekistán, en 1929 alcanzó el estatuto de rep. federada de la URSS. En 1991 se autoproclamó indep. y se integró en la Comunidad de Estados Independientes (CEI). En 1992 estalló una guerra civil entre el gob. y la oposición que terminó en 1997.

TAEGU o **DAEGU** C. de la República de Corea; 1 607 500 hab. Cap. de la prov. de Gyeongsang septentrional. Centro comercial y textil.

TAEJON o **DAEJEON** C. de la República de Corea; 651 600 hab. Cap. de la prov. de Chungcheong meridional. Nudo ferroviario. Ind. de seda y cuero.

TAEUBER-ARP, *Sophie* (1889-1943) Pintora suiza, una de las iniciadoras de la abstracción geométrica. *Panel del tríptico, Gouache.*

TAFANARIO m. fam. Trasero o asentaderas.

TAFAWA Balewa, SIR ***Abubakar*** (1911-1966) Político nigeriano. Fundó la Alianza Nacional Nigeriana, que venció en las primeras elecciones de la indep. (1964), impugnadas por el partido Grupo de Acción (1965), lo que dio origen a una serie de disturbios en los cuales murió.

TAFETÁN m. Tela delgada de seda, muy tupida. • **inglés.** El que está engomado por una cara y se emplea para cubrir y juntar los bordes de las heridas.

TAFIA f. Aguardiente de caña.

TAFILETE m. Cuero delgado, bruñido y lustroso, empleado en marroquinería, encuadernación y tapicería. ■ TAFILETEAR; TAFILETERÍA.

TAFÓN m. Molusco marino gasterópodo de concha estriada, común en los mares de China.

TAFT, *William Howard* (1857-1930) Político norteam. Presid. de los EE UU (1908), su política conservadora provocó la escisión de su partido, el republicano.

TAGALO, LA adj. y s. Díc. del individuo de raza malaya, de un pueblo filipino extendido por Luzón, Mindoro, Mindanao, las Marianas y Singapur. • adj. Relativo a este pueblo. • m. *Ling.* Lengua malayopolinésica, of. en Filipinas. • m. pl. Pueblo tagalo.

TAGANROG C. de Rusia, en la costa N del mar de Azov, 289 000 hab. Ind. metalúrgica y química.

TAGARNIA f. *Amér. Centr.* y *Col.* Hartazo, atracón de comer. • Borrachera.

TAGARNINA f. Cardillo, planta. • fam. Cigarro puro muy malo. • *Guat.* y *Méx.* Borrachera.

TAGAROTE m. Baharí, halcón. • fam. Hidalgo pobre que buscaba quien le invitara a comer. • fam. Hombre alto y desgarbado. • *Amér. Centr.* Hombre de pro.

TAGLE y Portocarrero, *José Bernardo de* (1779-1825) Militar y político per., representante de la aristocracia colonial hispanocriolla. Presid. del Perú (1823-1824). Publicó un *Manifiesto* agraviando a Bolívar, tras pasarse al bando esp.

TAGLIONI, *Maria* (1804-1884) Danzarina it. Formada por su padre, desarrolló un estilo personal que entusiasmó a los públicos románticos.

TAGORE, *Rabindranath* (1861-1941) Poeta, dramaturgo y novelista indio. *El jardinero* y *La luna nueva* (poesía); *Sanyasi* y *El rey de la cámara oscura* (dramas), y *El hogar y el mundo* y *Gora* (novelas). Premio Nobel de Literatura en 1913.

TAGUA f. Corozo o marfil vegetal que produce una especie de palmera sudamericana. • *Chile.* Ave, especie de fúlica. • *Ecuad.* Semilla de la palmera de la cual se extrae el marfil vegetal.

TAHALÍ m. Tira de cuero u otra materia cruzada sobre el pecho, para sostener la vaina de la espada. • P. ext., pieza de cuero pendiente del cinturón, para sostener en ella la bayoneta o el machete.

TAHEÑO, ÑA adj. Díc. del pelo rojo. • Díc. del que tiene el pelo o la barba rojos.

TAHITÍ La mayor de las islas de la Sociedad, en la Polinesia francesa; 1 042 km^2, 84 500 hab. cap., Papeete. Relieve volcánico (Orohena, 2 237 m). Clima tropical y vegetación forestal. Copra, vainilla. Pesca. Turismo. Descubierta en 1767 por el brit. Wallis, a partir de 1880 fue colonia fr. En 1946 Francia concedió la ciudadanía fr. a sus habitantes.

TAHL, *Mikhail* (nacido 1936) Ajedrecista sov. Arrebató a M. Botwinnik el título mundial en 1961, perdiéndolo ante el mismo adversario en 1962.

TAHONA f. Molino de harina cuya rueda se mueve con caballería. • Panadería. ■ TAHONERO, RA.

TAHUANTINSUYO Voz quechua que significa «unión de las cuatro provincias»; era el nombre que daban los incas a su imperio, que se extendía por Perú, Bolivia, Colombia, S de Ecuador y N de Chile y Argentina. Las cuatro prov., que coincidían con los puntos cardinales, eran Collasuyo, Chinchasuyo, Continsuyo y Antinsuyo. Se formaron a mediados del s. XV y tenían unos dos millones de km^2.

TAHÚR, RA adj. y s. Díc. del que se dedica al juego o hace trampas en él. ■ TAHURESCO, CA.

TAHURERÍA f. Garito o casa de juego. • Actividades del tahúr. • Práctica del juego con trampas y engaños.

TAICHUNG *(Taizhong)* C. de Taiwan, en el O de la isla; 626 000 hab. Centro comercial agrícola. Ind. mecánicas y alimentarias.

TAIFA f. Bandería, parcialidad. • fig. Reunión de personas de mala vida. • **Reinos de taifas.** Entidades políticas musulmanas surgidas en España tras el desmembramiento del califato de Córdoba. Cada t. estaba bajo el control de una familia o dinastía. La invasión almorávide (1085) supuso el fin de los reinos de t. Con la decadencia almorávide nacieron los nuevos reinos de t. que desaparecieron al llegar los almohades.

TAIGA (voz rusa) f. Vegetación formada por plantas arbóreas de tronco alto que se extiende por el N de la Rusia europea y una zona de Siberia.

TAIGETO Cordillera de Grecia, en el Peloponeso. Según una tradición, desde sus alturas los espartanos arrojaban a los recién nacidos deformes o débiles.

TAILANDÉS, SA → Thailandés.

TAILLEFERRE, *Germaine* (1892-1983) Compositora fr. Su obra muestra la influencia de Ravel y Satie. *Los enamorados de la torre Eiffel, Seis canciones francesas.*

Tahití. Puerto deportivo de Papeete

Paisaje de la **taiga** siberiana

TAIMA f. Taimería. • *Chile.* Murria, emperramiento.

TAIMADO, DA adj. y s. Bellaco, astuto, disimulado y pronto en advertirlo todo. • adj. *Chile.* Amorrado, temoso.

TAIMARSE prnl. *Chile.* Amorrarse, ponerse hosco.

TAIMERÍA f. Picardía, malicia.

TAIMIR, *Circunscripción Autónoma de,* también denominada de *Dolgano-Nenets.* Subdivisión administrativa de Rusia, en el N del territorio de Krasnoyarsk; 862 100 km^2, 53 000 hab. Cap., Dudinka. Abarca la península hom., aparte de la meseta de Siberia central y el arch. de Siévernaia Zemliá. Ríos Yeniséi y Jatanga. Tundra. Pesca. Ganadería. Creada en 1930. • **T.** o **Taïmyr** Pen. de la Rusia, en la costa N de Siberia, entre las desembocaduras del Yeniséi y del Jatanga.

TAINAN C. y puerto del SO de Taiwan: 614 000 hab. Comercio marítimo. Ind. sederas.

TAINE, *Hippolyte Adolphe* (1828-1893) Crítico de arte y literatura, filósofo e historiador fr. Positivista, proclamó la herencia, el medio ambiente y el momento como elementos que explican todo fenómeno cultural. *Los orígenes de la Francia contemporánea. Historia de la literatura inglesa, Filosofía del arte.*

TAÍNO, NA adj. y s. Díc. del individuo de una tribu americana que habitaba en las Antillas. • m. *Ling.* Dialecto caribe de estas tribus, que actualmente se habla en el NO del Brasil.

TAIPEH o **TAIPEI** C. del N de Taiwan, cap. del país; 2 449 700 hab. Centro comercial e ind. (metalurgia, química, textil, alimentaria).

Calle comercial de **Taipeh**

TAITA m. Nombre infantil con que se designa al padre. • Padre de mancebía. • *Argent.* y *Chile.* P. ext., aplícase también a otras personas respetables. • *Ven.* Tratamiento que se da al padre o jefe de la familia.

Taiwan. Arriba, mapa de situación y bandera; abajo, templo taoísta en Taipeh

TAIWAN

Superficie 36 000 km²

Población 21 616 000 hab. (597 h./km²)

Recursos económicos	
Agrios	473 700 t
Azúcar	474 900 t
Bananas	172 000 t
Batatas	224 400 t
Búfalos	15 000 cabezas
Cabaña ovina	311 000 cabezas
Cabaña porcina	10 066 000 cabezas
Carbón	285 000 t
Cemento	22 722 000 t
Energía eléctrica	124 635 millones de kWh
Fertilizantes	1 975 000 t
Maíz	321 300 t
Neumáticos	10 322 000 unidades
Oro	71 kg
Pesca	1 287 000 t
Plata	3 926 kg
Riqueza forestal	56 128 m³
Tejidos de algodón	970 millones de m²
Indicadores sociológicos	
PNB	263 624 millones de dólares
Renta per cápita	12 400 dólares
Alfabetismo	94 %

TAIWAN o **FORMOSA** Isla ubicada en el Pacífico frente a China. Con el arch. de Pescadores (Penghu) y las islas de Matsu (Lienkian) y Quemoy (Chinmen) constituye el territorio de la República de China (*Ta-Chunghwa Min-Kuo*). Su máx. alt. es el Yu-shan o Tung Shan (3 997 m). Río Hsi-lo. Clima cálido y húmedo. Arroz, caña de azúcar, boniato, cítricos, té. Ganadería porcina. Carbón, plata, petróleo, gas natural. Ind. textil, metalúrgica, papelera, fertilizantes. Lenguas: chino (dialecto de Amoy) (of.), ing. *Rel.*: confucianismo (mayoría), budismo, protestantismo U.M.: nuevo dólar de T. Cap., Taipeh. C. prales.: Kaohsiung, Taichung, Tainan.

* *Hist.* Hasta el s. XII estuvo habitada por pob. malaya. En el s. XVIII llegaron los europeos, y la isla pasó a dominio chino. Fue ocupada por los japoneses entre 1895 y 1943. En 1949, tras el triunfo de la revolución en China, se convirtió en el último reducto de la China nacionalista. Chang Kai-shek fue elegido presid. en 1950. A partir de 1964 numerosos países reconocieron a la República Popular China y rompieron relaciones con T. En 1975 ascendió a la presidencia Yen Chia-kan, sustituido en 1978 por Chiang Ching-kuo. En 1979 EE UU rompió relaciones con T. Pekín ofreció a la isla la incorporación a China bajo un régimen de autonomía, lo que no fue aceptado por Taipeh. En 1988 falleció Chiang Ching-kuo, y fue sucedido por Lee Teng-hui en la jefatura del Est. y del Kuomintang, quien fue reelegido en 1996. En 1999 la isla fue sacudida por un terremoto de 7,6 grados de intensidad.

TAIYÜAN C. de China, cap. de la prov. de Shansi; 1 750 000 hab. Imp. centro agrícola y minero. Ind. siderúrgica, química.

TAJA f. Armazón de palos, que se pone sobre el baste para llevar sujetas las cargas. • Cortadura o repartimiento. • Tarja, escudo.

TAJÁ f. *Ant.* Especie de pájaro carpintero.

TAJADERA f. Cuchilla, a modo de media luna. • Trozo de madera sobre el cual se coloca la carne que se ha de cortar. • Herramienta para cortar hierro en frío, cortafrío.

TAJADERO m. Tajo en que se parte la carne.

TAJADO, DA adj. Díc. de la costa, roca o peña que forma como una pared vertical. • f. Porción cortada de una cosa. • fam. Ronquera o tos ocasionada por un resfriado. • fig. y fam. Borrachera. • **Sacar** uno **t.** fig. y fam. Conseguir con maña alguna ventaja.

El río **Tajo** cerca de Aranjuez, Madrid

TAJADOR, RA adj. y s. Que taja. m. • Tajo en que se parte la carne.

TAJAMAR m. *Mar.* Tablón recortado en forma curva y ensamblado en la parte exterior de la roda, que sirve para hender el agua cuando el buque marcha. • *Arq.* Espolón de las pilas de los puentes. • *Chile.* Malecón, dique. • *Argent.* Presa o balsa. • *Argent.* Zanja hecha en la orilla de un río para menguar el efecto de las crecidas.

TAJANTE adj. Que taja. • fig. Concluyente, terminante. • m. En algunas partes, carnicero, cortador.

TAJAR tr. Dividir una cosa en dos o más partes con instrumento cortante. • prnl. fam. Emborracharse. ■ TAJADERO, RA; TAJADURA.

TAJARRAZO m. *Amér. Centr.* Herida grande producida con arma cortante.

TAJEA f. Atarjea de cañería. • Obra de fábrica, pequeña, para dar paso al agua por debajo de un camino.

TAJEAR tr. *Amér.* Cortar, hacer tajos una cosa.

TAJES, *Máximo* (1852-1912) Militar y político ur. General en jefe del ejército durante la dictadura de Santos. Presid. de la rep. (1886-1890), promovió el traspaso del poder a los civiles.

TAJÍN, *El* Estación arqueológica mex., en la zona central del est. de Veracruz. Su evolución se divide en tres períodos que abarcan del año 30 al 1200 de nuestra era. Las influencias de las culturas maya y de Teotihuacán se manifiestan en las obras de arte. La más imp. es la llamada «Pirámide de los nichos», considerada un monumento al dios Tajín.

TAJO m. Corte hecho con instrumento adecuado. • Sitio hasta donde llega en su faena la cuadrilla de operarios que trabaja avanzando sobre el terreno. • Tarea, trabajo que debe hacerse en tiempo limitado. • Escarpa alta y cortada casi a plomo. • Filo o corte. • Pedazo de madera grueso que sirve en las cocinas para partir y picar la carne. • Tajuelo, banquillo. • Trozo de madera grueso sobre el cual se cortaba la cabeza a los condenados.

TAJO (port. *Tejo*) Río de la pen. Ibérica; 1 007 km. Nace en la sierra de Albarracín (Teruel) y desemboca en el océano Atlántico, junto a Lisboa, formando un estuario.

TAJÓN m. Tajo para partir la carne. • Madero de menor longitud de la que le corresponde por el marco.

TAJUELA f. Tajuelo.

TAJUELO m. Asiento rústico de tres pies. • *Mec. apl.* Tejuelo, soporte para el gorrón de un eje.

TAJUMULCO Volcán de Guatemala; 4 210 m. Es el pico culminante de América Central.

TAKAMATSU C. de Japón, cap. de la prefectura de Kagawa, en la isla de Shikoku; 329 700 hab.

TAL adj. Aplícase a las cosas indefinidamente, para determinar en ellas lo que por su correlativo se denota. • Igual, semejante, o de la misma forma o figura. • Tanto o tan grande. Se usa para exagerar y engrandecer la bondad y perfección de una cosa, o al contrario. • Se usa también para determinar y contraer lo que no está especificado o distinguido, y suele repetirse para dar más viveza a la expresión. • Se usa a veces como pron. demostrativo. Puede construirse con el art. determinado masculino o femenino. • También se emplea como pron. indeterminado. • Aplicado a un n. p., da a entender que aquel sujeto es poco conocido del que habla o de los que escuchan. • adv. modo. Así, de esta manera, de suerte. • Empléase en sentido comparativo, correspondiéndose con *cual, como* o *así como*, y en este caso equivale a *de igual modo* o *así mismo*. • Precedido de los adv. *sí* o *no* en la réplica, refuerza la significación de los mismos.

TALA f. Acción y efecto de talar. • Defensa formada por troncos de árboles a modo de barrera. • Juego de muchachos, que consiste en dar con un palo en otro pequeño y puntiagudo por ambos extremos, y hacerlo saltar. • Palo pequeño usado en ese juego. • *Argent.* Árbol caducifolio de la familia ulmáceas, cuya raíz sirve para teñir. Sus hojas tienen propiedades medicinales. • *Chile.* Pacer los ganados la hierba que no se alcanza a cortar con la hoz.

TALABARTE m. Cinturón que lleva pendientes los tiros de que cuelga la espada o el sable. ■ TALABARTERÍA; TALABARTERO.

TALADRADOR, RA adj. Que taladra. • f. Máquina para realizar agujeros de sección circular mediante arranque de viruta producido por una broca.

TALADRAR tr. Horadar una cosa con taladro u otro instrumento semejante. • fig. Herir los oídos fuerte y desagradablemente algún sonido agudo. • *Col.* Estafar a uno.

TALADRILLA f. Barrenillo, insecto que ataca al olivo.

TALADRO m. Instrumento giratorio, de filo cortante con que se agujerea la madera u otra cosa. • Agujero hecho con el taladro.

TALAGANTE Prov. del centro de Chile, en la región metropolitana de Santiago; 144 600 hab. Cap., la c. hom. Río Mapocho. Agricultura de regadío (agrios, manzanas). Ind. alimentaria. • C. de Chile, cap. de la prov. hom.; 27 500 hab.

TALAIOT o **TALAYOT** m. Monumento megalítico propio de las islas Baleares, que consiste en un torreón tronco-cónico.

TALAJE m. *Chile.* Acción de pacer los ganados la hierba en los campos o potreros y precio que por esto se paga.

TALAMANCA adj. y s. Díc. de individuos de un grupo de tribus del SE de Costa Rica. Hablan una lengua de la familia chibcha y muchas de sus tribus se han extinguido.

TALAMANCA Cadena montañosa del SE de Costa Rica. Alt. máx.: Chirripó Grande (3 832 m).

TÁLAMO m. Lugar preeminente donde los novios celebraban sus bodas. • Cama de los desposados y lecho conyugal. • *Bot.* Receptáculo de los verticilos florales.

TALAMOCO, CA adj. *Ecuad.* Albino.

TALÁN m. Sonido de la campana. Se usa repetido.

TALANQUERA f. Valla o pared que sirve de defensa o reparo. • fig. Cualquier sitio o paraje que sirve de defensa o reparo. • fig. Seguridad y defensa.

TALANTE m. Modo de ejecutar una cosa. • Semblante o disposición personal, o estado o calidad de las cosas. • Voluntad, deseo, gusto.

TALAR adj. Díc. del traje o vestidura que llega hasta los talones. • adj. y m. Díc. de las sandalias aladas del dios Hermes, con las cuales volaba para transmitir los mensajes y órdenes que los dioses le daban. • tr. Cortar por el pie masas de árboles para dejar rasa la tierra. • Destruir, arrasar.

TALARA C. de Perú, en la región de Grau, dpto. de Piura; 77 300 hab. Imp. puerto. Ind. del petróleo.

TALASEMIA f. *Pat.* Término bajo el cual se agrupan ciertas anemias infantiles hereditarias, transmitidas según el modo autosómico dominante.

TALASOCRACIA f. Supremacía marítima, o poderío naval, de un Est. sobre los restantes.

TALASOTERAPIA f. *Med.* Uso terapéutico de los baños o del aire de mar.

TALAT Bajá, *Mehmet* (1872-1921) Político turco. Uno de los jefes de la rev. de 1908. Formó un triunvirato con Enver y Djemal (1913). Murió asesinado.

TALAVERA, *Hernando de* (1428-1507) Prelado esp. Confesor de Isabel la Católica. En 1486 dictaminó en contra del proyecto colombino. • **Y Garcés, *Mariano de*** (1777-1861) Prelado ven. Participó en los mov. de indep. y en la redacción de la primera constitución ven.

TALAVERA DE LA REINA Mun. esp. , en la prov. de Toledo; 70 922 hab. Sit. junto al r. Tajo. Tradicional cerámica policroma y azul. Ind. alimentaria, textil y metalúrgica.

TALAYOTE m. *Méx.* Fruto de algunas plantas de la familia de las asclepiáceas.

TALCA Prov. del centro-sur de Chile, en la región del Maule, que se extiende desde los Andes hasta el Pacífico; 283 700 hab. Cap., la c. hom. Al E se encuentra el sector andino (Cerro Campanario, 4 062 m); en el centro, el valle Central ; y al O, la cord. Costera. Río Maule. Clima mediterráneo. Cereales, vid, olivo, tabaco, frutales, remolacha azucarera. Bovinos, ovinos. Ind. agropecuaria, papelera, química. • C. de Chile, cap. de la prov. hom.; 173 900 hab. Centro agrícola. Ind. alimentaria.

TALCAHUANO C. de Chile, en la prov. de Concepción; 217 700 hab. En el SO de la bahía de Concepción. Imp. puerto y base militar. Astilleros. Conservas de pescado.

TALCHOCOTE m. *Hond.* Cierto árbol que produce un fruto parecido a la aceituna, el cual es usado contra la disentería.

TALCO m. *Min.* Silicato de magnesio que cristaliza en el sistema monoclínico; dureza 1; brillo perlado. Se utiliza como lubricante seco, en farmacología, etc. • Lámina muy delgada que se emplea en bordados y otros adornos. ■ TALCOSO, SA.

TALCOESQUISTO m. *Geol.* Roca metamórfica de color verde claro o blanquecino y de estructura esquistosa, en cuya composición predomina el talco.

TALED m. Pieza de lana, con que se cubren los judíos la cabeza y el cuello en los servicios religiosos.

TALEGA f. Bolsa ancha y corta, de tela, que sirve para llevar o guardar las cosas. • Lo que se guarda o se lleva en ella. • Bolsa que usaban las mujeres para preservar el peinado. • Cantidad de 1 000 pesos duros en plata. • fam. Caudal monetario, dinero. Se usa más en pl. • fig. y fam. Pecados que tiene uno que confesar.

TALEGADA f. Lo que cabe en una talega. • Caída de lleno de una persona en el suelo.

TALEGO m. Saco largo y angosto, de lienzo basto. • fig. y fam. Persona muy ancha de cintura. ■ TALEGAZO.

TALEGUILLA f. *Taur.* Calzón que forma parte del traje usado en la lidia por los toreros.

TALENTI, *Francesco* (h. 1300-1369) Arquitecto it., uno de los maestros mayores de la catedral florentina de Santa Maria del Fiore.

TALENTO m. Unidad monetaria imaginaria de los gr. y rom. • Inteligencia, capacidad intelectual. • Aptitud para el desempeño de una ocupación o la realización de una cosa. ■ TALENTOSO, SA o TALENTUDO, DA.

TÁLER o **TÁLERO** m. Moneda ant. alemana.

TALERO m. *Argent.* y *Chile.* Especie de fusta o rebenque corto y grueso con cabo de tala u otra madera dura.

TALES de Mileto (h. 640-h. 546 a. C.) Filósofo y matemático gr., el primero de los Siete Sabios de Grecia. • **Teorema de T.** *Geom.* Los segmentos determinados sobre un par de rectas por una familia de rectas paralelas son proporcionales.

TALGO (acrónimo de *Tren articulado ligero Goicoechea-Oriol*) m. Tipo de tren esp. en que cada vagón descansa sobre un triángulo apoyado en dos ruedas y articulado con los contiguos, lo que le confiere gran estabilidad, y le permite alcanzar altas velocidades.

TALÍA Nombre de tres personajes mitológicos clásicos: 1) Una de las Nereidas. 2) Una de las tres Gracias, hija de Zeus y de Eurínome. 3) Una de las nueve Musas.

TALIBÁN adj. y s. (en pashto, estudiante) Díc. de los individuos que integran un grupo sunní fundamentalista que fue creado en 1994 en Afganistán para oponerse al gobierno comunista. En 1996 los t. iniciaron una ofensiva bélica en su país que culminó con la toma de Kabul y la instauración de un régimen islámico ultrafundamentalista. En noviembre de 2001 fueron derrotados por la ofensiva de EE UU y la guerrilla opositora Alianza del Norte.

TALIDOMIDA f. Sustancia usada como sedante que, a causa de su efecto teratógeno, puede dar lugar a malformaciones fetales si se administra a mujeres gestantes.

TALIO m. *Quím.* Elemento metálico de símb. Tl, n. a. 81 y p. a. 204,37. Actúa con las valencias 1 y 3, y sus sales son muy tóxicas.

TALISIAS f. pl. Ant. fiestas gr. con las que se celebraban anualmente la siega y la vendimia.

TALISMÁN m. Carácter, figura o imagen a la cual se atribuyen virtudes portentosas.

TALLA f. Obra de escultura, especialmente en madera. • Cantidad de moneda que ha de ser producida por cierta unidad de peso del metal que se acuñe. • En ciertos juegos de mano, lance entero. • Estatura del hombre. • Medida estándar de las piezas de vestir. • Marca para medir la estatura. • fig. Calidad moral o nivel intelectual. • *Amér. Centr.* Mentira, embuste. • *Argent.* Charla. • *Cir.* Incisión para extraer los cálculos de la vejiga. • **Media t.** *Esc.* Medio relieve.

TALLADURA f. Entalladura.

TALLAHASSEE C. de EE UU, cap. del est. de Florida; 124 800 hab. Ind. alimentarias, metalúrgicas y de la madera. Universidad.

TALLAR adj. Que puede ser talado o cortado. • adj. y m. Se aplica a una clase de peines pequeños. • m. Monte que se está renovando y en el cual los brotes nuevos de las matas o árboles rozados no han logrado todavía el desarrollo necesario para que

Taladro

Talco

Virgen de las Angustias, **talla** policroma de Luis Salvador Carmona. Catedral de Salamanca, España

les alcance el diente del ganado. • Monte o bosque nuevo en que se puede hacer la primera corta. • tr. Llevar la baraja en el juego de la banca y otros. • Cargar de impuestos. • Hacer obras de talla o escultura. • Labrar piedras preciosas. • Abrir maletas, grabar en hueco. • Tasar, apreciar, valuar. • Medir la estatura de una persona. • intr. fam. Intervenir con predominio en una conversación o debate, y p. ext., en cualquier asunto. • *Amér.* Charlar. • *Chile.* Festejar un hombre y una mujer. ■ TALLADO, DA; TALLADOR, RA; TALLISTA.

Charles Maurice **Talleyrand-Périgord,** retrato de Prud'hon. Museo Carnavalet, París

TALLARÍN m. Cada una de las tiras muy estrechas elaboradas con la pasta de los macarrones. Se usa más en pl.

TALLAROLA f. Cuchilla con que se corta la urdimbre del terciopelo para sacar el pelo.

TALLE m. Disposición o proporción del cuerpo humano. • Cintura del cuerpo humano. • Forma que se da al vestido, cortándolo y proporcionándolo al cuerpo. • Parte del vestido que corresponde a la cintura. • fig. Traza, disposición o apariencia.

TALLECER intr. Entallecer. • intr. y prnl. Echar tallo las semillas, bulbos o tubérculos de las plantas.

TALLER m. Lugar en que se trabaja una obra manualmente. • fig. Escuela o seminario de ciencias.

TALLETA f. *Argent.* Especie de alfajor dulce.

TALLEYRAND-PÉRIGORD, ***Charles Maurice de*** (1754-1838) Político fr. Diputado en los Estados Generales. Participó en la conjura del 18 brumario del año VIII (9 noviembre 1799). Intervino en el congreso de Viena (1815).

TALLIEN, ***Jean-Lambert*** (1767-1820) Político y revolucionario jacobino fr. Apoyó a Robespierre en las purgas durante el Terror y participó en la reacción termidoriana.

TALLINN (ant. *Reval*) Cap. de la rep. de Estonia, en la entrada del golfo de Finlandia; 482 000 hab. Lino. Ind. metalúrgicas y alimentarias. Edificios de los ss. XIII y XV.

TALLIS, ***Thomas*** (h. 1505-1585) Compositor ing. Con William Byrd, el más destacado músico del Renacimiento en su país. Compuso varias misas, dos *Magnificat*, las obras corales *Miserere nostri* y *Spem in alium*, y piezas para órgano y para clave.

TALLO m. *Bot.* Porción de las plantas que sirve de sustentáculo a las hojas, flores y frutos. • Renuevo que ha echado una planta. • Germen que ha brotado de una semilla, bulbo o tubérculo. • Trozo confitado de fruta. • *Col.* Bretón o col.

TALLUDO, DA adj. Que ha echado tallado grande. • fig. Crecido y alto. Díc. del muchacho que se ha hecho alto en poco tiempo. • fig. Se aplica al que, por estar acostumbrado o viciado en una cosa mucho tiempo, tiene dificultad en dejarla. • fig. Díc. de una persona cuando va pasando de la juventud.

Vista de **Tallinn**

TALMUD Código del derecho civil y canónico judío, que complementa la Biblia y la labor jurídica anterior. Existen dos Talmudes: el elaborado en Babilonia (212-500) y el de Palestina (clausurado h. 400). ■ TALMÚDICO, CA.

TALO m. *Bot.* Órgano vegetativo de ciertas plantas inferiores en el que no se aprecia diferencia entre raíz, hojas y tallo.

TALOFITO, TA o **TALÓFITO, TA** adj. y s. *Bot.* Díc. de los vegetales inferiores que tienen estructura de talo, como hongos, líquenes, musgos y algunas algas.

TALÓN m. Parte posterior del pie humano. • Parte del calzado, que cubre el calcañar. • Pulpejo del casco de una caballería. • Parte del arco del violín y de otros instrumentos semejantes, inmediata al mango. • Cada uno de los bordes reforzados de la cubierta del neumático, que encajan en la llanta de la rueda. • Parte de un documento que se corta de un libro o cuaderno talonario. • **A t.** m. adv. fig. y fam. A pie. ■ TALONADA; TALONAZO.

TALONARIO, RIA adj. Díc. del documento que se corta de un libro, quedando en él una parte de cada hoja para acreditar con ella su legitimidad o para ulterior recuento o comprobación. • adj. y m. Libro talonario.

TALONEAR intr. fam. Andar a pie con mucha prisa. • Incitar el jinete a la caballería picándole con el talón.

TALONERA f. Refuerzo del pantalón en la parte más baja. • *Chile* y *Perú.* Pieza de cuero que se pone en el talón de la bota para asegurar la espuela.

TALPA o **TALPARIA** f. *Cir.* Absceso que se forma en el interior de los tegumentos de la cabeza.

TALPETADO m. *Amér. Centr.* Cuerno de venado, empleado ant. para la fabricación de calzado.

TALQUE m. Tierra refractaria usada para hacer crisoles.

TALQUEZA f. *C. Rica.* Hierba empleada para cubrir las chozas.

TALQUINA f. fam. *Chile.* Engaño, estafa.

TALQUITA f. *Geol.* Roca pizarrosa compuesta pralm. de talco.

TALTUZA f. *Amér. Centr.* Mamífero roedor, semejante a la rata.

TALUD m. Inclinación o declive del paramento de un muro o de un terreno. • **continental.** Zona de los fondos oceánicos que limita externamente la plataforma continental y que se caracteriza por una brusca ruptura de la pendiente con un rápido aumento de la profundidad.

TALUDÍN m. *Guat.* Reptil, especie de caimán.

TALVINA f. Gachas que se hacen con leche de almendras.

TAMAGÁS m. *Amér. Centr.* Víbora muy venenosa.

TAMAJAGUA m. *Ecuad.* Damajagua, cierto árbol.

TAMAL m. *Amér.* Empanada de masa de harina de maíz, rellena de condimentos diversos. • fig. *Amér.* Lío, embrollo, intriga. • *Chile.* Bulto grande.

TAMALCOME m. Especie de puchero.

TAMAMES, ***Ramón*** (nacido 1933) Político y economista esp. Autor de *Estructura económica internacional, El Mercado Común Europeo* y *De la República a la era de Franco.*

TAMANACO, CA adj. y s. Díc. del individuo de una tribu que vive en las orillas del Orinoco. • adj. Relativo a dicho pueblo. • m. pl. Tribu tamanaca.

TAMANDUÁ o **TAMANDÚA** f. Mamífero desdentado afín al oso hormiguero, de hábitos arborícolas y con cola prensil.

TAMANGO m. *Amér. Merid.* Especie de abarca de cuero. • *Amér. Merid.* Botín basto y grande.

TAMANGUDO, DA adj. *Argent.* y *Ur.* Díc. del que usa tamangos excesivamente grandes.

TAMAÑITO, TA adj. fig. Achicado, confuso. Se usa especialmente con los verbos *dejar* y *quedar.*

TAMAÑO, ÑA adj. comp. Tan grande o tan pequeño como otra cosa con la que se compara. • adj. sup. Muy grande o muy pequeño, ponderando la importancia o desmesura de algo. • m. Magnitud de una cosa. • **Tamaño de instrucción.** *Comp.* Número de bytes de que consta una instrucción. • **de memoria.** *Comp.* Número de caracteres o bytes que pueden almacenarse en una memoria. • **natural.** Representación de algo con las mismas dimensiones del modelo.

TÁMARA f. Palmera de Canarias. • Terreno poblado de palmas. • Rama de árbol. • Leña delgada que resulta de partir leña gruesa, y desperdicios o astillas de la madera cuando se labra. • pl. Racimo de dátiles.

TAMARINDO m. *Bot.* Planta herbácea de la familia papilionáceas: su fruto, de sabor agradable, se usa en medicina como laxante. • Fruto de este árbol.

TAMARIZ o **TAMARISCO** m. Taray, arbusto tamaricáceo.

TAMARRIZQUITO, TA o **TAMARRUSQUITO, TA** adj. fam. Muy pequeño.

TAMARUGO m. *Chile.* Árbol leguminoso; especie de algarrobo. ■ *Chile.* TAMARUGAL.

TAMATAVE (malgache, *Toarnasina*) C. de Madagascar, en la costa oriental; 83 000 hab. Primer puerto del país. Ind. alimentarias. Refino de petróleo.

TAMAULIPAS Est. de México bañado por el golfo de México y limítrofe con EE UU; 79 829 km^2, 2 747 114 hab. Cap., Ciudad Victoria. C. prales.: Nueva Laredo, Reynosa y Matamoros. El centro está accidentado por las sierras de Maratines y San Carlos, y el extremo SO por la sierra Madre Oriental. El resto del terr. forma parte de los Llanos de T. Ríos Bravo, San Fernando y Soto la Marina. Clima templado. Vegetación xerófila, manglar y palma en la costa. Caña de azúcar, algodón, henequén, cereales, agrios. Ganado bovino, porcino, caprino. Pesca. Petróleo, gas natural. Ind. derivada agrope-

cuaria. Conquistado por Gonzalo de Sandoval en 1526. Convertido en Est. en 1824.
TAMAYO, *Franz* (1879-1956) Político y escritor bol., de influencia modernista. Publicó dos tragedias líricas: *La Prometida* y *Scopas*; *Los nuevos Rubayat* son impresiones filosóficas. • ***José Luis*** (1859-1947) Político ecuat., liberal. Presid. de la rep. (1920-1924). Reprimió duramente las protestas obreras en una situación de crisis económica. • *Rufino* (1899-1991) Pintor mex. artista exaltador de la rev., destaca por sus grandes murales (Conservatorio y palacio de Bellas Artes de México, *Second National Bank* de Houston, Sala de Conferencias del edificio de la UNESCO en París). *Animales* y *El Cantor* son sus mejores pinturas al óleo. • ***Manuel*** (1829-1898) Dramaturgo esp. Con *Un drama nuevo* renovó el teatro esp. *Juana de Arco, La bola de nieve*. • ***Rufino*** (1899-1991) Pintor y muralista mex. Sus primeras obras presentan influencias del arte antiguo mex. Luego derivó hacia las formas geométricas y el uso de texturas. *Mujer alcanzando la luna, Nacimiento de nuestra nacionalidad, Homenaje a la raza.*

Támesis. Vista del río a su paso por Londres

TAMBA f. *Ecuad.* Paño que usan los indígenas para cubrirse de la cintura abajo.
TAMBALEAR intr. y prnl. Moverse una cosa a uno y otro lado, por falta de fuerza o de equilibrio. ■ TAMBALEO.
TAMBANILLO m. *Arq.* Frontón sobrepuesto a una puerta o ventana.
TAMBARILLO m. Arquilla o caja con tapa redonda y combada.
TAMBARRIA f. *Amér.* Holgorio, parranda.
TAMBERO, RA adj. *Argent.* Díc. del ganado manso, especialmente del vacuno. • *Argent.* y *Chile.* Que tiene vacas lecheras. • *Amér.* Perteneciente al tambo. • m. y f. *Amér.* Persona que tiene un tambo o está encargada de él.
TAMBIÉN adv. modo. Se usa para afirmar la igualdad, semejanza, conformidad o relación de una cosa con otra ya nombrada. • Además.
TAMBO m. *Amér.* Venta, posada, parador. • *R. de la Plata.* Vaquería. • *Ur.* Lugar de ordeño de las vacas.
TAMBOCHA f. *Col.* Hormiga de cabeza roja, muy venenosa.
TAMBOR m. Instrumento musical de percusión, formado por un cilindro cubierto por dos pieles tensas, a las que se golpea con palillos para producir los sonidos. • Soldado que, en las unidades de infantería del ant. ejército, tenía a su cargo tocar el tambor. • Tamiz que usan los reposteros para colar el azúcar. • Cilindro de hierro que se emplea para tostar café, cacao, etc. • Aro de madera sobre el cual se sujeta la tela que se borda. • Cilindro giratorio del revólver, donde se colocan las balas. • *Arq.* Aposentillo que se hace de tabiques dentro de otro aposento. • *Arq.* Elemento constructivo, cilíndrico o prismático, que sire de base a una cúpula con el fin de darle mayor elevación. • *Arq.* Cuerpo central del capitel y más abultado, o de mayor diámetro, que el fuste. • *Arq.* Cada una de las piezas del fuste de una columna cuando no es monolítica. • *Mil.* Obra de defensa, apropiada para las puertas y esquinas de los edificios, que consiste en una pequeña plaza cerrada de estacas, o en una pared sencilla atronerada y con rastrillo. • *Mar.* Cilindro de hierro o de madera que se utiliza para enrollar en él cables, cabos, carreteles o estachas. • *Mar.* Cabrestante con que se maneja el timón. • *Mar.* Cada uno de los cajones o cubiertas de las ruedas de los vapores. • *Mec. apl.* Rueda de canto liso, de más espesor que la polea. • *Mec. apl.* Disco de acero acoplado a la cara interior de las ruedas de los vehículos, provisto de un reborde sobre el que actúan las zapatas del freno. • *Mec. apl.* En un mecanismo o transmisión, pieza cilíndrica grande, hueca y de poca altura. • Tímpano del oído. • *Cuba.* Pez plectognato que tiene las mandíbulas cubiertas de placas de esmalte, y que puede inflar el cuerpo introduciendo aire en una dilatación del esófago. • **magnético.** *Comp.* Sistema de memoria usado ampliamente en la técnica de las computadoras numéricas. El órgano pral. es un cilindro de materiales diversos recubierto por una sustancia capaz de apreciar y conservar variaciones de campo magnético.
TAMBORA f. Bombo o tambor grande. • fam. Tambor, instrumento músico. • fam. *Cuba.* Mentira, bola.
TAMBOREAR intr. Golpear acompasadamente, con los dedos. ■ TAMBOREO.
TAMBORETE m. Tambor pequeño.
TAMBORIL m. Tambor pequeño que se lleva colgado del brazo y se toca con un solo palillo.
TAMBORILADA f. o **TAMBORILAZO** m. fig. y fam. Golpe que se da cayendo en el suelo, especialmente con las asentaderas. • fig. y fam. Golpe con la mano en la cabeza o en las espaldas.
TAMBORILEAR o **TAMBORITEAR** intr. Tocar el tamboril. • Tamborear. • tr. fig. y fam. Celebrar mucho a uno, ponderando su habilidad. • *Art. Gráf.* Igualar las letras del molde con el tamborilete. ■ TAMBORILEO.
TAMBORILERO o **TAMBORITERO** m. El que tiene por oficio tocar el tamboril o el tambor.
TAMBORILETE m. Tamboril pequeño. • *Art. Gráf.* Tablilla con la que se golpea suavemente el molde para igualar la alt. de las letras.
TAMBORÍN o **TAMBORINO** m. Tamboril. • Tamborilero.
TAMBORITO m. *Pan.* Baile popular.
TAMBOV C. de Rusia; 296 000 hab. Centro industrial.
TAMBRE m. *Col.* Presa, azud.
TAMBÚ (voz guaraní) m. *R. de la Plata.* Larva de cierto insecto que vive en los cocoteros y en los bambúes. Usada como alimento por los campesinos.
TAMBUCHO m. Visera que en las cubiertas altas protege las escotillas o las aberturas contra la lluvia o los golpes de mar.
TAMEME m. *Chile, Méx.* y *Perú.* Cargador indígena que acompañaba a los viajeros.
TAMERLÁN o **TIMUR Lang** (1336-1405) Rey de Transoxiana [1370-1405]. Inició un segundo imperio mongol. Conquistó el reino de Jorezm, Azerbaiján, Persia, Georgia, Mesopotamia y Armenia. Ocupó los terr. de la Horda de Oro. Realizó también campañas en Asia Menor, África y la India.
TÁMESIS (ing., *Thames*) Río de Gran Bretaña; 338 km. Nace en los Costwold Hills y desemboca en el mar del Norte, después de atravesar Londres.
TAMIL adj. y s. Díc. de individuos de un pueblo melanohindú del S. de la India y de Sri Lanka. Unos 33 millones de personas. En Sri Lanka la represión del separatismo t. provocó una espiral de violencia durante los años ochenta.
TAMIL NADU Est. del SE de la India, junto al Índico; 130 069 km^2, 55 638 300 hab. Cap., Madrás. C. prales.: Madurai y Salem. Accidentado por las alineaciones de Anaimalai y Palni y las estribaciones del Cardamon. Ríos Godavari, Krishtna y Kaveri. Clima tropical monzónico. Arroz, mijo, oleaginosas, algodón, tabaco, cacahuetes. Pesca. Magnetita, mica, cromita, salinas. Ind. del cemento, acero, textil.
TAMIZ m. Cedazo de malla tupida, usado para separar las partes menudas de las gruesas de una masa pulverulenta.
TAMIZAR tr. Pasar una cosa por un tamiz. • fig. Seleccionar, escoger, entre varias cosas, lo mejor.
TAMMUZ En la religión asiriobabilónica, dios identificado con Dumu-zi, rey sumerio de la I dinastía de Erek.
TAMO m. Pelusa que se desprende del lino, algodón o lana. • Polvo o paja menuda de varias semillas trilladas. • Pelusilla que se cría debajo de los muebles. • *Ecuad.* Paja de cualquier clase.
TAMOJO m. Metátesis de matojo, planta quenopodiácea. ■ TAMOJAL.

Apagador, vegetal **talofito**

Tamboril chino de la dinastía Ching

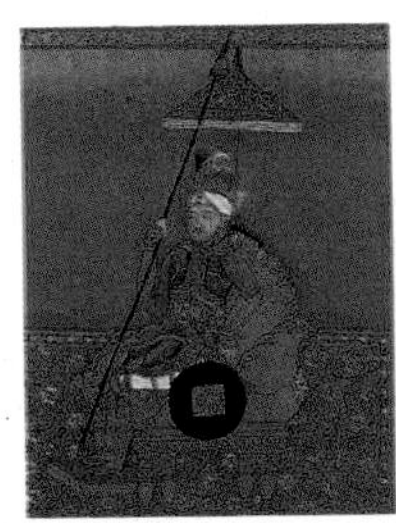

Tamerlán en una miniatura india del s. XVIII. Biblioteca Nacional, París

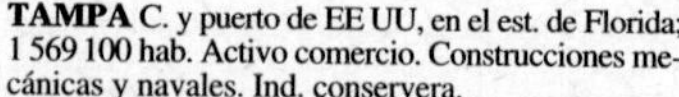

TAMPA C. y puerto de EE UU, en el est. de Florida; 1 569 100 hab. Activo comercio. Construcciones mecánicas y navales. Ind. conservera.

Jóvenes de la etnia banda tocando el **tam-tam**

TAMPERE (sueco *Tammefors*) C. de Finlandia, en la prov. de Häne; 167 300 hab. Ind. textil, química y metalúrgica.

TAMPICO C. de México, en el est. de Tamaulipas; puerto a orillas del r. Pánuco, a 11 km del golfo de México; 248 400 hab. Yacimientos y refinerías de petróleo. Ind. químicas y alimentarias.

TAMPIQUEÑO, ÑA adj. De Tampico. • Relativo a esta c. de México.

TAMPOCO adv. de negación. Se emplea para negar una cosa después de haberse negado otra.

TAMPÓN adj. *Quím.* Díc. de las soluciones que contienen un ácido débil y una de sus sales o bien una base débil y una de sus sales, por lo que minimizan los cambios de pH cuando se añade un ácido o un álcali. Se denominan también *sistemas amortiguadores, soluciones reguladoras* o *soluciones buffer.* • m. Almohadilla impregnada de tinta para entintar sellos, estampillas, etc. • Estampilla de caucho o metal, provista de empuñadura, que, entintada, se usa para sellar. • Torunda para detener hemorragias. • **redox.** *Quím.* Sistema capaz de tamponar una solución en torno a un determinado potencial.

TAMPONAR tr. Sellar con tampón. • Introducir un tampón en una herida o cavidad natural para detener una hemorragia o cualquier otro flujo. • *Quím.* Formar una disolución tampón.

TAM-TAM m. Tambor típico de los negros africanos. • Onomat. que expresa el sonido de un tambor.

TAMUJA f. Borrajo, hojarasca del pino.

TAMUJO m. *Bot.* Mata de la familia de las euforbiáceas, común en las márgenes de los arroyos y en los sitios sombríos. ■ TAMUJAL.

TAN adv. cantidad. Apócope de tanto. Se emplea delante de adj. y adv.; también puede emplearse delante de algunos comparativos, así como en exp. de forma absoluta en las que se omite el segundo término de la comparación. Su uso es ponderativo en las exclamaciones. • Con *como* o *cuan,* en comparación, expresa o denota idea de equivalencia o igualdad. • m. Voz onomatopéyica que imita el sonido propio del tambor, la campana, etc. Se usa más repetido. • Corteza de la encina.

Hipopótamos en el lago **Tanganica**

TANAKA ***Kakuei*** (1918-1993) Político jap. del Partido Liberal Demócrata. Elegido jefe de gobierno (1972), tuvo que dimitir en 1974 acusado de corrupción.

TANANARIVE → Antananarivo.

TANATE m. *Amér. Centr.* Mochila, zurrón de cuero o de palma • *Amér. Centr.* Lío, fardo.

TANATORIO m. Edificio destinado a velatorios y servicios relacionados con ellos.

TANCREDO ***de Hauteville*** (m. 1112) Príncipe normando de Sicilia. Participó en la primera cruzada. En 1111 fue proclamado príncipe de Antioquía.

TANDA f. Turno. • Cada uno de los trabajos que han de hacerse. • Capa, porción de una cosa que se extiende sobre otra. • Cada grupo en que se divide un conjunto de personas o animales empleados en un trabajo. • Cada uno de los grupos de personas o de animales que se turnan en algún trabajo. • Partida de juego, especialmente de billar. • Número indeterminado de ciertas cosas de un mismo género. • *Chile.* Sesión de una representación teatral u otro espectáculo. • *R. de la Plata.* Espacio publicitario en los programas de televisión y de radio.

TÁNDEM m. Bicicleta con dos sillines y dos juegos de pedales. • Tiro de dos caballerías, una delante de otra.

Tángara

TANDEO m. Distrib. por tandas del agua de riego.

TANDIL C. de Argentina, en la prov. de Buenos Aires; 79 400 hab. Centro agrícola y ganadero.

TANELA f. *C. Rica.* Pasta de hojaldre enmelada.

TANG Dinastía que reinó en China de 618 a 907.

TANGA f. Juego del chito. • Pieza sobre la que se ponen las monedas en el juego del chito. • m. Variedad de bikini, de dimensiones más reducidas.

TANGÁN m. *Ecuad.* Tablero que se sube y se baja del techo con una cuerda y en el que se guardan comestibles.

TÁNGANA f. Tanga, juego infantil. • fig. *P. Rico.* Bronca, discusión violenta sobre un asunto.

TANGANICA → Tanzania.

TANGANICA *(Tanganyka)* Lago de África oriental; 32 893 km^2. Sit. entre Burundi, Tanzania, Zambia y la República Democrática del Congo. El segundo lago de África por su extensión, y el segundo del mundo por su profundidad (1 435 m).

TANGANILLA ***(En)*** m. adv. Con poca seguridad o firmeza; en peligro de caerse.

TANGANILLO m. Palo, piedra, etc., que se pone para sostener una cosa provisionalmente.

TÁNGARA o **TANAGRA** f. Ave paseriforme de la familia tráupidos, de vistoso plumaje. Vive en las zonas templadas y tropicales de América.

TANGE, ***Kenzo*** (nacido 1913) Arquitecto y urbanista jap. Ha diseñado el Ayuntamiento de Tokio y la Prefectura de Kagawa. Proyecto de reurbanización de Tokio y espectaculares trabajos en varios países (Arabia Saudita, Kuwait, Italia, Nigeria).

TANGENTE adj. Que toca. • adj. y f. *Geom.* Díc. de una línea o de una superficie que posee un contacto de orden 1 con otra línea o superficie. • *Trig.* Razón de un ángulo, que equivale al cociente entre el seno y el coseno de dicho ángulo; su símb. es *tg.* En un triángulo rectángulo, la tangente de un ángulo agudo es la razón entre el cateto opuesto y el adyacente. • **hiperbólica.** *Trig.* Función que equivale al cociente entre el seno hiperbólico y el coseno hiperbólico; su símb. es *Th.* • **segunda de un ángulo,** o **de un arco.** *Trig.* Cotangente. ■ TANGENCIA; TANGENCIAL.

Vista de **Tánger**

TÁNGER (ár., *Tandja*) C. de Marruecos, cap. de la prov. hom., puerto en el estrecho de Gibraltar; 187 900 hab. Centro comercial.

TANGERINO, NA adj. y s. De Tánger.

TANGIBLE adj. Que se puede percibir por medio del tacto. • fig. Que se puede comprobar de manera precisa.

TÁNGIR tr. Avisar mediante campana u otro instrumento. • Ejercitar el sentido del tacto. • Corresponder o pertenecer. • Ser uno pariente de otro.

TANGO m. *Mús.* Baile sudamericano, de origen incierto, parecido a la habanera y de ritmo cadencioso. • Música para este baile y letra que con ella se canta. • *Hond.* Instrumento músico de percusión que usan los indígenas.

* *Mús.* El t. se baila en pareja y es característica en su acompañamiento instrumental la utilización del bandoneón. Entre sus variedades destaca el t. argentino, que alcanzó una gran difusión internacional en la voz de Carlos Gardel.

TANGSHAN C. del N de China, en la prov. de Hopei; 1 366 000 hab. Ind. siderúrgica.

TANGUEAR intr. *Amér.* Bailar el tango.

TANGUISTA f. Bailarina profesional contratada para bailar con los clientes en un local de diversión.

TANINO m. *Quím.* Sustancia muy difundida en la naturaleza, que se halla presente especialmente en la corteza de muchos árboles. Se utiliza en medicina como astringente, en tintorería y en el curtido de las pieles. ■ TÁNICO, CA.

TANKA m. Poema japonés de cinco versos.

TANNER, ***Alain*** (nacido 1929) Director cinematográfico suizo. *La salamandra, Jonás, Messidor, A años luz, En la ciudad blanca, Una llama en mi corazón.*

TANNHÄUSER (s. XIII) Trovador al. que, según una leyenda medieval al., permaneció un año en el mitológico monte de Venus, prisionero del amor terrenal. Inspiró a Wagner la ópera hom.

TANO, NA adj. fam. *Argent.* Aféresis de napolitano, na. • fam. *R. de la Plata.* Italiano.

TANQUE m. Propóleos. • Carro de combate blindado. • Vehículo cisterna en que se transporta agua u otro líquido. • *Mar.* Aljibe, barco que transporta agua potable, y recipiente metálico en que se conserva esta agua a bordo. • *Amér.* Estanque, depósito de agua.

TANT, *Bruno* (1880-1938) Arquitecto al., uno de los máx. representantes de la arquitectura expresionista en su país y, posteriormente, de la racionalista. Sus prales. obras se hallan en Magdeburgo.

TANTALIO m. *Quím.* Elemento metálico de símb. Ta; n. a. 73, y p. a. 180,948. Se usa para aceros especiales, tubos electrónicos y como anticátodo para rayos X.

TÁNTALO m. *Quím.* Tantalio. • *Zool.* Ave zancuda, migratoria, de plumaje blanco excepto en las remeras, que son negras.

TÁNTALO *Mit. gr.* Rey de Frigia, hijo de Zeus. Los dioses le condenaron al Tártaro. Estaba en el infierno metido en un laguito cuyas aguas descendían cuando intentaba beber.

TANTÁN m. Tam-tam. • *Mar.* Batintín, campana de a bordo.

TANTEADOR, RA m. y f. Persona que tantea, especialmente en el juego. • m. Marcador, aparato donde se indican los tantos de quienes compiten en un juego o deporte.

TANTEAR tr. Medir o calcular si una determinada cantidad de una cosa es suficiente para aquello a lo que se destina. • Calcular aprox. o al tanteo las dimensiones, peso u otros datos de un determinado objeto. • fig. Considerar con reflexión las cosas antes de llevar a cabo una acción. • fig. Examinar algo con cuidado, ensayando previamente la operación. • fig. Indagar el ánimo o la intención de alguien sobre un determinado asunto. • *Der.* Dar por una cosa el mismo precio en que ha sido rematada en favor de otro, utilizando la preferencia que se concede a algunos casos. • *Pint.* Comenzar un dibujo, trazar sus primeras líneas. • tr. e intr. Apuntar los tantos que se producen en el juego. • prnl. *Der.* Convenirse a pagar aquella misma cantidad en que una renta o alhaja está arrendada o se ha rematado en venta o puja. ■ TANTEO.

TANTO, TA adj. Se aplica a cantidad o núm. indeterminado, como correlativo de *cuanto.* • Tan grande o muy grande. • Pron. demostrativo que equivale a *eso*, incluyendo idea de calificación o ponderación. • m. Cantidad o núm. determinado de una cosa. • Copia o ejemplar de un escrito. • Ficha, moneda u otro objeto con que se señalan los puntos que se ganan en ciertos juegos. • Unidad de cuenta en algunos juegos. • *Cont.* Cantidad proporcional respecto de otra, según lo previamente estipulado o con sujeción al precio corriente. • pl. Núm. que se ignora o no se quiere expresar, ya se emplee solo, ya para denotar lo que una cantidad excede a un núm. redondo expreso. • f. *Perú.* Pan de maíz, borona. • adv. modo. De tal manera o en tal grado. • adv. cantidad. Hasta tal punto; tal cantidad. • Empleado con verbos expresivos de tiempo, denota larga duración relativa. • En sentido comparativo se corresponde con *cuanto* o *como*, y denota idea de equivalencia o igualdad. • Pospuesto a un numeral sirve para formar múltiplos. • **Al t.** m. adv. Por el mismo precio, coste o trabajo. • **Con t. que.** loc. conj. Con tal que. • **En t.**, o **entre t.** m. adv. Mientras. • **Las tantas.** exp. fam. con que se designa indeterminadamente cualquier hora avanzada del día o de la noche. • **Ni t. ni tan poco.** exp. con que se censura la exageración por exceso o por defecto. • **Otro t.** loc. que se usa en forma comparativa para encarecer una cosa. • Lo mismo, cosa igual. • **Por el t.** m. adv. Al tanto. Se usa en referencia a la realización material de una compra o venta. • **Por lo t.** loc. adv. y conj. Por consiguiente, por lo que antes se ha dicho, por el motivo o las razones de que acaba de hablarse. • **Por t.** loc. adv. y conj. Por lo que, en atención a lo cual. • **¡T. bueno!** o **¡T. bueno por aquí!** exp. que se emplea como bienvenida. • **T. cuanto.** m. adv. Algún tanto. • **T. de ello.** m. adv. Mucho, abundante y sin limitación o tasa de una cosa que hay o se da. • **T. más que.** loc. adv. y conj. Con tanto mayor motivo que. • **T. menos que.** loc. adv. y conj. Con tanto menor motivo que.

TANTOC Yacimiento arqueológico mex., en el est. de San Luis Potosí. Pirámides de la cultura teotihuacana.

TANTRAS Libros sagrados de la India, escritos en sánscrito. Hay T. hinduistas y T. budistas. Los primeros tratan de la creación, edad del mundo, mitos, procedimientos místicos, consecución de facultades sobrenaturales, culto, etc. Los T. budistas arrancan de los hinduistas y admiten un principio femenino, que completa la energía divina y facilita el progreso hacia la liberación, expresándose por medio del simbolismo de la unión sexual.

TANUCCI, *Bernardo* (1698-1783) Político it. Presid. del consejo de regencia durante la minoridad de Fernando (Fernando III de Sicilia y IV de Nápoles). Expulsó a los jesuitas y suprimió la Inquisición.

TANZANIA *(Yamhuri ya Mwungano wa Tanzania)* Est. de África oriental, formado por una parte continental (Tanganica) y otra insular (islas de Zanzíbar y Pemba). Bañado por el Índico, limita con Uganda, el lago Victoria, Kenia, Mozambique, Malawi, Zambia y la República Democrática del Congo. Forma parte de una meseta, limitada por varios lagos (Victoria, Tanganica, Malawi). Sus puntos más altos son el Kilimanjaro (5895 m) y el Meru (4567 m). Ríos Malagarasi, Rufiji y Ruvuma. Clima tropical. Maíz, mijo, sorgo, sisal, café, algodón, frutales, clavo. Cabaña bovina. Maderas nobles. Salinas. Ind. algodonera, de curtidos, química, del jabón, refino de petróleo. República federal. Etnias: bantúes (mayoría), indostanos, árabes, masai, europeos. Lenguas: kiswahili (of.), ing. y ár. *Rel.* : musulmana, cristiana, hinduista, animista. U. M. : chelín tanzanio. Cap.: Dodoma. C. pral.: Dar es Salaam.

* *Hist.* En las costas del Índico se asentaron factorías ár. y persas (ss. VIII-XV). En los ss. XVI y XVII estuvieron dominadas finalmente por los port., des-

Tanque

TANZANIA

Superficie 939 470 km²

Población 29 461 000 hab. (31,4 hab./km²)

Recursos económicos	
Algodón	36 000 t
Azúcar	110 000 t
Cabaña bovina	13 376 000 cabezas
Cabaña caprina	9 682 000 cabezas
Cabaña ovina	3 955 000 cabezas
Café	40 000 t
Cerveza	570 000 hl
Diamantes	100 000 quilates
Pesca	342 932 t
Riqueza forestal	35 746 000 m³
Sal marina	54 000 t
Sisal	30 000 t
Té	11 000 t
Tejidos de algodón	40 000 000 m²
Indicadores sociológicos	
PNB	3 703 millones de dólares
Renta per cápita	120 dólares
Esperanza de vida	43 años
Alfabetismo	68 %

Tanzania. Arriba, mapa de situación y bandera; a la izquierda, vista de la zona portuaria de Dar es Salaam

plazados por los ár. En 1890 fue repartida entre Gran Bretaña y Alemania. Tras la I Guerra Mundial la zona al. fue dividida entre Bélgica, Portugal y Gran Bretaña. La Unión Nacional Africana de Tanganica, dirigida por Julius Nyerere, ganó las elecciones de 1958 y obtuvo la indep. en 1961. En 1964 Tanganica se unió a Zanzíbar, formando la República Unida de Tanzania. Nyerere fue elegido en todas las elecciones celebradas hasta 1985, en que fue sustituido por Ali Hassan Mwinyi al cual sucedió en 1995, Benjamin Mpaka. T. tuvo un papel destacado en el derrocamiento de Idi Amín de Uganda (1978) y de Mobutu en Zaire, en 1997.

Tañedor de arpa en un mural egipcio

TAÑER tr. Tocar un instrumento musical • Hacer llamadas mediante una campana u otros medios. • fig. Tratar sobre algún asunto o referirse de alguna manera a él. • intr. Efectuar con los dedos un son semejante al del tambor. ■ TAÑEDOR, RA.

TAÑIDO m. Sonido del instrumento que se tañe, en especial el de la campana.

TAÑO m. Casca, corteza de árbol que se usa para curtir.

TAO m. Insignia que usaban en el pecho y capa los comendadores de la Orden de San Antonio Abad, y la que llevan en los pechos los familiares y dependientes de la Orden de San Juan. • n. p. m. Principio primordial del taoísmo.

TAOÍSMO m. *Rel.* Sistema religioso-filosófico chino fundado por Lao-tsé basado en el *Tao*, absoluto impersonal, unidad indiferenciada de la que todo brota y a la que todo vuelve. La descripción del *Tao* se encuentra en el *Tao-te-king* («Libro del poder del camino»). El hombre ha de someterse al orden que el *Tao* significa, e intentar comprender sus acciones o sea los cambios misteriosos del universo; así alcanzará la felicidad, de manera pasiva, porque se hace todo sin hacer nada.

Antoni **Tàpies** en su taller

TAO-KUANG (1782-1850) Emp. de China. Derrotado por el ejército brit., tuvo que ceder Hong Kong.

TAPA f. Pieza que cierra por la parte superior las cajas, cofres, etc. • Cubierta córnea que rodea el casco de las caballerías. • Cada una de las diversas capas de suela que forman el tacón de una bota. • Cada una de las dos cubiertas de un libro encuadernado. • Compuerta de una presa. • En la ternera de matadero, carne que corresponde al medio de la pierna trasera. • Vuelta que cubre el cuello de una a otra solapa en las chaquetas, abrigos, etc. • Rodajas de embutido o lonchas finas de jamón que servían en los colmados, tabernas, etc., colocadas sobre las cañas y chatos de vino. • P. ext. pequeñas porciones de comida que se toman con bebidas como aperitivo. • *Chile* y *Col.* Tapón de una vasija. • *Chile.* Pechera de la camisa. • *Hond.* Estramonio, planta. • **T. de los sesos.** fig. y fam. Parte superior del cráneo.

TAPABALAZO m. *Cuba* y *Méx.* Bragueta, portañuela.

TAPABARRO m. *Chile.* Guardabarros, alero.

TAPABOCA m. Golpe que se da en la boca. • Bufanda, pieza de abrigo. • fig. y fam. Dicho o acción con que a uno se le corta la conversación.

TAPABOCAS m. Tapaboca, bufanda. • Taco de madera para cerrar el ánima de las piezas de artillería.

TAPACAMINO m. *Argent.* Ave, especie de chotacabras.

TAPACHICHE m. *C. Rica.* Insecto, especie de langosta grande.

TAPACHULA C. de México, en el est. de Chiapas; 144 100 hab. Centro agropecuario. Ind. de derivados. Activo puerto exportador.

Joven congoleña preparando **tapioca**

TAPACUBOS m. Tapa metálica que se adapta al cubo de una rueda y protege el buje de la misma.

TAPACULO m. Escaramujo, fruto. • *Chile.* Pájaro pequeño, de color terroso, con una gran mancha blanca en el pecho. • *Cuba.* Pez parecido al lenguado.

TAPADERA f. Pieza que se ajusta a la boca de alguna cavidad para cubrirla. • fig. Persona que encubre lo que otra desea que se ignore.

TAPADERO m. Instrumento con que se tapa un agujero o la boca ancha de una cosa.

TAPADILLO m. Acción de taparse la cara las mujeres con el manto. • Uno de los registros de flautas que hay en el órgano.

TAPADIZO m. Cobertizo.

TAPADO, DA adj. y f. Díc. de la mujer que se cubre la cara. • adj. y s. Díc. del caballo o yegua sin mancha ni señal alguna en su capa. • m. *Col.* y *Hond.* Comida que preparan los indígenas con plátanos y carne, y que asan en un hoyo hecho en tierra. • *Argent.* y *Chile.* Abrigo o capa de señora o niño. • *Argent.* Tesoro enterrado. • f. Mujer que se tapa con el manto para no ser conocida. • *Col.* Acción y efecto de tapar. • **A la tapada,** o **a las tapadas.** m. adv. *Col.* De tapadillo.

TAPAFUNDA f. Pieza, gralte. de cuero, que sirve para resguardar de la lluvia las pistolas. • *Col.* Cubierta de la silla de montar.

TAPAGUJEROS m. fig. y fam. Albañil de poca habilidad. • fig. y fam. Persona que sustituye a otra en un caso imprevisto.

TAPAJOZ *(Tapajós)* Río de Brasil, afl. del Amazonas; formado por la unión del Juruena y São Manuel; 1 980 km.

TAPAJUNTAS m. *Carp.* Listón moldeado para tapar la juntura del marco de una puerta o ventana con la pared.

TÁPALO m. *Méx.* Chal o mantón.

TAPANCA f. *Chile* y *Ecuad.* Gualdrapa del caballo.

TAPANUMA adj. y s. Díc. del pueblo amerindio de la familia lingüística tupi-guaraní que vive en la cuenca del r. Paraguay.

TAPAOJO m. *Col.* y *Ven.* Quitapón, adorno. • *Col.* Anteojera de las caballerías. • fig. Engaño.

TAPAPIÉS m. Brial, vestido que usaban las mujeres.

TAPAR tr. Cubrir o cerrar lo que está descubierto o abierto. • Estar una persona o colocar una cosa encima de otra para ocultarla o protegerla. • fig. Encubrir, disimular u ocultar un defecto o una acción reprobable de alguien. • tr. y prnl. Resguardarse del frío, viento, lluvia, etc., mediante la ropa u otros medios. • prnl. Cubrir en parte el caballo la huella de una mano con la de la otra. ■ TAPADURA; TAPAMIENTO.

TÁPARA f. Alcaparra, arbusto.

TAPARA f. Fruto del taparo.

TAPARO m. Árbol de los países cálidos de América, semejante a la güira y con las hojas más anchas, flores oscuras y fruto alargado.

TAPARRABO o **TAPARRABOS** m. Pedazo de tela u otra cosa con que se cubren los salvajes los órganos sexuales. • Calzón muy corto que se usa como traje de baño.

TAPATE m. *C. Rica.* Estramonio, planta.

TAPATÍO, A adj. y s. De Guadalajara, cap. del est. mex. de Jalisco.

TAPAYAGUA o **TAPAYAGÜE** f. *Hond.* y *Méx.* Llovizna.

TAPE (voz guaraní) m. *R. de la Plata.* Indígena guaraní.

TAPEGUA f. *Hond.* Trampa, garlito de caza.

TAPERA f. *Amér. Merid.* Ruinas de un pueblo. • *Amér. Merid.* Habitación ruinosa y abandonada.

TAPERUJARSE o **TAPIRUJARSE** prnl. fam. Taparse, arrebujarse.

TAPERUJO m. fam. Tapón o tapador mal hecho o mal puesto. • fam. Modo desaliñado y sin arte de taparse o embozarse.

TAPESCO m. *Amér. Centr.* y *Méx.* Especie de zarzo que sirve de cama.

TAPETADO, DA adj. Díc. del color oscuro y de lo que tiene este color.

TAPETE m. Alfombra pequeña. • Paño que se suele poner en las mesas y otros muebles. • **verde.** fig. y fam. Mesa de juego de naipes. • **Estar,** o **poner, sobre el t.** una cosa. fig. Estar discutiéndose o someterla a resolución.

TAPETÍ m. *Amér. Merid.* Roedor semejante al conejo.

TAPIA f. Cada uno de los trozos de pared que de una sola vez se hacen con tierra amasada y apisonada en una horma. • Esta misma tierra amasada y apisonada. • Pared formada de tapias. • Muro de cerca. • *Constr.* Medida superficial de unos 50 pies cuadrados.

TAPIAL m. Conjunto de dos tableros que, sujetos mediante costales y agujas, se colocan verticales y paralelos para formar el molde en que se hacen las tapias. • Tapia, trozo de pared que se hace con tierra amasada, y pared formada de esta manera.

TAPIZ

1. Tejedora con telar de cintura. Códice Florentino, Archivo General de la Nación, México.
2. Tejido bizantino o copto con motivos de inspiración sasánida. Museo Británico, Londres.
3. Fabricante de tapices (s. XVIII). Museo Correr, Venecia (Italia).
4. Danzante con báculo y abanico, bordado de Paracas (Perú).
5. Detalle del llamado Tapiz de Bayeux (s. XI). Museo de la Reina Matilde, Bayeux (Francia).
6. Tapiz chino de seda del s. XVI.
7. *Tapiz*, por Stölzl. Archivo de la Bauhaus, Berlín.

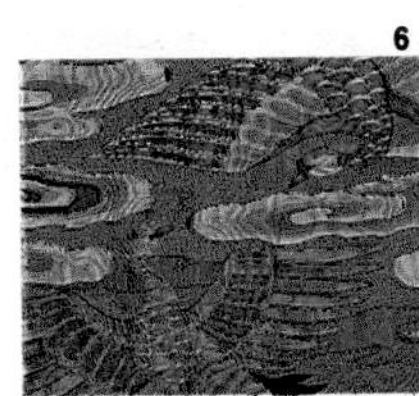

TAPIAR tr. Cerrar con tapias. • fig. Cerrar un hueco con un muro o tabique.

TÀPIES, *Antoni* (nacido 1923) Pintor esp. Ha evolucionado desde el surrealismo y la pintura de la materia hacia la técnica del collage. Premio Príncipe de Asturias en 1990.

TAPIOCA f. Fécula que se saca de la raíz de la mandioca y la yuca, y se usa para sopa.

TAPIR m. Mamífero perisodáctilo de cuerpo rechoncho y patas cortas y robustas, de tamaño algo mayor que un cerdo. Su labio superior se prolonga en una corta trompa prensil.

TAPISCA f. *Amér. Centr.* y *Méx.* Recolección de maíz.

TAPISCAR tr. *Amér. Centr.* Desgranar la mazorca del maíz.

TAPIZ m. Paño grande, gralte. de lana y seda, en que se copian cuadros y se cuelga en la pared como adorno o abrigo. ■ TAPICERÍA; TAPICERO.

* *Hist.* Su tratamiento artístico proviene de Babilonia. En la E. Med. destacaron en su producción los centros de Arras, Tournai y Bruselas. Durante el Renacimiento los mejores talleres fueron los flamencos. En el s. XVII destacó la creación fr. de la Manufactura de los Gobelinos. En España, Felipe V fundó (1720) la Manufactura Real de Santa Bárbara, para la que post. Goya pintó sus famosos cartones. En el s. XIX se produjeron imp. innovaciones técnicas. En el s. XX se han incorporado técnicas del arte contemporáneo (collage, efectos ópticos y cinéticos) y ha trascendido su función mural y decorativa.

TAPIZAR tr. Cubrir con tapices, entapizar. • Forrar con tela los muebles o las paredes. • fig. Forrar una superficie con una sustancia que se adapte perfectamente a ella. • fig. Cubrir la pared o el suelo, con algo como con un tapiz. ■ TAPIZADO, DA.

TAPÓN m. Pieza con que se tapan botellas, tonales y otras vasijas. • *Cir.* Masa de hilas o de algodón en rama con que se obstruye una herida o una cavidad del cuerpo. • **de alberca,** o **de cuba.** fig. y fam. Persona muy gruesa y pequeña. ■ TAPONERÍA; TAPONERO, RA.

TAPONAR tr. Cerrar con tapón un orificio cualquiera. ■ TAPONAMIENTO.

TAPONAZO m. Golpe dado con el tapón de una botella de líquido espumoso. • Ruido que se produce al abrir una de estas botellas.

TAPSIA f. Planta de la familia umbelíferas, de cuya raíz se saca un jugo muy usado como revulsivo.

TAPUCHO, CHA adj. *Chile.* Rabón, reculo.

TAPUJARSE prnl. fam. Embozarse.

TAPUJO m. Embozo con que uno se tapa para no ser conocido. • fig. y fam. Disimulo con que se disfraza la verdad.

TAPUYA adj. y s. *Amér.* Díc. del individuo de unas tribus indígenas que ocupaban casi todo el Brasil.

TAQUE m. Golpe que da una puerta al cerrarse. • Golpe con que se llama a una puerta.

TAQUÉ m. *Mec. apl.* Vástago metálico de los motores alternativos de combustión interna con distribución por válvulas, para transmitir la acción del árbol de levas a las válvulas de admisión y escape.

TAQUEAR intr. *Amér.* Taconear, atiborrar.

TAQUERA f. Soporte para los tacos de billar.

TAQUÍA f. *Bol.* Excremento seco de la llama, usado en las mesetas como combustible.

TAQUICARDIA f. *Med.* Aumento de la frecuencia cardíaca, superior a 100 latidos por minuto.

TAQUIFEMIA f. *Pat.* Trastorno del lenguaje consistente en una aceleración paroxística del flujo de las palabras.

TAQUIGÉNESIS f. *Biol.* Desarrollo con omisión de ciertos estadios embrionales o de fases ninfales o de estadios de renacuajo, que dan como resultado un desarrollo acelerado en la filogenia.

Tapir

Quentin **Tarantino**

TAQUIGRAFÍA f. Método de escritura rápida en el que se usan caracteres y símbolos. ■ TAQUIGRÁFICO,CA; TAQUÍGRAFO, FA.
TAQUILLA f. Armario para clasificar papeles, usado pralm. en las oficinas. • Casillero para los billetes de teatro, ferrocarril, etc. • P. ext., despacho de billetes y lo que en él se recauda. • *Amér. Centr.* Taberna.
TAQUILLERO, RA adj. fam. Díc. del espectáculo o actor que proporcionan fuertes beneficios de taquilla. • m. y f. Persona que se encarga de despachar los billetes en taquilla.
TAQUIMECANOGRAFÍA f. Arte de escribir en taquigrafía y a máquina. ■ TAQUIMECANÓGRAFO, FA.
TAQUIMETRÍA f. Parte de la topografía que enseña a levantar planos por medio del taquímetro.
TAQUIMÉTRICO, CA adj. Perteneciente o relativo a la taquimetría o al taquímetro.
TAQUÍMETRO m. *Top.* Instrumento semejante al teodolito, que sirve para medir a un tiempo distancias y ángulos.
TAQUÍN m. Taba, astrágalo. • Juego de la taba.
TAQUIPSIQUIA f. *Pat.* Aceleración del ritmo del pensamiento.
TARA f. Parte del peso de una mercancía que corresponde al envase, o cualquier otro envoltorio. • Peso en vacío de un vehículo de transporte. • Defecto que disminuye el valor de alguien o de algo. • Lesión física o psíquica que origina una deficiencia orgánica en las defensas contra las enfermedades. • Tarja, caña o palo para llevar cuentas. • *Ven.* Especie de langosta de tierra, mayor que la común. • *Col.* Especie de culebra venenosa. • *Perú.* Arbusto con hojas pinadas, flores amarillas y legumbres oblongas y esponjosas. Se usa como tintórea.

Escenas cotidianas de la vida de los **tarasca** en un mural de Diego Rivera

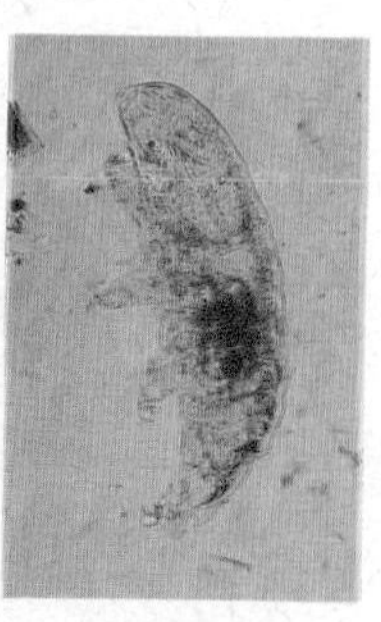
Tardígrado

TARABILLA f. Citola del molino. • Zoquetillo de madera que sirve para cerrar puertas y ventanas. • Listón de madera que mantiene tirante la cuerda del bastidor de una sierra. • Telera del arado. • *Zool.* Ave de la familia muscicápidos, del tamaño de un gorrión, y con un plumaje de bandas blancas. • fig. y fam. Persona que habla mucho y sin orden ni concierto. • fig. y fam. Tropel de palabras dichas de este modo. • *Argent.* Juguete que zumba al hacerle girar.
TARABITA f. Palito que lleva la cincha en un extremo, con el que se aprieta la correa. • Tarabilla, listón de madera. • *Amér. Merid.* Maroma por la cual corre la oroya.
TARACEA f. Decoración de un mueble mediante incrustaciones de otro material. ■ TARACEAR.
TARACENA *Alfonso* (nacido 1899) Escritor y periodista mex. *El vértigo de la revolución mexicana, La tragedia zapatista, Carranza contra Madero.*
TARADO, DA adj. Que padece tara física o psíquica. • adj. y s. fig. y fam. *Argent.* y *Ur.* Estúpido, necio.
TARAGALLO m. Trangallo, palo que impide cazar al perro.
TARAGONTÍA f. Dragontea, planta.
TARAHUMARA adj. y s. Díc. de individuos de un pueblo amerindio de la familia lingüística utoazteca, que vive en la sierra Tarahumara, en México. • Relativo a dicho pueblo. • m. Lengua de este pueblo. • m. pl. Este mismo pueblo.
TARAKI, *Nur Mohammed* (1916-1979) Político afgano. Secretario general del Partido Democrático del Pueblo. En 1978 derrocó a Daud. Instauró un régimen prosov. y fue derrocado en 1979 por su primer ministro. Murió en un atentado.
TARAMBA f. *Hond.* Instrumento músico consistente en una cuerda de alambre que se golpea con un palito.
TARAMBANA adj. y s. fam. Persona alocada, de poco juicio.
TARANCÓN, *Vicente Enrique y* (1907-1994) Cardenal esp. Presid. de la Conferencia Episcopal Española (1972-1981). Defensor de la indep. de la Iglesia frente al Est.
TARÁNGANA f. Morcilla muy ordinaria.
TARANTELA f. Baile napolitano de movimiento muy vivo. • Música de este baile.
TARANTÍN m. *Amér. Centr.* y *Cuba.* Cachivache, trasto. • *Ven.* Tenducha.
TARANTINO, *Quentin* (nacido 1963) Director, guionista y actor cinematográfico estadoun. *Reservoir Dogs, True romance, Pulp Fiction* (Oscar al mejor guión, 1994), *Jackie Brown.*
TARANTO, TA adj. y s. fam. De Almería. • f. Cierto baile popular. • *Argent.* Tarántula. • *Hond.* Desvanecimiento, aturdimiento. • *Amér.* Repente, locura, vena.
TARÁNTULA f. Araña venenosa, muy común en el mediodía de Europa.
TARAPACÁ Región de Chile, limítrofe con Perú y Bolivia, y bañada por el Pacífico; 58 698,1 km^2, 341 112 hab. Cap., Iquique. Puerto pral.: Arica. Accidentada por la cord. de la Costa, la pampa del Tamarugal y (cerro Parinacota, 6 330 m). Ríos de escasa importancia. Clima árido. Agricultura poco desarrollada. Auquénidos y ovinos. Cobre, oro, cinc, salitre. Ind. metalúrgica, de transformación de los productos de pesca y minerales. Perteneció en su mayor parte a Perú hasta la guerra del Pacífico.
TARAPAQUEÑO, ÑA adj. y s. De Tarapacá.
TARAPOTO C. de Perú, cap. de la prov. de San Martín, en el dpto. de San Martín; 53 958 hab. Centro comercial.
TARAR tr. Señalar la tara de una mercancía para averiguar el peso neto.
TARAREAR tr. Cantar en voz baja y sin pronunciar las palabras, sustituyéndolas a veces por sílabas, como *ta* y *ra*, que se repiten en cualquier orden. ■ TARAREO.
TARARIRA f. fam. Chanza, alegría con bulla y voces. • *Argent.* Cierto pez de río, de carne estimada. • com. fam. Persona bulliciosa y de poca formalidad. • interj. fam. que denota incredulidad.
TARASCA f. Figura de sierpe monstruosa que se sacaba en ciertas procesiones religiosas. • fig. Gomia, persona glotona. • fig. y fam. Mujer fea y de mal carácter. • *Chile* y *C. Rica.* Boca grande.
TARASCAR tr. Morder o herir con los dientes. ■ TARASCADA; TARASCÓN.
TARASCO, CA adj. y s. Díc. de individuos de un pueblo precolombino que se asentó en la región de Michoacán, en el O de México. Los t. fundaron las c. de Colima, Jalisco y Nayarit. Conservaron su lengua y un arte propio no religioso. Su calendario era muy semejante al azteca, pero no conocieron la escritura. Adoraban al Sol y a la Luna; ofrecían sacrificios humanos al dios del fuego Curicaheri. Su cap. fue Tzintzuntzan. Construyeron pirámides de planta rectangular, en forma de T.
TARAY m. Arbusto tamaricáceo que crece a orillas de los ríos, con flores en espiga con cáliz encarnado y pétalos blancos; tamariz. • Fruto de este arbusto. ■ TARAYAL.
TARAZA m. Broma, molusco. • Polilla, mariposa nocturna.
TARAZANA f. o **TARAZANAL** m. Atarazana, arsenal.
TARAZAR tr. Despedazar, destrozar. • Atarazar, morder. • fig. Molestar, mortificar.
TARAZÓN m. Trozo que se corta de una cosa.
TARCO m. *Argent.* Árbol de la familia saxifragáceas, de flores violáceas, cuya madera se utiliza para muebles.
TARDAR intr. y prnl. Detenerse, no llegar oportunamente, retrasar la ejecución de una cosa, empleando más tiempo del previsto o necesario. • Emplear un determinado tiempo en hacer algo. ■ TARDANZA.
TARDE f. Espacio de tiempo desde mediodía hasta anochecer. • Últimas horas del día. • adv. tiem-

po. A hora avanzada del día o de la noche. • Después de haber pasado el tiempo oportuno, o en tiempo futuro relativamente lejano. • **De t. en t.** m. adv. De cuando en cuando.

TARDEAR intr. Detenerse voluntariamente más de lo normal en hacer algo.

TARDECER intr. Empezar a caer la tarde.

TARDIEU, *André* (1876-1945) Político fr. Participó en el tratado de Versalles (1918-1919). Presid. del gobierno en 1919-1930 y en 1932.

TARDIGLACIAL adj. *Prehist.* Época que va desde el último máx. de glaciación (hace unos 20 000 años) a la fusión de la mayoría de los hielos (8 000 años). En este período se formaron de nuevo los bosques.

TARDÍGRADO, DA adj. y m. Aplícase a los animales mamíferos que se mueven con gran lentitud. • m. pl. *Zool.* Grupo de animales invertebrados, de cuerpo microscópico, que viven sobre musgos, líquenes y, algunas especies, en agua dulce.

TARDÍO, A adj. Díc. de los frutos que tardan en madurar algún tiempo más del regular. • Que sucede después del tiempo en que se necesitaba o esperaba. • Pausado, lento. • m. Sembrado o plantío de fruto tardío. Se usa más en plural.

TARDO, DA adj. Lento y pausado en sus acciones. • Tardío, que sucede después del tiempo en que se necesitaba o esperaba. • Torpe, que encuentra dificultades para expresarse o comprender algo.

TARDÓN, NA adj. y s. fam. Que tarda mucho o se retrasa con frecuencia cuando ha de ir a algún sitio. • fam. Tardo, que encuentra dificultades para comprender algo.

TAREA f. Cualquier obra o trabajo. • Trabajo que debe hacerse en tiempo determinado. • fig. Afán, penalidad causada por un trabajo continuo.

TARECO m. *Amér.* Trasto, trebejo.

TARENTINO, NA adj. y s. De Tarento.

TARENTO C. del S de Italia, cap. de la prov. hom., en Apulia, en el golfo de Tarento; 244 500 hab. Centro industrial. Pesca. Arsenal naval.

TARGUM o **TÁRGUM** m. Libro de los judíos, con las glosas y paráfrasis caldeas del A. T.

TARIFA f. Tabla de precios o impuestos.

TARIFAR tr. Señalar o aplicar una tarifa.

TARIGO, *Enrique* (nacido 1927) Político ur. Opositor a la dictadura militar, fue elegido vicepresid. de la rep. en 1984.

TARIJA Dpto. de Bolivia, limítrofe con Paraguay y Argentina; 37 623 km², 291 407 hab. Cap., la c. hom. C. prales.: Sanandita y Yacuiba. El sector occidental está atravesado por la cord. Real de los Andes (sierras de Aguarague y San Telmo); el E corresponde a la llanura del Chaco. Ríos Bermejo y sus afl., el Grande de Tarija y el Pilcomayo. Clima tropical y vegetación de bosque denso. Cereales, patatas, vid, frutales. Petróleo, uranio, plomo. • C. de Bolivia, cap. del dpto. hom.; 90 115 hab. Mercado regional. Ind. alimentaria.

TARIM Río de China, en Sinkiang; 2 000 km. Desemboca en el lago de Lop-Nor.

TARIMA f. Plataforma de madera, a escasa alt. sobre el suelo, que se emplea para diversos usos.

TARJA f. Escudo que cubría todo el cuerpo del caballero montado. • Tablita que sirve de contraseña. • fam. Golpe o azote. • *Amér.* Tarjeta de visita. • Caña o palo para ir marcando lo que se compra fiado, mediante la incisión de una muesca; la mitad del listón la conserva el que compra y la otra mitad el que vende.

TARJAR tr. Señalar en la tarja lo que se va sacando fiado. • *Chile.* Tachar lo escrito.

TARJETA f. Adorno plano y oblongo que se figura sobrepuesto a un miembro arquitectónico. • Membrete de los mapas y cartas. • Pieza de cartulina, pequeña y rectangular, con el nombre, título o cargo y dirección de una persona o que lleva impreso o escrito un permiso, una invitación u otra cosa semejante. • **de control.** *Comp.* T. perforada que contiene información especial, como las maestras y las de identificación. • **de identidad**. La que sirve para acreditar la personalidad del titular y gralte. va provista de su retrato y firma. • **inteligente.** *Comp.* T. de plástico provista de un microcircuito y un chip que alberga un microprocesador y diversas clases de bancos de memoria. Las t. inteligentes se pueden usar como t. de crédito, como llaves de alta seguridad, para acceder a redes telefónicas, bancos de datos de uso colectivo y edificios seguros, o bien como computadoras portátiles. • **magnética.** *Comp.* T. que tiene adherido material magnético mediante el cual se puede almacenar información. Esta información puede ser leída o grabada por la computadora. • **perforada.** *Comp.* Soporte, normalmente de cartón, que sirve como entrada de datos a una computadora. • **postal.** La que contiene una ilustración en una cara, y en la otra puede escribirse una dirección y un breve texto, y ser remitida por correo sin sobre.

TARJETEO m. fam. Uso frecuente de tarjetas para cumplimentarse recíprocamente las personas.

TARJETERO m. Cartera, o lugar en ella, para llevar tarjetas de visita. ■ *Amér.* TARJETERA.

TARLATANA f. Tejido ralo y consistente de algodón.

TARLE, *Yevgueni Víktorovich* (1875-1955) Historiador sov. Especialista en historia económica y social de la Revolución francesa. *La clase obrera en la Revolución francesa, El bloqueo continental y Napoleón.*

TARMA C. de Perú, cap. de la prov. hom., en el dpto. de Junín; 46 300 hab. Agricultura de tipo cerealista, ganadería, ind. mineras.

TAROPÉ m. *Argent.* y *Par.* Planta vivaz acuática, de la familia ninfáceas.

TAROT (al., *tarok;* it., *tarocco)* m. Juego de 78 cartas, cuya baraja es el origen de las actuales. Consta de cuatro palos de 14 cartas y 22 arcanos mayores o «triunfos». Se usa para el juego y la adivinación.

El ermitaño, uno de los arcanos mayores del **tarot**

TARQUÍN m. Légamo que las aguas estancadas depositan en el fondo, o las avenidas de un río en los campos que inundan.

TARQUINO *el Viejo* (m. 579 a. C.) Quinto rey de Roma. Introdujo la civilización etrusca y mandó construir la cloaca Máxima y el templo de Júpiter Capitolino. • ***El Soberbio*** (s. VI a. C.) Séptimo y último rey de Roma [534-509 a. C.]. Los historiadores lo presentan como un tirano.

TÁRRACO Ant. nombre de la actual c. de Tarragona, cap. de la Tarraconense, de gran importancia en la época rom.

TARRACONENSE adj. y s. De la ant. Tarraco, o de la c. y prov. de Tarragona.

TARRACONENSE *(Hispania Tarraconensis)* Prov. de la España rom. Con cap. en Tarraco (Tarragona). Se extendía por el N, E y centro de la pen. Ibérica.

TARRADELLAS, *Josep* (1899-1988) Político esp. Presid. de la *Generalitat* en el exilio desde 1954. Presid. de la *Generalitat* restaurada (1977-1980).

Tarragona. Vista de un sector del puerto

TARRAGONA Prov. de España, en la com. autón. de Cataluña, bañada por el Mediterráneo; 6 283 km², 574 676 hab. Cap., la c. hom. C. prales.: Reus y Tortosa. Accidentada por la cord. Prelitoral, el Montsant y la sierra de Prades. Ríos Ebro y sus afl., Francolí y Gayá. Clima mediterráneo. Cereales, vid, olivos, almendras, avellanas, arroz. Avicultura, ganadería porcina. Petróleo. Ind. de transformación de productos agrícolas (vino), química, petroquímica. Turismo. • C. de España, cap. de la prov. hom.; 112 176 hab. Ind. química, metalúrgica, textil, alimentaria. Ant. cap. de la prov. Citerior rom. Imp. restos arqueológicos.

TARRAJA f. Terraja, herramienta. • *Ven.* Tarja para llevar cuentas, que se hace con una tira de cuero.

TARRALÍ f. *Col.* Planta trepadora silvestre de la familia cucurbitáceas.

TARRASA o **TERRASSA** Mun. de España en la prov. de Barcelona; 162 862 hab. Uno de los primeros centros fabriles de España (textil, maquinaria, fundiciones).

TARRAYA f. Atarraya, esparavel, red para pescar en ríos.

TARREÑAS f. pl. Piezas que forman como unas castañuelas.

TARRICO m. Caramillo, planta.

TARRO m. Vaso cilíndrico de porcelana, vidrio o de otra materia. • Ave de la familia anátidos, del tamaño de un ganso. Vive en regiones costeras. • *Cuba.* Asta o cuerno de algunos cuadrúpedos. • fam. *Chile.* Sombrero de copa. • **Tener t.** *R. de la Plata.* Tener suerte.

TARSANA f. *C. Rica, Ecuad.* y *Perú.* Corteza de un árbol de las sapindáceas que se usa para lavar.

Tarro canelo

Cabeza de felino de una jarra de bronce procedente de **Tartesos.** Museo Lázaro Galdiano, Madrid

Vista de **Tashkent**

Tasmania. Iglesia en Port Arthur

TARSKI, ***Alfred*** (1901-1983) Filósofo y matemático norteam. de origen pol. Autor de notables estudios en el campo de la investigación semántica y de la lógica matemática. *La concepción semática de la verdad y los fundamentos de la semántica.*

TARSO m. *Anat.* Parte posterior del pie. • *Zool.* La parte más delgada de las patas, que une los dedos con la tibia. • *Zool.* Corvejón de los cuadrúpedos.

TARSO Ant. c. de Asia Menor, en Cilicia. Fundada por los jonios (s. IX a. C.), fue encrucijada de influencias helénicas y semitas. Cuna de san Pablo.

TARTA f. Tartera, cacerola. • Tortada, torta de masa de harina. • Pastel, gralte. de forma redonda, relleno de frutas, crema, etc.

TARTACAL C. de Argentina, en la prov. de Salta; 31 600 hab. Centro petrolífero. Ind. maderera.

TARTAGLIA, ***Niccolò Fontana*** (1506-1557) Matemático it. Autor de un método de resolución de las ecuaciones de tercer grado, de una enciclopedia matemática, etc.

TÁRTAGO m. Planta herbácea euforbiácea, purgante y emética. • fig. y fam. Suceso infeliz. • fig. y fam. Chasco pesado. • **de Venezuela.** Ricino.

TARTAJEAR intr. Hablar con articulación deficiente. • Tartamudear ■ TARTAJA; TARTAJEO; TARTAJOSO, SA.

TARTALEAR intr. fam. Andar o moverse con temblor, o de forma precipitada y aturdida. • fam. Turbarse uno de modo que no acierta a hablar. • Tartamudear.

TARTAMUDEAR intr. Hablar o leer con pronunciación entrecortada y repitiendo algunas sílabas. ■ TARTAMUDEO; TARTAMUDO, DA.

TARTAMUDEZ f. Anomalía del lenguaje hablado caracterizada por un trastorno de la articulación que se manifiesta bien por una repetición convulsiva de una sílaba, bien por inmovilización espasmódica del aparato de fonación, que finaliza con una emisión verbal explosiva.

TARTÁN m. Tejido de lana con dibujo a base de cuadros o listas cruzadas y de diferentes colores. Usado para confeccionar mantas y prendas de abrigo. Originariamente procede de Escocia.

TARTANA f. Carruaje de dos ruedas, tirado por un caballo, con toldo y asientos laterales. • Embarcación menor, de pesca y cabotaje, con vela latina y un solo palo. ■ TARTANERO.

TARTANCHO, CHA adj. *Argent.* y *Bol.* Tartamudo.

TARTARIA Nombre dado por los antiguos geógrafos al centro de Asia. • *(Tatarskaia; Tatarstán)* Rep. de Rusia; 68 000 km², 3 513 000 hab. Cap., Kazán. Maíz, legumbres, remolacha, cáñamo, girasol. Explotación forestal. Ganado vacuno, porcino. Petróleo, gas natural. Ind. química, maderera. Creada en 1920.

TARTÁRICO, CA adj. *Quím.* Tártrico. • **Ácido t.** *Quím.* Compuesto orgánico (butanodiol-dioico) de sabor ácido agradable, que se encuentra en el zumo de la uva y otros frutos.

TARTARIZAR tr. *Farm.* Preparar una confección con tártaro.

TÁRTARO, RA adj. y s. De Tartaria. • Díc. del conjunto de pueblos de lengua turca del S y SE de la Rusia europea, centro de Asia (Uzbekistán y Kazakistán) y S y SO de Siberia. Hasta 1940 hubo una rep. tártara en Crimea. • m. Lengua tártara. • Sarro de los dientes. • *Poét. Mit. gr.* El infierno. • **Crémor t.** *Quím.* Tartrato ácido de potasio impuro. • **emético.** Tartrato de antimonio y de potasio. ■ TÁRTRICO, CA.

TÁRTARO *Mit. gr.* Hijo de Éter y de Gea, y padre de seres monstruosos como los Titanes, Equidna y Tifón.

TARTERA f. Cazuela poco profunda hecha de barro, porcelana o metal. • Fiambrera, recipiente de tapa ajustada para llevar fiambres.

TARTESIO, SIA adj. y s. De Tartesos.

TARTESOS C. de España, centro de una cultura en la E. de los Metales. Se la supone sit. en las proximidades de la desembocadura del r. Guadalquivir.

TARTINI, ***Giuseppe*** (1692-1770) Violinista y compositor it. Fundó una escuela de violín. Autor de unas 200 sonatas para violín, entre ellas *El trino del diablo.* Escribió un *Tratado de música* y una *Disertación sobre los principios de la armonía.*

TARTRATO m. *Quím.* Sal formada por la combinación del ácido tartárico con una base.

TARUGA f. *Perú, Bol.* y *Ecuad.* Mamífero artiodáctilo rumiante, parecido a un ciervo.

TARUGO m. Pedazo de madera corto y grueso. • Clavija de madera. • Trozo grueso de madera, en forma de adoquín, que se usa para pavimentar las calles. • Pedazo de pan duro, grueso e irregular. • Hombre de mala traza, pequeño y gordo. • Persona inculta o corta de entendimiento. • *Cuba.* Temor.

TARUMÁ m. *Argent.* Árbol verbenáceo que produce un fruto morado. La madera se usa en ebanistería.

TAS m. Yunque pequeño que usan los plateros y otros artesanos.

TASA f. Acción y efecto de tasar. • Documento en que consta la tasa. • Precio máximo o mínimo puesto por la autoridad a las cosas vendibles. • Medida, regla, norma. • Acción de tasar. • Categoría de tributo que se satisface como contraprestación por el uso de un bien público o por haber realizado la administración una actividad que afecte al individuo obligado al pago. • **de ganancia.** En la economía capitalista, margen de beneficio del que se apropia el patrón o inversor.

TASAJEAR tr. *Guat.* Atasajar, hacer tasajos.

TASAJERÍA f. *Amér.* Local donde se prepara o vende el tasajo.

TASAJO m. Cecina, pedazo de carne seco y salado. • P. ext., pedazo de carne. • *Col.* Hombre alto y delgado.

TASAR tr. Fijar la autoridad competente el precio de una mercancía o establecer un límite entre un precio máximo y un precio mínimo. • Valorar una cosa calculando su precio. • Regular o estimar la remuneración debida por un trabajo. • fig. Poner método, regla o medida para que no haya exceso. • fig. Restringir o reducir por tacañería lo que conviene o hay obligación de dar. ■ TASACIÓN; TASADOR, RA.

TASCA f. Garito o casa de juego. • Taberna. • *Perú.* Fuerte oleaje.

TASCADOR m. Espadilla para macerar el cáñamo.

TASCAR tr. Espadar el cáñamo. • fig. Quebrantar con ruido la hierba las bestias cuando pacen. • *Ecuad.* Mascar, mascullar.

TASCO m. Estopa gruesa del cáñamo o lino que queda después de espadarlo.

TASHKENT C. y cap. de Uzbekistán; 2 030 000 hab. Centro industrial. Sede de la conferencia indiopaquistaní sobre Cachemira (1966).

TASI m. *Argent.* Enredadera silvestre, de la familia asclepiadáceas. Se cultiva como ornamental.

TASÍN m. *Ecuad.* Nido, nidal. • *Ecuad.* Rodete para cargar pesos en la cabeza.

TASMAN, ***Abel Janszoon*** (1603-1659) Navegante neerlandés. Fue el descubridor de Tasmania, de la isla Sur de Nueva Zelanda y de las islas Tonga y Fidji.

TASMANIA Est. insular de la federación australiana; 67 800 km², 437 300 hab. Cap., Hobart. C. pral.: Launceston. Relieve montañoso. Ríos Macquarie, Derwent y Gordon. Cereales, frutas. Cabaña lanar, vacuna. Cobre, cinc, hierro, estaño, bauxita. Ind. metalúrgica, de transformación agropecuaria. Colonia brit. desde 1807. En 1901, unida a la Commonwealth australiana.

TASMANIO, NIA adj. y s. Díc. de individuos de un ant. pueblo melanesio, que habitaba en la i. de Tasmania.

TASQUERA f. fam. Pendencia, riña.

TASQUERO m. *Perú.* Peón dedicado a ayudar a desembarcar en las costas en que hay tasca.

TASQUIL m. Fragmento que salta de la piedra al labrarla.

TASS Agencia informativa estatal de la desaparecida URSS, creada en 1925. Rebautizada como INTER-TASS, tras la disgregación de la URSS. Sede en Moscú (Rusia).

TASSILI Región mesetaria del macizo de Ahaggar, en el Sahara argelino, donde se han hallado pinturas prehistóricas.

TASSO, ***Torquato*** (1544-1595) Poeta it. *Jerusalén libertada,* su obra magna, es la gran epopeya cristiana de la primera cruzada, encarnación del espíritu de la Contrarreforma. Temeroso de la Inquisición, T. elaboró una nueva versión, la *Jerusalén conquistada,* eliminando las escenas galantes.

TASTANA f. Costra producida por la sequía en las tierras de cultivos. • Membrana que separa los gajos de ciertas frutas.
TÁSTAZ m. Polvo de crisoles viejos que sirve para limpiar metales.
TASTILLO m. Sabor especial que deja un manjar o una bebida.
TASTO m. Sabor desagradable que dan algunas viandas revenidas.
TASUGO m. Tejón, animal mamífero.
TATABRO o **TÁTABRO** m. *Col.* Cuadrúpedo montés parecido al cerdo.
TATAGUA f. *Cuba.* Mariposa nocturna de gran tamaño y color oscuro.

Pinturas rupestres de **Tassili**

TATAIBÁ m. *Argent.* y *Par.* Moral silvestre de fruto amarillo y áspero.
TATARABUELO, LA m. y f. Respecto de una persona, el padre o la madre de su bisabuelo o bisabuela.
TATARANIETO, TA m. y f. Respecto de una persona, hijo o hija de su biznieto o biznieta.
TATARÉ m. *Argent.* y *Par.* Árbol de la familia mimosáceas, cuya madera se usa en ebanistería.
¡TATE! interj. Voz que equivale a ¡cuidado! o poco a poco. Se usa también repetida. • Exclamación con que se indica haber caído en la cuenta de una cosa o haber comprendido algo en lo que se encontraba dificultad de entender. • Exclamación que denota asombro, extrañeza, etc.
TATETÍ m. *Argent.* Tres en raya, juego de muchachos.
TATI, *Jacques Tatischeffine* llamado ***Jacques*** (1908-1983) Actor y director de cine fr. *Día de fiesta, Las vacaciones de M. Hulot, Mi tío, Playtime, Tráfico.*
TATLÍN, ***Vladimir*** (1885-1956) Pintor y escultor sov. iniciador del mov. constructivista. Desarrolló un arte basado en formas abstractas en relieve (maqueta del monumento a la III Internacional). Trabajó también como coreógrafo (funerales de Maiakovski).
TATO, TA adj. Tartamudo que vuelve la *c* y *s* en *t.* • m. fam. Voz infantil por hermano, hermana, o niño en general. • f. fam. Chacha, niñera. • m. *Amér.* Padre.
TATRA *(Tatry)* El más alto macizo de los Cárpatos, en la frontera checo-polaca. Máx. alt.: Gerlachovka (2 663 m).
TATÚ m. *Amér.* Mamífero del orden dentados, que se enrolla en bola; tiene el cuerpo cubierto de escamas córneas. • *Argent.* Especie de armadillo.
TATUAJE m. Decoración de la piel con dibujos indelebles, mediante la introducción en la dermis de sustancias colorantes. ■ TATUAR.
TATUM, ***Edward Lawrie*** (1909-1975) Bioquímico norteam., autor de importantes trabajos sobre los genes. Premio Nobel en 1958.
TATUSIA f. *Par.* Especie de armadillo.
TATUSO, SA adj. *Amér.* Díc. de la persona que callejea.
TAU m. Última letra del alfabeto hebreo. • Tao, insignia. • f. Decimonona letra del alfabeto gr. correspondiente a la *te* del castellano.
TAUBE, ***Henry*** (nacido 1915) Químico norteam. Autor de importantes trabajos sobre las relaciones de transferencia de los electrones. Premio Nobel en 1983.
TAUCA (voz quechua) f. *Bol., Ecuad.* y *Perú.* Gran cantidad de cosas amontonadas.
TAUCAR tr. *Bol., Ecuad.* y *Perú.* Apilar, colocar unas cosas sobre otras.
TAUJÍA f. Ataujía, taracea.
TAUMATURGIA f. Facultad de realizar prodigios o milagros. ■ TAUMATURGO, GA.
TÁURIDAS Enjambre meteórico que tiene su máxima intensidad en noviembre y su punto radiante en la constelación de Taurus.
TAURINO, NA adj. Relativo a los toros o a las corridas de toros. • f. Metabolito originado en los seres vivos por oxidación de la cisteína a ácido cisteínico y posterior decarboxilación.
TAURIOS adj. pl. Díc. de unos juegos que se celebraban en la antigüedad y en que luchaban los hombres con los toros.
TAURO o **TAURUS** (turco, *Toros)* Sistema montañoso del Asia Anterior. Máx. alt.: Ala Dagh (3 734 m).
TAURO *Astr.* Taurus.
TAURÓFILO, LA adj. Que tiene afición a las corridas de toros.
TAUROMAQUIA f. Lidia de toros bravos, fiesta nacional esp. y espectáculo de gran difusión en diversos países amer. (México, Venezuela, Colombia, Perú y Ecuador), Portugal y S de Francia. Sus inicios se suponen relacionados con ritos en honor del toro. En la E. Med. ya se practicaba en España. En el s. XVIII aparecieron los toreros profesionales, y se impuso la lidia a pie. En el s. XIX se introdujo en América, incidiendo sobre todo en México. ■ TAURÓMACO, CA; TAUROMÁQUICO, CA.
TAURUS *Astr.* Segunda constelación zodiacal atravesada por la eclíptica. Se halla entre *Eridanus,* al S, y *Auriga* y *Perseus,* al N.
TAUTÓCRONA adj. y f. Díc. de la curva que goza de la propiedad de que un punto pesado A, que la recorre bajo la acción de un campo gravitatorio, alcanza otro punto P en la curva en un tiempo que es independiente del lugar de partida.
TAUTOLOGÍA f. Repetición de una misma idea, de distintas formas, como si fueran ideas distintas. • *Lóg.* Fórmula de la lógica sentencial que es siempre válida, prescindiendo de los valores de verdad de las proposiciones integrantes. En todo cálculo sentencial interviene una serie de t. que son tomadas como axiomas, y las restantes se prueban como teoremas. ■ TAUTOLÓGICO, CA.
TAUTOMERÍA f. Clase de isomería, llamada también desmotropia, consistente en un cambio reversible de ligaduras en la molécula de un compuesto químico.
TAVERA, ***Juan Pardo de*** (1472-1545) Eclesiástico y político esp. Presid. del Consejo de Castilla en 1524, se opuso a la política imperial de Carlos I. Inquisidor general (1539-1540).
TAVIANI, ***Paolo*** (nacido 1931) y ***Vittorio*** (nacido 1929) Directores cinematográficos it., hermanos. *Padre-padrone, La noche de San Lorenzo.*
TAXÁCEO, A adj. y f. Díc. de las plantas gimnospermas arbóreas, con hojas aciculares, de disposición helicoidal, generalmente dioicas y con las flores dispuestas axilarmente. • f. pl. Familia de estas plantas.
TAXATIVO, VA adj. *Der.* Que limita y reduce un caso a determinadas circunstancias.
TAXI m. Coche de alquiler, provisto de taxímetro. ■ TAXISTA.
TAXIDERMIA f. Arte de preparar, disecar y disponer los animales de modo que representen, de la forma más fiel posible, al animal vivo. ■ TAXIDERMISTA.
TAXÍMETRO m. Aparato que en los vehículos automóviles va marcando la distancia recorrida y el precio. • Taxi.
TAXIS o **TAXIA** f. *Biol.* Tactismo.
TAXÓN m. Voz genérica que designa un grupo taxonómico cualquiera.
TAXONOMÍA f. *Biol.* Ciencia biológica que estudia la clasificación de los seres vivos según sus afinidades morfológicas, fisiológicas, genéticas y filogenéticas. Agrupa a los organismos en distintos taxones, entre los cuales destacan, en orden decreciente de similitud: variedad, raza, subespecie, especie, género, familia, orden, clase, tipo o división y reino. ■ TAXONÓMICO, CA; TAXONOMISTA.
TAYA f. *Amér. Merid.* Reptil terrestre venenoso de la familia vipéridos, cubierto de escamas.
TAYACÁN (voz náhuatl) m. *Amér. Centr.* Guía, conductor.

Tauromaquia. Cartel de una corrida de toros

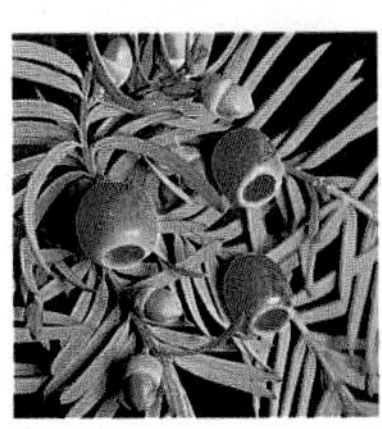

Hojas y frutos de tejo, árbol de la familia **taxáceas**

Modelo del primer **taxímetro** (1891). Museo de Artes y Oficios, París

Elisabeth **Taylor**

Hojas y flores de **té**

Teatro. Arriba, teatro romano de Mérida, Badajoz (España); abajo, corral de comedias (s. XVII) en Almagro, Ciudad Real (España)

TAYLOR, *Brook* (1685-1731) Matemático brit. Creador del cálculo de diferencias finitas; son notables sus trabajos sobre la teoría de funciones reales. • ***Elisabeth*** (nacida 1932) Actriz de cine norteam., de origen brit. *Gigante, La gata sobre el tejado de cinc, Cleopatra, Boom.* • ***Frederick Winslow*** (1856-1915) Ingeniero norteam. Creó un sistema de trabajo que combinaba óptima y científicamente la máquina y el esfuerzo humano. *Principios de organización científica.* • ***Maxwell Davenport*** (1901-1987) Militar norteam. Jefe de las tropas norteam. en Berlín tras la derrota alemana, relevó (1953), en la guerra de Corea, al general Ridgway. • ***Paul Belville*** (nacido 1930) Bailarín y coreógrafo norteam. Miembro en sus inicios de la compañía de Marta Graham, formó su propio grupo en 1955. • ***Robert*** (1911-1969) Actor cinematográfico norteam. *La dama de las camelias, Ivanhoe, Quo vadis?* • ***Zachary*** (1784-1850) Político norteam. Destacó en la guerra contra México. Presid. de los EE UU en 1849, murió sin terminar su mandato.

TAYLORISMO m. Sistema de organización científica del trabajo, ideado por el norteam. F. W. Taylor.

TAYUYÁ m. *Argent.* Planta medicinal de la familia cucurbitáceas.

TAZA f. Vasija pequeña, con asa, que se usa para tomar líquidos. • Lo que cabe en ella. • Receptáculo redondo donde vacían el agua las fuentes. • Pieza de metal cóncava de la guarnición de algunas espadas.

TAZAR tr. y prnl. Romperse una cosa, gralte. la ropa, por los dobleces a causa del uso.

TAZMÍA f. Porción de granos que se entregaba como diezmo. • Distribución de los diezmos. • Pliego en que se hacía la distribución a los partícipes. • Cálculo aproximado de una cosecha por recoger, y en especial la de caña de azúcar.

TAZÓN m. Taza grande.

Tb *Quím.* Símb. del terbio.

TBILISI o **TIFLIS** C. y cap. de Georgia, a orillas del Kura; 1 260 000 hab. Ind. metalúrgica, textil, maderera. Artesanía. Universidad.

Tc *Quím.* Símb. del tecnecio.

Te *Quím.* Símb. del telurio.

TE Dativo o acusativo del pronombre personal de segunda persona en género masculino o femenino y número singular. No admite preposición. • f. Nombre de la letra *t*.

TÉ m. Nombre común de diversos arbustos, de la familia teáceas, propios del Extremo Oriente. • Hoja de estos arbutos. • Infusión en agua hirviendo de estas hojas. • Reunión de personas que se celebra por la tarde y durante la cual se sirve té. • **de los jesuitas** o **del Paraguay.** Mate.

TE DEUM Himno cristiano de acción de gracias y ceremonia que lo acompaña.

TEA f. Antorcha formada por una astilla de madera que se impregna en resina y arde con facilidad.

TEÁCEA adj. Díc. de la planta perteneciente a las teáceas. • f. pl. Familia de plantas angiospermas, siempre verdes, a las que pertenecen el té y la camelia.

TEAME o **TEAMIDE** f. Piedra a la cual se atribuía propiedad contraria a la del imán.

TEATINA f. *Chile.* Planta gramínea cuya paja se usa para tejer sombreros.

TEATINO adj. y s. Díc. del clérigo de una congregación fundada por san Cayetano, en 1524, que ayudaba a los condenados a bien morir. • adj. Perteneciente a esta orden religiosa.

TEATRAL adj. Relativo al teatro. • Aplícase a personas, cosas o acciones que llaman deliberadamente la atención. ■ TEATRALIDAD.

TEATRALIZAR tr. Dar forma teatral o representable a un tema o asunto. • Dar carácter espectacular a una actitud o expresión.

TEATRO m. Edificio o lugar donde se representan las obras dramáticas o se ejecutan espectáculos públicos. • Conjunto de todas las producciones dramáticas de un pueblo. • Profesión de actor. • Arte de componer obras dramáticas, o de representarlas. • fig. Literatura dramática. • fig. Lugar en que ocurren hechos notables y dignos de atención. • fig. Chisme, enredo.

* *Arte.* El origen del t. se encuentra en las ceremonias simbólico-religiosas de los pueblos ant. En Grecia se crearon la tragedia y la comedia (Esquilo, Sófocles, Eurípides, Aristófanes), y en Roma, la farsa atelana (Plauto, Terencio). En la E. Med. se escenificaron obras litúrgicas y juglarescas. El renacimiento de las representaciones basadas en fuentes clásicas tuvo su cuna en Francia e Italia. Al mismo tiempo apareció un t. de temática nacional (Lope de Vega). En el t. isabelino ing. destacaron Marlowe y Shakespeare. Grandes autores del barroco fueron Racine, Molière, Calderón, los hermanos Bibiena; y del romanticismo, Goethe, V. Hugo, Byron, Shelley, Alfieri, Puschkin, Martínez de la Rosa, Hartzenbusch. En la segunda mitad del s. XIX conviven el realismo y el naturalismo (Ibsen, Hauptmann, Gorki, López de Ayala, Ventura de la Vega, Tamayo y Baus, Galdós). En el s. XX, junto a la revitalización de la pantomima y del music-hall, aparece el simbolismo (Barrault, Marcel Marceau), el antinaturalismo (Andreiev, Blok, D'Annunzio, Yeats, Synge, Eliot, García Lorca), el «teatro del teatro» de Pirandello, el expresionismo (Strindberg, Capek, O'Neill, T. Williams), el épico (B. Brecht, Piscator), la tragedia (A. Miller, M. Frisch, Dürrenmatt, J. Osborne) y el surrealista (Jarry, Artaud, Genet). Dentro de una amplia tendencia coinciden el «t. del pánico» (Arrabal), el «t. del absurdo» (Adamov, Ionesco, Beckett), las teorías de Grotowski y el «t. de la provocación» del *Living Theatre*.

TEBAICO, CA adj. Relativo a Tebas.

TEBAIDA Parte meridional del ant. Egipto; cap. Tebas. En sus desiertos se refugiaron los primeros cristianos que huían de las persecuciones.

TEBANO, NA adj. y s. De Tebas.

TEBAS Ant. c. del Alto Egipto, sit. junto al Nilo. En el s. XVII a. C. pasó a ser la cap. de Egipto. El máx. apogeo le correspondió con la XVIII dinastía. Destruida por los asirios (s. XII a. C.), post. sufrió invasiones de persas, rom. y ár. • *(Thevai)* C. de Grecia, en Boecia, de la que fue ant. cap.; 18 700 hab. Se cree fundada por el fenicio Cadmo. Lideró la liga Boecia. Su máx. poderío militar se sitúa en la época de Epaminondas. Destruida por Alejandro Magno.

TEBEO, A adj. y s. Tebano. • m. Revista infantil de historietas cuyo asunto se desarrolla en series de dibujos. • Sección de un periódico en la cual se publican historietas gráficas de esta clase.

TECA f. Árbol de la familia verbenáceas, propio de las Indias orientales, cuya madera se usa en ebanistería y en la construcción de embarcaciones. • Cajita donde se guarda una reliquia. • *Bot.* Célula en que están encerradas las esporas de algunos hongos.

TECALI m. *Méx.* Alabastro oriental de colores muy vivos, propio de Tecali de Herrera (Puebla).

TECHADOR m. El que se dedica a techar.

TECHAR tr. Poner techo a un edificio.

TECHIALOYAN, *códices* Serie de pictografías nahuas de los ss. XVI-XVII, que contienen datos geográficos e históricos.

TECHO o **TECHADO** m. Parte superior de un edificio, que lo cubre y cierra, o de cualquiera de sus estancias. • Parte interior de la cubierta, superficie que cierra en lo alto una habitación o espacio cubierto. • fig. Casa, habitación o domicilio.

TECHOTLALA, TECHOLLALA o **TECHOTLAZATZIN** Rey de los chichimecas de Texcoco (ss. XI V-XV), hijo y sucesor de Quinatzin. Dividió el reino en principados y mejoró las técnicas agrícolas, por lo que se le cita como «el que consolidó la tierra».

TECHUMBRE f. Techo de un edificio. • Conjunto de la estructura y elementos de cierre de los techos.

TECLA f. Cada una de las piezas que sirven para poner en movimiento, al ser pulsadas por los dedos, las palancas que hacen sonar los cañones del órgano o las cuerdas del piano u otros instrumentos y mecanismos. • fig. Materia o cuestión delicada, que debe tratarse con cuidado.

TECLADO m. Conjunto de teclas del piano, órgano u otro instrumento o mecanismo.

TECLEAR intr. Mover las teclas. • fig. y fam. Tamborilear, dar golpes con los dedos a manera del que toca las teclas. • tr. fig. y fam. Intentar o probar diversos medios para conseguir algo. ■ TECLEO.

TECNECIO m. *Quím.* Elemento químico de símb. Tc y n. a. 43, que no se encuentra en la naturaleza. Es un elemento de transición de carácter metálico y todos sus isótopos son radiactivos.

TECNICISMO m. Calidad de técnico. • Conjunto de voces técnicas empleadas en un arte, ciencia, oficio, etc. • Cada una de estas voces.

TÉCNICO, CA adj. Perteneciente o relativo a las aplicaciones y resultados prácticos de las ciencias y las artes. • Díc. de las palabras o expresiones empleadas exclusivamente, y con sentido distinto del vulgar, en un arte, ciencia, oficio, etc. • m. El que posee conocimientos especiales en una ciencia o arte. • f. Conjunto de procedimientos de que se sirve una ciencia o arte. • Pericia o habilidad para aplicar esos procedimientos. ■ TECNICIDAD.

Tegucigalpa. Vista parcial de la plaza de Morazán con la catedral al fondo

TECNICOLOR m. Castellanización de *Technicolor*, procedimiento de invención norteam. (1914) que permite reproducir en la pantalla cinematográfica el color de los objetos.

TECNOCRACIA f. *Pol.* Forma de gobierno cuyas teorías propugnan que la dirección política y económica de los Est. sea función de especialistas, con el objeto de maximizar la gestión.

TECNOLOGÍA f. Conjunto de los conocimientos técnicos y científicos aplicados a la industria. • Tratado de los términos técnicos. • Lenguaje técnico de una actividad, ciencia o arte. ■ TECNOLÓGICO, CA.

TECOL m. *Méx.* Gusano que se cría en el maguey.

TECOLOTE (voz náhuatl) *Guat.*, *Hond.* y *Méx.* Ave nocturna estrígida, parecida al búho. • m. *Amér. Centr.* Color pardo ceniciento, como el que con los años toman las telas negras.

TECOMÁN C. de México, en el est. de Colima; 32 000 hab. Sit. cerca de la desembocadura del r. Armería. Agricultura. Pesca. Turismo.

TECOMATE m. *Amér. Centr.* Especie de calabaza de cuello estrecho y corteza dura de la cual se hacen vasijas. • Esa clase de vasijas. • *Méx.* Vasija de barro, a manera de taza honda.

TECORRAL m. *Méx.* Albarrada, pared de piedra seca.

TECPANECA o **TEPANECA** adj. y s. Díc. del pueblo amerindio que vivía en el SO del valle de México.

TECTITA f. Cuerpo rocoso de color negruzco, semejante a un canto rodado de superficie rugosa, compuesto principalmente de sílice.

TECTOGÉNESIS f. Conjunto de procesos orogénicos, magmáticos y metamórficos que modifican la estructura de la corteza terrestre.

TECTÓNICO, CA adj. Realtivo a los edificios u otras obras de arte. • *Geol.* Relativo a la tectónica. • f. *Geol.* Ciencia que estudia las deformaciones de las rocas de la corteza terrestre y las estructuras que se originan. Se distinguen dos tipos de t. : una de pliegues (rocas plásticas), y otra de fallas (rocas rígidas). • **de placas.** *Geol.* Teoría geológica que intenta explicar de manera integral los fenómenos de la dinámica de la corteza terrestre. La base de la teoría es la expansión continua de los fondos oceánicos; la litosfera se forma en las dorsales oceánicas y la superficie terrestre se puede considerar como un puzzle de varias placas litosféricas grandes y pequeñas que se deslizan sobre la plástica astenosfera.

TECTONITA f. *Miner.* Roca peridotítica muy rica en magnesio que se encuentra en la parte inferior de los complejos ofiolíticos. Las t. contienen olivino, ortopiroxeno y cromita, como mineral accesorio.

TECTOR, TECTRIZ adj. *Bot.* Que protege. • *Zool.* Cada una de las plumas que cubren y protegen la cola de un ave.

TECTOSILICATO m. *Min.* Silicato con estructura formada por tetraedros enlazados entre sí para formar un retículo tridimensional caracterizado por el radical SiO_2. Al grupo de los t. pertenecen los feldespatos.

TECUCIZTÉCATL Dios nahua de la Luna. Se le representa por un caracol.

TECUHTLI m. *Amér.* Jefe nahua.

TEDERO m. Soporte de hierro para las teas.

TEDÉUM m. → Te Deum.

TEDIAR tr. Sentir tedio por algo o alguien.

TEDIO m. Repugnancia. • Gran aburrimiento.

TEDIOSO, SA adj. Fastidioso, enfadoso.

TEESIDE Agl. urb. de Gran Bretaña, al NE de Inglaterra, junto al estuario del Tees; 395 500 hab. Centro industrial.

TEFARI Bantio o **TEFERI Benti** (1921-1977) Militar y político etíope. Presid. del Consejo de la Revolución (1974), fue ejecutado en 1977 acusado de contrarrevolucionario.

TEFE m. *Col.* y *Ecuad.* Tira o jirón de piel o de tela. • *Ecuad.* Cicatriz en la cara.

TEFLÓN m. Material plástico obtenido por polimerización del tetrafluoretileno. Es muy resistente a los ácidos, álcalis y disolventes, y tiene propiedades mecánicas y dieléctricas.

TEFRITA f. *Miner.* Roca efusiva básica compuesta por una plagioclasa básica, un piroxeno augítico y un feldespatoide, nefelina o leucita.

TEGENARIA f. Araña de patas largas, muy común en graneros y bodegas.

TEGUA m. *Col.* Curandero.

TEGUCIGALPA C. y cap. de Honduras y del dpto. de Francisco Morazán; 585 686 hab. Se extiende sobre los cerros Sipide, Berrinche y Grande, y está atravesada por el r. Choluteca. Centro comercial de una rica región agrícola e imp. núcleo industrial (metalúrgica, papel, calzados, alimentaria). Su desarrollo se debió a la explotación de las minas de plata. Cap. desde 1880.

TEGUMENTO m. *Bot.* y *Zool.* Tejido o sistema hístico que recubre y protege a los animales y vegetales o bien a algunos de sus órganos. Constituye una barrera continua ante la invasión de microorganismos y la posible perturbación del equilibrio interno por los factores físicos y químicos del medio. Participa en la fisiología de la absorción de las substancias (oxígeno) y de la eliminación de los residuos. ■ TEGUMENTARIO, RIA.

TEHERÁN *(Tehran)* C. y cap. de Irán; 5 734 000 hab. Centro comercial e industrial. En 1979 fue el pral. escenario de la rev. que derrocó a la dinastía Pahlevi. • **Conferencia de T.** La celebrada entre Churchill, Roosevelt y Stalin (29 noviembre-2 diciembre 1943) durante la II Guerra Mundial para examinar los planes bélicos conjuntos.

TEHUACÁN Mun. de México, en el est. de Puebla; 107 100 hab. Economía agropecuaria. Carbón, plomo y plata. Ind. alimentarias.

TEHUANTEPEC Río de México, en el est. de Oaxaca; 335 km. Nace en la sierra Madre del Sur y desemboca en el Pacífico. • **Istmo T.** Nombre del estrechamiento existente en territorio mex., entre el golfo de Campeche y el de Tehuantepec.

TEHUELCHE adj. y s. Díc. del pueblo amerindio que vivía al S de la Pampa arg. Junto con los ona, forman el grupo patagón. Los actuales gauchos son el resultado del mestizaje de t. y blanco.

TEIDE Volcán de la isla de Tenerife (Canarias), el pico más elevado de España (3 718 m).

TEILHARD de Chardin, ***Pierre*** (1881-1955) Paleontólogo, arqueólogo y filósofo fr. Según él, todo lo existente evoluciona hacia la unión con Dios. *El fenómeno humano, El futuro del hombre, La aparición del hombre.*

TEILLIER, ***Jorge*** (nacido 1935) Poeta chil. La sobriedad y el intimismo caracterizan su obra. *Para ángeles y gorriones, Muertes y maravillas, Pueblos fantasmas.*

TEÍNA f. Alcaloide del té.

Tebas. Templo funerario de Ramsés II

Sistema **tegumentario.** Escamas córneas tuberculares en la cabeza de un camaleón

El volcán **Teide**

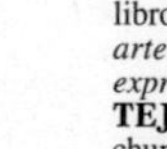

TEÍSMO m. Creencia en un Dios personal, creador y conservador del mundo. ■ TEÍSTA.

TEITELBOIM, *Volodia* (nacido 1916) Escritor y político chil. Dirigente comunista. *Hijo del salitre.*

TEIXEIRA de Pascoães, *Joaquim* (1879-1952) Escritor port. *Siempre* y *Tierra prohibida* son sus libros de poesía más representativos. En prosa: *El arte de ser portugués* y *El genio portugués en su expresión filosófica.*

TEJA f. Pieza de barro cocido para cubrir las techumbres. • Cada una de las dos hojas de acero que envuelven el alma de la espada. • *Mar.* Concavidad semicircular que se hace en un palo para ajustar o empalmar otro cilíndrico. • **A toca t.** m. adv. fam. En dinero contante, sin dilación en la paga.

TEJADA Sorzano, *José Luis* (1881-1938) Político bol. Ministro de Hacienda (1917). Presid. de la rep. (1934-1936). Derrocado por el golpe de Est. de Busch.

Estructura de los distintos tipos de **tejido** muscular. De arriba abajo, liso estriado y cardíaco

TEJADILLO m. Tejado pequeño. • Tapa o cubierta de la caja de un coche.

TEJADO m. Parte superior del edificio, gralte. cubierta por tejas. • *Min.* Afloramiento que forma la parte alta de los filones metalíferos.

TEJAMANÍ o **TEJAMANIL** m. *Cuba, P. Rico* y *Méx.* Tabla delgada cortada en listones, con que se forman los techos de las casas.

TEJANO, NA adj. Relativo al est. de Texas, en EE UU. • adj. y s. De ese est. • pl . Cierta clase de pantalones bastos de algodón.

TEJAR m. Sitio donde se fabrican tejas, ladrillos y adobes. • tr. Poner tejas en la cubierta de un edificio.

TEJAROZ m. Alero del tejado. • Tejadillo que cubre una puerta o ventana.

TEJEDA, *Luis de* (1604-1680) Poeta arg. Influido por Góngora. Autor del soneto «A santa Rosa de Lima». *Libro de varios tratados y noticias.*

TEJEDERA f. Tejedora. • Escribano del agua, especie de araña.

TEJEDOR, RA adj. Que teje. • adj. y s. fig. y fam. *Amér.* Intrigante, enredador. • m. y f. Persona que tiene por oficio tejer. • m. Insecto hemíptero, muy ágil en sus desplazamientos por la superficie del agua.

TEJEDOR, *Carlos* (1817-1903) Político arg. Gobernador de Buenos Aires, dirigió la lucha contra el presid. Avellaneda (1880).

TEJEDURÍA f. Arte de tejer. • Taller o lugar en que están los telares y trabajan los tejedores.

TEJEMANEJE m. fam. Afán, destreza con que se hace una cosa. • fam. Manejos enredosos para algún asunto turbio.

Tejo

TEJER tr. Formar la tela en el telar entrelazando en él la trama y la urdimbre. • Entrelazar hilos, espartos, etc., para formar trencillas, esteras u otras cosas semejantes. • Formar ciertos animales articulados sus telas y capullos. • fig. Componer, ordenar y colocar con método y disposición una cosa. • fig. Discurrir, tramar algo. • fig. *Chile* y *Perú.* Intrigar, enredar. ■ TEJEDURA.

TEJERÍA f. Tejar, sitio donde se fabrican tejas, ladrillos y adobes. ■ TEJERO.

TEJIDO m. Disposición de los hilos de una tela. • Cosa tejida. • *Bot.* y *Zool.* Agrupación de células animales o vegetales, especializadas para realizar una misma función. • **adiposo.** El formado por células que contienen en su protoplasma una voluminosa gota de grasa o bien muchas gotitas de grasa dispersas en el mismo. • **glandular.** Tejido de tipo epitelial formado por células caracterizadas por su gran actividad metabólica, que se disponen limitando tubos, ácinos y vesículas, o bien en masas, protegidas por t. conectivo, regidas por nervios y alimentadas por vasos sanguíneos. • **linfático.** El formado por un estroma, en parte celular y en parte fibroso, y numerosas células, la mayoría de las cuales son linfocitos. • **mioepitelial.** Tipo especial de t. epitelial, formado por células prismáticas unidas por su polo mundial y ensanchadas por el polo basal, que contiene en su interior multitud de fibrillas contráctiles parecidas a las de las células musculares. • **muscular cardíaco.** T. muscular con fibras que parecen intermedias entre la t. musculares estriado y liso, de contracción rápida pero involuntaria y de fisiología autónoma. • **muscular estriado.** T. muscular con fibras en las que las fibrillas contráctiles se disponen paralelamente y presentan unas estriaciones formadas por bandas isótropas y anisótropas. • **muscular liso.** T. muscular con fibras que carecen de estriación y que están conectadas al sistema nervioso periférico; son, por consiguiente, de contracción involuntaria y lenta.

Tejón

TEJO m. Pedazo redondo de teja que sirve para jugar. • Chito, juego. • Plancha metálica gruesa y de figura circular. • Pedazo de oro en pasta. • Cospel para acuñar monedas. • *Mec. apl.* Tejuelo para encajar en él el gorrón de un eje. • Árbol de la familia taxáceas, cuyas hojas se emplean en medicina popular. Las semillas tienen propiedades narcóticas.

TEJOCOTE m. *Méx.* Planta rosácea que da un fruto amarillo, parecido a la ciruela.

TEJOLETA f. Pedazo de teja. • Cualquier pedazo de barro cocido. • Tarreña, castañuela de barro.

TEJÓN m. Tejo, pedazo de oro en pasta. • Mamífero carnívoro de la familia mustélidos. Su pelo se usa para fabricar pinceles.

TEJONERA f. Madriguera de tejones.

TEJUELA f. Teja pequeña. • Tejoleta, pedazo de teja o de barro cocido. • Cada uno de los dos fustes de la silla de montar.

TEJUELO m. Tejo pequeño. • Etiqueta de piel o de papel para poner un rótulo. • *Mec. apl.* Pieza donde se apoya el gorrón de un árbol. • *Vet.* Hueso corto y muy resistente, que sirve de base al casco de las caballerías.

TEL AVIV o **TEL AVIV-YAFO** C. de Israel, en la desembocadura del Yarkon, a orillas del Mediterráneo; 339 800 hab (1 000 300 hab. la agl. urb.). Ind. metalúrgica, textil, química.

TELA f. Obra hecha de muchos hilos que, entrecruzados alternativa y regularmente en toda su longitud, forman como una hoja o lámina. • Obra semejante a ésta, pero formada por series alineadas de puntos o lazaditas hechas con un mismo hilo. • Lo que se pone de una vez en el telar. • *Biol.* Membrana, tejido de forma laminar de consistencia blanda. • Sitio cerrado dispuesto para lides públicas u otros espectáculos o fiestas. • Flor o nata que se forma en la superficie de algunos líquidos. • Túnica que cubre algunas frutas bajo la cáscara o corteza. • Tejido que forman la araña común y otros animales de su clase. • Nubecilla que se empieza a formar sobre la niña del ojo. • fig. Enredo, maraña o embuste. • fig. Asunto o materia. • fig. En lenguaje vulgar, dinero, caudal. • fam. *R. de la Plata.* Himen.

TELAMÓN m. *Arq.* Atlante, cada una de las estatuas que sostienen un arquitrabe.

TELAR m. *Ing.* Máquina para tejer. • Parte superior y no visible del escenario . • Aparato en que los encuadernadores cosen los pliegos. • *Arq.* Parte del espesor del vano de una puerta o ventana, más próxima al paramento exterior de la pared.

TELARAÑA f. Tela que forma la araña. • fig. Cosa sutil de poca entidad. ■ TELARAÑOSO, SA.

TELDE Mun. de España, en la prov. de Las Palmas, en la isla de Gran Canaria; 84 389 hab.

TELECÁMARA f. *Ing.* Aparato con el que se efectúa la toma de televisión, que permite la transducción de la escena a señal de vídeo. Los vehículos espaciales, sondas lunares e interplanetarias usan t. miniaturizadas muy perfeccionadas.

TELECOMUNICACIÓN f. Tipo de comunicación telegráfica, telefónica o radiotelegráfica entre una estación transmisora y otra receptora sit. a gran distancia.

TELECONTROL m. Procedimiento para controlar a distancia una magnitud de un sistema.

TELESCOPIA f. Procedimiento para la transmisión a distancia de copias de un documento.

TELEDIARIO m. Noticias informativas emitidas por televisión.

TELEDINÁMICO, CA adj. Que transmite a distancia una fuerza o un movimiento.

TELEDIRIGIR tr. Dirigir un vehículo a distancia, generalmente por servomotores movidos por ondas hertzianas. ■ TELEDIRIGIDO, DA o TELEGUIADO, DA.

TELEFAX m. Sistema de transmisión de copias de documentos a través de la red telefónica. • Documento recibido por este sistema.

TELEFÉRICO m. Sistema de transporte mediante pequeños vehículos suspendidos en cables aéreos, y guiados asimismo por éstos.
TELEFILME m. Película de cine realizada para ser transmitida por televisión.
TELEFONEAR tr. Comunicar algo por teléfono. • Llamar a alguien por teléfono.
TELEFONEMA m. Despacho telefónico.
TELEFONÍA f. Ciencia que estudia la transmisión de sonidos a larga distancia mediante hilos conductores. • Arte de construir, instalar y manejar los teléfonos. • Servicio público de comunicaciones telefónicas. ■ TELEFÓNICO, CA.
TELÉFONO m. *Ing.* Aparato que, mediante hilos conductores, permite transmitir a distancia la palabra y toda clase de sonidos. Consta de transmisor o micrófono, receptor o auricular, y línea y dispositivos de conmutación. El t. sin hilos, de reciente implantación, consiste en un aparato que enlaza con la línea mediante sistemas de transmisión electromagnética o luminosa. • **móvil** Aparato portátil que permite establecer comunicaciones telefónicas a través de satélites y que no depende para su funcionamiento de la conexión a una red de telefonía por cable. ■ TELEFONISTA.

Vista de **Tel Aviv**

TELEFOTO f. Abrev. de telefotografía.
TELEFOTOGRAFÍA f. Arte de tomar fotografías a distancia mediante impulsos eléctricos. • Fotografía tomada mediante este procedimiento. • Fotografía transmitida a distancia por sistemas electromagnéticos.
TELEGRAFÍA f. Arte de construir, instalar y manejar los telégrafos. • Servicio público de comunicaciones telegráficas. ■ TELEGRÁFICO, CA.
TELEGRAFIAR tr. Manejar el telégrafo. • Transmitir una comunicación por telégrafo.
TELÉGRAFO m. *Ing.* Aparatos y sistemas que sirven para transmitir despachos con rapidez y a larga distancia en forma de señales de cualquier índole. • **marino.** Sistema de combinaciones de banderas u otras señales que usan los buques para comunicar entre sí y con las estaciones de tierra. • **óptico.** El que funciona mediante señales que se ven desde lejos y se repiten de estación en estación. • **sin hilos.** Aquel en que las señales se transmiten mediante ondas hertzianas. ■ TELEGRAFISTA.
TELEGRAMA m. Despacho telegráfico. • Papel que se envía a alguien con el texto de una comunicación telegráfica.
TELEHIDROSCOPÓMETRO m. Aparato para determinar el lugar preciso de las corrientes de agua del subsuelo.
TELELE m. Patatús, soponcio.
TELÉMACO *Mit. gr.* Hijo de Ulises y de Penélope.
TELEMANDO o **TELEDIRECCIÓN** m. Sistema para dirigir una maniobra mecánica desde lejos. • Orden enviada por este sistema.
TELEMANN, *Georg Philipp* (1681-1767) Compositor al. Su producción es extensísima y notable por su expresividad melódica, variedad y frescura. *Pimpinone* y *Don Quijote* (óperas); *Musique de table* (pieza instrumental).
TELEMÁTICA f. *Comp.* Integración de las comunicaciones con el cálculo automático o proceso de datos, produciendo nuevas aplicaciones y servicios para el tratamiento y distribución de la información entre usuarios muy alejados.
TELEMECÁNICO, CA adj. Relativo a la telemecánica. • f. Transmisión de movimientos a distancia mediante una señal emitida por un aparato adecuado.
TELEMEDIDA f. Dimensión transmitida a distancia mediante circuitos de telecomunicación.
TELEMETRÍA f. Técnica de medición de distancias entre objetos lejanos. • *Ing.* Técnica mediante la cual la medida de una magnitud se transmite a distancia para que sea registrada y/o actúe sobre un proceso o sistema.
TELÉMETRO m. *Top.* Aparato para medir, desde un sitio, la distancia que hay hasta otro. ■ TELEMÉTRICO, CA.
TELEENCÉFALO m. Porción anterior del encéfalo de los vertebrados, que se encarga de centralizar y coordinar los estímulos sensoriales que el cuerpo recibe y las respuestas motoras correspondientes.
TELENOVELA f. Novela convertida en telefilme.
TELENQUE adj. *Argent.* Tonto. • *Chile.* Díc. de la persona débil y enfermiza.
TELEOBJETIVO m. Objetivo especial para fotografiar objetos muy lejanos.
TELEOLOGÍA f. *Fil.* Doctrina de las causas finales. ■ TELEOLÓGICO, CA.
TELEÓSTEO adj. y m. *Zool.* Díc. de los peces del superorden teleósteos. • m. pl. Superorden de peces osteíctios, que comprende la mayoría de especies conocidas.
TELEÓSTOMO adj. y m. Taxón que en ciertas clasificaciones de los peces se acepta con valor de clase (Berg) o de subclase (Trewauas y otros).
TELEPATE m. *Hond.* Insecto áptero muy molesto.
TELEPATÍA o **TELESTESIA** f. Percepción de un fenómeno ocurrido fuera del alcance de los sentidos. • Díc. especialmente de la transmisión directa del pensamiento a otra persona. ■ TELEPÁTICO, CA.
TELEQUINESIA o **TELEKINESIA** f. Fenómeno metapsíquico de traslación de objetos sin contacto físico directo ni indirecto con ellos.
TELERA f. Travesaño que sujeta el dental a la cama del arado o al timón mismo y gradúa la profundidad de la labor. • Redil formado con pies derechos y tablas; cada una de las secciones que lo forman. • Cada uno de los dos maderos paralelos que forman las prensas de carpinteros, encuadernadores y otros. • Travesaño de madera con que se enlaza cada lado del pértigo con los largueros de la escalera del carro. • Pan moreno grande y de forma ovalada.
TELESCOPIO m. *Ópt.* Instrumento óptico de gran alcance que se destina a la observación astronómica. ■ TELESCÓPICO, CA.
TELESILLA f. Teleférico destinado al transporte de personas, cuya característica pral. es la de poseer un único cable.
TELESPECTADOR, RA m. o f. **TELEVIDENTE** com. Persona que contempla la televisión.
TELESQUÍ m. Sistema funicular para remolcar a los esquiadores a lo largo de fuertes pendientes.
TELETA f. Hoja de papel secante que se pone sobre un escrito reciente para que no se borre. • Red de cerdas o tela metálica que se pone en las pilas de los molinos de papel para que salga el agua y no el material.
TELETEATRO m. Teatro transmitido por televisión.
TELETEX m. *Electr.* Sistema de transmisión de textos por red telefónica u otra red conmutada.
TELETEXTO m. Servicio de difusión de información mediante canales de televisión, de modo que el receptor es un televisor normal.
TELETIPO o **TELEIMPRESOR** m. *Ing.* Telégrafo que realiza directamente la transmisión de señales por teclado y la recepción en caracteres tipográficos. Existen dos sistemas de t.: en uno se utiliza el código Morse normal de tres posiciones; en el segundo se emplea un código de 5 unidades sincrónico para eliminar las señales de *start* y *stop* y reducir, por tanto, la velocidad y banda de transmisión.
TELETRABAJO m. Actividad laboral que depende de una red de telecomunicaciones y que puede ser realizada a cualquier distancia del centro productor para el que se realiza dicha actividad.

Teleférico

Teléfono móvil

Telesillas

Telescopio

TELEVISAR tr. Transmitir por televisión.
TELEVISIÓN f. Transmisión de imágenes ópticas a distancia, valiéndose de ondas hertzianas.
TELEVISOR m. Aparato receptor de televisión.
TÉLEX (de la expresión ing. *TELeprinter EXchange* o intercambio entre teleimpresores) m. *Ing*. Servicio transmisor de mensajes mecanografiados mediante teletipos. Consta de un transmisor, un receptor y una central dotada de una computadora. • Mensaje transmitido por t.
TELILLA f. Tejido de lana más delgado que el camelote. • Tela o nata que crían algunos líquidos. • Capa delgada y mate que cubre la masa fundida de la plata cuando se copela.

Télex

TELITOQUIA f. *Biol*. Tipo de partogénesis caracterizada por la sola producción de hembras.
TELL (del ár. *tall*, colina) m. En el Próximo Oriente, montículo originado por la superposición de los restos de ant. poblaciones.
TELL Halaf Yacimiento y cultura del N de Siria, correspondiente en su plenitud al calcolítico pleno de Mesopotamia. Cerámica con decoración policromada. • **Hassuna** Yacimiento (N de Irak) y periodo cultural, desarrollado antes del 5 000 a. C., en el neolítico pleno de Mesopotamia.
TÉLLEZ, ***Gabriel*** Nombre real de → Tirso de Molina. • ***Hernando*** (1908-1966) Escritor y periodista col. Autor de ensayos. *Bagatelas, Literatura y sociedad, Confesión de parte.*
TELLIZA f. Sobrecama, colcha o manta.
TELLO, ***Julio C.*** (1880-1947) Antropólogo y arqueólogo per. Fundador del Museo de Arqueología Peruana y del Instituto de Investigaciones Antropológicas. Descubrió la necrópilis preincaica de Paracas. *Origen y desarrollo de las civilizaciones prehistóricas andinas, Viracocha, Paracas.*

Relieve del s. IX a. C. procedente de **Tell Halaf,** representando al heroe legendario Gilgamesh. Museo Arqueológico, Alepo (Siria)

TELLPOCHCALLI (voz náhuatl) m. *Amér*. Lugar donde se iniciaba en el arte militar a los niños aztecas.
TELOFASE f. *Biol*. Fase final de la división del núcleo de las células o cariocinesis.
TELOMA m. *Bot*. Unidad morfológica de las plantas vasculares, que puede ser una rama terminal portadora de un esporangio o la unidad más simple de la planta.
TELÓN m. Lienzo grande que se pone en el escenario de un teatro, de modo que pueda bajarse y subirse. • **de acero.** fam. Expresión utilizada por primera vez en 1946 por W. Churchill para designar el cierre total de fronteras por parte de la URSS y los países socialistas de Europa oriental.
TELONERO, RA adj. y s. Díc. del artista poco importante, que actúa en primer lugar. • Díc. del orador que precede a los demás, en un acto público. • m. y f. El que hace telones o maneja los de un espectáculo.
TELOQUISTÁCEO, A adj. y f. *Bot*. Díc. de plantas de la familia teloquistáceas. • f. pl. *Bot*. Familia de líquenes constituidos por hongos de ascósporas cuadrangulares y cuyos gonidios son algas clorofíceas.
TELOTAXIS f. *Biol*. Taxis a lo largo de la línea entre el animal y la fuente del estímulo.
TELSON m. Segmento terminal del cuerpo de los artrópodos, que se presenta en forma de cola, o modificado de diversos modos.
TELUGU adj. y s. Díc. de los individuos de un pueblo melanohindú que vive en la India, en el golfo de Bengala. • m. Lengua dravídica de este pueblo.
TELÚRICO, CA adj. Relativo a la Tierra como planeta. • Relativo al telurio.
TELURIO o **TELURO** m. *Quím*. Elemento químico de símb. Te, n. a. 52 y p . a. 127,61. Sus propiedades químicas son semejantes a las del selenio y azufre. Se emplea para dar resistencia al plomo y para colorear vidrios artísticos.

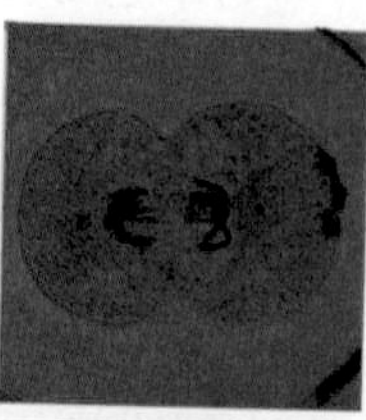
Microfotografía de una célula en el estadio de **telofase**

TELURISMO m. Influencia del suelo sobre los habitantes de un país o de una región.
TELURÓMETRO m. *Electr*. Instrumento para la medida directa de distancias, basado en el principio de la determinación del tiempo empleado por una onda electromagnética en recorrer, ida y vuelta, la distancia que se desea medir.
TEMA m. Proposición o texto que se toma por asunto de un discurso. • Este mismo asunto. • *Gram*. Parte esencial, invariable, de un vocablo, a diferencia de la terminación del sufijo o del prefijo. • *Mús*. Fragmento esencial de una composición con arreglo al cual se desarrolla el resto de ella. • f. Porfía, obstinación. • Idea fija que suelen tener los dementes. • Oposición caprichosa a uno. ■ TEMÁTICO, CA.
TEMACATL (voz náhuatl) m. *Amér*. Piedra donde los aztecas ofrecían sacrificios humaros.
TEMARIO m. Programa, cuestionario.
TEMAZCAL (voz náhuatl) m. *Amér*. Construcción de piedras del México precolombino, donde se tomaban baños de vapor.
TEMBELEQUE m. *Amér. Centr*. Adorno que usan las mujeres en la cabeza. • adj. *Amér. Centr*. Trémulo, vacilante.
TEMBETARI (voz guaraní) m. *Argent*. y *Par*. Árbol espinoso de la familia rutáceas, muy aromático, de madera muy apreciada y frutos con propiedades antihelmínticas.
TEMBLADERILLA m. *Chile*. Planta papilionácea que produce temblor en los animales que la comen.
TEMBLADERO, RA adj. Que retiembla. • m. y f. Tremedal, lugar aguanoso. • f. Acción de temblar. • Vaso ancho, muy fino, de figura redonda, con dos asas a los lados, y un pequeño asiento. • Tembleque, joya. • Torpedo, pez. • Planta gramínea con panoja terminal compuesta de ramitos capilares y flexuosos de los cuales cuelgan unas espigas aovadas. Se cría en Eurasia y África. • *Argent*. Enfermedad que ataca a los animales en ciertos parajes de los Andes. ■ TEMBLADAL; *R. de la Plata*. TEMBLADERAL.
TEMBLADOR, RA adj. y s. Que tiembla, trémulo. • m. y f. Cuáquero.
TEMBLAR intr. Agitarse con movimiento frecuente e involuntario. • Vacilar, moverse rápidamente una cosa a uno y otro lado de su posición. • intr. y tr. fig. Tener mucho miedo, o recelar con demasiado temor una cosa. ■ TEMBLOROSO, SA.
TEMBLEQUE adj. Que tiembla mucho, tembloroso. • m. Temblor. • Persona o cosa que tiembla mucho. • Joya que, montada sobre una hélice de alambre, tiembla con facilidad.
TEMBLEQUEAR o **TEMBLETEAR** intr. fam. Temblar con frecuencia. • fam. Afectar temblor.
TEMBLÓN, NA adj. fam. Temblador, que tiembla. • m. Álamo temblón.
TEMBLOR m. Movimiento involuntario, repetido y continuado. • *Amér*. Terremoto. • **de tierra.** Terremoto.
TEMBO, BA adj. *Col*. Aturdido.
TEMER tr. Sentir temor de alguien o algo. • Recelar de algo, sospechar. ■ TEMEDERO, RA; TEMEDOR, RA; TEMIBLE.
TEMERARIO, RIA adj. Imprudente, que se expone a los peligros. • Que se dice, hace o piensa sin fundamento. ■ TEMERIDAD.
TEMERÓN, NA adj. y s. fam. Díc. de la persona que afecta valentía y esfuerzo infundiendo miedo a un tiempo.
TEMEROSO, SA adj. Que causa temor. • Medroso, cobarde, irresoluto. • Que recela un daño.
TEMIN, ***Howard Martin*** (nacido 1934) Microbiólogo norteam. Premio Nobel de Medicina en 1975 con Baltimore y Dulbecco por sus descubrimientos sobre el papel del ARN vírico en la síntesis del ADN.
TEMIS *Mit. gr*. Diosa de la Justicia, hija de Urano y de Gea, esposa de Zeus.
TEMÍSTOCLES (h. 525-h. 460 a. C.) Político ateniense. Activó el potencial naval de Atenas y fue el inspiradorde una serie de reformas constitucionales. Mandó la flota que derrotó a los persas en Salamina.
TEMNOCÉFALO, LA adj. y m. *Zool*. Díc. de los animales de la clase temnocéfalos. • m. pl. *Zool*. Clase de platelmintos que comprende un grupo de animales que viven en la superficie del cuerpo y en la cavidad branquial de crustáceos de agua dulce.
TEMOR m. Miedo, sentimiento de inquietud o incertidumbre. • Presunción o sospecha. • Recelo de un daño futuro.
TEMOSO, SA adj. Tenaz, porfiado.
TEMPANAR tr. Colocar témpanos o tapas a las colmenas, cubas, etc. ■ TEMPANADOR.
TÉMPANO m. Timbal, instrumento músico. • Atabal, especie de tambor. • Piel extendida del pandero, tambor, etc. • Pedazo de cualquier cosa dura,

TELEVISIÓN

1. En la televisión en blanco y negro, sobre la placa colectora de una cámara de televisión las partes claras y oscuras de la imagen captada se transforman en señales eléctricas de intensidad variable. Estas señales llegan al receptor, donde se transforman en imágenes sobre la pantalla fluorescente al incidir sobre ésta un haz de electrones de intensidad variable que la barre guiado por bobinas deflectoras.

2. y 3. En la televisión en color, la luz que entra en la cámara es descompuesta en tres radiaciones (roja, verde y azul), y cada una de ellas incide sobre una placa colectora distinta, donde es transformada en señal. Las tres señales se reúnen en una señal de luminancia y una de crominancia, que son separadas de nuevo en el receptor, el cual posee tres cañones electrónicos que disparan un haz cuya intensidad depende de la señal, roja, azul o verde. Detrás de la pantalla se encuentra una rejilla perforada y la pantalla está recubierta de un mosaico de puntos de fluorescencia que se iluminan en rojo, verde o azul.

4. Interior de unos modernos estudios de televisión.
5. Durante la realización de un programa de televisión, se trabaja con varias cámaras, siendo el realizador quien, desde la sala de control, selecciona cual de ellas debe transmitirse en cada momento.
6. Antenas de televisión en una estación repetidora.
7. La señal de televisión emitida por la antena emisora de los estudios es captada por estaciones repetidoras, que la amplifican y reemiten. Esta señal reemitida es la que captan las antenas tipo Yagi de los receptores de los particulares.

Icono de madera pintada al **temple** (s. XIV)

extendida o plana. • Hoja de tocino, quitados los perniles. • Tapa de cuba o tonel. • Corcho redondo que sirve de tapa y cierre a una colmena. • *Arq.* Tímpano de un frontón.

TEMPERADO, DA adj. *Amér.* Templado.

TEMPERAMENTAL adj. Relativo al temperamento. • De carácter vivo y propenso a reacciones exageradas. • Irascible y arbitrario.

TEMPERAMENTO m. Aspecto de la personalidad dependiente especialmente de factores constitucionales de cada persona. • Método de afinación de los instrumentos músicos de teclado, en el que se supone igualdad en los semitonos. • *Col.* Clima.

TEMPERANTE adj. y s. Que tempera. • m. *Amér.* Abstemio.

TEMPERAR tr. y prnl. Atemperar. • tr. *Med.* Templar o calmar el exceso de acción o de excitación orgánicas. • intr. *Col.* Mudar de aires. ■ TEMPERACIÓN; TEMPERANCIA.

TEMPERATURA f. Nivel térmico de un cuerpo o sustancia. • Temperatura de la atmósfera. • Temperatura del cuerpo humano o de los animales. • **absoluta.** La definida por lord Kelvin a través de la expresión T (t. absoluta) = t (t. centígrada) + 273. • **crítica.** La t. máxima en que pueden coexistir las fases líquida y gaseosa de un fluido.

TEMPERIE f. Estado de la atmósfera, según los diversos grados de calor o frío, sequedad o humedad.

TEMPERO m. Buena sazón de la tierra para las sementeras y labores.

TEMPESTAD f. Perturbación del aire con nubes gruesas de mucha agua, granizo, truenos, rayos y relámpagos. • Perturbación de las aguas del mar por la violencia de los vientos. • fig. Conjunto de palabras ásperas o injuriosas dichas con gran enojo. • fig. Alteración violenta del ánimo de una persona. • **magnética.** Perturbación violenta y súbita del campo magnético terrestre por la influencia de chorros de partículas cargadas procedentes del Sol, que al llegar a la Tierra alteran el estado eléctrico de la atmósfera. ■ TEMPESTUOSO, SA.

TEMPESTEAR intr. Descargar la tormenta. • fig. y fam. Echar pestes, manifestar enojo grande.

TEMPESTIVO, VA adj. Oportuno. ■ TEMPESTIVIDAD.

Templo dórico de la Concordia, en Agrigento, Sicilia

TEMPISQUE m. *Amér. Centr.* Árbol frutal de la familia sapotáceas.

TEMPLA f. *Pint.* Solución de agua con cola fuerte para desleír y dar fijeza a los colores de la pintura al temple.

TEMPLABILIDAD f. Cualidad de un metal que permite templarlo en un mayor o menor espesor.

TEMPLADO, DA adj. Moderado, contenido y parco en la comida o bebida o en algún otro apetito o pasión. • Que no está frío ni caliente, sino en un término medio. • Tratándose del estilo, medio. • fam. Valiente con serenidad. • *Amér.* Enamorado.

TEMPLADOR, RA adj. y s. Que templa • m. Llave o herramienta para templar ciertos instrumentos. • *Col.* El que maneja los fondos en los trapiches y hace la panela. • *Perú.* Especie de refugio colocado en el centro de las plazas de toros.

TEMPLANZA f. Virtud cardinal que consiste en sujetar a razón los apetitos y el uso de los sentidos. • Sobriedad y continencia. • Agradable temperatura climática. • *Pint.* Armonía de los colores.

TEMPLAR tr. Moderar o suavizar la fuerza de una cosa. • Calentar ligeramente una cosa. • Dar a un metal, al cristal u otras materias el punto de dureza o elasticidad que requieren para determinados usos. • Poner en tensión adecuada una cosa. • fig. Mezclar una cosa con otra para suavizar y corregir su actividad. • fig. Moderar la cólera o enojo. • *Mar.* Proporcionar las velas al viento. • *Mús.* Disponer un instrumento de manera que pueda producir con exactitud los sonidos que le son propios. • *Pint.* Disponer la pintura de modo que no desdigan los colores. • *Col.* y *Ecuad.* Derribar a alguien. • *Ecuad.* y *Perú.* Matar. • intr. Empezar a calentarse una cosa. • prnl. fig. Evitar el exceso en una materia. • *Chile* y *Col.* Enamorarse. • intr. y prnl. *Ecuad.*, *Guat.* y *Hond.* Morirse. ■ TEMPLADERO; TEMPLADURA.

Tenca

TEMPLARIO m. Caballero de la orden religioso-militar del Temple, fundada en 1119 por Hugues de Payns. Su función fue la de defender los Est. latinos de Oriente. En el s. XII se extendió por la península Ibérica y participó en la Reconquista. La orden fue suspendida por el papa Clemente V en 1312.

TEMPLE m. Temperie. • Temperatura de los cuerpos. • Punto de dureza o elasticidad que se da a un metal, al cristal, etc., templándolos. • fig. Calidad del genio, y natural apacible o áspero. • fig. Arrojo, valentía. • fig. Medio término o partido que se toma entre dos cosas. • *Mús.* Disposición y acuerdo armónico de los instrumentos. • *Chile* y *Col.* Enamoramiento. • **Al t.** m. adv. Díc. de la pintura hecha con colores vivos, preparados con sustancias gelatinosas. ■ TEMPLISTA.

TEMPLE n. p.m. Orden de los templarios.

TEMPLE, *Shirley* (nacida 1928) Actriz cinematográfica norteam. Ya era una popular actriz infantil en los años 30. *Ojos cariñosos, La pequeña coronela.*

TEMPLÉN m. Pieza del telar que sirve para regular el ancho de la tela que se va tejiendo.

TEMPLETE m. Armazón pequeña que sirve para cobijar una imagen. • Pabellón o quiosco.

TEMPLO m. Edificio o lugar destinado públicamente al culto. • fig. Lugar real o imaginario en que se rinde culto al saber, la justicia, etc.

TEMPO (voz it.) m. *Mús.* Velocidad de interpretación. • Cada uno de los diversos movimientos de una composición musical.

TÉMPORA f. *Rel.* Tiempo de ayuno prescrito por la Iglesia católica en el comienzo de cada una de las cuatro estaciones del año.

TEMPORADA f. Espacio de varios días, meses o años que se consideran aparte formando un conjunto. • Tiempo durante el cual se realiza habitualmente alguna cosa.

TEMPORAL adj. Relativo al tiempo. • Que dura por algún tiempo. • Secular, profano. • Que pasa con el tiempo, que no es eterno. • *Med.* Relativo a la sien. • adj. y m. *Med.* Díc. de un hueso par de la parte lateral del cráneo, comprendido entre el occipital (por detrás), los parietales (por arriba) y el esfenoides (por delante). • m. *Meteor.* Movimiento atmosférico violento a menudo acompañado de descargas eléctricas y de precipitaciones.

TEMPORALIDAD f. Calidad de temporal o secular. • Condición de lo que existe en el tiempo.

TEMPORALIZAR tr. Convertir lo eterno en temporal.

TEMPORERO, RA adj. y s. Díc. de la persona destinada temporalmente a un oficio o empleo.

TEMPORIZADOR m. Dispositivo electrónico que permite el retraso en la emisión de una señal.

TEMPORIZAR intr. Acomodarse al gusto o parecer ajeno por respeto o por conveniencia. • Ocuparse en alguna cosa por mero pasatiempo.

TEMPRANO, NA adj. Adelantado, anticipado o que es antes del tiempo regular u ordinario. • m. Sembrado o plantío de fruto temprano. • adv. tiempo. En las primeras horas del día o de la noche. • En tiempo anterior al oportuno, convenido o acostumbrado para algún fin. ■ TEMPRANERO, RA.

TEMU m. *Chile.* Árbol de madera muy dura de la familia mirtáceas.

TEMUCO C. de Chile, cap. de la región de la Araucania y de la prov. de Cautín; 239 700 hab. Centro comercial e industrial.

TENA o **TENADA** f. Tinada, cobertizo.

TENA C. de Ecuador, cap. de la prov. de Napo; 7 873 hab. Punto de acceso al sector centro-norte de la Amazonía ecuat. Ganadería y turismo.

TENACEAR tr. Arrancar la carne con tenazas. • Torturar cruelmente. • intr. Insistir o porfiar con pertinacia y terquedad en una cosa.

TENACIDAD f. Calidad de tenaz. • Resistencia de un material a la rotura por tracción. • fig. Empeño, obstinación para conseguir una cosa.

TENACILLAS o **TENAZUELAS** f. pl. Tijeras para despabilar las velas o el candil. • Instrumento a propósito para tener cogido el cigarrillo al tiempo de fumarlo. • Tenaza pequeña de muelle para coger terrones de azúcar, dulces y otras cosas. • Instrumento, a manera de tenaza pequeña para rizar el pelo. • Pinzas para arrancarse el vello o el pelo.

TENÁCULO m. *Cir.* Instrumento en forma de aguja, encorvado por uno de sus extremos, que se emplea para sostener las arterias que deben ligarse.

TENAYUCA Ant. cap. de la cultura precolombina chichimeca, sit. en la actual localidad mex. hom. Adquirió imp. con Xólotl, quien edificó la pirámide de la c., acabada por los aztecas. Aunque la cap. fue trasladada a Texcoco, la c. sobrevivió hasta finales de la época azteca.

TENAZ adj. Que se pega a una cosa y es difícil de separar. • Que opone mucha resistencia a romperse o deformarse. • fig. Firme, terco en un propósito.

TENAZA f. Instrumento de metal, compuesto de dos brazos trabados por un clavillo o eje. Sirve para sujetar fuertemente una cosa, arrancarla o cortarla. Se usa más en pl. • Instrumento de metal, compuesto de dos brazos paralelos enlazados en uno de sus extremos por un muelle semicircular y que por el otro tienen forma propia para coger la leña o el carbón de las chimeneas u otras cosas. Se usa más en pl. • Último artejo de las patas de algunos artrópodos, como el cangrejo y el alacrán, que sirve como órgano prensor, pinza. • fig. Par de cartas con las cuales se hacen precisamente dos bazas en algunos juegos de naipes, esperando quien las tiene que venga el juego a la mano. ▪ TENAZAZO.

TENAZADA f. Acción de agarrar con la tenaza. • Ruido que produce la tenaza al manejarla. • fig. Acción de morder fuertemente.

TENAZÓN (***A***, o ***De***) m. adv. Al golpe, sin fijar la puntería. • fig. De pronto, sin haberlo preparado.

TENCA f. Pez osteíctio de la familia ciprínidos, de carne blanca y sabrosa, que vive en aguas dulces. • *Argent.* y *Chile.* Pájaro, especie de alondra. • fig. y fam. *Chile.* Mentira, filfa.

TENDAI-SHU Secta budista mahayana, nacida en China y extendida a Japón. Su fundador, Chih-kai (531-597), se basó en doctrinas importadas de la India.

TENDAL m. Toldo o cubierta. • Lienzo recio, usado para que caigan en él las aceitunas cuando se recogen. • En algunas partes, tendero. • Conjunto de cosas tendidas para que se sequen. • *Argent.* Lugar cubierto en donde se esquila el ganado. • *Argent., Chile* y *Perú.* Multitud de cosas de la misma especie. • *Argent., Chile* y *Perú.* Tendalera. • *Chile.* Tienda en que se venden tejidos ordinarios, arreos, etc. • *Cuba* y *Ecuad.* Espacio soleado donde se pone el café para que se seque al sol. • *Ecuad.* Armazón o barbacoa usada en las haciendas para asolear las almendras de cacao.

TENDALERA f. fam. Desorden de las cosas que se dejan tendidas en el suelo.

TENDALERO m. Lugar donde se tiende.

TENDEDERO o **TENDALERO** m. Sitio o lugar donde se tiende una cosa. • Dispositivo de alambres, cuerdas, etc., donde se tiende la ropa.

TENDEDOR, RA m. y f. Persona que tiende. • m. *Chile.* Tendedero.

TENDEJÓN o **TENDAJO** m. Tienda pequeña o barraca mal construida; cobertizo.

TENDEL m. Cuerda que se tiende horizontalmente entre dos renglones verticales para sentar con igualdad las hiladas de ladrillo o piedra. • Capa de mortero o de yeso que se extiende sobre cada hilada de ladrillos.

TENDENCIA f. Fuerza que impulsa un cuerpo en una dirección. • Propensión o inclinación psicológica hacia determinados fines o maneras de obrar. ▪ TENDENCIOSO, SA.

TENDER tr. Desdoblar, extender. • Esparcir por el suelo una cosa. • Extender la ropa mojada para que se seque. • Colocar, construir o suspender una cosa que se apoyará en dos o más puntos. • Alargar o extender. • Propender a algún fin o a una manera de obrar. • *Constr.* Revestir paredes o techos con una capa delgada de cal, yeso o mortero. • intr. Tener una cualidad o característica muy aproximada a otra claramente distintiva. • prnl. Tumbarse a la larga. • Presentar el jugador todas sus cartas, en la persuasión de ganar o de perder seguramente. • Extenderse en la carrera el caballo. • Encamarse las mieses. • fig. y fam. Descuidarse o abandonar la solicitud de un asunto por negligencia. • **la cama.** *Amér. Centr.* Hacer la cama. ▪ TENDEDURA; TENDENTE.

TÉNDER m. Carruaje que se engancha a la locomotora de vapor y donde se lleva el combustible y agua necesarios para alimentarla.

TENDERETE m. Cierto juego de naipes. • fam. Tendalera. • Puesto de venta por menor, instalado al aire libre.

TENDERO, RA m. y f. Dueño de una tienda. • Persona que vende por menor.

TENDIDO, DA adj. Aplícase al galope del caballo o a la carrera violenta del hombre o de cualquier animal. • m. Acción de tender, de suspender una cosa apoyada en dos o más puntos. • Gradería descubierta y próxima a la barrera en las plazas de toros. • Porción de encaje que se hace sin levantarla del patrón. • Conjunto de ropa que cada lavandera tiende. • Masa hecha panes, para que se venga antes de meterla en el horno. • Parte de un tejado desde el caballete al alero. • Capa delgada de cal, yeso o mortero que se tiende en paredes o techos. • *Col., Ecuad.* y *Méx.* Ropa de cama.

TENDÓN m. Estructura fibrosa que une los músculos a los huesos o a otros órganos. • En el caballo y otros animales, parte de los tendones flexores del pie, que pasa por detrás de la caña. • **de Aquiles.** *Anat.* El grueso y fuerte, que en la parte posterior e inferior de la pierna une el talón con la pantorrilla. ▪ TENDINOSO, SA.

Tenderetes

TÉNE, ***La*** Pob. de Suiza en la que se hallaron objetos de hierro atribuidos a una cultura celta de los ss. III-II a. C. Ha dado nombre al segundo periodo de la E. del Hierro.

TENEBRARIO m. *Rel.* Candelabro triangular, con pie muy alto y con 15 velas, que se encienden en los oficios de tinieblas de Semana Santa.

TENEBRIO m. Insecto coleóptero de color pardo negruzco y cuerpo alargado. Suele desarrollarse y vivir en la harina. Es fotófobo.

TENEBRISMO m. Corriente pictórica caracterizada por fuertes contrastes de claroscuro. Iniciada por Caravaggio, se propagó por Europa en el s. XVII.

Tenebrismo. *David vencedor de Goliat,* óleo de Caravaggio. Museo del Prado, Madrid

TENEBROSO, SA adj. Oscuro, cubierto de tinieblas. • fig. Sombrío, tétrico. • fig. y fam. Turbio, poco claro. ▪ TENEBROSIDAD.

TENEDERO m. Paraje del fondo marino donde puede afirmarse el ancla.

TENEDOR m. El que tiene o posee una cosa. • El que posee legítimamente una letra de cambio u otro valor endosable. • Utensilio de mesa, con dos o más púas iguales para llevar alimentos sólidos a la boca. • **de libros.** Persona que tiene a su cargo los libros de contabilidad de un comercio o industria. ▪ TENEDURÍA.

TENENCIA f. Ocupación y posesión de una cosa. • Cargo u oficio de teniente. • Oficina en que lo ejerce. ▪ TENIENTAZGO.

TENER tr. Asir o mantener asida una cosa. • Poseer y gozar. • Contener o comprender en sí. • Poseer, dominar o sujetar. • Guardar o cumplir lo prometido. • Hospedar o recibir en su casa. • Poseer, estar adornado o abundar en una cosa o en una cualidad. • Estar en precisión de hacer una cosa u ocuparse de ella. • Construido con algunos nombres de tiempo, emplear, pasar algún espacio de él en un lugar o sitio, o de cierta manera. • Con la conjunción *que* y el infinitivo de otro verbo, denota la necesidad, precisión o determinación de hacer lo que el infinitivo significa. Se usa también con la preposición *de* en la primera persona del presente de indicativo y, por lo regular, sólo se emplea en son de amenaza. • Construido con algunos nombres, hacer o padecer lo que el nombre significa. • Con los nombres que significan tiempo, expresa la duración o edad de las cosas o personas de que se habla. • tr. y prnl. Mantener, sostener. • Detener, parar. • Juzgar, reputar y entender. Se usa con la preposición *por* seguida de adjetivo o sustantivo que contenga calificación. • Construido con la preposición *en* y los adjetivos *poco, mucho* y otros semejantes, estimar, apreciar. • intr. Ser rico y adinerado. • prnl. Afirmarse o asegurarse uno para no caer. • Asentarse un cuerpo sobre otro. • Resistir o hacer oposición a uno en riña o pelea. • Atenerse, adherirse, estar por uno o por una cosa. • Como verbo auxiliar, haber.

TENERÍA f. Curtiduría.

TENERIFE Isla de España, la mayor de las Canarias (prov. de Santa Cruz de Tenerife); 1 928 km²,

Tenerife. Vista del puerto de Santa Cruz

500 000 hab. Cap., Santa Cruz. C. prales.: La Laguna, Puerto de la Cruz. Accidentada por el Teide (3 718 m) y la cord. Dorsal. Clima templado. Plátanos, patatas, hortalizas, caña de azúcar, tabaco. Pesca. Ind. alimentaria. Refino de petróleo. Turismo.

TENESMO m. Deseo continuo, doloroso e ineficaz de defecar u orinar.

TENG Hsiao-ping (1904-1997) Político chino. Tras la proclamación de la Rep. Popular fue primer ministro y viceprimer ministro. Llevó a cabo la ruptura con el maoísmo y una política de modernización económica. Ha sufrido diversas purgas y rehabilitaciones. Pragmático y proclive a un mayor acercamiento a Occidente. En 1977 fue restituido en sus ant. cargos. Aunque en 1990 renunció a todos sus cargos, fue el auténtico árbitro del régimen hasta su muerte, y lideró la apertura china hacia el capitalismo.

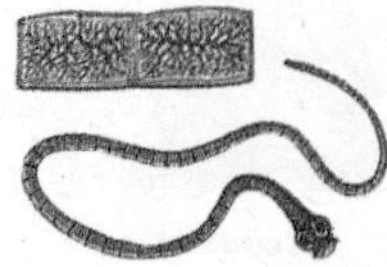

Tenia. Aparato genital repleto de huevos y gusano

TENIA f. Gusano platelminto intestinal de color blanco, en forma de cinta y casi siempre solitario. • *Arq.* Filete, moldura.

TENIASIS f. Parasitosis intestinal causada por la tenia.

TENIENTE adj. Que tiene o posee una cosa. • Aplícase a la fruta no madura. • fam. Algo sordo. • fig. Miserable y escaso. • m. El que ejerce el cargo o ministerio de otro, y es como sustituto suyo. • *Mil.* Oficial cuyo empleo es el inmediatamente inferior al de capitán. Ejerce normalmente el mando de sección. • **coronel.** Jefe cuyo empleo es inmediatamente inferior al de coronel. • **general.** Oficial general de categoría superior a la del general de división e inferior a la de capitán general.

TENIENTE, ***El*** Yacimiento cuprífero de Chile, en la región del Libertador General Bernardo O'Higgins, a 3 km de la localidad de Sewell. Es uno de los prales. centros mineros del país.

El rey bebe, óleo de David **Teniers** el Joven. Museo del Prado, Madrid

TENIERS, ***David,*** llamado EL VIEJO (1582 -1649) Pintor flam., autor de obras religiosas y mitológicas. • ***David,*** llamado EL JOVEN (1610-1690) Pintor flam., uno de los máx. representantes de la pintura del s. XVII. *Fiesta campestre, Banquete de aldeanos, Bebedores, Verbena, Tiro de pichón, Libros y globo celeste, Tentaciones de san Antonio Abad.*

TENÍFUGO, GA adj. y m. Díc. del medicamento eficaz para la expulsión de la tenia.

TENIS (ing. *tennis*) m. Deporte consistente en lanzar con una raqueta una pelota de una a otra parte de un terreno rectangular, dividido por una red. Intervienen dos o cuatro personas. • Terreno o campo para este deporte. • **de mesa.** Deporte parecido al anterior, practicado sobre una mesa con paletas y una pelota de celuloide. ■ TENISTA; TENÍSTICO, CA.

Tenis. Golpe de revés

TENÍU m. *Chile.* Árbol saxifragáceo, de corteza medicinal, cuya madera se usa en construcciones.

TENNESSEE Est. del centro-este de EE UU; 109 152 km^2, 4 877 000 hab. Cap., Nashville. C. prales.: Memphis y Knoxville. Accidentado por las estribaciones de los Apalaches y la meseta del Cumberland. R. prales.: Tennessee, Ohio y afl. del Misisipí. Maíz, tabaco, algodón. Explotación forestal. Bovinos. Carbón, hierro, plomo, cinc, cobre. Ind. metalúgica. Electricidad. • Río de EE UU; 1 600 km. Nace en los Apalaches y desagua en el Ohio.

TENNO m. Título que ostentan los emp. de Japón.

TENNYSON, ***Alfred*** (1809-1892) Poeta brit., uno de los más representativos de la época victoriana. *In memoriam, Maud, Los idilios del rey, Enoch Arden.*

TENOCH (m. h. 1369) Caudillo mexicano. Probable fundador de Tenochtitlán. Líder militar y religioso, fue sucedido por Acamapichtli.

TENOCHTITLÁN Cap. prehispánica de los aztecas, sit. en una isla del lago de Texcoco. Su nombre completo era México-Tenochtitlán. Fundada h. 1325, fue arrasada por los conquistadores esp. (1519). El *teocalli* (casa del dios) era el centro geométrico de la c., de donde partían los ejes a lo largo de los cuales se fue desarrollando la cap. Las crónicas esp. estimaban que contaba entre 60 000 y 120 000 hogares.

TENOR m. Constitución de una cosa. • Contenido literal de un escrito. • Voz media entre la de contralto y la de barítono. • *Mús.* Persona que tiene esta voz. • **A este t.** m. adv. Por el mismo estilo.

TENORA f. Instrumento músico de viento, de lengüeta doble, mayor que el oboe y con pabellón metálico.

TENORIO m. fig. Galanteador audaz y pendenciero.

TENOSITIS f. *Pat.* Inflamación de un tendón.

TENOTOMÍA f. Corte de un tendón.

TENSAR tr. Poner tensa una cuerda, un cable, etc.

TENSIÓN f. Estado producido en un cuerpo por fuerzas exteriores o interiores. • *Fís.* Sinónimo de fuerza y de presión (en mecánica), y de diferencia de potencial (en electricidad). • Tensión vascular. • Estado de oposición u hostilidad latente entre personas o grupos humanos como naciones, clases, razas, etc. • Estado anímico de excitación, impaciencia, esfuerzo o exaltación producido por determinadas circunstancias o actividades. • En etología, situación que presenta un animal sometido a dos o más estímulos contrapuestos y de fuerza equivalente. A menudo los animales en t. la liberan mediante acciones sustitutivas, es decir, mediante respuestas que no tienen relación alguna con los estímulos que les afectan. • *Fon.* Uno de los tiempos en la articulación de un sonido que sigue a la *intensión* o momento preparatorio y corresponde a la posición exacta de los órganos en la emisión del sonido, tras de la cual éstos se relajan en la *distensión.* • Modo de articulación de los sonidos caracterizado por una mayor duración y nitidez en la emisión de los mismos debida a una mayor rigidez de los órganos. • Tensón. • **arterial.** Presión que ejerce la sangre sobre la pared de las arterias. • **de disolución.** En la electrólisis, presión osmótica de los cationes. • **de extinción.** En un tubo de gas en régimen de descarga luminiscente, la que corresponde al punto en que se produce el descebado del tubo. • **de vapor.** Presión máxima del vapor saturado en presencia del líquido con el cual se halla en equilibrio a aquella temperatura • **superficial.** Fuerza presente en la superficie libre de los líquidos en equilibrio como resultante de la atracción molecular. • **vascular.** La de la pared de los vasos sanguíneos, que resulta de la presión de la sangre circulante y del tono muscular y elástico de las paredes del vaso. • **Alta t.** *El.* Aquel la cuya diferencia de potencial es alta. • **Baja t.** *El.* Aquella cuya diferencia de potencial es baja. ■ TENSO, SA.

TENSOACTIVO, VA adj. Díc. de las sustancias que modifican la tensión superficial de los líquidos.

TENSÓN f. Composición poética de los provenzales, en forma de controversia.

TENSOR, RA adj. y s. Que tensa, origina tensión o está dispuesto para producirla. • m. Dispositivo que intercalado en un cable sirve para tensarlo sin necesidad de desengancharlo. • Rodete accionado por un resorte o contrapeso que se aplica a una correa o cadena de transmisión para tensarla. • *Mat.* Ente abstracto, generalización del concepto de vector, que se expresa asociado a un sist. fijo de referencia en el espacio y que, de acuerdo con determinadas propiedades, se modifica cuando el sist. de referencia sufre alguna transformación geométrica. ■ TENSORIAL.

TENTACIÓN f. Instigación que induce a una cosa mala. • Impulso repentino que excita a hacer una cosa. • fig. Sujeto que induce o persuade.

TENTÁCULO m. Cualquiera de los apéndices móviles y blandos que tienen muchos moluscos, crustáceos, zoófitos, etc., para hacer presa en las cosas. ■ TENTACULADO, DA; TENTACULAR.

TENTADERO m. Corral o sitio cerrado en que se hace la tienta de becerros.

TENTADOR, RA adj. y s. Que tienta. • Que hace caer en la tentación. • m. P. ant., diablo, demenio infernal. • El encargado de picar las reses vacunas en la tienta.

TENTADURA f. Ensayo que se hace del mineral de plata tratándolo con el azogue. • Muestra necesaria para dicho ensayo. • Tiento, zurra.

TENTAR tr. Palpar una cosa. • Examinar por medio del sentido del tacto lo que no se puede ver. • Instigar, inducir. • Intentar o procurar. • *Cir.* Reconocer con la tienta la cavidad de una herida.

TENTATIVO, VA adj. Que sirve para tantear una cosa. • f. Acción con que se intenta o tantea una cosa. • *Der.* Principio de ejecución de un delito que no llega a realizarse.

TENTEMOZO m. Puntal que se aplica a una cosa expuesta a caerse. • Palo que cuelga del pértigo del carro para impedir que éste caiga hacia adelante. • Tentetieso. • Quijera de la cabeza del caballo.

TENTEMPIÉ m. fam. Refrigerio, piscolabis. • Dominguillo, juguete.

TENTENELAIRE com. Hijo o hija de cuarterón y mulata o de mulato y cuarterona. • *Amér.* Descendiente de jíbaro y albarazada o de albarazado y jíbara. • m. *Argent.* Colibrí, pájaro.

TENTETIESO m. Juguete que por medio de un contrapeso recobra siempre la posición vertical.

TENTÓN m. fam. Acción de tentar bruscamente. • adj. *Taur.* Se aplica al caballo que se usa en la tienta.

TENUE adj. Delicado, delgado y débil. • De poca sustancia o importancia. • Dicho del estilo, sencillo. ■ TENUIDAD.

TEÑIR tr. y prnl. Dar a una cosa un color distinto del que tenía. • tr. Comunicar a una cosa cierto aspecto, tono o carácter. • *Pint.* Rebajar o apagar un color con otros oscuros. ■ TEÑIDO, DA; *Amér. Centr.* TEÑIDOR, RA; TEÑIDURA.

TEOBALDO I *el Trovador* (1201-1253) Rey de Navarra [1234-1253]. Conde de Champaña, sucedió a Sancho VII de Navarra. Recopiló las leyes en el *Cartulario Magno* y en el *Fuero general de Navarra.* • **II** (1235-1270) Rey de Navarra [1253-1270] y conde de Champaña, hijo y sucesor del anterior. Participó en la cruzada deTúnez (1270).

TEOBROMA m. Semilla del cacao.

TEOBROMINA f. Alcaloide extraído de las raíces de las plantas del cacao. Se usa en medicina y veterinaria por sus propiedades diuréticas, vasodilatadoras, depresoras y estimulantes del sistema nervioso central.

TEOCALI, o **TEOCALLI,** o **TEUCALLI** m. *Méx.* y *Amér. Centr.* Templo de los ant. aztecas. Tenía la forma de pirámide escalonada en pisos o plataformas, y en su parte superior, totalmente plana, estaba el verdadero templo.

TEOCRACIA f. Sistema de gobierno en el que el poder lo ejerce un representante o encarnación de una divinidad o un personaje divinizado. ■ TEOCRÁTICO, CA.

TEÓCRITO (315-250 a. C.) Poeta gr. Creador de la poesía bucólica. *Idilios.*

TEODICEA f. Teología fundada en principios de la razón.

TEODOLITO m. Instrumento de precisión para medir los ángulos en sus planos respectivos.

TEODOMIRO (m. 570) Rey de los suevos [559-570]. Se convirtió al cristianismo y comenzó el I Concilio de Braga (561). • **T.** o **Todmir o Tudmir** (h. 670-743) Noble visigodo. Tras la invasión musulmana de la pen. Ibérica, pactó con Abd al-Aziz y pudo gobernar en algunas zonas del S de la Comunidad Valenciana, Murcia y E de Andalucía.

TEODORA (h. 500-548) Emperatriz bizantina (527-548). Influyó notablemente en su esposo Justiniano I, con quien colaboró en su labor de gobierno.

TEODORICO I (m. 451) Rey de los visigodos [418-451], sucesor de Valia y aliado de los rom. hasta la muerte de Honorio (423). Junto con Aecio luchó contra Atila. • **II** (m. 466) Rey de los visigodos [453-466]. Asesinó a su hermano Turismundo, a quien sucedió. Intervino en la proclamación de los emperadores rom. Conquistó Braga y Oporto, y Severo le concedió la Narbonense. • **I, *Amalo,*** llamado EL JOVEN O EL GRANDE (h. 454-526). Rey de los ostrogodos de Italia [493-526]. Situó la cap. en Ravena, se rodeó de eruditos que mantenían viva la civilización rom. (Casiodoro, Boecio) y mandó construir gran número de obras públicas.

La **tensión superficial** del agua permite a este zapatero caminar sobre ella sin hundirse

TEODORO I, *Láscaris* (m. 1222) Emp. bizantino de Nicea [1208-1222]. Defendió Constantinopla frente a la cuarta cruzada. Se instaló en Nicea y se apoderó de Nicomedia. • **II, *Ducas Láscaris*** (1222-1258) Emperador bizantino de Nicea [1254-1258], sucesor de Juan III Ducas Vatatzes. Combatió a los búlgaros, al déspota Epiro y a los turcos. • ***Ángelo Ducas Comneno*** (m. d. de 1252) Déspota de Epiro [h. 1215-1230], se apoderó de Tesalónica y se hizo proclamar emp. (1230). Encarcelado por el emp. de Nicea, Juan III. • ***El Ateo*** (s. IV a. C.) Filósofo cirenaico gr. En *Sobre los dioses* negaba la existencia de toda divinidad.

TEODOSIANO, NA adj. Relativo a Teodosio el Grande, o a su nieto Teodosio II.

TEODOSIO I, *el Grande* (h. 347-395) Emp. rom. [379-395]. En 379 fue proclamado augusto y encargado del gobierno de las prov. orientales. Federó a los godos (382). Persiguió a arrianos y maniqueos. Dividió el Imperio entre sus hijos Arcadio (Oriente) y Honorio (Occidente). • **II** (401-450) Emp. de Oriente [408-450], sucesor de Arcadio. Se vio amenazado por las invasiones de los hunos y pagó tributo a Atila.

Teodolito

TEOFAGIA f. Rito primitivo consistente en comer parte de la víctima sacrificada, o un alimento sagrado.

TEOFILANTROPÍA f. Secta religiosa fr. creada por el Directorio (1796). De moral exigente, sólo aceptaba la existencia de Dios y la inmortalidad del alma.

TEOFILINA f. Xantina metilada, presente en las hojas del té, con propiedades parecidas a las de la cafeína.

TEÓFILO OTONI C. de Brasil, en el est. de Minas Gerais; 144 100 hab. Sit. junto al r. Todos os Santos. Centro comercial e industrial.

TEOFRASTO (h. 372-288 a. C.) Filósofo gr., discípulo de Aristóteles. Completó a su maestro en el estudio de la lógica y en la investigación científica (botánica y medicina). *Caracteres éticos.*

TEOGONÍA f. Generación de los dioses del paganismo. ■ TEOGÓNICO, CA.

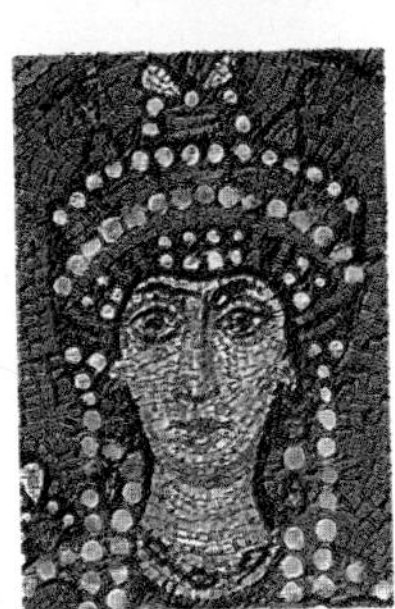

Teodora, representada en un mosaico de s. VI del ábside de San Vital de Ravena, Italia

TEOLOGÍA f. Ciencia que trata de Dios y de sus atributos y perfecciones. ■ TEOLOGAL; TEOLÓGICO, CA; TEÓLOGO, GA.

TEOLOGIZAR intr. Discurrir sobre principios o razones teológicas.

TEOMANÍA f. Manía de creerse Dios.

TEOPASQUITA adj. y s. Díc. del seguidor de la doctrina teológica según la cual, en la pasión, sufrió no sólo Cristo, sino toda la Trinidad. Surgió, en el s. V, en un grupo de monjes escitas guiado por Leoncio.

TEOREMA m. Proposición matemática que afirma una verdad demostrable.

TEORÍA f. Conocimiento especulativo considerado con independencia de toda aplicación. • Serie de las leyes que sirven para relacionar determinado orden de fenómenos. • Hipótesis cuyas consecuencias se aplican a toda una ciencia o a parte muy importante de la misma. • Procesión religiosa entre los ant. griegos.

TEÓRICO, CA adj. Relativo a la teoría. • Que conoce las cosas sólo especulativamente. • f. Teoría, conocimiento especulativo.

Teodosio I en el anverso de una moneda romana

TEORIZAR tr. Tratar un asunto sólo en teoría.
TEOSO, SA adj. Relativo a la tea. • Díc. de la madera que por ser abundante en resina sirve para tea.
TEOSOFÍA f. Doctrina de los que presumen estar iluminados por la divinidad e íntimamente unidos con ella. ■ TEOSÓFICO, CA; TEÓSOFO.

Teotihuacán. Arriba, vista de la Pirámide del Sol tomada desde la Pirámide de la Luna; abajo, escultura de la diosa Chalchiuhtlicue, señora del agua, procedente de esta última pirámide

TEOTIHUACÁN Ant. centro religioso y ceremonial, sit. a 51 km al NE de Ciudad de México.
* *Arqueol.*, *Hist.* y *Arte*. El origen de las gentes de T. es incierto, parece que provenían de la costa del golfo, ya fuesen olmecas, totonacas o mayas. Hacia el 900, T. fue arrasada por los chichimecas. Su período de mayor florecimiento fue el llamado de Xolalpán (III), entre 300 y 650 d. C., cuando todos los palacios y templos estaban ya construidos y la pintura y la cerámica llegaban a un nivel de gran calidad. T. era entonces una gran urbe, con un centro comercial rodeado de construcciones civiles, recorrido por una avenida monumental, la calle de los Muertos. En ella se alzan las pirámides del Sol y de la Luna, el templo de la Agricultura, el grupo Viking, la Ciudadela y el templo de Quetzalcóalt. Entre las pinturas destacan el Tlalocán (paraíso del dios de la lluvia) y los murales del templo de la Agricultura. La cerámica, la estatuaria monumental y el trabajo en piedras duras alcanzaron gran desarrollo.
TEP Siglas de → tomografía de emisión de positrones.
TEPACHE (voz náhuatl) m. *Hond.* Fabricación y venta clandestina de aguardiente. • *Méx.* Bebida hecha de pulque, agua, piña y clavo.
TEPALCATE m. *Méx.* Tiesto, por lo común de barro. Se usa más en pl.
TÉPALO m. *Bot.* Cada una de las piezas que componen los perigonios sencillos.
TEPANECA adj. y s. Díc. del pueblo amerindio del grupo nahua y de la familia lingüística uto-azteca que dominó la cuenca del lago Texcoco (ss. XIII-XV).
TEPATE m. *Amér. Centr.* y *Méx.* Estramonio.
TEPATITLÁN DE MORELOS Mun. de México, en el est. de Jalisco; 78 400 hab. Economía agropecuaria.
TEPE m. Pedazo de tierra cubierto de césped y muy trabado con las raíces de esta hierba, que sirve para hacer paredes y malecones.
TEPEHUÁN, NA adj. y s. Díc. de un pueblo amerindio, del grupo uto-azteca, que vive en las montañas de Durango, Nayarit y Chihuahua. • m. Lengua de este pueblo.
TEPEIZCUINTE m. *C. Rica* y *Méx.* Paca, mamífero.
TEPERETE adj. *Méx.* Atolondrado.
TEPETATE (voz náhuatl) m. *Hond.* y *Méx.* Tierra de un yacimiento donde no se encuentra metal. • *Méx.* y *Nic.* Cierta piedra de color amarillo usada en construcción.
TEPEXPÁN Mun. de México, en el Est. de México. En él aparecieron, en 1947, restos humanos de una antigüedad de unos 10 000 a 12 000 años.
TEPEYOLOTLI Divinidad nahua. Representado como una cueva, se asimilaba a la fuerza vital de montes y lagunas.
TEPIC C. de México, cap. del est. de Nayarit, al pie del volcán apagado de Sangangüey; 305 025 hab. Centro comercial.
TEPONASCLE o **TEPONAZCLE** m. *Méx.* Tambor usado por los indígenas precolombinos, construido con el tronco de un árbol.
TEQUES, *Los* C. de Venezuela, cap. del est. Miranda; 159 400 hab. Sit. en el área residencial de Caracas.

Árbol, flor y fruto de mango, árbol de la familia **terebintáceas**

TEQUICHE m. *Ven.* Manjar compuesto de harina de maíz tostado, leche de coco y mantequilla.
TEQUILA f. *Méx.* Bebida alcohólica que se destila de una especie de agave, el maguey tequilero.
TEQUILA Mun. de México, en el est. de Jalisco; 28 082 hab. Destilerías.
TEQUIO (voz azteca) m. *Amér.* Trabajo personal que se imponía como tributo a los indígenas durante la época de la colonización española.
TEQUIOSO, SA adj. *Amér. Centr.* Muchacho travieso.
TER Río de España; 209 km. Nace en los Pirineos y desemboca en el Mediterráneo.
TERALITA f. Roca intrusiva intermedia compuesta por una plagioclasa labradorítica, un piroxeno augítico y nefelina.
TERAPEUTA com. Persona que profesa la terapéutica.
TERAPÉUTICA o **TERAPIA** f. Parte de la medicina, que se ocupa del tratamiento de las enfermedades. ■ TERAPÉUTICO, CA.
TERATOBLASTOMA m. *Pat.* Teratoma de evolución maligna desarrollado a expensas de células de tipo embrionario.
TERATÓGENO, NA adj. Díc. de las sustancias y de los agentes físicos que pueden producir malformaciones congénitas.
TERATOLOGÍA f. Estudio de las anomalías del organismo animal o vegetal. ■ TERATOLÓGICO, CA.
TERATOMA m. Tumor mixto que se forma en las gónadas femeninas o en otras regiones del cuerpo humano como consecuencia de la actividad partenogenética inicial de los óvulos.
TERBIO m. Elemento químico de símb. Tb, n. a. 65, p. a. 158,924 y valencia 3 y 4, del grupo de los lantánidos.
TERCER adj. Apócope de tercero.
TERCER Mundo *Econ.* y *Pol.* Expresión con que se denomina el conjunto de un gran número de países de Latinoamérica, África y Asia, cuyas economías son subsidiarias del sistema imperialista occidental.
TERCERÍA f. Oficio o cargo de tercero. • Depósito o tenencia interina de un castillo, fortaleza, etc. • *Der.* Derecho que deduce un tercero entre dos o más litigantes, o por el suyo propio, o coadyuvando en pro de alguno de ellos. • *Der.* Juicio en el que se ejercita este derecho. ■ TERCERISTA.
TERCERILLA f. Composición métrica de tres versos de arte menor, dos de los cuales hacen consonancia.
TERCERO, RA adj. y s. Que sigue inmediatamente en orden al o a lo segundo. • Que media entre dos o más personas para el ajuste o ejecución de una cosa buena o mala. • Díc. de cada una de las tres partes iguales en que se divide un todo. • m. y f. Persona que media en los amores ilícitos, alcahuete. • m. El que profesa la regla de la tercera orden de San Francisco, Santo Domingo o Nuestra Señora del Carmen. • Persona que no es ninguna de dos o más de quienes se trata o que intervienen en un negocio de cualquier género. • f. Reunión, en el juego de los cientos, de tres cartas del mismo palo y de valor correlativo. • *Mús.* En algunos instrumentos de cuerda, la que ocupa el tercer lugar a partir de la primera. • *Mús.* Consonancia que comprende el intervalo de dos tonos y medio.
TERCEROLA f. Arma de fuego un tercio más corta que la carabina. • Especie de barril de mediana cabida. • Flauta pequeña.
TERCETO m. Combinación métrica de tres versos endecasílabos. • Tercerilla. • *Mús.* Composición para tres voces o instrumentos. • *Mús.* Conjunto de estas tres voces o instrumentos.
TERCIADO, DA adj. Díc. del azúcar un poco moreno. • m. Espada de hoja ancha y corta. • Cinta algo más ancha que el listón. • Madero de sierra que resulta de dividir en tres partes iguales el ancho de una alfarjía.
TERCIANA f. *Med.* Calentura intermitente que repite al tercer día. • **de cabeza**. *Med.* Cefalea intermitente. ■ TERCIANARIO, RIA.
TERCIAR tr. Poner una cosa atravesada diagonalmente o al sesgo. • Dividir una cosa en tres partes. • Equilibrar la carga repartiéndola por igual a

los dos lados de la acémila. • *Agr.* Dar la tercera reja o labor a las tierras, después de barbechadas y binadas. • *Agr.* Cortar las plantas por una tercia sobre la tierra. • prnl. Venir bien una cosa. Se usa en infinitivo y en las terceras personas. • intr. Mediar para componer algún ajuste o discordia. • Hacer tercio; tomar parte igual en la acción de otros. • Completar el número necesario de personas para alguna cosa.

TERCIARIO, RIA adj. Tercero en orden o grado. • *Arq.* Díc. de cierta especie de arco de piedra que se hace en las bóvedas con cruceros. • Relativo a la era geológica terciaria. • adj. y m. *Geol.* Díc. de la tercera de las grandes divisiones en que se divide la historia geológica de la Tierra posteriormente a los tiempos precámbricos. • m. y f. Persona que profesa una de las órdenes terceras.

TERCIO, CIA adj. Tercero en orden. • m. Cada una de las tres partes iguales en que se divide un todo. • Cada una de las dos mitades de la carga de una acémila, cuando va en fardos. • Cada una de las tres partes en que se divide el rosario. • Parte más ancha de la media que cubre la pantorrilla. • *Cuba.* Fardo de tabaco en rama que pesa aproximadamente un quintal. • *Mil.* Regimiento de infantería española de los ss. XVI-XVII. • pl. Miembros fuertes y robustos del hombre. • f. Tercera parte de una vara. • Segunda de las cuatro partes iguales en que dividían los romanos el día artificial. • Una de las horas menores del oficio divino, la inmediata después de prima. • *Agr.* Tercera cava que se da a las viñas. • **Hacer t.** uno. Tomar parte en alguna cosa; completar el número de los que concurren a ella. • **Principio del t. excluso.** *Lóg.* Uno de los principios fundamentales de la lógica, según el cual dos proposiciones que se oponen contradictoriamente no pueden ser ambas falsas ni ambas verdaderas.

TERCIODÉCUPLO, PLA adj. y m. Que contiene un número tres veces exactamente.

TERCIOPELADO, DA adj. Semejante al terciopelo. • m. Especie de tejido semejante al terciopelo, que tiene el fondo de raso o rizo.

TERCIOPELO m. Tela velluda y tupida formada por dos urdimbres y una trama. • *C. Rica* y *Ven.* Macagua terciopelo. • *Chile.* Planta bignoniácea con hojuelas dentadas.

TERCO, CA adj. Pertinaz, obstinado. • fig. Díc. de lo que es más difícil de labrar que de ordinario en su clase.

TERE adj. *Col.* Llorón.

TEREBINTÁCEO, A adj. y f. Díc. de plantas angiospermas dicotiledóneas, con flores regulares, hermafroditas, agrupadas en cimas o racimos, y frutos en drupa, baya o sámara. • f. pl. Familia de estas plantas. También se denominan anacardiáceas.

TEREBRANTE adj. *Med.* Díc. del dolor que produce sensación semejante a la que resultaría de taladrar la parte dolorida.

TEREBRÁTULA f. Animal braquiópodo, del cual se conocen numerosas especies vivientes y fósiles, cuyo cuerpo está protegido por una concha calcárea de valvas desiguales y articuladas mediante charnela.

TEREFERO m. *Amér. Centr.* y *Merid.* Nombre de varios pájaros de la familia dendrocoláptidos de larga cola, con la que trepan a los árboles.

TERENCIO, *Publio* (190-159 a. C.) Comediógrafo latino. Imitó a los autores gr., acentuando los matices psicológicos de sus personajes. *Andria, Heautontimoroumenos, Hecyra, Phornio, Eunuchus, Adelphoi.*

TERENIABÍN m. Sustancia que fluye de las hojas de un arbusto de Persia y Arabia, y se emplea como purgante.

TEREQUE m. *P. Rico* y *Ven.* Trasto, trebejo.

TERERÉ m. *Argent.* y *Par.* Bebida hecha con la maceración de la yerba mate en agua fría.

TERESA adj. y f. Díc. de la monja carmelita descalza que profesa la reforma de santa Teresa.

TERESA de Calcuta, *Agnes Gonxha Bojaxhiu*, llamada ***Madre*** (1910-1997) Misionera india, de origen albanés. Fundadora de la congregación de las Misioneras de la Caridad. Premio Nobel de la Paz en 1979. • **De Jesús** (1515-1582) Santa. Religiosa y escritora esp. Con san Juan de la Cruz reformó la orden del Carmen. Gran figura de la mística esp. *Libro de su vida* o *Libro de las misericordias de Dios, Libro de las fundaciones, Camino de perfección, Las Moradas o Castillo interior.* • **De Portugal** (h. 1080-1130) Condesa y regente de Portugal [1114-1128]. Recibió el gobierno del condado de Portugal por su matrimonio con Enrique de Borgoña. Depuesta de su cargo de regencia por la nobleza.

TERESHKOVA, *Valentina* (nacida 1937) Cosmonauta sov., primera mujer que realizó un viaje espacial (a bordo de la *Vostok* 6, en junio 1963).

TERESIANO, NA adj. Relativo a santa Teresa de Jesús. • Afiliado a la devoción de esta santa. • adj. Aplícase a la hermana de votos simples, perteneciente a un instituto religioso afiliado a la tercera orden carmelita, y que tiene por patrona a santa Teresa. • f. Especie de quepis usado como prenda de uniforme militar.

TERESINA C. de Brasil, cap. del est. de Piauí, a orillas del Parnaíba; 598 000 hab. Ind. textil, azucarera, de licores, tabacos, etc.

TERGAL m. Nombre registrado de diversas fibras textiles sintéticas de poliéster.

TERGIVERSAR tr. Forzar las razones o argumentos, las palabras de un dicho o de un texto, la interpretación de ellas o las relaciones de los hechos y sus circunstancias. • Trastocar, trabucar. ■ TERGIVERSACIÓN.

TERIO m. Animal del grupo terios. • m. pl. Grupo de mamíferos que incluye todas las especies vivíparas.

TERLIZ m. Tela fuerte tejida con tres lizos.

TERMAN, *Lewis Madison* (1877-1956) Psicólogo norteam. Adaptó y revisó la escala métrica de inteligencia de Binet-Simon. *La medida de la inteligencia, La inteligencia y la escuela de niños.*

TERMAS f. pl. Baños de aguas minerales calientes. • Baños públicos de los antiguos rom. ■ TERMAL.

TERMES m. *Zool.* Insecto social, del orden isópteros, también llamado *hormiga blanca* por la semejanza de sus hábitos con los de las hormigas. En sus nidos (termiteros) conviven varias castas. Las hembras fecundas son las reinas aladas. Los individuos que salen de los huevos pronto se diferencian en castas fecundas y estériles y, dentro de estas últimas, se distinguen las obreras y los soldados. Se alimentan de madera, por lo que son muy perseguidos por el hombre. Su otro gran enemigo son las hormigas.

Teresa de Calcuta

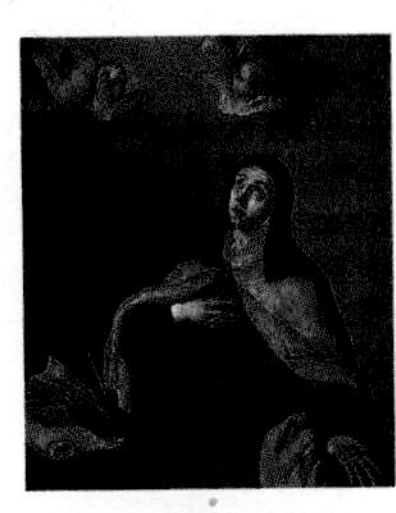

Santa **Teresa de Jesús,** por Ribera. Museo de Bellas Artes, Sevilla (España)

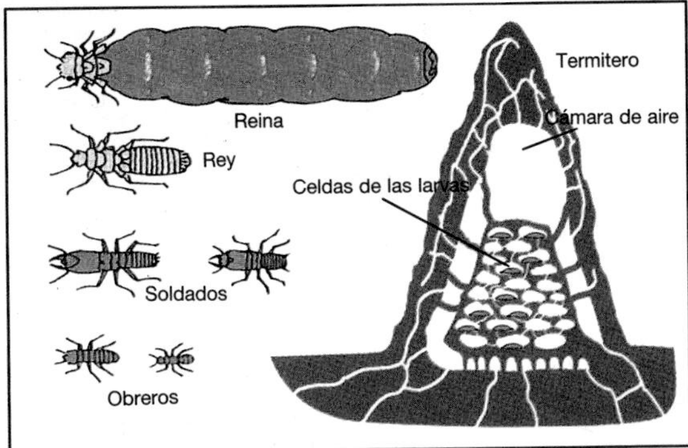

Castas de los **termes** y esquema de un termitero

TÉRMICO, CA adj. Relativo al calor. • **Efecto t.** *Electr.* Fenómeno por el que cualquier conductor, a temperatura superior al cero absoluto (–273 °C), presenta en sus extremos una tensión medio nula, pero de valor instantáneo diferente de cero, dando lugar a un zumbido característico.

TERMIDOR m. Undécimo mes del calendario republicano fr. El 9 termidor del año II de la República (27 julio 1794) los jacobinos terminaron con la política del Terror impuesta por Robespierre. Se utiliza como sinónimo de involución en un proceso revolucionario.

TERMINACIÓN f. Acción y efecto de terminar o terminarse. • Parte final de una obra o cosa. • *Gram.* Letra o letras que forman la desinencia de los vocablos, y también aquella o aquellas que determinan el género y número de las partes variables de la oración. • *Med.* Estado de la naturaleza de un enfermo al entrar en convalecencia. • *Métr.* Letra o letras que determinan la asonancia o consonancia de unos vocablos con otros.

TERMINAL adj. Final, último, y que pone término a una cosa. • *Bot.* Díc. de lo que está en el extremo de cualquier parte de la planta. • m. *Comp.* Sistema compuesto por un teclado, una pantalla, un circuito de control y, algunas veces, un módem, que va conectado a una computadora y se utiliza para introducir datos y extraer resultados de la computadora. • *El.* Borne o hembrilla que se pone en el extremo de un conductor para facilitar las conexiones. • f. Lugar, edificio, etc., que es a un tiempo origen y final de algún servicio de transporte. • **inteligente.** *Comp.* T. que puede trabajar conectado a la computadora de la que es un t. y, por tanto, gobernado por ella, o bien sin conectarse a la computadora, es decir con cierta capacidad de autonomía gracias a los microprocesadores de que dispone. El t. de computadora que al ser desconectado de ésta queda inutilizado se llama *t. no inteligente*.

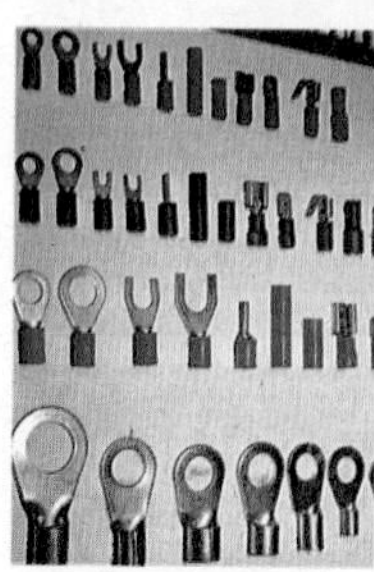

Diversos tipos de **terminales** eléctricos

TERMINANTE adj. Que termina. • Claro, concluyente.

TERMINAR tr. Poner término a una cosa, acabarla. • Acabar, rematar con esmero. • intr. y prnl. Tener término una cosa, acabar. • intr. *Med.* Entrar una enfermedad en su último periodo. • prnl. Ordenarse, dirigirse una cosa a otra como a su fin y objeto.

TERMINATIVO, VA adj. Relativo al término u objeto de una acción. Se usa en la filosofía escolástica.

TERMINISMO m. Tesis filosófica opuesta al realismo en el problema de los universales. Según el t. no existen entidades ni conceptos abstractos.

TERMINISTA com. Persona que usa términos rebuscados.

TÉRMINO m. Último punto hasta donde llega una cosa. • Último momento de la existencia de una cosa. • fig. Límite de una cosa inmaterial. • Mojón, límite o línea divisoria. • Porción de territorio sometido a la autoridad de un ayuntamiento. • Paraje señalado para algún fin. • Tiempo determinado. • Hora, día o punto preciso de hacer algo. • Objeto, fin. • Palabra, expresión. • Estado o situación en que se halla una persona. • Forma o modo de portarse o hablar. Se usa más en pl. • Talle, traza. • *Chile.* Palabra rebuscada o retumbante. • *Arq.* Sostén o apoyo que termina por la parte superior en una cabeza humana. • *Gram.* Cada uno de los dos elementos necesarios en la relación gramatical. • *Lóg.* Aquello dentro de lo cual se contiene enteramente una cosa. • *Lóg.* Cada una de las palabras que sustancialmente integran una proposición o un silogismo. • *Mat.* Cada una de las cantidades que componen un polinomio o forman una razón, una proporción o un quebrado. • *Mús.* Punto, tono. • *Pint.* Plano en que se representa algún objeto en un cuadro. • **medio.** *Mat.* Cantidad que resulta de sumar otras varias y dividir la suma por el número de ellas.

Esquema de un **termo**

TÉRMINO En la ant. religión rom. dios de los límites de las haciendas y las fronteras.

TERMINOLOGÍA f. Conjunto de términos o vocablos propios de determinada profesión, ciencia o materia.

TERMISTOR m. Elemento de un circuito electrónico, formado por una resistencia, cuya resistividad disminuye cuando aumenta la temperatura.

TERMITA f. *Zool.* Termes. • Mezcla de limaduras de aluminio y de óxidos de diferentes metales, que por inflamación produce elevadísima temperatura.

TÉRMITE m. Carcoma, taraza, termes.

TERMITERO m. *Zool.* Nido de termes, formado por una pasta de tierra y heces fecales de los insectos.

TERMO Elemento compositivo que significa *calor, temperatura.* • m. Vasija de dobles paredes, entre las que se ha hecho el vacío, y provista de cierre hermético. Sirve para que las sustancias introducidas en la vasija conserven su temperatura. • fam. Termosifón.

TERMOBIOLOGÍA f. Estudio de los efectos de la energía térmica sobre los organismos vivos y las moléculas biológicas.

Termómetro de serpentín del s. XVII con las señales de la graduación hechas con pequeñas esferas de vidrio. Instituto y Museo de Historia de la Ciencia, Florencia (Italia)

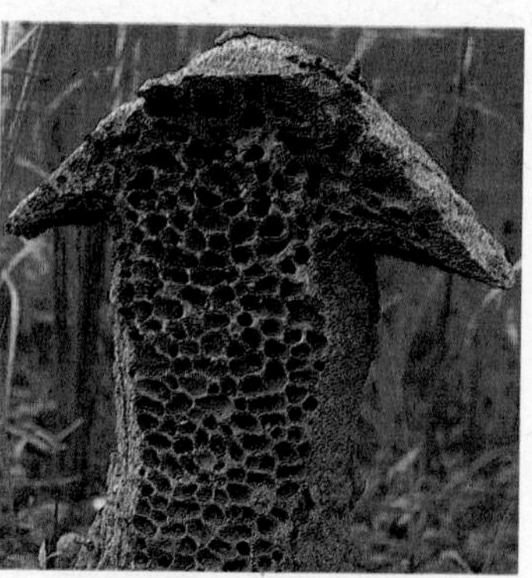

Sección longitudinal de un **termitero**

TERMOCAUTERIO m. *Med.* Instrumento para practicar cauterizaciones ígneas, compuesto de un tallo hueco de platino mantenido incandescente por una corriente gaseosa formada de una mezcla de aire y de vapores hidrocarbonados.

TERMOCEPTOR o **TERMORRECEPTOR** m. *Biol.* Cada uno de los receptores sensitivos de los estímulos térmicos.

TERMOCLINA f. Capa de discontinuidad que en los mares y en los lagos profundos separa la capa superior, de agua más cálida, de la parte inferior, más fría.

TERMODIFUSIÓN f. Fenómeno de difusión que se produce en el seno de un gas cuando existe un gradiente de temperatura.

TERMODILUCIÓN f. *Med.* Introducción en un determinado punto de la circulación sanguínea de una sustancia líquida a temperatura inferior a la de la sangre, para determinar las variaciones de temperatura de ésta en un punto situado a distancia de aquel en que se ha efectuado la inyección.

TERMODINÁMICA f. *Fís.* Ciencia que estudia las relaciones entre la energía y los cambios físicos de origen térmico.

TERMOELECTRICIDAD f. Energía eléctrica producida por el calor. • Parte de la electrotecnia que estudia la producción de energía eléctrica por medio del calor.

TERMOELÉCTRICO, CA adj. Relativo a la termoelectricidad. • **Efecto t.** Fenómeno en el que tiene lugar la transformación de energía térmica en eléctrica y viceversa. • **Par t.** Conjunto formado por dos metales en contacto por soldadura cuyo funcionamiento se basa en el efecto Seebeck.

TERMOELEMENTO m. Elemento de un par termoeléctrico.

TERMOESTABLE o **TERMOFRAGUANTE** adj. y m. Que no se altera fácilmente por la acción del calor. • adj. y m. *Quím.* Díc. de los materiales plásticos susceptibles de ser deformados por medio del calor y de la compresión, pero en los que la operación es irreversible.

TERMOFASE f. *Biol.* Primera fase del desarrollo de algunas plantas, que se puede completar total o parcialmente durante la maduración de las semillas si las condiciones de temperatura y humedad son favorables.

TERMÓFILO, LA adj. *Biol.* Díc. de las especies animales o vegetales adaptadas a vivir en lugares cálidos. • Díc. de las bacterias que tienen una temperatura óptima de crecimiento superior a 45 °C.

TERMÓGENO m. Aparato para producir calor por medios físicos.

TERMOGRAFÍA f. *Med.* Método de diagnóstico basado en el registro de las radiaciones infrarrojas emitidas por el cuerpo humano. Permite conocer las diferencias de temperatura entre las distintas partes del cuerpo. • Obtención de imágenes con rayos infrarrojos.

TERMÓGRAFO m. Aparato que registra las variaciones térmicas.

TERMOIÓNICO, CA adj. Relativo a la emisión de electrones provocada por el calor. • **Efecto t.**

Electr. Emisión de electrones por parte de un filamento conductor o semiconductor, por efecto del calentamiento, cuando el filamento está situado en una atmósfera rarificada (a baja presión).

TERMOLÁBIL adj. Que se altera fácilmente por la acción del calor.

TERMOLOGÍA f. Parte de la física que trata del calor. Comprende distintas ramas, como termodinámica, termotecnia y termometría.

TERMOLUMINISCENCIA f. Conversión de la energía calorífica en lumínica.

TERMOMETRÍA f. Parte de la termología que se ocupa del desarrollo de las técnicas de medición de temperaturas.

TERMÓMETRO m. *Fís.* Instrumento utilizado para medir la temperatura.

TERMONA f. *Biol.* Sustancia de tipo hormonal que controla y condiciona la diferenciación de los órganos sexuales en los seres vivos.

TERMONASTIA f. *Biol.* Nastia que responde a un estímulo térmico que no guarda ninguna relación con la dirección de aquél.

TERMONUCLEAR adj. Díc. de la reacción de fusión de los núcleos atómicos que se produce a temperaturas muy elevadas. • **Bomba t.** Bomba de hidrógeno. • **Efecto t.** Fenómeno producido al convertirse la materia en energía, parte de la cual se manifiesta en forma de calor. Es el fundamento de la bomba t.

Termografía de una vivienda que permite apreciar las pérdidas de calor

TERMOPAR m. *Electr.* Par termoeléctrico. • En la técnica del vacío, instrumento que se emplea para medir presiones comprendidas entre 10^{-1} y 10^{-4} torr. Se funda en el efecto Seebeck.

TERMÓPILAS Desfiladero del N de Grecia, en el que un reducido ejército espartano, al mando de Leónidas, mantuvo en jaque largo tiempo a los persas (80 a. C.).

TERMOPLÁSTICO, CA adj. y m. Díc. de los materiales plásticos que pueden ser deformados bajo la influencia del calor y de la compresión, de forma reversible, como los poliestirenos y los polivinilos.

TERMOQUÍMICA f. *Fís.* y *Quím.* Parte de la química física que estudia el desarrollo y la absorción de calor asociados a las reacciones químicas, y en relación con la afinidad química.

TERMORREACTOR m. Chorro que constituye el medio de propulsión reactivo, en el cual el flujo está formado por plasma.

TERMORREGULACIÓN f. *Biol.* Conjunto de mecanismos fisiológicos que permiten al organismo animal mantener un equilibrio entre la cantidad de calor producido y la pérdida o la dispersión del mismo.

TERMOSCOPIO m. Instrumento que indica la igualdad o desigualdad de temperaturas sin determinar su valor numérico.

TERMOSFERA f. Región de la atmósfera terrestre que va desde los 200 a los 500 km de alt., donde la temperatura desciende rápida y definitivamente.

TERMOSIFÓN m. Aparato anejo a una cocina y que sirve para calentar agua y distribuirla, mediante tuberías, por los servicios de la casa. • Aparato de calefacción, a base de agua caliente que circula, entubada, por los locales de un edificio o por elementos de una maquinaria.

TERMOSTATO o **TERMÓSTATO** m. Dispositivo mecánico, eléctrico o electrónico para mantener una temperatura constante en un medio.

TERMOTAXIS f. *Biol.* Taxia frente a estímulos por cambios de temperatura. Puede ser positiva o negativa, según que la respuesta sea hacia la fuente productora del estímulo o bien se aleje de él, respectivamente.

TERMOTECNIA f. Parte de la termología que se ocupa de las aplicaciones técnicas de la termodinámica.

TERMOTROPISMO m. *Bot.* Tropismo por estímulos de temperatura. Puede ser negativo o positivo según se verifique, respectivamente, alejamiento o acercamiento a la fuente estimulante.

TERNA f. Conjunto de tres personas propuestas para que se designe de entre ellas la que haya de desempeñar un cargo o empleo. • Conjunto de tres elementos.

TERNADA f. *Chile.* Terno de chaqueta, chaleco y pantalón.

TERNARIO, RIA adj. Compuesto de tres elementos, unidades o guarismos. • m. Espacio de tres días dedicados a una devoción o ejercicio espiritual.

TERNASCO m. Cordero recental. • Cabrito, cría de la cabra.

TERNE adj. y s. fam. Valentón. • adj. fam. Perseverante, obstinado. • fam. Fuerte, robusto de salud.

TERNEJO, JA adj. *Ecuad.* y *Perú.* Fuerte.

TERNERO, RA m. y s. Cría de la vaca. • f. Carne de este animal. • **recental**. El de leche o que no ha pastado todavía.

TERNERÓN, NA adj. y s. fam. Aplícase a la persona que se enternece con facilidad.

TERNEZA f. Ternura. • Requiebro, dicho lisonjero. Se usa más en pl.

TERNI C. de Italia, cap. de la prov. hom., sit. junto al r. Nera; 111 300 hab. Centro industrial.

TERNILLA f. Cartílago. ■ TERNILLOSO, SA.

TERNO m. Conjunto de tres cosas de una misma especie. • Pantalón, chaleco, y chaqueta hechos de la misma tela. • Conjunto del oficiante y sus dos ministros que celebran una misa mayor. • Vestuario exterior del terno eclesiástico. • Voto, juramento. • *Art. Gráf.* Conjunto de tres pliegos impresos metidos uno dentro de otro.

TERNURA f. Calidad de tierno. • Requiebro, dicho lisonjero.

TERÓFITO, TA adj. y m. *Bot.* Forma etológica de los vegetales que agrupa a las plantas anuales que pasan época desfavorable en estado de reposo embrional.

TERÓPODO, DA adj. y m. Díc. de los grandes saurios bípedos, carnívoros, dotados de fuertes mandíbulas, robustas patas posteriores, tres dedos y garras poderosas. Aparecieron y se desarrollaron en los periodos jurásico y cretácico.

TERPANDRO (ss. VIII-VII a. C.) Poeta y músico gr. Se le atribuye la invención de la lira de siete cuerdas.

TERPENO m. *Quím.* Hidrocarburo orgánico constituido por la polimerización del isopreno. Todos los t. son insolubles en agua y solubles en disolventes orgánicos y se oxidan fácilmente.

TERPSÍCORE Una de las nueve Musas, protectora de la danza y del canto coral.

TERQUEAR intr. Mostrarse terco. ■ TERQUEDAD.

TERRA, *Gabriel* (1873-1942) Político ur. Presid. de la Rep. por el partido colorado, dio un golpe de Est. (1933) y gobernó dictatorialmente hasta 1934. Se hizo prorrogar el mandato hasta 1938.

TERRACOTA f. Escultura de barro cocida.

TERRADAS, *Abdón* (1812-1856) Político y escritor esp., republicano. Formó una junta revolucionaria con Enrique de Borbón (1848). *La explanada: escenas trágicas 1828, Lo rei Micomicó.*

TERRADO m. Sitio de una casa, descubierto y por lo común elevado.

TERRAGNI, *Giuseppe* (1904-1942) Arquitecto it. Promovió un tipo de arquitectura racional, de gusto mediterráneo, interesado pralm. por la volumetría y la plástica. *Casa del Popolo,* en Como.

Detalle de *Leónidas en las* ***Termópilas,*** óleo de David. Museo del Louvre, París

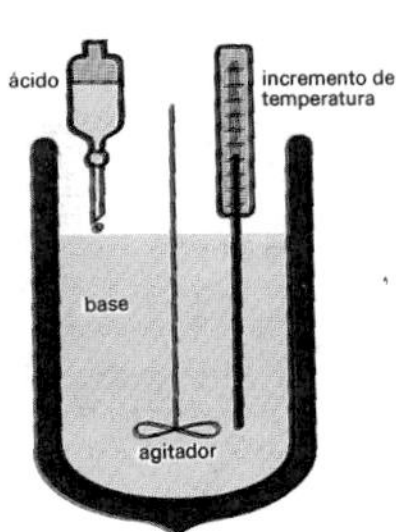

Termoquímica. Esquema de un calorímetro usado para medir el calor desprendido en una reacción ácido-base

Perro de raza **terranova**

Cultivo en **terrazas** en una zona de montaña italiana

Airedale-terrier, perro del grupo de razas **terrier**

TERRAJA f. Tabla guarnecida con una chapa de metal recortada con arreglo al perfil de una moldura, y que sirve para hacer las de yeso, estuco o mortero, corriéndola cuando la pasta está blanda. • Herramienta que sirve para roscar (→ roscado).

TERRAMICINA f. *Med.* Antibiótico bacteriostático de amplio espectro producido por una bacteria estreptomicetácea. Se trata de una oxitetraciclina caracterizada por su escasa toxicidad, aunque su empleo debe evitarse durante el embarazo.

TERRANOVA m. Raza de perro molosoide, de gran talla y pelaje largo y ondulado, habitualmente negro.

TERRANOVA (*Newfoundland*) Prov. del E de Canadá, formada por una parte continental (NE de la pen. del Labrador) y otra insular (Terranova); 405 720 km², 568 000 hab. Cap., Saint John's. La parte continental pertenece al extremo E del escudo canadiense. Abundan los lagos. Clima húmedo y frío. Gran actividad pesquera (bacalao, lenguado, salmón, arenque). Madera. Hierro, cobre, plomo, cinc, amianto, yeso, caliza. Ind. papelera, de la construcción, conservas de pescado. Descubierta en 1497, desde 1949 pertenece a Canadá.

TERRAPLÉN m. Macizo de tierra con que se rellena un hueco, o que se levanta para hacer una defensa, un camino, etcétera. ■ TERRAPLENAR.

TERRÁQUEO, A adj. Compuesto de tierra y agua. Aplícase únicamente a la esfera o globo terrestre.

TERRARIO m. Recinto en el que se mantiene el ambiente adecuado para que puedan vivir en él reptiles, insectos y otros animales.

TERRATENIENTE com. Dueño o poseedor de tierra o hacienda.

TERRAY, ***Joseph Marie,*** llamado EL ABATE (1715-1778) Eclesiástico y político fr. En 1770 formó con Maupeou y D'Aiguillon un «triunvirato». Saneó la hacienda.

TERRAZA f. Depósito aluvial formado en las márgenes de los ríos, al ahondarse el cauce por efecto de la erosión. • Escalón del terreno construido en las laderas de las montañas con el fin de aprovechar el suelo para su cultivo. • Espacio descubierto, levantado del suelo, que hay en jardines y patios. • Terrado, cubierta plana de una casa. • Galería o sitio al aire libre en una casa. • Franja de terreno a lo largo de una pared, para plantas de adorno. • Jarra vidriada con dos asas. • Terreno situado delante de un café, bar, restaurante, etc., acotado para que los clientes puedan sentarse al aire libre.

TERRAZAS, ***Francisco de*** (1549-1585) Poeta mex., hijo de uno de los compañeros de Cortés. Fue elogiado por Cervantes. De su obra sólo se conservan fragmentos del poema épico *Conquista y Nuevo Mundo*.

TERRAZGO m. Pedazo de tierra para sembrar. • Pensión o renta que paga al señor de una tierra el que la labra.

TERRAZO m. Baldosa para pavimentos, formada por tres capas superpuestas y compactas entre sí. • Material que se emplea en dicha labor. • *Pint.* Terreno representado en un paisaje.

TERREAR intr. Dejarse ver la tierra en los sembrados. • *Ecuad.* Arrastrar los pies al andar. • *Guat.* Lamer tierra el ganado.

TERRECER tr. y prnl. Aterrar, causar terror.

TERREMOTO m. Seísmo.

TERRENAL adj. Relativo a la tierra, en contraposición de lo que pertenece al cielo.

TERRENO, NA adj. Relativo a la tierra. • Concerniente a la tierra en contraposición del cielo. • m. Sitio o espacio de tierra. • fig. Campo o esfera de acción en que con mayor eficacia pueden mostrarse la índole o las cualidades de personas o cosas. • fig. Orden de materias o de ideas de que se trata. • *Geol.* Conjunto de sustancias minerales que tienen origen común, o cuya formación corresponde a una misma época. • **Ganar uno t.** fig. Adelantar en una cosa; irse introduciendo con arte, habilidad o gracia para lograr un fin. • **Medir** uno **el t.** fig. Tantear las dificultades de un negocio a fin de poner los medios para vencerlas. • **Reconocer el t.** fig. Reconocer el campo. • **Sobre el t.** fig. En presencia de los lugares de que se trata, y p. ext., de los datos, noticias o referencias de algún asunto. ■ TERRENIDAD.

TÉRREO, A adj. De tierra. • Parecido a ella.

TERRERO, RA adj. Relativo a la tierra. • Díc. del vuelo rastrero de ciertas aves. • Díc. de la caballería que al caminar levanta poco los brazos. • fig. Bajo y humilde. • En algunas partes, díc. de la casa de un solo piso. • adj. y f. Aplícase a las cestas o espuertas que se emplean para llevar tierra. • m. Terrado de una casa. • Montón de tierra o de broza. • Depósito de tierras acumuladas porla acción de las aguas. • Objeto que sirve de blanco. • Especie de plaza pública. • f. Trozo de tierra escarpada desprovista de vegetación. • Ave paseriforme de la familia aláudidos. Se trata de pajarillos pequeños con plumaje pardo y apagado, que anidan en el suelo y prefieren los terrenos áridos y abiertos.

TERRESTRE adj. Relativo a la tierra.

TERRIBLE adj. Digno de ser temido; que causa terror. • Áspero y duro de genio. • Atroz, desmesurado, extraordinario. ■ TERRIBILIDAD.

TERRÍCOLA com. Habitante de la Tierra.

TERRIER m. Grupo de razas de perros, de origen discutido, pero en el que se supone participan los perros sabuesos, el gigantesco perro lobo irlandés, y los dogos y afines.

TERRÍFICO, CA adj. Que amedrenta, pone espanto o terror.

TERRÍGENO, NA adj. Nacido de la tierra.

TERRINO, NA adj. De tierra.

TERRITORIALIDAD f. Consideración especial en que se toman las cosas en cuanto están dentro del territorio de un Est. • Figura jurídica por la cual los buques y los domicilios de los agentes diplomáticos se consideran, dondequiera que estén, como si formasen parte del territorio de su propia nación.

TERRITORIALISMO m. *Biol.* Tipo de comportamiento propio de ciertos animales, por el que se reservan una cierta área como coto de caza, lugar de pasto o zona de cría.

TERRITORIO m. Porción de la superficie terrestre perteneciente a una nación, región, provincia, etc. • Denominación que, en algunos países, reciben ciertas regiones, poco pobladas y con escasas vías de comunicación, que no gozan del mismo régimen político y administrativo que el resto de la nación. • Circuito o término que comprende una jurisdicción, un cometido oficial u otra función análoga. • *Argent.* Demarcación sujeta al mando de un gobernador nombrado por el Gobierno Nacional. ■ TERRITORIAL.

TERRITORIO Británico del Océano Índico (*British Indian Ocean Territory*) Colonia brit. constituida en 1965 con fines militares. Comprende las islas de Aldabra, Farquhar y Desroches y el arch. de Chagos; 221 km². No tiene pob. estable.

TERRITORIO del Norte (*Nothern Territory*) Terr. federado de Australia; 1 346 200 km², 138 900 hab. Cap., Darwin. Accidentado por la cord. de Macdonnell. Ríos Victoria y Rope. Cereales, forrajes. Bovinos, equinos. Uranio, manganeso, plata, bauxita.

TERRITORIOS del Noroeste → Noroeste, Territorio del.

TERRIZO, ZA adj. Hecho de tierra. • Suelo de tierra sin pavimentar. • m. y f. Barreño, lebrillo.

TERRÓN m. Masa pequeña y suelta de tierra compacta. • Masa pequeña y suelta de otras sustancias.

• Residuo que deja la aceituna después de exprimida en los capachos de los molinos de aceite. • pl. Hacienda rústica, tierras labrantías.
TERROR m. Miedo, pavor de un mal que amenaza o de un peligro que se teme. ■ TERRORÍFICO, CA.
TERROR *Hist.* Nombre con el que se conoce el período de la Revolución francesa que sucedió a la caída de los girondinos (junio 1793) y se prolongó hasta los sucesos de → termidor (julio 1794).
TERRORISMO m. Dominación por el terror. • *Pol.* Uso sistemático del terror, mediante actos de violencia o represión, por grupos o regímenes políticos. ■ TERRORISTA.
TERROSO, SA adj. Que participa de la naturaleza y propiedades de la tierra. • Que tiene mezcla de tierra. ■ TERROSIDAD.
TERRUÑO m. Terrón o trozo de tierra. • Comarca o tierra, especialmente el país natal. • Tierra en la que se trabaja y de la que se vive.
TERSAR tr. Poner tersa una cosa.
TERSO, SA adj. Limpio, bruñido. • Liso, sin arrugas. • fig. Tratándose de lenguaje, estilo, etc., puro, limado, fluido ■ TERSURA.
TERTEL m. *Chile*. Capa de tierra muy dura que se halla debajo del subsuelo.
TERTULIA f. Reunión de personas que se juntan habitualmente para conversar o recrearse. • Lugar en los cafés destinado a mesas de juegos. ■ TERTULIANO, NA; TERTULIANTE; TERTULIO, LIA.
TERTULIANO, *Quintus Septimius Florens* (h. 155-h. 220) Apologista y escritor latino cristiano, n. en Cartago. *Apologético, De la carne de Cristo, De la resurrección de la carne.*
TERTULIAR intr. *Amér*. Estar de tertulia.

Mosaico romano confeccionado con **teselas.** Museo de las Termas, Roma

TERUEL Prov. de España en la com. autón. de Aragón; 14 785 km^2, 138 211 hab. Cap., la c. hom. Accidentada por las sierras de Albarracín y de Sant Just y por el macizo de Javalambre. Ríos Jiloca, Turia, Mijares. Remolacha azucarera, patata, trigo, vid. Explotación forestal. Ganadería ovina. Hierro, lignito. Ind. alimentaria. • C. de España, cap. de la prov. hom.; 28 994 hab. Centro administrativo y comercial. Ind. textil, alimentaria, de la construcción. • **Batalla de T**. Ofensiva de la guerra civil esp. (diciembre 1937-febrero 1938), finalmente favorable al ejército nacional.
TERUTERU o **TERO** m. *Amér. Merid.* Zancuda, de plumaje blanco mezclado de negro y pardo.
TERZUELO m. Tercio o tercera parte de una cosa. • Halcón macho.
TESALIA Región natural e histórica de Grecia continental; 14 037 km^2, 695 600 hab. Cereales, vid, olivo y tabaco. Poblada por pelasgos y aqueos, en el s. XII a. C. los dorios se establecieron en ella. Dominada por macedonios, romanos y turcos.
TESÁLICO, CA; TESALIENSE; TESALIO, LIA o **TÉSALO, LA** adj. y s. De Tesalia.
TESALÓNICA, *Reino de* Constituido por el N de Tesalia y Macedonia, con cap. en Salónica, el emp. bizantino Manuel I Comneno lo entregó como feudo a su yerno Raniero de Monferrato (1180). En 1261, quedó integrado en el imperio de Miguel VIII Paleólogo.
TESALONICENSE o **TESALÓNICO, CA** adj. y s. De Tesalónica.
TESAURISMOSIS f. *Pat.* Enfermedad caracterizada por la acumulación de determinadas sustancias en las células de algunos órganos o tejidos. Las t. se clasifican según la sustancia acumulada.

Vista de **Teruel**

TESCHEN Territorio del SE de Silesia perteneciente a Austria de 1772 a 1918. Durante la II Guerra Mundial formó parte de la Gran Alemania. Post. se volvió a las fronteras de entreguerras: la c. de T. a Polonia y el área hullera a Checoslovaquia.
TESELA f. Cada una de las piezas cúbicas de mármol, piedra, etc., con que los antiguos formaban los pavimentos de mosaico. ■ TESELADO, DA.
TESEO Héroe mitológico gr. Entró en el laberinto de Creta y dio muerte al Minotauro.
TÉSERA f. Pieza cúbica o planchuela con inscripciones que los rom. usaban como contraseña, distinción honorífica o prenda de un pacto.
TESIS f. Conclusión, proposición que se mantiene con razonamientos. • Disertación escrita que presenta en la universidad el aspirante al título de doctor en una facultad.
TESITURA f. *Mús.* Altura propia de cada voz o de cada instrumento. • fig. Actitud o disposición del ánimo.
TESLA m. Unidad de inducción magnética en el sistema Giorgi. Su símbolo es T y equivale a 1 weber/m^2.
TESLA, *Nikola* (1857-1943) Físico e ingeniero eléctrico yug., residente en Nueva York desde 1882. Realizó importantes inventos en electrotecnia y radioelectricidad.
TESO, SA adj. Tieso. • m. Cima de un cerro. • Pequeña salida en una superficie lisa.
TESÓN m. Firmeza, constancia, inflexibilidad, tenacidad. ■ TESONERO, RA.
TESONERÍA f. Terquedad, pertinacia.
TESORERÍA f. Cargo u oficio de tesorero. • Oficina o despacho del tesorero. • Parte del activo de un comerciante disponible en metálico o fácilmente realizable.
TESORERO, RA m. y f. Persona encargada de custodiar y distribuir los caudales de una colectividad. • m. Canónigo a cuyo cargo está la custodia de las reliquias y alhajas de una catedral.
TESORO m. Cantidad de dinero, valores u objetos preciosos, reunida y guardada. • Erario de la nación. • Abundancia de caudal guardado y conservado. • fig. Persona o cosa de mucho precio, o digna de estimación. • fig. Nombre dado por sus autores a ciertos diccionarios, catálogos o antologías. • *Der.* Conjunto escondido de monedas o cosas preciosas, de cuyo dueño no queda memoria. • **público.** Parte de la administración estatal que representa financiera y monetariamente el poder público.
TESPÍADES f. pl. Las musas.
TESPIS (h. el s. VI a. C.) Actor y poeta gr. Se le considera creador de la tragedia e inventor de la máscara como elemento dramático.

Brazalete, collar y hebilla procedentes del **tesoro** de El Carambolo, de origen tartésico. Museo Arqueológico de Sevilla, España

Tortuga caja, reptil de la familia **testudínidos**

Tetis *implorando a Júpiter*, óleo de Ingres. Museo Granet, Aix-en-Provence (Francia)

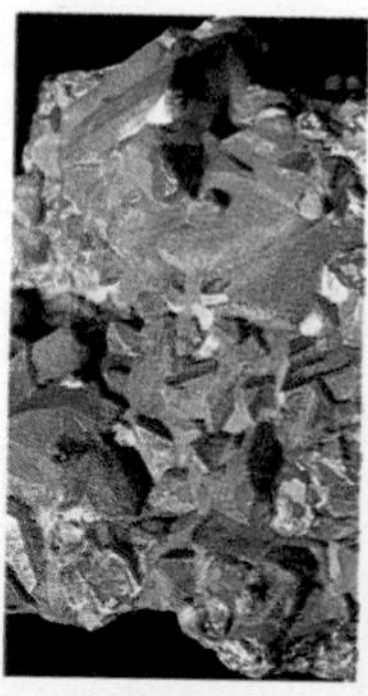

Tetraedrita recubierta de calcopirita

TEST (voz ing.) m. Prueba, examen, experimento. • Conjunto de métodos que permiten valorar o medir una o varias características de un individuo, un grupo, un producto o una máquina.

* El t. es un instrumento clave de la estadística, no sólo para la recogida de datos y la explotación de éstos, sino para corroborar la representatividad de una muestra, la conformidad de los resultados obtenidos con la hipótesis establecida. En psicología, constituye un método de diagnóstico y de descripción psicológica. Se clasifican en: t de capacidad psicosensorial y psicomotriz; t. de carácter y personalidad; t. de desarrollo intelectual y t. de adquisición. Se diferencian por la forma de presentación en verbales y no verbales, individuales o colectivos. Para su aplicación se utilizan cuestionarios, dibujos, objetos y material manipulable. En economía, los t. coyunturales sirven para descubrir las tendencias de la actividad económica, para comprobar la calidad de un producto nuevo o de una máquina. En sociología, para conocer diversas reacciones de la sociedad ante hechos o fenómenos nuevos, para descubrir la opinión pública en torno a un tema de su interés, para establecer la intensidad de relaciones sociales, familiares o de grupo, etc.

TESTA f. Cabeza del hombre y de los animales. • En el hombre y algunos mamíferos, parte superior y posterior de ella. • Frente o parte anterior de algunas cosas materiales. • fig. y fam. Entendimiento, capacidad y prudencia. ■ TESTARAZO.

TESTÁCEO, A adj. y m. Díc. de los animales que tienen concha.

TESTADO, DA adj. Díc. de la persona que ha muerto habiendo hecho testamento, y de la sucesión por éste regida. • f. Golpe dado con la cabeza.

TESTAFERRO o **TESTA de ferro** m. El que presta su nombre en un contrato, pretensión o negocio que en realidad es de otra persona.

TESTAL (voz náhuatl) f. *Méx.* Porción de masa con que se hace una tortilla.

TESTAMENTARÍA f. Ejecución de lo dispuesto en el testamento. • Sucesión y caudal de ella durante el tiempo que transcurre desde la muerte del testador hasta que termina la liquidación. • Junta de los testamentarios. • Conjunto de documentos que atañen al debido cumplimiento de la voluntad del testador. • Juicio, de los llamados universales, para inventariar, conservar, liquidar y partir la herencia.

TESTAMENTARIO, RIA adj. Relativo al testamento. • m. y f. Persona encargada por el testador de cumplir su última voluntad.

TESTAMENTIFACCIÓN f. *Der.* Facultad de disponer por acto de última voluntad o de recibir herencia o legado.

TESTAMENTO m. Declaración que de su última voluntad hace una persona, disponiendo de bienes y de asuntos para después de su muerte. • Documento donde consta en forma legal la voluntad del testador. • Obra en que un autor, en el último período de su actividad, deja expresados los puntos de vista fundamentales de su pensamiento o las principales características de su arte, en forma que él o la posteridad consideran definitiva. • fig. y fam. Serie de resoluciones que por interés personal dicta una autoridad cuando va a cesar en sus funciones. • **Antiguo T.** Libro que contiene los escritos de Moisés y todos los demás canónicos anteriores a la venida de Jesucristo. → Biblia. • **Nuevo T.** Libro que contiene los Evangelios y demás obras canónicas posteriores al nacimiento de Jesús. → Biblia.

TESTAR intr. Hacer testamento. • Atestar, dar con la cabeza. • tr. Tachar, borrar. ■ TESTACIÓN; TESTADOR, RA; TESTADURA.

TESTARADA f. Golpe dado con la testa. • Terquedad, obstinación.

TESTARUDO, DA adj. y s. Obstinado, terco. ■ TESTARRONERÍA; TESTADUREZ; TESTARRÓN, NA.

TESTE m. Testículo. • *Argent.* Grano de consistencia coriácea que sale en los dedos de las manos.

TESTERA f. Frente o principal fachada de una cosa. • Asiento, en un coche, en que se va de frente. • Adorno para la frente de las caballerías. • Parte anterior y superior de la cabeza del animal. • Cada una de las paredes del horno de fundición.

TESTERILLA adj. *Argent.* Díc. de la caballería que tiene una mancha horizontal blanca u overa en la frente.

TESTERO m. Testera. • Trashoguero de la chimenea. • *Min.* Macizo de mineral con dos caras descubiertas, una horizontal inferior y otra vertical.

TESTÍCULO m. *Anat.* Glándula genital masculina. Es un órgano par, ovoide, que en el hombre está alojado en las bolsas escrotales de la parte inferior del abdomen y suspendido del extremo inferior del cordón espermático. En los conductos seminíferos que contiene se realiza la espermatogénesis, cuyo producto final, los espermatozoos, sale hacia el epidídimo. ■ TESTICULAR.

TESTIFICAR tr. Afirmar o probar de oficio una cosa, con referencia a testigos o a documentos auténticos. • Deponer como testigo en algún acto judicial. • fig. Declarar con seguridad y verdad una cosa. ■ TESTIFICACIÓN; TESTIFICAL; TESTIFICATIVO, VA.

TESTIGO com. Persona que da testimonio de una cosa. • Persona que presencia una cosa. • m. Cualquier cosa por la cual se infiere la verdad de un hecho. • Hito de tierra que se deja a trechos en las excavaciones. • Extremo de una cuerda que, para indicar que está entera, se deja sin torcer. • Testículo. • *Biol.* Parte del material viviente destinado a una experimentación, el cual, mantenido en condiciones normales, sirve para determinar por comparación el resultado de las manipulaciones a que se somete la otra parte de dicho material. • En encuadernación, trozo de papel que se deja sin cortar al pie de una hoja para que acuse el tamaño original de los pliegos. • *Dep.* En algunas pruebas de relevo, objeto que el atleta que abandona la prueba debe entregar al que le sustituye. • pl. Piedras que se arriman a los lados de los mojones para señalar la dirección del límite del terreno amojonado.

TESTIGOS de Jehová Secta religiosa norteam. creada por Charles Taze Russell (1872). Creen en el inminente advenimiento de Cristo para establecer el poder de Dios en la Tierra, lo que los fieles han de «atestiguar» oralmente y por escrito.

TESTIMONIAL adj. Que hace fe y verdadero testimonio. • f. pl. Instrumento auténtico que asegura y hace fe de lo contenido en él.

TESTIMONIO m. Atestación o aseveración de una cosa. • Instrumento legalizado en que se da fe de la certeza o impostura de un hecho. • **Falso t.** Falsa atribución de una culpa. • *Der.* Delito que comete el testigo o perito que declara faltando a la verdad en causa criminal o en actuaciones judiciales de índole civil. ■ TESTIMONIAR.

TESTOSTERONA f. *Fisiol.* Hormona sexual masculina de naturaleza andrógena que se forma a partir de la progesterona en las células intersticiales de los testículos.

TESTUDÍNIDO, DA adj. y m. *Zool.* Díc. de los animales de la familia testudínidos. • m. pl. *Zool.* Familia de reptiles quelonios en la que se incluyen la mayor parte de las tortugas terrestres.

TESTUDO m. Máquina militar antigua con que se cubrían los soldados para arrimarse a las murallas y defenderse de las armas arrojadizas. • Cubierta que formaban antiguamente los soldados alzando y uniendo los escudos sobre sus cabezas, para guarecerse del enemigo.

TESTUZ com. o **TESTUZO** m. Parte de la cabeza situada por delante o detrás de los cuernos en los mamíferos bóvidos.

TESURA m. Tiesura.

TETA f. Mama. • Leche que segregan estos órganos. • Pezón de la teta. • fig. Mogote, montículo cónico. • **De t.** loc. adj. Se dice del niño o de la cría de un animal que está en el período de lactancia. ■ TETONA; TETUDA.

TETADA f. Leche que mama el niño cada vez.

TETANIA f. *Pat.* Síndrome caracterizado por temblores musculares, convulsiones y calambres que se producen en los animales desprovistos de glándulas paratiroides, como consecuencia de un aumento de irritabilidad de los músculos y nervios.

TÉTANO o **TÉTANOS** m. Contracción continua de un músculo provocada por una descarga de estímulos nerviosos. • *Pat.* Enfermedad infecciosa causada por una bacteria que se desarrolla favorablemente en tejidos muertos y con poco oxígeno, por lo que prolifera en las heridas profundas. La bacteria del t. se encuentra fácilmente en el suelo y en el estiércol. Es una enfermedad muy grave, que se puede prevenir mediante la vacuna antitetánica y tratando los posibles casos de infección con el suero antitetánico. ■ TETÁNICO, CA.

TETERA f. Vasija con tapadera y un pitorro, para hacer y servir el té. • Tetilla, mamadera. • *Cuba, Méx.* y *P. Rico.* Biberón.

Tetuán. Vista parcial de la ciudad

TETERO m. *Col.* Biberón.

TETILLA f. Cada una de las tetas de los machos en los mamíferos. • Especie de pezón que se pone al biberón para que el niño chupe. • *Chile.* Hierba saxifragácea que tiene los peciolos de las hojas muy abultados, las cuales contienen mucha agua.

TETINA f. Tetilla del biberón.

TETIS *Mit. gr.* Diosa del mar, hija de Urano y de Gea, y esposa de Océano. Personificaba la fecundidad marina.

TETÓN f. Pedazo seco de la rama podada que queda unido al tronco.

TETRABRIK m. Sistema de envasado de productos alimenticios, líquidos o semilíquidos, que consiste en cajas de cartón forrado en su interior con un derivado de aluminio.

TETRACICLINA m. Antibiótico de amplio espectro, activo por vía oral, y de gran tolerancia.

TETRACLORURO m. *Quím.* Combinación del cloro con un elemento tetravalente, como el carbono o el silicio.

TETRACORALARIO m. Celentéreo fósil desarrollado durante el devónico y extinguido a finales de la era paleozoica.

TETRACORDIO m. *Mús.* Serie de cuatro sonidos en que el primero y el último forman un intervalo de cuarta.

TETRACROMÍA f. *Art. Gráf.* Cuatricromía.

TÉTRADA f. Conjunto de cuatro seres o cosas estrecha o especialmente vinculados entre sí. • *Biol.* Conjunto de cuatro cromátidas, que se presenta en la mitosis y meiosis. • *Biol.* Grupo de cuatro esporas que se forma dentro del esporangio de los musgos.

TETRAEDRITA f. *Miner.* Antimoniuro de cobre, que cristaliza en el sist. cúbico, de color gris a negro y brillo metálico. Importante mena de cobre, que puede contener plata.

TETRAEDRO m. *Geom.* Poliedro formado por cuatro caras triangulares; posee seis aristas y cuatro vértices. • **regular.** *Geom.* Aquel cuyas caras son triángulos equiláteros.

TETRAGONAL adj. Relativo al tetrágono. • Que tiene forma de tetrágono. • *Crist.* Díc. de un sist. cristalino caracterizado por la presencia de un eje cuaternario y cuyas formas pueden referirse a una cruz axial constituida por tres ejes perpendiculares entre sí.

TETRÁGONO adj. y s. *Geom.* Cuadrilátero.

TETRAGRAMA m. *Mús.* Renglonadura formada por cuatro rectas paralelas y equidistantes, usada en la escritura del canto gregoriano.

TETRAGRÁMATON m. Palabra compuesta de cuatro letras. • P. ant., nombre de Dios.

TETRALINA f. Nombre comercial de una sustancia que se obtiene industrialmente a partir de la naftalina. Es un excelente disolvente y se emplea como sustituto de la esencia de trementina en la fabricación de barnices y lacas.

TETRALOGÍA f. Conjunto de cuatro obras literarias o líricas que tienen entre sí enlace histórico o unidad de pensamiento. • *Pat.* Lesión cardíaca congénita formada por ciertos defectos de la arteria pulmonar, de la aorta y de los ventrículos. • Ocasiona la llamada enfermedad azul.

TETRÁMERO, RA adj. *Bot.* Díc. del verticilo que consta de cuatro piezas y de la flor que tiene corola y cáliz con este carácter. • adj. y m. *Zool.* Díc. de los insectos coleópteros que tienen cuatro artejos en cada tarso. • m. pl. Suborden de estos insectos.

TETRAODONTIFORME adj. y m. *Zool.* Díc. de los animales del orden tetraodontiformes. • m. pl. *Zool.* Orden de peces actinopterigios que habitan los arrecifes coralinos. A menudo presentan placas óseas o espinas y vivos coloridos.

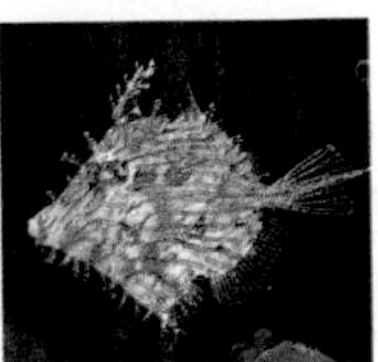

Pez ballesta, perteneciente al orden **tetraodontiformes**

TETRAÓNIDO, DA adj. y m. *Zool.* Díc. de los animales de la familia tetraónidos. • m. pl. *Zool.* Familia de aves galliformes, muy apreciadas como piezas de caza, caracterizadas por sus patas cubiertas de plumas y por una morfología peculiar del pico y de la zona que rodea el ojo.

TETRÁPODO, DA adj. y m. Díc. de los vertebrados que poseen cuatro miembros locomotores, derivados de las aletas de los peces, adaptados al movimiento en tierra firme. Son t. los anfibios, reptiles, aves y mamíferos.

TETRAQUENIO m. *Bot.* Fruto formado por cuatro aquenios que se originan a partir de un ovario dicarpelar.

TETRARCA m. Señor de la cuarta parte de un reino o provincia. • Gobernador de una provincia o territorio. ■ TETRARQUÍA.

TETRASÍLABO, BA adj. De cuatro sílabas.

TETRÁSTROFO m. Estrofa conocida también con el nombre de cuaderna vía; consta de cuatro versos de catorce sílabas con rima consonante. Fue muy usado en la E. Med. por el *mester de clerecía.*

TETRAVALENTE adj. *Quím.* Díc. del elemento o radical cuya valencia es cuatro, como el carbono, silicio, plomo, estaño y platino.

TÉTRICO, CA adj. Triste, deprimente, lúgubre.

TETRODO m. Válvula o tubo electrónico de vacío que contiene cuatro electrodos: cátodo, rejilla, pantalla y ánodo.

TETROSA f. Monosacárido o azúcar sencillo constituido por cuatro átomos de carbono.

TETUÁN C. de Marruecos, cap. del ant. protectorado esp. (1913-1956) y de la prov. hom.; 200 000 hab. Mercado agrícola. Ind. tabaquera y conservera.

TETZEL, *Johann* (1465-1519) Dominico al. Sus sermones sobre las indulgencias provocaron la indignación de Lutero, que fijó en la puerta de la iglesia de Wittenberg las 95 tesis de la Reforma.

Urogallo, ave de la familia **tetraónidos**

TEUCRO Primer rey de Troya, hijo del dios fluvial Escamandro y de la ninfa Idea. Fue epónimo de los teucros o troyanos.

TEUDIS (m. 548) Rey visigodo [531-548], sucesor de Amalarico. Tuvo que afrontar el expansionismo franco y bizantino. Fue tolerante con los católicos.

TEUDISELO, TEUDIGISELO o **TEUDISCLO** (m. 549) Rey visigodo [548-549], elegido a la muerte de Teudis. Murió asesinado.

TEUTATES o **TUTATIS** En la religión de los celtas, dios de la guerra, al que los autores rom. identifican con Marte.

TEUTÓN, NA adj. Díc. del individuo de un pueblo de raza germánica que habitó en el terr. del moderno Holstein. • fam. Alemán.

TEUTÓNICO, CA adj. y s. Relativo a los teutones. • m. Lengua de los teutones. • **Orden t.** Orden militar y religiosa de Tierra Santa. Se remonta a la existencia de un hospital para teutones en Jerusalén en 1127. En el s. XIII conquistaron Prusia. El tratado de Cracovia (1525) disolvió la orden y sus territorios pasaron a los pol.

TEX m. Unidad de medida empleada para numerar y graduar los hilos textiles, representada por el peso en gramos de 1 000 m de hilo.

TEXAS Est. del S de EE UU, limítrofe con México y bañado por el golfo de México; 691 027 km^2, 16 987 000 hab. Cap., Austin. C. prales.: Houston y Dallas. Accidentado por las montañas Rocosas. Ríos Rojo, Grande y Sabine. Clima continental en el interior y subtropical al E. Algodón, cereales, hortalizas, frutales. Ganadería. Explotación forestal. Petróleo, gas natural, bromo, helio, cal, azufre. Ind. petroquímica, química, metalúrgica, transformación de productos agropecuarios. Formó parte del virreinato de Nueva España. Prov. mex. con Iturbide, formó con Coahuila un est. hasta la declaración de indep. de T. (marzo 1836). Anexionado a EE UU en 1845, México llevó a cabo una guerra (1846-1847) para recuperar el terr., pero hubo de reconocer su pérdida por el tratado de Guadalupe-Hidalgo (1848).

Texas. Panorámica de San Antonio

Mapa de situación y bandera de **Thailandia**

TEXCOCO o **TEXCOCO DE MORA** C. de México, en el est. de México; 11 000 hab. Ind. alimentarias y textiles. En época precolombina, sucedió a Azcapotzalco y Tenayuca en la hegemonía sobre las tribus chichimecas de la zona,que consiguió bajo Quinatzin (s. XIV). Formó parte de la liga de las ciudades (1431). Netzahualcóyotl engrandeció la c., dedicó cada barrio a una industria diferente, y construyó numerosos edificios públicos. La c. fue conquistada por Hernán Cortés (1520) y parcialmente destruida en 1539. Destaca la escultura azteca en oro del rey Tizoc. • Lago de México, en la meseta de Anahuac, foco de diversas culturas; 204 km². Llegó a extenderse desde el lago de Zumpango hasta Xochimilco y Chalco. En época precolombina se inició la desecación y el cultivo en las zonas pantanosas por medio de chinampas.

TEXTIL adj. y s. Díc. de la materia capaz de reducirse a hilos y ser tejida. • adj. Relativo a los tejidos. • **Industria t.** Conjunto de operaciones mediante las cuales se elaboran hilados, telas, lienzos, etc., a base de fibras, naturales o artificiales, que se someten a diversos procesos de preparación, hilatura, blanqueo, tejido, teñido, apresto, estampado, etc.

TEXTO m. Lo dicho o escrito por un autor o en una ley, a distinción de las glosas, notas o comentarios que sobre ello se hacen. • Pasaje citado de una obra literaria. • P. ant., sentencia de la Sagrada Escritura. • Todo lo que se dice en el cuerpo de la obra manuscrita o impresa, a diferencia de lo que en ella va por separado; como portadas, notas, índices, etc. • Libro de texto. • **Sagrado.** La Biblia. ■ TEXTUALISTA.

TEXTORIO, RIA adj. Relativo al arte de tejer.

TEXTUAL adj. Conforme con el texto o propio de él. • Aplicado a palabras u otro género de expresión, exacto.

TEXTURA f. Disposición y orden de los hilos en una tela. • Operación de tejer. • fig . Estructura de una obra de ingenio. • Disposición que tienen entre sí las partículas de un cuerpo.

TEZ f. Superficie, especialmente la del rostro humano.

TEZADO, DA adj. Atezado, moreno.

TEZCATLIPOCA En la religión precolombina de México, dios de la naturaleza astral y deidad nacional de los nahuas. Intervenía en la elección del emp. Se le identificaba con la Osa Mayor.

TEZCUCO → Texcoco.

TEZIUTLÁN Mun. de México, en el est. de Puebla; 50 600 hab. Producción agropecuaria. Petróleo, oro, plata y cobre.

Louis Adolphe **Thiers**

TEZOZÓMOC (m. 1427) Rey tepaneca de Azcapotzalco, hijo de Acolhua II. Dominó los pequeños est. del valle de México.

Th *Quím.* Símb. del torio.

THACKERAY, ***William Makepeace*** (1811-1863) Novelista brit. *El libro de los esnobs, La feria de las vanidades.*

THAELMANN, ***Ernest*** (1886-1944) Político al. Secretario general del Partido Comunista, en 1925. Sus divergencias con la socialdemocracia contribuyeron a disolver el mov. obrero.

THAI adj. y s. Díc. de individuos de un grupo étnico mongoloide del SE de Asia (Thailandia, Laos, Myanma, China y Vietnam). • Grupo de lenguas de la familia chinotibetana habladas en el SE de Asia, entre las que destaca el t. central o siamés.

THAILANDÉS, SA adj. y s. De Thailandia.

Detalle de *Lucha de* ***Thor*** *con los gigantes,* óleo de M. E. Winge (s. XIX). Museo de Estocolmo

THAILANDIA *(Prathet Thai, Muang Thai)* Ant. *Siam.* Est. del SE de Asia, limítrofe con Myanma, Laos, Camboya, el golfo de Siam, Malasia y el mar de Andamán. El N y O enlaza con las cord. de China y Myanma (Doi Inthason, 2 595 m). El r. Menam avena la llanura central. Al E se encuentra la meseta de Nakhon Ratchasima o Korat. Clima tropical monzónico. Arroz, maíz, mandioca, legumbres, caña de azúcar, cacahuetes, soja, sésamo, tabaco, caucho, teca, bambú. Bovinos y búfalos. Pesca. Estaño, tungsteno, hierro, plomo, plata, oro, piedras preciosas. Ind. agropecuaria, textil. Lenguas: thai (of.). *Rel.*: budismo (95 %), islamismo, confucionismo. U. M.: baht.

* *Hist.* En la antigüedad fue invadida por grupos mon, khmer y thai. En el s. XIV el principado thai de Ayuthia unificó el país. Entre el s. XVI y el XIX se sucedieron diversas invasiones birmanas. Rama I

THAILANDIA

Superficie 513 115 km²

Población 60 602 000 hab. (109 hab./km²)

Recursos económicos	
Ácido clorhídrico	122 000 t
Algodón	71 000 t
Arroz	21 130 000 t
Azúcar	5 571 000 t
Búfalos	4 507 000 cabezas
Cabaña bovina	7 593 000 cabezas
Cabaña porcina	4 507 000 cabezas
Caucho	1 721 000 t
Cerveza	4 153 000 hl
Elefantes	3 243 cabezas
Estaño	10 900 t
Maíz	3 965 000 t
Pesca	3 432 000 t
Riqueza forestal	38 914 000 m³
Sésamo	32 000 t
Tabaco	55 000 t
Tungsteno	20 t
Indicadores sociológicos	
PNB	159 630 millones de dólares
Renta per cápita	2 740 dólares
Esperanza de vida	69 años
Alfabetismo	94 %

(1782-1809) trasladó la cap. de Siam a Bangkok y se enfrentó a Camboya. Con Rama IV (1851-1868) se abrió el comercio a los europeos, y Rama V participó en la I Guerra Mundial contra los al. En 1918 Siam cambió su nombre por el de T. Después de varios golpes de Est., en 1974 entró en vigor una nueva constitución. Las elecciones generales dieron el poder a Kukrit Pramoj. Los comicios de 1976 fueron invalidados por un golpe derechista. Desde 1979 millares de refugiados camboyanos llegaron a T. En 1985 las tropas leales al primer ministro Prem Tinsulanonda frustraron un golpe de Est. Tras las elecciones de 1995 Banharn Silpa Archa encabezó el gobierno, sustituyendo a Chatichai Choonhavan, que dirigía el país desde 1988.

THAIS Cortesana ateniense del s. IV a. C. que acompañó a Alejandro Magno en su expedición a Asia. A la muerte de éste, casó con Tolomeo, rey de Egipto.

THÁNATOS *Mit. gr.* Hijo de Nyx (Noche), personificación de la muerte. • m. Nombre dado por Freud al instinto de destrucción, que él concibió como un componente de la personalidad, junto con el instinto de vida.

THANT, ***S'ithu U*** (1901-1974) Político y diplomático birmano. De 1961 a 1972 fue secretario general de la ONU.

THAR Desierto de Asia que se extiende por el NO de la India y el SE de Pakistán, limitado por el Indo, El Sutlej y los montes Aravalli.

THARRATS, ***Juan José*** (nacido 1918) Pintor esp. Destaca también como grabador, escultor, autor de vidrieras, mosaicos y objetos neodadaístas.

THATCHER, ***Margaret Hilda*** (nacida 1925) Política brit. Líder del partido conservador desde 1975, asumió la jefatura del gobierno tras las elecciones de 1979, y fue reelegida en 1983 y 1987. Decidió la intervención militar en las Malvinas. En 1990 dimitió.

THENARDITA f. Sulfato de sodio, que cristaliza en el sistema rómbico; incoloro o rojizo y brillo vítreo. Mineral fácilmente soluble en agua, que se encuentra en los depósitos de lagos salados asociado a glauberita, epsomita, yeso, sal gema, etc. Se utiliza en la ind. química.

THEODORAKIS, ***Mikis*** (nacido 1925) Compositor gr. Autor de música sinfónica, ballets, música para películas (*Zorba el griego*) y canciones populares.

THEOTOCÓPOULOS, ***Doménicos*** → Greco, el.

THETA f. Octava letra del alfabeto gr., que en latín y otras lenguas se representa con *th* y en la nuestra modernamente se representa con *t*.

THIBAUD, ***Jacques*** (1880-1953) Violinista fr. Formó en 1905 un trío que alcanzó gran renombre, con el pianista A. Cortot y el violoncelista Pau Casals.

THIBON de Libian, ***Valentín*** (1889-1931) Pintor arg. Influido por el impresionismo, sus temas prales. son el circo y el mundo de la bohemia.

THIERS, ***Louis Adolphe*** (1797-1877) Político e historiador fr. Apoyó a Luis Felipe y post. a Napoleón III. Fue jefe del ejecutivo en varias ocasiones, y reprimió con dureza la Comuna de París (1871).

THIEU, ***Nguyen Van*** (nacido 1923) Militar y político sudvietnamita. Participó en el derrocamiento de Dinh Diem (1963). Presid. de la rep. (1967-1975), gobernó dictatorialmente.

THIMPHU Cap. de Bután. 30 000 hab.

THIONVILLE C. de Francia, en el dpto. del Mosela; 141 900 hab. (á. metr.). Ind. siderúrgica, mecánica, química, del cemento.

THOMAS, ***Américo Deus Rodrigues*** (1894-1987) Militar y político port. Presid. de la rep. (1958, 1965 y 1972), se exilió a Brasil tras el levantamiento de abril 1974, de donde regresó en 1978.

THOMSON, SIR ***George Paget*** (1892-1975) Físico brit. Descubrió la difracción de los electrones rápidos en los cristales. Premio Nobel en 1937, con Davisson. • SIR ***Joseph John*** (1856-1940) Físico brit., padre del anterior. Autor de imp. trabajos sobre electricidad que, en 1906, le valieron el premio Nobel. Descubridor del electrón libre. • SIR ***William*** (1824-1907) Desde 1892 LORD KELVIN. Físico brit. Estableció una escala teórica de temperatura (*escala K.*). También realizó estudios geofísicos.

THOR En la mitología escandinava, dios del trueno, del viento y las nubes, llamado también Donnar. Su culto resistió la influencia del cristianismo.

THOREAU, ***Henry David*** (1817-1862) Literato y filósofo norteam. Uno de los representantes del idealismo y el culturalismo de Nueva Inglaterra. *Walden, Historia natural de Massachusetts, Los bosques de Maine, Un yanqui en Canadá.*

THOREZ, ***Maurice*** (1900-1964) Político fr. Secretario gral. del Partido Comunista fr. Ministro con De Gaulle (1945-1946) y vicepresid. del consejo con Bidault y Ramadier (1946-1947). En 1964 fue elegido presid. del Partido Comunista.

THORN, ***Gaston*** (nacido 1928) Político luxemburgués. Primer ministro (1974-1979). De vocación europeísta, fue presid. del Consejo de Ministros de las Comunidades Europeas (1981-1984).

THORVALDSEN, ***Bertel*** (1768-1844) Escultor clasicista danés. *Jasón, Amor y Psiquis, Hebe,* monumento funerario de Pío VIII, estatua ecuestre de Maximiliano de Baviera, figuras de la catedral de Copenhague.

THOT En la religión del antiguo Egipto, dios de la escritura, el cómputo del tiempo y la Luna.

THRILLER (voz ing.) m. Película policíaca, de terror o suspense, que provoca fuerte tensión emotiva en el espectador.

THULIN, ***Ingrid*** (nacida 1929) Actriz teatral y cinematográfica sueca. *Gritos y susurros, La guerra ha terminado, La caída de los dioses.*

THUNDER BAY C. de Canadá, en la prov. de Ontario; 111 000 hab. Puerto en el lago Superior.

THURINGIENSE m. *Geol.* Piso superior del pérmico, comprendido entre el saxoniense y el triásico.

THURROCK C. de Gran Bretaña, en el condado de Essex; 126 900 hab. Sit. sobre el estuario del Támesis, al E de Londres.

Ti *Quím.* Símb. del titanio.

TI Forma del pronombre personal de segunda pers. de sing, común a los casos genitivo, dativo, acusativo y ablativo. Lleva preposición, y cuando ésta es *con*, se dice contigo.

TIACA f. *Chile.* Árbol saxifragáceo, cuyas ramas flexibles sirven de zunchos para toneles.

TIACIDA f. *Farm.* Nombre común a un grupo de diuréticos que hacen aumentar la eliminación de sodio y de cloruros, utilizados especialmente en el tratamiento de la hipertensión arterial y de la insuficiencia cardíaca.

TIAHUANACO o **TIHUANACO** Mun. de Bolivia, en el dpto. de La Paz. Se conservan las ruinas monumentales de un ant. centro preincaico, probablemente santuario religioso. Se ha dado el nombre de T. a la cultura que tuvo en este lugar su centro religioso. En esta cultura se absorben, en parte, las culturas locales clásicas (mochica, nazca, etc.). Variaciones post. son las culturas per. de Huari-Tiahuanaco y Ancón.

TIALINA f. *Biol.* Enzima de acción glucosídica que se halla en la saliva.

TIALISMO m. Aumento de la secreción salival como consecuencia de excitaciones mecánicas, intoxicaciones, histeria, etc.

TIAMINA f. *Biol.* Vitamina B1, cuya deficiencia ocasiona fatiga, anorexia, calambres, degeneración de los nervios, atrofia muscular, etc. Se encuentra en gran cantidad en el hígado.

TIAN SHAN *(Tien Shan)* Sistema montañoso de Asia central. Se extiende por gran parte de Kazakistán, desde el desierto de Kizil-Kum hasta China y Mongolia (Pobedi, 7 439 m).

TIANGUE, TIÁNGUEZ o **TIANGUIS** m. *Méx.* Contratación pública de géneros. Paraje donde se realiza.

TIARA f. Tocado alto que usaban los cristianos persas. • Mitra alta, ceñida por tres coronas y rematada por una cruz, usada por el papa. • Dignidad de sumo pontífice.

TIATINA f. *Chile.* Avena loca.

TIAZOL m. Compuesto químico orgánico que contiene carbono, hidrógeno, nitrógeno y azufre; entra en la composición de numerosos compuestos naturales y sintéticos de gran importancia biológica y económica.

TIBALDI, *Pellegrino de Pellegrini,* llamado (1527-1596) Pintor y arquitecto it. Recibió la influencia de Miguel Ángel. Participó en la decoración de El Escorial: biblioteca (frescos con las alegorías de las Artes liberales, la Teología, la Filosofía), claustros y retablo del altar mayor.

TIBANTE adj. *Col.* Orgulloso.

TIBE m. *Col.* Corindón, piedra preciosa.

TÍBER *(Tevere)* Río it.; 405 km. Nace en los Apeninos centrales, cruza Roma y desagua en el Mediterráneo.

TIBERIO m. fam. Ruido, confusión.

TIBERIO (42 a. C.-37 d. C.) Emperador rom. [14-37 d. C.]. Combatió en Hispania, Armenia, la Galia y Germania. Sucedió a Augusto. Aumentó el poder del senado.

TÍBET (tibetano, *Bod;* chino, *Xizang* o *Hsi Tsang)* Región autónoma de China, limítrofe con India, Nepal y Bután; 1 200 000 km^2, 2 196 010 hab. Cap., Lhasa. Gran meseta atravesada por los montes Kuen Lun (Ulug Mustad, 7 724 m) y el Transhimalaya; entre éste y el Himalaya se abre el valle de Brahmaputra. Trigo, centeno. Ovinos, yaks. Hierro, carbón, sílice. Artesanía (lana, cueros). Tras ser colonizado por chinos y brit., en 1950 fue invadido por China, que permitió su autonomía en 1965. Las tensiones y revueltas han sido continuas, produciendo en un principio el exilio del dalai-lama, a quien en 1984 el gobierno chino autorizó a regresar.

TIBERÍADES, ***lago de.*** Antiguo nombre del lago de Kinneret. En el Evangelio se le cita como el lugar donde Jesús eligió a algunos de sus apostoles.

TIBETANO, NA adj. y s. Díc. del individuo de un pueblo mongoloide de la región autónoma china del Tíbet y áreas circundantes. • Del Tíbet. • m. Lengua del grupo tibeto-birmano. • Perro molosoide del que descienden muchas de las actuales razas de mastines.

TIBÍ m. *Bol.* Gemelos, botones de la camisa.

TIBIA f. Flauta. • *Anat.* Hueso largo que, junto con el peroné, forma el esqueleto de la pierna. • Pieza de las patas de los insectos, que se articula con el fémur y con el tarso.

TIBIAR tr. o prnl. *Amér. Centr.* Calentar algo moderadamente, entrar en calor. • prnl. *Amér. Centr.* y *Ven.* Enfadarse.

TIBIO, BIA adj. Templado, entre caliente y frío. • fig. Flojo, descuidado. • *Amér. Centr.* y *Perú.* Furioso. • **Ponerse** uno **t.** fig. y fam. Darse un hartazgo. ■ TIBIEZA.

TIBOR m. Vaso grande de barro, de China o del Japón, decorado exteriormente. • *Méx.* Jícara.

TIBULO, ***Aulio Albio*** (48-19 a. C.) Poeta latino, amigo de Horacio y de Ovidio. Autor de composiciones elegíacas.

TIBURCIO, ***san*** (s. III) Martir. Decapitado en Roma, en 232. Festividad: 14 de abril.

TIBURÓN m. *Zool.* Pez cartilaginoso del grupo de los selacios, que abarca diversas especies, como por ejemplo el *t. nodriza*, el *t. peregrino* o *marrajo gigante*, el *t. feroz,* etc.

Busto de Luis I de Baviera, obra de Bertel **Thorvaldsen.** Museo Thorvaldsen, Copenhague

Relieve en una columna hallada en **Tiahuanaco**

Estatua de **Tiberio.** Museo Gregoriano Profano, Ciudad del Vaticano

Tiburón feroz

TIBURÓN Cabo de América meridional, entre Colombia y Panamá, en la costa del Caribe. • Isla de México, en el est. de Sonora. Sit. en el golfo de California, está separada del continente por el canal del Infiernillo.

TIC m. Gesto, actitud o pose que un actor repite mucho, independientemente del personaje al que da vida. • *Pat.* Movimiento convulsivo, breve e involuntario, originado por la contracción repetida de uno o varios músculos.

TICHOLO m. *Argent.* Panecillo de dulce de guayaba.

Tienda tártara

TICKET (voz ing.) o **TÍQUET** m. Vale, cédula, billete, boleta.

TICO, CA adj. y s. *Amér. Centr.* Costarricense, de Costa Rica.

TICOMÁN Cultura precolombina que se desarrolló en el valle de México en los ss. X-III a. C.

TICTAC m. Ruido acompasado que produce la marcha de un reloj.

TIE-BREAK (voz ing.) m. *Dep.* En tenis medio para poner fin a un partido en el que los contendientes siguen estando igualados en el último set después de seis u ocho juegos. Se le llama también *muerte rápida.*

TIECK, *Ludwig* (1773-1853) Escritor al. Adaptó al teatro leyendas medievales al. Fue traductor de Cervantes. *El gato con botas.*

TIEMBLO m. Álamo temblón.

TIEMPO m. Duración de las cosas sujetas a mudanza; parte de esta duración. • Época durante la cual vive alguna persona o sucede alguna cosa. • Estación del año. • Edad. • Oportunidad, ocasión o coyuntura de hacer algo. • Lugar , proporción o espacio libre de otros negocios. • Cada uno de los actos sucesivos en que se divide la ejecución de una cosa (ejercicios militares, composiciones musicales). • Estado atmosférico. • Temporal o tempestad duradera en altamar. • *Fil.* Ámbito abstracto, de carácter duracional, concebido en principio como ilimitado, continuo y unidimensional, en referencia al cual se sitúan y se miden los sucesivos instantes que integran la experiencia humana de la realidad. • *Fís.* Una de las dimensiones fundamentales en todos los sistemas de medida. • *Gram.* Vocablo que admite dos acepciones: realización morfémica de una determinada categoría gramatical y cada grupo de formas que puede adoptar un verbo. • *Mec.* Cada una de las fases en que se realiza un ciclo termodinámico en un motor. • *Mús.* Cada una de las partes de igual duración en que se divide el compás. • **de fortuna.** El de muchas nieves, aguas o tempestades. • **de pasión.** *Rel.* El que comienza en las vísperas de la dominica de pasión y acaba con la nona del sábado santo. • **de reverberación.** En un auditorio, el que ha de transcurrir para que el sonido se reduzca en una proporción determinada. • **de semidesintegración.** *Fís.* El que transcurre durante la desintegración de la mitad de los átomos de un núclido. • **de tránsito.** *Electr.* El que emplea un electrón en recorrer la distancia cátodo-ánodo de un tubo electrónico. • **inmemorial.** T. antiguo no fijado por documentos fehacientes, ni por los testigos más ancianos. • **local.** El medido tomando como origen la culminación solar del lugar y como intervalo unitario el t. medio que transcurre entre dos culminaciones sucesivas del Sol. • **medio** o **solar medio.** El medido según una escala formada a partir del movimiento de un → Sol ficticio. • **muerto.** Intervalo en el que una acción mecánica, eléctrica, etc. está interrumpida. • **pascual.** *Rel.* El que principia en las vísperas del sábado santo y acaba con la nona antes del domingo de la Santísima Trinidad. • **sidéreo.** El que se mide por el movimiento aparente de las estrellas y más especialmente del primer punto de Aries. • **verdadero** o **solar verdadero.** El que se mide por el movimiento aparente del Sol. • **A largo t.** m. adv. Después de mucho t. • **A t.** m. adv. En coyuntura, ocasión y oportunidad. • **A un t.** m. adv. Simultáneamente, o con unión entre varios. • **Con t.** m. adv. Anticipadamente, sin premura. • **De t. en t.** m. adv. Con intermisión o interrupción de t. • **Fuera de t.** m. adv. Intempestivamente. • **Por t.** m. adv. Por cierto t., por algún t.

Detalle de *El minué,* óleo de Giandomenico **Tiepolo.** Museo del Louvre, París

Enrique **Tierno Galván**

* *Fís.* Históricamente, la unidad de t. ha partido de la observación de fenómenos periódicos relacionados con el movimiento de la Tierra. La unidad más habitual, el segundo, se definió como la fracción 1/86 400 de día solar medio. Las irregularidades en el movimiento rotacional de la Tierra condujeron a establecer la escala de *t. de las efemérides* (TE), con lo que el segundo se definió como fracción de una cantidad constante: la duración del año trópico 1900. La precisión del segundo de las efemérides, no obstante, resulta inadecuada en las investigaciones de física aplicada (electrónica, atomística, etc.), lo que ha conducido a la escala de *t. atómico* (TA) basada en la frecuencia natural de los átomos. Por otra parte, de la necesidad de disponer de una escala de t. astronómico uniforme, surgió la denominada escala de *t. universal* (TU), elegida de modo que a mediodía de Greenwich el Sol pasa por el meridiano. A causa de la desviación entre la escala de TA y la de TU, muchos países utilizan la llamada escala de *t. universal coordenada* (TUC), que se realiza mediante la transmisión de señales horarias basadas en la misma escala; la recepción de estas señales permite disponer de una escala de t. rotacional suficientemente precisa para las aplicaciones prácticas.

TIENDA f. Pabellón portátil, consistente en una cubierta de lona, tela o piel, que se extiende y monta al aire libre, sobre una armazón de palos hincados en tierra. • *Mar.* Toldo que se pone en algunas embarcaciones para resguardarse de la intemperie. • Especie de toldo que se pone sobre los carros con el mismo fin. • Casa o puesto donde se venden al público artículos al por menor. • P. ant., la de comestibles o la de mercería. • *Amér.* P. ant., aquella en que se venden tejidos.

TIENDERO m. *Amér. Centr.* Tendero.

TIENTA f. Operación que consiste en probar la bravura de los becerros. • Sagacidad o arte con que se pretende averiguar una cosa. • Tientaguja. • *Cir.* Instrumento destinado para explorar cavidades y conductos naturales, o la profundidad y dirección de las heridas. • **A tientas.** m. adv. Por el tacto, a ciegas. • fig. Con incertidumbre, sin tino.

TIENTAGUJA f. Barra de hierro para explorar la calidad del terreno en que se va a edificar.

TIENTO m. Ejercicio del sentido del tacto. • Palo que usan los ciegos para que les sirva como de guía. • Cuerda o palo delgado que va desde el peón de la noria a la cabeza de la bestia y la obliga a seguir la pista. • Contrapeso, balancín que usan los equilibristas. • Pulso, seguridad en la mano. • fig. Consideración, miramiento. • fig. y fam. Golpe. • *Argent.* y *Chile.* Tira delgada de cuero sin curtir. • *Const.* Pellada de yeso con que se afirman las miras y los renglones. • *Mús.* Floreo o ensayo que hace el músico para ver si está bien templado el instrumento. • Cante andaluz con letra de tres versos octosílabos y baile que se ejecuta al compás de ese cante. Se usa en pl. • **Dar** uno **un t.** a una cosa. fig. Reconocerla o examinarla con prevención.

TIENTSIN *(Tianjin)* Municipalidad de China, puerto en la desembocadura del Hai-ho; 11 305 km^2, 8 785 402 hab. Ind. textil, metalúrgica. Administrada por una comisión internacional entre 1900 y 1907.

TIEPOLO Familia de pintores y grabadores it. El más célebre fue ***Giambattista*** (1696-1770), uno de los mejores decoradores del barroco (bóveda de la *Scuola dei Carmine,* Venecia; palacio real de Madrid). ***Giandomenico*** (1727-1804), su hijo, fue su colaborador en Madrid. En dibujo se le considera precursor de Goya. ***Lorenzo*** (1736-1776), también hijo de Giambattista *(Tipos populares).*

TIERNO, NA adj. Blando, delicado, flexible. • fig. Reciente, de poco tiempo. • fig. Díc. de la edad de la niñez.• fig. Propenso al llanto. • fig. Afectuoso, cariñoso. • fig. Díc. de los ojos con una fluxión ligera continua. • *Chile, Ecuad.* y *Nic.* Se dice de las hortalizas que no han llegado a sazón. • m. y f. *Nic.* Niño o niña recién nacidos o de pocos meses. • *Nic.* P. ext., el niño o niña de menos edad entre los hijos de una misma familia.

TIERNO Galván, *Enrique* (1918-1986) Político esp. Fundó el Partido Socialista Popular (1974) Post. se unió al PSOE (1978). Alcalde de Madrid (1979-1986).

TIERRA f. Parte superficial del globo terrestre no ocupada por el mar. • Materia inorgánica desmenuzable de que pralm. se compone el suelo natural. • Suelo o piso. • Terreno dedicado a cultivo o pro-

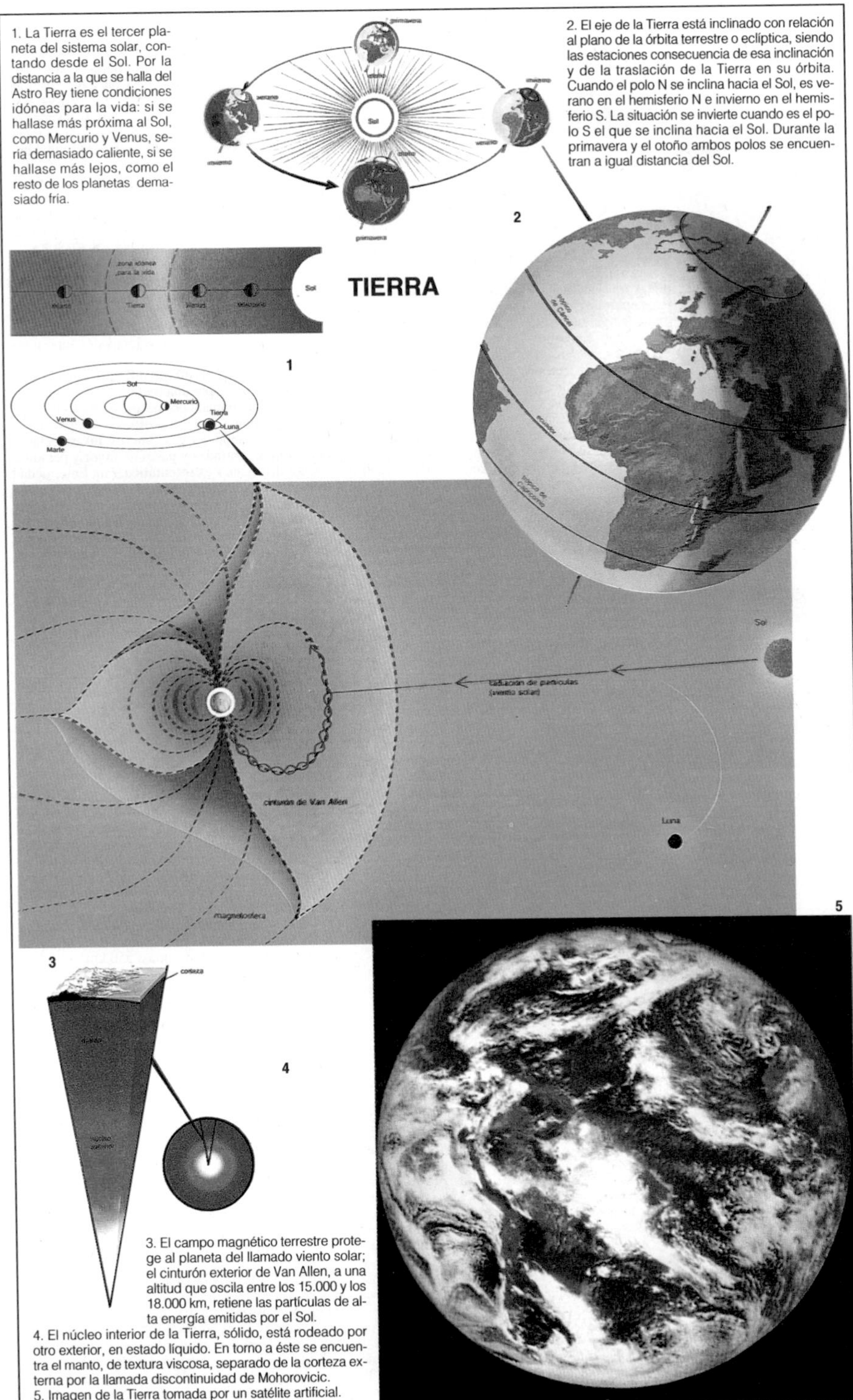

TIERRA

1. La Tierra es el tercer planeta del sistema solar, contando desde el Sol. Por la distancia a la que se halla del Astro Rey tiene condiciones idóneas para la vida: si se hallase más próxima al Sol, como Mercurio y Venus, sería demasiado caliente, si se hallase más lejos, como el resto de los planetas demasiado fría.

2. El eje de la Tierra está inclinado con relación al plano de la órbita terrestre o eclíptica, siendo las estaciones consecuencia de esa inclinación y de la traslación de la Tierra en su órbita. Cuando el polo N se inclina hacia el Sol, es verano en el hemisferio N e invierno en el hemisferio S. La situación se invierte cuando es el polo S el que se inclina hacia el Sol. Durante la primavera y el otoño ambos polos se encuentran a igual distancia del Sol.

3. El campo magnético terrestre protege al planeta del llamado viento solar; el cinturón exterior de Van Allen, a una altitud que oscila entre los 15.000 y los 18.000 km, retiene las partículas de alta energía emitidas por el Sol.

4. El núcleo interior de la Tierra, sólido, está rodeado por otro exterior, en estado líquido. En torno a éste se encuentra el manto, de textura viscosa, separado de la corteza externa por la llamada discontinuidad de Mohorovicic.

5. Imagen de la Tierra tomada por un satélite artificial.

Tigre de Bengala

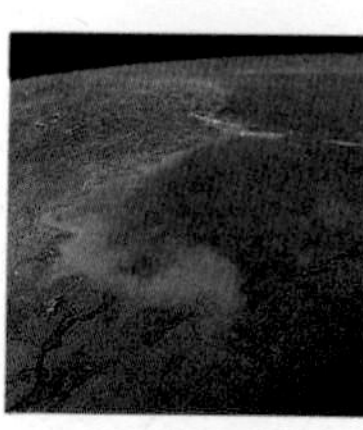

Imagen de satélite de la desembocadura del Chat-el-Arab, formado por confluencia del **Tigris** y el Éufrates

Tijereta común

pio para ello. • Nación, región o lugar en que se ha nacido. • País, región. • Territorio o distrito constituido por intereses presentes o históricos. • fig. Conjunto de los pobladores de un territorio. • *El.* Elemento, también denominado masa, que se toma como referencia de potencial nulo. • **adentro.** loc. adv. con que se determina todo lugar que en los continentes y en las islas se aleja o está distante de las costas o riberas. • **de batán.** Mezcla finamente terrosa de carbonato de calcio, bol y sílice, con cantidades considerables de montmorillonita. • **de brezo.** Mantillo producido por los despojos del brezo y mezclado con arena. • **de promisión.** La que Dios prometió al pueblo de Israel. • **firme.** Continente. • Terreno sólido y capaz por su consistencia y dureza de admitir sobre sí un edificio. • **vegetal.** La que está impregnada de gran cantidad de elementos orgánicos que la hacen apta para el cultivo. • **Tierras raras.** *Quím.* Grupo de elementos de propiedades químicas muy semejantes, que incluye los 15 elementos de n. a. comprendido entre 57 y 71, también llamados lantánidos. Son los siguientes: lantano, cerio, praseodimio, neodimio, prometio, samario, europio, gadolinio, terbio, disprosio, holmio, erbio, tulio, iterbio y lutecio. • **Dar en t.** con una cosa o persona. fr. Derribarla o arruinarla. • fig. Deshacer las esperanzas que en esa cosa se fundan. • fig. Hacerla decaer de su favor, de su opinión o estado; destruirla. • **Quedarse en t.** fr. No lograr acomodo en un vehículo el que pretendía viajar en él. • **Tomar t.** fr. Aportar, arribar la nave; aterrizar un avión; desembarcar las personas.

TIERRA n. p. f. Astr. Tercer planeta del sistema solar (de acuerdo al orden creciente de distancia respecto al Sol), que dista de esta estrella algo menos de 150 000 000 km.

* *Astr.* y *Geol.* La forma de la T. es esférica y algo achatada por los polos, siendo su radio ecuatorial de 6 378,38 km y el polar de 6 356,912 km. Presenta un único satélite natural, la Luna, situada a una distancia media de 384 000 km. Como los demás planetas del sistema solar, la T. está sometida a dos movimientos prales., uno de traslación alrededor del Sol y otro de rotación alrededor de su propio eje. Ambos movimientos están en parte perturbados por otros dos movimientos menores denominados precesión y nutación. La T. crea a su alrededor un campo gravitatorio y, además, se comporta como un gigantesco imán creando a su alrededor un campo magnético. El eje teórico de este supuesto imán se denomina eje magnético, que corta a la superficie terrestre en los llamados polos magnéticos. En la actualidad, el eje magnético y el eje geográfico de la T. no coinciden. En lo que respecta a la estructura, se distinguen una parte sólida y unas envolturas fluidas, la atmósfera y la hidrosfera, ambas de vital importancia para el origen y desarrollo de la vida. La parte sólida está constituida por tres capas concéntricas que de fuera a dentro son: la corteza terrestre, el manto y el núcleo.

TIERRA DE CAMPOS Comarca esp. en la meseta septentrional, regada por afluentes del río Duero.

TIERRA DEL FUEGO Arch. del extremo S de América del Sur, dividido entre Chile (sector occidental) y Argentina (sector oriental). Sit. al S. del estrecho de Magallanes. • ***Antártida e Islas del Atlántico Sur*** Prov. argentina, que comprende el E de la isla Grande de Tierra del Fuego con las islas adyacentes (de los Estados, Año Nuevo, Gable, etc.), la Antártida Argentina (incluidas las islas Órcadas del Sur y Shetland del Sur) y las islas Malvinas, Georgias del Sur y Sandwich del Sur; 1 002 445 km^2, 69 450 hab. El relieve es una prolongación del de la Patagonia. En la isla Grande de Tierra del Fuego abundan los cursos de agua caudalosos y los lagos (destacan el río Grande y el lago Fagnano). Clima de frío a polar, según la latitud. Los bosques fueguinos de lenga y ñire alimentan una importante explotación maderera. La estepa y la tundra preceden a los campos de hielo antárticos. Ganado ovino. Gas natural, petróleo y turba. Ind. alimentaria, textil y del cuero. Pesca en torno al archipiélago de las Malvinas.

TIERRA FIRME Nombre que los esp. dieron a las costas de Colombia y Venezuela, descubiertas en 1502. En 1563 el término designó el ámbito de jurisdicción de la audiencia de Panamá. Desde 1739 esta audiencia pasó a formar parte del virreinato de Nueva Granada, y en 1751 fue suprimida.

TIERRA SANTA → Palestina.

TIERRADENTRO Área cultural de Colombia que se desarrolló antes de la llegada de los esp. Se distinguen varias fases: la subsidiaria de la cultura de San Agustín (ss. VII-XI); de Cauca o de esplendor (hasta el s. XIV); y de Páez (ss. XIV-XV). Son típicas las habitaciones subterráneas excavadas en la roca y decoradas en negro, rojo y naranja. Prales. yacimientos: San Andrés, El Rodeo y Loma Alta.

TIERRAL m. *Amér.* Polvareda.

TIESO, SA adj. Duro, rígido y que con dificultad se dobla o rompe. • Robusto de salud. • Tenso, tirante. • fig. Valiente, animoso. • fig. Afectadamente grave y circunspecto. • fig. Terco, tenaz. • adv. modo. Recia o fuertemente. ■ TIESURA.

TIESTO, TA adj. Tieso. • m. Pedazo de cualquier vasija de barro. • Maceta para plantas. • *Chile.* Vasija.

TIFLIS → Tbilisi.

TIFÓN m. *Meteor.* Tempestad violenta durante la cual se originan vientos de velocidades superiores a los 200 km/h.

TIFUS m. *Pat.* Enfermedad infecciosa aguda, epidémica, producida por una bacteria que se transmite por agua contaminada por heces, por la leche, verduras, mejillones, etc. La profilaxis se realiza mediante vacunación. • fig. y fam. En los espectáculos públicos, entradas y pases de favor y personas que los disfrutan. • **exantemático.** *Pat.* Enfermedad infecciosa epidémica producida por una rickettsia y transmitida por el piojo, caracterizada por la presencia de unas manchas rojas en todo el cuerpo (exantema). El reservorio pral. es la rata. • ***icterodes.*** Fiebre amarilla. • **petequial.** T. exantemático. ■ TÍFICO, CA; TIFOIDEO, A.

TIGLATPILESER I (ss. XII-XI a. C.) Rey de Asiria [1112-1074 a. C.]. Luchó contra los hititas e impuso tributo a reyes del O del Éufrates. • **III.** (m. 727 a. C.) Centralizó la administración. En 731 se apoderó de Babilonia.

TIGMOTAXIS f. *Biol.* Taxia o capacidad de reacción de los organismos frente a estímulos del tipo del contacto físico.

TIGRA f. *Amér.* Tigre hembra. • Jaguar hembra.

TRIGANES I, *el Grande* (h. 121-h. 55 a. C.) Rey arsácida de Armenia [95-55 a. C.]. Ante los rom. perdió Tigranocerta, su cap., Armenia y Siria.

TIGRE m. *Zool.* Mamífero carnívoro de la familia félidos que vive en Asia, de pelaje leonado, con rayas negras transversales. Puede alcanzar los 300 kg de peso. • fig. Persona cruel y sanguinaria. • *Amér.* Jaguar. • *Ecuad.* Pájaro de mayor tamaño que una gallina, de plumaje parecido a la piel del tigre. • **Portarse como un t.** *R. de la Plata.* Portarse valientemente. • **Ser un t.** *Amér.* Ser hábil o destacar en una materia determinada.

TIGRE Río de América del Sur. Nace en Ecuador tras la unión del Pindo y el Cunambo. Desagua en el Marañón, afl. del Amazonas; 550 km.

TIGRE C. de Argentina, en la prov. de Buenos Aires; 256 005 hab. Sit. en la confluencia de los r. Las Conchas y Luján. Zona residencial de Buenos Aires.

TIGRE, *El* C. de Venezuela, en el est. Anzoátegui; 73 600 hab. Centro petrolífero.

TIGRESA f. Hembra del tigre. • fig. Mujer provocadora y atractiva, que toma la iniciativa en las relaciones sexuales.

TIGRILLO m. Felino del tamaño de un gato que vive en las regiones subtropicales de América central y meridional.

TIGRIS (ár., *Dijla;* turco, *Dicle)* Río de Asia, que nace en el este de Turquía, al norte del Kurdistán, forma con el Éufrates el Chat-el-Arab y desagua en el golfo Pérsico; 1 950 km.

TIGRITO m. *Col.* y *Ven.* Celda de una cárcel.

TIGRÓN, NA adj. *Col.* y *Ven.* Fanfarrón.

TIJA f. Astil de la llave, que media entre el ojo y el paletón.

TIJERA f. Instrumento para cortar compuesto de dos hojas de acero, que pueden girar alrededor de un eje que las traba. Se usa más en pl. • fig. Nombre de ciertas cosas compuestas, como la tijera, de dos piezas cruzadas que giran alrededor de un eje. • Cierta zanja que se hace en las tierras húmedas, para desaguarlas. • Esquilador de ganado lanar. • Aspa que sirve para apoyar un madero que se ha de aserrar o labrar. • Cada uno de los dos correones cruzados por debajo de la caja, en los coches antiguos. • fig. Persona que murmura. • Pluma primera del ala del halcón. • pl. Largueros que forman la escalera del carro. ■ TIJERADA; TIJERETADA; TIJERETAZO.

TIJERAL m. *Chile.* Tablas o chillas que sobre cabrios sostienen la cubierta de un edificio.

TIJERETA f. Cada uno de los zarcillos que por pares nacen a trechos en los sarmientos de las vides. • Insecto dermáptero dotado de una fuerte pinza en la parte terminal del abdomen. • *Amér. Merid.* Ave palmípeda de pico aplanado, cortante y desigual, cuello largo y cola ahorquillada.

TIJERETEAR tr. Dar cortes con las tijeras. • fig. y fam. Disponer uno según su arbitrio en negocios ajenos. • *Argent., Méx.* y *Nic.* Murmurar, chismorrear. ■ TIJERETEO.

TIJERILLA o **TIJERUELA** f. Tijereta, zarcillo.

TIJUANA C. de México, en el est. de Baja California; 742 686 hab. Sit. a orillas del Pacífico. Centro turístico. Ind. alimentarias.

TIJUIL m. *Hond.* Pájaro conirrostro, de color negro.

TIJUY m. *Ven.* Demonio.

TIKAL El mayor centro ceremonial maya de la época clásica, sit. en Guatemala. Al parecer en T. se grabó la llamada «placa de Leyden» (320 d. C.), considerada como principio del Imperio Antiguo. Cuenta con ocho pirámides que soportan 54 altares, y 83 estelas. Posee las más notables tallas en madera del mundo maya. Se supone que fue abandonada definitivamente poco después del año 869.

TILA o **TILIA** f. Tilo. • Flor de tilo. • Bebida antiespasmódica que se hace con flores de tilo en infusión.

TILBURGO C. de Países Bajos, en Brabante Septentrional, a orillas del canal Wilhelmine; 153 800 hab. Centro industrial.

TÍLBURI m. Carruaje de dos ruedas grandes, ligero y sin cubierta, y tirado por una caballería.

TILDAR tr. Poner tilde a las letras que lo necesitan. • Tachar lo escrito. • fig. Señalar con alguna nota denigrativa a una persona.

TILDE amb. Se usa más como f. Rasgo que se pone sobre algunas abreviaturas, el que lleva la *ñ* y cualquier otro signo análogo. • fig. Tacha, nota denigrativa. • f. Cosa mínima.

TILDÓN m. Tachadura sobre un escrito.

TILIÁCEO, A adj. y f. Díc. de plantas dicotiledóneas con hojas esparcidas, flores solitarias o agrupadas en cimas, y frutos en cápsula septicida y polisperma, carcérulo o drupilanio. • f. pl. Familia de estas plantas.

TILICHE (voz onomatopéyica) m. *Amér. Centr.* y *Méx.* Baratija, cachivache, bujería. ■ *Amér. Centr.* TILICHERO.

TILÍN (voz onomatopéyica) m. Sonido de la campanilla. • **En un t.** m. adv. fig. y fam. *Chile, Col.* y *Ven.* En un tris. • **Hacer t.** fr. fig. y fam. Caer en gracia. • **Tener t.** fr. fig. y fam. Tener gracia, atractivo.

TILINCHIES m. pl. *Méx.* Harapos.

TILINGO, GA adj. *Argent.* y *Méx.* Memo, lelo.

TILINGUEAR intr. *R. de la Plata.* Hacer o decir tonterías.

TILINTE (voz náhuatl) adj. *Amér.* Estirado, tenso.

TILLA f. o **TILLADO** m. Entablado que cubre una parte de las embarcaciones menores.

TILLANDSIA f. Planta de la familia bromeliáceas, de los países cálidos de América, con hojas grandes, flores en racimo y frutos capsulares.

TILLAR tr. Pavimentar con madera.

TILMA f. *Méx.* Manta de algodón que llevan los campesinos anudada sobre un hombro.

TILO m. Planta de la familia tiliáceas. Es un árbol grande; del nervio central de las hojas sale el pedúnculo de la inflorescencia cimosa de dos o tres flores, utilizadas como antiespasmódicas. • *Col.* Yema floral del maíz.

TILSIT C. de Prusia oriental, la actual Sovietsk. Anexionada a URSS en 1944. • **Tratados de T.** Los firmados por Alejandro I y Napoleón (7 julio 1807), y por Napoleón y Prusia (9 julio). Rusia renunció a su alianza con Prusia, y ésta a su parte de Polonia.

TÍMALO m. Pez teleósteo del suborden fisóstomos, parecido al salmón, del que se distingue por ser más oscuro y tener la aleta dorsal larga y violada.

TIMAR tr. Quitar o hurtar con engaño. • Engañar a otro con promesas. • rec. fam. Entenderse con la mirada, hacerse guiños los enamorados. ■ TIMADOR, RA.

TIMBA f. fam. Partida de juego de azar. • Casa de juego, garito. • *Amér. Centr.* y *Méx.* Barriga, vientre.

TIMBAL m. Especie de tambor de un solo parche, con caja metálica en forma de media esfera. • Atabal, tamboril. • Masa de harina y manteca, rellena de macarrones u otros manjares. ■ TIMBALERO, RA.

TIMBEAR intr. *R. de la Plata.* Jugar a cartas o a otro juego de azar.

TIMBIRIMBA f. fam. Partida de juego de azar. • Casa de juego, garito.

TIMBÓ m. Árbol cuya madera se utiliza para hacer canoas. Crece en Argentina, Paraguay y Brasil.

TIMBÓN m. *Amér. Centr.* Especie de balsa. • adj. *Guat.* Barrigudo.

TIMBRAR tr. Poner el timbre en el escudo de armas. • Estampar un timbre, sello o membrete.

TIMBRE m. *Her.* Insignia que se coloca encima del escudo de armas, para distinguir los grados de nobleza. • Sello, y especialmente el que se estampa en seco. • Sello que en el papel donde se extienden algunos documentos públicos estampa el Est., indicando la cantidad que debe pagarse al fisco en concepto de derechos. • Aparato de llamada o de aviso, que suena movido por un resorte, la electricidad u otro agente. • *Fís.* Cualidad del sonido que depende de los períodos y amplitudes relativas de los armónicos que acompañan al fundamental. • fig. Acción gloriosa o cualidad personal que ensalza y ennoblece. • Renta del Tesoro constituida por el importe de los sellos, papel sellado y otras imposiciones que gravan la emisión, uso o circulación de documentos. • **móvil.** Sello, de tamaño parecido al de correos, que se aplica a ciertos documentos o artículos de comercio para satisfacer el impuesto del timbre. ■ TIMBRAZO.

TIMBÚ adj. y s. Díc. del pueblo indígena de la familia charrúa que vivía junto al r. Paraná.

TIMBUCO m. *Amér. Centr.* Barrigudo.

TIMELEÁCEO, A adj. y f. Díc. de plantas angiospermas dicotiledóneas, con hojas esparcidas u opuestas, flores hermafroditas, y frutos en aquenio. • f. pl. Familia de estas plantas.

TIMES, *The* Periódico brit., fundado en el año 1785 por John Walter. En el s. XIX adquirió fama por su rigor, siempre dentro de una tendencia conservadora.

TÍMIDO, DA adj. Díc. de la persona que se siente cohibida de actuar o hablar en presencia de otras personas con las que tiene poca confianza. ■ TIMIDEZ.

TIMINA f. *Biol.* Base nitrogenada pirimidínica que se encuentra en los nucleótidos de la secuencia del ácido desoxirribonucleico y en algunos enzimas.

TIMISOARA (húng., *Temesvár*) C. de Rumania, cap. del distrito de Timis; 303 500 hab. Ind . química, textil, material eléctrico.

TIMO m. Acción y efecto de timar. • Dicho o frase que se repite a manera de muletilla. • *Anat.* Glándula endocrina sit. debajo de la base del cuello, detrás de la parte alta del esternón. • Tímalo, pez.

TIMOCRACIA f. Gobierno en que ejercen el poder los ciudadanos que tienen cierta renta. ■ TIMÓCRATA; TIMOCRÁTICO, CA.

TIMOL m. Sustancia fenólica que se encuentra en las esencias de tomillo y otras hierbas. Se emplea como desinfectante.

TIMÓN m. Palo derecho que sale de la cama del arado en su extremidad. • Lanza o pértiga del carro. • Varilla del cohete, que le sirve de contrapeso y le da dirección. • fig. Dirección o gobierno de un asunto. • *Ing.* Dispositivo orientable para controlar la dirección de barcos y aviones. ■ TIMONEL.

TIMONEAR intr. Gobernar el timón.

TIMONEDA, *Juan de* (m. 1583) Escritor esp. Autor de *El patrañuelo,* colección de novelas escritas a imitación de las italianas.

TIMONERO, RA adj. Relativo al timón. Aplícase en especial al arado común o de timón. • m. Timonel. • adj . y f. Díc. de las plumas grandes que tienen las aves en la cola, y que en el vuelo les sirven para dar dirección al cuerpo.

Tikal. Vista de un templo

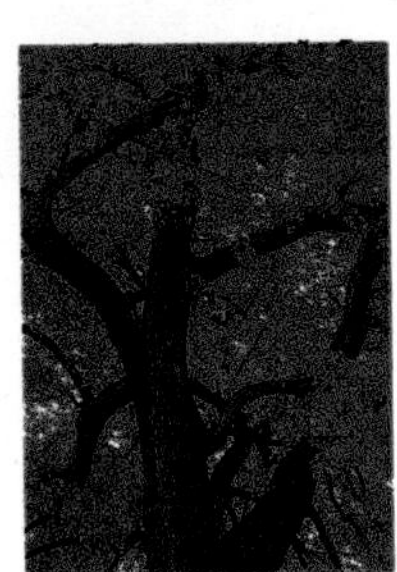

Tilo

Timbales de distintas alturas tonales

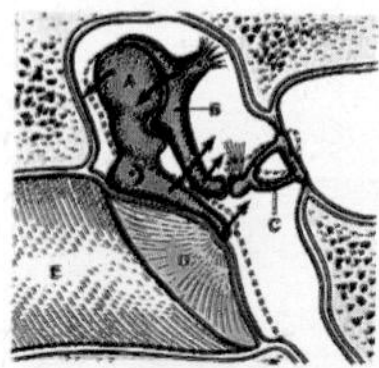

Caja del **tímpano:** A. martillo; B. yunque; C. estribo; D. membrana del tímpano; E. conducto auditivo. Las flechas indican la dirección de movimiento de los huesecillos

Pareja de martinetas, aves del orden **tinamiformes**

La dama que descubre el seno, óleo de **Tintoretto.** Museo del Prado, Madrid

TIMOR *(Loro Sae)* Isla del arch. de la Sonda, en Insulindia; 33 925 km^2, 555 300 hab. Accidentada por una cadena montañosa de origen volcánico. Clima tropical. Arroz, maíz, cocos, café, tabaco. Copra, madera de sándalo. Pesca. Colonizada por port. y neerlandeses, fue repartida entre ambos en 1904. La zona neerlandesa se integró en Indonesia (1946). La zona port. —**T. Oriental**— se proclamó independiente en 1975, pero post. fue anexionada por Indonesia. En 1999, tras la victoria de la opción independentista en un referéndum, T. Oriental fue ocupado por tropas de la ONU.

TIMORATO, TA adj. Que tiene el santo temor de Dios, y se gobierna por él en sus operaciones. • Tímido, indeciso, encogido. • Persona que se escandaliza de acciones o costumbres disconformes con la moral tradicional.

TIMOSHENKO, ***Semión Konstantínovich*** (1895-1970) Militar sov. Dirigió las campañas de Finlandia y Polonia (1939) y, como mariscal y ministro de Defensa (1940), tuvo el mando de los frentes del centro y sur en la guerra germanosoviética. Colaboró con Mao en la organización del ejército popular.

TIMOTEO (s. I) Santo. Compañero de san Pablo, al que éste envió dos epístolas que llevan su nombre.

TIMPA f. *Metal.* Barra de hierro colado que sostiene la pared delantera del crisol de un horno alto.

TIMPÁNICO, CA adj. Relativo al tímpano del oído. • *Med.* Díc. del sonido que producen por percusión ciertas cavidades del cuerpo cuando están llenas de gases.

TIMPANITIS f. Hinchazón de alguna cavidad del cuerpo producida por gases.

TÍMPANO m. Atabal, tamboril. • Instrumento musical compuesto de varias tiras desiguales de vidrio colocadas de mayor a menor sobre dos cuerdas o cintas, y que se toca con una especie de macillo. • Cada uno de los dos lados circulares sobre el que se puede asentar la pipa o cuba. • *Anat.* Membrana que limita el oído medio por fuera y lo separa del conducto auditivo externo. El sonido produce su vibración, que transmite al martillo, huesecillo del oído medio adosado a la membrana timpánica. • *Arq.* Superficie triangular o semicircular que remata algunos edificios y vanos y que, en los templos clásicos, se disponía entre las cornisas inclinadas del tejado y la horizontal del entablamento. • *Art. Gráf.* Bastidor de las prensas antiguas sobre el cual descansa el papel que ha de imprimirse. ■ TIMPANILLO.

TIMURÍ adj. y s. Díc. de los miembros de una dinastía formada por los sucesores de Tamerlán, que reinaron en Irán Oriental y Transoxiana, desaparecida en el s. XV. Los más imp. fueron Abu Said y Husayn-i-Bayqara.

TINA f. Tinaja, vasija grande de barro. • Vasija de madera, de forma de media cuba. • Vasija grande, de forma de caldera, que sirve para el tinte de telas y para otros usos. • Disolución alcalina de gran importancia en la industria de los colorantes. • Pila que sirve para bañarse.

TINACAL m. *Méx.* Lugar donde se guardan las tinajas que contienen pulque.

TINADA f. Montón o hacina de leña. • Cobertizo para los ganados.

TINAJA f. Vasija grande de barro cocido, más ancha por el medio que por el fondo y por la boca, y que encajada en un pie o aro, o empotrada en el suelo, sirve para guardar agua, aceite u otros líquidos. • Líquido que cabe en una t. ■ TINAJERO, RA.

TINAJÓN m. Vasija tosca de barro cocido parecida a la mitad inferior de una tinaja.

TINAMIFORME adj. y f. *Zool.* Díc. de los animales del orden tinamiformes. • f. pl. *Zool.* Orden de aves primitivas, semejantes a los ñandúes y emúes, que habitan en América meridional y Central.

TINAMÚ f. Ave del orden tinamiformes, de carne muy apreciada, también llamada perdiz de las Pampas.

TINBERGEN, ***Jan*** (1903-1994) Economista hol. Elaboró el primer modelo macroeconómico de política económica en el que se relacionan los agregados comparables con la contabilidad nacional. Premio Nobel de Economía en 1969. • ***Nikolaas*** (1907-1988) Etólogo hol. nacionalizado brit. Estudió los instintos. Premio Nobel de Medicina en 1973, con K. Lorenz y K. von Frisch.

TINCAR tr. *Argent.* y *Chile.* Dar un fuerte golpe con el pulgar a una bola. • intr. *Chile.* Intuir.

TINCAZO m. *Argent.* y *Ecuad.* Golpe que se da a uno en la cabeza.

TINCIÓN f. Acción y efecto de teñir; teñido, teñidura.

TINCO, CA adj. *Argent.* Díc. del animal vacuno que roza y golpea una pata con otra al caminar.

TINCTORIS, ***Johannes*** (h. 1436-1511) Teórico musical y compositor flam. Autor del más antiguo diccionario de términos musicales, *Terminorum, musicae diffinitorium.* Como compositor, destaca su *Misa del hombre armado.*

TINDALIZACIÓN f. Proceso de eliminación de las bacterias de las infusiones, basado en un calentamiento discontinuo, descubierto por J. Tyndall h. 1870.

TINDEMANS, ***Léo*** (nacido 1922) Político belga, del Partido Social Cristiano. Primer ministro (1974-1978). Vicepresid. de la Unión Democrata cristiana Europea desde 1978.

TINDÍO m. *Perú.* Ave acuática semejante a la gaviota.

TINERFEÑO, ÑA adj. y s. De Tenerife.

TINGE m. Ave estrigiforme semejante al búho, pero mayor y más fuerte.

TINGIBLE adj. Que se puede teñir.

TINGLADILLO m. *Mar.* Disposición de las tablas de forro de algunas embarcaciones menores, cuando dichas tablas montan en parte unas sobre otras.

TINGLADO m. Cobertizo. • Tablado armado a la ligera. • fig. Artificio, enredo, maquinación. • *Cuba.* Tablado en ligero declive donde cae la miel que purgan los panes de azúcar.

TINGLE f. Pieza que usan los vidrieros para abrir las tiras de plomo y ajustarlas al vidrio.

TINGUAÍTA f. Roca filoniana constituida por sanidina, nefelina y egirina, cuyo nombre deriva de la sierra de Tinguá, en el Brasil.

TINIEBLA f. Falta de luz. Se usa más en pl. • pl. fig. Suma ignorancia y confusión, por falta de conocimientos. • fig. Oscuridad, falta de luz en lo abstracto o en lo moral. • Maitines de los tres últimos días de la semana santa.

TINILLO m. Receptáculo hecho de obra, en donde se recoge el mosto de la uva pisada en el lagar.

TINKU m. *Amér.* Lugar sagrado de los incas, sit. en la confluencia de dos ríos.

TINO m. Hábito o facilidad de acertar a tientas con las cosas que se buscan. • Acierto y destreza para dar en el blanco u objeto a que se tira. • fig. Juicio y tacto para dirigir algún asunto. • Tina que sirve para el tinte. • En algunas partes, lagar. • **A buen t.** m. adv. fam. A bulto, a ojo. • **A t.** m. adv. A tientas. • **Sin t.** m. adv. Sin tasa, sin medida.

TINOCO Granados, ***Federico*** (1870-1931) Político cost. Presid. de la rep. (1917-1919) tras el golpe de Est. que derrocó a González Flores. Dimitió a causa de una insurrección popular contra su gobierno dictatorial.

TINOCÓRIDO, DA adj. y m. Díc. de los animales de la familia tinocóridos. • m. pl. Familia de aves caradriformes, que comprende cuatro especies, propias de las regiones frías de América meridional.

TINTA f. Color que se sobrepone a cualquier cosa, o con que se tiñe. • Líquido que se utiliza para escribir o para imprimir. La t. más corriente se prepara con una solución de extracto de agallas, goma y sulfato ferroso, y las coloreadas, con soluciones de colores de anilina. • Acción y efecto de teñir. • pl. Matices, degradaciones de color. • *Pint.* Mezcla de colores que se hace para pintar. • **china.** La que se prepara con negro de humo, barniz, goma y alcanfor y se utiliza para el dibujo y para retocar negativos. • **de imprenta.** La que es pastosa y se prepara con negro de humo, aceite de linaza secante y jabón de resina. • **litográfica.** La que se prepara con cera, resina, sebo y negro de humo. • **simpática.** La que no deja trazo visible; éste aparece cuando el papel se somete a la acción de ciertos agentes químicos. • **Media t.** T. general que se da primero para pintar al temple yal fresco, sobre la cual se va colocando el claro y el oscuro. • *Pint.* Color templado que une y empasta los claros con los oscuros. • **Medias tintas.** fig. y fam. Hechos, dichos o juicios vagos y nada resueltos, dictados por extremada cautela y prevención.

TINTE m. Acción y efecto de teñir, con objeto de cambiar el color de los objetos, en especial de los materiales textiles (teñido), por la fijación sobre ellos de sustancias colorantes. • Color con que se tiñe. • Casa, tienda o paraje donde se tiñen las telas, ropas y otras cosas. • fig. Artificio mañoso con que se desfiguran cosas no materiales.

TINTERILLADA f. *Argent.* y *Chile.* Trapisonda, acción propia de un tinterillo.

TINTERILLO m. fig. y fam. despect. Empleado, cagatintas. • *Argent., Chile* y *Méx.* Abogado de secano, leguleyo o curial que pretende actuar de abogado sin serlo.

TINTERO m. Vaso en que se pone la tinta para escribir. • Neguilla de los dientes de las caballerías. • *Art. Gráf.* Depósito que alimenta el cilindro entintador en las máquinas de imprimir. • **Dejar,** o **dejarse,** uno, o **quedársele** a uno, **en el t.** una cosa. fig. y fam. Olvidarla u omitirla.

TINTÍN m. Sonido de la campanilla o timbre, y el que hacen al chocar los vasos, copas, etc.

TINTINAR o **TINTINEAR** intr. Producir el sonido del tintín.

TINTO, TA adj. Rojo oscuro. • Díc. de la uva que tiene negro el zumo, y del vino que de ella se obtiene. • adj. y s. *Col.* Infusión de café.

TINTÓREO, A adj. Aplícase a las plantas de donde se extraen sustancias colorantes.

TINTORERA f. Especie de tiburón de dorso azulado que abunda en los mares templados de todo el mundo. Alcanza una long. de hasta 4 m y es uno de los tiburones más voraces y peligrosos para el hombre.

TINTORERÍA f. Oficio de tintorero. • Lugar donde se tiñen telas, prendas de vestir, etc. • Procedimiento para teñir fibras textiles mediante baños de líquidos que contienen sustancia colorante.

TINTORERO m. El que tiene por oficio teñir o dar tintes.

TINTORETTO, *Jacopo Robusti,* llamado (1518-1594) Pintor manierista it. Entre sus pinturas destacan *La última cena, El milagro del esclavo, Lavatorio de los pies, Adán y Eva, Susana en el baño, Descubrimiento del cuerpo de san Marcos, Traslación del cuerpo de san Marcos, Milagro del sarraceno,* el ciclo de la *Scuola di San Rocco,* la decoración del techo de la Sala del Colegio de Venecia, y el *Juicio Final.*

TINTURA f. Acción y efecto de teñir. • Sustancia con que se tiñe. • Líquido en que se ha disuelto una sustancia que le comunica color. • Solución de cualquier sustancia medicinal en un líquido que disuelve de ella ciertos principios. • fig. Noción superficial de una facultad o ciencia.

TINTURAR tr. Teñir. • tr. y prnl. fig. Informar sumariamente de una cosa.

TIÑA f. *Pat.* Grupo de afecciones parasitarias cutáneas producidas por hongos, caracterizadas por la aparición de pequeñas erupciones rojas acompañadas de picazón. Las hay corporales y del cuero cabelludo. • Arañuelo o gusanillo que daña las colmenas. • fig. y fam. Miseria, escasez, mezquindad. ■ TIÑOSO, SA.

TIÑERÍA f. fam. Tiña, mezquindad.

TIÑUELA f. Cuscuta parásita del lino. • Broma (molusco) que empieza a atacar el casco de una embarcación.

TÍO, A m. y f. Respecto de una persona, hermano o hermana, primo o prima de su padre o madre. • En los lugares, tratamiento de respeto que se da a la persona casada o entrada ya en edad. • fam. Persona rústica y grosera. • fam. Se emplea para referirse a personas cuyo nombre se ignora o se quiere ignorar. • También se emplea como sustituto de «hombre» y de «mujer». • Aplicado a la persona con la que se habla, sustituye al nombre o al pronombre. • f. fam. Ramera. • adj. Se aplica a personas para ponderar alguna cualidad. • Resume las cualidades supuestamente masculinas de vigor, fortaleza y valentía. • **tío abuelo o tía abuela.** Respecto de una persona, hermano o hermana de uno de sus abuelos.

TIOBACTERIA f. *Biol.* Bacteria o esquizomicete que acumula azufre en su interior.

TIOCIANATO m. *Quím.* Cualquiera de los compuestos que contienen el grupo —SCN, denominados también sulfocianuros.

TIOCOMPUESTO adj. y s. *Quím.* Término con el que se designan de modo genérico todos los compuestos que contienen en su molécula por lo menos un átomo de azufre.

TIOÉTER m. *Quím.* Nombre genérico de los sulfuros orgánicos de fórmula general R-S-R', más reactivos que los éteres a causa de la movilidad de los dos pares de electrones libres del azufre (S).

TIOFENO m. *Quím.* Compuesto orgánico heterocíclico que contiene carbono, hidrógeno y azufre, usado como disolvente de sustancias grasas y resinosas.

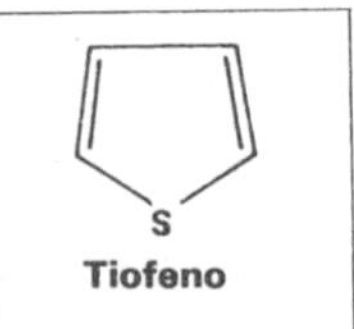

Tiofeno

TIORBA f. Instrumento musical semejante al laúd, pero algo mayor, con dos mangos y con ocho cuerdas más para los bajos.

TIOVIVO m. Recreo de feria que consiste en varios asientos colocados en un círculo giratorio.

TIPA f. *Amér. Merid.* Árbol de la familia leguminosas, de madera dura y amarillenta, que se emplea en ebanistería. • *Argent.* Cesto de mimbre o de varillas sin tapa.

TIPEAR tr. *Amér.* Mecanografiar, escribir a máquina.

TIPEJO m. Persona ridícula y despreciable.

TIPI (ing. *teepee*) m. Tienda cónica formada por un armazón de palos cubierta de piel de búfalo, propia de los indígenas de América septentrional.

Tipis

TÍPICO, CA adj. Característico o representativo de un tipo. • Peculiar de un grupo, país, región, época, etc. ■ TIPISMO.

TIPIFICAR tr. Ajustar varias cosas semejantes a un tipo o norma común. • Representar una persona o cosa el tipo de la especie o clase a que pertenece. ■ TIPIFICACIÓN.

TIPLE m. La más aguda de las voces humanas. • Guitarrita de voces muy agudas. • *Mar.* Vela de falucho con todos los rizos tomados. • *Mar.* Palo de una sola pieza. • com. Persona que tiene voz de tiple. • Persona que toca el tiple.

TIPO m. Modelo, ejemplar. • Símb. representativo de cosa figurada. • *Art. Gráf.* Paralelepípedo de metal con una letra o signo en relieve en su parte superior el cual, impregnado de tinta, permite la impresión. • Cada una de las diversas familias de letra de imprenta. • Figura o talle de una persona. • Clase, índole, naturaleza de las cosas. • despect. Persona extraña y singular. • Individuo, hombre, frecuentemente con matiz despectivo. • *Zool.* Taxón o categoría sistemática que agrupa a todas las clases afines. • Figura principal de una moneda o medalla. • **Teoría de los t.** *Lóg.* Básicamente, consiste en demostrar que las expresiones usadas en la formación de paradojas carecen de significado, y pueden eliminarse por medio de reglas adecuadas. Russell, Chwistek y Ramsey son sus prales. teóricos.

* *Hist.* En los albores de la tipografía el t. no tenía unas medidas determinadas, éstas fueron dadas por Fournier y Didot. Franklin adoptó el sistema Fournier y su error al tomar la medidas ha subsistido hasta hoy. Al sistema de Franklin se le denomina angloamericano o *pica* y al de Didot, *cícero.*

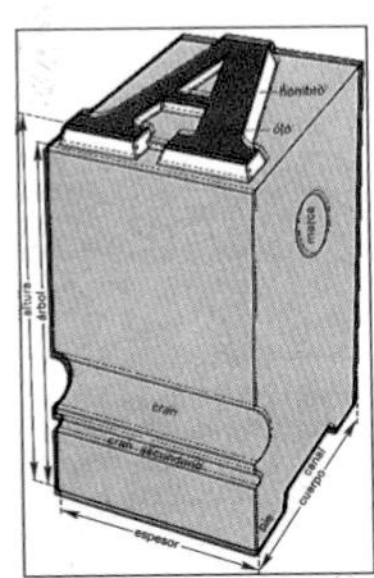

Tipo de imprenta

TIPOGRAFÍA f. Arte de reproducir textos mediante la impresión con caracteres o tipos móviles en relieve. ■ TIPOGRÁFICO, CA; TIPÓGRAFO, FA.

TIPOÍ o **TIPOY** m. *Argent., Bol.* y *Par.* Especie de túnica larga y sin mangas que visten las indígenas y campesinas guaraníes.

TIPOLOGÍA f. Ciencia que estudia los distintos tipos raciales en que se divide la especie humana. • Ciencia que estudia los diversos tipos de la morfología del hombre en relación con sus funciones vegetativas y psíquicas.

TIPOMETRÍA f. Medición de los puntos tipográficos.

TIPÓMETRO m. Regla graduada por cíceros y puntos (o picas y puntos), que se utiliza para medir el material tipográfico.

TIPPETT, SIR ***Michael*** (1905-1998) Compositor brit. Su lirismo y su técnica, basada en la armonía diatónica, destacan en el oratorio *Un hijo de nuestro tiempo.* Autor de las óperas *Matrimonio de verano* y *El rey Príamo.*

TÍPULA f. Insecto díptero semejante al mosquito, pero algo mayor; se alimenta del jugo de las flores y su larva ataca las raíces de muchas plantas.

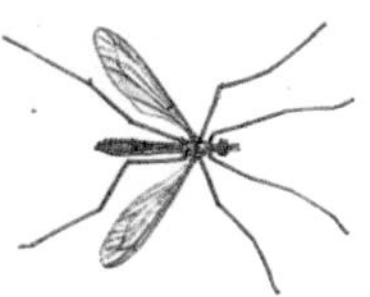

Típula

TIQUE m. *Amér.* Ticket. • *Chile.* Árbol de la familia euforbiáceas, de hojas cubiertas de escamas y por fruto una drupa dura.

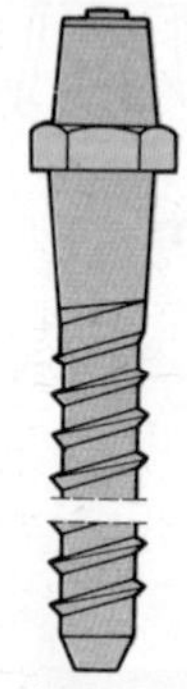
Tirafondo

Tiranosaurio

Carruaje con un **tiro** de dos caballos saliendo del Palacio de Versalles, según una pintura del s. XIX. Museo de Historia, Viena

TIQUETE m. *Amér.* Tique, billete.
TIQUIS miquis o **TIQUISMIQUIS** m. pl. Escrúpulos o reparos vanos o nimios. • fam. Expresiones ridículamente afectadas.
TIQUIZQUE m. *C. Rica.* Planta de la familia aráceas, con hojas grandes, triangulares y aflechadas, y rizoma comestible.
TIRA f. Pedazo largo y angosto de tela, papel u otra cosa delgada. • **cómica.** Historieta dibujada que se publica en un diario o revista.
TIRABALA m. Taco, juguete para disparar bolitas.
TIRABUZÓN m. Sacacorchos. • fig. Rizo de cabello, largo y pendiente en espiral.
TIRACUELLO m. Tahalí de la espada.
TIRADERO m. Puesto donde se coloca el cazador para tirar. • *Ven.* Burdel.
TIRADO, DA adj. Díc. de las cosas que se venden muy baratas o de aquellas que abundan mucho y se encuentran fácilmente. • fam. Díc. de lo que resulta muy fácil. • Díc. de la persona despreciable o que ha perdido la vergüenza. • m. Acción de reducir a hilo los metales, especialmente el oro. • f. Acción de tirar. • Distancia que hay de un lugar a otro, o de un tiempo a otro. • Serie de cosas que se dicen o escriben de un tirón. • *Art. Gráf.* Acción y efecto de imprimir. • *Art. Gráf.* Núm. de ejemplares de que consta una edición. • *Art. Gráf.* Lo que se tira en un día de labor. • **De,** o **en, una tirada.** m. adv. fig. De un tirón.
TIRADOR, RA m. y f. Persona que tira. • Persona que estira. • m. Instrumento con que se estira. • Asidero del cual se tira para cerrar una puerta, o abrir un cajón, etc. • Cordón, cadenilla, etc. de que se tira para hacer sonar la campanilla o el timbre. • Regla de hierro que usan los picapedreros. • Pluma metálica que sirve de tiralíneas. • Horquilla con mango, a los extremos de la cual se sujetan dos gomas unidas por una badana, en la que se colocan piedrecillas o perdigones para dispararlos. • *Argent.* Cinturón ancho que usa el gaucho. • *Argent.* y *Ur.* Tirante, cada una de las dos tiras que sirven para suspender de los hombros el pantalón. • *Art. Gráf.* Prensista. • **de oro.** Artífice que reduce este metal a hilo.
TIRAFONDO m. *Ferr.* Tornillo grande con cabeza de forma especial, que sirve para sujetar el carril a las traviesas y para otros usos análogos. • *Cir.* Instrumento que sirve para extraer cuerpos extraños de las heridas.
TIRAFRICTOR m. Dispositivo para el encendido manual de una carga explosiva o incendiaria.
TIRALÍNEAS m. Instrumento utilizado en dibujo para trazar líneas de tinta de diverso grosor.
TIRAMINA f. *Biol.* Amina biógena cuya función pral. estriba en elevar la presión de la sangre y en contraer la musculatura lisa.
TIRAMIRA f. Cordillera larga y estrecha. • Fila o serie continuada de muchas cosas o personas. • Tirada, distancia.
TIRANA (*Tiranë*) Cap. de Albania; 206 100 hab. Centro comercial. Ind. textil, papelera, alimentaria. Lignito.
TIRANÍA f. Gobierno ejercido por un tirano. • fig. Abuso de cualquier poder o fuerza. • fig. Dominio excesivo que un efecto o pasión ejerce sobre la voluntad. • *Hist.* En la ant. Grecia, la t. fue la forma de gobierno de algunas c. entre los ss. VII y IV a. C.
TIRANICIDIO m. Muerte dada a un tirano. ■ TIRANICIDA.
TIRANIZAR tr. Gobernar como tirano algún Est. • fig. Dominar tiránicamente. ■ TIRANIZACIÓN.
TIRANO, NA adj. y s. Aplícase a quien obtiene contra derecho el gobierno de un Est., y pralm. al que lo rige sin justicia y a medida de su voluntad. • fig. Díc. del que abusa de su poder, superioridad o fuerza, y también simplemente del que impone ese poder y superioridad. • adj. fig. Díc. de la pasión, vicio, etc., que arrastran a alguien. ■ TIRÁNICO, CA.
TIRANOSAURIO m. *Pal.* Reptil gigantesco que vivió durante el período jurásico de la era mesozoica. Era un dinosaurio saurisquiano, de régimen carnívoro.
TIRANTE adj. Que tira. • Tenso. • fig. Díc. de las relaciones de amistad próximas a romperse. • m. Cuerda o correa que, asida a las guarniciones de las caballerías, sirve para tirar de un carruaje. • Cada una de las dos tiras que sirven para suspender de los hombros el pantalón u otra prenda de vestir. • *Arq.* Pieza que, colocada horizontalmente en una armadura de tejado, impide la separación de los pares. • *Mec. apl.* Elemento que se caracteriza por ser resistente a la tracción.
TIRANTEZ f. Calidad de tirante. • Distancia en línea recta entre los extremos de una cosa. • *Arq.* Dirección de los planos de hilada de un arco o bóveda.
TIRAPIÉ m. Correa con que los zapateros sujetan el zapato con su horma para coserlo.
TIRAR tr. Despedir de la mano una cosa. • Arrojar, lanzar en dirección determinada. • Derribar, echar abajo. • Estirar o extender. • Reducir a hilo un metal. • Tratándose de líneas o rayas, hacerlas. • Con voces expresivas de daño corporal, ejecutar la acción significada por estas voces. • Devengar, adquirir o ganar. • fig. Malgastar el caudal o malvender la hacienda. • *Art. Gráf.* Imprimir. • tr. e intr. Disparar la carga de una arma de fuego, o un artificio de pólvora. • intr. Atraer por virtud natural. • Hacer fuerza para traer hacia sí o para llevar tras sí. • Tratándose de ciertas armas, manejarlas o esgrimirlas según arte. • Seguido de la prep. *de* y un nombre de arma o instrumento, sacarlo o tomarlo en la mano para emplearlo. • Producir la corriente de aire de un hogar. • fig. Atraer una persona o cosa la voluntad y el afecto de otra persona. • fig. Torcer, dirigirse a uno y otro lado. • fig. Durar o mantenerse trabajosamente una persona o cosa. • fig. Tender, propender, inclinarse. • prnl. Abalanzarse, arrojarse. • Echarse, tenderse en el suelo o encima de algo. • **Tirarse** a alguien. fig. y fam. Realizar el acto sexual con determinada persona. • **Tira y afloja.** loc. fig. y fam. que se emplea cuando en los negocios se procede con tiento y moderación, o en el mando se alterna el rigor con la suavidad. ■ TIRAMIENTO.
TIRATRÓN m. *Electr.* Válvula similar en su estructura a un triodo, del que difiere por haberse introducido en su interior un gas ionizable.
TIREOGLOBULINA f. *Biol.* Proteína globular almacenadora de yodo, que se encuentra en el organismo unida a la tiroxina de las tiroides.
TIREOSTÁTICO, CA adj. y m. *Fisiol.* Díc. de las sustancias que inhiben o retardan la síntesis de tiroxina en la glándula tiroides.
TIREOTROPINA f. *Fisiol.* Hormona originada en la hipófisis, cuya función pral. estriba en la estimulación de la secreción de la glándula tiroides.
TIRGU MURES (húng., *Marosvásarhely*) C. de Rumania, en Transilvania, a orillas del Mures; 154 500 hab. Ind. alimentarias y metalúrgicas.
TIRIO, RIA adj. y s. De Tiro. • **Tirios y troyanos.** loc. fig. Partidarios de opiniones o intereses opuestos.
TIRISTOR m. *Electr.* Válvula de estado sólido.
TIRITAR o **TITIRITAR** intr. Temblar o estremecerse de frío o fiebre. ■ TIRITERA; TIRITÓN.
TIRITIRÍ m. *Bol.* Danza popular.
TIRO m. Acción y efecto de tirar. • Señal o impresión que hace lo que se tira. • Pieza o cañón de artillería. • Disparo de una arma de fuego. • Estampido que éste produce. • Cantidad de munición proporcionada para cargar una vez el arma de fuego. • Alcance de cualquier arma arrojadiza. • Lugar donde se tira al blanco. • Conjunto de caballerías que tiran de un carruaje. • Tirante de un carruaje. • Cuerda puesta en garrucha o máquina, para subir una cosa. • Corriente de aire que produce el fuego de un hogar. • Longitud de una pieza de cualquier tejido. • Anchura del vestido, de hombro a hombro, por la parte del pecho. • Holgura entre las perneras del pantalón. • Tramo de escalera. • fig. Seguido de la prep. *de* y el nombre del arma disparada, o del objeto arrojado, úsase como medida de distancia. • fig. Daño grave, físico o moral. • fig. Chasco o burla. • fig. Indirecta o alusión desfavorable contra una persona; ataque. • *Min.* Pozo abierto en el suelo de una galería. • *Min.* Profundidad de un pozo. • *Vet.* Vicio de algunos caballos de apoyar los dientes en el pesebre o en otros puntos y acompañado de un ruido particular. • pl. Correas pendientes de que cuelga la espada. • **de gracia.** El que se da para rematar al que está mortalmente herido. • **rasante.** Aquel cuya trayectoria se aproxima cuanto es posible a la línea horizontal. • **A t.** m. adv. Al alcance de una arma arrojadiza o de fuego. • fig. Díc.

de lo que se halla al alcance de uno. • **Al t.** *Amér.* Inmediatamente.

TIRO C. de Fenicia, la actual Sur, en el Líbano. Fundada por los sidonios en el III milenio a. C., fue el pral. núcleo de la expansión fenicia por el Mediterráneo.

TIROGLOBULINA f. *Fisiol.* Sustancia proteica yodada de elevado peso molecular, presente en las vesículas coloidales del cuerpo tiroides.

TIROIDES m. *Anat.* Glándula endocrina de los animales vertebrados, sit. por debajo y a los lados de la tráquea y de la parte posterior de la laringe. Capta el yodo del plasma y elabora dos hormonas muy importantes, la tiroxina y la triyodotironina, cuya secreción está controlada por la hormona tireotrópica de la hipófisis. ■ TIROIDEO, A.

TIROIDINA f. *Med.* Extracto del tiroides del carnero, rico en tiroxina, que se utiliza en la terapia de ciertas enfermedades tróficas.

TIROL Región natural de los Alpes centrales, ant. prov. del imperio austr.; 20 047 km^2, 1 028 300 hab. Administrativamente corresponde al est. federal austr. hom., y a la prov. it. de Bolzano. En 1363 pasó a poder de Austria, y tras la I Guerra Mundial el T. meridional pasó a depender de Italia. • Est. del O de Austria; 12 647 km^2, 594 000 hab. Cap., Innsbruck. Se extiende por el sector alpino correspondiente al valle del alto Inn. Cereales, forrajes, frutales. Ganadería. Madera. Ind. agropecuaria, textil, metalúrgica. Turismo. • **Meridional** Región de Italia → Trentino-Alto Adigio.

TIROLÉS, SA adj. y s. Del Tirol. • m. Dialecto hablado en el Tirol. • Mercader de juguetes y quincalla.

TIRÓN m. Acción y efecto de tirar con violencia. • Robo que se hace arrebatando violentamente a alguien lo que lleva en las manos, brazos, etc. • Estirón. • **De un t.** m. adv. De una vez, de un golpe.

TIRÓN, *Marco Tulio* (104-4 a. C.) Escritor latino. Publicó los *Discursos* de Cicerón. Inventó un sistema de signos taquigráficos *(notae tironianae).*

TIROSINA f. *Biol.* Aminoácido que se halla presente en casi todas las proteínas. Interviene en la síntesis de la melanina y origina hormonas.

TIROTEAR tr. y prnl. Intercambiar disparos de fusil o arma corta. • prnl. fig. Andar en dimes y diretes. ■ TIROTEO.

TIROXINA f. *Fisiol.* Hormona tiroidea, imprescindible para el crecimiento y el desarrollo.

TIRPITZ, *Alfred von* (1849-1930) Almirante al. Ministro de Marina en 1898, obtuvo del káiser Guillermo II el apoyo necesario para crear una potente flota de guerra.

TIRRENO Parte del Mediterráneo comprendida entre la Pen. Itálica y las islas de Córcega, Cerdeña y Sicilia. Islas agrupadas en arch. Puerto pral.: Nápoles.

TIRRIA f. fam. Manía o tema contra uno. • Odio, ojeriza.

TIRSO m. Vara enramada, cubierta de hojas de hiedra y parra, que suele llevar como cetro la figura de Baco, y que se usaba en las fiestas dedicadas a este dios. • *Bot.* Inflorescencia parecida a una umbela, pero en la que los extremos de las ramas laterales no llegan al nivel del ápice principal.

TIRSO de Molina Seud. de FRAY *Gabriel Téllez* (1571?-1648) Monje mercedario y autor dramático esp. Sus comedias se agrupan en religiosas, históricas y de intriga y enredo. Su obra *El burlador de Sevilla y convidado de piedra* dio origen a la figura de don Juan. También escribió prosa.

TIRTEO (s. VII a. C.) Poeta ateniense que intervino en favor de Esparta, en las guerras contra Mesenia. *Elegías.*

TIRUCHIRAPPALLI (ant. *Trichinopoly*) C. de la India, en el est. de Tamil Nadu, a orillas del Kaveri; 362 000 hab. Ind. textil, manufacturas de tabaco.

TIRULO m. Rollo de hoja de tabaco, o porción de picadura de hebra, que forma el alma o tripa del cigarro puro.

TISAFERNES (m. 395 a. C.) Sátrapa persa de las prov. costeras de Anatolia desde 413 a. C. En el 412 intervino en la guerra del Peloponeso. Derrotado cerca de Sardes (395), fue destituido por Artajerjes.

TISAJE m. Conjunto de operaciones que transforman los hilados en tejidos.

TISANA f. Bebida medicinal que resulta de cocer en agua ciertas hierbas.

TISELIUS, *Arne* (1902-1971) Químico sueco. Por sus investigaciones sobre las proteínas recibió en 1948 el Premio Nobel de Química. En 1960 fue nombrado presid. de la Fundación Nobel.

TISIOLOGÍA f. *Med.* Parte de la patología que se ocupa de la tuberculosis.

TISIS f. *Pat.* Estado de consunción general. • *Pat.* Tuberculosis. En sentido más limitado, pero también mas usual, tuberculosis pulmonar crónica. ■ TÍSICO, CA.

TISO, *Jozef* (1887-1947) Sacerdote y político eslovaco. Presid. en 1938 del gobierno autónomo de Eslovaquia, y en 1939-1945 de la rep., proclamada bajo la protección de Hitler. Condenado a muerte por un tribunal popular y ejecutado.

TISTE m. *Amér. Centr.* y *Méx.* Bebida refrescante que se prepara con harina de maíz tostado, cacao, achiote y azúcar.

TISÚ m. Tela de seda entretejida con hilos de oro o de plata.

TISULAR adj. *Biol.* Relativo a los tejidos.

TISURIA f. *Pat.* Debilidad causada por la excesiva secreción de orina.

TISZA (al., *Theiss*; checo, rumano, ruso y servocroata, *Tisa*; húng., *Tisza*) Río de Europa central que nace en los Cárpatos ucranianos y desagua en el Danubio; 977 km.

TISZA, *István*, CONDE DE (1861-1918) Político húng. Jefe de gobierno en 1903-1905. En 1910 fundó el Partido Nacional del Trabajo y volvió al poder (1913-1917). Gobernó dictatorialmente. Murió asesinado al estallar la revolución.

TITÁN m. *Mit.* Gigante de los que fingió la antigüedad que habían querido atacar el cielo. En la mitología gr., nombre dado a los descendientes de Urano y de Egea. • fig. Sujeto de especial poder, que descuella en algún aspecto. • fig. Grúa gigantesca. • n. p. m. *Astr.* Sexto satélite de Saturno.

TITANIC Trasatlántico brit., el mayor de su época. En 1912, durante su primer viaje (de Gran Bretaña a EE UU) chocó con un iceberg y se hundió, pereciendo unas 1 500 personas.

TITÁNICO, CA adj. Relativo a los titanes. Relativo al titanio. fig. Desmesurado, gigantesco.

TITANIO, NIA adj. Relativo a los titanes. m. *Quím.* Elemento de símb. Ti, n. a. 22 y p . a. 47,90. Por su resistencia a las elevadas temperaturas (punto de ebullición superior a los 3 000 °C), se emplea para superar la barrerra del calor, sobre todo en aeronáutica.

TITANITA f. *Miner.* Neosilicato de calcio y titanio que cristaliza en el sistema monoclínico. También denominada esfena.

TITEAR intr. Llamar la perdiz a sus crías.

TITEO m. Acción de titear la perdiz. • *Argent.* Befa, mofa.

TÍTERE m. Figurilla de pasta u otra materia que se mueve con alguna cuerda o artificio. • fig. y fam. Sujeto informal, necio y casquivano. • fig. Idea fija que preocupa mucho. *P. Rico.*Vagabundo. • pl. fam. Diversión pública de volatines o cosas análogas. • **No dejar,** o **no quedar, t. con cabeza.** fr. fig.y fam. con que se pondera el destrozo o desbarajuste total de una cosa.

TITÍ m. *Amér. Merid.* Mono arborícola; es tímido y fácil de domesticar. Se alimenta de pájaros e insectos.

TITICACA Lago de Sudamérica, en la frontera entre Perú y Bolivia; 8 300 km^2. Dividido por las pen. de Copacabana y Huata. El río Desaguadero lo comunica con el lago Poopó. Centro de una cultura preincaica de la que existen restos en la pen. de Copacabana.

TITILAR intr. Palpitar, temblar ligeramente alguna parte del cuerpo. • Centellear con suave temblor un cuerpo luminoso. ■ TITILACIÓN.

TITIRIMUNDI m. Cosmorama portátil. • Colección de figuras o muñecos utilizados en representaciones callejeras.

TITIRITAINA f. fam. Ruido confuso de flautas u otros instrumentos. • P. ext., cualquier bulla alegre o festiva.

TITIRITERO, RA o **TITERERO, RA** m. y f. Persona que maneja los títeres. • Volatinero. ■ TITERETADA.

Paisaje alpino en el **Tirol** austriaco

Cristales de **titanita**

Vista del lago **Titicaca** desde la orilla boliviana

Josip Broz, **Tito**

Vista parcial de la ciudad de **Tívoli**

Autorretrato de **Tiziano.** Museo del Prado, Madrid

TITO, TA m. y f. dim. fam. de tío, tía. • m. Almorta, muela, guija. • Sillico, perico.

TITO Seud. de *Josip Broz* (1892-1980) Político yug. Contribuyó a la fundación del Partido Comunista Croata. Dirigió a los partisanos durante la II Guerra Mundial. Terminada la guerra proclamó la rep., de la que fue primer ministro (1945-1953) y presid. (1953-1980). Defendió una política exterior neutralista. • **Flavio Sabino Vespasiano,** (39-81) Emperador rom. [79-81], hijo de Vespasiano. Tomó y destruyó Jerusalén (70). • **Livio** (59 a. c.-17 d. C.) Historiador rom., autor de una monumental historia de Roma *(Ab urbe condita)*.

TITOGRADO Cap. de Montenegro hasta 1992, → Podgorica.

TITONIDO m. *Zool.* Familia de aves estrigiformes, de la que forman parte 12 especies, conocidas globalmente como lechuzas.

TITOV, ***German Stepanovich*** (nacido 1935) Cosmonauta sov. En 1961, a bordo del *Vostok 2* cubrió 17 órbitas alrededor de la Tierra. En 1962 fue elegido miembro del Soviet Supremo.

TITU Cusi Yupanqui (h. 1526-1570) Rey inca, hijo de Manco Cápac II. Convertido al catolicismo, se culpó de su extraña muerte a los misioneros.

TITUBEAR intr. Oscilar, perdiendo la estabilidad y firmeza. Tropezar o vacilar en la elección o pronunciación de las palabras. • fig. Vacilar, estar indeciso. ■ TITUBEO.

TITULACIÓN f. En general, acción de titular. • Conjunto de títulos de propiedad que afectan a una finca rústica o urbana. • *Quím.* Valoración de una solución.

TITULAR adj. Que tiene algún título, por el cual se denomina. • Que da su propio nombre por título a otra cosa. • adj. y s. Díc. de la persona que tiene el título o nombramiento correspondiente al cargo que ejerce. • m. Título o encabezamiento de una información periodística. Se usa más en pl. • tr. Poner título, nombre o inscripción a una cosa. • intr. Obtener una persona título nobiliario.

TITULILLO m. *Art. Gráf.* Renglón que se pone en la parte superior de la página impresa, para indicar la materia de que se trata.

TÍTULO m. Palabra o frase con que se da a conocer el asunto de un libro o de cada una de las partes o divisiones de un escrito. • Letrero con que se indica el contenido o destino de otras cosas. • Renombre con que se conoce a una persona por sus cualidades o sus acciones. • Causa, motivo, fundamento o pretexto. • Demostración auténtica del derecho con que se posee una hacienda o bienes. • Testimonio o instrumento dado para ejercer un empleo, dignidad o profesión. • Dignidad nobiliaria. Cada una de las partes prales. en que suelen dividirse las leyes, reglamentos, etc. • Cierto documento que representa deuda pública o valor comercial. • **al portador.** El que no es nominativo, sino pagadero a quien lo lleva o exhibe. • **A t.** m. adv. Con pretexto, motivo o causa. ■ TITULADO, DA.

TIUMEN C. de la rep. de Rusia, cap. de la prov. hom.; 425 000 hab. Ind. mecánicas, textiles, de la madera y alimentarias.

TIUQUE m. *Argent.* y *Chile.* Ave de rapiña, de pico grande y plumaje oscuro.

TÍVOLI *(Tívoli)* C. de Italia, en el Lacio, prov. de Roma; 52 200 hab. Canteras de alabastro. Ind. química. Es la ant. Tibur de los rom. Famosa por los jardines de la villa residencial (1550).

TIXOTROPÍA f. Propiedad que presentan algunos geles de transformarse en soles por efecto de la agitación mecánica.

TIZA f. Arcilla blanca que se usa para escribir en los encerados. • Asta de ciervo calcinada. • Compuesto de yeso y greda que se usa en el juego de billar para untar la suela de los tacos. • **De t. y hacha.** *Argent.* y *Ur.* Resuelto y sin miedo. • **Quedar una cosa en t.** *Col.* Quedar en proyecto.

TIZIANO Vecellio (h. 1487-1576) Pintor it., máx. representante de la escuela veneciana. *Concierto campestre, retablo de la Asunción, Virgen de los Pesaro, Isabel de Este, Venus de Urbino, Coronación de espinas, Carlos V a caballo, Venus vendando a Amor.*

TIZIMÍN Pob. de México, en el est. de Yucatán; 54 571 hab. Maíz, frutales. Ganadería. Explotación forestal .

TIZNA f. Materia tiznada y preparada para tiznar.

TIZNADO, DA adj. *Amér. Centr.* y *Argent.* Borracho, ebrio.

TIZNAR tr. y prnl. Manchar con tizne, hollín u otra materia semejante. • P. ext., manchar de forma parecida con una sustancia de cualquier otro color. • fig. Manchar la fama, la honra o el buen nombre de una persona. • intr. y prnl. *Amér.* Emborracharse. ■ TIZNADURA.

TIZNE amb. Humo que se pega a las sartenes y otras vasijas que han estado a la lumbre. • m. Tizón, tizo.

TIZO m. Pedazo de leña mal carbonizado, que despide humo al arder.

TIZOC (m. 1486) Rey azteca, sucesor de su hermano Axayácatl (1481). Posiblemente murió por envenenamiento.

TIZÓN m. Palo a medio quemar. • fig. Mancha, deshonra en la fama o estimación de alguien. • Arq. Parte de un sillar o ladrillo, que entra en la fábrica. • *Bot.* Nombre común de diversas especies de hongos basidiomicetes productoras de enfermedades en cereales y otras plantas. • **del trigo.** *Bot.* Especie que vive sobre las flores del trigo, avena, cebada, etc., en las que produce una sustancia negruzca y pulverulenta formada por las esporas.

TIZONA f. fig. y fam. Espada, arma.

TIZONCILLO m. Tizón del trigo.

TIZONEAR intr. Remover los tizones, atizar la lumbre.

Tl *Quím.* Símb. del talio.

TLACAÉLEL (h. 1398-h. 1475) Príncipe azteca, hijo del rey Huitzilihuitl. Renunció al trono tres veces.

TLACATECUHTLI (voz náhuatl) m. *Amér.* Uno de los títulos de los reyes aztecas. • Máximo juez azteca.

TLACATÉOTL (m. 1427) Señor de México-Tlatelolco, nieto de Tezozómoc. Asesinado por Maxtla a la m. de su abuelo.

TLACHIQUE m. *Méx.* Pulque sin fermentar.

TLACOPÁN-TEPANOHUAYAN Ant. reino del valle de México. Formó parte de la alianza Tenochtitlán-Texcoco.

TLACOTE m. *Méx.* Tumorcillo o divieso.

TLACUACHE m. *Méx.* Zarigüeya.

TLACUILO m. *Amér.* Entre los aztecas, escribiente.

TLÁHUAC Delegación de México, en el Distrito Federal; 62 400 hab.

TLALNEPANTLA DE GALEANA C. de México, en el est. de México; 45 600 hab. Mercado agropecuario. Ind. mecánicas y eléctricas.

TLALOC En la religión mex. precolombina, uno de los dioses más antiguos y el pral., tal vez, de Teotihuacán. Señor de las lluvias, los huracanes, el trueno, la vegetación y la fertilidad. Reinaba sobre los ahogados y muertos de hidropesía.

TLALPAN (ant. *San Agustín de los Cuervos*) Delegación de México, en el Distr. Federal; 206 688 hab. Zona residencial de la C. de México.

TLAPALERÍA f. *Méx.* Tienda donde se venden útiles para pintar.

TLAPANECO, CA adj. y s. Díc. del pueblo amerindio de la fam. lingüística hokana que vive en las montañas del est. de Guerrero.

TLAQUEPAQUE C. de México, en el est. de Jalisco; 337 950 hab. Centro agrícola. Ind. textiles y del vidrio. Alfarería.

TLASCAL m. *Méx.* Tortilla, torta de maíz.

TLATELOLCO C. del México prehispánico, sit. en una de las islas del lago Texcoco, más tarde unida a Tenochtitlán. Fundada h. finales del s. XIII. En 1473 fue absorbida por la cap., pero conservó su indep. como centro cultural y barrio de mercaderes.

TLATILCO Estación arqueológica del valle de México, datada entre 1200 y 300 a. C. Cuenta con numerosos enterramientos con ricas ofrendas. El arte de T. presenta figuras femeninas, mujeres con niños, parejas, acróbatas y seres deformes. Presenta grandes similitudes con el yacimiento contemporáneo de Chavín (Perú).

TLATOANI (voz náhuatl) m. *Amér.* Gobernante de las ciudades-estado mexicas.

TLAXCALA Est. de México, limítrofe con los est. de Hidalgo, Puebla y México; 3 914 km², 961 912 hab. Cap., la c. hom. Territorio accidentado por la cord. Neovolcánica, con alt. superiores a los 2 000 m; el punto más alto está en la sierra de la Malinche (4 461 m). Ríos Atoyac y Zahuapan; régimen endorreico al N y E. Clima templado, determinado por la alt. Encinas, robles, pinos y helechos. Cereales, hortalizas, forrajes y frutales. Ganadería bovina. Explotación forestal. Ind. textiles, alimentarias, de curtidos, serrerías, materiales para la construcción. Producción de energía hidroeléctrica. • C. de México, cap. del est. hom. Sit. a orillas del Zahuapan; 73 184 hab. Centro agrícola y ganadero. Destacan el convento de los franciscanos y el palacio municipal (s. XVII) y la catedral (s. XVIII).

TLAXCALTECA adj. y s. Díc. de individuos de un pueblo de origen náhuatl que en el s. XII se instaló junto al lago Texcoco. Los t. asimilaron la cultura azteca. Formaron cuatro estados prales.: Tepetícpac, Ocotetelco, Teotlalpan y Quiahuiztlán. Se aliaron con los esp. contra los aztecas. • De Tlaxcala o Tlascala • adj. Relativo a dicho pueblo. • m. pl. Pueblo tlaxcalteca.

TLAZOL m. *Méx.* Punta de la caña de maíz o de azúcar, que sirve de forraje.

TLAZOLTÉOTL. En la ant. religión mex., una de las diosas de la tierra. Borraba los pecados carnales comiéndolos, por lo que se llamaba también Tlalcuani («comedora de inmundicias»). Señoreaba la confesión y la penitencia. Madre del dios del maíz, Centeotl.

TLOHTZIN *(Gavilán)* Rey chichimeca [1263-1298]. Sucesor de su padre Nopaltzin. Mejoró las técnicas agrícolas de su pueblo.

Tm *Quím.* Símb. del tulio.

TNT → Trinitrotolueno.

TOA Alta C. de Puerto Rico, en el distr. de Bayamón; 44 101 hab. Refinerías de azúcar. • **Baja** C. de Puerto Rico, en el distr. de Bayamón; 89 454 hab. Ind. conservera.

TOALLA o **TOBALLA** f. Lienzo para secarse las manos y la cara. • Cubierta que se tiende en las camas sobre las almohadas. ■ TOALLERO.

TOARCIENSE m. *Geol.* Piso del jurásico inferior o liásico comprendido entre el pleinsbaquiense y el aaleniense.

TOB, *Sem* (s. XIV) Poeta judeoespañol. Introdujo en la poesía cast. el género de sentencias y consejos. *Proverbios morales.*

TOBA adj. y s. Díc. del pueblo amerindio de la familia lingüística guaycurú, que vivía ant. entre los r. Bermejo y Pilcomayo, y que actualmente habita en el S del Chaco arg. • f. *Geol.* Roca calcárea constituida por carbonatos de calcio, porosa y esponjosa, formada por precipitación de las sales contenidas en fuentes y ríos a causa de la evaporación • Sarro de los dientes. • Cardo borriquero. • fig. Capa o corteza que producen algunas cosas. • **volcánica**. *Geol.* Roca poco compacta originada por la cementación de materiales piroclásticos.

TOBAGO Isla del Caribe, miembro del Est. de Trinidad y Tobago; 303 km², 39 500 hab. C. pral.: Scarborough. Caña de azúcar, cacao. Explotación forestal. Descubierta por Colón en 1498. Fue Colonia hol. y brit. Indep. desde 1962.

TOBAR m. Cantera de toba.

TOBAR Ponte, *Martín* (1772-1843) Político ven. Alcalde de Caracas, convocó el cabildo que proclamó la indep. Combatió junto a Bolívar por la creación de la Gran Colombia. Apoyó la separación de Venezuela de la Gran Colombia.

TOBERA f. Abertura tubular por donde entra o se inyecta el aire en un horno o en una forja. • *Aer.* Elemento de paso de un fluido hacia el espacio atmosférico. • Dispositivo básico a través del cual se aprovecha el impulso generado por la ignición de los gases en la cámara de combustión de los motores cohete.

TOBIANO, NA adj. *Argent.* Díc. del caballo o de la yegua de cierta casta que tiene la piel de dos colores a grandes manchas.

TOBÍAS, *Libro de* Uno de los libros deuterocanónicos del A. T. Cuenta, en forma de novela moral, la vida de Tobías en Nínive. Data de fines del s. III o principios del II a. C.

TOBILLERA f. Venda con la que se sujeta el tobillo en algunas lesiones o luxaciones de éste.

TOBILLO m. *Anat.* Porción inferior de la pierna, articulada con el pie.

TOBOGÁN m. Especie de trineo bajo formado por una armadura de acero montada sobre dos patines largos y cubierta por una tabla o plancha acolchada. • Pista hecha en la nieve, por la que se deslizan a gran velocidad estos trineos especiales. • Dispositivo deslizante de feria por el que las personas sentadas o tendidas se dejan resbalar. • Dispositivo deslizante para niños.

TOCA f. Prenda de tela, gralte. delgada, con que se cubría la cabeza. • Prenda de lienzo blanco que, ceñida al rostro, usan la monjas para cubrir la cabeza. • Tela de lino o seda, especie de beatilla con la que ordinariamente se hacen las tocas. • Sombrero femenino con ala pequeña.

TOCADISCOS m. Aparato empleado para la reproducción sonora de discos.

TOCADO, DA adj. fig. Medio loco, algo perturbado. • fig. Díc. de la fruta que ha empezado a dañarse. • m. Prenda con que se cubre la cabeza. • Peinado y adorno de la cabeza, en las mujeres. • Juego de cintas de color, encajes y otros adornos, para tocarse una mujer.

TOCADOR, RA adj. Que toca. Se dice especialmente del que tañe un instrumento musical. • m. Paño que servía para cubrirse y adornarse la cabeza. • Mueble, por lo común en forma de mesa, con espejo u otros utensilios, para el tocado. • Aposento destinado a este fin. • Caja o estuche para guardar alhajas, objetos de tocado o de costura, etc.

TOCANTINS Río de Brasil; 2 640 km. Nace en el est. de Goiás y desemboca en el Amazonas. • Est. de Brasil, 277 322 km², 966 000 hab.

TOCAR tr. Ejercitar el sentido del tacto. • Llegar a una cosa con la mano, sin asirla. • Hacer sonar, según arte, cualquier instrumento. • Avisar con campana u otro instrumento. • Tropezar ligeramente una cosa con otra. • Herir una cosa, para reconocer su calidad por el sonido. • Acercar una cosa a otra de modo que no quede entre ellas distancia alguna, para que le comunique cierta virtud. • Ensayar una pieza de oro o plata en la piedra de toque. • fig. Estimular, persuadir, inspirar. • fig. Tratar o hablar superficialmente de una materia. • fig. Haber llegado el momento oportuno de ejecutar algo. • *Pint.* Dar toques o pinceladas sobre lo pintado. • tr. y prnl. Peinar y componer el cabello. • intr. Pertenecer por algún derecho o título. • Llegar de paso a algún lugar. • Ser de la obligación o cargo de uno. • Importar, ser de interés. • Pertenecer parte de una cosa que se reparte entre varios. • Caer en suerte una cosa. • Estar una cosa cerca de otra de modo que no quede entre ellas distancia alguna. • Ser uno pariente de otro. • prnl. Cubrirse la cabeza con gorra, sombrero, etc. • **Estar** uno **tocado** de una enfermedad. fr. fig. y fam. Empezar a sentirla. • **Tocárselas** uno. exp. fig. y fam. Huir, tomar las de Villadiego. ■ TOCAMIENTO; TOCANTE.

Brasero representando al dios **Tlaloc**

Tlaxcala. Fachada del Palacio Municipal

TOCATA f. *Mús.* Pieza de música instrumental, ordinariamente breve *(→ toccata).* • fig. y fam. Zurra, paliza. • fam. Tocadiscos.

TOCATEJA *(A)* m. adv. A toca teja.

TOCAYO, YA m. y f. Respecto de una persona, otra que tiene su mismo nombre.

TOCCATA (voz it.) f. *Mús.* Forma musical para instrumentos de teclado, cuyo origen se remonta al s. XVI. J. S. Bach la estableció como composición libre de un solo movimiento.

TOCHE m. *Col.* y *Ven.* Pájaro conirrostro, de plumaje amarillo y negro azulado.

TOCHIGI Prefectura de Japón, en la isla de Honshu; 6 414 km², 1 935 000 hab. Cap., Mtsunomiya.

TOCHIMBO m. Horno de fundición usado en Perú.

TOCHO, CHA adj. Tosco, inculto, tonto, necio. •

adj. *Chile*. Díc. del gallo que tiene cortado uno o ambos espolones, y del individuo que tiene cortada la punta del dedo pulgar. • m. *Metal*. Lingote de hierro. • **laminado.** *Metal.* Metal semielaborado de acero, de dimensiones comprendidas entre 40 y 130 mm y con una sección inferior a 16 900 mm^2.

TOCHTLI (voz náhuatl) m. *Amér*. Décimo día del mes azteca.

TOCI Diosa madre náhuatl, abuela de los hombres y deidad de la tierra.

TOCINO m. Capa de grasa que forma el panículo adiposo subcutáneo en ciertos mamíferos y especialmente en el cerdo. • Lardo. • Témpano de la canal del cerdo. • En el juego de la comba, saltos muy rápidos y seguidos. • Cerdo, cochino, puerco. • **entreverado.** El que tiene algunas hebras de magro. • **saladillo.** El fresco a media sal. ▪ TOCINERÍA; TOCINERO, RA.

TOCO m. *Perú.* Nicho u hornacina rectangular muy usado en la arquitectura incaica.

TOCOFEROL m. *Biol*. Vitamina de la fertilidad, conocida también como vitamina E, aislada en primer lugar del germen de trigo.

TOCOLOGÍA f. *Med*. Parte de la obstetricia que se ocupa del parto. ▪ TOCÓLOGO, GA.

TOCÓN m. Parte del tronco de un árbol que queda unida a la raíz cuando lo cortan por el pie.• Muñón, parte de un miembro cortado adherida al cuerpo.

Actor romano vistiendo **toga.** Detalle de un mosaico del s. III. Museo de Susa, Tunicia

TOCOPILLA Prov. del N de Chile, en la región de Antofagasta; 38 600 hab. Cap., la c. hom. Fundiciones de cobre. • C. de Chile, cap. de la prov. hom.; 21 800 hab.

TOCORORO m. Ave trepadora, de plumaje blando, sedoso, diversamente coloreado y con reflejos metálicos. Vive en los bosques de la isla de Cuba.

TOCOTÍN m. *Méx*. Ant. danza popular y canto que la acompaña.

TOCOTOCO m. *Ven*. Pelícano, ave.

TOCQUEVILLE, *Charles Alexis Henri Clérel de* (1805-1859) Escritor y político fr., uno de los prales. exponentes del pensamiento liberal. Ministro de Asuntos Exteriores (1849). *La democracia en América, El Antiguo Régimen y la revolución.*

TOCTO m. *Bol*. Comida a base de carne y arroz.

TOCUMEN Aeropuerto internacional de Panamá, sit. a 15 km de la cap. de la rep.

TOCUYO m. *Amér. Merid.* Tela burda de algodón.

TOCUYO R. de Venezuela. Nace en la cord. de Trujillo y desemboca en el Caribe; 350 km.

TODA Aznar (m. 960) Reina de Navarra por su matrimonio con Sancho I Garcés (h. 905). Regente durante la minoridad de su hijo García II Sánchez I.

TODABUENA o **TODASANA** f. Planta gutífera, con tallo ramoso, hojas sentadas y opuestas, flores amarillas y fruto en bayas negruzcas.

TODAVÍA adv. tiempo. Hasta un momento determinado desde tiempo anterior. • adv. modo. Con todo eso, sin embargo. • Tiene sentido concesivo corrigiendo una frase anterior. • Denota encarecimiento o ponderación.

TODD, LORD ***Alexander*** (1907-1997) Químico brit. En 1957 recibió el Premio Nobel de Química y en 1958 el Premio Canizzaro por sus estudios sobre las coenzimas. • ***Michael*** (1907-1958) Productor de cine norteam. Patentó el procedimiento cinematográfico Todd-AO. Financió la primera película realizada en ese sistema, la opereta *Oklahoma.*

Mapa de situación y bandera de **Togo**

TODO, DA adj. Díc. de lo que se considera íntegramente, sin excluir ninguna de sus partes. • Se usa para ponderar el exceso de alguna calidad o circunstancia. • Seguido de un sustantivo en sing. y sin art., toma y da a este sustantivo valor de pl. • En pl. equivale, a veces, a *cada*. • m. Cosa íntegra o que consta de la suma y conjunto de sus partes integrantes, sin que falte ninguna. • adv. modo. En su totalidad. • **Ante t.** m. adv. Primera o principalmente. • **Así y t.** loc. conj. A pesar de eso, aun siendo así. • **A t.** m. adv. Cuanto puede ser en su línea; con el máx. esfuerzo o rendimiento. • Con los verbos *estar*, *quedar*, *salir*, etc., obligarse a la seguridad de alguna cosa, no obstante los inconvenientes o riesgos que puedan ofrecerse en contrario. • **A t. esto,** o **A todas estas.** m. adv. Mientras tanto, entretanto. • **Con t., con t. eso,** o **con t. esto.** loc. conj. No obstante, sin embargo. • **Del t.** m. adv. Entera, absolutamente, sin excepción ni limitación. • **De t. en t.** m. adv. Entera y absolutamente. • **En t. y por t.** m. adv. Entera o absolutamente, o con todas las circunstancias. • **En un t.** m. adv. Absoluta y generalmente. • **Por t.,** o **por todas**. loc. adv. En suma, en total. • **Sobre t.** m. adv. Con especialidad, mayormente, principalmente. • **Y t.** m. adv. Hasta, también, aún, indicando gran encarecimiento.

TODOPODEROSO, SA adj. Que todo lo puede. • n. p. m. P. ant., Dios.

TODOS los Santos Bahía de Brasil, en la costa del est. de Bahía. En ella se encuentra la c. de Salvador, cap. del est.

TODT, *Fritz* (1891-1942) Ingeniero y político al. Miembro del partido nazi desde 1922, en 1940 fue ministro de Armamento y Municiones.

TOFFLER, *Alvin* (nacido 1928) Sociólogo norteam. Ha analizado las contradicciones del mundo contemporáneo y los cambios sociales que generará la revolución tecnológica. *El «shock» del futuro, La tercera ola.*

TOFO m. *Pat*. Depósito de cristales de una sal del ácido úrico que se forma en el curso de la gota. Suele localizarse en las articulaciones, vainas tendinosas y lóbulo de la oreja. • *Chile.* Arcilla blanca refractaria.

TOGA f. Prenda pral. exterior del traje nacional romano. • Traje exterior, que usan los magistrados, catedráticos, etc., encima del ordinario. ▪ TOGADO, DA.

TOGLIATTI, *Palmiro* (1893-1964) Político it. Secretario general del Partido Comunista Italiano en 1927. Formó parte de los gobiernos Badoglio, Parri y De Gasperi (1944-1947). Se le considera precursor del eurocomunismo. *Problemas del movimiento obrero internacional.*

Togo. Hechicero de la etnia ewe

TOGO

Superficie 56 785 km^2

Población 4 736 000 hab. (83 hab./km^2)

Recursos económicos	
Aceite de palma	14 000 t
Algodón	84 000 t
Bananas	16 000 t
Cabaña caprina	1 900 000 cabezas
Cabaña ovina	1 220 000 cabezas
Cabaña porcina	850 000 cabezas
Cacahuetes	32 000 t
Cacao	5 000 t
Cemento	350 000 t
Cerveza	452 000 hl
Copra	2 000 t
Energía eléctrica	93 000 000 kwh
Fosfatos	2 083 000 t
Maíz	296 000 t
Pesca	15 800 t
Riqueza forestal	1 326 000 m^3
Indicadores sociológicos	
PNB	1 266 millones de dólares
Renta per cápita	310 dólares
Esperanza de vida	50 años
Alfabetismo	52 %

TOGNAZZI, ***Ugo*** (1922-1990) Actor cinematográfico it. *Porcile, La gran comilona, Tragedia de un hombre ridículo.*

TOGO *(République Togolaise)* Estado de África occidental, limítrofe con Burkina Faso, Benín Ghana y el golfo de Guinea. Forma una gran meseta accidentada por los montes de Togo (Agou, 1 020 m). Ríos Mono y Oti. Clima tropical. Cacao, café, algodón, cacahuetes, palma de aceite, nuez de coco, copra, maíz, sorgo, mijo, batata, arroz. Ganadería ovina, caprina. Explotación forestal. Pesca. Hierro, fosfatos. Ind. oleícola, jabonera. Lenguas: fr. (of.), kabiye y ewe. *Rel.*: animista (mayoritaria), islamismo. U. M.: franco CFA. Cap.: Lomé. C. pral.: Sokodé.

* *Hist.* Los port. llegaron a las costas de T. en 1471, los neerlandeses en 1610, seguidos por ing. y daneses (1784). En los ss. XVIII y XIX se establecieron comerciantes de esclavos procedentes de Brasil y Sierra Leona. Los al. fundaron la cap., Lomé. Francia y Gran Bretaña ocuparon T. durante la I Guerra Mundial, y se dividieron el país. La Togolandia brit. integró con Costa de Oro (1956) el Est. de Ghana. La zona fr. accedió a la indep. en 1960, con Sylvanus Olympo como presid. En 1963 un golpe de Est. llevó al poder a N. Grunitzky, derrocado en 1967. El nuevo presid. fue el coronel G. Eyadema. Reelegido en 1979, en 1980 proclamó la III rep., en la que ostentaba los cargos de presid. y primer ministro en un sistema de partido único. En 1986 desarticuló un intento de golpe de Est. y fue reelegido para un nuevo mandato. En las elecciones de 1998, a pesar de las acusaciones de fraude electoral y de la represión contra la oposición, el general Eyadema se mantuvo en el poder.

TOGO, ***Heihashiro*** (1847-1934) Almirante jap. Durante la guerra ruso-japonesa bloqueó Port-Arthur y venció a los rusos en Tsushima (1905).

TOHA, ***José*** (1927-1974) Político chil., dirigente del Partido Socialista. Secretario privado de Allende, después del triunfo de la Unidad Popular fue ministro del Interior (1970-1972) y de Defensa (1972-1973). Encarcelado tras el golpe de Est. de Pinochet. Su muerte se atribuyó a suicidio.

TOILETTE (voz fr.) Tocador, lavabo.

TOISÓN m. Orden de caballería creada por Felipe el Bueno (1429), de la que es jefe el rey de España. • Insignia de esta orden. • Persona condecorada con esta insignia. • **de Oro.** Toisón.

TOJABAL adj. y s. Díc. del pueblo amerindio mex., de la familia lingüística maya, que vive en el SE del est. de Chiapas y en el O de Guatemala.

TOJO m. Planta leguminosa, variedad de aulaga. *Bol.* Alondra. ▪ TOJAL.

TOJO, ***Hideki*** (1884-1948) General y político jap. Jefe de gobierno en 1941, ordenó el ataque contra la base norteam. de Pearl Harbour.

TOKIO o **TOKYO** C. y cap. de Japón, en la isla de Honshu; cap. de una prefectura (2 166 km²). Sit. en la bahía hom.; 11 855 000 hab. Primer centro comercial, cultural e industrial del país. Ind. alimentaria, textil, química, mecánica, aparatos de precisión. Sufrió grandes destrucciones sísmicas (1923) y bombardeos norteam. en la II Guerra Mundial.

TOKUGAWA Dinastía militar jap. que se mantuvo en el poder entre 1600 y 1868. Iniciada por T. Iyeyasu, Yoshinobu fue su último shogun.

TOKUSHIMA Prefectura de Japón, en la isla de Shikoku; 4 143 km², 257 900 hab. Cap., la c. hom. (263 300 hab.). Puerto. Ind. algodonera. Maquinaria.

TOLA f. *Amér.* Nombre de diferentes especies de arbustos de la familia compuestas, que crecen en las laderas de los Andes. • *Ecuad.* Tumba en forma de montículo perteneciente a los ant. aborígenes.

TOLAIN, ***Henri Louis*** (1828-1897) Político fr. Proudhoniano, dirigió el primer comité internacional de la AIT (1865-1867). En 1871, siendo diputado de la Asamblea Nacional, apoyó a Thiers y se opuso a la Comuna de París, por lo que fue expulsado de la AIT.

TOLBERT, ***William Richard*** (1913-1980) Político liberiano. En 1972 accedió a la pres. y gobernó dictatorialmente hasta el golpe de Est. en el que murió.

TOLDERÍA f. *Argent.* Campamento indígena formado por toldos.

TOLDO m. Pabellón o cubierta de tela, que se tiende para hacer sombra en algún paraje. • Cubierta semejante con que se cubren los carros. • fig. Engreimiento o vanidad. • *Argent.* y *Chile.* Tienda de los indígenas hecha con pieles y ramas.

TOLDRÁ, ***Eduardo*** (1895-1962) Compositor y director de orquesta esp. *Ampurias, Suite en mi.*

TOLE m. fig. Confusión y gritería popular. Se usa gralte. repetido. • fig. Rumor de desaprobación, que cunde entre las gentes, contra una persona o cosa.

TOLEDANO, NA adj. y s. De Toledo.

TOLEDO Prov. de España, en la com. autón. de Castilla-La Mancha; 15 368 km²; 515 880 hab. Cap., la c. hom. C. pral.: Talavera de la Reina. Sierra de San Vicente, montes de Toledo. Río Tajo. Clima continental. Cereales, legumbres, vid, olivo, algodón, tabaco. Ganadería. Ind. agropecuaria, de la construcción, cerámica. • C. de España, cap. de la prov. hom., y de la com. autón. de Castilla-La Mancha, junto al r. Tajo; 66 006 hab. Centro agrícola y comercial. Ind. de armas, lana, seda. • **Concilios de T.** Organismos dirigentes de la Iglesia hispanogoda, que a partir del III Concilio se convirtieron en organismos legislativos y configuradores del Est. visigodo. Convocados por el rey y presididos por el arzobispo de Toledo. Se celebraron 18 concilios (400-702). • **Montes de T.** Sistema montañoso del centro de España, entre las cuencas del Tajo y del Guadiana. Alt. máx.: pico de las Villuercas (1 603 m), en la sierra de Guadalupe. • **Taifa de T.** Uno de los reinos en que se dividió al-Andalus a la caída del califato de Córdoba.

Vista aérea de **Tokio**

TOLEDO C. de EE UU, en el est. de Ohio, junto al lago Erie; 354 600 hab. Ind. siderometalúrgica.

TOLEDO, ***Alejandro*** (nacido 1946) Político y economista per. Fundador y pres. del partido Perú Posible, concurrió a las elecciones de 2000, en las que se proclamó vencedor A. Fujimori y, tras la caída de este último, optó de nuevo a la presidencia en los comicios de 2001, venciendo en la segunda vuelta (junio) a A. García. • ***Francisco de*** CONDE DE OROPESA (1516-1582) Administrador colonial esp. Virrey de Perú (1568), organizó el gobierno y perpetuó las encomiendas. Ajustició a Túpac-Amaru I. Fundó Huancavelica, Córdoba, Cochabamba y Tarija. • ***Juan Bautista de*** (m. 1567) Arquitecto esp. Trabajó en las obras de la basílica de San Pedro de Roma, en Nápoles y en la dirección de las obras de El Escorial. • **Molina,** ***Antonio Sebastián Álvarez de*** (1620-1715) Administrador colonial esp., hijo de Pedro Álvarez de T. Virrey de Nueva España (1664-1673). Reorganizó la Armada de Barlovento. • **Y Leyva,** ***Pedro Álvarez de,*** MARQUÉS DE MANCERA (1585-1654) Administrador colonial esp., Virrey de Perú (1639-1648). Mandó construir la fortificación de El Callao.

Toldería de unos indios araucanos según una litografía del s. XIX

TOLEMAICO, CA adj. Relativo a Tolomeo o a su sistema astronómico.

TOLERANCIA f. Acción y efecto de tolerar. • Respeto y consideración hacia las opiniones o acciones de los demás. • Reconocimiento de inmunidad política para los que profesan religiones distintas de la oficial. • Diferencia consentida entre el peso legal y el efectivo de las monedas. • Margen o diferencia que se consiente en la calidad o cantidad de las cosas o de las obras contratadas.

TOLERANTISMO m. Opinión de los que creen que debe permitirse el libre ejercicio de todo culto religioso.

Toledo. (España). Vista de la ciudad

TOLERAR tr. Sufrir, llevar con paciencia. • Permitir algo que no se tiene por lícito, sin aprobarlo expresamente. • Soportar, llevar, aguantar. ▪ TOLERANTE.

TOLETAZO m. *Col., Cuba* y *Méx.* Golpe dado con un garrote.

TOLETE m. *Mar.* Escálamo, estaca a que se ata el remo. • *Col.* Embarcación ligera. • *Amér. Centr., Col.* y *Ven.* Garrote corto. • *Salv.* y *Ur.* fam. Vulva.

Lev Nikolaievich, conde de **Tolstoi**

TOLIMA Dpto. de la rep. de Colombia; 23 562 km^2, 1 286 078 hab. Cap., Ibagué. El relieve pertenece al ámbito andino y está accidentado al SE por la cord. Oriental y al O por la Central (Nevado de Tolima, 5 215 m; del Quindío, 5 400 m). Avenado por el r. Magdalena y su afl. el Saldaña. Clima cálido en el llano y frío en las montañas. Agricultura (café, caña de azúcar, plátano, arroz, fríjoles). Ganadería (bovinos). Petróleo, oro, hierro, plomo, carbón. Ind. de derivados agropecuarios.

TOLKIEN, *John Ronald Revel* (1892-1973) Lingüista y escritor brit. *El señor de los anillos, El hobbit, El Silmarillion.*

TOLLO m. Escondite donde se ocultan los cazadores en espera de la caza. • Pintarroja, pez lija. • Carne que tiene el ciervo junto a los lomos.

TOLLÓN m. Camino o paso estrecho.

TOLMO m. Peñasco elevado, que tiene semejanza con un gran mojón.

TOLOBOJO m. *Guat.* Pájaro bobo.

TOLOMEO, *Claudio* (s. II) Astrónomo y geógrafo gr. Su obra *Composición matemática,* traducida al ár. con el nombre de *Almagesto,* es la consagración del sistema geocéntrico del mundo, que persistió hasta Copérnico. Inventor del astrolabio.

TOLOMEO I Soter (367-283 a. C.) Rey de Egipto (305-283 a. C.). Sátrapa de Egipto, se proclamó rey. Bajo su reinado Alejandría se convirtió en una de las mayores ciudades del mundo ant. • **II Filadelfo** (308-246 a. C.) Rey de Egipto [283-246 a. C.], sucesor del anterior. Impuso su hegemonía en el Mediterráneo oriental. Fundó el Museo de Alejandría. • **III Evergetes** (m. 221 a. C.) Rey de Egipto [246-221]. Conquistó parte de Siria. • **V Epífanes** (m. 181 a. C.) Rey de Egipto [205-181 a. C.) Perdió Siria y Palestina. • **VI Filométor** (m. 145 a. C.) Rey de Egipto (181-145 a. C.). Durante su reinado se inició la intromisión de los rom. en los asuntos de Egipto. Rey de Siria. Se enfrentó a Antíoco IV Epífanes y a Alejandro I Balas. • **VII** u **VIII Evergetes II** (m. 116 a. C.), hermano y sucesor del anterior. Hizo asesinar a su sobrino T. Neo Filipator. • **XIII o XII Neo Dioniso** (m. 51 a. C.) Rey de Egipto [80-85 y 55-51 a. C.]. Expulsado por sus súbditos, fue repuesto en el trono por Gabinio. • **XIV** o **XIII Dioniso II** (m. 47 a. C.) Rey de Egipto (51-47 a. C.), hermano y esposo de Cleopatra. Derrotado por Julio César. • **XV** o **XIV Filopátor** (59-44 a. C.) Rey de Egipto (47-44), hermano y segundo esposo de Cleopatra. César le elevó al trono.

TOLONDRO, DRA adj. y s. o **TOLONDRÓN, NA** adj. Atolondrado. • m. Chichón en alguna parte del cuerpo, especialmente en la cabeza, como consecuencia de un golpe.

TOLONGUEAR tr. *Amér. Centr.* Mimar.

TOLOSA C. de Francia. → Toulouse.

Arte **tolteca.** Pirámide de Tula

TOLSA, *Manuel* (1757-1816) Arquitecto y escultor esp., neoclásico. Trabajó en México. Fachada de la catedral y palacio de Buenavista de la c. de México; estatua de Carlos IV, «el Caballito».

TOLSTOI, *Alekséi Nikolaievich* (1881-1945) Escritor sov. *Al otro lado del Volga, El señor cojo, La infancia de Nikita, Aelita, El hiperboloide del ingeniero Garín, Las ciudades azules, En siete días la tierra fue saqueada,* y las novelas históricas *Pedro el Grande* e *Iván el Terrible.* • ***Lev Nikolaievich,*** CONDE DE (1828-1910) Escritor ruso. En sus obras hace un penetrante análisis de la vida rusa. *Cuentos de Sebastopol, Guerra y paz, Ana Karenina, La sonata a Kreutzer, Amo y criado, Resurrección.*

TOLTECA adj. y s. Díc. del individuo de unas tribus que dominaron en México antiguamente. • adj. Relativo a estas tribus. • m. Idioma de las mismas. • m. pl. Estas mismas tribus.

* *Hist.* Probablemente, los t. formaron parte de los chichimecas que llegaron al valle de México h. el s. x. Asentados en su cap., Tula, crearon un gran Est. Otra oleada llegó h. el 980, acaudillada por Mixcóatl. Se establecieron en Culhuacán y allí Topiltzin, hijo de Mixcóatl, adoptó el nombre y culto de Quetzalcóatl. Trasladó la cap. a Tula. Post. el pueblo impuso el culto de Tezcatlipoca, con el cual Tula llegó a su cenit. Cerca de dos siglos duró la gloria, hasta que h. 1155 Huémac, el último monarca, abandonó la c., reducida a la miseria por las sequías.

TOLTÉN R. de Chile. Nace en el volcán Villarrica y desemboca en el Pacífico; 130 km.

TOLUCA, *Nevado de* Volcán de México, en el est. de México, también llamado Xinantécatl. Sit. en la cord. Neovolcánica; 4 578 m.

TOLUCA DE LERDO C. de México, cap. del est. de México, al pie del Nevado de Toluca; 665 617 hab. Mercado agrícola. Ind. químicas, textiles y alimentarias.

TOLUENO m. *Quím.* Hidrocarburo (metilbenceno) de la serie aromática, usado en la preparación de colorantes, disolventes, medicamentos y trinitrotolueno.

TOLVA f. Depósito, en forma de tronco de pirámide o de cono invertido y abierto por abajo, en cuyo interior se vierten granos u otros cuerpos para que caigan poco a poco entre las piezas del mecanismo destinado a triturarlos, limpiarlos, clasificarlos, etc. • Parte superior en los cepillos o urnas en forma de tronco de pirámide invertido y con una abertura para dejar pasar las monedas, papeletas, bolas, etc.

TOMA f. Acción de tomar o recibir una cosa. • Conquista, asalto u ocupación por armas de una plaza o ciudad . • Porción de alguna cosa, que se coge o recibe de una vez. • Abertura u orificio en los canales, embalses o depósitos de agua. • Grifo o válvula de paso o de salida de un fluido. • Cualquier dispositivo que permite derivar un fluido desde una conducción que lo transporta, u obtener parcialmente energía de un sistema que la posee. • **de corriente.** Dispositivo para la obtención de energía eléctrica de la red de distribución. • **de tierra.** → tierra.

TOMACORRIENTE m. *Amér.* Toma de corriente. • *Argent.* y *Ur.* Enchufe eléctrico.

TOMADERO m. Parte por donde se toma o ase una cosa. • Abertura para dar salida al agua. • Adorno abollado que se usó como guarnición de ciertas prendas de vestir.

TOMADO, DA adj. Díc. de la voz empañada. • *Amér. Merid.* Borracho. • f. Ocupación por las armas de un lugar.

TOMADOR, RA adj. y s. Que toma. • Ratero que hurta de los bolsillos. • *Amér.* Aficionado a la bebida. • Díc. del perro que cobra o toma la caza. • m. Aquel a la orden de quien se gira una letra de cambio.

TOMADURA f. Toma, acción de tomar. • Porción de alguna cosa que se toma. • **de pelo.** fig. y fam. Burla, chunga.

TOMAHAWK m. Arma de guerra en forma de hacha de los indígenas de América del Norte.

TOMAÍNA f. Nombre con que se designa una serie de sustancias originadas, pralm. en los cadáveres en putrefacción, por la degradación bacteriana de las materias albuminoideas.

TOMAR tr. Coger o asir con la mano una cosa. • Coger, aunque no sea con la mano. • Recibir o aceptar, cualquiera que sea el modo. • Recibir una cosa y las consecuencias de ella. • Ocupar o adquirir por expugnación, trato o asalto una fortaleza o ciudad. • Comer o beber. • Adoptar, emplear, poner por obra. • Contraer, adquirir. • Contratar o ajustara una o varias personas para que presten un servicio. • Entender, juzgar e interpretar una cosa en determinado sentido, según ciertos aspectos más o menos claros que nos ofrece. • Seguido de la prep. *por* suele indicar juicio equivocado. • Ocupar un sitio cualquiera para cerrar el paso o interceptar la entrada o salida. • Quitar o hurtar. • Adquirir algo mediante un pago.

• Adoptar o adquirir actitudes, costumbres, modales, vicios, etc., propios de otra persona. • Recibir en sí los efectos de algunas cosas. • Emprender una cosa, o encargarse de un determinado asunto. • Sobrevenir a alguien una determinada sensación. • Elegir, entre varias cosas, alguna de ellas. • Cubrir el macho a la hembra. • Hacer o ganar la baza en un juego de naipes. • Construido con ciertos nombres verbales, significa lo mismo que los verbos de donde tales nombres se derivan. • Recibir o adquirir lo que significan ciertos nombres que se le juntan. • Construido con un nombre de instrumento, ponerse a ejecutar la acción o la labor para la cual sirve el instrumento. • Llevar a uno en su compañía. • Unido a otro verbo con la conj. *y*, resolverse o determinarse a la acción significada por éste. • intr. *Amér.* Beber alcohol en exceso. • tr. e intr. Empezar a seguir una dirección, entrar en una calle, camino o tramo, encaminarse por ellos. • prnl. Con referencia al vino u otro licor, embriagarse. • Cubrirse de moho u orín. • Díc. propiamente de los metales. • **¡Toma!** interj. fam. con que se da a entender la poca novedad o importancia de algo. • fam. Denota que uno se da cuenta de lo que antes no había podido comprender. Se usa por lo general repetida. • fam. Señalar castigo, expiación, o desengaño, aquello de que se habla. • **Tomarla con** uno. Contradecirle y culparle en cuanto dice o hace. Tener tema con él.

TOMÁS (s. I) Santo. Uno de los doce apóstoles, hubo de probar con sus manos la realidad de las llagas de Cristo. • **Becket** → Becket. • **De Aquino** (1225-1274) Teólogo y filósofo it. Entre sus obras destacan: *Sobre el ente y la esencia, el Comentario a las sentencias de Pedro Lombardo* y «cuestiones disputadas» *(De veritate, De acto et potentia, etc.)*, numerosos comentarios a Aristóteles y otros autores, la *Suma contra gentiles* y su obra maestra, *Suma teológica*. Su obra es una de las más grandes síntesis filosófico-teológicas de Occidente, situable a medio camino entre la tradición aristotélica y la modernidad europea. • **Moro** (1478-1535) Santo ing. Decapitado por Enrique VIII al negarse a reconocer al rey como jefe de la iglesia anglicana. Famoso humanista, autor de *Utopía*.

TOMASELLO, *Luis* (nacido 1915) Pintor y escultor arg. Constructivista en sus inicios, evolucionó hacia el arte cinético. Influido por el pop art. *Objeto plástico 292, Atmósfera luminosa* (Gran premio de la Bienal de Arte Coltejer, de Colombia).

TOMATADA f. Fritada de tomate.

TOMATAZO m. aum. de tomate. • Golpe dado con un tomate.

TOMATE m. Fruto de la tomatera. Es una baya comestible y gralte. de color rojo. • Planta que da este fruto, tomatera. • fam. Roto o agujero en una prenda de punto. • fig. y fam. Barullo, lío, confusión.

TOMATERA f. *Bot.* Planta de la familia solanáceas; herbácea, fragante, con tallos rastreros, hojas partidas, flores amarillas con corola enrodada, y frutos en baya, gralte. rojos. Es originaria de México y se cultiva por su valor hortícola. ■ TOMATAL.

TOMATICÁN m. *Chile.* Guiso de patatas, cebollas y otras verduras con tomate.

TOMATILLO m. Planta de la familia solanáceas, con hojas pubescentes, flores violáceas y frutos en baya parecidos al tomate pero de menor tamaño.

TOMAVISTAS m. Cámara cinematográfica, especialmente la usada por aficionados.

TOMBALBAYE, *François*, después ***Ngarta*** (1918-1975) Político del Chad. Primer presid. del Chad independiente (1960). Murió en un golpe de Est. dirigido por Noel Odingar.

TÓMBOLA f. Rifa o lotería organizada, por lo general, con fines benéficos, y en que los premios son objetos y no dinero. • Local en que se efectúa esta rifa.

TÓMBOLO m. *Geog.* Istmo o cordón arenoso que une una ant. isla a la zona continental próxima.

TOMBUCTÚ *(Tombouctou)* C. de la República de Malí, puerto fluvial sobre el Níger; 19 200 hab. Centro comercial. Aeropuerto. Fundada por los tuareg, alcanzó gran esplendor como centro caravanero. Ocupada por los fr. en 1893.

TOME m. *Chile.* Especie de espadaña.

TOMÉ C. de Chile, en la prov. de Concepción, junto al Pacífico; 35 300 hab. Economía agropecuaria. Ind. alimentarias y textiles.

TOMEBAMBA Ant. poblado indígena, cuna del inca Huayna Cápac. Emplazamiento en la actualidad de la c. de Cuenca (Ecuador).

TOMENTO m. Estopa basta, llena de pajas y aristas, que queda del lino o cáñamo, después de rastrillado. • Capa de pelos cortos, suaves y entrelazados, que cubre la superficie de los tallos, hojas y otros órganos de algunas plantas.

TOMIC, *Romero Radomiro* (1914-1992) Político chil. Uno de los fundadores del partido demócrata cristiano (1958) y jefe del mismo. Candidato a las elecciones de 1970, fue derrotado. Exiliado a los EE UU tras el golpe de Est. de 1973.

TOMILLO m. Nombre común a diversas plantas herbáceas fragantes utilizadas como condimento; se aplica más particularmente a algunas especies de la familia labiadas.

TOMÍN m. Unidad de peso ant. que equivalía aprox. a 596 mg. • Moneda de plata que se usaba en algunas partes de América. • Impuesto que pagaban los indígenas en el Perú con destino al sostenimiento de hospitales.

TOMISMO m. *Fil.* Escuela pral. de la escolástica, cuyo nombre deriva de santo Tomás de Aquino. ■ TOMISTA.

TOMIZA f. Soguilla de esparto.

TOMO m. Cada una de las partes, con paginación propia, en que suelen dividirse las obras impresas o manuscritas de cierta extensión. • fig. Importancia, valor y estima. • **De t. y lomo.** loc. adj. fig. y fam. De mucho bulto y peso.

TOMOGRAFÍA f. *Med.* Procedimiento de exploración radiológica para obtener la radiografía de una delgada capa de órgano a la profundidad deseada. • **axial computarizada** *(TAC). Med.* T. en la que el escáner se asocia a una computadora. • **de emisión de positrones** *(TEP) Med.* Técnica de exploración médica basada en la detección y análisis de la radiación originada en el interior del órgano observado y proveniente de la aniquilación de un par electrón-positrón; el segundo es fruto de la desintegración de los núcleos de un elemento radiactivo inyectado enel sujeto explorado.

TOMSK C. situada en la república de Rusia, cap. de la prov. hom., en Siberia, a orillas del Tom; 475 000 hab. Ind. metalúrgica y maderera. Centro de investigaciones nucleares.

TON m. Apócope de tonto. • **Sin t. ni son.** Sin motivo, o causa, o fuera de orden y medida.

TONACATECUHTLI (náhuatl, «Nuestro señor de los alimentos») En la religión mex. precolombina, padre de los dioses, en especial de Quetzalcóatl y de Huitzilopochtli. Su esposa era Tonacacihuatl («Señora de los alimentos»). Tenían los nombres variantes de Tota y Totan («Nuestro padre» y «Nuestra madre»). Él señoreaba la fertilidad, y ella, las flores y los cereales; ambos los nacimientos; y, respectivamente, el cielo y la tierra, el Sol y la Luna.

TONADA f. Composición métrica para cantarse. • Música de esta canción. • *Amér.* Dejo, modo de acentuar las palabras al final.

TONADILLA f. Tonada alegre y ligera. • Pieza de teatro corta y ligera, a modo de zarzuela. ■ TONADILLERO, RA.

TONAL adj. *Mús.* Concerniente al tono o a la tonalidad.

TONALIDAD f. *Mús.* Sistema de sonidos que sirve de fundamento a una composición musical. • *Pint.* Sistema de colores y tonos.

TONANTZIN Diosa madre mexica.

TONANTZINTLA C. de México, en el est. de Puebla; 2 000 hab. Santuario de Santa María de T., una de las prales. construcciones barrocas mex. de inspiración popular.

TONAR intr. poét. Tronar o arrojar rayos. ■ TONANTE.

TONATIUH En la religión del México ant., personificación del Sol y deidad de la los guerreros muertos. Se representaba pintado de encarnado con un propulsor, flechas y el disco solar.

TONDERO m. *Perú.* Baile popular de las regiones de la costa.

TONDINO m. *Arq.* Astrágalo de la columna.

TONDO m. *Arq.* Adorno circular rehundido en un paramento.

TONEL m. Cuba grande. • Medida ant. para el arqueo de las embarcaciones, equivalente a cinco sextos de tonelada. ■ TONELERÍA; TONELERO, RA.

Santo **Tomás de Aquino** en un fresco de Andrea di Buonaiuti. Iglesia de Santa María Novella, Florencia (Italia)

Tomatera. Planta, flor y fruto

Tomillo. Planta y flor

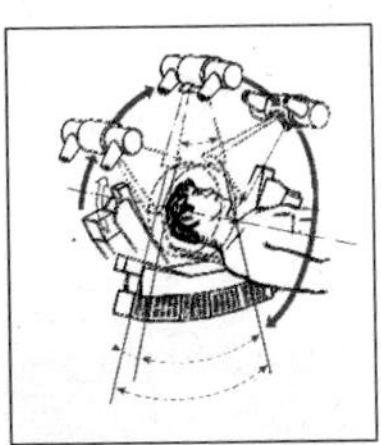

Tomografía axial computarizada. Esquema de la exploración que se realiza para obtener un tomograma axial

Tonga. Arriba, mapa de situación y bandera; abajo, monumento megalítico Trilithum de Haamonga, en la isla de Tongatapu

TONGA

Superficie 748 km²

Población 97 000 hab. (129 hab./ km²)

Recursos económicos

Agrios	6 000 t
Bananas	1 000 t
Batatas	14 000 t
Copra	1 000 t
Mandioca	15 000 t
Pesca	2 630 t

Indicadores sociológicos

PNB	110 millones de dólares
Renta per cápita	1 100 dólares
Esperanza de vida	63 años
Alfabetismo	99 %

TONELADA f. *Fís.* Unidad de masa en el sistema métrico decimal que equivale a 1 000 kg. Símb. *t.* • Antiguamente, peso de 20 quintales. • Conjunto de toneles. • **de arqueo.** Medida de capacidad equivalente al volumen de cien pies cúbicos ing., o sea 2,83 m³. • **métrica de arqueo.** Metro cúbico. • **métrica de peso.** Peso de 10 quintales métricos, o 1 000 kg.

TONELAJE m. Cabida de una embarcación, arqueo. • Núm. de toneladas que suman un conjunto de buques mercantes.

TONEMA m. *Fon.* Inflexión que se produce al final del grupo, concretamente a partir de la última sílaba acentuada.

TONGA adj. y s. Díc. de individuos de un pueblo melanoafricano de lengua bantú que vive en el S de Mozambique y en Swazilandia y la República Sudafricana. • adj. Relativo a dicho pueblo. • f. Tongada. • *Argent.* y *Col.* Tarea. • *Cuba.* Pila de cosas puestas por orden. • Tanda, tarea.

TONGA o ISLAS DE LOS AMIGOS Estado de Oceanía, en Polinesia. Islas prales.: Tongatapu, O tu, Ha'apai y Vava'u. Clima tropical. Plátanos, mandioca, batata. Pesca. Ind. agropecuaria. Constituye una monarquía. Lenguas: ing. y tongano. *Rel.*: protestantismo, catolicismo. U. M.: pa'anga. Cap., Nuku'alofa.

* *Hist.* Los primeros europeos llegaron en el s. XVII. Tupou I unificó el arch. (1845), que en 1900 se convirtió en un protectorado brit. En 1970 accedió a la indep., como Est. miembro de la Commonwealth. Tupou IV, rey desde 1965, designó a su hermano Fetafehi Tu'ipelehake como primer ministro en 1977.

TONGADA f. Capa con que se cubre o baña una cosa. • Cosa extendida encima de otra. • Pila de cosas unas sobre otras.

TONGO m. *Dep.* En los partidos de pelota, carreras de caballos, combates de boxeo, etc., trampa de uno de los participantes que consiste en dejarse ganar. • *Amér.* Engaño. • *Chile.* Sombrero de copa redonda.

TONICIDAD f. Tono de una estructura o tejido, especialmente del músculo. • *Fon.* Calidad de tónico.

TÓNICO, CA adj. y m. Que entona, o vigoriza. • adj. *Fon.* Aplícase a la vocal o sílaba que recibe el impulso del acento prosódico, y que también se llama vocal o sílaba acentuada. • adj. y f. *Mús.* Aplícase a la nota primera de una escala. • f. Bebida gaseosa refrescante, elaborada con extractos de frutas amargas.

TONIFICAR tr. Dar vigor o tensión al organismo. ■ TONIFICACIÓN.

TONILLO m. Tono monótono y desagradable con que algunos hablan, oran o leen. • Deje, acento particular de algunos individuos. • Entonación enfática.

TONINA f. Atún, pez. • Delfín, cetáceo.

TONINA Yacimiento arqueológico maya, de los ss. VII-XI, en el est. de Chiapas (México).

TONKÍN *(Bac Bo)* Región histórica del Vietnam, limítrofe con China y Laos y bañada por el mar de la China Meridional. C. prales.: Hanoi y Haiphong. Llanura del r. Rojo. Arroz, algodón, cáñamo, tabaco, mandioca, cereales. Pesca. Carbón, cinc, estaño. Ind. textil, del papel, naval. En 1887 fue anexionada a la Indochina Francesa; en 1946 fue restituida a la República Democrática de Vietnam.

TÖNNIES, *Ferdinand* (1885-1956) Sociólogo al. Su pral. contribución es conceptual y se basa en la distinción entre comunidad *(Gemeinschaft)* y sociedad *(Gesellschaft)*, resultantes de dos formas de la voluntad humana. *Comunidad y sociedad, La costumbre, Crítica de la opinión pública.*

TONO m. *Fís.* y *Mús.* Altura del sonido. • Diferencia de frecuencias entre dos sonidos, gralte. consecutivos, de una misma escala. • Inflexión de la voz y modo particular de decir una cosa. • Carácter de la exp. y del estilo de una obra literaria. • Tonelada. • Energía, vigor, fuerza. • *Fisiol.* Aptitud y energía que el organismo animal, o alguna de sus partes, tiene para ejercer las funciones que le corresponden. • *Mús.* Modo. • *Mús.* Escala que se forma partiendo de una nota fundamental, que le da nombre. • *Mús.* Diapasón normal. • *Mús.* Cada una de las piezas o trozos de tubo que en las trompas y otros instrumentos de metal se mudan para hacer subir o bajar el tono. • *Mús.* Intervalo que media entre una nota y su inmediata, excepto de *mi* al *fa* y del *si* al *do.* • *Pint.* Vigor y relieve de todas las partes de una pintura. • **muscular**. *Fisiol.* Estado de contracción parcial que poseen todos los músculos estriados de los organismos cuando se hallan en reposo. • **A t.** m. adv. Al unísono, de acuerdo. • **Darse t. uno.** fam. Darse importancia.

TONOPLASTO m. *Biol.* Membrana interna de la célula, que rodea y aísla el citoplasma del contenido en disolución de las vacuolas.

TONSILA f. *Anat.* Amígdala, glándula. ■ TONSILAR.

TONSURA f. Acción y efecto de tonsurar. • Grado preparatorio para recibir órdenes menores.

TONSURAR tr. Cortar el pelo o la lana a personas o animales. • Dar a uno el grado de la tonsura. ■ TONSURADO, DA; TONSURANDO.

TONTADA f. Tontería, simpleza.

TONTAINA adj. y s. fam. Persona tonta.

TONTEAR intr. Hacer o decir tonterías. • fig. y fam. Coquetear, flirtear.

TONTERA f. fam. Tontería, simpleza. • m. Tonto, simple.

TONTERÍA f. Calidad de tonto. • Dicho o hecho tonto. • fig. Nadería.

TONTINA f. Operación lucrativa que consiste en poner un fondo entre varias personas para repartirlo en una fecha preestablecida, con sus intereses, solamente entre los asociados que han sobrevivido y que siguen perteneciendo a la agrupación.

TONTITO m. *Chile.* Chotacabras, pájaro.

TONTO, TA adj. y s. Mentecato, falto o escaso de entendimiento. • adj. Díc. del hecho o dicho propio de un tonto. • m. El que en ciertas representaciones hace el papel de tonto. • *Chile, Col.* y *C. Rica.* Juego de la mona. • **A lo t.** m. adv. Como quien no quiere la cosa. • **A tontas y a locas.** m. adv. Desbaratadamente, sin orden ni concierto. • **Hacerse uno el t.** fam. Aparentar que no advierte las cosas de que no le conviene darse por enterado. • **Ponerse t.** fam. Mostrar petulancia, vanidad o terquedad.

TONTONS-MACOUTES (voz criolla) m. pl. Denominación popular de los miembros de la milicia haitiana al servicio de la dictadura de los Duvalier, disuelta formalmente en 1986.

TONTUNA f. Tontería, necedad.

TOOROP, *Jan* (1858-1928) Pintor y dibujante neerlandés, caracterizado por el uso de colores violentos y líneas enérgicas. *Virgen de Lourdes, La santa huida.*

TOPACIO m. *Miner.* Silicato de aluminio, que cristaliza en el sistema rómbico; dureza 8. Es una piedra preciosa muy apreciada en joyería. • **ahumado.** Cristal de roca pardo oscuro. • **del Brasil.** T. amarillo rojizo, rosado o morado. • **oriental.** Corindón amarillo.

TOPAR tr. Chocar una cosa con otra. • Aceptar el envite en el juego. • fig. Consistir o estribar una cosa en otra y causar embarazo. • tr. *Amér.* Echar a pelear los gallos como prueba. • *Chile* y *Perú.* Apostar dinero al juego. • tr., intr. y prnl. Hallar casualmente. • fig. Tropezar, encontrar algún obstáculo o dificultad. • tr. e intr. Hallar o encontrar lo que se andaba buscando. • intr. fig. y fam. Salir bien una

Topacio. Cristales de diversas formas junto a una piedra tallada

Juan Bautista **Topete**

TOPOGRAFÍA

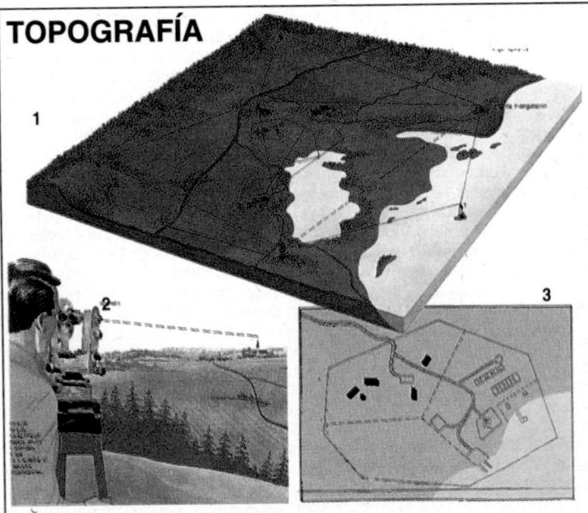

1., 2., 3. y 4. Los trabajos topográficos son absolutamente necesarios para la elaboración de proyectos de reordenación del territorio (3). Para realizar un levantamiento topográfico, se empieza trazando una red de triángulos cuyos vértices se hacen coincidir con puntos prominentes del terreno (T), como colinas, campanarios, etc. (1). Con instrumentos de precisión como el teodolito y el taquímetro, el topógrafo mide ángulos horizontales y verticales (2), y aparatos que miden el tiempo que una radiación infrarroja tarda en ir y volver entre dos puntos permiten conocer con precisión la distancia entre los mismos (4).

5. y 6. Los métodos tradicionales de la topografía han sido recientemente un tanto relegados por los que se apoyan en la fotogrametría aérea (5), que, merced a sofisticados equipos (6), permiten reducir al mínim o el trabajo de gabinete.
7. Detalle de una hoja del *Mapa Topográfico Nacional* español, a escala 1:25 000, cuya publicación se inició en 1975.

cosa. • tr. y prnl. Dar golpes con la cabeza los toros, carneros, etc. ■ TOPADIZO, ZA.
TOPE m. Parte por donde una cosa puede topar con otra. • Pieza que sirve para detener o limitar el movimiento de otra. • Material duro, que se pone por dentro en la punta del calzado para que no se arrugue. • Tropiezo, estorbo. • fig. Punto donde estriba la dificultad de una cosa. • fig. Reyerta, riña. • *Mar.* Extremo de un madero o de un palo. • **Hasta el t.** m. adv. fig. Enteramente o llenamente, o hasta donde se puede llegar. ■ TOPETÓN.
TOPEAR tr. *Chile.* Empujar por diversión un jinete a otro para desalojarlo de su puesto.
TOPEKA C. de EE UU, cap. del est. de Kansas, a orillas del río de este nombre; 119 900 hab. Mercado de una rica región agrícola. Ind. metalúrgica y conservera.
TOPERA f. Madriguera del topo.
TOPETADA o **TOPADA** f. Golpe que dan con la cabeza los toros, carneros, etc. • fig. y fam. Golpe que da uno con la cabeza en alguna cosa.
TOPETAR tr. e intr. Dar con la cabeza en alguna cosa con golpe e impulso. • tr. Topar.
TOPETE, *Juan Bautista* (1821-1885) Marino y político esp. Se sublevó con su escuadra en Cádiz en 1868. En 1870 fue presid. interino del Consejo.
TOPETEAR tr. e intr. *Amér. Centr.* Topetar.
TÓPICO, CA adj. Relativo a determinado lugar. • Relativo al lugar común. • *Farm.* Medicamento externo. • *Ret.* Exp. vulgar o trivial. • pl. Lugares comunes, fórmulas o clichés fijos; principios generales.
TOPILLO m. Nombre que se da a distintas especies de roedores de la familia cricétidos. Semejan ratones de campo, pero su pelaje es más rojizo. Abundan en las áreas herbosas y en los bosques del hemisferio norte.
TOPILTZIN (947-999) Rey tolteca [977-999]. Realizó la reforma urbanística de Chichén Itzá.
TOPINADA f. fam. Acción propia de la persona que tropieza en cualquier cosa. • Acción propia de la persona de cortos alcances.
TOPINAMBUR m. *Argent.* y *Bol.* Planta de la familia compuestas, que produce unos tubérculos semejantes a las batatas, utilizados para alimento del hombre y del ganado.
TOPINARIA f. Absceso que se forma en los tegumentos de la cabeza.
TOPINERA f. Topera, madriguera del topo.
TOPO m. *Zool.* Mamífero insectívoro de la familia tálpidos, que excava galerías subterráneas de las que arrancan ramales hacia el exterior por los que saca la tierra extraída que deposita en las características montículos de las toperas. • Medida itineraria de legua y media de extensión, usada entre los indígenas de América del Sur. • *Argent.*, *Chile* y *Perú.* Alfiler grande con el que las indígenas se prenden el mantón. • m. y adj. fig. y fam. Persona que tropieza en cualquier cosa por deficiencia de visión o por falta de reflejos. • fig. y fam. Persona torpe, de cortos alcances. • **de mar.** Ratón de mar.
TOPOCHO, CHA adj. *Ven.* Rechoncho.
TOPOFILAXIS f. *Med.* Modo de inyección intravenosa destinado a evitar los peligros de las inyecciones masivas de ciertas sustancias medicamentosas. Se coloca un lazo de goma por encima del punto de inyección, aflojándose al cabo de unos minutos de forma muy lenta.
TOPOGRAFÍA f. Rama de la geodesia que se ocupa de la determinación de las posiciones relativas de los accidentes del terreno y su posterior proyección a escala, en un plano o mapa. • Conjunto de particularidades que presenta un terreno en su configuración superficial. ■ TOPOGRÁFICO, CA; TOPÓGRAFO, FA.
TOPOLOGÍA f. *Mat.* Estudio de las propiedades de los espacios. ■ TOPOLÓGICO, CA.
TOPONIMIA f. Estudio del origen y significación de los topónimos. ■ TOPONÍMICO, CA.

Topo

TOPÓNIMO m. Nombre propio de lugar.

TOPOSERIÓGRAFO m. Cámara fotográfica, para fotogrametría aérea.

TOPOTAXIA f. *Zool.* Movimiento de respuesta de los animales según la dirección de la fuente del estímulo.

TOQUE m. Acción de tocar una cosa, tentándola, palpándola, o llegando inmediatamente a ella. • Ensayo de cualquier objeto de oro o plata que se hace comparando el efecto producido por el ácido nítrico en dos rayas trazadas sobre una piedra dura, una con dicho objeto y otra con una barrita de prueba, cuya ley es conocida. • Piedra de toque. • Tañido de las campanas o de ciertos instrumentos, con que se anuncia alguna cosa. • fig. Punto esencial en que consiste o estriba alguna cosa. • fig. Prueba, examen o experiencia que se hace de algún sujeto, con alusión a la que se hace de los metales, para reconocer su talento y capacidad o el estado y disposición en que se halla en orden a lo que se intenta. • fig. Llamamiento, indicación, advertencia que se hace a uno. Díc. más corrientemente toque de atención. • fig. y fam. Golpe que se da a alguno. • *Pint.* Pincelada ligera. • **de queda.** Medida gubernativa que, en circunstancias excepcionales, prohíbe el tránsito o permanencia en las calles de una c. durante determinadas horas, gralte. nocturnas.

Torbernita

TOQUETEAR tr. Tocar reiteradamente y sin tino ni orden. • fam. Manosear, acariciar para excitar o excitarse sexualmente. ■ TOQUETEO.

TOQUI m. *Chile.* Entre los ant. araucanos, jefe del Est. en tiempo de guerra.

TOQUILLA f. Adorno que se ponía alrededor de la copa del sombrero. • Pañuelo, comúnmente triangular, que se ponen las mujeres en la cabeza o al cuello. • Pañuelo de punto que usan para abrigo las mujeres y los niños. • *Bol.* y *Ecuad.* Paja muy fina de cierta palmera, con que se fabrican los sombreros de jipijapa.

TOR m. *Fís.* Unidad de medida de la presión. Equivale a 1 mm de mercurio, es decir, 1 atmósfera = 760 mm Hg = 760 tor.

Tordo

TORÁ o **TORAH** (heb., «ley») f. Tributo que pagaban los judíos por familias. • Libro de la ley de los judíos.

TORADA f. Manada de toros.

TORAL adj. Principal o que tiene más fuerza en cualquier concepto. • m. *Metal.* Molde donde se da forma a las barras de cobre. • *Metal.* Barra formada en este molde.

TÓRAX m. *Anat.* Parte del cuerpo humano y de las especies zoológicas superiores comprendida entre el cuello y el abdomen. En los insectos, es la segunda parte de su cuerpo, en la que se insertan las alas y patas y que está formada por tres anillos. ■ TORÁCICO, CA.

TORBELLINO m. Remolino de un fluido. • fig. Abundancia de cosas que ocurren en un mismo tiempo. • fig. y fam. Persona demasiado viva e inquieta.

TORBERNITA f. *Miner.* Mica de uranio y cobre que cristaliza en el sistema tetragonal; dureza 2 a 2,5. Es un importante mineral de uranio.

TORCA f. Depresión circular de un terreno y con bordes escarpados. ■ TORCAL.

TORCAZ adj. Díc. de una variedad de paloma de cuello verdoso cortado por un collar.

TORCE f. Cada una de las vueltas que da alrededor del cuello una cadena o collar.

TORCECUELLO m. Ave trepadora, de color pardo jaspeado de negro y rojo. Si teme algún peligro, eriza las plumas de la cabeza, tuerce el cuello hacia atrás y lo extiende después rápidamente.

Torillo

TORCEDOR, RA adj. y s. Que tuerce. • m. Huso con que se tuerce la hilaza, el cual tiene en el remate un garabato donde se prende la hebra, y debajo de él una rodaja de madera para que haga peso. • fig. Cualquier cosa que ocasiona persistente disgusto, mortificación o sentimiento.

TORCEDURA f. Acción y efecto de torcer o torcerse, encorvamiento, desvío. • Vino hecho del orujo de la uva. • *Med.* Distensión de las partes blandas que rodean las articulaciones. • *Med.* Desviación de un miembro u órgano de su dirección normal.

TORCER tr. y prnl. Dar vueltas a una cosa sobre sí misma, de modo que tome forma helicoidal. • Encorvar o poner angulosa una cosa recta; poner inclinada o sesgada una cosa perpendicular, paralela o equidistante. • Dar violentamente dirección a un miembro u otra cosa, contra el orden natural. • fig. Cambiar la voluntad o el dictamen de alguno. • fig. Hacer que los jueces u otras autoridades falten a la justicia. • tr . Desviar una cosa de su posición o dirección habitual. • Dicho del gesto, el semblante, o familiarmente del morro, el hocico, etc., dar al rostro exp. de desagrado, enojo u hostilidad. • Elaborar el cigarro puro, envolviendo la tripa en la capa. • fig. Interpretar mal, dar diverso y malintencionado sentido a lo que por alguna razón lo tiene equívoco. • tr. e intr. Desviar una cosa de la dirección que llevaba, para tomar otra. • prnl. Avinagrarse y enturbiarse el vino. • Cortarse la leche. • fig. Dejarse un jugador ganar por su contrario, para estafar entre ambos a un tercero. • Frustrarse un negocio o pretensión que iba por buen camino. • fig. Desviarse del camino recto de la virtud o de la razón. ■ TORCEDERO, RA.

TORCIDO, DA adj. Que no es recto; que hace curvas o está oblicuo o inclinado. • fig. Díc. de la persona que no obra con rectitud, y de su conducta. • *Amér. Centr.* fig. Desafortunado, desgraciado. • m. Rollo hecho con pasta de ciruelas u otras frutas en dulce. • En algunas partes, vino hecho del orujo de la uva. • Hebra gruesa y fuerte de seda torcida, que sirve para hacer media y para otros usos. • Operación de torsión que se da en hilatura a las hebras con el fin de que no se disgreguen en sus fibras elementales, y adquieran resistencia frente a esfuerzos de tracción. • f. Mecha de algodón o trapo torcido, que se pone en las velas, velones y candiles.

TORCIJÓN m. Acción y efecto de torcer. • Dolor breve y agudo de tripas.

TORCIMIENTO m. Torcedura, acción y efecto de torcer. • fig. Perífrasis con que se da a entender una cosa que se podría explicar con mayor brevedad.

TORCULADO, DA adj. De forma de tornillo.

TÓRCULO m. Prensa, y en especial la que se usa para estampar grabados en cobre, acero, etc.

TORDESILLAS, ***Tratado de*** El firmado en 1494 entre España y Portugal, en la localidad esp. de T. (en la prov. de Valladolid), que modificó la línea de demarcación de los derechos de colonización de ambos países sobre el continente americano.

TORDILLO, LLA adj. y s. Díc. de la caballería de pelo mezclado de negro y blanco, tordo.

TORDO, DA adj. y s. Díc. del caballo o yegua, o del mulo o mula, que tiene el pelo mezclado de negro y blanco, como el plumaje del tordo. • adj. Torpe, tonto. • m. *Zool.* Zorzal. • *Amér.* Estornino, pájaro. • f. Hembra del tordo.

TOREAR intr. y tr. Lidiar los toros en la plaza. • intr. Echar los toros a las vacas para que las cubran. • tr. fig. Entretener a alguien retrasando la solución de algún asunto que le interesa. • fig. Marear, molestar, dar órdenes o encargos contradictorios. • intr. *Argent.* y *Chile.* Provocar, azuzar. • *Argent.* y *Bol.* Ladrar el perro insistentemente. ■ TOREADOR; TOREO.

TORELLI, ***Giuseppe*** (1658-1709) Compositor it. Sus 18 Sinfonías constituyeron una imp. etapa en el desarrollo de esta forma musical; perfeccionó y enriqueció el *concerto grosso.*

TORENO, ***José María Queipo de Llano,*** CONDE DE (1786-1843) Político esp. Ministro de Hacienda de Martínez de la Rosa y jefe de gobierno en 1835. Venció a los carlistas, pero no pudo evitar el levantamiento de los liberales exaltados.

TORERÍA f. Gremio o conjunto de toreros. • *Cuba, Ecuad.* y *Guat.* Travesura, calaverada.

TORERO, RA adj. fam. Relativo al toreo. • m. y f. Persona que torea. • f. Chaquetilla ceñida al cuerpo por lo general sin abotonar y que no pasa de la cintura. • **Saltarse** algo **a la torera.** fig. y fam. Omitir el cumplimiento de un compromiso.

TORETE m. dim. de toro. • fig. y fam. Grave dificultad, asunto difícil de resolver. • fig. y fam. Asunto o novedad de que se trata más gralte. en las conversaciones.

TORÉUTICA f. Arte de cincelar en relieve.

TORIBIO Alfonso de Mogroviejo (1538-1606) Santo. Eclesiástico esp. Fundó el primer seminario de Perú e hizo traducir el catecismo al quechua y al aymará.

TORIL m. Sitio donde se tienen encerrados los toros que han de lidiarse. También se usa en pl.

TORILLO m. Espiga que une dos pinas contiguas de una rueda. • Rugosidad en el perineo y el escroto. • *Zool.* Pez acantopterigio de piel cubierta de mucosidad, con las aletas abdominales reducidas a dos radios colocados debajo de las torácicas. • *Zool.* Ave gruiforme de la familia turnícidos. De tamaño y aspecto semejantes a la codorniz, vive en las zonas áridas del S de Europa y N de África. • fig. y fam. Tema o novedad que tiene más interés en tal momento, torete.

TORIO m. *Quím.* Elemento de símb. Th, n. a. 90 y p. a. 232,038. Es radiactivo y da origen a una de las cuatro familias radiactivas.

TORIONDO, DA adj. Díc. del ganado vacuno, especialmente de la vaca, cuando está en celo. ■ TORIONDEZ.

TORITA f. *Miner.* Silicato de torio, que cristaliza en el sistema tetragonal; peso específico 4,4 a 4,6; dureza 4,5; color negruzco, brillo vítreo, y fuertemente radiactivo.

TORITO m. *Amér. Centr.* Baile popular. • *Chile.* Fiofío, pájaro. • *Argent.* y *Perú.* Coleóptero de color negro; el macho tiene un cuernecito en la frente. • *Ecuad.* Cierta variedad de orquídea.

TORMENTA f. *Meteor.* Perturbación atmosférica violenta acompañada de fuerte aparato eléctrico y abundantes precipitaciones en forma de lluvia, granizo o pedrisco. • fig. Adversidad, desgracia de una persona. • fig. Manifestación violenta de los ánimos entre dos o más personas enzarzadas en una discusión, riña, etc. ■ TORMENTOSO, SA.

TORMENTO m. Acción y efecto de atormentar o atormentarse. • Angustia o dolor físico. • Dolor corporal que se causaba al reo para obligarle a confesar. • Máquina de guerra para disparar balas. • fig. Congoja o aflicción del ánimo. • fig. Especie o sujeto que la ocasiona.

TORMO m. Tolmo. • Pequeña masa suelta de tierra compacta o de otras sustancias.

TORNA f. Acción de tornar o volver. • Obstáculo que se pone en una reguera para cambiar el curso del agua.

TORNABODA f. Día después de la boda. • Celebridad de este día.

TORNACHILE m. *Méx.* Pimiento gordo.

TORNADA f. Acción de tornar o regresar. • Repetición de la ida a un paraje. • *Vet.* Enfermedad producida en el carnero por el desarrollo de un cisticerco en la masa encefálica del animal.

TORNADERA f. *Agr.* Horca de dos puntas que se usa para dar vuelta a las parvas en las labores de la trilla.

TORNADO m. *Meteor.* Remolino o ráfagas de viento en rotación, de gran violencia, que se producen esencialmente en la zona subtropical de América. En las zonas centrales de los t. el viento puede alcanzar velocidades de hasta 400 km/h.

TORNAGUÍA f. Recibo de la guía con que se expidió una mercancía.

TORNALECHO m. Dosel sobre la cama.

TORNAPUNTA f. *Const.* Pieza inclinada que se apoya inferiormente en otra vertical y está unida superiormente con una pieza horizontal. • *Const.* Madero hincado en firme para sostener la parte que se desploma en una construcción.

TORNAR tr. Devolver una cosa. • tr. y prnl. Cambiar la naturaleza o el estado de una persona o cosa. • intr. Regresar al lugar de donde se partió. • Seguido de la prep. *a* y otro verbo en infinitivo, volver a hacer lo que éste expresa. • Recobrar el conocimiento, volver en sí. ■ TORNADIZO, ZA; TORNAMIENTO.

TORNASOL m. *Bot.* Planta de la familia euforbiáceas, cubierta de tricomas estrellados, con hojas romboidales, flores agrupadas en racimos, y frutos en elaterios tricocales. De ella se extrae un colorante azul del mismo nombre. • Cambiante, reflejo o viso que hace la luz en algunas telas o en otras cosas muy tersas. • *Quím.* Sustancia colorante extraída de la planta hom. y presente también en diversas especies de líquenes. Se usa en química analítica como indicador. ■ TORNASOLADO, DA; TORNASOLAR.

TORNÁTIL adj. Hecho a torno. • poét. Que gira con facilidad. • fig. Tornadizo.

TORNATRÁS m. y f. Descendiente de mestizos y con caracteres propios de una sola de las razas originarias, reaparecidos por atavismo. • Hijo de albina y europeo o de europea y albino (mestizo de mulato y blanco).

TORNAVOZ m. Cualquier dispositivo para recoger, dirigir y amplificar el sonido.

TORNEADO m. *Mec. apl.* Operación de mecanizar una pieza al → torno. Es la más importante de las operaciones fundamentales de mecanizado.

TORNEAR tr. Labrar o redondear una cosa al torno. • intr. Dar vueltas alrededor o en torno. • Combatir o pelear en el torneo. • fig. Dar vueltas con la imaginación. ■ TORNEADURA.

TORNEO m. Combate a caballo entre varias personas, unidas en cuadrillas, y fiesta pública en que se imita un combate a caballo. Propio de la Europa feudal. • *Dep.* Reciben este nombre algunas competiciones. • Danza que se ejecutaba a imitación del torneo, llevando varas en lugar de lanzas. • Modorra de las reses lanares.

TORNERA f. Monja destinada para servir en el torno de los conventos. • Mujer del tornero.

TORNILLO m. Pieza de núcleo cilíndrico o cónico con un resalto en hélice, llamado filete o rosca, cuya secciónpue de presentar varias formas geométricas y cuya cabeza puede ser hexagonal, cuadrada, cilíndrica, de gota de sebo, redonda, avellanada, y cilíndrica con ojo hexagonal. • fig. y fam. Fuga o deserción del soldado. • *Amér. Centr.* y *Ven.* Arbusto de la familia esterculiáceas, con flores rojas y fruto capsular retorcido en forma de hélice. Se usa en medicina. • **de Arquímedes.** Máquina para elevar aguas, que consiste en un tubo arrollado en espiral alrededor de un eje inclinado que puede girar accionado por una manivela. Su invención se atribuye a Arquímedes. • **de banco.** Instrumento de hierro o de madera compuesto de dos mordazas que se cierran o abren por medio de un tornillo movido por una palanca y que sirven para sujetar la pieza que se ha de trabajar. • **de rosca golosa.** Clavo de espiga ligeramente cónica, con resalto helicoidal de arista cortante. • **micrométrico.** T. de paso muy fino y regular, que se emplea en algunos instrumentos de medición. • **sin fin.** Engranaje compuesto de una rueda dentada y un cilindro con resalto helicoidal. • **Apretarle a uno los tornillos.** fig. y fam. Apremiarle. • **Faltarle** a uno **un t.** o **tener flojos los tornillos.** fig. y fam. Tener poco seso.

Tornado

Torneo medieval en una miniatura del s. XV. Biblioteca Nacional, Turín (Italia)

TORNIQUETE m. Palanca angular de hierro, que sirve para comunicar el movimiento del tirador a la campanilla. • Especie de torno que se coloca en las entradas por donde sólo han de pasar una a una las personas. • Instrumento para contener la hemorragia en operaciones y heridas de las extremidades.

TORNISCÓN m. fam. Golpe que se da en la cara o en la cabeza con la mano, especialmente de revés. • fam. Pellizco retorcido.

TORNO m. Máquina simple que consiste en un cilindro dispuesto para girar alrededor de su eje por la acción de palancas, cigüeñas o ruedas, y que ordinariamente actúa sobre la resistencia por medio de una cuerda que se va arrollando al cilindro. • Armazón giratorio compuesto de varios tableros verticales que concurren en un eje, y de un suelo y un techo circulares, el cual se ajusta al hueco de una pared y sirve para pasar objetos de una parte a otra, sin que se vean las personas que los dan o reciben. • Máquina en que, por medio de una rueda, de una cigüeña, etc., se hace que alguna cosa dé vueltas sobre sí misma. • *Mec. apl.* Máquina-herramienta que

Torno de alfarero

realiza la operación de torneado. • **A t.** m. adv. • En torno. • Díc. de lo que está torneado o labrado en el torno. • **En t.** m. adv. Alrededor. En cambio. ■ TORNERÍA; TORNERO, RA.

TORO m. Macho de la vaca. El hombre lo utiliza para carne, como animal de tiro, o, pralm., como semental. El t . de lidia es una raza peculiar empleada en algunos países para las corridas de toros. → bóvido; → vaca. • *Geom.* Sólido de revolución engendrado por el giro de un círculo en torno a un eje exterior al que yace en su mismo plano. • *Arq.* Moldura convexa de sección semicilíndrica. • fig. Hombre muy robusto y fuerte. • m. pl. Fiesta o corrida de toros. • **mexicano.** Bisonte.

Toro de lidia

TORO, *David* (1898-1977) Político y militar bol. Presid. de la junta que derrocó a Tejada (1936). Depuesto en 1937, en plena crisis derivada de la guerra del Chaco. • ***Fermín*** (1806-1865) Político y escritor ven. *Reflexiones sobre la ley del 10 de abril de 1834, Canto a la Conquista.* **Y Zambrano, *Mateo de*** (1724-1811) Militar y político chil. Elegido por el cabildo abierto de Santiago presid. de la Junta de Gobierno (1810).

TORONJA f. Fruto comestible de una especie de cidro espinoso, parecido a la naranja, aunque de tamaño mayor y corteza amarillenta.

TORONJIL m. Melisa.

TORONTO C. de Canadá, cap. de la prov. de Ontario, junto al lago hom.; 612 300 hab. (3 893 000 hab. la agl. urb.). Fabricación de maquinaria agrícola, material aeronáutico, eléctrico. Ind. textil.

TOROROÍ m. *Amér. Merid.* Ave paseriforme de la familia formicáridos. Se parece a una codorniz, pero sus patas son más largas.

Vista de **Toronto**

TOROSO, SA adj. Fuerte y robusto.

TOROZÓN m. fig. Inquietud, desazón, sofoco. • *Vet.* Movimiento violento que hacen los animales cuando padecen enteritis. • *Vet.* Enteritis con dolores cólicos.

TORPE adj. Que no tiene movimiento libre o es tardo. • Desmañado, falto de habilidad. • Rudo, tardo en comprender. • Deshonesto, lascivo. • Ignominioso, infame. • Feo, tosco. ■ TORPEZA.

TORPEDEAR tr. Batir con torpedos. • fig. Hacer fracasar un asunto. ■ TORPEDEAMIENTO.

TORPEDERO, RA adj. y s. *Mil.* Díc. de la embarcación de guerra destinada a lanzar torpedos.

TORPEDO m. *Mil.* Arma submarina autopropulsada que puede ser lanzada contra un objetivo naval desde un buque de superficie, un submarino o una aeronave. • *Zool.* Pez elasmobranquio rayiforme, que vive en los fondos arenosos y litorales de los mares templados y tropicales. Se caracteriza por la posesión de órganos eléctricos, con los que paraliza a sus presas o agresores.

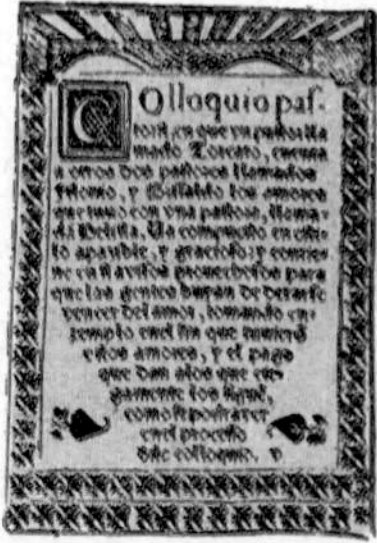

Colloquio paſ-

Portada de una edición de *Coloquios satíricos,* obra de Antonio de **Torquemada**

TORQUEMADA, *Antonio de* (m. 1569) Escritor esp., autor de *Jardín de flores curiosas* y *Coloquios satíricos.* • ***Juan de*** (1388-1468) Eclesiástico y teólogo esp., dominico. Asistió a los concilios de Constanza, Basilea y Florencia. En sus obras defendió a los conversos. • ***Tomás de*** (1420-1498) Eclesiástico esp., dominico. En 1483 fue nombrado inquisidor general; reorganizó el Santo Oficio estableciendo tribunales en diversas c. Señaló las líneas de actuación de la Inquisición en sus *Instrucciones.*

TORR m. *Fís.* Tor, unidad de presión.

TORRADO m. Garbanzo tostado.

TORRAR tr. Tostar al fuego.

TORRE f. Construcción fortificada de defensa, más alta que ancha. • Construcción más alta que ancha, que en las iglesias sirve para colocar las campanas, y en las casas para gozar de buenas vistas y como elemento arquitectónico decorativo. • Pieza del juego de ajedrez, en figura de t., que camina en línea recta en todas direcciones: hacia adelante, hacia atrás, a derecha o a izquierda, sin más limitación que la de no saltar por encima de otra pieza. • *Mil.* En los buques de guerra, reducto acorazado que se alza sobre la cubierta para que dentro de él jueguen una o más piezas de artillería. • Armazón transportable de madera, en forma de prisma o tronco de pirámide alto, que se empleaba ant. para asaltar las murallas enemigas. • *Cuba* y *P. Rico.* Chimenea del ingenio de azúcar. • **de Babel.** → Babel. • **de Glover.** *Quím.* Parte de la instalación para la preparación industrial del ácido sulfúrico por el método de las cámaras de plomo. • **de marfil.** fig. Aislamiento del escritor que atiende sólo a la perfección de su obra, indiferente ante la realidad. • **solar.** Telescopio de gran distancia focal, construido para obtener imágenes muy ampliadas del Sol.

TORRE, *Guillermo de* (1900-1971) Escritor esp., crítico del movimiento ultraísta. *Hélices, Literaturas europeas de vanguardia, Problemática de la literatura, La aventura y el orden.* • ***Lisandro de la*** (1868-1939) Político arg., fundador del Partido Demócrata Progresista. • ***Miguel de la*** (m. 1838) Militar y administrador colonial esp. Gobernador de Puerto Rico (1823-1837). • ***Raúl de la*** (nacido 1938) Director cinematográfico arg. *Crónica de una señora, El infierno tan temido, Pubis angelical.* • ***Revello*** (1893-1964) Historiador arg., especializado en el período colonial. *El libro, la imprenta y el periodismo en América durante la dominación española.*

TORREA, *Juan Manuel* (1874-1960) Militar e historiador mex. Luchó en el ejército constitucionalista. *La decena trágica; Diccionario geográfico, histórico, biográfico y estadístico de la República Mexicana.*

TORREAR tr. Guarnecer con torres una fortaleza o plaza fuerte.

TORREFACCIÓN f. Acción y efecto de tostar al fuego. ■ TORREFACTO, TA.

TORREJA f. *Amér.* Torrija.

TORREJÓN m. Torre pequeña o mal formada.

TORREJÓN DE ARDOZ Mun. de España, en la prov. de Madrid; 88 821 hab. Cereales y hortalizas. Ind. alimentaria y metalúrgica. Base aérea militar de utilización conjunta hispano-norteamericana.

TORRELAVEGA Mun. de España en la com. autón. de Cantabria; 58 196 hab. Ind. metalúrgica, químicas, del calzado, lácteas. Minas de hierro.

TORRELIO, *Celso* (1933-1999) Político bol. Presid. en 1981, fue destituido en 1982.

TORRE-NILSSON, *Leopoldo* (1924-1978) Director cinematográfico arg. Sus obras retratan a la burguesía. *La casa del ángel, La caída, El secuestrador, La mano en la trampa, Setenta veces siete, Martín Fierro, Boquitas pintadas.*

TORRENT Mun. de España en la prov. de Valencia; 60 999 hab.

TORRENTE m. Corriente o avenida impetuosa de aguas que sobreviene en tiempos de muchas lluvias o de rápidos deshielos. • fig. Muchedumbre de personas que afluyen a un lugar. ■ TORRENCIAL.

TORRENTE Ballester, *Gonzalo* (1910-1999) Escritor esp., miembro de la Real Academia Española. Autor de una *Literatura española contemporánea, 1898-1936* y de las novelas *El golpe de Estado de Guadalupe Limón, El señor llega, Off-side, La saga-fuga de J. B., Los gozos y las sombras.* Premio Miguel de Cervantes en 1985.

TORRENTERA f. Cauce de un torrente.

TORRENTOSO, SA adj. *Amér.* Díc. de los ríos o arroyos de curso rápido e impetuoso.

TORREÓN m. Torre grande para defensa de una plaza o castillo.

TORREÓN C. de México, en el est. de Coahuila, junto al r. Nazas; 364 000 hab. Centro agrícola. Ind. textil, metalúrgica, química. • **Batallas de T.** Combates librados en esta c. durante la revolución mex. entre las tropas de Pancho Villa y las federales (30 septiembre 1913 y abril-mayo 1914).

TORRERO m. El que tiene a su cuidado una atalaya o un faro.

TORRES, *Camilo* (1766-1816) Político col. En 1809 redactó el *Memorial de Agravios,* en el que reclamaba una representación igualitaria de Hispanoamérica en las Cortes españolas. Fue uno de los dirigentes de la Junta de Santa Fe, que proclamó la indep. de su país (1810). Presid. del congreso de las Provincias Unidas neogranadinas (1812-1814), y jefe del ejecutivo en 1815. • ***Camilo*** (1929-1966) Sacerdote col. En 1964 abandonó el sacerdocio y se integró en el mov. guerrillero. Falleció en combate. • ***Carlos Arturo*** (1867-1912) Periodista ven. Fundador de los periódicos *La Crónica, El Nuevo Tiempo* y *La Civilización.* Autor de poesías y ensayos. *Literatura de ideas.* • ***Teodoro*** (1891-1944) Escritor mex. *La patria perdida, La Golondrina, El mejor de los mundos posibles, El potro.* • **Bodet, *Jaime*** (1902-1974) Escritor y político mex. *Canciones y destierro* (poesía); *Margarita de Niebla, La educación sentimental* (novelas). Director general de la UNESCO (1948-1952) y secretario de Educación (1943-1946 y 1958-1964). • **De Vera y Aragón, *Juan*** (1535-1610) Conquistador y administrador esp., oidor de las audiencias de Concepción y Charcas. Como adelantado, fue incapaz de oponerse a los encomenderos. • **García, *Joaquín*** (1874-1945) Pintor ur. Realizó una serie de pinturas para el Palacio de la Diputación de Barcelona. En París fundó con M. Seuphor el grupo *Cercle et Carré,* y participó en la primera exposición abstracta universal (1930). Autor del tratado *Universalismo constructivo.* • **González, *Juan Josep*** (1919-1976) Militar y político bol. Presid. (1970-1971), fue derrocado por el golpe de Est. de Hugo Bánzer. Secuestrado y asesinado en su exilio en Argentina. • **Naharro, *Bartolomé de*** (1475-1531) Escritor esp. Poeta, dramaturgo y teórico del teatro. *La Jacinta, Serafina* (comedias); *Lamentaciones de amor* (poesía). • **Rioseco, *Arturo*** (1897-1971) Escritor chil. Profesor en diversas universidades norteam., fue un gran difusor de la literatura hispanoamericana. *Antología de poetas hispanoamericanos, Panorama de la literatura hispanoamericana.* • **Villarroel, *Diego de*** (1693-1770) Escritor esp., cultivador del género picaresco. *Vida, Almanaques, Pronósticos.* • **Y Rueda, *Marcos de*** (1588-1649) Administrador colonial esp. Obispo de Yucatán (1644). Gobernador de Nueva España (1648-1649). Durante su mandato se realizó un auto de fe en que hubo más de cien ajusticiamientos.

TORRETA f. *Mil.* En los buques de guerra y en los tanques, torre acorazada.

TORREZNO m. Pedazo de tocino frito o para freír.

TORRI, *Julio* (1889-1970) Escritor mex. Autor de *La literatura española.* Su obra es irónica y tradicionalista. *Romances viejos, Prosas dispersas.*

TORRICELLI, *Evangelista* (1608-1647) Físico y matemático it., discípulo de Galileo. Inventó el barómetro de mercurio, con el que demostró la existencia de la presión atmosférica. • **Teorema de T.** *Fís.* La velocidad de salida de un líquido por un orificio es igual a la raíz cuadrada del doble producto de la aceleración de la gravedad por la altura desde el centro de gravedad del orificio hasta la superficie libre del líquido.

TÓRRIDO, DA adj. Muy ardiente o quemado.

TORRIGGIANO, *Pietro* (1472-1528) Escultor it. Autor del *San Jerónimo,* para el convento hom. de Sevilla. Preso por la Inquisición, murió en la cárcel de Sevilla.

TORRIJA f. Rebanada de pan empapada en vino o leche, frita y endulzada con miel o azúcar.

TORRIJOS, *José María de* (1791-1831) Militar esp. Encarcelado a raíz del complot liberal de Andalucía (1819). Con otros emigrados liberales exiliados en Londres, desde Gibraltar intentó, sin éxito, desembarcar en Algeciras y atacar La Línea (1831). Fue apresado y fusilado. • ***Omar*** (1929-1981) Militar y político pan. Participó en el golpe militar que derribó a Arnulfo Arias (1968) y se convirtió en el hombre fuerte del nuevo régimen. En 1977 firmó un acuerdo con EE UU para la recuperación progresiva de la soberanía pan. sobre el canal de Panamá. En 1978 dimitió del cargo de primer ministro. Murió en accidente aéreo.

TORROJA, *Eduardo* (1899-1961) Arquitecto e ingeniero esp. Cubierta del hipódromo de la Zarzuela de Madrid, puente de Martín Gil sobre el Esla, depósito de agua de Fedala (Marruecos).

TORRONTERO m. Montón de tierra que dejan las avenidas impetuosas de las aguas.

TORSIÓN f. Acción y efecto de torcer o torcerse.

TORSO m. Tronco del cuerpo humano. • Estatua falta de cabeza, brazos y piernas.

TORTA f. Masa de harina, de figura redonda, que se cuece a fuego lento. • fig. Cualquier masa reducida a figura de torta. • fig. y fam. Palmada, golpe dado con la palma de la mano. • fig. y fam. Bofetada en la cara. • *Argent.* y *Ur.* Especie de pastel, gralte. redondo, relleno de crema, fruta, etc. • *Art. Gráf.* Paquete de caracteres de imprenta. • **Costar la t. un pan.** exp. fig. y fam. con que se pondera lo difícilmente que se consigue una cosa, cuando cuesta algo de mucho más valor que ella.

TORTADA f. Torta grande rellena de carne, dulce, etc. • *Const.* Tendel, capa de mezcla.

TORTAZO m. fig. y fam. Bofetada.

TORTEAR tr. *Guat.* Hacer tortillas.

TORTERA adj. y s. Aplícase a la cazuela o cacerola casi plana que sirve para hacer tortadas. • f. Rodaja que se pone en la parte inferior del huso, y ayuda a torcer la hebra.

TORTÍCOLIS o **TORTICOLIS** m. *Pat.* Espasmo de la musculatura del cuello y nuca por convulsión tónica del músculo esternocleidomastoideo asociado al del trapecio.

TORTILLA f. Fritada de huevo batido en figura redonda o alargada, en la cual se incluye de ordinario algún otro manjar. • *Amér. Centr.* y *Méx.* Torta de maíz. • *Argent.* y Chile. Pan de trigo cocido en el rescoldo. • fig. y fam. Acto sexual entre dos mujeres. ■ TORTILLERÍA; TORTILLERO, RA.

TÓRTOLA f. Ave columbiforme de la familia colúmbidos. Las t. son semejantes a palomas, pero de menor tamaño.

TÓRTOLA Isla de las Pequeñas Antillas, en el archipiélago de las Vírgenes brit.; 54 km², 100 00 hab. Cap., Road Town.

TÓTOLO m. Macho de la tórtola. • fig. fam. Hombre amartelado. • pl. Pareja de enamorados.

TORTUGA f. Cualquiera de los reptiles que pertenecen al orden → quelonios. • Testudo. • **almizclada.** T. propia de América del Norte, presenta un fuerte olor, y pertenece a la familia quinosternidos. • **de caparazón blando.** Propia de África y del S de Asia, su caparazón carece de placas córneas, y presenta la apariencia de cuero. • **laúd.** Especie marina que alcanza gran tamaño y un peso que supera a veces 1 t. Su caparazón es liso, y lo sostienen cinco crestas longitudinales. • **marina.** La que vive en el mar. Entre las t. marinas se cuentan las especies que alcanzan mayor tamaño. Casi todas las t. marinas se agrupan en la familia quelónidos. • **quelídrida.** T. de agua dulce que vive en los ríos de América del Norte y se caracteriza por su tamaño y su agresividad. • **terrestre.** La que vive en ambiente terrestre. La más interesante es la t. gigante, propia de muchas islas oceánicas, y la de jardín, o común. Casi todas las t. terrestres pertenecen a la familia testudínidos.

TORTUGA *(Tortue)* Isla de las Antillas, perteneciente a la Rep. de Haití, de la que está separada por el canal de Tortuga; 303 km², 14 000 hab. Plátanos. • Isla de las Antillas, en el arch. de Sota vento, perteneciente a Venezuela; 220 km².

TORTUOSO, SA adj. Que tiene vueltas y rodeos. • fig. Solapado, cauteloso. ■ TORTUOSIDAD.

TORTURA f. Desviación de lo recto, curvatura, oblicuidad, inclinación. • Acción de torturar o atormentar. • fig. Dolor, angustia, pena o aflicción grandes. ■ TORTURADOR, RA.

TORUN (al., *Thorn*) C. de Polonia, a orillas del r. Vístula; 186 200 hab. Puerto fluvial. Ind. químicas y alimentarias. Cuna de Copérnico.

TORUNDA f. Clavo de hilas que se deja en la herida para facilitar la supuración. • Bola de algodón envuelta en gasa empleada para cohibir las hemorragias leves durante las operaciones quirúrgicas.

TORUNO m. *Chile.* Toro que ha sido castrado después de tres o más años.

TORVO, VA adj. Fiero, airado y terrible a la vista. • f. Remolino de lluvia o nieve.

TORY (voz ing.) adj. y s. Nombre dado a los partidarios católicos del rey ing. Jacobo II. Desde 1688 el término designó a un partido político identificado con los propietarios rurales y defensor del an-

Omar **Torrijos**

Tórtola

Tortuga marina

glicanismo. Revitalizado desde 1784 e identificado con el partido conservador.

TORZAL m. Cordoncillo delgado de seda, hecho de varias hebras torcidas. • fig. Unión de varias cosas que hacen como hebra. • *Argent.* y Chile. Lazo de cuero retorcido.

TOS f. Espiración brusca y forzada de aire, por apertura violenta de la glotis con producción de ruido. • **ferina.** *Pat.* Enfermedad infecciosa y contagiosa de las vías respiratorias altas, producida por un bacilo, caracterizada por accesos de tos paroxísticos.

Toscana. Vista de Florencia, con la catedral en primer término

TOSAR Errecart, ***Héctor*** (nacido 1923) Compositor ur. Su producción abarca piezas sinfónicas *(Toccata),* pianísticas *(Danza criolla, Sonatina)* y música de cámara.

TOSCANA Región de Italia; 22 992 km², 3 529 900 hab. Cap., Florencia. Accidentada por los Apeninos Toscanos. Río Arno. Trigo, remolacha azucarera, hortalizas, olivos, vid. Hierro, mármol, mercurio, sal gema. Ind. textil, química, metalúrgica, vinícola. Turismo. Los lombardos formaron el ducado de Tuscia (s. VI). En el s. XII se independizaron las c. de Siena, Florencia, Lucca y Pisa. En 1814 quedó sometido de hecho a Austria. En 1860 se integró en el reino de Cerdeña.

Arturo **Toscanini**

TOSCANELLI, ***Paolo dal Pozzo*** (1397-1482) Astrónomo y geógrafo it. Sostuvo la posibilidad de llegar a Asia por Occidente. Colón se basó en sus cálculos al proyectar su expedición.

TOSCANINI, ***Arturo*** (1867-1957) Director de orquesta it., uno de los más célebres de todos los tiempos. Son célebres sus versiones de Wagner y Verdi.

TOSCANO, NA adj. y s. De Toscana. • m. Dialecto it.

TOSCO, CA adj. Basto, sin pulimento, hecho con poca habilidad o cuidado. • adj. y s. Rústico, inculto, grosero. • f. Piedra caliza que se forma de la cal de algunas aguas. • Sarro de los dientes. ■ TOSQUEDAD.

TOSER intr. Tener tos. ■ TOSIDURA.

TOSIGAR tr. Envenenar. • tr. y prnl. Atosigar.

TÓSIGO m. Veneno, ponzoña. • fig. Angustia o pena grande.

TOSIGOSO, SA adj. y s. Envenenado, emponzoñado. • Que tose mucho.

TOSTACIÓN f. Acción y efecto de tostar. • *Metal.* Tratamiento a que se someten ciertas menas con objeto de enriquecerlas.

TOSTADO, DA adj. Díc. del color subido y oscuro. • m. Tostadura. • *Ecuad.* Maíz tostado. • f. Rebanada de pan tostado que se unta con mantequilla, mermelada, etc.

TOSTAR tr. y prnl. Poner una cosa al fuego para que vaya desecándose y tomando un color dorado. • fig. Calentar demasiado. • fig. Curtir, atezar el sol o el viento la piel del cuerpo. • fig. *Chile.* Zurrar, vapulear. ■ TOSTADOR, RA; TOSTADURA.

TOSTÓN m. Torrado, garbanzo tostado. • Pedazo de pan tostado empapado en aceite nuevo. • Cosa demasiado tostada. • Cochinillo asado. • Dardo hecho con una vara tostada por la punta para endurecerla. • Tabarra, lata. • Persona que habla mucho y sin sustancia. • *Méx.* Moneda de plata de 50 centavos. • *R. Dom., P. Rico* y *Ven.* Fritura de plátanos verdes.

Postes **totémicos** de los indios kwakiutl de la Columbia Británica, Canadá

TOTAL adj. General, universal, que lo comprende todo. • m. Suma, cantidad equivalente a dos o más homogéneas. • adv. En suma, en resumen.

TOTALIDAD f. Calidad de total. • Todo, cosa íntegra. • Conjunto de todas las cosas o personas que forman una clase o especie. • Periodo de discusión relativo a una ley o propuesta en que se examina lo esencial de su tendencia antes de pasar al articulado o detalles. • *Astr.* → Eclipse total.

TOTALITARIO, RIA adj. Díc. de lo que incluye la totalidad de las partes o atributos de una cosa, sin merma ninguna. • Relativo al totalitarismo.

TOTALITARISMO m. *Pol.* Sistema de gobierno que niega el pluralismo político e ideológico.

TOTALIZAR tr. Hallar el total de varias cantidades. ■ TOTALIZADOR, RA.

TÓTEM m. Objeto de la naturaleza, gralte. un animal, que en la mitología de algunas tribus salvajes se toma como fetiche protector. ■ TOTÉMICO, CA.

TOTEMISMO m. Sistema de creencias y organización de tribu basado en el tótem.

* *Antr.* El t. supone un sistema de organización social vinculado a creencias religiosas y rituales, cosmogonía, cosmología, etc. Socialmente comprende expresiones tales como t. familiar, de clan, de fratrías y de tribu, y en el cual la colectividad afectada tiene el mismo t. El t. se basa en la homología entre la serie animal y la de los grupos sociales, y persiste entre algunas pob. primitivas.

TOTÍ m. *Cuba.* Pájaro de plumaje muy negro y pico encorvado, que se alimenta de semillas e insectos.

TOTIPOTENTE adj. *Biol.* Díc. de los blastómeros que pueden dar lugar a embriones completos cuando se separan del agregado blastular. • *Biol.* Células meristemáticas capaces de especializarse como respuesta a las hormonas del crecimiento.

TOTOLOQUE m. *Méx.* Juego parecido al tejo.

TOTONA f. fam. *Ven.* Vulva.

TOTONACA o **TOTONECA** adj. y s. Díc. de individuos de un grupo étnico que habita desde tiempos prehistóricos el área central del est. de Veracruz, en México. Para algunos son los creadores de la cultura de El Tajín. Se ignora su origen. Ellos se consideran parientes de los huastecas y hablan una lengua aglutinante maya.

TOTONICAPÁN Dpto. del centro-oeste de Guatemala; 1 061 km², 272 094 hab. Cap., la c. hom. Territorio montañoso, cruzado por la sierra Madre y drenado por el curso alto del r. Samalá. Clima tropical. Abundante manto forestal. Cereales, hortalizas, frutales. Ganadería. Oro, plata, plomo. Ind. textil y alimentaria. • C. de Guatemala, cap. del dpto. hom.; 7 146 hab. Sit. a 2 495 m de alt., es un imp. mercado agropecuario. Ind. textil, alimentaria, de la madera, materiales de construcción.

TOTOPOSTE m. *Amér. Centr.* y *Méx.* Torta de harina de maíz, muy tostada.

TOTORA (voz quechua) f. *Amér.* Especie de anea o espadaña empleada por los indígenas para construir balsas y barcas y como techumbre de viviendas.

TOTUMA f. *Amér.* Fruto del totumo o güira. • *Amér.* Vasija hecha con ese fruto.

TOTTOTI Prefectura de Japón, en la isla de Honshu; 3 494 km², 616 000 hab. Cap., la c. hom. (142 500 hab.).

TOTUMO m. *Perú.* Güira, árbol.

TOULON C. de Francia, en el dpto. de Var; 179 400 hab. Puerto militar. Astilleros.

TOULOUSE C. de Francia, cap. del dpto. de Haute-Garonne y de la región de Midi-Pyrénées; 358 688 hab. (630 300 hab, la agl. urb.). Ind. textil, metalúrgica, química, aeronáutica. Universidad.

TOULOUSE-LAUTREC, ***Henri Marie-Raymond de*** (1864-1901) Pintor y litógrafo fr. Captó con agudo realismo la vida nocturna de París. *Retrato de Van Gogh, Circo Fernando, La Amazona.* Como litógrafo destacan sus carteles (serie de *Jane Avril).*

TOUNENS, ***Orélie-Antoine de*** (1820-1878) Aventurero fr. Se autoproclamó rey de Araucania y Patagonia, con el nombre de *Orelio Antonio I.* Fue internado en un manicomio por el gobierno de Chile y post. repatriado.

TOUR, ***Georges de la*** (1593-1654) Pintor fr. Su pintura evolucionó de un modelado en volúmenes duros, con luces violentas y fondos lisos en sombra, a un estilo en que los fondos y los personajes, el color y la forma se combinan en una unidad estructural. *La Magdalena de la lamparilla, San José carpintero, Adoración de los pastores.*

TOURAINE, ***Alain*** (nacido 1925) Sociólogo fr.

Creador de la sociología de la acción, método de análisis basado en el estudio del sistema de trabajo en la civilización industrial. *Sociología de la acción, Las sociedades dependientes; ensayo sobre América Latina.*

TOURCOING C. de Francia, al N de Lille y de Roubaix, con las que forma una extensa conurbación; 102 000 hab. Ind. textil y papelera.

TOURÉ, *Sékou* (1911-1984) Político guineano. Fundó la Unión General de Trabajadores de África negra. Se opuso a la indep. dentro de la Comunidad fr. Presid. del país en varias ocasiones, llevó a cabo una política neutralista y panafricanista.

TOURNAI C. de Bélgica, en el Hainaut; 67 600 hab. Sit. junto al r. Escalda. Ind. textil y del cuero.

TOURS C. de Francia a orillas del r. Loira; 235 100 hab. Mercado agrícola. Ind. metalúrgica, química, eléctrica, de calzado. Aeropuerto militar.

TOUSSAINT, *Manuel* (1890-1955) Historiador del arte mex. *Historia del arte colonial, Arte colonial en México.* • **Louverture, *François Dominique Toussaint*** llamado (1743-1803) Revolucionario haitiano. Esclavo negro, se convirtió en el líder del mov. libertador. Se pasó al bando francés (1794) y la Convención le nombró general. Al finalizar la guerra, T. organizó la isla como un Estado semiindependiente y fue nombrado gobernador vitalicio. Instauró un régimen de trabajo que suscitó la resistencia de sus súbditos. Arrestado y enviado a Francia, murió en la cárcel.

TOVAR, *Antonio* (1922-1986) Humanista y ensayista esp. Traductor de Eurípides y de filósofos gr. *Vida de Sócrates, La lengua vasca.* • ***Juan de*** (1540-1626) Eclesiástico e historiador mex. Interesado por la cultura y las lenguas de los pueblos amerindios, de las cuales era un gran conocedor. *Historia antigua.* • ***Manuel Felipe de*** (1803-1866) Político ven., del partido conservador. Presid. de la rep. (1859-1861). Dimitió por su oposición a Páez, y se exilió en París hasta su muerte. • **Y Ponte, *Martín*** (1772-1844) Político ven. Combatió junto a Bolívar. Participó en los congresos de Angostura y Cúcuta. Su liberalismo radical le llevó al exilio. Impulsó la creación de la colonia que lleva su nombre, formada por emigrantes al.

TOVARIÁCEO, A adj. y f. Díc. de plantas angiospermas dicotiledóneas, con flores hermafroditas, regulares, octámeras, y frutos en baya. • f. pl. Familia de estas plantas.

TOXEMIA f. *Pat.* Presencia en la sangre de sustancias tóxicas o de toxinas bacterianas.

TOXICAR tr. Atosigar, envenenar, intoxicar.

TÓXICO, CA adj. y m. *Biol.* Díc. de las sustancias que matan o dañan las células de los organismos, como los venenos y las toxinas. • **Síndrome t.** Enfermedad epidémica que se inició en España en 1981, atribuida a la ingestión de aceite de colza desnaturalizado. ■ TOXICIDAD.

TOXICODEPENDENCIA f. *Med.* Estado de dependencia de un individuo respecto de una droga, de forma permanente y continua.

TOXICOLOGÍA f. Ciencia que estudia la naturaleza, las propiedades y el modo como actúan los tóxicos, así como la sintomatología, las intoxicaciones, su diagnóstico, tratamiento y prevención. ■ TOXICOLÓGICO, CA; TOXICÓLOGO, GA.

TOXICOMANÍA f. Estado de intoxicación crónica por consumo reiterado de una droga natural o sintética, caracterizado por alguna dependencia psíquica y, en ocasiones, física, y por una tendencia a utilizar dosis cada vez mayores. ■ TOXICÓMANO, NA.

TOXINA f. *Biol.* Sustancia de origen microbiano que daña o mata las células del organismo huésped. Se dividen en exotoxinas y endotoxinas y endotoxinas, según sean segregadas por los microbios o bien se liberen cuando éstos mueren por lisis.

TOXOPLASMOSIS f. *Pat.* Enfermedad parasitaria del hombre y animales debida al protozoario *Toxoplasma gondii.* En la forma congénita evoluciona como una encefalomielitis. Se transmite por excrementos, saliva o moco de animales contaminados, o bien por ingestión de carnes crudas o insuficientemente cocidas en las que se ha enquistado el parásito.

TOYA f. *Bol.* Serie de cascabeles que usan los indígenas para adornar sus tobillos en algunas danzas.

TOYAMA Prefectura de Japón, en la isla de Honshu; 4 252 km², 1 120 000 hab. Cap., la c. hom. (321 300 hab.). Ind. farmacéutica, textil, de aluminio.

TOYNBEE, *Arnold* (1889-1975) Historiador brit. Vinculado a las teorías organicistas, estableció unos ciclos vitales para las civilizaciones. *Estudio de la Historia, Civilización y carácter griego.*

TOYOHASHI C. de Japón, en la isla de Honshu; 322 100 hab. Ind. metalúrgica y textil.

TOYONAKA C. de Japón, en la isla de Honshu; 413 200 hab. Centro residencial y agrícola.

TOYOTA C. de Japón, en la isla de Honshu; 308 100 hab. Ind. automovilística.

Pirámide de los Nichos en las ruinas de El Tajín, capital de la cultura **totonaca**

TOZO, ZA adj. Enano o de baja estatura. • m. Melojo, árbol. • f. En algunas partes, pedazo de corteza del pino y de otros árboles. • Pieza grande de madera labrada a esquina viva.

TOZUDO, DA adj. Obstinado, testarudo. ■ TOZUDEZ.

TOZUELO m. Cerviz gruesa de un animal.

TRABA f. Acción y efecto de trabar o triscar. • Instrumento con que se junta y sujeta una cosa con otra. • Ligadura con que se atan las manos o los pies de una caballería. • Cada una de las dos cuerdas que se pone a las caballerías del pie a la mano de cada lado para acostumbrarlas al paso de andadura. • Cada uno de los dos palos delanteros de la red de cazar palomas. • Pedazo de paño que une las dos partes del escapulario de ciertos hábitos monásticos. • Piedra o cuña con que se calzan las ruedas de un carro. • fig. Impedimiento o estorbo. • *Mar.* Trinca. • *Chile.* Tabla o palo que se ata a los cuernos de una res vacuna para impedir que entre en sitio donde pueda hacer daño. • *Méx.* Cancha de pelea de gallos. • *Der.* Embargo de bienes o retención de derechos.

En el salón de la rue des Moulins, pastel de Henri de **Toulouse-Lautrec.** Museo Toulouse-Lautrec de Albi, Francia

TRABACUENTA f. Error o equivocación en una cuenta. • fig. Discusión, controversia o disputa.

TRABADERO m. Cuartilla de las caballerías.

TRABADO, DA adj. Aplícase al caballo o yegua que tiene blancas las dos manos, por ser allí donde se le ponen trabas. • Se aplica a la caballería que tiene blancas las dos manos, o que tiene blancos la mano derecha y el pie izquierdo, o viceversa. • fig. Robusto, nervudo.

TRABADOR m. *Chile.* Triscador, instrumento para torcer alternativamente los dientes de la sierra.

TRABAJADOR, RA adj. Que trabaja. • Muy aplicado al trabajo. • m. y f. Jornalero, obrero. • m. *Chile.* Torero, pájaro.

TRABAJAR intr. Desarrollar un esfuerzo físico o intelectual en una determinada actividad. • Ejercer un oficio o profesión. • Procurar, intentar una cosa con eficacia y actividad. • Aplicarse uno con desvelo y cuidado a la ejecución de alguna cosa. • fig. Ejercitar sus fuerzas naturales la tierra y las plantas para que éstas se desarrollen. • fig. Sufrir una máquina, un buque, edificio, etc., la acción de los esfuerzos a que se hallan sometidos. • fig. Poner esfuerzo para vencer alguna cosa. • tr. Formar, disponer o ejecutar una cosa, de acuerdo con un cierto método. • Ejercitar y amaestrar el caballo. • fig. Molestar, inquietar o perturbar. • fig. Hacer sufrir trabajos a una persona. • prnl. Ocuparse con empeño en alguna cosa. ■ TRABAJADO, DA.

La Magdalena de la lamparilla, óleo de Georges de la **Tour.** Museo del Louvre, París

TRABAJO m. Acción y efecto de trabajar. • Cosa producida por un agente. • Cosa producida por el entendimiento. • Operación de la máquina, pieza, herramienta o utensilio que se emplea para algún fin. • Esfuerzo humano aplicado a la producción de la riqueza, extrayéndola, obteniéndola o transformándola. Se usa en contraposición a *capital*. • fig. Dificultad o perjuicio. • fig. Penalidad, molestia, tormento. • *Fís.* Producto del desplazamiento de una fuerza *F* por la componente *e* de la misma en la dirección del movimiento: $T = F \cdot e$. Se realiza t. únicamente cuando la fuerza ejercida sobre el cuerpo tiene componente en la dirección de movimiento mientras el cuerpo se mueve. Las unidades de t. son: en el sistema cegesimal, el ergio; en el sistema Giorgi, el julio; y en el sistema técnico, el kilopondímetro. • pl. fig. Estrechez, miseria. • **de zapa.** fig. El que se hace oculta y solapadamente para conseguir algún fin. • **Trabajos forzados,** o **forzosos.** Aquellos en que se ocupa por obligación el presidiario como parte de la pena de su delito.

Tracia. Patio del monasterio de Rila

TRABAJOSO, SA adj. Que da, cuesta o causa mucho trabajo. • Que padece trabajos, penalidades o miserias. • Falto de espontaneidad por ser resultado de mucho trabajo.

TRABALENGUAS m. Palabra o locución difícil de pronunciar, en especial cuando sirve de juego para que alguien se equivoque.

TRABANCA f. Mesa formada por un tablero sobre dos caballetes.

TRABAR tr. Juntar o unir una cosa con otra. • Echar trabas. Esperar o dar mayor consistencia a un líquido o a una masa. • Triscar los dientes de una sierra. • fig. Comenzar una batalla, contienda, conversación, etc. • fig. Enlazar, concordar. • *Der.* Embargar o retener bienes o derechos. • tr. e intr. Prender, agarrar, o asir. • prnl. *Amér.* Entorpecérsele a uno la lengua al hablar, tartamudear. ■ TRABADURA; TRABAMIENTO.

TRABAZÓN f. Enlace de dos o más cosas. • Espesor o consistencia que se da a un líquido o masa. • fig. Conexión de una cosa con otra.

Tractor

TRABE f. Madero largo y grueso para techar y sostener los edificios.

TRABÉCULA f. Hilera de células que atraviesa un espacio intercelular.

TRABILLA f. Tira de tela o de cuero que pasa por debajo del pie para sujetar los bordes inferiores del pantalón, de la polaina, etc. • Tira de tela colocada exteriormente al nivel del talle para reducir el vuelo de la prenda. • Punto que queda suelto al hacer media.

TRABÓN m. Argolla fija de hierro, a la cual se atan por un pie los caballos para tenerlos sujetos. • En los molinos de aceite, pieza de madera que sujeta la cabeza de la viga prensadora.

TRABUCAIRE adj. y m. Díc. del francotirador armado de trabuco. Se comenzó a emplear este término en Cataluña afines del s. XVIII. • fig. y fam. Osado, bravucón.

TRABUCAR tr. y prnl. Trastocar el buen orden o colocación que tiene alguna cosa. • fig. Ofuscar, confundir el entendimiento. • tr. fig. Trastocar noticias, ideas, datos, etc. • tr. y prnl. fig. Pronunciar o escribir equivocadamente unas palabras, sílabas o letras por otras. ■ TRABUCACIÓN.

TRABUCAZO m. Disparo del trabuco. • Tiro dado con él. • fig. y fam. Pesadumbre o susto.

TRABUCO m. Catapulta, máquina de guerra que se usaba ant. para batir las murallas, torres, etc., disparando piedras muy gruesas. • Arma de fuego más corta y de mayor calibre que la escopeta ordinaria. • **naranjero.** El de boca acampanada y gran calibre.

TRABUQUETE m. Catapulta pequeña.

TRABZON o **TREBISONDA** C. y puerto de Turquía, cap. de la prov. hom., junto al mar Negro; 156 000 hab. Centro comercial. Ind. textil.

TRACA f. Artificio pirotécnico que se hace con una serie de petardos colocados a lo largo de una cuerda y que estallan sucesivamente. • *Mar.* Cada una de las tres hiladas de la cubierta de un barco.

TRÁCALA f. *Méx.* y *P. Rico.* Trampa, engaño. ■ *Méx.* TRACALERO, RA.

TRACALADA f. *Amér.* Matracalada, cáfila, multitud.

TRACCIÓN f. Acción y efecto de tirar de alguna cosa para moverla o estirarla. • Tipo de esfuerzo al que se somete un cuerpo cuando la dirección de la fuerza que actúa sobre él tiende a alargar su longitud.

Escena de la **tragedia** de Eurípides *Medea* en una cerámica ática

TRACERÍA f. Decoración arquitectónica formada por figuras geométricas.

TRACIA Región del SE de Europa, en la pen. balcánica; 51 000 km². Bañada por los mares Egeo, Mármara y Negro. Dividida entre Bulgaria, Grecia y Turquía. Fue habitada en la antigüedad por los tracios. Fue diversas veces repartida después de la primera guerra balcánica y de la I Guerra Mundial.

TRACIO, CIA adj. y s. De Tracia.

TRACISTA adj. y s. Diseñador de una obra. • fig. Díc. de la persona que frecuentemente emplea tretas o engaños.

TRACOMA m. Enfermedad infecciosa y contagiosa que produce lesiones en la conjuntiva y córnea ocular, causada por un virus.

TRACTO m. Trecho. • Lapso de tiempo. • Conjunto de versículos que se cantan o rezan inmediatamente en la misa antes del evangelio.

TRACTOR adj. Que realiza una tracción. • adj. y m. *Ing.* Díc. del vehículo empleado para grandes esfuerzos de arrastre, caracterizado por su robustez, potencia y gran adherencia al terreno. Los t. suelen estar accionados por un motor Diesel provisto de poleas. ■ TRACTORISTA.

TRACY, *Spencer* (1900-1967) Actor de cine norteam., galardonado con dos Óscar por sus interpretaciones en *Capitanes intrépidos* y *La ciudad de los muchachos. Furia, El extraño caso del doctor Jekyll, Treinta segundos sobre Tokio, Vencedores o vencidos, Adivina quién viene a cenar esta noche.*

TRADE MARK (voz ing.) f. Marca registrada.

TRADESCANTIA f. Planta monocotiledónea de la familia comelináceas, de flores violadas, blancas o azules.

TRADE-UNION (voz ing.) f. Organización sindical brit. Enraizadas en el cartismo, hasta 1868 no alcanzaron una estructura nacional. Las t. impulsaron el partido laborista.

TRADICIÓN f. Transmisión de noticias, composiciones literarias, doctrinas, costumbres, hecha de generación en generación. • Noticia de un hecho antiguo transmitida de este modo. • Doctrina, costumbre, etc., conservada en un pueblo por transmisión de padres a hijos. ■ TRADICIONAL; TRADICIONISTA.

TRADICIONALISMO m. Doctrina filosófica que pone el origen de las ideas en la revelación y en las enseñanzas que el hombre recibe de la sociedad. • Sistema político que quiere mantener o restablecer las instituciones ant. en el gobierno y en la sociedad. ■ TRADICIONALISTA.

TRADUCCIÓN f. Acción y efecto de traducir. • Obra del traductor. • Sentido o interpretación que se da a un texto. • *Ret.* Figura que consiste en emplear dentro de la cláusula un mismo adjetivo o nombre en distintos casos, géneros o números; o un mismo verbo en distintos modos, tiempos o personas.

TRADUCIANISMO m. Conjunto de doctrinas teológicas según las cuales el alma del hijo se deriva de los padres. Intentan explicar la transmisión del pecado original.

TRADUCIR tr. Expresar en una lengua lo que está expresado antes en otra. • Convertir, mudar. • fig. Explicar, interpretar.

TRADUCTOR, RA adj. y s. Que traduce una obra. • *Comp.* Cualquier programa compilador o ensamblador.

TRAER tr. Conducir o trasladar una cosa al lugar en donde se habla o de que se habla. • Atraer hacia sí. • Causar, acarrear. • Tener a uno en el estado o situación que expresa el adjetivo que se junta con el verbo. • Llevar, tener puesta una cosa. • fig. Alegar o aplicar razones o autoridades. • Obligar, constreñir a uno a que haga alguna cosa. • fig. Persuadir a uno a que siga el dictamen o partido que se le propone. • tr. y prnl. fig. Tratar, andar haciendo una cosa. • prnl. Vestirse, bien o mal. • **T. a** uno **a mal t.** Maltratarle o molestarle mucho.

TRAFAGAR intr. Comerciar o negociar con dinero y mercaderías. • tr. e intr. Correr mundo.

TRÁFAGO m. Tráfico. • Conjunto de negocios o faenas, que ocasiona mucha fatiga.

TRAFALGAR Cabo de España, en la prov. de Cádiz. • **Batalla de T.** Combate naval librado cerca del cabo hom. entre la flota brit. dirigida por Nelson y la francoespañola (21 octubre 1805). La

flota aliada fue derrotada, lo que supuso para España el fin de su marina de guerra.
TRAFALLÓN, NA adj. Que hace las cosas mal o las embrolla.
TRAFICAR intr. Comerciar, negociar, gralte. de manera irregular o ilícita. • Viajar, correr mundo. ■ TRAFICANTE.
TRÁFICO m. o **TRAFICACIÓN** f. Acción de traficar. • Comunicación, tránsito y transporte, en vehículos adecuados y por vía terrestre, marítima o aérea, de personas, equipajes o mercaderías. • Circulación de vehículos automóviles.
TRAFULGAR tr. Confundir, trabucar.
TRAGACANTA f. o **TRAGACANTO** m. Planta angiosperma dicotiledónea denominada también nopal. • Goma blanquecina que se obtiene de esta planta.
TRAGADERAS f. pl. Tragadero, faringe. • fig. y fam. Facilidad de creer cualquier cosa. • fig. y fam. Poco escrúpulo, facilidad para admitir o tolerar cosas inconvenientes.
TRAGADERO m. Faringe. • Boca o agujero que traga o sorbe una cosa. • pl. Tragaderas, facilidad de creer todo y tolerar cosas inconvenientes.
TRAGAHOMBRES m. fam. Perdonavidas.
TRÁGALA m. Canción con que los liberales esp. zaherían a los partidarios del gobierno absoluto durante el primer tercio del s. XIX. • fig. Manifestaciones o hechos por los cuales se obliga a uno a soportar alguna cosa de que es enemigo.
TRAGALDABAS com. fam. Persona muy tragona.
TRAGALEGUAS com. fam. Persona que anda mucho y de prisa.
TRAGALLÓN, NA adj. y s. *Chile.* Tragón, comilón.
TRAGALUZ m. Ventana abierta en un techo o en la parte superior de una pared, gralte. con derrame hacia adentro.
TRAGAMILLAS com. En natación, especialista en largas distancias.
TRAGANTE adj. Que traga. • m. *Metal.* Abertura en la parte superior de los hornos de cuba; y en los de reverbero, conducto por donde pasa la llama desde la plaza a la chimenea.
TRAGANTONA f. fam. Comilona. • fam. Acción de tragar haciendo fuerza. • fig. y fam. Violencia que hace uno a su razón para creer o consentir una cosa extraña, difícil o inverosímil.
TRAGAPERRAS adj. y f. Díc. de las máquinas de juego que funcionan automáticamente, mediante la introducción de una moneda.
TRAGAR tr. Hacer que una cosa pase de la boca al aparato digestivo. • fig. Comer vorazmente. • tr. y prnl. fig. Absorber la tierra o las aguas lo que está en su superficie. • fig. Dar fácilmente crédito a las cosas, aunque sean inverosímiles. • fig. Soportar o tolerar cosa desagradable u ofensiva. • Disimular, no darse por enterado de una cosa, especialmente si es desagradable. • fig. Absorber, consumir, gastar. • **No t.** a una persona o cosa. fig. y fam. Sentir antipatía hacia ella. ■ TRAGADOR, RA; TRAGÓN, NA; TRAGONEAR; TRAGONERÍA.
TRAGAVENADO f. *Ven.* Serpiente de unos 4 m de largo, de colores más brillantes que los de la boa. No es venenosa, vive en tierra y en los árboles, y ataca al venado y a otros cuadrúpedos corpulentos.
TRAGAVINO m. Embudo para trasvasar líquidos.
TRAGAVIROTES m. fam. Hombre serio y erguido en demasía.
TRAGEDIA f. Canción de los gentiles en loor de Baco. • Obra dramática, en prosa o verso, cuyo tema está extraído gralte. de la leyenda o la historia, en la que personajes nobles se enfrentan a conflictos provocados por pasiones humanas que desembocan en un desenlace fatal. • fig. Suceso que produce terror y lástima. • fig. Cualquier suceso fatal o desgraciado.
TRÁGICO, CA adj. Relativo a la tragedia. • Aplícase al actor que representa papeles trágicos. • fig. Infausto, muy desgraciado. • adj. y s. Díc. del autor de tragedias.
TRAGICOMEDIA f. Poema dramático que tiene al par condiciones propias de los géneros trágico y cómico. • fig. Suceso que juntamente mueve a risa y a piedad. ■ TRAGICÓMICO, CA.
TRAGO m. Porción de líquido que se bebe o se puede beber de una vez. • Costumbre de tomar bebidas alcohólicas. • Prominencia cartilaginosa de la oreja, situada delante del conducto auditivo. • fig. y fam. Adversidad, infortunio. • *Col.* Copa de licor; p. ext., licor, bebida alcohólica. • **A tragos.** m. adv. fig. y fam. Poco a poco, lenta y pausadamente.
TRAICIÓN f. Delito que se comete quebrantando la fidelidad que se debe guardar. • *Der.* Delito que se comete contra la patria por los ciudadanos, o contra la disciplina por los militares, sirviendo al enemigo. • **A t.** m. adv. Alevosamente, con engaño. • **Alta t.** La cometida contra la persona del soberano, o contra el honor, la seguridad y la independencia del Est. ■ TRAICIONAR; TRAICIONERO, RA.
TRAÍDO, DA adj. Gastado, que se va haciendo viejo. • f. Acción y efecto de traer.
TRAIDOR, RA adj. y s. Que comete traición. • Se aplica a los animales irracionales o a las cosas que dan un resultado contrario al que se esperaba. • Que implica o denota traición o falsedad.
TRAILER (voz ing.) m. Vehículo para transporte, de gran longitud, destinado a ser remolcado por un vehículo tractor. • *Cin.* Cortometraje compuesto gralte. por fragmentos de una película destinado a servir de publicidad a ésta.
TRAÍLLA o **TREÍLLA** f. Cuerda o correa con que se lleva al perro atado a las cacerías, para soltarlo en su momento. • Cuerda que se pone en el extremo del látigo y el látigo con esta cuerda. • Cuerda que algunas veces se echa al hurón en las madrigueras, para tirar de él. • Par de perros atraillados. • Conjunto de estas traíllas unidas por una cuerda.
TRAÍNA f. Denominación que se daba a varias redes barrederas.
TRAINERA adj. y s. Díc. de la barca que pesca con traína.
TRAINING (voz ing.) m. *Amér.* Entrenamiento. • **Tener t.** *Amér.* Estar bien entrenado en algo.
TRAJANO, *Marco Ulpio* (53-117) Emperador rom. [98-117]. Nacido en Itálica (España). Centralizó la administración en Roma. Incorporó Dacia y Mesopotamia.
TRAJE m. Vestido peculiar de una clase de personas o de los naturales de un país. • Vestido completo de una persona. • **anti-g.** El especialmente diseñado para aviadores que deben volar a gran velocidad y para los astronautas en los momentos de despegue de los cohetes o durante los cambios de aceleración. • **de baño.** Pieza o piezas con que se cubre someramente el cuerpo para bañarse en sitio público. • **de ceremonia,** o **de etiqueta.** El que se utiliza en algunos actos solemnes. • **de luces.** *Taur.* El de seda bordado de oro o plata, con lentejuelas, que se ponen los toreros para torear. • **de vuelo.** El provisto de cámaras de aire que se hinchan automáticamente para proteger a los pilotos de las aceleraciones en los vuelos supersónicos. • **espacial.** El utilizado por los astronautas.
TRAJEAR tr. y prnl. Proveer de trajes a una persona.
TRAJINAR tr. Acarrear mercancías de un lugar a otro. • intr. Andar de un sitio a otro realizando gestiones. • *Chile.* Buscar. ■ TRAJÍN.
TRALLA f. Cuerda más gruesa que el bramante. • Trencilla de cordel o de seda que se pone al extremo del látigo para que restalle. • Látigo provisto de este cordel.
TRALLAZO m. Golpe dado con la tralla. • Chasquido de la tralla. • fig. Reprensión áspera.
TRAM van Huong (nacido 1903) Político vietnamita. Primer ministro en 1964-1965 y 1968-1969. Sustituyó a Van Thieu en la presidencia de la rep. durante los últimos días de la guerra (1975).
TRAMA f. En los tejidos, hilos que, alternativamente, se hallan situados transversalmente a la dimensión mayor del tejido. • Especie de seda para tramar. • fig. Intriga, enredo, confabulación con que se perjudica a uno. • Disposición interna, contextura, ligazón entre las partes de un asunto u otra cosa, y en especial el enredo de una obra dramática o novelesca. • fig. Florecimiento y flor de los árboles, especialmente del olivo.
TRAMAR tr. Atravesar los hilos de la trama por entre los de la urdimbre para tejer alguna tela. • fig. Disponer o preparar con astucia un enredo. • Dispo-

Pesca con **traína**

Marco Ulpio **Trajano**

Astronautas estadounidenses con **trajes anti-g**

ner con habilidad la ejecución de cualquier cosa complicada o difícil. • intr. Florecer los árboles, especialmente el olivo.

TRAMITAR tr. Hacer pasar un negocio por los trámites debidos. ■ TRAMITACIÓN.

TRÁMITE m. Paso de una parte a otra, o de una cosa a otra. • Cada uno de los estados y diligencias que hay que recorrer en un negocio.

TRAMO m. Trozo de terreno contiguo a otros y separado de ellos por una señal cualquiera. • Parte de una escalera, comprendida entre dos mesetas o rellanos. • Cada una de las partes en que está dividido un andamio, esclusa, camino, etc. • fig. Trozo de composición literaria en el cual domina la misma idea.

TRAMOJO m. Vencejo hecho con mies para atar los haces de la siega. • Parte de la mies por donde el segador la coge y pone el tramojo a la gavilla. • fam. Trabajo, apuro. Se usa más en pl. • *Amér.* Especie de trangallo que se pone a un animal para que no haga daño en los cercados.

TRAMONTANO, NA adj. Díc. de lo que está del otro lado de los montes. • f. Norte o septentrión. • Viento que sopla de esta parte. • fig. Vanidad, soberbia, altivez o pompa.

TRAMONTAR intr. Pasar del otro lado de los montes. Díc. especialmente del sol cuando se pone tras los montes. • tr. y prnl. Escapar o huir de un peligro.

TRAMOYA f. Máquina o conjunto de máquinas con las que en el escenario del teatro se realizan los cambios de decorados y los efectos especiales. • fig. Enredo dispuesto con ingenio.

TRAMOYERO, RA adj. *Amér.* Estafador.

TRAMOYISTA m. Inventor, constructor o director de tramoyas de teatro. • Operario que las coloca o las hace funcionar. • El que trabaja en los cambios escénicos. • adj. y s. fig. Díc. de la persona que usa de intrigas o engaños.

TRAMPA f. Artificio para cazar. • Puerta en el suelo, para poner en comunicación cualquier parte de un edificio con otra inferior. • Tablero horizontal, movible por medio de goznes, que suelen tener los mostradores de las tiendas, para entrar y salir con facilidad. • Bragueta. • Ardid, estratagema, para contravenir una ley en beneficio propio. • Infracción maliciosa de las reglas de un juego o de una competición. • fig. Ardid para burlar o perjudicar a alguno. • fig. Deuda cuyo pago se demora. • **petrolífera.** Estructura o disposición de las rocas que contienen hidrocarburos, por la cual se frena o impide la migración secundaria de los mismos. ■ TRAMPERÍA; TRAMPISTA; TRAMPOSO, SA.

TRAMPEAR intr. fam. Pedir prestado o fiado con ardides y engaños. • fam. Arbitrar medios lícitos para hacer más llevadera la penuria o alguna adversidad. • Ir viviendo, aunque con achaques y dificultades. • tr. fam. Usar una persona artimañas o cautelas para engañar a otra o eludir alguna dificultad.

TRAMPERO m. El que pone trampas para cazar. • *Chile.* Armadijo para cazar pájaros.

TRAMPILLA f. Ventanilla en el suelo que comunica con una estancia inferior.

TRAMPOLÍN m. Plano inclinado y elástico o plancha muy flexible que sirve para darse impulso al saltar. • fig. Persona, cosa o suceso de que uno se aprovecha para ascender de posición.

TRANCA f. Palo grueso y fuerte. • Palo grueso que se pone para seguridad, atravesado detrás de una puerta o ventana cerrada. • fam. Borrachera. • **A trancas y barrancas.** fig. y fam. Pasando sobre todos los obstáculos. • Con dificultad.

TRANCAHÍLO m. Nudo o lazo sobrepuesto para que estorbe el paso del hilo o cuerda por alguna parte.

TRANCAR tr. Cerrar una puerta con una tranca o un cerrojo. • Dar trancos o pasos largos.

TRANCAZO m. Golpe que se da con la tranca. • fig. y fam. Gripe, enfermedad.

TRANCE m. Momento crítico y decisivo de algún suceso o acción. • Acompañado de los adjetivos *último, postrero, mortal,* etc., el último estado o tiempo de la vida próximo a la muerte. • Estado en que un médium muestra fenómenos que se atribuyen a magnetismo animal o espiritismo. • *Der.* Apremio judicial contra los bienes de un deudor, para pagar con ellos al acreedor. • Estado del espíritu en el que se presenta cierta suspensión de las funciones anímicas, tal como sucede en los momentos de éxtasis. • **A todo. t.** m. adv. Resueltamente, sin reparar en riesgos.

TRANCHA f. Hierro con canto romo clavado en un borriquete y del cual se sirven los hojalateros para rebordear la hojalata.

TRANCHETE m. Chaira, cuchilla de zapatero.

TRANCO m. Paso largo. • Umbral de la puerta. • Juego de la tala. • Palo usado en este juego. • **Al t.** m. adv. *Argent.* y *Chile.* Hablando de caballerías, a paso largo.

TRANQUEAR intr. fam. Dar trancos o pasos largos. • Remover, empujando y apalancando con trancas o palos.

TRANQUERA f. Empalizada de trancas. • *Amér.* Especie de puerta rústica en un alambrado.

TRANQUIL m. *Arq.* Línea vertical o del plomo.

TRANQUILO, LA adj. Quieto, sosegado, pacífico. ■ TRANQUILIDAD; TRANQUILIZANTE; TRANQUILIZAR.

TRANQUILLA f. Pasador que se pone en una barra para que no pase más allá de lo que se quiere al introducirla en alguna parte.

TRANQUILLO m. fig. Hábito especial que se aprende empíricamente para realizar con más facilidad un trabajo.

TRANQUILLÓN m. Mezcla de trigo y centeno para sembrar o para elaborar el pan.

TRANS prep. insep. que en las voces a que se halla unida significa *del otro lado* o *más allá,* o *a través de,* o denota cambio o mudanza. Pierde la *s* final precediendo a voces simples que empiecen con esta misma letra.

TRANSACCIÓN f. Acción y efecto de transigir. • P. ext., trato, convenio, negocio. ■ TRANSACCIONAL.

TRANSALPINO, NA adj. Díc. de las regiones que desde Italia aparecen situadas al otro lado de los Alpes. • Perteneciente o relativo a ellas.

TRANSAMAZÓNICO, CA adj. Díc. del tráfico y los medios de locomoción que atraviesan la Amazonia. • **Carretera t.** Vía de comunicación terrestre bras. de 5 000 km de longitud. El tramo pral. cruza la Amazonia desde Recife a Perú.

TRANSAMINACIÓN f. *Fisiol.* Reacción química consistente en el intercambio de la función aminada de un aminoácido por la función cetona de un cetoácido, que conduce a la formación de un nuevo aminoácido, derivado del cetoácido primitivo y de un nuevo cetoácido procedente del aminoácido primitivo. Desempeña un importante papel en el metabolismo de las proteínas.

TRANSAMINASA f. Enzima que interviene en el metabolismo de los aminoácidos. Los incrementos de t. en el suero sanguíneo indican que existen lesiones necrosantes en el hígado o en el miocardio.

TRANSANDINO, NA adj. Díc. de las regiones sit. al otro lado de los Andes. • Relativo a ellas. • Díc. del tráfico y de los medios de locomoción que cruzan los Andes. • **Ferrocarril t.** Díc. de los ferrocarriles que cruzan los Andes. El primero une Buenos Aires con Valparaíso; otro, La Paz con Buenos Aires; y el tercero enlaza Salta y Antofagasta.

TRANSAR intr. y prnl. *Amér.* Transigir, ceder, llegar a una transacción o acuerdo. • Dimitir.

TRANSATLÁNTICO, CA adj. y s. → Trasatlántico.

TRANSBORDADOR, RA adj. Que transborda. • m. Buque o barco que circula entre dos puntos próximos, en ambos sentidos, y sirve para el transporte de viajeros, mercancías y vehículos. • Puente que soporta un carro mecánico del cual va colgado el vehículo que traslada de uno al otro lado de un río o ría. • Vehículo cuya tracción se hace por medio de una cuerda, cable o cadena.

TRANSBORDAR tr. y prnl. Trasladar efectos o personas de una embarcación a otra. • Trasladar personas o efectos de unos vehículos a otros; díc. especialmente en el viaje por ferrocarril cuando el cambio se hace de un tren a otro. ■ TRANSBORDO o TRASBORDO.

TRANSCARPATIA Prov. que se halla en el O de Ucrania; 12 800 km², 1 202 000 hab. Cap., Uzhgorod. Accidentada por los Cárpatos. Río Tisza. Maíz, patatas, tabaco, vid. Explotación forestal. Lignito. Desde finales de la II Guerra Mundial for-

Trampilla de la carbonera de una casa

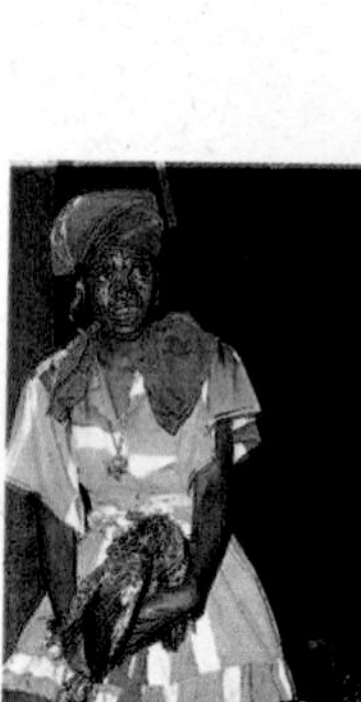

Joven haitiana en **trance** durante una ceremonia vudú

Panorámica de la carretera **transamazónica**

mó parte de la URSS, hasta que ésta se disolvió en 1991.

TRANSCAUCASIA Región de Asia comprendida entre el Cáucaso y los montes de Armenia; 186 100 km², 15 132 000 hab. Formaba parte de tres antiguas rep. de la URSS, Georgia, Armenia y Azerbaiján, que se independizaron en 1991.

TRANSCENDENCIA f. Trascendencia. ■ TRANSCENDENTAL; TRANSCENDENTALISMO.

Paisaje de **Transilvania**

TRANSCEPTOR m. Transmisor y receptor combinados, para señales radioeléctricas.

TRANSCONDUCTANCIA f. Parámetro de funcionamiento de los tubos electrónicos que expresa la variación de la corriente en un electrodo como consecuencia del incremento de tensión que se aplica a otro electrodo.

TRANSCRIBIR tr. Copiar un escrito. • Escribir con un sistema de caracteres lo que está escrito con otro. • *Mús.* Arreglar para un instrumento la música escrita para otro. ■ TRANSCRIPCIÓN O TRASCRIPCIÓN.

TRANSCURRIR intr. Pasar, correr. Se aplica especialmente al tiempo. ■ TRANSCURSO O TRASCURSO.

TRANSDUCCIÓN f. *Biol.* Modificación de los caracteres hereditarios que puede tener lugar en las bacterias como consecuencia de una infección fágica. • *Fís.* Cualquier operación que transforma magnitudes de determinado tipo en otras distintas, proporcionales a las anteriores.

TRANSDUCTOR, RA adj. y m. *Ing.* Díc. del dispositivo que lleva a cabo la transducción.

TRANSEPTO m. *Arq.* Crucero, espacio que comprende la nave mayor de una iglesia y la que se cruza con ella.

TRANSEÚNTE adj. y s. Que transita o pasa por un lugar. • Que está de paso, que no reside sino transitoriamente en un sitio. • Que es de duración limitada, transitorio.• *Fil.* Díc. de lo que se produce por el agente de tal suerte que el efecto pasa o se termina fuera de él mismo.

TRANSEXUAL adj. y s. Díc. de la persona que se ha sometido a una intervención quirúrgica para cambiar de sexo.

TRANSFER En cibernética, apócope de transferencia. A veces constituye un elemento compositivo de nuevas voces.

TRANSFERASA f. *Biol.* Enzima cuya misión pral. estriba en la transferencia de moléculas o partes activas de las mismas, formadas gralte. por rotura de moléculas anteriores.

TRANSFERENCIA f. Acción y efecto de transferir. • *Comp.* Movimiento de datos de un soporte a otro, desde una posición a otra dentro del mismo soporte o de una posición de memoria a otra. • *Zool.* Fenómeno por el cual los individuos conjugantes de ciertos protozoos ciliados, como el paramecio, se intercambian parte del citoplasma. • **bancaria.** Transmisión de títulos nominativos o de fondos de una cuenta a otra, dentro del mismo banco o entre bancos distintos.

TRANSFERIR tr. Pasar o llevar una cosa desde un lugar a otro. • Diferir, retardar. • Extender el significado de una palabra a una acepción figurada. • Renunciar en otro el derecho que se tiene sobre una cosa. ■ TRANSFERIBLE.

TRANSFERRINA f. Proteína de la sangre, llamada también siderofilina, del tipo de las globulinas, que interviene en el transporte del hierro por el líquido sanguíneo.

TRANSFIGURACIÓN f. Acción y efecto de transfigurar o transfigurarse. • Por antonomasia, la de Jesucristo en el monte Tabor.

TRANSFIGURAR tr. y prnl. Hacer cambiar de figura a una persona o cosa.

TRANSFIXIÓN f. Acción de herir atravesando de parte a parte. ■ TRANSFIJO, JA o TRASFIJO, JA.

TRANSFLOR m. Pintura que se da sobre plata, oro, estaño, etc.

TRANSFORMACIÓN f. o **TRANSFORMAMIENTO** m. Acción y efecto de transformar o transformarse. • *Biol.* Fenómeno de aparición de caracteres de unas bacterias en otras distintas, con las que están en contacto. • *Mat.* Correspondencia entre espacios afines o proyectivos.

TRANSFORMADOR, RA adj. y s. Que transforma. • m. *El.* Dispositivo electromagnético que aumenta o reduce tensiones e intensidades eléctricas manteniendo constante la potencia. • **trifásico.** *El.* El que consta de tres devanados, cada uno conectado a una fase.

TRANSFORMAR tr. y prnl. Hacer cambiar de forma a una persona o cosa. • Dar a una cosa distinto uso o función. • fig. Cambiar el modo de comportarse o las costumbres de una persona. ■ TRANSFORMATIVO, VA.

TRANSFORMISMO m. *Biol.* Doctrina según la cual los caracteres típicos de las especies pueden variar por la acción de factores intrínsecos y extrínsecos.

TRANSFORMISTA adj. Relativo al transformismo. • com. Partidario de esta doctrina. • Artista de circo o de variedades que cambia rápidamente de traje e imita tipos muy diversos.

TRANSFREGAR tr. Restregar una cosa con otra, manoseándola.

TRÁNSFUGA com. o **TRÁNSFUGO** m. Persona que pasa huyendo de una parte a otra. • fig. Persona que pasa de un partido a otro.

TRANSFUNDIR tr. Echar un líquido poco a poco de un vaso en otro. • fig. Comunicar una cosa entre diversos sujetos sucesivamente. ■ TRANSFUNDICIÓN O TRASFUNDICIÓN; TRANSFUSOR, RA.

TRANSFUSIÓN f. Acción y efecto de transfundir o transfundirse. • **sanguínea.** *Cir.* Administración, a través de las venas de un individuo, de sangre fresca, plasma o glóbulos rojos extraídos de otro individuo.

TRANSGREDIR tr. Quebrantar, violar un precepto, ley o estatuto.

TRANSGRESIÓN f. Acción y efecto de transgredir. • *Geol.* Invasión, por parte del mar, de una zona continental sobre la que se inicia una sedimentación típicamente marina. ■ TRANSGRESIVO, VA; TRANSGRESOR, RA O TRASGRESOR, RA.

TRANSHIMALAYA Sistema montañoso del Tíbet, al N del Himalaya. Alcanza los 7 225 m.

TRANSHUMANCIA f. → Trashumancia.

TRANSIBERIANO, NA adj. Díc. del tráfico y los medios de locomoción que atraviesan Siberia. • **Ferrocarril t.** Ferrocarril transcontinental que, a través de Siberia, enlaza Moscú con Vladivostok.

TRANSICIÓN f. Acción y efecto de pasar de un modo de ser o estar a otro distinto. • Paso más o menos rápido de una prueba, idea o materia a otra, en discursos o escritos. • Cambio repentino de tono y expresión.

TRANSIDO, DA adj. fig. Fatigado, acongojado o consumido por alguna penalidad, angustia o necesidad. • fig. Miserable, tacaño.

TRANSIGIR tr. e intr. Ceder ante los deseos, opiniones o acciones de otra persona en contra de los propios. • tr. Convenir un acuerdo ante una cuestión en litigio o disputa. ■ TRANSIGENCIA.

TRANSILVANIA (rum., *Transilvania* o *Ardeal*; húng., *Erdély*; al., *Siebenbürgen*) Región natural e histórica del O de Rumania, enmarcada por el arco carpático y los montes Bihar; 99 700 km², 6 250 000 hab. Ríos Sormes, Mures y Olt. Clima continental. Bosques. Vid, cereales. Ganadería. Gas natural, lignito, hierro, cobre. El N de T. fue entregado a Hungría en 1940 por las potencias del Eje y, tras la II Guerra Mundial, devuelto a Rumania, que creó la región autónoma de Mures para solucionar el problema de la minoría magiar.

TRANSILVANO, NA adj. y s. De Transilvania.

TRANSISTOR m. *Electr.* Dispositivo constitui-

***Transfiguración** de Cristo sobre el Monte Tabor*, tabla de Giovanni Bellini. Museo Correr, Venecia (Italia)

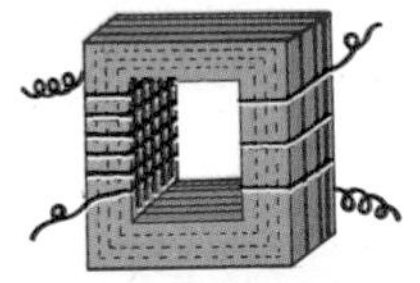

Esquema de un **transformador**

do por una, dos o más uniones de semiconductores. • P. ext., radiorreceptor provisto de t.

TRANSITAR intr. Pasar por vías o parajes públicos. • Viajar haciendo tránsitos.

TRANSITIVO, VA adj. Término con el que se designa la capacidad significativa del verbo, en cuanto necesita de un complemento directo para su realización.

TRÁNSITO m. Acción de transitar. • Paso, sitio por donde se pasa de un lugar a otro. • Movimiento, circulación de personas y vehículos por calles, carreteras, etc. • Pasillo o corredor de conventos, seminarios, etc. • Lugar determinado para hacer alto en alguna jornada. • Paso de un estado o empleo a otro. • fig. Muerte. • **De t.** De un modo transitorio; díc. de la persona o la mercancía que atraviesan un país situado entre el de origen y el de destino.

Tránsito viario intenso en Osaka, Japón

TRANSITORIO, RIA adj. Pasajero, temporal. • Caduco, perecedero, fugaz. • *Fís.* Díc. del fenómeno que se manifiesta en un sistema que cambia bruscamente de régimen ■ TRANSITORIEDAD.

TRANSJORDANIA Est. de Oriente Medio fundado en 1921, tras la desmembración del imperio otomano. En 1949 tomó el nombre de → Jordania.

TRANSKEI Ant. bantustán de la Rep. Sudafricana; 41 600 km^2, 1 751 100 hab. Cap., Umtata. Explotación forestal. El gobierno de Pretoria le concedió una indep. ficticia en 1976. Abolido en 1994.

TRANSLIMITAR tr. Traspasar los límites morales o materiales. • Pasar inadvertidamente, o mediante autorización previa, la frontera de un Estado para una operación militar, sin ánimo de violar el territorio.

TRANSLINEAR intr. *Der.* Pasar un vínculo hereditario de una línea a otra.

TRANSLITERAR tr. Representar fonemas de una lengua con los signos alfabéticos de otra, o con signos convencionales. ■ TRANSLITERACIÓN.

TRANSLOCACIÓN f. *Biol.* Aberración cromosómica o mutación no genética consistente en la adición de un segmento de un cromosoma cualquiera a otro cromosoma no homólogo del mismo núcleo. Suele condicionar anomalías e incluso la muerte. • *Bot.* Transporte de las sustancias en disolución acuosa por el interior de los vasos xilemáticos y floemáticos de los vegetales cormofíticos.

Transparente del altar mayor de la basílica de San Pedro, Vaticano

TRANSMARINO, NA adj. Díc. de las regiones sit. al otro lado del mar. • Relativo a ellas.

TRANSMEDITERRÁNEO, A adj. Se aplica al comercio y a los medios de locomoción que atraviesan el Mediterráneo.

TRANSMIGRAR intr. Pasar a otro país para vivir en él. • Pasar un alma de un cuerpo a otro, según la teoría de la metempsicosis. ■ TRANSMIGRACIÓN; TRANSMIGRATORIO, RIA.

TRANSMISIÓN f. Acción y efecto de transmitir. • *Comp.* Acto por el que se envían datos desde un sistema y se reciben estos mismos datos por otro sistema (terminales, computadoras, impresoras, etc.). • *El.* y *Electr.* Envío de energía electromagnética con una distribución organizada, es decir, bajo forma de señales interpretables y dotadas de un contenido de información. • *Mec. apl.* Transformación y gobierno de la energía mediante mecanismos, tales como émbolos, árboles o ejes, bielas, ruedas dentadas, poleas, etc. • *Pat.* U no de los modos de contracción de las enfermedades infecciosas. • **asíncrona de datos.** *Comp.* Envío y recepción de datos efectuados por procedimientos asíncronos. • **en paralelo.** *Comp.* Envío y recepción de información a través de líneas compuestas de varias vías paralelas, de tal forma que todos los bits de una palabra o carácter circulan simultáneamente. • **en serie.** *Comp.* Envío y recepción de datos a través de una vía única, de tal manera que los bits de una palabra o carácter circulan uno tras otro. • **síncrona de datos.** *Comp.* Envío y recepción de datos efectuados por procedimientos síncronos.

Cinta **transportadora** en unos lavaderos de carbón

TRANSMISOR, RA adj. y s. Que transmite o puede transmitir. • adj. y m. *Fís.* Díc. de todo aparato capaz de transmitir cualquier tipo de información, ya sea óptica, electromagnética, acústica, etc. • m. Aparato telefónico que consiste en una placa elástica unida a ciertas piezas por cuyo medio las vibraciones sonoras se transmiten al hilo conductor, haciendo ondular las corrientes eléctricas. • Aparato telegráfico o telefónico que sirve para producir las corrientes, o las ondas hertzianas, que han de actuar en el receptor.

TRANSMITIR tr. Trasladar, transferir. • *Der.* Enajenar, ceder.

TRANSMONTANO, NA adj. Tramontano.

TRANSMUDAR tr. y prnl. Llevar a una persona o cosa a un lugar distinto del que ocupa. • Transmutar. • Disuadir.

TRANSMUNDANO, NA adj. Que está fuera del mundo.

TRANSMUTACIÓN f. Acción y efecto de transmutar o transmutarse. • *Fís.* Fenómeno por el cual un elemento radiactivo, al emitir radiaciones nucleares, se convierte en otro elemento.

TRANSMUTAR tr. y prnl. Mudar o convertir una cosa en otra. ■ TRANSMUTABLE O TRASMUTABLE; TRANSMUTATIVO, VA O TRANSMUTATORIO, RIA.

TRANSOCEÁNICO, CA adj. Que está situado al otro lado de un océano. • Que atraviesa un océano.

TRANSOXIANA Nombre ant. de las tierras sitas entre los ríos Oxus (Amu Daria) y Yaxartes (Sir Daria) que desembocan en el mar de Aral.

TRANSPACÍFICO, CA adj. Relativo a las regiones situadas al otro lado del Pacífico. • Aplícase a los grandes buques que hacen sus viajes a través del Pacífico.

TRANSPARENCIA o **TRASPARENCIA** f. Calidad de transparente. • Diapositiva.

TRANSPARENTARSE prnl. Dejarse ver la luz u otra cosa cualquiera a través de un cuerpo transparente. • Ser transparente un cuerpo.

TRANSPARENTE o **TRASPARENTE** adj. Díc. del cuerpo a través del cual pueden verse claramente los objetos. • P. ext., traslúcido. • fig. Que se deja adivinar o vislumbrar sin declararse o manifestarse. • m. Tela o papel que, colocado a modo de cortina delante del hueco de ventanas o balcones, sirve para atenuar la luz, o ante una luz artificial, para mitigarla o para que se proyecten en él figuras o letreros. • Ventana de cristales que ilumina y adorna el fondo de un altar.

TRANSPIRACIÓN o **TRASPIRACIÓN** f. Acción y efecto de transpirar. • *Biol.* Pérdida de agua en forma de vapor producida a través de poros fisiológicos por evaporación del agua situada en la superficie de las células inferiores.

TRANSPIRAR intr. Exhalar sudor o vapor a través de la piel. • fig. Destilar una cosa agua por sus poros.

TRANSPOLAR adj. Se aplica a recorridos o trayectorias que pasan por un polo terrestre o por sus proximidades.

TRANSPORTADOR, RA o **TRASPORTADOR, RA** adj. y s. Que transporta. • m. Círculo graduado de metal u otra materia, que sirve para medir o trazar los ángulos de un dibujo geométrico. • *Ing.* Aparato destinado al traslado mecánico y continuo de materiales en trayectos bien definidos y breves. • *Biol.* En bioquímica, sustancia enzimática, cuya misión estriba en la introducción de sustancias desde el exterior al interior de la célula.

TRANSPORTAR tr. Llevar de un lugar a otro. • Portear. • *Mús.* Trasladar una composición de un tono a otro. • prnl. fig. Enajenarse de la razón o del sentido.

TRANSPORTE o **TRANSPORTAMIENTO** o **TRASPORTAMIENTO** o **TRASPORTE** m. Transportar, llevar personas o cosas de un lugar a otro. • Acción y efecto de transportarse. • Entusiasmo, delirio, enajenación. • Acción geológica realizada por agentes externos, que arrancan materiales de un punto y los arrastran a otro en que se sedimentan. • Servicio que consiste en el traslado de personas, animales, mercancías, energía, información o bienes diversos de un lugar a otro, con una finalidad social o, principalmente, económica. • *P. Rico.* Instrumento de cinco cuerdas, mayor que la guitarra. ■ TRANSPORTISTA.

TRANSPUESTA f. → Traspuesta.

TRANSUBSTANCIAR tr. y prnl. Convertir totalmente una substancia en otra. • Díc. especialmente del cuerpo y sangre de Cristo en la Eucaristía. ■ TRANSUBSTANCIACIÓN O TRANSUSTANCIACIÓN; TRANSUBSTANCIAL.

TRANSURÁNIDO, DA adj. *Quím.* Díc. de los elementos químicos de n. a. superior al del uranio (92). Son radiactivos y muy inestables.

El *United States*, el **trasatlántico** más rápido construido

TRANSVAAL Prov. del NE de la Rep. Sudafricana; 283 917 km², 10 928 800 hab. Cap., Pretoria. C. pral.: Johannesburgo. Montes Drakensberg. Ríos Vaal y Limpopo. Agricultura. Ganadería. Oro, plata, platino, diamantes, hulla, hierro. Ind. siderometalúrgica, química, mecánica. Los bóers se instalaron en el territorio y formaron la primera Rep. Sudafricana (1858). Con posterioridad hubo enfrentamientos con los brit. en las «guerras de los bóers» que se resolvieron con el dominio brit. hasta 1910, cuando entró a formar parte de la Unión Sudafricana. Desde 1961 pertenece a la Rep. Sudafricana.

TRANSVERBERACIÓN f. Transfixión.

TRANSVERSAL o **TRASVERSAL** adj. Que se halla o se extiende atravesado de un lado a otro. • Que se aparta o desvía de la dirección principal o recta. • adj. y s. Díc. del pariente que no lo es por línea directa., ■ TRANSVERSO, SA O TRASVERSO, SA.

TRANVÍA m. Ferrocarril de pocas unidades, actualmente movido por energía eléctrica, destinado al transporte de viajeros en trayectos urbanos o en cortos enlaces interurbanos. ■ TRANVIARIO, RIA.

TRANZAR tr. Cortar, tronchar. • Trenzar.

TRAORÉ, *Moussa* (nacido 1936) Militar y político malí. Dirigió el golpe de Estado contra el presid. Ketia (1968). Redactó una constitución (1974) por la que fue elegido presid. de la rep. en 1979.

TRAPA f. Instituto religioso, perteneciente a la orden del Cister, fundado por el abate Rancé a principios del s. XVIII.

TRAPACEAR o **TROPAZAR** intr. Usar de trapazas o engaños.

TRÁPALA f. Ruido, movimiento y confusión de gente. • Ruido acompasado del trote o galope de un caballo. • fam. Embuste, engaño. • m. fam. Prurito de hablar mucho e insustancialmente. • com. fig. y fam. Persona que habla mucho de cosas insustanciales. • adj. y s. fig. y fam. Persona falsa y embustera.

TRAPALEAR intr. Meter ruido con los pies andando de un lado para otro. • intr. fam. Decir o hacer cosas propias de un trápala.

TRAPATIESTA f. fam. Riña, alboroto.

TRAPAZA o **TRAPACERÍA** f. Artificio engañoso con que se defrauda a una persona en alguna compra, venta o cambio. • Fraude, engaño. ■ TRAPACERO, RA O TRAPACISTA.

TRAPEADOR m. *Chile* y *Méx.* Estropajo.

TRAPEAR impers. fam. Caer copos grandes de nieve. • tr. *Amér.* Fregar el suelo con trapo o estropajo.

TRAPECIO m. Palo horizontal suspendido de dos cuerdas por sus extremos y que sirve para ejercicios gimnásticos. • *Geom.* Cuadrilátero con un par de lados paralelos, llamados bases. • *Anat.* Uno de los huesos del carpo. • *Anat.* Cada uno de los dos músculos, propios de los animales vertebrados, que en los mamíferos están situados en la parte dorsal del cuello y anterior de la espalda y se extienden desde el occipucio hasta los respectivos omóplatos y las vértebras dorsales. ■ TRAPECIAL; TRAPECISTA.

TRAPENSE adj. y s. Díc. del monje de la Trapa. • adj. Relativo a esta orden religiosa.

TRAPERÍA f. Conjunto de muchos trapos. • Sitio donde se venden trapos y otros objetos usados.

TRAPERO, RA m. y f. Persona que tiene por oficio recoger trapos de desecho para traficar con ellos. • El que compra y vende trapos y objetos usados. • Basurero.

TRAPEZOIDE m. *Geom.* Cuadrilátero irregular que no tiene ningún par de lados paralelos. • *Anat.* Uno de los huesos del carpo. ■ TRAPEZOIDAL.

TRAPICHE m. Molino para extraer el jugo de algunos frutos o productos de la tierra como aceituna o caña de azúcar. • *Argent.* y *Chile.* Molino para pulverizar minerales. ■ TRAPICHERO.

TRAPICHEAR intr. fam. Buscar trazas para el logro de algún fin. • Comerciar al menudeo. ■ TRAPICHEO.

TRAPIENTO, TA adj. Andrajoso.

TRAPÍO m. fig. y fam. Aire garboso que suelen tener algunas mujeres. • fig. y fam. Buena planta y gallardía del toro de lidia.

TRAPISONDA f. fam. Bulla o riña. • fam. Embrollo, enredo. ■ TRAPISONDEAR; TRAPISONDISTA.

TRAPO m. Pedazo de tela desechado por viejo. • Velamen. • Copo grande de nieve. • fam. Capote o muleta que usa el torero en la lidia. • pl. fam. Prendas de vestir, especialmente de la mujer. • **A todo t.** m. adv. *Mar.* A toda vela.

TRAQUE m. Estallido que da el cohete. • Guía de pólvora que ponen los coheteros entre los cañones de luz, para que se enciendan prontamente. • fig. y fam. Ventosidad con ruido.

TRÁQUEA f. *Anat.* Segmento de las vías respiratorias que sigue a la laringe y termina a nivel de los pulmones, dividiéndose en los dos bronquios principales o primarios. • *Bot.* Cada uno de los tubos pluricelulares que constituyen los vasos leñosos del xilema de los vegetales cormófitos. • *Zool.* Cada uno de los conductos presentes en muchos insectos cuya misión es la de permitir el acceso del aire hasta los tejidos para que en ellos pueda tener lugar la respiración traqueal. ■ TRAQUEAL.

Transvaal. Torre del antiguo edificio de correos de Johannesburgo

TRAQUEIDA f. *Bot.* Cada una de las células aisladas, tubulosas, con tabiques terminales oblicuos, conductoras del xilema de los cormófitos.

TRAQUEOTOMÍA f. *Cir.* Incisión en la tráquea, al nivel del cuello para extraer cuerpos extraños o para evitar la asfixia en las obstrucciones de laringe.

TRAQUETEAR o **TRAQUEAR** intr. Hacer ruido, estruendo o estrépito. • tr. Mover o agitar una cosa de una parte a otra. Díc. especialmente de los líquidos. • fig. y fam. Frecuentar, manejar mucho una cosa.

TRAQUETEO m. Ruido continuo del disparo de los cohetes en los fuegos artificiales. • Movimiento de una persona o cosa que se golpea al transportarla.

TRARO m. *Chile.* Ave de rapiña, de color blanquecino, salpicado de negro; lleva en la cabeza una especie de corona de plumas negras, y los pies son amarillos.

TRAS Voz con que se imita un golpe con ruido. • prep. Después de, a continuación de, aplicado al espacio o al tiempo. Usado como prefijo en voces compuestas. • fig. En busca o seguimiento de. • Detrás de, en situación posterior. • Fuera de esto, además. • prep. insep. Trans. • m. fam. Trasero, asentaderas.

TRASALPINO, NA adj. → Transalpino.

TRASALTAR m. Sitio que en las iglesias está detrás del altar.

TRASANDINO, NA adj. → Transandino.

TRASANDOSCO, CA adj. y s. Díc. de la res de ganado menor que tiene algo más de dos años.

TRASATLÁNTICO, CA adj. Díc. de las regiones situadas al otro lado del Atlántico. • Relativo a ellas. • Díc. del tráfico y medios de locomoción que atraviesan el Atlántico. • m. Buque de grandes dimensiones destinado a hacer la travesía del Atlántico, o de otro gran mar.

TRASBOCAR tr. *Argent.* y *Col.* Vomitar, arrojar.

TRASBORDAR tr. → Transbordar.

TRASCA f. Barzón del yugo y correa para uncir y para otros usos.

TRASCABO m. Traspié, zancadilla.

TRASCACHO m. Lugar resguardado del viento.

TRASCANTÓN m. Guardacantón, poste de piedra para resguardar de los carruajes las esquinas o las paredes. • Mozo de cordel.

TRASCARTARSE prnl. Quedarse, en un juego de naipes, una carta detrás de otra, cuando se esperaba que vendría antes.

TRASCENDENCIA f. Penetración, perspicacia. • Resultado, consecuencia de índole grave o muy importante. • *Fil.* Propiedad del sujeto, en cuanto sujeto cognoscente, de aprehender la realidad de las

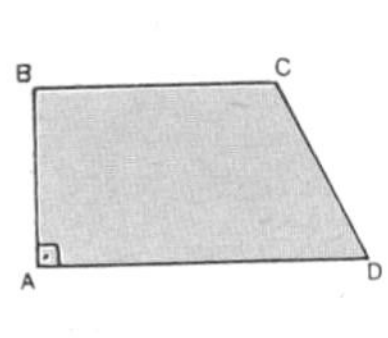

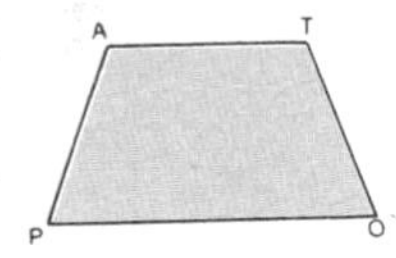

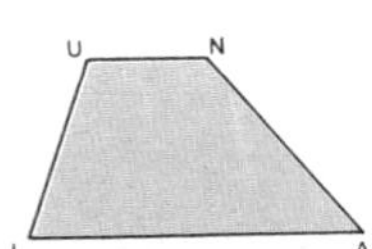

Trapecio. De arriba abajo: rectángulo, isósceles y escaleno

cosas. • *Mat.* Calidad de trascendente. • *Teol.* Propiedad de Dios de sobrepasar o transceder a lo creado.

TRASCENDENTAL adj. Que se comunica o extiende a otras cosas. • fig. Que es de mucha importancia o gravedad. • *Fil.* En Kant, díc. de las leyes del entendimiento condicionantes *a priori* del conocimiento y anteriores a la experiencia.

Trasgo, según una ilustración de Jenny Nyström

TRASCENDENTE adj. Que trasciende. • *Fil.* Díc. de las propiedades del ente en cuanto tal (→ trascendencia). • *Mat.* Díc. de los números reales que no pueden ser obtenidos com o raíces de una ecuación algebraica de coeficientes racionales, por ej., π.

TRASCENDER intr. Exhalar olor vivo y subido. • Empezar a ser conocido algo que estaba oculto. • Comunicarse los efectos de unas cosas a otras. • *Fil.* Traspasar los límites de la experiencia posible. • tr. Penetrar, averiguar alguna cosa que está oculta.

TRASCOLAR tr. y prnl. Colar a través de alguna cosa. • tr. fig. Pasar desde un lado a otro en un monte u otro sitio.

TRASCONEJARSE prnl. Quedarse la caza detrás de los perros que la siguen. • Quedarse el hurón aprisionado en la madriguera por estar impedida la salida con el conejo que ha matado. • fig. y fam. Extraviarse alguna cosa.

TRASCORO m. Sitio que en las iglesias está detrás del coro.

TRASCORVO, VA adj. Díc. de la caballería que tiene la rodilla más atrás de la línea de aplomo.

TRASCRIBIR tr. → Transcribir.

TRASCURRIR intr. → Transcurrir.

TRASDÓS m. *Aer.* Superficie convexa superior del perfil de un ala. • *Arq.* Superficie exterior de un arco o bóveda. • *Arq.* Pilastra que está inmediatamente detrás de una columna.

TRASEGAR tr. Trastornar, revolver. • Mudar las cosas de un lugar a otro, y en especial un líquido de un recipiente a otro. ■ TRASIEGO.

TRASERO, RA adj. Que está o viene detrás. • Díc. del carro cargado que tiene más peso detrás que delante. • m. Parte posterior del animal. • Culo. • pl. Padres, abuelos y demás ascendientes. • f. Parte de atrás o posterior de un coche, una casa, una puerta, etc.

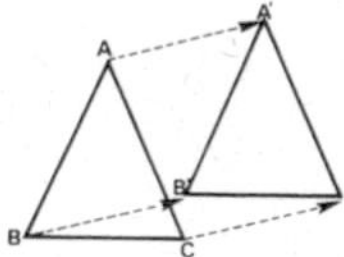

Transformación del triángulo ABC en el A' B' C', por **traslación**

TRASFERENCIA f. → Transferencia.

TRASFERIR tr. → Transferir.

TRASFIGURAR tr. y prnl. → Transfigurar. ■ TRANSFIGURACIÓN.

TRASFIXIÓN f. → Transfixión.

TRASFLORAR tr. *Pint.* → Transflorar. ■ TRASFLOR.

TRASFLOREAR *Pint.* → Transflorear.

TRASFONDO m. Lo que está o parece estar más allá del fondo visible de algo o detrás de la apariencia o intención de una acción humana.

TRASFORMAR tr. y prnl. → Transformar. ■ TRASFORMACIÓN; TRASFORMADOR, RA.

TRÁSFUGA, GO com. y m. → Tránsfugo.

TRASFUNDIR tr. y prnl. → Transfundir.

TRASFUSIÓN f. → Transfusión.

TRASGO m. Duende, espíritu travieso. • fig. Niño vivo y enredador.

TRASGREDIR tr. → Transgredir.

TRASGUEAR intr. Fingir las travesuras que se atribuyen a los trasgos.

TRASHOJAR tr. Hojear un libro.

TRASHUMAR intr. Pasar el ganado con sus conductores desde las dehesas de invierno a las de verano, y viceversa. ■ TRASHUMACIÓN; TRASHUMANCIA; TRASHUMANTE.

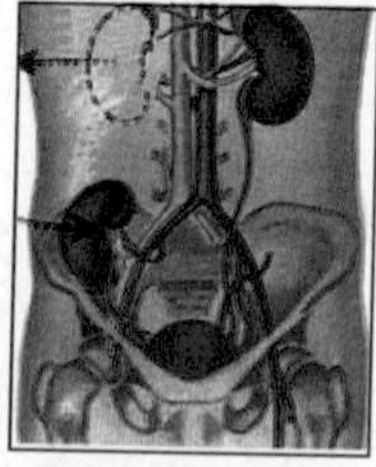

Trasplante. Esquema indicativo de la ubicación de un riñón trasplantado en la fosa lumbar

TRASÍBULO (h. 445-388 a. C.) Político y general ateniense. Participó en las batallas de Cízico (410) y de las Arginusas (406). Huyó de Atenas al instaurarse el régimen de los Treinta Tiranos (404), pero luego regresó y ocupó la ciudad (403) restaurando la democracia.

TRASIJADO, DA adj. Que tiene los ijares recogidos. • Díc. del que está muy flaco.

TRASLACIÓN o **TRANSLACIÓN** o **TRASLADACIÓN** f. Acción y efecto de trasladar. • Traslado de una persona del cargo que tenía a otro de la misma categoría. • Traslado de un acto a otra fecha distinta. • Traducción a una lengua distinta. • *Astr.* Movimiento de rotación de un astro con respecto a otro. • *Gram.* Figura de construcción, que consiste en usar un tiempo del verbo fuera de su natural significación. • *Ret.* Metáfora. • *Mec.* Movimiento en el que todos los puntos de un cuerpo poseen igual velocidad. • *Mat.* Transformación del plano en sí mismo en la cual segmentos correspondientes son iguales paralelos e igualmente directos.

TRASLADAR tr. y prnl. Llevar o mudar de un lugar a otro. • tr. Hacer pasar a una persona de un puesto o cargo a otro de la misma categoría. • Hacer que una junta, una función, etc., se verifique en tiempo diferente de aquel en que debía verificarse. • Traducir algo de una lengua a otra. • Copiar un escrito.

TRASLADO m. Acción y efecto de trasladar. • Copia de un escrito. • *Der.* Comunicación que se da a alguna de las partes que litigan de las pretensiones de otra u otras.

TRASLAPAR tr. Cubrir una cosa a otra total o parcialmente, como las tejas de un tejado. ■ TRASLAPO.

TRASLATICIO, CIA o **TRASLATO, TA** o **TRANSLATICIO, CIA** adj. Aplícase al sentido en que se usa un vocablo para que signifique cosa distinta de la que con él se expresa en su acepción corriente.

TRASLATIVO, VA o **TRANSLATIVO, VA** adj. Que trasfiere.

TRASLÚCIDO, DA o **TRANSLÚCIDO, DA** o **TRASLUCIENTE** o **TRANSLUCIENTE** adj. Díc. del cuerpo a través del cual pasa la luz, pero que no deja ver sino confusamente lo que hay detrás de él. ■ TRANSLUCIDEZ.

TRASLUCIRSE o **TRANSLUCIRSE** prnl. Ser traslúcido un cuerpo. • tr. y prnl. fig. Conjeturarse una cosa, en virtud de algún antecedente o indicio.

TRASLUMBRAR tr. y prnl. Deslumbrar a alguno una luz viva. • prnl. Desaparecer repentinamente una cosa.

TRASLUZ m. Luz que pasa a través de un cuerpo traslúcido. • Luz reflejada de soslayo por la superficie de un cuerpo. • **Al t.** m. adv. Puesto el objeto entre la luz y el ojo, para que se trasluzca.

TRASMALLO m. Arte de pesca formado por tres redes cuyas relingas se cosen en toda su extensión, y que se cala verticalmente por medio de piedras o plomos.

TRASMANO com. Segundo en orden en ciertos juegos. • **A t.** m. adv. Fuera del alcance o del manejo habitual y cómodo de la mano. • Apartado, poco frecuentado.

TRASMINAR tr. Abrir camino por debajo de tierra. • tr. y prnl. Filtrarse, penetrar a través de alguna cosa un olor, un líquido, etc.

TRASMISIÓN f. → Transmisión.

TRASMITIR tr. → Transmitir. ■ TRASMISIBLE.

TRASMOCHO, CHA adj. y m. Díc. del árbol cortado a cierta altura de su tronco para que produzca brotes. • Díc. del monte cuyos árboles han sido descabezados.

TRASMUDAR tr. y prnl. → Transmudar.

TRASMUTACIÓN f. → Transmutación.

TRASMUTAR tr. y prnl. → Transmutar.

TRASNOCHADO, DA adj. Aplícase a lo que se echa a perder durante la noche. • fig. Díc. de la persona desmejorada y macilenta. • fig. Falto de novedad y de oportunidad. • f. Noche que ha precedido al día presente. • Vela o vigilancia por una noche. • *Mil.* Sorpresa o embestida hecha de noche.

TRASNOCHAR intr. Pasar uno la noche, o gran parte de ella, velando o sin dormir. • Pernoctar. • tr. Retrasar la decisión de una cosa hasta el día siguiente. ■ TRASNOCHADOR, RA; TRASNOCHE o TRASNOCHO.

TRASNOMBRAR tr. Trastrocar los nombres.

TRASNOMINACIÓN f. Metonimia.

TRASOJADO, DA adj. Caído, macilento, con ojeras.

TRASOÑAR tr. Concebir con error una cosa.

TRASOVADO, DA adj. *Bot.* Se aplica a la hoja aovada más ancha por la punta que por la base.

TRASPAÍS m. El interior de una región, por oposición al litoral y a un puerto.

TRASPALAR o **TRASPALEAR** tr. Mover con la pala una cosa de un lado a otro. • fig. Mover o mudar una cosa de un lugar a otro. ■ TRASPALEO.

TRASPAPELARSE tr. y prnl. Confundirse, desaparecer un papel entre otros.

TRASPARECER intr. Dejarse ver una cosa al través de otra más o menos transparente.
TRASPARENTARSE prnl. → Transparentarse.
TRASPASAR tr. Pasar o llevar una cosa de un sitio a otro. • Pasar hacia otra parte. Pasar a la otra parte. • tr. y prnl. Atravesar de parte a parte con algún arma o instrumento. • tr. Ceder a favor de otro el derecho o dominio de una cosa. • Repasar, volver a pasar por un sitio. • Transgredir, violar una ley. • fig. Hacerse sentir un dolor físico o moral con extraordinaria violencia.
TRASPASO o **TRASPASAMIENTO** m. Acción y efecto de traspasar. • Conjunto de géneros traspasados. • Precio de la cesión de estos géneros o del local donde se ejerce un comercio o industria. • fig. Aflicción, angustia. • fig. Sujeto que la causa.
TRASPATIO m. *Amér.* Segundo patio de las casas de vecindad, detrás del principal.
TRASPIÉ m. Resbalón o tropezón. • Zancadilla.
TRASPILASTRA f. Contrapilastra de un muro.
TRASPINTAR tr. y prnl. Engañar a los puntos el jugador que lleva la baraja en ciertos juegos, dejándoles ver la pinta de un naipe y sacando otro. • prnl. Verse por un lado del papel lo dibujado o pintado por el otro. • fig. y fam. Salir una cosa al contrario de como se esperaba o creía.
TRASPIRAR intr. y prnl. → Transpirar. ▪ TRASPIRABLE.
TRASPIRENAICO, CA adj. Transpirenaico.
TRASPLANTAR tr. Trasladar plantas del sitio en que están arraigadas y plantarlas en otro. • tr. Trasladar de un lugar a otro una ciudad, institución, etc. • Insertar en un cuerpo humano o animal un órgano sano, o parte de él, procedente de un individuo sano de la misma o distinta especie, para sustituir un órgano enfermo o parte de él. • Introducir en un país o lugar ideas, costumbres, instituciones, técnicas, etc., procedentes de otro. • tr. y prnl. Hacer salir de un lugar o país a personas arraigadas en él para asentarlas en otro.
TRASPLANTE m. Acción y efecto de trasplantar o trasplantarse. • Acción de plantar en el lugar definitivo plantas reproducidas en viveros. • Trasposición de tejidos u órganos procedentes del mismo individuo (t. autoplástico), de otro de la misma especie (t. homoplástico) o de distinta (t. heteroplástico).
TRASPONER o **TRANSPONER** tr., intr. y prnl. Poner a una persona o cosa más allá, en lugar diferente del que ocupaba. • tr. y prnl. Ocultarse a la vista una per sona o cosa situada tras una esquina, una pared, una montaña, etc. • Mudar de sitio las plantas, trasplantar. • Ocultarse del horizonte el Sol u otro astro. • Quedarse uno algo dormido.
TRASPONTÍN m. Traspuntín. • fam. Trasero, asentaderas.
TRASPORTAR tr. y prnl. → Transportar. ▪ TRASPORTACIÓN.
TRASPOSICIÓN o **TRANSPOSICIÓN** f. Acción y efecto de trasponer o trasponerse. • *Mús.* Acción de trasladar una composición a una tonalidad distinta de la original. • Figura retórica que consiste en alterar el orden normal de las voces en la oración.
TRASPOSÓN m. *Biol.* Segmento de ADN susceptible de recombinación atípica en puntos del genoma bacteriano.
TRASPUESTO, TA adj. y f. *Mat.* Díc. de una matriz *A'* que con respecto a otra *A* tiene por filas las columnas de ésta y por columnas las filas de *A*. • f. Trasposición, acción y efecto de trasponer o trasponerse. • Repliegue o elevación del terreno que impide ver lo que hay detrás. • Fuga u ocultación de una persona. • Dependencias que están detrás de lo principal de la casa.
TRASPUNTE m. Apuntador que previene a cada actor cuándo ha de salir a la escena.
TRASPUNTÍN o **TRASPORTÍN** m. Cada uno de los colchoncillos que se ponen atravesados debajo de los colchones de la cama. • Asiento suplementario y plegadizo que hay en algunos vehículos.
TRASQUILADURA f. Acción y efecto de trasquilar.
TRASQUILAR tr. y prnl. Cortar el pelo sin orden ni arte. • tr. Esquilar a los animales. • fig. y fam. Menoscabar una cosa. ▪ TRASQUILA; TRASQUILADOR.
TRASQUILÓN m. fam. Trasquiladura. • fig. y fam. Parte del caudal que se quita a alguien con astucia y habilidad.
TRASROSCARSE prnl. Pasarse de rosca.
TRASTABILLAR intr. Dar traspiés o tropezones. • Tambalear, titubear. • Tartamudear, trabarse la lengua.
TRASTABILLÓN m. *Amér.* Tropezón, traspié.
TRASTADA f. fam. Mala jugada, mala acción contra alguien. • Travesura.
TRASTAJO m. Trasto inútil.
TRASTÁMARA Familia noble de Castilla que ocupó el trono de dicho reino entre 1369 y 1504 y el de Aragón entre 1412 y 1516.
TRASTAZO m. fam. Golpe, porrazo.
TRASTE m. Cada uno de los resaltos de metal o hueso que se colocan a trechos en el mástil de la guitarra u otros instrumentos semejantes, para dejar a las cuerdas la longitud libre correspondiente a los diversos sonidos. • En algunas partes, trasto, trebejo. Se usa más en pl. • *Amér.* Trasto. • *Chile, Par.* y *R. de la Plata.* Trasero, nalgas. • **Dar** uno **al t. con** una cosa. Destruirla, malbaratarla.
TRASTEADO m. Conjunto de trastes que hay en un instrumento.
TRASTEAR tr. Poner los trastes a la guitarra u otro instrumento semejante. • Pisar las cuerdas de los instrumentos de trastes. • tr. Dar el espada al toro pases de muletas. • fig. y fam. Manejar con habilidad a una persona para conseguir de ella lo que se pretende. • intr. Revolver, menear o trasladar trastos de una parte a otra. • fig. Discurrir manejando ingeniosamente los conceptos. ▪ TRASTEO.
TRASTEJAR tr. Reponer o poner bien las tejas de un edificio. • Recorrer o examinar cualquier cosa para aderezarla o componerla.
TRASTEJO m. Acción y efecto de trastejar. • fig. Movimiento continuado y sin concierto.
TRASTERÍA f. Conjunto o montón de trastos viejos. • fig. y fam. Trastada.
TRASTERO, RA adj. y f. Díc. de la habitación destinada a guardar trastos.
TRASTESAR tr. Espaciar el ordeño de la oveja para retirarle la leche, con lo que la ubre se endurece.
TRASTESÓN m. Abundancia de leche que tiene la ubre de una res.
TRASTIENDA f. Aposento o pieza que está detrás de la tienda. • fig. y fam. Cautela, astucia.
TRASTO m. Cualquiera de los muebles o utensilios de una casa. • Mueble inútil. • Cada uno de los bastidores que forman parte de las decoraciones de teatro. • fig. y fam. Persona inútil. • fig. y fam. Persona informal. • Utensilios de algún arte o ejercicio. • **Tirarse los t. a la cabeza.** fig. y fam. Altercar violentamente dos o más personas.
TRASTOCAR tr. Trastornar, revolver. • prnl. Trastornarse, perturbarse la razón.
TRASTORNAR tr. Volver una cosa de abajo arriba o de un lado a otro. • Invertir el orden regular de una cosa. • fig. Inquietar, causar disturbios. • fig. y fam. Enamorar profundamente a alguien.• tr. y prnl. fig. Perturbar el sentido. ▪ TRASTORNO O TRASTORNADURA, TRASTORNAMIENTO.
TRASTRABARSE prnl. No poder articular bien la lengua al hablar.
TRASTRABILLAR intr. Trabarse la lengua al hablar.
TRASTROCAR tr. y prnl. Variar el estado, orden, sentido, etc., de una cosa, dándole otro diferente del que tenía. ▪ TRASTROCAMIENTO; TRASTRUECO O TRASTRUEQUE.
TRASUDOR m. Sudor tenue y leve, ocasionado por lo regular por algún miedo o ansiedad.
TRASUNTAR tr. Copiar un escrito. • Compendiar o epilogar.
TRASUNTO m. Copia o traslado. • Figura que imita con propiedad una cosa.
TRASVASAR o **TRANSVASAR** tr. Pasar un líquido de un recipiente a otro. ▪ TRASVASE O TRANSVASE.
TRASVENARSE prnl. Extravenarse. • fig. Derramarse una cosa.
TRASVER tr. Ver a través de alguna cosa. • Ver mal y equívocamente alguna cosa.
TRASVERTER intr. Rebosar el líquido contenido en un vaso, de modo que se vierta por los bordes.
TRASVINARSE prnl. Rezumar, salir poco a poco el vino de los recipientes que lo contienen. • fig.

Trasquilador según una miniatura medieval. Biblia de Alba, colección duques de Alba (Madrid)

Sepulcro de Juan I de Castilla, monarca de la dinastía **trastámara.** Capilla de los Reyes de la catedral de Toledo, España

y fam. Conjeturarse, inferirse, traslucirse. • fig. Traspasar, trascender.

TRASVOLAR tr. Pasar volando de una parte a otra.

TRATA f. Tráfico o comercio con seres humanos, especialmente el de negros bozales. • **de blancas.** Tráfico y comercio de mujeres para especular con ellas en lugares de prostitución.

TRATADO m. Ajuste o conclusión de un negocio o materia, después de haber hablado sobre ella. • Escrito o discurso sobre una materia determinada. ■ TRATADISTA.

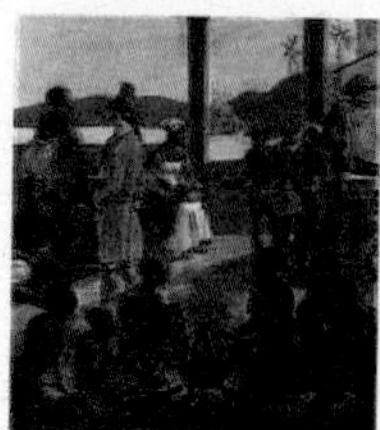

***Trata** de esclavos,* grabado de Rugendas. Biblioteca Municipal, São Paulo (Brasil)

TRATAMIENTO m. Acción y efecto de tratar o tratarse. • Título de cortesía que se da a una persona. • Conjunto de medios que se emplean para curar enfermedades o defectos o para combatir plagas. • Procedimiento empleado en una experiencia o en la elaboración de un producto. • Elaboración de un producto. • *Comp.* Acción de operar sobre una información o unos datos desorganizados a fin de obtenerlos organizados según criterios establecidos de antemano. • **de textos.** *Comp.* Programa que permite entrar un texto en la computadora, para luego suprimir, añadir, sustituir, modificar, desplazar, etc. signos, palabras, frases o párrafos.

TRATANTE adj. Que trata. • m. El que se dedica a comprar géneros para revenderlos.

TRATAR tr. Manejar una cosa. • Manejar, gestionar o disponer algún asunto. • tr. Proceder bien, o mal, con una persona, de obra o de palabra. • tr., intr. y prnl. Comunicar, relacionarse con un individuo. • tr. y prnl. Tener relaciones amorosas. • tr. y prnl. Cuidar bien, o mal, a uno, especialmente en lo referente a la comida, vestido, etc. • tr. e intr. Examinar, estudiar o discutir un determinado asunto, de palabra o por escrito. • intr. Con la prep. *de* y de un título de cortesía, dar este título a una persona. • Con la prep. *de* y un adj. despect. o injurioso, motejar con él a una persona. • *Quím.* Con las prep. *con* o *por,* someter una sustancia a la acción de otra. • Con la prep. *de,* procurar el logro de algún fin. • Con la prep. *en,* comerciar. ■ TRATABLE.

Trébol de los prados

TRATATIVA f. *Argent.* Negociación de temas laborales.

TRATO m. Acción y efecto de tratar o tratarse. • Tratado, ajuste, convenio. • Tratamiento, título de cortesía. • Ocupación de tratante. • fam. Contrato, especialmente el relativo a ganados.

TRAUMA m. *Med.* Traumatismo. • *Psic.* Choque sentimental o emoción que deja, en el individuo que lo ha sufrido, una impresión duradera y difícilmente asimilable.

TRAUMATISMO m. *Med.* Lesión interna o externa producida por la acción de un agente mecánico, físico o químico. ■ TRAUMÁTICO, CA.

TRAUMATOLOGÍA f. Rama de la cirugía que estudia los efectos de los traumatismos y el modo de curarlos. ■ TRAUMATÓLOGO, GA.

TRAVELLER'S CHECK (voz ing.) m. Cheque de viaje.

TRAVELLING (voz ing.) o **TRAVELÍN** m. *Cin.* Desplazamiento de la cámara tomavistas mediante ruedas, raíles, etc., para acercarla al objeto, alejarla de él o seguirlo en sus movimientos. • Aparato para producir este desplazamiento.

TRAVEN, *Bruno* (1890-1969) Escritor de posible origen al., y nacionalizado mex. *La rebelión de los colgados, El tesoro de sierra Madre.*

Hileras de **trefilería**

TRAVERSA f. Madero que atraviesa de un lado a otro de los carros y sirve para dar firmeza al brancal. • *Mar.* Estay.

TRAVERTINO m. *Geol.* Depósito calcáreo muy poroso, originado en proximidades de aguas cargadas de carbonato cálcico.

TRAVÉS m. Inclinación o torcimiento. • fig. Desgracia, fatalidad. • *Arq.* Pieza de madera en que se afirma el pendolón de una armadura. • *Mil.* Obra exterior para estorbar el paso en parajes angostos. • *Mil.* Parapeto para ponerse al abrigo de los fuegos enfilados, de flanco, de revés o de rebote. • *Mar.* Dirección perpendicular a la de la quilla. • **A t.** m. adv. Por entre. • **Al t.** m. adv. A través. • De través. • **De t.** m. adv. En dirección transversal. • **Mirar** uno **de t.** fr. Torcer la vista, mirar bizco.

TRAVESAÑO m. Pieza de madera, hierro u otro material que une dos partes opuestas de una cosa. • Almohada larga que ocupa toda la cabecera de la cama.

TRAVESAR tr. y prnl. Atravesar.

TRAVESEAR intr. Andar inquieto o revoltoso de una parte a otra. • fig. Discurrir con ingenio y viveza. • fig. Llevar una vida disipada.

TRAVESERO, RA adj. Díc. de lo que se pone de través. • m. Travesaño, almohada.

TRAVESÍO, A adj. Aplícase a los vientos que dan por alguno de los lados, y no de frente. • f. Camino transversal. • Callejuela entre calles principales. • Parte de una carretera dentro del casco de una población. • Distancia entre dos puntos de tierra o de mar. • Viaje por mar. • Modo de estar una cosa al través. • Cantidad de pérdida o ganancia en el juego. • *Argent.* Región vasta, desierta y sin agua. • *Mar.* Viento cuya dirección es perpendicular a la de una costa. • *Mar.* Paga que se da al marinero mercante por la navegación desde un puerto a otro.

TRAVESTIDO, DA adj. o **TRAVESTI** (voz fr.) m. Disfrazado o encubierto.

TRAVESTIR tr. y prnl. Vestir uno con la ropa propia del sexo contrario. ■ TRAVESTISMO.

TRAVESURA f. Acción y efecto de travesear. • fig. Viveza y sutileza de ingenio. • fig. Acción culpable verificada con destreza e ingenio.

TRAVIESO, SA adj. Atravesado o puesto al través. • fig. Sutil, sagaz. • fig. Inquiet o y revoltoso. • fig. Aplícase a las cosas bulliciosas e inquietas. • fig. Vicioso, particularmente lujurioso. • f. Travesía. • Lo que se juega además de la puesta. • Apuesta que el que no juega hacea favor de un jugador. • Cada una de las piezas que sirven para afirmar los carriles ferroviarios. • Cada una de las piezas que unen los largueros del bastidor sobre los que se montan o asientan los vagones de los ferrocarriles. • *Arq.* Cualquiera de los cuchillos de armadura que sirven para sostener un tejado. • *Arq.* Pared maestra que no está en fachada ni en medianería. • En cinegética, postura del cazador que se sitúa en el centro de la mancha que se bate. • *Min.* Galería transversal al filón.

TRAYECTO m. Espacio que se recorre de un punto a otro. • Acción de recorrerlo.

TRAYECTORIA f. Recorrido de un cuerpo que se mueve en un espacio de dos o tres dimensiones según una ley. • *Meteor.* Derrota que sigue un accidente meteorológico.

TRAZA f. Diseño para la fábrica de un edificio u otra obra. • fig. Plan para realizar un fin. • fig. Invención, arbitrio, recurso. • fig. Modo, apariencia o figura de una cosa. • *Geom.* Intersección de una línea o de una superficie con cualquiera de los planos de proyección. • *Mat.* Suma de los elementos de la diagonal principal de una matriz cuadrada.

TRAZADO, DA adj. Con los adv. *bien* o *mal* antepuestos, • díc. de la persona de buena o mala conformación física. • m. Acción y efecto de trazar. • Traza o diseño para hacer un edificio u otra obra. • Recorrido o dirección de un camino, canal, etc., sobre el terreno. • En tecnología mecánica, operación consistente en referir sobre la pieza a manufacturar los diferentes elementos que figuran en el plano.

TRAZADOR, RA adj. y s. Que traza o diseña una obra. • adj. Díc. de la molécula marcada con átomos de isótopos fácilmente detectables.

TRAZAR tr. Hacer trazos. • Diseñar la traza que se ha de seguir en un edificio u otra obra. • fig. Discurrir y disponer los medios oportunos para el logro de una cosa. • fig. Describir, dibujar, exponer por medio del lenguaje los rasgos característicos de una persona o asunto.

TRAZO m. Delineación con que se forma el diseño o planta de cualquier cosa. • Línea, raya. • Cada una de las partes en que se considera dividida la letra de mano. • *Pint.* Pliegue de ropaje.

TRB Siglas de tonelaje de registro bruto.

TRÉBEDE f. Habitación o parte de ella que, a modo de hipocausto, se calienta con paja. • pl. Aro o triángulo de hierro con tres pies, que sirve para poner al fuego sartenes, peroles, etcétera.

TREBEJO m. Instrumento, utensilio. Se usa más en pl. • Juguete o trasto con que uno se divierte. • Cada una de las piezas del ajedrez.

TREBISONDA, *Imperio griego de* Imperio fundado en 1204, tras la caída de Constantinopla en manos de los cruzados, por Alejo I Comneno. En 1461 sucumbió ante los otomanos.

TREBO m. *Chile.* Arbusto espinoso de la familia ramnáceas, que se utiliza para formar setos.

TRÉBOL m. Nombre común a diversas especies de plantas herbáceas pratenses caracterizadas por sus folíolos ternados. • *Bot.* Planta herbácea papilionácea de raíz pivotante, tallos erectos y ramificados, hojas alternas, flores tubulosas de color violeta, y fruto indehiscente. • Uno de los palos de la baraja francesa. • **blanco.** Papilionácea con tallos tendidos, folíolos acorazonados manchados de blanco, flores blanquecinas o rojizas, y frutos en legumbre. Se utiliza como pasto y forraje. • **carretón** o **de carretilla.** Denominación con que se designan diversas especies de mielgas o alfalfas silvestres que tienen sus legumbres enroscadas en forma de carrete. • **de cuatro hojas.** Helecho de la familia marsileáceas, rizomatoso, con frondes muy peciolados formados por cuatro segmentos, y esporangios situados en pedúnculos soldados a los peciolos. • **de los prados.** Papilionácea con tallos pequeños, folíolos ovales, acorazonados, flores agrupadas en cabezuelas púrpuras, y frutos en legumbre. Se utiliza como pasto y forraje. • **encarnado.** Papilionácea con tallo erguido, folíolos cuneiformes, flores rosadas agrupadas en espigas, y frutos en legumbre. Se utiliza como pasto y forraje. • **hediondo.** Papilionácea con tallos surcados, folíolos ovales o lanceolados, flores agrupadas en cabezuelas, y frutos en legumbre; toda la planta emana un olor desagradable. • **oloroso.** Meliloto. ■ TREBOLAR.

TRECE adj. Diez y tres. • adj. y s. Decimotercio. • m. Conjunto de signos con que se representa el núm. trece. • **Estarse, mantenerse,** o **seguir,** uno **en sus t.** fig. Persistir con pertinacia en una cosa.

TRECEMESINO, NA adj. De trece meses.

TRECÉSIMO, MA adj. Trigésimo.

TRECHEAR tr. *Min.* Transportar de trecho en trecho una carga. ■ TRECHEO.

TRECHEL adj. y s. Díc. del trigo que se siembra en primavera y fructifica en el verano.

TRECHO m. Espacio de lugar o tiempo. • **A trechos.** m. adv. Con intermisión de lugar o tiempo. • **De t. a,** o **en, t.** m. adv. De distancia a distancia, de tiempo en tiempo.

TRECIENTOS, TAS adj. y s. Trescientos.

TREDÉCIMO, MA o **TRECENO, NA** adj. Decimotercio.

TREFILADOR, RA adj. Que trefila. • adj. y m. Díc. del obrero especializado en trefilar. • adj. y f. Díc. de la máquina empleada para reducir a hilos un material.

TREFILAR tr. Efectuar la trefilería. • Reducir la sección de un alambre.

TREFILERÍA f. Operación que realiza la trefiladora. Consiste en pasar el perfil cuya sección pretende reducirse a través de una serie de orificios calibrados, cada vez de menor diámetro. • Fábrica o taller donde se trefila.

TREGUA f. Cese de hostilidades, por determinado tiempo, entre los enemigos que tienen guerra. • fig. Intermisión, descanso. • **de Dios.** En la alta Edad Media, cese de hostilidades entre los señores feudales. Se extendió por todo el occidente de Europa durante el s. XI. • **Dar tregua** o **treguas.** fig. Suspenderse por algún tiempo el dolor u otra cosa que mortifica. • fig. Dar tiempo, no ser urgente una cosa.

TREINTA adj. Tres veces diez. • adj. y s. Trigésimo. • m. Conjunto de signos con que se representa el núm. treinta.

TREINTA AÑOS, ***guerra de los*** Lucha sostenida entre varias potencias europeas contra los Habsburgo (Austria y España), entre 1618-1648, por motivos religiosos y políticos. Tuvo cuatro fases: bohemia (1618-1623), danesa (1623-1630), sueca (1630-1635) y fr. (1635-1648). El conflicto, que concluyó con la paz de Westfalia (24 octubre 1648), arruinó económicamente a Alemania e infligió un duro quebranto a la grandeza de los Habsburgo.

TREINTA Tiranos Nombre que se dio a los miembros del consejo que fueron colocados (404 a. C.) por los espartanos en el gobierno de Atenas.

TREINTA Y TRES Dpto. del E de Uruguay, limítrofe con Brasil; 9 529 km², 49 502 hab. Cap., la c. hom. C. prales.: Olimar y Vergara. Accidentado por la Cuchilla Grande del Norte. Ríos Tacuarí, Cebollatí y Olimar, desembocan en la laguna de Merim. Clima tropical. Trigo, arroz. Ganadería ovina y bovina. • C. de Uruguay, cap. del dpto. hom.; 26 394 hab. Sit. junto al r . Olimar Grande. Centro comercial agropecuario.

TREINTA y Tres Orientales, ***expedición de los*** Mov. de liberación de la Banda Oriental del dominio bras., realizado por patriotas exiliados en Buenos Aires (1825). En el terr. se creó el est. de Uruguay.

TREINTAIDOSAVO, VA adj. Díc. de cada una de las 32 partes iguales en que se divide un todo. • **En t.** loc. adj. *Art. Gráf.* Díc. del impreso, libro, folleto, revista, etc., cuyo tamaño iguala a la treintaidosava parte de un pliego de papel de marca ordinaria.

Guerra de los **Treinta Años.** Saqueo de una aldea de Flandes por las tropas españolas en un cuadro de Sebastiaan Vrancx

TREINTANARIO m. Conjunto de treinta días seguidos dedicados a un mismo objeto, actividad, etc.

TREINTAÑAL adj. Díc. de lo que es de treinta años o los tiene.

TREINTAVO, VA adj. y m. Cada una de las treinta partes en que se divide un todo.

TREINTENO, NA adj. Trigésimo. • f. Conjunto de treinta unidades. • Cada una de las treintavas partes de un todo.

TREITSCHKE, ***Heinrich von*** (1834-1896) Historiador al.; nombrado historiógrafo del reino de Prusia a la muerte de Ranke. Autor de una *Historia de Alemania en el s. XIX.*

TREJO, ***Oswaldo*** (1928-1997) Escritor ven., surrealista. *Aspasia tenía forma de corneta, Andén lejano.* • **Y Sanabria,** ***Fernando de*** (1555-1614) Prelado arg. Desarrolló una gran labor en favor de los indios y esclavos. Fundó la universidad de Córdoba.

TREJOS Fernández, ***José Joaquín*** (nacido 1916) Político cost., liberal conservador. Presid. de la rep. (1966-1970). Estableció el Banco Popular y de Desarrollo comunal y la Dirección Nacional de Desarrollo de la Comunidad e impulsó las obras públicas.

TREMEBUNDO, DA adj. Horrendo, que hace temblar.

Juan Antonio Lavalleja, jefe de la expedición de los **Treinta y Tres Orientales**

TREMEDAL m. Turbera.

TREMENDO, DA adj. Terrible, digno de ser temido. • Digno de respeto y reverencia. • fig. y fam. Excesivo en su línea.

TREMENTINA f. Resina del pino marítimo y de otras coníferas. Por destilación con agua o con vapor se obtiene la esencia de t. o aguarrás, y como residuo queda la colofonia o pez griega.

TREMER intr. Temblar.

TREMÉS, o **TREMESINO, NA,** o **TRESMESINO, NA** adj. De tres meses. • Díc. de unas variedades de trigo que se siembran en primavera y se cosechan en verano.

TREMIELGA f. Torpedo, pez.

TREMÓ o **TREMOL** m. Adorno, a manera de marco, que se pone a los espejos.

TREMOLAR tr. e intr. Enarbolar los pendones, banderas o estandartes, batiéndolos en el aire. • tr . fig. Hacer ostentación de cosas inmateriales.

TREMOLINA f. Movimiento ruidoso del aire. • fig. y fam. Bulla, confusión de voces.

TRÉMOLO m. *Mús.* Sucesión rápida de muchas notas iguales, de la misma duración.

TREMOR m. Temblor. • Comienzo del temblor.

TRÉMULO, LA adj. Que tiembla. • Aplícase a cosas que tienen un movimiento semejante al temblor, como la luz, etc.

TREN m. Bagaje, conjunto de cosas necesarias para un viaje o expedición. • Conjunto de instrumentos, máquinas y útiles que se emplean para una misma operación o servicio. • Lujo, comodidades con que se vive. • *Ferr.* Conjunto formado por una locomotora y los vagones que arrastra. • **correo.** El que normalmente lleva la correspondencia. • **de aterrizaje.** *Aer.* Estructura muy resistente, que se apoya en la armazón del fuselaje o de las alas y que en general se halla provista de ruedas de neumáticos. • **de engranajes.** *Mec. apl.* Sistema de ruedas dentadas que acoplan entre sí mediante ejes, gorrones u otros dispositivos, de manera que sus movimientos son interdependientes. • **de ondas.** Conjunto de ondas que se repiten sin experimentar modificación alguna. • **A todo t.** m. adv. Sin faltar detalle, con fausto y opulencia. • Con la máx. velocidad.

Tren de aterrizaje de un avión

TRENA f. Banda que la gente de guerra usaba como cinturón o tahalí. • Plata quemada. • fam. Cárcel.

TRENADO, DA adj. Dispuesto en forma de redecilla, enrejado o trenza.

TRENCA f. Cada uno de los palos atravesados en

el vaso de la colmena, para sostener los panales. • Cada una de las raíces prales. de una cepa.

TRENKA f. Abrigo con capucha, que se cierra por delante mediante cilindros que se sujetan a unas trencillas cosidas al delantero opuesto.

Sesión del concilio de **Trento,** en una pintura anónima del s. XVI

TRENO m. Canto fúnebre, lamentación. • P. ant., cada una de las lamentaciones del profeta Jeremías.

TRENQUE LAUQUEN C. de Argentina, en la prov. de Buenos Aires; 33 200 hab. Centro agropecuario.

TRENTINO-ALTO ADIGIO *(Trentino-Alto Adige)* Región del N de Italia, formada por las prov. de Trento y Bolzano; 13 607 km^2, 890 400 hab. Accidentada por el valle alto del Adigio, los macizos de Ortles y Adamello y la cord. de las Dolomitas. Frutales. Vacunos. Explotación forestal. Ind. alimentaria, metalúrgica, mecánica. Turismo. Cap. Trento.

TRENTO C. de Italia, cap. de la prov. hom. y de la región de Trentino-Alto Adigio; 101 500 hab. Ind. textil, metalúrgica. • **Concilio de T.** Concilio ecuménico de la Iglesia católica celebrado en el período de 1545 a 1563. Reunido por Paulo III y continuado por Julio III y Pío IV, para organizar la Contrarreforma.

Trepador azul

TRENTON C. de EE UU, cap. del est. de Nueva Jersey, a orillas del r. Delaware; 88 700 hab. Ind. textil, aeronáutica y de automóviles.

TRENZA f. Conjunto de tres o más ramales que se entretejen, cruzándolos alternativamente. • La que se hace entretejiendo el cabello largo.

TRENZADO, DA adj. En forma de trenza. • m. Trenza. • En danza, salto ligero cruzando los pies. • *Eq.* Paso que hace el caballo piafando. • f. *Chile* y *Río de la Plata.* Discusión, riña.

TRENZAR tr. Hacer trenzas. • intr. En danza y equitación, hacer trenzados.

TREONINA f. *Biol.* Aminoácido esencial que actúa como factor de crecimiento.

TREPA f. Acción y efecto de trepar. • fam. Media voltereta que se da apoyando la coronilla en el suelo. • Especie de guarnición que se pone al borde de los vestidos. • Aguas que presenta la superficie de algunas maderas. • fam. Astucia, malicia, engaño. • fam. Panza.

TREPADO m. Adorno de la orilla del vestido, trepa. • Línea de puntos taladrados a máquina que se hace en el papel para separar los documentos de sus matrices, o los sellos de correos.

TREPADOR, RA adj. Que trepa. • *Bot.* Aplícase a los vegetales cuyos tallos son volubles y se enrollan alrededor de diversos soportes o bien tienen órganos especiales, para poder remontarse hacia la luz solar. • m. *Zool.* Ave paseriforme de la familia sítidos, que trepa por los troncos en busca de insectos. Los t. o trepatroncos son pajarillos pequeños, de plumaje gris azulado en el dorso y blanquecino en el vientre. • Ganchos que se ponen en los pies los operarios que han de trepar por los postes de madera.

Tréveris. La Puerta Negra, de época romana (s. III-IV)

TREPANACIÓN f. *Cir.* Intervención con perforación ósea. Se suele aplicar a la efectuada en el cráneo. ▷ TREPANAR.

TRÉPANO m. *Cir.* Instrumento que se usa para trepanar. • Herramienta metálica, cilíndrica y hueca, con bordes cortantes en uno de sus extremos, que se coloca en la junta de la barra rotatoria de las perforadoras que extraen del subsuelo muestras de roca para ser examinadas.

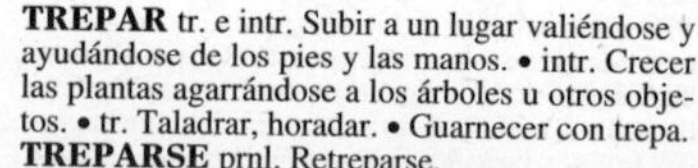

TREPAR tr. e intr. Subir a un lugar valiéndose y ayudándose de los pies y las manos. • intr. Crecer las plantas agarrándose a los árboles u otros objetos. • tr. Taladrar, horadar. • Guarnecer con trepa.

TREPARSE prnl. Retreparse.

TREPIDACIÓN f. Acción de trepidar. • Movimiento vibratorio que se produce en las máquinas o en los edificios cuando éstos se hallan sometidos a solicitaciones. • Movimiento de balanceo, de N a S, y viceversa, que los astrónomos ant. atribuían al firmamento.

TREPIDAR intr. Temblar, estremecerse. • *Amér.* Vacilar, titubear, dudar.

TREPONEMA m. Género de esquizomicetes patógenos, como el causante de la sífilis.

TRES adj. Dos y uno. • adj. y s. Tercero. • m. Signo o conjunto de signos con que se representa el núm. tres. • Trío. • **Como t. y dos son cinco.** exp. fig. y fam. con que se pondera la evidencia de alguna verdad. • **Ni a la de t.** exp. De ningún modo.

TRES ARROYOS C. de Argentina, en la prov. de Buenos Aires; 54 300 hab. Centro comercial. Ind. alimentaria ymecánica.

TRES CRUCES Cumbre de los Andes, en el límite chileno-argentino; supera los 6 700 m de alt.

TRES DE FEBRERO Partido conurbano de Argentina, en la prov. de Buenos Aires; 345 400 hab. Forma parte del área suburbana de los alrededores de Buenos Aires.

TRES ZAPOTES Ant. c. olmeca sit. en el mun. de Santiago de Tuxtlas (est. de Veracruz, en México). Restos de una arquitectura monumental; estelas de piedra grabada, una de ellas con glifos aritméticos, y esculturas (la más imp. una imagen del dios del fuego, Huehuéteotl).

TRESAÑEJO, JA adj. Díc. de lo que es de tres años.

TRESBOLILLO *(A* o *Al)* m. adv. Díc. de la colocación de las piezas puestas en filas paralelas de modo que las de cada fila corresponden al medio de los huecos de la fila inmediata.

TRESCIENTOS, TAS adj. Tres veces ciento. • Tricentésimo. • m. Conjunto de signos con que se representa el núm. trescientos.

TRESDOBLAR tr. Multiplicar por tres. • Hacer tres veces una cosa. • Dar a una cosa tres dobleces, uno sobre otro.

TRESDOBLE adj. y s. Triple.

TRESGUERRAS, ***Francisco Eduardo de*** (1759-1833) Arquitecto, pintor y grabador mex., neoclásico. Iglesia del Carmen y torre de San Agustín, en Celaya; teatro Alarcón en San Luis Potosí.

TRESILLO m. Juego de naipes entre tres personas, cada una de las cuales recibe nueve cartas, y gana en cada lance la que hace mayor núm. de bazas. • Conjunto de un sofá con dos butacas que hacen juego. • Sortija con tres piedras que hacen juego. • *Mús.* Conjunto de tres notas iguales que se deben cantar o tocar en el tiempo correspondiente a dos de ellas.

TRETA f. Ardid, recurso sutil o ingenioso para conseguir algún intento. • *Esg.* Engaño, utilizado para herir o desarmar al contrario, o para defenderse.

TRÉVERIS (al., *Trier)* C. de Alemania, en el est. de Renania-Palatinado, a orillas del Mosela; 104 000 hab. Ind. textil, mecánica, de tabaco. Monumentos romanos (termas, anfiteatro). Catedral románica.

TREZAVO, VA adj. y m. Díc. de las trece partes iguales en que se divide un todo.

TRIAC m. *Electr.* Válvula de estado sólido.

TRÍADA f. Conjunto de tres seres o cosas estrecha o especialmente vinculados entre sí. ▷ TRIÁDICO, CA.

TRIANA, ***José Jerónimo*** (1826-1890) Botánico col. Autor, con Decaisne y Planchon, de *Enumeración de las plantas de Nueva Granada.* • ***Juan Rodríguez,*** llamado ***Rodrigo de*** (ss. XV -XVI) Navegante esp. El primero en avistar tierra amer. desde la nave *La Pinta.*

TRIANGULACIÓN f. Acción y efecto de triangular. • **aérea.** *Top.* Procedimiento que consiste en la concatenación de fotogramas sucesivos tomados desde un avión, con el eje de la cámara casi nadiral, a lo largo de una ruta lo más rectilínea posible. • **geotopográfica.** *Top.* Procedimiento para el levamiento topográfico de un gran núm. de puntos,

con el fin de crear sobre una vasta zona de terreno una red de puntos suficientemente espesa para constituir la base de un levantamiento cartográfico.
TRIANGULAR adj.Que tiene forma de triángulo o es semejante a él. • tr. Disponer líneas, piezas de un armazón, etc., de modo que formen triángulo.
TRIÁNGULO m. *Geom.* Polígono de tres lados. • **acutángulo.** Aquel cuyos tres ángulos son agudos. • **de Tartaglia.** *Mat.* Tabla en la que se disponen triangularmente los núm. combinatorios, y que puede utilizarse para calcularlos inductivamente. • **equilátero.** El que tiene los tres lados iguales. • **escaleno.** Aquel cuyos tres lados son desiguales. • **esférico.** Figura formada sobre la superficie esférica por tres puntos no coplanarios con el centro o vértices, y tres arcos de círculo máx. o lados, que unen los vértices dos a dos. • **isósceles.** El que tiene dos lados, y por consiguiente dos ángulos, iguales. • **oblicuángulo.** El que no es rectángulo. • **obtusángulo.** El que tiene un ángulo obtuso. • **orcheliano** o **vocálico.** *Fon.* Sistema ideado para la correcta clasificación fonética de las vocales. • **rectángulo.** El que tiene un ángulo recto. ■ TRIANGULADO, DA.
TRIÁNGULO *Astr.* Constelación cuya denominación latina es *Triangulum*. Sit. entre *Perseus, Andromeda, Pisces* y *Aries*. • **Austral** *Astr.* Constelación cuya denominación latina es *Triangulum Australe*. Sit. entre *Ara, Norma, Circinus* y *Apus*.
TRIAR tr. Escoger, entresacar. • intr. Entrar y salir con frecuencia las abejas de una colmena. • prnl. Clarearse una tela. ■ TRÍA.
TRIÁSICO, CA adj. y m. *Geol.* Díc. del primer período de la era secundaria, comprendido entre el pérmico y el jurásico, caracterizado por el gran desarrollo que alcanzan los reptiles y la aparición de los primeros mamíferos. • adj. Relativo a dicho período.
TRIBALISMO m. Término con el que se designa a la vez la conciencia que el grupo tribal tiene de su propia existencia.
TRIBÓMETRO m. *Fís.* Instrumento para medir el coeficiente de fricción por deslizamiento entre dos cuerpos.
TRIBRAQUIO m. Pie de la poesía gr. y latina, compuesto de tres sílabas breves.
TRIBU f. Cada una de las agrupaciones en que se dividen algunos pueblos primitivos, especialmente en África y América. • Conjunto de familias nómadas que obedecen a un jefe. • fig. y fam. Familia numerosa; pandilla. ■ TRIBAL; TRIBUAL.
TRIBULACIÓN f. Congoja, pena o tormento. • Adversidad que padece el hombre.
TRIBUNA f. Plataforma o lugar elevado, gralte. con antepecho, desde donde se habla al público. • Localidad preferente en un campo deportivo. • P. ext., voladizo que cubre las localidades de tribuna. • Plataforma elevada destinada a los asistentes a un acto o espectáculo, por lo general al aire libre. • fig. Conjunto de oradores políticos de un país, de una época, etc.
TRIBUNADO m. Dignidad de tribuno. • Tiempo que duraba.
TRIBUNAL m. Lugar destinado a los jueces para administrar justicia. • *Der.* Conjunto de funcionarios judiciales reunidos para administrar justicia. • Conjunto de jueces ante el cual se verifican exámenes, oposiciones y otros certámenes. • **de la Sangre** o **de los Tumultos** Corte sumaria de justicia establecida por el duque de Alba en Países Bajos entre 1567 y 1577. Fue causa de la radicalización autonomista flamenca. • **Internacional de Justicia** Órgano de la ONU, con sede en La Haya, con jurisdicción sobre litigios interestatales.
TRIBUNO m. Magistrado rom. a cuyo cargo estaba la defensa de los intereses de la plebe, que los elegía anualmente en asamblea. • fig. Orador político que mueve a la multitud con su elocuencia. militar. • Oficial del ejército romano que estaba al mando de una legión.
TRIBUTACIÓN f. Acción de tributar. • Tributo. • Régimen o sistema tributario.
TRIBUTAR tr. Entregar un tributo. • fig. Ofrecer o manifestar, a modo de tributo y reconocimiento, algún sentimiento favorable.
TRIBUTARIO, RIA adj. Relativo al tributo. • fig. Díc. del curso de agua con relación al río o mar adonde va a parar. • adj. y s. Que paga tributo o está obligado a pagarlo.
TRIBUTO m. Lo que se tributa. • Carga u obligación de tributar. • Censo sobre un inmueble. • fig. Cualquier carga continua. • *Econ.* Prestación pecuniaria que el Est. exige a los sujetos bajo su jurisdicción.
TRICAHUE m. *Chile.* Especie de loro grande.
TRICENAL adj. Que dura treinta años. • Que se ejecuta de treinta en treinta años.
TRICENTENARIO m. Tiempo de trescientos años. • Fecha en que se cumplen trescientos años del nacimiento o muerte de alguna persona ilustre o de algún suceso famoso. • Fiestas que se celebran por alguno de estos motivos.
TRICENTÉSIMO, MA adj. Que sigue inmediatamente en orden al o a lo ducentésimo nonagésimo nono. • adj. y s. Díc. de cada una de las trescientas partes iguales en que se divide un todo.
TRÍCEPS adj. y s. *Anat.* Díc. del músculo que tiene tres porciones o cabezas, con un único tendón terminal. • **braquial**. El que al contraerse extiende el antebrazo. • **espinal.** El que está a lo largo del espinazo e impide que caiga éste hacia adelante. • **femoral.** El unido al fémur y la tibia y que al contraerse extiende con fuerza la pierna.
TRICERATOPS m. *Pal.* Reptil dinosaurio que vivió durante el período cretácico. Se caracteriza por su enorme cabeza, protegida por una coraza ósea con cuernos en su borde.
TRICÉSIMO, MA adj. y s. Trigésimo.
TRICICLO m. Vehículo de tres ruedas.
TRICÍPITE adj. Que tiene tres cabezas.
TRICLÍNICO, CA adj. y m. *Miner.* Díc. del sistema cristalino cuyas formas cristalográficasse refieren a una cruz axial de ejes desiguales y no perpendiculares entre sí. • adj. Relativo a este sistema.
TRICLINIO m. Cada uno de los lechos en que los ant. gr. y rom. se reclinaban para comer. • Comedor de los ant. gr. y rom.
TRICOLOR adj. De tres colores.
TRICONTINENTAL de La Habana Conferencia celebrada en La Habana (enero 1966) entre representantes de 82 países de África, Asia y América Latina. Condenó el imperialismo y decidió impulsar los mov. de liberación de los países del Tercer Mundo.
TRICORNIO adj. Que tiene tres cuernos. • adj. y m. Díc. del sombrero que tiene el ala dura y doblada formando tres picos, especialmente el de la Guardia Civil esp.
TRICOSIS f. *Pat.* Nombre genérico de las enfermedades y anomalías de los pelos y de los cabellos. • Desarrollo anormal de pelos sobre una mucosa y en particular sobre la de la vejiga o de la uretra.
TRICOT (voz fr.) m. Tejido de género de punto.
TRICOTA f. *Argent.* Tejido de punto.
TRICOTOMÍA f. *Bot.* Trifurcación de un tallo o rama. • *Lóg.* Método de clasificación en que las divisiones y subdivisiones tienen tres partes.
TRICROMÍA f. *Art. Gráf.* Estampación hecha mediante la combinación de tres tintas correspondientes a los colores fundamentales.
TRICÚSPIDE adj. y s. *Anat.* Díc. de la válvula que se halla entre la aurícula derecha del corazón y el ventrículo correspondiente.
TRIDEMISMO m. Doctrina política china basada en los principios de indep. política y económica, libertades democráticas e igualación de la propiedad, elaborada por Sun Yat-sen (1924).
TRIDENTE adj. De tres dientes. m. • Cetro en forma de arpón, que tienen en la mano las figuras que representan a Neptuno. ■ TRIDENTÍFERO, RA.
TRIDENTINO, NA adj y s. De Trento. • Relativo al concilio ecuménico que se reunió en esta c. a partir del año 1545.
TRIDIMENSIONAL adj. De tres dimensiones.
TRIDUANO, NA adj. De tres días.
TRIDUO m. Ejercicios devotos que se practican durante tres días.
TRIEDRO m. *Geom.* Figura del espacio constituida por un punto (vértice), tres semirrectas no coplanarias partiendo de él (aristas) y las tres regiones de plano que limita cada par de semirrectas (caras).
TRIENAL o **TRIEÑAL** adj. Que se repite cada trienio. • Que dura un trienio.

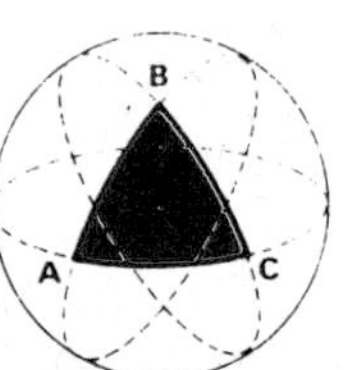

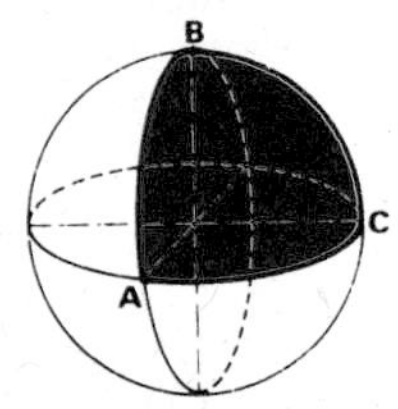

Triángulos esféricos

Braquiópodos fósiles en una caliza del **triásico**

Albita cristalizada en el sistema **triclínico**

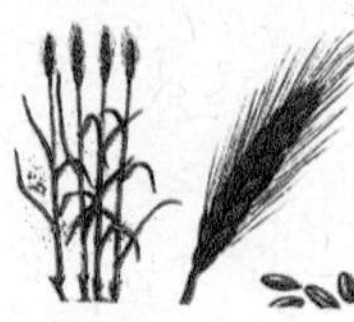

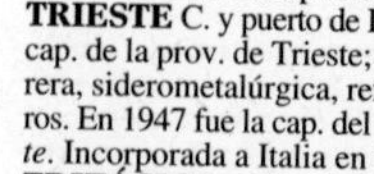

Trigo

TRIENIO m. Tiempo de tres años.
TRIESTE C. y puerto de Italia, junto al golfo hom.; cap. de la prov. de Trieste; 231 100 hab. Ind. maderera, siderometalúrgica, refino de petróleo. Astilleros. En 1947 fue la cap. del *Territorio libre de Trieste*. Incorporada a Italia en 1954.
TRIFÁSICO, CA adj. y m. *Fís.* y *Quím.* Díc. de todo sistema que consta de tres fases. • adj. *El.* Relativo a un sistema eléctrico trifásico.
TRÍFIDO, DA adj. *Bot.* Hendido por tres partes.
TRIFOLIADO, DA adj. *Bot.* Que tiene hojas compuestas de tres folíolos.
TRIFOLIO m. Trébol.
TRIFORIO m. *Arq.* Galería que rodea el interior de una iglesia sobre los arcos de las naves.
TRIFULCA f. Aparato para dar movimiento a los fuelles de los hornos metalúrgicos. • fig. y fam. Camorra entre varias personas.
TRIFURCARSE prnl. Dividirse algo en tres ramales, brazos o puntas.
TRIGÉMINO, NA adj. Se aplica a los hermanos nacidos en un parto de tres. • m. *Anat.* Quinto par de los nervios craneales, del que dependen dos inervaciones: la sensitiva de la cara y la motora de los músculos masticadores.
TRIGÉSIMO, MA adj. Que sigue inmediatamente en orden al o a lo vigésimo nono. • adj. y s. Díc. de cada una de las treinta partes iguales en que se divide un todo.
TRIGLICÉRIDO m. *Quím.* Sustancia derivada de la glicerina por sustitución de sus tres grupos alcohólicos por restos de ácidos grasos enlazados por esterificación.
TRIGLIFO o **TRÍGLIFO** m. *Arq.* Miembro arquitectónico en forma de rectángulo saliente y surcado por tres canales.

Cristal de cuarzo hialino, perteneciente al sistema **trigonal.** En su interior presenta una finas agujas doradas de rutilo

Produccion mundial de **trigo** (en miles de t)

Prales. productores	
CEI	80 000
China	95 000
EE UU	53 910
India	54 520
Francia	34 480
Canadá	33 820
Argentina	9 000
México	4 110
Chile	1 590
Total mundial	550 990

TRIGO m. *Bot.* Nombre común de diversas especies de plantas herbáceas panificables, más concretamente se aplica a las gramíneas del gén. *Triticum.* • **alonso.** Variedad de trigo fanfarrón, de caña cerrada y gruesa y espiga ancha. • **azul, azulejo** o **azulenco.** Trigo moreno. • **berrendo.** Variedad de trigo común, cuyo cascabillo tiene manchas de azul oscuro. • **bornero.** El que molido con piedra bornera da pan bazo por salir muy remolida la harina. • **cañihueco** o **cañivano.** Variedad de trigo redondillo, cuya paja es hueca y muy apetecida por el ganado. • **fanfarrón.** Gramínea parecida al trigo candeal, pero de espiga gruesa y cilíndrica y glumas aquilladas con aristas de diversas tonalidades. • **lampiño.** Gramínea con glumas aquilladas y espigas gralte. ramificadas. • **mocho.** El que no tiene aristas. • **negro.** Alforfón. • **polaco.** Gramínea muy alta, fuerte, con espiga tetragonal, glumas lanceoladas y cariópside oblonga. • **racimal.** Cualquiera de las variedades de diversas especies de trigo que echan más de una espiga en la extremidad de la caña. • **redondillo.** Gramínea con tallos ergüidos, desnudos, hojas ásperas y glumas aquilladas. • **salmerón.** Variedad de trigo fanfarrón, que ahíja poco y tiene la espiga larga y gruesa. • **sarraceno.** Alforfón. ■ TRIGAL.
TRIGO, ***Felipe*** (1865-1916) Escritor esp., creador de un estilo erótico. *Las ingenuas, Murió de un beso, Jarrapellejos.* • ***José,*** llamado GUADALUPE (nacido 1941) Cantautor mex. Ha realizado dos series dedicadas a poetas latinoamericanos y a pintores mex.
TRIGÓN m. Instrumento músico ant., de figura triangular y con cuerdas metálicas.

Trilobites

TRIGONAL adj. y m. *Miner.* Díc. del sistema cristalino cuyas formas se refieren a una cruz axial de tres ejes correspondientes a las tres caras de un romboedro. • adj. Relativo al sistema trigonal.
TRÍGONO m. En astrología, conjunto de tres signos del Zodiaco equidistantes entre sí.
TRIGONOMETRÍA f. Rama de la matemática que estudia las relaciones numéricas entre lados y ángulos de figuras geométricas. Puede ser plana y esférica, y consta de dos partes: teoría de la resolución de triángulos y teoría de las funciones circulares. ■ TRIGONOMÉTRICO, CA.
TRIGUEÑO, ÑA adj. De color del trigo, moreno dorado.
TRIGUERO, RA adj. Relativo al trigo. • Que se cría o anda entre el trigo. • Aplícase al terreno en que se da bien el trigo. • m. Criba o harnero para zarandar el trigo. • com. Persona que comercia con trigo. • f. *Bot.* Planta de la familia gramíneas, parecida al alpiste, pero de menor tamaño, que da buen forraje.
TRILÁSER m. *Med.* Instrumento de neurocirugía basado en el uso simultáneo de tres láser: de dióxido de carbono, de neodimio y de argón.
TRILATERACIÓN f. *Top.* Método topográfico en el que los puntos a levantar se determinan enlazándolos por medio de triángulos cuyos lados se conocen, en lugar de sus ángulos.
TRILATERAL, ***Comisión*** Organismo internacional de carácter privado fundado en 1973 por D. Rockefeller. Tiene su sede en Nueva York y agrupa a hombres de negocios y políticos de EE UU, Europa occidental y Japón. Su objetivo es coordinar una acción común entre los países capitalistas desarrollados en el contexto de las relaciones económicas y políticas con los países del Tercer Mundo y del bloque socialista.
TRILÁTERO, RA adj. De tres lados.
TRILE m. *Chile.* Pájaro negro, que se asemeja al tordo y anida en parajes húmedos.
TRILINGÜE adj. Que tiene tres lenguas. • Que habla tres lenguas. • Escrito en tres lenguas.
TRILITA f. *Quím.* Trinitrotolueno.
TRILÍTERO, RA adj. De tres letras.
TRILITO m. Dolmen compuesto de tres grandes piedras, dos verticales que sostienen la tercera, horizontal.
TRILLA f. Acción de trillar. • Tiempo en que se trilla. • Trillo, instrumento de trillar. • *Zool.* Rubio, pez. • fig. Zurra, tunda, paliza.
TRILLAR tr. Triturar la mies y separar el grano de la paja con el trillo o con máquina trilladora. • fig. y fam. Frecuentar y seguir una cosa continua o normalmente. • fig. Maltratar. ■ TRILLADO, DA; TRILLADOR, RA.
TRILLIZO, ZA adj. y s. Díc. de cada uno de los hermanos nacidos de parto triple.
TRILLO m. Instrumento para trillar. • *Amér.* Senda.
TRILLÓN m. *Arit.* Un millón de billones, que se expresa por la unidad seguida de 18 ceros.
TRILOBITES m. *Pal.* Fósil del subtipo trilobites. • m. pl. *Pal.* Subtipo de artrópodos marinos característicos de la era paleozoica, de cuerpo trilobulado.
TRILOBULADO, DA adj. Que tiene tres lóbulos.
TRILOCULAR adj. Dividido en tres partes.
TRILOGÍA f. Conjunto de tres obras trágicas de un mismo autor presentadas a concurso en los juegos solemnes de la Grecia antigua. • Conjunto de tres obras que tienen entre sí cierto enlace.
TRIMEMBRE adj. De tres miembros o partes. ■ TRÍMERO, RA.
TRIMESTRE adj. Trimestral. • m. Tiempo de tres meses. • Renta, sueldo, pensión, etc., que se cobra o que se paga al fin de cada trimestre. • Conjunto de los núm. de un periódico o revista publicados durante un trimestre. ■ TRIMESTRAL.
TRÍMETRO adj. y s. Métr. Díc. del verso compuesto de tres pies o de tres dipodias.
TRIMIELGA f. Torpedo, pez.
TRIMOTOR, RA adj. Que posee tres motores. • adj. y m. Díc. del avión de tres motores.
TRINADO, DA m. Trino musical. • Gorjeo de la voz humana o de los pájaros.
TRINAR intr. Hacer trinos. • fig. y fam. Rabiar, impacientarse.
TRINCA f. Junta de tres cosas de una misma clase. • Conjunto de tres personas designadas para ar-

güir recíprocamente en las oposiciones; y p. ext. controversia entre varios opositores. • Grupo o pandilla reducida de amigos. • *Cuba, P. Rico* y *Méx.* Borrachera. • *Mar.* Ligadura que se da a una cosa para asegurarla de los balances de la nave.

TRINCADURA f. *Mar.* Especie de lancha de gran tamaño, y de dos palos con velas al tercio.

TRINCAR tr. Desmenuzar en trozos. • Atar fuertemente. • Sujetar a uno con los brazos o las manos como amarrándolo. • fam. Beber vino o licor. • *Amér. Centr.* y *Méx.* Apretar, oprimir. • *Mar.* Asegurar o sujetar fuertemente con trincas los efectos de a bordo. ■ TRINCADO, DA.

TRINCHA f. Ajustador que sirve para ceñir el chaleco, el pantalón y otras prendas.

TRINCHANTE adj. Que trincha. • m. El que corta la vianda en la mesa. • Instrumento con que se afianza lo que se ha de trinchar. • Escoda, instrumento para labrar piedras. • *Par.* y *R. de la Plata.* Cuchillo grande.

TRINCHAR tr. Partir en trozos la vianda para servirla. • fig. y fam. Disponer de una cosa, mangonear.

TRINCHE m. *Amér.* Tenedor de mesa. • *Amér.* Trinchero, mueble donde se trincha.

TRINCHERO, RA adj. Díc. del plato en que se trinchan y comen los manjares. • m. Mueble de comedor que sirve para trinchar sobre él las viandas. • f. Defensa hecha de tierra que cubre el cuerpo del soldado. • Desmonte hecho en el terreno para un camino y con taludes por ambos lados. • Sobretodo, impermeable.

TRINCHETE m. *Amér.* Cuchillo de hoja grande.

TRINEO m. Vehículo sin ruedas para trasladarse sobre el hielo y la nieve, tirado por caballos o perros.

TRINIDAD n. p. f. *Teol.* Distinción de tres personas divinas en una sola y única esencia. • f. fig. Unión de tres personas en algún negocio.

TRINIDAD C. del N de Bolivia, cap. del dpto. de Beni, a orillas del Mamoré; 57 328 hab. Mercado agropecuario. Ind. alimentarias.

TRINIDAD C. de Cuba, en la prov. de Sancti Spíritus; 37 300 hab. Mercado de productos tropicales.

TRINIDAD C. de Uruguay, cap. del dpto. de Flores; 18 300 hab. Centro comercial agrícola y ganadero.

TRINIDAD Y TOBAGO Estado insular del mar Caribe, sit. al NE de Venezuela, formado por las islas de Trinidad y de Tobago. La isla de Trinidad está accidentada por los montes Northern (940 m), que continúan al NE con los montes Main (566 m), ya en la isla de Tobago. Esta isla se ve afectada por los ciclones. Clima tropical húmedo. Bosques tropicales en las zonas lluviosas, y sabanas y arbustos xerófilos en el resto. Caña de azúcar, cacao, café, naranjas, arroz, patatas, maíz. Ind. azucarera, licorera (ron). Petróleo, asfalto, gas natural. Refinerías. República. Lenguas: ing. (of.), cast. *Rel.*: catolicismo, protestantismo, hinduismo, islamismo. U.M.: dólar trinitario. Cap.: Port of Spain. C. pral.: San Fernando.

* *Hist.* Colón descubrió ambas islas (1498). Durante los ss. XVI-XVIII Trinidad dependió de Caracas, y Tobago fue dominio fr. desde 1650. En la segunda mitad del s. XVIII pasaron a poder brit. Con la formación del Movimiento Nacional del Pueblo (MNP), encabezado por E. E. Williams, se inició el mov. independentista, que culminó en 1962. El mov. de Williams triunfó en las elecciones de 1966. En 1970 hizo frente a una rebelión dirigida por la organización Poder Negro. En 1976 se proclamó la rep., y en 1980 Tobago alcanzó cierto grado de autonomía. Williams falleció en 1981 y le sucedió G.Chambers. En las elecciones de 1986 venció una coalición de oposición al MNP, la Alianza Nacional para la Reconstrucción, cuyo líder, Arthur Robinson, accedió al cargo de primer ministro.

TRINITARIO, RIA adj. y s. Díc. del religioso perteneciente a la orden fundada por Juan de Mata y Félix de Valois. • De Trinidad. • adj. Relativo a esta c. de Cuba. • f. Pensamiento, planta herbácea. • *P. Rico.* Planta trepadora espinosa. • **de México.** Planta herbácea de la familia iridáceas, con bulbo tunicado, hojas en vainadoras, espata que agrupa a pocas flores rojizas y amarillentas, y frutos en cápsula. Es originaria de América Central y Meridio nal, y se cultiva como planta ornamental.

TRINITROGLICERINA f. Nitroglicerina.

TRINIDAD Y TOBAGO

Superficie 5 123 km²

Población 1 345 000 hab. (262 hab./km²)

Recursos económicos	
Agrios	17 000 t
Arroz	14 000 t
Azúcar	104 000 t
Bananas	6 000 t
Cabaña bovina	60 000 cabezas
Cabaña caprina	52 000 cabezas
Cabaña porcina	50 000 cabezas
Cemento	438 000 t
Cerveza	349 000 hl
Copra	5 000 t
Energía eléctrica	3 480 000 000 kwh
Gas natural	4 500 000 000 m³
Nuez de coco	40 000 t
Pesca	3 300 t
Petróleo	7 863 000 t
Riqueza forestal	72 000 m³
Indicadores sociológicos	
PNB	1 649 millones de dólares
Renta per cápita	3 610 dólares
Esperanza de vida	68 años
Alfabetismo	95 %

Trinidad y Tobago. Arriba, mapa de situación y bandera; abajo, vista de la zona portuaria de Port of Spain

TRINITROTOLUENO o **TRINITROTOLUOL** m. *Quím.* Producto sólido cristalino, derivado del tolueno, que se utiliza como explosivo. Es tóxico y produce dermatitis.

TRINO, NA adj. Que contiene en sí tres cosas distintas, o participa de ellas. • Que consta de tres elementos o unidades, ternario. • m. Gorjeo de los pájaros. • *Mús.* Figura que consiste en repetir varias veces y de forma muy rápida dos notas sucesivas, separadas por una segunda diatónica, mayor o menor.

TRINOMIO m. *Álg.* Polinomio que consta de tres monomios.

TRINQUETE m. *Mar.* Verga mayor que se cruza sobre el palo de proa. • *Mar.* Vela que se larga en ella. • *Mar.* Palo que se arbola inmediato a la proa, en las embarcaciones que tien en más de uno. • Frontón cerrado sin contracancha y con doble pared lateral. • Garfio que gira por uno de sus extremos y que por el otro resbala sobre los dientes oblicuos de una rueda para impedir que ésta retroceda. • Mecanismo destinado a impedir alguno de los movimientos a que está solicitado otro mecanismo, o bien a imprimirle un movimiento intermitente para vencer una resistencia continua.

TRINTIGNANT, *Jean-Louis* (nacido 1930) Actor cinematográfico fr. *Un hombre y una mujer, Z, El atentado, El conformista, Vivamente el domingo.*

TRÍO m. Tría. • Grupo de tres personas unidas entre sí por alguna relación, o que intervienen conjuntamente en alguna cosa. • *Mús.* Composición para tres voces o instrumentos. • *Mús.* Conjunto de tres voces o instrumentos.

TRIODO o **TRÍODO** m. *Electr.* Tubo o válvula electrónico de tres electrodos (filamento, placa y rejilla), en cuyo interior se ha hecho el vacío. Se usa como amplificador. • **de gas.** Tiratrón.

TRIOSA f. *Quím.* Monosacárido de tres átomos de carbono.

TRIÓXIDO m. *Quím.* Cuerpo resultante de la unión de un radical con tres átomos de oxígeno.

TRIPA f. Conjunto de intestinos o parte de intestino, conducto membranoso que forma parte del aparato digestivo. • Vientre, y especialmente el de la hembra preñada. • Panza de una vasija. • Relleno del cigarro puro. • Hoja del tabaco más próxima a la raíz de la planta, que se destina al relleno de éstos. • pl. Laminillas muy tenues y de sustancia córnea que se encuentran en el interior del cañón de las plumas de algunas aves. • Partes interiores de algunas frutas. • fig. El interior de ciertas cosas. • Conjunto de documentos que componen un expediente administrativo, y al que se refiere el extracto de él. • **Hacer** uno **de tripas corazón.** fig. y fam. Esforzarse para disimular el miedo, dominarse, so-

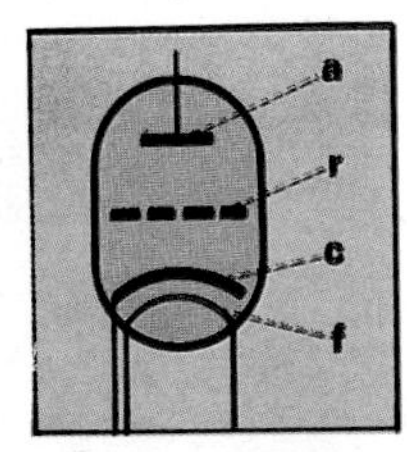

Esquema del **triodo:** a. ánodo; r. rejilla; c. cátodo; f. filamento

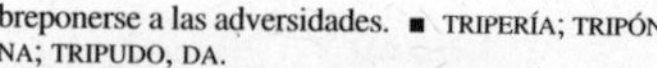

breponerse a las adversidades. ■ TRIPERÍA; TRIPÓN, NA; TRIPUDO, DA.

TRIPADA f. fam. Panzada, hartazgo.

TRIPANOSOMA m. Nombre común de ciertas formas de protomonadinos con un flagelo unido al cuerpo por una membrana citoplasmática ondulante. • Nombre común de los protozoos de la familia tripanosómidos.

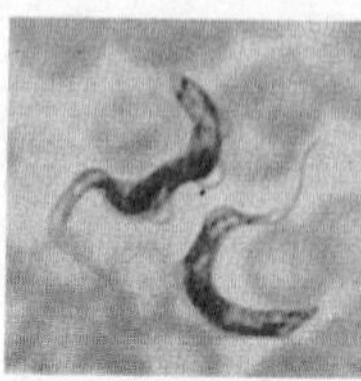

Microfotografía de dos flagelados ***Tripanosoma*** *gambiensis* junto a glóbulos rojos

TRIPANOSOMIASIS f. *Pat.* Enfermedad infecciosa del hombre y los animales causada por protozoos tripanosómidos transmitidos por ciertos insectos.

TRIPARTIR tr. Dividir en tres partes. ■ TRIPARTICIÓN; TRIPARTITO, TA.

TRIPASTOS m. Aparejo compuesto de tres poleas.

TRIPÉPTIDO m. *Quím.* Sustancia constituida por la unión en enlace peptídico de tres aminoácidos.

TRIPERO, RA m. y f. Persona que vende tripas o mondongo. • m. Paño que se pone para abrigar el vientre.

TRIPITAKA Nombre de las tres obras clásicas sagradas de que consta el canon budista, tituladas *Vinayapitaka, Suttapitaka y Abhidhammapitaka.* Los cánones chino y tibetano incorporaron las secciones llamadas *Tantras, Prajnaparamita* y *Avatamsaka.*

TRIPLANO m. Aeroplano cuyas alas están formadas por tres planos rígidos superpuestos.

TRIPLE o **TRIPLO, PLA** adj. y m. Díc. del núm. que contiene a otro tres veces exactamente. • adj. Que consta de tres elementos, o que se compone de tres partes. ■ TRIPLICIDAD.

Trípode y cámara fotográfica

TRIPLETE m. *Biol.* Conjunto de tres nucleótidos vecinos y sucesivos, que forma parte de las cadenas de ADN y ARN, y cuya traducción, mediante el código genético, da lugar a la expresión de un aminoácido.

TRIPLICAR tr. y prnl. Multiplicar por tres. • Hacer tres veces una misma cosa. ■ TRIPLICACIÓN.

TRIPLOBLÁSTICO, CA adj. *Zool.* Díc. del animal que en las fases iniciales de su desarrollo presenta en su embrión tres capas celulares: ectodermo, mesodermo y endodermo.

TRIPLOIDE adj. y m. *Bot.* Individuo, célula o núcleo que presenta genomas completos.

TRÍPODE m. y f. Mesa, banquillo, etc., de tres pies. • m. Armazón de tres pies, para sostener instrumentos geodésicos, fotográficos, etc.

TRÍPOL o **TRÍPOLI** m. Sedimento silíceo terroso formado por acumulación de esqueletos deradiolarios. Se emplea para pulimentar y en la fabricación de dinamita.

TRÍPOLI (ár., *Tarabulus al-Gharb)* Cap. de Libia; 550 400 hab. Manufacturas de tabaco, alfombras, sedas y acero. Centro administrativo. Puerto comercial. Fue bombardeada en 1986 por la aviación norteam. • (ár., *Tarabulus esh Sham)* C. de Líbano, cap. de la prov. de Líbano Septentrional; 157 300 hab. Refino de petróleo.

Coronación de la Virgen, **tríptico** de Filippo Lippi. Pinacoteca Vaticana, Ciudad del Vaticano

TRIPOLITANIA *(Tarabulus)* Región del NO de Libia. La región histórica comprende 353 000 km^2 y 1 300 000 hab. Cap., Trípoli. Trigo, cebada, dátiles, olivos, limones. Ganadería caballar, vacuna, lanar. Petróleo. Italia se la anexionó en 1911. En 1943 las tropas germanoitalianas fueron sustituidas por las francobritánicas. Desde 1951 pertenece a Libia.

TRIPOLITANO, NA adj. y s. De Trípoli.

TRIPSINA f. *Biol.* Enzima originado en el intestino cuya función estriba en la hidrólisis de las proteínas.

TRIPSINÓGENO m. *Biol.* Sustancia que se origina en las células pancreáticas. Se sintetiza en el intestino delgado.

TRÍPTICO m. Tablilla para escribir dividida en tres hojas de las cuales las laterales se doblan sobre la del centro. • Libro o tratado que consta de tres partes. • Pintura, grabado o relieve distribuido en tres hojas unidas.

TRIPTÓFANO m. Aminoácido que interviene en distintos procesos metabólicos, en la secuencia de las proteínas y en la producción de las auxinas, hormonas del crecimiento de las plantas superiores.

TRIPTONGAR tr. Pronunciar tres vocales formando un triptongo.

TRIPTONGO m. *Gram.* Conjunto de tres vocales que forman una sola sílaba.

TRIPULACIÓN f. Personas que en una embarcación o en un aparato de locomoción aérea están dedicadas a su maniobra y servicio. ■ TRIPULANTE.

TRIPULAR tr. Dotar de tripulación a un barco o a un aparato de locomoción aérea. • Ir la tripulación en el barco, en el avión, etc.

TRIPURA Est. del NE de la India; 10 477 km^2, 2 744 800 hab. Cap., Agartala. Terr. montañoso. Avenada por afl. del Kuyamara. Clima tropical. Arroz, té, tabaco, algodón, yute. Ind. textil.

TRIQUE m. Estallido leve. • *Chile.* Bebida refrescante que se hace con cebada tostada y triturada. • *Chile.* Planta de la familia iridáceas, cuyo rizoma se usa como purgante. • *Col.* y *Cuba.* Juego de tres en raya.

TRIQUINA f. *Zool.* Larva de un nematelminto parásito del hombre y de ciertos animales, como el cerdo. Es la causa de la triquinosis.

TRIQUINOSIS f. *Pat.* Enfermedad provocada por la triquina, cuyos embriones se fijan en los músculos estriados, donde se enquista. La infestación tiene lugar por el consumo de carne cruda de cerdo parasitado. Cursa con fiebre, edema en párpados superiores, hemorragias, dolores musculares y postración.

TRIQUIÑUELA f. fam. Ardid, artimaña, treta.

TRIQUITRAQUE m. Ruido como de golpes repetidos y desordenados. • Estos mismos golpes. • Rollo de papel en el que van envueltas pequeñas porciones de pólvora que producen sucesivas detonaciones cuando se enciende la mecha de uno de sus extremos. Se utiliza en pirotecnia.

TRIRRECTÁNGULO adj. *Geom.* Que posee tres ángulos rectos.

TRIRREME m. Embarcación, usada antiguamente, con tres órdenes o filas superpuestas de remos.

TRIS m. Leve sonido que al quebrarse hace una cosa delicada. • fig. y fam. Porción muy pequeña; causa u ocasión levísima. • **En un t.** m. adv. fig. y fam. En peligro inminente.

TRISA f. Sábalo, pez.

TRISACÁRIDO m. Glúcido constituido por la unión de tres monosacáridos por enlace glucosídico. Los t. son relativamente abundantes en los vegetales y poco extendidos en el reino animal.

TRISAGIO m. Himno en honor de la Santísima Trinidad.

TRISAR intr. Cantar o chirriar la golondrina y otros pájaros. • tr. y prnl. *Chile.* Hender, rajar levemente el cristal y la loza.

TRISCA f. Ruido que se hace con los pies al pisar una cosa que se rompe, como avellanas, nueces, etc. • P. ext., bulla, jaleo.

TRISCADOR, RA adj. Que trisca. • m. Instrumento de acero en forma de paleta con muescas, para triscar los dientes de las sierras.

TRISCAR intr. Hacer ruido con los pies o dando patadas. • fig. Retozar, hacer travesuras. • tr. y prnl. fig. Enredar, mezclar una cosa con otra. • tr. fig. Torcer alternativamente y a uno y otro lado los dientes de la sierra para que la hoja corra sin dificultad por la hendedura. ■ TRISQUE.

TRISECAR tr. Cortar o dividir una cosa en tres partes iguales.

TRISECCIÓN f. Acción y efecto de trisecar. • **del ángulo.** *Geom.* Problema consistente en descomponer un ángulo en tres iguales utilizando tan sólo la regla y el compás.

TRISEMANAL adj. Que se repite tres veces por semana, o cada tres semanas.
TRISILÁBICO, CA adj. Que tiene tres sílabas.
TRISÍLABO, BA adj. y s. De tres sílabas.
TRISMO m. *Pat.* Contracción espasmódica de los músculos masticadores, que provoca la imposibilidad de abrir la boca. Su causa más frecuente y conocida es el tétanos.
TRISOMÍA f. *Biol.* Anomalía genética caracterizada por la presencia, en un par de cromosomas, de un tercer cromosoma suplementario, estando todos los otros cromosomas normalmente dispuestos por pares.
TRISTÁN, *Luis* (h. 1586-1624) Pintor esp., discípulo de El Greco. *Adoración de los pastores, La Santa Cena, La Sagrada Familia, Retrato de Lope de Vega, San Francisco.* • **Y Moscoso, *Juan Pío de*** (1773-1860) Político y militar per. Presid. del Est. surperuano dentro de la Confederación Peru-boliviana (1838-1839).
TRISTÁN DE CUNHA Arch. volcánico del Atlántico S, perteneciente a Gran Bretaña. En 1961 se procedió a la evacuación de las islas, al registrarse gran actividad volcánica.
TRISTE adj. Afligido, apesadumbrado. • De carácter o temperamento melancólico. • Que denota pesadumbre o melancolía. • Que las ocasiona. • Funesto, deplorable. • Pasado o hecho con pesadumbre o melancolía. • Doloroso, enojoso, difícil de soportar. • fig. Insignificante, insuficiente, ineficaz, antepuesto a algunos nombres. • m. *Amér. Merid.* Canción popular, por lo general amorosa y triste, que se acompaña con la guitarra. ■ TRISTEZA; TRISTÓN, NA; TRISTURA.
TRISULCO, CA adj. poét. De tres puntas.
TRITICALE m. *Agr.* Cereal híbrido de trigo y centeno. Es un caso de alopoliploidía a partir de dotaciones cromosómicas de dos especies distintas, aunque afines.
TRITÍCEO, A adj. De trigo, o que participa de sus cualidades.
TRITIO m. *Quím.* Isótopo radiactivo del hidrógeno, cuyo p. a. es 3. El núcleo del átomo de t. se compone de un protón y de dos neutrones.
TRITÓN m. *Zool.* Molusco gasterópodo marino, de gran tamaño, cuya concha, llamada vulgarmente caracola, puede utilizarse como instrumento sonoro, soplando por un agujero practicado en su punta. • *Zool.* Anfibio de la familia salamándridos, de hábitos acuáticos, y del que se conocen numerosas especies distribuidas en todo el hemisferio norte; muchas de ellas se caracterizan por una pronunciada cresta dorsal y por su vivo colorido.
TRITÓN *Astr.* Uno de los dos satélites de Neptuno. Recorre su órbita en sentido opuesto al de rotación del planeta.
TRITÓN *Mit. gr.* Dios marino, hijo de Poseidón y de Anfítrite. Era hombre hasta la cintura, y desde ella abajo, pez.
TRÍTONO m. *Mús.* Intervalo compuesto de tres tonos consecutivos, dos mayores y uno menor.
TRITURADOR, RA adj. Que tritura. • adj. y f. Díc. de la máquina destinada a romper, en fragmentos más o menos grandes, materiales duros y, especialmente, minerales.
TRITURAR tr. Moler, desmenuzar una materia sólida, sin reducirla a polvo. • Mascar, ronzar. • fig. Moler, maltratar. • fig. Desmenuzar, rebatir aquello que se examina. ■ TRITURACIÓN.
TRIUNFALISMO m. Actitud de seguridad en sí mismo y de superioridad frente a los demás que se funda en una sobreestimación de la propia valía. ■ TRIUNFALISTA.
TRIUNFAR intr. Entre los ant. romanos, entrar en Roma el vencedor, con gran pompa. • Quedar victorioso. • Jugar del palo del triunfo en ciertos juegos de naipes. • fig. Gastar mucho y aparatosamente. ■ TRIUNFADOR, RA; TRIUNFANTE.
TRIUNFO m. Cortejo solemne que acompañaba, al entrar en Roma, al general que había obtenido la victoria sobre un enemigo extranjero. • Victoria. • Carta del palo preferido por suerte o elección en ciertos juegos de naipes, la cual vence a las de los otros palos. • fig. Acción de triunfar o gastar mucho. • fig. Lo que sirve de despojo o trofeo que acredita la victoria. • fig. Éxito feliz en un empeño dificultoso. • *Argent.* y *Perú.* Cierta danza popular. ■ TRIUNFAL.
TRIUNVIRATO m. Magistratura de la ant. Roma, en que intervenían tres personas. • Conjunto de tres personas que dirigen algún asunto. ■ TRIUNVIRO.
TRIVALENTE adj. *Quím.* Díc. del elemento que actúa con la valencia tres. • *Biol.* En genética, díc. de la figura de apareamiento de la meiosis que tiene lugar cuando un cromosoma se presenta por triplicado.
TRIVANDRUM C. del S de la India, cap. del est. de Kerala; 523 700 hab. Ind. textil. Puerto en el mar Arábigo.
TRIVIAL adj. Relativo al trivio. • fig. Vulgarizado, sabido de todos. • fig. Que carece de toda importancia y novedad. ■ TRIVIALIDAD.
TRIVIO m. División de un camino en tres ramales, y punto en que éstos concurren. • En la antigüedad, conjunto de las tres artes liberales relativas a la elocuencia: la gramática, la retórica y la dialéctica.
TRIZA f. Pedazo o partícula de un cuerpo. • *Mar.* Driza. • **Hacer trizas.** fr. Destruir completamente una cosa. Se usa también con el verbo en forma prnl. • fig. Herir o lastimar gravemente a una persona o a un animal.
TRIZAR tr. Destrizar, hacer trizas.
TRNKA, *Jiri* (1910-1969) Dibujante y director de cine checo. *El príncipe Bajaja, Viejas leyendas checas, El sueño de una noche de verano, La abuela cibernética.*
TRÓADE Ant. nombre de la región NO de Asia Menor, entre el Helesponto, el mar Egeo y el monte Ida. Su cap. era Troya.
TROCAMIENTO m. Trueque.
TROCÁNTER m. *Anat.* Prominencia que algunos huesos largos tienen en su extremidad. • Díc. especialmente de la protuberancia de la parte superior del fémur. • *Zool.* Artejo de la pata de los insectos, situado entre el fémur y la tibia.
TROCAR m. *Cir.* Instrumento en forma de aguja, envuelto por una cánula, de la que se puede retirar tras perforar la pared de una cavidad del cuerpo. Se emplea para evacuar líquidos patológicos.
TROCAR tr. Permutar una cosa por otra. • Mudar, variar, alterar. • Arrojar por la boca lo que se ha comido. • Equivocar, tomar o decir una cosa por otra. • *Eq.* Hacer que una caballería al galope cambie de pie y mano. • prnl. Cambiar de vida. • Permutar el asiento con otra persona. • Mudarse, cambiarse, enteramente una cosa.
TROCEAR tr. Dividir en trozos. • Inutilizar un proyectil abandonado haciéndolo estallar. ■ TROCEO.
TROCHA f. Vereda, atajo. • Camino abierto en la maleza. • *Par.* y *R. de la Plata.* Anchura de una vía férrea.
TROCHE m. *Col.* Trote. • **A t. y moche,** o **a trochemoche.** De una manera irreflexiva.
TROCLA f. Polea.
TROCO m. Rueda, pez.
TROCOIDE f. *Geom.* Cicloide.
TRÓCOLA f. Polea.
TROELTSCH, *Ernst* (1865-1923) Teólogo y filósofo al. Estudios de filosofía de la historia de la religión. *El carácter absoluto del cristianismo, El historicismo y su superación.*
TROFEO m. Monumento, insignia o señal de una victoria. • Despojo obtenido en la guerra. • Conjunto de armas e insignias militares agrupadas con cierta simetría y visualidad. • fig. Victoria o triunfo; lo conseguido en ellos.
TRÓFICO, CA adj. Relativo a la nutrición.
TROFÓFILO m. *Bot.* Hoja asimiladora de un vegetal. El término se contrapone a esporófilo. Los t. suelen tener color verde debido a la presencia de clorofila.
TROGLODITA adj. y s. Que habita en cavernas. • Díc. especialmente de los hombres primitivos. • fig. Díc. del hombre bárbaro y cruel. • fig. Muy comedor. • m. *Zool.* Pájaro de la familia troglodítidos. ■ TROGLODÍTICO, CA.
TROGLODÍTIDO, DA adj. y m. *Zool.* Díc. de animales de la familia troglodítidos. • m. pl. *Zool.* Familia de aves paseriformes conocidas vulgarmente con el nombre de chochines.

Larva de **triquina** enquistada en fibras musculares

Aspecto de The Settlement, única población de **Tristán de Cunha**

Tritón sirena

TROGONIFORME adj. y m. *Zool.* Díc. de animales del orden trogoniformes. • m. pl. *Zool.* Orden de aves tropicales de plumaje muy vistoso y especial estructura de los dedos, como el quetzal.

TROIKA f. En Rusia, especie de trineo, tirado por tres caballos. • Término que se utilizó en la extinta URSS para referirse a tres altos cargos directivos: el jefe del Est., el presid. del gobierno y el secretario general del PCUS.

TROJ o **TROJE** f. Espacio limitado por tabiques, para guardar frutos y especialmente cereales. • P. ext., algorín.

TROJA f. *Amér.* Troj.

TROLA f. fam. Engaño, mentira. • *Col.* Tajada de jamón.

TROLE m. Pértiga de hierro para transmitir a los carruajes de los trenes y tranvías eléctricos la corriente del cable conductor. • Trolebús.

TROLEBÚS m. Autobús eléctrico con un sistema motor igual al de los tranvías pero con doble trole y sin carriles.

TROLLEY (voz ing.) *Amér.* Trolebús.

TROLUDO, DA adj. *Argent.* y *Chile.* Débil, tonto.

TROMBA f. *Meteor.* Masa columnar de agua afectada por un violento movimiento rotacional, que suele ir acompañada de fuertes tormentas, granizadas, etc.

TROMBETAS Río de Brasil, en el est. de Pará, afl. del Amazonas. Nace en la frontera con Guayana; 750 km.

TROMBINA f. Sustancia enzimática que interviene en la coagulación de la sangre.

TROMBO m. *Pat.* Coágulo intravascular que dificulta la circulación sanguínea, provocando una trombosis.

TROMBOCITO m. *Fisiol.* Plaqueta de la sangre.

TROMBOCITOPENIA f. *Pat.* Disminución de la tasa de las plaquetas sanguíneas.

TROMBOFLEBITIS f. *Pat.* Inflamación de las venas con formación de trombos.

TROMBÓN m. Instrumento músico de metal, especie de trompeta grande. • Músico que toca este instrumento. • **de pistones.** Aquel en que la variación de notas se obtiene por el juego combinado de tres llaves o pistones. • **de varas.** El que tiene los tubos dispuestos de manera que se puedan alargar y acortar para obtener los diferentes sonidos.

TROMBOSIS f. *Pat.* Fenómeno que consiste en la formación de trombos en el animal vivo.

TROMP, ***Maarten Harpertszoon*** (1598-1653) Almirante neerlandés. En la batalla de las Dunas (1639), derrotó a la flota hispanoportuguesa de Oquendo. En 1653, durante la guerra angloholandesa, no pudo impedir el bloqueo de las Provincias Unidas. Murió combatiendo en Ter Heide.

TROMPA f. Instrumento músico de viento, que consiste en un tubo de latón enroscado circularmente y que va ensanchándose desde la boquilla al pabellón. • Trompo grande que tiene dentro otros pequeños, los cuales, saliendo de él impetuosamente al tiempo de ser arrojado para que baile, andan todos a un tiempo. • Trompo grande, hueco, con una abertura lateral para que zumbe. • *Zool.* Prolongación muscular, hueca y elástica del apéndice nasal de algunos animales, que se adapta a distintas funciones en las difererentes especies. • *Zool.* Aparato chupador, dilatable y contráctil que tienen algunos órdenes de insectos. • Tromba. fig. Instrumento que por ficción poética supone que hace sonar el poeta épico al en tonar sus cantos. • fig. y fam. Borrachera. • *Arq.* Estructura arqueada que se dispone en voladizo en los ángulos superiores de un espacio poligonal y sirve de apoyo a una cúpula. Su uso se generalizó a partir de la época medieval. • *Zool.* Prolongación, gralte. retráctil, del extremo anterior del cuerpo de muchos gusanos. • m. El que toca la trompa en las orquestas. • **de agua.** Aparato para realizar el vacío aprovechando la disminución de presión producida por un estrechamiento. Consta de una ampolla de vidrio en cuyo interior se hace circular agua a presión sobre un colector. • **de Eustaquio.** *Anat.* Canal que va de la cavidad del tímpano a la parte lateral y superior de la faringe. • **de Falopio.** *Anat.* Oviducto de los mamíferos.

TROMPADA f. fam. Trompazo, porrazo. • fig. y fam. Encontronazo. • fig. y fam. Puñetazo, golpazo. • Embestida que da un buque contra otro o contra la tierra.

TROMPAZO m. Golpe dado con el trompo. • Golpe dado con la trompa. • fig. Cualquier golpe recio.

TROMPEAR tr. *Amér.* Dar puñetazos. ■ *Par.* y *R. de la Plata.* TROMPEADURA.

TROMPETA f. Instrumento músico de viento, consistente en un tubo metálico que se ensancha gradualmente desde la boquilla al pabellón. • Clarín, especie de trompeta. • m. Persona que toca este instrumento.

TROMPETADA f. fam. Clarinada, salidad de tono. • *R. de la Plata.* Acción innoble.

TROMPETAZO m. Sonido destemplado o excesivamente fuerte de la trompeta o de cualquier instrumento análogo. • Golpe dado con una trompeta. • fig. y fam. Trompetada, salida de tono.

TROMPETEAR intr. fam. Tocar la trompeta.

TROMPETERÍA f. Conjunto de varias trompetas. • Conjunto de todos los registros del órgano formados con trompetas de metal.

TROMPETERO m. El que hace trompetas. • El que se dedica a tocar la trompeta. • *Zool.* Pez acantopterigio, con dos aletas dorsales y el primer radio de la anterior grueso y fuerte.

TROMPETILLA f. Instrumento a modo de trompeta, que sirve para que los sordos perciban los sonidos. • Cigarro puro filipino, de forma cónica. • *Argent.* y *Cuba.* Ruido burlón.

TROMPICAR tr. o **TROMPILLAR** tr. e intr. Hacer tropezar a alguien repetidamente. • fig. y fam. Promover a una persona al empleo que correspondía a otra. • intr. Tropezar repetidamente. ■ TROMPILLADURA.

TROMPICO m. Perinola.

TROMPICÓN m. Tropezón. • **A trompicones.** Sin continuidad; con dificultades.

TROMPILLO m. *Amér.* Arbusto tropical, de la familia bixáceas, de madera rosada que se usa en tornería.

TROMPILLÓN m. *Arq.* Dovela que sirve de clave en una trompa o en una bóveda de planta circular.

TROMPO m. Peón, juguete. • Peonza. • *Zool.* Molusco gasterópodo marino, con tentáculos cónicos en la cabeza y concha cónica, gruesa. • fig. Bolo, persona torpe. • *Chile.* Instrumento de forma cónica, que se usa para abocardar cañerías.

TROMPÓN m. Trompazo. • Narciso.

TRONADO, DA adj. Deteriorado por efecto del uso. • f. Tempestad de truenos.

TRONAR impers. Haber o sonar truenos. • intr. Despedir o causar ruido o estampido. • fig. y fam. Perder uno su caudal, arruinarse. • fig. y fam. Hablar o escribir violentamente contra alguna cosa. • tr. *Méx.* Fusilar, matar.

TRONCA f. Acción y efecto de troncar. • Tocón de un árbol.

TRONCAR tr. Truncar.

TRONCHA f. *Amér.* Loncha.

TRONCHAR tr. y prnl. Partir o romper con violencia el tronco, tallo o ramas de un vegetal. • Partir o romper con violencia un vegetal por su tronco, tallo o ramas principales. • fig. Partir o romper con violencia cualquier cosa de figura parecida a la de un tronco o tallo. • prnl. fig. y fam. Reír hasta no poder más.

TRONCHO m. Tallo de las hortalizas. ■ TRONCHUDO, DA.

TRONCO m. Cuerpo truncado. • Tallo leñoso de las plantas arbustivas y árboles. • Cuerpo humano o de cualquier animal, prescindiendo de la cabeza y las extremidades. • Par de mula o caballos que tiran de un carruaje enganchados al juego delantero. • Conducto o canal pral. del que salen o al que concurren otros menores. • fig. Ascendiente común de dos o más ramas, líneas o familias. • fig. Persona insensible, inútil o despreciable. • *Bot.* Conjunto de especies relacionadas filogenéticamente unas con otras. • **braquiocefálico.** *Anat.* Arteria gruesa que nace del cayado aórtico y se divide en dos, la carótida y la subclavia del lado derecho. • **encefálico.** *Anat.* Porción del sistema nervioso central que consta de tres formaciones: el bulbo, la protuberancia y el mesencéfalo. ■ TRONCAL.

TRONCOCÓNICO, CA adj. En forma de cono truncado.

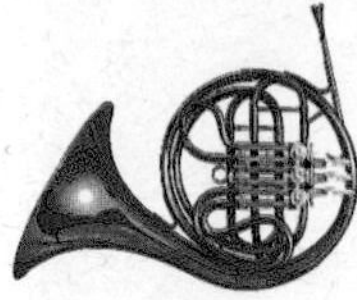

Trompa

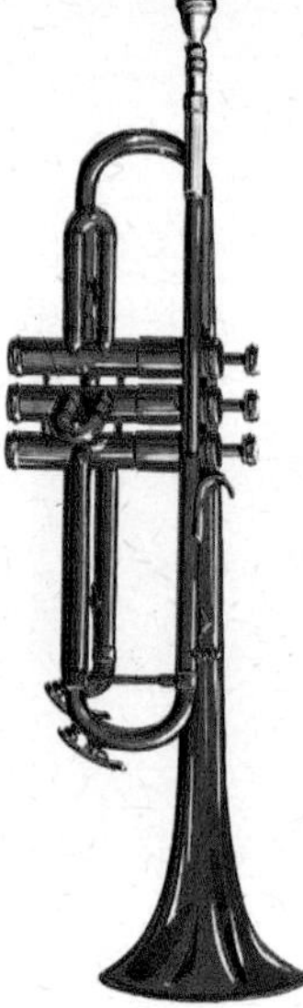

Trompeta

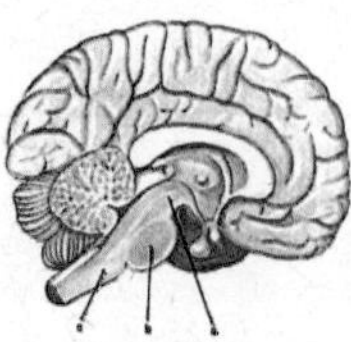

Tronco encefálico:
a. mesencéfalo;
b. protuberancia;
c. bulbo

TRONCÓN m. Tronco del cuerpo humano o animal. • Tocón de un árbol.

TRONCOSO de la Concha, *Manuel de Jesús* (1878-1955) Político dom. Miembro del clan Trujillo. Vicepresid. de la rep. (1933-1940) y presid. (1940-1942).

TRONDHEIM (ant. *Nidaros*) C. y puerto de Noruega, cap. del condado de Sor-Trondelag; 134 100 hab. Ind. metalúrgica, maderera y papelera.

TRONERA f. Abertura en el costado de un buque, en el parapeto de una muralla o en el espaldón de una batería, para disparar con seguridad y acierto los cañones. • Ventana pequeña y angosta. • Juguete que consiste en un papel plegado de modo que, al sacudirlo con fuerza, la parte recogida salga detonando. • Cada uno de los agujeros o aberturas que hay en las mesas de trucos y de billar. • com. fig. y fam. Persona desbaratada en sus acciones y palabras.

TRONGA f. Manceba, concubina.

TRONIDO m. Trueno de las nubes. • Estruendo, estallido, estrépito. • Fracaso ruidoso. ■ TRONITOSO, SA.

TRONÍO m. fam. Tronido, ostentación.

TRONO m. Asiento con gradas y dosel de que usan los monarcas y otras personas de alta dignidad. • Tabernáculo en que se expone el Santísimo Sacramento. • Lugar o sitio en que se coloca la efigie de un santo cuando se le quiere honrar con culto más solemne. • fig. Dignidad de rey o soberano. • pl. Tercer coro de la suprema jerarquía de los ángeles.

TRONQUERO, RA adj. *Argent.* Díc. de los animales delanteros que tiran de un carro.

TRONZAR tr. Dividir, quebrar o cortar en trozos. • En tecnología mecánica, cortar una barra en el torno. • Hacer en las faldas de los vestidos ciertos pliegues iguales y muy pequeños. • tr. y prnl. fig. Cansar excesivamente, rendir de fatiga corporal. ■ TRONZADOR, RA.

TROOSTITA f. *Metal.* Agregado muy fino de cementita y hierro alfa.

TROPA f. Turba, muchedumbre de gentes. • despect. Gentecilla, gente despreciable. • Gente militar, a distinción del paisanaje. • *Amér. Merid.* Recua de ganado. • *Argent.* y *Ur.* Manada de ganado que se conduce de un punto a otro. • *Argent.* Cáfila de carretas dedicadas al tráfico. • *Mil.* Conjunto de sargentos, cabos y soldados. • *Mil.* Cierto toque militar. • pl. *Mil.* Conjunto de cuerpos que componen un ejército, división, guarnición, etc. de línea. • *Mil.* La organizada para maniobrar y combatir en orden cerrado y por cuerpos.

TROPEL m. Movimiento acelerado y ruidoso de varias personas o cosas que se mueven con desorden. • Prisa, aceleramiento confuso. • Conjunto de cosas mal ordenadas.

TROPELÍA f. Aceleración confusa y desordenada. • Atropellamiento o violencia en las acciones. Hecho violento y contrario a las leyes. • Vejación, atropello. • Arte mágica que muda las apariencias de las cosas. • Engaño, embaucamiento.

TROPEOLÁCEO, A adj. y f. *Bot.* Díc. de plantas de la familia tropeoláceas. • f. pl. *Bot.* Familia de dicotiledóneas con tallos y peciolos engrosados y frutos en triaquenio con semillas cartilaginosas.

TROPERO m. *Argent.* Conductor de ganado, especialmente vacuno.

TROPEZAR intr. Dar con los pies en un estorbo que pone en peligro de caer. • Detenerse una cosa por encontrar un estorbo que le impide avanzar. • fig. Caer en alguna culpa o faltar poco para cometerla. • fig. Reñir con uno, u oponerse a su dictamen. • fig. Advertir el defecto o falta de una cosa o la dificultad de su ejecución. • fig. y fam. Hallar casualmente una persona a otra. • prnl. Rozarse las bestias una mano con otra. ■ TROPEZADURA.

TROPEZÓN, NA adj. fam. Que tropieza con frecuencia. Díc. comúnmente de las caballerías. • m. Acción de tropezar. Tropiezo. • fig. y fam. Pedazo pequeño de jamón u otra vianda que se mezcla con las sopas o las legumbres. Se usa más en pl.

TRÓPICO adj. Relativo al tropo; figurado. • m. *Astr.* Cada uno de los círculos menores de la esfera celeste de declinaciones ± 23° 27', que varían secularmente debido al movimiento de precesión de los equinoccios. • *Geog.* Cada uno de los círculos menores de la esfera terrestre, paralelos al ecuador, de 23° 27' de latitud norte, para el *trópico de Cáncer*, y de 23° 27' de latitud sur para el *trópico de Capricornio*. ■ TROPICAL.

TROPIEZO m. Aquello en que se tropieza. • Lo que sirve de estorbo o impedimento. • fig. Falta, culpa o yerro, especialmente en materia de honestidad. • fig. Causa de la culpa cometida. • fig. Dificultad o impedimento en un negocio. • fig. Riña o quimera. • Oposición en los dictámenes.

TROPILLA f. *Argent.* Manada de caballos guiados por una madrina.

TROPISMO m. *Bot.* Movimiento inducido desde el exterior, que afecta a un órgano de la planta y relacionado con la dirección del estímulo (*t. positivo* y *t. negativo*).

TROPO m. *Ret.* Empleo de las palabras en sentido distinto al que propiamente les corresponde, pero que tiene con éste alguna conexión. • Texto breve que, durante la E. Med., se interpolaba en un texto litúrgico. Su desarrollo dialogado dio origen al drama litúrgico.

TROPOLOGÍA f. Lenguaje, sentido alegórico. • Inclusión de moralidad y enseñanza en lo que se dice o escribe, aunque sea en materia profana o indiferente. ■ TROPOLÓGICO, CA.

TROPOPAUSA f. Límite superior de la troposfera que separa esta capa atmosférica de la estratosfera.

TROPOSFERA f. Capa inferior de la atmósfera terrestre, de unos 8-14 km de espesor, en la que se producen la mayor parte de los fenómenos meteorológicos que determinan el clima.

TROQUE m. Trocito de una pieza de tela que se ata fuertemente antes de teñirla, para que se conserve sin teñir y poderlo comparar después con el resto.

TROQUEL m. Molde de acero muy duro empleado en artes gráficas, en acuñación, etc. • Instrumento análogo, de mayor tamaño, para el estampado de piezas metálicas.

TROQUELAR tr. Imprimir y sellar una pieza de metal por medio del troquel. • Hacer monedas de este modo.

TROQUEO m. Pie de la poesía gr. y latina, compuesto de dos sílabas: una larga y otra breve. • En la poesía esp., se llama así al pie compuesto de una sílaba acentuada y otra átona.

TROQUÍLIDO, DA adj. y m. *Zool.* Díc. de aves de la familia troquílidos. • m. pl. *Zool.* Familia de apodiformes conocidos globalmente como colibríes o pájaros mosca. Son propios de América tropical.

TRÓQUILO m. *Arq.* Mediacaña, moldura cóncava.

TROTACALLES com. fam. Persona muy callejera.

TROTACONVENTOS f. fam. Alcahueta, tercera, celestina.

TROTAMUNDOS com. Persona aficionada a viajar y recorrer países.

TROTAR intr. Ir el caballo al trote. • Cabalgar una persona en caballo que va al trote. • fig. y fam. Andar mucho o con celeridad una persona. ■ TROTADOR, RA.

TROTE m. Modo de caminar acelerado, natural a todas las caballerías, que consiste en mover a un tiempo pie y mano contrapuestos. • **Al trote,** o **a trote.** m. adv. fig. Aceleradamente, sin sosiego.

TROTIL m. Trinitrotolueno.

TROTÓN, NA adj. Aplícase a la caballería cuyo paso ordinario es el trote. • m. Raza de caballo obtenida del cruce de distintas variedades veloces, y especializada en el arrastre de carruajes livianos.

TROTSKI, *Lev Davídovich* Seud. de *L. D. Bronstein* (1897-1940) Político sov. Intervino en la revolución de 1905. Miembro del comité central y del politburó, impulsó la revolución de octubre de 1917. Ocupó dos comisariados y organizó el ejército rojo. A la muerte de Lenin atacó la progresiva burocratización del partido. Tuvo que desterrarse en 1929. Impulsó la fundación de la IV Internacional. Murió asesinado en México. *Balance y perspectiva, Mi vida, La revolución permanente, Historia de la revolución rusa, La revolución traicionada, La Internacional comunista después de Lenin.*

TROTSKISMO m. *Pol.* Teoría social y movimiento político fundamentado en el pensamiento de L. D. Trotski. ■ TROTSKISTA.

Capuchina de cinco hojas, planta de la familia **tropeoláceas**

Tropismo.
El fototropismo positivo orienta el tallo y las hojas hacia la fuente de luz

Lev **Trotski,** en un mural de Diego Rivera

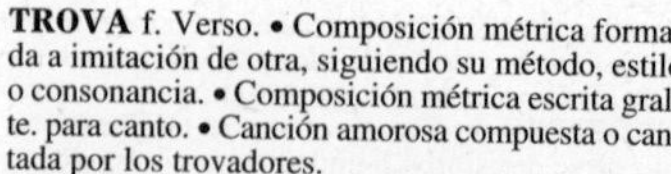

TROVA f. Verso. • Composición métrica formada a imitación de otra, siguiendo su método, estilo o consonancia. • Composición métrica escrita gralte. para canto. • Canción amorosa compuesta o cantada por los trovadores.

TROVO m. Composición métrica popular, gralte. de asunto amoroso.

TROVADOR, RA adj. y s. Que trova. • m. Nombre dado en la E. Med. al poeta, gralte. lírico, que más que ejecutar componía los poemas. Provenza se considera su cuna. Por lo general los t. tenían un origen social más elevado que el de los juglares. ■ TROVADORESCO, CA.

Trovadores. Miniatura del *Cancionero de los nobles* (s. XIII). Biblioteca de Ajuda, Lisboa

TROVAR intr. Hacer versos. • Componer trovas. • tr. Imitar una composición métrica, aplicándola a otro asunto. • fig. Dar a una cosa diverso sentido del que lleva la intención con que se ha dicho o hecho.

TROYA Ant. c. egea, sit. en Hissarlik (Turquía). Fue cap. de la Tróade. Descubierta por Schliemann en 1870. Los restos arqueológicos de la c. constan de nueve estratos correspondientes a distintos periodos. Destacan el llamado «Tesoro de Príamo» y una fortaleza del último período micénico. • ***Guerra de T.*** La que enfrentó a Troya con una coalición helénica; tras un largo asedio, la c. fue tomada y destruida. El conflicto se convirtió en tema épico y legendario. La guerra estalló al raptar Paris, hijo del rey Príamo de Troya, a Helena, esposa de Menelao, rey de Esparta. Éstos sitiaron Troya durante diez años, y se apoderaron de la c. gracias a un caballo de madera, en cuyo interior se ocultaron y que se introdujo en Troya creyéndolo botín de guerra. Homero y Virgilio desarrollaron esta leyenda.

TROYANO, NA adj. y s. De Troya.

TROYAT, ***Henri*** Seud. de *Lev Tarassov* (nacido 1911) Novelista fr., de origen ruso. *La araña, Mientras la Tierra exista, La gloria de los vencidos, La luz de los justos, Los moscovitas.*

TROYES C. del NE de Francia, en Champaña, a orillas del Sena; 63 600 hab. Fábricas de medias y lencería. Catedral de los s. XIII-XIV.

Trucha

TROYES, ***Chrétien de*** (h. 1135-1190) Poeta fr. Autor de obras del llamado ciclo bretón, basado en las leyendas del rey Arturo. *Lanzarote o el caballero de la carreta, Perceval o el cuento del Graal.*

TROZA f. Tronco aserrado por los extremos para sacar tablas. • *Mar.* Combinación de dos pedazos de cabo grueso y forrado de cuero, con que se asegura la cruz de la verga mayor al cuello de su palo.

TROZAR tr. Romper, hacer pedazos. • Dividir en trozas el tronco de un árbol.

TROZO m. Pedazo de una cosa que se considera aparte del resto. • *Mar.* Cada uno de los distritos marítimos.

TRUCA f. Cámara cinematográfica usada para la realización de trucajes.

TRUCAJE m. *Cin.* Ilusión óptica a fin de ofrecer al espectador una imagen distinta de la que realmente se ha rodado. Este efecto se consigue mediante el empleo de maquetas, ralentí, acelerado, sobreimpresiones, máscaras y otros procedimientos técnicos.

TRUCAR intr. Hacer el primer envite en el juego del truque. • Hacer trucos en el juego de este nombre y en el del billar.

Trufa

TRUCHA f. *Zool.* Pez clupeiforme de la familia salmónidos, de carne muy apreciada, que abunda en los arroyos de montaña. • Cabria. • *Amér.* Puesto o tenderete de mercería. • com. fig. y fam. Persona astuta. • *R. de la Plata.* Rostro muy feo. • **Ser** uno **una t.** *Col* . y *Méx.* Ser muy listo y hábil. • **Tener t.** *R. de la Plata.* Ser un caradura. ■ TRUCHERO, RA.

TRUCHIMÁN, NA m. y f. fam. Trujamán. • adj. y s. fig. y fam. Díc. de la persona astuta, poco escrupulosa en su proceder.

TRUCHELA f. Bacalao curado más delgado que el común.

TRUCO m. Cada una de las mañas o habilidades que se adquieren en el ejercicio de un arte, oficio o profesión. • Ardid, trampa, procedimiento engañoso para conseguir algo. • Suerte del juego de billar llamado de los trucos, que consiste en echar con la bola propia la del contrario por alguna de las troneras o por encima de la barandilla. • Medio o habilidad con que se logran efectos sorprendentes, como los utilizados en el cine, circo, etc. • Cencerro grande. • *Chile.* Puñada, trompada. • *Argent.* Truque, juego de naipes. • pl. Juego de destreza y habilidad, que se ejecuta en una mesa dispuesta a este fin con tablillas, troneras, barras y bolillo. De ordinario juegan dos personas, cada una con su taco de madera y bola de marfil.

TRUCULENTO, TA adj. Cruel, atroz. ■ TRUCULENCIA.

TRUDEAU, ***Pierre Elliot*** (1919-2000) Político liberal canadiense. Primer ministro en varios mandatos (1968-1979, 1980-1984), se enfrentó al movimiento francófono de Quebec.

TRUEBA, ***Antonio de*** (1819-1889) Escritor esp. En sus obras *Libro de los cantares* y *Libro de las montañas* canta las virtudes del hogar, del patriotismo y de la fe cristiana.

TRUECO m. Trueque. • **A t. de.** m. adv. Con tal que.

TRUENO m. Sonido producido por un relámpago. • Estampido que causa el tiro de un arma de fuego. • fig. y fam. Joven atolondrado y alborotador.

TRUEQUE m. Acción y efecto de trocar o trocarse. • Primitivo sistema comercial, anterior al uso de la moneda, basado en el intercambio de mercancías. • pl. *Amér.* Cambio que se percibe de una compra.

TRUETA, ***José*** (1897-1977) Cirujano esp. Ideó diversas técnicas para el tratamiento de heridas. Profesor de la universidad de Oxford.

TRUFA f. *Bot.* Nombre común de ciertos hongos ascomicetes de las familias tuberáceas e himenogastráceas, caracterizados por sus cuerpos fructíferos subterráneos y redondeados, gralte. comestibles. • fig. Mentira, fábula, cuento, patraña.

TRUFAR tr. Rellenar de trufas las aves y otros manjares, o ingerirlas en ellos. • intr. Inventar trufas o mentiras. • Mentir, engañar.

TRUFFAUT, ***François*** (1932-1984) Director de cine fr., figura destacada de la «nouvelle vague». *Los 400 golpes, Jules et Jim, La piel suave, Besos robados, Domicilio conyugal, El pequeño salvaje, La noche americana, Adèle H, El último metro, Vivamente el domingo.*

TRUHÁN, NA adj. y s. Díc. de la persona que vive engañando o estafando. • Díc. de quien con bromas, gestos, cuentos o patrañas procura divertir y hacer reír. ■ TRUHANESCO, CA.

TRUHANADA f. Acción propia del truhán. • Conjunto de truhanes.

TRUHANEAR intr. Engañar. • Decir chanzas y burlas propias de un truhán.

TRUJA f. Algorín.

TRUJAL m. Prensa donde se estrujan las uvas o se exprime la aceituna. • Molino de aceite. • Tinaja en que se conserva y prepara la barrilla para fabricar el jabón.

TRUJAMÁN, NA m. y f. Intérprete, persona que dice a otras en una lengua que entienda, lo dicho en lengua que les sea desconocida. • m. El que por su experiencia aconsejaba a otros en los negocios o actuaba como mediador en los contratos de compraventas. ■ TRUJAMANÍA.

TRUJAMANEAR intr. Hacer oficio de trujamán. • Trocar unos géneros por otros.

TRUJILLO Est. del O de Venezuela; 7 400 km^2, 578 502 hab. Cap., la c. hom. C. pral.:Valera. La mayor parte del terr. está accidentada por la cord. de Mérida, que aquí recibe el nombre de cord. Trujillo (alt. máx., Teta de Niquitao, 3 977 m). Al O se encuentran los Llanos del Cenizo y del Monay. Está atravesado de S a N por el r. Motatán, que con su afl. el Carache desemboca en el lago Maracaibo. El Boconó y otros vierten al Orinoco. Clima subtropical. Café, cacao, arroz, algodón, bananas, maíz, yuca, hortalizas, caña de azúcar, sisal, plátanos, piña. Ganado vacuno, de cerda y equino. Avicultura. Petróleo, mica. • C. de Venezuela, cap. del est. hom.; 31 800 hab. Sit. junto al r. Castán. Centro comercial agrícola. • C. de Perú, cap. del dpto. de La Libertad; 537 458 hab. Mercado agrícola. Ind. química y de curtidos. Ruinas incaicas (Chanchán) en sus proximidades. Bolívar proclamó en ella la «guerra a muerte» contra los realistas (1813).

TRUJILLO C. de Honduras, cap. del dpto. de Colón; 5 783 hab. Sit. junto al Caribe. Centro comercial. • **Alto.** Mun. de Puerto Rico, en el distr. de Bayamón; 61 521 hab. Centro agropecuario e industrial.

TRUJILLO, ***Héctor Bienvenido*** (nacido 1908) General y político dom. Presid. de la rep. (1952-

1960). Tras un fallido intento de recuperar el poder a la muerte de su hermano Rafael (1961), tuvo que exiliarse. • ***Julián*** (1828-1883) Militar y político col. Presid. de la rep. (1878-1880). • ***Rafael Leónidas*** (1891-1961) Militar y político dom. Apoyado por EE UU, derrocó al presid. Vázquez (1930). Se hizo elegir presid. e instauró una dictadura, que mantuvo ya personalmente, ya por intermedio de colaboradores (entre ellos su hermano Héctor B.). Murió en un atentado.

TRULLA f. Bulla y ruido de gente. • Turba, multitud de gente. • Llana, herramienta de albañil.

TRULLO m. *Zool.* Ave palmípeda del tamaño de un pato, de cabeza negra y cuerpo de varios colores. • Lagar con depósito inferior donde cae el mosto. • fam. Calabozo.

Camelleros **tuareg**

TRUMAN, *Harry Spencer* (1884-1972) Político norteam., sucesor de Roosevelt (1945) y reelegido para el período 1948-1952. Decidió lanzar la bomba atómica sobre Japón. Fue uno de los artífices de la guerra fría. Impulsó el plan Marshall, la creación de la OTAN y la intervención en Corea.

TRUMAO m. *Chile.* Tierra arenisca muy fina que procede de la disgregación de rocas volcánica.

TRUMBO, *Dalton* (1905-1976) Guionista y director cinematográfico norteam. Exiliado en México durante tres años tras su condena por el Comité de Actividades Antiamericanas. Guiones: *Espartaco, Éxodo, El hombre de Kiev.* Dirigió *Johnny cogió su fusil.*

TRUN m. *Chile.* Fruto espinoso de algunas plantas, que se adhiere al pelo o a la lana.

TRUNCAR tr. Cortar una parte a alguna cosa. • Cortar la cabeza al cuerpo del hombre o de un animal. • *Comp.* En operaciones matemáticas realizadas en computadoras, despreciar las cifras menos significativas. • fig. Dejar incompleto el sentido de lo que se escribe o lee, por omisión de algunas palabras necesarias para completarlo. • fig. Interrumpir una obra, dejándola incompleta. ■ TRUNCAMIENTO; TRUNCO, CA.

TRUPIAL m. *Amér. Merid.* Pájaro muy parecido a la oropéndola, perjudicial para la agricultura. Se domestica fácilmente y aprende a hablar.

TRUST (voz ing.) m. *Econ.* Acuerdo entre varias empresas para ejercer un monopolio en el mercado. Puede referirse al precio de venta o a la organización de la producción y de la venta. Contra él se han dictado leyes parar salvar la libre concurrencia.

TRUTRO m. *Chile.* Muslo de la aves guisadas.

TSEDENBAL, *Yumjaagiyn* (nacido 1916) Político de Mongolia. Dirigente del Partido Revolucionario del Pueblo Mongol desde 1940 y jefe del Est. de 1974 a 1984, año en que dimitió de sus cargos.

TSE-HI o **TZU-HSI** (1834-1908) Emperatriz de China (1881-1908). Desempeñó la regencia de su hijo, muerto en 1875. Nombró emp. a su sobrino Kuang-siu, al que luego hizo encarcelar (1898), arbitrando ella misma la política del país.

TSE-TSÉ f. *Zool.* Mosca cuyas picaduras inoculan el tripanosoma de la enfermedad del sueño.

TSHOMBÉ, *Moïse Kapenda* (1919-1969) Político congoleño. Líder del mov. secesionista de Katanga. Unificado el país, T. fue primer ministro (1964), cargo del que fue destituido por Mobutu en 1965. Murió en Argelia, donde permanecía prisionero desde 1967, tras ser secuestrado el avión en que viajaba.

TSINAN *(Jinan)* C. de China, cap. de la prov. de Shantung; 1 320 000 hab. Ind. textil.

TSING Dinastía de origen manchú que gobernó China entre 1644 y 1912. Sus emp. más imp. fueron Kang-hi (1669-17 22) y Kien-long (1736-1796).

TSINGHAI Prov. del NO de China; 721 500 km², 4 456 946 hab. Cap., Sining. Accidentada por los montes Kuen Lun. Ríos Yang Tse-kiang, Hoang-ho y Mekong. Ganadería ovina. Minería.

TSINGTAO *(Quingdao)* C. y puerto de China, en la prov. de Shantung, en la bahía de Kiao-Scheu; 1 180 000 hab. Ind. textil y mecánica.

TSIRANANA, *Philibert* (1912-1978) Político malgache. Tras la indep. (1960) fue presid. de la rep. En 1972 fue sustituido por el general Ramanantsoa.

TSITSIHAR *(Qiqihar)* C. del NE de China, en la prov. de Heilungkiang; 1 232 000 hab. Ind. químicas y alimentarias.

TSU C. de japón, cap. de la prefectura de Mie; 157 200 hab.

TSUNAMI (voz jap.) m. Ola gigantesca provocada por un maremoto.

TSUSHIMA Arch. jap., sit. entre Corea y Japón, formado por las islas de Kamiagata y Shimoagata; 698 km², unos 62 000 hab.

TÚ Nominativo y vocativo del pron. personal de segunda persona en gén. m. y f. y núm. singular. • **Hablar,** o **tratar, de tú** a uno. Tutearle.

TU, TUS pron. posesivo. Apócope de *tuyo, tuya, tuyos, tuyas.* Se usa siempre antepuesto al nombre.

TUAMOTÚ Arch. de atolones en la Polinesia fr.; 915 km², 11 800 hab. Cap., Rotoava. Descubierto por los esp. en 1600, fue colocado bajo protectorado fr. en 1842.

TUAREG adj. y s. Díc. de individuos de un pueblo nómada del Sáhara, formado por mestizos de beréberes y negros. • adj. Relativo a dicho pueblo.

TUATÚA f. *Amér.* Árbol de la familia euforbiáceas, de hojas moradas, parecidas a las de la vid, y fruto del tamaño de la aceituna. Las hojas y las semillas se usan como purgantes.

TUBA f. Instrumento de viento, el más grave de los del grupo del metal de la orquesta sinfónica. • Licor filipino que por destilación se obtiene de la nipa, el coco o el buri y también de otras palmeras.

TUBERÁCEO, A adj. y f. *Bot.* Díc. de hongos de la familia tuberáceas. • f. pl. *Bot.* Familia de ascomicetes subterráneos, con cuerpos fructíferos a veces muy apreciados en gastronomía, como las trufas.

TUBERCULINA f. *Biol.* Sustancia proteínica obtenida del cultivo del bacilo de Koch, utilizada como test para el diagnóstico de la infección tuberculosa.

TUBÉRCULO m. *Bot.* Tallo subterráneo corto y engrosado, cargado de sustancias de reserva, gralte. feculentas. Tiene muchos nudos con yemas (ojos) y entrenudos cortos, y epidermis suberizada. • *Pat.* Lesión elemental macroscópica de la tuberculosis, constituida por una masa de aspecto caseoso, blanquecina, de tamaño variable. • *Zool.* Protuberancia que presenta el dermatoesqueleto o la superficie de varios animales.

TUBERCULOSIS f. *Pat.* Enfermedad infecciosa contagiosa producida por el bacilo de Koch, el cual se localiza en los tejidos (especialmente pulmones) formando nódulos (tubérculos) que pueden evolucionar hacia la formación de cavidades o cavernas en el tejido afectado.

TUBERCULOSO, SA adj. Relativo al tubérculo. • De forma de tubérculo. • adj. y s. Que tiene tubérculos. • Que padece tuberculosis.

TUBERÍA f. Conducto formado de tubos por donde se lleva agua, gases combustibles, etc. • Conjunto de tubos. • Fábrica, taller o comercio de tubos.

TUBEROSIDAD f. Tumor, hinchazón, tubérculo.

TUBEROSO, SA adj. Que tiene tuberosidades. • f. Nardo, planta.

TUBIFLORA adj. y f. *Bot.* Díc. de plantas del orden tubifloras. • f. pl. *Bot.* Orden de plantas angiospermas que comprende especies pentámeras, radiadas, dicarpelares, con ovario rodeado de un nectarioy corolas en forma de tubo.

TUBMAN, *William Vacanarat Shadrach* (1895-1971) Político liberiano. Presid. de la rep. (1943-1971), gobernó dictatorialmente y apoyó los intereses de EE UU.

TUBO m. Pieza hueca, de forma por lo común cilíndrica y gralte. abierta por ambos extremos. •

Harry S. **Truman**

En la montaña (detalle), por Wang Hui, obra del periodo de la dinastía **Tsing.** Museo de Arte Oriental, Colonia (Alemania)

Inflorescencia de oreja de león, arbusto del orden **tubifloras**

Tucán

Elemento destinado al transporte de fluidos; tiene forma de cilindro hueco muy alargado. • Recipiente de forma cilíndrica destinado a contener sustancias blandas, como pinturas, pomadas, etc. Suele ser de paredes flexibles, cerrado por un extremo y abierto por el otro con tapón de rosca. • Tubo rígido, gralte. de cristal, cerrado por un extremo y abierto por el otro y destinado a contener pastillas uotras cosas menudas. • Cualquier tipo de válvula electrónica. • **Bergmann.** El de material aislante, recubierto de hierro emplomado, que protege los cables eléctricos y se instala en el interior de los edificios. • **de ensayo.** El de cristal, cerrado por uno de sus extremos, usado para los análisis químicos. • **de imagen.** Iconoscopio. • **de Pitot.** Instrumento para medir la velocidad de un gas en un tubo. Tiene los extremos abiertos, y se conecta con el tubo en el que circula el gas cuya velocidad se desea medir. • **de Seiger.** El metálico que lleva gas a una presión baja y sirve para contar las partículas emitidas por los cuerpos radiactivos. • **de vacío.** Válvula que en su interior contiene únicamente aire enrarecido. • **digestivo.** Conducto formado por varias vísceras huecas y sus anexos, que se extiende desde la boca hasta el ano. • **fluorescente.** El que en su interior contiene vapor de mercurio a baja presión y está revestido de sustancias fluorescentes. • **polínico.** *Bot.* Formación tubular que se origina de los granos de polen cuando se ponen en contacto con el estigma del gineceo de las flores femeninas o hermafroditas. ■ TUBULAR O TUBULOSO, SA; TUBULIFORME.

TUBU, TEBU, TIBBU, TEDA o **GORANE** adj. y s. Díc. de individuos de un pueblo de origen mixto melanoafricano-beréber y lengua sahariana, que habita en el N de Chad y el S de Libia. Desde 1965 se hallan en rebeldía frente al gobierno de Chad. • Relativo a dicho pueblo.

TUCÁN m. Ave de la familia ranfástidos, caracterizada por su enorme pico de vivos colores. Vive en las regiones tropicales de América.

TUCÁN *Astr.* Constelación cuya denominación latina es *Tucana*. Sit. entre *Grus* y la Pequeña Nube de Magallanes.

TUCANO, NA adj. y s. Díc. de los pueblos amerindios de la familia lingüística ho m. que viven en el NO de la cuenca amazónica, entre los r. Putumayo y Napo. • Familia lingüística que agrupa a estos pueblos.

TUCÍDIDES (h. 460-h. 400 a. C.) Historiador gr., autor de la *Historia de la guerra del Peloponeso*, en la que investigó los factores determinantes del conflicto.

TUCINTE m. *Hond.* Teocinte, planta.

TUCO, CA adj. *Bol.*, *Ecuad.* y *P. Rico.* Manco. • m. *Argent.* Insecto parecido al cocuyo, pero con una fuente de luz en el abdomen. • *Argent.* y *Ur.* Salsa de tomate frito con cebolla, orégano, perejil, ají, etc., con la que se acompaña o condimenta las pastas alimenticias que no se utilizan en sopas. • *Perú.* Especie de búho. • *Amér. Centr.* y *Ecuad*. Trozo, tocón, muñón.

Declaración de la Independencia en el Congreso de **Tucumán,** en un óleo de Francisco Fortuny

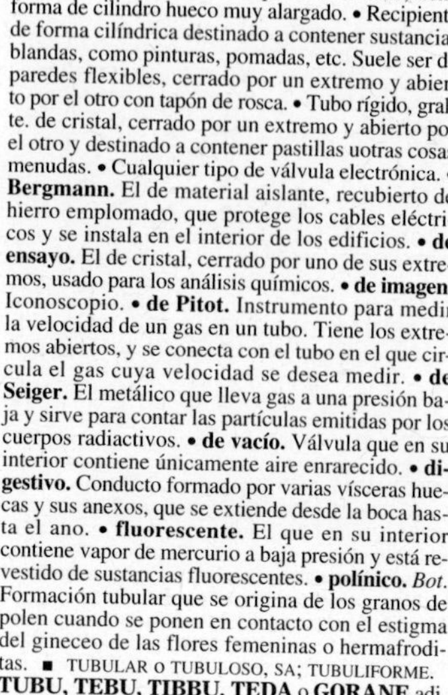

Relieve polícromo representando a dos guerreros procedente de **Tula de Allende.** Museo Nacional de Arqueología, México

TUCOROR adj. y s. Díc. de los individuos de un pueblo de origen mixto sudanés y mauritano. Viven en el valle medio del Senegal. Hablan fulbé. En el s. IX sometieron al reino de Tekur, y en el s. XVI dominaron el Futa Toro. • adj. Relativo a dicho pueblo.

TUCO-TUCO o **TUCUTUCO** m. *Amér. Merid.* Nombre onomatopéyico que designa a unos roedores de la familia ctenómidos, abundantes en las Pampas arg., que excavan galerías bajo el suelo.

TUCSON C. de EE UU, en el est. de Arizona; 330 500 hab. Centro agrícola y minero.

TUCUMÁN Prov. del NO de Argentina; 22 524 km^2, 1 142 247 hab. Cap., San Miguel de T. Presenta dos sectores diferenciados: uno montañoso al O, con los Nevados del Aconquija (Cerro del Bolsón, 5 550 m; Dos Lagunas, 5 450 m) y las cumbres Calchaquíes; y otro de superficies llanas al E. Río Salí y sus afl. Clima templado cálido. Caña de azúcar, maíz, avena, arroz, tabaco, lino, girasol, hortalizas. Ganadería bovina, ovina, porcina y equina. Ind. alimentaria y mecánica. El nombre de la prov. deriva de Tucma, cacique que dominaba la región cuando llegaron los esp. (1543). Fue convertida en gobernación (1563) bajo la Audiencia de Charcas. Vinculada comercialmente al Alto Perú durante el período colonial, después de las victorias de Belgrano en T. (1812) y Salta (1813), la región se integró en las Provincias Unidas del Río de la Plata. Participó en las luchas federalistas contra Buenos Aires. • **Congreso de T**. Asamblea de representantes de una parte de las Provincias Unidas del Río de la Plata, reunida en San Miguel de Tucumán en marzo de 1816. El congreso eligió director supremo a Juan Martín de Pueyrredón. Trasladado a Buenos Aires (1817), el congreso promulgó una constitución centralista, lo que determinó la rebelión federal de 1820.

TUCUMANO, NA adj. y s. De la prov. de Tucumán o de su cap., San Miguel de Tucumán.

TUCUPITA C. de Venezuela, cap. del estado Delta Amacuro; 27 300 hab. Centro agropecuario. Refinerías de petróleo.

TUCUQUERE m. Chile. Búho de gran tamaño.

TUCURA f. *Argent.* y *Par.* Langosta, insecto ortóptero sedentario que causa grandes estragos en los pastos y cultivos.

TUCURPILLA f. *Ecuad.* Especie de tórtola pequeña.

TUCUSO m. *Ven.* Chupaflor, especie de colibrí.

TUDELA de la Orden, *José* (1890-1973) Historiador esp., especialista en etnografía e historia amer. *El arte popular de América y Filipinas, Códice del Museo de América.*

TUDESCO, CA adj. y s. De cierto país de Alemania en la Sajonia inferior. • adj. y s. P. ext., alemán. • m. Capote alemán.

TUDOR Familia originaria del País de Gales, que reinó en Inglaterra de 1485 a 1603. Durante la guerra de las Dos Rosas fue partidaria de los Lancaster. Edmund T. casó con Margarita de Lancaster y su hijo, el futuro Enrique VII, puso fin a la guerra. Después de él gobernaron Enrique VIII, EduardoVI, María T. e Isabel II. • **Estilo T**. *Arte.* Díc. de una variante del gótico que se desarrolló en Inglaterra como prolongación del gótico flamígero, bajo la dinastía T. También llamado estilo isabelino.

TUECO m. o **TUECA** f. Tocón de un árbol. • Oquedad producida por la carcoma en las maderas.

TUERCA f. Pieza con un agujero fileteado en espiral que puede ajustarse exactamente a la rosca de un espárrago o de un tornillo. Puede ser hexagonal, cuadrada, de corona, ciega o de tapa, etc.

TUERCE m. Torcedura, acción y efecto de torcer o torcerse.

TUERO m. Trashoguero, leño grueso. • Pedazo cortado y limpio de una rama.

TUERO Cubillas, *Emilio* (1912-1971) Actor mex. de origen esp. *La india bonita, El ángel negro, Quinto patio.*

TUERTO, TA adj. y s. Falto de la vista en un ojo. • m. Agravio que se hace a uno. • pl. Entuertos, dolores después del parto.

TUESTE m. Acción y efecto de tostar.

TUÉTANO m. Sustancia blanca que se halla dentro de los huesos. • Parte interior de una raíz o tallo de una planta.

TUFARADA f. Olor vivo o fuerte que se percibe de pronto.

TUFO m. Cada una de las dos porciones de pelo, por lo común peinado o rizado, que caen por delante de las orejas. • Toba, piedra caliza muy porosa. • Emanación gaseosa que se desprende de las fermentaciones y de las combustiones imperfectas. • fam. Olor molesto que despide una persona o cosa. • fig. y fam. Soberbia, vanidad, orgullo. Se usa en pl. • fig. Sospecha de algo escondido o por suceder.

TUFOSO, SA adj. *Nic.* y *Salv.* Soberbio, vanidoso.

TU-FU, conocido también como *Tsen-Mei* (712-770) Poeta chino. Escribió treinta y tres libros de versos, que reunió con el título de *Tu shih Ching Chuan.*

TUGURIO m. Choza de pastores. • fig. Vivienda pequeña y mezquina.

TUICIÓN f. *Der.* Acción y efecto de guardar o defender.

TUJACHEVSKI, ***Mijaíl Nikoláievich*** (1893-1937) Militar sov. En 1917 se incorporó al ejército rojo. Reprimió las insurrecciones de los marineros de Kronstadt y de los campesinos del Volga. Fue vicecomisario de Defensa (1931). Acusado de traición (1936), fue condenado y ejecutado durante los procesos de Moscú.

TUKULTININURTA I (h. 1250-h. 1207 a. C.) Rey asirio. Arrasó Babilonia (1235 a. C.). Asesinado por su hijo Ashunasirapli, a su muerte el reino entró en descomposición. • **II** (h. 891-h. 884 a. C.) Rey asirio, hijo de Adadnirari II. Rodeó Asiria de fronteras seguras y tributarios para sanear la economía. Engrandeció la cap., Ashur.

TUL m. Tejido de seda, algodón o hilo, que forma malla, gralte. en octágonos.

TULA C. de la república de Rusia. Cap. de la prov. hom., a orillas del r. Upa; 532 000 hab. Ind. siderometalúrgica.

TULA DE ALLENDE Mun. de México, en el est. de Hidalgo; 71 622 hab. En sus proximidades se hallan las ruinasde la ant. *Tollán*, foco de la cultura tolteca.

* *Hist.* Fundada a final del s. X, Tollán llegó a unificar parte del N de México. Fue abandonada a mitad del s. XII y post. destruida. El edificio más imp. es la llamada pirámide B. Influyó en zonas muy alejadas, llegando sus cultos hasta el Yucatán maya.

TULANCINGO Mun. de México, en el est. de Hidalgo; 91 831 hab. Ind. varias. Importante centro comercial de productos agropecuarios.

TULAREMIA f. Enfermedad infecciosa de los roedores que puede ser transmitida al hombre.

TULCÁN C. fronteriza del N de Ecuador, cap. de la prov. de Carchi, sit. a 3 000 m de alt.; 37 069 hab. Comercio y Turismo.

TULE m. *Méx.* Junco o espadaña.

TULIO m. *Quím.* Lantánido de símb. Tm, n. a. 69 y p. a. 168,934. Es bastante denso.

TULIPA f. Tulipán pequeño. • Pantalla de vidrio a modo de fanal, con forma algo parecida a la de un tulipán.

TULIPÁN m. Planta herbácea vivaz, liliácea, con raíz bulbosa y flor única en lo alto del escapo, grande, globosa, de seis pétalos de hermosos colores. • Flor de esta planta.

TULÍPERO m. Planta arbórea dicotiledónea de la familia magnoliáceas, reliquia de la era terciaria.

TULLECER tr. Tullir, dejar a uno tullido. • intr. Quedarse tullido.

TULLERÍAS Ant. Palacio parisiense del s. XVI. Durante la Revolución Francesa fue sede de la Convención y del Consejo de los Ancianos, y post. residencia de los reyes hasta 1870. Destruido por un incendio en 1871.

TULLIDO, DA adj. y s. Que ha perdido el movimiento del cuerpo o de alguno de sus miembros.

TULLIDURA f. Excremento de las aves de rapiña. Se usa más en pl.

TULLIR intr. Arrojar el excremento las aves de rapiña. • tr. Hacer que uno quede tullido. • prnl. Perder uno el uso y movimiento de su cuerpo o de un miembro de él. ■ TULLIDEZ; TULLIMIENTO.

TULO Hostilio (s. VII a. C.) Tercer rey de Roma (h. 673-h. 642 a. C.). Al parecer, destruyó Alba Longa y fundó Curia Hostilia.

TULSA C. de EE UU, en el est. de Oklahoma, a orillas del r. Arkansas; 360 900 hab. Refinerías de petróleo. Ind. química y textil.

TULUÁ C. de Colombia, en el dpto. de Valle del Cauca; 141 490 hab. Mercado agrícola.

TULUM Estación arqueológica maya sit. en la costa E de la pen. del Yucatán, frente a la isla de Cozumel. Fundada h. el año 599, la vida de la c. se prolongó hasta la llegada de los esp. Destacan las pinturas murales de los templos, de clara i nfluencia tolteca.

TUMA R. de Nicaragua, afl. del Grande Matagalpa; 193 km. Vía de navegación. Producción de energía eléctrica (embalse de Mancotal).

TUMACO C. del S de Colombia, en el dpto. de Nariño 87 448 hab. Centro agrícola.

TUMBA f. Sepulcro. • Armazón en forma de ataúd, que se coloca sobre el túmulo o en el suelo, para la celebración de las honras de un difunto. • Cubierta arqueada de ciertos coches. • Tumbo, vaivén violento. • Voltereta en el aire. • *Amér.* Desmonte, tala. • *Chile* y *R. de la Plata.* Guiso de carne que suele comerse en los cuarteles y en las cárceles. ■ TUMBADO, DA.

TUMBAGA f. *Metal.* Aleación de oro y cobre, muy quebradiza, que se utiliza en joyería. • Sortija hecha de esta liga. • Anillo, sortija.

TUMBAGÓN m. Brazalete de tumbaga.

TUMBAOLLAS com. fam. Persona comedora y glotona.

TUMBAR tr. Hacer caer o derribar a una persona o cosa. • fig. y fam. Turbar o quitar a uno el sentido una cosa fuerte, como el vino o un olor. • intr. Caer, rodar por tierra. • prnl. fam. Echarse, especialmente a dormir. • fig. Aflojar en un trabajo desistir de él.

Tulipanes

El asalto al palacio de las **Tullerías,** según un grabado de la época

TUMBES Dpto. del Perú, el más pequeño de los del país; 4 669,36 km², 173 600 hab. Cap., la c. hom. Sit. al N del país, se encuentra accidentado por las estribaciones occidentales andinas. Los ríos prales. son el Tumbes y el Zarumilla, que marca la frontera con Ecuador. Clima cálido y seco, suavizado por la corriente del Niño. La pral. riqueza agrícola es el maíz; cultivos de algodón, caña de azúcar, plátanos y tabaco. Ganadería caprina. Yacimientos petrolíferos en toda la zona costera y refinerías de petróleo en Zorritos. • C. de Perú, cap. del dpto. hom.; 72 616 hab. Sit a orillas del r. Tumbes. Centro comercial y agrícola. Turismo. Carretera panamericana. Aeropuerto. Fue descubierta por Pizarro en 1527.

TUMBO m. Vaivén violento. • Caída violenta, voltereta. • Ondulación de la ola del mar. • Ondulación del terreno. • Retumbo, estruendo. • Libro grande de pergamino, donde las iglesias, monasterios, concejos, etc., tenían copiados los privilegios y demás escrituras de sus pertenencias.

TUMBÓN, NA adj. fam. Disimulado, socarrón. adj. y s. fam. Perezoso, holgazán. • m. Coche con cubierta de tumba. Cofre con tapa de esta forma. • f. Silla con largo respaldo y con tijera que permite inclinarlo en ángulos muy abiertos.

TUMEFACCIÓN o **TUMESCENCIA** f. Hinchazón de una parte del cuerpo. ■ TUMEFACTO, TA.

TUMESCENTE adj. Tumefacto.

TÚMIDO, DA adj. fig. Ampuloso, hinchado, afectado. • *Arq.* Díc. del arco o bóveda que es más ancho hacia la mitad de la alt. que en los arranques.

TUMOR m. *Pat.* Afección morbosa que resulta del crecimiento desordenado y excesivo de una parte de las células de un órgano. ■ TUMOROSO, SA.

Tumba fenicia en Tipasa, Argelia

Tunicia. Arriba, mapa de situación y bandera; abajo, puerto pesquero de la pequeña ciudad de Mahdia, en la costa oriental

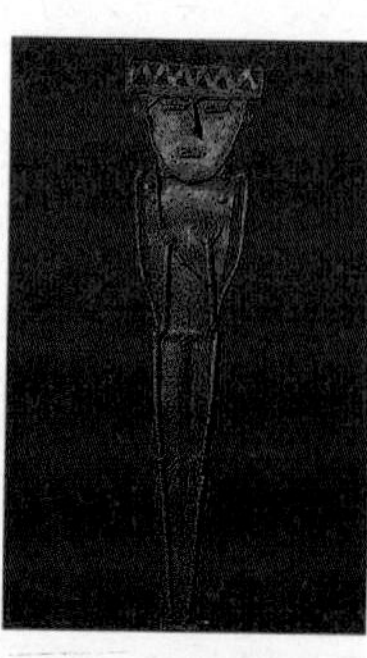

Tunja. Objeto de oro de la cultura muisca. Museo del Oro, Bogotá

TUMORACIÓN f. Inflamación producida por un tumor.

TÚMULO m. Sepulcro levantado de la tierra. • Montecillo artificial con que en algunos pueblos ant. era costumbre cubrir una sepultura. • Armazón de madera, revestido de paños fúnebres, erigido para la celebración de honras fúnebres. ■ TUMULARIO, RIA.

TUMULTO m. Motín, confusión, alboroto producido por una multitud. • Confusión agitada o desorden ruidoso.

TUMULTUAR tr. y prnl. Levantar un tumulto, motín o desorden. ■ TUMULTUARIO, RIA o TUMULTUOSO, SA.

TUN m. *Guat.* Tambor de madera hueca. • Ant. baile de los indios quichés.

TUNAL m. Nopal, planta cactácea. • Sitio donde abunda esta planta.

TUNANTA adj. y fam. Pícara, bribona, taimada.

TUNANTE adj. y s. Que tuna. • adj. Pícaro, bribón, taimado.

TUNANTEAR intr. Hacer vida de tunante.

TUNAR intr. Andar vagando en vida holgazana y libre.

TUNAS, *Las* Prov. del NE de Cuba; 6 854 km^2, 478 000 hab. Cap., la c. hom. (ant. Victoria de las Tunas). Accidentada por la cordillera de Maniabón y avenada por los ríos Las Cabreras, Naranjo, Yarigua. • C. de Cuba, cap. de la prov. hom. 86 800 hab. La actividad más imp. es la elaboración de azúcar.

TUNCO, CA adj. *Guat.* Mutilado de algún miembro. • m. *Hond.* y *Méx.* Puerco, animal.

TUNDA f. Acción y efecto de tundir los paños. • fam. Acción y efecto de tundir a uno a golpes.

TUNDEAR tr. Dar una tunda, azotar, vapulear.

TUNDENTE adj. Que tunde. • Contundente.

TUNDIDURA f. Tunda de los paños.

TUNDIR tr. Cortar o igualar con tijera el pelo de los paños. • fig. y fam. Dar palos y golpes. ■ TUNDICIÓN; TUNDIDORA.

TUNDIZNO m. Borra que queda de la tundidura de los paños.

TUNDRA f. *Geog.* Pradera casi esteparia de las regiones subpolares.

TUNEAR intr. Hacer vida de tuno o pícaro. • Proceder como tal.

TUNECINO, NA o **TUNECÍ** adj. y s. De Tunicia o de Túnez. • Díc. de cierta clase de punto que se hace con la aguja de gancho.

TÚNEL m. *Constr.* Obra subterránea continua cuyo trazado permite los más variados transportes (agua, medios de locomoción) superando los obstáculos naturales. • **aerodinámico**. *Aer.* Conducto de forma especial en el que se realizan ensayos aerodinámicos, mediante los cuales se estudian los efectos producidos por una corriente de aire que circula a una determinada velocidad. • **hidrodinámico.** *Ing.* Dispositivo consistente en un tanque de forma muy alargada y dotado de raíles en sus bordes, en el cual se realizan experiencias hidrodinámicas.

TUNERA f. *Bot.* Nopal.

TUNERÍA f. Calidad de tunante o pícaro.

TÚNEZ Estado del N de África. → Tunicia.

TÚNEZ *(Tunis)* C. y cap. de Tunicia, sit. al O de la laguna hom., que mediante un canal comunica con el Mediterráneo; 774 400 hab. Centro comercial, cultural e industrial del país. • **Campaña de T.** Batallas desarrolladas en la actual Tunicia durante la II Guerra Mundial (noviembre 1942-mayo 1943) y que culminaron con la expulsión de las tropas del Eje de África.

TUNGSTENO m. Volframio, metal.

TUNGURAHUA Prov. de Ecuador, sit. en el centro de la región andina; 3 334 km^2, 361 980 hab. Cap., Ambato. En ella se encuentra el volcán Tungurahua (5 016 m). El río pral. es el Pastaza, uno de los pocos que trasmonta la cord. Oriental de los Andes para extenderse en la Amazonia ecuat. Diversidad de climas. Centrales hidroeléctricas. Frutas, maíz, cebada, tubérculos. Ind. alimentaria, textil. Comercio, turismo.

TUNGÚS, SA adj. y s. Díc. de individuos de un grupo étnico-lingüístico siberiano formado por varios pueblos d el E de Siberia y del N de Mongolia Interior y de Manchuria. • m. *Ling.* Grupo de lenguas de la familia altaica hablada por estos pueblos.

TÚNICA f. Vestidura sin mangas, que usaban los antiguos. • Vestidura de lana que usan los religiosos. • Vestidura exterior amplia y larga. • *Anat.* Membrana sutil que cubre algunas partes del cuerpo. • *Bot.* Telilla o película que en algunas frutas o bulbos está pegada a la cáscara. • *Zool.* Membrana que cubre por completo el cuerpo de los tunicados. • **de Cristo**. Planta anual, parecida al estramonio. • **úvea.** *Anat.* La tercera del ojo.

TUNICADO, DA adj. *Bot.* y *Zool.* Envuelto por una túnica. • adj. y m. *Zool.* Díc. de animales procordados del subtipo tunicados. • m. pl. *Zool.* Subtipo de animales de cuerpo blando y aspecto gelatinoso, rodeado de una membrana o túnica, como la salpa.

TUNICELA f. Pequeña túnica que usaban los antiguos. • Vestidura episcopal, a modo de dalmática, con mangas cortas que se aseguran a los brazos por medio de cordones.

TUNICIA *(Al-Jumhuriya al-Tunusiya)* Estado del N de África, limítrofe con el Mediterráneo, Libia y Argelia. Accidentado al N por las estribaciones del Tell argelino (alt. máx., Jebel Chambi, 1 544 m). Avenado por el Medjerda y numerosos *uadis.* Clima mediterráneo. Trigo, cebada vid, aceitunas, frutales, horticultura. Ganadería ovina y caprina. Pesca. Fosfatos, hierro, plomo, cinc, sal, mercurio, petróleo, gas natural. Ind. textil, siderúrgica, metalúrgica, celulosa, refino de petróleo. República. Lenguas: árabe (of.), francés. *Rel.*: islamismo (96 %), catolicismo, judaísmo. U. M.: el dinar. Cap.: Túnez. C. prales.: Sfax, Susa, Bizerta.

TUNICIA

Superficie 163 610 km^2

Población 9 245 000 hab. (56 hab./km^2)

Recursos económicos	
Aceite	103 000 t
Aceitunas	475 000 t
Acero	183 000 t
Ácido sufúrico	4 161 000 t
Cabaña caprina	1 350 000 cabezas
Cabaña ovina	7 600 000 cabezas
Camellos	231 000 cabezas
Cebada	80 000 t
Energía eléctrica	6 473 millones de kwh
Esparto	40 000 t
Fosfatos	5 565 000 t
Gas natural	337 millones de m^3
Naranjas	101 000 t
Pesca	86 563 t
Petróleo	4 378 000 t
Riqueza forestal	3 498 000 m^3
Sal marina	528 000 t
Trigo	530 000 t
Vino	330 000 hl
Indicadores sociológicos	
PNB	16 369 millomes de dólares
Renta per cápita	1 820 dólares
Esperanza de vida	70 años
Alfabetismo	67 %

* *Hist.* A partir del s. XII a. C. los fenicios fundaron algunas colonias, entre ellas Cartago, que desde el s. VI a. C. controló toda la costa del país. Las guerras púnicas (ss. III-II a C.) destruyeron el imperio comercial cartaginés y dieron pie a la penetración de Roma en el terr. En el s. V Genserico organizó el reino vándalo de África con cap. en Túnez. Estuvo bajo poder bizantino entre 533 y 647, año en que se inició el dominio musulmán. Durante el s. XVI la lucha por el control del Mediterráneo entre España y el imperio otomano tuvo uno de sus centros en T. Finalmente fue ocupada por los otomanos en 1574. Su dominio duró hasta la intervención militar fr. de 1881, que impuso su protectorado. Durante la II Guerra Mundial fue uno de los centros de operaciones del ejército al. Finalizada la contienda volvió a ser protectorado fr. En 1956 obtuvo la indep.

Tunicia. La Koubba de Sidi El Mazeri (s. XII), en Monastir

y en 1957 se proclamó la rep., con Habib Burguiba como presid, quien, tras ser reelegido en varias ocasiones, en 1974 fue proclamado presid. vitalicio. En 1978, 1980 y 1984 tuvieron lugar graves disturbios sociales. En 1987 Burguiba fue declarado incapacitado, por motivos de salud, y fue sustituido por Zine al Abidine Ben Alí, quien impulsó una política de represión contra los islamistas y, a finales de los noventa, contra toda la oposición democrática.

TUNICINA f. Sustancia parecida a la celulosa, que recubre el cuerpo de los animales tunicados. Gralte. está impregnada de sustancias calcáreas.

TUNJA C. de Colombia, cap. del dpto. de Boyacá; 113 994 hab. Mercado agrícola. Ant. cap. de los muiscas.

TUNJO (voz chibcha) m. *Col.* Objeto de oro construido por los indígenas encontrado en las sepulturas precolombinas.

TUNO, NA adj. Tunante, pícaro. • m. y f. Componente de una tuna, estudiantina. • f. Vida holgazana, libre y vagabunda. • Estudiantina.

TUÑÓN DE LARA, ***Manuel*** (1915-1997) Historiador esp. *La España del siglo xx, España bajo la dictadura franquista.*

TUNTÚN m. *Col.* y *Ven.* Enfermedad que consiste en una infección por anquilostomas. • **Al t.,** o **al buen t.** De un modo irreflexivo, sin conocer bien un determinado asunto.

TUPA f. Acción y efecto de tupir. • fig. y fam. Hartazgo. • *Chile.* Planta lobeliácea, con flores grandes de color de grana.

TÚPAC Amaru (?-1572) Último soberano inca [1571-1572] del reducto incaico de Vilcabamba. Inspiró diversas insurrecciones contra la dominación esp., por cuya razón el virrey Toledo ordenó al capitán Loyola apresarlo y ejecutarlo. Su muerte significó el fin de la resistencia de los descendientes reales de los incas. • **Amaru *Diego Cristóbal*** (m. 1783) Insurrecto per. que prosiguió la rebelión contra los esp. iniciada por su hermano José Gabriel. • **Amaru *José Gabriel*** (1740-1781) Caudillo per., cuyo verdadero nombre era *José Gabriel Condorcanquí*, descendiente del inca Túpac Amaru. En 1780 encabezó una insurrección que ajustició al corregidor de Tinta, en la plaza de Tungasuca. Creó una junta de gobierno y derrotó a los esp. en Sangarará (1780). Sus deseos de negociar facilitaron la recuperación de los colonialistas; fue hecho prisionero y descuartizado. • **Huallpa** (m. 1533) Hermano de Huáscar y Atahualpa. Rey inca por nombramiento de Pizarro [1533], murió al poco tiempo, probablemente envenenado. • **Inca Yupanqui** (m. 1493) Rey inca [1471-1493]. Hijo de Pachacutec. Incorporó al imperio el Altiplano bol., el NO de Argentina y el N de Chile hasta el r. Maule. Repartió tierras e impuso la administración de justicia en todo el Tahuantisuyo.

TUPAMAROS (der. de Túpac Amaru) Nombre con que es conocido el Movimiento de Liberación Nacional (MLN) de Uruguay, organización revolucionaria fundada por Raúl Sendic en 1962.

TUPAYA f. Mamífero insectívoro trepador, con el hocico prolongado y la cola larga.

TUPÉ m. Cabello que cae sobre la frente. • fig. y fam. Atrevimiento, desfachatez.

TUPICIÓN f. Acción y efecto de tupir, obstrucción. • Estado o condición de una cosa tupida. • *Bol.* y *Méx.* Espesura, lugar tupido o intrincado de un bosque. • *Chile.* Multitud, abundancia, gran cantidad. • fig. *Amér.* Confusión, turbación, empacho.

TUPIDO, DA adj. Espeso, muy junto. • Dicho del entendimiento y de los sentidos, obtuso, torpe. • *R. de la Plata.* Que es muy divertido. ■ TUPIDEZ.

TUPÍ-GUARANÍ adj. y s. Díc. de individuos de un pueblo amerindio que habitaban en Paraguay y algunas zonas del S de Brasil y N de Argentina. • *adj.* Relativo a dicho pueblo. • m. *Ling.* Familia lingüística, la más imp. de América del Sur, que comprende varios dialectos. Del tupí-guaraní ant. o *abañeenga*, derivan dos grandes dialectos: el del N, o tupí propiamente dicho, y el del S, o guaraní moderno, hablado en Paraguay. • m. pl. Pueblo tupí-guaraní. Desde su núcleo inicial en Paraguay efectuaron varias migraciones entre los ss. XVI y XIX.

TUPINAMBA adj. y s. Díc. del pueblo amerindio tupí-guaraní que vivía en el delta del Amazonas. Practicaban la antropofagia.

TUPIR tr. y prnl. Apretar mucho una cosa cerrando sus poros o intersticios. • prnl. fig. Comer o beber con exceso. • *Col.* Sofocarse.

TUPU m. *Amér.* Entre los incas, extensión de terreno que recibían los campesinos para alimentarse durante un año.

TUPUNGATO Volcán apagado de los Andes chileno-argentinos; 6 800 m de alt.

TURA, ***Cosimo*** (h. 1430-1495) Pintor it., uno de los fundadores, junto con Francesco Cossa y Ercole de Roberti, de la escuela de Ferrara. *La Virgen con la Magdalena y san Jerónimo.*

TURÁN Depresión de Asia central bañada por los ríos Amu-Dariá y Sir-Dariá.

TURANIO, NIA adj. y s. Del Turán. • adj. Relativo a esta región de Asia. • *Ling.* Díc. de las lenguas que, como el húng., se creen originarias de Asia central y no pertenecen a los grupos ario y semítico.

TURATI, ***Filippo*** (1857-1932) Político it. Fundó en 1892 el Partido Italiano de los Trabajadores, del que posteriormente surgiría el Partido Socialista, del que fue expulsado en 1922. Fundó luego el Partido Socialista Unitario. *La vía maestra del socialismo.*

TURBA f. Combustible fósil formado de residuos vegetales acumulados en sitios pantanosos. • Estiércol mezclado con carbón mineral, usado como combustible. • Muchedumbre de gente desordenada.

TURBAMULTA f. fam. Multitud confusa y desordenada.

TURBANTE m. Tocado que consiste en una faja larga de tela arrollada a la cabeza.

TURBAR tr. y prnl. Alterar o conmover el estado o curso natural de una cosa; descomponer o inmutar su orden o disposición. • tr. y prnl. Enturbiar. • fig. Sorprender o aturdir a uno, de modo que no acierte a hablar o a proseguir lo que estaba haciendo. • fig. Interrumpir, violenta o molestamente, la quietud. ■ TURBACIÓN; TURBAMIENTO.

TURBAY Ayala, ***Julio César*** (nacido 1916) Político col. Miembro del Partido Liberal, tras el derrocamiento de Rojas Pinilla (1957) actuó de mediador entre los militares y los partidos políticos. Fue ministro de Minas y Petróleos (1957-1958) y de Relaciones Exteriores (1958-1961). Ocupó la presidencia del Senado (1974-1978). Presid. de la rep. (1978-1982).

Phascolosoma granulatum, gusano de la clase **turbelarios** o planarias

TURBELARIO adj. y m. *Zool.* Díc. de gusanos de la clase turbelarios. • m. pl. *Zool.* Clase de platelmintos llamados vulgarmente planarias, por la forma aplanada de su cuerpo, parecido a una hoja.

TURBERA f. o **TURBAL** m. *Geol.* Formación de turba, de grandes dimensiones, constituida por musgos esfagnales carbonizados y otros vegetales acompañantes. Se originaron sobre bosques encharcados en el período periglaciar.

Túpac Inca Yupanqui, según una pintura del s. XVIII. Catedral de Cusco, Perú

Virgen con el Niño y ángeles músicos, tabla de Cosimo **Tura.** National Gallery, Londres

Turboalternador de una central hidroeléctrica

Turkmenistán. Arriba, mapa de situación y bandera; abajo, mujeres tomando el té sentadas sobre alfombras, al modo tradicional del país

TURBINA f. Máquina motriz compuesta de una rueda móvil sobre la que actúa la energía de un fluido propulsor.

TURBINTO m. *Amér. Merid.* Árbol de la familia anacardiáceas, que da buena trementina; con sus bayas se hace una bebida muy apreciada.

TURBIO, BIA o **TÚRBIDO, DA** adj. Mezclado o alterado por una cosa que oscurece o quita la claridad natural o transparencia. • fig. Revuelto, dudoso, turbulento, azaroso. Se aplica a tiempos y circunstancias. • fig. Díc. de la visión confusa, poco clara. • fig. Aplicado a lenguaje, locución, explicación, etc., oscuro, confuso. • m. pl. Hez de un líquido, pralm. del aceite o del vino. • f. Estado del agua corriente enturbiada por arrastre de tierras. ■ TURBIDEZ; TURBIEDAD; TURBIEZA.

TURBIÓN m. Aguacero con viento fuerte, que viene repentinamente y dura poco. • fig. Multitud de cosas que caen de golpe, llevando tras sí lo que encuentran. • fig. Aluvión de cosas o acontecimientos.

TURBOALTERNADOR m. Conjunto de un alternador eléctrico y de la turbina que lo mueve.

TURBOCOMPRESOR m. Compresor movido por una turbina.

TURBODINAMO m. Generador de corriente continua formado por una dinamo y una turbina.

TURBOGENERADOR m. Generador eléctrico movido por una turbina de gas, de vapor o hidráulica.

TURBOMOTOR m. Turbina de gas que funciona debido a la energía potencial de un volumen de aire comprimido.

TURBONADA f. Fuerte chubasco de viento y agua, acompañado de truenos, relámpagos y rayos.

TURBONAVE f. Navío accionado por turbinas.

TURBOPROPULSOR o **TURBOHÉLICE** m. Turborreactor en el que una turbina de gas mueve una hélice (a veces, dos) mediante un reductor.

TURBORREACTOR m. Turbina de gas que se utiliza para la propulsión de aviones a reacción. Consta de un compresor, una cámara de combustión y una tobera.

TURBULENCIA f. Calidad de turbio o turbulento. • fig. Confusión, alboroto o perturbación.

TURBULENTO, TA adj. Turbio. • fig. Confuso, alborotado y desordenado.

TURCAS Y CAICOS *(Turks and Caicos)* Colonia brit. de las Antillas, al N de la República Dominicana, formada por los archipiélagos hom.; 430 km^2, 7 000 hab. Cap., Cockburn Town.

TURCIOS, ***Froilán*** (1875-1943) Escritor hond., modernista. Autor de novelas y poesía. *Mariposas, Hojas de almendro, El vampiro.*

TURCO, CA adj. y s. Díc. del individuo de un pueblo que, procedente del Turquestán, se estableció en el Asia Menor y en el E de Europa. • De Turquía. • adj. Realtivo a esta nación de Europa y Asia. • m. *Ling.* Lengua turca. Las lenguas t. forman parte del grupo uralo-altaico. • f. fam. Borrachera. • *Chile.* Pájaro conirrostro, de plumaje pardo rojizo. • **El gran t.** El sultán de Turquía.

* *Hist.* Los t. procedían posiblemente del Altái y se extendieron hacia Mongolia, Siberia y la zona de la estepa eurasiática comprendida entre el r. Ob y el mar Caspio. Fundaron un imperio en Mongolia (s. VI). El primer Est. turco musulmán fue el de los karajaníes (ss. X-XI). Otras tribus se asentaron al O del r. Ural y pasaron a Europa (búlgaros y jázaros) en la E. Med. Los t. selyúcidas se establecieron en Irán, Irak, Siria y la meseta de Anatolia. Los otomanos crearon una gran imperio (SE de Europa, Mesopotamia, Egipto, litoral berberisco) que quedó reducido a la actual Turquía en 1920.

TURCOMANO, NA adj. y s. Díc. de individuos de un pueblo turco que vive en la URSS, Afganistán, Irán e Irak. Estuvieron bajo la dominación mongol y timurí y se instalaron post. en Armenia. • adj. Relativo a dicho pueblo. • m. *Ling.* Lengua del pueblo turco hablada pralm. en Turkmenistán y áreas circundantes.

TURCOPLE adj. y s. Aplícase a la persona nacida de padre turco y madre gr.

TURDETANIA Ant. región del S de la Península Ibérica (→ turdetanos).

TURDETANO, NA adj. y s. Díc. de individuos de un pueblo hispánico prerromano, heredero de los tartesios, que vivía en el valle inferior del Guadalquivir. • adj. Relativo a los t. o a la Turdetania. • m. pl. Pueblo turdetano.

TÚRDIGA f. Tira o lista de pellejo.

TÚRDULO, LA adj. y s. Gentilicio que significa a veces lo mismo que turdetano, pero que por lo común se refiere a los ant. pobladores de Andalucía central, sierra Morena, costa de Portugal, etc. • adj. Relativo a estos pobladores.

TURENA o **TURENNE,** *Henri de la Tour D' Auvergne,* VIZCONDE DE (1611-1675) Militar fr. Al producirse el mov. de la Fronda, se adhirió a los rebeldes e inició, aliado con España, una acción ofensiva en la Champagne, pero fue decisivamente vencido (1650). Vuelto a París tras el exilio de Mazarino (1651), se reconcilió con la reina regente y, al frente de un poderoso ejército, venció a Condé y posibilitó el regreso de Luis XIV a París. Su victoria de 1659 en las Dunas indujo a España a firmar la paz de los Pirineos.

TURGENTE adj. Abultado, elevado. • *Med.* Aplícase al humor que produce hinchazón. ■ TURGENCIA.

TURGESCENCIA f. *Bot.* Estado de turgencia de las células vegetales debido al contenido en agua.

TURGOT, ***Anne-Robert Jacques*** (1727-1781) Economista fr., ministro de hacienda de Luis XVI. Llevó una política de reducción de gastos. *Reflexión sobre la formación y distribución de las riquezas.*

TURGUENIEV, ***Iván Sergueievich*** (1818-1883) Escritor ruso. Su obra refleja la problemática de la vida rusa. *Memorias de un cazador, Padres e hijos, Nido de hidalgos, Humo, Aguas primaverales.*

TURIA, GUALDALAVIAR o **BLANCO** Río de España, que nace en el sistema Ibérico y desemboca en el Mediterráneo, 280 km.

TURIFERARIO m. El que lleva el incensario. ■ TURÍFERO, RA.

TURIFICAR tr. Incensar. ■ TURIFICACIÓN.

TURÍN *(Torino)* C. de Italia, cap. del Piamonte, y de la prov. hom.; 962 500 hab. Ind. automovilística, textil, alimentaria, química, editorial. Tras el congreso de Viena pasó a depender de la casa de Saboya y fue el centro de los movimientos de unificación it. Cap. de Italia entre 1861 y 1865.

TURINA, ***Joaquín*** (1882-1949) Compositor esp. Miembro de la escuela nacionalista. Destacan *La procesión del Rocío,* la *Sinfonía sevillana, Danzas fantásticas,* y sus dos óperas: *Margot* y *Jardín de oriente*, la música de cámara y numerosas miniaturas para piano.

TURINGIA (al., *Thüringen)* Est. de Alemania central, que ocupa la cuenca y selva hom.; 16 252 km^2, 2 610 000 hab. Minería e ind. Cap., Erfurt. C. prales.: Weimar, Jena. Est. de la República de Weimar, quedó bajo tutela sov. tras la II Guerra Mundial, siendo divida en distritos en la desaparecida RDA.

TURISMO m. Afición a viajar por placer, deporte o instrucción. • Organización de los medios conducentes a facilitar estos viajes. • Ind. que tiene por objeto satisfacer las necesidades del turista. • Automóvil de turismo. ■ TURISTA; TURÍSTICO, CA.

TURKMENISTÁN *(Türkmenistan)* Est. de Asia central, limítrofe con Uzbekistán al N y NE, con Kazajstán al NO, con el mar Caspio al O, con Irán al SO y con Afganistán al SE. Gran parte del territorio forma parte del desierto de Kara-Kum. R. Amu-Dariá, Atrek, Tedzhen y Murghab. Algodón, cereales, frutas, dátiles, patatas, higos, sésamo. Petróleo, gas natural, mirabilita, magnesio, carbón, sal. Ind. alimentaria, textil, calzado, tapices. Refino de petróleo. Grupos étnicos: turkmenos, rusos, uzbekos, kazakos. Lenguas: turkmeno (of.), ruso. *Rel.:* islamismo sunnita. U. M.: rublo. Cap., Ashjabad. C. prales.: Chardzhou, Tashauz, Mary.

TURKMENISTÁN

Superficie 488 100 km^2

Población 4 695 000 hab. (9,6 hab./km^2)

Indicadores sociológicos

PNB	4 125 millones de dólares
Renta per cápita	920 dólares
Esperanza de vida	65 años

TURBINA

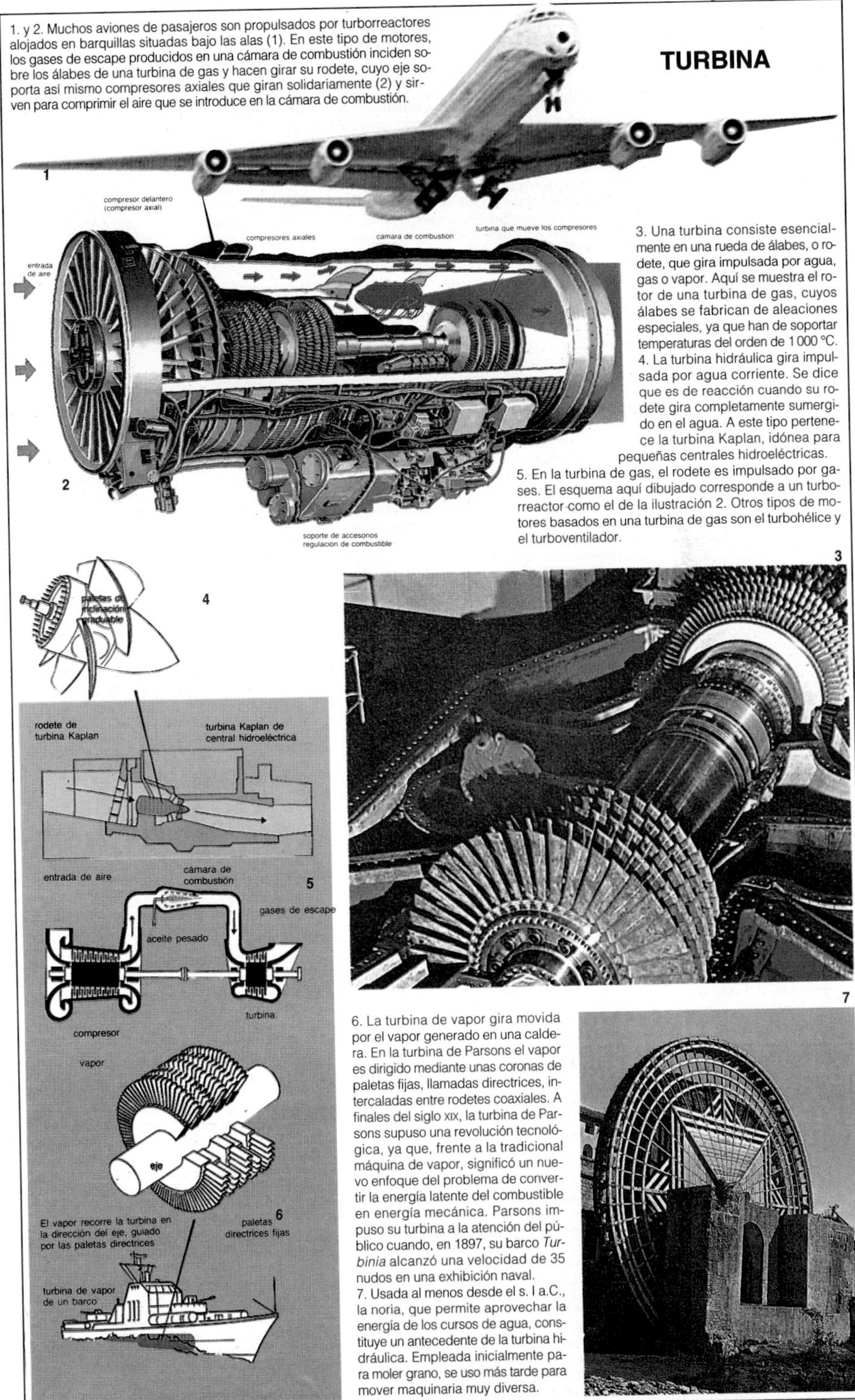

1. y 2. Muchos aviones de pasajeros son propulsados por turborreactores alojados en barquillas situadas bajo las alas (1). En este tipo de motores, los gases de escape producidos en una cámara de combustión inciden sobre los álabes de una turbina de gas y hacen girar su rodete, cuyo eje soporta así mismo compresores axiales que giran solidariamente (2) y sirven para comprimir el aire que se introduce en la cámara de combustión.

3. Una turbina consiste esencialmente en una rueda de álabes, o rodete, que gira impulsada por agua, gas o vapor. Aquí se muestra el rotor de una turbina de gas, cuyos álabes se fabrican de aleaciones especiales, ya que han de soportar temperaturas del orden de 1 000 °C.

4. La turbina hidráulica gira impulsada por agua corriente. Se dice que es de reacción cuando su rodete gira completamente sumergido en el agua. A este tipo pertenece la turbina Kaplan, idónea para pequeñas centrales hidroeléctricas.

5. En la turbina de gas, el rodete es impulsado por gases. El esquema aquí dibujado corresponde a un turborreactor como el de la ilustración 2. Otros tipos de motores basados en una turbina de gas son el turbohélice y el turboventilador.

6. La turbina de vapor gira movida por el vapor generado en una caldera. En la turbina de Parsons el vapor es dirigido mediante unas coronas de paletas fijas, llamadas directrices, intercaladas entre rodetes coaxiales. A finales del siglo XIX, la turbina de Parsons supuso una revolución tecnológica, ya que, frente a la tradicional máquina de vapor, significó un nuevo enfoque del problema de convertir la energía latente del combustible en energía mecánica. Parsons impuso su turbina a la atención del público cuando, en 1897, su barco *Turbinia* alcanzó una velocidad de 35 nudos en una exhibición naval.

7. Usada al menos desde el s. I a.C., la noria, que permite aprovechar la energía de los cursos de agua, constituye un antecedente de la turbina hidráulica. Empleada inicialmente para moler grano, se uso más tarde para mover maquinaria muy diversa.

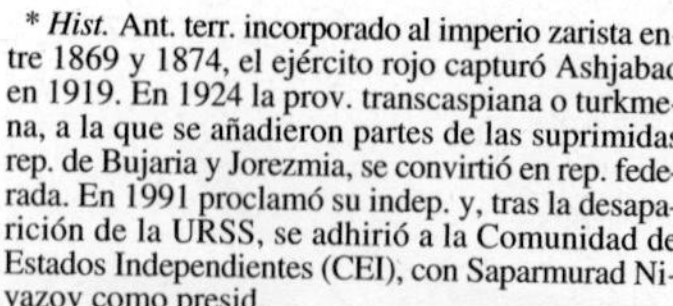

* *Hist.* Ant. terr. incorporado al imperio zarista entre 1869 y 1874, el ejército rojo capturó Ashjabad en 1919. En 1924 la prov. transcaspiana o turkmena, a la que se añadieron partes de las suprimidas rep. de Bujaria y Jorezmia, se convirtió en rep. federada. En 1991 proclamó su indep. y, tras la desaparición de la URSS, se adhirió a la Comunidad de Estados Independientes (CEI), con Saparmurad Niyazov como presid.

TURKMENO, NA adj. y s. Turcomano.

TURKU (sueco, *Abo)* C. y puerto de Finlandia; 163 000 hab. Astilleros. Ind. textil. Universidad.

TURMA f. Testículo. • *Bot.* Nombre común de diversas especies de hongos cuyos cuerpos fructíferos recuerdan los testículos de diversos animales.

Turón

TURMALINA f. *Miner.* Mineral constituido por ciclosilicatos de aluminio y minerales diversos. Las t. cristalizan en el sistema trigonal y son piezoeléctricas y piroeléctricas.

TURMERO C. de Venezuela, en el est. Aragua; 43 800 hab. Mercado agrícola.

TURNAR intr. Alternar con otras personas en un beneficio o en el desempeño de un cargo. • tr. *Méx.* En uso jurídico y administrativo, remitir una comunicación, expediente o actuación a otro departamento, juzgado, sala de tribunales, etc.

TURNER, *Joseph Mallord William* (1775-1851) Pintor brit. La descomposición de la forma bajo la luz y la eliminación de los límites entre el objeto pictórico y el entorno lo hacen ser uno de los precursores del impresionismo. *Tormenta de nieve en el mar; Lluvia, vapor, velocidad; Incendio en el mar.* • ***Lana*** (1920-1995) Actriz cinematográfica norteam. Intérprete de papeles dramáticos y de marcado erotismo. *El cartero siempre llama dos veces, Cautivos del mal, Retrato en negro, Tommy.* • ***Nat*** (1800-1831) Esclavo negro norteam. Líder de la insurrección de Southampton. Murió ejecutado.

TURNIO, NIA adj. Dic. de los ojos torcidos. • adj. y s. Que tiene los ojos torcidos. • fig. Que mira con ceño o demasiada severidad.

TURNO m. Orden que se observa entre varias personas, para la ejecución de una cosa. • Cada una de las intervenciones que, en pro o en contra de una propuesta, permiten los reglamentos de las cámaras legislativas o corporaciones. • **De t.** loc. adj. Se aplica a la persona o cosa a la que corresponde actuar en un momento determinado, según la alternativa previamente acordada.

TUROLENSE adj. y s. De Teruel.

TURÓN m. Mamífero carnicero que despide olor fétido y se alimenta de caza.

TURONIENSE m. *Geol.* Piso del cretácico superior comprendido entre el cenomaniense y el senoniense.

TURPIAL m. Trupial, pájaro.

TURQUESA f. Molde, a modo de tenaza, para hacer bodoques de ballesta o balas de plomo. • Molde para otras cosas. • *Miner.* Fosfato hidratado de cobre y aluminio. Color azul celeste o verde miel, y brillo vítreo. Se origina por acción de aguas superficiales sobre rocas ígneas o sedimentarias ricas en aluminio. • **occidental.** Hueso o diente fósil, teñido naturalmente de azul por el óxido de cobre, que se usa en joyería.

TURQUESTÁN Extensa zona de Asia central, comprendida entre las estepas siberianas, el Hindu Kush, la Meseta del Tibet, el desierto de Gobi y el Caspio. La zona oriental pertenece a China y la occidental a las rep. de Kazakistán, Kirguisistán, Tadjikistán, Uzbejistán y Turkmenistán.

* *Hist.* Poblada por los saka, fue sometida por Persia, Alejandro Magno, los tu-kiu, los musulmanes y los uigures. En el s. XIII quedó englobada en el imperio mongol. En el s. XVI, los uzbekos se adueñaron de la región, al igual que los kazakos, turcomanos y zungaros. Los chinos dominaron la zona de Tarim (s. XVIII). A finales del s. XIX el T. occidental pasó a ser dominio colonial ruso; y tras la revolución sov., dividido en: Kazakistán, Kirguisistán, Tadjikistán, Uzbejistán y Turkmenistán hasta que en 1991, al desaparecer la URSS, se convirtieron en estados independientes. En 1955 el T. oriental, prov. china desde 1884, fue integrado en la región autónoma Sinkiang Uigur.

Turquía. Arriba, mapa de situación y bandera; abajo, la mezquita Azul, en Istambul

TURQUÍA *(Turkiye Cumhuriyeti)* Estado de Asia Menor. Limita con el mar Negro, Georgia, Armenia, Irán, Irak, Siria, el Mediterráneo, el Egeo, Grecia y Bulgaria. Grupos étnicos: turcos (mayoría), kurdos, ár. Lenguas: turco (of.), kurdo, ár. *Rel.*: islamismo (90 %), cristianismo ortodoxo. U. M.: la libra turca. Cap.: Ankara. C. prales.: Istanbul, Izmir, Adana, Bursa.

TURQUÍA

Superficie	779 452 km²
Población	63 528 000 hab. (81 hab./km²)
Recursos económicos	
Aceite	57 000 t
Acero	13 200 000 t
Algodón	755 000 t
Boracita	1 679 000 t
Búfalos	305 000 cabezas
Cabaña bovina	11 901 000 cabezas
Cabaña caballar	437 000 cabezas
Cabaña ovina	35 646 000 cabezas
Carbón	2 838 000 t
Cebada	7 500 000 t
Cemento	29 356 000 t
Cromo	237 000 t
Energía eléctrica	78 322 millones de kwh
Hierro	3 148 000 t
Lana	20 075 t
Lignito	51 504 000 t
Manganeso	16 400 t
Naranjas	900 000 t
Pesca	604 104 t
Riqueza forestal	16 845 000 m³
Té	135 000 t
Tejidos de lana	23 000 000 m²
Trigo	18 015 000 t
Uva	3 550 000 t
Indicadores sociológicos	
PNB	169 452 millones de dólares
Renta per cápita	2 780 dólares
Esperanza de vida	72 años
Alfabetismo	82 %

Turquía. Vista de Alanya, situada en la costa S del país

* *Geog. física.* La T. asiática está constituida por una meseta, bordeada por los montes de Armenia. De ellos parten los montes Pónticos (Kackar, 3 937 m) y los Tauro. Paralela al Tauro se extiende el Antitauro (Agri o Ararat, 5 165 m). Hacia el E la meseta forma la altiplanicie armenia. La T. europea es una meseta esteparia. Al E se levantan los montes Istranca. Las colinas de Ganos se prolongan formando la pen. de Gallípoli entre el golfo de Saros y el estr. de los Dardanelos. Ríos Ergene, Yesilirmak, Kizilirmak, Sakarya, Büjük Menderes, Gediz, Seyhan, Ceyhan, Tigris, Éufrates y Araks. Clima mediterráneo o continental.

* *Geog. económica.* Se cultiva algodón, vid, olivo, frutales, tabaco, maíz, nueces, cereales, remolacha azucarera, lino, sésamo, girasol y cáñamo. La pesca se practica especialmente en el mar de Mármara y en el Bósforo. Hierro, carbón, cromo y petróleo. Ind. del cemento, siderurgia, mecánico-metalúrgica, química, textil y refino de azúcar.

* *Hist.* Fue conquistada por Roma y post. por Bizancio. Los turcos selyúcidas se instalaron en Anatolia. Se organizaron en dos Est. rivales: el de los danismandíes y el de los selyúcidas. Éstos se impusieron y crearon un sultanato destruido por los mongoles en el s. XIII. A principios del s. XIV se inició la expansión territorial. El fundador del imperio fue Orjan Gazi y el máx. esplendor llegó con Selim I (1412-1520) y Solimán I (1520-1566). En 1571 se produjo la batalla de Lepanto. La descomposición del imperio fue lenta: perdió Hungría (1687), Azov, Transilvania, Polonia, Ucrania Occ., Morea y Dalmacia (1699); Grecia (1830), Bosnia y Herzegovina (1878). En 1908 los jóvenes turcos organizaron el comité Unión y Progreso y depusieron al sultán. Durante la I Guerra Mundial luchó al lado de Alemania. Por la Paz de Lausana (1923) obtuvo la posesión de Constantinopla y de Tracia. En 1923 se proclamó la rep. y en 1924 subió al poder Atatürk, líder de la T. moderna.A partir de los años sesenta llegó la industrialización, y en medio de una gran conflictividad social, tuvo lugar el golpe militar del general Evren (1980). En 1983 y 1987 ganó las elecc. presidenciales T. Ozal, del Partido de la Madre Patria, pero en 1991 venció Suleymán Demirel. Tras el mandato de Tansu Çiller, la primera mujer que gobernaba en T., el Partido del Bienestar venció las elecc. legislativas (1995). La política islamista de su primer ministro N. Erbakan chocó con el laicismo de los militares que provocaron un cambio en la mayoría del Parlamento y la prohibición de su partido. Le sustituyó Mesut Yilmaz, del Partido de la Madre Patria. Durante su mandato, la detención del líder kurdo A. Occalan, agravó la sit. de Kurdistán. En 1999 Bülen Ecevit ganó las elecc. legislativas.

* *Arte.* Del período eneolítico datan las primeras culturas (Catal Hüyuk, Alisar y Nersin). Los gr. dejaron sus huellas en Éfeso, Halicarnaso y Pérgamo. Del arte bizantino destaca la basílica de Santa Sofía. De los selyúcidas se conservan el palacio de Konia y las mezquitas de Kayseri y Sivas. El arte otomano dejó imp. mezquitas, la madrasa de Yeshil Jami y el palacio del sultán de Adrianópolis. Del arte musulmán son las mezquitas de Mehmediyye, Bayaceto II, Roxelana, Suleymanié y Selimiyyé.

TURRAR tr. Tostar o asar en las brasas.

TURRO, RRA adj. y s. fam. *Argent.* Sinvergüenza.

TURRÓ, *Ramón* (1954-1926) Biólogo y filósofo esp. Realizó estudios sobre las secreciones internas y la inmunidad. *La medicación tiroidea.*

TURRÓN m. Masa hecha de almendras, piñones, avellanas o nueces, tostado todo y mezclado con miel y azúcar.

TURULATO, TA adj. fam. Alelado, estupefacto.

TURULLO m. Cuerno que usan los pastores para llamar y reunir el ganado.

TUSÍGENO, NA adj. *Med.* Que origina tos.

TUSÍLAGO o **TUSILAGO** m. Fárfara, planta.

TUSO, SA adj. *Col.* Picoso, cacarañado. • *P. Rico.* Rabón, sin rabo o con el rabo corto. • m. y f. fam. Can. • Voz para llamar o espantar a los perros. • f. Paliza, caminata o trabajo penoso. • *Amér.* Zuro, raspa de la mazorca después de desgranada. • *Amér. Centr.* y *Cuba.* Espata de la mazorca del maíz. • En algunas partes de España y América, pajilla, cigarro. • *Chile.* Barbas de la mazorca del maíz. • *Chile.* Crines del caballo. • *Col.* Hoyo de viruela. • fig. *Amér. Centr.* y *Cuba.* Mujer despreciable. • *Col., Pan.* y *P. Rico.* Persona despreciable.

TUSÓN, NA m. y f. Potro o potranca que no ha llegado a dos años. • m. Vellón de la oveja o del carnero. • f. fam. Mujer pública, ramera.

TUTACUSILLO m. *Amér. Merid.* Mono platirrino de la familia cébidos, también llamado mono búho y duruculi.

TUTANKAMÓN (s. XIV a. C.) Faraón egipcio de la XVIII dinastía. Residió en Tebas y reinstauró el culto a Amón. Su sepulcro fue descubierto en 1922.

TUTE m. Juego carteado de naipes parecido a la brisca y en que hay los lances de acusar 20 tantos el que tiene rey y caballo del mismo palo, o 40 si son del triunfo. Gana la partida el que reúne los cuatro reyes o los cuatro caballos. • Reunión en este juego de los cuatro reyes o los cuatro caballos. • fig. Esfuerzo excesivo que se obliga a hacer a personas o animales en un trabajo o ejercicio. • fig. Acometida que se da a una cosa en su uso, consumo o ejecución, reduciéndola o acabándola.

TUTEAR tr. y prnl. Hablar a uno empleando el pronombre de segunda persona. ■ TUTEO.

TUTELA f. Autoridad que, a falta de la paterna o materna, se confiere para cuidar de la persona y los bienes de aquel que por minoría de edad, o por otra causa, no tiene completa capacidad civil. • Cargo de tutor. • fig. Dirección, amparo, protección.

TUTELAR adj. Que guía, ampara o defiende. • *Der.* Perteneciente a la tutela de los incapaces.

TUTIPLÉN *(A)* m. adv. fam. En abundancia, a porrillo.

TUTMÉS o **TUTMOSIS** Nombre de cuatro faraones egipcios de la XVIII dinastía. Destaca *Tutmés III* (ss. XVI-XV a.C.), que dominó Asia Menor.

TUTOR, RA m. y f. Persona que ejerce la tutela. m. • Rodrigón de una planta. • m. y f. fig. Defensor, protector. ■ TUTORÍA.

TUTSI, WATUSI o **BATUTSI** adj. y s. Díc. de individuos de un pueblo melanoafricano de habla bantú y de origen nilocamítico que vive en Ruanda y Burundi. A partir de 1950 muchos emigraron a Burundi, donde impusieron su hegemonía sobre los hutus (matanzas de 1972 y 1988). • adj. Relativo a este pueblo.

TUTÚ m. *Argent.* Ave de rapiña, con plumaje verde en el lomo, azul en el pecho y con manchas negras por la cabeza, las alas y la cola.

Tusílago

Tutankamón con su hermana. Detalle del dosel de su trono. Museo Egipcio, El Cairo

TUTUOLA, *Amos* (1920-1997) Escritor nigeriano. Influenciado por la tradición yoruba. *El bebedor de vino de palma* (1952).

TUVA o **TUVINIA** Rep. del estado de Rusia, limítrofe con Mongolia; 170 500 km ^{2}, 279 000 hab. Cap., Kyzyl. Cereales. Ganadería. Madera. Carbón, cobre, hierro, oro, plata, plomo. Perteneció al imperio chino hasta 1911. Rep. popular indep. en 1921. Adoptó su estatus actual en 1961.

TUVALU *(The Tuvalu Islands)* Estado del Pacífico central, en Polinesia. Formado por las islas Carolinas de Nanumea, Nanumanga, Niutao, Nui, Vaitapu, Nukufetau, Nukulaelae, Funafuti y Niulakita. Clima lluvioso. Copra. Pesca. Lenguas: inglés (of.), dialectos isleños. *Rel.*: protestantismo (78 %). U. M.: dólar australiano. Cap.: Vaiaku.

* *Hist.* El arch. fue descubierto por los brit. en 1764 y bautizado con el nombre de islas Ellice. Formó una colonia con las islas Gilbert, de las que se separó en 1975 y cambió su nombre. Indep. desde 1978 en el marco de la Commonwealth.

TUVALU

Superficie 25 km^2

Población 10 300 hab. (429 hab./km^2)

Recursos económicos	
Pesca	561 t
Indicadores sociológicos	
PNB	8 millones de dólares
Renta per cápita	800 dólares
Alfabetismo	95 %

Mapa de situación y bandera de **Tuvalu**

John **Tyler**

Tristán **Tzara**

TUVINIO, NIA adj. y s. Díc. de individuos de un pueblo mongoloide que habita en la rep. autónoma de Tuva. Su núm. asciende a unos 140 000 (1970). Hablan una lengua turca.

TUXPAN DE RODRÍGUEZ CANO C. de México, en el est. de Veracruz; 117 252 hab. Sit. en la desembocadura del río Tuxpan. Puerto exportador de petróleo.

TUXTLA GUTÍERREZ C. de México, cap. del est. de Chiapas; 433 544 hab. Centro comercial agrícola y ganadero.

TUYA f. Planta gimnosperma de la familia cupresáceas, de hasta 4 m de alt., con hojas imbricadas en cuatro filas, flores agrupadas en estróbilos colgantes, parduscos, y semillas comprimidas rodeadas de una aleta.

TUYIBÍ adj. y s. Díc. de los individuos de una dinastía ár. esp., cuyas ramas prales. fueron los Banu Hasim y los Banu Sumadih. Los primeros gobernaron Zaragoza entre 891 y 1039, y los segundos crearon el reino indep. de Almería.

TUYO, TUYA, TUYOS, TUYAS pron. posesivo de segunda persona en gén. masculino y femenino y ambos números. Con la terminación del masculino, en sing., también se usa como neutro.

TV Abreviatura de televisión.

TVER (ant. *Kalinin*) C. y puerto en la rep. de Rusia; 438 000 hab. Ind. textil y mecánica. En 1991, debido a los cambios efectuados en Rusia, volvió a recuperar su antiguo nombre de Tver.

TWAIN, *Mark* Seud. de *Samuel Langhorne Clemens* (1835-1910) Escritor norteam. Autor de *Inocentes en el extranjero, Las aventuras de Tom Sawyer, Las aventuras de Huckleberry Finn, Vida en el Misisipí, Un yanqui en la corte del rey Arturo* y *El misterioso extranjero.*

TWEED Río de Gran Bretaña, que nace en los Higlands del Sur y desemboca en el mar del Norte; 165 km.

TYCHO Brahe → Brahe, Tycho.

TYLER, *John* (1790-1862) Político norteam., décimo presid. de EE UU (1841-1845). Firmó el tratado que extendía hasta el Pacífico el territorio federal.

TYLERISTAS, *Revuelta de los* Levantamiento popular ing. (1381), dirigido por W. Tyler. Consiguió la abolición de la servidumbre. Fue duramente reprimido por Ricardo II, quien anuló todas las concesiones a las que, presionado, había accedido.

TYLOR, *Edward Burnett* (1832-1917) Antropólogo brit., introductor de la teoría del animismo y de la doctrina de las supervivencias. Realizó diversos viajes de estudio a México. *Cultura primitiva, Investigaciones sobre el comienzo de la historia.*

TYNDALL, *John* (1820-1893) Físico irl. estudioso de la conductividad de los gases y vapores, diamagnetismo, luz. • **Fenómeno de T.** *Fís.* Un rayo luminoso, al atravesar una disolución coloidal, se difunde por ella en todas direcciones.

TYRRELL, *George* (1861-1909) Eclesiástico irl. Su concepción religiosa, muy influida por Bergson, Blondel y los modernistas fr., le acarreó la excomunión. *Lex orandi, Lex credendi, El programa del modernismo, Medievalismo.*

TZARA, *Tristán* Seud. de *S. Rosenstok* (1896-1963) Poeta fr. de origen rumano. Su *Primera aventura celeste de M. Antipyrine* se convirtió en el credo del dadaísmo. *Manifiesto Dadá, Dialéctica de la poesía.*

TZELTAL adj. y s. Díc. de un pueblo amerindio de la familia lingüística maya que vive en el est. de Chiapas (México).

TZEPO *(Tzupo)* C. del N de China, en la prov. de Shantung; 806 000 hab. Centro comercial.

TZINTZUNTZAN Mun. de México, en el est. de Michoacán; 11 419 hab. Sit. junto al lago Pátzcuaro, en su término se emplazaba la ant. cap. de los tarascos.

TZITZI Pandácuare (s. XV) Rey de los tarascos, hijo y sucesor de Tangaxoan. Extendió sus dominios.

TZOMPANTIL m. *Amér.* Especie de altar donde toltecas y aztecas colocaban los cráneos de los sacrificados.

TZOTZIL adj. y s. Díc. de un pueblo amerindio de la familia lingüística maya, que vive en el est. de Chiapas (México).

U

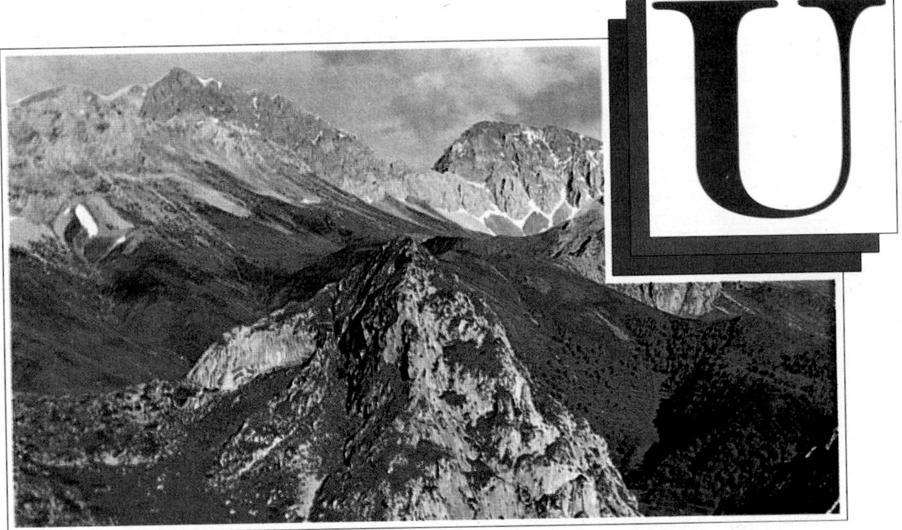

Vista de Peña **Ubiña**, en la frontera entre León y Asturias (España)

U f. Vigésima segunda letra del abecedario esp., última de sus vocales y una de las dos de sonido más débil. Es letra muda en las sílabas *que*, *qui*, y también, por regla general, en las sílabas *gue*, *gui*. Cuando en una de estas dos últimas tiene sonido, debe llevar diéresis *(ü)*. • Conj. disyuntiva que se emplea en lugar de *o*, para evitar el hiato, ante palabras que empiezan por esta letra o por *ho*. • *Quím.* En mayúscula, símb. del uranio.

UA Siglas de *unidad astronómica* (de longitud).

UACARÍ m. *Amér. Merid.* Platirrino perteneciente a la familia cébidos. Característico por su rostro lampiño, que presenta un vivo color rojo.

UADI m. En Arabia y N de África, curso de agua intermitente, y cauce y valle por el que corre.

UAGADUGU *(Ouagadougou)* C. y cap. de Burkina Faso; 247 900 hab. Centro comercial y de comunicaciones.

UALABY m. Mamífero marsupial australiano, semejante al canguro, aunque de menor tamaño.

UAPITÍ m. Ciervo de gran tamaño que vive en Norteamérica. Los machos pueden alcanzar una alzada de 1,5 m y un peso de 300 kg.

UARAYCÚ adj. y com. Individuo de un pueblo amerindio, de la familia arauca, que vive en el O de Brasil, entre los r. Jutahy y Jandiatuba.

UAREQUENA adj. y com. Díc. de un pueblo amerindio, de la familia lingüística arawak, que vive en Brasil, entre los r. Xié y Guainía.

UAURA adj. y com. Díc. de un pueblo amerindio, de la familia lingüística arawak, que vive en Brasil, en la cuenca alta del r. Xingú.

UAXACTÚN Estación arqueológica maya, sit. en El Petén (Guatemala). Fue un centro de culto, en el que se halla una de las pirámides más ant. de Mesoamérica (s. IV). Abandonada en el s. IX, con la desintegración del Antiguo Imperio maya.

UBAJAY m. *Argent.* Árbol mirtáceo, de ramaje abundante y fruto comestible algo ácido. • *Argent.* Fruto de este árbol.

UBANGUI *(Oubangui)* Río de África ecuatorial, afl. del Zaire; 2 300 km. Frontera entre la Rep. Centroafricana y Zaire, y entre este país y la Rep. del Congo.

UBATÉ, *sabana de* Región fisiográfica de Colombia, en el dpto. de Cundinamarca. C. pral.: Gachetá. Agricultura y ganadería.

UBAYD Allah al-Mahdí (h. 862-934) Primer califa fatimí, aclamado como tal en Kairuán (909). Fundó al-Mahdiyya, así llamada en su honor.

UBE m. En Filipinas, planta de la familia dioscoráceas, cuyos rizomas son comestibles.

UBE C. y puerto de Japón, en el SO de la isla de Honshu; 174 900 hab. Ind. petrolíferas.

ÚBEDA Mun. esp., en Andalucía (prov. de Jaén); 32 086 hab. Vid y legumbres. Ganado lanar y vacuno. Ind. metalúrgica, cerámica, maderera y aceitera. Notable colegiata de Santa María.

UBEDANO u **UBETENSE** adj. y s. De Úbeda.

UBERABA C. de Brasil, en el est. de Minas Gerais; 200 000 hab. Centro comercial. Ind. alimentaria.

UBERLANDIA C. de Brasil, en el est. de Minas Gerais; 101 000 hab. Centro comercial. Universidad.

UBÉRRIMO, MA adj. sup. Muy abundante y fértil.

UBÍ m. *Cuba.* Especie de bejuco que se utiliza para hacer canastas.

UBICACIÓN f. Acción y efecto de ubicar o ubicarse.

UBICAR intr. y prnl. Estar en determinado espacio o lugar. • tr. *Amér.* Situar o instalar en determinado espacio o lugar. • prnl. *R. de la Plata.* Conseguir un puesto de trabajo. • **Estar** uno **ubicado.** *Amér. Merid.* Tener una buena situación económica. ■ UBICACIÓN.

UBICO, *Jorge* (1878-1946) Político y militar guat. Presid. en 1931 con apoyo norteam. Gobernó dictatorialmente. En 1933 hizo fusilar a un centenar de opositores. Derrocado en 1944.

UBICROMENOL m. *Quím.* Sustancia terpénica, similar a la ubiquinona, muy difundida entre los seres vivos; todavía se desconoce su función bioquímica.

UBICUO, CUA adj. Que está presente a un mismo tiempo en todas partes. Díc. solamente de Dios. • fig. Se aplica a la persona muy activa que acude a muchos sitios. ■ UBICUIDAD; UBIQUIDAD.

UBINAS Volcán, en actividad, de los Andes, al S de Perú; 5 672 m.

UBIÑA, *Peña* Pico de España, el más alto de la cord. Cantábrica (2 417 m).

UBIQUINONA f. *Quím.* Quinona, denominada coenzima Q, que actúa en el conjunto de reacciones de la cadena respiratoria de animales y vegetales, con variaciones en el núm. de restos isoprénicos.

UBIQUISTA adj. *Bot.* Díc. de las especies vegetales no adscritas a ninguna asociación en particular. Pueden encontrarse como especie no característica en cualquiera de ellas.

UBRE f. Cada una de las glándulas mamarias inguinales de las hembras de ciertos mamíferos, terminadas en un mamelón especial, llamado pezón. • Conjunto de ellas.

Ualaby

El condotiero Giovanni Acuto, pintura al fresco de Paolo **Uccello**, pasada a lienzo. Catedral de Florencia (Italia)

UBRERA f. Excoriación que suelen padecer los niños en la boca por mamar mucho o a consecuencia de la descomposición de la leche que se derrama de la boca.

UCASE m. Decreto del zar. • fig. Orden gubernativa injusta y tiránica, y p. ext., mandato arbitrario y tajante.

UCAYALI Dpto. del E de Perú en la Amazonia, regado por el río Ucayali; 102 410,55 km², 366 900 hab. Cap., Pucallpa. Comprende tres hoyas distintas, la del río Ucayali, la más poblada; la del Yuruá, rica en caucho; y la del Purús, donde abunda el jebe. • Río de Perú; 2 200 km de curso. Nace de la confluencia de los ríos Tambo (Apurímac) y Urubamba. Sus prales. afl. son Pachitea, Chesea y Tapiche. Es una de las ramas madre del Amazonas.

UCCELLO, *Paolo di Dono,* llamado PAOLO (1397-1475) Pintor it. En 1425 trabajó en el templo de San Marcos, en Venecia. Existen obras suyas en Florencia y en Padua. *Batalla de San Romano.*

UCCLE *(Ukkel)* C. de Bélgica, en la prov. de Brabante; 75 600 hab. Sit. en el á. metr. de Bruselas. Ind. cervecera.

UCEDA, *Cristóbal Sandoval y Rojas,* PRIMER DUQUE DE (m. 1624) Noble esp. En 1618, sucedió a su padre, el duque de Lerma, en la privanza de Felipe III. Felipe IV le nombró virrey de Cataluña. Propició la intervención esp. en Bohemia (1618), y el comienzo de la guerra de los Treinta Años.

UCHÚ m. *Perú.* Especie de pimiento picante.

UCHUVITO, TA m. y f. Col. Borracho.

UCRANIA *(Ukrajina)* Estado de Europa oriental, limítrofe al SE, E y NE con Rusia, al S con el mar Negro y el mar de Azov, al SO con Rumania y Moldavia, al O con Polonia y al NO con Bielorrusia. Comprende la rep. autónoma de Crimea. Ocupa una zona caracterizada por las fértiles «tierras negras». R.: Dniéper, Donets, Bug Meridional y Dniéster. Grupos étnicos: ucranianos, rusos, hebreos, bielorrusos, moldavos, búlgaros, polacos, etc. Lenguas: ucraniano (of.), ruso, tártaro. *Rel.*: cristianismo ortodoxo, catolicismo uniato. U. M.: glivna. Cap., Kiev. C. prales.: Jarkov, Dniepropetovsk, Odessa, Donetsk, Zaporozhe, Lvov.

* *Hist.* Los primeros est. fueron creados por comerciantes escandinavos y rusos durante la E. Med. Su cap., Kiev, fue arrasada por las invasiones mongolas de los ss. XIII y XIV. Estuvo bajo dominio polaco (s. XVI) y durante el s. XVIII pasó a formar parte del imperio de los zares. La U. sov. se convirtió en una rep. federada de la URSS en 1922, constituyendo una de sus regiones industriales más ricas. En 1954 Crimea fue incorporada administrativamente a Ucrania. En 1991 se autoproclamó indep., integrándose tras la desaparición de la URSS en la Comunidad de Estados Independientes (CEI). En 1994 Leonid Kuchma asumió la pres. del Estado.

Mapa de situación y bandera de **Ucrania**

UCRANIANO, NA adj. y s. Díc. de individuos pertenecientes a un pueblo eslavo oriental que forma la mayoría de la pob. de Ucrania. • De Ucrania. • adj. Relativo a esta rep. • m. *Ling.* Lengua eslava hablada por dicho pueblo.

UCSD Pascal m. *Comp.* Sistema operativo propiedad de la Universidad de California, San Diego, cuya base es el lenguaje Pascal.

UDINE C. de Italia, cap. de la prov. hom.; 100 000 hab. Sit. junto al r. Tagliamento. Centro industrial. Universidad.

UDMURTIA *(Udmurtija)* Rep. autón. en la rep. de Rusia; 42 100 km², 1 141 700 hab. Cap., Ustinov.

UCRANIA

Superficie 603 700 km²

Población 51 150 000 hab. (85 hab./km²)

Recursos económicos	
Avena	739 000 t
Hierro	28 695 000 t
Trigo	13 547 000 t
Indicadores sociológicos	
PNB	84 084 millones de dólares
Renta per cápita	1 630 dólares
Esperanza de vida	70 años
Alfabetismo	98 %

UDMURTIO, TIA o **VOTIAKO** adj. y s. Díc. de individuos de un pueblo ugrofinés que habita en la rep. autón. de Udmurtia. • De Udmurtia. • adj. Relativo a esta república.

UDÓMETRO m. Pluviómetro.

UELÉ Río de la República Democrática del Congo, una de las ramas madre del Ubangui; 1 300 km de longitud.

UEXKÜLL, *Jakob von* (1864-1944) Biólogo al. Neovitalista. Estudió la ecología animal.

¡UF! interj. con que se denota cansancio, fastidio o sofocación. • Indica también repugnancia.

UFA Cap. de la rep. autón. de Bashkiria (Rusia); 770 900 hab. Ind. alimentaria y metalúrgica.

¡UFA! interj. *R. de la Plata.* Expresa molestia o impaciencia.

UFANO, NA adj. Arrogante, presuntuoso, engreído. • fig. Satisfecho, alegre, contento. • fig. Que procede con resolución y desembarazo en la ejecución de alguna cosa. ■ UFANARSE; UFANÍA.

UFFIZI, *Palacio* o ***Galería de los*** Edificio sit. en Florencia, junto al palacio Vecchio. Construido por Vasari (1560). Sede de importantes colecciones bibliográficas y artísticas.

UFO *(A)* m. adv. De gorra.

UGANDA *(Republic of Uganda; Jamhuri ya U.)* Estado de África oriental, limítrofe al N con Sudán, al E con Kenia, al S con Tanzania y Ruanda y al O con la República Democrática del Congo. El relieve conforma altiplanicies (1 100-1 800 m de alt.) y los macizos del Elgon (4 322 m) y del Ruwenzori (5 119 m). En las depresiones se asientan los lagos Kyoga, Victoria, Mobutu y Amin, y los r. que desaguan en los lagos y en el Nilo Victoria. Vegetación de sabana y bosque tropical. Prales. cultivos: mandioca, mijo, sorgo, maíz, banana, algodón, café, tabaco y caña de azúcar. Ganadería. Explotación forestal. Pesca. Minería del cobre, volframio, fosfatos, berilo, casiterita y sal. Ind. metalúrgica, de cemento, textil y alimentaria. Grupos étnicos o nacionales: bagandas, itesos, basogas y otros. Lenguas: ing. y swahili (ambas of.). *Rel.*: animismo, catolicismo e islamismo. U. M.: chelín ugandés. Cap., Kampala. C. prales.: Jinja, Bugenbe.

UGANDA

Superficie 241 038 km²

Población 20 605 000 hab. (85,5 hab./km²)

Recursos económicos	
Batatas	2 235 000 t
Cabaña bovina	5 200 000 cabezas
Cabaña caprina	3 500 000 cabezas
Cabaña ovina	1 906 000 cabezas
Cacahuetes	143 000 t
Café	220 000 t
Cemento	45 000 t
Mandioca	2 625 000 t
Mijo	643 000 t
Pesca	213 145 t
Riqueza forestal	16 682 000 m³
Sésamo	71 000 t
Sorgo	398 000 t
Tungsteno	60 t
Indicadores sociológicos	
PNB	4 668 millones de dólares
Renta per cápita	240 dólares
Esperanza de vida	41 años
Alfabetismo	62 %

Mapa de situación y bandera de **Uganda**

* *Hist.* Grupos étnicos bantúes poblaron la región desde el primer milenio d. C. y formaron cuatro reinos: Buganda, Bunyoro, Toro y Ankole. En 1894 Gran Bretaña estableció el protectorado de Buganda. Tras la II Guerra Mundial, cristalizó en 1960 la formación de dos partidos: el Congreso de los Pueblos de Uganda (UPC), nacionalista, plurirracial y protestante, y el Partido Democrático (DP), conservador y católico. La indep. de Uganda se hizo efectiva en 1962, y el reino se transformó en rep. En 1966 Obote asumió todos los poderes. En 1971 el general Idi Amin Dada se hizo con el poder median-

te un cruento golpe de Est. Se inició una época de dictadura unipersonal, en la que Amin organizó periódicas masacres de opositores étnicos y políticos. En 1979 un levantamiento interno puso fin a su régimen y Yusef Lule asumió la presidencia. En 1980 se celebraron elecciones en las que salió elegido presid. Milton Obote. Éste fue derrocado por el general Okello, en 1985. Al comenzar el año 1986 la guerrilla del Mov. de Resistencia Nacional logró derrotar al desorganizado ejército regular y controlar el país; su dirigente Y. Museveni asumió la presidencia y S. Kisekka fue designado primer ministro. En 1996 Museveni fue reelegido presidente.

UGARIT Ant. c. del N de Siria, en la actual Ras Shamra. Presenta cinco niveles de ocupación. El más antiguo pertenece al neolítico reciente, y los últimos a tiempos históricos. Su estudio ha proporcionado información sobre la E. del Bronce en Siria y Palestina.

UGARTE, *Antonio* (h. 1780-1833) Político y hombre de negocios esp. Protagonizó con el embajador ruso Tatischev el escándalo de la compra de barcos inservibles para el envío de tropas a América (1818). • ***Floro Manuel*** (1884-1975) Compositor arg. de inspiración folclórica. *Saika, De mi tierra, Junco.* ***Juan de*** (1662-1730) Misionero guat., jesuita. Fundador de varias misiones en California. • ***Manuel*** (1878-1951) Escritor arg. Destacan sus *Cuentos de la pampa*, obra costumbrista, y *El porvenir de la América Latina*, que trasluce su preocupación sociológica.

UGGI Siglas de → Unión Geodésica y Geofísica Internacional.

UGRE m. *C. Rica.* Árbol bixáceo, de tronco blanquecino y frutos esféricos con aguijones.

UGROFINÉS, SA adj. Relativo a los fineses y a otros pueblos de lengua semejante. • *Ling.* Se aplica a un grupo de lenguas uralaltaicas, integrado por los troncos finés y ugro.

UGT Siglas de → Unión General de Trabajadores.

¡UH! interj. Denota desilusión o desdén.

UHF Siglas de las voces ing. *Ultra High Frequencies*, «frecuencias ultraelevadas», que se emplean, internacionalmente, en electrónica, radio y televisión, para designar las frecuencias comprendidas entre 300 y 3 000 megahertz.

UHLAND, *Johann Ludwig* (1787-1862) Poeta lírico al., romántico y liberal. Jefe de la *escuela suaba*, naturalista y populista. *Poemas patrióticos* y *Baladas.*

UIGUR o **UIGHUR** adj. y s. Díc. de individuos pertenecientes a un pueblo nómada de origen turcomongol, que en el s. VIII creó un imperio en Asia central. Actualmente existen u. en Kazakistán y en el Sinkiang (China). • *Ling.* Lengua de este pueblo.

UITOTO adj. y s. Díc. del pueblo que vive en la Amazonia col., entre los r. Putumayo y Yapura. Se caracterizan por practicar el canibalismo.

UITZILOPOCHTLI → Huitzilopochtli.

UJIER m. Portero de estrados de un palacio o tribunal. • Empleado subalterno que en tribunales y cuerpos del Est. tiene a su cargo la práctica de ciertas diligencias.

UJJAIN C. de la India, en el est. de Madhya Pradesh; 278 500 hab. Una de las siete c. santas de los hindúes.

UJUNGPANDANG (ant. Macasar) C. de Indonesia, en el S de la isla de Célebes; 709 000 hab Puerto exportador. Ind. quím. y alimentarias.

UKELELE m. Guitarra pequeña de cuatro cuerdas, popular en las islas Hawai. Se utiliza ocasionalmente en conjuntos de jazz.

ULALA f. Especie de cacto.

ULAN BATOR *(Ulaanbaatar)* C. y cap. de Mongolia; 470 500 hab. Centro comercial y ganadero en la ruta entre Siberia y Pekín. Ind. textiles, del cuero, alimentarias, de la construcción y del vidrio.

ULANO m. Soldado de caballería ligera en los ejércitos austríaco, al. y ruso (ss. XVI-XIX).

ULÁN-UDÉ C. de Rusia, cap. de la rep. de Buriatia; 335 000 hab. Centro comercial.

ULATE Blanco, *Otilio* (1892-1973) Político cost. Presid. de la rep. (1949), por una coalición de conservadores y socialdemócratas; su no reconocimiento como ganador de las elecciones motivó una guerra civil. Tras un acuerdo, U. gobernó de 1949 a 1953.

ULBRICHT, *Walter* (1893-1973) Político al., uno de los fundadores del partido comunista en su país. Desde 1960 hasta su muerte, fue presid. del Consejo de Est. de la RDA.

ÚLCERA f. *Pat.* Solución de continuidad de una superficie cutánea o mucosa, con pérdida de sustancia y proliferación de tejido conjuntivo. Se origina por una causa local (traumatismos, calor, frío, infecciones, lesiones nerviosas, etc.) y algunas de ellas asociadas a una causa general (diabetes, estado general deficiente, etc.). • *Bot.* Daño en la parte leñosa que se manifiesta por exudación de savia corrompida.

ULCERAR tr. y prnl. Causar úlcera. ■ ULCERACIÓN; ULCERATIVO, VA; ULCEROSO, SA.

ULCOATE m. *Méx.* Ofidio de la familia crotálidos, de cabeza plana y pequeñas escamas.

ULEMA m. Doctor de la ley mahometana.

ULERO m. *Chile.* Rodillo para amasar.

ULEXITA f. *Miner.* Borato hidratado de sodio y calcio. Se origina por evaporación en lagos salados. Se utiliza como fibra ópt., y para la obtención de boratos y ácido bórico.

ULIANOV, *Vladimir Ilich* → Lenin.

ULIANOVSK *(Uljanovsk)* C. de Rusia, cap. de la prov. hom.; 544 000 hab. Fundada en 1648, se llamó Simbirsk hasta 1924. Cuna de Lenin.

ULIGINOSO, SA adj. Aplícase a los terrenos húmedos y a las plantas que crecen en ellos.

ULISES (gr., *Odysseús*; latín, *Ulixes*) *Mit. gr.* Rey de Itaca, uno de los protagonistas de la *Ilíada* y el pral. de la *Odisea.*

ULLMAN, *Liv* (nacida 1939) Actriz de cine nor., n. en Tokio. Se reveló en la obra teatral *El diario de Ana Frank.* Ha protagonizado varios filmes dirigidos por I. Bergman. *Persona, La vergüenza, Gritos y susurros.*

ULLOA, *Antonio de* (1716-1795) Marino y matemático esp. Introdujo la explotación del mercurio de Almadén; ideó el canal de Castilla la Vieja; dio a conocer el platino. Tomó Luisiana y gobernó Florida. • ***Luis*** (1869-1936) Historiador per. Investigó los ant. centros mineros de Centroamérica y Sudamérica. • **Elías, *Manuel*** (nacido 1922) Político per. Director de los periódicos *Expreso y Extra.* Primer ministro y ministro de Economía y Finanzas con Belaúnde (1980-1982).

ULLUCO m. Gén. de plantas quenopodiáceas, propias de Bolivia, Ecuador y Perú, que se usan como sucedáneo de la patata.

ULM C. de Alemania, en Baden-Württemberg; 96 600 hab. Sit. a orillas del Danubio. Ind. radioeléctricas y textiles. Catedral gótica de los ss. XIV y XV. Lugar de la victoria de Napoleón sobre los austríacos (1805).

ULMÁCEO, A adj. y f. *Bot.* Díc. de plantas arbóreas dicotiledóneas, con ramas alternas, hojas aserradas y fruto con una sola semilla aplastada y sin albumen. • f. pl. *Bot.* Familia de estas plantas.

ULMARIA f. Reina de los prados, planta.

ULMÉN m. *Chile.* Entre los indios araucanos, cacique, hombre rico e influyente.

ULMO m. *Chile* y *Perú.* Árbol cuya corteza sirve para curtir.

ULNA f. *Anat.* Hueso que, junto con el radio, forma el esqueleto de una porción de la extremidad anterior de los vertebrados tetrápodos. En el hombre es el cúbito.

ULOTRICAL adj. y f. *Bot.* Díc. de algas clorofíceas, gralte. ancladas al sustrato, de reproducción sexual por isogametos o heterogametos y asexual por zoosporas. • f. pl. *Bot.* Orden de estas algas.

ULPIANO, *Domicio* (170-228) Jurista rom. De sus escritos *De fideicomissis, Responsa*, sólo se conservan fragmentos.

ULPO (voz mapuche) m. *Chile* y *Perú.* Especie de gachas de harina y agua. ■ *Chile.* ULPEAR.

ULSAN C. de la República de Corea en la prov. de Kyongsang Merid.; 418 400 hab. Puerto pesquero. Centro industrial.

ULSTER La más septentrional de las cuatro prov. históricas de Irlanda; 22 121 km², 1 734 797 hab. Compartida entre la República de Irlanda (8 011 km², 235 600 hab.) y la región brit. de Irlanda del Norte (14 120 km², 1 527 700 hab.) Cap. histórica, Belfast. Dividida por la *Ireland Act* de 1920.

ULTAVA Río de la República Checa, afl. del Elba. Nace en la Selva Bohemia y pasa por Praga; 434 km.

Estatuilla de bronce y oro procedente de **Ugarit**

Ulan Bator. Monjes en el monasterio de Gandan

Walter **Ulbricht**

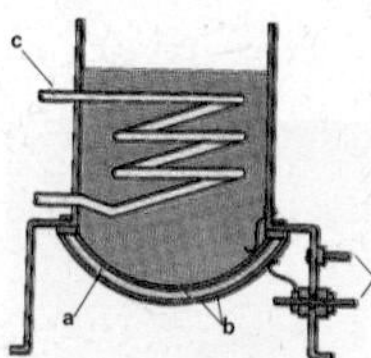

Esquema de un generador piezoeléctrico de **ultrasonidos:** a) cristal de titanato de bario; b) electrodos; c) serpentín refrigerador; d) terminales

Lechuga de mar, alga de la familia **ulváceas**

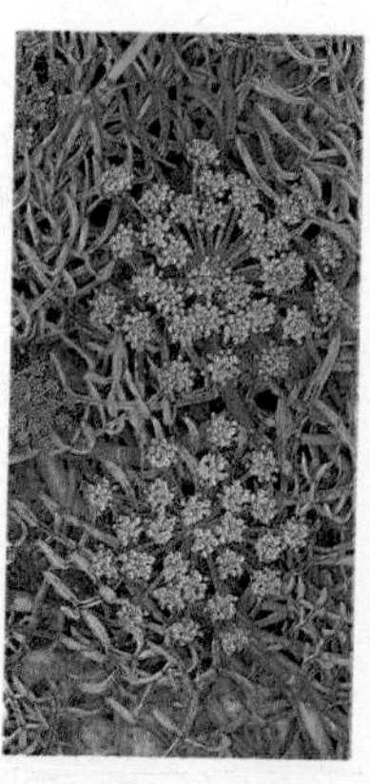
Inflorescencias en **umbela** de hinojo

ULTERIOR adj. Que está de la parte de allá de un sitio o territorio. • Que se dice, sucede o se ejecuta después de otra cosa.

ULTÍLOGO m. Discurso puesto en un libro después de terminada la obra.

ÚLTIMA ESPERANZA Prov. del S. de Chile, en la región de Magallanes y de la Antártica Chilena; 18 100 hab. Cap., Puerto Natales.

ULTIMAR tr. Acabar, concluir una cosa. • *Amér.* Matar. ▪ ULTIMACIÓN.

ULTIMÁTUM m. En la diplomacia, última proposición, precisa y perentoria, que hace una nación a otra y cuya falta de aceptación ocasiona la ruptura. • fam. Resolución definitiva.

ÚLTIMO, MA adj. Aplícase a lo que en su línea no tiene otra cosa después de sí. • Díc. de lo que en una serie o sucesión de cosas está o se considera en el lugar postrero. • Díc. de lo más remoto, retirado o escondido. • Aplícase al recurso, medio o acuerdo eficaz y definitivo que se toma en algún asunto, después de experimentada la inutilidad o insuficiencia de lo ejecutado antes. • Díc. de lo extremado en su línea. • Aplícase al fin a que deben dirigirse todas nuestras acciones y designios. • adj. y s. neutro. Díc. del precio que se pide como mínimo o del que se ofrece como máximo. • **A la ú.** m. adv. fam. A la última moda. • **Por ú.** m. adv. Después o detrás de todo, finalmente. ▪ ULTIMIDAD.

ULTRA adv. Además de. • En composición con algunas voces, más allá de, al otro lado de. • Antepuesta como partícula inseparable a algunos adj., expresa idea de exceso. • adj. y s. Díc. de la persona que sostiene ideas políticas de extrema derecha.

ULTRABÁSICO, CA adj. *Geol.* Díc. de los minerales y rocas con escaso contenido en sílice (SiO_2).

ULTRACENTRIFUGADORA f. Centrifugadora de régimen de rotación muy elevado (hasta 100 000 rpm), utilizada en laboratorios.

ULTRAFILTRACIÓN f. Filtración en la que, empleando membranas adecuadas, se pueden separar las partículas coloidales según sus dimensiones.

ULTRAFRECUENCIA f. Frecuencia mayor de 300 megahertz. Se designa con las siglas UHF.

ULTRAÍSMO m. *Lit.* Mov. poético surgido en 1918, que agrupó a poetas esp. y latinoamericanos y que tendía a una renovación radical del espíritu y de la técnica. Se puede relacionar con el cubismo fr. y el futurismo it., en cuanto mov. de reacción frente al modernismo. Tomó su nombre de la revista *Ultra*. En 1921, en Buenos Aires, Borges presentó el u. porteño como reacción al rubenismo.

ULTRAJAR tr. Ajar o estropear una cosa. • Injuriar, ofender gravemente de palabra u obra a una persona. • Violar a una mujer.

ULTRAJE m. Injuria o desprecio. ▪ ULTRAJOSO, SA.

ULTRAMAR m. País o países sit. al otro lado del mar considerado desde el punto en que se habla. • Terr. coloniales respecto a su metrópoli. • Nombre dado a una serie de colorantes inorgánicos, obtenidos artificialmente. Las materias primas para obtenerlos son: caolín, sosa, sal común, azufre, sulfato sódico, carbón y resina.

ULTRAMARINO, NA adj. Que está del otro lado o a la otra parte del mar. • adj. y s. Díc. de víveres, en un principio traídos de otros continentes, que se venden en las tiendas de comestibles. Se usa más en pl.

ULTRAMICROSCOPIO m. Microscopio provisto de un sistema de iluminación especial que sirve para ver objetos que no se perciben con el microscopio ordinario. ▪ ULTRAMICROSCÓPICO, CA.

ULTRAMONTANISMO m. En Francia, doctrina de los que consideraban que la autoridad papal debía prevalecer frente a las prerrogativas galicanas.

ULTRAMUNDANO, NA adj. Que excede a lo mundano o está más allá.

ULTRANZA *(A)* m. adv. A muerte. • A todo trance, resueltamente.

ULTRARROJO adj. *Fís.* Que en el espectro luminoso está después del color rojo.

ULTRASONIDO m. Fís. Vibración sonora de gran frecuencia, no percibible por el oído humano, de aplicación en física teórica para el estudio de la materia a temperaturas muy bajas, en el sonar y en la construcción de dispositivos de memoria de computadoras. ▪ ULTRASÓNICO, CA.

ULTRATUMBA adv. Más allá de la tumba, de la muerte.

ULTRAVIOLETA adj. *Fís.* Perteneciente o relativo a la parte invisible del espectro luminoso que se extiende a continuación del color violeta.

ULTRAVIRUS m. Virus que, como el de la rabia y otros, contiene gérmenes patógenos invisibles, los cuales pasan a través de los filtros.

ULÚA Río de Honduras, en la vertiente del Caribe; 257 km.

ULUG Beg (1393-1449) Príncipe mongol, nieto de Tamerlán e hijo de Shajruj Mirza. Gobernó la Transoxiana, y se estableció en Samarcanda, donde fundó un observatorio astronómico.

ULULAR intr. Dar gritos o alaridos.

ULULATO m. Clamor, lamento, alarido.

ULVÁCEO, A adj. y f. *Bot.* Díc. de algas clorofíceas, talosas, laminares, constituidas por una o dos capas de células ramificadas o lobuladas. La reproducción puede ser sexual por isogametos y asexual por zoósporas. • f. pl. *Bot.* Familia de estas plantas.

uma o **uam** *Fís.* Siglas de unidad de masa atómica. Se define como la dieciseisava parte de la masa de un átomo del isótopo del oxígeno O^{16}, y vale aproximadamente $1{,}661 \cdot 10^{-24}$ gramos.

UMANGO Sierra de Argentina, en la prov. de La Rioja; se eleva hasta 4 500 m. Plata, cobre y plomo.

UMAR I (589-644) Segundo califa [634-644]. Sentó las bases del imperio omeya a través de una gran expansión territorial. Reforzó el carácter teocrático del califa. Introdujo la nueva cronología, a partir de la Hégira.

UMBELA f. *Bot.* Inflorescencia constituida por una especie de corimbo en el que los pedúnculos florales parten de un mismo punto sobre el pedúnculo principal. • Tejadillo voladizo sobre un balcón o ventana. ▪ UMBELIFORME.

UMBELÍFERO, RA adj. y f. *Bot.* Díc. de plantas angiospermas dicotiledóneas que tienen hojas con peciolos envainadores, flores en umbela y fruto en aquenios con sendas semillas de albumen carnoso o córneo, como el apio, el perejil o la zanahoria. • f. pl. *Bot.* Familia de estas plantas.

UMBÉLULA f. Cada una de las pequeñas umbelas de segundo orden que se encuentran en las umbelas compuestas.

UMBILICADO, DA adj. *Biol.* Díc. del órgano que posee una depresión central en forma de ombligo o embudo, más o menos cóncavo.

UMBILICAL adj. Relativo al ombligo.

UMBILICARIÁCEO, A adj. y f. *Bot.* Díc. de líquenes gimnocarpos con talo membranoso fijo al sustrato, apotecios compuestos, espermacios cilíndricos, y una única espora en cada teca. • f. pl. *Bot.* Familia de estas plantas.

UMBRÁCULO m. Cobertizo para resguardar las plantas de la fuerza del sol.

UMBRAL m. Parte inferior o escalón, por lo común de piedra y contrapuesto al dintel, en la puerta o entrada de una casa. • fig. Paso primero y pral. o entrada de cualquier cosa. • *Arq.* Madero que se atraviesa en lo alto de un vano, para sostener el muro que hay encima. • Intensidad mínima que debe tener un estímulo para producir una respuesta determinada por parte de un receptor u organismo completo. • adj. Relativo a ese estímulo.

UMBRAL, *Francisco* (nacido 1935) Escritor esp. *Memorias de un niño de derechas*, *Memorias borbónicas*. En 1996 recibió el premio Príncipe de Asturias de las Letras, y en 2000 el premio Cervantes.

UMBRALAR tr. *Arq.* Poner umbral al vano de un muro. ▪ UMBRALADO, DA.

UMBRÁTICO, CA adj. Perteneciente a la sombra. • Que la causa.

UMBRATÍCOLA adj. *Bot.* Díc. de las plantas que tienen tendencia a vivir en las zonas umbrías.

UMBRELA f. *Zool.* Cuerpo gelatinoso de las medusas del que parten los tentáculos.

UMBRÍA f. Parte de terreno, y especialmente ladera de un monte, en la que casi siempre hace sombra por estar orientada al N en el hemisferio boreal.

UMBRÍA *(Umbria)* Región del centro de Italia; 8 456 km², 811 800 hab. Cap. Perugia; c. prales.: Orvieto y Spoleto. Comprende las prov. de Perusa y Terni. Ind. siderometalúrgica, química y textil. Incorporada al reino de Italia en 1860.

UMBRÍO, A adj. Sombrío, que está en sombra.

UMBRO, BRA adj. y s. Díc. de un ant. pueblo ítalo-celta, que vivió en la región it. de Umbría; do-

minados por los romanos a partir de 295 a. C. • De Umbría. • adj. Relativo a esta región de Italia.
UMBROSO, SA adj. Que tiene sombra o la causa. ■ UMBRÁTIL.
UMEA C. y puerto de Suecia, en el golfo de Botnia, cap. del condado de Västerbotten; 84 200 hab. Centro comercial e industrial.
UN, UNA Art. indeterminado en gén. masculino y femenino y núm. singular. Puede usarse con énfasis para indicar que la persona o cosa a que se antepone se considera en todas sus cualidades más características. • adj. Uno.
UNALBO, BA adj. Díc. de la caballería que tiene calzado un pie o una mano.
UNAMUNO, *Miguel de* (1864-1936) Escritor y pensador esp., encuadrado en la generación del 98 y situado entre los precursores del existencialismo. *Del sentimiento trágico de la vida, La agonía del cristianismo, La tía Tula, Niebla*, etc.

Unción. La extremaunción en un detalle del retablo de fray Bonifacio Ferrer (anónimo)

UNÁNIME adj. Díc. del conjunto de las personas que convienen en un mismo parecer, dictamen, voluntad o sentimiento. • Aplícase a este parecer, dictamen, voluntad o sentimiento.
UNANIMIDAD f. Calidad de unánime. • **Por u.** m. adv. Sin discrepancia, de manera unánime.
UNANUE, *José Hipólito* (1755-1833) Político y médico per. Introdujo el uso de la vacuna en su país. Participó en la revolución contra España y fue ministro de Hacienda (1821). Tras la marcha del Libertador, presidió el consejo de ministros (1824-1825). *Guía política, eclesiástica y militar del virreinato del Perú, Los Andes libres.*
UNARE Río de Venezuela; 250 km. Nace cerca de Pariaguán y desemboca en el Caribe, formando un gran delta. • Laguna de Venezuela, en el est. Anzoátegui, al O de la desembocadura del r. hom.
UNAU m. *Amér.* Merid. Especie de perezoso sin dientes y sin cola, que vive en zonas boscosas.
UNCI Pref. que significa *uña, garfio.*
UNCIA f. Moneda romana de cobre, que valía la duodécima parte del as.
UNCIAL adj. y s. Díc. de ciertas letras, todas mayúsculas y del tamaño de una pulgada, que se usaron hasta el s. VII. • Aplícase también a este sistema de escritura.
UNCIFORME adj. y m. *Anat.* Díc. de uno de los huesos del carpo que en el hombre forma parte de la segunda fila. • adj. *Bot.* Díc. de los órganos que tienen forma de uña o gancho, como ciertos zarcillos o algunas brácteas.
UNCÍNULO m. *Bot.* Parte posterior de la célula terminal de las hifas de los hongos ascomicetes, encorvada hacia atrás, y de la que se origina un asco o esporangio tras un proceso de copulación.
UNCIÓN f. Acción de ungir. • Extremaunción. • Gracia y comunicación especial del Espíritu Santo, que mueve al alma a la virtud y perfección. • Devoción y recogimiento con que el ánimo se entrega a la exposición de una idea, a la realización de una obra, etc. • pl. Unturas de ungüento mercurial para tratar la sífilis.
UNCIR tr. Atar al yugo bueyes, mulas u otras bestias.
UNCU (voz quechua) m. *Perú.* Vestido usado por los indígenas.
UNDECÁGONO, NA adj. y m. *Geom.* Endecágono.
UNDÉCIMO, MA adj. Que sigue inmediatamente en orden al o a lo décimo. • Díc. de cada una de las once partes iguales en que se divide un todo.
UNDÉCUPLO, PLA adj. y s. Que contiene un núm. once veces exactamente.
UNDOSO, SA adj. Que se mueve haciendo ondas.
UNDSET, *Sigrid* (1882-1949) Novelista nor. de origen danés. Premio Nobel de Literatura en 1928. *Kristin Lavransdatter, Olav Audunsson.*
UNDULACIÓN f. Acción y efecto de undular. • *Fís.* Onda. ■ UNDULATORIO, RIA.
UNDULAR intr. Ondular.
UNDURRAGA, *Antonio de* (nacido 1911) Escritor chil. Su obra recibió influencias del surrealismo. *Transfiguración en los párpados de Sagitario, Hay levadura en las columnas.*
UNESCO Siglas de *United Nations Educational, Scientific and Cultural Organization*, entidad cultural de la ONU con sede en París. Fundada en 1946, tiene por finalidad ayudar al mantenimiento de la paz y la seguridad, favoreciendo la colaboración internacional en los campos educativo, científico y cultural.
UNG, UNGU Pref. que significan *uña.*
UNGARETTI, *Giuseppe* (1888-1970) Poeta it. Representante de la escuela hermetista. *Sentimiento del tiempo, La tierra prometida.*
UNGIDO, DA m. Rey o sacerdote signado con el óleo santo.
UNGIR tr. Aplicar a una cosa aceite u otra materia pingüe, extendiéndola superficialmente. • Signar con óleo sagrado a una persona, para denominar el carácter de su dignidad, o para la recepción de un sacramento. ■ UNGIMIENTO.
UNGÜENTARIO, RIA adj. Relativo a los ungüentos. • m. El que hace los ungüentos. • Lugar en que se guardan los ungüentos.
UNGÜENTO m. Aquello que sirve para ungir o untar. • *Farm.* Medicamento tópico elaborado pralm. a base de ceras y resinas. • Compuesto usado antiguamente para embalsamar cadáveres. • fig. Cualquier cosa que ablanda el ánimo o la voluntad.
UNGUICULADO, DA adj. y s. *Zool.* Que tiene los dedos terminados por uñas.
UNGUIS m. *Anat.* Hueso de la parte anterior e interna de cada una de las órbitas, que conforma los conductos lagrimal y nasal.
UNGULADO, DA adj. y m. *Zool.* Díc. de mamíferos que caminan sobre las uñas, las cuales alcanzan un gran desarrollo y se transforman en pezuñas o cascos.
* Son u. los artiodáctilos, perisodáctilos, hiracoideos, proboscídeos y sirenios, así como otros cinco órdenes extintos. Los u. presentan tendencias evolutivas semejantes, tales como el gigantismo, tendencia a la reducción del núm. de dedos, y una dentición especializada en una dieta herbívora.
UNGULAR adj. Que pertenece o se refiere a la uña.
UNI Pref. que significa uno.
UNIATO, TA adj. y s. Díc. de los miembros de las iglesias orientales que están en comunión con la católica rom., pero conservando su liturgia y ritos propios.
UNIÁXICO, CA adj. Díc. del cristal que posee un solo eje óptico y una única dirección de refringencia. • *Miner.* Díc. del mineral en cuya cristalización se forman cristales uniáxicos.
UNICAMERAL adj. Díc. del poder legislativo formado por una sola cámara parlamentaria.
UNICAULE adj. Díc. de la planta que tiene un solo tallo.
UNICEF Siglas de *United Nations International Children's Emergency Fund*, organismo de la ONU, fundado en 1946 para ayuda de la infancia de los países subdesarrollados o devastados por la guerra, con sede en Nueva York. Premio Nobel de la Paz en 1965.
UNICELULAR adj. *Biol.* Díc. de los seres vivos que están constituidos por una sola célula, y también de los estadios con una sola célula de los seres pluricelulares.
* *Biol.* Los organismos u. carecen de especialización celular por lo que son potencialmente inmortales y solamente mueren por causas exógenas; gralte. viven formando colonias, pero sin que las relaciones entre las distintas células sean de dependencia ni especialización. Se reproducen por bipartición, pero en ocasiones verifican una reproducción sexual tras meiosis en la que dos individuos haploides se comportan como gametos. Presentan

Umbría. Palacio de los Cónsules, en Gubbio

Miguel de **Unamuno**

Sigrid **Undset**

formas de anabiosis, como esporas o quistes, que son estadios de resistencia. Pertenecen a los protozoos (tendencia animal), o a las algas protófitas (tendencia vegetal); hongos (levaduras) y, p. ext., aunque no sean células típicas, también se consideran u. las bacterias, las algas azules o cianofíceas, las rikettsias y los virus. Entre los seres u. se encuentran los fermentadores y putrefactores, y muchos microbios patógenos.

La dama del **unicornio,** obra del Domenichino

ÚNICO, CA adj. Solo y sin otro de su especie. • fig. Singular, extraordinario. ■ UNICIDAD.

UNICOLOR adj. De un solo color.

UNICORNIO m. Animal fabuloso con cuerpo de caballo y un cuerno recto en mitad de la frente. • Rinoceronte. • Marfil fósil de mastodonte, que se creía que procedía del unicornio. • **de mar** o **marino.** Narval.

UNICORNIO *Astr.* Monoceros, constelación.

UNIDAD f. Propiedad de todo ser, en virtud de la cual no puede dividirse sin que su esencia se destruya o altere. • Singularidad en núm. o calidad. • Unión o conformidad. • Magnitud que se emplea como referencia para medir, directa o indirectamente, otra de la misma clase. • Conjunto de elementos que, en una instalación, realiza un determinado proceso. • *Comp.* Conjunto mecánico electrónico que sirve de periférico a una computadora y que, mediante la introducción en su interior de un soporte (gralte. magnético), como diskettes, discos, cintas, etc., puede almacenar o suministrar información a una computadora. • *Mat.* El número entero uno y, por generalización, el elemento neutro respecto de la segunda operación de un anillo. • *Mil.* Fracción, constitutiva e independiente, de una fuerza militar. • **astronómica de longitud** *(UA).* Distancia media de la Tierra al Sol, igual a 149,5 millones de kilómetros. • **biológica.** Conjunto de material de naturaleza nucleoproteica, capaz de autoduplicación y de transmisión de información genética. • **central.** *Comp.* Dispositivo que conforma el núcleo de un equipo y que, al tener unidad de control, unidad lógica, memoria rápida, etc., es capaz de gestionar un conjunto de periféricos. • **central de proceso (C.P.U.).** *Comp.* Parte principal de una computadora. Se trata del chip que realiza todas las operaciones lógicas y cálculos numéricos fundamentales; interpreta las instrucciones dadas a la computadora y hace que ésta las ejecute. • **de cartucho de cinta.** *Comp.* Conjunto mecánico electrónico donde se introduce el cartucho de cinta y con el que se podrá leer y grabar. • **de cassette.** *Comp.* Conjunto mecánico electrónico donde se introduce el cassette y con el que podrá leerse y grabarse tal soporte. • **de control.** *Comp.* Unidad de periférico que sirve para efectuar todas las operaciones propias de un periférico cuando éstas le son ordenadas por la unidad central. • **de cinta magnética.** *Comp.* Conjunto mecánico donde se introduce la cinta magnética y con el que se podrá leer y grabar. • **de disco.** *Comp.* Conjunto mecánico electrónico donde se introduce, o en muchos casos ya va incluido, un disco; con dicho conjunto se podrá leer y grabar este soporte. • **de diskette.** *Comp.* Conjunto mecánico electrónico donde se introduce el diskette y con el que se podrá leer y grabar. • **de muestreo.** Cada uno de los elementos que forman un universo o conjunto sometido a estudio estadístico. • **lógica.** *Comp.* Parte de la unidad central de proceso que contiene los elementos necesarios para la realización de las operaciones lógicas. • **monetaria.** Moneda que sirve legalmente de patrón en cada país. • **fonética.** Fonema, unidad lingüística primaria, en cuanto se la considera punto de partida desde el que se llega a la sílaba, luego a la palabra y así a la frase o a la oración. • **politénica.** Asociación de múltiples cromonemas homólogos originados por duplicación del ácido desoxirribonucleico en una mitosis. • **significativa.** Se llama así a la oración, al grupo sintáctico de la oración (sujeto, verbo, etc.) y a la palabra. • **técnica de masa.** → utm. • **X.** La de longitud que es igual a 10^{13} m. • **Regla de las tres unidades.** Norma fundada en la *Poética* de Aristóteles y en Horacio, que exigía que las piezas teatrales respetaran las u. de tiempo —un día—, lugar —mismo oficio o en la misma ciudad— y acción —una única acción principal—.

Uniformes argentinos de distintas épocas. Arriba, coracero de las fuerzas federales hacia 1828; sobre estas líneas, soldados de infantería hacia 1870 (izquierda) y 1910 (derecha)

UNIDAD Popular *(UP)* Coalición de las izquierdas chilenas formada en 1970. En los comicios de ese año obtuvo la presidencia con Salvador Allende, y volvió a triunfar en las elecciones legislativas de marzo de 1973. En septiembre de ese mismo año las fuerzas armadas derrocaron al gobierno de la UP.

UNIFACIAL adj. *Bot.* Díc. de las hojas que carecen de haz y envés por ser cilíndricas o cónicas. • *Biol.* Díc. de los órganos dorsiventrales cuyas dos caras son parecidas.

UNIFICAR tr. y prnl. Hacer de muchas cosas una o un todo, uniéndolas, mezclándolas o reduciéndolas a una misma especie. ■ UNIFICACIÓN.

UNIFOLIADO, DA adj. *Bot.* Que tiene una sola hoja.

UNIFORME adj. Díc. de dos o más cosas que tienen la misma forma. • Igual, semejante. • m. Vestido peculiar y distintivo que usan los militares y otros empleados, o los individuos que pertenecen a un mismo cuerpo. ■ UNIFORMAR; UNIFORMIDAD.

UNIGÉNITO, TA adj. Aplícase al hijo único. • m. P. ant., Jesucristo, como Hijo de Dios.

UNILATERAL adj. Díc. de lo que se refiere o se circunscribe solamente a una parte o a un aspecto de alguna cosa. • *Bot.* Que está colocado solamente a un lado. • *Der.* Que no compromete sino a una de las partes.

UNINERVIO, VIA adj. *Bot.* Díc. de la hoja que presenta solamente la nerviación central de un modo muy aparente.

UNIÓN f. Acción y efecto de unir o unirse. • Correspondencia y conformidad de una cosa con otra, en el sitio o composición. • *Mec. apl.* Dispositivo, gralte. estable, que sirve para realizar un acoplamiento. Los prales. tipos de u. son el remachado y la soldadura. • *Electr.* Cualquier elemento que permita conectar componentes de guía de onda entre sí o con un cable coaxial. • *El.* Conexión, acoplamiento. • Conformidad de opiniones y pareceres. • Acción y efecto de unirse en matrimonio, casamiento. • Composición que resulta de la mezcla de algunas cosas que se incorporan entre sí. • *Teol.* La del alma con Dios. • Asociación de intereses que se establece entre varias personas u organizaciones. • Agregación o incorporación de un beneficio o prebenda eclesiástica a otra. • Alianza, confederación. • Anillo o sortija compuesta de dos, enlazadas entre sí. • *Chile.* Entredós de bordado o encaje. • *Cir.* Consolidación de los labios de la herida. • **aduanera.** Acuerdo entre países para suprimir algunos derechos de aduanas o toda barrera aduanera.

UNION Act Nombre con que se conocen cada una de las dos leyes que sancionaron la unión política de Inglaterra con Escocia e Irlanda. La primera, con Escocia, tuvo lugar en 1707, y la segunda en 1800. • **Jack** Nombre que dan los brit. a su bandera.

UNIÓN *(Tokelau)* Grupo de cuatro pequeñas islas (Fakaofo, Nukunono, Atafu y Olosega), sit. al N. de Samoa; 10 km², 1 700 hab. Las tres primeras pertenecen a Nueva Zelanda; la cuarta, a EE UU.

UNIÓN, *La* C. de Chile, en la prov. de Valdivia; 35 800 hab. Ind. alimentaria y de curtidos.

UNIÓN, *La* Dpto. de El Salvador, limítrofe al N y E con Honduras y bañado al S y SE por el océano Pacífico; 2 074 km², 286 173 hab. Cap., la c. hom. Relieve montañoso. Clima tropical. Caña de azúcar, café, henequén, frutas tropicales y ganadería; explotación forestal. Oro, plata y amianto; salinas. Ind. de derivados agropecuarios. • C. de El Salvador, cap. del dpto. hom.; 36 900 hab. Sit. en la bahía hom., al pie del volcán Conchahua. Núcleo comercial.

UNIÓN Cívica Radical (UCR) Partido político arg. fundado en 1890 por Leandro Alem. Accedió a la presid. de la rep. con Yrigoyen (1916-1922, 1928-1930) y Alvear (1922-1928). En 1957 se dividió entre **UCR Intransigente**, liderada por Frondizi (presid., 1958-1962), y **UCR del Pueblo**, sector que se impuso a partir de los años 60 (Illia, presid., 1963-1966). Tras la dictadura, accedieron a la presid. Alfonsín (1983-1989) y De la Rúa (1999), este último como candidato de Alianza (en coalición con Frepaso).

UNIÓN DE REPÚBLICAS SOCIALISTAS SOVIÉTICAS *(URSS)* o **UNIÓN SOVIÉTICA** *(Soyuz Sovetsky Sotsialistichesky Respublik, SSSR,* en caracteres cirílicos *CCCP)* De 1922 a 1991 constituyó el mayor de los est. del mundo. Limitaba al N con el océano Glaciar Ártico, al E con el océano Pacífico, al S con Corea del Norte, Mongolia, Chi-

Repúblicas independientes de la extinta URSS hasta 1991

Repúblcas Socialistas Soviéticas	Km²	Población	Densidad	Capital	Población
Armenia	29 800	3 283 000	110,1	Yereván	1 199 000
Azerbaiján	86 600	7 029 000	81,1	Bakú	1 150 000
Bielorrusia	207 600	10 200 000	49,1	Minsk	1 612 000
Estonia	45 100	1 573 000	34,9	Tallin	482 000
Georgia	69 700	5 449 000	78,2	Tbilisi	1 260 000
Kazakistán	2 717 300	16 538 000	6,1	Alma-Atá	1 128 000
Kirguisistán	198 500	4 291 000	21,6	Frunze	616 000
Letonia	64 500	2 681 000	41,5	Riga	915 000
Lituania	65 200	3 690 000	56,6	Vilnius	582 000
Moldavia	33 700	4 341 000	128,8	Kishiniov	665 000
Rusia	17 075 400	147 386 000	8,6	Moscú	8 769 000
Tadjikistán	143 100	5 112 000	35,7	Dushanbe	595 000
Turkmenistán	488 100	3 534 000	7,2	Ashjabad	398 000
Ucrania	603 700	51 704 000	85,6	Kiev	2 587 000
Uzbekistán	447 400	19 906 000	44,5	Tashkent	2 073 000

na, Afganistán, Irán y Turquía y al O con Noruega, Finlandia, Polonia, Eslovaquia (entonces una rep. federada de la extinta Checoslovaquia), Hungría y Rumania, ocupando todo el sector oriental de Europa y el septentrional y parte del oriental de Asia.

* *Hist.* A partir de los acontecimientos que condujeron a la caída definitiva del imperio de los zares (→ Revolución Rusa), se pueden distinguir diversas etapas en la evolución histórica de la URSS. La primera, que se conoce con la denominación de «comunismo de guerra» se extiende, sin que ello implique límites cronológicos tajantes, desde el año 1917 hasta fines de 1920. Es la etapa de la guerra civil, de la guerra exterior, del bloqueo organizado por las potencias aliadas, de la lucha contra la miseria y el hambre, de los choques entre las diversas tendencias de la revolución. Las personalidades de Lenin y Trotski jugaron un papel preponderante para preservar la viabilidad del Est. sov. Un objetivo prioritario fue la negociación de un tratado de paz con los imperios centrales. Las negociaciones se iniciaron en diciembre1917 en la c. de Brest-Litovsk y culminaron en marzo 1918. Fue una paz dura para los sov., que perdieron Polonia, los Países Bálticos, Finlandia y parte de Transcaucasia, y tenían además que aceptar la indep. de Ucrania. La guerra civil, que existía como una amenaza antes de la firma de la paz, estalló pocos meses después, al agudizarse las dificultades internas y confluir los intereses de la oposición con el temor de las potencias europeas y de Japón a una propagación del mov. revolucionario iniciado en Rusia. Las medidas adoptadas para reconstruir la economía chocaron con la oposición armada de los campesinos ricos *(kulaks)* y con la resistencia de otros sectores opuestos al proceso. Jugaron un papel imp. en el desencadenamiento de la guerra la actitud de las potencias aliadas, en especial Gran Bretaña, Francia, EE UU y Japón, países que intervinieron directamente contra los soviets, así como la llamada legión checoslovaca. De esta forma a la guerra civil se unió la guerra de intervención extranjera. En el verano de 1918 la situación de los bolcheviques parecía desesperada. Ante tal cúmulo de dificultades, éstos decidieron decretar el servicio militar obligatorio (junio 1918) y eliminar a la familia imperial (julio). La ocupación de Arkángel por los brit. (agosto 1918) determinó la formación de un gobierno populista en el N de Rusia, en tanto en el E se formaba en septiembre 1918 un gobierno provisional de Rusia, con participación de los socialrevolucionarios, al que sucedió después la dictadura de Kolchak. En 1919 el ejército rojo, dirigido por Trotsky, emprendió con éxito la ofensiva en los diversos frentes, a pesar del desembarco de tropas anglofrancesas en Odessa y Sebastopol y de la intervención del ejército polaco. Los brit. tuvieron que evacuar Murmansk y Arkángel (septiembre-octubre 1919), Omsk fue reconquistada (noviembre) y el ejército rojo llegó a Jarkov y Kiev (diciembre). En 1920 Kolchak fue entregado por sus propios partidarios a los bolcheviques, quienes lo ejecutaron (febrero). Siberia volvía de nuevo a control sov. En Ucrania los polacos desarrollaron en mayo una ofensiva sobre Kiev, pero fueron derrotados y hubieron de replegarse hacia Varsovia. En la región del Báltico el frente se estabilizó y los sov. reconocieron la indep. de las rep. de Estonia, Letonia y Lituania. En la Transcaucasia, en cambio, el gobierno sov. pudo imponer su autoridad. La guerra civil y la guerra de intervención extranjera concluía en 1921 con la victoria del régimen sov. Paralelamente al proceso bélico se fue organizando el Est. En julio 1918 el V Congreso de los soviets aprobó una constitución y la formación de la República Socialista Federativa Soviética de Rusia (RSFSR). La constitución proclamó el principio de la abolición de la propiedad privada de la tierra, el control de los trabajadores sobre las fábricas, minas y ferrocarriles, el no reconocimiento de la deuda externa del régimen zarista y la denuncia de los tratados secretos. La máx. autoridad quedó constituida por el Congreso Panruso de los Soviets. El poder lo ejercía el Comité Ejecutivo Central Panruso, que nombraba a los miembros del Consejo de Comisarios del Pueblo. Esta organización sirvió de modelo para las regiones federadas. Tras la derrota alemana en la I Guerra Mundial y el resultado de la guerra civil y de intervención extranjera, la RSFSR pudo recuperar parte de los territorios perdidos en la paz de Brest-Litovsk; así se le unieron sucesivamente Azerbaiján (septiembre 1920), Ucrania (diciembre 1920), Bielorrusia (enero 1921), Georgia (mayo 1921) y Armenia (diciembre 1921). En diciembre 1922 se creó la Unión de Repúblicas Socialistas Soviéticas, que por entonces comprendía las rep. de Rusia, Ucrania, Bielorrusia y Transcaucasia (Azerbaiján, Georgia y Armenia). Posteriormente se le unieron Uzbekistán, Turkmenistán (1924) y Tadjikistán (1929). Una segunda etapa en el proceso sov. fue el período de la Nueva Política Económica (NEP) que se sitúa entre 1921 y 1927. (Un hecho político imp. en los umbrales de esta etapa es la rebelión de los marinos de Kronstadt [1921], que, al igual que el mov. campesino, fue expresión de una tendencia revolucionaria antiautoritaria). El objetivo básico de la NEP era producir un resurgimiento de la economía mediante un retorno a la economía de mercado. En enero 1924 fue anunciada la muerte de Lenin. A partir de entonces se agudizó la rivalidad que existía entre los prales. dirigentes de la revolución, particularmente entre Trotski y Stalin. Este último, secretario general del comité central del partido desde abril 1922, aunque fue rechazado en el testamento de Lenin como sucesor, formó un triunvirato con Kámenev y Zinóviev con vistas a neutralizar a Trotski, y en oposición a la tesis de la revolución permanente sostuvo la del socialismo en un solo país. En 1925 Trotski dimitió del cargo de comisario de Guerra y consiguió poco después la adhesión de Kámenev y Zinóviev a su crítica de la política agraria preconizada por Stalin. En 1927 la oposición de éstos a la dirección del partido se manifestó abiertamente en las calles de Moscú y otras ciudades. Trotski fue exiliado al Asia central (1928) y expulsado de la URSS (1929). A principios de 1924 fue sancionada una nueva constitución, similar a la de 1918, aunque enfatizando el carácter federalista.

URSS. Arriba, cartel propagandístico que ensalzaba la creciente capacidad militar del Ejército Rojo; sobre éstas líneas, desfile conmemorativo de la Revolución en la Plaza Roja de Moscú

URSS
(Antes de la disgregación de 1991)

Hacia 1927 los objetivos de la NEP se consideraron cumplidos y se emprendió una nueva etapa. Ésta se caracterizó por la industrialización y colectivización forzosas, a través de los planes quinquenales, que llevarían a la práctica la tesis del socialismo en un solo país. En 1927 el poder de Stalin era entonces absoluto; en la década siguiente, se pusieron en marcha los famosos procesos de Moscú (1936) que culminaron en la ejecución de la plana mayor de la vieja guardia del Partido. En 1933 la URSS fue reconocida por EE UU y en 1934 ingresó en la Sociedad de Naciones. En 1939 Stalin firmó con Hitler un pacto de no agresión que le permitió la ocupación de diversos territorios occidentales. La invasión de las tropas al. en 1941 marca el comienzo de una nueva etapa. Tras la batalla de Stalingrado, y gracias al apoyo logístico de EE UU, el ejército sov. entró en Berlín. El costo de la guerra fue muy oneroso (unos 17 000 000 de muertos). La conferencia de Potsdam puso de manifiesto la divergencia de intereses entre la URSS y Occidente. Ello desembocó, hacia 1947, en la llamada «guerra fría». A la muerte de Stalin en 1953 se inició una nueva lucha por el poder, sucediéndole Jruschov, quien concentró todo el poder en sus manos. Acentuó la política de coexistencia con EE UU a pesar de las graves crisis de Hungría, Polonia, Cuba y Vietnam. Destituido Jruschov y reemplazado por Breznev en 1964, siguieron los conflictos, especialmente con los chinos. En 1968 la URSS invadió Checoslovaquia. En 1977 se elaboró una nueva constitución. En 1979 tropas soviéticas entraron en Afganistán. Muerto Breznev, en 1982, Yuri Andropov accedió a la jefatura del Estado (1983), sucedido a su muerte (1984) por K. Chernienko. Muerto éste en 1985, Mijáil Gorbachov accedió al poder e inició una serie de cambios políticos, estableció nuevos acuerdos de desarme atómico con EE UU y retiró las tropas soviéticas de Afganistán. A partir de 1989 se produjeron diversos conflictos de nacionalidades en el país (azeríes, armenios, lituanos, turcos) que originaron varias revueltas populares. A pesar de ello, la URSS prosiguió su política de reformas que dieron como fruto, desde mediados de 1990, un mayor poder al presid. de la Unión, y, por referéndum, la elección del presid. del est. de Rusia. Se disolvió el Pacto de Varsovia y se asentaron las bases democráticas para un Estado de la Unión, con el consenso de varias repúblicas. Pero algunas personalidades involucionistas del gobierno y del KGB detuvieron a Gorbachov (presid. de la Unión) en Crimea, el 19 de agosto de 1991, y ordenaron a los tanques ocupar el Parlamento de Moscú. En él se refugió Boris Yeltsin (presid. de Rusia), quien hizo un llamamiento a la población para que opusiera una resistencia pacífica. El golpe fracasó tres días después. A causa de ello se disolvió el PCUS. Tal situación alertó a varias de las repúblicas que mostraron sus de-

URSS. Soldados soviéticos durante la batalla de Stalingrado

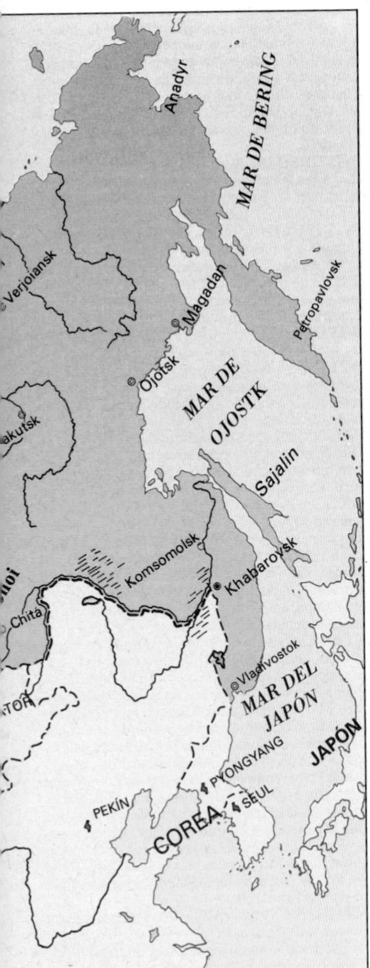

seos de indep., temerosas de una nueva regresión. Las repúblicas bálticas (Estonia, Letonia y Lituania) lograron su reconocimiento internacional, mientras que a finales de 1991, por iniciativa de los presid. de Rusia, Bielorrusia y Ucraina, se creó en Minsk la CEI, que supuso el fin del est. soviético.
 * *Arte* y *Lit.* → Ruso.

UNIÓN Europea (*UE*) Organización constituida como *Comunidad Económica Europea* o *Mercado Común Europeo* por el tratado de Roma (Francia, Italia, RFA, Bélgica, Luxemburgo y Países Bajos) el 25 marzo 1957, renombrada como Unión Europea a partir de noviembre 1993. Objetivos: instaurar un mercado común, unión aduanera, política unificada para la agr. La instancia más imp. es el Consejo de Ministros, seguida del Parlamento, con sede en Estrasburgo, y la Comisión (Bruselas). Más tarde, se incorporaron Gran Bretaña, Irlanda, Dinamarca, Grecia, España y Portugal, hasta un total de doce miembros, estando en proceso de adhesión Austria, Finlandia, Noruega y Suecia. En 1991 los jefes de estado de los doce firmaron en la c. de Maastricht (Países Bajos) el tratado de Unión Europea que articulaba los plazos para completar la unión económica (libre circulación de personas, mercancías y capitales), con un proceso de unión política en sentido federal y la unidad monetaria, buscando, mediante la aplicación escalonada de medidas de convergencia (fondos de cohesión), la armonización de las diferencias entre los países del N, más desarrollados, y los del S de la Comunidad, con graves deficiencias estructurales. La inicial indecisión de Dinamarca (luego superada) y los graves problemas económicos sufridos por Gran Bretaña e Italia, frenaron el proceso de integración, justo cuando los países de la EFTA, y otros como Turquía, Chipre, Malta, Polonia, Hungría, las Rep. Checa y Eslovaca y la propia Rusia habían solicitado su ingreso o firmado tratados con el fin de avanzar en la construcción del Espacio Económico Europeo. Pese a las dificultades el 1 de Enero de 1993 se estableció el mercado único para los Doce, eliminándose las fronteras, y el 1 de noviembre entró en vigor el Tratado de Maastricht. En 1994, se cerraron las negociaciones de adhesión con Finlandia, Suecia, Austria y Noruega, aunque finalmente los nor. se pronunciaron con un No en el referéndum celebrado para decidir el ingreso en la Unión Europea. • **General de Trabajadores** *(UGT)* Organización sindical obrera esp. fundada en 1888. En 1976 celebró en Madrid su XXX Congreso Nacional, el primero celebrado en España desde 1932, en el que fue elegido secretario general Nicolás Redondo; una de las centrales mayoritarias. • **Geodésica y Geofísica Internacional** *(UGGI)* Organismo internacional que centraliza y coordina las investigaciones geofísicas en sus diversos campos y aspectos. Comprende varias secciones: geodesia, sismología, meteorología, etc. • **Nacional para la Independencia Total de Angola** *(UNITA)* Organización independentista angolana creada en 1962 por J. Savimbi. Sus guerrilleros lucharon contra el régimen establecido por el MPLA tras ser derrotados en 1976. • **Panamericana** Organización de Estados americanos creada en la IV Conferencia Interamericana de Buenos Aires (1910). La conferencia de Bogotá (1948) acordó su integración en la Organización de Estados Americanos (OEA) en calidad de secretariado permanente. • **Postal Universal** *(UPU)* Organismo fundado en 1975, dependiente act. de la ONU. Encargado de reglamentar y unificar los servicios postales. • **Sudafricana** Nombre oficial de la República → Sudafricana, desde 1910 hasta 1961.

UNIONISMO m. Doctrina que defiende la unión de partidos o naciones. • Doctrina que defendió la unión política entre Gran Bretaña e Irlanda.

UNÍPEDE adj. De un solo pie.

UNIPERSONAL adj. Que consta de una sola persona. • Que pertenece a una sola persona.

UNIR tr. Juntar dos o más cosas entre sí, haciendo de ellas un todo. • Atar o juntar una cosa con otra, física o moralmente. • Acercar una cosa a otra, para que formen un conjunto o concurran al mismo objeto o fin. • Agregar un beneficio o prebenda eclesiástica a otra. • Autorizar el párroco un matrimonio. • tr. y prnl. Disponer y consentir un padre el casamiento de un hijo. • Consolidar o cerrar la herida. • prnl. Ponerse de acuerdo varias personas para el logro de algún fin común. • Juntarse en un sujeto dos o más cosas antes separadas y distintas o cesar la oposición positiva o aparente entre ellas.

UNISEXUAL adj. *Bot.* Díc. de las flores con un solo tipo de verticilo reproductor constituido por el androceo o por el gineceo.

UNISÓN adj. Que tiene el mismo sonido que otra cosa.

UNÍSONO, NA adj. Díc. de lo que tiene el mismo tono que otra cosa. • *Mús.* Trozo de música en que las varias voces o instrumentos suenan con idénticos tonos. • **Al u.** m. adv. fig. Sin discrepancia, con unanimidad. ■ UNISONAR.

UNITARIO, RIA adj. Relativo a la unidad. • adj. y s. Protestante que admite la revelación pero no reconoce en Dios más que una sola persona. • Partidario de la unidad en materias políticas. • adj. Que propende a la unidad o desea conservarla. • Que toma por base una unidad determinada. • Díc. de los elementos de un anillo con unidad, que poseen signo inverso respecto de la segunda operación. Por ej., en el anillo de los núm. enteros, los únicos elementos u. son + 1 y – 1. • Díc. de la matriz cuadrada formada por 1 y 0, de modo que los 1 ocupan sólo la diagonal pral., y los 0, los demás lugares.

UNITARISMO m. *Rel.* Doctrina de los unitarios.
 * *Rel.* Esta doctrina niega la Trinidad, ya que rechaza la divinidad del Espíritu Santo o la de Jesu-

URSS. Dirigentes políticos, de arriba abajo: Lenin, Stalin, Jruschov, Breznev, Gorbachov

cristo. La iglesia unitaria fue fundada en el s. XVIII por Th. Lindsey.

UNITED PRESS INTERNATIONAL *(UPI)* Agencia informativa norteam. perteneciente a las cadenas Hearst y Scripps-Howard.

UNIVAC 1 f. *Comp*. Computadora construida en el año 1950 con tubos de vacío. Comparativamente con las actuales, destacó por sus enormes dimensiones.

Lapa, molusco **univalvo**

UNIVALENTE adj. *Quím*. Díc. de los elementos que actúan con valencia uno. • *Biol*. En las mitosis y meiosis, díc. de los cromosomas que no se aparean con sus homólogos.

UNIVALVO, VA adj. Díc. de la concha de una sola pieza. • adj. y m. *Zool*. Aplícase al molusco que tiene esta concha. • adj. *Bot*. Díc. del fruto cuya envoltura no tiene más que una sutura.

UNIVERSAL adj. Que comprende o es común a todos en su especie. • Díc. de la persona versada en muchas ciencias. • Que pertenece o se extiende a todo el mundo, países o tiempos. • m. pl. *Fil*. Conceptos formados por abstracción que representan en nuestra mente, reducidas a unidad común, realidades que existen en diversos seres.

UNIVERSALIDAD f. Calidad de universal. • *Der*. Comprensión en la herencia de todos los bienes, derechos, acciones, obligaciones o responsabilidades del difunto.

UNIVERSALÍSIMO, MA adj. *Lóg*. Aplícase al gén. supremo que comprende otros gén. inferiores que también son universales.

UNIVERSALIZAR tr. Hacer universal una cosa, generalizarla.

UNIVERSIDAD f. Institución de enseñanza superior donde se cursan las facultades y se confieren los grados correspondientes. • Edificio destinado a las cátedras y oficinas de una universidad. • Conjunto de personas que forman una corporación. • Universalidad, calidad de universal.

Universidad.
Arriba, Universidad de Oxford (Gran Bretaña); sobre éstas líneas, claustro de la Universidad Complutense de Madrid, Alcalá de Henares (España)

* *Hist*. La primera u. fue la de Bolonia (1119), cuna del renacimiento del derecho rom. Luego, la de París (1150), se constituyó en el centro teológico más imp. de Europa y en ejemplo típico de u. medieval, con su com. autón. de maestros y alumnos. La evolución de la enseñanza en la u. se ha caracterizado por distintos hechos históricos: función subsidiaria de los colegios (s. XVI), enseñanza marginal de las ciencias (s. XVII y XVIII) y progreso técnico en el s. XIX, con instituciones especiales que flanquean la universidad. Los acontecimientos contemporáneos sitúan la dialéctica de la u. en un punto crítico; la tecnificación y consiguiente deshumanización de la enseñanza, el incremento de la pob. estudiantil y la rigidez de la estructura administrativa han provocado la ultrasensibilización política del medio universitario.

UNIVERSITARIO, RIA adj. Relativo a la universidad. • m. y f. Profesor, graduado o estudiante de universidad.

UNIVERSO, SA adj. Universal. • m. *Astr*. Totalidad de los cuerpos celestes y del espacio que los separa. • Conjunto de individuos o elementos sometidos a estudio estadístico. • **Teoría de expansión del u.** Teoría según la cual el u. se formó a partir de una gigantesca explosión, con la que se intenta explicar el desplazamiento espectral observado en la luz de las galaxias lejanas.

* *Astr*. Las observaciones y estudios actuales, especialmente los basados en la teoría de la relatividad, han aportado nuevos conceptos, como la dilatabilidad del u., las teorías de su constitución a partir de una masa central de hidrógeno, etc. Hasta ahora ninguna de estas teorías ha sido establecida con certeza. Para el estudio físico-matemático del u. se han propuesto diversos modelos cósmicos estáticos y dinámicos.

UNIVERSO-ISLA m. *Astr*. Nombre que dio Herschel a las nebulosas en general y que hoy día se acepta para las galaxias externas (espirales, elípticas e irregulares), pero no para las gaseosas.

UNIVITELINO, NA adj. y s. *Biol*. Díc. de los hermanos gemelos nacidos de la misma célula huevo con separación en dos embriones en las primeras fases de división, por lo que poseen igual genotipo y, en consecuencia, tendrán el mismo sexo y caracteres físicos muy parecidos.

UNIVOCARSE prnl. Convenir en una razón misma dos o más cosas. ■ UNIVOCACIÓN.

UNÍVOCO, CA adj. y s. Díc. de lo que tiene igual naturaleza o valor que otra cosa. • *Lóg*. Díc. del término que se predica de varios individuos con la misma significación.

UNO, NA adj. Que no está dividido en sí mismo. • Díc. de la persona o cosa unida con otra. • Idéntico, lo mismo. • Único, solo. • Se usa contrapuesto a *otro*. • pl. Algunos. • pl. Antepuesto a un núm. cardinal, poco más o menos. • Pron. indeterminado que en sing. significa una y en pl. dos o más personas cuyo nombre se ignora o no quiere decirse. • m. Unidad, cantidad que se toma como término de comparación. • Signo con que se expresa la unidad. • Individuo de cualquier especie. • **A una.** m. adv. A un tiempo, unidamente. • **Cada u.** Cualquier persona considerada individualmente. • **De u. en u.** m. adv. Uno a uno. • **En u.** m. adv. Con unión o de conformidad, juntamente. • **Una y no más.** Exp. con que se denota la resolución o propósito firme de no volver a caer en algo que nos ha dejado escarmentados. • **U. a otro.** m. adv. Mutua o recíprocamente. **U. a u.,** o **u. por u.** m. adv. con que se explica la separación o distinción por orden de personas y cosas. • **U. con otro.** m. adv. Tomadas en conjunto varias cosas, compensando lo que excede una con la que falta a otra. • **U. de tantos.** loc. fam. que se usa para indicar que no se distingue por ninguna cualidad especial. • **U. que otro.** loc. Algunos pocos de entre muchos. • **Unos cuantos.** loc. Pocos, en núm. reducido de personas o cosas. • **U. tras otro.** m. adv. Sucesivamente o por orden sucesivo. • **U. y otro.** loc. Ambos.

UNRUH, ***Fritz von*** (1885-1970) Dramaturgo al. Reaccionó, frente a la I Guerra Mundial, con posturas pacifistas e internacionalistas. *Marcha al sacrificio*, *Una familia*, *Tempestades*.

UNTAR tr. Aplicar y extender superficialmente aceite u otra materia pingüe sobre una cosa. • fig. y fam. Sobornar a uno con dones o dinero. • prnl. Mancharse con una materia untuosa o sucia. • fig. y fam. Quedarse con algo de lo que se maneja, especialmente dinero. ■ UNTADURA; UNTAMIENTO.

UNTINA u **ONTINA** f. Planta angiosperma dicotiledónea de la familia compuestas, herbácea, con hojas cortas, flores amarillas o rojizas agrupadas en capítulos, y frutos en aquenio.

UNTO m. Materia pingüe a propósito para untar. • Crasitud o gordura interior del cuerpo del animal. • fig. Todo lo que sirve para untar. • *Chile*. Betún para el calzado. • **de México** o **de rana.** fig. y fam. Dinero, moneda corriente o caudal que se emplea especialmente en el soborno. ■ UNTAZA.

UNTUOSO, SA adj. Craso, pingüe y pegajoso. • Díc. de la persona empalagosa y cargante. ■ UNTOSO, SA; UNTUOSIDAD.

UNTURA f. Acción y efecto de untar o untarse. • Materia con que se unta.

UÑA f. *Anat*. Lámina córnea, ubicada sobre el extremo dorsal de los dedos. • *Zool*. Porción terminal, queratinizada o quitinizada, de las patas de los animales. • Espina corva de algunas plantas. • Pedazo de rama que queda unido al tronco al podarla. • Especie de costra dura que se forma a las bestias sobre las mataduras. • Excrecencia de la carúncula lagrimal, semejante a la raíz de la uña. • Garfio o punta corva de algunos instrumentos de metal. •

Dátil, molusco. • Especie de dedal abierto y puntiagudo que usan las cigarreras para cerrar y doblar los extremos de los pitillos. • fig. y fam. Destreza o inclinación en defraudar o hurtar. Se usa más en pl. • Estrechamiento que tienen algunos pétalos en su parte inferior y que corresponde al peciolo de la hoja transformada en pétalo. • *Mar.* Punta triangular en que rematan los brazos del ancla. • **de gato.** *Bot.* En la península Ibérica, planta herbácea de hojas carnosas y flores en cima. • *Bot. Perú.* Liana propia de la zona de Iquitos, en la selva amazónica. Conocida ya por los pueblos precolombinos, la corteza de su tallo tiene propiedades medicinales. • **A u. de caballo.** m. adv. fam. A todo el correr del caballo. • fig. y fam. Con diligencia extrema. • **Largo de uñas.** fig. y fam. Inclinado al robo; ladrón, ratero. • **Sacar uno las uñas.** fig. y fam. Amenazar o dejar ver su carácter agresivo. • **Ser u. y carne** dos o más personas. fig. y fam. Haber estrecha amistad entre ellas.

UÑADA f. Impresión que se hace apretando una cosa con el filo de la uña. • Impulso que se da a una cosa con la uña. • Rasguño o arañazo que se hace con las uñas.

UÑARADA f. Rasguño o arañazo que se hace con las uñas. ■ UÑETAZO.

UÑERO m. Inflamación en la raíz de la uña. • Herida que produce la uña cuando, al crecer viciosamente, se introduce en la carne.

UÑETA f. Cincel de boca ancha que usan los canteros. • Juego de muchachos, que ejecutan tirando cada uno una moneda al hoyuelo e impulsando con la uña la que queda fuera para meterla en el hoyo. • *Chile.* Especie de plectro o dedal de carey de que usan los tañedores de instrumentos de cuerda.

UÑETAS adj. *Amér. Centr.* Uñoso.

UÑI m. *Chile.* Arbusto de la familia mirtáceas, de hojas opuestas y por fruto una baya roja, comestible.

UÑOSO, SA adj. Que tiene las uñas largas.

UOLOF adj. y s. Díc. de individuos de pueblo melanoafricano, de lengua sudanesa, que habita en Senegal y Gambia. • adj. Concerniente a dicho pueblo.

¡UPA! interj. para esforzar a levantar algún peso o a levantarse. • **A u.** m. adv. En brazos. Es voz infantil. ■ UPAR.

UPANISHAD (sánscrito, «doctrina secreta» o «sentarse junto al maestro») Escritura sagrada del brahmanismo y del hinduismo. En conjunto, ascienden a ciento ocho textos filosóficos, teológicos, exegéticos y místicos, que sirven de apéndice a los *Vedas*.

UPITE m. *Amér.* Ano.

UPPSALA o **UPSALA** C. de Suecia; 152 600 hab. Sit. a orillas del Fyris. Ind. metalúrgica, papelera y del calzado. Universidad más ant. del país (1477). Fue cap. de Suecia en el s. XVIII.

UPUPA f. Abubilla.

UR C. mesopotámica de origen sumerio, sit. en la orilla derecha del Éufrates, no lejos de su desembocadura. La Biblia la nombra como patria de Téraj, padre de Abraham. Act. es un campo de ruinas conocido como Muqajjar. Las primeras excavaciones datan de 1854. → Mesopotamia → sumerio.

URABÁ, *Golfo de* Golfo de Colombia, que constituye la parte más profunda del golfo de Darién.

URAJEAR intr. Grajear.

URAL Río de Rusia y Kazakistán; 2 500 km. Nace en los Urales merid. y desemboca en el mar Caspio. Sus prales. afl. son el Sakmara y el Ilek.

URALALTAICO, CA adj. Relativo a los Urales y al Altái. • *Ling.* Se aplica a una familia de lenguas aglutinantes, cuyos prales. grupos son el mongol, el turco y el ugrofinés. • Díc. de los pueblos que hablan dichas lenguas.

URALES, *Montes* *(Ural)* Cord. de Rusia, que se extiende de N a S, desde el mar de Kara hasta la depresión del Caspio; unos 2 000 km de longitud. Constituyen los límites de Europa y Asia. Alt. máx.: Narodnaia (1 894 m).

URANATO m. *Quím.* Compuesto que se obtiene en forma de precipitado amorfo al mezclar sales de uranio con hidróxidos metálicos. La sal sódica se denomina amarillo de uranio y se emplea en la fabricación de vidrio amarillo con fluorescencia verde.

URANGUTÁN m. *Amér. Centr.* Orangután.

URANIA *Mit. gr.* Una de las nueve Musas, protectora del estudio de la astronomía y, en el período helenístico, de la poesía didascálica.

URANILO m. *Quím.* Nombre del ion más importante del uranio, UO_2^{2+}, de color amarillo, en el que el uranio actúa como hexavalente. Se forma disolviendo el dióxido de uranio, UO_2, en ácidos fuertes.

URANINITA f. *Quím.* Óxido de uranio que cristaliza en el sistema regular. Se presenta en masas negras compactas o botrioideas. Es el mineral de uranio más importante.

Producción mundial de **uranio** (en t)

Prales. productores	
Canadá	8 729
Australia	3 530
EE UU	3 420
Namibia	3 200
Francia	2 841
Níger	2 831
Sudáfrica	2 487
España	213
India	200
Total mundial	34 887

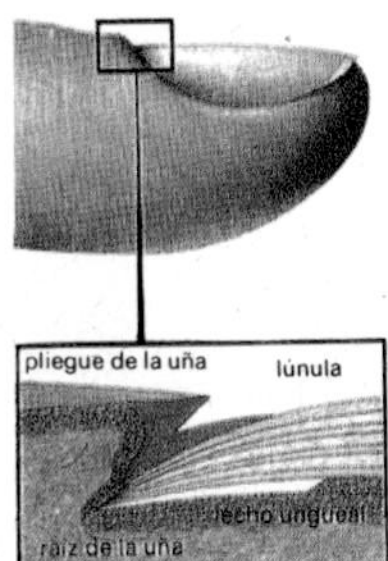

Uña del dedo y estructuras anatómicas subyacentes

URANIO, NIA adj. Relativo a los astros y al espacio celeste. • m. *Quím.* Elemento de símb. U, n. a. 92 y p. a. 208,03.

* *Quím.* El u. es un metal blanco presente en la corteza terrestre con una concentración de 0,3 a 4 g/t, pero muy disperso, y sus concentraciones explotables son escasas. Los yacimientos más frecuentes son los filones hidrotermales, originados en las últimas fases de la diferenciación magmática, que se encuentran en depósitos aluviales. Los minerales de u. son los siguientes: pechblenda y uraninita, donde el u. se encuentra en forma tetra y hexavalente; óxidos mixtos con otros elementos, como hierro, niobio, etc.; óxidos hidratados, fosfatos, etc.; inclusiones uraníferas o u. asociado a materiales asfálticos. Se utiliza como combustible nuclear, para la fabricación de ciertos vidrios y para colorear la cerámica.

Catedral de **Uppsala**

URANISMO m. Homosexualidad masculina pasiva.

URANO *Astr.* Séptimo planeta del sistema solar en orden creciente de distancias al Sol (2 870 millones de km), descubierto en 1781 por Herschel. Su diámetro es 3,7 veces mayor que el de la Tierra, tarda 84 años en recorrer su órbita y su día es de 10,8 horas. Al telescopio aparece de color verdoso. Contrariamente a los demás planetas, tiene un sentido de rotación retrógrado.

URANO *Mit. gr.* Personificación del cielo y primer gobernante del universo.

URÁNOFANA f. *Miner.* Silicato de uranilo y calcio. Uno de los minerales de uranio más frecuentes en la naturaleza.

URANOGRAFÍA f. Astronomía descriptiva, cosmografía. ■ URANÓGRAFO, FA.

Detalle del Estandarte de **Ur.** Museo Británico, Londres

URANOLITO m. Aerolito.

URANOMETRÍA f. Parte de la astronomía, que trata de la medición de las distancias celestes.

URAPE m. Arbusto leguminoso, con tallo espinoso, flores blancas de cinco pétalos. Se usa para formar setos vivos.

URARTU País de la antigüedad que ocupaba Armenia (en las actuales Turquía y Armenia) y que tuvo su cap. en la orilla SE del lago de Van. Alcanzó su mayor extensión y poderío aprox. entre los años 810 y 760 a. C.

Urbano II presidiendo el concilio de Clermont-Ferrand, según una miniatura de la Biblioteca Nacional de París

Tumba de **Urbano VIII**, obra de Bernini

Andrés de **Urdaneta**

URÁS m. *Amér. Centr.* El hijo más pequeño.
URATO m. *Quím.* Sal formada por la combinación de ácido úrico con una base salificable.
URAWA C. de la prefectura de Saitama, en la isla de Honshu; 418 300 hab.
URBANEJA, ***Diego Bautista*** (1786-1855) Patriota ven. Vicepresid. (1831, 1844-1848). Presid. provisional (1848). • **Achelpohe,** ***Luis Manuel*** (1873-1937) Escritor ven., modernista. Uno de los fundadores de la revista *Cosmópolis. La casa de las cuatro penas, El criollismo en Venezuela, El gaucho y el llanero.*
URBANIDAD f. Comportamiento en el trato social caracterizado por la cortesía y la educación.
URBANISMO m. Conjunto de conocimientos que se refieren al estudio de la creación, desarrollo, reforma y progreso de los poblados en orden a las necesidades materiales de la vida humana. ■ URBANÍSTICO, CA.
* *Soc.* Los primeros intentos teóricos y prácticos del u. se centran en el acondicionamiento de las viejas c. a las exigencias de la nueva sociedad industrial; Haussmann en París y Cerdá en Barcelona son los pioneros. Junto a este u. regularizador aparece un u. progresista cuyo primer representante fue el esp. Arturo Soria, autor de la Ciudad Lineal de Madrid. Su modelo fue recogido por Le Corbusier. Actualmente se buscan soluciones que permitan descentralizar las grandes urbes y dotarlas de una mayor eficacia, comodidad y belleza.
URBANISTA adj. Relativo al urbanismo. • com. Persona versada en la teoría y técnica del urbanismo.
URBANIZACIÓN f. Acción y efecto de urbanizar. • Terreno delimitado convenientemente para construir en él un núcleo residencial. • El mismo núcleo ya construido.
URBANIZAR tr. y prnl. Hacer sociable a uno. • Convertir en poblado una porción de terreno o prepararlo para ello.
URBANO, NA adj. Relativo a la ciudad. • fig. Cortesano, atento y de buen modo. • m. fam. Guardia urbano.
URBANO II (*Odon de Lagery,* h. 1042-1099) Papa de origen fr. [1088-1099]. Condenó la simonía y el matrimonio de los sacerdotes. Convocó el concilio de Clermont-Ferrand (1095) para impulsar la primera cruzada. • **IV** (*Jacques Pantaléon,* m. 1264) Papa fr. [1261-1264], sucesor de Alejandro IV. Invistió a Carlos de Anjou como rey de Sicilia. • **V** (*Guillaume de Grimoard,* 1310-1370) Papa fr. [1362-1370]. Residió en Aviñón, desde donde afrontó el cisma de la iglesia oriental. • **VI** (*Bartolomeo Prignano,* 1318-1389) Papa it. [1378-1389]. Sus opositores negaron su elección y nombraron papa a Clemente VII, dando origen al cisma de Occidente. • **VIII** (*Maffeo Barberini,* 1569-1644) Papa it. [1623-1644], sucesor de Gregorio XV. Partidario de Francia durante la guerra de los Treinta Años. Condenó las teorías de Galileo y de Jansenio.
URBE f. Ciudad, especialmente la muy populosa.
URBI ET ORBI exp. lat. fig. A los cuatro vientos, a todas partes. Se aplica a las bendiciones papales impartidas con universalidad.
URBINA, ***José María*** (1808-1891) Político ecuat. En 1845 se adhirió al mov. que derrocó a Flores, pero ante la amenaza de regreso de éste, se hizo nombrar por una asamblea constituyente presid. del país para el periodo 1852-1856. Desarrolló una política liberal. • ***Luis*** (1868-1934) Escritor y periodista mex. *Bajo el sol y frente al mar, Ingenuas, El cancionero de la noche.*
URBIÓN, ***Picos de*** Sierra del centro-norte de España, en el sistema Ibérico; máx. alt., 2 228 m. Lugar del nacimiento del Duero.
URCA f. Embarcación grande, muy ancha por el centro, para transportar granos. • Orca, cetáceo.
URCHILLA f. Cierto liquen que vive en las rocas bañadas por el agua del mar. • Color de violeta que se saca de esta planta.
URCO (m. 1438) Soberano inca, hijo bastardo de Viracocha y sucesor del mismo. Murió en una batalla contra el príncipe Yupanqui.
URDANETA, ***Alberto*** (1845-1887) Pintor y dibujante col., uno de los máx. representantes de la pintura histórica de su país. *Balboa descubriendo el mar del Sur, Jiménez de Quesada muerto.* • ***Andrés de*** (1508-1568) Marino esp. Participó en la expedición de Juan Sebastián Elcano a las Molucas (1525). En América se estableció en Nueva España, donde desempeñó diversos cargos. • ***Rafael*** (1789-1845) Militar y político ven. Adherido al mov. independentista (1810), contribuyó a la indep. de Colombia y Venezuela. Derrocó a Mosquera y se proclamó jefe provisional del gobierno de Colombia (1830). Tras numerosos alzamientos dimitió en 1831. Marchó a Venezuela, donde fue nombrado ministro de Guerra y Marina (1837-1839; 1842-1845). • ***Arbeláez, Roberto*** (1890-1972) Político col. Ministro del Interior (1947-1950), reprimió el «bogotazo» liberal de 1948. Presid. (1951-1953). Derrocado por el golpe de Est. de Rojas Pinilla.
URDIDERA f. Devanadera, urdidora. • Instrumento a modo de devanadera, para preparar las urdimbres.
URDIDOR, RA adj. y s. Que urde. • m. Devanadera, urdidera.
URDIMBRE f. Estambre urdido. • Conjunto de hilos que se colocan en el telar paralelamente unos a otros para formar una tela. • fig. Urdir o maquinar alguna cosa.
URDIR tr. Preparar los hilos en la urdidera para pasarlos al telar. • fig. Maquinar y disponer cautelosamente una cosa contra alguno, o para la consecución de algún designio. ■ URDIDURA.
URDU m. *Ling.* Dialecto indostánico influido por el ár. Con el ing., es lengua of. de Pakistán.
UREA f. *Quím.* Sustancia nitrogenada producida por los mamíferos como producto de eliminación del amoníaco, presente en la sangre, orina, bilis, etc.
* *Quím.* La u. fue la primera molécula orgánica sintetizada en el laboratorio (Wöhler, 1828). Por la acción de la ureasa, se descompone en dióxido de carbono y agua, por lo que se utiliza como diurético. Es ligeramente tóxica, y debe eliminarse, gralte. por medio de la orina.
* **Ciclo de la u.** Ciclo bioquímico que se verifica en los seres vivos ureotélicos (mamíferos) y que consiste en la formación de u. a partir del amoníaco, que es muy tóxico. Es un proceso endergónico, pero completamente necesario para el quimismo vital.
UREASA f. Enzima hidrolítico que cataliza la reacción de descomposición de la urea por el agua, con formación de una molécula de dióxido de carbono y dos de amoníaco, especialmente abundante en ciertos microorganismos del suelo que verifican el proceso de amonificación.
UREÍNA f. *Quím.* Nombre genérico de los derivados de la urea formados mediante la sustitución de su hidrógeno por radicales alcohólicos.
UREMIA f. *Pat.* Conjunto de síntomas cerebrales, circulatorios, digestivos, etc., producidos por la acumulación en la sangre y en los tejidos de venenos metabólicos. La causa habitual es por déficit fisiológico del riñón. ■ URÉMICO, CA.
URENTE adj. Que escuece, ardiente.
UREOGÉNESIS f. *Fisiol.* Proceso metabólico por el que se elimina nitrógeno en forma de urea.
UREOTÉLICO, CA adj. y m. Díc. de animales que excretan el amoníaco catabólico en forma de urea. El motivo es que el amoníaco es tóxico, por lo que deben eliminarlo con rapidez. Las especies acuáticas lo hacen desprendiéndolo directamente al agua; las terrestres deben gastar energía y transformarlo en sustancias más inocuas, como la urea, eliminándolo finalmente por medio de la orina.
URÉTER m. *Anat.* Cada uno de los conductos por donde desciende la orina de los riñones a la vejiga.
URETRA o **URÉTERA** f. *Anat.* Conducto excretor de orina que sale de la vejiga y termina, en el hombre, en la extremidad del pene, y en la mujer, en la vulva. ■ URÉTICO, CA; URETRAL.
* *Anat.* La u. masculina se divide en prostática, membranosa y carnosa y durante la eyaculación sirve de canal espermático. La u. femenina es más corta y se abre en el meato vulvar y, en reposo, las paredes están colapsadas.
URETRITIS f. *Med.* Inflamación de la membrana mucosa, que tapiza el conducto de la uretra. • *Med.* Flujo mucoso de la uretra.
UREY, ***Harold Clayton*** (1893-1983) *Quím.* norteam. Descubrió el agua pesada y el deuterio (1932), y tomó parte activa en la preparación de la primera bomba atómica. Premio Nobel de Química en 1934.

URBANISMO

1

2

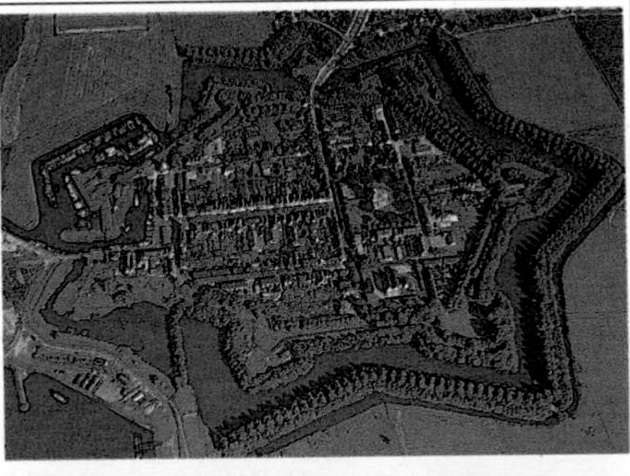

3

1. y 2. Los primeros asentamientos humanos de ciertas dimensiones, surgidos en Asia, carecían de un ordenamiento urbanístico. Reconstrucción ideal de la planta y una casa de Çatal Hüyük (Turquía); destaca la ausencia de calles que separen las casas, a las que sólo podía accederse desde la techumbre.

4

5

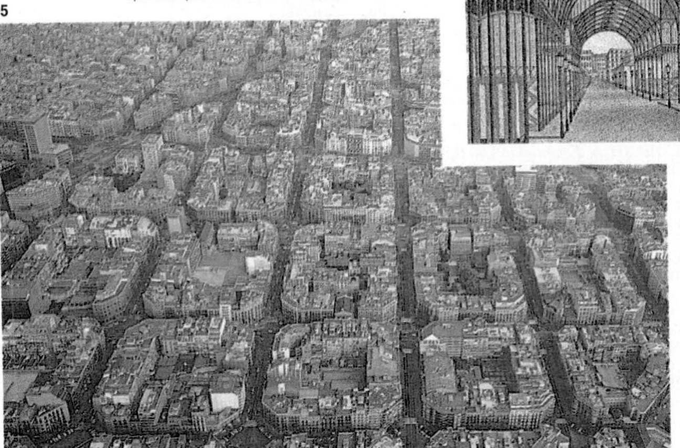

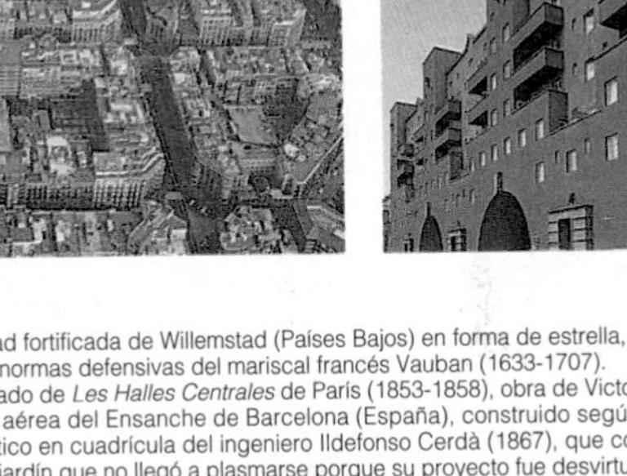

6

7

3. Ciudad fortificada de Willemstad (Países Bajos) en forma de estrella, erigida según las normas defensivas del mariscal francés Vauban (1633-1707).
4. Mercado de *Les Halles Centrales* de París (1853-1858), obra de Victor Baltard.
5. Vista aérea del Ensanche de Barcelona (España), construido según el diseño urbanístico en cuadrícula del ingeniero Ildefonso Cerdà (1867), que concibió una ciudad-jardín que no llegó a plasmarse porque su proyecto fue desvirtuado.
6. Fachada de la *Karl-Marx Hof* de Viena, obra de Ehn (1927-1930).
7. Innovador edificio *Habitat* de Moshe Safdie, erigido en Montreal para la Exposición Internacional celebrada en la ciudad en 1967.
8. Moderno sector de la ciudad estadounidense de Detroit, donde se ha realizado una simbiosis entre edificios y entorno, incluyendo medios de transporte.
9. Barrio residencial de Oberland Park, en Kansas (EE UU), modelo de un espacio urbanizado tratando de integrar las viviendas en un entorno ajardinado.

8

9

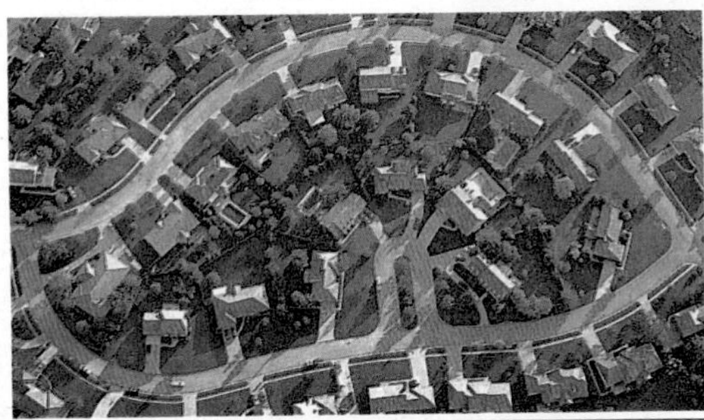

Urogallo

Urraca

La reina **Urraca.** Miniatura del tumbo A de la Biblioteca de la catedral de Santiago de Compostela (España)

Ortiga menor, planta de la familia **urticáceas**

URFA C. de Turquía, en la Alta Mesopotamia; 147 400 hab. Ind. textil.

URGENCIA f. Calidad de urgente. • Falta apremiante de lo que es menester para algún negocio. • Hablando de las leyes o preceptos, actual obligación de cumplirlos.

URGIR intr. Instar una cosa a su pronta ejec. • Obligar actualmente la ley o el precepto. B URGENTE.

URIARTE, *Higinio* (m. 1900) Político par. Vicepresid. (1874). Presid. tras el asesinato de Gil (1877), práctico una política represiva, caracterizada por el caos económico y la crisis ocasionada por la guerra de la Triple Alianza (1865-1870). Dimitió en 1878.

URIBE, *Basilio* (nacido 1916) Poeta arg., influido por la poesía ing. contemporánea. *Libro del homenaje, Los días, La ballena.* • **Holguín, *Guillermo*** (1880-1972) Compositor col., encuadrado en el modernismo postimpresionista. Autor de sinfonías, sonatas, ballets, poemas sinfónicos y música de cámara. • **Piedrahíta, *César*** (1897-1953) Novelista col. *Toá, Manchas de aceite.* • **Uribe, *Rafael*** (1859-1914) Escritor y político col., panamericanista. Liberal, participó en las guerras civiles. *De cómo el liberalismo político de Colombia no es pecado.*

URIBURU, *José Evaristo* (1831-1914) Abogado y político arg. Desempeñó la presidencia de la rep. (1895-1898) tras la dimisión de Luis Sáenz Peña. • ***José Félix*** (1868-1932) Militar y político arg. Fue jefe del mov. que derribó a Irigoyen (1930). Asumió provisionalmente la presidencia, hasta que la cedió al general Justo.

ÚRICO, CA adj. Concerniente a la orina. • **Ácido ú.** Sustancia poco soluble en agua, presente en la orina de los mamíferos y en los excrementos de aves y reptiles.

URICOECHEA, *Ezequiel* (1834-1880) Filólogo y orientalista col. *Mapoteca colombiana, Alfabeto fonético de la lengua castellana*, etc.

URICOTÉLICO, CA adj. y m. *Zool.* Díc. de los animales que excretan el amoníaco catabólico en forma de ácido úrico, gralte. los que se reproducen por huevos cleidoicos, como aves y reptiles.

URIDINA f. Nucleósido constituido por la unión de una molécula de uracilo con otra de ribosa. Participa de la secuencia de nucleótidos de los ácidos ribonucleicos y de algunos enzimas.

URINARIO, RIA adj. Concerniente a la orina. • m. Lugar destinado para orinar. B URINAL.

URMENETA, *Jerónimo* (1816-1883) Político chil. Adscrito al liberalismo. Ministro de Hacienda (1850-1852), Interior y Relaciones Exteriores (1857-1859).

URNA f. Vaso o caja que entre los antiguos servía para guardar dinero y otros usos. • Recipiente con una ranura por la cual se introducen las papeletas de voto. • Caja de cristales planos, a propósito para guardar en su interior objetos delicados, de modo que queden visibles pero protegidos. • **funeraria.** La destinada a alojar las cenizas del difunto.

URO m. Bóvido salvaje extinguido en 1927, muy parecido al toro, pero de mayor tamaño.

URO o **URU** adj. y s. Díc. de un pueblo amerindio de las cercanías del lago Titicaca y del valle de Cochabamba, de lengua puquina.

UROBILINA f. Sustancia de degradación de la hemoglobina. Químicamente está constituida por una molécula lineal tetracíclica formada por cuatro anillos pirrólicos.

URODELO adj. y m. *Zool.* Díc. de batracios que conservan la cola durante toda su vida y tienen cuatro extremidades, piel lisa y siempre húmeda. Las larvas, semejantes a los adultos, se diferencian por poseer branquias externas de apariencia plumosa. • m. pl. *Zool.* Orden de estos animales.

UROGALLO m. Gallinácea de plumaje pardo negruzco jaspeado de gris, patas y pico negros, tarsos emplumados y cola redonda. Vive en los bosques.

UROGENITAL adj. *Fisiol.* Díc. del sistema de órganos que en los animales tiene a su cargo las funciones de excreción y reproducción.

UROGRAFÍA f. *Med.* Radiografía de las vías urinarias.

UROLOGÍA f. Parte de la medicina, que trata de las enfermedades del aparato urinario.

URÓLOGO, GA m. y f. Especialista en urología.

UROMANCIA o **UROMANCÍA** f. Adivinación supersticiosa por el examen de la orina.

URONDO, *Francisco* (1930-1976) Escritor y político arg. Publicó poemas, cuentos y un impresionante documento sobre la matanza de Trelew. Siendo guerrillero, murió en un enfrentamiento con el Ejército. *La patria fusilada, Son memorias.*

UROSCOPIA f. *Med.* Inspección metódica de la orina.

URPILA f. *Argent.* Paloma pequeña.

URQUIZA, *Justo José de* (1801-1870) Militar y político arg. Se destacó como gobernador de Entre Ríos (1841), reprimiendo duramente a los unitarios. Aliado con el imperio de Brasil y el gobierno pro unitario de Montevideo, logró derrotar a Rosas en Caseros (1852). En 1859 venció a Mitre, representante de los intereses porteños, en la batalla de Cepeda. Derrotado por Mitre en Pavón (1861), traicionó la causa federalista y pactó con éste. Murió asesinado cuando desempeñaba el cargo de gobernador de Entre Ríos.

URRACA f. Ave de plumaje blanco en el vientre y negro con reflejos metálicos en el resto del cuerpo. Se domestica con facilidad. • *Amér.* Ave semejante al arrendajo.

URRACA (s. XVI) Cacique de Burica, en la actual Costa Rica. Combatió durante nueve años a los soldados españoles.

URRACA (hacia 1034-1101) Infanta de Castilla y León, hija de Fernando I. Heredó el señorío de Zamora.

URRACA (1077-1126) Reina de Castilla y León [1109-1126], hija de Alfonso VI. Convertida en heredera, casó con Alfonso I de Aragón. Sumió al país en una constante guerra civil. Alfonso I la repudió en 1114.

URRIOLAGOITIA, *Ignacio José* (1730-1795) Historiador cub. *Teatro histórico, jurídico y político militar de la isla Fernandina de Cuba.* • ***Mamerto*** (1895-1974) Político bol. Vicepresid. de la rep. (1947). Presid. tras la renuncia de Hertzog (1949), entregó el poder a una junta militar en 1951. • **Blondel, *Jorge*** (nacido 1905) Compositor chil. Obras para piano y poemas sinfónicos. *Estampas de Chile.*

URRUTIA, *Francisco José* (1870-1950) Político col. Intervino, como ministro de Relaciones Exteriores, en el tratado Urrutia-Thompson (1914), que solucionó con EE UU la cuestión de Panamá. • ***Manuel*** (1901-1981) Político cub. Presid. de la rep. tras el triunfo de Fidel Castro; dimitió por divergencias políticas en el mismo año (1959).

URSA Maior u **OSA Mayor** *Astr.* Constelación polar septentrional reconocible por sus siete estrellas más importantes, que forman el Gran Carro. Se puede observar desde el N a 40° de latitud.

URSA Minor u **OSA Menor** Constelación boreal; su estrella pral. es la Polar o *Polaris*, en el extremo de la «cola» del Pequeño Carro.

ÚRSIDO, DA adj. y m. *Zool.* Díc. de animales de la familia úrsidos. • m. pl. *Zool.* Familia de mamíferos carnívoros de locomoción plantígrada y régimen omnívoro, conocidos como osos.

URSINOS, *Anne de la Trémoille*, PRINCESA DE LOS (1642-1722) Dama fr. Gestionó el matrimonio de Felipe V de España y María Luisa de Saboya. Ejerció enorme influencia sobre ambos esposos.

URSS Siglas de → Unión de Repúblicas Socialistas Soviéticas.

URSO m. *R. de la Plata.* Hombre grande y fuerte.

URSÚA, *Pedro de* (1526-1561) Conquistador esp. Fundó las c. de Pamplona (1549) y Tudela (1553), y dirigió una expedición para explorar el Amazonas; en el curso del viaje fue asesinado por Lope de Aguirre y otros sublevados.

URSULINA adj. y s. Díc. de la religiosa que pertenece a la Congregación agustiniana fundada por santa Ángela de Brescia, en el siglo XVI. • f. pl. Esta congregación.

URTICÁCEO, A adj. y f. *Bot.* Aplícase a plantas angiospermas dicotiledóneas, de hojas sencillas y flores pequeñas, fruto desnudo o incluso en el perigonio, y semilla de albumen carnoso. • f. pl. *Bot.* Familia de estas plantas.

URTICAL adj. y f. *Bot.* Díc. de plantas angiospermas dicotiledóneas, gralte. arbóreas o arbustivas, con flores unisexuales de perianto simple, ovario súpero y frutos en drupa o núcula. • f. pl. *Bot.* Orden de estas plantas entre cuyas familias más importantes se hallan las ulmáceas, moráceas, urticáceas y roipteleáceas.

División administrativa de **Uruguay**

Departamentos	*Km²*	*Población*	*Densidad*	*Capital*	*Habitantes*
Artigas	11 928	75 059	6,3	Artigas	40 240
Canelones	4 536	443 053	97,7	Canelones	19 388
Cerro Largo	13 648	82 510	6	Melo	46 889
Colonia	6 106	120 241	19,7	Colonia del Sacramento	22 200
Durazno	11 643	55 716	4,8	Durazno	30 609
Flores	5 144	25 030	4,9	Trinidad	20 032
Florida	10 417	66 503	6,4	Florida	31 595
Lavalleja	10 016	61 085	6,1	Minas	37 149
Maldonado	4 793	127 502	26,6	Maldonado	48 936
Montevideo	530	1 344 839	2 537,4	Montevideo	1 344 839
Paysandú	13 922	111 509	8	Paysandú	74 575
Río Negro	9 282	51 713	5,6	Fray Bentos	21 960
Rivera	9 370	98 472	10,5	Rivera	62 873
Rocha	10 551	70 292	6,7	Rocha	26 021
Salto	14 163	117 597	8,3	Salto	93 120
San José	4 992	96 664	19,4	San José de Mayo	34 552
Soriano	9 008	81 557	9,1	Mercedes	39 322
Tacuarembó	15 438	84 919	5,5	Tacuarembó	45 892
Treinta y Tres	9 529	49 502	5,2	Treinta y Tres	26 394
URUGUAY	175 016	3 163 763	18,1	Montevideo	1 344 839

URTICANTE adj. Díc. de los órganos vegetales capaces de producir urticaria cuando son tocados.

URTICARIA f. *Med.* Reacción alérgica caracterizada por la aparición de placas o pequeñas pápulas y acompañada de un intenso dolor, originada por contacto con ortigas, picadura de insectos, etc.

URÚ m. *Argent.* Ave de plumaje pardo, y que se asemeja a la perdiz.

URUAPÁN DEL PROGRESO C. de México, en el est. de Michoacán; 45 600 hab. Centro agrícola. Ind. maderera.

URUBAMBA Río de Perú; 730 km de long. Nace en la cordillera de Vilcanota, pasa por Machu Picchu y en Atalaya se une al Apurímac; a partir de esta localidad recibe el nombre de Ucayali.

URUGUAY

Recursos económicos	
Arroz	540 000 t
Avena	51 000 t
Batatas	60 000 t
Cacahuetes	1 000 t
Caña de azúcar	10 000 ha
Cebada	156 000 t
Girasol	57 000 t
Lino	4 000 t
Maíz	124 000 t
Remolacha azucarera	156 000 t
Soja	47 000 t
Sorgo	90 000 t
Tabaco	2 000 t
Trigo	136 000 t
Uva	113 000 t
Ganadería	
Cabaña bovina	10 600 078 cabezas
Cabaña caballar	480 000 cabezas
Cabaña ovina	19 865 000 cabezas
Cabaña porcina	300 000 cabezas
Lana lavada	64 000 t
Riqueza forestal	4 087 000 m³
Pesca	123 276 t
Producción industrial	
Acero	53 000 t
Azúcar	120 000 t
Cemento	700 000 t
Cerveza	800 000 hl
Energía eléctrica	6 319 millones de kwh
Vino	800 000 hl
Indicadores sociológicos	
PNB	8 895 millones de dólares
Renta per cápita	5 996 dólares
Esperanza de vida	73 años
Alfabetismo	96,9 %

URUBÚ m. Zopilote grande americano.

URUBUTAPUYO adj. y s. Díc. de la tribu amerindia que vive en el nacimiento del r. Cairay, en la Amazonia bras.

URUCÚ m. *Argent.* y *Méx.* Bija o achiote.

URUGUAY Río de la América meridional; unos 1 700 km de longitud. Nace en Brasil de la unión de los r. Canoas y Pelotas; sirve de frontera entre Brasil y Argentina y entre ésta y Uruguay; desemboca en el estuario del Río de la Plata. Sus prales. afl. son el Aguapay, Ibicuí y Negro.

URUGUAY *(República Oriental del Uruguay)* Estado de la costa atlántica de América del Sur; limita al N, NE y E con Brasil, al SE y S con el Atlántico, al S con el estuario del Río de la Plata y al O con Argentina, de la que lo separa el río Uruguay. Lengua: esp. *Rel.*: mayoría católica, grupos protestantes. U. M.: el peso. Cap., Montevideo; c. prales., Paysandú , Salto, Las Piedras. Relieve vinculado, en la parte S, a las tierras pampeanas; constituido por vastas llanuras onduladas y surcadas por colinas de escasa elevación, las más importantes son las de Haedo y la Grande. La cuenca hidrográfica más imp. es la del Uruguay, río utilizado como vía de comunicación. La del Río de la Plata, está formada por ríos de corto curso. La que desagua en la laguna Merín, la integran el Yaguarón, Tacuarí, etc. El clima es templado, con variantes de temperatura, motivados por los regímenes de vientos. Las lluvias son abundantes y se reparten uniformemente a lo largo del año. El 75 % del terr. es terreno de pastos. Los bosques son escasos (2,5 % del terr.). La agricultura (trigo, maíz, girasol, lino, algodón, remolacha azucarera) y la ganadería (vacunos, ovinos) son los recursos fundamentales de la economía. Las ind. prales. son las del papel y cartón, química, fertilizantes, alcoholes, cemento y de refino de petróleo. Los recursos minerales y energéticos son escasos.

* *Hist.* Uruguay se constituyó como Est. en 1828. Los primeros asentamientos fueron los de Colonia del Sacramento y Montevideo. A finales del s. XIX, el país había completado su organización, y con la etapa batllista alcanzó cotas de modélico para las demás naciones del continente, por los niveles de democracia y relativo bienestar de su población. País joven, sus primeros pobladores (a excepción de los indígenas [charrúas]) fueron los que trajeron las exploraciones española y portuguesa. Los descendientes de aquéllos realizaron la etapa de indep. de España, en el momento que la metrópoli soportaba la égida napoleónica. Durante medio siglo U. pudo exportar sus productos de la agricultura y la ganadería; h. 1955, se inició una crisis econ. que afectó también a las instituciones públicas. La defensa de intereses de los ganaderos, terratenientes y empresarios dio protagonismo a las fuerzas armadas, que paulatinamente fueron asumiendo nuevas responsabilidades, hasta que, bajo

Uruguay. Arriba, mapa de situación y bandera; abajo, estatua ecuestre y mausoleo de José Gervasio Artigas

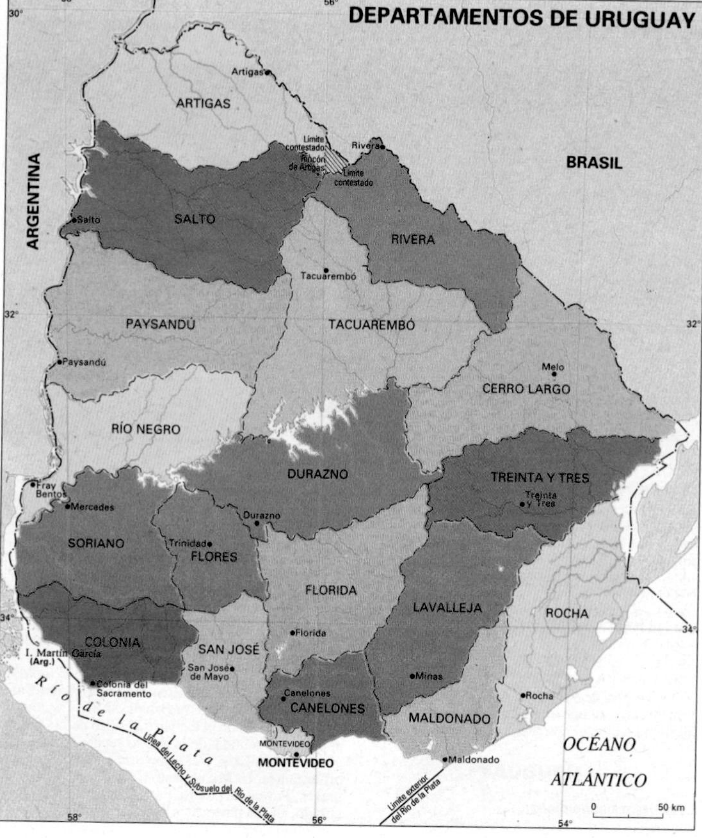

Uruguay. De arriba abajo: panorámica del Río de la Plata desde la fortaleza colonial del cerro de Montevideo; vista nocturna de la avenida 18 de julio de Montevideo; Jorge Batlle, presidente de la nación.

su inspiración, el gobierno de José María Bordaberry disolvió el 27 de junio de 1973 el Parlamento, declaró el estado de emergencia y se convirtió *de facto* en un poder dictatorial. En 1976 Bordaberry fue derrocado por los militares que pasaron a controlar directamente el poder. En 1984 el gobierno retornó a los civiles con Julio María Sanguinetti, del Partido Colorado, como presid. En los comicios de 1989 venció Luis Alberto Lacalle, del Partido Nacional y, en 1994, Sanguinetti venció de nuevo en las elecciones presidenciales. La reforma del sistema electoral en 1996 estableció el sistema de segunda vuelta y la candidatura única por cada partido. En 1999, en las primeras elecciones presidenciales celebradas con dicho sistema, Jorge Batlle, del Partido Colorado fue elegido presid. en la segunda vuelta.

* *Arte.* En las actividades artísticas destacó Juan M. Blanes, el «pintor de la patria», con evocaciones históricas. Carlos Sáez, Rafael Barradas, Pedro Figari, Carmelo de Arzadum, Ernesto Laroche, Joaquín Torres García, José Cúneo, figuran entre los pintores más representativos. En escultura, sobresalen como máximos exponentes Juan Manuel Ferrari, Manuel Pena, José Belloni, José Luis Zorrilla de San Martín, Carlos Moller de Berg, G. Fonseca y G. Cabrera.

* *Lit.* La lit. tiene cierto sello especial, con influencia europeísta que reaparece en autores y épocas diferentes. La poesía nace con Bartolomé Hidalgo, iniciador de la corriente gauchesca y autor de los «cielitos». Los románticos están representados por Adolfo Berro. En 1900 Julio Herrera y Reissig es el precursor de la poesía modernista hispanoamericana. Entre los líricos destacan Emilio Frugoni y Emilio Oribe. Entre los valores intelectuales con producción actual, sobresalen Juan Carlos Onetti, Carlos Martínez Moreno y Mario Benedetti. Florencio Sánchez está considerado como el primer dramaturgo nacional.

URUGUAYISMO m. Locución, giro o modo de hablar propio y peculiar de los uruguayos.

URUGUAYO, YA adj. y s. De Uruguay. • adj. Relativo a este país de América del Sur.

URUK Ant. c. sumeria, mencionada en la Biblia con el nombre de Erech, sit. a orillas del Éufrates. Su cronología abarca del 3500 al 2300 a. C.

URUMCHI *(Wulumuqi)* C. de China, cap. de la región autónoma del Sinkiang-Uigur; 900 000 hab. Centro comercial

URUNDAY m. *Argent.* Árbol terebintáceo de excelente madera de color rojo oscuro.

URUTAÚ m. *Argent., Par.* y *Ur.* Pájaro nocturno, especie de lechuza.

USADO, DA adj. Gastado y deslucido por el uso. • Habituado, ejercitado, práctico en alguna cosa.

USAGRE m. *Méd.* Erupción pustulosa que ataca a los niños durante la primera dentición.

USAR tr. Hacer servir una cosa para algo. • Disfrutar uno alguna cosa. • Practicar alguna cosa habitualmente. • Ejercer un empleo y oficio. • intr. Acostumbrar, tener costumbre.

USHUAIA C. de Argentina, en la Patagonia, cap. de la prov. de Tierra del Fuego; 29 696 hab. Ind. conservera. Es la pob. más meridional del país.

USIGLI, *Rodolfo* (1905-1979) Escritor mex. Atento observador de la naturaleza humana. *El niño y la niebla, El gesticulador, La función de despedida.*

USINA (voz fr.) f. *Amér. Merid.* Instalación para la producción de gas o energía eléctrica.

USLAR Pietri, *Arturo* (1906-2001) Político y escritor ven. Sus obras descuellan por su agilidad y colorido, amén de la historia. *Las lanzas coloradas, El camino de El Dorado, El laberinto de fortuna.*

USNEÁCEO, A adj. y f. *Bot.* Díc. de líquenes lecanorales, erectos sobre el sustrato o bien péndulos en él, cuyos apotecios contienen gonidios, y por las

algas componentes, que son clorofíceas. • f. pl. *Bot.* Familia de estas plantas.
USO m. Acción y efecto de usar. • Ejercicio o práctica general de una cosa. • Moda. • Modo determinado de obrar. • Empleo continuado y habitual. • *Der.* Derecho no transmisible a percibir de los frutos de la cosa ajena los que basten a las necesidades del usuario y de su familia. • **de razón.** Posesión del natural discernimiento que se adquiere pasada la primera niñez. • **Al u.** m. adv. Conforme o según él. • **Estar en buen u.** fam. No estar estropeado lo que ya se ha usado. ■ USANZA.
USPANTECA adj. y s. Díc. del pueblo amerindio del grupo maya, que vive en el centro de Guatemala.
USSURI (chino, *Wusuli*) Río de Rusia y China, afl. del Amur; 800 km. Nace cerca del lago Janka, y desemboca cerca de Jabarovsk.
USTED com. Pron. personal de 2ª persona usado como tratamiento de respeto.
USTÍ NAD LABEM C. de la República Checa, cap. de la Bohemia Septentrional; 90 500 hab. Sit. en la confluencia de los r. Elba y Bilina. Centro ind.
USTILAGINÁCEO, A adj. y f. *Bot.* Díc. de hongos basidiomicetos ustilaginales caracterizados por la propiedad de infectar a multitud de plantas superiores, a las que causan los tizones o carbones sobre la superficie de diversos órganos. • f. pl. *Bot.* Familia de estos hongos.
USTINOV (ant. *Izhevsk*) C. de la rep. de Rusia, cap. de la rep. autónoma de Udmurtia; 661 000 hab. Centro siderúrgico.
USTINOV, *Peter* (nacido 1921) Actor y director cinematográfico brit. *Lola Montes, Muerte en el Nilo.*
USTIÓN f. Acción de quemar o quemarse.
USÚ m. *Amér. Centr.* Agujero, cueva.
USUAL adj. Que frecuentemente se usa o se practica. • Aplícase al sujeto sociable y de buen genio. • Díc. de las cosas que se usan con facilidad.
USUARIO, RIA adj. y s. Que usa ordinariamente una cosa. • Díc. del que tiene derecho a usar de cierta cosa, con determinadas limitaciones. • m. *Comp.* Persona que utiliza la computadora o persona para la cual es utilizada.
USUCAPIÓN f. *Der.* Modo de adquirir el dominio de una cosa, por haber pasado el tiempo que las leyes señalan para que pueda reclamarlo su anterior legítimo dueño. ■ USUCAPIR.
USUFRUCTO m. *Der.* Derecho de usar de la cosa ajena y aprovecharse de todos sus frutos sin deteriorarla. • Utilidades, frutos o provechos que se sacan de cualquier cosa.
USUFRUCTUAR tr. Tener o gozar el usufructo de algo. • intr. Fructificar, producir utilidad algo.
USULUTÁN Dpto. de El Salvador, bañado al S por el océano Pacífico; 2 130 km², 336 541 hab. Cap., la c. hom. Accidentado por la cord. Costera, donde destacan los volcanes Tecapa y Usulután. Regado por el Lempa. Clima tropical. Cereales, algodón, plátano, piña, café, caña de azúcar y tabaco. • C. de El Salvador, cap. del dpto. hom.; 63 000 hab. Sit. al pie del volcán Usulután. Ind. alimentaria.
USUMACINTA Río de América Central; 900 km. Nace en la sierra de Cuchumatanes (Guatemala), toma sucesivamente los nombres de Negro, Chixoy y Salinas, y desemboca en el golfo de México. En su valle se desarrolló la cultura maya.
USUPUCA f. *Argent.* Nombre de diversos arácnidos del orden ácaros, que miden aprox. 0,5 mm, y que viven en las hojas de algunas plantas.
USURA f. Interés que se lleva por el dinero o el género en el contrato de mutuo o préstamo. • Interés excesivo en un préstamo. • Este mismo contrato. • fig. Ganancia o fruto que se saca de una cosa, especialmente cuando son excesivos. ■ USURAR; USURARIO, RIA; USUREAR.
USURERO, RA adj. Relativo a la usura. • m. y f. Persona que presta con usura o interés excesivo. • P. ext., díc. de la persona que en los negocios obtiene interés excesivo.
USURPACIÓN f. Acción y efecto de usurpar. • Cosa usurpada. • *Der.* Delito que se comete apoderándose con violencia o intimidación de inmueble o derecho real ajeno.
USURPAR tr. Quitar a uno lo que es suyo, o quedarse con ello, gralte. con violencia. • Arrogarse la dignidad, empleo u oficio de otro, y usar de ellos como si fueran propios.
USUTA f. *Argent., Bol.* y *Chile.* Ojota.
UT m. *Mús.* Ant., nombre de la nota *do,* primer sonido de la escala fundamental.
UT SUPRA m. adv. latino. Se emplea en ciertos documentos para referirse a una fecha, cláusula o frase escrita anteriormente.
UTA f. *Perú.* Enfermedad caracterizada por la aparición de úlceras faciales.
UTAH Estado del O de EE UU; 219 889 km², 1 723 000 hab. Cap., Salt Lake City. Terr. mesetario. Montes Uinta y Wasatch. Río Colorado y su afl. el Green. Reconocido como esp. (1819), se incorporó a México en 1836. En 1848 EE UU se apropió de él por el tratado de Guadalupe Hidalgo.
UTAMARO, *Kitagawa* (h. 1756-1806) Pintor y grabador jap. Destacó por sus elaboradas estampas policromas, con el color creando las formas.
UTE o **YUTE** adj. y s. Díc. de individuos pertenecientes a un pueblo amerindio de la familia lingüística uto-azteca (grupo shoshon). Residentes en el terr. del est. de Utah (EE UU). • m. Lengua hablada por este pueblo.
UTENSILIO m. Lo que sirve para el uso manual y frecuente. Se usa más en pl. • Auxilio que debía dar el patrón al soldado alojado en su casa, o sea cama, agua, sal, vinagre, luz y asiento a la lumbre. Se usa más en pl.
ÚTERO m. *Anat.* Órgano genital interno fem. donde se alberga el óvulo fecundado, y donde se nutre durante su desarrollo. Es una víscera hueca formada por tres capas musculares en diferentes direcciones, lo que le confiere una gran capacidad de dilatación y contracción permitiendo el crecimiento y posterior expulsión del feto. ■ UTERINO, NA.
ÚTICA Ant. c. costera del N de África, fundada, según la tradición, por los fenicios hacia 1100 a. C. Fue cap. de la prov. romana de África. Bajo Octavio Augusto adquirió rango de *municipium* (36 a. C.).
ÚTIL adj. Que produce provecho, comodidad, fruto o interés. • Que puede servir y aprovechar en algún aspecto. • Aplícase al tiempo o días hábiles de un término señalado por la ley o la costumbre, no contándose aquellos en que no se puede actuar. • m. Calidad de útil. • Utensilio o herramienta. Se usa más en pl.
UTILERÍA f. *Amér.* Conjunto de herramientas. • Conjunto de elementos escenográficos.
UTILIDAD f. Calidad de útil. • Provecho, conveniencia, interés o beneficio que se saca de una cosa. • *Econ.* Propiedad de lo que procura la satisfacción de un deseo o una necesidad.
* *Econ.* El conjunto de satisfacciones que procuran todas las dosis o unidades de un bien se denomina *u. total;* la u. de la última unidad añadida se llama *u. marginal.*
UTILITARIO, RIA adj. Díc. de la persona que sólo propende a conseguir lo útil; que antepone a todo la utilidad. • adj. y m. Díc. del automóvil pequeño y práctico.
UTILITARISMO m. *Fil.* Corriente del pensamiento que considera la utilidad como principio de la moral.
* *Fil.* Los orígenes del u. se encuentran en el s. XVIII, con J. Bentham y D'Alembert. El u. se convirtió en una moral acorde con los intereses iniciales del capitalismo industrial. En el s. XIX, Spencer y Compte lo incorporaron a las teorías organicista y positivista.
UTILIZAR tr. y prnl. Aprovecharse de una cosa. ■ UTILIZACIÓN.
UTILLAJE m. Conjunto de útiles necesarios para una industria.
UTM *Fís.* Símb. y siglas de la *unidad técnica de masa,* que es unidad de masa en el sistema terrestre. 1 utm = 9,8 kilogramos. • *Top.* Siglas de *Universal Transverse Mercator Projection,* que designan la proyección universal transversal de Mercator, utilizada para la superficie comprendida en – 80 y + 80° de latitud.
UTMÁN I GAZI (1259-1326). Sultán otomano (1281-1326) Hijo y sucesor de Ertogrul, fundó la dinastía otomana. Guerra santa contra el imperio bizantino. • **II** (1603-1622). Sultán otomano (1618-1622). Derrotado en Koczim (1621) por Segismundo III de Polonia. Destronado y asesinado. • **III** (1699-1757) Sultán otomano. Periodo de paz.

Vista panorámica de **Ushuaia**

Carbón del maíz, hongo parásito de la familia **ustilagináceas**

Utah. Vista de Glen Canyon en el río Colorado

Kitagawa **Utamaro.** *Amantes*, ilustración del libro *Uta-makura (El poema de la almohada).* Museo Victoria y Alberto, Londres

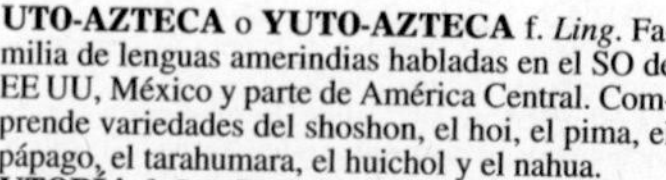

UTO-AZTECA o **YUTO-AZTECA** f. *Ling*. Familia de lenguas amerindias habladas en el SO de EE UU, México y parte de América Central. Comprende variedades del shoshon, el hoi, el pima, el pápago, el tarahumara, el huichol y el nahua.

UTOPÍA f. *Soc*. Proyecto de sistema social halagüeño, pero irrealizable. ■ UTÓPICO, CA; UTOPISTA.
 * *Soc*. Aunque ya Platón escribió una u. (*La República),* no fue hasta los ss. XV-XVII cuando cobran importancia con Moro *(Utopía)* y Campanella *(La ciudad del Sol).* En el s. XIX destacan las u. de los socialistas utópicos R. Owen, Saint-Simon, Ch. Fourier y E. Cabet, y en el s. XX las de G. Orwell y A. Huxley.

Uxmal. Casa de las Monjas

UTRAQUISTA (del lat. *utraque,* uno y otro) adj. y s. Díc. de los husitas moderados, que desde 1420 combatieron los abusos del clero y defendieron el derecho de todos a predicar en lengua checa.

UTRECHT C. de Países Bajos, sit. al S del IJsselmeer, cap. de la prov. hom.; 230 000 hab. (501 400 hab. la agl. urb.). La c. se convirtió en los ss. XI-XII en activo centro comercial. Entre 1527 y 1577 estuvo en poder de España. • **Tratados de U.** Tratados de paz firmados en 1713, en la c. hom., que pusieron fin a la guerra de Sucesión de España. • **Unión de U.** La formada en 1579, en la c. hom., por las siete prov. septentrionales de Países Bajos, de religión protestante. Señaló el principio de la independización del imperio esp. de los Austrias.

UTRERA Mun. esp., en Andalucía (prov. de Sevilla); 46 173 hab. Cereales, olivos y forrajes. Ganado vacuno (toros de lidia). Ind. alimentaria.

UTRERO, RA m. y f. Novillo o novilla desde los dos años hasta cumplir los tres.

UTRICULARIÁCEO, A adj. y f. *Bot*. Díc. de plantas dicotiledóneas herbáceas, insectívoras, acuáticas o de zonas pantanosas, con hojas en roseta o laciniadas, flores hermafroditas pentámeras, y frutos en cápsula o pixidio. • f. pl. *Bot*. Familia de estas plantas.

UTRÍCULO m. *Anat*. Pequeña vesícula que forma parte del laberinto membranoso del oído interno. • *Anat*. Órgano de forma piriforme sit. en la línea media de la porción prostática de la uretra. • *Biol*. Órgano en forma de pequeño odre. • *Bot*. Envoltura que rodea y protege el ovario en algunas flores de plantas angiospermas monocotiledóneas de la familia ciperáceas. • Nombre dado a la célula por Malpighi, al observar las pequeñas cavidades delimitadas por paredes que se presentan en el corcho.

UTRILLO, *Maurice* (1883-1955) Pintor fr. Impresionista al principio, expresó vívidamente la atmósfera de los suburbios de París. A partir de 1908 evolucionó hacia un estilo nuevo («época blanca»).

UTSUNOMIYA C. de Japón, cap. de la prefectura de Tochigi, en la isla de Honshu; 426 100 hab.

UTTAR PRADESH Est. de la India; 294 413 km², 139 031 100 hab. Cap., Lucknow; c. prales.: Agra y Allahabad. Trigo, cebada, arroz. Ind. química, textil.

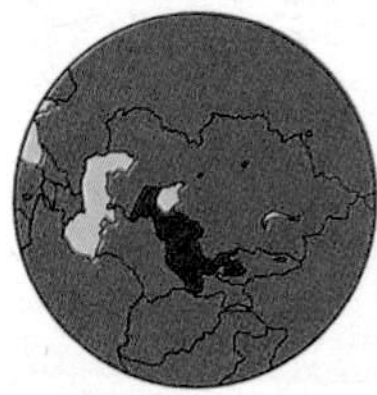

Uzbekistán. Arriba mapa de situación y bandera; abajo, interior de la mezquita de Tashkent

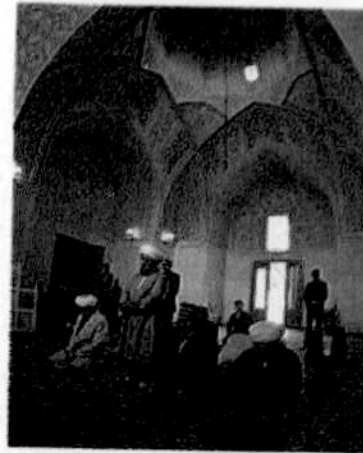

UVA f. Fruto de la vid; grano más o menos redondo y jugoso, que nace apiñado con otros formando racimos. • Cada uno de los granos que produce el berberís o arlo. • *Pat*. Enfermedad de la campanilla, que consiste en un tumorcillo de la figura de una uva. • **abejar.** Variedad de uva, de grano más grueso, menos jugoso y con hollejo más duro que la albilla, que apetecen con preferencia los insectos. • **albilla.** Variedad de uva de hollejo tierno y delgado. • **crespa.** Uva espina. • **de gato.** Hierba anual de la familia crasuláceas, que se cría comúnmente en los tejados, con tallos de 20 a 30 cm y flores blancas en corimbos. • **de playa.** Fruto del uvero, del tamaño de una cereza grande, muy jugoso y dulce. • **espina.** Variedad de grosellero, que crece espontáneamente en Europa y América y tiene hojas vellosas y frutos poco dulces. • **lairén.** Variedad de uva, de grano crecido y de hollejo duro, buena para conservarla. • **moscatel.** Variedad de uva, blanca o morada, de grano redondo y muy liso y gusto sumamente dulce. • **teta de vaca.** Variedad de uva, que tiene gruesos y largos los granos. • **tinta.** Variedad de uva, que tiene negro el zumo y sirve para dar color a ciertos mostos. • **Como una u.** loc. adj. fam. Muy borracho. • **Entrar** uno **por uvas.** fig. y fam. Arriesgarse a intervenir en un asunto. • **Mala u.** fig. y fam. Mal genio, mal carácter. • **Ser** una cosa **una u.** *R. de la Plata.* Ser buena y fácil de obtener.

UVADA f. Abundancia de uva.

UVAL adj. Parecido a la uva.

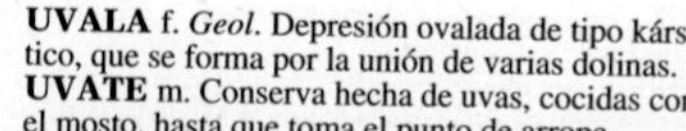

UVALA f. *Geol*. Depresión ovalada de tipo kárstico, que se forma por la unión de varias dolinas.

UVATE m. Conserva hecha de uvas, cocidas con el mosto, hasta que toma el punto de arrope.

UVAYEMA f. Especie de vid silvestre, que, subiendo por los troncos de los árboles, se enreda entre sus ramas, como la hiedra.

UVE f. Nombre de la letra *v*.

UVERO, RA adj. Relativo a las uvas. • m. y f. Persona que vende uvas. • m. *Bot*. Árbol silvestre poligonáceo, que vive en las costas de las Antillas y de la América Central, muy frondoso. Su fruto es la uva de playa.

UVILLA f. *Chile*. Especie de grosella.

UVILLO m. *Chile*. Arbusto trepador fitolacáceo, con flores blancas o rosadas en racimos.

ÚVULA f. *Anat*. Pequeño apéndice músculo-membranoso que cuelga del paladar blando. Usualmente se conoce por *campanilla.*

UVULAR adj. Relativo a la úvula. • *Fon*. Díc. del sonido cuyo punto de articulación tiende hacia la zona de la úvula.

UVULARIA f. Planta angiosperma monocotiledónea de la familia esmiláceas, con tallo erguido y anguloso, cladodios elípticos, hojas escuamiformes e incospicuas, flores fasciculadas y frutos en baya carnosa. Se denomina también laurel de Alejandría.

UVULIFORME adj. *Biol*. Díc. de los órganos en forma de úvula.

UXDA *(Oujda)* C. del NE de Marruecos, próxima a la frontera con Argelia; 260 100 hab. Comercio de ganado, lanas y pieles.

UXMAL Ant. pob. de México, en Yucatán, sit. en la actual Santa Elena. Fue una de las prales. c. mayas del llamado Imperio Nuevo, y formó parte de la liga de Mayapán, que intentaba dominar el N de la pen. del Yucatán duró aprox. del año 1000 al 1568. Ruinas y algunas reconstrucciones de sus grandes edificios: la gran pirámide, la Casa de las Monjas, la Casa del Gobernador, el juego de pelota.

UXORICIDIO m. Muerte causada a la mujer por su marido. ■ UXORICIDA.

UZBEKISTÁN *(Uzbekiston Respublikasi)* Est. de Asia central, limítrofe al NO y N con Kazakistán, al NE y E con Kirguisistán, al E y SE con Tadjikistán, al SE con Afganistán, y al S y SO con Turkmenistán. Sit. entre el mar de Aral y las estribaciones del Tian Shan, es un terr. casi desértico. R.: Sir-Dariá y Amu Dariá. Algodón; arroz. Petróleo (Fergama). Grupos étnicos: uzbekos, rusos, tadjikos, kazakos, tártaros, karakalpakos, etc. Lenguas: uzbeko (of.), ruso, tadjiko. *Rel.*: islamismo sunnita (mayoría), cristianismo ortodoxo. U. M.: sum. Cap., Tashkent. C. prales.: Samarcanda, Namangan, Andizhan, Bujara.
 * *Hist*. Zona originaria del pueblo uzbeko, formó parte integrante del imperio de Gengis Jan y, a su muerte, de la Horda de Oro. Tras su fragmentación fueron anexionándose a Rusia entre 1856 y 1876. Rep. sov. desde 1924, un año más tarde se convirtió en rep. federada. En 1991 se autoproclamó indep., integrándose tras la desaparición de la URSS en la Comunidad de Estados Independientes (CEI). Islam Karimov, pres. de la rep., inició una política de apertura hacia occidente.

UZBEKISTÁN

Superficie	447 400 km²
Población	23 664 000 hab. (52 hab./km²)
Indicadores sociológicos	
PNB	21 979 millones de dólares
Renta per cápita	970 dólares
Esperanza de vida	69 años
Crecimiento vegetativo	2,7 %

UZBEKO, KA adj. y s. Díc. de individuos pertenecientes a un pueblo turco que habita en su mayoría en las rep. de Uzbekistán y Tadjikistán, y en Afganistán. • m. *Ling*. Lengua del grupo turco hablada principalmente en Uzbekistán.

UZTÁRIZ, *Jerónimo de* (1690-1760) Economista esp. Mercantilista, defendió el ultraproteccionismo. *Teórica y práctica de comercio y de marina* (estudio de la construcción naval española).

V

Playa tropical en el estado Sucre, **Venezuela**

V f. Vigésima tercera letra del abecedario esp., y decimoctava de sus consonantes. Su nombre es *ve* o *uve*. • Letra numeral que tiene el valor de cinco en la numeración romana. • *El.* Símb. del voltio. • *Quím.* Símb. del vanadio. • **doble.** W.

V-1 Ingenio de guerra autopropulsado al., empleado en la II Guerra Mundial. Consistía en un avión con una cabeza explosiva, en cuya parte superior había un motor de reacción de marcha intermitente, en el que se producían 45 explosiones por segundo. • **V-2** Ingenio de guerra al. empleado en la II Guerra Mundial, consistente en un cohete, impulsado por propergol líquido, capaz de precipitarse sobre su objetivo a una velocidad triple que la del sonido.

VAAL Río de la República Sudafricana; nace en los montes Drakensberg y afluye en el Orange; 1 200 km.

VACA f. Hembra del toro y fundamento de la ganadería bovina. • Carne de vaca o de buey, que se emplea como alimento. • Dinero que juegan en común dos o más personas. • Cuero de la vaca después de curtido. • **marina.** Manatí, cetáceo.

VACA de Castro, *Cristóbal* (1492-1566) Conquistador esp. Ocupó el cargo de gobernador en Lima en tiempos de Carlos I. Sustituido en 1544, fue juzgado en España por irregularidades, resultando absuelto. En 1557-1561 presidió el Consejo de Castilla.

VACABUEY f. Planta de la familia dilleniáceas, de madera muy apreciada en ebanistería. Es propia de las Antillas y de América meridional.

VACACIÓN f. Suspensión del trabajo o del estudio por algún tiempo. Se usa más en pl. • Tiempo que dura esta suspensión. Se usa más en pl. • Acción de vacar un empleo o cargo. • Cargo o dignidad que está vacante.

VACADA f. Manada de ganado vacuno. • Conjunto de ganado vacuno con que comercia un ganadero.

VACAJE m. *Amér. Merid.* Rebaño de ganado vacuno.

VACANCIA f. Tiempo que duran las vacaciones.

VACANTE adj. Que vaca. • adj. y f. Aplícase al cargo, empleo o dignidad que está sin proveer. • f. Renta devengada en el tiempo que permanece sin proveerse un beneficio o dignidad eclesiástica. • Tiempo que duran las vacaciones.

VACAR intr. Cesar uno por algún tiempo en sus habituales negocios, estudios o trabajo. • Quedar un empleo, cargo o dignidad sin persona que lo desempeñe. • Dedicarse enteramente a un ejercicio determinado. • Estar falto, carecer.

VACARAY m. *Amér. Merid.* Ternero nonato.

VACARÍ adj. De cuero de vaca, o cubierto de este cuero.

VACATURA f. Tiempo que está vacante un empleo, cargo o dignidad.

VACCINIEO, A adj. y s. Díc. de arbustos de hojas simples perennes y fruto en baya con semilla de albumen carnoso; como el arándano.

VACIADERO m. Sitio en que se vacía una cosa. • Conducto por donde se vacía.

VACIADO m. Acción de vaciar en un molde un objeto de metal, yeso, etc. • Excavación de la tierra para descubrir lo enterrado. • Fondo que queda en el neto del pedestal después de la faja o moldura que lo guarnece. • Figura o adorno de yeso, estuco, etc., que se ha formado en el molde.

VACIANTE adj. Que vacía. • f. Descenso del agua de mar por efecto de la marea. • Tiempo que dura.

VACIAR tr. y prnl. Dejar vacía alguna vasija u otra cosa. • Sacar, verter o arrojar el contenido de una vasija u otra cosa. • tr. Formar un objeto echando en un molde hueco metal derretido u otra materia blanda. • Formar un hueco en alguna cosa. • Sacar filo muy agudo en la piedra a los instrumentos cortantes delicados. • fig. Explicar extensamente una doctrina. • fig. Trasladarla de un escrito a otro. • intr. Hablando de los ríos o corrientes, desaguar. • Menguar el agua en los ríos, en el mar, etc. • prnl. fig. y fam. Decir uno sin reparo lo que debía callar. ■ VACIADOR; VACIAMIENTO.

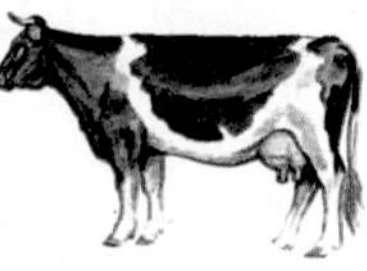

Vaca de raza frisona

VACIEDAD f. fig. Necedad, sandez, simpleza.

VACILAR intr. Moverse indeterminadamente una cosa. • Estar poco firme una cosa. • fig. Titubear, estar uno perplejo. ■ VACILACIÓN.

VACÍO, A adj. Falto de contenido. • Aplícase, en los ganados, a la hembra que no tiene cría. • Vano, sin fruto, malogrado. • Ocioso, o sin la ocupación o ejercicio que pudiera o debiera tener. • Aplícase a las casas o pueblos sin habitantes, o a los sitios que están sin la gente que suele concurrir a ellos. • Falto de la perfección debida en su línea. • Hueco, o falto de la solidez correspondiente. • fig. Vano, presuntuoso y falto de madurez. • adj. y m. *Mat.* Díc. del conjunto que carece de elementos. Su símb. es Ø. • m. Concavidad o hueco de algunas cosas. • Cavidad entre las costillas falsas y los huecos de las caderas, ijada. • Vacante de algún empleo, dignidad, ejercicio o cargo que alguno ocupaba. • fig. Falta de alguna cosa o persona. • *Fís.* Estado de una determinada región del espacio en el que no existe sustancia o elemento material alguno. • **De v.** m. adv. Sin carga, tratándose de trajineros o de sus bestias o carruajes. • Sin ocupación o ejercicio. • Sin

Arándano, arbusto de la familia **vaccinieas**

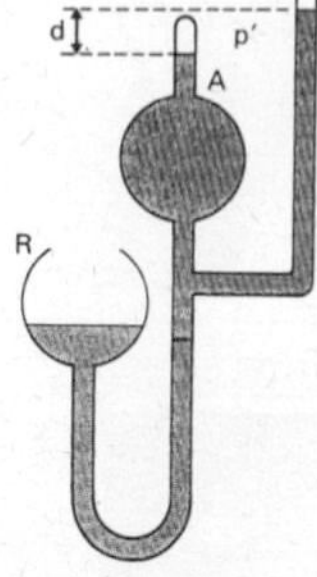

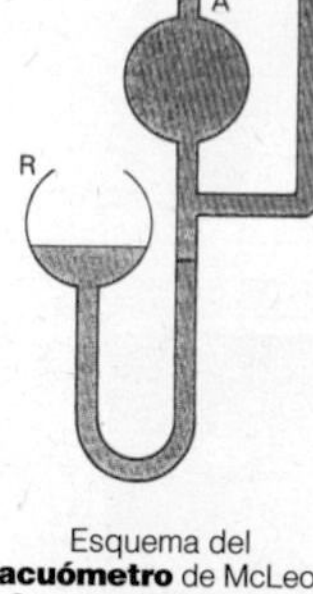

Esquema del **vacuómetro** de McLeod. Con el recipiente R en posición baja y el depósito A vacío, se procede a elevar R. La diferencia de nivel da entonces el valor de p'

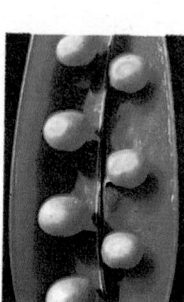

Vaina abierta del guisante común

Vainilla

haber conseguido uno lo que pretendía. • **En v.** m. adv. En vago. • *Mús.* Pulsando la cuerda sin pisarla.

VACO, CA adj. Vacante, sin proveer. • m. fam. Buey.

VACUNAR tr. y prnl. Comunicar, aplicar el virus vacuno a una persona, para preservarla de las viruelas naturales. • tr. Inocular a la vaca o a la ternera el virus vacuno, con objeto de conservarlo. • Inocular a una persona o animal un virus o principio orgánico para preservarlos de una enfermedad. ■ VACUNACIÓN.

VACUNO, NA adj. Perteneciente al ganado bovino. • De cuero de vaca. • m. Animal bovino. • f. Grano o viruela que sale a las vacas en las ubres, y que se transmite al hombre por inoculación para preservarlo de las viruelas naturales. • Pus de esos granos o de los granos de los vacunados. • *Med.* Cualquier virus o principio orgánico que convenientemente preparado se inocula a personas o animales para preservarlos de una enfermedad determinada.

VACUNOTERAPIA f. *Med.* Tratamiento o profilaxis de las enfermedades infecciosas por medio de las vacunas.

VACUO, CUA adj. Vacío, falto de contenido. • Vacante, sin proveer. • m. Hueco o concavidad de algunas cosas. ■ VACUIDAD.

VACUOEXTRACTOR m. *Med.* Instrumento obstétrico utilizado para facilitar el parto, consistente en una ventosa acoplada a una bomba de aspiración, que se aplica a la cabeza del feto, permitiendo ejercer una tracción.

VACUOLA f. *Biol.* Orgánulo citoplasmático, de gran importancia en los seres unicelulares, consistente en una cavidad delimitada por una membrana, que contiene en disolución diversos tipos de sustancias.

VACUOLIZACIÓN f. *Bot.* Tipo de crecimiento de las células vegetales, regido por hormonas del tipo de las auxinas, que resulta del aumento del volumen del vacuoma, originando una presión contra la pared a la que la célula responde alargándose.

VACUOMA m. *Biol.* Conjunto de vacuolas de una célula; de mayor importancia en las células vegetales.

VACUÓMETRO m. Instrumento para medir el grado de vacío de un recinto, consistente en un manómetro que permite apreciar presiones muy reducidas u otras propiedades como la viscosidad.

VADE m. Vademécum, cartapacio o bolsa. • **retro** Exp. latina para rechazar a una persona o cosa.

VADEAR tr. Pasar un río u otra corriente de agua profunda por el vado o por cualquier otro sitio donde se pueda hacer pie. • fig. Vencer una grave dificultad. • fig. Tantear y sondear el ánimo de uno. • fig. Comprender y percibir una sentencia u otra cosa dificultosa. • prnl. Manejarse, portarse, conducirse. ■ VADEABLE, VADEADOR.

VADEMÉCUM m. Libro breve que contiene los datos de consulta más frecuentes sobre una materia determinada. • Cartera, carpeta o bolsa donde los estudiantes llevan los libros.

VADERA f. Vado, especialmente el ancho por donde pueden pasar ganados y carruajes.

VADIM, *Roger* (1928-2000) Director de cine fr. Uno de los precursores de la *nouvelle vague*. *Y Dios creó la mujer*, *Barbarella*.

VADO m. Paraje de un río con fondo firme y poco profundo por donde se puede pasar andando, cabalgando, etc. • En la vía pública, modificación de la estructura de la acera para facilitar el acceso de vehículos a las fincas. También se llaman así las modificaciones similares que se hacen para facilitar la circulación de personas ancianas o disminuidas físicamente. • fig. Expediente, remedio en las cosas que ocurren.

VADUZ Cap. del principado de Liechtenstein; 4 900 hab. Sit. a orillas del Rin. Centro turístico.

VAGABUNDEAR o **VAGAMUNDEAR** intr. Andar vagabundo. ■ VAGABUNDEO.

VAGABUNDO, DA o **VAGAMUNDO, DA** adj. y s. Díc. de la persona que vive errante, sin trabajo ni domicilio fijos.

VAGAR intr. Tener tiempo y lugar suficiente o necesario para hacer una cosa. • Estar ocioso, sin oficio ni beneficio. • Andar por varias partes sin determinación a sitio o lugar, o sin especial detención en ninguno. • Andar por un sitio sin hallar camino o lo que se busca. • Andar libre y suelta una cosa. • m. Tiempo libre para hacer una cosa. • Espacio, lentitud, pausa o sosiego. ■ VAGANCIA; VAGAROSIDAD; VAGAROSO, SA.

VAGIDO m. Gemido o llanto del recién nacido.

VAGINA f. *Anat.* Conducto que, en las hembras de los mamíferos, une el cuello del útero a la vulva. Es el órgano copulador femenino. ■ VAGINAL.

VAGINITIS f. Inflamación de la vagina.

VAGNERIANO, NA adj. Relativo a Richard Wagner o a su música. • adj. y s. Partidario de la música de Wagner.

VAGO, GA adj.y s. Que va de un lado a otro sin vínculos sociales estables ni medios visibles y lícitos de sostenimiento. • adj. Aplícase a las cosas que no tienen objeto o fin determinado. • Indeciso, indeterminado. • *Pint.* Vaporoso, ligero, indefinido. • m. *Anat.* Nervio mixto, décimo par craneal. También se denomina neumogástrico. • **En v.** m. adv. Sin firmeza ni consistencia, o con riesgo de caerse. • Sin el sujeto u objeto a que se dirige la acción. ■ VAGUEDAD.

VAGÓN m. *Ferr.* Carruaje de viajeros o de mercancías y equipajes. • Carro grande de mudanzas, destinado a ser transportado sobre una plataforma de ferrocarril.

VAGONETA f. Vagón pequeño y descubierto para transporte. • com. *R. de la Plata.* fam. Vago.

VAGOROSO, SA adj. *Amér. Centr.* Vagaroso.

VAGOTONÍA f. *Pat.* Excitabilidad anormal del nervio vago.

VAGUADA f. Línea que marca el fondo de un valle por donde corren las aguas de las corrientes naturales.

VAGUEACIÓN f. Inquietud o inconstancia de la imaginación. • Acción de vagar.

VAGUEAR intr. Vagar, andar de un sitio para otro.

VAGUIDO, DA adj. Turbado, o que padece vahídos. • m. Desvanecimiento, vahído.

VAHAJE m. Viento suave.

VAHARERA f. Boquera, excoriación que se forma en la comisura de los labios.

VAHARINA f. fam. Vaho, vapor o niebla.

VAHEAR o **VAHAR** intr. Expeler vaho o vapor. • fig. Hacer un gran esfuerzo intelectual. ■ VAHARADA.

VAHÍDO m. Desvanecimiento, pérdida momentánea del conocimiento.

VAHO m. Vapor que despiden los cuerpos en determinadas condiciones. • Aliento, aire espirado por la boca.

VAIHINGER, *Hans* (1852-1933) Filósofo al. Desarrolló un sistema filosófico que él mismo calificó de «positivismo idealista». *La deducción trascendental de las categorías*, *La filosofía del como si.*

VAINA f. Funda de cuero u otra materia, en que se encierran y guardan algunas armas o instrumentos de metal. • Túnica o cáscara tierna y larga en que están encerradas algunas simientes. • Judía verde. • Contrariedad, molestia. • Porción dilatada del extremo del peciolo de las hojas, que rodea el punto de inserción de las mismas con el tallo. • m. fig. y fam. Persona despreciable. • *Perú.* Homosexual. • **Salirse uno de la v.** *Amér.* Perder la paciencia.

VAINICA f. Labor de costura consistente en un deshilado en el borde interior del dobladillo, y en la sujeción de los hilos que quedan descubiertos. • *Amér.* Vaina verde y comestible de los frijoles.

VAINILLA f. Planta orquidácea, propia de la América tropical, con tallos muy largos y fruto capsular que se emplea para aromatizar los licores, el chocolate, etc. • Fruto de esta planta. • Heliotropo que se cría en América. • Vainica.

VAINILLAR tr. *Amér. Merid.* Especie de labor que se hace en una tela mediante un deshilado.

VAINILLÓN m. Orquídea de flores irregulares, y frutos en cápsula, que se abre en seis valvas. • Fruto aromático de esta planta.

VAIVÉN m. Movimiento alternativo de un cuerpo que después de recorrer una línea vuelve a describirla, caminando en sentido contrario. • fig. Variedad inestable o inconstancia de las cosas en su duración o logro. • fig. Encuentro o riesgo que expone a perder lo que se intenta. • *Mar.* Cabo delgado que sirve para entrañar y forrar otros más gruesos, dar ligadas y hacer ciertos tejidos.

Vista de la ciudad de **Valdivia**

VAJDA, ***Janos*** (1827-1897) Poeta romántico húng. Uno de los dirigentes de la juventud revolucionaria en 1848. *Poesías, Pequeños poemas.*
VAJEAR tr. *Amér.* Adormecer algunos animales a sus presas con el aliento.
VAJILLA f. Conjunto de platos, fuentes, vasos, tazas, jarros, etc., para el servicio de la mesa.
VAJRAYANA m. Corriente del budismo, llamada también *tantrismo*. Promete la salvación rápida con la propiciación de los dioses y fórmulas mágicas (recitación de la *mantras*).
VAL m. Apócope de valle. Se usa mucho en composición.
VÁLACO, CA adj. y s. De Valaquia. • m. Lengua válaca.
VALADÉS, ***Edmundo*** (nacido 1915) Escritor mex. Periodista, es autor de cuentos y ensayos. *La muerte tiene permiso, Las dualidades funestas, La revolución y las letras.* • ***José C.*** (1899-1976) Historiador mex. *Santa Anna y la guerra de Texas, Historia de la Revolución Mexicana.*
VALADON, *Marie Clémentine,* llamada ***Suzanne*** (1867-1938) Pintora fr. Con la colaboración de Degas se inició en el campo del grabado. Hacia 1909 abandonó el dibujo para dedicarse a la pintura.
VALAQUIA Región del S de Rumania, que se extiende desde las estribaciones de los Cárpatos Meridionales hasta el Danubio. Relieve llano. Clima continental. Petróleo, lignito, sal. Agricultura. C. prales.: Craiova y Bucarest.
VALAR adj. Perteneciente al vallado, muro o cerca.
VALCÁRCEL, ***Luis E.*** (nacido 1918) Escritor e historiador per. Estudió la historia precolombina y colonial de los incas. *De la vida incaica, Historia del Perú antiguo.* • ***Mariano Nicolás*** (1852-1921) Político per. Fundó la Unión Cívica. Presid. del consejo de ministros (1890-1894).
VALDELOMAR, ***Abraham*** (1888-1919) Escritor per., modernista. Utiliza elementos indigenistas. *Los hijos del sol.*
VALDENSE adj. y s. Díc. de los seguidores de las doctrinas de Pedro de Valdo, según el cual los seglares, hombres y mujeres, que practicaran la pobreza voluntaria podían consagrar y administrar los sacramentos. Excomulgados por Lucio III en 1179.
VALDÉS, ***Península de*** Pen. de Argentina, en la Patagonia. Unida al continente por el istmo de Ameghino.
VALDÉS, ***Alfonso de*** (h. 1490-1532) Humanista y escritor esp. Es la personalidad más destacada del erasmismo esp. *Diálogo de las cosas acaecidas en Roma* o *Diálogo de Lactancio y un arcediano, Diálogo de Mercurio y Carón.* • ***Fernando de*** (1483-1568) Eclesiástico esp. Entre 1547 y 1566 fue presid. del Consejo de Castilla y del Consejo de Estado, e inquisidor general. Elaboró un *Índice* de libros prohibidos. • ***Gabriel de la Concepción*** (1809-1844) Poeta cub. Utilizó el seud. de *Plácido.* Acusado de dirigir un movimiento rebelde, murió fusilado. • ***Juan de*** (m. 1541) Filósofo y humanista esp. En el *Diálogo de la lengua*, propone normas ortográficas y expone sus ideas acerca del estilo y la historia del idioma. • ***Ramón Maximiliano*** (1867-1918) Político pan. Diputado del congreso col., fue uno de los impulsores de la indep. pan. Presid. (1916-1918). • **Leal,** ***Juan de*** (1622-1690) Pintor esp., uno de los máx. representantes del barroco tardío. Además de escenas religiosas, de un exagerado dramatismo y un intenso colorido (*Moros rechazados en los muros del convento de Asís*), realizó temas alusivos a la banalidad de la vida terrena. *Jeroglíficos de nuestra postrimería* (Hospital de la Caridad de Sevilla).
VALDIVIA Prov. de Chile, en la región de Los Lagos, limítrofe con Argentina y bañada por el Pacífico; 313 300 hab. Cap., la c. hom. En los Andes destacan algunos lagos debidos a la acción glaciar (Calafquén, Panguipulli, Riñihue, Ranco, Puyehue), así como algunos elementos volcánicos (Villarrica, 2 847 m; Puyehue, 2 240 m). El pral. río es el Valdivia. Clima templado. Vegetación boscosa. Cereales, patatas, remolacha y forrajes. Ganado lanar y vacuno. Explotación forestal. Ind. alimentarias, textiles, del calzado, de la madera y siderúrgicas. • C. de Chile, cap. de la prov. hom.; 104 900 hab. Sit. a orillas de la ría formada por el Valdivia. Ind. diversificada (química, siderúrgica, mecánica, del calzado y alimentaria). • R. de Chile, en la región de Los Lagos; 115 km. Nace en la confluencia de los r. Callecalle y Cruces y desemboca en el Pacífico, formando un gran delta.
VALDIVIA, ***Pedro de*** (1497-1553) Conquistador esp. Fundó la primera c. chilena, Santiago de la Nueva Extremadura (1541), la futura Santiago de Chile. Nombrado gobernador de Chile, fundó las c. de Concepción, Valdivia y Villarrica. Fue m. en Tucapel durante una rebelión araucana.
VALDIVIANO m. *Chile.* Plato hecho con cecina, cebolla y zumo de limón.
VALDIVIESO, ***José de*** (h. 1560-1638) Poeta y dramaturgo esp. *El Romancero espiritual del Santísimo Sacramento, Doce autos sacramentales.* • ***José Félix*** (h. 1780-1850) Político ecuat. En 1834 se autoproclamó jefe del Est. Exiliado en 1835 tras el acuerdo Flores-Rocafuerte, colaboró post. con Flores. Presid. interino (1845-1846).
VALDO, ***Pedro de*** (h. 1140-1217) Heresiarca fr., fundador del mov. religioso valdense. Se cree que falleció en Bohemia (Checoslovaquia).
VALE m. Documento por el que uno reconoce una deuda u obligación. • Bono para adquirir comestibles u otros artículos de consumo. • Nota firmada y a veces sellada, que se da al que ha de entregar una cosa, para que después acredite la entrega y cobre el importe. • Envite que con las primeras cartas se hace en algunos juegos de naipes. • Entrada gratuita para un espectáculo público. • Voz latina usada como despedida culta.
VALÉCULA f. *Bot.* Zona de cualquier órgano vegetal, tallo, fruto, etc., sit. entre dos salientes longitudinales o costillas.
VALEDURA f. *Col.* y *Cuba.* Regalo en dinero que hace ganador en el juego al perdedor.
VALENÇAY C. de Francia, en el dpto. de Indre; 4 000 hab. • **Tratado de V.** Acuerdo firmado en 1813 entre Francia y España, que ponía fin a la guerra de la independencia esp.
VALENCE C. de Francia, cap. del dpto. de Drôme, en la región de Ródano-Alpes; 66 400 hab. Centro comercial e industrial.
VALENCIA f. *Biol.* Poder de un anticuerpo para combinarse con uno o más antígenos. • *Quím.* Capacidad de saturación de los radicales, que se determina por el núm. de átomos de hidrógeno con que aquéllos pueden combinarse directa o indirectamente. • **de coordinación** o **de adición** o **de campo.** Núm. de átomos o de grupos atómicos que en un ion complejo están unidos al ion central. • **gramo.** *Quím.* Equivalente gramo de una sustancia electrolizada.
VALENCIA C. del N de Venezuela, cap. del est. Carabobo; 922 100 hab. Sit. cerca del lago hom., a 470 m de alt. Centro comercial y agropecuario. Ind. textil, de cemento, metalúrgica, mecánica, petroquímica, de la piel y del calzado. Universidad. Aeropuerto. Nudo de comunicaciones. Fue cap. de la Rep. de 1812 a 1830. • **Tacarigua.** Lago de Venezuela, entre los est. Carabobo y Aragua; 400 km^2.
VALENCIA o **VALÈNCIA** Prov. de España, en la Comunidad Valenciana; 10 763 km^2, 2 172 840 hab. Sit. junto al Mediterráneo. Cap., la c. hom. C. prales.: Sagunto, Torrente, Gandía. Interior montañoso al O y llanura litoral al E, cubierta por alu-

Fernando de **Valdés,** por Velázquez

Pedro de **Valdivia,** según un cuadro de Ignacio Zuloaga

viones. Ríos Júcar y Turia. Clima mediterráneo. Cultivos de regadío (arroz) y de secano (arboricultura). Ind. siderúrgica, del mueble, textil. Astilleros. • C. de España, cap. de la prov. hom. y de la Comunidad Valenciana; 746 683 hab. Centro comercial, agrícola e industrial. • ***Albufera de V.*** Albufera de España, en el litoral mediterráneo. Se extiende por la parte más interior del golfo de Valencia. • ***Golfo de V.*** Golfo de España, en la costa mediterránea. Se extiende desde el delta del Ebro hasta el cabo de la Nao.

Valencia. Vista parcial de la ciudad con la torre del Miquelet

VALENCIA, *Guillermo* (1873-1943) Político y poeta col. *Ritos* es una lograda manifestación del modernismo iberoamericano. • ***Guillermo León*** (1905-1971) Político col., hijo de Guillermo V. Uno de los promotores del pacto de Sitges (1947). Presid. del partido conservador (1948). Presid. de la rep. (1962-1966). • ***Manuel María*** (1810-1870) Político dom. Ministro de Instrucción Pública (1846). Fundador del periódico *El Dominicano*. Autor de poemas. *La víspera del suicidio*.

VALENCIANA, *Comunidad* o COMUNITAT VALENCIANA Denominación oficial de Valencia, territorio histórico del E de España, sit. a orillas del Mediterráneo. Comprende las prov. de Castellón, Valencia y Alicante; 23 305 km^2, 3 857 234 hab. Cap., Valencia. C. prales.: Sagunto, Elche, Alcoy. Grandes albuferas en la costa. R. Mijares, Júcar, Turia, Segura. Clima mediterráneo. Tiene gran importancia la agricultura (naranjos, arroz). Ind. siderúrgica, metalúrgica, del calzado, del mueble, del juguete, cerámica, del papel. Turismo. Integrada en el califato de Córdoba hasta el s. XI, en que se formaron una serie de reinos de taifas indep. Jaime I reconquistó el territorio (1233-1245) y lo incorporó a la confederación catalanoaragonesa. Tras la guerra de Sucesión, Felipe V suprimió los fueros valencianos (1707). Constituida en com. autón. en 1982.

El futuro emperador **Valentiniano III** con su madre Gala Placidia. Marfil de la catedral de Monza, Italia

VALENCIANO, NA adj. y s. De Valencia. • m. *Ling*. Variedad de la lengua catalana que se habla en la mayor parte del ant. reino de Valencia.

VALENCIENNES C. de Francia, en el dpto. de Nord; 223 800 hab. la agl. urb. Puerto fluvial en el Escalda. Ind. siderúrgica, metalúrgica, textil y mecánica.

VALENTE, *Flavio* (h. 328-378) Emp. rom. de Oriente [364-378]. Hermano de Valentiniano I, éste le confió el gobierno de Oriente. Los visigodos le derrotaron en Adrianópolis (378). • ***José Ángel*** (1929-2000) Poeta y crítico literario esp. Poesía: *A modo de esperanza*, *Poemas a Lázaro*, *No amanece el cantor*. Prosa: *Las palabras de la tribu*.

VALENTÍA f. Esfuerzo, aliento, vigor. • Hecho o hazaña heroica. • Exp. arrogante o jactancia de las acciones de valor y esfuerzo. • Gallardía, arrojo feliz en el modo de concebir o realizar una obra literaria o artística. • Acción material o inmaterial esforzada y vigorosa que parece exceder a las fuerzas naturales.

VALENTÍN (s. II) Hereje egipcio, fundador de la secta gnóstica de los valentinianos. Sus teorías son una mezcla de orientaciones judaicas y encratitas.

VALENTINIANO, NA adj. y s. Seguidor de la doctrina de Valentín, heresiarca del s. II.

VALENTINIANO I (321-375) Emp. rom. [364-375]. Sucedió a Joviano, al ser proclamado emp. por el ejército en Nicea. Se distinguió por su apoyo al cristianismo. • **II** (371-392) Emp. rom. [375-392]. Sucedió a Valentiniano I. Murió asesinado. • **III** (419-455) Emp. rom. de Occidente [425-455]. Hijo de Constancio III y de Gala Placidia; se distinguió en las luchas contra los hunos, a quienes venció en los Campos Cataláunicos (451). Fue asesinado por Petronio Máximo, que le sucedió.

VALENTINO, *Rodolfo* (1895-1926) Actor de cine norteam., de origen it. Sus dotes artísticas y su físico le dieron gran celebridad, hasta el punto de encarnar el mito del amante latino. *El caíd*, *Sangre y arena*.

Fernando de **Valenzuela,** por Carreño. Museo Lázaro Galdiano, Madrid

VALENTÓN, NA adj. y s. Arrogante, fanfarrón. • f. fam. Jactancia o exageración del propio valor.

VALENTONADA f. Jactancia o exageración del propio valor.

VALENZUELA, *Fernando de* (1636-1692) Político esp., nacido en Nápoles. Carlos II le nombró grande de España y primer ministro. Debido a una sublevación fue preso y desterrado. Murió en Nueva España. • ***Pedro José*** (1797-1865) Político guat. Vicepresid. con Gálvez (1836-1838). Presid. tras la renuncia de éste, tuvo que renunciar al poder por la oposición de los conservadores de Carrera. • **Llanos, *Alberto*** (1869-1925) Pintor chil. Notable paisajista; introductor del impresionismo en su país.

VALER tr. Amparar, proteger, patrocinar. • Producir, rendir. • Montar, sumar o importar, hablando de los núm. y de las cuentas. • Tener las cosas un precio determinado para la compra o la venta. • Hablando de las monedas, equivaler unas a otras en núm. de determinada estimación; y hablando de otras cosas, equivaler, tener una significación o aprecio comparable al de otra cosa determinada. • intr. Valer igual, equivaler. • Ser de naturaleza, o tener alguna calidad, que merezca aprecio y estimación. • Tener una persona poder, autoridad o fuerza. • Correr o pasar, tratándose de monedas. • Ser una cosa de importancia o utilidad para la consecución o el logro de otra. • Prevalecer una cosa en oposición de otra. • Ser o servir de defensa o amparo una cosa. • Tener la fuerza o valor que se requiere para la subsistencia o firmeza de algún efecto. • Con la prep. *por*, incluir en sí equivalentemente las calidades de otra cosa. • fig. Tener cabida, aceptación o autoridad con uno. • prnl. Usar de una cosa con tiempo y ocasión, o servirse últimamente de ella. • Recurrir al favor o interposición de otro para un intento. • m. Valor, valía. ■ VALEDERO, RA.

VALERA C. de Venezuela, en el est. Trujillo; 109 100 hab. Sit. junto al r. Motatán. Mercado agropecuario. Centro de comunicaciones.

VALERA, *Eamon de* (1882-1975) Político irl. En 1926 fundó el Fiana Fail. Como presid. del Consejo (1932-1948 y 1951-1959), su primer objetivo fue la indep. respecto de Gran Bretaña. Elegido por dos veces (1959 y 1966) presid. de la rep. • ***Juan*** (1824-1905) Diplomático y escritor esp. Su importancia literaria estriba en su obra de crítico y de novelista. *Sobre el Quijote y las diferentes maneras de comentarlo y juzgarlo*, *Apuntes sobre el nuevo arte de escribir novelas*, *Doña Luz*, *Juanita la larga*, *Pepita Jiménez*, *El pájaro verde*.

VALERIANA f. Planta de la familia valerianáceas, con flores en corimbo, fruto seco y rizoma fragante, que se usa como antiespasmódico.

VALERIANÁCEO, A adj. y f. *Bot*. Díc. de plantas herbáceas, con hojas opuestas, flores en corimbos y fruto indehiscente; como la valeriana.

VALERIANATO m. *Quím*. Sal formada por el ácido valeriánico y una base.

VALERIÁNICO adj. *Quím*. Aplícase a un ácido que se halla en la raíz de la valeriana y es líquido, incoloro, oleaginoso, de sabor acre y picante, poco soluble en el agua y mucho en el alcohol y en el éter. Se emplea en farmacia.

VALERIANO, *Publio Aurelio Licinio* (190-268) Emp. rom. [254-260]. Fue hecho presionero por el rey persa Sapor.

VALEROSO, SA adj. Eficaz, que puede mucho. • Valiente, esforzado. • Valioso, que vale mucho. ■ VALEROSIDAD.

VALÉRY, *Paul* (1871-1945) Escritor fr. Poeta intelectual, partidario de la poesía pura. *Cementerio marino* es su poema más famoso. Obras: *La joven Parca*, *Álbum de versos antiguos*, *Charmes*, *Variedades*.

VALETTA, *La* → Valletta, La.

VALETUDINARIO, RIA adj. y s. Enfermizo, delicado de salud.

VALÍ m. Gobernador de una prov. en un est. musulmán. ■ VALIATO.

VALÍA f. Valor o aprecio de una cosa. • Valimiento, privanza. • Facción, parcialidad. • **Mayor v.** Acrecentamiento de valor que por circunstancias extrañas recibe una cosa.

VALIDAR tr. Dar fuerza o firmeza a una cosa; hacerla válida. ■ VALIDACIÓN.

VALIDO, DA adj. Apreciado, estimado. • m. El que goza de la confianza de un soberano o gobernante, en virtud de la cual tiene acceso al poder. Fue una figura característica en la España del s. XVII, durante el reinado de los últimos Austrias.

VÁLIDO, DA adj. Que tiene validez o capacidad para producir su efecto. • Robusto, fuerte. ■ VALIDEZ.

VALIENTE adj. Fuerte y robusto en su línea. • adj. y s. Esforzado, animoso y de valor. • adj. Eficaz y activo en su línea, física o moralmente. • Excelente o especial en su línea. • Grande y excesivo. • adj. y s. Valentón.

VALIENTE y Cuevas, *Porfirio* (1807-1870) Político cub. Apoyó desde EE UU la anexión de Cuba. Representante en el exterior de los insurgentes durante la guerra Grande.

VALIJA f. Maleta. • Saco de cuero, cerrado con llave, donde llevan la correspondencia los correos. • El mismo correo.

VALIJERÍA f. *Amér.* Lugar donde se venden o fabrican maletas.

VALIJERO m. Funcionario encargado de conducir la correspondencia entre un Est. y sus representantes diplomáticos. • Modernamente, el que conduce las cartas desde una administración de correos a los pueblos que de ella dependen.

VALIMIENTO m. Acción de valer una cosa o de valerse de ella. • Privanza o aceptación particular que una persona tiene con otra. • Amparo, favor, protección.

VALINA f. *Biol.* Aminoácido esencial que se caracteriza por su cadena ramificada, la cual, normalmente, no puede ser sintetizada por los animales, incluido el hombre, de modo que debe ser ingerido con el alimento.

VALIOSO, SA adj. Que vale mucho o tiene mucha estimación o poder. • Rico, adinerado.

VALLA f. Vallado o estacada para defensa. • Cartelera sit. a los lados o en las cercanías de los caminos. • Línea o término formado de estacas hincadas en el suelo o de tablas unidas, para cerrar algún sitio o señalarlo. • *Amér.* Lugar donde se realizan peleas de gallos. • fig. Obstáculo o impedimento.

VALLA, *Lorenzo* (1407-1457) Humanista it. Defendió la restauración de la lengua latina (*Sobre la elegancia de la lengua latina*). Atacó el aristotelismo escolástico y mostró simpatía por el epicureísmo.

VALLADAR m. Cerco de estacas, bardas, etc. • fig. Obstáculo de cualquier clase para impedir que sea invadida o allanada una cosa.

VALLADEAR tr. Vallar, cercar con valla.

VALLADO m. Cerco que se levanta para defensa de un sitio e impedir la entrada en él.

VALLADOLID Prov. de España, en la com. autón. de Castilla y León; 8 202 km², 490 205 hab. Cap., la c. hom. C. pral.: Medina del Campo. Terr. llano. Río Duero. Clima continental. Agricultura. Ganadería. Ind. alimentaria, textil, metalúrgica, automovilística y química. • C. de España, cap. de la prov. hom.; 319 805 hab. Sit. en la confluencia de los r. Pisuerga y Esgueva. Ind. química, automovilística y metalúrgica.

VALLAR adj. Relativo a la valla. • m. Cerco, valladar. • tr. Cercar o cerrar un sitio con vallado.

VALLE m. Llanura de tierra entre montes o alturas. • Cuenca de un río. • Conjunto de lugares, caseríos o aldeas sit. en un valle.

VALLE Dpto. de Honduras, limítrofe al O con El Salvador y bañado al S por el golfo de Fonseca (océano Pacífico); 1 665 km², 160 389 hab. Cap., Nacaome. C. prales.: San Lorenzo y Amapala. El relieve forma parte de la depresión central, accidentado al N por las estribaciones de la sierra Madre. Ríos Nacaome y Goascarán. Clima cálido. Maíz, arroz, legumbres, plátanos y cacao. Plata. Ind. agropecuaria.

VALLE, *Andrés* (s. XIX) Político salv. Presid. en 1876. Derrotado por Barrios el mismo año. • ***José Cecilio de*** (1780-1834) Político centroamericano. En 1820 publicó *El Amigo de la Patria*, periódico que defendió la indep. de Centroamérica. Al promulgarse la constitución de la República Federal de Centroamérica, asumió el poder ejecutivo. Elegido presid. en 1834, murió antes de tomar posesión del cargo. • ***Juan*** (1838-1865) Poeta mex. Ciego de nacimiento, su poesía muestra una sugestiva captación del mundo exterior. *Mi historia, El infortunio.* • ***Juvencio*** (nacido 1905) Poeta chil., director de las revistas *Horizonte* y *Arco*. Obras: *Nimbo de piedra, La flauta del hombre, Pan, El libro primero de Margarita, El hijo del guardabosque.* • ***Rafael Heliodoro*** (1891-1959) Erudito hond., radicado en México. Poeta posmodernista y ensayista. *Ánfora sedienta, Cómo era Iturbide, Índice de la poesía centroamericana.* • ***Rosamel del*** (1901-1963) Poeta chil. de influencias vanguardistas. *Orfeo, La visión comunicable.* • **Arizpe, *Artemio*** (1888-1961) Escritor mex. Autor de narraciones, novelas, ensayos y recopilaciones de leyendas. *El Canillitas, Cuentos del México antiguo, Leyendas mexicanas.* • **Caviedes, *Juan del*** (h. 1652-1698) Escritor per. de origen esp. Autor de poesía y dramas, de estilo barroco y satírico. *Diente del Parnaso, Entremés del amor alcalde, Baile del amor médico.* • **Iberlucea, *Enrique del*** (1877-1921) Político arg. nacido en España. Adoptó la ciudadanía arg. en 1902. Ingresó en el partido socialista, en el que tuvo una actuación destacada.

VALLE DE AOSTA Región autón. de Italia. → Aosta, valle de.

VALLE DE LA PASCUA C. de Venezuela, en el est. Guárico; 56 700 hab. Ind. alimentaria y de la construcción.

VALLE DE LOS REYES (*Biban el-Meluk*) Valle sit. en el Egipto Medio, al NO de Dra-Abul-Naga, cerca de Deir el-Bahari. En él se enterraba a todos los reyes del Imperio Nuevo egipcio, a partir de Tutmés I.

VALLE DE SANTIAGO Mun. de México, en el est. de Guanajuato; 69 900 hab.

VALLE DEL CAUCA Dpto. de Colombia, bañado al O por el Pacífico; 22 140 km², 3 736 090 hab. Cap., Cali. C. prales.: Palmira y Tuluá. El territorio queda dividido de E a O en cuatro regiones: la parte occidental de la cordillera Central de los Andes, el valle del Cauca propiamente dicho, la cordillera Occidental de los Andes (Farallones de Cali, 4 200 m) y la llanura litoral. Red hidrográfica del Pacífico (Calima, Dagua, Cajambre, Yurumangui); otros ríos menores forman parte de la cuenca del Cauca. Clima cálido. Caña de azúcar, café, maíz, algodón, trigo, tabaco y frutales. Ganadería. Petróleo y carbón. Ind. alimentaria, textiles, de curtidos y química.

VALLE DEL SALADO Región fisiográfica de México. Sit. en la altiplanicie Septentrional. C. pral.: Charcas.

VALLEDUPAR C. de Colombia, cap. del dpto. de Cesar; 247 942 hab. Sit. junto al r. Guatapurí. Agricultura. Ind. textil y alimentaria. Petróleo. Nudo de comunicaciones.

VALLE-INCLÁN, *Ramón María del* (1866-1936) Escritor esp. Las *Sonatas de primavera, de estío, de otoño y de invierno* constituyen su primera obra de importancia, y suponen la culminación del modernismo. Después de unas obras en las que la acción se hace más importante y en las que se aproxima a lo popular, Valle-Inclán inicia una nueva etapa (hacia 1913) en la que su estilo adopta la forma del diálogo teatral o de la farsa, y que culmina con lo que él llamó «esperpentos». *Tirano Banderas, Luces de Bohemia, Divinas palabras.*

VALLEIX, *François Louis* (1807-1855) Médico fr., uno de los iniciadores de la pediatría moderna.

VALLEJO, *César* (1892-1938) Escritor per. En 1931 escribió *Tungsteno*, novela sobre la explotación de una comunidad de indios de los Andes. En España escribió *Rusia en 1931* y *Reflexiones al pie del Kremlin*, y una obra de teatro: *Lock-out*. En el mismo año se afilió al Partido Comunista Español. Su primer libro de poemas, *Los heraldos negros*, muestra patentes influencias modernistas; *Trilce*, su segunda obra, refleja la soledad que acosa al hombre. *Poemas humanos* y *España, aparta de mí este cáliz* fueron escritos en España durante la guerra civil. • ***José Joaquín*** (1811-1858) Escritor chil. Autor de novelas de costumbres; se le llamó el Larra chileno. Usó el seud. de JOTABECHE. *El último jefe español en Arauco.*

VALLENAR C. de Chile, cap. de la prov. de Huasco (región de Atacama); 39 900 hab. Centro minero. Ind. metalúrgica.

VALLÈS, *Jules* (1832-1885) Escritor fr. Revolucionario radical, participó en la Comuna de 1871. *El niño, El bachiller, El insurrecto.*

VALLETTA, *La* C. y cap. de la isla de Malta; 14 100 hab. Puerto y base naval; plaza fuerte. Fundada en 1566.

VALLICO m. Ballico.

VALLISOLETANO, NA o **VALISOLETANO, NA** adj. y s. De Valladolid.

VALLOTTON, *Félix* (1865-1925) Pintor fr. de origen suizo. Evolucionó del neoimpresionismo a

Juan **Valera**

Flor de **valeriana**

valles tectonicos

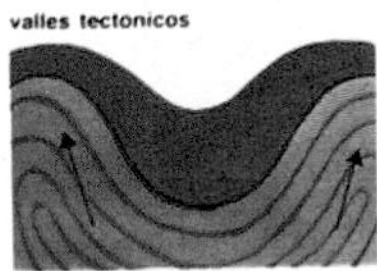

Orogenesis (plegamientos)

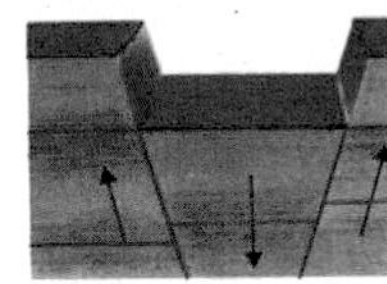

Dislocacion

valles de erosion

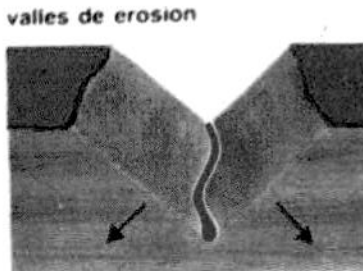

Erosion fluvial

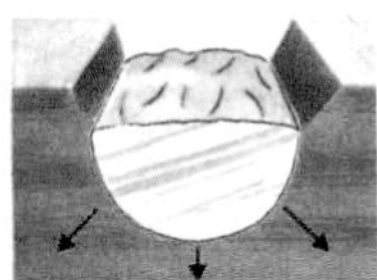

Erosión glacial

Esquema de diversos procesos de formación de un **valle**

un realismo agresivo. Pintó también paisajes de gusto *naïf*. *Desnudo echado, La partida de póker*.

VALMASEDA, *Blas de Villate*, CONDE DE (1824-1882) Político y militar esp. Capitán general de Cuba (1866-1872 y 1875-1876), reprimió ferozmente la insurrección en Cinco Villas.

VALMIKI (h. el s. V a. C.) Poeta indio, considerado como autor del *Ramayana*.

VALOIS Casa real fr., de la rama segundona de los Capetos, que ocupó el trono de Francia desde 1328 (Felipe VI), hasta 1492 (Carlos VIII).

VALÓN, NA adj. y s. Díc. del tipo racial belga de ascendencia céltica. Se calculan unos 4 millones de v. Habitan un 60 % en Bélgica y el resto en los dptos. fr. contiguos a la Valonia belga. • f. Cuello grande y vuelto sobre la espalda, hombros y pecho, que se usó antiguamente. • *Col., Ecuad.* y *Ven.* Crines convenientemente recortadas que cubren el cuello de las caballerías. • adj. Relativo a la Valonia. • m. *Ling.* Idioma hablado por los valones, que es un dialecto del ant. francés.

Valparaíso.
Panorámica del puerto

VALONIA *(Wallonie)* Región francófona de Bélgica. Corresponde aprox. a la mitad S del país. El nombre surgió (1844-1845) por oposición al de Flandes.

VALOR m. Grado de utilidad o aptitud de las cosas, para satisfacer las necesidades o proporcionar bienestar o deleite. • Precio, suma de dinero u otra unidad de cuenta por la que puede cambiarse una cosa. • Alcance de la significación o importancia de una cosa, acción, palabra o frase. • Valentía, coraje, intrepidez. • Osadía, desvergüenza. • Subsistencia y firmeza de algún acto. • Fuerza, actividad, eficacia o virtud de las cosas para producir sus efectos. • Rédito, fruto o producto de una hacienda, estado o empleo. • Equivalencia de una cosa a otra, especialmente hablando de las monedas. • Duración del sonido que corresponde a cada nota musical, según la figura con que ésta se representa. • pl. Títulos representativos de participación en haberes de sociedades, de cantidades prestadas, de mercaderías, de fondos pecuniarios o de servicios que son materias de operaciones mercantiles. • **absoluto.** *Mat.* Para un núm. real *a*, es el mayor de los núm. *a*, *−a*. Acostumbra indicarse por *a*. Resulta, pues, que *a* = *a* si *a* > 0, y *a* = *a* si a < 0. • **añadido.** Incremento en el v. de una mercancía por adición del trabajo. • **de cambio.** El que posee un producto en el mercado. • **de uso.** El que posee un producto por sus cualidades materiales intrínsecas. • **inmediato.** *Comp.* Valor que se especifica en una instrucción y que la unidad central de proceso almacenará en memoria tal como se encuentra en la instrucción. • **Valores declarados.** Monedas o billetes que se envían por correo, bajo sobre cerrado, cuyo valor se declara en la administración de salida y de cuya entrega responde el servicio de correos.

Cara interna de una **valva** fósil

VALORACIÓN f. Acción y efecto de valorar. • *Quím.* Proceso de medición del volumen de solución tipo que se necesita para completar la reacción en la que se basa un análisis volumétrico cuantitativo.

VALORAR tr. Señalar precio de una cosa. • Reconocer, estimar o apreciar el valor o mérito de una persona o de una cosa. • *Quím.* Determinar la composición exacta de una disolución. ■ VALORATIVO, VA.

VALORÍA f. Valía, estimación.

VALORIZAR tr. Valorar, evaluar. • Aumentar el valor de una cosa. ■ VALORIZACIÓN.

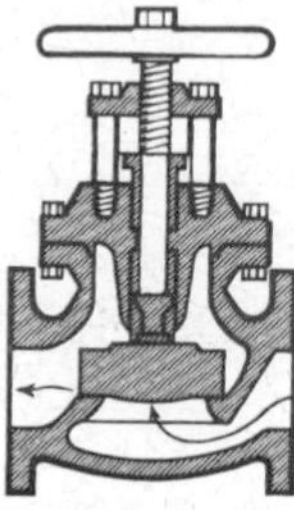
Válvula de una conducción

VALPARAÍSO Región del centro-norte de Chile; 16 396,1 km², 1 373 967 hab. Cap., lac. hom. C. prales.: Viña del Mar, San Antonio, Quillota. La mitad N de la región representa una transición entre la orientación transversal del relieve existente entre el N de Chile y la ordenación longitudinal del Chile central. Las prov. del S (Valparaíso, San Antonio) están enclavadas en la Cordillera de la Costa. Clima estepario en el N, mediterráneo en la costa y alpino en los Andes. Fruticultura, tabaco, pesca. Ind. derivadas. • Prov. de Chile, en la región hom.; 758 400 hab. Cap., la c. hom. • C. de Chile, cap. de la región y de la prov. hom.; 290 000 hab. Puerto de intenso tráfico. Ind. metalúrgicas, refinerías de petróleo, alimentarias. Fundada en 1544 por Pedro de Valdivia.

VALQUIRIA f. *Mit.* Cada una de ciertas divinidades escandinavas, que en los combates designaban los héroes que habían de morir.

VALS m. Baile, de origen al., que ejecutan las parejas con movimiento giratorio y de traslación. • Música de este baile.

VALSÁCEO, A adj. y f. *Bot.* Díc. de hongos con talos filamentosos y ramificados, parásitos sobre diversos vegetales, a los que producen enfermedades caracterizadas por la formación de estromas córneas de color negruzco. • f. pl. *Bot.* Familia de estos hongos.

VALSALVA, *Antonio* (1666-1723) Médico y cirujano it., discípulo de Malpighi. Suprimió el uso del cauterio para contener las hemorragias en las amputaciones.

VALSAR intr. Bailar el vals.

VALSE m. *Amér.* Vals.

VALTELINA *(Valtellina)* Valle it. de los Alpes, que comunica el Tirol con Lombardía; 2 640 km². Cap., Sondrio. Formó parte del ducado de Milán y fue muy disputado por Francia y España. Finalmente, el valle se incorporó a Italia en 1859.

VALUAR tr. Señalar precio a una cosa. ■ VALUACIÓN.

VALVA f. *Bot.* Cada una de las partes de la cáscara de un fruto. • *Zool.* Cada una de las piezas duras y movibles que constituyen la concha de los moluscos lamelibranquios.

VALVERDE Prov. del NO de la República Dominicana; 580 km², 110 700 hab. Cap., Mao. La cordillera Septentrional accidenta su parte N, mientras el resto del territorio forma parte de un sector llano recorrido por el Yaque del Norte. Clima cálido. Vegetación xerófila; bosque en las zonas altas. Arroz, maíz, caña de azúcar, tabaco, hortalizas y frutales. Ganadería. Ind. agropecuaria.

VALVERDE, *García de* (m. 1589) Administrador colonial esp. Presid. de la audiencia de Quito (1575). Capitán general de Guatemala (1578-1589). • ***Joaquín*** (1846-1910) Músico esp. Compositor de zarzuelas, muchas de ellas en colaboración con Chueca. *La Gran Vía, Agua, azucarillos y aguardiente*. • ***José Desiderio*** (s. XIX) Político y militar dom. Impulsor del derrocamiento de Báez (1857). Presid. provisional y constitucional (1858). Derrocado el mismo año por negarse a tratar con Santana. • ***José María*** (1926-1996) Poeta y ensayista esp. *Hombre de Dios, Versos del domingo* (poesía), *Estudios sobre la palabra poética* (ensayo). • ***Vicente*** (m. 1541) Eclesiástico esp. Primer obispo per., con sede en Cuzco (1535). Sus métodos para catequizar a los indígenas ocasionaron su muerte a manos de éstos.

VÁLVULA f. *Anat.* Pliegue membranoso o musculomembranoso sit. en un vaso, conducto u órgano hueco, que impide el reflujo de su contenido. • *Mec. apl.* Dispositivo que se instala en la luz de un conducto o en una abertura de una máquina o instrumento, con el fin de regular el paso de un fluido entre dos de sus órganos, o entre éstos y el exterior. El ejemplo más sencillo es el grifo. • *El.* Dispositivo que se intercala en un circuito a fin de que permita el paso de corriente en un solo sentido y, así, detectarla, rectificarla, modularla o amplificarla. • **de seguridad.** La que se coloca en las calderas de las máquinas de vapor para que éste se escape automáticamente cuando su presión sea excesiva. • **de vacío.** *Electr.* Dispositivo que utiliza el tránsito de los electrones a través de un medio muy enrarecido. • **mitral.** *Anat.* La que existe entre la aurícula y el ventrículo izquierdo del corazón. • **tricúspide.** *Anat.* La que se halla entre la aurícula derecha del corazón y el ventrículo correspondiente. ■ VALVULAR.

VALVULOPATÍA f. *Pat.* Enfermedad que afecta a las válvulas cardíacas.

VAMPIRESA f. Tipo de mujer fatal popularizada por el cine a partir de Theda Bara, y que evolucionó con Mae West, Rita Hayworth, etc.

VAMPIRELÁCEO, A adj. y f. *Bot.* Díc. de hongos ascomicetes parásitos de plantas acuáticas, con talo móvil y desnudo que penetra en los huéspedes por perforación de las membranas. • f. pl. *Bot.* Familia de estos hongos.

VAMPIRO m. *Zool.* Murciélago amer. que se alimenta de insectos y chupa la sangre de personas y animales. • Espectro o cadáver que, según creencia popular, por las noches chupa la sangre de los vivos.

VAN Lago de la Armenia turca; 3 765 km^2.

La Virgen del canónigo Van der Paele, tabla de **Van Eyck**. Museo Municipal de Brujas, Bélgica

VAN Agt, *Andries A. M.* (nacido 1931) Político de Países Bajos. Primer ministro (1977-1982); en 1982 fue nombrado ministro de Relaciones Exteriores. • **Allen, *James Alfred*** (nacido 1914) Físico norteam. Descubrió los dos cinturones radiactivos que rodean la Tierra. • **Buren, *Martin*** (1782-1862) Político norteam. Elegido presid. (1836), durante su administración (1837-1841) se produjo la crisis económica de 1837. • **Cleve, *Joos*** (1485-1540) Pintor flamenco. Seguidor del estilo de Metsys en cuanto a eclecticismo, refinamiento y humanismo, hizo participar a la pintura flamenca de la movilidad y ligereza renacentista de Leonardo. *Leonor de Austria, El emperador Maximiliano, Adoración de los Magos.* • **De Velde, *Henri*** (1863-1957) Arquitecto, pintor y diseñador belga. Uno de los promotores del modernismo en su país; posteriormente evolucionó hacia un arte que preconizaba el racionalismo. Integrado en el *Grupo de los XX.* Creó la escuela de Artes Decorativas de Weimar, que anticipó las aportaciones de la *Bauhaus*. Es autor del teatro Werkbund de Colonia. • **Den Bosch, *Johannes*,** CONDE (1780-1844) Administrador colonial neerlandés. Comisario general para las Antillas (1827-1828), gobernador general de las Indias neerlandesas (1830-1833) y ministro de las Colonias (1835-1839). Aplicó en las plantaciones una forma de trabajo servil. • **Den Vondel, *Joost*** (1587-1679) Poeta y dramaturgo hol. Una de las prales. figuras del Renacimiento en Países Bajos. *Gijsbreght van Aemstel, Lucifer, Noé.* • **Der Goes, *Hugo*** (1435-1482) Pintor gótico flamenco. *Tríptico Portinari* o *Adoración de los pastores.* • **Der Meersch, *Maxence*** (1907-1951) Escritor fr., de origen flamenco. Premio Goncourt en 1936 por *La huella del dios. La casa en la duna, Cuerpos y almas.* • **Der Meulen, *Adam Frans*** (1632-1690) Pintor de origen flamenco. Se especializó en escenas de guerra que trataba con técnica rubensiana. • **Der Neer, *Aert*** (1603-1677) Pintor paisajista neerlandés. Son notables sus temas invernales (*Patinaje en los canales*), los claros de luna, crepúsculos y auroras. • **Der Waals, *Johannes Diderik*** (1837-1923) Físico neerlandés. Premio Nobel de Física en 1910 por sus investigaciones sobre las ecuaciones de estado de los fluidos. • **Der Weyden, *Rogier*** (m. 1464) Pintor flamenco. Su obra, inserta dentro de la corriente del gótico final, presenta un mundo patético. Sobresalen las escenas de la pasión de Cristo. *El descendimiento de la Cruz.* • **Dongen, *Kees*** (1877-1968) Pintor fr. de origen neerlandés. De 1913 a 1934 fue el retratista preferido de la sociedad mundana parisina: retratos de *Anna de Noailles, Maurice Chevalier, Eaumonde Guy.* • **Dyck, *Anton*** (1599-1641) Pintor flamenco. Trabajó con Jordaens y Rubens. Entre 1622 y 1627 residió en Italia. En 1632 marchó a Inglaterra, donde fundó la escuela de retratistas ingleses. *Diana y Endimión, Cristo muerto, María Luisa de Taxis.* • **Eyck, *Jan*** (1385-1441) Pintor flamenco. Uno de los grandes maestros de la pintura flamenca, dio un gran impulso a la técnica de la pintura al óleo, en obras de gran espíritu de observación, enmarcadas en arquitecturas o fondos de paisajes de minucioso realismo, como el retablo del *Cordero Místico.* • **Gogh, *Vincent*** (1853-1890) Pintor neerlandés. En 1886 se trasladó a París, donde trabó amistad con Pissarro, Degas, Gauguin y Signac. Bajo la influencia del impresionismo realiza gran cantidad de cuadros, vistas de París, flores, etc.: *Fiesta en Montmartre.* En 1888 marchó al S de Francia (Arles). Allí pintó *Girasoles, Arlesiana, El campo de trigo amarillo.* Se suicidó en Auvers-sur-Oise. • **Goyen, *Jan*** (1596-1656) Pintor paisajista neerlandés. *Brisa marina, El Rin cerca de Elten.* • **Helmont, *Jan Baptist*** (1577-1644) Químico y médico belga. Descubrió el jugo gástrico. • **Loon, *Hendrik Willem*** (1882-1944) Escritor e historiador hol. *Historia de la Humanidad, De Colón a Hoover.* • **Musschenbroek, *Pieter*** (1692-1761) Físico hol., constructor del primer pirómetro (1750) e inventor del condensador eléctrico conocido como *botella de Leiden.* • **Oldenbarnevelt, *Johan*** (1547-1619) Político neerlandés. Favoreció el comercio con las Indias, para el cual promovió la Compañía Neerlandesa de las Indias Orientales (1602). Enfrentado a Mauricio de Nassau, fue preso tras el golpe de Est. de 1618, y ejecutado tras ser declarado culpable de alta traición. • **Ostade, *Adriaen*** (1610-1685) Pintor hol. Autor de cuadros populares. *La pescadería, La escuela del pueblo.* • **Ruysbroeck, *Jan*,** BEATO(1293-1381) Místico flamenco. Combatió el misticismo neoplatónico de Eckhart. *Del tabernáculo espiritual, Espejo de la salvación eterna.* • **Rysselberghe, *Théo*** (1862-1926) Pintor belga. Representante del puntillismo, fundó con Khnopff, Ensor y Rops el *Grupo de los veinte (Les XX).*

Retrato de Philadelphia y Elisabeth Cary, óleo de **Van Dyck.** Museo del Ermitage, San Petersburgo (Rusia)

VAN Loo Familia de pintores neerlandeses establecida en Francia. **Charles André,** llamado *Carle* (1705-1765), fue discípulo de su hermano **Jean-Baptiste** (1684-1745); residió en Roma y en Turín (1727-1732), en donde trabajó para los Saboya. En París fue nombrado pintor del rey (1762). *Desposorios de la Virgen, Apolo desollando a Marsia.* **Louis Michel** (1707-1771), hijo de Jean-Baptiste. Pintor de cámara de Felipe V. *La familia de Felipe V, La educación del amor por Mercurio y Venus.*

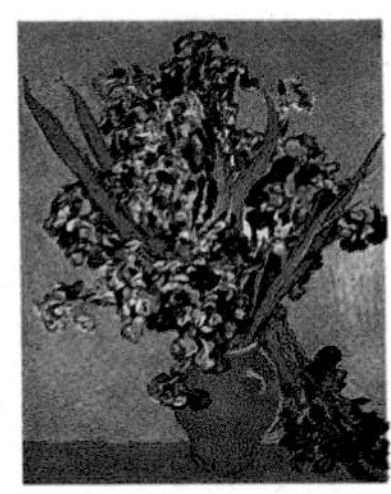

Naturaleza muerta: lirios, óleo de **Van Gogh.** Museo Van Gogh, Amsterdam

VANADIO m. *Quím.* Elemento de símb. V, n. a. 23 y p. a. 50,95. Es el metal más duro que se conoce, muy poco activo, soluble en ácido nítrico. Industrialmente son imp. las aleaciones de ferrovanadio, con un 50-80 % de vanadio como vehículo para la introducción del metal en los aceros, aumentando su resistencia mecánica.

VANAGLORIARSE prnl. Jactarse del propio valer u obrar. ■ VANAGLORIA; VANAGLORIOSO,SA.

VANCE, *Cyrus Roberts* (1917-2002) Político estadoun. Desempeñó altos cargos en la administración, entre ellos el de secretario de Estado (1977-1980) con el presidente James Carter.

VANCOUVER C. y pral. puerto de Canadá, en el Pacífico. Sit. frente a la isla hom., en Columbia Británica; 414 300 hab. (1 268 200 la agl. urb.). Astilleros. Ind. del papel, alimentarias. Refinerías de petróleo. • Isla de Canadá, en el Pacífico; pertenece a la prov. de Columbia Británica; 33 732 km^2, 410 200 hab. Cap., Victoria. Territorio montañoso (Golden Hinde, 2 200 m). Riqueza forestal. Ganadería. Carbón, cobre, hierro. Pesca.

VANCOUVER, *George* (1757-1798) Navegante brit. Exploró Australia, Nueva Zelanda, Hawai y el NO de América.

VANDALISMO m. Devastación propia de los ant. vándalos. • fig. Espíritu de destrucción. ■ VANDÁLICO, CA.

VÁNDALO, LA adj. y s. Díc. del individuo de un pueblo de la Germania ant. que invadió España rom., y se señaló por el furor con que destruía los monumentos. • adj. Relativo a dicho pueblo. • m. fig. El que comete acciones o profesa doctrinas propias de gente inculta y desalmada.

VANDELVIRA, *Andrés de* (1509-1575) Arquitecto y escultor esp., renacentista, de probable origen flamenco. Sacristía de la catedral de Jaén.

VANDERBILT, *Cornelius* (1794-1877) Financiero norteam., llamado «el rey de los ferrocarriles».

VANDERVELDE, *Émile* (1866-1938) Político belga. Miembro del Partido Obrero Belga y dirigente de la II Internacional. Fue ministro en repetidas ocasiones. *Recuerdos de un militante socialista.*

VANGUARD *Astron.* Nombre de la primera serie de satélites artificiales construidos y lanzados al espacio exterior por los norteam.

VANGUARDIA f. *Mil.* Parte de una fuerza armada, que va delante del cuerpo principal. • Avanzada de un grupo o movimiento ideológico, político, literario, artístico, etc. • pl. Lugares en los ribazos y orillas de los ríos donde arrancan las obras de construcción de un puente o de una presa.

VANGUARDISMO m. Reacción frente a las corrientes artísticas del s. XIX, plasmada en diversas tendencias (futurismo, cubismo, dadaísmo, ultraísmo, surrealismo, etc.). Las características del v. son siempre el hermetismo, la experimentación técnica y formal, y el afán de originalidad.

VANUATU

Superficie	12 189 km²
Población	168 000 hab. (14 hab./km²)
Recursos económicos	
Bananas	1 000 t
Cacao	2 000 t
Copra	30 000 t
Nuez de coco	280 000 t
Pesca	3 350 t
Riqueza forestal	63 000 m³
Indicadores sociológicos	
PNB	202 millones de dólares
Renta per cápita	1 200 dólares
Esperanza de vida	64 años
Alfabetismo	53 %

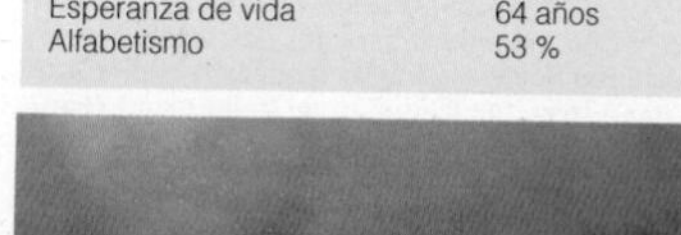

Vanuatu. Arriba, mapa de situación y bandera; a la derecha, el volcán Yasur (isla de Tanna), en erupción

VANIDAD f. Calidad de vano. • Fausto, pompa vana. • Palabra inútil o vana e insustancial. • Vana representación, ilusión o ficción de la fantasía. ■ VANIDOSO, SA.

VANILOCUENCIA f. Verbosidad insustancial. ■ VANILOCUENTE o VANÍLOCUO, CUA.

VANILOQUIO m. Discurso inútil e insustancial.

VANO, NA adj. Falto de realidad, sustancia o entidad. • Hueco, vacío y falto de solidez. • Hablando de algunas frutas de cáscara, falto del meollo por haberse podrido o secado. • Inútil, infructuoso. • Arrogante. • Insubsistente. • Que no tiene fundamento, razón o prueba. • m. *Arq.* Parte del muro o fábrica en que no hay apoyo para el techo o bóveda. • **En v.** m. adv. Inútilmente, sin logro ni efecto.

VAN'T Hoff, *Jakobus Hendrikus* (1852-1911) Físico y químico neerlandés. Premio Nobel de Química en 1901 por sus trabajos en dinámica química y estereoquímica. • **Ley de V. H.** *Fís.* Al aumentar o disminuir la temperatura de un sistema en equilibrio químico, éste se desplaza en el sentido que absorbe o cede calor, respectivamente. • **Teoría de V. H.** *Fís.* La presión osmótica de la disolución de un sólido en un líquido es directamente proporcional a la concentración.

VANUATU Estado de Oceanía, integrado por unas 40 islas de origen volcánico; 14 763 km², 128 000 hab. Clima tropical. Algodón, café y cacao. Manganeso. República. Lenguas of.: bislwa (pidgin), inglés y francés. *Rel.*: animismo, protestantismo. U. M.: el vatu. Cap., Port Vila, en la isla de Efate. El arch. fue descubierto en 1606, pero no fue ocupado hasta el s. XVIII por los brit. y hacia 1870 por los fr. Obtuvo la indep. en 1980, con Walter Lini como primer ministro.

VANVITELLI, *Luigi* (1700-1773) Arquitecto it., representante del paso del barroco al neoclasicismo. Su obra principal es el palacio de Caserta, con la fuente de Diana.

VAPOR m. *Fís.* Fase o estado gaseoso de una sustancia que se alcanza a unas condiciones características de presión y temperatura. • Gas de los eructos. Se usa más en pl. • Especie de vértigo o desmayo. • Buque de vapor. • pl. Accesos histéricos o hipocondríacos.

VAPORAR tr. y prnl. Convertir en vapor. ■ VAPORACIÓN.

VAPOREAR tr. y prnl. Convertir en vapor. • intr. Exhalar vapores.

VAPORIZACIÓN f. *Fís.* Acción y efecto de vaporizar o vaporizarse. La v. se produce en el intervalo de temperaturas comprendido entre el punto triple y el punto crítico. • Uso medicinal de vapores de aguas termales.

VAPORIZAR tr. y prnl. Pasar un líquido a la fase de vapor. ■ VAPORIZADOR, RA.

VAPOROSO, SA adj. Que arroja de sí vapores o los produce. • fig. Tenue, ligero.

VAPULEAR o **VAPULAR** tr. y prnl. Azotar o golpear a uno. ■ VAPULEAMIENTO; VAPULEO.

VAQUEAR tr. *R. de la Plata.* Reunir ganado cimarrón. • *Amér.* Hacer un rodeo de ganado.

VAQUERÍA f. Manada de ganado vacuno. • Establecimiento donde hay vacas o se vende su leche. • *Amér.* Tareas de recolección de ganado.

VAQUERIZO, ZA adj. Relativo al ganado bovino. • m. y f. Vaquero. • f. Corral o estancia donde se recoge el ganado mayor en el invierno.

VAQUERO, RA adj. Propio de los pastores de ganado bovino. • Dicho de los pantalones, tejanos. Suele usarse como s. m. y en pl. Aplícase también a otras prendas y a ciertas clases de tejido. • m. y f. Pastor o pastora de reses vacunas.

VAQUETA f. Cuero de ternera, curtido y adobado.

VAQUILLA f. *Chile.* Ternera de año y medio a dos años.

VAQUILLONA f. *Argent.* y *Chile.* Vaca nueva de dos a tres años.

VARA f. Ramo delgado, largo y limpio de hojas. • Palo largo y delgado. • Bastón que por insignia de autoridad usaban los ministros de justicia. • La que llevan los alcaldes y sus tenientes. • fig. Jurisdicción de que es insignia la vara. • Ant. unidad de longitud. • Vara larga. • Unidad de medida usada en América Central, equivalente a 0,836 m. • *Taur.* Garrochazo dado al toro por el picador. • Trozo de tela u otra cosa que tiene la longitud de una vara. • Bohordo con flores de algunas plantas. • **larga.** Especie de pica que se usa para guiar o sujetar a los toros, o para picarles en la plaza. ■ VARAZO.

VARACTOR m. *Electr.* Dispositivo biterminal para la obtención de capacidades variables según la tensión aplicada. Está construido básicamente por un diodo de semiconductor.

VARADO, DA adj. y s. *Amér. Centr.* Díc. de la persona que se ve entorpecida por falta de medios. • *Chile.* Que no tiene empleo. • f. Acción y efecto de varar un barco. • Tiempo que duran estas faenas. • *Min.* Medición de los trabajos hechos en una mina al cabo de un periodo de labor. • *Min.* Este mismo periodo, y ganancias que se reparten al terminar aquél.

VARADERO m. Lugar donde varan las embarcaciones para resguardarlas o para limpiar sus fondos o componerlas.

VARAL m. Vara muy larga y gruesa. • Cada uno de los dos palos redondos donde encajan las estacas que forman los costados de la caja en los carros y galeras. • Cada una de las varas del carro. Se usa más en pl. • Cada uno de los dos largueros que llevan en los costados las andas de las imágenes. • Madero colocado verticalmente entre los bastidores de los teatros, en el cual se ponen luces para alumbrar la escena. • fig. y fam. Persona muy alta. • *Argent.* Armazón de varales que en los saladeros sirve para tender al sol y al aire la carne con la que se hace el tasajo.

VARANO m. *Zool.* Reptil saurio de gran tamaño, del que se aprecia su piel y su carne.
VARAPALO m. Palo largo a modo de vara. • Golpe dado con palo o vara. • fig. y fa m. Daño que uno recibe en sus intereses. • fig. y fam. Pesadumbre grande.
VARAR intr. Encallar la embarcación en la costa o en las peñas, o en un banco de arena. • fig. Quedar parado un asunto. • tr. Sacar a la playa y poner en seco una embarcación. ■ VARADURA; VARAMIENTO.
VARDA, *Agnès* (nacida 1928) Directora de cine fr. Formó parte de la *nouvelle vague. Cleo de 5 a 7, La suerte, Las criaturas, Lions love.*
VARDASCA f. Vara delgada y verde. ■ VARDASCAZO.
VARDHAMANA, Mahavira (599-527 a. C.) Fundador del jainismo y vigésimo cuarto y último jina o *tirihankarav* («santo perfecto»). Se consagró al ascetismo.
VAREAR tr. Derribar con vara los frutos de algunos árboles. • Dar golpes con vara. • Herir a los animales con varas. • Medir con la vara. • Vender por varas. • *R. de la Plata.* Entrenar caballos de carrera. • prnl. fig. Enflaquecer. ■ VAREA; VAREAJE; VAREO.
VAREGO, GA adj. y s. Díc. del individuo de una tribu escandinava que, a finales del s. IX, se estableció en Rusia y sometió a los eslavos y fineses. • adj. Concerniente a dicha tribu. • m. pl. Esta misma tribu.
VAREJÓN m. Vara larga y gruesa. • *Amér. Merid.* Vardasca, vergueta. ■ VAREJONAZO.
VAREJONAL f. *Amér. Centr.* Conjunto de ramas despojadas de hojas.
VARELA, *Felipe* (1821-1870) Militar y caudillo arg. Luchó en las filas unitarias. Intervino en la batalla de Pavón junto a Urquiza. Relató sus campañas de 1866-1867, señalando a Mitre como causante de la guerra con Paraguay. • ***Florencio*** (1807-1848) Periodista y poeta arg., hermano de Juan Cruz V. Participó en el golpe de Est. de Lavalle. Fundador de *El Comercio del Plata. Escritos políticos, económicos y literarios.* • ***José Pedro*** (1845-1879) Pedagogo ur. Inspector Nacional de Enseñanza (1877-1879), llevó a cabo una gran reforma de la escuela pública. *La educación del pueblo, La legislación escolar.* • ***Juan Cruz*** (1794-1839) Escritor arg., pral. representante del neoclasicismo en su país. *Dido* (drama); *Elvira, Al triunfo de Ayacucho, El 25 de mayo de 1838* (poesía). • ***Mariano*** (1834-1902) Político arg., hijo de Florencio V. Ministro de Relaciones Exteriores (1868-1874). Fundador del periódico *La Tribuna.* • ***Pedro*** (1837-1906) Político ur. Presid. interino (1868). Presid. tras una insurrección (1875- 1876), no supo hacer frente a la crisis económica y política. Derrocado por Latorre. • **Y Morales, *Félix*** (1787-1853) Sacerdote, filósofo y orador cub. Propugnó la autonomía de Cuba en las Cortes Españolas (1821-1823). *Miscelánea filosófica.*
VARESE C. de Italia, cap. de la prov. hom.; 89 000 hab. Centro comercial e industrial.
VARÈSE, *Edgard* (1883-1965) Compositor fr., nacionalizado norteam. Pionero de la música electrónica. Autor de poemas sinfónicos *Américas, Arcana* y del «poema electrónico» *El hombre y la máquina.*
VARETA f. Palito delgado que, untado con liga, sirve para cazar pájaros. • Lista de color diferente del fondo de un tejido. • fig. Exp. picante dicha con ánimo de herir a alguno. • fig. y fam. Indirecta, pulla.
VARETAZO m. *Taur.* Golpe de lado que da el toro con el asta.
VARETEAR tr. Formar varetas en los tejidos.
VARETÓN m. Ciervo joven, cuya cornamenta tiene una sola punta.
VARGA f. Parte más pendiente de una cuesta.
VÁRGANO m. Cada uno de los palos o estacas con los que se construye una empalizada.
VARGAS Est. de Venezuela, entre el Distrito Capital al S y el mar Caribe al N; 1 496,5 km², 308 000 hab. Cap. La Guaira. Accidentado por la cordillera de la Costa (Naiguatá, 2 765 m). Importante nudo de comunicaciones (aeropuerto y puerto de La Guaira). Turismo. Est. creado en 1998, en diciembre de 1999 fue devastado por lluvias torrenciales.
VARGAS, *Getulio* (1883-1954) Político bras. En 1930 fue derrotado en las elecciones presidenciales, pero inició un mov. insurreccional que, con el apoyo del ejército, le llevó al poder. La actuación de V. abarcó dos periodos: 1930-1945 y 1951-1954. La nacionalización del petróleo y la creación de Petrobras lo enfrentaron con la reacción interna y el imperialismo norteam. Se suicidó en 1954. • ***José María*** (1786-1854) Político ven. Primer presid. civil (1835), se vio obligado a abandonar su cargo ante una conspiración militar. Restablecido por Páez, dimitió definitivamente en 1836. • ***Luis de*** (1502-1568) Pintor esp., renacentista. De formación it., fue uno de los representantes del purismo sevillano. *La generación temporal de Cristo*; retablo de la *Adoración de los pastores.* • **Llosa, *Mario*** (nacido 1936) Escritor per. Su obra se caracteriza por un lenguaje expresivo y culto y por un realismo social. *La ciudad y los perros, Los jefes, Los cachorros, Conversaciones en la catedral, Pantaleón y las visitadoras, La tía Julia y el escribidor, La guerra del fin del mundo, La historia de Mayta, Lituma en los Andes, ¿Quién mató a Palomino Molero?* y *La fiesta del chivo.* Son notables como crítico y ensayista: *Gabriel García Márquez: historia de un deicidio, Tirant lo Blanc* y *Madame Bovary.* Optó a la presid. de Perú por el FREDEMO en 1990, pero fue derrotado por A. Fujimori. *El pez en el agua* (1993) refleja esa vivencia. Galardonado con el Premio Príncipe de Asturias en 1986. En 1996 ingresó en la Real Academia Española de la Lengua. • **Machuca, *Bernardo de*** (1557-1622) Militar y escritor esp. *Milicia y descripción de las Indias, Apología y discursos de la conquista de las Indias Occidentales.* • **Tejada, *Luis*** (1802-1829) Escritor col. Participó en un intento de asesinar a Bolívar. *Doraminta, Sugamuxi.* • **Vila, *José María*** (1860-1933) Escritor col. Exiliado de su patria, vivió en diversos países de América y Europa.
VARIABILIDAD f. Calidad de variable. • *Biol.* Conjunto de pequeñas discrepancias en el fenotipo de los distintos organismos mediante las cuales se distinguen de los demás de la especie.
VARIABLE adj. Que varía. • adj. y f. *Mat.* Díc. de la función, parámetro, incógnita, etc., que no es constante. • *Comp.* Dato de un proceso que puede tomar valores diferentes dentro del mismo proceso o en otras ejecuciones del mismo. • **aleatoria.** *Mat.* En cálculo de probabilidades, función que asigna un valor numérico a cada uno de los resultados de un conjunto de experiencias (sucesos).
VARIACIÓN f. Acción y efecto de hacer o volver una cosa diferente de como era antes. • *Biol.* Fenómeno por el cual existen pequeñas diferencias fenotípicas, incluso en los organismos que se han reproducido consanguíneamente, debida a la acción ambiental. • *Mat.* Para un conjunto de m elementos de los que se consideran $n(< m)$ cada vez, el núm. de cada uno de los subconjuntos ordenados que se pueden formar dependerá de que sean v. sin repetición, $V_{m.n} = m\,(m-1)\ldots(m-n+1)$; o v. con repetición, es decir, $V'_{m.n} = m^n$. • *Mús.* Modificación de un tema, en cuanto a melodía, armonía, ritmo, etc.
VARIANTE adj. Que varía. • f. Divergencia de texto que se presenta en los ejemplares o copias de un códice o libro, cuando se cotejan los de una época o edición con los de otra. • Desviación provisional de una carretera o camino. • *Ling.* En glosemática, nombre que se da a las magnitudes en que, a las diferencias de expresión o de contenido, no corresponden otras diferencias de contenido o de expresión, y que se registran inmediatamente con la partición mecánica de la cadena dada. • En las quinielas, signo usado para pronosticar cualquier resultado que no sea la victoria del equipo que juega en casa. • m. Fruto o verdura que se encurte en vinagre. Se usa más en pl.
VARIANZA f. *Mat.* En estadística, cantidad que mide la dispersión de los valores que recorre una variable aleatoria. Para una distribución de valores numéricos, $x_i = x_1 \ldots xn$, la varianza v es la media aritmética de los cuadrados de las diferencias entre los x_i, y la media aritmética M de éstos, y se calcula por la fórmula: $v = [(x_i - M)^2 = \ldots = (xn-M)^2]\,/n$.
VARIAR tr. Hacer que una cosa sea diferente de lo que antes era. • Dar variedad. • intr. Cambiar una cosa de forma, propiedad o estado. • Ser una cosa diferente de otra. • *Mar.* Hacer ángulo la aguja magnética con la línea meridiana.
VARICELA f. *Pat.* Enfermedad infecciosa, de curso más benigno que la viruela, producida por un virus. Incide en niños menores de diez años y se caracteriza por una erupción de manchas rojas, que se transforman en vesículas, acompañada de prurito.

Varano

Florencio **Varela**

Getulio **Vargas**

Mario
Vargas Llosa

Varsovia. Palacio de la Cultura y de la Ciencia

Ceremonia de aceptación de **vasallaje,** según una miniatura del *Liber feodorum maior,* manuscrito del s. XII. Archivo de la Corona de Aragón, Barcelona (España)

Vasijas comunicantes de finales del cuarto milenio a. C. Museo Arqueológico de la Universidad Americana de Beirut

VARICOCELE m. *Pat.* Tumor formado por la dilatación de las venas del escroto y del cordón espermático.

VARIEDAD f. Calidad de vario. • Diferencia dentro de la unidad; conjunto de cosas diversas. • Inconstancia o mutabilidad de las cosas. • Mudanza en la sustancia de las cosas o en su uso. • Acción y efecto de variar o variarse. • *Bot.* y *Zool.* Categoría taxonómica, inferior a la especie, que agrupa los organismos que presentan diferencias individuales cuyo sentido hereditario no está bien determinado. • *Mat.* Término que generaliza los conceptos de curva y superficie, para cualquier dimensión. • pl. Espectáculo compuesto por números de atracciones musicales, circenses, coreográficas, etc.

VARILARGUERO m. *Taur.* Picador de toros.

VARILLA f. Barra larga y delgada. • Cada una de las tiras que forman el armazón del abanico. • Cada una de las costillas que forman el armazón de los paraguas y quitasoles. • fam. Cada uno de los dos huesos largos que forman la quijada y se unen por debajo de la barba. • *Chile.* Arbusto, variedad del palhuén. • pl. Bastidor rectangular en que se mueven los cedazos para cerner.

VARILLAJE m. Conjunto de varillas de un utensilio, como abanico, paraguas, etc.

VARILLAR m. *Chile.* Paraje en que abundan las varillas.

VARIO, RIA adj. Diverso o diferente. • Inconstante o mudable. • Indiferente o indeterminado. • Que está compuesto de diversos adornos o colores. • pl. Algunos, unos cuantos. • m. pl. Conjunto de libros, folletos, hojas sueltas o documentos, reunidos en tomos, legajos o cajas. ■ VARIADO, DA.

VARIOLOIDE f. *Pat.* Forma atenuada y benigna de viruela.

VARIOLOSO, SA adj. Relativo a la viruela. • Que tiene viruelas.

VARIÓMETRO m. *Aer.* Manómetro diferencial que mide la velocidad vertical de los aviones.

VARIOPINTO, TA adj. Que ofrece diversidad de colores o de aspecto. • Multiforme, mezclado, diverso, abigarrado.

VARITA f. Dim. de vara. • **de San José.** *Hond.* Malva real. • **mágica.** La que usan los prestidigitadores y que supuestamente posee poderes extraordinarios, o la que en las narraciones infantiles llevan las hadas o magos para realizar prodigios.

VARITERO m. Porquero que varea las bellotas de que se alimentan los cerdos.

VARIZ, o **VARICE,** o **VÁRICE** f. *Pat.* Dilatación permanente de una vena, causada por acumulación de sangre en su cavidad. ■ VARICOSO, SA.

VARNA C. de Bulgaria, cap. del distr. hom., que de 1949 a 1956 se llamó *Stalin*; 295 000 hab. Centro industrial. Estación balnearia.

VARÓN m. Criatura racional de sexo masculino. • Hombre que ha llegado a la edad viril. • Hombre de respeto, autoridad u otras prendas. • *Mar.* Cada uno de los dos cabos o cadenas que sirven para gobernar en casos de avería en la caña o en la cabeza del timón. ■ VARONIL.

VARONA f. Mujer, hembra racional. • Mujer varonil.

VARONA, ***Enrique José*** (1849-1933) Escritor y político cub., autor de *Estudios literarios y filosóficos*, *El positivismo*, *Cuba contra España* (manifiesto del Partido Revolucionario Cubano). Escribió así mismo poemas (*Odas anacreónticas*, *Desde mi Belvedere*, *Violetas y ortigas*). Vicepresid. de la rep. (1913-1917).

VARONÍA f. Calidad de descendiente de varón.

VARRACO m. Verraco.

VARRÓN, ***Marco Terencio*** (116-26 a. C.) Escritor latino. *Sátiras menipeas*, *De lingua latina*, *De re rustica*.

VARSOVIA C. y cap. de Polonia; 1 649 000 hab. Sit. en la llanura polaca, en un cruce de comunicaciones. Además de sus funciones de capitalidad, es un imp. centro industrial (metalurgia, construcciones mecánicas, automóviles, química, textil y alimentarias) y cultural. • **Círculo de V.** Grupo de lógicos cuya labor fue paralela al Círculo de Viena y a la escuela analítica de Cambridge. Trabajaron sobre todo en problemas de teoría del conocimiento, metodología de las ciencias y lógica formal. • **Gran ducado de V.** Estado pol. formado por Napoleón a raíz del tratado de Tilsit (1807). El Congreso de Viena (1815) lo transformó en el reino de Polonia, pero con la amputación de Gran Polonia, Pomerania y Cracovia. • **Pacto de V.** Tratado de amistad, cooperación y asistencia mutua suscrito en la cap. pol. (1955) por Albania (que se retiró en 1968), Bulgaria, Checoslovaquia, Hungría, Polonia, RDA, Rumania y URSS. Nacido como réplica a la creación de la OTAN. Sus tropas intervinieron en la represión de las rebeliones de Polonia y Hungría (1956), y en Checoslovaquia (1968).

VARSOVIANA f. Ant. danza pol. de salón, variante de la mazurca. • Música de esta danza.

VARSOVIANO, NA adj. y s. De Varsovia.

VARVA f. *Geol.* Cada uno de los estratos de depósitos dejados cada año por la fusión de los glaciares cuaternarios.

VASA o **WASA** Dinastía sueca fundada por Gustav Eriksson (1523); se extinguió en 1654, con la abdicación de la reina Cristina.

VASALLAJE m. Vínculo de dependencia y fidelidad que una persona tenía respecto de otra. • Reconocimiento con dependencia a cualquier otro, o de una cosa a otra. • Tributo pagado por el vasallo a su señor.

VASALLO, LLA adj. Sujeto a algún señor con vínculo de vasallaje. • En lo antiguo, feudatario. • m. y f. Súbdito de un soberano o de cualquier otro gobierno supremo e independiente. • fig. Cualquiera que reconoce a otro por superior.

VASAR m. Poyo o anaquelería que, sobresaliendo en la pared, sirve para poner vasos, platos, etc.

VASARELY, ***Victor*** (1908-1997) Pintor fr., de origen húng. Grafista publicitario, sus búsquedas de tipo óptico culminaron con la aparición de un nuevo estilo de pintura abstracta: el cinetismo. *Attai*, *Metagalaxia*, *Triond*, *Toroni-Nagy*.

VASARI, ***Giorgio*** (1511-1574) Pintor, arquitecto y escritor it. Construyó, en Florencia, el palacio de los Uffizi. Autor de *La vida de los más excelentes pintores, escultores y arquitectos*.

VASCO, CA (*éuscaro* o *euskalduna*) adj. y s. Díc. de individuos de un pueblo europeo de lengua indep., que habita en las dos vertientes extremas de los Pirineos occidentales y desde el litoral del golfo de Vizcaya hasta el valle del Adur, por el N, y del alto Ebro, por el S (→ País Vasco). • adj. Relativo a dicho pueblo. • m. pl. Este mismo pueblo.

VASCO de Gama → Gama, Vasco de.

VASCO de la Zarza (m. 1524) Escultor esp., introductor del Renacimiento escultórico en Castilla. Sagrario del altar mayor de la catedral de Ávila.

VASCÓN, NA adj. y s. Díc. del individuo de un pueblo que en el s. I a. C. habitaba la zona septentrional de la Pen. Ibérica comprendida entre el río Ebro y su afl. el Jalón. • adj. Relativo a esta región. • Relativo al pueblo vascón. • m. pl. Este mismo pueblo.

VASCONCELOS, ***Doroteo*** (s. XIX) Político salv., liberal. Presid. de la rep. (1848-1851), intentó recomponer la federación centroamericana. Derrocado por Carrera. • ***José*** (1882-1959) Escritor y político mexicano. Ministro de Educación Pública durante el gobierno de Adolfo de la Huerta. Aspiró, sin éxito, a la presidencia en 1929, tras lo cual se ausentó del país hasta 1940. Integrante del grupo intelectual del Ateneo de México, y miembro de la Academia Méxicana de la Lengua, fue designado director de la Biblioteca de México. Autor de una vasta producción como escritor, dejó obras y ensayos sobre literatura, filosofía, historia y sociología. *La intelectualidad mexicana*, *Ética*, *La raza cósmica*. • ***Miguel de*** (m. 1640) Político esp. Fue nombrado secretario de Est. por Olivares, y fue el pral. ejecutor de la política centralizadora del conde duque. Murió apuñalado en 1640.

VASCONGADAS Nombre tradicional de la actual com. autón. esp. del País Vasco o Euskadi.

VASCONGADO, DA adj. y s. De alguna de las prov. de Álava, Guipúzcoa y Vizcaya. • m. Vascuence.

VASCONIA Ant. región de la España tarraconense, habitada por los vascones. • Euskadi, País Vasco.

VASCUENCE o **EUSKERA** adj. y s. *Ling.* Díc. de la lengua hablada por parte de los naturales de las Provincias Vascongadas, Navarra y territorio vasco fr. (unos 700 000 hab.). Las teorías en torno a su origen sólo coinciden en considerarla una lengua no indoeuropea. El v. actual presenta varios dialectos: en territorio esp., el vizcaíno, el guipuzcoano, el alto navarro septentrional y el alto navarro meridional; en territorio fr., el labortano, el suletino, el bajo navarro oriental y el bajo navarro occidental.

VASCULAR adj. Concerniente a los vasos de las plantas o de los animales.

VASELINA f. Producto de consistencia pastosa, blanco o amarillento, constituido por una mezcla de hidrocarburos sólidos y aceites minerales pesados. Se obtiene como residuo de destilación de petróleos pobres en asfaltos.

VASERA f. Vasar. • Caja o funda en que se guarda el vaso. • Bandeja grande y con asa, para llevar los vasos.

VASIJA f. Toda pieza cóncava que sirve para contener líquidos o cosas destinadas a la alimentación. • Conjunto de cubas y tinajas en las bodegas.

VASILLO m. Celdilla del panal.

VASO m. Recipiente, gralte. de forma cilíndrica, que sirve para beber. • Cantidad de líquido que cabe en él. • Casco o uña de las caballerías. • Obra escultórica, en forma de jarrón, florero o pebetero, que, colocada sobre un zócalo, pedestal o peana, sirve para decorar. • *Biol.* Estructura, gralte. tubular, para la conducción de líquidos (savia, sangre, linfa, quilo, agua, etc.) por el interior de los seres vivos. • **Dewar.** Recipiente con doble pared en el que se ha hecho el vacío entre las dos paredes, que están plateadas por sus caras intermedias, y que sirve para conservar la temperatura de líquidos. • **Vasos comunicantes.** *Fís.* Los que permiten el paso de un fluido de uno a otro. Un mismo líquido alcanza igual altura en los v. debido a que esa magnitud depende únicamente de la densidad. • **cribosos.** *Bot.* En los vegetales, los que están formados por células vivas y forman cordones en los que los tabiques transversales de separación están perforados por una criba que comunica las células entre sí. • **leñosos.** *Bot.* En los vegetales, díc. de los v. conductores que constituyen el leño o xilema y están compuestos por tubos muertos, circulares o poliédricos, por los que se desplazan el agua y las sales minerales absorbidas por los pelos radicales de las raíces. • **quilíferos.** *Biol.* En los animales, son los v. para la conducción de la linfa con sustancias alimenticias digeridas. • **sanguíneos.** *Biol.* De los animales que están constituidos por una túnica interna endotelial, una capa anular musculosa más o menos gruesa y contráctil, y capas de tipo conectivo.

VASOCONSTRICCIÓN f. Disminución del calibre de los vasos sanguíneos. ■ VASOCONSTRICTOR, RA.

VASODILATACIÓN f. Dilatación de los vasos sanguíneos a causa de influencia nerviosa u otra. ■ VASODILATADOR, RA.

VASOMOTOR, RA adj. Díc. del nervio o del agente que produce la contracción y dilatación de un vaso sanguíneo.

VASSEUR, *Álvaro Armando* (1876-1969) Poeta ur., influido por W. Whitman. *Cantos del Nuevo Mundo.*

VÁSTAGO m. Renuevo o brote de un árbol o planta. • Elemento diferenciado de las plantas superiores o cormófitos, orientado hacia la luz, con geotropismo negativo y gralte. acompañado de órganos asimiladores planos (hojas). • fig. Persona descendiente de otra. • *Mec. apl.* Barra que, unida al centro de una de las caras del émbolo, sirve para moverlo o transmitir el movimiento de éste a algún otro mecanismo. • Barra unida a otra pieza o elemento de una máquina que sirve para sujetarlo o proporcionarle movimiento. • *C. Rica* y *Ven.* Tallo del plátano.

VASTAGUERA f. *Col.* Terreno plantado de plátanos.

VASTEDAD f. Dilatación, anchura. ■ VASTO, TA.

VÄSTERÅS C. de Suecia, en el Västmanland; 117 700 hab. Sit. junto al lago Mälar. Centro comercial e industrial.

VATAJE m. Potencia de un aparato o sistema eléctrico, expresada en vatios.

VATE m. Adivino. • Poeta.

VATICANO, NA adj. Relativo al monte Vaticano. • Relativo al Vaticano, palacio en que habita el papa. • Relativo al papa o a la corte pontificia. • m. fig. Corte pontificia.

VATICANO, *Estado de la Ciudad del* (*Status Civitatis Vaticanae*) Estado de Europa, sit. al O de Roma; 0,44 km², 1 000 hab. Comprende la plaza y basílica de San Pedro, los museos y jardines vaticanos, la Cancillería y otros edificios anejos. Fuera del terr., la soberanía vaticana se extiende sobre algunos edificios, como el palacio de Castelgandolfo. Son ciudadanos vaticanos las personas que residen en el Est. por motivo de oficio o empleo, los cardenales residentes en Roma, las personas autorizadas por el Papa y los familiares de los ciudadanos pertenecientes a las tres categorías mencionadas. La lengua usual es el it. Fue constituido en 1929 por el Tratado de Letrán, concertado entre la Santa Sede y el gobierno it. Constituye una importante potencia financiera, con lazos con los Rothschild, la Banca Morgan y el Crédit Suisse. • Colina de Roma, sit. en la orilla derecha del Tíber; su nombre procede de los vaticinios que en ella se efectuaban. • Palacio y sede del Romano Pontífice y de la curia pontificia. • ***I Concilio*** Concilio ecuménico celebrado en Roma (1869-1870). Fue convocado por Pío IX y en él se dogmatizó la infalibilidad del papa. • ***II Concilio*** Convocado por Juan XXIII en 1962, tuvo una primera fase desde octubre a diciembre; la segunda fue abierta por Paulo VI en septiembre de 1963, y la tercera, en septiembre de 1964. En él se trató de la unión de las Iglesias cristianas, la libertad religiosa, la reforma litúrgica y la actitud de la Iglesia frente al mundo atual, entre otros temas.

Vaso con ánades. Museo Cerámico, Atenas

VATICINAR tr. Pronosticar, adivinar, profetizar. ■ VATICINIO.

VATÍMETRO m. *El.* Aparato para medir la potencia eléctrica.

VATIO m. *Fís.* Unidad de potencia en el sistema Giorgi. Su símb. es w, y se cumple: 1w = 1N·1m/seg. donde N = newton.

VAUBAN, *Sébastien le Prestre*, MARQUÉS DE (1633-1707) Ingeniero militar fr. Escribió el tratado *Sobre el ataque y defensa de las plazas fortificadas.*

VAUGHAN, *Sarah* (1924-1990) Cantante de jazz norteam. Hizo populares temas como *If you could see me now* y *April in Paris.*

VAUGHAN-WILLIAMS, *Ralph* (1872-1958) Compositor brit. Su inspiración se basa en el folklore ing. Compuso siete sinfonías (*del Mar*, *Londres*, *Pastoral*, *Antártica*), el ballet *Job*, *Sir John enamorado* (basado en el *Falstaff* de Shakespeare), *Cinco canciones místicas.*

VAUPÉS Dpto. del SE de Colombia, limítrofe al E con Brasil; 65 268 km², 22 199 hab. Cap., Mitú. Territorio llano, perteneciente a la cuenca del Amazonas. R. prales.: Guaviare, Ajujú-Apaporis y Vaupés. Clima cálido. Economía agrícola y explotación forestal. • (port. *Uapés*) Río de Colombia y Brasil que pertenece a la cuenca del Amazonas a través del r. Negro. Nace al SE de Colombia de la unión de varios cursos (Unilla, Itilla) y desagua en el Negro al S de Tapira, en Brasil; 1 126 km.

Vaticano. Arriba, mapa de situación y bandera; a la izquierda, fachada principal de la basílica de San Pedro

VAUQUERIÁCEO, A adj. y f. *Bot.* Díc. de algas verdes con talo unicelular plurinucleado, ramificado en uno de sus extremos. Tienen reproducción asexual por aplanósporas, y sexual heterogámica. • f. pl. *Bot.* Familia de estas algas, que comprende especies que viven sobre lodos.

VAUVENARGUÈS, *Luc de Clapiers*, MARQUÉS DE (1715-1747) Pensador fr. En sus obras, especialmente en *Introducción al conocimiento del espíritu*

humano y *Reflexiones y máximas*, niega enérgicamente la posibilidad de una moral universal, basada en los principios de la razón.

VAYA f. Burla que se hace de uno o chasco que se le da.

VAYREDA, *Joaquín* (1843-1894) Pintor esp. Miembro de la escuela paisajista de Olot, evolucionó hacia el realismo y el impresionismo.

Joaquín **Vayreda.** *La Rambla de las Flores.* Museo de Arte Moderno, Barcelona (España)

VAYU (sánscrito, «viento») Dios naturalista del periodo védico, llamado también *Vata*.

VAZ Ferreira, *Carlos* (1872-1958) Ensayista y pedagogo ur. *Los problemas de la libertad. Elementos de psicología experimental.* Su hermana, **María Eugenia** (1875-1924), cultivó la poesía. *La isla de los cánticos.*

VÁZQUEZ, *Horacio* (1860-1936) Político y militar dom. Presid. provisional tras el derrocamiento de Heureaux (1899). Presid. tras la caída de Jiménez por un golpe de Est. (1902-1903) y tras la retirada norteam. (1924-1930). Enmendó la constitución para prolongar su mandato, lo que provocó el golpe de Est. de Trujillo. • ***Jose María*** (ss. XVIII-XIX) Pintor mex., el pral. retratista de Nueva España. *El niño Juan Crisóstomo Martínez, María Antonia Dávalos.* • ***Santiago*** (1787-1847) Político ur. Miembro de la asamblea constituyente de 1829. Ministro en el primer mandato de Rivera, su gestión fue el pretexto para la sublevación de Lavalleja en 1832. • ***Gregorio*** (1628-1711) Pintor col., influido por la escuela sevillana. *Inmaculada, Las cuatro estaciones.* • **De Coronado, *Francisco*** (1510-1554) Conquistador esp. Fue nombrado gobernador de Nueva Galicia (1538). En 1540-1542 dirigió una expedición que llegó hasta Oklahoma, Kansas y Texas. • **De Coronado, *Juan*** (1532-1565) Conquistador esp. Sometió Costa Rica, de la cual fue gobernador y adelantado. • **De Espinosa, *Antonio*** (m. 1630) Historiador esp., carmelita. *Compendio y descripción de las Indias Occidentales.* • **De Mella, *Juan*** (1861-1928) Político esp. Fundó el Partido Tradicionalista y dirigió *El Pensamiento Español*. Es considerado como uno de los precursores ideológicos del Movimiento Nacional. • **De Segovia, *Lorenzo*** (ss. XV-XVI). Arquitecto esp. Fachada del colegio de Santa Cruz en Valladolid, de rica y abundante decoración plateresca; palacio de Mendoza en Guadalajara. • **Díaz, *Daniel*** (1882-1969) Pintor esp. Autor de una imp. serie de frescos sobre el *Descubrimiento de América*, en el monasterio de Santa María de la Rábida. *Los monjes blancos.* • **Montalbán, *Manuel*** (nacido 1939) Escritor esp. Periodista, autor de poesías, ensayos y novelas. *Una educación sentimental, Yo maté a Kennedy, La soledad del manager, Los mares del Sur, La rosa de Alejandría, El pianista.*

Los monjes blancos, óleo de Daniel **Vázquez Díaz**

VE f. Nombre de la letra *v*.

VEBLEN, *Thorstein* (1857-1929) Sociólogo y economista norteam. En su *Teoría de la clase ociosa* analiza la clase de los hombres de negocios, incapaz de adaptarse a los cambios.

VECCHI, *Orazio* (1550-1605) Compositor it. Maestro de capilla en Módena y en la corte del emp. Rodolfo. Autor de *Amfiparnaso*, primer poema dramático puesto en música.

VECERO, RA adj. y s. Persona que tiene que ejercer por turno un cargo público. • Aplícase a las plantas que en un año dan mucho fruto y muy poco o ninguno en otro. • m. y f. Cliente de una tienda, parroquiano. • Persona que guarda turno o vez para una cosa.

VECINAL adj. Relativo al vecindario o a los vecinos.

VECINDAD f. Calidad de vecino. • Conjunto de las personas que viven en una misma casa, o en varias inmediatas. • Vecindario de una población. • Cercanías de un sitio.

VECINDARIO m. Conjunto de los vecinos de una población. • Lista o padrón de los vecinos de un pueblo. • Vecindad, calidad de vecino.

VECINO, NA adj. y s. Que habita con otros en una misma pob., barrio o casa, en vivienda indep. • Que tiene vivienda en una pob. y contribuye a las cargas o impuestos de ésta. • adj. y s. Que ha adquirido los derechos propios de la vecindad en una pob. por haber habitado en ella durante el tiempo determinado por la ley. • fig. Cercano o inmediato. • fig. Semejante o coincidente.

VECTOR, RA adj. y m. Díc. de los animales, gralte. artrópodos, que pueden transportar los gérmenes patógenos de un huésped a otro, sin que el microorganismo se desarrolle en su interior. • *Comp.* Conjunto de elementos (variables) que se pueden identificar individualmente utilizando un índice. • *Fís.* Díc. del segmento que determina la posición de un punto con respecto a otro tomado como fijo. • m. *Fís.* Representación gráfica de una magnitud vectorial. • *Mat.* Segmento del plano o del espacio en el que se ha fijado la dirección. • *Mat.* Cada uno de los elementos del grupo abeliano de un espacio vectorial. • **libre.** Cada una de las clases de equivalencia determinadas por la relación de equipolencia. • **ligado.** Aquel cuyo punto de aplicación, dirección, sentido y módulo son invariables. • **magnetización.** El que describe el comportamiento magnético de la materia y que procede de las corrientes debidas al movimiento de rotación de los electrones. ■ VECTORIAL.

VEDADO m. Campo o sitio acotado por ley, ordenanza o mandato.

VEDANTA m. El último de los *darshanas* o escuelas ortodoxas del brahmanismo e hinduismo. Sus prales. enseñanzas se atribuyen a Badarayana (s. IV o V d. C.).

VEDAR tr. Prohibir por ley, estatuto o mandato. • Impedir, estorbar. ■ VEDA; VEDADO, DA.

VEDAS (sánscrito, «ciencia», «conocimiento sagrado») Los más ant. textos religiosos de la India, compuestos en sánscrito védico aprox. entre el 1500 y 900 a. C. Comprenden cuatro libros o colecciones de cantos, fórmulas rituales, etc.

VEDDA adj. y s. Díc. del individuo de un pueblo de la isla de Ceilán, uno de los más antiguos grupos humanos y de cultura más primitiva.

VEDEGAMBRE m. Planta liliácea de flores blancas en espiga y fruto capsular. El polvo del rizoma se emplea como estornutatorio.

VEDEJA f. Cabellera larga. • Melena del león.

VÉDICO, CA adj. Relativo a los Vedas y al sánscrito arcaico en que están escritos.

VEDIJA f. Mechón de lana. • Verija. • Pelo enredado en cualquier parte del cuerpo del animal. • Mata de pelo enredada y ensortijada. • Pubis.

VEDISMO m. Religión más ant. de los indios, contenida en los libros llamados Vedas.

VEDUÑO m. Viduño, variedad de vid.

VEEDOR, RA adj. y s. Díc. del que observa con curiosidad las acciones de los otros. • Jefe militar cuyas funciones eran semejantes a las de los modernos inspectores y directores generales. • Visitador, inspector, observador. • *Cuba.* Guarda rural. • *Chile.* El que inspecciona el correcto desarrollo de una carrera de caballos. ■ VEEDURÍA.

VEGA f. Tierra baja, llana y fértil; gralte. regada por un río. • *Cuba.* Terreno sembrado de tabaco. • *Chile.* Terreno muy húmedo.

VEGA *Astr.* Estrella de primera magnitud, perteneciente a la constelación *Lyra*, que se caracteriza por la proximidad de su proyección celeste a la del ápex.

VEGA, *La* Prov. de la República Domicana; 2 425 km², 300 700 hab. Cap., Concepción de La Vega o La Vega. El terr. pertenece al fértil valle de la Vega Real o de Cibao y se halla accidentado al S por la cordillera Central. Ríos Yaque del Norte y Yuna. Clima cálido. Cereales, caña de azúcar, tabaco, café, frutas. Cría de bovinos y porcinos. Níquel. Transformación de productos agropecuarios.

VEGA, *Carlos* (1898-1966) Escritor arg. Autor de cuentos y poemas. Investigó la música autóctona. *Agua, Hombre y campo, Bailes tradicionales argentinos, Canciones y danzas criollas.* • ***Ricardo de la*** (1839-1910) Dramaturgo esp. Autor de sainetes. *La verbena de la paloma.* • ***Ventura de la*** (1807-1865) Poeta y dramaturgo esp., nacido en Buenos Aires. De tendencia clásica, se le puede considerar precursor de la comedia de salón, realista y moralizadora. *El hombre de mundo.* • **Y Carpio, *Lope Félix de*** (1562-1635) Literato esp. Lo multiforme de su genio y su prodigiosa fecundidad le valieron ser llamado por sus contemporáneos «Fénix de los ingenios» y «Monstruo de la Naturaleza». Aunque realizó algunas novelas *(La Dorotea)* y poemas de diversos temas, su mayor gloria la consiguió con su producción teatral. Autor original, rompió con el principio aristotélico de las tres unidades, así como con la regla que exigía la rigurosa separación de lo trágico y lo cómico, y creó un teatro de temática y carácter auténticamente nacionales. *Fuenteovejuna, El caballero de Olmedo, La dama boba.*

VEGA ALTA C. de Puerto Rico; 31 500 hab. Centro agrícola. Ind. azucarera.

VEGA BAJA C. de Puerto Rico, en el distr. de Arecibo; 52 900 hab.

VEGA REAL, *La* Gran depresión de la República Dominicana, entre el macizo de Cibao y la cordillera Septentrional. Es la pral. región agrícola del país.

VEGAS, *Las* C. del SO de EE UU, en el est. de Nevada; 164 700 hab. Lugar de recreo y salas de juego. Centro atómico.

VEGETACIÓN f. Conjunto de plantas que cubren el terreno de un país de modo más o menos cerrado. • pl. Excrecencias carnosas en la superficie de los tegumentos o de las heridas. • **Vegetaciones adenoideas.** *Med.* Hipertrofia de las amígdalas faríngea y nasal, y de los folículos linfáticos de la parte posterior de las fosas nasales.

VEGETAL adj. Que vegeta. • Relativo a las plantas. • m. *Bot.* Organismo autótrofo provisto de clorofila, gralte. de crecimiento ilimitado, inmóvil, con bajas tasas de sensibilidad, y células con membrana celulósica.

VEGETAR intr. y prnl. Germinar, nutrirse, crecer y multiplicarse no sexualmente las plantas. • fig. Vivir maquinalmente una persona con vida meramente orgánica, comparable a la de las plantas. • fig. Disfrutar voluntariamente de vida tranquila, exenta de cualquier tipo de interés moral o intelectual.

VEGETARIANISMO m. Régimen alimenticio basado exclusivamente en vegetales u otras sustancias de origen vegetal. ■ VEGETARIANO, NA o VEGETALISTA.

VEGETATIVIZACIÓN f. *Biol.* Proceso que consiste en la obtención de embriones completos a partir de células procedentes del polo vegetativo de otro embrión.

VEGETATIVO, VA adj. Que vegeta o tiene vigor para vegetar. • Aplícase al estadio no reproductor de los seres vivos. • Díc. del estadio de plena actividad vital de los seres vivos que presentan en su ciclo biológico uno o más períodos de reposo. • *Fisiol.* Díc. de la parte del sistema nervioso que regula y coordina las funciones viscerales. Recibe también el nombre de *sistema nervioso autónomo.*

VEGUER m. Magistrado que en Aragón, Cataluña y Mallorca ejercía, durante la E. Med. y Mod., la misma jurisdicción que el corregidor en Castilla. ■ VEGUERÍA.

VEGUERO, RA adj. Relativo a la vega. • m. Labrador que trabaja en el cultivo de una vega, en especial para la explotación del tabaco. • Cigarro puro hecho rústicamente de una sola hoja de tabaco enrollada, que le sirve de capa y tripa. • ***Insurrecciones de los vegueros.*** Motines de los cultivadores cubanos, motivados por la ley del estanco del tabaco. Tuvieron lugar en 1717, 1720 y 1723, siendo especialmente graves las de Santiago de las Vegas y Guanabacoa.

VEHEMENTE adj. Que se mueve con ímpetu y violencia, u obra con mucha fuerza y eficacia. • Díc. de lo que en la vida real o en la esfera del arte se siente o se expresa con viveza e ímpetu. • Aplícase también a las personas que sienten o se expresan con entusiasmo y pasión.

VEHÍCULO m. Denominación genérica de cualquier sistema de propulsión autónoma capaz de transportar una carga. • fig. Lo que sirve para conducir o transmitir fácilmente una cosa, material o inmaterial. • *Biol.* y *Med.* Sustancia que sirve para el transporte de otra u otras. • *Med.* Se aplica al vector de una enfermedad contagiosa. • **de cojín de aire.** Aquel cuyo peso se equilibra mediante un cojín de aire a presión sit. entre el v. y el apoyo. • **espacial.** *Astron.* El que está destinado a navegar por el espacio exterior a la atmósfera terrestre. • **lunar.** El espacial capaz de desplazarse autónomamente sobre la superficie de la Luna.

VEIDT, *Conrad* (1893-1943) Actor teatral y cinematográfico al. Fue uno de los actores preferidos por los realizadores expresionistas. *El gabinete del doctor Caligari, El hombre de las figuras de cera, Las manos de Orlac.*

VEINTAVO, VA adj. y m. Cada una de las veinte partes en que se divide un todo.

VEINTE adj. Dos veces diez. • Vigésimo, ordinal. Aplicado a los días del mes, se usa también como sustantivo. • m. Conjunto de signos o cifras con que se representa el núm. veinte.

VEINTEMILLA, *Ignacio de* (1830-1909) Militar y político ecuat. Respaldado por la oligarquía costeña, derrocó en 1876 a Borrero e instauró un gobierno dictatorial y corrupto. Derrocado en 1883 por la «Restauración», una cruzada nacional de orientación conservadora.

VEINTENA f. o **VEINTENAR** m. Conjunto de veinte unidades.

VEINTENARIO, RIA adj. Díc. de lo que tiene veinte años.

VEINTENO, NA adj. Vigésimo. • adj. y m. Cada una de las veinte partes en que se divide un todo.

VEINTEÑAL adj. Que dura veinte años.

VEINTÉSIMO, MA adj. Vigésimo, ordinal. • adj. y s. Cada una de las veinte partes en que se divide un todo.

VEINTICINCO adj. Veinte y cinco. • Vigésimo quinto. • m. Conjunto de signos o cifras con que se representa el núm. veinticinco.

VEINTICUATRENO, NA adj. Relativo al núm. veinticuatro. • Vigésimo cuarto.

VEINTICUATRO adj. Veinte y cuatro. • Vigésimo cuarto. • m. Conjunto de signos o cifras con que se representa el núm. veinticuatro.

VEINTIDÓS adj. Veinte y dos. • Vigésimo segundo. • m. Conjunto de signos o cifras con que se representa el núm. veintidós.

VEINTIDOSENO, NA adj. Vigésimo segundo.

VEINTINUEVE adj. Veinte y nueve. • Vigésimo nono. • m. Conjunto de signos o cifras con que se representa el núm. veintinueve.

VEINTIOCHO adj. Veinte y ocho. • Vigésimo octavo. • m. Conjunto de signos o cifras con que se representa el núm. veintiocho.

VEINTISÉIS adj. Veinte y seis. • Vigésimo sexto. • m. Conjunto de signos o cifras con que se representa el núm. veintiséis.

VEINTISEISENO, NA adj. Relativo al núm. veintiséis. • Vigésimo sexto.

VEINTISIETE adj. Veinte y siete. • Vigésimo séptimo. • m. Conjunto de signos o cifras con que se representa el núm. veintisiete.

VEINTITRÉS adj. Veinte y tres. • Vigésimo tercio. • m. Conjunto de signos o cifras con que se representa el núm. veintitrés.

VEINTITRÉS DE ENERO Parroquia de Venezuela, en el á. metr. de Caracas; 114 000 hab.

VEINTIÚN adj. Apócope de veintiuno. Se antepone siempre al sustantivo.

VEINTIUNO, NA adj. Veinte y uno. • Vigésimo primero. • m. Conjunto de signos o cifras con que se representa el núm. veintiuno. • f. Juego de naipes, o de dados, en que gana el que hace veintiún puntos o se acerca más a ellos sin pasar.

VEIRAVÉ, *Alfredo* (nacido 1928) Poeta arg. *Puntos luminosos, El imperio milenario.*

VÉITIZ, *Juan José de* (1718-1789) Administrador colonial esp. Virrey de Río de la Plata (1778-1784), impulsó la colonización del interior.

VEJAMEN m. Vejación. • Sátira de tono festivo con que se ponen de manifiesto los defectos de una persona. • Discurso o composición poética de índole burlesca, que se pronunciaba o leía en las universidades y academias. ■ VEJAMINISTA.

VEJAR tr. Maltratar, molestar, perseguir a uno. • Dar vejamen. ■ VEJACIÓN; VEJATORIO, RIA.

VEJESTORIO m. despect. Persona muy vieja.

VEJEZ f. *Fisiol.* Proceso involutivo que aparece al avanzar la edad de un organismo y que resulta del predominio de los procesos de degradación sobre los de síntesis. • Calidad de viejo. • Senectud. • Achaques, manías, actitudes propias de la edad de los viejos. • fig. Dicho o narración de una cosa muy sabida y vulgar. • Cosa vieja o desusada en general.

VEJIGA f. *Anat.* Órgano, a manera de bolsa, que tienen los vertebrados y en el cual va depositándose la orina segregada por los riñones. • Ampolla de la epidermis. • Bolsita formada en cualquier superfi-

Manuel **Vázquez Montalbán**

Lope Félix de **Vega y Carpio,** en un óleo de Eugenio Caxés. Museo Galdiano, Madrid

Vehículo lunar utilizado en la misión *Apolo XV*

Ramón J. **Velásquez**

Pablo de Valladolid, óleo de Diego de Silva **Velázquez.** Museo del Prado, Madrid

Veleta

cie y llena de un gas o de un líquido. • Viruela, pústula. • com. *Amér.* Persona simple. • **de la bilis** o **de la hiel.** *Anat.* Bolsita membranosa en la que se deposita la bilis, que llega a ella por el conducto cístico. • **natatoria.** *Zool.* Receptáculo membranoso lleno de aire, que tienen muchos peces, mediante el cual pueden ascender o descender en el agua. ■ VEJIGOSO, SA.

VEJIGATORIO, RIA adj. y s. Díc. del emplasto que se pone para levantar vejigas.

VELA f. Acción y efecto de velar. • Tiempo que se vela. • Tiempo que se destina por la noche a cualquier clase de trabajo. • Romería, peregrinación, especialmente a un santuario. • Centinela o guardia nocturna en los castillos y plazas fuertes. • Cilindro de cera, sebo, estearina, esperma de ballena u otra materia crasa, con una mecha en su interior, que se usa para alumbrar. • Acción de velar a un difunto, velatorio. • Pieza de lona fuerte, formada —cuando es grande— por diversos trozos cosidos, que se amarra a las vergas de un barco, para recibir el viento y adelantar la nave. • Toldo. • fig. Barco de vela. • fig. Oreja del caballo, mula y otros animales cuando la ponen erguida por recelo u otro motivo. • *Méx.* Amonestación. • pl. fig. y fam. Mocos que cuelgan de la nariz. • **Aguantar la v.** *R. de la Plata.* Soportar molestias. ■ VELERÍA.

VELA *Astr.* Constelación austral, que es una de las partes en la ant. y extensa constelación denominada *Argo Navis*, Navío Argos.

VELA, *Arqueles* (1899-1977) Escritor mex. Adscrito al estridentismo, destacó como autor de cuentos. *El café de nadie*, *Cuentos del día y de la noche*.

VELADA f. Velación, acción y efecto de velar. • Concurrencia nocturna a una plaza o paseo iluminado con motivo de alguna festividad. • Reunión nocturna de varias personas para solazarse de algún modo. • Fiesta musical o literaria que se verifica por la noche.

VELADOR, RA adj. y s. Que vela. • adj. y s. Díc. del que, con vigilancia y solicitud, cuida de alguna cosa. • m. Candelero, regularmente de madera. • Mesita de un solo pie, por lo general redonda.

VELADURA f. *Pint.* Tinta transparente que se da para suavizar el tono de lo pintado.

VELAJE o **VELAMEN** m. Conjunto de velas de una embarcación.

VELAR intr. Estar sin dormir el tiempo destinado ordinariamente para el sueño. • Continuar trabajando después de haber trabajado durante la jornada normal. • fig. Cuidar solícitamente de una cosa. • *Mar.* Sobresalir sobre la superficie del agua algún escollo, peñasco u otro objeto peligroso para los navegantes. • *Mar.* Persistir el viento durante la noche. • tr. Hacer centinela o guardia por la noche. • Asistir de noche a un enfermo o pasarla con un difunto en señal de duelo. • fig. Observar atentamente una cosa. • tr. y prnl. Cubrir con velo. • Celebrar la ceremonia nupcial de las velaciones. • tr. fig. Cubrir; ocultar a medias una cosa, atenuarla, disimularla. • tr. y prnl. *Fot.* Borrarse total o parcialmente la imagen en la placa o en el papel por la acción indebida de la luz. • *Pint.* Aplicar veladuras. • adj. Que vela u oscurece. • Perteneciente o relativo al velo del paladar. • *Fon.* Díc. del sonido cuya articulación se caracteriza por la aproximación o contacto del dorso de la lengua y el velo del paladar. • adj. y f. Díc. de la letra que representa este sonido, como la *u* y la *k*. ■ VELACIÓN; VELATORIO.

VELARDE, *Pedro* (1779-1808) Militar esp. Con Daoíz, murió el 2 mayo 1808 en Madrid combatiendo a las tropas fr.

VELARIZAR tr. y prnl. *Fon.* Dar articulación o resonancia velar a vocales o consonantes no velares.

VELASCO, *José María* (1840-1912) Pintor mex. Paisajista, evolucionó del academicismo al impresionismo hasta llegar a un estilo propio. *Valle de México*, *Barranca del muerto*, *Luces sobre el lago*. • ***José Miguel*** (1795-1859) Político bol. Asumió la presidencia (agosto 1828-mayo 1829), en ausencia del presid. Santa Cruz. En 1839 se sublevó contra la Confederación Peruboliviana y fue nombrado presid., cargo que asumió y hubo de abandonar en varias ocasiones. Derrocado definitivamente en 1848. • ***Luis de*** (1511-1564) Gobernante esp. Virrey de Nueva España (1550-1564). Inauguró la universidad de México (1553). Envió la expedición de Legazpi a las Filipinas. Durante su gobierno se descubrieron los yacimientos de plata de Zacatecas. • ***Luis de,*** MARQUÉS DE SALINAS (1539-1616) Virrey de Nueva España (1590-1595 y 1607-1611) y del Perú (1595-1604). • **Alvarado, *Juan*** (1910-1977) Militar y político per. Dirigió el golpe de Est. que derribó al presid. Belaúnde Terry. Nombrado presid. de la junta militar encargada de gobernar el país, nacionalizó la compañía norteam. de petróleo IPC e inició una política nacionalista y de profundas reformas económicas y sociales. En 1975 fue reemplazado por el general Morales Bermúdez, tras un golpe de Est. incruento. • **Ibarra, *José María*** (1893-1979) Político ecuat. Doctor en jurisprudencia y profesor universitario. Cinco veces elegido presid. de la rep. (1934-1935), 1944-1947, 1952-1956, 1960-1961, 1968-1972), fue sistemáticamente derribado por golpes militares excepto en su tercer mandato. Ha sido el político ecuat. que más influencia ha ejercido en su país durante muchos años.

VELÁSQUEZ Mújica, *Ramón José* (nacido 1917) Abogado y político ven. Ocupó la presid. de la nación en los difíciles momentos (junio 1993) en que fueron depuestos el presid. Andrés Pérez, por malversación de fondos, y el vicepresid. Octavio Lepage, por su desprestigio.

VELAZCO, *Bernardo de* (ss. XVIII-XIX) Administrador colonial esp. Gobernador del Paraguay, rechazó la integración en las Provincias Unidas. Derrocado por un golpe de Est.

VELAZQUEÑO, ÑA adj. Propio o característico de Velázquez o que tiene semejanza con su estilo.

VELÁZQUEZ, *Diego de* (1465-1524) Conquistador esp. Marchó al Nuevo Mundo en el segundo viaje de Colón. En Cuba fundó Baracoa, Santiago, La Habana, Puerto Príncipe (hoy Camagüey) y Matanzas. Hizo explorar la costa del Golfo y envió a Cortés a México. • ***Diego de Silva*** (1599-1660) Pintor esp., figura cumbre de la pintura barroca. En 1623 se instaló en Madrid bajo los auspicios del conde duque de Olivares y fue nombrado pintor del rey. Se especializó en retratos hasta que conoció a Rubens (1628) y viajó a Italia. Se interesó por los temas mitológicos (*Los borrachos* o *El triunfo de Baco*), religiosos e históricos (*La rendición de Breda*). Entre 1656 y 1658, de vuelta nuevamente en Madrid, pintó sus obras más conocidas: *La Venus del espejo*, *Las meninas y Las hilanderas*. • ***Fidel*** (1900-1997) Sindicalista mex. Fue secretario de la Confederación de Trabajadores de México (CTM) desde 1940 hasta su muerte.

VELEIDAD f. Voluntad antojadiza o deseo vano. • Inconstancia, ligereza. ■ VELEIDOSO, SA.

VELERO, RA adj. Díc. de la embarcación muy ligera o que navega mucho. • adj. y s. Díc. de la persona que asiste a velas y romerías. • m. Embarcación impulsada por una o más velas. • El que hace velas para buques. • m. y f. Persona que hace velas de alumbrar, o las vende.

VELETA f. Pieza de metal, ordinariamente en forma de saeta, que se coloca en lo alto de un edificio, de modo que pueda girar alrededor de un eje vertical impulsada por el viento, y que sirve para señalar la dirección del mismo. • Plumilla u otra cosa de poco peso que los pescadores de caña ponen sobre el corcho para conocer por su movimiento de sumersión cuándo pica el pez. • Cinta o banderola de la lanza de los lanceros de caballería. • m. y f. fig. Persona voluble, inconstante.

VÉLEZ de Guevara, *Luis* (1579-1644) Escritor esp. Cultivó los motivos de la lírica popular y los temas heroicos nacionales. *Reinar después de morir*, *El diablo cojuelo*. • **Sarsfield, *Dalmacio*** (1800-1875) Político arg. Miembro del Partido Unitario, organizó el Banco de Buenos Aires. Ministro de Hacienda (1862-1863), del Interior (1868-1872) y de Justicia. Redactó el código civil argentino. *Relaciones de la Iglesia con el Estado*.

VÉLEZ-MÁLAGA Mun. de España en la prov. de Málaga; 50 400 hab. Centro agrícola. Ind. azucarera. Turismo.

VELICAR tr. *Med.* Punzar en alguna parte del cuerpo para dar salida a algún líquido. ■ VELICACIÓN.

VELILLO m. Tela muy sutil, delgada y rala, tejida con algunas flores de hilo de plata.

VELINTONIA f. Especie de secuoya, propia de la sierra Nevada de California, de hojas escamiformes.

1

2

VELA

1. Imagen de Eolo, dios de los vientos, aliado y enemigo a un tiempo de los navegantes.
2. La navegación es una de las formas más antiguas de transporte, aprovechando dos elementos naturales: el viento y el agua. Su desarrollo ha dado como resultado multitud de formas diferentes, tanto de naves como de aparejos y, en particular de velas. Modelo de una nave del antiguo Egipto usada para remontar el Nilo.
3. Navío tardomedieval, según el *Salterio de Lutrell.* Museo Británico, Londres.

3

4

5

4. Buque francés de tres palos, del siglo XVIII, aparejado con velas cuadras.
5. Naves otomanas del siglo XVII, dotadas de la clásica vela latina, de forma triangular. Esta vela, de origen árabe (s. III d.C.), fue durante centurias un verdadero sello de identidad de la navegación en las aguas del Mediterráneo.
6. Nave fluvial china, con la tradicional vela sostenida por listones de bambú.
7. Clipper del siglo XIX, nave dotada de arboladuras muy altas y aparejada de forma similar a las goletas y los bergantines. Su particular forma alargada y la gran superfice de su velamen hicieron de este tipo de velero una de las naves más veloces del siglo XIX, hasta el desarrollo de las naves a vapor de casco de hierro.
8. Buque *Shinaitoku Maru,* navío experimental japonés dotado de un singular sistema de velas rígidas diseñado para lograr ahorros de combustible en viajes transoceánicos.

6

7

8

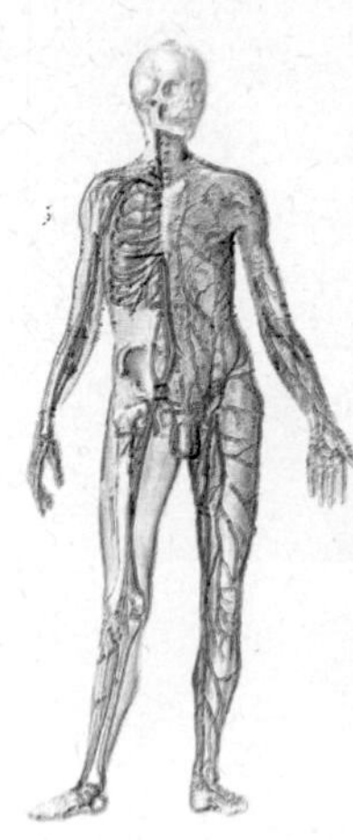
Conjunto de **venas** del cuerpo humano

Vencejo común

VELLO m. Pelo que sale más corto y suave que el de la cabeza y de la barba en algunas partes del cuerpo humano. • Pelusilla de que están cubiertas algunas frutas o plantas. ■ VELLOSO, SA.
VELLOCINO m. Vellón. • Cuero curtido del carnero o de la oveja con su lana. • *Mit. gr.* Piel de oro del carnero que Nefele envió a sus hijos para que se librasen de las insidias de su madrastra Ino.
VELLÓN m. Toda la lana de un carnero u oveja que, esquilada, sale junta. • Zalea. • Vedija o guedeja de lana. • Liga de plata y cobre, con que se labró moneda. • Moneda de cobre que se usó en lugar de la fabricada con liga de plata.
VELLORIO, RIA adj. Pardusco. Aplícase a la caballería de piel parecida a la de la rata, con algunos pelos blancos.
VELLORITA f. Maya, planta. • Primavera, planta.
VELLOSIDAD f. Conjunto de pelos, gralte. cortos y suaves, que se halla en ciertas regiones del cuerpo de los mamíferos. • **Vellosidades intestinales.** *Anat.* Repliegues de la mucosa interna de los órganos del tracto digestivo intestinal.
VELLOSILLA o **VELLOSITA** f. Planta de la familia compuesta, con rizoma rastrero, flores agrupadas en capítulo y frutos en aquenio.
VELLOZIÁCEO, A o **VELLOZOÁCEO, A** adj. y f. *Bot.* Díc. de plantas de la familia velloziáceas. • f. pl. *Bot.* Familia de plantas angiospermas monocotiledóneas, parecidas a las amarilidáceas, de las que difieren por el mayor núm. de estambres de sus flores.
VELLUDILLO m. Felpa o terciopelo de algodón, de pelo muy corto.
VELLUDO, DA adj. Que tiene mucho vello. • m. Felpa o terciopelo.
VELMEZ m. Vestidura que ant. se ponía debajo de la armadura.
VELO m. Tejido muy ligero con que se cubre algo. • Prenda femenina de tul, gasa u otra tela delgada de seda o algodón, con la cual a veces las mujeres se cubren la cabeza, el cuello o el rostro. • Trozo de tul, gasa, etc., con que se guarnecen y adornan algunas mantillas por la parte superior. • El que llevan algunas mujeres, sujeto por delante al sombrero, cubriéndoles el rostro. • Paño blanco que el sacerdote se pone sobre los hombros para coger el copón o la custodia, humeral. • Fiesta que se hace para dar la profesión a una monja. • fig. Cualquier cosa delgada, ligera o flotante, que encubre la vista de otra. • fig. Pretexto con que se intenta ocultar la verdad. • fig. Confusión del entendimiento en lo que discurre, que le estorba percibirlo enteramente u ocasiona duda. • fig. Cualquier cosa que encubre o disimula el conocimiento expreso de otra. • Aparejo compuesto de un varal y una red que, sujeta por medio de una cuerda en uno de los extremos de aquél, se sumerge en el agua, para pescar. • *Bot.* Membrana que se halla en el aparato esporífero de muchos hongos basidiomicetes.
VELO, *Carlos* (1905-1988) Cineasta esp. exiliado en México. Colaboró con Buñuel y Bardem. *Torero*, *Pedro Páramo*, *Infinitos*.
VELOCIDAD f. Ligereza o prontitud en el movimiento. • *Comp.* Cuando se quieren comparar las potencias de dos computadoras diferentes, normalmente uno de los factores que se tienen en cuenta es la v. para efectuar algunas tareas, tales como la v. de ejecución de su unidad central, que se mide en instrucciones por segundo, la v. de transferencia de datos en memoria, que se mide en caracteres por segundo, etc. • *Fís.* Magnitud vectorial que relaciona el vector desplazamiento con el intervalo de tiempo durante el cual se produce dicho desplazamiento. • *Mec. apl.* Cualquiera de las posibles posiciones del cambio de velocidades, en un vehículo a motor. • **angular**. *Fís.* Razón del desplazamiento angular al tiempo empleado. • **de reacción.** *Quím.* Magnitud que relaciona la masa de un reactivo que se transforma y el tiempo empleado en el proceso, y que es directamente proporcional al producto de las concentraciones de las sustancias reaccionantes elevadas al núm. de moles. • **de transferencia de datos.** *Comp.* V. de transmisión de datos entre dos puntos que pueden formar parte de la computadora (memoria, discos, cintas, etc.) o entre dos computadoras. • **parabólica.** *Fís.* La del movimiento relativo de dos cuerpos que se atraen según la ley de la gravitación universal. • **radial.** *Astr.* Componente de la v. de un astro en dirección al rayo visual, que se mide por el desplazamiento de las rayas del espectro. • **relativa.** *Fís.* La de un cuerpo o sistema con relación a otro. • **virtual.** *Fís.* Camino que puede recorrer el punto de aplicación de una fuerza en un tiempo infinitesimal.
VELOCÍMETRO m. Aparato que en un vehículo indica la velocidad de traslación de éste.
VELOCIPEDISMO m. ant. Deporte de los aficionados al velocípedo. ■ VELOCIPEDISTA.
VELOCÍPEDO m. ant. Vehículo formado por una especie de caballete, con dos o tres ruedas, y que mueve con los pies quien va montado en él.
VELÓDROMO m. Pista para carreras de bicicleta.
VELOMOTOR m. Motocicleta ligera o bicicleta equipada con un motor auxiliar.
VELÓN m. Lámpara de metal, para aceite común, compuesta de un vaso con uno o varios mecheros, y de un eje en que puede girar, subir y bajar, terminado por arriba en un asa y por abajo en un pie, por lo general de forma de platillo.
VELORIO m. Reunión con bailes, cantos y cuentos que durante la noche se celebra en las casas de los pueblos. • Velatorio, especialmente de un niño difunto. • Ceremonia de tomar el velo una religiosa.
VELORTO m. Especie de clemátide de hojas anchas. • Varita flexible que sirve para aro o vencejo. • Palo para jugar a la vilorta. • Piorno, viburno.
VELOZ adj. Que realiza cualquier movimiento invirtiendo muy poco tiempo. • Ágil y pronto en lo que se ejecuta o discurre.
VELUWE Región de Países Bajos, en Holanda Septentrional. Es un territorio de suaves colinas limitado al E por el valle del Rin. Vegetación de landa.
VENA f. *Anat.* Vaso sanguíneo de paredes elásticas, muy extensible pero poco contraíble. • Filón metálico. • Cada uno de los hacecillos de fibras que sobresalen en el envés de las hojas de las plantas. • Fibras de la vaina de ciertas legumbres. • Faja de tierra o piedra, que por su calidad o su color se distingue de la masa en que se halla interpuesta. • Conducto natural por donde circula el agua subterránea. • Cada una de las listas que tienen ciertas piedras y maderas. • fig. Inspiración poética, facilidad para componer versos. • fig. Humor, disposición variable del ánimo. • **ácigos.** La que comunica la v. cava superior con la inferior. • **cardíaca.** Cada una de las que coronan la aurícula derecha del corazón. • **cava.** Cada una de las dos v. mayores del cuerpo; ambas desembocan en la aurícula derecha del corazón. • **coronaria.** La cardíaca. • **emulgente.** Cada una de las que conducen la sangre que sale de los riñones. • **porta.** La gruesa cuyo tronco está sit. entre las eminencias de la superficie interior del hígado. • **ranina.** La que se halla situada en la cara inferior de la lengua. • **safena.** Cada una de las dos prales. que van a lo largo de la pierna, una por la parte interior y la otra por la exterior. • **subclavia.** Cada una de las dos que van desde la clavícula hasta la v. cava superior. • **yugular.** Cada una de las dos que se hallan a ambos lados del cuello. ■ VENOSO, SA.
* *Anat.* El conjunto de las v. constituye el sistema venoso, cuya función es devolver la sangre al corazón y regular la distribución sanguínea en los diferentes órganos. Todas las v., excepto las pulmonares, conducen sangre pobre en oxígeno y rica en dióxido de carbono.
VENABLO m. Dardo o lanza corta y arrojadiza.
VENADA f. Ataque de locura. ■ VENÁTICO, CA.
VENADERO m. Paraje frecuentado por los venados. • adj. *Col.* y *Ecuad.* Díc. del perro que se utiliza en la caza de venados.
VENADO m. Ciervo.
VENADO TUERTO C. de Argentina, en la prov. de Santa Fe; 47 500 hab. Ind. alimentarias. Destilerías.
VENAJE m. Conjunto de venas de agua y manantiales que dan origen a un río.
VENAL adj. Relativo a las venas. • Vendible o expuesto a la venta. • fig. Que se deja sobornar con dádivas. ■ VENALIDAD.
VENATORIO, RIA adj. Relativo a la montería.
VENCEJO m. Lazo o ligadura con que se ata una cosa, especialmente los haces de las mieses. • *Zool.*

Ave de la familia apódidos, con grandes alas falciformes, y cuerpo pequeño. El pico, ancho y corto, le permite cazar al vuelo los insectos de que se alimenta; su plumaje suele ser oscuro.

VENCER tr. Derrotar a un enemigo, obligarle a rendirse. • tr. y prnl. Rendir a una persona aquellas cosas físicas o morales que actúan sobre ella. • tr. Resultar el primero en una competición. • Ser superior, aventajar. • Dominar las pasiones y afectos, reduciéndolos a la razón. • Superar las dificultades o estorbos, obrando contra ellos. • Prevalecer una cosa sobre otra, aun las inmateriales. • Atraer o reducir una persona a otra con razones o por otros medios, de modo que siga su dictamen o deseo. • Sufrir, llevar con paciencia y constancia un dolor, trabajo o calamidad. • Subir, montar o superar la alt. o aspereza de un sitio o camino. • tr. y prnl. Ladear, torcer o inclinar una cosa. • intr. Cumplirse un término o plazo. • Terminar o perder su fuerza obligatoria un contrato por cumplirse la condición o el plazo en él fijado. • Hacerse exigible una deuda u otra obligación por haberse cumplido la condición en el plazo necesarios para ello. • Salir uno con el intento deseado, en contienda física o moral, disputa o pleito. • intr. y prnl. Refrenar o reprimir los ímpetus del genio o de la pasión. ■ VENCEDERO, RA; VENCEDOR, RA; VENCIDO, DA; VENCIMIENTO.

VENCESLAO (h. 907-929) Santo. Duque de Bohemia (921-929). Introdujo el cristianismo en su país y se reconoció vasallo del rey de Germania, Enrique I el Pajarero. Murió asesinado.

VENCESLAO I (1205-1253) Rey de Bohemia [1230-1253]. Hijo de Otakar I Premysl, rechazó a los tártaros e introdujo las costumbres al. • **II** (1271-1305) Rey de Bohemia [1278-1305] y de Polonia [1300-1305]. Obtuvo para su hijo, el futuro V. III, la corona de Hungría [1301]. • **III** (1289-1306) Rey de Hungría [1301-1305], de Polonia y de Bohemia [1305-1306]. Renunció a la corona de Hungría. • **IV** (1361-1419) Rey de Bohemia [1363-1419] y emp. de Alemania [1378-1400]. Hijo del emp. germánico Carlos IV. En 1400 fue depuesto por los electores renanos, quienes impusieron en el trono imperial al conde palatino Roberto de Wittelsbach.

VENDA f. Tira de tela o gasa que sirve para ligar un miembro o para sujetar los apósitos aplicados sobre una llaga, contusión, tumor, etc.

VENDA Ant. bantustán de la República Sudafricana al N de Transvaal, limítrofe con Zimbabwe. Atravesado al N por el río Limpopo. Su pob. ronda los 300 000 hab. El gobierno de Pretoria le concedió una indep. ficticia, no reconocida internacionalmente, en 1979. Fue abolido en 1994.

VENDAJE m. Apósito o cura sostenidos o ligados con vendas. • *Amér.* Yapa o adehala. • **enyesado.** Apósito preparado con yeso, que se emplea pralm. en la curación de las fracturas de los huesos.

VENDAR tr. Atar o cubrir con la venda. • fig. Poner un estorbo al conocimiento para que no aprecie las cosas como son.

VENDAVAL m. Viento fuerte que sopla del S, con tendencia al O. • P. ext., cualquier viento duro que no llega a ser temporal declarado.

VENDÉE, *Sublevación de la* Levantamiento armado campesino de carácter reaccionario producido en esta región de Francia durante la Revolución. Estalló en 1793 y quedó sofocado en 1796.

VENDER tr. Traspasar a otro por el precio convenido la propiedad de lo que uno posee. • Ofrecer al público géneros para el que quiera comprarlos.• Sacrificar al interés cosas que no tienen valor material. • fig. Faltar uno a la fe, confianza o amistad que debe a otro. • prnl. Dejarse sobornar. • fig. Ofrecerse a todo riesgo y costa en favor de uno, aun exponiendo su libertad. • fig. Decir o hacer uno inadvertidamente algo que descubre lo que quiere tener oculto. • Seguido de la prep. *por*, atribuirse uno condición o calidad que no tiene. • **Estar** uno **vendido.** fig. Estar desazonado en la compañía o conversación de quienes son de contrario sentir o extraños desconocidos. ■ VENDEDOR, RA.

VENDETTA (voz it., venganza) f. Ant. costumbre, aún conservada en Córcega y Cerdeña, que obliga a los individuos de una familia a vengar con sangre una ofensa.

VENDÍ m. Certificado que da el vendedor, corredor o agente que ha intervenido en una venta de mercancías o efectos públicos, para acreditar la procedencia y precio de lo comprado.

VENDIMIA f. Recolección y cosecha de la uva. • Tiempo en que se hace. • fig. Provecho o fruto abundante que se saca de cualquier cosa.

VENDIMIAR tr. Recoger el fruto de las viñas. • fig. Disfrutar una cosa, especialmente cuando es con violencia o injusticia. • fig. y fam. Matar o quitar la vida. ■ VENDIMIADOR, RA.

VENDIMIARIO m. Primer mes del calendario republicano fr., cuyos días primero y último coincidían con el 22 septiembre y el 21 octubre.

VENDO m. Orillo del paño.

VENDÔME, *Louis Joseph de Bourbon,* GRAN DUQUE DE (1654-1712) Mariscal fr. Tuvo un imp. papel en la guerra de Sucesión esp.

VENECIA *(Venezia)* C. del NE de Italia, cap. del Véneto y de la prov. hom.; 309 400 hab. Se extiende, en la laguna de Venecia, sobre más de un centenar de islas separadas por gran núm. de canales. La actividad industrial (siderurgia, metalurgia, astilleros, etc.) se localiza en Marghera y en el puerto Mestre. En la isla de Murano hay una importante ind. del cristal. El turismo proporciona grandes ingresos. Entre los monumentos destacan la basílica de San Marcos (s. XI) y el palacio Ducal (ss. XIV-XV).

VENECIANO, NA adj. y s. De Venecia. • **Escuela v.** Estilo pictórico desarrollado en la rep. de Venecia entre los ss. XIV y XVIII, caracterizado por la suntuosidad, la elegancia de la composición y la riqueza del colorido. Destacan Bellini, Tiziano, Tintoretto y Veronés.

VENENCIA f. Vasija o cacillo de metal, con mango en forma de varilla terminado en gancho, que sirve para sacar pequeñas cantidades de vino o mosto de una cuba, tonel, etc.

VENENO m. Cualquier sustancia que, introducida en el cuerpo o aplicada a él en cantidad suficiente, le ocasiona la muerte o graves trastornos. • fig. Cualquier cosa nociva a la salud. • fig. Cualquier cosa que puede causar un daño moral. • fig. Afecto de ira, rencor u otro mal sentimiento. ■ VENENOSIDAD; VENENOSO, SA.

VENERA f. Concha semicircular de dos valvas, de un molusco común en los mares de Galicia. Los peregrinos que volvían de Santiago solían traerlas cosidas a las esclavinas. • Insignia de diversas órdenes militares, que pende en forma de collar. • Venero, manantial de agua.

VENERA *Astron.* Serie de sondas espaciales sov. también denominadas *Venusik*, destinadas a la exploración del planeta Venus.

VENERABLE adj. Digno de veneración, de respeto. • Aplícase como epíteto a las personas de conocida virtud. • Aplícase como título a las personas eclesiásticas constituidas en prelacía y dignidad. • Primer título que se concede en Roma a los que mueren con fama de santidad.

VENERAR tr. Respetar en sumo grado a una persona. • Dar culto a Dios, a los santos o a las cosas sagradas. ■ VENERACIÓN; VENERANDO, DA.

VENÉREO, A adj. Relativo a la venus; deleite sexual. • Díc. de las enfermedades infecciosas que se contraen a través del acto sexual.

San **Venceslao** en una miniatura del *Evangelio de Visherad*, del s. XI. Biblioteca Nacional de Praga

Vendimia

Venecia. Vista del Gran Canal, con la iglesia de la Salud al fondo

VENEREOLOGÍA f. *Med.* Parte de la patología que estudia las enfermedades venéreas. ■ VENEREÓLOGO, GA.

VENERO m. Manantial de agua. • Raya o línea horaria en los relojes de sol. • fig. Origen y principio de donde procede una cosa. • *Min.* Criadero.

DIVISIÓN POLITICOADMINISTRATIVA

Venezuela. Arriba, mapa de situación y bandera; abajo, panorámica del Parque Nacional Canaima

VÉNETO *(Veneto)* Región del NE de Italia, limítrofe con Austria y bañada por el Adriático; 18 365 km², 4 380 800 hab. Cap., Venecia. C. prales.: Padua, Verona, Vicenza y Treviso. Río pral.: Po. Cereales, vid. Pesca. Ind. química. Turismo.

VENEZOLANISMO m. Vocablo, giro o modo de hablar propio de los venezolanos.

VENEZOLANO, NA adj. y s. De Venezuela.

VENEZUELA Golfo del mar Caribe, entre las pen. de Guajira y Paraguaná. Comunica por un canal natural con el lago de Maracaibo.

VENEZUELA *(República Bolivariana de Venezuela)* Estado sit. en la costa septentrional de América meridional. Limita al N con el mar Caribe, al NE con el océano Atlántico, al E con Guyana y Brasil, al S con Brasil y al O con Colombia. República federal. Etnias: ascendencias europea, autóctona y africana, predominantemente mezcladas. Lenguas: castellano (of.), variantes caribes y aruacas (of. en las comunidades indígenas). *Rel.*: catolicismo (96 %), animismo. U. M.: el bolívar. Cap.: Caracas. C. prales.: Maracaibo, Valencia, Barquisimeto, Maracay.

* *Geog. física.* Hallándose en la zona intertropical, las variaciones climáticas dependen fundamentalmente de la alt. sobre el nivel del mar, que determina la existencia de regiones cálidas, templadas y frías. En cuanto a régimen de aguas pueden considerarse dos estaciones, la seca y la lluviosa, llamadas respectivamente verano e invierno. Predominan las temperaturas templadas. Las grandes regiones naturales son: a) la montañosa, al O, donde penetra un ramal de la cord. de los Andes y se halla la mayor alt. del país, el pico Bolívar (5 007 m); b) la zona del lago de Maracaibo, al NO; c) la región costera, que en parte está bordeada por montañas de regular alt. con fértiles valles entre los diversos ramales, y en parte es llana y baja, sobre todo en el E; d) la región de Los Llanos, en el centro y el S, que incluye una vasta extensión del territorio; y e) la región guayanesa, surcada por innumerables ríos, tributarios casi todos ellos del mayor de V., el Orinoco, que desemboca por un gran delta frente a la isla de Trinidad. En Guayana está la altiplanicie o escudo de ese nombre, con sus típicas montañas denominadas tepuyes y con la cascada más alta del mundo, el Salto Ángel.

* *Geog. económica.* En la economía ven. ocupan lugar de primer orden la explotación del petróleo y el hierro, nacionalizada en 1975. Hasta 1920 la actividad económica básica era la agricultura, que actualmente continúa estando poco mecanizada y permanece orientada hacia la economía de subsistencia. Los cultivos prales. son café, cacao, caña de azúcar, tabaco y algodón. La ganadería, que tuvo una destacada posición, ha descendido relativamente. La riqueza forestal es muy imp., especialmente en la región guayanesa, si bien está poco explotada a causa de las difíciles vías de comunicación. La pesca ha pasado de estar orientada hacia el consumo interno a la pesca comercial a gran escala. La minería proporciona el pral. recurso económico del país: el petróleo, del que V. es uno de los mayores productores mundiales. También produce gas natural y hierro y, en menor medida, bauxita, cobre, plomo, diamantes, carbón y fosfatos. El proceso industrializador se ha desarrollado a partir de la explotación de los recursos del subsuelo. Ind. derivada del petróleo, refinerías, petroquímica, química, siderúrgica, metalúrgica, del cemento, textil y agroalimentaria

* *Org. política.* V. se rige por la Constitución aprobada en referéndum en 1999, que la define como un Estado democrático y social de derecho y justicia. Es una república federal descentralizada dividida en los Estados, Distrito Capital, dependencias federales y territorios federales. El presid. de la República, jefe del Estado y del ejecutivo nacional, es elegido por voto popular directo y secreto para un período de 6 años, y puede ser reelegido consecutivamente una sola vez. El poder legislativo recae en la Asamblea Nacional, integrada por los diputados elegidos por sufragio universal, además de 3 miembros por cada entidad federal y por cada pueblo indígena. El poder judicial está integrado por el Tribunal Supremo de Justicia y demás tribunales, el Ministerio Público y la Defensoría Pública. Las cuentas del Est. están supervisadas por la Contraloría General de la República.

VENEZUELA

Recursos económicos	
Algodón	42 348 t
Ananás	137 000 t
Arroz	779 906 t
Cacao	17 124 t
Café	73 026 t
Cambur	1 026 292 t
Coco	153 600 t
Maíz	1 033 292 t
Mandioca	285 000 t
Naranjas	542 936 t
Papas	320 708 t
Palma aceitera	255 054 t
Plátanos	525 723 t
Sorgo	436 320 t
Tomates	248 174 t
Ganadería	
Cabaña bovina	14 231 000 cabezas
Cabaña caprina	790 717 cabezas
Cabaña ovina	165 328 cabezas
Cabaña porcina	2 211 010 cabezas
Riqueza forestal	2 276 000 m³
Pesca	332 340 t
Producción minera	
Carbón	3 717 000 t
Diamantes	172 000 quilates
Fosfatos	203 000 t
Gas natural	55 104 millones de m³
Hierro	20 842 000 t
Oro	11 719 kg
Petróleo	2 975 000 barriles día
Sal marina	200 000 t
Producción industrial	
Acero	3 099 960 t
Ácido sulfúrico	476 000 t
Aluminio	205 000 t
Azúcar	530 000 t
Cemento	7 556 000 t
Energía eléctrica	73 116 millones de kwh
Fertilizantes	525 000 t
Fibras sintéticas	15 100 t
Neumáticos	4 964 000 unidades
Sosa cáustica	30 000 t
Tabaco	24 400 millones de cigarrillos
Vehículos	71 400 unidades
Indicadores sociológicos	
PNB	65 382 millones de dólares
Renta per cápita	7 900 dólares
Esperanza de vida	72,4 años
Alfabetismo	93,2 %

* *Hist.* **Época precolombina:** La presencia de seres humanos en el territorio de la actual V. se remonta a 15000 años a. C. Eran grupos reducidos de cazadores y de pescadores. Más tarde llegaron diversas oleadas de grupos de culturas más evolucionadas: los aruacos y los caribes. Se distinguen diversas áreas culturales durante los últimos siglos del período precolombino; las más imp. son el área del Caribe, el área de los Llanos y, especialmente, la de los aborígenes establecidos en los Andes venezolanos, relacionados con la cultura chibcha; practicaban una agricultura más avanzada y sabían conservar los productos de la tierra. **La colonización:** En 1498 Colón, durante su tercer viaje, llegó a sus costas. Los primeros contactos estuvieron motivados por el comercio de oro y perlas. La isla de Cubagua atrajo la atención de los europeos debido a sus perlas y pronto se constituyó una pob. que en 1528 recibió el título de ciudad de Nueva Cádiz; en 1541 fue abandonada a causa de una tempestad y del agotamiento de sus recursos. Entre 1530 y 1575 diversas expediciones remontaron el río Orinoco en busca de El Dorado y se establecieron en la isla Trinidad. Antonio de Berrío fundó en 1595 la c. de Santo Tomé de Guayana. Los Welser, ricos banqueros al., se asentaron en Coro h. 1528 y desde allí exploraron el O del país. En 1546 concluyó el poderío de los Welser en V. y se inició de un modo sistemático el asentamiento hispánico a partir del Tocuyo; entre 1552 y 1558 se fundaron las c. de Barquisimeto, Valencia, Trujillo y Mérida. En 1567 se fundó la c. de Santiago de León de Caracas, que se convirtió en el centro de gravedad de la colonización; se colonizaron los valles del Tuy, donde crecía el cacao, y Los Llanos, donde prosperaba el ganado traído de Europa. A pesar de las incursiones de los piratas, la situación era próspera, pues el cacao lograba buena aceptación en España; se abrió el comercio con México. Con la dinastía borbónica, al iniciarse el s. XVIII, la colonización recibió nuevos impulsos. La universidad de Caracas abrió sus aulas en 1725. En 1728 se creó la Compañía Guipuzcoana, que aportó capitales y experiencia y abrió vastos mercados al cacao, al tabaco y a otros productos tropicales. Los puertos de La Guaira, Puerto Cabello, Maracaibo y Cumaná mantenían un movimiento comercial muy activo. **La lucha por la independencia:** En 1797 fue descubierta en Caracas y La Guaira una conspiración encabezada por criollos cultos y acomodados que se proponían proclamar la indep. de V., eliminar las distinciones de clases o de carácter étnico y fundar una rep. A partir de entonces las tentativas independentistas fueron constantes, destacando la de 1811, cuando se proclamó la Primera República, que sancionó la constitución federal. La Segunda República se inició en medio de una tremenda guerra social, cuando Bolívar llegó a Caracas en 1813. Después de varias batallas, en 1817 el Libertador puso pie firme en Guayana y allí estableció la base definitiva de la Tercera República. En 1819, tras la celebración del congreso de Angostura (actual Ciudad Bolívar) y la imp. victoria de Boyacá, se creó la República de la Gran Colombia, que comprendía las actuales V., Colombia, Ecuador y Panamá. Las batallas de Carabobo (1821) y del lago Maracaibo (1823) señalaron el fin de la dominación esp. sobre terr. ven. **Época contemporánea:** En 1830, a la muerte del Libertador, se produjo la desintegración de la República de la Gran Colombia. Renació así el Est. de V., bajo el caudillaje de Páez. El café empezó a sustituir al cacao como pral. producto de exportación. En 1840 se fundó el Partido Liberal. En 1854, durante el gobierno de José Gregorio Monagas, se abolió la esclavitud. La segunda mitad del s. XIX estuvo marcada por los enfrentamientos entre el gobierno central y los federalistas. Los militares irán obteniendo más poder, y regirán los destinos del país durante largo tiempo aunque con opciones políticas e ideológicas distintas (dictaduras de Castro, de Gómez). La extracción petrolífera, que supuso el inicio de una nueva etapa para V., en 1926 pasó a ocupar el primer puesto entre las exportaciones ven. En 1943 se dictó una nueva ley de Hidrocarburos, que confería al Est. una mayor participación en la renta del petróleo. En 1945 asumió el poder una Junta Revolucionaria de Gobierno encabezada por Rómulo Betancourt, máx. dirigente de Acción Democrática (AD). Aparecen la Unión Republicana Democrática y el COPEI, socialcristiano. Los años cincuenta estuvieron dominados por la dictadura de M. Pérez Jiménez, derrocado en 1958. En 1959 R. Betancourt retornó al poder, a quien sucedieron R. Leoni (1964-1969), R. Caldera (1969-1974) y C. A. Pérez (1974-1978). En las elecciones realizadas en 1978 venció

Venezuela. Muelle de petroleros del puerto de Barcelona, capital del estado Anzoátegui

Venezuela. Presa de Guri, en el cañón de Necuima

Venezuela. Calle colonial de Maracaibo

División administrativa de **Venezuela**

Estados	*Km²*	*Población*	*Densidad*	*Capital*
Amazonas	177 617	98 125	0,56	Puerto Ayacucho
Anzoátegui	43 300	1 098 691	23,37	Barcelona
Apure	76 500	431 922	5,65	San Fernando de Apure
Aragua	7 014	1 427 526	203,53	Maracay
Barinas	35 200	557 896	15,85	Barinas
Bolívar	240 528	1 240 466	5,21	Ciudad Bolívar
Carabobo	4 650	1 992 022	428,39	Valencia
Cojedes	14 800	246 257	16,77	San Carlos
Delta Amacuro	40 200	128 201	3,19	Tucupita
Falcón	24 800	729 151	29,40	Coro
Guárico	64 986	616 988	9,49	San Juan de los Morros
Lara	19 800	1 522 042	76,87	Barquisimeto
Mérida	11 300	719 796	63,70	Mérida
Miranda	7 950	2 485 744	312,67	Los Teques
Monagas	28 900	582 807	20,17	Maturín
Nueva Esparta	1 150	358 633	311,85	La Asunción
Portuguesa	15 200	786 232	51,73	Guanare
Sucre	11 800	808 479	68,52	Cumaná
Táchira	11 100	998 498	89,95	San Cristóbal
Trujillo	7 400	578 502	78,18	Trujillo
Vargas	1 496,5	308 000	206	La Guaira
Yaracuy	7 100	498 017	70,14	San Felipe
Zulia	63 100	3 051 644	48,36	Maracaibo
Dependencias Federales	120	2 245	19	
Distrito Capital	433,5	1 975 000	4 556	Caracas
VENEZUELA	916 445	23 242 681*	25,48	Caracas

* 23 242 681 hab. según proyección reciente; 18 105 265 hab., según censo 1990.

Venezuela. Mural *Los Precursores*, en la Avenida de los Próceres de Caracas

Gobernantes de **Venezuela**

1830	José Antonio Páez	1908	Juan Vicente Gómez
1835	José María Vargas	1915	Victorino Márquez Bustillos
1837	Carlos Soublette	1922	Juan Vicente Gómez
1839	José Antonio Páez	1929	Juan Bautista Pérez
1843	Carlos Soublette	1931	Juan Vicente Gómez
1847	José Tadeo Monagas	1935	Eleazar López Contreras
1851	José Gregorio Monagas	1941	Isaías Medina Angarita
1855	José Tadeo Monagas	1945	Rómulo Betancourt, Presid. de la Junta de Gobierno
1858	Julián Castro		
1859	Pedro Gual	1947	Rómulo Gallegos
1860	Manuel Felipe Tovar	1948	Carlos Delgado Chalbaud, Presid. de la Junta de Gobierno
1861	Pedro Gual		
1861	José Antonio Páez	1950	Suárez Flamerich, Presid. de la Junta de Gobierno
1863	Juan Crisóstomo Falcón		
1868	José Tadeo Monagas	1953	Marcos Pérez Jiménez
1868	José Ruperto Monagas	1958	Wolfgang Larrazábal, Presid. de la Junta de Gobierno
1870	Antonio Guzmán Blanco		
1877	Fco. Linares Alcántara	1959	Rómulo Betancourt
1879	Antonio Guzmán Blanco	1964	Raúl Leoni
1884	Joaquín Crespo	1969	Rafael Caldera
1886	Antonio Guzmán Blanco	1974	Carlos Andrés Pérez
1888	Juan Pablo Rojas Paúl	1979	Luis Herrera Campíns
1890	R. Andueza Palacio	1984	Jaime Lusinchi
1892	Guillermo Tell Villegas	1989	Carlos Andrés Pérez
1892	Joaquín Crespo	1993	Ramón J. Velásquez (provisional)
1898	Ignacio Andrade	1994	Rafael Caldera
1899	Cipriano Castro	1999	Hugo Chávez

el candidato del COPEI, L. Herrera Campíns, a quien le sucedió Jaime Lusinchi en 1984, de AD. En 1988, resultó elegido, de nuevo, el candidato de AD, Carlos Andrés Pérez, quien, tras sofocar dos intentos de golpe de est. en 1992 (uno de ellos encabezado por Hugo Chávez), fue apartado del cargo en 1993. Tras las elecciones celebradas en diciembre de 1993, Rafael Caldera (pres. entre 1969 y 1974), sucedió al presid. provisional Ramón J. Velásquez. La victoria de Hugo Chávez en las elecciones presidenciales de 1998 supuso un vuelco en la política ven. y puso fin a 40 años de hegemonía de AD y COPEI. Tras la aprobación de una nueva Constitución por referéndum en 1999, se convocaron elecciones legislativas y presidenciales en julio de 2000, en las que Hugo Chávez obtuvo de nuevo la victoria.

* *Arte.* Si bien no puede hablarse propiamente de arquitectura precolombina en V., la época colonial y el s. XIX nos han dejado algunos testimonios arquitectónicos valiosos, como la catedral de Caracas, que ha sufrido varias reconstrucciones y reformas, y los grandiosos templos de San Francisco y de La Candelaria. Las urbes ven. actuales son un ejemplo de arquitectura moderna. En Caracas es notable, como ejemplo de integración de las artes, la Ciudad Universitaria, creación de Carlos Raúl Villanueva. En V. no han existido escultores de renombre universal, y aún hoy día se requiere la colaboración de grandes escultores europeos para la decoración de plazas y monumentos. En cambio, en pintura sí ha existido una gran tradición que se remonta a la época colonial, con Francisco José de Lerma y Juan Pedro López. Durante la época de la indep. encontramos a Juan Lovera y en la segunda mitad del s. XIX a Martín Tovar y Tovar, Arturo Michelena y Cristóbal Rojas, dentro de un mov. academicista europeo, aunque Rojas sea impresionista. En 1912 se funda el Círculo de Bellas Artes, semillero de artistas, entre los que figura Armando Reverón (1889-1954).

* *Lit.* Aunque los aborígenes venezolanos no dejaron literatura escrita, recientemente misioneros y antropólogos se han ocupado de grabar y reproducir el rico venero de cuentos, leyendas, poemas, tradiciones, etc., que constituyen su literatura oral. Andrés Bello mereció el calificativo de «libertador intelectual» en el ámbito hispanoamericano. Pasada la crisis de la indep. desembocamos en los comienzos del romanticismo, que tiene entre sus cultivadores a Fermín Toro *(La viuda de Corinto)* y a Juan Vicente González. En verso destacan Rafael Agostini *(Cítara de apure)*, Abigail Lozano y José Antonio Maitín. Posteriormente aparece el premodernismo (José Ramón Yepes, Juan Antonio Pérez

Bonalde). La corriente modernista recibe un estímulo notable con la llegada a Caracas de José Martí, en 1881. José Rafael Pocaterra escribe novelas como *El doctor Bebé* y *Vidas oscuras*. Después de la caída de Cipriano Castro, un grupo de jóvenes idealistas comprometidos con su tiempo fundan la revista *La alborada*; son Julio Planchart, H. Soublette, J. Horacio Rosales y R. Gallegos. Este último será el símbolo de la V. que busca entre las tinieblas de la opresión. Por otra vía, más íntima, buscan también su camino los hombres de la llamada generación de 1918: A. Eloy Blanco, F. Paz Castillo, A. Arvelo Torrealba, P. Sotillo, E. Arvelo Larriva, S. Medina, entre otros. Coincidiendo con los sucesos políticos de 1928 circula el único núm. de la revista *Válvula*, alrededor de la cual se agrupan poetas y prosistas del vanguardismo literario (A. Uslar Pietri, Teresa de la Parra). Una parte de la generación de 1942 halla cauce a través de la revista *Suma*; pasados los cincuenta aparecen revistas como *Sardio* y *Tabla redonda*. En años recientes, el teatro y la crítica son cultivados con la misma intensidad que otros gén. literarios. La literatura venezolana de hoy refleja el carácter urbano, conflictivo y contradictorio de la sociedad actual, y entronca con las corrientes literarias que han colocado a Hispanoaméria en un lugar muy notable dentro del mundo de las letras.

VENGAR tr. y prnl. Tomar satisfacción de un agravio o daño. ■ VENGADOR, RA; VENGANZA; VENGATIVO, VA.

VENIA f. Perdón de la ofensa o culpa. • Licencia pedida para ejecutar una cosa. • Inclinación que se hace con la cabeza para saludar. • *Amér.* Saludo castrense.

VENIAL adj. Díc. de lo que se opone levemente a la ley o precepto. ■ VENIALIDAD.

VENIDA f. Acción de venir. • Regreso. • Avenida, creciente impetuosa de un río. • fig. Ímpetu o acción inconsiderada.

VENIDERO, RA adj. Que está por venir o suceder. • m. pl. Sucesores. • Los que han de nacer después.

VENIR intr. Caminar una persona o moverse una cosa de allá hacia acá. • Llegar una persona o cosa a donde está el que habla. • Comparecer una persona ante otra. • Ajustarse una cosa a otra o con otra. • tr. y prnl. Llegar uno a conformarse, transigir o avenirse. • Avenirse finalmente lo que antes se dificultaba o resistía. • Volver a tratar del asunto, después de alguna digresión. • Seguido de la prep. *en*, resolver, acordar, decidir una autoridad, y especialmente la suprema. • Inferirse, deducirse o ser una cosa consecuencia de otra. • Pasar el dominio o uso de una cosa de unos a otros. • Darse o producirse una cosa en un terreno. • Acercarse o llegar el tiempo en que una cosa ha de acaecer. • Traer origen, proceder o tener dependencia una cosa de otra en lo físico o en lo moral. • Empezarse a mover un afecto, pasión o apetito. • Figurar o aparecer en un libro, periódico, etc. • Ofrecerse u ocurrir una cosa a la imaginación o a la memoria. • Manifestarse o iniciarse una cosa. • Suceder finalmente una cosa que se esperaba o se temía. Se usa siempre con la prep. *a* y el infinitivo de otro verbo. • Persistir en una acción o estado que se indica mediante un gerundio, un nombre o un adjetivo. • Con la prep. *a* y ciertos nombres, estar pronto a la ejecución, o ejecutar actualmente lo que los nombres significan. • Con la misma prep. *a* y algunos verbos, como *ser*, *tener*, *decir*, y otros, denota equivalencia aproximada. • Seguido de la prep. *en* y un sustantivo, toma la significación del verbo correspondiente a dicho sustantivo. • Seguido de la prep. *sobre*, caer. • Suceder, acontecer o sobrevenir. • prnl. Perfeccionarse algunas cosas o constituirse en el estado que deben tener por medio de la fermentación. • **a menos.** Deteriorarse, empeorarse o caer del estado que se gozaba. • **rodada** una cosa. fig. Suceder casualmente en favor de lo que se intentaba o deseaba. • **En lo por v.** loc. adv. En lo sucesivo o venidero.

VENIZELOS, *Eleuterios* (1864-1936) Político gr. Dirigente de los liberales cretenses, logró incorporar Creta a Grecia. Ocupó importantes cargos (1910-1935).

VENN, *John* (1834-1923) Matemático y lógico brit. Es especialmente conocido por su método de representación gráfica de proposiciones (según su cualidad y cantidad) y silogismos. Los *diagramas de V.* permiten, además, una comprobación de la verdad o falsedad de un silogismo. *Lógica simbólica*, *Los principios de la lógica empírica o inductiva*.

VENTA f. Acción y efecto de vender. • Contrato en virtud del cual se transfiere a dominio ajeno una cosa propia por el precio pactado. • Casa establecida en los caminos o despoblados para hospedaje de los viajeros. • fig. y fam. Sitio desamparado y expuesto a las injurias del tiempo. • *Chile*. Puesto en que durante las fiestas se venden comestibles y bebidas.

VENTA, *cultura de La* Nombre con que se conoce una civilización amer. precolombina. Identificada con la cultura olmeca, es considerada por la mayoría de los arqueólogos como la impulsora de las restantes culturas del área mesoamericana. Nació y se extendió por una amplia zona del golfo de México al S de Veracruz, Chiapas y Tabasco. El yacimiento de La Venta floreció durante la época arcaica (aprox. del 400 al 200 a. C.). La c. de La Venta es la única construida a base de piedra.

Venezuela.
Hugo Chávez

VENTADA f. Golpe de viento.

VENTAJA f. Situación favorable o de superioridad de una persona o cosa respecto de otra. • Excelencia o condición favorable que tiene una persona o cosa. • Beneficio que alguien disfruta en un empleo, además del sueldo. • Ganancia anticipada que un jugador concede a otro. ■ VENTAJOSO, SA.

VENTAJEAR tr. *Argent.*, *Col.*, *Guat.* y *Ur.* Aventajar, obtener ventaja. • En sentido peyorativo, sacar ventaja mediante procedimientos reprobables o abusivos.

VENTAJISTA adj. y s. Díc. de la persona que sin miramientos procura obtener ventaja en los tratos, en el juego, etc.

VENTALLA f. Válvula de una máquina. • *Bot.* Valva.

VENTANA f. Abertura elevada sobre el suelo, que se deja en una pared para dar luz y ventilación. • Hoja u hojas de madera y de cristales con que se cierra esa abertura. • Cada uno de los orificios de la nariz. • *Comp.* Cada una de las partes en las que puede dividirse la pantalla de una computadora. • **de texto.** *Comp.*V. de la pantalla donde sólo se visualiza un texto alfanumérico. ■ VENTANERO, RA.

VENTANAJE m. Conjunto de ventanas de un edificio.

VENTANAL m. Ventana grande.

VENTANAZO m. Golpe recio que se da al cerrarse una ventana. • Acción de cerrar violentamente las ventanas en señal de enojo o desaire a una persona que se halla en la parte de afuera.

VENTANILLA f. Abertura pequeña que hay en la pared o tabique de los despachos de billetes, bancos, etc., para que empleados de éstas comuniquen desde dentro con el público que está en la parte de fuera. • Abertura provista de cristal que hay en los coches, vagones del tren y otros vehículos. • Orificio de la nariz.

VENTANILLO o **VENTANICO** m. Postigo pequeño de puerta o ventana. • Ventana pequeña o abertura hecha en la puerta exterior de las casas y resguardada por lo común con rejilla, para ver a la persona que llama, o hablar con ella, sin franquearle la entrada. • Ventanilla en el suelo para mirar al piso inferior.

VENTAR impers. Ventear, soplar el viento. • tr. Ventear, tomar algunos animales el viento con el olfato.

VENTARRÓN m. Viento que sopla con mucha fuerza.

Cultura de **La Venta.**
Arriba, cabeza colosal; sobre estas líneas, estatuillas de jade y serpentina

VENTEAR impers. Soplar el viento o hacer aire fuerte. • tr. Tomar algunos animales el viento con el olfato. • Poner, sacar una cosa al viento para que se seque o limpie. • fig. Andar indagando o inquiriendo una cosa. • prnl. Rajarse o henderse una cosa por la diferente dilatación de sus partes. • Levantarse ampollas en medio de la masa de barro de las tejas y ladrillos al cocerse. • Adulterarse o desvirtuarse algunas cosas por la acción del aire. • Expeler los gases intestinales. • *Amér. Merid.* y *P. Rico.* Estar ausente de casa por mucho tiempo.

VENTERO, RA adj. Que ventea o toma el viento. • m. y f. Dueño o encargado de una venta para hospedaje de viajeros.

VENTILACIÓN f. Acción y efecto de ventilar o ventilarse. • Abertura que sirve para ventilar un aposento. • Corriente de aire que se establece al ventilarlo. • Renovación continua o periódica del aire en un ambiente cerrado, que persigue fines higiénicos, tecnológicos, etc. • *Biol.* Proceso de captación de oxígeno por los órganos respiratorios de un animal.

Ventisquero en los Andes chilenos

VENTILADOR, RA adj. Que ventila. • m. Abertura que se deja hacia el exterior en una habitación, para que se renueve el aire de ésta sin necesidad de abrir las puertas o ventanas. • Aparato para impulsar o remover volúmenes de aire o gas a través de un conducto o en un recinto.

VENTILAR tr. y prnl. Hacer penetrar el aire en algún sitio. • Agitar una cosa en el aire. • Exponer una cosa al viento. • Renovar el aire de un aposento o pieza cerrada. • fig. Controvertir o dilucidar una cuestión o duda. • prnl. Gastar, acabar algo; derrocharlo.

VENTISCA f. o **VENTISCO** m. Borrasca de viento, o de viento y nieve. • Viento fuerte, ventarrón. ■ VENTISCOSO, SA.

VENTISCAR o **VENTISQUEAR** impers. Nevar con viento fuerte. • Levantarse la nieve por la violencia del viento.

VENTISQUERO m. Ventisca. • Alt. de los montes más expuesta a las ventiscas. • Sitio, en las alt. de los montes, donde se conserva la nieve y el hielo. • Masa de nieve o hielo reunida en este sitio.

Venus hallada en Ampurias. Museo Arqueológico de Barcelona, España

VENTOLERA f. Golpe de viento recio y poco durable. • Molinete, rehilandera. • fig. y fam. Vanidad, soberbia. • fig. y fam. Pensamiento o determinación inesperada y extravagante.

VENTOLERO m. *Amér. Centr.* Ventolera.

VENTOR, RA adj. Díc. del animal que, guiado por su olfato y el viento, busca un rastro o huye del cazador. • m. Perro que sigue la caza de este modo.

VENTORRERO m. Sitio alto y despejado, muy combatido por los vientos.

VENTORRILLO m. Ventorro. • Bodegón en las afueras de una población.

VENTORRO m. despect. Venta de hospedaje pequeña o mala.

VENTOSEAR intr. y prnl. Expeler del cuerpo los gases intestinales. ■ VENTOSIDAD.

VENTOSO, SA adj. Que contiene viento o aire. • Aplícase al día o tiempo en que hace aire fuerte, y al sitio combatido por los vientos. • Que causa flato en el estómago. • Díc. del animal que por el viento y por su olfato descubre a una persona o un animal. • m. Sexto mes del calendario republicano fr. • f. Abertura que se practica para dar paso y entrada al aire. • Objeto consistente en una concavidad que, al hacerse el vacío, queda adherida por presión a una superficie. • *Zool.* Órgano de fijación por vacío que tienen ciertos animales para adherirse o agarrarse al andar o hacer presa. • *Med.* Instrumento con el que se aplicaba presión negativa en un lugar determinado de la piel.

VENTRAL adj. Relativo al vientre.

VENTRECHA f. Vientre de los pescados.

VENTREGADA f. Conjunto de animalillos que han nacido de un parto. • fig. Abundancia de cosas que vienen juntas de una vez.

VENTRERA f. Faja que se pone en el vientre. • Armadura que cubría el vientre.

VENTRICIDA adj. y f. *Bot.* Díc. del tipo de dehiscencia de algunos frutos que, en su madurez, se abren por una sutura ventral.

VENTRÍCULO m. Estómago del hombre y de los animales. • Cada una de las dos cavidades que hay entre las cuerdas vocales de los mamíferos. • *Anat.* Cada una de las cavidades del corazón (dos en mamíferos y aves) de donde la sangre es expulsada al exterior al sistema arterial. • Cada una de las cuatro cavidades del encéfalo de los vertebrados. ■ VENTRICULAR.

VENTRIL m. Pieza de madera que sirve para equilibrar la viga en los molinos de aceite.

VENTRÍLOCUO, CUA adj. y s. Díc. de la persona que tiene la habilidad de modificar su voz de manera que parezca venir de lejos, y que imita las de otras personas o diversos sonidos.

VENTRILOQUIA f. Arte del ventrílocuo.

VENTRÓN m. Túnica muscular que cubre el estómago de algunos rumiantes.

VENTRUDO, DA o **VIENTRUDO, DA** adj. Que tiene abultado el vientre.

VENTUARI Río de Venezuela, afl. derecho del Orinoco. Nace en el cerro de Vemachu; 520 km.

VENTURA f. Felicidad. • Contingencia o casualidad. • Riesgo, peligro. • **Buena v.** Buenaventura. • **A la buena v.** o **a la v.** m. adv. Sin determinado objeto; a lo que depare la suerte. • **Por v.** m. adv. Quizá.

VENTURANZA f. Ventura, felicidad.

VENTURERO, RA adj. Aplícase al sujeto que anda sin ocupación, pero dispuesto a trabajar en lo que le saliere. • Venturoso. • adj. y s. Aventurero.

VENTURI, *Giovanni Battista* (1746-1822) Físico it. que se distinguió por sus estudios sobre hidráulica, los sonidos audibles y el color. • **Contador de V.** o **venturímetro.** Instrumento para medir el gasto o caudal de un fluido y a veces la velocidad de éste, consistente en un estrechamiento producido en un tubo y proyectado de forma que, mediante una disminución gradual de la sección de entrada y un aumento también gradual en la salida, se evita la producción de remolinos y queda asegurado un régimen estacionario.

VENTUROSO, SA o **VENTURADO, DA** adj. Que tiene buena suerte. • Tempestuoso, borrascoso. • Que implica o trae felicidad.

VENUS f. fig. Mujer muy hermosa. • Deleite sexual; cópula.

VENUS *Mit.* Ant. diosa itálica de la primavera, protectora de los campos y jardines. En Roma se identificó con Afrodita y pasó a ser la deidad del amor y de la belleza femenina.

VENUS *Astr.* Segundo planeta del sistema solar según el orden creciente de distancias al Sol. Recorre su órbita casi circular, a 108 millones de km del Sol, en 224,5 días, a una velocidad de 35 km/seg; su diámetro y su densidad media son algo menores que los de la Tierra. Mediante las estaciones de las series *Venera y Mariner*, se han obtenido nuevos datos: temperatura, 400-500 °C; presión, 60-130 atmósferas. Composición de la atmósfera: dióxido de carbono (95 %), nitrógeno (3 %) y oxígeno (0,4 %).

VENUSIK → Venera, sonda espacial soviética.

VENUSINO, NA adj. poét. Concerniente a la diosa Venus. • Relativo al planeta Venus.

VENUSTIDAD o **VENUSTEZ** f. Hermosura perfecta. ■ VENUSTO, TA.

VEPSIANO, NA adj. y s. Díc. de individuos de un pueblo ugrofinés que habita al S del lago Onega. • m. Lengua hablada por este pueblo.

VER m. Sentido de la vista. • Parecer o apariencia de las cosas. • **A** mi, tu, su, **v.** m. adv. Según el parecer o dictamen de uno.

VER tr. Percibir por los ojos la forma y color de los objetos mediante la acción de la luz. • Observar, considerar, examinar con cuidado alguna cosa. • Visitar a una persona. • Atender o ir con cuidado en las cosas que se ejecutan. • Experimentar o reconocer por el hecho. • Considerar, advertir o reflexionar. • Prevenir las cosas de futuro; anteverlas o inferirlas. • Conocer, juzgar. • Examinar o reconocer si una cosa está en el lugar que se cita. • Seguido de la prep. *de* y de un infinitivo, tratar de realizar lo que el infinitivo expresa. • *Der.* Asistir los jueces a la discusión oral de un pleito o causa que han de sentenciar. • prnl. Estar en sitio o postura a propósito para ser visto. • Hallarse constituido en algún estado o situación. • Avistarse una persona con otra para algún asunto. • Representarse material o inmaterialmente la imagen o semejanza de una cosa. • Darse una cosa a conocer. • Estar o hallarse en un sitio o lance. • **A más v.** exp. fam. que se emplea como saludo de despedida. • **A v.** exp. que se usa para pedir una cosa que se quiere reconocer o ver. Úsase como interj. para significar extrañeza. • **No haberlas visto** uno **más gordas.** fig. y fam. No tener noticia o conocimiento de aquello de que se trata. • **Si te vi,** o **si te he visto, no me acuerdo,** o **ya no me acuerdo.** fr. que manifiesta el despego con que los ingratos suelen pagar los favores que recibieron. • **Te veo,** o **te veo venir,** exp. fam. con que advertimos a uno que adivinamos su intención. • **Verlas venir.** fig. y fam. Ver venir una cosa. • **Verse y desearse,** o **vérselas y deseárselas** uno. fam. Costarle mucho cuidado ejecutar una cosa.

VERA f. Orilla. • *Bot.* Árbol amer., de la familia cigolifáceas, semejante al guayaco, con madera muy dura y pesada y de color rojizo oscuro. • **A la v.** m. adv. A la orilla. • Al lado próximo.

VERA, ***Pedro Jorge*** (1914-1999) Escritor ecuat. Autor de poesías y de novelas de denuncia social. *La semilla estéril, Tiempo de muñecos.* • **Y Pintado,** ***Bernardo*** (1780-1827) Poeta arg. y patriota chil., país del que compuso el primer himno nacional. Representante de la Junta de gobierno de Buenos Aires en Chile y ministro de Hacienda y de la Guerra (1814). Presid. del congreso de Chile (1825).

VERACRUZ Est. de México, bañado al E por el golfo de México; 72 815 km²; 6 901 111 hab. Cap., Jalapa Enríquez. C. prales.: Veracruz y Orizaba. En su relieve destacan las estribaciones de la sierra Madre Oriental, la sierra Volcánica Transversal (Orizaba, 5 747 m) y las estribaciones de la sierra Madre de Oaxaca. Ríos prales.: Pánuco, Tuxpan, Antigua, Blanco, Papaloapan y Coatzacoalcos. Clima tropical. Caña de azúcar, café, maíz, arroz, fríjol, tabaco y frutales. Ganadería bovina y porcina. Explotación forestal y pesca. Petróleo, gas natural y azufre. Ind. siderúrgica, química, del papel, textil y alimentaria. A la llegada de los esp., el territorio dependía de la autoridad de los aztecas. Juan de Grijalva (1518) exploró sus costas por primera vez, pero la conquista y colonización fue obra de Hernán Cortés (1519). Formó parte del virreinato de Nueva España y tuvo un papel importante en la guerra de la Independencia: Tratado de Córdoba (1821), que puso fin a la dominación de España. • **Llave** C. del SE de México, en el est. de Veracruz, sit. en la llanura costera; 306 000 hab. A su importante función portuaria se añade la de centro comercial del est. y la de núcleo industrial. Fundada por H. Cortés en 1519, entre los monumentos de la época colonial destacan la iglesia de la Asunción y la casa de la Inquisición.

VERACRUZANO, NA adj. y s. De la c. de Veracruz Llave o del est. de Veracruz.

VERAGUA Nombre que recibió desde los primeros tiempos de la conquista esp. la parte occidental del istmo de Panamá; formó parte del terr. de Castilla del Oro y fue una de las tres prov. de Tierra Firme. Pasó a depender del virreinato de Nueva Granada en 1718.

VERAGUARSE impers. prnl. *Amér. Centr.* Llenarse la ropa de manchas a causa de la humedad.

VERAGUAS Prov. del centro-O de Panamá, bañada al N por el Caribe y al S por el Pacífico; 11 239,3 km², 223 287 hab. Cap., Santiago de Veraguas. Accidentada por la cordillera Central; en el extremo N se abre una llanura litoral. Ríos San Pedro, San Pablo y Cuvibora. Clima tropical. Economía agropecuaria (caña de azúcar, café, maíz, arroz, plátano y yuca; cría de vacunos, porcinos y aves). Explotación forestal.

VERALCA f. *Chile.* Piel de guanaco que se usa como alfombra o sobrecama.

VERANADA f. Temporada de verano respecto de los ganados.

VERANADERO m. Sitio donde en verano pastan los ganados.

VERANDA f. Galería que corre a lo largo de una fachada. • Mirador, balcón cerrado de cristales.

VERANEAR intr. Pasar el verano en alguna parte. • Pasar el verano en sitio diferente de aquel en que habitualmente se reside. ■ VERANEANTE; VERANEO.

VERANIEGO, GA adj. Relativo al verano. • fig. Díc. del que en tiempo de verano suele ponerse flaco o enfermo. • fig. Ligero, de poco fuste.

VERANILLO m. Tiempo breve de calor. • *Amér.* Tiempo de la estación de las lluvias durante el cual no hay precipitaciones. • **de san Juan.** *Amér.* Tiempo de calor que se produce a fines de junio. • **de san Martín,** o **de san Miguel.** Tiempo de calor que se produce en España en otoño.

VERANO m. *Meteor.* La estación más cálida del año. En el hemisferio boreal comprende del 22 de junio al 23 de septiembre, y en el austral desde el 22 de diciembre hasta el 21 de marzo. En el ecuador el v. es la temporada de sequía, que dura aprox. unos seis meses.

VERAPACENSE adj. y s. De Alta Verapaz.

VERAPAZ, ***Alta*** Dpto. de Guatemala, limítrofe al N con México; 8 686 km², 543 777 hab. Cap., Cobán. En la parte S se alcanzan los puntos más elevados (sierra de Chamá, 1 500 m). Red hidrográfica del Usumacinta al N, al E, el Polochic y sus afl. Clima tropical. Vegetación de bosque tropical. Cereales, café, fríjol, caña de azúcar, cacao, té, chile y henequén. Extracción de plomo y cinc. Ind. artesanal (calzados, sacos, textil, materiales de construcción, orfebrería). • ***Baja V.*** Dpto. de Guatemala; 3 124 km², 155 480 hab. Cap., Salamá. Relieve accidentado por las sierras de Chamá y Chuacús. Ríos Salamá, afl. del Negro o Chicoy, y Grande o Motagua. Clima tropical. Vegetación boscosa. Economía agrícola (cereales, caña de azúcar, café, frutales y legumbres) y ganadera. Ind. artesanal.

VERAS f. pl. Realidad, verdad en las cosas que se dicen o hacen. • Eficacia, fervor con que se ejecutan o desean las cosas. • **De v.** m. adv. Con verdad. • Con formalidad, eficacia o empeño.

VERASCOPIO m. *Fot.* Aparato para tomar vistas estereoscópicas.

VERAZ adj. Que dice o usa siempre la verdad. ■ VERACIDAD.

VERBA f. Labia, locuacidad.

VERBAL adj. Díc. de lo que se refiere a la palabra o se sirve de ella. • Que se hace o estipula sólo de palabra. • *Gram.* Perteneciente o relativo al verbo. • *Gram.* Aplícase a las palabras que se derivan de un verbo.

VERBALISMO m. Propensión a fundar el razonamiento más en las palabras que en los conceptos. • Procedimiento de enseñanza en que se cultiva con preferencia la memoria verbal. ■ VERBALISTA.

VERBASCÁCEO, A adj. y f. *Bot.* Díc. de plantas del género *verbascum.* • f. pl. Bot. Género de plantas angiospermas dicotiledóneas de la familia escrofulariáceas, con flores amarillentas, agrupadas en racimos, y frutos en cápsula bivalva. Comprende cerca de 200 especies, propias de las zonas montañosas de los países templados.

VERBASCO m. Gordolobo, planta.

VERBENA f. Velada y feria popular que se celebra en algunas pob. en las noches de la víspera de San Antonio, San Juan, San Pedro y otras festividades. • *Bot.* Nombre común de diversas especies de plantas angiospermas dicotiledóneas de la familia verbenáceas. ■ VERBENERO, RA.

VERBENÁCEO, A adj. y f. *Bot.* Díc. de plantas de la familia verbenáceas. • f. pl. *Bot.* Familia de plantas angiospermas dicotiledóneas con flores hermafroditas y frutos en drupilanio, diaquenio o tetraquenio. Comprende unas 700 especies, propias de los países cálidos, varias de las cuales son medicinales.

VERBENEAR intr. fig. Gusanear, hormiguear, bullir. • Abundar, multiplicarse en un paraje personas o cosas.

VERBERACIÓN f. Acción y efecto de verberar.

VERBERAR tr. y prnl. Azotar, fustigar, castigar con azotes. • fig. Azotar el viento o el agua en alguna parte.

VERBIGRACIA Voz con que suele representarse en castellano la exp. elíptica latina *verbi gratia.* • m. Caso concreto que se cita para autorizar un aserto general, ejemplo.

VERBITSKY, ***Bernardo*** (1907-1979) Escritor arg. Periodista, autor de obras en prosa y en verso.

El planeta **Venus,** en una fotografía tomada con luz ultravioleta por la sonda *Mariner 10*

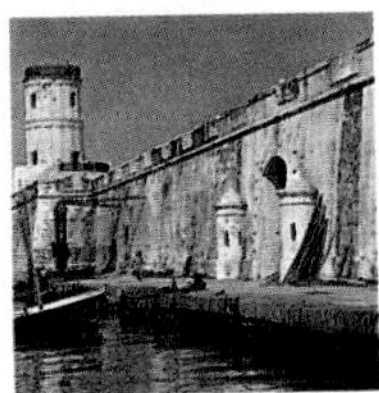

Veracruz. Fuerte de San Juan de Ulúa

Flores de **verbena**

Calles de tango, Un hombre de papel, Villa Miseria también es América.

VERBO n. p. m. *Teol.* Segunda persona de la Santísima Trinidad. • m. Sonido o sonidos que expresan una idea. • Voto, juramento. • *Gram.* Clase de palabras con variación de núm., persona, tiempo y modo. • **activo.** *Gram.* Verbo transitivo. • **adjetivo.** *Gram.* Cualquiera de los verbos, exceptuado ser, que es el único sustantivo. • **auxiliar.** *Gram.* El que se emplea en la formación de la voz pasiva y de los tiempos compuestos de la activa; como *haber* y *ser.* • **defectivo.** *Gram.* Aquel que no se usa en todos los modos, tiempos o personas de que consta esta parte de la oración; como *abolir, soler.* • **deponente.** *Gram.* Verbo latino que, con significación de activo, se conjuga por la voz pasiva. • **impersonal.** *Gram.* El que solamente se emplea en el modo infinitivo y en la tercera persona de sing. de cada uno de los tiempos de los demás modos; como *alborear, llover.* • **incoativo.** *Gram.* El que indica el comienzo de una acción; como *florecer.* • **intransitivo.** *Gram.* El que se construye sin complemento directo. • **irregular.** *Gram.* El que se conjuga alterando ya las letras radicales, ya las terminaciones propias de la conjugación regular, ya unas y otras; como *acertar, caber, ir.* • **neutro.** *Gram.*Verbo intransitivo. • **pasivo.** *Gram.* Verbo latino que, conjugándose como activo, denota pasión en sentido gramatical. • **pronominado** o **pronominal.** *Gram.* Cualquiera de los que se conjugan teniendo por régimen o complemento un pron.; como *ausentarse, tutearse, enfurecerse, morirse.* • **recíproco.** *Gram.* Aquel que denota reciprocidad o cambio mutuo de acción entre dos o más personas, animales o cosas, llevando siempre por complemento un pronombre. • **reflejo** o **reflexivo.** *Gram.* Aquel cuya acción recae en la misma persona que la produce, representada o suplida siempre por medio de un pron. personal como complemento del verbo. • **regular.** *Gram.* Aquel que se conjuga sin alterar las letras radicales ni las terminaciones propias de la conjugación a que pertenece; como *amar, temer, partir.* • **sustantivo.** *Gram.* Verbo *ser,* único que expresa la idea de esencia o sustancia. • **transitivo.** *Gram.* El que se construye con complemento directo.

* *Gram.* La definición tradicional según la *Gramática* académica (v. es la «parte de la oración que designa estado, acción o pasión, casi siempre con expresión de tiempo y persona») olvida su valor sintáctico y su función predicativa. Por ello sería más correcto: «lexia con morfema lexical caracterizado por las marcas de modo, actualidad o época, por la concordancia con la persona (nombrada)»; o «verbo es tiempo: completo sémico combinación del modo, de la actualidad y de la época» (Poitier).

Jacint **Verdaguer,** por J. M. Tamburini. Museo de Arte Moderno, Barcelona (España)

Verderón común

Giuseppe **Verdi**

VERBOOM, *Georges Prosper,* MARQUÉS DE (1665-1744) Ingeniero militar esp., de origen belga. Durante la guerra de Sucesión esp. sirvió a Felipe V. Construyó la ciudadela de Barcelona.

VERBORREA o **VERBORRAGIA** f. fam. Verbosidad excesiva.

VERBOSIDAD f. Abundancia de palabras en la elocución. ■ VERBOSO, SA.

VERCINGETÓRIX (m. 46 a. C.) Caudillo galo. Dirigió la rebelión contra Julio César (52 a. C.). Prisionero de César, murió decapitado en Roma.

VERCORS Seud. de *Jean Bruller* (1902-1991) Escritor fr. *El silencio del mar, La arena del tiempo, Divagaciones de un francés en China.*

VERDACHO m. Arcilla de color verde, cuya tonalidad se debe al silicato de hierro que contiene. Se usa para la pintura al temple.

VERDAD f. Conformidad de las cosas con el concepto que de ellas forma la mente. • Conformidad de lo que se dice con lo que se siente o se piensa. • Propiedad que tiene una cosa de mantenerse siempre la misma sin mutación alguna. • Juicio o proposición que no se puede negar racionalmente. • Veracidad. • Exp. clara, sin rebozo ni lisonja, con que a uno se le corrige o reprende. Se usa pralm. en pl. • Realidad. • **Verdades como puños.** fig. y fam. Verdades evidentes. • **A decir v.** o **la v.** m. adv. con que se asegura la certeza y realidad de una cosa. • **De v.** m. adv. A la verdad. • De veras. • **En v.** m. adv. Verdaderamente. Suele usarse repetido. • **Faltar** uno **a la v.** Mentir. ■ VERDADERO, RA.

* *Fil.* La noción de v. es uno de los temas centrales de la teoría del conocimiento. En la filosofía platónica, la v. era el reconocimiento de la Idea. El aristotelismo impuso el criterio de v. vinculando el juicio con el objeto, concepción aceptada por la escolástica y prolongada incluso en el pensamiento kantiano. Para el marxismo, la v. es el resultado de la correlación entre la actividad humana y unas actitudes de transformación del proceso histórico. Para las corrientes existencialistas, la v. consiste en el desvelamiento de la realidad auténtica, el ser en contraposición a la apariencia.

VERDADERAMENTE adv. Con toda verdad o con verdad.

VERDAGUER, ***Jacint*** (1845-1902) Eclesiástico y poeta esp., en lengua cat., la pral. figura de la *Renaixença. L'Atlàntida, Idil·lis i cants místics, Canigó.*

VERDAL adj. Díc. de ciertas frutas que tienen color verde aun después de maduras. • Díc. también de los árboles que las producen.

VERDASCA f. Vara o ramo delgado, ordinariamente verde.

VERDASCAZO m. Golpe dado con una verdasca.

VERDE adj. y s. Cuarto color del espectro visible solar, comprendido entre el amarillo y el azul. • Pigmento que resulta de la unión del azul y el amarillo. • adj. En contraposición a seco, díc. de los árboles y las plantas que aún conservan alguna savia. • Díc. de la leña recién cortada del árbol vivo. • Tratándose de legumbres, las que se consumen frescas, para diferenciarlas de las que se guisan secas. • Díc. de lo que aún no está maduro. • Junto con algunos sustantivos, díc. del color parecido al de las cosas que éstos designan. • fig. Aplícase a los primeros años de la vida y a la juventud. • fig. Díc. de las cosas que están en sus comienzos y a las cuales falta mucho para perfeccionarse. • fig. Libre, indecente, obsceno. • fig. Díc. del que conserva inclinaciones galantes impropias de su edad o de su estado. • m. Alcacer y demás hierbas que se siegan en verde y las consume el ganado sin dejarlas secar. • Conjunto de hojas de los árboles y de las plantas. • Sabor áspero del vino, por donde se conoce que al hacerlo se mezcló uva agraz con la madura. • pl. Pastos del campo para el ganado. • **Poner v.** a una persona. fig y fam. Colmarla de improperios o censurarla acremente.

VERDE R. de México, en el est. de Oaxaca; 200 km. Nace de la confluencia de los r. Atoyac y Yalotepec y desemboca en el Pacífico.

VERDEA f. Vino de color verdoso.

VERDEAR prnl. Mostrar una cosa el color verde que en sí tiene. • Dicho del color, tirar a verde. • Ir tomando una cosa color verde. • Empezar a brotar plantas en los campos o cubrirse los árboles de hojas y tallos. • *Argent.* Tomar mate. • tr. En algunas partes, coger la uva o la aceituna para consumirlas como fruto.

VERDECER intr. Reverdecer, vestirse de verde la tierra o los árboles.

VERDECILLO m. Ave paseriforme de la familia fringílidos. Con su plumaje mezclado de amarillo y pardo, se parece mucho al canario.

VERDEGAL m. Sitio donde verdea el campo.

VERDEGAMBRE m. Planta de la familia colchicáceas, con flores agrupadas en inflorescencias terminales racemosas, y frutos en cápsula tricarpelar. Su rizoma es rico en alcaloides, por lo que es tóxico, irritante y acre.

VERDEMAR adj. y m. Díc. del color semejante al verdoso que suele tomar el mar.

VERDEO m. Recolección de las aceitunas antes de que maduren para consumirlas luego aderezadas o encurtidas.

VERDERÓN, NA adj. Verde o verdoso. • m. *Zool.* Ave paseriforme de la familia fringílidos, muy parecido al jilguero, del que difiere por su plumaje amarillo verdoso. • *Zool.* Berberecho, molusco.

VERDI, ***Giuseppe*** (1813-1901) Compositor it., pralm. de óperas. Se convirtió en el símb. popular de la lucha por la indep. de Italia. En su primera época subordinó la instrumentación musical al recitativo de la voz. Post. cobró gran fuerza su creatividad romántica (*Nabucco, Hernani, Macbeth, Rigoletto, La Traviata, El trovador, Un baile de máscaras, La fuerza del destino*). Influenciado por la expansión wagneriana, aunque sin perder su per-

sonalidad musical, inició con *Aida* la última y más imp. de sus etapas, en la que *Otelo* y *Falstaff* constituyen dos obras maestras.
VERDÍN m. Primer color verde que tienen las hierbas o plantas que no han llegado a su sazón. • Estas mismas hierbas o plantas que no han llegado a sazón. • Capa verde de plantas criptógamas, que se cría en las aguas dulces, pralm. en las estancadas, en las paredes y lugares húmedos y en la corteza de algunos frutos cuando se pudren. • Cardenillo.
VERDINA f. Verdín, color verde.
VERDINAL m. Parte que en una pradera agostada se conserva verde por la humedad natural del terreno.
VERDINEGRO, GRA adj. De color verde oscuro.
VERDINO, NA adj. De color verdoso.
VERDISECO, CA adj. Medio seco.
VERDOLAGA f. Planta de la familia portulacáceas, con flores amarillas, y frutos en pixidio. Se suele consumir cruda a modo de ensalada.
VERDÓN m. Verderón, pájaro. • *Cuba*. Mariposa, pájaro.
VERDOR m. Color verde vivo de las plantas. • Color verde. • fig. Vigor, lozanía, fortaleza. • fig. Edad de la mocedad o juventud. Se usa más en pl.
VERDOSO, SA adj. Que tira a verde.
VERDUGADA f. *Const*. Hilada horizontal de ladrillo.
VERDUGAL m. Monte bajo que, después de quemado o cortado, se cubre de verdugos o renuevos.
VERDUGAZO m. Golpe dado con el verdugo.
VERDUGO m. Renuevo o vástago del árbol. • Estoque muy delgado. • Azote hecho de cuero, mimbre u otra materia flexible. • Roncha larga o señal que levanta el golpe del azote. • Funcionario de justicia que ejecuta las penas de muerte. • Aro de sortija. • Alcaudón, ave. • fig. Persona muy cruel o que castiga sin piedad. • fig. Cualquier cosa que atormenta o molesta mucho. • *Const*. Hilada de ladrillo que se pone horizontalmente en una fábrica de otro material. • Moldura convexa de perfil semicircular.
VERDUGÓN m. Verdugo, renuevo del árbol. • Verdugo, roncha que levanta un verdugazo.
VERDUGUILLO m. Especie de roncha que suele levantarse en las hojas de algunas plantas. • Navaja para afeitar, más estrecha y algo más pequeña que las normales. • Estoque muy delgado. • Arete para las orejas. • Listón de madera de mediacaña.
VERDULERA f. La que vende verduras. • fig. y fam. Mujer desvergonzada y basta.
VERDULERÍA f. Tienda o puesto de verduras. • fig. y fam. Calidad de verde o libre, obscenidad.
VERDULERO m. El que vende verduras.
VERDÚN C. de Francia, en el dpto. del Mosa; puerto fluvial sobre el r. Mosa; 26 900 hab. • **Batalla de V.** Combates realizados en torno a Verdún y al río Mosa entre al. y fr. durante la I Guerra Mundial. • **Tratado de V.** Acuerdo concluido en esta c. en 843, por el que se repartía el imperio carolingio entre los tres hijos de Luvodico Pío.
VERDURA f. Verdor, color verde. • Hortaliza, particularmente la de hojas verdes. Se usa más en pl. • Follaje que se pinta en los paisajes y tapicerías. • Obscenidad, calidad de verde o libre.
VERDUSCO, CA adj. Que tira a verde oscuro.
VERECUNDIA f. Vergüenza. ▪ VERECUNDO, DA.
VEREDA f. Camino angosto, formado comúnmente por el tránsito de peatones y ganados. • Vía pastoril para los ganados trashumantes. • Orden o aviso que se despacha para hacer saber una cosa a un núm. determinado de lugares que están en un mismo camino o a corta distancia. • *Amér. Merid*. Acera de las calles.
VEREDICTO m. Definición sobre un hecho dictada por el jurado. • P. ext., parecer, dictamen o juicio emitido reflexiva y autorizadamente.
VEREENIGING C. de la República Sudafricana, en el Transvaal; 169 600 hab. Yacimientos de carbón. • **Paz de V.** Tratado de paz que puso fin a la guerra anglo-bóer (1902).
VERGA f. Miembro genital de los mamíferos. • Arco de acero de la ballesta. • Palo delgado. • Tira de plomo con ranuras en los cantos, que sirve para asegurar los vidrios de las ventanas. • *Mar*. Percha a la que se asegura el grátil de una vela.
VERGA, *Giovanni* (1840-1922) Novelista it. Representante del verismo. *Vida en el campo* es una colección de narraciones en la que figura *Cavalleria rusticana* (musicada por Mascagni).
VERGAJO m. Verga del toro, que después de cortada, seca y retorcida, se usa como látigo. • P. ext., cualquier tipo de azote flexible. • Planta de la familia connaráceas, bejuco delgado y flexible, con flores parecidas a rosas. Recibe este nombre por haber sido utilizado como látigo, en las Antillas, en tiempos de la esclavitud.
VERGARA y Vergara, *José María* (1831-1872) Escritor col., costumbrista. *Olivas y aceitunas, todas son unas*.
VERGEL m. Huerto con variedad de flores y árboles frutales.
VERGETA f. Vergueta, varita delgada.
VERGÓN m. *Col*. vulg. Pene.
VERGONZANTE adj. Que tiene vergüenza. Aplícase regularmente al que pide limosna encubriéndose.
VERGONZOSO, SA adj. Que causa vergüenza. • adj. y s. Que se avergüenza con facilidad. • m. Especie de armadillo, con el cuerpo y la cola cubiertos de escamas y las orejas desnudas y redondas. Cuando es perseguido se encoge, formando una bola escamosa.
VERGUEAR tr. Varear o sacudir con verga o vara.
VERGÜENZA f. Turbación del ánimo, que suele encender el color del rostro, ocasionada por alguna falta cometida, o por alguna acción deshonrosa y humillante. • Pundonor, estimación de la propia honra. • Cortedad para ejecutar una cosa. • Acción que, por indecorosa, cuesta repugnancia ejecutar, o deja en mala opinión al que la ejecuta. • Pena o castigo que consistía en exponer el reo a la afrenta y confusión públicas con alguna señal que denotaba su delito. • pl. Genitales externos.
VERGÜENZUDO, DA adj. *Amér. Centr*. Vergonzoso.
VERGUÍO, A adj. Díc. de las maderas flexibles y correosas.
VERHAEREN, *Émile* (1855-1916) Poeta belga, en lengua fr. Su obra inicial es simbolista (*Los monjes, Los desastres*); evolucionó más tarde a un tipo de poesía social (*Las ciudades tentaculares*).
VERICUETO m. Lugar o sitio áspero, alto y quebrado, por donde no se puede andar sino con dificultad.
VERIFICABLE adj. Que puede ser verificado. ▪ VERIFICABILIDAD.
VERIFICACIÓN f. Acción de verificar, probar si una cosa es verdadera. • En las ciencias, naturales o sociales, fase de la investigación que confirma la hipótesis inicial. • *Comp*. Control de la validez de unos datos, p. ej., de los recibidos por vía telefónica desde otra computadora. • *Ind*. Operación por la que se comprueba si la realización de una obra o producto se ajusta a las normas o especificaciones técnicas establecidas, o si poseen las condiciones de funcionamiento exigidas.
VERIFICAR tr. Probar que una cosa que se dudaba es verdadera. • Comprobar o examinar la verdad de una cosa. • tr. y prnl. Realizar, efectuar. • prnl. Salir cierto y verdadero lo que se dijo o pronosticó. ▪ VERIFICATIVO, VA.
VERIGÜETO m. Molusco lamelibranquio bivalvo, comestible.
VERIJA f. Pubis. • *Amér. Centr*. Ijar del caballo; ingle. • *Chile*. Ijada.
VERISMO m. Mov. artístico de la segunda mitad del s. XIX que se fundamenta en un realismo extremo.
VERISSIMO, *Érico Lopes* (1905-1975) Novelista y ensayista bras. *Un lugar en el sol, El resto en silencio*.
VERJA f. Enrejado que sirve de puerta, ventana o cerca.
VERLAINE, *Paul* (1844-1896) Poeta fr. Después de publicar *Poemas saturnianos* y *Fiestas galantes*, tuvo que huir a Gran Bretaña por su participación en la Comuna de París. La escuela simbolista le consideró su modelo. *Romanzas sin palabras, Cordura, Paralelamente, Antaño y ahora*.
VERME m. *Zool*. Gusano, y en especial lombriz intestinal.
VERMEER, *Johannes*, llamado VERMEER DE DELFT (1632-1675) Pintor neerlandés. Sólo dos de sus obras aparecen fechadas y firmadas: *La entro-*

Verdolaga

Paul **Verlaine**

La encajera, óleo de Johannes **Vermeer.** Museo del Louvre, París

metida y *El Astrónomo*. Otras obras: *La callejuela, Vista de Delft, La carta.*

VERMICULAR adj. Que tiene gusanos o vermes, o los cría. • Que se parece a los gusanos o participa de sus cualidades.

VERMIFORME adj. De figura de gusano.

VERMÍFUGO, GA o **VERMICIDA** adj. y m. Díc. del fármaco o del agente capaz de expulsar los gusanos intestinales.

VERMINOSO, SA adj. Aplícase a las úlceras que crían gusanos, y a las enfermedades acompañadas de producción de lombrices.

VERMONT Est. del NE de EE UU, en la región de Nueva Inglaterra, limítrofe al N con Canadá; 24 900 km^2, 563 000 hab. Cap., Montpelier. Accidentado por las montañas Verdes. Río Connecticut. Clima frío y abundantes extensiones forestales. Patatas, manzanas. Ganadería. Ind. maderera, alimentaria, mecánica. Turismo.

Verona. Iglesia de San Zenón

VERMÚ o **VERMUT** m. Licor aperitivo compuesto de vino blanco, ajenjo y otras sustancias amargas y tónicas. • *Col.* y *Chile*. Función de cine o teatro por la tarde.

VERNÁCULO, LA adj. Doméstico, nativo, propio del país. Díc. especialmente de la lengua.

VERNAL adj. Perteneciente a la primavera.

VERNALIZACIÓN f. *Agr.* Tratamiento mediante agentes físicos y químicos al que se someten ciertos vegetales, para provocar una floración antes de lo normal y adelantar así la cosecha.

VERNE, *Jules* (1828-1905) Escritor fr. Creó novelas de aventuras en las que se mezclan muchos elementos de ciencia ficción. Anticipó en sus obras numerosos descubrimientos e innovaciones. *Viaje al centro de la Tierra, La vuelta al mundo en ochenta días, Veinte mil leguas de viaje submarino, De la Tierra a la Luna, La isla misteriosa.*

VERNET, *Carle* (1758-h. 1835) Pintor y grabador fr., hijo de Joseph V. Se distinguió en la pintura de caballos y en los temas cinegéticos. *Batalla de Marengo, La mañana de Austerlitz.* • ***Horace*** (1789-1863) Pintor fr., hijo de Carle V. Al igual que sus predecesores, destacó como pintor de marinas y de batallas. • ***Joseph*** (1714-1789) Pintor fr. Se especializó en la pintura de marinas. *Vista de Tolón, Puente Rotto*, etc.

Planta y flor de **verónica**

VERNIER m. Nonius.

VERO m. Marta cebellina, piel.

VERO, *Lucio Aurelio* (130-169) Emp. rom. [161-169]. Asociado al Imperio por Marco Aurelio.

VEROLÍS m. *Amér. Centr.* Tallo seco de la flor de la caña dulce, usado por los indígenas para fabricar flechas.

VERONA C. de Italia, en el Véneto, cap. de la prov. hom., sit. a orillas del Adigio; 260 000 hab. Centro agropecuario y comercial. Ind. mecánica, química, alimentaria.

VERONÉS, SA adj. y c. De Verona.

VERONÉS, *Paolo Caliari*, llamado ***El*** (1528-1588) Pintor it. Tras conocer la obra de Giulio Romano, se apropió de su estética manierista. Después de un viaje a Roma (1560) emprendió su obra maestra: la decoración de la Villa Barbaro Volpi en Maser. *Bodas de Caná.*

VERÓNICA f. *Bot.* Nombre común de varias plantas angiospermas dicotiledóneas de la familia escrofulariáceas. • *Taur.* Lance que consiste en esperar el lidiador la acometida del toro teniendo la capa extendida o abierta con ambas manos enfrente de la res.

El palacio de **Versalles** en 1668

VERÓNICA (s. I) Matrona de Jerusalén, que, según la leyenda, enjugó el rostro de Jesucristo cuando se dirigía al Calvario.

VEROSÍMIL adj. Que tiene apariencia de verdadero. • Creíble. ■ VEROSIMILITUD.

VERRACO o **VERRÓN** m. Cerdo macho y adulto.

VERRAQUEAR intr. fig. y fam. Gruñir o dar señales de enfado y enojo. • fig. y fam. Llorar con rabia y continuadamente los niños. ■ VERRAQUERA o VERRAQUINA.

VERRIONDO, DA adj. Aplícase al puerco y otros animales cuando están en celo. • Díc. de las hierbas o cosas semejantes cuando están marchitas, o mal cocidas y duras. ■ VERRIONDEZ.

VERROCCHIO, *Andrea di Michele Cioni*, llamado ***Il*** (1435-1488) Pintor, escultor y orfebre it. Su obra pictórica cuenta con bellos estandartes para la «giostia» de Lorenzo (1468) y para la de Juliano de Médicis (1475). En escultura destacan los monumentos funerarios de Piero y Giovanni Médicis en San Lorenzo y el del cardenal Fortegueni en la catedral de Pistoia. *Tobías y el ángel, Bautismo de Cristo.*

VERRUGA f. Excrecencia cutánea de forma y tamaño variables, debida a una hipertrofia de las papilas de la dermis. • Abultamiento que la acumulación de savia produce en algún punto de la superficie de una planta. • fig. y fam. Persona o cosa que molesta y de que no se puede uno librar. ■ VERRUGOSO, SA.

VERRUGO m. fam. Hombre tacaño y avaro. • fig. y fam. Usurero, prestamista.

VERSACIÓN f. *Amér. Merid.* Cultura, habilidad.

VERSAL adj. y s. *Art. Gráf.* Aplícase a la letra mayúscula.

VERSALILLA o **VERSALITA** adj. y f. *Art. Gráf.* Díc. de la letra mayúscula de igual tamaño que la minúscula de la misma fundición o cuerpo.

VERSALLES C. de Francia, cap. del dpto. de Yvelines; 91 500 hab. Forma parte del área urbana de París. Ind. química, aislantes, relojería. Sede de la corte de Luis XIV, quien ordenó la construcción del gran palacio. • **Tratados de V.** Nombre dado a dos tratados firmados en esta ciudad. El de 1783 puso fin a la guerra de Independencia de los EE UU de América. El de 1919 estableció las condiciones de paz después de la I Guerra Mundial.

VERSALLESCO, CA adj. Relativo a Versalles, palacio y sitio real cercano a París. • fam. Díc. del lenguaje y de los modales afectadamente corteses.

VERSAR intr. Dar vueltas alrededor. • Con la prep. *sobre* y algunas otras, o el m. adv. *acerca de*, tratar de tal o cual materia un libro, discurso o conversación. • prnl. Hacerse uno práctico o perito por el ejercicio de una cosa. ■ VERSADO, DA.

VERSÁTIL adj. Que se vuelve o se puede volver fácilmente. • Adaptable a diversos usos y funciones. • fig. Díc. de la persona o del carácter voluble e inconstante. ■ VERSATILIDAD.

VERSEAR intr. fam. Hacer versos, versificar. • *R. de la Plata.* Mentir.

VERSÍCULO m. Cada una de las breves divisiones de los capítulos de ciertos libros. • Parte del responsorio que se dice en las horas canónicas, regularmente antes de la oración. • Cada uno de los versos de un poema escrito sin rima ni metro fijo y determinado.

VERSIFICAR intr. Hacer o componer versos. • tr. Poner en verso. ■ VERSIFICACIÓN; VERSIFICADOR, RA.

VERSIÓN f. Traducción, acción y efecto de traducir. • Modo que tiene cada uno de referir un mismo suceso. • Cada una de las formas que adopta la relación de un suceso, el texto de una obra o la interpretación del tema. • *Med.* Operación para cambiar la postura del feto que se presenta mal para el parto.

VERSISTA com. Versificador. • Persona que tiene prurito de hacer versos.

VERSO m. Conjunto de palabras sujetas a medida y cadencia según reglas fijas determinadas. • Empléase también por contraposición a prosa. • Versículo de las Sagradas Escrituras. • fam. Composición en verso. • **agudo.** El que termina en palabra aguda. • **alejandrino.** El de catorce sílabas, dividido en dos hemistiquios. • **anapéstico.** En la poesía gr. y latina, verso compuesto de anapestos o análogos. • **blanco.** Verso suelto. • **dactílico.** El que consta de dáctilos. • **de arte mayor.** El de doce sílabas, que consta de dos de redondilla menor. • Cualquiera de los que tienen diez sílabas o más. • **de arte menor.** El de redondilla mayor o menor. • Cualquiera de los que no pasan de ocho sílabas. • **de redondilla mayor.** El de ocho sílabas u octosílabo. • **de redondilla menor.** El de seis sílabas o hexasílabo. • **esdrújulo.** El que finaliza en voz esdrújula. • **gliconio.** Verso de la poesía gr. y latina, que se compone de tres pies. • **hexámetro.** Verso de la poesía gr. y latina, que consta de seis pies. • **libre.** Verso suelto. • **quebrado.** El de cuatro sílabas cuando alterna con otros más largos. • **sáfico.** Verso de la poesía gr. y latina, que se compone de once sílabas distribuidas en cinco pies. • Verso de la poesía esp., que consta de once sílabas, como el gr. y latino, y cuyos acentos métricos estriban en la cuarta y octava. • **suelto.** El que no forma con otro rima perfecta ni imperfecta. • **trocaico.** Verso de la poesía latina, que consta de siete pies. • **yámbico.** Verso de la poesía gr. y latina, en que entran yambos, o que se compone exclusivamente de ellos.

VÉRTEBRA f. *Anat.* Cada uno de los segmentos óseos que, en núm. de 24, contribuyen a formar la columna vertebral. ■ VERTEBRAL.

VERTEBRADO, DA adj. y m. *Zool.* Díc. de animales del subtipo vertebrados. • m. pl. *Zool.* Subtipo de animales cordados, que difieren de los demás miembros de este tronco por la posesión de un esqueleto interno o endoesqueleto. Reciben también el nombre de craniados.

* *Zool.* Las características fundamentales de los v. son, además de la posesión de un endoesqueleto de tejido vivo: piel formada por dos capas; cráneo óseo o cartilaginoso; columna vertebral, formada por varios segmentos óseos similares, las vértebras; sistema circulatorio cerrado; aparato respiratorio branquial, al menos en las primeras fases del desarrollo; glándulas digestivas diferenciadas, como hígado y páncreas; hemoglobina contenida en los hematíes; dos pares de apéndices locomotores; ojos dotados de cristalino y de retina inversa. Los primeros v. aparecieron durante el ordoviciense. En la actualidad forman un grupo integrado por más de 50 000 especies. El desarrollo del cerebro y el perfeccionamiento de los órganos sensoriales ha dotado a los v. superiores de una gran capacidad para la explotación del ambiente, de grandes posibilidades de interacción social y de comportamiento complejo y elaborado.

VERTEDERA f. *Agr.* Especie de orejera del arado que sirve para voltear y extender la tierra.

VERTEDERO m. Lugar por donde se vierte algo, y especialmente las basuras o escombros. • Conducto por el que se arrojan a un depósito sit. a nivel inferior, basuras, ropa sucia, etc.

VERTEDOR, RA adj. y s. Que vierte. • m. Conducto para dar salida al agua y a las inmundicias. • Librador, cogedor de hojalata. • *Mar.* Achicador.

VERTER tr. y prnl. Derramar o vaciar líquidos y también cosas pequeñas disgregadas como sal, harina, etc. • Inclinar una vasija o volverla boca abajo para vaciar su contenido. • tr. Traducir de una lengua a otra. • Decir máximas, conceptos, etc., con un determinado propósito, gralte. malintencionado. • intr. Correr un líquido por una pendiente. ■ VERTIMIENTO.

VERTIBLE adj. Que puede volverse o mudarse. ■ VERTIBILIDAD.

VERTICAL adj. y f. *Geom.* Perpendicular. • En figuras, dibujos, escritos, impresos, etc., díc. de la línea, disposición o dirección que va de la cabeza al pie. • adj. y m. Díc. de cualquiera de los semicírculos máx. que se consideran en la esfera celeste perpendiculares al horizonte. ■ VERTICALIDAD.

VÉRTICE m. *Geom.* Punto en que concurren los dos lados de un ángulo. • *Geom.* Punto de un polígono o poliedro en el que concurren dos o más lados o aristas, respectivamente. • *Geom.* Para un cono, punto de concurrencia de las generatrices. • Para un sistema óptico, punto en el que el eje pral. corta a la superficie del sistema. • fig. Parte más elevada de la cabeza humana.

VERTICIDAD f. Capacidad o potencia de moverse a varias partes o alrededor.

VERTICILASTRO m. *Bot.* Inflorescencia constituida por varias flores dispuestas a modo de un verticilo, pero de tipo cimoso.

VERTICILO m. *Bot.* Conjunto de tres o más ramos, hojas, flores u otros órganos, que están en un mismo plano alrededor de un tallo.

VERTIENTE adj. Que vierte. • amb. Declive o sitio por donde corre o puede correr el agua. • f. fig. Aspecto, punto de vista. • *Amér.* Manantial, surtidor.

VÉRTIGO m. *Méd.* Trastorno del sentido del equilibrio caracterizado por una sensación de movimiento rotatorio. • *Psiq.* Turbación del juicio, repentina y por lo regular pasajera. • fig. Apresuramiento anormal de la actividad de una persona o colectividad. • Sensación de inseguridad y miedo a precipitarse desde una altura. ■ VERTIGINOSIDAD; VERTIGINOSO, SA.

VERTIR tr. y prnl. *Amér. Centr.* Verter.

VÉRTIZ, *Juan José* (1718-1798) Administrador colonial esp. Gobernador de Buenos Aires (1770-1776). Virrey del Río de la Plata (1778-1784). Impulsor de la colonización de la Patagonia y el Chaco.

VERTOV, *Dziga* (1896-1954) Seud. de *Denis Kaufman.* Director de cine sov. Propugnó un cine-documento sentando las bases teóricas del cine-directo. *Adelante soviet, Entusiasmo, Tres cantos a Lenin.*

VERWOERD, *Hendrick* (1901-1966) Político sudafr. Líder del Partido Nacionalista y primer ministro entre 1958 y 1966. Radicalizó la política racista.

VESALIO o **VESALIUS, *Andreas*** (1514-1564) Célebre anatomista y médico belga. *De corporis humani fabrica.*

VESANIA f. Demencia, furia. ■ VESÁNICO, CA.

VESICAL adj. *Anat.* Relativo a la vejiga.

VESICANTE adj. y m. Díc. de la sustancia que produce ampollas en la piel.

VESÍCULA f. *Anat.* Elevación circunscrita de la epidermis, llena de líquido seroso. • Órgano en forma de saco o bolsa. • **biliar.** Órgano músculo-membranoso sit. en la cara inferior del hígado. Recibe la bilis producida en el hígado. • **seminal.** Pequeño órgano par, propio del sexo masculino, sit. detrás de la vejiga urinaria y apoyado en la próstata. Actúa como reservorio del semen. ■ VESICULAR; VESICULOSO, SA.

VESPASIANO, *Tito Flavio* (9-79) Emperador rom. (69-79), fundador de la dinastía Flavia. Consiguió levantar la quebrantada economía rom., acabó con la resistencia de Jerusalén y rechazó el ataque de los dacios. Antes de morir, asoció al trono a su hijo Tito.

VESPERAL m. Libro de canto llano que contiene el de vísperas.

VÉSPERO m. El planeta Venus como lucero de la tarde.

VESPERTILIÓNIDO, DA adj. y m. *Zool.* Díc. de animales de la familia vespertiliónidos. • m. pl. *Zool.* Familia de mamíferos quirópteros compuesta por 275 especies de murciélagos de pequeño tamaño y caracterizados por sus grandes orejas.

VESPERTINO, NA adj. Relativo a la tarde. • *Astr.* Díc. de los astros que transponen el horizonte después del ocaso del Sol. • m. Vespertina, sermón. • f. Acto literario que se celebraba por la tarde en las universidades. • Sermón que se predica por la tarde.

VÉSPIDO, DA adj. y m. *Zool.* Díc. de los himenópteros dotados de un aguijón venenoso.

VESPUCIO, *Americo* (*Amerigo Vespucci*, 1454-1512) Navegante florentino. Gracias a su viaje de 1501 quedó demostrado que las costas bras. correspondían a un continente desconocido, al que llamó Nuevo Mundo. Fue Martín Waldseemüller quien en 1507 propuso el nombre de América para el nuevo continente.

VESRE m. Forma de criptolalia que consiste en invertir el orden normal de las sílabas de una palabra. Esta forma de lenguaje ha estado bastante extendida en la zona porteña de Buenos Aires.

VESTA *Mit.* Divinidad rom. protectora del hogar, equivalente a la Hestia gr.

VESTA *Astr.* El más brillante de los asteroides y el tercero en orden decreciente de tamaños (diámetro igual a unos 380 km).

VESTAL adj. y s. Relativo a la diosa Vesta. • Díc. de las doncellas romanas consagradas a la diosa Vesta.

VESTALIAS Fiestas celebradas en Roma, para honrar a la diosa Vesta.

VESTÍBULO m. Atrio o portal que está a la entrada de un edificio. • Sala amplia próxima a la en-

Esqueleto de un representante característico de cada uno de los cuatro grupos en que se clasifican los **vertebrados.** De arriba abajo: pez, reptil, ave y mamífero

Americo **Vespucio** junto a otros marineros en un fresco de la Villa Buonarroti, Florencia (Italia)

Casa de las **Vestales** en el Foro Romano

Vestido. Moda parisina de 1820. Dibujo de Pauquet en *Modes et costumes historiques*

Campesinos implorando al cielo ante el avance de la lava del **Vesubio** durante su erupción de 1906

Víbora centroamericana

trada de algunos edificios. • Espacio cubierto dentro de la casa, que comunica la entrada con los aposentos o con un patio. • Recibimiento, pieza que da entrada a los diferentes aposentos de una vivienda. • *Anat.* Una de las cavidades del laberinto del oído de los vertebrados. ■ VESTIBULAR.

VESTIDO m. Cubierta que se pone en el cuerpo para abrigo o adorno. • Conjunto de piezas que sirven para este uso. • Prenda de vestir exterior completa de una persona. • Prenda de vestir exterior femenina de una sola pieza.

VESTIDURA f. Vestido. • Vestido que, sobrepuesto al ordinario, usan los sacerdotes para el culto divino. Se usa más en pl.

VESTIGIO m. Huella, señal que deja el pie por donde ha pisado. • Memoria o noticia de las acciones de los antiguos. • Señal que queda de un edificio u otra fábrica antigua. • Señal que queda de otras cosas, materiales o inmateriales. • fig. Indicio o seña por donde se infiere la verdad de una cosa.

VESTIGLO m. Monstruo fantástico horrible.

VESTIMENTA f. Vestido. • Vestidura del sacerdote para el culto divino. Se usa más en pl.

VESTIR tr. Cubrir con el vestido. • Guarnecer o cubrir una cosa con otra. • Proveer a alguien de vestido. • Ser una prenda o la materia o el color de ella señaladamente a propósito para el lucimiento y elegancia del vestido. • fig. Adornar con galas retóricas o conceptos secundarios o complementarios. • fig. Disfrazar o disimular artificiosamente la realidad de una cosa añadiéndole un adorno. • tr. y prnl. fig. Cubrir la hierba los campos; la hoja, los árboles; la piel, el pelo o la pluma, los animales, etc. • tr. y prnl. Exteriorizar un estado de ánimo, especialmente en el rostro. • intr. Llevar vestido con perfección o gusto. Dicho de cosas, ser elegantes, estar de moda. • Llevar un traje de color, forma o distintivo especial. • prnl. fig. Salir de una enfermedad y dejar la cama el que ha estado algún tiempo enfermo. • fig. Engreírse vanamente de la autoridad o empleo, o afectar exteriormente dominio o superioridad. • fig. Sobreponerse una cosa a otra, encubriéndola.

VESTUARIO m. Vestido, conjunto de las piezas que sirven para vestir. • Conjunto de trajes necesarios para una representación escénica. • Renta que se da en las iglesias catedrales a los que tienen obligación de vestirse en las funciones de iglesia. • Lo que en algunas comunidades o cuerpos eclesiásticos se da a sus individuos, en especie o en dinero, para vestirse. • Sitio, en algunas iglesias, donde se revisten los eclesiásticos. • Parte del teatro, en que están los cuartos o aposentos donde se visten las personas que han de tomar parte en la representación. • P. ext., toda la parte interior del teatro. • En los campos de deportes, piscinas, etc., local para cambiarse de ropa. • *Mil.* Uniforme de los soldados y demás individuos de tropa.

VESTUGO m. Renuevo o vástago de olivo.

VESUBIO Volcán del S de Italia, 12 km al O de Nápoles; 1 277 m de alt. Su erupción del año 79 sepultó las c. de Pompeya, Herculano y Stabias.

VETA f. Faja o lista de una materia que por su calidad, color, etc., se distingue de la masa en que se halla interpuesta. • Vena, filón metálico. • Vena, lista de ciertas piedras y maderas. • Cuerda o hilo. • fig. y fam. Aptitud de uno para una ciencia o arte. • *Ecuad.* Correa enteriza sacada de toda la piel de una res vacuna.

VETAR tr. Poner el veto a una proposición, acuerdo o medida. ■ VETADO, DA.

VETEAR tr. Señalar o pintar vetas a algo. ■ VETEADO, DA.

VETERANO, NA adj. y s. Díc. de los militares expertos en su profesión por haber servido mucho tiempo. • *Amér.* Persona adulta, anciano. • adj. fig. Ant. y experimentado en cualquier ejercicio. ■ VETERANÍA.

VETERINARIA f. Rama de la ciencia médica que trata de los animales domésticos útiles al hombre desde un punto de vista anatómico, fisiológico, patológico, de cría, alimentación y reproducción. ■ VETERINARIO, RIA.

VETO m. Derecho que tiene una persona o corporación para vedar o impedir una cosa. • P. ext., acción y efecto de vedar.

VETÓN, NA adj. y s. Díc. del individuo de un pueblo prerromano de la ant. Lusitania. • adj. Relativo a dicho pueblo. • m. pl. Este mismo pueblo.

VETUSTO, TA adj. Muy ant. o de mucha edad. ■ VETUSTEZ.

VEZ f. Alteración de las cosas por turno u orden sucesivo. • Tiempo u ocasión determinada en que se ejecuta una acción, aunque no incluya orden sucesivo. • Tiempo u ocasión de hacer una cosa por turno u orden. • Manada de ganado perteneciente a un vecindario. • Lugar que a uno le corresponde cuando varias personas han de hacer algo por turno. • pl. Ministerio, autoridad o jurisdicción que una persona ejerce supliendo a otra o representándola. Se usa más con el verbo *hacer*. • **A la v.** m. adv. A un tiempo, simultáneamente. • **A su v.** m. adv. Por orden sucesivo y alternado. • Por su parte, por separado de lo demás. • **A veces.** m. adv. Por orden alternativo. • **De una v.** m. adv. Con una sola acción; con una palabra o de un golpe. • Poniendo todo el esfuerzo y medios de acción para lograr algo resueltamente. • **De v. en cuando.** m. adv. De cuando en cuando. • **En v. de.** m. adv. En sustitución de una persona o cosa. • Al contrario, lejos de. • **Otra v.** m. adv. Reiteradamente. • **Tal v.** m. adv. Quizá.

VEZA f. Planta de la familia papilionáceas, con flores violáceas o blanquecinas, y frutos en legumbres. Se emplea como hierba forrajera.

VEZAR tr. y prnl. Avezar.

VHF *Electr.* Siglas de *Very High Frecuencies* (frecuencias muy elevadas) que se emplean internacionalmente para designar las frecuencias comprendidas entre 30 y 300 megahertz.

VÍA f. Camino terrestre, marítimo o aéreo por donde se transita. • Espacio que hay entre los carriles que señalan las ruedas de los carruajes. • El mismo carril. • Raíl del ferrocarril. • Parte del suelo explanado donde se asientan los carriles de un ferrocarril. • Cualquiera de los conductos por donde pasan en el cuerpo del animal los líquidos o semilíquidos, el aire, los alimentos y los residuos de la digestión. • Entre los ascéticos, modo y orden de la vida espiritual encaminada a la perfección de la virtud. • Calidad del ejercicio, estado o facultad que se elige o toma para vivir. • Camino o dirección que han de seguir los correos, pasando por lugares determinados. • fig. Medio o conducto para hacer o conseguir una cosa. • Persona que interviene en la dirección de algún asunto o por la que se tiene noticia de alguna cosa. • *Comp.* Camino por el que las diferentes unidades que forman la computadora se intercambian información. • *Der.* Ordenamiento procesal. • pl. En lenguaje de la Escritura Santa, mandatos o leyes de Dios. • **contenciosa.** Procedimiento judicial ante la jurisdicción para el caso, en oposición al administrativo. • **de comunicación.** Camino terrestre o ruta marítima utilizada para el comercio de los pueblos. • **ejecutiva.** Procedimiento para hacer un pago judicialmente, procurando antes convertir en dinero los bienes de otra índole pertenecientes al obligado, con el embargo de los cuales suele comenzarse o prevenirse esta tramitación. • **férrea.** Ferrocarril. • **húmeda.** *Quím.* Procedimiento analítico que consiste en disolver el cuerpo objeto del análisis. • **muerta.** *Ferr.* La que no tiene salida, y sirve para apartar de la circulación vagones y máquinas. • **ordinaria.** *Der.* Forma procesal de contención, la más amplia, usada en los juicios declarativos. • fig. Modo regular y común de hacer una cosa. • **pública.** Calle, plaza, camino u otro sitio por donde transita o circula el público. • **seca.** *Quím.* Tipo de reacción que se realiza sin disolver la muestra en agua u otro líquido. • **sumaria.** Forma abreviada de enjuiciar en asuntos de urgencia o de carácter meramente posesorio. • **Vías urinarias.** *Anat.* Conjunto de estructuras encargadas de la excreción de orina. • **Cuaderna vía.** Estrofa usada pralm. en los ss. XIII y XIV; se componía de cuatro versos alejandrinos monorrimos. • **En vías de.** m. adv. En curso, en trámite o en camino de. • **Por vía.** m. adv. De forma, a manera y modo.

VÍA APIA Carretera rom., iniciada por Apio Claudio en 312 a. C., que unía Roma con Brindisi.

VÍA CRUCIS (exp. latina) m. Camino formado por diversas estaciones, en memoria de los pasos de la Pasión de Jesucristo. • Ejercicio piadoso en que se conmemora el camino del Calvario. • fig. Trabajo o aflicción continuada que sufre una persona.

VÍA LÁCTEA *Astr.* Banda luminosa blanquecina de forma irregular que contiene miles de millones de estrellas débiles.
VIABLE adj. Que puede vivir. • Díc. del camino o vía por donde se puede transitar. • fig. Díc. del asunto que, por sus circunstancias, tiene probabilidades de poderse llevar a cabo. ■ VIABILIDAD.
VIADA f. Arrancada o salida violenta.
VIADUCTO m. Obra a manera de puente para el paso de una carretera, calle o línea de ferrocarril sobre una hondonada.
VIAJANTE adj. y s. Que viaja. • m. Dependiente comercial que hace viajes para negociar ventas o compras.
VIAJAR intr. Acción de trasladarse de un sitio a otro, por lo común distante, por cualquier medio de locomoción.
VIAJATA f. fam. Caminata.
VIAJE m. Acción y efecto de viajar. • Jornada que se hace de una parte a otra. • Camino por donde se hace. • Carga o peso que se lleva de un lugar a otro de una vez. • Relación o libro donde se relata lo que ha visto u observado un viajero. • Agua que por acueductos o cañerías se conduce para el consumo de una población. • *Mar.* Arrancada o velocidad de una embarcación. • Corte sesgado que se da a una cosa. • fam. Acometida inesperada, y por lo general a traición, con arma blanca y corta. Se usa más con el verbo *tirar*. • *Taur.* Acometida rápida del toro, levantando la cabeza. • fig. y fam. Tiempo que duran las sensaciones placenteras producidas por las drogas. • **redondo.** *Amér.* Viaje de ida y vuelta. • **Agarrar v.** *Amér.* loc. fig. y fam. Aceptar una invitación.
VIAJERO, RA adj. Que viaja. • m. y f. Persona que hace un viaje, especialmente largo. • *Chile.* Viajante de comercio.
VIAL adj. Relativo a la vía. • m. Calle formada por dos filas paralelas de árboles u otras plantas. • *Farm.* Frasquito destinado a contener un medicamento inyectable. ■ VIARIO, RIA.
VIALIDAD f. Calidad de vial. • Conjunto de servicios pertenecientes a las vías públicas.
VIAN, ***Boris*** (1920-1959) Escritor fr. Fue también trompetista de jazz. *La espuma de los días, La hierba roja, Escupiré sobre vuestras tumbas.*
VIANA, ***Javier de*** (1868-1925) Escritor ur. Lo mejor de su obra tiene por temática el gaucho y la vida rural. *Gaucha, Tardes del fogón, Campo, Gurí.*
VIANDA f. Sustento y comida de los racionales. • Comida que se sirve a la mesa. • *Cuba* y *P. Rico.* Frutos y tubérculos guisados. Se usa más en pl. • *Amér. Merid.* Comida para transportar.
VIANDANTE com. Persona que hace viaje o anda camino. • Vagabundo, persona que anda errante de una parte a otra.
VIANDERO, RA m. y f. *Cuba* y *P. Rico.* Vendedor de viandas, es decir, de frutos o tubérculos que se comen guisados.
VIANDITA f. *Argent.* Portaviandas.
VIARAZA f. Flujo de vientre. • fig. *Argent., Col.* y *Guat.* Acción inconsiderada y repentina.
VIATICAR tr. y prnl. Administrar el viático a un enfermo.
VIÁTICO m. Prevención de lo necesario para el sustento del que hace un viaje. • Subvención que en dinero se abona a los diplomáticos para trasladarse al punto de su destino. • Sacramento de la Eucaristía, que se administra a los enfermos que están en peligro de muerte.
VÍBORA f. *Zool.* Cualquiera de las serpientes de la familia vipéridos. Viven en Europa, en lugares pedregosos y soleados, y poseen un veneno muy activo. • fig. Lengua de escorpión o de víbora.
VIBORÁN m. *Amér. Centr.* Planta de la familia asclepiadáceas, de flores encarnadas, que segrega un jugo que se utiliza como vomitivo y vermífugo.
VIBOREAR intr. *Amér.* Avanzar sinuosamente.
VIBORERA f. Planta de la familia borragináceas, con hojas lanceoladas y flores azuladas o blanquecinas, usadas contra las mordeduras de las víboras.
VIBOREZNO, NA adj. Relativo a la víbora. • m. Cría de la víbora.
VIBRADOR, RA adj. Que hace vibrar. • adj. y m. Díc. del aparato que transmite las vibraciones eléctricas. • m. *El.* Interruptor que produce rápidas intermitencias en un circuito eléctrico por vibración de una lámina unida a la armadura de un electroimán. • *Electr.* Dispositivo que permite la transformación de corriente continua en alterna.
VIBRÁFONO m. Instrumento musical constituido por varias láminas de acero que se golpean con mazos. Apareció hacia 1930 en las orquestas de jazz.
VIBRANTE adj. Que vibra. • *Fon.* Díc. del sonido o letra cuya pronunciación se caracteriza por un rápido contacto oclusivo, simple o múltiple, entre los órganos de la articulación.
VIBRAR tr. Dar un mov. trémulo a algún objeto largo, delgado y elástico. • P. ext., díc. del sonido trémulo de la voz y de otras cosas no materiales. • Arrojar con ímpetu una cosa haciéndola vibrar. • intr. *Fís.* Estar sometido un cuerpo a un mov. periódico alrededor de una posición central. ■ VIBRACIÓN; VIBRÁTIL; VIBRATORIO, RIA.
VIBRIO o **VIBRIÓN** m. *Biol.* Bacteria en forma de coma que mantiene esa particular morfología gracias a la rigidez de sus envolturas membranosas.
VIBRISA f. Pelo sensitivo que algunos mamíferos tienen sit., en núm. variable, cerca del hocico. • Pluma sensitiva, que tienen ciertas aves cerca de la boca, en las inmediaciones del pico córneo.
VIBURNO m. Arbusto de la familia caprifoliáceas, de hojas ovales, flores blanquecinas, frutos en bayas y raíz rastrera.
VICARÍA f. Oficina en que atiende el vicario. • Terr. de la jurisdicción del vicario. • **Pasar por la v.** Tramitar el expediente eclesiástico de matrimonio; p. ext., familiarmente, casarse.
VICARIANTE adj. y m. *Biol.* Díc. de los órganos que pueden sustituir a otros en su función. • Díc. de las especies de plantas que pueden sustituir a otras en las formaciones vegetales.
VICARIO, RIA adj. y s. Que tiene el poder y facultades de otro o le sustituye. • m. y f. Persona que en las órdenes regulares tiene las veces y autoridad de alguno de los superiores. • m. Juez eclesiástico nombrado y elegido por los prelados para que ejerza sobre sus súbditos la jurisdicción ordinaria. • pl. *Bot.* Planta de la familia liliáceas, con flores de color blanco, y frutos en cápsula. • f. Segunda superiora en algunos conventos de monjas. • *Cuba.* Planta de la familia apocináceas, de flores blancas o rosadas. ■ VICARIATO.
VICARIO, ***Leona*** (1789-1842) Revolucionaria mex. Colaboró con los insurgentes en la guerra de la Independencia.
VICEALMIRANTA f. Galera de una escuadra que montaba el segundo jefe.
VICEALMIRANTE m. Oficial general de la armada, inmediatamente inferior al almirante. ■ VICEALMIRANTAZGO.
VICECANCILLER m. Cardenal presid. de la curia rom. para el despacho de las bulas y breves apostólicos. • Sujeto que hace el oficio de canciller, a falta de éste, en orden al sello de los despachos. ■ VICECANCILLERÍA.
VICECONSILIARIO m. El que hace las veces del consiliario.
VICECÓNSUL m. Funcionario de la carrera consular, inmediatamente inferior al cónsul. ■ VICECONSULADO.
VICEDIÓS o **VICECRISTO** m. Título honorífico dado al papa.
VICENAL adj. Que sucede o se repite cada veinte años. • Que dura veinte años.
VICENS Vives, ***Jaume*** (1910-1960) Historiador esp. *Revolución y reacción durante el reinado de Juan II, Aproximación a la historia de España, Industriales y políticos del s. XIX.*
VICENTE (fines del s. III-304) Santo esp. Diacono en Zaragoza, fue martirizado en Valencia. • ***Gil*** (h. 1465-h. 1537) Poeta y autor dramático port. Parte de su obra está escrita en cast. *Auto da Sibila Casandra, Auto de Mofina Mendes, Trilogía de las barcas, Don Duardos, Amadís.* • **De Paúl** (1581-1660) Santo fr. Sacerdote. Fundó la congregación de las *Hermanas de la Caridad* y la de los *Sacerdotes de la Misión*, llamados *lazaristas*, e instituyó la obra de los *Niños expósitos.* • **Ferrer** (h. 1350-1419) Santo y predicador esp. Dominico, fue confesor del papa Benedicto XIII. Recorrió como predicador Francia, Suiza, Italia y España. Asistió en 1415 al concilio de Constanza, donde aconsejó la deposición de Gregorio XII, Benedic-

Inflorescencia de **viborera**

Vibráfono

Tabla del *Políptico de san* ***Vicente,*** de Nunho Gonçalves. Museo de Arte Antiguo, Lisboa

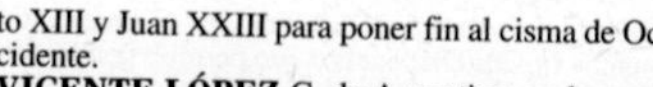

to XIII y Juan XXIII para poner fin al cisma de Occidente.

VICENTE LÓPEZ C. de Argentina, en la prov. de Buenos Aires; 291 100 hab. A orillas del Río de la Plata, cuenta con diversos balnearios.

VICENZA C. de Italia en el Véneto, cap. de la prov. hom.; 111 100 hab. Centro ferroviario e industrial. Célebres villas de Palladio.

***Victor Manuel II** a caballo*, óleo de Angelo Inganni. Museo del Risorgimento, Brescia (Italia)

VICEPRESIDENTE, TA m. y f. Persona que hace o está facultada para hacer las veces del presidente o de la presidenta. ■ VICEPRESIDENCIA.

VICERRECTOR, RA m. y f. Persona que hace las veces del rector o de la rectora.

VICESECRETARIO, RIA m. y f. Persona que hace o está facultada para hacer las veces del secretario o de la secretaria. ■ VICESECRETARÍA.

VICÉSIMO, MA adj. Vigésimo, ordinal. • adj. y s. Cada una de las veinte partes iguales de un todo.

VICETESORERO, RA m. y f. Persona que hace las veces del tesorero.

VICETIPLE f. fam. En las zarzuelas, operetas y revistas, cada una de las cantantes de los números de conjunto.

VICEVERSA adv. modo. Al contrario, por lo contrario; cambiadas dos cosas recíprocamente. • m. Cosa, dicho o acción al revés de lo que lógicamente debe ser o suceder.

VICHADA Dpto. de Colombia, limítrofe al N y E con Venezuela; 100 242 km^2, 22 766 hab. Cap., Puerto Carreño. El suelo, generalmente llano, tiene altitudes comprendidas entre los 200 y los 500 m. Se extiende por la llanura del Orinoco. Ríos: Orinoco y sus afl. Meta, Guaviare y Vichada. Clima tropical. Cultivos de subsistencia. Explotación forestal y cría de bovinos. Pesca fluvial.

VICHAR (voz port.) tr. *R. de la Plata.* Mirar sin ser visto.

VICHINSKI, ***Andrei Yaniuarievich*** (1893-1954) Político y jurista sov. Fiscal general en los procesos políticos que se desarrollaron en Moscú entre 1934 y 1938. Ministro de Relaciones Exteriores (1949). Delegado en la ONU desde 1951.

Cataratas **Victoria**

VICHOCO, CA adj. *Amér. Merid.* Que está viejo, en mal estado, enclenque.

VICHY m. Tela de algodón lisa o de dibujos formados por el entramado de los hilos.

VICHY C. de Francia, en Auvernia, en el dpto. de Allier; 34 000 hab. Imp. estación termal y balnearia. • **Gobierno de V.** Nombre dado al régimen político instaurado por el mariscal Pétain durante la ocupación al. (1940-1944) y que fijó su residencia en Vichy. De hecho fue un régimen colaboracionista con los nazis.

VICIADO, DA adj. Díc. del aire falto de renovación contenido en un lugar cerrado y habitado.

VICIAR tr. y prnl. Dañar o corromper física o moralmente. • tr. Adulterar géneros o productos. • Falsificar un escrito, introduciendo, quitando o enmendando alguna palabra, frase o cláusula. • Anular o quitar el valor o validación de un acto. • tr. y prnl. Pervertir o corromper las buenas costumbres o modo de vida. • fig. Torcer el sentido de una proposición, explicándola o entendiéndola siniestramente. • prnl. Entregarse uno a los vicios, dejando la buena conducta que antes tenía. • Enviciarse, aficionarse a algo con exceso. • Alabearse o pandearse una superficie.

Victoria (Australia). La calle Lousdale, en Melbourne

VICIO m. Mala calidad, defecto o daño físico en las cosas. • Defecto moral en las acciones. • Falsedad, yerro o engaño en lo que se escribe o se propone. • Hábito de obrar mal. • Defecto o exceso que como propiedad o costumbre tienen algunas personas, o que es común a una colectividad. • Demasiado apetito de una cosa, que incita a usar de ella con exceso. • Desviación, alabeo que presenta una superficie. • Frondosidad excesiva, perjudicial para el rendimiento de la planta. • Libertad excesiva en la crianza. • Mala costumbre que adquiere a veces un animal. • Mimo, cariño excesivo. • **De v.** m. adv. Sin necesidad o motivo, o como por costumbre. ■ VICIOSO, SA.

VICISITUD f. Orden sucesivo o alternativo de alguna cosa. • Alternativa de sucesos prósperos y adversos. ■ VICISITUDINARIO.

VICO, ***Giovanni Battista*** (1668-1744) Filósofo e historiador it. Historiador real. Dedicó sus estudios a deducir de los hechos las leyes providenciales que rigen la historia humana, y a buscar una «ciencia nueva», no basada en el criterio cartesiano de verdad. *Ciencia nueva.*

VÍCTIMA f. Persona o animal destinado al sacrificio. • fig. Persona que se expone a un grave riesgo en obsequio de otra. • fig. Persona que padece daño por culpa ajena o por causa fortuita.

Hojas de **victoria regia**

VICTIMAR tr. *Amér.* Matar, asesinar.

VICTIMARIO m. Sirviente de los ant. sacerdotes y gentiles, que encendía el fuego y sujetaba a las víctimas en el acto del sacrificio. • Matador, asesino.

VICTO m. Sustento diario.

VÍCTOR I (m. 199) Santo. Papa [189-199]. Intentó imponer el rito rom. de la Pascua y se opuso abiertamente a las doctrinas gnósticas. • **II** (*Gebhard,* CONDE DOLLNSTEIN-HIRSCHBERG, m. 1057) Papa [1055-1057]. Convocó un concilio en Florencia (1055), y defendió los intereses políticos del emp. germánico Enrique III el Negro. • **III** (m. 1087) Papa [1086-1087]. Continuó la obra de Gregorio VII contra la investidura laica.

VÍCTOR Amadeo I (1587-1637). Duque de Saboya [1630-1637] Participó en la guerra de los Treinta Años, al lado de Francia (1635), venciendo a los esp. en Tornavento y Monbaldone. • **Amadeo II** (1666-1732) Duque de Saboya [1675-1730] y rey de Cerdeña-Piamonte [1720-1730]. Por el tratado de Utrecht (1713), adquirió Sicilia, que después canjeó por Cerdeña (1720). • **Amadeo III** (1726-1796) Rey de Cerdeña-Piamonte [1773-1796]. Enemigo de la Revolución Francesa. Fue derrotado por Napoleón en Millesimo y Mondavi, y tuvo que ceder a Francia, Saboya y Niza.

VÍCTOR MANUEL I (1759-1824) Rey de Cerdeña [1802-1824]. Instauró un régimen absolutista, pero un mov. liberal le obligó a abdicar en su hermano Carlos Félix. • **II** (1820-1878) Rey de Cerdeña [1849-1878]. Apoyó a Cavour y después la expedición de Garibaldi en Dos Sicilias. En 1861 fue nombrado rey de Italia por el parlamento. Logró la unidad de Italia en 1870. • **III** (1869-1947) Rey de Italia [1900-1946]. Facilitó a Mussolini el ascenso al poder (1922). Éste le hizo emp. de Etiopía (1936) y rey de Albania (1939). Tras la liberación hubo de renunciar a sus funciones y abdicar (1946) en su hijo.

VICTORIA f. Superioridad, ventaja o triunfo que se consigue del contrario, en disputa o lid. • fig. Vencimiento de los vicios o pasiones. • Coche de dos asientos, abierto y con capota. • **regia.** Planta ninfácea de enorme tamaño; una sola planta llega a ocupar una superficie de 100 m^2. Tiene hojas anchas y redondas que alcanzan hasta 2 m de diámetro y grandes flores blancas con centro rojo. • **¡Victoria!** interj. que sirve para aclamar la que se ha conseguido del enemigo. ■ VICTORIOSO, SA.

VICTORIA *Mit.* Ant. diosa rom., personificación de la victoria.

VICTORIA Isla del Canadá, en el océano Ártico; 155 000 km^2.

VICTORIA (ant., *Nyanza*) Lago de África oriental; 68 800 km^2. El pral. emisario es el Nilo. Sus aguas bañan las costas de Uganda, Kenia, Tanzania, al S.

VICTORIA, ***Cataratas*** Salto de agua de África central; formado en el curso medio del r. Zambeze (Zambia); 100 m de altura.

VICTORIA, ***Gran Desierto*** Desierto del SO de Australia; 300 000 km^2.

VICTORIA Est. del SE de Australia, a orillas del océano Índico; 227 600 km^2, 4 075 900 hab. Cap., Melbourne. Alpes Australianos. Río Murray. Clima templado. Cereales, hortalizas, frutales y forrajes. Cabaña bovina y ovina. Oro y lignito.

VICTORIA Cap. de Hong Kong; 675 000 hab. Ind. textil, naval, metalúrgica. Universidad.

VICTORIA C. y puerto de Canadá, en la isla de Vancouver; cap. de la prov. de Columbia Británica; 66 300 hab. (288 000 hab. la agl. urb.). Pesca y exportación de madera. Observatorio astrofísico.

VICTORIA, *La* C. de Venezuela, en el est. Aragua; 70 100 hab. Centro com. de productos tropicales.

VICTORIA I (1819-1901) Reina de Gran Bretaña e Irlanda [1837-1901] y emperatriz de la India [1876-1901]. Durante su reinado, el imperio brit. alcanzó su máx. esplendor. A pesar de respetar el régimen parlamentario mostró predilección por los políticos conservadores.

VICTORIA, *Miguel Fernández Félix,* llamado ***Guadalupe*** (1786-1843) Político mex. Se alistó en las huestes patriotas de Miguel Hidalgo, tras el pronunciamiento de Dolores (1810). Después del fracaso de éstos, se unió a Morelos, destacándose en la victoria de Tehuacán y en el sitio de Oaxaca (1812). Apoyó el Plan de Iguala (1821) y el mov. de Santa Anna contra Iturbide. Presid. de la rep. (1824-1829), expulsó a los esp. de su último baluarte en San Juan de Ulúa (1825), e hizo efectivo el decreto de Hidalgo sobre abolición de la esclavitud. • ***Tomás Luis de*** (h. 1548-1611) Compositor esp., el más inspirado representante de la música religiosa esp. del s. XVI. • ***De los Ángeles*** (nacida 1924) Nombre artístico de *Victoria de los Ángeles López,* soprano esp. Cantante de *lieder* y de ópera, realizó gran parte de su carrera en México. • **Eugenia de Battenberg** (1887-1969) Reina de España por su matrimonio con Alfonso XIII (1906). Desde que se proclamó la República (1931), vivió en Italia y Suiza.

VICTORIA DE LAS TUNAS C. de Cuba, en la prov. de Las Tunas; 126 600 hab. Ind. azucarera.

VICTORIATO m. Moneda de plata de la rep. rom., que llevaba la figura de la Victoria.

VICTORICA, *Miguel Carlos* (1884-1955) Pintor arg., de una gran sensibilidad para el color. *El expatriado, Francine.*

VICUÑA f. *Zool.* Mamífero rumiante de la familia camélidos, que vive en los Andes de Bolivia y Perú, por encima de los 4 000 m de alt. La especie se encuentra hoy protegida, y se han hecho intentos para criarla en domesticidad. • Lana de ese animal. • Tejido que se hace de esta lana.

VICUÑA, *Francisco Ramón* (1778-1849) Político chil. Participó en la guerra de indep. y en la constituyente de 1823. Presid. de la rep. en 1829 por dimisión de Pinto, renunció al cargo por su incapacidad de imponerse a liberales y conservadores. • **Mackenna, *Benjamín*** (1831-1886) Político y escritor chil., impulsor del Partido Liberal Democrático. Intendente de Santiago (1872-1875) y senador (1876-1885). *El ostracismo de O'Higgins, El álbum de la gloria de Chile.*

VID f. *Bot.* Planta arbustiva dicotiledónea, sarmentosa, trepadora, con hojas grandes, pecioladas, con estípulas, flores pequeñas agrupadas en racimos compuestos, con zarcillos, y frutos en bayas globosas, verduscas o negras, que contienen de una a cuatro semillas leñosas. La v. se utiliza en alimentación, y en la ind. vinícola, vinagrera y farmacéutica.

VIDA f. *Biol.* Proceso autocatalítico en el que la reacción que se cataliza (crecimiento) produce como producto final más catalizador (sustancia viva). • *Teol.* Unión del alma y del cuerpo. • Intervalo de tiempo que transcurre desde el nacimiento de un animal o un vegetal hasta su muerte. • Duración de las cosas. • *Fís.* Intervalo de tiempo que puede existir un elemento radiactivo sin desintegrarse. • Modo de vivir en lo tocante a la fortuna o desgracia de una persona, o a las comodidades o incomodidades con que vive. • Modo de vivir en orden a la profesión, empleo, oficio u ocupación. • Alimento necesario para vivir o mantener la existencia. • Conducta o método de vivir con relación a las acciones de los seres racionales. • Persona o ser humano. • Relación o historia de las acciones notables ejecutadas por una persona durante su vida. • *Teol.* Estado del alma después de la muerte. • Especialmente con los adj. *mala, airada,* prostitución, dicha de las mujeres. • fig. Cualquier cosa que origina suma complacencia. • fig. Cualquier cosa que contribuye o sirve al ser o conservación de otra. • fig. Estado de la gracia y proporción para el mérito de las buenas obras. • fig. Expresión, viveza. Díc. especialmente hablando de los ojos. • fig. Aleluya, pliego con una serie de estampitas. • **animal.** *Biol.* La caracterizada por tres funciones prales.: la nutrición, la relación y la reproducción. • **capulina.** *Méx.* Vida regalada y sin cuidados. • **de perros.** fig. y fam. La que se pasa con trabajos y desazones. • **de relación.** *Biol.* Conjunto de actividades que establecen la conexión del organismo vivo con el ambiente, por oposición a la vida vegetativa. • **espiritual.** Modo de vivir conforme a los ejercicios de perfección y aprovechamiento en el espíritu. • **latente.** *Biol.* Estadio vital que se caracteriza por el descenso al máximo de las constantes fisiológicas y por una gran deshidratación. • **media.** *Biol.* Intervalo de tiempo en el cual una sustancia de un organismo vivo ha reducido su cantidad al 50 % siendo sustituida por otra sustancia idéntica. • *Fís.* Valor medio de la v. de cada uno de los átomos de una muestra radiactiva. • **y milagros.** fam. Modo de vivir, mañas y travesuras de uno, y en general sus hechos. Se usa gralte. en sentido peyorativo. • **La otra v.** o **la v. futura.** Existencia del alma después de la muerte. • **Dar** una cosa **la v.** a uno. fig. Sanarle, aliviarle, fortalecerle. • **Dar** uno **mala v.** a otra persona. Tratarla mal o causarle pesadumbre. • **De mala v.** lo c. Díc. de la persona de conducta relajada y viciosa. • **De por v.** m. adv. Perpetuamente, por todo el tiempo de la vida. • **En la v.** o **en** mi, tu, su v. m. adv. Nunca o en ningún tiempo. • **Ganar,** o **ganarse,** uno **la v.** Trabajar o buscar medios de mantenerse. • **Media v.** fig. Cosa de gran placer o de gran alivio para uno. • **Pasar** uno **a mejor v.** Morir.

* *Biol.* La v. es un proceso endotérmico que va ligado a la disipación de energía procedente del Sol, la cual se capta por medio de la fotosíntesis, y se transfiere a base de una tasa de cambio de biomasa. En el sentido de que produce elementos más ordenados e inestables, se puede considerar como un proceso negentrópico. Se sostiene gracias a la estabilidad de una información genética proporcionada por los ácidos nucleicos. El ser vivo más simple que puede existir con módulo vital terrestre es la asociación de un ácido nucleico con una proteína, que es el equivalente a los virus actuales. Respecto a su origen, se cree que la v. se inició en la Tierra hace unos 2 000 millones de años y se consideran dos hipótesis: 1) la v. es de origen extraterreno (panespermia). Las objeciones a esta teoría se basan pralm. en la acción destructora de las radiaciones ultravioleta y cósmica, ambas muy intensas en el espacio. 2) La v. en nuestro planeta se originó en él. Para apoyar esta teoría, se ha formulado la hipótesis de la generación espontánea de los seres vivos a partir de sustancias inorgánicas; aunque fue rechazada por Redi, Spallanzani y Pasteur, en la actualidad se acepta, al menos, para la forma más simple y primitiva. Así, Oparin admite la posibilidad de que la v. comenzara por la formación de sistemas coloidales en el seno del océano primitivo.

VIDAL, *Juan Francisco* (1801-1863) Militar y político per. Triunfador en la guerra contra Bolivia, fue proclamado presid. de la rep. (1842-1843). Derrocado por el general Vivanco. • ***Francisco Antonio*** (1827-18 89) Político ur., del Partido Colorado. Presid. provisional (1878-1879, 1880, 1881-1882 y 1886). • **De la Blache, *Paul*** (1845-1918) Geógrafo fr., autor de notables estudios sobre geografía humana. Dirigió una *Geografía universal.*

VIDALES, *Luis* (1904-1990) Poeta col. Evolucionó del vanguardismo a una poesía más explícita. *Suenan timbres, La obreríada.*

VIDALITA f. *Argent.* Canción popular, gralte. amorosa, de carácter triste y ritmo pausado, que se acompaña con la guitarra.

VIDARRA f. Planta ranunculácea trepadora, especie de clemátide.

VIDE Voz verbal latina que se emplea en los escritos precediendo a la indicación del lugar que ha de ver el lector para encontrar alguna cosa.

VIDELA, *Jorge* (nacido 1925) Militar arg. Designado comandante general del Ejército (1975), en marzo de 1976, a la cabeza de una Junta Militar, depuso a la presid. María Estela Martínez. La Junta le reeligió presid. en 1978. Fue sustituido en 1981 por

Victoria I de Gran Bretaña

Vicuña

Vid

Jorge **Videla**

el general Viola. En 1985 fue juzgado y condenado por los excesos en la represión a las actividades guerrilleras.

VIDENTE adj. Que ve. • com. Profeta.

VÍDEO m. Proceso de visión realizado con sistemas electrónicos, en particular, referentes a la TV. • *Comp.* Pantalla de una computadora.

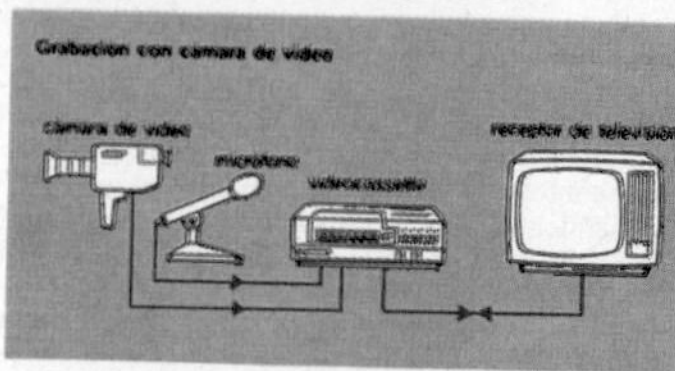

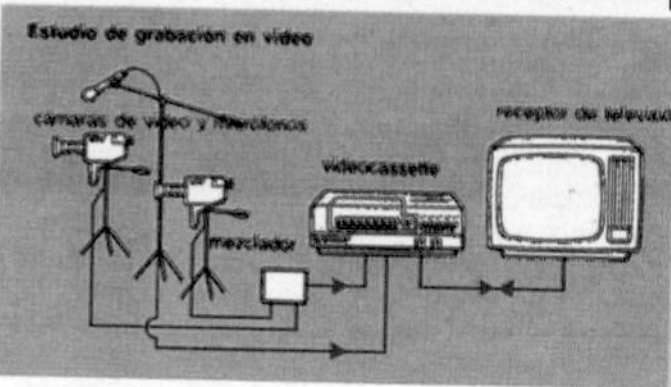

Vídeo. 1. Esquema de la grabación con cámara de vídeo. 2. Esquema de un estudio profesional de grabación

VIDEOAMPLIFICADOR m. Amplificador de tensión construido con válvulas o transistores, el último eslabón de una cadena amplificadora de la señal de imagen.

VIDEOCASETE m. o **VIDEOCASSETTE** f. Aparato que permite registrar las imágenes y el sonido que llegan al receptor de televisión, y reproducirlas luego en dicho aparato.

VIDEOCLIP m. Breve grabación de vídeo usada para promocionar grabaciones musicales.

VIDEOFRECUENCIA f. Cualquiera de las frecuencias empleadas en la transmisión de imágenes.

VIDEOSEÑAL f. Señal modulada de imagen en un receptor de televisión. La antena selecciona las señales, que pasan por los amplificadores de VHF y UHF, los cuales las amplían y seleccionan de nuevo.

VIDEOTAPE (voz ing.) amb. o **VIDEOCINTA** f. Cinta magnética en la que pueden registrarse imágenes visuales utilizando sistemas de registro y de reproducción idénticos a los empleados en televisión.

VIDEOTELÉFONO m. Teléfono provisto de un sistema de televisión.

VIDEOTEX m. Sistema de comunicación por el cual, a través de la pantalla de un televisor conectado con un centro de datos, se puede tener acceso a una serie de informaciones.

VIDIA f. Widia.

VIDICÓN m. En televisión, tubo de toma muy sensible, utilizado para cámaras portátiles. Es también el tubo de toma para conexiones en circuito cerrado, en la TV de control de tráfico, etc.

VIDÍGRAFO m. Tipo de grabación utilizado en la preparación de programas de televisión.

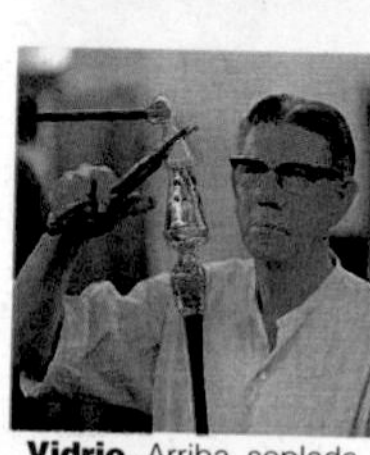

Vidrio. Arriba, soplado en un horno del s. XVI, según un grabado de Agricola; sobre estas líneas, maestro vidriero trabajando en un taller moderno, a la derecha, fabricación de un espejo

VIDOR, ***King*** (1894-1982) Director de cine norteam. *El gran desfile, Y el mundo marcha, La calle, Aleluya, Duelo al sol, Guerra y paz.*

VIDORRA f. fam. Vida regalada.

VIDORRIA f. fam. *Argent.* Vidorra. • fam. despect. *Col., P. Rico* y *Ven.* Vida arrastrada y triste.

VIDRIADO, DA adj. Que fácilmente se quiebra, como el vidrio. • m. Recubrimiento que se da a los objetos de porcelana y de alfarería después de la primera cocción. El material empleado es una mezcla de una masa porcelánica con un fundente (sal común, sosa, espatoflúor, etc.), a cuyo objeto se sumergen las piezas en la masa de v. puesta en suspensión en agua, y se vuelven a calentar en el horno a 1 400-1 500 °C. • Loza recubierta con este barniz. • Conjunto de piezas para el servicio de mesa.

VIDRIAR tr. Dar a las piezas de barro o loza un barniz que, fundido al horno, toma la transparencia y lustre del vidrio. • prnl. Ponerse vidriosa alguna cosa.

VIDRIERA f. Bastidor con vidrios con que se cierran puertas y ventanas.

VIDRIO m. *Quím.* e *Ind.* Sustancia amorfa, es decir, no cristalizada, que por su estructura se parece a un líquido, pero cuya cohesión, a la temperatura ordinaria, es tan grande que aparenta un sólido. • Cualquier pieza o vaso de vidrio. • fig. Cosa muy delicada y quebradiza. • fig. Persona que fácilmente se desazona y enoja. • **volcánico.** *Geol.* Material rocoso de origen volcánico, que se origina por un rápido enfriamiento de lavas. Presenta una típica estructura vítrea, y carece totalmente de elementos cristalizados. • **Electrodo de v.** *Quím.* El utilizado para medir concentraciones de iones hidrógeno. Consiste en una membrana de v. muy delgada que separa una disolución de pH conocido de otra de concentración desconocida. ■ VIDRIERÍA, VIDRIERO.

* *Quím.* Son muchos los compuestos de naturaleza tanto inorgánica como orgánica que pueden solidificarse en estado vítreo, como las resinas, silicatos, azúcares, etc. Entre las sustancias en estado vítreo, se da p. ant. el nombre de v. y son conocidos como tales vulgarmente, por sus múltiples aplicaciones, los derivados de los silicatos. El v. no es una combinación, sino una mezcla de varios óxidos. Con ayuda de rayos X se ha podido comprobar que su orden molecular es irregular, análogo al de un líquido, y que existe un retículo de tetraedros de SiO_4, unidos por puentes de oxígeno. La sílice puede constituir por sí sola un v., el v. de cuarzo, pero para su fabricación se precisa una temperatura superior a 1 600 °C. Un contenido de óxidos alcalinos rebaja el punto de fusión pero los hace solubles en agua. Las materias primas empleadas en la fabricación de v. son: vitrificantes (arena, ácido bórico, bórax, etc.), fundentes (sosa, potasa, lepidolita, etc.), estabilizantes (carbonatos de calcio, bario y magnesio, dolomita, etc.), afinantes, opalizantes y colorantes.

* *Ind.* Para fabricar v. se parte de ciertas mezclas líquidas que tienen la propiedad de que al enfriarse lentamente su viscosidad aumenta con gran rapidez hasta alcanzar un punto en el que se produce la solidificación sin que se presente la cristalización. La mezcla de materias primas se somete a la fusión en tres etapas: 1) la fusión propiamente dicha, a 1 200-1 400 °C, en la que se forman los silicatos y se disuelve la arena restante; 2) la afinación, consistente en elevar la temperatura hasta 1 400-1 500 °C, para hacer la masa más fluida con el fin de eliminar las inclusiones de gas y conseguir una perfecta homogeneización; y 3) el reposo, para la clarificación de la masa, en la que las partículas no disueltas y suspendidas, junto con burbujas de gas van a la superficie formando una espuma llamada hez del vidrio. No queda más que enfriar hasta alcanzar la viscosidad adecuada para trabajar la masa, por soplado, prensado o colada. A finales del siglo pasado se inició la fabricación de v. con máquinas para el soplado automático. Se emplean hornos de cuba en forma de estanques rectangulares, cubiertos con una bóveda, y cuyos quemadores se encuentran en las paredes laterales. El método de Foucault para v. plano se basa en un flotador de arcilla refractaria que posee una ranura longitudinal, el flotador se mantiene sobre la masa fundida de v., el cual sale por la ranura y es estirado hacia arriba por medio de un sistema de cilindros.

VIDRIOSO, SA adj. Que fácilmente se quiebra, como el vidrio. • fig. Aplícase al piso cuando está muy resbaladizo por haber helado. • fig. Díc. de las materias que deben manejarse con gran cuidado. •

VIDRIERA

1. En estos vitrales de una iglesia episcopal inglesa el trabajo de los vidrieros se ha representado a sí mismo.
2. En Europa el auge de las vidrieras estuvo ligado al estilo gótico, que aumentó los vanos y concedió un papel fundamental a la luz. En la Sainte Chapelle de París, finalizada en 1248, los muros se redujeron a simples nerviaciones de piedra que enmarcan las incomparables vidrieras.
3. Detalle de una vidriera de la catedral de Chartres (1200-1236) que reproduce un episodio de la *Canción de Roldán*.
4. y 5. En las arquitecturas rencentista, barroca y neoclásica la vidriera no tuvo un papel relevante, pero a fines del siglo XIX el modernismo la puso de nuevo en boga. Puerta de la Casa Batlló, de Gaudí (4), y vidriera del techo del Palacio de la Música, de Ll. Domènech i Montaner, ambas en Barcelona (España).
6. Muchos grandes pintores contemporáneos han realizado vidrieras. Detalle de un vitral de la iglesia de Fraumünster, Zurich, obra de M. Chagall.

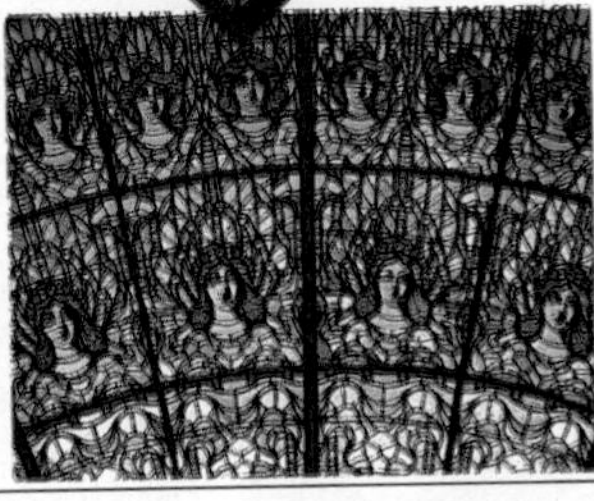

fig. Aplícase a la persona que fácilmente se resiente o desazona, o al genio de esa condición. • fig. Díc. de los ojos que se vidrian.
VIDURRIA f. *R. de la Plata.* Vida placentera.
VIEDMA C. de Argentina, cap. de la prov. de Río Negro, en la Patagonia; 44 582 hab. Agricultura y ganadería. Centro comercial y administrativo. Propuesta por el presid. Alfonsín como nueva cap. de la rep. • Lago de Argentina, sit. en la prov. de Santa Cruz, cerca de la frontera chil.
VIEIRA f. Molusco comestible, muy común en las costas de Galicia, cuya concha es la venera, insignia de los peregrinos de Santiago. • Esta concha.
VIEIRA, *Antonio* (1608-1697) Eclesiástico, diplomático y escritor port. Vivió en Brasil (1652-1661) en medio de las tribus indígenas del Amazonas, y sus duras críticas a los colonizadores determinaron su deportación a Portugal. Las ideas expresadas en *Las esperanzas de Portugal* le hicieron procesar por la Inquisición. • ***João Bernardo*** (nacido 1939) Político de Guinea-Bissau. Uno de los fundadores del PAIGC. Jefe del gobierno a raíz del golpe de Est. de 1980. Reelegido en 1984.
VIEJERA f. En algunas partes, vejez. • *P. Rico.* Cosa vieja e inservible.
VIEJO, JA adj. y s. Díc. de la persona de mucha edad. • adj. Persona que ya no es joven. • Díc., p. ext., de los animales en igual caso. • Antiguo o del tiempo pasado. • Que no es reciente ni nuevo. • Deslucido, estropeado por el uso. • fam. Voz de cariño que se aplica a los padres y a otras personas. • m. y f. fam. Padre, madre. • m. pl. fam. El padre y la madre. • **Derecho v.** *R. de la Plata.* Sin rodeos, directamente.
VIEJO R. de Nicaragua; 168 km. Nace en las mesetas de Estelí y desemboca en el lago Managua.
VIEJO Catolicismo Nombre general de un grupo de iglesias surgidas por oposición a la católica rom. El cisma se produjo en 1870, al proclamarse la infalibilidad pontificia. Su centro radica en Holanda.
VIENA (al., *Wien*) C. y cap. de Austria. Sit. en el extremo NE de los Alpes, en contacto con la llanura panónica, y bañada por las aguas del Danubio y del Wien; 1 512 400 hab. Centro comercial, financiero e industrial (mecánica, química, textil, maderera, alimentaria, porcelana, orfebrería, etc.). • **Congreso de V.** (1814-1815). Reunión de representantes de las potencias europeas celebrada en esta c. para restablecer el equilibrio del continente después de las guerras napoleónicas. Las cláusulas del congreso modificaron el mapa europeo, siendo Francia la más perjudicada. Este nuevo sistema de equilibrio europeo bajo la hegemonía de Prusia, Austria y Rusia, que formaron la Santa Alianza, supuso el reforzamiento de las monarquías absolutas. • **Tratados de V.** (1725). Acuerdos firmados entre España y Austria para resolver los problemas derivados de la guerra de sucesión esp. Por ellos Carlos IV renunció a la corona esp . A cambio, Felipe V renunció a sus posibles derechos a la corona fr., reconoció la pragmática sanción y la pérdida de Flandes y de los dominios it.
VIENÉS, SA adj. y s. De Viena.
VIENTIANE C. y cap. administrativa de Laos y de una prov. hom.; 377 400 hab. Situada junto al río Mekong. Centro comercial. Palacio real y pagodas.

Viena. Edificio de la Ópera

Los **vientos** según la escala de Beaufort				
		Velocidad		
Tipo de viento	Número en la escala de Beaufort	Nudos	Millas terrestres por hora	Kilómetros por hora
calma	0	0 - 1	0 - 1	0 - 1,61
céfiro	1	1 - 3	1 - 3	1,61 - 4,83
brisa suave	2	4 - 6	4 - 7	6,44 - 11,27
brisa tendida	3	7 - 10	8 - 12	12,88 - 19,32
viento moderado	4	11 - 16	13 - 18	20,93 - 33,81
viento tendido	5	17 - 21	19 - 24	35,42 - 38,64
viento fresco	6	22 - 27	25 - 31	40,25 - 49,91
viento fuerte	7	28 - 33	32 - 38	51,52 - 61,18
borrasca moderada	8	34 - 40	39 - 46	62,79 - 74,05
borrasca fuerte	9	41 - 47	47 - 54	75,66 - 86,92
borrasca muy fuerte	10	48 - 55	55 - 63	88,53 - 109,41
tempestad	11	56 - 63	64 - 72	111,02 - 123,90
huracán	12	64 - 71	73 - 82	124,51 - 139

VIENTO m. Corriente atmosférica de aire, que se mueve en dirección determinada y se origina por las diferencias de la temperatura de la atmósfera en distintos puntos de la superficie terrestre. Los v. son desviados por la rotación de la Tierra de O a E, en el hemisferio norte, y de E a O, en el sur. • Aire atmosférico. • Rastro de olor que dejan las piezas de caza. • Olfato de ciertos animales. • Cierto hueso que tienen los perros entre las orejas. • fig. Cualquier cosa que mueve o agita el ánimo con violencia. • fig. Vanidad y jactancia. • fig. Cuerda larga o alambre que se ata a una cosa para mantenerla derecha en alto o moverla con seguridad hacia un lado. • fam. Ventosidad. • Espacio que queda entre la bala y el ánima del cañón. • *Mar.* Rumbo, dirección trazada en el plano del horizonte. • **Como el v.** loc. adv. Rápida, velozmente. • **Contra v. y marea.** loc. adv. fig. Arrostrando inconvenientes, dificultades u oposición de otro. • **Con v. fresco.** loc. Con los verbos *irse*, *marcharse*, *despedir*, etc., indica con mal modo, con enfado o desprecio. • **en popa.** m. adv. fig. Con buena suerte, dicha o prosperidad.

vientos diurnos
baja presión
cálido
brisa marina
alta presión
frío
el suelo se calienta antes que el mar

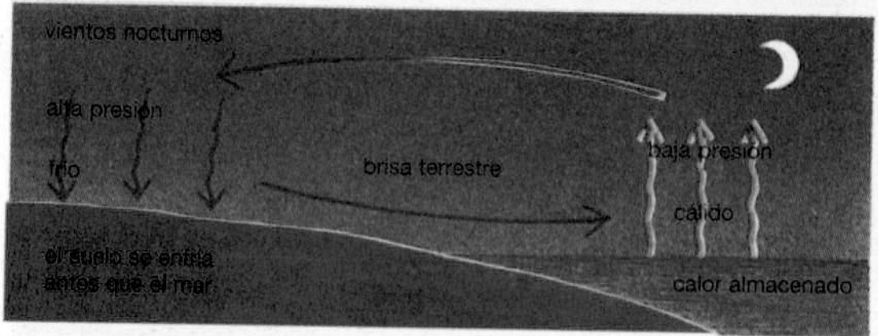

Viento. Esquema de la formación de vientos diunos y nocturnos

VIENTRE m. *Anat.* Cavidad del cuerpo de los animales vertebrados, en la que se contienen los órganos prales. del aparato digestivo y genitourinario. • Conjunto de las vísceras contenidas en esta cavidad, especialmente después de extraídas. • Región exterior del cuerpo, correspondiente al abdomen, que es anterior en el hombre e inferior en los demás vertebrados. • Feto o preñado. • Panza de las vasijas. • fig. Cavidad grande e interior de un a cosa. • *Fís.* Punto equidistante de dos nodos consecutivos, que tiene máx. amplitud. • *Der.* Madre. • *Der.* Criatura humana que no ha salido del claustro materno, a la cual una ficción legal atribuye personalidad para adquirir derechos, o sea en lo favorable. • **Bajo v.** Hipogastrio. • **Descargar, evacuar, exonerar, o mover,** un o **el v.,** o **hacer de,** o **del, v.** fr. Descargarlo del excremento.

VIERA, *Feliciano* (1872-1927) Político ur. Presid. de la rep. (1915-1919), reformó la constitución.

VIERNES m. Sexto día de la semana.

VIERTEAGUAS m. Resguardo que se pone cubriendo los salientes de los paramentos para que por su superficie inclinada resbale el agua de lluvia.

VIETA o **VIÈTE, *François*** (1540-1603) Matemático fr., el primero que se sirvió de letras para representar las cantidades. A él se debe la forma actual del álgebra.

VIETCONG → Frente Nacional de Liberación de Vietnam del Sur.

VIETMINH (Abreviatura de *Viet Nam Doc Lap Dong Minh*, Liga Patriótica para la Independencia de Vietnam) Movimiento creado por Ho Chi Minh en 1941 que agrupaba a las organizaciones antiimperialistas.

VIETNAM, *República Socialista de* Estado del SE asiático, sit. en el extremo oriental de la pen. de Indochina, a orillas del mar de China Meridional. Limita al N con China y al O con Laos y Camboya. Etnias: vietnamitas (84 %), tays, khmers, thais, muong, nung, meos y otros. Lengua: vietnamita (of.) y otras. *Rel.*: budismo, taoísmo, catolicismo. U. M.: el dong. Cap.: Hanoi. C. prales.: Ho Chi Minh (ant. Saigón), Haifong, Da Nang.

* *Geog.* Gran parte del terr. presenta un relieve montañoso. En el extremo NO el Fan Si Pan alcanza la mayor alt. (3 142 m). La cord. Anamita forma, en el lado O, las mesetas de Pleiku, Darlac y Lang Bian. El terr. llano es reducido pero agrupa la mayor parte de la pob. Clima tropical monzónico. El bosque denso cubre las laderas húmedas, y la sabana los sectores menos lluviosos. La economía del país es esencialmente agrícola; el cultivo más importante es el arroz. También se cultiva maíz, mandioca, batata, cacahuete, café, caña de azúcar y caucho. La ganadería destaca por las cabañas porcina, bovina y por los búfalos. Notable actividad pesquera. Extracción de carbón, fosfatos, sal y hierro. Ind. siderúrgica, metalúrgica, textil, química y del caucho.

* *Hist.* En época prehistórica se establecieron en V. diversos pueblos, entre ellos los cham, muong y thais. La zona N formó parte de una prov. china hasta que se independizó, formándose el reino de Dai Viet. Durante la época colonial Francia jugó un papel destacado; el terr. fue dividido en una colonia, Cochinchina y dos protectorados, Annam y Tonkín. En 1941 el líder vietnamita Ho Chi Minh anunció la constitución del Vietminh, frente de liberación que tendría a su cargo la conducción de la lucha antiimperialista. En 1945 proclamó la indep. de la República Democrática de Vietnam, que Francia reconocía en 1946; pero la potencia europea quiso

VIETNAM

Superficie 331 109 km²

Población 74 545 000 hab. (225 hab./km²)

Recursos económicos

Ananás	280 000 t
Arroz	24 000 000 t
Batatas	2 351 000 t
Búfalos	3 000 000 cabezas
Cabaña porcina	16 500 000 cabezas
Carbón	5 600 000 t
Caucho	120 000 t
Cemento	5 161 000 t
Fertilizantes	82 000 t
Maiz	1 200 000 t
Acero	300 000 t
Mandioca	2 497 000 t
Pesca	1 150 000 t
Riqueza forestal	34 209 000 m³
Té	45 000 t
Yuta	28 000 t

Indicadores sociológicos

PNB	17 634 millones de dólares
Renta per cápita	240 dólares
Esperanza de vida	68 años
Alfabetismo	93, 7 %

Vietnam. Mercado de una población del delta del Mekong

mantener su presencia en Indochina, y en 1954 el general Navarre inició desde Dien Bien Fu la operación «Adelante», que terminó en un desastre y acarreó la caída del gobierno fr. y del emperador Dao-Bai. La declaración final de la conferencia de Ginebra reconoció la indep. y la unidad de V., aunque el Norte y el Sur quedaron divididos por una línea de demarcación militar, el paralelo 17, y fijó la realización de elecciones para 1956. Las elecciones no se celebraron. Mientras tanto, la influencia de EE UU en Vietnam del Sur había ido en aumento. El Ejército de Liberación Popular (Vietcong) había aumentado su poderío, en tanto el desprestigio del régimen militar de Saigón se acentuaba. En 1964 el presid. Johnson inició acciones armadas contra la República Democrática y envió tropas en apoyo del gobierno de Saigón, controlado a partir de 1965 por los generales Van Thieu y Cao Ky. A pesar del incremento de la presión militar norteam. bajo el mandato de Nixon las guerrillas antigubernamentales siguieron aumentando su control sobre el terr. En 1973 se firmó el alto el fuego, que significaba la retirada norteam.; en 1975 el FLN conquistó Saigón y logró la reunificación del Vietnam en una sola nación: la República Socialista de Vietnam. En 1979 tropas vietnamitas intervinieron en Camboya, respaldando la instauración de un régimen prosoviético, lo que provocó incidentes armados en la frontera con China. En 1988 se entablaron negociaciones para solucionar el conflicto camboyano y organizar la retirada de las fuerzas vietnamitas. La liberación económica iniciada en 1986 por Van Linh fue continuada por Do Muoi, primer ministro desde 1988. Un año después, las tropas de V. abandonaron Camboya. La reanudación diplomática con los países de la CE, en 1990, abrió paso a la normalización de relaciones con EE UU, que contemplaba el levantamiento del bloqueo impuesto en 1979. Ese mismo año, Gran Bretaña repatrió a miles de refugiados vietnamitas en Hong Kong. El año 1992 marcó el renacimiento de las religiones y el incremento del sector turístico, al tiempo que se realizaban tímidos pasos hacia la democratización del país, con la entrada en vigor de una nueva constitución y la realización de elecciones con alguna participación no comunista. En 1995 V. y EE UU firmaron un acuerdo para el establecimiento de lazos diplomáticos. Tran Duc Luong, elegido presid. en 1997, consolidó durante su mandato la cooperación con EE UU e impulsó las reformas económicas.

VIETNAMITA adj. y s. De Vietnam.

VIGA f. *Const.* Porción horizontal de una estructura, que soporta cargas transversales. Puede estar apoyada en sus dos extremos o sólo en uno. • Hierro de doble T destinado en la construcción moderna a los mismos usos. • Pieza arqueada que en algunos coches enlaza el juego delantero con el trasero. • Prensa compuesta de un gran madero horizontal que puede girar alrededor de uno de sus extremos y se usa para exprimir la aceituna.

VIGANO, *Salvatore* (1769-1821) Bailarín y coreógrafo it. Fue el primer coreógrafo que utilizó partituras clásicas (*Las criaturas de Prometeo*, de Beethoven) para sus obras.

VIGARNY o **BIGARNY, *Felipe de*** (1475-1543) Escultor esp. de origen borgoñón, llamado también FELIPE DE BORGOÑA. Autor del relieve de la girola de la catedral de Burgos.

VIGELAND, *Gustav* (1869-1943) Escultor nor. Influido por Thorvaldsen y Rodin, el estudio sintético de los volúmenes le llevó a desarrollar su propio estilo realista. Sus últimas y monumentales obras se encuentran en el Parque Vigeland, en Oslo.

VIGENTE adj. Aplícase a las leyes, ordenanzas, estilos y costumbres que están en vigor y observancia. ■ VIGENCIA.

VIGESIMAL adj. Aplícase al sistema de numeración en base veinte.

VIGÉSIMO, MA adj. Que sigue inmediatamente en orden a lo decimonono. • adj. y s. Díc. de cada una de las veinte partes en que se divide un todo.

VIGEVANO C. de Italia, en la Lombardía; 64 200 hab. Centro de la ind. del calzado.

VIGÍA f. Atalaya, torre. • m. y f. Persona destinada a vigilar el mar o la campiña. • f. Acción de vigiar. • *Mar.* Escollo que sobresale algo sobre la superficie del mar.

VIGÍA, *El* C. del O de Venezuela, en el est. Mérida. Sit. en la depresión de Maracaibo; 36 600 hab. Mercado agropecuario.

VIGIL, *Constancio C.* (1876-1954) Escritor ur. Autor de cuentos y libros para niños. *Los que pasan*, *Cartas a la gente menuda*. • ***Diego*** (1799-1845) Político centroamericano. Sustituyó a Morazán en la jefatura de Honduras (1829-1932). Jefe del Est. de El Salvador (1835-1839). Vicepresid. de la Confederación Centroamericana (1839).

VIGILANTE adj. Que vigila. • adj. Que vela o está despierto. • m. Persona encargada de velar por algo. • Agente de policía.

VIGILAR tr. e intr. Velar sobre una persona o cosa, o atenderla cuidadosamente. ■ VIGILANCIA.

VIGILIA f. Acción de estar despierto o en vela. • Trabajo intelectual, especialmente el que se ejecuta de noche. • Obra producida de este modo. • El día que antecede a cualquier cosa y en cierto modo la ocasiona. • Víspera de una festividad de la Iglesia. • Oficio de difuntos que se reza o canta en la iglesia. • Falta de sueño o dificultad de dormirse. • Cada una de las partes en que se divide la noche para el servicio militar. • Comida con abstinencia de carne.

VIGILIO (m. 555) Papa [537-555]. Accedió al papado merced a la intervención de la emperatriz bizantina Teodora, que apoyó su candidatura frente a la de San Silverio.

VIGLIETTI, *Daniel* (nacido 1939) Cantautor ur. Autor de la música de las películas *Tupamaros* y *Cuando el pueblo despierta*. Prales. grabaciones: *Hombres de nuestra tierra*, *Canto libre*, *Trópicos*.

VIGNEAUD, *Vincent du* (1901-1978) Bioquímico norteam. Autor de investigaciones en el campo de las hormonas. Premio Nobel de Química en 1955.

VIGNOLA, *Giacomo Barozzi da* (1507-1573) Arquitecto it. Realizó una de las más típicas residencias señoriales de la época, la Villa Farnesio.

Mapa de situación y bandera de **Vietnam**

Monolito de 17 metros realizado por Gustav **Vigeland.** Parque Vigeland, Oslo

VIGNY, ***Alfred de*** (1797-1863) Escritor fr., una de las figuras más representantivas, con Chateaubriand y Lamartine, del romanticismo en su país, dentro de una línea tradicionalista. *Grandeza y servidumbre militares, Daphne, Cinq-Mars o una conspiración bajo Luis XIII, Poemas antiguos y modernos.*

VIGO Mun. de España en la prov. de Pontevedra; 261 900 hab. Sit. en la parte meridional de la ría hom. Primer puerto pesquero de España, que alimenta una importante ind. conservera y de salazones de pescado. Astilleros. Construcción de automóviles y maquinaria.

VIGOR m. Fuerza o actividad notable de las cosas animadas o inanimadas. • Viveza o eficacia de las acciones. • Fuerza de obligar en las leyes u ordenanzas, o duración de las costumbres o estilos. • fig. Entonación o exp. enérgica en las obras artísticas o literarias. ■ VIGOROSIDAD; VIGOROSO, SA.

VIGORAR tr. y prnl. Dar vigor.

VIGORIZAR tr. y prnl. Dar vigor. • fig. Animar, esforzar.

VIGUERÍA f. Conjunto de vigas de una fábrica o edificio.

VIGUETA adj. *Cuba.* Díc. de las cosas de grandes dimensiones. • f. Barra de hierro laminado destinada a la edificación.

VIHUELA f. Instrumento musical de 5, 6 o 7 dobles cuerdas, antecedente de la guitarra.

VIJAYAWADA (ant. *Bezwada*) C. de la India, en el est. de Andhra Pradesh; 461 800 hab. Centro religioso.

Vikingo. Estela con relieves de la vida cotidiana de los vikingos

VIKING *Astron.* Astronave estadounidense destinada al estudio de Marte. La *V. 1* fue lanzada en agosto de 1975 y llegó al planeta en julio 1976. En septiembre 1975 fue lanzada la *V. 2*, que aterrizó en Marte en agosto 1976.

VIKINGO m. Nombre aplicado a los navegantes escandinavos que entre los ss. VIII y XI realizaron incursiones por las islas del Atlántico y por casi toda Europa occidental; normando.

VIL adj. Bajo o despreciable. • Indigno, torpe, infame. • adj. y s. Aplícase a la persona que falta a la confianza que en ella se pone. ■ VILEZA.

VILADECANS Mun. de España en la prov. de Barcelona (Cataluña); 55 235. Industria.

VILADOMAT, ***Antonio*** (1678-1755) Pintor esp. Destacan sus obras de temática religiosa, especialmente la serie dedicada a la vida de san Francisco.

VILANO m. Corona de pelos adherida al fruto en aquenio de algunas plantas compuestas. Sirve para favorecer su dispersión por el aire. • Flor de cardo.

Vilano

VILANOVA I LA GELTRÚ Mun. de España, en la prov. de Barcelona; 47 979 hab. Fundiciones, fábricas de hilados, de conductores eléctricos, etc. Puerto pesquero.

VILAR, ***Pierre*** (nacido 1906) Historiador fr. Intenta explicar, mediante el método marxista, la evolución histórica unificando todos los niveles de la actividad social. *Cataluña en la España moderna, Historia de España, La guerra civil española.*

VILARIÑO, ***Idea*** (nacida 1920) Poetisa ur. Obra de aire intimista. *La suplicante, Poemas de amor.*

VILAS, ***Guillermo*** (nacido 1952) Tenista arg. Vencedor del Grand Prix (1974, 1975 y 1977), del Forest Hill (1977), del Roland Garros (1977) y del *open* de Australia (1980).

VILA-VILA Yacimiento paleontológico de Bolivia, cerca de Cochabamba, donde se hallaron los mamíferos fósiles más antiguos de América meridional.

VILCABAMBA Ant. región de Perú, donde se refugiaron los incas tras la conquista esp. Se la identifica con la situación de Machu Picchu.

VILCANOTA Nudo montañoso de los Andes, donde enlazan las cordilleras Central y Occidental de Perú; culmina a más de 6 000 m.

VILDOSO, ***Guido*** (nacido 1934) Militar y político bol. Presid. interino de la rep. (1982). Cedió el poder a Siles Suazo, elegido presid.

VILIPENDIAR tr. Despreciar o tratar con vilipendio. ■ VILIPENDIO.

VILJOEN, ***Marais*** (nacido 1915) Político sudafr. Presid. de la rep. (1979-1984).

VILLA f. Casa de recreo sit. aisladamente en el campo. • Pob. que tiene algunos privilegios con que se distingue de las aldeas y lugares. • Corporación municipal. • Casa consistorial.

Pancho **Villa**

VILLA, ***Pancho*** Nombre tomado por *Doroteo Arango* (1878-1923) Revolucionario mex. De origen muy humilde, reaccionó contra la violencia de los terratenientes, y pronto adquirió un prestigio legendario y se convirtió en el caudillo de los campesinos del N. Gran parte de su vida transcurrió durante la dictadura de Porfirio Diaz, contra la cual luchó. En pleno período de efervescencia revolucionaria y de luchas internas se unió a Carranza, para ser derrotado por éste en Celaya cuando se unió a Zapata. Adolfo de la Huerta, proclamado presid., firmó con Villa un tratado de paz. Fue asesinado.

Vigo. Vista panorámica de la ciudad y un sector de la ría

VILLA ALEMANA C. de Chile, en la prov. de Valparaíso; 61 400 hab. Mercado agropecuario.

VILLA CLARA Prov. de Cuba, bañada al N por el Atlántico y que limita al SO con Cienfuegos, al O con Matanzas, y al E con Sancti Spíritus; 8 662 km^2, 796 000 hab. Cap., Santa Clara. Ganadería, caña de azúcar y pesca. Ind. agropecuaria y del tabaco.

VILLA CONSTITUCIÓN C. de Argentina, en la prov. de Santa Fe; 36 400 hab. Mercado agropecuario.

VILLA DE CURA C. de Venezuela, en el est. Aragua; 37 600 hab. Centro agropecuario.

VILLA HAYES C. de Paraguay, en el dpto. de Presidente Hayes; 32 000 hab. en el distrito hom. Centro agrícola y ganadero.

VILLA MARÍA C. de Argentina, en la prov. de Córdoba; 67 600 hab. Sit. a orillas del río Tercero. Centro agropecuario. Ind. alimentarias, textiles y del cemento.

VILLAGRA, ***Francisco de*** (h. 1511-1563) Conquistador esp. A la muerte de Valdivia, intentó hacerse con el mando supremo de la expedición a Chile, pero el virrey del Perú le hizo apresar y juzgar. Absuelto (1559), recuperó el gobierno de Chile.

VILLAGRÁN, ***Julián*** (1760-1814) Militar mex. En 1812 se autoproclamó emp. de Huaxteca con el nombre de Julián I. Murió fusilado. • **García,** ***José*** (nacido 1901) Arquitecto mex. Constructor de asilos, hospitales, escuelas, etc., incorporó modernas técnicas, como el muro cortina.

VILLAHERMOSA C. de México, cap. del est. de Tabasco; 519 873 hab. en el municipio. Sit. a orillas del Grijalva. Centro comercial agropecuario. Nudo de comunicaciones.

VILLAJE m. Pueblo pequeño.

VILLALAR DE LOS COMUNEROS Mun. esp., en la prov. de Valladolid; 508 hab. Célebre por la batalla librada en su término entre las fuerzas reales y los comuneros el 23 abril 1521, que finalizó con la victoria realista y la ejecución de Bravo, Padilla y Maldonado.

VILLA-LOBOS, ***Heitor*** (1887-1959) Compositor bras. Su prolífica obra se halla enraizada en el folklore bras. *Bachianas brasileiras, Chôros, Amazonas, Descubrimiento del Brasil.*

VILLALOBOS, ***Rosendo*** (1860-1940) Poeta bol. En su obra se advierte la influencia romántica. *Aves de paso, Memorias de un corazón, Hacia el olvido.*

VILLALÓN, ***Cristóbal de*** Nombre que corresponde a diversos literatos esp. del s. XVI. El que alcanzó mayor fama fue el autor de *El erotalón* y el *Diálogo de las transformaciones de Pitágoras,* y a quien se ha atribuido también el *Viaje a Turquía.*

VILLALONGA, ***Llorenç*** (1897-1980) Novelista esp. en lengua catalana. *Mort de dama, Bearn.*

VILLALPANDO, ***Cristóbal de*** (1649-1714) Pintor mex., representante de la escuela barroca. Murales y telas. *La transfiguración, la Iglesia militan-*

te y triunfante. • ***Francisco de*** (m. 1561) Arquitecto, escultor y orfebre esp., activo en Toledo. Sus obras (reja de la capilla mayor de la catedral de Toledo) denotan una clara influencia del Renacimiento it.

VILLAMEDIANA, *Juan de Tassis y Peralta,* CONDE DE (1582-1622) Escritor esp., nacido en Lisboa. Murió asesinado (según la leyenda por orden del rey Felipe IV). Seguidor de Góngora. *Fábula de Faetón, Apolo y Dafne.*

VILLANAJE m. Gente del estado llano en una villa o aldea, a distinción del estado noble o hidalgo. • Calidad del estado de los villanos, como contrapuesta a la nobleza.

VILLANCICO m. Composición poética popular, con estribillo, y especialmente la de asunto religioso que se canta en las iglesias en Navidad.

VILLANERÍA f. Villanía. • Villanaje.

VILLANESCO, CA adj. Relativo a los villanos. • f. Cancioncilla rústica antigua. • Danza que se acompañaba con este canto.

VILLANÍA f. Bajeza de nacimiento, condición o estado. • fig. Acción ruin. • fig. Exp. indecorosa.

VILLANO, NA adj. y s. Vecino del estado llano en una villa o aldea, a distinción de noble o hidalgo. • fig. Rústico, descortés. • fig. Ruin, indigno. • m. Tañido y baile esp. de los ss. XVI-XVII. • *Amér.* El personaje malo de una obra teatral o cinematográfica. ■ VILLANADA.

VILLANUEVA, ***Carlos Raúl*** (1900-1978) Arquitecto ven., racionalista. Estadio olímpico, c. universitaria y centro cultural de Caracas. • FRAY ***Jaime*** (1769-1824) Erudito e historiador esp., de la orden de predicadores. *Viaje literario a las iglesias de España.* • ***Joaquín Lorenzo*** (1757-1837) Eclesiástico y político esp. Diputado liberal en las Cortes de Cádiz, combatió la Inquisición y propuso una profunda reforma de las órdenes religiosas. *Catecismo de Estado, Cartas a don Roque Leal.* • ***Juan de*** (1731-1811) Arquitecto esp. Fue nombrado arquitecto de la orden de El Escorial en 1768. Su obra maestra, de un puro neoclasicismo formal, es el museo del Prado. • ***Laureano*** (1840-1912) Político ven., liberal. Presid. interino a la muerte de Linares (1877).

VILLARD, ***Paul*** (1860-1934) Físico fr. que ideó diversos instrumentos de radiología. Descubrió las radiaciones gamma.

VILLARINO, ***María de*** (nacida 1905) Escritora arg. Poetisa, ensayista y dramaturga. *Nuevas coplas de Martín Fierro* (Premio nacional de literatura en 1957), *Los espacios y los símbolos. Las tierras interiores.*

VILLARREAL DE LOS INFANTES o **VILAREAL** Mun. esp., en la prov. de Castellón; 39 550 hab. Agricultura. Ind. alimentaria, textil y de la construcción.

VILLARRICA Lago de Chile, en la IX Región de La Araucanía; 250 km^2. Turismo. • Volcán de Chile, en la IX Región de La Araucanía; 2 582 m.

VILLARRICA C. de Paraguay, cap. del dpto. de Guairá; 21 200 hab. Centro agropecuario.

VILLARROEL, ***Gualberto*** (1910-1946) Militar y político bol. Dirigió el mov. nacionalista que derrocó al presid. Peñaranda (diciembre 1943). Confirmado presid., entró en colisión con los intereses de la oligarquía del estaño. Derrocado por un golpe militar y asesinado.

VILLAURRUTIA, ***Xavier*** (1903-1950) Escritor mex. *Reflejos y Nostalgia de la muerte* son sus libros de poesía más notables. De sus obras de teatro destacan: *La mujer legítima, El pobre Barba Azul.*

VILLAVERDE, ***Cirilo*** (1812-1894) Novelista y patriota cub. *Cecilia Valdés,* y *El guajiro* son novelas costumbristas que anticipan las corrientes realistas hispanoamericanas.

VILLAVICENCIO C. de Colombia, cap. del dpto. de Meta; 273 511 hab. Sit. a orillas del Guatiquia. Centro comercial y agropecuario. Ind. alimentarias.

VILLAVICENCIO, ***Antonio*** (1775-1816) Militar y político ecuat. Participó en la lucha por la indep. Miembro del triunvirato de Bogotá (1815), fue fusilado por los realistas.

VILLAVICIOSA, ***batalla de*** Victoria de las tropas francoespañolas de Felipe V sobre las del archiduque Carlos (1710). La acción tuvo lugar en las cercanías de la pob. de Villaviciosa de Tajuña (prov. de Guadalajara).

VILLAZÓN, ***Heliodoro*** (1849-1939) Político bol. Presid. de la rep. (1908-1913).

VILLEDA y Morales, ***Ramón*** (1909-1971) Político hond. Perteneciente al Partido Liberal, ganó las elecciones presidenciales (1954), pero no fue ratificado por el congreso. Nuevamente ganador de las elecciones de 1957, fue derrocado por el coronel López Arellano en 1963.

VILLEGAS, ***Esteban Manuel de*** (1589-1669) Poeta esp. Autor de las *Eróticas* o *Amatorias,* de estilo clasicista formal.

VILLÈLE, ***Joseph,*** CONDE DE (1773-1854) Político fr. Presid. del gobierno (1822-1828), se vio obligado a aceptar la intervención militar fr. en España (los Cien Mil Hijos de San Luis).

VILLENA, ***Enrique de*** (1384-1434) Escritor esp. Se sabe de un libro suyo sobre ciencias ocultas: *Tratado de aojamiento.* Entre sus obras más renombradas figuran: *Arte de trovar, Los doce trabajos de Hércules* y *Tratado del cuchillo o Arte cisoria.*

VILLENEUVE, ***Pierre de*** (1763-1806) Almirante fr., jefe de la flota francoespañola que fue derrotada por Nelson en Trafalgar (1805).

VILLEURBANNE C. de Francia, en el dpto. del Ródano; 116 000 hab. Forma parte de la aglomeración urbana de Lyon.

VILLIERS de l'Isle-Adam, ***Auguste,*** CONDE DE (1838-1889) Escritor fr. Influido por Baudelaire y Poe. *Cuentos crueles, Historias insólitas.*

VILLON, ***François*** (1431-después de 1463) El más grande poeta fr. de la E. Med. Algunas de sus piezas líricas más populares son *Quatrain,* llamado *Epitafio Villon,* la *Balada de los ahorcados, Gran Testamento,* en el que intercala baladas de profundo y delicado lirismo, y otras festivas, satíricas y procaces. *Balada a las damas de antaño, Oración a la Virgen.* • *Gaston Duchamp,* llamado ***Jacques*** (1875-1963) Pintor fr. En 1911 se adhirió al cubismo analítico y en 1919 inició su período abstracto. *La entrada del parque.*

VILLORÍA f. Casería o casa de campo.

VILLORITA f. Planta de la familia colquiáceas, con flores parecidas a las del azafrán, y frutos en cápsula. Toda la planta es rica en colquicina.

VILLORRIO m. despect. Pob. pequeña que carece de las condiciones urbanísticas necesarias para vivir en ella adecuadamente.

VILNIUS, VILNA o **WILNO** C. y cap. de Lituania; 544 000 hab. Sit. al E de la rep., en la confluencia de los r. Neris y Vilija. Centro comercial y cultural. Ind. electrónica, mecánica y de plásticos.

VILO *(En)* m. adv. Suspendido; sin el fundamento o apoyo necesario; sin estabilidad. • fig. Con indecisión, inquietud y zozobra.

VILORDO, DA adj. Perezoso, tardo.

VILORTA f. Vara de madera flexible para hacer aros y vencejos. • Cada una de las abrazaderas de hierro que sujetan al timón la cama del arado. • Arandela para evitar el roce entre dos piezas. • *Bot.* Vilorto, planta.

VILORTO m. *Bot.* Especie de clemátide. • Vilorta, vara.

VILOTE adj. *Argent.* Cobarde, pusilánime.

VINAGRADA f. Refresco compuesto de agua, vinagre y azúcar.

VINAGRE m. Producto de la fermentación acética de un líquido alcohólico debida a la acción de ciertas bacterias. • fig. y fam. Persona de genio áspero y desapacible.

* *Ind.* Según la materia prima utilizada, los v. se denominan: a) *v. de vino,* elaborado exclusivamente a partir de vino natural y de las piquetas de vino; y b) *v. de orujo,* obtenido a partir de las piquetas de orujo ensilado y caldos de pozo. El componente más importante del v. es el ácido acético, pero los otros componentes, tales como compuestos al alcohol con aldehídos, ácidos, etc., le comunican el olor y el sabor que lo valorizan.

VINAGRERA f. Vasija destinada a contener vinagre para el uso diario. • Acedera. • *Amér. Merid.* Acedía de estómago. • pl. Utensilio para el servicio de mesa, compuesto de dos o más ampollas o frascos para el aceite, vinagre y, a veces, otros condimentos.

VINAGRETA f. Salsa compuesta de aceite, cebolla y vinagre. Se usa fría con los pescados y con la carne.

VINAGRILLO m. Vinagre de poca fuerza. • Cosmético compuesto con vinagre, alcohol y esencias

Pórtico de la fachada principal del Museo del Prado (Madrid), obra de Juan de **Villanueva**

Cono del volcán **Villarrica**

Cy comence le grant codicille z testament maistre francois Villon

En lan de mon trentiesme aage
Que toutes mes hontes iauz beues
Ne du tout fol encor ne saige
Nonobstant maintes peines eues
Lesquelles iay toutes receues
Soubz la main thibault dausigny
Seuesque il est seignant les rues
Quil soit le mien ie le regny

Retrato supuesto de François **Villon** en una edición de sus poemas

aromáticas. • *Argent.* y *Chile.* Planta oxalidácea cuyo tallo contiene un jugo blanquecino bastante ácido.

VINAGRÓN m. Vino repuntado y de inferior calidad.

VINAJERA f. Cada uno de los dos jarrillos con que se sirven en la misa el vino y el agua. • pl. Aderezo de ambos jarrillos y de la bandeja donde se colocan.

VINAL m. *Argent.* Especie de algarrobo arborescente.

VINARIEGO m. El que tiene hacienda de viñas y es práctico en su cultivo.

VINAZA f. En la fabricación de alcohol, residuo que queda en la caldera después de destilar el alcohol contenido en el mosto fermentado, que se usa como pienso para el ganado.

VINAZO m. Vino muy espeso y de sabor muy fuerte.

VINCA o **VINCAPERVINCA** f. Planta de la familia apocináceas, con flores azules.

VINCENT, *Stenio* (1874-1959) Político haitiano. Presid. de la rep. (1930-1941). Su gobierno, apoyado por EE UU, fue dictatorial.

VINCETÓXICO m. Planta de la familia asclepiadáceas, con hojas ovales, flores agrupadas en cimas umbeliformes, y frutos en difolículo. Es de propiedades diuréticas y sudoríficas.

VINCHA f. *Argent.* Apretador, cinta o pañuelo con que se ciñe la cabeza para sujetar el pelo.

VINCHUCA f. *Argent.*, *Chile* y *Perú.* Insecto, especie de chinche con alas. • *Brasil* y *Ur.* Insecto, huésped intermediario del *Tripanosoma cruzi*, causante de la enfermedad de Chagas. • fig. *Chile.* Rehilete, especie de flechilla.

VINCI, *Leonardo da* → Leonardo.

VINCULACIÓN f. Acción y efecto de vincular o vincularse. Díc. especialmente de los bienes inmuebles comunales, de los que eran propiedad de la Iglesia, y de los afectos a los mayorazgos.

VINCULAR adj. Relativo al vínculo. • tr. Sujetar o gravar los bienes a vínculo para perpetuarlos en empleo o familia determinados por el fundador. • fig. Atar o unir con vínculos una cosa a otra. • fig. Someter la suerte o el comportamiento de alguien o de algo a los de otra persona o cosa. • fig. Sujetar a una obligación. • tr. y prnl. fig. Perpetuar o continuar una cosa o el ejercicio de ella.

VÍNCULO m. Unión o atadura de una cosa con otra. • *Der.* Sujeción de una propiedad, renta, derecho, etc., al perpetuo derecho de un linaje o familia, con prohibición de partirlo o enajenarlo. • *Mec. apl.* Elemento que limita la movilidad o la deformabilidad no elástica de cualquier cuerpo sólido.

VINDICAR tr. y prnl. Vengar. • Defender, especialmente por escrito, al que se halla injuriado, calumniado o injustamente criticado. • *Der.* Reivindicar. ■ VINDICACIÓN; VINDICATIVO, VA; VINDICATORIO, RIA; VINDICTA.

VINICULTURA f. Elaboración de vinos. ■ VINICULTOR, RA.

VINIFICACIÓN f. Fermentación del mosto de la uva, o transformación del zumo de ésta en vino.

VINILACETILENO m. *Quím.* Materia prima para la fabricación de cloropreno e isopreno.

VINÍLICO, CA adj. *Quím.* Relativo al radical vinilo. • *Quím.* Díc. del compuesto derivado de este radical.

VINILLO m. Vino muy flojo.

VINILO adj. y m. *Quím.* Díc. de un radical orgánico no saturado cuyo derivado más importante es el cloruro de v. (cloroetileno), $CH_2=CHCl$, gas que se polimeriza fácilmente dando un material plástico, el cloruro de polivinilo o PVC.

VINLAND («Tierra del Vino») Nombre aplicado probablemente por los vikingos de Leif Erikson a una tierra amer. que posiblemente era la de Nueva Escocia.

VINO m. Licor alcohólico que procede de la fermentación del zumo de uva. • Zumo de otras cosas que fermenta al modo del de las uvas. • **abocado.** El que participa algún tanto de las condiciones del vino dulce. • **blanco.** El de color dorado más o menos intenso. • **clarete.** Especie de vino tinto, algo claro. • **de mesa.** El más común, que se bebe durante la comida. • **de solera.** El más añejo y generoso, que se destina para dar vigor al nuevo. • **peleón.** fam. El muy ordinario. • **rosado.** El que tiene este color; clarete. • **tinto.** El de color muy oscuro. • **Bautizar,** o **cristianar, el v.** fig. y fam. Echarle agua. ■ VINAR; VINARIO, RIA; VINATERO, RA; VÍNICO, CA; VINÍCOLA; VINÍFERO, RA; VINOSO, SA; VINOSIDAD.

* *Ind.* El proceso de fermentación de la uva consiste en la transformación del azúcar de la uva en alcohol y dióxido de carbono, provocada por enzimas segregados por las levaduras existentes en la piel de la uva u hollejo. El mosto empieza a fermentar cuando, en el prensado, entra en contacto con las levaduras. Una vez el mosto se coloca en depósitos de hormigón tiene lugar la llamada fermentación tumultuosa, que dura una o dos semanas; la aparente ebullición se debe al gran desprendimiento de dióxido de carbono. Luego se trasiega a cubas o toneles, en los que tiene lugar la fermentación lenta, que dura algunos meses. La cantidad de alcohol producido depende de la de azúcar disponible. Concentraciones de azúcar superiores al 14 % impiden el desarrollo de la levadura y, por tanto, la fermentación. Cuando todo el azúcar contenido en un mosto fermenta, el v. que resulta es seco; si por el contrario la fermentación se detiene antes, se obtiene un v. dulce. El v. obtenido en distintas cosechas puede presentar diferencias notables, aunque se empleen los mismos métodos de elaboración, debidas a las condiciones atmosféricas reinantes durante el periodo de crecimiento y maduración de la uva.

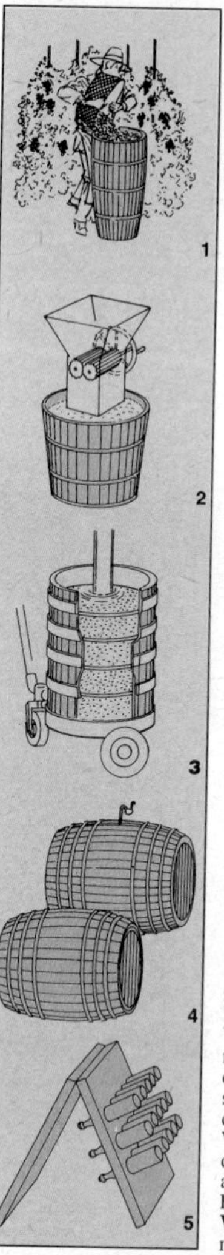

VIÑA f. Terreno plantado de muchas vides. • **virgen.** Planta de la familia vitáceas, trepadora, con zarcillos y hojas parecidas a las de la vid, flores agrupadas en racimos corimbiformes, y frutos en baya. Es originaria de América septentrional. • **la viña del Señor.** fig. El conjunto de fieles. ■ VIÑADERO; VIÑADOR; VIÑERO, RA.

VIÑA DEL MAR C. de Chile, en la prov. de Valparaíso; 261 100 hab. Sit. en la costa, forma una conurbación con Valparaíso. Ind. textil y alimentaria. Centro turístico.

VIÑAL m. *Argent.* Viñedo.

VIÑEDO m. Terreno plantado de vides.

Producción mundial de **vino** (en miles de hl)

Prales. productores	
Francia	62 000
Italia	59 150
España	31 107
CEI	18 000
EEUU	14 900
Argentina	14 650
Portugal	9 910
Rep. Sudafricana	9 630
Rumania	6 000
Chile	3 900
Brasil	3 110
Uruguay	800
Total mundial	277 767

VIÑETA f. Dibujo o estampita que se pone para adorno en el principio o el fin de los libros y capítulos. • Dibujo, escena estampada en un libro, publicación, etc., gralte. humorística y con texto o comentarios.

VIOLA f. Violeta. • *Mús.* Instrumento de la misma forma que el violín, aunque algo mayor y de cuerdas más fuertes. • com. Persona que profesa el arte de tocar este instrumento.

VIOLA, *Manuel* (1919-1987) Pintor esp. Después de una etapa surrealista, se centra en la investigación de la textura y el color (*Port Louche*, *Petit Moulin*). En su última etapa predomina la abstracción expresionista. • ***Roberto*** (1924-1994) Militar y político arg. Accedió a la presidencia en 1981. La Junta Militar decidió sustituirle por Leopoldo Galtieri unos meses más tarde. Juzgado y condenado por los excesos durante la represión en la llamada «guerra sucia».

VIOLÁCEO, A adj. Violado. • adj. y f. *Bot.* Díc. de plantas de la familia violáceas. • f. pl. *Bot.* Familia de plantas angiospermas dicotiledóneas, herbáceas, con hojas simples, flores hermafroditas pentámeras, y frutos en cápsula polisperma, que contienen semillas con albumen carnoso.

VIOLACIÓN f. Acción de violar. • *Der.* Delito contra la honestidad, que se comete al tener relación carnal con una mujer en determinados casos.

Fases del proceso de elaboración del **vino:** 1. vendimia; 2. máquina trituradora; 3. prensa; 4. almacenaje en barricas; 5. embotellado

• P. ext., cualquier abuso sexual. • Quebrantamiento de una norma jurídica. Según la norma conculcada, la v. puede ser: de contrato, de correspondencia, de la inmunidad personal, de secretos, de sepulturas, de tregua, etc.

VIOLADO, DA adj. y s. De color de violeta, morado claro. Es el séptimo color del espectro solar.

VIOLAR m. Sitio plantado de violetas. • tr. Infringir o quebrantar una ley o precepto. • Cometer una violación. • Profanar un lugar sagrado, ejecutando en él ciertos actos determinados por el derecho canónico. • fig. Ajar o deslucir una cosa. ■ VIOLADOR, RA.

VIOLENCIA f. Calidad de violento. • Acción y efecto de violentar o violentarse. • fig. Acción violenta o contra el natural modo de proceder. • fig. Acción de violar a una persona.

VIOLENTAR tr. Aplicar medios violentos a cosas o personas para vencer su resistencia. • fig. Dar interpretación violenta a lo dicho o escrito. • fig. Entrar en una parte contra la voluntad de su dueño. • prnl. fig. Vencer uno su repugnancia a hacer alguna cosa.

VIOLENTO, TA adj. Que está fuera de su natural estado, situación o modo. • Que obra con ímpetu. • Díc. de lo que hace uno contra su gusto, por ciertas consideraciones. • fig. Aplícase al genio impetuoso y que se deja llevar fácilmente de la ira. • fig. Falso, torcido, fuera de lo natural. • fig. Que se ejecuta contra el modo regular o fuera de razón y justicia.

VIOLERO m. Constructor de instrumentos de cuerda. • Mosquito.

VIOLETA adj. De color morado claro. • f. *Bot.* Nombre común de algunas plantas herbáceas pertenecientes a la familia violáceas. • P. ext., se aplica esta de nominación a especies parecidas de otras familias. • Flor de estas plantas.

VIOLETERA f. Mujer que vende en lugares públicos ramitos de violetas.

VIOLÍN m. Instrumento músico de arco, que se compone de una caja de madera, a modo de óvalo estrechado cerca del medio, con dos aberturas en forma de S en la tapa y un mástil al que va superpuesto el diapasón. Lleva cuatro cuerdas. ■ VIOLINISTA.

VIOLLE m. *Ópt.* Unidad de intensidad luminosa, que es la de 1 cm^2 de platino en el punto de fusión.

VIOLLE, *Jules* (1841-1923) Físico fr., autor de trabajos sobre la temperatura solar: propuso la unidad de intensidad luminosa que lleva su nombre.

VIOLLET-LE-DUC, *Eugène Emmanuel* (1814-1879) Arquitecto, arqueólogo y teórico fr. Sus escritos teóricos influyeron en A. Perret, F. Lloyd Wright, V. Horta y Le Corbusier. *Dictionnaire raisonné de l'architecture française de XIe au XVIe siècle.*

VIOLÓN m. Contrabajo, instrumento de cuerda. • com. Persona que profesa el arte de tocar este instrumento.

VIOLONCHELO o **VIOLONCELO** m. Instrumento musical de cuerda y arco, más pequeño que el violón y de la misma forma. ■ VIOLONCHELISTA.

VIOTTI, *Giovanni Battista* (1755-1824) Violinista it., uno de los más grandes virtuosos de su época.

VIPÉRIDO, DA adj. y m. *Zool.* Díc. de animales de la familia vipéridos. • m. pl. *Bot.* Familia de reptiles ofidios venenosos, que comprende especies de víboras de Eurasia y África.

VIPERINO, NA adj. Relativo a la víbora. • fig. Que tiene sus propiedades. • f. *Bot.* Planta herbácea de la familia borragináceas, de flores azules o blancas; común en los países templados. • **Lengua v.** La de la persona dada a la calumnia y maledicencia.

VIRA f. Especie de saeta delgada y de punta muy aguda. • Tira de cuero que, para dar fuerza al calzado, se cose entre la suela y la pala.

VIRACOCHA (voz quechua) m. Nombre que los súbditos de los incas dieron a los conquistadores esp.

VIRACOCHA En la religión de los incas, el dios creador de todas las cosas, superior a los demás. Llamado también *Huiracocha* y *Wiracocha.* Le veneraron las tribus de la altiplanicie per. y se relacionó con la cultura de Tiahuanaco; se creía que había surgido del lago Titicaca. Post., en el período incaico, no tuvo culto más que en el Cuzco, donde había un templo. Su imagen, un óvalo de oro, pendía sobre la del Sol en el gran templo solar del Cuzco.

VIRACOCHA (m. h. 1430) Soberano inca. Bajo su mando, el imperio se extendió y se formó una confederación de pueblos del altiplano. Cedió el trono a su hijo Yupanqui.

VIRAGO f. Mujer varonil.

VIRAJE m. Acción y efecto de virar. • fig. Cambio de orientación en las ideas, intereses, conducta, actitudes, etc.

VIRAR tr. *Fot.* Sustituir la sal de plata del papel impresionado por otra sal más estable o que produzca un color determinado. • *Quím.* Cambiar el color de una reacción debido a la presencia de un indicador. • tr. e intr. *Mar.* Cambiar de rumbo o de bordada. • tr. *Mar.* Dar vueltas al cabrestante para levar las anclas o suspender otras cosas de mucho peso. • intr. Mudar de dirección en la marcha de un automóvil. ■ VIRADA; VIRADOR.

VIRASORO, *Miguel Ángel* (1900-1966) Filósofo arg. *La lógica de Hegel*, *Existencia y mundo*, *La intuición metafísica.* • ***Rafael*** (nacido 1906) Filósofo arg., de pensamiento influido por Scheler. *La ética de Scheler*, *Existencialismo y moral.*

VIRAVIRA f. *Amér.* Planta de la familia compuestas, con hojas lanceoladas, flores en cabezuela; involucro de escamas blancas.

VIRAZÓN f. Viento que en las costas sopla de la parte del mar durante el día, alternando con el terral. • Cambio repentino de viento. • fig. Viraje repentino en las ideas, conducta, etc.

VIREÓNIDO, DA adj. y m. *Zool.* Díc. de animales de la familia vireónidos. • m . pl. *Zool.* Familia de aves paseriformes, de pequeño tamaño y plumas de color verde, propias de los bosques americanos.

VIRESCENCIA f. *Bot.* Fenómeno que consiste en la adquisición de color verde por parte de un órgano vegetal que habitualmente no lo posee.

VIRGEN adj. y s. Díc. de la persona que nunca ha tenido relaciones sexuales. • adj. Que no está manchado, ni ha sido tocado. • Díc. de la tierra que no ha sido arada o cultivada. • Aplícase a aquellas cosas que aún no han sido utilizadas. • Genuino, auténtico. • f. Imagen de la Virgen María. • Mujer que ha renunciado al matrimonio para consagrarse al servicio de Dios.

VIRGEN *Astr.* Constelación cuya denominación latina es *Virgo.*

VÍRGENES Cabo de Argentina, en la Patagonia, en la entrada del estr. de Magallanes.

VÍRGENES, *islas* *(Virgin Islands)* Arch. de las Pequeñas Antillas, sit. al E de Puerto Rico. Está dividido entre EE UU (344 km^2, 103 000 hab., cap., Charlotte Amalie) y Gran Bretaña (153 km^2, 12 000 hab.; cap. Road Town). Las islas son de origen volcánico. Clima tropical. Caña de azúcar, algodón, tabaco y frutas tropicales.

VIRGILIANO, NA adj. Propio y característico del poeta Virgilio, o que tiene semejanza con sus producciones.

VIRGILIO Marón, *Publio* (70 a. C.-19 a. C.) Poeta latino. Tempranamente, dio a conocer las *Bucólicas*, diez composiciones que exaltan la vida pastoril. En las *Geórgicas* se canta el trabajo del campesino. *La Eneida* narra la epopeya del pueblo romano.

VIRGINAL adj. Relativo a la Virgen. • fig. Puro, inmaculado. • *Mús.* Instrumento musical semejante a la espineta, empleado durante el s. XVII.

VIRGINIA Est. del E de EE UU, a orillas del Atlántico; 105 586 km^2, 6 187 000 hab. Cap., Richmond. Ríos: James, Potomac, Rappahannock y York. Cereales, patata, tabaco, algodón y frutales. Cría de bovinos. Explotación forestal y pesca. Carbón, plomo y cinc. Manufacturas de tabaco, ind. química, textil, alimentaria, trabajo de la madera y curtidos. Durante la guerra de Secesión V. luchó al lado de los confederados, lo que le originó la pérdida de la parte O de su territorio, que pasó a formar el nuevo est. de V. Occidental. • **Occidental** *(West Virginia)* Est. del E de EE UU; 62 759 km^2, 1 793 000 hab. Cap., Charleston. Meseta de Cumberland. Ríos: Ohio, Kanawha, Monongahela, Cheat y Potomac. Clima continental. Cereales, frutales y forrajes. Ganado bovino, equino y porcino. Explotación forestal. Carbón, petróleo y gas natural. Ind. de transformaciones minerales.

VIRGINIANO, NA adj. y s. De Virginia.

VIRGINIDAD f. Estado de la persona que no ha tenido relación sexual.

Flores de **violeta** común

Violonchelo

El inca **Viracocha,** según una pintura del s. XVIII. Catedral de Cusco, Perú

Monumento a **Viriato** en Zamora, España

VIRGO adj. y f. Virgen. • m. Himen.

VIRGO *Astr.* Sexta constelación del Zodiaco. Los gr. veían en ella la imagen de Ceres, diosa de la agricultura; a ello se debe la denominación de *Spica* (Espiga) dada a su pral. estrella.

VIRGUERÍA f. fam. Cosa extraordinaria o hecha con suma delicadeza, cuidado, buen gusto, etc. ■ VIRGUERO, RA.

VÍRGULA f. Vara pequeña. • Rayita o línea muy delgada. • *Med.* Vibrio causante del cólera.

VIRGULILLA f. Cualquier signo ortográfico de figura de coma. • Cualquier rayita o línea corta y muy delgada.

VIRIATO (m. 139 a. C.) Caudillo lusitano. Se puso al frente de su pueblo e inició la lucha contra Roma (147 a. C.), con la que pactó. Murió asesinado por oficiales vendidos al enemigo.

VIRIL adj. Varonil, perteneciente o relativo al varón. • m. Vidrio o campana transparente con que se cubren algunas cosas para preservarlas, sin que dejen de estar a la vista. • Caja de cristal que encierra la forma consagrada o que guarda reliquias.

VIRILIDAD f. Calidad de viril. • Edad viril o adulta.

VIRILISMO m. Aparición de caracteres sexuales secundarios masculinos en una hembra.

VIRINGO, GA adj. *Col.* Desnudo, sin ropa.

VIRIO m. Oropéndola, pájaro.

VIRIPOTENTE adj. Vigoroso, potente. • Se aplica a la mujer casadera.

VIROLAI o **VIRELAI** m. Ant. composición poética, acompañada de música, de origen fr.

Virreinatos y audiencias. Mapa de la organización política y administrativa de la América colonial en el siglo XVIII

VIROLO, LA adj. fam. Bizco, bisojo. • f. Abrazadera de metal que se pone como remate o adorno en navajas, espadas, etc. • Anillo ancho de hierro que se pone en la extremidad de la garrocha de los vaqueros. • Contera de bastón, paraguas, etc. • *Amér. Merid.* Adornos de oro o plata que se ponen en la montura de las caballerías.

VIROLOGÍA f. Rama de la biología que estudia los virus.

VIROSIS f. Nombre genérico de las enfermedades ocasionadas por virus patógenos.

VIROTE m. Especie de saeta guarnecida con un casquillo. • Vara cuadrangular de la ballestilla. • fig. y fam. Mozo soltero, ocioso y preciado de guapo. • fig. y fam. Hombre erguido y demasiado serio. • *Méx.* y *Ven.* Bobo.

VIROTILLO m. *Arq.* Madero corto, vertical y sin zapata, que se apoya en uno horizontal y sostiene otro horizontal o inclinado.

VIROTISMO m. Entono, presunción.

VIRREINA f. Mujer del virrey. • La que gobierna como virrey.

VIRREINAL adj. Relativo al virrey o al virreinato.

VIRREINATO o **VIRREINO** m. Dignidad o cargo de virrey. • Tiempo que dura el gobierno de un virrey. • Terr. gobernado por un virrey.

* *Hist.* Esta dignidad se creó en España para gobernar los antiguos reinos de la pen. Ibérica. Hubo virreyes en Navarra, Aragón, Cataluña, Valencia y Mallorca; gobernaban en nombre del rey y tenían casi su misma autoridad, rodeados de su corte, de sus funcionarios, de su guardia, etc. También hubo v. en los demás terr. de Carlos V (Nápoles, Sicilia, etc.), pero donde el v. alcanzó su máximo desarrollo fue en los dominios esp. de América. Colón fue el primer virrey en dichos terr., aunque de forma más honorífica que real. Los dos primeros v. fueron los de Nueva España (1535) y Perú (1543). El primero comprendía la mayor parte de América septentrional, Central e insular; se dividía en cuatro audiencias y 18 gobiernos. El segundo abarcaba toda la América meridional salvo Brasil; se dividía en cinco audiencias y diez gobiernos. Felipe V creó el v. de Nueva Granada en 1717 con parte de América Central, países de Bogotá y Quito; suprimido en 1723, se restableció en 1739. Carlos III creó el v. del Plata (1776). Esta división persistió hasta la indep. americana.

VIRREY m. El que con este título gobierna en nombre y con autoridad del rey (→ virreinato).

VIRTANEN, *Artturi Ilmari* (1895-1973) Químico finl. Estudió los procesos enzimáticos y fermentativos. Premio Nobel de Química en 1945.

VIRTUAL adj. Que tiene virtud para producir un efecto, aunque no lo produce actualmente. • Implícito, tácito. Se usa con frecuencia en oposición a efectivo o real. • Que tiene existencia aparente y no real. ■ VIRTUALIDAD.

VIRTUD f. Actividad o fuerza de las cosas para producir o causar sus efectos. • Eficacia de una cosa para conservar o restablecer la salud corporal. • Fuerza, vigor o valor. • Poder o potestad de obrar. • Integridad de ánimo y bondad de vida. • Hábito y disposición del alma para las acciones conformes a la ley moral. • Acción virtuosa. • pl. Espíritus bienaventurados que forman el quinto coro. • **cardinal.** Cada una de las cuatro (prudencia, justicia, fortaleza y templanza) que son principio de otras en ellas contenidas. • **teologal.** Cada una de las tres (fe, esperanza y caridad) cuyo objeto directo es Dios.

VIRTUOSISMO m. Gran dominio de la técnica de un arte propio del virtuoso, artista que domina un instrumento, especialmente musical.

VIRTUOSO, SA adj. y s. Que se ejercita en la virtud u obra según ella. • adj. Aplícase igualmente a las mismas acciones. • Díc. también de las cosas que tienen la actividad y virtud natural que les corresponde. • adj. y s. Díc. de la persona dotada de talento natural para la música, y, sobre todo, del ejecutante que se distingue por su dominio de la técnica.

VIRÚ Valle de la cord. Occidental de los Andes, en Perú (prov. de Trujillo). Entre 500 a. C. y 350 d. C. se desarrolló en él una cultura preincaica que se caracteriza sobre todo por su cerámica (llamada Gallinazo, del nombre del pral. yacimiento), de formas simples y decorada con motivos característicos en negativo.

VIRUELA f. *Pat.* Enfermedad infecciosa aguda, epidémica, producida por un virus. La transmisión se efectúa pralm. a través de las gotitas de saliva expelidas al hablar por un individuo enfermo. El virus mantiene su virulencia adherido a la ropa, objetos, etc., durante largo tiempo. Tras un período de incubación de cerca de 10 días, aparecen bruscamente fiebre, vómitos, dolores lumbares, etc., que preceden a la erupción de las pápulas. • Cada una de las pústulas producidas por esta enfermedad. • fig. Granillo semejante al que produce esta enfermedad que aparece en la superficie del papel, plantas, etc. ■ VIROLENTO, TA.

VIRUÉS, *Cristóbal de* (1550-1609) Escritor esp. Su *Montserrate* es un extenso poema que narra la leyenda del ermitaño Juan Garín. Escribió también varias tragedias (*Elisa Dido*).

VIRULÉ *(A la)* m. adv. que expresa la forma de llevar la media arrollada en su parte superior. • m. adv. Estropeado, torcido, en mal estado.

VIRULENCIA f. Calidad de virulento. • Patogenicidad relativa de un microorganismo.

VIRULENTO, TA adj. Ponzoñoso, maligno, ocasionado por un virus, o que participa de su naturaleza. • Que tiene pus o está infectado. • fig. Díc. del estilo, escrito o discurso, extraordinariamente violento, mordaz o ponzoñoso.

VIRUS m. *Biol.* Organismo procariota con estructura molecular, parásito obligado de animales, vegetales o bacterias, capaz, por su pequeño tamaño, de atravesar los filtros de porcelana bacteriológicos. • **informático** o **computacional** *Comp.* Agente nocivo que actúa en un sistema informático perjudicando su correcto funcionamiento. Se traspasa de un ordenador a otro a través de algunos periféricos. ■ VÍRICO, CA.

* *Biol.* Los v. fueron descubiertos en 1892 por Ivanowsky al estudiar la enfermedad conocida como mosaico del tabaco. La metodología del estudio vírico participa de la bioquímica, microscopia electrónica, citología patológica, patología, ultracentrifugación, difracción de rayos X, etc. Los v. tienen la facultad de cristalizar como sustancias químicas inertes, por lo que ciertos autores los consideran no como seres vivos sino como especies químicas. Su clasificación se basa en los huéspedes a los que atacan. La morfología de los v. bacteriófagos suele ser prismática, con una «cabeza» piramidal. Los v. fitopatógenos suelen ser bacilares o cocales y los zoopatógenos cilíndricos, poliédricos o esféricos.

VIRUTA f. Hoja delgada que se saca con el cepillo u otras herramientas al labrar la madera o los metales. • *Amér. Centr.* Mentira, embuste.

VIRUTEAR tr. *R. de la Plata.* Pulir el parqué con viruta.

VIS f. Fuerza, vigor. Se usa sólo en la loc. *vis cómica.* • **a vis.** loc. Frente a frente.

VISA amb. *Amér.* Visado.

VISADO m. Acción y efecto de visar la autoridad un documento. • El mismo documento después de dicho trámite.

VISAJE m. Gesto, exp. del rostro, mueca.

VISAR tr. Examinar un documento, certificación, etc., poniendo en ellos el visto bueno, o dándoles validez para un fin o por cierto tiempo. • Entre artilleros y topógrafos, dirigir la puntería o la visual.

VISAYAS Grupo de islas de la parte central del arch. de las Filipinas, sit. entre Luzón y Mindanao.

VISAYO, YA adj. y s. Díc. de individuos de un pueblo malayo que vive en las islas Visayas, en el S de Luzón y de Mindoro y en el N y O de Mindanao. • m. *Ling.* Lengua de la familia malayopolinesia hablada por los visayos.

VÍSCERA f. *Anat.* Nombre dado clásicamente a todo órgano contenido en las cavidades del organismo.

VISCHER Familia de escultores y orfebres de Nuremberg. **Hermann** EL VIEJO (m. 1488) fue el creador de un importante taller. **Peter** EL VIEJO (1460-1529), hijo de Hermann, realizó, dentro del estilo gótico tardío, el sepulcro del arzobispo de Magdeburgo y la placa sepulcral de Federico el Sabio. Cabe citar también a sus hijos: **Peter** (1487-1528) y **Hans** (1489-1550).

VISCHER, *Friedrich Theodor* (1807-1887) Filósofo al. Partiendo del hegelianismo, presentó un sistema estético en el que lo bello era una de las formas de la Idea. *Estética o ciencia de lo bello.*

VISCO m. Liga para cazar pájaros. • Muérdago. • *Argent.* Árbol leguminoso, cuya corteza se usa como curtiente.

VISCONTI Noble familia gibelina de Milán, que gobernó en esta c. del s. XIII al s. XV. El poderío de los V. tuvo su origen en **Otón** (h. 1208-1295), quien obtuvo el arzobispado de Milán. Entre sus descendientes se encuentra **Gian Galeazzo** (1351-1402), quien obtuvo el título de duque hereditario de Milán. Su hijo **Filippo Maria** (1392-1447) se enfrentó con Florencia y Venecia. A su muerte el ducado pasó a los Sforza.

VISCONTI, *Luchino* (1906-1976) Director teatral y cinematográfico it. Inicialmente neorrealista, profundizó en el análisis crítico de la historia contemporánea de Italia. *Obsesión, Senso, El Gatopardo, Rocco y sus hermanos, La caída de los dioses, Muerte en Venecia, Confidencias, Ludwig, El inocente.*

VISCOSIDAD f. Calidad de viscoso. • Materia viscosa. • *Fís.* Rozamiento que existe entre capas contiguas de un fluido. Las unidades de medida son el poise y el stoke.

VISCOSILLA f. Hilo hecho de celulosa, de calidad inferior al de la seda viscosa.

VISCOSÍMETRO m. Aparato para medir la viscosidad de los líquidos, consistente en una vasija en cuyo fondo existe un orificio, y en la que se vierte un volumen conocido de líquido, del cual se mide el tiempo empleado en pasar por el orificio.

VISCOSO, SA adj. Díc. de la sustancia muy espesa, pegajosa, glutinosa. • f. *Quím.* Producto que se obtiene por el tratamiento químico de la celulosa. Se usa pralm. en la fabricación de fibras textiles.

VISERA f. Parte del yelmo, movible y con agujeros para ver, que cubría y defendía el rostro. • Ala pequeña que tienen en la parte delantera las gorras y otras prendas semejantes, para resguardar la vista.

VISHAKHAPATNAM C. del E de la India, en el est. de Andhra Pradesh; 584 200 hab. Sit. junto al golfo de Bengala. Puerto exportador. Ind. alimentaria; construcciones navales.

VISIBILIDAD f. Calidad de visible. • *Meteor.* Transparencia de la atmósfera definida por la distancia máx. hasta la cual son visibles los objetos.

VISIBILIZAR tr. Hacer visible artificialmente lo que no puede verse a simple vista.

VISIBLE adj. Que se puede ver. • Tan cierto y evidente, que no admite duda. • Díc. de la persona destacada o ilustre.

VISIGODO, DA adj. y s. Díc. de individuos de una rama del pueblo germánico de los godos. • adj. Visigótico.

* *Arte.* Uno de los capítulos más imp. del arte v. es la orfebrería. Son elementos muy característicos las fíbulas en forma de águila o cuervo. Las obras maestras corresponden a la época de esplendor (s. VII); se trata de los tesoros de Torredonjimeno y de Guarrazar. De esta misma época datan las mejores obras arquitectónicas, como San Juan de Baños de Cerrato (Palencia). En las construcciones destacaba el arco de herradura; los muros de sillería gruesa y labrada; plantas cruciformes o casi cua-

Arte **visigodo.** Arriba, fíbula con gemas engastadas; sobre estas líneas, detalle de un capitel de la iglesia de San Pedro de la Nave, El Campillo, Zamora (España)

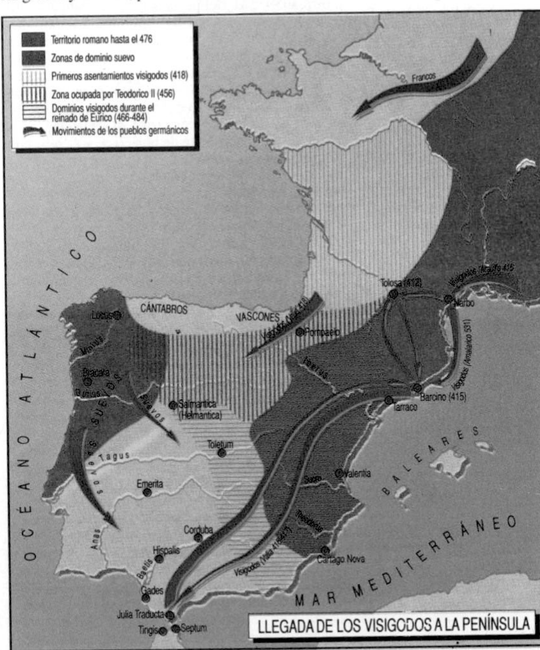

dradas; pequeño pórtico rectangular, y decoración en arcos, impostas y capiteles. Prototipo del estilo v. es la iglesia de San Juan de Baños de Cerrato, en Palencia.

VISIGÓTICO, CA adj. Relativo a los visigodos.

VISILLO m. Cortinilla.

VISIÓN f. Acción y efecto de ver. • *Fisiol.* Sensación consciente producida por la luz, que permite apreciar los objetos y sus cualidades. La luz atraviesa los componentes del ojo y, mediante la córnea y el cristalino, la imagen queda enfocada en la retina. Los estímulos luminosos se convierten en impulsos nerviosos en las numerosas neuronas retinianas. Estos impulsos son conducidos por las vías ópticas hacia la corteza cerebral, donde son elaborados a nivel consciente. • Objeto expuesto a la vista, especialmente cuando es ridículo o espantoso. • Especie de la fantasía o imaginación, que no tiene realidad y se toma como verdadera. • fig. y fam. Persona fea y ridícula. • Alucinación, imagen irreal o sobrenatural. • **Ver** uno **visiones.** fig. y fam. Dejarse llevar mucho de su imaginación, creyendo lo que no hay. ■ VISIONARIO, RIA.

La ***Visitación,*** óleo de El Greco. Dumbarton Oaks, Whashington

VISIR m. Ministro de un soberano musulmán. • Gran visir. Primer ministro del sultán de Turquía. ■ VISIRATO.

VISITA f. Acción de visitar. • Persona que visita. • Casa en que está el tribunal de los visitadores eclesiásticos. • Especie de esclavina usada por las señoras. • **de sanidad.** La que se hace oficialmente en los puertos para enterarse del estado de salubridad de los buques que arriban, y de la salud de sus tripulantes y pasajeros. • **pastoral.** La que hace el obispo para inspeccionar las iglesias de su diócesis.

VISITACIÓN f. Visita, acción de visitar. • P. ant., la visita que hizo la Virgen María a su prima santa Isabel.

VISITADOR, RA adj. y s. Que visita frecuentemente. • m. Funcionario que tiene a su cargo hacer visitas de inspección. • m. *Amér.* En la época colonial, funcionario del Consejo de Indias que inspeccionaba una circunscripción. • f. *Amér. Centr.* y *Ven.* Lavativa, ayuda. • m. **médico.** El que lleva muestras de laboratorio, de nuevos productos o marcas del mismo, para conocimiento del facultativo y para que extienda su uso.

Visnú acompañado de su mujer y montado sobre el Guruda, su montura característica, en una estampa que guarda el Museo Victoria y Alberto de Londres

VISITAR tr. Ir a ver a uno en su casa. • Ir a un templo por devoción. • Informarse el juez superior, u otra autoridad, del proceder de los ministros inferiores o empleados y del estado de las causas y asuntos del servicio en los distritos de su jurisdicción. • Ir el médico a casa del enfermo para asistirle. • Registrar en las aduanas los géneros o mercaderías, para el pago de los derechos o para ver si son de lícito comercio. • Reconocer en las cárceles los presos y las prisiones en orden a su seguridad. • Informarse personalmente de una cosa. • Acudir con frecuencia a un paraje con objeto determinado. • *Der.* Ir un juez o tribunal a la cárcel para enterarse del estado de los presos. • prnl. *Der.* Acudir a la visita el preso para hacer alguna petición. ■ VISITEO.

VISIVO, VA adj. Que sirve para ver.

VISLUMBRAR tr. Ver un objeto confusamente por la distancia o falta de luz. • fig. Conocer imperfectamente o conjeturar por leves indicios una cosa inmaterial.

VISLUMBRE f. Reflejo de la luz, o tenue resplandor, por la distancia de ella. • fig. Conjetura, sospecha o indicio. Se usa más en pl. • fig. Breve o dudosa noticia. • fig. Apariencia o leve semejanza de una cosa con otra.

VISNÚ Segunda divinidad componente de la trimurti hinduista. Benevolente dios del universo, mantenedor del mundo y salvador.

VISNUISMO m. Culto al dios hinduista Visnú. Sus fieles se llaman visnuitas o vaisnavas. Se trata de una religión emocional, fervorosa y moderada, que se basa en las corrientes del vedanta.

Visón

VISO m. Altura o eminencia, sitio o lugar alto, desde donde se ve y descubre mucho terreno. • Superficie de las cosas lisas o tersas que hieren la vista con un especial color o reflexión de la luz. • Onda de resplandor que hacen algunas cosas heridas por la luz. • Forro o prenda ligera que usan las mujeres debajo de un vestido, especialmente si es transparente. • fig. Apariencia de las cosas.

VISÓN m. Mamífero carnívoro de la familia mustélidos. Mide aprox. 0,5 m de largo y vive en los bosques del hemisferio N. Su apreciada piel le ha hecho objeto de una gran persecución, y por el mismo motivo se le ha criado en granjas especiales, sometiéndosele a selección. • Piel de este animal. • Prenda hecha de esta piel.

VISOR m. Accesorio de la máquina fotográfica cuya finalidad es la de precisar los límites del objeto a fotografiar.

VISORIO, RIA adj. Relativo a la visión o que sirve como instrumento para ver. • m. Visita o examen pericial.

VÍSPERA f. Día que antecede inmediatamente a otro determinado. • fig. Cualquier cosa que antecede a otra, y en cierto modo la ocasiona. • fig. Inmediación a una cosa que ha de suceder. • pl. Una de las divisiones del día entre los ant. romanos, que correspondía al crepúsculo de la tarde. • Una de las horas del oficio divino. • **En vísperas.** m. adv. fig. En tiempo inmediatamente anterior.

VÍSPERAS Sicilianas Nombre dado al levantamiento de los sicilianos contra los fr., en Palermo, el 30 marzo 1282, que permitió coronar rey de Sicilia a Pedro III el Grande de Aragón.

VISTAZO m. Mirada superficial o ligera. • **Dar** uno **un v. a** una cosa. Reconocerla superficialmente y a bulto.

VISTILLAS f. pl. Lugar alto desde el cual se ve y descubre mucho terreno.

VISTO, TA *Der.* Fórmula con que se da por terminada la vista pública de un negocio, o se anuncia el pronunciamiento del fallo. • m. *Der.* Parte de la sentencia, resolución o informe que precede generalmente a los considerandos. • f. *Fisiol.* Sentido corporal con que se perciben los objetos mediante la acción de la luz, visión. • Visión, acción y efecto de ver. • Apariencia o disposición de las cosas en orden al sentido de ver. Se usa más con los adj. buena o mala. • Campo que se descubre desde un punto. Se usa también en pl. • Ojo, órgano de la visión. • Conjunto de ambos ojos. • Encuentro o concurrencia en que uno se ve con otro. • Visión o aparición. • Cuadro, estampa que representa un lugar o monumento, etc., tomado del natural. • Conocimiento claro de las cosas. • Apariencia o relación de una cosa respecto de otras. • Intento o propósito. • Parte de una cosa que no se oculta a la vista. • Vistazo. • *Der.* Actuación en que se relaciona ante el tribunal un juicio o incidente, para dictar el fallo, oyendo a los defensores o interesados que a ella concurran. • pl. Concurrencia de dos o más sujetos que se ven para fin determinado. • Regalos que recíprocamente se hacen los novios. • Ventana, puerta u otra abertura en los edificios, por donde entra la luz para ver. • Galerías, ventanas u otros huecos de pared, por donde desde un edificio se ve lo exterior. • m. Empleado de aduanas a cuyo cargo está el registro de los géneros. • **Bien,** o **mal, v.** loc. que con los verbos *estar* o *ser* significa que se juzga bien, o mal, de una acción o de una cosa; que merece, o no, la aprobación de las gentes. • **No visto,** o **nunca v.** loc. Raro o extraordinario en su línea. • **bueno.** Fórmula que se pone al pie de algunas certificaciones y otros instrumentos y con que el que firma debajo da a entender hallarse ajustados a los preceptos legales y estar expedidos por persona autorizada al efecto. Se escribe casi siempre por esta abreviatura: V.° B.°. • **que.** m. conj. Pues que, una vez que. • **y no visto.** loc. adj. fig. y fam. que se aplica a algo que se hace o sucede con gran rapidez. • **Vista cansada.** La del présbite. • **corta.** La del miope. • **de águila.** fig. La que alcanza y abarca mucho. • **de lince.** fig. La muy aguda y penetrante. • **A la v.** m. adv. Luego, al punto, sin dilación. • En el comercio, díc. de los efectos pagaderos a su presentación. • **A la v. de.** m. adv. En presencia de o delante de: en consideración o comparación; enfrente, cerca o en paraje donde se puede ver. • **A v. de pájaro.** m. adv. con que se denota que se ven o describen los objetos desde un punto muy elevado sobre ellos. • **Comerse** uno **con la v.** a una persona o cosa. fig. y fam. Mirarla airadamente y con grande ansia. • **Corto de v.** Miope. • fig. Poco perspicaz. • **Dar v.** a una cosa. Avistarla, alcanzar a verla. • **En v. de.** m. adv. En consideración o atención de alguna cosa. • **Hacer** uno **la v.**

gorda. fam. Fingir con disimulo que no ha visto una cosa. • **Hasta la v.** expr. A más ver. • **Írsele** a uno **la v.** fig. Desvanecerse, turbársele el sentido . • **No perder** uno **de v.** a una persona o cosa. Estarla observando sin apartarse de ella. • fig. Seguir sin intermisión un intento. • fig. Cuidar con suma vigilancia de una cosa. • **Saltar a la v.** una cosa. fig. Ser evidente; notarse. • **Tener** uno **a la v.** una cosa. fig. Tenerla presente en la memoria para el cuidado de ella. • **Tener v.** una cosa. Tener buena apariencia. • **Torcer,** o **trabar,** uno **la v.** fig. Torcer los ojos al mirar.

VISTOSO, SA adj. Que atrae mucho la atención por su brillantez, viveza de colores o apariencia ostentosa. ■ VISTOSIDAD.

VÍSTULA *(Wisla)* Río de Polonia; 1 806 km. Nace en los Cárpatos y desemboca en el Báltico, formando un delta en el golfo de Gdańsk.

VISUAL adj. Relativo a la vista como instrumento o medio para ver. • f. Línea recta que se considera tirada desde el ojo del espectador hasta el objeto.

VISUALIDAD f. Efecto agradable que produce el conjunto de objetos vistosos.

VISUALIZAR tr. Visibilizar. • Representar mediante imágenes ópticas fenómenos de otro carácter. • Formar en la mente una imagen visual de un concepto abstracto. • Imaginar con rasgos visibles algo que no se tiene a la vista. • *Comp.* Hacer aparecer información en la pantalla de la computadora o del terminal. ■ VISUALIZACIÓN.

VISURA f. Examen y reconocimiento que se hace de una cosa por vista de ojos. • Visorio, examen pericial.

VITÁCEO, A adj. y f. *Bot.* Díc. de plantas de la familia vitáceas. • f. pl. *Bot.* Familia de plantas angiospermas trepadoras, con zarcillos, hojas gralte. palmeadas y hendidas, flores agrupadas en racimos compuestos, y fruto en baya. El interés económico de la familia se centra en la vid.

VITAL adj. Relativo a la vida. • fig. De suma importancia o trascendencia.

VITALICIO, CIA adj. Que dura desde que se obtiene hasta el fin de la vida. • Aplícase a la persona que disfruta de ciertos cargos vitalicios. • m. Póliza de seguro sobre la vida. • Pensión duradera hasta el fin de la vida del perceptor.

VITALIDAD f. Calidad de tener vida. • Actividad o eficacia de las facultades vitales.

VITALISMO m. *Biol.* y *Fil.* Tendencia filosóficobiológica que proclama la existencia de un principio o una fuerza vital irreductible a procesos fisicoquímicos. ■ VITALISTA.

VITALIZAR tr. Vivificar, proporcionar fuerza vital. • Infundir nueva vida a aquello que estaba decaído.

VITAMINA f. *Biol.* y *Quím.* Sustancia, gralte. de acción enzimática, imprescindible en pequeñas cantidades para el funcionamiento normal de un organismo y que éste no puede sintetizar, y que debe adquirirse mediante la alimentación. No existe ninguna sustancia que sea de por sí una v., sino que lo es respecto a determinado organismo. ■ VITAMINADO, DA; VITAMÍNICO, CA.

* *Biol.* y *Quím.* Los vegetales y muchos seres vivos sencillos y primitivos suelen poder sintetizar todas las sustancias que les son necesarias; no ocurre así con los organismos superiores, que han perdido algún eslabón en las cadenas biosintéticas de ciertos compuestos catalíticos. A excepción del ácido ascórbico, el hombre requiere dosis vitamínicas que no sobrepasan los 10 mg diarios. La carencia de vitaminas determina enfermedades denominadas avitaminosis que, casi siempre, se manifiestan por detención del crecimiento y por una serie de síntomas específicos que suelen afectar principalmente a la piel y mucosas. Según su solubilidad las vitaminas se clasifican en hidrosolubles y liposolubles. Las principales vitaminas liposolubles son: 1) la *A*, retinol o axerofitol, se trata de un lípido procedente de la carotina, forma parte de la púrpura visual, su falta determina una detención del crecimiento, y se suele manifestarpor ceguera nocturna seguida de xeroftalmia; 2) la *D* o calciferol, que es un esteroide cuya función estriba en estimular la absorción de los iones calcio, su carencia determina el raquitismo, y su superabundancia condiciona la movilización del calcio de los huesos; 3) la *E* o tocoferol, es una quinona, y actúa como antioxidante haciendo que el organismo pueda procurarse oxígeno puro para todos sus tejidos; 4) la *K*, antihemorrágica o filoquinona, cuya carencia determina perturbaciones en la coagulación de la sangre; 5) la *Q* o ubiquinona, formada por un anillo quinónico y una cadena isoprenoide, actúa como eslabón en la cadena respiratoria y es muy abundante en las mitocondrias; 6) la *F*, que consiste en un complejo de ácidos grasos esenciales; y 7) el ácido tioctánico, conocido también como ácido lipónico, que parece actuar como factor vitamínico en microorganismos. Las vitaminas hidrosolubles son las siguientes; 1) la B_1, tiamina o aneurina, que interviene en las decarboxilaciones oxidativas, su carencia produce el beriberi, y sus síntomas son alteraciones neuronales y cardíacas; 2) complejo vitamínico B_2, constituido por diversas sustancias, la riboflavina, la nicotinamida, el ácido fólico y el ácido pantoténico, que actúan como coenzimas; 3) la B_{12} o cobalamina, con un anillo cíclico, parecido a la hemoglobina, con cobalto y un ion cianuro, cura la anemia perniciosa; 4) la *C* o ácido ascórbico, cuya falta determina el escorbuto, requiere cantidades mucho mayores que las demás, pero es muy fácil de sintetizar y además todos los cítricos son ricos en ella; y 5) la *H* o biotina, que se descubrió como factor de crecimiento

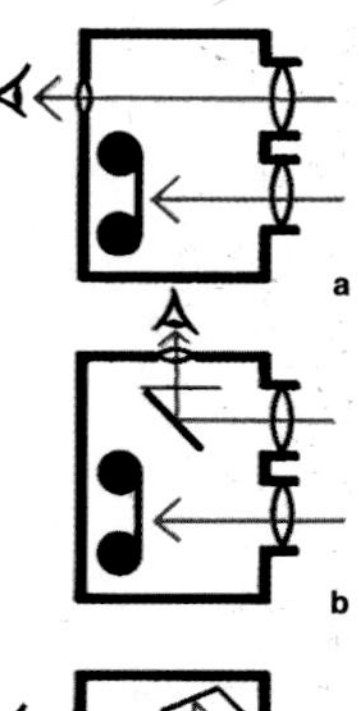

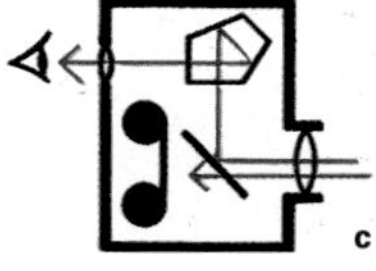

Esquema de tres tipos de **visor** de una cámara fotográfica. a. normal; b. reflex; c. reflex monocular

Hojas y fruto de vid, planta de la familia **vitáceas**

Principales **vitaminas** y hormonas

I. VITAMINAS LIPOSOLUBLES

NOMBRE	SÍMBOLO	NATURALEZA QUÍMICA	SE ENCUENTRA EN	ENFERMEDADES Y TRASTORNOS QUE PRODUCE SU CARENCIA
AXEROFTOL (RETINOL)	A	carotinoide	zanahorias, tomates, sardinas, yema de huevo aceites animales, calabaza, mantequilla, leche, espinacas, coles	ceguera nocturna, xerolftalmía, alteraciones de los epitelios, retraso en el crecimiento queratomalacia, queratosis, discromia
CALCIFEROL	D	esteroide	aceite de hígado de bacalao, verduras, hongos, yema de huevo, mantequilla	raquitismo, tetania, osteomalacia, oesteoporosis
TOCOFEROL	E	carotinoide	aceite de germen de trigo y de semillas de maíz y de algodón, huevos, vegetales frescos	distrofia muscular, creatinuria, anemia, hemólisis, azoospermia, aborto o resorción del embrión o feto, trastornos diversos del aparato genital
FILOQUINONA	K	carotinoide	bacterias intestinales	retraso en la coagulación de la sangre por falta de producción hepática de protrombina (síndrome hemorrágico), esclerosis de los vasos
UBIQUINONA	Q	carotinoide	casi todos los alimentos lípidos de los mitocondrios	interviene como transferidora de electrones en la cadena respiratoria mitocondrial
ÁCIDOS GRASOS ESENCIALES	F	ácidos grasos	alimentos grasos	dermatitis seborreica, hígado graso, disminución de defensas frente a quemaduras

II. VITAMINAS HIDROSOLUBLES

NOMBRE	SÍMBOLO	NATURALEZA QUÍMICA	SE ENCUENTRA EN	ENFERMEDADES Y TRASTORNOS QUE PRODUCE SU CARENCIA
TIAMINA (ANEURINA)	B_1	hecterociclica	cereales (cáscara), manzana, huevo, mantequilla	trastornos nerviosos y metabólicos, beriberi (polineuritis)
RIBOFLAVINA	B	nucleótido	casi todos los alimentos, leche, hígado	dermatitis, trastornos nerviosos, fotofobia, congestión conjuntival, queratitis, eritema
NIACINA	B_2PP	nucleótido	casi todos los alimentos, hígado, músculos, huesos, levadura	pelagra, trastornos nerviosos y mentales (en casos extremos)
ÁCIDO FÓLICO	B_2	derivado aminoácido	casi todos los alimentos, hojas verdes, hígado, riñón, yema de huevo	anemias megabloblásticas
ÁCIDO PANTOTÉNICO	B_2	dipéptido	casi todos los alimentos, huevo, hígado, riñón, vegetales frescos; la sintetizan las bacterias intestinales	insuficiencia suprarrenal, dermatitis, lesiones del sistema nervioso y del aparato digestivo, lesiones del hígado y del timo, flaccidez muscular
PIRIDOXINA (ADERMINA)	B_6	piridina	yema de huevo, hígado riñón, músculos, cereales	pelagra, espamos musculares, detención del crecimiento, convulsiones, acrodinia, leiones vasculares, alopecia parcial
COBALAMINA	B_{12}	porfirina	proteínas animales, hígado, riñón	anemia perniciosa
ÁCIDO ASCÓRBICO	C	derivado monosacárido	cítricos, perejil, tomate vegetales frescos, patata, cebollas, pimiento	escorbuto, hemorragias gingivales y cutáneas, enfermedad de Barlow
BIOTINA	H	cíclica	yema de huevo, hígado, levadura, zanahoria, lechuga, riñón, patata	saborrea, acné, forúnculos, descamación
RUTINA	P	flavonoide	zumo de limón	acción sinérgica con la vitamina C, acción protectora sobre los vasos capilares

Frutos de **vitilaina**

de la levadura, cuya carencia determina alopecia y dermatitis.

VITEBSK C. de Bielorrusia; 335 000 hab. Ind. mecánica y textil.

VITELA f. Variedad de pergamino muy fina, fabricada con la piel de animales muy jóvenes o nonatos.

VITELINA adj. y f. Díc. de la membrana que envuelve el óvulo humano y el de algunos animales.

VITELIO, *Aulo* (15-69) Emperador rom. [69]. Se proclamó emp. a la muerte de Galba, pero fue derrotado por Vespasiano en Cremona y asesinado.

VITELO m. *Biol.* Conjunto de sustancias de reserva del ovoplasma, formado por lecitinas, glucógeno, proteínas, colesterol, etc., organizados en forma de gránulos, láminas y glóbulos.

VITELÓGENO m. *Biol.* Órgano formador de células productoras de las sustancias que constituyen el vitelo, de gran importancia en las especies ovíparas.

VITERBO C. de Italia, cap. de la prov. hom.; 58 700 hab. Centro agrícola, comercial e industrial.

VITERICO (m. 610) Rey de los visigodos [603-610]. Sucedió a Liuva II, después de asesinarle. Intentó restablecer el arrianismo. También murió asesinado.

VITI LEVU Isla de origen volcánico de Fiji, la mayor de este Est.; 10 497 km^2. Cap., Suva. Algodón y caña de azúcar. Oro.

VITICULTURA f. Cultivo de la vid. • Conjunto de prácticas y técnicas agronómicas que se aplican al cultivo de la vid. ■ VITÍCOLA; VITICULTOR, RA.

VITIER, *Cintio* (nacido 1921) Escritor y crítico cub. Autor de poesías, ensayos y antologías. *Canto llano, Testimonios, Lo cubano en la poesía.*

VITILAINA f. Planta caprifoliácea, de flores agrupadas en cimas corimbiformes, y frutos en drupilanio.

VITIM Río de Rusia, en Siberia; 1 800 km. Nace en los montes Yablonovi y desagua en el Lena.

VITIVINICULTURA f. Arte de cultivar la vid y de elaborar el vino. ■ VITIVINÍCOLA; VITIVINICULTOR, RA.

VITIZA (m. 710) Rey de los visigodos [702-710]. Sucedió a su padre, Égica. Convocó el XVII Concilio de Toledo.

VITO m. Baile andaluz muy animado y vivo. • Música en compás de tres por ocho, con que se acompaña este baile. • Letra que se canta con esta música.

VITOLA f. Plantilla para calibrar balas de cañón o de fusil. • Regla de hierro para medir las vasijas en las bodegas. • Cada una de las diferentes clases de cigarro puro según su longitud, grosor y configuración. • Anilla de los cigarros puros. • fig. Traza o facha de una persona y, a veces, aspecto de una cosa.

¡VÍTOR! interj. de alegría con que se aplaude a una persona o una acción. • m. Función pública en que se aclama uno.

VITOREAR tr. Aplaudir o aclamar con vítores.

VITÓRIA C. del SE de Brasil, cap. del estado de Espírito Santo; 258 000 hab. Sit. en la isla Vitória. Puerto exportador.

VITORIA-GASTEIZ *(Gasteiz)* C. de España, cap. de la prov. de Álava y de la com. autón. del País Vasco o Euskadi; 214 234 hab. Centro industrial (metalurgia, automóviles, artes gráficas, alimentación). Maquinaria agrícola. Neumáticos.

VITORIA, *Francisco de* (h. 1492-1546) Teólogo esp., iniciador del renacimiento escolástico en España. Destacan sus doctrinas sobre el derecho internacional, del que es considerado uno de los fundadores. *Relectiones Theologicae.*

VITORIANO, NA adj. y s. De Vitoria.

VITRAL m. Vidriera de colores. • Vidriera grande con travesaños de hierro o piedra y bastidor metálico.

VÍTREO, A adj. Hecho de vidrio o que tiene sus propiedades. • Díc. de un estado de agregación de la materia propio de los cuerpos amorfos, que son sólidos tan sólo en apariencia. • Parecido al vidrio. Díc. en particular del brillo que presentan ciertos minerales. • *Geol.* En petrografía, díc. del material rocoso no cristalizado.

VITRIFICAR tr. y prnl. Convertir en vidrio una sustancia. • Hacer que una cosa adquiera las apariencias del vidrio. ■ VITRIFICABLE; VITRIFICACIÓN.

VITRINA f. Armario o caja con puertas o tapas de cristales, para tener objetos expuestos a la vista.

VITRIOLO m. *Quím.* Nombre que antiguamente se daba a los sulfatos de metales pesados. Conservan dicho nombre el v. azul o sulfato de cobre, el v. blanco o sulfato de cinc, y el aceite de v. o ácido sulfúrico. ■ VITRIÓLICO, CA.

VITRODENTINA f. Esmalte dental.

VITROLA f. *Amér. Merid.* Tocadiscos inserto en un mueble.

VITRUVIO Polión, *Marco* (s. I a. C.) Arquitecto

y tratadista rom. Realizó el único tratado que se conserva de la época clásica. *De Architectura.*

VITRY, *Philippe de* (1291-1361) Compositor y teórico musical fr. Es famoso por su obra sobre composición musical titulada *Ars nova*, en la que aparece ya definida una polifonía.

VITRY-SUR-SEINE C. de Francia, en el dpto. de Valde-Marne; 85 300 hab. Sit. en el á. metr. de París. Centro industrial.

VITTE o **WITTE, *Serguei Yulievich*** (1849-1915) Político ruso. Ministro de Finanzas (1892), impulsó una serie de profundas reformas económicas.

VITTORINI, *Elio* (1908-1966) Novelista it., uno de los iniciadores del neorrealismo literario. *Coloquio en Sicilia, Las mujeres de Mesina.*

VITUALLA f. Víveres. Se usa más en pl. • fam. Abundancia de comida.

VITUALLAR tr. Avituallar.

VITULLO, *Sesostris* (1899-1953) Escultor arg. Influido por los analistas abstractos. *Martín Fierro, Monumento a José de San Martín.*

VITUPERAR tr. Criticar, censurar, decir mal de una persona o cosa. ■ VITUPERACIÓN.

VITUPERIO m. Injuria, afrenta u oprobio que se dice a uno. • Acción o circunstancia que causa afrenta o deshonra. ■ VITUPERABLE.

VIUDEDAD f. Pensión que recibe una viuda.

VIUDO, DA adj. y s. Díc. de la persona a quien se le ha muerto su cónyuge y no ha vuelto a casarse. • fig. Aplícase a algunas aves que, estando apareadas para criar, se quedan sin la compañera. • f. Planta dipsacácea, con hojas elípticas y festoneadas, flores de color morado que tira a negro, con las anteras blancas, y fruto seco capsular. Originaria de la India. • Flor de esta planta. • **silvestre.** Planta dipsacácea, con hojas vellosas dentadas o laciniadas, flores rosadas o azuladas, y frutos en aquenio.

VIVAC o **VIVAQUE** m. Retén, guardia principal. • Campamento militar instalado al raso.

VIVACIDAD f. Calidad de vivaz. • Viveza, esplendor y lustre de algunas cosas.

VIVALDI, *Antonio* (1678-1741) Compositor y violinista it. Una de las personalidades más imp. de la historia de la música. Creó conciertos, óperas, oratorios, cantatas, etc., hasta un total de 554 composiciones instrumentales conservadas. Fue también virtuoso del violín y director de orquesta. Colecciones de sus obras son el *Estro armonico, Il cimento dell' armonia e dell'invenzione, La stravaganza.*

VIVALES com. fam. Persona vividora y desaprensiva.

VIVANCO, *Luis Felipe* (1907-1975) Poeta esp. La influencia de Claudel es visible en *Cantos de primavera, Tiempo de dolor.* Premio Crítica (1974) por *Los caminos.* • ***Manuel Ignacio de*** (1806-1873) Militar y político per. En 1842 consiguió hacerse con el poder (febrero 1843), pero en julio 1844 fue derrocado por Castilla. Posteriormente fue nombrado ministro de la Guerra por el presidente Pezet y gestionó con España el tratado de Vivanco-Pareja (1865).

VIVAQUEAR intr. *Mil.* Pasar las tropas la noche al raso.

VIVAR m. Nido o madriguera donde crían diversos animales, especialmente los conejos. • Criadero de peces. • tr. *Amér.* Vitorear. • Dar vivas.

VIVARACHO, CHA adj. fam. Vivo de genio, travieso y alegre.

VIVAZ adj. Que vive mucho tiempo. • Eficaz, vigoroso. • Agudo, de pronta comprensión e ingenio. • *Bot.* Perenne.

VIVEKANANDA, *Swami* (1863-1902) Guía religioso y santo hinduista, n. en Calcuta. Convencido de que el hinduismo era la gran fuerza de la India, que debía aceptar la ciencia y la técnica de Occidente.

VIVENCIA f. *Psic.* Díc. del hecho de experimentar, de vivir algo. El neologismo fue introducido al castellano por Ortega y Gasset.

VÍVERES m. pl. Provisiones alimentarias de un ejército, plaza o buque. • Comestibles necesarios para el alimento de las personas.

VIVERO m. Terreno adonde se trasplantan desde la almáciga los arbolillos, para trasponerlos, después de recriados. • Lugar donde se mantienen dentro del agua peces, moluscos, etc. • fig. Origen de algunas cosas, semillero.

VIVÉRRIDO, DA adj. y m. *Zool.* Díc. de animales de la familia vivérridos. • m . pl. *Zool.* Familia de mamíferos carnívoros de cuerpo esbelto y cola larga; viven en África y en el S de Europa y Asia, así como en Indonesia.

VIVES, *Amadeu* (1871-1932) Compositor esp. Fundador, con Millet, del Orfeó Català. Sus obras más conocidas son las zarzuelas *Maruxa, Bohemios* y *Doña Francisquita.* • ***Juan Luis*** (1492-1540) Filósofo esp. de origen judío, nacido en Valencia. Preceptor de la reina María de Inglaterra. Mantuvo amistad con Erasmo y Tomás Moro. Enseñó en las universidades de Lovaina y Oxford. *Tratado del alma, Instrucción de la mujer cristiana.*

VIVEZA f. Prontitud en las acciones, o agilidad en la ejecución. • Energía en las palabras. • Agudeza de ingenio. • Dicho agudo e ingenioso. • Propiedad o semejanza en la representación de algo. • Esplendor y lustre de algunas cosas. • Gracia particular que suelen tener los ojos en el modo de mirar o moverse. • Acción poco considerada. • Palabra que se suelta sin reflexión.

VÍVIDO, DA adj. poét. Eficaz, vigoroso. • De ingenio agudo.

VIVIDOR, RA adj. y s. Que vive. • adj. Que vive mucho tiempo. • adj. y s. Díc. de la persona laboriosa que busca modos de vivir. • m. El que vive a expensas de los demás, buscando por malos medios lo que necesita o le conviene.

VIVIENDA f. Morada, habitación. • Modo de vivir.

VIVIFICAR tr. Dar vida. • Reanimar, fortalecer. ■ VIVIFICACIÓN.

VIVIPARIDAD o **VIVIPARISMO** m. *Biol.* Fenómeno por el cual las hembras paren hijos vivos, de un mayor o menor grado de desarrollo, en el que los embriones se nutren directamente de la madre gracias a un órgano especial de relación denominado placenta, por el que reciben oxígeno y sustancias nutritivas y por el que eliminan sustancias de desecho.

VIVÍPARO, RA adj. y m. *Zool.* Díc. de las especies de animales que paren a sus crías. Se aplica exclusivamente a los mamíferos. • *Bot.* Díc. del vegetal cuyos embriones siguen desarrollándose dentro de la semilla cuando ésta se encuentra aún en el fruto conectado a la planta madre. • *Bot.* Aplícase a los vegetales obtenidos por multiplicación vegetativa de la planta madre.

VIVIR intr. Tener vida. • Durar con vida. • Durar las cosas. • Pasar y mantener la vida. • intr. y tr. Habitar o morar en un lugar o país. • Conducir la propia existencia de un modo determinado. • fig. Mantenerse o durar en la fama o en la memoria después de muerto. • fig. Acomodarse uno a las circunstancias o aprovecharlas para lograr sus propias conveniencias. • fig. Estar presente una cosa en la memoria, en la voluntad o en la consideración. • Existir uno con cierta permanencia en un lugar o en un estado o condición. • tr. Sentir o experimentar la impresión producida por algún hecho o acontecimiento. • m. Conjunto de recursos o medios de vida y subsistencia. • **¡Viva!** interj. de alegría y aplauso. ■ VIVIDERO, RA.

VIVISECCIÓN f. Disección anatómica de un ser vivo con fines científicos.

VIVO, VA adj. y s. Que tiene vida. • adj. Díc. del fuego, llama, etc., encendidos. • Intenso, fuerte. • Que está en actual ejercicio de un empleo. • Sutil, ingenioso. • Demasiado precipitado en las exp. o acciones. • fig. Que dura y subsiste en toda su fuerza y vigor. • fig. Perseverante, duradero en la memoria. • fig. Diligente, rápido y ágil. • fig. Muy expresivo o persuasivo. • Díc. de la arista o el ángulo agudo y bien determinado. • m. Borde, canto u orilla de alguna cosa. • Filete, cordoncillo o trencilla que se pone como adorno en los bordes o en las costuras de las prendas de vestir. • Enfermedad que padecen algunos animales, especialmente los perros, parecida al usagre. • Ardínculo. • **A lo v.** o **al v.** m. adv. Con la mayor viveza, con suma expresión y eficacia. • **En v.** M. adv. que se usa en la venta de los cerdos y otras reses, cuando se pesan sin haberlos muerto. • **¡Vivo!** Interj. con que se incita a uno a que se apresure.

Antonio **Vivaldi**

Mangosta, mamífero de la familia **vivérridos**

Juan Luis **Vives**

VIVÓ, *Jorge* (1906-1979) Geógrafo y antropólogo mex. *Razas y lenguas indígenas de México, México prehispánico.*

VIZCACHA f. Mamífero de la familia chinchíllidos, parecido a la chinchilla pero más rechoncho y de mayor tamaño. Abunda en las llanuras herbosas de América meridional, donde perfora profundas galerías.

VIZCACHERA f. Madriguera de vizcacha.

VIZCAÍNO, NA adj. y s. De Vizcaya. • m. *Ling.* Uno de los ocho prales. dialectos del vascuence.

VIZCARDO y Guzmán, *Juan Pablo* (1747-1798) Jesuita y patriota independentista per. Fue expulsado de América con los de su orden. *Carta a los españoles americanos.*

Vizcaya. Fachada del Museo de Bellas Artes de Bilbao

VIZCAYA *(Bizkaia)* Prov. de España, en el País Vasco, bañada al N por el Cantábrico; 2 217 km², 1 140 026 hab. Cap., Bilbao. Terr. montañoso. Río Nervión. Clima templado oceánico. Cereales, patatas y forrajes. Ganado bovino. Explotación forestal. Pesca. Ind. siderúrgica, metalúrgica, papelera, química. • ***Golfo de V.*** (fr., *Gascogne*) Golfo del mar Cantábrico entre Francia y España.

VIZCONDE m. Sustituto del conde, especialmente el que era gobernador de una provincia. • Título nobiliario inmediatamente inferior al del conde. ■ VIZCONDADO.

VIZCONDESA f. Mujer del vizconde. • La que por sí goza este título.

VIZNAGA f. Planta de la familia umbelíferas, con hojas partidas, flores en umbela, y frutos en diaquenio.

VLAARDINGEN C. de Países Bajos, en Holanda Meridional; 76 000 hab. en la agl. urb. de Rotterdam. Centro ind ustrial. Puerto pesquero.

VLADIKAVKAZ (ant. *Dzazikan* y *Ordzhonikidze*) C. de Rusia, cap. de la rep. autónoma de Osetia Septentrional; 303 000 hab. Junto al río Terek. Metalurgia.

VLADIMIR C. de Rusia, cap. de la prov. hom.; 331 000 hab. Ind. mecánicas y textiles.

La Puerta de Oro de **Vladimir**

VLADIMIRO I *Sviatoslávich* llamado EL SANTO o EL GRANDE (h. 956-1015) Príncipe de Nóvgorod [970] y gran príncipe de Kiev [980-1015]. Se convirtió al cristianismo (h. 988) y reprimió la sublevación de Nóvgorod que estalló contra la imposición de la nueva fe.

VLADIVOSTOK C. de Rusia, cap. del Territorio del Litoral; 600 000 hab. Sit. junto al mar del Japón. Ind. mecánicas y alimentarias. Base naval y aérea.

VLAMINCK, *Maurice de* (1876-1958) Pintor fr. Fauvista en sus inicios, su arte evolucionó bajo la influencia de Cézanne. *El estanque.*

VO Nguyen Giap (nacido 1912) Militar y político vietnamita. Viceprimer ministro desde 1976. En 1980 dimitió de sus cargos militares y en 1982 de los políticos. *Guerra del pueblo, ejército del pueblo.*

VOBULADOR m. *Electr.* Instrumento que se utiliza para generar señales de frecuencia variable dentro de una determinada banda de frecuencias.

VOCABLO m. Palabra, sonido o sonidos articulados que expresan una idea y representación gráfica de estos sonidos.

VOCABULARIO m. Conjunto de palabras de un idioma. • Libro en que se contienen. • Conjunto de palabras pertenecientes al uso de una región, a una actividad determinada, a un campo semántico dado, etc. • Libro en que se contienen. • Catálogo o lista de palabras, ordenadas con arreglo a un sistema, y con definiciones o explicaciones sucintas. • fig. y fam. Persona que dice o interpreta la mente o dicho de otro.

La casa roja, óleo de Maurice de **Vlaminck.** Galería de Arte Moderno, Venecia (Italia)

VOCABULISTA com. Autor de un vocabulario. • Persona dedicada al estudio de los vocablos.

VOCACIÓN f. Inspiración con que Dios llama a algún estado, especialmente al de religión. • Advocación. • fam. Inclinación a cualquier estado, profesión o carrera.

VOCACIONAL adj. Relativo a la vocación. • *Amér.* Díc. de las escuelas de artes y oficios. • *Amér.* Relativo a este tipo de enseñanza.

VOCAL adj. Relativo a la voz. • Díc. de lo que se expresa materialmente con la voz. • f. *Fon.* Sonido del lenguaje humano producido por la emisión del aire, gralte. con vibración laríngea, y modificado en su timbre, sin oclusión ni estrechez, por la distinta posición que adoptanlos órganos de la boca. • *Fon.* com. Persona que tiene voz en un consejo, una congregación o junta. • **abierta.** *Fon.* La pronunciada con la lengua más separada del paladar que para la vocal cerrada (*a, e, o*). • **breve.** *Fon.* La de menor duración en las lenguas que se sirven de dos medidas de cantidad vocálica. • **cerrada.** *Fon.* La pronunciada con la lengua más próxima al paladar que para la vocal abierta (*i, u*). • **larga.** *Fon.* La de mayor duración en las lenguas que se sirven de dos medidas de cantidad vocálica. • **nasal.** *Fon.* La pronunciada dejando escapar por la nariz parte del aire espirado. ■ VOCÁLICO, CA.

VOCALISMO m. Sistema vocálico, conjunto de vocales.

VOCALISTA com. Artista que canta con acompañamiento de orquesta.

VOCALIZACIÓN f. Fon. Transformación de una consonante en vocal. • *Mús.* Acción y efecto de vocalizar. • *Mús.* En el arte del canto, todo ejercicio preparatorio que consiste en ejecutar, valiéndose de cualquiera de las vocales, una serie de modulaciones, trinos, adornos, etc. • *Mús.* Pieza de música para enseñar a vocalizar.

VOCALIZAR intr. Articular con la debida distinción las vocales, consonantes y sílabas de las palabras, para hacer plenamente inteligible lo que se habla o se canta. • intr. y prnl. *Fon.* Transformar en vocal una consonante. • intr. *Mús.* Solfear sin nombrar las notas, empleando solamente una vocal, casi siempre la *a.* • *Mús.* Ejecutar los ejercicios de vocalización.

VOCATIVO m. *Gram.* Caso de la declinación, que sirve únicamente para invocar, llamar o nombrar a una persona o cosa personificada.

VOCEADOR, RA adj. y s. Que vocea o da muchas voces. • m. Pregonero.

VOCEAR intr. Dar voces o gritos. • tr. Publicar o manifestar con voces una cosa. • Llamar a uno dándole voces. • Aclamar con voces. • fig. Manifestar o dar a entender algo con claridad las cosas inanimadas. • fig. y fam. Alabarse uno públicamente, en especial de un beneficio, echándolo en rostro al que lo ha recibido.

VOCEJÓN m. Voz bronca muy áspera y bronca.

VOCERAS m. Bocazas.

VOCERÍA f. o **VOCERÍO** m. Confusión de voces altas y desentonadas.

VOCERO m. El que habla en nombre de otro, llevando su voz y representación. • *Amér.* Vendedor de periódicos.

VOCIFERAR tr. Publicar ligera y jactanciosamente una cosa. • intr. Vocear o dar grandes voces. ■ VOCIFERACIÓN; VOCIFERADOR, RA.

VOCINGLERÍA f. Calidad de vocinglero. • Ruido de muchas voces.

VOCINGLERO, RA adj. y s. Que da muchas voces o habla muy recio. • Que habla mucho y vanamente.

VODEVIL (fr. *vaudeville*) m. Comedia ligera y frívola, basada en la intriga y el equívoco.

VODKA o **VODCA** amb. Especie de aguardiente de centeno, de origen ruso.

VOGEL, *Hans-Jochen* (nacido 1927) Político de Alemania. Fue designado en 1982 para ocupar la presidencia y la ejecutiva del partido socialdemócrata. Candidato a la Cancillería en las elecciones federales del año 1983, fue elegido Secretario general en 1984.

VOGELWEIDE, *Walther von der* (h. 1170-1230) Poeta al. Autor de cantos patrióticos, políticos y amorosos, que revelan una nota personal, tendente a la simplicidad y al realismo expresivo. *Bajo los olmos.*

VOGT, *Karl* (1817-1894) Naturalista al., defensor del transformismo. *Historia natural de los peces de agua dulce, Peces fósiles, Estudios acerca de los glaciares.* • ***Nils Collett*** (1864-1937) Literato nor. *El pan precioso, Fuego de septiembre, Retorno, Harriet Blich.*

VOITURE, *Vincent* (1597-1648) Poeta fr. Sus *Cartas* son una manifestación representativa del preciosismo. Sus sonetos se inspiran en la poesía esp.

VOIVODA o **VAIVODA** m. Ant. título de los príncipes de Moldavia, Valaquia o Transilvania, y de los gobernadores de las prov. de Polonia y del imperio turco.

VOIVODATO m. División administrativa superior de Polonia. • *Hist.* En los países eslavos, región, distrito o prov. gobernada por un voivoda.

VOIVODINA *(Vojvodina)* Región autónoma de Yugoslavia, en la Rep. de Servia; 21 506 km², 2 043 000 hab. Cap., Novi Sad. Amplia llanura avenada por el Danubio. Agricultura. Ind. química, textil, mecánica y maderera.

VOLADIZO, ZA adj. y m. Parte de un edificio que sobresale de los planos verticales y no reposa directamente sobre un apoyo.

VOLADO, DA adj. *Art. Gráf.* Díc. del tipo de menor tamaño que se coloca en la parte superior del renglón. • *Amér.* Enojado. • m. *Méx.* Aventura amorosa. • *Amér. Merid.* Volante, adorno de los vestidos femeninos.

VOLADOR, RA adj. Que vuela. • Díc. de lo que está pendiente, de manera que el aire lo puede mover. • Que corre o va con ligereza. • m. Cohete que se lanza al aire. • Pez volador. • *Zool.* Molusco cefalópodo decápodo, comestible, parecido al calamar, pero de tamaño mayor. • *Bot.* Árbol tropical amer., de la familia lauráceas, con hojas alternas y enteras, flores precoces en panojas terminales, y fruto seco. Su madera se emplea en construcciones navales.

VOLADURA f. Acción y efecto de volar por el aire y de hacer saltar con violencia alguna cosa. • *Amér. Merid.* Desequilibrio mental.

VOLANDAS *(En)* m. adv. Por el aire o levantado del suelo y como que va volando. • fig. y fam. Rápidamente, en un instante.

VOLANDERO, RA adj. Volantón. • Suspenso en el aire y que se mueve fácilmente a su impulso. • fig. Casual, imprevisto. • adj. y s. fig. Que no hace asiento ni se fija en ningún lugar. Díc. también de las cosas inmateriales. • f. Arandela para evitar el roce entre dos piezas de una máquina. • Rodaja de hierro que se coloca como suplemento en los extremos del eje del carro para sujetar las ruedas. • Muela para moler. • fig. y fam. Mentira, bola.

VOLANTE adj. Que vuela. • Que va o se lleva de una parte a otra sin asiento fijo. • m. Gén. de adorno que usaban las mujeres para la cabeza. • Guarnición rizada, plegada o fruncida con que se adornan prendas de vestir o tapicería. • *Mec. apl.* Rueda de elevado momento de inercia con respecto a su eje de rotación, por lo que se construye de manera que su masa esté concentrada en forma de corona con el mayor radio posible, siendo así que la energía cinética de rotación será máx. para una velocidad de rotación determinada, y que se utiliza, por lo común, para regular el movimiento de una máquina motriz y transmitirlo al resto del mecanismo. • Anillo provisto de dos topes que, movido por la espiral, detiene y deja libres alternativamente los dientes de la rueda de un reloj. • Máquina donde se colocan los troqueles para acuñar. • Hoja de papel en el que se manda, recomienda, pide, pregunta o hace constar alguna cosa en términos precisos. • *Amér.* Octavilla, hoja de propaganda.

VOLANTÍN, NA adj. Volante, que vuela. • m. Especie de cordel con uno o más anzuelos, que sirve para pescar. • *Argent., Chile, Cuba* y *P. Rico.* Cometa pequeña de papel.

VOLAPIÉ m. *Taur.* Suerte que consiste en herir de corrida el espada al toro cuando éste se halla parado. • **A v.** m. adv. *Taur.* Ejecutando esta suerte. • Modo de correr algunas aves ayudándose con las alas. • Tratándose del paso de un río, laguna, etc., modo de andar trabajosamente haciendo unas veces pie en el fondo y otras nadando.

VOLAPÜK m. Idioma inventado en 1879 por el sacerdote al. Schleyer, con el propósito de que sirviese como lengua universal.

VOLAR intr. Ir o moverse por el aire, sosteniéndose con las alas. • fig. Elevarse en el aire y moverse de un punto a otro en un aparato de aviación. • intr. y prnl. fig. Elevarse alguna cosa en el aire y moverse algún tiempo por él. • intr. fig. Caminar o ir con gran prisa. • fig. Desaparecer rápida e inesperadamente una cosa. • fig. Sobresalir por fuera del paramento de un edificio. • fig. Trasladarse por el aire una cosa arrojada con violencia. • fig. Hacer algo con gran prontitud y ligereza. • fig. Propagarse con celeridad una especie entre muchos. • tr. fig. Hacer saltar con violencia o elevar en el aire alguna cosa. • fig. Irritar, enfadar, picar a uno. • Hacer que el ave se levante y vuele para disparar contra ella. • Soltar el halcón para que persiga al ave de presa. • *Art. Gráf.* Levantar una letra o signo de modo que resulte volado. • prnl. *Amér.* Irritarse. • *Méx.* Enamorar.

VOLATEO *(Al)* m. adv. Persiguiendo y tirando el cazador a las aves cuando van volando.

VOLATERÍA f. Caza de aves que se hace con otras enseñadas a este efecto. • Conjunto de diversas aves. • fig. Modo de adquirir o hallar una cosa contingentemente y como al vuelo. • fig. Conjunto de cosas que se piensan y se imaginan sin fijarse en ninguna. ■ VOLATERO.

VOLÁTIL adj. y s. Que vuela o puede volar. • adj. Aplícase a las cosas que se mueven ligeramente y andan por el aire. • fig. Mudable, inconstante. • Aplícase a la sustancia o cuerpo que tiene la propiedad de volatilizarse, como la bencina o el alcanfor. ■ VOLATILIDAD.

VOLATILIZAR o **VOLATIZAR** tr. Transformar un cuerpo sólido o líquido en vapor o gas. • prnl. Disiparse una sustancia. • fig. Desaparecer ■ VOLATILIZACIÓN.

VOLATÍN m. Volatinero. • Cada uno de los ejercicios del volatinero.

VOLATINERO, RA m. y f. Acróbata.

VOLCÁN m. *Geol.* Fisura o grieta de la corteza terrestre a través de la cual ascienden los materiales rocosos fundidos y gases procedentes de zonas profundas del globo terrestre, produciéndose una liberación de grandes cantidades de energía térmica y cinética. • fig. El mucho fuego, o la violencia del ardor. • fig. Cualquier pasión ardiente. • *Arg., Bol.* y *Col.* Avalancha de agua, rocas, etc.

* *Geol.* Las erupciones y en general cualquier tipo de actividad volcánica, se deben a la liberación más o menos violenta de los gases contenidos en los magmas que alimentan un volcán. Se suelen distinguir dos tipos prales. de actividad volcánica: una esencialmente efusiva, con emisión lenta de lavas y una pacífica liberación de los gases contenidos en los magmas; y otra explosiva caracterizada por un violento desprendimiento de los gases magmáticos y por la proyección de grandes masas de materiales sólidos. El mecanismo de una erupción volcánica depende de las características fisicoquímicas del magma que los alimenta, pralm. de su composición y viscosidad. Otros factores que influyen en el mecanismo de la erupción volcánica son la tensión de vapor de la fase gaseosa del magma, la densidad de éste y las condiciones geológicas de la zona por donde se produce el ascenso de dicho magma. Los materiales arrojados por un v. durante sus períodos de actividad son muy diversos e incluyen productos gaseosos, líquidos (lavas) y sólidos (productos piroclásticos). En su forma más clásica, aunque no la más frecuente, los v. son cónicos con una depresión en su parte superior, denominada cráter si es pequeño, o caldera si es grande. El cráter se prolonga hacia el interior mediante la chimenea volcánica, conducto circular y de trazado más o menos sinuoso que se comunica con la cámara magmática. Se ha intentado establecer una clasificación racional de los v. y de los tipos de erupciones que se presentan. Una de las más aceptadas es la clasificación establecida a principios de siglo por A. Lecroix, que distinguía cuatro tipos prales.: 1) *hawaiano*, de actividad eminentemente efusiva con continuas emisiones de lavas y con muy raras explosiones, cuyo prototipo lo presentan los volcanes de las islas Hawai; 2) *estromboliano*, con emisión de lavas alternada con explosiones frecuentes aunque no muy violentas, cuyo prototipo es el Strómboli; 3) *vulcaniano*, de épocas prehistóricas, con erupción de lavas poco fluidas que frecuentemente se solidificaban en el interior de la chimenea, taponándola, lo que provocaba grandes explosiones; 4) *peleano*, de gran explosividad y producción de grandes nubes ardientes, cuyo prototipo es el Mont-Pelée. En la actualidad, las clasificaciones atienden sobre todo a los magmas y a las relaciones que se presentan con la tectónica terrestre, distinguiéndose entre *volcanismo basáltico* y *andesítico*, los primeros con actividad efusiva y pacífica, con emisión de lavas que al enfriarse originan las rocas basálticas, y los segundos son gralte. alimentados por magmas ácidos y con una actividad volcánica esen-

Walther von der **Vogelweide** en un manuscrito del s. XIII conservado en la Universidad de Heidelberg, Alemania

Balcones en **voladizo** del Museo de Numismática de Bogotá

Pez **volador**

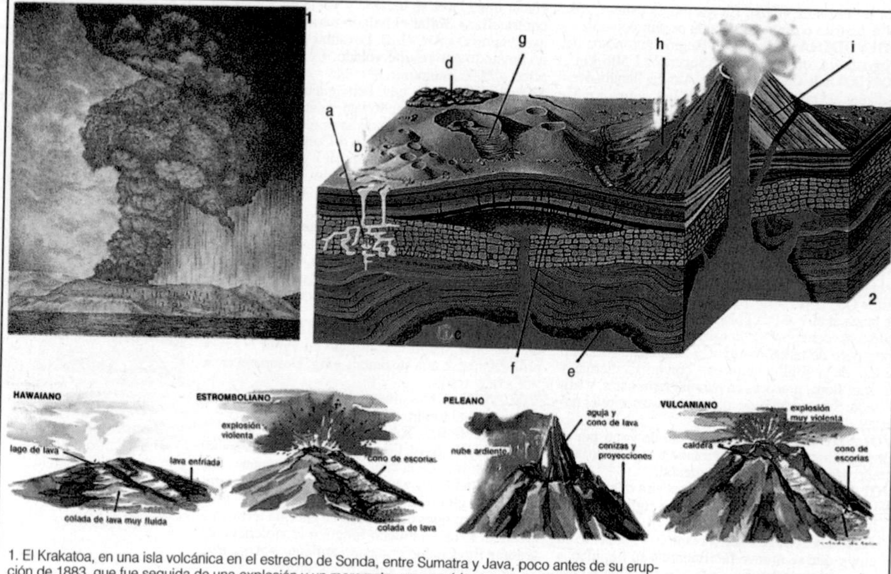

1. El Krakatoa, en una isla volcánica en el estrecho de Sonda, entre Sumatra y Java, poco antes de su erupción de 1883, que fue seguida de una explosión y un maremoto y provocó la muerte de 36 000 personas.
2. El agua subterránea (a) y el barro calentados por la actividad volcánica pueden ser expulsados hasta la superficie formando géiseres (b). La masa fundida de las cámaras magmáticas (c), sometida a presiones y temperaturas elevadas, puede salir a la superficie a través de fisuras abiertas en la corteza (d). El calor altera química y físicamente los estratos próximos al magma (e). A veces, encima de las chimeneas, hay intrusiones lenticulares llamadas lacolitos (f). Las erupciones de tipo hawaiano (g) forman conos extensos y poco elevados. Las efusiones están formadas por la lava incandescente que sale del cono principal o de los adventicios y los vapores, que salen por las grietas (h). En la mayoría de los volcanes el cono se ha ido formando por superposición de muchas capas de lava estratificada (i).
3. Existen cuatro tipos de volcanes, que tienen conos y erupciones de distintas características, siendo la viscosidad de la lava, ligada a su composición química, el factor que determina que la erupción se produzca con mayor o menor facilidad y sea, por tanto, más o menos violenta.

VOLCÁN

4

4. Pitón volcánico de 75 m de altura en Le Puy, Auvernia (Francia), coronado por una iglesia erigida en el siglo x. La columna se formó al solidificarse la lava en el interior de la chimenea del volcán y eliminar posteriormente la erosión los materiales más blandos del cono volcánico.

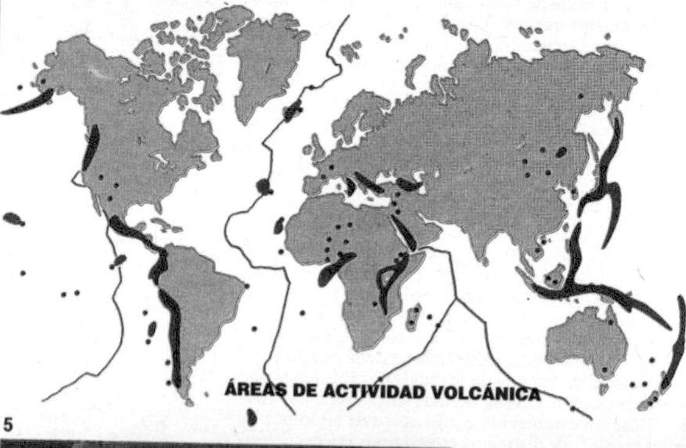

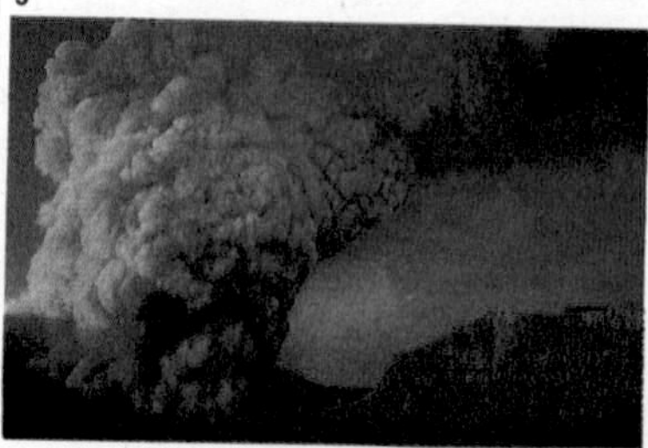

5. El volcán Poás, en la cordillera Central, Costa Rica, en cuyo cráter se halla una laguna que contiene ácido sulfúrico y que emite, intermitentemente, una columna de vapor de agua.
6. Erupción del volcán Hilo, en Hawai, cuyas erupciones, con lavas muy fluidas, no se acompañan de explosiones violentas.

cialmente explosiva, y son propios de las zonas de compresión de la corteza terrestre, donde convergen y se enfrentan placas de la litosfera.
VOLCÁNICO, CA adj. Relativo al volcán. • fig. Muy ardiente o fogoso.
VOLCANISMO o **VULCANISMO** m. *Geol.* Conjunto de fenómenos relacionados con el ascenso de masas rocosas en fusión hacia la superficie terrestre, su desparramamiento, y su enfriamiento y consolidación hasta originar las rocas volcánicas.
VOLCANOLOGÍA f. Vulcanología.
VOLCAR tr. e intr. Torcer o inclinar una cosa hacia un lado o totalmente, de modo que caiga o se vierta su contenido. • tr. Turbar o marear a uno alguna cosa, especialmente un olor intenso y desagradable. • fig. Hacer cambiar de parecer a uno a fuerza de persuasiones o razones. • fig. Molestar o irritar a base de bromas o impertinencias. • prnl. fig. Poner uno en favor de una persona o propósito, todo cuanto puede, hasta excederse.
VOLDEMARAS, *Augustinas* (h. 1883-h. 1946) Político lituano. Primer presid. de la rep. lituana (1919-1922), en 1926 derribó el gobierno socialista e implantó la dictadura hasta 1929. Murió en la URSS.
VOLEA f. Palo labrado a modo de balancín que sirve para sujetar en él los tirantes de las caballerías delanteras. • Voleo, golpe dado en el aire a una cosa.
VOLEAR tr. Golpear una cosa en el aire para impulsarla. • Sembrar a voleo.
VOLEIBOL m. *Dep.* Juego en el que participan dos equipos de seis jugadores cada uno, que deben pasar una pelota por encima de la red hacia el campo contrario, no pudiendo dar más de tres toques al balón, ni tampoco retenerlo.
VOLEMIA f. *Med.* Volumen total de sangre en el organismo. Aproximadamente para cada kilogramo de peso de un individuo, corresponden entre 68 y 77 cm^3 de sangre.
VOLEO m. Golpe dado en el aire a una cosa antes que caiga. • Movimiento de la danza esp., consistente en levantar un pie de frente lo más alto posible. • Bofetón que hace caer al suelo a quien lo recibe.
VOLFRAMIO m. *Quím.* Elemento de símb. W, n. a. 74 y p. a. 183,85. Es un metal blanco, brillante. Sus minerales característicos son algunos volframatos, como la esquelita y la volframita. Se encuentran yacimientos en EE UU y en Extremo Oriente. Se usa para aceros rápidos y para filamentos de lámparas eléctricas.
VOLFRAMITA f. *Miner.* Volframato de hierro y manganeso, de color pardo oscuro a negro, y brillo metálico. Es una importante mena del volframio, que se presenta en rocas eruptivas del tipo granítico.
VOLGA Río de Rusia, el más largo de Europa; 3 700 km. Nace en la meseta de Valdai y desemboca en el mar Caspio. Afl. prales.: Oka y Kama.
VOLGOGRADO (hasta 1925, *Tsaritsin*; de 1925 a 1961, *Stalingrado*) C. de Rusia, a orillas del Volga; 974 000 hab. Ind. siderúrgica, refinerías de petróleo. Escenario de una gran batalla (→ Stalingrado).
VOLIBOL m. *Amér.* Voleibol.
VOLICIÓN f. Acto de la voluntad; comprende tres momentos: deliberación, decisión y ejecución. ■ VOLITIVO, VA.
VOLIDO m. Vuelo, acción de volar.
VOLINIA-PODOLIA Región mesetaria en el NO de Ucrania, avenada por el Dniéster y el Bug.
VOLITAR intr. Revolotear.
VOLKELT, *Johannes* (1848-1930) Filósofo al. Hegeliano al principio, la lectura de Kant le condujo hacia un «transubjetivismo subjetivista» que modificó posteriormente. *Experiencia y pensamiento*, *Certidumbre y verdad*.
neral, detiene la progresión del contenido intestinal.
VOLLMÖLLER, *Karl* (1848-1922) Romanista al. Se especializó en estudios sobre las literaturas romances, especialmente la esp.
VOLNEY, *Constantin François de Chasseboeuf*, CONDE DE (1757-1820) Erudito y filósofo fr. Autor de *Las ruinas de Palmira* o *Meditaciones sobre las revoluciones de los imperios*, obra que inspiró a los anarquistas del s. XIX.
VOLOGDA C. de la rep. de Rusia, cap. de la prov. hom.; 269 000 hab. Ind. mecánicas y de curtidos. Nudo ferroviario.
VOLOVELISMO m. Deporte de aviación sin motor.
VOLQUEARSE prnl. Revolcarse o dar vuelcos.
VOLQUETA f. *Col.* y *Ecuad.* Volquete.
VOLQUETE m. Carro formado por un cajón que se puede vaciar girando sobre el eje. • Vehículo automóvil con dispositivo mecánico para volcar la carga transportada. ■ VOLQUETERO.
VOLSCO, CA adj. y s. Díc. del individuo de un ant. pueblo del Lacio meridional. • adj. Relativo a este pueblo. • m. pl. Este mismo pueblo.
VOLT m. Nombre del voltio en la nomenclatura internacional.
VOLTA, *Alessandro* (1745-1827) Físico it. Ideó el efecto que lleva su nombre. Descubridor del metano. • **Tensión de V.** *Fís.* Diferencia de potencial existente en la superficie de contacto de dos metales distintos, la cual se aprovecha para producir corriente eléctrica por medio de una pila.
VOLTA Río de África (Burkina Faso y Ghana); 1 600 km. Nace por la unión de los r. Volta Negro, Volta Rojo y Volta Blanco y desemboca en el golfo de Guinea. • **Lago V.** Embalse artificial de Ghana, que recibe las aguas del Volta; 8 500 km^2.
VOLTA, *Alto* → Burkina Faso.
VOLTAIRE (1694-1778) Seud. de *François-Marie Arouet.* Escritor y pensador fr. Su carrera literaria se inició con unas sátiras políticas que le valieron ser recluido en la Bastilla. Dotado de gran capacidad de análisis y de unos medios orales y literarios con gran agresividad e ironía, V. fue defensor del despotismo ilustrado y de las libertades individuales. Trabajó para la Enciclopedia. *Cándido*, *Cartas sobre los ingleses*, *Ensayo sobre las costumbres y el espíritu de las naciones*, *El templo del gusto*.
VOLTAJE m. *El.* Diferencia de potencial entre los extremos de un conductor.
VOLTÁMETRO m. *El.* Aparato para medir intensidades de corriente eléctrica, que se basa en la proporcionalidad existente entre la masa depositada en la electrólisis y la corriente que circula.
VOLTAMPERIO m. *El.* Unidad de potencia aparente en las corrientes alternas, producto de la intensidad por la fuerza electromotriz. Equivale a un vatio.
VOLTARIO, RIA adj. Versátil, de carácter inconstante. ■ VOLTARIEDAD.
VOLTEADA f. *Arg.* Operación consistente en apartar una porción de ganado, arrollándolo al correr del caballo. • **Caer en la v.** *Amér.* Ser capturado en una redada. • **Dar una v.** *Méx.* Llevar a alguien a un descampado para darle una paliza.
VOLTEAR tr. Dar vueltas a una persona o cosa. • Volver una cosa de una parte a otra hasta ponerla al revés de como estaba colocada. • Trastocar o mudar una cosa a otro estado o sitio. • *Amér.* Volcar, tumbar. • *Arq.* Dicho de un arco o bóveda, construirlo. • intr. Dar vueltas una persona o cosa, o cayendo y rodando por ajeno impulso, o voluntariamente y con arte. • prnl. *Chile*, *Col.* y *P. Rico.* Cambiar de partido político. ■ VOLTEADOR, RA; VOLTEO.
VOLTEJEAR tr. Voltear, volver. • *Mar.* Navegar de bolina, virando de cuando en cuando para ganar el barlovento.
VOLTERETA o **VOLTETA** f. Vuelta dada en el aire, especialmente la que ejecuta una persona apoyando las manos en el suelo y describiendo con su cuerpo un círculo en el aire. • Vuelta, lance de varios juegos.
VOLTERIANO, NA adj. y s. Relativo a Voltaire o partidario de su filosofía. • adj. fig. Díc. de la persona o del escrito que manifiesta incredulidad o burla, especialmente en lo tocante a materias de carácter religioso. ■ VOLTERIANISMO.
VOLTIMETRÍA f. Técnica electroquímica que consiste en el registro de las corrientes eléctricas cuando se aplica una tensión variable entre dos electrodos.
VOLTÍMETRO m. *El.* Instrumento para medir diferencias de potencial entre dos puntos de un circuito eléctrico, consistente en un galvanómetro conectado en serie con una resistencia.
VOLTIO m. *El.* Unidad de diferencia de potencial. • **absoluto**. Diferencia de potencial entre dos puntos de un campo eléctrico tales que para llevar un culombio de uno a otro es necesario realizar un trabajo de un julio.
VOLUBLE adj. Que fácilmente se puede volver alrededor. • fig. De carácter inconstante, versátil. • *Bot.* Díc. de las plantas, o de los órganos de

Volframita

Volgogrado

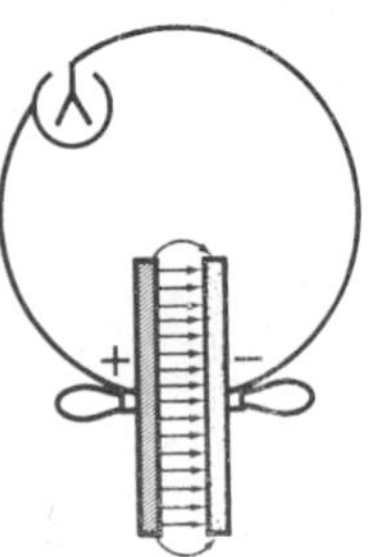

Esquema del efecto **Volta**

Voltaire retratado por Charon escribiendo su obra *La Henriade* en la cárcel de La Bastilla. Museo Carnavalet, París

Columnas jónicas del templo de Artemisa en Sardes, con **volutas** en sus capiteles

las mismas, que se encaraman a ciertos obstáculos que impiden su crecimiento. ■ VOLUBILIDAD.

VOLUMEN m. En la antigüedad, manuscrito arrollado en forma de rodillo. • Libro, cada una de las partes en que puede ser encuadernada una obra escrita. • Intensidad de una voz o del sonido producido por un instrumento. • *Comp.* Conjunto total de la información almacenada en un soporte de almacenamiento externo de memoria. • *Fís.* Espacio ocupado por un cuerpo. • *Mat.* Medida de una región tridimensional del espacio ordinario. • **molecular**. *Quím.* El de la molécula-gramo de cualquier gas, que en condiciones normales de presión y temperatura es constante y vale 22,412 litros. ■ VOLUMINOSO, SA.

VOLUMETRÍA f. Técnica que se ocupa de la determinación y medida de los volúmenes. • *Quím.* Rama del análisis cuantitativo que se ocupa de la determinación del volumen de reactivo necesario para reaccionar con un volumen determinado de una solución. ■ VOLUMÉTRICO, CA.

VOLUNTAD f. Potencia del alma, que mueve a hacer o no hacer una cosa. • Acto con que la potencia volitiva admite o rehúye una cosa. • Decreto o disposición de Dios. • Libre albedrío o libre determinación. • Elección de una cosa sin precepto o impulso externo, que obligue a ello. • Intención o resolución de hacer una cosa. • Amor, afición, benevolencia o afecto. • Gana o deseo de hacer una cosa. • Disposición o mandato de una persona. • Elección hecha por el propio dictamen o gusto. • Consentimiento, aquiescencia. • **A v.** m. adv. Según el libre albedrío de una persona. • Según aconseja la conveniencia del momento. • **De buena v.,** o **de v.** m. adv. Con gusto y benevolencia. • **Ganar** uno **la v.** de otro. Lograr su benevolencia con servicios u obsequios. • **Última v.** La expresada en el testamento.

VOLUNTARIADO m. Alistamiento voluntario para el servicio militar.

VOLUNTARIEDAD f. Calidad de voluntario. • Determinación caprichosa o arbitraria de la propia voluntad.

VOLUNTARIO, RIA adj. Díc. del acto que nace de la voluntad, y no por fuerza o necesidad extrañas a aquélla. • Que se hace espontáneamente y no por obligación o deber. • Que obra por capricho. • m. y f. Persona que se presta a hacer algo por propia voluntad sin que le corresponda por obligación. • m. pl. *Cuba.* Tropas auxiliares del ejército esp., formadas por esp. residentes en Cuba.

VOLUNTARIOSO, SA adj. Que por capricho quiere hacer siempre su voluntad. • Díc. de la persona que pone voluntad, interés y esfuerzo en lo que hace.

VOLUNTARISMO m. *Fil.* Teoría según la cual la voluntad constituye el factor determinante del psiquismo humano. Aunque el v. se encuentra ya en Kant y Nietzsche, fue Wundt quien elaboró el sistema filosófico. • *Pol.* Concepto introducido por Lenin para identificar las actividades revolucionarias desvinculadas de la realidad.

VOLUPTUOSIDAD f. Complacencia en los deleites sensuales. ■ VOLUPTUOSO, SA.

VOLUTA f. *Arq.* Adorno en forma de espiral que, en los capiteles jónicos y compuestos, parece sostener el ábaco.

VOLVA f. *Bot.* Especie de lámina membranosa que rodea por completo el aparato esporífero o seta de algunos hongos.

VOLVEDOR, RA adj. *Argent.* y *Col.* Aplícase a la caballería que se vuelve a la querencia.

VOLVER tr. Dar vuelta o vueltas a una cosa. • Corresponder, pagar. • Dirigir, encaminar una cosa a otra. • Traducir de una lengua a otra. • Devolver, restituir. • Poner nuevamente a una persona o cosa en el estado que antes tenía. • tr. y prnl. Mudar o hacer que se mude una cosa o persona de un estado en otro. • tr. Mudar la haz de las cosas. • Vomitar. • tr. y prnl. Hacer a uno mudar de dictamen con persuasiones o razones. • tr. Dar el vendedor al comprador la vuelta o dinero entregado de sobra. • Tratándose de una puerta, ventana, etc., hacerla girar para cerrarla o entornarla. • *Dep.* Restar la pelota. • *Agr.* Dar la segunda reja a la tierra. • Rechazar, o enviar por repercusión o reflexión. • Despedir un regalo o don, haciéndolo restituir al que lo envió. • intr. y prnl. Regresar, volver al lugar de donde se salió. • intr. Reanudar el hilo de la historia o discurso que se había interrumpido. • Torcer o dejar el camino o línea recta. • Repetir o reiterar lo que antes se ha hecho. Se usa siempre determinando otro verbo con la prep. *a.* • Construido con la prep. *por,* defender o patrocinar la persona o cosa de que se trata. • prnl. Acedarse o dañarse ciertos líquidos. • Inclinar el cuerpo o el rostro en señal de dirigir la plática o conversación a determinados sujetos. • Girar la cabeza, el torso, o todo el cuerpo, para mirar lo que estaba a la espalda. • **V. en sí.** Recobrar el sentido el que lo había perdido. • **V. loco** a uno. fig. Confundirle con diversidades o incoherencias. • **Volverse** uno **contra** la palabra; desdecirse. • Volverse uno contra otro. Perseguirle, o serle contrario. • **Volverse** uno **loco.** Perder el juicio, privarse de la razón. • fig. y fam. Manifestar excesiva alegría, o estar dominado por un afecto vehemente.

Kliment Efrémovich **Voroshilov**

VÓLVULO m. *Pat.* Torsión de un segmento del tubo digestivo en torno a uno de sus ejes. En general

VÓMER m. *Anat.* Huesecillo impar que forma la parte posterior del tabique de las fosas nasales.

VÓMICO, CA adj. Que motiva o causa vómito. • f. *Med.* Expectoración súbita y profusa de pus, suero o sangre, procedente de algún absceso formado en el interior del tórax.

VOMIPURGANTE o **VOMIPURGATIVO, VA** adj. y m. Dícese de la sustancia o del medicamento que promueve el vómito y las evacuaciones del vientre.

VOMITADO, DA adj. fig. y fam. Díc. de la persona desmedrada o descolorida.

VOMITAR tr. Arrojar violentamente por la boca lo contenido en el estómago. • fig. Arrojar de sí violentamente una cosa algo que tiene dentro. • fig. Tratándose de injurias, maldiciones, etc., proferirlas. • fig. y fam. Declarar uno lo que tiene secreto. • fig. y fam. Restituir uno lo que tiene indebidamente en su poder.

VOMITERA o **VOMITONA** f. Vómito grande.

VOMITIVO, VA adj. y m. *Farm.* Díc. de la sustancia capaz de provocar el vómito.

VÓMITO m. Acción de vomitar. Es un acto reflejo que provoca la brusca emisión, por la boca, del contenido gástrico. Suele ir precedido de náuseas y se acompaña de sialorreas, sudor frío, palidez y sensación de desmayo. Está producido por la contracción del diafragma, paredes abdominales y estómago, y por la relajación del cardias y la musculatura faríngea. • Lo que se vomita. • **de sangre.** Hemoptisis. • **negro,** o **prieto.** Fiebre amarilla.

VOMITORIO, RIA adj. y s. Vomitivo. • m. En los ant. circos gr. y rom., abertura por donde entraba y salía el público. • Puerta o abertura similar de los estadios, plazas de toros, etc.

VOQUISIÁCEO, A adj. y f. *Bot.* Díc. de plantas de la familia voquisiáceas. • f. pl. *Bot.* Familia de plantas angiospermas, con flores hermafroditas, y frutos en cápsula o aquenio. Comprende unas 130 especies, propias de América tropical.

VOR m. Radiofaro omnidireccional de muy alta frecuencia; constituye un auxiliar muy valioso para la navegación aérea.

VORÁGINE f. Remolino impetuoso que hacen en algunos parajes las aguas.

VORÁGINE, ***Jacobo de*** (*Iacopo da Varazze,* h. 1230-1298) Hagiógrafo it. *Legenda sancta* o *Legenda aurea.*

VORARLBERG Est. del O de Austria, junto a las fronteras de Suiza y de Alemania; 2 601 km², 307 100 hab. Cap., Bregenz. Accidentado por los Alpes de Allgan al N y por los Grisones al S. Cereales, vid y hortalizas. Explotación forestal. Ganado bovino. Ind. textil, maderera, química y electrotécnica.

Cohete *A-1* utilizado para el lanzamiento de cápsulas **Vostok**

VORAZ adj. Aplícase al animal muy comedor y al hombre que come con mucha ansia. • fig. Que destruye o consume rápidamente. ■ VORACIDAD.

VORONEZH C. de la de la rep. de Rusia, cap. de la prov. hom.; 850 000 hab. Ind. mecánicas, químicas y electrotécnicas.

VORONOV, ***Serge*** (1866-1951) Médico sov., nacionalizado fr. Autor de importantes trabajos sobre rejuvenecimiento artificial mediante el injerto de glándulas genitales de mono en el hombre.

VOROSHILOV, ***Kliment Efrémovich*** (1881-1969) Mariscal sov. Vinculado a Stalin, llegó al cargo de presidente del presidium del Soviet Supremo (1953-1960).

VOROSHILOVGRADO C. de la rep. de Ucrania, cap. de la prov. hom.; 497 000 hab. Construcción de material ferroviario; ind. textil.
VORSTER, *Balthazar Johannes* (1915-1983) Político sudafricano, sucesor de Verwoerd en la jefatura de gobierno (1966). Mantuvo la intransigencia racista y en 1978 fue elegido presid. de la rep., cargo al que renunció al año siguiente.
VÓRTICE m. Torbellino, remolino. • Centro de un ciclón.
VORTICELA f. Infusorio que posee un cuerpo acampanado y un pedúnculo contráctil, que utiliza para fijarse a las plantas acuáticas.
VORTICISMO m. *Arte*. Movimiento, pralm. pictórico, surgido en Gran Bretaña en la segunda década del s. XX, equivalente al futurismo it. Su iniciador fue el pintor Wyndham Lewis, quien creó la revista *Blast*.
VORTIGINOSO, SA adj. Díc. del movimiento que hacen el agua o el aire en forma circular o espiral.
VOS Tratamiento respetuoso usado antiguamente en lugar de *usted*. • *Amér*. Se usa a veces en el lenguaje popular en lugar del pron. personal *tú*.
VOS, *Cornelis de* (1585-1651) Retratista flam. Sus obras (*Abraham Grapheus*; *El artista y su familia*) se caracterizan por la elegancia y la sobriedad, por la coloración viva y la precisión técnica del dibujo.
VOSEAR tr. Dar a uno el tratamiento de vos.
VOSEO m. Fenómeno lingüístico muy corriente entre ciertos hispanoamericanos, que consiste en utilizar el término *vos* en lugar de *tú*, con formas verbales de la segunda persona del pl. o del sing., y en lugar de la forma tónica *ti*.
VOSGOS *(Vosges)* Cordillera del NE de Francia, sit. entre Alsacia, Lorena y el Franco-Condado; alt. máx.: Guebwiller (1 423 m).
VOSJOD o **VOSHOD** *Astron*. Serie sov. de naves espaciales tripuladas. *V. 1* (octubre 1964) inició la puesta en órbita de tripulaciones múltiples; *V. 2* (marzo 1965) permitió el primer paseo espacial del hombre, realizado por Leonov.
VOSOTROS, TRAS Nominativos masculino y femenino del pron. personal de segunda persona en núm. plural.
VOSSLER, *Karl* (1872-1949) Filólogo al. Dotó a la filología de un contenido filosófico e impulsó los estudios de estilística. *Positivismo e idealismo en la ciencia del lenguaje*.
VOSTOK *Astron*. Primera serie sov. de naves espaciales tripuladas destinadas a recorrer órbitas terrestres. La *V. 1* (1961) fue pilotada por Gagarin; la *V. 6* (1963), lo fue por Tereshkova, la primera mujer cosmonauta.
VOTACIÓN f. Acción y efecto de votar. • Conjunto de votos emitidos. • **nominal.** La que se hace dando cada votante su nombre. • **ordinaria.** La que se hace poniéndose unos votantes de pie y permaneciendo otros sentados, o alzando o dejando de alzar la mano. • **secreta.** La que se hace con papeletas sin firmar o bolas de distinto color.
VOTAR intr. y tr. Hacer voto a Dios o a los santos. • intr. Echar votos o juramentos. • intr. y tr. Dar uno su voto o decir su dictamen en una reunión o cuerpo deliberante, o en una elección de personas. • tr. Aprobar por votación. ■ VOTADA; VOTADOR, RA; VOTANTE.
VOTO m. Promesa hecha a Dios, a la Virgen o a un santo. • Cualquiera de los prometimientos que constituyen el estado religioso y tiene admitidos la Iglesia. • Parecer o dictamen que se da en una junta, en orden a la decisión de un punto o elección de un sujeto. • Dictamen o parecer dado sobre una materia. • Persona que da o puede dar su voto. • Ruego o deprecación con que se pide a Dios una gracia. • Juramento o execración en demostración de ira. • Deseo. • Exvoto. • **de censura.** El que emiten las cámaras o corporaciones negando su confianza al gobierno o junta directiva. • **de confianza.** Aprobación que las cámaras dan a la actuación de un gobierno en determinado asunto. ■ VOTATIVO, VA.
VOTRI m. *Chile*. Planta trepadora de la familia gesneriáceas, de hojas carnosas y fruto en cápsula.
VOUET, *Simon* (1590-1649) Pintor fr. En Roma adquirió el dominio del claroscuro caravaggista. A su regreso a París, entró al servicio de Luis XIII. *El tiempo vencido por la juventud y la belleza*.

VOZ f. Sonido que produce el aire expelido por los pulmones al hacer vibrar las cuerdas vocales. La v. humana se divide según su registro, de agudo a grave, en v. de soprano, mezzosoprano, contralto, tenor, barítono y bajo. • Calidad, timbre o intensidad de este sonido. • Sonido que forman algunas cosas inanimadas. • Grito. Se usa más en pl. • Vocablo. • fig. Músico que canta. • fig. Autoridad que reciben las cosas por el dicho u opinión común. • fig. Poder, derecho para hacer uno, en su nombre, o en el de otro, lo conveniente. • fig. Voto. • fig. Facultad de hablar, aunque no de votar, en una asamblea. • fig. Opinión, fama, rumor. • fig. Motivo o pretexto público. • fig. Precepto o mandato del superior. • *Gram*. Accidente gramatical que expresa si el sujeto del verbo es agente o paciente. • *Mús*. Sonido particular o tono correspondiente a las notas y claves. • *Mús*. Cada una de las líneas melódicas que forman una composición polifónica. • **activa.** • *Gram*. Forma de conjugación que sirve para significar que el sujeto del verbo es agente. • **aguda.** *Mús*. Alto y tiple. • **argentada** o **argentina.** fig. La clara y sonora. • **cantante.** *Mús*. Parte pral. de una composición. • **de mando.** *Mil*. La que da a sus subordinados el que los manda. • **de trueno.** fig. La muy fuerte o retumbante. • **pasiva.** *Gram*. Forma de conjugación que sirve para significar que el sujeto del verbo es paciente. • **Viva v.** Exp. oral, por contraposición a la escrita. • **Ahuecar** uno **la v.** fig. Abultarla para que parezca más grave e imponente. • **Alzar** uno **la v.** a otro. fig. Levantarle la voz. • **A media v.** m. adv. fig. Con voz baja, o más baja que el tono regular. • fig. Con ligera insinuación, exp. o eficacia. • **A una v.** m. adv. fig . De común consentimiento o por unánime parecer. • **A voces.** m. adv. A gritos o en voz alta. • **A v. en cuello,** o **en grito.** m. adv. En muy alta voz o gritando. • **Correr la v.** Divulgarse una cosa que se ignoraba. • **Dar una v.** a uno. Llamarle en alta voz desde lejos. • **En v.** m. adv. De palabra o verbalmente. • **Levantar** uno **la v.** a otro. fam. Hablarle descompuestamente o contestarle sin el respeto que merece.
VOZARRÓN m. Voz muy fuerte y gruesa.
VOZNAR intr. Dar una voz bronca ciertas aves.
VRIES, *Hugo de* (1848-1935) Botánico hol. Formuló la teoría de la mutación.
VTOL m. *Aer*. Tipo de avión de despegue y aterrizaje vertical.
VUCETICH, *Juan* (1858-1925) Antropólogo arg. de origen yugoslavo, creador de un sistema de identificación dactiloscópico que lleva su nombre.
VUDÚ o **VUDUISMO** m. Culto muy difundido en las Antillas, especialmente en Haití. • El v. tuvo su origen en la cristianización superficial de los esclavos negros. Así, a los dioses afr. que pervivieron en forma de espíritus *(Iwa)*, les fue impuesto un ser supremo, bondadoso y terrible, inspirado en el Dios cristiano. La base del culto vudú consiste en la práctica de danzas rítmicas que conducen a la posesión extática. • Divinidad adorada en dicho culto. • adj. Relativo a dicho culto.
VUECELENCIA com. Metaplasmo de *vuestra excelencia*.
VUECENCIA com. Síncopa de *vuecelencia*.
VUELCO m. Acción y efecto de volcar o volcarse. • Movimiento con que una cosa se vuelve o trastorna enteramente.
VUELO m. Acción de volar. • Espacio que se recorre volando sin posarse. • *Aer*. Desplazamiento de un cuerpo en el seno del aire. • *Zool*. Sistema de locomoción a que recurren los animales que deben desplazarse en el aire. • Conjunto de plumas que en el ala del ave sirven pralm. para volar. Se usa más en pl. • P. ext., toda el ala. • Amplitud de una vestidura en la parte que no se ajusta al cuerpo. • Vuelillo. • Tramoya de teatro en que va por el aire una persona o cosa. • Arbolado de un monte. • Parte de una construcción, que sale fuera del paramento de la pared que la sostiene. • Extensión de esta misma parte, contada en dirección perpendicular al paramento. • Ave de caza enseñada y amaestrada a volar y perseguir a otras aves. • *Der*. En algunas divisiones tradicionales de la propiedad, derecho al arbolado con independencia del que otro tenga sobre el suelo. • **a vela.** *Aer*. El realizado por un planeador que utiliza las corrientes de aire. • **Al v.** o **a v.** m. adv. Pronta y ligeramente. • **Cazarlas,** o **co-**

El Tiempo vencido por el Amor, la Esperanza y la Fama, óleo de Simon **Vouet.** Museo de Berry Bourges, Francia

Vudú. Joven de la etnia somba de Benin ataviado para participar en un ritual

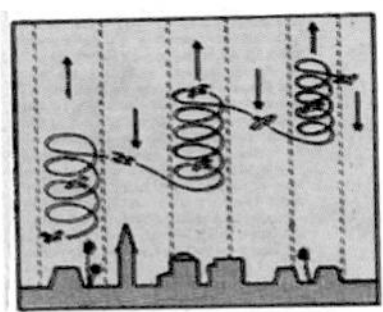

Esquema del **vuelo** de las aves en función de las corrientes térmicas descendentes y ascendentes

gerlas, uno **al v.** fig. y fam. Entender o notar con prontitud las cosas que no se dicen claramente o que se hacen a hurtadillas. • **Levantar** o **alzar el v.** Echar a volar. • fig. Marcharse uno de repente. • fig. Elevar uno el espíritu o la imaginación. • **Cortar los vuelos** a uno. fig. Quitarle la libertad o el ánimo para obrar.

* *Zool.* El v. propiamente dicho sólo se da en grupos muy evolucionados de animales terrestres, concretamente en los insectos, las aves y en algunos mamíferos. Los animales voladores presentan siempre expansiones laminares del cuerpo, las alas, en núm. de uno o dos pares, que son movidas por músculos poderosos. El v. puede ser planeado o batido; en el primer caso, la energía necesaria para la sustentación procede del movimiento del aire, mientras que en el segundo se origina en el movimiento del ala. El v. planeado sólo se da en aves, y requiere alas largas y estrechas. El v. batido puede iniciarse estando el animal en reposo, requiere alas más cortas y redondeadas, y consume mucha más energía. La velocidad de mov. de las alas es inversamente proporcional a su superficie.

Jardines públicos, óleo de Édouard **Vuillard**

VUELTA f. Movimiento de una cosa alrededor de un punto, o girando sobre sí misma, hasta invertir su posición primera, o hasta recobrarla de nuevo. • Curvatura de una línea o apartamiento del camino recto. • Cada una de las circunvoluciones de una cosa alrededor de otra a la cual se aplica. • Regreso. • Devolución de una cosa a quien la tenía. • Retorno o recompensa. • Repetición de una cosa. • Repaso que se da a una materia leyéndola. • Parte de una cosa opuesta a la que se tiene a la vista. • Zurra o tunda. • Tela o adorno sobrepuesto en la extremidad de las mangas u otras partes de ciertas prendas de vestir. • Embozo de una capa. • Cada una de las series circulares de puntos con que se van labrando las medias, calcetas, etc. • Mudanza de las cosas de un estado a otro, o de un parecer a otro. • Acción o exp. áspera. • Dinero sobrante que se devuelve a la persona que al hacer un pago entrega cantidad superior a la debida. • *Agr.* Labor que se da a la tierra o heredad. • Voltereta, en ciertos juegos de naipes. • *Arq.* Bóveda, y p. ext., techo. • *Arq.* Curva de intradós de un arco o bóveda. • *Dep.* En ciclismo y otros deportes, carrera que se hace alrededor de un país, región, comarca, etc., y se divide en etapas o jornadas. • *Metal.* Destello de luz que despide la plata en el momento en que termina la copelación. • *Mús.* Retornelo. • **de campana.** fig. La que se da con el cuerpo en el aire volviendo a caer de pies. • **Media v.** Acción de volverse de modo que el cuerpo quede de frente hacia la parte que estaba antes a la espalda. • fig. Breve o cortísima diligencia en una cosa. • **A la v.** m. adv. Al volver. • **A la v. de.** loc. Dentro o al cabo de. • **A la v. de la esquina.** fig. que se emplea para indicar que un lugar está muy próximo. • **Andar** uno **a vueltas con, para,** o **sobre,** una cosa. fig. Estar perplejo o poniendo todos los medios para saberla o ejecutarla. • **A v. de correo.** m. adv. Por el correo inmediato, sin perder día. • **Dar** uno **una v**. Pasear un rato. • **Dar vueltas.** fr. Andar alrededor. • Andar uno buscando una cosa sin encontrarla. • fig. Discurrir repetidamente sobre una especie. • **De v.** m. adv. En volviendo. • **Estar de v.** fig. y fam. Estar de antemano enterado de algo de que se le cree ignorante. • **No tener v. de hoja** una cosa. fig. y fam. Ser incontestable. • **Poner** a uno **de v. y media.** fig. y fam. Tratarle mal de palabra.

Detalle de *La Fragua de* ***Vulcano,*** óleo de Diego Velázquez. Museo del Prado, Madrid

VUELTO, TA m. *Amér.* Vuelta, dinero sobrante que se devuelve a la persona que hace un pago.

VUELUDO, DA adj. Díc. de la vestidura que tiene mucho vuelo.

VUELVEPIEDRAS m. Ave caradriforme de la familia carádridos. Debe el nombre a su costumbre de recorrer las playas volviendo del revés las piedras, para buscar los animalillos que se hallan bajo ellas.

VUESTRO, TRA, TROS, TRAS pron. posesivo de segunda persona. Expresa la porción o pertenencia atribuida a dos o más personas, aunque en ciertos tratamientos de cortesía puede referirse en sus cuatro formas a un solo poseedor cuando, por ficción que el uso autoriza, se da el núm. pl. a una sola persona. Aplícase también a un solo individuo en ciertos tratamientos.

Flores de **vulneraria**

VUILLARD, *Édouard* (1868-1940) Pintor fr., uno de los representantes del grupo de los *Nabis. Retrato de mujer, El sueño.*

VULCANIZACIÓN f. *Quím.* Acción y efecto de vulcanizar. • Proceso que modifica las propiedades físicas del caucho, haciéndolo útil para sus numerosos usos industriales. El caucho bruto se endurece por el frío, y por el calor sevuelve plástico y pegajoso; mediante la v. se hace muy elástico, resistente a la rotura y poco sensible a las variaciones de temperatura. Son muy variados los métodos de v., así como los agentes vulcanizantes y los acelerantes empleados. Uno de los procedimientos consiste en malaxar el caucho bruto entre rodillos metálicos, con lo que se obtiene un producto inelástico y plástico que se mezcla fácilmente con el azufre y con un acelerante.

VULCANIZAR tr. *Quím.* Combinar el azufre con el caucho con objeto de conservar su elasticidad, impermeabilidad y resistencia química.

VULCANO *Mit.* Dios rom. del fuego y del arte de trabajar los metales, identificado con el Hefesto gr.

VULCANO *Astr.* Planeta hipotético que, según calculó Leverrier, gira entre Mercurio y el Sol.

VULCANOLOGÍA f. *Geol.* Ciencia que estudia los volcanes y su actividad. Sus objetivos prales. son: estudiar la actividad volcánica y catalogación de los volcanes activos, determinar el origen y naturaleza de los magmas y prevenir las erupciones volcánicas. ■ VULCANÓLOGO, GA.

VULGAR adj. Concerniente al vulgo. • Común o general. • Aplícase a las lenguas que se hablan actualmente, en contraposición de las lenguas sabias que les dieron origen. • Que no tiene especialidad particular en su línea. ■ VULGARIDAD.

VULGARISMO m. Dicho o frase especialmente usada por el vulgo.

VULGARIZAR tr. y prnl. Hacer vulgar o común una cosa. • tr. Exponer una ciencia, o una materia técnica cualquiera, en forma fácilmente asequible al vulgo. • Traducir un escrito de otra lengua a la común y vulgar. • prnl. Tener trato con gente del vulgo, o portarse como ella. ■ VULGARIZACIÓN.

VULGATA Versión latina de la Sagrada Escritura, declarada auténtica por la Iglesia católica. El nombre se aplica desde el s. XVI a la traducción de la Biblia que san Jerónimo efectuó casi totalmente. En 1592 se estableció una edición oficial llamada *Clementina*, del nombre del Papa Clemente VIII.

VULGO m. El común de la gente popular. • Conjunto de las personas que en cada materia no conocen más que la parte superficial. • adv. Vulgarmente, comúnmente.

VULNERABLE adj. Que puede ser herido o recibir lesión, física o moralmente. ■ VULNERABILIDAD.

VULNERAR tr. Transgredir, quebrantar, violar una ley o precepto. • fig. Dañar, perjudicar. ■ VULNERACIÓN.

VULNERARIO, RIA adj. y s. Aplícase al clérigo que ha herido o matado a otra persona. • adj. *Farm.* Aplícase al remedio o medicamento que cura las llagas y heridas. • f. Planta de la familia papilionáceas, con hojas compuestas, flores agrupadas en cabezuelas, y frutos en legumbre. Se utiliza como resolutiva.

VULPÉCULA o **VULPEJA** f. Zorra, mamífero.

VULPECULA *Astr.* Constelación muy poco importante, cuya única estrella brillante es la α gigante roja, a 270 años luz. Su denominación castellana es Zorro.

VULPINO, NA adj. Relativo a la zorra. • fig. Que tiene sus propiedades.

VULTUOSO, SA adj. *Pat.* Díc. del rostro abultado por congestión.

VULTURNO m. Bochorno, aire caliente.

VULVA f. *Anat.* Conjunto de los órganos genitales externos de la mujer.

VULVARIA f. Planta de la familia quenopodiáceas, con olor profundo y desagradable, hojas ovaladas, flores agrupadas en racimos axilares, y frutos en aquenio.

VUSKOVIC, *Pedro* (nacido 1924) Político y economista chil. Ministro de Economía (1970-1972) de la Unidad Popular. Exiliado tras el golpe de Est. de Pinochet.

VYASA Personaje legendario de la India, a quien se le atribuye la ordenación de los *Vedas* y las obras *Mahabharata* y los *Puranas*.

W

La batalla de **Waterloo** en una acuarela de J. A. Atkinson (1815). Museo Británico, Londres

W f. Vigésima cuarta letra del abecedario esp. y decimonovena de sus consonantes. Su nombre es *uve doble*. • Abrev. de Oeste (ing. *West*) en la notación internacional. • *Fís.* Símb. del watt o vatio. • *Quím.* Símb. del volframio.

WACE, ***Robert*** (h. 1100-h. 1174) Poeta anglonormando. *Gesta de los bretones, Gesta de los normandos.*

WAFFLE m. *Amér.* Panqueque.

WAGNER, ***Otto*** (1841-1918) Arquitecto austr. Interesado en sus inicios por el arte renacentista, evolucionó al modernismo (la *Karlsplatz Station,* para el Metro de Viena). Su obra posterior es funcionalista: Biblioteca de la universidad de Viena. • ***Richard*** (1813-1883) Compositor al. En su ópera propone una síntesis de poesía, filosofía, música y escenografía. Resaltó tanto la parte vocal como la instrumental, adoptando la melodía, en forma de aria, sobre una base armónica. *Rienzi, El buque fantasma, Tannhäuser, Lohengrin, Tristán e Isolda, Los maestros cantores de Nuremberg, La Walquiria, El oro del Rin, El ocaso de los dioses, Sigfrido.*

WAGNERIANO, NA adj. Relativo a R. Wagner y a sus obras. • adj. y s. Partidario de su música.

WAHHABISMO m. Mov. reformador puritano del islamismo, opuesto a las doctrinas mahometanas. Basado en la escuela ortodoxa de los hanbalíes. Muhammad Abdu-l-Wahhab (h. 1703-1792) predicó sus principios.

WAJDA, ***Andrzej*** (nacido 1926) Director de cine pol. Sus películas abordan la situación política de su país. *Lady Macbeth de Siberia, El hombre de hierro, El hombre de mármol.*

WAKAYAMA Prefectura de Japón, en el S de la isla de Honshu; 4 275 km^2, 1 024 000 hab. Cap., la c. hom. (396 600 hab.). Ind. pesada, refinerías, textil.

WAKSMAN, ***Selman Abraham*** (1888-1973) Microbiólogo norteam., de origen ruso. Premio Nobel de Medicina en 1952 por sus trabajos sobre la estreptomicina. *Enzimas, Mi vida con los microbios.*

WALBRZYCH (al., *Waldenburg*) C. de Polonia; 138 000 hab. Centro minero e industrial. Hasta 1945 perteneció a Alemania.

WALDHEIM, ***Kurt*** (nacido 1918) Político y diplomático austr. Candidato en 1971 a las elecciones presidenciales por el Partido Popular. Secretario gral. de la ONU (1971-1981). Elegido presid. de la rep. en 1986, pese a la divulgación de su participación con los nazis.

WALDSEEMÜLLER, ***Martin*** (1475-1521) Geógrafo y cartógrafo al. Fue el primero que aplicó al Nuevo Mundo el nombre de América (→ Vespucio, Américo).

WALESA, ***Lech*** (nacido 1943) Dirigente sindical y político pol. Encabezó los mov. huelguistas de 1980 que originaron el sindicato *Solidaridad,* primera organización indep. en un país comunista. Tras el golpe de est. de Jaruzelski y la ilegalización de *Solidaridad,* fue encarcelado y liberado dos años después. Tras dirigir las huelgas de 1988, negoció con el gobierno pol. la legalización de *Solidaridad* y la convocatoria de elecciones en 1989, en las que su sindicato consiguió la victoria. Premio Nobel de la Paz en 1983. Presid. del país de 1990 a 1995.

WALKER, ***William*** (1824-1860) Aventurero norteam. Apoyado por sectores esclavistas del S, se autoproclamó presid. de la Baja California en 1853. En 1855 se proclamó presid. de Nicaragua con apoyo de EE UU, restableciendo la esclavitud. Expulsado en 1857. Murió ejecutado. • **Martínez, *Carlos*** (1842-1905) Político y escritor chil. Participó en la rev. que derrocó a Balmaceda. Impulsó la literatura chil. hacia el conocimiento de los primitivos pueblos amer. *Romances americanos, Manuel Rodríguez, El proscrito.*

Richard **Wagner**

WALKIE-TALKIE (voz ing.) m. Aparato transmisor-receptor radiofónico portátil de corto alcance.

WALKMAN (voz ing.) m. Pequeño aparato portátil que sirve para reproducir cintas magnéticas cuyo sonido se escucha con auriculares.

WALKYRIA *Mit.* Valquiria.

WALL Street (ing. «calle de la Muralla») Calle neoyorquina, sede de la Bolsa y de los prales. establecimientos bancarios. El *crack* de Wall Street (24 octubre 1929) constituyó el momento culminante de la crisis económica de entreguerras.

WALLACE, ***Alfred Russell*** (1822-1913) Naturalista brit. Coincidió con Darwin en el principio de la selección natural. Uno de los iniciadores de la zoogeografía. • ***Edgar*** (1875-1932) Novelista brit., especializado en el gén. policíaco. *El campanero, La banda de la rana, Cuatro hombres justos, El ángel del terror.* • ***Lewis*** (1827-1905) Militar y escritor norteam. Participó en la campaña de México y en la guerra de Secesión. *Ben Hur, El Dios justo, El príncipe de la India.*

WALLACH, ***Otto*** (1847-1931) Químico al. Investigó la estructura de los terpenos. Premio Nobel de Química en 1910.

WALLENSTEIN, ***Albrecht Eusebius Wenzel von*** (1583-1634) General bohemio al servicio de Fernando II de Austria. Tomó parte en la guerra de los Treinta Años. Gobernador de Bohemia (1625). Murió asesinado.

Lech **Walesa**

WALLIS Y FUTUNA Arch. de Oceanía, sit. al NE de las islas Fiji, terr. fr. de Ultramar; 255 km^2, 9 000 hab. Cap., Mata Utu. Copra y pesca.

WALPOLE, ***Horace*** (1717-1797) Político y lite-

El rey **Wamba,** en una ilustración del s. XI de la obra *Semblanza de reyes.* Biblioteca Nacional, Madrid

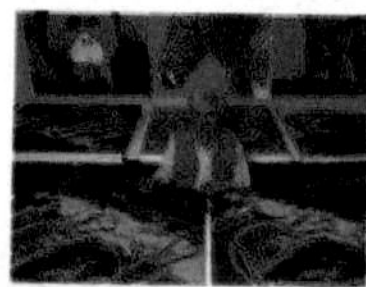

Andy **Warhol**

George **Washington**

Máquina de vapor de James **Watt** de 1775. Museo de Artes y Oficios, París

rato ing., hijo de Robert W. *Castillo de Otranto, Recuerdos de las cortes de Jorge II y Jorge III.* • ***Robert,*** CONDE DE OXFORD (1676-1745) Político brit., del partido *whig.* En 1721 actuó como primer ministro. Acusado de corrupción, la guerra con España (1739) forzó su dimisión en 1742.

WALPURGIS o **VALBURGA** (710-779) Santa. Monja benedictina ing. • **Noche de W.** Según una leyenda popular al., noche anterior a la festividad de Santa W., en que las brujas celebraban un aquelarre en Alemania.

WALRAS, ***Léon*** (1834-1910) Economista fr. Desarrolló el concepto de utilidad marginal y logró por primera vez el análisis de las condiciones del equilibrio gral. *Elementos de economía política pura.*

WALSH, ***María Elena*** (nacida 1930) Escritora arg. De inspiración folclórica. *Cancionero contra el mal de ojo.* • ***Raoul*** (1892-1980) Director de cine norteam. Especialista en filmes de aventura y *westerns. Objetivo Birmania, Juntos hasta la muerte, La carga de la brigada ligera.* • ***Rodolfo*** (1927-1977?) Novelista arg. Autor comprometido, desapareció durante la dictadura militar. *Operación masacre, ¿Quién mató a Rosendo?* • ***Thomas*** (1875-1928) Escritor e hispanista norteam. *Antología hispánica.*

WALTARI, ***Mika*** (1908-1979) Escritor finlandés. *Sinuhé el egipcio, Marco el romano, El etrusco, Padres e hijos.*

WALTER, ***Bruno*** (1876-1962) Director de orquesta al., naturalizado en EE UU. Especialista en la interpretación de Mozart y Mahler.

WALTON, ***Ernest Thomas*** (1903-1995) Físico irl. Premio Nobel de Física en 1951, con Cockcroft, por sus trabajos sobre la desintegración del núcleo del litio mediante descargas eléctricas de alto voltaje.

WALVIS BAY (afrikaans, *Walvisbaai*, «bahía de la ballena») Enclave de la costa de Namibia, en el que destaca la c. homon. Importante puerto. Hasta 1994 perteneció a la República Sudafricana.

WAMBA (m. 688) Rey visigodo [672-680]. Sucesor de Recesvinto. Tras someter a los vascones, conquistó Barcelona, Gerona y Nimes. Fue destronado por Ervigio.

WAMPUM m. Collar o cinturón usado ant. por los indios de América Septentrional, moneda de cambio entre indios y blancos durante los ss. XVII y XVIII.

WANDSWORTH C. de Gran Bretaña, en Inglaterra; 258 400 hab. Sit. al SO de Londres, forma parte de su agl. urb.

WANG Tsing-Wei (1884-1944) Político chino. Su verdadero nombre era *Wang Chao-min.* Ministro del gobierno provisional (1927-1932) y presid. del comité ejecutivo del Kuomintang (1932-1935). Formó un gobierno en Nankín (1940).

WARAYOC (voz quechua) m. Jefe de las comunidades locales andinas precolombinas.

WARD-LEONARD m. *Ing.* Sistema electromecánico de control que se utiliza para aplicaciones de potencia.

WARHOL, ***Andy*** (1930-1987) Pintor, director cinematográfico, ilustrador y publicista norteam. de origen checo. Uno de los prales. representantes del *Pop-Art* norteam.

WARI Yacimiento arqueológico de Perú, en el dpto. de Ayacucho. Restos de una c. de los ss. X-XII.

WARRANT (ing., «garantía») m. Término con el que se designa el resguardo de almacenaje extendido sobre una mercancía depositada en los muelles o almacenes.

WARREN, ***Earl*** (1891-1974) Jurisconsulto y político norteam. Presid. del Tribunal Supremo (1953-1969). Dirigió el comité investigador del asesinato del presid. Kennedy *(Informe W.)* • ***Robert Penn*** (1905-1989) Escritor norteam. Refleja en su obra el espíritu del Sur. *Todos los hombres del rey.*

WARRINGTON C. de Gran Bretaña, en Inglaterra, en el Cheshire; 50 900 hab. Centro industrial.

WASHINGTON Est. del NO de EE UU. Limita al N con Canadá y al O con el Pacífico; 176 419 km², 4 867 000 hab. Cap., Olympia. C. prales.: Seattle y Spokane. La cord. de las Cascadas cruza el terr. de N a S. Río Columbia. Clima templado húmedo al O y árido al E. Riqueza forestal. Trigo, frutales y hortalizas. Ganadería, pesca. Hierro, plomo y cobre. Ind. aeronáutica, espacial, de maquinaria, maderera, alimentaria. • C. de EE UU, cap. del país y del distr. federal de Columbia; 606 900 hab. (3 923 900 la agl. urb.). Sit. junto al r. Potomac. Centro político, administrativo, legislativo, judicial, cultural y científico del país. • **Conferencias y tratados de W.** Serie de acuerdos y convenciones celebrados en esta c. en la segunda mitad del s. XIX y la primera del XX. La conferencia de 1899, entre EE UU y la mayoría de países iberoamericanos, concluyó con la creación de una Oficina Comercial de las Repúblicas Americanas. En 1907 se celebró una convención entre EE UU y las rep. centroamericanas, excepto Panamá, para poner fin a la guerra de Nicaragua con Honduras y El Salvador. En 1923, una convención entre EE UU y las rep. centroamericanas acordó la adopción de medidas para la represión de mov. revolucionarios. En 1921-1922 se firmó un acuerdo entre EE UU, Gran Bretaña, Japón, Francia, Italia, Bélgica, Países Bajos, Portugal y China, por el que se comprometían a respetar la soberanía china.

WASHINGTON, ***George*** (1732-1799) Militar y político norteam. Dirigió como comandante en jefe la victoria sobre los brit. en la guerra de Independencia (1776). Primer presid. de EE UU (1789). Reelegido en 1793, rechazó el tercer mandato. Se le nombró jefe de los ejércitos en 1798.

WASMOSY, ***Juan Carlos*** (nacido 1938) Ingeniero y político par. Elegido presid. de la nación por el Partido Colorado, ejerció el cargo entre 1993 y 1998.

WASSERMANN, ***August Paul*** (1866-1925) Bacteriólogo al., descubridor de la reacción que lleva su nombre, usada para diagnosticar la sífilis. • ***Jakob*** (1873-1934) Novelista al. de ascendencia judía. De un vigoroso realismo. *Gaspar Hauser, El caso Maurizius, Golovin.*

WAST, ***Hugo*** (1883-1962) Seud. de *Gustavo Martínez Zuviría.* Escritor arg. Su producción novelística manifiesta unas excelentes dotes de narrador y observador de la realidad. *Flor de durazno, Ciudad turbulenta, Ciudad alegre, Oro.*

WATER (voz ing.) m. Retrete.

WATERGATE, ***Escándalo*** Conflicto de espionaje político desarrollado en EE UU durante la campaña electoral de 1972. Significó el procesamiento y dimisión de Nixon en 1974.

WATERLOO Pob. de Bélgica, sit. a 15 km al S de Bruselas; 20 000 hab. En esta c. tuvo lugar la batalla en la que fue derrotado Napoleón por los ejércitos brit. y prusiano en junio de 1815.

WATER-POLO o **WATERPOLO** m. Deporte inventado en Inglaterra h. el 1870. Se practica en una piscina rectangular, con un balón que se disputan dos equipos de siete nadadores durante veintiocho minutos divididos en cuatro tiempos.

WATIO m. Vatio.

WATSON, ***James Dewey*** (nacido 1928) Biólogo norteam., especializado en la investigación de virus bacteriales y genética molecular. Premio Nobel de Medicina en 1962, con Wilkins y Comptor Crick. • ***John Broadus*** (1878-1958) Psicólogo norteam., fundador de la teoría conductista. *Conducta y conductismo.*

WATT m. *Fís.* Nombre internacional del vatio.

WATT, ***James*** (1736-1819) Ingeniero escocés. Inventó el regulador de fuerza centrífuga y el paralelogramo articulado.

WATTEAU, ***Antoine*** (1684-1721) Pintor fr., barroco. Influido por Rubens y los manieristas it. *Arlequín y Colombina, Finette, Los Campos Elíseos, Embarque para Citerea.*

WATUSI → Tutsi.

WAUGH, ***Evelyn*** (1903-1966) Novelista brit. De irónica mordacidad y estilo directo y expresivo. *Hombres de armas, Un puñado de polvo.*

WAYNE, ***John*** (1907-1979) Seud. de *Marlon Michael Morrison.* Actor y director de cine norteam. Sobresalió en la interpretación de *westerns. La diligencia, Fort Apache, Misión de audaces, Río Rojo.* Obtuvo el Oscar de interpretación por *Valor de ley.*

WEB (voz ing. abrev. de *world wide web*: red mundial) m. *Comp.* Sistema de organización de la información de Internet mediante enlaces de hipertexto. • **página w.** Documento introducido a través de este sistema, accesible a todos los usuarios de Internet.

WEBB, ***Sidney,*** BARÓN DE PASSFIELD (1859-1947) Político y economista brit., uno de los fundadores de la Sociedad Fabiana. Con su esposa **Beatriz** escribió *Democracia industrial, El comunismo soviético: ¿una nueva civilización?*

WEBER m. *Fís.* Unidad de flujo magnético en el sistema Giorgi. Equivale a 10^8 maxwells.
WEBER, *Alfred* (1868-1958) Economista y sociólogo al. Fundador de la teoría de la localización industrial. *Principios de sociología de la cultura.* • ***Karl Maria Friedrich Ernst von*** (1786-1826) Compositor al. Precursor de Wagner, especialmente por sus óperas *El cazador furtivo* y *Euryanthe.* • ***Max*** (1864-1920) Economista y sociólogo al. Fundador de la moderna sociología del positivismo. Utilizó la metodología de aproximación a los fenómenos sociales, con lo que excluía la conflictiva temática del cambio social. Realizó estudios sobre el poder y sus vinculaciones de prestigio, introduciendo la psicología como factor esencial para el estudio de las sociedades. *Sobre la objetividad de los conocimientos sociológicos y sociopolíticos, Economía y sociedad.* • ***Max*** (1881-1961) Pintor norteam. de origen ruso. Influido por los *fauves* y los cubistas. *Tres literatos.* • ***Wilhelm Eduard*** (1804-1891) Físico al., hermano de Ernst Heinrich W. Estableció, con Gauss, la teoría del magnetismo terrestre, y formuló la teoría de las corrientes moleculares que circulan en los cuerpos diamagnéticos.
WEBERIO m. *Fís.* Castellanización de *weber.*

Vista nocturna de Seattle, en el estado de **Washington**

WEBERN, *Anton von* (1883-1945) Compositor austr., uno de los máx. representantes del dodecafonismo. *Seis piezas para orquesta, Sinfonía para orquesta de cámara, Variaciones para piano.*
WEDEKIND, *Franz* (1864-1918) Poeta y dramaturgo al. Precursor del expresionismo, exaltó la vida natural y primitiva. *El alma de la Tierra, La danza de la muerte, Despertar de primavera.*
WEEK-END (voz ing.) m. Fin de semana.
WEGENER, *Alfred Lothar* (1880-1930) Geofísico y meteorólogo al. Autor de la teoría de deriva continental. *La génesis de los continentes y de los océanos.*
WEIERSTRASS, *Karl* (1815-1897) Matemático al. Destacan sus trabajos en análisis matemático relativos a las funciones de variable compleja. • **Teorema de W.** *Mat.* Si $f(x)$ es una función continua para valores de x comprendidos entre dos núm. a y b, entonces $f(x)$ es el límite de una sucesión de polinomios en x.
WEIL, *Simone* (1909-1943) Escritora y pensadora fr. de origen judío. Participó en el bando republicano durante la guerra civil esp. *La condición obrera, Cuadernos.*
WEILL, *Kurt* (1900-1950) Compositor al., nacionalizado en EE UU. Autor de *Grandeza y decadencia de la ciudad de Mahagonny,* ópera sobre texto de B. Brecht, en colaboración con el cual compuso *La ópera de cuatro cuartos.* Establecido en EE UU desde 1935, escribió la música de comedias y óperas: *La fiesta de Knickerbocker, La dama en la oscuridad, Perdido en las estrellas.*
WEIMAR, *República de* Periodo de la historia al. que comprende desde el fin de la I Guerra Mundial hasta el ascenso de Hitler al poder (1919-1933). Se estableció un est. federal que atravesó una grave crisis económica producida por las cláusulas del tratado de Versalles y que se agudizó con el *crack* de 1929, culminando con el ascenso de Hitler a la cancillería.
WEINBERG, *Steven* (nacido 1933) Físico norteam. Premio Nobel de Física en 1979 por sus trabajos sobre la relación existente entre las fuerzas que actúan sobre las partículas elementales.
WEISMANN, *August* (1834-1914) Biólogo y zoólogo al., dedicado al estudio de los problemas del origen y evolución de las especies.
WEISS, *Peter* (1916-1982) Escritor al. Su origen judío le obligó a huir de su país en 1934. *La instrucción.* Autor de la obra teatral *Persecución y asesinato de Marat representada por los actores del hospital de Charenton bajo la dirección del marqués de Sade* (o *Marat-Sade*).
WEISSMULLER, *Johnny* (1904-1984) Nadador y actor de cine norteam. Vencedor en diversas pruebas en las olimpiadas de París (1924) y de Amsterdam (1928). En cine interpretó el papel de Tarzán en numerosas películas.
WEITLING, *Wilhelm* (1808-1871) Socialista utópico al. Afiliado a la Liga de Desterrados de París, escribió para esta organización su manifiesto *La humanidad tal como es.* Defendió un tipo de comunismo religioso.
WEIZMANN, *Chaim* (1874-1952) Químico y político israelí. Descubrió una bacteria que interviene en el proceso de fabricación de acetona y alcohol butílico. Presid. de la Organización Sionista Mundial y el primer presid. de la rep. de Israel (1948-1951).
WELLES, *Orson* (1915-1985) Actor y director de cine norteam. Se inició en el teatro. Se hizo famoso a través de las ondas radiofónicas con la retransmisión de la adaptación de la novela *La guerra de los mundos.* Dirigió: *Ciudadano Kane, Otelo, La dama de Shangai, Mr. Arkadin, Sed de mal, El proceso, Campanadas a medianoche.*
WELLINGTON C. y cap. de Nueva Zelanda, sit. en la isla del Norte; 343 200 hab. Activo puerto e ind. mecánicas, químicas y textiles.
WELLINGTON, *Arthur Colley Wellesley,* DUQUE DE (1769-1852) Militar y político brit. Dirigió en España la lucha contra las tropas napoleónicas (1809-1814). Derrotó a Napoleón en la batalla de Waterloo (1815). Primer ministro brit. (1828-1830).
WELLS, *Herbert George* (1886-1946) Novelista y ensayista brit. Precursor del género de ciencia-ficción. Miembro activo de la Sociedad Fabiana, sus convicciones socialistas se reflejan en sus obras. *El hombre invisible, El nuevo Maquiavelo, La guerra de los mundos.*
WELSER Familia de comerciantes y banqueros al., de Augsburgo. Financiaron la campaña política imperial de Carlos V, con quien pactaron la colonización de Venezuela (1528). La familia W. obtenía a cambio de los bajos intereses el monopolio comercial, la introducción de esclavos y la explotación minera ven. (1528-1558).
WENDERS, *Wim* (nacido 1945) Director cinematográfico al. Ha trabajado en Alemania y en EE UU. *El amigo americano, Hammett, Relámpago sobre el agua.*
WERFEL, *Franz* (1890-1945) Poeta, novelista y dramaturgo austr. de raza judía, uno de los más notables representantes del expresionismo. *Canto de los tres reinos* (poesía), *La canción de Bernadette* (novela), *Entre el cielo y la tierra* (ensayo).
WERNER, *Alfred* (1866-1919) Químico suizo. Investigó la relación entre las isomerías óptica y geométrica. Premio Nobel de Química en 1913. • ***Pierre*** (nacido 1913) Político luxemburgués. Primer ministro (1979-1984).
WESER Río de Alemania; 790 km. Se forma en Münden y desemboca en el mar del Norte.
WESLEY, *John* (1703-1791) Predicador brit., fundador del metodismo. Fundó una sociedad para la lectura del N. T. Quedó separado de la Iglesia anglicana al defender la teoría de la influencia del hombre en su propia salvación.
WESSEX Ant. reino anglosajón, sit. entre el canal de Bristol y el Támesis, por el N, y el canal de la Mancha, por el S. A finales del s. IX, se convirtió en el núcleo aglutinador de la unidad ing.
WEST, *Mae* (1892-1980) Actriz de cine norteam. Creó un tipo de *vamp* madura. *Lady Lou, No soy un ángel, No es pecado.*
WEST BROMWICH C. de Gran Bretaña, en Inglaterra (Staffordshire); 154 900 hab. Forma parte de la agl. urb. de Birminghan.

Gilles, óleo de Antoine **Watteau.** Museo del Louvre, París

Orson **Welles**

Arthur Colley Wellesley, duque de **Wellington**

Western. Fotograma de la película *La conquista del Oeste*

Nave central de la abadía de **Westminster** (Gran Bretaña)

William **Wilberforce**

Thomas W. **Wilson**

WESTERN (voz ing.) m. Género cinematográfico inspirado en el legendario Oeste amer. durante la colonización de EE UU (1830-1900). Entre los cultivadores del género cabe citar a John Ford, King Vidor, Fred Zinnemann y Arthur Penn.

WESTFALIA Región histórica de Alemania, integrada en el *land* de Renania-Septentrional-Westfalia. Ducado desde el s. VII, Napoleón I (1807) constituyó el reino de W., disuelto en el congreso de Viena (1815) y convertido en prov. de Prusia. Cap. histórica, Münster. • **Tratados de W.** Acuerdos firmados en las c. de Münster y Osmabrück que finalizaron a la guerra de los Treinta Años (1648).

WESTINGHOUSE, *George* (1846-1914) Inventor y constructor norteam. Se le debe un sistema de frenos automáticos para ferrocarriles. Fundó la *Westinghouse Electric Corporation.*

WESTMINSTER C. de Gran Bretaña, en Inglaterra, sit. al O de Londres; 184 100 hab. Forma parte del Gran Londres. • **Tratados de W.** Los firmados entre Gran Bretaña y las Provincias Unidas en 1654 (que puso fin a la guerra iniciada entre ambos países en 1652) y en 1674 (por el que se aseguró la cooperación de los dos países frente a Francia). También se firmaron en W. tratados de alianza de Gran Bretaña con Rusia (1742) y con Prusia (1756).

WESTMORELAND Parroquia de Jamaica; 807 km², 122 000 hab. Cap., Savanna-la-Mar.

WESTPHALEN, *Emilio Adolfo* (nacido 1911) Poeta per., uno de los prales. representantes de la nueva poesía del Perú. *Las ínsulas extrañas, Abolición de la muerte.*

WEYLER y Nicolau, *Valeriano* (1838-1930) Militar y político esp. Fracasada la coalición de Martínez Campos en Cuba, W. fue elegido por Cánovas para someter la insurrección cub. en 1896. Sus métodos represivos facilitaron la intervención de EE UU.

WHARTON, *Edith* (1862-1937) Escritora norteam. Destacó en la novela costumbrista. *La edad de la inocencia, El verano.*

WHEASTONE, SIR *Charles* (1802-1875) Físico brit. Inventó un estereoscopio y una máquina criptográfica. • **Puente de W.** *El.* Montaje para realizar medidas rápidas y precisas de resistencias.

WHIG adj. y s. Relativo al partido brit. que sostenía los derechos del parlamento y de los sectores protestantes frente a la monarquía y los privilegios del anglicanismo (1680). Hoy los *whigs* se identifican con el partido liberal.

WHIPPLE, *George Hoyt* (1878-1976) Médico norteam. Nobel de Medicina en 1934 por sus estudios sobre la hepatoterapia de la anemia perniciosa.

WHISKY (voz ing.) m. Bebida alcohólica que se obtiene por destilación de diversos cereales malteados, especialmente la cebada.

WHITEHEAD, *Alfred North* (1861-1947) Filósofo y matemático brit. Elaboró junto con Russell los *Principia Mathematica,* donde se sientan las bases de un método lógico de gran influencia en el desarrollo de la lógica simbólica. *Investigación sobre los principios del conocimiento natural.*

WHITEHORSE C. de Canadá, cap. del terr. de Yukón; 15 000 hab.

WHITMAN, *Walt* (1819-1892) Poeta norteam. Cantor de la libertad y del hombre. Su poesía, de métrica libre y de sorprendentes efectos rítmicos, influyó notablemente en la generación *beat. Hojas de hierba, Canto a mí mismo, Toques de tambor.*

WICHITA C. de EE UU, en el estado de Kansas; 279 300 hab. Centro comercial, agropecuario e industrial. Refinerías de petróleo. Universidad.

WIDIA f. Material utilizado en ciertas herramientas cuya dureza es casi igual a la del diamante.

WIECHERT, *Ernst* (1887-1950) Escritor al. Se opuso al régimen nazi. *Totenwald (La selva de los muertos).*

WIELAND, *Heinrich Otto* (1877-1957) Químico al. Premio Nobel de Química en 1927 por sus trabajos sobre los ácidos biliares.

WIEN, *Wilhelm* (1864-1928) Físico al. Estudió las radiaciones, especialmente la llamada radiación del cuerpo negro. Premio Nobel de Física en 1911.

WIENE, *Robert* (1881-1938) Director de cine al. de origen checoslovaco. Realizó *El gabinete del doctor Caligari,* que introdujo el expresionismo.

WIENER, *Norbert* (1894-1964) Matemático norteam. Fundador de la cibernética. *Cybernetics.*

WIERSMA, *Método de* Procedimiento que utiliza ciertas sustancias paramagnéticas para obtener temperaturas inferiores a 1 °K (–272 °C).

WIESBADEN C. de Alemania, cap. del est. de Hesse; 267 500 hab. Ind. vinícola, química, papelera. Estación termal.

WIESER, *Friedrich von* (1851-1926) Economista austr., uno de los fundadores de la escuela marginalista de Viena. *Origen y leyes principales del valor económico.*

WIFREDO I *el Velloso* (*Guifré el Pelós,* m. 897) Conde de Urgel y Cerdaña-Conflent [870-897]. Luis II le entregó los condados de Barcelona y Gerona (878) por su apoyo a la dinastía carolingia. Su gobierno representa la primera etapa de indep. de los condados cat. respecto a la monarquía fr.

WIGHT, *Isla de* Isla de Gran Bretaña, al S de Inglaterra, que forma el condado hom.; 381 km², 109 000 hab. Cap. Newport. Agricultura. Ganadería. Construcciones aeronáuticas. Centro turístico.

WIGNER, *Eugene P.* (nacido 1902) Físico norteam. Ha estudiado la aplicación de la simetría en la investigación nuclear. Premio Nobel de Física 1963.

WIGWAN (voz algonquina) m. Tienda de ramas y pieles usada por los indígenas norteamericanos.

WILANDER, *Mats* (nacido 1964) Tenista sueco. Vencedor del Roland Garros (1982 y 1985), el *open* de Australia (1984), la Copa Davis (1984) y el Flushing Meadow (1988).

WILBERFORCE, *William* (1759-1833) Político y filántropo brit. En 1807 logró la abolición de la esclavitud en Gran Bretaña y sus colonias.

WILDE, *Eduardo* (1844-1913) Político y escritor arg. Ministro de Justicia e Instrucción Pública (1882-1886) y de Interior. *Por mares y por tierras, Aguas abajo.* • ***Oscar Fingall O'Flahertie*** (1856-1900) Escritor irl., exponente del llamado *dandinismo* literario. Se caracterizó por su agudeza y epigramática. Lo mejor de su obra lo escribió a raíz de su condena por homosexualismo. *La balada de la cárcel de Reading* y *De profundis, El retrato de Dorian Gray, Intenciones, La decadencia de la mentira.*

WILDER, *Billy* (nacido 1906) Director de cine norteam., de origen austr. De estilo inicialmente cercano al expresionismo, sus películas han derivado hacia la comedia. *El crepúsculo de los dioses, Sabrina, Con faldas y a lo loco, El apartamento, Primera plana.* • ***Thornton*** (1897-1975) Escritor norteam. Autor de novelas: *El puente de San Luis Rey, La mujer de Andros, Los idus de marzo;* y de obras teatrales: *Nuestra ciudad, La piel de nuestros dientes.*

WILHELMSHAVEN C. y puerto de Alemania, en Baja Sajonia; 97 000 hab. Refinería de petróleo.

WILKINS, *Maurice Hugh Frederick* (nacido 1916) Biólogo brit. Premio Nobel de Medicina en 1962 por sus descubrimientos relativos a la estructura molecular de los ácidos nucleicos.

WILKINSON, *Geoffrey* (1921-1996) Químico brit. Premio Nobel de Química en 1973, con Fisher, por sus investigaciones sobre la relación de átomos metálicos con moléculas orgánicas.

WILLEMSTAD C. y cap. de las Antillas neerlandesas, en la isla de Curaçao; 43 500 hab. (94 100 la agl. urb.).

WILLIAMS, *Alberto* (1863-1952) Compositor y teórico musical arg. Fundó y dirigió el conservatorio de Buenos Aires. Autor de una *Teoría de la música.* Compuso *Aires de la Pampa, El atajacaminos, La esfinge.* • ***Eric Eustace*** (1911-1981) Político de Trinidad y Tobago. Fundador del Movimiento Nacional del Pueblo (1955). Primer ministro (1962-1981). Gobernó dictatorialmente. • ***Tennessee*** (1914-1983) Seudónimo de *Thomas Lanier Williams.* Escritor norteam. Cultivó el drama, la poesía y la novela, describiendo los ambientes del S de EE UU. *Un tranvía llamado deseo, La gata sobre el tejado de cinc, En el invierno ciudadano.*

WILLIMAN, *Claudio* (1863-1934) Político ur. Presid. de la rep. (1907-1911), impulsó las obras públicas y creó numerosas escuelas.

WILLOCH, *Kare* (nacido 1928) Político nor. Primer ministro (1981-1986).

WILLSTÄTTER, *Richard* (1872-1942) Químico al. Investigó el proceso de asimilación de las plantas y la catálisis. Premio Nobel de Química en 1915.

WILSON, *Charles Thomson Rees* (1869-1959)

Físico brit. Inventó la llamada cámara de niebla, que también se conoce por su nombre. Premio Nobel de Física en 1927, con Compton. • ***Harold*** (1916-1995) Político laborista brit. Jefe del Partido Laborista (1963) y primer ministro (1964-1970 y 1974-1976). Dimitió y le sucedió J. Callaghan. • ***Kenneth*** (nacido 1936) Físico norteam. Premio Nobel en 1982 por su descripción matemática de los fenómenos críticos de las transiciones de fase. • ***Thomas Woodrow*** (1856-1924) Político norteam. Miembro del Partido Demócrata. Presid. de la rep. (1912-1916 y 1916-1920). Siguió la línea de intervención en los asuntos internos de los países latinoamericanos. Procuró la neutralidad de su país en la I Guerra Mundial. Premio Nobel de la Paz en 1919.

Castillo de **Windsor**

WIMBLEDON C. de Gran Bretaña, en Inglaterra, que forma parte de la agl. urb. de Londres; 60 000 hab. Desde 1877 se disputa en ella el más imp. trofeo mundial de tenis.
WINCHESTER adj. y s. Díc. de los fusiles y otras armas fabricadas de 1810 a 1880 por Oliver F. Winchester. • m. *Comp.* Tipo de disco magnético de gran capacidad y de pequeño formato. Su nombre viene del prototipo IBM 3030, cuyo número se asoció con el rifle W. de calibre 30-30.
WINCKELMANN, *Johann Joachim* (1717-1768) Arqueólogo e historiador de arte al. *Ideas sobre la imitación de los griegos en pintura y escultura, Historia del arte antiguo.*
WINDAUS, *Adolf* (1876-1959) Químico al. Son importantes sus investigaciones sobre la naturaleza de las vitaminas, colesterol y ergosterol. Premio Nobel de Química en 1928.
WINDELBAND, *Wilhelm* (1848-1915) Filósofo al. Fundó la Escuela de Baden. Dividió las ciencias en *nomotéticas* (naturales) e *ideográficas* (históricas y culturales). *La teoría de la contingencia, Historia de la filosofía moderna.*
WINDHOEK C. y cap. de Namibia, en el Damaraland; 96 100 hab. Centro comercial y ganadero.
WINDSOR C. de Gran Bretaña, en Inglaterra (Berkshire), sit. al O de Londres, junto al Támesis; 30 000 hab. • **Tratados de W.** El de 1175, entre el rey de Connacht, Rory O'Connor, y Enrique II, que reconocía la soberanía ing. sobre Irlanda. El de 1496, entre Enrique VII y la Santa Liga, en que se acordó el matrimonio de Arturo con Catalina de Aragón. El de 1522, entre Enrique VIII y Carlos V, que aseguró su alianza contra Francia.
WINDSOR C. de Canadá, en la prov. de Ontario, a orillas del r. Detroit; 192 100 hab. Centro agrícola e industrial. Refinería de petróleo.
WINDSOR Nombre dinástico adoptado por la casa reinante brit. a iniciativa de Jorge V, en 1917.
WINDSURF (voz ing.) m. Deporte náutico que se practica sobre una tabla con vela triangular.
WINDWARD Grupo de islas de las Pequeñas Antillas, que incluyen el dpto. fr. de Martinica y los est. asociados brit. de Saint Lucia, Saint Vincent, Granada y Granadinas.
WINNIPEG C. de Canadá, cap. de la prov. de Manitoba, al SO del lago hom.; 594 600 hab. (652 000 hab. la agl. urb.). Mercado cerealista y centro industrial. Universidad. • Lago de Canadá, en la prov. de Manitoba; 24 700 km². Comunica con la bahía de Hudson, mediante el río Nelson.
WINNIPEGOSIS Lago de Canadá, unido al lago Manitoba por el r. Waterhen; 5 400 km².
WINTERÁCEO, A adj. y f. *Bot.* Díc. de plantas angiospermas dicotiledóneas, cuyo xilema está constituido por traqueidas aeroladas de gran interés filogenético. • f. pl. *Bot.* Familia de estas plantas.
WINTERS, *Shirley Schrift*, llamada ***Shelley*** (nacida 1922) Actriz cinematográfica norteam. *Oklahoma, La aventura del Poseidón, Cleopatra Jones.*
WINTERTHUR C. de Suiza, en el cantón de Zurich; 85 000 hab. (106 800 la agl. urb.). Ind. textiles y fabricación de maquinaria.
WIRACOCHA → Viracocha.
WISCONSIN Est. del centro-N de EE UU, entre los lagos Superior y Michigan; 145 436 km², 4 892 000 hab. Cap., Madison. C. pral.: Milwaukee. Clima continental. Cereales y forrajes. Ganadería. Explotación forestal. Hierro, plomo y cinc. Ind. mecánica, metalúrgica, maderera y derivados lácteos.
WISE, *Robert* (nacido 1914) Director de cine norteam. Sus películas se caracterizan por su solidez artesanal. *Tongo, Ultimátum a la tierra, West Side Story* (ganadora de varios Oscar), *Sonrisas y lágrimas, La amenaza de Andrómeda.*
WISSLER, *Clark* (1870-1947) Antropólogo norteam., constructor de un modelo de difusión de los rasgos culturales. *Hombre y cultura, América aborigen.*
WITT, *Jan de* (1625-1672) Estadista neer. Representante de la burguesía republicana, fue consejero del reino (1653-1672). Luchó contra el partido orangista. Abolió el estatuderato de Holanda (1668). Acusado de traidor tuvo que dimitir. Fue asesinado.
WITTELSBACH Dinastía al. que reinó en Baviera desde el s. X hasta 1918.
WITTGENSTEIN, *Ludwig* (1889-1951) Filósofo austr. El pensamiento de su primera etapa, que se expone en el *Tractatus logico-philosophicus*, se centra en el atomismo lógico y en la filosofía analítica. En su segunda etapa rechazó la mayoría de las ideas del *Tractatus*. El último periodo de W. (*Investigaciones filosóficas* y *El cuaderno azul y el cuaderno marrón*) influyó en la escuela filosófica del lenguaje corriente de Oxford.
WITTIG, *Georg* (1897-1987) Químico al. Sus trabajos sobre el empleo de compuestos de fósforo en la síntesis de sustancias, le valieron el Premio Nobel de Química en 1979.
WOHLER, *Friedrich* (1800-1882) Químico al. Descubrió el aluminio y su purificación por reducción del cloruro.
WOJTYLA, *Karol* → Juan Pablo II.
WOLFF, *Christian* (1679-1754) Filósofo al. Discípulo de Leibniz, sistematizó y divulgó su doctrina. La filosofía es, para él, un saber escolástico fundado en dos principios: el de contradicción y el de razón suficiente. *Philosophia rationalis sive logica, Cosmologia generalis, Psychologia rationalis, Philosophia practica universalis.*
WOLFSBURG C. de Alemania, en la Baja Sajonia; 122 100 hab. Ind. automovilística.
WOLLASTON, *William Hyde* (1776-1828) Químico, físico y fisiólogo brit. Descubrió las líneas oscuras del espectro y los rayos ultravioleta de la radiación solar. • **Prisma de W.** *Ópt.* Prisma utilizado para desdoblar un haz luminoso en dos componentes polarizadas linealmente, a las que retiene para una comparación posterior de sus intensidades.
WOLLONGONG C. de Australia, en el est. de Nueva Gales del Sur; 197 100 hab. Centro agropecuario y minero.
WOLSEY, *Thomas* (h. 1473-1530) Cardenal y político ing. Legado papal y consejero privado de Enrique VIII, en 1515 fue nombrado lord canciller. Al malograrse su intento de conseguir del papa el divorcio del monarca ing. con Catalina de Aragón, perdió sus cargos.
WOLVERHAMPTON C. de Gran Bretaña, en Inglaterra (Staffordshire); 252 400 hab. Centro carbonífero. Ind. siderometalúrgica.
WONSAN C. de la República Democrática Popular de Corea; 215 000 hab. Activo puerto comercial. Construcciones navales. Aeropuerto.

Windsurf

Windward. El volcán Petit Piton, en la isla de Santa Lucía

Vista de **Winnipeg**

El cardenal Thomas **Wolsey.** National Portrait Gallery, Londres

Catedral de **Worms**

Sir Christopher **Wren**

Ayuntamiento de **Wroclaw**

WOODWARD, ***Joanne*** (nacida 1930) Actriz cinematográfica norteam. *Las tres caras de Eva* (Oscar en 1957); *Raquel, Raquel.* • ***Robert Burns*** (1917-1979) Químico norteam. Premio Nobel de Química en 1965 por sus descubrimientos acerca de los procesos de síntesis de compuestos orgánicos.
WOOLF, ***Virginia*** (1882-1924) Escritora brit. Empleó una técnica en la que la reacción subconsciente desempeña un papel preponderante. *La salida, La habitación de Jacob, Mrs. Dalloway, Orlando, Entreactos, Las olas.*
WOOLWICH Suburbio industrial del E de Londres, sobre el Támesis; 146 000 hab. Arsenal naval. Academia de Artillería e Ingenieros.
WORCESTER C. del NE de EE UU, en el est. de Massachusetts; 177 000 hab. (344 000 la agl. urb.). Fábricas de armas.
WORDSWORTH, ***William*** (1770-1850) Poeta brit., destacado miembro del grupo de los *lakistas,* introductores del romanticismo en Inglaterra. *Paseo de tarde, Baladas líricas, La excursión.*
WORMS C. de Alemania, en Renania-Palatinado; 75 000 hab. Centro vitivinícola e industrial. • **Concordato de W.** El firmado (1122) entre Calixto II y Enrique V, y que puso fin a la guerra de las Investiduras. • **Dieta de W.** La que se reunió en 1521 con asistencia de Carlos V y teólogos católicos y protestantes, y en la que se pusieron de manifiesto las diferencias entre ambas doctrinas.
WOSS y Gil, ***Alejandro*** (m. 1932) Político y militar dom. Vicepresid. con Bellini. Presid. a la muerte de éste (1885-1887). Derrocó a Vázquez en 1903, y fue a su vez derrocado por Morales, apoyado por EE UU.
WOTAN *Mit.* En la leyenda nórdica europea, dios supremo, llamado también *Wodan, Woden, Wuotan* y *Odín.*
WOUNDED KNEE Lugar de EE UU, en el SO de Dakota del Sur, escenario de una matanza de indios desarmados por parte del séptimo regimiento de caballería norteam. (29 diciembre 1890).
WRANGEL, *Ferdinand Petrovich,* BARÓN DE (1796-1870) Explorador ruso. De 1829 a 1834 fue gobernador de las colonias rusas en América • *Piotr Nicolaievich,* BARÓN DE (1878-1928) General ruso. Al estallar la revolución bolchevique organizó un ejército contrarrevolucionario, pero fue derrotado en 1920.
WREN, SIR ***Christopher*** (1632-1723) Arquitecto barroco ing., influido por el academicismo fr. e it. Dirigió la reedificación de la catedral de San Pablo en Londres.
WRIGHT Apellido de dos hermanos, pioneros de la aviación norteam.: **Wilbur** (1867-1912) y **Orville** (1871-1948), constructores de un aparato biplano, con el que realizaron el primer vuelo en los anales de la aeronáutica. Fundaron la *Wright Aeroplan Co.*
WRIGHT, ***Frank Lloyd*** (1869-1959) Arquitecto norteam. Concibió viviendas unifamiliares de una sola planta *(Prairie Houses)* y grandes edificios de hormigón armado, en la década 1900-1910. Realizó decoraciones basadas en el concepto de plástica cubista. Autor de la casa Kaufmann, en Pensilvania, y del museo Salomón Guggenheim en Nueva York. *Por una arquitectura orgánica.*
WROCLAW (al., *Breslau*) C. de Polonia, cap. del voivodato hom., en la Baja Silesia. Sit. junto al Oder; 636 000 hab. Ind. de material ferroviario, astilleros, hilaturas. Comercio. Universidad.
WUHAN C. de China, cap. de la prov. de Hupei; 2 226 000 hab. Centro comercial e industrial. Nudo de comunicaciones.
WUNDT, ***Wilhelm*** (1832-1920) Psicólogo y filósofo al. Expresó la convicción de que la voluntad es un constitutivo de la experiencia psicológica, más importante que el conocimiento. *Fundamentos de psicología fisiológica, Lógica, Ética.*
WUPPERTAL C. de Alemania, en el est. de Renania Septentrional-Westfalia; 379 000 hab. Ind. químicas y textiles.
WÜRM f. Nombre con que se conoce la última glaciación del cuaternario superior europeo, desarrollada al final del periodo pleistoceno hace unos 50 000 años.
WÜRTTEMBERG Ant. est. de Alemania, que en la actualidad, constituye gran parte del est. de Baden-Württemberg. Se extiende por el NO de la Selva Negra. Lo riegan el Danubio y el Neckar.
WURZBURGO *(Wurzburg)* C. de Alemania, a orillas del Main; 130 000 hab. Ind. mecánica, papelera y química. • **Escuela de W.** La fundada por O. Kulpe, y que se desarrolló desde fines del s. XIX hasta principios del XX. Investigó sobre la voluntad y el proceso psicológico del pensamiento.
WUXI C. de China oriental, en la prov. de Kiangsu, junto al lago Tai; 812 000 hab. Centro pesquero. Ind. textil.
WYCLIFFE, ***John*** (1324-1384) Teólogo ing., precursor de la Reforma. Defendió los intereses de la corona brit. frente a las pretensiones de la curia de Roma. Secularizó los bienes eclesiásticos.
WYLER, ***William*** (1902-1981) Director de cine norteam., de origen suizo. *Callejón sin salida, Cumbres borrascosas, La señora Minniver, Vacaciones en Roma, Ben-Hur, No se compra el silencio.* Obtuvo varios Oscar.
WYOMING Est. del NO de EE UU; 253 326 km², 454 000 hab. Cap., Cheyenne. Montañas Rocosas. Ríos Powder, Cheyenne, Platte. Clima continental. Cereales, remolacha azucarera. Cría de bovino y ovino. Carbón, uranio, petróleo. Ind. siderometalúrgica.
WYSZYNSKI, ***Stefan*** (1901-1981) Prelado pol. Cardenal en 1953. Sus tensiones con el Est. han constituido un episodio importante de la vida de la resistencia polaca.

Vista del interior de la Hofkirche de la residencia de **Wurzburgo,** obra de Johann Balthasar Neumann

X

Jardines flotantes de **Xochimilco,** población al sur de México, D. F.

X f. Vigésima quinta letra del abecedario esp., y vigésima de sus consonantes. Su nombre es *equis*. • Signo con que se suple el nombre de una persona. • *Mat.* Signo con que suele representarse en los cálculos una incógnita, o la primera de las incógnitas, si son dos o más. • Letra numeral que tiene el valor de diez en la numeración romana.
XALAPA ENRÍQUEZ C. de México, cap. del est. de Veracruz; 390 058 hab. Sit. al E de sierra Madre Oriental. Café. Ind. textil, tabaquera.
XAMAN Ek En la religión maya, deidad de la estrella polar, relacionada con el N, y del día Chuén, undécimo del calendario. Protector de los comerciantes.
XAMMAR, *Luis Fabio* (1911-1947) Poeta y crítico per. De tono intimista. *Las voces armoniosas.*
XANTINA f. *Biol.* Producto de degradación de la adenina, de la que derivan la cafeína y la teofilina.
XANTOFÍCEO, A adj. y f. *Bot.* Díc. de organismos de la clase xantofíceas. • f. pl. *Bot.* Clase de algas amarillas, muy abundantes en aguas dulces, que se multiplican vegetativamente por formaciones claviformes, por zoósporas y sexualmente.
XANTOFILA f. *Bot.* Pigmento de color amarillento que se encuentra en las hojas de las plantas superiores y en ciertos grupos de algas.
XANTÓFORO m. *Zool.* Células epidérmicas de algunos animales, que contienen lipocromos.
XANTOMATINA f. *Biol.* Pigmento de los ojos de los insectos, originado a partir del triptófano.
XAVIER, *Joaquim José da Silva* (1748-1792) Patriota bras. Dirigente del mov. insurreccional conocido como «Traición minera». Murió ajusticiado.
Xe *Quím.* Símb. del xenón.
XENAKIS, *Iannis* (1922-2001) Compositor fr., de origen gr. Con un cerebro electrónico, crea una música concebida como arte del montaje abstracto. *Hacia una metamúsica, Hacia una filosofía de la música.*
XENIN *Comp.* Versión del sistema operativo UNIX.
XENOFOBIA f. Odio, repugnancia u hostilidad hacia los extranjeros. ■ XENÓFOBO, BA.
XENOGAMIA f. *Biol.* Fenómeno de fecundación cruzada entre dos individuos de la misma especie.
XENÓN m. *Quím.* Elemento de n. a. 54 y p. a. 131,3. Gas noble de ínfima proporción atmosférica.
XEROCOPIA f. Copia fotográfica obtenida por xerografía.
XEROCOPIAR tr. Reproducir en copias xerográficas.
XERODERMIA f. *Pat.* Afección cutánea caracterizada por el estado seco, áspero y descolorido de la piel, con formación de escamas.
XERÓFILO, LA adj. *Bot.* Díc. de las plantas que viven en lugares secos.
XERÓFITO, TA adj. *Bot.* Díc. de las plantas adaptadas a los lugares secos.
XEROFTALMÍA f. *Pat.* Enfermedad de los ojos caracterizada por la sequedad de la conjuntiva y opacidad de la córnea.
XEROGRAFÍA f. Procedimiento de impresión en seco, que emplea una tinta compuesta de polvo de resina cargado de electricidad negativa, por lo que es atraído por las partes impresoras, cargadas positivamente, que están contenidas en una matriz metálica. • Fotocopia obtenida por este procedimiento. ■ XEROGRÁFICO, CA.
XEROGRAFIAR tr. Reproducir por medio de la xerografía.
XEROMORFO, FA adj. y m. *Bot.* Díc. del vegetal con estructura adaptada a la vida en un hábitat muy seco.
XI f. Decimocuarta letra del alfabeto gr. (ξ), que corresponde a la equis del esp.
XICOTÉNCATL *el Viejo* (m. 1522) Señor de Tizatlan, uno de los cuatro señoríos de Tlaxcala. Se unió a Cortés en la toma de Tenochtitlán. • ***El Joven*** (h. 1484-1521) Hijo del anterior. Colaboró con Cortés contra su voluntad. Intentó desertar en 1521 durante la toma de Tenochtitlán y fue ahorcado.
XIFÓFORO m. Pez muy pequeño de América Central, con una larga aleta caudal, prolongada a manera de espada. Es muy común en los acuarios.

Vegetación **xerófila** en el desierto de Sonora, México

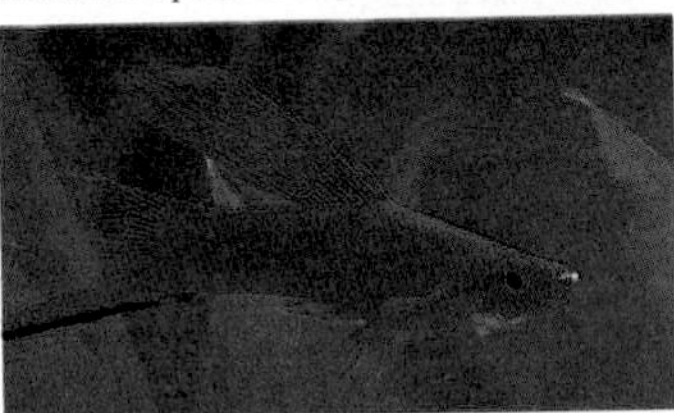

Xifóforo macho

XIFOIDES adj. y m. *Anat.* Díc. de la extremidad inferior del hueso esternón. ■ XIFOIDEO, A.
XILANA f. Polisacárido contenido en el salvado, la madera, la paja y, especialmente, los huesos de albaricoque. De la x. se obtiene la xilosa.
XILARIÁCEO, A adj. y f. *Bot.* Díc. de hongos ascomicetes, con talo filamentoso tabicado, estroma infundibuliforme, y peritecas compuestas. • f. pl. *Bot.* Familia de estas plantas.

Xilografía de tipo popular, policromada a mano, del s. XIX. Museo Militar de Montjuïc, Barcelona (España)

XILEMA m. *Bot.* Conjunto de los vasos leñosos de un vegetal. Los elementos conductores del x. están constituidos por traqueidas (gimnospermas) o por tráqueas (angiospermas).
XILENO m. *Quím.* Hidrocarburo aromático llamado también → xilol.
XILIDINA f. *Quím.* Nombre que se da a cada uno de los tres monoaminoderivados del xilol.
XILÓFAGO, GA adj. y m. *Biol.* Díc. de los organismos que se alimentan de madera. Se aplica tanto a vegetales (hongos de la putrefacción, por ejemplo) como a animales (insectos, arácnidos, protozoos).
XILÓFONO m. *Mús.* Instrumento de percusión formado por listones de madera o metal de dimensiones debidamente graduadas para que den sonidos correspondientes a las diversas notas de la escala.
XILOGRAFÍA f. Arte de grabar en madera. • *Art. Gráf.* Impresión tipográfica hecha con planchas de madera grabadas. ■ XILOGRÁFICO, CA; XILÓGRAFO, FA.
XILOL m. *Quím.* Hidrocarburo aromático presente en el alquitrán de hulla, líquido, incoloro, de olor característico, que se emplea como disolvente.
XILOMETRÍA f. Determinación del volumen de los árboles, para conocer su valor maderable o leñoso. ■ XILÓMETRO.
XILÓRGANO m. Instrumento músico ant., compuesto de unos cilindros o varillas de madera compacta y sonora.
XILOSA f. *Quím.* Monosacárido de cinco átomos de carbono, que forma parte de las hemicelulosas de la pared de las células vegetales.
XINGÚ Río de Brasil, afl. derecho del Amazonas; 2 000 km. Nace en la sierra de Roncador.

Vista de **Xochicalco**

XIPE Totec En la religión del ant. México, dios de la vegetación, la primavera y los sembrados, y también de las enfermedades epidérmicas.
XIRAU Palau, *Joaquín* (1895-1946) Filósofo esp., profesor en las universidades de Barcelona y México. *Descartes y el idealismo subjetivista moderno*, *Amor y mundo*.
XIRGU, *Margarita* (1888-1969) Actriz teatral esp. Obtuvo grandes éxitos como intérprete de obras de García Lorca. Exiliada al finalizar la guerra civil esp., se dedicó también a la formación de actores.
XIRIDÁCEO, A adj. y f. *Bot.* Díc. de plantas angiospermas monocotiledóneas, parecidas a las ciperáceas, con flores de perianto diferenciado, reunidas en espiga terminal bracteada. • f. pl. *Bot.* Familia de estas plantas. Comprende unas 200 especies, propias de las regiones cálidas del Viejo y Nuevo continentes.
XIUHCÓATL Dios nahua del fuego, del cielo y del sol.
XIUHPOHUALLI (voz náhuatl) m. Calendario solar azteca. Consta de 18 meses de 20 días cada uno.
XIUHTECUHTLI En la religión del ant. México, dios del fuego, llamado también Huehueteotl («Dios viejo»), venerado en el valle de México mucho antes de la conquista azteca.
XOCHICALCO Ant. c. fortificada tolteca, sit. al S de Cuernavaca, en el est. de Morelos (México). Fue un imp. núcleo urbano y de culto, con una gran pirámide a la que se accede por una amplia calzada. La muralla que rodea la c. está protegida por un gran foso, de 4 km de longitud.
XOCHIMILCO Ant. est. de Mesoamérica. En la actualidad forma parte de la C. de México; 70 000 hab. Junto a esta localidad se extiende el lago hom., hoy casi desecado, donde se conservan las chinampas, que en tiempos precolombinos fueron áreas de cultivo.
XOCHIPILLI En la religión mex. prehispánica, dios de las flores, la diversión, los placeres y las fiestas, que presidía los juegos corporales y de azar, y las danzas. Era la réplica masculina de Xochiquetzal.
XOCHIQUETZAL En la religión del ant. México, diosa asociada a la fertilidad y señora de las flores, el amor y la juventud. A igual que Xochipilli, presidía los juegos. Se inmolaban en su honor muchachas y prostitutas.
XOCHITL Doncella tolteca que, según una leyenda, descubrió el pulque.
XOCOTLHUETZI (voz náhuatl) m. Décimo mes del calendario azteca.
XÓLOTL En la religión mex. prehispánica, dios estrechamente unido a Quetzalcóatl, del que era hermano mellizo, y señor del rayo, los gemelos, abortos, engendros y monstruos.
XÓLOTL (ss. XII-XIII) Jefe chichimeca. Derrotó a los toltecas de Tula en 1224.
XOLOTLÁN Lago de Nicaragua. → Managua.
XON-XOFF *Comp.* Protocolo de transmisión serial de datos entre una computadora y una impresora. XON es el nombre de un carácter ASCII cuyo código envía la impresora a la computadora para indicarle que está lista para recibir. XOFF es el nombre de otro carácter ASCII cuyo código envía la impresora a la computadora para indicarle que no envíe más información porque el *buffer* de impresión está ya lleno.
XOSA adj. y s. Díc. de individuos de un pueblo bantú, del grupo nguni, que habita en el bantustán sudafricano de Transkei. Los x. suman unos 3 907 000 individuos. • m. Lengua hablada por dicho pueblo.
XUETA adj. y s. Chueta.

Y

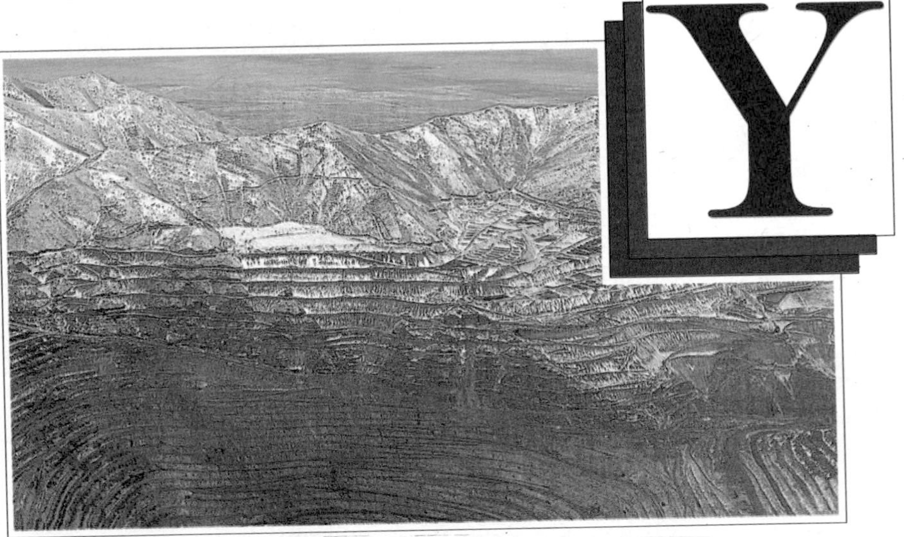

Yacimiento de cobre en Bingham, EE UU

Y f. Vigésima sexta letra del abecedario esp., y vigésima primera de sus consonantes. Su nombre es *i griega* o *ye*. • Conj. copulativa cuyo oficio es unir palabras o cláusulas en concepto afirmativo. • Empléase a principio de periodo o cláusula sin enlace con vocablo o frase anterior, para dar énfasis o fuerza de exp. a lo que se dice. • Precedida y seguida por una misma palabra, denota idea de repetición. • *Fís.* Símb. de la admitancia. • *Quím.* Símb. del itrio.

YA Adv. de tiempo con que se denota el tiempo pasado. • En el tiempo presente, haciendo relación al pasado. • En tiempo u ocasión. • Finalmente o últimamente. • Luego, inmediatamente. • Se usa como conj. distributiva. • Sirve para conceder o apoyar lo que nos dicen, y suele usarse con las frases *ya entiendo, ya se ve*. • **Si ya.** m. conj. condicional que equivale a la sola voz *si* como conj. de la misma clase, o a *siempre que*. • **¡Ya!** interj. fam. con que denotamos recordar algo o caer en ello, o no hacer caso de lo que se nos dice. Se usa repetida y de esta manera expresa también idea de encarecimiento en bien o en mal. • **Ya que.** m. conj. condicional. Una vez que, aunque, o dado que.

YAACABÓ m. *Amér. Merid.* Pájaro insectívoro de pico y uñas fuertes, pardo por el lomo, rojizo el pecho y los bordes de las alas, y blanquecino por el vientre. Los indígenas lo tienen por ave de mal agüero.

YABA f. *Cuba.* Árbol de la familia papilionáceas, con flores violáceas y fruto amarillo. La madera se emplea en la construcción.

YABUCOA C. de Puerto Rico, en el distr. de Humacao; 31 900 hab. Caña de azúcar, ron, cigarros. Puerto exportador.

YABUNA f. *Cuba.* Hierba de la familia gramíneas, muy perjudicial para el cultivo.

YABUTÍ adj. y s. Díc. del pueblo amerindio que vive en Brasil, en el nacimiento del r. Blanco.

YAC, o **YACK,** o **YAK** m. Bóvido que habita en el Tíbet, notable por las largas lanas que cubren las patas y la parte inferior del cuerpo.

YACA f. *Bot.* Anona de la India.

YACARÉ m. *Amér. Merid.* Caimán, reptil.

YACENTE adj. Que yace. • m. *Min.* Cara inferior de un criadero.

YACER intr. Estar echada o tendida una persona. • Estar un cadáver en la fosa o en el sepulcro. • Existir o estar real o figuradamente una persona o cosa en algún lugar. • Tener trato carnal con una persona. • Pacer de noche las caballerías.

YACHTING (voz ing.) m. Navegación de placer, deporte náutico.

YACIJA f. Lecho o cosa en que se está acostado. • Sepultura. • Lugar en que está enterrado un cadáver.

YACIMIENTO m. *Geol.* Sitio donde se halla naturalmente una roca, un mineral o un fósil. • Lugar donde se hallan restos arqueológicos.

YACIO m. Árbol euforbiáceo común en los bosques de la América tropical y que da goma elástica.

YACÓN (voz quechua) m. *Bol.* y *Perú.* Cierta raíz comestible.

YACTURA f. Quiebra, pérdida o daño recibido.

YAGÁN adj. y s. Díc. del pueblo amerindio que vivía al S de la Tierra del Fuego.

YAGHNOBI m. *Ling.* Lengua irania derivada del ant. sogdiano, hablada al E de Samarcanda (Uzbekistán).

YAGI m. Antena usada en TV, en radares y en telecomunicaciones. Está constituida por un dipolo y unos elementos parásitos denominados, uno de ellos reflector, y los demás directores.

YAGRUMA f. *Cuba.* Nombre común de dos árboles de diferente familia: *yagruma hembra,* moráceo, con hojas grandes y flores rosadas y con visos amarillos y *yagruma macho*, araliáceo, con flores blancas y hojas medicinales.

YAGUA adj. y s. Díc. del pueblo amerindio, de la familia lingüística caribe, que vive en la Amazonia per. • f. *Ven.* Palma comestible, usada por los indígenas para construir sus cabañas y hacer sombreros, cestos, etc. • *Cuba* y *P. Rico.* Tejido fibroso de la palma real.

YAGUAL m. *Amér. Centr.* y *Méx.* Rodete para llevar pesos sobre la cabeza.

YAGUANÉ adj. y s. *Amér.* Díc. del animal vacuno que tiene el pescuezo y los costillares de color diferente del lomo, barriga y parte de las ancas.

YAGUAR (voz guaraní) m. Jaguar.

YAGUARETÉ m. *Argent., Par.* y *Ur.* Jaguar.

YAGUARÓN R. fronterizo de Brasil y Uruguay; 217 km. Desagua en la laguna Merín.

YAGUL Yacimiento arqueológico de México, en el est. de Oaxaca. Restos de la cultura zapoteca.

YAGURÉ m. *Amér. Merid.* Mofeta, mamífero carnicero.

YAHGÁN o **YAMANA** adj. y s. Díc. del pueblo amerindio que vivía en la isla Grande de la Tierra del Fuego y en otras islas cercanas.

YAHWEH Nombre del Dios de Israel. De etimología y significado discutido, el más aceptado es el de «ser que subsiste por sí mismo». En las traducciones bíblicas aparece también como *Yavhé*, *Yavé* o *Yahveh.*

Yac

Yacaré

Mujer **yakuta**

Barcazas de transporte de mercancías en el **Yang Tse-kiang**

Símbolo del **yang** y **yin**

Santa Catalina, tabla de Fernando **Yáñez de la Almedina.** Museo del Prado. Madrid

YAHYA ***Jan*** (1917-1980) Político paquistaní. Presid. de la rep. al dimitir Ayyub Jan (1969). Abrogó la constitución y gobernó dictatorialmente. Sustituido por Ali Bhutto y procesado.

YAICUAJÉ m. *Cuba.* Árbol de la familia sapindáceas, de hojas compuestas y flores blancas. La madera se usa en construcción.

YAITÍ m. *Cuba.* Árbol de la familia euforbiáceas, de hojas lanceoladas y flores amarillas. Se usa en construcción.

YAJUR-VEDA Colección de textos védicos que contienen elementos mágicos destinados a proporcionar carácter sagrado a las oraciones de sacrificio.

YAKARTA (*Djakarta;* ant., *Batavia*) C. y cap. de Indonesia, en la isla de Java; 9 104 800 hab. Primer centro económico y cultural del país. Ind. metalúrgica, química, naval y textil.

YAKUTIA Rep. de Rusia, en el NE de Siberia; 3 103 200 km^2, 1 081 000 hab. Cap., Yakutsk. Amplia llanura accidentada por los montes Cherski, Verjoiansk y Stanovói. R.: Lena, Iana, Indiguirka y Kolima. Gran parte del país está cubierto por la taiga, al S, y la tundra, al N. Hulla, oro y diamantes.

YAKUTO, TA adj. y s. Díc. de individuos de un pueblo mongoloide, de lengua turca, que vive en Yakutia. • m. Lengua hablada por este pueblo.

YAKUTSK C. de Rusia, cap. de la rep. de Yakutia; 180 000 hab. Puerto fluvial en el r. Lena. Centro comercial.

YALTA C. de la rep. de Ucrania, en la pen. de Crimea; 72 000 hab. • **Conferencia de Y.** Reunión celebrada por Roosevelt, Churchill y Stalin (1945), donde se acordaron las medidas sobre Alemania, el reparto de las zonas de influencia en Europa y las bases para la formación de la ONU.

YAMA y **YAMÍ** Deidades menores de los *Vedas.* Yama, el primer hombre, engendró con su hermana Yamí el género humano.

YAMAGATA Prefectura de Japón, en la isla de Honshu; 9 327 km^2, 1 258 000 hab. Cap., la c. hom. (245 200 hab.). Ind. textil, metalúrgica, papelera.

YAMAGUCHI Prefectura de Japón, en la isla de Honshu; 6 107 km^2, 1 573 000 hab. Cap., la c. hom. (129 500 hab.).

YAMAL al-Din al-Afganí (1838-1897) Filósofo y político afgano. Autor de una historia del Afganistán.

YAMALO-NENETS, ***circunscripción nacional de*** Subdivisión administrativa de Rusia, al N de la prov. rusa de Tiumen; 750 300 km^2, 343 000 hab. Cap., Salejard, 22 000 hab. Se extiende sobre parte de la llanura de Siberia Occidental. Ríos Obi, Pur y Taz. Clima muy frío. Pesca y cría de renos.

YAMAMOTO, ***Isoroku*** (1884-1943) Almirante jap. Dirigió los ataques aéreos contra EE UU en Pearl Harbor y en las islas Salomón.

YAMANASHI Prefectura de Japón, en la isla de Honshu; 4 464 km^2, 853 000 hab. Cap., Kofu.

YAMASHITA, ***Tomoyuki*** (1883-1946) General jap. Durante la II Guerra Mundial, conquistó Singapur y Filipinas. Tras la guerra fue condenado a muerte.

YAMATO-E Estilo pictórico jap. surgido hacia el s. XI. Se caracteriza por la representación de escenas de costumbres y paisajes.

YAMBO m. Pie de la poesía gr. y latina, compuesto de dos sílabas: la primera, breve, y la otra, larga. • P. ext., pie de la poesía esp. que tiene una sílaba átona seguida de otra tónica. • *Bot.* Árbol grande mirtáceo, muy cultivado en las Antillas, que tiene por fruto la pomarrosa.

YAMOUSSOUKRO Cap. de Costa de Marfil (en construcción); 120 000 hab.

YANA f. Planta de la familia combretáceas, con flores diploclamídeas, y frutos alados. Su madera suministra carbón y su corteza es rica en taninos curtientes.

YANACÓN m. *Perú.* Indio aparcero en el cultivo de una tierra.

YANURCO o **YANA URCO** Montaña del N de Ecuador, en la cordillera Occidental de los Andes; 4 583 m.

YANCÓFILO, LA adj. y s. *Amér.* Díc. de quien es pronorteamericano.

YANG m. En fil. china, concepto fundamental que representa el principio o fuerza activa o masculina.

YANG, Shangkun (1908-1998) Político chino. Participó en la Larga Marcha. Acusado de ser agente sov., fue apartado de la política durante la rev. cultural, y rehabilitado en 1982. Nombrado presid. de China en 1988.

YANG TSE-KIANG o **AZUL** Río de China; 5 800 km. Nace en el Tibet y desemboca en el mar de la China Oriental.

YANG y **YIN** En la ant. religión de China y el taoísmo, sobre todo el popular, los dos principios del universo y del género humano.

YANQUE adj. y s. *Amér. Centr.* Yanqui.

YANQUI adj. y s. De Nueva Inglaterra, en EE UU. • P. ext., natural de esta nación.

YANTAR m. Tributo que pagaban los habitantes de las zonas rurales para el mantenimiento del soberano y del señor cuando transitaban por ellos. • Prestación enfitéutica que se pagaba al poseedor del dominio directo de una finca. • ant. Manjar o vianda. • tr. ant. Comer, especialmente al mediodía.

YÁÑEZ, ***Agustín*** (1904-1980) Novelista mex. *Al hilo del agua, Flor de juegos antiguos, Archipiélago de mujeres* • **de la Almedina,** ***Fernando*** (h. 1480-h. 1536) Pintor esp. Se supone que es el *Ferrando Spagnuolo* que trabajó con Leonardo da Vinci en Florencia. Puertas del órgano de la catedral de Valencia, *Retablo de la Crucifixión* de la catedral de Cuenca.

YAP Grupo de islas del Pacífico, en Micronesia; 101 km^2, 8 000 hab. Base naval norteam.

YAPA f. *Amér. Merid.* Añadidura, adehala, refacción. • *Min.* Azogue que en las minas argentíferas de América se añade al mineral para facilitar el término de su trabajo en el buitrón. • **De y.** loc. adv. Por añadidura, de propina. • Gratuitamente, sin motivo.

YAPAR tr. *Amér. Merid.* Añadir la yapa. • *Argent.* Agregar a un objeto otro de la misma materia o que sirve para el mismo uso.

YAPEYÚ Localidad de Argentina, en la prov. de Corrientes. Lugar de nacimiento del general José de San Martín (25 febrero 1778).

YAPOK m. Mamífero marsupial de la familia didélfidos. Vive en las orillas de los ríos centro y sudamericanos . También se le llama *zarigüeya de agua.*

YAPURA Río de América Meridional. → Caquetá.

YAQUE del Norte Río de la República Dominicana; 310 km. Nace en la cordillera Central y desemboca en Monte Cristi. • **del Sur.** Río de la República Dominicana; 200 km. Nace en la cordillera Central y desemboca en la bahía de Neiba.

YAQUI adj. y s. Díc. de individuos de una tribu amerindia, de la familia lingüística uto-azteca, que vive en el est. mex. de Sonora. • Relativo a dicha tribu. • m. pl. Esta misma tribu.

* *Hist.* Los y. se opusieron a los esp. (1533 y 1599) durante la colonización. En 1610 consiguieron una cierta autonomía, pero h. 1637 debían defenderse por la vía de las armas de las misiones jesuíticas dispuestas a organizarles y a hacerles olvidar sus tradiciones. Tras la expulsión de los jesuitas (1745), los y. continuaron sufriendo la ocupación por los blancos de sus tierras fértiles. A partir de 1876, las tribus de Sonora, acaudilladas por *Cajeme,* sostuvieron una rebelión contra el porfiriato, que pretendía civilizar a los y. y repartir las tierras entre los agricultores amigos del gobierno. La resistencia y. fue vencida mediante una despiadada guerra de exterminio. Veinticinco años después, Calles se encargaba de reducir la unidad étnica y cultural de los y. mediante una política agrícola basada en el fraccionamiento e irrigación de los terrenos que desplazaban al mundo indígena del terr. de Sonora.

YAQUI Río de México; 555 km. Nace en Chihuahua, atraviesa el est. de Sonora y desemboca en la bahía de Yasicori.

YÁQUIL m. *Chile.* Arbusto de la familia ramnáceas, de ramas espinosas y raíces detergentes.

YARA Villa de Cuba, en la prov. de Granma; 12 000 hab. • **Grito de Y.** Primer levantamiento cub. contra la dominación esp. (1868).

YARACUY Est. de Venezuela, a orillas del Caribe; 7 100 km^2, 498 017 hab. Cap., San Felipe. Accidentado por la sierra de Aroa y las montañas de Nirgua. El sist. hidrográfico pertenece a la vertiente del Caribe y del Orinoco. Clima tropical. Caña de azúcar, café, tabaco y plátano. Cobre. Ind. azucarera.

YARARÁ f. *Argent.* Víbora que alcanza hasta 1 m de largo, muy venenosa.

YARAVÍ m. *Amér. Merid.* Especie de cantar dulce y melancólico indígena.

YARDA f. Medida ing. de longitud equivalente a 91 cm.

YARE (voz caribe) m. Jugo venenoso que se extrae de la yuca amarga. • *Ven.* Masa de yuca dulce con la que se hace el cazabe.

YARO m. *Bot.* Aro, planta. • *Ur.* Indígena que habitaba en la costa del Uruguay, al S del r. Negro.

YAROSLAVL C. de Rusia; 633 000 hab. cap. de la prov. hom. (36 400 km^2, 1 471 000 hab.). Ind. metalúrgica, textil y de curtidos.

YATAÍ o **YATAY** m. *Argent., Par.* y *Ur.* Especie de palma. El palmito es comestible; el fruto se usa para la fabricación de aguardiente y la fibra de las hojas para tejer sombreros.

YATASTO Localidad de Argentina, en el dpto. de Metán. En ella se celebró un encuentro entre los generales San Martín y Belgrano (30 de enero de 1814).

YATE m. Embarcación de gala o de recreo.

YAUCHIHUE m. *Chile.* Clavel de aire.

YAUCO Mun. de Puerto Rico, en el distr. de Mayagüez; 38 800 hab. Centro agropecuario.

YAUNDÉ *(Yaoundé)* C. y cap. del Camerún; 653 700 hab. Centro administrativo y comercial. Manufacturas de tabaco.

YAVARI *(Javari)* Río de Perú y Brasil, afl. del Amazonas; 1 050 km. Nace en la sierra de Divisor (Perú).

YAXCHILÁN Yacimiento arqueológico de México, en el est. de Chiapas. Restos mayas.

YAXCOCAHMUT (maya, «Señor de la sabiduría») → Itzamná.

Yb *Quím.* Símb. del iterbio.

YDÍGORAS Fuentes, ***Miguel*** (1895-1982) Político guat. Presid. (1958-1963) con el apoyo de los militares, su gobierno fue autoritario y favorable a los EE UU. Fue derrocado.

YE f. Nombre de la letra *y*.

YEATS, ***William Butler*** (1865-1935) Escritor irl. Propulsor del renacimiento literario, y pral. figura del teatro moderno de su país. Premio Nobel de Literatura en 1923. *Siete poemas y un fragmento, El viento entre las cañas, El gato y la luna.*

YEGROS, ***Fulgencio*** (m. 1821) Político par. Dirigente de la rev. de 1811. Presid. de la Junta de gobierno, impulsó la educación y la economía de su país. Compartió el poder con Francia desde 1812, hasta que éste le apartó. Ejecutado tras un intento de golpe de Est. (1820).

YEGUA f. Hembra del caballo. • *Amér. Centr.* Colilla de cigarro. • adj. *Amér. Centr.* fam. Estúpido, bestia.

YEGUADA f. Tropilla o manada de ganado caballar. • *Amér. Centr.* Burrada, disparate.

YEGUATO, TA adj. y s. Hijo o hija de asno y yegua.

YEÍSMO f. Pronunciación de la elle como ye. ■ YEÍSTA.

YEKATERINODAR Ant. Krasnodar. Terr. de Rusia; 83 600 km^2, 4 492 000 hab. Cereales, girasol; ovinos y bovinos. Ind. alimentaria, textil, maquinaria agrícola y refino de petróleo. Poblada por rusos, ucranianos, adiguetios, armenios y tártaros.

YELISAVETGRADO o **ELISAVETGRADO** → Kirovogrado.

YELLOWSTONE R. del N de EE UU; 1 600 km. Nace en las Rocosas y desemboca en el r. Misuri *(Missouri).* • Parque nacional de EE UU, en el NO del est. de Misuri: 9 000 km^2 de extensión.

YELLOWKNIFE C. de Canadá, cap. de los Territorios del Noroeste; 11 800 hab.

YELMO m. Parte de la armadura ant., que resguardaba la cabeza y el rostro.

YELTSIN, ***Boris*** (nacido 1931) Político ruso. Presid. del Soviet Supremo de la Federación de Rusia (1990), abandonó el PCUS y en 1991 se convirtió en el primer presid. de Rusia elegido democráticamente. Ese mismo año, impulsó la creación de la Comunidad de Estados Independientes (CEI) que supuso la disolución de la URSS. Reelegido en 1996, el 31 de diciembre de 1999 presentó su dimisión y cedió la presidencia a Vladimir Putin.

YEMA f. *Bot.* Renuevo que en forma de botón escamoso nace en el tallo de los vegetales. • Porción central del huevo de los vertebrados ovíparos. • Dulce de azúcar y yema de huevo. • fig. La parte mejor de una cosa. • *Zool.* Prolongación carnosa en el cuerpo de pólipos, anélidos, etc.; rudimento de un nuevo individuo. • **del dedo.** Lado de la punta del dedo, opuesto a la uña.

YEMEN, ***República del*** *(Al-Jumhuriya al-Yamaniya)* Estado de Asia Occidental, en el SO de la pen. Arábiga. Limita al N con Arabia Saudita, al E-NE con Omán, el S con el golfo de Adén y al O con el mar Rojo y el golfo de Bab el Mandeb. El sector occidental es de predominio montañoso, con alturas que rebasan los 3 500 m, mientras el oriental es básicamente mesetario, dominado por el desierto. No hay ríos permanentes y las precipitaciones son muy escasas. Las temperaturas son muy elevadas, más suaves en las zonas marítimas y en las montañas. Tabaco, café, algodón, dátiles, mijo. Ganado ovino y caprino. Lenguas: ár. (of.) e ing. *Rel.*: islámica. Cap. política Sana, cap. comercial y económica Adén. C., prales.: Hodeida y Taizz. U.M.: riyal y dinar.

* *Hist.* Por su situación estratégica y la fertilidad de sus tierras, la región del Y., habitada por los sabeos, atrajo a numerosos pueblos (himyaríes, sirios, sasánidas, árabes, turcos, etc.). En el año 893, Zeid ibn Ali ibn Hussein instauró la dinastía zayrí, que gobernó de forma despótica el país hasta entrado el siglo XX. Al sur del Y., la c. de Adén se convirtió en 1839 en importante núcleo brit. al ser incluida en la ruta hacia la India, lo que hizo que Y. sufriera, como tantos países afroasiáticos, la amputación de parte de su territorio víctima de las apetencias colonialistas. Más tarde los brit. vincularon Adén a las vecinas y desérticas regiones de Hadhramaut y Mahra, formando con todo ello un cuerpo territorial de administración compartida. Cuando la convulsión anticolonial sacudió en la década de los sesenta el dominio brit., en Adén, Hadhramaut y Mahra se puso de manifiesto la existencia de una conciencia nacional yemenita, que no pudo converger durante años con la de sus vecinos septentrionales, los yemenitas propiamente dichos, a causa de las importantes diferencias económicas y sociales que existían entre los respectivos ámbitos. Con la indep., Adén se convirtió en 1967 en cap. de una república de tendencias revolucionarias y vinculaciones al bloque socialista y cuya denominación of. fue la de República Democrática Popular del Yemen, aunque comúnmente se la conoció como Yemen del Sur. Por su parte el corazón del país yemení o Yemen del

REPÚBLICA DEL YEMEN

Superficie	527 968 km^2
Población	14 900 000 hab. (28 hab./km^2)
Recursos económicos	
Algodón	8 000 t
Bananas	74 000 t
Café	9 000 t
Dátiles	21 000 t
Sorgo	450 000 t
Tabaco	7 000 t
Trigo	170 000 t
Ganadería	
Cabaña bovina	1 130 000 cabezas
Cabaña caprina	3 230 000 cabezas
Cabaña ovina	3 715 000 cabezas
Camellos	173 000 cabezas
Pesca	82 785 t
Producción minera	
Petróleo	16 005 000 t
Sal	280 000 t
Producción industrial	
Cemento	820 000 t
Cerveza	40 000 hl
Cigarrillos	1 166 millones de unidades
Energía eléctrica	1 958 millones de kwh
Tejidos de algodón	3 000 000 m^2
Indicadores sociológicos	
PNB	4 044 millones de dólares
Renta per cápita	260 dólares
Esperanza de vida	53 años
Alfabetismo	38,5 %

Boris **Yeltsin**

Yema de abeto común

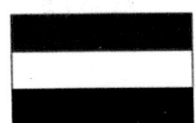

República del Yemen. Arriba, mapa de situación y bandera; abajo, vista de Sana

Yeso

Yezgo

Postura de **yoga** llamada *sirshasana*

Norte abandonó el 1962 en medio de sangrientas luchas civiles su tradicional régimen monárquico feudal y terminó por convertirse en la llamada República Árabe del Yemen, más moderada en sus tendencias sociopolíticas. Tras largos años de intenciones unitaristas, en mayo de 1990 y coincidiendo con la reconversión generalizada del llamada bloque socialista, culminó un proceso de contactos entre los dos estados yemenitas, que dio como resultado el nacimiento de la nueva República de Yemen, formada en principio por la fusión de la República Árabe y la República Democrática Popular, aunque el mayor peso demográfico de la primera casi podía sugerir más una voluntaria incorporación de la segunda, deseosa de impedir un posible aislamiento. En 1994 estalló una guerra civil entre las dos ant. rep., saldada con la victoria de la ant. Y. del Norte y el mantenimiento de la unión política. Posteriormente, el principal problema de Y. fue la solución de las disputas territoriales con Arabia Saudí y Eritrea.

YEMEN, *República Democrática Popular del* *(Jamhuriyat al-Yaman ash-Shaabiya ad-dimu-qratiya)* Ant. Est. de Asia, en el SO de la pen. Arábiga, cuyo territorio correspondía a la ant. colonia británica de Adén. En 1990 se unió a la República Árabe de Yemen formando ambos un sólo país.

YEMENÍ adj. y s. Del Yemen.

YEN m. Unidad monetaria del Japón.

YENAN *(Yanan)* C. del N de China, en la prov. de Shensi. Cap. y centro militar de los comunistas chinos (1935-1949). En su comarca se llevó a cabo la primera reforma agraria china.

YENISÉI Río de Rusia, en Siberia; 4 000 km. Nace en los montes Sayanes y desemboca en el mar de Kara.

YEPES, *José Ramón* (1822-1881) Poeta ven. Su obra acusa la influencia romántica; autor de baladas y leyendas de tema indio. • ***Narciso*** (1927-1997) Guitarrista esp. Inventor de una guitarra de 10 cuerdas en la que se obtiene vibración por simpatía.

YERBA f. Hierba. • Especie de acebo con hojas lampiñas, pecioladas, oblongas y aserradas por el margen; flores axilares, blancas, de pedúnculo largo y fruto en drupa roja. Abunda en América del Sur. • Producto industrializado de esta planta, que se emplea para hacer la infusión denominada mate. • fam. Marihuana, grifa.

YERBAL m. *Argent.* y *Par.* Plantación de yerba mate.

YERBATERO, RA adj. y s. *Amér.* Díc. del médico o curandero que cura con hierba. • ad j. *R. de la Plata.* Relativo a la yerba mate o a su industria. • m. y f. Vendedor de hierbas o de forraje. • *R. de la Plata.* Persona que se dedica al cultivo, industrialización o venta de la yerba mate.

YERBAZO m. *Col.* Pócima de curandero perjudicial para la salud.

YERBEAR tr. *R. de la Plata.* Tomar mate.

YERBERA f. *Argent.* Vasija en que se tiene la hierba para cebar el mate.

YERBILLA f. *Amér. Centr.* Tela de algodón de color gris o amarillento.

YEREVÁN (ant., *Ereván* o *Eriván*) C. y cap. de la rep. indep. de Armenia; 1 133 000 hab. Centro adm., cultural e ind. Fabricación de coñac.

YERMAR tr. Despoblar o dejar yermo un lugar, campo, etc.

YERMO, MA adj. Inhabitado. • adj. y s. Incultivado. • m. Terreno inhabitado.

YERNO m. Respecto de una persona, marido de su hija.

YERO o **YERVO** m. Planta papilionácea, con hojas compuestas, flores rosadas y frutos en legumbres en forma de collar. • Semilla de esta planta.

YERRA f. *R. de la Plata.* Hierra.

YERRO m. Falta o delito cometido contra los preceptos de un arte y, absolutamente, contra las leyes divinas y humanas. • Equivocación por descuido o inadvertencia.

YÉRSEY o **YERSI** m. *Amér.* Jersey. • *Amér.* Tejido fino de punto.

YERSIN, *Alexandre* (1863-1943) Bacteriólogo fr. Descubrió el microbio de la peste y preparó un suero para combatirlo.

YERTO, TA adj. Tieso, rígido o áspero. • Aplícase al viviente que se ha quedado rígido por el frío; y también al cadáver u otra cosa en que se produce el mismo efecto.

YESAR o **YESAL** m. Terreno abundante en mineral de yeso que se puede beneficiar. • Cantera de yeso o aljez.

YESCA f. Materia muy seca y preparada de suerte que cualquier chispa prenda en ella. • fig. Lo que está sumamente seco y, por consiguiente, dispuesto a encenderse o abrasarse. • fig. Incentivo de cualquier pasión o afecto. • fig. y fam. Cualquier cosa que excita la gana de beber. • pl. Lumbre o conjunto de yesca, eslabón y pedernal.

YESERA f. Persona que fabrica o vende yeso. • YESAR.

YESERÍA f. Fábrica de yeso. • Tienda o sitio en que se vende yeso. • Obra elaborada con yeso.

YESERO, RA. *adj.* Relativo al yeso. • m. El que fabrica o vende yeso.

YESHÚA ben Elazar ben Sirá Nombre heb. de *Jesús ben Eleazar ben Sirac,* judío hierosolimitano que escribió en heb., entre 200 y 180 a. C., el libro bíblico sapiencial del *Eclesiástico.*

YESO m. *Miner.* Sulfato de cal hidratado, blanco por lo común. Deshidratado por la acción del fuego y molido, tiene la propiedad de endurecerse rápidamente cuando se amasa con agua. • Obra de escultura vaciada en yeso. • Clarión. ■ YESERÍA; YESERO, RA; YESOSO, SA.

YESO Isla de Japón. → Hokkaido.

YESÓN m. Cascote de yeso.

YESOSO, SA *adj.* De yeso o parecido a él. • Díc. del terreno en que abunda el yeso.

YESQUERO m. El que fabrica yesca o el que la vende. • Bolsa de cuero para llevar la yesca y el pedernal.

YETA (voz it.) f. Mala suerte, desgracia.

YETATORE com. *R. de la Plata.* Persona que trae mala suerte.

YETI m. Supuesto animal cuya presencia se ha situado en el Himalaya. En Occidente se le ha llamado «hombre de las nieves».

YEYUNO m. *Anat.* Segunda porción del intestino delgado de los mamíferos.

YEZGO m. Planta de la familia caprifoliáceas, semejante al saúco y de olor fétido.

YEZIDÍ adj. y m. Díc. de los partidarios de una secta kurda, conocidos por «adoradores del diablo». De tradición musulmana. Viven en Irán, Irak, Siria y la Armenia rusa.

YI R. de Uruguay; 240 km. Nace en la Cuchilla Grande y desemboca en el r. Negro.

YIDDISH m. *Ling.* Lengua hablada por los judíos del centro y E de Europa. Tiene su origen en la E. Med. A partir del s. XIX se dio una importante producción literaria.

YIN m. En la filosofía china, concepto fundamental que representa el principio femenino o pasivo.

YIRA f. *Argent.* y *Ur.* Buscona, ramera.

YMCA Siglas de *Young Men's Christian Association.* Organización juvenil protestante fundada en Londres en 1844. Su equivalente femenina es: YWCA *(Young Women's Christian Association).*

YO pron. personal de primera persona en gén. masculino o femenino y núm. singular. • *Fil.* Con el art. *el,* o el posesivo, afirmación de conciencia de la personalidad humana. • *Psic.* En el psicoanálisis, una de las tres capas o instancias constitutivas de la personalidad (con el *ello* y el → superyó).

YOCASTA *Mit. gr.* Esposa de Layo, rey de Tebas, de quien tuvo a Edipo, con quien se casó.

YOD f. Nombre con que se denomina a la *i* semiconsonante y semivocal.

YODACIÓN f. *Quím.* Proceso por el que se introduce en los compuestos químicos orgánicos uno o más átomos de yodo.

YODISMO m. Intoxicación producida por el uso prolongado del yodo o de los yoduros.

YODO m. *Quím.* Elemento de símb. I, n. a. 53 y p. a. 126,9. Es un halógeno que forma láminas de color violeta fuerte, y brillo metálico; fácilmente sublimable desprendiendo vapores de color violeta y olor irritante; presente en el mar (2-3 mg/l) en forma de compuestos orgánicos. En el hombre se encuentra en la tiroxina de la glándula tiroides (su deficiencia ocasiona el bocio). Se usa como antiséptico en solución acuosa (*tintura de y.*). ■ YODADO, DA.

YODOFORMO m. *Quím.* Compuesto cuyas moléculas están constituidas por un átomo de carbono, uno de hidrógeno y tres de yodo. Se usa como antiséptico.
YODOMETRÍA f. Método de análisis volumétrico de oxidación-reducción, basado en la determinación de la cantidad de yodo que interviene en ciertas reacciones.
YODURACIÓN m. Acción y efecto de yodurar. • *Quím.* Proceso de introducción de uno o varios átomos de yodo en una molécula orgánica.
YODURAR tr. Convertir en yoduro. • Preparar con yoduro.
YODURO m. *Quím.* Cuerpo resultante de la combinación del yodo con un radical simple o compuesto.
YOGA m. Doctrina y sistema ascético de los adeptos al brahmanismo, mediante los cuales pretenden éstos lograr la perfección espiritual y la unión beatífica. • Se designan también con esta palabra los sistemas que se practican modernamente para obtener la concentración anímica por medio de procedimientos semejantes. ■ YOGUI.
YOGUR m. Producto lácteo obtenido de la fermentación de la leche previamente pasterizada y algo concentrada.
YOGURTERA f. Aparato para hacer yogures.
YOGYAKARTA *(Jogjakarta* o *Djokjakarta)* C. de Indonesia, en la isla de Java; 398 700 hab. Hilados. Ind. ferroviaria.
YOHIMBINA f. Alcaloide cristalizable, tóxico y afrodisiaco con diversos usos medicinales.
YOKOHAMA C. de Japón, en la isla de Honshu, cap. de la prefectura de Kanagawa; 3 220 400 hab. Integrada en la agl. urb. de Tokio. Ind. metalúrgica, siderúrgica, química, textil y alimentaria. Refinería de petróleo.
YOKOSUKA C. de Japón, en la isla de Honshu; 427 100 hab. Ind. metalúrgica. Base naval.
YOKUYO adj. y s. Díc. del pueblo amerindio, de la familia lingüística penutia, que vivía en el Gran Valle Central de California.
YOL o **YOLE** m. *Argent.* y *Chile.* Especie de bolsa de cuero.
YOLA f. Embarcación estrecha y ligera.
YOLAINA Cord. de Nicaragua, entre los dptos. de Zelaya y Río San Juan. Derivación de la cord. Chontaleña.
YOLILLO m. *C. Rica.* Palmera de mediana alt., que produce fibras vegetales.
YOLTASCA f. *Amér. Centr.* Tortilla grande de maíz. • fig. *Amér. Centr.* Luna llena.
YOM KIPPUR (heb., «Día de la expiación») La fiesta más sólemne del calendario religioso judío.
YONKERS C. de EE UU, en el est. de Nueva York; 192 500 hab. Forma parte de la agl. urb. de Nueva York.
YONONA f. *Quím.* Sustancia olorosa que se emplea como esencia artificial de violeta. Se obtiene industrialmente. La y. se halla relacionada con la vitamina A y la carotina. La y. tiene dos isómeros, que se diferencian por la posición del enlace doble en el anillo.
YOPAL C. de Colombia, cap. del dpto. de Casanare; 46 124 hab. Centro comercial. Ganadería.
YÓQUEY o **YOQUI** m. Jockey, jinete profesional de carreras de caballos.
YORK C. de Gran Bretaña, en Inglaterrra, cap. del Yorkshire; 99 800 hab. Centro agropecuario. Ind. metalúrgica.
YORK, *casa de* Rama de la familia real ing. de los Plantagenet, opuesta durante el s. XV a la de Lancaster en la guerra de las Dos Rosas por la sucesión al trono de Inglaterra.
YORK, *Ricardo,* DUQUE DE (1411-1460) Pretendiente al trono ing. Sus pretensiones para suceder a Enrique VI motivaron la guerra de las Dos Rosas. Tras sus victorias en Saint Albans (1455) y Northampton (1460), se convirtió en el dueño real del país, pero en Wakefield fue sorprendido y muerto por un ejército enemigo.
YORO Dpto. del N de Honduras; 7 781 km², 459 158 hab. Cap. la c. hom, 4 300 hab. Territorio montañoso accidentado por las sierras Nombre de Dios, Pijol y Sulaco. R. Aguan y Humuya. Clima tropical. Frutas tropicales, plátanos, azúcar, café y cacao. Cobre, hierro y antimonio. Explotación forestal. Ind. química y maderera.
YORUBA adj. y s. Díc. de individuos de un pueblo melanoafricano, de lengua sudanesa, que ocupa el SO de Nigeria y se extiende hasta Benin, Togo y Ghana. Son la mayor potencia política y económica del área.
YOUNG, *Brigham* (1801-1877) Segundo jefe religioso y político mormón, nacido en EE UU. Acaudilló el éxodo de sus correligionarios desde Illinois a Utah. • ***Charles Augustus*** (1834-1908) Astrónomo y filósofo estadounidense. Fue el primero en fotografiar una protuberancia solar. • ***Edward*** (1683-1765) Poeta brit., uno de los precursores del romanticismo en su país. *Pensamientos nocturnos, Sobre la vida, la muerte y la inmortalidad.* • ***Thomas*** (1773-1829) Médico, egiptólogo y físico británico Descubrió el fenómeno de interferencia de la luz y describió y midió el astigmatismo. • **Principio de superposición de Y.** *Fís.* Al cruzarse dos trenes de ondas, el desplazamiento resultante en cada punto es la suma de los producidos por cada onda separadamente.
YOUNGSTOWN C. de EE UU, en el est. de Ohio; 140 000 hab. (536 000 la agl. urb.) Centro minero y siderometalúrgico.
YOURCENAR, *Marguerite de Crayencour* (1903-1987) Escritora belga. *Alexis ou le Traité du Vain Combat, Memorias de Adriano, Opus Nigrum.* Premio Erasmo 1982.
YPACARAÍ (ant. *Tahaiená*) Lago de Paraguay, en el dpto. de La Cordillera. Turismo.
YPANÉ R. de Paraguay; 275 km. Nace en la meseta de Amambay y desemboca en el r. Paraguay.
YPSILANTI Familia gr. de la que proceden los príncipes: **Alejandro** (h. 1726-h. 1807), hospodar de Valaquia (1774-1782; 1796-1797); **Constantino** (1760-1816), hijo del anterior, y sus hijos **Alejandro** (1792-1828) y **Demetrio** (1793-1832). Jugaron un importante papel en la lucha por la indep. griega.
YPSILON f. Vigésima letra del alfabeto gr. (υ), correspondiente a nuestra *i griega.*
YRIGOYEN, *Bernardo de* (1822-1906) Político arg. Fundador de la Unión Cívica Nacional (1890). Gobernador de Buenos Aires (1898-1902). • ***Hipólito*** (1852-1933) Político arg., cofundador de la Unión Cívica Radical. Presid. de la rep. (1916-1922), mantuvo la neutralidad de Argentina durante la I Guerra Mundial. Reelegido en 1928, fue derrocado en 1930 por el general Uriburu.
YRURTIA, *Rogelio* (1879-1950) Escultor arg., uno de los fundadores de la Academia Nacional de Bellas Artes. *Los pecadores, El canto al trabajo.*
YUBARTA f. Especie de ballena, rorcual.
YUCA f. Planta liliácea de la América tropical, de flores blancas y raíz gruesa, de que se saca una harina. • Nombre vulgar de algunas especies de mandioca. • *Amér. Centr.* Mentira. ■ YUCAL.
YUCAMANI Volcán de Perú, en la cord. Occidental de los Andes; 5 497 m.

Talla **yoruba,** con el tema del recibimiento ofrecido a un europeo (1825)

Brigham **Young**

Yucatán. Templo de los Guerreros o de las Mil Columnas de Chichén Itzá

YUCATÁN Est. del SE de México, en la península hom., junto al golfo de México; 39 340 km², 1 655 707 hab. Cap., Mérida. Terreno llano. Costa baja y arenosa. Clima tropical. Vegetación de manglar y coco en la costa y bosque tropical en el S y E. Aguas subterráneas. Henequén, sisal, cereales, legumbres, hortalizas, frutos tropicales, caña de azúcar, tabaco. Ganadería. Ind. derivadas. La región de Y. estuvo habitada por los mayas. y fue colonizada parcialmente por los esp. (1526-1536). Hasta el

s. XVII estuvo incluida en la jurisdicción de la Audiencia de Guatemala. Est. federal de México, se separó en 1840 y se proclamó rep. indep. en 1842. Incorporado a México en 1855. • Península de América Central, sit. entre el golfo de México, el canal hom. y el mar Caribe. Comprende Belice, parte de Guatemala (dpto. de El Petén) y est. de México (Yucatán, Campeche y Quintana Roo); 350 km de ancho por 500 de largo. • ***Canal de Y.*** Estr. que separa la pen. hom. de la isla de Cuba, y comunica el golfo de México con el mar de las Antillas.

YUCATECO, CA adj. y s. De Yucatán. • m. *Ling.* Maya.

YUCHÁN m. *Argent.* Palo borracho amarillo.

YUDO m. Judo. ■ YUDOKA.

YUE Dios de la ant. religión nacional de China. Creó el modo de vida estable y sedentario.

YUGADA f. *Agr.* Espacio de tierra de labor que puede arar una yunta en un día. • Yunta, especialmente la de bueyes.

YUGLANDÁCEO, A adj. y f. *Bot.* Díc. de árboles angiospermos, ricos en sustancias aromáticas, flores monoicas y fruto en drupa. • f. pl. *Bot.* Familia de estas plantas.

Frutos verdes (arriba) y maduros (sobre estas líneas) de nogal, árbol de la familia **yuglandáceas**

YUGLANDAL adj. y f. *Bot.* Díc. de plantas angiospermas leñosas, con hojas esparcidas e imparipinnadas, flores poco vistosas, y frutos en drupa o núcula. • f. pl. *Bot.* Orden de estas plantas.

YUGO m. Instrumento de madera al cual, formando yunta, se uncen las mulas o los bueyes, y en el que va sujeta la lanza o pértigo del carro, el timón del arado, etc. • Especie de horca, por debajo de la cual, en tiempos de la ant. Roma, hacían pasar sin armas a los enemigos vencidos. • Armazón de madera unida a la campana que sirve para voltearla. • fig. Velo que se pone a los desposados en la misa de velaciones. • fig. Ley o dominio superior que sujeta y obliga a obedecer. • fig. Cualquier carga pesada, prisión o atadura. • En las balanzas, travesaño que por medio de un prisma triangular se apoya sobre el plano de la columna que, en sus extremos, sostiene los platillos. • *Electr.* En ciertos tubos de rayos catódicos, soporte del arrollamiento generador del campo magnético, que regula la deflexión del hacecillo electrónico.

Grupo de escolares ante un cartel de propaganda política de la época de Tito, en la antigua **Yugoslavia**

YUGOSLAVIA *(Socijalisticka Federativna Republika Jugoslavija)* Ant. est. de Europa meridional, rep. federal socialista sit. junto al Adriático; cap. Belgrado. Comprendía los est. actuales de Yugoslavia (Serbia y Montenegro; se considera su heredera), Eslovenia, Croacia, Bosnia-Herzegovina y Macedonia. Disgregada en 1991.

* *Hist.* Después de la disgregación del imperio austrohúngaro al finalizar la I Guerra Mundial, en 1917 el pacto de Corfú selló la formación de un reino de los servios, croatas y eslovenos, que en 1929 tomó el nombre de Y. En 1920 se creó el partido comunista yug., que se convirtió en el pral. mov. de oposición. Las organizaciones comunistas y las autonomías regionales fueron disueltas por la constitución de 1921. El rey Alejandro I impuso una dictadura (1929-1934), continuad a tras su asesinato por el príncipe Pablo Karageorgevich, hasta la adhesión de Y. (1941) al pacto ideado por Hitler. Un golpe de Est. instituyó un nuevo gobierno en nombre del rey Pedro II, tras el cual Alemania invadió el país. En las elecciones de 1945, tras la retirada de los al., el mov. comunista de Tito obtuvo el 90 % de los votos, con lo que quedó instituida la República de Y. La política indep. y nacionalista de Tito precipitó su ruptura con Stalin, y en 1948 el partido comunista yug. fue expulsado del Kominform. A partir de 1950 se establecieron una serie de medidas democratizadoras: se creó un sistema de autoadministración de los obreros en las fábricas y se disolvieron las granjas colectivas. Desde la muerte de Tito (1980), el cargo de presid. es ejercido en rotación anual por un representante de una de las regiones autónomas. En 1988 dio comienzo una grave crisis política, que, unida a la económica, abocó a la desintegración del sistema federal yugoslavo, originándose una conflictiva situación en el mapa político europeo. En 1991 proclamaron su indep. Eslovenia y Croacia, que fue reconocida por la CE en 1992, seguida de la de Bosnia-Herzegovina y de la de Macedonia. Así mismo, en abril 1992 se constituyó una nueva Y., más reducida, bajo la forma de est. federal, compuesto por Serbia y Montenegro.

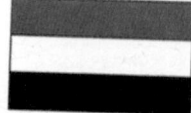

Mapa de situación y bandera de **Yugoslavia**

* *Arte.* Las primeras manifestaciones artísticas corresponden a los periodos de colonización gr. y a la romanización. En los ss. XI-XII aparecen los primeros monumentos medievales, de influencia bizantina, y que guardan imp. frescos. El s. XIII es rico en monumentos románicos: catedrales de Trogir y de Zadar. Tuvo gran imp. el estilo gótico: catedral de Sibenik. La arquitectura barroca fue importada de Italia: catedral de Dubrovnik, iglesia de Sv. Vlah. En pintura, el barroco representó el primer resurgimiento: T. Kracun, A. Cebej. Pertenecen al neoclasicismo: P. Djurkovic, V. Karas. Al romanticismo: D. Jaksic, F. Quiquerez. El estilo local *Biedermeier* está representado por K. Danilo. El impresionismo fue muy imp.: I. Grohar, M. Kraljevic, N. Petrovic. Constructivistas y racionalistas: J. Bijelic, P. Dobrovic. Entre los contemporáneos, cabe destacar a M. Celebonovic, M. Konjovic y el grupo *Zemlja.* La escultura se revitalizó a principios del s. XIX: S. Rosandic, S. Stojanovic, D. Jovanovic (cubista), I. Mestrovic.

YUGOSLAVIA
(Serbia y Montenegro)

Superficie 102 173 km²

Población 10 554 000 hab. (103 hab./km²)

Recursos económicos		
Avena	128 000	t
Cebada	235 000	t
Ciruelas	435 000	t
Maíz	5 000 000	t
Tabaco	15 000	t
Trigo	3 002 000	t
Ganadería y derivados		
Cabaña bovina	1 950 000	cabezas
Cabaña caballar	96 000	cabezas
Cabaña ovina	2 671 000	cabezas
Cabaña porcina	4 192 000	cabezas
Queso	19 700	t
Riqueza forestal	1 897 000	m³
Pesca	6 755	t
Producción minera		
Amianto	7 000	t
Antimonio	19	t
Antracita	82 000	t
Bauxita	60 000	t
Lignito	38 269 000	t
Plata	31 000	kg
Producción industrial		
Ácido sulfúrico	24 000	t
Azúcar	350 000	t
Cemento	1 612 000	t
Energía eléctrica	35 328	millones de kwh
Hierro colado	108 000	t
Neumáticos	1 332 000	unidades
Papelera	273 000	t
Vino	1 800 000	hl
Indicadores sociológicos		
PNB	9 940	millones de dólares
Renta per cápita	920	dólares
Esperanza de vida	73	años
Alfabetismo	93,3 %	

YUGOSLAVIA *(Federativna Republika Jugoslavija)* Est. de Europa meridional, rep. federal integrada por las rep. de Serbia (que comprende las regiones autónomas de Kosovo y Voivodina) y de Montenegro. Limita al N con Hungría y Rumania, al E con Bulgaria, al S con Macedonia y al O con Albania, el mar Adriático, Bosnia-Herzegovina y Croacia. Se distinguen cuatro grandes regiones naturales: los Alpes Dináricos, la llanura panónica, la depresión Morava-Vardar y la costa. Red hidrográfica tributaria de los mares Egeo, Adriático y Negro. R. Danubio, Tisza, Save, Morava, Lim, Cotina, Tara, Piva, Buna. Clima mediterráneo en la costa, continental en el interior y frío en las zonas elevadas. Vegetación mediterránea en la costa y bosques en las montañas. Maíz, trigo, centeno, cebada, remolacha azucarera, cáñamo, tabaco, algodón, frutales, patatas, vid, olivo. Ganadería. Explotación forestal. Pesca. Antracita, lignito, cobre, plomo, cinc, bauxita, petróleo, gas natural. Ind. siderúrgica, química, alimentaria, textil, de fabricación de vehículos, maquinaria agrícola y textil, del tabaco, de cemento. Grupos étnicos: serbios, montenegrinos, albaneses, húngaros, sudeslavos musulmanes, croatas. Lenguas: serbo-croata (of.), albanés, húngaro. *Rel.*: cristianismo ortodoxo, islamismo, católicismo, protestantismo, judaísmo. U. M.: dinar. Cap. Belgrado (cap. de Serbia). C. prales.: Podgorica (cap. de Montenegro), Novi Sad, Nish.

* *Hist.* Al producirse la disgregación de la ant. Y. socialista, en 1991, dos de sus rep. mantuvieron sus lazos políticos: Serbia y Montenegro. En 1991 se proclamaron indep. Eslovenia y Croacia, reconocidas por la CE en 1992, seguidas de Bosnia-Herzegovina y de Macedonia. Mientras, en abril 1992 se constituyó una nueva Y. compuesto por Serbia y Montenegro, sin reconocimiento internacional, con el objetivo de crear una «Gran Serbia» en la que pudieran integrarse los terr. de otras rep. anexionadas por la guerra. La extensión de la guerra a Bosnia-Herzegovina, el cerco y acoso a su cap., Sarajevo, así como la violación constante de los acuerdos de pacificación conseguidos por la ONU, hicieron que Serbia y Montenegro fueran expulsadas del seno de esta organización. La crítica situación quedó en manos de nuevos intentos diplomáticos de pacificación y, ante su fracaso, provó la intervención armada de la OTAN. Finalmente, en 1995, se firmó la paz de Dayton, que puso fin a la guerra. Sin embargo, en 1998 se reactivó la tensión en Kosovo, donde S. Milosevic, elegido pres. de Y. en 1997, lanzó una dura represión. En 1999 la OTAN intervino militarmente en Kosovo y expulsó al ejército yugoslavo. Tras la celebración de las elecciones presidenciales en octubre de 2000 la protesta popular forzó la dimisión de Milosevic y el ascenso a la pres. del candidato opositor Vojislav Kostunica.

YUGOSLAVO, VA o **YUGOESLAVO, VA** adj. y s. De Yugoslavia.

YUGULAR adj. y f. Vena yugular. • tr. Degollar, cortar el cuello. • fig. Detener súbita o rápidamente una enfermedad con medidas terapéuticas. • fig. Hablando de determinadas actividades, ponerles fin bruscamente.

YUKAWA, ***Hideki*** (1907-1981) Físico jap. Especialista en física nuclear. Descubrió la existencia de los mesones. Premio Nobel de Física en 1949.

YUKON o **YUKÓN** Territorio de Canadá, junto a Alaska; 483 450 km², 28 000 hab. Cap., Whitehorse. Zona de altas mesetas. Clima ártico y subártico. Oro, hulla, plomo argentífero. Explotación forestal. Comercio de pieles. • R. de Canadá y EE UU; 3 000 km. Nace en el lago Atlin y desemboca en el mar de Bering.

YUMA adj. y s. Díc. del pueblo amerindio, de la familia lingüística hoka-sioux, que vive entre el est. de Arizona, en EE UU, y el N de México.

YUMANO, NA adj. y s. Díc. del pueblo amerindio mex. que vive al S de Baja California.

YUNA Río de la República Dominicana; 220 km. Nace en la cordillera Central y desemboca en el Atlántico.

YUNCA → Chimú.

YUNGAS f. pl. *Bol.*, *Ecuad.* y *Perú.* Tierras cálidas que se extienden en las laderas de la cordillera andina. • m. pl. Habitantes de aquellas tierras.

YUNNAN o **YUNNÁN** Prov. del SO de China, limítrofe con Myanma, Laos y Vietnam; 394 000 km², 36 972 610 hab. Cap., Kumming. Clima tropical de montaña. Vegetación forestal. Arroz, maíz, cebada, trigo, té, opio. Ganadería. Hulla, sal, cobre, plomo, cinc.

YUNQUE m. Prisma de hierro acerado, de sección cuadrada, que está encajado en un bloque de madera y permite el trabajo a martillo de los metales. • En las instalaciones siderúrgicas, parte inferior del martillo pilón. • fig. Persona firme y paciente en las adversidades. • fig. Persona muy asidua y perseverante en el trabajo. • *Anat.* Huesecillo del oído medio de los mamíferos.

YUNTA f. Par de bueyes, mulas u otros animales que sirven en la labor del campo o en los acarreos. • En algunas partes, yugada, tierra de labor que puede arar una yunta en un día.

YUNTERÍA f. Conjunto de yuntas. • Paraje donde se recogen.

YUPANQUI, *Héctor Roberto Chavero,* llamado ***Atahualpa*** (1908-1992) Cantautor arg. Continuador de la tradición folclórica característica de América Latina. Sus canciones, su voz grave y particular y su interpretación de la guitarra le han dado gran fama. *El arriero*, *Camino del indio*, *Los ejes de mi carreta*, *Preguntitas a Dios*.

YUQUERÍ m. *Argent.* Árbol de la familia leguminosas, de hojas compuestas, ramificaciones espinosas y flores amarillas.

YUQUI adj. y s. Díc. del pueblo amerindio, de la familia lingüística hoka-siux, que vivía en el N de la bahía de San Francisco, en California.

YUQUILLA f. Planta de la familia marantáceas, con tubérculos rizomatosos, hojas pinnadas, flores asimétricas, y frutos con un solo rudimento seminal. Es propia de las Antillas, y de sus rizomas se extrae el sagú o arrurruz.

YURAGUANO m. *Cuba.* Miraguano, palmera. • Fruto de esta palmera.

YURÉ m. *C. Rica.* Especie de paloma pequeña.

YURI adj. y s. Díc. del pueblo amerindio, de la familia lingüística arawak, que vivía junto al r. Apoporis, en Brasil.

YURRO (voz eusk.) m. *Amér. Centr.* Manantial, fuente.

YURÚA R. de América Meridional; 3 283 km. Nace en Perú y desemboca en el Amazonas, en Brasil.

YURUMA f. *Ven.* Médula de una palma con la que hacen los indios una especie de pan.

YURUMÍ m. Nombre con el que se designa en algunas zonas de América al oso hormiguero.

YUSCARÁN C. de Honduras, cap. del dpto. de El Paraíso; 2 091 hab. Centro comercial agrícola.

YUSERA f. Piedra circular o conjunto de dovelas que sirve de suelo en el alfarje de los molinos de aceite.

YUSIÓN f. *Der.* Mandato, precepto.

YUSIVO, VA adj. *Gram.* Díc. del término que se emplea para designar el modo subjuntivo, cuando expresa un mandato o una orden.

YUSO adv. lugar. Ayuso, abajo.

YUSUF I (*Abu Yaqub*, m. 1184) Califa almohade [1163-1184]. Se estableció en Córdoba (1171). Conquistó la zona levantina (1184). Organizó una expedición contra Santarem, en la que murió. • **II** (*Abu Yusuf Yaqub al-Mansur*, m. 1199) Califa almohade [1184-1199]. Derrotó a Alfonso VIII en la batalla de Alarcón (1195). • **Ibn Tasfin** (m. 1106) Caudillo almorávide. Unificó bajo su mando los reinos taifas. Derrotó a Alfonso VI de Castilla en Sagrajas (1086).

YUTA f. *Chile.* Babosa, molusco. • **Hacer la y.** *Argent.* y *Bol.* No ir a la escuela.

YUTE m. Planta arbórea o arbustiva propia de Asia y África, cultivada por su corteza, de la que se extrae la fibra textil del mismo nombre. • Tejido hecho de esta materia.

YUTE adj. y s. Díc. de individuos de un pueblo amerindio. → Ute.

YUTO-AZTECA f. *Ling.* Familia de lenguas amerindias. → Uto-azteca.

YUXTALINEAL adj. Díc. de la traducción que acompaña a su original, o del cotejo de textos a dos columnas de modo que se correspondan línea por línea.

YUXTAPONER tr. y prnl. Poner una cosa junto a otra o inmediata a ella.

YUXTAPOSICIÓN f. Acción y efecto de yuxtaponer o yuxtaponerse. • Modo de aumentar o crecer los minerales, a diferencia de los animales y vegetales, que crecen por intususcepción.

YUYERO, RA adj. *Argent.* Aficionado a tomar hierbas medicinales. • m. y f. Curandero o curandera que receta pralm. hierbas.

YUYO m. *Argent.* y *Chile.* Yerbajo, hierba inútil. • *Chile.* Jaramago, planta. • *Amér. Centr.* Ampolla que sale entre los dedos de los pies por haber andado mucho. • pl. *Perú.* Hierbas tiernas y comestibles. • *Col.* y *Ecuad.* Hierbas que sirven de condimento. • **Estar como y.** Chile. Estar muy fatigado.

YUYUBA f. Azufaifa.

Yunta de bueyes

Atahualpa **Yupanqui**

Yute

Z

Panorámica del centro histórico de **Zurich**

Z f. Vigésima séptima y última letra del abecedario esp. y vigésima segunda de sus consonantes. Se llama *zeta*, *zeda* o *ceda*. • *El.* Símb. de la impedancia de un circuito. • *Quím.* Símb. con que se representa el n. a. de los elementos.

ZAACHILA Ant. cap. de los zapotecas, y actual pob. de México, en el est. de Oaxaca; 5 000 hab. Restos de la cultura zapoteca. Los indígenas la llamaron también *Zaachillatoo* o *Teotzapotlán*.

ZABALETA, *Nicanor* (1907-1993) Arpista esp. Numerosos compositores contemporáneos han escrito obras para él. Premio nacional de Música en 1982.

ZABILA f. Áloe.

ZACAPA Dpto. de Guatemala, limítrofe al E con Honduras; 2 690 km^2, 157 008 hab. El r. Motagua, que atraviesa el dpto. de O a NE, forma el valle donde se aglutina la mayor parte de pob. rural. Clima tropical. El árido terr. de los Llanos de Fragua es la zona más cálida del país. Maíz, fríjol, café, tabaco, frutos tropicales. Ganadería. Plata, cromo, hierro. Ind. alimentaria (quesos). • C. de Guatemala, cap. del dpto. hom.; 16 386 hab. Centro agropecuario. Ind. alimentarias y de tabaco.

ZACAPELA o **ZACAPELLA** f. Riña con bulla.

ZACARÍAS (s. VIII a. C.) Rey de Israel [743 a. C.], hijo y sucesor de Jeroboam. Asesinado a los seis meses de subir al trono.

ZACARÍAS (heb., *Zekaryahu*, «Dios recordó») Profeta del A. T., el undécimo de los menores, que impulsó la reedificación del templo de Jerusalén. • **Libro de Z.** Libro canónico del A.T. Describe la profecía de Ageo y profetiza la victoria de Jerusalén y el reino mesiánico.

ZACATE m. *Amér.* Hierba, pasto, forraje. ■ *Amér.* ZACATAL; ZACATERA.

ZACATECA adj. y s. Díc. del pueblo amerindio, actualmente extinguido, que vivía en México, en los est. de Zacatecas y Durango. • m. *Cuba.* Funcionario de pompas fúnebres.

Zacatecas. Detalle de un edificio del centro de la ciudad

ZACATECAS Est. del centro-norte de México; 75 040 km^2, 1 351 207 hab. Cap., la c. hom. Sit. en la altiplanicie septentrional. Al N, alineaciones montañosas de Calabazal, Candelaria y Mazapil. Al S, la cord. Transversal de Z. Ríos Aguanaval y Juchipila, de caudal escaso e irregular. Clima seco estepario. Vegetación xerófila. Cereales, forrajes, caña de azúcar, hortalizas. Plata, plomo, cinc, cobre, oro, hierro, manganeso, estaño y mercurio. Ind. derivadas. Conquistado en 1542, el descubrimiento de yacimientos de plata en el s. XVI aumentó el interés por el terr. Intendencia desde 1786, albergó en sus orígenes el mov. indep. de 1810. Est. de la nación desde 1824. • C. de México, cap. del est. hom.; 123 700 hab. Sit. en la sierra de Z. Centro minero e industrial. • **Batalla de Z.** Victoria de las fuerzas de Pancho Villa sobre las de Victoriano Huerta (22 junio 1914).

ZACATECOLUCA C. de El Salvador, cap. del dpto. de La Paz.; 57 000 hab. Centro agrícola.

ZACATENCO Ant. cultura de México, que se desarrolló entre los años 1500 y 800 a. C. Una de las tres culturas preaztecas de la meseta central, superior a la cultura azteca no sólo en duración sino por la influencia ejercida sobre otras culturas. No se extendió más allá de la meseta central, y provenía del O de México. Imp. restos de cerámica.

ZACATÍN m. Plaza o calle donde en algunos pueblos se venden ropas.

ZACATÓN m. *Méx.* Hierba alta de pasto.

ZACUA f. *Amér.* Ave de la familia ictéridos, cuyas plumas usaban los aztecas como ornamento.

ZACULEU Centro arqueológico de Guatemala, en Huehuetenango. Ant. capital de la tribu maya de los mam.

ZAFACOCA f. fam. Riña, trifulca.

ZAFACÓN m. *P. Rico* y *R. Dom.* Recipiente para recoger las basuras.

ZAFAR tr. Adornar, embellecer, cubrir una cosa. • tr. y prnl. *Mar.* Desembarazar, libertar, quitar los estorbos de una cosa. • prnl. Escaparse o esconderse para evitar un encuentro o riesgo. • Salirse del canto de la rueda la correa de una máquina. • *Amér.* Dislocarse, descoyuntarse un hueso. • fig. Excusarse de hacer una cosa. • fig. Librarse de una molestia. ■ ZAFADURA.

ZAFARRANCHO m. *Mar.* Acción y efecto de desembarazar una parte de la embarcación, para dejarla dispuesta a determinada faena. • fig. y fam. Riza, destrozo. • fig. y fam. Riña, chamusquina.

ZAFIO, FIA adj. Tosco, inculto, grosero. ■ ZAFIEDAD.

ZAFIRINA f. *Miner.* Calcedonia azul.

ZAFIRO o **ZAFIR** m. *Miner.* Corindón cristalizado de color azul. • **blanco**. Corindón cristalizado, incoloro y transparente. ■ ZAFÍREO, A; ZAFIRINO, NA.

ZAFRA f. Vasija de metal agujereada, ancha y poco profunda, en que los vendedores de aceite colocan las medidas para que escurran. • Vasija grande de metal en que se guarda aceite. • Sufra, correón que sostiene las varas del carro. • Cosecha de la caña de azúcar. • Fabricación del azúcar de caña, y p. ext., del de la remolacha. • Tiempo que dura esta fabricación. • Escombro de una mina o cantera.

ZAFRE m. Óxido de cobalto mezclado con cuarzo, que se emplea para dar color azul a la loza y al vidrio.

ZAGA f. Parte posterior de una cosa. • Carga que se acomoda en la trasera de un carruaje. • m. El postrero en el juego. • **A la z., a z.** o **en z.** m. adv. Atrás o detrás. • **No ir,** o **no irle,** uno **en z.** a otro, o no quedarse en z. fig. y fam. No ser inferior a otro en aquello de que se trata.

ZAGAL m. Muchacho que ha llegado a la adolescencia. • Mozo fuerte, animoso y gallardo. • Pastor mozo, subordinado al rabadán en el hato. • Zagalejo, refajo.

ZAGALA f. Muchacha soltera. • Pastora joven.

ZAGALEJO m. Refajo.

ZAGREB (al., *Agram*) C. y cap. de Croacia; 763 300 hab. Ind. mecánica, metalúrgica, química, papelera, textil y alimentaria.

ZAGROS, ***Montes*** Sistema montañoso de Asia occidental. Se extiende a lo largo de la llanura mesopotámica y el golfo Pérsico, en sentido NO-SE. El punto más elevado es el Zardeh-Kuh (4 548 m).

ZAGUA f. Arbusto quenopodiáceo con hojas opuestas, carnosas y siempre verdes, y flores axilares de dos en dos. Se cría en el mediodía de Europa y en el N de África.

ZAGUAL m. Remo cuyo palo tiene en el guión una muletilla y en el otro extremo una pala acorazonada.

ZAGUÁN m. Pieza cubierta que sirve de vestíbulo en la entrada de una casa.

ZAGUATE (voz náhuatl) adj. y m. *Amér. Centr.* Díc. del perro flaco y ordinario.

ZAGUERO, RA adj. Que va, se queda o está atrás. • Díc. del carro que lleva exceso de carga en la parte de atrás. • m. En el juego de la pelota, jugador que se coloca detrás. • *Dep.* En el fútbol y otros deportes, jugador de la línea defensiva.

ZAHERIR tr. Reprender a uno dándole en rostro con alguna acción o beneficio. • Mortificar a uno con reprensión maligna y acerba. ■ ZAHERIMIENTO.

ZAHÍNA f. Sorgo, planta gramínea originaria de la India, con flores en panoja colgante y granos mayores que los cañamones, los cuales sirven para hacer pan y de alimento a las aves. • Semilla de esta planta. ■ ZAHINAR.

ZAHÓN m. Especie de calzón de cuero o paño, con perniles abiertos que llegan a media pierna y se atan a los muslos, que llevan los cazadores y gente del campo. Se usa más en pl.

ZAHONDAR tr. Ahondar la tierra. • intr. Hundirse los pies en ella.

ZAHORÍ m. Persona a quien se atribuye la facultad de ver lo que está oculto, especialmente manantiales de agua subterránea. • fig. Persona perspicaz y escudriñadora.

ZAHÚRDA f. Pocilga.

ZAID, ***Gabriel*** (nacido 1934) Escritor mex. Poeta (*Campo nudista, Práctica mortal*) y ensayista (*El progreso improductivo, La feria del progreso).*

ZAIDA f. Ave zancuda parecida a la grulla, con un moño eréctil de plumas oscuras.

ZAIRE → Congo, río.

ZAIRE Nombre que recibió entre 1971 y 1997 la República Democrática del → Congo.

ZALÁ f. Azalá, oración de los mahometanos.

ZALAGARDA f. Emboscada. • Escaramuza, pelea entre jinetes. • fig. Lazo que se arma para que caigan en él los animales. • fig. y fam. Astucia maliciosa con que uno procura engañar a otro. • fig. y fam. Alboroto repentino de gente ruin para espantar a los que están descuidados. • fig. y fam. Pendencia, gralte. fingida.

ZALAMA f. Demostración afectada de cariño.

ZALAMERÍA f. Demostración de cariño afectada y empalagosa. ■ ZALAMERO, RA.

ZALDÍVAR, ***Rafael*** (1843-1903) Político salv. Presid. de la rep. (1876), fue reelegido en 1880 y 1884. Derrocado por Menéndez en 1885.

ZALEA f. Piel de oveja curtida con su lana.

ZALEAR tr. Arrastrar o menear con facilidad una cosa a un lado y a otro. • Espantar y hacer huir a los perros y otros animales.

ZALEMA f. fam. Reverencia en muestra de sumisión. • Zalamería.

ZAMACUCO m. fam. Hombre tonto y abrutado. • Hombre solapado, que calla y hace su voluntad. • fig. y fam. Embriaguez o borrachera.

ZAMACUECA f. Baile popular originario del Perú, y que se da también en otras partes de América Meridional. • Música y canto de este baile.

ZAMARRA f. Prenda de vestir, especie de chaqueta, hecha de piel con su lana o pelo. • Piel de carnero.

ZAMARRADA f. *Amér. Centr.* Diablura, gamberrada.

ZAMARREAR tr. Sacudir a un lado y a otro la res o presa que un animal tiene asida con los dientes, para destrozarla o acabarla de matar. • fig. y fam. Maltratar a uno, zarandeándolo con violencia o a golpes de una parte a otra. • fig. y fam. Poner a uno en situación apurada en el curso de una pelea o disputa.

ZAMARRO m. Zamarra, prenda de vestir. • Piel de cordero. • fig. y fam. Hombre tosco, rústico, pesado. • fig. y fam. Hombre astuto, pillo. • pl. *Amér.* Especie de zahones que se usan para montar a caballo.

ZAMBA f. Baile popular arg. de origen per., variante de la zamacueca.

ZAMBAIGO, GA adj. y s. Zambo, hijo de negra e indio o viceversa. • *Méx.* Díc. del descendiente de chino e india o de indio y china.

ZAMBAPALO m. Danza grotesca traída de las Indias Occidentales, que se introdujo en España durante los ss. XVI y XVII. • Música de esta danza.

ZAMBARDO m. *Chile.* Persona torpe. • *Argent.* Suerte en el juego de billar. • *Argent.* Torpeza.

ZAMBEZE o **ZAMBESI** Río del S. de África; 2 600 km. Nace en la zona fronteriza de Zambia, República Democrática del Congo y Angola, y desemboca en el Índico.

ZAMBIA, ***República de*** *(Republic of Zambia)* Est. del S de África. Limita al N con la República Democrática del Congo y Tanzania, al E con Malawi y Mozambique, al S con Zimbabwe, Botswana y Namibia, y al O con Angola. Forma parte de la meseta del Congo-Zambeze. Clima tropical. Avenado por el Zambeze y sus afl., Kwando, Kafue y

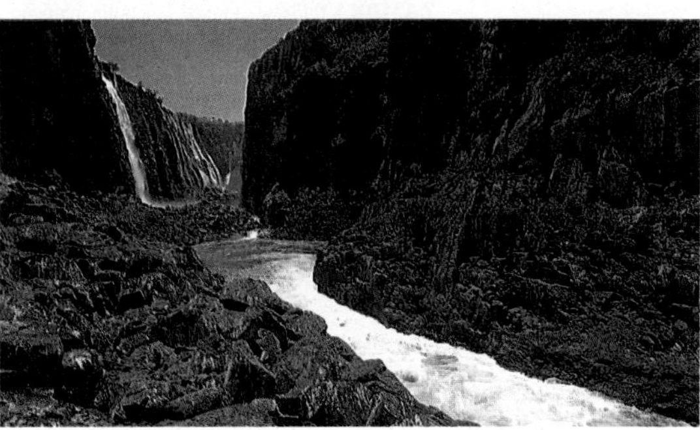

Zambia. El río Zambeze, con las cataratas Victoria al fondo

ZAMBIA

Superficie 752 614 km^2

Población 9 404 000 hab. (12 hab./km^2)

Recursos económicos

Algodón	28 000 t
Batatas	57 000 t
Cabaña bovina	3 300 000 cabezas
Cabaña caprina	620 000 cabezas
Cabaña porcina	295 000 cabezas
Cacahuetes	36 000 t
Caña de azúcar	14 000 ha
Cinc	1 000 t
Cemento	350 000 t
Cerveza	825 000 hl
Cobre	384 400 t
Cobre refinado	369 500 t
Energía eléctrica	7 785 millones de kWh
Maíz	738 000 t
Oro	210 kg
Pesca	70 056 t
Riqueza forestal	14 665 000 m^3

Indicadores sociológicos

PNB	3 605 millones de dólares
Renta per cápita	400 dólares
Esperanza de vida	46 años
Alfabetismo	78,2 %

Zambia. Arriba, mapa de situación y bandera

Luangwa. Mayoría de pob. bantú (97 %). Maíz, cacahuete, tabaco. Ganadería bovina. Cobre, cinc, plomo, manganeso, cobalto. Ind. derivadas de la agricultura (algodón, aceites vegetales). Lenguas: inglés (of.) y variantes bantúes (bemba, nyanga, tonga). *Rel.*: animista (80 %), protestante, católica. U. M.: kwacha. Cap., Lusaka. C. prales.: Kitwe, Ndola.

* *Hist.* Visitada por los port. en el s. XVIII, la actual Z. fue explorada por Livingstone. La penetración colonial se inició en 1890, a través de la *British South Africa Company*. Constituida en protectorado de Rhodesia del Noroeste en 1911, en 1931 se descubrieron imp. yacimientos de cobre. Integrada en la Federación de Rhodesia y Nyassalandia (1953- 1963), en 1964 obtuvo la indep., con su nombre actual. Desde entonces la vida política estuvo dominada por K. D. Kaunda, fundador del Congreso Nacional Africano (1959), reelegido sucesivamente presid. de la rep. En las elecciones libres de 1991, venció Frederik Chiluba (reelegido en 1996), quien estableció un nuevo régimen autoritario marcado por la tensión entre gobierno y oposición (intento golpista y arresto del ex presidente Kaunda en 1997).

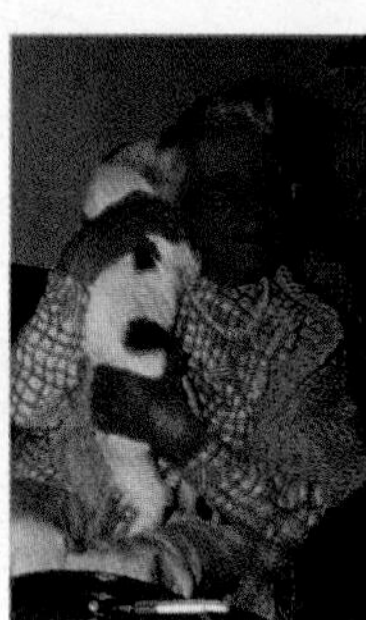

María **Zambrano**

ZAMBO, BA adj. y s. Díc. de la persona que tiene juntas las rodillas y separadas las piernas hacia afuera. • *Amér.* Díc. del hijo de negro e india, o al contrario. • m. *Zool.* Mono amer. que tiene la cola prensil y larga.

ZAMBOMBA f. Instrumento rústico musical, hueco, abierto por un extremo y cerrado por el otro con una piel tirante que tiene en el centro un carrizo, el cual, frotado con la mano, produce un sonido fuerte, ronco y monótono.

ZAMBOMBAZO m. Porrazo, golpazo.

ZAMBOMBO m. fig. y fam. Hombre grosero y rudo.

ZAMBRA f. Fiesta morisca, con bulla, regocijo y baile. • Fiesta semejante de los gitanos de Andalucía. • fig. y fam. Algazara, bulla y ruido producido por mucha gente.

ZAMBRANO, *María* (1907-1991) Filósofa y ensayista esp. *Filosofía y poesía en la vida española, La agonía de Europa, Senderos*. Premio Príncipe de Asturias (1981) y Premio Cervantes (1989).

ZAMBROTE o **ZÁRAMBOTE** m. *Amér.* Mezcla de cosas diversas, especialmente si son comestibles.

ZAMBUCAR tr. fam. Meter de pronto una cosa entre otras para que no sea vista o reconocida. ▪ ZAMBUCO.

ZAMBULLIR tr. y prnl. Meter debajo del agua de forma impetuosa y rápida. • prnl. fig. Esconderse o meterse en alguna parte, o cubrirse con algo. ▪ ZAMBULLIDA; ZAMBULLIDURA O ZAMBULLIMIENTO.

ZAMBULLO m. Olivo silvestre, acebuche. • Bacín grande.

ZAMENHOF, *Lejzer Luddwik* (1859-1917) Médico polaco; creador del esperanto.

ZAMORA Prov. de España, en la com. autón. de Castilla y León, sit. en la cuenca del r. Duero; 10 559 km², 207 475 hab. Cap., la c. hom. C. prales.: Benavente y Toro. Macizo Galaico y montes de León. Clima continental. Remolacha azucarera, cereales, hortalizas. Ganadería. Ind. agropecuaria, textil y cerámica. • C. de España, cap. de la prov. hom.; 63 783 hab. Sit. a orillas del r. Duero. Ind. vinícolas y textiles.

ZAMORA C. de Ecuador, cap. de la prov. de Zamora-Chinchipe; 8 100 hab.

ZAMORA, *Antonio* (h. 1664-1728) Dramaturgo esp. Autor de *No hay plazo que no se cumpla ni deuda que no se pague*, nueva versión de la leyenda de Don Juan. • ***Ezequiel*** (1817-1860) Militar y político ven. Dirigió las fuerzas federales que obtuvieron la victoria de Santa Inés (diciembre 1859).

ZAMORA CHINCHIPE Prov. del SE de Ecuador, limítrofe con Perú; 23 110 km², 66 167 hab. Cap., Zamora. Valles estrechos en la vertiente oriental de los Andes. Ríos Zamora y Chinchipe. Clima tropical húmedo. Extensos bosques de tipo húmedo montano bajo. Lugar de asiento de parte de la etnia shuar. Bananos. Ganadería. Explotación forestal. Oro.

ZAMORANO, NA adj. y s. De Zamora.

ZAMPA f. Estaca que se clava en un terreno para hacer el firme sobre el cual se va a edificar.

ZAMPAR tr. Meter una cosa en otra de prisa y de suerte que no se vea. • Comer apresuradamente y con exceso. • prnl. Meterse de golpe en una parte. ▪ ZAMPÓN, NA.

ZAMPEADO m. *Const.* Obra de cimentación constituida por una losa de hormigón armado o de mampostería encadenada, que se utiliza para edificar sobre terrenos falsos. ▪ ZAMPEAR.

ZAMPOÑA f. Instrumento rústico, a modo de flauta, o compuesto de muchas flautas. • Flautilla de la caña del alcacer. • fig. y fam. Dicho trivial o sin sustancia.

ZAMPUZAR tr. Meterse de golpe en el agua. • fig. y fam. Meter una cosa en otra bruscamente. ▪ ZAMPUZO.

ZAMURO m. *Col.* y *Ven.* Aura, ave.

ZANAHORIA f. Planta de la familia umbelíferas, con raíz jugosa y comestible. • Raíz de esta planta.

ZANCA f. Pierna larga de las aves desde el tarso hasta la juntura del muslo. • fig. y fam. Pierna del hombre o de cualquier animal, sobre todo cuando es larga y delgada. • *Arq.* Madero inclinado que sirve de apoyo a los peldaños de una escalera.

ZANCADA o **ZANCAJADA** f. Paso más largo que el normal.

ZANCADILLA f. Acción de cruzar uno su pierna por detrás de la de otro, y apretar al mismo tiempo con ella para derribarlo. • Acción de cruzar uno su pierna delante de la de otro que anda o corre, para derribarlo. • fig. y fam. Engaño, trampa o ardid con que se procura dañar o perjudicar a uno. ▪ ZANCADILLEAR.

ZANCAJO m. Hueso del pie, que forma el talón. • Parte del pie donde sobresale el talón. • fig. y fam. Zancarrón, hueso grande de la pierna. • fig. Parte del zapato o media, que cubre el talón, especialmente si está rota. • fig. y fam. Persona de mala figura.

ZANCAJOSO, SA o **ZANCAJIENTO, TA** adj. Que tiene los pies torcidos y vueltos hacia afuera. • Que tiene grandes zancajos o lleva rotos o sucios los de sus medias o calcetines.

Vista parcial de la ciudad de **Zamora**, con el Duero en primer término

ZANCARRÓN m. fam. Cualquiera de los huesos de la pierna, despojado de carne. • fig. y fam. Hueso grande y descarnado, especialmente de las extremidades. • fig. y fam. Hombre flaco, viejo y desaseado. • fig. y fam. El que enseña ciencias o artes de que entiende poco.

ZANCO m. Cada uno de dos palos altos y dispuestos con sendas horquillas, en que se afirman y atan los pies.

ZANCÓN, NA adj. fam. Zancudo, que tiene las zancas largas. • *Amér.* Aplícase al traje demasiado corto.

ZANCUDO, DA adj. Que tiene las zancas largas. • adj. y f. *Zool.* Díc. de las aves que tienen los tarsos muy largos y la parte inferior de la pierna desprovista de plumas. • m. *Amér.* Mosquito, insecto díptero.

ZANDÉ, AZANDE o **NIAM-NIAM** adj. y s. Díc. de individuos de un pueblo melanoafricano, de lengua sudanesa, que habita en Sudán, República Democrática del Congo y República Centroafricana.

ZÁNGANA f. Mujer floja, desmañada y torpe.

ZANGANADA f. fam. Hecho o dicho impertinente o inoportuno.

ZANGANEAR intr. fam. Andar vagando de una parte a otra sin trabajar.

ZÁNGANO m. *Zool.* Macho de la abeja maestra o reina. • fig. y fam. Hombre holgazán que se sustenta con el sudor y trabajo ajenos. • Hombre flojo, desmañado y torpe. ▪ ZANGANERÍA.

ZANGOLOTINO, NA adj. y s. fam. Se aplica al muchacho crecido que desea pasar por niño.

ZANGÓN m. fam. Muchacho alto, desgarbado y ocioso u holgazán.
ZANGUANGA f. fam. Ficción de una enfermedad o impedimento, para no trabajar. • fam. Zalamería.

Zanahoria

ZANJA f. Excavación larga y angosta que se hace en la tierra con diversos fines. • *Amér.* Arroyada producida por el agua corriente.
ZANJAR tr. Abrir zanjas. • fig. Resolver todas las dificultades que puedan impedir el arreglo de un asunto.
ZANJÓN m. Cauce o zanja grande y profunda por donde corre el agua. • *Chile.* Despeñadero, precipicio.
ZANQUEAR intr. Torcer las piernas al andar. • Andar mucho a pie y con prisa de una parte a otra. • *Amér. Centr.* Andar buscando algo o a alguien. ■ ZANQUEAMIENTO.
ZANZÍBAR Est. federado de Tanzania, formado por las islas de Z. y Pemba, en el océano Índico; 2 644 km², 479 000 hab. Cap. la c. hom. • Isla del est. federado hom.; 1 660 km², 273 400 hab. Separada del continente por el canal hom. Arroz, coco, mandioca, tabaco, algodón. Ind. aceitera. En 1963 obtuvo la indep. y se constituyó en monarquía. Al año siguiente la rev. abolió la monarquía y Z. se unió a Tanzania. • C. de Tanzania, cap. del Est. federado. hom.; 110 700 hab.
ZAPA f. Especie de pala herrada de la mitad abajo, con un corte acerado, que usan los zapadores o gastadores. • Excavación de galería subterránea o de zanja al descubierto. • Piel áspera de algunos selacios, lija. • Piel labrada de modo que la flor forme grano como el de la lija. • Labor que en obras de metal imita los granitos de la lija. ■ ZAPADOR.
ZAPALERI, *cerro* Cerro de los Andes, en la frontera chilena-argentina-boliviana; 5 653 m de alt.
ZAPALLO m. *Amér. Merid.* Árbol bignoniáceo, güira. • *Amér. Merid.* Cierta calabaza comestible. • *Argent.* y *Chile.* fig. y fam. Chiripa, fortuna inesperada.
ZAPALOTE m. *Méx.* Plátano de fruto alargado. • *Méx.* Maguey de tequila.
ZAPAR intr. Trabajar con la zapa.
ZAPARRASTRAR intr. fam. Llevar arrastrando los vestidos de modo que se ensucien. ■ ZAPARRASTROSO, SA.
ZAPATA f. Calzado que llega a media pierna. • Pedazo de cuero que se pone debajo del quicio de la puerta para que no rechine y evitar el desgaste de la madera. • *Mec. apl.* Pieza del freno de los coches que actúa por fricción contra el eje o contra las ruedas. • *Cuba.* Zócalo de fábrica en que se apoya una pared o tabique. • *Chile.* Telera del arado. • *Arq.* Pieza puesta horizontalmente sobre la cabeza de un pie derecho para sostener la carrera que va encima y aminorar su vano.
ZAPATA, *Emiliano* (1879-1919) Revolucionario mex. En 1909 encabezó el mov. de Ayala contra los terratenientes, apoyado por el campesinado indígena. En 1910 se unió a la rev. de Madero, al que exigió una reforma agraria que el mismo Z. concretó en el Plan de Ayala (1911). Tras el ascenso al poder de V. Huerta, los zapatistas se enfeudaron en Morelos, llevando a cabo la distribución de las tierras expropiadas a los grandes hacendados (1914). Frente a las presiones de V. Carranza, Z. se unió a Pancho Villa en 1914 y tomaron la cap. Tras la ruptura con Villa, Z. rehusó establecerse como gobernador y regresó a Morelos, donde creó una red de servicios públicos y escuelas. La difusión del programa revolucionario se extendió por México, y Carranza promovió una nueva campaña militar contra los terr. zapatistas que no prosperó debido a la oposición campesina. Z. fue convocado por el gobierno para negociar y fue asesinado en una emboscada (10 abril 1919). El mov. zapatista prosiguió hasta que el gobierno aceptó las reformas realizadas.
ZAPATAZO m. Golpe dado con un zapato. • fig. Caída y ruido que resulta de ella. • fig. Golpe recio que se da contra cualquier cosa que suena. • fig. Golpe que las caballerías dan con el casco, al resbalar violentamente. • *Mar.* Sacudida y golpe fuerte que da una vela.
ZAPATEADO m. Baile esp. que se ejecuta en compás ternario y con gracioso zapateo. • Música de este baile. • *Amér. Merid.* Pasos de baile que acompañan algunas composiciones folclóricas.
ZAPATEAR tr. Golpear con el zapato. • Dar golpes en el suelo con los pies calzados. • Golpear el conejo rápidamente la tierra con las manos, cuando siente al cazador o al perro. • Toparse y alcanzarse la caballería cuando andao corre. • fig. y fam. Traer a uno a maltraer; maltratarlo de palabra u obra. • intr. Moverse el caballo aceleradamente sin mudar de sitio. • *Mar.* Dar zapatazos las velas. • prnl. fig. Mantenerse firme con alguien en alguna riña o disputa. ■ ZAPATEO.
ZAPATERA Isla de Nicaragua, en el dpto. de Granada; 52 km². Separada del lago Nicaragua por el estr. de El Boquerón.
ZAPATERO, RA adj. Aplícase a los garbanzos, judías y otras legumbres que se endurecen al echar agua fría en la olla cuando se están cociendo. • Aplícase a los manjares que se ponen correosos por estar guisados con demasiada anticipación. • m. y f. Persona que hace o vende zapatos. • m. *Zool.* Pez teleósteo acantopterigio, plateado, con cabeza puntiaguda, cola ahorquillada y ojos pequeños, negros y con cerco dorado. Vive en los mares de la América tropical. • Tejedor, insecto. • fam. El que se queda sin hacer bazas o tantos en el juego. • Renacuajo, cría de la rana.
ZAPATETA f. Palmada que se da en el pie o zapato, brincando al mismo tiempo en señal de regocijo. • Brinco sacudiendo los pies. • pl. Golpes que se dan con el zapato en el suelo en ciertos bailes.
ZAPATILLA f. Zapato ligero de tela, fieltro, plástico o piel fina, y de suela delgada, sin cordones ni ninguna clase de sujeción. • Zapato cómodo o de abrigo para estar en casa. • *Mús.* Pedazo de ante que en los instrumentos músicos de viento se pone debajo de la pala de las llaves. • Suela del taco de billar. • Uña o casco de los animales de pata hendida. • Rasgo horizontal que suelen llevar por adorno los trazos rectos de las letras. ■ ZAPATILLAZO.
ZAPATISTA adj. y s. Díc. de los partidarios del líder revolucionario mex. Emiliano Zapata.
ZAPATO m. Calzado que no pasa del tobillo, con la parte inferior de suela y lo demás de piel, fieltro, paño u otro tejido. • **botín**. Media bota, que por lo regular no pasa de la media pierna, y está unida con el zapato ordinario. ■ ZAPATERÍA.
ZAPATÓN m. *Col.* y *Chile.* Chanclo de goma.
ZAPATUDO, DA adj. Asegurado o reforzado con una zapata. • Que tiene los zapatos demasiado grandes o de cuero fuerte y duro. • Díc. del animal muy calzado de uña.
¡ZAPE! interj. fam. que se emplea para ahuyentar a los gatos, o para manifestar extrañeza o miedo. • fam. Se emplea en algunos juegos de naipes para negar la carta que pide el compañero.
ZAPEAR tr. Espantar al gato con la interj. *¡zape!* • Dar zape en ciertos juegos de naipes. • fig. y fam. Ahuyentar a uno.
ZAPIOLA, *José Matías* (1780-1874) Militar arg. Participó en las luchas por la indep. Jefe de la división del ejército de los Andes (1819) y del Departamento de Marina durante la guerra con Brasil.
ZAPOPÁN C. de México, en el est. de Jalisco; 43 000 hab. Ind. alimentaria y textil.
ZAPOROZHE (ant. *Alexandrovsk*) C. del SE de Ucrania, sit. junto al Dniéper; 852 000 hab. Ind. electrotécnica, química y mecánica. Astilleros.
ZAPOTE o **SAPOTE** m. Árbol amer. de la familia sapotáceas, con flores rojizas y fruto comesti-

Tántalo africano, ave **zancuda**

Emiliano **Zapata**

Cabeza de madera policromada de estilo zapoteca

ZAPOTECA

Arriba, conjunto arqueológico de Monte Albán. Debajo, ciudad de Mitla

Las excavaciones en las ruinas de Monte Albán (1931) pusieron al descubierto que la cultura z. había recorrido varias fases. La primera fase puede situarse alrededor de s. I d. C.; las dos fases más ant. recibieron imfluencia olmeca, pero ya desde entonces se desarrolló el estilo z. En la época clasica domina la influencia teotihuacana en su arte: cerámica, construcciones de talud y tablero, escaleras incluidas en la construcción y no sobrepuestas. Posteriormente esta influencia desaparece. De esta cultura es el primer juego de pelota que se ha encontrado, cuya planta tiene forma de «I» mayúscula. Se encuentran pectorales de jade, y en cerámica, se producen las llamadas urnas funerarias z., que nunca contuvieron restos humanos. A comienzos del siglo XI, los centros de cultura z. se han desplazado de Monte Albán al valle de Oaxaca y comienza el periodo de dominio de Mitla (grandes edificios). En los ss. XIV-XV, tanto la pujante Mitla como Monte Albán dieron paso a la hegemonía mixteca.

ble, de forma de manzana, con carne amarillenta oscura. • Fruto de este árbol. • **Chico z.** Árbol amer. de la familia sapotáceas, con flores blancas, fruto drupáceo, con la corteza parda y la pulpa rojiza, azucarada. • Fruto de este árbol. ■ ZAPOTAL.

ZAPOTECA adj. y s. Díc. de individuos de un grupo étnico mex., que ocupa la zona de Oaxaca y el istmo de Tehuantepec. En la actualidad subsisten unos 200 000. Los z. eligieron el valle de Oaxaca, sit. en la parte central del est. hom. actual, como centro de su desarrollo por su fácil defensa. Las excavaciones en las ruinas de Monte Albán (1931) pusieron al descubierto que la cultura z. había recorrido varias fases. La primera puede situarse alrededor del s. I d. C.; las dos fases más ant. recibieron influencia olmeca. En la época clásica domina la influencia teotihuacana en su arte: cerámica, construcciones en talud y tablero, escaleras incluidas en la construcción y no sobrepuestas. Posteriormente, esta influencia desaparece. De esta cultura es el primer juego de pelota que se ha encontrado, cuya planta tiene forma de «I» mayúscula. Se encuentran pectorales de jade, y en cerámica se producen las llamadas urnas funerarias z., que nunca contuvieron restos humanos. A comienzos del s. VII empieza la decadencia del centro de Monte Albán, por motivos desconocidos. En torno al s. XI, los centros de cultura z. se han desplazado de Monte Albán al valle de Oaxaca y comienza el periodo de dominio de Mitla (grandes edificios). En los ss. XIV-XV, tanto la pujante Mitla como Monte Albán dieron paso a la hegemonía mixteca.

Zaragoza. Vista parcial con el Ebro y la basílica de Nuestra Señora del Pilar en primer plano

ZAPOTERO m. Zapote, árbol.

ZAPOTILLO m. Chico zapote. • *Amér. Centr.* Dulce en forma de zapote, recubierto de canela.

ZAPOYOL o **ZAPUYUL** m. *Amér. Centr.* Hueso del zapote, comestible, del cual se extrae un aceite medicinal.

ZAPPING (voz ingl.) m. Cambio rápido y continuo del canal de televisión usando el mando a distancia. ■ ZAPEAR; ZAPEO.

ZAPUZAR tr. Meter de golpe bajo el agua.

ZAQUE m. Odre pequeño. • fig. y fam. Persona borracha.

ZAQUEAR tr. Trasegar líquidos de unos zaques a otros. • Transportar líquidos en zaques.

ZAQUEO Santo. Publicano de Jericó, en tiempos de Jesucristo.

ZAQUIZAMÍ m. Desván, sobrado o último cuarto de la casa. • fig. Cuchitril. • Enmaderamiento de un techo.

ZAR m. Título que tenían el emp. de Rusia y el soberano de Bulgaria.

ZARA f. Maíz.

ZARABANDA f. Danza popular esp. de los ss. XVI y XVII. • Música de esta danza. • Copla que se cantaba con esta música.

ZARAGATA f. fam. Pendencia, alboroto. ■ ZARAGATERO, RA.

ZARAGATE m. *Amér.* Persona despreciable.

ZARAGOZA Prov. de España, en la com. autón. de Aragón; 17 252 km^2, 842 419 hab. Cap., la c. hom. Se extiende desde el Prepirineo hasta el sist. Ibérico (Moncayo, 2 313 m). Clima mediterráneo continental. Agricultura. Ganadería. Ind. metalúrgica, química, textil. • C. de España, cap. de la prov. hom. y de la com. autón. de Aragón; 601 674 hab. Sit. a orillas del r. Ebro. Centro comercial, económico e industrial. Restos romanos (murallas) y edificios musulmanes (Aljafería). Basílica de Nuestra Señora del Pilar, impresionante muestra del s. XVIII.

ZARAGOZA, ***Ignacio de*** (1829-1862) Militar y político mex. Ministro de la Guerra con Juárez (1861).

ZARAGOZANO, NA adj. y s. De Zaragoza.

ZARAGÜELLES m. pl. Especie de calzones anchos y afollados en pliegues. • *Bot.* Planta gramínea, con las cañas débiles y las flores en panoja compuesta de espiguillas colgantes.

ZARAGUTEAR tr. fam. Embrollar, hacer cosas con atropellamiento. ■ ZARAGUTERO, RA.

ZARAMAGULLÓN m. Somorgujo, somormujo.

ZARAMBEQUE m. Tañido y danza de negros, alegre y bulliciosa.
ZARAMULLO m. *Perú* y *Ven.* Zascandil.
ZARANDA f. Criba. • Cedazo rectangular con fondo de red de tomiza, que se emplea en los lagares para separar los escobajos de la casca. • Pasador de metal que se usa para colar la jalea y otros dulces. • *Ven.* Trompo hueco que zumba al girar. ■ ZARANDERO, RA.
ZARANDAJA f. fam. Cosa menuda, sin valor, o de importancia muy secundaria.
ZARANDAR tr. Limpiar el grano o la uva, pasándolos por la zaranda. • Colar el dulce con la zaranda. • tr. y prnl. fig. y fam. Mover una cosa con ligereza y facilidad.
ZARANDEAR tr. y prnl. Zarandar. • fig. Ajetrear, azacanar. • prnl. Contonearse. ■ ZARANDEO.
ZARANDILLO m. Zaranda pequeña. • fig. y fam. El que se mueve con viveza e inquietud.
ZARAPITO m. Ave caradriforme de pico largo, delgado y encorvado por la punta.
ZARATÁN m. Cáncer de los pechos en la mujer.
ZÁRATE C. de Argentina, en la prov. de Buenos Aires; 67 000 hab. Centro fabril. Puerto en el Paraná.
ZÁRATE, *Agustín de* (m. 1560) Historiador esp., *Historia del descubrimiento y conquista del Perú.*
ZARATUSTRA (660-583 a. C.) Reformador religioso iraní, fundador del zoroastrismo o mazdeísmo. Su religión llegó a ser la nacional persa desde los aqueménidas hasta la conquista musulmana.
ZARAZO, ZA adj. *Amér. Merid.* Aplícase al fruto a medio madurar. • f. pl. Masa venenosa que se emplea para matar perros, ratones u otros animales.
ZARCERO m. Ave de la familia sílvidos, de plumaje amarillento o amarillo verdoso.
ZARCETA f. Cerceta, ave.
ZARCILLO m. Pendiente, arete. • *Bot.* Cada uno de los tallitos volubles que para asirse tienen ciertas plantas trepadoras. • *Argent.* Señal con que se marca el ganado, consistente en un corte en la oreja.
ZARCO, CA adj. De color azul claro.
ZARDOYA, *Concha* (nacida 1914) Escritora chil. afincada en EE UU. Autora de cuentos, ensayos y poesía. *Los signos, Elegías, Hondo sur, El corazón y la sombra.*
ZARIGÜEYA f. *Amér.* Mamífero marsupial nocturno, de movimientos tardos, pero muy trepador.
ZARINA f. Esposa del zar. • Emperatriz de Rusia.
ZARISMO m. Forma de gobierno absoluto, propia de los zares. ■ ZARISTA.
ZARPA f. Acción de zarpar. • Mano con dedos y uñas, en ciertos animales; como los felinos. • *Const.* Parte que en la anchura de un cimiento excede a la del muro que se levanta sobre él. ■ ZARPADA.
ZARPAR tr. *Mar.* Levar anclas. • intr. *Mar.* Salir un barco del lugar donde estaba atracado o fondeado. • Partir o salir embarcado.
ZARPAZO m. Zarpada. • Batacazo, porrazo.
ZARPEAR prnl. *Amér. Centr.* Enlodarse.
ZARRACATÍN m. fam. Persona que regatea mucho, comprando barato y vendiendo caro.
ZARRACINA f. Ventisca con lluvia.
ZARRAPASTRA f. fam. Zarria, cazcarria.
ZARRAPASTRÓN, NA adj. y s. fam. Que anda muy zarrapastroso.
ZARRAPASTROSO, SA adj. y s. fam. Sucio, roto y descuidado.
ZARRIA f. Pingajo, harapo. • Tira de cuero que se mete entre los ojales de la abarca, para asegurarla bien con la calzadera.
ZARZA f. Planta de tallos colgantes de hasta 3 m, con numerosos y fuertes aguijones, hojas compuestas, flores en panoja, y frutos en polidrupa. ■ ZARCEÑO, ÑA; ZARZAL; ZARZALEÑO, ÑA; ZARZOSO, SA.
ZARZAMORA f. Fruto de la zarza. Maduro es una baya formada de granillos negros y lustrosos. • Zarza.
ZARZAPARRILLA f. Arbusto liliáceo, con tallos delgados, trepadores, y raíces fibrosas y casi cilíndricas. Cocimiento de la raíz de esta planta que se usa como depurativo. • Bebida refrescante preparada con esta planta. ■ ZARZAPARRILLAR.
ZARZARROSA f. Flor del escaramujo.
ZARZO m. Tejido de varas, cañas o juncos, que forman una superficie plana.
ZARZUELA f. *Mús.* Gén. específicamente esp. en el que alternan el canto y la declamación. • Letra de una obra de este gén. musical. • Música de esta misma obra. • Plato hecho a base de pescados y mariscos en salsa. ■ ZARZUELERO, RA; ZARZUELISTA.
¡ZAS! Voz expresiva del sonido que hace un golpe, o del golpe mismo.
ZASCANDIL m. fam. Hombre despreciable, ligero y enredador.
ZASCANDILEAR intr. Andar como un zascandil. ■ ZASCANDILEO.
ZATOPEK, *Emil* (nacido 1922) Atleta chec., uno de los mejores corredores de gran fondo. Medalla olímpica en Londres (1948) y Helsinki (1952).
ZAVALA, *Silvio* (nacido 1907) Historiador mex. Investigador de la historia de América. Miembro del comité directivo de la *Historia de la cultura de la humanidad,* elaborada por la UNESCO. Embajador en Francia (1966-1975). Premio de Historia de la Academia del Mundo Latino de París en 1974. *La encomienda indiana, Ensayos sobre la colonización española en América.* • **Ortiz, *Miguel Ángel*** (1906-1982) Político arg. Diputado (1946) por la Unión Cívica Radical. Miembro de la Junta Consultiva Nacional tras la caída de Perón (1955). *Conciencia nacional y social del empresario, Por una Argentina social.* • **Y Sáenz, *Lorenzo*** (1788-1837) Político y escritor mex. Gobernador del est. de México y ministro de Hacienda, impulsó la reforma agraria y la enseñanza. *Ensayo histórico de las revoluciones de la Nueva España.*
ZAVALETA, *Carlos Eduardo* (nacido 1928) Escritor per. Autor de novelas y de crítica literaria. Premio nacional de novela Ricardo Palma en 1959 y de crítica Manuel González Prada en 1961. *El cínico, Los Ingar, Niebla cerrada, Los aprendices.*
ZAVATTINI, *Cesare* (1902-1989) Escritor y guionista de cine it. Teórico del neorrealismo. Escribió los guiones de *El limpiabotas, Ladrón de bicicletas* y *Umberto D.*
ZAYAS, *Alfredo* (1861-1934) Político y escritor cub. Vicepresid. de la rep. (1909-1913) y presid. (1921-1924). Fundador del Partido Popular. *Lexicografía antillana.* • **Y Sotomayor, *María*** (1590- 1661) Escritora esp. Sus *Novelas ejemplares y amorosas* y la *Parte segunda del sarao y entretenimientos honestos* son narraciones de tema predominantemente erótico.
ZAZO, ZA o **ZAZOSO, SA** adj. Tartajoso.
ZEA, *Francisco Antonio* (1766-1822) Botánico y político col. En 1816 se unió a Bolívar en los Cayos. Vicepresid. del gobierno (1819). • ***Leopoldo*** (nacido 1912) Filósofo y ensayista mex., profesor de la Universidad Nacional de Méx. *El positivismo en México, En torno a una filosofía americana.* • **Bermúdez, *Francisco*** (1772-1850) Diplomático y político esp. Ministro de Fernando VII (1832) y de María Cristina de Borbón. Se exilió (1834) y murió en Francia.
ZEAXANTINA f. Xantofila originada a partir de la beta carotina, sustancia colorante muy abundante en el maíz.
ZEBRA f. Cebra.
ZEDA f. Nombre de la letra *z.*
ZEDILLA f. Cedilla.
ZEDILLO Ponce de León, *Ernesto* (nacido 1951) Economista y político méx. En 1988 asumió la secretaría de Programación y Presupuesto. Candidato of. del PRI, resultó electo presid. en 1994. Durante su mandato, que finalizó en 2000, impulsó la recuperación económica del país y promovió la reforma del sistema electoral.
ZEEMAN, *Pieter* (1865-1943) Físico neerlandés. Premio Nobel de Física en 1902, con Lorentz. • **Efecto Z.** *Fís.* La presencia de un campo magnético en una sustancia produce el desdoblamiento de las líneas de emisión espectral de la misma.
ZEFFIRELLI, *Franco* (nacido 1923) Director de cine y teatro it. Autor también de coreografías y diseños. *Romeo y Julieta, Campeón, Amor sin fin.*
ZEGRÍ adj. y s. Díc. del individuo de una estirpe del reino nazarí de Granada (s. XV), contraria a los abencerrajes.
ZEÍNA f. Proteína que se encuentra en el maíz, de donde se extrae. Se utiliza como resina natural para fabricar barnices al alcohol.
ZEITLIN, *Israel* (1906-1980) Escritor, periodista y autor teatral arg. de origen ruso, conocido como CÉSAR TIEMPO. *Pan Criollo, El lustrador de manzanas, Sábado domingo, Sábado pleno.*
ZÉJEL m. *Métr.* Estrofa integrada en la moaxaja. Formas zejelescas han sido documentadas en la poesía provenzal y en la it. medieval.

Zarigüeya con sus crías

Zarza. Planta, frutos (zarzamoras) y flor

Ernesto **Zedillo Ponce de León**

ZELAYA Dpto. de Nicaragua, bañado al E por el mar Caribe, que corresponde aprox., a la Costa de los Mosquitos; 60 035 km², 298 900 hab. Cap., Bluefields. Relieve accidentado por las cordilleras de Isabela al N, Dariense en el centro, y Yolaina al S. Ríos Cucayala, Prinzapolca, Grande de Matagalpa, Curinhuas, Escondido y Punta Gorda. Clima tropical. Vegetación de selva tropical y manglar en la costa. Cereales y caña de azúcar. Explotación forestal. Oro.
ZELAYA, *José Santos* (1853-1919) Político nic. En 1893 derrocó a Sacasa y asumió la presidencia. Reelegido en 1897 y 1905. Derrocado en 1909 por Chamorro y Estrada, apoyados por EE UU.

Representación escultórica de **Zeus**

ZEN (voz jap., derivada del sánscrito *dhyana*, «meditación») adj. y s. Mov. budista que apareció en Japón en los ss. XII y XIII. Basado en la escuela mahayana, parte de la meditación o contemplación para alcanzar la verdad absoluta a través del camino de la vivencia iluminativa del espíritu.
ZENEA y Fornaris, *Juan Clemente* (1832-1871) Poeta cub. Murió fusilado por los esp. *Cantos de la tarde*, *Brisas de Cuba*, *Diario de un mártir*, *Poesías póstumas*.
ZENER, efecto *El.* Fenómeno que consiste en el crecimiento brusco de la corriente inversa de un diodo, al aplicarle tensiones inversas de alto valor.
ZENÓN de Citio (h. 335-h. 264 a. C.) Filósofo gr., fundador de la escuela estoica de Atenas. *De la República*, *Del amor*, *Exhortaciones*. • **de Elea** (h. 490-h. 430 a. C.) Filósofo gr., discípulo de Parménides, cuya doctrina defendió con argumentos paradójicos. Llamado por Aristóteles «padre de la dialéctica» (entendida como arte de la refutación).
ZEOLITA o **CEOLITA** f. *Miner.* Cada uno de los minerales del grupo de las zeolitas o ceolitas. • pl. *Miner.* Grupo de minerales; son silicatos aluminocálcicos o aluminoalcalinos procedentes de la descomposición hidrotermal de los feldespatos.

Zigurat de Ur, construido 2 300 años a. C.

ZEPEDA, *José* (m. 1837) Político nic. Jefe de Est. (1835). Aplicó reformas en la educación y en la administración de justicia. Murió durante una sublevación militar.
ZEPELÍN m. Globo dirigible rígido.
ZEPPELIN, *Ferdinand*, CONDE DE (1838-1917) Aeronauta y militar al. Construyó el primer dirigible rígido que lleva su nombre.
ZETA f. Zeda. • Sexta letra del alfabeto gr.
ZETA (siglas de *Zero-Energy-Thermonuclear-Assembly*) *Ing.* Reactor experimental que convierte en eléctrica la energía que se produce en la fusión de los átomos.
ZETKIN, *Clara* (1857-1933) Revolucionaria, feminista y dirigente del partido comunista al. Organizó la Conferencia Internacional de Mujeres celebrada en Berna en 1915. Participó en la creación del grupo espartaquista. Murió exiliada en la URSS.
ZEUGMA m. *Gram.* Figura de construcción, que consiste en que cuando una palabra que tiene conexión con dos o más miembros del periodo está expresa en uno de ellos, ha de sobreentenderse en los demás.
ZEUS *Mit. gr.* Hijo de Cronos y de Rea. Deidad suprema del Olimpo, padre de los dioses y de los hombres. Los roma. le identificaron con Júpiter.
ZEUXIS (h. 464-h. 398 a. C.) Pintor gr. Uno de los artistas más ilustres del mundo clásico.
ZHAO Zi-yang (nacido 1919) Político chino. Primer ministro (1980-1987). Nombrado secretario gral. del Partido Comunista en 1987, fue destituido tras los sucesos de la plaza de Tienanmen (1989).
ZHDANOV C. de Ucrania; puerto en el mar de Azov; 522 000 hab.
ZHITOMIR C. de Ucrania; 275 000 hab. Centro comercial cerealista.

Mapa de situación y bandera de **Zimbabwe**

ZHIVKOV, *Todor* (1911-1998) Político bulg. Secretario del partido comunista (1954). Jefe del gobierno (1962-1971). Entre 1971 y 1989 fue jefe del Estado. En 1991 fue procesado por corrupción.
ZHÚKOV, *Georgij Konstantinovich* (1896-1974) Militar sov. Organizó la campaña de Moscú (1941) y dirigió la ocupación de Varsovia y Berlín (1945). Ministro de Defensa (1955). En 1958 fue depuesto de todos sus cargos.
ZIA ul-Haq, *Muhammad* (1924-1988) Militar y político paquistaní. Presid. de Pakistán en 1978, a raíz del golpe de Est. que encabezó en 1977. Murió en un atentado, al estallar el avión en que viajaba.
ZIEMSTVO m. En la Rusia zarista, asamblea de distr., donde estaban representadas las distintas clases de la nación.
ZIGOMICETAL adj. y f. *Bot.* Díc. de organismos del orden zigomicetales. • f. pl. *Bot.* Orden de hongos ficomicetes, saprófitos y parásitos, con micelio desarrollado y reproducción por zoósporas y conidios.
ZIGOMORFO, FA adj. *Bot.* Díc. del órgano vegetal que posee simetría establecida por un solo plano (bilateral). • *Bot.* Díc. de la planta que presenta esta simetría.
ZIGÓSPORA f. *Bot.* Espora que se constituye por fusión de dos gametangios pertenecientes a dos micelios distintos.
ZIGOTENO m. *Biol.* Fase de la meiosis que se inicia durante la profase, y en el transcurso de la cual los cromosomas se aparean.
ZIGOTO o **CIGOTO** m. *Biol.* Célula resultante de la unión de los gametos.
ZIGURAT m. Torre escalonada de base cuadrangular, característica de la arquitectura sagrada de Mesopotamia. Aparece mencionado en la Biblia como «torre de Babel».
ZIGZAG m. Serie de líneas que forman alternativamente ángulos entrantes y salientes.
ZIGZAGUEAR intr. Serpentear, andar en zigzag.
ZIMASA f. Enzima soluble presente en la levadura que descompone las hexosas en alcohol y dióxido de carbono.
ZIMBABWE (*Republic of Zimbabwe*) Estado de África austral, limítrofe al N con Zambia y Mozambique, al S con la Rep. Sudafricana, al O con Botswana y al E con Mozambique. Relieve accidentado, de SO a NE, por la cadena montañosa de Gran Dyke. Clima tropical moderado en el centro y temperaturas elevadas en el resto del país . Sabana con acacias y baobab. Río Zambeze. Agricultura (maíz, mijo, caña de azúcar, algodón, sorgo y tabaco). Ganadería. Oro, carbón, hierro,

ZIMBABWE

Superficie	390 759 km²
Población	11 340 000 hab. (29 hab./km²)
Recursos económicos	
Acero	400 000 t
Algodón	63 000 t
Amianto	170 000 t
Azúcar	511 000 t
Cabaña bovina	4 500 000 cabezas
Cabaña caprina	2 615 000 cabezas
Cabaña ovina	487 000 cabezas
Carbón	5 539 000 t
Cromo	155 000 t
Energía eléctrica	7 334 millones de kwh
Fertilizantes	121 000 t
Hierro	500 000 t
Maíz	840 000 t
Níquel	11 500 t
Oro	20 500 kg
Riqueza forestal	8 076 000 m³
Tabaco	198 000 t
Té	15 000 t
Tungsteno	1 t
Indicadores sociológicos	
PNB	5 933 millones de dólares
Renta per cápita	540 dólares
Esperanza de vida	57 años
Alfabetismo	85,1 %

Vista aérea de las ruinas de la antigua ciudad de **Zimbabwe,** al sur de Harare

cromo, estaño y cobre. Ind. metalúrgica, siderúrgica, de montajes de automóviles, manufactura de tabaco, refinerías de azúcar. Grupos étnicos: bantúes, shonas y matabeles (95 %), europeos, mestizos y asiáticos. Lenguas: ing. (of.) y variantes bantúes. *Rel.*: animista (mayoritaria) y protestante. U. M.: dólar de Z. Cap., Harare. Ciudades prales.: Bulawayo, Chitungwisa.

* *Hist.* Entre la pob. autóctona bantú destacó el grupo shona, que en el s. X fundó un Est. que consiguió la hegemonía sobre el terr. En el s. XV Mutote, rey shona, unificó la mayor parte del actual Z., aunque volvió a dispersarse en los ss. XVII y XVIII formando diversos reinos. El terr. fue codiciado por las potencias europeas, entre las que se impuso Gran Bretaña. Cecil John Rhodes recibió en 1898 el monopolio de la administración y explotación del terr., que recibió en su homenaje el nombre de Rhodesia y en el que se produjeron revueltas indígenas en 1893 y 1896. En 1926 se convirtió en colonia brit., y en 1953 se creó la Federación de Rhodesia y Niassalandia. Desde 1940 se desarrolló en el terr. una oposición nacionalista afr., y en 1963 se disolvió la Federación de Rhodesia y Niassalandia y aumentó la oposición negra, al gobierno racista de I. Smith. En 1965 éste proclamó la indep. del país (Rhodesia), que en 1970 se declaró rep. (no reconocida por la ONU). En 1979 la población negra votó por primera vez y eligió primer ministro a A. Mozorewa: el país adoptó el nombre de Zimbabwe-Rhodesia. En 1980 obtuvo la independencia con el nombre de Zimbabwe y ese mismo año R. Mugabe del ZANU fue elegido jefe del gobierno. Revalidó su cargo en 1987 y en 1996.

ZIMBABWE Ant. c. del África austral, emplazada en el territorio de la actual Zimbabwe, construida probablemente por los soberanos monomotapa. Sus ruinas son las más imp. del África negra. Comprenden una muralla, un templo elíptico y una acrópolis.

ZIMOSA f. Fermento que se halla en la levadura de la cerveza y provoca la descomposición de la glucosa.

ZIMOSTERINA f. Esterina muy parecida a la lanosterina, que se aisló por primera vez en las células de la levadura. Se trata de un derivado esteroide, liposoluble, muy afín al colesterol de los animales.

ZINC m. Cinc.

ZINCADO m. Cincado.

ZINGARELLI, *Nicola Antonio* (1752-1837) Compositor it. *Moctezuma, Julieta y Romeo, Berenice.*

ZINNEMANN, *Fred* (1907-1997) Director de cine norteam., de origen austr. *De aquí a la eternidad, Sólo ante el peligro, Un hombre para la eternidad, Julia.*

ZINNIA f. Planta de la familia compuestas, con hojas opuestas y alguna vez verticiladas, y flores grandes y dobles de colores mezclados.

ZINÓVIEV, *Grigori Evseievich* (1883-1936) Seud. de *G. E. Apfelbaum*, llamado también RADOMYLSKI Político sov., dirigente histórico del bolchevismo. Secretario gral. de la III Internacional (1919-1927). Colaboró con Stalin, pero en 1926 defendió las tesis de Trotski, por lo que fue destituido. Condenado y ejecutado en el primer proceso de Moscú.

ZIPAQUIRÁ C. de Colombia, en el dpto. de Cundinamarca; 31 300 hab. Centro minero.

ZIPEÍTA f. *Miner.* Sulfato básico hidratado de uranilo, que cristaliza en el sistema rómbico o en el monoclínico. Es de color amarillo intenso.

ZÍPER (voz ing.) m. *Amér.* Cremallera.

ZIPIZAPE m. fam. Riña ruidosa o con golpes.

ZIRCÓN m. Circón.

ZIRCONIO m. Circonio.

ZIS, ZAS fam. Onomatopeya con que se expresa la repetición de un golpe.

ZITÁCUARO C. de México, en el est. de Michoacán; 71 000 hab. Cereales, café, caña de azúcar. Aserraderos, curtidos, alfarería. Centro comercial.

ZIZKA, *Jan* (h. 1376-1424) Caudillo de los husitas y héroe nacional de Bohemia. Defendió victoriosamente Praga del asalto de los imperiales (1420).

ZLATOUST C. de Rusia; 204 000 hab. Centro siderometalúrgico.

ZLOTY m. Unidad monetaria de Polonia.

Zn *Quím.* Símb. del cinc.

ZNANIECKI, *Florian Witold* (1882-1958) Sociólogo pol., radicado en EE UU desde 1914. *El campesino polaco en Europa y América.*

ZOANTROPÍA f. Especie de monomanía en la cual el enfermo se cree convertido en un animal.

ZÓCALO m. *Arq.* Cuerpo inferior de un edificio u obra, que sirve para elevar los basamentos a un mismo nivel. • Friso o franja que se pinta o coloca en la parte inferior de una pared. • *Arq.* Miembro inferior del pedestal, debajo del neto. • Especie de pedestal. • *Geol.* Conjunto de materiales y terrenos de edad geológica muy ant., que en la mayoría de los casos han estado sometidos a intensos procesos de metamorfismo y granitización. • *Electr.* Elemento en el que se insertan los terminales de una válvula.

ZOCATO, TA adj. y s. fam. Zurdo. • adj. Aplícase al fruto que se pone amarillo y acorchado sin madurar.

ZOCAYO m. Mono de América Meridional, de la familia cébidos, de largo y sedoso pelaje rojizo. También se denomina *viudita* y, equivocadamente, *tití.*

ZOCLO m. Zueco, chanclo.

ZOCO, CA adj. y s. fam. Zurdo, zocato. • m. Zueco. • *Arq.* Zócalo de un pedestal. En Marruecos, mercado, lugar en donde se celebra. • f. Plaza de una población.

ZOCOLLADA f. Planta de la familia globulariáceas, con hojas algo ovaladas, flores agrupadas en cabezuelas azules, y frutos en aquenio, rodeados por el cáliz persistente. Tiene propiedades medicinales.

ZODIACO o **ZODÍACO** n. p. m. *Astr.* Región de la esfera celeste sit. a los lados de la eclíptica. En ella se mueve la Luna, el Sol y los planetas observables a simple vista. Está dividido en 12 partes de 30°, que constituyen los signos: *Aries, Tauro, Gemini, Cancer, Leo, Virgo, Libra, Scorpius, Sagittarius,*[*ornus, Aquarius* y *Piscis.* • m. Representación material del zodíaco. ■ ZODIACAL.

ZOHAR (heb., *Séfer ha-zohar*, «libro del esplendor») Obra básica de la cábala, escrita en heb. y arameo. Su origen es discutido.

ZOIDIOFILIA f. *Bot.* Fenómeno por el cual ciertos vegetales están adaptados a la diseminación del polen por medio de los animales. ■ ZOIDIÓFILO, LA.

ZOILO m. fig. Crítico maligno, censurador o murmurador de las obras ajenas.

ZOLA, *Émile* (1840-1902) Novelista fr., naturalista. Influido por el socialismo. Su manifiesto, *Yo acuso*, produjo un escándalo nacional y un proceso condenatorio que le llevó a exiliarse a Gran Bretaña, donde murió. *Thérèse Raquin*; *Los Rougon Macquart, historia natural y social de una familia bajo el segundo imperio*; *Germinal.*

ZOLLVEREIN Unión aduanera de los Est. al., creada en 1834 por iniciativa de Prusia; fue el preludio de la unidad al.

ZOMBIE o **ZOMBI** m. En Haití, persona muerta que recobra la vida parcialmente por obra del brujo que la tiene sometida a su poder.

ZOMPOPO m. *Amér. Centr.* Hormiga de cabeza grande.

Nicola Antonio **Zingarelli**

El **zodiaco,** en la Carta del Cielo del *Atlas Catalán* (edición facsímil). Biblioteca de Cataluña, Barcelona (España)

Émile **Zola**

Polo Norte
+67° Círculo Polar
+23° Trópico de Cáncer
0° Ecuador
-23° Trópico de Capricornio
-67° Círculo Polar
Polo Sur
Zona Glacial
Zona Templada
Zona Tórrida
Zona Templada
Zona Glacial

Las distintas **zonas** climáticas de la Tierra, según su latitud

ZONA f. Lista o faja. • Extensión considerable de terreno que tiene forma de banda o franja. • Extensión considerable de terreno cuyos límites están determinados por razones administrativas, políticas, etc. • *Comp.* Parte de la memoria central que puede reservarse para una función determinada. • *Geog.* Cada una de las cinco partes en que se considera dividida la superficie de la Tierra por los trópicos y los círculos polares. • *Geom.* Parte de la superficie de la esfera comprendida entre dos planos paralelos. • *Geol.* Conjunto de estratos rocosos identificables por su contenido paleontológico y que viene definida por un fósil o una asociación de fósiles característicos y constantes. • *Pat.* Enfermedad eruptiva infecciosa que se manifiesta por una serie de vesículas a lo largo del nervio afectado, con fiebre y dolor intenso. • **de influencia.** Parte de un país débil, aunque no sometido a protectorado oficial, respecto de la que varias potencias aceptan la preponderante expansión económica o cultural de alguna de aquéllas. • **esférica.** Porción de superficie esférica comprendida entre dos planos paralelos que cortan una esfera. • **franca.** Superficie que goza de extraterritorialidad aduanera. • **verde.** Díc. del terreno que, en una c. o en sus inmediaciones, se destina total o parcialmente a arbolado o parques. ■ ZONAL.

Zootecnia. Granja avícola

ZONCERA f. *Amér.* Zoncería.
ZONCERÍA f. Sosería.
ZONCHA f. fam. *Amér. Centr.* Cabeza rapada.
ZONDA f. *Argent.* Viento cálido y muy seco.
ZONIFICAR tr. *Col.* Dividir un terreno en zonas. ■ *Col.* ZONIFICACIÓN.
ZONITO m. *Zool.* Cada uno de los segmentos en que se divide el cuerpo de algunos invertebrados.
ZONTEAR tr. *Amér. Centr.* Desorejar; romper el asa de una vasija.
ZONZO, ZA adj. y s. Soso, insípido. • Tonto, simple.
ZOO m. Parque o jardín zoológico.
ZOOBIOSIS f. *Biol.* Fenómeno relativo a la habitación de un vegetal sobre un animal.
ZOOCORO, RA adj. *Bot.* Díc. del vegetal cuyos frutos se diseminan por medio de los animales, bien por transporte interno o bien por transporte externo.
ZOÓFAGO, GA adj. y s. *Zool.* Que se alimenta de materias animales.
ZOOFILIA f. Práctica de la persona que tiene relación sexual con algún animal irracional.
ZOÓFITO adj. y s. *Zool.* Se daba este nombre a ciertos animales en los que se creía reconocer caracteres propios de vegetales. • m. pl. *Zool.* Grupo de la ant. clasificación zoológica, que comprendía los animales que tienen aspecto de plantas.
ZOOFLAGELADO, DA adj. y m. *Biol.* Díc. de organismos unicelulares o protistos, flagelados y con características que se acercan más a las de los animales que a las de los vegetales. Carecen de clorofila y viven saprofíticamente o como parásitos. Algunos z. son coloniales.
ZOOGENIA f. *Zool.* Estudio del origen y desarrollo de las especies animales.
ZOOGEOGRAFÍA f. *Biol.* Ciencia que estudia la distribución geográfica de las especies animales.
ZOOGRAFÍA f. *Zool.* Descripción de los animales. ■ ZOOGRÁFICO, CA.
ZOOIDE m. *Zool.* Cualquiera de los individuos que forman parte de una colonia.
ZOOLATRÍA f. Adoración, culto de los animales. ■ ZOÓLATRA.
ZOOLITO m. Resto fosilizado de un animal.

Zopilote o buitre americano

ZOOLOGÍA f. Ciencia que se ocupa del estudio de los animales, en sus aspectos estructurales y funcionales en el estadio actual, en sus precedentes históricos, en sus perspectivas futuras, en sus aspectos individuales y colectivos, en sus semejanzas y relaciones filogenéticas, así como en sus interrelaciones con los individuos del reino vegetal y mineral y demás factores del medio ambiente. ■ ZOÓLOGO, GA.
ZOOLÓGICO, CA adj. Relativo a la zoología. • m. Parque o jardín zoológico. • **Parque.** o **jardín z.** Lugar en el que se tienen recluidas, para su estudio y exhibición, numerosas especies animales de las distintas faunas.
ZOOM (voz ing.) m. *Fot.* Objetivo cuya distancia focal se modifica gradualmente a voluntad.
ZOONOSIS f. *Med.* Enfermedad propia de los animales, que a veces se comunica a las personas.
ZOOPLANCTON m. *Zool.* Componente animal del plancton. Está compuesto por animales de pequeño tamaño o por fases embrionarias de animales de tamaño mayor.
ZOOSPERMO m. Filamento espermático.
ZOOSPORA f. *Bot.* Espora que no está cerrada en un quiste, y en cuya superficie lleva órganos filiformes que le sirven para desplazarse en el agua.
ZOOSPORANGIO m. *Bot.* Esporangio generador de esporas móviles por flagelos o zoosporas.
ZOOTECNIA f. *Vet.* Arte de la cría, multiplicación y mejora de los animales domésticos. ■ ZOOTÉCNICO, CA.
ZOOTOMÍA f. *Zool.* Estudio de la anatomía de los animales.
ZOÓTROPO m. Aparato que al girar produce la ilusión de que se mueven unas figuras.
ZOOXANTELA f. Nombre común de los protozoos flagelados criptomonadinos, que viven en simbiosis con foraminíferos y radiolarios.
ZOPENCO, CA adj. fam. Tonto, tosco, bruto.
ZOPILOTE m. Ave falconiforme de la familia catártidos, que vive en América septentrional y central; carroñera y más pequeña que el cóndor, con el que está emparentado. • **Estar z.** *Amér. Centr.* Estar achispado. ■ ZOPILOTADA.
ZOPISA f. Brea. • Resina de pino.
ZOPO, PA adj. Díc. del pie o mano torcidos o contrahechos. • Díc. de la persona que tiene torcidos o contrahechos los pies o las manos. • com. pl. f. Persona que cecea mucho.
ZOQUE adj. y s. Díc. de un pueblo amerindio, de la familia lingüística mixezoque, que vive en el S de México.
ZOQUETA f. Especie de guante de madera con que el segador resguarda los dedos.
ZOQUETE m. Pedazo de madera corto y grueso. • fig. Tarugo, pedazo de pan grueso. • fig. y fam. Hombre feo, pequeño y gordo. • fig. y fam. Persona torpe y tarda en entender. ■ ZOQUETUDO, DA.
ZORITO, TA adj. Díc. de las palomas silvestres, zuro.
ZOROASTRISMO m. Mazdeísmo. ■ ZOROÁSTRICO, CA.
ZOROASTRO → Zaratustra.
ZOROLLO adj. Que no ha llegado a madurar por completo.
ZORONGO m. Pañuelo doblado en forma de venda y arrollado a la cabeza. • Moño ancho y aplastado. • Baile popular andaluz. • Música y canto de este baile.
ZORRA f. Hembra del zorro. • Carro bajo y fuerte para transportar pesos grandes. • fig. y fam. Persona astuta y solapada. • Prostituta. • fig. y fam. Borrachera, embriaguez. ■ ZORRUNO, NA.
ZORREAR intr. Hacerse el zorro, obrar con la cautela o la astucia propias del zorro. • *Chile.* Perseguir o cazar zorros con jauría. • Dedicarse una mujer a la prostitución. • Frecuentar un hombre el trato carnal con rameras. • tr. Sacudir con zorros alguna cosa para quitarle el polvo.
ZORRERÍA f. Astucia y cautela del zorro. • fig. y fam. Acción realizada con astucia y disimulo.
ZORRERO, RA adj. *Mar.* Aplícase a la embarcación pesada en navegar. • fig. Que va detrás de otros o queda rezagado. • fig. Astuto, capcioso. • f. Cueva de zorros. • fam. Azorramiento. • fig. Habitación en que hay mucho humo.
ZORRILLA, *José* (1817-1893) Poeta y dramaturgo romántico esp. Sus versos son fluidos y plásti-

cos. Leyendas: *A buen juez, mejor testigo*; *Para verdades, el tiempo, y para justicia, Dios*. Dramas: *El zapatero y el rey*; *Don Juan Tenorio*; *Traidor, inconfeso y mártir*. • **De San Martín, *Juan*** (1855-1931) Periodista, ensayista y poeta ur. Autor de *Tabaré*, poema romántico donde narra una leyenda indígena. En *La epopeya de Artigas* exalta al héroe de la indep. ur.

ZORRILLO m. Mamífero carnívoro de la familia mustélidos, parecido a la mofeta, con la que comparte el rasgo de emitir, para defenderse, un líquido pestilente.

ZORRO m. *Zool*. Mamífero carnívoro de larga y poblada cola y hocico agudo y prominente, de pelaje blanco el ártico y algo rojizo el común. • Piel de este animal, curtida de modo que conserve el pelo. • fig. y fam. Hombre muy taimado y astuto. • pl. Tiras de orillo o piel, colas de cordero, etc., que, puestas en un mango, sirven para sacudir el polvo de muebles y paredes. • **azul.** Raposo ferrero. • **hediondo.** *Amér*. Zorrillo o mofeta. • **Hacerse** uno **el z.** fig. y fam. Aparentar ignorancia o distracción.

ZORRO *Astr*. Vulpecula, constelación boreal.

ZORRONGLÓN, NA adj. y s. Aplícase al que ejecuta lentamente, de mala gana y murmurando, las cosas que le mandan.

ZORZAL m. Pájaro muscicápido, también llamado tordo, que se alimenta de bayas y semillas. • fig. Hombre astuto y sagaz. • *Chile*. Papanatas, hombre simple.

ZOSTER f. *Med*. Zona, erupción.

ZOTE adj. y s. Ignorante, torpe.

ZOZOBRAR intr. *Mar*. Peligrar la embarcación por la fuerza y contraste de los vientos. • intr. y prnl. Perderse o irse a pique. • intr. fig. Estar muy cerca de perderse el logro de una cosa. • fig. Acongojarse y afligirse en la duda de lo que se debe ejecutar para huir del riesgo que amenaza o para el logro de lo que se desea. • tr. Hacer zozobrar. ■ ZOZOBRA; ZOZOBROSO, SA.

Zr *Quím*. Símb. del circonio.

ZUACA f. *Amér. Centr*. Broma, burla. • **Hacer la z.** *Amér. Centr*. Centr. Cortejar, enamorar.

ZUBIA f. Lugar por donde corre, o donde afluye, mucha agua.

ZUBIRI, *Xavier* (1898-1983) Filósofo esp. Su pensamiento ha recogido las influencias del historicismo de Dilthey y de Ortega, de la fenomenología existencial de Heidegger, etc. *Naturaleza, historia, Dios*; *Sobre la esencia*.

ZUCARINO, NA adj. Sacarino.

ZUDA o **ZÚA** f. Azud.

ZUDÁÑEZ, *Jaime de* (m. 1832) Independentista amer. Autor de un *Catecismo político*. Vicepresid. del congreso de Tucumán (1817-1819). Diputado al congreso constituyente de Uruguay.

ZUECO m. Zapato de madera de una pieza, que usan en varios países los campesinos. • Zapato de cuero con suela de corcho o de madera.

ZUELA f. Azuela.

ZUIDERZEE Ant. golfo de Países Bajos, en el mar del Norte, convertido en lago (Ijsselmeer), por un dique, en 1932.

ZUIZA f. *Amér. Centr*. Comba, juego de niños. • **Dar una z.** *Amér. Centr*. Dar una zurra.

ZULACAR o **ZULAQUEAR** tr. Untar o cubrir con zulaque.

ZULAQUE m. Betún en pasta a propósito para tapar las juntas de los arcaduces y para otras obras hidráulicas.

ZULIA Est. de Venezuela, limítrofe al O con Colombia y bañado al N por el mar Caribe; 63 100 km², 2 387 208 hab. Cap., Maracaibo. Terr. bajo y pantanoso, enmarcado por las sierras de Perijá, de Mérida y de Coro. El lago Maracaibo ocupa la parte central. Ríos Escalante, Catatumbo, Santa Ana y San Juan. Clima tropical. Caña de azúcar, café, cacao y plátano. Ganado caprino, bovino y ovino. Extracción de petróleo en las costas del lago y del golfo de Venezuela. Gas natural, asfalto, carbón, calizas y sal. Refino de petróleo.

ZULLA f. Planta herbácea, leguminosa, excelente pasto para el ganado. • fam. Excremento humano.

ZULLARSE prnl. fam. Hacer uno sus necesidades. • fam. Ventosear. ■ ZULLENCO, CA.

ZULLÓN, NA adj. fam. Que ventosea con frecuencia. • m. fam. Ventosidad sin ruido.

ZULOAGA, *Félix* (1814-1876) Político mex. Presid. (1858-1859). Una vez depuesto, formó un nuevo gobierno (1861), pero los liberales habían nombrado presid. a Benito Juárez. • ***Ignacio*** (1870-1945) Pintor esp. Introdujo el retrato de cuerpo entero, captando la psicología del modelo. Paisajista realista de tonos sobrios. *Campesino de Segovia*, *Manuel de Falla*.

ZULÚ adj. y s. Díc. de individuos de un pueblo melanoafricano bantú, de la familia nguni, que habita en la República Sudafricana, en la prov. de Natal. En la actualidad son alrededor de 4 millones • adj. Relativo a este pueblo. • fig. y fam. Bárbaro, salvaje, bruto. • m. *Ling*. Lengua bantú hablada por el pueblo hom. • m. pl. Este mismo pueblo.

ZULULANDIA *(Zululand)* Región de la República Sudafricana, sit. al NE de la prov. de Natal. Cap., Eshowe. Limita al N con Mozambique y al S con el r. Tugela. En 1887 el terr. era declarado colonia brit. y en 1897 agregado a la prov. de Natal. En 1972 fue reorganizado en el bantustán de Kwazulu.

ZUM Felde, *Alberto* (1890-1976) Ensayista ur. *Evolución histórica del Uruguay*, *Proceso intelectual del Uruguay*.

ZUMACAR m. Zumacal. • tr. Adobar las pieles con zumaque.

ZUMACAYA f. Zumaya, ave zancuda.

ZUMAQUE m. Arbusto anacardiáceo, cuyo fruto contiene mucho tanino y se emplea como curtiente. • fam. Vino de uva. • **del Japón.** Sustancias resinosas afines a la laca, segregadas por diversas especies botánicas del gén. *Rhus*. ■ ZUMACAL.

ZUMÁRRAGA, *Juan de* (1476-1548) Eclesiástico esp. Nombrado primero obispo de México por Carlos I, en 1527, se distinguió por su denuncia de los excesos cometidos por la audiencia de N. Beltrán de Guzmán.

ZUMAYA f. Autillo, ave parecida a la lechuza. • Chotacabras, ave trepadora. • Ave de paso del orden zancudas.

ZUMBA f. Cencerro grande. • Juguete que produce un zumbido, bramadera, zurrumbera. • fig. Broma, burla, chanza. • *Amér*. Tunda, zurra.

ZUMBADOR, RA adj. Que zumba. • m. Instrumento consistente en una tablilla que, al girar en el aire por medio de un cordel fino, produce un zumbido.

ZUMBAR intr. Hacer una cosa ruido o sonido continuado, seguido y bronco. • tr. fam. Tratándose de golpes, dar, atizar. • tr. y prnl. fig. Gastar bromas o burlas.

ZUMBEL m. Cuerda que se arrolla al peón o trompo para hacerle bailar.

ZUMBIDO m. Acción y efecto de zumbar. • fam. Golpe o porrazo que se da uno. • *Fís*. Perturbación acústica caracterizada por una frecuencia en general baja, que se presenta en aparatos de reproducción electroacústica cuando la rectificación de la corriente alterna de alimentación no está completada por una nivelación óptima, o por vibraciones mecánicas de los electrodos de las válvulas electrónicas, o en la radiorrecepción, por efecto de la irradiación de energía por parte de los conductores de la red de alimentación.

ZUMBO m. Acción y efecto de zumbar, zumbido. • Cencerro de gran tamaño.

ZUMBÓN, NA adj. y s. Se aplica al cencerro que lleva el cabestro. • fig. y fam. Díc. del que frecuentemente anda burlándose.

ZUMILLO m. Dragontea, planta. • Tapsia, planta umbelífera.

ZUMO m. Líquido de las hierbas, flores, frutas u otras cosas semejantes, que se saca exprimiéndolas o majándolas. • fig. Utilidad que se saca de una cosa. ■ ZUMIENTO, TA; ZUMOSO, SA.

ZUNCHO m. Abrazadera de hierro o de otra materia resistente. • *Const*. Refuerzo metálico para juntar y atar elementos constructivos.

ZUÑI adj. y s. Díc. del pueblo amerindio que vive junto al r. Zuñi, en Nuevo México, y que ant. vivía en las legendarias «siete ciudades de Cíbola».

ZÚÑIGA, *Francesillo de* (s. XVI) Bufón de Carlos I. Autor de *Crónica burlesca y epistolario*. • **Y Guzmán, *Baltasar de*** (1668-1727) Administrador esp., MARQUÉS DE VALERO Y DUQUE DE ARIÓN. Virrey de Nueva España (1716-1722), impulsó la colonización de Texas.

Zorro común

Detalle de *El segoviano*, óleo de Ignacio **Zuloaga.** Museo de Arte Moderno, Madrid

Jefe **zulú** investido con los atributos de su cargo

Santa Casilda, óleo de Francisco de **Zurbarán.** Museo del Prado, Madrid

ZUÑO m. Ceño, sobrecejo.
ZUPIA f. Poso del vino. • Vino turbio por estar revuelto con el poso. • Líquido de mal aspecto y sabor.
ZURANO, NA adj. Díc. de las palomas silvestres.
ZURBARÁN, *Francisco de* (1598-1664) Pintor esp. Su obra se caracteriza por el realismo y la sobriedad de composición. Pintor del misticismo monacal, su obra refleja la búsqueda de la realidad imperecedera a través del espacio y el claroscuro (ciclo de pinturas cartujanas). Decoró, junto a otros pintores, el palacio del Buen Retiro en Madrid (*La defensa de Cádiz, Los trabajos de Hércules*). En los últimos años pintó obras de gran lirismo: *Virgen con Niño, Cristo de Jadraque*.
ZURCIR tr. Coser la rotura de una tela, de modo que la unión resulte disimulada. • fig. Unir y juntar sutilmente una cosa con otra. • fig. y fam. Combinar varias mentiras para dar apariencia de verdad a lo que se relata. ■ ZURCIDERA; ZURCIDO, DA; ZURCIDOR, RA; ZURCIDURA.
ZURDERA o **ZURDERÍA** f. Disposición congénita o funcional por la que la mano izquierda puede realizar en las acciones habituales mov. muy ágiles, rápidos, coordinados, fáciles y precisos.
ZURDO, DA adj. y s. Díc. de la persona que usa la mano o el pie izquierdos para cosas que la mayoría de las personas hacen con la mano o el pie derechos. • Relativo a la mano izquierda.
ZUREAR intr. Hacer arrullos la paloma. ■ ZUREO.
ZURICH C. de Suiza, cap. del cantón hom., a orillas del lago hom.; 357 800 hab. (835 000 la agl. urb.). Primer centro financiero del país. Ind. electrotécnica, farmacéutica y química. • Lago de Suiza, entre los cantones de Zurich, Schwyz y Sankt Gallen; 88 km^2.
ZURITA, *Alonso de* (h. 1511-?) Historiador esp. Oidor en Santo Domingo, Guatemala y Nueva España. *Breve y sumaria relación de los señores de Nueva España*. • ***Jerónimo de*** (1512-1580) Historiador esp. Cronista de Aragón. Sus *Anales de la Corona de Aragón* inician el concepto moderno de la investigación histórica.
ZURO, RA adj. Díc. de las palomas y palomos silvestres. • m. Corazón o raspa de la mazorca del maíz. • Corcho de árbol.
ZURRA f. Acción de zurrar las pieles. • fig. y fam. Castigo de azotes o golpes. • fig. y fam. Trabajo continuado e intenso, especialmente estudiando. • Reyerta, pendencia o riña fuerte, en que algunos suelen quedar malparados.
ZURRAPA f. Brizna o sedimento que se halla en los líquidos y que poco a poco se va sentando. Se usa más en pl. • fig. y fam. Cosa vil y despreciable. • fig. y fam. Muchacho raquítico y feo. ■ ZURRAPIENTO, TA O ZURRAPOSO, SA.
ZURRAPELO m. fam. Rapapolvo, reprimenda.

Huldrych **Zwinglio,** por Hans Asper

ZURRAR tr. Curtir y adobar las pieles quitándoles el pelo. • fig. y fam. Castigar a uno, especialmente con azotes o golpes. • fig. y fam. Traer a uno a mal traer en una riña. • fig. y fam. Censurar a uno con dureza, y especialmente en público.
ZURRARSE prnl. Irse de vientre uno involuntariamente. • fig. y fam. Estar poseído de un gran temor o miedo.
ZURRIA f. *Amér. Centr.* Zurra, castigo de azotes.
ZURRIAGAR tr. Dar con el zurriago.
ZURRIAGO m. o **ZURRIAGA** f. Látigo, tira de cuero o cuerda que se emplea para golpear. • Correa larga y flexible con que los muchachos hacen bailar el trompo.
ZURRIBANDA f. fam. Zurra o castigo con muchos golpes. • fam. Pendencia ruidosa con golpes.
ZURRIBURRI m. fam. Sujeto vil y de muy baja esfera. • fam. Conjunto de personas de la ínfima plebe. • Barullo, confusión.
ZURRIDO m. Sonido bronco, desapacible y confuso. • fam. Golpe, especialmente con palo.
ZURRIR o **ZURRIAR** intr. Sonar bronca, desapacible y confusamente alguna cosa.
ZURRÓN m. Bolsa grande de pellejo, que regularmente usan los pastores. • Cualquier bolsa de cuero. • *Bot.* Cáscara primera en que están encerrados algunos frutos. • Bolsa formada por las membranas que envuelven el feto. • Quiste.
ZURRONA f. fam. Mujer de mala vida.
ZURRUSCARSE prnl. fam. Zurrarse, irse de vientre involuntariamente.
ZURRUSCO m. fam. Churrusco.
ZURUBÍ m. *Amér. Merid.* Surubí.
ZURULLO m. fam. Pedazo rollizo de materia blanda. • fam. Mojón, excremento.
ZUTANO, NA m. y f. fam. Vocablos usados como complemento, y a veces en contraposición, de *fulano y mengano*, y con la misma significación, cuando se alude a tercera persona.
ZUVIRÍA, *Facundo* (1783-1861) Político arg. Ministro de Justicia y de Culto e Instrucción Pública con Urquiza (1852-1860).
¡ZUZO! interj. ¡Chucho!
ZUZÓN m. Hierba cana.
ZWEIG, *Arnold* (1887-1968) Escritor al. *El caso del sargento Grischa*, sobre la I Guerra Mundial, es la más famosa de sus obras. • ***Stefan*** (1881-1942) Escritor austr. Narrativa compuesta por cuentos y relatos breves (*Amok*, *Veinticuatro horas de la vida de una mujer*), y algunas novelas (*Primera experiencia*). Su humanismo, liberal y pacifista, se refleja en su drama *Jeremías*. De sus biografías noveladas destacan *María Estuardo, Fouché, María Antonieta*.
ZWICKAU C. de Alemania, en Sajonia; 120 200 hab. Centro hullero e industrial.
ZWINGLIO, *Huldrych* (1484-1531) Reformador y humanista suizo. Fundó la iglesia reformada, que perfeccionaría Calvino.

APÉNDICES

ATLAS MUNDIAL
Atlas
Banderas del mundo

ASTRONOMÍA
Eclipses (desde 1985 al 2000)

BIOLOGÍA
Valores normales en los análisis de laboratorio
Clasificación de los enzimas
Principales coenzinas

BOTÁNICA
Clasificación del reino vegetal

GRAMÁTICA Y ORTOGRAFÍA
Normas ortográficas
Acento ortográfico
Signos de puntuación
Verbos auxiliares (haber y ser)
Verbos regulares (amar, tener y partir)
Conjugación de algunos verbos irregulares

MATEMÁTICAS
Áreas y volúmenes
Constantes físicas, químicas y matemáticas más usuales
Símbolos utilizados en teoría de conjuntos

ZOOLOGÍA
Clasificación de los mamíferos
Clasificación de las aves
Clasificación de los reptiles
Clasificación de los anfibios
Clasificación de los peces
Regiones zoogeográficas
Principales razas de perros

ATLAS

MUNDIAL

AMÉRICA AUSTRAL

BRASIL

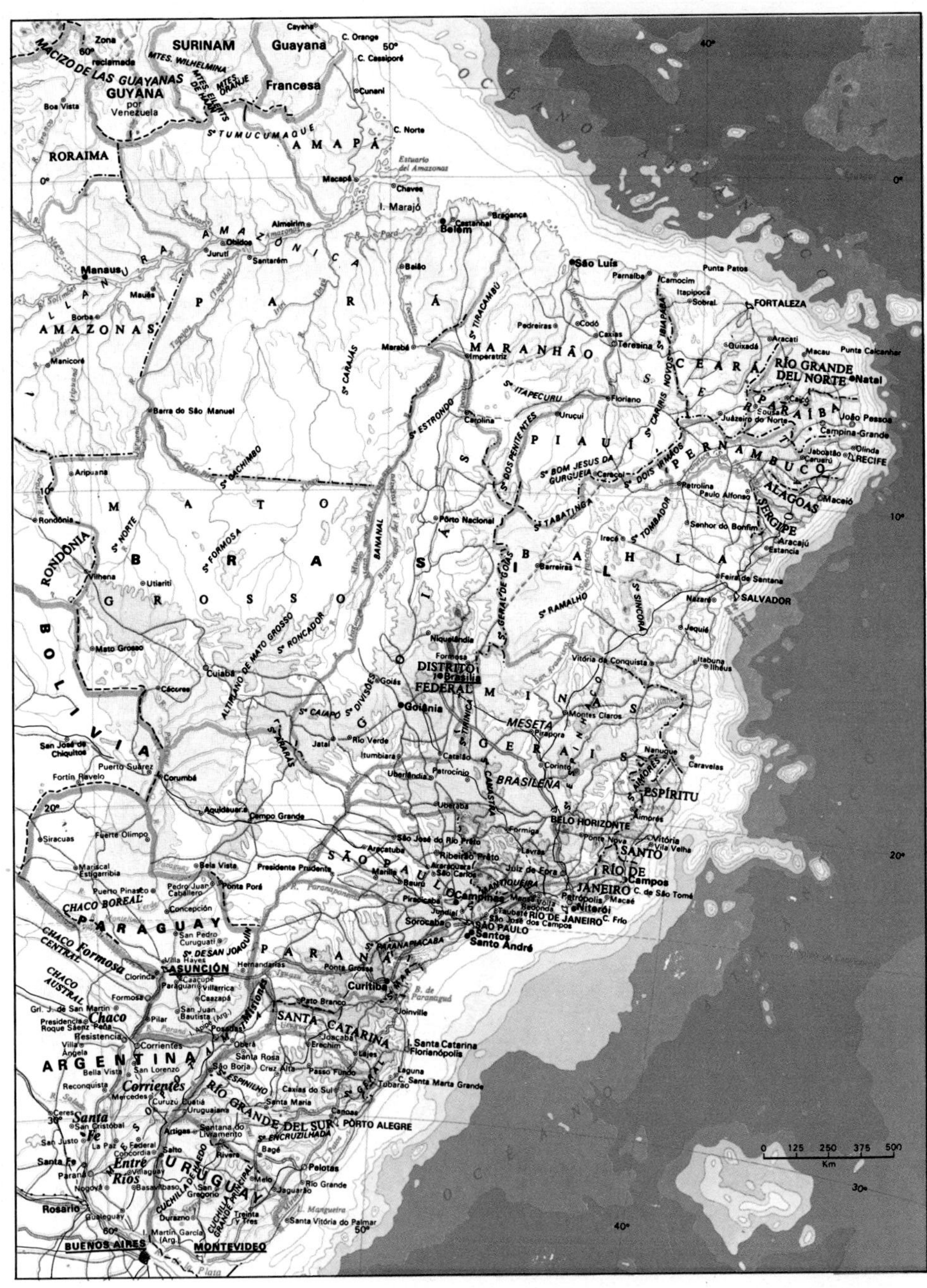

AMÉRICA ANDINA Y AMAZÓNICA

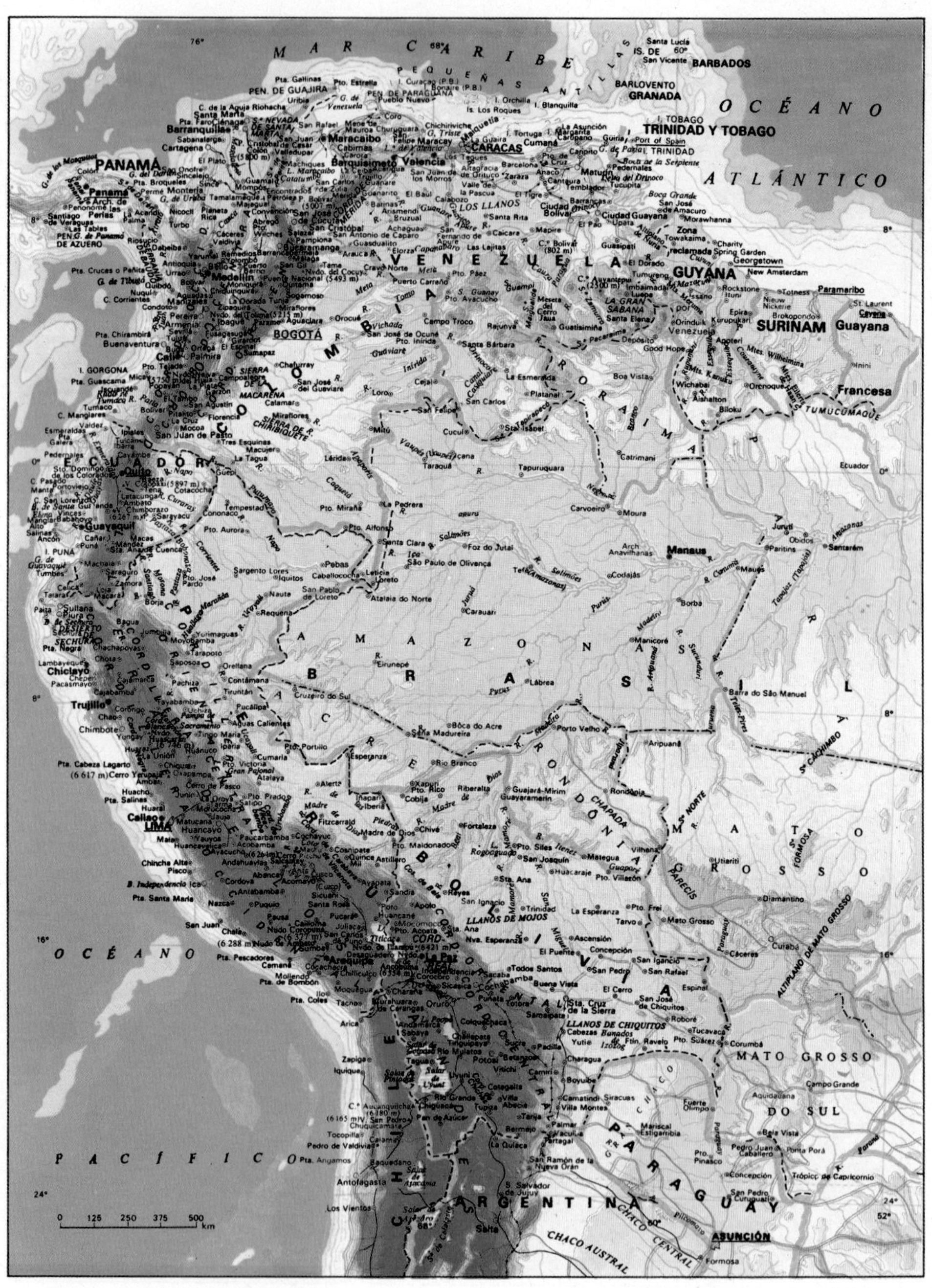

CENTROAMÉRICA Y ANTILLAS

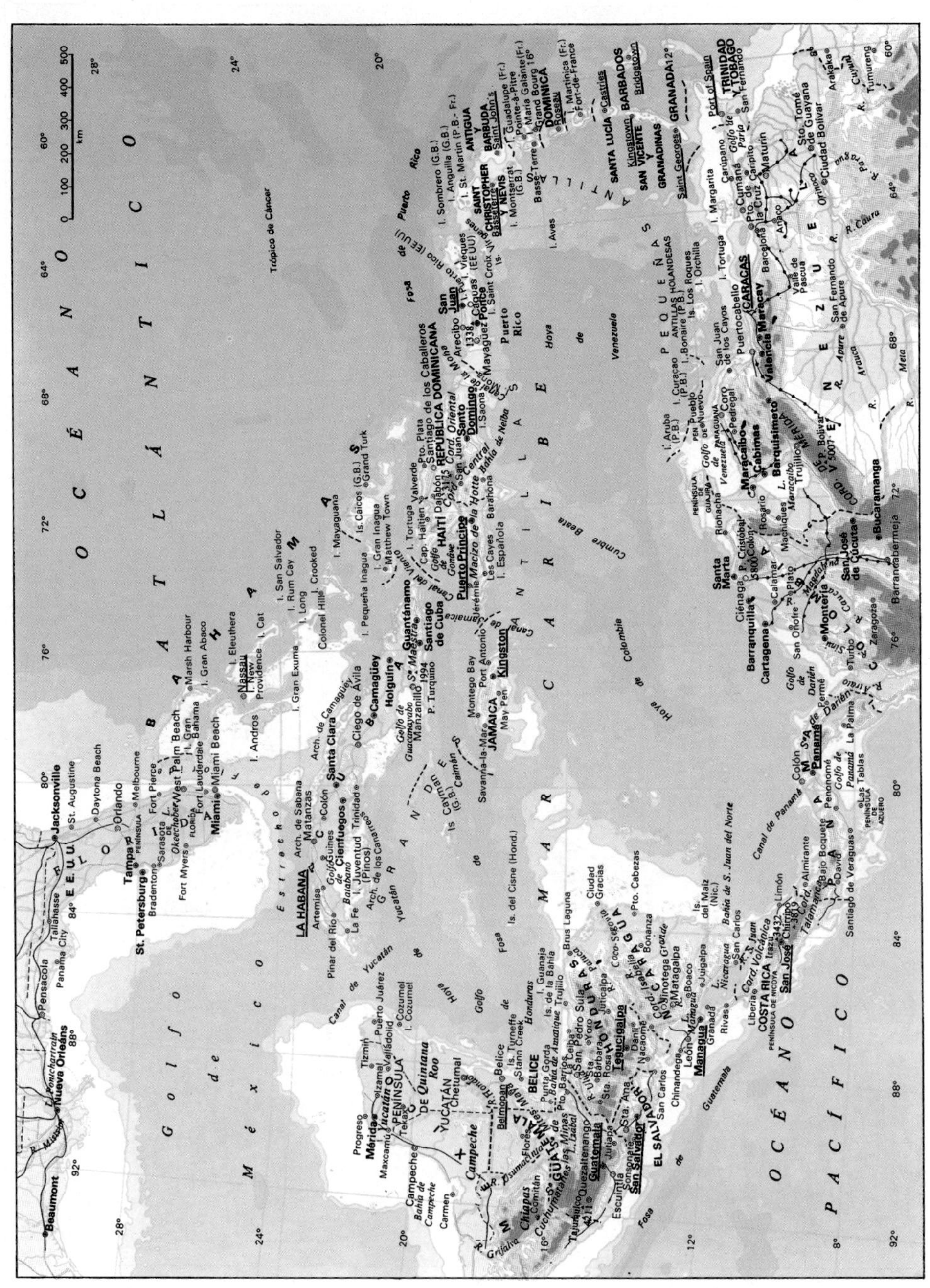

MÉXICO

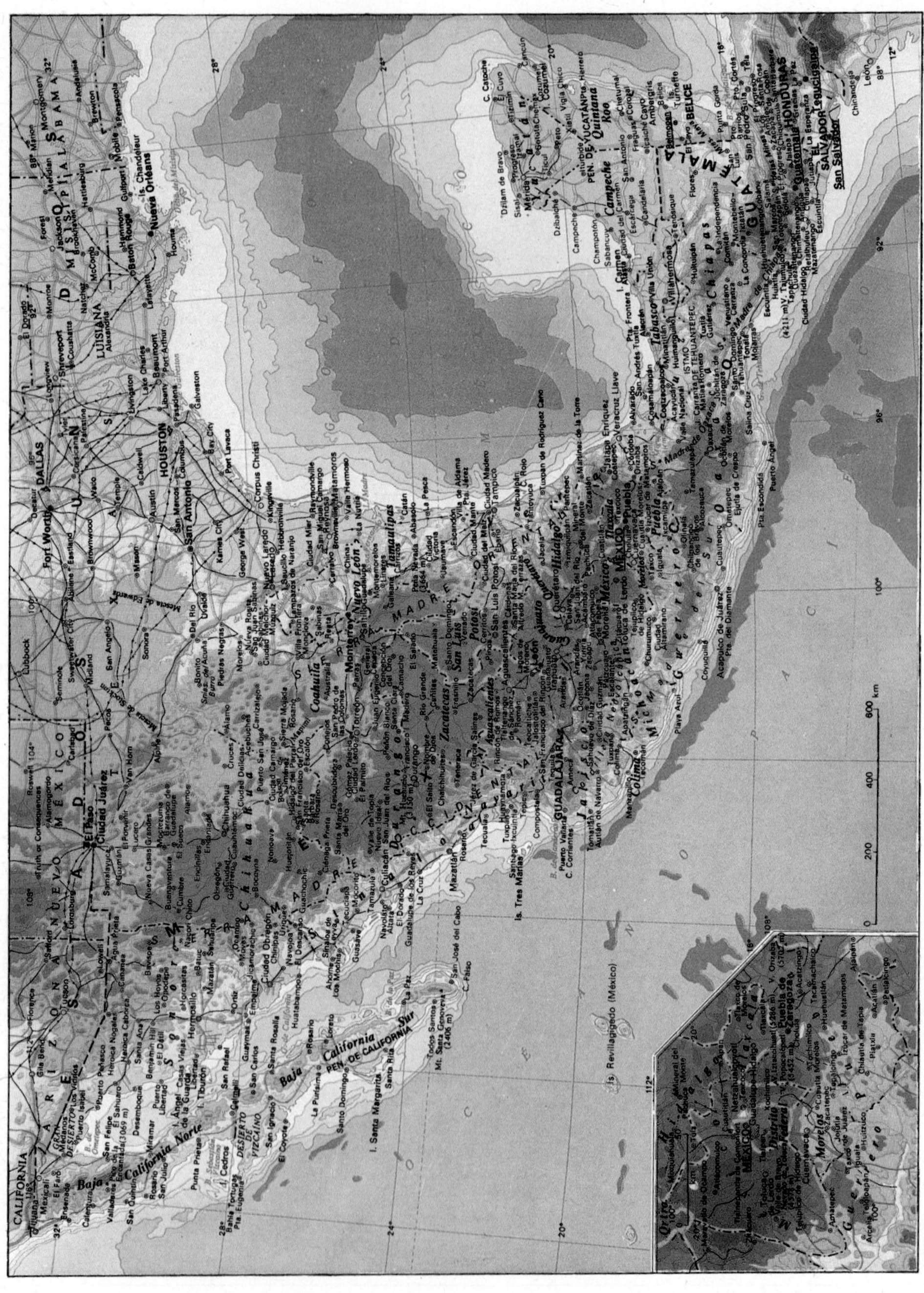

DALLAS
Fort Worth
HOUSTON
San Antonio
Nueva Orléans
Ciudad Juárez
Monterrey
GUADALAJARA
MÉXICO
BELICE
HONDURAS
San Salvador
PEN. DE YUCATÁN
PEN. DE CALIFORNIA
Is. Revillagigedo (México)

ESTADOS UNIDOS DE AMÉRICA

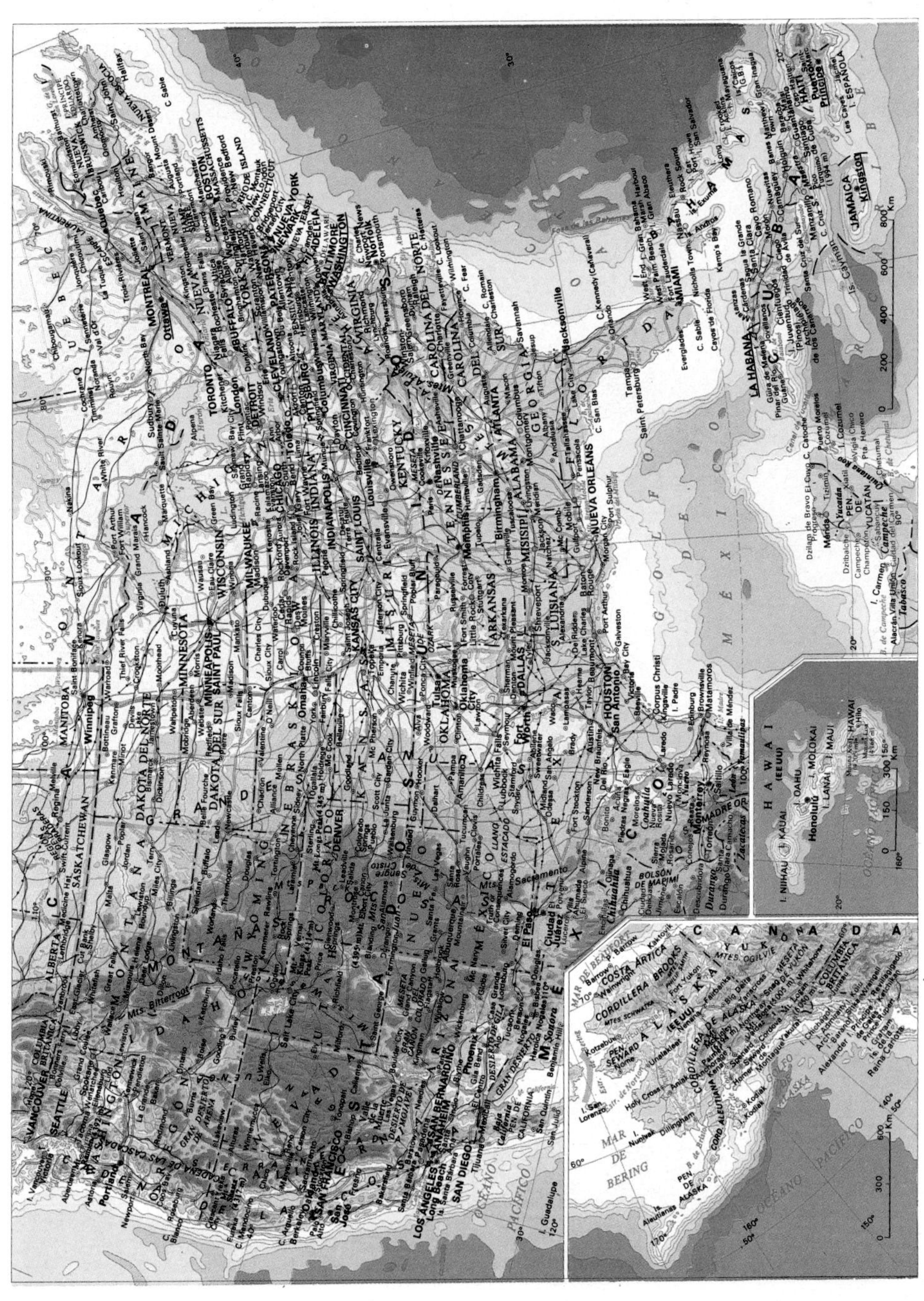

AMÉRICA BOREAL

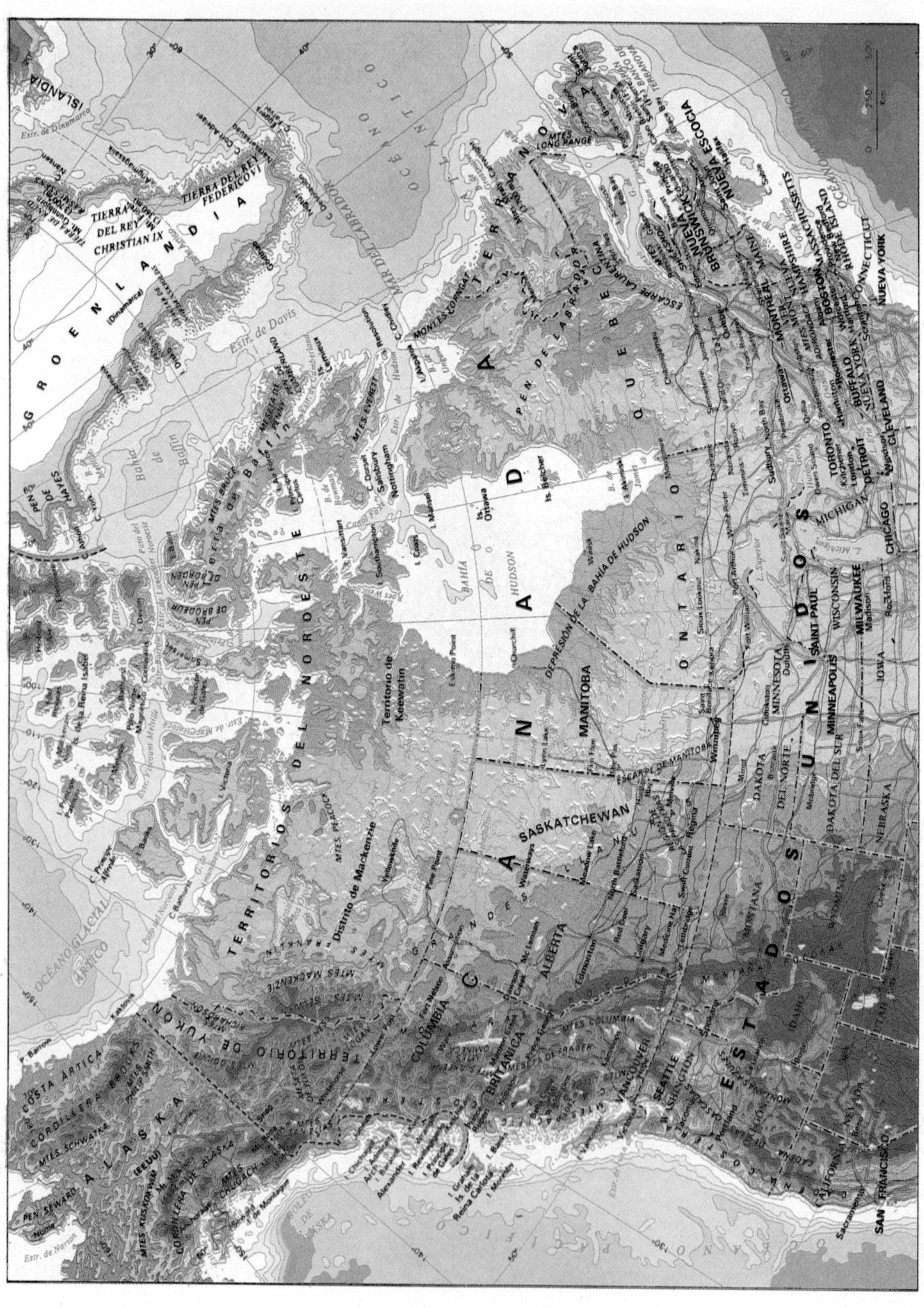

PENÍNSULA IBÉRICA

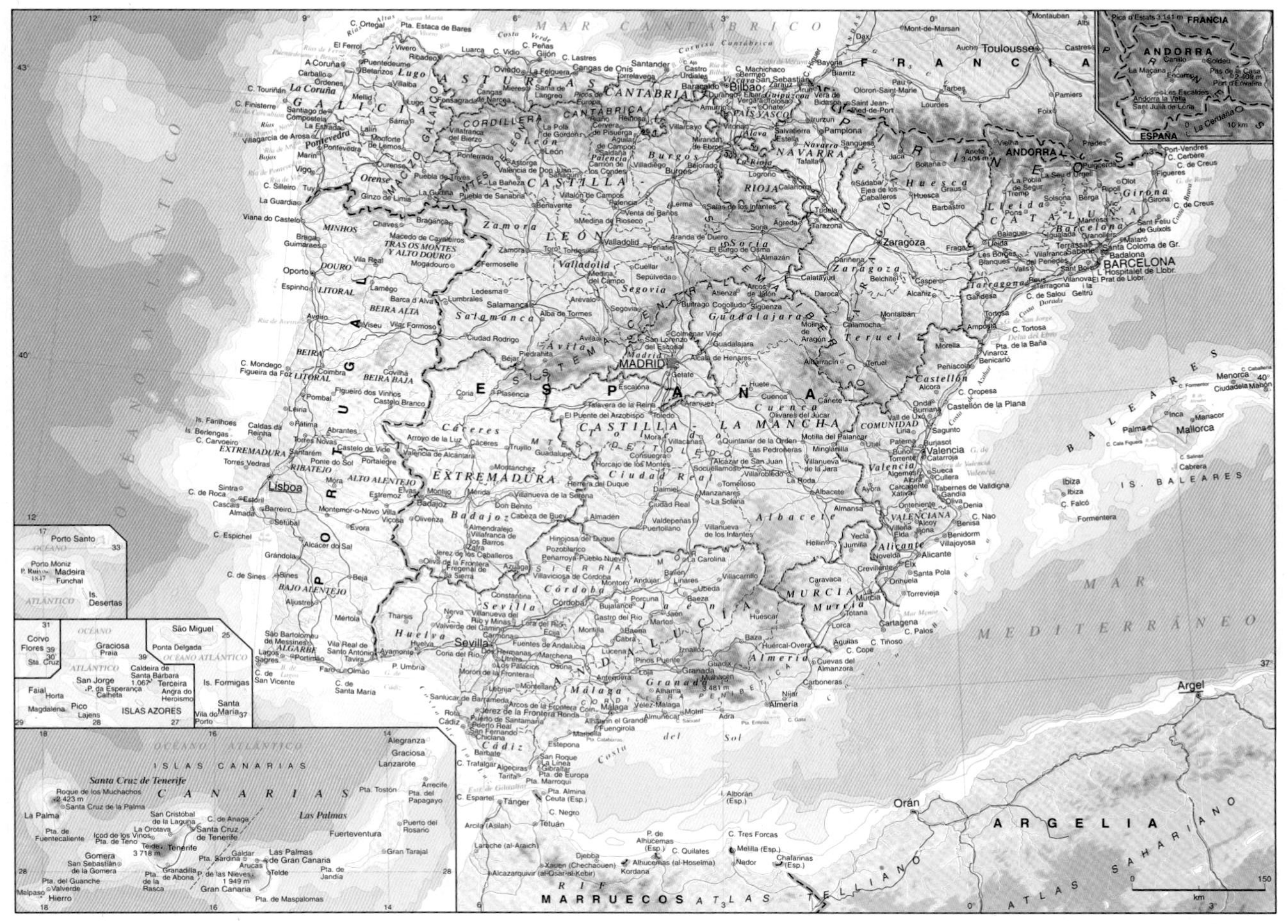

FRANCIA

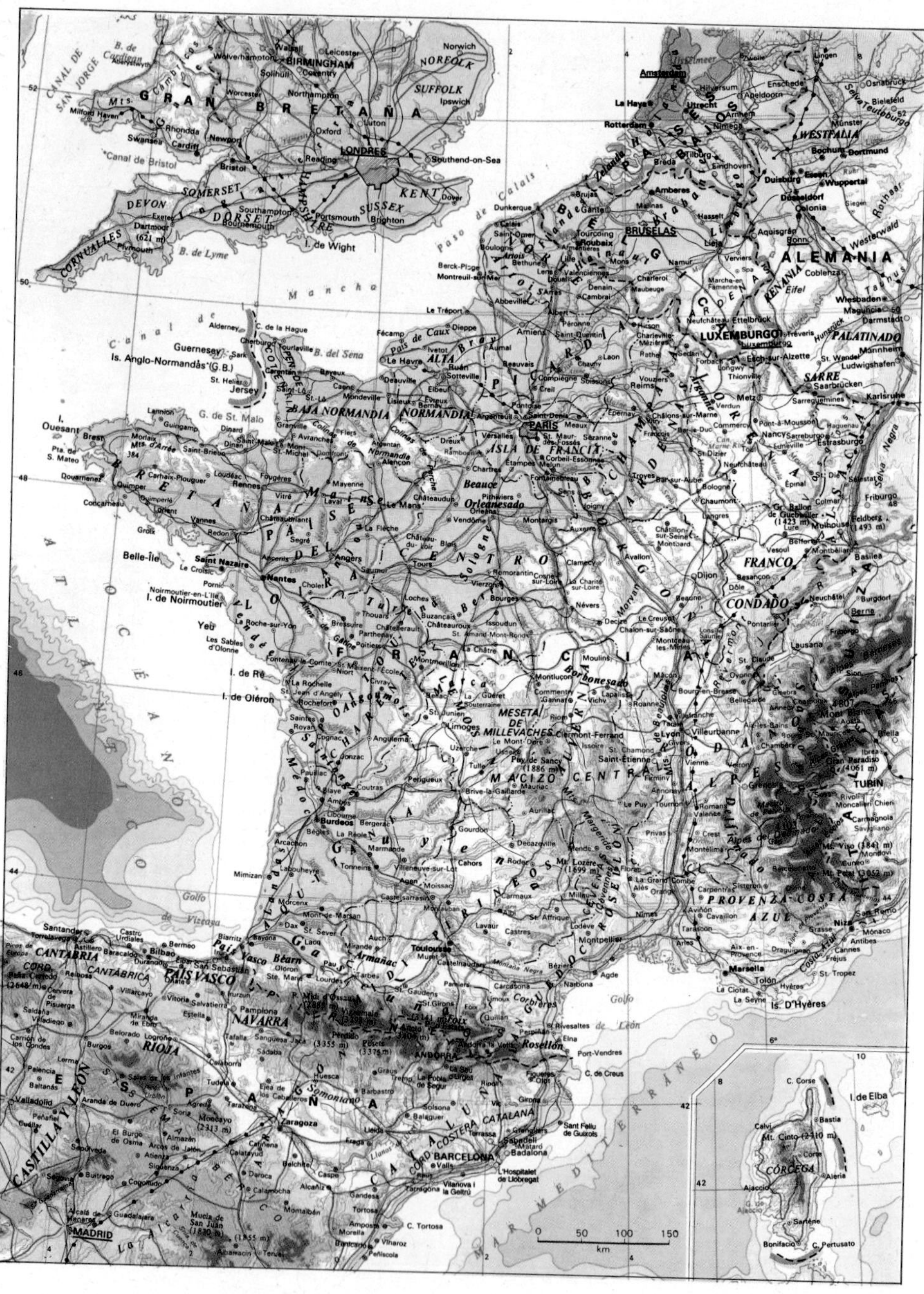
GRAN BRETAÑA
BIRMINGHAM
LONDRES
NORFOLK
SUFFOLK
KENT
SUSSEX
DEVON
SOMERSET
DORSET
CORNUALLES
HAMPSHIRE
Canal de Bristol
CANAL DE SAN JORGE
I. de Wight
Mancha
Paso de Calais
Is. Anglo-Normandas (G.B.)
Guernesey
Jersey
PAÍSES BAJOS
Amsterdam
Rotterdam
La Haya
BÉLGICA
BRUSELAS
ALEMANIA
WESTFALIA
LUXEMBURGO
SARRE
PALATINADO
RENANIA
Flandes
Artois
PICARDÍA
ALTA NORMANDÍA
BAJA NORMANDÍA
BRETAÑA
ISLA DE FRANCIA
PARÍS
CHAMPAÑA
LORENA
ALSACIA
Beauce
Orleanesado
PAÍS DEL LOIRA
CENTRO
Turena
Berry
Sologne
BORGOÑA
FRANCO CONDADO
SUIZA
Berna
POITOU-CHARENTES
LEMOSÍN
LIMOGES
AUVERNIA
MESETA DE MILLEVACHES
MACIZO CENTRAL
RÓDANO-ALPES
Lyon
Borbonesado
Saboya
Delfinado
AQUITANIA
Burdeos
Gascuña
Guyena
Landas
Armañac
Bearn
MEDIODÍA-PIRINEOS
Toulouse
LANGUEDOC-ROSELLÓN
Cevenas
PROVENZA-COSTA AZUL
Marsella
Niza
Mónaco
ITALIA
TURÍN
Océano Atlántico
Golfo de Vizcaya
Golfo de León
MAR MEDITERRÁNEO
PIRINEOS
ANDORRA
ESPAÑA
CANTABRIA
PAÍS VASCO
NAVARRA
RIOJA
ARAGÓN
CATALUÑA
CASTILLA Y LEÓN
MADRID
Zaragoza
BARCELONA
I. de Elba
CÓRCEGA
Ajaccio
Bastia
Bonifacio
0 50 100 150 km

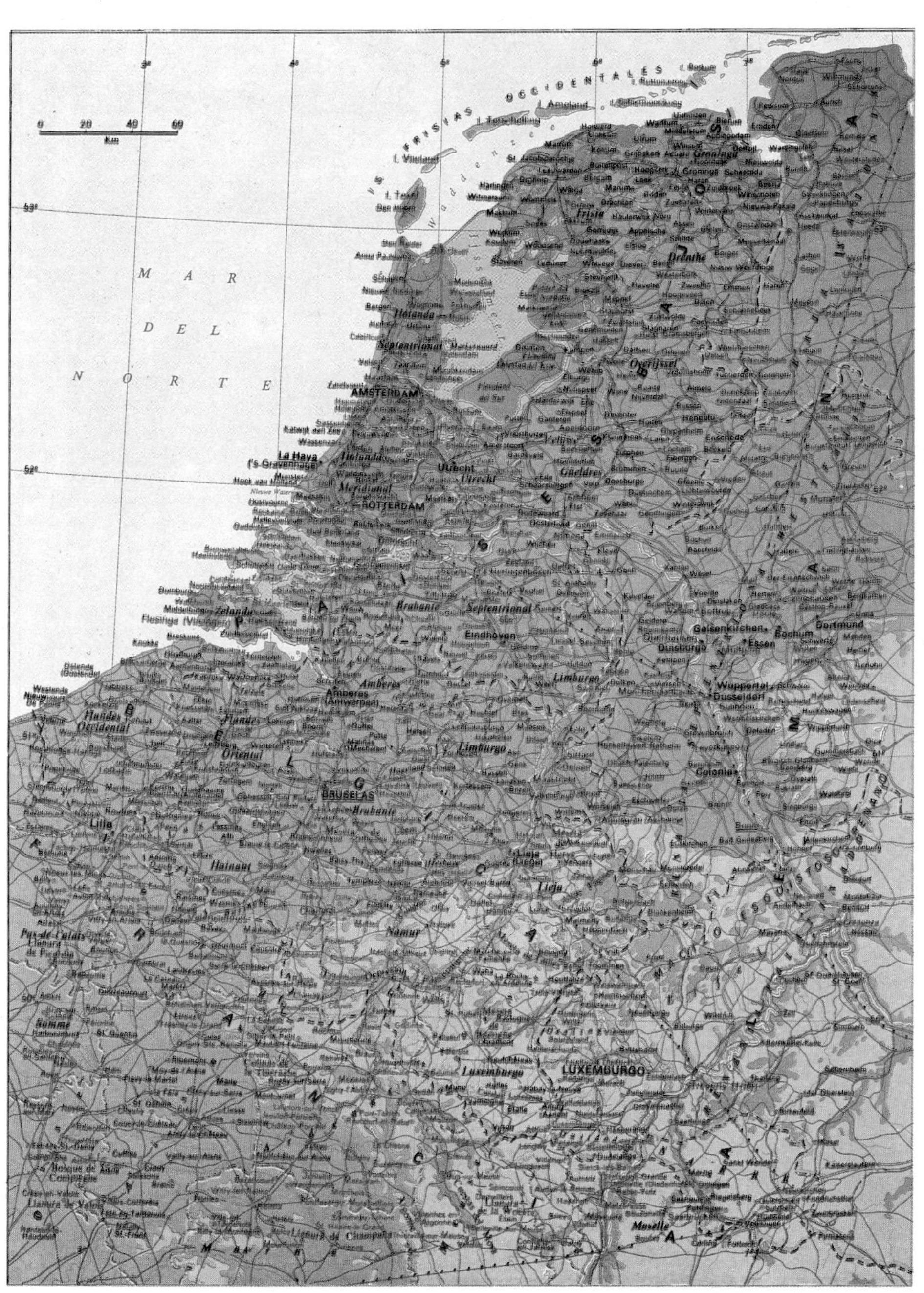
MAR DEL NORTE
AMSTERDAM
La Haya
('s Gravenhage)
ROTTERDAM
Utrecht
Eindhoven
Amberes
(Antwerpen)
BRUSELAS
Lieja
(Liège)
Namur
LUXEMBURGO
Lille
Gelsenkirchen
Bochum
Dortmund
Essen
Duisburgo
Wuppertal
Dusseldorf
Colonia
Frisia
Drenthe
Overijssel
Zelanda
Brabante
Limburgo
Hainaut
Luxemburgo
Somme
Moselle

ISLAS BRITÁNICAS

EUROPA CENTRAL

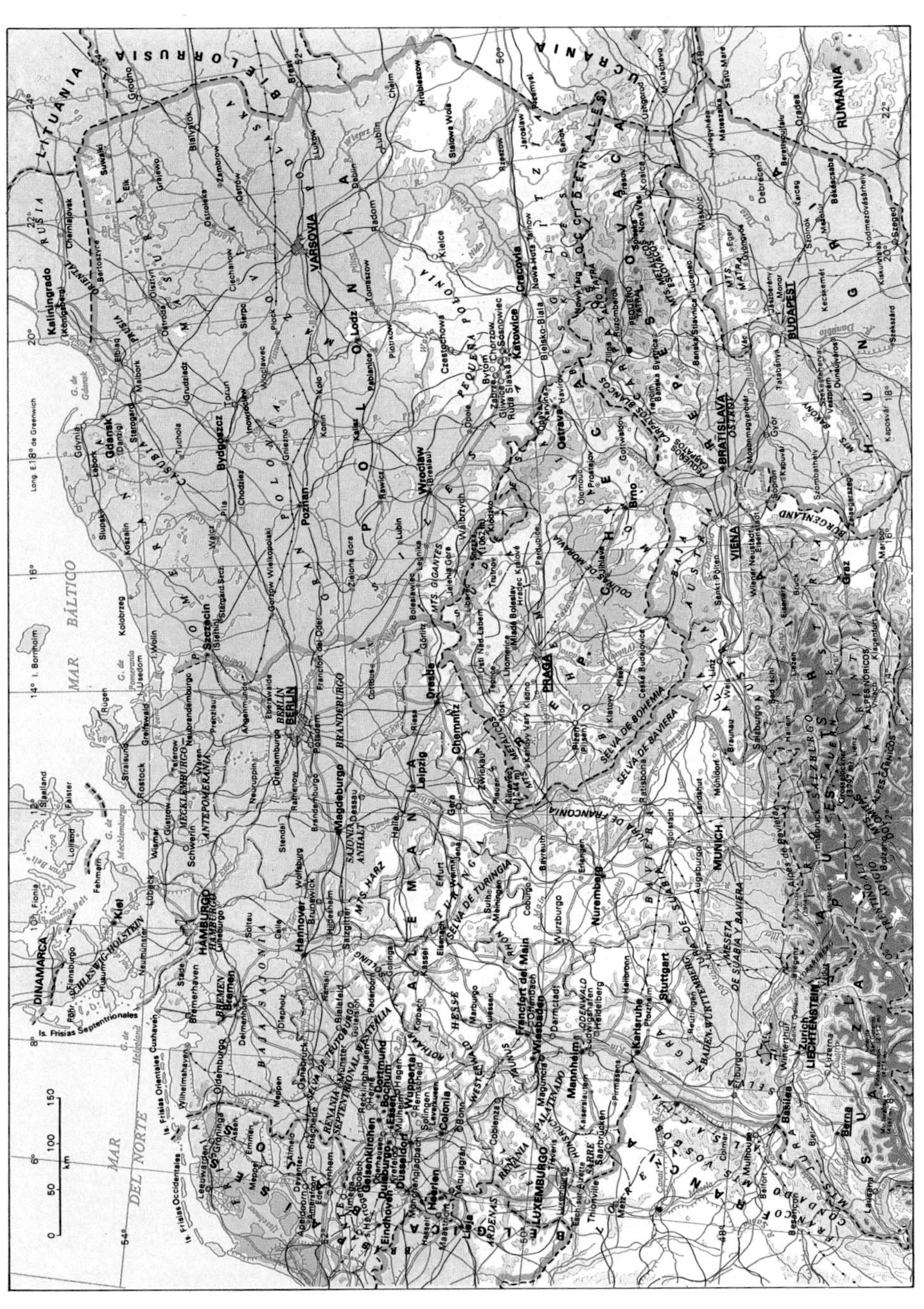

ESCANDINAVIA E ISLANDIA

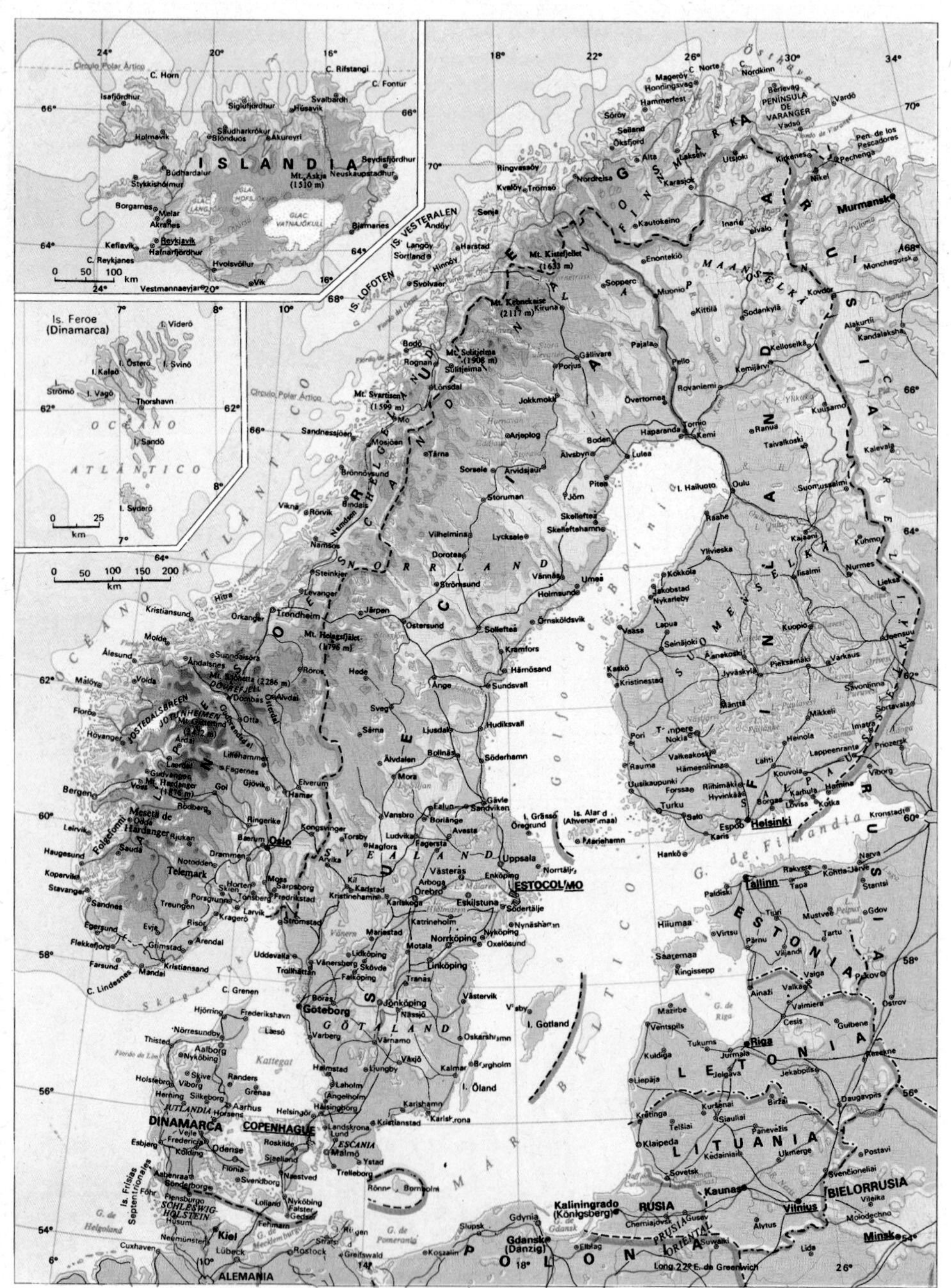

ITALIA Y EUROPA ALPINA

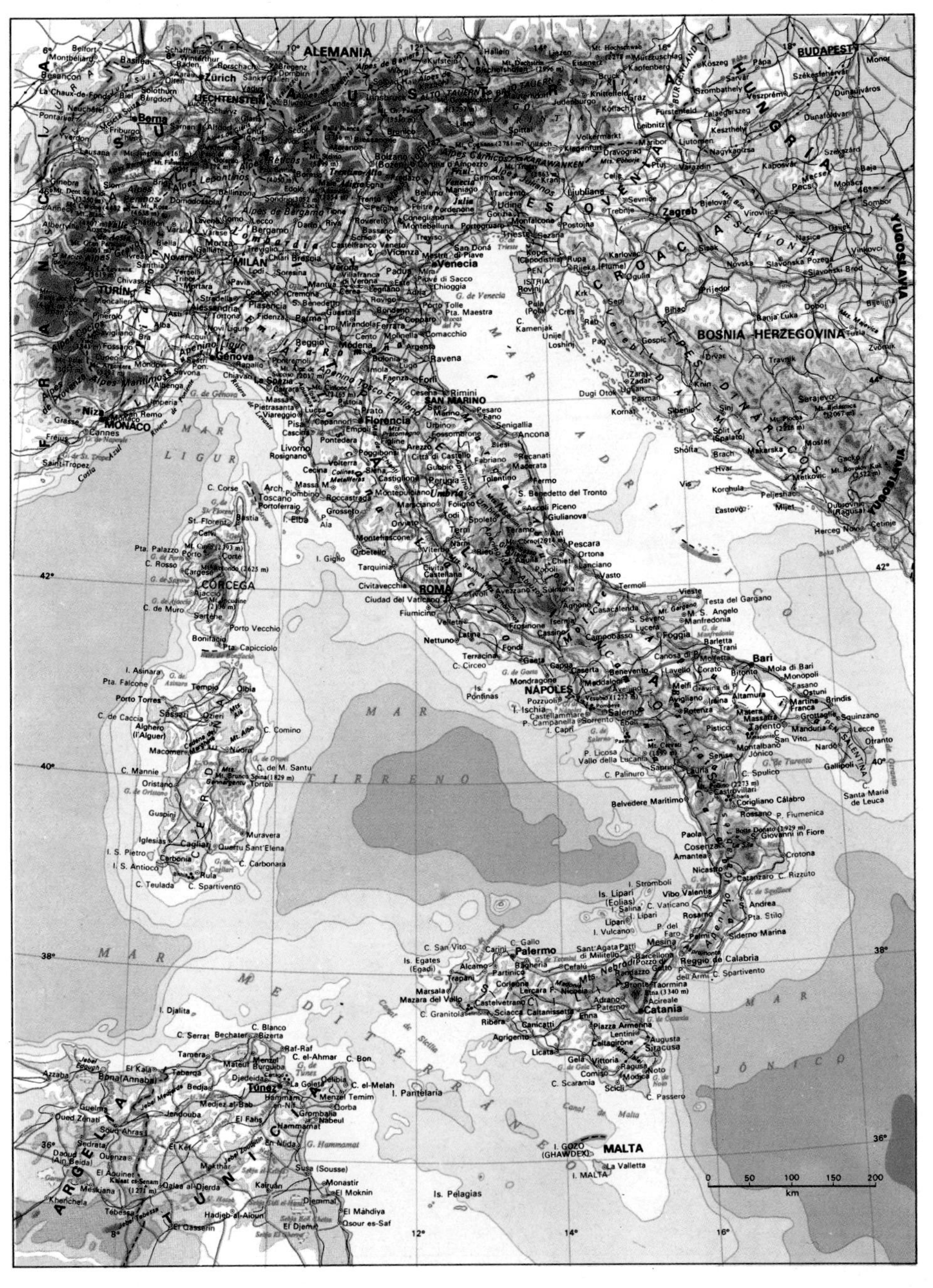

BALCANES

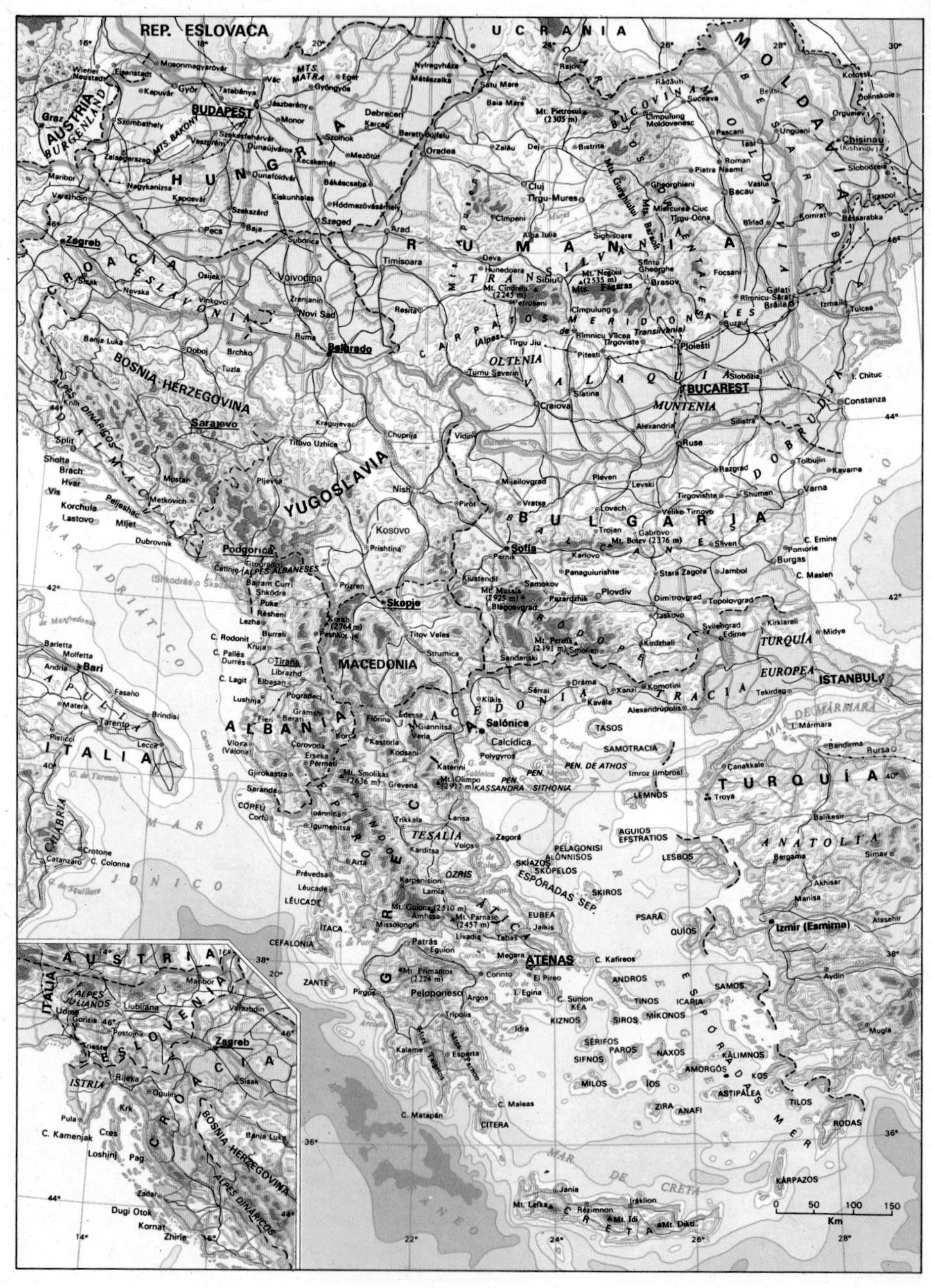

REP. ESLOVACA
UCRANIA
MOLDAVIA
AUSTRIA
BURGENLAND
HUNGRIA
RUMANIA
CROACIA
ESLAVONIA
BOSNIA-HERZEGOVINA
YUGOSLAVIA
BULGARIA
MACEDONIA
ALBANIA
GRECIA
TURQUÍA
TURQUÍA EUROPEA
ITALIA
APULIA
CALABRIA
BUDAPEST
Zagreb
Belgrado
Sarajevo
Podgorica
Skopje
Sofía
BUCAREST
Tirana
Bari
Salónica
ATENAS
ISTANBUL
Chisinau
Izmir (Esmirna)
Győr
Debrecen
Szeged
Oradea
Cluj
Timisoara
Arad
Sibiu
Brasov
Craiova
Ploiesti
Constanza
Galati
Braila
Iasi
Varna
Burgas
Plovdiv
Ruse
Pleven
Novi Sad
Osijek
Split
Mostar
Dubrovnik
Tuzla
Banja Luka
Nish
Kosovo
Prishtina
Prizren
Shkodra
Durrës
Elbasan
Vlora (Valona)
Korça
Gjirokastra
Kavála
Komotini
Alexandrúpolis
Lárisa
Volos
Ioánnina
Patrás
Corinto
El Pireo
Kalamata
Esparta
Trípolis
Brindisi
Tarento
Lecce
Matera
Crotone
Catanzaro
C. Colonna
Mt. Musala (2925 m)
Mt. Olimpo (2917 m)
Mt. Smolikas (2636 m)
Mt. Parnaso (2457 m)
Mt. Botev (2376 m)
Mt. Moldoveanu
Mt. Negoiu (2535 m)
Mt. Cindrelu (2245 m)
Mt. Pietrosul (2305 m)
Mt. Perelik (2191 m)
Mt. Korab (2764 m)
ALPES DINÁRICOS
ALPES ALBANESES
TRANSILVANIA
CARPATOS MERIDIONALES
VALAQUIA
OLTENIA
MUNTENIA
DOBRUDJA
BALCANES
RÓDOPE
TRACIA
TESALIA
EPIRO
Peloponeso
Calcídica
PEN. DE ATHOS
ESPÓRADAS SEP.
ESPÓRADAS MER.
ANATOLIA
MAR ADRIÁTICO
MAR JÓNICO
MAR NEGRO
MAR DE MÁRMARA
MAR EGEO
MAR DE CRETA
CRETA
CORFÚ
CEFALONIA
ZANTE
ÍTACA
LÉUCADE
EUBEA
TASOS
SAMOTRACIA
LEMNOS
LESBOS
QUÍOS
SAMOS
ANDROS
TINOS
MÍKONOS
NAXOS
PAROS
MILOS
RODAS
KÁRPAZOS
CITERA
C. Matapán
C. Maleas
Km
0 50 100 150
ESLOVENIA
ALPES JULIANOS
Liubliana
ISTRIA
Rijeka
C. Kamenjak

EURASIA SEPTENTRIONAL

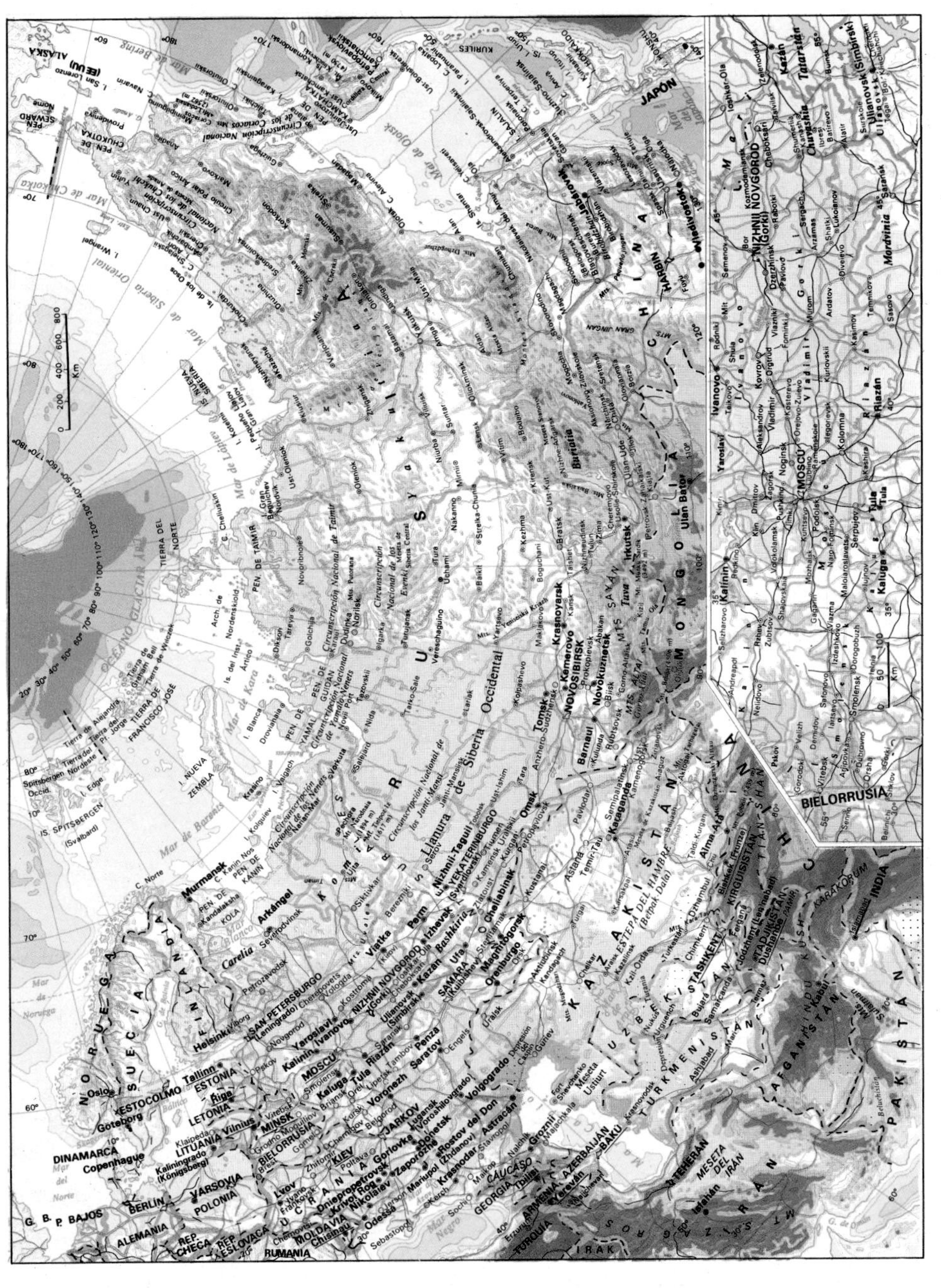

PRÓXIMO ORIENTE

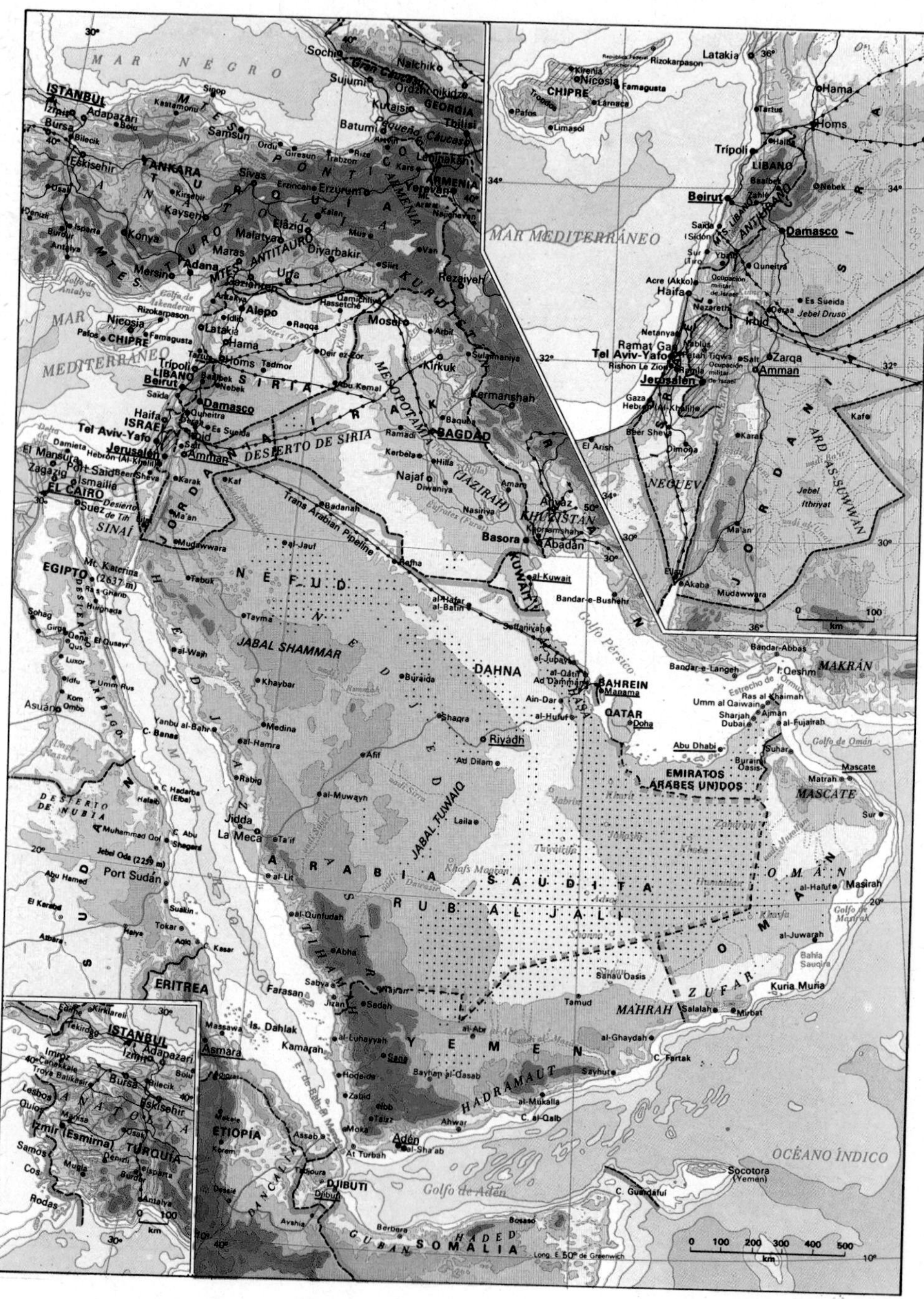

ASIA INDOIRÁNICA

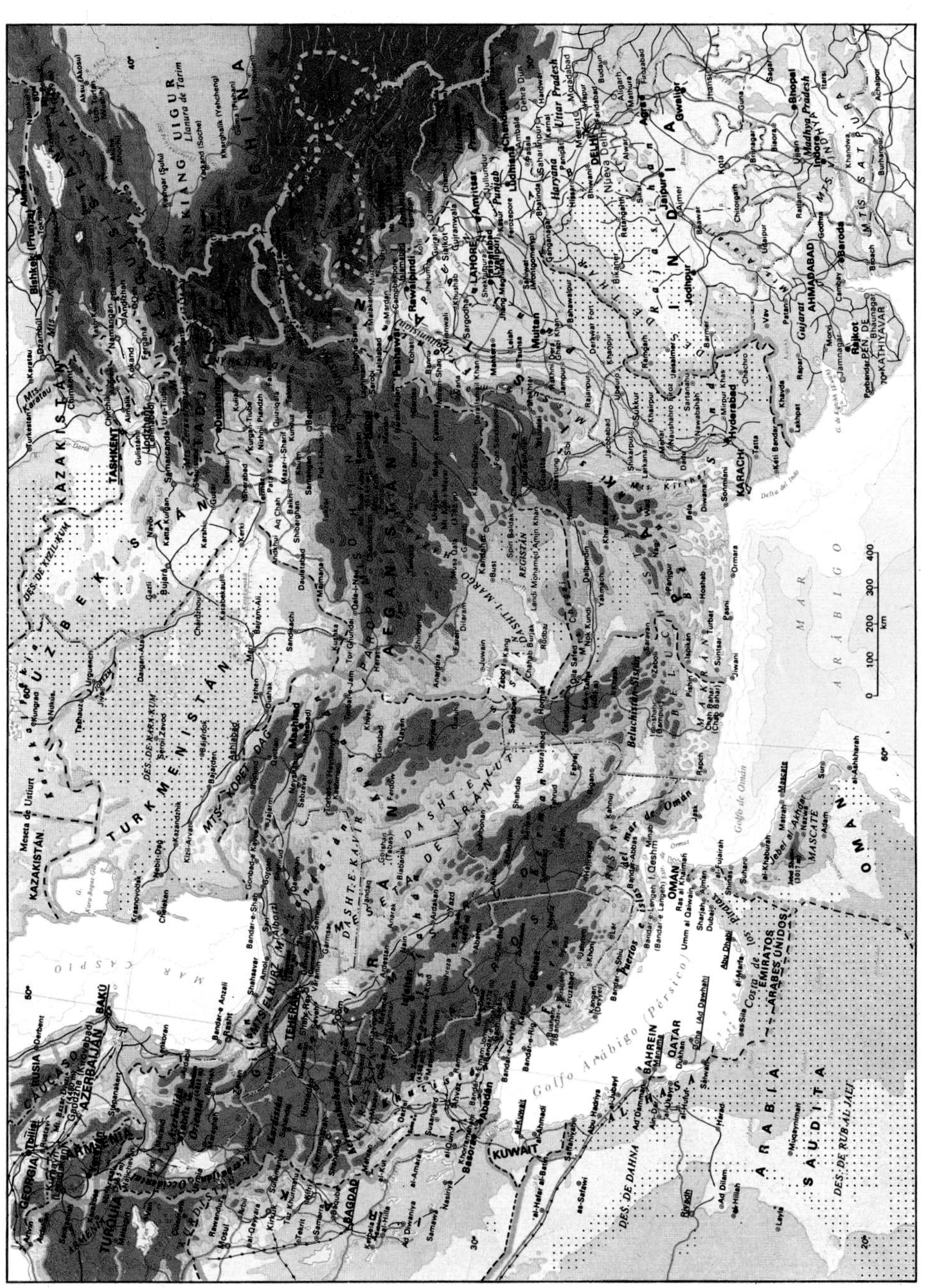

INDIA

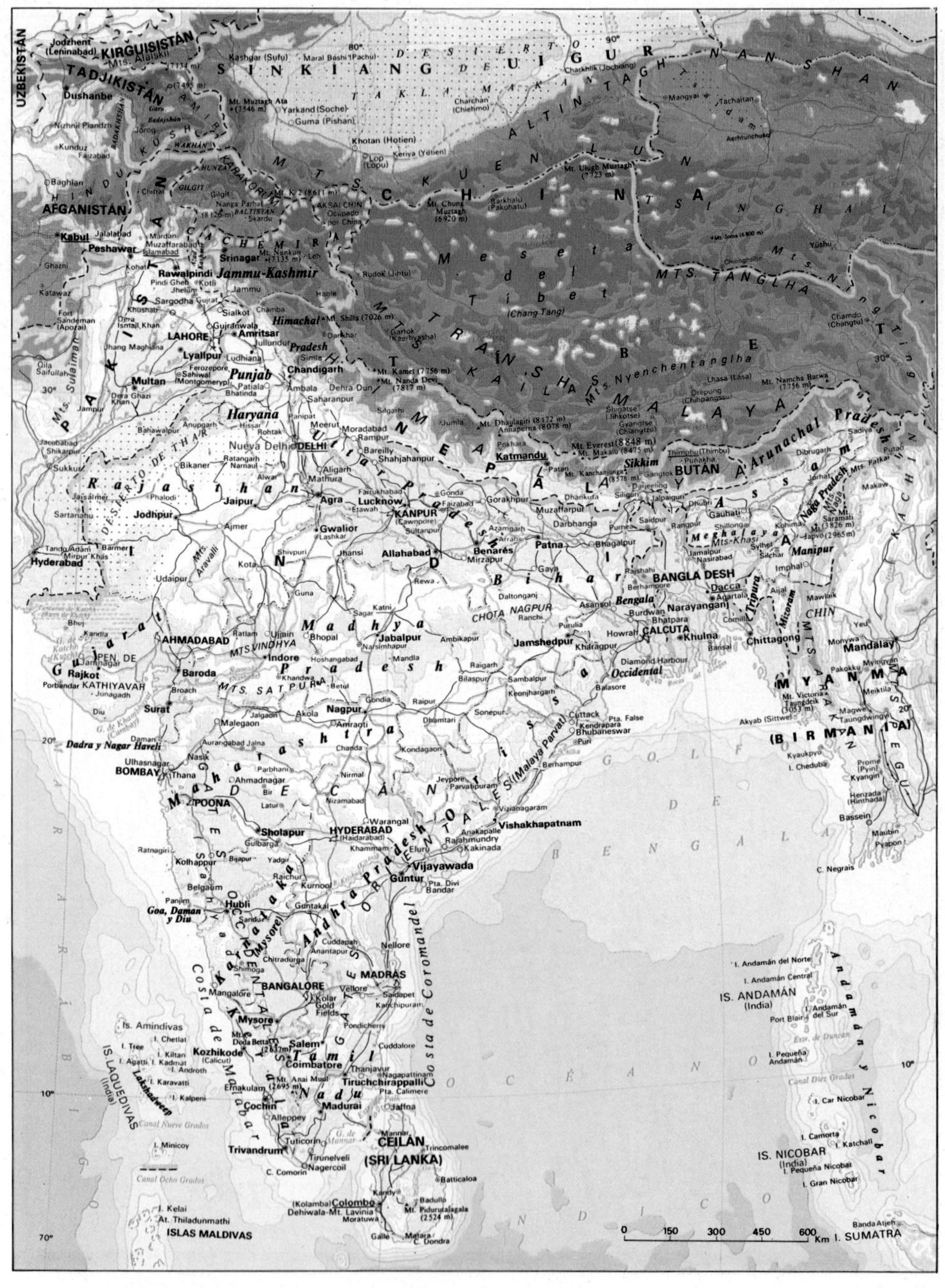

UZBEKISTÁN
KIRGUISISTÁN
TADJIKISTÁN
Dushanbe
AFGANISTÁN
Kabul
Peshawar
Islamabad
Rawalpindi
PAKISTÁN
LAHORE
Multan
Hyderabad
SINKIANG UIGUR
DESIERTO DE TAKLA MAKAN
Kashgar (Sufu)
Yarkand (Soche)
Khotan (Hotien)
MTS. KARAKORUM
Mt. K 2 (8611 m)
AKSAI CHIN
CACHEMIRA
Srinagar
Jammu-Kashmir
Himachal Pradesh
Punjab
Amritsar
Chandigarh
Haryana
Nueva Delhi
DELHI
Uttar Pradesh
Rajasthan
DESIERTO DE THAR
Jodhpur
Jaipur
Agra
Lucknow
KANPUR
Allahabad
Benarés
Patna
Gwalior
CHINA
ALTIN TAGH
NAN SHAN
MTS. KUEN LUN
TSAIDAM
TSINGHAI
Meseta del Tíbet
(Chang Tang)
MTS. TRANSHIMALAYA
MTS. TANGLHA
Mts. Nyenchentanglha
Lhasa (Lasa)
HIMALAYA
NEPAL
Katmandu
Mt. Everest (8848 m)
Sikkim
BUTÁN
Arunachal Pradesh
Assam
Meghalaya
Manipur
Bihar
BANGLA DESH
Dacca
Bengala Occidental
CALCUTA
Tripura
Mizoram
Chittagong
Madhya Pradesh
Gujarat
AHMADABAD
PEN. DE KATHIYAVAR
Surat
Indore
Jabalpur
Nagpur
Orissa
Maharashtra
BOMBAY
POONA
DECÁN
Dadra y Nagar Haveli
HYDERABAD
Andhra Pradesh
Vishakhapatnam
Vijayawada
Goa, Daman y Diu
Karnataka
BANGALORE
MADRAS
Mysore
Tamil Nadu
Costa de Coromandel
Costa de Malabar
GHATES OCCIDENTALES
GHATES ORIENTALES
Madurai
Cochin
Trivandrum
CEILÁN (SRI LANKA)
Colombo
IS. LAQUEDIVAS (India)
ISLAS MALDIVAS
MAR DE ARABIA
GOLFO DE BENGALA
OCÉANO ÍNDICO
IS. ANDAMÁN (India)
IS. NICOBAR (India)
Andamán y Nicobar
MYANMA (BIRMANIA)
Mandalay
I. SUMATRA
0 150 300 450 600 Km

INDOCHINA Y FILIPINAS

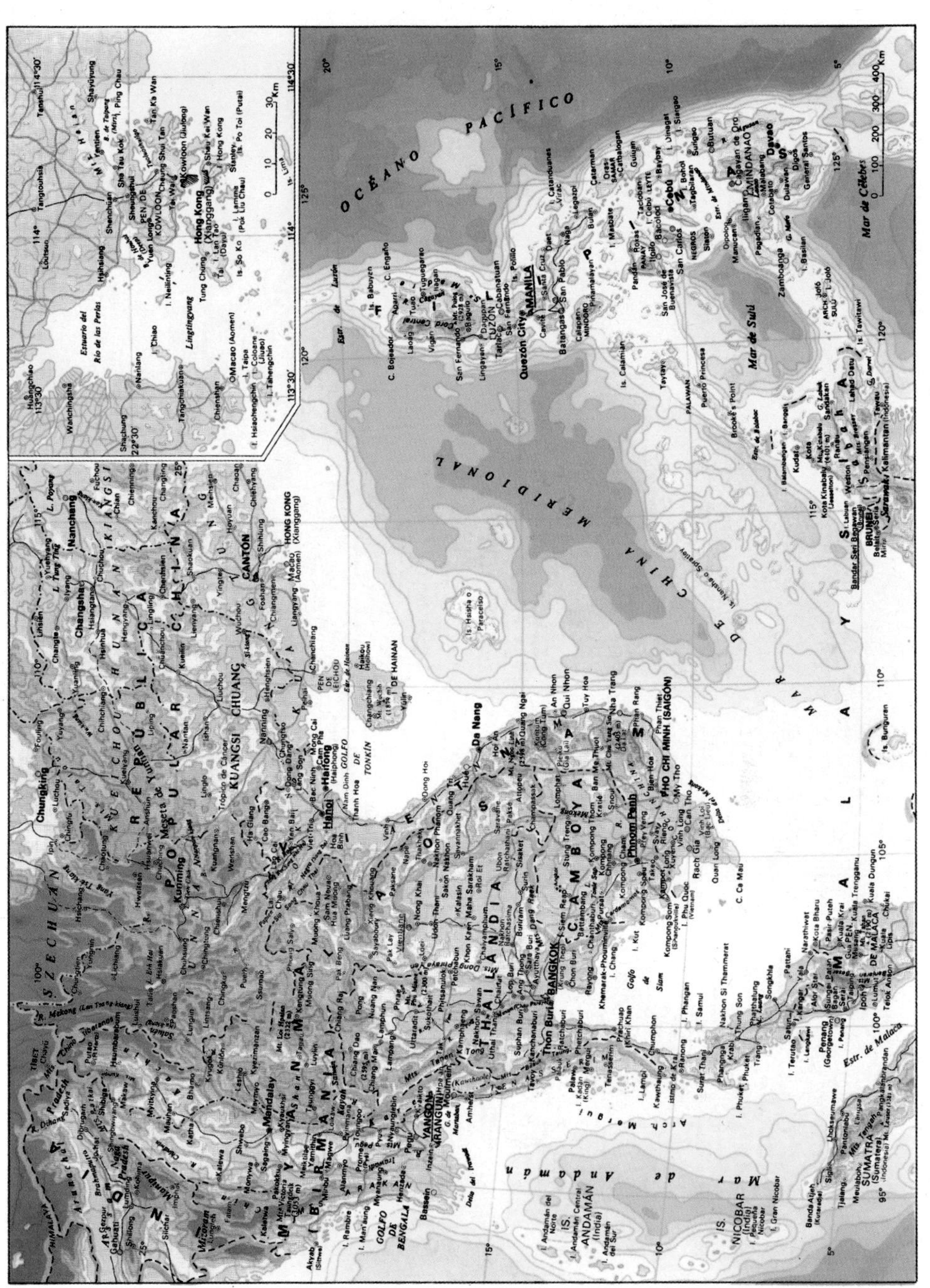

INDONESIA Y MALAYSIA

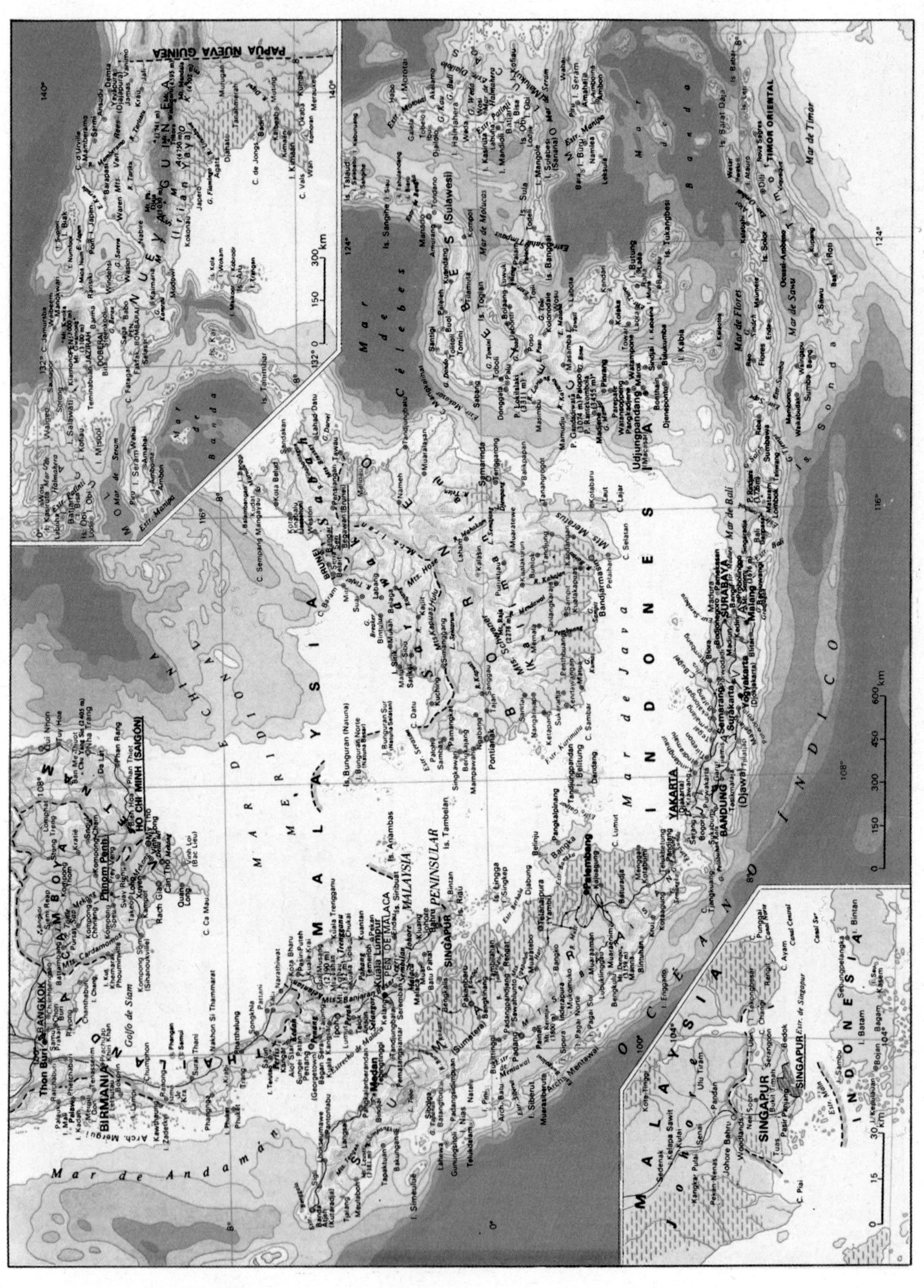

CHINA Y MONGOLIA

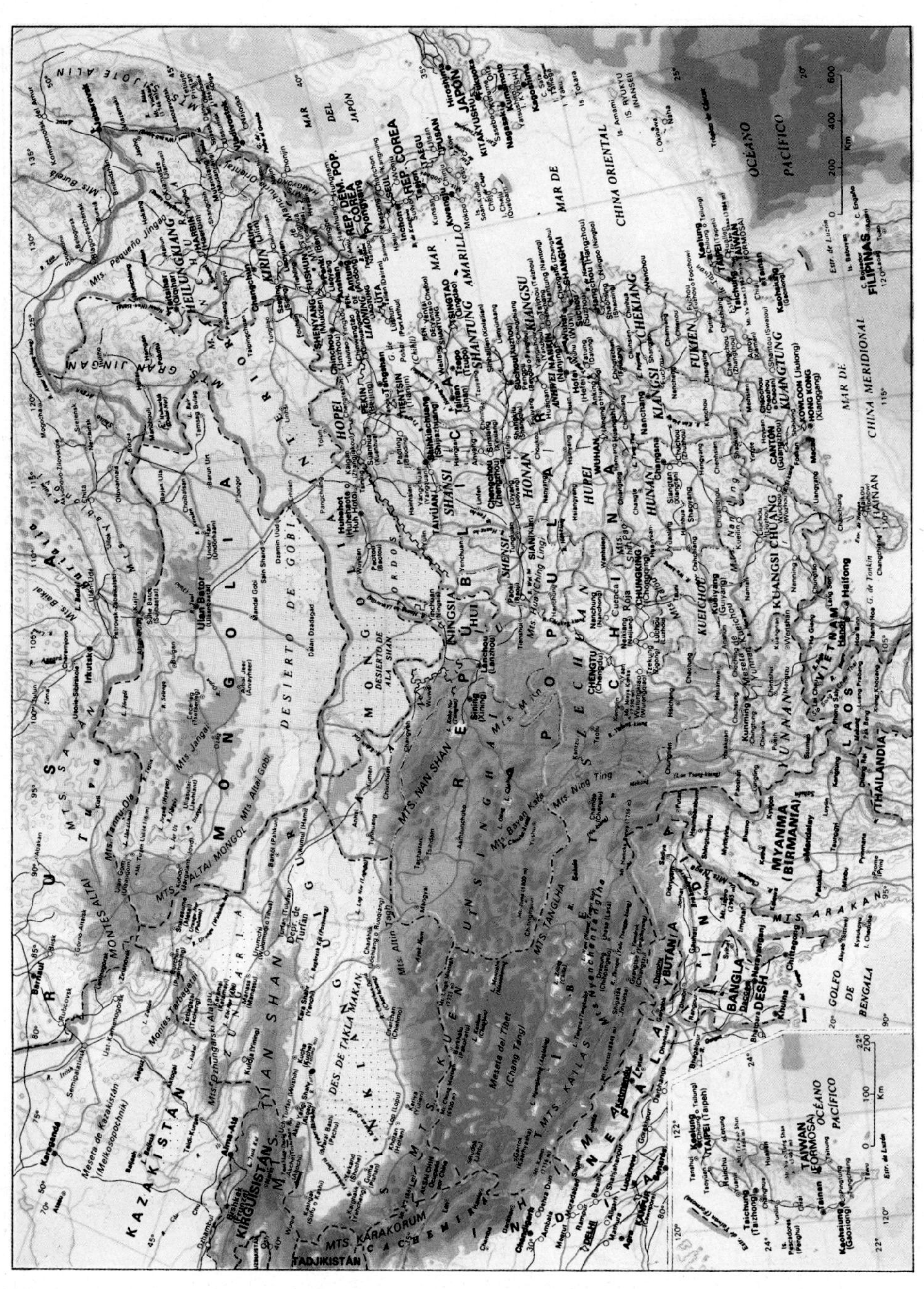

JAPÓN Y COREA

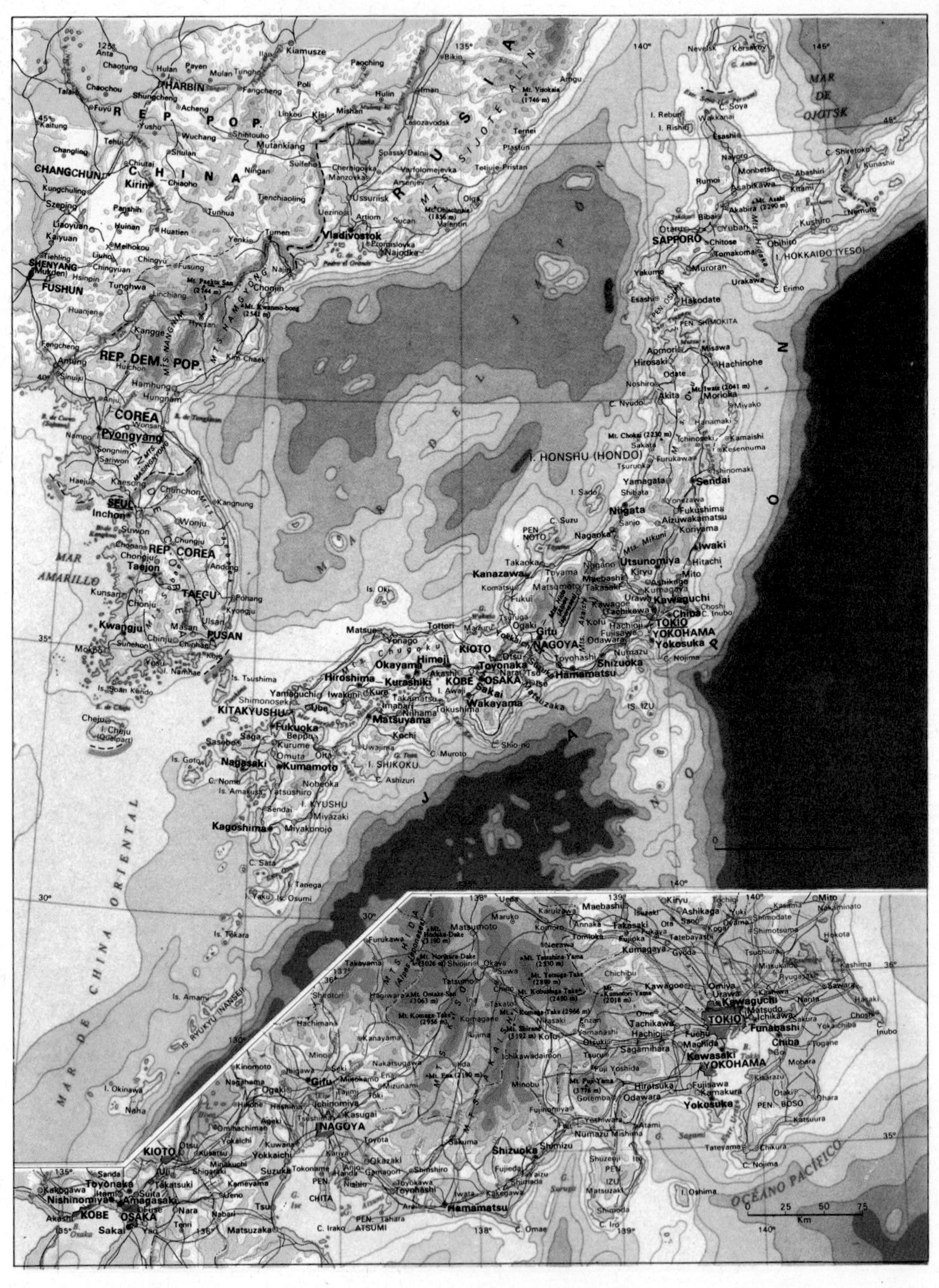

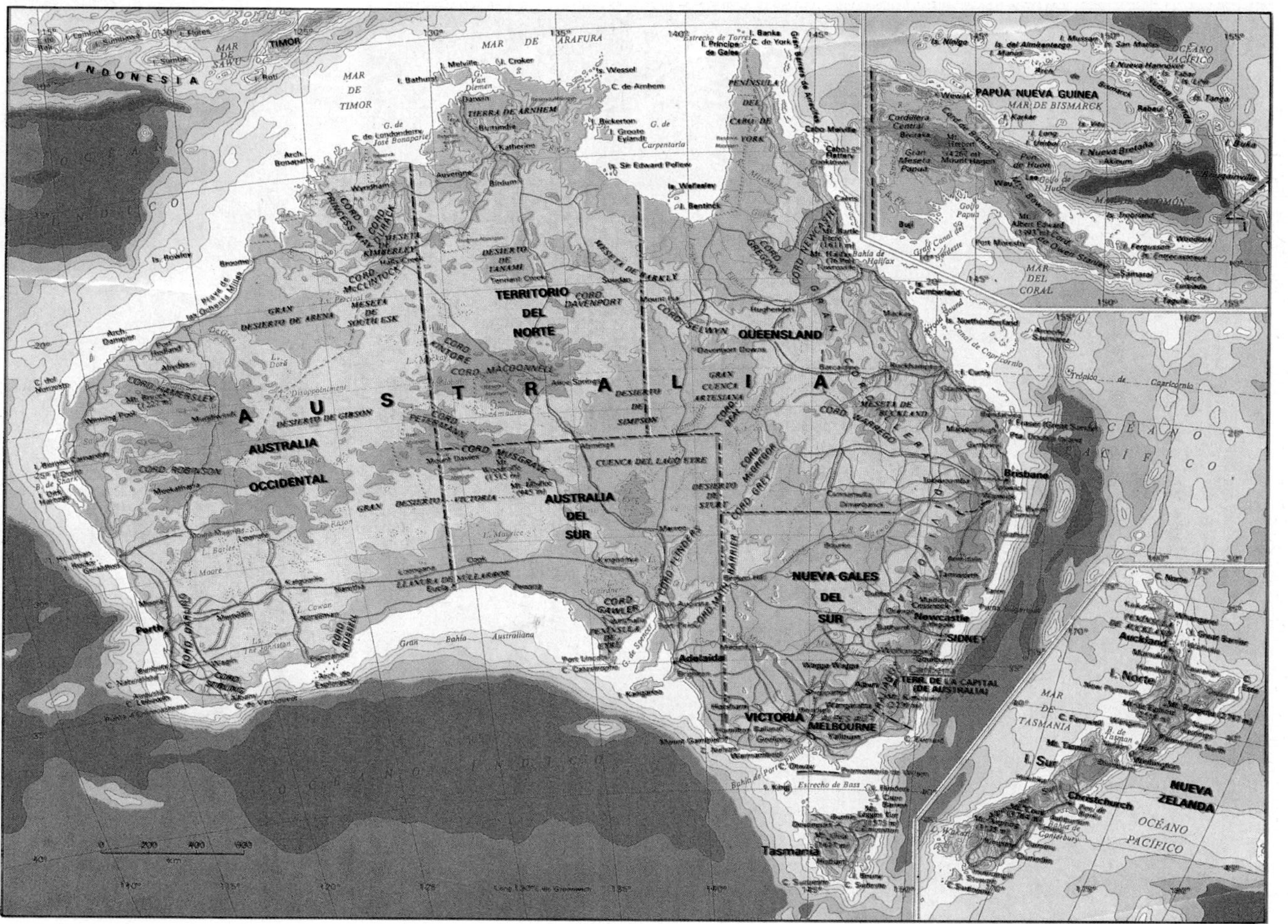
INDONESIA
TIMOR
MAR DE TIMOR
MAR DE ARAFURA
TIERRA DE ARNHEM
PENÍNSULA DEL CABO DE YORK
Gran Barrera de Arrecifes
Carpentaria
TERRITORIO DEL NORTE
QUEENSLAND
AUSTRALIA OCCIDENTAL
AUSTRALIA DEL SUR
NUEVA GALES DEL SUR
VICTORIA
TERR. DE LA CAPITAL (DE AUSTRALIA)
Tasmania
A U S T R A L I A
GRAN DESIERTO DE ARENA
DESIERTO DE GIBSON
GRAN DESIERTO VICTORIA
DESIERTO DE TANAMI
DESIERTO DE SIMPSON
GRAN CUENCA ARTESIANA
CUENCA DEL LAGO EYRE
LLANURA DE NULLARBOR
CORD. MACDONNELL
CORD. MUSGRAVE
CORD. HAMERSLEY
CORD. DARLING
CORD. FLINDERS
CORD. GAWLER
Gran Bahía Australiana
Estrecho de Bass
Trópico de Capricornio
Perth
Adelaida
MELBOURNE
SIDNEY
Newcastle
Brisbane
Broome
Darwin
PAPÚA NUEVA GUINEA
MAR DE BISMARCK
MAR DEL CORAL
NUEVA ZELANDA
I. Norte
I. Sur
Auckland
Wellington
Christchurch
MAR DE TASMANIA
OCÉANO PACÍFICO
OCÉANO ÍNDICO

ÁFRICA DEL NORTE

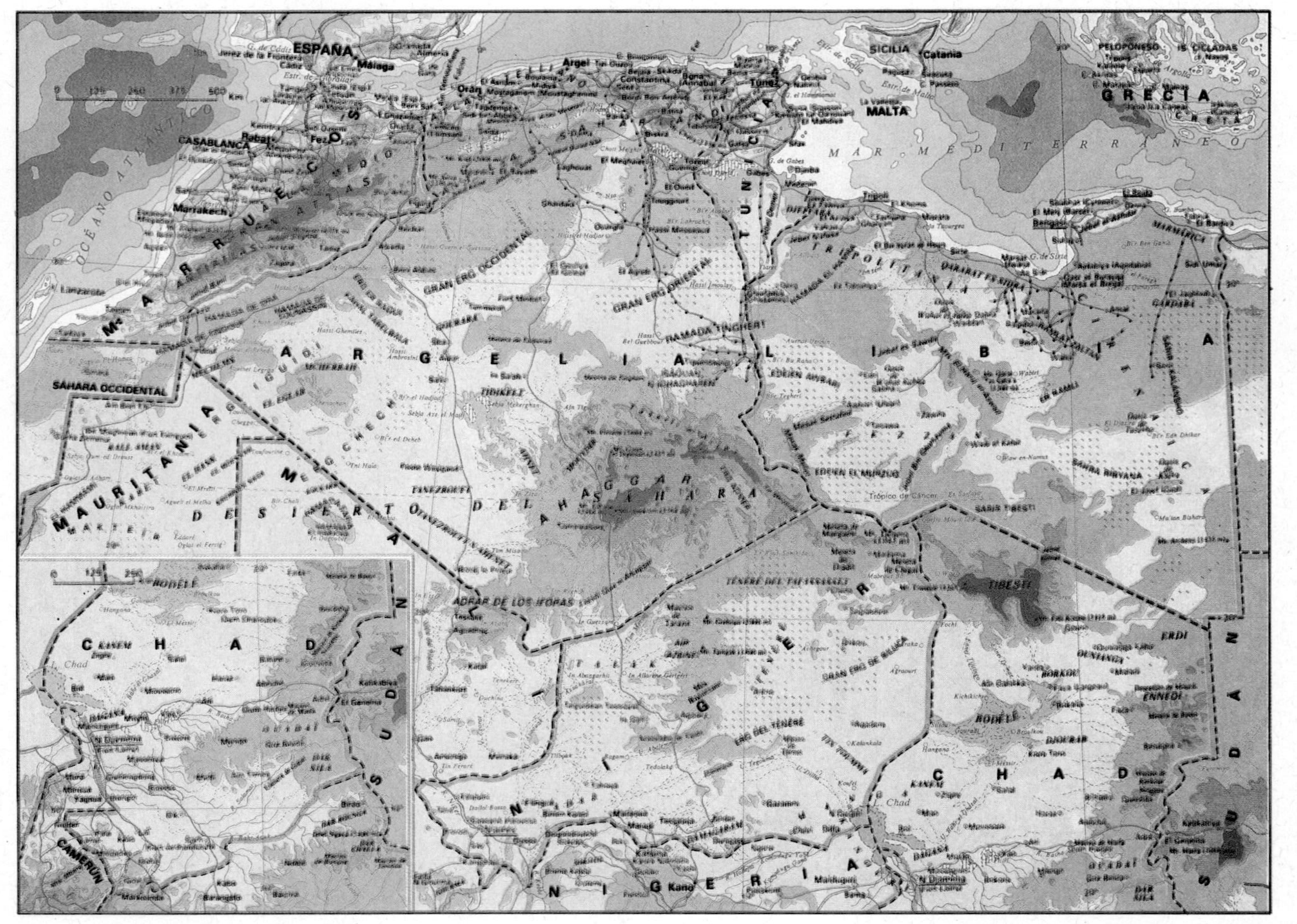

ÁFRICA NORDORIENTAL

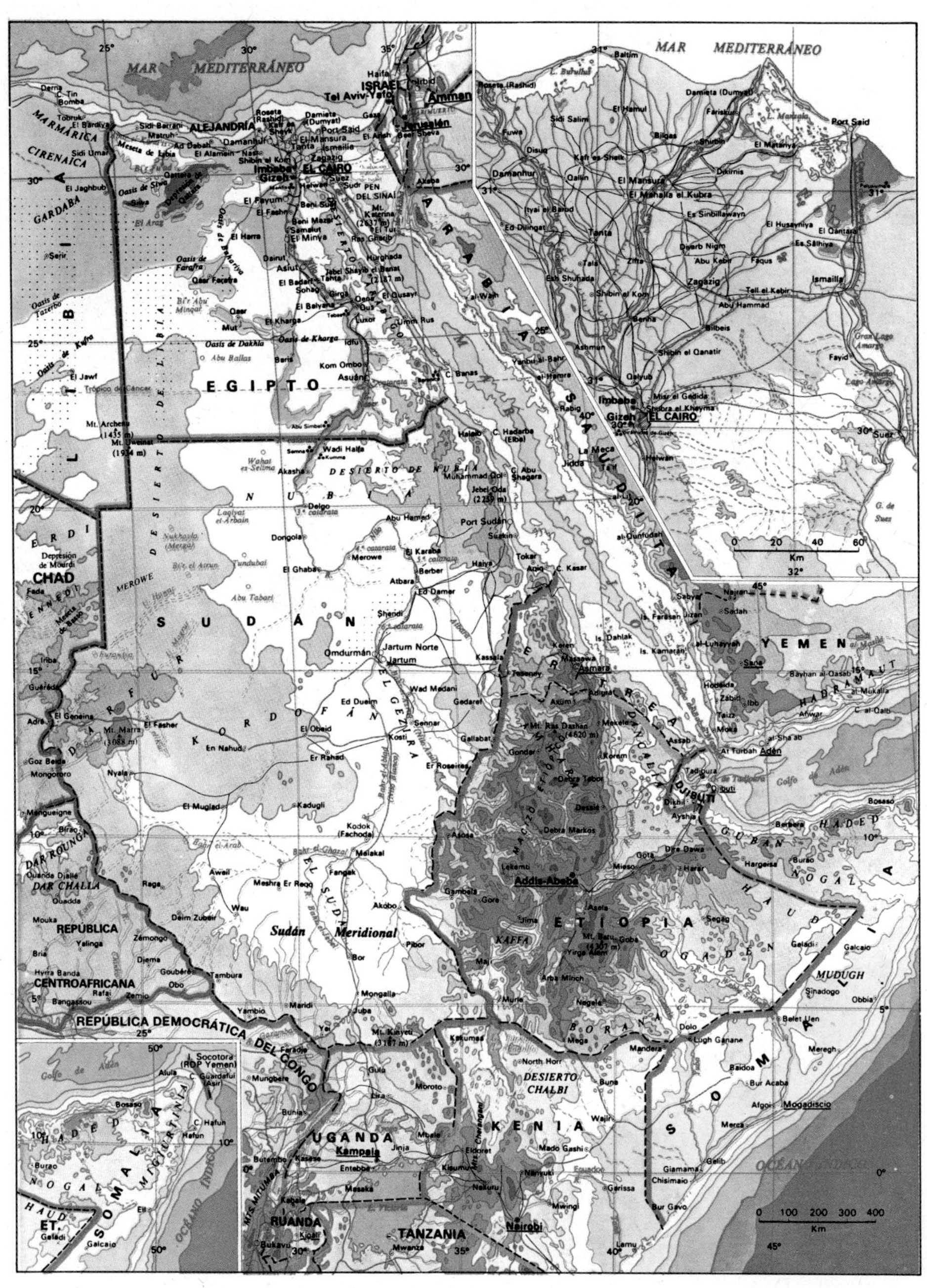

ÁFRICA GUINEANA

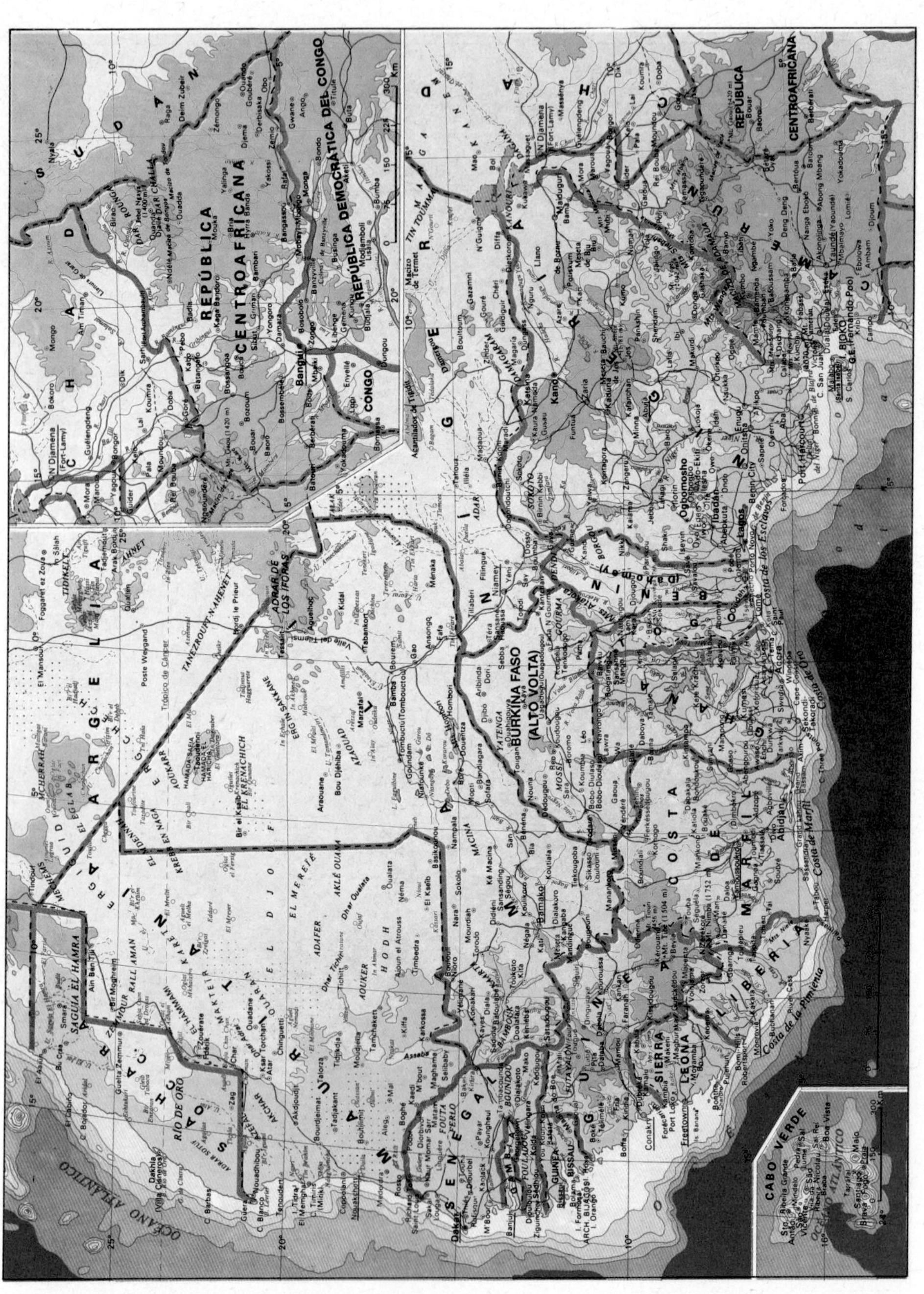

ÁFRICA CENTROECUATORIAL

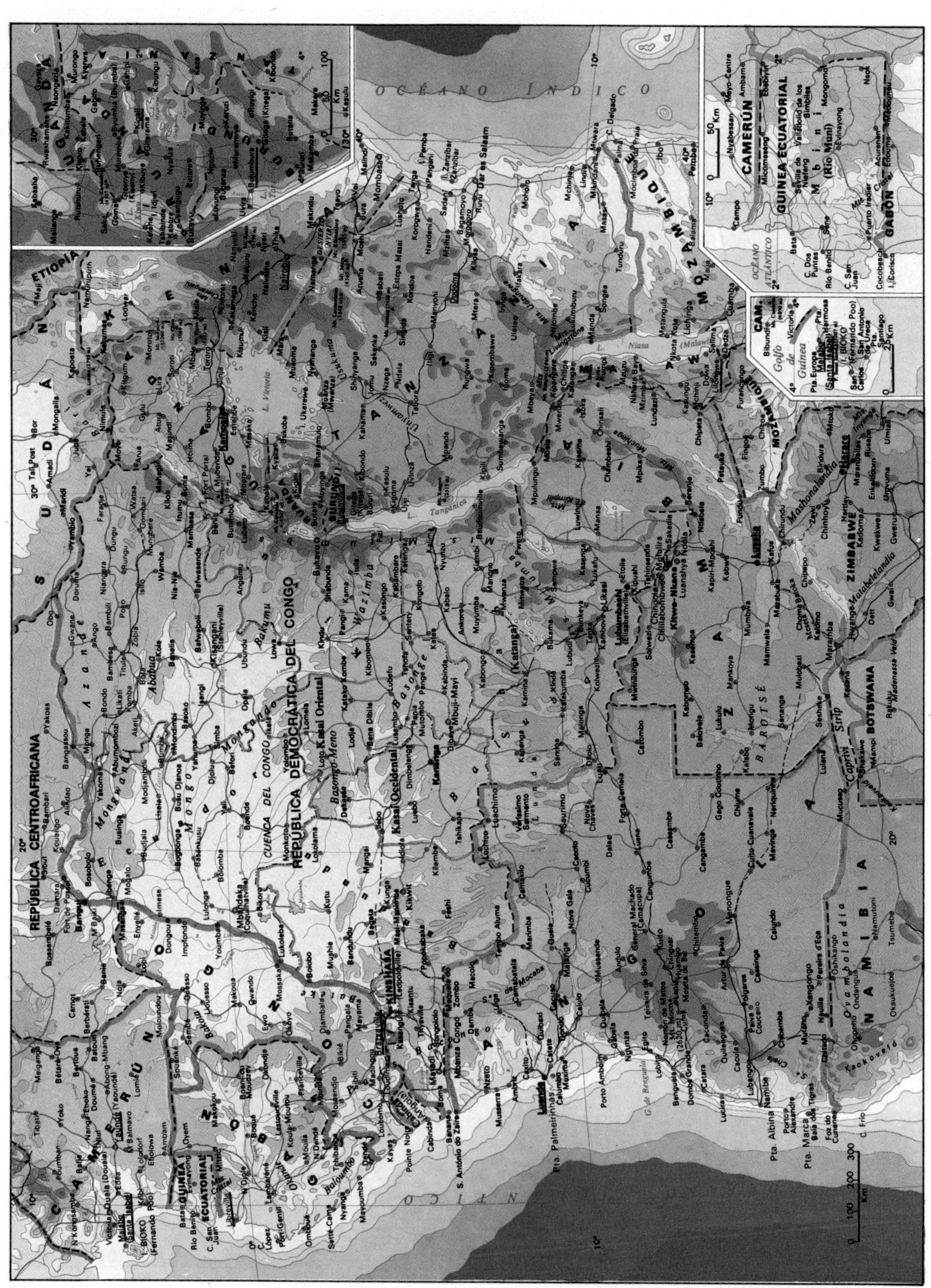

ÁFRICA AUSTRAL Y MADAGASCAR

BANDERAS DEL MUNDO

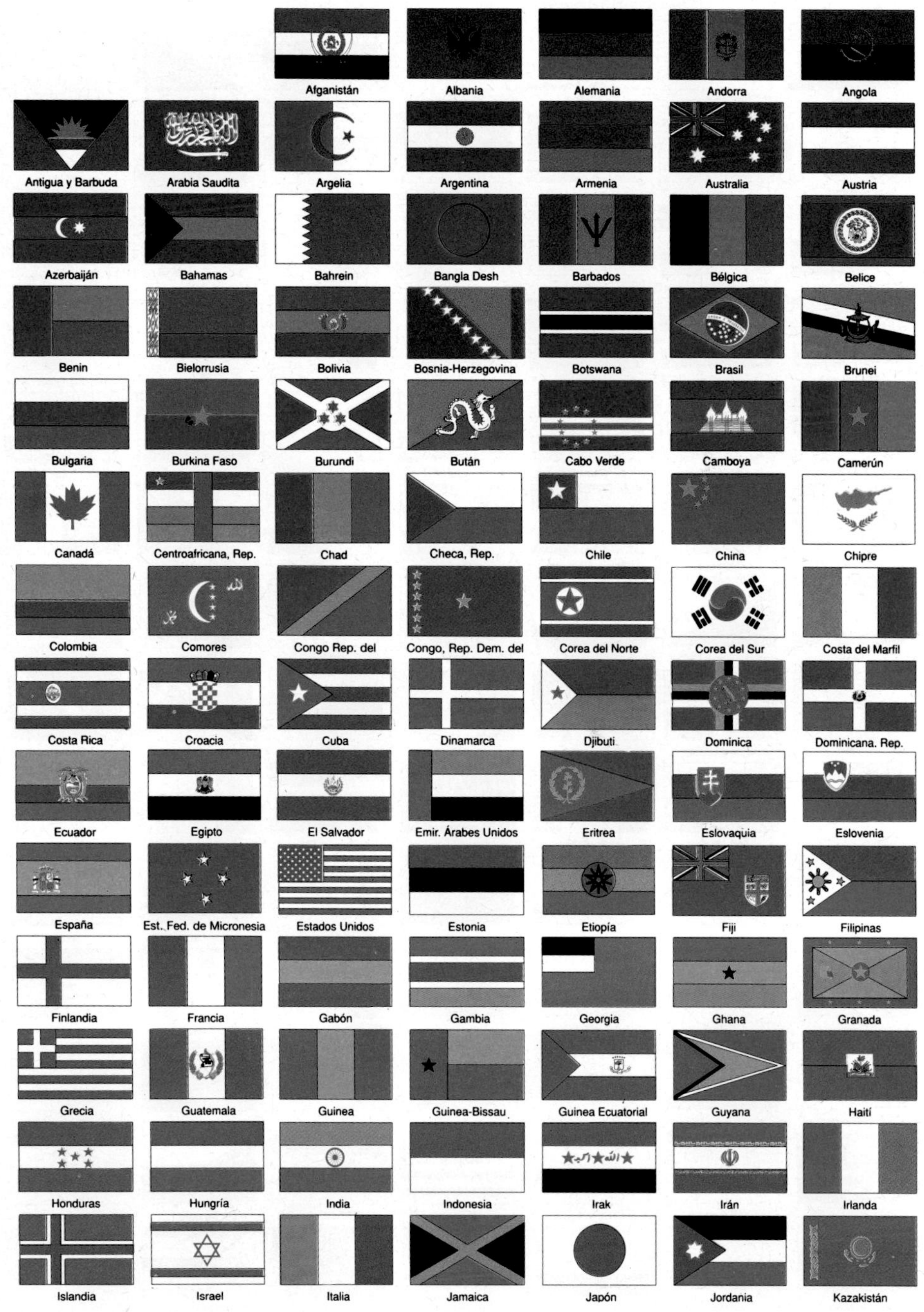

Afganistán
Albania
Alemania
Andorra
Angola
Antigua y Barbuda
Arabia Saudita
Argelia
Argentina
Armenia
Australia
Austria
Azerbaiján
Bahamas
Bahrein
Bangla Desh
Barbados
Bélgica
Belice
Benin
Bielorrusia
Bolivia
Bosnia-Herzegovina
Botswana
Brasil
Brunei
Bulgaria
Burkina Faso
Burundi
Bután
Cabo Verde
Camboya
Camerún
Canadá
Centroafricana, Rep.
Chad
Checa, Rep.
Chile
China
Chipre
Colombia
Comores
Congo Rep. del
Congo, Rep. Dem. del
Corea del Norte
Corea del Sur
Costa del Marfil
Costa Rica
Croacia
Cuba
Dinamarca
Djibuti
Dominica
Dominicana. Rep.
Ecuador
Egipto
El Salvador
Emir. Árabes Unidos
Eritrea
Eslovaquia
Eslovenia
España
Est. Fed. de Micronesia
Estados Unidos
Estonia
Etiopía
Fiji
Filipinas
Finlandia
Francia
Gabón
Gambia
Georgia
Ghana
Granada
Grecia
Guatemala
Guinea
Guinea-Bissau
Guinea Ecuatorial
Guyana
Haití
Honduras
Hungría
India
Indonesia
Irak
Irán
Irlanda
Islandia
Israel
Italia
Jamaica
Japón
Jordania
Kazakistán

BANDERAS DEL MUNDO

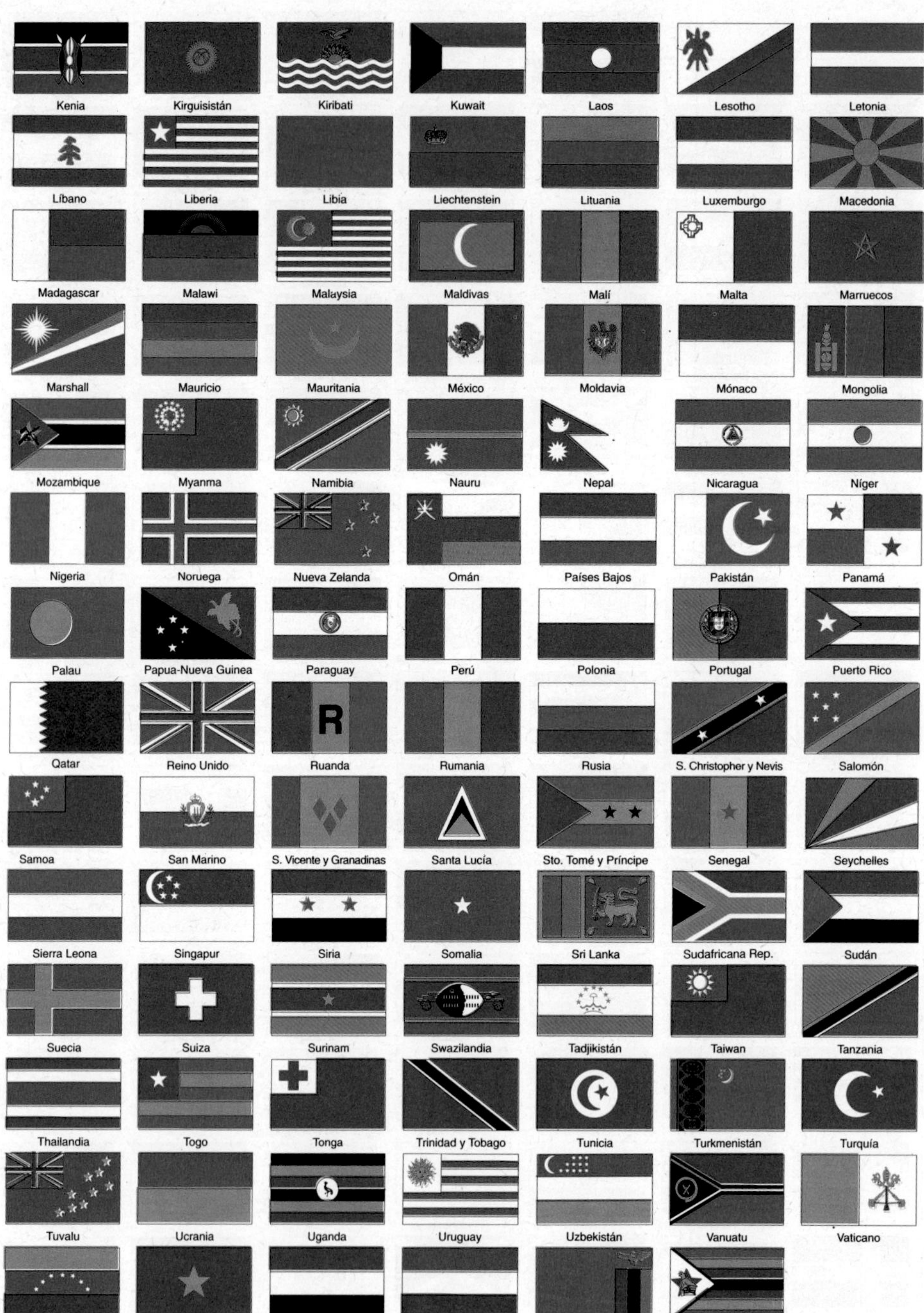

Kenia
Kirguisistán
Kiribati
Kuwait
Laos
Lesotho
Letonia
Líbano
Liberia
Libia
Liechtenstein
Lituania
Luxemburgo
Macedonia
Madagascar
Malawi
Malaysia
Maldivas
Malí
Malta
Marruecos
Marshall
Mauricio
Mauritania
México
Moldavia
Mónaco
Mongolia
Mozambique
Myanma
Namibia
Nauru
Nepal
Nicaragua
Níger
Nigeria
Noruega
Nueva Zelanda
Omán
Países Bajos
Pakistán
Panamá
Palau
Papua-Nueva Guinea
Paraguay
Perú
Polonia
Portugal
Puerto Rico
Qatar
Reino Unido
Ruanda
Rumania
Rusia
S. Christopher y Nevis
Salomón
Samoa
San Marino
S. Vicente y Granadinas
Santa Lucía
Sto. Tomé y Príncipe
Senegal
Seychelles
Sierra Leona
Singapur
Siria
Somalia
Sri Lanka
Sudafricana Rep.
Sudán
Suecia
Suiza
Surinam
Swazilandia
Tadjikistán
Taiwan
Tanzania
Thailandia
Togo
Tonga
Trinidad y Tobago
Tunicia
Turkmenistán
Turquía
Tuvalu
Ucrania
Uganda
Uruguay
Uzbekistán
Vanuatu
Vaticano
Venezuela
Vietnam
Yemen
Yugoslavia
Zambia
Zimbabwe

ECLIPSES (desde 1985 al 2000)

AÑO	DÍA	MES	DE SOL (S) O DE LUNA (L)	TOTAL (T) O ANULAR (A)	TRAYECTORIA O REGIÓN DE VISIBILIDAD (DE LA TOTALIDAD)
1985	4	mayo	L	T	Persia: oeste de Siberia.
	19	mayo	S	A	Polo Norte.
	28	octubre	L	T	Tíbet; China occidental; Siberia central.
	12	noviembre	S	T	Océano Antártico.
1986	24	abril	L	T	Nueva Zelanda; este de Siberia.
	3	octubre	S	T	Océano Atlántico hasta la costa SE de Groenlandia.
	17	octubre	L	T	Pakistán; Afganistán; Siberia central.
1987	29	marzo	S	T	Patagonia; África.
	23	septiembre	S	A	China; océano Pacífico.
1988	18	marzo	S	T	Sumatra; Filipinas; sur de Alaska.
	4	septiembre	S	A	Océano Índico.
1989	20	febrero	L	T	Australia central; Corea; este de Siberia.
	17	agosto	L	T	Brasil; sur de Groenlandia.
1990	26	enero	S	A	Océano Antártico.
	9	febrero	L	T	India; Siberia central.
	22	julio	S	T	Finlandia; NE de Asia.
1991	16	enero	S	A	Océano Índico; Australia.
	11	julio	S	T	México; América Central; Brasil.
1992	5	enero	S	A	Océano Pacífico; California.
	30	junio	S	T	SE de América del Sur a océano Índico-Antártico.
	9	diciembre	L	T	Europa occidental; África occidental.
1993	4	junio	L	T	Kamchatka; este de Siberia.
	29	noviembre	L	T	México; centro de EE UU, centro de Canadá.
1994	10	mayo	S	A	EE UU.
	3	noviembre	S	T	América del Sur a océano Índico.
1995	29	abril	S	A	Perú.
	24	octubre	S	T	Persia; India; Malaysia; Pacífico.
1996	4	abril	L	T	Europa occidental; África occidental.
	27	septiembre	L	T	Brasil; sur de Groenlandia.
1997	9	marzo	S	T	Asia central; NE de Asia; océano Ártico.
	16	septiembre	L	T	India; Siberia central.
1998	26	febrero	S	T	Norte de América del Sur; Canarias.
	22	agosto	S	A	Océano Pacífico.
1999	16	febrero	S	A	Nueva Guinea.
	11	agosto	S	T	Europa central; sur de Asia; norte de la India
2000	21	enero	L	T	Argentina; Bolivia; Venezuela; Labrador.
	16	julio	L	T	Kamchatka; Siberia oriental.
	14	diciembre	S	A	Océano Pacífico.

CLASIFICACIÓN DE LOS ENZIMAS

GRUPO	ACCIÓN	EJEMPLOS
I. OXIDORREDUCTASAS	Catalizan reacciones de oxidorreducción. Tras la acción catalítica quedan modificados en su grado de oxidación, por lo que deben ser transformados antes de volver a actuar de nuevo.	Dehidrogenasas Aminooxidasas Deaminasas Catalasas
II. TRANSFERASAS	Transfieren grupos activos (obtenidos de la rotura de ciertas moléculas) a otras sustancias receptoras. Suelen actuar en procesos de interconversión de azúcares, de aminoácidos, etcétera.	Transaldolasas Transcetolasas Transaminasas
III. HIDROLASAS	Verifican reacciones de hidrólisis con la consiguiente obtención de monómeros a partir de polímeros. Suelen ser de tipo digestivo, por lo que normalmente actúan en primer lugar.	Glucosidasas Lipasas Peptidasas Esterasas Fosfatasas
IV. ISOMERASAS	Actúan sobre determinadas moléculas obteniendo de ellas sus isómeros de función o de posición. Suelen actuar en procesos de interconversión.	Isomerasas de azúcares Epimerasas Mutasas
V. LIASAS	Realizan la degradación o síntesis (entonces se llaman sintetasas) de los enlaces denominados fuertes (enlaces C—C, C—O, C—N, etc.) sin ir acoplados a sustancias de alto valor energético.	Aldolasas Decarboxilasas
VI. LIGASAS	Realizan la degradación o síntesis (entonces se llaman sintetasas) de los enlaces fuertes (tipo C—C, C—O, C—N, etc.), mediante el acoplamiento a sustancias ricas en energía, como los nucleosidotrifosfatos del tipo de adenosintrifosfato (ATP).	Carboxilasas Peptidosintetasas

PRINCIPALES COENZIMAS

NOMBRE	SÍMBOLO	ACCIÓN
Nicotinaminadenosinnucleótido	NAD^+	Transferencia de hidrógeno
Nicotinaminadenosinnucleótido fosfato	$NADP^+$	Transferencia de hidrógeno
Flavinmononucleótido	FMN	Transferencia de hidrógeno
Flavinadenindinucleótido	FAD	Transferencia de hidrógeno
Hemina celular	—	Transferencia de electrones
Ácido lipónico	Lip (S_2)	Transferencia de hidrógeno y de grupos acilo
Adenosintrifosfato	ATP	Transferencia de restos fosfóricos y de adenosin-monofosfato (AMP)
Ácido fosfoadenilsulfúrico	PAPS	Transferencia de restos sulfúricos
Adenosilmetionina	—	Transferencia de grupos metilo
Ácido tetrahidrofólico	CoF	Transferencia de grupos formilo
Biotina	H	Transferencia de grupos carboxilo
Coenzima A	CoA	Transferencia de grupos acetilo
Pirofosfato de tiamina	TPP	Transferencia de grupos aldehídicos de 2 carbonos
Uridindifosfato	UDP	Transferencia de azúcares y ácidos urónicos
Citidindifosfato	CDP	Transferencia de fosforilcolina
Fosfato de piridoxal	PAL	Transferencia de grupos amino
Uridindifosfato	UDP	Isomerización de azúcares
Pirofosfato de tiamina	TPP	Decarboxilación
Fosfato de piridoxal	PAL	Decarboxilación
Coenzima B_{12}	CoB_{12}	Transferencia de grupos carboxilo

VALORES NORMALES EN LOS ANÁLISIS DE LABORATORIO

SANGRE

pH	7,39-7,41
Hematrocito	45%
Hematíes	4,5-5 millones/mm^3
Hemoglobina	4-16 gramos/100 c. c.
Leucocitos	5 000-10 000 mm^3
Velocidad de Sedimentación Globular (V. S. G.)	
1 hora — Varón	2-6 mm
1 hora — Mujer	3-8 mm
24 horas — Varón	80-120 mm
24 horas — Mujer	100-130 mm
Plaquetas	150 000-300 000 por mm^3
Glucosa	80-120 mg/100 c. c.
Ácido láctico	12-20 mg/100 c. c.
Ácido pirúvico	1,5-2 mg/100 c. c.
Colesterol	100-200 mg/100 c. c.
Proteínas	70 g/1 000 c. c.
Albúmina	45 g/1 000 c. c.
Globulina	
alfa	6 g/1 000 c. c.
beta	7 g/1 000 c. c.
gamma	11 g/1 000 c. c.
Fibrinógeno	1-3 g/1 000 c. c.
Urea	20-30 mg/100 c. c.
Ácido úrico	3-5 mg/100 c. c.
Bilirrubina total	0,4-1 mg/100 c. c.
Sodio	310-350 mg/100 c. c.
	135-145 mEq(*)/l
Potasio	18-22 mg/100 c. c.
	4-4,5 mEq/l
Hierro	0,08-0,12 mg/100 c. c.
Cloro	350-370 mg/100 c. c.
	98-108 mEq/l
Calcio	
Total	9-11 mg/100 c. c. o 4,5-5,5 mEq/l
Ionizado	4,5-5,5 mg/100 c. c. o 2-3 mEq/l

ORINA

Densidad	1,015-1,020 g/c. c.
pH	4,4-7,5
Cloruros	5-20 g/24 horas
Fosfatos	1 g/24 horas
Urea	20-40 g/24 horas
Ácido úrico	0,5 g/24 horas
Urobilina	1-4 mg/24 horas

LÍQUIDO CEFALORRAQUÍDEO

Albúmina	0,2-0,3 g/1 000 c. c.
Células (linfocitos)	menos de 5/mm^3
Cloruros	7,2-7,5 g/1 000 c. c.
Glucosa	0,4-0,6 g/1 000 c. c.

VALORES RESPIRATORIOS ESTÁTICOS

Volumen pulmonar total	5 400 c. c.
Capacidad Vital (C. V.)	3 800 c. c.
Aire corriente	500 c. c.
Aire de reserva	1 300 c. c.

VALORES RESPIRATORIOS DINÁMICOS

Frecuencia respiratoria	12-20/minuto
Capacidad respiratoria	5 008-8 000 c. c./minuto

CORAZÓN

Frecuencia cardiaca	60-80 pulsaciones/minuto
Volumen sistólico	50-70 c. c.

VASOS

Presión arterial	
Sistólica	120-150 mm Hg
Diastólica	70-90 mm Hg
Velocidad circulatoria	
brazo-lengua	10-16 seg

TEMPERATURA

Axila	36,5-37 °C
Boca	36,8-37,2 °C
Recto	37-37,5 °C

(*) miliequivalentes gramo

CLASIFICACIÓN DEL REINO VEGETAL

DIVISIÓN	SUBDIVISIÓN	CLASE	ORDEN	FAMILIA	EJEMPLOS
Esquizófitos		Esquizomicetes	Eubacteriales	Cocáceas Bacteriáceas Spiriláceas	*Streptococcus* bacilo del carbunco vibrio del cólera
			Clamidobacteriales Actinomicetales Mixobacteriales Spiroquetales		formador de orín bacilo de Koch *Mixococcus* espiroqueta de la sífilis
		Cianofíceas			flor de agua
		Microtatobiotes			virus
Mixomicófitos					flor del tanino
Eumicófitos	Hongos inferiores	Ficomicetes	Mixoquitridiales		sarna de las patatas
			Oomicetales	Saprolegniáceas Peronosporáceas	moho de la mosca mildiu
			Cigomicetales	Mucoráceas	moho del pan
				Entomoftoráceas	moho de insectos
	Hongos superiores	Ascomicetes	Endomicetales	Sacaromicetáceas	Levadura de cerveza
			Plectascales	Aspergiláceas Erisifáceas	*Penicillium notatum* oídio
			Discomicetales	Moniliáceas Morchelláceas Pecizáceas Helvelláceas	roya parda colmenillas peciza oreja de gato
			Tuberales	Tuberáceas	trufa
			Exoascales		«campanas»
		Basidiomicetes	Himenomicetales	Teleforáceas Clavariáceas Poliporáceas Agaricáceas	cuerno de la abundancia cresta de gallo boleto nízcalo
			Exobasidiales	Exobasidiáceas	agallas
			Gasteromicetales	Licoperdáceas	cuesco de lobo
			Ustilaginales	Ustilagináceas Tilletiáceas	carbón del maíz caries del trigo
			Uredinales	Pucciniáceas	royas
Euglenófitos					*Euglena viridis*
Crisófilos					diatomeas
Pirrófitos					Ceratium
Rodófitos				Coralináceas	coralina
Clorófitos				Ulváceas	lechuga de mar

CLASIFICACIÓN DEL REINO VEGETAL

DIVISIÓN	SUBDIVISIÓN	CLASE	ORDEN	FAMILIA	EJEMPLOS
Feófitos				Laminariáceas	laminaria
Cormófitos	Briófitos	Hepáticas	Marcanciales	Marcanciáceas	empeine de las fuentes
		Musgos	Briales	Leucobriáceas	nusgo blanco
	Pteridófitos	Psilotinas		Psilotáceas	*Psilotum*
		Licopodiinas		Licopodiáceas	licopodio
		Equisetinas			cola de caballo
		Filicinas		Polipodiáceas	culantrillo
Espermatófitos	Gimnospermas	Cicadinas		Cicadáceas	cicas
		Ginkgoínas			
		Coníferas		Taxáceas	tejo
				Cupresáceas	ciprés
				Abietáceas	abeto
		Gnetinas		Efedráceas	belcho
	Angiospermas	Dicotiledóneas	Verticiladas	Casuarináceas	casuarina
			Fagales	Betuláceas	avellano
				Fagáceas	encina
			Juglandales	Juglandáceas	nogal
			Salicales	Salicáceas	chopo
			Urticales	Ulmáceas	olmo
				Moráceas	higuera
				Urticáceas	ortiga
				Canabáceas	cáñamo
			Piperales	Piperáceas	pimentero
			Proteales	Proteáceas	*Grevillea*
			Santalales	Santaláceas	sándalo
				Lorantáceas	muérdago
			Poligonales	Poligonáceas	ruibarbo
			Centrospermas	Quenopodiáceas	remolacha
				Nictagináceas	dondiego
				Amarantáceas	cresta de gallo
				Aizoáceas	filigrana
				Fitolacáceas	ombú
				Portulacáceas	verdolaga
				Cariofiláceas	clavel
			Opunciales	Cactáceas	chumbera
			Hamamelidales	Hamamelidáceas	liquidámbar

CLASIFICACIÓN DEL REINO VEGETAL

DIVISIÓN	SUBDIVISIÓN	CLASE	ORDEN	FAMILIA	EJEMPLOS
Espermatófitos	Angiospermas	Dicotiledóneas	Ranales	Ranunculáceas Ninfáceas Magnoliáceas Anonáceas Miristicáceas Lauráceas	aguileña nenúfar magnolia chirimoyo nuez moscada laurel
			Aristoloquiales	Aristoloquiáceas Raflesiáceas	ásaro granadilla
			Readales	Crucíferas Papaveráceas	col amapola
			Parietales	Cistáceas Tamaricáceas Droseráceas Violáceas Pasifloráceas Caricáceas Begoniáceas	jara tamarindo atrapamoscas violeta pasionaria papayo begonia
			Gutiferales	Teáceas Gutíferas	té hierba de San Juan
			Rosales	Rosáceas Crasuláceas Saxifragáceas Pitosporáceas Platanáceas Mimosáceas Leguminosas	rosal siempreviva hortensia pitosporo plátano de sombra acacia haba
			Mirtales	Rizoforáceas Mirtáceas Punicáceas Onoteráceas	mangle eucalipto granado fucsia
			Columníferas	Malváceas Tiliáceas Bombacáceas Esterculiáceas	malva tilo baobab cacao
			Geraniales	Geraniáceas Tropeoláceas Rutáceas Euforbiáceas	geranio capuchina ruda mandioca
			Spindales	Buxáceas Aquilofoliáceas	boj mate
			Ramnales	Ramnáceas Vitáceas	azufaifo vid
			Umbelifloras	Araliáceas Cornáceas Umbelíferas	hiedra cornejo zanahoria
			Plumbaginales	Plumbagináceas	belesa

CLASIFICACIÓN DEL REINO VEGETAL

DIVISIÓN	SUBDIVISIÓN	CLASE	ORDEN	FAMILIA	EJEMPLOS
Espermatófitos	Angiospermas	Dicotiledóneas	Primulales	Teofrastáceas	*Clavija*
				Mirsináceas	*Ardisia*
				Primuláceas	primavera
			Ericales	Ericáceas	brezo
			Diospirales	Ebenáceas	ébano
				Sapotáceas	zapote
			Tubifloras	Convolvuláceas	boniato
				Borragináceas	heliotropo
				Verbenáceas	verbena
				Labiadas	romero
				Solanáceas	tomate
				Escrofulariáceas	digital
				Pedaliáceas	sésamo
				Acantáceas	acanto
				Plantagináceas	llantén
			Contortas	Apocináceas	adelfa
				Gencianáceas	genciana
			Ligustrales	Oleáceas	olivo
			Rubiales	Rubiáceas	gardenia
				Caprifoliáceas	madreselva
				Valerianáceas	valeriana
			Cucurbitales	Cucurbitáceas	melón
			Sinandras	Campanuláceas	farolillo
				Compuestas	girasol
		Monocotiledóneas	Helobiales	Alismatáceas	llantén acuático
			Liliifloras	Juncáceas	junco
				Liliáceas	cebolla
				Amarilidáceas	narciso
				Iridáceas	azafrán
				Bromeliáceas	piña tropical
			Glumifloras	Ciperáceas	chufa
				Gramíneas	trigo
			Escitamíneas	Musáceas	banano
				Zingiberáceas	jengibre
				Cannáceas	cana
				Marantáceas	arrurruz
			Microspermas	Orquidáceas	vainilla
			Princesas	Palmáceas	palmera
			Espadicifloras	Aráceas	aro
				Lemnáceas	lenteja de agua
			Pandanales	Pandanáceas	pandano
				Esparganiáceas	platanaria
				Tifáceas	espadaña

NORMAS ORTOGRÁFICAS

A través de su conjunto de reglas, la ortografía establece, basándose principalmente en la etimología, la manera correcta de escribir y la forma adecuada de emplear las letras y los signos auxiliares.

Aunque el sistema ortográfico español se acerca bastante al ideal fonético de escribir como se habla, la existencia de letras dobles, mudas, homófonas o que representan dos sonidos constituye una amenaza potencial de errores en la escritura. Errores que es fácil evitar, siempre y cuando se ciña uno a las normas ortográficas correspondientes, que marcan la pauta y solventan posibles dudas.

En síntesis, dichas reglas generales, por lo que concierne a las letras susceptibles de crear confusiones, son:

Empleo de la «b»

En todas las formas de los verbos que en infinitivo terminan en *-ber* y *-bir,* como *beber, recibir.* (Hay excepciones: *volver, precaver, hervir, servir, vivir,* así como sus compuestos: *revolver, devolver, convivir, sobrevivir,* etcétera.)

En las formas del pretérito imperfecto de indicativo de los verbos de la primera conjugación y del verbo ir: *amaba, amábamos; iba, íbamos,* etcétera.

En las voces que empiezan con las sílabas *bu, bur, bus, bibl: bufón, burgomaestre, búsqueda, bibliografía.* Se exceptúan *vuestro, vuestra, vusco* (insecto).

En las palabras terminadas en *-bilidad* (menos *movilidad, civilidad* y sus derivadas), *-bundo, -bunda: debilidad, tremebundo, meditabunda.*

Ante consonante: *blanco, brasa, obtuso, ábside.*

Después de sílaba terminada en *m: cambio, ambos, trombón.*

Tras de *cu, nu, ur: cubo, Nubia, turba.*

Uso de la «v»

Después de las sílabas iniciales *ad-* y *di-: advertencia, divagar.*

Después de toda sílaba que acabe en *b* o *n: subversivo, envío.*

En las compuestas de *vice-, villa-, villar-: viceministro, Villalón, Villarcayo.* Existen algunas excepciones: *bíceps, billar.*

En los adjetivos terminados en *-ava, -ave, -avo, -eva, -eve, -evo, -iva, -ivo: esclava, grave, bravo, nueva, nieve, longevo, decisiva, pasivo.* Se exceptúan *árabe* y los compuestos del sustantivo *sílaba: monosílabo, trisílaba,* etcétera.

En los tiempos fuertes de los verbos *estar, andar, tener: estuve, anduve, tuvimos.*

En los verbos acabados en *-evar, -ervar, -ivar, -olver, -over: llevar, conservar, avivar, resolver, mover.*

En las voces terminadas en *-viro, -vira, -ívoro, -ívora: triunviro, Elvira, carnívoro, herbívora.* Se exceptúa *víbora.*

Se utiliza «h»

En las palabras que se inician con los diptongos *ue, ie, ia: huerto, hierro, hiato.* SIn embargo, los vocablos derivados del primer grupo pierden la *h:* hueco, *oquedad;* huérfano, *orfandad;* huevo, *ovalado.*

En muchas de las voces que tuvieron *f* en su origen como *haba, hazaña, harina, hijo, halcón,* etcétera.

En las palabras que la conservan desde su origen: *haber, hebreo, hereje.*

En los vocablos que empiezan con los prefijos del grupo *hidr- hiper-, hipo-; hidropesía, hiperbólico, hipogastrio.*

También en todas las voces que empiezan por *her-, hist-, hon-: hermano, histeria, honradez.*

Se conserva, intercalada, en las palabras compuestas, cuando la segunda de las simples la tenía al principio: *rehacer, enhorabuena.*

Al final de diversas interjecciones: *¡Ah!, ¡eh!, ¡oh!*

Empleo de la «c» y de la «z»

Por norma general, al principio de sílaba, ante *e, i,* se usa la *c* en casi todos los casos, pero existen algunas excepciones a la regla: *zendavesta, zendo, zigzag, zipizape, zirigaña, zis, zas, elzeviriano.* Hay otros casos en los que las voces pueden escribirse indistintamente con *c* o *z; acimut* o *azimut, ceda* o *zeda, ceta* o *zeta, cinc* o *zinc.*

Uso de la «c» y de la «g» en cierre de sílaba

Se emplea *c* cuando la sílaba siguiente empieza con otra *c* o con una *t (acción, acto),* al final de palabra *(coñac),* en las voces como *facsímil, sinécdoque.*

Se emplea *g* cuando la sílaba siguiente empieza con *m* o *n: dogma, insigne.* Sin embargo, abundan las excepciones: *dracma, arácnido, estricnina* y todas las voces en que entran los componentes *técnico, tecnia, tecno: politécnico, pirotecnia, tecnología.*

Uso de «c», «q» y «k» iniciales de sílaba

Antes de *a, o, u* se emplea siempre *c.* Antes de *e, i,* se usan el dígrafo *qu* y la *k,* si bien la Academia autoriza el empleo indistinto de *c, qu* o *k* en algunas voces; *quiosco, kiosco; curdo, kurdo; quermés, kermés; quilo, kilo.*

ORTOGRAFÍA I (cont.)

La «d» y la «t» cerrando sílaba

Se usa *d* en los vocablos que empiezan con el prefijo *ad-* *(adjunto, adyacente)*, en la segunda persona del plural del modo imperativo de todos los verbos: *corred, producid.*

Se emplea *t* en una larga serie de palabras extranjeras *(paquebot, carnet)* y de voces procedentes del latín o del griego: *aritmética, étnico*.

Empleo de la «g» y la «j» ante e, i, al inicio de sílaba

Se utiliza *g* en todas las voces que la tienen en latín *(gemelo, virgen)*, en todas las que conservan desinencias latinas *(angélico, sexagenario, alígero)* o griegas *(liturgia, teología)*, en los verbos cuyo infinito acaba en *-igerar, -ger, -gir: morigerar, proteger, fingir.* Se exceptúan *brujir, tejer, crujir.* En general, la *g* se usa en todas las sílabas *ge, gen, geo, gest, agi, igi, gia, gio gion (gelido, gente, geología, agitar, higiene, elogia, gestoría, adagio, legión)*, siempre con algunas excepciones: *tartajeo, viaje, bujía, hereje*.

Se emplea *j* en las voces que en latín tienen *i* u otra letra que no sea g *(mujer, fajina, Jenaro)*, en vocablos derivados de otros que se han de escribir necesariamente con *j* (*pajita*, de paja; *rojizo*, de rojo), en los tiempos de los verbos cuyo infinitivo lleva *j* (*dejé*, de dejar), en las formas irregulares de verbos que no tienen *g* ni *j* en el infinitivo (*traje*, de traer; *conduje*, de conducir), en las voces que empiezan por *eje (ejemplar, ejército)* y en las que terminan en *je: coraje, hereje.* Hay excepciones: *esfinge, cónyuges, ambages.* También se usa *j* en las palabras terminadas en *jero, jería: extranjero, cerrajería.* Se exceptúan *albergero, ligero.*

La «i» y la «y» átonas en combinación con una vocal

Se emplea *y* cuando es conjunción copulativa *(Juan y Pedro)* y en las combinaciones *ya, ye, yi, yo, yu*, en que la *y* se considera consonante *(aya, reyes, bayo).* Sólo se escribe *i* en contadas voces *(hierro*, no *yerro* del verbo *errar; hiendo*, de *hender*, no *yendo* del verbo *ir; hiato, hiel, hiena, hialino, hierba, hiedra.* Estas dos ultimas pueden escribirse también *yerba* y *yedra*, respectivamente. Al final de palabra suele emplearse *y*, aunque este sonido no se considere consonante *(buey, muy, estoy)*, Se exceptúan los tiempos de verbo *(recaí, leí, roí, huí)* y las voces *benjuí, zaragüí*, por recaer el acento sobre la *i* del diptongo.

Se usa *i* en el cierre de sílaba, cuando no se encuentra al final de palabra *(reina, vaina, heroico);* al final de palabra, siempre que lleva acento (*Sinaí, ahí* y en los casos previstos en el empleo de la *y*); en todas las combinaciones en que este sonido no cierra ni abre sílaba o lleva acento *(piano, bahía, país).*

La «m» y la «n» cerrando sílaba

Se escribe *m* en todos los casos en que esta oclusiva va seguida de *b* o *p (ambos, componer)*, antes de *n (alumno, indemne)*, siempre que esta construcción no se produzca con alguno de los prefijos *con, en, in, circun (innegable, connotar, circunnavegar)* y con el pronombre *nos (dícennos).*

Se usa *n* antes de cualquier consonante que no sea *b* y *p (entero, anfibio).*

La «r» y la «rr» vibrante múltiples antes de vocal

Se usa *r* en principio de dicción *(rosa, ramo)* y después de consonante *(alrededor, honra, israelí).*

Se escribe *rr* cuando este sonido se produce entre vocales *(carro, barro)*, aunque se trate de voces compuestas: *Contrarreforma.*

ORTOGRAFÍA II

ACENTO ORTOGRÁFICO

En ocasiones, la mayor intensidad acústica con que se pronuncia la sílaba acentuada que tiene toda palabra hay que manifestarla, no sólo prosódicamente, sino también de manera gráfica, a base de colocar sobre la vocal correspondiente un signo que consiste en una rayita inclinada (´). Es el acento ortográfico.

En la escritura del español sólo se utilizan prácticamente dos signos ortográficos: la diéresis o crema (cuya función consiste en indicar los casos en que la *u* debe pronunciarse, en las sílabas *güe, güi: cigüeña, lingüista;* aunque también se emplea en poesía, para deshacer un diptongo, sobre la primera de las vocales que lo forman: *Cuando un cantar süave no aprendido...*) y la tilde o acento ortográfico propiamente dicho.

Este último, como es lógico se aplica según unas normas de acentuación establecidas académicamente, reglas que, en términos generales, especifican:

1 Llevan tilde las palabras agudas de más de una sílaba, terminadas en vocal, en *n* o en *s: José, porrón, detrás.* En cambio, aunque hay excepciones, no necesitan acento ortográfico los monosílabos, ni tampoco las palabras polisílabas que terminen en consonantes distintas de la *n* y la *s: actor, pared.*

ACENTO ORTOGRÁFICO

2. Llevan acento las palabras llanas terminadas en consonante que no sea *n* o *s: López, cárcel, azúcar.*

3. Llevan acento todas las palabras esdrújulas o esdrujulísimas: *sátrapa, laringólogo, comunicáraselo.*

4. Llevan acento todas las palabras agudas o llanas, alguna de cuyas sílabas contenga dos vocales y una de ellas sea *i* o *u,* y no formen diptongo: *rúa, vía.* También llevan tilde las sílabas de tres vocales que no formen diptongo: *estudiaríais.*

5. Cuando corresponda acento ortográfico a una sílaba que contenga un diptongo, se acentuará la vocal fuerte *(a, e, o): comáis, habéis.*

6. Los infinitivos en *uir* se escribirán sin tilde, pero lo llevarán los en *eír* y *oír: desleír, reír, oír.*

7. Las palabras compuestas que se escriben separadas por un guión, conservarán los mismos acentos que les corresponderían como palabras simples: *histórico-crítico.* Pero cuando un vocablo simple entre a formar parte de un compuesto como primer complemento del mismo, se escribirá sin el acento ortográfico que como simple le habría correspondido: *decimoséptimo,* no décimoséptimo. Se exceptúan de esta regla los adverbios terminados en *-mente.* En este caso se escribirá y se pronunciará el adverbio marcando en el adjetivo el acento que debiera llevar como simple: *ágilmente, cortésmente.*

8. El encuentro de vocal fuerte tónica con débil átona, o de débil átona con fuerte tónica, forma siempre diptongo, y la acentuación gráfica de éste, cuando sea necesaria, se hará con arreglo a lo dispuesto: Si hay diptongo en la sílaba de dicciones agudas, llanas o esdrújulas que se deba acentuar, el signo ortográfico irá sobre la vocal fuerte, o sobre la segunda si las dos vocales son débiles: *acaricié, averiguó, parabién, después: Rupiá, Sebastián, benjuí, Huércal, piélago, Cáucaso.* El encuentro de fuerte átona con débil átona, o viceversa, no forma diptongo y la vocal débil llevará acento ortográfico, sea cualquiera la sílaba en que se halle.

9. La combinación *ui* se considerará, para la práctica de la escritura, como diptongo en todos los casos. Llevará acento ortográfico cuando le corresponda, de acuerdo con las reglas anteriores. Por ejemplo, *casuístico,* vocablo esdrújulo, irá con tilde, pero *casuista,* voz llana, se escribirá sin ella.

10. Las palabras agudas terminadas en *ay, ey, oy, uy* se escribirán sin acento: *taray, virrey, convoy, Tuy.*

11. Los monosílabos *fue, fui, dio, vio* se escribirán sin tilde.

12. Los pronombres *éste, ése, aquél,* con sus femeninos y plurales, llevarán normalmente tilde, pero será lícito prescindir de ella cuando no exista anfibología, o sea, riesgo de confusión.

13. La partícula *aún* llevará tilde cuando pueda sustituirse por *todavía,* sin alterar el sentido de la frase: *Aún está enfermo.* En los demás casos, es decir, con el significado de *hasta, también, inclusive* o *siquiera* con negación, se escribirá sin acento ortográfico: *Aun los sordos han de oírme. No hizo nada, ni aun lo intentó.*

14. La palabra *sólo* en función adverbial podrá llevar tilde si con ello se evita una anfibología. Se aconseja póner el acento en este caso, cuando puede cambiarse por solamente. En el otro caso, el de adjetivo, no tiene que llevarlo: *Estaba solo.*

15. Los compuestos de verbo con enclítico más complemento *(sabelotodo)* se escribirán sin acento.

16. Se suprimirá la tilde en *Feijoo, Campoo* y demás paroxítonos terminados en *oo.*

17. Cuando el Diccionario autoriza dos formas de acentuación, deberán incluirse ambas en un mismo artículo, separadas por la conjunción *o: quiromancía* o *quiromancia, pentágrama* o *pentagrama, reúma* o *reuma.* En realidad la segunda forma es más aconsejable que la primera.

18. Hay determinadas palabras que llevan acento ortográfico para diferenciarse de otras idénticas, pero que con la tilde adquieren distinto significado. Estas palabras son:
Sí, pronombre, y *sí,* adverbio, para distinguirse de *si,* conjunción condicional, y de *si,* nota musical.
Sé, presente del verbo saber, y *sé,* imperativo del verbo ser, para diferenciarse de *se,* pronombre.
Él, pronombre personal, para distinguirse de *el,* artículo.
Dé, subjuntivo de dar, para diferenciarse de la preposición *de.*
Dá, imperativo de dar para distinguirse de *da,* presente del mismo verbo.
Además de los citados, en las oraciones en que se exprese duda, admiración, énfasis, disyuntiva o interrogación, los vocablos *qué, quién, cuál, cuánto, cuán, cuándo, cómo, dónde* y *porqué* llevarán acento ortográfico. Pero irán sin él cuando no manifiesten ninguna de tales circunstancias: *¿Qué deseas? Lo que quiere es irse; ¿dónde vives?, duermo donde puedo; ¡cuánto llueve!, te dije cuanto sabía; ignoro el porqué, porque lo vi.*

19. Los nombre propios extranjeros se escribirán, en general, sin ponerles ningún acento ortográfico que no tengan en su idioma original; pero podrán acentuarse a la española cuando lo permitan su pronunciación y grafía propios. Si se trata de vocablos incorporados a nuestra lengua o adaptados a su fonética, no se considerarán extranjeros y se acentuarán gráficamente conforme a las reglas generales.

20. Los vocablos con pronombres enclíticos conservarán el acento si antes lo tenían: *rióse, déme, llevóme.* Igualmente llevarán tilde cuando lo exija la prosodia: quiéreme, buscándoselo.

ORTOGRAFÍA III

SIGNOS DE PUNTUACIÓN

A ellos les corresponde indicar gráficamente, en el lenguaje escrito, las pausas, la entonación y la cadencia de las frases. Son los siguientes:

La coma (,)

Se utiliza para aclarar el sentido lógico de una frase o de un párrafo extenso. Suele ser más precisa en la escritura, ya que, en la expresión oral, a veces no se corresponden las pausas y las comas, sobre todo si se habla con excesiva rapidez. Se emplea la coma en:

1.º Para separar una serie de partes de la oración, análogas entre sí. Sólo se omite la última coma si hay una conjunción: *Comí naranjas, plátanos y peras*.

2.º Para separar, en el párrafo general, oraciones breves independientes: *Salieron juntos, subieron al tren y, veinte minutos después, llegaban a la playa*.

3.º Para intercalar un inciso o una circunstancia independiente dentro de la frase: *Vio que Juan, su compañero de fatigas, estaba también entre el público*.

4.º Para separar las circunstancias, al principio de una frase: *Al salir el sol, nos levantamos.* Cuando no está invertido el orden regular de las oraciones (sujeto, verbo, complemento directo, complemento circunstancial), la coma se omite; *Nos levantamos al salir el sol*.

5.º Para separar el nombre, en las invocaciones o llamadas: *Antonio, escúchame con atención*.

La coma no puede interponerse nunca entre el sujeto y el verbo. Tampoco puede separar a éste de su complemento directo.

El punto y coma (;)

Sirve para señalar pausas más prolongadas que las de la simple coma. Se emplea en los siguientes casos:

1.º Para separar oraciones que constituyen un párrafo largo y que ya llevan dentro de sí algunas comas. De esa forma, se evitan confusiones: *Dijo, como que no quiere la cosa, que el asunto era peliagudo, más que difícil; y él no hizo caso*.

2.º En párrafos algo extensos, antes de *mas, pero, aunque* y demás conjunciones adversativas: *No tenían ese capricho; pero forzaban las circunstancias*.

3.º Para separar oraciones que no enlazan entre sí, siempre que se interponga una conjunción entre ellas: *Mi padre no pudo resistir la tentación; y después de reposar me obligó a volver a aquel sitio*.

Los dos puntos (:)

Sirven como una especie de aviso, como anticipo de lo que sigue, como llamada de atención. Se utilizan:

1.º En las citas textuales: *Lo dijo Cervantes: «El año que es abundante en poesía, suele serlo de hambre.»*

2.º Al iniciar una carta: *Estimado y dilecto jefe:*

3.º Después de argumentos, sentencias y ciertas expresiones estereotipadas que se emplean en instancias, documentos públicos, etc.: *Certifico:, Suplica:, Expone:,* y demás.

4.º A continuación de las frases *por ejemplo, a saber, esto es,* etc.: *Castilla la Vieja tiene ocho provincias, a saber: Santander, Burgos...*

5.º Antes de la explicación correspondiente a una palabra o proposición: *La Caridad: virtud teologal de singular importancia, constituye la base de nuestro perfeccionamiento espiritual*.

El punto (.)

Se utiliza para rematar una frase con sentido completo: *Estaba sentado detrás de su mesa. Miré por la ventana. Llovía.* Cuando concluye un párrafo y el siguiente trata de un tema distinto, se acostumbra a poner punto y aparte y reanudar el escrito en la línea inferior:

Creo que fueron más de quince mil los hombres que nos atacaron.

El enemigo llegó en esa jornada a la dispersión más completa.

ORTOGRAFÍA III (cont.)

Los puntos suspensivos (...)

Su finalidad estriba en dejar incompleto, intencionadamente, el sentido de lo que se dice. Se emplean en los siguientes casos:

1.º Para dejar incompleta una cláusula, interrumpiéndola inesperadamente, ya por respeto, temor, duda u otros estados del ánimo: *Dicen... dicen... ¿qué sé yo?... muchas cosas...*

2.º Siempre que es oportuno establecer una pausa para reflexionar, recordar o destacar algo: *Verás, entre nosotros estaba... bueno, Alfredo... Sí, me parece que también estaba Ramón.*

3.º Con cierto sentido irónico: *Perdí el hilo del cuento... ¿Decía?... Ah, sí, iba por el instante en que...*

4.º En las citas literarias de un texto, para denotar que se omite algo de interés secundario: *Corrieron como locos... Llegaron al puerto...*

La interrogación (¿ ?)

Se ponen para indicar pregunta o duda. No es imprescindible que comprendan la oración completa, sino sólo las palabras que constituyen la pregunta. Uno se coloca al principio y otro al final: *Durante el examen, ¿estuviste nervioso?*

La admiración (¡ !)

Manifiestan sorpresa, queja, entusiasmo, etc. Encierran las voces de las exclamaciones: *¡Por Dios! ¡Qué alegría! ¡Ánimo!*

El paréntesis ( )

Se emplea al principio y al final de las explicaciones aclaratorias que se intercalan en un párrafo general, con el que no tienen unidad alguna: *Entró en el comedor (la casa carecía de sala de estar) y se sentó junto a la ventana. Ser o no ser. (Hamlet, Shakespeare).*

Los corchetes ([ ])

Se incluyen entre estos signos las aclaraciones referentes a textos reproducidos: *La cogió del brazo [según dijo Puri en la carta] y apretó.* Este signo tiene un empleo muy semejante al del paréntesis.

Las comillas (« » y " ")

Se usan al principio y al final de una palabra o un párrafo, citado textualmente, de otro autor, o el título de una obra: *De Rousseau: «Toda mujer literata se quedará soltera en tanto haya hombres sensatos sobre la Tierra.» Todo está escrito sobre "Las lanzas" (E. d'Ors).*

El guión (–)

Sirve para indicar, al final de una línea, que una palabra queda interrumpida, pero continúa en la línea siguiente. Separa sílabas enteras, pero cuando un vocablo compuesto sea claramente analizable como formado de palabras que por sí solas tienen uso en la lengua, o de una de estas palabras y un prefijo, será potestativo dividir el compuesto separando sus componentes, aunque no coincida la división con el silabeo del compuesto. O sea, que podrá dividirse *nos-otros* o *no-sotros, des-amparo* o *de-samparo, des-ovar* o *de-sovar, sub-rogar* o *su-brogar*.

El guión se emplea también en algunos compuestos entre los dos elementos de que puede constar una palabra, sobre todo si no están completamente fundidos: *franco-germano, crítico-histórico.*

La raya o guión largo (—)

Se utiliza en la reproducción escrita del diálogo para indicar principio o interrupción oral del personaje que habla. También para escribir versos en forma de prosa y, por último, para sustituir al paréntesis:

— Pero, ¿qué te pasa?

— Me pasa lo peor —y Emiliano jadeaba—. Te leeré esto: Hace ya diez años que recorro el mundo. —¡He vivido poco!— ¡Me he cansado mucho!

VERBOS AUXILIARES HABER Y SER

MODO INFINITIVO (FORMAS IMPERSONALES)

SIMPLES		COMPUESTAS		SIMPLES		COMPUESTAS	
Infinitivo:	haber	*Infinitivo:*	haber habido	*Infinitivo:*	ser	*Infinitivo:*	haber sido
Gerundio:	habiendo	*Gerundio:*	habiendo habido	*Gerundio:*	siendo	*Gerundio:*	habiendo sido
Participio:	habido			*Participio:*	sido		

MODO INDICATIVO

TIEMPOS SIMPLES		TIEMPOS COMPUESTOS		TIEMPOS SIMPLES		TIEMPOS COMPUESTOS	
Presente		*Pretérito perfecto*		*Presente*		*Pretérito perfecto*	
he	hemos	he habido	hemos habido	soy	somos	he sido	hemos sido
has	habéis	has habido	habéis habido	eres	sois	has sido	habéis sido
ha (hay)	han	ha habido	han habido	es	son	ha sido	han sido
Pretérito imperfecto		*Pretérito pluscuamperfecto*		*Pretérito imperfecto*		*Pretérito pluscuamperfecto*	
había	habíamos	había habido	habíamos habido	era	éramos	había sido	habíamos sido
habías	habíais	habías habido	habíais habido	eras	érais	habías sido	habíais sido
había	habían	había habido	habían habido	era	eran	había sido	había sido
Pretérito indefinido		*Pretérito anterior*		*Pretérito indefinido*		*Pretérito anterior*	
hube	hubimos	hube habido	hubimos habido	fui	fuimos	hube sido	hubimos sido
hubiste	hubisteis	hubiste habido	hubisteis habido	fuiste	fuisteis	hubiste sido	hubisteis sido
hubo	hubieron	hubo habido	hubieron habido	fue	fueron	hubo sido	hubieron sido
Futuro imperfecto		*Futuro perfecto*		*Futuro imperfecto*		*Futuro perfecto*	
habré	habremos	habré habido	habremos habido	seré	seremos	habré sido	habremos sido
habrás	habréis	habrás habido	habréis habido	serás	seréis	habrás sido	habréis sido
habrá	habrán	habrá habido	habrán habido	será	serán	habrá sido	habrán sido

MODO POTENCIAL

SIMPLE		COMPUESTO		SIMPLE		COMPUESTO	
habría	habríamos	habría habido	habríamos habido	sería	seríamos	habría sido	habríamos sido
habrías	habríais	habrías habido	habríais habido	serías	seríais	habrías sido	habríais sido
habría	habrían	habría habido	habrían habido	sería	serían	habría sido	habrían sido

MODO SUBJUNTIVO

TIEMPOS SIMPLES		TIEMPOS COMPUESTOS		TIEMPOS SIMPLES		TIEMPOS COMPUESTOS	
Presente		*Pretérito perfecto*		*Presente*		*Pretérito perfecto*	
haya	hayamos	haya habido	hayamos habido	sea	seamos	haya sido	hayamos sido
hayas	hayáis	hayas habido	hayáis habido	seas	seáis	hayas sido	hayáis sido
haya	hayan	haya habido	hayan habido	sea	sean	haya sido	hayan sido

Pretérito imperfecto	*Pretérito pluscuamperfecto*	*Pretérito imperfecto*	*Pretérito pluscuamperfecto*
hubiera o hubiese	hubiera o hubiese habido	fuera o fuese	hubiera o hubiese sido
hubieras o hubieses	hubieras o hubieses habido	fueras o fueses	hubieras o hubieses sido
hubiera o hubiese	hubiera o hubiese habido	fuera o fuese	hubiera o hubiese sido
hubiéramos o hubiésemos	hubiéramos o hubiésemos habido	fuéramos o fuésemos	hubiéramos o hubiésemos sido
hubierais o hubieseis	hubierais o hubieseis habido	fuerais o fueseis	hubierais o hubieseis sido
hubieran o hubiesen	hubieran o hubiesen habido	fueran o fuesen	hubieran o hubiesen sido

Futuro imperfecto		*Futuro perfecto*		*Futuro imperfecto*		*Futuro perfecto*	
hubiere	hubiéremos	hubiere habido	hubiéremos habido	fuere	fuéremos	hubiere sido	hubiéremos sido
hubieres	hubiereis	hubieres habido	hubiereis habido	fueres	fuereis	hubieres sido	hubiereis sido
hubiere	hubieren	hubiere habido	hubieren habido	fuere	fueren	hubiere sido	hubieren sido

MODO IMPERATIVO

Presente		*Presente*	
—	hayamos	—	seamos
he	habed	sé	sed
haya	hayan	sea	sean

VERBOS REGULARES AMAR, TEMER Y PARTIR

MODO INFINITIVO (FORMAS IMPERSONALES)	
SIMPLES	COMPUESTAS
Infinitivo amar temer partir	*Infinitivo* haber amado temido partido
Gerundio amando temiendo partiendo	*Gerundio* habiendo amado temido partido
Participio amado temido partido	

		MODO INDICATIVO		
	TIEMPOS SIMPLES		TIEMPOS COMPUESTOS	
	Presente		*Pretérito perfecto*	
amo	temo	parto	he	amado temido partido
amas	temes	partes	has	amado temido partido
ama	teme	parte	ha	amado temido partido
amamos	tememos	partimos	hemos	amado temido partido
amáis	teméis	partís	habéis	amado temido partido
aman	temen	parten	han	amado temido partido
	Pretérito imperfecto		*Pretérito pluscuamperfecto*	
amaba	temía	partía	había	amado temido partido
amabas	temías	partías	habías	amado temido partido
amaba	temía	partía	había	amado temido partido
amábamos	temíamos	partíamos	habíamos	amado temido partido
amabais	temíais	partíais	habíais	amado temido partido
amaba	temían	partían	habían	amado temido partido
	Pretérito indefinido		*Pretérito anterior*	
amé	temí	partí	hube	amado temido partido
amaste	temíste	partiste	hubiste	amado temido partido
amó	temió	partió	hubo	amado temido partido
amamos	temimos	partimos	hubimos	amado temido partido
amasteis	temisteis	partisteis	hubisteis	amado temido partido
amaron	temieron	partieron	hubieron	amado temido partido
	Futuro imperfecto		*Futuro perfecto*	
amaré	temeré	partiré	habré	amado temido partido
amarás	temerás	partirás	habrás	amado temido partido
amará	temerá	partirá	habrá	amado temido partido
amaremos	temeremos	partiremos	habremos	amado temido partido
amaréis	temeréis	partiréis	habréis	amado temido partido
amarán	temerán	partirán	habrán	amado temido partido
		MODO POTENCIAL		
	SIMPLE		COMPUESTO	
amaría	temería	partiría	habría	amado temido partido
amarías	temerías	partirías	habrías	amado temido partido
amaría	temería	partiría	habría	amado temido partido
amaríamos	temeríamos	partiríamos	habríamos	amado temido partido
amaríais	temeríais	partiríais	habríais	amado temido partido
amarían	temerían	partirían	habrían	amado temido partido
		MODO SUBJUNTIVO		
	Presente		*Pretérito perfecto*	
ame	tema	parta	haya	amado temido partido
ames	temas	partas	hayas	amado temido partido
ame	tema	parta	haya	amado temido partido
amemos	temamos	partamos	hayamos	amado temido partido
améis	temáis	partáis	hayáis	amado temido partido
amen	teman	partan	hayan	amado temido partido
	Pretérito imperfecto		*Pretérito pluscuamperfecto*	
amara o - ase	temiera o - iese	partiera o - iese	hubiera o - iese	amado temido partido
amaras o - ases	temieras - ieses	partieras o - ieses	hubieras o - ieses	amado temido partido
amara o - ase	temiera o - iese	partiera o - iese	hubiera o - iese	amado temido partido
amáramos o - ásemos	temiéramos o - iésemos	partiéramos o - iésemos	hubiéramos o -iésemos	amado temido partido
amarais o - aseis	temierais o - ieseis	partierais o- ieseis	hubierais o - ieseis	amado temido partido
amaran o - asen	temieran o - iesen	partieran o - iesen	hubieran o - iesen	amado temido partido
	Futuro imperfecto		*Futuro perfecto*	
amare	temiere	partiere	hubiere	amado temido partido
amares	temieres	partieres	hubieres	amado temido partido
amare	temiere	partiere	hubiere	amado temido partido
amáremos	temiéremos	partiéremos	hubiéremos	amado temido partido
amareis	temiereis	partiereis	hubiereis	amado temido partido
amaren	temieren	partieren	hubieren	amado temido partido
		MODO IMPERATIVO		
ama	amad	teme	temamos	parte partamos
ame	amen	tema	temed	parta partid
			teman	partan

CONJUGACIÓN DE ALGUNOS VERBOS IRREGULARES

ANDAR

INDICATIVO. *Pretérito indefinido:* anduve, anduviste, anduvo, anduvimos, anduvisteis, anduvieron. SUBJUNTIVO. *Pretérito imperfecto:* anduviera o anduviese, anduvieras o anduvieses, anduviera o anduviese, anduviéramos o anduviésemos, anduvierais o anduvieseis, anduvieran o anduviesen. *Futuro imperfecto:* anduviere, anduvieres, anduviere, anduviéramos, anduvierais, anduvieren.

ASIR

INDICATIVO. *Presente:* asgo. SUBJUNTIVO. *Presente:* asga, asgas, asga, asgamos, asgáis, asgan. IMPERATIVO: asga (él), asgamos, asgan.

CABER

INDICATIVO. *Presente:* quepo. *Pretérito indefinido:* cupe, cupiste, cupieron, cupimos, cupisteis, cupieron. *Futuro imperfecto:* cabré, cabrás, cabrá, cabremos, cabréis, cabrán. POTENCIAL. *Simple:* cabría, cabrías, cabría, cabríamos, cabríais, cabrían. SUBJUNTIVO. *Presente:* quepa, quepas, quepa, quepamos, quepáis, quepan. *Pretérito imperfecto:* cupiera o cupiese, cupieras o cupieses, cupiera o cupiese, cupiéramos o cupiésemos, cupierais o cupieseis, cupieran o cupiesen. *Futuro imperfecto:* cupiere, cupieres, cupiere, cupiéramos, cupiereis, cupieren. IMPERATIVO: quepa (él), quepamos, quepan.

CONDUCIR

INDICATIVO. *Presente:* conduzco. *Pretérito indefinido:* conduje, condujiste, condujo, condujimos, condujisteis, condujeron. SUBJUNTIVO. *Presente:* conduzca, conduzcas, conduzca, conduzcamos, conduzcáis, conduzcan. *Pretérito imperfecto:* condujera o condujese, condujeras o condujeses, condujera o condujese, condujéramos o condujésemos, condujerais o condujeseis, condujeran o condujesen. *Futuro imperfecto:* condujere, condujeres, condujere, condujéremos, condujereis, condujeren. IMPERATIVO: conduzca (él), conduzcamos, conduzcan.

DAR

INDICATIVO. *Presente:* doy. *Pretérito indefinido:* di, diste, dio, dimos, disteis, dieron. SUBJUNTIVO. *Pretérito imperfecto:* diera o diese, dieras o dieses, diera o diese, diéramos o diésemos, dierais o dieseis, dieran o diesen. *Futuro imperfecto:* diere, dieres, diere, diéremos, diereis, dieren.

DISCERNIR

INDICATIVO. *Presente:* discierno, disciernes, discierne, disciernen. SUBJUNTIVO. *Presente:* discierna, disciernas, discierna, disciernan. IMPERATIVO: discierne, discierna, disciernan.

ERGUIR

GERUNDIO: irguiendo. INDICATIVO. *Presente:* irgo o yergo, irgues o yergues, irgue o yergue, irguen o yerguen. *Pretérito indefinido:* irguió, irguieron. SUBJUNTIVO. *Presente:* irga o yerga, irgas o yergas, irga o yerga, irgamos o yergamos, irgáis o yergáis, irgan o yergan. *Pretérito imperfecto:* irguiera o irguiese, irguieras o irguieses, irguiera o irguiese, irguiéramos o irguiésemos, irguierais o irguieseis, irguieran o irguiesen. *Futuro imperfecto:* irguiere, irguieres, irguiere, irguiéremos, irguiereis, irguieren. IMPERATIVO. irgue o yergue, irgamos o yergamos, irgan o yergan.

ESTAR

INDICATIVO. *Presente:* estoy, estás, está, están. *Pretérito indefinido:* estuve, estuviste, estuvo, estuvimos, estuvisteis, estuvieron. SUBJUNTIVO. *Pretérito imperfecto:* estuviera o estuviese, estuvieras o estuvieses, estuviera o estuviese, estuviéramos o estuviésemos, estuviereis o estuvieseis, estuvieren. IMPERATIVO: está (tú), esté (él), estén (ellos).

HUIR

INDICATIVO. *Presente:* huyo, huyes, huye, huyen. SUBJUNTIVO. *Presente:* huya, huyas, huya, huyamos, huyáis, huyan. IMPERATIVO: huye (tú), huyamos, huyan.

IR

GERUNDIO: yendo. INDICATIVO. *Presente:* voy, vas, va, vamos, vais, van. *Pretérito imperfecto:* iba, ibas, iba, íbamos, ibais, iban. *Pretérito indefinido:* fui, fuiste, fue, fuimos, fuisteis, fueron. SUBJUNTIVO. *Presente:* vaya, vayas, vaya, vayamos, vayáis, vayan. *Pretérito imperfecto:* fuera o fuese, fueras o fueses, fuera o fuese, fuéramos o fuésemos, fuerais o fueseis, fueran o fuesen. *Futuro imperfecto:* fuere, fueres, fuere, fuéremos, fuereis, fueren. IMPERATIVO: ve, vaya, vayamos, id, vayan.

MOVER

INDICATIVO. *Presente:* muevo, mueves, mueve, mueven. SUBJUNTIVO. *Presente:* mueva, muevas, mueva, muevan. IMPERATIVO: mueve, mueva, muevan.

OÍR

INDICATIVO. *Presente:* oigo, oyes, oye, oyen. SUBJUNTIVO. *Presente:* oiga, oigas, oiga, oigamos, oigáis, oigan. IMPERATIVO: oye (tú), oiga, oigamos, oigan.

PLACER

INDICATIVO. *Presente:* plazco. *Pretérito indefinido:* plugo o plació (él), plugieron o placieron (ellos). SUBJUNTIVO. *Presente:* plazca, plazcas, plazca, plega o plegue, plazcamos, plazcáis, plazcan. *Pretérito imperfecto:* pluguiera o pluguiese (él). *Futuro imperfecto:* pluguiere. IMPERATIVO: plazca (él), plazcamos, plazcan.

CONJUGACIÓN DE ALGUNOS VERBOS IRREGULARES

QUERER

INDICATIVO. *Presente:* quiero, quieres, quiere, quieren. *Pretérito indefinido:* quise, quisiste, quiso, quisimos, quisisteis, quisieron. *Futuro imperfecto:* querré, querrás, querrá, querremos, querréis, querrán. POTENCIAL. *Simple:* querría, querrías, querría, querríamos, querríais, querrían. SUBJUNTIVO. *Presente:* quiera, quieras, quiera, quieran. *Pretérito imperfecto:* quisiera o quisiese, quisieras o quisieses, quisiera o quisiese, quisiéramos o quisiésemos, quisierais o quisieseis, quisieran o quisiesen. *Futuro imperfecto:* quisiere, quisieres, quisiere, quisiéremos, quisiereis, quisieren. IMPERATIVO: quiere (tú), quiera, quieran.

SABER

INDICATIVO. *Presente:* sé. *Pretérito indefinido:* supe, supiste, supo, supimos, supisteis, supieron. *Futuro imperfecto:* sabré, sabrás, sabrá, sabremos, sabréis, sabrán. POTENCIAL. *Simple:* sabría, sabrías, sabría, sabríamos, sabríais, sabrían. SUBJUNTIVO. *Presente:* sepa, sepas, sepa, sepamos, sepáis, sepan. *Pretérito imperfecto:* supiera o supiese, supieras o supieses, supiera o supiese, supiéramos o supiésemos, supierais o supieseis, supieran o supiesen. *Futuro imperfecto:* supiere, supieres, supiere, supiéremos, supiereis, supieren. IMPERATIVO: sepa (él), sepamos, sepan.

TENER

INDICATIVO. *Presente:* tengo, tienes, tiene, tienen. *Pretérito indefinido:* tuve, tuviste, tuvo, tuvimos, tuvisteis, tuvieron. *Futuro imperfecto:* tendré, tendrás, tendrá, tendremos, tendréis, tendrán. POTENCIAL. *Simple:* tendría, tendrías, tendría, tendríamos, tendríais, tendrían. SUBJUNTIVO. *Presente:* tenga, tengas, tenga, tengamos, tengáis, tengan. *Pretérito imperfecto:* tuviera o tuviese, tuvieras o tuvieses, tuviera o tuviese, tuviéramos o tuviésemos, tuvierais o tuvieseis, tuvieran o tuviesen. *Futuro imperfecto:* tuviere, tuvieres, tuviere, tuviéremos, tuviereis, tuvieren. IMPERATIVO: ten, tenga, tengamos, tengan.

TRAER

INDICATIVO. *Presente:* traigo. *Pretérito indefinido:* traje, trajiste, trajo, trajimos, trajisteis, trajeron. SUBJUNTIVO. *Presente:* traiga, traigas, traiga, traigamos, traigáis, traigan. *Pretérito imperfecto:* trajera o trajese, trajeras o trajeses, trajera o trajese, trajéramos o trajésemos, trajerais o trajeseis, trajeran o trajesen. *Futuro imperfecto:* trajere, trajeres, trajere, trajéremos, trajereis, trajeren. IMPERATIVO: traiga (él), traigamos, traigan.

VENIR

GERUNDIO: viniendo. INDICATIVO. *Presente:* vengo, vienes, viene, vienen. *Pretérito indefinido:* vino, viniste, vino, vinimos, vinisteis, vinieron. *Futuro imperfecto:* vendré, vendrás, vendrá, vendremos, vendréis, vendrán. POTENCIAL. *Simple:* vendría, vendrías, vendría, vendríamos, vendríais, vendrían. SUBJUNTIVO. *Presente:* venga, vengas, venga, vengamos, vengáis, vengan. *Pretérito imperfecto:* viniera o viniese, vinieras o vinieses, viniera o viniese, viniéramos o viniésemos, vinierais o vinieseis, vinieran o viniesen. *Futuro imperfecto:* viniere, vinieres, viniere, viniéremos, viniereis, vinieren. IMPERATIVO: ven, venga, vengamos, vengan.

YACER

INDICATIVO. *Presente:* yazco, yazgo, o yago. SUBJUNTIVO. *Presente:* yazca, yazga o yaga; yazcas, yazgas o yagas; yazca, yazga o yaga; yazcamos, yazgamos o yagamos; yazcáis, yazgáis o yagáis; yazcan, yazgan o yagan. IMPERATIVO: yace o yaz (tú); yazca, yazga o yaga (él); yazcamos, yazgamos o yagamos; yazgan o yagan.

ÁREAS*

FIGURA	DATOS	FÓRMULA
rectángulo	a,b=dimensiones	$S=ab$
cuadrado	l=lado	$S=l^2$
triángulo	b=base, h=altura	$S=b\cdot h/2$
	p=semiperímetro a,b,c=lados	$S=\sqrt{p(p-a)(p-b)(p-c)}$
trapecio	b,b′=bases h=altura	$S=(b+b')h/2$
rombo	d,d′=diagonales	$S=dd'/2$
paralelogramo	b=base, h=altura	$S=b\cdot h$
polígono regular	p=semiperímetro a=apotema	$S=pa$
círculo	r=radio	$S=\pi r^2$
sector circular	r=radio, n=grados	$S=\pi r^2 n/360$
corona circular	r,r′=radios	$S=\pi(r^2-r'^2)'$
elipse	a,b=semiejes	$S=\pi ab$
ortoedro	a,b,c=dimensiones	$S=2(ab+bc+ac)$
prisma recto	p=semiperímetro, h=altura	$S=2ph$
pirámide	p=semiperímetro de la base a=apotema de la pirámide	$S=pa$
tronco de pirámide (bases paralelas)	p,p′=semiperímetros de las bases a=apotema del tronco	$S=(p+p')a$
cilindro	r=radio g=generatriz	$S=2\pi rg$
cono	r=radio, g=generatriz	$S=\pi rg$
tronco de cono	r,r′=radios g=generatriz	$S=\pi(r+r')g$
superficie esférica	r=radio	$S=4\pi r^2$
casquete esférico zona esférica	r=radio esfera h=altura	$S=2\pi rh$
huso esférico	r=radio esfera, n=grados	$S=\pi r^2 n/90$
triángulo esférico	r=radio esfera, e=exceso esférico= =(A+B+C—180°), A,B,C,=ángulos	$S=er^2$

VOLÚMENES

FIGURA	DATOS	FÓRMULA
ortoedro	a,b,c=dimensiones	$V=abc$
prisma recto	B=área de la base h=altura	$V=Bh$
prisma oblicuo	B_r=área de la sección recta h=altura	$V=B_r h$
pirámide	B=área de la base h=altura	$V=Bh/3$
tronco de pirámide	B,B′=área de las bases h=altura	$V=(B+B'+\sqrt{BB'})h/3$
prismatoide	B,B′=área de las bases B″=área de la sección media h=altura	$V=(B+B'+4B'')h/6$
cilindro	r=radio g=generatriz	$V=\pi r^2 g$
cono	r=radio h=altura	$V=\pi r^2 h/3$
tronco de cono	r,r′=radios h=altura	$V=\pi h(r^2+r^2+rr')/3$
esfera	R=radio	$V=4\pi R^3/3$
cuña esférica	R=radio de la esfera n=grados	$V=\pi R^3 n/270$
segmento esférico de una base	R=radio de la esfera h=altura	$V=\pi h^2(3R-h)/3$
segmento esférico de dos bases	r,r′=radios de las bases h=altura	$V=\pi h(r^2+r'^2 \pm \pm h^2/3)/2$
pirámide esférica	B=área del polígono de la base R=radio de la esfera	$V=BR/3$
elipsoide	a,b,c=semiejes	$V=4\pi abc/3$

*Con excepción del cubo y del ortoedro, todas las áreas de sólidos son laterales. El área total se calcula, en cada caso, mediante la suma del área de la base (o las bases si hay dos) y el área lateral.

CONSTANTES FÍSICAS, QUÍMICAS Y MATEMÁTICAS MÁS USUALES

aceleración debida a la gravedad (al nivel del mar y a la latitud de 45°)	g	=	980,621 cm/seg^2
calor de fusión del agua (a 0 °C)	L_f	=	79,71 cal/g
calor de vaporización del agua (a 100 °C)	L_v	=	539,55 cal/g
constante de Boltzmann	k	=	1,38 · 10^{-23} joules/°K · molécula
constante de Euler	γ	=	0,57721566
constante de Planck	h	=	6,625 · 10^{-27} ergios · seg
constante general de los gases	R	=	0,08206 atm · 1/°K · mol
constante universal de gravitación	G	=	6,673 · 10^{-8} cm^3/g · seg
densidad del agua a 3,98 °C	d_0	=	1 g/cm^3
densidad del aire en condiciones normales (0 °C, 1 atmósfera)	$\rho 0$	=	1,2929 g/l
equivalente electroquímico de la plata	e_0	=	0,001118 g/amperio internacional · seg
equivalente mecánico del trabajo	J	=	4,184 joules/caloría
logaritmo decimal de e.....................	$\lg e$	=	0,4343
logaritmo decimal de pi	$\lg \pi$	=	0,497150
logaritmo neperiano de pi..................	$\ln \pi$	=	1,144730
logaritmo neperiano de 10	$\ln 10$	=	2,3026
longitud de onda absoluta de la línea roja del cadmio en el aire, a 15 °C y 1 atm	λ_{Cd}	=	6438,4696 Å
longitud de onda de la línea rojoanaranjada del criptón 86	λ_{Kr}	=	6057,802 Å
masa del átomo de hidrógeno	m_0	=	1,6734 · 10^{-24} g
número de Avogadro	N_0	=	6,023 · 10^{23} moléculas/mol
número e.............................	e	=	2,7182818284
número pi	π	=	3,14159265
unidad imaginaria	i	=	$\sqrt{-1}$
velocidad de la luz en el vacío	c_0	=	299793 · 10^{10} cm/seg
velocidad del sonido en el aire seco a 0°C	v_0	=	331,36 m/seg

SÍMBOLOS UTILIZADOS EN TEORÍA DE CONJUNTOS

SÍMBOLO	SIGNIFICADO	SÍMBOLO	SIGNIFICADO
$\in$	pertenece a	$<$	menor que
$\notin$	no pertenece a	$>$	mayor que
$\not\subset$	no incluido en	$\nless$	no es menor que
$\varnothing$	conjunto vacío	$\ngtr$	no es mayor que
$=$	igual a	$\leqslant$	menor o igual que
$\neq$	no es igual a	$\geqslant$	mayor o igual que
$\forall_x$	para todo x	$\perp$	perpendicular a
$\exists_x$	existe un x	// o $\parallel$	paralela a
/	tal que	$\angle$	oblicua a
$\Rightarrow$	implica	$\mathcal{R}$	relacionado o vinculado
$\Leftrightarrow$	equivale a, si y sólo si	$\#$	no paralelo a
$\cup$	reunión o unión	$\underline{\parallel}$	igual y paralelo a
$\equiv$	determinan	$\therefore$	en consecuencia
$\wedge$	y	$\doteq$	equivalente a
$\vee$	o	$\sim$	semejante
$\cap$	intersección	$\simeq$	aproximado a
$\subset$	incluido en	∞	infinito

En matemáticas existe un lenguaje simbólico que permite enunciar las definiciones y propiedades con toda exactitud y utilizando un mínimo de signos. Ese lenguaje es el que corresponde a los símbolos de este cuadro.

CLASIFICACIÓN DE LOS MAMÍFEROS

ORDEN	CARACTERÍSTICAS	EJEMPLOS
MONOTREMAS		ornitorrinco, equidna
MARSUPIALES		rabicorto o colicorto, glironia, lestodolfo, marmosa, yupatí, coligrueso, ratón marsupial, canguro, zarigüeya, filandro lanoso, cayopollín, tapoatafa, cuoll, ualabí, numbat
DESDENTADOS	dentadura degenerada o atrofiada.	oso hormiguero, armadillo, perezoso, gliptodón, megaterio, mirmicón, pichiciego, bolita, gualacate, tarú, piche, casabú.
ROEDORES	herbívoros; con uñas; incisivos, en bisel, de crecimiento continuo; molares raspadores; ausencia de caninos.	conejo, rata, cobaya, ratón, ardilla, liebre, marmota, capibara, castor, bobak, perrillo de las praderas, cipmunk, lirón, gundi, jerbo, hámster, lemming, puerco espín, chinchilla.
PERISODÁCTILOS ARTIODÁCTILOS PROBOSCÍDEOS	herbívoros (a excepción de los suidos, omnívoros); molares con crestas de esmalte (los suidos con tubérculos); ungulígrados; pezuñas; dedos (uno o tres los perisodáctilos, cinco los proboscídeos, dos los rumiantes y cuatro los suidos); sin caninos.	ciervo, elefante, cerdo, caballo, jabalí, buey, cordero, rinoceronte, hipopótamo, mamut, asno, onagro, kiang, cebra, tapir, chirchir, babirusa, pecarí, taytetú, alce, tañicatí, vicuña, llama, camello, gamo.

CLASIFICACIÓN DE LOS MAMÍFEROS

ORDEN	CARACTERÍSTICAS	EJEMPLOS
CETÁCEOS	vida acuática; extremidades en aletas; aleta caudal, dientes (excepto las ballenas, barbas); pisciformes; sin miembros posteriores	ballena, cachalote, delfín, marsopa, bonto, lagenorrinco, orca, narval, mesoplodon, zifio, rorcual.
SIRÉNIDOS	vida acuática; herbívoros; dentadura diferenciada.	vaca marina, dugón, manatí.
CARNÍVOROS FISÍPEDOS	dentadura completa; caninos transformados en colmillos; molares cortantes, entre los que destacan los cuatro carniceros; con garras o uñas.	perro, gato, tigre, lòbo, comadreja, oso, tejón, coyote, dingo, chacal, caberú, zorro, renec, espeoto, licaón, baribal, mapache, coatí kinkajú, olingo, panda, armiño, visón, hurón, marta, garduña, mofeta, nutria.
CARNÍVOROS PINNÍPEDOS	vida acuática, extremidades en aletas; molares cortantes; colmillos.	foca, morsa, otario o león marino, oso marino, lobo marino, elefante marino.
INSECTÍVOROS	molares erizados de puntas; con uñas; alimentación a base de gusanos, larvas e insectos.	topo, musaraña, erizo, mustiolo etrusco, almiquí, tenrec, potamógalo, rata lunar, musgaño, almizclera, desmán, patilargo, kaguano.
QUIRÓPTEROS	miembros anteriores transformados en alas (patagio); voladores; en general, alimentación a base de insectos.	murciélago, zorra voladora, kalong, rinolofo, vampiro, vespertilio, orejudo.
PRIMATES	mano prensil, con el pulgar oponible a los demás dedos; plantígrados; dentición completa y molares con tubérculos; con uñas, omnívoros; adaptados a la vida arborícola; cuadrumanos o bimanos.	maquí, lémur, lorí, dormilón, tarsero, tití, simio, macaco, monos, papión, babuino, mandril, rinopiteco, gibón, orangután, chimpancé, gorila, muriki, coatá, marimonda, tamarino, gálago, pinché, calimico, cuxiu, sakí, uácari, cebo, guariba, tota, hombre.

CLASIFICACIÓN DE LAS AVES

ÓRDENES	CARACTERÍSTICAS	EJEMPLOS
APTERIGIFORMES	sin alas ni cola	kivi
ESTRUTIONIFORMES	corredoras	avestruz
REIFORMES	corredoras	ñandú
CASUARIFORMES	corredoras	emú, casuario
TINAMIFORMES	un moñito en la cabeza	inambú, martineta
PODICIPEDIFORMES	patas en posición muy retrasada	somormujo, zampullín
GAVIIFORMES	buceadoras	colimbo
ESFENISCIFORMES	carecen de alas remeras	pingüino
PROCELARIFORMES	largo vuelo	albatros, petrel
PELECANIFORMES	alas timoneras muy largas	pelícano, alcatraz
CICONIFORMES	patas de gran longitud	garza, cigüeña
ANSERIFORMES	patas palmeadas	pato, cisne
FALCONIFORMES	pico curvo y garras	águila, milano, halcón, cóndor
GALLIFORMES	vuelo breve y carne apreciada	gallina, faisán, perdiz
GRUIFORMES O RALLIFORMES	falta de dedo posterior del pie	grulla, rascón

ÓRDENES	CARACTERÍSTICAS	EJEMPLOS
CARADRIFORMES	reducidas de tamaño con pico largo	chorlito, choza, avefría
COLUMBIFORMES	tamaño medio y pico fuerte	paloma, tórtola
SITACIFORMES	capacidad de imitar la voz humana	loro, cacatúa guacamayo
CUCULIFORMES	arborícolas	correcaminos, cuco
ESTRIGIFORMES	nocturnas, plumaje muy espeso	lechuza, mochuelo
CAPRIMULGIFORMES	color críptico y hábitos nocturnos	chotacabras
APODIFORMES	vuelo muy audaz y reducidas dimensiones	pájaro-mosca, colibrí
TROGONIFORMES	eminentemente arborícolas	tocororo
COLIFORMES	larga cola y mechón plumoso en la cabeza	ave ratón
CORACIFORMES	dedos dirigidos hacia delante	abejaruco, martín
PICIFORMES	patas con uñas curvadas y enorme pico	tucán
PASERIFORMES	facilidad de canto y reducidas dimensiones	estormino, tordo, mirlo

CLASIFICACIÓN DE LOS REPTILES

ÓRDENES	CARACTERÍSTICAS	EJEMPLOS
ESCAMOSOS	El más numeroso de los cuatro órdenes actuales de reptiles; dos o cuatro patas pentadáctilas (hay grupos sin patas); cuerpo revestido por escamas córneas; los machos tienen pene bífido.	Lagarto, geco, escinco, culebra, lagartija, víbora, crótalo, serpiente de cascabel, salamanquesa, pigopo, iguana, basilisco, falso camaleón americano, chucuala, uta, dragón, camaleón, eslizón, boa, pitón, anaconda, cobra.
RINCOCÉFALOS	Premaxilar en forma de pico; dos fosas temporales; paladar completo; vértebras anficelas.	Homeosaurus, tuatara (la única especie actual).

ÓRDENES	CARACTERÍSTICAS	EJEMPLOS
CROCODILIANOS	Cabeza deprimida; cuello grande, poco diferenciado; tronco ancho, aplanado; piel muy robusta recubierta por un estrato córneo; cola dotada de una fuerte musculatura; únicos arcosaurios actuales.	Cocodrilo, caimán, yacaré, gavial, aligátor.
QUELONIOS	Tronco ancho y corto; coraza convexa con placas córneas; cinco dedos.	Tortugas, galápago, gicotea, mata-mata, laúd, emys.